目 눈목(罒) 836
矛 창모 861
矢 화살시 862
石 돌석 864
示 보일시(礻) 884
禸 짐승발자국유 895
禾 벼화 896
穴 구멍혈 915
立 설립 925
· 氺 물수 624
· 罒 그물망 1025
· 衤 옷의 1264

6 획

竹 대죽 930
米 쌀미 966
糸 실사 979
缶 장군부 1022
网 그물망(罒·罓·㓁) 1025
羊 양양(⺶) 1033
羽 깃우 1039
老 늙을로(耂) 1048
而 말이을이 1049
耒 쟁기뢰 1050
耳 귀이 1054
聿 붓율 1062
肉 고기육(月) 1064
臣 신하신 1099
自 스스로자 1100
至 이를지 1102
臼 절구구(𦥑) 1104
舌 혀설 1107
舛 어그러질천 1109
舟 배주 1110
艮 머무를간 1118
色 빛색 1118
艸 초두(艹) 1120
虍 범호밑 1213
虫 벌레충 1217
血 피혈 [illegible]
行 다닐행 [illegible]
衣 옷의(衤) [illegible]
襾 덮을아(西) [illegible]

7 획

見 볼견 1295
角 뿔각 1304
言 말씀언 1312
谷 골곡 1366
豆 콩두 1368
豕 돼지시 1372
豸 발없는벌레치 1378
貝 조개패 1384
赤 붉을적 1402
走 달아날주 1404
足 발족(⻊) 1420
身 몸신 1455
車 수레거 1459
辛 매울신 1483
辰 별진 1486
辵 책받침(辶) 1487
邑 고을읍(阝) 1511
酉 닭유 1531
釆 분별할변 1546
里 마을리 1547
· 镸 길장 1592

8 획

金 쇠금 1548
長 길장(镸) 1592
門 문문 1594
阜 언덕부(阝) 1609
隶 미칠이 [illegible]
隹 새추 [illegible]
[illegible]
[illegible] 1656
革 가죽혁 1659
韋 다룸가죽위 1673
韭 부추구 1679
音 소리음 1680
頁 머리혈 1682
風 바람풍 1703
飛 날비 1712
食 밥식(飠) 1712
首 머리수 1731
香 향기향 1732

10 획

馬 말마 1734
骨 뼈골 1755
高 높을고 1763
髟 터럭발밑 1764
鬥 싸울투 1775
鬯 술창 1777
鬲 솥력 1777
鬼 귀신귀 1780

11 획

魚 물고기어 1786
鳥 새조 1809
鹵 소금밭로 1842
鹿 사슴록 1844
麥 [illegible]맥 1849
[illegible] 1854
[illegible]
[illegible] 1856
[illegible] 기장서 1858
黑 검을흑 1861
黹 바느질할치 1870

13 획

黽 맹꽁이맹 1870
鼎 솥정 1872
鼓 북고 1873
鼠 쥐서 1875

14 획

鼻 코비 1879
齊 가지런할제 1882

15 획

齒 이치 1884

16 획

龍 용룡 1892
龜 거북귀 1894

17 획

龠 피리약 1895

엣센스
漢字辭典
[實用玉篇]

民衆書林 編輯局 編

辭典專門
民衆書林

머 리 말

우리 나라 한자 자전(字典)은, 근세 조선 초기부터 중국 특정 운서(韻書)의 색인(索引) 구실을 하는 옥편이 나돌다가 정조(正祖) 때의 〈전운옥편(全韻玉篇)〉에 이르러 비로소 글자마다 자음(字音)과 자의(字義)를 달아 자전(字典)의 효시(嚆矢)를 이루게 되었다.

광복 후 여러 종류의 사전이 출판됨에 따라 옥편이나 자전도 사전식이어야 한다는 인식이 높아짐에 따라 당시 민중서관(民衆書館)에서는 1960년 초부터 표제어의 자음과.자의에 그 출처 문헌까지 보여 주는 한편, 표제자가 앞에 오는 숙어(熟語)도 실어, 명실 상부한 한문 사전으로서의 면모를 갖추게 되었다.

한때 한글 전용 문제로 한자에 대한 소양(素養)이 멀어졌던 시기도 있었으나, 근자에 이르러 한문이 정식으로 교과 과정에 오르고, 일반인들에게도 한자에 대한 새로운 인식이 보편화되어 감에 따라 자전의 중요성도 한층 높아지게 되었다.

이번 〈한자 사전(漢字辭典)〉 편찬에 있어, 〈한한대자전(漢韓大字典)〉을 모체로 하여 사용 빈도가 높은 한자만을 엄선하여 대폭 보충하였다. 또한, 중국어(中國語)를 공부하는 학생들을 위하여 한어 병음 자모(漢語拼音字母)를 병기(倂記)하였고, 또 일본어를 공부하는 독자를 위하여 한자에 해당하는 대표 음독(音讀)과 훈독(訓讀)을 표기하였다. 또한, 중요 한자에는 필순(筆順)까지 보임으로써 흥미를 가지고 한자에 접할 수 있게 하는 동시에, 표제자도 약 31,000 자를 실어 소(小)자전으로는 타의 주종을 불허하는 최대의 자전으로 편찬하였다.

아무쪼록 이 자전이 독자들의 한자 소양 증진에 좋은 벗이 되기를 바라면서, 계속 강호 제위(江湖諸位)의 편달(鞭撻)을 바라는 바이다.

1999년 2월 일

민중서림 편집국

일 러 두 기

본 한자 사전(漢字辭典)은 현행(現行) 각급 학교 국어·한문 교과서는 물론, 사서(四書) 등을 비롯한 고전(古典)에 나오는 일체의 한자(漢字)를 망라(網羅)하여 정확하고 자세한 뜻풀이를 하였다.

이 책에 표제자로 수록한 한자는 대체로 강희자전(康熙字典)에 준거(準據)하였지만, 오늘날 이미 폐자(廢字)되어 버린 글자는 싣지 않고, 강희자전에 들어 있지 않은 글자라도 오늘날 널리 쓰이는 글자는 그것이 와자(訛字)이건 속자(俗字)이건 간에 모두 보충하여 실었으며, 우리 나라에서 만든 글자도 되도록 많이 채록하였다.

이 책을 이용하는 데 꼭 알아 두어야 할 점은 다음과 같다.

I. 표제자(表題字)의 해설

(1) **표제자의 배열**　강희자전(康熙字典)에 따라 부수순(部首順)·획수순(畫數順)으로 하였으며, 같은 획수일 경우에는 자형상(字形上) 그 소속 부수가 놓인 차례, 관·변·방·각(冠偏旁脚), 곧 상·좌·우·하의 차례로 배열하였다.

(2) **표제자의 개괄적 해설**

① **표제자**　표제자는 큰 활자로 실어 〔 〕로 묶었다.

② **총획 및 부수**　표제자의 앞에 그 글자가 속하는 부수와 획수를 보이고, 뒤에 그 글자의 총획(總畫)을 표시하였다.

③ 표제자가 중학교 교육 한자이며 인명 한자인 것은 [中·人], 고등 학교 교육 한자이며 인명 한자인 것은 [高·人], 인명 한자인 것은, [人名]으로 표시하였다.

④ 우리 나라에서만 쓰이는 한자 및 우리 나라의 특유한 음을 가지는 한자에는 그 음 앞에 ㊕(韓), 현대에 와서 새로 만들어진 표제자에는 ㊗(現)을 표시하였다.

⑤ 표제자의 음(音)은 현재 널리 쓰이는 음을 표준음으로 내세우고, 그 본음(本音)을 (㊍(本)), 속음(俗音)을 (㊗(俗))으로 표시하였다.

⑥ **운자(韻字)**　한자의 음에 바로 이어 그 표제자가 속하는 운목(韻目)을 표시하고, 그 사성(四聲)의 구별은 ㊥(平)㊤(上)㊦(去)㊀(入)으로 각각 나타내었다.

㉠ 평성(平聲)…억양이 없는 평평한 음

㉡ 상성(上聲)…어미가 세고 끝이 올라가는 음

㉢ 거성(去聲)…어두가 세고 끝이 올라가는 음

㉣ 입성(入聲)…짧고 빨리 거두어 들이는 음

⑦ 또, 일본어를 공부하는 독자를 위하여 그 한자에 해당하는 대표 음독과 훈독을 표기하였다.

土12〔墳〕15 [高·人] 분 ㊥(平)文 ㊤(上)吻 ㊤(上)阮 | fén フン はか fèn フン こえた つち ホン うごもつ

(3) 필순(筆順)

중학교·고등 학교의 교육용 기초 한자, 인명 한자, 부수자(部首字)는 물론, 평소에 쓰기 까다로운 한자에도 필순을 보였다.

(4) 자해(字解)

① 훈(訓)과 음(音)을 고딕체 활자로 표시하고, 그 뒤에 한자어(漢字語)를 용례로 보이고 그 출전(出典)을 밝혔다.

② 음(音)과 훈(訓)이 다를 경우에는 日 目 目…으로 구별하였다.

③ 훈(訓)이 둘 이상 있을 경우에는 ① ② ③…으로 구분하였다.

④ 자해(字解)에서 동자(同字), 속자(俗字) 등은 그 글자 다음에 〈 〉로 표시하여 그 글자가 속해 있는 쪽수를 밝혔다.

(5) 자원(字源)

먼저 육서(六書)와 문자(文字)의 구성(構成)을 표시하고, 상형자(象形字)나 지사자(指事字)의 경우 그 글자의 자원(字源)을 간결하게 해설하였다.

土 12 〔墩〕15 [人名] 돈 ㉲元 | dūn トン こだかいおか

[字解] ……

[字源] 形聲. 土＋敦〔音〕

① 상형(象形)…눈으로 볼 수 있는 것의 모양에서 그 특징을 강조해서 나타내는 글자 형성법. 소의 뿔을 강조하여 나타낸 '牛' 따위.

② 지사(指事)…'一, 二'나 '上, 下'와 같이 추상적인 것을 기호로 나타내는 글자 형성법.

③ 회의(會意)…둘 이상의 글자를 합쳐서 한 글자를 만들고, 본디의 각 글자와는 음 및 뜻이 다른 별개의 것을 나타내는 글자 형성법. '人'과 '言'을 합쳐 '信'을 만드는 따위.

④ 형성(形聲)…두 글자를 합쳐서 된 새 글자의 한쪽 부분이 음을, 다른 한쪽 부분이 뜻을 나타내는 글자 형성법. '靑'으로 음을 나타내고 '氵=水'로 뜻을 나타내어, '淸'을 만드는 따위.

⑤ 가차(假借)…음(音)만 빌려서 본디의 뜻과는 다른 뜻을 나타내는 글자 형성법. '길다'의 뜻을 가진 '長'을 '장관(長官)'의 뜻으로 사용하는 따위.

⑥ 전주(轉注)…한 글자를 다른 뜻으로 전용(轉用)하는 글자 사용법. 풍류를 나타내는 '樂(악)'을 '즐겁다'의 뜻인 '樂(락)'으로 쓰는 따위.

(6) 자원(字源)의 문자 구성에서 글자의 생략은 〈省〉, 형성자에서 글자의 음 부분은 〔音〕으로 표시하였다.

(7) 참고(參考)

[參考]에서는 그 표제자의 본자(本字)·약자(略字)·동자(同字)·속자(俗字) 등을 밝혔다.

人 6 〔來〕8 [中·人] 래 ㉲灰 ㉵隊 | lái ライ くる / lài ライ ねぎらう

[字解] ……

[字源] ……

[參考] 来(木부 3획〈529〉)는 俗字.

(8) 동자(同字)·속자(俗字)·약자(略字)·본자(本字)·고자(古字)·주문(籒文)·와자(訛字)

위의 글자들을 표제자로 세운 경우, 그 본자(本字)가 속해 있는 쪽수를 〈 〉 안에 밝히고, 각 한자마다 〔 〕 안에 음을 밝혔다.

土 12〔壔〕15 〔도〕 壽(土부 14획〈223〉)의 本字

土 12〔墰〕15 〔담〕 壜(土부 16획〈224〉)과 同字

Ⅱ. 색인(索引)의 이용법

본문 뒤에는 부수 검자 색인(部首檢字索引)·총획 색인(總畫索引)·자음 색인(字音索引) 등을 첨부하였고, 앞뒤의 면지(面紙)에는 부수 색인(部首索引)을 실어 본문을 찾아보는 데 편리하도록 하였다.

(1) 부수 검자 색인(部首檢字索引) : 이 책에 수록된 모든 표제자를 부수순으로 싣고, 각 부수에 속하는 한자들을 획수순으로 배열하였다.

(2) 총획 색인(總畫索引) : 이 책에 수록된 모든 표제자를 부수(部首)에 의하지 않고 획수만으로도 찾아볼 수 있도록 총획수에 따라 대별(大別)하고, 다시 부수순으로 배열하였다.

(3) 자음 색인(字音索引)

① 이 책에 수록된 모든 표제자를 가나다…순(順)으로 배열하고, 같은 음의 글자는 부수·획수순으로 늘어놓았다.

② 한 글자가 몇 개의 음을 가질 때에는 각 음을 모두 실었다. 또, 본음(本音)·속음(俗音)도 각각 그 음 자리에 실었다.

(4) 부수 색인(部首索引)

앞 면지 1, 2면과 뒷 면지 2, 3면에 각각 부수 색인을 붙여, 그 부수가 시작되는 쪽수를 표시하였다.

한자의 필순(筆順)

필순이란, 점(點)과 획(畫)이 차례로 거듭되어 하나의 글자를 다 쓸 때까지의 차례를 말한다.

필순은 전체의 글자 모양이 정돈되고 구조적(構造的)으로도 바르며, 또 무리없이 쓸 수 있도록 오랜 동안에 걸쳐서 연구(硏究)되고, 오늘날까지 전해 내려온 것이므로 그에 따라서 쓰는 것이 능률적이고도 효과적이다.

필순은 원칙적으로 각 글자마다 일정한 차례로 정해져 있지만, 개중에는 예외적인 필순이 일반적으로 인정되고 있는 것도 있다. 또, 한 글자에 두 가지 또는 그 이상의 필순이 있는 것도 있다. 이 경우에 다른 필순은 서로 다를 뿐, 어느 한쪽이 틀린 것이 아님을 알아야 한다.

여기서는 일반적인 원칙을 중심으로 하여 필순의 대요(大要)를 설명하기로 한다.

(1) 위로부터 아래로 써 내려간다.

보기 三…一 二 三

言…亠 言 言

(2) 왼쪽에서부터 오른쪽으로 써 나간다.

보기 川…丿 川 川

例…亻 伤 例

(3) 가로획을 먼저 쓴다.

▷ 가로획과 세로획이 교차(交叉)할 때에는 일반적으로 가로획을 먼저 쓴다.

보기 十…一 十

土…一 十 土

無…𠂉 無 無

〔주의〕 '無'는 두 가지 필순이 있다.

㉠ 〈필기식(筆記式)〉

𠂉 𠂉 無 無 無

㉡ 〈서예식(書藝式)〉

𠂉 𠂉 𠂉 無 無

(4) 가운데를 먼저 쓴다.

보기 小…亅 小 小

水…亅 水 水

(=丞·蒸)

樂…白 𢆶 樂 樂

〔주의〕 가운데를 나중에 쓰는 것

보기 火…丶 丷 火

(=炎·灰)

性…丷 忄 性

(=惟)

(5) 바깥쪽을 먼저 쓴다.

▷ 에워싸는 꼴을 취하는 것

보기 同…丨 冂 冂 同

(=司)

國…丨 冂 國 國

(=圍·固)

〔주의〕 區…一 亖 品 區

匹…一 丆 兀 匹

(6) 왼쪽 삐침을 먼저 쓴다.

▷ 삐침(丿)과 파임(㇏)이 만나는 것

보기 文…亠 ナ 文

父…八 父 父

(=支·又)

▷ 만나지 않을 때도 삐침을 먼저 쓴다.

보기 人…丿 人
入…丿 入
欠…𠂊 𠂉 欠
金…丿 人 金
(=合)

〔주의〕'必'은 두 가지의 필순이 있다.

㉠ 丶 丷 必 必 必
㉡ 丿 乂 必 必 必

본디 '必'은 '弋'와 '八'이 합쳐서 된 글자인데도 불구하고 명조(明朝) 활자(活字)의 서체(書體)로는 마치 '心'에 '丿'을 더한 것처럼 보여, 일반 사람이 '心丿'의 필순으로 쓰지만, 역시 ㉠의 필순이 가장 좋은 필순이라고 하겠다.

(7) 가로획과 삐침

▷ 가로획이 길고 삐침이 짧은 글자는 삐침을 먼저 쓴다.

보기 右…丿 𠂇 右
有…丿 𠂇 有
希…㐅 𠂂 𢁉 希

▷ 가로획이 짧고 삐침이 긴 글자는 가로획을 먼저 쓴다.

보기 左…一 𠂇 左
友…一 𠂇 友
存…一 𠂇 𠂒 存
在…一 𠂇 在

〔참고〕'右'와 '左'는 자원(字源)에 있어서 글자 모양이 다르기 때문에 가로획과 삐침의 차례가 달라진 것이다.

㉠ 右…𠃌('有'·'布'도 마찬가지)
㉡ 左…𠂇('存'·'友'도 마찬가지)

다만, '希'는 자원에 관계 없이 '右'의 필순을 따르고 있으며, '左'의 필순을 따르는 것에는 '友'(자원이 '右'에 속하므로 초서(草書)에서는 자원대로의 필순으로 씀)·'存'·'在'가 있다.

〔주의〕먼저 쓰는 삐침

보기 九…丿 九
及…丿 乃 及

〔주의〕나중에 쓰는 삐침

보기 力…㇆ 力
万…一 丁 万
方…亠 ㇆ 方

(8) 좌우로 꿰뚫은 획은 맨 나중에 쓴다.

▷ 글자 전체를 가로 꿰뚫은 것

보기 女…𡿨 女 女
母…𠃋 𠃍 𠂉 母
子…𠃌 了 子
舟…𠂊 𠂋 舟 舟

〔예외〕世…一 卄 廿 世

(9) 아래위로 꿰뚫린 획은 맨 나중에 쓴다.

▷ 글자 전체를 꿰뚫은 것

보기 中…口 中
(=𠁦·中)
車…一 𠮛 亘 車
事…一 𠮛 𠁣 事

▷ 위 또는 아래가 막혀도 맨 나중에 쓴다.

보기 手…𠂇 手
平…一 丷 平

〔주의〕원칙적으로는 아래가 막힌 세로획은 먼저 쓴다.

보기 虫…口 中 虫

▷ 아래위가 모두 막힌 세로획은 윗부분·세로획·아랫부분의 차례로 쓴다. 따라서, 맨 밑의 가로획을 마지막에 쓴다.

보기 里…旦 甲 里

重…亠 亩 重 重

(10) 오른쪽 어깨의 '丶'은 맨 마지막에 찍는다.

보기 犬…一 大 犬

伐…代 伐 伐

博…十 忄 恒 博

(11) '走·夂·免·是'는 맨 먼저 쓴다.

보기 起…土 卡 走 走 起

勉…⺈ 㐁 免 免 勉

題…日 早 早 是 題

(12) '辶·廴·乚'는 맨 나중에 쓴다.

보기 近…厂 斤 斤 近

建…コ ヨ 聿 聿 建

直…一 十 冇 直 直

(13) 특수한 자형의 필순의 보기

凸…丨 ㅣ 凵 凸 凸(5획)

凹…丨 ㄴ 凵 凹 凹(5획)

亞…一 丅 丅 亞 亞 亞

亞 亞(8획)

(14) '止·耳·感·盛·興' 등은 일반적으로 두 가지의 필순이 있다.

止 ㉠ 丨 卜 止
止 ㉡ 卜 卜 止

耳 ㉠ 丅 E 耳
耳 ㉡ 丅 F 耳

感 ㉠ 后 咸 感
感 ㉡ 后 咸 感

興 ㉠ 亻 印 興
興 ㉡ 同 印 興

주요 출전(主要出典)

〈가나다순(順)〉

강희자전(康熙字典)	淸나라 聖祖가 張玉書(장옥서)·陳廷敬(진정경) 등 30인의 학자에게 명하여 편찬한 중국 최대의 자전. 강희 55년(1716년)에 간행됨.
광아(廣雅)	중국 魏나라 張揖(장읍)이 편찬한 한자 자전. 10권.
광운(廣韻)	한문자를 韻에 따라 분류·배열하고, 글자마다 음과 뜻을 주해한 韻書(26,194자).
국어(國語)	左氏傳에 누락된 춘추 시대의 역사를 적은 책. 左丘明이 지었다 함.
논어(論語)	四書의 하나. 孔子의 언행이나, 弟子·諸侯·隱者와의 문답, 제자끼리의 문답 등을 기술한 것으로, 공자의 생전부터 기록되어 그의 歿後(몰후), 門弟(문제)들에 의하여 편찬된 것으로, 추정됨. 공자의 이상적 도덕인 '仁'의 뜻, 정치·교육에 대한 의견 등이 씌어 있는 儒敎의 경전임. 7권 20편.
문선(文選)	중국 梁나라 昭明太子 蕭統(소통)이 엮은 시문집.

서경(書經)	五經의 하나. 중국 堯舜 때부터 周나라 때까지의 政事에 관한 文書를 孔子가 수집·편찬한 책. 20권 58편.
석명(釋名)	後漢의 劉熙(유희)가 지은 책. 爾雅를 본떠서 訓詁를 설명하였음.
설문(說文)	後漢의 許愼(허신)이 撰한 중국의 가장 오래 된 字典. 중국 文字學의 기본적인 古典의 하나. 漢字를 분류하여 六書의 뜻을 캐고, 文字의 의미를 밝혔음. 30권. 설문해자.
설원(說苑)	중국의 훈계적 전설집. 君道·臣術·建本·立節·貴德·復恩(부은) 등 20편으로 나누어서, 처음에 序說을 말하고, 뒤에 逸話를 열거함. 漢나라 劉向이 편찬. 20권.
시경(詩經)	五經의 하나. 孔子가 편찬하였다고 함. 殷代부터 春秋 시대까지의 詩 311편으로, 기원전 10~6세기의 古詩로 추정되며, 國風·雅·頌의 세 부분으로 대별하였음.
옥편(玉篇)	중국 梁나라 顧野王(고야왕)이 엮은 한자 자전. 30권.
의례(儀禮)	중국 經書의 하나. 관혼상제를 비롯하여 중국 고대 사회의 사회적 의식을 자세히 기록하였음.
이아(爾雅)	중국 고대의 經典에 物名을 주해한 책. 천문·지리·음악·기재(器材)·초목·조수 등의 낱말을 해석하였음.
자휘(字彙)	중국 明나라의 梅膺祚(매응조)가 지은 字書. 33,079자.
전국책 (戰國策)	중국 전국 시대에 종횡가가 諸侯에게 논한 책략을 國別로 모은 책. 劉向이 편찬함.
정자통 (正字通)	중국의 音韻字書. 明나라 張自烈(장자열)이 지은 것으로, 淸나라의 廖文英(요문영)이 南康의 白鹿洞에서 版刻(판각)하였음. 12권.
좌전(左傳)	春秋의 해석서로서 모두 30권. 左丘明의 작품이라고 전하여짐. 전국 시대에 성립된 것임. 좌씨전. 좌씨춘추전. 춘추좌씨전.
집운(集韻)	중국의 音韻書. 宋나라 丁度 등의 奉命撰. 53,525자.
초사(楚辭)	중국 楚나라 屈原의 辭賦와 그의 문하생 및 後人의 작품을 모은 책. 漢나라 劉向이 지었다 함.
한서(漢書)	중국의 前漢, 곧 高祖에서 王莽(왕망)까지 229년간의 역사를 기록한 책. 120권.
여씨춘추 (呂氏春秋)	중국 秦나라의 呂不韋(여불위)가 賓客을 모아 지었다고 전해지는 史論書. 26권.
한시외전 (韓詩外傳)	漢나라의 韓嬰(한영)이 지은 漢詩에 관한 책. 古事나 古語를 들고 詩語에 대한 연원을 밝히고 있음. 10권.
회남자 (淮南子)	중국 前漢의 회남왕인 劉安이 편저한 철학서. 정식 명칭은 〈淮南鴻烈〉.
후한서 (後漢書)	중국 後漢 12 임금의 史蹟을 적은 역사책. 南朝 宋나라 范曄(범엽)이 지은 것을 梁나라 劉昭(유소)가 보충하여 완성하였음. 120권.

一 部

〔한 일 부〕

一 0 〔一〕1 中·人 일 入質 yī イチ·イツ ひと, ひとつ

字解 ①한일, 하나일 ㉠수의 처음. '一人'. '擧一而廢百'《孟子》. ㉡단독. 단지 하나. '一手獨拍, 雖疾無聲'《韓非子》. ㉢처음. 근본. '務一不尙繁密'《顔延之》. ㉣순전(純全). 순수. '純一'. '維精維一'《書經》. '天得一以淸'《老子》. ㉤같음. 동일(同一). '一樣'. '一色'. '先聖後聖, 其揆一也'《孟子》. ㉥전일(專一). '一心'. '一意'. '用心一也'《淮南子》. ②하나로할일 ㉠합침. '人主者, 一力以共載之'《韓非子》. ㉡동일하게 함. '一度量, 平權衡'《呂氏春秋》. ㉢고르게 함. '靜生民之業, 而一其俗'《史記》. ㉣통일함. '孰能一之'《孟子》. ③첫째일 제일. '一等'. '治爲天下第一'《漢書》. ④온통일 전부. 전체. '一國'. '一軍皆驚'《史記》. ⑤낱낱일 하나하나. '逐一點檢'《朱子語錄》. ⑥한번일 1회. '人一能之, 已百之'《中庸》. '目所一見, 輒誦于口'《後漢書》. ⑦만일일 만약. '一旦'. '彼一見秦王, 秦王必相之'《戰國策》. ⑧오로지일 외곬으로. 전혀. '一遵蕭何之約束'《史記》. '賞利一從上出'《韓非子》. ⑨모두일 다. 빠짐없이. '一切'. '一可以爲法則'《荀子》. ⑩어느일 어떤. '一日'. '一說'. '一夕自恨死'《柳宗元》. ⑪어조사일 어세(語勢)를 강하게 하는 조사(助辭). '一遊一豫, 爲諸侯度'《孟子》. ⑫성일 성(姓)의 하나.

字源 指事. 가로의 한 획으로 '하나'의 뜻을 나타냄.

參考 壹(士부 9획〈226〉)은 갖은자.

一 1 〔丁〕2 中·人 정 平青 平庚 ①-⑥dīng テイ·チョウ つよい, ひのと ⑦-⑬zhēng トウ·チョウ きをきるおと

筆順 一 丁

字解 ①넷째천간정 십간(十干)의 제4위(第四位). 오행(五行)으로는 화(火)에 속하고, 방위로는 남방에 배당함. '太歲在一, 曰彊圉'《爾雅》. ②성할정, 셀정 왕성함. 강성함. '一者謂萬物之一壯'《史記》. ③장정정 ㉠성년(成年)의 남자. '一男'. '赤手募一修險隘'《劉克莊》. ㉡부역(賦役)에 징집(徵集)되는 남자. '一役'. '每月役一, 二百萬人'《隋書》. ④일꾼정 하인. 노동자. '庖一'. '馬一'. '畦一負籠至'《杜甫》. ⑤당할정 일을 만남. 조우(遭遇)함. '一憂'. '其兄珽一內艱'《五代史》. ⑥벌목소리정 나무를 찍는 소리. '伐木一一, 鳥鳴嚶嚶'《詩經》. ⑦성정 성(姓)의 하나. ⑧말뚝박는소리정 '椓之一一'《詩經》 ⑨바둑두는소리정 '宜圍棊, 子聲一一然'《王禹偁》. ⑩거문고타는소리정 거문고·비파(琵琶) 같은 현악기를 타는 소리. '但聞琴聲一一然'《捫蝨新語》. ⑪물방울소리정 물방울이 떨어지는 소리. '一一漏向盡'《白居易》. ⑫문두드리는소리정 '一一啄門疑啄木'《韓愈》. ⑬옥소리정 옥(玉)이 울리는 소리. '雙璫一一聯尺素'《李商隱》. ※속(俗)에 '고무래정'으로 훈(訓)함은 잘못.

字源 象形. 못〔釘〕의 모양을 본뜸.

一 1 〔丂〕2 고 上晧 kǎo, kē コウ きのびようとしてさまたげられるさま

字解 기뻗으려하다막힐고 기(氣)가 뻗어 오르려 하다 장애물에 막히어 고부라지는 모양. '一, 氣欲舒出. 勹, 上礙於一也'《說文》

字源 象形. 꼬부라진 조각(彫刻) 칼의 모양을 본뜸.

一 1 〔丅〕2 〔하〕 下(一부 2획〈10〉)의 本字

一 1 〔七〕2 中·人 칠 入質 qī シチ なな, ななつ, なの

筆順 一 七

字解 ①일곱칠 여섯에 하나를 보탠 수. '一旬'. '一書'. '摽有梅, 其實一兮'《詩經》. ②일곱번칠 7회. '一擒一縱'《蜀志》. ③문체이름칠 한문의 한 체(體). 곧, 문대(問對). 초사(楚辭)의 '一諫'에서 시작되어, 매승(枚乘)의 '一發', 조식(曹植)의 '一啓' 등이 있음. '一者文章之一體也'《文體明辯》. ④성칠 성(姓)의 하나.

字源 指事. '十'의 끝 획을 구부려서 '일곱'을 나타냄.

參考 예전엔 금전(金錢)의 기재 따위에서, 그 개변(改變)을 막기 위해 '柒·漆' 따위의 글자를 빌려 쓰기도 했음.

一 1 〔丄〕2 〔상〕 上(一부 2획〈10〉)의 本字

一 2 〔三〕3 中·人 삼 ①-③平覃 ④去勘 sān サン み, みつ, みっつ sàn サン みたび

筆順 一 二 三

字解 ①석삼 셋. '一冬'. '不孝有一'《孟子》. ②세번 삼 3회. '一拜'. '一思而後行'《論語》. '先帝一顧臣於草廬之中'《諸葛亮 前出師表》. ③성삼 성(姓)의 하나. ④자주삼 여러 번. '湯一使往聘之'《孟子》.
字源 指事. 세 개의 가로획으로 '셋'을 나타냄.
參考 특히 금전상(金錢上)의 숫자 표시에서 그 변개(變改)를 막기 위해 '參'을 갖은자로 씀.

一 2 〔下〕 3 中·人 하 ①②㊤馬 ③-⑥(去)禡 | xià カ·ゲ した, しも xià カ·ゲ くだる, さがる, おりる

筆順 一 丅 下

字解 ①아래하 ㉠위의 대(對). '上一'. '一層'. '一臨無地'《王勃》. ㉡낮은 곳. '猶水之就一'《孟子》. ㉢밑. 바닥. '地一'. '出魚乎十仞之一'《呂氏春秋》. ㉣물건의 머리와 반대되는 쪽 끝. '一文'. '若河決一流而東注'《韓愈》. ㉤뒤. 후세. '千歲之一'《歷代名畫記》. '上自唐虞, 一至秦繆'《十八史略》. ㉥열등. '一劣'. '厥賦一上'《書經》. ㉦두 사물(事物) 중의 경(輕)한 쪽. '上以安主體, 一以便萬民'《漢書》. ㉧낮은 지위. 낮은 사람. '一嫁'. '在一不怨'《孝經》. ㉨부하. '手一'. '強將之一無弱兵'《蘇軾》. ㉩백성. 서민. '上之化一, 得其道'《韓愈》. ㉪곁. 가. '數州之土壤, 皆在衽席之一'《柳宗元》. ㉫산 기슭. '采苦采苦, 首陽之一'《詩經》. ㉬땅. '禱爾于上一神祇'《論語》. ㉭어의(語意)를 강하게 하기 위하여 조사(助辭)와 같이 씀. '但見古來盛名一, 終日坎壈纏其身'《杜甫》. ㉮자기의 사물에 관한 겸칭(謙稱). '一懷'. '一走將歸延陵之墓'《漢書》. ②낮을하 아래임. 미치지 못함. '一位'. '一等'. '一王后一等'《詩經 序》. ③내릴하 ㉠낮은 데로 옮음. 내려감. '一車'. '一山'. '浮西河而一'《史記》. 또, 낮은 데로 옮김. '糟糠之妻不一堂'《後漢書》. ㉡비가 옴. '陰雲曀兮雨未一'《曹丕》. 또, 비가 오게 함. '天油然作雲, 沛然一雨'《孟子》. ㉢명령이 나옴. '制一'《十八史略》. 또, 명령을 냄. '一命'. '趣使使一令'《史記》. ㉣착수함. 손을 댐. '一手'. '將軍一筆開生面'《杜甫》. ④떨어질하 ㉠낙하함. '慷慨傷悵, 泣數行一'《史記》. ㉡함락함. 항복함. '齊城不一者兩城耳'《史記》. ⑤떨어뜨릴하 함락시킴. 항복받음. '憑軾一東藩'《魏徵》. ⑥낮출하 ㉠겸손함. '卑一'. '以貴一賤, 大得民也'《易經》. ㉡감함. 적게 함. '歲登一其損益之數'《周禮》.
字源 指事. 가로획을 하나 긋고 그 아래임을 나타냄.

一 2 〔万〕 3 人名 ㊀만 (去)願 ㊁묵 (入)職 | wàn マン·バン よろず mò

筆順 一 丆 万

字解 ㊀ 일만만 萬(艸부 9획〈1156〉)의 俗字. ㊁ 성묵 '一俟'는 오랑캐의 복성(複姓).
參考 '万'은 卍(十부 4획〈127〉)의 변형으로, 예로부터 '萬'의 통용자(通用字)로 쓰이었음.

一 2 〔丈〕 3 高·人 장 ㊤養 | zhàng ジョウ たけ

筆順 一 ナ 丈

字解 ①장장 길이의 단위의 하나. 열 자. 10척(尺). ②길이장 긴 정도. '屬役賦一'《左傳》. ③어른장 장자(長者)의 존칭(尊稱). '富鄭公稱范文正公, 曰范十二一'《長編》. ④지팡이장 杖(木부 3획〈528〉)과 통용. '老人持杖, 故曰一人'《六書正譌》. ⑤성장 성(姓)의 하나.
字源 象形. 막대기를 손에 든 모양을 본뜸.

一 2 〔丌〕 3 기 (平)支 | jī キ だい

字解 ①상(床)기 물건을 받쳐서 내는 소반 같이 된 제구. '典從冊在一上'《書經 註》. ②其(八부 6획〈87〉)의 古字. ③성기 성(姓)의 하나.
字源 象形. 다리가 달린, 물건을 올려놓는 받침을 본뜸.

〔扌〕 手部(427)를 보라.

〔廾〕 〔공〕 部首(355)를 보라.

一 2 〔上〕 3 中·人 상 ①-③(去)漾 ④-⑨㊤養 | shàng ジョウ うえ, かみ shǎng ジョウ あがる, のぼる

筆順 丨 ⺊ 上

字解 ①위상 ㉠높은 데. '天一'. '輟耕之壟一'《史記》. ㉡존귀한 데. 높은 계급. '賢者在一'《呂氏春秋》. ㉢꼭대기. '頂一'. '藏寶符於常山一'《史記》. ㉣하늘. '格于一下'《書經》. ㉤거죽. 표면. '地一'. '猶燕之巢于幕一'《左傳》. ㉥손윗사람. 존장. '長一'. '忠順不失以事其一'《孝經》. ㉦천자(天子). 군주. '一意'. '主一'. '一自將而往'《史記》. ㉧조정(朝廷). '一無名君'《史記》. 또, 조정에 있는 사람. '居下位, 而不獲於一'《孟子》. ㉨처음. 앞. '一卷'. '誦一篇'《南史》. ㉩옛날. 이전. '一古'. '自此以一者'《呂氏春秋》.

㉪다른 것보다 나은 쪽. '一等'. '未有得一策者也'《漢書》. ㉫둘 있는 사물 중의 중요한 쪽. '一以安主體, 下以便萬民'《漢書》. ②가상 곁. 변두리. '江一'. '子在川一'《論語》. ③숭상할상 尙(小부 5획〈292〉)과 통용. '一賢'《漢書》. ④성상 성(姓)의 하나. ⑤바랄상 尙(小부 5획〈292〉)과 통용. '一愼旃哉'《詩經》. ⑥가할상 尙(小부 5획〈292〉)과 통용. '草一之風必偃'《論語》. ⑦오를상 ㉠아래에서 위로 감. '一天'. '搏扶搖羊角而一者九萬里'《莊子》. ㉡탈것을 탐. '天子呼來不一船'《杜甫》. ㉢그 장소에 감. '一途'. '一廁'. ⑧올릴상 ㉠높게 함. '毋一於面'《儀禮》. ㉡드림. 진헌(進獻)함. '一訴'. '向一書及所著文'《韓愈》. ㉢기재(記載)함. '一梓'. '翻經一蕉葉'《張籍》. ⑨상성(上聲)상 사성(四聲)의 하나.
[字源] 指事. 기준선(基準線) 위에 짧은 가로획을 그어 '위'를 뜻함.

一 2 〔𠀃〕 3 〔차〕
且(一부 4획〈12〉)의 古字

一 2 〔𠀄〕 3 〔혜〕
惠(心부 8획〈394〉)의 略字

一 3 〔不〕 4 [中·人] [一]불 [入]物 | bù フツ ず, ざる
[二]부 [平]尤 | fōu フ いなや
[三]비 [平]虞 | pī フ おおきい

[筆順] 一 ア 不 不

[字解] [一] ①아니불 아님. '一可'. '一利'. '雖一中, 一遠'《大學》. ②아니할불 '一爲'. '我四十一動心'《孟子》. [二] ①아닌가부 의문(疑問)의 미정사(未定辭). '借問有酒一'《杜甫》. ②성부 성(姓)의 하나. [三] 클비 丕(一부 4획〈12〉)와 통용(通用). '一顯惟德'《詩經》.
[字源] 象形. 꽃의 암술의 씨방의 모양을 본뜸.
[參考] '아니불'은 뒤에 오는 자(字)의 초성(初聲)이 'ㄷ, ㅈ'일 때에는, '不當부당', 不正부정'처럼 '부'로 읽음.

一 3 〔丐〕 4 개 [去]泰 | gài カイ こう

[字解] ①빌개 달라고 함. '納干一取士'《唐書》. ②빌릴개 빌려 줌. '飢寒無所貸一'《唐書》. ③거지개 비렁뱅이. '皁隸傭一, 皆得上父母之邱墓'《柳宗元》.
[參考] ①丏(次條)과는 別字. ②匃(勹부 3획〈119〉)가 匄(勹부 3획〈119〉)로 변화하고, 다시 변형(變形)된 자형(字形)이 '丐'임.

一 3 〔丏〕 4 면 [上]銑 | miǎn ベン·メン おおう

[字解] ①가릴면 엄폐(掩蔽)하여 보이지 않게 함. '一, 不見也'《說文》. ②살막이토담면 '一, 避箭短牆也'《字彙》.
[字源] 象形. 탈을 쓴 모양을 본뜸.
[參考] 丐(前條)와는 別字.

一 3 〔𠀀〕 4 하 [平]歌 | hē カ きがのびる

[字解] 기뻐할하 맺혔던 기(氣)가 뻗어 나옴.
[字源] 指事. '一'로 막히어 맺혔던 기운의 뜻인 '丂고'의 모양을 거꾸로 함.

一 3 〔𠀁〕 4 〔시〕
示(部首〈884〉)의 古字

一 3 〔𠀋〕 4 〔장〕
丈(一부 2획〈10〉)의 俗字

一 3 〔丑〕 4 [中·人] 축(추[本]) [上]有 | chǒu チュウ うし

[筆順] ㄱ 刀 刃 丑

[字解] ①둘째지지축 십이지(十二支) 중의 제이위(第二位). 시간으로는 오전 1시부터 3시까지의 사이. 방위로는 자(子)와 인(寅) 사이. 곧, 북동(北東). 띠로는 소. '一時'. '一方'. 달로는 음력 12월. ②수갑축 고랑. ③성축 성(姓)의 하나. ※本音추.
[字源] 象形. 손가락에 잔뜩 힘을 주어 비트는 모양을 본뜸.

一 3 〔丒〕 4 〔축〕
丑(前條)의 俗字

〔卅〕 〔삽〕
十부 2획(126)을 보라.

一 3 〔与〕 4 〔여〕
與(臼부 7획〈1106〉)의 俗字

一 3 〔与〕 4 〔여〕
與(臼부 7획〈1106〉)의 俗字
[參考] 与(前條)의 변형(變形).

一 3 〔𠀉〕 4 〔구〕
丘(一부 4획〈12〉)와 同字
[參考] 공자(孔子)의 휘(諱)를 피(避)하여 만든 글자.

一 4 〔丙〕 5 [中·人] 병 [上]梗 | bǐng ヘイ ひのえ

[筆順] 一 丅 冂 丙 丙

[字解] ①셋째천간병, 남녘병 십간(十干) 중의 제삼위(第三位). 방위로는 남쪽, 오행

(五行)으로는 불에 배당함. '一丁'. ②셋째병 세 번째. '遂出貴人姉妹置一舍'《後漢書》. ③불병 '付一'은 불에 던져 태운다는 뜻. '共付一丁'《王守仁》. ④강(剛)할병 굳셈. 단단함. '一, 剛'《廣雅》. ⑤빛날병 밝음. 환함. '一, 炳也. 物生炳然, 皆著見也'《釋名》. ⑥성병 성(姓)의 하나.
[字源] 象形. 다리가 내뻗친 상(床)의 모양을 본뜸.

一 4 〔世〕5 [中·人] ㊀세 [去]霽 | shì セイ・セ よ
㊁생 [平]庚 | セイ うまれる shēng

[筆順] 一 十 卄 廿 世

[字解] ㊀①인간세 '一界'. '一上'. '辟一之士'《論語》. ②시세세 때. 시대. '與一推移'《史記》. ③세대세 30년. '必一而後仁'《論語》. ④대세 ㉠한 왕조(王朝)의 계속하는 동안. '夏后之一'《詩經》. ㉡부자(父子)의 상속(相續). '君子之澤五一而斬'《孟子》. ⑤해세 한 해. '去國三一'《禮記》. ⑥평생세 일생. '沒一不忘也'《大學》. ⑦대대로세 여러 대를. 누대(屢代). '一襲'. '一有哲王'《詩經》. ⑧대이을세 대대로 계속함. '凡周之士, 不顯亦一'《詩經》. ⑨성세 성(姓)의 하나. ㊁날생 生(部首〈792〉)과 同字. '皮膚爪髮隨一隨落'《列子》.
[字源] 會意. 본래 '十'을 세 개 합쳐서 '30년 오랜 세월의 흐름'을 뜻함.

一 4 〔𠀭〕5 〔평〕
平(干부 2획〈340〉)의 本字

一 4 〔丗〕5 世(前前條)와 同字

〔未〕〔미〕
木부 1획(524)을 보라.

〔末〕〔말〕
木부 1획(524)을 보라.

〔本〕〔본〕
木부 1획(524)을 보라.

一 4 〔且〕5 [中·人] ㊀차 [上]馬 | qiě シャ かつ
㊁저 [上]語 | qū ショ つつしむ
㊂조 [平]魚 | jū ショ まないた

[筆順] 丨 冂 月 月 且

[字解] ㊀①또차 ㉠그 위에 또한. '孔子貧一賤'《史記》. '一爾言過矣'《論語》. ㉡…까지도 또한. '臧獲一羞與之同名矣《史記》. ㉢…하면서. '飮一食兮'《韓愈》. '一馳一射'《漢書》. ㉣그러함에도 불구하고 또한. '行雖修而不顯於衆, 猶一月費俸錢'《韓愈》. ㉤우선. 잠시. '一以喜樂, 一以永日'《詩經》. ㉥가설(假設)의 말. 비록. '一予縱不得大葬, 予死於道路乎'《論語》. ②만일차 만약. '一如'로 연용(連用)하기도 함. '君一欲霸王, 非吏吾, 不可'《史記》. ③장차차 장차…하려 함. '城一拔矣'《戰國策》. ④이차 此(止부 2획〈603〉)와 뜻이 같음. '匪一有一'《詩經》. ⑤구차스러울차 고식적(姑息的)임. '與物一者, 其身不容, 焉能容人'《莊子》. ⑥성차 성(姓)의 하나. ㊁①머뭇거릴저 망설임. 趄(走부 5획〈1407〉)와 同字. '其行次一'《易經》. ②많을저 많은 모양. '籩豆有一'《詩經》. ③어조사저 어세(語勢)를 강하게 하는 조사(助辭). '不見子都, 乃見狂一'《詩經》. ④공경스러울저 공근(恭謹)한 모양. '有萋有一'《詩經》. ㊂도마조, 적대조 俎(人부 7획〈50〉)와 同字. '俎本作一'《正字通》.
[字源] 象形. 받침 위에 신(神)에게 바칠 희생을 겹쳐 쌓은 모양을 본뜸.

一 4 〔丕〕5 비 [平]支 | pī ヒ おおきい

[字解] ①클비 '一業'. '嘉乃一績'《書經》. ②으뜸비 원시(元始). 첫째. '是有一子之責于天'《詩經》. ③받들비 봉행(奉行)함. '一天之大律'《漢書》. ④엄숙할비 장중함. '一, 莊也'《小爾雅》. ⑤성비 성(姓)의 하나.
[字源] 形聲. 一+不〔音〕

一 4 〔丘〕5 [高·人] 구 [平]尤 | qiū キュウ おか

[筆順] ノ 𠂆 斤 斤 丘

[字解] ①언덕구 구릉(丘陵). '一山'. '降一宅土'《書經》. ②메구, 산구 산악(山嶽). '崑崙山爲無熱一'《水經注》. ③마을구 방일리(方一里)의 16배 되는 촌락. 4읍(邑) 128가(家)가 삶. '一井'. '四井爲邑, 四邑爲一'《漢書》. ④무덤구 분묘. '一壟'. '爲宮室, 不薪一木'《禮記》. ⑤클구 '一, 大也'《廣韻》. ⑥손윗사람구 '過其一嫂食'《漢書》. ⑦모일구 '一, 聚也'《釋名》. ⑧빌구 공허함. '一墟'. '寄居一亭'《漢書》. ⑨성구 성(姓)의 하나.
[字源] 象形. 언덕의 모양을 본뜸.

一 4 〔丠〕5 丘(前條)와 同字

一 4 〔业〕5 〔업〕
業(木부 9획〈565〉)의 簡體字

一 5 〔㐁〕6 첨 [上]琰 [平]鹽 | tiàn テン なめる

字解 ①혀모양첨 '一, 舌皃'《說文》. ②핥을첨 혀끝을 드러내어 핥음. '一, 以舌鉤取也'《六書正譌》.
字源 象形. 입에서 혀를 내민 모양을 본뜸.

一5〔丕〕6 〔불〕 不(一부 3획〈11〉)의 本字

一5〔両〕6 〔량〕 兩(入부 6획〈85〉)의 俗字

一5〔囟〕6 〔기〕 箕(竹부 8획〈942〉)의 古字

一5〔丽〕6 〔려〕 麗(鹿부 8획〈1847〉)의 古字

〔再〕 〔재〕 冂부 4획(89)을 보라.

〔西〕 〔서〕 襾부 0획(1294)을 보라.

〔而〕 〔이〕 部首(1049)를 보라.

〔百〕 〔백〕 白부 1획(824)을 보라.

〔吏〕 〔리〕 口부 3획(148)을 보라.

一5〔丞〕6 人名 ㊀승 ㊥蒸 chéng ジョウ たすける ㊁증 ㊤迥 zhěng ジョウ たすける

筆順 ㇇ 了 了 孑 丞 丞

字解 ㊀①도울승 보좌함. '一天子'《漢書》. 또, 돕는 사람. 장관(長官)을 보좌하는 사람. '遣一請還'《古詩》. ②받들승 承(手부 4획)의 古字. '一上指'《史記》. ③벼슬이름승 장관의 뜻을 받들어 사무를 처리하는 벼슬. '一史'. '有六一'《漢書》. ㊁①나아갈증 향상(向上)하는 모양. 蒸(艸부 10획〈1166〉)·烝(火부 6획〈712〉)의 古字. '一一治不至姦《史記》. ②구할증, 도울증 구원함. 원조함. 拯(手부 6획〈439〉)과 통용. '一民於農桑'《揚雄》
字源 會意. 廾+卩+凵

一5〔丟〕6 주 ㊥尤 diū チュウ さる

字解 ①아주갈주 한번 가면 돌아오지 않음. '一, 一去不還也'《字彙》. ②던질주 '一下'. ③《現》잃어버릴주.
字源 會意. 一+去

〔世〕 〔세〕 十부 4획(127)을 보라.

一5〔北〕6 〔구〕 丘(一부 4획〈12〉)의 本字

〔更〕 〔경〕 曰부 3획(518)을 보라.

一6〔所〕7 〔소〕 所(戶부 4획〈426〉)의 俗字

一6〔两〕7 〔량〕 兩(入부 6획〈85〉)의 俗字

一6〔丣〕7 〔유〕 酉(部首〈1531〉)의 古字
參考 丣(戶부 3획〈425〉)는 別字.

一6〔丽〕7 〔려〕 麗(鹿부 8획〈1847〉)의 簡體字

〔事〕 〔사〕 亅부 7획(25)을 보라.

一7〔並〕8 高·人 〔병〕 竝(立부 5획〈926〉)과 同字

筆順 丶 丷 䒑 㐅 丬 並 並 並

一7〔乑〕8 〔평〕 平(干부 2획〈340〉)의 古字

一7〔丽〕8 〔려〕 麗(鹿부 8획〈1847〉)의 古字

一7〔囟〕8 〔첨〕 丙(一부 5획〈12〉의 古字

一8〔並〕9 〔병〕 並(一부 7획〈13〉)과 同字

一8〔虐〕9 〔학〕 虐(虍부 3획〈1213〉의 俗字

一8〔昼〕9 〔화〕 畫(田부 7획〈800〉의 俗字

一10〔豆〕11 두 ㊤有 dǒu トウ·ズ れいき

字解 ①술그릇두 옛날에 술을 담는 예기(禮器)의 하나. '鐙, 一'《說文》. ②구기두 술을 푸는 제구. 斗(部首〈490〉)와 同字.

一10〔虚〕11 〔허〕 虛(虍부 6획〈1214〉)의 俗字

一12〔憂〕13 〔우〕 憂(心부 11획〈406〉의 俗字

一 12 〔虞〕13 〔우〕
虞(虍부 7획〈1215〉)의 俗字

一 13 〔虧〕14 〔휴〕
虧(虍부 11획〈1216〉)의 俗字

一 14 〔壼〕15 〔곤〕
壼(士부 10획〈226〉의 俗字

丨 部

〔뚫을곤부〕

丨 0 〔丨〕1 곤 ㊤阮 | gǔn コン すすむ, しりぞく

字解 위아래로통할곤 상하(上下)를 통함.
字源 指事. 위아래로 서로 통함을 나타냄.

丨 1 〔丩〕2 ㊀구 ㊥尤 ㊁교 ㊤篠 | jiū ク·キュウ まつわる キョウ まつわる

字解 ㊀얽힐구 서로 얽힘. '一, 相糾繚也. 一曰, 瓜瓠結丩起'《說文》. ㊁얽힐교 ㊀과 뜻이 같음.
字源 象形. 끈이 서로 얽혀 있는 모양을 본뜸.

丨 1 〔卜〕2 〔복〕
卜(部首〈129〉)의 古字

丨 2 〔个〕3 개 ㊦箇 | gè カ かずをかぞえるご

字解 ①낱개, 개개 물건의 수를 세는 말. 箇(竹부 8획〈941〉)·個(人부 8획〈56〉)와 同字. '一一'. '搢三一挾一一'《儀禮》. ②곁방개 몸채의 사면(四面)에 있는 좁은 방. 편실(偏室). '君居右一'《禮記》. ③한사람개 1인. 介(人부 2획〈31〉)와 同字. '又弱一一焉'《左傳》.
字源 象形. 대나무의 줄기를 본뜸.
參考 個(人부 8획〈56〉)·箇(竹부 8획〈941〉)의 簡體字.

丨 2 〔丫〕3 아 ㊥麻 | yā ア ふたまた

字解 ①가닥아, 가장귀아 물건의 가닥진 형상. 또, 나뭇가지의 아귀. '一叉'. '一, 象物開之形'《廣韻》. ②총각아 어린아이의 머리를 두 가닥으로 나누어 땋아서 머리의 양쪽에 뿔 모양으로 잡아맨 것. '徒使蒼頭一髻, 巨扇揮颺'《歐陽修》. ③《現》 포크아 두 가닥진 삼지창.
字源 象形. 물건의 위가 두 가닥으로 갈라진 모양을 본뜸.

丨 3 〔中〕4 中·人 중 ①-⑬㊥東 ⑭-⑯㊦送 | zhōng チュウ なか zhòng チュウ あたる

筆順 丨 ㅁ 口 中

字解 ①가운데중 ㉠속. 내부. '美在其一'《易經》. ㉡한가운데. 중앙. '一心'. '洛陽居天下之一'《李格非》. 또, 한가운데에 있음. '一天下而立'《孟子》. ㉢상하·대소·전후 등의 사이. 중간. '一旬' '上一下'. '其書始言一理, 一散爲萬事, 末復合爲一理'《中庸》. ㉣동아리. 반려(伴侶). '軍一'. '在市厓一'《史記》. ②안중 내측(內側). '一外'. '一表'. '若錐之處囊一'《史記》. ③중중 ㉠과불급(過不及)이 없는 도(道). 중용의 도. '一庸'. '執允厥一'《書經》. ㉡치우치지 않은 순정(純正)의 덕(德). '一也者天下之大本也'《中庸》. ㉢천지(天地)의 정기(正氣). '民受天地之一以生'《左傳》. ④마음중 심정. 충심(衷心). '情動於一'《史記》. ⑤몸중 신체. '文子其一退然如不勝衣'《禮記》. ⑥대궐안중 금중(禁中). 또, 정부. '其事留一'《後漢書》. ⑦반중 절반. 반분(半分). '一途'. '得亦一, 失亦一'《列子》. ⑧곧을중, 바를중 '頭頸必一'《禮記》. ⑨찰중 분량에 참. '一二千石'('比二千石'의 대)《漢書》. ⑩고를중 균등함. '鬋摯必一'《禮記》. ⑪뚫을중 꿰뚫음. '一其莖'《周禮》. ⑫버금중 仲(人부 4획〈36〉)과 통용. '一, 與仲同'《字彙》. ⑬성중 성(姓)의 하나. ⑭맞을중 ㉠과녁에 맞음. '百發百一'. '射一則得爲諸侯'《禮記》. ㉡예언·점 같은 것이 맞음. '所言多一'《蜀志》. '靈竹占屢一'《魏書》. ㉢계책이 맞음. '是秦之計一也'《戰國策》. ㉣뜻에 맞음. '未嘗不一吾志'《左傳》. ㉤적당함. '刑罰一則民畏死'《尹文子》. ㉥일치함. '從容一道'《中庸》. ㉦응(應)함. '律一大簇'《禮記》. ㉧몸의 독이 됨. 몸이 상함. '一風'. '一毒'. '一身當心則爲病'《莊子》. ㉨합격함. '武成親試之, 皆一'《北齊書》. ⑮맞힐중 전항의 타동사. '危法一之'(죄에 빠뜨림)《唐書》. ⑯격할중 사이에 둠. '一年'. '一月而禫'《儀禮》.
字源 指事. 어떤 것을 하나의 선(線)으로 꿰뚫어 '속·안'을 뜻함.

丨 3 〔丰〕4 봉 ㊥冬 ㊥東 | fēng ホウ みめよい フウ しげる

字解 ①어여쁠봉 얼굴이 토실토실 살찌고 아름다운 모양. '一容'. '子之一兮'《詩經》. ②우거질봉 풀이 무성한 모양. '羅一茸之遊樹兮'《司馬相如》.
字源 象形. 초목(草木)이 잘 우거진 모양

을 본뜸.
參考 豐(豆부 11획〈1371〉)의 簡體字.

丨3 〔丯〕4 개 ㊀卦 | jiè カイ くさがさんらんする
字解 풀어지럽게날개 '一, 艸蔡也, 象艸生之散亂也'《說文》.
字源 象形. 풀이 어지럽게〔彡〕 나서 길〔丨〕을 막은 모양을 본뜸.
參考 丰(前條)은 別字.

丨3 〔丮〕4 극 ㊁陌 | jǐ ケキ もつ
字解 잡을극 물건을 손으로 잡는 모양. '一, 持也'《說文》.
字源 象形. 막대 모양의 물건〔丨〕을 손에 쥔 모양을 본뜸.

丨3 〔书〕4 〔서〕
書(曰부 6획〈518〉)의 簡體字

〔弔〕〔조〕
弓부 1획(358)을 보라.

丨4 〔丱〕5 관 ㊀諫 | guàn カン あげまき
字解 총각관 어린아이의 머리를 두 가닥으로 나누어 땋아서 머리의 양쪽에 뿔 모양으로 잡아맨 것. 또, 그 모양. '總角一兮'《詩經》. 전(轉)하여, 어림·동남동녀(童男童女)의 뜻으로 쓰임.
字源 象形. 어린아이의 머리털을 좌우로 갈라, 머리 위에 두 개의 뿔같이 잡아맨 모양을 본뜸.

丨5 〔𠁧〕6 〔중〕
中(丨부 3획〈14〉)의 古字

丨5 〔𠁩〕6 〔중〕
中(丨부 3획〈14〉)의 籀文

丨6 〔串〕7
㊀ 천 ㊀霰 | chuàn セン つらぬく, てがた
㊁ 찬 ㊤潸 | chǎn セン くし
㊂ 관 ㊀諫 | guàn カン なれる
㊃ 곶 ㊄韓

字解 ㊀ ①꿰미천 엽전(葉錢) 한 꿰미를 '一一'이라 함. ②어음천 어음. '官一宜每里一本也'《未信篇》. ㊁ 꼬챙이찬, 꼬치찬 丳(次條)의 오용(誤用). ㊂ 익을관 慣(心부 11획〈408〉)과 통용. '一童'. '一夷載路'《詩經》. ㊃《韓》곶곶 지명(地名)으로서의 갑(岬)을 나타내는 말. '長山一'.
字源 象形. 두 물건을 세로 꿰는 모양을 본뜸.

丨7 〔丳〕8 찬 ㊤潸 | chǎn サン くし
字解 ①꼬챙이찬, 꼬치찬 고기를 꿰어 굽는 꼬챙이. '如以肉貫一'《韓愈》. ②꿸찬 꼬챙이에 꿺.
字源 象形. 두 개의 물건을 두 개의 꼬챙이로 꿴 모양을 본뜸.
參考 串(前條)과는 별자(別字). 다만, 우리나라에서는 '串'을 오용(誤用)하여 '丳'의 뜻으로 씀.

丨7 〔𠁰〕8 〔중〕
中(丨부 3획〈14〉)의 籀文

丨8 〔临〕9 〔림〕 臨(臣부 11획〈1100〉)의 簡體字

丨8 〔举〕9 〔거〕 擧(手부 14획〈472〉)의 簡體字

丨8 〔㴊〕9 〔연〕
淵(水부 9획〈661〉)과 同字

丨9 〔丵〕10 착 ㊁覺 | zhuó サク くさのむらがりしょうじたさま
字解 풀성할착 풀이 가지런하지 않게 무성한 모양. '一, 叢生草'《廣韻》.
字源 象形. 풀이 고르지 않게 무성하게 난 모양을 본뜸.

丨10 〔𦣝〕11 〔림〕
臨(臣부 11획〈1100〉)의 俗字

丨11 〔𠁴〕12 〔귀〕
龜(部首〈1894〉)의 古字

丶 部
〔점 부〕

丶0 〔丶〕1 주 ㊤麌 | zhǔ チュ てん
字解 ①심지주, 등불주 炷(火부 5획〈709〉)의 古字. ②점주, 점찍을주 구두점. 또, 구두점을 찍음. '一有所絕止, 而識之也'《說文》.
字源 指事. 멈추는 곳에 찍는 표시.
參考 부수(部首)로 세워지며, 문자 구성 요소로서는 작은 것을 나타내는 부호로 쓰임.

丶2 〔丷〕3 이 ㊥支 | yī イ ぼんじ
字解 범자이 범어(梵語)의 50 자모(字母)

의 하나로, 이(伊)와 동자(同字). '一, 佛書伊字, 如艸書下字'《字彙》.

丶2 〔丸〕3 [高·人] 환 [平]寒 | wán ガン まる

[筆順] ノ 九 丸

[字解] ①알환 ㉠방울 같은 장난감의 하나. 모양이 둥글고 잘 구름. '弄一'《莊子》. ㉡모양이 작고 둥근 것. '一藥'. '猶如阪上走一'《漢書》. ㉢새의 알. 조란(鳥卵). '有鳳之一'《呂氏春秋》. ②탄알환 ㉠튀기는 활의 알. '從臺上彈人, 而觀其避一也'《左傳》. ㉡총알. '彈一'. ③자루환 먹을 세는 수사(數詞). '墨一一'《宋史》. ④둥글게할환 둥글게 만듦. '使婢一藥'《晉書》. ⑤구를환, 굴릴환 '挺挏萬物, 揣一變化'《淮南子》. ⑥전동(箭筒)환 화살통. '弓韊韇一'《後漢書》. ⑦곧을환 나무가 꼿꼿한 모양. '松柏一一'《詩經》. ⑧성환 성(姓)의 하나.

[字源] 會意. 乙+匕

丶2 〔凡〕3 丸(前條)의 本字

〔之〕 〔지〕 丿부 3획(18)을 보라.

丶3 〔为〕4 〔위〕 爲(爪부 8획〈733〉)의 俗字·簡體字

丶3 〔丹〕4 [中·人] 단 [平]寒 | dān タン あか, に

[筆順] ノ 刀 月 丹

[字解] ①주사단 파촉 지방(巴蜀地方)에서 주로 나는 일종의 광물로서, 수은(水銀)과 유황(硫黃)이 화합(化合)한 것. 진사(辰砂)·단사(丹砂)라고도 함. '礪砥砮一'《書經》. 도가(道家)가 이것을 원료로 하여 장생불사(長生不死)의 약을 만들려고 하였으므로, 전(轉)하여 정련(精鍊)한 장생 불사의 영약(靈藥)의 뜻으로 쓰임. '返魂一'. '仙一'. '授以神一'《列仙傳》. 또, 양신(養神)하는 도가(道家)의 법(法)의 뜻으로 쓰임. '談一者之祖'《沈一貫》. ②붉을단, 붉은빛단 ㉠적색. '一靑'. '曉霜楓葉一'《謝靈運》. ㉡성실(誠實)함의 비유. '旣秉一石心, 寧流素絲涕'《謝朓》. ③붉게할단 붉은 채색을 칠함. '朱一其轂'《揚雄》. ④성심단 단심(丹心). 적심(赤心). '剖心輸一'《李白》. ⑤성단 성(姓)의 하나.

[字源] 象形. 단사(丹砂)를 채굴하는 우물을 본뜸.

丶4 〔主〕5 [中·人] 주 ㊤麌 | zhǔ シュ ぬし, おも

[筆順] ' 亠 亠 丰 主

[字解] ①등불주 등잔의 불. ②임금주 군왕(君王). '君一'. '聖一'. '一倡而臣和, 一先而臣從'《史記》. ③주인주 ㉠가장(家長). '盜憎一人, 民惡其上'《左傳》. ㉡빈객(賓客)을 대하는 사람. 내방을 받는 사람. '賓爲賓焉, 一爲一焉'《禮記》. ㉢자기가 섬기는 사람. '一公'. '狗吠非其一'《戰國策》. ㉣임자. 소유자. '地一'. '物各有一'《蘇軾》. ④주장주 ㉠주동자. 중심 인물. '謀一'. '不敢爲一'《老子》. ㉡두목. 지배자. '盟一'. '使道心常爲一身之一'《朱熹》. ⑤공주주 천자(天子) 또는 제후(諸侯)의 딸. '弘入見, 一坐屛後'《十八史略》. 또, 부인(婦人)의 경칭(敬稱)으로 쓰임. '一孟啗我'《國語》. ⑥공경대부(公卿大夫)주 '六曰, 一以利得民'《周禮》. ⑦신주주 위패(位牌). '木一'. '措之廟, 立之一'《禮記》. ⑧주주 ㉠근본. 주장. 기요(機要). '一眼'. '樞機之發, 榮辱之一也'《易經》. ㉡신(神). 신기(神祇). '三日兵一, 祠蚩尤'《史記》. ㉢기독교에서 하나님, 또는 그리스도. '天一'. '救一'. ⑨주로할주 숭상함. 존중함. '一知說'. '陽子剛而一能'《國語》. ⑩주장할주 맡음. 관장(管掌)함. '一宰'. '自陝以西, 召公一之'《史記》. ⑪앉을주 '居不一奧'《禮記》. ⑫주로주 주장삼아서. '一爲趙李報德復怨'《漢書》. ⑬지킬주 '一, 守也'《廣雅》. ⑭성주 성(姓)의 하나.

[字源] 象形. 등잔 접시 위에 불이 타고 있는 모양을 본뜸.

〔永〕 〔영〕 水부 1획(624)을 보라.

〔以〕 〔이〕 人부 3획(34)을 보라.

丶4 〔丼〕5 〔정〕 井(二부 2획〈26〉)과 同字

丶4 〔𠁿〕5 〔단〕 丹(丶부 3획〈16〉)의 古字

丶5 〔宀廾〕6 〔종〕 終(糸부 5획〈986〉)의 古字

丿 部

〔삐 침 부〕

丿0 〔丿〕1 별 [入]屑 | piě ヘツ みぎからひだりへまがる

[字解] 삐칠별 오른편에서 왼편으로 삐친 형상. 부수(部首)로 세워지며, 독립한 문자로 쓰이는 예는 없음. 서법(書法)에서, 붓을 왼쪽으로 삐치는 것을 '별(撇)'이라 함.
[字源] 指事. 오른쪽에서 왼쪽 아래로 굽혀 삐치는 모양을 보임.

丿 0 〔乀〕1 불 [入]物 | fú フツ ひだりからみぎへまがる
[字解] 삐칠불 왼편에서 오른편으로 삐친 형상. 서법(書法)에서, 붓을 오른쪽으로 삐치는 것을 '파임'이라 함.
[字源] 指事. 왼쪽에서 오른쪽으로 그어 구부리는 뜻을 나타냄.

丿 0 〔乁〕1 이 [平]支 | yí イ ながれる
[字解] 흐를이 '一, 流也'《說文》.
[字源] 指事. 끌리어 흐르다의 뜻.

丿 0 〔乁〕1 〔급〕 及(又부 2획〈141〉)의 古字

丿 1 〔乂〕2 [人名] [一] 예 [去]隊 | yì ガイ かる
[二] 애 [去]泰 | ài ガイ こらしめる
[筆順] 丿 乂
[字解] [一] ①깎을예, 벨예 풀을 깎음. 刈(刀부 2획〈99〉)·艾(艸부 2획〈1120〉)와 同字. ②다스릴예 나라를 다스림. '有能俾一'《書經》. ③다스려질예 나라가 잘 다스려짐. '一安'. '政乃一'《書經》. ④평온할예 무사안온함. '朝野安一'《北史》. ⑤어진이예 현명한 사람. 현재(賢才). '俊一在官'《書經》. ⑥적적할예, 쓸쓸할예 '山澤含哀, 天地肅一'《陸雲》. [二] 징계할애 징치(懲治)함. 경계함. '屢懲一而不改'《劉向》.
[字源] 象形. 풀을 베는 가위를 본뜸.

丿 1 〔乄〕2 〔오〕 五(二부 2획〈26〉)의 古字

〔九〕 〔구〕 乙부 1획(20)을 보라.

丿 1 〔乃〕2 [中·人] [一] 내 [上]賄 | nǎi ダイ·ナイ すなわち
[二] 애 [上]賄 | ǎi アイ ふなうた
[筆順] 丿 乃
[字解] [一] ①이에내 ㉠이리하여. '一命羲和'《書經》. ㉡곧. 즉. '見一謂之象'《易經》. ②어조사내 두 가지 사물을 들어 말할 때 어세(語勢)를 고르게 하기 위하여 쓰는 말. '一武一文'. '一聖一神'《書經》. ③너내 汝(水부 3획〈627〉)와 뜻이 같음. '嘉一丕績'《書經》. ④그내 ㉠其(八부 6획〈87〉)와 뜻이 같음. '惟一祖一父'《書經》. ㉡그 사람. '是自其所以一'《莊子》. ⑤아무내 아무개. 모(某). '祝稱卜葬虞, 子孫曰哀, 夫曰一'《禮記》. ⑥접때내 이전에. '一昔'으로 연용(連用)하기도 함. '一者過柱山'《戰國策》. ⑦다스릴내 治(水부 5획〈635〉)와 뜻이 같음. '五月一瓜'《大戴禮》. ⑧성내 성(姓)의 하나. [二] 뱃노래애 '欸一'는 배를 저어 가며 부르는 노래. 뱃노래. '欸一一聲山水綠'《柳宗元》.
[字源] 象形. 어머니 태(胎) 속에서, 아직 손발의 모양도 불분명한 채 몸을 동그랗게 구부린 태아(胎兒)를 본뜸.

丿 1 〔𠂇〕2 좌 [上]哿 | zuǒ サ ひだり
[字解] ①왼(손)좌 左(工부 2획〈326〉)의 本字.
[字源] 象形. 왼손의 모양을 본뜸.

丿 1 〔𠂆〕2 예 [平]霽 | yì エイ ひく
[字解] 끌예 '一, 抴也'《說文》.
[字源] 象形. 옆으로 비스듬히 끄는 모양을 본뜸.

丿 1 〔乊〕2 [一] 갈 [入]月 | jié ケツ うごく
[二] 진 [上]銑 | tiǎn テン
[字解] [一] 움직일갈 '屮一'은 움직이는 모양. '屮一, 動貌'《字彙補》. [二] 歺(歹부 5획〈607〉)의 古字.

丿 2 〔久〕3 [中·人] 구 [上]有 | jiǔ キュウ·ク ひさしい
[筆順] ノ ク 久
[字解] ①오랠구 ㉠시간을 경과하여도 변하지 아니함. 오래 감. '恆一'. '道乃一'《老子》. '不息則一'《中庸》. ㉡시간을 많이 경과함. '一遠'. '忘戰日一'《後漢書》. ②오래기다릴구 '是以一子'《左傳》. ③오래머무를구 '可以一則一'《孟子》. ④막을구, 가릴구 '冪用疏布一之'《儀禮》. ⑤성구 성(姓)의 하나.
[字源] 象形. 환자(患者)의 등 뒤에서 뜸〔灸〕을 뜨는 모양을 본뜸.

丿 2 〔乆〕3 久(前條)의 訛字

丿 2 〔乇〕3 탁(척[本]) [入]陌 | zhè タク くさのは
[字解] ①풀잎탁 일설에는, 풀의 꽃이 늘어져 있는 모양. '一, 艸葉也'《說文》. ②부탁

할탁 託(言부 3획〈1314〉)의 訛字. ※本音 척.
字源 象形. 땅 위에 나오기 시작한 풀의 잎을 본뜸.

丿2 〔乂〕3 〔의〕義(羊부 7획〈1036〉)의 俗字·簡體字

丿2 〔么〕3 〔요〕幺(部首〈342〉)의 俗字

〔千〕〔천〕十부 1획(125)을 보라.

丿3 〔朩〕4 〔지〕本(十부 3획〈126〉)의 俗字

丿3 〔乌〕4 〔오〕烏(火부 6획〈712〉)의 簡體字

〔夭〕〔요〕大부 1획(231)을 보라.

〔壬〕〔임〕士부 1획(225)을 보라.

〔午〕〔오〕十부 2획(126)을 보라.

丿3 〔之〕4 中·人 지 ㊥支 zhī シ これ
筆順 丶 ㇇ ㇇ 之
字解 ①갈지 ㉠도달함. '將—楚'《孟子》. ㉡향함. 향방(向方)을 정함. '天下貿貿焉, 莫知所—'《十八史略》. ㉢부임(赴任)함. '皇甫謐有從姑子梁柳, 爲城陽太守, 將—官'《世說》. ㉣변(變)하여 감. 주역(周易)의 서법(筮法)에서 괘(卦)가 변함을 이름. '遇觀—否'《左傳》. ②이를지 다른 데에 미침. '—死矢靡他'《詩經》. ③이지 是(日부 5획〈503〉)와 뜻이 같음. '—子于歸'《詩經》. ④어조사지 ㉠사물을 지시(指示)하는 뜻을 나타내는 조사(助辭). '老者安—, 朋友信—, 少者懷—'《論語》. ㉡도치법(倒置法)에서 목적어(目的語)가 동사 위에 올 때 목적어와 동사 사이에 끼우는 조사. '父母唯其疾—憂'《論語》. ㉢어세(語勢)를 고르게 하는 조사. '皮—不存, 毛將何傅'《左傳》. ㉣성과 이름 사이에 끼우는 무의미한 조사. '孟—反'《論語》. ㉤무의미한 조사. '久—'. '頃—'. '日有食—'《春秋》. ⑤의지 소유·소재 등을 나타내는 접속사. '大學—道'. '游於舞雩—下'《論語》. ⑥및지 …과. 與(臼부 7획〈1106〉)와 뜻이 같음. '惟有司—牧夫'《書經》. ⑦끼칠지 후세에 남김. '—後世君子'《揚子法言》. ⑧쓸지 사용함. '—其所短'《戰國策》. ⑨성지 성(姓)의 하나.
字源 指事. 止+一

丿4 〔乎〕5 中·人 호 ㊥虞 hū(hú) コ か
筆順 一 丆 丆 丏 乎
字解 ①그런가호 ㉠의문사(疑問辭). '禮後—'《論語》. ㉡의문의 반어(反語). '可謂孝—'《史記》. ㉢감탄의 반어. '不亦樂—'《論語》. ②오홉다할호 감탄사. '於—小子'《詩經》. ③어조사호 于(二부 1획〈26〉)·於(方부 4획〈495〉)와 뜻이 같음. '浴—沂'(기수(沂水)에서 목욕함)《論語》. '攻—異端'(이단을 침)《論語》. '莫大—尊親'(어버이를 존경하는 것보다 더 큰 것이 없음)《孟子》.
字源 象形. 호각(號角)의 판(板)을 본뜸.

丿4 〔㐲〕5 乎(前條)의 本字

丿4 〔乏〕5 핍 ㊀洽 fá ボウ とぼしい
字解 ①떨어질핍 물자가 다 없어짐. '窮—'. '—盡'. '振—絶'《禮記》. ②빌핍 인원이 차지 못함. 또, 벼슬의 빈 자리. '不敏攝官承—'《左傳》. ③모자랄핍 힘이 부족함. '足力—不能拜而先止'《五代史》. ④폐할핍 폐기(廢棄)함. '不敢以—國事'《戰國策》. ⑤살가림핍 화살을 쏠 때 살이 맞고 안 맞는 것을 알리는 사람이 살을 막는 가죽으로 만든 물건. '事僕大射共三—'《周禮》.
字源 指事. '正'을 반대 방향으로 써서, '모자라다'의 뜻을 나타냄.

丿4 〔乍〕5 ㊀사 ㊀禡 zhà サ たちまち ㊁작 ㊀藥 zuò サク おこる
字解 ㊀①언뜻사 졸지에. 갑자기. '今人—見孺子入於井'《孟子》. ②잠깐사 잠시. '燈滅而—明'《淮南子》. ③차라리사 '可'와 연용(連用)하여 寧(宀부 11획〈284〉)의 뜻으로 씀. '—可沈爲香, 不能浮作瓠'《元稹》. ④성사 성(姓)의 하나. ㊁ 일어날작 作(人부 5획〈43〉)과 통용(通用). '—, 說文, 起也'《集韻》.
字源 指事. 亡(亾)+一

丿4 〔乑〕5 〔변〕釆(部首〈1546〉)의 古字

丿4 〔弟〕5 〔제〕弟(弓부 4획〈360〉)의 古字

丿4 〔乐〕5 〔악〕樂(木부 11획〈577〉)의 簡體字

〔失〕〔실〕
大부 2획(232)을 보라.

丿5〔乒〕6 ㊣ 핑 |pīng ヘイ
字解 ①의성어(擬聲語)핑 총 소리 따위를 나타냄. ②핑퐁핑 '一乓'은 탁구(卓球)의 영어 핑퐁(ping-pong)의 음역(音譯).
字源 '핑' 소리에 가까운 중국어 '兵'에서 한 획을 떼어 내어 만든 것임. '乒乓(핑팡)' 곧, 핑퐁(ping-pong)임. 차조(次條)의 자원도 이에 해당함.

丿5〔乓〕6 ㊣ 팡 |pāng ホウ
字解 ①의성어(擬聲語)팡 총소리나, 물건이 부딪치는 소리 따위를 나타냄. ②핑퐁팡 '乒一'은 탁구의 영어 핑퐁(ping-pong)의 음역(音譯).
字源 전조(前條)의 자원을 참조할 것.

丿5〔乑〕6 ㊀음 ㊥侵 |yín ギン·ゴン ならびたつ
㊁중 |zhòng シュウ
字解 ㊀ 나란히설음 또, 모여 섬. 또, 많음. '一, 衆立皃'《廣韻》. ㊁ 무리중 眾(目부 6획〈846〉)과 同字.
字源 會意. 人+人+人

丿5〔乑〕6 파 ㊤卦 |pài ハイ·ハ わかれ
字解 갈래파 물의 지류(支流). 派(水부 6획〈644〉)의 本字.
字源 象形. 물이 비스듬히 지류(支流)를 흘러서 들어가는 모양을 본뜸.

丿5〔乁〕6 ㊀의 ㊥微 |yī イ かえる
㊁은 ㊤吻 |イン かえる, よせる
字解 ㊀ 돌아갈의, 돌아올의 '一, 歸也'《說文》. ㊁ 돌아갈은, 돌아올은 의지함. '一, 歸依也'《廣韻》.
字源 指事. '身'을 반대로 뒤집어, '돌아가다'의 뜻을 나타냄.

丿5〔丢〕6 〔주〕
丢(一부 5획〈13〉)의 俗字

丿5〔乔〕6 〔교〕
喬(口부 9획〈176〉)의 簡體字

丿5〔乑〕6 〔중〕
重(里부 2획〈1547〉)의 俗字

丿5〔𠂤〕6 퇴 ㊥灰 |duī タイ·ツイ ちいさいやま
字解 작은산퇴 堆(土부 8획〈210〉)의 本字. '一, 小𠂤也'《說文》.
字源 形聲. 작은 언덕의 모양을 본뜸. '𠂤부'보다 작으므로, '自'의 모양으로 나타낸 것임.

〔囟〕〔신〕
口부 3획(195)을 보라.

丿6〔乕〕7 〔호〕
虎(虍부 2획〈1213〉)의 俗字

〔囱〕〔창〕
口부 4획(196)을 보라.

丿7〔乖〕8 괴 ㊥佳 |guāi カイ そむく
字解 ①어그러질괴 ㉠빗나가서 틀어짐. '一剌'. '家道窮必一'《易經傳》. ㉡생각과는 달라짐. 틀림. 맞지 아니함. '一舛'. '機失而謀一'《後漢書》. ②거스를괴 거역함. 배반함. '一忤'. '楚執政衆而一'《左傳》. ③떨어질괴 분리됨. 나누임. '一別'. '官失學微, 六家分一'《漢書》. ④가를괴 구별함. 차별함. '法者所以齊衆異, 亦所以一名分'《尹文子》.
字源 象形. 양(羊)의 뿔과 등이 서로 등져 어그러지거나 떨어진 모양을 본뜸.

〔垂〕〔수〕
土부 5획(205)을 보라.

丿8〔乑〕9 〔행〕
幸(干부 5획〈341〉)의 古字

丿8〔乑〕9 〔관〕
管(竹부 8획〈943〉)의 俗字

丿8〔乗〕9 乘(次條)의 俗字

丿9〔乘〕10 中·人 승 ①-⑧ ㊥蒸 ⑨-⑭ ㊤徑 |chéng ジョウ のる shèng ジョウ へいしゃ
筆順 二 千 千 千 乖 乖 乘 乘
字解 ①탈승 ㉠거마(車馬) 등을 탐. '一馬'. '婦人不立一'《禮記》. ㉡기회를 탐. '一機'. '一虛'. '雖有知慧, 不如一勢'《孟子》. ②태울승 타게 함. '風一我耶, 我乘風乎'《列子》. ③오를승 ㉠올라감. '一城'. '俱一高臺'《列子》. ㉡올라가 손질함. '亟其一屋'《詩經》. ④이길승 지게 함. 승리함. '一人不義'《國語》. ⑤업신여길승 능모(凌侮)함. '侵一君子'《漢書》. ⑥헤아릴승, 꾀할승 계획함. '一其事'. '一其財用之出入'《周禮》. ⑦곱할승, 곱셈승 배함. 또, 그

셈. '一法'. '加減一除'. '因其成數, 以三一之'《漢書 註》. ⑧성승 성(姓)의 하나. ⑨탈것승 거마(車馬) 따위. '駑蹇之一'(노둔한 승용의 말). '今一輿已駕矣'《孟子》. 또, 병거(兵車)에 탄 전사(戰士). '卒一輯睦'《左傳》. ⑩대승 차량을 세는 수사(數詞). '後車數十一'《孟子》. ⑪한쌍승 쌍대(雙對). '雙雁曰一'《揚子方言》. ⑫넷승 원은 사마(駟馬)가 끄는 수레 한 대의 일컬음. 전(轉)하여, 같은 물건 넷으로 한 벌을 이룬 것의 일컬음. '一壺酒'《禮記》. '發一矢而後反'《孟子》. ⑬사기승 역사책. '史一'. '家一'. '晉之一'《孟子》. ⑭법승《佛教》중생(衆生)을 싣고 생사(生死)의 고해(苦海)를 떠나 열반(涅槃)의 피안(彼岸)에 이르게 하는 교법(教法). '小一'. '大一'. '此心卽佛曰最上一'《傳燈錄》.
[字源] 會意. 大＋舛＋木

丿 9 〔𠂹〕10 〔수〕
垂(土부 5획〈205〉)의 古字

丿 9 〔兼〕10 〔겸〕
兼(八부 8획〈87〉)의 正字

丿 10 〔乖〕11 괴 [平]佳 | guāi カイ せぼね
[字解] ①등뼈괴 '一, 背呂也'《說文》. ②乖(丿부 7획〈19〉)의 古字
[字源] 象形. '⺁'는 등뼈가 사람의 한가운데 있는 모양. '㚘'은 좌우의 갈비뼈의 모양임.

丿 10 〔爱〕11 〔애〕
愛(心부 9획〈398〉)의 俗字

丿 10 〔管〕11 〔관〕
管(竹부 8획〈943〉)의 俗字

丿 10 〔手〕11 〔수〕
手(部首〈427〉)의 古字

丿 12 〔𠌶〕13 〔화〕
花(艸부 4획〈1124〉)의 本字

乙(乚) 部
〔새 을 부〕

乙 0 〔乙〕1 [中·人] 을 [入]質 | yǐ オツ きのと
[字解] ①둘째천간을 십간(十干)의 제 2 위. 방위로는 남방에, 오행(五行)으로는 목(木)에 배당함. '甲一'. '太歲在一曰旃蒙'《爾雅》. ②둘째을 제 2 위. 갑(甲)의 다음. '一種'. '一科'. ③표할을 ㉠문장의 구절이 끊어지는 곳에 표를 함. 구두점(句讀點) 같은 것을 찍음. '朔初上書, 人主從上方讀之, 止輒一其處'《史記》. ㉡탈자(脫字)를 방기(旁記)하고 그 들어갈 자리에 갈고리 모양의 표시를 함. '唐詩士, 字有遺脫, 句其旁而增之曰一'《康熙字典》. ㉢글자의 선후가 전도(顚倒)된 것을 갈고리 모양의 표시를 하여 바로잡음. '韓文公讀鹖冠子, 一者三滅者二十二, 注者十有二字'《徐氏筆精》. ④굽을을 굴곡함. 초목의 싹이 구부러져 나오는 모양. '一屈也'《京房易傳》. ⑤생선창자을 물고기의 장(腸). 일설(一說)에는, 물고기의 아가미의 뼈. 모두 만곡(彎曲)하여 을자형(乙字形)임. '魚去一'《禮記》. ⑥아무을 아무개. '長子建, 次子甲, 次子一, 次子慶'《史記》. ⑦삐걱거릴을 '一, 軋也'《廣雅》. ⑧을골을 범의 가슴 양쪽의 피하(皮下)에 있는 을자형(乙字形)의 뼈. 이것을 차면 벼슬하는 사람은 위엄(威嚴)이 있고, 벼슬하지 않는 사람은 남에게 미움을 받지 않는다 함. 위골(威骨). '得如虎挾一'《蘇軾》. ⑨성을 성(姓)의 하나.
[字源] 象形. 갈짓자형의 것을 본떠, 사물이 원활히 나아가지 않는 상태를 나타냄.

乙 0 〔乚〕1 을 [入]質 | yǐ イツ つばめ
[字解] 제비을 연작류(燕雀類)에 속하는 철새. 현조(玄鳥). '一, 燕燕, 一鳥也'《說文》.
[字源] 象形. 제비가 나는 모양을 나타낸 것임.

乙 0 〔乚〕1 은 [上]吻 | yǐn イン かくれる, かくす
[字解] 숨을은, 숨길은 隱(阜부 14획〈1626〉)의 古字. '一, 匿也'《說文》.
[字源] 指事. 몸을 웅크리어 '숨다'의 뜻을 나타냄.

乙 1 〔乜〕2 마 [上]馬 | ①miē, ③niè バ·メ やぶにらみ
[字解] ①사팔뜨기마 사시(斜視). '一, 眼一斜也'《字彙》. ②무당마 굿을 하는 여자. '西夏語, 以巫爲厮一'《遼史》. ③성마 성(姓)의 하나. '一, 蕃姓'《萬姓統譜》.
[字源] 指事. '也'에서 'ㅣ'의 한 획을 없애어 만듦.

乙 1 〔九〕2 [中·人] [一]구 [上]有 | jiǔ キュウ·ク ここのつ
[二]규 [平]尤 | jiū キュウ·ク あわせる
[筆順] ノ 九

字解 ㊀①아홉구 여덟에 하나를 보탠 수. 전(轉)하여, 많은 수의 뜻으로 쓰임. '一牛一毛'. '叛者一國'《公羊傳》. ②아홉번구 9회. '一死一生'. '腸一日而一廻'(대단히 걱정함)《司馬遷》. ③성구 성(姓)의 하나. ㊁①모을규 糾(糸부 2획〈980〉)와 통용. '桓公一合諸侯'《論語》. ②모일규 鳩(鳥부 2획〈1810〉)와 통용. '一, 與鳩同, 聚也'《字彙》.
字源 象形. 굴곡되어 끝나는 모양을 본뜸.
參考 금전(金錢)의 기재 따위에는 그 개변(改變)을 막기 위해 玖(玉부 3획〈766〉)를 빌려 쓰기도 함.

乙2 〔飞〕3 〔비〕 飛(部首〈1712〉)의 簡體字

乙2 〔乞〕3 高校 ㊀걸 (入)物 | qǐ キツ こう
㊁기 (去)未 | qì キ あたえる

字解 ㊀①빌걸 구걸함. '一人'. '行一于市'《史記》. ②청할걸, 구할걸 청구함. 요구함. '一求'. '三王有一言'《禮記》. ③청컨대걸 바라건대. '一以此骨付之有司, 投諸水火'《韓愈》. ④거지걸 걸식하는 사람. '外舍家寒一'《宋書》. ⑤청걸 요청. 소청. '安得金丹從爾一'《張羽》. ⑥성걸 성(姓)의 하나. ㊁줄기 내줌. '一與'. '以墅一汝'《晉書》.
字源 假借. '气'의 생략자로 갈망(渴望)하는 뜻으로 차용함.

乙2 〔也〕3 中·人 ㊀야 ①-③(上)馬 | yě ヤ たり
④(去)禡 | yí ヤ また
㊁이 (上)紙 | イ これ

筆順 𠃌 丩 也

字解 ㊀①어조사야 ㉠구말(句末)에 써서 결정의 뜻을 나타내는 조사. '廟有二主, 自桓公始一'《禮記》. ㉡어간(語間)에 넣어 병설(竝說)하는 조사. '野馬一, 塵埃一, 生物之以息相吹一'《莊子》. ㉢이름을 부를 때 이름 아래에 쓰는 조사. '回一其庶乎'《論語》. ㉣의문에 쓰이는 조사. '寡人之民不加多何一'《孟子》. ㉤반어(反語)에 쓰이는 조사. '君子何患乎無兄弟一'《論語》. ㉥감탄의 뜻을 나타내는 조사. '何其智之明一'《史記》. ㉦어세(語勢)를 강하게 하는 조사. '必一狂狷乎'《論語》. ㉧형용의 의미를 강하게 하는 조사. '始作翕如一'《論語》. ㉨무의미한 조사. '禮與其奢一寧儉'《論語》. ㉩탄식의 뜻을 나타내는 조사. …도다. …구나. 哉(口부 6획〈161〉)와 뜻이 같음. '惜一, 不如多與之邑'《左傳》. ②이를야 …라 이르는. '孝弟一者, 其爲仁之本歟'《論語》. ③성야 성(姓)의 하나. ④또야 ㉠시(詩) 또는 속어(俗語)에서 亦(亠부 4획〈29〉)과 같은 뜻으로 쓰임. '青袍一自公'《杜甫》. ㉡발어(發語)하는 말로 쓰임. '一知鄕信日應疏《岑參》. '一知造物有深意'《蘇軾》. ㊁이이 이것. 迆(辵부 3획〈1488〉)와 同字. '一, 詞也. 斯也'《集韻》.
字源 象形. 뱀의 모양을 본뜸. 가차(假借)하여 어조사로 씀.

乙2 〔乫〕3 (韓) 굴
字解 《韓》 뜻은 없음.
字源 '굴'음(音)을 나타내기 위하여 '九'와 '乙'을 포개어 만듦.

〔孔〕 〔공〕 子부 1획(270)을 보라.

乙3 〔𠃭〕4 〔주〕 州(巛부 3획〈324〉)의 古字

乙3 〔乣〕4 규 | jiū キュウ ぐんたいのな
字解 군대이름규 '一軍'은 요(遼)·금(金) 시대의 궁전(宮殿)을 지키는 군대의 이름. '糺(糸부 1획〈980〉)의 略字인 듯. '金有護衞一軍. 疑卽糺'《字彙補》.

乙3 〔乷〕4 (韓) 살
字解 《韓》 뜻은 없음.
字源 '살'음(音)을 나타내기 위하여 '士'와 '乙'을 포개어 만듦.

乙3 〔乤〕4 (韓) 할
字解 《韓》 뜻은 없음.
字源 '할'음(音)을 나타내기 위하여 '下'와 '乙'을 포개어 만듦.

乙4 〔𠃞〕5 〔례〕 禮(示부 13획〈894〉)의 古字

乙4 〔电〕5 〔전〕 電(雨부 5획〈1640〉)의 簡體字

乙4 〔㐌〕5 이 (平)支 | yí イ しゅぞくのな
字解 오랑캐이름이 광동(廣東) 지방에 살던 만족(蠻族)의 하나. '一, 粵中猺種'《類篇》.

乙4 〔𠃟〕5 〔야〕 也(乙부 2획〈21〉)의 古字

〔戹〕 〔액〕 戶부 1획(425)을 보라.

乙4〔⿱文乙〕5 ㊞ 글
字解 《韓》 뜻은 없음.
字源 '글'음(音)을 나타내기 위하여 '文'과 '乙'을 포개어 만듦.

乙4〔⿱斗乙〕5 ㊞ 둘
字解 《韓》 뜻은 없음.
字源 '둘'음(音)을 나타내기 위하여 '斗'와 '乙'을 포개어 만듦.

乙4〔⿱五乙〕5 ㊞ 올
字解 《韓》 뜻은 없음.
字源 '올'음(音)을 나타내기 위하여 '五'와 '乙'을 포개어 만듦.

乙5〔飞〕6 〔비〕
飛(部首〈1712〉)의 略字

乙5〔乫〕6 ㊞ 갈
字解 《韓》 땅이름갈 지명(地名)에 쓰임. '一波知'.
字源 '갈'음(音)을 나타내기 위하여 '加'와 '乙'을 포개어 만듦.

乙5〔乬〕6 ㊞ 걸
字解 《韓》 걸걸 걸어 둠. '一鞨床'《喪禮補》.
字源 '걸'음(音)을 나타내기 위하여 '巨'와 '乙'을 포개어 만듦.

乙5〔⿱卯乙〕6 ㊞ 묠
字解 《韓》 땅이름묠. 지명(地名)에 쓰임. '一山'.
字源 '묠'음(音)을 나타내기 위하여 '卯'와 '乙'을 포개어 만듦.

乙5〔乩〕6 계 ㊥齊|jī ケイ うらなう
字解 ①무꾸리할계, 점계 쟁반에 담은 모래 위에 송곳 모양의 막대로 글자를 써서 길흉화복(吉凶禍福)을 점침. '一筆'. ②상고할계 생각함. 稽(禾부 10획〈908〉)와 통용. '卟, 一曰, 考也. 或作一, 通作稽'《集韻》.
字源 會意. 占+乚

乙5〔乨〕6 〔시〕
始(女부 5획〈244〉)의 古字

〔乭〕 〔돌〕
石부 1획(865)을 보라.

乙5〔⿱奴乙〕6 ㊞ 놀
字解 《韓》 뜻은 없음.
字源 '놀'음(音)을 나타내기 위하여 '奴'와 '乙'을 포개어 만듦.

乙5〔⿱冬乙〕6 ㊞ 돌
字解 《韓》 뜻은 없음.
字源 '돌'음(音)을 나타내기 위하여 '冬'과 '乙'을 포개어 만듦.

乙5〔⿱召乙〕6 ㊞ 졸
字解 《韓》 뜻은 없음.
字源 '졸'음(音)을 나타내기 위하여 '召'와 '乙'을 포개어 만듦.

乙5〔乥〕6 ㊞ 올
字解 《韓》 뜻은 없음.
字源 '올'음(音)을 나타내기 위하여 '乎'와 '乙'을 포개어 만듦.

乙6〔⿱老乙〕7 ㊞ 놀
字解 《韓》 뜻은 없음.
字源 '놀'음(音)을 나타내기 위하여 '老'와 '乙'을 포개어 만듦.

乙6〔乱〕7 〔란〕
亂(乙부 12획〈24〉)의 俗字

乙6〔巟〕7 〔황〕
荒(艸부 6획〈1138〉)의 古字

乙7〔乳〕8 高人 유 ㊤麌|rǔ ニュウ ちち
筆順 一 ⺁ ⺶ ⺥ 乎 孚 孚 乳
字解 ①젖유 ㉠젖통이. 유방(乳房). '一汁'. '文王四一'《白虎通》. ㉡젖통이에서 분비하는 액체. '牛一'. '乳人乏一'《南史》. ㉢젖통이 또는 젖꼭지같이 생긴 물건. '鐘四帶有一'《康熙字典》. 또, 젖통이처럼 늘어진 것. '鍾一石'. ㉣젖과 같이 희고 부연 액체. '石灰一'. '池一交巖脈'《韓愈》. ②젖먹일유 젖을 먹임. '一養'. '虎一之'《左傳》. ③기를유 양육함. 또, 사랑함. '阿一'. 皇子棄不一, 椒房抱羌渾'《李商隱》. ④낳을유 분만함. '甁一乃得歸'《十八史略》. ⑤어머니유, 어버이유 모친 또는 양친. '兄弟共一而生'《唐書》
字源 會意. 爪+子+乙

乙7〔乨〕8 〔시〕
始(女부 5획〈244〉)의 古字

乙 7 〔乭〕8 ㊐ 돌

字解 《韓》 뜻은 없음.
字源 '돌'음(音)을 나타내기 위하여 '豆'와 '乙'을 포개어 만듦.

乙 7 〔乶〕8 ㊐ 볼

字解 《韓》 뜻은 없음.
字源 '볼'음(音)을 나타내기 위하여 '甫'와 '乙'을 포개어 만듦.

乙 7 〔乷〕8 ㊐ 살

字解 《韓》 뜻은 없음.
字源 '살'음(音)을 나타내기 위하여 '沙'와 '乙'을 포개어 만듦.

乙 7 〔乻〕8 ㊐ 올

字解 《韓》 뜻은 없음.
字源 '올'음(音)을 나타내기 위하여 '吾'와 '乙'을 포개어 만듦.

乙 8 〔犱〕9 구 ㊥尤 | chóu | キュウ·グ ただしい

字解 ①바를구 남녀(男女)의 도리가 바름. 음란하지 않음. '初—, 謹於嬰—, 初貞, 後寧'《太玄經》. ②원수구 '仇, 說文, 讎也. 或作—'《集韻》. ③성구 성(姓)의 하나.

乙 8 〔乺〕9 ㊐ 솔

字解 《韓》 ①솔솔 풀칠할 때 쓰는 도구. ② 땅이름솔 지명(地名)에 쓰임.
字源 '솔'음(音)을 나타내기 위하여 '所'와 '乙'을 포개어 만듦.

乙 8 〔乼〕9 ㊐ 줄

字解 《韓》 줄줄 묶거나 동이는 데 쓰는 노끈·새끼 따위.
字源 '줄'음(音)을 나타내기 위하여 '注'와 '乙'을 포개어 만든 글자.

乙 8 〔乳〕9 〔란〕
亂(乙부 12획〈24〉)과 同字

乙 8 〔乹〕9 〔건〕
乾(乙부 10획〈23〉)의 俗字

乙 8 〔乽〕9 ㊐ 굴

字解 《韓》 뜻은 없음.
字源 '굴'음(音)을 나타내기 위하여 '拘'와 '乙'을 포개어 만듦.

乙 8 〔乫〕9 ㊐ 길

字解 《韓》 뜻은 없음.
字源 '길'음(音)을 나타내기 위하여 '其'와 '乙'을 포개어 만듦.

乙 8 〔乻〕9 ㊀ 얼 ㊐ ㊁ 늘 ㊐

字解 《韓》 ㊀ 뜻은 없음. '얼'은 '얼기'의 표기에 쓰임. ㊁ 뜻은 없음. '늘'은 주로 인명·지명 표기에 쓰임. ㊀ '얼' ㊁ '늘'음(音)을 나타내기 위하여 '於'와 '乙'을 포개어 만듦.

乙 9 〔乽〕10 ㊐ 잘

字解 《韓》 땅이름잘 지명(地名)에 쓰임. '—山'.
字源 '잘'음(音)을 나타내기 위하여 '者'와 '乙'을 포개어 만듦.

乙 10 〔乿〕11 ㊐ 뜰

字解 《韓》 뜻은 없음.
字源 '뜰'음(音)을 나타내기 위하여 '浮'와 '乙'을 포개어 만듦.

乙 10 〔乾〕11 中·人 건(⑤-⑧간㊍) ㊥先 ㊥寒 | ①-④qián ケン そら | ⑤-⑧gān カン かわく

筆順 十 古 古 直 卓 卓' 卓' 乾

字解 ①하늘건 상천(上天). '—坤'. '—命'. '—, 天地'《易經》. ②건괘건 ㉠팔괘(八卦)의 하나. 곧, ☰. 순양(純陽)의 괘(卦). 곤괘(坤卦)의 대(對)로서, 하늘·위 등 양성(陽性)·남성(男性)의 것을 뜻하며, 방위로는 서북간에 배당함. '—, 西北之卦也'《易經》. ㉡육십사괘(六十四卦)의 하나. 곧, ䷀〈건하(乾下), 건상(乾上)〉. 강건불식(剛健不息)의 상(象). '—, 元亨利貞'《易經》. ③임금건 군주. 제왕. 또, 제위(帝位). '—統'. '握—綱而子萬姓'《沈約》. ④굳셀건, 부지런할건 강함. 또, 쉬지 않고 부지런히 힘쓰는 모양. '—, 健也'《易經》. '君子終日——'《易經》. ⑤마를건 ㉠습기가 없음. '—燥'. '嘆其—矣'《詩經》. '朝曝夕乃—'《周禮》. ㉡물이 마름. '碧海有—'《梁元帝》. ㉢목이 마름. '—喉燋脣, 仰天而歎'《說苑》. ㉣결핍함. 모자람. 생기가 없어짐. '供給軍需, 民力—'《華功武義兵行》. ⑥말릴건 ㉠마르게 함. '將被髮而—'《莊子》. 또, 말린 것. 말린 음식. '以竹貫魚爲—'《集韻》. ㉡물을 말리듯이 죄다 거두어들임. 마구 몰수함. '始爲小吏—沒'《史記》. ⑦건성

건, 건성으로할건 겉으로만 그러함. 겉으로만 함. '一兒'. '何須一啼溫笑'《北史》. ⑧성건 성(姓)의 하나. ※❺이하 本音 간.
[字源] 象形. 긴 깃대의 모양을 본뜸.

乙 10 〔乿〕 11 치 ㊥支 | zhì(chí) チ·ジ おさめる
[字解] 다스릴치 治(水부 5획〈635〉)와 통용. '一, 理也'《集韻》.

乙 10 〔亀〕 11 〔귀〕 龜(部首〈1894〉)의 俗字

乙 10 〔⿸庫乙〕 11 [韓] 골
[字解] 《韓》 뜻은 없음.
[字源] '골'음(音)을 나타내기 위하여 '庫'와 '乙'을 포개어 만듦.

乙 11 〔乹〕 12 乾(乙부 10획〈23〉)의 俗字

乙 12 〔亂〕 13 [高·人] 란 ㊤翰 | luàn(làn) ラン みだれる
[筆順] 爫 爫 𤔔 𤔔 𤔔 𤔔 𤔔 亂
[字解] ①어지러울란 ㉠흩어짐. 산란함. 이산(離散)함. '散一'. '收敗一之兵'《史記》. ㉡뒤섞임. 혼잡함. '一雜'. '紛然殽一'《漢書》. ㉢다스려지지 아니함. 질서가 문란함. '一國'. '昭公奔齊, 魯一'《朱熹》. ㉣난리·폭동 같은 것으로 세상이 시끄러움. '騷一'. ㉤마음이 어수선함. '一心不一'. '春思一如麻'《鮑照》. ㉥행실이 난잡함. '一暴'. ㉦일이 아직 정하여지지 아니함. '夫婦方一'《禮記》. ②어지럽힐란 어지럽게 함. '一法'. '誅魯大夫一政者少正卯'《史記》. '近理而大一眞矣'《朱熹》. ③다스릴란 어지러운 것을 바로잡음. '一民'. '予有一臣十人'《書經》. ④간음할란 사통(私通)함. '常與太后私一'《史記》. ⑤건널란 강을 건넘. '一流'. '一于河'《書經》. ⑥난리란 전쟁·폭동·반란 등. '兵一'. '平晉一'《漢書》. ⑦음행란 음란한 행위. '東門之墠刺一也'《詩經 鄭風東門之墠 序》. ⑧풍류끝가락란 음악의 종장(終章). '一辭'. '關雎之一'《論語》.
[字源] 形聲. 乙+𤔔〔音〕

乙 12 〔亄〕 13 의 ㊤寘 | yì イ むさぼる
[字解] 탐할의, 인색할의 '荆汝江湘之郊, 凡貪而不施, 謂之一'《揚子方言》.
[字源] 形聲. 乙+壹〔音〕

乙 15 〔⿱鋤乙〕 16 [韓] 설
[字解] 《韓》 ①설쇠〔⿱鋤乙金〕설 석쇠. ②설자(⿱鋤乙煮)설. 기름에 띄어서 지진 음식을 건져 내는 데 쓰는, 철사로 그물처럼 만든 기구.
[字源] '설'음(音)을 나타내기 위하여 '鋤서'와 '乙'을 포개어 만듦.

乙 18 〔亁〕 19 〔건〕 乾(乙부 10획〈23〉)의 籒文

乙 18 〔⿱擧乙〕 19 ㊀들 [韓] ㊁걸 [韓]
[字解] 《韓》 ㊀ 뜻은 없음. '들'은 '擧'의 훈. '들다'의 어간 '들'에 '乙'을 첨가하여 만듦. ㊁ 뜻은 없음. '거'음(音)을 나타내기 위하여 '擧'와 '乙'을 포개어 만듦.

亅 部
〔갈고리궐부〕

亅 0 〔亅〕 1 궐 ㊅月 | jué ケツ かぎ
[字解] 갈고리궐 갈고랑이.
[字源] 象形. 갈고리의 모양을 본뜸.

亅 0 〔乚〕 1 궐 ㊅月 | jué ケツ かぎじるし
[字解] 갈고리표궐 갈고리 표지(表識). '一, 鉤識也'《說文》.
[字源] 指事. 갈고리 표지를 나타냄.

亅 0 〔乚〕 1 [韓] 장
[字解] 《韓》 장지장 가운뎃손가락. 장지(長指). 악보(樂譜) 기호로 쓰는 글자의 하나. 장자(長字)의 생략체.

亅 0 〔乃〕 1 〔내〕 乃(丿부 1획〈17〉)의 本字

亅 1 〔了〕 2 [高·人] 료 ㊤篠 | liǎo, ⑥le(liǎo) リョウ おわる, さとる
[筆順] ㇖ 了
[字解] ①깨달을료 명확히 앎. 이해함. '一解'. '武帝曰, 卿殊不一事'《南史》. ②똑똑할료 ㉠혜민(慧敏)함. '小而一一, 大未必奇'《後漢書》. ㉡분명함. '明一'. '事總則難一'《後漢書》. ③끝날료 다 이루어짐. '未一'. '責一矣'《北史》. ④마칠료 끝냄. '完一'. '便足一一生'《世說》. ⑤마침내료 마지막에. 결국. 속어(俗語)에 쓰임. '一復何

益'《唐書》. ⑥어조사료 결정 또는 과거·완료 등의 뜻을 나타내기 위하여 어미(語尾)에 첨가(添加)하는 조사(助辭). 속어에 쓰임. '忘一'. '道一'. '讀一後, 又只是此等人'《程子》. '不是知行的本體一'《傳習錄》.
字源 象形. '子'의 글자에서, 양손이 없는 모양으로, 손발이 모두 감싸인 젖먹이 모양을 본뜸.

亅1 〔丁〕2 亇(次條)와 同字

亅2 〔亇〕3 ㊙ 마
字解 《韓》 ①망치마 철퇴(鐵槌). 쇠몽둥이. ②땅이름마 '胡名見野史初本粟, 名擎子一赤粟, 見農事直說'《輿地勝覽》.

〔于〕〔우〕
二부 1획(26)을 보라.

亅3 〔予〕4 高·人 여 ①㊤語 yǔ ヨ あたえる ②㊥魚 yú ヨ われ
筆順 ㇇ ㇇ 㐅 予
字解 ①줄여 與(臼부 7획〈1106〉)와 同字. '一奪'. '何錫一之'《詩經》. ②나여 余(人부 5획〈39〉)와 同字. '一一人'. '一豈好辯哉'《孟子》.
字源 象形. 베틀의 북을 본뜸.
參考 현재 豫(豕부 9획〈1376〉)의 俗字로 쓰임.

亅3 〔𠄎〕4 〔환〕
幻(幺부 1획〈342〉)의 本字

亅5 〔争〕6 〔쟁〕
爭(爪부 4획〈732〉)의 俗字

亅5 〔孒〕6 〔내〕
乃(丿부 1획〈17〉)의 籀文

亅6 〔事〕7 事(次條)의 俗字

亅7 〔事〕8 中·人 사 ①-⑤㊤寘 shì ジ こと ⑥㊤寘 zì ジ さす
筆順 一 𠃍 𠮛 𠮛 写 写 写 事
字解 ①일사 ㉠사건. '萬一'. '一物'. '物有本末, 一有始終'《大學》. ㉡행위. 생업(生業). '一業'. '先一後得'《論語》. ㉢임무. '一務'. '三一就緖'《詩經》. ㉣사고. 변고. '無一'. '一變'. '秦有荊軻之一'《史記》. ㉤반역. 모반. '因以此發謀, 欲擧一'《史記》. ②섬길사 ㉠받들어 모심. '一父'. '夫孝, 始於一親, 中於一君, 終於立身'《孝經》. ㉡벼슬을 함. '皆高年不一者, 人慕之'《唐書》. ③부릴사 사역(使役)함. '一國人'《史記》. ④일삼을사 종사함. 경영함. 힘씀. '賓客見參不一事'《史記》. ⑤성사 성(姓)의 하나. ⑥찌를사, 꽂을사 剚(刀부 8획〈106〉)와 통용. '不能一刃於公之腹者, 畏秦法也'《漢書》.
字源 象形. 나뭇가지에 맨 기원(祈願)의 팻말을 손에 든 모양을 본뜸.

亅7 〔𠀷〕8 서 ㊤語 xǔ ショ はららご
字解 ①물고기이름서 '堪一'는 물고기의 이름. '山海經, 犲山無草木, 其下多水, 其中多堪一之魚'《正字通》. ②어란서 물고기의 알. '一, 一曰, 魚子'《集韻》.

亅11 〔𢑱〕12 〔예〕
豫(豕부 9획〈1376〉)의 古字

亅15 〔𢑱〕16 〔예〕
豫(豕부 9획〈1376〉)와 同字

二 部
〔두 이 부〕

二0 〔二〕2 中·人 이 ㊤寘 èr ニ ふた, ふたつ
筆順 一 二
字解 ①두이 ㉠둘. 하나에 하나를 보탠 수. '一三'. '一生一'《老子》. ㉡두 가지. '一色'. '權出於一者弱'《荀子》. ㉢짝. 대등. 비견(比肩). '功無一於天下'《史記》. ②다음이 둘째. '君行一臣行一'《韓詩外傳》. ③버금이 차석(次席). 부이(副貳). '惟卜之日, 稱一君'《禮記》. ④두가지마음이 이심(異心). '有死無一'《左傳》. ⑤두번이 재차. '一敗而三勝'《蘇洵》. ⑥두가지로할이 ㉠다르게 함. '不一價'《後漢書》. ㉡의심하게 함. '一人主之心'《韓非子》. 또, 의심함. '臣共而不一'《左傳》. ⑦이단(異端)이 다른 옳지 못한 설(說). '幷一而不一'《荀子》.
字源 指事. 두 개의 가로획으로, 둘을 나타냄.
參考 금전상(金錢上)의 액수 기재에서 그 개변(改變)을 막기 위해 갖은자 '貳'를 씀.

二0 〔二〕2 〔상〕
上(一부 2획〈10〉)의 古字

二0 〔二〕2 〔하〕
下(一부 2획〈10〉)의 古字

二1 〔于〕3 [中·人] 우 ①-⑥[平]虞 ⑦[平]魚 | yú ウ ああ xū キョ·コ ああ

[筆順] 一 二 于

[字解] ①어조사우 ㉠목적과 동작, 또는 장소와 동작의 관계를 나타냄. '志一學'《論語》. '去之一岐山之下居焉'《孟子》. ㉡발어사(發語辭). '一以采蘋'《詩經》. ㉢비교를 나타냄. '介一石'《書經》. ②할우 동작을 함. '宜之一假'《儀禮》. ③갈우 향하여 감. '予翼以一'《書經》. ④클우 광대한 모양. '易則易, 一則一'《禮記》. ⑤굽힐우 迂(辵부 3획〈1488〉)와 통용. '況一其身, 以善其身乎'《禮記》. ⑥성우 성(姓)의 하나. ⑦탄식할우 吁(口부 3획)와 통용. '一嗟麟兮'《詩經》.

[字源] 象形. 트집간 활을 바로잡는 제구를 본뜸.

二1 〔亐〕3 [一] 于(前條)의 本字 [二] 虧(虍부 11획〈1216〉)의 簡體字

二1 〔亍〕3 [一] 촉 [入]沃 [二] 마 [韓] | chù チョク とまる

[字解] [一] ①멈출촉 걸음을 멈춤. '澤馬一阜'《左思》. ②외발로걸을촉 오른발 하나로 걷는 모양. '步爲彳, 右步爲一, 合之, 則爲行字'《正字通》. [二]《韓》땅이름마 지명(地名).

[字源] 指事. 나아가는 뜻을 나타내는 '彳척'의 모양을 반대로 하여 되돌아와 멈춤의 뜻을 나타냄.

二2 〔云〕4 [中·人] 운 [平]文 | yún ウン いう

[筆順] 一 二 云 云

[字解] ①이를운 말함. ㉠남의 말을 간접적으로 말할 때 많이 쓰임. '牢曰, 子一, 吾不試, 故藝'《論語》. ㉡스스로 말함. '一, 言也'《廣韻》. '我舊一, 刻子'《書經》. ②운행할운 회전(回轉)함. 運(辵부 9획〈1501〉)의 古字. '四時一下, 而萬物化'《管子》. ③돌아갈운 귀부(歸附)함. '其誰一之'《左傳》. ④어조사운 어조(語調)를 맞추는 말. '伊誰一憎'《詩經》. ⑤운운운 다른 글이나 말을 인용할 때 끝을 생략하여 '이러이러하다'는 뜻으로 쓰는 말. '武帝曰, 吾欲一一'《史記》. ⑥성(盛)할운 芸(艸부 4획〈1125〉)과 통용. '萬物一一'《抱朴子》. ⑦구름운 구름. 雲(雨부 4획〈1639〉)의 古字. ⑧성운 성(姓)의 하나.

[字源] 象形. 구름이 뭉게뭉게 피어 오르는 모양을 본뜸.

二2 〔亖〕4 〔사〕 四(口부 2획〈194〉)의 籒文

二2 〔亓〕4 〔기〕 其(八부 6획〈87〉)의 古字

二2 〔开〕4 〔개〕 開(門부 4획〈1595〉)의 簡體字

二2 〔专〕4 〔전〕 專(寸부 8획〈289〉)의 簡體字

〔元〕 〔원〕 儿부 2획(80)을 보라.

二2 〔互〕4 [高·人] 호 [去]遇 | hù ゴ たがい

[筆順] 一 丆 互 互

[字解] ①어긋매낄호 교차함. '一生'《漢書》. '一, 差互'《廣韻》. ②번갈아들호 갈마듦. 교대함. '周遊晦明一'《宋之問》. ③서로호 함께 다 같이. '一選'. '一讓'. '一有得失'《何晏》. ④뒤섞일호 '宗族磐一'《漢書》. ⑤고기시렁호 고기를 거는 시렁. '凡祭祀, 供其牛牲之一'《周禮》. ⑥울짱호 목책(木柵). '國中宿一㯷者'《周禮》.

[字源] 나무틀을 어긋매껴 짜 놓은 새끼 감는 틀의 모양을 본뜸.

二2 〔五〕4 [中·人] 오 [上]麌 | wǔ ゴ いつ, いつつ

[筆順] 一 丁 五 五

[字解] ①다섯오 넷에 하나를 보탠 수. '一音'. '天數一, 地數一'《易經》. ②다섯번오 5회. '一勝'. '一戰於秦'《蘇洵》. ③다섯번할오 5회 함. '良馬一之'《詩經》. ④성오 성(姓)의 하나.

[字源] 指事. '二'는 천지(天地). 'X'는 교차(交差)를 가리켜, 천지간에 번갈아 작용하는 다섯 원소(元素)의 뜻.

[參考] 금전(金錢)의 기재 따위에서는, 개변(改變)을 막기 위해 伍(人부 4획〈37〉)자(字)를 빌려 쓰기도 함.

二2 〔㐅〕4 五(前條)의 本字

二2 〔井〕4 [中·人] 정 [上]梗 | jǐng セイ い, いど

[筆順] 一 二 井 井

[字解] ①우물정 물을 긷는 설비. '一底蛙'. ②우물난간정 우물을 둘러막은 난간(欄干). 또는 그 형상. '圓一吐葩'《張協》. ③정전정 중국의 고대에 일리(一里) 사방(四

方)，곧 900 묘(畝)의 전지(田地)를 정자형(井字形)으로 9등분한 것의 일컬음. '一田'. '方里而一，一九百畝'《孟子》. ④별이름정 이십팔수(二十八宿)의 하나. '仲夏之月，日在東一'《禮記》. ⑤정괘정 육십사괘(六十四卦)의 하나. 곧, ䷯〈손하(巽下), 감상(坎上)〉. 통용(通用)하여 변하지 않는 상(象). ⑥간반듯할정 구획이 반듯하여 정제(整齊)한 모양. 질서 정연한 모양. '一然'. '一一兮其有條理也'《荀子》. ⑦성정 성(姓)의 하나.
[字源] 象形. 우물의 난간을 본뜸.

〔勻〕 〔균〕 勹부 2획(119)을 보라.

二 3 〔击〕5 〔격〕 擊(手부 13획〈469〉)의 簡體字

二 3 〔亗〕5 〔세〕 歲(止부 9획〈604〉)의 古字

〔示〕 〔시〕 部首(884)를 보라.

〔井〕 〔정〕 丶부 4획(16)을 보라.

二 4 〔亘〕6 [人名] ㊀선 [平]先 xuān セン もとめる ㊁환 [平]寒 huán カン ㊂긍 [去]徑 gèn(gèng) コウ わたる

[筆順] 一 丅 冂 冃 日 亘

[字解] ㊀구할선 요구함. ㊁桓(木부 6획〈543〉)과 同字. ㊂亙(次條)과 同字. ※대법원 지정 인명용 한자.
[字源] 象形. 선회하는 모양을 본떠서, '돌다'의 뜻을 나타냄.

二 4 〔亙〕6 [人名] 긍 [去]徑 gèn(gèng) コウ わたる

[筆順] 一 丆 万 亙 亙 亙

[字解] ①건널긍 강을 배를 타고 건넘. '跨川一隰'《水經注》. ②뻗칠긍, 걸칠긍 널리 뻗음. '一之秬秠'《詩經》. ③극진할긍 끝에 닿음. '川塗所一'《王勃》. ④넓이긍, 길이긍 연장. '經一數千里'《後漢書》. ⑤성긍 성(姓)의 하나.
[字源] 指事. '二'와 '月'을 합친 자로, 달이 하늘의 한쪽에서 다른 한쪽으로 건너다의 뜻을 나타냄.

二 4 〔亚〕6 〔아〕 亞(二부 6획〈27〉)의 簡體字

二 5 〔⿱二兄〕7 항 [去]漾 kuàng キョウ
[字解] 발어사항 발어(發語)의 조사(助辭). '一也永歎'《詩經》.
[參考] 况(冫부 5획〈93〉)·況(水부 5획〈636〉)은 別字.

二 5 〔亜〕7 〔아〕 亞(二부 6획〈27〉)의 俗字

二 5 〔⿳一回一〕7 〔선〕 亘(二부 4획〈27〉)의 本字

二 5 〔⿳一外一〕7 〔항〕 恆(心부 6획〈387〉)의 古字

二 5 〔些〕7 사 ①[平]麻 xiē シャ いささか ②[去]箇 suò サ じょじ
[字解] ①적을사 많지 않음. 잔닮. '一少'. '一事'. '酒癖而今較減一'《辛棄疾》. ②어조사사 어세(語勢)를 강하게 하는 조사(助辭). '何爲乎四方一'《楚辭》.
[字源] 會意. 此+二

二 6 〔亞〕8 [高·人] ㊀아 [去]禡 [平]麻 ①-⑥yà ア つぎ ⑦yā ア また ㊁압 [入]洽 yā アク おす

[筆順] 一 丅 丆 亏 亞 亞 亞 亞

[字解] ㊀①버금아 다음 되는 자리. '一卿'. '一聖'. '管蕭一匹'《蜀志》. ②동서아 동서(同壻)끼리 서로 부르는 말. 婭(女부 8획〈253〉)와 통용. '瑣瑣姻一'《詩經》. ③무리아 동아리. '一流'. '顏冉之一'《後漢書》. ④곱사등이아 타배(駝背). ⑤아세아아 아세아(亞細亞)의 생략. '東一'. ⑥성아 성(姓)의 하나. ⑦아귀아 가닥. '物之岐者，曰一'《六書本義》. ㊁누를압 壓(土부 14획〈223〉)과 同字. '花蕊一枝紅'《杜甫》.
[字源] 象形. 고대의 주거(住居)의 모양을 본뜸.

二 6 〔亟〕8 ㊀극 [入]職 jí キョク すみやか ㊁기 [去]寘 qì キ しばしば
[字解] ㊀①빠를극 급속함. '經始勿一'《詩經》. ②급히극, 빨리극 급속히. '乃一去之'《左傳》. ③성급할극 조급함. '公孫之一也'《左傳》. ④중해질극 革(部首〈1659〉)과 同字. '夫子之病一矣'《禮記》. ㊁①자주기 누차. '仲尼一稱於水'《孟子》. ②갑자기기 돌연. '一，遽也'《廣韻》.
[字源] 會意. 人+口+又+二

二 12 〔⿱𠂹⿱二左〕14 〔차〕 差(工부 7획〈327〉)의 籀文

二 14 〔甗〕 16 〔장〕 臧(臣부 8획〈1099〉)의 籒文

亠 部

〔돼지해머리부〕

亠 0 〔亠〕 2 두 ㉠尤 | tóu トウ

筆順 丶 亠

字解 두 자의 미상(字義未詳).
字源 문자 정리(文字整理)의 필요에서 부수(部首)로 올려진 문자.

亠 1 〔亡〕 3 中·人 ㊀망 ㉠陽 ㊁무 ㉠虞 | wáng ボウ ほろびる wú ブ·ム ない

筆順 ' 亠 亡

字解 ㊀①잃을망 없어짐. 분실(紛失)함. '一失'. '一逸'. '楚人一弓'《孔子家語》. ②멸할망 멸망함. 멸망시킴. '一國'. '國家將一'《中庸》. ③달아날망 도망함. '一命'. '一匿'. '蕭何聞信一, 自追之'《漢書》. ④죽을망 '一父'. '一友'. '一者有靈'《風俗通》. ⑤죽일망 살해함. '楚已一龍且'《史記》. ⑥업신여길망 경멸(輕蔑)함. '一其言'《史記》. ⑦없을망 ㉠존재하지 아니함. '今也則一'《論語》. ㉡부재(不在)함. '時其一而往拜之'《論語》. ⑧잊을망 忘(心부 3획〈377〉)과 통용. '必其憂矣, 曷維其一'《詩經》. ⑨빠질망 탐닉(耽溺)함. '樂酒無厭謂之一'《孟子》. ㊁없을무 無(火부 8획〈716〉)와 同字. '一慮'. '一而爲有'《論語》.
字源 象形. 굽혀진 사람의 시체에 무엇인가를 더한 모양을 본뜸.

亠 2 〔亢〕 4 人名 항 ①㉠陽 ②-⑫㉣漾 | gāng コウ のど kàng コウ たかぶる, あがる

筆順 ' 亠 亢 亢

字解 ①목항 ㉠목덜미. '搤其一'《史記》. ㉡목구멍. '一, 咽也'《正字通》. ㉢요해처(要害處). '批一擣虛'《史記》. ②지나칠항 너무 지나침. 태과(太過)함. '一陽'. '土潤蘇一旱'《劉誂》. ③극진히할항 極(木부 9획〈563〉)과 뜻이 같음. '可以一寵'《左傳》. ④가릴항 안 보이도록 가림. 엄폐(掩蔽)함. '鄭太叔曰, 吉不能一身, 焉能一宗'《左傳》. ⑤겨룰항 필적(匹敵)함. 抗(手부 4획〈431〉)과 同字. '料敵制勝, 威謀靡一'《揚雄》. ⑥굳셀항 강직함. 비굴(卑屈)하지 않음. '一直'. '崔信明蹇一以門望自負'《唐書》. ⑦거만할항 오만함. '一傲'. '一顏'. '高論怨誹爲一而已矣'《莊子》. ⑧올라갈항 높이 올라감. '一龍有悔'《易經》. ⑨막을항 항거(抗拒)함. '戎一其下'《左傳》. ⑩마룻대항 집의 용마루 밑에 서까래가 걸리게 된 재목. '有四阿中一重廊'《北史》. ⑪별이름항 이십팔수(二十八宿)의 하나. 동쪽에 있음. '仲夏之月, 日在東井, 昏一中, 且危中'《禮記》. ⑫성항 성(姓)의 하나.
字源 象形. 경맥(頸脈)의 모양을 본뜸.

亠 2 〔亣〕 4 〔대〕 大(部首〈230〉)의 籒文

〔六〕 〔륙〕 八부 2획(86)을 보라.

〔卞〕 〔변〕 卜부 2획(129)을 보라.

〔文〕 〔문〕 部首(489)를 보라.

〔主〕 〔주〕 丶부 4획(16)을 보라.

〔市〕 〔시〕 巾부 2획(329)을 보라.

〔玄〕 〔현〕 部首(765)를 보라.

〔立〕 〔립〕 部首(925)를 보라.

亠 4 〔交〕 6 中·人 교 ㉠肴 | jiāo コウ まじわる

筆順 ' 亠 六 六 交 交

字解 ①사귈교 교유(交遊)함. '一際'. '一款'. '與朋友一, 而不信乎'《論語》. ②합할교 합동함. '上下一'《易經》. 또, 합하는 곳. '戰于河謂之一'《班固》. ③섞일교 ㉠섞여짐. '一流'. '兵刃旣一'《孟子》. ㉡참가함. '章一公車'《漢書》. ④엇걸릴교 교차함. '一錯'. ⑤엇걸교 교차시킴. '一臂歷指'《莊子》. ⑥오고갈교 왕래함. '一易爲言'《公羊傳》. ⑦주고받을교 수수(授受)함. '男女不一爵'《禮記》. ⑧서로교 '一互'. '上下一征利而國危矣'《孟子》. ⑨벗교 붕우(朋友). '以軀借一報仇'《史記》. ⑩흘레할교 '一尾'. '虎始一'《禮記》. ⑪어름교 달이나 계절이 바뀔 때. '春夏之一'. '十月之一'《詩經》. ⑫옷깃교 '衿謂之一'《揚子方言》. ⑬성교 성(姓)의 하나.

字源 象形. 사람의 종아리가 교차해 있는 모양을 본뜸.

亠4 〔亥〕6 中·人 해 ㊤賄 | hài ガイ い

筆順 ' 亠 亡 乡 亥 亥

字解 ①열두째지지해 십이지(十二支)의 끝. 시간(時間)으로는 오후 9시부터 11시까지의 사이. 방위(方位)로는 술(戌)과 자(子) 사이. 곧, 서북(西北)과 북(北)과의 사이. 달로는 음력 10월의 일컬음. 띠로는 돼지. ②성해 성(姓)의 하나.
字源 象形. 豕(돼지)를 본뜸.

亠4 〔亦〕6 中·人 ㊀역 ㊇陌 | yì エキ また
㊁혁(역㊍) | ヤク おおいに

筆順 ' 亠 广 亣 亦 亦

字解 ㊀ ①또한역 ㉠이것도 저것도 마찬가지로. '怨不在大, —不在小'《書經》. '丘—恥之'《論語》. ㉡又(部首)와 뜻이 비슷하나, 별뜻 없이 가볍게 첨가하여 쓰는 말. '尙—有利哉'《大學》. '學而時習之, 不—說乎'《論語》. ②모두역 總(糸부 11획〈1010〉)과 뜻이 같음. '—行有九德'《書經》. ③다스릴역 '—, 治也'《廣雅》. ④쉬울역 '二者—知'《列子》. ⑤성역 성(姓)의 하나. ㊁클혁 奕(大부 6획〈236〉)의 古字. '—服爾耕'《詩經》. ※本音 역.
字源 指事. 사람의 양쪽 옆구리를 나타냄.

亠4 〔亣〕6 亦(前條)의 古字

〔衣〕 〔의〕
部首(1264)를 보라.

亠5 〔亨〕7 高·人
㊀형 ㊏庚 | hēng(héng) コウ·キョウ とおる
㊁향 ㊤養 | xiǎng キョウ·コウ すすめる
㊂팽 ㊏庚 | pēng ホウ·ヒョウ にる

筆順 亠 亡 古 古 亨 亨

字解 ㊀형통할형 뜻과 같이 잘 됨. 아무 지장 없이 잘 되어 나감. '元—利貞'《易經》. ㊁드릴향 享(亠부 6획〈29〉)과 통용. '公用—于天子'《易經》. ㊂삶을팽 烹(火부 7획〈714〉)과 同字. '—煮'. '大—以養聖賢'《易經》.
字源 象形. 조상신(祖上神)을 모신 장소를 본뜸.

亠5 〔㐬〕7 ㊀류 ㊏尤 | liú リュウ はたあし
㊁황 ㊏陽 | huāng コウ あれる

字解 ㊀깃발류 旒(方부 9획〈497〉)와 同字. '旒, 旌旗之旓也. 或省'《集韻》. ㊁거칠황 荒(艸부 6획〈1138〉)과 同字. '—, 與荒同'《字彙補》

亠5 〔亩〕7 〔묘〕
畝(田부 5획〈798〉)의 簡體字

〔辛〕 〔신〕
部首(1483)를 보라.

亠6 〔享〕8 高·人 향 ㊤養 ㊏庚 | xiǎng, hēng キョウ すすめる

筆順 亠 亡 古 古 亨 亨 享

字解 ①드릴향 진헌(進獻)함. '賓服者—'《國語》. ②제사지낼향 제사를 드림. '—祀'. '—于西山'《易經》. ③잔치할향 잔치를 베풂. '—侑'. '止而—之'《左傳》. ④흠향할향 제사를 받음. '百神—之'《孟子》. ⑤누릴향 차지함. '—有'. '桓公之—國也'《公羊傳》. ⑥잔치향 연향(宴饗). '—以訓恭儉, 燕以示慈惠'《左傳》.
字源 象形. 기초가 되는 대상(臺上)에 세워진 조상을 모신 곳을 본뜸.

亠6 〔京〕8 中·人 ㊀경 ㊏庚 | jīng キョウ·ケイ みやこ
㊁원 ㊏元 | yuán ゲン はら

筆順 ' 亠 亡 古 古 亨 京 京

字解 ㊀ ①서울경 수도(首都). '—師'. '驛召至—'《唐書》. ②언덕경 높은 언덕. '如坻如—'《詩經》. ③클경. '—觀'. '—, 大也'《爾雅》. ④높을경. '燎—薪'《張衡》. ⑤천만경 조(兆)의 10배. 또, 조(兆)의 만 배. ⑥고래경 鯨(魚부 8획〈1796〉)과 同字. '騎—魚'《揚雄》. ⑦곳집경 창고. '見建家—下方石'《史記》. ⑧가지런할경 '八世之後莫之與—'《左傳》. ⑨근심할경 걱정함. '憂心——'《詩經》. ⑩성경 성(姓)의 하나. ㊁언덕원 原(厂부 8획〈135〉)과 통용. '從先大夫於九—'《禮記》.
字源 象形. 높은 언덕 위에 서 있는 집 모양을 본뜸.
參考 京(亠부 7획〈30〉)은 同字

亠6 〔亯〕8 〔극〕
克(儿부 5획〈82〉)의 本字

亠6 〔㐭〕8 〔름〕
廩(广부 13획〈353〉)과 同字

〔夜〕 〔야〕
夕부 5획(229)을 보라.

亠7 〔亭〕9 [高·人] 정 [平]青 | tíng テイ しゅくば, ちん

[筆順] ・ 亠 亠 古 古 亭 亭 亭

[字解] ①주막집정 여인숙. 여관(旅館). '敗官一民舍'《漢書》. ②역말정 역참(驛站). 또, 역참이 있는 곳. '驛一'. '郵一'. '十里一一, 十一一鄕'《後漢書》. ③정자정 경치가 좋은 곳에 놀려고 지은 집. '園一'. '一榭'. '起齋一'《北齊書》. ④기를정 화육(化育)함. '一之毒之'《老子》. ⑤평평하게할정 ㉠평탄하게 함. '決河一水'《史記》. ㉡공평하게 처리함. '平一疑法'《漢書》. ⑥고를정 조화(調和)됨. '甘立而五味一'《淮南子》. ⑦곧을정 바름. '以征不一'《史記》. ⑧이를정 어느 시간에 이름. '羲和一午'《孫綽》. ⑨머무를정 停(人부 9획〈62〉)과 同字. '其水一居'《漢書》. ⑩가를정 형상(形象)을 이루어 가름. '一之, 如字. 別也'《釋文》. ⑪빼어날정 뛰어남. '嶺無一菊'《袁宏》. ⑫우뚝솟을정 '一一長松'. '干雲霧而上達, 狀一一以苕苕'《張衡》. ⑬성정 성(姓)의 하나.
[字源] 形聲. 高〈省〉+丁〔音〕

亠7 〔亮〕9 [人名] 량 ①-⑤[去]漾 ⑥[平]陽 | liàng リョウ あきらか / liáng リョウ もにふくする

[筆順] ・ 亠 亠 古 古 亭 亭 亮

[字解] ①밝을량 '一月'. '一察'. '輝煥朝日一'《韓愈》. ②도울량 익찬(翊贊)함. '翼一三世'《晉書》. ③미쁠량 신의(信義)가 있음. '君子不一, 惡乎執'《孟子》. ④참으로량 진실로. '君一執高節'《古詩》. ⑤성량 성(姓)의 하나. ⑥거상(居喪)입을량 '一陰'은 천자(天子)가 상중(喪中)에 있는 일. '王宅憂一陰'《書經》.
[字源] 會意. 儿(人)+高〈省〉

亠7 〔京〕9 [一] 京(亠부 6획〈29〉)과 同字 [二] 原(厂부 8획〈135〉)의 本字

亠7 〔亯〕9 [一] 享(亠부 6획〈29〉)의 籒文 [二] 亨(亠부 5획〈29〉)과 同字

亠7 〔亱〕9 〔야〕 夜(夕부 5획〈229〉)의 俗字

〔哀〕 〔애〕 口부 6획(161)을 보라.

〔竞〕 〔연〕 儿부 7획(83)을 보라.

亠8 〔亳〕10 박 [入]藥 | bó(bò) ハク いんのみやこ

[字解] ①은나라서울박 은(殷)나라의 탕왕(湯王)이 도읍한 곳. 지금의 하남성(河南省) 귀덕부(歸德府) 상구현(商邱縣). ②성박 성(姓)의 하나.
[字源] 形聲. 高〈省〉+乇〔音〕

亠8 〔亮〕10 〔량〕 亮(亠부 7획〈30〉)의 俗字

亠8 〔亭〕10 〔정〕 亭(亠부 7획〈30〉)의 俗字

亠8 〔兖〕10 〔승〕 乘(丿부 9획〈19〉)의 古字

〔高〕 〔고〕 部首(1763)를 보라.

〔畝〕 〔묘〕 田부 5획(798)을 보라.

亠9 〔亳〕11 〔박〕 亳(亠부 8획〈30〉)의 俗字

亠9 〔亯〕11 〔향〕 享(亠부 6획〈29〉)의 本字

亠9 〔亭〕11 〔극〕 克(儿부 5획〈82〉)의 古字

亠10 〔高〕12 경 [上]梗 | qǐng ケイ·キョウ ちいさいいえ

[字解] 작은집경 '一, 小堂也'《集韻》.
[字源] 形聲. 高〈省〉+冋〔音〕

亠10 〔孰〕12 〔숙〕 孰(子부 8획〈272〉)과 同字

亠11 〔亶〕13 [一] 단 [上]旱 [二] 천 [去]霰 [三] 선 [平]先 | dǎn, ④dàn タン まこと / shàn セン もっぱら / chán セン とぶ

[字解] [一] ①미쁨단 신의(信義). '誕告用一'《書經》. ②진실로단 참으로. '一其然乎'《詩經》. ③클단 '逢天一怒'《詩經》. ④다만단 단지. 但(人부 5획〈41〉)과 同字. '非一倒懸而已'《漢書》. ⑤성단 성(姓)의 하나. [二] 오로지천 擅(手부 13획〈470〉)과 同字. '相國之於勝人之勢, 一有之'《荀子》. [三] 날선 날아 오름. '堪巖一翔'《揚雄》.
[字源] 形聲. 㐭+旦〔音〕

〔雍〕 〔옹〕 隹부 5획(1631)을 보라.

亠 12 〔亯〕14 〔곽〕
𩫏(高부 7획〈1763〉)와 同字

〔齊〕 〔제〕
部首(1882)를 보라.

亠 13 〔𠅤〕15 〔쇠〕
衰(衣부 4획〈1267〉)의 古字

亠 13 〔𠅾〕15 〔기〕
棄(木부 8획〈559〉)의 籒文

亠 16 〔𠆂〕18 〔기〕
棄(木부 7획〈559〉)의 本字

亠 19 〔亹〕21 亹(次條)의 俗字

亠 20 〔亹〕22 [一] 미 [上]尾 | wěi ビ·ミ うつくしい
[二] 문 [平]元 | mén モン すいもん

[字解] [一] ①부지런할미 부지런히 힘쓰는 모양. 근면(勤勉)한 모양. '成天下之——'《易經》. ②흐를미 시간이나 물 같은 것이 쉬지 않고 흐르는 모양. '淸流 ——'《左思》. ③달릴미 달려가는 모양. '——孤獸騁'《陸機》. ④아름다울미 '一, 美也'《廣韻》. [二] 골어귀문 물이 산과 산 사이를 흘러 양쪽 언덕이 우뚝 솟아 문처럼 서로 마주 대한 데. '鳧鷖在一'《詩經》.
[字源] 會意. 高〈省〉+興〈省〉+且

人(亻) 部
〔사람인부〕

人 0 〔人〕2 [中·人] 인 [平]眞 | rén ジン·ニン ひと
[筆順] ノ 人
[字解] ①사람인 ㉠인간. '一生'. '惟一萬物之靈'《書經》. ㉡백성. 신민(臣民). '一民'. '國一皆曰可殺'《孟子》. ㉢어떤 사람. '使一謂子胥'《史記》. ㉣제 구실을 하는 사람. '俾至於成一'《歐陽修》. ㉤뛰어난 사람. 현인(賢人). '子無謂秦無一'《左傳》. ㉥인품. 성질. '爲一'. '讀其文, 其一可知'《歐陽修》. ㉦사람의 모양으로 만든 상(像). '金一'. '帝寧能爲石一邪'《史記》. ㉧사람을 세는 수사(數詞). '五一'. '三一行必有我師'《論語》. ㉨사람이 하는 일. 하늘이 하는 일인 자연에 대하여 부자연을 이름. '牛馬四足, 是謂天, 落馬首穿牛鼻, 是謂一'《莊子》. ②사람마다인 매인(每人). 매인이. '家給一足'. '一給家足'《史記》. ③남인 타인(他人). '正己而不求於一則無怨'《中庸》. ④성인 성(姓)의 하나.
[字源] 象形. 사람이 허리를 굽히고 서 있는 것을 옆에서 본 모양.
[參考] 부수(部首)로 세워지며, '人·亻'을 의부(意符)로 하여, 사람의 성질이나 상태 따위를 나타내는 글자를 이룸.

人 0 〔亻〕2 人(前條)이 변으로 쓰일 때의 자체(字體)
[筆順] ノ 亻

人 1 〔亼〕3 집 [入]緝 | jí シュウ あつまる
[字解] 모일집 한데 모임.
[字源] 象形. 세 개의 물건이 모이는 모양을 본뜸.

人 1 〔亇〕3 〔정〕
丁(一부 1획〈9〉)의 本字

〔个〕 〔개〕
丨부 2획(14)을 보라.

人 1 〔亿〕3 〔억〕
億(人부 13획〈75〉)의 簡體字

人 2 〔从〕4 〔종〕
從(彳부 8획〈372〉)의 本字
[字源] 會意. 人+人

人 2 〔今〕4 [中·人] 금 [平]侵 | jīn コン·キン いま
[筆順] ノ 𠆢 𠆢 今
[字解] ①이제금 ㉠지금. 현재. '去來一'. '一釋弗繫, 此所謂養虎自遺患也'《史記》. ㉡발어(發語)의 조사(助辭). '一夫'. '一有殺人者'《孟子》. ㉢지금 세상. 현대. '一之爲民者六'《韓愈》. ㉣오늘. 금일. '一夕'. '覺一是而昨非'《陶潛》. ②곧금 바로. '一時'. '方一'. '吾一召君矣'《史記》. ③성금 성(姓)의 하나.
[字源] 指事. 어떤 것을 덮어 싸서 포함하는 모양을 나타냄.

人 2 〔介〕4 [高·人] 개 [去]卦 | jiè カイ はさまる
[筆順] ノ 𠆢 介 介
[字解] ①낄개 사이에 낌. '一在'. '一入'. '一居二大國之間'《左傳》. ②격할개 격리(隔離)함. '後一大河'《漢書》. ③도울개, 도움개 돕는 사람. '一佐'. '一輔'. '爲此春酒,

以一眉壽'《詩經》. ④클개 큼. 또, 크게 함. '一圭'. '一福'. '神之聽之, 一爾景福'《詩經》. ⑤작을개 '一丘'. '蒞于一次'《周禮》. ⑥인(因)할개 의뢰함. 의지함. '一人之寵, 非勇也'《左傳》. ⑦소개할개 '一紹'. '紹一'. '媒一'. 또, 소개하는 사람. 중간에 든 사람. '士無一不見'《孔叢子》. ⑧버금개 다음가는 차례나 벼슬. '一卿'. '一貳'. 또, 그 사람. '嗟嗟保一'《詩經》. ⑨모실개 '一其側'. ⑩홀로개 고독(孤獨). '一特'. '一獨'. '惡乎一也'《莊子》. ⑪굳을개 견고함. '一石'. '六二一于石'《易經》. ⑫묵을개 유숙함. 머무름. '攸一攸止'《詩經》. ⑬절개개 절조(節操). 지조(志操). '狷一'. '柳下惠不以三公易其一'《孟子》. ⑭갑옷개 싸움을 싸울 때 입는 옷. '一胄'. '一士'. ⑮갑옷입을개 '太子與五人一'《史記》. ⑯딱지개 갑각(甲殼). 또, 갑각류의 동물. '一蟲'. '一鱗'. '非常鱗凡一之品彙匹儔也'《韓愈》. ⑰가개 변두리. '悲江一之遺風'《楚辭》. ⑱상고대개 나무나 풀에 내려 눈같이 된 서리. 목가(木稼). 수빙(樹氷). '名木氷爲木一'《漢書》. ⑲쓰레기개 진개(塵芥). 芥(艸부 4획〈1123〉)와 통용. '不以往事爲纖一'《漢書》. ⑳가까이할개 '不以難一我國也'《穀梁傳》. ㉑착할개, 좋을개 '一, 善也'《爾雅》. ㉒낱개 수요를 세는 단위. 개(個). '若有一一臣'《書經》. ㉓성개 성(姓)의 하나.
[字源] 象形. 갑옷 속에 들어가 있는 사람을 본뜸.

人 2 〔侌〕4 〔음〕
霠(雨부 8획〈1644〉)의 古字

人 2 〔仌〕4 〔빙〕
冫(部首〈92〉)의 本字

人 2 〔仑〕4 〔륜〕
侖(人부 6획〈45〉)의 簡體字

人 2 〔仓〕4 〔창〕
倉(人부 8획〈55〉)의 簡體字

人 2 〔亾〕4 〔사〕
乍(丿부 4획〈18〉)의 本字

人 2 〔仄〕4 측 [入]職 | zè ショク かたむく

[字解] ①기울측 ㉠한쪽으로 기욺. '一斜'. '一, 側傾也'《說文》. ㉡해가 서쪽으로 기울어짐. 昃(日부 4획〈501〉)과 同字. '一日'. '日一乃罷'《後漢書》. ②치솟을측 '險道傾一'《漢書》. ③어렴풋할측 희미함. 또, 어렴풋이. '一聞屈原兮, 自湛汨羅'《賈誼》. ④곁측 側(人부 9획〈62〉)과 통용. '旁一素餐之人'《漢書》. ⑤미천할측 천함. 또, 좁음. '一, 一陋'《廣韻》. ⑥측운측 운(韻)의 이대별(二大別)한 하나. 곧, 상(上)·거(去)·입(入)의 삼성(三聲). 평(平)의 대(對). '平一'. '上去入爲一聲'《沈約》.
[字源] 會意. 人＋厂

人 2 〔內〕4 〔내〕
內(入부 2획〈84〉)와 同字

人 2 〔什〕4 [人名] [一] 십 [入]緝 (십[本]) [二] 집 | shí シュウ·ジュウ とお

[筆順] 丿 亻 仁 什

[字解] [一] ①열사람십, 열집십 십 명. 또, 십가(十家). '一百'. '遊弩往來, 一伍俱前'《漢書》. ②열십 十(部首)과 통용. '一二'. '逐一一之利'《史記》. ③성십 성(姓)의 하나. [二] ①시편집 시경(詩經)에서 아(雅)와 송(頌)은 대개 열 편(篇)을 한 권(卷)으로 하였으므로, 시(詩) 또는 시편(詩編)을 이르게 되었음. '篇一'. '詩一'. '珠玉傳新一'《白居易》. ②세간집 식기(食器) 따위의 일용 기구(器具). '一器'. '一物謂常用者, 其數非一, 故曰一'《史記 註》. ※本音 십.
[字源] 形聲. 人＋十〔音〕

人 2 〔仁〕4 [中·人] 인 [平]眞 | rén ジン いつくしむ

[筆順] 丿 亻 亻 仁

[字解] ①어질인, 어짊인 ㉠애정. 동정. 친애(親愛). '一愛'. '樊遲問一, 子曰愛人'《論語》. ㉡특히 유교(儒敎)에서는 인도(人道)의 극치(極致), 또는 도덕의 지선(至善)을 이름. '一義'. '一人之安宅也'《孟子》. 또, 어진 풍속. 인정이 두터운 풍속. '里一爲美'《論語》. ②어진이인 유덕(有德)한 사람. '愛衆而親一'《論語》. ③자네인 친애하는 사람의 호칭(呼稱). '今說, 一諦聽'《無量壽經》. ④사람인 人(部首〈31〉)과 同字. '井有一焉'《論語》. ⑤사람마음인 마음의 본체(本體). 본성(本性). '一, 人心也'《孟子》. ⑥참을인 '一, 忍也. 好生惡殺'《釋名》. ⑦씨인 핵과(核果)의 씨. '桃一'. '單服杏一'《顏氏家訓》. ⑧사랑할인 친애(親愛)함. '一此者也'《荀子》. ⑨불쌍히여길인 가련하게 여겨 동정함. '將大其聲, 疾呼而望其一之也'《韓愈》. ⑩성인 성(姓)의 하나.
[字源] 形聲. 人＋二〔音〕

人 2 〔仆〕4 부 [去]遇 | fù / [去]宥 | pū フ たおれる

[字解] ①넘어질부 ㉠쓰러짐. '一伏'. '黍稷一於中田'《陸雲》. ㉡쓰러져 죽음. '一斃'. '應弦而一'《唐書》. ②엎어질부 전복함. '與一植僵'《唐書》. ③넘어뜨릴부 '引弓射一

之, 乃朽木也'《唐書》.
[字源] 形聲. 人+卜〔音〕

人 2 〔仂〕4 륵 [入]職 ①lè ロク あまり ②lì リョク つとめる
[字解] ①나머지륵 셈한 나머지. 일설(一說)에는, 10 분의 1. 또, 3 분의 1. '祭用數之—'《禮記》. ②힘쓸륵 근면하게 일함.
[字源] 形聲. 人+力

人 2 〔仇〕4 구 ①-⑥[平]尤 ⑦[平]虞 chóu, ①-⑥qiú キュウ あだ ク くむ
[字解] ①짝구 좋은 짝. '—匹'. '君子好—'《禮記》. ②원수구 원한이 되는 사람. '—讎'. '—敵'. '與子同—'《詩經》. ③적으로 여길구 원수로 여김. 원망함. 미워함. '—, 惡也'《廣雅》. '萬姓—予'《書經》. ④해칠구 해를 가(加)함. '葛伯—餉'《孟子》. ⑤거만할구 오만한 모양. '執我——'《詩經》. ⑥성구 성(姓)의 하나. ⑦잔질할구 잔에 술을 따름. '賓載手—'《詩經》.
[字源] 形聲. 人+九〔音〕

人 2 〔仍〕4 잉 [平]蒸 réng ジョウ·ニョウ よる
[筆順] ノ 亻 仍 仍
[字解] ①인할잉 그대로 따름. 인순(因循)함. '—舊'. '—舊貫如之何'《論語》. ②기댈잉 몸을 의지함. '凶事—几'《周禮》. ③오히려잉 여전히. '太史公—父子相續'《史記》. ④자주잉 누차. '晉—無道'《國語》. ⑤거푸잉 연거푸. '饑饉—臻'《漢書》. ⑥이에잉 乃(ノ부 1획〈17〉)와 뜻이 같음. '—父子再亡國'《史記》. ⑦칠대손잉 현손(玄孫)의 증손(曾孫). '昆孫之子爲—孫'《釋名》. ⑧성잉 성(姓)의 하나.
[字源] 形聲. 人+乃〔音〕

人 2 〔仉〕4 장 [上]養 zhǎng ショウ せい
[字解] 성장 성(姓)의 하나. '—, 見姓苑, 周孟子母—姓'《萬姓統譜》.

人 2 〔仃〕4 정 [平]青 dīng テイ ひとりゆくさま
[字解] 외로이걸을정 彳亍(彳부 2획〈368〉)과 同字.

人 2 〔仏〕4 〔불〕 佛(人부 5획〈43〉)의 古字

人 2 〔仪〕4 〔의〕 儀(人부 13획〈75〉)의 俗字

人 2 〔仅〕4 [一] 付(人부 3획〈34〉)와 同字 [二] 奴(女부 2획〈239〉)와 同字 [三] 僅(人부 11획〈69〉)의 簡體字

〔化〕 〔화〕 匕부 2획(121)을 보라.

人 2 〔仐〕4 〔산〕 傘(人부 10획〈65〉)의 略字

人 3 〔仚〕5 선 [平]先 xiān ケン とぶ
[字解] 날듯할선 몸이 가벼워 날 듯한 모양. '鳥—魚躍'《鮑照》.
[字源] 會意. 人+山

人 3 〔令〕5 [中·人] 령 [平]庚 [去]敬 ①-④líng レイ·リョウ しめる ⑤-⑫lìng レイ·リョウ めいずる, のり
[筆順] ノ 人 亼 今 令
[字解] ①하여금령 시킴. …로 하여금 …하게 함. '—人知之'. '臣能—君勝'《史記》. ②부릴령 사역(使役)함. '使—於前'《孟子》. 또, 그 사람. 하인. '寺人之—'《詩經》. ③가령령 이를테면. 가사(假使). '假—'. '—事成歸王'《史記》. ④방울소리령 개의 목에 단 방울의 소리. '盧——'《詩經》. ⑤법령 법률. '律—'. '犯邦—'《周禮》. ⑥영령 ㉠명령. '從父之—'《孝經》. ㉡교훈. 경계. '謹聞—'《戰國策》. ㉢포고(布告). '發號施—'《書經》. ㉣지휘. 호령. '軍中聞將軍之—, 不聞天子之詔'《史記》. ⑦영내릴령 전항의 동사. '—之曰, 汝知而心與左右手背乎'《史記》. '其所—反其所好而民不從'《大學》. ⑧피할령 '—, 避也'《廣雅》. ⑨장관령 관아(官衙)의 장(長). '中書—'. '卜皮爲縣—'《韓非子》. ⑩착할령, 아름다울령 선량함. 또, 좋음. '—德'. '—聞—望'《詩經》. 전(轉)하여, 남의 친족에 대한 경칭(敬稱)으로 쓰임. '—郞'. '—兄'. '峨峨—妹, 應期誕生'《左思》. ⑪철령 시절(時節). '月—'. ⑫성령 성(姓)의 하나.
[字源] 會意. 亼+卪(卩)

人 3 〔令〕5 令(前條)의 俗字

人 3 〔㐱〕5 진 [上]軫 zhěn シン ゆたかなかみ
[字解] 숱많은머리진 '—, 稠髮也'《說文》.
[字源] 指事. 겨드랑이 밑에 3 점을 찍어, 피부병의 뜻과, 또 촘촘함을 나타냄.

人 3 〔仓〕5 〔창〕 倉(人부 8획〈55〉)과 同字

人3〔仝〕5 〔동〕
同(口부 3획〈148〉)의 古字

人3〔仺〕5 〔금〕
今(人부 2획〈31〉)의 俗字

人3〔丛〕5 〔총〕
叢(又부 16획〈144〉)의 簡體字

人3〔以〕5 中·人 이 ㊤紙 | yǐ イ もって

筆順 丨 𠄌 𠃊 以 以

字解 ①써이 ㉠…으로써. …을 써서. '一羊易之'《孟子》. ㉡…에 의하여. …때문에. '習習谷風一陰一雨'《詩經》. ㉢…고. '城高一厚'(성은 높고 두꺼움)《史記》. ㉣…에도 불구하고. …이면서도. '可一人而不如鳥乎'《大學》. ㉤위의 구(句)를 받는 말. '作奇技淫巧一悅婦人'《書經》. ㉥어조(語調)를 돕기 위하여 쓰는 말. '可一託六尺之孤, 可一寄百里之命'《論語》. ②써할이 …으로써 함. 사용함. '殺人一梃與刃'《孟子》. ③쓸이 사용함. 임용함. '不使大臣怨乎不一'《論語》. ④할이 행위를 함. '觀其所一'《論語》. ⑤말이 그침. 已(已部)와 뜻이 같음. '無一則王乎'《孟子》. ⑥거느릴이 인솔함. '一其族行'《左傳》. ⑦생각할이 생각건대. '伏一, 佛者夷狄之一法耳'《韓愈》. ⑧함께이 …와. 함께 함. '之子之歸, 不我一'《詩經》. ⑨닮을이 비슷함. '箕子一之'《易經》. ⑩까닭이 원인. 이유. '必有一也'《詩經》. ⑪부터이 …로부터. '一長沙往'《史記》. ⑫심히이 대단히. '不一急乎'《孟子》. ⑬이미이 벌써. '此心一馳于彼'《王右軍》. ⑭성이 성(姓)의 하나.
字源 象形. 쟁기의 모양을 본뜸.

人3〔仔〕5 人名 자 ㊤紙 ㊥支 | ①zī シ たえる ②zǐ, ③zǎi シ こまか

筆順 丿 亻 仃 仔 仔

字解 ①견딜자 임무(任務)를 잘 견디어 해나감. '佛時一肩'《詩經》. ②자세할자 '一詳'. '世路風波一細諳'《白居易》. ③《現》 새끼자 어린것. 주로, 벌레·물고기 등에 쓰임. '一蟲'.
字源 形聲. 人+子〔音〕

人3〔仕〕5 中·人 사 ㊤紙 | shì シ つかえる

筆順 丿 亻 仁 什 仕

字解 ①벼슬사 벼슬살이. '一宦'. '退而致一'《公羊傳》. ②벼슬할사 벼슬살이를 함. '四十曰強而一'《禮記》. ③섬길사 ㉠임금을 섬김. '其後累世, 皆一漢'《十八史略》. ㉡주인을 섬김. '一于家曰僕'《禮記》. ④살필사 명찰(明察)함. '弗問弗一, 勿罔君子'《詩經》. ⑤일삼을사 事(亅부 7획〈25〉)와 통용. '武王豈不一'《詩經》. ⑥성사 성(姓)의 하나.
字源 形聲. 人+士〔音〕

人3〔他〕5 中·人 타 ①-⑦㊥歌 ⑧㊦箇 | tā (tuō) タ ほか タ おう

筆順 丿 亻 仂 他 他

字解 ①남타 ㉠자기 이외의 사람. '妬一心似火, 燒我鬢如霜'《白居易》. ㉡골육(骨肉) 이외의 사람. '兄弟匪一'《詩經》. ②다를타 같지 않음. 한 사물이 아님. '一說'. '一邦'. ③딴일타 다른 일. 타사. '人知其一, 莫知其一'《詩經》. '王顧左右而言一'《孟子》. ④딴곳타 다른 곳. 타처. '光遠而自一有耀者也'《左傳》. ⑤딴마음타 이심(異心). '之死矢靡一'《詩經》. ⑥간사할타 마음이 사곡(邪曲)함. '君子正而不一'《揚子法言》. ⑦《現》 그타 그 사람. '一也道好'《朱子語錄》. ⑧짐실을타 가축(家畜)이 짐을 실음. '馱, 畜負物也, 或作一'《集韻》.
字源 形聲. 人+也〔音〕
參考 佗(人부 5획〈43〉)의 俗字.

人3〔仗〕5 장 ㊦漾 ㊤養 | zhàng ジョウ へいき

字解 ①병장기장 검극(劍戟) 같은 무기(武器). '兵一'. '開一'. '被甲持一'《晉書》. ②호위장 궁성 또는 임금의 호위(護衛). '朝罷放一'《唐書》. ③기댈장 의지함. '一策謁天子'《魏徵》. ④지팡이장 杖(木부 3획〈528〉)과 통용.
字源 形聲. 人+丈〔音〕

人3〔付〕5 高·人 ˙부 ㊦遇 | fù フ つける, あたえる

筆順 丿 亻 仁 付 付

字解 ①줄부 남에게 넘겨 줌. '交一'. '一與'. '分一諸客'《漢書》. ②부탁할부 당부하여 맡김. '一託'. '一囑'. '以首領相一矣'《後漢書》. ③붙을부 附(阜부 5획〈1612〉)와 통용. ④성부 성(姓)의 하나.
字源 會意. 人+寸

人3〔仙〕5 中·人 선 ㊥先 | xiān セン せんにん

筆順 丿 亻 仆 仙 仙

字解 ①신선선 ㉠장생 불사(長生不死)하

는 사람. '一人'. '一女'. '美往世之登一'《楚辭》. ㉡속세(俗世)를 초월한 사람. '飮中八一'. '自稱臣是酒中一'《杜甫》. ②신선될선 죽은 사람을 애석히 여겨 신선이 되어 갔다는 뜻으로 씀. '一化'. '一逝'. ③선교선 신선(神仙)이 되고자 하여 닦는 도(道). 황제(黃帝)·노자(老子)를 조(祖)로 하며, 불로 장생(不老長生)의 술(術)을 배움. 후세에는 도교(道敎)와 혼합되어 그 별칭(別稱)이 됨. '釋一論一卷'《宋史》. ④날듯할선 몸이 가벼워 날 듯한 모양. '行遲更覺一'《杜甫》. ⑤뛰어날선 ㉠비범함. 아름다움. '自是君身有一骨'《杜甫》. ㉡시가(詩歌)·서화(書畫) 따위에 뛰어난 사람. '詩一'. ⑥《現》센트선 미국의 화폐 단위 센트의 약기(略記). 1 불(弗)은 100 선(仙). ⑦성선 성(姓)의 하나.
字源 會意. 人+山

人3〔仞〕5 인 ㊄震 | rèn ジン ひろ

字解 ①길인 8척(尺). '九一'. '千一'. '築宮一有三尺'《禮記》. ②잴인 높이나 깊이를 잼. '一溝洫'《左傳》. ③깊을인, 높을인 '峭一聳巍巍'《鄭谷》. ④찰인, 채울인 가득 참. 가득 채움. 牣(牛부 3획〈739〉)과 통용. '充一其中'《司馬相如》. ⑤알인 인정함. 認(言부 7획〈1330〉)과 통용. '天地萬物不相離, 一而有之者惑也'《列子》.
字源 形聲. 人+刃〔音〕

人3〔仭〕5 仞(前條)의 俗字

人3〔仟〕5 人名 천 ㊥先 | qiān セン かしら

筆順 ノ 亻 亻 仁 仟

字解 ①천사람어른천 천 명의 우두머리. '俛仰一佰之中'《史記》. ②일천천 千(十부 1획〈125〉)과 통용. '有一佰之利'《漢書》. ③밭두둑천 阡(阜부 3획〈1610〉)과 통용. '開一佰'《漢書》. ④무성할천 초목이 무성한 모양. '遠樹暖一一'《謝朓》.
字源 形聲. 人+千〔音〕
參考 千(十부 1획〈125〉)의 갖은자.

人3〔仡〕5 ㊀흘 ㊇物 | yì キツ いさましい ㊁올 ㊇月 | wù ゴツ ゆれる

字解 ㊀①날랠흘 용감하고 씩씩한 모양. 용장(勇壯)한 모양. '一一勇夫'《書經》. ②높을흘 고대(高大)한 모양. '崇墉一一'《詩經》. ③머리들흘 '一以佁儗兮'《史記》. ㊁흔들릴올 배가 까불어 위태로운 모양. '巨舟軒昂, 一一還環'《柳宗元》.
字源 形聲. 人+乞(气)〔音〕

人3〔仢〕5 ㊀작 ㊇藥 | zhuó シャク まるきばし ㊁박 ㊇覺 | bó ハク ながれぼし

字解 ㊀외나무다리작 한 개의 나무쪽이나 통나무로 놓은 다리. ㊁불별박 별똥별. 彴(彳부 3획〈368〉)과 同字.
字源 形聲. 人+勺〔音〕

人3〔代〕5 中·人 대 ㊄隊 | dài ダイ かわる

筆順 ノ 亻 亻 代 代

字解 ①대신할대 ㉠남이 할 일을 함. '一理'. '巨伯曰, 友人有疾, 不忍委之, 寧以我身一友人命'《世說》. ㉡남의 지위에 섬. '彼可取而一也'《史記》. ②바꿀대 변경함. '歲一處'《漢書》. ③번갈아들대 교체함. '迭一'. '及瓜而一'《左傳》. ④번갈아대 교체하여. '如日月之一明'《中庸》. ⑤대대 ㉠세상. 시세(時世). '古一'. '現一'. '亂臣賊子, 何一無之'《十八史略》. ㉡한 왕조(王朝)의 계속하는 동안. '唐一'. '明一'. '古之王者易一改號, 取法五行'《孔子家語》. ㉢한 사람이 생존하는 동안. '一一'. '百一'. ⑥대대로대 여러 대를 계속하여. '家一隆盛'《隋書》. ⑦성대 성(姓)의 하나. ⑧《韓》값대 대가(代價). '一金'.
字源 形聲. 人+弋〔音〕
參考 수량(數量)의 범위를 가리키는 '대'는 연령·연수(年數)에 관해서는 '代', 금액·시간·건수(件數) 따위에 대해서는 '臺'를 씀. '二十代', '壹萬원臺', '三十分臺'.

人3〔仜〕5 홍 ㊥東 | hóng コウ おおきなはら

字解 ①큰배홍 커다란 배. '一, 大腹也'《說文》. ②비대할홍 몸이 비대(肥大)한 모양. '一, 身肥大也'《廣韻》.
字源 形聲. 人+工〔音〕

人3〔仨〕5 사 | sā サ

字解 셋사 3개. 북쪽 지역의 방언(方言)임. '一, 北方語音, 數詞, 三個也'《辭海》.

人3〔仪〕5 〔의〕 儀(人부 13획〈75〉)의 俗字·簡體字

人3〔㐰〕5 ㊀信(人부 7획〈54〉)의 古字 ㊁個(人부 8획〈56〉)의 俗字

人3〔仸〕5 대 ㊄泰 | dài タイ·ダイ しまのな

字解 섬이름대 섬 이름.
參考 伏(人부 4획〈38〉)과는 別字.

人 4 〔企〕6 [高·人] 기 [去]寘 | (qì) キ つまだてる
[上]紙 | qǐ キ くわだてる

[筆順] ノ 𠆢 个 仐 企 企

[字解] ①발돋움할기 ㉠발돋움하고 섬. '其踵一'《爾雅》. ㉡발돋움하고 바라봄. '日夜一而望歸'《漢書》. ②도모할기 기도(企圖)함. '一及'. '一畫'. '可以一之'《唐書》. 또, 도모하는 일. 계획. '希一逸而遠矣'《晉書》. ③둘기 마음 속에 넣고 잊지 아니함. '仰一碧霞仙'《賈島》.
[字源] 會意. 人＋止

人 4 〔会〕6 〔회〕
會(曰부 9획〈519〉)의 俗字

人 4 〔伞〕6 〔산〕傘(人부 10획〈65〉)의 簡體字

〔合〕〔합〕
口부 3획(148)을 보라.

人 4 〔众〕6 [一] 음 [平]侵 | yín ギン おおくたつ
[二] 중 [去]送 | zhòng

[字解] [一] 여럿이설음 사람이 많이 섬. [二] 衆(血부 6획〈1259〉)의 簡體字.

人 4 〔仰〕6 [中·人] 앙 [上]養 | ①-④yǎng ギョウ·ゴウ あおぐ
[平]陽 | ⑤áng ゴウ たかい
[去]漾 | ⑥yàng ギョウ·ゴウ たのむ

[筆順] ノ 亻 亻 化 仰 仰

[字解] ①우러러볼앙 ㉠고개를 쳐들고 봄. '一視'. '一以觀于天文'《易經》. ㉡그리워함. 사모(思慕)함. '景一'. '一慕'. '百姓一望'《史記》. ②마실앙 독약 같은 것을 마심. '一鴆死'《唐書》. ③영앙 상관이 하관에게 내리는 명령. '一議'. ④성앙 성(姓)의 하나. ⑤높을앙 '低'의 대(對). '一一一低'《摯虞》. ⑥의뢰할앙 부탁함. '衣食一給縣官'《史記》.
[字源] 形聲. 人＋卬〔音〕

人 4 〔仲〕6 [高·人] 중 [去]送 | zhòng チュウ なか

[筆順] ノ 亻 亻 仲 仲 仲

[字解] ①버금중 형제(兄弟) 중에서 둘째 사람. 차형(次兄). '伯一叔季'. '一兄'. '伯氏吹壎, 一氏吹篪'《詩經》. ②가운데중 中(丨부 3획〈14〉)과 통용. '一介'. '一春之月'《禮記》. ③성중 성(姓)의 하나.
[字源] 形聲. 人＋中〔音〕

人 4 〔仳〕6 비 [上]紙 | pǐ ヒ わかれる
[平]支 | pí ヒ しこめ

[字解] ①떠날비 이별(離別)함. '有女一離'《詩經》. ②못생긴여자비 추녀(醜女). '嫫母一倠也'《淮南子》.
[字源] 形聲. 人＋比〔音〕

人 4 〔仵〕6 오 ①-③[上]麌 | wǔ ゴ あいて
④[去]遇 | ゴ おなじ

[字解] ①짝오 필적(匹敵)한 사람. 상대. '一, 偶敵'《廣韻》. '一, 偶也'《集韻》. ②검시(檢屍)할오 '一作'은 검시 담당의 관원. ③성오 성(姓)의 하나. ④같을오 동일함. '以畸偶不一之辭相應'《莊子》.
[字源] 形聲. 人＋午〔音〕

人 4 〔件〕6 [高·人] 건 [上]銑 | jiàn ケン わける

[筆順] ノ 亻 亻 仁 仵 件

[字解] ①구분할건 구별함. '具一階級數'《北史》. ②것건 물건·일·사건·조건 등. '一一'. '一名'. ③건건 벌. 가지. '一一'. '二一'.
[字源] 會意. 人＋牛
[參考] 仵(前條)는 別字.

人 4 〔仯〕6 [一] 초 [去]效 | chào ショウ ちいさい
[二] 묘 [上]篠 | miǎo ビョウ ちいさい

[字解] [一] 작을초 작은 모양. '一, 小皃'《集韻》. [二] 작을묘. [一]과 뜻이 같음.
[字源] 形聲. 人＋少〔音〕

人 4 〔价〕6 [人名] 개 [去]卦 | jiè カイ よい

[筆順] ノ 亻 亻 介 价 价

[字解] ①착할개, 클개 마음이 착함. 일설(一說)에는, 큼. '一人維藩'《詩經》. '一, 善也'《說文》. ②갑옷입은사람개 무장병. ③중개할개 '一, 又佁一也'《廣韻》. ④사령개 심부름하는 사람. '使一'. '走一馳書來詣'《宋史》.
[字源] 形聲. 人＋介〔音〕

人 4 〔任〕6 [高·人] 임 ①-⑦[去]沁 | rèn ニン まかせる
⑧-⑯[平]侵 | rén ニン たもつ

[筆順] ノ 亻 亻 仁 仟 任

[字解] ①맡길임 ㉠일을 맡김. '委一'. '一屬'. '陳平智有餘, 然難獨一'《史記》. ㉡관직을 수여함. '一命'. '求人一賢'《史記》. ②마음대로할임 방종함. '縱一不拘'《晉書》. ③임소임 임지(任地). '赴一'. '君蒞其一,

視民如傷'《潘岳》. ④일임 임무. 직책. '仁以爲己—'《論語》. '有司惰—'《後漢書》. ⑤세울임 공을 세움. '以—百官'《周禮》. ⑥쓸임 사용함. '此—物亦必悖矣'《呂氏春秋》. ⑦애밸임 姙(女부 6획〈246〉)·妊(女부 4획〈241〉)과 통용. '紂刳—者, 觀其胎產'《史記註》. ⑧멜임 등에 멤. '是—是負'《詩經》. ⑨보따리임 등에 메는 보따리. '門人治—將歸'《孟子》. ⑩미쁠임 벗에게 신의(信義)가 있음. '仲氏—只'《詩經》. ⑪견딜임 감내(堪耐)함. '病不—行'《史記》. ⑫당할임 당해냄. 저항함. '衆怒難—'《左傳》. ⑬간녕할임 간사하고 아첨을 잘함. '難—人'《書經》. ⑭보증할임 틀림없음을 책임짐. '不能—其必孝也'《淮南子》. ⑮보증임 보(保). '以宗家—爲郎'《史記》. ⑯성임 성(姓)의 하나.
[字源] 形聲. 人+壬〔音〕

人4 〔仿〕6 방 ①-③[上]養 ④[平]陽 | fǎng ホウ あいにる | pāng ホウ さまよう

[字解] ①비슷할방 상사(相似)함. 닮음. '—佛'. '無物堪比—'《楊基》. ②흐릴방, 어렴풋할방 '—佛其若夢'《揚雄》. ③본뜰방 모방함. 倣(人부 8획〈58〉)과 통용. '—宋本'. ④배회할방 이리저리 왔다갔다하며 방황함. 헤맴. '—, 同彷. —偟, 猶徘徊'《正字通》.
[字源] 形聲. 人+方〔音〕

人4 〔伈〕6 심 [上]寑 [去]沁 | xǐn シン おそれる

[字解] 두려워할심 공구(恐懼)함. '——睍睍, 爲民吏羞'《韓愈》.
[字源] 形聲. 人+心〔音〕

人4 〔伉〕6 항 ①-⑧[去]漾 ⑨[平]陽 | kàng コウ たぐい | gāng コウ ただしい

[字解] ①짝항 배우자(配偶者). '不能庇其—儷'《左傳》. ②겨룰항 필적함. 맞섬. 대적(對敵)함. '天下莫之能—'《戰國策》. ③굳셀항 강건(強健)함. '—健習騎射者'《漢書》. ④질직할항 솔직하고 정직함. '事勝辭則—'《揚子法言》. ⑤교만할항 오만함. '太子輕而庶子—'《韓非子》. ⑥높을항 고대(高大)한 모양. '皐門有—'《詩經》. ⑦올릴항 또, 궁구함. '正身行, —隆高'《荀子》. ⑧성항 성(姓)의 하나. ⑨정직할항 굳세고 곧은 모양. '爲人簡—'《宋史》.
[字源] 形聲. 人+亢〔音〕

人4 〔伊〕6 [人名] 이 [平]支 | yī イ これ

[筆順] ノ 亻 仃 伃 伊 伊

[字解] ①저이 '이'의 대(對). '所謂—人, 在水一方'《詩經》. ②이이 '저'의 대(對). '—年暮春'《揚雄》. ③어조사이 ㉠발어(發語)의 조사(助辭). '—余來墍'《詩經》. ㉡어조(語調)를 고르게 하는 조사. '嘉薦—脯'《儀禮》. ④인(因)할이 '維士與女, —其相謔'《詩經》. ⑤물이름이 하남성(河南省) 노씨현(盧氏縣) 민둔령(悶頓嶺)에서 발원(發源)하여 북동(北東)쪽으로 흘러 이양(伊陽)·낙양(洛陽)을 거쳐 낙수(洛水)로 흘러 드는 강. 이하(伊河)라고도 함. '—水'. '宏農盧氏縣東有熊耳山, —水所出'《漢書》. ⑥《韓》 이태리이 이탈리아의 음역(音譯) 이태리(伊太利)의 약어. ⑦성이 성(姓)의 하나.
[字源] 形聲. 人+尹〔音〕

人4 〔伋〕6 급 [入]緝 | jí キュウ いそがしい | キュウ いつわる

[字解] ①생각할급 '孔—'은 공자(孔子)의 손자 자사(子思)의 이름. 이 글자가 생각한다는 뜻이므로 자(字)가 자사(子思)임. ②바쁠급 급함. '—, 與急同'《字彙》. ③성급 성(姓)의 하나. ④거짓급 허위. 허사(虛詐). '朝廷多擧—'《後漢書》.
[字源] 形聲. 人+及〔音〕

人4 〔伍〕6 [人名] 오 [上]麌 | wǔ ゴ くみ, まじわる

[筆順] ノ 亻 仁 仃 伍 伍

[字解] ①다섯사람오 '大夫五人爲—'《周禮》. ②항오오 ㉠다섯 사람을 한 조(組)로 한 군대 편제상(軍隊編制上)의 단위. '軍—'. '先偏後—'《左傳》. ㉡대열. 군대. '全—爲上'《孫子》. ③다섯집오 다섯 호(戶)를 한 반(班)으로 한 지방 행정상(地方行政上)의 단위. '—長'. '五家爲—'《釋名》. ④다섯오 五(二부 2획〈26〉)와 통용. ⑤섞일오, 섞을오 '生乃與噲等爲—'《史記》. ⑥성오 성(姓)의 하나.
[字源] 形聲. 人+五〔音〕
[參考] 五(二부 2획〈26〉)의 갖은자.

人4 〔伎〕6 [人名] 기 ①-③[上]紙 ④[平]支 | jì ギ わざ | qí ギ ゆるやか

[筆順] ノ 亻 仁 什 伎 伎

[字解] ①재주기 ㉠기술상의 재능. '人多—巧'《老子》. ㉡재능. '無他—能'《史記》. ②기생기, 광대기 妓(女부 4획〈241〉)와 同字. '—妾'. '名姝異—'《唐書》. ③함께기, 동아리기 '—, 與也'《說文》. '—, 侶也'《廣

韻》. ④천천히걸을기 서행(徐行)하는 모양. '維足——'《詩經》.
字源 形聲. 人+支〔音〕

人4〔伏〕6 中·人 ㊀복 ①-⑧㊇屋 ⑨㊇職 ㊁부 ㊄有 | fú フク ふせる ホク はらばう fù フウ おおう

筆順 ノ 亻 仁 仕 伏 伏

字解 ㊀①엎드릴복 부복(俯伏)함. '—拜'. '—謝'. '寢毋—'《禮記》. ②숨을복 몸을 감춤. '—兵'. '—匿'. '嘉言罔攸—'《書經》. ③숨길복 감춤. '—匿'. 또, 숨긴 죄(罪). '發奸摘—如神'《漢書》. ④굴복할복 자백함. 복종함. '—罪'. '旣—其罪矣'《左傳》. ⑤기댈복 '—櫺檻而頫聽'《張衡》. ⑥지날복, 거칠복 '—, 歷也'《廣韻》. ⑦시령(時令)이름복 초복·중복·말복의 삼복(三伏). 초복은 하지(夏至) 후 제3의 경(庚)의 날, 중복은 하지 후 제4의 경의 날, 말복은 입추(立秋) 후 제1의 경의 날. 6월의 심한 더위에는 입추(立秋)의 금기(金氣)도 복장(伏藏)한다는 뜻임. '六月三—之節, 起秦德公爲之, 故云初—'《史記 註》. ⑧성복 성(姓)의 하나. ⑨길복 匐(勹부 9획〈120〉)과 통용. '膝行蒲—'《史記》. ㊁안을부 날짐승이 알을 품음. '雌雞—子'《漢書》.
字源 會意. 人+犬

人4〔伐〕6 中·人 벌 ㊇月 | fá(fā) バツ うつ

筆順 ノ 亻 仁 代 伐 伐

字解 ①칠벌 ㉠죄(罪) 있는 자를 침. '征—'. '奮—荊楚'《詩經》. ㉡적(敵)을 침. '—敵'. '附於晉則楚來—'《史記》. ㉢물건을 두드림. '—鼓淵淵'《詩經》. ㉣힐난함. '黨學相—'《廣川題跋》. ②벨벌 ㉠나무를 벰. '—木'. '—採'. '勿剪勿—'《詩經》. ㉡베어 죽임. 참살함. '四—五—'《書經》. ③공벌 공적(功績). '—閱'. '且旌君—'《左傳》. ④자랑할벌 공적을 자랑함. '孟之反不—'《論語》. ⑤방패벌 적의 화살 따위를 피하는 무기. '蒙—有苑'《詩經》. ⑥간흙벌 갈아 일으킨 땅. '一耦之—'《周禮》. ⑦성벌 성(姓)의 하나.
字源 會意. 人+戈

人4〔伂〕6 패 ㊄泰 | pèi ハイ たおれる

字解 넘어질패 '顚—'는 넘어지는 일. 沛(水부 4획〈632〉)와 통용. '顚—, 仆也'《集韻》.
字源 形聲. 人+市〔音〕

人4〔休〕6 中·人 ㊀휴 ㊥尤 ㊁후 ㊄遇 | xiū キュウ やすむ xǔ ク あたためる

筆順 ノ 亻 仁 什 付 休

字解 ㊀①쉴휴 ㉠휴식(休息)함. '—憩'. '汔可小—'《詩經》. ㉡일을 잠시 중단함. '—職'. '季秋之月, 霜始降, 則百工—'《禮記》. ㉢한가하게 지냄. '且—計事'《史記》. ㉣잠을 잠. '暮—早起'《王褒》. ㉤벼슬을 그만두고 한가히 지냄. 퇴직함. '退—'. '官應老病—'《杜甫》. ㉥그만둠. 하지 않음. '—言'. '家貧—種汶陽田'《劉滄》. ②그칠휴 중지함. '店香風起時, 村白雨—時'《溫憲》. ③편안할휴 '我心則—'《詩經》. ④기뻐할휴 좋아함. '爲晉—戚'《國語》. ⑤좋을휴 훌륭함. 선미(善美)함. '—命'. '惟王受命, 無疆惟—'《書經》. ⑥놓을휴 용서함. '雖—勿—'《書經》. ⑦검소할휴 검약(儉約)함. '戒之以—'《書經》. ⑧휴가휴, 말미휴 휴일. 또, 사가(賜暇). '歸—'. '—所繇來久'《漢書》. ⑨기쁨휴, 경사휴 길경(吉慶). '天之—'. '實萬世無疆之—'《書經》. ⑩넓을휴 넉넉함. 관대(寬大)함. '其心——焉'《書經》. ⑪말휴 금지하는 말. '—問梁園舊賓客'《李商隱》. ⑫성휴 성(姓)의 하나. ㊁①따스히할후 김을 불어 따뜻하게 함. 咻(口부 6획〈159〉)와 同字. '—於氣'《周禮》. ②슬퍼할후 '民人痛疾, 而或燠—之'《左傳》.
字源 會意. 人+木

人4〔伀〕6 종 ㊥冬 | zhōng ショウ おおやけ

字解 ①허겁지겁할종 당황함. '瀾沭, 征—, 遑遽也'《揚子方言》. ②공종 공적(公的)임. 일반 대중. '—, 志及衆也'《說文》. ③두려워할종 공구함. 겁냄. '卒奉大略, —矇狼狽'《周魴》.
字源 形聲. 人+公〔音〕

人4〔伙〕6 화 ㊤哿 | huǒ カ かぐ

字解 세간화 가구(家具). '傢—'.
字源 形聲. 人+火〔音〕

人4〔[illegible]〕6 현 ㊥先 | xián ケン たがう

字解 어길현 伭(人부 5획〈45〉)과 同字. 좇지 아니함. '—, 很也'《說文》.
字源 形聲. 人+弦〈省〉〔音〕

人4〔伄〕6 조 ㊄嘯 | diào チョウ ふつうでない

字解 ①예사아닐조 '—儅'은 보통이 아님. '—儅, 不常也'《集韻》. ②《現》 달릴조

'一儋'은 시장(市場)에 상품(商品)이 달림.

人4〔伙〕6 [一] 검 [平]鹽 qiān ケン がくじん [二] 긍 [平]蒸 jīng キョウ ほこる [三] 금 [去]沁 キン えびすのがく

[字解] [一] 악공검 '一侏'는 악공(樂工). '一侏, 古樂人'《集韻》. [二] 자랑할긍, 삼갈긍 矜(矛부 4획〈861〉)과 통용. [三] 오랑캐풍류금 북쪽 오랑캐의 음악. '一侏兜離, 罔不具集'《後漢書》.

人4〔伕〕6 요 [上]篠 yǎo ヨウ よわい

[字解] 약할요 '一, 尫弱謂之一'《集韻》.

人4〔伔〕6 담 [上]感 dǎn タン かみのたれたさま

[字解] ①머리늘어질담 머리가 늘어진 모양. 髡(髟부 4획〈1765〉)과 同字. ②멈출담 그침. '一, 止也'《正字通》.

人4〔伔〕6 침 [平]侵 zhěn チン うちたたく

[字解] 허리두드릴침 '在於批一'《淮南子》.

人4〔伕〕6 부 [平]虞 fū フ むこ

[字解] ①사위부 딸의 남편. '一, 女夫壻也'《篇海》. ②《現》인부부 부역(賦役)에 징발되는 인부.

人4〔优〕6 우 [平]尤 yōu ユウ しろい

[字解] ①쓿을우 오곡(五穀)을 정백(精白)하여 노인의 머리처럼 희게 함. '优, 五穀精如人髮白也'《篇海類編》. ②優(人부 15획〈77〉)의 簡體字.

人4〔佡〕6 〔흠〕 欠(部首〈594〉)과 同字

人4〔伃〕6 〔여〕 好(女부 4획〈242〉)와 同字

人4〔仡〕6 〔흘〕 仡(人부 3획〈35〉)의 本字

人4〔仈〕6 [一] 乑(丿부 5획〈19〉)의 本字 [二] 眾(目부 6획〈846〉)의 本字

人4〔份〕6 [一] 분 [現] fèn フン [二] 빈

[字解] [一]《現》 부분분. [二] 彬(彡부 8획〈367〉)과 同字.

[字源] 形聲. 人+分〔音〕

人4〔伇〕6 〔역〕 役(彳부 4획〈368〉)의 古字

人4〔仮〕6 〔가〕 假(人부 9획〈61〉)의 略字

人4〔伜〕6 〔쉬〕 倅(人부 8획〈56〉)의 俗字

人4〔伝〕6 〔전〕 傳(人부 11획〈68〉)의 略字

人4〔伛〕6 〔구〕 傴(人부 11획〈68〉)의 俗字·簡體字

人4〔伍〕6 〔저〕 低(人부 5획〈42〉)의 俗字

人4〔個〕6 〔개〕 個(人부 8획〈56〉)의 略字

人4〔伤〕6 〔상〕 傷(人부 11획〈69〉)의 簡體字

人4〔仗〕6 〔장〕 仗(人부 3획〈34〉)의 訛字

人4〔伃〕6 [韓] 격

[字解] 《韓》칠격 칩. 擊(手부 13획〈469〉)의 俗字. '僧統和尙出入時, 一大鐘式'《日用集》.

人4〔伩〕6 [韓] 유

[字解] 《韓》선비유 선비. '儒'의 俗字.

人5〔余〕7 [中·人] 여 [平]魚 yú ヨ われ, あまり

[筆順] ノ 𠆢 亼 今 佘 余 余

[字解] ①나여 자기. '一, 我也'《爾雅》. ②사월여 음력 4월의 일컬음. '一月'. ③나머지여, 남을여 餘(食부 7획〈1719〉)와 同字. '凡其一, 聚以待頒賜'《周禮》. ④성여 성(姓)의 하나.

[字源] 象形. 끝이 날카로운 제초구(除草具)를 본뜸.

人5〔佘〕7 사 [平]麻 shé シャ やまのな

[字解] ①산이름사 상해시(上海市) 청포현(青浦縣)의 남동쪽에 있는 산. 난순산(蘭筍山). ②성사 성(姓)의 하나.

[參考] 余(前條)는 別字.

人5〔㑅〕7 〔갑〕 甲(田부 0획〈794〉)의 古字

人5 〔[illegible]〕7 〔명〕
命(口부 5획〈157〉)의 俗字

人5 〔[illegible]〕7 〔명〕
命(口부 5획〈157〉)의 俗字

人5 〔佥〕7 〔첨〕
僉(人부 11획〈67〉)의 簡體字

〔坐〕 〔좌〕
土부 4획(202)을 보라.

〔巫〕 〔무〕
工부 4획(326)을 보라.

〔夾〕 〔협〕
大부 4획(233)을 보라.

人5 〔伯〕7 [高·人] [一] 백 [入]陌 | bó, ⑤bǎi ハク おさ, かしら
[二] 맥 [入]陌 | mò バク あぜみち
[三] 패 [去]禡 | bà ハ はたがしら

[筆順] ノ 亻 亻' 亻' 亻白 伯 伯

[字解] [一] ①맏백 맏형. '一仲叔季'. '一氏吹壎'《詩經》. ②큰아버지백 아버지의 형. '一父'. '一旣如此'《南史》. ③백작백 오등작(五等爵)의 셋째. '公侯一子男'. '小國稱一子男'《公羊傳》. ④남편백 '一也執殳'《詩經》. ⑤시아주버니백 남편의 형. '稱夫之弟爲叔, 則夫之兄亦可爲一也'《陔餘叢考》. ⑥우두머리백 장(長). 수장(首長). '匠一不顧, 遂行不輟'《莊子》. ⑦말의귀신백 말〔馬〕의 귀신 또는 그 귀신의 제사(祭祀). '旣一旣禱'《詩經》. ⑧성백 성(姓)의 하나. [二] 거리맥 陌(阜부 6획〈1613〉)과 통용. '置一格長'《史記》. [三] 두목패 맹주(盟主). 霸(雨부 13획〈1649〉)와 同字. '五一之霸也, 勤而撫之'《左傳》. 또, 고석(古昔)의 오관(五官)인 사도(司徒)·사마(司馬)·사공(司空)·사사(司士)·사구(司寇)의 장(長). '五官之長曰一'《禮記》.

[字源] 形聲. 人+白〔音〕

人5 〔估〕7 고 [上]麌 | gū, gǔ コ あたい

[字解] ①값고 물가. '一値'. '高鹽値, 賤帛一'《唐書》. ②값놓을고 값을 매김. 값의 평정(評定)을 함. '先令工人一價'《五代史》. ③팔고 물건을 팖. 장사함. '一之哉, 一之哉, 我待賈者也'《論語》. ④장수고 상인. '商一交入'《北史》.

[字源] 形聲. 人+古〔音〕

人5 〔佋〕7 소 ①[平]蕭 ②[上]篠 | zhāo ショウ shào ショウ たすける

[字解] ①소목(昭穆)소 종묘·사당의 신주의 서차(序次)에서 목(穆)의 위. 昭(日부 5획〈505〉)와 통용. '廟一穆, 父爲一, 南面, 子爲穆, 北面'《說文》. ②도울소, 소개할소 남을 도와 줌. 또, 중간에 들어 주선함. 紹(糸부 5획〈985〉)와 통용. '一介'. '士爲一擯'《禮記》.

[字源] 形聲. 人+召〔音〕

人5 〔伴〕7 [高·人] 반 ①-③[上]旱 ④[去]翰 | bàn ハン つれ pàn ハン ゆったり

[筆順] ノ 亻 亻' 亻'' 亻八 伫 伴

[字解] ①짝반 상대(相對). 동반자(同伴者). '一侶'. '燕似尼姑, 有一方行'《李義山雜纂》. ②모실반 배종(陪從)함. '隨一'. '一食'. '須賓客自一'《北史》. ③의지할반 의뢰함. '一張弛之信期'《楚辭》. ④한가할반 틈이 있는 모양. '一奐爾游矣'《詩經》.

[字源] 形聲. 人+半〔音〕

人5 〔伶〕7 [人名] 령 [平]青 | líng レイ わざおぎ

[筆順] ノ 亻 亻' 亻人 伶 伶 伶

[字解] ①악공령 음악을 직업으로 하는 사람. '一人'. '一官'. '制新曲教女一'《唐書》. ②하인령 부리는 사람. '府一呼喚爭先到'《白居易》. ③영리할령 똑똑함. '一俐'. ④외로울령 고독함. '形影何一仃'《魏觀》. ⑤노리개령 장난감. '瓦一口頰欲謾誰'《馬元來》. ⑥성령 성(姓)의 하나.

[字源] 形聲. 人+令〔音〕

人5 〔伸〕7 [高·人] 신 [平]眞 | shēn シン のびる, のばす

[筆順] ノ 亻 亻丨 亻冂 亻日 伸 伸

[字解] ①펼신 ㉠넓게 함. 길게 함. 곧게 함. '一縮'. '引一'. '引而一之'《易經》. ㉡마음을 놓음. '一眉'. '愁眉始得一'《釋曇遷》. ㉢일이 펴임. 성공 발전함. '終當大一'《南史》. ㉣곧지 못한 것을 곧게 다스림. '一寃'. ②펴질신 넓어짐. 길어짐. '鉤不一'《列子》. ③기지개켤신 '欠一'. '志倦則欠, 體倦則一也'《儀禮註》. ④《現》 말할신 사뢲. '追一'. ⑤성신 성(姓)의 하나.

[字源] 形聲. 人+申〔音〕

人5 〔伺〕7 사 [去]寘 [平]支 | sì, ②cì シ うかがう

字解 ①엿볼사 ㉠다른 사람이 모르게 가만히 봄. '一窺'. '夜一之'《水經注》. ㉡몰래 정상(情狀)을 살핌. '使人微一之'《史記》. ㉢몰래 기회를 엿봄. '密一其過'《魏書》. ②찾을사 높은 사람을 방문함. '一候車駕'《漢書》. ③살필사 ㉠살펴 앎. '明一晷度'《魏書》. ㉡추측함. 헤아림. '潛一太子意, 因用解之'《册府元龜》.
字源 形聲. 人+司〔音〕

人5〔伻〕7 팽 ㊥庚|bēng ホウ つかう

字解 ①부릴팽 사람을 부림. '一, 使人'《廣韻》. ②사자팽 심부름하는 사람. '一來, 以圖及獻卜'《書經》. ③하여금팽 …로 하여금 …하게 함. 시킴. '一從王于周'《書經》. ④따를팽 좇음. '一, 從也'《爾雅》
字源 形聲. 人+平〔音〕

人5〔似〕7 高·人 사 ㊤紙 ㊦寘|sì シ·ジ にる

筆順 ノ 亻 亻 亻 伙 似 似

字解 ①같을사 ㉠상사(相似)함. '類一'. '酷一'. '東門有人, 其顙一堯'《史記》. ㉡그럴 듯함. 그럴 듯하게 보임. '壹一重有憂者'《禮記》. ②흉내낼사 남의 언행을 그대로 옮겨서 함. '吳語我能一'《陸游》. ③이을사 상속(相續)함. '一續'. '以一以續'《詩經》. ④보일사 갖다 보임. 보냄. '今日把一君, 誰有不平事'《賈島》. ⑤성사 성(姓)의 하나.
字源 形聲. 人+以(目)〔音〕

人5〔伽〕7 人名 가 ㊥歌|qié, ③jiā カ てら

筆順 ノ 亻 亻 仂 伽 伽 伽

字解 ①절가 범어(梵語) gha(가)의 음역(音譯). '一藍'은 절. 사찰. ②가지가 茄(艸부 5획〈1131〉)와 통용. '盛冬育筍, 舊菜增一'《揚雄》. ③《現》 음역자가 '가'음(音)의 음역자(音譯字). '伽利略(갈릴레오)'.
字源 形聲. 人+加〔音〕

人5〔伾〕7 비 ㊥支 ㊤紙|pī ヒ ちからのあるさま

字解 ①힘셀비 힘이 셈. '以車一一'《詩經》. ②많을비 수효가 많음. 또, 떼지어 가는 모양. '一一, 衆也'《廣雅》. ③성비 성(姓)의 하나.
字源 形聲. 人+丕〔音〕

人5〔佃〕7 전 ㊥先 ㊦霰|tián, ③diàn デン たがやす, かり

字解 ①밭갈전 밭을 경작함. '竝一竝守'《晉書》. ②밭전 개척(開拓)한 밭. '募人耕一'《宋書》. ③소작인전 소작하는 사람. '一戶'. '訂其主一'《宋史》. ④사냥할전 수렵(狩獵)함. '一漁'. '以一以漁'《易經》.
字源 形聲. 人+田〔音〕

人5〔伷〕7 주 ㊦有|zhòu チュウ あとつぎ

字解 맏아들주 장자(長子). '冑, 或作一'《集韻》.

人5〔但〕7 中·人 ㊀단 ㊤旱 ㊁탄 ㊦翰|dàn タン ただ dàn タン いつわり

筆順 ノ 亻 亻 亻 但 但 但

字解 ㊀①다만단 단지. ㉠그것만. '一服湯, 二旬而復故'《史記》. ㉡특히 그것만 일부러. '匈奴匿其壯士肥牛馬, 一見老弱及羸畜'《史記》. ㉢오로지. '爲人君者, 一當退小人之僞朋, 用君子之眞朋'《歐陽修》. ㉣한갓. 헛되이. '一唯笑而已'《通鑑綱目》. ㉤그러나. '一恨無過王右軍'《杜甫》. ㉥무의미의 조사(助辭). '一看古來歌舞地'《劉廷芝》. ②성단 성(姓)의 하나. ㊁거짓탄 誕(言부 7획〈1330〉)과 통용. '媒一者, 非學謾也'《淮南子》.
字源 形聲. 人+旦〔音〕

人5〔佇〕7 저 ㊤語|zhù チョ たたずむ

字解 ①우두커니설저 정지함. 잠시 멈춰 섬. '一立以泣'《詩經》. ②기다릴저 바라고 기다림. '虛襟以一'《陸贄》.
字源 形聲. 人+宁〔音〕

人5〔佈〕7 포 ㊦遇|bù フ しらせる

字解 《現》 펼포 布(巾부 2획〈329〉)와 통용. '一告'.
字源 形聲. 人+布〔音〕

人5〔佌〕7 차 ㊤紙|cǐ シ ちいさい

字解 ①작을차 조그마함. '一一彼有屋'《詩經》. ②나란히일매질차 줄지어 나란한 모양. 또, 장단(長短)이 고르지 못한 모양. '一, 一一, 猶言差'《六書故》.
字源 形聲. 人+此〔音〕

人5〔位〕7 中·人 위 ㊦寘|wèi イ くらい

筆順 ノ 亻 亻 亻 付 位 位

字解 ①자리위 ㉠좌립(坐立)의 장소. '一置'. '揖人必違其一'《禮記》. ㉡벼슬자리.

관직의 등급. '官一'. '爵一已極'《漢書》. ㉢ 임금의 자리. '帝一'. '卽一'. '朕在一七十載'《唐書》. ㉣고하(高下). 계급. '一次'. '一序'. '同功而異一'《易經》. ㉤순서. 차례. '順一'. '以定月一'《後漢書》. ㉥방각(方角). '方一'. '火一在南方'《論衡》. ②자리잡을위 ㉠자리를 정함. 위치함. '天地一焉'《中庸》. ㉡바른 위치에 있음. 있어야 할 곳에 있음. '一, 正也'《廣韻》. ③분위 인원(人員)의 경칭. '各一'. '諸一'. ④성위 성(姓)의 하나.
[字源] 會意. 人+立

人 5 〔低〕7 [中·人] 저 [平]齊 | dī テイ ひくい
[筆順] 丿 亻 亻 仁 仾 低 低
[字解] ①낮을저 높지 아니함. '高一'. '一地'. ②숙일저 수그림. 또, 축 처짐. '一頭'. '一首'. '黍熟頭一, 麥熟頭昂'《談藪》. ③머무를저 자리잡고 머무름. '一, 舍也'《廣雅》. '軒輬旣一'《楚辭》.
[字源] 形聲. 人+氐〔音〕

人 5 〔住〕7 [中·人] 주 [去]遇 | zhù ジュウ すむ
[筆順] 丿 亻 亻 仁 仨 仹 住
[字解] ①머무를주 ㉠머무름. 머물러 삶. '移一'. '權牽小船於岸上一'《南齊書》. 또, 그 곳. 거처. '應戀嵩陽一'《于武陵》. ㉡사는 사람. '君是故鄕人, 同作他鄕一'《高啓》. ㉢ 정지함. '淸道而行, 擇地而一'《潘岳》. ②그칠주 중지함. 멈춤. 그만둠. '兩岸猿聲啼不一'《李白》. ③설주, 세울주 柱(木부 5획〈537〉)와 통용. '一, 立也'《集韻》. '輒停車一節'《後漢書》. ④성주 성(姓)의 하나.
[字源] 形聲. 人+主〔音〕

人 5 〔佐〕7 [高·人] 좌 [去]箇 [上]哿 | zuǒ サ たすける
[筆順] 丿 亻 仁 仕 佐 佐 佐
[字解] ①도울좌 보좌함. 보필함. '一命'. '翼一'. '一戴武宣公'《史記》. ②도움좌 보필(輔弼). 또, 보필하는 사람. '有瑕伯以爲一'《左傳》. ③속료좌 속관(屬官). '一僚'. '功高元帥, 賞卑下一'《晉書》. ④권할좌 '召之使一食'《國語》. ⑤다스릴좌 '廉於其事上也, 以一其下'《大戴禮》. ⑥엿볼좌 '一, 覘也'《廣雅》. ⑦성좌 성(姓)의 하나.
[字源] 形聲. 人+左〔音〕

人 5 〔佑〕7 [人名] 우 [去]宥 [上]有 | yòu yǔ ユウ たすける
[筆順] 丿 亻 仂 仗 佑 佑 佑
[字解] ①도울우 보좌함. '一啓'. '一助' '一, 佐也'《廣韻》. '擁佑太子, 頗有力焉'《漢書》. ②도움우 '天一'. '靈威神一'《班固》.
[字源] 形聲. 人+右〔音〕

人 5 〔佒〕7 앙 [平]陽 | yǎng yāng オウ かがまる
[字解] ①몸거북할앙 '傴一'은 몸이 불편하여 웅크린 모양. '一, 傴一, 體不伸皃'《集韻》. ②우러를앙 위를 쳐다봄. '緣循偃一'《莊子》. ③즐길앙 '一, 樂也'《詳校篇海》.
[字源] 形聲. 人+央〔音〕

人 5 〔佊〕7 피 [上]紙 [去]寘 | bǐ ヒ よこしま
[字解] 간사할피 바르지 못함. '一, 埤倉云, 一, 邪也'《廣韻》.

人 5 〔体〕7 [一] 분 [上]阮 | bèn ホン あらい
[二] 체 [上]薺 | tǐ タイ からだ
[字解] [一] ①용렬할분 못생김. '一漢'. ②상여꾼분 상여를 메는 사람. '一夫'. ③거칠분 笨(竹부 5획〈933〉)과 同字. [二] 몸체 體(骨부 13획〈1762〉)의 俗字·簡體字
[字源] 形聲. 人+本〔音〕
[參考] 예로부터 통속적으로 體(骨부 13획〈1762〉)의 略字로 쓰임.

人 5 〔佔〕7 [一] 점 ①②[平]鹽 ③[去]陷 | chān テン うかがう zhān セン せんりょうする
[二] 첨 [平]鹽 | zhàn セン ささやく
[字解] [一] ①엿볼점 覘(見부 5획〈1297〉)과 同字. '今之教者, 呻其一畢'《禮記》. ②늘어뜨릴점 帖(巾부 5획〈330〉)과 뜻이 같음. '俛首一耳'《韓愈》. ③《現》 차지할점 점령함. 점거(占據)함. [二] 속삭거릴첨 가는 목소리로 속삭임. '令喋喋而一一'《史記》.
[字源] 形聲. 人+占〔音〕

人 5 〔何〕7 [中·人] 하 [平]歌 | hé, ⑦hē カ なに, なん
[筆順] 丿 亻 仁 仃 仃 何 何
[字解] ①어찌하 ㉠의문사(疑問辭). '許子一不爲陶冶'《孟子》. ㉡반어사(反語辭). '參不敏, 一足知之'《孝經》. ㉢감탄사(感嘆辭). '歸遺細君, 亦一仁也'《漢書》. ②무엇하 ㉠알지 못하는 사물(事物). '禹曰一'《書經》. ㉡부정(不定)의 사물. 또, 부정의 사람. '一事非君, 一使非民'(누구를 섬긴들 임금이 아니며, 누구를 부린들 백성이 이

니랴.)《孟子》. ③어느하 ㉠어느 것. '吾一執, 執御乎, 執射乎'《論語》. ㉡어느 곳. '天下如一, 欲一之'《孔叢子》. ㉢어느 누구. '陸遜陸抗, 是君一人也'《吳志》. ④왜냐하면하 설명하는 말. '一者'·'一則'으로 연용(連用)하기도 함. '一則有其具者易其備'《王褒》. ⑤잠시하 잠깐. '居無一, 使者果召參'《史記》. ⑥멜하 등에 짐. 荷(艸부 7획〈1140〉)와 同字. '一戈與祋'《詩經》. ⑦꾸짖을하 질책함. 訶(言부 5획〈1319〉)와 통용. '大譴大一'《漢書》. ⑧성하 성(姓)의 하나.

字源 形聲. 人+可〔音〕

人5〔佖〕7 人名 필 ㉧質 | bì ヒツ ただしい

筆順 ノ 亻 亻 亻丿 佖 佖 佖

字解 ①점잖을필 위의(威儀)가 있음. 일설(一說)에는, 취(醉)하여 치신사나운 모양. '威儀一一'《詩經》. ②가득할필 '駢衍一路'《揚雄》. ③견줄필 '一, 𠪚借爲比'《說文》.

字源 形聲. 人+必〔音〕

人5〔佗〕7 타 ①③㉤歌 ④㉥箇 ⑤-⑥㉦哿 | tuō, ②tuó タ·ダ ほか | tuò タ くわえる | tuō タ·ダ みだす

字解 ①다를타 他(人부 3획〈34〉)와 同字. '君子正而不一'《揚子法言》. ②짊어질타 駄(馬부 3획〈1735〉)와 통용. '以一馬自一負三十日食'《漢書》. ③성타 성(姓)의 하나. ④더할타 보탬. '舍彼有罪, 予之一矣'《詩經》. ⑤풀타 머리를 풂. '醮酒一髮'《史記》. ⑥끌타 拕(手부 5획〈436〉)와 同字. '拕, 引也. 或作一'《集韻》.

字源 形聲. 人+它〔音〕

人5〔佚〕7 ㊀일 ㉧質 ㊁질 ㉧屑 (절㊍) | yì イツ たのしむ | dié テツ ゆるい

字解 ㊀①편할일 편안함. '一樂'. '安一'. '樂一遊'《論語》. ②숨을일 은둔(隱遁)함. '一民'. '遺一而不怨'《孟子》. ③허물일 과실(過失). '惟予一人, 有一罰'《書經》. ④예쁠일 자태가 아름다움. '見有娀之一女'《楚辭》. ⑤없어질일 '散一'. '一書'. ⑥잃을일 '遏一前人光'《書經》. ⑦달아날일 도망함. '熊一出圈'《漢書》. ⑧줄춤일 佾(人부 6획〈47〉)과 통용. '其一則接芬錯芳'《揚雄》. ⑨성일 성(姓)의 하나. ㊁①흐릴질 ㉠성품이 흐리터분함. 방탕함. '爲人簡易一蕩'《漢書》. ㉡느슨함. 대범함. '一愓, 緩也'《揚子方言》. ②갈마들질 번갈아 듦. 迭(辵부 5획〈1491〉)과 同字. '四國一興'《史記》. ※本音 절.

字源 形聲. 人+失〔音〕

人5〔佛〕7 中·人 ㊀불 ㉧物 ㊁필 ㉧質 ㊂발 ㉧月 | fú, ①fó ブツ ほとけ | bì ヒツ たすける | bó ホツ おこる

筆順 ノ 亻 亻𠃌 佀 佛 佛 佛

字解 ㊀①부처불 ㉠범어(梵語) Buddha의 음역(音譯). 불교의 대도를 깨달은 성인(聖人). 특히, 석가모니(釋迦牟尼)를 이름. '一陀'. '西方有神, 名曰一'《後漢書》. ㉡불상(佛像). '一師'. '燒臂照一'《南史》. ㉢자비심이 두터운 사람. '宋余崇守九江, 秋不雨, 擧家蔬食, 爲民禱祈而雨, 遂有秋, 民擧手加額, 呼余爲一'《呂氏家塾記》. ②불교불 세계 3대 종교의 하나. '一者夷狄之一法耳'《韓愈》. ③어그러질불 괴려(乖戾)함. 拂(手부 5획〈435〉)과 同字. '荒乎淫, 一乎正'《揚子法言》. ④비틀불 바싹 꼬여 듦. '獻鳥者, 一其首'《禮記》. ⑤성불 성(姓)의 하나. ㊁ 도울필 弼(弓부 9획〈362〉)과 同字. '一時仔肩'《詩經》. ㊂ 성할발 勃(力부 7획〈114〉)·浡(水부 7획〈647〉)과 통용. '一然平世之俗起焉'《荀子》.

字源 形聲. 人+弗〔音〕

參考 '仏(人부 2획〈33〉)'은 송·원대(宋元代)부터 쓰이고 있는 속자(俗字)임.

人5〔作〕7 中·人 ㊀작 ①-⑩㉧藥 (⑪자㊍) ⑪㉥箇 ㊁저 ㉥御 | zuò サク つくる | zuò サ なす | zǔ ショ のろう

筆順 ノ 亻 亻𠂉 亻𠂉 竹 作 作

字解 ㊀①지을작 ㉠만듦. 제조함. '一成'. '造一'. '若一酒醴, 爾惟麴蘖'《書經》. ㉡농사를 지음. '耕一'. '一人'. '命農勉一'《禮記》. ㉢세움. 건축함. '一于楚宮'《詩經》. ㉣처음으로 만듦. 창정(創定)함. '一者之謂聖'《禮記》. ㉤시문을 지음. '一詩'. '帝庸一歌'《書經》. ②일으킬작 ㉠행함. 일을 일으킴. '一亂'. ㉡진흥(振興)함. '一興'. '一新民'《書經》. ③일어날작 ㉠잠에서 깸. '夜寐蚤一'《弟子職》. ㉡기립함. '坐一'. '雖少者必一'《論語》. ㉢흥기(興起)함. '聖人一而萬物睹'《易經》. ㉣생김. '大夫懼罪而禍一'《史記》. ④일할작 일을 함. '日出而一, 日入而息'《帝王世紀》. ⑤움직일작 ㉠감동함. '一而自問之'《禮記》. ㉡변함. 변동(變動)함. '顔色變一'《戰國策》. ⑥경작작 농사. '平秩東一'《書經》. ⑦공사작 건축. 토목 공사. '無用之官, 不急之一'《鹽鐵論》. ⑧저작작 저술. '田舍翁火爐頭之一'《江南野錄》. ⑨비로소작 처음으로. '萊夷一牧'

《書經》. ⑩성작 성(姓)의 하나. ⑪작용작 공용(功用). '人之用一'《論衡》. ※⓫은 本音 자. [三] 저주할저 詛(言부 5획〈1321〉)와 통용. '侯一侯祝'《詩經》.
[字源] 形聲. 人+乍〔音〕

人5〔㑅〕7 作(前條)의 本字

人5〔佞〕7 녕 [去]徑 | nìng ネイ くちだっしゃ, よこしま
[字解] ①재주있을녕 '我不一, 雖不識義亦不可惑'《國語》. ②말재주있을녕 구변이 있음. '焉用一'《論語》. ③아첨할녕 마음이 곧지 못하고 말재주가 있어서 남에게 아첨을 잘함. '一辯'. '惡夫一者'《論語》. 또, 그 사람. '友便一損矣'《論語》. ④사특할녕 부정(不正)함. '以邪導人, 謂之一'《鹽鐵論》. ⑤위선(僞善)녕 '一之見一'《國語》.
[字源] 形聲. 女+仁〔音〕

人5〔佝〕7 구 (후[本]) [去]宥 [平]虞 | ①-③gōu(kǒu) コウ·ク せむし ④jū ク とどめる
[字解] ①곱사등이구 꼽추. '一僂承蜩者'《列子》. ②어리석을구 怐(心부 5획〈383〉)와 통용. '怐, 一愗, 愚也'《集韻》. ③약할구 '瞅, 一瞅, 嬴也'《集韻》. ④잡을구 拘(手부 5획〈437〉)와 통용. ※❶-❸ 本音 후.
[字源] 形聲. 人+句〔音〕

人5〔佉〕7 거 [平]魚 | qū キョ くにのな
[字解] 땅이름거 '一沙'는 옛날 서역(西域)의 나라 이름. 지금의 카슈가르 지방. 또, 그 땅 이름. 소륵(疏勒).

人5〔佀〕7 [一] 似(人부 5획〈41〉)의 本字 [二] 以(人부 3획〈34〉)와 同字

人5〔伱〕7 伱(次條)의 本字

人5〔你〕7 〔이〕 爾(爻부 10획〈735〉)의 俗字
[字源] 形聲. 人+尔〔音〕

人5〔你〕7 伱(前前條)의 俗字

人5〔㐼〕7 〔탁〕 侂(人부 6획〈47〉)의 俗字

人5〔佂〕7 정 [平]庚 | zhēng セイ·ショウ おそれあわてる
[字解] 황급할정 또, 황급히 가는 모양. 怔(心부 5획〈383〉)과 同字. 江湘之間, 凡窘猝怖遽, 或謂之一伀'《揚子方言》.
[字源] 形聲. 人+正〔音〕

人5〔佟〕7 통 [平]冬 | tóng トウ せい
[字解] 성통 성(姓)의 하나. '一豆蘭'은 여진족으로 조선조(朝鮮朝)의 개국 공신인 이지란(李之蘭)을 말함.

人5〔佁〕7 [一] 애 [上]賄 | ǎi アイ おろか
[二] 이 [上]紙 | yǐ イ おろか
[三] 치 [去]寘 | chì チ すすまぬ
[四] 시 [上]紙 | sì シ おもう
[字解] [一] 어리석을애 '一, 癡也'《廣韻》. [二] 어리석을이 [一]과 뜻이 같음. [三] 밀릴치 앞으로 나아가지 않는 모양. '一, 固滯貌'《正字通》. [四] ①이를시 紿(糸부 5획〈986〉)와 통용. '一, 至也'《集韻》. ②생각할시 깊이 생각하는 모양. '一美, 然後有輝'《管子》.
[字源] 形聲. 人+台〔音〕

人5〔佤〕7 [一] 과 [平]麻 | カ りぜつのさま
[二] 괘 [平]佳 | カイ ただしくない
[字解] [一] 관계끊을과 '一邪'는 관계를 끊고 헤어지는 모양. '一邪, 離絕之皃'《廣韻》. [二] 바르지아니할괘 '一拉, 猶言不正之婦也'《名義考》.

人5〔佣〕7 용 | yōng ヨウ てすうりょう
[字解] ①구전용 '一金'은 구전(口錢). ②傭(人부 11획〈68〉)의 簡體字.

人5〔佢〕7 거 | qú キョ かれ
[字解] 그거 제 3 인칭 대명사로, 그 사람. 월동(粵東) 곧 지금의 광동성(廣東省)의 말. '一, 俗字. 粵東稱他爲一'《中華大字典》.

人5〔伿〕7 [一] 지 [去]寘 | シ おこたる
[二] 이 [去]寘 | yì イ おこたる
[字解] [一] 게을리할지 '一, 惰也'《說文》. [二] 게을리할이 [一]과 뜻이 같음.
[字源] 形聲. 人+只〔音〕

人5〔伹〕7 [一] 저 [平]魚 | qū ショ つたない
[二] 조 [上]麌 | zǔ ソ あさい
[字解] [一] 서투를저, 둔할저 또, 둔한 사람. '一, 鈍也'《廣雅》. [二] 얕을조 깊지 않음. '一, 淺也'《廣韻》.
[字源] 形聲. 人+且〔音〕

人5〔佅〕7 [一] 매 (去)卦 [二] 말 (入)曷 | mài バイ [一][二] いみん ぞくのおんがく mò バツ

[字解] [一] 오랑캐풍류매 동이(東夷)의 음악(音樂). '僸一兜離, 罔不具集《班固》. [二] 오랑캐풍류말 [一]과 뜻이 같음.

人5〔伭〕7 [一] �(人부 4획〈38〉)과 同字 [二] 顯(頁부 9획〈1695〉)과 同字

人5〔休〕7 〔휴〕 休(人부 4획〈38〉)와 同字

人5〔信〕7 〔강〕 剛(刀부 8획〈106〉)의 古字

人5〔毎〕7 〔모〕 侮(人부 7획〈50〉)의 古字

人5〔但〕7 〔강〕 剛(刀부 8획〈106〉)의 古字

人5〔休〕7 〔휴〕 休(人부 4획〈38〉)의 訛字

人5〔体〕7 [一] 体(人부 5획〈42〉)의 俗字 [二] 體(骨부 13획〈1762〉)의 俗字

人5〔㑊〕7 〔방〕 仿(人부 4획〈37〉)의 籒文

〔攸〕 〔유〕 攴부 3획(479)을 보라.

人6〔侖〕8 [人名] 륜 (平)眞 | lún ロン おもう

[筆順] ノ 八 亼 亽 佥 侖 侖 侖

[字解] ①생각할륜 '一, 思也'《說文》. ②순서세울륜 조리를 세움. '一, 敍也'《正字通》.
[字源] 會意. 亼+冊

人6〔佱〕8 〔법〕 法(水부 5획〈637〉)의 古字

人6〔侊〕8 〔광〕 光(儿부 4획〈82〉)의 古字

人6〔会〕8 [一] 黔(雨부 8획〈1644〉)의 古字 [二] 陰(阜부 8획〈1617〉)의 古字

人6〔㑓〕8 〔우〕 虞(虍부 7획〈1215〉)의 古字

人6〔來〕8 [中·人] 래 ①-⑩(平)灰 ⑪(去)隊 | lái ライ くる lài ライ ねぎらう

[筆順] 一 ア ス 双 刄 本 夾 來

[字解] ①올래 ㉠이리로 옴. '一往'. '一賓'. '往而不一, 非禮也'《禮記》. ㉡장차 옴. '一者'. '一日'. ②돌아올래, 이를래 갔다 옴. '一歸'. '使者未一'《戰國策》. ③부를래 불러 옴. '一百工, 則財用足'《中庸》. ④미칠래 '一, 及也'《廣韻》. ⑤미래래 ㉠전도. 향후(向後). '擧往以明一'《漢書》. ㉡미래. 후세. '無去一今'《圓覺經》. ⑥이래래 그 이후. '入秋一, 眠食何似'《韓愈》. ⑦어조사래 어세(語勢)를 강하게 하거나, 권유의 뜻을 나타내기 위하여 어미(語尾)에 붙이는 조사(助辭). '盍歸乎一'《孟子》. '歸去一兮'《陶潛》. ⑧보리래 맥류(麥類). '貽我一牟'《詩經》. ⑨오대손래 현손(玄孫)의 아들. ⑩성래 성(姓)의 하나. ⑪위로할래 오는 사람을 위로함. '勞一'. '勞之一之'《孟子》.
[字源] 象形. 호밀 모양을 본뜸.
[參考] 来(木부 3획〈529〉)는 俗字.

人6〔佩〕8 [人名] 패 (去)隊 | pèi ハイ おびだま, おびる

[筆順] ノ 亻 仉 仉 佩 佩 佩 佩

[字解] ①노리개패 띠에 차는 장식용(裝飾用) 옥(玉). 옛날에 조복(朝服)에 이것을 찼는데, 천자(天子)는 백옥(白玉), 공후(公侯)는 현옥(玄玉), 대부(大夫)는 창옥(蒼玉) 등 계급(階級)에 따라 옥(玉)의 종류도 달랐음. '玉一'. '雜一以贈之'《詩經》. ②찰패 ㉠끈을 달아 몸에 참. '一刀'. '古之君子, 必一玉'《禮記》. ㉡몸에 지님. '農夫一耒耜, 工匠一斧'《白虎通》. ③마음먹을패 마음 속에 간직함. '一服'. '感一'. ④두를패 위요(圍繞)함. '鮑丘水, 北一謙澤'《水經 注》. ⑤성패 성(姓)의 하나.
[字源] 會意. 人+凡+巾

人6〔佯〕8 양 (平)陽 | yáng ヨウ いつわる

[字解] ①속일양 기만함. '此善爲詐一者也'《淮南子》. ②거짓양 사실 아닌 것을 사실같이. '一狂而爲奴'《史記》. ③노닐양 헤맴. 徉(彳부 6획〈370〉)과 同字. '仿一'. '仿一無所倚'《楚辭》.
[字源] 形聲. 人+羊〔音〕

人6〔佰〕8 [人名] [一] 백 (入)陌 [二] 맥 (入)陌 | bǎi(bó) バク もも mò ミャク みち

[筆順] ノ 亻 亻 仃 佰 佰 佰 佰

[字解] [一] ①백사람어른백 백 명의 두목. '俛仰仟一之中'《史記》. ②일백백 百(白부 1획〈824〉)과 통용. [二] 길맥, 거리맥 陌(阜부

6획〈1613〉)과 통용. '南以閩一爲界'《漢書》.
字源 形聲. 人+百〔音〕
參考 百(白부 1획〈824〉)의 같은자.

人6〔佰〕8 中·人 가 ㊥佳 | jiā カ よい, うつくしい
筆順 丿 亻 仁 什 仕 佳 佳 佳
字解 ①아름다울가 '一人'. '一景'. ②좋을가 '一作'. '一節'. '如汝言亦復一'《世說》. ③좋아할가 '夫一兵者, 不祥之器也'《老子》. ④성가 성(姓)의 하나.
字源 形聲. 人+圭〔音〕

人6〔併〕8 〔병〕 倂(人부 8획〈56〉)의 俗字

人6〔佴〕8 ㊀이 ㊇寘 | èr ジ·ニ ならぶ ㊁내 ㊇隊 | nài ダイ·ナイ つぐ
字解 ㊀①이을이 나란히 놓음. '僕又一之蠶室'《司馬遷》. ②버금이 '一, 貳也'《爾雅》. ㊁①이을내 '一, 次也'《集韻》. ②성내 성(姓)의 하나.
字源 形聲. 人+耳〔音〕

人6〔佶〕8 人名 길 ㊅質 | jí, ③jié キツ ただしい
筆順 丿 亻 亻 仁 什 佶 佶 佶
字解 ①바를길 사람의 언행이 바름. '一, 正也'《說文》. ②헌걸찰길 장건(壯健)함. '一閑'. '旣一且閑'《詩經》. ③굽을길 굴곡함. 詰(言부 6획〈1326〉)과 통용. '一屈聱牙'.
字源 形聲. 人+吉〔音〕

人6〔佸〕8 활 ㊅曷 | huó カツ あう, いたる
字解 ①이를활 옴. 닿음. '曷其有一'《詩經》. ②만날활 모임. 또, 만나게 함.
字源 形聲. 人+舌(𠯑)〔音〕

人6〔佹〕8 궤 ㊤紙 | guǐ キ かさなる
字解 ①포갤궤 겹침. '一, 重累也'《集韻》. '連卷欐一'《司馬相如》. ②의지할궤 '一, 一曰, 依也'《集韻》. ③어그러질궤 괴려(乖戾)함. '菑輿爪不相一'《周禮 註》. ④괴이할궤 괴상함. 기괴함. '爭爲一辯'《淮南子》.
字源 形聲. 人+危〔音〕

人6〔㑀〕8 융 ㊥東 | róng ジュウ えびす
字解 오랑캐융 서방(西方)의 만족(蠻族). 戎(戈부 2획〈420〉)과 同字. '一人, 身有三角也'《廣韻》.

人6〔侔〕8 강 ㊥江 | xiáng コウ ふさない
字解 뻣뻣할강 굽히지 않고 뻗댐. '傋一, 不伏也'《字彙》.

人6〔侞〕8 여 ㊥魚 | rú ジョ ひとしい
字解 ①같을여 차이가 없이 고름. 또, 고르게 함. '一, 均也'《集韻》. ②온순할여 순종함. '欲安遠方, 當先順一其近'《孔穎達》.
字源 形聲. 人+如〔音〕

人6〔佺〕8 人名 전 ㊥先 | quán セン せんにんのな
筆順 丿 亻 亻 仒 仒 佺 佺 佺
字解 이름전 '偓一'은 신선(神仙)의 이름. 또, '沈一期'는 당대(唐代)의 시인(詩人)의 이름.
字源 形聲. 人+全〔音〕

人6〔佻〕8 ㊀조 ㊥蕭 | tiāo(tiáo) チョウ かるい ㊁요 ㊥蕭 | yáo ヨウ ゆるめる
字解 ㊀①경박할조 경조 부박(輕佻浮薄)함. '一志'. '躁一反覆, 謂之智'《韓非子》. ②가볍고빠를조 '一, 疾也'《揚子方言》. ③도둑질할조 절취(竊取)함. '一天之功, 以爲己力'《國語》. ④고달플조 길을 가는데 매우 고단한 모양. 일설(一說)에는, 혼자 가는 모양. '一一公子, 行彼周行'《詩經》. ⑤구차할조 군색스러움. '余猶惡其一巧'《楚辭》. ㊁①늦출요 연기함. '一其期日'《荀子》. ②걸요 '一, 懸也'《廣雅》.
字源 形聲. 人+兆〔音〕

人6〔佼〕8 교 ①-⑥㊤巧 | jiǎo コウ みめよい ⑦-⑧㊥肴 | jiāo コウ まじわる
字解 ①예쁠교 아름다움. 姣(女부 6획〈247〉)와 同字. '一童'. '一人僚兮'《詩經》. ②업신여길교 경시(輕視)함. 뽐냄. '草木不搖, 而燕雀一之'《淮南子》. ③속일교 교활함. 狡(犬부 6획〈750〉)와 통용. '好一反而行私請'《管子》. ④나을교 평범한 사람 중에서 조금 나음. '一, 庸人之敏'《廣韻》. ⑤어지럽힐교, 어지러울교 攪(手부 20획〈478〉)와 통용. ⑥성교 성(姓)의 하나. ⑦사귈교 또, 사귐. 交(亠부 4획〈28〉)와 同字. 群臣皆忘主而趨私一'《管子》. ⑧줄교 열(列). '宜爲上一'《史記》.
字源 形聲. 人+交〔音〕

人 6 〔佽〕8 차 [去]寘 | cì シ すばしこい

[字解] ①잴차 몸이 가볍고 빠름. '一飛射士'《漢書》. '決拾旣一'《詩經》. ②도울차 보조함. '人無兄弟, 胡不一焉'《詩經》. ③나란할차 벌여 놓은 것이 가지런함. '一, 通作次'《集韻》. ④번갈아차 '一, 代也'《廣雅》.

[字源] 形聲. 人+次〔音〕

人 6 〔佾〕8 [人名] 일 [入]質 | yì イツ まいのれつ

[筆順] ノ 亻 亻 仈 价 佾 佾 佾

[字解] 줄춤일 가로줄, 즉 열(列)과 세로줄 즉, 행(行)의 인원이 같은 춤. 주제(周制)에서, 천자(天子)는 팔일(八佾), 곧 팔렬팔행(八列八行)의 64인(人), 제후(諸侯)는 육일(六佾)의 36인, 대부(大夫)는 사일(四佾)의 16인, 사(士)는 이일(二佾)의 4인임. 일설에는, 일일(一佾)이 8인이므로, 육일은 48인, 이하(以下) 이에 준(準)한다고 함. '八一舞於庭'《論語》.

[字源] 形聲. 人+⿱八月〔音〕

人 6 〔使〕8 [中·人] 사 ①②[上]紙 ③-⑧[去]寘 | shǐ シ つかう (shì) シ つかい

[筆順] ノ 亻 亻 仁 仁 佢 使 使

[字解] ①부릴사 일을 시킴. 또, 사용함. '一役'. '一用'. '一民以時'《論語》. ②하여금사 ㉠…로 하여금 …하게 함. 명령의 말. '王一人問疾'《孟子》. ㉡…로 하여금 …하게 한다면. 가설(假說)의 말. '一武安侯在者族矣'《史記》. ③사신사 임금의 명령을 받들어 나가서 일에 임하는 사람. '吳一一問仲尼'《史記》. ④심부름꾼사 하인. '一令'. '留一女廬殯在家'《列仙傳》. ⑤사신갈사 사신으로 나감. '一于四方, 不辱君命'《論語》. ⑥사신보낼사, 심부름보낼사 '一一, 欲與連和俱西'《史記》. ⑦벼슬이름사 조정(朝廷)에서 파견되어 지방의 사무를 맡아 보는 벼슬. '節度一'. '按察一'. '少正一之數'《文獻通考》. ⑧성사 성(姓)의 하나.

[字源] 形聲. 人+吏〔音〕

人 6 〔侂〕8 탁 [入]藥 | tuō タク よせる

[字解] ①사람이름탁 '韓一胄'는 송대(宋代)의 사람. ②부탁할탁, 의탁할탁 '一, 寄也'《說文》. ③헐탁 부숨. '一, 毁也'《廣韻》.

[字源] 形聲. 人+厇〔音〕

人 6 〔侃〕8 [人名] 간 [上]旱 [去]翰 | kǎn カン つよくただしい

[筆順] ノ 亻 亻 们 伵 伿 侃 侃

[字解] 강직할간 마음이 굳세고 곧은 모양. 일설(一說)에는, 화락(和樂)한 모양. '一諤'. '子路一一如也'《論語》.

[字源] 會意. ⿰亻口+巛〔音〕

人 6 〔⿰亻⿱口巛〕8 侃(前條)과 同字

人 6 〔侇〕8 이 [平]支 | yí イ つらねる, うつる

[字解] ①무리이 같은 또래. 또, 같은. '一, 儕也, 等也'《正字通》. ②줄지을이 죽 늘어놓음. '士擧, 男女奉尸一于堂'《儀禮》. ③옮을이 '一, 一之言, 移也'《集韻》.

[字源] 形聲. 人+夷〔音〕

人 6 〔侈〕8 치 [上]紙 | chǐ シ おごる

[字解] ①사치할치 분에 넘치게 호사함. '一奢'. '公患三桓之一也'《左傳》. ②오만할치 거만함. 뽐냄. '一傲'. '於是晉侯一'《左傳》. ③방자할치 멋대로 굶. 난잡함. 사악(邪惡)함. '放辟邪一'《孟子》. ④클치 형체가 큼. 또, 넓음. '莽爲人一口'《漢書》. ⑤많을치 넉넉함. '不陳庶一'《國語》. ⑥벌릴치 펴서 엶. '哆兮一兮'《詩經》. ⑦호사치 사치. '奢一'. '崇一恣情'《舊唐書》. ⑧떠날치 誃(言부 6획〈1327〉)와 통용. '四方之國, 有一離之德'《荀子》.

[字源] 形聲. 人+多〔音〕

人 6 〔侁〕8 신 [平]眞 | shēn シン ゆく

[字解] ①갈신 '一, 行皃'《說文》. ②떼지어갈신 말들이 떼를 지어 앞을 다투는 모양. 또, 낙역 부절(絡繹不絕)한 모양. '一, 與駪通'《正字通》. '一一征夫'《詩經》. ③성신 성(姓)의 하나.

[字源] 形聲. 人+先〔音〕

人 6 〔侅〕8 해 [平]灰 [上]賄 | gāi, hài カイ·ガイ つねでない

[字解] ①이상할해 기이함. 비상함. '奇一'. '非常曰一事'《揚子方言》. ②목멜해 목이 막힘. '一溺於馮氣'《莊子》.

[字源] 形聲. 人+亥〔音〕

人 6 〔侄〕8 질 [入]質 | zhí シツ おろか

[字解] ①어리석을질 '一, 癡也'《正字通》. ②단단할질 굳음. '一, 堅也'《廣雅》. ③머무를질 '一, 一仡, 不前也'《正字通》. ④조카질 姪(女부 6획〈247〉)의 俗字.

[字源] 形聲. 人+至〔音〕

人6 〔侊〕8 [人名] 광 [平]陽 / [平]庚 | guāng コウ おおきい, さかん

[筆順] ノ 亻 亻' 亻'' 亻⺌ 伴 佯 侊

[字解] 성찬광 '一飯'은 잘 차린 음식. 성찬(盛餐). '一飯不及壺飡'《國語》.

[字源] 形聲. 人+光〔音〕

人6 〔例〕8 [中·人] 례 [去]霽 | lì レイ ためし

[筆順] ノ 亻 仁 伢 伢 伢 例 例

[字解] ①법식례 규정(規定). '一規'. '法一'. '規一'. '凡處事者, 當上合古義下準今一'《晉書》. ②전례례 이전부터 있던 사례. '古一'. '慣一'. '隨一迎候'《南史》. ③전고례 고실(故實). '欲依蔡謨一事'《南史》. ④본보기례 전거(典據)와 표준이 되기에 족한 것. '凡一'. '用一'. '發凡以言一'《杜預》. ⑤인증례 인용하는 증거. '不以一求經'《眞德秀》. ⑥비류(比類)례 같은 종류. 비슷한 종류. '臣子一一'《史記》. ⑦대개례 거의 다. 대부분. '家有舊書, 一皆殘蠹'《南史》. ⑧성례 성(姓)의 하나.

[字源] 形聲. 人+列(㓝)〔音〕

人6 〔侍〕8 [高·人] 시 [去]寘 | shì ジ はべる, さむらい

[筆順] ノ 亻 仁 仕 佳 侍 侍 侍

[字解] ①모실시 높은 사람의 옆에서 시중듦. '一坐'. '一從'. '閔子一側'《論語》. 또, 그 사람. '解官充一'《唐書》. '不置妾一'《唐書》. ②기를시 양육함. '以養疾一老也'《呂氏春秋》. ③임(臨)할시 '大胥一之'《禮記》. ④권할시 권면함. '一以節財儉用'《史記》. ⑤따를시 '一, 從也'《廣韻》. ⑥부릴시, 쓸시 부림. 사용함. '一, 使也'《廣雅》. ⑦다가갈시 가까이 감. '一, 近也'《廣雅》. ⑧성시 성(姓)의 하나.

[字源] 形聲. 人+寺〔音〕

人6 〔侏〕8 주 [平]虞 | zhū シュ こびと, わざおぎ

[字解] ①난쟁이주 '一儒'는 왜인(矮人). '一儒百工'《禮記》. ②광대주 배우. 난쟁이들이 많이 광대가 되므로 이름. '優倡一儒戲而前'《史記》. ③동자기둥주 쪼구미. '欂櫨一儒'《韓愈》. ④속일주 거짓말함. 侜(人부 6획〈49〉)와 통용. ⑤거미주 '蠾蝓者, 一儒語之轉也'《揚子方言》. ⑥클주 '一, 大也'《集韻》. ⑦성주 성(姓)의 하나.

[字源] 形聲. 人+朱〔音〕

人6 〔侐〕8 혁 [入]職 | xù キョク しずか

[字解] 고요혁, 쓸쓸할혁 적막. 정숙(靜肅). '閟宮有一'《詩經》.

[字源] 形聲. 人+血〔音〕

人6 〔佫〕8 격 [入]藥 | カク·キャク いたる

[字解] ①이를격 이름. 𢓜(彳부 6획〈370〉)과 同字. '𢓜, 至也, 或作一'《集韻》. ②성격 성(姓)의 하나.

人6 〔佬〕8 료 [平]蕭 | liáo リョウ おおきい

[字解] 클료 큰 모양. '一, 侤一也, 大皃'《玉篇》.

[字源] 形聲. 人+老〔音〕

人6 〔侤〕8 [韓] 고

[字解] 《韓》다짐둘고 다짐함.

人6 〔侑〕8 [人名] 유 [去]有 | yòu ユウ たすける

[筆順] ノ 亻 亻' 仁 伂 侑 侑 侑

[字解] ①도울유 음식을 들 때에 음악을 연주하여 흥(興)을 도움. '膳夫以樂一食'《周禮》. ②권할유 권면함. '一酬'. '執板奏歌一觴'《齊東野語》. ③배식할유 시식(侍食)함. '凡一食不盡食'《禮記》. ④갚을유 보답함. 보수(報酬). '民有報一'《宋史》. ⑤용서할유 너그러움. 용대(容貸)함. 宥(宀부 6획〈278〉)와 통용. '文有三一, 武無一赦'《管子》. ⑥둘이나란히서서밭갈유 姷(女부 6획〈248〉)와 통용. '一, 耦也'《說文》.

[字源] 形聲. 人+有〔音〕

人6 〔侔〕8 모 [平]尤 | móu ボウ ひとしい

[字解] ①같을모 같음. 가지런함. 고름. '一, 齊等也'《說文》. '行山者欲一'《周禮》. ②따를모 좇음. '畸於人, 而一於天'《莊子》. ③취할모, 꾀할모 '靜默以一免'《管子》. ④벌레이름모 뿌리를 잘라 먹는 거염벌레 따위. ⑤성모 성(姓)의 하나.

[字源] 形聲. 人+牟〔音〕

人6 〔侗〕8 [一]통 [平]東 | tóng トウ おろか
[二]동 [去]送 | dòng トウ まこと

[字解] [一]①미련할통 어리석음. '儱一'. '一而不愿'《論語》. 또, 그 사람. '在後之一, 敬迓天威'《書經》. ②클통 '一, 大貌'《說文》. ③아플통 恫(心부 6획〈388〉)과 통용. '神罔時一'《詩經》. ④성통 성(姓)의 하나. [二]정성동 성실(誠實). '翛然而往, 一然而來'《莊子》.

[字源] 形聲. 人＋同〔音〕

人 6 〔侘〕 8 차 [去]禡 [平]麻 | chà タ ほこる

[字解] ①자랑할차 '卽欲以一鄙縣'《史記》. ②낙망할차 실망함. 뜻이나 의욕을 잃음. '余一傺兮'《楚辭》.
[字源] 形聲. 人＋宅〔音〕

人 6 〔供〕 8 [高·人] 공 [平]冬 [去]宋 | gōng, gòng キョウ そなえる

[筆順] ノ 亻 亻一 亻十 亻卄 仕 供 供

[字解] ①이바지할공 ㉠줌. '一億'. '一給資費'《魏志》. ㉡올림. 바침. 드림. '一奉'. '凡所資一, 一無所受'《南史》. 또, 주거나 바친 물품. '一日之一, 以錢二萬爲限'《晉書》. ②받들공 받들어 모심. '一奉'. '一養日寡矣'《詩經 箋》. ③기를공 '一, 養也'《廣雅》. ④갖추어질공 구비됨. '王祭不一'《左傳》. ⑤베풀공 설비함. '一張祖道東都門外'《韓愈》. ⑥공초(供招)할공 죄인이 범죄 사실을 진술함. '一述'. '口一'. ⑦공손할공 교만하지 않음. '貴而不驕, 富而能一'《孔子家語》. ⑧성공 성(姓)의 하나.
[字源] 形聲. 人＋共〔音〕

人 6 〔侜〕 8 주 [平]尤 | zhōu チュウ おおいかくす

[字解] ①가릴주 가려서 보이지 않게 함. '誰一予美'《詩經》. ②속일주 거짓말을 함. 譸(言부 14획〈1360〉)와 同字.
[字源] 形聲. 人＋舟〔音〕

人 6 〔佪〕 8 궁 [去]送 | qiòng キュウ ちいさい

[字解] ①작을궁 작은 모양. '一, 小皃'《集韻》. ②원망할궁 '怨高陽之相寓兮, 一顓頊而宅幽'《張衡》. ③추울궁 '一, 一日, 寒皃'《集韻》. ④굽힐궁 몸을 굽힘. 기를 펴지 못함. '一, 一日, 屈也'《集韻》.
[字源] 會意. 人＋曲

人 6 〔依〕 8 [中·人] 의 ①-⑦[平]微 ⑧-⑩[上]尾 | yī イ よる / yǐ イ やすい

[筆順] ノ 亻 亻 亻 亻 仫 伩 依

[字解] ①의지할의 ㉠물건에 기댐. '是旣登乃一'《詩經》. ㉡의뢰함. '一附'. '一託'. '知小人之一'《書經》. 또, 기댈 곳. 의탁할 데. '似無一洋洋'《班固》. ②좇을의 따름. '一準'. '一於仁'《論語》. ③우거질의 수목이 무성한 모양. '一彼平林'《詩經》. ④사랑할의 '有一其士'《詩經》. ⑤도울의 '聲一咏, 律和聲'《玉篇》. ⑥그대로의 이전 그대로. 의연(依然). ⑦성의 성(姓)의 하나. ⑧편안할의, 편안히할의 '于京斯一'《詩經》. ⑨비유(比喩)의 '不學博一, 不能安詩'《禮記》. ⑩머릿병풍의 扆(戶부 6획〈426〉)와 同字. '天子設斧一于戶牖之間'《儀禮》.
[字源] 形聲. 人＋衣〔音〕

人 6 〔侙〕 8 칙 [入]職 | chì チョク おそれる

[字解] ①두려워할칙, 조심할칙 忇(心부 6획)과 同字. '於其心一然'《國語》. ②마음동할칙 마음이 움직임. '一, 愼也'《廣雅》.
[字源] 形聲. 人＋式〔音〕

人 6 〔侎〕 8 미 [上]紙 | mǐ ビ なでいつくしむ

[字解] 어루만질미 위무(慰撫)함. 敉(攴부 6획〈482〉)와 同字. '掌一裁兵'《周禮》.
[字源] 形聲. 人＋米〔音〕

人 6 〔佮〕 8 [一] 갑 [入]合 | gě コウ あわせる / [二] 탑 [入]合 | トウ あわせる / [三] 압 [入]合 | ě オウ せい

[字解] [一] 합칠갑 합쳐 가짐. '一, 併一, 聚也《廣韻》. [二] 합칠탑 [一]과 뜻이 같음. [三] 성압 성(姓)의 하나.
[字源] 形聲. 人＋合〔音〕

人 6 〔侊〕 8 왕 [平]陽 | wāng オウ あしなえ

[字解] 절름발이왕 발을 저는 불구자. '賤之如一'《荀子》.
[字源] 形聲. 人＋匡〔音〕

人 6 〔侀〕 8 형 [平]青 | xíng ケイ なる

[字解] ①형벌형 刑(刀부 4획〈100〉)과 同字. ②이룰형. 성취함. '一, 成也'《集韻》. ③거푸집형 型(土부 6획〈207〉)과 同字. ④형상형 形(彡부 4획〈366〉)과 통용.
[字源] 形聲. 人＋刑〔音〕

人 6 〔侒〕 8 안 [平]寒 | ān アン やすらか

[字解] 편안할안 안락함. '一, 宴也'《說文》.
[字源] 形聲. 人＋安〔音〕

人 6 〔佌〕 8 차 [上]紙 | cǐ シ ちいさい

[字解] 작을차 작은 모양. 佌(人부 5획〈41〉)와 同字. '一, 小貌. 詩曰, 一一彼有屋'《說文》.
[字源] 形聲. 人＋囟〔音〕

人 6 〔佪〕 8 〔회〕 徊(彳부 6획〈370〉)와 同字

人6 〔侚〕8 〔순〕 徇(彳부 6획〈370〉)과 同字

人6 〔佷〕8 〔흔〕 很(彳부 6획〈370〉)과 同字

人6 〔侉〕8 ㊀夸(大부 3획〈232〉)와 同字 ㊁誇(言부 6획〈1327〉)와 同字

人6 〔侮〕8 〔모〕 侮(人부 7획〈50〉)와 同字

人6 〔⿰亻西〕8 〔숙〕 夙(夕부 3획〈229〉)의 古字

人6 〔伇〕8 〔역〕 役(彳부 4획〈368〉)의 古字

人6 〔⿰亻⿱夂女〕8 〔비〕 備(人부 10획〈66〉)의 古字

人6 〔⿰亻⿱𠂆木〕8 〔보〕 保(人부 7획〈53〉)의 本字

人6 〔侠〕8 〔협〕 俠(人부 7획〈54〉)의 俗字

人6 〔侭〕8 〔진〕 儘(人부 14획〈76〉)의 俗字

人6 〔佞〕8 〔녕〕 佞(人부 5획〈44〉)의 俗字

人6 〔価〕8 〔가〕 價(人부 13획〈74〉)의 俗字

〔舍〕 〔사〕 舌부 2획(1107)을 보라.

〔命〕 〔명〕 口부 5획(157)을 보라.

人7 〔俞〕9 〔유〕 兪(入부 7획〈85〉)의 俗字

人7 〔⿱人足〕9 〔기〕 企(人부 4획〈36〉)의 古字

人7 〔⿱个⿰个个〕9 기 ㊥支 | qí キ ひとしくない

字解 가지런하지않을기 '— 參差也'《廣韻》.

〔食〕 〔식〕 部首(1712)를 보라.

人7 〔俎〕9 조 ㊤語 | zǔ ショ·ソ まないた

字解 ①도마조 식칼질할 때 받치는 나무판. '鼎—'. '如今人方爲刀—, 我爲魚肉'《史記》. ②적대(炙臺)조 제향(祭享) 또는 향연(饗宴) 때 희생이나 음식을 담아 받치는 대(臺). '—實'. '—載牲之器'《後漢書 註》. ③성대 성(姓)의 하나.
字源 形聲. 仌+且〔音〕
參考 爼(爻부 5획〈734〉)는 俗字.

人7 〔⿰⿱⺈几人〕9 〔이〕 伊(人부 4획〈37〉)의 古字

人7 〔侮〕9 高校 모 ㊤麌 | wǔ ブ あなどる

字解 ①업신여길모 경멸(輕蔑)함. '—辱'. '凌—'. '無—老成人'《書經》. 또, 업신여기는 일. 경멸(輕蔑). '無啓寵納—'《書經》. ②능멸할모 업신여기어 조롱함. '淮陰少年有—信者'〈신(信)은 한신(韓信)〉《史記》.
字源 形聲. 人+每〔音〕

人7 〔侯〕9 高·人 후 ㊥尤 | hóu コウ まと, こうしゃく

筆順 丿 亻 亻 仁 伫 侯 侯 侯

字解 ①후작후 오등작(五等爵)의 둘째. 공(公)의 아래이고, 백(伯)의 위임. '公—伯子男'. '其餘大國稱—'《公羊傳》. ②제후후 천자(天子)에게 조공(朝貢)하는 작은 나라의 임금. '利建—'《易經》. 후세에는, 단지 경칭(敬稱)으로 쓰이는 수도 있음. '楊—去時'《韓愈》. ③아름다울후 '洵直且—'《詩經》. ④오직후 발어사(發語辭). 惟(心부 8획〈397〉)·維(糸부 8획〈996〉)와 뜻이 같음. '—誰在矣'《詩經》. ⑤사포(射布)후 활을 쏘는 표적(標的)으로 거는 베. 과녁. '—鵠'. '乃張—'《儀禮》. ⑥후복(侯服)후 오복(五服)의 하나. 왕성(王城) 주위로부터 5백 리에서 천 리 사이의 땅. '五百里—服'《書經》. ⑦어찌후 의문사. 何(人부 5획〈42〉)와 뜻이 같음. '君乎君乎, —不邁哉'《漢書》. ⑧어조사후 무의미의 조사(助辭). 兮(八부 2획〈86〉)와 뜻이 같음. '高祖過沛詩, 有三—之章'《史記》. ⑨살필후 엿봄. 候(人부 8획〈57〉)와 통용. '將事—禳禱祠之祝號'《周禮》. ⑩성후 성(姓)의 하나.
字源 會意. 刀(人)+厂+矢

人7 〔⿰亻⿱⺈矢〕9 侯(前條)의 俗字

人7 〔侲〕9 진 ㊦震 | zhèn ㊥眞 | zhēn シン わらべ, よい

字解 ①아이진 동자(童子). '—子萬童'《張衡》. ②착할진 '—僮逞材'《張衡》. ③말기르

는사람진 '虜儆一'《後漢書》.
[字源] 形聲. 人＋辰〔音〕

人 7 〔侵〕9 [高·人] 침 ①-⑥[平]侵 ⑦[上]寢 | qīn シン おかす qǐn シン たけひくい

[筆順] ノ 亻 亻 亻 侵 侵 侵 侵

[字解] ①침노할침 침략(侵略)함. '一掠'. '齊師一魯'《史記》. ②엄습할침 불의에 습격함. '負固不服, 則一之'《周禮》. ③침범할침 ㉠능멸(凌蔑)함. '一侮'. '語一之'《漢書》. ㉡침해함. '加以風雨所一'《北齊書》. ㉢법을 어김. '一臣事小察, 以折法令'《管子》. ④차츰나갈침 점진(漸進)함. '天子始巡郡縣, 一尋於泰山'《史記》. ⑤흉년침 풍년의 대(對). '五穀不升, 謂之大一'《穀梁傳》. ⑥성침 성(姓)의 하나. ⑦모침(貌侵)할침 키가 작고 못생김. 寑(宀부 11획〈284〉)과 同字. '貌一而體弱'《漢書》.
[字源] 會意. 人＋又＋帚〈省〉

人 7 〔侸〕9 [一] 수 [去]遇 | shū シュ たつ [二] 두 [平]尤 | dōu トウ たれる

[筆順] ノ 亻 亻 亻 侸 侸 侸 侸

[字解] [一] 설수 직립(直立)함. 豎(豆부 8획〈1370〉)와 同字. '一, 立也'《說文》. [二] 늘어질두, 마를두 '佔一'는 아래로 축 늘어져 있는 모양. 일설(一說)에는, 몹시 여윈 모양. '佔一, 下垂也, 一曰疲劇'《集韻》.
[字源] 形聲. 人＋豆〔音〕

人 7 〔侶〕9 [人名] 려 [上]語 | lǚ リョ とも

[筆順] ノ 亻 亻 亻 侶 侶 侶 侶

[字解] ①짝려, 벗려 동무. 동류(同類). '一儔'. '伴一'. '相與結一'《王褒》. ②벗할려 벗으로 삼음. '一魚蝦, 而友麋鹿'《蘇軾》. ③동반할려 동무삼아 같이 감. '麟不一行'《陸機》.
[字源] 形聲. 人＋呂〔音〕

人 7 〔侻〕9 탈 [入]曷 | tuō タツ かるい

[字解] ①가벼울탈 경박함. '劉表以粲體弱通一, 不甚重也'《魏志》. ②대범할탈 성질이 까다롭지 않음. 잘게 굴지 않음. '其行一而順情'《淮南子》. ③옳을탈 이치에 합당함. 도리에 맞음. '孫卿非數家之書一也'《揚子法言》. ④교활할탈 '一, 狡也'《集韻》. ⑤추할탈 못생김. '貌一陋'《唐書》.
[字源] 形聲. 人＋兌〔音〕

人 7 〔便〕9 [中·人] [一] 편 [去]霰 [平]先 | ①-⑥biàn ベン やすらか ⑦-⑨pián ベン へつらう [二] 변 [去]霰 | biàn ベン いばり

[筆順] ノ 亻 亻 亻 便 便 便 便

[字解] [一] ①편할편 ㉠편안함. '一安'. '賜告養病, 而私自一'《漢書》. ㉡편리함. '一宜'. '百姓爲一'《後漢書》. ②편의편 ㉠유리한 방법. '士莫敢言一朝之一, 皆有終歲之計'《國語》. ㉡유리한 기회. '據五勝之一, 而列六國'《吳越春秋》. ③소식편 음신. '信一'. '行雨東南, 思假飛山之一'《徐陵》. ④쉴편 휴식함. '一殿'. '憩一房以偃息'《潘尼》. ⑤익힐편, 익을편 숙달함. '一習'. '謹其所一'《大戴禮》. ⑥뚱뚱할편 비대함. '一腹'. '腹一一'《後漢書》. ⑦말잘할편 '一一言'《論語》. ⑧아첨편 아유. '友一佞損矣'《論語》. ⑨성편 성(姓)의 하나. [二] ①곧변, 문득변 즉(卽). '卽一'으로 연용(連用)하기도 함. '一是堯舜氣象'《朱熹》. ②오줌변 '小一'. ③오줌눌변 소변을 봄. '郞有醉一殿上者'《漢書》. ④똥변 '大一'. '經月一溺皆蜜'《輟耕錄》.
[字源] 會意. 人＋㪅(更)

人 7 〔俉〕9 오 [去]遇 | wù ゴ むかえる

[字解] 맞이할오 또는, 만남. '鬼哭若呼, 其人逢一'《史記》.
[字源] 形聲. 人＋吾〔音〕

人 7 〔俁〕9 우 [上]麌 | yǔ グ おおきい

[字解] 클우 용모(容貌)가 큰 모양. '碩人一一'《詩經》.
[字源] 形聲. 人＋吳〔音〕

人 7 〔係〕9 [高·人] 계 [去]霽 | xì ケイ かかる, つなぐ

[筆順] 亻 亻 亻 係 係 係 係 係

[字解] ①맬계 ㉠잡아맴. 이음. 연결함. '以朱絲一玉二瑴'《左傳》. ㉡묶음. 결박(結縛)함. '一輿人, 以圍商密'《左傳》. ②매일계 계속(繫屬)함. '一小子, 失丈夫'《易經》. ③끌계 질질 끎. 결침. '一履而過魏王'《莊子》. ④성계 성(姓)의 하나. ⑤계계《韓》 사무 분담의 구분에 있어 가장 아래의 단위(單位). '一長'. '一員'.
[字源] 形聲. 人＋系〔音〕

人 7 〔俙〕9 희 [平]微 [上]尾 | xī キ うったえる

[字解] ①송사할희 소송(訴訟)함. '一, 訟面

相是也'《說文》. ②아첨할희 비위를 맞춤. '—, 謂內爭而外順也'《說文》. ③느낄희 감동(感動)하는 모양. '—然'. '於是天子—然改容'《司馬相如》. ④비슷할희 방불(彷彿)함. '僾—', 仿佛也'《集韻》. ⑤풀희 '—, 解也'《玉篇》.
[字源] 形聲. 人+希〔音〕

人7〔促〕9 [高·人] [一] 촉 [入]沃 [二] 착 [入]覺 | cù ソク せまる chuò サク こせつく
[筆順] 亻 亻 𠆣 伣 伿 俘 俚 促
[字解] [一] ①절박할촉 시기나 기한이 가까이 닥침. '吳國之命斯—矣'《吳越春秋》. ②급할촉 빠름. '大絃聲遲小絃—'《歐陽修》. ③재촉할촉 빨리 하도록 재침. '催—'. '督—'. '—, 催也'《字彙》. ④좁을촉 협소함. '窘路狹且—'《後漢書》. ⑤이를촉 '—, 至也'《廣韻》. ⑥짧을촉 단소함. 또, 줄어듦. '聞冬夜之恒長, 何此夕——'《潘岳》. ⑦바쁠촉 분주함. '民年急而歲—'《鹽鐵論》. [二] 악착스러울착 齪(齒부 7획〈1887〉)과 통용. '踵常途之——'《韓愈》.
[字源] 形聲. 人+足〔音〕

人7〔俌〕9 보 [上]麌 | fǔ フ たすけ
[字解] 도울보 보필함. 輔(車부 7획〈1468〉)와 同字.
[字源] 形聲. 人+甫〔音〕

人7〔俄〕9 아 [平]歌 | é(⑤è) ガ にわか
[字解] ①잠시아 ㉠잠깐 동안. '—頃'. '—刻'. ㉡잠시 후에. 얼마 안 되어. '—而季梁之疾自瘳'《列子》. ②갑자기아 급작스럽게. '—然'. '—有群女, 持酒'《列仙傳》. ③기울아 峨(山부 7획〈308〉)와 同字. '側弁之—'《詩經》. ④높을아, 높일아 '—軒冕雜衣裳'《揚雄》. ⑤아라사아 아라사(俄羅斯), 곧 러시아의 약칭. '—館'.
[字源] 形聲. 人+我〔音〕

人7〔俅〕9 구 [平]尤 | qiú キュウ うやうやしい
[字解] 공손할구 '——'는 공손하고 온순한 모양. 일설(一說)에는, 관(冠)의 장식(裝飾)의 모양. '載弁——'《詩經》.
[字源] 形聲. 人+求〔音〕

人7〔俊〕9 [高·人] 준 [去]震 | jùn(zùn) シュン すぐれる
[筆順] 亻 亻 亻 伦 伦 佟 俊 俊
[字解] ①뛰어날준, 준걸준 재주와 슬기가 뛰어남. 걸출함. 또, 그 사람. '—士'. '—材'. '贊桀—'《禮記》. ②클준, 높을준 峻(山부 7획〈309〉)과 통용. '克明—德'《書經》. ③성준 성(姓)의 하나.
[字源] 形聲. 人+夋〔音〕

人7〔俇〕9 광 ①[上]養 ②[去]漾 | guàng, kuāng キョウ あわただしい guàng キョウ とおくゆく
[字解] ①허둥지둥할광 황망(遑忙)한 모양. '魂——而南行兮'《楚辭》. ②원행할광 멀리 감. '—, 遠行也'《說文》.
[字源] 形聲. 人+狂〔音〕

人7〔俋〕9 읍 [入]緝 | yì ユウ たがやす
[字解] ①날쌜읍 날래고 씩씩한 모양. ②밭갈읍 '——'은 전지(田地)를 가는 모양. '——乎耕而不顧'《莊子》.
[字源] 形聲. 人+邑〔音〕

人7〔俍〕9 량 [平]陽 | liáng リョウ よい
[字解] 어질량, 잘할량 良(艮부 1획〈1118〉)과 同字. '工乎天而—乎人者, 惟全人能之'《莊子》.
[字源] 形聲. 人+良〔音〕

人7〔俜〕9 빙 [平]靑 | pīng ヘイ·ビョウ つかう
[字解] ①부릴빙, 쓸빙 사용함. '—, 使也'《說文》. ②호협할빙 '—, 俠也'《廣雅》. ③헤맬빙 '伶—'은 똑바로 가지 못하고 비실비실함. 竮(立부 9획〈929〉)과 통용.
[字源] 形聲. 人+甹〔音〕

人7〔俏〕9 [一] 초 [去]嘯 [二] 소 [平]蕭 | qiào, ①xiāo ショウ にる ショウ ことをかえす
[字解] [一] ①닮을초 비슷함. '俄俄成者, —成也'《列子》. ②예쁠초 용모가 아름다움. [二] 거문고돌려놓는소리소 '孔子—然, 反琴而絃歌'《莊子》.
[字源] 形聲. 人+肖〔音〕

人7〔俐〕9 리 [去]寘 | lì リ さかしい
[字解] 똑똑할리 영리(伶俐)함. '今方言謂黠慧曰伶—'《康熙字典》.
[字源] 形聲. 人+利〔音〕

人7〔俑〕9 용 [上]腫 | yǒng ヨウ ひとがた
[字解] 목우(木偶)용 순장(殉葬)하는 사람의 대신으로 쓰는 인형(人形). '始作—者,

其無後乎'《孟子》.
字源 形聲. 人＋甬〔音〕

人7〔俔〕9 ㊀현 ㊤銑 ㊁견 ㊦霰 | xiàn ケン·ゲン うかがう qiàn ケン たとえる
字解 ㊀①엿볼현 몰래 봄. ②염탐꾼현 간첩. '一, 諜也, 卽今之細作也'《字彙》. ③바람개비현 배〔船〕 위의 풍향계(風向計). '辟若一之見風也, 無須臾之間定矣'《淮南子》. ④두려워할현 공구함. '佡佡一一'《韓愈》. ㊁비유할견 '一天之妹'《詩經》.
字源 形聲. 人＋見〔音〕

人7〔㑂〕9 방 ㊤講 | mǎng ボウ こびない
字解 꼬장꼬장할방 아첨하지 않음. '一傋, 不媚也'《集韻》.

人7〔俗〕9 中·人 속 ㊀沃 | sú ゾク ならい
筆順 亻 亻 亻 亻 伀 俗 俗 俗
字解 ①풍습속 풍속과 습관. '時一'. '世一'. '入國而問一'《禮記》. ②시속속 당세의 속된 풍습. 또, 속세(俗世). '性不協一, 多見謗毀'《吳志》. ③범속할속 평범하고 용속(庸俗)함. '一人'. '一主虧情'《呂氏春秋》. ④속될속 고상하지 못하고 천하게 보임. '雅'의 대(對). '一惡'. '一學'. '然多鄙一'《後漢書》. ⑤속인속 ㉠평범한 사람. '不和於一'《戰國策》. ㉡중이 아닌 보통 사람. '世祖命使還一'《宋書》. ⑥바랄속 '一, 欲也'《釋名》.
字源 形聲. 人＋谷〔音〕

人7〔俘〕9 부 ㊥虞 | fú フ とりこ, いけどる
字解 ①사로잡을부 산 채로 잡음. '一諸江南'《左傳》. 또, 그 사람. 포로. '一虜'. '冬, 齊人來歸衛一'《春秋》. ②빼앗을부 탈취함. '胡子盡一楚邑之近胡者'《左傳》. 또, 전리품(戰利品). '一, 軍所獲也'《說文》. ③가질부 취(取)함. '一厥寶玉'《書經》. ④벌(罰)부 '一, 罰也'《小爾雅》.
字源 形聲. 人＋孚〔音〕

人7〔俚〕9 人名 리 ㊤紙 | lǐ リ いやしい
筆順 亻 亻 仴 仴 伊 俚 俚 俚
字解 ①속될리 상스러움. 촌스러움. 비속(鄙俗)함. '一俗'. '一言'. '質而不一'《漢書》. ②시골리 '國之下邑曰一'《一切經音義》. ③속요리 상스러운 노래. 이요(俚謠). '謬承巴一和'《孟浩然》. ④의뢰리 의지. '其晝無一之至耳'《漢書》.
字源 形聲. 人＋里〔音〕

人7〔俛〕9 ㊀부(면俗) ㊤麌 ㊁면 ㊤銑 | fǔ フ ふす miǎn ベン·メン つとめる
字解 ㊀숙일부 고개를 숙임. 구부림. 俯(人부 8획〈55〉)와 同字. '一視'. '在一仰之間耳'《漢書》. ※俗音 면. ㊁힘쓸면 勉(力부 7획〈114〉)과 同字. '一焉日有孶孶'《禮記》.
字源 會意. 人＋免

人7〔㛝〕9 폐 ㊤薺 | bì ヘイ あしをひらいてあるく
字解 팔자걸음걸을폐 발을 벌리고 걸음. '一倰, 開脚行也'《廣韻》.

人7〔保〕9 中·人 보 ㊤晧 | bǎo ホ·ホウ たもつ
筆順 亻 亻 仴 仴 伿 保 保 保
字解 ①보설보 보증(保證)을 섬. '一人'. '令五家爲比, 使之相一'《周禮》. ②보전할보 보호하여 안전하게 함. '一安'. '一護'. '不一四禮'《孟子》. ③도울보 보좌함. '天迪格一'《書經》. ④기를보 보호하여 양육(養育)함. '若一赤子'《孟子》. ⑤알보 인식함. 판단함. '羌不可一'《楚辭》. ⑥지킬보 의지하여 수비함. '走一平原'《魏志》. ⑦편안할보 편함. '南土是一'《詩經》. ⑧믿을보 의지함. '一君父之命'《左傳》. ⑨부릴보 씀. 사용함. '一, 使也'《廣雅》. ⑩클보 크게 함. 褒(衣부 11획〈1286〉)와 통용. '象曰, 順相一也'《易經》. ⑪머슴보 고용인. '爲酒人一'《史記》. ⑫반보 옛날에 일정한 호수(戶數)로 조직하여 그 조직 안에서 공무(公務)에 관하여 연대 책임을 지던 조합(組合). '制五家爲一, 一有長'《隋書》. ⑬보증보 보. 또, 보서는 사람. '使原差押出取一'《未信編》. ⑭보루보 堡(土부 9획〈214〉)와 통용. '四鄙入一'《禮記》. ⑮포대기보 褓(衣부 9획〈1280〉)와 통용. '一介之御間'《禮記》. ⑯성보 성(姓)의 하나.
字源 ①形聲. 人＋孚〈省〉〔音〕. ②會意. 人＋子

人7〔俟〕9 ㊀사 ㊤紙 ㊁기 ㊥支 | sì シ まつ qí キ·ギ せい
字解 ㊀①기다릴사 오는 것을 바람. '一我於城隅'《詩經》. ②떼지어갈사 떼를 지어 천천히 가는 모양. '儦儦一一'《詩經》. ③클사 '伾伾一一'《詩經》. ④성사 성(姓)의 하나. ㊁성기 성(姓)의 하나. '万一'는 오랑캐의 복성(複姓).

字源 形聲. 人＋矣〔音〕

人7〔俠〕9 人名 협 ⓐ葉 | xiá キョウ おとこだて

筆順 亻 仁 们 伾 佡 伒 俠 俠

字解 ①호협할협 협기(俠氣)가 있음. 의협심이 많음. '一客'. '義一'. '任一有名'《漢書》. ②가벼울협 경망함. '喜武非一也'《淮南子》. ③젊을협 젊은이. '安壯養一'《呂氏春秋》. ④패할협 '一, 敗也'《廣雅》. ⑤멋대로굴협 방자함. '人臣肆意陳欲, 曰一'《韓非子》. ⑥길협 挾(手부 7획〈443〉)과 통용. '一侍'. '殿下郎中一陛'《漢書》.

字源 形聲. 人＋夾〔音〕

人7〔信〕9 中·人 신 ①-⑮ⓒ震 ⑯-⑰ⓟ眞 | xìn シン まこと shēn シン のべる

筆順 亻 仁 仁 仨 仨 信 信 信

字解 ①미쁠신 믿음성이 있음. 신의(信義)가 있음. '一人'. '一言'. ②믿음신 신의. '仁義禮智一'. '朋友有一'《孟子》. ③믿을신 의심하지 않음. 신용(信用)함. '一任'. '盡一書, 則不如無書'《孟子》. ④인신, 신표신 도장. 부계(符契). '印一'. ⑤밝힐신 자세히 밝힘. '一罪之有無'《左傳》. ⑥알신 '乃一如於異衆也'《淮南子》. ⑦따를신 '師尊則言一矣'《呂氏春秋》. ⑧공경할신 '一, 敬也'《廣雅》. ⑨이틀밤잘신 재숙(再宿)함. '一宿'. '有客一一'《詩經》. ⑩음신(音信)신 '一書'. '一息'. '以爲登科之一'《劇談錄》. ⑪행인(行人)신 사자(使者). '一臣'. '聞一至'《晉書》. ⑫조수신 조석(潮汐). '其起落大小之一, 亦如之'《名山記》. ⑬맡길신 하는 대로 내버려 둠. '歸帆但一風'《王維》. ⑭진실로신 참으로. '東都雖一多才士'《韓愈》. ⑮성신 성(姓)의 하나. ⑯펼신 伸(人부 5획〈40〉)과 통용. '屈而不一'《孟子》. ⑰몸신 身(部首)과 통용. '侯執一圭'《周禮》.

字源 形聲. 人＋口＋辛〔音〕

人7〔侳〕9 좌 ⓒ箇 ⓟ歌 | zuǒ サ はずかしめる

字解 ①욕보일좌 치욕을 당하게 함. '君子不入市, 爲其一廉也'《淮南子》. ②편안할좌 '一, 安也'《說文》.

字源 形聲. 人＋坐〔音〕

人7〔侹〕9 정 ⓒ徑 ⓢ迥 | tǐng テイ·チョウ ながい, たいらか

字解 ①평평할정 평탄한 모양. '石梁平一一'《韓愈》. '平直曰一'《一切經音義》. ②긴모양정 '一, 長皃'《說文》.

字源 形聲. 人＋廷〔音〕

人7〔傳〕9 신 ⓟ眞 | shēn シン はらむ

字解 ①애밸신 임신함. '一, 妊身也'《玉篇》. ②신의이름신. 신(神). '一, 神也'《說文》. ③성신 성(姓)의 하나.

字源 形聲. 人＋身〔音〕

人7〔倸〕9 삼 ①-③ⓒ勘 ④ⓢ感 | sān サン おいぼれる サン ぶさほう

字解 ①늙어빠질삼 '傖一'은 늙어서 쓸모가 없음. '傖一, 老無宜適也'《玉篇》. ②어리석을삼 '傖一'은 어리석은 모양. '傖一, 癡貌'《廣韻》. ③깨끗하지않을삼 '傖一'은 깨끗하지 않은 모양. '傖一, 不淨'《廣韻》. ④버릇없을삼 '傖一'은 예의가 없음. '傖一, 無儀'《集韻》.

人7〔倂〕9 잉 ⓒ徑 | yìng ヨウ あくる

字解 따라보낼잉 시집가는 여자에게 따라가게 함. '一, 送行也'《廣韻》

字源 形聲. 人＋弅〔音〕

人7〔徐〕9 서 ⓟ魚 | xú ショ·ジョ ゆるやか

字解 ①느릴서 천천함. '一, 緩也'《說文》. ②고을이름서 '一州'는 옛 설(薛)나라로, 지금의 산동성(山東省) 등현(滕縣). ③성서 성(姓)의 하나.

字源 形聲. 人＋余〔音〕

人7〔俒〕9 혼 ⓒ願 | hùn コン·カン まったし

字解 ①완전할혼 '一, 完也'《說文》. ②욕보일혼 폐를 끼침. '朕實不明, 㠯一伯父'《逸周書》.

字源 形聲. 人＋完〔音〕

人7〔倂〕9 〔병〕 兵(八부 5획〈86〉)의 古字

人7〔俖〕9 〔활〕 佸(人부 6획〈46〉)의 本字

人7〔使〕9 〔사〕 使(人부 6획〈47〉)의 本字

人7〔俓〕9 人名 〔경〕 徑(彳부 7획〈371〉)과 同字

筆順 ノ 亻 亻 亻 𠆢 俓 俓 俓

字源 形聲. 人＋巠〔音〕

人7〔偈〕9 〔국〕
跼(足부 7획〈1430〉)과 同字

人7〔俈〕9 〔곡〕
嚳(口부 17획〈192〉)과 同字

人7〔俾〕9 〔비〕
俾(人부 8획〈56〉)의 俗字

人8〔倉〕10 高·人 창 ㊥陽 ㊤漾 | ①-⑦cāng ソウ くら ⑧chuàng ショウ うしなう

筆順 ノ 人 今 今 会 倉 倉 倉 倉

字解 ①곳집창 곡식 같은 것을 저장하는 창고. '一庫'. '一廩實則知禮節'《管子》. ②옥사창 죄인을 가두는 옥(獄). '營一'. '罪有輕重之分, 則禁有監一之別'《未信編》. ③창자창 위장(胃腸). '腸胃爲積穀之室, 故謂之一'《倒倉法論》. ④푸를창 蒼(艸부 10획〈1166〉)과 통용. '一頭廬兒'《漢書》. ⑤바다창 滄(水부 10획〈671〉)과 통용. '東燭一海'《揚雄》. ⑥갑자기창 '一卒'. '一皇'. ⑦성창 성(姓)의 하나. ⑧여일창, 슬퍼할창 愴(心부 10획〈404〉)과 통용. '一兄塡兮'《詩經》.
字源 象形. 곡물을 쌓아 두기 위한 '곳집'을 본뜬 모양.

人8〔㑒〕10 〔금〕
金(部首〈1548〉)의 古字

人8〔𠓸〕10 〔금〕
金(部首〈1548〉)의 古字

人8〔𠊊〕10 〔식〕
食(部首〈1712〉)의 本字

人8〔倝〕10 간 ㊤翰 | gan カン かがやく

字解 ①빛날간 해가 돋아 빛남. '一, 日始出, 光一一也'《說文》. ②쓸간 사용(使用)함. '一, 用也'《玉篇》
字源 象形. 장식을 단 깃대의 모양임.

人8〔丧〕10 〔상〕
喪(口부 9획〈172〉)의 俗字

人8〔修〕10 中·人 수 ㊥尤 | xiū シュウ おさめる

筆順 亻 亻 亻 亻 亻 修 修 修

字解 ①닦을수 ㉠깨끗이 함. '郊社不一'《書經》. ㉡배워서 몸을 닦음. '一學'. '一養'. '一其身'《大學》. ②다스릴수 ㉠사물을 잘 가다듬음. 고침. '一理'. '一繕故宮'《漢書》. ㉡잘 처리함. '內一政事'《詩經》. ㉢책을 편찬함. '一國史'《唐書》. ③다스려질수 정비(整備)됨. '宮室已一'《禮記》. ④길수 길이가 길. '一短'. '一廣'. '陜而一曲曰樓'《爾雅》. ⑤어진이수 옛날의 현인(賢人). '吾法夫前一兮'《楚辭》. ⑥키수 신장(身長). '鄒忌一八尺有餘'《戰國策》. ⑦성수 성(姓)의 하나.
字源 形聲. 彡+攸〔音〕

人8〔俯〕10 부 ㊤麌 | fǔ フ ふす

字解 ①숙일부 머리를 숙임. 또, 구부림. '仰'의 대. '一仰'. '仰不愧於天, 一不怍於人'《孟子》. '一而納屨'《禮記》. ②누울부 드러누움. '三一三起'《荀子》. ③숨을부 잠복함. 복장(伏藏)함. '蟄蟲咸一'《呂氏春秋》.

人8〔俱〕10 高·人 구 ㊥虞 | jū, jù グ みな

筆順 亻 亻 亻 亻 亻 但 俱 俱

字解 ①다구 모두. '父母一存'《孟子》. ②갖출구 구비함. '一, 一日, 具也'《集韻》. ③동반할구 함께 감. '儀與之一'《戰國策》. ④널리구 두루 널리 미침. '一, 亦徧之意也'《左傳》. ⑤같을구 '年往志不一'《顔延之》. ⑥성구 성(姓)의 하나.
字源 形聲. 人+具〔音〕

人8〔俹〕10 아 ㊤禡 | yà ア よる, おごる

字解 ①의지할아, 치우칠아 '一, 倚也'《玉篇》. ②거만할아 오만함. '一, 傲也'《集韻》.

人8〔俳〕10 배 ①-④㊥佳 ⑤㊥灰 | pái ハイ わざおぎ pái ハイ さまよう

字解 ①광대배 배우. '一優侏儒戲於前'《孔子家語》. ②익살배 골계(滑稽). '爲賦廼一'《漢書》. ③스러질배 폐지됨. '爲痱一'《素問》. ④성배 성(姓)의 하나. ⑤노닐배 徘(彳부 8획〈372〉)와 同字. '坐一而歌謠'《淮南子》.
字源 形聲. 人+非〔音〕

人8〔俵〕10 표 ㊤嘯 | biào(biǎo) ヒョウ ちる, たわら

字解 ①나누어줄표 분여(分與)함. '一, 分與也'《集韻》. ②흩을표 흩음. 또, 흩어짐. '一散也'《玉篇》.
字源 形聲. 人+表〔音〕

人 8 〔俴〕 10 천 [上]銑 | jiàn セン あさい

[字解] ①얕을천, 엷을천 淺(水부 8획〈657〉)과 同字. '一駟孔羣'《詩經》. ②맨몸천 몸에 갑옷을 입지 않음. '一, 謂無甲單衣者'《管子 注》.
[字源] 形聲. 人+戔〔音〕

人 8 〔俶〕 10 [一] 숙 [入]屋 | chù シュク はじめ
[二] 척 [入]錫 | tì チャク すぐれる

[字解] [一] ①비로소숙 처음. 시작함. '一始'. '一獻'. '一擾天紀'《書經》. ②지을숙 처음함. '有一其城'《詩經》. ③정돈할숙 가지런히 하여 바로잡음. '簡元辰而一裝'《張衡》. ④착할숙 '令終有一'《詩經》. [二] 기재있을척, 뛰어날척 倜(人부 8획〈58〉)과 통용. '好奇偉一儻之畫策'《史記》. '一, 一儻, 卓異也'《集韻》.
[字源] 形聲. 人+叔〔音〕

人 8 〔俺〕 10 [人名] [一] 암 [去]陷 | yǎn, ǎn エン おれ
[二] 엄 [去]豔 | ǎn エン おおきい

[筆順] 亻 亻 仁 伭 伭 倚 俺 俺 俺

[字解] [一] 나암 자기(自己). [二] ①나엄 [一]과 뜻이 같음. ②클엄 '一, 大也'《廣韻》.
[字源] 形聲. 人+奄〔音〕

人 8 〔俾〕 10 비 ①②[上]紙 | bǐ ヒ しめる
③[去]寘 | bì ヒ·ビ ちかい
④[去]霽 | pì ヘイ にらむ

[字解] ①하여금비 시킴. …로 하여금 …하게 함. '一晝作夜'《詩經》. ②좇을비 따름. 복종함. '罔不率一'《書經》. ③가까울비 比(部首)와 통용. '比, 近也. 或作一'《集韻》. ④흘길비 노려봄. 睥(目부 8획〈848〉)와 통용. '侯生下, 見其客朱亥, 一倪. 故久立'《史記》.
[字源] 形聲. 人+卑〔音〕

人 8 〔傂〕 10 채 [平]支 [上]紙 | chí チ しゃりん

[字解] 바퀴채 차륜(車輪). '車纍其一, 馬攤其踣貞止'《太玄經》.

人 8 〔倀〕 10 창 ①-③[平]陽 ④[平]庚 | chāng チョウ まよう トウ どくりつ

[字解] ①갈팡질팡할창 미친 듯이 갈팡질팡하며 걷는 모양. '一一乎其何之'《禮記》. ②창귀창 범의 앞장을 서서 먹을 것을 찾아 준다는 못된 귀신. '一可謂鬼之愚者也'《聽雨記談》. ③쓰러질창 넘어짐. '一, 一曰, 仆也'《說文》. ④홀로설창 '一, 獨立皃'《集韻》.
[字源] 形聲. 人+長〔音〕

人 8 〔併〕 10 [人名] 병 ①[上]迥 ②[去]敬 | bìng, ②bǐng ヘイ あわせる

[筆順] 亻 亻 亻 仵 伻 併 併 併

[字解] ①나란히할병 들쭉날쭉하지 않고 가지런히 줄을 지음. '一進'. '行肩而不一'《禮記》. ②다툴병 경쟁함. '一起'. '與公一倨'《漢書》. ③물리칠병 屛(尸부 8획〈299〉)과 同字. '一已之私欲必以道'《荀子》. ④아우를병 합함. '一呑'. '合一'. '爲魯所一'《趙岐》.
[字源] 形聲. 人+并〔音〕
[參考] 倂(人부 6획〈46〉)은 俗字.

人 8 〔俸〕 10 [人名] 봉 ①[去]宋 | fèng ホウ ふち
②[上]董 | ホウ ちいさい

[筆順] 亻 仁 仨 侟 侠 倭 倭 俸

[字解] ①녹봉 관록(官祿). 봉급(俸給). '一給'. '小吏勤事而一薄'《漢書》. ②작을봉 잘고 보이지 않는 모양. '一, 併一, 小皃. 一曰, 密不見'《集韻》.
[字源] 形聲. 人+奉〔音〕

人 8 〔倅〕 10 [一] 쉬 [去]隊 | cuì サイ そえ
[二] 졸 [入]月 | zú ソツ ひゃくにん

[字解] [一] ①버금쉬 부이(副貳). '一貳'. '一車之政'《周禮》. ②찰쉬 '一, 盈也'《廣雅》. ③아들쉬 아직 벼슬을 하지 아니한 아들. '國子存遊一'《周禮》. ④《韓》 원쉬 고을의 장관. [二] ①백사람졸 백 사람 한 조(組)의 군사. 卒(十부 6획〈127〉)과 同字. '一, 百人爲一'《廣韻》. ②갑자기졸 돌연. 卒(十부 6획〈127〉)과 同字. '一然斷之'《墨子》.
[字源] 形聲. 人+卒〔音〕

人 8 〔倆〕 10 [人名] 량 [上]養 [去]漾 | liǎng, ②liǎ リョウ わざ

[筆順] 亻 亻 仃 佈 俩 俩 倆 倆

[字解] ①재주량 기술상의 재능. 솜씨. 기능(技能). '技一'. '天狐伎一本無多'《陸游》. ②둘량 두 사람. 둘로 한 쌍을 이루는 것. 兩(入부 6획〈85〉)과 同字.
[字源] 形聲. 人+兩〔音〕

人 8 〔個〕 10 [中·人] 개 [去]箇 | gè, gě コ ひとつ

[筆順] 亻 仈 們 們 們 個 個 個

[字解] ①낱개 하나. 한 사람. 箇(竹부 8획〈941〉)와 同字. '一人'. ②한쪽개 한편.

'一, 偏也'《廣韻》. ③강의(強意)개 부사(副詞)의 뜻을 강조하는 조자(助字). '老翁眞一似兒童'《韓愈》.
字源 形聲. 人+固〔音〕

人8 〔倌〕10 관 ㊤寒 ㊦諫 | guān カン とねり

字解 ①수레맡은벼슬아치관 임금이 타는 수레를 맡은 지위가 낮은 신하. '命彼一人, 星言夙駕'《詩經》. ②벼슬관 官(宀부 5획〈276〉)과 통용. ③《現》기생관 기녀(妓女).
字源 形聲. 人+官〔音〕

人8 〔倍〕10 高·人 배 ㊤賄 | bèi バイ そむく

筆順 亻 亻 亻 仵 倅 倅 倍 倍

字解 ①곱배 갑절. '加一一'. '近利市三一'《易經》. ②곱할배 갑절함. '一數'. '奴價一婢'《世說》. ③더할배 증가시킴. '焉用亡鄭以一隣'《左傳》. ④배반할배 배신하여 반역함. 등지고 돌아섬. '民不一'《禮記》. ⑤비속할배 속되고 천함. '斯遠鄙一矣'《論語》. ⑥외배 암송함. '讀書一文'《韓愈》. ⑦더욱배 한층 더. '今來一歎傷'《溫庭筠》.
字源 形聲. 人+咅〔音〕

人8 〔倕〕10 수 ①②㊤支 ③㊦寘 | chuí スイ おもい / zhuì ズイ しずめる

字解 ①무거울수 '一, 重也'《玉篇》. ②사람이름수 고대 황제(黃帝) 때의 교인(巧人). '一, 黃帝時巧人名'《集韻》. ③가라앉힐수 진정함. 硾(石부 8획〈872〉)와 同字. '硾, 鎮也. 或作一'《集韻》.
字源 形聲. 人+垂〔音〕

人8 〔傷〕10 이 ㊦寘 | yì イ かろんずる

字解 ①가벼이여길이, 업신여길이 경멸(輕…)함. '一, 相輕慢也'《廣韻》. ②바꿀이 易(…부 4획〈501〉)과 뜻이 같음. '一, 一曰, …《說文》.
…聲. 人+易〔音〕

… 문 ①㊤元 | mén モン ども / ②㊦願 | mèn モン ひまん

…주로 속어(俗語)에서, 인칭 …詞)에 첨가하여 복수(複 … '我一'. '他一'. ②살진 …양. '一, 一渾, 肥滿皃'

人8 〔倒〕10 高·人 도 ①㊤皓 ②③㊦號 | dǎo トウ たおれる / dào トウ さかさま

筆順 亻 亻 仁 仨 侄 侄 倒 倒

字解 ①넘어질도, 넘어뜨릴도 쓰러짐. 엎드러짐. 엎드러지게 함. '一死'. '卒一'. '發卽應弦而一'《漢書》. ②거꾸로될도, 거꾸로할도 상하 전후의 위치가 반대로 됨. '一懸'. '顚一'. '顚之一之, 自公召之'《詩經》. ③거슬릴도 마음에 거슬림. '至言忤于耳而一于心'《韓非子》.
字源 形聲. 人+到〔音〕

人8 〔倔〕10 굴 ㊁物 | jué, juè クツ つよい

字解 ①굳셀굴 마음이 굳셈. 고집이 셈. '一強猶昔'《宋史》. ②일어날굴 일으킴. '一起什伯之中'《史記》.

人8 〔倖〕10 행 ㊤梗 | xìng コウ さいわい

字解 ①다행행, 요행행 幸(干부 5획〈341〉)과 同字. '一祿'. '識者譏過其一'《後漢書》. ②괼행 총애함. '素餐私一, 必加榮擢'《後漢書》. 또, 총애를 받는 사람. '政移五一'《後漢書》. ③아첨할행 아첨함. 또, 그 신하(臣下). 영신(佞臣). '恐同類之內, 皆生一心'《白居易》.

人8 〔倸〕10 〔엽〕
偞(人부 9획〈64〉)과 同字

人8 〔候〕10 高·人 후 ㊦宥 | hòu コウ うかがう, そうろう

筆順 亻 亻 亻 亻 亻 仁 侯 候

字解 ①물을후 방문하여 안부를 물음. '一問'. '上臨一禹'《漢書》. ②기다릴후 오는 것을 기다림. 영접(迎接)함. '稚子一門'《陶潛》. ③염탐할후, 망볼후 동정을 살핌. '伺一'. '武王使人一殷'《呂氏春秋》. ④염탐꾼후, 망꾼후 '斥一'. '得賊羅一'《魏志》. ⑤점칠후 길흉을 점쳐 봄. '占一吉凶'《後漢書》. ⑥볼후 살핌. 진찰함. '一寒溫'《物理論》. ⑦모양후 상태. '頃刻異狀一'《韓愈》. ⑧철후 ㉠1 년을 72 로 나눈 시기(時期)의 이름. '節一'. '五日一一'《魏書》. ㉡시절(時節) 또는 날씨. '時一'. '氣一'. '節一'. '欲知農桑之一'《宋史》. ⑨조짐후 전조(前兆). '兆一'. '徵一'. '是風雨之一也'《晉書》. ⑩성후 성(姓)의 하나.
字源 形聲. 人+矦(侯)〔音〕

人8 〔倚〕10 人名 ㊀ 의 ㊤紙 | yǐ イ よる / ㊁ 기 ㊤支 | jī キ めずらしい

[筆順] 亻 仁 伫 伫 伫 倚 倚 倚

[字解] [一] ①기댈의 물체에 의지함. '一子'. '設机而不一'《左傳》. ②믿을의 믿고 의지함. '一賴'. '一勢陵人'. '容容無所一'《漢書》. ③인할의 말미암음. 원인이 됨. '一伏', '禍兮福所一, 福兮禍所伏'《老子》. ④기울의 한쪽으로 기욺. '中立而不一'《中庸》. ⑤맡길의 마음대로 하게 내버려 둠. '一其所私'《荀子》. ⑥맞출의 기악(器樂)에 맞추어 노래 부름. '一瑟而歌'《漢書》. ⑦곁의 옆. '居於一廬'《禮記》. ⑧성의 성(姓)의 하나. [二] ①기이할기 奇(大부 5획〈233〉)와 통용. '一魁之行'《荀子》. ②병신기 불구. 畸(田부 8획〈800〉)와 통용. '南方有一人焉'《莊子》.
[字源] 形聲. 人+奇〔音〕

人8 〔倛〕 10 기 [平]支 | qī キ おにやらいにかぶるめん
[字解] 방상시탈기 구나(驅儺)할 때에 방상시(方相氏)가 쓰는 눈이 넷인 가면(假面). '仲尼之狀, 面如蒙一'《荀子》.
[字源] 形聲. 人+其〔音〕

人8 〔倜〕 10 척 [入]錫 | tì テキ すぐれる
[字解] ①기개있을척 뜻이 크고 기개가 있어 남에게 구속을 받지 아니함. '一儻'. '一然無所歸宿'《荀子》. ②높이들척 높이 들거나 올림. '一然乃擧太公於州人而用之'《荀子》. ③뛰어날척 빼어남.
[字源] 形聲. 人+周〔音〕

人8 〔倞〕 10 [人名] [一]경 [去]敬 | jìng ケイ つよい
[二]량 [去]漾 | liàng リョウ とおい
[筆順] 亻 亻 亣 仿 伩 倞 倞 倞
[字解] [一] 굳셀경 '一, 彊也'《說文》. [二] 멀량 가깝지 않음. '一, 遠也'《集韻》.
[字源] 形聲. 人+京〔音〕

人8 〔值〕 10 [高·人] 치 [去]寘 | zhì チ ね, あたい
[筆順] 亻 仁 仕 仿 侑 侑 值 值
[字解] ①만날치 조우(遭遇)함. '一遇'. '一侯景之亂'《南史》. ②당할치 일정한 시일을 당함. '適一時來還'《陸機》. ③가질치 쥐어 가짐. '一其鷺羽'《詩經》. ④값치 물가. 가치. '翡翠鮫鮹何所一'《唐彥謙》.
[字源] 形聲. 人+直〔音〕

人8 〔倣〕 10 [高·人] 방 [上]養 | fǎng ホウ ならう
[筆順] 亻 亻 仿 仿 仿 仿 仿 倣
[字解] 본뜰방 모방(模倣)함. 仿(人부 4획〈37〉)과 同字. '一效'. '學者率模一焉'《宣和書譜》.

人8 〔⿰亻戾〕 10 려 [去]霽 | lì レイ いかる
[字解] ①성낼려 성을 냄. '一, 怒也'《集韻》. ②어그러질려 위배함. 戾(戶부 4획〈425〉)와 통용.

人8 〔倢〕 10 첩 [入]葉 | jié ショウ はやい
[字解] 빠를첩 捷(手부 8획〈447〉)과 同字. '一, 疾也'《廣雅》.
[字源] 形聲. 人+疌〔音〕

人8 〔倡〕 10 창 ①-③[平]陽 | chāng ショウ わざおぎ
④[去]漾 | chàng ショウ となえる
[字解] ①광대창 가무(歌舞)·잡희(雜戲)를 하는 남녀 배우. '父母及身, 兄弟及女, 皆故一也'《史記》. ②갈보창 娼(女부 8획〈252〉)과 통용. ③미칠창 猖(犬부 8획〈754〉)과 통용. '一狂妄行'《莊子》. ④부를창 唱(口부 8획〈166〉)과 통용. '壹一而三歎'《禮記》.
[字源] 形聲. 人+昌〔音〕

人8 〔借〕 10 [中·人] 차 [去]禡 [入]陌 | jiè シャク かりる
[筆順] 亻 仁 仕 供 借 借 借 借
[字解] ①빌릴차 ㉠남한테서 빌려 옴. '一用'. '一金'. '一交報仇'《史記》. ㉡빌려 줌. '特以布帆一之'《晉書》. ②가령차 가설(假設)의 말. 가사(假使). '一曰未知'《詩經》.
[字源] 形聲. 人+昔〔音〕

人8 〔倥〕 10 공 ①[平]東 ②[上]董 ③[去]送 | kōng kǒng コウ おろか
[字解] ①미련할공 어리석음. '一侗'. ②바쁠공 분망한 모양. '去來何一偬'《劉基》. ③로울공 고생하는 모양. '愁一偬於山陸'《辭》.
[字源] 形聲. 人+空〔音〕

人8 〔倦〕 10 권 [去]霰 | juān ケン う
[字解] ①질력날권 싫증이 남. '一厭 으를권 태만함. '一怠'. '敦行而 記》. ③고달플권 피로함. '一憊' 食而不一'《呂氏春秋》. ④걸터앉

앉음. '方一龜殼而食蛤梨'《淮南子》.
[字源] 形聲. 人＋卷〔音〕

人 8 〔倨〕10 거 [去]御 | jù キョ おごる

[字解] ①거만할거 오만함. 불손함. '一傲'. '驕一'. '遊毋一'《禮記》. ②굽을거 '一中矩'《禮記》. ③쭈그리고앉을거, 걸터앉을거 踞(足부 8획〈1434〉)와 同字. '高祖箕一'《漢書》. ④톱거 鋸(金부 8획〈1565〉)와 同字. '一牙'.
[字源] 形聲. 人＋居〔音〕

人 8 〔倩〕10 ㊀천 [去]霰 ㊁청 [去]敬 | qiàn セン うるわしい qìng セイ やとう

[字解] ㊀①남자의미칭(美稱)천 한서(漢書)에 위무지(魏無知)란 사람을 '魏一'이라 하였음. '昔陳平雖賢, 須魏一而後進'《漢書》. ②예쁠천 ㉠입이 예쁘게 생김. '巧笑一兮'《詩經》. ㉡용모가 아름다움. '一一'. '柳眉梅額一粧新'《吳融》. ㊁①사위청 여서(女壻). '黃氏諸一'《史記》. ②고용할청 삯을 주고 남을 부림. '汝一人耶'《魏書》.
[字源] 形聲. 人＋青〔音〕

人 8 〔倪〕10 예 [平]齊 | ní ゲイ ながしめ

[字解] ①어린아이예 소아. '反其旄一'《孟子》. ②끝예 말단(末端). '端一'. '和之以天一'《莊子》. ③나눌예 구분함. '一貴賤'《莊子》. ④흘길예 睨(目부 8획〈848〉)와 통용. '俾一'. '馬知介一'《莊子》. ⑤성예 성(姓)의 하나.
[字源] 形聲. 人＋兒〔音〕

人 8 〔倫〕10 [中·人] 륜 [平]眞 | lún リン みち

[筆順] 亻 仒 仱 伶 倫 倫 倫 倫

[字解] ①인륜륜 사람으로서 지켜야 할 떳떳한 도리. '一理'. '五一'. '彝一攸敍'《書經》. ②무리륜 동류(同類). '一匹'. '一輩'. '儗人必于其一'《禮記》. ③차례륜 순차. '一序'. '行同一'《中庸》. ④결륜 살결·나뭇결 따위. '折幹必一'《周禮》. ⑤가릴륜 선택함. '雍人一膚'《儀禮》.
[字源] 形聲. 人＋侖〔音〕

人 8 〔倬〕10 [人名] 탁 [入]覺 | zhuō タク おおきい

[筆順] 亻 亻' 仆 伂 伅 倬 倬 倬

[字解] ①클탁 뚜렷하게 큼. 저대(著大)함. '一彼雲漢'《詩經》. ②환할탁 밝은 모양. '有一其道'《詩經》.
[字源] 形聲. 人＋卓〔音〕

人 8 〔倧〕10 [人名] 종 [平]冬 | zōng ソウ しんじん

[筆順] 亻 亻' 伫 伫 佇 倧 倧 倧

[字解] 신인종 상고(上古)의 신인(神人) 한배검. '神人降于太白山檀木下是爲大一也'《朝鮮古紀》. '一, 上古神人'《廣韻》.
[字源] 形聲. 人＋宗〔音〕

人 8 〔倭〕10 왜 ①②[平]支 ③[平]歌 | wēi イ したがうさま wō カ·ワ やまと

[字解] ①유순할왜 성질이 부드럽고 공순함. ②빙돌왜 길이 꾸불꾸불해서 삥삥 도는 모양. '周道一遲'《詩經》. ③나라이름왜 일본(日本). '一寇'. '樂浪海中有一人, 分爲百餘國'《漢書》.
[字源] 形聲. 人＋委〔音〕

人 8 〔倮〕10 라 [上]哿 | luǒ ラ はだか

[字解] 발가벗을라 裸(衣부 8획〈1277〉)와 同字. '中央土, 其蟲一'《禮記》.
[字源] 形聲. 人＋果〔音〕

人 8 〔倱〕10 혼 [上]阮 | hùn コン おろか

[字解] 어리석을혼 '一伅'은 우매한 모양. '一伅, 不慧也'《集韻》.

人 8 〔倳〕10 사 [去]寘 | zì シ さす

[字解] 꽂을사 剚(刀부 8획〈106〉)와 同字. '不敢一刃於公之腹'《史記》.
[字源] 形聲. 人＋事〔音〕

人 8 〔惛〕10 혼 ①[平]元 ②[去]願 | hūn コン くらい hùn コン おいてものわすれする

[字解] ①어두울혼 잘 보이지 않음. '闡諸幽一'《太玄經》. ②혼모할혼 늙어서 잘 잊어버림. '一, 耄忘也'《集韻》

人 8 〔倄〕10 효 ①[平]肴 ②[上]賄 | yáo コウ もとる カイ そこなう

[字解] ①어그러질효 괴려(乖戾)함. '一, 刺也'《說文》. ②해칠효 해롭게 함. '一, 一曰毒之'《說文》.
[字源] 形聲. 人＋肴〔音〕

人 8 〔倗〕10 붕 ①-③[平]蒸 [去]徑 ④[上]迥 | péng ホウ たすける pěng ホウ がえんじない

字解 ①도울붕 거듦. '一, 輔也'《廣韻》. ②맡길붕 위탁(委託)함. '一, 委也, 託也'《六書通》. ③성붕 성(姓)의 하나. ④응하지않을붕 승낙하지 않음. '一, 不肯也'《廣韻》.
字源 形聲. 人+朋〔音〕

人8〔俽〕10 흔 ㊥文 | xīn キン よろこぶ
字解 기뻐할흔 기쁘게 여김. 欣(欠부 4획〈595〉)과 同字. '欣, 笑喜也, 或作一'《集韻》.

人8〔倃〕10 ㊀구 ㊤有 ㊁고 ㊥豪 | jiū キュウ·グ そしる コウ そしる
字解 ㊀ 헐뜯을구 헐어 말함. '一, 毁也'《廣韻》. ㊁ 헐뜯을고 ■과 뜻이 같음.
字源 形聲. 人+咎〔音〕

人8〔倠〕10 휴 ㊥支 | suī キ みにくい
字解 추할휴 '仳一'는 용모가 못생김. '仳一, 醜面'《說文》.
字源 形聲. 人+隹〔音〕

人8〔俷〕10 비 ㊦未 | fèi ヒ そむく
字解 ①등질비 배반함. '無作怨, 無一德'《史記》. ②패할비 '一, 敗也'《集韻》.

人8〔倓〕10 담 ㊥覃 | tán タン やすい
字解 의심하지않을담 안심하고 믿는 모양. '一然見管仲之能足以託國也'《荀子》.
字源 形聲. 人+炎〔音〕

人8〔婉〕10 완 ㊤阮 | wǎn エン たのしむ
字解 ①즐길완 기뻐함. '一, 歡樂'《廣韻》. ②권할완 권(勸)함. '一, 勸也'《字彙》. ③생각에잠길완 '一孌'은 깊이 생각에 잠기는 모양. '一孌居人思'《陸機》.

人8〔倰〕10 릉 ①-④㊥蒸 ⑤⑥㊦徑 | líng リョウ おかす, ながい léng ロウ ながい
字解 ①업신여길릉 얕봄. '一, 侵尙也'《集韻》. ②넘을릉 '一, 越也'《正字通》. ③거문고소리릉 '一僜'은 거문고 소리의 형용(形容). '弦嘈一僜聲'《吳融》. ④길릉 짧지 아니함. '一, 長皃'《廣韻》. ⑤친숙지 않을릉 사물에 익숙지 않음. '一, 不親事也'《類篇》. ⑥고달플릉 걸어서 피로함 '一僜, 行疲'《集韻》

人8〔倷〕10 내 | nē ダイ·ナイ なんじ
字解 ①너내 이인칭 대명사. 你(人부 5획〈44〉)의 속칭(俗稱). '俗稱你曰一'《中華大字典》. ②견딜내 참음. 耐(而부 3획〈1050〉)와 同字.

人8〔倏〕10 숙 ㊇屋 | shū シュク にわか
字解 ①갑자기숙 빨리. 얼른. '一瞬'. '一忽之間'《吳志》. ②빨리달릴숙 개가 빨리 달림. '一, 犬走疾也'《說文》.
字源 形聲. 犬+攸〔音〕
參考 倐(次倐)는 俗字.

人8〔倐〕10 倏(前倏)의 俗字

人8〔㑞〕10 〔숙〕 夙(夕부 3획〈229〉)의 古字

人8〔㑰〕10 〔례〕 例(人부 6획〈48〉)의 本字

人8〔㑲〕10 〔형〕 侀(人부 6획〈49〉)의 本字

人8〔倂〕10 〔병〕 倂(人부 10획〈65〉)의 略字

人8〔倈〕10 〔래〕 徠(彳부 8획〈372〉)와 同字

人8〔倘〕10 ㊀ 徜(彳부 8획〈372〉)과 同字 ㊁ 儻(人부 20획〈79〉)과 同字

人8〔㑾〕10 〔효〕 傚(人부 10획〈66〉)와 同字

人8〔倸〕10 〔채〕 睬(目부 8획〈849〉)와 同字

人8〔倹〕10 〔검〕 儉(人부 13획〈75〉)의 俗字

人8〔倂〕10 〔제〕 儕(人부 14획〈76〉)의 俗字

人8〔俻〕10 〔비〕 備(人부 10획〈66〉)의 俗字

人8〔倫〕10 〔윤〕 胤(肉부 5획〈1071〉)의 俗字

人9〔偃〕11 언 ㊤阮 ㊤銑 | yǎn yàn エン たおれる

[字解] ①쓰러질언 한쪽으로 쏠리어 넘어짐. '一仆'. '牆之立, 不若其一也'《淮南子》. ②쏠릴언 한쪽으로 기욺. '一草'. '草上之風必一'《論語》. ③누울언 잠. 쉼. '一休'. '或息一在牀'《詩經》. ④눕힐언 선 것을 가로 놓음. '一旌興而俟'《儀禮》. ⑤쉴언 그만둠. '一武修文'. '天下一兵, 百姓安寧'《漢書》. ⑥교만할언 거만함. '一傲'. '彼皆一蹇'《左傳》. ⑦뒷간언 변소. '又適其一焉'《莊子》. ⑧방죽언 堰(土부 9획〈213〉)과 통용. '規一豬'《左傳》. ⑨두더지언 鼴(鼠부 9획〈1878〉)과 통용. '一鼠飮河, 不過滿腹'《莊子》.
[字源] 形聲. 人+匽〔音〕

人 9 〔假〕 11 [中·人] [一]가 [上]馬 ①-⑨jiǎ カ かり / [去]禡 ⑩jià カ ひま / [二]하 [平]麻 xiá カ はるか / [三]격 [入]陌 gé キャク いたる

[筆順] 亻 亻⺈ 亻⺈ 亻⺈ 亻⺈ 亻⺈ 亻叚 假

[字解] [一]①빌릴가 ㉠차용(借用)함. '一借'. '祭器不一'《禮記》. ㉡빌려 줌. 꾸어 줌. '一貸'. '唯名與器不可以一人'《左傳》. ②용서할가 '容一'. '大臣犯法無所寬一'《北史》. ③잠시가 ㉠잠깐. '不遑一寐'《詩經》. ㉡일시. 잠정(暫定). '何以一爲'《史記》. ④거짓가 허위. 허망(虛妄). '一名'. '明眞照一'《江總》. ⑤가령가 이를테면. 가사(假使). '一令晏子而在, 余雖爲之執鞭, 所忻慕焉'《史記》. ⑥클가 '一哉天命'《詩經》. ⑦아름다울가 嘉(口부 11획〈183〉)와 통용. '一樂君子'《詩經》. ⑧복가 행복. 嘉(口부 11획〈183〉)와 통용. '是謂大一'《禮記》. ⑨성가 성(姓)의 하나. ⑩틈가 겨를. 暇(日부 9획〈510〉)와 통용. '請一還都'《南史》. [二]멀하 遐(辵부 9획〈1501〉)와 통용. '一言周於天地'《揚子法言》. [三]이를격 格(木부 6획〈542〉)과 同字. '王一有廟'《易經》.
[字源] 形聲. 人+叚〔音〕
[參考] 仮(人부 4획〈39〉)는 俗字.

人 9 〔倏〕 11 〔숙〕 倏(人부 8획〈60〉)을 보라.

人 9 〔倐〕 11 〔숙〕 倏(人부 8획〈60〉)을 보라.

人 9 〔偫〕 11 치 [上]紙 zhì チ·ジ まつ

[字解] ①기다릴치 준비를 하고 기다림. '甲車戎馬器械儲一'《揚雄》. ②갖출치 구비(具備)함. '一而畚挶'《國語》.
[字源] 形聲. 人+待〔音〕

人 9 〔偈〕 11 [一]게 [去]霽 ①qì, ②jì ケイ いこう / [二]걸 [入]屑 jié ケツ たけだけしい

[字解] [一]①쉴게 휴식함. '度三巒兮一棠梨'《揚雄》. ②중의귀글게 불교의 덕(德)을 찬양하거나 교지(敎旨)를 설명하는 귀글. '一頌'. [二]①힘쓸걸 진력함. '一一乎揭仁義'《莊子》. ②헌걸찰걸 무용(武勇)이 있는 모양. '伯兮一兮'《詩經》. ③빠를걸 질주(疾走)함. '匪風發兮, 匪車一兮'《詩經》.

人 9 〔偒〕 11 탕 [上]養 tǎng, ③dàng トウ まっすぐ

[字解] ①곧을탕 '一, 直也'《玉篇》. ②길탕 기다란 모양. '一, 長皃'《廣韻》. ③방자할탕 방탕함. '一逸'. 蕩(艸부 12획〈1182〉)과 통용. '魯仲連一而不剬, 藺相如剬而不一'《揚子法言》.
[字源] 形聲. 人+易〔音〕

人 9 〔偉〕 11 [中·人] 위 [上]尾 wěi イ えらい

[筆順] 亻 亻' 亻𠂉 亻⿱𠂉口 亻⿱𠂉口 亻韋 亻韋 偉

[字解] ①클위 장대(壯大)함. '一體'. '容貌甚一'《漢書》. ②뛰어날위 위대(偉大)함. '一人'. '一業'. '足爲一器'《後漢書》. ③기이(奇異)할위 이상함. '一奇'. '一寶'. '一哉夫造物者'《莊子》. ④성할위 성대(盛大)함. '一觀'. '儀觀甚一'《韓愈》. ⑤성위 성(姓)의 하나.
[字源] 形聲. 人+韋〔音〕

人 9 〔偊〕 11 우 [上]麌 yǔ ウ ひとりゆく

[字解] ①혼자걸을우 踽(足부 9획〈1438〉)와 同字. '一一而步'《列子》. ②삼갈우 '一一爾, 愼耳目之觀聽'《列子》.
[字源] 形聲. 人+禹〔音〕

人 9 〔偏〕 11 [高·人] 편 [平]先 piān ヘン かたよる

[筆順] 亻 亻⼀ 亻彐 伊 伊 偏 偏 偏

[字解] ①치우칠편 ㉠한쪽으로 기욺. '一倚'. '不一之謂中'《中庸章句》. ㉡한쪽으로 몰림. '一在'. '貨一則民病'《宋書》. ㉢편벽됨. 불공평함. '一愛'. '無一無陂'《書經》. ②곁편, 가편 변측(邊側). '一國'. '居許東一'《左傳》. ③반편 반분(半分). '衣身之一'《左傳》. ④한쪽편 일방(一方). '一聽生姦, 獨任成亂'《漢書》. ⑤무리편 당류(黨類). '擧其一不爲黨'《左傳》. ⑥남은겨레편 유족(遺族). '桓氏雖亡必一'《左傳》. ⑦보좌편 도움. 또, 돕는 사람. '司馬令尹之一'《左傳》. ⑧쉰사람편 50인 한 조(組)의 일컬음. '五

十人爲一'《周禮》. ⑨스물다섯대편 병거(兵車) 25 대의 일컬음. '先一後伍'《左傳》. ⑩변편 한자(漢字)의 왼쪽 획. '旁'의 대(對). '強尋一傍推點畫'《蘇軾》. ⑪외곬으로편 오로지 그것만. '一守新城存民苦矣'《史記》.
字源 形聲. 人+扁〔音〕

人 9 〔偓〕11 악 ⓐ覺|wò アク かかわる
字解 ①악착할악 齷(齒부 9획〈1889〉)과 同字. '一促談於廊廟'《楚辭》. ②성악 성(姓)의 하나.
字源 形聲. 人+屋〔音〕

人 9 〔偰〕11 설 ⓐ屑|xiè セツ きよい
字解 ①맑을설 '偰一, 淨也'《廣韻》. ②이름설 고신씨(高辛氏)의 아들 이름. 은(殷)나라 조상. '一, 高辛氏之子, 爲堯司徒, 殷之先也'《說文》. ③성설 성(姓)의 하나. '一伯'.
字源 形聲. 人+契〔音〕

人 9 〔傁〕11 수 ⓤ有|sǒu ソウ おきな
字解 옹(翁)수 노인(老人)의 경칭(敬稱). 傻(人부 10획〈65〉)와 同字.
字源 形聲. 人+叜〔音〕

人 9 〔偕〕11 人名 해 ⓟ佳|xié(jiē) カイ ともに
筆順 亻 亻 仩 仳 偕 偕 偕 偕
字解 ①함께해 같이. '一老'. '古之人, 與民一樂'《孟子》. ②함께갈해 같이 감. 동행함. '與食客門下有勇力文武具備者二十人一'《史記》. ③굳셀해 강장(強壯)한 모양. '一一士子'《詩經》. ④맞을해 적합함. 諧(言부 9획〈1342〉)와 통용. '習故能一'《管子》.
字源 形聲. 人+皆〔音〕

人 9 〔做〕11 주 ⓠ箇|zuò サ なす
字解 지을주 作(人부 5획〈43〉)과 뜻이 같음.
字源 會意. 人+故.

人 9 〔停〕11 中·人 정 ⓟ青|tíng テイ とまる
筆順 亻 亻 亻 伫 佇 停 停 停
字解 ①머무를정 ㉠정지함. '一留'. '大軍已到, 不得久一'《北史》. ㉡쉼. '一務'. '心無別慮, 筆不暫一'《隋書》. ㉢지체함. '時諸諍訟失理, 及主者淹一不時'《梁書》. ②멈출정 머무르게 함. '一馬'. '婦便捉裾一之'《世說》.
字源 形聲. 人+亭〔音〕

人 9 〔偝〕11 배 ⓠ隊|bèi ハイ そむく
字解 등질배, 배반할배 背(肉부 5획〈1072〉)와 同字. '民不一'《禮記》.

人 9 〔偟〕11 황 ⓟ陽|huáng コウ さまよう
字解 ①노닐황 徨(彳부 9획〈373〉)과 同字. '仿一'. ②겨를황, 황급할황 遑(辵부 9획〈1501〉)과 同字. '忠臣孝子, 一乎不一'《揚子法言》.

人 9 〔健〕11 高·人 건 ⓠ願|jiàn ケン すこやか
筆順 亻 亻 亻 亻 佳 律 健 健
字解 ①굳셀건 ㉠건장(健壯)함. '一將'. '募一兒百餘人'《南史》. ㉡꿋꿋함. '一戰'. '諸將莫不一鬪'《後漢書》. ㉢꾸준함. '天行一, 君子以自強不息'《易經》. ②튼튼할건 건강함. '郎一否'《太平廣記》. ③군사건 장사(壯士). '男兒欲作一, 結伴不須多'《樂府詩集》. ④성건 성(姓)의 하나.
字源 形聲. 人+建〔音〕

人 9 〔偪〕11 핍 ⓐ職|bī ヒョク せまる
字解 ①핍박할핍 逼(辵부 9획〈1500〉)과 同字. '君子不僭上, 不一下'《禮記》. ②행전핍 각반. '一屨著綦'《禮記》. ③성핍 성(姓)의 하나.
字源 形聲. 人+畐〔音〕

人 9 〔偭〕11 면 ⓠ霰 ⓤ銑|miǎn ベン·メン むかう
字解 ①향할면 마주 대함. '尊壺者一其鼻'《禮記》. ②어길면 위반함. '一規矩而改錯'《楚辭》.
字源 形聲. 人+面〔音〕

人 9 〔偲〕11 시(②-④ 채㊍) ⓟ支 ⓟ灰|①sī シ ぜんをせめあうさま ②-④cāi サイ つよい
字解 ①책선할시 착한 일을 하도록 서로 권함. '朋友切切一一'《論語》. ②굳셀시 '一, 彊力也'《說文》. ③똑똑할시 재능이 있음. '一, 多才能也'《廣韻》. ④수염많을시 수염이 많이 난 모양. '其人美且一'《詩經》.
※ ❷-❹는 本音 채.
字源 形聲. 人+思〔音〕

人 9 〔側〕11 高·人 측 ⓐ職|cè ソクかたわら, そば

[筆順] 亻 仉 伵 伹 俱 俱 側 側

[字解] ①곁측 접근한 장소. 근방. '一近'. '閔子侍一'《論語》. ②옆측 한쪽으로 치우친 곳. '左一'. '立于一階'《書經》. ③기울측 ㉠한쪽으로 쏠림. '一弁之俄'《詩經》. ㉡해가 기욺. 昃(日부 4획〈501〉)과 통용. '日一'《儀禮》. ㉢치우침. 중정(中正)을 잃음. '無反無一'《書經》. ④기울일측 귀를 기울임. '一聽'. '呂后一耳于東廂聽'《史記》. ⑤엎드릴측 칩복(蟄伏)함. '一谿谷之間'《淮南子》. ⑥배반할측 반역함. '使反一子自安'《後漢書》. ⑦낮을측 미천(微賤)함. 한미(寒微)함. '一陋'. '虞舜一微'《書經》. ⑧어렴풋할측 분명하지 않음. 유미(幽微)함. '一聞, 屈原兮沈汨羅'《史記》. ⑨슬퍼할측 惻(心부 9획〈400〉)과 통용. '隱思君兮陫一'《楚辭》. ⑩성측 성(姓)의 하나.

人 9 〔偵〕11 [人名] 정 ㊥庚 | zhēn(zhēng) テイ うかがう

[筆順] 亻 亻' 亻⺊ 佔 偵 偵 偵 偵

[字解] ①염탐할정 몰래 탐지함. '一探'. '一察'. '使御者一伺得失'《後漢書》. ②염탐꾼정 '一候'. '一諜'. '爲郡縣一邏耳目'《後漢書》.

[字源] 形聲. 人＋貞〔音〕

人 9 〔偶〕11 [高·人] 우 ㊤有 | ǒu グウ ならぶ, でく, たまたま

[筆順] 亻 伄 伊 偶 偶 偶 偶 偶

[字解] ①짝수우 우수(偶數). '奇一'. '鼎俎奇而籩豆一'《禮記》. ②짝우 배필. '配一'. '始選良一'《北史》. ③무리우 동류. 제배(儕輩). '曹一'. '寡一少徒'《史記》. ④허수아비우 인형(人形). '一人'. '一像'. '木一人與土一人相與語'《史記》. ⑤짝지을우, 짝지울우 짝을 지음. 짝을 지어 줌. '聖人因時以合一男女'《孔子家語》. ⑥대할우 마주 대함. '一語'. '一坐不辭'《禮記》. ⑦만날우 遇(辵부 9획〈1500〉)와 同字. '一, 遇也. 二人相對遇也'《釋名》. ⑧마침우 우연히. '一成'. '鄭國之治一耳'《列子》. ⑨성우 성(姓)의 하나.

[字源] 形聲. 人＋禺〔音〕

人 9 〔偁〕11 칭 ㊥蒸 | chēng ショウ あげる

[字解] ①들칭 들어 올림. '一, 擧也'《爾雅》. ②稱(禾부 9획〈906〉)의 本字.

[字源] 形聲. 人＋爯〔音〕

人 9 〔偷〕11 투 ㊥尤 | tōu トウ ぬすむ

[字解] ①훔칠투 도둑질함. '一兒'. '一盜'. '一得利而有害'《管子》. ②탐낼투 눈앞의 안락을 탐함. '一安日日'《史記》. ③얄팍할투 인정이 야박함. '一薄'. '故舊不遺, 則民不一'《論語》. ④구차할투 고식적(姑息的)으로 일을 함. '一儒'. '安肆日一'《禮記》. ⑤구차히투 구차하게. '一免'. '一以全吾軀'《楚辭》.

[字源] 形聲. 人＋兪〔音〕

人 9 〔偠〕11 요 ㊤篠 | yǎo ヨウ しなやか

[字解] 날씬할요 허리가 호리호리하여 맵시 있어 보임. '一紹便娟'《張衡》.

人 9 〔⿰亻卻〕11 ㊀각 ㊇藥 ㊁극 ㊇陌 | jué キャク·ガク うむ ケキ·キャク わらう

[字解] ㊀①질력날각 싫증이 남. '一, 亦倦也'《廣韻》. ②잠깐각 잠시. '一, 須臾'《廣韻》. ㊁①지칠극 피로함. '一, 勞也, 極也'《廣雅》. ②웃을극 크게 웃음. '一, 又大笑'《廣韻》.

[字源] 形聲. 人＋卻〔音〕

人 9 〔偌〕11 야 ㊦禡 | ruò ジャ·ニャ かかる

[字解] ①이같은야 이와 같은. 이와 같이. '一, 猶言如此也'《中華大字典》. ②성야 성(姓)의 하나.

人 9 〔偍〕11 제 ㊥齊 | tí テイ ゆるやか

[字解] 느즈러질제 해이(解弛)함. '難進曰一'《管子》.

人 9 〔偢〕11 초 ㊦嘯 | chǒu ショウ うれえる

[字解] ①인정없을초 '偢一'는 동정심이 없음. '偢一, 不仁'《集韻》. ②걱정할초 우려하는 모양. '一, 與愁同'《篇海》. ③볼초 사람을 보고 상대함. '誰一倸'《長生殿》.

人 9 〔⿰亻侯〕11 〔후〕 候(人부 8획〈57〉)의 本字

人 9 〔偛〕11 삽 ㊇洽 | chā ソウ わるがしこい

[筆順] 亻 仛 仟 仟 伻 偛 偛 偛

[字解] ①키작달막할삽 '一㑌'는 키가 작은 사람의 모양. '一㑌, 小人皃'《廣韻》. ②교활할삽 간교함. '一, 一曰, 一儌, 鬼黠也'《玉篇》. ③가죽주름삽 가죽 표면의 주름. '一, 皮皺'《集韻》.

人9 〔偦〕11 서 [上]語 ①②xǔ ショ かしこいもの [平]魚 ③xū ショ とおる，とおす

[字解] ①십장서 열사람의 우두머리. '胥, 什長也. 或从人'《廣韻》. ②도둑잡을서 도둑을 찾아서 잡음. '一, 謂司搏盜賊也'《周禮注》. ③트일서, 틀서 막힌 것이 통함. 또, 막힌 것을 통하게 함. '一, 疏也'《集韻》.

人9 〔偯〕11 의 [上]尾 yǐ イ なげく

[字解] 훌쩍거릴의 느끼어 욺. 또, 탄식함. '童子哭不一'《禮記》.

人9 〔偨〕11 치 [上]紙 cī シ そろわない

[字解] 가지런하지않을치 差(工부 7획〈327〉)와 同字. '一池'.

人9 〔偩〕11 부 [上]有 fù ブ·フウ かたどる，たのむ

[字解] ①모뜰부 본뜸. '禮樂一天地之情'《禮記》. ②자부할부 負(貝부 2획〈1385〉)와 同字. '自一而辭助'《淮南子》.
[字源] 形聲. 人+負〔音〕

人9 〔偎〕11 외 [平]灰 wēi ワイ なじむ

[字解] ①가까이할외 친근히 함. '一, 昵近也'《正韻》. ②사랑할외 '北海有國名曰朝鮮天毒其人水居一人愛人'《山海經》.
[字源] 形聲. 人+畏〔音〕

人9 〔偅〕11 동 [去]宋 zhǒng ショウ·トウ こども

[字解] 종동 僮(人부 12획〈73〉)과 同字. '驂白鹿兮, 從仙一'《漢張公 神道碑》.
[字源] 形聲. 人+重〔音〕

人9 〔倻〕11 [韓] 야 yē ヤ くにのな

[字解] 《韓》 나라이름야 '伽一'는 고대 한(韓)반도 남부에 있던 나라의 이름. 가락(駕洛).
[字源] 形聲. 人+耶〔音〕

人9 〔偞〕11 엽 [入]葉 yè ヨウ かるい

[字解] ①가벼울엽 '一, 輕也'《集韻》. ②아름다울엽 용모가 아름다움. '一, 美容皃'《集韻》.
[字源] 形聲. 人+枼〔音〕

人9 〔偺〕11 잠 [平]覃 zá, zán サン われ

[字解] ①어조사잠 '喒(口부 9획〈174〉)과 同字로, 어조사(語助辭). '多一'은 언제. '那一'은 그때. ②나잠 자기(自己)의 속칭(俗稱). '一們'은 우리들.

人9 〔亻軍〕11 혼 [平]元 hún コン·ゴン せい，おんなのあざな

[字解] 성혼 성(姓)의 하나. 또, 여자의 자(字).

人9 〔偆〕11 춘 [上]軫 chǔn シュン·チュン とむ

[字解] ①넉넉할춘 부유(富裕)함. '一, 富也'《說文》. ②기뻐하고 즐길춘 '一一者, 喜樂之貌也'《春秋繁露》. ③꿈틀거릴춘 '一, 動也'《白虎通》.
[字源] 形聲. 人+春〔音〕
[參考] 亻蠢(人부 12획〈74〉)은 本字.

人9 〔偄〕11 [一] 난 [去]翰 ruǎn ダン·ナン よわい [二] 나 [去]箇 rú ダ·ナ よわい [三] 연 [上]銑 ネン·ゼン よわい

[字解] [一] ①연약할난 약(弱)함. '一, 弱也'《說文》. ②속일난 기만(欺謾)함. '方言, 楚郢謂欺謾爲眠娗, 一曰一劣'《事物異名錄》. ③공경할난 공손함. '一, 敬也'《廣韻》. [二] 연약할나, 속일나, 공경할나 [一]과 뜻이 같음. [三] 연약할연, 속일연, 공경할연 [一]과 뜻이 같음.
[字源] 形聲. 人+耎〔音〕

人9 〔亻並〕11 〔병〕 並(一부 7획〈13〉)과 同字

人9 〔偘〕11 〔간〕 侃(人부 6획〈47〉)과 同字

人9 〔偬〕11 〔총〕 傯(人부 11획〈70〉)과 同字

人9 〔亻癸〕11 〔규〕 亻癸(人부 10획〈67〉)와 同字

人9 〔偋〕11 〔병〕 亻屛(人부 11획〈70〉)과 同字

人9 〔亻孨〕11 [一] 僝(人부 12획〈72〉)의 本字 [二] 僎(人부 12획〈71〉)과 同字

人9 〔亻呆〕11 〔보〕 保(人부 7획〈53〉)의 古字

人9 〔亻巺〕11 〔선〕 僎(人부 12획〈71〉)의 本字

人9〔㑒〕11 〔편〕
便(人부 7획〈51〉)의 本字

人9〔偀〕11 〔영〕
英(艸부 5획〈1129〉)의 俗字

人9〔偻〕11 〔루〕
僂(人부 11획〈69〉)의 俗字

人9〔偹〕11 〔비〕
備(人부 10획〈66〉)의 俗字

人9〔偿〕11 〔상〕
償(人부 15획〈77〉)의 簡體字

人9〔偽〕11 〔위〕
僞(人부 12획〈72〉)의 略字

人9〔偺〕11 〔참〕
儳(人부 17획〈79〉)의 略字

人9〔偖〕11 〔차〕
撦(手부 12획〈468〉)의 訛字

〔脩〕〔수〕
肉부 7획(1077)을 보라.

〔條〕〔조〕
木부 7획(552)을 보라.

人10〔傘〕12 人名 산 ㊤旱 | sǎn サン かさ

筆順 ノ 人 仌 仒 仺 仺 傘 傘

字解 우산산, 일산산 繖(糸부 12획〈1013〉)과 同字. '乘介馬, 張錦一'《北史》.
字源 象形. 우산을 편 모양을 본뜸.

人10〔傡〕12 병 ㊤梗 | bìng ヘイ ならぶ

字解 ①아우를병 竝(立부 5획〈926〉)과 同字. ②나란히설병 나열함. '一, 羅列'《廣韻》.

人10〔傀〕12 괴 ①㊤賄 | kuǐ カイ あやつりにんぎょう
②-⑤㊥灰 | guī カイ おおきい

字解 ①허수아비괴 꼭두각시. 인형(人形). '一儡戲'. '周穆王之時, 巧人有偃師者, 爲木人能歌舞, 此一儡之始也'《列子》. ②클괴 위대함. '一然獨立天地之閒而不畏'《荀子》. ③도깨비괴 怪(心부 5획〈384〉)와 통용. '大一異烖去樂'《周禮》. ④괴이할괴 기괴함. '一, 亦怪異也'《廣韻》. ⑤성괴 성(姓)의 하나.
字源 形聲. 人+鬼〔音〕

人10〔傁〕12 수 ㊤有 | sǒu ソウ おきな

字解 늙은이수 叟(又부 8획〈143〉)와 同字. '趙一在後, 怒之使下'《左傳》.
字源 形聲. 人+叟〔音〕

人10〔傃〕12 소 ㊦遇 | sù ソ むかう

字解 향할소 어떤 방향으로 대함. '暮則一東山而歸'《蘇軾》.
字源 形聲. 人+素〔音〕

人10〔傎〕12 전 ㊥先 | diān テン さかさま

字解 뒤바꿀전, 거꾸로할전 顚(頁부 10획〈1696〉)과 同字. '晉文公之行事, 爲已一矣'《穀梁傳》.
字源 形聲. 人+眞〔音〕

人10〔傅〕12 人名 부 ①-⑨㊦遇 | fù フ もり
⑩㊥虞 | fū フ しく

筆順 亻 𠂉 仢 伒 伂 伂 傅 傅

字解 ①스승부 좌우에서 봉시(奉侍)하여 돌보는 사람. '立太一少一以養之'《禮記》. 전(轉)하여, 선생. 스승. '師一'. ②돌볼부 좌우에서 봉시(奉侍)하여 돌봄. '三材一之'《國語》. ③도울부 보좌함. '鄭伯一王'《左傳》. ④붙을부 부착함. '一着'. '一, 又麗着也'《正字通》. ⑤가까이할부 접근함. '一, 近也'《小爾雅》. ⑥바를부 분을 바름. '一脂粉'《史記》. ⑦이를부 다다름. '鳳凰于飛, 翽翽其羽, 亦一于天'《詩經》. ⑧수표부 대차(貸借)의 증서. '聽稱責以一別'《周禮》. ⑨성부 성(姓)의 하나. ⑩베풀부 敷(攴부 11획〈487〉)와 同字. '一納以言'《漢書》.
字源 形聲. 人+尃〔音〕

人10〔傋〕12 구 ㊦宥 | gòu コウ おろか

字解 무식할구 무지함. '愚陋一瞀'《荀子》.

人10〔傍〕12 高·人 방(⑦팽本)
㊥陽 | ①-③páng ボウ かたわら
㊦漾 | ④⑤bàng ボウ よる
㊤養 | ⑥ホウ はべる
㊥庚 | ⑦péng ホウ やむをえない

筆順 亻 亻' 亻亠 伫 伫 倅 傍 傍

字解 ①곁방 접근한 장소. 옆. '近一'. '兩一'. '河峽崖一'《水經 注》. ②방방 한자(漢字)의 오른쪽 부분. 우방(右旁). '偏'의 대(對). '強尋偏一推點畫'《蘇軾》. ③성방 성(姓)의 하나. ④의할방 의거(依據)함. 따

름. '便當倚一先代耳'《晉書》. ⑤결할방 가까이함. '雲一馬頭生'《李白》. ⑥모실방 좌우에서 시중듦. '成王之生, 仁者養之, 孝子強之, 四聖一之'《新書》. ⑦피할수없을방 부득이한 모양. '王事一一'《詩經》. ※❼은 本音 팽.
字源 形聲. 人+旁〔音〕

人10〔傏〕12 당 ㊥陽 táng トウ おごる
字解 ①당돌할당 불손함. '一偀'. '一, 一偀, 不遜'《篇海》. ②닿을당 부딪침. 唐(口부 7획〈165〉)·搪(手부 10획〈459〉)과 同字.
字源 形聲. 人+唐〔音〕

人10〔傑〕12 高人 걸 ㊀屑 jié ケツ すぐれる
筆順 亻 ㇀ 夕 夕 㑛 㑛 傑 傑
字解 ①준걸걸 재주와 슬기가 뛰어난 사람. '人一'. '豪一'. '俊一在位'《孟子》. ②뛰어날걸 출중함. '一作'. '有厭其一'《詩經》.
字源 形聲. 人+桀〔音〕

人10〔傒〕12 혜 ㊥齊 xī(xí), ①xì ケイ つなぐ
字解 ①가둘혜 수감(收監)함. '一人之子女'《淮南子》. ②성혜 성(姓)의 하나.
字源 形聲. 人+奚〔音〕

人10〔傕〕12 각 ㊀覺 jué カク ひとのな
字解 ①사람이름각 '李一'은 후한(後漢) 때의 사람. ②성각 성(姓)의 하나.

人10〔傔〕12 겸 ㊋豔 qiàn ケン おそばつき
字解 추종겸 시중드는 하인. '一卒'. '一從三十餘人'《唐書》.
字源 形聲. 人+兼〔音〕

人10〔傝〕12 ㊀ 탐 ㊋勘 tàn タン こころがやすんじない ㊁ 탑 ㊀合 tà トウ わるい, つつしまない
字解 ㊀ 불안할탐, 염치없을탐 '一, 一僠, 不自安. 一曰, 無恥也'《集韻》. ㊁ ①나쁠탑, 경솔할탑 '一, 惡也, 一曰, 不謹貌'《玉篇》. ②어리석을탑 우매함. '一, 不肖也'《集韻》.

人10〔傑〕12 공 ㊥冬 qióng キョウ ののしる
字解 욕할공 욕설을 함. '一傱, 罵也'《揚子方言》.

人10〔傗〕12 ㊀ 천 ㊤銑 chǎn テン たけがたかい ㊁ 치 ㊥支 chī シ たけがたかい
字解 ㊀ 키멀쑥할천 키가 큰 모양. ㊁ 키멀쑥할치 ㊀과 뜻이 같음.

人10〔傖〕12 창 ㊥庚 cāng(chéng) ソウ いやしい
字解 천할창 비루하고 더러움. 또, 그 사람. '一父'. '不足齒之一耳'《晉書》.
字源 形聲. 人+倉〔音〕

人10〔傠〕12 벌 ㊀月 fá ハツ そむく
字解 ①배반할벌 의리를 배반함. '勇侏之一, 盜蒙決夬'《太玄經》. ②칠벌 伐(人부 4획〈38〉)과 同字.
字源 會意. 人+討

人10〔備〕12 中人 비 ㊋寘 bèi ビ そなえる
筆順 亻 亻 亻 仹 仹 併 備 備 備
字解 ①갖출비 ㉠골고루 가지고 있음. 구유(具有)함. '一品'. '才一文武'《唐書》. ㉡미리 준비함. '財以一器'《國語》. ㉢미리 설치함. '官不必一, 惟其人'《書經》. ㉣부족한 것을 채움. 보족(補足)함. '補一之'《漢書》. ②갖추어질비 ㉠준비가 됨. '凡樂成則告一'《周禮》. ㉡족함. 모자람이 없음. '易之爲書也, 廣大悉一'《易經》. ③채울비 수에 넣음. 가입시킴. '文學掌故, 補郡屬一員'《史記》. 또, 채워짐. 가입함. '身一漢相'《漢書》. ④예방할비 미리 방비함. '守一'. '不一於齊, 齊師侵魯'《史記》. ⑤비품비 일상 쓰는 물품·기구. '當先具其一'《漢書》. ⑥예비비 차림. 준비. '有一無患'《書經》. ⑦예방비 군사상의 방어. '軍一'. '莫如去一'《左傳》. ⑧의장(儀仗)비 경호(警護). '家一盡往'《左傳》. ⑨모두비 죄다. '季秋之月, 農事一收'《禮記》. ⑩발톱비 '獻其皮革齒須一'《周禮》. ⑪긴병장기비 창(槍) 따위. ⑫성비 성(姓)의 하나.
字源 形聲. 人+葡〔音〕

人10〔傚〕12 효 ㊋效 xiào コウ ならう
字解 본받을효 效(攴부 6획〈481〉)와 同字. '我不敢一我友自逸'《詩經》.
字源 形聲. 人+效〔音〕

人10〔傷〕12 ㊀ 추 ㊋宥 zhòu シュウ はらむ ㊁ 주 ㊥虞 zhū シュ こびとのさま
字解 ㊀ ①밸추 새끼를 뱀. '一, 娠也'《集

韻》. ②품팔추 고용(雇傭)됨. '任身傭作, 日一'《焦竑》. [三]키작달막할주 키가 작은 모양. '一, 小人皃'《集韻》.

人 10 〔傌〕 12 매 [去]禡 | mà バ ののしる

[字解] ①욕할매 罵(网부 10획〈1030〉)의 本字. ②성매 성(姓)의 하나.
[字源] 形聲. 人+馬〔音〕

人 10 〔傆〕 12 원 [去]願 | yuàn ゲン こざかしい

[字解] ①약삭빠를원 교활함. '一, 黠也'《說文》. ②성실할원 조심스럽고 성실함. '一有謹愿義'《正字通》.
[字源] 形聲. 人+原〔音〕

人 10 〔傉〕 12 욕 [入]沃 | mù ジョク うれえる

[字解] ①근심할욕 우려함. '一, 愁惋也'《集韻》. ②성욕 '庫一官'은 삼자성(三字姓).

人 10 〔傒〕 12 희 [去]未 | xì キ いかる

[字解] 성낼희 분개함. '一, 怒也'《集韻》.

人 10 〔傓〕 12 선 [去]霰 | shàn セン さかん

[字解] 성할선 세력이 성대함. '一, 說文, 熾盛也'《集韻》.
[字源] 形聲. 人+扇〔音〕

人 10 〔傜〕 12 소 [平]豪 | sāo ソウ おごる

[字解] 교만할소 거만함. '一, 驕也'《說文》.
[字源] 形聲. 人+蚤〔音〕

人 10 〔傒〕 12 규 [平]支 | kuí キ みまわす

[字解] 둘러볼규 좌우를 둘러봄. '一, 傒, 左右兩視'《說文》.
[字源] 形聲. 人+癸〔音〕

人 10 〔傞〕 12 사 [平]歌 | suō サ まう

[字解] 춤출사 술에 취하여 비틀거리며 춤을 추는 모양. '屢舞一一'《詩經》.
[字源] 形聲. 人+差〔音〕

人 10 〔傢〕 12 가 | jiā カ かぐ

[字解] 가구가 가구(家具). 기물(器物).

人 10 〔傛〕 12 용 [平]冬 | róng ヨウ なれる

[字解] ①익숙할용 '一一'은 익숙한 모양. '一日, 一一, 便習意'《集韻》. ②여관이름용 '一華'는 한대(漢代)의 여관(女官) 이름.

人 10 〔傺〕 12 질 [入]質 | jí シツ ねたむ

[字解] 시새울질 질투함. '一, 妎也'《說文》.
[字源] 形聲. 人+疾〔音〕

人 10 〔傗〕 12 축 [入]屋 | chù チク のびない

[字解] ①펴지않을축 '一佩'은 펴지 않음. 또, 구부림. '一佩, 不舒也'《集韻》. ②성낼축 성내어 얼굴빛이 달라지는 모양. '一, 色債起皃. ③가축축 畜(田부 5획〈798〉)과 同字. '育敎一'《古三墳》.

人 10 〔傈〕 12 률 [入]質 | lì リツ いはい

[字解] 신주률 사당(祠堂)에 모시는 신주(神主). 또, 사당 주위에 심는 밤나무. '一, 廟主也'《字彙》.

人 10 〔㑴〕 12 〔침〕 侵(人부 7획〈51〉)의 本字

人 10 〔㘸〕 12 〔좌〕 侳(人부 7획〈54〉)의 本字

人 10 〔倓〕 12 〔담〕 倓(人부 8획〈60〉)과 同字

人 10 〔傜〕 12 〔요〕 徭(彳부 10획〈374〉)와 同字

人 10 〔僶〕 12 〔태〕 態(心부 10획〈403〉)와 同字

人 10 〔傷〕 12 〔순〕 侚(人부 6획〈50〉)·徇(彳부 6획〈370〉)의 俗字

人 11 〔僉〕 13 [人名] 첨 [平]鹽 | qiān セン みな

[筆順] ノ 𠆢 亼 佥 佥 僉 僉 僉

[字解] ①여러첨, 모두첨 여러 사람. 모든 사람. '一位'. '一議'. '一日, 於鯀哉'《書經》. ②도리깨첨 곡식을 두들겨 떠는 농구. '一, 宋魏之閒, 謂之欇殳'《方言》. ③성첨 성(姓)의 하나.
[字源] 會意. 亼+兄+兄

人 11 〔㑧〕 13 〔감〕 龕(龍부 6획〈1893〉)의 俗字

人 11 〔催〕 13 [高·人] 최 [平]灰 | cuī サイ もよおす, せまる

[筆順] 亻 … 催

[字解] ①재촉할최 죄어침. '一告'. '一促'. '驛馬一之'《晉書》. ②닥쳐올최 시일이 닥쳐옴. '一迫'. '流年一我自堪嗟'《羅隣》. ③일어날최 생김. '歲時歸思一'《孟浩然》. ④《韓》베풀최 모임을 엶. '開一'. '主一'.
[字源] 形聲. 人+崔〔音〕

人 11 〔傭〕13 [一] 용 [平]冬 yōng(yóng) ヨウ やとわれる
[二] 총 [平]冬 chōng チョウ ひとしい

[字解] [一] ①품팔이할용, 품살용 고용당함. 또, 고용함. '一工'. '一兵'. '仲山家貧奉親, 變姓名, 一爲新野縣街卒'《世說》. ②품팔이꾼용 '爲冶家一'《後漢書》. ③품삯용 '厚其錢一, 以餉饑人'《李翺》. [二] ①고를총 균등함. 공평(公平)함. '昊天不一'《詩經》. ②천할총 비루함. '近世而不一'《荀子》.
[字源] 形聲. 人+庸〔音〕

人 11 〔傪〕13 참 [平]覃 cān サン よい
[字解] 아리따울참 아름다운 모양.
[字源] 形聲. 人+參〔音〕

人 11 〔傂〕13 [一] 환 [去]諫 huàn
[二] 억 [入]職 yì ヨク やすらかなさま

[字解] [一] 얽맬환 가둬 놓은 모양. '一然, 若終身之虜, 而不敢有他志, 是俗儒者也'《荀子》. [二] 편안할억 일설(一說)에는 億(人부 16획〈79〉)의 訛字.

人 11 〔傲〕13 오 [高·人] [去]號 ào ゴウ おごる

[筆順] 亻 … 傲

[字解] ①거만할오 교만함. '一慢'. '倨一'. '不問而告, 謂之一'《荀子》. ②거만오 교만. '一不可長'《禮記》. ③업신여길오 오만하여 남을 멸시함. '一視'. '一小物, 而志屬於大'《呂氏春秋》. ④놀오 즐거이 놂. '嘯一東軒下'《陶潛》.
[字源] 形聲. 人+敖〔音〕

人 11 〔傳〕13 [中·人] 전 [平]先 ①-④chuán デン つたえる
[去]霰 ⑤-⑩zhuàn デン うまつぎば

[筆順] 亻 … 傳

[字解] ①전할전 ㉠옮기어 감. '一乘而歸'(옮겨 타고 돌아감)《左傳》. ㉡옮기어 줌. 수여함. '一授'. '欲一商君'《戰國策》. ㉢물려 내려 줌. '世一'. '父子相一, 漢之約也'《漢書》. ㉣전달함. 발포(發布)함. '一令'. '置郵而一命'《孟子》. ㉤보냄. '一鉅子於田襄子'《呂氏春秋》. ㉥사람을 거쳐 보냄. '一言'. '令寺人一告之'《詩經 箋》. ㉦남김. '欲一惡聲于子'《韓非子》. ㉧진술함. '一著於鍾鼎也'《禮記》. ㉨여러 사람의 입을 통해 퍼뜨림. '宣一'. '趙氏連城璧, 由來天下一'《楊烱》. ②전하여질전 ㉠이어짐. 계속함. '燕齊之後, 與周竝一'《漢書》. ㉡받음. 수여(授與)됨. '一受'. '金烏何日見, 玉杯幾時一'《錢起》. ㉢퍼짐. 두루 미침. '盛一於世'《陳書》. ㉣들림. '風遠鐘一'《劉孝儀》. ㉤남음. '芳風永一'《宋書》. ㉥차례로 이름. 이어 바뀜. '其間五一, 年未爲遠'《陸澄》. ③옮길전 장소를 바꿈. '父母舅姑之衣衾簟席枕几不一'《禮記》. ④성전 성(姓)의 하나. ⑤역마을전 역참(驛站). 또, 역참이 있는 마을. '一馬'. '發人修道里停一'《後漢書》. 또, 역참에 비치한 거마(車馬). '使人馹一追之'《史記》. ⑥주막전 여인숙. 여사(旅舍). '沛公至高陽一舍'《史記》. ⑦통부(通符)전 관(關)을 통과하는 부신(符信). '投一而去'《後漢書》. ⑧경서의주해전 경서를 해석한 것. 시경(詩經)을 해석한 것은 시전(詩傳)이고, 서경(書經)에 주해를 낸 것은 서전(書傳)임. '春秋左氏一'. '發一之體有三'《左傳 序》. ⑨전기전 한 개인의 일평생의 사적(事跡). '一記'. '漢司馬遷作史記, 創爲列一, 以紀一人始終'《文體明辯》. ⑩책전 고대의 기록. '齊宣王問曰, 湯放桀武王伐紂, 有諸. 孟子對曰, 於一有之'《孟子》.
[字源] 形聲. 人+專〔音〕
[參考] 伝(人부 4획〈39〉)은 俗字.

人 11 〔傮〕13 [一] 조 [平]豪 zāo ソウ おわる
[二] 주 [平]尤 cáo シュウ おわる

[字解] [一] 마칠조 끝남. '一, 終也'《說文》. [二] 마칠주 [一]과 뜻이 같음.
[字源] 形聲. 人+曹〔音〕

人 11 〔傴〕13 구 [上]麌 yǔ ウ かがむ
[字解] ①구부릴구 몸을 굽힘. '一命而僂, 再命而一'《左傳》. ②곱사등이구 '一僂'. '一者不袒'《禮記》.
[字源] 形聲. 人+區〔音〕

人 11 〔債〕13 [高·人] 채 [去]卦 zhài サイ かり

[筆順] 亻 … 債

[字解] ①빚채 꾸어 쓴 돈. '負一'. '賣田宅, 鬻子孫, 以償一'《漢書》. 전(轉)하여, 자기가 응당 하여야 할 것을 아직 하지 아니한 것. '詩一'. '官身常缺讀書一'《陸游》. ②빚

돈채 빚으로 준 돈. '宜可令收—'《史記》.
字源 形聲. 人＋責〔音〕

人11〔僁〕13 설 ㊇屑 | xiè セツ こえ
字解 ①소리설 작은 소리. '—, 小聲也'《玉篇》. ②신음할설 앓는 소리를 함. '——, 呻吟也'《玉篇》.
字源 形聲. 人＋悉〔音〕

人11〔傷〕13 中·人 상 ㊉陽 | shāng シヨウ きず
筆順 亻 仁 作 作 倬 傷 傷 傷
字解 ①다칠상 몸을 상함. '—弓之鳥'. '後園挑菜, 誤—指大啼'《世說》. 또, 다친 상처. '—痍'. '負—'. '君子不重—'《左傳》. ②해칠상 남을 해함. '中—'. '人—堯以不慈之名'《呂氏春秋》. ③근심할상 ㉠걱정함. '維以不永—'《詩經》. ㉡애태움. '—心'. '未見君子我心—悲'《詩經》. ④불쌍히여길상 가련하게 여김. '咸寃—之'《漢書》. ⑤성상 성(姓)의 하나.
字源 形聲. 人＋𥏻〈省〉〔音〕

人11〔傺〕13 제 ㊄霽 | chì テイ とまる, こころざしをうしなう
字解 낙망할제 실망하는 모양. 실의(失意)한 모양. '忳鬱邑余侘—兮'《楚辭》.
字源 形聲. 人＋祭〔音〕

人11〔傾〕13 高·人 경 ㊉庚 | qīng ケイ かたむく
筆順 亻 亻 化 化 佰 傾 傾 傾
字解 ①기울경, 기울어질경 ㉠한쪽으로 기욺. '—仄'. '重鈞則衡不—'《淮南子》. ㉡비스듬함. '—斜'. '檣—楫摧'《范仲淹》. ㉢바르지 아니함. '守節不—'《漢書》. ㉣위험해짐. 위태로워짐. 편안하지 아니함. '寶祚夙—'《宋書》. ㉤다 없어짐. '舊穀既盡, 新穀亦—'《應璩》. ②기울일경 ㉠한쪽으로 기울임. 기울여 엎음. '—覆'. '—盆'. '—蓋'. '齊—天下而莫能—也'《荀子》. ㉡마음을 기울임. 귀복(歸服)함. '—注'. '—倒'. '—慕'. '—坐盡—'《漢書》. ㉢귀를 기울임. '—聽'. '樵唱時—耳'《陸游》. ㉣형세가 기울어지게 함. '—國'. '哲夫成城, 哲婦—城'《詩經》. ㉤잔을 기울여 술을 마심. '取酒對花—'《姚合》. ㉥다함. 남기지 아니함. '—城遠追送'《孫楚》. ③다툴경 경쟁함. '彼與草木俱朽, 此與金石相—'《後漢書》. ④다칠경 상처를 입음. '體有所—'《國語》. ⑤잠깐경 頃(頁부 2획〈1682〉)과 통용. '俄—少選時也'《字彙》.
字源 形聲. 人＋頃〔音〕

人11〔僂〕13 루 ㊉尤 ㊤麌 | lóu, lǚ ロウ·ル せむし
字解 ①굽을루 등이 굽음. '—僂'. '周公背—'《白虎通》. ②구부릴루 몸을 굽힘. 몸을 삼가는 모양. '一命而—, 再命而傴'《左傳》. ③꼽을루 손을 꼽음. '未能—指也'《荀子》. ④곱사등이루 '郤克—'《史記》. ⑤성루 성(姓)의 하나.
字源 形聲. 人＋婁〔音〕

人11〔僆〕13 련 ①㊤銑 ②㊉先 | liǎn レン ふたごひな
字解 ①쌍둥이련 쌍생아(雙生兒). '—子'. '晉楚之間, 雙生子, 謂—子'《揚子方言》. ②병아리련 큰 병아리. '未成雞, —'《爾雅》.

人11〔㒂〕13 자 ㊉麻 | zhē シャ とくがない
字解 덕없을자 키가 크고 건장(健壯)하나 덕(德)이 없음. '—儸, 健而不德也'《玉篇》.

人11〔僄〕13 표 ㊄嘯 ㊉蕭 | piào ヒョウ かるい
字解 ①가벼울표 경박함. '怠慢—棄'《荀子》. ②날랠표 민첩함. '爲人—悍猾賊'《史記》.
字源 形聲. 人＋票〔音〕

人11〔僅〕13 高·人 근 ㊄震 | jǐn, ③jìn キン わずか
筆順 亻 仁 广 仳 㑆 僅 僅 僅
字解 ①겨우근 근근히. '—至於魯司寇'《呂氏春秋》. ②적을근 과소(寡少). '—少'. '—以救亡者'《戰國策》. ③거의근 거의 됨. '士卒—萬人'《韓愈》.
字源 形聲. 人＋堇〔音〕

人11〔僇〕13 륙 ㊇屋 | lù リク はじ
字解 ①욕륙 치욕(恥辱). '—, 辱也'《史記》. ②죽일륙 戮(戈부 11획〈424〉)과 통용. '爲天下大—'《荀子》.
字源 形聲. 人＋翏〔音〕

人11〔僪〕13 적 ㊇陌 | zhāi タク·チャク はばからない
字解 ①어려움없을적 거리낌없음. '—, 無憚也'《集韻》. ②모질적 좋지 못함. '—索, 惡也'《集韻》.

人11〔㒁〕13 어 ㊤麌 | yǔ グ おおきい
字解 ①무례(無禮)할어 '——, 勇而無禮

貌'《太玄經》. ②클어 '一, 大也'《集韻》.

人 11 〔僈〕 13 만 [去]諫 màn バン·マン ゆるい

[字解] 흘게늦을만 야무지지 못함. '君子寬而不一'《荀子》.
[字源] 形聲. 人＋曼〔音〕

人 11 〔傱〕 13 송 [上]腫 sǒng ショウ はやい

[字解] ①빠를송 '一一'은 빠른 모양. '風一一而扶轄兮'《揚雄》. ②달릴송 '一一'은 뛰는 모양. '一一, 走皃'《廣韻》

人 11 〔傜〕 13 요 [平]蕭 yáo ヨウ よろこぶ

[字解] ①기뻐할요 '一, 喜也'《說文》. ②역사요 부역(賦役). 徭(彳부 10획〈374〉)와 同字. '一, 按, 役也. 字亦作傜, 作徭'《通訓》. ③같지않을요 가지런하지 않음. '自關已西, 物大小不同, 謂之一'《說文》. ④속일요 서로 속임. '一, 彼此誑惑, 曰兩邊一'《說文》.
[字源] 形聲. 人＋䍃〔音〕

人 11 〔僺〕 13 소 [上]巧 zhǎo ソウ ちいさい

[字解] ①작을소 '傭一宇而處焉'《柳宗元》. ②길소 긴 모양. '一一, 長皃'《廣韻》.
[字源] 形聲. 人＋巢〔音〕

人 11 〔傽〕 13 장 [平]陽 zhāng ショウ おそれる

[字解] 두려워할장 놀라 무서워하는 모양. 慞(心부 11획〈410〉)과 통용. '遽一偟兮驅林澤'《楚辭》.
[字源] 形聲. 人＋章〔音〕

人 11 〔傻〕 13 사 [上]馬 shǎ サ こざかしい

[字解] ①약을사 영리함. 약아빠짐. '一, 一俏, 不仁'《集韻》. ②《現》 어리석을사 우매함. '一子'.

人 11 〔僊〕 13 선 [平]先 xiān セン せんにん

[字解] ①신선선 仙(人부 3획〈34〉)과 同字. '千歲厭世, 去而上一'《十八史略》. ②성선 성(姓)의 하나.
[字源] 形聲. 人＋䙴〔音〕

人 11 〔傿〕 13 언 ①[去]願 yàn エン かけね ②③[平]先 yān エン けんのな

[字解] ①에누리언 실제보다 비싸게 부르는 값. '悔不小一'《後漢書》. ②고을이름언 鄢(邑부 11획〈1525〉)과 同字. ③성언 성(姓)의 하나.
[字源] 形聲. 人＋焉〔音〕

人 11 〔傯〕 13 총 [上]董 zǒng ソウ せわしい

[字解] 바쁠총 偬(人부 9획〈64〉)과 同字.

人 11 〔僻〕 13 병 ①②[去]敬 ③[上]梗 bìng ヘイ いやしいすまい bǐng ヘイ しりぞける

[字解] ①궁색한살림병 천한 생활. '一, 僻宴也'《說文》. ②벽지(僻地)병 사람이 없는 곳. '一, 隱僻也, 無人處'《廣韻》. ③물리칠병 적을 물리침. '恭儉者一五兵也'《荀子》.
[字源] 形聲. 人＋屛〔音〕

人 11 〔傛〕 13 말 [入]黠 mà バツ すこやか

[字解] ①굳셀말 건장(健壯)한 모양. '一傛, 健皃'《廣韻》. ②거리낌없을말 '一傛, 無憚'《集韻》.

人 11 〔傹〕 13 ㊀경 ①[去]漾 ②[去]敬 jìng キョウ つよい キョウ きそう ㊁강 [平]陽 jiāng キョウ たおす

[字解] ㊀ ①굳셀경 '倞(人부 8획〈58〉)과 同字. ②다툴경 경쟁함. 競(立부 15획〈929〉)과 同字. ㊁ 넘어뜨릴강 쓰러뜨림. '可吹而一也'《荀子》.

人 11 〔傰〕 13 붕 [平]蒸 [去]徑 pēng ホウ とも bèng ホウ おもねりくみする

[字解] ①벗붕 친구. 동아리, '練之以散羣一署'《管子》. ②성붕 성(姓)의 하나. ③아부하여한패가될붕 '一, 阿黨也'《集韻》.

人 11 〔傫〕 13 ㊀래 [去]隊 lěi ライ たれる ㊁루 [平]支 ルイ つかれる

[字解] ㊀ ①드리울래 儽(人부 21획〈80〉)와 同字. ②성래 성(姓)의 하나. ㊁ 지칠루 피로해짐. 偯(人부 12획〈74〉)와 同字.

人 11 〔僋〕 13 탐 [去]勘 tàn タン のびる

[字解] ①펴질탐 길어지는 모양. '一, 一伸皃'《廣韻》. ②정하지않을탐 '一俕'은 깨끗하지 않은 모양. '一俕, 不淨'《廣韻》. ③어리석을탐 '一俕'은 어리석은 모양. 또, 늙어서 쓸모없는 모양. '一俕, 癡皃'《廣韻》. '一俕, 老無宜適也'《玉篇》.

人 11 〔働〕 13 [日] 동 | dòng ドウ はたらく

[字解] 《日》 일할동 노동(勞動)함. '一, 日本字. 吾國人通讀之若動'《中華大字典》.
[參考] 원래 일본(日本)글자이나, 한때 중국(中國)에서도 사용되었음.

人 11 〔⿰亻⿱古步〕 13 〔척〕
陟(阜부 7획〈1615〉)의 古字

人 11 〔僃〕 13 〔비〕
備(人부 10획〈66〉)의 本字

人 11 〔僧〕 13 〔승〕
僧(人부 12획〈72〉)의 俗字

人 11 〔⿰亻⿱免三〕 13 〔참〕
儳(人부 17획〈79〉)의 略字

〔絛〕 〔조〕
糸부 7획(995)을 보라.

人 12 〔⿱余余〕 14 여 [平]魚 | yú ヨ のびる

[字解] 펴질여 余(人부 5획〈39〉)와 同字.
[字源] 會意. '펴다, 펴지다'의 뜻인 '余여'를 포개어 나타냄.

人 12 〔⿱亼足〕 14 〔하〕
夏(夊부 7획〈228〉)의 古字

人 12 〔⿱艹⿰夲夲〕 14 〔익〕
嗌(口부 10획〈177〉)의 籀文

人 12 〔⿱亼⿰巾巾〕 14 〔륜〕
侖(人부 6획〈45〉)의 籀文

人 12 〔僰〕 14 북 [入]職 | bó ホク·ボク しゅぞくのな

[字解] 오랑캐이름북 '羌一'은 건위(犍爲), 즉, 지금의 운남(雲南)·사천(四川) 지방의 야만 인종. '羌一東馳'《揚雄》.
[字源] 形聲. 人+棘〔音〕

人 12 〔像〕 14 [高·人] 상 [上]養 | xiàng ゾウ かたち

[筆順] 亻 𠂊 伶 偺 侈 僜 像 像

[字解] ①꼴상 모양. 모습. '形一'. '肖一'. '不夢見一, 無形于目也'《淮南子》. ②상상 부처·사람·짐승의 형체를 만들거나 그린 것. '佛一'. '何故不書伏波將軍一'《後漢書》. ③법상 법식(法式). '見一而勿強'《孔子家語》. ④닮을상 '歲餘一孫叔敖'《史記》. ⑤모뜰상 본뜸. '一上之意'《荀子》.
[字源] 形聲. 人+象〔音〕

人 12 〔僑〕 14 [人名] 교 [平]蕭 [上]篠 | qiáo キョウ かりずまい jiǎo

[筆順] 亻 仁 仸 伕 侨 僑 僑 僑

[字解] ①우거할교 우접(寓接)함. 남의 집에 붙어서 삶. 타향 혹은 타국에서 임시로 삶. '一胞'. '我初辭家從軍一'《鮑照》. ②성 교 성(姓)의 하나.
[字源] 形聲. 人+喬〔音〕

人 12 〔僎〕 14 [一] 선 [上]銑 [二] 준 [平]眞 | zhuàn セン そなえる zūn シュン

[筆順] 亻 𠆢 伫 偋 僎 僎 僎 僎

[字解] [一] ①갖출선 구비함. '一, 具也'《說文》. ②수선, 헤아릴선 '一, 數也'《增韻》. ③가지런히할선 정리(整理)함. '一, 整也'《增韻》. ④가릴선 가리어 뽑음. 詮(言부 6획〈1325〉)과 뜻이 같음. [二] 준작(僎爵)준 향인(鄕人)이 경대부(卿大夫)가 되어 그 시골에 내려와서 향음 주례(鄕飮酒禮)를 보살펴 도와 주는 사람. '古文禮, 一作遵, 遵, 謂鄕人爲卿大夫, 來觀禮者'《禮記 注》.
[字源] 形聲. 人+巽(𢁉)〔音〕

人 12 〔㒄〕 14 연 [上]銑 | rǎn ゼン·ネン きがよわい

[字解] ①마음약할연 기(氣)가 약함. '一, 意膬也'《說文》. ②황겁할연 무서워함. '一, 一曰意急而懼, 一曰戁也'《集韻》. ③온화할연 상냥함. '一, 和易無他也'《六書故》. ④놀라는소리연 '驚聲曰一'《一切經音義》.
[字源] 形聲. 人+然〔音〕

人 12 〔僕〕 14 복 [入]沃 | pú ボク しもべ

[字解] ①종복 잡일이나 천역에 종사하는 하인. '一隷'. '家一'. '仕于公曰臣, 仕于家曰一'《禮記》. ②마부복 어자(御者). '子適衛, 冉有一'《論語》. ③저복 자기의 겸칭(謙稱). '自稱爲一, 卑辭也'《漢書》. ④무리복 당여(黨與). 徒(彳부 7획〈371〉)와 뜻이 같음. '聖人一也'《莊子》. ⑤붙을복 부착함. '君子萬年, 景命有一'《詩經》. ⑥숨길복 은닉함. '作一區之法'《左傳》.
[字源] 形聲. 人+菐〔音〕

人 12 〔僓〕 14 퇴 [平]灰 [上]賄 | tuí tuǐ タイ みやびやか

[字解] ①우아할퇴 고상함. '一, 嫺也'《說文》. ②좇을퇴 순종하는 모양. '於是乎有一然而道盡'《莊子》.
[字源] 形聲. 人+貴〔音〕

人12〔僚〕14 高·人 료 ①-④(平)蕭 ⑤(上)篠 | liáo リョウ つかさ liǎo リョウ みめよい

筆順 亻 亻 伏 伏 伙 偺 偺 僚

字解 ①벼슬아치료 관리. '一吏'. '官一'. '百一師師'《書經》. ②동관료 같은 관청에 있는 지위가 같은 관리. 지금은 널리 같은 자리에서 일을 하는 벗의 뜻으로 쓰임. '一友'. '同一'. '同官爲一'《左傳》. ③종료 천역(賤役)에 종사하는 사람. '隷臣一, 一臣僕'《左傳》. ④성료 성(姓)의 하나. ⑤예쁠료 미호(美好)함. '佼人一兮'《詩經》.

人12〔債〕14 광 (平)陽 | guāng コウ たけだけしい

字解 굳셀광 용맹한 모양. '一, 武也'《集韻》.

人12〔僁〕14 계 (上)薺 | qǐ ケイ ころもをひらく

字解 ①옷깃헤칠계 옷을 풀어 헤침. '一, 開衣也'《集韻》. ②걸을계 다리를 벌리고 걸음. '倠一, 行張足也'《集韻》.

人12〔僛〕14 기 (平)支 | qī キ まう

字解 춤출기 술에 취하여 비틀거리며 춤추는 모양. '屢舞一一'《詩經》.

人12〔僝〕14 잔 (平)刪 (去)霰 | chán サン·ゼン ①zhàn, ②zhuàn セン·ゼン そなえる, しめす

字解 ①갖출잔 구비함. '一, 具也, 或省'《集韻》. ②보일잔 나타내어 보임. '共工方鳩一功'《書經》.

字源 形聲. 人+孱〔音〕

人12〔僞〕14 高·人 ㊀위 (去)寘 ㊁와 (平)歌 | wěi ギ いつわる, にせ é ガ かわる, かえる

筆順 亻 亻 伫 伫 伫 偽 僞 僞

字解 ㊀①거짓위 ㉠인위(人爲). 부자연. '人之性惡也, 其善者一也'《荀子》. ㉡불성실(不誠實). 허식(虛飾). '一善'. '其行一'《淮南子》. ㉢가짜. '作一主以行'《禮記》. ㉣허위. '一言'. '防萬民之一'《周禮》. ②속일위 거짓말을 함. '一造'. '一賣'. ㊁ 사투리와 訛(言부 4획〈1315〉)와 同字. '以勸南一'《漢書》.

字源 形聲. 人+爲〔音〕

人12〔僦〕14 추 (去)宥 | jiù シュウ やとう, かりる

字解 ①품삯추 임금. '不償其一費'《漢書》. ②세낼추 임차(賃借)함. '一船'. '一二千餘車'《北齊書》.

字源 形聲. 人+就〔音〕

人12〔僥〕14 요 ①②(上)篠 ③(平)蕭 | jiǎo キョウ さいわい yáo ギョウ たけのひくいじんしゅ

字解 ①요행요 분외로 얻은 행복. 우연의 복. '優者有不遇, 劣者有一倖'《班固》. ②성요 성(姓)의 하나. ③난쟁이요 '僬一'는 신장(身長)이 3척 가량 되는 인종의 이름. '一, 南方有僬一, 人長三尺, 短之極也'《說文》.

字源 形聲. 人+堯〔音〕

人12〔僧〕14 高·人 승 (平)蒸 | sēng ソウ ぶつもんにはいったひと

筆順 亻 亻 亻 伫 佡 倫 僧 僧

字解 ①중승 승려(僧侶). '一堂'. '一刹'. '一弟子, 男曰桑門, 而總曰一'《隋書》. ②성승 성(姓)의 하나.

字源 形聲. 人+曾〔音〕

參考 僧(人부 11획〈71〉)은 俗字.

人12〔僨〕14 분 (去)問 | fèn フン たおれる

字解 ①넘어질분 엎드러짐. '一起一一'. '鄭伯之車, 一于濟'《左傳》. ②그르칠분 일을 그르침. '此謂一言一事'《大學》. ③움직일분 동(動)함. 奮(大부 13획〈239〉)과 통용. '張脈一興'《左傳》.

字源 形聲. 人+賁〔音〕

人12〔僩〕14 한 (上)潸 | xiàn カン たけだけしいさま

字解 ①굳셀한 무용(武勇)이 있는 모양. 일설(一說)에는, 관대한 모양. 너그러운 모양. '詩曰, 瑟兮一兮'《說文》. ②부들부들 떨한 '瑟兮一兮, 恂慄也'《爾雅》. ③엿볼한 瞷(目부 12획〈856〉)과 통용. '姦人一之'《論衡》.

人12〔僬〕14 초 ①②(平)蕭 ③(去)嘯 | jiāo ショウ めいさつ jiào ショウ はしる

字解 ①밝게볼초 명찰(明察)하는 모양. '其誰能以己之一一, 受人之掝掝者哉'《荀子》. ②난쟁이초 '一僥'는 신장(身長)이 3척 가량 되는 인종의 이름. '一, 一僥, 短人'《集韻》. ③달음박질할초 질주함. '士蹌

蹌，庶人——'《禮記》.
字源 形聲. 人＋焦〔音〕

人12〔㒊〕14 삽 ㊀緝|sè シュウ およばない
字解 ①미치지않을삽 '一, 不及'《廣韻》. ②급할삽 '一䨥'은 빠른 모양. 또, 목소리가 어지럽게 급함. '紛一䨥以流漫'《嵇康》.

人12〔僭〕14 참 (①-③ ㊁豔 점㊍) ㊁沁 |①-③jiàn セン なぞらえる ④zèn シン そしる
字解 ①참람할참 자기 신분에 넘침. 또, 그러한 일을 함. '一上'. '一號'. '季氏亦一於公室'《史記》. ②어그러질참 틀림. 상위(相違)함. '一差'. '天命弗一'《詩經》. ③사치참 호사. '崇侈尙一'《僭夫論》. ※이상(以上) 本音 점. ④참소참, 거짓참 譖(言부 12획〈1354〉)과 통용. '亂之初生, 一始旣涵'《詩經》.
字源 形聲. 人＋朁〔音〕

人12〔偺〕14 僭(前條)의 俗字

人12〔僜〕14 ㊀증 ①㊁徑 ②㊊蒸 ㊁등 ㊊蒸 |chēng ショウ ちからがない dēng トウ のぼる
字解 ㊀①고달플증 걷는 데 힘이 없음. '一, 倰一, 行無力'《集韻》. ②병들어갈증 병들어 가는 모양. '一, 倰一, 病行皃'《集韻》. ㊁오를등 登(癶부 7획〈823〉)과 同字.
字源 形聲. 人＋登〔音〕

人12〔僒〕14 군 ㊤軫|jǔn キン くるしむ
字解 ①얽매일군, 곤궁할군 '一若囚拘'《賈誼》. ②굽을군, 곱사등이군 '一, 傴也'《集韻》.
字源 形聲. 人＋窘〔音〕

人12〔僮〕14 동 ㊊東|tóng ドウ わらべ
字解 ①아이동 미성년자. '一子'. '今民賣一者'《漢書》. ②종동 하인. 노복(奴僕). '一僕'. '卓王孫家一八百人'《史記》. ③어리석을동 무지 몽매함. '一昏'. '一然未有知'《太玄經》. ④조심할동 조심하고 삼가는 모양. '被之一一, 夙夜在公'《詩經》.
字源 形聲. 人＋童〔音〕

人12〔僤〕14 탄 (단㊍) ㊁翰 ㊊寒 |dàn タン・ダン あつい, はやい
字解 ①두터울탄 돈후(敦厚)함. '我生不辰, 逢天一怒'《詩經》. ②빠를탄 신속함. '句兵欲無一'《周禮》. ③밝을탄 '一, 明也'《集韻》. ※本音 단.

人12〔僪〕14 ㊀귤 ㊀質 ㊁결 ㊀屑 |jú キツ くるう jué ケツ ひのかさ
字解 ㊀미칠귤 광증(狂症)을 부림. '一, 狂也'《字彙》. ㊁햇무리결 해의 곁에 생긴다고 하는 일종의 기(氣). '其日有鬬蝕, 有倍一, 有暈珥'《呂氏春秋》.

人12〔僔〕14 준 ㊤阮|zǔn ソン あつまる
字解 ①모일준. '一沓背憎'《詩經》. ②공경할준 공손하고 존경함. '主尊貴之, 則恭敬而一'《荀子》. ③쭈그릴준 쭈그리고 앉음. 蹲(足부 12획〈1446〉)과 통용. '夷, 一夷, 無禮儀也'《白虎通》.
字源 形聲. 人＋尊〔音〕

人12〔僢〕14 천 ㊤銑|chuǎn セン そむく
字解 등질천 舛(部首〈1109〉)과 同字. '分流一馳'《淮南子》.
字源 形聲. 人＋舜〔音〕

人12〔僖〕14 人名 희 ㊊支|xī キ たのしむ
筆順 亻 仁 仩 倖 倖 僖 僖 僖
字解 ①기뻐할희 '一, 樂也'《說文》. ②성희 성(姓)의 하나.
字源 形聲. 人＋喜〔音〕

人12〔僐〕14 선 ㊤銑 ㊁霰 |shàn セン・ゼン つくる
字解 모양낼선 맵시를 냄. '一, 廣雅云, 姿態'《廣韻》.
字源 形聲. 人＋善〔音〕

人12〔僯〕14 린 ㊤軫|lǐn リン はじる
筆順 亻 仁 侎 侎 僯 僯 僯 僯
字解 부끄러워할린 '一, 慚恥也'《集韻》.

人12〔僒〕14 잡 ㊀洽|zhá トウ くいちがう
字解 ①엇갈릴잡 또는, 이치를따르지않을잡 '一, 一㕭, 抵牾也, 一曰, 不循理《集韻》. ②갑자기남에게닿을잡 '一, 一㕭, 忽觸人也《集韻》.

人12〔僟〕14 기 ㊊微|jī キ つつしむ
字解 ①삼갈기 조심하여 삼감. '一, 精謹

也. 明堂月令, 數將一終'《說文》. ②가까울기 거의 되려 함. 幾(幺부 9획〈343〉)와 통용. '一, 近也'《字彙》.
[字源] 形聲. 人+幾〔音〕

人12 〔傫〕14 루 [平]支 | léi ルイ つかれる
[字解] ①피로할루 지치다. '一一, 疲也'《廣雅》. ②무너질루 '一一, 敗也《釋文》. ③속일루 '一, 一曰, 欺也《集韻》. ④儽(人부 21획〈80〉)의 同字.

人12 〔傷〕14 蕩(艸부 12획〈1182〉)·偒(人부 9획〈61〉)과 同字

人12 〔僱〕14 〔고〕 雇(隹부 4획〈1630〉)의 俗字

人12 〔僗〕14 〔로〕 勞(力부 10획〈116〉)와 同字

人12 〔僾〕14 〔애〕 僾(人부 13획〈74〉)의 本字

人12 〔僣〕14 〔춘〕 偆(人부 9획〈64〉)의 本字

人12 〔㑳〕14 〔주〕 儔(人부 14획〈76〉)의 古字

人12 〔僡〕14 〔혜〕 惠(心부 8획〈394〉)의 俗字

人12 〔僁〕14 〔건〕 愆(心부 9획〈399〉)의 俗字

人12 〔𠐭〕14 〔무〕 憮(心부 12획〈413〉)와 同字

人13 〔儁〕15 [人名] 준 [去]震 | jùn シュン すぐれる
[筆順] 亻 亻 仩 佯 佳 倠 儁 儁
[字解] ①뛰어날준, 준걸준 雋(隹부 5획〈1631〉)·俊(人부 7획〈52〉)과 同字. '得一曰克'《左傳》. ②성준 '一蒙'은 복성(複姓)의 하나.
[字源] 形聲. 人+雋〔音〕

人13 〔㒕〕15 옹 [平]江 | yāng オウ ふくさない
[字解] 뻣뻣할옹 순종(順從)하지 않음. '一, 一佭, 不伏也'《玉篇》.

人13 〔僵〕15 강 [平]陽 | jiāng キョウ たおれる
[字解] 넘어질강, 넘어뜨릴강 엎드러짐. 쓰러짐. 또, 쓰러뜨림. '一仆'. '一斃'. '推而一之'《莊子》.
[字源] 形聲. 人+畺〔音〕

人13 〔價〕15 [中·人] 가 [去]禡 | jià カ あたい
[筆順] 亻 仁 伒 価 価 僄 價 價
[字解] 값가 ㉠금. 물건 값. '一格'. '物一'. '馬一十倍'《戰國策》. ㉡사물이나 재화의 중요 정도. 값어치. 평판. '一値'. '一登龍門, 則聲一十倍'《李白》.
[字源] 形聲. 人+賈〔音〕

人13 〔僻〕15 [一] 벽 [入]陌 | pì ヘキ とおい, かたよる
[二] 비 [去]寘 | bì ヒ ひめがき
[字解] [一] ①후미질벽 궁벽함. '一地'. '一村'. '蜀西一之國'《史記》. ②치우칠벽 편벽(偏僻)함. '一論'. '一性'. '行不一矣'《淮南子》. ③간사할벽 간교(奸巧)함. '一邪'. '民之多一'《詩經》. ④방자할벽 방종함. '驕一'. '放一邪侈, 無不爲已'《孟子》. ⑤피할벽 몸을 피함. '一, 說文, 避也'《集韻》. [二] 성가퀴비 埤(土부 8획〈209〉)와 同字. '城上一倪也'《左傳 註》.
[字源] 形聲. 人+辟〔音〕

人13 〔𠐖〕15 해 [上]蟹 | jiě カイ つよい
[字解] 굳셀해 뛰어나게 굳센 모양. '一, 儁一, 豪強貌'《字彙》.

人13 〔儑〕15 삽 [入]合 | sà ソウ わるい
[字解] ①나쁠삽 악(惡)함. '一, 一偞, 惡也'《集韻》. ②경솔할삽 삼가지 않는 모양. '一, 傝一, 不謹皃'《玉篇》.

人13 〔僽〕15 추 ①[去]宥 | zhòu シュウ ののしる
②[平]尤 | zhōu シュウ うれえる
[字解] ①욕할추 몹시 욕함. '一, 僝一, 詈也'《集韻》. ②근심할추 근심하는 모양. '一, 愁皃'《集韻》.

人13 〔僾〕15 애 [去]隊 | ài アイ ほのか
[字解] ①어렴풋할애 희미함. '祭之日入室, 一然必有見乎其位'《禮記》. ②흐느낄애 흑흑 느끼며 욺. '亦孔之一'《詩經》.
[字源] 形聲. 人+愛〔音〕

人13 〔儌〕15 교 [上]篠 | jiǎo キョウ ゆく

[字解] ①갈교 '一, 行也'《玉篇》. ②구할교 요행을 바라고 구함. '一倖於封侯富貴'《莊子》. ③속일교 僥(人부 12획〈72〉)와 同字.

人 13 〔儀〕 15 [高·人] 의 [平]支 | yí ギ のり

[筆順] 亻 亻' 仹 佯 佯 儀 儀 儀

[字解] ①거동의 기거 동작. 언행의 범절. '威一'. '禮一'. '其一不忒'《詩經》. ②법의 법도(法度). 법칙. '一品'. '度之於軌一'《國語》. ③본보기의 모범. '上者下之一也'《荀子》. ④예의 예(禮)의 전례(典例). 예법. '一禮'. '一式'. '設一辨位'《周禮》. ⑤선사의 예의(禮意)를 표하는 선물. '賀一'. '席一待賓折席之禮'《類書纂要》. ⑥짝의 배우자. 배필. '實維我一'《詩經》. 또, 둘로 한 쌍을 이룬 것. 천지(天地)를 '兩一'라 함. ⑦천문기계의 천체(天體)의 측도(測度)에 쓰이는 기계. '渾天一'. '定精微于晷一'《後漢書》. ⑧본뜰의 본받음. 모범으로 삼음. '一表'. '一刑文王'《詩經》. ⑨짝지을의, 짝지울의 배필이 됨. 배필로 삼음. '丹朱馮身以一之'《國語》. ⑩헤아릴의 촌탁(忖度)함. '我一圖之'《詩經》. ⑪마땅할의 좋음. '無非無一'《詩經》. ⑫마땅히의 宜(宀부 5획〈277〉)와 통용. '一監于殷'《大學》. ⑬비길의 擬(手부 14획〈473〉)와 통용. '皆心一霍將軍女'《漢書》. ⑭성의 성(姓)의 하나.

[字源] 形聲. 人+義〔音〕

人 13 〔儂〕 15 농 [平]冬 | nóng ノウ われ

[字解] ①나농 자기. '我'의 속어. '牙眼怖殺一'《韓愈》. ②저농 그 사람. '彼'의 속어. '他一'. '渠一'. '勸一莫上北高峰'《楊維禎》.

[字源] 形聲. 人+農〔音〕

人 13 〔儃〕 15 [一] 천 [平]先 chán セン・ゼン たたずむ / [二] 단 [上]旱 tǎn ダン しずか / [三] 선 [去]霰 shàn セン ゆずる

[字解] [一] 머뭇거릴천 '一佪'는 머뭇거리고 잘 나아가지 않는 모양. '一佪以干傺'《楚辭》. [二] 찬찬할단 동작이 찬찬하여 느린 모양. '一一然不趨'《莊子》. [三] 사양할선 禪(示부 12획〈893〉)과 통용. '堯一舜之重'《揚子法言》.

[字源] 形聲. 人+亶〔音〕

人 13 〔億〕 15 [中·人] 억 [入]職 | yì オク はかる

[筆順] 亻 亻 亻 亻 倍 偣 億 億

[字解] ①억억 수(數)의 단위. 만의 만 배. 또, 만의 십 배도 이름. '算法, 一之數有大小二法, 小數以十爲等, 十萬爲一, 十一爲兆也, 大數以萬爲等, 萬至萬, 是萬萬爲一也'《禮記 疏》. 전(轉)하여, 많음을 이름. '一庶'. '一兆一心'. '我庾維一'《詩經》. ②헤아릴억 촌탁(忖度)함. '一測'. '一度'. '一則屢中'《漢書》. ③편안할억 마음이 편안함. '心一則樂'《左傳》. ④가슴억 臆(肉부 13획〈1093〉)과 통용. '餘悲憑一'《漢書》. ⑤건돈억 도박에 걸어 놓은 돈. ⑥성억 성(姓)의 하나.

[字源] 形聲. 人+意〔音〕

[參考] 㥯(人부 16획〈79〉)은 本字.

人 13 〔儆〕 15 [人名] 경 [上]梗 | jǐng ケイ いましめる

[筆順] 亻 亻 亻 亻 仿 偹 儆 儆

[字解] 경계할경 警(言부 13획〈1358〉)과 同字. '一戒無虞'《書經》.

[字源] 形聲. 人+敬〔音〕

人 13 〔儇〕 15 현 [平]先 | xuān ケン かしこい

[字解] ①영리할현 약음. 꾀바름. '巧一'. '鄕曲之一子'《荀子》. ②빠를현 민첩함. '揖我謂我一兮'《詩經》.

[字源] 形聲. 人+睘〔音〕

人 13 〔儈〕 15 쾌 [去]泰 | kuài カイ なかがい

[字解] ①장주릅쾌 거간꾼. 중개인. '牙一'. '駔一'. '一, 合市人也'《集韻》. ②상인쾌 장사꾼. '世爲商一'《新唐書》. ③성쾌 성(姓)의 하나.

[字源] 形聲. 人+會〔音〕

人 13 〔儉〕 15 [高·人] 검 [上]琰 jiǎn / [去]豔 jiàn ケン つづましやか

[筆順] 亻 仒 仒 佮 佮 倫 儉 儉

[字解] ①검소할검 검약(儉約)함. '一朴'. '勤一'. '禮與其奢也寧一'《論語》. ②넉넉지 못할검, 적을검 '先辨豐一'《南史》. ③흉년들검 '一糶'. 比歲荒一'《晉書》.

[字源] 形聲. 人+僉〔音〕

人 13 〔儋〕 15 담 [平]覃 | dān タン になう

[字解] ①멜담 擔(手부 13획〈471〉)과 同字. '背曰負, 肩曰一'《國語》. ②독담 간장 같은 것을 담는 오지그릇이나 질그릇. '漿千一'《史記》. ③두섬담 한 섬의 배. '守一石之祿者'《漢書》. ④성담 성(姓)의 하나.

[字源] 形聲. 人+詹〔音〕

人 13 〔僸〕 15 금 [去]沁 | jìn キン あおぐ

[字解] ①우러를금 고개를 쳐듦. '一侵尋而高縱兮'《漢書》. ②풍류이름금 북이(北夷)의 음악의 이름. '一佅兜離, 罔不具集'《班固》.

[字解] 形聲. 人+禁〔音〕

人 13 〔僶〕 15 민 [上]軫 | mǐn ミン·ビン つとめる

[字解] 힘쓸민 黽(部首)과 통용. '在有無而一俛'《陸機》.

[字源] 形聲. 人+黽〔音〕

人 13 〔僿〕 15 새 [去]寘 | shì シ こまかい
(사[本]) [去]隊 | sài サイ まことがない

[字解] ①잘새 잘게 부숨. '一, 一日, 細碎'《集韻》. ②무성의새 성의가 없음. '小人以一, 故救一莫若以忠'《史記》. ※本音 사.

[字源] 形聲. 人+塞〔音〕

人 13 〔僷〕 15 엽 [入]葉 | yè ヨウ みめよい

[字解] ①아름다울엽 용모가 아름다움. 偞(人부 9획〈64〉)과 同字. '一, 宋衛之閒, 謂華一一'《說文》. ②막힐엽 말이 막힘. '一, 詘也'《廣雅》. ③펴지지않을엽 펴지지 아니하는 모양. '攝一, 不舒展皃'《玉篇》.

[字源] 形聲. 人+葉〔音〕

人 13 〔⿰亻過〕 15 과 [平]歌 | kē カ うつくしいさま

[字解] 아름다울과 아름다운 모양. '一, 美皃'《集韻》.

人 13 〔⿰亻匯〕 15 회 [上]賄 | huì カイ かいね

[字解] ①산값회 물건의 매입(買入)가격. '一, 貿物價'《集韻》. ②장대할회 '一儓, 長大皃'《集韻》.

人 13 〔㒓〕 15 달 [入]曷 | tà タツ のがれる

[字解] ①달아날달 도피함. '一, 逃也'《集韻》. ②안만날달 가도 만나지 아니함. '一, 一日, 行不相遇'《集韻》. ③살찔달 살찐 모양. '佅一, 肥皃'《廣韻》.

人 13 〔儍〕 15 〔사〕
傻(人부 11획〈70〉)와 同字

人 13 〔⿰亻寋〕 15 〔건〕
⿰亻蹇(人부 17획〈79〉)의 俗字

人 13 〔⿰亻業〕 15 〔복〕
僕(人부 12획〈71〉)의 本字

人 14 〔儐〕 16 빈 ①-⑤[去]震 | bìn ヒン すすめる
⑥[平]眞 | bīn ヒン ひそめる

[字解] ①인도할빈 주인을 도와 빈객(賓客)을 인도함. 또, 그 사람. '主人三一'《禮記》. ②대접할빈 예의로써 대접함. '山川所以一鬼神也'《禮記》. ③베풀빈 진열(陳列)함. 차려 놓음. '一爾籩豆'《詩經》. ④나갈빈 앞으로 나감. '王命諸侯則一'《周禮》. ⑤물리칠빈 擯(手부 14획〈473〉)과 통용. '六國從親以一秦'《戰國策》. ⑥찡그릴빈 顰(頁부 15획〈1702〉)과 통용. '一笑連便'《枚乘》.

[字源] 形聲. 人+賓〔音〕

人 14 〔儒〕 16 [高·人] 유 [平]虞 | rú ジュ じゅしゃ

[筆順] 亻 ⿰亻一 ⿰亻𠂇 ⿰亻丆 ⿰亻⻗ ⿰亻⻗ 偄 儒

[字解] ①선비유 유학(儒學)을 신봉하거나 배우는 사람. 또, 학문이 뛰어나 남을 가르치는 사람. 학자. '四曰一, 以道得民'《周禮》. ②유교유 공맹(孔孟)의 교학. '一學'. '故有一墨之是非'《莊子》. ③약할유 나약함. 연약함. '偸一轉脫'《荀子》. ④난쟁이유 왜인(矮人). '侏一'. ⑤성유 성(姓)의 하나.

[字源] 形聲. 人+需〔音〕

人 14 〔儔〕 16 주 [平]尤 | chóu チュウ ともがら

[字解] ①무리주 동배(同輩). 동무. '一侶'. '一倫'. '命一嘯侶'《梁元帝》. ②누구주 어느 사람. '一克爾'《揚子法言》.

[字源] 形聲. 人+壽〔音〕

人 14 〔儕〕 16 제 [平]佳 | chái サイ·セイ ともがら

[字解] ①무리제 동배(同輩). '一等'. '一輩'. '文王猶用衆, 況吾一乎'《左傳》. ②함께제 같이. '長幼一居'《列子》.

[字源] 形聲. 人+齊〔音〕

人 14 〔儗〕 16 의 [上]紙 | nǐ ギ なぞらえる

[字解] ①참람할의 윗사람을 흉내내어 분수에 지나침. '田池射獵之樂, 一于人君'《史記》. ②비길의 견줌. 비교함. '一人必於其倫'《禮記》. ③의심할의 믿지 못함. 無所一⿱作心'《荀子》.

[字源] 形聲. 人+疑〔音〕

人 14 〔儘〕 16 진 [上]軫 | jǐn ジン つくす

[字解] ①다할진, 모두진 盡(皿부 9획〈834〉)과 同字. '一, 同盡, 皆也'《字彙》. ②조금진 좀. '中間一聯, 一有奇崛'《楊仲弘》. ③억지로진 무리하게. '援引附會, 一成一家之言'《呻吟語》.
[字源] 形聲. 人+盡〔音〕

人 14 〔儛〕16 무 [平]麌 wǔ ブ まう
[筆順] 亻 仁 仁 伻 俳 儛 儛 儛
[字解] 춤출무 舞(舛부 8획〈1110〉)와 同字. '鼓歌以一之'《莊子》.
[字源] 形聲. 人+舞〔音〕

人 14 〔儓〕16 대 [平]灰 tái ダイ けらい
[字解] ①배신(陪臣)대 가신(家臣). '倍一'. ②하인대 심부름꾼. '輿一'.

人 14 〔亻+㥯〕16 [一]은 [去]問 yìn イン よる
[二]온 [上]阮 wěn オン やすらか
[字解] [一]기댈은, 머무를은 남에게 의지함. 덧붙어서 묵음. '一, 依人也'《廣韻》. [二]편안할온 穩(禾부 14획〈913〉)과 통용. '一, 安也'《集韻》.

人 14 〔儜〕16 녕 [平]庚 níng ドウ·ニョウ なやむ
[字解] ①번민할녕 고통하여 쇠약함. '何用苦拘一'《韓愈》. ②약할녕 연약함. '爲一弱婦人'《宋書》. ③떠들썩할녕 만인(蠻人)들의 지껄이는 소리. '鼓吹裴回, 其聲傖一'《唐書》.
[字源] 形聲. 人+寧〔音〕

人 14 〔儖〕16 람 [平]覃 lán ラン みにくい
[字解] 흉상스러울람 보기 흉한 모양. '一儳'. '一儳, 惡皃'《集韻》.
[字源] 形聲. 人+監〔音〕

人 14 〔儚〕16 [一]맹 [平]蒸 méng ビョウ·ミョウ くらい
[二]몽 [平]東 ボウ はじる, おろか
[字解] [一]어두울맹 마음이 흐림. '一, 爾雅, 一一, 惽也. 或作懜'《集韻》. [二]①부끄러워할몽 '一, 一曰慙也'《集韻》. ②어두울몽 마음이 어두워 갈피를 못 잡음. '一一, 惽也'《爾雅》.

人 14 〔亻+對〕16 대 [去]對 duì タイ うりかい
[字解] 사고팔대 거래. 장사. '一, 互市必與人對'《正字通》.
[字源] 形聲. 人+對〔音〕

人 14 〔儑〕16 [一]암 ①[去]勘 ②[平]覃 àn ガン おちつかない / ガン おろか
[二]압 [入]合 è ゴウ ことにたえない
[字解] [一]①불안할암 '傝一'은 불안함. '一, 傝一, 不自安也'《集韻》. ②어리석을암 '窮則棄而一'《荀子》. [二]일감당못할압 '一偛'은 일을 감당하지 못함. '一, 一偛, 不任事'《集韻》.

人 14 〔儞〕16 [一]爾(爻부 10획〈735〉)의 俗字
[二]你(人부 5획〈44〉)와 同字

人 15 〔償〕17 [高·人] 상 [平]陽 cháng ショウ つぐなう
[筆順] 亻 伫 伫 倘 償 償 償 償
[字解] ①갚을상 ㉠상환(償還)함. 돌려 줌. '一金'. '賠一'. '買金一之'《漢書》. ㉡보답함. '西隣責言不可一也'〈左傳〉. ②배상상 대가(代價). '是王失於齊, 取一於秦'《戰國策》. ③성상 성(姓)의 하나.
[字源] 形聲. 人+賞〔音〕

人 15 〔儡〕17 뢰 ①[平]灰 léi ライ すたれる
②③[上]賄 lěi ライ でく
[字解] ①망칠뢰 실패함. '寮位一其隆替'《潘岳》. ②야윌뢰 쇠약함. '容貌一'《潘岳》. ③꼭두각시뢰 인형(人形). '傀一'.
[字源] 形聲. 人+畾〔音〕

人 15 〔儦〕17 표 [平]蕭 biāo ヒョウ ゆく
[字解] ①떼지어다닐표 떼를 지어 다니는 모양. '行人一一'《詩經》. ②많을표 수효가 많은 모양. '一一俟俟, 或群或友'《詩經》.
[字源] 形聲. 人+麃〔音〕

人 15 〔優〕17 [高·人] 우 [平]尤 yōu ユウ ゆたか, すぐれる
[筆順] 亻 仃 佰 偃 偃 僡 優 優
[字解] ①넉넉할우 부요(富饒)함. 충분함. 여유가 있음. '一裕'. '仕而一則學'《論語》. ②두터울우 후(厚)함. '一厚'. '一渥'. '既一既渥'《詩經》. ③뛰어날우, 나을우 우수함. '一劣'. '一勢'. '德一則行'《史記》. ④부드러울우 유화(柔和)함. '一游爾休矣'《詩經》. ⑤구차할우 머뭇거리고 결단성이 적음. '一柔不斷'. ⑥희롱할우 실없는 짓을 하며 놂. '少相狎, 長相一'《左傳》. ⑦광대우 '陳氏鮑氏之圉人爲一'《左傳》. ⑧빗물넉넉할우 '既一既渥'《詩經》. ⑨넉넉히우 넉넉하

게. 충분히. '周公一爲之'《禮記》. ⑩성우 성(姓)의 하나.
字源 形聲. 人+憂〔音〕

人15〔儥〕17 육 入屋 | yù イク うる
字解 팔육, 살육 鬻(鬲부 12획〈1779〉)과 同字. '以量度, 成賈而徵一'《周禮》.
字源 形聲. 人+賣〔音〕

人15〔儷〕17 피 上紙 | bǐ ヒ とまる
字解 ①머무를피 정지(停止)함. '一, 停一'《廣韻》. ②풀어줄피 죄를 용서하여 줌. '一, 遣有罪'《集韻》. ③성피 성(姓)의 하나.

人15〔儩〕17 사 去寘 | sì シ つくす
字解 다할사 있는 것이 다 없어짐. '若循環而無一'《潘岳》.

人15〔儤〕17 포 平肴 | bào ホウ とのい
字解 ①번들포 관리(官吏)가 계속하여 숙직함. '一宿'. '一直'. '一, 官吏連直也'《正字通》. ②시험장바깥에서대필해주는사람포 '今俗謂程外課作者爲一'《正字通》.

人15〔㝹〕17 변 平先 | biān ヘン みがただしくない
字解 ①몸비뚤어질변 몸이 바르지 못함. '一, 身不正'《集韻》. ②곁변 옆. '一, 一曰, 傍也'《集韻》. ③춤출변 춤을 추는 모양.

人15〔儠〕17 렵 入葉 | liè リョウ ながくてさかん
字解 ①길고장할렵 '一, 長壯一一也'《說文》. ②흉괴할렵 흉한 모양. '一㑞, 惡貌'《類篇》.
字源 形聲. 人+巤〔音〕

人15〔儢〕17 려 上語 | lǚ リョ つとめない
字解 ①힘쓰지아니할려 '一, 增韻, 不勉強皃'《康熙字典》. '一一然', 離離然, …是學者之嵬也'《荀子》. ②내키지않을려 '一拒'는 일을 하고 싶어하지 아니함. '一拒, 心不欲爲也'《廣韻》. ③물리칠려 '一拒'는 슬며시 물리침. '一拒, 陰却也'《駢雅》.

人15〔儥〕17 속 入屋 | sú ソク くにのな
字解 나라이름속, 종족이름속 '一伝'은 나라의 이름. 또, 종족(種族)의 이름. 지금의 흑룡강성(黑龍江省)에 있었던 숙신(肅愼)의 딴 이름.

人15〔儇〕17 〔현〕 儇(人부 13획〈75〉)의 本字

人15〔儁〕17 〔준〕 儁(人부 13획〈74〉)과 同字

人15〔儹〕17 〔찬〕 儹(人부 19획〈79〉)의 俗字

人16〔𠎝〕18 〔간〕 㣺(人부 8획〈55〉)의 籒文

人16〔儲〕18 저 平魚 | chǔ チョ たくわえる
字解 ①쌓을저 저축함. '一米'. '一蓄'. '家無所一'《魏志》. 또, 저축한 것. '有九年之一'《淮南子》. ②버금저 부이(副貳). 예비로서 대기하고 있는 것. '兩京皆有一書也'《大學衍義補》. ③동궁저 황태자. '一位'. '一君副主'《公羊傳 註》. ④성저 성(姓)의 하나.
字源 形聲. 人+諸〔音〕

人16〔儭〕18 ㊀츤 去震 | chèn シン うら ㊁친 平眞 | qīn シン おや
字解 ㊀ 속옷츤 襯(衣부 16획〈1291〉)과 통용. ㊁ 어버이친 親(見부 9획〈1300〉)과 통용.
字源 形聲. 人+親〔音〕

人16〔㒡〕18 조 上篠 | niǎo ジョウ·ニョウ うつくしい
字解 날씬할조 허리가 호리호리하여 예쁨. '㑞一'. '一, 一云, 㑞一, 細腰'《字彙》.

人16〔㒠〕18 해 去卦 | xiè カイ せまい
字解 ①좁을해 넓지 않음. '一, 陋也'《廣韻》. '何文肆而質一'《揚雄》. ②빠를해 속(速)한 모양. '一, 一曰, 速也'《集韻》.

人16〔儱〕18 ㊀롱 上董 | lǒng ロウ うやむや ㊁롱 去宋 | lòng リョウ あるけない
字解 ㊀ ①덜될롱 기량(器量) 따위를 충분히 갖추지 못함. 또, 그런 사람. '一, 一侗, 未成器也'《廣韻》. ②흐지부지할롱 논설(論說) 따위가 아직 분명하지 않음. 몽롱(朦朧)함. '昨見其直說, 正疑其太一侗'《朱熹》. ③불우(不遇)할롱 불우한 모양. '一, 一㑞, 不遇皃'《廣韻》. ④바로걷지못할롱 보행이 바르지 못한 모양. '一㑞, 行不正'《玉篇》. ㊁ 걷지못할롱 보행이 불가능한 모양.

字源 形聲. 人+龍〔音〕

人16〔⿰亻憶〕18 〔억〕
億(人부 13획〈75〉)의 本字

人16〔⿰亻瞢〕18 〔몽〕
懜(心부 14획〈416〉)과 同字

人16〔⿰亻盧〕18 〔려〕
儢(人부 15획〈78〉)의 訛字

人17〔儳〕19 참 ①②(平)咸 chán ザン ととのわない ③④(去)陷 chàn ザン いやしい

字解 ①어지러울참 대오(隊伍)가 정렬(整列)하지 못하여 어지러움. '鼓—可也'〈적진(敵陣)이 아직 정돈되지 않을 때에 친다는 뜻〉《左傳》. ②빠를참 속함. '驚馳從—道歸營'〈'儳道'는 지름길〉《後漢書》. ③천할참 비루(鄙陋)함. '其躬—焉, 如不終日'《禮記》. ④섞을참 잡된 것이 섞임. '毋—言'《禮記》.

字源 形聲. 人+毚〔音〕

人17〔儵〕19 숙 (入)屋 shū シュク あおぐろいいろ

字解 ①잿빛숙 청흑색(靑黑色). ②갑자기숙 倏(人부 9획〈61〉)과 통용. '—忽'. ③성숙 성(姓)의 하나.

字源 形聲. 黑+攸〔音〕

人17〔⿰亻薨〕19 횡 (平)蒸 hōng コウ おろか

字解 어리석을 횡 '儚'(人부 14획〈77〉)과 통용. '—, 說文, 惛也'《集韻》.

字源 形聲. 人+薨〔音〕

人17〔⿰亻蹇〕19 건 (上)銑 jiǎn ケン おごりたかぶる

字解 교만할건 오만함. '偃—'. '—, 倨也'《廣韻》.

人18〔⿰亻聶〕20 섭 (入)葉 ①chè, ②shè ショウ したがう

字解 ①따를섭 심복(心服)함. '—, 心服也'《說文》. ②두려워할섭 공구(恐懼)함 '—, 懼也'《廣雅》.

字源 形聲. 人+聶〔音〕

人18〔⿰亻㶾〕20 〔표〕
僄(人부 11획〈69〉)의 本字

人18〔⿰亻毚〕20 〔참〕
儳(人부 17획〈79〉)과 同字

人19〔儷〕21 려 (去)霽 lì レイ ならぶ

字解 ①나란히할려 어깨를 나란히 함. '與俗—走'《淮南子》. ②짝려 ㉠배우자. '伉—'. '—匹'. ㉡서로 짝될 만한 것. 서로 견줄 만한 것. '越古今而無—'《晉書》. ㉢한 쌍. '主人酬賓束帛—皮'《儀禮》.

字源 形聲. 人+麗〔音〕

人19〔⿰亻離〕21 儷(前條)와 同字

人19〔儺〕21 나 (平)歌 (上)哿 nuó ダ·ナ おにやらい

字解 ①구나나 구나(驅儺)나 역귀(疫鬼)를 쫓는 의식. '追—'. ②구나할나 구나의 의식을 행함. '鄕人—, 朝服而立於阼階'《論語》. ③방상시나 구나의 의식 때 역귀로 분장하는 사람. '我慙賤丈夫, 豈異帶面—'《梅堯臣》. ④유순(柔順)할나 '隰有萇楚, 猗—其枝'《詩經》. ⑤성할나 무성한 모양. '隰桑有阿, 其葉有—'《詩經》. ⑥점잖이걸을나 보행하는 데 절도(節度)가 있는 모양. '佩玉之—'《詩經》.

字源 形聲. 人+難〔音〕

人19〔儸〕21 라 (平)歌 luó ラ よくさばく

字解 민첩하게처리할라 '僂—'는 수완이 있음. 또, 그 사람. 일 잘하는 사람. '諸君可謂僂—兒矣'《新五代史》.

字源 形聲. 人+羅〔音〕

人19〔儹〕21 찬 (上)旱 zǎn サン あつめる

字解 ①모을찬, 모일찬 '—, 聚也'《廣韻》. ②일꾸밀찬 모여서 일을 꾀함. '—, 聚而計事也'《集韻》.

字源 形聲. 人+贊〔音〕

人19〔⿰亻顛〕21 전 (平)先 diān テン たおれる

字解 ①넘어질전 엎드러짐. '—, 倒也'《廣雅》. '晉君臣以怡曠致—'《唐書》. ②떨어질전 낙하함. '—, 殞也'《玉篇》.

人19〔⿰亻䙴〕21 〔선〕
僊(人부 11획〈70〉)의 本字

人20〔儻〕22 당 (上)養 tǎng トウ すぐれる, たちまち

字解 ①기개있을당 뜻이 크고 기개가 있음. 활달(豁達)함. '倜—'. '俶—瑰瑋'《史記》. ②갑자기당 홀연(忽然)히. '物之—來寄也'《莊子》. ③구차할당 '時恣縱而不—'《莊子》. ④혹시당 만일. '—若'. '—所謂天

道是耶非耶'《史記》. ⑤흐릴당 밝지 않은 모양. '一朗'. '一乎若行而失道也'《莊子》. ⑥실의할당 뜻을 잃은 모양. '魏文侯一然終日不言'《莊子》. ⑦성당 성(姓)의 하나.
字源 形聲. 人＋黨〔音〕

人20〔儼〕22 엄 ㊤琰 yǎn ゲン おごそか
字解 ①공근할엄 용모가 단정하고 태도가 정중한 모양. '一若思'《禮記》. ②근엄할엄 점잖고 엄숙한 모양. '一然'. '有美一人, 碩大且一'《詩經》.
字源 形聲. 人＋嚴〔音〕

人20〔䂂〕22 확 ㊅藥 jué カク きょろきょろする
字解 두리번거릴확 깜짝 놀라 눈을 두리번거리는 모양. 矍(目부 15획〈859〉)과 同字. '燕食扁扁, 其志一一'《太玄經》.

人20〔儹〕22 〔조〕
僔(人부 11획〈68〉)의 本字

人21〔儸〕23 라 ㊤哿 luǒ ラ はだか
字解 벌거벗을라 倮(人부 8획〈59〉)·躶(身부 8획〈1457〉)와 同字. '有物於此, 一一兮其狀, 屢化如神'《荀子》.
字源 形聲. 人＋蠡〔音〕

人21〔儽〕23
㊀래 ㊦隊 lěi ライ たれる
㊁루 ㊥支 ルイ つかれる
㊂라 ㊤哿 luǒ ラ はだぬぐ
字解 ㊀①드리울래 傫(人부 11획〈70〉)와 同字. '一, 垂貌'《說文》. ②고달플래 병들어 지침. '一, 病困也'《集韻》. ③높은곳에여럿이설래 '一, 凴高衆立貌'《六書統》.
㊁①피로할루 傫(人부 12획〈74〉)와 同字. '一一, 疲也'《廣雅》. ②게을리할루 '一, 嬾懈皃'《廣韻》. ③속일루 '一一兮若無所歸'《老子》. ㊂벌거벗을라 羸(衣부 13획〈1290〉)와 동자. '羸, 說文, 袒也. 或从人从纍《集韻》.
字源 形聲. 人＋纍〔音〕

人21〔儃〕23 〔선〕
僐(人부 12획〈73〉)의 本字

人21〔儸〕23 효 ㊥蕭 xiāo キョウ おごる
字解 ①거만할효 뽐냄. '一, 傲也'《玉篇》. ②囂(口부 18획〈192〉)의 俗字.

人22〔儾〕24 낭 ㊦漾 nàng ノウ ゆるい
字解 느슨할낭, 게으를낭 '一, 緩也'《廣韻》.

儿 部

〔어진사람인부〕

儿0〔儿〕2 인 ㊥眞 rén ジン·ニン ひと
筆順 丿 儿
字解 ①사람인 우뚝 선 사람을 상형한 글자. 일설(一說)에는, 걷는 사람을 상형한 글자라 함. '人象立人, 一象行人'《六書略》. ②어진사람인 부수(部首)로 쓰일 때의 이름. '一, 仁人也'《集韻》.
字源 象形. 사람의 모양을 본뜸.
參考 儿(部首)·兀(欠條)은 別字.

儿1〔兀〕3 올 ㊅月 wù コツ たかい
字解 ①우뚝할올 우뚝 솟아 높은 모양. 또, 위는 평평하고 높은 모양. '一立'. '崒一棲猛虎'《李白》. ②민둥민둥할올 산에 나무가 없는 모양. '一山'. '蜀山一阿房出'《杜牧》. ③발뒤꿈치벨올 월형(刖刑)에 처함. '一人'. '魯有一者叔山, 無趾踵'《莊子》. ④움직이지아니할올 부동(不動)한 모양. '魂一心亡'《江淹》. ⑤무식할올 무지한 모양. '一同體於自然'《孫綽》. ⑥위태로울올 흔들려 불안한 모양. '艇子小且一'《皮日休》.
字源 指事. '人인' 위에 '一일'을 그어, '높고 평평하다'의 뜻을 나타냄.

儿2〔允〕4 人名 윤 ㊤軫 yǔn イン まこと
筆順 ㇜ 厶 允 允
字解 ①미쁨윤 성실하고 신의가 있음. 성신(誠信). '一誠'. '告汝朕一'《書經》. ②진실로윤 참으로. '一文一武'. '一執其中'《論語》. ③승낙할윤 승인함. 허락함. '僉一'. '如蒙聖慈, 特賜一許'《元稹》. ④마땅할윤 알맞음. '案法平一, 務存寬恕'《後漢書》. ⑤성윤 성(姓)의 하나.
字源 象形. 머리가 빼어난 사람의 상형으로, 지적이고 성실하며, 걸출한 사람의 뜻을 나타냄.

儿2〔元〕4 中·人 원 ㊥元 yuán ゲン もと
筆順 一 二 テ 元
字解 ①으뜸원 ㉠첫째. 시초(始初). '一

子'. '一初'. '歲之一, 時之一, 月之一'《玉燭寶典》. ㉡일 년의 첫 날. '月正一日'《書經》. ㉢기년(紀年)·즉위(卽位)·건국(建國)의 첫 해. '一年者何, 君之始年也'《公羊傳》. ②근원원 ㉠근본. '一本'. '統之有宗, 會之有一'《易略例》. ㉡만물의 원기(原氣). '大哉乾一'《易經》. ③덕원 천지의 사덕(四德)의 하나. 곧, 만물 생육(生育)의 덕. 사시(四時)로는 봄에, 도덕으로는 인(仁)에 배당함. '一者善之長也'《易經》. ④하늘원 '霄一'. '執一德於心'《淮南子》. ⑤머리원 두부(頭部). 두수(頭首). '狄人歸其一, 面如生'《左傳》. ⑥임금원 군주. '一首明哉'《書經》. ⑦백성원 인민. 창생(蒼生). '黎一' '一一'. '統楫羣一'《漢書》. ⑧연호원 대년호(大年號). '建一'. '改一'. ⑨원나라원 몽고(蒙古)의 대한(大汗) 홀필렬(忽必烈)이 송(宋)나라의 뒤를 이어 세운 왕조(王朝). 도읍은 연경(燕京). 십일주(十一主) 98년 만에 명(明)나라에게 멸망당하였음. (1271-1368) ⑩착할원 선량함. '天子之一士'《禮記》. ⑪클원 '一戎'. '汝終陟一后'《書經》. ⑫화폐단위원 ㉠청말(淸末) 이후 중국의 화폐 단위의 하나. ㉡대한 제국(大韓帝國) 때의 화폐의 단위의 하나. ⑬성원 성(姓)의 하나.
字源 象形. 갓을 쓴 사람의 상형으로, '머리'의 뜻을 나타냄.

儿2 〔旡〕4 잠 ㉠侵 zān シン かんざし
字解 비녀잠 簪(竹부 12획〈956〉)의 本字.

儿2 〔兀〕4 〔기〕 旡(部首〈499〉)의 古字

儿3 〔兄〕5 中·人 ㊀형 ㉠庚 xiōng ケイ·キョウ あに ㊁황 ㊂漾 kuàng コウ いわんや
筆順 丨 冂 口 尸 兄
字解 ㊀맏형, 형형 동기간에 먼저 난 남자. '一弟'. '親於弟一'《管子》. 전(轉)하여, 나은 것. 우수한 것. '元方難爲一, 季方難爲弟'《世說》. 또, 친우간의 경칭으로 쓰임. '大一'. '仁一'. '辱吾一眷厚'《韓愈》. ㊁①두려워할황 怳(心부 5획〈385〉)과 同字. '倉一塡兮'《詩經》. ②하물며황 況(水부 5획〈636〉)과 同字. '一與我齊國之政也'《管子》.
字源 會意. 中+儿(人)

儿3 〔兂〕5 〔장〕 長(部首〈1592〉)의 古字

儿3 〔充〕5 充(次條)의 本字

儿4 〔充〕6 中·人 충 ㉠東 chōng ジュウ みちる
筆順 ˋ 亠 𠫓 𠫓 𠫓 充
字解 ①찰충 가득함. '一滿'. '君之倉廩實, 府庫一'《孟子》. ②채울충 ㉠가득 차게 함. '以一府庫'《周禮》. ㉡충당함. '一庖廚而已'《漢書》. ③막을충, 막힐충 꽉 채워 막음. 꽉 채워져 막힘. '一塞'. '褎如一耳'《詩經》. ④둘충 놓음. '射則一椹質'《周禮》. ⑤덮을충 가림. '服之襲也, 一美也'《禮記》. ⑥살찔충 비대함. '一壯'. '宗人視牲告一'《儀禮》. ⑦번거로울충 번잡함. '事一政重'《左傳》. ⑧성충 성(姓)의 하나.
字源 形聲. 儿+𠫓(育)〔音〕

儿4 〔兆〕6 中·人 조 ㊤篠 zhào チョウ きざし
筆順 丿 丿 丬 兆 兆 兆
字解 ①조조 수(數)의 단위. 십억 또는 만억. 지금은 보통 만억으로 쓰임. '有億一之數'《戰國策》. 전(轉)하여, 수가 많음을 이름. '一民'. '材一物'《國語》. ②점조 거북점에서 귀갑(龜甲)을 구워서 나타나는 금. 점상(占象). 또, 그 금을 보고 길흉을 판단하는 일. '一占'. '一得大橫'《漢書》. ③조짐조 징조(徵兆). '吉一'. '此乃吉凶之萌一'《晉書》. ④조짐보일조 징조가 나타남. '我則泊兮其未一'《老子》. ⑤뫼조 무덤. '一城'. '卜其宅一, 而安厝之'《孝經》. ⑥형상(形象)조 '聽無聲, 視無一'《晉書》. ⑦성조 성(姓)의 하나.
字源 象形. 점칠 때 거북 등딱지에 나타나는 금의 모양을 본뜸.

儿4 〔兇〕6 흉 ㉠冬 ㊤腫 xiōng キョウ わるい
字解 ①흉악할흉 성질이 험상궂고 모짊. 凶(凵부 2획〈97〉)과 同字. '一行'. '一險'. 또, 그러한 사람. '元一'. '除一報千古'《唐太宗》. ②두려워할흉 恟(心부 6획〈388〉)과 同字. '一一'. '曹人一一懼'《左傳》.
字源 形聲. 儿+凶〔音〕

儿4 〔先〕6 中·人 ㊀선 ㉠先 ①-③xiān セン さき ㊂霰 ④xiàn セン さきだつ ㊁세 ㊤銑 xiǎn (선㊍) セン さきがけ
筆順 ノ 𠂉 ⺧ 生 𠂒 先

字解 曰 ①먼저선 ㉠최초로. 첫째로. '一發'. '一唱'. '欲治其國者, 一齊其家'《大學》. ㉡앞서서. '孔子生鯉, 字伯魚, 一卒'《朱熹》. ㉢우선. '請一嘗沮之'《史記》. ②앞선 ㉠시간이나 장소에 관하여 뒤〔後〕의 대(對). '一後'. '一任'. '一號咷而後笑'《易經》. ㉡시초. '象帝之一'《老子》. ㉢수위. 첫째. '吳晉爭一'《左傳》. ㉣옛날. 고석(古昔). '一民有作'《詩經》. ㉤위. '以儒教爲一'《北史》. ㉥안내. 향도(嚮導). '莫爲我一'《史記》. ㉦앞장 '率一'. '爲士卒一'《漢書》. ㉧제일 먼저 할 일. 급한 일. '教學爲一'《禮記》. ③성선 성(姓)의 하나. ④앞설선 ㉠시간적으로 먼저 있음. '一立春三日'《禮記》. ㉡공간적으로 앞에 있음. '疾行一長者'《孟子》. ㉢먼저함. '其聞道也, 固一乎吾'《韓愈》. ㉣먼저 말함. '楚王使大夫二人往一焉'《莊子》. ㉤앞에 서서 인도함. '二人執矛一焉'《國語》. 曰 전구(前驅) 세 '句踐親爲夫差一馬'《國語》. ※本音 선.
字源 會意. 儿+之

儿 4 〔光〕6 中·人 광 ㊥陽 guāng コウ ひかり
筆順 丨 〡〡 ⺌ 业 光 光
字解 ①빛광 ㉠시각(視覺)을 통하여 물상(物象)을 밝게 하는 현상. 곧, 광선·광휘(光輝) 따위. '月一'. '一度'. '月出之一'《詩經》. ㉡윤. 광채(光彩). '一潤'. '一澤'. '珠一出於魚腹'《論衡》. ㉢영예·위세 따위. '榮一'. '威一'. '能莫與之同一者'《淮南子》. ㉣은택. 은총. '榮一'. '一臨'. '未被先天之靈一'《汲冢周書》. ㉤지능. 덕망. '和其一, 同其塵'《老子》. ㉥문화·풍속·경치 따위. '觀一'. '春一'. '觀國之一'《易經》. ②빛날광 광휘를 발함. '日月一, 星辰靜'《漢書》. ③빛낼광 빛나게 함. '以一先帝之遺德'《諸葛亮》. ④클광 크게. '一輔'. '一有天下'《左傳》. ⑤성광 성(姓)의 하나.
字源 會意. 火+儿

儿 4 〔兜〕6 고 ㊤麌 gǔ コ·ク ふさぐ
字解 가릴고, 가려질고 '一, 廱蔽也'《說文》
字源 會意. 儿+口

儿 4 〔旡〕6 〔기〕
无(部首〈499〉)의 本字

儿 4 〔兲〕6 〔천〕
天(大부 1획〈231〉)의 古字

儿 4 〔兕〕6 〔사〕
四(囗부 2획〈194〉)의 古字

儿 4 〔兂〕6 〔장〕
長(部首〈1592〉)의 古字

儿 4 〔兊〕6 〔태〕
兌(儿부 5획〈82〉)의 俗字

儿 4 〔尧〕6 〔요〕
堯(土부 9획〈212〉)의 簡體字

儿 5 〔克〕7 高·人 극 ㊅職 kè コク よくする, かつ
筆順 一 十 𠂇 古 古 声 克
字解 ①능할극 ㉠충분히 할 수 있음. '小人弗一'《易經》. ㉡능하게. 능히. '一明俊德'《書經》. ②이길극 ㉠사리 사욕에 끌리는 자기를 이겨 냄. '一己復禮爲仁'《論語》. ㉡적을 이김. '我戰則一'《禮記》. ③멜극 어깨에 멤. ④승벽극 지기 싫어하는 성질. '一伐怨欲'《論語》. ⑤《現》미터법의 무게의 단위. 그램의 간칭(簡稱). 킬로그램(瓩)의 1,000분의 1. ⑥성극 성(姓)의 하나.
字源 象形. 무거운 투구를 쓴 사람의 모양을 본뜸.

儿 5 〔兌〕7 人名 태 ㊄泰 duì タイ·ダ よろこぶ
筆順 丿 八 个 㕣 㕣 兑 兌
字解 ①기뻐할태 희열(喜悅)함. '和一吉'《易經》. ②태괘태 ㉠팔괘(八卦)의 하나. 곧 ☱. 못〔澤〕을 상징하며, 서방(西方)에 배당함. ㉡육십사괘(六十四卦)의 하나. 곧, ䷹〈태하(兌下) 태상(兌上)〉. 지조가 바르고 굳어, 사물이 잘 형통(亨通)하는 상(象). ③통(通)할태 '一利'. '行道一矣'《詩經》. ④모일태 모여듦. '仁人之兵一, 則若莫邪之利鋒'《荀子》. ⑤곧을태 똑바름. '松柏斯一'《詩經》. ⑥구멍태 '塞其一, 閉其門'《老子》. ⑦바꿀태 교환함. '一換'. '十千一得餘杭酒'《丁芝仙》.
字源 會意. 八+兄

儿 5 〔免〕7 中·人 曰 면 ㊤銑 miǎn メン まぬかれる / 曰 문 ㊄問 wèn モン うむ
筆順 ⺈ ⺈ 𠂊 㐫 㐫 免 免
字解 曰 ①벗어날면 ㉠피함. '臨難毋苟一'《禮記》. ㉡떨어져 미치지 아니함. 없게 됨. '人情之所不能一也'《禮記》. ㉢재화 따위에서 헤어남. '一死'. '民一而無恥'《論語》. ②벗을면 옷 따위를 벗음. '一冑而聽命'《晉書》. ③놓을면 놓아 줌. 방면함. '一赦'. '若欲一之, 則王會其期'《周禮》. ④면할면 면제함. '一訴'. '遭蝗之處一租'《齊書》. ⑤허락할면 들어 줌. '一許'. '若從君惠而一之'

《左傳》. ⑥내칠면 면직함. '一官'. '一黜'. '不察廉不勝任也, 當一'《漢書》. ⑦성면 성(姓)의 하나. 㝵 ①해산할문 아이를 낳음. '一身'. '婦人一乳大故'《漢書》. ②관벗을문 초상 때 관을 벗고 머리를 묶어 맴. '袒一'.
字源 象形. 아기를 낳은 사람의 사타구니의 모양을 본뜸.

儿5 〔兕〕7 시 ㊤紙 | sì シ けだもののな

筆順 丨 㔾 㕚 冋 四 罒 兕

字解 외뿔소시 무소과(科)에 속하는 들소 비슷한 짐승. 뿔은 하나이고 체중이 천 근(斤) 가량임. 가죽은 단단하여 갑옷, 뿔은 술잔 등을 만듦. '一虎'. '一, 似牛'《爾雅》.
字源 象形. 들소 비슷한 외뿔소를 본뜸.

儿5 〔兂〕7 〔사〕 死(歹부 2획〈606〉)의 古字

儿5 〔兏〕7 〔장〕 長(部首〈1592〉)의 古字

儿5 〔児〕7 〔아〕 兒(儿부 6획〈83〉)의 俗字

儿5 〔兎〕7 〔토〕 兔(儿부 6획〈83〉)의 俗字

儿5 〔児〕7 〔귀〕 鬼(部首〈1780〉)의 俗字

〔秃〕 〔독〕 禾부 2획(896)을 보라.

〔皃〕 〔모〕 白부 2획(824)을 보라.

儿6 〔兒〕8 中·人 㝵 아 ㊥支 | ér ジ·ニ こ / 㝵 예 ㊥齊 | ní ゲイ せい

筆順 ′ 丨 ㇄ 臼 臼 臼 臼 兒

字解 㝵 ①아이아 ㉠어린아이. '一童'. '一, 初生子也, 一曰, 嬰一'《正字通》. ㉡아들이 어버이에게 대하여 말하는 자칭(自稱). '一實無罪過'《古詩》. ㉢남을 경멸하여 이르는 말. 사람의 천칭(賤稱). '布目備曰, 大耳一最叵信'《後漢書》. ②어조사아 동식물·기구 등의 이름의 끝에 붙이는 조사(助辭). '車一'. '打起黃鶯一'《蓋嘉運》. ③성아 성(姓)의 하나. 㝵 성예 성(姓)의 하나. '一寬'은 전한(前漢)의 무제(武帝) 때 사람.
字源 象形. '사내아이'의 모양을 본뜸.

儿6 〔皃〕8 兒(前條)의 古字

儿6 〔兔〕8 人名 토 ㊦遇 | tù ト うさぎ

筆順 ㇇ ㇇ ㇇ 㔾 㔾 㑵 兔 兔

字解 ①토끼토 토끼과(科)에 속하는 설치류(齧齒類)의 짐승. 귀가 길고 뒷다리가 발달하였음. '狡一死, 走狗烹'《史記》. ②달토 달 속에 토끼가 있다는 전설에서, 달〔月〕의 별칭(別稱)이 됨. '沈鉤搖一影'《盧照隣》. ③성토 성(姓)의 하나.
字源 象形. 긴 귀, 튀는 다리, 짧은 꼬리의 토끼 모양을 본뜸.
參考 兎(儿부 5획〈83〉)는 俗字.

儿6 〔兔〕8 兔(前條)와 同字

儿6 〔兓〕8 㝵 침 ㊥侵 | jīn シン するどい / 㝵 찬 ㊦翰 | zǎn サン たすける

字解 㝵 날카로울침 아주 날카로움. '一一, 銳意也'《說文》. 㝵 도울찬 조력함. 보좌함. '一, 二人屈已以贊世'《集韻》.
字源 會意. 先+先

儿6 〔兕〕8 〔시〕 兕(儿부 5획〈83〉)의 古字

儿6 〔兕〕8 〔시〕 儿부 5획(83)을 보라.

儿6 〔兖〕8 兗(次條)의 俗字

儿7 〔兗〕9 연 ㊤銑 | yǎn エン

字解 연주연 구주(九州)의 하나. 지금의 하북성(河北省) 및 산동성(山東省)의 일부. '濟河惟一州'《書經》.
字源 形聲. 亢+㕣〔音〕
參考 兖(儿부 6획〈83〉)은 俗字.

儿7 〔兏〕9 〔장〕 長(部首〈1592〉)의 本字

儿7 〔尭〕9 〔요〕 堯(土부 9획〈212〉)의 俗字

儿8 〔党〕10 당 ㊤養 | dǎng トウ·ショウ むら

字解 성당 성(姓)의 하나. '一耐虎'는 진(秦)나라의 장군.
參考 속(俗)에 黨(黑부 8획〈1865〉)의 略字로 쓰임.

儿8 〔兛〕10 ㊎ 킬로그램

字解 《現》 미터법의 무게의 단위 킬로그램

의 약기(略記). 그램〔克〕의 천 배(倍).

儿 9 〔兜〕11 두(도[俗]) [平]尤 | dōu ト かぶと

[字解] ①투구두 예전에 군인이 전시에 쓰던 쇠모자. '得策一鍪'《吳志》. ②건두 두건(頭巾). '西僧皆戴紅一'《瞿佑詩話》. ③미혹할두 의혹함. '詩使勿一'《國語》. ④성두 성(姓)의 하나. ※俗音 도.
[字源] 會意. 兜+皃(省)

儿 10 〔兟〕12 신 [平]眞 | shēn シン すすむ

[字解] ①나아갈신 앞으로 나감. '一, 進也'《說文》. ②많을신 중다(衆多)한 모양. '一一, 衆多貌'《玉篇》.
[字源] 會意. 先+先. 두 개의 '先선'을 합쳐, 많은 것이 나란히 나아가다의 뜻을 나타냄.

儿 12 〔兢〕14 [人名] 긍 [平]蒸 | jīng キョウ つつしむ

[筆順] 一 十 古 克 … 兢
[字解] ①조심할긍 소심(小心)한 모양. '戰戰一一'. '一一業業, 一日二日萬幾'《書經》. ②떨릴긍 전율(戰慄)함. '一悸'. '入凌一'《漢書》.
[字源] 會意. 克+克

儿 16 〔⿱⿰丰丰⿰兄兄〕18 兢(前條)의 本字

儿 22 〔⿱兔⿰兔兔〕24 [一] 부 [去]遇 | fù フ はやい
[二] 백 [入]陌 | ハク·ヒャク はやい

[字解] [一] 빠를부 급속함. '一, 急疾也'《廣韻》. [二] 빠를백 [一]과 뜻이 같음.

入 部
〔들 입 부〕

入 0 〔入〕2 [中·人] 입 [入]緝 | rù ニュウ·ジュ はいる

[筆順] ノ 入
[字解] ①들입, 들어갈입 ㉠'出'의 대(對). '一國'. '一城'. '爭門而一'《史記》. ㉡꿰뚫음. '射甲不一, 卽斬弓人'《晉書》. ㉢조정(朝廷)에서 벼슬함. '一守內職'《韓愈》. ②들일입 ㉠들어오게 함. '爲我呼一'《史記》. ㉡납부(納付)함. '一粟拜官'. '貢之不一, 寡人之罪也'《左傳》. ㉢금품을 거두어들임. '收一'. ㉣받아들임. '箴諫以不一'《國語》. ③담글입 몰입(沒入)함. '三一爲纁'《周禮》. ④수입입 수납(收納). 소득. '量一以爲出'《禮記》. ⑤입성입 사성(四聲)의 하나. 짧고 빨리 거두어들이는 소리. '一聲短促急收藏'《玉鑰匙歌訣》.
[字源] 象形. 안으로 들어가는 입구(入口)의 모양을 본뜸.

入 1 〔兦〕3 〔망〕
亡(亠부 1획〈28〉)의 本字

入 2 〔內〕4 [中·人] [一] 내 [去]隊 | nèi ナイ うち
[二] 납 [入]合 | nà ノウ いれる

[筆順] 丨 冂 内 內
[字解] [一] ①안내 ㉠밖〔外〕의 대(對). '城一'. '國一之民, 其誰不爲臣'《左傳》. ㉡방(房). '築室家, 有一堂二一門戶之閉'《漢書》. ㉢대궐 안. '大一'. '天子宮禁曰一'《韻會》. ㉣나라 안. '貪外虛一, 務欲廣地'《漢書》. ㉤겨레. 친족(親族). '主人洗獻一賓于房中'《儀禮》. ㉥집. 집안. '所以助德理一'《漢書》. ㉦처첩(妻妾). '畏一'〈엄처(嚴妻)〉. '好外者士死之, 好一者女死之'《孔子家語》. ㉧마음. '敬以直一, 義以方外'《易經》. ㉨오장 육부(五臟六腑). '五一'(오장 육부). '扁鵲治一'《枚乘》. ㉩조정(朝廷). 정부. '以數切諫不得留一, 遷爲東海太守'《史記》. ㉪집안일. 가사(家事). '男不言一, 女不言外'《禮記》. ②몰래내 비밀히. '一應'. '一謁徑入'《漢書》. ③안으로할내 중히 여김. 가까이 함. '外本一末'《大學》. ④들일내 ㉠들어오게 함. '孝旣至, 不白名, 長不肯一'《世說》. ㉡집에 데려옴. 집 안에 둠. '一美人, 而虞虢亡'《韓非子》. ⑤성내 성(姓)의 하나. [二] 들일납 納(糸부 4획〈981〉)과 同字. '若己推而一之溝中'《孟子》.
[字源] 形聲. 冂+入〔音〕

入 2 〔㒳〕4 량 [上]養 | liǎng リョウ ならんではいる

[字解] 들어갈량 나란히 들어감. '一, 二入也'《說文》.
[字源] 會意. 入+入

〔尒〕〔이〕
小부 2획(291)을 보라.

入 3 〔仝〕5 全(次條)의 本字

入 4 〔全〕6 [中·人] 전 [平]先 | quán ゼン まったし

[筆順] ノ 入 亼 仝 仐 全

[字解] ①온통전 ㉠전체. 전부. '—身'. '—文'. ㉡일체. '—擔'. '欲—宥之'《後漢書》. ②온전할전 ㉠흠이 없음. '得六材之—'《周禮》. ㉡결점이 없음. 모두 갖춤. '君子道—, 小人道缺'《太玄經》. ㉢다치지 아니함. 무사함. '鄕里賴—者, 以百數'《後漢書》. ③순전할전 순수(純粹)함. 순일함. 잡것이 섞이지 않음. '玉人之事, 天子用—'《周禮》. ④온전히할전 온전하게 함. '苟—性命於亂世'《諸葛亮》. ⑤성전 성(姓)의 하나.
[字源] 會意. ①入+工. ②入+王(玉). ③余+王
[參考] 성씨(姓氏)로서는, 속(俗)에 파자(破字)하여, '인왕(人王)전'이라 이름.

入5 〔⿱亼攵〕7 〔편〕 鞭(革부 9획〈1667〉)의 古字

入5 〔㒳〕7 량 [上]養 | liǎng リョウ ふたつ
[字解] 두량 둘. '兩량'(次條)과 통용. '—, 今通作兩'《廣韻》.
[字源] 會意. 冂+从+丨

入6 〔兩〕8 [中·人] 량 [上]養 [去]漾 | ①-⑤liǎng リョウ ふたつ ⑥liàng リョウ くるまのかず
[筆順] 一 丅 冂 币 币 币 兩 兩
[字解] ①두량 ㉠둘. 하나의 갑절. '—人'. '—分'. '拔劍擊斬蛇, 蛇遂爲—'《史記》. ㉡비견할 만한 것. 동등한 것. '於人臣無—'《史記》. ②짝량 쌍(雙). '—眼'. '—猶耦也'《周禮 註》. ③필(匹)량 포백(布帛)의 길이. 필은 2단(端), 단(端)은 1장(丈) 8척(尺), 또는 2장(丈). '重錦三十—'《左傳》. ④양(兩)량 ㉠중량(重量)의 단위의 하나. 곧, 24수(銖). '斤—'. ㉡중국 및 대한 제국(大韓帝國)의 화폐 단위의 하나. 곧, 10전(錢). ⑤스물다섯사람량 군대의 편제상(編制上)에서 25명의 일컬음. '五人爲伍, 五伍爲—'《周禮》. ⑥수레량 수레의 수효. 輛(車부 8획〈1470〉)과 同字. '百—御之'《詩經》.
[字源] 象形. 저울의 두 개의 추의 모양을 본뜸.
[參考] 両(一부 5획〈13〉)은 俗字.

入7 〔俞〕9 [人名] 유 [平]虞 | yú ユ しかり
[筆順] ノ 人 亼 伶 俞 俞 俞 俞 俞
[字解] ①그러할유 그렇다고 승낙(承諾)하는 말. '—允'. '帝曰, —'《書經》. ②응답할유 대답하는 소리. 예. '男唯女—'《禮記》. ③더욱유 愈(心부 9획〈399〉)와 同字. '—務—遠'《荀子》. ④나아갈유 '民—勸農'《漢書》. ⑤마상이유 통나무배. 독목주(獨木舟). '—, 空中木爲舟也'《說文》. ⑥성유 성(姓)의 하나.
[字源] 會意. ⿱亼巜+舟
[參考] ①兪(人부 7획〈50〉)는 俗字. ②성씨(姓氏)로서는, 속(俗)에 파자(破字)하여, '인월도(人月刀)유'라 이름.

〔㒼〕 〔만〕 冂부 9획(90)을 보라.

入10 〔⿱亼羿〕12 〔전〕 全(入부 4획〈84〉)의 古字

八　部
〔여덟팔부〕

八0 〔八〕2 [中·人] 팔 [入]黠 | bā ハチ や, やっつ
[筆順] ノ 八
[字解] ①여덟팔 일곱에 하나를 보탠 수. '—音'. '—道'. '天七, 地—'《易經》. ②여덟번팔 8회. '—戰—剋'《後漢書》. ③성팔 성(姓)의 하나.
[字源] 象形. 둘로 나누어져 있는 것의 모양. 가차(假借)하여 '여덟'의 뜻.
[參考] ①금전(金錢)을 기록할 때에는, 글씨를 고쳐 쓰는 일을 방지하기 위하여 '八' 대신 음이 같은 '捌팔'을 쓰는 수가 있음. ②부수(部首)로서의 '八'에는 공통되는 특정한 뜻은 없고, 정리상(整理上) 부수로 세워진 것임. 자형(字形)의 아랫부분의 '八'은 '廾공'(양손으로 받들다)의 변형(變形)이며, '典전'의 경우는 '丌기'(물건을 얹어 놓는 상)의 꼴을 바탕으로 함.

八2 〔公〕4 [中·人] 공 [平]東 | gōng コウ おおやけ
[筆順] ノ 八 公 公
[字解] ①공변될공 공평 무사함. '—正'. '—明'. '何可以—論乎'《淮南子》. ②한가지공 공동(共同). '大道之行天下爲—'《禮記》. ③공공 여러 사람에게 관계되는 일. 전(轉)하여, 바른 일. '私'의 대(對). '—安'. '—益'. '以—滅私'《書經》. ④드러낼공 숨기지 않고 발표함. '—開'. '—表'.

'一言之'《史記》. ⑤공작공 ㉠오등작(五等爵)의 첫째. '一侯伯子男'. '庸建爾于上一'《書經》. ㉡천자(天子)의 보필. '一卿'. '玆惟三一'《書經》. ⑥관무공 벼슬아치의 직무. '一職'. '夙夜在一'《詩經》. ⑦마을공 조정. 관청. '退食自一'《詩經》. ⑧임금공 천자. 군주. '掌一墓之地'《周禮》. ⑨제후공 열후(列侯). '一行下衆'《國語》. ⑩주인공 자기가 섬기는 사람. '吾一在壑谷'《左傳》. ⑪어른공 장자(長者)의 존칭(尊稱). '此六七一皆亡恙'《漢書》. ⑫그대공 동배(同輩)의 호칭(呼稱). '一等碌碌'《史記》. ⑬아버님공 부친의 존칭. '家一執席'《列子》. ⑭시아버님공 시아버지의 존칭. '與一併倨'《列子》. ⑮공공 功(力부 3획〈112〉)과 통용. '王一伊濯'《詩經》. ⑯성공 성(姓)의 하나.
[字源] 指事. '八팔'은 통로(通路), '口'는 어떤 특정한 장소를 나타냄.

八 2 〔仌〕 4 [一] 별 [入]屑 | bié ヘツ わける
[二] 조 [上]篠 | zhào チョウ うらかた

[字解] [一] 나눌별 別(刀부 5획〈101〉)의 古字. '一, 玉篇, 古文別'《康熙字典》. [二] 점조 거북 등딱지를 구워서 생기는 금. 兆(儿부 4획〈81〉)와 同字.
[字源] 會意. 八+八

八 2 〔兮〕 4 [高·人] 혜 [平]齊 | xī ケイ じょじ

[筆順] 丿 八 八 兮

[字解] 어조사혜 어구(語句)의 사이에 끼우거나 어구의 끝에 붙여, 어기(語氣)가 일단 그쳤다가 음조(音調)가 다시 올라가는 것을 나타내는 조사(助辭). 주로, 시부(詩賦)에 쓰임. '大風起一雲飛揚'《漢高祖》. '風蕭蕭一易水寒'《史記》.
[字源] 會意. 八+丂

八 2 〔兮〕 4 兮(前條)의 俗字

〔分〕 〔분〕
刀부 2획(99)을 보라.

八 2 〔六〕 4 [中·人] 륙 [入]屋 | liù ロク むっつ

[筆順] 丶 亠 亣 六

[字解] ①여섯륙 다섯에 하나를 보탠 수 '一卿'. '一朝'. '天五, 地一'《易經》. ②여섯번륙 6회. '一黜淸能, 一進否劣'《晉書》. ③성륙 성(姓)의 하나.
[字源] 象形. 집의 모양을 본뜸.
[參考] 금전을 기록할 때 등에는 글씨를 고쳐 쓰는 것을 방지하기 위하여 '六' 대신 '陸륙'을 쓰기도 함.

八 3 〔兰〕 5 〔란〕 蘭(艸부 17획〈1207〉)의 簡體字

〔半〕 〔반〕
十부 3획(126)을 보라.

〔只〕 〔지〕
口부 2획(144)을 보라.

八 4 〔关〕 6 〔소〕
笑(竹부 4획〈931〉)의 古字

八 4 〔关〕 6 〔관〕 關(門부 11획〈1606〉)의 簡體字

八 4 〔共〕 6 [中·人] 공 ①-②[去]宋 | gòng キョウ ともに
③[上]腫 | gǒng キョウ むかう
④-⑥[平]冬 | gōng キョウ うやうやしい

[筆順] 一 十 卄 廾 共 共

[字解] ①함께공 같이. 한가지로. '一謀'. '天下一立義帝, 北面事之'《史記》. ②함께할공 같이함. '與衆一之'《禮記》. ③향(向)할공 '北辰居其所, 而衆星一之'《論語》. ④공경할공 恭(心부 6획〈387〉)과 同字. '一承嘉惠兮'《史記》. ⑤이바지할공, 베풀공 供(人부 6획〈49〉)과 同字. '一給'. '王祭不一'《左傳》. ⑥성공 성(姓)의 하나.
[字源] 指事. 물건을 양손으로 받쳐 들고 있는 뜻.

八 4 〔兴〕 6 〔흥〕
興(臼부 9획〈1106〉)의 俗字

八 5 〔囟〕 7 〔기〕
箕(竹부 8획〈942〉)의 古字

八 5 〔兵〕 7 [中·人] 병 [平]庚 | bīng ヘイ つわもの, はもの

[筆順] 一 厂 斤 斤 丘 乒 兵

[字解] ①군사병 ㉠군인. '一丁'. '一士'. '選士厲一'《禮記》. ㉡군대. '將軍能用一'《史記》. ②병장기병 무기(武器). '一器'. '一甲'. '持一而鬬'《世說》. ③싸움병 전투. 전쟁. '一火'. '一端'. '公不論一, 必大困'《戰國策》. ④칠병 병기로써 살상함. '士一之'《左傳》.
[字源] 會意. 廾+斤

八 5 〔兵〕 7 〔장〕
長(部首〈1592〉)의 古字

八5〔共〕7 〔공〕
共(八부 4획〈86〉)과 同字

八5〔兴〕7 〔흥〕
興(臼부 9획〈1106〉)의 俗字

八5〔皃〕7 〔모〕
皃(白부 2획〈824〉)의 訛字

八6〔其〕8 中·人 기 ①㊥支 qí キ その, それ ②㊤寘 jì キ じょじ

筆順 一 十 廾 廾 甘 苴 其 其

字解 ①그기 ㉠그것의. 지사(指事)의 사(辭). '一旨遠, 一辭文'《易經》. ㉡그것. 대명사(代名詞). '融從一遊'《後漢書》. ㉢발어(發語)의 사(辭). '一在高宗'《書經》. ②어조사기 ㉠어세(語勢)를 고르게 하기 위하여 구말(句末)에 첨가하는 조사(助辭). 시부(詩賦)에 쓰임. '夜如何一'《詩經》. ㉡무의미한 조사(助辭). '彼一之子'《詩經》.
字源 象形. 곡식을 까부는 키의 모양을 본뜸.

八6〔具〕8 高·人 구 ㊤遇 jù グ そなえる

筆順 丨 冂 冃 月 目 且 具 具

字解 ①갖출구 판비함. 구비함. '一足'. '一有'. '一體而微'《孟子》. ②갖추어질구 구비됨. '一全'. '其禮一'《禮記》. ③차림구 준비. '夜灑掃, 早張一'《史記》. ④그릇구 ㉠제구. '器一'. '家一'. '索得釀一'《蜀志》. ㉡재능(才能). '抱將相之一'《李陵》. ⑤함께구 俱(人부 8획〈55〉)와 同字. '一慶'. '一瞻'. '民一爾瞻'《詩經》. ⑥갖추구 갖게. 일일이. 자세히. '一載'. '風潮難一論'《謝靈運》. ⑦모두구 다. '百卉一俳'《詩經》. ⑧성구 성(姓)의 하나.
字源 形聲. 目(貝)+廾〔音〕

八6〔具〕8 具(前條)와 同字

八6〔典〕8 中·人 전 ㊤銑 diǎn テン ふみ, のり

筆順 丨 冂 日 由 曲 曲 典 典

字解 ①법전 법식(法式). 상경(常經). '一刑'. '一法'. '維清緝熙, 文王之一'《詩經》. ②책전 서적. '一籍'. '經一'. '兼修隋一'《北史》. ③벼슬전 관직(官職). '採漢晉舊儀, 置六尙六司六一'《隋書》. ④맡을전 관장(管掌)함. '一掌'. '一統'. '我一主東地'《戰國策》. ⑤바를전 옳음. '一雅'. '辭一文艶'《梁昭明太子》. ⑥전당잡힐전 전당에 넣음. '一當'. '一鋪'. '一任貼一貨賣'《舊唐書》. ⑦성전 성(姓)의 하나.
字源 會意. 冊+丌

八7〔㒸〕9 수 ㊤寘 suì スイ したがう

字解 따를수 순응함. '一, 从意也'《說文》.
字源 象形. '丂교'는 후벼내기 위한 날붙이의 상형. '豕시'는 돼지의 상형.

〔酋〕〔추〕
酉부 2획(1531)을 보라.

八8〔兼〕10 高·人 겸 ㊥鹽 jiān ケン かねる

筆順 八 㕣 㝁 兰 争 兼 兼 兼

字解 ①겸할겸 ㉠나누어진 것을 합침. '一併'. '一三才而兩之'《易經》. ㉡두 가지 이상을 아울러 맡음. '一任'. '縣宰缺者, 數年守一'《漢書》. ㉢한결같게 함. 층하 없이 동등히 함. '一愛'. '墨子一愛'《孟子》. ②쌓을겸 겹쳐 쌓음. 포개어 쌓임. '重金一紫'《後漢書》.
字源 會意. ヨ(又)+秝

八8〔直〕10 〔진〕
眞(目부 5획〈843〉)의 略字

八9〔𠔿〕11 〔기〕
箕(竹부 8획〈942〉)의 籒文

八9〔與〕11 〔여〕
與(臼부 7획〈1106〉)의 俗字

八10〔兼〕12 〔겸〕
兼(八부 8획〈87〉)의 俗字

〔曾〕〔증〕
曰부 8획(519)을 보라.

八11〔冀〕13 〔기〕
冀(八부 14획〈87〉)와 同字

〔與〕〔여〕
臼부 7획(1106)을 보라.

八12〔𡘛〕14 ㊀반 ㊥刪 bān ハン わりあてる ㊁비 ヒ わりあてる

字解 ㊀할당할반 번거로운 일을 할당(割當)하여 분담시킴. '一, 賦事也'《說文》. ㊁할당할비 ㊀과 뜻이 같음.
字源 形聲. 㚘+八〔音〕

八14〔冀〕16 人名 기 ㊤寘 jì キ こいねがう

筆順 ㇆ ㇋ 非 背 韭 𦸙 冀 冀

[字解] ①바랄기 희망함. 하고자 함. '一望'. '希一'. '鄭有備矣, 不可一也'《左傳》. 또, 바라는 일. 희망. '一望成就'《後漢書》. ②바라건대기 바라노니. '一一見而復歸'《東方朔》. ③기주기 구주(九州)의 하나. 지금의 하북성(河北省)·산서성(山西省)의 대부분과 하남성(河南省)의 일부. '一州旣載壺口'《書經》.
[字源] 形聲. 北＋異〔音〕

〔興〕 〔흥〕
臼부 9획(1106)을 보라.

八 18 〔顛〕20 〔전〕
顚(頁부 10획〈1696〉)과 同字

八 18 〔顛〕20 顚(前條)의 俗字

冂 部
〔멀경몸부〕

冂 0 〔冂〕2 경 ①[平]靑 ②[上]迥 | jiōng ケイ はるか jiǒng ケイ·ギョウ むなしい
[筆順] 丨 冂
[字解] ①먼데경, 멀경 읍외(邑外)를 교(郊), 교외(郊外)를 야(野), 야외(野外)를 임(林), 임외(林外)를 '一'이라 함. 곧, 나라의 먼 지경(地境)을 이름. ②빌경 공허함.
[字源] 指事. 세로의 두 줄에 가로 한 줄을 그어, '멀다'의 뜻을 나타냄.
[參考] 문자 정리상(文字整理上) 편의적으로 부수(部首)로 세워져 있으나, '冂' 본래의 의미를 포함하는 문자가 있는 것은 아님. 부수(部首)의 이름으로는 '멀경몸'이라 이름.

冂 1 〔冃〕3 [一] 모 [上]晧 [二] 무 [去]宥 | ボウ·モウ おおう mǎo ボウ·モ おおう
[字解] [一] 덮을모 이중(二重)으로 덮음. '一, 重覆'《廣韻》. [二] 덮을무 [一]과 뜻이 같음.
[字源] 指事. 아래의 '一일'로 덮은 위에 '冂경'을 덧붙여, '포개어 덮다'의 뜻을 나타냄.

冂 2 〔冃〕4 [一] 모 [去]號 [二] 무 [去]宥 | mào ボウ·モウ ずきん ボウ·モ おおう
[字解] [一] 건모 어린이·오랑캐의 두건. '一, 小兒及蠻夷頭衣也'《說文》. [二] 덮을무 '一, 覆也'《集韻》.
[字源] 象形. 얼굴에 푹 덮어쓰고 눈 부분만 터 놓은 두건을 본뜸.

冂 2 〔円〕4 〔원〕
圓(口부 10획〈198〉)의 略字

冂 2 〔冄〕4 〔염〕
冉(冂부 3획〈88〉)과 同字

〔内〕 〔내〕
人부 2획(32)을 보라.

冂 2 〔冈〕4 〔강〕
岡(山부 5획〈306〉)의 簡體字
[參考] 网부의 '冈'은 別字.

〔丹〕 〔단〕
丶부 3획(16)을 보라.

〔內〕 〔내〕
入부 2획(84)을 보라.

冂 3 〔册〕5 [中·人] 책 [入]陌 | cè サツ·サク ふみ
[筆順] 丿 ⺆ 刀 刖 册
[字解] ①책책 서적. '一子'. '一書'. '魯一于是飛華'《晉書》. ②칙서책 봉록(封祿)·작위(爵位) 등을 수여할 때에 천자(天子)가 내리는 칙명(勅命)을 적은 것. '一立'. '玉一'. '竹一'. ③꾀책 策(竹부 6획〈937〉)과 同字. '全師保勝之一'《漢書》. ④권책 책을 세는 수사(數詞). '二一'. ⑤성책 성(姓)의 하나.
[字源] 象形. 글자를 쓰기 위하여 끈으로 맨 대쪽의 모양을 본뜸.
[參考] 冊(次條)과 同字.

冂 3 〔冊〕5 [中·人] 册(前條)과 同字
[筆順] 丨 冂 冂 冊 冊

冂 3 〔冋〕5 〔경〕
冂(部首〈88〉)의 古字

冂 3 〔罓〕5 〔망〕
网(部首〈1025〉)의 古字

冂 3 〔回〕5 〔회〕
回(口부 3획〈194〉)의 古字

冂 3 〔冉〕5 염 [上]琰 | rǎn ゼン·ネン たれさがる
[字解] ①늘어질염 아래로 늘어진 모양. '柔

條紛——'《曹植》. ②갈염 세월 같은 것이 가는 모양. '時亦——而將至'《楚辭》. ③성염 성(姓)의 하나.
字源 象形. 수염이 자라 늘어진 모양을 본뜸.

冂3 〔冉〕5 冉(前條)과 同字

冂3 〔肉〕5 〔육〕 肉(部首〈1064〉)의 俗字

冂3 〔再〕5 再(次次條)의 略字

冂4 〔冊〕6 ㊀산 ㊄諫 | サン まがき
㊁책 ㊇陌 | cè サク ふみ
字解 ㊀ ①울짱산 목책(木冊). '柵, 編竹木爲落也. 亦省'《集韻》. ②울타리고칠산 울타리를 수선함. '一, 編竹木補籬, 謂之一'《集韻》. ㊁ 책책 冊(冂부 3획〈88〉)과 同字.

冂4 〔再〕6 中·人 재 ㊄隊 | zài サイ ふたたび
筆順 一 丁 冂 冃 再 再
字解 ①두번재 거듭. '一三'. '一考'. '一不朝則削其地'《孟子》. ②두번할재 거듭 함. 다시 함. '過言不一'《禮記》.
字源 象形. 하나를 들어 올림으로써 좌우 두 개가 동시에 올라가는 모양을 본뜸.

冂4 〔再〕6 再(前條)의 本字

冂4 〔冎〕6 〔과〕 剮(刀부 9획〈107〉)와 同字
字源 象形. 사람의 살을 발라 내고, 머리 부분까지 갖춘 뼈를 본뜸.

〔同〕 〔동〕 口부 3획(148)을 보라.

〔网〕 〔망〕 部首(1025)를 보라.

冂5 〔冏〕7 人名 경 ㊉青 | jiǒng ケイ あきらか
筆順 丨 冂 冂 冂 冏 冏 冏
字解 빛날경 빛이 남. 밝음. '一光'. '一一秋月明'《江淹》.
字源 象形. ①囧(冏은 변형)은 창문에 빛이 비춰 밝은 모양. ②태양빛이 빛나는 모양.

冂5 〔冑〕7 〔주〕 周(口부 5획〈157〉)의 古字

冂5 〔㒳〕7 〔우〕 雨(部首〈1638〉)의 古字

冂6 〔杲〕8 ㊀조 ㊤巧 | zhǎo
㊁타 | ソウ しげるだ
字解 ㊀ 우거질조 과수(果樹)의 가지가 우거짐. '一, 果木盛生朶也'《玉篇》. ㊁ 朵(木부 2획〈526〉)의 訛字.
參考 杲(木부 4획〈534〉)는 別字.

冂6 〔㚔〕8 〔착〕 㲋(比부 5획〈616〉)의 籀文

冂6 〔冒〕8 冒(次條)의 俗字

冂7 〔冒〕9 高·人 ㊀모 ㊄號 | mào ボウ おかす
㊁묵 ㊇職 | mò ボク·モク ぜんうのな
筆順 丨 冂 冂 日 目 冃 冐 冒 冒
字解 ㊀ ①가릴모 덮어 가림. '一天下之道'《易經》. ②쓰개모, 건모 두건(頭巾). '著黃一'《漢書》. ③시기할모 娼(女부 9획〈257〉)와 同字. '一疾以惡之'《書經》. ④거짓쓸모 가칭(假稱)함. '一名'. '一姓爲衛氏'《漢書》. ⑤탐할모 탐(貪)냄. '一利'. '貪一'. '一於貨賄'《左傳》. ⑥범할모 범을 범함. 참람(僭濫)한 짓을 함. '凌一'. '抵一'. '僭一'. '有一上而無忠下'《國語》. ⑦무릅쓸모 ㉠무릅쓰고 나감. 돌진함. '一進'. '一險'. '張空弮一白刃'《漢書》. ㉡무릅쓰고 침. 돌격함. '直一漢圍'《漢書》. ⑧쓸모 머리에 씀. '被甲一冑'《戰國策》. ⑨옥홀모 瑁(玉부 9획〈776〉)와 통용. '天子執一四寸, 以朝諸侯'《周禮》. ⑩성모 성(姓)의 하나. ㊁ 선우이름묵 '一頓'은 한초(漢初)의 흉노(匈奴)의 유명한 선우(單于).
字源 形聲. 目+曰〔音〕

冂7 〔冑〕9 人名 주 ㊄宥 | zhòu
チュウ かぶと
筆順 冂 冃 由 由 冑 冑 冑 冑
字解 투구주 예전에 군인이 전쟁 때 쓰던 쇠모자. '甲一'. '介一'. '被甲冒一'《戰國策》.
字源 形聲. ①冃+由〔音〕. ②차양이 깊숙한 투구를 본뜸.
參考 冑(肉부 5획〈1071〉)는 別字.

冂8 〔冔〕10 후 ㊉虞 | xǔ ク かんむり

字解 ①덮을후 덮어 가림. ②면류관후 은(殷)나라의 관. '周弁, 殷一, 夏收'《儀禮》.
字源 形聲. 冃+吁〔音〕

冂8 〔冓〕10 구 ㊀宥 | gòu コウ かまえる

字解 ①재목어긋매껴쌓을구. '一, 交積材也'《說文》. ②지밀구 궁중(宮中)의 제일 그윽한 데 있는 침실. '中一之言, 不可道也'《詩經》.
字源 象形. 화톳불을 피울 때에 쓰는 바구니를 본뜸.

冂8 〔冓〕10 冓(前條)의 俗字

冂8 〔冎〕10 〔차〕
次(欠부 2획〈594〉)의 古字

冂9 〔爵〕11 〔작〕
爵(爪부 14획〈733〉)의 古字

冂9 〔冕〕11 人名 면 ㊤銑 | miǎn ベン かんむり

筆順 冂 冃 冃 冐 冕 冕 冕 冕

字解 ①면류관면 대부(大夫) 이상이 쓰는 예관(禮冠). ②성면 성(姓)의 하나.
字源 形聲. 冃+免〔音〕

冂9 〔㒼〕11 ㊀ 만 ㊥寒 ㊁ 면 ㊀霰 | mán バン・マン たいら ベン・メン たいら

字解 ㊀ ①반반할만 뚫린 구멍이 없이 반반한 모양. '一, 平也'《說文》 '一, 無穿孔狀'《廣雅》. ②상할만 '一, 當也'《廣雅》. ③날새려할만 '一, 欲明也'《玉篇》 ④대쪽만 '一奚'은 대쪽. 죽간(竹簡). ⑤성만 성(姓)의 하나. ㊁ 반반할면, 상당할면, 날새려할면, 대쪽면, 성면 ㊀과 뜻이 같음.
字源 會意. 㒳+廿

冂10 〔最〕12 〔최〕
最(曰부 8획〈519〉)의 本字

冂10 〔冤〕12 〔원〕
冤(冖부 8획〈91〉)의 訛字

冂12 〔䍧〕14 〔패〕
䍧(口부 10획〈177〉)와 同字

冂13 〔冒〕15 〔모〕
冒(冂부 7획〈89〉)의 古字

冂20 〔䨺〕22 〔우〕
雨(部首〈1638〉)의 古字

冂20 〔䍦〕22 리 ㊥支 | lí り かおのおおい

字解 ①머리쓰개리 흰 천의 머리쓰개. ②얼굴가리개리 부인이 외출할 때 얼굴을 가리는 제구. '一, 障面具也. 婦人出, 必擁蔽其面. 男子亦用之'《正字通》.

冖 部

〔민갓머리부〕

冖0 〔冖〕2 멱 ㊀錫 | mì ベキ おおう

筆順 冖 冖

字解 덮을멱 보자기로 물건을 덮음. 冪(冖부 14획〈92〉)과 同字.
字源 象形. 덮개의 모양을 본뜸.
參考 부수의 이름으로서, 갓머리 '宀'와 구별하여 '민갓머리'라 이름. '冖'를 의부(意符)로 하여, '덮개, 덮다' 등의 뜻을 포함하는 글자를 이룸.

冖2 〔冗〕4 〔용〕
宂(宀부 2획〈274〉)와 同字

冖2 〔冘〕4 유 ㊥尤 | yóu ユウ ためらう

字解 망설일유 주저함. 머뭇거림. 猶(犬부 9획〈756〉)와 同字
字源 會意. 儿(人)+冖

冖3 〔写〕5 〔사〕
寫(宀부 12획〈285〉)의 略字

冖3 〔写〕5 〔사〕寫(宀부 12획〈285〉)의 簡體字

冖4 〔农〕6 〔농〕
農(辰부 6획〈1487〉)의 簡體字

冖5 〔宜〕7 〔의〕
宜(宀부 5획〈277〉)의 俗字

冖6 〔罙〕8 미 ㊥支 | mí ビ・ミ あまねくゆく

字解 ①무릅쓸미 '一入其阻'《詩經》. ②더욱미 점점. '晉時分州爲十九. 自晉以後, 爲州一多, 所統一狹'《文獻通考》.

冖7 〔冠〕9 高人 관 ①-③㊥寒 ④-⑥㊀翰 | guān カン かんむり guàn カン かぶる

[筆順] 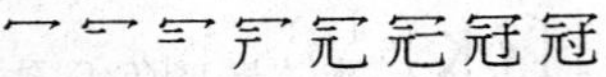

[字解] ①갓관 머리에 쓰는 물건. '一帶'. '一冕'. '裂一毁冕'《左傳》. ②볏관 닭의 볏. 계관(鷄冠). '一距'. '見鳥獸有一角頹胡之制, 遂作冠冕纓蕤, 以爲首飾'《後漢書》. ③성관 성(姓)의 하나. ④갓쓸관 ㉠갓을 씀. '上或時不一'《漢書》. ㉡어른이 되어 관례(冠禮)를 올리고 갓을 씀. '一者'. '昭帝旣一'《漢書》. ⑤어른관 관례를 올린 성인(成人). '一童'. '童一八九人'《張華》. ⑥으뜸관 제일. 수위(首位). '一絕'. '名一三軍'《史記》.

[字源] 形聲. 冖+寸+元〔音〕

冖 7 〔冟〕 9 석 [入]陌 | shì セキ ふできのめし

[字解] ①잘안된밥석 질고 된 것이 뒤섞인, 고르지 않게 지어진 밥. '一, 飯剛柔不調相箸'《說文》. ②알맞게된밥석 질지도 않고 되지도 않게 잘 지어진 밥. '一, 飯堅柔調也'《玉篇》.

[字源] 形聲. 皀+冖〔音〕

冖 7 〔 𠖲 〕 9 〔가〕 叚(又부 7획〈143〉)의 古字

〔軍〕 〔군〕 車부 2획(1460)을 보라.

冖 8 〔冡〕 10 몽 [平]東 | méng ボウ おおう

[字解] 덮을몽 蒙(艸부 10획〈1165〉)과 통용.

[字源] 會意. 冃+豕

[參考] 冢(次條)과는 別字.

冖 8 〔冢〕 10 총 [上]腫 | zhǒng チョウ つか

[字解] ①무덤총 뫼. 분묘(墳墓). '一塋'. '古一'. '還祭黃帝一'《史記》. ②봉토(封土)총 흙을 높이 쌓아올린 것. '乃立一土'《詩經》. ③산꼭대기총 산정(山頂). '山一崒崩'《詩經》. ④언덕총 구롱(丘壟). '卽堆一而流眄'《沈約》. ⑤클총 大(部首)와 뜻이 같음. '一宰'. '一君'. ⑥맏총 長(部首)과 뜻이 같음. '一子'. '一嫡'.

[字源] 形聲. 冖+豕〔音〕

[參考] 冡(前條)과는 別字.

冖 8 〔冤〕 10 원 [平]元 | yuān エン あだ

[字解] ①원통할원 억울함. 억울하게 죄를 받음. '一刑'. '嗟乎一哉, 烹也'《史記》. ②원죄원 억울한 죄. '于定國爲廷尉, 民自以不一'《漢書》. ③원한원, 원수원 '此乃宿世一也, 宜遠避之'《續韻府》. ④성원 성(姓)의 하나.

[字源] 會意. 冂+兔

[參考] 寃(宀부 8획〈282〉)은 俗字. 일설에는 同字.

冖 8 〔冥〕 10 [高·人] 명 [平]青 | míng メイ くらい

[筆順] 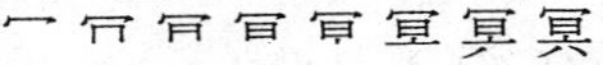

[字解] ①어두울명 ㉠밝지 아니함. '一一'. '一晦'. '窈兮一兮'《老子》. ㉡사리에 밝지 못함. '一昧'. '一頑不靈'《韓愈》. ㉢시력(視力)이 약함. '年高目一'《後漢書》. ②그윽할명 심원(深遠)함. '一數'. '一遠'. '窮一極遠'《揚雄》. ③어릴명 나이가 어림. 유치함. '一, 幼也'《爾雅》. ④밤명 어두운 밤. 一當寢兮不能安'《蔡琰》. ⑤하늘명 天(大부 1획〈231〉)과 뜻이 같음. '青一'. '升虛凌一'《劉向》. ⑥바다명 溟(水부 10획〈669〉)과 同字. '北一有魚'《莊子》. ⑦저승명 황천(黃泉). '一土'. '一府'. '追奉一福'《北史》. ⑧성명 성(姓)의 하나.

[字源] 形聲. 日+六+冖〔音〕

冖 8 〔冣〕 10 취 [去]遇 | jù シュ あつめる

[筆順] 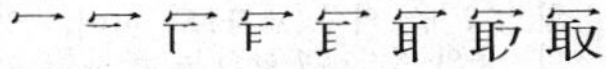

[字解] 모을취 취합(聚合)함. 쌓아 모음. '一, 積也'《說文》.

[字源] 形聲. 冖+取〔音〕

[參考] 자형(字形)이 비슷해서, 最(曰부 8획〈519〉)로 오용(誤用)됨.

冖 8 〔冦〕 10 〔구〕 寇(宀부 8획〈281〉)의 俗字

冖 9 〔冨〕 11 〔부〕 富(宀부 9획〈282〉)의 俗字

冖 10 〔託〕 12 투 [去]遇 | dù タ·ト おく

[字解] 놓을투 술잔을 땅 위에 놓음. '三宿, 三祭, 三一'《說文》.

[字源] 形聲. 冖+託〔音〕

冖 10 〔冢〕 12 〔가〕 家(宀부 7획〈279〉)의 古字

冖 10 〔冪〕 12 〔멱〕 冪(冖부 14획〈92〉)의 俗字

冖 12 〔寫〕 14 〔사〕 寫(宀부 12획〈285〉)의 俗字

〔鼏〕 〔멱〕 鼎부 2획(1872)을 보라.

冖14 〔冪〕16 멱 [入]錫 | mì ベキ おおう

[字解] ①덮을멱 보로 덮어 가림. 冖(部首)·冪(网부 14획〈1032〉)과 同字. '掌共巾—'《周禮》. ②보멱 덮는 헝겊. '疏布以—. (注)—, 覆尊也'《禮記》.
[字源] 形聲. 幕+冖〔音〕

冖14 〔⿱冖⿰巠古〕16 〔고〕 古(口부 2획〈146〉)의 古字

冫 部
〔이수변부〕

冫0 〔冫〕2 빙 [平]蒸 | bīng ヒョウ こおり
[筆順] 冫
[字解] 얼음빙 冰(冫부 4획〈92〉)과 同字.
[字源] 象形. 얼음의 결정(結晶)을 본뜸.
[參考] '氵'를 삼수(三水)라 하는 데 대하여, '冫'이 2획이므로 속(俗)에 이수(二水)라 함. '冫'을 의부(意符)로 하여, '얼다, 춥다' 등의 뜻을 포함하는 글자를 이룸.

冫1 〔习〕3 〔습〕 習(羽부 5획〈1041〉)의 簡體字

冫3 〔冬〕5 [中·人] 동 [平]冬 | dōng トウ ふゆ
[筆順] ノ ク 夂 冬 冬
[字解] ①겨울동 사계(四季)의 최후로 가장 추운 계절. 음력 시월·동짓달·섣달의 석 달. '—季'. '—眠'. '—, 四時盡也'《說文》. ②겨울지낼동 겨울을 경과함. '土地苦寒, 漢馬不能—'《史記》. ③성동 성(姓)의 하나.
[字源] 會意. ①金文·古文은 日+夂. ②篆文은 夂+仌

冫4 〔冱〕6 호 [去]遇 | hù ゴ こおる
[字解] ①얼호 얼음이 얾. '—寒'. '河漢—而不能寒'《莊子》. ②추위호 한기(寒氣). '積雪增—'《于邵》.
[字源] 形聲. 冫(仌)+互〔音〕

冫4 〔冴〕6 冱(前條)의 俗字

冫4 〔冴〕6 冱(前前條)의 俗字

冫4 〔冰〕6 〔빙〕 氷(水부 1획〈624〉)의 本字

冫4 〔冲〕6 [人名] 〔충〕 沖(水부 4획〈632〉)과 同字
[筆順] 丶 冫 冫 冂 冂 冲

冫4 〔沁〕6 〔침〕 浸(氵부 7획〈93〉)과 同字

冫4 〔决〕6 〔결〕 決(水부 4획〈629〉)의 俗字

冫4 〔次〕6 〔차〕 次(欠부 2획〈594〉)의 訛字

冫5 〔冶〕7 [人名] 야 [上]馬 | yě ヤ とかす, いる
[筆順] 丶 冫 冫 冶 冶 冶 冶
[字解] ①대장간야 시우쇠를 다루는 곳. '鑪—'. '—坊'. '蚩尤造九—'《尸子》. ②대장장이야 '—工'. '—人'. '以造化爲大—'《莊子》. ③주물야 쇠붙이를 녹여서 만든 그릇. '銘昆吾之—'《後漢書》. ④불릴야 쇠붙이를 녹여 주조(鑄造)함. '—金'. '閩越王—鑄地'《宋書》. 전(轉)하여, 정련(精鍊)함. '陶—賴詩篇'《杜甫》. ⑤요염할야 탐타스럽게 아름다움. 또, 요염하게 단장을 함. '艷—'. '—佳'. '—容誨淫'《易經》. ⑥성야 성(姓)의 하나.
[字源] 形聲. 冫(仌)+台〔音〕

冫5 〔冷〕7 [中·人] 랭 ①-⑤[上]梗 ⑥[平]青 | lěng レイ つめたい | líng レイ こおる
[筆順] 丶 冫 冫 冫 冷 冷 冷
[字解] ①찰랭 ㉠추움. '—風'. '寒—鴻飛疾'《唐太宗》. ㉡마음이 참. 박정(薄情)함. '—酷'. '—淡'. '楊朱之侶, 世謂—腸'《顏氏家訓》. ②맑을랭 깨끗함. '—淸'. '心淸—其若水'《梁武帝》. ③쓸쓸할랭 적적함. '—巷'. '切切夜閨—'《徐彥伯》. ④식힐랭 차게 함. '燒斧勿令—'《後漢書》. ⑤성랭 성(姓)의 하나. ⑥얼랭 얼음이 얾. '露凄淸以凝—'《潘岳》.
[字源] 形聲. 冫(仌)+令〔音〕

冫5 〔泮〕7 반 [去]翰 | pàn ハン とける
[字解] 녹을반 얼음이 녹음. '迨冰未—'《詩經》.
[字源] 形聲. 冫(仌)+半〔音〕

冫5 〔泼〕7 [一] 불 [入]物 fú フツ さむい
[二] 발 [入]月 fú ハツ さむい

[字解] [一] 찰불 찬 바람. '滭—'. [二] 찰발 [一]과 뜻이 같음.
[字源] 形聲. 冫(仌)＋犮〔音〕

冫5 〔况〕7 〔황〕況(水부 5획〈636〉)의 俗字·簡體字
[參考] 冴(二부 5획〈27〉)과는 別字.

冫6 〔冽〕8 [人名] [一] 렬 [入]屑 liè レツ さむい
[二] 례 [去]霽 liè レイ きよい

[筆順] 丶 冫 冫 冫 冽 冽 冽 冽
[字解] [一] 찰렬 ㉠대단히 참. 퍽 추움. '寒—'. '——氣遂嚴'《陶潛》. ㉡물이 참. '—泉'. '有—氿泉'《詩經》. [二] 맑을례 깨끗함. '—寒泉食'《易經》.
[字源] 形聲. 冫(仌)＋列(𠛱)〔音〕
[參考] 洌(水부 6획〈641〉)과는 본래 別字이나, 통하여 쓰임.

冫6 〔洛〕8 학 [入]藥 hè カク こおる
[字解] 얼학 얼음이 어는 모양. '冰凍兮—澤'《楚辭》.

冫6 〔洫〕8 洫(水부 6획〈643〉)·侐(人부 6획〈48〉)의 訛字

冫7 〔浗〕9 구 [平]尤 qiú キュウ こごえる
[字解] 곱을구 손발이 얼어 곱은 모양. '漻—'.

冫7 〔浸〕9 침 ①[平]侵 qīn シン ひややか
②[去]沁 qìn シン ひややかなき

[字解] ①찰침 차가움. '—, 冷也'《集韻》. ②찬기운침 냉기(冷氣)·沁(冫부 4획〈92〉)과 同字. '—, 冷氣. 或从心'《集韻》.

冫7 〔浰〕9 〔렬〕冽(冫부 6획〈93〉)과 同字

冫7 〔浼〕9 〔매〕浼(水부 7획〈649〉)의 俗字

冫8 〔凄〕10 처 [平]齊 qī セイ さむい
[字解] ①찰처, 서늘할처 날씨가 차거나 서늘한 모양. '——'. '—其以風'《詩經》. ②쓸쓸할처 적적함. '—涼'. '秋日—且厲'《陶潛》.
[字源] 形聲. 冫(仌)＋妻〔音〕
[參考] 淒(水부 8획〈660〉)와 통용.

冫8 〔凊〕10 정(청[本]) [去]敬 jìng セイ すずしい
[字解] 서늘할정 '冬溫而夏—'《禮記》. ※本音 청.
[字源] 形聲. 冫(仌)＋青〔音〕

冫8 〔凋〕10 조 [平]蕭 diāo チョウ しぼむ
[字解] ①시들조 한기(寒氣)를 만나 시듦. '—枯'. '—落'. '莖弱易—'《盧諶》. ②느른할조 힘빠짐. '今秦有敝甲—兵'《史記》. ③성조 성(姓)의 하나.
[字源] 形聲. 冫(仌)＋周〔音〕

冫8 〔凌〕10 릉 [平]蒸 líng リョウ こおり
[字解] ①얼음릉 두꺼운 얼음. 적빙(積氷). '未央宮—室'《漢書》. ②얼음곳간릉 얼음을 저장하는 곳간. '—人'. '氷—'. ③떨릉 전율(戰慄)함. '—兢'. '虎豹之—遽'《漢書》. ④건널릉 건너감. '—水經地'《史記》. ⑤범할릉, 업신여길릉 陵(阜부 8획〈1617〉)과 통용. '—侮'. '—辱'. '—霜不凋'《十六國春秋》. ⑥성릉 성(姓)의 하나.
[字源] 形聲. 冫(仌)＋夌〔音〕

冫8 〔凍〕10 [高·人] 동 [去]送 dòng
[平]東 dōng トウ こおる

[筆順] 冫 冫 冫 沪 沪 洹 凍 凍 凍
[字解] ①얼동 ㉠얼음이 얾. '孟冬地始—'《禮記》. ㉡추위로 감각을 잃음. '—死'. '父母—餓, 兄弟妻子離散'《孟子》. ②얼음동 '雹—傷穀'《禮記》.
[字源] 形聲. 仌(冫)＋東〔音〕

冫8 〔凅〕10 고 [去]遇 gù コ こおる
[字解] 얼고 얼음이 얾. '—陰沍寒'《張衡》.
[字源] 形聲. 冫(仌)＋固〔音〕

冫8 〔凇〕10 송 [平]冬 sōng ショウ つらら
[去]送 sòng ソウ つらら

[字解] 상고대송 서리가 나무에 내려 눈같이 된 것. '月澹千門霧—寒'《曾鞏》.

冫8 〔涬〕10 행 [上]迥 xìng ケイ·ギョウ さむい
[字解] 찰행 '——'은 찬 모양. '—, —冷, 寒也'《集韻》.

冫8 〔凉〕10 〔량〕涼(水부 8획〈653〉)의 俗字

冫8〔准〕10 人名 준 ㊤軫|zhǔn ジュン のり

筆順 冫 冫' 冫' 㳄 㳇 准 准

字解 ①허가할준 승인함. '批一'. ②본받을준 모범으로 삼음. 본뜸. '一據'. ③법도준 표준. 모범. '孝敬之一式, 人倫之師友'《蕭統》. ④수준기준 수평(水平)을 재는 기계(器械). '一繩'. ⑤평평할준 수평(水平)함. ⑥과녁준 표적(標的). '一的'.
字源 形聲. 冫(仌)+隹〔音〕
參考 ①'准'은 準(水부 10획〈669〉)의 俗字이지만, '批一'·'一將'·'一尉' 등은 흔히 이 자(字)를 씀. ②淮(水부 8획〈656〉)는 別字.

冫8〔凈〕10 정 ㊥庚|jìng ソウ ひややか
字解 찰정 차가움. '一, 冷皃'《集韻》.
參考 속(俗)에, 淨(水부 8획〈656〉)과 통용.

冫8〔㓐〕10 〔렬〕 冽(冫부 6획〈93〉)의 本字

冫8〔凾〕10 〔함〕 凾(冫부 10획〈94〉)의 俗字

冫9〔凑〕11 〔주〕 湊(水부 9획〈664〉)의 俗字·簡體字

冫9〔减〕11 〔감〕 減(水부 9획〈661〉)의 俗字

〔飡〕 〔손〕 食부 2획(1713)을 보라.

冫10〔滄〕12 창 ㊥陽|cāng ソウ さむい
字解 찰창 한랭(寒冷)함. '一一'. '天地之間, 有一熱'《逸周書》.
字源 形聲. 冫(仌)+倉〔音〕

冫10〔凒〕12 의 ㊥微|ái ガイ·ギ しろい
字解 눈서리쌓일의 눈이나 서리 등이 쌓여 흰 모양.
字源 形聲. 冫(仌)+豈〔音〕

冫10〔溓〕12 렴 ㊤琰|liǎn レン うすごおり
字解 살얼음렴 얇은 얼음.

冫10〔凓〕12 률 ㊇質|lì リツ さむい
字解 찰률 몹시 추움. '一, 一冽, 寒皃'《玉篇》.
字源 形聲. 冫(仌)+栗(㮚)〔音〕

冫10〔涵〕12 함 ㊥覃|hán カン さむい
字解 찰함 추운 모양. '一, 寒皃'《廣韻》.
字源 形聲. 冫(仌)+函〔音〕

冫10〔溟〕12 명 ㊤迥|mǐng ミョウ こおる
字解 ①얼명 어는 모양. '一, 凍皃'《集韻》. ②찰명 추운 모양. '一, 寒貌'《字彙補》.

冫10〔凖〕12 〔준〕 準(水부 10획〈669〉)의 俗字

〔馮〕 〔빙〕 馬부 2획(1735)을 보라.

冫11〔滭〕13 필 ㊇質|bì ヒツ つめたい
字解 바람찰필 '一, 風寒也'《說文》.
字源 形聲. 冫(仌)+畢〔音〕

冫11〔凗〕13 최 ㊥灰|cuī サイ つもりあつまる
字解 눈서리쌓일최 눈이나 서리가 쌓여 흰 모양. '霜雪兮一凒'《楚辭》.

冫11〔漻〕13 류 ㊥尤|liú リュウ こごえる
字解 곱을류 손발이 얼어 곱은 모양. '一浗'. '一, 一一, 手足凍皃'《集韻》.

冫11〔㚵〕13 〔동〕 冬(冫부 3획〈92〉)의 古字

冫12〔凘〕14 시 ㊥支|sī シ こおり
字解 석얼음시 물 위에 떠 있는 얼음. '春一'. '河水流一, 無船不可濟'《後漢書》.
字源 形聲. 冫(仌)+斯〔音〕

冫12〔潔〕14 〔결〕 潔(水부 12획〈682〉)의 俗字

冫12〔㴽〕14 〔인〕 印(卩부 4획〈131〉)의 古字

冫13〔凜〕15 人名 름 ㊤寝|lǐn リン さむい

筆順 冫 冫' 冫亠 冫亩 凛 凛 凛 凜 凜

字解 ①찰름 몹시 추움. '一冬'. '一寒'. '遺涼淸且一'《陸機》. ②늠름할름 위풍(威風)이 있는 모양. '一然'. '一嚴'. '一以爭先'《溫子昇》.
字源 形聲. 冫(仌)+稟〔音〕

冫 13〔凛〕15 凜(前條)의 俗字

冫 13〔凚〕15 금 [上]寢|jìn キン こごえる
[字解] ①몹시추울금 '一, 寒極也'《玉篇》. ②추워서떠는모양금 '一, 寒戰貌'《正字通》.

冫 13〔澤〕15 탁 [入]藥|duó タク こおる, つらら
[筆順] 冫 冫冖 冫罒 冫罒 冫罣 冫睪 冫睪 澤
[字解] ①얼탁 물이 얾. '水凍兮洛一'《楚辭》. ②고드름탁 빙주(氷柱). '今呼簷冰爲一'《通俗篇》.

冫 13〔凜〕15 〔률〕 溧(冫부 10획〈94〉)의 本字

冫 14〔凝〕16 [高·人] 응 [平]蒸|níng ギョウ こる
[筆順] 冫 冫' 冫ヒ 冫ヒ 冫矣 冫疑 凝 凝
[字解] ①얼응 얼음이 얾. '一氷'. '一澌'. '履霜堅冰, 陰始一也'《易經》. ②엉길응 ㉠응결(凝結)함. '一固'. '一縮'. '膚如一脂'《詩經》. ㉡한데 모임. 열중(熱中)함. '相顧思皆一'《鄭谷》. ③굳힐응 응고시킴. 견고하게 함. '一土以爲器'《周禮》. ④모을응 눈 또는 마음을 한군데에 집중함. '一視'. '以一思'《陸機》. ⑤정할응 결정함. '君子以正位一命'《易經》. ⑥이룰응 성사(成事)함. '庶績其一'《書經》. ⑦막을응 억지(抑止)함. '一氾濫兮'《楚辭》. ⑧엄할응 준엄(峻嚴)함. '典一如冬'《淮南子》. ⑨바를응 단정함. '端一'. '體局貞一'《上官儀》. ⑩찰응 추움. '其候一肅'《素問》. ⑪끌응 음조(音調)가 느리고 길게 끎. '一笳翼高蓋'《謝玄暉》.
[字源] 形聲. 冫(仌)+疑〔音〕

冫 14〔凞〕16 [人名] 희 [平]支|xī キ やわらぐ
[筆順] 冫 冫 冫 冫 冫 冫 冫 冫熙 凞
[字解] 화할희 '一, 和也'《字彙補》.
[字源] 形聲. 冫(仌)+熙〔音〕

冫 16〔瀨〕18 뢰 [去]泰|lài ライ さむい
[字解] 찰뢰 한랭(寒冷)함. '一, 說文, 寒也'《集韻》.
[字源] 形聲. 冫(仌)+賴〔音〕

冫 16〔凜〕18 〔름〕 凜(冫부 13획〈94〉)의 本字

几　部

〔안석궤부〕

几 0〔几〕2 궤 [上]紙|jī, ③jǐ キ ひじかけ
[筆順] 丿 几
[字解] ①안석궤 앉을 때에 몸을 기대는 제구. '隱一'. '憑玉一'《書經》. ②책상궤 机(木부 2획〈525〉)와 同字. '一案'. '一硯'. '或肆之筵, 或授之一'《詩經》. ③진중할궤 점잖고 침착한 모양. '赤舃一一'《詩經》.
[字源] 象形. 다리가 뻗어 있고 안정되어 있는 책상을 본뜸.
[參考] '几'를 의부(意符)로 하여, 책상의 뜻을 포함하는 글자를 이루지만, 그 예는 적음.

几 0〔几〕2 수 [平]虞|shū シュ とぶ
[字解] ①날수 날개가 짧은 새가 나는 모양. '一, 鳥之短羽飛一一也'《說文》. ②창자루수 자루뿐 날이 없는 창.
[字源] 象形. 새가 짧은 날개로 날고 있는 모양을 본뜸.
[參考] 儿(部首)·几(部首·前條)는 別字.

几 1〔凡〕3 [中·人] 범 [平]咸|fán ボン·ハン およそ
[筆順] 丿 几 凡
[字解] ①대강범 개요(概要). 대략. '一例'. '請略擧一'《漢書》. ②범상할범 보통임. 심상(尋常)함. '一人'. '一常'. '才能不過一庸'《史記》. ③범인범 보통 사람. 또, 속인(俗人). '一聖一如'. '聖人之形, 必異於一'《范縝》. ④속계범 이 세상. 진세(塵世). '塵一'. '物外尋眞頓離一'《趙抃》. ⑤무릇범 대컨. 대저. '一爲天下國家有九經'《中庸》. ⑥성범 성(姓)의 하나.
[字源] ①象形. 돛의 모양을 본뜸. ②會意. 二(짝수)와 几(뭉뚱그림)와의 합자.

几 1〔凢〕3 凡(前條)의 俗字

几 2〔凤〕4 〔봉〕 鳳(鳥부 3획〈1811〉)의 俗字·簡體字

几 3〔凨〕5 진 [上]軫 [去]震|zhěn シン とぶ

[字解] 날진 날개가 새로 돋아 낢. 새 새끼가 처음으로 보금자리를 떠나 낢. '一, 新生羽而飛'《說文》.
[字源] 會意. 几＋彡

几 3 〔処〕5 〔처〕
處(虍부 5획〈1213〉)의 俗字

几 3 〔凥〕5 거 [平]魚 | jū キョ おる
[字解] 있을거 居(尸부 5획〈297〉)의 本字. '一, 處也'《說文》.
[字源] 會意. 尸(𡰣)＋几

几 3 〔凪〕5 우 [平]尤 | yōu ウ かぜ
[字解] 바람우 '一, 風也'《字彙補》.

几 4 〔凬〕6 〔풍〕
風(部首〈1703〉)의 俗字

〔夙〕 〔숙〕
夕부 3획(229)을 보라.

几 5 〔凮〕7 〔풍〕
風(部首〈1703〉)의 古字

几 6 〔凨〕8 〔풍〕
風(部首〈1703〉)의 古字

几 6 〔凭〕8 빙 [平]蒸 | píng ヒョウ もたれる
[字解] 기댈빙 의지함. '一欄'. '危檻不堪一'《孟貫》.
[字源] 會意. 任＋几
[參考] 凴(几부 12획〈96〉)과 同字.

几 6 〔𠘧〕8 극 [入]陌 | jù ケキ うむ
[字解] 게으를극 권태를 느낌. '倦一受詘'《漢書》.

几 6 〔凬〕8 〔호〕
虎(虍부 2획〈1213〉)의 俗字

几 7 〔凫〕9 〔부〕
鳧(鳥부 2획〈1809〉)의 俗字

〔風〕 〔풍〕
部首(1703)를 보라.

几 9 〔凰〕11 [人名] 황 [平]陽 | huáng コウ·オウ おおとり
[筆順] 几 几 凡 凨 凮 凰 凰
[字解] 봉새황 봉황(鳳凰)새의 암컷. '鳳兮鳳兮求其一'《古詩》.
[字源] 形聲. 几＋皇〔音〕

几 9 〔凥〕11 〔처〕
處(虍부 5획〈1213〉)의 俗字

几 10 〔凱〕12 [人名] 개 [上]賄 | kǎi ガイ かちどき
[筆順] ' 屮 屮 豈 豈 豈 剴 凱
[字解] ①싸움이긴풍류개 승전(勝戰)했을 때 아뢰는 음악. 전승곡. '一歌'. '一旋'. '振旅一以入于晉'《左傳》. 또, 승전하였을 때 외치는 환호성. '六軍張一聲如雷'《劉克莊》. ②이길개 승전(勝戰)함. '我是以班師一歸'《梁元帝》. ③착할개 마음이 착함. 또, 그 사람. '高陽氏有才子八人, 謂之八一'《史記》. ④화할개 온화함. 화락함. '一弟'. '一風自南'《詩經》. ⑤즐겨할개 좋아함. '天下旣平, 天子大一'《漢書》.
[字源] 形聲. 几＋豈〔音〕

〔鳳〕 〔봉〕
鳥부 3획(1811)을 보라.

几 12 〔凳〕14 등 [去]徑 | dèng トウ こしかけ
[字解] 걸상등 의자. '高而可凭者, 爲几爲桌, 低而可坐者, 爲椅爲一'《品字箋》.
[字源] 形聲. 几＋登〔音〕

几 12 〔凴〕14 〔빙〕
凭(几부 6획〈96〉)과 同字

凵 部
〔위터진입구부〕

凵 0 〔凵〕2 감 [上]歉 [去]勘 | qiǎn カン くちをはる
[筆順] 𠃊 凵
[字解] ①입벌릴감 입을 벌림. ②위터진그릇감 물건을 담는 기구(器具).
[字源] 象形. 함정의 모양을 본뜸.
[參考] '凵'의 용례는 없으며, 부수로 쓰임. 부수로서는 '위터진입구'로 이름.

凵 0 〔凵〕2 거 [平]魚 | qū キョ めしびつ
[字解] 밥통거 버드나무 가지로 만들어, 위쪽이 약간 오무라든 밥통. 거로(凵盧). '一, 一盧, 飯器, 吕柳爲之'《說文》
[字源] 象形. 버드나무 가지로 만든 식기의

모양을 본뜸.

凵1 〔𠙴〕3 〔구〕
口(部首〈144〉)의 古字

凵2 〔凶〕4 [中·人] 흉 [平]冬 [上]腫 | xiōng キョウ·ク わるい

[筆順] ノ メ 区 凶

[字解] ①흉할흉 ㉠길(吉)하지 아니함. '一兆'. '明吉一'《易經》. ㉡사람이 죽음. '一報'. '一衣'. ②흉년들흉 곡식이 잘 여물지 않음. '一豐'. '一年不免於死亡'《孟子》. ③흉악할흉 포악(暴惡)함. '一逆'. '一徒'. '天之一民'《顔氏家訓》. ④흉한흉 흉악한 사람. 악한. '一手'. '夷一剪亂'《陸機》. ⑤재앙흉 재화(災禍). '一災'. '一禍'. ⑥요사흉 일찍 죽음. '一日一短折'《書經》. ⑦두려워할흉 兇(儿부 4획〈81〉)·恟(心부 6획〈388〉)과 통용. '敵人入而一'《國語》.
[字源] 指事. 죽은 사람의 가슴에 표시된 불길한 표를 뜻함.

凵2 〔𠙹〕4 〔신〕
囟(口부 3획〈195〉)의 古字

凵3 〔出〕5 [中·人] 출 [入]質 | chū シュツ·スイ でる, いでる

[筆順] 丨 凵 屮 出 出

[字解] ①날출 산출함. 생산함. '一産'. '鱸一吳中, 淞江尤盛'《古文眞寶 註》. ②나갈출 ㉠집 또는 나라 밖으로 나감. '一入'. '一國'. '弟子入則孝, 一則弟'《論語》. ㉡떠남. '死徙無一鄕'《孟子》. ㉢전진함. '五將軍分道而一'《漢書》. ㉣감. '始以強壯一, 及還須髮盡白'《十八史略》. ㉤물러남. 자리를 뜸. '侍坐者請一矣'《小學》. ㉥수중에서 떠남. 없어짐. '貨悖而入者亦悖而一'《大學》. ㉦벼슬을 함. '一仕'. '去就一處'. '或一或處'《易經》. ㉧지방관이 되어 부임함. '一將入相'. '一爲永嘉太守'《宋書》. ③나올출 ㉠속에서 바깥으로 나타남. '使遂蚤得處囊中, 乃穎脫而一'《史記》. ㉡나타나 보임. '一沒'. '一現'. '水落而石一者, 山間之四時也'《歐陽修》. ㉢생각이 나옴. '是計將安一'《史記》. ㉣발생함. 일어남. '萬物一于震'《易經》. ④뛰어날출 출중함. '邁一'. '古之聖人, 其一人也遠矣'《韓愈》. ⑤달아날출 도망함. '一奔'. '公子虔之徒, 告鞅欲反, 鞅一亡'《十八史略》. ⑥낼출 ㉠밖으로 나오게 함. '利用一入'《易經》. ㉡생각하여 냄. 작성함. '無所一其計'《戰國策》. ㉢줌. '是我一地於秦, 取償於齊也'《史記》. ⑦내보낼출 돌려 보냄. '秦王一楚王以爲和'《戰國策》. ⑧내칠출 쫓음. 물리침. '一妻'. '遂一武穆之族'《左傳》. ⑨나타낼출 뛰어나게 함. '一一頭地'《宋史》. ⑩게울출 토함. '要嘔一心'《唐書》. ⑪자손출 후예. '帝母鮮卑一也'《十八史略》. ⑫처남출 처의 형제. '康公我之自一也'《左傳》.
[字源] 象形. 발〔止〕이 움푹 팬 곳에서 나오는 모양을 본뜸.

凵3 〔凷〕5 괴 [去]隊 | kuài カイ·ケ つちくれ

[字解] 흙덩이괴 塊(土부 10획〈215〉)와 同字. '九河盈溢, 非一一所能防'《蔡邕》.
[字源] 會意. 土+凵

凵3 〔凹〕5 요 [平]肴 | āo オウ くぼむ

[筆順] 丨 𠃊 𠙴 凹 凹

[字解] 오목할요 가운데가 오목하게 들어감. '凸'의 대(對). '一凸'. '一面鏡'.
[字源] 象形. 가운데가 오목한 모양을 본뜸.

凵3 〔凸〕5 철 [入]月 | tū トツ つきでる

[筆順] 丨 ㅓ 𠂇 凸 凸

[字解] 볼록할철 가운데가 볼록하게 내밂. '凹'의 대(對). '凹一'. '一面鏡'.
[字源] 象形. 가운데가 볼록 내민 모양을 본뜸.

凵3 〔甾〕5 사 [平]支 | zī シ ほとぎ

[字解] ①장군사 음료(飲料)를 담는 질그릇. '東楚名缶曰一, 象形也'《說文》. ②바구니사 '一, 竹器. 象形'《六書正譌》.
[字源] 象形. 주둥이가 벌어지고 잘록한 질그릇 모양을 본뜸.
[參考] 甴(次次條)는 古字.

凵3 〔𠙻〕5 〔왕〕
王(部首〈766〉)의 古字

凵4 〔甴〕6 甾(前前條)의 古字

凵4 〔𠚅〕6 〔신〕
囟(口부 3획〈195〉)의 本字

凵6 〔函〕8 [人名] 함 ①-③[平]覃 ④-⑥[平]咸 | hán カン·ゴン よろい カン·ゲン はこ

[筆順] 一 了 了 了 孑 孒 函 函

[字解] ①휩쌀함 포용(包容)함. '一, 叚借爲

含'《說文通訓定聲》. ②넣을함 용납함. '席閒一丈'《禮記》. ③갑옷함 예전에 싸움을 할 때 입던 옷. '一工'. '一人惟恐傷人'《孟子》. ④글월함 편지. '書一'. '貴一'. ⑤상자함, 갑함 문서 등을 넣어 두는 조그마한 상자. '一蓋'. '一底'. '竟達空一'《晉書》. ⑥상자에 넣을함 '守緖自經死, 一其首送于宋'《十八史略》.
字源 象形. 화살을 넣는 동개에 화살이 들어 있는 모양을 본뜸.

凵6 〔凼〕8 〔유〕 幽(幺부 6획〈342〉)의 俗字

凵6 〔凿〕8 〔치〕 齒(部首〈1884〉)의 簡體字

凵7 〔凾〕9 〔함〕 函(凵부 6획〈97〉)의 俗字

凵7 〔凿〕9 〔치〕 齒(部首〈1884〉)의 古字

凵7 〔函〕9 〔삽〕 臿(臼부 3획〈1104〉)의 訛字

凵10 〔㓅〕12 도 ㊥豪 tāo トウ うつわ
字解 그릇도 고대(古代)의 그릇.
字源 形聲. 曲+舀〔音〕

凵10 〔凿〕12 〔치〕 齒(部首〈1884〉)의 俗字

凵10 〔凿〕12 〔착〕 鑿(金부 20획〈1591〉)의 簡體字

凵11 〔㓁〕13 곡 ㊀沃 qū キョク まがる
字解 구부러질곡, 구부릴곡 뼈가 굽음. 또, 구부림. '一, 骫曲也'《說文》.
字源 象形. 대나무나 갈대 따위를 구부려서 만든 그릇의 모양을 본뜸.

凵17 〔㓅〕19 〔도〕 㓅(凵부 10획〈98〉)의 本字

刀 (刂) 部
〔칼 도 부〕

刀0 〔刀〕2 中·人 도 ㊥豪 dāo トウ かたな
筆順 ㇆ 刀
字解 ①칼도 도검(刀劍). '一兵'. '短一'. '未能操一而使割也'《左傳》. ②거루도 거룻배. 칼 모양의 작은 배. '誰謂河廣, 曾不容一'《詩經》. ③돈이름도 칼 모양의 돈. '一幣'. '黃帝採首山之銅, 始鑄爲一'《初學記》. ④성도 성(姓)의 하나.
字源 象形. 칼의 모양을 본뜸.
參考 '刀'는 部首로서 '칼 도'라 이름. 자형(字形)의 오른쪽에 놓이어 방(旁)으로도 드물게 쓰이나, 방(旁)으로서는 주로 '刂'가 쓰이며, '刀·刂'를 의부(意符)로 하여 '날붙이, 베다'의 뜻을 포함하는 글자를 이룸.

刀0 〔刂〕2 刀(前條)와 同字
筆順 ㅣ 刂
參考 '刀'가 글자의 방(旁)에 있을 때의 자형(字形). '칼도방'·'선칼도'라 이름.

刀0 〔刁〕2 조 ㊥蕭 diāo チョウ どら
字解 ①조두(刁斗)조 구리로 만든 솥 같은 기구. 군중(軍中)에서 낮에는 음식을 만들고, 밤에는 이것을 두드려 경계하는 데 썼음. '不擊一斗自衛'《漢書》. ②성조 성(姓)의 하나.
字源 指事. '刀도'의 한 획을 변형시켜서, '조'의 음을 나타냄.
參考 '刁'는 '刀도'의 속된 오자(誤字)라고도 함.

刀0 〔㓚〕2 〔도〕 刀(部首〈98〉)의 篆文

刀1 〔刃〕3 人名 인 ㊀震 rèn ジン は
筆順 ㇆ 刀 刃
字解 ①칼날인 칼의 날. '刀一'. '白一可踏也'《中庸》. ②칼인 도검(刀劍) 및 기타 날이 있는 무기. '兵一'. '挺一交兵'《孔子家語》. ③벨인 칼로 베거나 찌름. '自一'. '拔刀將手一之'《晉書》.
字源 指事. 칼〔刀〕의 날 부분을 '丶주'라는 기호를 덧붙여 나타냄.
參考 刄(次條)·刅(次次條)은 俗字.

刀1 〔刄〕3 刃(前條)의 俗字

刀1 〔刅〕3 刃(前前條)의 俗字

刀 2 〔刅〕4 〔창〕
創(刀부 10획〈108〉)과 同字

刀 2 〔⿰刀刀〕4 [一] 从(人부 2획〈31〉)의 古字
[二] 剝(刀부 8획〈106〉)의 古字

刀 2 〔切〕4 [高·人] [一] 체 [去]霽 | qì サイ すべて
[二] 절 [入]屑 | qiè, ①qiē サツ きる

[筆順] 一 七 切 切

[字解] [一] 온통체 전부. '一一'. [二] ①벨절 칼로 벰. 썲. 저밈. '一開'. '一斷'. '一之爲膾'《禮記》. ②절박할절 매우 가까이 닥침. '一迫'. '州期一促'《後漢書》. ③정성스러울절 성실(誠實)함. '一愨'. '親一'. '其言之也一'《中庸章句 序》. ④종요로울절 필요함. 또, 요점(要點). '客自覽其一焉'《揚雄》. ⑤진맥할절 맥을 봄. '不待一脈'《史記》. ⑥문지방절 문 아래 문설주 사이에 가로놓인 나무. '一皆銅沓冒黃金塗'《漢書》. ⑦반절절 한자(漢字)의 음(音)을 표시하는 법(法). '反一'. ⑧간절히절 절실히. '一望'.

刀 2 〔⿰卜刀〕4 [一] ⿰卜刂(刀부 2획〈99〉)과 同字
[二] 剝(刀부 8획〈106〉)과 同字

刀 2 〔分〕4 [中·人] 분 [平]文 | fēn
[去]問 | fèn フン·ブン わける

[筆順] ノ 八 分 分

[字解] ①나눌분 ㉠분할함. '一解'. '一斷'. '一軍爲三'《史記》. ㉡달리함. 따로따로 함. '一道而出'《漢書》. ②나누일분 ㉠떨어짐. 갈라짐. 따로따로 됨. '一散'. '楚所備者多, 力一'《漢書》. ㉡갈래가 짐. '一岐'. '一爲九'《漢書》. ③분명할분 명확(明確)함. '一明'. '不可不一'《呂氏春秋》. ④분별할분 변별(辨別)함. '一辨'. '五穀不一'《論語》. ⑤나누어줄분 분여(分與)함. '一貧振窮'《左傳》. ⑥반쪽분 전체의 반. '師喪一焉'《公羊傳》. ⑦푼분 ㉠척도(尺度)의 단위. 일척(一尺)의 백분의 일. '十一爲一寸, 十寸爲一尺'《漢書》. ㉡중량(重量)의 단위. 일량(一兩)의 백분의 일. '一列十釐'《文獻通考》. ㉢화폐(貨幣)의 단위. 일문(一文)의 십분의 일. '一文之下, 亦有一'《算法統宗》. ⑧분분 ㉠시간(時間)의 단위. 일소시(一小時)의 육십분의 일. '一, 時六十之一'《中華大字典》. ㉡각도(角度)의 단위. 일도(一度)의 육십분의 일 '歲行十二度百十二一度之五'《史記》. ㉢지적(地積)의 단위. 일묘(一畝)의 십분의 일. '一, 二十四步爲一一, 十一爲一畝'《算法統宗》. ㉣소수(小數)의 단위. 십분의 일. 또, 백분의 일. '一, 十釐爲一'《算經》. ㉤《現》 화폐(貨幣)의 단위. 일각(一角)의 십분의 일. ⑨춘분분, 추분분 춘분과 추분의 총칭. '日過一而未至'《左傳》. ⑩분수분 분한(分限). '名一'. '守一'. ⑪직분분 마땅히 하여야 할 본분. '男有一'《禮記》. ⑫몫분 배당(配當). '一日有異僧, 來求齋, 師減己一饋之'《指月錄》. ⑬성분 성(姓)의 하나.

[字源] 會意. 八＋刀

刀 2 〔刈〕4 예 [去]隊 | yì ガイ かる

[字解] ①벨예 ㉠풀 같은 것을 벰. 곡식을 베어 거둠. '一除'. '一穫'. '願竢時乎, 吾將一'《楚辭》. ㉡베어 죽임. '一人如草'. '應敵力戰, 斫一甚多'《金史》. ②낫예 풀 같은 것을 베는 연장. '時雨旣至, 挾其槍一耨鎛'《國語》. ③성예 성(姓)의 하나.

[字源] 形聲. 刂(刀)＋乂〔音〕

刀 2 〔⿰卜刂〕4 〔박〕
剝(刀부 8획〈106〉)과 同字

〔召〕 〔소〕
口부 2획(146)을 보라.

刀 3 〔㓜〕5 〔유〕
幼(幺부 2획〈342〉)의 俗字

刀 3 〔刊〕5 [高·人] 간 [平]寒 | kān カン けずる

[筆順] 一 二 千 刊 刊

[字解] ①벨간 끊어서 자름. '一陽木而火之'《周禮》. ②깎을간 깎아 냄. '一削'. '一其柄與末'《禮記》. ③새길간 ㉠팜. 조각함. '一石'. ㉡판목(版木)을 새김. 전(轉)하여, 출판함. '一行'. ㉢정정(訂正)함. '刪裁繁蕪, 一改漏失'《後漢書》.

[字源] 形聲. 刂(刀)＋干〔音〕

[參考] ①刋(次條)과는 別字. ②'刊간'은 나무를 파서 책을 출판하다의 뜻. '刋천'은 '깎다'의 뜻으로 필요 없는 것이나 과오를 깎아서 바로잡는 것으로, 두 글자를 구별하고 있지만, 결국은 같은 글자이며, 필세(筆勢)가 달라진 것으로 보는 것이 타당할 것 같음.

刀 3 〔刋〕5 천 [去]霰 | qiàn セン きる

[字解] 끊을천 단절함. '一, 切也'《玉篇》.

[參考] 刊(前條)과는 別字. '刊'의 '참고'를 보라.

刀 3 〔刌〕5 촌 [上]阮 | cǔn ソン きる, たつ
[上]銑 | セン たつ

字解 ①저밀촌 잘게 쉶. ②끊을촌 절단함. '一肺三'《儀禮》.
字源 形聲. 刂(刀)+寸〔音〕

刀3 〔刊〕5 공 ㊥東 gōng コウ かま
字解 낫공 풀 베는 연장. '銍, 謂之一'《廣雅》.

刀3 〔刓〕5 곤 ㊥元 kūn コン きる
字解 가지칠곤 나무의 가지를 침. '一, 斫木枝也'《集韻》.

刀3 〔刉〕5 〔기〕
刉(刀부 4획〈100〉)과 同字

刀4 〔刕〕6 ㊀리 ㊥支 lí り さく ㊁례 ㊥齊 lí ライ さく
字解 ㊀가를리 절단함. 분할함. ㊁가를례 ㊀과 뜻이 같음.
字源 會意. 刀+刀+刀

刀4 〔契〕6 ㊀갈 ㊀點 qià カツ きざむ ㊁계 ㊥齊 qì ケイ ちぎる
字解 ㊀잘게썰갈 솜씨 있게 잘게 쉶. '一, 巧一也'《說文》. ㊁맺을계 契(大부 6획〈235〉)와 통용. '一, 約也'《六書正譌》.
字源 形聲. 刀+丯〔音〕

刀4 〔刎〕6 문 ㊤吻 wěn フン くびはねる
字解 목벨문. '一頸之交'. '廢其祀, 一其人'《禮記》.
字源 形聲. 刂(刀)+勿〔音〕

刀4 〔刑〕6 中·人 형 ㊥青 xíng ケイ ばつ
筆順 一 二 于 开 刑 刑
字解 ①형벌형 죄인에게 가하는 제재(制裁). '一法'. '一政'. '折獄致一'《易經》. ②형벌할형 죄를 줌. '利用一人'《易經》. ③법형 본받아야 할 전래(傳來)하는 예제(禮制)나 도리. '典一'. '天地之一'《國語》. ④본받을형 본보기로 하여 따라 함. '儀一'. '一于寡妻'《詩經》. ⑤목벨형 목을 자름. 죽임. '一白馬以盟之'《戰國策》. ⑥제어할형 통솔하여 어거함. 바로잡음. '一下如影'《荀子》. ⑦이루어질형 성취됨. '教之不一'《禮記》. ⑧꼴형 形(彡부 4획〈366〉)과 통용. '一范正'《荀子》. ⑨국그릇형 鉶(金부 6획〈1557〉)과 통용. '啜土一'《史記》.
字源 形聲. 刂(刀)+开(幵)〔音〕

刀4 〔刑〕6 刑(前條)과 同字

刀4 〔刓〕6 완 ㊥寒 wán ガン けずる
字解 ①깎을완 모난 데를 깎아 둥글게 하거나 평평하게 함. '一削'. '一琢'. '一方以爲圜兮'《楚辭》. ②닳을완 마손(磨損)함. '一缺'. '民力一敝'《唐書》.
字源 形聲. 刂(刀)+元〔音〕

刀4 〔刖〕6 월 ㊀月 yuè ゲツ あしきる
字解 발꿈치벨월 발꿈치를 베는 형벌에 처함. 고대의 형벌의 하나. '一足'. '一刑'. '一罪五百'《漢書》.
字源 形聲. 刂(刀)+月〔音〕

刀4 〔列〕6 렬 中·人 ㊀屑 liè レツ つらなる
筆順 一 ア 万 歹 歹 列
字解 ①반열렬 석차. 위차(位次). '一次'. '序一'. '陳力就一'《論語》. ②줄렬 늘어선 줄. 행렬·항오(行伍) 따위. '隊一'. '整一'. '不鼓不成一'《左傳》. ③줄지을렬 줄을 이루어 늘어섬. '一羅'. '皆一坐殿上'《後漢書》. ④매길렬 순서를 매김. '故事可一也'《禮記》. ⑤벌릴렬 분리함. '兩驂一, 兩服入廐'《荀子》. ⑥베풀렬 차림. 진설(陳設)함. 진열함. '一俎豆'《史記》.
字源 會意. 刂(刀)+歹(歺)

刀4 〔刉〕6 기 ㊥微 jī キ たちきる
字解 벨기 끊어서 자름. 절단함. '釁禮之事, 用牲, 毛者曰一, 羽者曰珥'《周禮 註》.
字源 形聲. 刂(刀)+气〔音〕
參考 刏(刀부 3획〈100〉)는 同字.

刀4 〔刔〕6 결 ㊀屑 jué ケツ えぐる
字解 후빌결 긁어 냄. '一, 剔也'《玉篇》.
字源 形聲. 刂(刀)+夬〔音〕

刀4 〔刪〕6 삼 ㊦陷 shān サン かる
字解 벨삼 칼로 벰. '一, 刈也'《集韻》.

刀4 〔划〕6 ㊀화 ㊥麻 huá カ さおさす ㊁과 ㊦箇 guò カ かま ㊂획 ㊀陌 huà カ かる
字解 ㊀삿대질할화 ①삿대로 배를 나아가게 함. '一, 撥進船也'《廣韻》. ②작은배화 '一子'는 작은 배. '呼小船爲一子'《正字通》.

三 낫과 풀베는 낫. '一, 鎌也'《廣雅》. 三 ①벨획 풀 같은 것을 벰. '一, 一刈'《廣韻》. ②가를획 칼로 베어 끊음. '一, 割也'《集韻》.
參考 劃(刀부 12획〈109〉)의 簡體字.

刀4〔刘〕6 〔류〕 劉(刀부 13획〈110〉)의 略字

刀5〔初〕7 中·人 초 ㊥魚 chū ショ はじめ, はつ
筆順 ˉ ラ ネ ネ ネ 衤 初
字解 ①처음초 ㉠시초. 기원(起源). '最一'. '夫禮之一, 始諸飮食'《禮記》. ㉡시작. 단서(端緒). '愼厥一, 惟厥終'《書經》. ㉢근본. '不忘其一'《史記》. '無以反其性情而復其一'《莊子》. ㉣고사(故事). '夫魯有一'《禮記》. ㉤어릴 때. '我生之一, 尙無爲'《詩經》. ㉥이전. '遂爲母子如一'《左傳》. ㉦처음으로. 처음에. '民之一生, 固若禽獸然'《韓愈》. ②성초 성(姓)의 하나.
字源 會意. 刀＋衤(衣)

刀5〔刧〕7 〔겁〕 刦(刀부 5획〈102〉)·刼(力부 5획〈113〉)과 同字

刀5〔刪〕7 산 ㊥刪 shān サン けずる
字解 깎을산 삭제함. '一削'. '一改'. '一其僞辭, 取正義, 著於篇'《漢書》.
字源 會意. 刂(刀)＋冊(冊)
參考 删(次條)과 同字.

刀5〔删〕7 刪(前條)과 同字

刀5〔判〕7 中·人 판 ㊤翰 pàn ハン·バン わける
筆順 ˊ 丷 ⺍ 㐅 半 判 判
字解 ①가를판 ㉠쪼갬. '剖一'. ㉡나눔. 구분함. '分一'. '區一文體'《齊書》. ㉢시비 곡직을 가름. 재결함. 판단함. '一決'. '裁一'. '但第一能否'《唐書》. ②나누일판 떨어짐. 분리함. '上下旣有一矣'《國語》. ③판정될판 정하여짐. 결정이 남. '吉凶爲一'《宋書》. ④판단판, 판결판 재결(裁決). '南山可移, 一不可搖也'《唐書》. ⑤한쪽판 두 물건이 서로 합해서 온전한 한 물건이 되는 것. '掌萬民之一'《周禮》. ⑥맡을판 재상(宰相)이 백성을 다스리는 일을 맡거나 대관(大官)이 딴 관직을 겸섭(兼攝)하는 일. '宰相出典州曰一'《韻會》. '尋以本官攝一東宮'《隋書》.
字源 形聲. 刂(刀)＋半〔音〕

刀5〔別〕7 中·人 별 ㊇屑 bié ベツ わける
筆順 ㅣ ㄇ 口 号 另 別 別
字解 ①다를별 ㉠같지 아니함. 한 사물이 아님. '一途'. '情懷似一人'《李廓》. ㉡특별함. '一世界'. '詩有一才'《滄浪詩話》. ②나눌별, 가를별 ㉠분할함. 분리함. '析一'. '宰庖之切割分一也'《淮南子》. ㉡구별함. '我又欲與若一之'《列子》. ㉢구분함. 구획함. '此天地所以界一區域絕外內也'《漢書》. ㉣분별함. '由一之'《穀梁傳》. ③나누일별, 갈라질별 ㉠떨어짐. '小山一大山鮮'《爾雅》. ㉡구별이 됨. '貴賤之義一矣'《禮記》. ㉢갈래가 짐. '東一爲沱'《書經》. ④떠날별 이별함. '惜一'. '告一莫忽忽'《杜甫》. ⑤구별별 '成男女之一'《禮記》. ⑥갈래별 분기(分岐) '繼一爲宗'《禮記》. ⑦이별별 생이별·사별(死別) 또는 작별. '黯然銷魂者惟一而已矣'《江淹》. ⑧따로별 다르게. 별도로. '一有天地非人間'《李白》. ⑨성별 성(姓)의 하나.
字源 會意. 另(冎)＋刂(刀)

刀5〔别〕7 別(前條)의 俗字

刀5〔利〕7 中·人 리 ㊤寘 lì リ とし
筆順 ˉ 二 千 禾 禾 利 利
字解 ①날카로울리 칼 같은 것이 잘 듦. '一鈍'. '銳一'. '子之劍蓋一劍也'《公羊傳》. ②날랠리 재빠름. 민첩함. '手足便一'《史記》. ③이로울리 유익함. 유리함. 좋음. 편함. '便一'. '一涉大川'《易經》. ④이롭게할리 유익하게 함. 유리하게 함. 편하게 함. '一生'. '一用厚生'《書經》. ⑤탐할리 이를 탐냄. '先財而後禮, 則民一'《禮記》. ⑥이리 ㉠이익. '私一'. '小人以身殉一'《莊子》. ㉡장사하여 덧붙는 돈. '營一'. '逐什一之一'《史記》. ㉢복. 행복. 복록(福祿). '福一'. '中不容一'《書經》. ㉣공용(功用). '水一'. '天時不如地一'《孟子》. ㉤부(富). '獨擅山東之一'《史記》. ⑦길미리 변리. 이자. '一殖'. '不納一矣'《唐書》. ⑧힘리 권력. '權一'. '國之一器'《老子》. ⑨승전리 전승(戰勝). '勝一'. '乘一席卷'《史記》. ⑩성리 성(姓)의 하나.
字源 會意. 刂(刀)＋禾

刀5〔刜〕7 불 ㊇物 fú フツ うつ
字解 ①칠불 '一, 擊也'《說文》. '苑子一林雍, 斷其足'《左傳》. ②자를불 끊음. '一, 斷也'《集韻》.

[字源] 形聲. 刂(刀)＋弗〔音〕

刀5 〔刮〕7 점 ㊤琰 | diǎn テン かける

[字解] 칼이빠질점 칼이 이가 빠짐. '一, 刀缺'《集韻》.
[字源] 形聲. 刂(刀)＋占〔音〕

刀5 〔刦〕7 겁 [入]葉 | jié キョウ おびやかす

[字解] ①겁탈할겁 위협하거나 폭력을 써서 빼앗음. '一掠'. '一剞熊羆之室'《左思》. ②으를겁 위협하여 나쁜 짓을 못 하게 함. '一之以師友'《荀子》.
[參考] 刧(刀부 5획〈101〉)·劫(力부 5획〈113〉)과 同字.

刀5 〔刭〕7 刦(前條)과 同字

刀5 〔刨〕7 포 [平]肴 | páo ホウ けずる

[字解] 깎을포 칼 같은 것으로 얇게 떼어 냄. '一, 削也'《集韻》.
[字源] 形聲. 刂(刀)＋包〔音〕

刀5 〔刟〕7 구 [平]尤 | gōu コウ·ク かま

[字解] 낫구 풀 따위를 베는 연장. 鉤(金부 5획〈1555〉)와 同字. '一, 鎌也'《說文》.
[字源] 形聲. 刂(刀)＋句〔音〕

刀5 〔剌〕7 〔제〕
制(刀부 6획〈102〉)의 本字

刀5 〔荆〕7 〔형〕
刑(刀부 4획〈100〉)의 本字

刀5 〔刽〕7 〔할〕
割(刀부 10획〈108〉)의 古字

刀6 〔刱〕8 〔창〕
創(刀부 10획〈108〉)과 同字

刀6 〔刼〕8 〔겁〕
刦(刀부 5획〈102〉)의 俗字

刀6 〔刧〕8 〔겁〕
刧(刀부 5획〈101〉)의 俗字

刀6 〔券〕8 [高·人] 권 [去]願 | quàn ケン わりふ

[筆順] ′ 八 ⺍ 䒑 龹 类 券 券

[字解] ①엄쪽권 어음을 쪼갠 한 쪽. '左一'. '右一'. '合一焚之'《史記》. 전(轉)하여, 계약서. 증서. '證一'. '債一'. ②언약할권 약속함. '一內者行乎無名'《莊子》.
[字源] 形聲. 刀＋龹〔音〕
[參考] 劵(力부 6획〈114〉)과는 別字.

刀6 〔刮〕8 괄 [入]黠 | guā カツ かきとる, けずる

[字解] ①깎을괄 깎아 냄. 삭제함. '一削'. '茅茨不剪, 采椽不一'《史記》. ②갈괄, 닦을괄 갈고 닦고 하여 윤이 나게 함. '一摩'. '一磨'. '一垢磨光'《韓愈》. ③비빌괄 눈을 비빔. '一目相待'《吳志》.
[字源] 形聲. 刂(刀)＋舌(昏)〔音〕

刀6 〔到〕8 [中·人] 도 [去]號 | dào トウ いたる

[筆順] 一 工 즈 즈 平 至 到 到

[字解] ①이를도 ㉠닿음. 도달함. '一着'. '一於天'《戰國策》. ㉡미침. '民一于今稱之'《論語》. ㉢옴. 감. '一來'. '靡國不一'《詩經》. ②주밀할도 헐후한 데가 없고 세밀함. '周一'. '懇一'. ③속일도 기만함. 일설(一說)에는, 이르게 함. 오게 함. '不如出兵以一之'《史記》.
[字源] 形聲. 至＋刂(刀)〔音〕

刀6 〔刲〕8 규 [平]齊 | kuī ケイ さす

[字解] ①벨규 ㉠베어 가름. '一割'. '炮取豚若牂一之'《禮記》. ㉡베어 가짐. 남의 것을 일부분 빼앗아 가짐. 할취(割取)함. '一魏之東野'《戰國策》. ②찌를규 날카로운 것으로 찌름. '士一羊無血'《易經》.
[字源] 形聲. 刂(刀)＋圭〔音〕

刀6 〔刳〕8 고 [平]虞 | kū コ·ク さく

[字解] ①가를고 쪼갬. 뻐갬. '一腹'. '一剔'. '與巧屠共一剝之'《漢書》. ②팔고 속을 파냄. '一鑿'. '一船'. '一木爲舟'《易經》.
[字源] 形聲. 刂(刀)＋夸〔音〕

刀6 〔刵〕8 이 [去]寘 | èr ジ みみきる

[字解] 귀벨이 귀를 벰. 또, 그 형벌. '一刑'. '劓一人'《書經》.
[字源] 形聲. 刂(刀)＋耳〔音〕

刀6 〔制〕8 [高·人] 제 [去]霽 | zhì セイ きる, つくる

[筆順] ′ ⺊ 𠂉 𠂉 㠯 帯 制 制

[字解] ①마를제 옷감이나 재목 따위를 치수에 맞추어 베고 자름. '裁一'. '巧工之一木'《淮南子》. ②지을제, 만들제 '一造'. '可使

一梃以撻晉楚之堅甲利兵矣'《孟子》. ③정할제 법 같은 것을 제정함. '一定'. '一禮作樂'. '非天子不議禮, 不一度'《中庸》. ④금할제 금지함. '一止'. '人不能一'《淮南子》. ⑤누를제 억압함. '抑一'. '壓一'. '一慾'. ⑥부릴제 잘 다스림. 지배함. '一御'. '王因而一之'《戰國策》. ⑦바로잡을제 바르게 함. '不能匡一其君'《晉書》. ⑧맡을제 주관함. '以告一兵者'《呂氏春秋》. ⑨존절히할제 정도에 알맞게 함. '節一'. '一節謹度'《孝經》. ⑩오로지할제 천단(擅斷)함. '二三子之一也'《國語》. ⑪따를제 좇음. 복종함. '聖人作法而萬物一焉'《淮南子》. ⑫분부제 명령. '士死一'《禮記》. '終受一矣'《後漢書》. ⑬법제 법도(法度). 규칙. '規一'. '新一'. '今京不度, 非一也'《左傳》. ⑭구실제 직분. '士大夫莫不敬節死一'《荀子》. ⑮정도제 알맞은 한도. '封賞踰一'《後漢書》. ⑯등급제 등차(等差). '處國有一'《荀子》. ⑰꾀제 술수(術數). '威王好一'《呂氏春秋》. ⑱꼴제 생김새. 체재(體裁). '器機異一'《禮記》. ⑲칙서제 칙명을 전하는 문서. '矯一'. '坐書一不深切, 貶端州刺史'《唐書》. ⑳성제 성(姓)의 하나.
[字源] 會意. 篆文은 刂(刀)＋未. '制'는 '剬제'의 변형임.

刀 6 〔刷〕 8 [高·人] 쇄(솰[本]) [入]黠 | shuā サツ する
[筆順] ㇕ ㇕ 尸 尸 屌 屌 屌 刷
[字解] ①닦을쇄, 쓸쇄 청소함. '一掃'. '夏頒冰掌事秋一'《周禮》. ②씻을쇄 ㉠더러운 것을 물에 씻음. '一洗'. '垢瑕一洗'《蔡襄》. ㉡제거함. 없애 버림. '欲一恥改行'《漢書》. ③문지를쇄 솔로 판목(版木)을 문지름. '印一'. '一行'. ※本音 솰.
[字源] 形聲. 刂(刀)＋㕞〈省〉〔音〕

刀 6 〔刺〕 8 [高·人] [一]자 [去]寘 | cì シ さす　[二]척 [入]陌 | cī セキ さす
[筆順] 一 ㇖ 亓 市 朿 朿 朿 刺
[字解] [一] ①찌를자 ㉠날카로운 것으로 찌름. 찔러 죽임. '一殺'. '一之者何殺之也'《公羊傳》. ㉡침 같은 뾰족한 것으로 찌름. '蔡莽螫一'《左思》. '妄一而無益于疾'《鹽鐵論》. ②깎아버릴자 깎거나 베어 버림. '庶人則曰一草之臣'《儀禮》. ③추릴자 골라 뽑음. '一六經中作王制'《漢書》. ④바느질할자 '一繡於裳'《周禮》. ⑤꽂을자 삽입함. '插一頭鬢相誇張'《元稹》. ⑥바늘자, 가시자 바느질하거나 침 놓는 데 등에 쓰이는 길쭉한 쇠. 또, 식물의 바늘처럼 뾰족하게 돋아난 부분. '若有芒一在背'《漢書》. ⑦봉망(鋒鋩)자 창 같은 것의 뾰족한 첨단. 봉첨(鋒尖). '修戟無一'《淮南子》. ⑧헐뜯을자 비방함. 욕함. '諷一'. '譏一'. '一我行者, 欲與我交'《淮南子》. ⑨꾸짖을자 책망함. '天何以一'《詩經》. ⑩물을자 문의함. '司一, 掌三一'《周禮》. ⑪문신할자 자자(刺字)함. 입묵함. '一字'. '一青'. '一面配華州'《五代會要》. ⑫명함자 이름을 적은 종이 쪽지. '名一'. '投一'. '一字漫滅'《後漢書》. ⑬명함내놓을자 명함을 내놓고 성명을 통(通)함. '每夜一閨'《南史》. ⑭성자 성(姓)의 하나. [二] ①찌를척 칼로 찔러 상처를 입힘. '一人而殺之'《孟子》. ②정탐할척 몰래 살핌. '陰一候朝廷事'《漢書》. ③저을척 배를 저음. '乃一舟而去'《史記》. ④말많을척 말을 많이 하는 모양. 수다스러운 모양. '語一一不能休'《韓愈》. '焉能去一一爲咢咢乎'《管子》.
[字源] 形聲. 刂(刀)＋朿〔音〕
[參考] 剌(刀부 7획〈105〉)과는 別字.

刀 6 〔剳〕 8 락 [入]藥 | luō ラク えぐる
[字解] ①갉아낼락 베어 냄. '一, 劙也'《廣雅》. ②마디자를락 나무의 마디를 끊어 냄. '去節曰一'《一切經音義》.

刀 6 〔剌〕 8 刺(次條)의 俗字

刀 6 〔刻〕 8 [高·人] 각 [入]職 | kè コク きざむ
[筆順] ' 亠 亠 乡 亥 亥 刻 刻
[字解] ①새길각 조각함. '一字'. '一印'《史記》. 또, 새긴 것. 새김. '已而按其一'《漢書》. ②깎을각 깎아 냄. '一削'. '一意向行'《莊子》. ③해할각 해침. '一害'. '我舊云一子'《書經》. ④각박할각 모가 나고 인정이 없음. '一法'. '一削'. '一峻'. '用法益一'《史記》. ⑤시각각 ㉠물시계의 누전(漏箭)에 시간을 보기 위하여 새긴 금. 전(轉)하여, 시간. '晷一'. '一限'. '願賜數一間'《漢書》. ㉡시헌력(時憲曆)에서는 15분 동안. 그 이전의 달력에서는 14분 24초 동안. ⑥정할각 시일을 정함. '一期'. '一日決戰'《宋史》.
[字源] 形聲. 刂(刀)＋亥〔音〕

刀 6 〔刼〕 8 刻(前條)과 同字

刀 6 〔刯〕 8 백 | bāi
[字解] 처치할백, 안배(安排)할백 '兄長不必憂心, 小生自有一劃'《水滸全傳》.

刀 6 〔⿰缶刂〕8 부 ①㊤有 ②㊤糞 | fǔ フウ つか フ ゆづか

[字解] ①칼자루부 칼의 손잡이. '一, 刀握也'《說文》. ②줌통부 활의 중간 손으로 쥐는 부분. '弣, 弓把中也. 一, 上同'《廣韻》.
[字源] 形聲. 刂(刀)＋缶〔音〕

刀 6 〔刴〕8 타 [去]箇 | duò タ きる

[字解] 꺾을타 부러뜨림. '一剉'.

刀 6 〔⿰吉刂〕8 갈 [入]黠 | jié カツ はぐ

[字解] 벗길갈 낯가죽을 벗김. '敗面碎剮一'《韓愈》.

刀 6 〔删〕8 〔산〕 刪(刀부 5획〈101〉)의 古字

刀 6 〔刪〕8 〔산〕 刪(刀부 5획〈101〉)의 本字

刀 6 〔⿰冎刂〕8 〔별〕 別(刀부 5획〈101〉)의 本字

刀 6 〔⿰歹刂〕8 〔렬〕 列(刀부 4획〈100〉)의 本字

刀 6 〔⿰幵刂〕8 〔형〕 刑(刀부 4획〈100〉)의 本字

刀 6 〔刹〕8 〔찰〕 剎(刀부 7획〈104〉)의 俗字

刀 6 〔刽〕8 〔회〕 劊(刀부 13획〈110〉)의 略字

刀 7 〔⿰良刂〕9 랑 ㊤養 | lǎng ロウ あきらか

[字解] ①맑을랑 흐리지 아니함. '一, 明也'《廣韻》. '耳聽滔一奇麗激挎之音'《淮南子》. ②성랑 성(姓)의 하나.

刀 7 〔⿰亥刃〕9 〔핵〕 劾(力부 6획〈114〉)의 俗字

刀 7 〔⿰爿刃〕9 〔창〕 刱(刀부 6획〈102〉)의 俗字

刀 7 〔剃〕9 체 [去]霽 | tì テイ そる

[字解] 깎을체 머리를 깎음. '一頭'. '一刀'. '一髮披法服'《南史》.
[字源] 形聲. 刂(刀)＋弟〔音〕

刀 7 〔剎〕9 찰 [入]黠 | chà サツ はたばしら

[字解] ①기둥찰 덕(德)이 높은 중이 있음을 알리기 위하여 절 앞에 세우는 깃대 모양의 기둥. 범어(梵語) kṣetra 의 음역(音譯). '拖一仰頭'《北史》. ②절찰 불사(佛寺). '寺一'. '古一'. '西域以柱表一'《白帖》. ③탑찰 불탑(佛塔). '列一相望'《王屮》.
[字源] 形聲. 刂(刀)＋殺〈省〉〔音〕

刀 7 〔剄〕9 경 ㊤迥 | jǐng ケイ くびきる

[字解] 목벨경 칼로 목을 자름. '令從者魏敬一之'《史記》.

刀 7 〔則〕9 [中·人] [一] 즉 [入]職 [二] 칙 (측[本]) | zé ソク のっとる, すなわち

[筆順] 丨 冂 冃 目 目 貝 貝 則

[字解] [一] 곧즉 ㉠위를 받아 아래에 접속하는 말로서, 아래와 같은 뜻에 쓰임. …할 때에는. …한 경우에는. '弟子入一孝, 出一弟'《論語》. '用之一行, 舍之一藏'《論語》. ㉡만일 그렇다면. '過一勿憚改'《論語》. ㉢…에 이르러서는. '仁一吾不知也'《論語》.
[二] ①법칙칙 ㉠국가의 제도. 행위의 준칙. '一度'. '規一'. '明哲實作一'《書經》. ㉡천지(天地)의 정도(定道). 자연의 이치. '天一'. '有物有一'《詩經》. ②본받을칙 본보기를 삼음. 본뜸. '一效'. '唯堯一之'《論語》. ③성칙 성(姓)의 하나. ※[二]는 本音 측.
[字源] 會意. 刂(刀)＋貝

刀 7 〔貟〕9 〔부〕 負(貝부 2획〈1385〉)의 俗字

刀 7 〔剉〕9 좌 [去]箇 | cuò ザ くじく

[字解] ①꺾을좌 挫(手부 7획〈442〉)와 통용. '一折'. '銳而不一'《淮南子》. ②저밀좌 잘게 썲. '去骨一之'《齊民要術》. ③부술좌 쇄파(碎破)함. '粉一楚山鐵'《王昌齡》. ④깎을좌 모난 데를 깎아 없앰. '廉則一'《莊子》.
[字源] 形聲. 刂(刀)＋坐〔音〕

刀 7 〔削〕9 [高·人] [一] 삭 [入]藥 [二] 소 [去]效 [三] 초 [去]嘯 (소[本]) | xiāo, xuē サク けずる shāo ショウ·ソウ さや qiào ショウ さや

[筆順] 丨 ⺌ 小 小 肖 肖 削 削

[字解] [一] ①깎을삭 ㉠깎아 냄. '一髮'. '一屢馮馮'《詩經》. ㉡삭제함. 제거함. '筆一'. '筆則筆, 一則一'《史記》. ㉢떼어 냄. 가름. 분할함. '一減'. '夫齊一地, 而封臣嬰'《戰國

策》. ②빼앗을삭 약탈함. '一奪'. '一官'. '王一以地'《禮記》. ③지근댈삭 침범함. '無倚法以一'《書經》. ④깎일삭 삭감됨. 붊. '不戰而地已一也'《史記》. ⑤약해질삭 쇠약하여짐. '魯之一也滋甚'《孟子》. ⑥작을삭 약소(弱小)함. '魏國從此一矣'《呂氏春秋》. ⑦모질삭 모나고 인정이 없음. '刻一'. ⑧창칼삭 서도(書刀). '築氏爲一, 長尺博寸'《周禮》. [二] ①채지(采地)소 주대(周代)에 기전(畿甸) 2백 리 안에 있던 대부(大夫)의 채읍(采邑). '家一之賦'《周禮》. ②화락할소 화평하고 즐거운 모양. '孔子一然反琴而絃歌'《莊子》. [三] 칼집초 도실(刀室). 鞘(革부 7획〈1664〉)와 통용. '質氏以洒一而鼎食'《漢書》. ※[三]은 本音 소.
[字源] 形聲. 刂(刀)+肖〔音〕

刀 7 〔剋〕9 [人名] 극 [入]職 | kè コク かつ
[筆順] 一 十 十 古 古 克 克 剋
[字解] ①이길극 ㉠승전(勝戰)함. 克(儿부 5획〈82〉)과 통용. '一勝'. '相生相一'. '何征不一'《後漢書》. ㉡이겨 냄. 능히 함. '至伐大木, 非斧不一'《淮南子》. ②정할극 굳게 약정(約定)함. '與一期俱至'《後漢書》. ③급할극, 엄할극 성급(性急)함. 준엄함. '性嚴一'《宋書》. ④새길극 刻(刀부 6획〈103〉)과 뜻이 같음. '一意'. '謹以一心, 非但書紳也'《吳志》.
[字源] 形聲. 刂(刀)+克〔音〕

刀 7 〔剌〕9 [一] 랄 [入]曷 | là, ④lā ラツ もとる
[二] 라 [韓]
[字解] [一] ①어그러질랄 괴려(乖戾)함. '一謬'. '無乖一之心'《漢書》. ②바람부는소리랄 '去程風一一, 別夜漏丁丁'《李商隱》. ③고기뛰는소리랄 '金鱗跋一跳晴空'《溫庭筠》. ④외국어 '라'의 음역자(音譯字)로 쓰임. '一麻敎'. '亞一比亞'. ⑤성랄 성(姓)의 하나. [二] 수라라 임금이 먹는 밥. '雖今日內, 及夕水一, 當親幸焚香展拜. (水一, 卽進御膳之稱). 《朝鮮中宗實錄》.
[字源] 形聲. 刂(刀)+束(朿)〔音〕
[參考] 剌(刀부 6획〈103〉)는 別字.

刀 7 〔刾〕9 〔자〕
刺(刀부 6획〈103〉)의 俗字

刀 7 〔前〕9 [中·人] 전 [平]先 | qián ゼン まえ
[筆順] 丶 丷 䒑 广 广 前 前 前
[字解] ①앞전 ㉠장소(場所)에 관한 뒤〔後〕의 대. '庭一'. '堂一'. '瞻一顧後'《楚辭》. ㉡시간(時間)에 관한 뒤〔後〕의 대. '一人'. '一賢'. '一世重之茲甚'《漢書》. ㉢앞으로 나와 대항하는 사람. '力戰無一'《後漢書》. ②인도할전 앞서 이끎. '祝一主人降'《儀禮》. '先達之士爲之一'《韓愈》. ③나갈전 앞으로 나감. '及出壁門, 莫敢一'《史記》. ④앞설전 정한 시간보다 앞섬. '一期十日'《周禮》. ⑤앞서전 ㉠먼저. '可以一知'《中庸》. ㉡먼저는. 앞서서는. '何一倨而後恭也'《史記》. ⑥성전 성(姓)의 하나.
[字源] 形聲. 刂(刀)+歬〈省〉〔音〕

刀 7 〔㓡〕9 〔제〕
制(刀부 6획〈102〉)의 古字

刀 7 〔剈〕9 [一] 연 [平]先 | yuān エン えぐる
[二] 견 [去]霰 | ケン まがったかたな
[字解] [一] ①도려낼연 '一挑取也'《說文》. ②시루밑구멍연, 화분밑구멍연 '一, 一曰, 窐也'《說文》. [二] 굽은칼견 휘어 굽은 칼. '一, 曲刀'《集韻》.

刀 7 〔𠛅〕9 〔괄〕
刮(刀부 6획〈102〉)의 本字

刀 8 〔㓞〕10 갈 [入]黠 | guā カツ けずる
[字解] ①깎을갈 긁어냄. '齘一, 刮也'《說文》. ②줄그을갈 단단한 것을 긁어서 칼집을 냄. '一曰, 一, 畫堅也'《說文》.
[字源] 形聲. 刧+夬〔音〕

刀 8 〔剏〕10 〔창〕
剙(刀부 6획〈102〉)의 俗字

刀 8 〔剔〕10 [一] 척 [入]錫 | tī テキ とく
[二] 체 [去]霽 | tì テイ そる
[字解] [一] ①뼈바를척 살을 가르고 뼈를 발라 냄. '屠一'. '刳一孕婦'《書經》. ②벨척, 깎을척 초목 따위를 벰. '燒之一之'《莊子》. ③후벼낼척 밝혀냄. '糾一姦盜'《漢書》. [二] 깎을체 剃(刀부 7획〈104〉)와 同字. '婦人皆翦一, 以著假髻'《北史》.
[字源] 形聲. 刂(刀)+易〔音〕

刀 8 〔剕〕10 비 [去]未 | fèi ヒ あしきる
[字解] 발벨비 슬개골(膝蓋骨), 곧 종지뼈를 끊어 냄. 또, 그 형벌. 고대의 오형(五刑)의 하나임. '一辟'. '一罰之屬五百'《書經》.
[字源] 形聲. 刂(刀)+非〔音〕

刀 8 〔剖〕10 부 [上]有 | pōu ボウ さく
[字解] ①가를부 ㉠쪼갬. 빠갬. '一割'. '一符封功臣'《史記》. ㉡시비를 가림. 판단함. 재

결함. '一決'. '裁一精明'《唐書》. ②갈라질부 ㉠쪼개짐. '比干一'《莊子》. ㉡나뉨. 분할됨. '天地一判以來'《史記》.
字源 形聲. 刂(刀)+杏(咅)〔音〕

刀8〔剳〕10 剖(前條)의 本字

刀8〔剗〕10 ㊀잔 ㊤潸 ①chǎn サン けずる (②찬㊍)㊦諫 ②chàn サン おさめる ㊁전 ㊤銑 セン けずる, かる

字解 ㊀①깎을잔 깎아 냄. '一, 削也'《廣雅》. '一而類, 破吾家'《戰國策》. ②다스릴잔 '活計以鋤一'《韓愈》. ※本音 찬. ㊁벨전 베어 없앰. 제거함. '一除'. '王師本不戰, 賊壘何足一'《蘇軾》. ※㊀②는 本音 찬.
字源 形聲. 刂(刀)+戔〔音〕

刀8〔剚〕10 사 ㊦寘 zì シ さす

字解 칼꽂을사 칼 같은 것을 찔러 꽂음. 倳(人부 8획〈59〉)와 同字. '敢一刃公之腹中'《史記》.
字源 形聲. 刂(刀)+事〔音〕

刀8〔剛〕10 高·人 강 ㊥陽 gāng ゴウ つよい, かたい

筆順 冂 冂 円 冈 冏 岡 剛 剛

字解 ①굳셀강 ㉠지조가 굳음. 주의·절조(節操)를 변하지 아니함. '一直'. '一毅'. '吾未見一者'《論語》. ㉡힘이 셈. 약하지 아니함. '一健'. '及其壯也, 血氣方一'《論語》. ②억셀강 연하지 아니함. '一柔'. '柔則茹之, 一則吐之'《詩經》. ③강일강 십간(十干) 중의 갑(甲)·병(丙)·무(戊)·경(庚)·임(壬)에 해당하는 날. 기수(奇數)의 날. 유일(柔日)의 대(對). '外事以一日'《禮記》. ④바야흐로강 속어(俗語)로서 시(詩)에 쓰이는데, 方(部首)과 같은 뜻임. '一爲浮名事事乖'《皮日休》. ⑤성강 성(姓)의 하나.
字源 形聲. 刂(刀)+岡〔音〕

刀8〔剜〕10 완 ㊥寒 wān ワン けずる

字解 깎을완 깎아 냄. '有洞若神一'《韓愈》.
字源 形聲. 刂(刀)+宛〔音〕

刀8〔剝〕10 박 ㊇覺 bō, bāo ハク はぐ

字解 ①벗길박 ㉠껍질을 벗김. '一陰木而水之'《周禮》. ㉡옷을 벗김. 옷을 빼앗음. '裸一士女'《晉書》. ㉢짐승을 죽여 껍질을 벗기고 살을 바름. 육체를 해부함. '或一或亨'《詩經》. ㉣드러냄. 노출시킴. '喪不一奠也與'《禮記》. ②벗겨질박 ㉠벗김을 당함. '苔蘚一落'《李邕》. ㉡떨어짐. 탈락(脫落)함. '風吹紙一'《南史》. ③떨어뜨릴박 탈락하게 함. '一牀以足'《易經》. ④깎을박 깎아 냄. '不一脫, 不礪砥'《荀子》. ⑤다칠박, 상할박 '一喪元良'《書經》. ⑥찢을박 잡아당기어 가름. '思怫鬱兮肝切一'《王逸》. ⑦두드릴박 두드려 떨어뜨림. '八月一棗'《詩經》. ⑧박괘박 육십사괘(六十四卦)의 하나. 곤, ䷖〈곤하(坤下), 간상(艮上)〉으로서, 소인(小人)은 성(盛)하고 군자(君子)는 앓는 상(象). '一不利有攸往'《易經》.
字源 形聲. 刂(刀)+彔〔音〕

刀8〔剞〕10 기 ㊤紙 ㊥支 jī キ ちょうこくとう

字解 새김칼기 조각하는 칼. 각도(刻刀). '一, 一剧, 曲刀也'《說文》. '握一劂而不用兮'《楚辭》.
字源 形聲. 刂(刀)+奇〔音〕

刀8〔剟〕10 철 ㊇屑 ㊇曷 duō テツ けずる タツ けずる

字解 ①깎을철 깎아 냄. 삭제함. '有敢一定法令者死'《商子》. ②벨철 끊어서 자름. '盜者一寢戶之簾'《漢書》. ③찌를철 찔러 상처를 냄. '吏治榜笞數十剌一, 身無可擊者'《史記》
字源 形聲. 刂(刀)+叕〔音〕

刀8〔剡〕10 ㊀염 ㊤琰 yǎn エン するどい ㊁섬 ㊤琰 shàn セン けんのな

字解 ㊀①날카로울염 예리(銳利)함. 예민함. '一手以衝仇人之匈'《漢書》. ②깎을염 깎아 냄. '一削'. '刻一'. '一木爲矢'《漢書》. ③벨염 끊어서 자름. '欲一其脛'《荀子》. ④번적번적할염 빛이 번적번적하는 모양. '皇一一其揚靈兮'《離騷》. ⑤성염 성(姓)의 하나. ㊁땅이름섬 진한(秦漢) 때 회계군(會稽郡)에 속한 한 현(縣). 지금의 절강성(浙江省) 승현(嵊縣).
字源 形聲. 刂(刀)+炎〔音〕

刀8〔剌〕10 비 ㊥齊 pī ヘイ きる

字解 깎을비 깎아 냄. '一, 削也'《玉篇》. '更將明月一來薄'《耶律楚材》.

刀8〔剮〕10 과 ㊤哿 guǒ カ わる

字解 쪼갤과 가름. '一, 割也'《玉篇》. '持刀一密竹, 竹少風來多'《白居易》.

刀 8 〔剆〕10 뇌 [上]晧 | nǎo ノウ·ドウ のう

[字解] 머릿골뇌 두뇌(頭腦). '一, 與腦同'《字彙》. '夫角之本, 蹙於一而休於氣'《周禮》.

刀 8 〔𠛐〕10 〔제〕 制(刀부 6획〈102〉)의 古字

刀 8 〔㓥〕10 〔단〕 斷(斤부 14획〈494〉)의 古字

刀 8 〔剠〕10 〔경〕 黥(黑부 8획〈1864〉)과 同字

[字源] 形聲. 刂(刀)+京〔音〕

刀 8 〔剒〕10 〔착〕 錯(金부 8획〈1567〉)과 同字

刀 8 〔𠜾〕10 〔궐〕 劂(刀부 12획〈109〉)과 同字

[字源] 形聲. 刂(刀)+屈〔音〕

刀 8 〔剤〕10 〔제〕 劑(刀부 14획〈111〉)의 略字

刀 8 〔剣〕10 〔검〕 劍(刀부 13획〈111〉)의 略字

刀 8 〔剧〕10 〔극〕 劇(刀부 13획〈110〉)의 簡體字

刀 9 〔剱〕11 〔검〕 劒(刀부 13획〈111〉)의 俗字

刀 9 〔剪〕11 전 [上]銑 | jiǎn セン きる

[字解] ①가위전 옷감·종이 등을 베는 연장. '一刀'. ②벨전 ㉠가위로 자름. '勿一勿伐'《詩經》. ㉡베어 버림. '草萊不一'《南史》. ㉢가지런히 자름. '茅茨不一, 采椽不斲'《韓非子》.

[字源] 形聲. 刀+前〔音〕

刀 9 〔𠛻〕11 〔륙〕 勠(力부 11획〈116〉)·戮(戈부 11획〈424〉)의 古字

刀 9 〔剫〕11 [一] 탁 [入]藥 | duó タク わける
[二] 도 [上]麌 | dù ド とじる

[字解] [一] ①쪼갤탁 '一, 判也'《說文》. ②다듬을탁 나무를 깎아 다듬음. 건목침. '一, 治木也'《玉篇》. [二] 닫을도, 덮을도 敷(攴부 9획)와 同字.

[字源] 形聲. 刂(刀)+度〔音〕

刀 9 〔剭〕11 옥 [入]屋 | wū オク ちゅうさつする

[字解] 목벨옥 목을 잘라 죽임. '底一鼎臣'《漢書》.

[字源] 形聲. 刂(刀)+屋〔音〕

刀 9 〔副〕11 [高·人] [一] 부 [去]宥 | fù フウ·フク そう, そえ
[二] 복 [入]職 | pì フク·ヒョク わける

[筆順] 一 ㅁ 戸 冐 畐 畐 畐 副

[字解] [一] ①버금부 ㉠다음. 둘째. 예비. 정(正)의 대(對). '正一'. '次一'. '一將'. '誤中一車'《史記》. ㉡보좌. '一貳'. '一職'. '爲將軍一'《漢書》. ②도울부 보좌함. '參一朝右職'《晉書》. ③맞을부 적합함. '修短相一'《蔡邕》. '盛名之下, 其實難一'《漢書》. ④머리꾸미개부 머리를 땋아 만든 부인(婦人)의 수식(首飾). '一笄六珈'《詩經》. ⑤성부 성(姓)의 하나. [二] 쪼갤복 빠갬. '爲天子削瓜者一之'《禮記》.

[字源] 形聲. 刂(刀)+畐〔音〕

刀 9 〔𠞊〕11 결 [入]屑 | qiè ケツ きざむ

[字解] 새길결 조각함. '一, 刻也'《集韻》. '一而舍之, 朽木不知'《晉書》.

刀 9 〔剬〕11 단 [平]寒 [上]銑 | duān タン たつ tuǎn セン きりそろえる

[字解] ①끊을단 '一, 斷也'《廣雅》. ②가지런히자를단 '一, 剸齊也'《集韻》. ③가늘게썰단 '一, 同剸, 細割也'《一切經音義》. ④단정할단 얌전하고 바름. '藺相如一而不傷'《揚子法言》. ⑤마련할단 제재(制裁)함. '依鬼神以一義'《史記》. ⑥어거할단 제어함. '人君揄策廟堂一有司'《淮南子》.

[字源] 形聲. 刂(刀)+耑〔音〕

刀 9 〔剨〕11 괵 [入]陌 | huō カク われるおと

[字解] 자끈할괵 물건이 부서지는 소리. '一, 破聲'《集韻》.

刀 9 〔剮〕11 과 [上]馬 | guǎ カ さく

[字解] 살바를과 뼈에 붙은 살을 발라 냄. '一, 剔肉置骨'《玉篇》.

[字源] 形聲. 刂(刀)+咼〔音〕

刀 9 〔㓲〕11 편 [平]先 | piān ヘン けずる

[字解] ①깎을편 '一, 削也'《集韻》. ②고를편 더하고 덜함이 없이 같음. '一, 鈞也'《玉篇》.

刀9 〔劄〕 11 잠 ㊤感 | zuān サン さく

字解 ①잴잠 베어 가름. '一, 割剪也'《太玄經》. ②머뭇거릴잠 앞으로 잘 가지 아니함. '嘗一跙. 〈注〉 行不進也'《太玄經》.

刀9 〔剿〕 11 ㊀접 ㊁葉 ㊁찰 ㊁黠 | zhé チョウ うすぎり zhá サツ かま

字解 ㊀얇은고깃점접 얇게 저민 고기 조각. 牒(肉부 9획〈1084〉)과 同字. '牒, 說文, 薄切肉也. 或作一'《集韻》. ㊁낫찰 풀을 베는 연장. '一, 斷艸刀也'《集韻》.

刀9 〔䖙〕 11 악 ㊁藥 | è ガク は

字解 날악 도검(刀劍)의 날. '及加之砥礪, 摩其鋒一'《淮南子》.
字源 形聲. 刂(刀)+咢〔音〕

刀9 〔剸〕 11 연 ㊤銑 | ruǎn ゼン さす

字解 찌를연 剸(刀부 14획〈111〉)과 同字. '一, 刺也, 或作剸'《集韻》.

刀9 〔剛〕 11 〔강〕 剛(刀부 8획〈106〉)의 本字

刀9 〔剎〕 11 〔찰〕 刹(刀부 7획〈104〉)과 同字

刀9 〔剩〕 11 剩(次次條)의 略字

刀10 〔劵〕 12 〔권〕 券(刀부 6획〈102〉)의 本字

刀10 〔剩〕 12 人名 잉 ㊀徑 | shèng ジョウ あまる

筆順 二 千 干 乖 乖 乘 乘刂 剩

字解 ①남을잉, 나머지잉 어떤 한도 밖에 더 있음. 또, 그것. '一, 一長也'《廣韻》. '一餘'. '一員'. '公好施與, 家無一財'《韓愈》. ②길잉 쓸데없이 긺. '一語'. '雨一風殘忽春暮'《楊萬里》. ③더구나잉 더군다나. 게다가. 그 위에. '尋經一欲翻'《高適》.
字源 形聲. 刂(刀)+乘〔音〕

刀10 〔割〕 12 高人 할 ㊁曷 | gē カツ わる

筆順 丶 宀 宀 宝 害 害 割 割

字解 ①가를할 ㉠칼로 베어 끊음. 절단함. '一烹'. '一雞焉用牛刀'《論語》. ㉡나눔. 구분함. '分一'. '陰陽一昏曉'《杜甫》. ㉢나누어 줌. 분양(分讓)함. '必一地以交於王矣'《戰國策》. ②빼앗을할 성이나 땅을 점령함. '一耕'. '率一夏邑'《書經》. '然後王可以多一地'《戰國策》. ③해칠할 손해를 끼침. '洪水方一'《書經》. ④재앙할 재해(災害). '天降一於我家'《書經》. ⑤《日》할할 십분의 일. 십등분하여 그 몇을 나타내는 말. '三一'.
字源 形聲. 刂(刀)+害〔音〕

刀10 〔剳〕 12 割(前條)의 略字

刀10 〔剳〕 12 답 ㊁合 | dá, zhá トウ かぎ

字解 ①갈고리답. '一, 鉤也'《集韻》. ②낫답 풀을 베는 연장.
字源 形聲. 刂(刀)+荅〔音〕
參考 箚(竹부 8획)의 俗字로서, '剳記'로 쓰임.

刀10 〔剴〕 12 개 ㊥灰 | kǎi カイ かま

字解 ①낫개 풀을 베는 큰 낫. '一, 大鎌也'《說文》. ②간절할개 아주 적절함. '無不一切當帝心者'《唐書》.
字源 形聲. 刂(刀)+豈〔音〕

刀10 〔㓻〕 12 강 ㊥陽 | gāng ゴウ つよい

字解 굳셀강 剛(刀부 8획〈106〉)과 同字. '一風旋如塊'《錢謙益》.

刀10 〔創〕 12 高人 창 ①-③㊥陽 ④-⑥㊀漾 | chuāng ソウ きず chuàng ソウ はじめる

筆順 𠆢 𠆢 今 刍 肴 倉 倉刂 創

字解 ①다칠창 칼 따위의 연장에 다침. '漢家箭神, 中一者必有異'《後漢書》. ②상처창 연장에 다친 데. '一傷'. '一痍未瘳'《漢書》. '身被七十一'《漢書》. ③부스럼창 瘡(疒부 10획)과 통용. '頭有一則沐'《禮記》. ④비롯할창 시작함. 개시함. '一始'. '開一'. '一業垂統'《孟子》. ⑤징계할창 한번 혼이 나서 조심함. '予一若時'《書經》. ⑥슬퍼할창 상심함. 가슴아파함. '人民一艾戰鬪'《漢書》.
字源 象形. 칼이 피부에 꽂힌 모양을 본뜸.

刀10 〔劓〕 12 ㊀의 ㊀寘 ㊁예 ㊀霽 | yì ギ はなきる ゲイ はなきる

字解 ㊀코벨의 칼로 코를 베어 내는 고대(古代)의 오형(五刑)의 하나. '一, 刖鼻也'《說文》. 劓(刀부 14획〈111〉)와 同字. ㊁코벨예 ㊀과 뜻이 같음.

[字源] 會意. 甲骨文에서는 自＋刀

刀10〔㓹〕12 [一] 예 [去]霽 | ruì エイ するどい
[二] 계 [去]霽 | ケイ そこなう

[字解] [一] 날카로울예 鋭(金부 7획〈1561〉)의 籒文. [二] 다칠계 조금 다치게 함. '—, 小傷也'《集韻》.

刀10〔剫〕12 건 ①②[平]元 | jiān ケン えぐる
③[平]先 | qiān ケン けずる

[字解] ①불깔건 칼로 소의 불알을 도려내어 거세(去勢)함. '—, 以刀去牛勢'《廣韻》. ②엘건 도려냄. '—, 剔也'《集韻》. ③깎을건 '—, 削也'《集韻》.

刀10〔劕〕12 〔즉〕則(刀부 7획〈104〉)의 古字

刀10〔𠟭〕12 〔착〕斲(斤부 10획〈494〉)과 同字

刀11〔剿〕13 〔초〕勦(力부 11획〈116〉)·剿(刀부 13획〈110〉)와 同字

[字源] 形聲. 刀＋巢〔音〕

[參考] 자형(字形)을 剿(刀부 11획〈109〉)로도 씀.

刀11〔剺〕13 리 [平]支 | lí リ はぐ

[字解] 벗길리, 그을리 '—, 剝也·劃也'《說文》. '花門—面請雪恥'《杜甫》.

[字源] 形聲. 刀＋𠩺〔音〕

刀11〔剷〕13 산(찬[本]) [上]潸 | chǎn
[去]諫 | サン けずる

[字解] 깎을산 깎아 냄. '於是府兵內—, 邊兵外作'《杜牧》. ※本音 찬.

[字源] 形聲. 刂(刀)＋產〔音〕

刀11〔剸〕13 [一] 단 [平]寒 | tuán タン きる
[二] 전 [平]先 | zhuān
| セン もっぱら

[字解] [一] 끊을단 절단함. '—剡'. '其刑罪則纖—'《禮記》. [二] 오로지전 專(寸부 8획〈289〉)과 同字. '—行'. '—決'. '—屬任何關中事'《漢書》.

[字源] 形聲. 刂(刀)＋專〔音〕

刀11〔剽〕13 표 [去]嘯 | ①-③piāo ヒョウ つよい, おびやかす
[上]篠 | ④piǎo ヒョウ すえ

[字解] ①표독할표 사납고 독살스러움. '—悍'. '—勇'. '已患其—悍'《漢書》. ②겁박할표 협박함. 겁탈함. '—奪'. '—掠'. '攻—爲群盜'《史記》. ③빠를표 경첩(輕捷)함. 민첩함. '—疾'. '輕—'. '其爲獸必—'《周禮》. ④끝표 말단. '無本—者'《莊子》.

[字源] 形聲. 刂(刀)＋票(㶾)〔音〕

刀11〔剿〕13 〔초〕勦(刀부 11획〈109〉)·剿(刀부 13획〈110〉)와 同字

刀11〔剏〕13 창 [上]養 | chuǎng ソウ やぶれる

[字解] 생채기날창 피부에 상처가 남. '—, 皮傷也'《集韻》.

刀11〔剢〕13 [一] 치 [上]紙 | chì シ きずつける
[二] 철 [入]屑 | セツ きずつく
[三] 칠 [入]質 | シツ さく

[字解] [一] ①상할치, 다칠치 '—, 傷也'《說文》. ②가를치 칼로 베어 끊음. '—, 割也'《廣雅》. [二] 상할철, 다칠철, 가를철 [一]과 뜻이 같음. [三] 가를칠 '—, 博雅, 割也'《集韻》.

[字源] 形聲. 刂(刀)＋桼〔音〕

刀11〔剼〕13 [一] 삼 [平]咸 | shān サン かる
[二] 조 [平]篠 | ショウ たつ

[字解] [一] 벨삼 풀 같은 것을 벰. '—, 刈也'《集韻》. '莽封欽爲—胡子'《漢書》. [二] 끊을초 절단함. 剿(刀부 13획〈110〉)과 同字.

刀11〔劊〕13 〔각〕刻(刀부 6획〈103〉)의 古字

刀11〔𠠍〕13 〔획〕畫(田부 7획〈800〉)·劃(刀부 12획〈109〉)의 古字

刀12〔劍〕14 〔검〕劍(刀부 13획〈111〉)의 俗字

刀12〔劂〕14 궐 [入]月 | jué ケツ ほる

[字解] ①새김칼궐 각도(刻刀). '—, 剞—, 曲刀也'《集韻》. ②새길궐 조각함. '不劘不—'《張晧》. ③끌궐 조각하는 데 쓰는 굽은 끌. '般倕棄其剞—兮'《漢書》.

[字源] 形聲. 刂(刀)＋厥〔音〕

刀12〔劃〕14 [高·人] 획 [入]陌 | huà カク たちわる

[筆順] 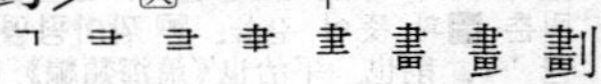

[字解] ①쪼갤획 가름. '—, 錐刀畫曰—'《說文》. '有巖類天—'《韓愈》. ②그을획 구분함. '區—'. '平洲島嶼天所—'《洪希文》. ③환히획 분명히. '—然'. '—見公子面'《杜甫》.

[字源] 形聲. 刂(刀)＋畫〔音〕

刀12 〔劀〕 14 괄 ㊀黠 | guā カツ けずりさる

字解 긁은살파낼괄, 고름짤괄 악창(惡瘡)이 난 데를 긁어 파냄. 또, 고름을 짜냄. '一殺之齊'《周禮》.
字源 形聲. 刂(刀)+矞〔音〕

刀12 〔劕〕 14 준 ㊤阮 | zǔn ソン へらす

字解 ①덜준 감(減)함. '一, 減也'《說文》. ②끊을준 '一, 斷也'《廣雅》. 撙(手부 12획〈467〉)과 同字.
字源 形聲. 刂(刀)+尊〔音〕

刀12 〔㔄〕 14 속 ㊀沃 | sù ショク きざむ

字解 저밀속 잘게 썲. '一, 細切也'《玉篇》.

刀12 〔朁刂〕 14 잠 ㊤感 | zǎn サン さす

字解 찌를잠 뾰족한 것으로 찌름. '一, 剗也, 刺也'《玉篇》.

刀12 〔替刂〕 14 朁刂(前條)의 俗字

刀12 〔劁〕 14 ㊀ 조 ㊋效 | zhào チョウ おおきい
㊁ 도 ㊋號 | トウ おおきい
㊂ 착 ㊀覺 | タク おおきい

字解 ㊀ 클조 풀이 큼. '一, 大也'《爾雅》. '說文云, 草大也'《釋文》. ㊁ 클도 ㊀과 뜻이 같음. ㊂ 클착 ㊀과 뜻이 같음.

刀12 〔劁〕 14 초 ㊥蕭 | qiáo ショウ たつ

字解 ①끊을초 절단함. '一, 斷也'《廣雅》. ②벨초 풀을 벰. '一, 刈草'《廣韻》.

刀12 〔劗〕 14 ㊀ 천 ㊤銑 | セン たつ
㊁ 잔 ㊤潸 | zhǎn サン たつ
㊂ 촌 ㊋震 | シン たつ
㊃ 찬 ㊋諫 | chàn サン おさめる

字解 ㊀ ①불깔천 소를 거세(去勢)함. '一, 以椎去牛勢'《廣韻》. ②끊을천. '一, 裁也'《集韻》. ③다스릴천 평정(平定)함. '一, 攻也'《廣雅》. ㊁ 불깔잔, 끊을잔, 다스릴잔 ㊀과 뜻이 같음. ㊂ 불깔촌, 끊을촌, 다스릴촌 ㊀과 뜻이 같음. ㊃ 깎아평평하게할찬 '一, 削也. 平治也'《篇海類編》.

刀12 〔㓵〕 14 〔악〕 㓵(刀부 9획〈108〉)의 本字

刀12 〔劄〕 14 〔차〕 箚(竹부 8획〈942〉)의 俗字

刀13 〔劈〕 15 벽 ㊀錫 | pī, pǐ ヘキ さく

字解 ①빠갤벽 칼로 쪼갬. 가름. '一, 剖也'《廣韻》. '一開'. '一碎'. '一波得泉魚'《錢起》. ②벼락맞을벽 '天打雷一'《周立波》.
字源 形聲. 刀+辟〔音〕

刀13 〔劇〕 15 高·人 극 ㊀陌 | jù ゲキ はげしい

筆順 ⺊ 广 广 卢 虍 豦 豦 劇

字解 ①심할극 격심함. 대단함. '一, 尤甚也'《說文新附》. '一甚'. '一寒'. '比得軟脚病, 往往一'《韓愈》. ②어려울극 '轉運難一'《後漢書》. ③바쁠극 분망(奔忙)함. 번거로움. '一務'. '一職'. '任繁一之任'《郭璞》. ④번화할극 사람의 왕래가 많음. 또, 그러한 곳. '一地'. '陳留據水陸一'《唐書》. ⑤많을극 번다(繁多)함. '材一志大'《荀子》. ⑥빠를극 신속함. '口吃不能一談'《漢書》. ⑦고생할극 '同知埋身一'《王粲》. ⑧놀이극 장난. '好爲蕩舟一'《李白》. ⑨연극극 희극·비극 따위. '戱一'. '京一'. '演一者飾其面, 謂之扮戱'《正字通》. ⑩성극 성(姓)의 하나.
字源 形聲. 刂(刀)+豦〔音〕

刀13 〔劇〕 15 劇(前條)의 俗字

刀13 〔劉〕 15 人名 류 ㊥尤 | liú リュウ ころす

筆順 ⺊ 卯 卯 卯 丣 金 金 劉

字解 ①죽일류 살해함. '一, 殺也'《爾雅》. '重我民無盡一'《書經》. ②도끼류 무기(武器)로 쓰는 도끼. 월(鉞)의 한 종류. '一人冕執一'《書經》. ③성류 성(姓)의 하나.
字源 形聲. 金+刂(刀)+卯(丣)〔音〕
參考 성씨(姓氏)로서는 속(俗)에 파자(破字)하여, '묘금도(卯金刀)류'로 이름.

刀13 〔劊〕 15 회(괴本) ㊋泰 | guì カイ たつ

字解 끊을회 절단함. '一, 斷也'《說文》. '以殺人者爲一子手'《五雜組》. ※本音 괴.
字源 形聲. 刂(刀)+會〔音〕

刀13 〔劋〕 15 초 ㊤篠 | jiǎo ショウ たつ

字解 끊을초 절단함. '征伐一絕之'《漢書》.
字源 形聲. 刂(刀)+喿〔音〕

刀13 〔劌〕 15 귀 ㊋霽 | guì ケイ きずつける

字解 상처낼귀 상처를 입힘. 손상함. '廉

而不一, 義也'《禮記》.
[字源] 形聲. 刂(刀)+歲〔音〕

刀 13 〔劍〕 15 [高·人] 검 [去]|jiàn ケン つるぎ
[筆順] 𠆢 亼 合 合 侖 僉 僉 劍
[字解] ①칼검 허리에 차는 칼. '一舞'. '爲一鎧矛戟'《管子》. 또, 칼을 쓰는 법. 검술(劍術). '一客'. '與蓋聶論一'《史記》. ②죽일검 칼로 찔러 죽임. '手一父讎'《潘岳》.
[字源] 形聲. ①金文은 金+僉〔音〕. ②篆文은 刃+僉〔音〕
[參考] 劒(刀부 14획〈111〉)은 本字. 剣(刀부 8획〈107〉)은 俗字.

刀 13 〔劎〕 15 劍(前條)의 籀文

刀 13 〔劅〕 15 탁 [入]覺|zhuó タク きょせい
[字解] 불깔탁 불알을 발라 냄. 고대의 형벌의 하나. 斀(攴부 13획〈488〉)과 同字. '劅刵一黥'《書經》.
[字源] 形聲. 刂(刀)+蜀〔音〕

刀 13 〔⿰肅刂〕 15 소 [去]嘯|xiào ショウ さく
[字解] ①가를소 칼로 베어 끊음. '一, 割也'《集韻》. ②고기볶음소 잘게 썬 고기를 생강·계피(桂皮) 등으로 양념하여 볶은 음식. '俗間以細剉肉, 糅以薑桂, 曰一'《南史》.

刀 13 〔⿰鼎刂〕 15 〔즉〕 則(刀부 7획〈104〉)의 籀文

刀 13 〔⿰斲刂〕 15 [一] 斲(斤부 10획〈494〉)과 同字 [二] 剹(刀부 10획〈109〉)의 俗字

刀 14 〔辦〕 〔변〕 辛부 9획(1485)을 보라.

刀 14 〔劒〕 16 [高·人] 〔검〕 劍(刀부 13획〈111〉)의 本字
[筆順] 𠆢 亼 合 侖 僉 劍 劒 劒

刀 14 〔劔〕 16 〔검〕 劍(刀부 13획〈111〉)의 俗字

刀 14 〔劑〕 16 [一] 자 [平]支|jì スイ てがた [二] 제 [去]霽|jì ザイ やくざい
[字解] [一] ①자를자 가지런히 절단함. '內若一焉'《唐書》. ②어음자 '質一'는 계약을 한 표쪽. '以質一結信而止訟'《周禮》. [二] ①약재제 약의 재료. '調一'. '和諸色一'《王粲》. ②조합(調合)할제, 약제제 조제(調劑)한 약. '強壯一'. '此助陽奇一也'《輟耕錄》. ③한도제 일정한 분한(分限). '各有限一, 須定等差'《王叡》.
[字源] 形聲. 刂(刀)+齊〔音〕
[參考] 剤(刀부 8획〈107〉)는 略字.

刀 14 〔劓〕 16 의 [去]寘|yì ギ はなきる
[字解] 코벨의 코를 벰. 또, 그 형벌. 고대의 오형(五刑)의 하나. '一罰'. '一罪五百'《周禮》.
[字源] 形聲. 篆文은 刂(刀)+臬〔音〕

刀 14 〔⿰需刂〕 16 [一] 유 [平]虞|rú ジュ なめらか [二] 연 [上]銑|ruǎn ゼン さす
[字解] [一] 부드러울유 가죽이 부드럽고 매끄러운 모양. '需, 韋柔滑皃. 或作一'《集韻》. [二] 찌를연 칼로 찌름. 剸(刀부 9획〈108〉)과 同字. '剸, 刺也, 或作一'《集韻》.

刀 14 〔劐〕 16 확 [入]藥|huō カク さく
[字解] ①쪼갤확 가름. 쨈. 劃(刀부 12획〈109〉)과 同字. '一, 裂也'《廣韻》. ②농구확 끝이 뾰족한 쇠붙이로, 씨뿌리는 수레 누거(耬車)의 양쪽 발에 끼워 흙을 일궈 부드럽게 하는 농구(農具)의 하나.

刀 14 〔⿰員刂〕 16 〔즉〕 則(刀부 7획〈104〉)의 古字

刀 15 〔劕〕 17 질 [入]質|zhì シツ わりふ
[字解] 어음질 質(貝부 8획〈1395〉)과 통용. '一劑'.
[字源] 形聲. 刂(刀)+質〔音〕

刀 16 〔⿱辥刀〕 18 [一] 설 [入]屑|xiè セツ たつ [二] 얼 [入]質|ギツ たつ
[字解] [一] ①끊을설 절단(切斷)함. '一, 斷也'《說文》. ②나머지설 남은 것. '一, 一曰, 餘也'《集韻》. [二] 끊을얼, 나머지얼 [一]과 뜻이 같음.
[字源] 形聲. 刀+辥〔音〕

刀 17 〔劖〕 19 참 [平]咸|chán サン·ゼン うがつ
[字解] 끊을참, 뚫을참 절단함. 또, 개착(開鑿)함. '一, 斷也'《說文》. '鑴一'. '彫心覺刃一'《元稹》.
[字源] 形聲. 刂(刀)+ 毚〔音〕

刀 18 〔[illegible]〕20 〔표〕 剽(刀부 11획〈109〉)의 本字

刀 18 〔𠠫〕20 〔부〕 副(刀부 9획〈107〉)의 籒文

刀 19 〔劗〕21 전 [上]銑 | zuān サン きる

[字解] 깎을전, 벨전 剪(刀부 9획〈107〉)과 同字. '一髮文身之民也'《漢書》.

[字源] 形聲. 刂(刀)+贊〔音〕

刀 19 〔劘〕21 마 [平]歌 | mó バ·マ けずる

[字解] ①깎을마, 벨마 깎아 냄. 자름. '一, 削也'《玉篇》. ②닦을마 힘씀. 간절한 충언(忠言) 등을 이르는 말. '自下一上'《漢書》.

[字源] 形聲. 刂(刀)+靡〔音〕

刀 21 〔劙〕23 리 [平]支 | lí り わる

[字解] 가를리 쪼갬. 분할함. '一, 分割也'《玉篇》.

[字源] 形聲. 刂(刀)+蠡〔音〕

刀 21 〔劚〕23 〔촉〕 斸(斤부 21획〈494〉)과 同字

力 部

〔힘 력 부〕

力 0 〔力〕2 [中·人] 력 [入]職 | lì リョク·リキ ちから

[筆順] ㇆ 力

[字解] ①힘력 ㉠근육의 작용. '筋一'. '或勞心, 或勞一'《孟子》. ㉡정신의 작용. '心一'. '精一過絶於人'《漢書》. ㉢기능. 작용. '能一'. '人一'. '信爲造化一'《宋之問》. ㉣물체의 운동을 일으키는 원인. '重一'. '水一'. ㉤권세. 위세(威勢). '權一'. '以一服人者, 非心服也'《孟子》. ㉥공. 공적. '與一而不務德'《國語》. ㉦효험. '效一'. '由神呪一, 銷其愛欲'《楞嚴經》. ㉧부역(賦役). '一政'. '興事任一'《禮記》. ㉨노력. 수고. '勞一'. '積一於田疇'《韓非子》. ㉩기세. '極有筆一'《南史》. ㉪무용(武勇). '秦武王好一'《史記》. '吾寧鬪智不鬪一'《史記》. ㉫도움. 원조. '借一以雪父之恥'《史記》. ㉬은덕. 덕택. '此非臣之功也, 主君之一也'《史記》. ②힘쓸력 ㉠일을 함. 업무에 종사함. '農服田一穡'《書經》. ㉡힘을 다함. 애씀. '一作'. '一戰'. ㉢뜻을 둠. '食事不一珍'《禮記》. ③힘써력 힘을 다하여. 노력하여. '一行'. '一誦聖德'《漢書》. ④심할력 병이 대단함. '臣犬馬病一'《漢書》. ⑤힘줄력 심줄. '絶一致死'《韓非子》. ⑥하인력 종복(從僕). '遣此一, 助汝薪水之勞'《陶潛》. ⑦일꾼력 인부. '立宅於吳, 多役公一'《宋書》. ⑧군사력 병정. 병사. '率見一決戰'《宋書》. ⑨성력 성(姓)의 하나.

[字源] 象形. 굳센 팔의 모양을 본뜸.

[參考] 문자 정리상 부수(部首)로 세워져, '힘력'으로 이름. '力'을 의부(意符)로 하여, 힘이 있다, 힘을 들이다의 뜻을 포함하는 문자를 이룸.

力 1 〔[illegible]〕3 力(前條)의 古字

力 2 〔办〕4 〔판〕 辦(辛부 9획〈1485〉)의 俗字·簡體字

力 2 〔劝〕4 〔권〕 勸(力부 18획〈118〉)의 俗字·簡體字

力 3 〔加〕5 [中·人] 가 [平]麻 | jiā カ くわえる

[筆順] ㇆ 力 加 加 加

[字解] ①더할가 ㉠보탬. 늘림. 많게 함. '倍一'. '旣富矣, 又何一焉'《論語》. ㉡높게 함. 올림. '一階'. '有諸公則辭一席'《儀禮》. ㉢베풂. 줌. '一恩'. '老有一惠'《左傳》. ②더하여질가 ㉠보태어짐. 늚. 많아짐. '祀一於擧'《國語》. ㉡높아짐. 올라감. '獻子一於人一等矣'《禮記》. ③업신여길가 모멸함. 능멸(凌蔑)함. '我不欲人之一諸我也'《論語》. ④입을가, 쓸가 착용(着用)함. '一冠'. '一朝服'《論語》. ⑤칠가 공격함. '宵一於鄙'《左傳》. ⑥있을가 처(處)함. '一齊之卿相'《孟子》. ⑦미칠가 이름. '刀鋸不一'《韓愈》. ⑧가법가 수에 수를 보태는 일. 또, 그 산법(算法). '一減乘除'. ⑨더욱가 한층 더. 오히려 더하게. '一勇'. '今之時, 與孟子之時, 又一遠矣'《韓愈》. ⑩성가 성(姓)의 하나.

[字源] 會意. 力+口

力 3 〔功〕5 [中·人] 공 [平]東 | gōng コウ いさお

[筆順] 一 丅 工 玎 功

[字解] ①공공 ㉠공적. '一名'. '一勳'. '天下莫汝爭一'《書經》. ㉡힘을 들여 이룬 결과. '相陳以一'《國語》. ㉢이룬 결과가 양호한 일. '辨其一苦'《國語》. 또, 공을 세운 사람. '德報一'《禮記》. ②보람공 효험. '勞而無

一'. '禱請一兼造化一'《羅隱》. ③공치사할 공 자기가 자기 공을 자랑함. '自一'. '公子自驕而一之'《史記》. ④일공 직무. 사업. '田一'. '載纘武一'《詩經》. '婦容婦一'《周禮》. ⑤상복이름공 삼베로 만든 상복. '大一'. '小一布十一升'《儀禮 傳》. ⑥성공 성(姓)의 하나.
[字源] 形聲. 力+工〔音〕

力 3 〔劸〕 5 화 [去]箇 huò カ かけごえ
[字解] 배끄는소리화, 구령소리화 '一, 牽船聲'《玉篇》.

力 3 〔务〕 5 〔무〕 務(力부 9획〈116〉)의 簡體字

〔劝〕 〔유〕 幺부 2획(342)을 보라.

力 4 〔劦〕 6 협 [入]葉 xié キョウ あわせる
[字解] ①합할협 힘을 합함. 협력함. '一, 通作協'《集韻》. 協(十부 6획〈127〉)과 同字. ②바쁠협 분망(奔忙)함. 급함. '一, 急也'《玉篇》. ③성협 성(姓)의 하나.
[字源] 會意. 力+力+力

力 4 〔劥〕 6 귀 [去]寘 guì キ つかれきる
[字解] 느른할귀 피곤함. '一, 弊也, 刀乏也'《正韻》. '弊一之民'《魏志》.

力 4 〔劣〕 6 [高·人] 렬 [入]屑 liè レツ おとる
[筆順] 丿 小 少 尖 劣
[字解] ①못할렬 ㉠재능·기예 등이 남보다 못함. '庸一'. '拙一'. '安棊常一于玄'《晉書》. ㉡힘이나 마음이 약함. '一弱'. '哀其羸一'《蔡邕》. ㉢졸렬함. '一惡'. '行法則施之寒一'《晉書》. ②겨우렬 간신히. '使其中一通車軸'《宋書》.
[字源] 會意. 力+少

力 4 〔劤〕 6 [人名] 근 [去]問 jìn キン ちからがおおい
[筆順] 一 厂 斤 斤 劤 劤
[字解] 힘셀근 힘이 셈. '一, 多力也'《玉篇》.
[字源] 形聲. 力+斤〔音〕

力 4 〔动〕 6 〔동〕 動(力부 9획〈115〉)의 簡體字

力 5 〔助〕 7 [中·人] 조 [去]御 zhù ジョ たすける
[筆順] 丨 冂 月 目 且 助 助
[字解] ①도울조 ㉠힘을 빌림. 보좌함. '一力'. '天之所一者順也'《易經》. ㉡어려운 사람을 구제함. '秋省斂而一不給'《孟子》. 또, 돕는 사람. 보좌. '亡貴人左右之一'《漢書》. ②도움조 조력. 이익. '來以爲客, 則一也'《史記》. ③구실조 은(殷)나라 때에 정전(井田)의 중앙의 일구(一區)의 공전(公田)을 주위의 팔구(八區)를 경영하는 여덟 가호가 같이 경작하여 그 수확을 관(官)에 바치던 전조(田租). '殷人七十而一'《孟子》.
[字源] 形聲. 力+且〔音〕

力 5 〔劫〕 7 겁 [入]葉 jié ゴウ おびやかす
[字解] ①겁탈할겁 억지로 빼앗음. '一掠'. '一盜'. '剽一行者'《漢書》. ②으를겁 위협함. 협박함. '一脅'. '威一'. '一之以衆'《禮記》. ③강도겁 위협하여 약탈하는 도둑. '寇一強多'《晉書》. ④대궐층계겁 궁전의 계단. '浩一因王造'《杜甫》. ⑤패겁 바둑의 패. '有征有一'《碁經》. ⑥겁겁 범어(梵語) kalpa의 음역(音譯). 가장 긴 시간. 또, 단지 시간의 뜻으로도 쓰임. '未來永一'. '日月歲數, 謂之時, 成住壞空, 謂之一'《祖庭事苑》. ⑦부지런할겁 부지런히 일하는 모양. '人皆一一, 我獨有餘'《韓愈》.
[字源] 形聲. 力+去(盍)〔音〕

力 5 〔劬〕 7 구 [平]虞 qú ク つとめる
[字解] 힘들일구 수고함. 애씀. '一勤'. '哀哀父母, 生我一勞'《詩經》.
[字源] 形聲. 力+句〔音〕

力 5 〔劭〕 7 소 [去]嘯 [平]蕭 shào ショウ つとめる, すすめる
[字解] ①권할소 권면함. '先帝一農'《漢書》. ②아름다울소 '一美'. '令名患不一'《潘岳》. ③힘쓸소 근면함. '一, 勉也'《說文》. ④이을소 '儁聲淸一, (注)一, 繼也'《潘岳》.
[字源] 形聲. 力+召〔音〕

力 5 〔劮〕 7 일 [入]質 yì イツ みだら
[字解] ①음탕할일 '一, 婬也'《廣雅》. ②희롱할일 희학질함. '一, 戲也'《廣雅》. ③즐길일 즐겁게 놂. '一, 豫也'《廣雅》.

力 5 〔努〕 7 노 [上]麌 nǔ ド つとめる
[筆順] 𠃊 女 女 奴 奴 努 努
[字解] 힘쓸노 부지런히 일함. 힘을 들임.

'一, 勉也'《集韻》. '一力崇神德'《李陵》.
[字源] 形聲. 力＋奴〔音〕

力5 〔労〕7 [로]
勞(力부 10획〈116〉)의 略字

力5 〔劳〕7 [로]
勞(力부 8획〈116〉)의 俗字

力5 〔劲〕7 [경]
勁(力부 7획〈114〉)의 俗字

力5 〔励〕7 [려]
勵(力부 15획〈118〉)의 俗字

力6 〔劼〕8 [一] 할 [入]黠 | jié
[二] 길 [入]質 | カツ・キツ つつしむ

[字解] [一] ①삼갈할 근신함. '一, 愼也'《說文》. ②단단할할 '一, 固也'《爾雅》. '汝一毖殷獻臣'《書經》. ③힘쓸할 '一, 用力也'《廣韻》. [二] 삼갈길, 단단할길, 힘쓸길 [一]과 뜻이 같음.
[字源] 形聲. 力＋吉〔音〕

力6 〔劾〕8 핵 [入]職 | hé ガイ きわめる

[字解] ①캐물을핵 죄상을 추궁하여 조사함. 또, 그 죄상을 기록한 문서. '一, 推窮罪人'《廣韻》. '一按'. '一奏'. ②힘쓸핵 '一, 勤力也, 一曰, 勉也'《集韻》.
[字源] 形聲. 力＋亥〔音〕

力6 〔劻〕8 광 [平]陽 | kuāng
キョウ さしせまる

[字解] 허둥댈광 썩 급한 모양. '一, 一勷, 遽也'《集韻》. '新師不牢, 一勷將逋'《韓愈》.
[字源] 形聲. 力＋匡〔音〕

力6 〔効〕8 [中·人] 效(攴부 6획〈481〉)의 俗字

[筆順] 丶 亠 ナ 六 亣 交 効 効

力6 〔劵〕8 [권]
倦(人부 8획〈58〉)의 本字
[字源] 形聲. 力＋龹(豢)〔音〕
[參考] 券(刀부 6획〈102〉)은 別字.

力6 〔势〕8 [세] 勢(力부 11획〈117〉)의 俗字·簡體字

力7 〔勁〕9 [人名] 경 [去]敬 | jìng, jìn
ケイ つよい

[筆順] 一 ㄱ 巛 巛 巠 巠 剄 勁

[字解] 셀경, 굳셀경 '一, 彊也'《說文》. ㉠힘이 있음. 강함. '一兵'. '一弓'. '六弓先調而後求一馬'《淮南子》. ㉡옳고 의지가 강함. '一正'. '一直'. '行法至堅, 不以私欲亂所聞, 如是則可謂一士矣'《荀子》.
[字源] 形聲. 力＋巠〔音〕

力7 〔勃〕9 발 [入]月 | bó ボツ おこる

[字解] ①우쩍일어날발 갑자기 흥(興)하는 모양. '一起'. '其興也一焉'《左傳》. ②갑작스러울발 급한 모양. '忽然出, 一然動'《莊子》. ③발끈할발 ㉠갑자기 화를 내는 모양. '王一然變乎色'《孟子》. ㉡갑자기 안색이 변하는 모양. '色一如也'《論語》. ④밀칠발 떠밂. 배제함. '肆其猖一'《晉書》. ⑤다툴발 언쟁함. 싸움. '婦姑一谿'《莊子》. ⑥바다이름발 渤(水부 9획〈662〉)과 통용. '一碣之間'《漢書》. ⑦성발 성(姓)의 하나.
[字源] 形聲. 力＋孛〔音〕

力7 〔勅〕9 [人名] 칙 [入]職 | chì
チョク いましめる

[筆順] 一 厂 冂 戸 申 束 剌 勅

[字解] ①신칙할칙 타이름. 경계함. '戒一'. ②삼갈칙 조신(操身)함. 조심함. '能一身率下'《後漢書》. ③조서칙 제왕의 선지(宣旨). 또, 그것을 적은 문서. '詔一'. '一旨'. '使溫子昇草一'《北史》.
[字源] 會意. 束＋攴
[參考] ①敕(攴부 7획)과 同字. ②'敕'과 '勅'은 서로 통용하지만, 오늘날 '조서(詔書)'의 뜻으로는 보통 '勅'을 씀. ③勑(力부 8획)는 본디 別字이지만, 자형(字形)이 유사하여, '勅'으로 오용(誤用)하게 됨.

力7 〔勉〕9 [中·人] 면 [上]銑 | miǎn ベン つとめる

[筆順] ノ ㇇ 仒 色 争 免 免 勉

[字解] ①힘쓸면 근면함. 부지런히 함. '一學'. '喪事不敢不一'《論語》. ②권면할면 힘써 하도록 격려함. '勸一'. '一諸侯'《禮記》.
[字源] 形聲. 力＋免〔音〕

力7 〔勀〕9 극 [入]職 | kè コク つとめる

[字解] ①힘쓸극 부지런히 함. '一, 自彊也'《廣韻》. ②이길극 '一, 勝也'《玉篇》. ③克(儿부 5획〈82〉)과 통용. '一, 與克通'《正字通》.
[字源] 形聲. 力＋克〔音〕

力7 〔勈〕9 勇(次條)의 本字

力 7 〔勇〕9 [中·人] 용 [上]腫 | yǒng ユウ いさましい

[筆順] 乛 マ 丙 甬 甬 甬 勇 勇

[字解] ①날랠용 기운이 있고 동작이 빠름. '一健'. '一而無禮則亂'《論語》. ②의지(意志)가 과감(果敢)할용 의지가 강하고 과단성이 있음. '一斷'. '一, 志之所以敢也'《墨子》. ③용감용 '知仁一三者, 天下之達德也'《中庸》. ④용사용 ㉠용감한 사람. '非一一所抗'《蔡邕》. ㉡용감한 군사. 군인. '決勝三河一, 長驅六郡雄'《李嶠》. ⑤성용 성(姓)의 하나.

[字源] 形聲. 力+甬〔音〕

力 7 〔勇〕9 勇(前條)의 俗字

力 8 〔勌〕10 권 [去]霰 | juàn ケン うむ

[字解] 게으를권, 싫증날권 倦(人부 8획〈58〉)과 同字. '學道不一'《莊子》.

[字源] 形聲. 力+卷〔音〕

力 8 〔勍〕10 경 [平]庚 | qíng ケイ つよい

[字解] 셀경 강함. '一敵之人'《左傳》.

[字源] 形聲. 力+京〔音〕

力 8 〔勑〕10 [一] 래 [去]隊 [二] 칙 [入]職 | lài ライ ねぎらう chì チョク みことのり

[筆順] 一 厂 厂 从 夾 來 剌 勑

[字解] [一] 위로할래 徠(彳부 8획〈372〉)와 同字. '宣王能勞來, 來皆一之省'《詩經》. [二] 신칙할칙, 조서칙 勅(力부 7획〈114〉)과 同字. '勅, 天子制敕, 亦作一'《正韻》.

[字源] 形聲. 力+來〔音〕

力 8 〔勐〕10 〔맹〕 猛(犬부 8획〈754〉)의 俗字

力 8 〔勉〕10 〔면〕 勉(力부 7획〈114〉)과 同字

〔哿〕〔가〕 口부 7획(162)을 보라.

力 9 〔勒〕11 륵 [入]職 | lè, ⑤lēi ロク くつわ

[字解] ①굴레륵 마소의 목에서 고삐에 걸쳐 얽어매는 줄. '一絆'. '鞍一一具'《漢書》. ②새길륵 조각함. '一石'. '一銘'. '物一工名'《禮記》. ③억누를륵 억제함. '一抑'. '不能敎一子孫'《後漢書》. ④다스릴륵 통어(統御)함. '可以少試一兵乎'《史記》. ⑤묶을륵 결박함. '一死'. '火伴相一縛'《元稹》. ⑥성륵 성(姓)의 하나.

[字源] 形聲. 革+力〔音〕

力 9 〔勔〕11 면 [上]銑 | miǎn ベン·メン つとめる

[字解] 힘쓸면, 권면할면 '一, 爾雅, 劭一, 勉也, 或作偭, 通作黽'《集韻》. 偭(人부 13획〈76〉)·黽(部首〈1870〉)과 同字.

[字源] 形聲. 力+面〔音〕

力 9 〔動〕11 [中·人] 동 [上]董 [去]送 | dòng ドウ うごく

[筆順] 二 㐃 亩 亩 重 重 動 動

[字解] ①움직일동 ㉠옮김. 감. '日行月一'《淮南子》. ㉡흔들림. 요동함. 또, 꿈틀거림. '一搖'. '悲秋風之一容兮'《楚辭》. '日光釵焰一, 窗影鏡花搖'《庾信》. ㉢떨림. '心一'. '天休震一'《書經》. ㉣느낌. 감응(感應)함. '感一'. '同氣相一'《淮南子》. ㉤기거동작을 함. '非禮勿一'《論語》. ㉥일을 함. '終歲勤一'《孟子》. ㉦일어남. 시작함. '兵以義一'《魏書》. ㉧벼슬을 함. '一息無兼遂'《謝朓》. ㉨의혹함. '不隨物而一'《淮南子》. ㉩변함. '色一而意變'《戰國策》. ㉪나옴. 나타남. '仲春蟄蟲咸一'《禮記》. ㉫어지러움. '天下螘一'《後漢書》. ㉬이상(以上)의 타동사. '雷以一之'《易經》. ②움직임동 전항의 명사. '一靜'. '一合無形, 贍足萬物'《史記》. ③동물동 움직이는 생물. '羣一咸遂'《梁巘》. ④자칫하면동 까딱하면. '一輒得咎'. '來往一皆經月'《韓愈》.

[字源] 形聲. 力+重〔音〕

力 9 〔勖〕11 욱 [入]沃 | xù キョク つとめる

[字解] ①힘쓸욱 힘써 일을 함. '一哉夫子'《書經》. ②권면할욱 힘써 일하도록 권장함. '以一寡人'《詩經》.

[字源] 形聲. 力+冒〔音〕

[參考] '勖'은 옛 음이 '모'이며 '욱'은 속된 잘못이라는 설도 있음.

力 9 〔勗〕11 勖(前條)의 訛字

力 9 〔勘〕11 [人名] 감 [去]勘 [平]覃 | kān カン かんがえる

[筆順] 一 艹 甘 甘 甚 甚 斟 勘

[字解] ①살필감 잘 생각하거나 조사하여 정함. '一校'. '一定'. '史籍散亡, 無可檢一'《左傳 疏》. ②국문할감 죄상을 신문함. '審一'. '一獄官推一不實者'《宋史》.

[字源] 形聲. 力+匹+甘〔音〕

力 9 〔⿰曷力〕11 할 [入]黠 | xiā カツ つとめはげむこえ

[字解] 어여차할할 여럿이 힘을 합할 때에 일제히 내는 소리. '一一'.

力 9 〔務〕11 [中·人] [一] 무 [去]遇 | wù ム つとめる
[二] 모 [上]麌 | wǔ ム あなどる

[筆順] ㇇ ㇇ 予 矛 矛 矜 務 務

[字解] [一] ①힘쓸무 힘써 함. '勸一'. '君子一本'《論語》. ②일무 ㉠힘써 하는 일. 사업. '事一'. '開物成一'《易經》. ㉡직책. '任一'. '必用此爲一'《史記》. [二] 업신여길모 侮(人부 7획〈50〉)와 통용. '外禦其一'《詩經》.
[字源] 形聲. 力+敄〔音〕

力 9 〔勤〕11 〔근〕 勤(力부 11획〈116〉)의 略字

力 10 〔勛〕12 [人名] 〔훈〕 勳(力부 14획〈118〉)의 古字

[筆順] 口 冂 冃 目 目 員 員 勛

力 10 〔勞〕12 [中·人] 로 ①-⑨[平]豪 ⑩[去]號 | láo ロウ つとめる / lào ロウ ねぎらう

[筆順] 丶丶 火 火丶 炏 炏 㷀 䒑 勞

[字解] ①수고할로 힘들임. 애씀. '一苦'. '勤一'. '主一而臣逸'《史記》. ②노곤(勞困)할로 고달픔. '疲一'. '一倦'. '不敢告一'《詩經》. ③괴로워할로 마음을 괴롭게 함. 근심함. '一心焦思'. '實一我心'《詩經》. ④앓을로 병듦. '好憎者使人之心一'《淮南子》. ⑤일할로 힘써 일을 함. '先之一之'《論語》. ⑥수고로, 피로로 '一逸'. '民忘其一'《易經》. ⑦일로 힘써 하는 일. 사업. '先一後祿'《禮記》. ⑧공로 힘써 한 공. 공적. '功一'. '非無一效'《溫子昇》. ⑨성로 성(姓)의 하나. ⑩위로할로 수고한 것을 치사함. '慰一'. '自一'. '一君之則拜'《禮記》.
[字源] 會意. 力+熒〈省〉
[參考] 労(力부 5획〈114〉)는 생략형인 俗字.

力 10 〔勜〕12 옹 [上]董 | wěng オウ つよい

[字解] ①굳셀옹 䈵(頁부 10획〈1698〉)과 同字. '一, 一尪, 屈強皃, 或从頁'《集韻》. ②힘이많을옹 '一, 一頓, 多力'《集韻》.

力 10 〔勝〕12 [中·人] 승 ①-④[去]徑 ⑤-⑥[平]蒸 | shèng ショウ かつ / shēng ショウ たえる

[筆順] 丿 月 月丶 月' 月关 朕 勝 勝

[字解] ①이길승 ㉠적과 싸워서 쳐부숨. 상대자를 지게 함. '連一'. '天道不爭而善一'《老子》. ㉡억제함. 억누름. '人衆者一天'《史記》. ㉢능가함. 능범(凌犯)함. '終莫之一'《易經》. ②이김승 승리. '一敗'. '一一負兵家常勢'《唐書》. ③나을승 딴 것보다 나음. '劣'의 대(對). '一景'. '實一善也, 名一恥也'《周子通書》. 또, 뛰어난 것. 뛰어난 사람. 경치가 좋은 곳. '名一'. '皆歎其有濟一之具'《南史》. ④머리꾸미개승 부인의 수식(首飾). '人一'. '花一'. '一裏金花巧耐寒'《杜甫》. ⑤견딜승 감당함. 감내함. '執圭鞠躬如也, 如不一'《論語》. ⑥모두승 다. 온통. '材木不可一用'《孟子》.
[字源] 會意. 力+朕

力 10 〔劵〕12 〔권〕 券(力부 6획〈114〉)의 本字

力 10 〔⿱臼男〕12 〔구〕 舅(臼부 7획〈1106〉)의 俗字

力 11 〔勠〕13 륙 [入]屋 | lù リク あわせる

[字解] 같이힘쓸륙 협력함. '一力攻秦'《漢書》.
[字源] 形聲. 力+翏〔音〕

力 11 〔勤〕13 [中·人] 근 [平]文 | qín キン つとめる

[筆順] 一 艹 廿 芇 䒑 堇 勤 勤

[字解] ①부지런히할근, 힘쓸근 ㉠일을 꾸준히 함. '一勉'. '克一于邦'《書經》. ㉡직책을 다함. 임무를 행함. '一務'. '一大命'《禮記》. ②위로할근 위안함. '齊方一我'《左傳》. ③괴로워할근 고생함. '或問民所一'《揚子法言》. ④근심할근 걱정함. '一天子之難'《呂氏春秋》. ⑤일근 직책. '以多値爲一'《金史》. ⑥괴로움근 고통. '民有三一'《揚子法言》. ⑦은근할근 懃(心부 13획〈413〉)과 同字. '恩斯一斯'《詩經》. '重賜文君侍者, 通殷一'《漢書》. ⑧성근 성(姓)의 하나.
[字源] 形聲. 力+堇〔音〕

力 11 〔勦〕13 초 [平]肴 [上]篠 | chāo jiǎo ソウ つかれる

[字解] ①노곤할초 피곤함. 가쁨. '心一形瘵'《趙岐》. ②괴로워할초, 괴롭힐초 피로하여

고통을 느낌. 또, 그렇게 함. '安用速成, 其以—民'《左傳》. ③표절할초 남의 시문이나 학설을 훔쳐 제것으로 함. '毋—說'《禮記》. ④날랠초 경첩(輕捷)함. '稟生肖—剛'《韓愈》. ⑤겁탈할초 강탈함. '—襲'. ⑥끊을초 절멸(絶滅)시킴. '天用—絶其命'《書經》.
[字源] 形聲. 力+巢〔音〕

力 11 〔勡〕 13 표 [去]嘯 | piào ヒョウ おびやかす
[字解] 으를표, 겁박(劫迫)할표 剽(刀부 11획〈109〉)와 同字. '—吏而奪之金'《漢書》.
[字源] 形聲. 力+㶾(票)〔音〕

力 11 〔勣〕 13 적 [入]錫 | jī セキ いさお
[字解] 공적 績(糸부 11획〈1011〉)과 同字
[字源] 形聲. 力+責〔音〕

力 11 〔勧〕 13 〔권〕
勸(力부 18획〈118〉)의 略字

力 11 〔勧〕 13 〔권〕
勸(力부 18획〈118〉)의 俗字

力 11 〔募〕 13 [高·人] 모 [去]遇 | mù ボ つのる
[筆順] ' 艹 芇 苜 莫 莫 募 募
[字解] ①뽑을모 모집함. '—兵'. '—選'. '宣—吏民有氣節勇猛者'《後漢書》. ②부를모 불러 모음. '招—'. ③뽑음모, 부름모 이상(以上)의 명사. '應—使月氏'《漢書》.
[字源] 形聲. 力+莫〔音〕

力 11 〔勢〕 13 [中·人] 세 [去]霽 | shì セイ いきおい
[筆順] 一 土 圥 坴 坴丿 埶 勢 勢
[字解] ①세력세 ㉠권세(權勢). 위세(威勢). '—權'. '權門—家'. '古之賢王, 好善而忘—'《孟子》. ㉡물리적인 힘. '水—'. '火—'. '各有其自然之—'《淮南子》. ②형세세 ㉠환경의 상태. '大—'. '情—'. ㉡형편. '其—無所得食'《史記》. ㉢산수(山水)의 상태. '山—'. '地—坤'《易經》. ③기세세 기운차게 뻗치는 형세. 기염(氣焰). '氣—'. '毋倚—作威'《書經》. ④기회세 가장 효과적인 시기(時機). '雖有智慧, 不如乘—'《孟子》. ⑤불알세 고환(睾丸). '去—'. '盜淫者割其—'《晉書》. ⑥성세 성(姓)의 하나.
[字源] 形聲 力+埶〔音〕

力 11 〔⿱敖力〕 13 호 [平]豪 | háo ゴウ すこやか
[字解] 굳셀호 뛰어나게 굳셈. '—, 俊健'《廣韻》.
[字源] 形聲. 力+敖〔音〕

力 11 〔勥〕 13 강 [上]養 | qiǎng
[平]陽 | jiàng キョウ せまる
[字解] ①핍박할강 힘으로 강제함. '—, 迫也'《說文》. ②힘쓸강 '—, 勉力也'《廣韻》.
[字源] 形聲. 力+強〔音〕

力 12 〔勩〕 14 [一] 예 [去]霽 | yì エイ つかれる
[二] 이 [去]寘 | yì イ つかれる
[字解] [一] 수고로울예, 괴로울예 피로(疲勞)함. 고통스러움. [二] 수고로울이, 괴로울이 '莫知我—'《詩經》.
[字源] 形聲. 力+貰〔音〕

力 12 〔勨〕 14 [一] 양 [上]養 | xiàng ヨウ ゆるやか
[二] 상 [上]養 | xiàng ショウ ゆるやか
[字解] [一] ①느즈러질양 요역(徭役)이 엄하지 않음. '—, 繇緩也'《說文》. ②움직일양 '—, 動也'《廣雅》. ③힘쓸양 '—, 勉也'《廣韻》. [二] 느즈러질상, 움직일상, 힘쓸상 [一]과 뜻이 같음.
[字源] 形聲. 力+象〔音〕

力 12 〔勠〕 14 륙 [入]屋 | lù リク あわせる
[字解] 같이힘쓸륙 勠(力부 11획〈116〉)의 俗字. '—, 倂力也'《海篇》.

力 12 〔勧〕 14 〔권〕
勸(力부 18획〈118〉)의 俗字

力 12 〔⿱厥力〕 14 궐 [入]月 | jué ケツ つよい
[字解] 굳셀궐 '—, 強也'《廣雅》.
[字源] 形聲. 力+厥〔音〕

力 13 〔勰〕 15 협 [入]葉 | xié キョウ あう
[字解] 뜻맞을협 의사가 일치함. 協(十부 6획〈127〉)의 古字.
[字源] 會意. 劦+思

力 13 〔勱〕 15 매 [去]卦 | mài バイ・マイ つとめる
[字解] 힘쓸매 부지런히 일함. 애씀. '其惟吉士, 用—相我國家'《書經》.
[字源] 形聲. 力+萬〔音〕

力 13 〔勮〕 15 거 [去]御 | jù キョ つとめる
[字解] ①부지런할거 부지런히 일함. '—, 勤

務也'《廣韻》. ②클거 공적이 큼. '一, 巨也, 事功巨也'《釋名》.
字源 形聲. 力+豦〔音〕

力 13 〔勯〕15 단 ㊥寒 dān タン つきる
字解 다할단 힘이 다 없어짐. 힘이 아주 빠짐. '使烏獲疾引牛尾, 尾絕力一, 而牛不可行, 逆也'《呂氏春秋》.

力 13 〔勲〕15 勳(次次條)의 俗字

〔辦〕〔판〕
辛부 9획(1485)을 보라.

力 14 〔勳〕16 人名 훈 ㊥文 xūn クン いさお
筆順 ⼀ 㐅 㔾 ⼮ 重 熏 勳 勳
字解 ①공훈 국가 또는 왕사(王事)를 위하여 세운 공적. 훈공. '一臣'. '功一'. '一乃心力, 其克有一'《書經》. ②성훈 성(姓)의 하나.
字源 形聲. 力+熏〔音〕

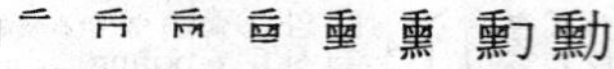

力 14 〔勦〕16 〔초〕
勦(力부 11획〈116〉)의 本字

力 15 〔勵〕17 高·人 려 ㊤霽 lì レイ はげむ
筆順 厂 厂 厈 厉 厲 厲 厲 勵
字解 ①힘쓸려 일을 힘써 함. '一行'. '以自一'《後漢書》. ②권면할려 힘써 하도록 권장함. '勉一'. '督一'. '以義相一'《魏志》. ③성려 성(姓)의 하나.
字源 形聲. 力+厲〔音〕
參考 励(力부 5획〈114〉)는 俗字.

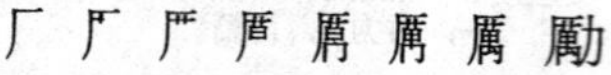

力 15 〔勴〕17 려 ㊤御 lǜ リョ たすける
字解 도울려 마음으로 도움. '左右·助, 一也'《爾雅》.

力 15 〔勵〕17 ㊀뢰 ㊤隊 lèi ライ おす / ㊥灰 léi ライ つとめる
㊁루 ㊥支 ルイ つとめる
字解 ㊀①밀칠뢰 밀어 떨어뜨림. '一, 推也'《說文》. ②품을뢰 '一, 懷也'《玉篇》. ③힘쓸뢰 '一, 勉也'《集韻》. ㊁ 밀칠루, 힘쓸루 ㊀과 뜻이 같음.
字源 形聲. 力+靁(省)〔音〕

力 15 〔勶〕17 철 ㊈屑 chè テツ はなつ
字解 ①쏠철 활 따위를 쏨. '一, 發也'《說文》. ②거둘철, 치울철 제거함. '一, 去也'《集韻》.
字源 形聲. 力+徹〔音〕

力 16 〔勞〕18 〔로〕
勞(力부 10획〈116〉)의 古字

力 16 〔勥〕18 〔강〕
勥(力부 11획〈117〉)의 古字

力 17 〔勷〕19 양 ㊥陽 ráng ジョウ はしる
字解 ①달릴양 달음박질하는 모양. '一, 走貌'《玉篇》. ②허둥댈양, 급할양 썩 급한 모양. 급히 닥치는 모양. '新師不牢, 劻一將逋'《韓愈》.
字源 形聲. 力+襄〔音〕

力 18 〔勸〕20 中·人 권 ㊤願 quàn カン すすめる
筆順 ⼀ 艹 艹 芦 萑 雚 勸 勸
字解 ①권할권 권면함. 장려함. '一業'. '一誘'. '一獎'. '慶賞以一善'《漢書》. ②인도할권, 가르칠권 옳은 일을 하도록 지도함. '一之以九歌'《書經》. ③힘쓸권 힘써 함. '荆王大悅, 許救甚一'《戰國策》. '各一其業'《史記》. ④따를권 교훈에 복종함. 착한 일을 따라 함. '一服'. '不賞而一'《呂氏春秋》. ⑤권권 권고. 권면. '上無設爵之一'《魏志》. ⑥성권 성(姓)의 하나.
字源 形聲. 力+雚〔音〕
參考 勧(力부 11획〈117〉)은 俗字.

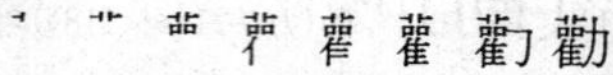

力 18 〔勡〕20 〔표〕
勡(力부 11획〈117〉)의 本字

力 23 〔勴〕25 려 ㊤御 lǜ リョ たすける
字解 ①도울려 마음으로 도움. 勴(力부 15획〈118〉)와 同字. '一, 助也'《說文》. ②이끌려 인도함. '一, 導也'《廣韻》.
字源 形聲. 力+非+慮〔音〕

勹 部
〔쌀 포 부〕

勹 0 〔勹〕2 포 ㊥肴 bāo ホウ つつむ
筆順 ノ 勹

[字解] 쌀포 보자기 따위에 물건을 쌈. '一, 裹也, 象人曲形有所包裹'《說文》.
[字源] 象形. 사람이 팔을 뻗어 껴안은 모양을 본뜸.
[參考] 단독으로 쓰이는 일이 없고, 부수(部首)로서 '쌀포(包)몸'이라 이름. '안다, 싸다'의 뜻을 포함하는 문자가 이루어지고 있음.

勹1 〔勺〕3 작 [入]藥 | sháo, ①④zhuó シャク くむ, ひしゃく
[字解] ①잔질할작 酌(酉부 3획〈1531〉)과 同字. '一椒漿'《漢書》. ②구기작 술·국 따위를 뜨는 것. 杓(木부 3획〈528〉)과 同字. '梓人爲飮器, 一一升'《周禮》. ③작작 용량(容量)의 단위. 1 홉의 10 분의 1. '一一'. '二一'. '十一爲合'《文獻通考》. ④풍류이름작 주공(周公)이 제정한 음악의 이름. '內則十三舞一'《詩經》. ⑤성작 성(姓)의 하나.
[字源] 象形. 물건을 떠내는 구기의 모양을 본뜸.
[參考] 勺(次條)은 俗字.

勹1 〔勺〕3 勺(前條)의 俗字

勹2 〔勻〕4 [一] 균 [平]眞 | jūn キン ひとしい
[二] 윤 [平]眞 | yún イン ととのう
[字解] [一] 고를균 均(土부 4획〈201〉)과 同字. '畝兮一一'《柳宗元》. [二] ①가지런할윤 균제(均齊)함. '肌理細膩骨肉一'《杜甫》. ②두루퍼질윤 빠짐없이 퍼짐. '一, 徧也'《廣韻》. '一色春一萬樹紅'《朱松》.
[字源] 象形. 현악기의 조율기(調律器)의 모양을 본뜸.

勹2 〔匀〕4 勻(前條)의 俗字

勹2 〔勽〕4 [一] 문 [上]吻 | ブン つつむ
[二] 포 ①[上]晧 ②[去]號 | bāo ホウ だく
[字解] [一] 안을문 어린애를 안음. '一, 今以抱爲之'《文源》. [二] ①안을포 [一]과 뜻이 같음. ②알품을포 새가 알을 품음. '菢, 鳥伏卵, 或作一'《集韻》
[字源] 會意. 勹+人

勹2 〔勾〕4 〔구〕 句(口부 2획〈146〉)의 俗字

勹2 〔勿〕4 [中·人] [一] 물 [入]物 | wù ブツ ない
[二] 몰 [入]月 | mò ボツ かきなでる
[筆順] ノ 勹 勺 勿
[字解] [一] ①없을물 부정사(否定辭). '一士行枚'《詩經》. '欲一用'《論語》. ②말물 금지사(禁止辭). '過則一憚改'《論語》. ③기이름물 옛적에, 마을에서 일이 일어났을 때에, 백성을 모으기 위하여 내걸던 빨강, 하양 반반의 신호기(信號旗). '一, 州里所建旗'《說文》. ④바쁠물 창황(蒼黃)한 모양. '一一少暇'《陸雲》. [二] 털몰 먼지를 떪. '卹一驅'《禮記》.
[字源] 象形. 장대 끝에 세 개의 기가 달려 있는 모양을 본뜸.

勹2 〔勼〕4 구 [平]尤 | jiū キュウ あつめる
[字解] 모을구, 모일구 '一, 聚也'《說文》.
[字源] 形聲. 勹+九〔音〕

勹3 〔匃〕5 개 [去]泰 | gài カイ こう
[字解] ①빌개 달라고 함. 구걸함. 丐(一부 3획〈11〉)와 同字. '一, 求也'《集韻》. '乞一無所得'《漢書》. ②줄개 시여(施與)함. '一施'. '我一若馬'《漢書》.
[字源] 會意. 亾+勹(人)

勹3 〔匄〕5 匃(前條)와 同字

勹3 〔包〕5 [高·人] 포 [平]肴 | bāo ホウ つつむ
[筆順] ノ 勹 勹 勹 包
[字解] ①쌀포 ㉠보자기 따위로 물건을 쌈. '一裹'. '一裝'. '倒載干戈, 一之以虎皮'《禮記》. ㉡둘러쌈. '一圍'. '河水分流, 一山而過'《周禮 註》. ㉢안에 넣음. 아우름. 겸(兼)함. '一含萬象'《拾遺記》. ㉣깊이 간직함. 숨김. 비밀로 함. '一藏'. '一深懷而告誰'《李翶》. ㉤거두어들임. 자기 것으로 함. '一占'. '席卷天下, 一擧宇內'《賈誼傳》. ②용납할포 받아들임. '一容'. ③꾸러미포 싼 물건. '獻橘數一'《後漢書》. ④애밸포 胞(肉부 5획)와 同字. ⑤더부룩이날포 총생(叢生)함. 苞(艸부 5획〈1128〉)와 同字. '草木漸一'《書經》. ⑥푸주포 庖(广부 5획〈345〉)와 同字. '一有魚'《易經》. ⑦성포 성(姓)의 하나.
[字源] 形聲. 巳+勹〔音〕

勹3 〔匆〕5 〔총〕 悤(心부 7획〈390〉)의 俗字

〔句〕 〔구〕 口부 2획(146)을 보라.

勹4〔匈〕6 흉 ㊄宋 ㊥冬 | xiōng キョウ むね

字解 ①가슴흉 胸(肉부 6획〈1072〉)과 同字. '其於一中, 曾不蔕芥'《漢書》. ②떠들썩할흉 떠들썩하게 의론(議論)하는 모양. 시끄러운 모양. '君子不爲小人之一一也'《荀子》. ③흉흉할흉 인심이 몹시 수선스러운 모양. '天下一一'《漢書》.
字源 形聲. 勹+凶〔音〕

〔旬〕〔순〕
日부 2획(500)을 보라.

勹5〔匉〕7 평 ㊥庚 | pēng ホウ おおきなものおと

字解 물소리요란할평 세차게 흐르는 물 소리의 형용. '訇, 一訇, 大聲'《廣韻》.

勹5〔匇〕7 〔수〕
垂(土부 5획〈205〉)의 古字

〔甸〕〔전〕
田부 2획(795)을 보라.

勹6〔匋〕8 ㊀도 ㊥豪 | táo トウ やきもの ㊁요 ㊥蕭 | yáo ヨウ かま

字解 ㊀①질그릇도 토기(土器). ②구울도 질그릇을 만듦. '一, 作瓦器也'《說文》. ㊁기와가마요 窯(穴부10획〈922〉)와 同字.
字源 象形. 사람이 질그릇을 껴안고 있는 모양을 본뜸.

勹6〔匌〕8 합 ㊇合 | gé コウ めぐる

字解 ①돌합 '一, 帀也'《說文》. ②만날합 우연히 만남. ③옹울할합 빽빽이 모이거나 뭉치는 모양. '蓊一川氣黃'《杜甫》.
字源 形聲. 勹+合〔音〕

勹6〔匊〕8 〔국〕
掬(手부 8획〈450〉)과 同字
字源 會意. 勹+米

勹6〔匊〕8 주 ㊥尤 | zhōu シュウ あまねし

字解 ①두루미칠주 '一, 帀徧也'《說文》. ②周(口부 5획〈157〉)와 통용.
字源 形聲. 勹+舟〔音〕

勹6〔亘〕8 〔순〕
旬(日부 2획〈500〉)의 古字

勹7〔匍〕9 포 ㊥虞 | pú ホ はう

字解 기어갈포 '一匐'은 엉금엉금 기어감. 손을 땅에 대고 엎드려 감. '赤子一匐將入井'《孟子》. 전(轉)하여, 거꾸러지면서 허둥지둥 급히 감. '凡民有喪, 一匐救之'《詩經》.
字源 形聲. 勹+甫〔音〕

勹8〔㔚〕10 순 ㊥眞 ㊤軫 | sǔn シュン おどろきのことば

字解 놀랄순 놀랄 때 내는 말. '一, 驚詞也'《說文》.
字源 形聲. 兮+旬〔音〕
參考 '㥧순'은 異體字.

勹8〔冢〕10 〔총〕
冢(冖부 8획〈91〉)의 本字

勹9〔匐〕11 복 ㊇職 ㊇屋 | fú フク はう

字解 ①기어갈복 '匍一'은 엉금엉금 기어감. 손을 땅에 대고 엎드려 감. ②엎드릴복 땅에 엎드림. '一, 伏地也'《說文》.
字源 形聲. 勹+畐〔音〕

勹9〔匏〕11 포 ㊥肴 | páo ホウ ひさご

字解 ①박포 박과(科)에 속하는 일년생의 만초(蔓草). 열매는 바가지를 만듦. '一瓜'. '一有苦葉'《詩經》. ②바가지포 박의 열매를 말려서 만든 그릇. '酌之用一'《詩經》. ③팔음(八音)의하나포 악기(樂器)의 일종으로, 생황(笙簧) 등을 이름. '一, 在八音之一, 笙十三簧, 竽三十六簧, 皆列管一內, 施簧管端'《爾雅翼》. ④별이름포 '一瓜在河鼓東'《韻會》.
字源 形聲. 瓠〈省〉+包〔音〕

勹9〔复〕11 〔복〕
匐(勹부 12획〈121〉)과 同字

勹10〔匎〕12 압 ㊇合 | è オウ ねがけ

字解 머리꾸미개압 부인의 수식(首飾). '翠爲一葉垂鬢脣'《杜甫》.
字源 形聲. 勹+盍〔音〕

勹10〔匒〕12 답 ㊇合 | dá トウ かさなる

字解 포개질답 '一匌'은 포개지는 모양. '磊一匌而相㕓《木華》.

勹10〔躬〕12 〔궁〕
䠲(勹부 14획〈121〉)의 俗字

勹12〔匓〕14 구 ㊥宥 | jiù キュウ あきる

字解 ①물릴구 실컷 먹음. '一, 飽也, 从勹𣪘聲, 民祭, 祝曰厭一'《說文》. ②餉(食

부 4획〈1715〉)와 同字. '一, 或作鍑'《集韻》.
[字源] 形聲. 勹+𣪘〔音〕

勹 12〔復〕14 [一] 부 [去]宥 | fù フウ かさなる
[二] 복 ①[入]屋 | フク かさなる
②[入]職 | ホク はう

[字解] [一] 겹쳐질부 '一, 重也'《說文》. [二] ① 겹쳐질복 [一]과 뜻이 같음. ②기어갈복 '一, 一匐'《廣韻》.
[字源] 形聲. 勹+復〔音〕

勹 14〔匔〕16 궁 [平]東 | qióng キュウ うやまう

[字解] 공경할궁 몸을 굽혀 공경하는 뜻을 표하는 모양. '一一如畏然'《史記》.
[字源] 形聲. 勹+躳〔音〕
[參考] 匑(勹부 10획〈120〉)은 俗字.

勹 14〔𠣞〕16 국 [入]屋 | jū キク かがむ

[字解] 굽힐국 몸을 굽힘. 鞠(革부 8획〈1665〉)과 통용. '一, 曲脊也'《說文》.
[字源] 形聲. 勹+䈮〈省〉〔音〕

匕 部
〔비수비부〕

匕 0〔匕〕2 비 [上]紙 | bǐ ヒ さじ

[筆順] ノ 匕
[字解] ①숟가락비 '一筋'. '先主方食, 失一箸'《蜀志》. ②살촉비 화살의 촉. '一入者三寸'《左傳》.
[字源] 象形. 늙은 여성의 모양을 본뜸.
[參考] ①부수(部首)로서, '비수(匕首)비'로 이름. ②匕(次條)와는 別字.

匕 0〔𠤎〕2 〔화〕
化(匕부 2획〈121〉)의 古字
[字源] 指事. '人인'을 거꾸로 하여, 사람이 모양을 바꾸다의 뜻을 나타냄.

〔比〕〔비〕
部首(616)를 보라.

匕 2〔𠤏〕4 보 [上]晧 | bǎo ホウ ならぶ

[字解] ①늘어설보, 벌일보 '一, 相次也'《說文》. ②반보 옛날 열 집으로 조직한 조합(組合). 保(人부 7획〈53〉)와 통용. '一, 十家爲一'《六書總要》.
[字源] 會意. '匕비'는 '늘어서다, 친하다'의 뜻. '十십'은 수(數)의 열.

匕 2〔化〕4 [中·人] 화 [去]禡 | huà カ·ケ ばける, かわる

[筆順] ノ 亻 亻' 化
[字解] ①화할화 ㉠어떤 상태가 다른 상태로 됨. 변개(變改)됨. '腐臭復一爲神奇'《莊子》. ㉡한 물질이 전혀 다른 물질로 바뀜. 변이(變異)함. '鷹一爲鳩'《禮記》. ㉢잘 됨. 개선됨. 교화(敎化)됨. '我無爲而民自一'《老子》. ㉣옮겨서 달라짐. 변천함. '禮從俗一'《淮南子》. ㉤생멸(生滅)함. 소장(消長)함. '常生常一'《列子》. ②화하게할화 전항(前項)의 타동사. '一民成俗'《禮記》. ③죽을화 '且比一者, 無使土親膚'《孟子》. ④변화화 변전(變轉). 소장(消長). '可與言一'《呂氏春秋》. ⑤덕화화 인정(仁政). 은택(恩澤). '變道行一'《史記》. ⑥교화화 교육. 풍교(風敎). '敗俗傷一'《漢書》. ⑦요술화 마술. 환술(幻術). '有一人來'《列子》. ⑧집화 도사(道士)의 거실(居室). '奉道之室曰一. 蜀有文昌二十四一'《字彙補》. ⑨성화 성(姓)의 하나.
[字源] 指事. 좌우의 사람이 점대칭(點對稱)이 되도록 놓이어 사람의 죽음을 뜻함.

匕 3〔北〕5 [中·人] [一] 북 [入]職 | běi (bŏ) ホク きた
[二] 배 [去]隊 | bèi ハイ そむく

[筆順] 丨 十 丬 北' 北
[字解] [一] ①북녘북 북쪽. '南一'. '一方水, 太陰之精, 主冬'《史記》. ②북녘으로갈북 '可以南, 可以一'《說苑》. ③성북 성(姓)의 하나. [二] ①저버릴배 배반함. 배신함. '士無反一之心'《史記》. ②달아날배 패주함. '敗一'. '三戰三一'《史記》. ③나눌배 분리함. '分一三苗'《書經》.
[字源] 會意. 人+匕

〔旨〕〔지〕
日부 2획(500)을 보라.

〔此〕〔차〕
止부 2획(603)을 보라.

〔牝〕〔빈〕
牛부 2획(739)을 보라.

〔死〕〔사〕
歹부 2획(606)을 보라.

〔老〕〔로〕
部首(1048)를 보라.

〔壱〕〔일〕
士부 4획(225)을 보라.

匕 6 〔卓〕8 〔탁〕
卓(十부 6획〈128〉)과 同字

匕 7 〔帍〕9 〔진〕
眞(目부 5획〈843〉)의 古字

匕 7 〔𠤕〕9 의 [平]支|yí ギ きまらない
[字解] 정해지지않을의 아직 확실하지 않음. '一, 未定也'《說文》.
[字源] 形聲. 匕+矣(矣)〔音〕

匕 7 〔𠤖〕9 𠤕(前條)의 本字

匕 7 〔𠤏〕9 〔구〕
廏(广부 11획〈350〉)의 古字

〔能〕〔능〕
肉부 6획(1074)을 보라.

〔眞〕〔진〕
目부 5획(843)을 보라.

〔鬯〕〔창〕
部首(1777)를 보라.

〔頃〕〔경〕
頁부 2획(1682)을 보라.

匕 9 〔匙〕11 시 [平]支|chí, shí シ さじ
[字解] ①숟가락시 '飯一'. '茶一要擊拂有力'《蔡襄》. ②열쇠시 '鑰一'. '玉一金鑰常完堅'《黃庭經》. ③성시 성(姓)의 하나.
[字源] 形聲. 匕+是〔音〕

匕 9 〔𡿺〕11 뇌 [上]晧|nǎo ノウ のうずい
[字解] 머릿골뇌 腦(肉부 9획〈1082〉)와 同字. '一, 頭髓也'《說文》.

〔疑〕〔의〕
疋부 9획(804)을 보라.

匚 部

〔터진입구부〕

匚 0 〔匚〕2 방 [平]陽|fāng ホウ はこ
[筆順] 一 匚
[字解] 상자방 네모 반듯한 용기(容器).
[字源] 象形. 네모난 상자의 모양을 본뜸.
[參考] ①匸(部首)와는 別字. ②부수로서는 '터진입구'라고 이름.

〔巨〕〔거〕
工부 2획(326)을 보라.

匚 3 〔匜〕5 이 [平]支 [上]紙|yí イ ひさげ
[字解] ①손대야이 손을 씻는 대야. 속이 빈 자루가 달려 그 곳으로부터 물이 나오게 하여 손을 씻음. '盥則奉一'《唐書》. ②술그릇이 주기(酒器). '敦牟卮一'《禮記》.
[字源] 形聲. 匚+也〔音〕

匚 3 〔匝〕5 잡 [入]合|zā ソウ めぐる
[字解] 돌잡, 둘레잡 帀(巾부 1획〈329〉)과 同字. '圍宛城三一'《史記》.
[字源] 帀(巾부 1획〈329〉)의 字源을 보라.

匚 3 〔区〕5 〔구〕
柩(木부 5획〈537〉)와 同字

匚 4 〔匠〕6 [人名] 장 [去]漾|jiàng ショウ たくみ
[筆順] 一 ㇇ 𠂆 戶 斤 匠
[字解] ①장인장 목공(木工). '一伯'. '梓一輪輿'《孟子》. 전(轉)하여, 널리 장색(匠色)의 뜻으로 쓰며, 또 더 널리 특수한 기술이 있는 사람도 이름. '一氏'. '工一'. '刀一'. '陶一善治埴木'《莊子》. '哲一間出'《歷代名畫記》. ②궁리장 고안. '一意'. '亭臺花木, 皆出其目營心一'《洛陽名園記》. ③가르침장 교시(敎示). '念私門之正一兮'《楚辭》. ④성장 성(姓)의 하나.
[字源] 會意. 匚+斤

匚 4 〔匡〕6 [人名] 광 [平]陽|kuāng キョウ ただしい, たすける
[筆順] 一 二 三 干 王 匡
[字解] ①바를광 방정(方正)함. '旣一旣敕'《詩經》. ②바로잡을광 바르게 함. '一救'. '一亂世反之於正'《史記》. ③구원할광 구제함. '胥一以生'《書經》. ④도울광 보조함. 보좌함. '一弼'. '一朕之不逮'《漢書》. ⑤비뚤광, 휠광 굽음. '輪雖敝不一'《周禮》. ⑥두려워할광 恇(心부 6획〈387〉)과 통용. '衆不一懼'《禮記》. ⑦눈자위광 眶(目부 6획〈844〉)과 통용. '涕滿一而橫流'《史記》. ⑧성광 성(姓)의 하나.

字源 形聲. 篆文은 匚+王(𡈼)〔音〕

匚4 〔匟〕 6 강 ㊤漾 | kàng コウ こしかけ

字解 걸상강 '一床'은 걸터앉는 걸상. '一床, 坐床也'《篇海》.

匚4 〔匥〕 6 〔보〕 簠(竹부 12획〈955〉)의 古字

匚4 〔匧〕 6 〔배〕 桮(木부 7획〈546〉)의 籀文

匚5 〔匣〕 7 갑 ㊀洽 | xiá コウ はこ

字解 갑갑 작은 상자. '鏡一'. '藏在室一中'《漢書》.

字源 形聲. 匚+甲〔音〕

匚5 〔匥〕 7 변 ㊤霰 | fán ヘン・ベン はこ

字解 상자변 대나무로 만든 상자. '一, 筥也'《廣韻》.

字源 形聲. 匚+弁〔音〕

匚7 〔匧〕 9 협 ㊀葉 | qiē キョウ はこ

字解 옷상자협 篋(竹부 9획〈947〉)과 同字.

字源 形聲. 匚+夾〔音〕

匚7 〔𠤷〕 9 조 ㊥蕭 ㊤嘯 | diào チョウ あじか

字解 삼태기조 흙을 담아 나르는 그릇. '一, 畚也'《廣雅》.

字源 形聲. 匚+攸〔音〕

匚7 〔㔸〕 9 〔배〕 桮(木부 7획〈546〉)의 籀文

匚7 〔匩〕 9 〔광〕 匡(匚부 4획〈122〉)의 本字

匚8 〔匪〕 10 ㊀비 ㊦尾 ㊥微 | ①-⑤fěi ヒ あらず ⑥fēi ヒ あや
㊁분 ㊥文 | fēn フン わける

字解 ㊀①아닐비 非(部首)와 同字. '一報也, 永以爲好也'《詩經》. ②대상자비 篚(竹부 10획〈949〉)와 同字. '其君子實玄黃于一'《孟子》. ③담을비, 넣을비 상자에 넣음. '一厥玄黃'《孟子》. ④비적비 흉한(兇漢)·적도(賊徒)·난민(亂民) 등. '一徒'. '土一'. ⑤문채비, 채색비 '且其一色'《周禮》. ⑥빛날비 색이 곱거나 문채(文采)가 있는 모양. '車馬之美, 一一翼翼'《禮記》. ㊁나눌분 나누어 줌. '一頒之式'《周禮》.

字源 形聲. 匚+非〔音〕

匚8 〔㔸〕 10 홀 ㊀月 | hū コツ うつわ

字解 그릇홀 고대(古代)의 그릇. '一, 古器也'《說文》.

字源 形聲. 匚+曶〔音〕

匚8 〔𠥱〕 10 〔방〕 匚(部首〈122〉)의 籀文

匚9 〔匭〕 11 궤 ㊦紙 | guǐ キ はこ

字解 ①갑궤 작은 상자. '一, 匣也'《玉篇》. ②동일궤 동여맴. '包一菁茅'《書經》.

字源 形聲. 匚+軌〔音〕

匚9 〔匬〕 11 유 ㊦麌 | yǔ ユ ます

字解 되유 열여섯 말들이의 되. '一, 器受十六斗'《玉篇》.

字源 形聲. 匚+兪〔音〕

匚9 〔𠥥〕 11 帷(巾부 8획〈334〉)·幃(巾부 9획〈335〉)의 古字

匚10 〔𠥶〕 12 창 ㊥陽 | cāng ソウ きぶつ

字解 옛기물창 고대(古代)의 기물(器物). '一, 古器也'《說文》.

字源 形聲. 匚+倉〔音〕

匚11 〔匯〕 13 회 ㊦賄 ㊤隊 | huì カイ めぐる

字解 물돌아나갈회 물이 선회함. '東一澤爲彭蠡'《書經》. 또, 그 곳. '山下繫船桃溪一'《楊維楨》.

字源 形聲. 匚+淮〔音〕

匚11 〔𠥺〕 13 〔궤〕 簋(竹부 11획〈953〉)의 古字

匚12 〔匱〕 14 궤 ㊤寘 | guì, ②③kuì キ はこ, ひつ

字解 ①함궤 櫃(木부 14획〈587〉)와 同字. '一櫝'. '石室金一之書'《史記》. ②삼태기궤 蕢(竹부 12획〈956〉)와 통용. '綱紀咸張, 成在一一'《漢書》. ③다할궤 다하여 없어짐. 결핍함. '一竭'. '孝子不一'《詩經》.

字源 形聲. 匚+貴〔音〕

匚12 〔匰〕 14 단 ㊥寒 | dān タン ずし

字解 주독(主櫝)단 신주(神主)를 넣는 독(櫝). '祭祀則共一主'《周禮》.

字源 形聲. 匚＋單〔音〕

匚12〔匴〕14 익 入職 | yì ヨク·イキ のうぐ, かなえ
字解 ①농구익 밭가는 데 쓰는 농구(農具). '一, 田器也'《說文》. ②큰솥익 커다란 솥. '一, 大鼎也'《玉篇》.
字源 形聲. 匚＋異〔音〕

匚12〔匵〕14 〔유〕
帷(巾부 8획〈334〉)의 古字

匚12〔匳〕14 匳(次條)과 同字. 속(俗)에, 奩(大부 11획〈238〉)으로 씀

匚13〔匲〕15 렴 平鹽 | lián レン くしげ
字解 ①경대렴, 거울상자렴 거울을 넣는 갑. 펴면 경대가 됨. '鏡一中物'《後漢書》. ②향그릇렴 향을 담는 그릇. '香一'.
字源 形聲. 匚＋僉〔音〕
參考 匳(前條)은 同字.

匚14〔匴〕16 산 上旱 | suǎn サン かんむりばこ
字解 관상자산 관(冠)을 넣는 상자. '爵弁皮弁緇布冠各一一'《儀禮》.
字源 形聲. 匚＋算〔音〕

匚15〔匵〕17 독 入屋 | dú トク ひつ
字解 궤독 櫝(木부 15획〈588〉)과 통용. '有美玉於斯, 韞一而藏諸'《論語》.
字源 形聲. 匚＋賣〔音〕

匚16〔匶〕18 〔기〕
箕(竹부 8획〈942〉)의 籀文

匚18〔匷〕20 曰 확 入藥 | jué キャク·カク くるま
　　　　　　 曰 거 平魚 | jué
字解 曰 수레확 수레붙이. '古之所爲不可更, 則椎車至今無蟬一'《淮南子》. 曰 수레거 ■과 뜻이 같음.

匚18〔匶〕20 구 去有 | jiù キュウ ひつぎ
字解 널구 柩(木부 5획〈537〉)와 同字. '及朝御一乃奠'《周禮》.

匚23〔匾〕25 〔변〕
籩(竹부 19획〈964〉)의 籀文

匚24〔匵〕26 曰 감 上感 | gǎn カン さかずき
　　　　　　 曰 공 去送 | gòng コウ さかずき
字解 曰 ①작은잔감 '一, 小桮也'《說文》. ②상자감'一, 箱類'《廣韻》. ③뚜껑감 그릇의 덮개. '一, 器蓋'《增韻》. ④곳집감 창고(倉庫). '一, 倉也'《廣雅》. 曰 ①작은잔공. ②상자공. ③뚜껑공. ④곳집공.
字源 形聲. 匚＋贛〔音〕

匚26〔匶〕28 〔구〕 匛(匚부 3획〈122〉)·柩(木부 5획〈537〉)의 籀文

匸 部

〔터진에운담부〕

匸0〔匸〕2 혜 上薺 | xì ケイ かくす
筆順 一 匸
字解 감출혜 덮어 가림.
字源 指事. 'ㄴ'과 '一'을 합하여, 물건을 넣고(ㄴ), 뚜껑을 덮어 가리다(一)의 뜻을 나타냄.
參考 ①匚(部首)은 別字. ②부수로서는 속(俗)에 '터진에운담'이라 이름.

匸2〔匹〕4 中人 曰 필 入質 | pǐ ヒツ·ヒキ ひき
　　　　　 曰 목 | ボク あひる
筆順 一 丆 兀 匹
字解 曰 ①필필 ㉠옷감의 길이의 단위. 이단(二端)의 일컬음. '布帛廣二尺二寸爲幅, 四丈爲一'《漢書》. ㉡말 같은 가축을 세는 수사(數詞). '一馬'. '馬四一'《書經》. ②짝필 ㉠배우자. '配一'. '甚哉妃一之愛'《漢書》. ㉡벗. 붕우. '一儔'. '率由羣一'《詩經》. ㉢한 쌍의 한쪽. '獨無一兮'《楚辭》. ㉣상대. 적수. '秦晉一也'《左傳》. ③짝지을필 짝을 이룸. '庶人夫妻相一'《左傳》. ④홀필 하나. '一夫無罪'《左傳》. 曰 집오리목 鶩(鳥부 9획〈1828〉)과 통용. '庶人之摯, 一'《禮記》.
字源 象形. 말의 꼬리를 본뜸.

匸2〔区〕4 〔구〕
區(匸부 9획〈125〉)의 略字

〔叵〕 〔파〕
口부 2획(145)을 보라.

匸5〔医〕7 曰 예 去霽 | yì エイ うつぼ
　　　　　 曰 의 平支 | yī イ いしゃ
字解 曰 동개예 활과 화살을 넣어 메는 기구. '兵不解一'《國語》. 曰 의원의 의사(醫

師). 醫(酉부 11획〈1541〉)의 俗字·簡體字.

字源 形聲. 匚+矢〔音〕

匚5〔陋〕7 루 ㊀有|lòu ロウ いやしい

字解 ①누추할루 미천(微賤)함. '一, 側一也'《說文》. ②키루 곡식을 까부르는 키의 종류. '一, 一曰, 箕屬'《說文》. ③달아날루 탈주(脫走)함. '凡逃, 或謂之一'《新方言》.

字源 形聲. 匚+丙〔音〕

匚6〔㔻〕8 암 ㊤感|ǎn アン へつらう

字解 ①아첨할암 아부함. '盧杞, 對上或諂諛阿一'《新唐書》. ②두를암 싸서 가림. 감음. '車頭金一匝'《杜甫》.

字源 會意. 匚+合

匚7〔匽〕9 언 ①㊤阮|yǎn エン ふす ②㊀願|yàn エン どぶ

字解 ①눕힐언, 쉴언 偃(人부 9획〈60〉)과 同字. '興文一武'《漢書》. ②도랑언 구거(溝渠). '爲井一'《周禮》.

字源 形聲. 匚+妟〔音〕

匚7〔㔷〕9 〔심〕 甚(甘부 4획〈791〉)의 本字

匚7〔區〕9 〔구〕 區(次次條)의 俗字

匚9〔匿〕11 닉 ㊇職|nì トク·ジョク にげる

字解 ①숨을닉 ㉠도피함. '逃一'. '廼一其家'《史記》. ㉡잠복함. '隱一'. '時見時一'《淮南子》. ②숨길닉 ㉠보이지 않는 곳에 감춤. '乃一其家, 竊出上書'《史記》. ㉡가림. 덮음. '文不可一'《國語》. ㉢나타내지 아니함. '一名'. '一怨而友其人'《論語》. ③숨은죄닉 나타나지 아니한 죄악. 음간(陰姦). '其爲人反一頗僻'《晉書》.

字源 形聲. 匚+若〔音〕

匚9〔區〕11 高·人 ㊀구 ㊥虞|qū ク さかい ㊁우 ㊥尤|ōu オウ かくす

筆順 一 丅 㔲 冨 區 區 區 區

字解 ㊀①지경구 갈라 놓은 지역. '一域'. '如一一中者乃爲一州'《史記》. ②숨긴곳구 물건을 감추어 두는 곳. '在乎一蓋之間'《荀子》. ③거처구 주소. '有田一廛, 宅一一'《漢書》. ④작은방구 소실(小室). '穿北軍壘垣, 以爲賈一'《漢書》. ⑤구별구 차별. '每絕常一'《梁書》. ⑥방위구 방소(方所). '洋溢八一'《揚雄》. ⑦곳구 장소. '殊方別一'《班固》. ⑧나눌구 분별함. 차별함. '各以言一'《齊書》. ⑨구구할구 ㉠제각기 다름. '物性既一'《後漢書》. ㉡잘단 모양. 작은 모양. '一一之心'. '秦以一一之, 地致萬乘之權'《賈誼》. 전(轉)하여, 자기의 겸칭(謙稱). '一一之心竊慕之耳'《李陵》. ㊁①숨길우 은닉함. '作僕一之法'《左傳》. ②용량의 단위우 열여섯 되. 한 말 엿 되. '豆一釜鍾'《左傳》. ③성우 성(姓)의 하나.

字源 會意. 品+匚

匚9〔匾〕11 〔편〕 扁(戶부 5획〈426〉)과 同字

字源 形聲. 匚+扁〔音〕

匚10〔㔼〕12 제 ㊥齊|tī テイ うすい

字解 얇을제 두껍지 않음. '扁一, 薄也'《玉篇》.

十　部

〔열 십 부〕

十0〔十〕2 中·人 십 ㊇緝|shí ジュウ とお

筆順 一 十

字解 ①열십 아홉에 하나를 보탠 수. '天九地一'《易經》. 충족(充足)된 수라 하여, 전(轉)하여 완전하거나 부족이 없다는 뜻으로 쓰임. '一分'. '一全'. 또, 많은 수를 이름. '一目所視, 一手所指'《大學》. ②열번십 10 회. '一戰九勝'. '人一能之'《中庸》. ③열곱할십 10 배(倍)함. '利不一者, 不易業'《漢書》.

字源 象形. 바늘을 본뜸.

參考 금전을 기재하는 경우 등에는, 글자가 고쳐지는 것을 피하기 위하여 갖은자 '拾십'을 쓰는 수가 있음.

十1〔卄〕3 〔입〕 廿(十부 2획〈126〉)의 俗字

十1〔千〕3 中·人 천 ㊥先|qiān セン ち

筆順 一 二 千

字解 ①일천천 열의 백 곱. '予有臣三一'《書經》. 전(轉)하여, 많음을 이름. '羅肆巨一'《左思》. ②천번천 천회. '人十能之, 己一之'《中庸》. ③밭두둑천 阡(阜부 3획

〈1610〉)과 통용. '正一伯'《管子》. ④성천 성(姓)의 하나.
字源 會意. 人+一
參考 금전(金錢)의 기재(記載) 등에는, 문자의 개변(改變)을 막기 위하여, '阡천' 또는 '仟'을 빌려 씀.

十 1 〔卂〕3 신 ㊀震 | xùn シン はやい
字解 ①빨리날신 매우 빨리 낢. '一, 疾飛也'《說文》. ②빠를신 迅(辵부 3획〈1488〉)과 통용.
字源 會意. 金文은 乙+十

〔干〕〔간〕 部首(340)를 보라.

〔支〕〔지〕 部首(478)를 보라.

十 2 〔廿〕4 입 ㊀緝 | niàn ジュウ にじゅう
字解 스물입 스물. 이십. '有子百一'《顔之推》.
字源 會意. 十+十
參考 卄(十부 1획〈125〉)은 俗字

十 2 〔卅〕4 삽 ㊀合 | sà ソウ さんじゅう
字解 서른삽 삼십. '孔世一八'《韓愈》.
字源 會意. 十+十+十

十 2 〔升〕4 人名 승 ㊀蒸 | shēng ショウ ます
筆順 ノ 二 チ 升
字解 ①되승 ㉠용량의 단위. 한 홉의 열 곱. '合十爲一'《漢書》. ㉡그 용량을 되는 그릇. '爲銅一, 用頒天下'《隋書》. ②새승 직물의 여든 올. '朝服十五一'《禮記》. ③오를승 ㉠떠오름. '如日之一'《詩經》. ㉡올라감. '一彼大阜'《詩經》. ④올릴승 전항(前項)의 타동사. '延一上座'《後漢書》. ⑤바칠승 드림. '農始一麥'《淮南子》. ⑥이루어질승 성립됨. '男女無辨則亂一'《禮記》. ⑦성할승 융성함. '道有一隆'《書經》. ⑧익을승 곡식이 여묾. '一平'. '新穀既一'《論語》. ⑨승괘승 육십사괘의 하나. 곧, ䷭〈손하(巽下), 곤상(坤上)〉. 전진 향상의 상(象). ⑩성승 성(姓)의 하나.
字源 象形. 구기의 술바닥 속에 물건을 넣은 모양을 본뜸.

十 2 〔午〕4 中·人 오 ㊤麌 | wǔ ゴ うま
筆順 ノ ㇒ 二 午
字解 ①일곱째지지오 십이지(十二支) 중의 일곱째. 시간으로는 정오, 방위로는 정남, 띠로는 말, 달로는 음력 오월(五月). '太歲在一, 曰敦牂'《爾雅》. ②오시오 오전 열한 시부터 오후 한 시까지의 시간. '一刻'. ③낮오 주간(晝間). '一睡'. '不作一時眠'《白居易》. ④가로세로엇걸릴오 종횡으로 교차함. '交一'. '旁一'. ⑤거슬릴오 忤(心부 4획〈379〉)와 同字. '一其衆, 以伐有道'《禮記》. ⑥성오 성(姓)의 하나.
字源 象形. 두 사람이 번갈아 손에 쥐고 찧는 절굿공이를 본뜸.

十 2 〔协〕4 륵 ㊀職 | lè ロク すぐれる
字解 ①뛰어날륵 열 사람과 맞먹는 기량(器量)이나 재능이 있음. '一, 材十人也'《說文》. ②공륵 큰 공적(功績). '一, 功大'《廣韻》.
字源 形聲. 十+力〔音〕

十 2 〔廾〕4 〔질〕 疾(疒부 5획〈807〉)의 古字

十 2 〔卆〕4 〔졸〕 卒(十부 6획〈127〉)의 訛字

〔古〕〔고〕 口부 2획(146)을 보라.

十 3 〔卉〕5 〔훼〕 卉(十부 4획〈126〉)의 俗字

十 3 〔半〕5 中·人 반 ㊀翰 | bàn ハン なかば
筆順 ノ 八 㐅 ㄓ 半
字解 ①반반 2분의 1. '一年'. '折一'. '爲可者一, 不可者一'《韓非子》. ②가운데반 중간. 중앙. '一途'. '夜一朔旦冬至'《史記》. ③한창반 절정. '酒一相顧'《歸田錄》. ④조각반 큰 조각. 대편(大片). '二升糒一一氷'《漢書》. ⑤반쪽낼반 중분(中分)함. '悉割一爲薪'《世說》.
字源 會意. 八+牛

十 3 〔朩〕5 지 ㊤紙 | zǐ シ とどめる
字解 머무를지, 그칠지 '一, 止也'《說文》.
字源 會意. 木+一

十 4 〔卉〕6 훼 ㊤尾 ㊀未 | huì キ くさ
字解 ①풀훼 초본(草本). '花一'. '百一'.

'聚石移果, 雜以花—'《南史》. ②초목훼 초본(草本)과 목본(木本). 풀과 나무의 총칭. '嘉—'. '—旣凋'《張衡》.
字源 會意. 艸+屮
參考 卉(十부 3획〈126〉)는 俗字.

十4〔卅〕6 〔삽〕 卅(十부 2획〈126〉)의 本字

十4〔卋〕6 〔세〕 世(一부 4획〈12〉)의 古字

十4〔卌〕6 십 入緝 | xì シュウ しじゅう
字解 마흔십 사십.

十4〔协〕6 〔협〕 協(十부 6획〈127〉)의 簡體字

十4〔卍〕6 만 | wàn マン まんじ
字解 만만 범자(梵字)의 만자(萬字). 원은, 부처의 가슴에 있다고 하는 형상(形象)으로서, 길상 해운(吉祥海雲)이라 역(譯)함. '—, 音之爲萬, 謂吉祥萬德之所集也'《華嚴經音義》.
字源 象形. 인도의 크리슈나신(神)의 가슴의 선모(旋毛)의 모양을 본뜸.
參考 일설(一說)에, 자형(字形)이 '卍'은 잘못이고, '卐'이 옳다고도 함.

十4〔丕〕6 비 平支 | pī ヒ おおきい
字解 클비 丕(一부 4획〈12〉)와 同字. '丕, 大也…—, 上同'《廣韻》.

十4〔华〕6 〔화〕 華(艸부 7획〈1147〉)의 簡體字

〔克〕 〔극〕 儿부 5획(82)을 보라.

十5〔丗〕7 〔세〕 世(一부 4획〈12〉)와 同字

十5〔尗〕7 〔숙〕 叔(又부 6획〈142〉)의 俗字

十5〔華〕7 ㊀필 入質 | ヒツ ごみとり
㊁반 平寒 | bān ハン ごみとり
字解 ㊀넉가래필 쓰레기·똥 따위를 밀어 치우는 도구. '—, 弃糞器'《廣韻》. ㊁①넉가래반 '—, 箕屬. 所㠯推糞之器也'《說文》. ②성반 성(姓)의 하나.
字源 象形. 대나무 따위를 키처럼 엮고 자루를 단 도구를 본뜸.

〔直〕 〔직〕 目부 3획(837)을 보라.

十6〔丧〕8 〔상〕 喪(口부 9획〈172〉)의 簡體字

十6〔隶〕8 〔지〕 支(部首〈478〉)의 古字

十6〔卌〕8 〔십〕 卌(十부 4획〈127〉)과 同字

十6〔卅〕8 涅槃의 略字

十6〔協〕8 中·人 협 入葉 | xié キョウ かなう
筆順 一 十 𠆢 … 協
字解 ①맞을협, 합할협 화합함. 협력함. '—和'. '—心'. '同寅—恭'《書經》. ②좇을협 따름. 복종함. '—從'. '下民祇—'《書經》.
字源 會意. 劦+十
參考 恊(心부 6획〈389〉)은 同字.

十6〔㕣〕8 協(前條)의 俗字

十6〔卑〕8 高·人 비 ①-④平支 | bēi ヒ いやしい
⑤上紙 | bǐ ヒ ひしむ, せしむ
筆順 ′ ⺊ 白 白 白 甶 㽞 卑
字解 ①낮을비 ㉠높지 아니함. '—牆'. '天尊地—'《易經》. ㉡지위가 낮음. 신분이 천함. '—賤'. '男尊女—'. '養—者否'《禮記》. ㉢하등(下等)임. '—陋'. '論—氣弱'《宋史》. ㉣융성하지 아니함. '今周室少—'《國語》. ㉤가까움. '—近'. '德薄者流—'《穀梁傳》. 또, 낮은 사람. 낮은 데. '登高必自—'《中庸》. ②낮게여길비 천하게 여김. 경멸함. '何以—我'《國語》. ③낮출비 겸손함. '—下'. '—辭'. '自—而尊人'《禮記》. ④성비 성(姓)의 하나. ⑤하여금비 俾(人부 8획〈56〉)와 同字. '—民不迷'《荀子》.
字源 象形. 손잡이가 있는 둥근 술통에 손을 댄 모양을 본뜸.

十6〔畁〕8 卑(前條)의 俗字

十6〔卒〕8 中·人 졸 ①-⑥入月 | zú ソツ しもべ
⑦入月 | cù ソツ にわか
⑧-⑩入質 | シュツ おわる

[筆順] ' 亠 六 亣 㐫 亦 卒 卒

[字解] ①하인졸 잡일을 하는 하인. 심부름꾼. '兒童走一'. '斷輿之一'《漢書》. ②무리졸 군중. 서인(庶人). '人一九州, 穀食之所生'《莊子》. ③군사졸 병졸. 군대. '一兵'. '一四十萬人'《史記》. ④백사람졸 백 명을 한.조(組)로 한 칭호. '一伍'. '五人爲伍, 五伍爲兩, 四兩爲一'《周禮》. ⑤마을졸 3백호를 한 구역으로 한 칭호. '三十家爲邑, 邑有司, 十邑爲一'《國語》. ⑥나라졸 30 국(國)을 한 구역으로 한 칭호. '一有正'《禮記》. ⑦갑자기졸 돌연히. '一遇敵人, 亂而失行'《吳子》. 또, 갑자기 일어나는 일. '亡以應一'《漢書》. ⑧마칠졸 일을 끝마침. '一讀'. '恐未能一業'《司馬相如》. ⑨죽을졸 ㉠사망함. '一於鳴條'《孟子》. ㉡대부(大夫)로서 죽음. '大夫死曰一'《禮記》. ⑩마침내졸 드디어. 기어이. '一爲善士'《孟子》.
[字源] 指事. 죽었을 때에 쓰는 의복의 모양에서 '마치다'의 뜻을 나타냄.
[參考] 卆(十부 2획〈126〉)은 俗字.

十6 〔卓〕8 [高·人] 탁 [入]覺 | zhuō タク たかい

[筆順] ' ⺊ ⺊ 占 卢 貞 卓 卓

[字解] ①높을탁 ㉠높이 솟아 있음. 높이 서 있음. '一峙'. '顏苦孔一'《揚子法言》. ㉡뛰어남. 우월함. '一越'. '一見'. '爲文章, 一偉精緻'《唐書》. ②멀탁 시간이나 거리가 멂. '一行'. '世旣一兮'《王逸》. ③탁자탁 桌(木부 6획〈546〉)과 통용. '食一'. '兩一合八尺'《徐積》. ④성탁 성(姓)의 하나.
[字源] 會意. 匕+早

十6 〔𠦑〕8 〔병〕
兵(八부 5획〈86〉)과 同字

十6 〔单〕8 〔단〕 單(口부 9획〈171〉)의 略字·簡體字

〔阜〕 〔부〕
部首(1609)를 보라.

十7 〔南〕9 [中·人] 남 [平]覃 | nán ナン·ナ みなみ

[筆順] 一 十 冂 冂 冂 冉 南 南

[字解] ①남녘남 남쪽. 남방. '一北'. '凱風自一'《詩經》. ②남녘으로갈남 남쪽을 향하여 감. '日一, 則景短多暑'《周禮》. ③풍류이름남 남쪽의 미개한 나라의 음악의 이름. '以雅以一. (傳)南夷之樂曰一'《詩經》. ④임금남 군주(君主)를 이름. '鄭, 伯一也'《國語》. ⑤성남 성(姓)의 하나.

[字源] 會意. 甲骨文은 屮+入+凡

十7 〔単〕9 〔단〕
單(口부 9획〈171〉)의 略字

十7 〔卑〕9 〔비〕
卑(十부 6획〈127〉)의 俗字

十8 〔單〕10 〔단〕
單(口부 9획〈171〉)의 略字

十9 〔𠦪〕11 [一] 훌 [入]物 | hū クツ はやい
[二] 휘 [去]未 | キ はやい

[字解] [一] 빠를훌 '一, 疾也'《說文》. [二] 빠를휘 [一]과 뜻이 같음.
[字源] 形聲. 本+卉〔音〕

十9 〔斟〕11 집 [入]緝 | jí シュウ さかんなこと

[字解] ①성할집 사물이 성(盛)함. '一, 一一, 盛也'《說文》. ②모일집 '一, 字統云, 會聚也'《廣韻》.
[字源] 形聲. 十+甚〔音〕

十9 〔𠦬〕11 집 [入]緝 | jí シュウ ことばのおおいこと

[字解] ①말많을집 말이 많음. '一, 詞之集也'《說文》. ②화합할집 협화(協和)함. '一, 按, 協和也'《說文通訓定聲》.
[字源] 形聲. 十+咠〔音〕

〔率〕 〔률〕
玄부 6획(765)을 보라.

十10 〔博〕12 [高·人] 박 [入]藥 | bó ハク ひろい

[筆順] 十 十 𠦃 𠦃 博 博 博 博

[字解] ①너를박 좁지 아니함. '一遠'. '壤土之一'《史記》. ②넓을박 학식·견문 등이 많음. '一學'. '一識'. '多聞曰一'《荀子》. ③많을박 '載籍極一'《史記》. ④넓힐박 넓게 함. '一我以文'《論語》. ⑤넓이박 넓은 정도. '一四寸'《儀禮》. ⑥쌍륙박, 노름박 주사위를 던져 하는 놀이. 전(轉)하여, 도박. '一戲'. '不有一弈者乎'《論語》. ⑦성박 성(姓)의 하나.
[字源] 形聲. 十+尃〔音〕

十10 〔愽〕12 博(前條)과 同字

十11 〔𠦝〕13 〔혁〕
革(部首〈1659〉)의 本字

十11 〔𠦬〕13 〔사〕
師(巾부 7획〈333〉)의 古字

〔兢〕〔긍〕 儿부 12획(84)을 보라.

卜 部

〔점 복 부〕

卜0 〔卜〕2 高·人 ㊀복 ㊅屋 ㊁짐 ㊇ | bǔ ボク うらなう

筆順 丨 卜

字解 ㊀①점복 거북의 등껍데기를 불에 그슬리어 그 갈라진 금으로 길흉 화복을 판단하는 일. 거북점. 전(轉)하여, 널리 길흉 화복의 판단. '一占'. '一筮'. '龜爲一, 筴爲筮'《禮記》. ②점칠복 길흉 화복을 판단함. '一仕'. '成王使周公一居'《史記》. ③점쟁이복 점치는 것을 업으로 하는 사람. '祝史射御醫一, 及百工'《禮記》. ④줄복 하사함. '君曰一爾'《詩經》. ⑤상고할복 생각함. '僕自一'《柳宗元》. ⑥성복 성(姓)의 하나. ㊁《韓》짐바리짐 마소로 실어 나르는 짐.

字源 象形. 점을 치기 위하여 소의 뼈나 거북의 등딱지를 태워서 얻어진, 갈라진 금의 모양을 본뜸.

參考 부수(部首)로서, '점'의 뜻을 포함하는 글자를 이룸.

卜2 〔卝〕4 ㊀丱(丨부 4획〈15〉)과 同字 ㊁礦(石부 15획〈882〉)의 古字

卜2 〔卞〕4 人名 변 ㊄霰 | biàn ベン のり

筆順 ' 亠 十 卞

字解 ①법변 법제(法制). 법칙. '率循大一'《書經》. ②조급할변 성급함. '一急而好潔'《左傳》. ③성변 성(姓)의 하나.

字源 象形. 본디, '弁변'으로 써서, 고깔의 모양을 본뜬 것의 약체(略體)인 듯.

卜3 〔占〕5 高·人 점 ①-⑦㊉鹽 ⑧⑨㊄豔 | zhān セン うらなう zhàn セン しめる

筆順 丨 卜 ⺊ 占 占

字解 ①점칠점 복술(卜術)을 행함. '一卜'. '一術'. '大人一之'《詩經》. ②점점 복서(卜筮). '卜筮者尙其一'《易經》. ③볼점 알려고 자세히 살펴봄. '一祲兆'《荀子》. ④상고할점 생각함. '各以其物自一'《史記》. ⑤물을점 문의함. 일설(一說)에는, 시험함. '發政一古語'《漢書》. ⑥입으로부를점 구수(口授)함. '口一書吏'《漢書》. ⑦성점 성(姓)의 하나. ⑧차지할점 점유함. '一有'. '一領'. '一小善者率以錄'《韓愈》. ⑨지킬점 '一護其妻子. (注)一護, 猶守護也'《後漢書》.

字源 會意. 卜+口

卜3 〔卟〕5 계 ㊉齊 ㊤薺 | jī ケイ うらなう

字解 ①점칠계 길흉(吉凶)을 물어 점침. '一, 問卜也'《廣韻》. ②생각할계 '一, 一曰, 考也'《集韻》.

字源 會意. 口+卜

卜3 〔処〕5 〔처〕 處(虍부 5획〈1213〉)의 簡體字

卜3 〔卡〕5 ㊀잡 ㊅合 ㊁가 ㊐ | qiǎ ソウ せきしょ kǎ カ カード, カロリー

字解 ㊀지킬잡, 관문잡 수비함. 교통의 요충지에 베풀어 경비하던 곳. ㊁《現》음역자(音譯字)가 ㉠'一片'은 카드. card의 음역. ㉡'一車'는 트럭. car의 음역. ㉢'一路里'는 칼로리. calorie의 음역.

字源 會意. 上+下

〔歺〕〔알〕 部首(605)를 보라.

〔歺〕〔알〕 歹부 0획(605)을 보라.

卜5 〔卣〕7 유 ㊉尤 ㊤有 | yǒu ユウ さかだる

字解 술통유 술, 주로 울창주(鬱鬯酒)를 담는 그릇. 큰 것을 '彝', 중길을 '一', 작은 것을 '罍'라 함. '秬鬯一一'《詩經》.

字源 象形. 술통을 옆에서 본 모양을 본뜸.

卜5 〔卤〕7 ㊀西(襾부 0획〈1294〉)의 籒文 ㊁鹵(部 首〈1842〉)·滷(水 부 11획〈676〉)의 簡體字

卜5 〔卲〕7 소 ㊄嘯 | shào ショウ うらなう

字解 무꾸리할소 '一, 卜問也'《說文》.

字源 形聲. 卜+召〔音〕

卜6 〔卥〕8 ㊀서 ㊁잉 ㊉蒸 | セイ おどろくこえ réng ジョウ おどろくこえ

字解 ㊀놀라는소리서 '一, 驚聲也'《說文》. ㊁놀라는소리잉 ㊀과 뜻이 같음.

字源 形聲. 乚+卤〔音〕

卜6 〔囟〕8 〔서〕
西(襾부 0획〈1294〉)의 古字

卜6 〔㡀〕8 〔전〕
叀(厶부 6획〈139〉)의 古字

卜6 〔卦〕8 괘 [去]卦 | guà カ うらかた

[字解] 괘괘, 점괘괘 복희씨(伏羲氏)가 만들었다고 하는 일종의 글자. 한 괘에 각각 삼효(三爻)를 음양(陰陽)으로 나누어서 팔괘(八卦)가 되게 하고, 팔괘가 거듭하여 육십사괘(六十四卦)가 됨. 이것으로 천지간(天地間)의 변화를 나타내며, 길흉 화복을 판단하는 주역(周易)의 골자(骨子)가 되는 것임. 또, 이것으로 점쳐 나타나는 64종의 괘. '一辭'. '四象生八一'《易經》. '周易, 其經一皆八, 其別皆六十四'《周禮》.
[字源] 形聲. 卜+圭〔音〕

卜6 〔兆卜〕8 〔조〕
兆(儿부 4획〈81〉)와 同字

卜6 〔丽卜〕8 〔려〕
麗(鹿부 8획〈1847〉)의 古字

〔卓〕 〔탁〕
十부 6획(128)을 보라.

〔臥〕 〔와〕
臣부 2획(1099)을 보라.

卜7 〔卣〕9 [一] 조 [平]蕭 | tiáo チョウ たれさがる
[二] 유 [平]尤 | ユウ さかだる

[字解] [一] 늘어질조 열매가 주렁주렁 달린 모양. '一, 艸木實垂一一然'《說文》. [二] 술통유 卣(卜부 5획〈129〉)의 古字.
[字源] 象形. 접시 위에 놓인 술그릇으로서의 호리병의 모양을 본뜸.

卜7 〔每卜〕9 회 [去]隊 | huì カイ

[字解] 회괘회 역(易)의 외괘(外卦)인 悔(人부 7획〈50〉)의 古字.
[字源] 形聲. 卜+每〔音〕

卜8 〔㕂〕10 〔극〕
克(儿부 5획〈82〉)의 古字

卜8 〔卣〕10 〔유〕
逌(辵부 7획〈1495〉)의 本字

卜9 〔禼〕11 [人名] [一] 禼(内부 7획〈896〉)과 同字
[二] 契(大부 6획〈235〉)과 同字

[筆順] 𠂉 ⺊ 卢 卣 卣 禼 禼 禼

〔鹵〕 〔로〕
部首(1842)를 보라.

卜11 〔卤〕13 〔서〕
𠧪(卜부 6획〈129〉)의 古字

卜25 〔䘅〕27 〔조〕
卣(卜부 7획〈130〉)의 籀文

卩 (㔾) 部
〔병부절부〕

卩0 〔卩〕2 절 [入]屑 | jié セツ しるし

[筆順] ㇆ 卩

[字解] 병부절 節(竹부 9획〈945〉)의 古字
[字源] 象形. 사람이 무릎을 꿇은 모양을 본뜸.
[參考] 부수(部首)로서, 무릎을 꿇는 일에 관계되는 문자나 신표(信標)의 뜻을 포함하는 문자를 이룸. 글자의 아랫부분, 발이 될 때에는 '㔾'이 됨.

卩0 〔㔾〕2 卩(前條)과 同字

卩1 〔卪〕3 절 [入]屑 | jié セツ しるし

[字解] 병부절 卩(前前條)과 同字. '一, 瑞信也'《說文》.
[字源] 象形. 사람이 무릎을 꿇은 모양을 본뜸.

卩1 〔𠁥〕3 주 [去]宥 | zǒu ソウ しるし

[字解] 병부주 병부(兵符)·부신(符信)의 반쪽. '一, 卪也'《說文》.
[字源] 指事. '卪절'을 반대로 한 꼴로, '병부·부신'의 뜻을 나타냄.

卩2 〔卬〕4 앙 ①-③[平]陽 ④[上]養 | áng ゴウ われ yǎng ゴウ·ギョウ のぞむ, あおぐ

[字解] ①나앙 자기. '一須我友'《詩經》. ②오를앙 昂(日부 4획〈501〉)과 同字. '萬物一貴'《漢書》. ③성앙 성(姓)의 하나. ④우러러볼앙 仰(人부 4획〈36〉)과 同字. '上足一則下可用也'《荀子》.

[字源] 會意. 匕+卩

卩
2 〔夘〕4 [一] 제 [上]薺 | qīng セイ·サイ はからう
[二] 경 [平]庚 | ケイ·キョウ はからう
[三] 묘 [上]巧 | ボウ う

[字解] [一] 조처할제 일을 적절하게 꾸려서 처리함. '一, 事之制也'《說文》. [二] 벼슬경 卿(卩부 10획〈133〉)의 本字. [三] 넷째지지묘 卯(次次條)의 俗字.
[字源] 會意. 卩+卪

卩
2 〔㔾㔾〕4 선 [去]霰 | zhuàn セン そなわる

[字解] 갖출선 병부·신표가 갖춰진 모양. '一, 具也'《廣韻》.
[字源] 會意. 㔾(卩)+㔾(卩)

卩
3 〔卯〕5 [中·人] 묘 [上]巧 | mǎo ボウ う

[筆順] 丿 𠂆 卯 卯 卯

[字解] ①넷째지지묘 십이지(十二支) 중의 넷째. 방위는 동쪽, 시간으로는 오전 6 시, 띠로는 토끼, 달로는 음력 2월. '未如一後酒, 神速功力倍'《白居易》. ②성묘 성(姓)의 하나.
[字源] 象形. 문의 양쪽 문짝을 밀어 여는 모양을 본뜸.

卩
3 〔卭〕5 〔공〕
邛(邑부 3획〈1512〉)의 訛字

卩
3 〔卮〕5 치 [平]支 | zhí シ さかずき

[字解] ①잔치 술잔. 술을 담는 둥근 그릇. '奉玉一爲太上皇壽'《漢書》. ②잇치 연지(臙脂)의 원료가 되는 풀. 잇꽃. 홍람(紅藍). '巴蜀地饒一薑'《史記》.
[字源] 會意. 𠂆+卩(㔾)

卩
4 〔印〕6 [中·人] 인 [去]震 | yìn イン しるし

[筆順] ´ 𠂆 𠂊 E 𠕒 印

[字解] ①인인 도장. '佩六國相一'《史記》. ②찍을인 ㉠인장을 찍음. '以墨印一之'《舊唐書》. ㉡서적을 간행함. '一板一刷'《夢溪筆談》. ③찍힐인, 묻을인 자취가 남음. '一象'. '口脂在手, 偶一于花上'《青瑣高議》. ④《佛教》 인상(印相)인 손가락을 여러 가지로 끼워 맞추어 여러 형상을 만들어 법덕(法德)의 표지로 하는 것. '結一而造'《佛祖統紀》. ⑤성인 성(姓)의 하나.
[字源] 會意. 爪+卩

卩
4 〔㔿〕6 필 [入]質 | bì ヒツ たすける

[字解] 도울필 삼공(三公)이 신표(信標)를 가지고 왕(王)을 보좌함. 弼(弓부 9획〈362〉)의 古字. '一, 輔信也'《說文》.
[字源] 形聲. 卩(卩)+比〔音〕

卩
4 〔危〕6 [中·人] 위 [平]支 | wēi キ あぶない, あやうい

[筆順] ノ 𠂊 𠂊 产 㞒 危

[字解] ①위태할위 ㉠위험함. '一徑'. '高而不一'《孝經》. ㉡보전하기 어려움. 거의 망하게 됨. '一急存亡之秋'. '魏必一'《戰國策》. ㉢거의 죽게 됨. 병이 위중함. '一篤'. '命其子, 捨一惙之母'《隋書》. ㉣바르지 아니함. 믿기 어려움. '眞傾一之士哉'《史記》. ②위태롭게할위 전항의 타동사. '博辯廣大, 一其身'《史記》. ③위구할위 두려워함. 의구(疑懼)함. 불안해함. '一怖'. '日以相一'《呂氏春秋》. ④높을위 '一空'. '一峯'. '去其一冠'《莊子》. ⑤바를위 곧음. '一然處其所'《莊子》. ⑥바르게할위 곧게 함. 일설(一說)에는, 고상하게 함. 또, 일설에는 엄격히 함. '邦有道, 一言一行'《論語》. ⑦마룻대위 옥동(屋棟). '中屋履一'《禮記》. ⑧별이름위 이십팔수(二十八宿)의 하나. 북방에 있음. '玄武之宿, 虛一之星'《左傳註》. ⑨거의위 거반. '東平王禹曰, 我一得之'《漢書》. ⑩성위 성(姓)의 하나.
[字源] 形聲. ク+厄〔音〕

卩
4 〔㔻〕6 〔선〕
㔾㔾(卩부 2획〈131〉)과 同字

卩
5 〔卲〕7 소 [去]嘯 | shào ショウ たかい

[字解] 높을소, 뛰어날소 '一, 高也'《說文》.
[字源] 形聲. 卩(卩)+召〔音〕
[參考] 邵(邑부 5획〈1514〉)·劭(力부 5획〈113〉)는 본디 別字이나, 혼동하여 쓰이는 일이 적지 않음.

卩
5 〔却〕7 [高·人] 각 [入]藥 | què キャク しりぞく

[筆順] 一 十 土 去 去 㓚 却

[字解] ①물러날각 ㉠뒤로 물러남. '退一'. '戰慄而一'《戰國策》. ㉡감. 멀어짐. '似秋隆暑斯一'《梁昭明太子》. ㉢쉼. '今吾心正一矣'《莊子》. ②물리칠각 ㉠받지 아니함. 퇴함. 되돌려 보냄. '棄一'. '一之爲不恭'《孟子》. ㉡오지 못하게 함. 막음. '一諫者'《說苑》. ㉢쫓아 버림. '一退'. '一走馬以糞'《老子》. ③절제할각 '一, 節也'《廣韻》. ④어조사각 조사(助詞)로서 딴 동사 밑에 첨

가하여 씀. 了(亅부 1획〈24〉)와 뜻이 같음. '忘一'. '一片花飛減一春'《杜甫》. ⑤도리어 각 반대로. '窮鼠一齧猫'. '若離了事物爲學, 一是著空'《傳習錄》. ⑥틈각 틈새. 간극(間隙). '其神無一'《列子》.
字源 形聲. 卩(㔾)+去〔音〕

卩5 〔邲〕7 비 ㊀寘 bì ヒ つかさどる
字解 ①주관할비 맡아 다스림. '一, 宰之也'《說文》. ②아름다울비 '一, 好皃'《廣韻》.
字源 形聲. 卩(㔾)+必〔音〕
參考 邲(邑부 5획〈1514〉)과 곧잘 혼동(混同)됨.

卩5 〔即〕7 〔즉〕 卽(卩부 7획〈132〉)의 俗字

卩5 〔卵〕7 中·人 란 ㊤旱 luǎn ラン たまご
筆順 ˊ 𠂎 𠂎 卯 卯 卵 卵
字解 알란 ㉠새의 알. '去累一之, 就永安之計'《司馬相如》. ㉡물고기의 알. '濡魚一醬實蓼'《禮記》.
字源 象形. 알의 모양을 본뜸.

卩6 〔卸〕8 사 ㊀禡 xiè シャ おろす
字解 ①풀사 ㉠옷 같은 것을 벗음. '塵冠聊以一'《陸龜蒙》. ㉡배에서 짐을 부림. ㉢수레에 맨 말을 풂. 말의 안장을 벗김. '一, 舍車解馬也'《說文》. ㉣해직(解職)함. '一任'. ②떨어질사 낙하함. '侯花凋一'《復齋漫錄》.
字源 形聲. 卩(㔾)+止+午〔音〕

卩6 〔卹〕8 ㊀휼 ㊅質 xù シュツ あわれむ ㊁솔 ㊅月 sū ソツ かきなでる
字解 ㊀진휼할휼 恤(心부 6획〈388〉)과 同字. '以一凶荒'《周禮》. ㊁먼지떨솔 먼지를 떪. 일설(一說)에는, 긁음. 문지름. '國中以策彗一勿, 驅塵不出軌. (注)一勿, 搔摩也'《禮記》.
字源 形聲. 卩(㔾)+血〔音〕

卩6 〔㕚〕8 ㊀시 ㊀寘 chǐ シ よろこびがある ㊁치 ㊀寘 chǐ シ よろこびがある ㊂지 ㊤紙 シ よろこびがある
字解 ㊀①큰기쁨있을시 '一, 有大慶也'《說文》. ②도량있을시 '一, 有大度也'《集韻》. ㊁큰기쁨있을치, 도량있을치 ㊀과 뜻이 같음. ㊂큰기쁨있을지, 도량있을지 ㊀과 뜻이 같음.
字源 形聲. 卩(㔾)+多〔音〕

卩6 〔卽〕8 〔즉〕 卽(卩부 7획〈132〉)과 同字

卩6 〔𠨬〕8 〔각〕 卻(卩부 7획〈133〉)의 俗字

卩6 〔卷〕8 中·人 권 ①-③㊀霰 juàn カン·ケン まきもの ④-⑦㊤銑 juǎn ケン まく ⑧-⑪㊥先 quán ケン まがる
筆順 ノ 八 䒑 䒑 𠔉 关 券 卷
字解 ①두루마리권 주지(周紙). '獻近所爲復志賦已下十首爲一卷, 一有標軸'《韓愈》. ②책권 고대에는 책을 매지 않고 두루마리로 하였으므로, 전(轉)하여 책의 뜻으로 쓰임. '書一'. '手不輟一'《晉書》. ③권권 ㉠책을 세는 수사(數詞). '擁書萬一'. '不讀五千一書者, 不得入此室'《北史》. ㉡도서의 편차(編次)의 구별. '鐙下南華一'《賈島》. ④말권 두루루 맒. '席一'. '邦無道, 則可一而懷之'《論語》. ⑤말릴권 전항의 피동사. '早荷向心一'《唐太宗》. ⑥두를권 ㉠싸서 가림. 포위함. '白雲四一天無河'《韓愈》. ㉡돌림. 감음. '薜蘿可一'《江淹》. ⑦성권 성(姓)의 하나. ⑧굽을권 굴곡함. '一髮'. '一曲而不中規矩'《莊子》. ⑨작을권 조그마함. '一一石之多'《中庸》. ⑩아름다울권 婘(女부 8획〈252〉)과 同字. '有美一人, 碩大且一'《詩經》. ⑪정성권 惓(心부 8획〈396〉)과 同字. '敢昧死竭一一'《漢書》.
字源 形聲. 卩(㔾)+𢍏〔音〕

卩6 〔卺〕8 근 ㊤吻 jǐn キン さかずき
字解 합환주잔근 혼례 때 신랑·신부가 서로 바꾸어 마시는 술잔. '四爵合一'《儀禮》.
字源 會意. 丞+㔾

卩7 〔卽〕9 中·人 즉 ㊅職 jí ソク すなわち
筆順 ˊ 𠂆 白 白 皀 皀 皀卩 卽
字解 ①곧즉 ㉠즉시. 바로. '一今'. '一決'. '盜發一得'《宋史》. ㉡다름이 아니라. '色一是空, 空一是色'《般若心經》. ②가까이할즉 '子不我一'《詩經》. ③나아갈즉 자리에 나아감. '一席'. '一位'. '漢王一皇帝位'《十八史略》. ④만약즉 만일. '吾一沒, 若必師之'《史記》. ⑤불똥즉 촛불의 탄 나머지. '左手執燭, 右手執一'《管子》. ⑥성즉 성(姓)의 하나.

[字源] 會意. 皀+卩(卪)
[參考] 即(卩부 5획〈132〉)은 俗字.

卩7 〔卽〕 9 卽(前條)의 俗字

卩7 〔卼〕 9 올 [入]月 | wù ゴツ あやうい
[字解] 위태할올 위태한 모양. '上九, 困于葛藟, 于臲一'《易經》.

卩7 〔卻〕 9 〔각〕 却(卩부 5획〈131〉)의 本字
[參考] 郤(邑부 7획〈1518〉)은 別字.

卩7 〔卿〕 9 〔경〕 卿(卩부 10획〈133〉)과 同字

卩9 〔卿〕 11 卿(次次條)의 俗字

卩9 〔卿〕 11 卿(次條)의 俗字

卩10 〔卿〕 12 [高·人] 경 [平]庚 | qīng ケイ·キョウ きみ
[筆順] ˊ ⺁ 𠂎 𠂎 卯 ⿰𠂎皀 ⿰𠂎皀 卿
[字解] ①벼슬경 ㉠고대의 관제에서 각 성(省)의 장관 이상의 벼슬. '三公九一'. '六一分職'《書經》. ㉡제후의 상대부(上大夫). '大國三一, 小國二一'《禮記》. ②경경 진한(秦漢) 이후에 군주가 신하를 부르던 칭호. '一曹努力'《後漢書》. 전(轉)하여, 수당(隋唐) 이후에는 부부·붕우 간에도 쓰였음. '不忘一厚意'《漢書》. ③선생경 장로(長老)에 대한 존칭으로, 성 밑에 붙이는 말. '荀一'. '虞一'. '燕人謂之荆一'《史記》. ④아주머니경 여자의 호칭. '府吏謂新婦, 賀一得高遷云云, 一當日勝貴, 我獨向黃泉'《古詩》. ⑤성경 성(姓)의 하나.
[字源] 象形. 두 사람이 음식을 사이에 두고 마주 보고 있는 모양을 본뜸.

卩10 〔卿〕 12 卿(前條)과 同字

〔巻〕 〔건〕 宀부 9획(283)을 보라.

卩10 〔卷〕 12 〔권〕 卷(卩부 6획〈132〉)의 本字

卩11 〔厀〕 13 슬 [入]質 | xī シツ ひざ
[字解] 무릎슬 膝(肉부 11획〈1088〉)과 同字.
'頓首一行'《漢書》.

卩11 〔⿰余⿱斗卩〕 13 [韓] 산
[字解] 《韓》 땅이름산 '一洞'은 땅 이름. '一, 地名. 一洞萬戶, 見搢紳案'《新字典》.
[字源] '斜사'와 구결(口訣)에 쓰이는 '卩'의 'ㄴ'을 합하여, '산'의 음(音)을 나타냄.

卩16 〔⿱𦥑⿱罒巳〕 18 〔천〕 ⿰卩罕(廾부 13획〈357〉)과 同字

厂　部
〔민엄호부〕

厂0 〔厂〕 2 한 [去]翰 hàn / [上]旱 hǎn | カン がけ
[筆順] 一 厂
[字解] ①언덕한 구릉(丘陵). 일설(一說)에는, 낭떠러지. ②석굴한 암혈(巖穴).
[字源] 象形. 깎아지른 듯한 낭떠러지를 본뜸.
[參考] 부수(部首)로서, '벼랑·돌'의 뜻을 포함하는 문자를 이룸. 속(俗)에, '广엄호밑'에 대하여, 점이 없다 하여 '민엄호밑'이라 이름.

厂2 〔厄〕 4 [高·人] [一] 액 [入]陌 è ヤク わざわい / [二] 와 [上]哿 è ガ ふし
[筆順] 一 厂 厅 厄
[字解] [一] 재앙액 재액. '一運'. '悼屈子兮遭一'《楚辭》. [二] 옹이와 나무의 옹이. 마디.
[字源] 會意. 厂+卩

厂2 〔厅〕 4 〔청〕 廳(广부 22획〈354〉)의 簡體字

厂2 〔历〕 4 〔력〕 歷(止부 12획〈605〉)·曆(日부 12획〈515〉)의 簡體字

厂2 〔厃〕 4 [一] 첨 (②염[本]) ①[平]鹽 yán セン あおぐ / ②[平]鹽 yán エン のき / [二] 위 [上]紙 wěi ギ あおぐ
[字解] [一] ①볼첨 우러러봄. '一, 仰也'《說文》. ②처마첨 추녀. 檐(木부 13획〈583〉)과 同字. ※❷는 本音 염. [二] 볼위 [一]❶과 뜻이 같음.

字源 象形. 용마루에서 뻗어 내린 처마의 모양을 본뜸.

〔仄〕〔측〕 人부 2획(32)을 보라.

〔反〕〔반〕 又부 2획(141)을 보라.

〔圧〕〔압〕 土부 2획(199)을 보라.

厂3〔厈〕5 국 ㊅沃|jú キク もつ

字解 잡을국 물건을 왼손으로 잡음. '一, 左手執持也. 一說, 敬事而拘迫不安也'《同文擧要》.
字源 指事. '丮극'의 반대의 꼴.

厂3〔厈〕5 〔한〕 厂(部首〈133〉)의 籀文

厂3〔厌〕5 〔측〕 仄(人부 2획〈32〉)의 籀文

厂3〔厉〕5 〔려〕 厲(厂부 13획〈137〉)의 略字·簡體字

厂3〔岀〕5 약 ㊅藥|yuè ヤク あらわれる

字解 나타날약 언덕 위에 높이 나타나는 모양. '一, 岸上見也'《說文》.
字源 會意. 厂+屮〈省〉

厂4〔厊〕6 아 ㊤馬|yǎ ガ くいちがう

字解 어긋날아 '厏一, 不合也'《廣韻》.

厂4〔厎〕6 〔진〕 辰(部首〈1486〉)의 古字

厂4〔压〕6 〔압〕 壓(土부 14획〈223〉)의 簡體字

厂4〔厌〕6 〔염〕 厭(厂부 12획〈137〉)의 簡體字

〔灰〕〔회〕 火부 2획(706)을 보라.

厂5〔厎〕7 ㊀지 ㊤紙|zhǐ シ といし
㊁저 ㊥齊|dǐ テイ いたる

字解 ㊀①숫돌지 砥(石부 5획〈867〉)와 同字. '爵祿束帛者, 天下之一石'《漢書》. ②갈지 숫돌에 갊. 연마함. '一厲鋒鍔'《漢書》. ③바칠지 드림. '一貢厥獒'《書經》. ④정할지 결정함. '可一行'《書經》. ㊁이를저 至(部首)와 뜻이 같음. '三后協心一于道'《書經》.
字源 形聲. 厂+氐〔音〕

厂5〔砬〕7 ㊀랍 ㊅合|lā ロウ くずれる
㊁립 ㊅緝|リュウ くずれる

字解 ㊀무너지는소리랍 돌이 무너지는 소리. '一, 說文, 石聲也'《集韻》. ㊁무너지는소리립 ㊀과 뜻이 같음.
字源 形聲. 厂+立〔音〕

厂5〔居〕7 ㊀도 ㊤麌|hù ト うつくしいいし
㊁고 ㊤麌|hù コ うつくしいいし

字解 ㊀돌이름도 아름다운 돌의 이름. '一, 美石也'《說文》. ㊁돌이름고 ㊀과 뜻이 같음.
字源 形聲. 厂+古〔音〕

厂5〔厏〕7 ㊀자 ㊤馬|zhǎ サ くいちがう
㊁사 ㊤馬|サ くいちがう
㊂착 ㊅陌|サク せまい

字解 ㊀어긋날자 '一厊'는 어긋남. '兼與世事多一厊'《楊循吉》. ㊁어긋날사 ㊀과 뜻이 같음. ㊂좁을착 '窄(穴부 5획〈917〉)은 俗字. '一, 狹也'《正字通》.

厂5〔矦〕7 〔후〕 侯(人부 7획〈50〉)의 古字

厂5〔辰〕7 〔진〕 辰(部首〈1486〉)의 俗字

厂5〔严〕7 〔엄〕 嚴(口부 17획〈191〉)의 簡體字

〔辰〕〔진〕 部首(1486)를 보라.

厂6〔厓〕8 人名 애 ①-④㊥佳|yá(ái) ⑤㊦卦|ガイ がけ

筆順 一 厂 厂 𠂆 厈 厍 厓 厓

字解 ①언덕애, 낭떠러지애 崖(山부 8획〈310〉)와 同字. '一峭水狹'《唐書》. ②물가애 수애(水涯). '望一洒而高'《爾雅》. ③끝애 제한(際限). '洞無一兮'《揚雄》. ④성애 성(姓)의 하나. ⑤눈흘길애 睚(目부 8획〈847〉)와 同字. '一眥莫不誅傷'《漢書》.
字源 形聲. 厂+圭〔音〕

厂6〔厔〕8 질 ㊅質|zhì シツ くま

字解 ①물굽이질 물이 굽이쳐 흐르는 곳. '一, 水曲曰一'《正字通》. ②막을질 방해함. '一, 礙止也'《正字通》.

厂 6〔厒〕8 갑 [入]合 | kè コウ かわにはさまれたやま

[字解] 좌우에낭떠러지있는산갑 양쪽에 강을 끼고 있는 산. '左右有岸, 一'《爾雅》.

厂 7〔厖〕9 방 [平]江 | páng ボウ あつい, おおきい

[字解] ①두터울방 순후(純厚)함 '爲下國駿一'《詩經》. ②클방 '一大'. '民生敦一'《左傳》. ③넉넉할방 풍족함. '敦一純固'《國語》. ④섞일방 뒤섞임. 난잡함. '一雜'. '不和政一'《書經》. ⑤돌이클방 '一, 石大也'《說文》. ⑥성방 성(姓)의 하나.
[字源] 形聲. 厂＋尨〔音〕

厂 7〔厚〕9 [中·人] 후 [上]有 | hòu コウ あつい

[筆順] 一 厂 𠂆 戸 厚 厚 厚 厚

[字解] ①두터울후 ㉠두꺼움. '一繒'. '謂地蓋一, 不敢不蹐'《詩經》. ㉡많음. '一祿'. '幣一言甘'《史記》. ㉢큼. '一利'. '道德不一'《戰國策》. ㉣깊음. '水之積也, 不一則負大舟也無力.'《莊子》. ㉤진함. '濃一'. '一其液'《周禮》. ㉥무거움. '其於敝邑之王甚一'《戰國策》. ㉦친밀함. '一誼'. '深結一焉'《漢書》. ㉧정성스러움. '一意'. '破產一葬'《史記》. ㉨침착함. 천박하지 않음. '行一而詞深'《柳宗元》. ㉩감각이 둔함. 낯가죽이 두툼함. '一顏無恥'. '巧言如簧, 顏之一矣'《詩經》. ②두터이할후 전항의 타동사. '不一其棟'《國語》. '一往而薄來'《中庸》. ③두께후 두꺼운 정도. '其一三寸'《禮記》. ④성후 성(姓)의 하나.
[字源] 會意. 厂＋旱

厂 7〔厘〕9 ㊀전 [平]先 | chán テン みせ
㊁리 [平]支 | lí リ おさめる

[字解] ㊀터전, 전방(廛房)전 廛(广부 12획〈351〉)의 俗字. ㊁①이리, 다스릴리 釐(里부 11획〈1548〉)의 俗字. ②성리 성(姓)의 하나.
[字源] 形聲. 𠩺〈省〉＋里〔音〕

厂 7〔厥〕9 이 [平]支 | yí イ すする

[字解] 마실이 '一, 歠也'《說文》.
[字源] 形聲. 次＋厂〔音〕

厂 7〔厢〕9 부 [平]虞 | bū フ みえる

[字解] ①언뜻보일부 돌이 언뜻 보임. '一, 石開見也'《說文》. ②돌무늬보일부 돌무늬가 보이는 모양. '一, 石文見也'《玉篇》.
[字源] 形聲. 厂＋甫〔音〕

厂 7〔厙〕9 협 [入]洽 | xiá コウ・キョウ かたむく

[字解] 기울협, 좁을협 '一, 辟也. (注) 一與陜音同義近'《說文》.
[字源] 形聲. 厂＋夾〔音〕

厂 7〔厗〕9 제 [平]齊 | tí テイ いしのな

[字解] 돌이름제 一, 唐一, 石也'《說文》.
[字源] 形聲. 厂＋屖〈省〉〔音〕

厂 7〔厙〕9 사 [去]禡 | shè シャ せい

[字解] ①성사 성(姓)의 하나. ②마을사 강소성(江蘇省) 지방에서 마을의 뜻으로 지명(地名)에 쓰이는 말.

厂 7〔㕢〕9 〔석〕
席(巾부 7획〈333〉)의 古字

厂 7〔原〕9 原(次次條)의 俗字

厂 8〔厝〕10 ㊀조 [去]遇 | cuò ソ おく
㊁착 [入]藥 | cuò サク といし, まじわる

[字解] ㊀둘조 措(手부 8획〈450〉)와 同字. '一之積薪之下'《漢書》. ㊁①섞일착 錯(金부 8획〈1567〉)과 同字. '五方雜一'《漢書》. ②숫돌착 칼을 가는 돌.
[字源] 形聲. 厂＋昔〔音〕

厂 8〔原〕10 [中·人] 원 [平]元 | yuán, ⑩yuàn ゲン もと, はら

[筆順] 一 厂 𠂆 𠂆 𠩄 盾 原 原

[字解] ①근원원 ㉠물의 근원. 원천(源泉). '一泉混混, 不舍晝夜'《孟子》. ㉡근본. '一因'. '達於禮樂之一'《禮記》. ②원은원 원래. 본래. '一起於錢'《漢書》. ③찾을원 근본을 캠. 근본을 추구(推究)함. '一始要終'《易經》. ④놓아줄원 죄를 용서함. '一宥'. '會詔一之'《晉書》. ⑤거듭원 재차. '一, 再也'《爾雅》. ⑥거듭할원 재차 함. '命膳夫曰, 未有一'《禮記》. ⑦저승원 황천. '從先大夫於九一'《禮記》. ⑧들원 넓고 평탄한 토지. '田一'. '大野曰平, 廣平曰一'《爾雅》. ⑨문체이름원 한문의 한 체(體). '自唐韓愈作五一, 而後人因之'《文體明辯》. ⑩삼갈원, 정성스러울원 愿(心부 10획〈403〉)과 통용. '子曰, 鄕一, 德之賊也'《論語》. ⑪성원 성(姓)의 하나.
[字源] 會意. 厂＋泉

厂 8〔厜〕10 수 [平]支 | zuī スイ いただき

[字解] 산곡대기수 산정(山頂).
[字源] 形聲. 厂＋坐(垂)〔音〕

厂 8 〔厞〕10 비 [去]未 fèi / [平]微 féi ヒ おく, のき

[字解] ①궁벽한곳비 후미진 곳. 방(房)의 서북 구석. '几在南一, 用席'《儀禮》. ②처마비 집의 처마. '一, 是屋簷也'《禮記 疏》.
[字源] 形聲. 厂＋非〔音〕

厂 8 〔厗〕10 [一] 금 [平]侵 qín / [去]沁 キン かたいとち / [二] 겸 [平]鹽 ケン かたいとち

[字解] [一] 굳은땅금 돌이 많이 섞인 땅. '一, 石地也'《說文》. [二] 굳은땅겸 [一]과 뜻이 같음.
[字源] 形聲. 厂＋金〔音〕

厂 8 〔厒〕10 갑 [入]合 kè コウ かわにはさまれたやま

[字解] 좌우에강(江)을낀산갑 𢈈(广부 6획〈135〉)과 同字.

厂 8 〔厓〕10 역 [入]錫 / [入]陌 yì ゲキ·ガク あれち

[字解] 돌많은땅역 돌이 섞인 황무지. '一, 石地惡也'《說文》.
[字源] 形聲. 厂＋兒〔音〕

厂 8 〔厥〕10 〔태〕 𣪍(攴부 15획〈489〉)의 古字

厂 9 〔厡〕11 〔원〕 原(厂부 8획〈135〉)의 本字

厂 9 〔厤〕11 〔려〕 厲(厂부 13획〈137〉)와 同字

厂 9 〔厠〕11 〔측〕 廁(广부 9획〈349〉)의 俗字

厂 9 〔𠩺〕11 [一] 리 [平]支 xī リ さける / [二] 희 [平]支 xī キ さける / [三] 치 [平]支 chí チ おさめる

[字解] [一] 터질리, 벌릴리 '一, 坼也'《集韻》. [二] 터질희, 벌릴희 [一]과 뜻이 같음. [三] 다스릴치 治(水부 5획〈635〉)와 同字. '𢻱, 理也, 或作一'《集韻》.
[字源] 象形. 곡물을 두드려 수확하는 모양을 본뜸.

厂 10 〔厥〕12 [高]·[人] 궐(⑦ [入]月 ①-⑥jué ケツ その / 굴[本]) [入]物 ⑦jué クツ とっけつ

[筆順] 厂 厂 产 产 屰 屰 厥 厥

[字解] ①그궐 其(八부 6획〈87〉)와 뜻이 같음. '允執一中'《詩經》. ②숙일궐 앞으로 기울임. '一角稽首'《孟子》. ③팔궐 발굴함. 撅(手부 12획〈466〉)과 同字. '相柳之所抵, 一爲澤溪'《山海經》. 또, 파낸 물건. 발굴물. '下和之璧, 井里之一也'《荀子》. ④짧을궐 단소(短小)함. '今人呼禿尾狗爲一尾'《中山詩話》. ⑤상기궐 피가 머리로 몰리는 병. '一不作'《韓詩外傳》. ⑥성궐 성(姓)의 하나. ⑦오랑캐이름궐 '突一'은 서기 6세기 중엽(中葉)에 알타이 산맥 부근에서 일어나, 몽고·중앙 아시아에 대제국(大帝國)을 건설한 터키계(系)의 유목민(遊牧民). ※❼은 本音 굴.
[字源] 形聲. 厂＋欮〔音〕

厂 10 〔厤〕12 력 [入]錫 lì レキ おさめる

[字解] ①다스릴력 '一, 治也'《說文》. ②曆(日부 12획〈515〉)의 古字.
[字源] 形聲. '厂＋秝〔音〕

厂 10 〔㕉〕12 [一] 갑 [入]合 kē コウ / [二] 압 [入]合 オウ くずれそんじる

[字解] [一] ①무너질갑 '一, 崩損也'《廣韻》. ②산옆구멍갑 산 옆구리에 뚫린 구멍. '潛一洞出'《張衡》. [二] 무너질압, 산옆구멍압 [一]과 뜻이 같음.

厂 10 〔厚〕12 〔후〕 厚(厂부 7획〈135〉)의 本字

厂 10 〔厜〕12 〔차〕 嵯(山부 10획〈315〉)와 同字

厂 10 〔厦〕12 [人名] 〔하〕 廈(广부 10획〈350〉)의 俗字

[筆順] 一 厂 厂 厂 厂 厂 厦 厦

厂 10 〔厨〕12 〔주〕 廚(广부 12획〈351〉)의 俗字

〔雁〕 〔안〕 隹부 4획(1630)을 보라.

厂 11 〔厫〕13 오 [平]豪 áo ゴウ くら

[字解] 쌀창고오 미창(米倉). '一, 倉一'《字彙》. 廒(广부 11획〈351〉)와 同字.

厂 11 〔㕓〕13 〔음〕 厰(厂부 12획〈137〉)의 本字

厂 11 〔厯〕13 曆(日부 12획〈515〉)·歷(止부 12획〈605〉)과 同字
[參考] 청대(淸代)에 고종(高宗)의 휘(諱)를 피하여 이 자(字)를 썼음.

厂 11 〔厪〕13 〔근〕
廑(广부 11획〈350〉)의 俗字

厂 11 〔厩〕13 〔구〕
廏(广부 11획〈350〉)의 俗字

厂 11 〔⿸厂丽〕13 〔려〕
麗(鹿부 8획〈1847〉)의 略字

厂 12 〔厭〕14
[一] 염 [去]豔 | yàn エン いとう
[二] 암 [上]感 | ǎn アン おぼれる
[三] 엽 [入]葉 | yā ヨウ おさえる
[四] 읍 [入]緝 | yì ユウ うるおう

[字解] [一] ①싫어할염 ㉠…하기를 꺼림. '—世'. '衽金革, 死而不—'《中庸》. ㉡미워함. '—惡'. '天—之'《論語》. ②물릴염 싫증이 남. '—倦'. '—飽'. '學而不—'《論語》. ③마음에찰염 만족함. '—服'. '不—糟糠'《史記》. 또, 마음에 차게 함. 만족시킴. '克—上帝之心'《漢書》. ④막을염 틀어막음. '—其源'《荀子》. ⑤조용할염 안정(安靜)한 모양. '——夜飮'《詩經》. ⑥가릴염 은폐함. '—目而視者'《荀子》. ⑦따를염 복종함. '天下—然'《荀子》. [二] 빠질암 침닉(沈溺)함. '其—也如緘'《莊子》. [三] ①누를엽 ㉠억압함. '將以—衆'《左傳》. ㉡들이닥침. 압박함. '荊—晉軍'《國語》. ㉢눌러 무너뜨림. '地震隴西, —四百餘家'《漢書》. ㉣진압함. '折衝—難'《漢書》. ㉤기도나 주문(呪文)으로 화가 일어나지 않게 함. '因東游以—之'《史記》. ②맞을엽 마음에 듦. '克—帝心'《國語》. ③가위눌릴엽 무서운 꿈을 꾸고 놀람. '—夢'. '使人不—'《山海經》. [四] 젖을읍 축축하게 젖는 모양. '—浥行露'《詩經》.
[字源] 形聲. 厂+猒〔音〕

厂 12 〔⿸厂敢〕14
[一] 음 [平]侵 | yín ギン けわしい
[二] 담 [上]感 | タン けわしい
[三] 감 [上]感 | kǎn カン やまぎわのあな
[四] 암 [上]感 | ǎn ガン やまのいし

[字解] [一] 험할음 낭떠러지가 험하고 높은 모양. '嶔—, 山崖狀也'《廣韻》. [二] 험할담 [一]과 뜻이 같음. [三] ①험한산옆구멍감 '—, —嶮, 側穴'《廣韻》. ②험한강둔덕감 깎아지른 듯한 강둔덕. '—, 陂岸'《集韻》. ③험할감 '—, 嶮也'《集韻》. [四] 돌모양암 산의 돌의 모양. '—, 山石皃'《集韻》.
[字源] 形聲. 厂+𢽼(敢)〔音〕

厂 12 〔厬〕14 궤 [上]紙 | guǐ キ かれる

[字解] ①샘궤 곁구멍에서 솟아 나오는 샘. '—, 仄出泉也'《說文》. ②마를궤 물이 마름. '水醮曰—'《爾雅》. ③메마른땅궤 물가의 마른 땅. '—, 一曰, 水厓枯土也'《韻會》.
[字源] 形聲. 厂+晷〔音〕

厂 12 〔⿸厂異〕14
[一] 시 [上]紙 | xǐ シ するどい
[二] 이 [上]紙 | イ するどい
[三] 익 [入]職 | イキ するどい

[字解] [一] 날카로울시 돌이 날카로움. '—, 石利也'《說文》. [二] 날카로울이 [一]과 뜻이 같음. [三] 날카로울익 [一]과 뜻이 같음.
[字源] 形聲. 厂+異〔音〕

厂 12 〔⿸厂埀〕14 〔수〕
厜(厂부 8획〈135〉)의 本字

厂 12 〔厮〕14 〔시〕
廝(广부 12획〈351〉)와 本字

厂 12 〔厨〕14 〔주〕
廚(广부 12획〈351〉)의 俗字

厂 12 〔厰〕14 〔창〕
廠(广부 12획〈352〉)의 俗字

厂 13 〔厲〕15
[一] 려 [去]霽 | lì レイ といし
[二] 라 [去]泰 | lài ライ かったい

[字解] [一] ①숫돌려 礪(石부 15획〈883〉)와 同字. '取—取鍛'《詩經》. ②갈려 礪(石부 15획〈883〉)와 同字. '秣馬—兵'《左傳》. ③엄할려 엄정함. 엄격함. '—肅'. '聽其言也—'《論語》. ④사나울려 맹렬함. '—風'. '不—而威'《禮記》. ⑤위태로울려 위험함. '—无咎'《易經》. ⑥빠를려 신속함. '蒼隼橫—'《漢書》. ⑦맑을려 청징(淸澄)함. '激朗淸—'《馬融》. ⑧몹시굴려 학대함. '—民而以自養也'《孟子》. ⑨날릴려 들날림. '是以威—而不試'《荀子》. ⑩힘쓸려, 권장할려 勵(力부 15획〈118〉)와 同字. '以—賢才焉'《漢書》. ⑪ 떨칠려 분발함. '兵弱而士不—'《管子》. ⑫미워할려 증오함. '以爲不知己者詬—也'《莊子》. ⑬걷을려 물을 건널 때 옷자락을 띠를 맨 데까지 걷음. '深則—, 淺則揭'《詩經》. ⑭건널려 물을 건너감. '櫂舟航以橫—兮'《楚辭》. ⑮이를려 도달함. '女夢爲鳥而—乎天'《莊子》. ⑯못생길려 보기 싫음. 또, 그 사람. '—與西施'《莊子》. ⑰늘어질려 띠가 늘어진 모양. '垂帶而—'《詩經》. ⑱문둥병려 천형병(天刑病). 또, 폐질(癈疾). '—之人, 夜半生子'《莊子》. ⑲역질려 악성의 전염병. 또, 그 병을 퍼뜨리는 귀신. 여귀(厲鬼). '子產曰, 鬼有所歸, 乃不爲—'《左傳》. ⑳악귀려 나쁜 귀신.

'爾父爲一'《左傳》. ㉑흉한려 흉악한 사람. '誅鋤醜一'《子華子》. 또, 흉악한 사람의 시호(諡號)로 쓰임. '名之曰幽一'《孟子》. ㉒낭떠러지려 깎아지른 듯한 언덕. '在彼淇一'《詩經》. ㉓성려 성(姓)의 하나. [二] 문둥병라, 문둥이라 癩(疒부 16획〈822〉)와 同字. '漆身爲一'《史記》.
[字源] 形聲. 篆文은 厂＋蠆〈省〉〔音〕

厂 13 〔巇〕15 의 [平]支 [平]微 | wēi ギ いただき
[字解] 산마루의 산의 꼭대기. '一, 㢡一也'《說文》.
[字源] 形聲. 厂＋義〔音〕

厂 13 〔厱〕15 [一] 감 [平]咸 [二] 검 [平]鹽 [三] 람 [平]覃 [四] 엄 [上]琰 | カン ほらあな qiān ケン ほらあな lán ラン といし ゲン けわしい
[字解] [一] 굴감 벼랑이나 강둔덕 등에 있는 동굴. '一, 山側空處也'《廣韻》. [二] 굴검 ■과 뜻이 같음. [三] 숫돌람 옥(玉)을 가는 돌. '一諸, 治玉石也'《說文》. [四] 험할엄 벼랑이나 강둔덕 등이 험함. '一, 厓岸危也'《集韻》.
[字源] 形聲. 厂＋僉〔音〕

厂 13 〔㕓〕15 [一] 척 [入]陌 [二] 벽 [入]錫 | セキ かたよる pì ヘキ かたよる
[字解] [一] 치우칠척, 더러울척 '一, 仄也《說文》. '一, 陋也'《玉篇》. [二] 치우칠벽, 더러울벽 ■과 뜻이 같음.
[字源] 形聲. 厂＋辟〔音〕

厂 13 〔厲〕15 〔호〕
虎(虍부 2획〈1213〉)의 古字

〔鴈〕〔안〕
鳥부 4획(1813)을 보라.

厂 16 〔龐〕18 〔방〕
龐(龍부 3획〈1893〉)의 俗字

厂 17 〔魘〕19 염 [上]琰 | yǎn エン かにのしたはら
[字解] ①게배염 게의 배의 아랫부분. '一, 蟹腹下, 一'《廣韻》. ②소라딱지염 소라의 뚜껑.

厂 17 〔嚴〕19 〔엄〕
嚴(口부 17획〈191〉)의 俗字

厂 27 〔灥〕29 [一] 原(厂부 8획〈135〉)의 古字 [二] 源(水부 10획〈669〉)과 同字

厶　部
〔마늘모부〕

厶 0 〔厶〕2 [一] 사 [平]支 | sī シ わたくし [二] 모 [上]有 | mǒu ボウ なにがし
[筆順] ㇜ 厶
[字解] [一] 사사사 私(禾부 2획〈897〉)의 古字. '古者蒼頡之作書也, 自營者爲一'《韓非子》. [二] 아무모 某(木부 5획〈539〉)와 同字. '一, 與某同, 一近省簡, 故借某, 某, 古梅字'《正字通》.
[字源] 指事. 작게 둘러쌈을 나타내며, 사유(私有)하다의 뜻을 나타냄.
[參考] 부수(部首)로서의 '厶모'에는, 일정한 뜻이 없으며, 주로 자형 분류상 부수로 세워짐. 같은 문자 가운데 '强강'과 '強강', '員원'과 '貟원', '句구'와 '勾구'처럼, '口'의 모양이 '厶'가 되는 일이 있음. 또, '広광', '仏불', '払불' 따위는 본래 '廣광', '佛불', '拂불'로, 복잡한 자형의 일부를 생략하기 위하여 '厶'를 쓰고 있음. 글자 모양이 마늘쪽과 같이 세모를 이루고 있으므로, 속(俗)에 '마늘모'로 이름.

厶 1 〔𠫓〕3 돌 [入]月 | tū トツ とびだす
[字解] ①갑자기튀어나올돌 순조롭지 않게 갑자기 태어남. '一, 不順忽出也'《說文》. ②아이태어날돌 안산(安産)함.
[字源] 指事. '子자'를 거꾸로 한 모양에서, 아이가 태어나다의 뜻.

〔允〕〔윤〕
儿부 2획(80)을 보라.

厶 2 〔厸〕4 〔린〕
鄰(邑부 12획〈1527〉)의 古字

厶 2 〔厹〕4 유 [上]有 | róu ジュウ あしあと
[字解] 발자국유 짐승의 발자국. '一, 爾雅云, 狸狐貒貈跡也'《廣韻》.
[參考] 자형(字形)을 内(部首)·厹(次條)로도 쓰는데, 모두 소전(小篆)에서 예서(隸書)로 만든 때에 생긴 차이임.

厶 2 〔厹〕4 [一] 구 [平]尤 [二] 유 [上]有 | qiú キュウ ほこ yǒu ジュウ あしあと
[字解] [一] ①세모창구 세모진 창. '一矛鋈錞'

《詩經》. ②기승부릴구 목소리를 높여 기를 씀. 曰 발자국유 짐승의 발자국. '一, 獸足蹂地也'《說文》.
字源 形聲. 厶+九〔音〕

厶2 〔厷〕4 굉 ㊥蒸 | gōng コウ かいな
字解 ①팔굉 肱(肉부 4획〈1066〉)과 통용. '一, 臂上也'《說文》. ②둥글굉 '日德元一'《漢書》.
字源 會意. 又+厶

〔公〕〔공〕 八부 2획(85)을 보라.

〔云〕〔운〕 二부 2획(26)을 보라.

〔勾〕〔구〕 勹부 2획(119)을 보라.

〔弁〕〔변〕 廾부 2획(355)을 보라.

〔台〕〔태〕 口부 2획(146)을 보라.

〔弘〕〔홍〕 弓부 2획(359)을 보라.

厶3 〔去〕5 中·人 거 ①-⑤㊤御 ⑥-⑨㊤語 | qù jǔ キョ さる
筆順 一 十 土 去 去
字解 ①갈거 ㉠떠나감. '一留'. '上車而一'《史記》. ㉡도망감. '默而逃一'《史記》. ㉢경과함. 지남. '一年'. '朝朝醉中一'《杜牧》. ㉣소멸함. '福可必歸, 菑可必一矣'《新書》. ㉤죽음. '逝一'. '一者日以疎'《古詩》. ②떨어질거 ㉠이별함. '不能相一'《戰國策》. ㉡공간적으로 격(隔)함. '地之相一也, 千有餘里'. ㉢시간적으로 격함. '舜禹益相一久遠'《孟子》. ③과거거 지나간 세월. '過一'. '無起無滅, 一來今'《圓覺經》. ④거성거 사성(四聲)의 하나. '一聲'. ⑤성거 성(姓)의 하나. ⑥버릴거 ㉠내버림. 방기(放棄)함. '一勢'. '一夫外誘之私'《中庸章句》. ㉡내쫓음. 추방함. '七一'. '不順父母一'《小學》. ⑦쫓을거 뒤쫓아감. '處女相與語, 欲一之'《戰國策》. ⑧덜거 제외함. '一喪無所不佩'《論語》. ⑨거두어들일거 수장(收藏)함. '一草實而食之'《漢書》.
字源 會意. 大+凵

厶3 〔厺〕5 去(前條)의 本字

厶4 〔厽〕6 曰 루 ㊤紙 | lěi ルイ つみかさねる
曰 참 ㊥覃 | cān サン まじわる
字解 曰 쌓을루 흙을 쌓아 담이나 벽을 만듦. 또, 그 벽. '一, 絫坺土爲牆壁'《說文》. 曰 섞일참, 참여할참 參(厶부 9획〈140〉)과 同字. '一, 尙書以爲參字'《玉篇》.
字源 象形. 겹쳐진 흙덩이의 모양을 나타냄.

〔牟〕〔모〕 牛부 2획(739)을 보라.

厶5 〔县〕7 〔현〕 縣(糸부 10획〈1008〉)의 簡體字

〔矣〕〔의〕 矢부 2획(863)을 보라.

〔私〕〔사〕 禾부 2획(897)을 보라.

厶6 〔亝〕8 〔제〕 齊(部首〈1882〉)의 古字

厶6 〔叁〕8 〔참〕 參(厶부 9획〈140〉)의 古字
參考 三(一부 2획〈9〉)으로 차용(借用)하기도 함.

厶6 〔参〕8 〔참〕 參(厶부 9획〈140〉)의 略字

厶6 〔叀〕8 전 ㊥先 | zhuān セン つつしむ, もっぱら
字解 ①삼갈전 세심하게 마음을 써서 삼감. '一, 小謹也'《說文》. ②걸릴전 걸려듦. '一旦一礙, 爲賞所罥'《漢書》. ③오로지전 專(寸부 8획〈289〉)과 同字.
字源 形聲. 幺〈省〉+田+屮〔音〕

厶7 〔叄〕9 〔참〕 參(厶부 9획〈140〉)의 古字

厶7 〔叀〕9 〔예〕 軎(車부 3획〈1460〉)와 同字

〔怠〕〔태〕 心부 5획(382)을 보라.

厶8 〔脋〕10 〔제〕 齊(部首〈1882〉)의 本字

〔畚〕〔분〕 田부 5획(798)을 보라.

〔能〕〔능〕 肉부 6획(1074)을 보라.

厶 9 〔參〕 11 中·人 ㊀참 ㊥覃 ㊥侵 ①-⑥cān サン まじわる, あずかる ⑦cēn シン ふぞろい ㊁삼 ㊥覃 ㊥侵 ①②sān サン みつ ③④shēn シン にんじん

筆順 (stroke order)

字解 ㊀①섞일참 뒤섞임. 교착(交錯)함. '一伍'. '毋往一焉'《禮記》. ②나란할참 셋이 서로 가지런함. 병립(竝立)함. 정립(鼎立)함. '一天貳地'. '三王之德, 一於天地'《禮記》. ③참여할참 ㉠참가함. 간여(干與)함. '一政'. '一謀機密'《庾信》. 또, 참여시킴. '每有選用, 輒一之掾屬'《後漢書》. ㉡《佛敎》 법(法)을 듣기 위하여 집회에 참가함. '一禪'. '惰耕村叟罷一僧'《陸游》. ④뵐참 군주 또는 장상(長上)을 가서 뵘. '一謁'. '日一, 號常一官'《唐書》. ⑤헤아릴참 대조하여 생각함. 고검(考檢)함. '一考'. '一稽治亂'《荀子》. ⑥무리참 ㉠같은 동아리. 동렬(同列). '立其監, 設其一'《周禮》. ㉡부하. '親率內一'《北史》. ⑦가지런하지않을참 '一差荇菜'《詩經》. ㊁①석삼 三(一부 2획〈9〉)과 통용. '一伍伍'. '一夷之誅'《漢書》. ②빽들어설삼 빽빽이 들어선 모양. '一一其穡'《束晳》. ③별이름삼 이십팔수(二十八宿)의 하나. 서쪽에 있으며 세 별로 이룸. '維一與昴'《詩經》. ④인삼삼 인삼(人參)의 약칭(略稱). '百濟一, 白堅且圓, 名白羊一, 俗名羊角一'《本草》.

字源 ①指事. 머리 위에 반짝이는 세 별을 나타냄. ②形聲. 晶+㐱〔音〕

厶 9 〔畣〕 11 〔도〕 圖(囗부 11획〈198〉)의 俗字

厶 9 〔羗〕 11 〔유〕 誘(言부 7획〈1331〉)와 同字

厶 10 〔羑〕 12 〔유〕 羗(前條)의 訛字

厶 10 〔畜〕 12 〔축〕 畜(田부 5획〈798〉)의 俗字

厶 10 〔叅〕 12 〔참〕 參(厶부 9획〈140〉)의 俗字

厶 13 〔㕙〕 15 준 ㊥眞 jùn シュン うさぎ

字解 토끼준 교활한 토끼의 이름. '東郭一者, 天下之狡兔也'《戰國策》.

字源 形聲. 兔+夋〔音〕

又 部

〔또 우 부〕

又 0 〔又〕 2 中·人 ㊀우 ㊧宥 ㊁유 ㊧宥 yòu ユウ·ウ また

筆順 フ 又

字解 ㊀①또우 ㉠거듭하여. 재차. '天下一大亂'《孟子》. ㉡그 위에. 다시. '一卜瀍水之東'《書經》. ②또할우 재차 함. '天命不一'《詩經》. ③성우 성(姓)의 하나. ㊁용서할유 용대(容貸)함. 宥(宀부 6획〈278〉)와 통용. '王三一, 然後制刑'《禮記》.

字源 象形. 오른손의 모양을 본뜸.

參考 부수(部首)로서 손의 동작에 관계되는 문자가 이루어짐.

又 1 〔叉〕 3 人名 차 ㊥麻 chā サ くむ

筆順 フ 又 叉

字解 ①깍지낄차 두 손의 손가락을 서로 어긋매끼게 낌. '一手'. '逢人手盡一'《柳宗元》. ②가닥질차 갈래가 짐. '一竿'. ③가닥차, 갈래차 분기(分岐). '不愁歸路有三一'《陸游》. ④작살차 물고기를 찔러 잡는 어구(漁具). '挺一來往'《潘岳》. ⑤찌를차 작살로 찌름. '柳塘持燭一魚'《高啓》.

字源 象形. 손가락 사이에 물건을 끼운 모양.

又 2 〔叉〕 4 조 ㊤巧 zhǎo ソウ つめ

字解 손톱조, 발톱조 爪(部首)의 古字. '一, 古文. 說文曰, 手足甲也'《廣韻》.

字源 指事. 손〔又〕과 손톱〔⺀〕을 합친 글자.

又 2 〔𠬝〕 4 반 ㊥刪 pān ハン ひく

字解 당길반 끌어당김. '一, 引也'《說文》.

字源 象形. 두 손으로 바깥쪽에서부터 끌어당기는 모양을 본뜸.

又 2 〔双〕 4 〔쌍〕 雙(隹부 10획〈1635〉)의 俗字

又 2 〔収〕 4 〔수〕 收(攴부 2획〈479〉)의 俗字

又 2 〔収〕 4 〔공〕 廾(部首〈355〉)의 本字

參考 収(前條)는 別字.

又 2 〔及〕4 中·人 급 ㊀緝 jí キュウ およぶ

筆順 ノ ア 乃 及

字解 ①미칠급 ㉠뒤좇아가 따름. '追敵不一'. '追吳師一之'《禮記》. ㉡일정한 곳에 이름. '賓入一庭'《儀禮》. ㉢일정한 시기에 이름. '未一期日'《禮記》. '一壯爲泗上亭長'《十八史略》. ㉣일정한 상태에 이름. '惟酒無量, 不一亂'《論語》. ㉤퍼짐. '波一'. '覃一鬼方'《詩經》. ㉥필적함. '彼不一此'. ㉦닿음. '其不一水, 蓋尋常尺寸之間耳'《韓愈》. ㉧족(足)함. '過猶不一'《論語》. ㉨관여함. 참여함. '一門'. '師出與謀曰一'《左傳》. ㉩연좌(連坐)함. '長惡不悛, 從自一也'《左傳》. ②미치게할급 전항의 타동사. '老吾老, 以一人之老'《孟子》. ③및급 접속사(接續詞). '大宛一大夏安息之屬, 皆大國'《史記》. ④더불급 ㉠더불어. 함께. 같이. 與(臼부 7획〈1106〉)와 뜻이 같음. '予一女偕亡'《孟子》. ㉡더불어 함. 함께 함. 같이 함. '周王于邁, 六師一之'《詩經》. ⑤성급 성(姓)의 하나.
字源 會意. 又+人

又 2 〔友〕4 中·人 우 ㊤有 yǒu ユウ とも

筆順 一 ナ 方 友

字解 ①벗우 친구. '一人'. '朋一'. '益者三一'《論語》. ②벗할우 교유함. '諸侯有所不一'《後漢書》. ③우애있을우 형제간에 의가 좋음. '一弟'. '孝一'. '惟孝, 一于兄弟'《書經》. ④성우 성(姓)의 하나.
字源 形聲. 又+又〔音〕

又 2 〔叐〕4 友(前條)의 本字

又 2 〔反〕4 中·人
㊀반 ㊤阮 fǎn ハン かえす
㊁번 ㊦願 fàn ハン かえす
㊂판 ㊥元 fān ハン ひさぐ

筆順 一 厂 万 反

字解 ㊀ ①돌이킬반 ㉠그전으로 돌아감. 복귀함. '報本一始'《禮記》. ㉡돌이켜 생각함. 반성함. '一省'. '自一而縮'《孟子》. ②뒤집을반 반대로 함. '以齊王, 由一手也'《孟子》. ③엎어질반 전복함. '車不一覆'《周禮》. ④돌아올반 '匹馬隻輪無一者'《公羊傳》. ⑤올반 내도(來到)함. '福祥來一'《詩經》. ⑥뒹굴반 누워서 이리저리 구름. '輾轉一側'《詩經》. ⑦거스를반 어김. 거역함. '一拒'. '其所令一其所好, 而民不從'《大學》. ⑧배반할반 모반함. '一逆'. '豈敢一乎'《史記》. ⑨휠반 굽어짐. '上一字以蓋戴'《班固》. ⑩듬직할반 신중함. 진중함. '威儀一一'《詩經》. ⑪도리어반 반대로. '天與弗取, 一受其咎'《史記》. ⑫반절(反切)반 한 자(字)의 음과 한 자의 운(韻)을 합쳐 한 음을 나타내는 일. ⑬성반 성(姓)의 하나. ㊁ 뒤집을번 ㉠원죄(冤罪)로 옥에 갇힌 사람을 재심하여 무죄로 함. '杜周治之, 獄少一者'《漢書》. ㉡뒤집어엎음. '一水漿'《漢書》. ㊂ 팔판 販(貝부 4획〈1386〉)과 同字. '積一貨而爲商賈'《荀子》.
字源 會意. 又+厂

又 2 〔㕙〕4 복 ㊀屋 fú フク おさめる

字解 다스릴복 '一, 說文, 治也'《廣韻》.
字源 會意. 又+卩

又 2 〔㕚〕4
㊀몰 ㊀月 mò ボツ くぐる
㊁말 ㊀黠 バツ くぐる

字解 ㊀ 빠질몰, 무자맥질할몰 '一, 通用沒'《正字通》. ㊁ 빠질말, 무자맥질할말 ㊀과 뜻이 같음.
字源 會意. 回+又

又 2 〔㕛〕4 〔귀〕 宄(宀부 2획〈274〉)의 古字

又 3 〔収〕5 〔수〕 收(攴부 2획〈479〉)의 俗字

又 3 〔㕜〕5 도 ㊥豪 tāo トウ なめらか

字解 ①반드러울도 미끄러움. '一, 滑也'《說文》. ②손꾸미개도 손을 장식하는 꾸미개. '一, 按, 手飾也'《說文通訓定聲》. ③북꾸미개도 요고(腰鼓)에 장식으로 단 꾸미개. '一, 一曰, 戎鼓大首, 謂之一'《集韻》.
字源 指事. 又+屮

又 3 〔㕝〕5 〔반〕 反(又부 2획〈141〉)의 古字

又 3 〔叏〕5 〔쾌〕 夬(大부 1획〈231〉)의 本字

又 3 〔发〕5 〔발〕 發(癶부 7획〈823〉)·髮(髟부 5획〈1765〉)의 簡體字

又 3 〔叐〕5 〔발〕 犮(犬부 1획〈746〉)의 訛字

又 4 〔叒〕6 약 ㊀藥 ruò ジャク したがう

字解 ①부상약 동쪽 바다에 있어, 그것을

올라 해가 돋는다는 신목(神木). 부상(扶桑). '一, 日初出東方湯谷, 所登榑桑, 一木也'《說文》. ②좇을약 따름. '一, 順也'《六書精蘊》.
字源 象形. 동쪽의 해돋는 곳에 자라는 신목(神木)을 나타냄.

又4 〔𠬪〕6 표 ㊤篠 | biǎo ヒョウ おちる
字解 떨어질표 물건이 낙하(落下)함. '一, 物落皃'《廣韻》.
字源 會意. 爪+又

又4 〔叏〕6 〔사〕
史(口부 2획〈145〉)의 本字

又5 〔叓〕7 〔사〕
事(亅부 7획〈25〉)의 古字

又5 〔叟〕7 〔몰〕
𠬛(又부 2획〈141〉)의 本字

又5 〔叜〕7 〔수〕
叟(又부 8획〈143〉)의 俗字

又6 〔叕〕8 ㊀ 철 ㊇屑 | zhuó テツ つづる
㊁ 열 ㊇屑 | jué ゲツ すみやか
字解 ㊀ ①이을철 잇댐. 綴(糸부 8획〈997〉)과 同字. '一, 綴聯也'《說文》. ②짧을철 '愚人之意一'《淮南子》. ㊁ 빠를열 '一, 速也'《集韻》.
字源 象形. 실을 이어붙인 모양을 본뜸.

又6 〔叔〕8 中·人 숙 ㊇屋 | shū シュク おじ
筆順 丨 卜 上 尗 尗 尗 叔 叔
字解 ①아재비숙 숙부. 아버지의 아우. '分寶玉于伯一之國'《書經》. ②셋째동포숙 형제 중의 셋째. '伯仲一季'. '伯某甫, 仲一季, 唯其所當'《儀禮》. ③시동생숙 남편의 아우. '嫂不撫一, 一不撫嫂'《禮記》. ④어릴숙 연소함. 또, 연소한 사람. '一, 少也, 幼者之稱也'《釋名》. ⑤끝숙 멸망에 가까운 때. 말세(末世). '三辟之興, 皆一世也'《左傳》. ⑥주울숙 손으로 집음. 주로 열매 같은 것을 주움을 이름. '九月一苴'《詩經》. ⑦콩숙 菽(艸부 8획〈1151〉)의 古字. '得以一粟當賦'《漢書》.
字源 形聲. 篆文은 又+尗〔音〕

又6 〔取〕8 中·人 취 ㊤麌 | qǔ シュ とる
筆順 一 丅 F F E 耳 取 取
字解 ①취할취 ㉠전쟁에서 적을 죽이고 그 표로서 귀를 자름. '獲者一左耳'《周禮》. ㉡잡음. 포획함. '一黿一鼉'《禮記》. ㉢빼앗음. 탈취함. '奪一'. '一三邑去'《史記》. ㉣도움. 상조(相助)함. '遠近相一'《易經》. ㉤손에 쥠. '如一如攜'《詩經》. ㉥받음. '一予'. '一衣者亦以篋'《禮記》. ㉦거둠. 거두어들임. '歲一十千'《詩經》. ㉧가림. 채용함. '一士'. '以貌一人'《史記》. ㉨다스림. '一天下者, 常以無事'《老子》. ㉩구함. 찾음. 요구함. '爲人排難解紛, 而無一也'《史記》. ㉪함. 행함. '咸其自一'《莊子》. ㉫씀. 사용함. 부림. '典筆之吏, 一筆失旨'《南史》. ㉬침. 죽임. '吾爲公一彼一將'《史記》. ②장가들취 娶(女부 8획〈255〉)와 同字. '一女吉'《易經》. ③어조사취 ㉠수동의 뜻을 나타내는 조사. '一欺'. '一笑'. '知者以有餘爲疑, 而朴者以不足一信矣'《後漢書》. ㉡무의미한 조사. '好一開簾帖雙燕'《盧照隣》.
字源 會意. 又+耳

又6 〔㕞〕8 설 ㊇屑 | shuā セツ ぬぐう
字解 닦을설 씻음. 닦아 깨끗이 함. 刷(刀부 6획〈103〉)과 통용. '一, 飾也'《說文》.
字源 會意. 尸+巾+又

又6 〔受〕8 中·人 수 ㊤有 | shòu ジュ うける
筆順 一 ㇀ 爫 爫 爫 爫 受 受
字解 ①받을수 ㉠주는 것을 가짐. 얻음. '一賂'. '一祿于天'《中庸》. ㉡자기 몸에 가하여짐. 주어짐. 입음. '至自遠方, 莫不一業焉'《史記》. '一恩尙必報'《說苑》. ㉢이음. 계승함. '殷一夏, 周一殷'《孟子》. ㉣용납함. 받아들임. '君子不可小知而可大一也'《論語》. ㉤실음. 담음. 받음. '以簻一'《儀禮》. ㉥맞이함. '有所一無所歸'《大戴禮》. ②어조사수 수동의 뜻을 나타내는 조사. '忘一欺於姦諛'《唐書》. ③성수 성(姓)의 하나.
字源 形聲. 爪+又+舟〔音〕

又7 〔叙〕9 高·人 〔서〕 敍(攴부 7획〈482〉)의 俗字
筆順 ノ 𠆢 亼 亽 余 余 叙 叙

又7 〔叛〕9 高·人 반 ㊄翰 | pàn ハン そむく
筆順 ノ 八 丷 半 半 半 叛 叛
字解 ①배반할반 ㉠모반함. '一徒'. '入于戚以一'《左傳》. ㉡적의를 품음. '惠卿一安石'《十八史略》. ②배반반 전항(前項)의 명

사. '諜—'. 또, 배반하는 사람. '受詔討—'《晉書》.
[字源] 形聲. 反+半〔音〕

又7 〔叏〕9 〔병〕
兵(八부 5획〈86〉)의 籀文

又7 〔叚〕9 [一]가 [上]馬|jiǎ カ かりる
[二]하 [平]麻|xiá カ せい
[字解] [一]①빌릴가 '—, 借也. (段注) 此一云借也, 然則凡云假借當作此字'《說文》. ②假(人부 9획〈61〉)와 통용. '—, 通作假'《集韻》. [二]성하 성(姓)의 하나. 瑕(玉부 9획〈776〉)와 통용. '—, 姓也, 春秋晉有—嘉, 通作瑕'《集韻》.
[字源] 會意. 厂+二+𠬝

又7 〔叜〕9 [一]傁(人부 9획〈62〉)와 同字
[二]叟(次條)와 同字
[字源] 會意. 宀+火+又

又8 〔叟〕10 수 ①[上]有|sǒu ソウ おきな
②[平]尤|sōu シュウ こめとぐおと
[字解] ①늙은이수 노인. 또, 장로(長老)에 대한 호칭(呼稱). '王曰, —, 不遠千里而來'《孟子》. ②쌀이는소리수 '釋之——'《詩經》.
[字源] '叜수'의 이체자(異體字). 叜(前條)의 자원(字源)을 보라.

又8 〔叓〕10 〔사〕
事(亅부 7획〈25〉)의 古字

又8 〔叚〕10 叚(又부 7획〈143〉)와 同字

又8 〔叞〕10 〔위〕
尉(寸부 8획〈289〉)와 同字

〔隻〕 〔척〕
隹부 2획(1629)을 보라.

又9 〔叒〕11 〔약〕
叒(又부 4획〈141〉)의 籀文

又9 〔叝〕11 정 [去]敬|jǐng セイ ほる
[字解] ①팔정 구멍을 팜. '—, 阬也'《說文》. ②함정정 허방다리. 穽(穴부 4획〈916〉)과 同字. '—, 掘地捕獸也. 亦作穽'《玉篇》.
[字源] 形聲. 𣦼+井〔音〕

又9 〔𠬸〕11 叝(前條)과 同字

又9 〔叙〕11 〔감〕 㪧(殳부 7획〈613〉)·敢(攴부 8획〈484〉)과 同字

又9 〔㕘〕11 신 [平]眞|shēn シン のびる
[字解] ①펼신 길게 함. '—, 伸也'《說文》. ②끌신 당김. '—, 引也'《說文繫傳》.
[字源] 形聲. 又+𦣞〔音〕

又9 〔叟〕11 〔준〕
甇(瓦부 9획〈789〉)의 籀文

〔曼〕 〔만〕
日부 7획(518)을 보라.

又10 〔㝮〕12 [一]제 [去]霽|セイ うらなう
[二]수 [去]寘|suì スイ うらなう
[字解] [一]점칠제 길흉(吉凶)을 점치다. 초(楚)나라 사람의 속어(俗語). '楚人謂卜問吉凶曰—'《說文》. [二]점칠수 [一]과 뜻이 같음.
[字源] 會意. 又+祟

〔最〕 〔최〕
曰부 8획(519)을 보라.

又11 〔叠〕13 〔첩〕
疊(田부 17획〈803〉)의 俗字

又11 〔叡〕13 자 [平]麻|zhā サ とる
[字解] 잡을자 움켜잡음. 摣(手부 11획〈463〉)와 同字. '—, 叉卑也. (段注)叉卑者, 用手自高取下也'《說文》. '—, 字亦作摣'《說文通訓定聲》.
[字源] 形聲. 又+虘〔音〕

又11 〔斄〕13 리 [平]支|lí リ ひく
[字解] 끌리 당김. 釐(里부 11획〈1548〉)의 本字. '—, 引也'《說文》.
[字源] 形聲. 又+𠩺〔音〕

又12 〔𠬪〕14 〔시〕
𦂾(彐부 13획〈365〉)의 古字

又12 〔叡〕14 학 [入]藥|hè ガク たに, みぞ
[字解] 구렁학 골, 도랑. 壑(土부 14획〈223〉)과 同字. '—, 溝也'《說文》.
[字源] 會意. 𣦼+谷

又14 〔叡〕16 [人名] 예 [去]霽|ruì エイ あきらか
[筆順] ⺊ 占 𣦵 𣦵 𥃰 𥄎 睿 叡

字解 밝을예, 슬기로울예 사리에 통하여 깊고 밝음. '明一之姿'《後漢書》. 전(轉)하여, 천자(天子)에 관한 사물의 관칭(冠稱)으로 쓰임. '一旨'. '一覽'. '一感通三極'《李嶠》.
字源 會意. 𣦼＋目＋谷〈省〉
參考 ①睿(目부 9획〈851〉)는 古字. ②叡(次條)는 同字.

又 14〔叡〕16 叡(前條)와 同字

又 15〔𠬠〕17 〔무〕
巫(工부 4획〈326〉)의 古字

又 16〔叢〕18 人名 총 ㊥東 | cóng ソウ むらがる
筆順 〃 丵 丵 丵 丵 丵 叢
字解 ①모일총 한 곳으로 모임. '一集'. '是一于厥身'《書經》. ②모을총 한 곳으로 모이게 함. '一珍怪'《漢書》. ③떨기총 더부룩하게 난 풀이나 빽빽하게 선 나무. '玉樹一一'《庾信》. ④숲총 초목이 더부룩하게 난 곳. '一薄之中'《淮南子》. ⑤더부룩할총 빽빽이 들어섬. '一生'. ⑥번잡할총 번거로움. '一煩'. '元首一脞哉'《書經》. ⑦성총 성(姓)의 하나.
字源 形聲. 丵＋取〔音〕

〔雙〕〔쌍〕
隹부 10획(1635)을 보라.

又 19〔變〕21 〔변〕
變(言부 16획〈1363〉)의 俗字

口 部
〔입 구 부〕

口 0〔口〕3 中·人 구 ㊤有 | kǒu コウ·ク くち
筆順 丨 冂 口
字解 ①입구 ㉠오관(五官)의 하나. '耳目一鼻'. '掩一而對'《禮記》. ㉡말하는 입. '防民之一, 甚於防川'《國語》. ㉢먹는 입. '糊一'. '以餬余一'《左傳》. ②아가리구 그릇 등 속의 물건을 넣고 내고 하는 데. '江出汶山, 其源如甕一'《新序》. ③어귀구 출입구. 관문. '海一'. '張家一'. ④인구구 사람의 수효. '戶一'. '八一之家'《孟子》 ⑤구멍구 뚫어지거나 파낸 자리. '山有小一'《陶潛》. ⑥자루구 칼 같은 것을 세는 수사(數詞). '跪獻劍一一'《晉書》. ⑦입밖에낼구 말함. '吾爲子一隱矣'《公羊傳》 ⑧성구 성(姓)의 하나.
字源 象形. 입의 모양을 본뜸.
參考 부수(部首)로 세워져, '口구'를 의부(意符)로 하여, 목소리나 숨을 밖으로 내는 일, 음식 따위, 입의 기능에 관계되는 문자가 이루어짐. 또, '吋촌'이나 '噸돈' 등 외래어의 번역자에도 '입구변'이 쓰임.

〔中〕〔중〕
丨부 3획(14)을 보라.

口 2〔只〕5 中·人 지 ①㊥支 ②③㊤紙 | zhī シ ただ / zhǐ シ のみ
筆順 丨 冂 口 尸 只
字解 ①다만지 단지. '一管'. '此文一出名世, 一一字未安'《范仲淹》. ②말그칠지 어조(語調)를 위하여 어미(語尾)에 붙이거나 구(句) 중에 쓰는 말. '母也天一, 不諒人一'《詩經》. '樂一君子'《詩經》. ③성지 성(姓)의 하나.
字源 指事. '口구'에 '八팔'을 더하여, 어조(語調)에 여운을 나타냄.

口 2〔另〕5 과 ㊤馬 | guǎ カ けずる
字解 가를과 사람의 살과 뼈를 가름.
字源 形聲. 刀＋口(咼)〔音〕
參考 ①另(次條)은 別字. ②叧(次次條)는 別字.

口 2〔另〕5 령 ㊦徑 | lìng レイ さく
字解 ①가를령, 나눌령 분리함. ②딴령 다른. 달리. '一, 別異也. 俗謂他日異日曰一日'《正字通》.
字源 指事. '別별'에서 '刂(刀)도'를 떼내어 속어로 '딴'의 뜻을 나타냄.
參考 另(前條)는 別字.

口 2〔叧〕5 패 | bǎi ハイ わける
字解 나눌패 '一, 別也'《玉篇》.
參考 另(前條), 另(前前條)와는 別字.

口 2〔号〕5 〔호〕
號(虍부 7획〈1215〉)와 同字
字源 形聲. 口＋丂〔音〕

〔兄〕〔형〕
儿부 3획(81)을 보라.

口 2〔叨〕5 도 ㊥豪 | tāo トウ むさぼる

字解 ①탐할도 탐냄. '一貪'. '一憤日欽'《書經》. ②욕되게할도 ㉠탐내어 함부로 차지함. '橫一天功'《後漢書》. ㉡외람되이 받음. '一不世之殊眄'《隋蕭皇后》. ③외람할도 외람되이. '一蒙天恩'. '一逢慈奬'《梁簡文帝》.
字源 形聲. 口+刀〔音〕

口 2 〔叩〕5 人名 고(구本) 上有 去有 kòu コウ たたく
筆順 丨 ㄇ 口 叩 叩
字解 ①두드릴고 툭툭 침. '一門'. '以杖一其脛'《論語》. ②조아릴고 이마를 조아림. 계상(稽顙)함. '一頭自請'《漢書》. ③물을고 질문함. '一問'. '獨學少擊一'《梁武帝》. ④끌어당길고 못 가도록 잡아당김. '一勒'. '一馬而諫'《史記》. ※本音 구.
字源 形聲. 卩+口〔音〕

口 2 〔叮〕5 정 平青 dīng テイ ねんごろ
字解 ①신신당부할정 '一, 一嚀, 囑付也'《玉篇》. ②벌이쏘거나모기가물정.
字源 形聲. 口+丁〔音〕

口 2 〔叶〕5 협 入葉 xié キョウ かなう
字解 맞을협, 화합할협 協(十부 6획〈127〉)의 古字. '協, 衆之同和也, 一, 古文協'《說文》.
字源 會意. 口+十

口 2 〔叫〕5 高人 규 去嘯 jiào キョウ さけぶ 去有 jiào キュウ さけぶ
筆順 丨 ㄇ 口 叫 叫
字解 ①부르짖을규 큰 소리를 지름. '一喚'. '一呼'. '或一于宋大廟'《左傳》. ②울규 큰 소리로 읊. '一吟'. '候扇擧而淸一'《潘岳》.
字源 形聲. 口+丩〔音〕

口 2 〔叫〕5 叫(前條)와 同字

口 2 〔叭〕5 팔 入曷 入黠 pā bā ハツ らっぱ
字解 ①벌릴팔 입을 벌림. ②나발팔 '喇一'은 놋쇠로 만든 관악기(管樂器). 옛날, 군중(軍中)에서 호령을 전할 때 불었음.
字源 形聲. 口+八〔音〕

口 2 〔叱〕5 질(즐本) 入質 chì シツ しかる
字解 꾸짖을질 큰 소리로 책망함. 또, 그 소리. '手劍而一之. (注) 一, 罵之'《公羊傳》. ※本音 즐.
字源 形聲. 口+七〔音〕

口 2 〔叼〕5 조 diāo チョウ くわえる
字解 물조 입에 묾.

口 2 〔叻〕5 ㊀ 륵 現 lè ロク シンガポール ㊁ 력 現 リョク シンガポール
字解 ㊀《現》땅이름륵 '石一' '一埠'는 싱가포르(Singapore)의 별칭(別稱). 약칭(略稱)은 '一'임. ㊁《現》땅이름력 ㊀과 뜻이 같음.

口 2 〔叹〕5 ㊀ 叉(部首〈140〉)와 同字 ㊁ 嘆(口부 11획〈180〉)의 簡體字

口 2 〔叵〕5 파 上哿 pǒ ハ できない
字解 ①어려울파, 불가할파 부정하는 말. 가자(可字)의 좌서(左書)로서, 불가(不可)의 뜻을 나타냄. '一, 不可也, 从反可'《說文新附》. ②드디어파 마침내. '一平諸國'《後漢書》.
字源 指事. '可가'를 반대로 하여 '불가(不可)'의 뜻을 나타냄.

口 2 〔史〕5 中·人 사 上紙 chǐ シ ふびと
筆順 丨 ㄇ 口 史 史
字解 ①사관사 제왕의 언행을 기록하며, 또 정부의 문서를 맡은 벼슬아치. '動則左書之, 言則右一書之'《禮記》. ②속관사 장관(長官) 밑에 딸린 벼슬아치. 육관(六官)의 좌속(佐屬). '旣立之監, 或佐之一'《詩經》. ③사기사 사승(史乘). '歷一'. '一實'. '紬一記石室金匱之書'《史記》. ④화사할사 장식(裝飾)이 있어 아름다움. '文勝質則一'《論語》. ⑤성사 성(姓)의 하나.
字源 會意. 又+中

〔加〕〔가〕 力부 3획(112)을 보라.

口 2 〔可〕5 中·人 ㊀ 가 上哿 kě カ よい ㊁ 극 入職 kè コク こくかん
筆順 一 丁 ㄇ 可 可
字解 ㊀ ①옳을가 ㉠좋음. '人而無信, 不知其一也'《論語》. ㉡아직 썩 좋지는 않으나 그만하면 쓴다는 뜻으로도 쓰임. '子曰, 一也, 簡'《論語》. ②들을가 들어 줌. 동의

함. '許一'. '晏嬰不一, 公惑之'《史記》. ③가히가 ㉠긍정하는 말. '一以止則止, 一以久則久'《孟子》. ㉡단정하는 말. '一謂君子'. ㉢추측하는 말. '其事一知'. '其或繼周者, 雖百世一知也'《論語》. ㉣권고의 뜻을 나타내는 말. '父母之年, 不一不知也'《論語》. ㉤가능의 말. '激而行之, 一使在山'《孟子》. ④쯤가 정도. '飮一五六斗'《史記》. '邛西一二千里, 有身毒國'《漢書》. ⑤성가 성(姓)의 하나. 㐀오랑캐임금이름극 '一汗'은 흉노(匈奴)·돌궐(突厥)·회흘(回紇) 등의 군주(君主)의 칭호. '一汗猶單于也, 妻曰一敦'《唐書》.

字源 會意. 口+丁(乛)

口2〔司〕5 高·人 사 ㊥支 ㊤寘 | sī シ つかさ

筆順 ㇆ ㇅ 冂 司 司

字解 ①맡을사 관리함. 담당하여 함. '一命'. '欽乃攸一'《書經》. ②벼슬사 관직. '未有職一于王室'《左傳》. ③마을사 관아. '三一'. '下攝衆一'《魏志》. ④벼슬아치사 관리. '有一'. '庀其一'《左傳》. ⑤엿볼사 伺(人부 5획〈40〉)와 同字. '居虎門之左, 一王朝'《周禮》. ⑥성사 성(姓)의 하나.

字源 會意. ㇆+口

口2〔右〕5 中·人 우 ㊤宥 ㊤有 | yòu ユウ·ウ みぎ

筆順 ノ ナ 𠮟 右 右

字解 ①오른우, 우편우 오른쪽. '左'의 대. '一, 左之對也'《正字通》. 또, 방위로는 서쪽. '江一'. ②위우 상(上). 상위(上位). '漢廷臣無能出其一者'《史記》. ③숭상할우 중히 여김. '一文'. '守成上文, 遭遇一武'《漢書》. ④강할우 권세가 있음. '一戚'. '無令豪一, 得固其利'《後漢書》. ⑤도울우 佑(人부 5획〈42〉)와 同字. '保一命爾'《詩經》. ⑥성우 성(姓)의 하나.

字源 形聲. 口+又〔音〕

口2〔古〕5 中·人 고 ㊤麌 | gǔ コ いにしえ, ふるい

筆順 一 十 𠂇 古 古

字解 ①예고 ㉠예전. '一昔'. '一代'. '日若稽一'《書經》. ㉡옛일, 또는 옛날의 도서. '好一'. '合葬非一'《禮記》. ②선조고 조상. 또, 선왕(先王). '祀天地山川社稷先一'《禮記》. ③묵을고 오래 됨. '一物'. '石室千年一'《陳子昂》. ④예스러울고 옛 풍취가 있음. '一奇'. '氣淸韻一'《宋史》. ⑤성고 성(姓)의 하나.

字源 象形. 단단한 투구의 모양을 본뜸. 오래 되고 딱딱해지다의 뜻에서 '오래 됨, 예전'의 뜻이 됨.

口2〔句〕5 中·人 구 ①②㊤遇 ③-⑤㊤宥 ⑥⑦㊥尤 | jù ク くぎり gòu コウ·ク あたる gōu コウ·ク

筆順 ノ 勹 勺 句 句

字解 ①구절구 시문 중의 한 토막. '字一'. '章一'. '因字而生一, 積一而爲章'《文心雕龍》. ②굽을구 굴곡함. '一戟'. '一中鉤'《禮記》. ③맡을구 임무를 담당함. '江南一當公事回'《宋史》. ④공경할구 '與其倨也, 寧一. (注)一, 以喩敬'《大戴禮》. ⑤당길구 활 시위를 잡아당김. 彀(弓부 10획〈363〉)와 통용. '敦弓旣一'《詩經》. ⑥구고구 직각 삼각형의 직각을 낀 두 변 가운데 짧은 변. '一股'. ⑦성구 성(姓)의 하나.

字源 形聲. 口+勾〈省〉〔音〕

參考 勾(勹부 2획〈119〉)는 俗字.

口2〔召〕5 高·人 㐀소 ㊤嘯 㐁조 ㊥韓 | ①②zhào ショウ めす ③④shào

筆順 ㇆ 刀 刀 召 召

字解 㐀①부를소 ㉠윗사람이 말이나 글로 아랫사람을 오라고 함. '一致'. '一喚'. '父一無諾, 先生召無諾, 唯而起'《禮記》. ㉡초래함. '一禍'. '吉凶榮辱, 惟其所一'《程頤》. ②부름소 전항의 명사. '徵一'. '不應一'《漢書》. ③땅이름소 소공(召公)의 채읍(采邑). 지금의 섬서성(陝西省) 기산현(岐山縣)의 서남. ④성소 성(姓)의 하나. 㐁《韓》대추조 약화제(藥和劑)나 약복지에 대추〔棗〕의 뜻으로 쓰는 말. '干三一二'.

字源 形聲. 口+刀〔音〕

口2〔㕣〕5 召(前條)의 俗字

口2〔台〕5 人名 㐀태 ㊥灰 㐁이 ㊥支 | tái タイ ほし yí イ よろこぶ

筆順 ㇗ ㇜ 厶 台 台

字解 㐀별태 '三一'는 별 이름으로서, '上一'·'中一'·'下一'의 셋이 있음. '三一六星'《晉書》. 예전에, 이 세 별을 삼공(三公)에 견주었으므로, 삼공 또는 삼공의 지위의 뜻으로 쓰임. '一鼎'. '奕世登一'《晉書》. 또 전(轉)하여, 경의를 표하는 말로 쓰임. '一覽'. '一臨'. 㐁①나이 자기. '一, 一曰, 我也'《集韻》. '以輔一德'《書經》. ②기뻐할

이 희열함. '一, 悅也, 與怡同'《中文大辭典》. ③성이 성(姓)의 하나.
[字源] 形聲. 口+厶(㠯)〔音〕
[參考] 본디, 臺(至부 8획〈1103〉)와는 別字이지만, 현재 '臺'의 俗字로 쓰임.

口 2 〔叴〕5 구 [平]尤 | qiú キュウ ほこ
[字解] ①세모창구 '一矛'는 세모진 창. ②나라이름구 '一由'는 국명(國名). '智伯欲伐一由'《戰國策》.
[字源] 形成. 口+九〔音〕

口 2 〔㕣〕5 연 [上]銑 | yǎn エン どろぬま
[字解] ①수렁연 산 속의 진구렁. '一, 山閒陷泥地'《說文》. ②물이름연 沇(水부 4획〈630〉)의 古字.
[字源] 象形. '口구'는 골짜기의 초입을 본뜬 것. '八팔'은 시냇물에 임(臨)한 깎아지른 듯한 벼랑을 본뜬 것임.

口 2 〔𠮢〕5 〔우〕
右(口부 2획〈146〉)와 同字

〔占〕〔점〕
卜부 3획(129)을 보라.

口 3 〔吕〕6 〔려〕
呂(口부 4획〈149〉)의 簡體字

口 3 〔吅〕6 [一] 훤 [平]元 | xuān
[二] 선 [平]先 | ケン おどろきよぶ
[三] 송 [去]宋 | センよびたてる
sòng ショウ あらそう
[字解] [一] 놀라부르짖을훤 떠들썩함. '一, 驚嘑也'《說文》. [二] 부르는소리선 막 불러대는 소리. '一, 呼聲'《集韻》. [三] 다툴송 말다툼함. 訟(言부 4획〈1315〉)의 古字. '一, 爭言也'《集韻》.
[字源] 會意. 口+口

口 3 〔吴〕6 화 [去]禡 | huà カ おおごえ
[字解] ①큰소리화 '一, 大聲也'《說文》. ②큰입화 '魚之大口者曰一'《字彙》.

口 3 〔吊〕6 〔조〕
弔(弓부 1획〈358〉)의 俗字
[參考] '매달다'의 뜻에는 흔히 '吊'를 씀.

口 3 〔吁〕6 우 [去]遇 | yū ウ ああ
[字解] ①탄식할우 ㉠'아' 하고 탄식하는 소리. '一嗟'. '一, 歎也, 驚也'《集韻》. ㉡한탄하는 모양. 근심하는 모양. '云何一矣'《詩經》. ②성우 성(姓)의 하나.
[字源] 形聲. 口+于〔音〕

口 3 〔吂〕6 吁(前條)의 本字

口 3 〔吃〕6 흘(글[本]) [入]物 | chī(①jí) キツ どもる
[字解] ①어눌할흘 말을 더듬음. '一音'. '爲人口一'《漢書》. ②먹을흘 '越王之窮, 至乎一山草'《新書》. ③머뭇거릴흘 주저함. 또, 잘 가지 못함. '凍馬四蹄一'《孟郊》. ※本音 글.
[字源] 形聲. 篆文은 口+乞(气)〔音〕

口 3 〔吋〕6 [一] 두 [上]有 | dòu トウ しかる
[二] 촌 | cùn スン インチ
[字解] [一] 꾸짖을두 질책함. [二] 인치촌 영미(英美)의 길이의 단위 '인치(inch)'의 약기(略記).
[字源] 形聲. 口+肘〈省〉〔音〕

口 3 〔吐〕6 [高·人] 토 [上]麌 | tǔ
[去]遇 | tù ト はく
[筆順] 丨 冂 口 口一 叶 吐
[字解] ①토할토 ㉠게움. 뱉음. '一瀉'. '一飯三一哺'《史記》. 또, 게운 것. '掬一盡噉之'《魏書》. ㉡드러내어 보임. '新月一半規'《黃庭堅》. ㉢입 밖에 냄. 말함. 폄. '一露'. '發明詔, 一德音'《漢書》. ②성토 성(姓)의 하나.
[字源] 形聲. 口+土〔音〕

口 3 〔吒〕6 타 [去]禡 | zhà タ しかる
[字解] 꾸짖을타, 입맛다실타 咤(口부 6획〈159〉)와 同字. '項王, 喑噁叱一'《資治通鑑》. '毋一食'《禮記》.
[字源] 形聲. 口+乇〔音〕

口 3 〔㕧〕6 히 [平]支 | xī キ うなる
[字解] 신음할히 신음(呻吟)함. 屎(尸부 6획〈298〉)와 통용. '一, 唸一, 呻也'《說文》.
[字源] 形聲. 口+尸(𠩺)〔音〕

口 3 〔吓〕6 하 | xià, ha カ おどす
[字解] ①으를하 놀라게 함. ②두려워할하, 놀랄하. ③嚇(口부 14획〈189〉)의 簡體字.

口 3 〔吆〕6 요 [平]蕭 | yāo ヨウ よぶ
[字解] ①목소리요 '一一'는 목소리의 모양.

또, 작은 목소리의 모양. '——, 聲也'《集韻》. '——, 小聲'《五音集韻》. ②부를요, 고함칠요 '我—喝著, 都不聽'《紅樓夢》.

口
3 〔吏〕6 [高·人] 리 [去]寘 | lì り つかさ

[筆順] 一 丆 𠮛 𠮛 声 吏

[字解] ①벼슬아치리 관리. '—才'. '—之治, 以斬殺縛束爲務'《史記》. ②벼슬살이할리 관리 노릇을 함. '我來—端州'《朱治》. ③성리 성(姓)의 하나. ④《韓》 아전리 주로 지방 관청의 속료의 뜻으로 썼음. '—屬'.
[字源] 象形. 관리(官吏)의 상징인 깃대를 손에 든 모양을 본뜸.

〔回〕〔회〕
口부 3획(194)을 보라.

口
3 〔向〕6 [中·人] [一] 향 [去]漾 | xiàng コウ むく
[二] 상 [去]漾 | xiàng ショウ せい

[筆順] ′ 丨′ 冂 门 向 向

[字解] [一] ①북창향 북향한 창. '塞—墐戶'《詩經》. ②향방향 향하는 방향. 향하는 곳. '進不知—, 退不知守'《柳宗元》. ③향할향 ㉠바라봄. 면(面)함. 또, 마주 봄. 대면함. '—人'. '—南'. '春來綽約—人時'《劉賓客》. ㉡향하여 감. '所—無敵'. '我獨—黃泉'《古詩》. ㉢마음을 기울임. '—意'. '鄕人化之, 皆—學'《元史》. ④접때향 이전. 옛적. 曏(日부 13획〈515〉)과 통용. '—者'. '—日'. '若—也俯而今也仰'《莊子》. [二] ①성상 성(姓)의 하나. ②땅이름상 지명(地名).
[字源] 象形. 집의 북쪽 창(窓)의 상형으로, 높직한 창의 뜻을 나타냄.

口
3 〔同〕6 [中·人] 동 [平]東 | tóng ドウ おなじ

[筆順] 丨 冂 冂 冋 同 同

[字解] ①한가지동 같음. '——'. '德齊力—'. '禮樂之情—'《禮記》. ②같이할동 ㉠함께함. '不與—中國'《大學》. ㉡합침. '—心'. '—力度德'《書經》. ㉢균일하게 함. '—律度量衡'《書經》. ③모일동 회동함. '合—'. '獸之所—'《詩經》. ④화할동 화합함. '和—'. '是謂大—'《禮記》. ⑤무리동 동아리. '—, 輩也'《廣韻》. '—人, 親也'《易經》. ⑥알현동 주대(周代)에 제후(諸侯)가 모여 천자(天子)에게 알현(謁見)하는 예(禮). '會—'. '殷見曰—'《周禮》. ⑦방백리동 주대(周代)의 제도에서, 사방 백 리의 땅. '—方百里'《周禮 註》. ⑧성동 성(姓)의 하나.
[字源] 象形. 몸체와 뚜껑이 잘 맞도록 만들어진 통의 모양을 본뜸.

口
3 〔各〕6 [中·人] 각 [入]藥 | gè カク おのおの

[筆順] 丿 ク 夂 夂 各 各

[字解] 각각각 ㉠제각기. 따로따로. '—自'. '—位'. '人—有能, 有不能'《韓愈》. 또, 두 자(字)를 첩용(疊用)하기도 함. '執手分道去, ——還家門'《古詩》. ㉡각기 다름. 각각임. '男兒旣束髮, 出處岐路—'《王禹偁》.
[字源] 會意. 夂+口

口
3 〔合〕6 [中·人] [一] 합 [入]合 | hé ゴウ あう
[二] 홉 [韓] |

[筆順] 丿 人 亼 亽 合 合

[字解] [一] ①합할합 ㉠하나로 됨. '—體'. '末復—爲—理'《中庸章句》. ㉡마음이 맞음. 일치함. '—和'. '落落難—'《後漢書》. ㉢입을 다묾. '蚌—而箝其口'《戰國策》. ㉣짝지음. '男女之—'《荀子》. ㉤섞음. '混—'. ②합칠합 전항의 타동사. '—併'. '不足以—大衆明大分'《荀子》. ③모일합 '會—'. '苟—矣'《論語》. ④맞을합 적합함. '—禮'. '—法'. '駕出行狩, —格有獲'《易林》. '—格'. ⑤만날합 상봉함. '—離'. '不—于天子'《禮記》. ⑥싸울합 교전함. '一日數—'《梁書》. ⑦대답할합 '旣—而來奔'《左傳》. ⑧교합할합 성교함. '鴿喜—'《埤雅》. ⑨짝합 배필. '湯禹儼求—兮'《楚辭》. ⑩합합 盒(皿부 6획〈833〉)과 同字. '其—以竹節爲之'《茶經》. ⑪성합 성(姓)의 하나. [二]《韓》 홉홉 용량의 단위. 일승(一升)의 10분의 1.
[字源] 會意. 亼+口

口
3 〔吉〕6 [中·人] 길 [入]質 | jí キチ·キツ よい

[筆順] 一 十 士 吉 吉 吉

[字解] ①길할길 상서로움. '凶'의 대. '—日'. '黃裳元—'《易經》. ②착할길 선량함. '—士'. '—人'. ③복길 길한 일. 행복. '—凶'. '子孫其逢—'《書經》. ④초하루길 '—日'. '正月之—'《周禮》. ⑤혼인길 결혼. '迨其—兮'《詩經》. ⑥제사길 제향(祭享). '以—禮事邦國之鬼神示'《周禮》. ⑦땅이름길 길림성(吉林省)의 약칭. ⑧성길 성(姓)의 하나.
[字源] 會意. 士+口

口
3 〔𠮷〕6 吉(前條)의 俗字

口
3 〔名〕6 [中·人] 명 [平]庚 | míng メイ な

筆順 ノ ク タ タ 名 名

字解 ①이름명 ㉠사람의 성 아래에 붙이는 개인의 명칭. '姓一'. '公問一于申繻'《左傳》. 널리 성씨(姓氏)를 포함하여 이르기도 함. '人一'. '初試選人皆糊一, 令學士考判'《唐書》. 전(轉)하여, 사람의 수효. '二三一'. '十姓百一'《莊子》. ㉡사물의 칭호. '物一'. '非常一'《老子》. ㉢인륜상의 칭호. 곧, 군신(君臣)·부자(父子) 같은 것. '一分'. '必也正一乎'《論語》. ㉣직책상의 칭호. 곧, 관민(官民)·문무(文武) 같은 것. '刑一'. ㉤작호(爵號). '器與一不可以假人'《左傳》. ㉥명예. '盛一'. '爭一'. '烈士徇一'《史記》. ②이름부를명 ㉠자기의 이름을 말함. '父前子一'《禮記》. '世子自一'《禮記》. ㉡남의 이름을 부름. '國君不一卿老世父'《禮記》. ㉢지칭(指稱)함. '蕩蕩乎民無能一焉'《論語》. ③이름지을명 작명(作名)함. '一之曰幽厲'《孟子》. ④이름날명 유명함. '一山大川'. '其間必有一世者'《孟子》. ⑤글자명 문자(文字). '不及百一, 書于方'《儀禮》. ⑥공명 공적. '勸百姓以爲己一'《國語》. ⑦성명 성(姓)의 하나.

字源 會意. 夕+口

口3〔后〕6 人名 후 ㊤有 ㊦宥 hòu ゴウ·ゴ きさき, のち

筆順 一 厂 F 斤 后 后

字解 ①임금후 ㉠천자(天子). 군주. '徯我一, 一來其蘇'《書經》. ㉡제후(諸侯). '班瑞于羣一'《書經》. ②황후후 천자의 아내. 은(殷) 이전에는 비(妃), 주대(周代)에는 왕후(王后), 진한(秦漢) 이후에는 황후(皇后)라 일컬었음. '一妃'. '天子有一'《禮記》. ③신령후, 신명후 신(神)의 존칭(尊稱). '一祇'. '皇天一土'《書經》. ④뒤후 後(彳부 6획〈370〉)와 통용. '一宮'. '知止而一有定'《大學》. ⑤성후 성(姓)의 하나.

字源 會意. 人+口

口4〔呂〕7 人名 려 ㊤語 lǚ リョ せぼね

筆順 丨 ㄇ 口 尸 尸 呂 呂

字解 ①등뼈려 등골의 뼈. 척골(脊骨). '賜姓曰姜, 氏曰有一, 謂其能爲禹股肱心膂'《國語》. ②풍류려 음(陰)의 음률(音律). '律一'. '六一'. '陰六爲一'《漢書》. ③성려 성(姓)의 하나.

字源 象形. 사람의 등뼈가 이어져서 모인 모양을 본뜸.

〔串〕〔천〕 丨부 6획(15)을 보라.

口4〔呈〕7 人名 정 ㊥庚 ㊤梗 ①-⑤chéng テイ あらわれる ⑥chěng テイ たくましくする

筆順 丨 ㄇ 口 旦 呈 呈 呈

字解 ①나타날정 드러나 보임. '延頸秀項, 皓質一露'《曹植》. ②나타낼정 드러냄. '一形'. '一示'. '星斗一祥'《晉書》. ③드릴정 윗사람에게 바침. '一上'. '送一'. ④한정정 程(禾부 7획〈903〉)과 통용. '日夜有一'《史記》. ⑤성정 성(姓)의 하나. ⑥쾌(快)할정 逞(辵부 7획〈1496〉)과 통용. '殺人以一'《左傳》.

字源 形聲. 口+壬〔音〕

參考 呈(口부 4획〈150〉)과는 別字.

口4〔吴〕7 吳(次條)의 俗字

口4〔吳〕7 人名 오 ㊥虞 wú ゴ くにのな

筆順 丨 ㄇ 口 口 吕 吳 吳

字解 ①오나라오 ㉠춘추 시대(春秋時代)의 십이열국(十二列國)의 하나. 태백(太伯)이 강소성(江蘇省)에 세운 나라. 한때 세력을 떨쳐, 판도(版圖)를 절강성(浙江省) 안까지 넓혔으나, 부차(夫差) 때 개국(開國)한 지 7백여 년 만에 월(越)나라 구천(句踐)에게 멸망(滅亡)당하였음. (?~B.C. 473) ㉡삼국 시대(三國時代)에 손권(孫權)이 강소(江蘇)·절강(浙江)·안휘(安徽) 지방에 세운 나라. 수도(首都)는 건업(建業). 건국 후 4주(主) 59년 만에 서진(西晉)에게 멸망당하였음. (222~280) ㉢오대(五代) 때 양행밀(楊行密)이 회남(淮南)에 의거하여 세운 나라. 서울은 양주(揚州). 건국한 지 4주(主) 36년 만에 남당(南唐)에게 멸망당하였음. (902~937) ②땅이름오 강소성(江蘇省) 오현(吳縣)을 중심으로 한 군(郡). 전(轉)하여, 강소성 일대의 특칭. ③큰소리할오 떠듦. '不一不敖'《詩經》. ④성오 성(姓)의 하나.

字源 象形. 머리에 커다란 쓰개를 쓰고 미친 듯이 춤추는 모양을 본뜸.

口4〔呉〕7 吳(前條)의 略字

口4〔吴〕7 吳(前前條)의 俗字·簡體字

口4〔呆〕7 ㊀보 ㊤晧 bǎo ホウ·ボウ たもつ ㊁매 ㊥灰 mèi バイ おろか ㊂태 ㊥灰 dāi タイ おろか

[字解] [一] 保(人부 7획〈53〉)의 古字. [二] 어리석을매 미련함. '癡—'. [三] ①어리석을태 '—, 同獃, 癡—'《辭海》. ②《現》둔할태 동작이 둔함. 정체(停滯)함.
[字源] 象形. 강보에 싸인 아기를 본뜸.
[參考] 某(木부 3획)와는 別字이나, 속(俗)에 '呆'를 '어리석을 매'로 통용함.

口 4 〔呈〕7 〔광〕
狂(犬부 4획〈748〉)의 古字
[參考] 呈(口부 4획〈149〉)은 別字.

口 4 〔𠯑〕7 〔심〕
甚(甘부 4획〈791〉)의 古字

口 4 〔品〕7 〔품〕
品(口부 6획〈158〉)의 俗字

〔邑〕 〔읍〕
部首(1511)를 보라.

口 4 〔吟〕7 [中·人] [一] 음 [平]侵 | yín ギン うたう, うめく
[二] 금 [去]沁 | jìn キン つぐむ
[筆順] 丨 ⺆ 口 口' 口^ 吟 吟
[字解] [一] ①읊을음 ㉠읊조림. '—詠'. '倚樹而—'《莊子》. ㉡시가(詩歌)를 지음. '—社'. '—咏性情'《詩經 序》. ②끙끙거릴음 괴로워서 끙끙 앓음. '呻—'. '其聲如—'《山海經》. ③말더듬을음 말을 떠듬떠듬함. '口—舌言'《後漢書》. ④울음 짐승이나 벌레가 소리를 냄. '蟬—'. '猿—'. ⑤시체이름음 한시(漢詩)의 한 체(體). 고악부(古樂府)에 연원(淵源)하며 울굴(鬱屈)한 정서를 읊은 것. '好爲梁父—'《蜀志》. ⑥성음 성(姓)의 하나. [二] 입다물금 噤(口부 13획〈187〉)과 同字. '—而不言'《史記》.
[字源] 形聲. 口+今〔音〕

口 4 〔吠〕7 폐 [去]隊 | fèi ベイ ほえる
[字解] 짖을폐 개가 짖음. '雞鳴狗—'《孟子》.
[字源] 會意. 口+犬

口 4 〔吩〕7 분 [去]願 | fēn フン いいつける
[字解] ①분부할분 '左右聽俺—咐'《桃花扇》. ②뿜을분 '—, 俗噴字'《正字通》.
[字源] 形聲. 口+分〔音〕

口 4 〔吪〕7 와 [平]歌 | é ガ うごく
[字解] ①움직일와 가만히 있지 아니함. '尙寐無—'《詩經》. ②화할와 변화함. '周公東征, 四國是—'《詩經》.
[字源] 形聲. 口+化〔音〕

口 4 〔听〕7 [一] 은 [上]軫 | yǐn キン からう
[二] 이 [平]支 | yí ギ くちをひらくさま
[三] 청 | tīng テイ きく
[字解] [一] ①웃을은 입을 벌리고 웃는 모양. '亡是公—然而笑'《史記》. ②입클은 '—, 大口謂之—'《廣韻》. [二] ①입벌린모양이 '—, —嗞, 口開皃'《集韻》. ②부끄러워하는모양이 㖂(口부 7획〈165〉)와 同字. '㖂, 㖂嗞, 媿皃, 或省'《集韻》. [三] ①聽(耳부 16획〈1062〉)의 俗字. '—, 俗借爲聽字省文'《正字通》. ②聽(耳부 16획〈1062〉)의 簡體字.
[字源] 形聲. 口+斤〔音〕

口 4 〔吭〕7 항 [平]陽 [去]漾 | háng コウ のど
[字解] ①목항 ㉠목구멍. 인후. '仰首伸—'《柳宗元》. ㉡요해처. '搤天下之—'《史記》. ②《現》목소리낼항 발언(發言)함.
[字源] 形聲. 口+亢〔音〕

口 4 〔吮〕7 연 [上]銑 | shǔn エン すう
[字解] 빨연, 핥을연 입으로 빨거나 핥음. '—疽'. '—癰'. '卒有病疽者, 起爲—之'《史記》.
[字源] 形聲. 口+允〔音〕

口 4 〔吶〕7 [一] 눌 [入]月 | nè トツ どもる
[二] 납 [入]月 | nà トツ ときのこえ
(눌[本])
[筆順] 丨 ⺆ 口 口| 叿 吶 吶
[字解] [一] 말더듬을눌 訥(言부 4획〈1316〉)과 同字. '其言—然'《禮記》. [二] 떠들납 고함을 지름. '—喊'. ※本音 눌.
[字源] 形聲. 口+內〔音〕

口 4 〔呙〕7 吶(前條)과 同字

口 4 〔吷〕7 혈 [入]屑 | xuè ケツ ちいさなこえ
[字解] 휙소리혈 바람 따위가 '휙'하고 나는 작은 소리. '吹劍首者—而已矣'《莊子》.

口 4 〔吸〕7 [高·人] 흡 [入]緝 | xī キュウ すう
[筆順] 丨 ⺆ 口 叨 叨 吸 吸
[字解] ①숨들이쉴흡 숨을 들이마심. '呼'의 대. '—者叫者'《莊子》. ②마실흡 단숨에 마심. '飮如長鯨—百川'《杜甫》.
[字源] 形聲. 口+及〔音〕

口
4〔吹〕7 中·人 취 ①②㊥支 ③④㊤寘 | chuī スイ ふく chuì スイ すい そうがっき

筆順 丨 ㄇ 口 口' 吖 吖 吹

字解 ①불취 ㉠숨기운을 내어보냄. '—呼'. '—毛而求小疵'《韓非子》. ㉡관악기에 입을 대어 입김으로 소리를 냄. '—奏'. '鼓瑟—笙'《詩經》. ㉢바람이 남. '風其—女'《詩經》. ㉣추켜 세움. 칭양(稱揚)함. 칭찬함. 또, 도움. 방조함. '—擧'. '小人司刺擧, 時時實濫—'《庾信》. ②성취 성(姓)의 하나. ③관악취 관악기로 연주하는 음악. '入學習—'《禮記》. ④바람취 '涼—片帆輕'《錢起》.

字源 會意. 欠+口

口
4〔吻〕7 문 ㊤吻 | wěn フン くちびる

字解 입술문 입가. '銳喙決—'《周禮》.

字源 形聲. 口+勿〔音〕

口
4〔吼〕7 후 ㊤有 ㊦宥 | hǒu コウ ほえる

字解 ①울후 짐승이 성내어 욺. 으르렁거림. '病體樵夫, 難聽虎豹之—'《三國演義》. ②소리지를후 분노·정서적 격동으로 큰 소리를 냄. '—, 厚怒聲'《集韻》.

字源 形聲. 口+孔〔音〕

口
4〔吽〕7 ㊀우 ㊥尤 ㊁음 ㊥侵 ㊂훔 | ōu ゴウ かみあう hǒu イン ほえる hōng ウン

字解 ㊀개짖는소리우 개가 서로 싸우며 짖는 소리. '—呀聞爭犬'《梅堯臣》. ㊁소울음소리음 소가 우는 소리. ㊂진언훔《佛敎》범어(梵語) hūṃ의 음역자(音譯字). '阿'가 개구음(開口音)인 데 대하여, '吽'은 입술을 다물고 숨을 막을 때의 음이며, 또 '阿'가 실담 자모(悉曇字母)의 첫째인 데 대하여, '吽'은 마지막 자이므로, 일체의 교의(敎義)가 이 '吽'자에 담긴다고 해석함. '阿'는 만유 발생(萬有發生)의 이체(理體), '吽'은 만유 귀착(萬有歸着)의 지덕(智德).

字源 會意. 口+牛

口
4〔呍〕7 횡 ㊥庚 | hóng コウ かねのおと

字解 종소리횡 '鏗—'은 종 소리. '鏗鈜, 鐘鼓聲, 或从口'《集韻》.

口
4〔呀〕7 하 ㊥麻 | xiā ガ くちをおおきくひらく

字解 ①입딱벌릴하 입을 딱 벌리는 모양. '如口開——'《韓愈》. ②높이솟을하 높이 쑥 나온 모양. '牙角何——'《漢書》. ③휑할하 굴 같은 것의 안이 텅 빈 모양. '谽—'. '—周池而成淵'《班固》.

字源 形聲. 口+牙〔音〕

口
4〔呎〕7 척 | chǐ セキ フィート

字解 피트척 영미(英美)의 길이의 단위 피트의 약기(略記). 1척(呎)은 약 30.48 센티미터이고, 12 인치〔吋〕.

字源 形聲. 口+尺〔音〕

口
4〔吵〕7 ㊀묘 ㊤篠 ㊁초 ㊤巧 | miǎo ビョウ·ミョウ なく chǎo ショウ こえ

字解 ㊀꿩울묘 꿩이 욺. '—, 雉鳴'《玉篇》. ㊁소리초 '—, 聲也'《廣韻》.

字源 形聲. 口+少〔音〕

口
4〔㕮〕7 부 ㊤麌 | fǔ フ かむ

字解 씹을부 잘 씹어서 소화(消化)시킴. '—咀, 嚼也'《廣韻》.

口
4〔吺〕7 ㊀두 ㊦尤 ㊁유 ㊦虞 | dōu トウ くちかずが おおい rú ジュ ものいう

字解 ㊀①말많을두 '譳—'는 말이 많음. '譳—, 多言也'《說文》. ②입쌀두 입이 가벼움. '—, 輕出言也'《廣韻》. ㊁말할유 말을 함. 이야기함. 嚅(口부 14획〈189〉)와 同字. '嚅, 囁嚅, 言也. 或作—'《集韻》.

字源 形聲. 口+殳〔音〕

口
4〔吨〕7 ㊀둔 ㊥元 ㊁돈 ㊤阮 | tún トン はっきりしない tǔn トン つきあう

字解 ㊀말분명치않을둔 '——'은 말이 분명치 않은 모양. '—, ——, 言不明也'《集韻》. ㊁①상충할돈 기(氣)가 상충(相衝)함. '—, 氣相衝也'《廣韻》. ②말분명치않을돈 ㊀과 뜻이 같음. ③噸(口부 13획〈188〉)의 簡體字.

口
4〔呏〕7 승 | shēng ショウ ガロン, クォート

字解 ①갤런승 용량의 단위 갤런(gallon)의 역자(譯字). '—, 英美量名, 具言加倫'《中華大字典》. ②쿼트승 용량의 단위 쿼트(quart)의 역자(譯字). 과탈(瓜脫)의 약기(略記).

口
4〔呅〕7 요 ㊥肴 | āo オウ·ヨウ みだらなこえ

字解 ①음탕한소리요 '—, 婬聲'《玉篇》. ②소란할요 '—咋'은 개 따위가 시끄럽게 들레는 소리. '—咋, 犬多聲'《集韻》. ③《現》

대답하는 소리요 소주(蘇州)의 방언으로, 응답하는 소리. '一, 吳俗應辭'《辭海》.

口 4 〔⿰口公〕7 [一] 공 [平]東 gōng コウ かまびすしい
[二] 종 [平]冬 ショウ かまびすしい
[三] 송 [去]宋 sòng ショウ うったえる

[字解] [一] 떠들썩할공 시끄러움. '一, 衆口也'《廣韻》. [二] 떠들썩할종. [一]과 뜻이 같음. [三] 송사할송 訟(言부 4획〈1315〉)의 古字.

口 4 〔吡〕7 [一] 필 [入]質 bì ヒツ とりのなきごえ
[二] 비 [上]紙 bǐ ヒ そしる

[筆順] 丨 ㄇ 口 口ㄧ 口卜 口匕 吡

[字解] [一] 새울음소리필 '一一'은 새우는 소리의 형용(形容). '一一, 鳥聲'《集韻》. [二] 헐뜯을비 '諀, 博雅, 諀訾, 毁也, 或作一'《集韻》.

口 4 〔⿰口反〕7 반 [去]翰 bàn ハン とりみだす

[字解] ①평정잃을반 '一喭'은 자제심(自制心)을 잃고 거칠게 굶. '一, 一喭, 失容'《廣韻》. ②굳셀반 '一喭'은 강강(剛強)한 모양. '一, 一喭, 剛強皃'《集韻》.

口 4 〔吧〕7 파 [平]麻 bā ハ くちのおおきいさま

[字解] ①입클파 입이 큰 모양. '一, 大口皃'《集韻》. ②다툴파 '一呀'는 아이가 화를 내어 다투는 모양. '一, 一呀, 小兒忿爭'《廣韻》. ③《現》 의성어파 물건을 때릴 때 나는 소리.

口 4 〔呃〕7 [一] 악 [入]陌 è アク にわとりのこえ
[二] 애 [去]卦 ài アイ たいらでないこえ

[字解] [一] 울음악 닭이 우는 소리. '呃, 鷄聲也, 亦作一'《玉篇》. [二] 볼멘소리애 불평하는 소리. '一, 不平聲'《廣韻》.
[字源] 形聲. 口+厄〔音〕

口 4 〔⿰口帀〕7 잡 [入]合 zā ソウ のむ

[字解] ①마실잡, 삼킬잡 '一, 啖也'《集韻》. ②고기물결잡 물고기가 물을 마심. '一, 魚食也'《玉篇》.

口 4 〔吲〕7 신 [上]軫 shěn シン ほほえむ

[字解] 웃을신 얼굴에 나타내지 않고 속으로 웃음. '田千秋一言致相, 匈奴一之'《晉書》.

口 4 〔⿰口木〕7 [一] 활 [入]黠 huá カツ ふさぐ
[二] 영 [平]蒸 yíng ヨウ しょもつのな

[字解] [一] 입막을활 먹고 입을 닫음. '一, 塞口也'《篇海》. [二] 책이름영 '一潄'는 매 기르는 법을 적은 책. '宋三館書目有一潄二卷, 皆養鷹之法, 具醫療之術'《池北偶談》.

口 4 〔吱〕7 [一] 지 [平]支 zhī, zī シ こえ
[二] 기 [去]寘 キ あえぐ

[字解] [一] 목소리지 '一一'는 목소리의 형용(形容). '一一, 聲也'《集韻》. [二] 헐떡일기 걸어서 숨이 찬 모양. '一, 行喘息皃'《廣韻》.

口 4 〔⿰口五〕7 [現] 오 ǹg, ǹ, ňg, ň

[字解] 《現》 응오 동의(同意)를 나타내어 응답하는 소리. 또, 뜻밖이라는 뜻이나 동의하지 않음을 나타내는 감탄사.

口 4 〔吢〕7 심 [去]沁 qìn シン いぬがはく

[字解] 개가토할심 '一, 犬吐也'《玉篇》.

口 4 〔吣〕7 吢(前條)과 同字

口 4 〔⿰口气〕7 〔흘〕 吃(口부 3획〈147〉)의 本字

口 4 〔呕〕7 〔구〕 嘔(口부 11획〈181〉)의 略字·簡體字

口 4 〔吚〕7 〔이〕 咿(口부 6획〈160〉)와 同字
[字源] 形聲. 口+伊〈省〉〔音〕

口 4 〔⿰口凶〕7 〔흉〕 哅(口부 6획〈160〉)과 同字

口 4 〔呌〕7 〔규〕 叫(口부 2획〈145〉)의 俗字

口 4 〔君〕7 [中·人] 군 [平]文 jūn くん きみ

[筆順] ㄱ ㅋ ヨ 尹 君 君 君

[字解] ①임금군 ㉠군주. 천자·제후 등 국가의 주권자. '一主'. '奄有四海, 爲天下一'《書經》. ㉡제후(諸侯). 또, 영지(領地)가 있는 경대부(卿大夫). 또, 봉호(封號). '孟嘗一'. '春申一'. '一侯'. '樹后土一公'《書經》. ㉢주재자(主宰者). 두목. 추장(酋長). '西南夷一長, 以什數'《史記》. ②부모군 부모의 존칭. '先一'. '家人有嚴一焉'《易

經》. ③조상군 선조(先祖)의 존칭. '先一孔子, 生乎周末'《孔安國》. ④남편군 처첩이 그의 남편을 이르는 말. '一已食'《禮記》. ⑤아내군 처첩의 일컬음. '細一'. '小一'. ⑥스승군 재덕이 겸비한 사람. '一子'. ⑦임군 남의 존칭. '臣非知一'《史記》. ⑧귀신군 귀신(鬼神)의 경칭(敬稱). '湘一何神'《史記》. ⑨성군 성(姓)의 하나.
[字源] 形聲. 口+尹〔音〕

口4 〔吝〕7 린 [去]震 | lìn リン おしむ

[字解] 아낄린 ㉠소중히 여김. '去者雖多不足一'《唐書》. ㉡인색함. '富而性一'《後漢書》. ㉢주저함. '改過不一'《書經》.
[字源] 會意. 口+文

口4 〔[illegible]〕7 吝(前條)의 古字

口4 〔吞〕7 [人名] 탄 [平]元 | tūn ドン のむ

[筆順] 一 二 チ 天 天 吞 吞

[字解] ①삼킬탄 ㉠목구멍으로 넘김. '一吐'. '一咽'. '誤一之'《史記》. ㉡제것으로 만듦. '併一'. '有一周之意'《戰國策》. ㉢싸서 감춤. '江一天際白吹潮'《吳師道》. ㉣안중에 두지 아니함. 경시함. '卿當以氣一之'《五代史》. ②성탄 성(姓)의 하나.
[字源] 會意. 口+天

口4 〔呑〕7 吞(前條)의 俗字

口4 〔否〕7 [中·人] [一]부 ㊤有 | fǒu ヒ いな
[二]비 ㊤紙 | pǐ ヒ わるい

[筆順] 一 ア 不 不 不 否 否

[字解] [一]아닐부 ㉠부동의(不同意)를 나타내는 말. 아님. '萬章曰, 堯以天下與舜, 有諸, 孟子曰, 一'《孟子》. ㉡의문사(疑問辭). …하지 않았는가? '嘗其旨一'《詩經》. ㉢그렇지 아니함. 또, 그렇게 하지 아니함. '或醉或一'《詩經》. ㉣그러한 일은 없음. '其本亂而末治者一矣'《大學》. ㉤부인함. 듣지 아니함. '予所一者'《論語》. ㉥그렇지 아니하면. '一則威之'《書經》. [二]①악할비 나쁨. 좋지 아니함. 또, 그것. '一臧'. '未知臧一'《詩經》. ②막힐비 운수가 막힘. '一塞'. '信人事之一泰'《潘岳》. ③비괘비 육십사괘의 하나. 곤, ䷋〈곤하(坤下), 건상(乾上)〉. 음양(陰陽)이 고르지 못하여 일이 잘 되지 않는 상(象).
[字源] 形聲. 口+不〔音〕

口4 〔含〕7 [高·人] 함 [平]覃 [去]勘 | ①-④hán ガン ふくむ ⑤hàn ガン ふくみだま

[筆順] ノ 人 亼 今 今 含 含

[字解] ①머금을함 입 속에 넣음. '一嚼'. '一哺鼓腹'《史記》. ②넣을함 속에 넣음. 수용(收容)함. 또, 저장함. '一蓄'. '一藏'. '一萬物'《易經》. ③품을함 ㉠마음 속에 넣어 둠. '一怒'. '一情'. '一怒日久'《戰國策》. ㉡마음 속에 품고 참음. '一忍'. '國君一垢'《左傳》. ④성함 성(姓)의 하나. ⑤무궁주함 옛날 중국에서 죽은 사람의 입 속에 넣던 구슬. 반함(飯含)하는 데 쓰는 구슬. '王使榮叔歸一'《左傳》.
[字源] 形聲. 口+今〔音〕

口4 〔吾〕7 [中·人] [一]오 [平]虞 | wú ゴ われ
[二]어 [平]魚 | yú ギョ したしまない

[筆順] 一 丅 五 五 吾 吾 吾

[字解] [一]①나오 ㉠자기의 일컬음. '一人'. '一度足下之智不如一, 勇又不如一'《史記》. ㉡자기의 존재. 자기의 의식. '草庵寂默我忘一'《陸游》. ②우리오 자기 나라, 자기 집, 자기의 당(黨) 등. '我張一三軍, 而被一甲兵'《左傳》. ③글읽는소리오 '一伊'는 독서하는 소리. '唔咿'로도 씀. '南窗讀書聲一伊'《黃庭堅》. ④성오 성(姓)의 하나. [二]친하지않을어 친하지 않은 모양. 친하려고 하지 않는 모양. '暇豫之一一, 不如鳥烏'《國語》.
[字源] 形聲. 口+五〔音〕

口4 〔告〕7 [中·人] [一]고 [去]號 | gào コウ・コク つげる
[二]곡 [入]沃 | gù コク つげる
[三]국 [入]屋 | jú キク といただす

[筆順] ノ 𠂉 牛 生 生 告 告

[字解] [一]①고할고 ㉠아룀. 여쭘. '一厥成功'《書經》. ㉡알림. 보고함. '諜一曰, 楚幕有鳥'. ㉢이야기함. '犀首一臣'《戰國策》. ㉣청(請)함. '以一于先生君子, 可也'《儀禮》. ㉤소송을 제기(提起)함. '一訴'. ②찾을고, 물을고 방문하여 안부를 물음. '八十, 月一存'《禮記》. ③고신고 관리의 사령서. 직첩(職牒). '一身'. ④말미고 관리의 휴가. '賜一者數'《史記》. [二]①고할곡 청알(請謁)함. '爲人子者, 出必一, 反必面'《禮記》. ②말미곡 휴가. [一]의 ❹와 뜻이 같음. '光武絶一寧之典'《後漢書》. ③성곡 성(姓)의 하나. [三]국문할국 鞫(革부 8획〈1665〉)과 통용. '其刑罪, 則纖剸, 亦一于甸人'《禮

記》.
[字源] 會意. 口＋牛

口 4 〔吿〕7 告(前條)의 略字

口 4 〔呅〕7 [一] 매 [平]灰 | méi バイ のむことをうながす
[二] 문 [上]吻 | wěn ブン くちびる

[字解] [一] 마실것권할매 '一, 唼一也'《玉篇》. 차·술 등을 어서 들라고 재촉함. [二] 입술문 '吻, 或作一'《集韻》.

口 4 〔启〕7 계 [上]薺 | qǐ ケイ ひらく

[字解] 열계 啓(口부 8획〈171〉)와 同字. '明星謂之一明'《爾雅》.
[字源] 會意. 口＋戶

口 4 〔昏〕7 [一] 괄 [入]曷 | guā カツ ふさぐ
[二] 활 [入]黠 | カツ ふさぐ

[字解] [一] 막을괄 입을 막음. '一, 塞也'《玉篇》. [二] 막을활 [一]과 뜻이 같음.
[字源] 會意. 氏＋口
[參考] 舌(甘부 4획〈791〉)은 古字.

口 4 〔吪〕7 [一] 化(匕부 2획〈121〉)의 古字
[二] 吪(口부 4획〈150〉)와 同字

口 4 〔㫚〕7 〔홀〕
㫚(曰부 4획〈518〉)의 籒文

〔局〕〔국〕
尸부 4획(296)을 보라.

口 5 〔㕷〕8 〔피〕
皮(部首〈828〉)의 籒文

口 5 〔呢〕8 니 [平]支 | ní ジ ささやく

[字解] ①소곤거릴니 '一喃'은 작은 소리로 말을 많이 함. 소곤소곤함. ②지저귈니 '一喃'은 제비가 지저귀는 모양. '見梁上雙燕一喃'《摭言》.
[字源] 形聲. 口＋尼〔音〕

口 5 〔呟〕8 현 [上]銑 | juǎn ケン こえ

[字解] 큰소리현 '哮呷一喚. (李善注) 言其聲之大'《王褒》.
[字源] 形聲. 口＋玄〔音〕

口 5 〔呦〕8 유 [平]尤 | yōu ユウ なく

[字解] 울유 사슴이 욺. 또, 그 소리. '一一鹿鳴'《詩經》. 또, 널리 딴 짐승의 우는 소리나 물건이 울리는 소리에도 쓰임. '一嚶鳥獸馴'《張說》. '水聲一咽出花溪'《雍陶》.
[字源] 形聲. 口＋幼〔音〕

口 5 〔呪〕8 주 [去]宥 | zhòu ジュ のろう

[字解] ①방자주, 방자할주 남에게 재앙이 내리기를 비는 짓. '詛一'. '有誦一者'《關尹子》. 또, 그 짓을 함. '王忳一曰, 有何枉狀'《後漢書》. ②빌주 신불(神佛)에게 소원 성취하기를 빎. '一願'. ③다라니주《佛敎》 선법(善法)을 지켜 가져, 악법(惡法)을 막아서 일어나지 않게 하는 작용.
[字源] 會意. 口＋口＋儿

口 5 〔咒〕8 呪(前條)와 同字

口 5 〔呫〕8 첩 [入]葉 | ①tiē チョウ なめる
②③chè ショウ ささやく

[字解] ①맛볼첩 '未嘗有一血之盟'《穀梁傳》. ②소곤거릴첩 소곤소곤함. '一嚅'. '效女兒一囁耳語'《史記》. ③좀스러울첩 잔닮. '一一小人'《唐書》.
[字源] 形聲. 口＋占〔音〕

口 5 〔呬〕8 희 [去]寘 | xì キ いき

[字解] 쉴희 휴식함. '一河林之蓁蓁'《張衡》.
[字源] 形聲. 口＋四〔音〕

口 5 〔㕿〕8 呬(前條)와 同字

口 5 〔呱〕8 고 [平]虞 | gū コ なく

[字解] 울고 갓난아이가 욺. 또, 그 소리. '后稷一矣'《詩經》. '啓一一而泣'《書經》.
[字源] 形聲. 口＋瓜〔音〕

口 5 〔呭〕8 예 [去]霽 | yì エイ しゃべる

[字解] ①수다할예 말이 많음. '無然一一'《詩經》. ②즐길예 '一, 樂'《廣韻》.
[字源] 形聲. 口＋世〔音〕

口 5 〔味〕8 [中·人] 미 [去]未 | wèi ミ あじ

[筆順] 丨 ㄇ 口 口一 口二 口十 吽 味 味

[字解] ①맛미 ㉠음식의 맛. '五一'. '一得其時'《禮記》. ㉡사물의 맛. '興一'. '潛心道一'《晉書》. ㉢뜻. 의의. '意一'. '其一無窮'《中庸章句》. ㉣맛있는 음식. '爲得一也'《史記》. ②맛볼미 ㉠맛을 봄. '一無味'《老子》.

㉡의미를 음미함. '含━經籍'《後漢書》.
字源 形聲. 口+未〔音〕

口5 〔呴〕8 ㊀구 ㊥虞 ①-③xū ク はく
(후本) ㊦有 gòu コウ·ク なく
㊁후 ㊤有 hǒu コウ·クほえる

字解 ㊀ ①숨후내쉴구 입에서 더운 김을 후 내쉼. '━噓'. '或━或吹'《老子》. ②꾸짖을구 질책함. '━藉叱咄'《戰國策》. ③기뻐할구 희열함. '━喩'. ④울구 雊(隹부 5획〈1631〉)와 同字. '雊, 雉鳴, 或作━'《集韻》. ※이상(以上) 本音 후. ㊁ 울후 吼(口부 4획〈151〉)와 同字. '湓流雷━而電激'《郭璞》.
字源 形聲. 口+句〔音〕

口5 〔呵〕8 가 ㊥歌 hē カ しかる

字解 ①꾸짖을가 질책함. '━, 責也, 怒也'《廣韻》. '霸陵尉醉, ━止廣'《史記》. ②헐뜯을가 흠을 잡아 내어 말함. '好公羊春秋而譏━左氏'《蜀志》. ③불가 더운 김을 내붊. '━凍'. '━噓'. '夜寒手凍無人━'《蘇軾》. ④웃을가 '不滿━笑━'《范成大》.
字源 形聲. 口+可〔音〕

口5 〔呶〕8 노 ㊥肴 nāo ド かまびすしい

字解 떠들썩할노 시끄러움. '━━'. '載號載━'《詩經》.
字源 會意. 口+奴

口5 〔呷〕8 합 ㊇洽 xiā, ①gāコウ なく, すう

字解 ①울합 오리가 우는 소리. '鴨鳴━━'《豹隱紀談》. ②떠들썩할합 시끄러운 소리의 형용. '喤喤━━, 盡奔突於場中'《李白》. ③마실합 액체를 먹음. '━啜'. '朝━━口水'《鄭震》.
字源 形聲. 口+甲〔音〕
參考 呻(次條)은 別字.

口5 〔呻〕8 신 ㊥眞 shēn シン うめく

字解 ①끙끙거릴신 신음함. '━, 疾痛聲'《正字通》. ②읊조릴신 읊음. '━, 吟也'《說文》. '━其佔畢'《禮記》.
字源 形聲. 口+申〔音〕
參考 呷(前條)은 別字.

口5 〔呼〕8 中·人 호 ㊥虞 hū コ よぶ, はく

筆順 丨 ㄇ 口 口' 口ᅮ 口ᅮ' 口乊 呼

字解 ①숨내쉴호 숨을 내쉼. '吸'의 대. '━噓'. '吹呴━吸'《莊子》. ②부를호 ㉠오라고 소리를 내어 부름. '招━'. '遮道而━涉'《史記》. ㉡일컬음. 이름지음. '稱━'. '━爲君子'. '通━爲弟子'《北齊書》. ③부르짖을호 큰 소리를 냄. 떠듦. '式號式━, 俾晝作夜'《詩經》. ④슬프다할호 탄식하는 소리. '嗚━'. '━役夫'《左傳》. ⑤성호 성(姓)의 하나.
字源 形聲. 口+乎〔音〕

口5 〔𠵍〕8 呼(前條)의 古字

口5 〔呿〕8 거 ㊥魚 qū
㊦御 qù キョ ひらく

字解 벌릴거 입을 벌림. 또, 입이 벌어짐. '━唫'. '公孫龍, 口━而不合'《莊子》.
字源 形聲. 口+去〔音〕

口5 〔咀〕8 저 ㊤語 jǔ ソ かむ

字解 ①씹을저 이로 씹음. 또, 씹어 음식의 맛을 봄. '━嚼蔆藕'《司馬相如》. 전(轉)하여, 사물의 맛을 터득함. '━嚼文義'《文心雕龍》. ②방자저, 방자할저 '━呪'.
字源 形聲. 口+且〔音〕
參考 呾(口부 5획〈156〉)은 別字.

口5 〔咄〕8 돌 ㊇月 duō トツ しかる

字解 ①꾸짖을돌 질책함. 또, 그 소리. '叱━'. ②괴이쩍어할돌 괴이하여 놀라는 소리. '━━怪事'. '━━子陵, 不可相助爲理耶'《後漢書》. ③혀차는소리돌 기가 막혀 끌끌 혀차는 소리. '朔笑之曰, ━'《漢書》. ④부를돌 사람을 만났을 때 반가워하여 '야' 하고 부르는 소리. '━少卿良苦'《漢書》.
字源 形聲. 口+出〔音〕

口5 〔咆〕8 포 ㊥肴 páo ホウ ほえる

字解 ①으르렁거릴포 짐승이 성내어 욺. '━哮'. '虎豹襲穴而不敢━'《淮南子》. ②성불끈낼포 불끈 화를 내는 모양. '何猛氣之━勃'《潘岳》.
字源 形聲. 口+包〔音〕

口5 〔咈〕8 불 ㊇物 fú フツ たがう

字解 어길불 뜻을 어김. '罔━百姓以從己之欲'《書經》.
字源 形聲. 口+弗〔音〕

口5 〔咋〕8 ㊀사 ㊦禡 zhā サ しばらく
㊁색 ㊇陌 zé サク かむ, かまびすしい

[字解] [一] 잠깐사 잠시. '桓子一謂林楚曰'《左傳》. [二] ①씹을색, 깨물색 이로 씹음, 또는 깨묾. '孤豚之一虎'《漢書》. ②들렐색 시끄러움. 떠들썩함. '曉曉讙一'《劉峻》. ③큰소리색 대성(大聲). 또, 큰 소리를 냄. '嘷呱啞一'《太玄經》.
[字源] 形聲. 口+乍〔音〕

口5 **〔呧〕** 8 저 [入]薺 | dǐ テイ しかる
[筆順] 丨 ㄇ 口 口一 叿 吀 呧 呧
[字解] 꾸짖을저 詆(言부 5획〈1320〉)와 同字. '詆, 詆訶也. 或作一'《集韻》.
[字源] 形聲. 口+氐〔音〕

口5 **〔咍〕** 8 해 [平]灰 | hāi カイ わらう
[字解] ①비웃을해 조소함. '囅然而一'《左思》. ②즐길해 환락함. '笑言溢口何歡一'《韓愈》.
[字源] 形聲. 口+台〔音〕

口5 **〔咏〕** 8 영 [去]敬 | yǒng エイ うたう
[字解] 읊을영 詠(言부 5획〈1322〉)과 同字. '以一先王之風'《漢書》.
[字源] 形聲. 口+永〔音〕

口5 **〔咐〕** 8 부 [平]虞 | fú フ いいつける, ふく
[字解] ①분부할부 아랫사람에게 명령을 내림. '吩一'. ②불부 숨을 내뿜어 따뜻하게 함. '以相嘔一醞釀, 而成育群生'《淮南子》.
[字源] 形聲. 口+付〔音〕

口5 **〔呺〕** 8 [一] 효 [平]蕭 [二] 호 [去]號 | xiāo キョウ うつろ háo コウ·ゴウ かぜのおと
[字解] [一] 텅비고클효 속은 비고 큼. '非不一然大也. (疏)一然, 虛大也'《莊子》. [二] 바람소리호 성낸 소리. 외치는 소리. '萬竅怒一'《莊子》.
[字源] 形聲. 口+号〔音〕

口5 **〔呝〕** 8 액 [入]陌 | è アク とりのこえ
[字解] 울액 '一喔'은 새 우는 소리. '良遊一喔'《潘岳》.
[字源] 形聲. 口+戹〔音〕

口5 **〔呾〕** 8 달 [入]曷 | dá タツ しかりあう
[字解] 꾸짖을달 질책함. '不肖者之一也'《韓愈》.
[字源] 形聲. 口+旦〔音〕

口5 **〔咇〕** 8 필 [入]質 | bì ヒツ かおる
[字解] ①향내날필 방향(芳香)이 있음. '晻蔓一茀'《司馬相如》. ②말명확하지않을필 '一, 言不明'《集韻》. ③소리나오는모양필 '一, 一噴, 聲出皃'《集韻》.
[字源] 形聲. 口+必〔音〕

口5 **〔咁〕** 8 [一] 함 [平]咸 [二] 감 | xián カン ふくむ gàn カン かくのごとく
[字解] [一] ①머금을함 嗛(口부 10획〈178〉)과 同字. '嗛, 說文, 口有所銜也. 或作一'《集韻》. ②젖함 '一, 乳也'《玉篇》. [二] 이같이감 이처럼. 광동(廣東)·호남성(湖南省)의 방언(方言).

口5 **〔咕〕** 8 고 [上]虞 | gū コ ぶつぶついう
[字解] ①수근거릴고 '一噥'은 수근거림. '悄悄的一噥說'《紅樓夢》. ②투덜거릴고 작은 소리로 투덜거림.

口5 **〔咂〕** 8 잡 [入]合 | zā ソウ すう
[字解] ①마실잡 빨아 먹음. '一, 入口也'《篇海》. ②맛볼잡 구설(口舌)로 맛을 봄. '武松提起來一一一, 叫道, 這酒也不好, 快換來, 便饒你'《水滸傳》. ③혀찰잡 남을 칭찬하거나 부러워할 때, 또는 놀랐을 때 내는 소리. '一嘴, 口中發出表示稱讚, 羨慕, 驚訝等音聲'《中華字海》.

口5 **〔呸〕** 8 비 | pēi ヒ いまいましいときのこえ
[字解] 화나서내는소리비 노할 때, 또는 못마땅할 때 내뱉는 소리. '一, 相爭之聲 俗字'《字彙》.

口5 **〔咈〕** 8 발 [入]月 | fá バツ たて
[字解] 방패발 瞂(目부 9획〈851〉)과 同字. '革抉一芮'《戰國策》.

口5 **〔咉〕** 8 앙 [平]陽 | yāng オウ ふさがる
[字解] ①멜앙 막혀서 통하지 않음. '泉流迸集而一咽'《左思》. ②목메어슬피울앙 '一, 一一, 咽悲也'《集韻》.

口5 **〔呥〕** 8 염 [平]鹽 [上]琰 | rán ゼン·ネン かむ
[字解] ①씹는모양염 '一一而噍, 鄉鄉而飽已矣'《荀子》. ②만족할염 '一一'은 만족하고 있는 모양. '一一, 自安皃'《集韻》.

口5 〔呹〕8 ㊀일 ㊅質 yì イツ かむ, はやい
㊁질 ㊅質 chì チツ こえ

字解 ㊀①풀먹을일 소나 양(羊)이 풀을 먹는 모양. '一, 牛羊呞草皃'《玉篇》. ②빠를일 '蕛一胗以掍根兮'《揚雄》. ㊁목소리질 '一, 聲也'《集韻》.

口5 〔咃〕8 타 ㊥歌 tuō タ そなわる

字解 갖출타 범어(梵語)의 tha의 음역(音譯)으로, 갖추다의 뜻. '一者, 法身具足, 喻如滿月'《涅槃經》.

口5 〔咽〕8 〔인〕
咽(口부 6획〈160〉)의 俗字

口5 〔咖〕8 ㊗ 가 kā カ コーヒー

字解 《現》커피가, 카페인가 '一啡'는 커피의 음역(音譯). '一啡因'은 '카페인'의 음역.

口5 〔咜〕8 〔타〕
咤(口부 6획〈159〉)의 俗字

〔亟〕 〔극〕
二부 6획(27)을 보라.

口5 〔咊〕8 和(次條)의 本字

口5 〔和〕8 中·人 화 ①-⑪㊥歌 ⑫-⑮㊦箇 hé ワ やわらぐ hè ワ こたえる

筆順 一 二 千 禾 禾 利 和 和

字解 ①온화할화 온순하고 인자함. '一色'. '君子一而不流'《中庸》. ②화목할화 사이가 좋음. '地利不如人一'. '言惠必及一'《國語》. ③고를화 조화됨. 순조로움. '陰陽相一'. ④따뜻할화 온난함. '溫一'. '春風扇微一'《陶潛》. ⑤순할화 유순함. 조용함. '一風'. '吾馬賴柔一'《史記》. ⑥잘화 바람이 그침. '風一綠野烟'《杜審言》. ⑦좇을화 따름. 복종함. '治而不能一下'《淮南子》. ⑧화해화 사화(私和). '一約'. '割地求一'《戰國策》. ⑨방울화 수레 앞에 가로 댄 나무, 곧 식(軾)에 다는 방울. '一鸞雝雝'《詩經》. ⑩나라이름화 일본(日本)의 별칭. '一寇'. ⑪성화 성(姓)의 하나. ⑫응할화 소리에 응함. '鳴鶴在陰, 其子一之'《易經》. ⑬대답할화 응답함. '王一之'《列子》. ⑭화답할화 ㉠서로 응하여 대답함. '唱一'. ㉡남의 운(韻)을 따서 작시(作詩)함. '一韻'. '詩成遣誰一'《白居易》. ⑮섞을화, 탈화 혼합함. '混一'. '五味六一'《禮記》.

字源 形聲. 口＋禾〔音〕

〔知〕 〔지〕
矢부 3획(863)을 보라.

口5 〔命〕8 中·人 명 ㊦敬 mìng メイ いのち

筆順 ノ 人 𠆢 今 合 合 合 命

字解 ①목숨명 생명. '生一'. '壽一'. ②운수명 운명. '知一'. '今又遇難於此, 一也'《史記》. ③분부명 명령. 또, 교령(敎令). '矯一'. '子從父之一'《孝經》. ④말명 사명(辭命). '於辭一則, 不能'《孟子》. ⑤가르침명 교훈. 교회(敎誨). '聞一矣'《孝經》. ⑥이름명 名(口부 3획〈148〉)과 同字. '亡一'. ⑦이름지을명 '一名'. '黃帝能成一百物'《國語》. '因一曰胥山'《史記》. ⑧명할명 명령을 내림. '乃一羲和'《書經》. ⑨줄명 수여함. '天一之謂性'《中庸》. ⑩도(道)명 자연의 이수(理數). '維天之一'《詩經》. ⑪품계명 주대(周代)의 관계(官階). 구등(九等)이 있음. '一服'. '一一而僂, 再一而傴'《史記》. ⑫성명 성(姓)의 하나.

字源 會意. 亼＋卩＋口

口5 〔周〕8 高·人 주 ㊥尤 zhōu シュウ まわり, あまねし

筆順 丿 冂 月 円 用 周 周 周

字解 ①두루주 골고루. 널리. '一游'. '一知其名'《周禮》. ②두루미칠주 빠짐없이 미침. '知一乎萬物'《易經》. ③찬찬할주 면밀함. 치밀함. '一密'. '人主不可不一'《管子》. ④지극할주 이 위에 없음. '雖有一親, 不如仁人'《書經》. ⑤미쁠주 신의가 있음. '君子一而不比'《禮記》. '行歸于一'《詩經》. ⑥둘레주 주위. '一回'. '其一七十一萬四千里'《算經》. ⑦돌주 한 바퀴 돎. '一軍飭壘'《國語》. ⑧굳힐주 굳게 함. 견고하게 함. '盟所以一信'《左傳》. ⑨진휼할주 賙(貝부 8획〈1393〉)와 同字. '一急'. '靡人不一'《詩經》. ⑩모퉁이주 구석. '生于道一'《詩經》. ⑪주나라주 ㉠삼대(三代)의 하나. 무왕(武王) 발(發)이 은(殷)나라를 멸하고 세운 왕조(王朝). 성(姓)은 희(姬). 처음에 호경(鎬京), 곧 호(鎬)에 도읍하였다가 후에 낙양(洛陽)으로 천도(遷都). 건국한 지 38주(主) 867년 만에 진(秦)나라에게 망하였음. (B.C. 1050~256) ㉡남북조 시대(南北朝時代)의 북조(北朝)의 하나. 우문각(宇文覺)이 서위(西魏)의 뒤를 이어 세운 나라. 건국한 지 5주(主) 24년 만에 수(隋)나라에게 망하였음. 북주(北周)라고도 함. (556~581) ㉢오대(五代)의 하나. 곽위(郭

威)가 후한(後漢)의 뒤를 이어 세운 나라. 3주(主) 9년 만에 송(宋)나라 태조(太祖)에게 망(亡)하였음. 후주(後周)라고도 함. (951~960) ⑫성주 성(姓)의 하나.
[字源] 指事. 네모난 상자 또는 종(鐘) 따위의 기물(器物)에 온통 조각(彫刻)이 되어 있는 모양에서, '두루 미치다'의 뜻을 나타냄.

口 5 〔周〕8 周(前條)의 略字

口 5 〔呰〕8 자 [平]支 [上]紙 | zǐ シ きず, そしる
[字解] ①흠자 疵(疒부 5획〈807〉)와 통용. ②헐뜯을자 訾(言부 5획〈1323〉)와 同字. '闒尹之—, 穢我明德'《漢書》. ③약할자, 게으를자 연약함. 일설(一說)에는, 나태함. '地勢饒食, 無飢饉之患, 以故—窳偸生'《史記》.
[字源] 形聲. 口+此〔音〕

口 5 〔咎〕8 [一]구 [上]有 | jiù キュウ とが [二]고 [平]豪 | gāo コウ せい
[字解] [一]①허물구 죄과(罪過). '微我有—'《詩經》. ②재앙구 재화. '—殃'. '天降之—'《書經》. ③미움구 증오. '蒙怨—, 欺舊交'《戰國策》. ④미워할구 증오함. '殷始—周'《書經》. ⑤나무랄구 책망함. '旣往不—'《論語》. ⑥성구 성(姓)의 하나. [二]성고 성(姓)의 하나. 皐(自부 6획〈1101〉)와 同字. '—, 姓也, 通作皐'《集韻》.
[字源] 會意. 人+各

口 5 〔咅〕8 [一]투 [去]宿 | トウ はく [二]부 [上]有 | pǒu ホウ·フ いなむ
[字解] [一]①침뱉을투 남의 이야기가 마음에 못마땅해 침을 뱉어 부정(否定)함. '—, 相與語, 唾而不受也'《說文》. ②환할투 透(辵부 7획〈1495〉)와 同字. [二]침뱉을부, 환할부 [一]과 뜻이 같음.
[字源] 象形. 꽃잎의 본디 부드럽게 부풀어 있는 씨방의 모양을 본뜸.

口 5 〔咅〕8 咅(前條)와 同字
[參考] [illegible](口부 6획〈162〉)은 別字.

口 5 〔[illegible]〕8 〔모〕 謀(言부 9획〈1343〉)의 古字

口 5 〔舎〕8 [日] 〔사〕 舍(舌부 2획〈1107〉)와 同字
[參考] 《日》일본에서 '舍'의 대용(代用)으로 쓰는 신자체(新字體)임.

口 6 〔品〕9 [中·人] 품 [上]寢 | pǐn ヒン しな
[筆順] 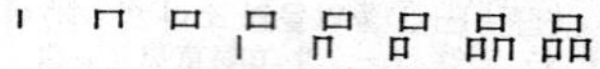
[字解] ①가지품 종류. '厥貢惟金三—'《書經》. ②뭇품 온갖. 갖가지. '—物流形'《易經》. ③물건품 '—種'. '籩豆之實, 水土之—也'《禮記》. ④품수품 물품의 등급·품격의 고하 등. '上—'. '人—'. '王—不遜'《書經》. ⑤벼슬차례품 관위(官位)의 차서. '—秩'. '外官不過九—'《國語》. ⑥법품 법식. '—程'. '制作儀—'《漢書》. ⑦수품 정수(定數). '滿—者'《漢書》. ⑧가지런히할품 제일(齊一)하게 함. '—其百籩'《國語》. ⑨같을품 동일함. '百里爲—'《漢書》. ⑩성품 성(姓)의 하나.
[字源] 會意. 口+口+口

口 6 〔咠〕9 집([音][本]) [入]緝 | qì シュウ ささやく
[字解] ①소곤거릴집 '—, 聶語也'《說文》. ②참소할집 남을 헐뜯음. '——, 譖言也'《廣韻》. ※本音 즙.
[字源] 會意. 口+耳

口 6 〔咢〕9 악 [入]藥 | è ガク やかましくいうあらそう
[字解] ①시끄럽게다툴악 㖾(口부 9획〈172〉)과 同字. '㖾, 譁訟也, 从吅屰聲'《說文》. ②놀랄악 愕(心부 9획〈401〉)과 同字. '—, 驚—也'《玉篇》. ③북칠악 노래는 하지 않고 북만 침. '徒擊鼓, 謂之—'《爾雅》. '或歌或—'《詩經》. ④관높은모양악 '冠——其映蓋兮'《張衡》. ⑤곧은말할악 諤(言부 9획〈1341〉)과 同字. '——黃髮'《漢書》. ⑥칼날악 鍔(金부 9획〈1571〉)과 同字.
[字源] 形聲. 吅+屰〔音〕

口 6 〔[illegible]〕9 령 [平]青 | líng レイ おおくのとり
[字解] ①많은새령 '—, 衆鳥也'《廣韻》. ②많은소리령 여러 사람의 소리. '—, 衆聲也'《類篇》.

口 6 〔虽〕9 〔수〕 雖(隹부 9획〈1634〉)의 俗字·簡體字

口 6 〔咫〕9 지 [上]紙 | zhǐ シ はっすん
[字解] 여덟치지 주대(周代)의 척도(尺度)에서, 8촌(寸)의 길이의 일컬음. '—尺'. '其長尺有—'《國語》. 전(轉)하여, 짧음. 또, 짧은 거리. '—尺之書'. '天威不違顏—尺'《左傳》. 또, 작음. 적음. 사소(些少)함. '—尺之地'. '抱—尺之義'《史記》.
[字源] 形聲. 尺+只〔音〕

口 6 〔咡〕9 이 [去]寘 | èr ジ·ニ くちもと

[字解] ①입가이 입의 언저리. '負劍辟—詔之'《禮記》. ②입이 '循—覆手. (注)—, 口也'《管子》.

[字源] 形聲. 口＋耳〔音〕

口 6 〔咤〕9 타 [去]禡 | zhà, ④chā タ しかる

[字解] ①꾸짖을타 질책함. 또, 그 소리. '項王喑啞叱—'《史記》. ②입맛다실타 입맛을 쩍쩍 다시며 먹음. '毋—食'《禮記》. ③슬퍼할타 비탄함. '—, 痛惜也'《一切經音義》. '怛—靡肝肺'《蔡琰》. ④자랑할타 詫(言부 6획〈1325〉)와 同字. '轉相誇—'《後漢書》.

[字源] 形聲. 口＋宅〔音〕

口 6 〔咥〕9 [一] 희 [去]寘 | xì キ わらう
[二] 질 [入]屑 | dié テツ かむ

[字解] [一] 웃을희 허허 웃는 모양. '—其笑矣'《詩經》. [二] 깨물질 물어뜯음. '履虎尾, 不—人, 亨'《易經》.

[字源] 形聲. 口＋至〔音〕

口 6 〔咩〕9 미 [上]紙 | miē ビ·ミ なく

[字解] 양울미 양(羊)이 욺. '—, 羊鳴'《篇海》.

[字源] 會意. 口＋羊

口 6 〔咪〕9 미 [上]紙 | ①miē, ②mī ビ なく, メートル

[字解] ①양울미 咩(前條)와 同字. ②《現》미터미 미터의 구역자(舊譯字). 米(部首)와 同字.

[字源] 形聲. 口＋米〔音〕

口 6 〔咬〕9 교 ①[平]肴 ②[平]肴 ③[上]巧 | yāo コウ みだらなこえ
jiāo コウ なく
yǎo コウ かむ

[字解] ①음란한소리교 음탕한 소리. '—哇'. '—, 淫聲'《廣韻》. ②지저귈교 새가 지저귀는 소리. '—弄好音'《古詩》. ③씹을교 입에 넣어 깨묾. '人能—得菜根, 則百事可做'《小學》.

[字源] 形聲. 口＋交〔音〕

口 6 〔咱〕9 [一] 찰 [入]曷 | zá サツ われ
[二] 차 [平]麻 | zá サ·シャ われ

[字解] [一] 나찰 자기 자신. '俗稱自己爲—'《篇海》. [二] 나차 [一]과 뜻이 같음.

[字源] 會意. 口＋自

口 6 〔咮〕9 주 [去]宥 | zhòu チュウ くちばし

[字解] ①부리주 새의 주둥이. '維鵜在梁, 不濡其—'《詩經》. ②별이름주 이십팔수(二十八宿)의 하나인 유(柳)의 별칭(別稱). '—, 謂之柳'《爾雅》.

[字源] 形聲. 口＋朱〔音〕

口 6 〔咯〕9 [一] 각 [入]藥 | gè, ②kǎ カク きじのこえ
[二] 락 [入]藥 | luò ラク いいあらそう

[字解] [一] ①울각 꿩 우는 소리. '—, 雉聲'《集韻》. ②뱉을각 토함. '—血'. '喀, 今本艸醫方作—'《正字通》. [二] 말다툼할락 '—, 訟言也'《集韻》.

[字源] 形聲. 口＋各〔音〕

[參考] 속(俗)에 喀(口부 9획〈172〉)의 略字로 잘못 쓰임.

口 6 〔咳〕9 해 ①[平]灰 | hái ガイ わらう
②[去]隊 | ké ガイ せき

[字解] ①방긋웃을해 어린애가 웃음. '不可以告—嬰之兒終日'《史記》. ②기침해 해소. 欬(欠부 6획〈596〉)와 同字. '—嗽'. '不敢噦噫嚏—'《禮記》.

[字源] 形聲. 口＋亥〔音〕

口 6 〔咷〕9 도 [平]豪 | táo トウ なく

[字解] 울도 호읍(號泣)함. '先號—而後笑'《易經》.

[字源] 形聲. 口＋兆〔音〕

口 6 〔咶〕9 [一] 활 [入]黠 | huài カツ いき
[二] 지 [上]紙 | shì シ なめる

[字解] [一] 숨활 콧숨. '—, 鼻息'《廣韻》. '悒殟絶兮—復蘇'《楚辭》. [二] 핥을지 舐(舌부 4획〈1108〉)와 同字. '舐, 亦作—'《洪武正韻》.

[字源] 形聲. 口＋舌〔音〕

口 6 〔咺〕9 훤 [上]阮 | xuǎn ケン なきやまない

[字解] ①울훤 어린아이가 계속 욺. '—, 朝鮮謂兒泣不止曰—'《說文》. ②의젓할훤 위의(威儀)가 드러난 모양. '赫兮—兮'《詩經》.

[字源] 形聲. 口＋亘〔音〕

口 6 〔咻〕9 [一] 휴 [平]尤 | xiū キュウ うめきごえ
[二] 후 [去]遇 | xù ク あたためる

[字解] [一] ①신음소리휴. ②지껄일휴 떠듦. '一齊人傅之, 衆楚人—之'《孟子》. [二] 따스히할후 김을 불어 따뜻하게 함. 喣(口부 9획〈172〉)와 통용. '風氣之所—'《蘇軾》.

[字源] 形聲. 口+休〔音〕

口 6 〔咽〕9 [一] 인 [平]先 ①②yān エン のど
(①②연[本]) [平]眞 yīn イン うつ
[二] 연 [去]霰 yàn エン のむ
[三] 열 [入]屑 yè エツ むせぶ

[字解] [一] ①목구멍인 인후(咽喉). '搤—拊背'. '餐未及下—'《史記》. ②목인 요해처. '韓, 天下之—喉'《戰國策》. ※이상(以上) 本音 연. ③북칠인 북을 빨리 치는 소리. '鼓——'《詩經》. [二] 삼킬연 꿀떡 삼킴. 嚥(口부 16획〈190〉)과 同字. '—下'. '三—, 然後 耳有聞, 目有見'《孟子》. [三] ①막힐열 ㉠충색(充塞)함. '雲霞充—'《新序》. ㉡숨이 막힘. '見有病—塞者'《後漢書》. ②목멜열 목이 메어 소리가 막힘. '嗚—'. '哭無聲兮聲將—'《蔡琰》.
[字源] 形聲. 口+因〔音〕

口 6 〔咿〕9 이 [平]支 yī イ つくりわらい

[字解] ①선웃음칠이 억지로 웃음. '喔—'. '喔—嚅唲, 以事婦人乎'《楚辭》. ②글읽는 소리이 '—唔, 讀書聲也'《類書纂要》.
[字源] 形聲. 口+伊〔音〕

口 6 〔哂〕9 신 [上]軫 shěn シン わらう

[字解] 웃을신 ㉠미소함. 빙그레 웃음. '夫子—之'《論語》. ㉡조소함. 비웃음. '—笑'. '爲後代所—'《晉書》.
[字源] 形聲. 口+甄〈省〉〔音〕

口 6 〔哄〕9 홍 [去]送 hòng コウ どよめき

[字解] 떠들썩할홍 여럿이 지껄이는 소리. '—笑'. '唝, 衆聲, 或作—'《集韻》.
[字源] 形聲. 口+共〔音〕

口 6 〔呥〕9 염 [上]琰 rǎn ゼン くちうごく

[字解] 입움직일염 입이 움직이는 모양. '—, 口動貌'《字彙》. '齒崖崖以齴齹, 嚼咀—而囁唲'《王延壽》.

口 6 〔哏〕9 흔 ①hěn コン はなはだ
②gén コン おもしろおかしい

[字解] ①매우흔 대단히. '同"很". 副詞'《漢語大字典》. '如今斷底勾當, 斷底—長了'《元典章》. ②흉악한모양흔 '但見那怪物…—聲響若春雷吼'《西遊記》. ③우스꽝스러울흔 '永生這一逗—, 屋中又騰起一陣笑浪'《郭澄淸, 大刀記》.

口 6 〔哆〕9 [一] 차 [上]馬 chě シャ たれさがる
[二] 치 [上]紙 chǐ シ くちをはる

[字解] [一] 입술처질차 입술이 아래로 처짐. '口—頰重出'《王惲》. [二] ①입딱벌릴치 '食飲嘘—'《蔡讓》. ②클치 '—兮侈兮'《詩經》. ③간사할치 성질이 간교하고 바르지 못함. '妖艶邪—之言'《孫復》. ④많을치 중다(衆多)함. '—然外齊侯也'《穀梁傳》.
[字源] 形聲. 口+多〔音〕

口 6 〔哇〕9 [一] 왜 [平]佳 wā アイ みだらなこえ
[二] 화 [平]佳 huá カイ むせぶ
[三] 와 [平]麻 wā ワ こどものこえ

[字解] [一] ①음란한소리왜 음탕한 소리. 또, 음란한 음곡(音曲). '淫—'. '中正則雅, 多—則鄭'《揚子法言》. ②게울왜 토함. '出而—之'《孟子》. [二] 막힐화 목구멍이 막힘. '屈服者其嗌言若—'《莊子》. [三] ①아이소리와 소아(小兒)의 떠드는 소리. '小兒—不美'《黃庭堅》. ②웃을와 웃는 소리. '言唯唯, 笑——'《元包經》.
[字源] 形聲. 口+圭〔音〕

口 6 〔哈〕9 합 [入]合 hē コウ すする

[字解] 마실합 입을 대고 마심. '嘗——水, 而甘苦知矣'《淮南子》.
[字源] 形聲. 口+合〔音〕

口 6 〔哅〕9 흉 [平]東 xiōng コウ おおごえ

[字解] 큰소리흉 대성(大聲). 또, 큰 소리로 외치는 모양. '功之難立也, 其必由——耶'《呂氏春秋》.
[字源] 形聲. 口+匈〔音〕

口 6 〔㖃〕9 후 [上]有 [去]宥 ①②hǒu コウ どなる, はく
③hòu コウ はじ

[字解] ①호통칠후 몹시 화를 내는 소리. '—, 厚怒聲'《說文》. ②토할후 구역질이 남. '—, 欲吐也'《廣韻》. ③부끄럼후 치욕(恥辱). '皇皇唯敬, 口生—'《大戴禮》.
[字源] 形聲. 口+后〔音〕

口 6 〔唷〕9 욱 [入]屋 yòu イク はく

[字解] 뱉을욱 토(吐)함. 또, 토하는 소리. '—, 吐也'《玉篇》. '便聞呻吟之聲, 曰——宜死'《搜神記》.

口 6 〔哃〕9 동 [平]東 tóng トウ ほらをふく

[字解] 허풍떨동 '—唐'은 큰소리침. 허풍. '—唐, 大言'《廣韻》.

口 6 〔咦〕9 [一] 이 [平]支 | yí イ といき
[二] 히 [平]支 | xī キ わらう
[三] 재 [平]佳 | タイ わらう

[字解] [一] ①한숨이 '南陽謂大呼曰—'《說文》. ②《佛教》탄성이 선림(禪林)에서 냉소, 경멸, 경악 등의 뜻을 나타내는 탄성(嘆聲). '—, 謝三郞不識四字'《無門關》. [二] ①웃을히 또, 웃는 모양. '—, 笑皃'《廣韻》. ②웃음터뜨릴히 실소(失笑)함. '—, 一曰, 南陽謂失笑爲—'《集韻》. [三] 웃을재 웃는 모양. '—, 笑皃'《集韻》.
[字源] 形聲. 口＋夷〔音〕

口 6 〔哎〕9 애 | āi ガイ たんそくのこえ

[字解] 탄식소리애 놀람이나 애석한 뜻을 나타내는 소리. '—, 那跑馬的呵'《長生殿》.

口 6 〔咭〕9 [一] 힐 [入]質 | xī キツ わらう
[二] 길 [入]質 | jī キツ わらう
[三] 갈 [入]黠 | qià カツ ねずみのなきごえ

[字解] [一] 웃을힐 웃는 모양. '—, 笑皃'《玉篇》. [二] 웃을길 [一]과 뜻이 같음. [三] 쥐우는 소리갈 '—, 鼠鳴'《廣韻》.

口 6 〔咾〕9 로 [上]晧 | lǎo ロウ こえ

[字解] 목소리로 '—, 聲也'《集韻》.

口 6 〔咵〕9 과 [上]馬 | kuǎ カ なまる

[字解] ①말어그러질과 말이 맞지 않음. '—, 言戾也'《集韻》. ②사투리과 말에 사투리가 많음. '說話—得厲害, 對人可挺不錯'《孫犁, 風雲初記》.

口 6 〔咧〕9 렬 [入]屑 | liě レツ とりのなきごえ

[字解] ①새소리렬 새가 우는 소리. '——, 鳥聲'《集韻》. ②《現》 멋대로지껄일렬 '——'는 함부로 지껄임. ③《現》 입삐죽일렬 고통이나 불만으로 입을 일그러뜨림.

口 6 〔咲〕9 〔소〕
笑(竹부 4획〈931〉)의 古字
[字源] 形聲. 口＋芙〔音〕

口 6 〔咲〕9 咲(前條)의 俗字

口 6 〔咾〕9 〔린〕
吝(口부 4획〈153〉)의 俗字

口 6 〔响〕9 〔향〕
響(音부 13획〈1682〉)의 俗字

口 6 〔哀〕9 [中·人] 애 [平]灰 | āi アイ あわれ

[筆順] 亠 亠 宀 古 亨 哀 哀 哀

[字解] ①서러울애 슬픔. '—話'. '鰥寡—哉'《書經》. ②슬퍼할애 서러워함. '—而不傷'《論語》. ③민망히여길애 딱하게 여김. '—矜'. '—其窮而運轉之'《韓愈》. ④복애 상중(喪中). '居—'. '崇喪遂—'《史記》. ⑤슬픔애 비애. '餘—'. '—樂失時'《左傳》. ⑥성애 성(姓)의 하나.
[字源] 形聲. 口＋衣〔音〕

口 6 〔咸〕9 [高·人] [一] 함 [平]咸 [去]勘 | ①-⑤xián カン みな ⑥jiǎn カン みちる
[二] 감 [上]豏 | カン へる, へらす

[筆順] ノ 厂 厂 斤 后 咸 咸 咸

[字解] [一] ①다함 모두. '庶績—熙'《書經》. ②같을함 마음이 같음. '周公弔二叔之不—'《詩經》. ③두루미칠함 빠짐없이 미침. '小賜不—'《國語》. ④함괘함 육십사괘의 하나. 곧, ䷞〈간하(艮下), 태상(兌上)〉. 음양이 교감(交感)하는 상(象). '—亨利貞'《易經》 ⑤성함 성(姓)의 하나. ⑥찰함 충만함. '窕則不—'《左傳》. [二] 덜감 減(水부 9획〈661〉)과 통용. '戶口—半'《漢書》.
[字源] 會意. 戌＋口

口 6 〔哉〕9 [中·人] 재 [平]灰 | zāi サイ はじめる, かな

[筆順] 一 十 土 吉 吉 哉 哉 哉

[字解] ①비롯할재 시작함. '—生明'. '朕—自亳'《書經》. ②어조사재 ㉠단정하는 말. '野—由也'《論語》. ㉡탄미(嘆美)하는 말. '君子—, 若人'《論語》. ㉢의문사(疑問辭). '今閑之於草書, 有旭之心—'《韓愈》. ㉣반어사(反語辭). '烏能得其心服—'《柳宗元》. ③성재 성(姓)의 하나.
[字源] 形聲. 口＋𢦏〔音〕

口 6 〔咨〕9 자 [平]支 | zī シ はかる

[筆順] 丶 冫 冫 次 次 次 咨 咨

[字解] ①물을자 의논함. 諮(言부 9획〈1342〉)와 同字. '—十有二牧'《書經》. ②탄식할자 차탄(嗟歎)함. '文王流涕而—之. (高誘注)—, 嗟歎辭'《呂氏春秋》. ③동급(同級)기관에보내는공문서(公文書)자 '撫臺將生員—革了, 也未可知'《儒林外史》. ④찬상(讚賞)의감탄사자 '堯曰, 咨! 爾舜! 天之曆數在爾躬, 允執其中'《論語》.
[字源] 形聲. 口＋次〔音〕

口 6 〔咼〕9 [一]와 [平]佳 (괘[本]) [二]화 [平]歌 | wāi(kuāi) カイ くちゆがむ | hé, ②guō カ

[字解] [一]입비뚤어질와 咼(口부 9획〈174〉)와 同字. ※本音 괘. [二]①고를화 和(口부 5획〈157〉)와 통용. '一氏之璧'《淮南子》. ②성화 성(姓)의 하나.
[字源] 形聲. 口+冎〔音〕

口 6 〔咔〕9 咨(次條)과 同字

口 6 〔咅〕9 알 [入]曷 | è ガツ しかりこばむ

[字解] 꾸짖어막을알 '一, 語相訶歫也, 从口辛, 辛, 惡聲也, 讀若櫱'《說文》.
[字源] 會意. 辛+口

口 6 〔咡〕9 〔군〕 君(口부 4획〈152〉)의 古字

口 6 〔哥〕9 〔가〕 哥(口부 7획〈165〉)의 俗字

口 6 〔㖪〕9 [韓] 뿐

[字解] 《韓》뿐뿐 이두(吏讀)에서, 그것만이고 더 이상 없다는 뜻의 접미사(接尾詞)로 쓰임.
[字源] 된시옷 'ㅅ'의 표기로 쓰이는 '叱질'에 '分분'을 합쳐서 이룬 글자.

口 7 〔哭〕10 [高·人] 곡 [入]屋 | kū コク なく

[筆順] 丨 ㄇ 口 吅 吅 哭 哭 哭

[字解] ①울곡 슬퍼 큰 소리를 내어 욺. '一聲'. '歌於斯, 一於斯'《禮記》. ②곡할곡 사람의 죽음을 슬퍼하여 우는 예(禮). '一則不歌'《論語》.
[字源] 形聲. 犬+口+口〔音〕

口 7 〔員〕10 [高·人] [一]원 [平]先 [二]운 [平]文 [去]問 | yuán イン·エン かず | ①-③yún ウン かず | ④yùn ウン せい

[筆順] 丨 ㄇ 口 尸 月 員 員 員

[字解] [一]①인원원 사람 수. 물건의 수에도 씀. '一數'. '願君卽以遂備一而行矣'《史記》. ②관원원 벼슬아치. '太宗嘗踐此官, 故累聖曠不置一'《唐書》. ③둥글원, 동그라미원 圓(口부 10획〈198〉)과 同字. '一石'. '規矩, 方一之至也'《孟子》. [二]①더할운 늘림. '一于爾輻'《詩經》. ②이를운 云(二부 2획〈26〉)과 同字. '景一維河'《詩經》. ③사람이름운 '伍一'은 전국 시대(戰國時代)의 초(楚)나라 사람. ④성운 성(姓)의 하나.
[字源] 會意. 貝+口

口 7 〔啬〕10 견 [上]銑 | qiǎn ケン つちくれ

[字解] 흙덩이견 작은 흙덩이. '一, 小塊'《廣韻》.

口 7 〔哿〕10 가 [上]哿 | ①gě カ よい | ②jiā カ ふじんのかみかざり

[字解] ①옳을가 可(口부 2획〈145〉)와 同字. '一矣富人'《詩經》. ②머리꾸미개가 부인(婦人)의 수식(首飾). '婦人易一'《太玄經》.
[字源] 形聲. 可+加〔音〕

口 7 〔哢〕10 롱 [去]送 | lòng ロウ とりのこえ

[字解] 지저귈롱 새가 지저귐. 또, 그 소리. '一吭清渠'《左思》.
[字源] 形聲. 口+弄〔音〕

口 7 〔哤〕10 방 [平]江 | máng ボウ みだれる

[字解] 난잡할방 하는 말이 난잡함. '雜處則其言一'《國語》.
[字源] 形聲. 口+尨〔音〕

口 7 〔哦〕10 아 [平]歌 | é ガ うたう

[字解] ①읊조릴아 시가를 읊음. '對樹二松, 日一其間'《韓愈》. ②성오(醒悟)의감탄사 아 '一! 是了, 是了, 我的記性眞壞!'《老殘遊記》.
[字源] 形聲. 口+我〔音〕

口 7 〔哨〕10 [一]소 [去]嘯 [二]초 [去]效 | shào ショウ ゆがむ | qiào ソウ ものみ

[字解] [一]①가늘고작을소 '一, 大智一後. 一, 小也'《玉篇》. ②입비뚤소 투호놀이 병(甁)의 아가리가 비뚦. '枉矢一壺'《禮記》. ③수다스러울소 잔말이 많은 모양. '禮儀一一'《揚子法言》. [二]①파수볼초, 파수병초 경계하여 지킴. 망봄. 또, 그 군사. '一兵'. '巡一襄樊'《元史》. ②뾰족할초 '脪, 凡物之殺銳曰脪, 或作一'《集韻》.
[字源] 形聲. 口+肖〔音〕

口 7 〔哩〕10 리 [去]寘 | lì, ②lǐ リ マイル

[字解] ①어기사(語氣辭)리 ㉠진술하는 어구(語句) 끝에 쓰는데, 긍정(肯定)·측도(測度)·과장(誇張)·강조 등의 어기(語

氣)를 나타냄. '夫人！ 敢喜他—！ 想着他—！《吾邱瑞·運甓記》. ㉡〔方言〕병렬(竝列) 성분의 뒤에 붙여, 예거(例擧)를 나타냄. 예를 들면, '笔—, 墨—, 都在卓上放着'. ②사곡(詞曲)속의츤자(襯字)리 樂曲 '羊優夷', '伊何那', 若今之 '—囉嗹', '唵唵吽也'《丹鉛錄》. '休將閑事苦縈懷, 〔和〕——囉'《西廂記諸宮調》. ③마일리 영국의 육지의 거리를 재는 단위인 마일의 약기(略記). 약 1.6킬로미터.
[字源] 形聲. 口＋里〔音〕

口 7 〔哫〕10 족 [入]沃 | zú ショク こびる
[字解] 아첨할족 아유(阿諛)함. '—, —訾, 以言求媚也'《集韻》. '—訾慄斯'《楚辭》.

口 7 〔哮〕10 효 [平]肴 | xiāo コウ ほえる
[筆順] 口 口一 口十 口土 口耂 口孝 哮 哮
[字解] 으르렁거릴효 짐승이 성내어 큰 소리로 욺. 전(轉)하여, 큰소리침. '咆—'. '怒—'. '—咆怒視'《輟耕錄》.
[字源] 形聲. 口＋孝〔音〕

口 7 〔哺〕10 포 [去]遇 | bǔ ホ ふくむ
[字解] ①머금을포, 물포 음식을 입 속에 넣음. '綏帶咽—'《漢書》. 또, 그 음식. '一飯三吐—'《史記》. ②먹일포 음식을 남의 입 속에 넣어 줌. 먹여 기름. '—乳'. '—養'. '慈鳥反—以報親'《梁武帝》.
[字源] 形聲. 口＋甫〔音〕

口 7 〔哽〕10 경 [上]梗 | gěng キョウ ふさがる
[字解] 목멜경 음식이 목에 막힘. 전(轉)하여, 널리 막힘. '壅則—. (注)—, 塞也'《莊子》.
[字源] 形聲. 口＋更〔音〕

口 7 〔唁〕10 언 [去]霰 | yàn ゲン とむらう
[字解] 위문할언 조상하러 가서 상제를 위문함. 또는, 재난을 당한 사람을 찾아가서 위문함. '—, 弔生也'《說文》. '歸—衞侯'《詩經》.
[字源] 形聲. 口＋言〔音〕

口 7 〔唄〕10 패 [去]卦 | bài バイ ほめうた
[字解] 인도노래패 부처의 공덕을 기리는 노래. '—, 梵音聲'《玉篇》. '—, 西域謂誦曰—'《集韻》. '晝夜梵—'《唐書》.
[字源] 形聲. 口＋貝〔音〕

口 7 〔唅〕10 함 [平]覃 | hán カン ふくむ
[字解] ①머금을함 含(口부 4획〈153〉)과 同字. '羹藜—糗'《漢書》. ②입크게벌린모양함 '呀, —呀, 張口皃'《玉篇》. ③음식먹을함 '—, 唵也'《廣雅》. ④반함옥(飯含玉)함 염(殮)할 때 입에 물리는 옥. '殯—之物, 一皆絕之'《晉書》.
[字源] 形聲. 口＋含〔音〕

口 7 〔唆〕10 사 [平]歌 | suō サ そそのかす
[字解] ①꾈사, 부추길사 꾀어 시킴. 교사함. '使—'. '以言弄人, 謂之—哄'《品字箋》. ②성사 성(姓)의 하나.
[字源] 形聲. 口＋梭〈省〉〔音〕

口 7 〔唈〕10 [一] 읍 [入]緝 | yì / [二] 압 [入]合 | yì オウ なげく
[字解] [一] 느껴울읍 슬피 흐느껴 욺. '嗚—'. '增欷嗚—'《淮南子》. [二] 느껴울압 [一]과 뜻이 같음.
[字源] 形聲. 口＋邑〔音〕

口 7 〔唉〕10 [一] 희 [平]支 | āi カイ ああ / [二] 애 [平]灰 | āi アイ おお
[字解] [一] 한탄할희 '허허' 하고 한탄하는 소리. '—, 豎子不足與謀'《史記》. [二] ①물을애 놀라며 물음. '禹立諫鼓於朝, 而備訊—'《管子》. ②대답할애 '어' 하고 대답하는 소리. '狂屈曰, —, 吾知之'《莊子》.
[字源] 形聲. 口＋矣〔音〕

口 7 〔唏〕10 희 [平]微 | xī キ かなしむ
[字解] 훌쩍훌쩍울희 欷(欠부 7획〈596〉)와 同字. '紂爲象箸, 而箕子—'《史記》.
[字源] 形聲. 口＋希〔音〕

口 7 〔唚〕10 [現] 침 | qìn シン はく
[字解] 《現》 ①토할침 고양이나 개가 토함. ②함부로지껄일침 아무렇게나 되는 대로 말함. '那是醉漢嘴裏胡—'《紅樓夢》.

口 7 〔唌〕10 [一] 연 [平]先 (①②선[本]) | ①②xián セン·エン なげく, よだれ / [二] 탄 [上]旱 | タン いつわる
[字解] [一] ①한탄할연 이야기하면서 한탄함. '—, 語—嘆也'《說文》. ②침연 구액(口液). 次(水부 4획〈633〉)과 同字. ※이상 本音 선. ③참소할연 '——'은 나불나불 참소를 잘하는 모양. '咸先佞兮——'《後漢書》. [二] 속일탄 기만함. 誕(言부 7획〈1330〉)과 同字. '誕, 亦从口'《集韻》.
[字源] 形聲. 口＋延〔音〕

口7〔𠱁〕10 사 [上]紙 | sì シ しし
[字解] 사자사 사자(獅子). 불서(佛書)에서 쓰임.

口7〔𠱏〕10 [現] 적 | dí テキ こそこそはなす
[字解] 《現》 소곤거릴적 '一咕'은 소곤소곤 이야기함.

口7〔唣〕10 조 | zào ソウ さわがしい
[字解] 시끄러울조 '囉一'는 시끄러움.

口7〔唃〕10 곡 [入]屋 | gǔ コク なく
[字解] ①새울곡 새가 우는 소리. 꿩이 우는 소리. '咯, 鳥鳴. 又作一'《廣韻》. '咯, 雉鳴. 或从角'《集韻》. ②오랑캐임금곡 '一斯羅'는 토번(吐蕃)의 왕의 이름. 천자(天子)라는 말에 상당함.

口7〔唔〕10 오 [平]虞 | wú ゴ よむ
[字解] 글읽는소리오 '一咿'는 독서성(讀書聲). 吾(口부 4획〈153〉)의 俗字. '咿一, 讀書聲也'《類書纂要》.

口7〔哪〕10 나 [平]歌 | né ダ·ナ おにをはらう
[字解] 역귀쫓을나 '一一'는 추나(追儺)하는 소리. '一, 一一, 儺人之聲'《集韻》.
[字源] 形聲. 口＋那〔音〕

口7〔哳〕10 찰 [入]黠 | zhā タツ さえずる
[字解] 지저귈찰 '啁一'은 새가 연달아 우는 모양. '鵾鷄啁一而悲鳴'《楚辭》.
[字源] 形聲. 口＋折〔音〕

口7〔哱〕10 발 [入]月 | bō ネツ みだれる
[字解] ①어지러울발 혼란함. '一, 亂也'《類編》. ②숨내쉬는소리발 숨을 토하는 소리. '一, 吹氣聲'《廣韻》. ③소리발 '一, 聲也'《集韻》. ④발라발 군대에서 쓰는 나팔. '凡吹一囉, 是要衆兵起身執器站立'《戚繼光新書》.

口7〔唊〕10 겹 [入]葉 | jiá キョウ みだりにいう
[字解] ①망발할겹 망언(妄言)함. '一, 妄語也'《說文》. ②말많을겹, 수다떨겹 '一一, 多言也'《廣韻》.
[字源] 形聲. 口＋夾〔音〕

口7〔哴〕10 량 [去]漾 | liàng リョウ こえのでないこと
[字解] 목쉴량 너무 울어 울음소리가 나지 않음. '一, 哓一, 啼極無聲也'《集韻》.

口7〔哯〕10 현 ①②[上]銑 ③[去]霰 | xiàn ケン はく ケン のむ
[字解] ①토할현 구역질 없이 게움. 일설에는, 쉽게 토함. '一, 不歐而吐也'《說文》. ②젖게울현 갓난아기가 젖을 토함. '一, 小兒歐乳也'《廣韻》. ③젖먹을현 갓난아기가 젖을 먹음. '一, 嬰孩飮乳, 謂之一'《集韻》.
[字源] 形聲. 口＋見〔音〕

口7〔哶〕10 [一] 마 [上]馬 | miē バ·マ なく
[二] 미 [上]紙 | ビ·ミ なく
[三] 마 [平]麻 | バ·マ しろのな
[字解] [一] 양울마 양이 욺. 또, 그 소리. '一, 羊鳴'《集韻》. [二] 양울미 [一]과 뜻이 같음. [三] ①성마 '苴一'는 운남(雲南)에 있는 성(城)의 이름. ②성마 성(姓)의 하나.

口7〔唓〕10 차 [平]麻 | chē シャ おに
[字解] 사당문귀신차 사당문을 지키는 귀신. 동쪽에 있는 것을 一, 서쪽에 있는 귀신을 嗻(口부 11획〈182〉)라 함.

口7〔唒〕10 주 [平]尤 | qiú シュウ ぞくのな
[字解] 비적이름주 '苦一'는 후한(後漢) 시대의 비적(匪賊)의 이름. '自黃巾賊後, 復有黑山·黃龍, …苦一之徒'《後漢書》.

口7〔唗〕10 두 | dōu トウ こいつ, や
[字解] ①이놈두 상대방을 욕하는 소리. '一, 賤人, 伱是癲是狂'《琵琶記》. ②어두 의심스러움을 느끼어 내는 소리. '一, 腐儒啼哭什麼'《還魂記》.

口7〔哧〕10 [一] 하 [去]禡 | xià カ しかる
[二] 적 | chī セキ わらいごえ
[字解] [一] 으를하 嚇(口부 14획〈189〉)와 同字. '嚇, 亦省'《集韻》. [二] 웃음소리적 '噗一'은 웃음소리. '一, 噗一, 笑聲'《辭海》.
[字源] 形聲. 口＋赤〔音〕

口7〔唍〕10 환 [上]潸 | wǎn カン ほほえむ
[字解] 웃을환 빙그레 웃는 모양. '一, 小笑皃'《玉篇》.

口7〔哰〕10 로 [平]豪 | láo ロウ はっきりしない

字解 말분명치않을로 '風簾窣窣燕――'《穆修》.

口7〔哼〕10 형 ㊥庚 hēng, ③hng コウ·キョウ ぴくぴくする

字解 ①벌벌떨형 어리석게 겁을 먹은 모양. '一, 嗆一, 愚怯皃'《集韻》. ②《現》흥얼거릴형 낮은 소리로 흥얼거림. ③《現》감탄사형 화를 내거나 남을 업신여길 때 내는 소리.

口7〔哵〕10 발 ㊀黠 bā ハツ なく

字解 ①울발 새가 욺. '一, 鳴也'《玉篇》. ②새소리발 새가 우는 소리. '一, 鳥聲'《集韻》.

口7〔唥〕10 〔린〕 吝(口부 4획〈153〉)의 古字

口7〔啓〕10 〔린〕 吝(口부 4획〈153〉)과 同字

口7〔唖〕10 〔아〕 啞(口부 8획〈169〉)의 俗字

口7〔啫〕10 〔린〕 吝(口부 4획〈153〉)과 同字

口7〔哥〕10 가 ㊥歌 gē カ うた

字解 ①노래가 歌(欠부 10획〈599〉)의 古字. '一永言'《漢書》. ②형가 속어에서 형을 이름. '一一'. '帝呼寧王爲大一'《酉陽雜俎》. ③《韓》성(姓)지칭할가. ④《現》㉠코페이카가 러시아의 화폐 코페이카(kopeika)의 약기(略記). ㉡그로스가 열두 다스를 나타내는 그로스(gross)의 약기(略記).
字源 會意. 可＋可

口7〔嵩〕10 〔교〕 喬(口부 9획〈176〉)의 俗字

口7〔哲〕10 高·人 철 ㊀屑 zhé テツ さとい

筆順 一 寸 扌 扌 扩 扩 折 哲

字解 ①밝을철 슬기가 있고 사리에 밝음. '明一'. '旣明且一, 以保其身'《詩經》. 또, 그러한 사람. '先一'. '賴前一'《左傳》. ②성철 성(姓)의 하나.
字源 形聲. 口＋折〔音〕
參考 喆(口부 9획〈176〉)은 同字.

口7〔哣〕10 이 ㊥微 yí ギ はじるさま

字解 부끄러워하는모양이 听(口부 4획〈150〉)와 同字. '一, 一哒, 愧皃, 或省'《集韻》.

口7〔唇〕10 ㊀진 ㊥眞 zhen シン おどろく ㊁순 ㊥眞 chún シン くちびる (진㊍)

字解 ㊀놀랄진 경악함. '一, 驚也'《說文》. ㊁입술순 脣(肉부 7획〈1077〉)과 통용. '一, 卽脣字. 義通. 从口, 从肉, 一也'《六書故》. ※本音 진.
字源 形聲. 口＋辰〔音〕

口7〔唇〕10 唇(前條)의 俗字

口7〔唐〕10 高·人 당 ㊥陽 táng ドウ ほら

筆順 亠 广 户 户 庐 庚 庚 唐

字解 ①황당할당 황탄무계함. '荒一之言'《莊子》. ②클당 '初一, 一於內'《太玄經》. ③넓을당 '一'. '浩一之心'《枚乘》. ④빌당 공허함. '福不一捐'《法華經》. ⑤길당 뜰 안의 길. '中一有甓'《詩經》. ⑥둑당 제방. 塘(土부 10획〈215〉)과 同字. '一堤'. '陂一汚庳'《國語》. ⑦새삼당 풀 이름. 토사(菟絲). '爰采一矣'《詩經》. ⑧당나라당 ㉠이연(李淵)이 수(隋)나라의 뒤를 이어 천하를 통일한 나라. 서울은 장안(長安). 건국한 지 20주(主) 290 년 만에 후량(後梁)에게 멸망당하였음. (618~907) ㉡오대(五代)의 하나. 이존욱(李存勖)이 후량(後梁)의 뒤를 이어 세운 나라. 서울은 장안(長安). 건국한 지 4 주(主) 14 년 만에 후진(後晉)에게 멸망당하였음. 후당(後唐)이라고도 함. (923~936) ㉢이변(李昪)이 세운 나라. 건국한 지 3 주(主) 39년 만에 송(宋)나라에게 멸망당하였음. 남당(南唐)이라고도 함. (937~975) ㉣제요(帝堯)의 조정(朝廷)을 도당(陶唐)이라 하고, 요순 양조(堯舜兩朝)를 당우(唐虞)라 함. ⑨성당 성(姓)의 하나.
字源 會意. 庚＋口. '庚경'은 절굿공이를 두 손으로 들어 올려 단단히 찧는 모양을 본뜸. '口구'는 '장소'의 뜻.

口7〔唐〕10 唐(前條)의 略字

口7〔挌〕10 격 ㊀陌 gé カク さかもぎ

字解 ①가시울타리격 나무를 결어 적의 침입을 막는 녹채(鹿砦)의 일종. '一, 枝一也. 〈段注〉枝一者, 遮禦之意'《說文》. ②가로뻗은가지격 나뭇가지가 옆으로 뻗은 것. 또, 단순히 나뭇가지. '一, 一曰, 木

枝横者'《集韻》.
字源 形聲. 丰+各〔音〕

口7〔唈〕10 얼 入曷 | è ガツ しかりこばむ

字解 꾸짖어막을얼 䛴(口부 6획〈162〉)과 同字. '啇, 說文, 語相訶歫也, 云云, 或作䛴, 亦書作—'《集韻》.

口7〔䛴〕10 〔언〕 言(部首〈1312〉)의 本字

口7〔哉〕10 〔재〕 哉(口부 6획〈161〉)의 本字

口7〔啓〕10 〔계〕 啓(口부 8획〈171〉)의 俗字

口7〔㖋〕10 韓 밧

字解 《韓》 밧밧 '밧'음을 표기하는 글자. '—, 地名, —㐰萬戶見搢紳案'《新字典》.
字源 훈(訓)이 '밧'인 '外외'와 'ㅅ'을 나타내는 '叱질'을 합쳐서 이룬 글자.

口7〔㖎〕10 韓 붓

字解 《韓》 한국어의 '붓'음을 표기하기 위하여, '付'의 음 '부'에 子音 'ㅅ'을 '叱'로 나타내어 결합한 문자. '大—朴只鎖鑰開金具一部'《昌慶宮營建都監儀軌》. 여기서, '㖎朴只'는 붓박기, 곧 '붙박이'의 뜻.

口8〔啚〕11 ㊀비 上紙 | bǐ ヒ おしむ ㊁도 平虞 | tú ト はかる

字解 ㊀①아낄비 물건·식량 등을 헤프게 쓰지 않음. '—, 嗇也. (段注)凡鄙吝字, 當作此, 鄙行而—廢矣'《說文》. ②鄙(邑부 11획〈1524〉)와 통용. '—, 通作鄙'《集韻》. ㊁圖(囗부 11획〈198〉)의 俗字. '圖·—二形同'《一切經音義》. '圖, 俗作—, 非是'《集韻》.

口8〔啚〕11 啚(前條)의 古字

口8〔唪〕11 봉 上董 | běng ホウ わらう

字解 ①껄껄웃을봉 '—, 大笑也'《說文》. ②씨많을봉 菶(艸부 8획〈1151〉)과 同字. '瓜瓞——'《詩經》.
字源 形聲. 口+奉〔音〕

口8〔唫〕11 ㊀금 上寑 | jìn キン どもる ㊁음 平侵 | yìn ギン うたう

字解 ㊀①말더듬을금 말이 자꾸 막힘. '—, 口急也'《說文》. ②입다물금 噤(口부 13획〈187〉)과 同字. '—, 叚借爲噤'《說文通訓定聲》. ㊁①읊을음 吟(口부 4획〈150〉)과 同字. '秋風爲我—'《漢書》. ②험준할음 崟(山부 8획〈311〉)과 同字. '必於殽之巖—之下'《穀梁傳》.
字源 形聲. 口+金〔音〕

口8〔唯〕11 中·人 ㊀유 平支 上紙 | ①②wéi ユイ·イ ただ ③wěi ユイ·イ へんじ ㊁수 平支 | スイ たれ

筆順 𠃊 口 口 叫 叫 𠰌 唯 唯 唯

字解 ㊀①오직유 다만. 惟(心부 8획〈397〉)·維(糸부 8획〈996〉)와 혼용(混用). '其—聖人乎'《易經》. ②비록유 雖(隹부 9획〈1634〉)와 통용. '—天子亦不說也'《史記》. ③대답할유 '예'하고 대답함. '諾'보다는 공손한 말. '——'. '父召無諾, 先生召無諾, —而起'《禮記》. ㊁누구수 誰(言부 8획〈1334〉)와 同字.
字源 形聲. 口+隹〔音〕

口8〔唱〕11 中·人 창 去漾 | chàng ショウ となえる

筆順 𠃊 口 口𠃍 口𠃍 口日 口昌 唱 唱 唱

字解 ①부를창 ㉠노래를 부르기 시작함. 먼저 노래를 부름. '—和'. '千人—而萬人和'《史記》. ㉡소리를 높여 부름. '俱—萬歲'《北史》. ㉢읽음. 또, 암송함. '口—南無'《洛陽伽藍記》. '效得仙人夜—經'《王建》. ㉣선창함. 먼저 말함. 솔선하여 함. '—義'. '夫—婦隨'. '一人—而天下應之者, 積怨在於民也'《淮南子》. ㉤가르쳐 인도함. '君—而和, 教之隆也'《晏子春秋》. ②노래창 음송(吟誦)하는 사장(詞章). '非君—樂府, 誰識怨秋深'《李賀》.
字源 形聲. 口+昌〔音〕

口8〔唲〕11 ㊀아 平支 | ér ジ へつらう ㊁애 平佳 | wā アイ かたこと

字解 ㊀선웃음칠아 아첨하느라고 억지로 웃음. '喔咿嚅—'《楚辭》. ㊁응석할애 '—嘔'는 어린아이가 어리광부리며 떠듬떠듬 말함. '拊循之, —嘔之'《荀子》.
字源 會意. 口+兒

口8〔唳〕11 려 去霽 | lì レイ なく

字解 울려 학 또는 기러기가 욺. '華亭鶴—'《晉書》. 또, 그 소리. '風聲鶴—'. '—淸響於丹墀'《鮑照》.
字源 形聲. 口+戾〔音〕

口8〔唵〕11 암 [上]感 ǎn アン ふくむ

[字解] ①머금을암 '一, 博雅, 啥, 一也'《集韻》. ②움켜먹을암 손으로 움켜 먹음. '一, 手進食也'《廣韻》. ③《佛教》 금주(禁呪)에 쓰이는 발성(發聲)의 말. 산스크리트의 oṁ 의 음역(音譯)임. '一, 釋呪多一字'《正字通》.
[字源] 形聲. 口＋奄〔音〕

口8〔唶〕11 [一] 차 [去]禡 jiè シャ たんずる [二] 책 [入]陌 zē, ②jí サク さけぶ

[字解] [一] 감탄할차 찬미하는 뜻임. '一曰, 氣佳哉'《後漢書》. [二] ①소리쳐부를책 대호(大呼)함. 외침. '嚄一宿將'《史記》. ②새소리책 새 우는 소리. '行雁一一'《爾雅》.
[字源] 形聲. 口＋昔〔音〕

口8〔唸〕11 념 [去]豔 niàn テン うなる, うめく

[字解] 신음할념 앓는 소리를 함. '民之方一吚'《詩經》.
[字源] 形聲. 口＋念〔音〕

口8〔唼〕11 [一] 삽 [入]洽 shà ソウ ついばむ [二] 첩 [入]葉 qiè ショウ そしる

[字解] [一] 쪼아먹을삽 오리나 기러기가 쪼아먹음. 또, 그 소리. '一喋菁藻'《司馬相如》. [二] 헐뜯을첩 참소(譖訴)함. '信椒蘭之一佞兮'《漢書》.
[字源] 形聲. 口＋妾〔音〕

口8〔唾〕11 타 [去]箇 tuò ダ つば

[字解] ①침타 구액(口液). '一液'. '涕一流沫'《漢書》. ②침뱉을타 '一棄'. '讓食不一'《禮記》. '不敢一洟'《禮記》.
[字源] 形聲. 口＋坙(垂)〔音〕

口8〔啀〕11 애 [平]佳 yá(yái) ガイ いがむ

[字解] ①개가물려고으르렁거릴애 '一, 狗欲齧'《玉篇》. ②개싸움할애 '一, 犬鬪'《廣韻》.
[字源] 形聲. 口＋厓〔音〕

口8〔啁〕11 [一] 조 [平]肴 zhāo トウ·チョウ あざける [二] 주 [平]尤 zhōu チュウ さえずる

[字解] [一] ①울조 ㉠새가 지저귐. 또, 그 소리. '鵾鷄一哳而悲鳴'《楚辭》. ㉡벌레가 욺. 또, 그 소리. '草樹風不起, 蛩蜩絕一唧'《虞集》. ②비웃을조 嘲(口부 12획〈183〉)와 통용. '俱在左右, 詼一而已'《漢書》. [二] 새소리주 '一噍'는 새가 지저귀는 소리. '小者至于燕雀, 猶有一噍之頃焉'《禮記》.
[字源] 形聲. 口＋周〔音〕

口8〔啄〕11 [一] 탁 [入]覺 zhuó タク ついばむ (착[本]) [二] 주 [去]宥 zhòu シュウ くちばし

[字解] [一] 쫄탁 부리로 쪼아먹음. 또, 그 소리. '一一'. '一木'. '無一我粟'《詩經》. 전(轉)하여, 먹는 뜻으로 쓰임. '羣奴餘一'《韓愈》. ※이상(以上) 本音 착. [二] 부리주 咮(口부 6획〈159〉)와 同字. '鳥之美羽勾一者'《韓詩外傳》.
[字源] 形聲. 口＋豖〔音〕

口8〔啅〕11 탁 [入]覺 zhuó タク かまびすしい

[字解] ①시끄러울탁 요란함. 또, 그 소리. '一噪'. ②쫄탁 啄(前條)과 同字. '雀一江頭黃柳花'《杜甫》.
[字源] 形聲. 口＋卓〔音〕

口8〔啍〕11 [一] 톤 [平]元 tūn トン いつわる [二] 순 [平]眞 zhūn シュン くりかえしさとす

[字解] [一] ①숨톤 천천히 쉬는 숨(호흡). 嚀(口부 16획〈191〉)은 本字. '一, 口气也. 詩曰, 大車一一. (段注)一, 言口气之緩'《說文》. ②느릿느릿갈톤 수레가 짐을 많이 싣고 느리게 가는 모양. '大車一一. (傳)一一, 重遲之貌'《詩經》. ③제멋대로가르칠톤 망교(妄教)함. '一一已亂天下矣. (注)一一, 以己誨人也'《莊子》. ④수다스러울톤 '無取一一. (注)一一, 多言'《孔子家語》. [二] 거듭이를순 諄(言부 8획〈1336〉)과 同字. '諄, 說文, 告曉之孰也, 一曰, 懇誠貌, 或作一'《集韻》.
[字源] 形聲. 口＋享〔音〕

口8〔啐〕11 [一] 쵀 [去]隊 cuì サイ おどろく [二] 줄 [入]質 zú シュツ こえ

[字解] [一] ①놀랄쵀 경악(驚愕)함. '咄一'. ②맛볼쵀 '一, 嘗也'《廣雅》. ③부를쵀 '一, 呼也'《孟子音義》. ④꾸짖을쵀 '一, 咄一, 嘑也'《增韻》. ⑤먹을쵀 '一, 啗也'《集韻》. [二] ①지껄일줄 여러 사람이 지껄이는 소리. '嘈一'. ②빠는소리줄 마시는 소리. '一, 吮聲'《玉篇》. ③소리줄 '一, 一啈, 聲也'《集韻》.
[字源] 形聲. 口＋卒〔音〕

口8〔啑〕11 [一] 잡 [入]合 zā ソウ のむ [二] 삽 [入]洽 shà ソウ すする

[字解] [一] 삼킬잡 목구멍으로 넘김. 咂(口부 4획〈152〉)과 同字. [二] ①잡아먹을삽 오리

같은 것이 물고기를 잡아먹음. '一喋'. ② 마실삽 歃(欠부 9획〈598〉)과 同字. '始與高帝一血盟'《史記》.

口8 〔㖤〕11 함 [平]覃 | hán カン あご

[字解] ①턱함 '一, 頤也'《說文》. ②성내는모양함 '瞋一嘲以紆鬱'《王褒》. ③소리분명치않을함 '能作人語, 絕不一嘲'《張岱》.

口8 〔啊〕11 아 [去]箇 | ā, á, ǎ, à, a ア かんたんし

[字解] ①감탄사아 ㉠애증(愛憎)을 나타내는 소리. '一, 愛惡聲也'《集韻》. ㉡응답의 소리. '一, 今俗, 彼此相應曰一'《正字通》. ②《現》 어조사아 문말(文末)의 어조사.

口8 〔⿰口叔〕11 ㊀ 적 [入]錫 | jì セキ さびしい
㊁ 축 [入]屋 | cù シュク なげく
㊂ 욱 [入]屋 | yù イク あるきやすい

[字解] ㊀ 고요할적 소리없이 조용함. 적막(寂寞). '一嘆, 無聲'《廣韻》. ㊁ ①탄식할축 또, 탄식하는 소리. '一, 歎也'《集韻》. ②고요할축 ■과 뜻이 같음. ㊂ 걷기쉬울욱 '一, 行平易也'《類篇》.
[字源] 形聲. 口+叔〔音〕

口8 〔啃〕11 ㊀ 삽 [入]緝 | シュウ くちをならす
㊁ 간 [現] | kěn コン かむ

[字解] ㊀ 입다시는소리삽 '咠一, 口聲也'《玉篇》. ㊁《現》 깨물간 齦(齒부 6획〈1886〉)의 略字.

口8 〔⿰口固〕11 호 [平]虞 | hú コ うしのおとがい

[字解] 턱밑살호 소의 축 늘어진 턱밑의 살. 胡(肉부 5획〈1071〉)와 同字. '一, 牛頷垂也. 與胡同'《玉篇》.

口8 〔⿰口困〕11 군 [上]軫 | jūn キン はく

[字解] 구역질날군 구역질이 나는 모양. '一, 欲吐皃'《集韻》.

口8 〔啥〕11 사 | shā(shá) シャ なに, なんぞ

[字解] 무엇사, 어찌사 십마(什麽). 舍(舌부 2획〈1107〉)의 俗字.

口8 〔啡〕11 ㊀ 배 [上]賄 | pēi ハイ つば
㊁ 비 [現] | fēi ヒ コーヒー

[筆順] 口 … 啡

[字解] ㊀ ①침배 타액(唾液). '唾謂之一'《集韻》. ②침뱉는소리배 '一, 出唾聲'《廣韻》. ㊁《現》 음역자비 '咖一'는 커피. '嗎一'는 모르핀.

口8 〔唿〕11 홀 [入]月 | hū コツ うれえる

[字解] 근심할홀 또, 근심하는 모양. '一, 憂也'《玉篇》.

口8 〔啒〕11 ㊀ 골 [入]月 | gǔ コツ うれえる
㊁ 홀 [入]月 | コツ うれえる

[筆順] 口 … 啒

[字解] ㊀ 근심할골 근심하는 모양. '一, 憂皃'《廣韻》. ㊁ 근심할홀 ■과 뜻이 같음.

口8 〔唰〕11 ㊀ 설 [入]屑 | shuā セツ はねをつくろう
㊁ 살 [入]黠 | サツ すこしなめる

[字解] ㊀ 깃다듬을설 새가 깃을 다듬음. '一, 鳥理毛也'《廣韻》. ㊁ ①조금맛볼살 '一, 小嘗也'《集韻》. ②빗소리살 의성어(擬聲語)임. '春雨一一地下着'《柳青》.

口8 〔啖〕11 담 ①-③[上]感 ④⑤[去]勘 | dàn タン くらう / dàn タン くらわす

[筆順] 口 … 啖

[字解] ①먹을담 음식을 먹음. '人相食一'《後漢書》. ②삼킬담 병탄(併呑)함. '秦割齊而一晉楚'《史記》. ③성담 성(姓)의 하나. ④먹일담 ㉠먹게 함. '吉婦取棗, 以一吉'《漢書》. ㉡미끼를 주어 꾐. '其有口舌者, 以利一之'《唐書》. ⑤싱거울담 맛이 없음. 또, 그 음식. '呂后與陛下攻苦食一'《史記》.
[字源] 形聲. 口+炎〔音〕

口8 〔啗〕11 담 ①-②[上]感 ③[去]勘 | dàn タン くらう / dàn タン くらわす

[筆順] 口 … 啗

[字解] ①먹을담 啖(前條)과 同字. '先飯黍而後一桃'《韓非子》. ②먹음을담 포용(包容)함. 포함(包含)함. '一函啓化. (注)一, 含也'《太玄經》. ③먹일담 ㉠먹게 함. '主孟一我'《國語》. ㉡이익을 주어 꾐. '一以利'《史記》.
[字源] 形聲. 口+臽〔音〕

口8 〔啜〕11 철 [入]屑 | chuò セツ なめる, すする

[字解] ①먹을철 '一菽飲水'《禮記》. ②마실철 '欲一汁者衆'《史記》. ③훌쩍훌쩍울철 '一其泣矣'《詩經》.
[字源] 形聲. 口+叕〔音〕

口8 〔啞〕11 ㊀아 ①(上)馬 yǎ ア おし
②(平)麻 yā ア からすのなきごえ
③(去)禡 yà ア ああ
㊁액 (入)陌 è アク わらう

[字解] ㊀ ①벙어리아 瘂(疒부 8획〈812〉)와 同字. '一子'. '漆身爲厲, 呑炭爲一'《史記》. ②까마귀소리아 까마귀가 우는 소리. '烏之一一'《淮南子》. ③놀라는소리아 '아'하고 깜짝 놀라는 소리. '一, 是非君人者之言也'《韓非子》. ㊁ 웃음소리액 '一, 笑聲'《玉篇》. '百官並入兮, 何語笑之啞啞'《王維》.
[字源] 形聲. 口+亞〔音〕

口8 〔⿰口昏〕11 ㊀혼 (平)元 hūn コン くらい
㊁문 (上)吻 wěn フン くちびる

[字解] ㊀어두울혼, 아득할혼 눈에 보이지 않는 곳. '著古昔之一一, 傳千里之忞忞, 莫如書'《揚子法言》. ㊁입술문 입의 언저리. 吻(口부 4획〈151〉)의 古字. '一, 古文吻'《玉篇》.

口8 〔⿰口官〕11 관 (平)刪 guān カン なきかわす

[字解] 지저귈관 새가 의좋게 번갈아 울어댐. '一, 二鳥和鳴'《廣韻》.

口8 〔唬〕11 효 (平)肴 xiāo コウ とらのこえ

[字解] 어흥효 호랑이가 욺. 일설(一說)에는, 짐승의 울음. '一, 虎聲也'《說文》.
[字源] 形聲. 口+虎〔音〕

口8 〔啕〕11 도 (平)豪 tà トウ おしゃべり

[字解] ①수다스러울도 말을 많이 함. '一, 多言也'《廣韻》. ②오가는말도, 어린아이말잘하지못할도 '一, 說文, 往來言也, 一曰, 小兒未能正言也'《集韻》.

口8 〔唷〕11 육 (入)屋 yō イク こえをだす

[字解] ①목소리낼육 '一, 出聲也'《玉篇》. ②시끄러울육 喅(口부 9획〈176〉)과 同字. '喅, 說文, 音聲喅喅然, 或作一'《集韻》. ③놀라의심할육 '啊一'은 놀라서 의아해하는 소리.

口8 〔唴〕11 강 (去)漾 qiāng キョウ なく

[字解] ①울강 아이가 울음을 그치지 않음. '一哴, 小兒啼也'《廣韻》. ②목쉴강 너무 울어 목소리가 나오지 않음. '哭極音絕, 亦謂之一'《揚子方言》.
[字源] 形聲. 口+羌〔音〕

口8 〔啈〕11 행 (去)敬 hèng, ③hēng コウ あらそう, いう

[字解] ①다툴행 서로 이해(利害)를 주장하여 다투는 소리. '一, 利害聲'《玉篇》. ②말할행, 성내말할행 '⿰言幸, 博雅, 言也. 一曰, 瞋語. 或从口'《集韻》. ③《現》감탄사행 금지(禁止)의 뜻을 나타내는 감탄사.

口8 〔啦〕11 (現) 랍 lā, ①la ロウ じょじ

[字解] 《現》①어조사랍 완결(完結)을 나타내고, 또 감탄의 뜻을 포함하는 경우에 쓰는 문말(文末)의 어조사. ②와르르랍 '嘩一'은 와르르 무너지는 소리를 나타내는 의성어(擬聲語).

口8 〔唭〕11 기 (去)寘 qì キ おろか

[字解] ①고루할기 '一嶷'는 보고 들은 것이 적은 모양. '一嶷, 無聞見也'《廣韻》. ②입에서나온말이뜻을나타내지못할기 '貌不交, 口一嶷, 唫無辭. (注)一嶷, 有聲而無辭也'《太玄經》. ③속일기 '一, 一曰, 紿也'《集韻》.

口8 〔啉〕11 람 (平)覃 lán, ⑤lèn ラン さけがめぐる

[字解] ①순배돌람 주석에서 술잔이 차례로 돎. '一, 酒巡匝曰一'《廣韻》. ②다마실람 마시기를 끝냄. '一, 一說, 飮畢曰一'《集韻》. ③시끄러울람 '一, 聒也'《集韻》. ④탐할람 婪(女부 8획〈255〉)과 통용. '一, 與婪通, 貪也'《正字通》. ⑤어리석을람 '一, 愚也'《中州音韻》.

口8 〔⿰口或〕11 ㊀욱 (入)屋 yù イク こえ
㊁혁 (入)職 xù キョク こえ
㊂획 (入)陌 huò カク うるさくいう

[字解] ㊀놀래는소리욱 몸을 숨겼다가 갑자기 나타나 남을 놀라게 하는 소리. '一, 隱身忽出驚人之聲'《漢語大字典》. ㊁목소리혁 '一, 聲也'《集韻》. ㊂①소리획 '一, 聲也'《集韻》. ②크게웃을획 크게 웃는 모양. '一, 大笑兒'《廣韻》. ③귀찮게말할획 '嘓, 嘓嘓, 語煩, 或从一'《集韻》.

口8 〔啢〕11 (現) 량 liǎng リョウ オンス

[字解] 《現》온스량 중량의 단위 ounce의 역자(譯字). 영량(英兩).

口8 〔⿰口沓〕11 답 (入)合 tà トウ かまびすしい

[字解] 수다스러울답 말이 많음. '沓, 噂沓, 或作一'《玉篇》.

口8 〔唷〕11 야 [去]禡 | yè ヤ とりがよるなく

[字解] 새밤에울야 새가 밤에 욺. '鳥朝鳴曰嘲, 夜鳴曰一'《正字通》.

口8 〔啤〕11 [現] 비 | pí ヒ ビール

[筆順] 口 口′ 口′ 口白 口白 口申 啤 啤

[字解] 《現》 맥주비 '一酒'는 맥주(麥酒).

口8 〔啘〕11 [一] 열 | yè エツ からえずき [二] 완 | wā エン じょじ

[字解] [一] 헛구역열 '心痛, 掌中熱而一, 有是者心也, 無是者非也. (注) 一, 干嘔也《難經》. [二] 어조사완 어기(語氣)를 강하게 하는 문말(文末)의 어조사. 강남(江南) 지방의 방언(方言)임. '耐也犯勿着一'《海上花列傳》.

口8 〔啌〕11 강 [平]江(①② 항[本]) | xiāng, qiāng コウ しかる, のどのふさがるやまい

[字解] ①꾸짖을강 또, 화내는 소리. '一, 呰也. 一曰, 嗔語'《集韻》. ②양치질할강 입안을 부셔 냄. '一, 一曰嗽也'《集韻》. ※이상 ❶❷는 本音 항. ③목병강 목이 막히는 병.

口8 〔啑〕11 점 [去]豔 | diān テン とく

[字解] ①말할점 염려되어 자꾸 말함. '誰人不道, 何人不啑'《王和卿, 文如錦》. ②조롱할점 놀림. '紅娘莫恁把人乾廝一'《西廂記諸宮調》. ③취주(吹奏)할점 '頂香爐一着細樂'《湯顯祖, 邯鄲記》.

口8 〔啣〕11 〔함〕 銜(金부 6획〈1559〉)의 俗字

口8 〔啳〕11 〔연〕 吮(口부 4획〈150〉)과 同字

口8 〔啥〕11 〔현〕 玄(部首〈765〉)의 古字

口8 〔喜〕11 〔희〕 喜(口부 9획〈176〉)의 俗字

[參考] 이 글자를 나란히 벌여 놓은 것(囍)을 쌍희자(雙喜字)라 하여, 이중(二重)의 기쁨, 특히 결혼 축하의 표시로 사용함.

口8 〔啎〕11 오 [去]遇 | wǔ ゴ あう, さからう

[字解] ①만날오 상봉함. '重華不可一兮'《楚辭》. ②거스를오 거역함. '一, 屰也, 从午吾聲'. (段注) 屰, 不順也'《說文》.

[字源] 形聲. 午+吾〔音〕

口8 〔商〕11 [中·人] 상 [平]陽 | shāng ショウ あきなう

[筆順] 丶 亠 产 产 产 产 商 商 商

[字解] ①헤아릴상 생각하여 분간함. '一量'. '虜必一軍進退'《漢書》. ②장사상 상업을 함. '一販'. ③장수상 상인. '一賈'. '一旅不行'《易經》. ④서쪽상 서방(西方). '秋風發乎西一'《曹植》. ⑤가을상 추계(秋季). '一風蕭而害生'《東方朔》. ⑥음이름상 오음(五音)의 하나. 오행설(五行說)에서 가을〔秋〕에 배당되므로, 비애(悲哀)·적료(寂寥) 등의 뜻을 나타냄. '宮·一·角·徵·羽'. ⑦상나라상 탕(湯)임금이 하(夏)나라의 걸왕(桀王)을 멸하고 세운 나라. 박(亳)에 도읍하였다가 후에 반경(盤庚)이 은(殷)〈지금의 하남성 언사현(河南省偃師縣)〉으로 천도(遷都)하여 은(殷)나라로 고쳤음. 28주(主) 만에 주(周)나라의 무왕(武王)에게 멸망당하였음. (B.C.?~B.C. 1233) ⑧별이름상 동쪽에 있는 별의 이름. '辰爲一星'《左傳》. ⑨상상 제법(除法)을 행하여 얻은 수(數). ⑩성상 성(姓)의 하나.

[字源] 形聲. 內+章〈省〉〔音〕

口8 〔啇〕11 적 [入]錫 | dí テキ もと

[字解] ①밑동적 근본. '一, 本也'《集韻》. ②꼭지적 열매의 꼭지. '木根·果蔕·獸蹄, 皆曰一'《正字通》. ③물방울적 滴(水부 11획〈675〉)과 同字. '三一而眡'《蘇舜欽》.

[字源] 形聲. 口+帝〈省〉〔音〕

口8 〔問〕11 [中·人] 문 [去]問 | wèn モン とう

[筆順] 丨 𠃌 尸 尸 門 門 問 問

[字解] ①물을문 질문함. '一答'. '好一則裕'《書經》. ②문초할문 신문함. '一罪'. '淑一如皐陶'《詩經》. ③찾을문 ㉠방문함. '帝使泄公持節一之'《漢書》. ㉡병 앓는 사람을 찾아가 위로함. '一病'. '一疾弔喪'《說苑》. ④알릴문 고함. '或以一孟嘗君'《戰國策》. ⑤선사할문 증정함. '雜佩以一之'《詩經》. ⑥물음문 질문. '舜好一'《中庸》. ⑦부름문 초빙(招聘). '公一不至'《左傳》. ⑧소식문 음신(音信). '久無家一'《晉書》. ⑨성문 성(姓)의 하나.

[字源] 形聲. 口+門〔音〕

口8 〔售〕11 수 [去]宥 | shòu シュウ うる

字解 ①팔수 물품을 팖. '一, 賣去手也'《說文新附》. ②살수 '問其價, 曰 '止四百.' 余憐而一之'《柳宗元》. ③실현(實現)할수 '志大固難一, 心孤邈誰親'《方孝孺》. ④시집갈수 '小娘子見求適人, 但未一也'《裴鉶》. ⑤과거에급제할수 '司我明試, 時維邦彥, 各以文一, 幸皆少年'《韓愈》.
字源 形聲. 口＋雠〈省〉〔音〕

口8 〔啓〕11 高·人 계 ㊤薺 | qǐ ケイ ひらく

筆順 ⼀ ⺕ 戸 戶 戸' 戸攵 啓

字解 ①열계 ㉠문 같은 것을 엶. '一閉'. ㉡슬기와 지능을 열어 줌. '一蒙'. '一發'. ㉢시작함. '是一之也'《韓愈》. ②열릴계 ㉠열림. ㉡통(通)함. '鑿河津于孟門, 百川復一'《南史》. ㉢일어남. 흥함. '皇運勃一'《徐陵》. ③인도할계 안내함. 보도(輔導)함. '一佑'. '夫人將一之'《左傳》. ④여쭐계 사룀. 아룀. '一白'. '時稱山公一事'《晉書》. ⑤책상다리할계 한 다리를 올리고 한 다리를 그 위에 포개어 편히 앉음. '一居'. '不遑一處'《詩經》. ⑥성계 성(姓)의 하나.
字源 形聲. 口＋攺(戶攴)〔音〕

口8 〔啟〕11 啓(前條)의 本字

口8 〔啔〕11 啓(前前條)의 俗字

口8 〔吾吾〕11 〔오〕 悟(心부 7획〈392〉)의 籒文

口8 〔善〕11 〔선〕 善(口부 9획〈176〉)의 俗字

口8 〔兽〕11 〔수〕 獸(犬부 15획〈763〉)의 簡體字

口8 〔啬〕11 〔색〕 嗇(口부 10획〈180〉)의 簡體字

口8 〔呰〕11 〔자〕 呰(口부 5획〈158〉)와 同字
字源 形聲. 吅＋此〔音〕

口8 〔唹〕11 어 ㊥魚 | yū オ わらう

字解 ①웃을어 '一, 笑也'《廣韻》. ②웃는 모양어 '一, 笑皃'《玉篇》.

口9 〔嵒〕12 ㊀녑 ㊇葉 ㊁엽 ㊇葉 | niè ジョウ·ニョウ よくしゃべる ジョウ·ニョウ よくしゃべる

字解 ㊀①수다할녑 말이 많음. '一, 多言也'《說文》. ②말다툼할녑 '曳一'은 다툼. '曳一, 爭言也'《玉篇》. ㊁ 수다할엽 ㊀❶과 뜻이 같음. '一, 多言'《廣韻》.
字源 指事. 세 개의 입, 곧 많은 입으로 수다의 뜻을 나타냄.
參考 山부 9획의 '嵒'과 자형(字形)이 흡사하나, 口부는 '嵒'로 쓰고, 山부는 '嵒'으로 하여 구별함.

口9 〔啚〕12 〔도〕 圖(囗부 11획〈198〉)의 俗字

口9 〔㕣〕12 〔기〕 箕(竹부 8획〈942〉)의 古字

口9 〔單〕12 中·人 ㊀단 ㊥寒 ㊤旱 ㊁선 ㊥先 ㊤銑 | ①-④dān タン ひとつ ⑤dàn タン ただ ①chán セン·ゼン ぜんう ②③shàn セン·ゼン ちめい

筆順 ⼌ ㅁ 吅 吅 問 嘼 嘼 單

字解 ㊀①홑단 ㉠단지 하나. '一數'. '一身'. '家貧衣一'《晉書》. ㉡한 겹. '一衣'. '歲暮衣裳一'《杜甫》. ㉢외로움. '孤一'. '兩世一身, 形一影隻'《韓愈》. ②다할단 다 없어짐. '一竭'. '歲既一矣'《禮記》. ③다단 모두. '惟爲社事一出里'《禮記》. ④성단 성(姓)의 하나. ⑤다만단 단지. '唯一有一聲, 無餘聲相雜者也'《禮記》. ㊁ ①오랑캐임금선 '一于'는 흉노(匈奴)의 왕(王). 광대(廣大)의 뜻. '一于, 姓攣鞮氏'《漢書》. ②고을이름선 '一父'는 춘추 시대(春秋時代)의 노(魯)나라의 읍(邑). 현재의 산동성(山東省) 선현(單縣). ③성선 성(姓)의 하나. '周成王封蔑於一邑, 故爲一氏'《通志》.
字源 象形. 본디, 끝이 두 갈래진 사냥 도구인 활의 일종의 상형.

口9 〔喌〕12 ㊀죽 ㊇屋 ㊁주 ㊥尤 | zhōu シュク ㊀㊁ にわとりをよぶこえ シュウ

字解 ㊀닭부르는소리죽 '一一'은 닭을 부르는 소리. '一, 呼鷄重言之'《說文》. ㊁닭부르는소리주 ㊀과 뜻이 같음.
字源 形聲. 吅＋州〔音〕

口9 〔咠咠〕12 ㊀즙 ㊇緝 ㊁급 ㊇緝 ㊂뢰 | jí シュウ おおぜいのくち jí キュウ おおぜいのくち léi ライ かみなり

字解 ㊀뭇입즙 여러 사람의 입. 또, 많은

사람이 왁자지껄 말함. 시끄러움. '一, 衆口也. 一曰, 呶'《說文》. ㊁ 뭇입급 ▣과 뜻이 같음. ㊂ 雷(雨부 5획〈1640〉)의 古字.
[字源] 會意. '口구'를 넷 합쳐서, 뭇 사람이 소리쳐 시끄럽다의 뜻을 나타냄.

口9 〔咢〕 12 〔악〕 咢(口부 6획〈158〉)의 本字

口9 〔喪〕 12 [巾·人] 상 ①②㊄漾 ③-⑥㊥陽 | sàng ソウ うしなう, ほろぼす | sāng ソウ も, もにふくする

[筆順] 一 十 市 亩 亩 卋 喪 喪

[字解] ①망할상 멸망함. '殷遂一'《書經》. ②잃을상 ㉠없어지게 함. 상실함. '一心'. '勇士不忘一其元'《孟子》. ㉡지위를 잃음. '二三子何患於一乎'《論語》. ㉢사별(死別)함. '悼一其親'《左傳》. '偏一曰寡'《詩經 傳》. ③복상 상복(喪服). '父母之一, 無貴賤一也'《中庸》. ④관상 널. '送一不踰境'《禮記》. ⑤복입을상 상제 노릇을 함. '子夏一其子, 而喪其明'《禮記》. ⑥성상 성(姓)의 하나.
[字源] 會意. 哭+亡

口9 〔𠷎〕 12 喪(前條)의 本字

口9 〔煦〕 12 후 ㊤麌 | xù ク ふく

[字解] ①불후 따뜻한 기운을 내보냄. 欨(欠부 5획〈595〉)·煦(火부 9획〈719〉)와 同字. '護民之勞, 一之若子'《唐書》. ②선웃음칠후 아첨하여 웃음. '一, 諂笑貌'《正字通》. ③나타낼후 '一, 呈示'《廣韻》.
[字源] 形聲. 灬(火)+呴〔音〕

口9 〔啼〕 12 제 ㊥齊 | tí テイ なく

[字解] 울제 ㉠눈물을 흘리며 소리내어 욺. '一泣'. '主人一, 兄弟哭'《儀禮》. ㉡새나 짐승이 욺. '月落烏一霜滿天'《張繼》.
[字源] 形聲. 口+帝〔音〕

口9 〔喑〕 12 암 ㊥覃 | án ガン いびき, とじる

[字解] ①잠꼬대암 몽예(夢囈). 일설(一說)에는, 코를 고는 소리. '眠中一囈呻呼'《列子》. ②다물암 '一默'은 입을 다물고 잠자코 있음. '公卿一默唯唯'《唐書》.
[字源] 形聲. 口+弇〔音〕

口9 〔啾〕 12 추 ㊥尤 | jiū シュウ こごえ

[字解] ①어린애의작은소리추 '一, 小兒聲. (段注)一, 謂小兒小聲'《說文》. ②떠들썩할추 무리의 소리. '一, 眾聲也'《蒼頡篇》. ③읊조릴추 흥얼거림. '夫一發投曲, 感耳之聲'《班固》. ④작은소리추 '一, 小聲'《集韻》.
[字源] 形聲. 口+秋〔音〕

口9 〔咻〕 12 啾(前條)의 本字

口9 〔啿〕 12 담 ㊤感 | dǎn タン ゆたか

[字解] 많을담 넉넉한 모양. 풍후(豐厚)한 모양. '羣生一一'《漢書》.
[字源] 形聲. 口+甚〔音〕

口9 〔喀〕 12 객 ㊅陌 | kè カク はく

[字解] ①뱉을객 구토함. '一血'. ②뱉는소리객 '一, 吐聲'《廣韻》.
[字源] 形聲. 口+客〔音〕

口9 〔喁〕 12 ㊀옹 ㊥冬 ㊁우 ㊤有 | yóng ギョウ あぎとう | yú グ かけごえ

[字解] ㊀ 입벌름거릴옹 고기가 물 위에 입을 내놓고 벌름거림. '水濁則魚一'《韓詩外傳》. ㊁ 화답할우 한 사람이 '어' 하고 부르면 딴 사람이 '오' 하고 대답하는 소리. '前者唱于, 而隨者唱一'《莊子》.
[字源] 形聲. 口+禺〔音〕

口9 〔喃〕 12 남 ㊥咸 | nán ナン しゃべる

[字解] ①재재거릴남, 소곤거릴남 '一一細語'《北史》. ②글읽는소리남 '一一讀黃老'《寒山詩》. ③새소리남 '野花香徑鳥一一'《貫休》. ④맛볼남 '一, 噌一, 嘗也'《集韻》.
[字源] 形聲. 口+南〔音〕

口9 〔喇〕 12 라(랄㊍) ㊅曷 | lǎ ラ らっぱ

[字解] ①나팔라 '一叭'은 관악기의 하나. ②말씀라 '一, 喝一, 言也'《玉篇》. ③말빨리할라 '一, 喝一, 言急'《集韻》. ④나마라 범어(梵語) '라'의 음역자(音譯字). '一嘛'. ※本音 랄.
[字源] 形聲. 口+剌〔音〕

口9 〔喈〕 12 개 ㊥佳 | jiē カイ やわらぐ, はやい

[字解] ①새소리개 듣기 좋은 새 소리. '其鳴一一'《詩經》. ②종소리개 듣기 좋은 종소리. '鼓鐘一一'《詩經》. ③빠를개 빠른 모양. '北風其一'《詩經》.
[字源] 形聲. 口+皆〔音〕

口 9 〔喉〕12 [人名] 후 [平]尤 | hóu コウ のど

[筆順] 丨 口 口丨 口𠂉 口𠂉 口仁 口侯 喉

[字解] ①목구멍후 '一頭'. '摏其一'《左傳》. ②목후 중요한 장소. 요해처. '天下之咽一'《戰國策》. '畫地而守之, 扼其一而不得進'《魏志》.
[字源] 形聲. 口＋侯〔音〕

口 9 〔唉〕12 喉(前條)의 本字

口 9 〔喊〕12 함 ①[上]豏 ②[平]咸 | hǎn カン さけぶ / カン とじる

[字解] ①소리칠함 ㉠화내어 소리지름. '跳踉大一'《柳宗元》. ㉡고함지름. '一聲'. '衆一莫齊'《蘇軾》. ②다물함 입을 다묾. 잠자코 있음. '一默'.
[字源] 形聲. 口＋咸〔音〕

口 9 〔喋〕12 [一] 첩 [入]葉 | dié チョウ しゃべる / [二] 잡 [入]洽 | zhá トウ ついばむ

[字解] [一] ①재재거릴첩 수다스럽게 말을 잘 늘어놓음. '一一利口'《漢書》. ②밟을첩 蹀(足부 9획〈1438〉)과 同字. '新一血鬪與'《史記》. ③피흐를첩 피가 흐르는 모양. '夏楚血常一'《王安石》. [二] 쪼아먹을잡 새가 모이를 먹음. '一呷'. '唼一菁藻'《史記》.
[字源] 形聲. 口＋葉〔音〕

口 9 〔喏〕12 야 [上]馬 | rě ジャ こたえるこえ

[字解] ①대답할야 대답하는 소리. '子發曰一. (注)一, 應聲'《淮南子》. ②인사할야 '唱一'는 남에게 인사할 때의 말. '左右因唱一'《宋書》.
[字源] 形聲. 口＋若〔音〕

口 9 〔喑〕12 음 ①②[平]侵 | yīn イン おし / ③[去]沁 | yìn イン さけぶ

[字解] ①벙어리음 말을 하지 못함. 또, 그 병. '一啞'. '遂稱風疾一不能言'《後漢書》. ②입다물음 침묵함. '一啞'. '近臣則一, 遠臣則唫'《墨子》. ③소리지를음 큰 소리로 호령함. '項王一噁叱咤'《史記》.
[字源] 形聲. 口＋音〔音〕

口 9 〔喓〕12 요 [平]蕭 | yāo ヨウ むしのこえ

[字解] 벌레소리요 '一一草蟲'《詩經》.
[字源] 形聲. 口＋要〔音〕

口 9 〔喔〕12 악 [入]覺 | wō アク なきごえ

[字解] ①닭이울악 닭이 욺. '一一雞下樹'《白居易》. ②선웃음칠악 억지로 아첨하여 웃음. '一咿嚅唲, 以事婦人乎'《楚辭》.
[字源] 形聲. 口＋屋〔音〕

口 9 〔喘〕12 천 [上]銑 | chuǎn ゼン あえぐ

[字解] ①숨천 호흡. 전(轉)하여, 수명(壽命). '一餘'. '假一殘生'《張說》. ②숨찰천 숨이 차서 헐떡거림. '一息'. '匈一膚汗'《漢書》. ③코골천 코를 곪. '鶴瘦龜不一'《蘇軾》. ④속삭일천 소곤소곤 이야기함. '一而言'《荀子》.
[字源] 形聲. 口＋耑〔音〕

口 9 〔喙〕12 [韓] 달

[字解] 《韓》 닭달 '雞曰一'《鷄林遺事》.

口 9 〔喙〕12 훼 [去]隊 | huì カイ くちばし

[字解] ①부리훼 새나 짐승의 주둥이. '鷸啄其肉, 蚌合而箝其一'《戰國策》. 전(轉)하여, 입. 말. '容一'. '婦人之一, 可以死敗'《說苑》. ②숨쉴훼 부리로 숨을 쉼. '一息'. ③성급할훼 성미가 급함. '余病一'《國語》. ④괴로워할훼 '維其一矣'《詩經》.
[字源] 會意. 口＋彖

口 9 〔喚〕12 [人名] 환 [去]翰 | huàn カン よぶ

[筆順] 丨 口 口𠂊 口𠂊 口奐 口奐 喚 喚

[字解] ①부를환 ㉠큰 소리로 부름. 대호(大呼)함. '一, 呼也'《廣韻》. ㉡불러들임. 소환함. '窮措大一妓女'《李商隱》. ②떠들환 '哮呷呟一'《王褒》. ③울환 새가 욺. '美睡常嫌鶯一起'《陸游》.
[字源] 形聲. 口＋奐〔音〕

口 9 〔喝〕12 [一] 갈 [入]曷 | hè カツ しかる / [二] 애 [去]卦 | yè アイ むせぶ

[字解] [一] ①꾸짖을갈 큰 소리로 나무람. '大一'. '勵聲一之'《晉書》. ②으를갈 위협함. '恐一諸侯, 以求割地'《戰國策》. ③큰소리갈 대성(大聲). 노성(怒聲). '何能爲當于陣上之一'《五代史》. [二] 목멜애 목구멍이 막힘. 또, 목맺힘. '陰一不得對'《後漢書》.
[字源] 形聲. 口＋曷〔音〕

口 9 〔喞〕12 즉 [入]職 | jí ショク·ソク なく

[字解] ①벌레소리즉 벌레가 요란하게 우는 소리. '蟲聲一一'《歐陽修》. ②물댈즉 물을 댐. '以一筒一水其上'《種樹書》.
[字源] 形聲. 口＋卽〔音〕

口9〔喞〕12 喞(前條)과 同字

口9〔喟〕12 위 ㊀寘 | kuì キ ためいき

字解 ①한숨쉴위 탄식함. '—然大息'. '—然而歎'《論語》. ②한숨위 탄식. '寢少愁多頻發—'《戴表元》.

字源 形聲. 口+胃〔音〕

口9〔喤〕12 ㊀황 ㊁陽 | ①huáng コウ なきたてるこえ
㊁庚 | ②③huáng コウ かまびすしい
㊁횡 ㊁庚 | huáng コウ かまびすしい

字解 ㊀①울음소리황 어린아이들의 우는 소리. '其泣——'《詩經》. ②조화할황 소리가 조화(調和)하는 모양. '鼓鐘——'《詩經》. ③떠들썩할황 시끄러운 모양. '——厥聲'《詩經》. ㊁ 떠들썩한소리횡 '—呷'.

字源 形聲. 口+皇〔音〕

口9〔喧〕12 人名 훤 ㊁元 ㊂阮 | xuān ケン かまびすしい xuǎn

筆順 ㅁ ㅁ ㅁ' 叿 叿 咺 喧 喧

字解 떠들썩할훤 시끄러움. '—擾'. '諸侯—譁'《史記》. 또, 어린애가 그치지 않고 자꾸 우는 모양. '—, 不可止兮. (注)師古曰, 朝鮮之間, 小兒泣不止, 名爲—, 音許遠反'《漢書》.

字源 形聲. 口+宣〔音〕

口9〔喨〕12 량 ㊀漾 | liàng リョウ ひびきわたる

字解 ①너무많이울어서소리가나오지않을량 哴(口부 7획〈164〉)과 同字. '哴, 嗟哴, 啼極無聲也, 或作—'《集韻》. ②멀리들리는맑은소리량 '—, 聲音高亢淸遠'《漢語大詞典》.

字源 形聲. 口+亮〔音〕

口9〔喒〕12 잠 ㊂感 ㊁覃 | zá, zan サン あじわう, われ

字解 ①맛볼잠 '——'은 맛을 봄. '——, 味也'《集韻》. ②나잠 자기(自已)의 속칭. '—, 今北音謂我也'《正字通》.

口9〔嗯〕12 태 ㊂賄 ㊁灰 | dài タイ いいやまない

字解 말그만두지않을태 '—, 言不止'《廣韻》.

口9〔喉〕12 하 ㊁麻 | xiá カ のど

字解 목구멍하 '—, 咽也'《集韻》.

口9〔喲〕12 약 | yo(yāo), ②yō ヤク おどろきのこえ

字解 ①어조사약 놀라거나, 의심하거나, 감탄하는 뜻을 나타내는 어조사. ②놀랄약 놀라는 소리.

口9〔喩〕12 人名 유 ㊀遇 ㊁虞 | ①-④yù ユ つげる, さとす ⑤yú ユ よろこぶ

筆順 ㅁ ㅁ 𠮟 吟 哈 喻 喩 喩

字解 ①깨우칠유 가르치고 타일러 이해시킴. '曉—'. '且—以所守'《韓愈》. ②깨달을유 잘못을 앎. 또, 이치를 알아 냄. '君子—於義'《論語》. ③비유할유, 비유유 '譬—'. '可謂善—矣'《禮記》. ④성유 성(姓)의 하나. ⑤좋아할유 기뻐함. '——'. '嘔—受之'《漢書》.

字源 形聲. 口+兪〔音〕

口9〔喭〕12 ㊀안 ㊀翰 ㊁언 ㊀霰 | yàn ガン あらくいやしい yàn ゲン とむらう

字解 ㊀①거칠안 성질이 거칢. '由也—'《論語》. ②굳셀안 '—, 剛猛也'《論語 皇疏》. ㊁ 조상할언 애도함. 唁(口부 7획〈163〉)과 同字. '唁, 說文, 弔生也, 或作—'《集韻》.

字源 形聲. 口+彥〔音〕

口9〔喫〕12 끽 ㊃錫 | chī キツ くう

字解 ①먹을끽 '—飯'. '梅熟許同朱老—'《杜甫》. ②마실끽 '—茶'. '對酒不能—'《杜甫》.

字源 會意. 口+契

口9〔喫〕12 喫(前條)의 略字

口9〔喎〕12 ㊀와 ㊁佳 (괘本) ㊁화 ㊁歌 | wāi(kuāi) カイ くちゆがむ hé カ

字解 ㊀ 입비뚤어질와 咼(口부 6획〈162〉)와 同字. ※本音 괘. ㊁ 고를화 和(口부 5획〈157〉)와 통용.

口9〔嗞〕12 유 ㊁尤 | yōu ユウ しかのなきごえ

字解 ①사슴울음유 사슴이 우는 소리. '—, 鹿鳴也'《篇海》. ②노랫소리유 읊는 소리. '巴語相咿—'《韓愈》.

口9〔便〕12 변 ㊁先 | pián ベン たくみにいう

[字解] ①말잘할변 교묘하게 꾸며서 말함. '一, 巧言也'《集韻》. ②말할변 辯(辛부 14획〈1486〉)과 통용.

口 9 〔喛〕12
[一] 환 [去]翰 | huàn カン いきどおる
[二] 훤 [平]元 | ケン いきどおる
[上]阮 | ケン なきやまない
[三] 원 [平]元 | yuán エン かなしむ
[四] 회 [上]賄 | カイ かなしむ
[五] 화 [平]歌 | カ なく, かなしむ

[字解] [一] ①성낼환 슬퍼하여 분노함. '爰·一, 恚也. 秦晉曰一'《揚子方言》. ②근심할환 '一, 愁也'《廣雅》. ③부를환 '一, 呼也'《玉篇》. [二] ①성낼훤, 근심할훤 [一]❶❷와 뜻이 같음. ②두려워할훤 '一, 恐懼'《廣韻》. ③울음그치지않을훤 어린이가 울음을 그치지 않음. '咺, 說文, 朝鮮謂兒泣不止曰咺. 或从爰'《集韻》. [三] 슬퍼할원 '一, 哀也'《集韻》. [四] 슬퍼할회 [三]과 뜻이 같음. [五] 슬퍼하여성낼화 '爰·一, 哀也. 〈注〉一, 哀而恚也'《揚子方言》.

口 9 〔⿰丸咼〕12
[一] 위 [上]紙 | wō イ [一]-[三] たか やわしなどがはきだすもの
[二] 훼 [上]紙 | キ
[三] 와 [平]歌 | ワ

[字解] [一] 티위 매나 수리 등 맹수가 조수(鳥獸)를 다 먹고 나서 뱉어 내는 털·가죽 따위 둥근 것. '一, 鷙鳥食已, 吐其皮毛如丸'《說文》. [二] 티훼 [一]과 뜻이 같음. [三] 티와 [一]과 뜻이 같음.
[字源] 形聲. 丸+咼〔音〕

口 9 〔喢〕12
[一] 첩 [入]葉 | shà ショウ よくしゃべる
[二] 섭 [入]葉 | chè ショウ ささやくこえ
[三] 삽 [入]洽 | ソウ すする

[筆順] 口 吀 吁 吁 吁 唏 喢 喢

[字解] [一] 수다스럴첩 수다를 떨어 시끄러움. '一, 多言'《集韻》. [二] 수다스럴섭 또, '一囁'은 속삭이는 소리. '呫, 呫囁, 附耳小語聲. 一曰多言. 或作一'《集韻》. [三] ①경박한말삽 '一噧'는 소인(小人)의 경박한 말. '一噧, 小人言也'《廣韻》. ②마실삽 '昔張景明登壇一血'《後漢書》.

口 9 〔喴〕12 위 | wēi イ ウィスキー

[字解] 위스키위 '一司開·一士忌'는 서양술 위스키(whiskey)의 음역(音譯).

口 9 〔⿰口卻〕12
[一] 갹 [入]藥 | jué キャク わらう
[二] 극 [入]陌 | ケキ わらう

[字解] [一] 입위의오목한곳갹, 웃을갹 '谷, 說文曰, 口上阿也. 一曰, 笑也. 一·臄, 並同上'《集韻》. [二] 웃을극 크게 웃음. '噱, 說文, 大笑也. 通作一'《集韻》.

口 9 〔喂〕12 외 [平]微 | wèi イ おそれる

[筆順] 口 口冂 口罒 口田 喂 喂 喂 喂

[字解] ①두려워할외 '一, 恐也'《玉篇》. ②기를외 키움. '一, 俗用作哺飼義'《中華大字典》. ③《現》 감탄사외 말을 걸기 위해 부를 때에 쓰는 감탄사. 여보. 이봐.

口 9 〔喖〕12 호 [平]虞 | hú コ こえ

[字解] ①성낸소리호 '⿰口函一, 怒氣'《集韻》. ②목젖호 목구멍에 젖꼭지처럼 난 것. '一, 咽下垂也'《釋名》. ③어찌호 '一, 何也'《篇海類編》.

口 9 〔喥〕12
[一] 탁 [入]藥 | duó タク ことばにしまりがない
[二] 도 [去]遇 | zhà ト しかる
[三] 타 [平]麻 | zhā タ しかる

[筆順] 口 口亠 口广 口庐 口庐 口庐 喥 喥

[字解] [一] 말에절도(節度)없을탁 '一, 言無度也'《集韻》. [二] 꾸짖을도 '一, 吒也'《集韻》. [三] 꾸짖을타 吒(口부 3획〈147〉)·咤(口부 6획〈159〉)와 同字.

口 9 〔喗〕12
[一] 운 [上]吻 | yǔn グン おおきいくち
[二] 준 [上]阮 | ソン おおきいくち

[字解] [一] ①큰입운 커다란 입. '一, 大口也'《說文》. ②입크고이못생길운 입이 커다랗고 치아(齒牙)가 추(醜)한 모양. '一, 口大齒醜皃'《集韻》. [二] 큰입준 [一]❶과 뜻이 같음. '哼, 大口也, 或作一'《集韻》.
[字源] 形聲. 口+軍〔音〕

口 9 〔喳〕12 사 | zhā サ さわぐ

[字解] ①들렐사 떠들썩함. '聽街市恁一呼, 偏冷落高陽酒徒'《長生殿》. ②의성어사 ㉠작은 소리로 말함. '嘴一一弄鬼妝幺'《長生殿》. ㉡새가 지저귀는 소리. '隔窗野鵲兒一一地叫'《西廂記諸宮調》.

口 9 〔喵〕12 [現] 묘 | miāo ビョウ ねこのなきごえ

[筆順] 口 叫 口艹 口艹 喵 喵 喵 喵

[字解] 《現》 고양이울음소리묘.

口 9 〔喅〕12 [一] 육 [入]屋 | yù イク かまびすしい
[二] 읍 [入]緝 | ユウ かしましい

[字解] [一] 시끄러울육 '一, 音聲一一然'《說文》. [二] 무리의소리읍 '一一, 衆聲'《集韻》.
[字源] 形聲. 口+昱〔音〕

口 9 〔⿰口是〕12 [一] 시 [平]支 | shí シ なく
[二] 제 [平]齊 | tí テイ なく

[字解] [一] 울시 새가 욺. '一, 鳥鳴'《廣韻》. [二] 울제 소리를 내어 욺. '子生咳一, 師保固明孝仁禮儀, 導習之矣'《顏氏家訓》.

口 9 〔⿰口叓〕12 〔경〕
哽(口부 7획〈163〉)의 本字

口 9 〔啺〕12 〔당〕
唐(口부 7획〈165〉)의 古字

口 9 〔⿰口虐〕12 〔갹〕
噱(口부 13획〈187〉)과 同字

口 9 〔⿰口咢〕12 〔악〕
齶(齒부 9획〈1889〉)과 同字

口 9 〔喰〕12 飧(食부 3획〈1713〉)·餐(食부 7획〈1720〉)과 同字
[字源] 會意. 口+食

口 9 〔嗢〕12 〔올〕
嘔(口부 10획〈179〉)의 俗字

口 9 〔⿰甹只〕12 형 [平]青 | xīn ケイ じょじ

[字解] 어조사형 어세(語勢)를 강하게 하는 조사. 馨(香부 11획〈1734〉)과 통용.
[字源] 形聲. 只+甹〔音〕

口 9 〔喆〕12 [人名] 〔철〕 哲(口부 7획〈165〉)과 同字

[筆順] 一 十 士 吉 吉 吉 喆 喆

口 9 〔喬〕12 [人名] 교 [平]蕭 | qiáo キョウ たかい

[筆順] 一 二 夭 乔 喬 喬 喬 喬

[字解] ①높을교 높이 우뚝 섬. '一木'. '厥木惟一'《書經》. ②창교 끝이 갈고리진 창. '二矛重一'《詩經》. ③교만할교 驕(馬부 12획〈1751〉)와 통용. '齊音敖辟一志'《禮記》. ④성교 성(姓)의 하나.
[字源] 象形. 높은 누각 위에 깃발이 세워진 모양을 본뜸.

口 9 〔啻〕12 시 [去]寘 | chì シ ただ

[字解] 뿐시 '不一'. '何一'. '奚一' 등으로 연용(連用)하여, 그뿐만이 아니라는 뜻으로 쓰임. '今民間田土之價, 懸殊不一二十倍'《明夷待訪錄》.
[字源] 形聲. 口+帝〔音〕

口 9 〔啇〕12 [一] 역 [入]職 | yì ヨク こころよい
[二] 의

[字解] [一] 쾌할역 흐뭇함. 訲(言부 4획〈1319〉)의 本字. '一, 快也'《說文》. [二] 意(心부 9획〈399〉)의 古字.

口 9 〔善〕12 [中·人] 선 [上]銑 | shàn ゼン よい

[筆順] 丷 䒑 兰 羊 羊 善 善 善

[字解] ①착할선, 좋을선 '惡'의 대. '出其言一, 則千里之外應之'《易經》. 또, 좋은 점. '采儒墨之一'《史記》. 또, 착한 행실. '隱惡而揚一'《中庸》. 또, 착한 사람. '禁姦擧一'《後漢書》. ②친할선 사이가 좋음. '親一'. '與蔡邕素一'《後漢書》. ③다행할선 행복함. '一必先知之. (疏)一, 謂福也'《中庸》. ④옳게할선 바르게 함. '獨一其身'. ⑤옳게여길선 좋다고 인정함. '王如一之'《孟子》. ⑥잘할선 '一射'. '一辭令'. ⑦잘선 ㉠자주. '女子一懷'《詩經》. ㉡자칫하면. '忽忽一忘不樂'《漢書》. ㉢익숙하고 능란하게. '一戰者服上刑'《孟子》. ㉣친절히. '齊一待之'《史記》. ⑧성선 성(姓)의 하나.
[字源] 會意. 誩+羊

口 9 〔喱〕12 리 | lí リ グレーン

[字解] 양사(量詞)리 영미(英美)의 무게 단위(單位)인 grain 의 구역(舊譯). 지금은 '格令'으로 씀.

口 9 〔喜〕12 [中·人] 희 [上]紙 | xǐ キ よろこぶ

[筆順] 一 十 吉 吉 壴 壴 喜 喜

[字解] ①기쁠희, 기뻐할희 '一悅'. '君子禍至不懼, 福至不一'《史記》. ②좋아할희 애호함. '俗一鬼神'《唐書》. ③기쁨희 ㉠희열. '一怒'. '先王之所以飾一也'《史記》. ㉡기쁜 일. 경사. '賀慶以贊諸侯之一'《周禮》. ④성희 성(姓)의 하나.
[字源] 會意. 壴+口

口 9 〔⿱㓞口〕12 략 [入]藥 | lüè リャク するどい

[字解] ①날카로울략 칼날 따위가 날카로움. '一, 利也'《爾雅》. ②칼날략, 창끝략 칼의 드는 부분. 또는, 창의 끝.

口9〔咽〕12 연 ㊀屑|yān エン のど / yè エン むせぶ
字解 ①목구멍연 咽(口부 6획〈160〉)과 同字. '咽, 咽喉也, 一, 同上'《玉篇》. ②목멜연 목이 메어 삼키지 못함. '名曰天楄, 云云, 服者不一, (注) 食不噎也'《山海經》.

口9〔喜〕12 ㊀주 ㊥尤|chóu チュウ きじ / ㊁수 ㊌宥|shòu ジュ ひさしい
字解 ㊀ 꿩주 꿩의 별명(別名). '雉, 南方曰一'《爾雅》. ㊁ 수할수 오래 삶. 壽(士부 11획〈226〉)의 古字.

口9〔啫〕12 ㊄ 자
字解 《韓》 바라자 바라는 악기 이름. '哱囉·啫哱鑼·啫叭囉' 등으로 적음. '軍中鼓吹者有啫哱囉(啫, 音者)'《晝永編》.

口9〔営〕12 〔영〕
營(火부 13획〈727〉)의 略字

口10〔喿〕13 소 ㊌號|sāo ソウ さわぐ
字解 ①떠들소 새가 떼지어 시끄럽게 욺. '一, 鳥群鳴也'《說文》. ②시끄러울소 사람·수레 따위의 소리가 요란함. '車徒皆一'《周禮》.
字源 會意. 品＋木

口10〔嚣〕13 〔상〕
喪(口부 9획〈172〉)의 本字

口10〔脾〕13 패 ㊤紙|bēi ハイ·ヒ さく, わける
字解 찢을패, 째질패 나눔. 갈라 떨어짐. '一, 別也'《說文》. '一, 裂也'《廣雅》.
字源 形聲. 冎＋卑〔音〕

口10〔嗁〕13 제 ㊥齊|tí テイ なく
字解 울제 啼(口부 9획〈172〉)와 同字. '愁眉一妝'《後漢書》.
字源 形聲. 口＋虒〔音〕

口10〔嗃〕13 ㊀학 ㊀藥|hè カク きびしい / ㊁효 ㊥肴|xiāo コウ ふえのおと
字解 ㊀ 엄할학 준엄함. 엄혹함. '家人一一'《易經》. ㊁ 피리소리효 '夫吹筦也, 猶有一也'《莊子》.
字源 形聲. 口＋高〔音〕

口10〔嗄〕13 사 ㊌禡|shà サ かれる
字解 목쉴사 '終日號而聲不一'《老子》.
字源 形聲. 口＋夏〔音〕

口10〔嗅〕13 후 ㊌宥|xiù キュウ かぐ
字解 맡을후 냄새를 맡음. '一覺'. '三一而作'《論語》.
字源 形聲. 口＋臭〔音〕

口10〔嗉〕13 소 ㊌遇|sù ソ
字解 모이주머니소 새의 목에 있는, 모이를 받는 곳. 멀떠구니. '一囊'.
字源 形聲. 口＋素〔音〕

口10〔嗌〕13 ㊀익 ㊀陌|yì エキ のど / ㊁악 ㊀覺|wò アク わらう / ㊂애 ㊌卦|ài アイ むせぶ
字解 ㊀ 목구멍익 인후. '一, 咽也'《說文》. ㊁ 웃을악 웃는 모양. '一幸得勝, 疾笑一一'《韓詩外傳》. ㊂ 목멜애 '說到這裏, 就嗌住了'《老殘遊記》.
字源 形聲. 口＋益〔音〕

口10〔嗋〕13 협 ㊀葉|xié キョウ すう
字解 ①들이마실협 숨을 들이마심. 일설(一說)에는, 입을 다묾. '予口張而不能一'《莊子》. ②으를협 협박함. '一嚇'.
字源 形聲. 口＋脅〔音〕

口10〔嗑〕13 합 ㊀合|kē コウ おしゃべり
字解 ①입다물합 '噬一, 亨, 利用獄. (注) 一, 合也'《周易》. ②말많을합 '一, 多言也'《說文》. ③웃음소리합 '一然而笑'《莊子》.
字源 形聲. 口＋盍〔音〕

口10〔嗒〕13 탑 ㊀合|tà トウ われをわすれる
字解 ①멍할탑 정신이 나간 것 같은 모양. '一, 一然, 忘懷也'《廣韻》. ②핥을탑 '一, 舐也'《玉篇》.
字源 形聲. 口＋荅〔音〕

口10〔嗔〕13 ㊀진 ㊥眞|chēn シン いかる / ㊁전 ㊥先|tián テン さかん
字解 ㊀ 성낼진 瞋(目부 10획〈852〉)과 통용. '輒一恚憤激'《吳志》. ㊁ 성할전 기력이 왕성한 모양. '一, 盛氣也'《說文》.
字源 形聲. 口＋眞〔音〕

口10〔嗊〕13 홍 ㊌送|hòng コウ かまびすしい
字解 ①떠들석할홍 여럿이 지껄이는 소리. '一, 衆聲'《集韻》. ②哄(口부 6획〈160〉)과

同字. '一, 或作哄'《集韻》.

口10 〔嗊〕13 홍 ㊤董 | hǒng コウ かきょく

字解 노래홍 가곡(歌曲). '囉一, 歌曲也'《玉篇》.

口10 〔嗈〕13 옹 ㊥冬 | yōng ヨウ とりのこえ

字解 새울음고울옹 새 울음이 고운 모양. '歸林鳳——'《白居易》.

口10 〔嗕〕13 손 ㊦願 | xùn ソン わきでるみず

字解 물뿜을손 솟아 나오는 물. '一, 噀水也'《廣韻》.

口10 〔嗂〕13 요 ㊥蕭 | yáo ヨウ よろこぶ

字解 ①기꺼워할요 기뻐함. '一, 喜也'《說文》. ②즐거워할요 '一, 樂也'《廣韻》.
字源 形聲. 口＋䍃〔音〕

口10 〔嗚〕13 高·人 오 ①②㊥虞 ③㊦遇 | wū オ ああ / オ なげく

筆順 口 口' 口𠂉 口乌 口乌 嗚 嗚 嗚

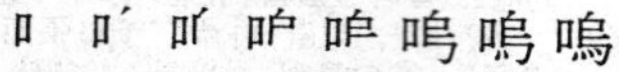

字解 ①오호라오 탄식하는 소리. '一呼噫嘻, 吾言夸矣'《蘇軾》. ②노랫소리오 '歌呼——, 快耳目者, 眞秦之聲也'《史記》. ③탄식할오, 애달파할오 '噫一流涕'《後漢書》.
字源 形聲. 口＋烏〔音〕

口10 〔嗛〕13
㊀ 겸 ㊥鹽 ㊤琰 | qiān, ①qiàn ケン へりくだる / ②③qiǎn ケン たりない
㊁ 협 ㊇葉 | qiè キョウ あきたりる
㊂ 함 ㊥咸 | xián カン ふくむ

字解 ㊀ ①겸손할겸 謙(言부 10획〈1347〉)과 同字. '溫良一退'《漢書》. ②흉년들겸 歉(欠부 10획〈599〉)과 同字. '一穀不升, 謂之一'《穀梁傳》. ③쥐의볼속겸 볼 안쪽의 식물(食物)을 저장하는 곳. '寓鼠曰一. (注)一, 頰裏貯食處'《爾雅》. ㊁ 마음에맞을협 만족함. 慊(心부 10획〈405〉)과 同字. '口一於芻豢醪醴之味'《莊子》. ㊂ ①머금을함 입 속에 넣음. 銜(金부 6획〈1559〉)과 同字. '鳥一肉'《漢書》. ②원한품을함 '漢南法繁民一, 屬佇良牧'《宋書》.
字源 形聲. 口＋兼〔音〕

口10 〔嗜〕13 人名 기 ㊦寘 | shì シ たしなむ

筆順 口 口𠃌 口𠂉 口土 口耂 口耂 口老 嗜

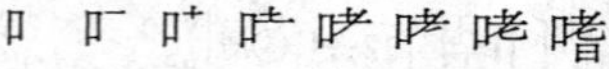

字解 즐길기 즐기거나 좋아함. '一, 喜欲之也'《說文》. '君一之則臣食之'《說苑》.
字源 形聲. 口＋耆〔音〕

口10 〔嗟〕13 차 ㊥麻 | jiē, juē シャ ああ, なげく

字解 ①탄식할차, 감탄할차 한탄하거나 감복함. '一嘆'. '萃如, 一如, 无攸利'《易經》. 또, 그 소리. '王曰, 一六事之人, 予誓告汝'《書經》. ②탄식차, 감탄차 '大耋之一'《易經》.
字源 形聲. 口＋差〔音〕

口10 〔嗙〕13 박 ㊇藥 | bó ハク かむ

字解 깨물박, 씹을박 딱딱한 것을 깨묾. 또, 그 모양. '一, 噍皃'《說文》.
字源 形聲. 口＋尃〔音〕

口10 〔嗏〕13 차 ㊥麻 | chā サ じょじ

字解 어조사차 어구(語句)의 끝에 붙여 시가(詩歌)의 어조(語調)를 고르는 데 쓰는 어조사. '趁愁得醉眼麻一'《李涉》.

口10 〔嗞〕13 자 ㊥支 | zī シ なげく

字解 ①한탄할자 또, 탄식하는 소리. 근심하는 소리. '一, 嗟也'《說文》. ②울음그치지않을자 '一, 一曰, 啼不止'《集韻》. ③웃을자 '一, 笑也'《廣雅》.
字源 形聲. 口＋兹〔音〕

口10 〔喍〕13 재 ㊥佳 | chái サイ かみあう

字解 물어뜯을재 '一啀'는 개가 서로 물어뜯는 모양. '二狗啀一, 不可當'《魏志 注》.

口10 〔嗩〕13 쇄 | suǒ サ チャルメラ

字解 날라리쇄 '一吶'은 날라리. 태평소(太平簫).

口10 〔嗆〕13 창 ㊥陽 | qiāng, ③㉡qiàng ショウ ついばむ

字解 ①쪼아먹을창 새가 먹이를 쪼아먹음. '一, 鳥食也'《玉篇》. ②어리석을창 어리석은 모양. '一, 一曰, 愚皃'《集韻》. ③《現》 ㉠사레들릴창. ㉡숨막힐창 연기나 가스로 숨이 막힘. ④주눅들창 '一哼'은 어리석어서 기가 죽음. '一哼, 愚怯'《集韻》.

口10 〔嗡〕13 옹 ㊥東 ㊤董 | wēng オウ うしのなくこえ / オウ ものおと

[字解] ①소울음소리옹 '一, 一吼, 牛聲'《集韻》. ②벌레소리옹 벌레가 날갯짓하는 붕붕 소리. '一, 蟲聲'《集韻》. ③어둠속에서 나는소리옹 '一, 闇聲'《集韻》.

口 10 〔嘄〕13 요 [去]嘯 | yào ギョウ·ヨウ さけぶ

[字解] ①부르짖을요 '一, 叫也'《廣韻》. ②근심할요 걱정하는 소리. '一呱啞咋, 號咷倚戶. (注) 一呱·號咷, 皆憂聲也'《太玄經》.

口 10 〔嗢〕13 올 [入]月 | wà オツ むせぶ

[字解] ①목멜올 목이 막힘. 또, 목맺힘. '一咽'. ②마실올 '一呼纔十一'《梅堯臣》. ③크게웃을올 '一噱終一'《嵇康》.
[字源] 形聲. 口+昷〔音〕

口 10 〔嗤〕13 치 [平]支 | chī シ わらう

[字解] ①웃을치 냉소함. '一笑'. '時人一之'《後漢書》. ②웃음거리치 조소(嘲笑)거리. '愚者愛惜費, 但爲後世一'《古詩》.
[字源] 形聲. 口+蚩〔音〕

口 10 〔嗎〕13 마 | ①mà ②ma ③mǎ バ モルヒネ

[字解] ①罵(网부 10획〈1030〉)의 俗字. '一, 俗罵字'《字彙》. ②어기사(語氣詞)마 의문을 나타냄. '學什麽有個不成的一?'《紅樓夢》. '老爺問, 到了一?'《兒女英雄傳》. ③아편마 양귀비의 진액을 말린 갈색의 덩어리. 모르핀(morphine)의 음역(音譯).
[字源] 形聲. 口+馬〔音〕

口 10 〔嗓〕13 상 [上]養 | sǎng ソウ のど

[字解] ①목구멍상 '一, 喉也'《集韻》. ②말콧물흘리는병상 '一, 馬病, 鼻流涎曰一'《正字通》. ③남의단점(短點)을들추어내기잘할상 '愛訐人之短者, 亦謂之一'《輟耕錄》.
[字源] 形聲. 口+桑〔音〕

口 10 〔嗕〕13 욕 [入]沃 | rù ジョク あわれむ

[字解] ①불쌍히여길욕 '嘱一, 憐兒'《廣韻》. ②오랑캐이름욕 강(羌)의 별종(別種). '一, 一曰, 羌別種'《集韻》

口 10 〔嗗〕13 왈 [入]黠 | wā ワツ のむおと

[字解] ①꿀꺽꿀꺽마실왈 마시는 소리. '飮聲謂之一'《集韻》. ②잘강잘강씹을왈 음식을 씹는 소리. '嘫姦何噢一'《韓愈》.

[字源] 形聲. 口+骨〔音〕

口 10 〔嗨〕13 해 | hāi カイ ああ

[字解] 원한을나타내는탄사(歎辭)해 '一, 表懊恨之歎辭'《辭海》. '一, 我也是個傻弟子孩兒'《元曲》.

口 10 〔嗐〕13 ㊀할 [入]黠 ㊁해 [去]泰 | カツ くちをおおきくあける hài カイ·ガイ くちをおおきくあける

[字解] ㊀ ①입벌릴할 입을 크게 벌림. '一, 大開口'《集韻》. ②탄식할할 탄식하는 소리. '一, 一曰, 聲也'《集韻》. ㊁ 입벌릴해, 탄식할해 ㊀과 뜻이 같음.

口 10 〔嗙〕13 방 ①②[平]庚 ③[去]漾 | bēng ホウ うたう, しかる bàng ホウ こえ

[字解] ①노래부를방 노래하는 소리. 일설에는, '一喩'는 무곡(舞曲)의 이름. '一, 謌聲, 一喩也. 司馬相如說, 淮南宋蔡舞一喩也'《說文》. ②꾸짖을방 또, 꾸짖는 소리. '一, 喝聲'《廣韻》. '一, 一曰, 叱也'. ③목소리방 '一, 聲也'《集韻》.

口 10 〔嗍〕13 삭 [入]覺 | shuò サク すう

[字解] 빨삭 입으로 빪. 欶(欠부 7획〈597〉)과 同字. '欶, 說文, 吮也. 或作一'《集韻》.

口 10 〔嗦〕13 [現]사 | suō サ ふるえる

[字解] 《現》떨릴사 '哆一'는 몸이 떨림. '我那老伴一夜哆一到天明'《周立波·暴風驟雨》.

口 10 〔哳〕13 찰 [入]黠 | zhā タツ さえずる

[字解] 새자주지저귈찰 '嘲一'은 새가 자주 지저귀는 소리. '哇咬嘲一, 一何察惠'《潘岳》.

口 10 〔嗝〕13 격 [入]陌 | gé カク とりのなきごえ

[字解] ①새울음소리격 '嗶, 嗶嗝, 鳥鳴也. 或作一'《集韻》. ②꿩울음소리격 '一, 雉鳴'《廣韻》. ③닭울음소리격 '一, 鷄鳴'《正字通》. ④《現》딸꾹질격. '气逆出聲. 如, 打飽一, 打一儿'《漢語大字典》.

口 10 〔嘊〕13 해 [平]灰 | hái カイ·ガイ わらう

[字解] ①웃을해 '一, 笑也'《玉篇》. ②방긋웃을해 어린애가 웃음. 咳(口부 6획〈159〉)

와 同字. '咳, 說文, 小兒笑也. 或作一'《集韻》.

口 10〔嗥〕13 〔호〕 嗥(口부 12획〈184〉)의 本字

口 10〔嘆〕13 〔탄〕 嘆(口부 11획〈180〉)의 略字

〔號〕〔호〕 虍부 7획(1215)을 보라.

口 10〔嗣〕13 [人名] 사 [去]寘 | sì シ つぐ

[筆順] 口 尸 冃 冐 冊 嗣 嗣 嗣

[字解] ①이을사 뒤를 이음. '一子'. '子產若死, 其使誰一之'《呂氏春秋》. ②후사사 대를 잇는 자식. '不禮於衞之一'《左傳》. ③자손사 '罰弗及一, 當延于世'《書經》. ④익힐사 연습함. '子寧不一音'《詩經》. ⑤성사 성(姓)의 하나.

[字源] 形聲. 冊(冊)+口+司〔音〕

口 10〔嘗〕13 〔상〕 嘗(口부 11획〈182〉)의 俗字

口 10〔甞〕13 〔상〕 嘗(口부 11획〈182〉)의 略字

口 10〔嗀〕13 학 [入]覺 | hù カク はく

[字解] 욕지기할학 구역질함. 또, 구토함. '臣有疾異於人, 若見之君將一之'《左傳》.

[字源] 形聲. 口+殸〔音〕

口 10〔嗇〕13 [人名] 색 [入]職 | sè ショク むさぼる, おしむ

[筆順] 一 十 夾 亟 亩 嗇 嗇 嗇

[字解] ①탐낼색 탐함. '一於禍'《左傳》. ②아낄색 '一於時'《孔子家語》. ③인색할색 '吝一'. '儉一'. '愈於織一'《史記》. ④아껴쓸색 비용을 존절히 하여 여유를 남겨 둠. '治人事天莫如一'《老子》. ⑤거둘색 穡(禾부 13획〈912〉)과 同字. '服田力一'《漢書》. ⑥성색 성(姓)의 하나.

[字源] 會意. 來+㐭

口 10〔嚞〕13 〔철〕 哲(口부 7획〈165〉)의 本字

口 10〔啇〕13 〔상〕 商(口부 8획〈170〉)의 古字

口 10〔𠻘〕13 〔단〕 斷(斤부 14획〈494〉)의 古字

口 11〔曐〕14 〔성〕 星(日부 5획〈503〉)의 古字

口 11〔曑〕14 〔참〕 參(厶부 9획〈140〉)과 同字

口 11〔嘼〕14 〔부〕 阜(部首〈1609〉)의 古字

口 11〔嗷〕14 오 [平]豪 | áo ゴウ さわぐ, かまびすしい

[字解] 시끄러울오 여럿이 떠들썩하게 지껄임. '哀鳴一一'《詩經》.

[字源] 形聲. 口+敖〔音〕

口 11〔嗸〕14 嗷(前條)와 同字

口 11〔嗽〕14 [一] 수 [去]宥 | sòu ソウ せき
[二] 삭 [入]覺 | shuò サク すう

[字解] [一] ①기침수 '咳一'. '冬時有一, 上氣疾'《周禮》. ②양치질할수 입 안을 부셔 냄. 漱(水부 11획〈679〉)와 同字. '日一三升'《史記》. [二] 빨삭 빨아들임. '一吮甘液'《杜甫》.

[字源] 形聲. 口+欶〔音〕

口 11〔嗾〕14 [一] 수 [上]有 | sǒu ソウ けしかける
[二] 주 [去]宥 | ソウ けしかける

[字解] [一] 개를시켜남을물게하는소리수 '使狗咬人的聲音'《漢語大字典》. '勿多言, 吾行當一猘狗'《平雲·孤兒記》. [二] 추길주 부추김. 교사(敎唆)함. '這分明是一起學生子鬧嚷'《張天翼·貝胡子》.

[字源] 形聲. 口+族〔音〕

口 11〔嗿〕14 탐 [上]感 | tǎn タン おおい

[字解] 여럿이먹는소리탐 '有一其饁. (朱熹集傳)一, 衆食聲也'《詩經》.

[字源] 口+貪〔音〕

口 11〔嘄〕14 규(교[本]) [平]蕭 | jiāo キョウ さけぶ

[字解] 부르짖을규 叫(口부 2획〈145〉)와 同字. '狂夫一謼'《漢書》. ※本音 교.

[字源] 形聲. 口+梟(梟)〔音〕

口 11〔嘅〕14 개 [去]隊 | kǎi ガイ なげく

[字解] 탄식할개 탄식하는 소리. '一其嘆矣'《詩經》.

[字源] 形聲. 口+旣〔音〕

口 11〔嘆〕14 탄 [去]翰 [平]寒 | tàn タン なげく

字解 한숨쉴탄 탄식함. 歎(欠부 11획〈600〉)과 同字. '一息'.
字源 會意. 口＋難〈省〉
參考 歎(欠부 11획〈600〉)과 통용함.

口11 〔嘈〕14 조 ㊥豪 ㊦號 | cáo ソウ かまびすしい
字解 들렐조 시끄러움. '一, 喧一'《廣韻》. '耳一于無聞'《吳質》.
字源 形聲. 口＋曹〔音〕

口11 〔嘊〕14 〔애〕
啀(口부 8획〈167〉)와 同字

口11 〔嘌〕14 표 ㊦嘯 | piào ヒョウ はやい
字解 빠를표 수레가 빨리 감. '匪車一兮'《詩經》.
字源 形聲. 口＋票〔音〕

口11 〔嘍〕14 루 ㊤有 ㊥尤 | lǒu ロウ くどい
字解 ①말많을루 '嗹, 嗹一, 多言也'《玉篇》. ②번거로운모양루 '一, 連一, 煩皃'《廣韻》. ③새소리루 '一, 一唳, 鳥聲'《廣韻》. ④입이잘돌아가지않는어린애말루 囉, 一囉也, 亦小兒語也'《廣韻》. ⑤어조사루 어기(語氣)의 완결을 나타냄. 了(亅부 1획〈24〉)·啦(口부 8획〈169〉)과 비슷함. '一, 語助詞, 用法與了啦略同'《辭海》.
字源 形聲. 口＋婁〔音〕

口11 〔嘐〕14 ㊀교 ㊥肴 ㊁효 ㊥肴 | jiāo コウ にわとりのこえ xiāo コウ おおきい
字解 ㊀닭울교 닭 우는 소리. '鷄亂響一一'《元稹》. ㊁뜻클효 뜻이 큼. '其志一一然'《孟子》.
字源 形聲. 口＋翏〔音〕

口11 〔嘑〕14 호 ①②㊥虞 ③㊦遇 | hū コ さけぶ hù コ しかる
字解 ①부르짖을호 고함지름. 呼(口부 5획〈155〉)와 同字. '夜一旦以嘂百官'《周禮》. ②성호 성(姓)의 하나. ③꾸짖을호 '一爾而與之'《孟子》.
字源 形聲. 口＋虖〔音〕

口11 〔嘒〕14 혜 ㊦霽 | huì ケイ ちいさいこえ
字解 ①작은소리혜 '一, 小聲也'《說文》. ②매미소리혜 매미 우는 소리. '鳴蜩一一'《詩經》. ③별빛작으면서밝을혜 '一彼小星, 三五在東'《詩經》.
字源 形聲. 口＋彗〔音〕

口11 〔嘔〕14 ㊀구 ①㊤有 ②㊥尤 ㊁후 ㊥虞 | ǒu オウ はく ōu オウ うたう xū ク よろこぶ
字解 ㊀①게울구 토함. '一吐'. '伏弢一血'《左傳》. ②노래할구 謳(言부 11획〈1350〉)와 同字. '毋歌一道中'《漢書》. ㊁기뻐할후 '一喩受之'《王褒》.
字源 形聲. 口＋區〔音〕

口11 〔嘖〕14 책 ㊅陌 | zé サク やかましい
字解 ①들렐책 칭찬하느라고 또는 말다툼하느라고 떠들썩함. '好評一一'. '一有煩言'《左傳》. ②새울책 새 소리. '宵鳫一一'《爾雅》. ③처음책 시초. '探一索隱'《易經》.
字源 形聲. 口＋責〔音〕

口11 〔嘛〕14 마 | má マ ラマ
字解 나마교마 '喇一'는 불교의 한 파. '라마'의 음역(音譯).
字源 形聲. 口＋麻〔音〕

口11 〔嗺〕14 최 ㊥灰 | suī サイ うながす
字解 권할최, 재촉할최 술을 빨리 마시라고 재촉함. '一酒逐歌'《趙嘏》.

口11 〔嚃〕14 〔탑〕
𪘨(齒부 6획〈1887〉)과 同字

口11 〔嗶〕14 필 ㊅質 | bì ヒツ こえでる
字解 ①소리나오는모양필 㳼(口부 5획〈156〉)과 同字. '㳼, 㳼嗶, 聲出皃, 或从畢'《集韻》. ②《現》 서지필 '一嘰'는 모직물의 일종인 서지. 프랑스어(語) 'beige'의 음역(音譯).

口11 〔嘁〕14 잡 ㊅合 | zā ソウ なげく
字解 ①한숨쉴잡 '一, 歁一也'《廣韻》. ②부끄러워할잡 '一沓, 忸怩, 慙也'《集韻》.

口11 〔唛〕14 릉 ㊥蒸 | líng リョウ すもも
字解 《佛教》 자두릉 '居一伽'는 자두. '居一伽, 此云李'《翻譯名義集》.

口11 〔嘥〕14 습 ㊅緝 | xí シュウ さむさをこらえるこえ
字解 추위참는소리습 '一一'은 추위를 참는 소리. '一一, 忍寒聲'《廣韻》.

口11 〔嘕〕14 언 ㊥先 | xiān ケン わらう

[字解] 웃을언 빙그레 웃음. 또, 그 모양. '靨輔奇牙, 宜笑一只'《楚辭》.

口 11 〔嗔〕14 연 [上]銑 | yǎn エン おおいにわらう

[字解] 껄껄웃을연 크게 웃음. '一, 大笑也'《玉篇》.

口 11 〔嘂〕14 교 [去]嘯 | jiào キョウ さけぶ

[字解] ①크게부르짖을교 '一, 一曰, 大嘑也'《說文》. ②높은소리교 '一, 高聲也'《說文》.
[字源] 形聲. 㗊+丩〔音〕
[參考] 叫(口부 2획〈145〉)의 古字.

口 11 〔啖〕14 담 [平]覃 | tán タン うすい

[字解] 싱거울담 맛이 적음. '啗一, 少味'《集韻》.

口 11 〔嘎〕14 알(갈[本]) [入]黠 | gā カツ なく

[字解] ①새소리알 '一, 一一, 鳥聲'《廣韻》. ②《現》 깔깔웃을알. ※本音 갈.
[字源] 形聲. 口+戛〔音〕

口 11 〔嗻〕14 [一] 차 [去]禡 [平]麻 | ①-③zhè シャ さえぎる ④zhē シャ よくしゃべる
[二] 저 [去]御 | ショ しまりかない

[字解] [一] ①막을차 술술 지껄여 상대의 말을 막음. '一, 遮也'《說文》. ②말많을차 말이 많은 모양. '一, 多語之皃'《廣韻》. ③《現》 대답하는소리차 지위가 낮은 자가 높은 사람에 대하여 응답하는 소리. ④잘지껄일차 '囉一'는 잘 지껄임. '囉一, 多言也'《集韻》. [二] 말요령없을저 '一, 語不要也'《集韻》.

口 11 〔嗓〕14
[一] 설 [入]屑 | shuì セツ のむ
[二] 률 [入]質 | lǜ リツ なく
[三] 술 [入]質 | sū シュツ こえ
[四] 세 [去]霽 | セイ なめる

[字解] [一] ①마실설, 조금마실설 '一, 小飮'《廣韻》. ②맛볼설 '一, 一曰, 嘗也'《集韻》. [二] 울률 새가 욺. '嗶, 鳴也. 或从率'《集韻》. [三] 소리술 '一, 聲也'《集韻》. [四] 핥을세 '一, 博雅, 嘗也'《集韻》.
[字源] 形聲. 口+率〔音〕

口 11 〔嘮〕14 로 [平]豪 | láo ロウ おおきなおと

[字解] 큰소리로 '一嘈'는 큰 소리. '衆聲繁奏, 若笳若簫, 磞硠震隱, 訇磕一嘈'《成公綏》.

口 11 〔嘞〕14 륵 | lei ロク じょじ

[字解] 어조사륵 어기(語氣)의 완결 또는 결정을 나타내는 어조사(語助詞).

口 11 〔嘜〕14 [現] 마 | mà バ しょうひょう

[字解] 《現》 마크마 수출입 화물의 포장(包裝) 위에 찍는 기호. 마크(mark)의 음역자(音譯字). 마두(嘜頭).

口 11 〔嗼〕14 [一] 막 [入]藥 | mò バク しずか
[二] 맥 [入]陌 | バク しずか

[字解] [一] ①고요할막 조용하고 소리없는 모양. '一, 靜也'《玉篇》. ②정해질막 '一, 定也'《爾雅》. ③평안할막 '一, 安也'《廣雅》. ④재채기막 '一, 歕嚏'《廣韻》. [二] 고요할맥, 정해질맥, 평안할맥, 재채기맥 [一]과 뜻이 같음.
[字源] 形聲. 口+莫〔音〕

口 11 〔嘓〕14 괵 [入]陌 | guō カク わずらわしい

[字解] 번거로울괵 귀찮음. 잔소리가 많음. '一, 口一一, 煩也'《廣韻》.

口 11 〔嘯〕14 〔소〕
嘯(口부 13획〈186〉)의 俗字

〔鳴〕〔명〕
鳥부 3획(1810)을 보라.

口 11 〔噓〕14 〔허〕
口부 12획(183)을 보라.

口 11 〔嘗〕14 [高·人] 상 [平]陽 | cháng ショウ なめる, かつて

[筆順] ' ⺌ 𫩏 尚 尚 尝 学 嘗 嘗

[字解] ①맛볼상 ㉠음식의 맛을 봄. '一膳'. '一其旨否'《詩經》. ㉡먹음. '母痢不能藥, 日一痢以求愈'《元史》. ㉢몸소 겪음. '具一艱難'. '險阻艱難, 備一之矣'《左傳》. ②시험할상 '一試'. '請一之'《左傳》. ③일찍상 일찍이. 예전에. '余一西至空峒'《史記》. ④항상상 언제나. 늘. '耆者心一貧'《譚子化書》. ⑤가을제사상 가을에 신곡(新穀)을 올려 지내는 제사. '未一不食新'《禮記》. ⑥성상 성(姓)의 하나.
[字源] 形聲. 旨+尙〔音〕

口 11 〔嗏〕14 차 [平]麻 | zhā タ くちびるあつい

[字解] ①입술두꺼울차 입술이 두꺼운 모양. '一, 厚脣皃'《說文》. ②입처질차 입이 축 처진 모양. '一, 緩口皃'《玉篇》.
[字源] 形聲. 尚+多〔音〕

口11 〔嘏〕14 하 [上]馬 | jiǎ カ おおきい
[字解] ①클하 '一命'. '凡物壯大, 謂之一'《揚子方言》. ②복하 행복. '純一爾常矣'《詩經》. ③복받을하 '伊一文王'《詩經》.
[字源] 形聲. 古+叚〔音〕

口11 〔㗬〕14 〔모〕 謨(言부 11획〈1349〉)의 古字

口11 〔嘉〕14 [人名] 가 [平]麻 | jiā カ よい
[筆順] 亠 𠮷 吉 吉 壴 壴 嘉 嘉
[字解] ①아름다울가 ㉠예쁨. 고움. '一卉'. '物其多矣, 維其一矣'《詩經》. ㉡언행이 훌륭함. '一言'. '爾有一謀一猷'《書經》. ②기릴가 칭찬함. 가상히 여김. '一獎'. '一乃丕績'《書經》. ③경사스러울가 기쁨. '一慶'. '以一禮親萬民'《周禮》. 또, 그 일. '神降之一生'《史記》. ④맛좋을가 맛이 있음. '一肴'. 또, 그 음식. '飮旨食一'《歐陽修》. ⑤기뻐할가, 즐길가 '一樂'. '交獻, 以一魂魄'《禮記》. ⑥성가 성(姓)의 하나.
[字源] 形聲. 壴+加〔音〕

口12 〔噐〕15 〔기〕 器(口부 13획〈186〉)의 俗字

口12 〔器〕15 〔기〕 器(口부 13획〈186〉)의 略字

口12 〔嘼〕15 휴 [去]宥 | chù キュウ かちく
[字解] 집짐승휴 가축(家畜). '一, 犍也'《說文》.
[字源] 象形. 짐승을 잡는 활의 모양을 본뜸.

口12 〔⿱吅頁〕15 〔효〕 囂(口부 18획〈192〉)와 同字

口12 〔噓〕15 허 [平]魚 [去]御 | xū キョ うそぶく
[字解] ①내불허 입김을 천천히 내붊. '一吸'. '仰天而一'《莊子》. ②탄식할허 탄식하는 소리. '一唏'. '負予好古心, 一歎星斗滅'《蘇舜欽》.
[字源] 形聲. 口+虛〔音〕

口12 〔嘬〕15 최 [去]卦 | zuō (chuài) サイ かむ
[字解] ①물최 깨묾. '蠅蚋姑一之'《孟子》. ②한입에넣을최 한입에 먹어 버림. '乾肉不齒決, 毋一炙'《禮記》.
[字源] 形聲. 口+最〔音〕

口12 〔嘰〕15 기 [平]微 | jī キ くう, なげく
[字解] ①쪽잘거릴기 조금씩 먹음. '噍咀芝英兮一瓊華'《司馬相如》. ②한숨쉴기 탄식함. '一, 唏也'《集韻》.
[字源] 形聲. 口+幾〔音〕

口12 〔嘲〕15 조 [平]肴 | cháo (zhāo) チョウ あざける
[字解] ①비웃을조, 조롱할조 '一, 謔也'《說文新附》. '一, 言相調也'《玉篇》. '一, 嘲笑戲弄'《漢語大字典》. ②지저귈조 새가 욺. '林鳥以朝一'《禽經》.
[字源] 形聲. 口+朝〔音〕

口12 〔嘳〕15 위(귀[本]) [去]寘 | kuì カイ ためいき
[字解] 한숨쉴위 喟(口부 9획〈174〉)와 同字. '一然而嘆'《晏子春秋》. ※本音 귀.
[字源] 形聲. 口+貴〔音〕

口12 〔嘴〕15 취 [上]紙 | zuǐ シ くちばし
[字解] 부리취 새의 부리. 후에 사람과 동물의 입, 기명(器皿)의 입을 가리키게 됨. 觜(角부 5획〈1306〉)와 同字. '觜, 或作嘴'《集韻》.
[字源] 形聲. 口+觜〔音〕

口12 〔嘵〕15 효 [平]蕭 | xiāo ギョウ おそれる
[字解] 두려워할효 '予維音一一'《詩經》.
[字源] 形聲. 口+堯〔音〕

口12 〔嘶〕15 시 [平]齊 | sī セイ いななく
[字解] ①울시 말이 욺. 전(轉)하여, 널리 욺. '一馬'. '此日牛馬一'《古詩》. ②목쉴시 '一喝'. '大聲而一'《漢書》.
[字源] 形聲. 口+斯〔音〕

口12 〔噋〕15 톤 [平]元 | tūn トン ゆったり
[字解] ①입마구놀릴톤 말이 많음. ②느릿느릿갈톤 啍(口부 8획〈167〉)과 同字.
[字源] 形聲. 口+敦〔音〕

口12 〔⿰口畫〕15 획 [入]陌 | huò カク さけぶ
[字解] ①부르짖을획 크게 부름. '一嘖怒語'

《蔡邕》. ②마음어지러울획 정신이 산란함. '通諸人之——, 莫如言'《揚子法言》.

口12 〔⿰口歰〕 15 삽 [入]緝 | sè シュウ どもる

[字解] 말더듬을삽 '一, 口不能言也'《集韻》.
[字源] 形聲. 口＋歰〔音〕

口12 〔⿰口集〕 15 집 [入]緝 | jí シュウ かむ

[字解] ①입우물우물씹을집 음식을 씹는 모양. '一, 噍也'《說文》. ②들이마실집 빨아들임. '一, 一曰, 歃也'《集韻》.
[字源] 形聲. 口＋集〔音〕

口12 〔噅〕 15 위 [平]支 | huī キ まちがいをいう

[字解] ①입삐뚤위 '一, 口不正也, 醜也'《玉篇》. '吟詩口吻一, 把筆指節瘃'《皮日休》. ②틀리게말할위 '一, 口不言正'《廣韻》. ③추할위 보기에 추악함. '嗋膜哆一, 籧蒢戚施'《淮南子》.

口12 〔嘺〕 15 교 ①[平]蕭 ②[去]嘯 | qiáo キョウ しらない キョウ くちただしくない

[字解] ①모를교 알지 못함. '一, 不知'《廣韻》. ②입삐뚤어질교 입이 바르지 못함. '一, 口不正'《集韻》.

口12 〔噾〕 15 암 [平]覃 | ān アン あじすくない

[字解] 싱거울암 맛이 적음. '一啖, 少味'《集韻》.

口12 〔嘪〕 15 매 [上]蟹 | mǎi バイ ひつじのこえ

[字解] 양의소리매 양(羊)이 '매' 하고 우는 소리. '一, 一一, 羊鳴'《集韻》.

口12 〔嘷〕 15 호 [平]豪 | háo コウ ほえる

[字解] ①짖을호, 으르렁거릴호 짐승이 큰 소리로 욺. '豺狼所一'《左傳》. ②부르짖을호 외침. 규호(叫號)함. '兒子終日一'《莊子》.
[字源] 形聲. 篆文은 口＋皋〔音〕

口12 〔嘹〕 15 료 [平]蕭 | liáo リョウ なく

[字解] ①소리멀리들릴료 소리가 맑아 멀리 들림. '一喨'. ②새소리료 새가 우는 소리. '一唳飛空'《李百藥》. ③피리소리료 피리 부는 소리. '聽一嘈而遠震'《江淹》.
[字源] 形聲. 口＋尞〔音〕

口12 〔嘸〕 15 무 [上]麌 | fǔ フ はっきりしない

[字解] 분명하지않을무 대답이 분명하지 않음. '諸將皆一然, 陽應曰, 諾'《漢書》.
[字源] 形聲. 口＋無〔音〕

口12 〔嘽〕 15 [一]탄 [平]寒 [二]천 [上]銑 | tān タン あえぐ chǎn セン ゆるやか

[字解] [一] ①헐떡거릴탄 숨이 가쁜 모양. '——駱馬'《詩經》. ②많을탄 '戎車——'《詩經》. ③기뻐할탄 '徒御——'《詩經》. ④성할탄 성대(盛大)한 모양. '王旅——'《詩經》. [二] 느릴천 완만한 모양. '一以緩'《禮記》.
[字源] 形聲. 口＋單〔音〕

口12 〔嘿〕 15 묵 [入]職 | mò ボク·モク だまる

[字解] 잠잠할묵 默(黑부 4획〈1862〉)과 同字. '荊軻一而逃去'《史記》.
[字源] 形聲. 口＋黑〔音〕

口12 〔噁〕 15 오 [去]遇 | wù オ いかる

[字解] 성낼오 화를 냄. 또, 화내는 소리. '項王喑一叱咤'《史記》.
[字源] 形聲. 口＋惡〔音〕

口12 〔噀〕 15 손 [去]願 | xùn ソン みずをふく

[字解] 물뿜을손 '又不飮, 而西南向一之'《神仙傳》.
[字源] 形聲. 口＋巽〔音〕

口12 〔噂〕 15 준 [上]阮 | zǔn ソン あつまってはなす

[字解] 이야기할준 여럿이 모여 이야기함. '一沓背憎, 職競由人'《詩經》.
[字源] 形聲. 口＋尊〔音〕

口12 〔噆〕 15 참 [上]感 | zǎn サン かむ

[字解] 물참 깨묾. '蚊虻一膚'《莊子》.
[字源] 形聲. 口＋朁〔音〕

口12 〔噌〕 15 [一]쟁 [平]庚 [二]증 [平]蒸 | chēng ソウ かまびすしい cēng ショウ かまびすしい

[字解] [一] 왁자지껄할쟁 '一吰'은 장꾼의 왁자지껄하는 소리. [二] 우렁찰증 성량(聲量)이 큼. '空嚻者以泓一爲雅量'《晉書》.

[字源] 形聲. 口＋曾〔音〕

口12〔噍〕15 초 (去)嘯 (平)蕭 | jiào ショウ かむ, ことりのこえ | jiāo

[字解] ①지저귈초 새가 지저귀는 소리. '——'. '至於燕雀, 猶有啁—之頃焉'《禮記》. ②씹을초 씹어먹음. '呥呥而—'《荀子》. ③백성초 음식을 먹고 사는 사람. 곧, 백성. '—類'. ④애절할초 소리가 애처롭고 슬픔. '其聲—以殺'《禮記》.
[字源] 形聲. 口＋焦〔音〕

口12〔噎〕15 열 (入)屑 | yē エツ むせぶ
(入)質 | イツ むせぶ

[字解] 목멜열 목구멍에 음식이 막힘. '—, 飯窒也'《說文》. '因—廢食'《淮南子》.
[字源] 形聲. 口＋壹〔音〕

口12〔嘫〕15 [一] 난 (平)刪 | rán ダン·ネン しかり
[二] 연 (平)先 | ゼン·ネン こたえる

[字解] [一] ①그럴난 응답(應答)하는 소리. 然(火부 8획〈716〉)과 통함. '—, 語聲也'《說文》. ②대답할난 '—, 一曰, 應也'《集韻》. [二] 그럴연, 대답할연 [一]과 뜻이 같음.
[字源] 形聲. 口＋然〔音〕

口12〔噊〕15 [一] 율 (入)質 | yù イツ あやうい, なく
[二] 술 (入)質 | シュツ あやうい, なく

[字解] [一] ①위태로울율 '—, 危也'《說文》. ②울율 새가 욺. '—, 鳥啼'《廣韻》. [二] 위태로울술, 울술 [一]과 뜻이 같음.
[字源] 形聲. 口＋矞〔音〕

口12〔噚〕15 (現) 심 | xún ジン ファゾム

[字解] 《現》 패덤심 영미(英美)의 척도(尺度)의 단위인 패덤(fathom)의 역자(譯字). 6 피트(feet)에 상당함.

口12〔噏〕15 흡 (入)緝 | xī キュウ すう

[字解] ①숨들이쉴흡 吸(口부 4획〈150〉)과 同字. '—淸雲之流瑕兮'《漢書》. ②거둘흡 歙(欠부 12획〈600〉)과 同字. '將欲—之, 必固張之'《老子》.
[字源] 形聲. 口＋翕〔音〕

口12〔嘮〕15 [一] 초 (平)肴 | chāo トウ かまびすしい
[二] 로 (平)豪 | láo ロウ よくしゃべる
[三] 효 (平)肴 | xiāo コウ さけぶ

[字解] [一] 들렐초 떠들썩함. 시끄러움. '—, —呶, 讙也'《說文》. [二] 수다스러울로 말이 많음. 다변(多辯)함. '那周瑞家的又和智能兒—叨了一回'《紅樓夢》. [三] 외칠효 부르짖음. 詨(言부 6획〈1327〉)와 同字. '—, 吳人謂叫呼爲詨, 或作—'《集韻》.
[字源] [一] 會意. 口＋勞. [二] 形聲. 口＋勞〔音〕

口12〔噴〕15 분 (去)願 | pèn フン しかる, ふく
(去)問 | fèn

[字解] ①꾸짖을분 질책함. '疾言——'《韓詩外傳》. ②뿜을분 물 같은 것을 뿜음. '—水'. '—則大者如珠'《莊子》. ③재채기할분 '今人—嚏不止者'《野客叢書》.
[字源] 形聲. 口＋賁〔音〕

口12〔噇〕15 당 (平)江 | chuáng トウ くう

[字解] ①먹는모양당 '—, 喫皃'《玉篇》. ②실컷먹을당 욕심껏 먹음. 饉(食부 12획〈1728〉)과 同字. '饉, 食無廉也, 或从口'《集韻》.

口12〔噈〕15 [一] 축 (入)屋 | cù シュク くちとくちをつける
[二] 잡 (入)合 | zā ソウ くらう
[三] 갑 (入)合 | hé コウ やわらか

[字解] [一] 입맞출축 '—, 歒—, 口相就也'《廣韻》. [二] 먹을잡 咂(口부 4획〈152〉)과 同字. '咂, 啖也. 或作—'《集韻》. [三] 부드러울갑 '—, 柔也'《集韻》.

口12〔噫〕15 [一] 희 ①-⑤(平)支 | xī キ やわらぐ
⑥(去)寘 | キ わらう
[二] 의 (平)支 | イ ああ

[字解] [一] ①화락할희 화평하게 즐김. 기뻐하여 웃음. '婦子——'《易經》. ②아희 ㉠감동하여 내는 소리. '噫—成王'《詩經》. ㉡비탄(悲嘆)하는 소리. '慶父聞之曰, —'《公羊傳》. ㉢놀라서 내는 소리. '噫—亦太甚矣'《史記》. ㉣두려워서 내는 소리. '從者曰, —'《左傳》. ③억지로웃을희 '夫怒. 因—笑曰, 將軍貴人也'《漢書》. ④자득할희 자득(自得)하여 만족하고 있는 모양. '——旭旭'《漢書》. ⑤신칙할희 경계함. '—, 敕也'《集韻》. ⑥웃을희 '—, 笑也'《集韻》. [二] 아의 원망하여 내는 소리. 噫(口부 13획〈187〉)와 통용. '噫, 恨聲. 或作—'《集韻》.

口12〔嘟〕15 도 (平)虞 | dū ト ほめることば

[字解] ①칭찬하는말도 '—, 美詞也'《字彙補》. ②《現》 ㉠투덜거리는소리도. ㉡나팔

소리도 나팔 소리의 의성어(擬聲語). '一一'.

口12 〔嘾〕 15 담 ①[上]感 dàn タン ふくむ ②[平]覃 tán タン むさぼる
[字解] ①머금을담 입안 가득히 머금음. '一, 莊子曰, 大甘而一'《廣韻》. ②탐할담 '一, 貪也'《集韻》.
[字源] 形聲. 口+覃〔音〕

口12 〔噘〕 15 [現] 궐 juē ケツ くちをとがらす
[字解] 《現》 입빼물궐 불만으로 입을 삐죽이 내밂. '一, 俗謂將嘴撬起曰一'《辭海》.

口12 〔噗〕 15 [現] 복 pū ボク ぎせいご
[字解] 《現》 의성어복 ㉠'一哧'은 웃는 소리. '一, 一哧, 笑聲'《辭海》. ㉡물이나 김이 뿜어 나오는 소리.

口12 〔嘩〕 15 〔화〕 譁(言부 12획〈1353〉)와 同字

口12 〔噉〕 15 〔담〕 啖(口부 8획〈168〉)·啗(口부 8획〈168〉)과 同字
[字源] 會意. 口+敢

口12 〔噣〕 15 〔촉〕 囑(口부 21획〈193〉)의 俗字

口12 〔嘯〕 15 〔소〕 口부 13획(186)을 보라.

口12 〔嚋〕 15 ㊀주 [平]尤 chóu チュウ たれ ㊁수 [平]尤 chóu シュウ のろう
[字解] ㊀ 누구주 '一, 誰也'《說文》. ㊁ 저주할수 '詶, 說文, 譸也, 或作一'《集韻》.
[字源] 形聲. 口+𠷎+又〔音〕

口12 〔舖〕 15 〔포〕 鋪(舌부 9획〈1109〉)의 俗字

口12 〔啇〕 15 〔상〕 商(口부 8획〈170〉)의 古字

口12 〔嗇〕 15 〔색〕 嗇(口부 10획〈180〉)의 本字

口12 〔㖪〕 15 [韓] 곳
[字解] 《韓》 한국어의 '곳'음을 표기하기 위하여, '庫'의 음 '고'에, 子音 'ㅅ'을 '叱'로 나타내어 결합한 문자. '其中某字第十七田幾日耕一果…'《儒胥必知》.

口13 〔器〕 16 [高·人] 기 [去]寘 qì キ うつわ
[筆順] ㅁ 吅 吅 哭 哭 哭 器 器
[字解] ①그릇기 ㉠용기(容器) 또는 기구. '什一'. '一械一量'《史記》. ㉡벼슬에 따르는 거복(車服)·훈장 따위. '惟一與名, 不可以假人'《左傳》. ㉢재능. '一局'. '蘇軾之才, 天下之一也'《宋史》. ㉣도량. '一度'. '管仲之一小哉'《論語》. ②그릇으로여길기 훌륭한 인재(人材)를 중히 여김. '朝廷一之'《後漢書》. ③그릇으로쓸기 적소에 씀. '一使'. '及其使人也, 一之'《論語》. ④성기 성(姓)의 하나.
[字源] 會意. 㗊+犬

口13 〔噩〕 16 악 [入]藥 è ガク おどろく
[字解] ①놀랄악 愕(心부 9획〈401〉)과 同字. '一夢'. ②엄숙할악 '周書一一爾'《揚子法言》.
[字源] 形聲. 吅+吅+王〔音〕

口13 〔嘯〕 16 ㊀소 [去]嘯 xiào ショウ うそぶく ㊁질 [入]質 chì シツ しかる
[字解] ㊀ ①휘파람불소 '其一也歌'《詩經》. ②부르짖을소 큰 소리를 냄. '虎一而風起'《孔安國》. ③읊조릴소 음영(吟詠)함. '一詠'. '長一哀鳴'《司馬相如》. ㊁ 꾸짖을질 叱(口부 2획〈145〉)과 同字. '一咤'. '不一不指'《禮記》.
[字源] 形聲. 口+肅〔音〕

口13 〔噞〕 16 엄 [上]琰 yǎn ゲン あぎとう
[字解] 입벌름거릴엄 고기가 물 위에 입을 내놓고 벌름거림. '一, 字林, 一喁, 魚口出水皃'《集韻》. '一喁浮沈'《左思》.
[字源] 形聲. 口+僉〔音〕

口13 〔噡〕 16 첨 [平]鹽 zhān セン よくしゃべる
[字解] 말많을첨 譫(言부 13획〈1357〉)과 同字. '一, 多言, 或从口'《集韻》. '一唯則節'《荀子》.
[字源] 形聲. 口+詹〔音〕

口13 〔噢〕 16 ㊀욱 [入]屋 yù イク かなしむ ㊁우 [去]遇 yǔ ウ いたみおもう
[字解] ㊀ 한숨쉴욱 탄식하는 소리. 또, 슬퍼하는 모양. '一咿不能自禁'《嵇康》. ㊁ 가엾이여길우 불쌍하게 여겨 내는 소리. '民人痛疾而或一咻之'《左傳》.
[字源] 形聲. 口+奧〔音〕

口 13 〔噣〕16 ㊀주 [去]宥 zhòu チュウ くちばし ㊁탁 [入]覺 zhuó タク ついばむ

[字解] ㊀①부리주 새의 부리. 咮(口부 6획〈159〉)와 同字. '射一鳥于東海'《史記》. ②별이름주 성명(星名). '三心, 五一'《詩經》. ㊁쫄탁 쪼아먹음. 啄(口부 8획〈167〉)과 同字. '黃雀因是以俯一白粒'《戰國策》.
[字源] 形聲. 口+蜀〔音〕

口 13 〔噤〕16 금 [上]寑 [去]沁 jìn キン つぐむ

[字解] 입다물금 唫(口부 8획〈166〉)과 同字. '一口不敢復言'《史記》.
[字源] 形聲. 口+禁〔音〕

口 13 〔噥〕16 농 [平]冬 nóng ドウ ささやく

[字解] ①맞지않는말많이할농 '一, 多言不中也'《玉篇》. ②수군거릴농 속삭임. '一, 俗謂小聲交語曰一一'《正字通》.

口 13 〔噦〕16 ㊀얼 [入]月 yuě エツ しゃっくり ㊁홰 [去]泰 huì カイ あかるい

[字解] ㊀딸꾹질할얼 '不敢一噫嚏咳'《禮記》. ㊁①방울소리홰 말에 단 방울 소리. '鸞聲一一'《詩經》. ②환해질홰 날이 환해지는 모양. '一一其冥'《詩經》.
[字源] 形聲. 口+歲〔音〕

口 13 〔噪〕16 조(소[本]) [去]號 zào ソウ さわがしい

[字解] 떠들썩할조 譟(言부 13획〈1357〉)와 同字. '遶煙而一'《拾遺記》. ※本音 소.
[字源] 形聲. 口+喿〔音〕

口 13 〔噫〕16 ㊀희 [平]支 yī イ ああ ㊁애 [去]卦 ài アイ おくび

[筆順] 口 口' 口ᅩ 口立 口音 噫 噫 噫

[字解] ㊀한숨쉴희 탄식함. 또, 그 소리. '一乎何以褩水'《史記》. ㊁①트림할애 먹은 음식이 잘 삭지 않아서 입으로 가스가 나옴. '一, 飽出息也'《說文》. ②하품애 '大塊一氣'《莊子》.
[字源] 形聲. 口+意〔音〕

口 13 〔噰〕16 옹 [平]冬 yōng ヨウ やわらぐ

[字解] ①화목하게지낼옹 의좋게 지냄. '一一喈喈, 民協服也'《爾雅》. ②새들이화답(和答)하며울옹 '關關一一, 音聲和也. (注) 皆鳥鳴相和'《爾雅》.

口 13 〔嗬〕16 하 ①[上]馬 ②[上]哿 ③[去]禡 hé カ わらう xià

[字解] ①웃을하, 웃음하 '一, 笑也'《玉篇》. ②껄껄웃을하 크게 웃음. '欱, 大笑, 或作一'《集韻》. ③노할하 성냄. '訶一, 責怒'《廣韻》.

口 13 〔噮〕16 연 [去]霰 yuān エン あまい

[字解] 달콤할연 매우 단 모양. '不一而香'《呂氏春秋》.

口 13 〔嶰〕16 해 [上]蟹 xiè カイ しかる

[字解] 꾸짖을해 譮(言부 10획〈1346〉)와 同字.

口 13 〔嗳〕16 애 [去]泰 ǎi アイ いき

[字解] 숨애 기식(氣息). 따스한 숨. '一, 暖氣也'《玉篇》.
[字源] 形聲. 口+愛〔音〕

口 13 〔噠〕16 달 [入]曷 dā タツ えびすのな

[字解] 오랑캐이름달 嚈(口부 14획〈189〉)을 보라.
[字源] 形聲. 口+達〔音〕

口 13 〔噬〕16 서 [去]霽 shì ゼイ かむ, およぶ

[字解] ①물서 깨묾. '一呑'. '後君一齊'《左傳》. ②미칠서 逮(辵부 8획〈1498〉)와 뜻이 같음. '一肯適我'《詩經》.
[字源] 形聲. 口+筮〔音〕

口 13 〔噭〕16 ㊀교 [去]嘯 jiào, ①qiào キョウ くち, さけぶ ㊁격 [入]錫 chī ケキ はげしい

[字解] ㊀①입교 동물의 입. '馬蹏一千'《漢書》. ②부르짖을교 외침. '毋一應'《禮記》. ③엉엉울교 큰 소리로 우는 모양. '一然而哭'《公羊傳》. ㊁격할격 목소리가 격(激)함. '嘄一之聲興而士奮'《史記》.
[字源] 形聲. 口+敫〔音〕

口 13 〔噱〕16 갹 [入]藥 jué, xué キャク わらう

[字解] ①껄껄웃을갹 대소(大笑)함. '談笑大一'《漢書》. ②입속갹 구강(口腔). '沈沈容容, 遙一虖紘中. (注) 口內之上下名爲一'《漢書》.
[字源] 形聲. 口+豦〔音〕

口13 〔噲〕16 쾌 [去]卦 | kuài カイ のど
[字解] ①목구멍쾌 '一, 咽也'《說文》. ②시원할쾌 快(心부 4획〈380〉)와 통용. '一然得臥'《淮南子》. ③야윌쾌 초췌함. '顏色腫一'《莊子》. ④성쾌 성(姓)의 하나.
[字源] 形聲. 口＋會〔音〕

口13 〔噳〕16 우 [上]麌 | yǔ グ むらがりあつまる
[字解] 뭇사슴우물거릴우 '一一'는 사슴이 많이 모여 입을 가지런히 하는 모양. '麀鹿一一'《詩經》.
[字源] 形聲. 口＋虞〔音〕

口13 〔噹〕16 당 | dāng トウ ふれあうおと
[字解] 옥소리당 패옥(佩玉) 등이 서로 부딪쳐 나는 소리. 정당(叮噹). '惟聞遙送叮一'《長生殿》.

口13 〔噶〕16 갈 [入]曷 | gá, gé ガ おんやくじ
[字解] ①의성어(擬聲語)갈 '小火輪上鳴的一聲, 氣管一啷啷一陣鈴聲'《張春帆·宦海》. ②음역자갈 '가'음을 나타내는 외래어 음역자(音譯字).

口13 〔噧〕16
[一] 홰 [去]卦 | xiè カイ べらべらしゃべる
[二] 달 [入]曷 | タツ べらべらしゃべる
[三] 희 [上]紙 | キ よくしゃべる
[字解] [一] ①흥분해서술술지껄일홰 '一, 高气多言也'《說文》. ②높은소리홰 '一, 高聲皃'《廣韻》. [二] 흥분해서술술지껄일달 [一]①과 뜻이 같음. [三] 잘지껄일희 '一, 一曰, 多言'《集韻》.
[字源] 形聲. 口＋蠆(省)〔音〕

口13 〔⿰口過〕16
[一] 과 [平]歌 | guō カ こたえあう
[二] 화 [平]歌 | guō カ こたえあう
[字解] [一] 어린아이서로답할과 어린아이가 서로 대답하는 소리. '兒嚶嚅一'《田畫》. [二] 어린아이서로답할화 [一]과 뜻이 같음.

口13 〔噙〕16 금 | qín キン ふくむ
[字解] 입에물금 머금음. '一, 口含物也'《辭海》.

口13 〔⿰口感〕16
[一] 함 [平]覃 | hán カン ほえる
[二] 감 ①[上]感 | カン とりのこえ
②[去]勘 | gǎn カン しかる
[字解] [一] 울함 짐승이 으르렁거림. '一, 吼也'《集韻》. [二] ①새소리감 '一, 鳥聲'《集韻》. ②꾸짖을감 '喊, 呵也. 亦从感'《集韻》.

口13 〔噸〕16 돈 | dūn トン トン
[字解] 톤돈 톤(ton)의 역자(譯字). ㉠중량의 단위. 천(千) 킬로그램. ㉡선박의 용적의 단위. 백(百) 입방 피트가 1톤임.
[字源] 形聲. 口＋頓〔音〕

口13 〔噴〕16 〔분〕
噴(口부 12획〈185〉)의 本字

口13 〔嘖〕16 〔책〕
嘖(口부 11획〈181〉)의 本字

口13 〔喟〕16 〔위〕
喟(口부 9획〈174〉)의 本字

口13 〔⿰高九〕16 교 ①[去]嘯 ②[去]嘯 | qiào キョウ たかい キョウ やすらかでない
[字解] ①높을교 '一, 高也'《集韻》. ②뒤뚝거릴교 안전(安全)하지 못함. '我亦平行蹋一⿰盧九'《韓愈》.

〔⿱穴⿱祭口〕〔찰〕
穴부 11획(922)을 보라.

口13 〔⿸厂⿱隹口〕16 〔응〕
譍(言부 13획〈1359〉)과 同字

口13 〔⿰壴否〕16 〔비〕
嚭(口부 16획〈191〉)와 同字

口14 〔嚀〕17 녕 [平]青 | níng ネイ ねんごろ
[字解] 신신당부할녕 '況賈母又千叮一萬囑咐吒他照管黛玉'《紅樓夢》.
[字源] 形聲. 口＋寧〔音〕

口14 〔嚂〕17
[一] 람 [去]勘 | làn ラン むさぼる
[二] 함 [上]感 | hǎn カン こえ
[字解] [一] ①탐낼람 '以一其口. (注) 一, 貪求也'《淮南子》. ②먹는모양람 '一, 食皃'《廣韻》. [二] 소리칠함 喊(口부 9획〈173〉)과 同字.

口14 〔嚺〕17 탑 [入]合 | tā トウ すする
[字解] 훅들이마실탑 씹지 않고 삼킴. '毋一羹'《禮記》.

口14 〔嚄〕17
[一] 획 [入]陌 | huò カク わめく
[二] 왁 [入]藥 | wò ワク あじがない

[字解] 一 ①깜짝놀라는소리획 감탄사의 하나. '一, 大姊, 何藏之深也'《史記》. ②외칠획 '一, 一嘖, 大喚'《廣韻》. ③말많을획 '僕蹇淺窄僻, 跳浮一嘖'《柳宗元》. ④새지저귀는소리획 '鵲占高枝一喈聲'《陸游》. 二 맛없을왁 음식맛이 신통치 않음. 䨥(食부 14획〈1730〉)과 同字. '䨥, 無味也. 或从口'《集韻》.
[字源] 形聲. 口＋蒦〔音〕

口14 〔嚅〕 17 유 (平)虞 | rú ジュ へつらいわらう

[字解] ①선웃음칠유 아첨하느라고 억지로 웃음. '喔咿一唲'《楚辭》. ②말머뭇거릴유 말하다가 입을 다묾. '口將言而囁一'《韓愈》. ③시끄러울유 떠들썩함. '暮歸喔一'《易林》.
[字源] 形聲. 口＋需〔音〕

口14 〔嚁〕 17 적 (入)錫 | dí テキ こえ

[字解] 소리적 '一, 聲也'《集韻》.

口14 〔嶷〕 17 一 억 (入)職 | yì ギョク さとい
二 의 (去)寘 | yì ギ くらい

[字解] 一 총명할억 어린 나이에 재주가 있음. '一, 小兒有知也'《說文》. 二 고루할의 견문이 적음. '一, 無聞見也'《廣韻》.
[字源] 形聲. 口＋疑〔音〕

口14 〔嚆〕 17 효 (平)肴 | hāo コウ さけぶ

[字解] ①외칠효 부름. '詨, 吳人謂叫呼爲詨, 或作一'《集韻》. ②울릴효 소리가 진동함. '一, 本亦作嗃, 向云, 一矢, 矢之鳴者'《莊子 註》.
[字源] 形聲. 口＋蒿〔音〕

口14 〔嚇〕 17 一 하 (去)禡 | xià カ おどす
二 혁 (入)陌 | hè カク いかる

[字解] 一 ①웃음소리하 '一, 笑聲'《廣韻》. ②으를하 위협함. '恐一'. '不料今宵天翻地覆, 一死俺也!'《桃花扇》. ③열하 닫힌 것을 엶. '或爆采以晃淵, 或一鰓乎巖間. (注) 一, 猶開也'《郭璞》. 二 성낼혁 화냄. '一怒'. 또, 그 소리. '仰而視之曰, 一'《莊子》.
[字源] 形聲. 口＋赫〔音〕

口14 〔嚌〕 17 一 제 (去)霽 | jì セイ なめる
(平)佳 | jiē カイ おおくのこえ
二 재 (平)佳 | zhāi サイ わらうさま

[字解] 一 ①맛볼제 음식을 맛봄. 옛날, 제사의 의식의 하나임. '主人之酢也, 一之'《禮記》. ②먹거나마실제 '不一其胾者也'《韓愈》. ③뭇소리제 '一, 一一, 衆聲'《集韻》. ④새슬피우는소리제 '一, 鳥哀聲'《集韻》. ⑤관현(管弦)소리슬플제 '鐘鼓喈喈, 管弦一一, 或承之衰. (注) 一一, 憂悲也'《太玄經》. 二 웃는모양재 '一, 一嗟, 笑皃'《集韻》.
[字源] 形聲. 口＋齊〔音〕

口14 〔嚈〕 17 엽 (入)葉 | yè ヨウ くにのな

[字解] ①오랑캐이름엽 '一噠'은 흉노(匈奴)의 별종(別種). 대월지(大月氏)의 땅을 빼앗고 인도(印度)를 침략하여 한때 자못 강성하였으나, 마침내 돌궐(突厥)에게 병탄(併呑)되었음. ②마지막숨엽 '一, 氣卽咽氣, 人死時斷氣'《漢語大字典》. '衆人上來看時, 已經一了氣了'《紅樓夢》.
[字源] 形聲. 口＋厭〔音〕

口14 〔嚊〕 17 비 (去)寘 | pì ヒ あえぐ

[字解] 헐떡거릴비 헐떡거리는 소리. '一, 喘息聲'《玉篇》.
[字源] 形聲. 口＋鼻〔音〕

口14 〔嚂〕 17 〔함〕
銜(金부 6획〈1559〉)과 同字

口14 〔嚔〕 17 〔체〕
嚏(口부 15획〈190〉)의 俗字

口14 〔嚎〕 17 호 (平)豪 | háo コウ·ゴウ おおごえ

[字解] 큰소리호 외치는 소리. '一, 大聲'《字彙補》.

口14 〔嚐〕 17 상 (平)陽 | cháng ショウ なめる

[字解] 맛볼상 먹음. 嘗(口부 11획〈182〉)과 同字.

口14 〔嚍〕 17 진 (去)震 | jìn シン いきどおる

[字解] 결낼진 큰소리를 치고 성냄. 또, 성내는 모양. '通諸人之一一者莫如言. 〈注〉 一一, 猶憤憤也'《揚子法言》.

口14 〔嚃〕 17 잡 (入)合 | zā ソウ はかる

[字解] 깊이헤아릴잡 빼앗으려고 꾀함. '至虛無純一, 而不一喋苛事也'《淮南子》.

口15 〔嚗〕 18 포 (上)巧 | bāo ホウ たがやす

[字解] 갈포 땅을 갊. '一, 臿地'《廣韻》.

口15 〔嚚〕 18 은 [平]眞 | yín ギン おろか

[字解] ①어리석을은 우둔함. '父頑母一'《書經》. ②말제대로못할은 '瘖語, 一瘖不可使言, 則一瘖皆不能言之疾'《廣雅·王念孫疏證》. ③간사(奸詐)할은 '口不道忠信之言爲一'《左傳》. ④모질은 '一, 惡也'《一切經音義》.

[字源] 形聲. 㗊＋臣〔音〕

口15 〔嚚〕 18 嚚(前條)과 同字

口15 〔嚏〕 18 체 [去]霽 | tì テイ くしゃみ

[字解] 재채기체, 재채기할체 '一噴'. '願言則一'《詩經》.

[字源] 形聲. 口＋疐〔音〕

[參考] 嚔(口부 14획〈189〉)는 俗字.

口15 〔嚙〕 18 교 [上]巧 | niè ゴウ かむ

[字解] 깨물교 咬(口부 6획〈159〉)와 同字.

[字源] 會意. 口＋齒

口15 〔嚜〕 18 ㊀묵 [入]職 | mò ボク いにみたない ㊁매 [去]隊 | mèi バイ·マイ あざむく

[字解] ㊀마음에차지않을묵 불만한 모양. '于嗟一一兮, 生也無故'《史記》. ㊁교활할매, 속일매 '一杘, 獪也. 江湘之間或謂之無賴, 或謂之一杘'《揚子方言》.

口15 〔嚘〕 18 우 [平]尤 | yōu ユウ なげく

[字解] 한숨쉴우 '咿一'는 탄식하는 소리. '佇立久咿一'《韓愈》.

[字源] 形聲. 口＋憂〔音〕

口15 〔嚗〕 18 ㊀박 [入]覺 | bó ハク いかるこえ ㊁팍 [入]覺 | bāo ハク つえをおとすおと

[字解] ㊀성낸소리박 역정을 내는 소리. '一, 怒聲'《集韻》. ㊁지팡이던지는소리팍 '神農隱几, 擁杖而起, 一然放杖而笑'《莊子》.

口15 〔嚕〕 18 로 [上]麌 | lū ロ かたる

[字解] ①이야기할로 말함. '一, 語也'《玉篇》. ②아첨할로 '一, 諂也'《類篇》. ③아깝게여길로 '吐一'는 애석하게 여김. '一, 吐一, 猶可惜也'《正字通》.

[字源] 形聲. 口＋魯〔音〕

口15 〔嚌〕 18 즐 [入]質 | zhì シツ こえでる

[字解] 소리날즐, 소리요란할즐 '啾吣一而將吟兮'《王褒》.

口15 〔嚛〕 18 학 [入]藥 | hù カク からい

[字解] ①매울학 맛이 몹시 매움. '一, 食辛一也'《說文》. ②먹을학 꿀꺽꿀꺽 많이 먹음. '大啜曰一'《玉篇》.

[字源] 形聲. 口＋樂〔音〕

口15 〔嚚〕 18 ㊀읍 [入]緝 | yì ユウ かしましい ㊁급 [入]緝 | xī キュウ はやい

[字解] ㊀시끄러울읍 咠(口부 9획〈176〉)과 同字. '咠咠, 衆聲. 或从雪'《集韻》. ㊁말소리급할급 '一囁'은 여러 사람의 목소리가 급한 모양. '一囁曄踕, 跳然復出'《王褒》.

口15 〔嚀〕 18 수 [去]遇 | shù ス いぬをつかうこえ

[字解] ①개부리는소리수 '一, 使犬聲'《集韻》. ②들이마실수 '還令蚍一, 毒氣乃盡'《大智度論》.

口15 〔嚌〕 18 질 [入]質 | zhì シツ やじんのことば

[字解] 야인의말질 '一, 野人之言'《廣韻》.

口15 〔嚊〕 18 〔규〕 嘄(口부 11획〈180〉)의 本字

口15 〔嚖〕 18 〔혜〕 嘒(口부 11획〈181〉)와 同字

口15 〔嚠〕 18 〔류〕 瀏(水부 15획〈697〉)와 同字

口15 〔嚞〕 18 〔철〕 哲(口부 7획〈165〉)의 古字

口16 〔嚥〕 19 연 [去]霰 | yàn エン のむ

[字解] 삼킬연 꿀떡 삼킴. '一, 呑也, 亦作咽'《玉篇》.

[字源] 形聲. 口＋燕〔音〕

口16 〔嚪〕 19 담 [上]感 [去]勘 | dàn タン·ダン くらう

[字解] 먹을담, 먹일담 잇속으로 남을 꾐. 啗(口부 8획〈168〉)과 同字. '令趙一說秦以伐齊之利'《史記》.

口16 〔嚬〕 19 빈 [平]眞 | pín ヒン ひそめる

[字解] ①미간을찡그릴빈 눈살을 찌푸림. 顰(頁부 15획〈1702〉)과 同字. '吾聞明主愛一一笑, 一有爲一, 而笑有爲笑'《韓非子》. ②웃는모양빈 '一, 笑皃'《集韻》.
[字源] 形聲. 口＋頻〔音〕

口16 〔嚨〕 19 롱 [平]東 | lóng ロウ のど

[字解] 목구멍롱 인후. '一, 喉也'《說文》. '吏買馬, 君具車, 請爲諸君鼓一胡'《後漢書》.
[字源] 形聲. 口＋龍〔音〕

口16 〔嚫〕 19 친 [去]震 | chèn シン ほどこす

[字解] 베풀친 중에게 재물을 시여함. '弟子一日恭一'《隋煬帝》.
[字源] 形聲. 口＋親〔音〕

口16 〔嚦〕 19 력 [入]錫 | lì レキ さえずり

[字解] 지저귀는소리력 '一一'은 옥(玉)을 굴리는 듯한 매끄러운 새 소리의 형용. '一一鶯聲溜的圓'《桃花扇》.

口16 〔嚧〕 19 로 [平]虞 | lú ロ いのこをよぶこえ

[字解] ①돼지부르는소리로 '一, 呼豬聲也'《廣韻》. ②웃는소리로 '呼一'는 웃음소리. '一, 呼一, 笑也'《集韻》. ③《佛敎》 무능약사로 '呼一'는 무능 약사(無能藥師). 약사여래의 진언(眞言)의 소주(小呪)에 나옴. '唵呼一呼一'《金剛經》.

口16 〔嚩〕 19 박 | pó ハク まじないのことば

[字解] 주문박 주문(呪文)의 말. '吽吽尸棄薩一賀'《延命陀羅尼呪》.

口16 〔嚰〕 19 〔순〕 啍(口부 8획〈167〉)의 本字

口16 〔嚱〕 19 〔허〕 歔(欠부 12획〈600〉)와 同字

口16 〔嚮〕 19 향 ①②[去]漾 ③-⑤[上]養 | xiàng キョウ さきに, むかう キョウ うける, ひびき

[字解] ①접때향, 지난번향 '一者'. '一使宋人不聞君子之語, 則年穀未豐'《說苑》. ②향할향 바라봄. 대함. 向(口부 3획〈148〉)과 同字. '一往'. '不可一邇'《書經》. ③누릴향 享(亠부 6획〈29〉)과 同字. '一其利者'《史記》. ④흠향할향 享(亠부 6획〈29〉)·饗(食부 13획〈1729〉)과 同字. '上帝嘉一'《漢書》. ⑤메아리향 響(音부 13획〈1682〉)과 同字. '一應'. '其受命也如一'《易經》.
[字源] 形聲. 鄉＋向〔音〕

口16 〔嚭〕 19 비 [上]紙 | pǐ ヒ おおきい

[字解] ①클비. '一, 大也'《說文》. ②크게기뻐할비 '一, 大喜也'《六書統》.
[字源] 形聲. 喜＋否〔音〕

口16 〔𡆗〕 19 〔상〕 商(口부 8획〈170〉)의 古字

口17 〔嚴〕 20 [中·人] 엄 [平]鹽 | yán ゲン おごそか

[筆順] 吅 𠰩 𠰭 𠱠 𡁹 𡃴 㘙 嚴

[字解] ①엄할엄 ㉠엄정함. '一格'. '閨門甚一'《後漢書》. ㉡엄중함. '一禁'. '責督益一'《史記》. ㉢엄숙함. '一莊'. '一若朝典'《世說》. ㉣위엄이 있어 두려움. '一威'. '師一而後道尊'《禮記》. ②굳셀엄 의연(毅然)함. '霜操日一'《沈約》. ③높을엄 존엄함. '故宗廟一'《禮記》. ④혹독할엄 ㉠정도가 심함. '一寒'. '始知殺氣一'《李白》. ㉡행위가 모짊. '一刻'. '法家一而少恩'《史記》. ⑤경계할엄 ㉠조심함. '申一'. '一憚汲黯'《史記》. ㉡방비함. '戒一'. '何故夜一'《晉書》. ⑥높일엄 존중함. '一師'. '一重之'《史記》. ⑦삼갈엄 공경하여 조심함. '日一祗敬六德'《書經》. ⑧경계엄, 계엄엄 경비(警備). '搥一鼓爲一一'《唐書》. ⑨차림엄 장속(裝束). 차비(差備). '一程'. '僕夫早一駕'《曹植》. ⑩성엄 성(姓)의 하나.
[字源] 形聲. 吅＋厰〔音〕

口17 〔嚱〕 20 희 [平]支 | xì キ ああ

[字解] ①휘파람소리희 '一, 吹一, 口聲'《玉篇》. ②감탄사희 경탄(驚歎)하는 소리. '噫吁一, 危乎高哉'《李白》. ③소리희 '一, 聲也'《廣韻》.
[字源] 形聲. 口＋戲〔音〕

口17 〔嚶〕 20 앵 [平]庚 | yīng オウ なきかわす

[字解] ①새지저귈앵 새가 서로 정답게 욺. 또, 그 소리. '一其鳴矣, 求其友聲'《詩經》. ②기타 여러 소리의 형용. ㉠말이오는소리앵 '一一白馬來, 滿腦黃金重'《李賀》. ㉡울앵 '媳不辯, 惟一一啜泣'《徐珂》. ㉢외마딧소리앵 '(她)只'一'了一聲, 也不說話'《朱自清·阿河》.

[字源] 形聲. 口＋嬰〔音〕

口17 〔嚶〕 20 앙 |āng ジョウ どなる

[字解] 외칠앙, 소리칠앙 시끄러움. '一, 大聲也. 北人稱喧鬧爲一'《中華大字典》.

[字源] 形聲. 口＋襄〔音〕

口17 〔嚵〕 20 참 [平]咸 [平]咸 |chán サン なめる chān サン ひとにかわっていう

[字解] ①맛볼참 '一, 博雅, 嘗也'《集韻》. ②부리참 새의 주둥이. '一, 喙也'《說文》. ③음식탐할참 饞(食부 17획〈1731〉)과 同字. '一, 同饞'《字彙》. ④남의말대신할참 '一, 譏言也'《集韻》.

[字源] 形聲. 口＋毚〔音〕

口17 〔嚲〕 20 타 [上]哿 |duǒ タ たれさがる

[字解] ①휘늘어질타 '一, 垂下皃'《集韻》. '朝歌城邊柳一地'《岑參》. ②넓을타 '一, 一曰, 廣也'《集韻》. ③두터울타 '一曰, 厚也'《集韻》.

口17 〔嚂〕 20 란 ①[平]寒 ②[上]旱 |lán ラン くだくだしい lǎn ラン いつわり

[字解] ①말통하지않을란 말이 장황하여 알 수가 없음. '一哰, 傛挐, 語不可解'《廣韻》. ②속일란 꾸며서 속임. 讕(言부 17획〈1364〉)과 同字. '讕, 誣言也. 或作一'《集韻》.

口17 〔嚳〕 20 곡 [入]沃 |kù コク つげる

[字解] ①고할곡 급히 고함. ②제왕이름곡 '帝一'은 오제(五帝)의 한 사람. '帝一高辛氏'. '帝一, 黃帝曾孫'《史記》.

[字源] 形聲. 告＋學〈省〉〔音〕

口17 〔嚻〕 20 도 [去]號 |dāo トウ としきゅうじゅう

[字解] ①아흔살도 '年九十日一'《玉篇》. ②노인도 늙은이. '博雅, 老也, 七十日叡, 或作一'《集韻》.

口18 〔囂〕 21 효 [平]蕭 |xiāo キョウ かまびすしい

[字解] ①들렐효 떠들썩함. '一一'. '湫隘一塵'《左傳》. ②성효 성(姓)의 하나.

[字源] 會意. 㗊＋頁

口18 〔嚻〕 21 囂(前條)와 同字

口18 〔嚼〕 21 작 [入]藥 |jiáo シャク かむ

[字解] ①씹을작 ㉠저작함. '一殘魚肉置盤上'《李義山雜纂》. ㉡맛봄. '吟一五味足'《蘇軾》. ㉢뜻을 음미(吟味)하여 깨달음. '咀一文義'《文心雕龍》. ②술강권할작 술을 권하여 억지로 마시게 할 때 하는 말. '一復一者, 京都飮酒相強之辭也'《後漢書》.

[字源] 形聲. 口＋爵〔音〕

口18 〔嚵〕 21 〔참〕 嚵(口부 17획〈192〉)과 同字

口18 〔嚾〕 21 ⊟ 훤 [平]元 ⊟ 환 [去]翰 |huān カン かまびすしい huàn カン よぶ

[字解] ⊟ 들렐훤 떠들썩함. '一一然而不知其所非也'《荀子》. ⊟ 부를환 喚(口부 9획〈173〉)과 同字. '咀一者, 九竅而胎生'《大戴禮》.

[字源] 形聲. 口＋雚〔音〕

口18 〔囀〕 21 전 [去]霰 |zhuàn テン さえずる

[字解] ①지저귈전 새가 욺. '新年鳥聲千種一'《庾信》. ②가락전 음조(音調). '聽邊笳之嘶一'《顏延之》.

[字源] 形聲. 口＋轉〔音〕

口18 〔囁〕 21 섭(녑[本]) [入]葉 |niè ショウ·ジョウ いいよどむ

[字解] ①말머뭇거릴섭 겁이 나서 말하기를 주저함. '口將言而一嚅'《韓愈》. ②소곤거릴섭 사어(私語)함. 속삭임. '乃效兒女呫一耳語'《史記》. ※本音 녑.

[字源] 形聲. 口＋聶〔音〕

口18 〔嚿〕 21 획 [入]陌 |huò カク ほこる

[字解] 자랑할획 자만(自慢)하는 모양. '一一, 誇皃'《廣韻》.

口18 〔嚴〕 21 안 [平]刪 |yán ガン あらそう

[字解] 다툴안 '一一'은 다투는 모양. '一棲兩雄, 其鬬一一'《韓非子》.

口18 〔囃〕 21 잡 [入]合 |cà ソウ はやし

[字解] ①메기는소리잡 춤에 맞추어 흥을 돋우는 소리. '一, 助舞聲'《集韻》. ②시끄러울잡 '嘈一'은 시끄러움. '嘈一, 喧也'《正字通》.

口18 〔囈〕 21 의 [平]支 |yī イ わらう

[字解] 웃을의 '一噓'는 입을 벌리고 웃음. '玉女投壺, 有入而不出者, 天爲一噓'《仙傳拾遺》.

口 18 〔⿰口㶾〕 21 〔표〕 嘌(口부 11획〈181〉)의 本字

口 18 〔嚽〕 21 〔철〕 啜(口부 8획〈168〉)과 同字

口 19 〔⿱吅厰〕 22 〔엄〕 嚴(口부 17획〈191〉)의 古字

口 19 〔囅〕 22 천 [上]銑 | chǎn テン わらう

[字解] 껄껄웃을천 대소(大笑)하는 모양. '一然而笑'《莊子》.
[字源] 形聲. 單+展〔音〕

口 19 〔囈〕 22 예 [去]霽 | yì ゲイ うわごと

[字解] 잠꼬대예 몽예(夢囈). '一語'. '眠中唫一呻呼'《列子》.
[字源] 形聲. 口+藝〔音〕

口 19 〔囋〕 22 [一] 찬 [平]寒 | cān サン たすける
[二] 찰 [入]曷 | zá サツ がやがやいう

[字解] [一] 도울찬 贊(貝부 12획〈1400〉)과 同字. '問一而告二, 謂之一'《荀子》. [二] 지껄일찰 '嘈一'은 지껄이는 소리. '務嘈一而妖冶'《陸機》.
[字源] 形聲. 口+贊〔音〕

口 19 〔囉〕 22 라 [平]歌 | luó ラ うたのちょうしをたすける

[字解] ①노래꺾일라 노래의 가락을 돕는 소리. '一, 歌助聲'《集韻》. ②소리뒤섞일라. ③잔말할라.
[字源] 形聲. 口+羅〔音〕

口 19 〔⿰口蠆〕 22 채 [去]卦 | chài タイ じんめい

[字解] 사람이름채 '鄭公孫一'《公羊傳》.

口 19 〔囊〕 22 낭 [平]陽 | náng ノウ ふくろ

[字解] ①주머니낭 자루 또는 지갑. '一中無一物'《杜甫》. '號曰智一'《史記》. ②주머니에넣을낭 '皆一于法, 以事其主'《管子》. ③성낭 성(姓)의 하나.
[字源] 形聲. 𠀐(東〈省〉)+𩂷〔音〕

口 19 〔囍〕 22 [韓] 희

[字解] 《韓》 쌍희희 喜(기쁠희)에서 한 획을 떼어 낸 '喜'를 두 개 나란히 하여 만든 문양(文樣) 글자로, 기쁨이 겹침을 뜻함. 실제의 문장에는 쓰이지 않고, 소목 공예, 그릇, 천, 베갯머리 등에 쓰임.

〔轡〕 〔비〕 車부 15획(1481)을 보라.

口 20 〔⿱𦣝口〕 23 〔은〕 嚚(口부 15획〈190〉)의 古字

口 20 〔⿰口嚴〕 23 암 [平]咸 | yán ガン·ゲン うめく

[字解] 신음할암 아프거나 고통스러워 내는 소리. '一, 呻也'《說文》.
[字源] 形聲. 口+嚴〔音〕

口 20 〔囐〕 23 잘 [入]曷 | zá サツ つづみのおと

[字解] ①소리잘, 북소리잘 '奏嚴鼓之嘈一'《張衡》. ②나라이름잘 '一噠'은 남북조 시대 서역(西域)의 나라이름. '一噠國, 大月氏之種類, 在于闐之西'《北周書》.
[字源] 會意. 口+獻

口 20 〔⿰堇喜〕 23 〔간〕 艱(艮부 11획〈1118〉)의 古字

口 21 〔⿳吅萈吅〕 24 [一] 환 [平]寒 [去]翰 | huàn カン わめく
[二] 한 [去]翰

[字解] [一] 부르짖을환, 부를환 '一, 嘑也'《說文》. [二] ①부르짖을한, 부를한 [一]과 뜻이 같음. ②울한 새가 욺. '一, 博雅, 鳴也'《康熙字典》.
[字源] 形聲. 吅+萈〔音〕

口 21 〔囑〕 24 촉 [入]沃 | zhǔ ショク たのむ

[字解] 청촉할촉, 부탁할촉 '一託'. '更得湖南新一付'《朱熹》.
[字源] 形聲. 口+屬〔音〕
[參考] 嘱(口부 12획〈186〉)은 俗字.

口 21 〔囓〕 24 설 [入]屑 | niè ゲツ かむ

[字解] 깨물설 齧(齒부 6획〈1887〉)과 同字. '猶昆蟲之相一'《後漢書》.
[字源] 形聲. 口+齧〔音〕

口 21 〔⿰口𩏂〕 24 〔담〕 嘾(口부 12획〈186〉)의 本字

口 22 〔囔〕 25 낭 | nāng ノウ つぶやく

[字解] 중얼거릴낭 '嘟一'은 중얼거림. '口內

嘟—說'《紅樓夢》.

口23 〔囍〕26 〔간〕
艱(艮부 11획〈1118〉)의 籀文

囗 部

〔에운담부 · 큰입구부〕

囗0 〔囗〕3 [一] 위 [平]微 | wéi イ めぐる
[二] 국 [入]職 | guó コク くに

[筆順] 丨 冂 囗

[字解] [一] 에울위 圍(囗부 9획〈197〉)의 古字. [二] 나라국 國(囗부 8획〈197〉)의 古字.
[字源] 指事. 둘레를 에워싼 선으로 '에워싸다, 두르다'의 뜻을 나타냄.
[參考] 부수(部首)로서, '둘러싸다 · 둘레 · 두르다'의 뜻을 포함하는 문자가 이루어짐. 속(俗)에, '口구'보다 크다 하여 '큰입구'로 이름.

囗1 〔乙〕4 〔일〕
日(部首〈499〉)의 古字

囗2 〔囚〕5 [高·人] 수 [平]尤 | qiú シュウ とらえる

[筆順] 丨 冂 冂 囚 囚

[字解] ①가둘수 죄인을 가둠. '—繫'. '陽虎因—桓子'《史記》. ②갇힐수 전항의 피동사. '斯卒—'《史記》. 전(轉)하여, 사물에 구애됨. '反爲情所—'《陸龜蒙》. '爲章句—'《師嚴》. ③죄수수 '行部錄—'《漢書》. ④포로수 '—虜'. '在泮獻—'《詩經》. ⑤옥사(獄詞)수 재판의 말. '丕蔽要—'《書經》.
[字源] 會意. 人+囗

囗2 〔四〕5 [中·人] 사 [去]寘 | sì シ よっつ, よん

[筆順] 丨 冂 冂 四 四

[字解] ①넉사 '三—'. '君子之道—, 丘未能一焉'《中庸》. ②네번사 4회(回). '嘉慮—回'《陸機》. ③사방사 네 방위. '—海'. '始用—達'《莊子》. ④성사 성(姓)의 하나.
[字源] 指事. 네 개의 가로선으로 '넷'을 뜻함.

囗2 〔㘝〕5 [一] 닙 [入]緝 | niè ジュウ·ニュウ みをふせてとる
[二] 녑 [入]洽 | niè ドウ·ニョウ みをふせてとる

[字解] [一] ①엎드려거둘닙 '—, 下取物縮臧之'《說文》. ②사사로이취할닙 '——'은 사사로이 취하는 모양. '—一, 私取皃'《廣韻》. [二] 엎드려거둘녑, 사사로이취할녑 [一]과 뜻이 같음.
[字源] 會意. 囗+又

囗2 〔囙〕5 〔인〕
因(囗부 3획〈194〉)의 俗字

囗2 〔囘〕5 回(次條)의 古字
[參考] 囙(次次條)과는 別字.

囗3 〔回〕6 [中·人] 회 ①-⑪[平]灰 ⑫⑬[去]隊 | huí カイ まわる, まわす カイ まがる, さける

[筆順] 丨 冂 冂 冂 回 回

[字解] ①돌회 ㉠둥글게 움직임. '—轉'. '昭—于天'《詩經》. ㉡둥글게 굽음. '尋幽石徑—'《孟浩然》. ㉢여기저기 걸어다님. '仙樣何處—'《沈佺期》. ②돌아올회 갔다 도로 옴. '—國'. '欲去未到先思—'《韓愈》. ③돌아볼회 뒤를 봄. '兩行紅粉一時—'《杜牧》. ④돌릴회 ㉠돌게 함. 방향을 다른쪽으로 바꿈. '—船'. '—朕車以復路兮'《楚辭》. ㉡마음을 돌림. 뜻을 굽힘. '—容'. '抗義不—'《後漢書》. ⑤간사할회 '—邪'. '其德不—'《詩經》. ⑥어길회 배반함. '徐方不—'《詩經》. ⑦어그러질회 상위함. '求福不—'《詩經》. ⑧머뭇거릴회 배회함. '余低—留之不能去'《史記》. ⑨둘레회 주위. '周—垂三五百里'《廬山記略》. ⑩횟수회 '三—'. ⑪성회 성(姓)의 하나. ⑫멀회 빙 돌아 멂. '—遠千里'《漢書》. ⑬피할회 회피함. '—隱'. '無所—避'《漢書》.
[字源] 象形. 물건이 회전하는 모양을 본뜸.

囗3 〔囙〕6 홀 [入]月 | hū コツ ごきのつよいことば
[字解] 어기(語氣)센말홀. '—, 出气詞也'《六書略》.
[參考] 囙(前前條)와는 別字.

囗3 〔囤〕6 〔돈〕
圂(囗부 4획〈195〉)과 同字

囗3 〔㔶〕6 〔목〕
目(部首〈836〉)과 同字

囗3 〔因〕6 [中·人] 인 [平]眞 | yīn イン よる

[筆順] 丨 冂 冂 冃 因 因

字解 ①인할인 종전대로 따름. '一襲'. '一循'. '殷一夏禮'《論語》. ②말미암을인 인연함. '一天事天'《禮記》. ③의지할인 '一依'. '一不失其親'《論語》. ④부탁할인 '時子一陳子而以告孟子'《孟子》. ⑤겹칠인, 쌓일인 중첩함. '大倉之粟, 陳陳相一'《漢書》. ⑥인연인 관계. 연유. '一果'. '欲知前生一, 今生受者是'《傳燈錄》. ⑦까닭인 기원. '原一'. '無一而至前者也'《漢書》. ⑧성인 성(姓)의 하나.
字源 會意. 口＋大

口 3 〔囝〕6 건 ㊤銑 | jiǎn ケン こ
字解 아이건 아이의 호칭(呼稱). '顧況撰哀一篇'《靑箱雜記》.
字源 會意. 口＋子

口 3 〔囡〕6 닙 ㊇緝 | nān ジュウ·ニュウ ひそかにとる
字解 ①사사로이취할닙 囡(口부 2획〈194〉)과 同字. ②계집아이닙 오(吳)의 방언(方言)으로, 계집아이. '有生女瑩白者, 多名白一, 以誌其異'《柳南俗筆》.

口 3 〔⿴囗三〕6 〔량〕
良(艮부 1획〈1118〉)의 古字

口 3 〔⿴囗小〕6 〔창〕
囪(口부 4획〈196〉)의 古字

口 3 〔团〕6 〔단〕
團(口부 11획〈198〉)의 簡體字

口 3 〔団〕6 〔단〕
團(口부 11획〈198〉)의 略字

口 3 〔囟〕6 신 ㊍震 | xìn シン ひよめき
字解 정수리신 정문(頂門).
字源 象形. 어린아이이기 때문에 머리 위의 뼈가 아직 굳지 않은 상태의 상형.

口 4 〔囧〕7 경 ㊥青 | jiǒng ケイ あきらか
字解 밝을경 환함. 冏(冂부 5획〈89〉)의 本字. '月吐窗一一'《韓愈》.

口 4 〔囮〕7 ㊀ 와 ㊥歌 | é カ おとり
㊁ 유 ㊥尤 | (yóu) ユウ おとり
字解 ㊀ ①여리새와 다른 새를 꾀어 오기 위하여 매어 놓는 새. ②매개와 어떤 사물을 끌어오기 위하여 이용하는 것. '聞誘而怒者, 譏之一也'《文中子》. ③낳을와 출생함. '羣類一育, 庶物甡植'《元包經》. ㊁ 여리새유, 매개유, 낳을유 ㊀과 뜻이 같음.
字源 形聲. 口＋化〔音〕

口 4 〔困〕7 中·人 곤 ㊍願 | kùn コン こまる
筆順 丨 冂 冃 冄 ⿵冂木 困 困
字解 ①곤할곤 ㉠고생함. '一厄'. '事前定則不一'《中庸》. ㉡괴로움. 난처함. '一難'. '或一而知之'《中庸》. ㉢생활이 가난함. '一窮'. '亡國之音, 哀以思, 其民一'《詩經》. ㉣피곤함. 지침. '疲一'. '昨夜一乎'《後漢書》. ㉤위경(危境)에 빠짐. '一獸猶鬪'《左傳》. ②곤하게할곤 전항(前項)의 타동사. '謀而一人'《國語》. ③괴로움곤, 고난(苦難)곤 이상(以上)의 명사. '急人之一'《史記》. ④곤괘곤 육십사괘의 하나. 곤, ䷮ 〈감하(坎下), 태상(兌上)〉. 진퇴에 궁한 상(象).
字源 會意. 木＋口

口 4 〔囩〕6 ㊀ 운 ㊥文 | ウン めぐる
㊁ 원 ㊥元 | エン めぐる
㊂ 윤 ㊥眞 | yún イン めぐる
字解 ㊀ ①돌운 둥글게 움직임. '一, 回也'《說文》. ②십이경운 밭 십이경(頃)의 지적(地積). '田十有二頃, 謂之一'《集韻》. ③뜻모자랄운 뜻이 부족함. '一, 一曰, 意不足'《集韻》. ㊁ 돌원, 십이경원, 뜻모자랄원 ㊀과 뜻이 같음. ㊂ 돌윤, 십이경윤, 뜻모자랄윤 ㊀과 뜻이 같음.
字源 形聲. 口＋云〔音〕

口 4 〔囤〕7 돈 ㊤阮 | dùn トン こめぐら
字解 곳집돈 작은 쌀 창고.
字源 形聲. 口＋屯〔音〕

口 4 〔囫〕7 홀 ㊇月 | hú コツ まったし
字解 온전할홀 '一圇'은 흠 없는 물건의 뜻.
字源 形聲. 口＋勿〔音〕

口 4 〔园〕7 완 ㊥寒 | wán ガン けずる
字解 깎을완 귀를 깎음. 모난 데를 없앰. 刓(刀부 4획〈100〉)과 同字. '五者一而幾向方矣'《莊子》.
字源 形聲. 口＋元〔音〕

口 4 〔⿴囗水〕7 〔연〕
淵(水부 9획〈661〉)의 古字

口 4 〔囸〕7 〔홀〕
曶(曰부 4획〈518〉)의 籒文

口 4 〔囯〕7 〔국〕
國(口부 8획〈197〉)의 俗字

口 4 〔囲〕7 〔위〕
圍(口부 9획〈197〉)의 略字

口 4 〔囬〕7 ㊀ 回(口부 3획〈194〉)의 俗字
㊁ 面(部首〈1656〉)의 古字

口 4 〔図〕7 〔도〕
圖(口부 11획〈198〉)의 略字

口 4 〔囱〕7 ㊀ 창 ㊥江 | chuāng ソウ てんまど
㊁ 총 ㊥東 | cōng ソウ けむだし

字解 ㊀ 창창 지붕에 낸 창문. ㊁ 꿀뚝총.
字源 象形. 지붕에 낸 창문의 모양을 본뜸.

口 5 〔囷〕8 균 ㊥眞 | qūn キン こめぐら

字解 ①곳집균 원형의 미창(米倉). '胡取禾三百—兮'《詩經》. ②꼬불꼬불할균 '——焉'《杜牧》. ③다발묶을균 '—, 綣也'《釋名》.
字源 會意. 口+禾

口 5 〔囹〕8 령 ㊥青 | líng レイ ひとや

字解 옥령 감옥. '—圄'. '命有司省—圄'《禮記》.
字源 形聲. 口+令〔音〕

口 5 〔固〕8 中·人 고 ㊦遇 | gù コ かたい, かためる

筆順 丨 冂 冃 円 冋 囗 固 固

字解 ①굳을고 ㉠견고함. '—體'. '冰凍方—'《呂氏春秋》. ㉡변하지 아니함. 변동하지 아니함. '學則不—'《論語》. ㉢움직이지 아니함. 안정(安定)함. '國可以—'《國語》. ㉣수비가 엄함. '兵勁城—'《荀子》. ㉤지세가 험준함. '長岸峻—'《水經注》. 또, 험준한 요해처. '美哉乎, 山河之—, 此魏國之寶也'《史記》. ②굳게할고 전항의 타동사. '夫—國者, 在親衆而善隣'《國語》. ③우길고 고집함. '—執'. '毋意, 毋必, 毋—, 毋我'《論語》. ④고루할고 완고하고 비루함. '—陋'. '寡人—'《禮記》. ⑤굳이고 ㉠억지로. '毋—獲'《禮記》. ㉡재삼. 거듭. '—諫'. '禹拜稽首—辭'《書經》. ⑥진실로고 ㉠말할 것도 없이. 물론. '小—不可以敵大'《孟子》. ㉡본디부터. '—所願'. '天下—畏齊之彊也'《孟子》. ⑦항상고 늘. '若—有之'《孟子》. ⑧고질고 오랜 질병. 錮(金부 8획〈1567〉)와 통용. '國多—疾'《禮記》. ⑨성고 성(姓)의 하나.
字源 形聲. 口+古〔音〕

口 5 〔囻〕8 〔국〕
國(口부 8획〈197〉)과 同字

口 5 〔圀〕8 〔국〕
國(口부 8획〈197〉)의 古字

口 5 〔国〕8 〔국〕國(口부 8획〈197〉)의 俗字・簡體字

口 5 〔图〕8 〔도〕圖(口부 11획〈198〉)의 簡體字

口 5 〔囦〕8 〔연〕
淵(水부 9획〈661〉)의 古字

口 6 〔囿〕9 유 ㊦宥 | yòu ユウ にわ

字解 ①동산유 금수(禽獸)를 방사(放飼)하기 위하여 담을 친 곳. '苑—'. '文王之—'《孟子》. 전(轉)하여, 구역. 장소. '游乎六藝之—'《司馬相如》. ②담유 한 구역에 쌓은 담. '正月祭韭—'《大戴禮》. ③얽매일유 구애됨. 구니(拘泥)함. '—其學之相非也'《尸子》.

口 6 〔圀〕9 〔국〕
國(口부 8획〈197〉)의 古字
參考 측천 무후(則天武后)가 만든 문자.

口 6 〔囼〕9 〔목〕
目(部首〈836〉)의 古字

口 6 〔圗〕9 〔도〕
圖(口부 11획〈198〉)의 俗字

口 7 〔圂〕10 ㊀ 혼 ㊦願 | hùn コン かわや
㊁ 환 ㊦諫 | huàn カン かちく

字解 ㊀ ①뒷간혼 溷(水부 10획〈670〉)과 同字. ②성혼 성(姓)의 하나. ㊁ 가축환 豢(豕부 6획〈1374〉)과 同字. '君子不食—腴'《禮記》.
字源 會意. 口+豕

口 7 〔圃〕10 포 ㊤麌 | pǔ ホ はたけ

字解 ①남새밭포 채마전. '蔬—'. '園—毓草木'《周禮》. 전(轉)하여, 장소. 구역. '翺翔乎書—'《司馬相如》. ②농사포 농작. '舊喜樊遲知學—'《朱熹》. ③농군포 농사짓는 사람. '吾不如老—'《論語》. ④성포 성(姓)의 하나.
字源 形聲. 口+甫

口 7 〔圄〕10 어 ㊤語 | yǔ ギョ ひとや, とらえる

字解 ①옥어 감옥. '囹—'. ②가둘어 잡아 가둠. '—伯嬴于轑陽'《左傳》.
字源 形聲. 口+吾〔音〕

口 7 〔啣〕10 함 ①②上感 ③平覃 | hán カン あご カン した

字解 ①턱함 아래턱. '口上曰臄, 口下曰一'《集韻》. ②갑옷함 싸울 때 입는 옷. 函(凵부 6획〈97〉)과 同字. ③혀함 혓바닥. '一, 舌也'《說文》.

口 7 〔圁〕10 은 平文 | yín ギン かわのな

字解 ①물이름은 '一水'는 내몽골 자치구(自治區)에서 발원하여, 섬서성(陝西省) 북부에서 황하로 흘러드는 강. 지금의 굴야하(窟野河). ②고을이름은 '一陽'은 섬서성(陝西省) 신목현(神木縣)의 동쪽에 있는 현(縣). 한(漢)나라 때 설치하여 진(晉)나라 때 폐(廢)함.

口 7 〔圓〕10 ㊀연 平先 / 去霰 ㊁선 平先 | yuán ケン ぶんまわし / xuán セン ぶんまわし

字解 ㊀ 그림쇠연 원형을 그리는 제구. '一, 規也'《說文》. ㊁ 그림쇠선 ㊀과 뜻이 같음.
字源 形聲. 口+肙〔音〕

口 7 〔圎〕10 〔면〕 面(部首〈1656〉)의 本字

口 7 〔圁〕10 〔목〕 目(部首〈836〉)의 古字

口 8 〔圈〕11 人名 권 ①②去霰 ③④平先 | juàn ケン ませ, おり / quān ケン まげもの

筆順 冂 冂 冃 冃 冋 冋 圈 圈

字解 ①우리권 동물의 우리. '虎一'. '熊佚一出'《漢書》. ②성권 성(姓)의 하나. ③바리권 나무로 휘어 만든 그릇. 棬(木부 8획〈555〉)과 同字. '母沒而杯一不能飮焉'《禮記》. ④동그라미권 권점. '一點'. '半一於四週'《漢書評林》.
字源 形聲. 口+卷〔音〕

口 8 〔圉〕11 어 ①-⑥上語 ⑦去御 | yǔ ギョ うまかい, ひとや ギョ ふせぐ

字解 ①마부어 말을 기르는 사람. 또, 그 벼슬. '一師'. '養馬曰一'《周禮 注》. ②마굿간어 '馬一'. '馬有一, 牛有牧'《左傳》. ③변방어 변경. '邊一'. '聊以固我一也'《左傳》. ④옥어 감옥. '囹一空虛也'《漢書》. ⑤기를어 말을 기름. '將一馬於成'《左傳》. ⑥성어 성(姓)의 하나. ⑦막을어 禦(示부 11획〈893〉)와 同字. '安能一我'《管子》.
字源 會意. 篆文은 口+幸. '幸섭'은 수갑.

口 8 〔圂〕11 圉(前條)의 本字

口 8 〔圊〕11 청 平庚 平青 | qīng セイ かわや

字解 뒷간청 변소. '作一廁'《法苑珠林》.
字源 形聲. 口+青〔音〕

口 8 〔圇〕11 륜 平眞 | lún リン まったし

字解 온전할륜 '囫一'은 흠 없는 물건의 뜻.
字源 形聲. 口+侖〔音〕

口 8 〔國〕11 中·人 국 入職 | guó コク くに

筆順 冂 冂 冋 冋 國 國 國 國

字解 ①나라국 ㉠국가. 국토. '一力'. '以佐王治邦一'《周禮》. ㉡지리상 또는 행정상 구획된 토지. '二百一十一以爲州'《周禮》. ㉢서울. 수도(首都). '徧一中, 無與立談者'《孟子》. ㉣고향. '去一三世, 爵祿有列於朝'《禮記》. ②나라세울국 나라를 창립함. '黥布叛逆, 子長一之'《史記》. ③성국 성(姓)의 하나.
字源 會意. 甲骨文은 口+戈
參考 ①囯(口부 4획〈195〉)·国(口부 5획〈196〉)은 俗字. ②圀(口부 5획〈196〉)·圀(口부 6획〈196〉)은 古字.

口 8 〔圎〕11 〔원〕 園(口부 10획〈198〉)의 俗字

口 9 〔圍〕12 高·人 위 平微 | wéi イ かこむ

筆順 冂 冂 冃 冐 冐 冐 圍 圍

字解 ①에울위 ㉠둘러쌈. '一繞'. '至精無形, 至大不可一'《莊子》. ㉡적을 둘러싸고 사방에서 침. '楚一蔡'《史記》. ②에워싸일위 포위당함. '魯酒薄而邯鄲一'《莊子》. ③둘레위 주위. '範一'. '參分其一'《周禮》. ④포위위 군사로 에워싸거나 에워싸이는 일. '平城之一, 嫚書之恥'《後漢書》. 또, 그 에워싼 진형(陣形). '乃解其一一角'《漢書》. ⑤아름위 양팔을 벌려 낀 둘레. 일설(一說)에는, 다섯 치의 둘레. '見櫟社樹, 其大蔽牛, 絜之百一'《莊子》.
字源 形聲. 口+韋〔音〕

口 9 〔圍〕12 圍(前條)의 俗字

口 9 〔圌〕 12 천 ㊥先 chuán セン まるい

字解 ①둥글천 둥그런 모양. '一, 圜也'《玉篇》. ②대상자함 곡식을 담는 둥근 대나무 상자. 篅(竹부 9획〈947〉)과 同字.
字源 形聲. 口+耑〔音〕

口 9 〔圔〕 12 할 ㊀黠 yà アツ らくだのこえ

字解 낙타소리할 약대가 지르는 소리. '載實駝鳴一'《韓愈》.

口 9 〔圏〕 12 〔권〕
圈(口부 8획〈197〉)과 同字

口 9 〔圎〕 12 〔원〕
圓(次次條)의 俗字

口 10 〔園〕 13 中·人 원 ㊥元 yuán エン その

筆順 冂 冂 冋 冋 冋 囗 園 園

字解 ①동산원 울을 두른 수목의 재배지. '庭一'. ②구역원 구획한 지역. 또, 장소. '修容乎禮一'《司馬相如》. ③능원 능침. 왕릉. '一陵'. '葬于一'《禮記》. ④절원 사원. '祇一'. ⑤울원 담. '將仲子兮, 無踰我一'《詩經》. ⑥성원 성(姓)의 하나.
字源 形聲. 口+袁〔音〕

口 10 〔圓〕 13 中·人 원 ㊥先 yuán エン まるい

筆順 冂 冂 冋 冋 冐 圓 圓 圓

字解 ①둥글원 ㉠원형임. '一丘'. '天一而地方'《大戴禮》. ㉡모가 없음. '一滿'. '激岸石成一流'《郭璞》 ㉢막히지 아니함. 통함. '一轉'. '智欲一而行欲方'《淮南子》. ②동그라미원 원형. '左手畫一, 右手畫方'《韓非子》. ③둘레원 '周一'. ④알원 새알. '有鳳之一'《山海經》. ⑤원원 화폐의 단위. 일전(一錢)의 백 배. ⑥성원 성(姓)의 하나.
字源 形聲. 口+員〔音〕
參考 ①円(冂부 2획〈88〉)은 略字. ②圎(前前條)은 俗字.

口 10 〔圕〕 13 圖書館의 3자(字)를 간단하게 쓴 자(字).

口 11 〔圖〕 14 中·人 도 ㊥虞 tú ズ·ト え

筆順 冂 冂 冋 冋 冋 圖 圖 圖

字解 ①그림도 ㉠회화. '繪一'. '畫北風一, 人見之覺涼'《博物志》. ㉡지도. '掌天下之一, 以掌天下之地'《周禮》. ②그릴도 그림을 그림. '自一宣尼像'《南史》. ③꾀할도 계책을 세움. '一謀'. '君與卿一事'《儀禮》. 또, 꾀하여 얻음. 도모(圖謀)하여 취득함 '而天下可一也'《戰國策》. ④헤아릴도 사고함. '是究是一'《詩經》. ⑤다스릴도 죄를 다스림. '無使滋蔓, 蔓難一也'《左傳》. ⑥하도도 복희씨(伏羲氏) 때 황하(黃河)에서 나왔다는 팔괘(八卦)의 그림. '一緯'. '河出一, 洛出書'《易經》. ⑦성도 성(姓)의 하나.
字源 會意 口+啚
參考 図(口부 4획〈196〉)는 俗字.

口 11 〔圗〕 14 圖(前條)의 俗字

口 11 〔圖〕 14 圖(前前條)의 古字

口 11 〔團〕 14 高·人 단 ㊥寒 tuán ダン まるい

筆順 冂 冂 冋 囘 囲 團 團 團

字解 ①둥글단 '一圓'. '昱奕朝露一'《謝靈運》. ②모일단 한 곳으로 옴. 또, 엉겨 굳어짐. '澗深冰已一'《盧象》. ③모을단 한데 합침. '枝枝若手一'《李建勳》. ④모임단 단체. '軍一'. '財一'. 또, 둥글게 뭉친 것. '一子'. '蒸炊豆作一'《陸游》. ⑤성단 성(姓)의 하나.
字源 形聲. 口+專〔音〕
參考 团(口부 3획〈195〉)은 略字.

口 11 〔圙〕 14 〔목〕
睦(目부 8획〈848〉)의 古字

口 11 〔圚〕 14 〔곤〕
壼(士부 10획〈226〉)의 本字

口 12 〔圝〕 15 완 ㊥刪 wān ワン まわる

字解 돌완 '一潾'은 물이 돌아 흐르는 모양. '涒鄰一潾'《郭璞》.

口 12 〔圖〕 15 〔도〕
圖(口부 11획〈198〉)의 俗字

口 13 〔圜〕 16 ㊀환 ㊥刪 huán カン めぐる
㊁원 ㊥先 yuán エン まるい

字解 ㊀두를환, 에울환 에워쌈. '一繞'. '天下一視而起'《賈誼》. ㊁둥글원 圓(口부 10획〈198〉)과 同字. '一陣'. '袂一以應規'《禮記》.
字源 形聲. 口+睘(瞏)〔音〕

口 13 〔圛〕 16 역 ㊀陌 yì エキ めぐりゆく

[字解] 돌아다닐역 주행(周行)함. '一, 回行也'《說文》.
[字源] 形聲. 口+睪〔音〕

口 17 〔圛〕20 유 ㊥尤 | yóu ユウ おとり
[字解] 여리새유 딴 새를 꾀어 오게 하기 위하여 매어 두는 새. 囮(口부 4획〈195〉)와 同字. '一, 捕鳥媒也'《集韻》.

口 18 〔圞〕21 〔유〕
囿(口부 6획〈196〉)의 籒文

口 18 〔圝〕21 〔와〕
囮(口부 4획〈195〉)와 同字

口 19 〔圞〕22 란 ㊥寒 | luán ラン まるい
[字解] 둥글란 원형임. '一, 圓也'《集韻》. '意比小團一'《孟郊》.
[字源] 形聲. 口+䜌〔音〕

口 23 〔圝〕26 圞(前條)의 俗字

土　部
〔흙 토 부〕

土 0 〔土〕3 [中][人] ㊀토 ㊤嫢 | tǔ ド つち
㊁두 ㊤嫢 | dù ド・ト・ズ ね
[筆順] 一 十 土
[字解] ㊀ ①흙토 ㉠토양. '一砂'. '冀州厥一惟白壤'《書經》. ㉡오행(五行)의 하나. '水・火・木・金・一'. ㉢흙을 구워 만든 악기. 팔음(八音)의 하나. '金・石・匏・一・絲・竹・革・木'. ②땅토 ㉠육지. '自服一中'《書經》. ㉡나라땅. '晉之啓一'《國語》. ㉢영토. '不貪其一'《左傳》. ㉣장소. 곳. '有人此有一'《大學》. ㉤고향. '小人懷一'《論語》. ③살토 거주함. '自一沮漆'《詩經》. ④잴토 측량함. '以一圭之灋', '測土深, 正日景以求地中'《周禮》. ⑤토성토 별 이름. ⑥성토 성(姓)의 하나. ㊁ 뿌리두 초목의 뿌리. 杜(木부 3획〈528〉)와 同字. '徹彼桑一'《說文通訓定聲》.
[字源] 象形. 토지의 신을 제사 지내기 위하여 기둥꼴로 굳힌 흙의 모양을 본뜸.
[參考] 부수(部首)로서, 흙으로 된 것, 흙의 상태, 흙에 손질을 가하는 일 등에 관계되는 문자를 이룸. '흙토변'으로 이름.

土 1 〔圡〕4 土(前條)의 俗字

土 1 〔圠〕4 알 ㊇黠 | yá アツ かぎりない
[字解] 펀할알 펀펀하고 아득하게 넓음. '坱一'.
[字源] 形聲. 土+乚(乙)〔音〕

土 1 〔𡈼〕4 ㊀정 ㊤梗 | テイ よい
㊤迥 | tǐng テイ よい
㊥青 | tīng テイ くき
㊁제 ㊤薺 | zhǐ テイ あかす
㊂징 ㊥蒸 | zhēng チョウ めす, あらわれる
[字解] ㊀ ①착할정 '一, 善也'《說文》. ②빼어날정 '一, 一日, 象物出地挺生也'《說文》. ③풀줄기정 莛(艸부 7획〈1142〉)과 同字. '莛, 莖也. 一日, 屋梁也. 或作一'《集韻》. ㊁ 증명할제 '一, 證也'《類篇》. ㊂ 徵(彳부 12획〈375〉)과 同字.
[字源] 象形. 사람이 땅 위에서 발돋움하고 있는 모양을 본뜸.
[參考] 壬(士부 1획〈225〉)은 別字.

〔去〕〔거〕
厶부 3획(139)을 보라.

土 2 〔圥〕5 록 ㊇屋 | lù ロク きのこ
[字解] ①버섯록 '菌一'은 버섯의 딴 이름. '雜字韻寶, 地蕈日菌一'《字彙補》. ②두꺼비록 '一鼀'은 두꺼비의 딴 이름. '一鼀, 詹諸也'《說文》. ③나아가지않을록 '一一'은 앞으로 나아가지 않는 모양. 굼뜬 모양. '一鼀, 詹諸也, …其行一一. (注) 一一, 擧足不能前之皃'《說文》.

土 2 〔圤〕5 박 ㊇覺 | pú ハク つちくれ
[字解] 흙덩이박 토괴(土塊). 墣(土부 12획〈220〉)과 同字. '土勝水, 非一一塞江'《淮南子》.
[字源] 形聲. 土+卜〔音〕

土 2 〔圣〕5 ㊀골 ㊇月 | kū コツ たがやす
㊁성 | shèng セイ ひじり
[字解] ㊀ 힘써밭갈골 부지런히 밭을 갊. '一, 汝潁之間, 謂致力於地日一'《說文》. ㊁ 聖(耳부 7획〈1057〉)의 俗字・簡體字.
[字源] 會意. 又+土

土 2 〔圧〕5 〔압〕
壓(土부 14획〈223〉)의 略字

土 3 〔圭〕6 [人名] 규 ㊥齊 | guī ケイ たま

筆順 一 十 土 圭 圭 圭

字解 ①홀규 고대에 제후(諸侯)가 조회(朝會)·회동(會同)할 때 손에 갖는 위가 둥글고 아래가 모진 길쭉한 옥(玉). 천자가 제후를 봉(封)할 때 줌. ②용량단위규 기장 알 64개의 용량. '一勺'. 전(轉)하여, 소량(少量)의 뜻으로 쓰임. '量多少者, 不失一撮'《漢書》. ③모규 모서리. '雖時出一角'《蘇軾》. ④성규 성(姓)의 하나.
字源 會意. 土+土

〔寺〕〔사〕 寸부 3획(288)을 보라.

土3〔𡊄〕6 ㊀각 ㉠覺 què カク とばり ㊁강 ㉬江 コウ とばり
字解 ㊀장막각 위쪽에 장식을 단 장막(帳幕)의 모양. '一, 幬帳之象'《說文》. ㊁장막강 ▬과 뜻이 같음.
字源 象形. 위에 장식을 단 속이 빈 천막 또는 악기(樂器)의 모양을 본뜸.

土3〔圩〕6 우 ㉬虞 yú ウ くぼむ
字解 우묵들어갈우 가운데가 움푹 들어감. '生而首上一頂, 故因名曰丘云'《史記》.
字源 形聲. 土+于〔音〕

土3〔圬〕6 오 ㉬虞 wū オ こて
字解 흙손오, 흙손질할오 杇(木부 3획〈527〉)와 同字. '一鏝'. '一人以時塓館宮室'《左傳》.
字源 形聲. 土+亏〔音〕

土3〔圮〕6 비 ㉤紙 pǐ ヒ やぶる, くずれる
字解 무너질비, 무너뜨릴비 허물어짐. 허물어뜨림. '雉堞一毀'《王禹偁》.
字源 形聲. 土+己〔音〕
參考 圯(次條)는 別字.

土3〔圯〕6 이 ㉬支 yí イ つちのはし
字解 흙다리이 흙으로 쌓은 다리. '一橋'. '步遊下邳一上'《史記》.
字源 形聲. 土+巳〔音〕
參考 圮(前條)는 別字.

土3〔地〕6 中·人 지 ㉯寘 dì チ·ジ つち
筆順 一 十 土 圴 地 地
字解 ①땅지 ㉠토양(土壤). '土一'. '一, 積塊耳'《列子》. ㉡국토(國土). '一方千里'《孟子》. ㉢논밭. '井一不均'《孟子》. ㉣곳. 장소. '臨死亡之一'《淮南子》. ㉤거소. 입장. '禹·稷·顏子, 易一則皆然'《孟子》. ㉥뭍. 육지. '闕一及泉'《左傳》. ㉦땅의 신(神). 지기(地祇). '祀天祭一'《禮記》. ②지위지 신분. '一醜德齊'《孟子》. ③다만지 但(人부 5획〈41〉)과 뜻이 같음. '西曹一忍之'《漢書》. ④어조사지 무의미한 조사(助辭). '一頭一'. '忽一下階裙帶解'《王建》. ⑤성지 성(姓)의 하나.
字源 形聲. 土+也〔音〕

土3〔圳〕6 ㊀수 ㉬尤 chóu シュウ みぞ ㊁천 ㉯沁 zhèn シン ちめい
字解 ㊀도랑수 논밭에 만드는 도랑. ㊁땅이름천 '深一'.
字源 會意. 土+川

土3〔圪〕6 을 ㉠質 gē ギツ たかいさま
字解 ①울타리높을을 울타리가 높은 모양. 圪(土부 4획〈202〉)은 本字. '圪, 牆高皃也'《說文》. ②높을을 '一, 高皃'《廣韻》. ③높은흙을 높게 쌓인 흙더미. '一, 高土'《廣韻》.
字源 形聲. 篆文은 土+气〔音〕

土3〔在〕6 中·人 재 ㉯隊 ㉤賄 zài ザイ ある
筆順 一 ナ 𠂇 圥 存 在
字解 ①있을재 ㉠지위·장소 같은 것을 차지함. '一職'. '位一廉頗之右'《史記》. ㉡살아 있음. '一世'. '父一觀其志'《論語》. ㉢단정하는 말. '大學之道, 一明明德'《大學》. ②찾을재 존문(存問)함. '吾子獨不一寡人'《左傳》. ③살필재 명찰함. '一璿璣玉衡, 以齊七政'《書經》. ④곳재 장소. 또, 지경. '行一'. '臨死亡之一'《淮南子》. ⑤성재 성(姓)의 하나.
字源 形聲. 金文은 土+才〔音〕

土3〔扗〕6 在(前條)의 本字

〔壯〕〔장〕 士부 3획(225)을 보라.

土4〔圻〕7 人名 ㊀기 ㉬微 qí キ みやこ ㊁은 ㉬文 yín ギン かぎり
筆順 一 十 土 圹 圻 圻 圻
字解 ㊀서울지경기 畿(田부 10획〈801〉)와 同字. '天子一內之民'《儀禮》. ㊁지경은 垠(土부 6획〈205〉)과 통용. '通于無一'《淮南子》.

字源 形聲. 土+斤〔音〕

土4 〔圾〕7 급 ㊀緝 | jí ギュウ あやうい

字解 바드러울급 위태함. 岌(山부 4획〈304〉)과 同字. '殆哉—乎天下'《集韻》.
字源 形聲. 土+及〔音〕

土4 〔址〕7 人名 지 ㊤紙 | zhǐ シ もとい

筆順 一 十 土 址
字解 터지 阯(阜부 4획〈1611〉)와 同字. '城—'. '立至化之基—'《後漢書》.
字源 形聲. 土+止〔音〕

土4 〔坂〕7 人名 판 ㊤潸 | bǎn ハン さか

筆順 一 十 土 圹 坜 坂
字解 ①비탈판 산이 경사진 곳. '出其—'《左思》. ②고개판 산이나 언덕을 넘어 다니게 된 비탈진 곳. '—路'. '赤土身熱之—'《漢書》. ③둑판 제방. '如堤如—'《晉書》.
字源 形聲. 土+反〔音〕

土4 〔均〕7 中·人 ㊀균 ㊥眞 | jūn キン ひとしい
㊁연 ㊥先 | yán エン そう
㊂운 ㊧問 | yùn ウン ひびき

筆順 一 十 土 均 均 均
字解 ㊀①평평할균 편편함. 고저가 없음. '平—'. 전(轉)하여, 평등. 공평 무사. '秉國之—'《詩經》. ②고를균 ㉠더하고 덜함이 없음. '—齊'. '經界不正, 井地不—'《孟子》. ㉡조화됨. '六轡旣—'《詩經》. ③고르게할균 과불급(過不及)이 없게 함. 평등하게 함. '天下國家可—也'《中庸》. ④두루균 모두. '坤爲—'《易經》. ⑤녹로균 도기(陶器)를 만드는 회전대. '泥之在—'《董仲舒》. ⑥악기이름균 악음(樂音)을 조절하는 현악기. '陳八音聽五—'《後漢書》. ⑦성균 성(姓)의 하나. ㊁ 따를연 沿(水부 5획〈636〉)과 同字. '—河海, 通淮泗'《史記》. ㊂ 운운 韻(音부 10획〈1681〉)의 古字. '音—不恆'《成公綏》.
字源 形聲. 土+匀〔音〕

土4 〔坃〕7 均(前條)의 古字

土4 〔坊〕7 人名 방 ㊥陽 | fāng ボウ まち

筆順 一 十 土 圹 坊 坊
字解 ①동네방 도읍·동리의 구획. '敎—'. '名曰歸義—'《北史》. ②방방 거처하는 방. '別—'. ③전방방 상점. '玉貌當壚坐酒—'《張昱》. ④절방 중의 거처. '僧—'. '仙輿歷寶—'《宋之問》. ⑤동궁방 황태자(皇太子)가 거처하는 궁전. 전(轉)하여, 황태자. '春—'. ⑥마을방 관청. '典書—, 庶子四人, 舍人二十八人'《隋書》. ⑦둑방 제방. '祭—與水'《禮記》. ⑧막을방 防(阜부 4획〈1611〉)과 통용. '刑以—淫, 命以—欲'《禮記》. ⑨성방 성(姓)의 하나.
字源 形聲. 土+方〔音〕

土4 〔坎〕7 감 ㊤感 | kǎn カン あな

字解 ①구덩이감 움푹 팬 곳. '—穽'. '—, 陷也'《說文》. ②험할감 험준함. 또, 그 곳. '習—, 重險也'《易經》. ③치는소리감 힘껏 물건을 치는 소리. '——伐檀兮'《詩經》. ④감괘감 팔괘(八卦)의 하나. 곧 ☵. 방위로는 정북(正北), 물질로는 물에 배당함. '—者水也, 正北方之卦也'《易經》. ⑤고생할감 간난 신고(艱難辛苦)함. '抑人之自—, 其命也'《黃溍》. ⑥성감 성(姓)의 하나.
字源 形聲. 土+欠〔音〕

土4 〔坏〕7 배 ㊥灰 | pēi ハイ おか

字解 ①겹산배 겹쳐 있는 산. '上山更有一山, 重累者名—'《爾雅》. ②날기와배 아직 굽지 않은 기와. '—, 未燒瓦也'《廣韻》. '—冶—陶'《後漢書》. ③틈막을배 흙으로 벽의 갈라진 틈을 막음. '—城郭'《禮記》. ④뒷담배 집 뒤의 담. '或鑿—而遁'《揚雄》.
字源 形聲. 土+不〔音〕

土4 〔坑〕7 人名 갱 ㊥庚 | kēng コウ あな

筆順 一 十 土 圹 圹 坑 坑
字解 ①구덩이갱 '—塹'. '褒民盛冬作長—, 溫火以取煖'《唐書》. ②구덩이에묻을갱 '—殺'. '詐—秦降卒三十萬'《史記》.
字源 形聲. 土+亢〔音〕

土4 〔坅〕7 금 ㊤寢 | qǐn キン あな

字解 구덩이금 움푹 팬 곳. '甸人築—坎'《儀禮》.
字源 形聲. 土+今〔音〕

土4 〔坋〕7 분 ㊤吻 | fèn フン ふりかける

字解 뿌릴분 끼얹음. '以末椒薑—之'《漢書註》.
字源 形聲. 土+分〔音〕

[參考] 坌(土부 4획〈202〉)의 別體.

土 4〔坍〕7 단 [平]覃 | tān タン みずがきしをうつ

[字解] ①물이언덕을칠단 물이 언덕을 쳐서 무너뜨림. 坍(土부 5획〈204〉)은 古字. '坍, 水衝岸壞'《廣韻》. ②무너진언덕 '一, 一曰, 崩一'《篇海》.

土 4〔坻〕7 지 [上]紙 | zhǐ シ·チ とまる, さか

[字解] ①그칠지 '一, 箸也'《說文》. ②비탈지산 언덕. '一, 秦人謂阪曰一'《集韻》.
[字源] 形聲. 土＋氏〔音〕

土 4〔坄〕7 [一] 역 [入]陌 [二] 두 [平]尤 | yì エキ かまのけむだし トウ かまのけむだし

[字解] [一] ①가마굴뚝역 질그릇을 굽는 가마의 굴뚝. '一, 匋竈窗也'《說文》. ②상갓집부뚜막역 상중(喪中)의 집의 흙으로 쌓은 부뚜막. '一, 喪家塊竈'《廣韻》. [二] 가마굴뚝두, 상갓집부뚜막두 [一]과 뜻이 같음.
[字源] 形聲. 土＋役〈省〉〔音〕

土 4〔圽〕7 몰 [入]月 | mò ボツ うずめる

[字解] ①묻을몰 매장함. '偸合取容, 以至一身'《史記》. ②죽을몰 歿(歹부 4획〈606〉)과 同字.
[字源] 形聲. 土＋勿〔音〕

土 4〔圿〕7 갈 [入]黠 | jiá カツ あか

[字解] ①때갈 피부에 낀 때. '一, 垢也'《廣雅》. ②티끌갈 먼지. 진애(塵埃). '斗起成埃一'《韓愈》.
[字源] 形聲. 土＋介〔音〕

土 4〔坉〕7 둔 [平]元 | tún トン ふさぐ

[字解] ①물막힐둔 물길이 막혀 흐르지 못함. '一, 一水不通, 不可別流'《玉篇》. ②막을둔 흙으로 물길을 막음. 또, 그것으로 성(城)을 쌓음. '一, 以草裹土築城及塡水也'《廣韻》. ③밭두둑둔 '一, 一曰, 田隴'《集韻》.

土 4〔坈〕7 [一] 용 [上]董 | rǒng ジョウ ちめい
[二] 경 [平]庚 | kēng コウ あな

[字解] [一] 땅이름용 '一, 地名'《集韻》. [二] 구덩이갱 坑(土부 4획〈201〉)과 同字. '死日將至兮, 與麋鹿同一'《楚辭》.

土 4〔井〕7 정 [去]敬 | jǐng セイ あな

[字解] 구덩이정 '一, 坑一'《篇海》.

土 4〔圪〕7 〔을〕
圪(土부 3획〈200〉)의 本字

土 4〔坆〕7 [一] 梅(木부 7획〈547〉)의 古字
[二] 墳(土부 12획〈220〉)의 俗字

土 4〔毛〕7 〔모〕
秏(耒부 4획〈1051〉)와 同字

土 4〔块〕7 〔괴〕 塊(土부 10획〈215〉)의 俗字·簡體字

土 4〔坟〕7 〔분〕
墳(土부 12획〈220〉의 簡體字

土 4〔坛〕7 [一] 壇(土부 13획〈221〉)의 簡體字
[二] 罈(缶부 16획〈1025〉)의 簡體字

土 4〔圭〕7 〔봉〕
封(寸부 6획〈288〉)의 籒文

土 4〔壮〕7 〔장〕
壯(士부 4획〈225〉)의 俗字

土 4〔坌〕7 분 [去]願 | bèn ホン あつまる, ちり

[字解] ①모일분 모아듦. '一集京師'《唐書》. ②먼지분 진애. '靄靄集微一'《元好問》.
[字源] 形聲. 土＋分〔音〕
[參考] 坋(土부 4획〈201〉)의 別體.

土 4〔坐〕7 [中·人] 좌 [去]箇 [上]哿 | zuò ザ すわる

[筆順] ノ 人 㐅ノ 从 从 坐 坐

[字解] ①앉을좌 ㉠'行'의 대(對). '一臥'. '一若尸, 立如齊'《禮記》. ㉡앉아서. 아무것도 하지 않고. '一視'. '欲一觀成敗'《史記》. ②무릎꿇을좌 무릎을 꿇고 앉음. '退則坐取屨'《禮記》. ③지킬좌 수호함. '楚人一其北門'《左傳》. ④죄입을좌 죄를 받음. '一罪'. '曾無貶一'《漢書》. ⑤연루좌 남의 죄에 걸려듦. '連一'. '除收帑相一律令'《漢書》. ⑥대질할좌 대질 심문함. 무릎맞춤함. '鍼莊子爲一'《左傳》. ⑦자리좌 座(广부 7획〈347〉)와 통용. '一次'. '左便一受事'《漢書》. ⑧성좌 성(姓)의 하나.
[字源] 會意. 土＋人＋人

土 4〔坒〕7 비 [去]寘 | bì ヒ きざはし

字解 섬돌비 층층대. 계단. '人君如堂, 羣臣如—'《漢書》.
字源 形聲. 土＋比〔音〕

土4〔丕〕7 〔기〕 基(土부 8획〈211〉)의 古字

土4〔尘〕7 〔봉〕 封(寸부 6획〈288〉)의 古字

土4〔坚〕7 〔견〕 堅(土부 8획〈211〉)의 俗字·簡體字

土5〔袁〕8 〔원〕 袁(衣부 4획〈1267〉)의 俗字

〔幸〕 〔행〕 干부 5획(341)을 보라.

土5〔坡〕8 人名 파 ㊥歌 pō ハ さか, つつみ

筆順 一 十 土 圵 圹 圻 坡 坡

字解 ①비탈파, 언덕파 坂(土부 4획〈201〉)과 뜻이 같음. '二客從予, 過黃泥之—'《蘇軾》. ②둑파 제방. '—岸'. '—上桑畦麥隴'《朝野僉載》.
字源 形聲. 土＋皮〔音〕

土5〔坤〕8 中·人 곤 ㊥元 kūn コン つち

筆順 一 十 土 圠 圦 坤 坤 坤

字解 ①땅곤 대지(大地). '乾'의 대(對). '—輿'. '乾—'. ②곤괘곤 팔괘(八卦)의 하나. 곧, ☷. 순음(純陰)의 괘로, 땅의 상징이며, 방위로는 남서. 또, 육십사괘(六十四卦)의 하나. 곧, ䷁〈곤하(坤下), 곤상(坤上)〉. 유순 함용(柔順含容)의 상(象). ③황후곤 황제의 아내. 또, 그 지위. '—極'. '—殿'. '追尊昭成·肅明二皇后, 於親仁里, 別置儀—廟'《舊唐書》.
字源 會意. 土＋申

土5〔坦〕8 人名 탄 ㊤旱 tǎn タン たいらか

筆順 一 十 土 圠 圦 坦 坦 坦

字解 ①평평할탄 평탄함. '—平'. '—途'. '箕山—而夷'《韓愈》. ②너그러울탄 마음이 관대함. '君子—蕩蕩'《論語》. ③성탄 성(姓)의 하나.
字源 形聲. 土＋旦〔音〕

土5〔坩〕8 감 ㊥覃 gān カン つぼ

字解 ①도가니감 '—堝'는 쇠붙이를 녹이는 데 쓰는 그릇. ②단지감 토제(土製)의 단지. '以——鮓遺母'《晉書》.
字源 形聲. 土＋甘〔音〕

土5〔坪〕8 人名 평 ㊥庚 píng ヘイ へいち, つぼ

筆順 一 十 土 圷 圷 圻 坪 坪

字解 ①벌평, 들평 평탄한 땅. '有夷坦道, 曰芙蓉—'《吳船錄》. ②《韓》 평평 현재 우리 나라 및 일본(日本)에서 6척(尺) 사방의 토지 면적 단위로 쓰임.
字源 形聲. 土＋平〔音〕

土5〔㘸〕8 坪(前條)의 本字

土5〔坫〕8 점 ㊦豔 diàn テン だい

字解 ①잔대점 '反—'은 주(周)나라에서, 제후(諸侯)가 회견(會見)할 때, 헌수(獻酬)의 예(禮)가 끝나고 술잔을 놓았던 흙으로 만든 대(臺). '邦君爲兩君之好, 有反—'《論語》. ②경계점 구역. '設于無垓—之宇'《淮南子》.
字源 形聲. 土＋占〔音〕

土5〔㘴〕8 〔좌〕 坐(土부 4획〈202〉)의 本字

土5〔坰〕8 人名 경 ㊥青 jiōng ケイ こうがい

筆順 一 十 土 圠 圳 坰 坰 坰

字解 들경 성 밖의 들. 교외. '野外謂之林, 林外謂之—'《爾雅》.
字源 形聲. 土＋冋〔音〕

土5〔坱〕8 앙 ㊤養 yǎng オウ さいげんない

字解 ①편할앙 펀펀하고 아득하게 넓은 모양. '氣—然太虛'《正蒙》. ②먼지앙 진애. '高步謝塵—'《柳宗元》.
字源 形聲. 土＋央〔音〕

土5〔坳〕8 요 ㊥肴 āo オウ くぼむ

字解 우묵할요 凹(凵부 3획〈97〉)와 同字. '—泓'. '覆杯水于—堂之上'《莊子》.
字源 形聲. 土＋幼〔音〕

土5〔尭〕8 〔요〕 堯(土부 9획〈212〉)의 略字

土5〔坷〕8 가 ㊤哿 ㊦箇 kě カ たいらでない

字解 ①험할가 길이 험하여 다니기 힘듦. '坎─'. '豈覺山徑─'《蘇轍》. ②고생할가 신고(辛苦)함. '空室自困─'《蘇軾》.
字源 形聲. 土+可〔音〕

土5〔垾〕8 坻(次條)와 同字

土5〔坻〕8 ㊀지 ㊥支 chí チ なかす ㊁저 ㊤薺 dǐ テイ さか
字解 ㊀①모래톱지 사주(沙洲). '宛在水中─'《詩經》. ②섬지 수중(水中)의 고지(高地). '有肉如─'《左傳》. ③물가지 수애(水涯). '薄暮未安─'《王粲》. ㊁비탈저, 고개저 坂(土부 4획〈201〉)과 뜻이 같음. '下磧歷之─'《司馬相如》.
字源 形聲. 土+氐〔音〕

土5〔坭〕8 坻(前條)와 同字

土5〔坻〕8 坻(前前條)와 同字

土5〔坼〕8 탁(책㊍) ㊇陌 chè タク さける
字解 ①갈라질탁 拆(手부 5획〈435〉)과 통용. '日南地─, 長百餘里'《後漢書》. ②터져열릴탁 '百果草木皆甲─'《易經》. ③점모양탁 귀갑(龜甲)을 구워 나타난 점. '卜人占─'《周禮》. ※本音 책.
字源 形聲. 土+㡿(斥)〔音〕

土5〔坺〕8 발 ㊇曷 bá バツ·ハツ すきおこす
字解 갈발 흙을 파 뒤집음. 또, 그 흙. '王耕一─'《國語》.
字源 形聲. 土+犮〔音〕

土5〔坭〕8 니 ㊤紙 nǐ ジ·ニ どろ
字解 진흙니 泥(水부 5획〈639〉)와 同字. '─匠'.
字源 形聲. 土+尼〔音〕

土5〔坔〕8 〔니〕 泥(水부 5획〈639〉)와 同字

土5〔坍〕8 〔단〕 坍(土부 4획〈202〉)의 古字

土5〔坲〕8 불 ㊇物 fó フツ ほこりおこる
字解 티끌일불 진애(塵埃)가 많이 일어남. '飄風蓬龍, 埃──兮'《楚辭》.

土5〔坨〕8 ㊀이 ㊥支 yí イ ちめい ㊁타 ㊥歌 tuó タ ななめ
筆順 一 十 𡈼 𡈽 坨 坨 坨 坨
字解 ㊀땅이름이 하북성(河北省) 방산현(房山縣)의 북서쪽의 지명. ㊁①비탈질타 陀(阜부 5획〈1613〉)의 俗字. ②소금쌓아둘타 소금을 노천(露天)에 쌓아 둠. '場鹽露積, 名曰─'《辭海》.
字源 形聲. 土+它〔音〕

土5〔坧〕8 人名 척 ㊇陌 zhí セキ どだい
筆順 一 十 𡈼 𡉀 坧 坧 坧 坧
字解 터척 토대(土臺). 墌(土부 11획〈218〉)과 同字. '─, 基址也'《集韻》.

土5〔垃〕8 랄 lā ラツ ごみ
字解 쓰레기랄 '─圾'은 쓰레기.

土5〔坥〕8 저 ㊥魚 ㊦御 qū ショ みみずのはいた どじょう jū
字解 ①분변토저 지렁이의 배설물이 섞인 토양(土壤). '益州部謂蟥場曰─'《說文》. ②둑저 '─, 隄塘也'《類篇》.

土5〔垁〕8 치 ㊤紙 zhì チじょうへきをはかるたんい
字解 성벽크기단위치 성벽(城壁)의 크기를 재는 단위. 일장(一丈) 사방(四方)을 도(堵)라 하고, 삼도(三堵)를 '─'라 함. 일설에는 오도(五堵)라고도 함. 垁(土부 7획〈207〉)와 뜻이 같음. '垁, 城三堵也. 或作─'《集韻》.

土5〔坬〕8 국 ㊇屋 jú キク くま
字解 물가언덕국 '阮, 曲岸水外曰阮, ─, 同阮'《廣韻》.

土5〔坶〕8 목 ㊇屋 mù ボク ちめい
字解 땅이름목 주(周)나라 무왕(武王)이 주(紂)를 친 곳. 목야(牧野). '─, 朝歌南七十里地. 周書曰, 武王與紂戰于─野'《說文》.

土5〔坿〕8 ㊀附(阜부 5획〈1612〉)의 古字 ㊁泭(水부 5획〈634〉)와 同字
字源 形聲. 土+付〔音〕

土5〔坯〕8 〔배〕 坏(土부 4획〈201〉)와 同字

土5〔垢〕8 [人名] 〔구〕 丘(一부 4획〈12〉)와 同字

[筆順] 一 十 土 圹 圻 坼 垢 垢

土5〔坵〕8 〔구〕 丘(一부 4획〈12〉)와 同字

土5〔𡋣〕8 〔구〕 丘(一부 4획〈12〉)의 古字

土5〔垗〕8 〔조〕 兆(儿부 4획〈81〉)의 俗字

土5〔垂〕8 [高·人] 수 [平]支 chuí スイ たれる

[筆順] 一 二 三 千 千 禾 垂 垂

[字解] ①늘어질수 축 늘어짐. '下一'. '嘉穀一重穎'《陸機》. ②드리울수 ㉠늘임. 아래로 처지게 함. '一簾'. '一帶而厲'《詩經》. ㉡교훈을 함. '一示'. '一教'. ㉢후세에 전함. '一功名於竹帛'《後漢書》. ③가수 ㉠변두리. 가장자리. '江一得清景'《謝朓》. ㉡당(堂) 위의 섬돌에 가까운 가장자리. 또, 그곳에 있음. '坐不一堂'《史記》. ④변방수 변경. '虔劉我邊一'《左傳》. ⑤거의수 거의 됨. '一老'. '一死病中驚坐起'《元稹》.
[字源] 形聲. 土+𠂹〔音〕

土5〔坌〕8 분 [去]問 fèn フン はらう

[字解] 쓸어버릴분 제거(除去)함. '一, 埽除也'《說文》.
[字源] 形聲. 土+弁〔音〕

土5〔坋〕8 坌(前條)과 同字

土5〔坴〕8 륙 [入]屋 lù リク つちくれ

[字解] ①흙덩이클륙 흙덩이가 큰 모양. '一, 土塊一一也'《說文》. '一, 大塊'《廣韻》. ②성륙 성(姓)의 하나.

土5〔坮〕8 〔대〕 臺(至부 8획〈1103〉)의 古字

土5〔垈〕8 [人名] 대 [韓]

[筆順] ノ 亻 仁 代 代 代 垈 垈

[字解] 《韓》 터대 집터. '一地'. '一田'.

土5〔坣〕8 〔당〕 堂(土부 8획〈211〉)의 古字

土5〔𡍮〕8 〔지〕 至(部首〈1102〉)의 古字

土5〔坐〕8 〔좌〕 坐(土부 4획〈202〉)의 俗字

土6〔垚〕9 요 [平]蕭 yáo ギョウ たかい

[字解] 흙높을요 흙이 높은 모양. '一, 土高皃'《說文》.
[字源] 會意. 土+土+土

土6〔垓〕9 해 (개[本]) [平]灰 [平]佳 ①-④gāi ガイ さかい ⑤ガイ きざはし

[字解] ①땅가장자리해 땅의 끝. 극지(極地). '一埏'. '王子尻九一之田'《國語》. ②지경해 경계. '設於無一坫之宇'《淮南子》. ③수비해 방어. '重限累一, 以防暴卒'《揚雄》. ④일해해 수의 단위. 경(京)의 십배. '十兆曰京, 十京曰一'《風俗通》. ⑤층계해 陔(阜부 6획〈1614〉)와 同字. '太乙壇三一'《史記》. ※本音 개.
[字源] 形聲. 土+亥〔音〕

土6〔垜〕9 타 [上]哿 duǒ タ·ダ あずち

[字解] ①문옆방타 문 옆에 있는 방(房). ②살받이타 활쏘기를 연습할 때 흙을 두둑이 쌓아올려 과녁을 세우는 곳. '武擧制, 長一馬埒'《唐六典》. ③장벽타 시석(矢石)을 막은 장벽(牆壁). '常見城一'《紀效新書》.
[參考] 垛(次條)와 同字.

土6〔垛〕9 垜(前條)와 同字
[字源] 形聲. 土+朵〔音〕

土6〔垝〕9 궤 [上]紙 guǐ キ くずれる

[字解] 무너질궤 허물어짐. '乘彼一垣'《詩經》.
[字源] 形聲. 土+危〔音〕

土6〔垠〕9 [人名] 은 [平]眞 [平]文 yín ギン ちのはて

[筆順] 一 十 土 圷 坦 坦 垠 垠

[字解] ①땅가장자리은 땅의 끝. 변계(邊界). '一際'. '浩浩乎平沙無一'《李華》. ②지경은 경계. '一界'. '欲茫茫而無一際'《晉書》.
[字源] 形聲. 土+𥃩(艮)〔音〕

土6〔垦〕9 垠(前條)의 古字

土 6 〔垢〕9 구 [上]有 | gòu コウ あか

[字解] ①때구 ㉠몸 또는 물건에 묻은 더러운 것. '一面'. '要之去一'《史記》. ㉡더러움. 오예(汚穢). '彷徨乎塵一之外'《莊子》. ㉢사념(邪念). 부덕(不德). '大招離一之賓'《王僧孺》. ②때묻을구 때가 부착함. '冠帶一, 和灰請漱'《禮記》. ③수치구 부끄러운 일. 치욕. '忍一'. '國君含一'《左傳》.
[字源] 形聲. 土+后〔音〕

土 6 〔垣〕9 [人名] 원 [平]元 | yuán エン かき

[筆順] 一 十 土 圹 圻 垣 垣 垣

[字解] ①담원 낮은 담. '一牆'. '壞其館之一'《左傳》. 전(轉)하여, 담으로 두른 건축물. '宮一'. 또, 원조하여 보호하는 것. '大師維一'《詩經》. ②별이름원 성군(星群)의 이름. 상·중·하의 삼군(三群)이 있음. '太微宮一十星'《史記 註》. ③성원 성(姓)의 하나.
[字源] 形聲. 土+亘〔音〕

土 6 〔垤〕9 질 [入]質 | dié テツ ありづか

[字解] ①개밋둑질 의총(蟻冢). '鸛鳴于一'《詩經》. ②작은산질 구릉. '泰山之於丘一, 河海之於行潦, 類也'《孟子》.
[字源] 形聲. 土+至〔音〕

土 6 〔垗〕9 조 [上]篠 | zhào チョウ ぼち

[字解] ①묏자리조 장지(葬地). 兆(儿부 4획〈81〉)와 통용. '卜其宅一而安厝之'《孝經》. ②제사지낼조 兆(儿부 4획〈81〉)와 통용. '一五帝於四郊'《周禮》.
[字源] 形聲. 土+兆〔音〕

土 6 〔垘〕9 복 [入]屋 | fú フク ふさぐ

[字解] ①보막을복 보를 막음. '川塞谿一'《史記》. ②허물어질복 무너짐. 붕괴함. '一, 崩也'《史記 注》. ③흐를복 물이 흘러내려감. '一, 流也'《史記 注》.
[字源] 形聲. 土+伏〔音〕

土 6 〔垙〕9 광 [平]陽 | guāng コウ ちまた

[字解] 길광 갈림길. '一, 陌也'《集韻》.
[字源] 形聲. 土+光〔音〕

土 6 〔垟〕9 양 [平]陽 | yáng ヨウ つちのせい

[字解] 흙속괴물양 '一, 土精也'《玉篇》.
[字源] 形聲. 土+羊〔音〕

土 6 〔垞〕9 [人名] 택(차[本]) [平]麻 | chá タ おか

[筆順] 一 十 土 圵 圹 垆 垞 垞

[字解] ①성이름택 성(城)의 이름. 지금의 강소성 동산현(江蘇省銅山縣)의 북쪽. '泗水逕留縣而南, 逕一城東'《水經 注》. ②언덕택 구릉(丘陵). ※本音 차.
[字源] 形聲. 土+宅〔音〕

土 6 〔垌〕9 [人名] 동 [上]董 | tǒng トウ つぼ

[筆順] 一 十 土 圳 坰 坰 垌 垌

[字解] ①항아리동 단지. ②《韓》 동막이동, 동막이할동 둑을 막아 쌓음.
[字源] 形聲. 土+同〔音〕

土 6 〔垎〕9 핵 [入]陌 | hè カク かわく

[字解] 마를핵 흙이 마름. '一, 土乾也'《廣韻》. '一, 水乾也, 一曰, 堅也'《說文》.
[字源] 形聲. 土+各〔音〕

土 6 〔垑〕9 치 [平]紙 | chǐ シ たのむ

[字解] 믿을치 토지(土地)를 믿고 의지함. '一, 恃也'《說文》.
[字源] 形聲. 土+多〔音〕

土 6 〔垍〕9 계(기[本]) [去]寘 | jì キ かたいつち

[字解] ①석비레계 굳은 흙 '一, 堅土也'《說文》. ②질그릇계 도기(陶器). '今人以一爲陶器'《六書故》. ※本音 기.
[字源] 形聲. 土+自〔音〕

土 6 〔垖〕9 〔퇴〕 堆(土부 8획〈210〉)의 本字

土 6 〔垧〕9 〔경〕 坰(土부 5획〈203〉)의 俗字

土 6 〔城〕9 〔성〕 城(土부 7획〈207〉)과 同字

土 6 〔䜺〕9 〔봉〕 封(寸부 6획〈288〉)의 古字

土 6 〔垡〕9 벌 [入]月 | fá ハツ つちをおこす

[字解] 갈벌 땅을 파 뒤집어 엎음. 또, 그 땅. '予期拜恩後, 謝病老耕一'《韓愈》.
[字源] 形聲. 土+伐〔音〕

土 6 〔垘〕9 垡(前條)과 同字

土6 〔型〕 9 [人名] 형 [平]靑 | xíng ケイ かた

[筆順] 二 于 开 开' 刑 刑 型 型 型

[字解] ①거푸집형 부어서 만드는 물건의 모형. '明鏡之始下一'《淮南子》. ②본보기형 의범(儀範). 모범. '晩來相對靜儀一'《朱熹》.
[字源] 形聲. 土+刑(刱)〔音〕

土6 〔垔〕 9 [一] 인 [平]眞 | yīn イン ふさぐ
[二] 수 [去]遇
[三] 두 [去]宥

[字解] [一] 막을인 흙으로 막음. '一, 塞也'《廣韻》. [二] 막을수 [一]과 뜻이 같음. [三] 막을두 [一]과 뜻이 같음.
[字源] 形聲. 土+西〔音〕

土6 〔垐〕 9 자 [平]支 | cí シ しく

[字解] ①흙깔자 흙을 길 위에 깖. '一, 以土增大道上'《說文》. ②미워할자 佽(人부 10획〈67〉)과 통용.
[字源] 形聲. 土+次〔音〕

土6 〔垒〕 9 루 [上]紙 | lěi ルイ つみかさねる

[字解] ①토담쌓을루 굽지 않은 벽돌을 쌓아 토담을 만듦. '一, 絫墼也'《說文》. ②壘(土부 15획〈223〉)의 簡體字.
[字源] 形聲. 土+厽〔音〕

土6 〔垕〕 9 [人名] 〔후〕 厚(厂부 7획〈135〉)의 古字

[筆順] 一 厂 广 后 后 后 垕 垕

土6 〔垦〕 9 [一] 坝(土부 6획〈205〉)과 同字
[二] 墾(土부 13획〈222〉)의 簡體字

土6 〔垩〕 9 [一] 聖(耳부 7획〈1057〉)의 俗字
[二] 堊(土부 8획〈212〉)의 簡體字

土6 〔栽〕 9 〔재〕
栽(木부 6획〈545〉)의 訛字

土7 〔垚〕 10 〔요〕
堯(土부 9획〈212〉)의 古字

土7 〔垺〕 10 부 ①[平]虞 | fú フ くるわ
②[平]尤 | pōu ホウ おおきい

[字解] ①나성(羅城)부 외성(外城). 郛(邑부 7획〈1517〉)와 同字. ②클부 큼. 성(盛)함. '夫精, 小之微也, 一, 大之殷也'《莊子》.

土7 〔埃〕 10 애 [平]灰 | āi アイ ちり

[字解] 티끌애 먼지. '塵一'. 전(轉)하여, 더러움. 오예(汚穢). '淸宇宙之一塵'《蔡邕》. 또, 세사(世事). 속무(俗務). '蟬蛻囂一之中'《後漢書》.
[字源] 形聲. 土+矣〔音〕

土7 〔埆〕 10 각 [入]覺 | què カク やせち

[字解] ①메마를각 토지가 척박함. '土一無葳蕤之木'《新論》. ②가파를각 경사가 급함. 몹시 비탈짐. '山石犖一行徑微'《韓愈》. ③딱딱할각 굳음. '地雖平至爲堅一'《遼史》. ④귀할각, 모자랄각 넉넉하지 않음. '同年而議豐一'《左思》.
[字源] 形聲. 土+角〔音〕

土7 〔埋〕 10 [高·人] 매 [平]佳 | mái マイ うずめる

[筆順] 一 土 圵 坦 坦 坦 埋 埋

[字解] ①묻을매 ㉠파묻음. '一葬'. '密一璧於大室之庭'《左傳》. ㉡박장(薄葬)함. '葬不如禮曰一'《釋名》. ②묻힐매 전항(前項)의 피동사. '寒雲沈屯白日一'《王安石》. ③감출매 숨음. 숨김. '一伏'. '深一粉堠路渾迷'《元稹》.
[字源] 形聲. 土+貍〈省〉〔音〕

土7 〔埌〕 10 랑 [去]漾 | làng ロウ つか

[字解] ①무덤랑 뫼. '冢, 秦晉之閒, 或謂之一'《揚子方言》. ②펀할랑 '壙一'은 들이 펀펀하고 넓어 아득한 모양. '遊無何有之鄕, 以處壙一之野'《莊子》.
[字源] 形聲. 土+良〔音〕

土7 〔城〕 10 [中·人] 성 [平]庚 | chéng ジョウ しろ

[筆順] 一 土 圠 圻 坜 城 城 城

[字解] ①재성 성. 내성(內城). '一郭'. '昔者夏鯀, 作三仞之一'《淮南子》. 또, 주위에 성을 쌓은 도읍. 성읍(城邑). '乘堙而窺宋一'《公羊傳》. 또, 나라. '哲夫成一'《詩經》. ②성쌓을성 축성(築城)함. '王命仲山甫, 一彼東方'《詩經》. ③성성 성(姓)의 하나.
[字源] 形聲. 土+成〔音〕

土7 〔垸〕 10 [人名] 완 [平]寒 | huán カン ぬる

[筆順] 一 土 土' 圹 垳 垸 垸 垸

[字解] 바를완 칠(漆)에 재를 섞어 바름. '一, 漆加骨灰上也'《廣韻》.
[字源] 形聲. 土＋完〔音〕

土7〔埏〕10 [一] 연 [平]先 | yán エン はて
[二] 선 [平]先 | shān セン うつ

[字解] [一] ①땅가장자리연 땅의 끝. '下泝八一'《司馬相如》. ②묘도연 무덤의 수도(隧道). '葬親而不閉一隧'《後漢書》. [二] 이길선 흙을 반죽함. '故陶人一埴以爲器'《荀子》. 또, 이긴 흙. '一, 揉也'《一切經音義》.
[字源] 形聲. 土＋延〔音〕

土7〔埒〕10 날(렬[本]) [入]屑 | liè ラツ ませがき

[字解] ①담날 낮은 담. '晉王濟有馬一'《世說》. ②둑날 제방 '謂丘邊有界一'《爾雅註》. ③지경날 한계. 경계. '知八紘九野之形一'《淮南子》. ④같을날 동등함. '富一天子'《史記》. ※本音 렬.
[字源] 形聲. 土＋寽〔音〕

土7〔埓〕10 埒(前條)의 俗字

土7〔埇〕10 용 [上]腫 | yǒng ヨウ おきつち

[字解] ①길돋을용 길 위에 흙을 부어 편평하게 돋움. '一, 一曰, 道上加土'《集韻》. ②땅이름용 '一, 地名, 在淮泗'《集韻》.
[字源] 形聲. 土＋甬〔音〕

土7〔埻〕10 발 [入]月 | bó ホツ ちり

[字解] ①티끌발 '一, 博雅, 塵也'《集韻》. ②티끌일발 먼지가 일어나는 모양 '一, 塵起'《廣韻》.

土7〔垾〕10 한 [去]翰 | hàn カン つつみ

[字解] ①제방한 작은 제방(堤防). '一, 小堤'《廣韻》. ②언덕한 岸(山부 5획〈304〉)과 뜻이 같음.

土7〔垻〕10 패 ①[去]泰 | bà ハイ つつみ
②③[去]禡 | bà ハ せき

[字解] ①제방패 둑. '一, 障水堰'《正字通》. ②들패 평야. '一, 蜀人謂平川爲一'《廣韻》. ③언덕패 '一, 坡也'《集韻》.
[字源] 形聲. 土＋貝〔音〕

土7〔埕〕10 정 | chéng テイ びん

[字解] ①옹기술병정 아가리가 작은 질그릇 술병. '一, 俗字. 酒一罎謂一一'《中華大字典》. ②긴맛양식논정 복건성(福建省)에서 긴맛을 양식(養殖)하는 논. '一, 福建種蟶蛤之田, 亦曰一'《中華大字典》.

土7〔垈〕10 〔폐〕
陛(阜부 7획〈1615〉)와 同字

土7〔埣〕10 서 [上]語 | xū ショ·ジョ さかずきだい

[筆順] 𡈼 圠 圹 圹 垆 垆 垆 埣

[字解] 잔대서 술잔을 얹어 놓는 대(臺). '反坫謂之一'《廣雅》.

土7〔埂〕10 경 [平]庚 [上]梗 | gěng コウ あな

[字解] ①구덩이경 구멍. '一, 小坑也'《玉篇》. ②둑경 제방. '一, 堤封, 吳人云也'《廣韻》. ③두렁경 논밭의 두렁. '今江東語, 謂畦埒, 爲一'《說文》.
[字源] 形聲. 土＋更(㪅)〔音〕

土7〔埔〕10 포 | bù ホ けんめい

[字解] ①고을이름포 '大一'는 광동성(廣東省)의 현(縣) 이름. '一, 大一, 縣名. 明置. 左漢爲揭陽縣地. 卽今廣東大一縣'《中華大字典》. ②캄보디아포 '柬一寨'는 인도차이나 반도의 나라 이름. '柬一寨, 在交趾支那之北, 暹羅之南'《中華大字典》.

土7〔垷〕10 [一] 견 [上]銑 | xiàn ケン ぬる
[二] 현 [上]銑 | xiàn ケン ぬる

[字解] [一] ①바를견 진흙을 발라 붙임. '一, 塗泥'《廣韻》. ②큰언덕견 큰 언덕. '一, 又大坂.'《廣韻》. [二] 바를현, 큰언덕현 [一]과 뜻이 같음.
[字源] 形聲. 土＋見〔音〕

土7〔埍〕10 [一] 현 [上]銑 | juǎn ケン しもべのつちべや
[二] 견 [上]銑 | juǎn ケン しもべのつちべや

[字解] [一] ①하인청현 하인들이 거처하는 흙방. '一, 徒隸所凥也'《說文》. ②여자가두는옥현 여죄수의 감옥. '一, 一曰女牢'《說文》. [二] 하인청견, 여자가두는옥견 [一]과 뜻이 같음.
[字源] 形聲. 土＋肙〔音〕

土7〔埐〕10 [一] 침 [平]侵 | jīn シン ち, ちめい
[二] 잠 [平]侵 | qín シン ち, ちめい

[字解] [一] ①땅침 '一, 地也'《說文》. 墁(土부 10획〈216〉)은 本字. ②땅이름침 '一, 地名'《廣韻》. [二] 땅잠, 땅이름잠 [一]과 뜻이 같음.
[字源] 形聲. 土＋侵(㑴)〈省〉〔音〕

土7 〔垷〕10 〔은〕 垠(土부 6획〈205〉)의 本字

土7 〔坶〕10 〔목〕 牧(牛부 4획〈739〉)·坶(土부 5획〈204〉)와 同字

土7 〔捈〕10 〔제〕 除(阜부 7획〈1615〉)와 同字

土7 〔埣〕10 〔성〕 墶(土부 10획〈215〉)과 同字

土7 〔埈〕10 [人名] 〔준〕 陖(阜부 7획〈1615〉)과 同字

[筆順] 一 十 土 圹 圹 埃 埈 埈

土7 〔垷〕10 〔괴〕 塊(土부 10획〈215〉)의 俗字

土7 〔垽〕10 은 [去]震|yìn [去]問|yìn ギン おり

[字解] ①앙금은 침전물(沈澱物). '一, 澱也'《說文》. ②돌은 소용돌이쳐 돎. 沂(山부 7획〈310〉)과 통용.
[字源] 形聲. 土+沂〔音〕

土7 〔型〕10 〔형〕 型(土부 6획〈207〉)의 本字

土7 〔埊〕10 〔지〕 地(土부 3획〈200〉)의 古字

土7 〔坐〕10 〔좌〕 坐(土부 4획〈202〉)와 同字

土7 〔垼〕10 〔역〕 坄(土부 4획〈202〉)과 同字

土7 〔埀〕10 〔수〕 垂(土부 5획〈205〉)의 俗字

土8 〔埶〕11 ㊀예 [去]霽|yì ゲイ うえる ㊁세 [去]霽|shì セイ いきおい

[字解] ㊀심을예 藝(艸부 15획〈1199〉)와 同字. ㊁권세세 勢(力부 11획〈117〉)와 同字. '在一者去'《說文》.
[字源] 會意. 坴+丸(丮)

土8 〔執〕11 [中·人] 집 [入]緝|zhí シツ とる

[筆順] 一 十 土 去 幸 幸 執 執

[字解] ①잡을집 ㉠손으로 쥠. '一筆'. '一柯以伐柯'《中庸》. ㉡꼭 쥐고 놓지 않음. 지킴. 보존함. '一義'. '允一厥中'《書經》. ㉢체포함. '拘一'. '陽虎一懷'《史記》. ㉣잡아맴. '一騰駒'《禮記》. ㉤권세 따위를 차지함. 주장(主掌)함. 맡음. '一政'. '間臣一國政'《史記》. ②막을집 틀어막음. '願以間一讒慝之口'《左傳》. ③벗집 동지. 친구. '父一'. '見父之一'《禮記》. ④두려워할집 慹(心부 11획〈407〉)과 통용. '豪彊一服'《漢書》. ⑤성집 성(姓)의 하나.
[字源] 形聲. 丸(丮)+幸(㚔)〔音〕

土8 〔域〕11 [高·人] 역 [入]職|yù イキ くぎり

[筆順] 一 十 土 圹 坷 域 域 域

[字解] ①지경역 ㉠토지의 경계. '區一'. '土其地, 而制其一'《周禮》. ㉡사물의 경계. 범위. '納諸聖之一'《韓愈》. ②땅가장자리역 땅의 끝. 극지(極地). '遠使地一'《宋書》. ③나라역 국가. '西一'. '旣臨其一, 諭以威德'《漢書》. ④곳역 장소. '甘瞑于溷澖之一'《淮南子》. ⑤경계지을역 경계를 설정함. '肇一彼四海'《詩經》.
[字源] 形聲. 土+或〔音〕

土8 〔埊〕11 域(前條)과 同字

土8 〔埠〕11 부(보[本]) [去]遇|bù フ はとば

[字解] 부두부 배 닿는 곳. 선창. '一頭'. '每船一留一門'《西湖遊覽志》. ※本音 보.
[字源] 形聲. 土+阜〔音〕

土8 〔堉〕11 [人名] 육 [入]屋|yù イク こえたつち

[筆順] 一 十 土 圹 垶 垳 堉 堉

[字解] 기름진땅육 비옥한 땅. '一, 地土肥也'《廣韻》.
[字源] 形聲. 土+育〔音〕

土8 〔埤〕11 비 [平]支 [上]紙 [去]霽 |①-③pí ヒ ます ④bēi ヒ ひくい, しめりけのあるち ⑤bì ヘイ ひめがき

[字解] ①더할비 증익(增益)함. '一益'. '政事一一益我'《詩經》. ②담비 낮은 담. '掖垣竹一梧十尋'《杜甫》. ③낮을비 卑(十부 6획〈127〉)와 통용. '其一濕則生藏莨蒹葭'《司馬相如》. ④습지비 저습(低濕)한 땅. '松柏不生一'《國語》. ⑤성가퀴비 '一堄'는 성 위에 낮게 쌓은 담. 치첩(雉堞). 여장(女牆). '城烏一堄曉'《王維》.
[字源] 形聲. 土+卑〔音〕

土8 〔埭〕11 태 [去]隊|dài タイ せき

[字解] 둑태 선박의 통행세(通行稅)를 받기 위하여 강(江)에 쌓은 제방. '以牛車牽一, 取其稅'《晉中興書》.
[字源] 形聲. 土＋隶〔音〕

土8 〔埳〕 11 감 [上]感 | kǎn カン あな
[字解] 구덩이감 움푹 팬 곳. 坎(土부 4획〈201〉)과 同字. '一井之蛙'《莊子》.
[字源] 形聲. 土＋臽〔音〕

土8 〔埴〕 11 [人名] [一] 치 [去]寘 | zhí ショク はに
[二] 식 [入]職 | zhí シ はに
[筆順] 一 十 土 埴 埴 埴 埴 埴
[字解] [一] 찰흙치 '埏一以爲器'《荀子》. [二] 찰흙식.
[字源] 形聲. 土＋直〔音〕

土8 〔埵〕 11 타 [上]哿 | duǒ タ かたいつち
[字解] ①단단한흙타 견토(堅土). '不見一塊'《論衡》. ②제방타 둑. '一防者便也'《淮南子》.
[字源] 形聲. 土＋垂(坐)〔音〕

土8 〔埸〕 11 역 [入]陌 | yì エキ あぜ, さかい
[字解] ①밭두둑역 밭의 경계. '疆一翼翼'《詩經》. ②변방역 국경. 변경(邊境). '君之疆一'《左傳》.
[字源] 形聲. 土＋易〔音〕

土8 〔培〕 11 [高·人] [一] 배 [平]灰 | péi バイ つちかう
[二] 부 [上]有 | pǒu ホウ おか
[筆順] 一 十 土 培 培 培 培 培
[字解] [一] 북돋을배 ㉠초목의 뿌리를 흙으로 싸서 가꿈. '栽者一之'《中庸》. ㉡봉분(封墳)함. '墳墓不一'《禮記》. ㉢양성함. '一材'. '新知一養轉深沈'《朱熹》. [二] 작은언덕부 '如登泰山者卑一塿'《洛陽伽藍記》.
[字源] 形聲. 土＋音〔音〕

土8 〔⿰土否〕 11 培(前條)의 本字

土8 〔埼〕 11 [人名] 기 [平]支 | qí キ さき
[筆順] 一 十 土 埼 埼 埼 埼 埼
[字解] 갑기 안두(岸頭). 崎(山부 8획〈311〉)와 同字. '觸穹石, 激堆一'《司馬相如》.
[字源] 形聲. 土＋奇〔音〕

土8 〔埽〕 11 소 [上]晧 | sǎo ソウ はく
[字解] 쓸소 掃(手부 8획〈448〉)와 同字. '一除'. '掌一門庭'《周禮》.
[字源] 形聲. 土＋帚〔音〕

土8 〔堀〕 11 굴 ①[入]月 | kū コツ あな
②[入]物 | jué クツ ほる
[字解] ①굴굴 토굴. 窟(穴부 8획〈920〉)과 同字. '一穴'. '伏甲於一室'《左傳》. ②팔굴 땅을 팜. '一堁揚塵'《宋玉》.
[字源] 形聲. 土＋屈〔音〕

土8 〔堄〕 11 예 [去]霽 | nì ゲイ ひめがき
[字解] 성가퀴예 '埤一'는 성 위의 낮은 담. 여장(女牆). '一, 埤一, 城上垣'《集韻》.
[字源] 形聲. 土＋兒〔音〕

土8 〔堆〕 11 퇴 [人名] [平]灰 | duī タイ·ツイ ちいさなおか
[筆順] 一 十 土 堆 堆 堆 堆 堆
[字解] ①흙무더기퇴 흙더미. '有土一, 高五丈, 生細竹'《秦州記》. ②쌓을퇴, 쌓일퇴 높이 쌓음. 또, 쌓임. '一積'. '爛穀一荆囷'《李商隱》. ③놓을퇴 하던 것을 그만둠. '中旗一琴'《戰國策》.
[字源] 形聲. 土＋隹〔音〕

土8 〔堋〕 11 붕 ①②[去]徑 ③[平]蒸 | bèng ホウ うずめる
péng ホウ あずち
[字解] ①묻을붕 시체를 파묻고 흙을 덮음. '日中而一'《左傳》. ②보붕 관개(灌漑)하기 위하여 막은 둑. '一有左右口, 謂之湔一'《水經注》. ③살받이터붕 흙을 높이 쌓아 과녁을 걸어 놓는 데. '橫弓先望一'《庾信》.
[字源] 形聲. 土＋朋〔音〕

土8 〔堁〕 11 과 [去]箇 | kè カ ちり
[字解] 먼지과 진애(塵埃). '譬猶揚一而弭塵也'《淮南子》.
[字源] 形聲. 土＋果〔音〕

土8 〔堌〕 11 고 [去]遇 | gù コ つか
[字解] 고총고 묵은 무덤. '曹縣有冉一. 乃穰侯魏冉冢'《山東考古錄》.
[字源] 形聲. 土＋固〔音〕

土8 〔埰〕 11 [人名] 채 [去]隊 | cài サイ りょうち
[筆順] 一 十 土 埰 埰 埰 埰 埰

字解 ①식읍(食邑)채 釆(釆부 1획〈1546〉)와 통용. '一, 臣食邑謂之一'《集韻》. ②무덤채 산소.
字源 形聲. 土+采〔音〕

土 8 〔埻〕11 人名 준 ㊤軫 | zhǔn シュン まと

筆順 一 土 圹 埣 埻 埻 埻 埻

字解 ①과녁준 사적(射的). '一, 射的也'《太玄經 註》. ②법준 법칙(法則). '一, 灋也'《廣雅》.
字源 形聲. 土+享(䇺)〔音〕

土 8 〔埢〕11 권 ①㊤銑 ②③㊥先 | juǎn ケン はかのもりつち quān ケン まるい

字解 ①봉분권 무덤의 흙더미. '一, 塚土'《集韻》. ②둥글권 둥그런 모양. '登降峛崺, 單一垣兮'《揚雄》. ③둥근담권 원형(圓形)으로 둘러쌓은 담. '一, 圜墻也'《集韻》.

土 8 〔埯〕11 ㊀엄 ㊤琰 ㊁암 ㊤感 | yǎn エン おおう ǎn アン あな

字解 ㊀흙을덮을엄 흙으로 물건을 덮음. '土覆謂之一'《集韻》. ㊁구덩이암 '一, 阬也'《集韻》.

土 8 〔埩〕11 쟁 ㊥庚 | ①zhēng ソウ おさめる ②chéng

字解 ①다스릴쟁 흙을 다스림. 논밭을 갊. '一, 耕治也'《集韻》. ②북문의못쟁 노성(魯城)의 북문(北門)의 못. '一, 魯城北門池也'《廣韻》.
字源 形聲. 土+爭〔音〕

土 8 〔埦〕11 완 ㊤旱 | wǎn オウ·ワン わん

字解 공기완 음식을 담는 작은 그릇. '盌, 說文, 小盂也. 或作䃜·一·椀'《集韻》.

土 8 〔埲〕11 봉 ㊤董 | běng ホウ ちり

字解 ①먼지봉 '一, 塵也'《集韻》. ②토사봉 토민(土民)의 지방관(地方官). 토사(土司). '蒙古一, 窮來一等. 皆舊時土司之名'《淸一統志》.

土 8 〔埱〕11 ㊀숙 ㊇屋 ㊁투 ㊄宥 | chù シュク きがでる tòu トウ とおる

字解 ㊀①땅에서김오를숙 '一, 氣出於地'《廣韻》. ②비롯할숙 처음. 시작. '一, 一日, 始也'《說文》. ㊁통할투 '透(辵부 7획〈1495〉)'와 통용.
字源 形聲. 土+叔〔音〕

土 8 〔埝〕11 ㊀점 ㊄豔 ㊁녑 ㊇葉 | ②niàn テン ひくい ジョウ ます

字解 ㊀①낮을점 땅이 낮음. '一, 下也'《揚子方言》. ②《現》 둑점 제방(堤防). ㊁①더할녑 보탬. '一, 益也'《集韻》. ②빠질녑 '一, 一日, 陷也'《集韻》.

土 8 〔堍〕11 토 | tù ト はしにちかいち

字解 다릿목토 다리에 가까운 땅. '一, 近橋之地也'《中華大字典》.

土 8 〔堈〕11 人名 강 ㊥陽 | gāng コウ かめ

筆順 一 土 圳 堈 堈 堈 堈 堈

字解 ①독강 오지그릇. '一, 甕也'《廣韻》. ②언덕강 구릉(丘陵). '一, 隴也'《集韻》.
字源 形聲. 土+岡〔音〕

土 8 〔堮〕11 〔오〕 墺(土부 13획〈221〉)의 古字

土 8 〔基〕11 中·人 기 ㊥支 | jī キ もとい

筆順 一 卄 甘 其 其 基 基 基

字解 ①터기 토대. 터전. '一礎'. '自堂徂一'《詩經》. ②근본기 ㉠기본. '國一'. '邦家之一'《孔子家語》. ㉡의지. 의거. '高者必以下爲一'《淮南子》. ③업기 사업. '建以爲一'《淮南子》. ④수사의하나기 탑(塔)·비(碑)를 세는 수사(數詞). '立一一塔'《佛法傳通記》. ⑤기인할기 기본의 원인이 됨. '一於其身'《國語》. ⑥자리잡을기 터전을 잡음. '始一之矣'《左傳》. ⑦성기 성(姓)의 하나.
字源 形聲. 土+其〔音〕

土 8 〔堂〕11 中·人 당 ㊥陽 | táng ドウ たてもの, おもてざしき

筆順 丨 ⺌ ⺍ 尚 尚 堂 堂 堂

字解 ①집당 ㉠주거(住居). 방. '金玉滿一'《老子》. ㉡관아·사원·집회소 등의 높고 큰 집. '僧一'. '殿一'. '議事于門下之政事一'《唐書》. ㉢터를 높이 돋아 지은 남향(南向)의 본채. '躋彼公一'《詩經》. ②당당할당 의젓함. '一一之陣'《魏志》. ③동조친(同祖親)당 조부(祖父)에서 갈린 일가. '一伯叔'. '同一兄弟'. ④성당 성(姓)의 하나.
字源 形聲. 土+尙〔音〕

土 8 〔堅〕11 中·人 견 ㊥先 | jiān ケン かたい

[筆順] 一 丆 𠃏 𦣞 𦣝 臣 臤 堅

[字解] ①굳을견 ㉠단단함. '一固'. '善問者如攻一木'《禮記》. ㉡의지가 굳음. '窮當益一'《後漢書》. ㉢변하지 아니함. '如天地之一'《管子》. ㉣굳셈. 강함. '一剛'. '小敵之一, 大敵之擒也'.《孫子》. ②굳어질견 견고하여짐. '三晉相親相一'《戰國策》. ③굳게견 견고하게. '一忍'. '陳留一守不能下'《史記》. ④갑주견 갑옷과 투구. '被一執銳'《漢書》. ⑤성견 성(姓)의 하나.

[字源] 形聲. 土+臤〔音〕

土 8 〔堇〕11 근 ①②[平]眞 ③[去]震 | qín キン ねばつち | jǐn キン わずか

[筆順] 一 卄 廿 苩 莒 菫 革 堇

[字解] ①진흙근 누런 점토(黏土). '雜食一塊'《五代史》. ②때근 시간. '以待乎天一'《管子》. ③겨우근 僅(人부 11획〈69〉)과 통용. '豫章出黃金, 然一一'《漢書》.

[字源] 會意. 黃+土

土 8 〔堊〕11 [人名] 악 [入]藥 | è アク しろつち

[筆順] 一 丅 亞 亞 亞 亞 亞 堊

[字解] ①백토악 흰 흙. '大次之山, 其陽多一'《山海經》. ②색흙악 고운 빛의 흙. '蔥聾之山 其中大谷, 多白·黑·青·黃一'《山海經》. ③진흙악 질척질척한 흙. '盡一而鼻不傷'《莊子》. ④색벽할악 진흙을 바른 위에 색토(色土)를 바름. '黝一之'《周禮》. ⑤진흙벽악 진흙만 바른 벽. '士居一室'《禮記》. ⑥색벽악 색토(色土)를 바른 벽. '樓閣相接, 丹·青·素一'《後漢書》.

[字源] 形聲. 土+亞〔音〕

土 8 〔埠〕11 비 ㊤尾 [去]未 | fēi ヒ ちり

[字解] 먼지비 '一, 塵也'《廣韻》.

[字源] 形聲. 土+非〔音〕

土 8 〔埾〕11 취 [去]遇 | jù シュ つんだつち

[字解] 쌓은흙취 '一, 積土也'《說文》.

[字源] 形聲. 土+聚〈省〉〔音〕

土 8 〔㙇〕11 괴 [去]卦 | guài カイ おおきい

[字解] 클괴 '一, 大皃'《廣韻》.

[字源] 形聲. 多+土+又〔音〕

土 8 〔型〕11 〔형〕
型(土부 6획〈207〉)의 本字

土 8 〔埜〕11 [一]野(里부 4획〈1547〉)의 古字
[二]埜(土부 12획〈221〉)와 同字

土 8 〔埅〕11 〔곤〕
坤(土부 5획〈203〉)과 同字

土 8 〔涂〕11 〔도〕
塗(土부 10획〈217〉)의 俗字

土 9 〔堯〕12 [人名] 요 [平]蕭 | yáo ギョウ たかい

[筆順] 一 十 土 圭 垚 垚 垚 堯

[字解] ①높을요, 멀요 고원(高遠)함. '一一'. '一猶嶢也, 嶢嶢至高貌'《白虎通》. ②요임금요 고대 제왕의 이름. '唐一'. '古帝一'《書經》. ③성요 성(姓)의 하나.

[字源] 會意. 垚+兀

土 9 〔壼〕12 [一]혼 [平]元 | コン つち
[二]환 [平]刪 | huán カン つち

[字解] [一] ①흙혼 흙덩이. '一, 墣也'《類篇》. ②마을이름혼 낙양(洛陽)에 있는 마을의 이름. '一, 洛陽有大一里'《說文》. [二] 흙환, 마을이름환 一과 뜻이 같음.

土 9 〔報〕12 [中·人] [一]보 [去]號 | bào ホウ むくいる
[二]부 [去]遇 | fù フ いそぐ

[筆順] 一 十 土 圭 幸 幸 報 報

[字解] [一] ①갚을보 은혜나 원한을 갚음. '一恩'. '睚眦之怨必一'《史記》. ②갚음보 전항(前項)의 명사. '吾哀王孫進食, 豈望一乎'《史記》. ③대답할보 '反一文侯'《呂氏春秋》. ④알릴보, 여쭐보 '一告'. '請爲張唐先一趙'《戰國策》. ⑤대답보, 알림보 전전항과 전항의 명사. '奏事待一'《晉書》. ⑥공초받을보 죄를 심판함. 죄수를 처결함. '適見一囚, 毋大驚'《漢書》. ⑦형보 처형(處刑). '傳爰書, 訊鞫論一'《漢書》. ⑧치붙을보 아랫사람이 윗사람과 간음함. '文公一鄭子之妃'《左傳》. [二] 빨리부 속히. '毋一往'《禮記》.

[字源] 會意. 幸(㚔)+𠬝

土 9 〔埶〕12 〔예〕
埶(土부 8획〈209〉)의 本字

土 9 〔堙〕12 인 [平]眞 | yīn イン ふさぐ

[字解] ①막을인, 막힐인 구멍을 통하지 못하게 함. '一窒'. '一塞'. '甲寅一之'《左傳》. ②흙메인 토산(土山). '宋華元亦乘一而出見之'《公羊傳》.

字源 形聲. 土＋垔〔音〕

土 9 〔堧〕12 연 (平)先 | ruán ゼソ・ネン かわのほとり

字解 ①성하전(城下田)연 성(城) 아래의 전지(田地). '稅城郭—及園田'《漢書》. ②강가땅연 강변(江邊)의 땅. '河—'. '晩守淮南—'《韋應物》. ③빈터연 공지. '趙過試以離宮卒, 田其宮—地'《漢書》.
字源 形聲. 土＋耎〔音〕

土 9 〔堝〕12 과 (平)歌 | guō カ るつぼ

字解 도가니과 쇠붙이를 녹이는 데 쓰는 그릇. '—, 坩—所以烹煉金銀'《玉篇》.
字源 形聲. 土＋咼〔音〕

土 9 〔堞〕12 첩 (入)葉 | dié チョウ ひめがき

字解 성가퀴첩 성 위에 나지막하게 쌓은 담. 여장(女墻). '雉—'. 또, 성가퀴를 쌓음. '堙之環城, 傅於—'《左傳》.
字源 形聲. 土＋枼(葉)〔音〕

土 9 〔堠〕12 후 (去)宥 | hòu コウ つか, ものみ

字解 ①돈대후 ㉠이정(里程)을 표시하기 위하여 토석(土石)을 높이 쌓은 것. 이정표(里程標)의 한 가지. '—子'. '堆堆路傍—'《韓愈》. ㉡기념(紀念)의 표시로 토석(土石)을 쌓은 것. '立石—志之'《舊唐書》. ②흙성후 적정(敵情)을 살피기 위하여 흙으로 싼 보루. '玉門罷—'《梁簡文帝》.
字源 形聲. 土＋侯〔音〕

土 9 〔堤〕12 高·人 제 (平)齊 | dī テイ つつみ

筆順 土 圵 坦 垾 埕 堤 堤 堤

字解 둑제 제방. '—塘'. '修立—堰'《南史》.
字源 形聲. 土＋是〔音〕

土 9 〔堪〕12 人名 감 (平)覃 | kān カン たえる

筆順 土 圵 坩 坩 堪 堪 堪 堪

字解 ①견딜감 ㉠감당함. 능히 함. '—能'. '口弗—也'《國語》. ㉡참음. '—忍'. '民力不—'《呂氏春秋》. ②맡을감 감당함. 맡아 함. '何德以—之'《國語》. ③성감 성(姓)의 하나.
字源 形聲. 土＋甚〔音〕

土 9 〔堰〕12 언 (去)霰 | yàn エン せき

字解 보언, 방죽언 '—堤'. '立—漑田千餘頃'《南史》.
字源 形聲. 土＋匽〔音〕

土 9 〔場〕12 中·人 장 (平)陽 | chǎng ジョウ ば, にわ

筆順 土 圵 坦 埕 埕 場 場 場

字解 ①마당장 ㉠구획한 공지(空地). '闢廣—, 羅兵三萬'《唐書》. ㉡곳. '—所'. '婆娑乎術藝之—'《班固》. ㉢제사지내는 터. '築室於—'《孟子》. ㉣타작 마당. '十月滌—'《詩經》. ②때장 시기(時期). '—春夢'. '紅葉開時醉——'《王禹偁》. ③구획장 사물의 일단락. '雜出六題, 分爲三—'《宋史》.
字源 形聲. 土＋昜〔音〕

土 9 〔堣〕12 人名 우 (平)虞 | yú グ ちめい

筆順 土 圵 坦 埕 堣 堣 堣 堣

字解 땅이름우 '—夷, 在冀州暘谷'《說文》.
字源 形聲. 土＋禺〔音〕

土 9 〔堭〕12 人名 황 (平)陽 | huáng コウ あいどの

筆順 土 圵 圵 坾 垍 堭 堭 堭

字解 ①벽없는집황 사벽(四壁)이 없는 건물. 정자(亭子) 같은 것. 皇(白부 4획〈825〉)과 통용. '—, 堂—, 合殿也'《廣韻》. ②해자황 隍(阜부 9획〈1620〉)과 同字.
字源 形聲. 土＋皇〔音〕

土 9 〔堩〕12 긍 (去)徑 | gèng コウ みち

字解 길긍 도로(道路). '唯君命止柩于—'《儀禮》.

土 9 〔堗〕12 돌 (入)月 | tū トツ けむりだし

字解 부엌창돌 연기(煙氣)가 빠지도록 낸 창. '窖, 謂之竈, 其窗謂之—'《廣雅》.

土 9 〔堮〕12 악 (入)藥 | è ガク きし, がけ

字解 비탈악 낭떠러지. '—, 圻—也'《廣韻》.

土 9 〔堵〕12 人名 도 (上)麌 | dǔ ト かき

筆順 土 圵 圵 圵 坔 堵 堵 堵

字解 ①담도 담장. '止如—墻, 動如風雨'《尉繚子》. 바뀌어, 담의 안. 거처. 주거. '百姓安—'《蜀志》. ②성도 성(姓)의 하나.

[字源] 形聲. 土+者〔音〕

土9 〔堶〕12 타 [平]歌 | tuó タ つぶてあそび

[字解] 석전타 돌팔매질하여 겨루는 승부. '輕浮賭勝各飛—'《梅堯臣》.

土9 〔堨〕12 알 [入]曷 | è アツ せき

[筆順] 土 圠 坦 垾 埸 堨 堨 堨

[字解] 보알, 방죽알 '興治芍陂及茹陂, 七門, 吳塘諸—以漑稻田'《魏志》.
[字源] 形聲. 土+曷〔音〕

土9 〔堛〕12 벽 [入]職 | pì ヒョク つちくれ

[字解] 흙덩이벽 토괴(土塊). '—, 凷也'《說文》.
[字源] 形聲. 土+畐〔音〕

土9 〔⿰土复〕12 복 [入]屋 | fù フク あなぐら

[字解] 토굴복 寝(穴부 12획〈924〉)과 同字

土9 〔堬〕12 유 [平]虞 | yú ユ つか

[字解] 무덤유 뫼. '秦晉之間, 冢, 謂之—'《揚子方言》.

土9 〔堳〕12 미 [平]支 | méi ビ かき

[字解] 담미 단(壇)의 주위를 두른 낮은 담. '壝壇卽—埒'《周禮 疏》.

土9 〔⿰土耑〕12 타 [平]哿 | duǒ タ うごかす

[字解] ①움직일타 朶(木부 2획〈526〉)와 통용. '—, 動也. 易, 觀我—頤'《集韻》. ②늘어질타.

土9 〔堷〕12 암 [上]感 | yìn アン はかあな

[字解] 무덤구멍암 '瘞—'은 무덤 속의 매장하는 곳. '巨瘞—, 所以使貧民也'《管子》.

土9 〔⿰土則〕12 측 [入]職 | cè ショク さえぎる

[字解] ①막을측 저지함. '—, 遏遮也'《說文》. ②막힐측 '—, 有充塞義'《正字通》.
[字源] 形聲. 土+則〔音〕

土9 〔堫〕12 [一]종 [平]東 | zōng ソウ うえる
[二]창 [平]江 | ソウ うえる

[字解] [一]①심을종 식물을 심음. '—, 種也'《廣韻》. ②들어갈종 속으로 들어감. '—, 一日, 內其中'《說文》. [二] 심을창, 들어갈창 [一]과 뜻이 같음.
[字源] 形聲. 土+㚇〔音〕

土9 〔堿〕12 감 [上]感 | jiǎn カン たいらでない

[字解] ①험할감 길이 험하여 가기 힘듦. '—, —坷'《篇海》. ②저수지감 물을 가두어 두기 위해 만든 못. '若發—決唐'《淮南子》.

土9 〔⿰土咠〕12 칩 [入]緝 | qì シュウ つみあげたつち

[字解] 쌓아올린흙칩 '—㙁, 累土也'《玉篇》. ②나뭇가지얼켜질칩 '—㙁鱗接'《左思》.

土9 〔⿰土⿸广屰〕12 〔탁〕
坼(土부 5획〈204〉)의 本字

土9 〔⿰土㪅〕12 〔경〕
埂(土부 7획〈208〉)의 本字

土9 〔堺〕12 〔계〕
界(田부 4획〈796〉)와 同字

土9 〔塖〕12 〔승〕
塍(土부 10획〈217〉)과 同字

土9 〔堦〕12 〔계〕
階(阜부 9획〈1620〉)와 同字

土9 〔堽〕12 [一] 岡(山부 5획〈306〉)과 同字
[二] 剛(刀부 8획〈106〉)의 訛字

土9 〔墖〕12 〔탑〕
塔(土부 10획〈215〉)의 俗字

土9 〔堲〕12 [一]즐 [入]質 | jí シツ もえさし
[二]즉 [入]職 | jí ショク にくむ

[筆順] ノ 白 白 白 皀 皀 卽 堲

[字解] [一]①불똥즐 심지의 끝이 타다 남은 것. '左手秉燭, 右手折—'《管子》. ②미워할즐 증오함. '朕—讒說'《書經》. ③기와즐 구운 기와. '夏后氏—周'《禮記》. [二] 미워할즉, 기와즉 [一]과 뜻이 같음.
[字源] 形聲. 土+卽〔音〕

土9 〔堡〕12 [人名] 보 [上]晧 | bǎo ホウ とりで

[筆順] 亻 仁 伻 保 保 保 堡 堡

[字解] 작은성보 토석(土石)으로 쌓은 작은 성. '—砦'. '拔連城—'《唐書》.
[字源] 形聲. 土+保〔音〕

土9〔堡〕12 堡(前條)와 同字

土9〔堥〕12 무 ㊥尤|móu ボウ·ム ちいさいおか
字解 언덕무 작은 언덕. '一敦'. '一, 堆隴也'《集韻》.
字源 形聲. 土+敄〔音〕

土9〔堙〕12 〔인〕 垔(土부 6획〈207〉)의 本字

土9〔埜〕12 〔야〕 野(里부 4획〈1547〉)와 同字

土9〔埀〕12 〔수〕 垂(土부 5획〈205〉)의 本字

土9〔堕〕12 〔타〕 墮(土부 12획〈221〉)와 同字·簡體字

土9〔塁〕12 〔루〕 壘(土부 15획〈223〉)의 略字

土9〔垦〕12 〔간〕 墾(土부 13획〈222〉)의 俗字

土10〔報〕13 〔보〕 報(土부 9획〈212〉)의 訛字

土10〔塊〕13 高·人 괴 ㊤隊 ㊤泰|kuài カイ つちくれ, かたまり
筆順 土 圠 圹 垉 堌 坤 塊 塊
字解 ①흙덩이괴 덩어리진 흙. 토괴(土塊). '野人擧一以與之'《國語》. ②덩이괴 덩어리. '肉一'. '趙氏一一肉'《宋史》. ③나괴 자기. '一獨守此無澤兮'《楚辭》. ④홀로괴 고독한 모양. '一孤立而特峙'《陸機》.
字源 形聲. 土+鬼〔音〕

土10〔塌〕13 탑 ㊇合|tā トウ はじめてたがやす
字解 ①애벌갈탑 초경(初耕)함. '初耕曰一'《王盤農書》. ②떨어질탑, 떨어뜨릴탑 '垂頭一翼'《陳琳》.
字源 形聲. 土+㬎〔音〕

土10〔塏〕13 개 ㊤賄|kǎi ガイ たかくてかわいたち
字解 높은땅개 높고 환한 땅. '請更諸爽一者'《左傳》.
字源 形聲. 土+豈〔音〕

土10〔塒〕13 시 ㊥支|shí シ ねぐら
字解 홰시 닭 같은 것이 앉는 곳. '雞棲于一'《詩經》.
字源 形聲. 土+時〔音〕

土10〔塔〕13 高·人 탑 ㊇合|tǎ トウ とう
筆順 土 圹 圹 圹 坩 垯 塔 塔
字解 ①탑탑 불탑. '梵語塔婆, 此云高顯, 今略稱一也'《釋氏要覽》. '黃師一前江水東'《杜甫》. ②절탑 사찰. 불당(佛堂). '募建宮宇曰一'《魏志》. ③층집탑 5층 또는 7층의 고각(高閣). '偃王燈一古涂州'《薛能》. ④성탑 성(姓)의 하나.
字源 形聲. 土+荅〔音〕

土10〔塨〕13 공 ㊤送|gòng コウ ちめい
字解 땅이름공 '韓, 地名, 或作一'《集韻》.

土10〔垶〕13 성 ㊥庚|xīng セイ あかつち
字解 붉은흙성 빛깔이 붉은 흙. '一, 赤剛土也'《說文》.
字源 形聲. 土+觲〈省〉〔音〕

土10〔塓〕13 멱 ㊇錫|mì ベキ·ミャク ぬる
字解 흙바를멱 벽에 흙을 바름. '圬人以時一館宮室'《左傳》.
字源 形聲. 土+冥〔音〕

土10〔塕〕13 옹 ㊤董|wěng オウ ちり
字解 ①티끌옹 먼지. '馬上風來亂吹一'《柳貫》. ②티끌자욱하게일옹 '一然'은 바람이 불어 먼지가 자욱하게 일어나는 모양. '庶人之風, 一然起于窮巷之閒'《宋玉》.
字源 形聲. 土+翁〔音〕

土10〔塘〕13 人名 당 ㊥陽|táng トウ つつみ
筆順 土 圹 圹 圹 垆 垆 塘 塘
字解 ①둑당 제방. '隄一'. '曹華信立防海一'《錢塘志》. ②못당 저수지(貯水池). '一池'. '柳一春水漫'《嚴維》.
字源 形聲. 土+唐〔音〕

土10〔塙〕13 각 ㊇覺|què カク かたい
字解 단단할각 땅이 단단함. '一, 堅不可拔也'《說文》.
字源 形聲. 土+高〔音〕

土10〔塳〕13 봉 ㊥東|péng ホウ ちりがまきおこる

字解 먼지날봉 먼지가 잃.
參考 塚(土부 10획〈216〉)은 別字.

土 10 〔塡〕13 人名 ㊀전 ㊥先 tián テン ふさぐ
㊁진 ①㊥眞 chén チン ひさしい ②㊧震 zhèn チン しずめる ③㊤銑 tiǎn テン つきる

筆順 土 圹 圹 埴 埴 塡 塡 塡

字解 ㊀①메울전 넣어 채움. '充一'. '屍一巨港之岸'《李華》. ②박아넣을전 감입(嵌入)함. '一金'. '金一文字'《嘉話錄》. ③채울전 충당함. '多取好女一後宮'《漢書》. ④따를전 순종함. 따라감. '一流泉而爲沼'《班固》. ⑤북소리전 '一然鼓之'《孟子》. ㊁①오랠진 '孔一不寧, 降此大厲. (注)一, 久'《詩經》. ②누를진 鎭(金부 10획〈1575〉)과 同字. '一撫'. '一國家, 撫百姓, 吾不如蕭何'《漢書》. ③다할진 궁진(窮盡)함. 殄(歹부 5획〈607〉)과 同字. '哀我一寡'《詩經》.
字源 形聲. 土+眞〔音〕

土 10 〔塢〕13 오 ㊤麌 wù オ むら, とりで, どて
字解 ①마을오 촌락. '谿行盡日無村一'《杜甫》. ②보루오 작은 성. 성채. '一壁'. '築一于郿'《後漢書》. ③둑오 작은 제방. '花一麥畦'《樹萱錄》.
字源 形聲. 土+烏〔音〕

土 10 〔塉〕13 척 ㊇陌 jí セキ やせつち
字解 메마른땅척 척박한 땅. '一埆'. '一, 薄土'《廣韻》.
字源 形聲. 土+脊〔音〕

土 10 〔塯〕13 류 ㊧有 liù リュウ かわらけ
字解 밥뚝배기류 뚝배기. '飯土一, 啜土形'《史記》

土 10 〔塥〕13 혁(격㊍) ㊇陌 gé カク ほそほそしたつち
字解 푸석푸석한흙혁 마르고 끈기가 없는 푸석푸석한 흙. '五位之狀, 不一不灰'《管子》. ※本音 격.

土 10 〔塠〕13 ㊀퇴 ㊥灰 duī タイ おとす ㊁최 ㊥灰 duī サイ せめる
字解 ㊀①떨어질퇴 '一, 落也'《集韻》. ②쌓일퇴 '依沙一爲屯'《三國志》. ㊁꾸짖을최 책망함. '一, 譴也'《類篇》.

土 10 〔墁〕13 〔침〕 埐(土부 7획〈208〉)의 本字

土 10 〔塔〕13 〔채〕 砦(石부 5획〈868〉)의 俗字

土 10 〔塤〕13 人名 壎(土부 14획〈222〉)과 同字
筆順 土 圹 圹 坍 坍 塤 塤 塤
字源 形聲. 土+員〔音〕

土 10 〔堽〕 〔강〕 堈(土부 9획〈214〉)과 同字

土 10 〔墀〕13 〔지〕 墀(土부 11획〈217〉)와 同字

土 10 〔塩〕13 〔염〕 鹽(鹵부 13획〈1844〉)의 俗字

土 10 〔塚〕13 〔총〕 冢(冖부 8획〈91〉)의 俗字

土 10 〔㙺〕13 〔괴〕 壞(土부 16획〈224〉)의 古字

土 10 〔塋〕13 영 ㊥庚 yíng エイ はか
字解 무덤영 뫼. '一域'. '修冢一'《後漢書》.
字源 形聲. 土+營〈省〉〔音〕

土 10 〔塑〕13 소 ㊧遇 sù ソ でく, つちをこねてかたどる
字解 ①토우(土偶)소 흙으로 만든 우상(偶像). '開元寺一像'《五代史》. ②흙이겨만들소 흙으로 물형(物形)을 만듦. '彫一'.
字源 形聲. 土+朔〔音〕

土 10 〔塐〕13 塑(前條)와 同字

土 10 〔塞〕13 高·人 ㊀새 ㊧隊 sāi サイ とりで ㊁색 ㊇職 sāi ソク ふさぐ
筆順 宀 宀 宇 宑 寒 塞 塞 塞

字解 ㊀①변방새 변경. '邊一'. '秦敢絶一而伐韓者, 信於周也'《戰國策》. ②요새새 적의 침입을 방어할 만한 험준한 요해처. '要一'. '險一'. '楚地北有汾陘之一'《戰國策》. ③보루새 본성(本城)에서 떨어져 있는 작은 성. '一上敍軍功'《黃允文雜纂》. ④굿새 賽(貝부 10획〈1398〉)와 同字. '冬一禱祠'《漢書》. ⑤주사위새 투자(骰子). '博一以遊'《莊子》. ㊁①막을색 ㉠사이를 가

림. '蔽—'. '樹—門'《禮記》. ㉡틀어막음. '充—'. '瑱—耳'《儀禮》. ㉢통하지 못하게 함. 차단함. '遏—'. '凡啓—從時'《左傳》. ㉣이루어 채움. 다함. '無以報德—責'《漢書》. ②막힐색 ㉠막음을 당함. '語—'《史記》. ㉡운이 막힘. 불운함. '知通—'《易經》. ③성색 성(姓)의 하나.
字源 形聲. 土+寒〔音〕

土10 〔塟〕13 〔장〕 葬(艸부 9획〈1160〉)의 俗字

土10 〔塗〕13 高·人 도 ㊥虞 | tú ト ぬる
筆順 氵 氵 汵 涂 涂 涂 塗 塗
字解 ①진흙도 이토(泥土). '厥土惟—泥'《書經》. ②길도 途(辵부 7획〈1496〉)와 同字. '—不拾遺'. '臨淄之—'《戰國策》. ③매흙질할도 흙을 바름. '牆—而不畫'《揚雄》. ④칠할도 ㉠도료(塗料) 같은 것을 바름. '臺榭不—'《穀梁傳》. ㉡칠하여 지움. '—抹'. '遽取筆—籍'《舊唐書》. ⑤지울도 지워 고침. 개찬(改竄)함. '—竄'. '—改清廟生民詩'《李商隱》. ⑥더럽힐도 더럽게 함. '周以—吾身'《莊子》. ⑦괴로움도 고통. '陷—藉穢兮'《柳宗元》.
字源 形聲. 土+氵(水)+余〔音〕

土10 〔塍〕13 승 ㊥蒸 | chéng ショウ あぜ
字解 밭두둑승 畻(田부 9획〈801〉)과 同字.
字源 形聲. 土+朕(眹)〔音〕

土10 〔㙞〕13
㊀ 롱 ㊤腫 | lǒng
㊀ 롱 ㊦宋 | リョウ どろ, ぬる
㊁ 몽 ㊦送 | ボウ ぬる
㊂ 망 ㊥江 | ボウ どろ, ぬる
字解 ㊀ ①진흙롱 '泥塗, 謂之—濵'《一切經音義》. ②바를롱 칠함. '—, 塗也'《廣雅》. ㊁ 진흙몽, 바를몽 ㊀과 뜻이 같음. ㊂ 진흙망, 바를망 ㊀과 뜻이 같음.
字源 形聲. 土+水+尨〔音〕

土10 〔垔〕13 〔인〕 垔(土부 6획〈207〉)의 古字

土11 〔塼〕14 전 ㊥先 | zhuān セン かわら
字解 벽돌전 甎(瓦부 11획〈790〉)과 同字. '—甓'. '聚—修井'《風俗通》.
字源 形聲. 土+專〔音〕

土11 〔墇〕14 장 ㊥陽 | zhàng ショウ ふせぐ
字解 막을장 '—, 隔塞也, 壅也, 防也. 國語曰, 鯀—洪水. 亦作障'《玉篇》.
字源 形聲. 土+章〔音〕

土11 〔墀〕14 지 ㊥支 | chí チ きざはしのうえのあきち
字解 지대뜰지 지대(址臺) 위의 땅. '陟赤—之途'《漢書》.
字源 形聲. 土+犀〔音〕

土11 〔塿〕14 루 ㊤有 | lǒu ロウ こおか
字解 언덕루 조그마한 언덕. '不意培—而松柏爲也林也'《唐書》.
字源 形聲. 土+婁〔音〕

土11 〔塽〕14 人名 상 ㊤養 | shuǎng ソウ たかくてあかるいとち
筆順 土 圹 圹 坜 坜 塽 塽 塽
字解 높은땅상 높고 밝은 토지(土地). '—, 地高明處'《集韻》.
字源 形聲. 土+爽〔音〕

土11 〔墁〕14 만 ㊦翰 | màn バン·マン ぬる
字解 바를만, 칠할만 담이나 벽에 흙을 바름. 또, 그 담이나 벽. '毁瓦畫—'《孟子》.
字源 形聲. 土+曼〔音〕

土11 〔境〕14 高·人 경 ㊤梗 | jìng キョウ さかい
筆順 土 圹 圹 圹 垴 培 境 境
字解 지경경 ㉠경계. '國—'. '死生—'. '外臣之言不越—'《國語》. ㉡곳. '勝—'. '雖跡混教途, 而心標逸—'《陶弘景》. ㉢경우. '逆—'. '年涉危—, 而家貧養薄'《魏書》.
字源 形聲. 土+竟〔音〕

土11 〔墋〕14 참 ㊤寢 | chěn シン つち
字解 ①흙참 '—, 土也'《集韻》. ②모래흙참 사토(沙土). '—, 沙土也'《正韻》. ③모래섞일참 식물(食物)에 모래가 섞임. '沙土入食中, 曰—'《一切經音義》. ④흐릴참 탁(濁)하여 맑지 못한 모양. '茫茫宇宙, 上—下黷'《陸機》.

土11 〔墄〕14 척 ㊅職 | qī ソク きざはし
字解 층대척 층층대. '未央前殿, 左—右平'《三輔黃圖》.

土11 〔墈〕14 감 ㊦勘 | kàn カン けわしいきし
字解 ①낭떠러지감 험한 언덕. '—, 險岸

也'《集韻》. ②지경감 경계(境界). '今俗謂壞界土突起立者爲一'《正字通》.
[字源] 形聲. 土+勘〔音〕

土 11 〔墆〕 14 [一] 체 [去]霽 | dì テイ おおう
[二] 절 [入]屑 | dié テツ たくわえる

[筆順] [墆]

[字解] [一] ①가릴체 덮음. '擧霓旌之一翳兮'《楚辭》. ②높을체 '一霓'. [二] 모을절 저축함. '縣官大空而富, 商賈或一財役貧'《漢書》.
[字源] 形聲. 土+帶〔音〕

土 11 〔塻〕 14 막 [入]藥 | mò バク·マク ちり
[字解] 먼지막 티끌. '一, 塵也'《集韻》.

土 11 〔墉〕 14 [人名] 용 [平]冬 | yōng ヨウ かき

[筆順] [墉]

[字解] ①담용 높은 담. '君南向于北一之下'《禮記》. ②보루용 작은 성. 성채. '列一分戍'《唐順之》.
[字源] 形聲. 土+庸〔音〕

土 11 〔墌〕 14 척 ①[入]藥 | zhuó シャク つちをきずく
②[入]陌 | zhí セキ どだい

[字解] ①터닦을척 흙을 쌓아 토대(土臺)를 만듦. '一, 築土爲基'《集韻》. ②터척 토대(土臺). '一, 基址也'《集韻》.
[字源] 形聲. 土+庶〔音〕

土 11 〔墐〕 14 [人名] 근 [去]震 | jǐn キン ぬる

[筆順] [墐]

[字解] ①매흙질할근 진흙을 바름. '塞向一戶'《詩經》. ②묻을근 파묻음. 殣(歹부 11획〈610〉)과 同字. '行有死人, 尙或一之'《詩經》. ③도랑옆길근 도랑 가의 길. '陸阜陵一'《國語》.
[字源] 形聲. 土+堇〔音〕

土 11 〔墔〕 14 종 [平]冬 | zōng ショウ きのこのな
[字解] 버섯이름종 '一, 土菌也, 高脚繖頭, 俗謂之雞一, 出滇南'《正字通》.

土 11 〔墒〕 14 상 [平]陽 | shāng ショウ あたらしくたがやしたとち
[字解] 새로푼땅상 개간(開墾)한 땅. '一, 新耕土也'《字彙》.

土 11 〔塴〕 14 붕 [去]徑 | bèng ホウ ほうむる
[字解] 묻을붕 장사지냄. 堋(土부 8획〈210〉)과 同字. '日中而一'《左傳》.

〔墊〕 〔정〕
赤부 7획(1403)을 보라.

土 11 〔墸〕 14 〔로〕
鹵(部首〈1842〉)와 同字

土 11 〔墲〕 14 〔하〕
罅(缶부 11획〈1024〉)와 同字
[字源] 形聲. 土+虖〔音〕

土 11 〔墖〕 14 〔탑〕
塔(土부 10획〈215〉)과 同字

土 11 〔墟〕 14 〔허〕
墟(土부 12획〈219〉)의 俗字

土 11 〔增〕 14 〔증〕
增(土부 12획〈219〉)의 略字

土 11 〔塲〕 14 〔장〕
場(土부 9획〈213〉)과 同字

土 11 〔塵〕 14 [人名] 진 [平]眞 | chén ジン ちり

[筆順] [塵]

[字解] ①티끌진 ㉠먼지. '一芥'. '粟焉如屑一厲'《管子》. ㉡이 세상. 속세(俗世). '出一之想'《孔稚珪》. ②때진 옷이나 몸에 낀 더러운 것. '一汚'. ③더럽힐진 더럽게 함. '祇自一兮'《詩經》. ④묵을진 오래 묵음. '亢一邈而難虧'《張衡》. ⑤유업진 끼친 업(業). '二方承則, 八慈繼一'《後漢書》. ⑥소수이름진 소수(小數)의 명목(名目). '纖十沙, 沙十一'《算經》. ⑦때진 시간. '一一剎剎不相侵'《朱熹》. ⑧성진 성(姓)의 하나.
[字源] 會意. 篆文은 䴡+土

土 11 〔塹〕 14 참 [去]豔 | qiàn ザン ほり
[字解] ①해자참 성을 두른 못. '一濠'. '使高壘深一勿與戰'《史記》. ②팔참 해자·구덩이를 팜. '一山堙谷'《史記》.
[字源] 形聲 土+斬〔音〕

土 11 〔壍〕 14 塹(前條)과 同字

土 11 〔塺〕 14 [一] 매 [平]灰 | méi バイ·マイ ちり
[二] 마 [去]箇 | méi バ·マ ちり
[字解] [一] 티끌매 '浮雲鬱兮晝昏, 霾土忽兮

——'《楚辭》. [二] 티끌마 [一]과 뜻이 같음.
[字源] 形聲. 土+厤〔音〕

土11 〔塾〕14 [人名] 숙 [入]屋 | shú ジュク もんべや, まなびや
[筆順] 亠 亠 亨 享 享 孰 孰 塾
[字解] ①문옆방숙 문의 좌우에 있는 방. '一, 門側堂'《廣韻》. '先輅在左一前'《書經》. ②글방숙 서당. '鄕一'. '一生'. '古之教者, 家有一, 黨有庠'《禮記》.
[字源] 形聲. 土+孰〔音〕

土11 〔墅〕14 서 [上]語 | shù ショ かりいお
[字解] ①농막서 농장 가까이 지은 작물을 거두어들이는 간단한 집. '寄身於草一'《曹植》. ②별업서 별장. '圍棊賭別一'《晉書》.
[字源] 形聲. 土+野〔音〕

土11 〔墊〕14 점 [去]豔 | diàn テン ひくい
[字解] ①낮을점 땅이 낮음. 또, 낮은 땅. '下民昏一'《書經》. ②빠질점 ㉠물에 빠짐. '人馬一溺'《吳志》. ㉡가라앉음. 함입(陷入)함. '武功中, 水鄕民三舍, 一爲池'《漢書》. ③괴로워할점 '民愁則一隘'《左傳》. ④팔점 구멍이나 구덩이를 만듦. '側足而一之'《莊子》. ⑤꺾일점 빳빳한 것이 접혀 축 늘어짐. '泰嘗遇雨, 巾一角一'《漢書》.
[字源] 形聲. 土+執〔音〕

土11 〔塈〕14 기 [去]寘 | jì キ ぬる
[字解] ①맥질할기 벽을 바름. '惟其塗一茨'《書經》. ②취할기 손에 가짐. '頃筐一之'《詩經》. ③쉴기 휴식함. '民之攸一'《詩經》.
[字源] 形聲. 土+旣〔音〕

土11 〔墍〕14 塈(前條)와 同字

土11 〔墓〕14 [高·人] 묘 [去]遇 | mù ボ はか
[筆順] ' ⺊ 艹 苜 莫 莫 墓 墓
[字解] 무덤묘 뫼. '墳一'. '古也一而不墳'《禮記》.
[字源] 形聲. 土+莫〔音〕

土11 〔堅〕14 예 ①[平]齊 | yī エイ ほこり ②[去]霽 | yì エイ ちり
[字解] ①먼지예 '一, 塵埃'《廣韻》. ②흙먼지예 壒(土부 12획〈219〉)와 同字. '一, 塵也'《廣韻》.
[字源] 形聲. 土+殹〔音〕

土11 〔墐〕14 〔근〕
堇(土부 8획〈212〉)의 本字

土11 〔墨〕14 〔묵〕
墨(土부 12획〈221〉)의 略字

土11 〔墎〕14 〔곽〕
郭(邑부 8획〈1520〉)의 俗字

土12 〔墝〕15 요(교[本]) [平]肴 | qiāo コウ やせち
[字解] 메마른땅요 척박한 땅. '田者爭處一埆'《淮南子》. ※本音 교.
[字源] 形聲. 土+堯〔音〕

土12 〔增〕15 [中·人] [一] 증 [平]蒸 | zēng ゾウ ます [二] 층 [去]徑 | zèng ソウ かさねる
[筆順] 土 圹 圹 圹 坳 坳 增 增
[字解] [一] ①불을증, 늘증 증가함. '一減'. '如川之方至, 以莫不一'《詩經》. ②늘릴증, 더할증 증가시킴. '一兵'. '茫然一愧赧'《韓愈》. ③더욱증 더욱더. 한층 더. '喜極一悲'《柳宗元》. [二] 겹칠층 層(尸부 12획〈300〉)과 통용. '一宮參差'《揚雄》.
[字源] 形聲. 土+曾〔音〕
[參考] 増(土부 11획〈218〉)은 略字.

土12 〔壒〕15 예 ①[去]霽 | yì エイ つちけむり ②[去]寘 | イ くもってくらい
[字解] ①토연(土煙)일예 하늘이 흐리도록 흙먼지가 일어남. '一, 天陰塵起也'《說文》. ②음산할예 날씨가 흐림. 曀(日부 12획〈514〉)와 同字.
[字源] 形聲. 土+壹〔音〕

土12 〔墟〕15 [人名] 허(거[本]) [平]魚 | xū キョ あれはてたあと
[筆順] 土 圹 圹 圹 圹 墟 墟 墟
[字解] ①터허 구지(舊址). 고적. '故一'. '殷一'. '魯卞縣東南有桃一, 世謂之陶一, 相傳舜所陶處'《左傳 註》. ②언덕허 큰 언덕. '丘一'. '一墓之間, 未施哀於民, 而民哀'《禮記》. ③구렁허 움푹 들어간 땅. 전(轉)하여, 바다. '北灑天一'《木華》. ④저자허 시장. '端州以南, 三日一市, 謂之趁一'《南部新書》. ※本音 거.
[字源] 形聲. 土+虛〔音〕

土12 〔墠〕15 선 [上]銑 | shàn セン まつりのにわ
[字解] 제사터선 제사 올리는 곳. '一場'. '王立七廟, 二祧一壇一一'《禮記》.

字源 形聲. 土+單〔音〕

土 12 〔墦〕 15 번 平元 | fán ハン つか

字解 무덤번 뫼. '卒之東郭一間之祭者'《孟子》.

字源 形聲. 土+番〔音〕

土 12 〔墩〕 15 人名 돈 平元 | dūn トン こだかいおか

筆順 土 圵 埻 埻 埻 埻 墩 墩

字解 ①돈대돈 약간 높직하고 평평한 땅. '一臺'. '冶城訪遺, 跡猶有謝公一'《李白》. ②걸상돈 술통을 엎어 놓은 것 같은 의자. '賜一侍班'《宋史》.

字源 形聲. 土+敦〔音〕

土 12 〔墪〕 15 墩(前條)과 同字

土 12 〔壈〕 15 료 去嘯 平蕭 | liáo リョウ めぐらしたかき

字解 에워싼담료 '一以周垣'《左思》.

字源 形聲. 土+尞〔音〕

土 12 〔墱〕 15 등 去徑 | dèng トウ さか

字解 ①자드락길등 비탈진 길. '小坂飛陛, 謂之一'《正字通》. ②잔도등 각도(閣道). '一道邐倚以疎'《張衡》.

字源 形聲. 土+登〔音〕

土 12 〔墀〕 15 〔지〕 土부 11획(217)을 보라.

土 12 〔墫〕 15 준 平元 | zūn ソン たる

字解 술그릇준 樽(木부 12획〈578〉)·罇(缶부 12획〈1024〉)과 同字.

土 12 〔墳〕 15 高·人 분 平文 上吻 上阮 | ①-⑥fén フン はか ⑦fèn フン こえたつち ⑧ホン うごもつ

筆順 土 圵 圵 垆 墳 墳 墳 墳

字解 ①무덤분 높게 봉분한 무덤. '一墓'. '古也墓而不一'《禮記》. ②언덕분 구릉. '登大一以遠望兮'《楚辭》. ③둑분 제방. '遵彼汝一'《詩經》. ④책분 삼황(三皇)의 서적. 전(轉)하여, 고서(古書). 옛날 서적. '篤好一史'《隋書》. ⑤클분 '共一燭庭燎'《周禮》. ⑥나눌분 가름. '何以一之'《楚辭》. ⑦걸찰분 비옥함. '厥土黑一'《書經》. ⑧흙부풀어오를분 토지가 솟아오름. '公祭地, 地一'《國語》.

字源 形聲. 土+賁〔音〕

參考 墳(土부 13획〈222〉)은 本字.

土 12 〔墡〕 15 人名 선 上銑 | shàn セン しろつち

筆順 土 圵 圵 垟 垟 墡 墡 墡

字解 백토(白土)선 '一, 白埴土也'《六書故》.

字源 形聲. 土+善〔音〕

土 12 〔墲〕 15 무 平虞 | mú ブ はかち

字解 묏자리무 무덤을 쓸 만한 곳. '所以墓謂之一'《揚子方言》.

字源 形聲. 土+無〔音〕

土 12 〔墣〕 15 ㊀ 복 入屋 | pú ホク つちくれ ㊁ 박 入覺 | pú ハク つちくれ

字解 ㊀ 흙덩이복. ㊁ 흙덩이박 圤(土부 2획〈199〉)과 뜻이 같음.

字源 形聲. 土+菐〔音〕

土 12 〔壨〕 15 〔류〕 壘(土부 10획〈216〉)의 本字

土 12 〔墮〕 15 〔타〕 埵(土부 8획〈210〉)의 本字

土 12 〔壔〕 15 〔도〕 壽(土부 14획〈223〉)의 本字

土 12 〔壜〕 15 〔담〕 壜(土부 16획〈224〉)과 同字

土 12 〔墢〕 15 〔발〕 坺(土부 5획〈204〉)과 同字

土 12 〔䣁〕 15 규 平齊 | kuī ケイ たてのにぎり

字解 방패손잡이규 '一, 盾握也'《說文》.

字源 形聲. 盾+圭〔音〕

土 12 〔墜〕 15 추 去寘 | zhuì ツイ おちる

字解 ①떨어질추 낙하함. '一落'. '賁星一而勃海決'《淮南子》. 바뀌어, 퇴폐(頹廢)함. 쇠퇴함. '一廢'. '補千年之一典'《舊唐書》. ②떨어뜨릴추 ㉠전항(前項)의 타동사. '乃其一命'《書經》. ㉡잃음. 망실함. '未一於地'《論語》. ③무너질추 퇴락함. '山一'《荀子》. '天地崩一'《列子》.

字源 形聲. 土+隊〔音〕

土12 〔墨〕15 中·人 묵 ㊀職 mò ボク すみ

筆順 ⼌ ⽫ 㓁 里 黑 黒 墨 墨

字解 ①먹묵 ㉠글씨를 쓰는 먹. '紙筆一'. '高麗歲貢松烟一'《西京雜記》. 또, 먹물. '或以頭濡一而書'《唐書》. ㉡눈썹을 그리는 먹. '衣綺縞, 傅粉一'《後漢書》. ②그을음묵 유연(油煙). '一煤'. '有埃一, 墮甑中'《孔子家語》. ③먹줄묵 목수의 직선을 긋는 줄. '乃使離子督一, 匠石奮斤'《嵇康》. 바뀌어, 법도. 규범. '擧綱引一'《晉書》. ④다섯자묵 5척(尺). '不過一丈尋常之間'《國語》. ⑤자자묵 오형(五刑)의 하나. 입묵(入墨)하는 형벌. '一刑'. '臣下不匡, 其刑一'《書經》. ⑥검을묵 ㉠흑색임. '一綬'. '面深一'《孟子》. ㉡속이 검음. 욕심이 많음. '一吏'. ⑦어두울묵 캄캄함. '一以爲明'《荀子》. ⑧묵흔묵 필적(筆跡). '皆太宗手一'《唐書》. ⑨잠잠할묵 默(黑부 4획〈1862〉)과 통용. '殷紂一一以亡'《史記》. ⑩성묵 성(姓)의 하나. ⑪멕시코묵 멕시코, 곧 묵서가(墨西哥)의 약기(略記).

字源 會意. 土+黑

土12 〔墮〕15 高·人 ㊀타 ㊤哿 duǒ タ·ダ おちる ㊁휴 ㊥支 huī キ やぶる

筆順 ⻖ 阝 阝一 阝𠂇 阝左 隋 隋 墮

字解 ㊀①떨어질타 ㉠낙하함. '一落'. '淚一不能止'《曹植》. ㉡빠짐. 함입(陷入)함. '後一谿壑'《淮南子》. ②떨어뜨릴타 ㉠낙하시킴. '因推一兒'《史記》. ㉡망실(亡失)함. '一先人所言'《史記》. ③빠질타 탈락함. '士卒指一者十二三'《史記》. ④게으를타 惰(心부 9획〈400〉)와 통용. '侈而一者貧'《韓非子》. ㊁무너뜨릴휴 무너지게 함. 또, 무너짐. '一名城'《過秦論》.

字源 形聲. 古文은 阝(𨸏)+差〔音〕.

土12 〔墯〕15 墮(前條)와 同字

土12 〔憜〕15 墮(前前條)와 同字

土12 〔墬〕15 〔지〕 地(土부 3획〈200〉)의 籒文

土12 〔埜〕15 〔야〕 野(里부 4획〈1547〉)의 古字

土12 〔墐〕15 〔근〕 堇(土부 8획〈212〉)의 古字

土12 〔墐〕15 〔근〕 堇(土부 8획〈212〉)의 古字

土12 〔壄〕15 〔순〕 舜(舛부 6획〈1109〉)의 古字

土12 〔壆〕15 〔휴〕 覀(襾부 6획〈1295〉)의 本字

土12 〔埜〕15 〔은〕 垠(土부 6획〈205〉)의 古字

土12 〔墤〕15 ㊀ 隤(阜부 12획〈1624〉)와 同字 ㊁ 塊(土부 10획〈215〉)와 同字

土13 〔墺〕16 ㊀오 ㊄號 ào オウ きし ㊁욱 ㊀屋 yù イク きし

字解 ㊀①물가오 육지로 파고든 물가. 수애(水涯). ②땅이름오 오스트리아의 음역. 오태리(墺太利)·오지리(墺地利)의 약기(略記). ㊁물가욱 ㊀❶과 뜻이 같음.

字源 形聲. 土+奧〔音〕

土13 〔墿〕16 ㊀역 ㊀陌 yì エキ みち ㊁도 ㊥虞 tú ト みち

字解 ㊀길역 도로(道路). '一, 道也'《廣雅》. ㊁길도 途(辵부 7획〈1496〉)와 同字. '途, 或作一'《集韻》.

土13 〔壇〕16 高·人 단 ㊥寒 tán ダン だん

筆順 ⺊ 土 圵 圹 垧 埴 壇 壇

字解 단단 ㉠흙을 높이 쌓아 위를 평평하게 만든 특수한 행사를 하는 장소. 전(轉)하여, 좀 높게 베풀어 놓은 자리. '祭一'. '演一'. '設一場, 拜韓信爲大將軍'《漢書》. ㉡장소. 범위. '誰登李杜一'《杜牧》. ㉢특수사회. '文一'. '詩一'.

字源 形聲. 土+亶〔音〕

土13 〔壈〕16 환 ㊥刪 huán カン かき

字解 담환 '一堵'는 사면(四面) 각 1장(丈)씩 되는 담. 또, 주거(住居). '一堵, 謂面一堵墻也'《集韻》.

土13 〔壈〕16 람 ㊤感 lǎn ラン こころざしをえない

字解 불우할람 '坎一'은 뜻을 얻지 못한 모양. 불우한 모양. '坎一難歸來'《劉長卿》.

土13 〔墽〕16 교 ㊥肴 qiāo コウ やせる

字解 ①메마를교 토지가 척박하고 돌이 많음. '一, 磽也'《說文》. ②버릴교 버림. '一, 棄也'《廣雅》.
字源 形聲. 土+敫〔音〕

土13〔堀〕16 굴 入月|kū コツ うさぎのあな

字解 ①토끼굴굴 '一, 兔堀也'《說文》. ②堀(土부 8획〈210〉)의 本字.

土13〔壄〕16 〔야〕 埜(土부 12획〈221〉)의 訛字

土13〔壈〕16 〔첩〕 堞(土부 9획〈213〉)의 本字

土13〔墳〕16 〔분〕 墳(土부 12획〈220〉)의 本字

土13〔墻〕16 高人 〔장〕 牆(爿부 13획〈736〉)의 俗字

筆順 土 圹 圹 坊 堷 墙 墻 墻

土13〔壀〕16 〔비〕 埤(土부 8획〈209〉)와 同字

土13〔墜〕16 〔수〕 隧(阜부 13획〈1625〉)와 同字

土13〔壏〕16 〔감〕 轗(車부 13획〈1480〉)과 同字

土13〔壃〕16 〔강〕 疆(田부 14획〈802〉)과 同字

土13〔壊〕16 〔괴〕 壞(土부 16획〈224〉)의 略字

土13〔壌〕16 〔양〕 壤(土부 17획〈224〉)의 略字

土13〔墾〕16 人名 간 上阮|kěn コン たがやす

筆順 ㄔ 犭 豸 豸 豸 貇 貇 墾

字解 ①따비이룰간 개간함. '一田'. '土不備一'《國語》. ②깨질간, 부서질간 '凡陶旊之事, 髻一薛暴不入市'《周禮》.
字源 形聲. 土+貇〔音〕

土13〔墼〕16 격 入錫|jī ケキ しきがわら

字解 ①기와격 사원(寺院) 같은 데서 바닥에 까는 기왓장. '一, 瓴適也'《說文》. ②벽돌격 굽지 않은 벽돌. '一, 一日未燒者'《說文》.
字源 形聲. 土+毄〔音〕

土13〔壁〕16 高人 벽 入錫|bì ヘキ かべ

筆順 尸 启 启 辟 辟 辟 壁 壁

字解 ①벽벽 바람벽. '土一'. '蟋蟀在一'《禮記》. ②진벽 군루(軍壘). '金城鐵一'. '帝晨馳入韓信張耳一'《漢書》. ③나성벽 성루(城壘)의 외곽(外郭). '堅一而守'《漢書》. ④낭떠러지벽 깎아지른 듯한 비탈. 절벽. '一岸'. '其山絕一千尋, 由來乏水'《隋書》. ⑤별이름벽 이십팔수(二十八宿)의 하나. 현무 칠수(玄武七宿)의 끝 성수(星宿). 별 둘로 구성되었음. ⑥성벽 성(姓)의 하나.
字源 形聲. 土+辟〔音〕

土13〔墟〕16 〔호〕 𧇊(虍부 12획〈1216〉)와 同字

土13〔壅〕16 人名 옹 去宋|yōng ヨウ ふさぐ

筆順 亠 乡 㢲 㢲 雍 雍 壅 壅

字解 ①막을옹 통하지 못하게 함. '一蔽'. '河決不可復一'《史記》. ②막힐옹 통하지 아니함. '一滯'. '川一爲澤'《左傳》. ③북돋울옹 배토(培土)함. '培一'.
字源 形聲. 土+雍〔音〕

土13〔壅〕16 壅(前條)과 同字

土13〔壂〕16 전 去霰|diàn テン·デン おり

字解 ①앙금전 침전물(沈澱物). '一, 滓垽也'《六書統》. ②집전 관리(官吏)가 일 맡아 보는 집. '堂埕, 一也'《廣雅》.
字源 形聲. 土+殿〔音〕

土13〔臺〕16 〔당〕 堂(土부 8획〈211〉)의 籒文

土14〔壎〕17 人名 훈 平文|xūn クン つちぶえ

筆順 土 圹 坼 坧 埴 壎 壎 壎

字解 질나팔훈 토제(土製)의 취주 악기. 속이 빈 난형(卵形)에 여섯 또는 여덟 개의 구멍이 있음. 塤(土부 10획〈216〉)과 同字. '一篪'. '伯氏吹一, 仲氏吹篪'《詩經》.
字源 形聲. 土+熏〔音〕

土14〔壏〕17 함 上感 hǎn 上豏 xiàn カン かたいつち

[字解] 굳은흙함 단단한 흙. ⿱巩木(木부 14획〈588〉)과 同字. '一, 堅土也'《集韻》.

土14 〔壒〕17 애 (去)泰 | ài アイ ちり

[字解] 티끌애 먼지. '埃一之混濁'《班固》.
[字源] 形聲. 土+蓋〔音〕

土14 〔壔〕17 도 (上)晧 | dǎo トウ とりで

[字解] ①보루도 성채(城砦). ②기둥도 수학(數學)에서 기둥 모양의 입체(立體)의 일컬음. '圓一'. '角一'.
[字源] 形聲. 土+壽〔音〕

土14 〔壕〕17 [人名] 호 (平)豪 | háo コウ·ゴウ ほり

[筆順] 扌 圹 垆 埣 墇 壕 壕 壕

[字解] 해자호 성 둘레에 판 도랑. '雁鳴寒雨下空一'《柳宗元》.
[字源] 形聲. 土+豪〔音〕

土14 〔⿰土匱〕17 궤 (去)寘 | kuì キ もっこ

[筆順] 扌 圹 垣 埂 埂 墤 墤 ⿰土匱

[字解] 삼태기궤 簣(竹부 12획〈956〉)와 同字. '爲山而不終, 踰乎一一'《後漢書》.

土14 〔⿰土㬎〕17 [一] 집 (入)緝 | zhí チュウ おちいる
[二] 접 (入)葉 | zhé チョウ しずむ

[字解] [一] ①떨어질집 '一, 下入也'《說文》. ②'埳一'은 ㉠흙을 쌓음. '埳一, 累土也'《類篇》. ㉡나뭇가지가 겹쳐지는 모양. '埳一鱗接'《左思》. [二] ①가라앉을접 '一, 墊也'《類篇》. ②익을접 곡식이 익음. '一, 賈思勰曰, 秋田一實'《類篇》.
[字源] 形聲. 土+㬎〔音〕

土14 〔⿰土𦰩〕17 〔근〕
墐(土부 11획〈218〉)의 本字

土14 〔壖〕17 [一] 堧(土부 9획〈213〉)과 同字
[二] 㽉(田부 9획〈801〉)과 同字

[字源] 形聲. 土+需〔音〕

土14 〔壑〕17 학 (入)藥 | huò ガク みぞ

[字解] 구렁학 두 산 사이의 오목한 곳. 골. '溝一'. '窈窕以尋一'《陶潛》.
[字源] 形聲. 土+叡〔音〕

土14 〔壓〕17 [高·人] [一] 압 (入)洽 | yā アツ おさえる
[二] 염 (去)豔 | yàn エン きらう, いとう

[筆順] 厂 戸 戸 戸 厭 厭 壓 壓

[字解] [一] ①누를압 ㉠내리누름. '抑一'. '擧傑一陛'《楚辭》. ㉡진정(鎭定)함. '鎭一'. '無以一一州'《齊書》. ㉢바싹 다가옴. 들이닥침. '一迫'. '楚晨一晉軍而陣'《左傳》. ②막을압 틀어막음. 충색(充塞)함. '覆一三百餘里'《杜牧》. [二] 싫어할염 厭(厂부 12획〈137〉)과 통용. '朕甚一苦之'《漢書》.
[字源] 形聲. 土+厭〔音〕
[參考] 圧(土부 2획〈199〉)은 略字.

土14 〔壍〕17 참 (去)豔 | qiàn ザン ほり

[字解] 해자참 塹(土부 11획〈218〉)과 同字. '深一而守'《史記》.

土14 〔壐〕17 璽(玉부 14획〈783〉와 同字

[字源] 形聲. 土+爾〔音〕
[參考] 璽(玉부 14획〈783〉)는 籒文.

土14 〔⿰賣圣〕17 [一] 활 (入)黠 | kū カツ だっしゅつする
[二] 골 (入)月 | コツ つきでる

[字解] [一] 탈출할활 죄수(罪囚)가 탈출함. '一, 囚突出也'《說文》. [二] 뚫고나올골 '一, 突出也'《集韻》.

土15 〔壙〕18 광 (去)漾 | kuàng コウ つかあな

[字解] ①뫼구덩이광 무덤의 하관(下棺)하는 곳. '一中'. '弔於葬者, 必執引, 若從柩及一, 皆執紼'《禮記》. ②굴광 땅의 공동(空洞). ③넓을광 '一埌'은 들이 넓은 모양. '一埌之野'《莊子》. '猶水之就下, 獸之走一也'《孟子》.
[字源] 形聲. 土+廣〔音〕

土15 〔壥〕18 〔전〕
廛(广부 12획〈351〉)의 俗字

土15 〔壘〕18 [一] 루 (上)紙 | lěi ルイ とりで
[二] 뢰 (上)賄 | lěi ライ さかん
[三] 률 (入)質 | lǜ リツ かみのな

[字解] [一] ①진루 작은 성. 성보(城堡). '四郊多一'《禮記》. ②포갤루, 겹칠루 '阮籍胸中一塊'《世說》. ③누루 累(糸부 5획〈988〉)와 同字. '不憂其係一也'《荀子》. ④성루 성(姓)의 하나. [二] 끌밋할뢰 씩씩함. '魁一之士'《漢書》. [三] 귀신이름률 '鬱一'은 신(神)의 이름. '守以鬱一'《張衡》.

字源 形聲. 土+畾〔音〕

土16〔壚〕19 로 ㊥虞 | lú ロ くろくあらいつち

字解 ①검은석비레로 빛이 검은 강토(剛土). '下土墳一'《漢書》. ②목로로 술집의 술을 파는 곳. '司馬相如使文君當一'《史記》. ③화로로 爐(火부 16획〈730〉)와 同字. '茶一烟起知高興'《陸游》.
字源 形聲. 土+盧〔音〕

土16〔壜〕19 담 ㊥覃 | tán タン さかがめ

字解 술병담, 술단지담 '石一封寄野人家'《陸龜蒙》.

土16〔壝〕19 유 ㊥支 ㊤寘 | wéi イ だん

字解 제단의담유 제단(祭壇)의 주위에 쌓은 낮은 담. '掌設王之社一'《周禮》
字源 形聲. 土+遺〔音〕

土16〔壛〕19 염 ㊥鹽 | yán エン ちまた

字解 ①거리염 가로(街路). '一, 巷也'《玉篇》. ②와상(臥床)염, 걸상염 침대(寢臺). 긴 의자(椅子). '一, 榻也'《廣韻》. ③긴섬돌염 긴 디딤돌. '曲屋步一'《楚辭》.

土16〔壞〕19 高·人 ㊀괴 ㊤卦 (②회㊍) ㊁회 ㊤賄 | huài カイ こわす, やぶる, やぶれる huì カイ やむ

筆順 土 圹 坤 坤 墥 壞 壞 壞

字解 ㊀①무너뜨릴괴 헒. 파괴함. '破一'. '天之所支不可一也'《國語》. ②무너질괴 허물어짐. 파괴됨. '一滅'. '禮必一'《論語》. ※❷는 本音 회. ㊁①혹회 나무의 거죽에 불쑥하게 내민 것. 나무 혹. '譬彼一木'《詩經》. ②앓을회 병듦.
字源 形聲. 土+褱〔音〕

土16〔壿〕19 〔준〕
墫(土부 8획〈211〉)의 本字

土16〔壟〕19 롱 ㊤腫 | lǒng リョウ うね, おか

字解 ①밭두둑롱 규반(畦畔). '一畔'. '輟耕之一上'《漢書》. ②무덤롱 뫼. '一塋'. '適墓不登一'《禮記》. ③언덕롱 구릉. '丘一'.
字源 形聲. 土+龍〔音〕

土16〔壠〕19 壟(前條)의 本字

土16〔壡〕19 〔예〕
叡(又부 14획〈143〉)의 籀文

土17〔壤〕20 高·人 양 ㊤養 | rǎng ジョウ つち

筆順 土 圹 坤 坤 埴 墰 壤 壤

字解 ①고운흙양 명개흙. '厥土惟白一'《書經》. ②땅양 ㉠대지. '不意天一之間, 乃有王郎'《晉書》. ㉡경작지. '膏一沃野千里'《史記》. ㉢국토(國土). '兩國接一'《漢書》. ㉣곳. 장소. '誠神明之奧一'《程督》. ③상할양 손상함. '吐者外一, 食者內一'《穀梁傳》. ④만억양 수(數)의 이름. 억(億)의 만 배. ⑤풍년들양 穰(禾부 17획〈914〉)과 同字. '三年大一'《列子》.
字源 形聲. 土+襄〔音〕

土17〔壣〕20 린 ㊥眞 | lín リン おか

筆順 土 圹 坩 坲 壣 壣 壣 壣

字解 ①언덕린 '一, 隴也'《玉篇》. ②채소밭린 '荷芰卷生渚, 蕪菁秀出一'《宋穆修》.

土18〔㙈〕21 〔인〕
寅(宀부 8획〈281〉)의 古字

土18〔壅〕21 〔옹〕
壅(土부 13획〈222〉)과 同字

土20〔壧〕23 암 ㊥咸 | yán ガン あな

字解 구멍암 땅에 판 구멍. '一, 穴也'《集韻》.

土20〔𡔖〕23 〔숙〕
塾(土부 11획〈219〉)의 本字

土21〔𡔛〕24 교 ㊤嘯 | qiào キョウ たかい

字解 높을교 '一, 高也'《集韻》.

土21〔壩〕24 파 ㊤禡 | bà ハ いせき

字解 방죽파 제방. '一, 堰也'《集韻》.
字源 形聲. 土+霸〔音〕

土22〔𡔞〕25 낭 ㊤漾 | nàng ドウ·ノウ ほら あな, ちり

字解 ①토굴낭 파낸 땅 구멍. '一, 一曰, 土窟'《集韻》. ②티끌낭 쓰레기. '一, 塵也'《集韻》.

土30〔𡔽〕33 〔진〕
塵(土부 11획〈218〉)의 籀文

士　部

〔선비사부〕

士 0 〔士〕3 [中·人] 사 [上]紙 | shì シ りっぱなひと，つわもの

[筆順] 一 十 士

[字解] ①선비사 ㉠천자(天子) 또는 제후(諸侯)에게 벼슬하는 계급의 명칭으로, 대부(大夫)의 아래, 서인(庶人)의 위를 차지함. '一大夫'. '忠信重祿, 所以勸一也'《中庸》. 전(轉)하여, ㉡상류 사회·지식 계급의 사람. '紳一'. '一君子'. ㉢뛰어난 인물. 영재. '天下一'. '國一'. ㉣도의(道義)를 행하고 학예를 닦는 사람. '一不可以不弘毅'《論語》. ㉤남아(男兒). '三晉多權變之一'《史記》. ②무사사 무인(武人). 무부(武夫). '介胄之一不拜'《史記》. ③하사관사 졸오(卒伍)를 거느리는 군인. '行勞軍以安一卒'《史記》. ④벼슬사 관직. '上一中一下一'《禮記》. ⑤일사 事(亅부 7획〈25〉)와 통용. '見一于周'《書經》. ⑥성사 성(姓)의 하나.

[字源] 象形. 큰 도끼의 모양을 본뜸.

士 1 〔壬〕4 [中·人] 임 [平]侵 | rén ジン みずのえ

[筆順] 一 二 千 壬

[字解] ①아홉째천간임 천간(天干)의 제 9위. 오행(五行)으로는 물〔水〕에 속하고, 방위로는 북방임. ②간사할임 '一佞'. '巧言令色孔一'《書經》. ③클임 '有一有林'《詩經》. ④성임 성(姓)의 하나.

[字源] 象形. 베 짜는 실을 감은 모양을 본뜸.

[參考] 형성 문자의 음부(音符)가 될 때에는, 지속적으로 견디다의 뜻을 가짐.

士 3 〔壮〕6 〔장〕 壯(士부 4획〈225〉)의 略字

〔吉〕 〔길〕 口부 3획(148)을 보라.

士 4 〔声〕7 〔성〕 聲(耳부 11획〈1060〉)의 俗字

士 4 〔壱〕7 〔일〕 壹(士부 9획〈226〉)의 略字

士 4 〔売〕7 〔매〕 賣(貝부 8획〈1395〉)의 略字

士 4 〔壳〕7 〔각〕 殼(殳부 8획〈613〉)의 簡體字

〔志〕 〔지〕 心부 3획(377)을 보라.

士 4 〔壯〕7 [中·人] 장 ①-⑥[去]漾 ⑦[平]陽 | zhuàng ソウ さかん zhuāng ショウ せい

[筆順] 丨 丩 丬 爿 爿一 壯 壯

[字解] ①씩씩할장 용감함. '勇一'. '拔劍割肉, 壹何一'《漢書》. ②왕성할장 혈기가 왕성함. 기력이 좋음. '一年'. '老當益一'《後漢書》. 또, 그 사람. '男女老一'《後漢書》. ③장할장 훌륭함. 웅대함. 웅장함. '一志'. '高十餘丈, 旗幟加其上, 甚一'《史記》. ④굳을장 견고함. 단단함. '仲冬之月, 冰始一'《禮記》. ⑤한방뜸장 뜸질 한 번 하기. '醫用艾一灼, 謂之一一者, 以一人爲法'《夢溪筆談》. ⑥팔월장 음력 8월의 별칭. '一月'. '八月爲一'《爾雅》. ⑦성장 성(姓)의 하나.

[字源] 形聲. 士+爿〔音〕

[參考] 壮(士부 3획〈225〉)은 略字.

士 6 〔壴〕9 주 [上]麌 [去]遇 | zhù シュ つらねたがっきのあたまのみえるさま チュ

[字解] ①늘어놓은악기머리보일주 '一, 陳樂立而上見也'《說文》. ②세울주 서게 함. 豎(豆부 8획〈1370〉)와 통용. '一, 借作豎立之豎'《韻會》. ③성주 성(姓)의 하나.

[字源] 形聲. 屮+豆〔音〕

士 7 〔臭〕10 결 [入]屑 | ①②jié ③qiè ケツ かたむく

[字解] ①머리기울결 또, 머리가 기울어진 모양. '一, 頭傾也'《說文》. ②높을결 '一, 仡仡也'《玉篇》. ③마디많을결 '奊一'은 마디가 많음. 奊一, 多節目也'《廣韻》.

[字源] 形聲. 夨+吉〔音〕

士 7 〔壶〕10 壺(次次條)의 簡體字

士 8 〔壷〕11 壺(次條)와 同字

士 9 〔壺〕12 [人名] 호 [平]虞 | hú コ つぼ

[筆順] 一 士 吉 声 壴 壶 壸 壺

[字解] ①병호 배가 불룩한 병. 주로 술 또

는 물을 담음. '一漿'. '八一設于西序'《儀禮》. ②투호호 병에 화살을 던져 넣는 유희. '投一'. '抃射一博'《左思》. ③박호 瓠(瓜부 6획〈786〉)와 同字. '八月斷一'《詩經》. ④성호 성(姓)의 하나.
字源 象形. 뚜껑 달린 병의 모양을 본뜸.
參考 ①壷(前條)와 同字. ②壼(士부 10획〈226〉)은 別字.

士9〔壹〕12 人名 일 ㊀質 | yī イチ·イツ ひとつ, もっぱら
筆順 一 士 声 声 壱 壱 壹 壹
字解 ①한일 ㉠하나. 一(部首〈9〉)과 同字. ㉡한 번. '一揖一讓'《儀禮》. ㉢한가지로. 모두. '一諸侯之相也'《孔子家語》. ②전일할일 마음을 오로지 한 곳으로 씀. '專一'. '志一則動氣'《孟子》. ③통일할일 통합함. '外一群臣'《漢書》. ④순박할일 순후함. '醇一'. '民以寧一'《史記》. ⑤성일 성(姓)의 하나.
字源 形聲. 篆文은 壺+吉〔音〕
參考 ①갖은자로서, 주로 증서·계약 등에 씀. ②壱(士부 4획〈225〉)은 俗字.

士9〔壺〕12 ㊀운 ㊁文 | yūn ㊁問 ウン むすぼれる ㊁인 ㊁眞 イン むすぼれる ㊂열 ㊀屑 エツ むすぼれる
字解 ㊀ 답답할운 마음이 울적함. '一, 鬱也'《廣韻》. ㊁ 답답할인 ㊀과 뜻이 같음. ㊂ 답답할열 ㊀과 뜻이 같음.
字源 會意. 壺+凶

〔喜〕 〔희〕
口부 9획(176)을 보라.

士9〔壻〕12 人名 서 ㊁霽 | xù セイ むこ
筆順 士 圹 圹 圹 坪 壻 壻 壻
字解 ①사위서 딸의 남편. '女一'. '一執雁入'《禮記》. ②남편서 '夫一'. '婦人卿一'《世說》. ③벗서 친우. '友一'. '僚一'. ④사내서 남자. '陛下勿以常一畜之'《晉書》.
字源 會意. 士+胥
參考 婿(女부 9획〈258〉)는 俗字.

士9〔壻〕12 壻(前條)와 同字

士9〔憙〕12 〔희〕
喜(口부 9획〈176〉)와 同字

士10〔壼〕13 곤 ㊤阮 | kǔn コン きゅうちゅう うのみち
字解 대궐안길곤 궁중(宮中)의 왕래하는 길. '宮一'. '室家之一'《詩經》.
字源 象形. 대궐 안의 길 모양을 본뜸.
參考 壺(士부 9획〈225〉)는 別字.

士10〔壽〕13 壽(次條)의 俗字

士11〔壽〕14 中·人 수 ㊁有 ㊤有 | shòu ジュ ひさしい, いのち
筆順 一 士 圭 圭 壴 壽 壽 壽
字解 ①수수 ㉠나이. 목숨. '天一'. '萬一無疆'. ㉡장수. '一夭'. '體有喬松之一'《漢書》. ②수할수 장수함. 오래 삶. 명이 길. '一則多辱'《莊子》. ③헌수할수 ㉠장수를 축하하여 술을 드림. '上一'. '莊入爲一'《漢書》. ㉡장수를 축하하여 선물을 보냄. '爲聶政母一'《史記》. ④성수 성(姓)의 하나.
字源 形聲. 篆文은 耂(老)+𠷎〔音〕

士11〔壹〕14 〔일〕
壹(士부 9획〈226〉)의 本字

〔嘉〕 〔가〕
口부 11획(183)을 보라.

〔臺〕 〔대〕
至부 8획(1103)을 보라.

士12〔墫〕15 준 ㊀眞 | cūn シュン まう
字解 ①춤출준 선비가 춤을 추는 모양. '一, 士舞也'《說文》. ②기뻐할준 '坎坎, 一一, 喜也'《爾雅》.
字源 形聲. 士+尊(尊)〔音〕

夂 部
〔뒤져올치부〕

夂0〔夂〕3 치 ㊤紙 | zhǐ チ おくれる
筆順 ノ ク 夂
字解 뒤져올치 뒤떨어져 옴.
字源 象形. 아래를 향한 발의 모양을 본뜸.
參考 부수(部首)로서, 대체로 자형(字形)의 머리 부분에 옴.

夂0〔午〕3 과 ㊤馬 ㊁禡 | kuà カ おおまたにあゆむ
字解 성큼성큼걸을과, 가랑이벌려넘을과 '一,

跨步也'《說文》. '一, 闊步也'《六書精蘊》.
[字源] 指事. '夊쇠'를 반대로 하여, 발을 들어 성큼성큼 걷다의 뜻을 나타냄.

夂 1〔夃〕4 고 [平]虞 [上]麌 | gū コ もうける

[字解] ①이득볼고 덕을 봄. '一, 秦人市買多得爲一'《說文》. ②팔고 沽(水부 5획〈635〉)와 통용. '一, …論語, 求善價而一諸. 今作沽'《玉篇》. ③잠시고 조금동안. 姑(女부 5획〈244〉)와 통용.
[字源] 會意. 乃+夂

〔冬〕〔동〕 冫부 3획(92)을 보라.

〔処〕〔처〕 几부 3획(96)을 보라.

夂 2〔夅〕5 〔제〕 齊(部首〈1882〉)와 同字

夂 3〔夅〕6 〔항〕 降(阜부 6획〈1613〉)의 古字

夂 3〔斈〕6 〔학〕 學(子부 13획〈273〉)과 同字

〔各〕〔각〕 口부 3획(148)을 보라.

夂 3〔夆〕6 夅(次條)과 同字

夂 4〔夆〕7 봉 [平]冬 | féng ホウ さからう

[字解] ①거스를봉 반대함. '一, 啎也'《說文》. ②끌어당길봉 나쁜 데로 꾐. '甹一, 掣曳也'《爾雅》. ③만날봉 서로 만남. '一, 與逢通, 遇也'《正字通》.
[字源] 形聲. 夂+丰〔音〕

夂 4〔夆〕7 ㊀ 해 [去]泰 | hài カイ さえぎる
㊁ 결 [入]屑 | ケツ さえぎる

[字解] ㊀ 막을해 가로막음. '一, 相遮要害也'《說文》. ㊁ 막을결 ㊀과 뜻이 같음.
[字源] 形聲. 夂+丰〔音〕
[參考] 夆(前條)은 別字.

夂 4〔麦〕7 〔맥〕 麥(部首〈1849〉)의 略字

〔条〕〔조〕 木부 3획(529)을 보라.

夂 6〔変〕9 〔변〕 變(言부 16획〈227〉)의 俗字

夂 6〔复〕9 復(彳부 9획〈373〉)·複(衣부 9획〈1279〉)·覆(襾부 12획〈1295〉)의 簡體字

夂 7〔覍〕10 〔각〕 覺(見부 13획〈1303〉)과 同字

夂 7〔夏〕10 〔하〕 夏(夊부 7획〈228〉)의 俗字

夂 8〔奀〕11 〔황〕 黃(部首〈1856〉)의 古字

夂 19〔變〕22 〔변〕 變(言부 16획〈1363〉)의 俗字

夊　部
〔천천히걸을쇠부〕

夊 0〔夊〕3 쇠 [平]支 | suī スイ ゆく

[筆順] ノ ク 夊
[字解] 천천히걸을쇠 서행(徐行)함.
[字源] 象形. 아래를 향한 발자국의 모양을 본뜸.
[參考] 부수로서, 대체로 자형(字形)의 발 부분에 옴.

夊 4〔夋〕7 준 [平]眞 [去]震 | ①-③qūn シュン そろそろゆく
④シュン ていこくのな

[字解] ①슬슬갈준 천천히 가는 모양. '一, 行一一也'《說文》. ②거만할준 오만함. '一, 一日, 倨也'《說文》. ③쭈그릴준 쭈그리고 앉음. 蹲(足부 12획〈1446〉)과 통용. ④제곡이름준 고대 중국의 제왕(帝王)인 제곡(帝嚳)의 이름. '帝嚳高辛氏, 名一, 姓姬'《通鑑前編》.
[字源] 形聲. 夊+允〔音〕

夊 4〔夌〕7 복 [入]屋 | pú ホク·ボク ゆく

[字解] 갈복 '一, 行皃'《廣韻》.
[字源] 會意. 夊+(闕)

夊 5〔夒〕8 ㊀ 멈 [上]琰 ㊁ 맘 [上]感 | miǎn ベン·メン あたまのはち
mǎn バン·マン くびかざり

[字解] ㊀ 두개골멈 '一, 腦盖也'《廣韻》. ㊁ 목걸이맘 '一, 首飾'《集韻》.
[字源] 會意. 爪+人+夊

夊 5 〔夌〕 8 릉 [平]蒸 líng リョウ たかいち

[字解] 언덕릉 陵(阜부 8획〈1617〉)과 同字.
[字源] 會意. 圥+夊

夊 5 〔㚈〕 8 〔장〕
長(部首〈1592〉)의 古字

夊 6 〔复〕 9 복 [入]屋 fù フク かえる

[字解] 돌아갈복 왔던 길을 다시 감. 復(彳부 9획〈373〉)과 同字. '—, 行故道也'《廣韻》.
[字源] 形聲. 夊+畐〈省〉〔音〕

夊 6 〔夎〕 9 종 [平]東 [去]送 zōng ソウ あしをちぢめる

[字解] ①발움츠릴종 새가 날 때 발을 움츠림. '—, 斂足也, 䧿鶂醜, 其飛也—'《說文》. ②모을종 함께 합함. '—, 聚也'《廣雅》.
[字源] 會意. 兇+夊

夊 7 〔夎〕 10 좌 [去]箇 cuò サ さほうにあわないれい

[字解] 무릎아니꿇고절할좌 '無—拜'《禮記》.
[字源] 形聲. 夊+坐〔音〕

夊 7 〔夏〕 10 [中·人] 하 ①[去]禡 ②-⑥[上]馬 xià カ なつ xià カ ちゅうごく

[筆順] 一 丆 丙 百 百 頁 夏 夏

[字解] ①여름하 ㉠사철의 하나. '春—秋冬'. ㉡여름의 더위. '號爲銷—灣'《皮日休》. ②중국하 중국 본부. '中—'. '用肇造我區—'《書經》. ③하나라하 우왕(禹王)이 세운 고대 왕조. 17 대(代) 440 년 동안 존속하였다 함. 걸왕(桀王)에 이르러, 은(殷)나라의 탕왕(湯王)에게 망함. '—殷周'. ④클하 '—屋'. '—海之窮'《呂氏春秋》. ⑤회초리하 榎(木부 10획〈566〉)와 통용. '—楚二物, 收其威也'《禮記》. ⑥성하 성(姓)의 하나.
[字源] 會意. 頁+臼+夊

夊 8 〔夯〕 11 항 [上]養 hàng コウ うなじをまっすぐのばす

[字解] 목곧을항 오만불손한 모양. '—, 直項莽—皃'《說文》.
[字源] 形聲. 夊+亢〔音〕

夊 8 〔㚇〕 11 䟘(前條)과 同字

夊 8 〔㚆〕 11 〔복〕
夏(夊부 6획〈228〉)의 本字

夊 10 〔䡠〕 13 릉 [平]蒸 líng リョウ さる

[字解] 갈릉 떠나감. 또, 떠나가는 모양. '—, 去也'《廣韻》. '—, 去皃'《集韻》.
[字源] 形聲. 去+夌〔音〕

夊 11 〔夐〕 14 형 [去]敬 xiòng ケイ とおい

[筆順] ⺈ 产 肖 侖 禹 禹 夐 夐

[字解] ①멀형 迥(辵부 5획〈1491〉)과 同字. '浩浩乎平沙無垠, 夐不見人'《李華》. ②성형 성(姓)의 하나.
[字源] 會意. ⺈+目+攴

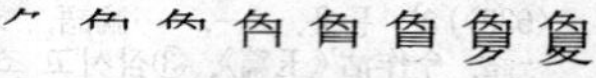

夊 15 〔夒〕 18 〔기〕
夔(夊부 17획〈228〉)와 同字

夊 15 〔𡕥〕 18 〔혼〕
婚(女부 8획〈252〉)의 籀文

夊 16 〔夒〕 19 노 [平]豪 náo ドウ·ノウ おおざる

[字解] 큰원숭이노 낯이나 손발이 사람 비슷한 원숭이. '—, 貪獸也. 一曰, 母猴'《說文》.
[字源] 象形. 머리가 크고 양손을 벌이고 선 동물의 모양을 본뜸.

夊 17 〔夔〕 20 기 [平]支 kuí キ いっぽんあしのかいぶつ

[字解] ①짐승이름기, 도깨비기 용같이 생긴 한 발 달린 짐승. '—, 如龍, 一足'《說文》. 일설(一說)에는, 도깨비라 함. '木石之怪曰—罔蜽'《國語》. ②조심할기 조심하고 두려워하는 모양. '——齊慄'《書經》. ③성기 성(姓)의 하나.
[字源] 象形. 사람의 얼굴을 하고, 뿔이 있고, 큰 귀를 가지며, 한 발 달린 짐승의 모양을 본뜸.

夊 20 〔䕫〕 23 夔(前條)와 同字

[參考] 뿔의 상형(象形)을 '艹'로 보아 만든 글자.

夕 部
〔저녁석부〕

夕 0 〔夕〕 3 [中·人] [日]석 [入]陌 xī セキ ゆう [日]사 [韓]

筆順 ノ ク 夕

字解 ㊀ ①저녁석 해질녘. '朝一'. '子曰, 朝聞道, 一死可矣'《論語》. 또, 해의 마지막, 달의 마지막을 이름. '臘爲歲一, 晦爲月一'《尙書大傳》. ②밤석 ㉠야간. '竟一不眠'《後漢書》. ㉡밤일. 밤의 잠자리. '妻不在妾御, 莫敢當一'《禮記》. ③저녁에뵐석 저녁때 알현(謁見)함. '叔向聞之一'《國語》. ④쏠릴석 기욺. '是正坐于一室也'《呂氏春秋》. ⑤성석 성(姓)의 하나. ㊁《韓》홉〔合〕의십분의일사 勺(勹부 1획〈119〉)과 통용. '一, 샤. 李睟光曰, 十龠曰合, 十合曰升, 或云十勺爲合, 今俗以龠作一, 似無理. 蓋勺字之誤'《行用吏文》.

字源 象形. 달이 반쯤 보이는 모양을 본뜸.

參考 부수(部首)로서, '밤'에 관한 문자를 이룸.

夕 2 〔外〕5 中·人 외 ㊀泰 | wài ガイ·ゲ そと, はずす

筆順 ノ ク タ タ| 外

字解 ①밖외 ㉠안〔內〕의 대(對). '內一'. ㉡가운데의 대(對). '中一'. ㉢겉. '六合之一, 聖人存而不論'《莊子》. ㉣남. 타인. '一擧不避怨'《禮記》. ㉤마음에 대하여, 언행 또는 용모. '君子敬以直內, 義以方一'《易經》. '內柔而一剛'《易經》. ㉥본국에 대하여, 외국. '暴內陵一'《周禮》. ㉦자기 집에 대하여, 딴 곳. '一泊'. '不宿于一'《禮記》. ㉧안의 일에 대하여, 밖의 일. 사사(私事)에 대하여, 공사. '男不言內, 女不言一'《禮記》. ㉨조정에 대하여, 민간. '中一服從'《後漢書》. ㉩궁중(宮中)에 대하여, 조정. '好一士死之'《國語》. ㉪모친 및 처의 겨레붙이. '一孫'. '妻之父爲一舅'《爾雅》. ㉫사랑. 바깥채. '男子居一'《禮記》. ②외댈외 ㉠멀리함. '內君子而一小人'《易經》. ㉡제외함. '除一'. '一此其餘, 無足利矣'《淮南子》. ㉢잊음. 망각함. '參日而後, 能一天下'《莊子》.

字源 形聲. 卜+夕(月)〔音〕

夕 2 〔夘〕5 外(前條)의 古字

夕 2 〔夗〕5 ㊀ 원 ㊤阮 | yuàn エン·オン ころがりふす
㊁ 완 ㊤銑 | wǎn エン すごろくのさい

字解 ㊀ ①누워뒹굴원 '一, 轉臥也'《說文》. ②鴛(鳥부 5획〈1815〉)의 略字. ㊁ 주사위완 '一案·一專'은 쌍륙(雙六)의 주사위. '簙謂之蔽, 或謂之箘. …或謂之一專'《揚子方言》.

字源 會意. 夕+卪

夕 2 〔夘〕5 夗(前條)과 同字

夕 3 〔多〕6 中·人 다 ㊥歌 | duō タ おおい

筆順 ノ ク タ 多 多 多

字解 ①많을다 '一數'. '謀夫孔一'《詩經》. ②많게할다 전항의 타동사. '一事好亂'《魏志》. ③나을다 뛰어남. '孰與仲一'《史記》. ④아름답게여길다 칭찬함. '帝以此一之'《後漢書》. ⑤전공다 싸움에 이긴 공로. '戰功曰一'《周禮》. ⑥마침다 때마침. 우연히. '一見其不知量也'《論語》. ⑦성다 성(姓)의 하나.

字源 會意. 夕+夕

夕 3 〔夛〕6 多(前條)의 古字

夕 3 〔㚉〕6 多(前前條)의 俗字

〔名〕〔명〕 口부 3획(148)을 보라.

夕 3 〔夙〕6 숙 ㊇屋 | sù シュク つと

字解 ①일찍숙 ㉠아침 일찍. '一興夜寐'《詩經》. ㉡일찍부터. 예전부터. '一心'. '償其一志'《歐陽修》. ②빠를숙 '祈年孔一'《詩經》. ③삼갈숙 조신(操身)함. '載震載一'《詩經》. ④성숙 성(姓)의 하나.

字源 會意. 金文은 月+丮

夕 4 〔殑〕7 夙(前條)의 本字

夕 4 〔夡〕7 〔역〕 亦(亠부 4획〈29〉)의 古字

夕 5 〔姓〕8 ㊀ 청 ㊥庚 | gíng セイ はれる
㊁ 쟁 ㊥庚 | ソウ はれる

字解 ㊀ 갤청 밤이 되며 비가 갬. '一, 雨而夜除, 星見也'《說文》. ㊁ 갤쟁 ㊀과 뜻이 같음.

字源 形聲. 夕+生〔音〕

夕 5 〔夜〕8 中·人 야 ㊀禡 | yè ヤ よ, よる

筆順 ' 亠 广 疒 疒 夜 夜 夜

字解 ①밤야 ㉠'晝'의 대(對). '晝一'. '以星分一'《周禮》. ㉡깊은 밤. '夙興一寐'《詩經》. ②새벽야 날이 밝을녘. '一嘑旦, 以嘂百官'《周禮》. ③침실야 밤에 자는 방. '侍一勸息'《禮記 註》. ④성야 성(姓)의 하나.

字源 形聲. 夕+亦〈省〉〔音〕

夕5〔夜〕8 夜(前條)의 本字

夕7〔䳑〕10 ㊀烏(火부 6획〈712〉)의 古字 ㊁於(方부 4획〈495〉)의 本字

夕8〔够〕11 구 ㊥尤 gòu コウ·ク おおい

字解 많을구 '繁富夥—'《左思》.

夕8〔夠〕11 够(前條)와 同字

夕8〔梦〕11 〔몽〕 夢(夕부 11획〈230〉)의 俗字

夕10〔夢〕13 〔몽〕 夢(夕부 11획〈230〉)의 略字

夕11〔夤〕14 인 ㊥眞 yín イン つつしみおそれる

字解 ①조심할인 삼가고 두려워함. '夕惕若—'《易經》. ②반연할인 의뢰함. 연줄을 탐. '—緣'. ③연줄인 인하여 맺어지는 길. 의뢰하여 출세하는 길. '陰排密有—'《宋穆修》. ④멀인 대단히 멂. 또, 그 곳. '九州之外, 仍有八—'《淮南子》.

字源 形聲. 夕+寅〔音〕

夕11〔𡖟〕14 夤(前條)의 籒文

夕11〔夥〕14 과(화㊍) ㊤哿 huǒ カ おびただしい

字解 많을과 '—多'. '晉地狹而人—'《唐書》. ※本音 화.

字源 形聲. 多+果〔音〕

夕11〔䴹〕14 夥(前條)의 本字

夕11〔募〕14 맥 ㊥陌 mò バク しずか

字解 고요할맥 밤이 되어 고요함. '—, 宋也'《說文》.

字源 形聲. 夕+莫〔音〕

夕11〔夢〕14 高·人 몽 ㊦送 ㊥東 mèng ボウ·ム ゆめ méng

筆順 ' ⺈ 艹 苎 苗 茜 夢 夢

字解 ①꿈몽 ㉠수면 중에 보는 환상(幻像). '—想'. '以日月星辰, 占六—之吉凶'《周禮》. ㉡덧없음. '八年身世—'《元稹》. ②꿈꿀몽 꿈을 꿈. '其寢不—'《列子》. ③흐리멍덩할몽 혼미함. '視天——'《詩經》. ④성몽 성(姓)의 하나.

字源 形聲. ①宀+爿+瞢〈省〉〔音〕. ②夕+瞢〈省〉〔音〕

夕11〔夣〕14 夢(前條)의 俗字

夕13〔𡖿〕16 〔오〕 烏(火부 6획〈712〉)의 古字

大 部

〔큰 대 부〕

大0〔大〕3 中·人 ㊀대 ㊦泰 ㊁태 ㊦箇 dài, tài ダイ·タイ おおきい dà タ おおきい

筆順 一 ナ 大

字解 ㊀①클대 ㉠부피나 길이가 많은 공간을 차지함. '—弓'. '骨何者最—'《史記》. ㉡넓음. '—陸'. '—哉乾元'《易經》. ㉢많음. '—軍'. ㉣거셈. 심함. '—風'. ㉤훌륭함. '—人物' '—哉問'《論語》. ㉥중함. 비상함. '重—'. '今欲擧—事'《史記》. ㉦높음. 존귀함. '—官'. '說—人藐之'《孟子》. ㉧왕성함. 세력이 있음. '—族'. '族—寵多'《左傳》. ㉨과장(誇張)됨. '—言'. ㉩나이 먹음. '老—'. '年—自疎隔'《沈千年》. ㉪존경·찬미하는 말. '—著'. '—韓'. '—唐受命有天下'《韓愈》. ②거칠대 성김. '衣—布而補之'《莊子》. ③지날대 한도를 넘음. '今漢有天下—半'《漢書》. ④나을대 남보다 뛰어남. '無——王'《戰國策》. ⑤크게 여길대 중히 여김. '—齊信焉, 輕貨財'《荀子》. ⑥크게할대 ㉠떠벌림. 자랑함. '不自—其事'《禮記》. ㉡성(盛)하게 함. '不—聲以色'《詩經》. ⑦크기대 큰 정도. '取金印如斗—繫肘'《晉書》. ⑧대강대 개략. '—略'. '—要'. ⑨크게대 성(盛)하게. '—奏廣樂'《穆天子傳》. ⑩성대 성(姓)의 하나. ㊁클태 太(大부 1획〈231〉)와 同字.

字源 象形. 두 팔, 두 다리를 편안히 한 사람의 모양을 본뜸.

參考 ①'大'와 '太태'는 종종 통용(通用)함. ②부수(部首)로서, 사람의 모습이 크다의 뜻을 나타내는 문자를 이룸.

大0 〔夨〕3 ㊀측 [入]職 ㊁녈 [入]屑 | zè ショク かしらをかたむける レツ ひだりにかたむける

[字解] ㊀ 머리기울일측 '一, 傾頭也'《說文》. ㊁ 왼쪽으로기울일녈 '一, 左一也'《集韻》.
[字源] 象形. 머리를 기울이는 사람의 모양을 본뜸.

大1 〔太〕4 [中·人] 태 [去]泰 | tài タイ・タ ふとい

[筆順] 一 ナ 大 太

[字解] ①클태 용적·면적 등이 큼. 또, 아주 훌륭함. '一倉'. '一上貴德'《禮記》. ②심할태 격심함. '旱旣一甚'《詩經》. ③심히태 대단히. '昨一草草耳'《五代史》. ④통(通)할태 '命險一其靡常道'《陸機》. ⑤처음태 최초. '一極'. '一初者記之始也'《列子》. ⑥존칭태 장상(長上)에 대한 존칭. '貴人母封縣一君'《宋史》. ⑦성(姓)태 성(姓)의 하나. ⑧《韓》 콩태 대두(大豆). '豆一'.
[字源] 形聲. 二+大〔音〕
[參考] '太'와 '大'는 종종 통용(通用)됨.

大1 〔太〕4 〔립〕
立(部首〈925〉)의 本字

大1 〔夫〕4 [中·人] 부 [平]虞 | ①-⑤ fū フ・フウ おっと, おとこ ⑥-⑪fú フ それ, その, かな

[筆順] 一 二 チ 夫

[字解] ①지아비부 남편. '一婦'. '一一婦婦'《易經》. ②사내부 ㉠성인(成人)이 된 남자. '丈一'. '無求備於一一'《書經》. ㉡정년(丁年)에 달하여 부역(賦役)에 징발(徵發)되는 인부. '復其一'《後漢書》. ㉢병사(兵士). '一屯, 晝夜九日'《左傳》. ③도울부 '一者, 扶也'《白虎通》. ④다스릴부 敷(攴부 11획〈487〉)와 통용. '一, 猶治也'《禮記注》. ⑤만보부 한대(漢代)의 지적(地積)의 단위. 만보(萬步)의 넓이. '六尺爲步, 步百爲畮, 畮百爲一'《漢書》. ⑥대저부 발어사(發語辭). '一仁者'《論語》. ⑦진저부 감탄사. '逝者如斯一'《論語》. ⑧저부 사물을 지시하는 말. '一二三子也'《論語》. ⑨다시부 復(彳부 9획〈373〉)와 同字. '獲我所求, 一何思舊'《張衡》. ⑩많을부 여럿. '一, 猶凡也. 衆也'《經傳釋詞》. ⑪성부 성(姓)의 하나.
[字源] 指事. '大대'에 가로획(一)을 덧붙여, 성인 남자의 뜻을 나타냄.

大1 〔夬〕4 [人名] ㊀쾌 [去]卦 ㊁결 [入]屑 | guài カイ わける jué ケツ ゆがけ

[筆順] ㇕ ㇐ ⺕ 夬

[字解] ㊀ ①터놓을쾌 決(水부 4획〈629〉)과 뜻이 같음. ②쾌괘쾌 육십사괘의 하나. 곧, ䷪〈건하(乾下), 태상(兌上)〉. 소인은 궁하고 군자는 성(盛)한 상(象). '一, 揚于王庭'《易經》. ㊁ 깍지결 抉(弓부 4획〈360〉)과 同字.
[字源] 象形. 활시위를 당기기 위한 깍지를 손가락에 낀 모양을 본뜸.

大1 〔天〕4 [中·人] 천 [平]先 | tiān テン あめ, あま

[筆順] 一 二 チ 天

[字解] ①하늘천 ㉠땅의 대(對). 천공(天空). '一地'. '鳶飛戾一'《詩經》. ㉡만물의 주재자. 상제(上帝). 하느님. '一心'. '自一祐之'《易經》. ㉢자연의 이법(理法). '順一者存, 逆一者亡'《孟子》. ㉣운명. '成敗一也'《五代史》. ㉤자연의 부여(賦與). '一才'. '全其一也'《呂氏春秋》. ㉥무위 자연. '不以人易一'《淮南子》. ㉦천문. 일월성신(日月星辰)의 상태. '命南正重以司一'《史記》. ㉧기후. 시절. '一候'. '寒一'. ㉨믿고 의지하는 중요한 사물의 비유. '王者以民爲一, 而民以食爲一'《漢書》. ㉩태양. 해. '一, 謂日也'《禮記》. ②임금천 '一子'. '一之方離'《詩經》. ③목숨천 몸. '一, 身也'《呂覽》. ④클천 '一, 大也'《廣雅》. ⑤문신할천 이마에 먹실을 넣는 형(刑). '其人一且劓'《易經》. ⑥성천 성(姓)의 하나.
[字源] 指事. 사람의 머리 부분을 강조하여 '위·꼭대기·하늘'의 뜻을 나타냄.

大1 〔夭〕4 [人名] ㊀요 [上]篠 [平]蕭 ㊁오 [上]晧 | ①②yǎo ヨウ わかじに ③-⑥yāo ヨウ わかい ǎo オウ わかご

[筆順] 一 二 チ 夭

[字解] ㊀ ①일찍죽을요 '一死'. '一折'. '人之情, 欲壽而惡一'《呂氏春秋》. ②굽을요 굽어 뻗거나 펴지지 않는 모양. '一, 屈也'《說文》. ③무성할요 풀이 무성함. '厥草惟一'《書經》. ④어릴요, 예쁠요 나이가 젊고 용모가 아름다움. '桃之一一'《詩經》. '一之沃沃'《詩經》. ⑤얼굴빛화평할요 '子之燕居, 申申如也, 一一如也'《論語》. ⑥재앙요 재화. '天一是椓'《詩經》. ㊁ ①어린애오 유아. '不殺胎, 不殀一'《禮記》. ②새끼오 갓 태어난 조수(鳥獸)의 새끼. '毋殺孩蟲胎一'《禮記》.
[字源] 象形. 무녀(巫女)가 신(神)을 부르는 춤을 추는 모양을 본뜸.

〔犬〕〔견〕
部首(746)를 보라.

大2〔夲〕5 [一]토 [平]豪 | tāo トウ すすむ
[二]본 [上]阮 | běn ホン もと

[字解] [一]①나아갈토 전진함. '一, 進趣也'《說文》. ②볼토 왕래하며 보는 모양. '一, 往來見貌'《正字通》. [二] 근본본 本(木부 1획〈524〉)의 俗字.

[字源] 會意. 大+十

大2〔夯〕5 항 [上]養 | hāng コウ かつぐ, になう

[字解] ①멜항 힘을 들여 물건을 어깨에 멤. '及他人擔一'《禪林寶訓》. ②달구질항 나무로 땅을 두드려 다짐. '務要剗平一磁堅實'《福惠全書》.

[字源] 會意. 大+力

大2〔夳〕5 [一]태 [去]泰 | tài タイ なめらか, おおきい
[二]달 [入]曷 | タツ なめらか

[字解] [一]①미끄러울태 미끄러짐. '一, 說文, 滑也'《集韻》. ②클태, 통할태 '一, 一曰, 大也. 通也'《集韻》. ③泰(水부 5획〈633〉)의 古字. [二] 미끄러울달 얼음이 미끄러움. 澾(水부 13획〈690〉)은 俗字.

大2〔夰〕5 [一]호 [上]晧 | gǎo コウ はなつ
[二]고 [上]晧 | コウ はなつ

[字解] [一]①놓을호 방축(放逐)함. '一, 放也'《說文》. ②기호 원기(元氣). '一, 元包經, 泰一入于困. 傳曰, 一入于困, 天氣降也'《正字通》. [二] 놓을고, 기고 [redacted]과 뜻이 같음.

[字源] 會意. 大+八

大2〔亣〕5 〔역〕
亦(亠부 4획〈29〉)의 本字

大2〔央〕5 [高·人] [一]앙 [平]陽 | yāng ヨウ·オウ なかば
[二]영 [平]庚 | yīng エイ あざやか

[筆順] 丨 冂 冋 央 央

[字解] [一]①가운데앙 ㉠한가운데. 중앙. '宛在水中一'《詩經》. ㉡중간. 반분. '夜未一'《詩經》. ②다할앙 없어짐. '樂無一兮'《霍去病》. ③오랠앙, 멀앙 시간이 갊. '未一絕滅'《素問》. ④넓을앙 광대한 모양. '覽曲臺之一一'《司馬相如》. [二]①선명할영 '一, 鮮明皃'《集韻》. ②소리부드러울영 '和鈴一一'《詩經》.

[字源] 象形. 목에 칼을 씌운 사람의 모양을 본뜸.

大2〔失〕5 [中·人] [一]실 [入]質 | shī シツ うしなう
[二]일 [入]質 | yì イツ はなつ

[筆順] ノ 𠂉 𠂉 生 失 失

[字解] [一]①잃을실 ㉠빠뜨림. '紛一'. '罔然若有一也'《後漢書》. ㉡놓침. '一農'. '時哉, 不可一'《書經》. ㉢남의 손으로 넘어감. 빼앗김. '既得之, 患一之'《論語》. ㉣찾지 못함. '迷一道'《史記》. ㉤그르침. 잘못함. '一禮'. '不一其序'《國語》. ②허물실 과실. 실수. '過一'. '猶有此一'《諸葛亮》. [二]①놓을일 마음대로 함. '一, 放也'《集韻》. ②놓칠일, 달아날일 逸(辵부 8획〈1499〉)과 뜻이 같음. '其馬將一'《荀子》.

[字源] 指事. 手+乙. '乙'은 손에서 벗어난 물건을 보이며, 손에서 물건을 놓치다, 잃다의 뜻을 나타냄.

大2〔头〕5 [一]貫(貝부 4획〈1386〉)의 俗字
[二]頭(頁부 7획〈1689〉)의 簡體字

大3〔夶〕6 〔비〕
比(部首〈616〉)의 古字

大3〔夸〕6 과 [平]麻 | kuā コ·カ ほこる

[字解] ①풍칠과 큰소리를 함. 과장함. '一言'. '齊一詐多變, 反覆之國'《漢書》. ②자랑할과 자만함. '一鄕里'《漢書》. ③아첨할과 몸을 굽실거리며 아유함. '無爲一毗'《詩經》. ④아름다울과 華(艸부 8획〈1150〉)와 뜻이 같음. '一容乃理'《傅毅》. ⑤클과 '邑屋隆一'《左思》. ⑥겨룰과 '帶劍者, 一殺人'《漢書》. ⑦약할과 연약함. 유약(柔弱). '一毗, 體柔也'《爾雅》. ⑧헛될과 '非一以爲名也'《呂氏春秋》. ⑨걸칠과 跨(足부 6획〈1428〉)와 同字. '一州兼郡'《漢書》. ⑩성과 성(姓)의 하나. ⑪誇(言부 6획〈1327〉)의 簡體字.

[字源] 形聲. 大+亏〔音〕

大3〔夷〕6 [高·人] 이 [平]支 | yí イ えびす

[筆順] 一 ㄱ 弓 弖 夷 夷

[字解] ①오랑캐이 중국 동방 미개인. '東一'. '一蠻戎狄'《禮記》. 전(轉)하여, 야만 미개한 민족·국가. '一狄'. '守在四一'《左傳》. ②평평할이 평탄함. '一坦'. '大道甚一'《老子》. 또, 평탄하게 함. '一竈堙井'《國語》. ③온화할이 온순하고 인자함. '厥民一'《書經》. ④안온할이 평온 무사함. '一謐'. '亂生不一'《國語》. ⑤기뻐할이 희열(喜悅)함. '一愉'. '莫不一悅'《孔子家語》.

⑥클이 성대함. '降福孔一'《詩經》. ⑦평정할이, 멸할이 ㉠멸망시킴. '一滅'. '三族皆一'《荀子》. ㉡죽임. '禽獸殄一'《後漢書》. ⑧무리이 동등한 자. '在醜一不爭'《禮記》. ⑨상할이 다침. 또, 상처. '痍(疒부 6획〈809〉)와 同字. '察一傷'《左傳》. ⑩깎을이 풀을 벰. '夏日至而一之'《周禮》. ⑪잘못이 과오. 실책. '救其一者也'《禮記》. ⑫떳떳할이 彝(彐부 15획〈365〉)와 同字. '民之秉一'《孟子》. ⑬쉬울이 '一, 易也'《爾雅》. ⑭명백할이 '一, 明也'《玉篇》. ⑮웅크릴이 쭈그림. 또, 책상다리를 하고 앉음. '原壤一俟'《論語》. ⑯성이 성(姓)의 하나.
[字源] 象形. 줄이 휘감긴 화살을 본뜬 모양.

大 3 〔𡗝〕6 夷(前條)의 本字

大 3 〔夺〕6 〔탈〕奪(大부 11획〈238〉)의 簡體字

大 3 〔买〕6 〔매〕 買(貝부 5획〈1388〉)의 簡體字

大 3 〔夻〕6 [韓] 화
[字解] 《韓》 대구화 바닷물고기인 대구(大口).

大 3 〔夹〕6 夾(次條)의 簡體字

大 4 〔夾〕7 협 ①-⑤[入]洽 ⑥⑦[入]葉 | jiā コウ・キョウ はさむ jiá キョウ せまい
[字解] ①낄협 ㉠挾(手부 7획〈443〉)과 同字. '一牽之'《儀禮》. ㉡끼워 넣음. '膠加鉗一'《柳宗元》. ②가까울협 '懷爲一'《書經》. ③부축할협 전후 또는 좌우에서 부축함. 좌우에서 도움. '一輔成王'《左傳》. ④다가올협, 다가갈협 '一, 近也'《書經》. ⑤겸(兼)할협 '一日以飛'《呂溫》. ⑥좁을협 狹(犬부 7획〈752〉)과 통용. '其地東西一, 南北長'《後漢書》. ⑦성협 성(姓)의 하나.
[字源] 象形. 팔을 벌리고 선 사람의 양쪽 겨드랑이를 좌우에서 손으로 끼는 모양을 본뜸.

大 4 〔㚒〕7 ㊀섬 [上]琰 ㊁석 [入]陌 | shǎn セン かくす セキ かくす
[字解] ㊀ 숨길섬 물건을 훔쳐 품에 넣어 감춤. '一, 盜竊懷物也'《廣韻》. ㊁ 숨길석 ㊀과 뜻이 같음.
[字源] 指事. 겨드랑이 밑에 물건을 숨긴 모양을 본뜸.

大 4 〔𡗾〕7 개 [去]卦 | jiè カイ おおきい
[字解] 클개 '一, 大也. 東齊海岱之閒, 曰一'《揚子方言》.
[字源] 形聲. 大+介〔音〕

大 4 〔㚋〕7 순 [平]眞 | chūn シュン おおきい
[字解] 클순 '一, 大也'《說文》.
[字源] 形聲. 大+屯〔音〕

大 4 〔夽〕7 운 [上]吻 | yǔn グン おおきい
[字解] 클운 '一, 大也'《說文》.
[字源] 形聲. 大+云〔音〕

大 4 〔奀〕7 망 | ēn ボウ やせる
[字解] 파리할망 몸이 야윔.

大 4 〔奂〕7 〔환〕 奐(大부 6획〈235〉)의 簡體字

大 5 〔奄〕8 [人名] 엄 [上]琰 [平]鹽 [去]豔 | ①-⑤yǎn エン おおう ⑥⑦yān エン ひさしい ⑧エン かんがん
[筆順] 一 ナ 大 大 夻 夻 奋 奄
[字解] ①가릴엄 掩(手부 8획〈450〉)과 同字. '一有龜蒙'《詩經》. ②문득엄 갑자기. '一忽如神'《漢書》. ③어루만질엄, 길들일엄 '一受北國'《詩經》. ④클엄 크게. '一有四方'《詩經》. ⑤같을엄 같이. 함께. '一, 一日, 同也'《集韻》. ⑥오랠엄 淹(水부 8획〈657〉)과 同字. '神一留'《漢書》. ⑦성엄 성(姓)의 하나. ⑧고자엄 閹(門부 8획〈1601〉)과 통용. '一尹'. '一十人'《周禮》.
[字源] 會意. 大+申

大 5 〔奇〕8 [高·人] 기 [平]支 | ①-⑧qí キ めずらしい, ひとつ ⑨-⑫jī
[筆順] 一 ナ 大 大 夲 夲 奇 奇
[字解] ①기이할기 ㉠괴이(怪異)함. 괴상함. '一怪'. '一服怪民'《周禮》. ㉡진귀(珍貴)함. '一聞'. '好此一服兮'《楚辭》. ㉢진부(陳腐)하지 아니함. 새로움. '一論'. '臭腐化爲神一'《莊子》. ㉣뛰어남. 범상(凡常)하지 아니함. '一骨'. '上未之一也'《漢書》. ㉤알 수 없음. 불가해함. '一蹟'. '宇宙乃爾一'《朱熹》. 또, 기이한 일. 기이한 것. '窮一極妙'《王延壽》. ②가만할기 비밀함. '平凡六出一計'《史記》. ③때못만날기 불우함. '一薄'. '李廣老數一'《史記》. ④속임수기 궤

사(詭詐). 궤계(詭計). 속임. '以一用兵'《老子》. ⑤사특할기 바르지 않음. '國君不乘一車'《禮記》. ⑥달리할기 특별히 다룸. '因欲一兩女'《史記》. ⑦심히기 대단히. '一愛'. '綿定一溫'《世說》. ⑧성(姓)기 성(姓)의 하나. ⑨하나기, 한쪽기 '一, 一日不耦'《說文》. ⑩기수기 둘로 나뉘지 않는 수. 우수(偶數)의 대. '陽卦一'《易經》. ⑪짝기 쌍을 이룬 한쪽. '一算爲一'《禮記》. ⑫여수기 남은 수. '一零'. '歸一於扐, 以象閏'《易經》.
字源 形聲. 大+可〔音〕

大5〔奈〕8 高·人 ㊀나 (去)箇 | nà ダ·ナ いかん ㊁내 (去)泰 | nài ダイ·ナイ いかん
筆順 一 ナ 大 㚘 夳 夸 夺 奈
字解 ㊀①어찌나 '如何'와 뜻이 같음. '一何'. '唯無形者無可一也'《淮南子》. ②성(姓)나 성(姓)의 하나. ㊁어찌내 ㊀❶과 뜻이 같음.
字源 會意. 본디, 木+示. 후에 잘못 변형되어, '大+示'로 되었음.

大5〔㚔〕8 ㊀녑 (入)葉 | niè ジョウ·ニョウ おどろかす ㊁엽 (入)葉 | ジョウ·ニョウ ㊀㊁ ぬすみがやまない ㊂입 (入)緝 | ジュウ·ニュウ ㊃행
字解 ㊀①놀랠녑 사람을 놀라게 함. '一, 所目驚人也'《說文》. ②큰소리녑 큰 목소리. '一, 一日, 大聲也'《說文》. ③도둑질그치지아니할녑 '一, 一日, 俗語目盜不止爲一'《說文》. ㊁도둑질그치지아니할엽 ㊀❸과 뜻이 같음. ㊂도둑질그치지아니할입 ㊀❸과 뜻이 같음. ㊃다행행 幸(干부 5획〈341〉)의 古字.
字源 會意. 大+羊

大5〔奋〕8 ㊀강 (上)養 | kǎng コウ しおのでるさわ ㊁분 | fèn
字解 ㊀소금나는못강 '一, 鹽澤也'《篇海類編》. ㊁떨칠분 奮(大부 13획〈239〉)의 簡體字.

大5〔㚊〕8 ㊀고 (平)虞 | gū コ おおきい ㊁와 (平)麻 | ワ おおきい
字解 ㊀클고 '一, 大皃'《廣韻》. ㊁클와 ㊀과 뜻이 같음.
字源 形聲. 大+瓜〔音〕

大5〔㚖〕8 ㊀저 (上)薺 ㊁제 (平)齊 (去)霽 | dī テイ おおきい
字解 ㊀클저 '一, 大也'《說文》. ㊁클제 ㊀과 뜻이 같음.
字源 形聲. 大+氐〔音〕

大5〔㚕〕8 ㊀필 (入)質 | ヒツ おおきい ㊁불 (入)物 | fú フツ おおきい
筆順 一 ナ 大 𡗗 𡗗 𡗗 𡗗 㚕
字解 ㊀클필 '一, 大也'《說文》. ㊁클불 ㊀과 뜻이 같음.
字源 形聲. 大+弗〔音〕

大5〔奔〕8 〔분〕
奔(大부 6획〈236〉)의 俗字

大5〔奅〕8 〔포〕
礮(石부 16획〈884〉)와 同字
字源 形聲. 大+卯(卯)〔音〕

大5〔㚘〕8 〔병〕
竝(立부 5획〈926〉)과 同字

大5〔𡗝〕8 〔오〕
吳(口부 4획〈149〉)의 古字

大5〔奉〕8 中·人 봉 ①-⑧(上)腫 ⑨(去)宋 | fèng ホウ たてまつる ホウ ろく
筆順 一 二 三 丰 夫 夫 叁 奉
字解 ①받들봉 ㉠두 손으로 공경하여 듦. '兩手一長者之手'《禮記》. ㉡공경하여 이어받음. 계승함. '後天而一天時'《易經》. ㉢하명(下命)을 받음. '一命於危難之間'《諸葛亮》. ㉣윗사람을 섬김. '以一其上焉'《詩經》. ㉤웃어른을 위하여 일을 하거나 웃어른과 말할 때 등에 공경하는 뜻을 나타내는 말. '一讀'. '一答天命'《潘勗》. ②바칠봉 드림. '遣使一獻'《後漢書》. 또, 드리는 물건. 공물(貢物) 따위. '貢一不絕'《後漢書》. ③씀씀이봉 용도(用度). '百姓之費, 公家之一'《孫子》. ④기를봉 '一之以仁'《左傳》. ⑤도울봉 '風雨一之'《淮南子》. ⑥편들봉 '天一我也'《左傳》. ⑦보낼봉 '若遷寶則一之'《周禮》. ⑧성봉 성(姓)의 하나. ⑨녹봉봉 봉급(俸給). '一祿'. '小吏勤事而一薄'《漢書》.
字源 形聲. 金文은 廾+丰〔音〕

大5〔𡗽〕8 〔양〕
養(食부 6획〈1718〉)의 俗字

大5〔㚘〕8 반 (上)旱 | bàn ハン ならんでゆく
字解 ①나란히갈반 '一, 竝行也'《說文》. ②짝반 벗. '一, 侶也'《六書本義》.
字源 會意. 夫+夫

大5 〔臭〕8 [一] 고 ㊤晧 gǎo コウ つや
[二] 석 [入]陌 セキ つや
[三] 택 [入]陌 タク つや

[字解] [一] 윤고 희고 강한 광택. [二] 윤석 ■과 뜻이 같음. [三] 윤택 澤(水부 13획〈688〉)의 古字. '一, 大白也. 古文曰爲澤字'《說文》.
[字源] 會意. 大+白

大5 〔奌〕8 〔점〕
點(黑부 5획〈1862〉)의 略字

大5 〔卖〕8 〔매〕
賣(貝부 8획〈1395〉)의 簡體字

〔赱〕 〔주〕
走부 1획(1404)을 보라.

大6 〔奎〕9 [人名] 규 ①②[平]齊 ③㊤紙 kuí ケイ とかき kuǐ キ りょうあしをひらいてゆく

[筆順] 一 大 太 本 㚅 奎 奎 奎

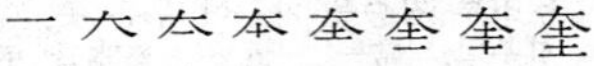

[字解] ①별이름규 이십팔수(二十八宿)의 하나. 백호 칠수(白虎七宿)의 첫째 성수(星宿)로서, 열여섯 별로 구성되었으며, 문운(文運)을 맡았다고 함. 안드로메다 자리에 해당함. 규수(奎宿). '一文'. '一日封豕, 爲溝瀆'《史記》. ②가랑이규 샅. '一, 兩髀之間'《說文》. ③두발벌리고걸을규 '一蹁盤桓'《張衡》.
[字源] 形聲. 大+圭〔音〕

大6 〔牵〕9 〔견〕
牽(牛부 7획〈742〉)의 簡體字

大6 〔奏〕9 [高·人] 주 [去]宥 zòu ソウ すすめる, かなでる

[筆順] 一 二 三 夫 夫 夫 奏 奏

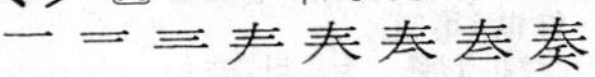

[字解] ①아뢸주 ㉠군주(君主)에게 여쭘. '一對'. '使人可其一'《史記》. ㉡음악을 함. '一樂'. '一其樂'《中庸》. ②상소주 군주에게 올리는 글. '尙書令讀一'《漢書》. ③곡조주 음악의 곡조. '九一乃終'《周禮》. ④모일주 湊(水부 9획〈664〉)와 통용. '一汾陰'《漢書》. ⑤달릴주 향하여 감. 走(部首〈1404〉)와 뜻이 같음. '予曰有奔一'《詩經》.
[字源] 會意. 屮+本+収

大6 〔奊〕9 혈 [入]屑 xǐ, ②xié ケツ みさおがない

[字解] ①분개(分概)없을혈 '一詬'는 식견이 없음. 또, 지조(志操)가 없음. '一詬亡節'《漢書》. ②머리비뚤어질혈 '一, 頭衺骫一態也'《說文》.
[字源] 形聲. 夨+圭〔音〕

大6 〔奐〕9 [人名] 환 [去]翰 huàn カン あきらか, さかん

[筆順] ノ ク ⺈ 㐫 奐 奐 奐 奐

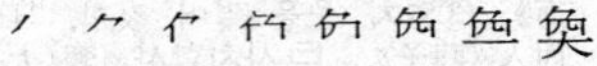

[字解] ①빛날환 광휘를 발하는 모양. '美哉一焉'《禮記》. ②성대할환 아주 성(盛)함. '惟懿惟一'《漢書》. ③맞바꿀환 교환(交換)함. '一, 取一也'《說文》. ④클환 '一, 一日大也'《說文》. ⑤많을환 '一, 言衆多'《禮記注》. ⑥흩어질환 渙(水부 9획〈660〉)과 뜻이 같음. '叢集累積, 一衍於其側'《嵇康》.
[字源] 象形. 산모(産母) 가랑이에 두 손을 갖다 댄 모양을 본뜸.

大6 〔契〕9 [高·人] [一] 계 [去]霽 qì ケイ ちぎり
[二] 결 [入]屑 qiè ケツ つとめくるしむ
[三] 글 [入]物 qì キツ くにのな
[四] 설 [入]屑 xiè セツ じんめい

[筆順] 一 二 三 丰 丰刀 㓞 㓞 契

[字解] [一] ①서약계, 계약계 약속. '獨知之一也'《戰國策》. ②계약서계 계약한 문서. '文一'. '掌官一以治藏'《周禮》. ③정의계 두터운 정. '金蘭之一'. '定金蘭之密一'《晉書》. ④연분계 부부 등의 인연. '少有道一'《司空圖》. ⑤계약할계 약속함. '一文'. '約一盟誓'《韓詩外傳》. ⑥맺을계 우정(友情) 또는 부부의 인연 등을 맺음. '未見心先一'《陸游》. ⑦맞을계 합치함. '一合'. '少與道一, 終與俗違'《詩品》. ⑧끊을계 割(刀부 10획〈108〉)과 뜻이 같음. '一, 絶也'《爾雅》. ⑨새길계 벰. 쇎. '一, 刻也. 刻識其數也'《釋名》. ⑩없을계 결(缺)함. '一國威器'《漢書》. ⑪성계 성(姓)의 하나. ⑫《韓》계계 옛날부터 내려오는 우리 나라의 독특한 협동단체. '一員'. [二] ①근고할결 신고하여 일함. '死生一闊'《詩經》. ②소원(疏遠)할결 성기어 멂. '非陳一闊之所'《後漢書》. ③끊을결 단절함. '一三神之歡'《司馬相如》. ④새길결 조각함. '一舟求劍'《呂氏春秋》. [三] 부족이름글 '一丹'은 4세기(世紀) 이래 몽고의 시라무렌 강 유역(流域)에 유목(遊牧)하고 있었던 부족(部族). 10세기 초에 추장(酋長) 야율아보기(耶律阿保機)가 요(遼)나라를 세웠는데, 후에 금(金)나라에 멸망당하였음. [四] 사람이름설 은(殷)나라 왕조의 시조. '一汝作司徒'《書經》.
[字源] 形聲. 大+㓞〔音〕

大6 〔契〕9 契(前條)의 略字

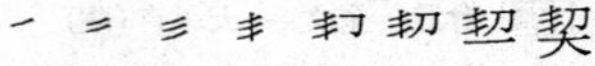

大 6 〔奓〕9 [一] 차 [平]麻 [去]禡 | zhà タ はる
[二] 사 [平]麻 | shē シャ おごる

[字解] [一] ①펼차 펴 넓힘. '一, 張也'《廣韻》. ②자랑할차 과장함. '紛瑰麗以一靡'《張衡》. ③열차 문을 열어 젖힘. '日中一戶而入'《莊子》. [二] 사치할사 奢(大부 9획〈237〉)의 籀文.
[字源] 形聲. 大+多〔音〕

大 6 〔奔〕9 [高·人] 분 [平]元 | bēn ホン はしる

[筆順] 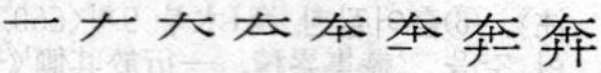

[字解] ①달릴분 ㉠빨리 감. '一走'. '鹿斯之一'《詩經》. ㉡빨리 가게 함. 奚음. '是以一父也'《穀梁傳》. ②달아날분 도망함. '一竄'. '旣合而來一'《左傳》. ③패주할분 전쟁에 패하여 달아남. 또, 그 군사. '追一逐北'《李陵》. ④빠를분 '一, 猶疾也'《周禮注》. ⑤오를분 '後一蛇'《淮南子》. ⑥예를갖추지않고혼인할분 '仲春之月, 令會男女, 一者不禁'《周禮》. ⑦성분 성(姓)의 하나.
[字源] 會意. 金文은 大+卉(𧻓)

大 6 〔奐〕9 [一] 환 [平]寒 | huán カン おごる
[二] 한 [平]寒 | カン おごる
[三] 원 [上]阮 | エン おごる
[四] 훤 [上]阮 | ケン おごる

[字解] [一] ①사치할환 '一, 奢一也'《說文》. ②클환 '一, 大也'《集韻》. ③큰입환 '一, 大口也'《玉篇》. [二] 사치할한, 클한, 큰입한 [一]과 뜻이 같음. [三] 사치할원, 클원, 큰입원 [一]과 뜻이 같음. [四] 사치할훤, 클훤, 큰입훤 [一]과 뜻이 같음.
[字源] 形聲. 大+亘〔音〕

大 6 〔奊〕9 [一] 홰 [去]卦 | xiè カイ おおごえ
[二] 차 [上]紙 | シ まっすぐでおおきい

[字解] [一] 성낸소리홰 화를 내어 지르는 큰 소리. '一, 瞋大聲也'《說文》. [二] 곧고클차 '奊, 直大也. 或書作一'《集韻》.
[字源] 形聲. 大+此〔音〕

大 6 〔奕〕9 [人名] 혁 [入]陌 | yì エキ おおきい

[筆順] 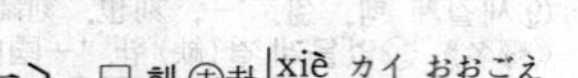

[字解] ①클혁 '一一梁山'《詩經》. ②아름다울혁 미려함. '士女悠一'《何承天》. ③근심할혁 걱정함. '憂心一一'《詩經》. ④겹칠혁 중첩함. 또, 이어짐. '一世載德'《國語》. '一葉, 累世也'《康熙字典》. ⑤바둑혁 弈(廾부 6획〈356〉)과 통용. '一棊'. '通國之善一者也'《孟子》. ⑥익숙해질혁 배움. '萬舞有一'《詩經》. ⑦갈혁 '一, 又行也'《廣韻》. ⑧성(盛)할혁 '一, 盛也'《廣韻》.
[字源] 形聲. 大+亦〔音〕

大 6 〔奖〕9 〔장〕
獎(大부 11획〈238〉)의 簡體字

〔美〕 〔미〕
羊부 3획(1033)을 보라.

〔耎〕 〔연〕
而부 3획(1049)을 보라.

大 7 〔套〕10 투 (토[本]) [上]晧 [去]號 | ①tǎo トウ おおきくながい ②-⑦tào ふるくさい

[字解] ①클투 길고 큼. '一, 長大也'《集韻》. ②겹칠투 중첩됨. '今之沓杯曰一杯'《康熙字典》. ③모퉁이투 구부러지거나 꺾이어 들어간 자리. '戰于胡蘆一'《康熙字典》. ④덮개투 물건의 위를 싸 가리는 것. '封一'. '外一'. ⑤한벌투 '一一六箇'《西湖志餘》. ⑥우리투 짐승을 가두어 두는 곳. ⑦낡을투 진부함. '常一'. '舊一'. ※本音 토.
[字源] 會意. 大+長

大 7 〔奅〕10 〔포〕
奅(大부 5획〈234〉)의 本字

大 7 〔畚〕10 〔분〕
畚(田부 5획〈798〉)의 本字

大 7 〔奘〕10 [人名] 장 [上]養 [去]漾 | zhuǎng, zàng ソウ おおきい

[筆順] 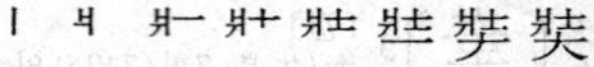

[字解] ①클장 몸집이 큼. '秦晉之間, 凡人之大, 謂之一'《揚子方言》. ②성(盛)할장 '一, 盛也'《玉篇》. ③튼튼할장 건강함. '一, 健也'《集韻》.
[字源] 形聲. 大+壯〔音〕
[參考] 弉(廾부 7획〈356〉)은 俗字.

大 7 〔奚〕10 [高·人] [一] 해 [平]齊 (혜[本]) | xī(xí) ケイ なんぞ, いずくんぞ
[二] 혜 [平]齊

[筆順] 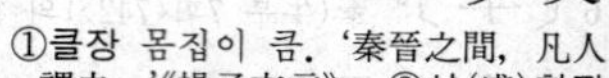

[字解] [一] ①종해 ㉠노복. '一奴'. '酒人一三百人'《周禮》. ㉡여자종. 㜎(女부 10획〈259〉)와 뜻이 같음. ②어찌해 ㉠의문사. '子一不爲政'《論語》. ㉡반어(反語). 어찌…하랴. '復一疑'《陶潛》. ③종족이름해 중국 요하(遼河) 상류에 있던 선비족(鮮卑族). ④성해 성(姓)의 하나. ※本音 혜. [二] 어느곳혜 하처(何處). '彼且一適也'《莊

子》.
字源 形聲. 大+[illegible]〈省〉〔音〕

大7 〔[illegible]〕10 〔뢰〕
牢(牛부 3획〈739〉)의 本字

大8 〔奝〕11 조 ㊥蕭 | diāo チョウ おおきい, おおい
字解 클조, 많을조 '錭, 大也. 多也. 一, 上同'《廣韻》.
字源 形聲. 大+周〔音〕

大8 〔奞〕11
㊀ 순 ㊦震 | xùn シュン はばたく
㊁ 신 ㊦震 | シン はばたく
㊂ 수 ㊥支 | suī スイ はばたく
㊃ 소 ㊥蕭 | ショウ はねをはる
字解 ㊀ 날갯짓할순 새가 날려고 날갯짓함. '一, 鳥張毛羽自奮一也'《說文》. ㊁ 날갯짓할신 ㊀과 뜻이 같음. ㊂ 날갯짓할수 ㊀과 뜻이 같음. ㊃ 날개펼소 새가 날개를 펴는 모양. '一, 張羽'《廣韻》.
字源 會意. 大+隹

大8 〔奛〕11 황 ㊤養 | huǎng コウ からりとあかるい
字解 밝을황 환하게 밝음. '一, 開明也'《字彙》.

大8 〔[illegible]〕11 〔엄〕
奄(大부 5획〈233〉)의 本字

大8 〔[illegible]〕11 〔슬〕
瑟(玉부 9획〈776〉)의 古字

大8 〔[illegible]〕11 〔상〕
爽(爻부 7획〈734〉)의 俗字

大8 〔奜〕11 비 ㊤尾 ㊦未 | fěi ヒ おおきい
字解 클비 작지 않음. '一, 大也'《集韻》.

〔爽〕 〔상〕
爻부 7획(734)을 보라.

大9 〔奢〕12 人名 사 ㊥麻 | shē, ⑦shá シャ おごる
筆順 一 大 夲 夸 夸 奢 奢 奢
字解 ①사치할사 호사함. '一侈'. '視民不一'《漢書》. ②과분할사 분수에 지나침. '其所持者狹, 而所欲者一'《史記》. ③오만할사 거만함. '一傲'. '廣博易良而不一'《禮記》. ④넉넉할사 풍요(豐饒)함. '貲財亦豐一'《張華》. ⑤나을사 보다 나음. '一, 勝也'《爾雅》. ⑥사치사 호사(豪奢). '去一即儉'《後漢書》. ⑦성사 성(姓)의 하나.
字源 形聲. 大+者〔音〕

大9 〔[illegible]〕12 〔태〕
泰(水부 5획〈633〉)의 本字

大9 〔[illegible]〕12 〔집〕
執(土부 8획〈209〉)의 本字

大9 〔[illegible]〕12 〔보〕
報(土부 9획〈212〉)의 本字

大9 〔奡〕12 오 ㊦號 | ào ゴウ おごる, つよい
字解 ①오만할오 傲(人부 11획〈68〉)와 同字. ②헌걸찰오 기운이 매우 장함. '妥貼力排一'《韓愈》. ③사람이름오 하(夏)나라 때의 장사(壯士) 이름. '一盪舟'《論語》. ④성오 성(姓)의 하나.
字源 象形. 얼굴이 큰 사람의 모양을 본뜸.

大9 〔奠〕12 人名 전 ㊦霰 | diàn テン さだめる
筆順 ハ 亼 酋 酋 酋 酋 奠 奠
字解 ①정할전 결정함. '一都'. '辨其物而一其錄'《周禮》. ②둘전 지상(地上)에 안치(安置)함. '一之而後取之'《禮記》. ③전올릴전 제물(祭物)을 올림. '一菜'. '春夏釋一於先師'《禮記》. ④제수전 제물. '具時羞之一'《韓愈》.
字源 會意. 甲骨文은 酉+一

大9 〔[illegible]〕12 복 ㊇屋 ㊇沃 | pú ホク·ボク わずらわしい
字解 번거로울복 '一, 瀆一也'《說文》.
字源 會意. 丵+廾

大9 〔[illegible]〕12 〔진〕
眞(目부 5획〈843〉)의 古字

大9 〔[illegible]〕12 〔형〕
衡(行부 10획〈1263〉의 古字

大9 〔奥〕12 〔오〕
奧(大부 10획〈238〉)의 俗字

大9 〔[illegible]〕12 〔결〕
缺(缶부 4획〈1022〉)과 同字

大10 〔[illegible]〕13 효 ㊥蕭 | xiāo キョウ おおきい
字解 ①길고클효 장대(長大)한 모양. '一, 長大皃'《集韻》. ②클효 '一, 博雅, 大也'《集韻》. ③살찔효 살이 쪄서 뚱뚱함. '一, 肥也'《集韻》.

大 10 〔[大+隹+又]〕 13 〔탈〕
奪(大부 11획〈238〉)의 本字

大 10 〔奧〕 13 [人名] [一] 오 [去]號 [二] 욱 [入]屋 | ào オウ おく yù イク あたたかい

[筆順] ′ 冂 冋 㒷 奧 奧 奧 奧

[字解] [一] ①아랫목오 방의 서남우(西南隅). 중국의 가옥에서 가장 깊숙한 곳. 여기에서 제사지냄. '奠笄席於廟一'《儀禮》. '與其媚於一, 寧媚於竈'《論語》. 전(轉)하여, 깊숙한 가장 구석진 곳. '保太白山之東北阻一'《唐書》. ②그윽할오 ㉠깊숙함. '地勢險一'《晉書》. ㉡뜻·이치 등이 깊음. 심원함. '一旨'. '言精理一'《南史》. ③쌓을오 축적함. '野無一草'《國語》. ④성오 성(姓)의 하나. [二] ①따뜻할욱, 더울욱 燠(火부 13획〈727〉)과 통용. '日月方一'《詩經》. ②후미욱, 굽이욱 '瞻彼淇一'《詩經》.
[字源] 會意. 審〈省〉+廾
[參考] 奥(大부 9획〈237〉)은 俗字

大 10 〔奨〕 13 〔장〕
奬(大부 11획〈238〉)의 略字

大 11 〔奪〕 14 [高·人] 탈 ①-⑦[入]曷 ⑧[去]隊 | duó ダツ うばう タイ せまい みち

[筆順] 一 大 衣 衤 奞 奞 奪 奪

[字解] ①빼앗을탈 ㉠억지로 빼앗음. '毋爲勢家所一'《史記》. ㉡침략하여 빼앗음. 쳐 빼앗음. '襲一齊王軍'《史記》. ㉢봉토(封土) 또는 관록(官祿)을 박탈함. '一伯氏駢邑三百'《論語》. ㉣잃게 함. 놓치게 함. '自一其便'《史記》. '勿一其時'《孟子》. ②빼앗길탈 전항(前項)의 피동사. '身折勢一, 而以憂死'《史記》. ③떠날탈 사라짐. '精氣一則虛也'《素問》. ④오를탈 올라감. '一, 敓也'《廣雅》. ⑤어지럽힐탈 '給一, 慈仁'《禮記》. ⑥그르칠탈 잘못함. '一, 誤也'《廣雅》. ⑦성탈 성(姓)의 하나. ⑧좁은길탈 소로(小路). '襲莒于一'《禮記》.
[字源] 會意. 金文은 衣+雀+寸

大 11 〔[大+戈+至]〕 14 [一] 질 [入]質 [二] 절 [入]屑 | zhì チツ おおきい テツ おおきい

[字解] [一] ①클질 '一, 大也'《說文》. ②성할질 '一, 盛也'《集韻》. [二] 클절, 성할절 [一]과 뜻이 같음.
[字源] 形聲. 大+戈+至〔音〕

大 11 〔奩〕 14 〔렴〕
匳(匚부 13획〈124〉)의 俗字

大 11 〔奬〕 14 [高·人] 장 [上]養 | jiǎng ショウ すすめる, たすける

[筆順] 丨 丬 丬夕 丬夕 丬夕 將 奬 奬

[字解] ①도울장 조성(助成)함. '一王室'《左傳》. ②권면할장 ㉠권장함. '一勵'. '尊尙師儒, 發揚勸一, 海內知嚮'《唐書》. ㉡개를 부추김. '一, 嗾犬厲之也'《說文》. ㉢알선함. 추천함. '眺好一人才'《南史》. ③표창할장 상줌. '恩一'. '賚一優華'《唐書》.
[字源] 形聲. 犬+將〔音〕
[參考] 《說文》에서는 犬部에 속하여, '獎'으로 쓰는 것이 옳다 하지만, 예로부터 '奬'이 사용되었음. 《廣韻》에서는 '弊'으로 보임.

大 11 〔奫〕 14 大부 12획(次條)을 보라.

大 12 〔奫〕 15 [人名] 윤 [平]眞 | yūn イン いずみのみず

[筆順] 一 大 夳 夳 奫 奫 奫 奫

[字解] ①물충충할윤 물이 깊고 넓은 모양. '一一'. '泓澄一潫'《左思》. ②샘물윤 솟아나오는 물. '一, 泉水'《廣韻》.
[字源] 形聲. 大+淵〔音〕

大 12 〔奭〕 15 [人名] [一] 석 [入]陌 [二] 혁 [入]陌 | shì セキ さかん xì カク あかい

[筆順] 一 一 丆 百 百 百丆 百百 奭

[字解] [一] ①클석. ②성낼석 결냄. '有如兩宮一將軍'《漢書》. [二] 붉을혁 빨간 모양. '路車有一'《詩經》.
[字源] 會意. 大+皕

大 12 〔[奞+衣]〕 15 〔탈〕
奪(大부 11획〈238〉)의 古字

大 12 〔[敝+大]〕 15 〔폐〕
弊(廾부 12획〈357〉)와 同字

〔樊〕 〔번〕
木부 11획(571)을 보라.

大 13 〔奯〕 16 활 [入]曷 | huò カツ ひろびろと おおきい

[字解] ①훤할활 너르고 큼. '一, 空大也'《說文》. ②부릅뜰활 눈을 크게 뜸. '一, 大開目也'《廣韻》.
[字源] 形聲. 大+歲〔音〕

大 13 〔[㬎+大]〕 16 [一] 언 [平]願 [二] 헌 [平]先 | yán エン おおきい ケン おおきい

字解 ㊀클언, 기쓸언 큰 모양. 또, 분기(奮起)함. '一, 大皃. 或曰, 拳勇字'《說文》. ㊁클헌, 기쓸헌 ㊀과 뜻이 같음.
字源 形聲. 大+𡘻〔音〕

大 13 〔奮〕16 高·人 분 ㊄問 fèn フン ふるう
筆順 大 衣 夲 奞 奞 奞 奮 奮
字解 ①떨칠분 ㉠세게 흔듦. '一躍'. '不能一飛'《詩經》. ㉡진동(震動)함. '雷出地一'《易經》. ㉢분발함. 분발시킴. '一志氣'. '能一庸'《書經》. ㉣결냄. 분격(憤激)함. '一怒'. '怨秦破項梁軍一'《史記》. ㉤들날림. '一揚'. '一至德之光'《禮記》. ②휘두를분 손에 잡고 휘휘 돌림. '手一長刀'《宋書》. ③성분 성(姓)의 하나.
字源 會意. 金文은 衣+隹+田

大 13 〔奞〕16 奮(前條)의 俗字

大 13 〔𡚁〕16 〔무〕 無(火부 8획〈716〉)와 同字

大 13 〔𡚂〕16 〔슬〕 瑟(玉부 9획〈776〉)의 古字

大 14 〔奭〕17 〔석〕 奭(大부 12획〈238〉)의 古字

大 15 〔奰〕18 비 ㊄寘 bèi ヒ さかん, いかる
字解 ①성낼비 결냄. '內一于中國'《詩經》. ②장할비 장대(壯大)함. '寒氣奰一 頑無風'《韓愈》. ③핍박할비 바싹 죄어 괴롭게 굶. '姦回內一'《沈不害》.
字源 會意. 《說文》에는 三大+三目

大 19 〔奱〕22 련 ㊥先 luán レン ひく, よじる
字解 끌련, 기어오를련 '一, 樊也'《說文》.
字源 形聲. 廾+䜌〔音〕

大 21 〔𡙸〕24 奰(前前條)의 本字

大 21 〔奲〕24 ㊀차 ㊤馬 chě シャ ゆるやか ㊁타 ㊤哿 duǒ タ とむ
字解 ㊀너그러울차 관대함. '一, 寬大也'《廣韻》. ㊁풍부할타, 무거워늘어질타 '一, 富一一皃'《說文》. '一, 鍇曰, 謂重而垂也'《繫傳》.
字源 形聲. ㊀은 單+奢〔音〕. ㊁는 奢+單〔音〕

女 部

〔계집녀부〕

女 0 〔女〕3 中·人 ㊀녀 ㊤語 ㊄御 ①-④nǚ ジョ·ニョ おんな ⑤nǜ ジョ·ニョ めあわす ㊁여 ㊤語 rǔ ジョ·ニョ なんじ
筆順 ㄑ 女 女
字解 ㊀①계집녀 여자. '一人'. '坤道成一'《易經》. ②딸녀 여식(女息). 또, 처녀. '長一'. '釐降二一于嬀汭'《書經》. ③별이름녀 이십팔수(二十八宿)의 하나. 현무 칠수(玄武七宿)의 셋째 성수(星宿)로서, 별 셋으로 구성됨. 여수(女宿). ④성녀 성(姓)의 하나. ⑤시집보낼녀 '一于時'《書經》. '一, 以一妻人也'《廣韻》. ㊁너여 汝(水부 3획〈627〉)와 同字. '一知之乎'《孝經》.
字源 象形. 두 손을 얌전히 포개고 무릎을 꿇은 여성을 본뜸.
參考 '女'를 의부(意符)로 하여, 여러 가지 여자의 심리를 나타내는 문자나, 여성적인 성격·행위, 남녀 관계 등에 관한 글자를 이룸.

女 2 〔奴〕5 高·人 노 ①㊥虞 ②㊄遇 nú ド やっこ, やつ
筆順 ㄑ 女 女 奴 奴
字解 ①종노 남자종. '一僕'. '耕當問一'《宋書》. ②놈노 남의 천칭(賤稱). '一輩利吾家財'《晉書》. 또, 여자의 겸칭(謙稱). '楊太妃, 垂簾與群臣語, 猶自稱一'《宋史》.
字源 會意. 女+又

女 2 〔㚢〕5 奴(前條)의 古字

女 2 〔奶〕5 내 ㊤蟹 nǎi ダイ·ナイ ちち, うば
字解 젖내, 젖어미내 嬭(女부 14획〈266〉)의 俗字. '嬭, 俗讀乃, 改作一'《正字通》. '今人呼乳爲一, 呼乳娘爲一娘'《直語補證》.
字源 形聲. 女+乃〔音〕

女 2 〔妃〕5 〔비〕 妣(女부 4획〈242〉)의 籀文

女 2 〔㚣〕5 〔낭〕 娘(女부 7획〈250〉)의 俗字

女3〔奻〕6 난 (平)刪 | nuán ダン・ナン あらそう

字解 다툴난 말다툼함. '一, 訟也'《說文》.
字源 會意. 女＋女

女3〔奸〕6 간 ①-③(平)寒 ④(平)刪 | gān jiān カン おかす

字解 ①범할간 침범함. '使神人各處其所而不相一'《漢書》. ②구할간 요구함. 干(部首〈340〉)과 통용. '以一直忠'《漢書》. ③어지럽힐간 '一, 亂也'《玉篇》. ④간음할간, 간악할간 姦(女부 6획〈246〉)과 통용. '一淫'. '一賊'. '抑一細不譎之徒'《晉書》.
字源 形聲. 女＋干〔音〕

女3〔好〕6 中·人 호 ①-⑥(上)皓 ⑦-⑫(去)號 | hǎo コウ よい hào コウ このむ

筆順 ㄑ 女 女 女' 好 好
字解 ①아름다울호 미려함. '一女'. '齊國中女子, 一者八十人'《史記》. ②좋을호 ㉠훌륭함. 또, 마음에 듦. '一士'. '緇衣之一兮'《詩經》. ㉡바름. '領惡而全一'《禮記》. ㉢화목함. 사이가 좋음. '妻子一合'《詩經》. ③정의호 친선(親善)의 정(情). '邦君爲兩君之一'《論語》. ④잘호 ㉠곧잘. 자칫하면. '一蔽美而嫉妬'《楚辭》. ㉡능숙히. '一爲之'《宋史》. ⑤끝날호 완료함. '粧一方長歎'《韓偓》. ⑥기뻐할호 '驕人一一, 勞人草草'《詩經》. ⑦심히호 대단히. 방언(方言)임. '一大'(대단히 큼). '一快'(퍽 상쾌함). ⑧좋아할호 '一事'. '如一一色'《大學》. 또, 좋아하는 바. '將吏異一'《論衡》. ⑨사랑할호 '惟仁者能一人, 能惡人'《論語》. ⑩구멍호 구슬 또는 돈의 구멍. '璧羨度尺, 一三寸以爲度'《周禮》. ⑪즐겨호 버릇으로 늘. 자주. '一與諸生語'《漢書》. ⑫성호 성(姓)의 하나.
字源 會意. 女＋子

女3〔妁〕6 작 (入)藥 | shuò シャク なこうど

字解 ①중매작 酌(酉부 3획〈1531〉)과 同字. '晩嫁由拙一'《蘇軾》. ②성작 성(姓)의 하나.
字源 形聲. 女＋勺〔音〕

女3〔如〕6 中·人 여 (平)魚 | rú ジョ・ニョ ごとし

筆順 ㄑ 女 女 如 如 如
字解 ①같을여 ㉠다르지 않음. '一前'. '君之視臣一犬馬, 則臣視君一國人'《孟子》. ㉡…는 것같이 생각됨. '心一結兮'《詩經》. ㉢비슷함. 닮음. '丞相一有驕主色'《漢書》. ㉣동등함. '一, 均也'《廣雅》. ㉤어깨를 나란히 함. 필적함. '可爲觀一緱氏城'《史記》. ㉥지시(指示)의 말. …같은 것은. '一其文也, 亦少褒也'《史記》. ②같이할여 똑같이 함. '一農夫之務去草焉'《左傳》. ③좇을여 따름. 순종함. '項羽使人還報懷王, 懷王曰一約'《史記》. ④어조사여 조사(助辭). 형용사의 어미에 붙여 '然'과 같은 뜻으로 쓰임. '突一'. '勃一'. '申申一也, 夭夭一也'《論語》. ⑤갈여 '一仁川'. '襄子一廁'《史記》. ⑥미칠여 상당(相當)함. 及(又부 2획〈141〉)과 뜻이 같음. '自以爲不一, 闚鏡而自視, 又弗一遠甚'《戰國策》. ⑦만일여 만약. '一或'. '一有王者'《論語》. ⑧여하여 의문의 말. 대개는 '一何'·'何一'로 연용(連用)함. '其一台'《史記》. ⑨쯤여 정도. '出一食頃, 秦追果至關'《史記》. ⑩말이을여 而(部首〈1049〉)와 뜻이 같음. '星隕一雨'《漢書》. ⑪성여 성(姓)의 하나.
字源 形聲. 口＋女〔音〕

女3〔她〕6 ㊀지 (平)支 ㊁자 (上)馬 ㊂타 (現) | chí チ おんなのあざな jiě シャ はは tā タ かのじょ

字解 ㊀여자의자(字)지 여자의 본이름 외에 붙이는 자(字). '一, 女字'《集韻》. ㊁어머니자 모친. '蜀謂母曰姐, 或作一'《集韻》. ㊂《現》그녀타 여성(女性)의 제3인칭.
字源 形聲. 女＋也〔音〕

女3〔妃〕6 高·人 ㊀비 (平)微 ㊁배 (去)隊 | fēi ヒ きさき pèi ハイ つれそう

筆順 ㄑ 女 女 女ㄱ 妇 妃
字解 ㊀왕비비 황제의 으뜸가는 첩. '一嬪'. '舜葬於蒼梧之野, 蓋三一未之從也'《禮記》. 또, 왕·황태자·황족의 정실(正室). '皇太子納一'《唐書》. ㊁①짝배, 배우자될배 配(酉부 3획〈1531〉)와 同字. '天子之一曰后'《禮記》. '一, 匹也'《集韻》. ②짝지을배 배합함. '一以五成'《左傳》.
字源 會意. 女＋己

女3〔⿰女弋〕6 익 (入)職 | yì ヨク・イキ じょかん

字解 궁녀익 여관(女官). 부관(婦官). '六宮三妃三一'《北史》.
字源 形聲. 女＋弋〔音〕

女3〔奼〕6 타(차(本)) (上)馬 (去)禡 | chà タ おとめ

字解 ①소녀타. ②자랑할타 자찬(自讚)함. '子虛過一烏有先生'《司馬相如》. ③아

리따울타 아름다움. 미녀(美女). '閑愛老農愚, 歸弄少女一'《韓愈》. ※本音 차.
[字源] 形聲. 女+乇〔音〕

女3〔妇〕6 〔부〕婦(女부 8획〈253〉)의 俗字·簡體字

女3〔姰〕6 구 ㊤有 jiū キュウ·ク おんなのあざな
[字解] ①수절할구 과부가 수절하여 개가(改嫁)하지 않음. '一, 嫠婦守貞不移也'《正字通》. ②여자의자구 '一, 女字也'《說文》.
[字源] 形聲. 女+久〔音〕

女3〔𡚾〕6 번 ㊇願 fàn ハン かしこいおんな
[字解] 영리한여자번 머리의 회전이 빠른 여자. '一, 女之慧而貝者'《六書統》.
[字源] 形聲. 女+凡〔音〕

女3〔改〕6 기 ㊤紙 jǐ キ おんなのあざな
[字解] 계집이름기 '妲一'는 주왕(紂王)의 아내. '紂嬖於婦人, 愛妲一'《史記》.
[字源] 形聲. 女+已〔音〕

女3〔妆〕6 〔장〕妝(女부 4획〈243〉)의 略字·簡體字

女3〔妄〕6 [高·人] 망 ㊇漾 wàng モウ·ボウ みだり
[筆順] ˋ 亠 亡 㠩 妄 妄
[字解] ①허망할망 거짓되고 망령됨. '一言'. '此亦一人也已矣'《孟子》. ②거짓망 사실 혹은 진실이 아님. '認一爲眞'《圓覺經》. ③무릇망 대개. '諸一校尉以下'《漢書》. ④잊을망 忘(心부 3획〈377〉)과 뜻이 같음.
[字源] 形聲. 女+亡〔音〕

女3〔㚣〕6 妄(前條)의 本字

女4〔妊〕7 [人名] 임 ㊇沁 ㊥侵 rèn ニン はらむ
[筆順] 𡿨 女 女 女' 妊 妊 妊
[字解] 애밸임 姙(女부 6획〈246〉)과 同字. '不孳一'《埤雅》.
[字源] 形聲. 女+壬〔音〕

女4〔妍〕7 〔연〕姸(女부 6획〈248〉)의 俗字

女4〔妢〕7 분 ㊥文 fēn フン くにのな
[字解] 분나라분 '一胡'는 초(楚)나라 부근에 있었던 나라 이름. '一胡, 胡子之國, 在楚旁'《周禮 註》.

女4〔妓〕7 기 ①②㊤紙 ③㊥支 jì ギ うたいめ キ しな
[字解] ①기생기, 갈보기 '一女'. '娼一'. '不如銅雀臺上一'《世說》. ②미녀기 아름다운 여자. '一, 美女也'《華嚴經音義》. ③교태지은모습기 '一嫈, 態皃'《廣韻》.
[字源] 形聲. 女+支〔音〕

女4〔妘〕7 운 ㊥文 yún ウン せい
[字解] ①성운 성(姓)의 하나. '一, 祝融之後姓也'《說文》. ②여자의자(字)운 여자의 본이름 외에 붙이는 자(字). '一, 一曰, 女字'《集韻》.
[字源] 形聲. 女+云〔音〕

女4〔妖〕7 ㊀요 ㊥蕭 yāo ヨウ なまめく ㊁교 ㊤巧 jiāo コウ うつくしい
[字解] ㊀ ①아리따울요 요염하도록 아름다움. '一艶'. '貌嫽妙以一蠱兮'《傅毅》. ②괴이할요 기괴(奇怪)함. '一雲'. '語涉妄一'《唐書》. ③재앙요 재화. 또는, 재화의 전조. '災一'. '人棄常則一興'《左傳》. ④요귀요 요사한 귀신. '一精'. '一怪'. '洪範所謂鼓一者也'《漢書》. ㊁ 아름다울교 姣(女부 6획〈247〉)와 同字.
[字源] 形聲. 篆文은 女+芺〔音〕

女4〔妙〕7 [中·人] 묘 ㊇嘯 miào ミョウ たえ
[筆順] 𡿨 女 女 女] 如 妙 妙
[字解] ①묘할묘 ㉠신묘(神妙)함. 불가사의함. '靈一'. 또, 신묘한 일. '玄之又玄, 衆一之門'《老子》. ㉡정묘함. 아주 잘 됨. '微一'. '一技'. ㉢정치(精緻)함. 공이 듦. '精一'. '一, 精微也'《正字通》. ㉣더없이 그윽함. '以觀其一'《老子》. ②젊을묘 나이가 스물 안짝임. '一齡'. '明公獨一年'《杜甫》. ③예쁠묘 아리따움. '一麗善舞'《漢書》.
[字源] 會意. 女+少

女4〔妧〕7 완 ㊥元 ㊇翰 yuàn ゲン おんなのあざな wàn ガン おんなのあざな
[字解] ①여자의자(字)완 본이름 외에 붙이는 자(字). '一, 女字'《集韻》. ②아리따울완 예쁜 모양. '一, 字林, 好皃'《集韻》.
[字源] 形聲. 女+元〔音〕

女 4 〔妣〕 7 비 [上]紙 [去]寘 | bǐ ヒ はは

[字解] ①어미비 모친. '父爲考母爲一'《爾雅》. ②죽은어미비 옛날에는 부모를 생전에도 고비(考妣)라 일컬었으나, 후세에는 오로지 사후(死後)에만 일컫게 되었음. '生曰父母, 死曰考一'《禮記》.
[字源] 形聲. 女+比〔音〕

女 4 〔妤〕 7 여 [平]魚 | yú ヨ じょかん

[字解] 궁녀여 '婕一'는 한대(漢代) 여관(女官)의 하나.
[字源] 形聲. 女+予〔音〕

女 4 〔妉〕 7 담 [平]覃 | dān タン たのしむ

[字解] 즐길담 좋아함. '一, 樂也'《爾雅》.

女 4 〔妨〕 7 [高·人] 방 [平]陽 [去]漾 | fáng, fāng ボウ さまたげる

[筆順] ㄑ 𡚨 女 女' 女亠 妨 妨
[字解] ①거리낄방 장애가 됨. '宇宙隘而一'《韓愈》. 또, 거리끼는 일. 장애. '太子勇數被讒毁, 歎曰, 我大覺身一'《隋書》. ②헤살놓을방 방해함. '一止'. '儒道兩相一'《陳子昂》. ③상할방 해침. '一, 害也'《說文》.
[字源] 形聲. 女+方〔音〕

女 4 〔妎〕 7 [一] 개 [去]卦 | xiè カイ ねたむ
[二] 혜 [去]霽 | hài ケイ おおう

[字解] [一] 시새울개 시기함. '人無一物之心'《路史》. [二] 덮을혜 덮어 가림. '弭其百苛, 一其讒慝'《國語》.
[字源] 形聲. 女+介〔音〕

女 4 〔姌〕 7 념 [上]琰 | rǎn ゼン・ネン かほそい

[字解] ①날씬할념 여자의 모습이 가냘프고 늘씬한 모양. '一, 弱長皃'《說文》. ②가냘플념 섬세함. '一, 纖細也'《集韻》.
[字源] 形聲. 女+冄〔音〕

女 4 〔妐〕 7 종 [平]冬 | zhōng ショウ こじゅうと

[字解] ①아주버니종 남편의 형. ②시아버지종 남편의 아버지. '姑一知之'《呂氏春秋》. ③손윗시누이종 남편의 누님. '女一, 謂壻之姊也'《禮記 疏》.

女 4 〔妠〕 7 [一] 납 [入]合 | nà ドウ・ノウ めとる
[二] 놜 [入]黠 | nà ダツ・ネチ こえる

[字解] [一] ①장가들납 '一, 娶也'《集韻》. ②모을납 물건을 모음. '一, 始一, 聚物'《廣韻》. [二] 살질놜 '婠一'은 어린애가 토실토실 살찐 모양. '巴豔收婠一'《韓愈》.
[字源] 形聲. 女+內〔音〕

女 4 〔妗〕 7 [一] 첨 [平]鹽 | xiān セン しなよくわらう
[二] 함 [平]咸 | xiān カン かるがるしい
[三] 금 [去]沁 | jìn キン おば

[字解] [一] ①싱글벙글할첨 얌전히 웃음. '一, 㛤也'《說文》. ②아름다울첨 '一, 美也'《廣韻》. [二] ①계집방정스러울함 여자가 방정맞음. '一, 女輕薄皃'《集韻》. ②기뻐할함 '一, 喜皃'《廣韻》. [三] 외숙모금 어머니의 형제의 아내. '俗謂舅母曰一'《集韻》.
[字源] 形聲. 女+今〔音〕

女 4 〔妒〕 7 〔투〕
妬(女부 5획〈243〉)와 同字

[字源] 形聲. 女+戶〔音〕

女 4 〔妜〕 7 [一] 열 [入]屑 | yuè エツ はなすじ
[二] 결 [入]屑 | jué ケツ うつくしい

[字解] [一] ①콧날열 콧날의 표정(表情). '一, 鼻目間皃'《說文》. ②예쁠열 아름다움. '一, 娟也'《廣韻》. ③걱정하여시새울열 '一, 憂妒也'《字彙》. ④성낼열, 걱정할열 '一, 一曰, 怒也. 憂也'《集韻》. [二] 아름다울결 예쁜 모양. '一, 美皃'《集韻》.
[字源] 形聲. 女+夬〔音〕

女 4 〔妦〕 7 봉 [平]冬 | fēng ホウ みめよい

[字解] ①아름다울봉 예쁘고 몸이 가벼움. '秦晉之間, 凡好而輕者, 謂之娥. …趙魏燕代之間, 曰姝, 或曰一'《揚子方言》. ②토실토실할봉 풍만(豐滿)한 모양. '丰, 方言作一'《詩經 釋文》.

女 4 〔妌〕 7 정 [上]梗 [去]敬 | jìng セイ しずか

[字解] ①고요할정 '一, 靜也'《說文》. ②깨끗할정 여자가 정결(貞潔)함. '一, 女人貞絜也'《廣韻》.
[字源] 形聲. 女+井〔音〕

女 4 〔妋〕 7 [一] 부 [平]虞 | fū フ むさぼる
[二] 우 [平]尤 | yōu ユウ むさぼる

[字解] [一] ①탐할부 탐내는 모양. '一, 玉篇云, 貪皃'《廣韻》. ②원망할부 여자가 눈을 부릅뜨고 눈살을 찌푸리며 원망하는 모양. '一, 鼻目間有恨也'《集韻》. [二] 탐할우, 원망할우 [一]과 뜻이 같음.

女 4 〔⿰女殳〕 7 주 [平]虞 | shū シュ みめよい

字解 예쁠주 아름다움. 姝(女부 6획〈246〉)와 同字. '一, 好也. 詩曰, 靜女其一'《說文》.
字源 形聲. 女＋殳〔音〕

女4 〔妞〕7 뉴 ㊤有 | niū ジュウ·チュウ·ニュ しょうじょ
字解 ①성뉴 성(姓)의 하나. ②계집아이뉴 '一一'는 소녀(少女). '把一一抱過來罷'《紅樓夢》.

女4 〔姼〕7 〔제〕 姼(女부 6획〈248〉)와 同字

女4 〔㚸〕7 호 ㊦號 ㊤晧 | hào コウ このむ コウ みめよい
字解 ①좋아할호 好(女부 3획〈240〉)와 통용. '好, 愛也. 通作一'《集韻》. ②예쁠호 好(女부 3획〈240〉)의 古字. ③성호 성(姓)의 하나.
字源 形聲. 女＋丑〔音〕

女4 〔妝〕7 장 ㊥陽 | zhuāng ソウ·ショウ よそおう
字解 단장할장, 단장장 화장함. 또, 화장. 粧(米부 6획〈969〉)과 同字. '一梳'. '濯一於此溪上源'《述異記》.
字源 形聲. 女＋爿〔音〕

女4 〔妥〕7 中·人 타 ㊤哿 | tuǒ ダ やすらか, おだやか
筆順 一 ⺁ ⺈ 爫 妥 妥 妥
字解 ①편안할타 무사함. 안태함. '一安'. '以一以侑'《詩經》. ②온당할타 마땅함. '一當'. ③떨어질타 墮(土부 12획〈221〉)와 同字. '花一鶯捎蝶'《杜甫》.
字源 會意. 爪＋女

女4 〔妟〕7 ㊀안 ㊦諫 ㊁연 ㊦霰 | yàn アン やすらか エン ひので
字解 ㊀편안할안, 편안히할안 '一, 安也. 詩曰, 已一父母'《說文》. ㊁산뜻한해돋이연 '一, 日出淸明也'《集韻》.
字源 會意. 女＋日

女5 〔妬〕8 투 ㊦遇 | dù ト ねたむ
字解 ①강샘할투 투기함. '嫉一'. '女無美惡, 入宮見一'《史記》. ②시새울투 시기함. '爵高者, 人一之'《列子》.
字源 形聲. 女＋石〔音〕

女5 〔妲〕8 달 ㊇曷 | dá ダツ おんなのあざな
字解 계집이름달 '一己'는 은(殷)나라 주왕(紂王)의 아내.
字源 形聲. 女＋旦〔音〕

女5 〔妹〕8 中·人 매 ㊦泰 ㊦隊 | mèi マイ いもうと
筆順 ㄑ 女 女 女一 女二 奸 妹 妹
字解 ①누이매 ㉠손아랫누이. '姊一'. '東宮之一'《詩經》. ㉡나이가 아래인 여자의 애칭(愛稱). '俔天之一'《詩經》. ②영락한계집매 '歸一, 衰落之女也'《易經 註》.
字源 形聲. 女＋未〔音〕
參考 妺(次條)은 別字.

女5 〔妺〕8 말 ㊇曷 | mò マツ おんなのあざな
字解 계집이름말 '一喜'는 하(夏)나라 걸왕(桀王)의 아내.
字源 形聲. 女＋末〔音〕
參考 妹(前條)는 別字.

女5 〔姁〕8 후 ㊥虞 ㊤麌 ㊦遇 | xū xǔ xù ク たのしむ, ばば
字解 ①예쁠후 아름다움. ②즐거워할후 서로 즐거워하는 모양. '子母一一然相樂也'《呂氏春秋》. ③할미후 노파.
字源 形聲. 女＋句〔音〕

女5 〔妷〕8 핍 ㊇洽 | fá ホウ みめよい
字解 ①얌전할핍 부인(婦人)의 얌전한 모습. '一, 婦人皃'《說文》. ②어여쁠핍 '一, 好也'《廣雅》.
字源 形聲. 女＋乏〔音〕

女5 〔姆〕8 모(무本) ㊤麌 | mǔ ボ うば
字解 ①유모모 젖어머니. '一抱幼子立側'《韓愈》. ②여스승무 여선생. '一教'. '古者婦人五十無子, 出不復嫁, 以婦道教人者, 謂一'《新字典》. ※本音 무.
字源 形聲. 篆文은 女＋每〔音〕

女5 〔姉〕8 中·人 자 ㊤紙 | zǐ シ あね
筆順 ㄑ 女 女 女一 女ㄧ 姉 姉 姉
字解 ①누이자 ㉠손윗누이. '一妹'. '遂及伯一'《詩經》. ㉡여자를 친숙하게 또는 공경하는 뜻을 나타내어 이르는 말. '階前逢阿一'《李商隱》. ②어머니자 생모(生母). '一, 北齊太子稱生母爲一一'《正字通》.
字源 形聲. 女＋㐫〔音〕
參考 姊(次條)는 俗字.

女 5〔姉〕8 [中·人] 姊(前條)의 俗字

[筆順] ㄑ 女 女 女' 女ㅗ 女亠 女市 姉

女 5〔始〕8 [中·人] 시 [上]紙 | shǐ シ はじめ

[筆順] ㄑ 女 女 女ム 女厶 始 始 始

[字解] ①처음시 ㉠시초. '一末'. '君子以作事謀一'《易經》. ㉡근본. 근원. '無名天地之一'《老子》. ㉢최초에. 처음에. '一作俑者'《孟子》. ㉣이전에 '一余初冠, 應進士'《韓愈》. ②비롯할시 시작함. '立愛自親一'《禮記》. ③비로소시 처음으로. '一用六佾'《左傳》. ④성시 성(姓)의 하나.

[字源] 形聲. 女+台〔音〕

女 5〔姃〕8 [人名] 정 [平]庚 | zhēng セイ·ショウ ただしい

[筆順] ㄑ 女 女 女一 女丅 女下 女F 姃

[字解] ①단정할정 여자의 자태가 바름. '一, 女容端莊'《正字通》. ②여자의자(字)정 여자의 본이름 외의 자(字). '一, 女字'《集韻》.

[字源] 形聲. 女+正〔音〕

女 5〔妗〕8 [人名] 령 [平]青 | líng レイ·リョウ さかしい

[筆順] ㄑ 女 女 女' 女人 女亼 妗 妗

[字解] ①여자의자(字)령 본이름 외에 붙이는 여자의 자(字). '一, 女字'《集韻》. ②여자영리할령 여자가 예쁘고 영리함. '一, 女佼慧也'《正字通》.

[字源] 形聲. 女+令〔音〕

女 5〔姍〕8 ㊀산 [平]刪 | shān サン そしる
㊁선 [平]先 | xiān セン なよなよとあるく

[字解] ㊀①헐뜯을산 비방함. '一咲三代'《漢書》. ②잘생길산 아름다움. '一, 好也'《廣雅》. ㊁비트적거릴선 절룩거리며 걷는 모양. '立而望之, 何一一其來遲'《漢書》.

[字源] 形聲. 女+刪〈省〉〔音〕

女 5〔姐〕8 저(자[本]) ①②[上]馬 | jiě シャ あね
③[去]御 | jù ショ おごる

[字解] ①누이저 손윗누이. '近世稱女兄爲一'《通俗編》. ②계집아이저 여자의 통칭(通稱). '大一'. '小一'. ③교만할저 오만함. '恃愛肆一'《嵇康》. ※本音 자.

[字源] 形聲. 女+且〔音〕

女 5〔姑〕8 [高·人] 고 [平]虞 | gū コ しゅうとめ

[筆順] ㄑ 女 女 女一 女十 女古 姑 姑

[字解] ①시어미고 ㉠남편의 어머니. '舅一'. '夫之母曰一'《爾雅》. ㉡또, 시누이는 '小一'. ㉢장모는 '外一'. ②고모고 아버지의 자매. '一壻'. '問我諸一'《詩經》. ③계집고 여자. 부녀. '紂棄黎老之言, 用一息之謀'《尸子》. ④잠시고 조금 동안. 일시. '子一待之'. '一惟教之'《書經》.

[字源] 形聲. 女+古〔音〕

女 5〔姒〕8 사 [上]紙 | sì シ あね, あいよめ

[字解] ①손윗동서사 남편의 형의 아내. '娣婦謂長婦爲一婦'《爾雅》. ②동서사 여자 동서끼리 서로 부르는 호칭(呼稱). ③언니사 여형(女兄). '女子同出, 先生爲一, 後出爲娣'《爾雅》. ④성사 중국 하(夏)나라의 창시자 우(禹)임금의 성. '禹爲一姓'《史記》.

[字源] 形聲. 女+以〔音〕

女 5〔姖〕8 姒(前條)의 古字

女 5〔姓〕8 [中·人] 성 [去]敬 | xìng セイ かばね

[筆順] ㄑ 女 女 女' 女ㅡ 女 姓 姓

[字解] ①성성 성씨. '一名'. '天子建德, 因生以賜一'《左傳》. ②겨레성 씨족. '振振公一'《詩經》. ③아들성 낳은 아들. '問其一'《左傳》.

[字源] 形聲. 女+生〔音〕

女 5〔姏〕8 담 [平]覃 | mán, qián バン·マン ばば

[字解] 할미담 노파. 또, 노파의 자칭(自稱). '一姆尼僧, 尤爲親暱'《晉書》.

[字源] 會意. 女+甘

女 5〔妯〕8 ㊀축 [入]屋 | zhóu(zhú) チク あいよめ
㊁추 [平]尤 | chōu チュウ うごく

[字解] ㊀동서축 '一娌'는 형제의 아내가 서로 부르는 호칭. ㊁두근거릴추 동계(動悸)함. '憂心且一'《詩經》.

[字源] 形聲. 女+由〔音〕

女 5〔妮〕8 니 [平]支 | nī(ní) ジ·ニ はしため

[字解] 종니 계집종. '今人呼婢曰一'《六書故》.

[字源] 形聲. 女+尼〔音〕

女5〔妵〕8 [人名] 주(투[本]) ㊤有 | tǒu トウ おんなのあざな

[筆順] ㇛ 女 女 女' 女亠 女亡 妵 妵

[字解] ①여자이름자(字)주 '一, 女字也'《說文》. ②예쁠주. ※本音 투.

[字源] 形聲. 女+主〔音〕

女5〔姅〕8 반 [去]翰 | bàn ハン つきのもの

[字解] 경도반 월경(月經).

[字源] 形聲. 女+半〔音〕

女5〔姖〕8 거 ㊤語 | jù キョ やまのな

[字解] ①산이름거 '吳一'는 산의 이름. '大荒之中有山, 名日月山. 天樞也. 吳一天門, 日月所入'《山海經》. ②사람이름거 '有金門之山有人, 名曰黃一之尸'《山海經》. ③성거 성(姓)의 하나.

女5〔姎〕8 앙 [平]陽 ㊤養 [去]漾 | yāng オウ わたくし

[字解] 나앙 부인(婦人)의 자칭(自稱). '一, 女人自稱'《廣韻》.

[字源] 形聲. 女+央〔音〕

女5〔妭〕8 발 [入]曷 | bá ハツ みめよいふじん

[字解] ①고운부인발 '一, 美婦也'《說文》. ②아내발 처(妻). '一, 羌人謂婦曰一'《集韻》. ③옷자락끌발 '一姍'은 부인이 걸을 때 치맛자락을 땅에 끄는 모양. '一姍, 婦人行, 衣曳地皃'《集韻》. ④가물귀신발 '女一'은 가물을 맡은 신(神). 魃(鬼부 5획〈1781〉)과 同字. ⑤천자의사격발 '一, 天子射擊也'《篇海》.

[字源] 形聲. 女+犮〔音〕

女5〔⿰女戉〕8 월 [入]月 | yuè エツ かるい

[字解] ①가벼울월 몸이 가벼움. '一, 輕也'《說文》. ②어리석을월 '一, 一曰, 愚也'《集韻》.

[字源] 形聲. 女+戉〔音〕

女5〔⿰女占〕8 [一] 점 [平]鹽 | chān セン かよわい
[二] 첩 [入]葉 | ショウ かよわい

[字解] [一] ①가냘플점 작고 약함. '一, 小弱也'《說文》. ②계집경박할점 여자가 경박하여 잘 달리는 모양. '一, 一曰, 女輕薄善走也'《說文》. ③재주많을점 '一, 一曰, 多技執也'《說文》. [二] 가냘플첩, 계집경박할첩, 재주많을첩 [一]과 뜻이 같음.

[字源] 形聲. 女+占〔音〕

女5〔妸〕8 〔아〕 婀(女부 8획〈253〉)의 本字

[字源] 形聲. 女+可〔音〕

女5〔妷〕8 〔질〕 姪(女부 6획〈247〉)과 同字

[字源] 形聲. 女+失〔音〕

女5〔姌〕8 〔념〕 姩(女부 4획〈242〉)과 同字

女5〔妳〕8 〔내〕 嬭(女부 14획〈266〉)의 俗字

女5〔⿸歺女〕8 찬 [平]翰 | càn サン うつくしい

[字解] 예쁠찬 '一, 美也'《說文》.

[字源] 形聲. 女+歺(歺)〔音〕

女5〔妻〕8 [中·人] 처 ①[平]齊 | qī ②[去]霽 | qì サイ つま

[筆順] 一 ㇇ ⺕ 亖 ⺕ 㚡 妻 妻 妻

[字解] ①아내처 '一妾'. '取一不取同姓'《禮記》. ②시집보낼처 '以其子一之'《論語》.

[字源] 會意. 屮+又+女

女5〔妾〕8 [高·人] 첩 [入]葉 | qiè ショウ めかけ

[筆順] ' 亠 ⼗ 立 产 妾 妾 妾

[字解] ①첩첩 ㉠작은마누라. 소실(小室). '愛一'. '聘則爲妻, 奔則爲一'《禮記》. ㉡여자의 겸칭(謙稱). '一自有隱居之服'《後漢書》. ②시비첩 좌우에 두고 부리는 부녀. '一媵'. '共姬之一'《左傳》. ③계집아이첩 '處一'. '諸一遇之而孕'《漢書》. ④성첩 성(姓)의 하나.

[字源] 會意. 辛+女

女5〔委〕8 [高·人] 위 ㊤紙 [去]寘 [平]支 | ①-⑩wěi イ ゆだねる ⑪wèi イ そうこ ⑫wēi イ ゆったり

[筆順] 一 二 千 禾 禾 委 委 委

[字解] ①맡길위 ㉠위임함. '一託'. '一之常秩'《左傳》. ㉡자유로 하게 함. 내버려 둠. '親一重罪'《國語》. ②쌓을위 축적함. '一積'. '詔書雲一'《唐書》. ③버릴위 내버림. '一棄'. '一之於壑'《孟子》. '一而去之'《孟子》. ④따를위 순종함. '一, 一隨也'《說文》. ⑤굽힐위 구부림. '一質爲臣'《後漢

書》. ⑥자세할위 세밀함. '一曲'. '是一細屈曲街巷之禮'《禮記》. ⑦끝위 말단. '或原也, 或一也'《禮記》. ⑧시들위 萎(艸부 8획〈1153〉)와 통용. '頹墮一靡'《韓愈》. ⑨굽을위 꼬불꼬불함. '一巷'. '望舊邦兮道一隨'《楚辭》. ⑩성위 성(姓)의 하나. ⑪곳집위 관부(官府)의 창고. '孔子嘗爲一吏'《孟子》. ⑫옹용(雍容)할위 '一蛇'는 마음이 온화하고 조용한 모양. '退食自公, 一蛇一蛇'《詩經》.
[字源] 會意. 女+禾

女5 〔㚻〕8 기 [平]微 | jī キ だんしょく
[字解] 비역기 계간(雞姦). '律有一姦罪條'《楊氏正韻箋》.

女5 〔妴〕8 원 [上]阮 [平]元 [去]願 | yuàn エン たおやか
[字解] ①얌전할원 순하고 얌전함. '一, 婉也'《說文》. ②짐승이름원 '一胡'는 순록(馴鹿) 비슷한 짐승.
[字源] 形聲. 女+夗〔音〕

女5 〔妿〕8 [一]아 [平]歌 | ē ア しつけうば
[二]가 [平]歌 | カ しつけうば
[字解] [一] 여스승아 부도(婦道)를 가르치는 여자. '一, 女師, 以教女子'《廣韻》. [二] 여스승가 [一]과 뜻이 같음.
[字源] 形聲. 女+加〔音〕

女5 〔姕〕8 [一]자 [平]支 | zī シ ふじんのこもの
[二]차 [上]紙 | cǐ シ ふじんのこもの
[字解] [一] ①부인소품자 여자가 몸에 착용하는 자질구레한 소품(小品). '一, 婦人小物也'《說文》. ②교태짓지않을자 '一妓'는 여자가 애교를 부리지 않는 모양. ③춤출자 춤을 추는 모양. '一, 舞也'《集韻》. ④모습자 姿(女부 6획〈249〉)와 同字. [二] 부인소품차, 아양떨지않을차, 춤출차 [一]과 뜻이 같음.
[字源] 形聲. 女+此〔音〕

女5 〔妳〕8 〔내〕 嬭(女부 14획〈266〉)와 同字

女5 〔姛〕8 〔시〕 媤(女부 9획〈257〉)와 同字

女6 〔姦〕9 [高·人] 간 [平]刪 | jiān カン よこしま
[筆順] く 女 女 女 女 女 姦 姦
[字解] ①간사할간 사악함. '一黠'. '一宄'. '烝烝乂不格一'《書經》. 또, 그 사람. '翼一以獲封侯'《漢書》. ②간음할간 간통함. 또, 그 행위. '強一'. '一夫'. '夫人姜氏會齊侯于禚, 書一也'《左傳》. ③속일간 '一, 僞也'《廣雅》. '一, 詐也'《廣韻》. ④훔칠간, 제것으로할간 '一, 盜也'《廣雅》. '一, 私也'《廣韻》. ⑤어지럽힐간 범함. '各守其職, 不得相一'《淮南子》. ⑥어지러움간 내란(內亂). 일설(一說)에, 외환(外患). '在內曰一, 在外曰宄'《一切經音義》.
[字源] 會意. 女+女+女

女6 〔姧〕9 姦(前條)과 同字

女6 〔姙〕9 [人名] 임 [去]沁 [平]侵 | rèn ニン はらむ
[筆順] く 女 女 女 女 姙 姙 姙
[字解] 애밸임 임신함. 妊(女부 4획〈241〉)과 同字.

女6 〔⿱壬女〕9 姙(前條)과 同字

女6 〔姚〕9 [人名] [一]요 [平]蕭 [去]嘯 | ①-③yáo ヨウ みめよい ④yào ヨウ つよくはやい
[二]조 [去]嘯 | tiāo チョウ かるがるしい
[筆順] く 女 女 女 女 女 姚 姚
[字解] [一] ①예쁠요 아름다움. '美麗一冶'《荀子》. ②멀요 遙(辵부 10획〈1503〉)와 同字. '一遠'. '雜變竝會, 雅聲遠一'《漢書》. ③성요 중국 순(舜)임금의 후예(後裔)의 성(姓). ④날랠요 굳세고 민첩함. '一嫖'. [二] ①가벼울조 경솔함. 窕(穴부 6획〈918〉)와 同字. '窕, 輕也. 春秋傳, 楚師輕窕. 或作一'《集韻》. ②성조 성(姓)의 하나.
[字源] 形聲. 女+兆〔音〕

女6 〔姝〕9 주 [平]虞 | shū シュ みめよい
[字解] ①예쁠주 아름다움. 미호(美好)함. '一好'. '靜女其一'《詩經》. ②연약할주 마음이 약한 모양. '暖暖一一'《莊子》. ③꾸밀주 겉을 꾸밈. 분식(粉飾)함. '視無一'《太玄經》. ④순순히따를주 순종함. '彼一者子'《詩經》. ⑤때묻지않을주 숫접고 청순한 초혼(初婚)의 모양. '一者, 初婚之貌'《詩經傳》.
[字源] 形聲. 女+朱〔音〕

女6 〔姞〕9 [人名] 길 [入]質 | jí キツ つつしむ

[筆順] ㄑ 女 女 女一 女十 女土 姞 姞

[字解] ①성길 성씨(姓氏)의 하나. 황제(黃帝)의 아들로서 성(姓)을 얻은 자가 열넷인데, '姞'은 그 하나임. 후세에 '吉'이라 고쳤음. '黃帝之子, 得姓者十四人, 一其一也'《國語》. ②삼갈길 '一, 一曰, 謹也'《集韻》.
[字源] 形聲. 女+吉〔音〕

女6〔姣〕9 교 ①-④[上]巧 ⑤[平]肴 | jiāo(jiǎo) コウ・キョウ うつくしい xiáo コウ・ギョウ みだら

[字解] ①아름다울교 ㉠용모가 예쁨. '一美'. '長一美人'《史記》. ㉡요염함. '一, 妖媚'《廣韻》. ②슬기있을교 지혜가 있음. '卿所謂鐵中錚錚, 傭中一一者也'《後漢書》. ③얕볼교 깔봄. 경시(輕視)함. '一, 侮也'《廣雅》. ④성교 성(姓)의 하나. ⑤음란할교 '棄位而一, 不可謂貞'《左傳》.
[字源] 形聲. 女+交〔音〕

女6〔姶〕9 압 [入]合 | è オウ みめよい

[字解] ①아름다울압 '一, 美好皃'《字彙》. ②여자의자(字)압 여자의 본이름 외의 자(字). '一, 女字也'《說文》. ③조용할압 말없이 조용함. '一, 一曰, 無聲'《說文》. ④성압 성(姓)의 하나.
[字源] 形聲. 女+合〔音〕

女6〔姤〕9 구 [去]有 [上]有 | gòu コウ あう, みめよい

[字解] ①만날구 '一其角'《易經》. ②예쁠구 용모가 아름다움. '其人彝一'《管子》. ③추할구 '咨一嫮之難竝兮'《張衡》. ④구괘구 육십사괘(六十四卦)의 하나. 곧, ☴〈손하(巽下), 건상(乾上)〉. 음기(陰氣)가 비로소 나타나 성한 모양.
[字源] 形聲. 女+后〔音〕

女6〔姥〕9 모 [上]麌 | mǔ ボ・モ うば, ばば

[字解] ①할미모 노파. '見一老一'《晉書》. ②유모모 곁에서 돌보는 여자. '一, 媽母也'《一切經音義》. ③늙은어미모 노모(老母). '一, 老母也'《正字通》. ④아내모 처(妻). '若使周一, 撰詩'《世說新語》. ⑤성모 성(姓)의 하나.
[字源] 會意. 女+老

女6〔姨〕9 이 [平]支 | yí イ おば

[字解] ①이모이 모친의 동복의 자매. '一夫'. '爲竇一麴養'《唐書》. ②처형제이 아내의 동복의 자매. '一妹'. '蔡公曰, 吾一也'《左傳》. ③아버지첩이 서모(庶母). 서자(庶子)는 자기 어머니도 가리킴. '今人多稱本生之妾母曰一'《稱謂錄》.
[字源] 形聲. 女+夷〔音〕

女6〔姪〕9 [高·人] 질 [入]質 | zhí チツ めい

[筆順] ㄑ 女 女 女一 女ㄓ 女ㄓ 姪 姪

[字解] ①조카질 형제가 난 아들. '有一夷簡'《聞見錄》. ②조카딸질 형제가 난 딸. '一其從姑'《左傳》. ③이질질 아내의 자매(姊妹)의 자녀(子女). '姑一與母子孰親'《唐書》.
[字源] 形聲. 女+至〔音〕

女6〔姬〕9 [人名] 희 (기[本]) [平]支 | ①-③ ④jí キ ひめ

[筆順] ㄑ 女 女 女一 女丅 女丆 女匠 姬

[字解] ①아씨희 ㉠여자의 미칭. '彼美淑一'《詩經》. ㉡천자의 딸. 공주. '帝女下嫁曰帝一'《稱謂錄》. ②임금의아내희 황후. 왕비. '王一之車'《詩經》. ③첩희 측실(側室). '一妾'. '昭王幸一'《史記》. ④성희 성(姓)의 하나. '黃帝居一水, 以一爲氏, 周人嗣其姓'《說文》. ※本音 기.
[字源] 形聲. 女+𦣞〔音〕
[參考] 姫(次條)는 俗字임.

女6〔姫〕9 [人名] 진 (희[俗]) [上]軫 | zhěn シン つつしむ

[筆順] ㄑ 女 女 女一 女丅 女丆 女匚 姫

[字解] 삼갈진 '一, 愼也'《集韻》. ※俗音 희.
[參考] 현재는 姬(前條)의 俗字로 쓰임.

女6〔姮〕9 [人名] 항 [平]蒸 | héng コウ おんなのあざな

[筆順] ㄑ 女 女 女一 女丆 女冂 姮 姮

[字解] ①항아항 '一娥'는 남편이 비장(祕藏)한 불사약을 훔쳐 가지고 달로 달아났다는 예(羿)의 아내. 전(轉)하여, 달의 이칭(異稱). '羿請不死之藥于西王母, 一娥竊以奔月'《淮南子》. ②여자의자(字)항 본이름 외의 여자의 자(字). '一, 女字'《集韻》.
[字源] 形聲. 女+亘〔音〕

女6〔姱〕9 과 [平]麻 | kuā カ みめよい

[字解] ①아름다울과 ㉠행실이 아름다움. '一名'. '紛獨有此一節'《楚辭》. ㉡얼굴이 아름다움. '一姿'. '一容脩態'《楚辭》. ②사치할과 '一, 一奢皃'《廣韻》.
[字源] 形聲. 女+夸〔音〕

女6〔姹〕9 차 [去]禡 [上]馬 | chà タ おとめ

[字解] ①소녀차 계집아이. '一女'. ②아리따울차 요염하도록 아름다움. '桃夭古一通園蹊'《韓偓》. ③미인차 미녀(美女). '一, 美女也'《洪武正韻》. ④자랑할차 '欲以一鄙縣'《史記》.
[字源] 形聲. 女+宅〔音〕

女6〔妛〕9 〔처〕 妻(女부 5획〈245〉)의 古字

女6〔姺〕9 [一] 신 [平]眞 | shēn シン くにのな
[二] 선 [平]先 | xiān セン ゆく

[字解] [一] 나라이름신 '商有一邳'《左傳》. [二] 걸을선, 갈선 걸어가는 모양. '媥一徶僊'《史記》.
[字源] 形聲. 女+先〔音〕

女6〔姻〕9 [高·人] 인 [平]眞 | yīn イン えんぐみ

[筆順] ㄑ 女 女 如 如 姻 姻 姻
[字解] ①시집갈인 혼인. '婚一'. '昏時成禮, 故曰婚, 婦人因人而成, 故曰一'《白虎通》. ②인척인 혼인으로 맺은 친척. '一戚'. '不思舊一'《詩經》. ③인연인 연분. '結一'. '結夢南柯一'《蘇軾》. ④시집인 신랑의 집. '一, 壻家也'《說文》.
[字源] 形聲. 女+因〔音〕

女6〔姢〕9 〔연〕 娟(女부 7획〈251〉)의 俗字

女6〔娀〕9 융(숭[本]) [平]東 | sōng シュウ くにのな

[字解] ①나라이름융 '有一方將'《詩經》. ②성융 성(姓)의 하나. ※本音 숭.
[字源] 形聲. 女+戎〔音〕

女6〔娃〕9 [一] 왜 [平]佳 | wā アイ みめよい
[二] 와 [平]麻 | wā ワ みめよい

[字解] [一] ①예쁠왜 아름다움. '一鬟'. ②미인왜 '吳一與越鬟'《李白》. [二] 미인와, 예쁠와 [一]과 뜻이 같음.
[字源] 形聲. 女+圭〔音〕

女6〔姼〕9 제 [平]齊 | tí テイ みめよい

[字解] 예쁠제 아름다움. '一一公主廼女烏孫'《漢書》.
[字源] 形聲. 女+多〔音〕

女6〔姡〕9 활 [入]曷 | huá カツ わるがしこい

[字解] 교활할활 간사하고 꾀가 많음. '今建平郡人, 呼狡爲一'《揚子方言 注》.
[字源] 形聲. 篆文은 女+昏〔音〕

女6〔㛂〕9 와 [上]哿 | nuǒ ガ みめよい

[字解] ①예쁠와 '婐一'는 용모가 아름다운 모양. '日君月妃, 煥赫婐一'《韓愈》. ②약할와 연약함. '瞢瞢之離, 不宜熒且一'《太玄經》.
[字源] 形聲. 女+厄〔音〕

女6〔姸〕9 [人名] 연 [平]先 | yán ケン みめよい

[筆順] ㄑ 女 女 女 妡 妍 妍 姸
[字解] ①고울연 ㉠예쁨. 아름다움. '一麗'. '爭一而取憐'《韓愈》. ㉡깨끗함. '不若雪光一'《鮑照》. ②갈연 硏(石부 6획〈870〉)과 통용. '一營種之術'《吳越春秋》. ③익숙해질연 습숙(習熟). '一, 硏也. 硏精於事宜, 則無蚩繆也'《釋名》.
[字源] 形聲. 女+幵〔音〕
[參考] 妍(女부 4획〈241〉)은 俗字.

女6〔姽〕9 궤 [上]紙 | guǐ キ しとやかにあゆみゆく

[字解] ①얌전히걸을궤 아주 얌전하게 걷는 모양. '旣一嫿于幽靜兮'《宋玉》. ②좋을궤, 아름다울궤 '一, 博雅, 好也'《集韻》.
[字源] 形聲. 女+危〔音〕

女6〔姷〕9 유 [去]有 | yòu ユウ したしみあう

[字解] 나란히있을유, 친할유 서로 친함. 侑(人부 6획〈48〉)와 同字. '一, 耦也'《說文》.
[字源] 形聲. 女+有〔音〕

女6〔㛄〕9 의 [平]微 | yī イ おんなのあざな

[字解] 여자의자의 '一, 女字也'《說文》.
[字源] 形聲. 女+衣〔音〕

女6〔姟〕9 개 [平]灰 | gāi カイ かずのな

[字解] 백조개 100조(兆). '一, 數也. 十兆曰經, 十經曰一'《集韻》.

女6〔㛅〕9 이 [去]寘 | èr ジ おんなのあざな

[字解] 여자의자이 '一, 女字也'《說文》.
[字源] 形聲. 女+耳〔音〕

女6〔姛〕9 동 [上]董 [去]送 | dòng トウ まっすぐ

[字解] 목덜미곧을동 '一, 項直皃'《廣韻》.

字源 形聲. 女＋同〔音〕

女6〔㛚〕9 娲(前條)의 本字

女6〔媣〕9 타 ㊤哿 ㊦箇 | duǒ タ はかる

字解 ①헤아릴타 잼. 측량함. '一, 量也'《說文》. ②고울타 여자의 용모가 꽃이 늘어져 있는 것처럼 아름다움. '一, 一曰, 女容如花之垂. 言美好也'《正字通》. ③여자의 자타 '一, 一曰, 女字'《集韻》.
字源 形聲. 女＋朵(朶)〔音〕

女6〔姰〕9 ㊀균 ㊥眞 | jūn キン かなう
㊁순 ㊥眞 | xūn シュン くるう
㊂현 ㊤霰 | xuàn ケン くるう

字解 ㊀맞을균 들어맞음. 남녀(男女)가 나란히 있음. '一, 均適也. 男女併也'《說文》. ㊁미칠순 정신이 돎. '一, 狂也'《廣雅》. ㊂미칠현 ㊁와 뜻이 같음.
字源 形聲. 女＋旬〔音〕

女6〔姘〕9 ㊀병 ㊥庚 ㊥靑 | ホウ·ヒョウ のぞく, しつうする
㊁빈 ㊥眞 | pīn ヘイ·ヒョウ のぞく, しつうする

字解 ㊀①제외할병, 물리칠병 '一, 除也'《說文》. ②간통할병 서민(庶民)이 유부녀나 계집종과 사통(私通)함. 일반적으로, 남녀가 밀통(密通)함. '禮, 士有妾, 庶人不得有妾. 故平等之民, 與妻婢私合, 名之曰一, 有罰'《說文 段注》. ㊁嬪(女부 14획〈266〉)의 古字.
字源 形聲. 女＋幷〔音〕

女6〔威〕9 中·人 위 ㊥微 | wēi イ たけし

筆順 丿 厂 厂 厂 反 反 威 威

字解 ①위엄위 권위. 존엄(尊嚴). '一光'. '惟辟作一'《書經》. ②거동위 예모 있는 거동. 의용(儀容). '一儀'. '收其一'《禮記》. ③힘위 세력. 권병(權柄). '馭其一'《周禮》. ④해위 해독. '民不畏一則大一至'《老子》. ⑤으를위 위협함. '一劫'. '一嚇'. '聲一天下'《戰國策》. ⑥두려워할위 畏(田부 4획〈796〉)와 뜻이 같음. '一約'. '民一於鈇鉞'《中庸》. ⑦시어머니위 '一, 姑也'《說文》. ⑧험할위'登崤坂之一夷'《潘岳》. ⑨성위 성(姓)의 하나.
字源 會意. 女＋戌

女6〔姜〕9 人名 강 ㊥陽 | jiāng キョウ つよい

筆順 丷 兰 兰 兰 羊 羌 姜 姜

字解 ①성(姓)강 신농씨(神農氏) 후손의 성. ②강할강 彊(弓부 13획〈363〉)과 뜻이 같음. '一, 強也'《廣雅》.
字源 形聲. 女＋羊〔音〕
參考 성(姓)으로서, 속(俗)에 '제비강'이라 이름.

女6〔姿〕9 高·人 자 ①-③㊥支 ④㊤寘 | zī シ すがた
zì シ しなをつくる

筆順 丶 冫 冫 冫 次 次 姿 姿

字解 ①맵시자 자태. 모습. '英一'. '體貌魁梧有異一'《後漢書》. ②풍취자 풍경의 아취(雅趣). '自然鍾野一'《陸龜蒙》. ③바탕자 성품. 소질. 천분(天分). 資(貝부 6획〈1391〉)와 통용. '上主之一也'《漢書》. ④모양낼자 자태를 꾸밈. '羲之俗書媿一媚'《韓愈》.
字源 形聲. 女＋次〔音〕

女6〔姱〕9 ㊀호 ㊤虞 | hù コ むさぼる
㊁오 ㊤遇 | オ むさぼる

字解 ㊀탐할호 '一, 貪也'《廣韻》. ㊁탐할오 ㊀과 뜻이 같음.
字源 形聲. 女＋污〔音〕

女6〔娄〕9 〔루〕婁(女부 8획〈255〉)의 略字·簡體字

〔要〕〔요〕 襾부 3획(1294)을 보라.

女7〔娉〕10 ㊀빙 ㊤敬 | pìn ヘイ とう
㊁병 ㊥庚 | pīng ホウ うつくしい

字解 ㊀①물을빙, 장가들빙 여자의 이름을 물음. 전(轉)하여, 아내로 맞아들임. 聘(耳부 7획〈1057〉)과 同字. '一命'. '一江婓與神遊'《左思》. ②상할빙 해(害)침. 妨(女부 4획〈242〉)과 뜻이 같음. '一, 害也'《廣雅》. ㊁예쁠병 예쁜 모양. '不嫁惜一婷'《杜甫》.
字源 形聲. 女＋甹〔音〕

女7〔娌〕10 리 ㊤紙 | lǐ リ あいよめ

字解 동서(同壻)리 형제(兄弟)의 아내끼리 서로 부르는 칭호. '兄弟之妻, 相呼曰妯一'《廣雅》.
字源 形聲. 女＋里〔音〕

女7〔娓〕10 미 ㊤尾 | wěi ビ うつくしい, したがう

字解 ①예쁠미 아름다움. '一, 美也'《廣韻》. ②되풀이할미 친절히 되풀이하여 가

르치는 모양. '一一'. ③힘쓸미 '一, 勉也'《字彙》. ④따를미 순종함. 온순함. '一, 順也'《說文》.
[字源] 形聲. 女+尾〔音〕

女 7 〔娖〕10 ㊀ 착 [入]覺 | chuò サク つつしむ
㊁ 촉 [入]沃 | cù ショク ととのう

[字解] ㊀ ①조심할착 근신하는 모양. '一一廉謹備員而已'《史記》. ②분별할착 판별함. '一, 辯也'《廣韻》. ③재촉할착 促(人부 7획〈52〉)과 통용. ㊁ 정제할촉 정돈됨. '廚架整一齊籤牙'《梅堯臣》.
[字源] 形聲. 女+足〔音〕

女 7 〔娘〕10 [高·人] ㊀ 낭 [平]陽 (냥[本]) ㊁ 랑 [平]陽 | niāng ジョウ むすめ

[筆順] 𡛊 女 女 女' 女ヨ 娘 娘 娘

[字解] ㊀ ①계집낭 ㉠소녀(少女). 아가씨. '一子'. ㉡소녀의 이름 밑에 붙여 쓰는 말. '喬之知婢窈一, 美且善歌'《唐書》. ②어미낭 모(母)의 속어임. '一家'. '兒別爺一夫別妻'《白居易》. ※本音 냥. ㊁ 계집랑, 어미랑 [一]과 뜻이 같음.
[字源] 會意. 女+良

女 7 〔娧〕10 태 [去]泰 | tuì タイ うつくしい

[字解] ①아름다울태 아리따움. '一, 好也'《說文》. ②느릿느릿할태 늘쩡거리는 모양. '一一, 舒遲皃'《集韻》. ③기뻐할태 '一, 一曰, 喜也'《集韻》.
[字源] 形聲. 女+兌〔音〕

〔恕〕 〔서〕 心부 6획(386)을 보라.

女 7 〔娛〕10 [高·人] 오 [平]虞 [去]遇 | yú ゴ たのしむ

[筆順] 𡛊 女 女 女ㄇ 女ㅁ 妈 娯 娛

[字解] ①즐거워할오, 즐거움오 '一樂'. '窮歡極一'《張衡》. ②장난할오 희롱함. 농담함. '一游往來'《漢書》.
[字源] 形聲. 女+吳〔音〕

女 7 〔娯〕10 娛(前條)의 略字

女 7 〔娱〕10 娛(前前條)의 俗字·簡體字

女 7 〔娜〕10 [人名] 나 [上]哿 | nuó ダ·ナ しなやか

[筆順] 女 𡚸 女刀 女冃 女冄 女冄' 女那 娜

[字解] ①아리따울나 '嫋一'는 여자의 모습이 예쁜 모양. '花腰呈嫋一'《李白》. ②휘청거릴나, 천천히움직일나 '萬柳枝一一'《梅堯臣》.
[字源] 形聲. 女+那〔音〕

女 7 〔娗〕10 ㊀ 정 [上]迥 ㊁ 전 [上]銑 | tǐng テイ しものびょうき
tiǎn テン あざむき あなどる

[字解] ㊀ ①여자병정 여자의 음부(陰部)의 병. '一, 女出病也'《說文》. ②늘씬할정 날씬하여 예쁜 모양. '一, 長好皃'《廣韻》. ㊁ ①속일전, 업신여길전 '一, 欺慢也'《集韻》. ②못할전 무엇만 못함. 열등함. '一, 一曰, 偄劣'《集韻》
[字源] 形聲. 女+廷〔音〕

女 7 〔娠〕10 신 [平]眞 | shēn シン はらむ

[字解] ①애밸신 잉태함. '妊一'. '后婚方一'《左傳》. ②움직일신 踬(足부 7획〈1431〉)과 뜻이 같음. '一, 動也'《爾雅》.
[字源] 形聲. 女+辰〔音〕

女 7 〔娂〕10 娠(前條)과 同字

女 7 〔娣〕10 제 [上]薺 | dì テイ いもうと

[字解] ①손아랫누이제 여제(女弟). '女子同出, 先生爲姒, 後生爲一'《爾雅》. ②손아랫동서제 형제의 아내 중 손윗동서가 손아랫동서를 부르는 말. '一姒婦者, 弟長也'《儀禮》.
[字源] 形聲. 女+弟〔音〕

女 7 〔娍〕10 [人名] 성 [去]敬 [平]庚 | ①②shèng, ③chéng セイ·ジョウ すらりとしてみめよい

[筆順] 女 女 女厂 女𠂇 女斤 娀 娍 娍

[字解] ①헌걸찰성 늘씬하여 보기 좋음. '一, 長好也'《集韻》. ②아름다울성 '一, 一曰, 美也'《集韻》. ③여자이름성 '一, 女名'《集韻》.

女 7 〔娥〕10 [人名] 아 [平]歌 | é ガ うつくしい

[筆順] 女 女' 女𠂉 好 好 娥 娥 娥

[字解] ①예쁠아 아름다움. 또, 미인. '趙妃燕后, 秦一 吳娃'《江淹》. ②항아아 '姮一'는 달〔月〕의 이칭(異稱). '一影'. ③성아 성(姓)의 하나.
[字源] 形聲. 女+我〔音〕

女7〔娩〕10 [一] 만 [上]阮 | wǎn バン·マン うむ
(면[本]) | miǎn
[二] 면 [上]銑 | ベン·メン しとやか

[字解] [一] 해산할만 아이를 낳음. '分—'. '—息不訾'《唐書》. ※本音 면. [二] ①순할면 얌전함. 순종함. '婉— 聽從'《禮記》. ②교태지을면 아양부림. '—, 婉—, 媚也'《廣韻》.
[字源] 形聲. 女+免〔音〕

女7〔娙〕10 [一] 경[平]庚 | xíng ゴウ·ギョウ すらりとしてみめよい
[二] 형[平]青 | xíng ケイ·ギョウ じょかん

[字解] [一] ①날씬할경 크고 맵시 있는 모양. '—, 長好也'《說文》. ②여관(女官)경 '—娥'는 한대(漢代)의 여관(女官)의 칭호. '至武帝, 制倢伃, —娥·傛華·充依, 各有爵位, 云云, —娥, 視中二千石, 比關內侯'《漢書》. ③계집종경 비녀(婢女). [二] 여관형 [一]❷와 뜻이 같음.
[字源] 形聲. 女+巠〔音〕

女7〔娭〕10 [一] 희 [平]支 | xì キ たわむれる
[二] 애 [平]灰 | āi アイ はしため

[字解] [一] 희롱할희 '神來宴—'《漢書》. [二] 계집종애 '—, 婢也'《廣雅》.
[字源] 形聲. 女+矣〔音〕

女7〔娚〕10 남 [平]咸 | nán ナン しゃべる

[字解] ①재잘거릴남 喃(口부 9획〈172〉)과 同字. ②《韓》오라비남 오빠. 속(俗)에, 아내의 형제를 '妻—'이라 함.

女7〔娟〕10 [人名] [一] 연 [平]先 | juān エン あでやか
[二] 견 [平]先 | juān ケン みめよい

[筆順] 女 女' 女ᄆ 女ᄆ 女ᄆ 娟 娟 娟
[字解] [一] ①예쁠연 용모가 아름다움. 미호(美好)함. '嬋—'. '幼子—好靜秀'《韓愈》. ②나긋나긋할연 춤추는 모양. 편연(便娟). '—, 便—, 舞皃'《廣韻》. ③눈썹굽을연 '眉聯—以蛾揚兮'《宋玉》. [二] ①예쁜모양견 '—, 美好貌'《洪武正韻》. ②아양떨견 '—, 媚也'《洪武正韻》.
[字源] 形聲. 女+肙〔音〕
[參考] 姢(女부 6획〈248〉)은 俗字.

女7〔娷〕10 [一] 사 [平]歌 | suō サ かるがるしい
[二] 차 [平]歌 | qiē サ かるがるしい
[三] 좌 [去]箇 | zuō サ かるい

[字解] [一] ①경박할사 경(輕)함. ②젊을사 '—, 少皃'《集韻》. ③편안할사 '—, 安也'《字彙》. ④여자의자사 '—, 女字'《集韻》. [二] 경박할차, 젊을차, 편안할차, 여자의자차 [一]과 뜻이 같음. [三] 가벼울좌 '—, 輕也'《集韻》.
[字源] 形聲. 女+坐〔音〕

女7〔娋〕10 [一] 초 [去]效 | shào ソウ·ショウ しだいにおかす
(소[本]) | ソウ·ショウ あね
[平]肴 | シャク しだいにおかす
[二] 작 [入]藥 |

[字解] [一] ①점점침범할초 차츰 침해함. '—, 小—侵也'《廣韻》. ②누이초 손위 누이. '—·孟, 姊也'《揚子方言》. ③차츰훔칠초 조금씩 훔침. '—, 小—偸也'《廣韻》. ※本音 소. [二] 점점침범할작 [一]❶과 뜻이 같음.
[字源] 形聲. 女+肖〔音〕

女7〔娕〕10 [一] 착 [入]覺 | chuò サク つつしむ
[二] 촉 [入]沃 | cù ショク ととのえる

[字解] [一] 삼갈착 조심하는 모양. '—, 謹也'《說文》. [二] 정제할촉 娖(女부 7획〈250〉)과 同字. '娖, 嫧也. 或从束'《集韻》.
[字源] 形聲. 女+束〔音〕

女7〔婡〕10 협 (①②겹[本]) [入]葉 | qiè キョウ こころよい

[字解] ①뜻맞을협, 쾌할협 愜(心부 9획〈402〉)과 同字. '—, 得志——也'《說文》. ②숨쉴협 호흡(呼吸)함. '—, 一曰, —息也'《說文》. ※❶❷ 本音 겹. ③기침할협 '—, 一曰, 小气'《集韻》.
[字源] 形聲. 女+夾〔音〕

女7〔娝〕10 [一] 비 [上]紙 | bǐ ヒ せい
[二] 배 [平]灰 | ハイ おろか
[平]虞 | フ おろか
[三] 부 [平]尤 | pōu ホウ·フ おろか

[字解] [一] 성비 성(姓)의 하나. [二] 어리석을배 '—, 不肖也'《說文》. [三] 어리석을부 [二]와 뜻이 같음.
[字源] 形聲. 女+否〔音〕

女7〔娐〕10 봉 [平]東 | pēng ホウ おんなのあざな

[字解] ①여자의자봉 '—, 女字'《集韻》. ②姅(女부 4획〈242〉)과 同字.

女7〔娒〕10 [一] 姆(女부 5획〈243〉)의 本字
[二] 侮(人부 7획〈50〉)와 同字

女 7 〔⿰女𠯑〕10 〔활〕
姡(女부 6획〈248〉)의 本字

女 7 〔媿〕10 〔괴〕
媿(女부 10획〈259〉)의 俗字

女 7 〔⿰女叓〕10 〔수〕
嫂(女부 9획〈258〉)의 俗字

女 7 〔娑〕10 [人名] 사 ①[平]歌 ②㊤哿 | suō サ·シャ まう suǒ サ·シャ きゅうでん

[筆順] 氵 氵丨 氵小 氵小 沙 沙 娑 娑

[字解] ①춤출사, 옷너풀거릴사, 앉을사 '婆一'. ②궁전이름사 '馺一'는 한대(漢代) 궁전 이름. '馺一, 殿名'《廣韻》. '經駘盪而出馺一'《班固》.

[字源] 形聲. 女+沙〔音〕

女 7 〔⿱𣦼女〕10 찬 [去]翰 | càn サン うつくしい

[字解] 아름다울찬.

女 7 〔娎〕10 혈 [入]屑 | xiè ケツ こころよい

[字解] ①쾌할혈 기분좋음. '一, 一娎也'《說文》. ②기뻐할혈 또, 기뻐하는 모양. '一, 喜也'《廣雅》.

[字源] 形聲. 女+折〔音〕

女 7 〔娬〕10 무 ㊤麌 | wǔ ブ こびる

[字解] ①아양떨무 애교를 부림. 嫵(女부 12획〈263〉)와 同字. '嫵, 說文, 媚也. 或从武'《集韻》. ②아리따울무 아름다움. '一, 好也'《廣韻》.

女 7 〔⿰女⿱⺈厄〕10 〔와〕
姽(女부 6획〈248〉)의 俗字

女 7 〔⿱𦥑女〕10 〔처〕
妻(女부 5획〈245〉)의 古字

女 7 〔⿱𡆧女〕10 〔루〕
婁(女부 8획〈255〉)의 古字

女 8 〔娵〕11 추 ①[平]虞 ②㊤有 | jū シュ ほしのな シュウ たおやめ

[字解] ①별이름추 '一訾'는 성수(星宿)의 이름. '一訾之口, 營室東壁也'《爾雅》. ②미녀추 아름다운 여자. '一, 美女'《集韻》.

[字源] 形聲. 女+取〔音〕

女 8 〔娼〕11 창 [平]陽 | chāng ショウ わざおぎ

[字解] 노는계집창 창기(娼妓). 倡(人부 8획〈58〉)의 俗字. '一妓'.

[字源] 形聲. 女+昌〔音〕

女 8 〔婉〕11 [人名] 완 (원[本]) ㊤阮 | wǎn エン したがう, うつくしい

[筆順] 女 女丶 女丶 女宀 女宀夕 女宀夕 女宛 婉

[字解] ①순할완 유순함. '一順'. '性一而從物'《列子》. ②아름다울완 예쁨. '一麗'. '一兮孌兮'《詩經》. ③사랑할완 귀여워함. 가까이함. '善曰, 一, 猶親愛也'《文選》. ④곡진할완 완곡(婉曲)함. '春秋之稱, 微而顯, 一而辨'《左傳》. ⑤간략할완 간명(簡明)함. '一約'. '大而一, 險而易行'《左傳》. ※本音 원.

[字源] 形聲. 女+宛〔音〕

女 8 〔婟〕11 호 (고[俗]) ①②[去]遇 ③㊤麌 | hù コ·ゴ こいしたう コ·ゴ おしむ

[字解] ①그리워할호 임을 사모함. '一, 嫪也'《說文》. ②섭섭히여길호 미련(未練)을 남김. '一, 嫪惜也'《集韻》. ③좋을호 아름다움. '一, 好也'《集韻》. ※俗音 고.

[字源] 形聲. 女+固〔音〕

女 8 〔婕〕11 첩 [入]葉 | jié ショウ じょかん

[筆順] 女 女一 女彐 女彐 婕 婕 婕 婕

[字解] ①궁녀첩 '一妤'는 한대(漢代)의 궁중의 여관(女官)의 하나. '增昭儀于一 妤'《張衡》. ②아름다울첩 예쁨. '一, 美也'《集韻》.

[字源] 形聲. 女+疌〔音〕

女 8 〔婞〕11 행 ①-③㊤迥 ④㊤梗 | xìng ケイ もとる コウ さいわいをもとめる

[字解] ①패려궂을행 성품이 패려(悖戾)함. '鮌一直以亡身兮'《楚辭》. ②사랑받을행 총애(寵愛)됨. '一, 一曰, 見親'《說文》. ③곧을행 곧바름. 강직함. '性一剛絜'《王僧達》. ④요행바랄행 倖(人부 8획〈57〉)과 同字.

[字源] 形聲. 女+幸〔音〕

女 8 〔婘〕11 권 [去]霰 | juàn ケン やから

[字解] 집안붙이권 한집안의 식구. 살붙이. 眷(目부 6획〈845〉)과 통용. '誅諸呂須一屬'《史記》.

女 8 〔婚〕11 [中·人] 혼 [平]元 | hūn コン えんぐみ

筆順 … 婚

字解 ①혼인할혼 '一姻'. ②사돈혼 혼인에 의하여 맺어진 친척 관계. '婚之黨爲一兄弟'《爾雅》.
字源 形聲. 女+昏〔音〕

女8 〔婢〕11 高·人 비 (上)紙 | bì ヒ はしため

筆順 … 婢

字解 ①계집종비 '一僕'. '耕當問奴, 織當問一'《宋書》. ②소첩비 여자가 자기를 낮추어 일컫는 말. 첩(妾). '自世婦以下, 自稱曰一子'《禮記》.
字源 形聲. 女+卑〔音〕

女8 〔婩〕11 엄 (去)陷 (去)豔 (平)鹽 | ①②yǎn エン しいる, しもおんな / エン しいる, しもおんな / ③yān エン おんなのさま

字解 ①모함할엄 사실을 왜곡하여 남을 헐뜯음. '一, 誣挐也'《說文》. ②여자종엄 여자 하인. 하녀(下女). '一, 婢也'《玉篇》. ③계집다울엄 '一, 女皃'《集韻》.
字源 形聲. 女+奄〔音〕

女8 〔婥〕11 작 (入)藥 | chuò シャク みめよい

字解 예쁠작 용모가 아름다움. 綽(糸부 8획〈998〉)과 同字. '一約, 嫵媚, 好也'《廣雅》.
字源 形聲. 女+卓〔音〕

女8 〔婦〕11 中·人 부 (上)有 | fù フ つま, よめ

筆順 … 婦

字解 ①지어미부 유부녀. '一人'. '有男女, 然後有夫一'《易經》. ②아내부 처. '歸而謀諸一'《蘇軾》. ③며느리부 자부. '子之妻爲一'《爾雅》. ④계집부 여자. '一事'. '彼一之謁, 可以死敗'《史記》. ⑤암컷부 동물 같은 것의 암컷. '物類之陰者亦曰一'《康熙字典》. ⑥예쁠부 아름다움. '其容一'《荀子》. ⑦질부 負(貝부 2획〈1385〉)와 통용. '鼠一'.
字源 會意. 女+帚

女8 〔婦〕11 婦(前條)와 同字

女8 〔婠〕11 人名 완 ①②(平)寒 ③(去)翰 | wān ワン しなよし / guàn カン みめよい

筆順 … 婠

字解 ①점잖을완 품성(品性)이 높음. '一, 體德好也'《說文》. ②아기통통할완 아기가 통통하게 살찐 모양. '巴豔收一 妠'《韓愈》. ③예쁠완 아름다움. '一, 好皃'《集韻》.
字源 形聲. 女+官〔音〕

女8 〔婭〕11 아 ①②(去)禡 ③(平)麻 | yà ア あいむこ / yā ア なまめく

字解 ①동서아 아내의 자매(姊妹)의 남편. '一壻'. '兩壻相謂曰一'《爾雅》. ②인척아 혼인에 의하여 맺어진 겨레붙이. '宰相楊國忠支一, 所在橫猾'《唐書》. ③아리따울아 '婭姹'는 여자의 요염한 자태. '一姹, 態也'《集韻》.
字源 形聲. 女+亞〔音〕

女8 〔婱〕11 현 (平)先 | xián ゲン みさおをたてる

字解 수절할현 과부가 수절함. '一, 有守也'《說文》.
字源 形聲. 女+弦〔音〕

女8 〔娽〕11 록 (入)屋 (入)沃 | lù ロク したがう

字解 ①따를록 뒤를 따름. '一, 隨從也'《說文》. ②전욱아내이름록 '一, 顓頊之妻'《集韻》.
字源 形聲. 女+彔〔音〕

女8 〔婬〕11 음 (平)侵 | yín イン みだら

字解 음탕할음 淫(水부 8획〈656〉)과 통용. '作一聲'《孔子家語》.
字源 形聲. 女+㸒〔音〕

女8 〔婀〕11 아 ①②(上)哿 ③(平)歌 | ě ア しなやか / ē アぐずぐずしてきまらない

字解 ①아리따울아 '一娜'는 여자가 날씬하고 예쁜 모양. '華容一娜, 令我忘飡'《曹植》. ②성아 성(姓)의 하나. ③머뭇거릴아 '媕一'는 주저하여 결정을 짓지 못함. '詎肯感激徒媕一'《韓愈》.
字源 形聲. 女+阿〔音〕

女8 〔娿〕11 婀(前條)와 同字

女8 〔婌〕11 숙 (入)屋 | shú シュク じょかん

字解 ①궁녀벼슬이름숙 후궁(後宮)의 여관(女官) 이름. '一, 後宮女官'《集韻》. ②淑(水부 8획〈654〉)과 同字.
字源 形聲. 女+叔〔音〕

女8 〔婧〕 11 청 [去]敬 [上]梗 [平]庚 | jìng セイ あでやか, さとい

[字解] ①가냘플청, 날씬할청 허리가 가는 모양. '舒訬—之纖腰兮'《張衡》. ②총명할청 여자가 총명하고 재치가 있음. '—, 女有才也'《集韻》. ③아리따울청 '姘—'.
[字源] 形聲. 女+靑〔音〕

女8 〔婙〕 11 婧(前條)과 同字

女8 〔婗〕 11 예 ①[平]齊 ②[上]薺 | ní ゲイ みどりご / nǐ ゲイ こびる

[字解] ①갓난아이예 갓난아기. '人始生曰嫛—. —, 其啼聲'《釋名》. ②아양부릴예 교태(嬌態)를 지음. 또, 의심(疑心)하여 정하지 못함. '媞—, 嫵媚. 一曰, 疑不決'《集韻》.
[字源] 形聲. 女+兒〔音〕

女8 〔婏〕 11 [一] 부 [去]遇 [二] 반 [去]願 | fù フ うさぎのこ, はやい / fàn ハン うさぎのこ, はやい

[字解] [一] ①토끼새끼부 토끼의 어린 것. '—, 兔子也'《說文》. ②빠를부 날램. '—, —疾也'《說文》. [二] 토끼새끼반, 빠를반 [一]과 뜻이 같음.
[字源] 形聲. 女+兔〔音〕

女8 〔婐〕 11 [一] 와 [上]哿 [二] 과 [平]麻 | wǒ カ·ワ しとやか / wǒ カ はべる

[字解] [一] ①날씬할와 몸이 가늘고 예쁜 모양. '珠佩—姽戲金闕'《古樂府》. ②과감할와 果(木부 4획〈533〉)와 통용. '—, 一曰, 果敢也'《說文》. [二] 모실과 시비(侍婢)로서 곁에서 모심. '—, 女侍'《廣韻》.
[字源] 形聲. 女+果〔音〕

女8 〔婑〕 11 와 [上]哿 | wǒ ワ しとやか

[字解] 날씬할와 婐(前條)와 同字. '擇稚齒—媠者'《列子》.

女8 〔娺〕 11 [一] 촬 [入]黠 [二] 추 [平]支 [三] 철 [入]屑 | zhuó タツ はやい / ツイ はやい / セツ はやい

[字解] [一] ①빠를촬, 날래고사나울촬 '—, 疾悍也'《說文》. ②화낼촬 '—, 怒也'《集韻》. ③예쁠촬 '婠—'은 아름다운 모양. '婠—, 好皃'《廣韻》. [二] 빠를추, 날래고사나울추, 화낼추, 예쁠추 [一]과 뜻이 같음. [三] 빠를철, 날래고사나울철, 화낼철, 예쁠철 [一]과 뜻이 같음.
[字源] 形聲. 女+叕〔音〕

女8 〔婊〕 11 표 [上]篠 | biǎo ヒョウ しょうぎ

[字解] ①여자의자표 '—, 女字'《集韻》. ②창기표 노는 계집. '呼娼家爲表子. …表子, 猶言外婦. 亦作—'《名義考》.

女8 〔娸〕 11 기 [平]支 | qī キ みにくい

[字解] ①더러울기 추(醜)함. 또, 못났다고 함. '—, 一曰, 醜也'《廣韻》. ②성기 성(姓)의 하나.
[字源] 形聲. 女+其〔音〕

女8 〔⿰女𠀠〕 11 娸(前條)와 同字

女8 〔婫〕 11 [一] 곤 [平]元 [二] 혼 [上]阮 | kūn コン おんなのあざな / hùn コン おおう

[字解] [一] 여자의자곤 여자의 본이름 외의 자(字). '—, 女字'《集韻》. [二] ①여자의자혼 '—, 女字'《集韻》. ②덮을혼 씌움. '人人以荷葉裹飯, —以鴨肉數臠'《資治通鑑》.

女8 〔婩〕 11 [一] 언 [上]銑 [去]霰 [二] 안 [去]翰 [三] 학 [入]藥 | ゲン ととのう / ゲン みめよい / àn ガン みめよい / nüè ギャク かたくな

[字解] [一] ①정제할언 정돈됨. '—, 齊也'《廣雅》. ②아리따울언 '—·嬻, 鮮好也'《揚子方言》. [二] 아리따울안 '—, 好也'《集韻》. [三] 무뚝뚝할학 '—斫'은 무뚝뚝하여 붙임성이 없는 모양. '巧佞·愚直·—斫·便辟四人, 相與遊于世'《列子》.

女8 〔婒〕 11 답 [入]合 | tà トウ ふす

[字解] ①엎드릴답 '—, 俛伏也'《說文》. ②복종할답 '—, 一曰, 服意也'《說文》. ③편안할답 '—, 安皃'《廣韻》.
[字源] 形聲. 女+沓〔音〕

女8 〔娷〕 11 수(①-③추[本]) [去]寘 [平]支 | zhuì ツイ·スイ わずらわす / shuì スイ おんなのあざな

[字解] ①폐끼칠수 남을 번거롭게 함. '—, 諉也'《說文》. ②주린소리수 굶주린 목소리. '—, 飢聲'《廣韻》. ③사람이름수 또, 그의 저서(著書). '—, —篇. (注) 師古曰, —, 蓋說兵法者人名也'《漢書》. ④여자의자수 '—, 女字'《集韻》. ⑤성수 성(姓)의 하나. ※❶-❸ 本音 추.
[字源] 形聲. 女+垂〔音〕

女8 〔婎〕 11 휴 [平]支 | huī キ ほしいまま

字解 ①방자할휴 제멋대로 행동함. '一, 姿一, 恣也'《說文》. ②추할휴 얼굴이 못생김. '一, 醜也'《廣韻》.
字源 形聲. 女+隹〔音〕

女 8 〔婇〕11 채 ㊤賄 ㊦隊 | cǎi サイ おんなのあざな
字解 여자의자채 여자의 본이름 외의 자(字). '一, 女字'《集韻》.

女 8 〔婤〕11 ㊀주 ㊥尤 ㊁초 ㊥蕭 ㊂추 ㊥尤 | zhōu シュウ みめよい チョウ おんなのな chōu チュウ みめよい
字解 ㊀ ①여자의자주 '一, 女字也'《說文》. ②아리따울주 아름다운 모양. '一, 好皃'《廣韻》. ③성주 성(姓)의 하나. ㊁ 여자이름초 '一, 女名'《集韻》. ㊂ ①여자의자추 '一, 女字'《集韻》. ②아리따울추 아름다움.
字源 形聲. 女+周〔音〕

女 8 〔姸〕11 〔병〕 姸(女부 6획〈249〉)의 本字

女 8 〔媄〕11 〔요〕 妖(女부 4획〈241〉)의 本字

女 8 〔婣〕11 〔인〕 姻(女부 6획〈248〉)과 同字

女 8 〔娶〕11 취 ㊦遇 ㊤麌 | qǔ qǔ シュ めとる
字解 장가들취, 장가취 '一嫁'. '冠而後一'《孔叢子》.
字源 形聲. 女+取〔音〕

女 8 〔婁〕11 루 ①②㊥虞 ③㊤麌 ④-⑦㊥尤 ⑧㊦遇 | lǘ ル ひく lǚ ル つなぐ lóu ロウ·ル たたら, むなしい lǚ ル しばしば
字解 ①끌루 옷자락을 바닥에 대고 끎. '弗曳弗一'《詩經》. ②아로새길루 누각(鏤刻)함. '丹綺離一'《何晏》. ③맬루 마소를 맴. '牛馬維一'《公羊傳》. ④별이름루 이십팔수(二十八宿)의 하나. 백호칠수(白虎七宿)의 둘째 성수(星宿)로서, 별 셋으로 구성됨. '一宿'. ⑤속빌루 속이 텅 빔. '一, 空也'《說文》. ⑥성길루 촘촘하지 않음. '五穀之狀一一然'《管子》. ⑦성루 성(姓)의 하나. ⑧자주루 屢(尸부 11획〈300〉)와 同字. '一擧賢良'《漢書》.
字源 象形. 긴 머리를 틀어올리고 그 위에 다시 장식을 꽂은 여성(女性)의 모양을 본뜸.

女 8 〔婁〕11 婁(前條)의 俗字

女 8 〔婆〕11 ㊀파 ㊥歌 ㊁바 | pó ハ·バ ばば バ ぼんご
字解 ㊀ 할미파 ㉠노모(老母). '憲卽爲固長育, 恆呼固夫婦爲郞一'《魏書》. ㉡늙은 여자. '老一'. '里人因呼爲春夢一'《侯鯖錄》. ㊁ 범어(梵語)바 《佛敎》 범어 bha 의 음역자(音譯字).
字源 形聲. 女+波〔音〕

女 8 〔婖〕11 ㊀점 ㊥鹽 ㊁섬 ㊥鹽 | chān テン よろこびわらう chān セン よろこびわらう
字解 ㊀ 벙글거릴점 '姈一, 喜笑皃'《集韻》. ㊁ 벙글거릴섬 ㊀과 뜻이 같음.
字源 形聲. 女+沾〔音〕

女 8 〔婪〕11 람 ①㊥覃 ②㊤感 | lán ラン むさぼる lǎn ラン つつしまない
字解 ①탐할람 탐욕이 많음. '性貪一詭賊'《韓愈》. ②삼가지않을람 '一, 不謹也'《集韻》.
字源 形聲. 女+林〔音〕

女 8 〔婜〕11 ㊀간 ㊥刪 ㊁긴 ㊤軫 | qiān カン·ケン うつくしい jǐn キン おんなのあざな
字解 ㊀ 예쁠간 '一, 美也'《說文》. ㊁ 여자의자긴 '一, 女字'《集韻》.
字源 形聲. 女+臤〔音〕

女 8 〔婓〕11 비 ㊥微 | fēi ヒ たちもとおる
字解 ①오락가락할비 왔다갔다 하는 모양. '一一遲遲而周邁'《揚雄》. ②귀신비 '江一'는 신(神)의 이름. '娉江一與神遊'《左思》. ③추할비 '一, 一曰, 醜'《廣韻》.
字源 形聲. 女+非〔音〕

女 9 〔婷〕12 정 ㊥青 | tíng テイ みめよい
字解 예쁠정 아름다움. '一一花下人'《陳師道》.
字源 形聲. 女+亭〔音〕

女 9 〔媁〕12 위 ㊥微 | wěi イ よろこばない
字解 ①기뻐하지않을위 좋아하지 않는 모양. '一, 不說貌'《說文》. ②방자할위 제멋대로 함. 방종하는 모양. '一, 恣也'《說文》. ③아름다울위 '一, 美也'《廣韻》.

[字源] 形聲. 女＋韋〔音〕

女 9 〔媮〕 12 [一] 유 [平]虞 [二] 투 [平]尤 | yú ユ うとんずる tōu トウ わるがしこい

[字解] [一] ①박대할유 소원(疏遠)히 함. '晉未可一也'《左傳》. ②즐거워할유 愉(心부 9획〈401〉)와 통용. '一娛'. '將從俗富貴以一生'《楚辭》. [二] ①간교할투 교활함. '齊君之語一'《左傳》. ②구차할투 '一合取容'《史記》. ③훔칠투 도둑질함. 偷(人부 9획〈401〉)와 同字. '一居幸生'《國語》. ④속일투 그 때만 넘기려 함. 한때의 안락을 원함. '民一甘食好衣'《漢書》.
[字源] 形聲. 女＋兪〔音〕

女 9 〔媌〕 12 모 [平]肴 | miáo ボウ·ミョウ うつくしい

[字解] ①예쁠모 아리따움. '一, 好也'《廣雅》. '一, 美好也'《廣韻》. ②눈매예쁠모 '一, 目裏好也'《說文》.
[字源] 形聲. 女＋苗〔音〕

女 9 〔媆〕 12 눈 [去]願 | nùn ドン·ノン わかい, みめよい

[字解] 어릴눈, 아리따울눈 嫩(女부 11획〈262〉)과 同字.
[字源] 形聲. 女＋耎〔音〕

女 9 〔媒〕 12 [高·人] 매 ①-⑤[平]灰 ⑥[去]隊 | méi バイ なかだち mèi バイ くらい

[筆順] 女 … 媒

[字解] ①중매매 혼인을 중신하는 사람. 중매쟁이. '取妻如何, 匪一不得'《詩經》. ②매개매 어떤 사물을 유치(誘致)하는 원인. '見譽而喜者, 佞之一也'《文中子》. ③중개자매 양자 사이에서 관계를 맺어 주는 사람. '以石生爲一'《韓愈》. ④술밑매 효모(酵母). ⑤빚을매 양성(釀成)함. '一孼其短'《漢書》. ⑥어두울매 밝지 아니함. '一一晦晦'《莊子》.
[字源] 形聲. 女＋某〔音〕

女 9 〔嫍〕 12 뇌(노[本]) ㊤晧 | nǎo ドウ·ノウ なやむ

[字解] 번뇌할뇌, 원통할뇌 고민함. 원망스러움. '一, 有所恨痛也'《說文》. ※本音 노.
[字源] 形聲. 女＋惱〈省〉〔音〕

女 9 〔媚〕 12 미 [去]寘 | mèi ビ こびる

[字解] ①아첨할미 아유함. 영합함. '一語'. '希權門, 以一嬖膝'《劉蛻》. ②아양떨미 귀염을 받으려고 애교를 부림. '一嫵'. '非獨女以色一, 士宦亦有之'《史記》. ③사랑할미 귀여워함. '一玆一人'《詩經》. ④아름다울미 고움. '明一'. '自恨骨體不一'《吳志》. ⑤아첨미, 아양미 '行一於內, 而施賂於外'《左傳》.
[字源] 形聲. 女＋䅦(眉)〔音〕

〔絮〕 〔서〕 糸부 6획(992)을 보라.

女 9 〔媛〕 12 [人名] 원 [去]霰 [去]願 [平]元 | ①-③yuàn エン ひめ ④yuán エン ひく

[筆順] 女 … 媛

[字解] ①미녀원 재덕이 뛰어난 미인. '才一'. '邦之一也'《詩經》. ②궁녀원 궁중의 시녀(侍女). '嬙一'. '太子內宮良一六人'《唐書》. ③아름다울원 예쁨. '妙好弱一'《潘岳》. ④끌원 '嬋一'은 끌어당기는 모양. 일설(一說)에는, 늘어져서 땅 위에 끌리는 모양. 또, 일설에는, 아름다운 모양. '垂條嬋一'《張衡》.
[字源] 形聲. 女＋爰〔音〕

女 9 〔媃〕 12 유 [平]尤 | róu ジュウ こびる

[字解] ①예쁜체할유 여자가 예쁜 체하는 모양. '一, 女媚貌'《正字通》. ②여자이름유 '一, 女名'《集韻》.

女 9 〔媟〕 12 설 [入]屑 | xiè セツ なれる

[筆順] 女 … 媟

[字解] ①친압할설 윗사람에게 버릇없이 가까이함. 무람없이 굶. '一嫚'. '夫妻不嚴, 玆謂之一'《漢書》. ②더럽힐설 더러워짐. '一, 嬻也'《說文》
[字源] 形聲. 女＋枼〔音〕

女 9 〔媕〕 12 암 [平]覃 | ān アン きたない

[字解] ①더러울암 추함. '一, 焦竑俗用雜字, 物不淨曰一臢'《正字通》. ②마음이깨끗하지않은여자암 '一, 女志不淨'《字彙》.

女 9 〔婸〕 12 [一] 탕 ㊤養 [二] 양 [平]陽 | dàng トウ みだら yáng ヨウ おんなのあざな

[字解] [一] ①음란할탕 제멋대로임. '一, 婬戲皃'《廣韻》. ②나탕 우리. '一, 我也'《正字通》. [二] 여자의자(字)양 여자의 이름 대신 쓰는 이름.

女 9 〔媠〕12 타 ㊤哿 tuǒ / ㊦箇 duò タ みめよい

[字解] ①고울타 염미(豔美)함. '車馬一遊之具'《漢書》. ②게으를타 나태함. 惰(心부 9획〈400〉)와 同字. '一嫚亡狀'《漢書》. ③게으른여자타 '一, 嬾婦人也'《廣韻》.
[字源] 形聲. 女+隋〔音〕

女 9 〔媓〕12 [人名] 황 [平]陽 huáng コウ はは

[筆順] 女 女' 女' 女' 女白 媓 媓 媓

[字解] ①어미황 모친. '南楚瀑洭之間, 母謂之一'《揚子方言》. ②사람이름황 '女一'은 요(堯)임금의 비(妃).
[字源] 形聲. 女+皇〔音〕

女 9 〔媢〕12 모 ㊦號 / ㊤晧 mào ボウ ねたむ

[字解] 강샘할모, 시새울모 질투함. 또, 시기함. '妒夫一婦'《論衡》.
[字源] 形聲. 女+冒〔音〕

女 9 〔媧〕12 [一] 와 [平]麻 (과[本]) wā カ しんにょ / [二] 왜 [平]佳 (괘[本]) wā カイ しんにょ

[字解] [一] 사람이름와 '女一'는 중국 고대의 신녀(神女) 이름. '女一煉五色石補天'《史記》. ※本音 과. [二] 사람이름왜 [一]과 뜻이 같음. ※本音 괘.
[字源] 形聲. 女+咼〔音〕

女 9 〔媉〕12 [一] 옥 ㊁屋 wū オク みめよい / [二] 악 ㊁覺 wò アク かたち

[字解] [一] 어여쁠옥 아름다움. '一, 好也'《集韻》. [二] 모양악 자태(姿態). '一一, 容也'《集韻》.

女 9 〔媕〕12 암 [平]覃 ān アン ぐずぐずして はっきりしない

[字解] 머뭇거릴암 '一婀'는 주저하여 결정을 짓지 못함. '詎肯感激徒一婀'《韓愈》.
[字源] 形聲. 女+弇〔音〕

女 9 〔媥〕12 편 [平]先 piān ヘン みがる

[字解] ①가벼울편 발걸음이 가벼운 모양. '一, 身輕便皃'《廣韻》. ②펄럭일편 '一姺徽㣯'《司馬相如》.
[字源] 形聲. 女+扁〔音〕

女 9 〔婼〕12 착 ㊁藥 chuò チャク したがわない

[字解] ①거스를착 순종하지 않음. '一, 不順也'《說文》. ②성착 성(姓)의 하나. '韓袁侯少子一, 後爲氏'《路史》.
[字源] 形聲. 女+若〔音〕

女 9 〔㛼〕12 삽 ㊁洽 shà ソウ おそれる

[字解] ①납신거릴삽 빠른 말씨로 차례없이 조잘거림. '一, 疾言失次也'《集韻》. ②두려워할삽 기가 죽음. '一, 一曰, 怯也'《集韻》. ③여자다울삽 '一, 女皃'《集韻》. ④까불삽 '一睞'은 까불고 괘사를 떠는 모양. '一睞, 戲謔皃'《集韻》.
[字源] 形聲. 女+臿〔音〕

女 9 〔㛹〕12 변 [平]先 pián ベン うるわしい

[字解] 예쁠변 '一娟'은 용모가 아름다운 모양. '一娟, 美好'《廣韻》.

女 9 〔㛄〕12 우 ㊤麌 qū ク せむし

[字解] 꼽추우 곱사등이. 또, 뜻을 굽혀 복종함. '傴一名執. (注) 傴一, 猶傴僂也'《趙壹》.

女 9 〔媦〕12 위 ㊦未 wèi イ いもうと

[字解] 손아랫누이위 여제(女弟). '若楚王之妻一'《公羊傳》.
[字源] 形聲. 女+胃〔音〕

女 9 〔媀〕12 우 ㊦遇 yù グ ねたむ

[字解] 질투할우 여자가 남자를 샘함. 강짜함. '女妒男曰一'《集韻》.

女 9 〔媤〕12 [韓] 시

[字解] 《韓》 시집시 남편의 집. '一宅'. '一父母'. '一外家'. '一叔'. '一家'.
[參考] 《강희자전(康熙字典)》과 《집운(集韻)》에 실려 있으나, 위와 같은 자해(字解)는 없음.

女 9 〔媔〕12 면 ①[平]先 mián ベン・メン めの うつくしいさま / ②㊤銑 miǎn ベン・メン ねたむ

[字解] ①눈매예쁠면 '青色直眉, 美目一只'《楚辭》. ②질투할면 투기함. '一, 妬也'《集韻》.

女 9 〔媣〕12 [一] 염 ㊤琰 rǎn ゼン・ネン ただしい / [二] 감 [平]覃 カン うつくしい

[字解] [一] ①바를염 도리(道理)에 맞음. '一,

諟也'《說文》. ②아름다울염 '一, 一曰, 媞也'《集韻》. [三] 아름다울감 [一]❷와 뜻이 같음.
[字源] 形聲. 女+染〔音〕

女 9 〔媊〕12 [一] 전 [平]先 [上]銑 [去]霰 | qián セン ほしのな
[二] 자 [平]支 | シ ほしのな
[字解] [一] 별이름전 태백성(太白星)의 아내라고 함. 명성(明星). '一, 甘氏星經曰, 太白號上公, 妻曰女一, 居南斗, 食厲, 天下祭之, 曰明星'《說文》. [二] 별이름자 [一]과 뜻이 같음.
[字源] 形聲. 女+前〔音〕

女 9 〔媄〕12 미 [上]紙 | měi ビ·ミ みめよい
[字解] 빛고울미 용모가 아름다움. '一, 字樣云, 顏色姝好也'《廣韻》.
[字源] 形聲. 女+美〔音〕

女 9 〔媅〕12 담 [平]覃 | dān タン たのしむ
[字解] 즐길담 媅(女부 4획〈242〉)과 同字. '一, 媱過'《廣韻》.
[字源] 形聲. 女+甚〔音〕

女 9 〔㛂〕12 요 [上]篠 | yǎo ヨウ かよわい
[字解] ①연약할요 '一㜵, 細弱'《廣韻》. ②날씬할요 날씬하고 예쁜 모양. 偠(人부 9획〈63〉)와 同字. '偠, 偠㒜, 美皃. 或从女'《集韻》.

女 9 〔媖〕12 영 [平]庚 | yīng エイ おんなのびしょう
[字解] 여자의 미칭영 '一, 女人美稱'《廣韻》.

女 9 〔媘〕12 성 [上]梗 | shěng セン·ショウ へる, へらす
[字解] ①덜성, 덜릴성 생략함. '一, 減也'《說文》. ②적을성 '一, 少也'《廣雅》.
[字源] 形聲. 女+省〔音〕

女 9 〔媞〕12
[一] 시 [上]紙 | shì シ つまびらか
[二] 제 [平]齊 [上]薺 | ①②tí テイ やすらか ③-⑤テイ こびる
[三] 지 [平]支 | zhī シ さいわい
[四] 태 [去]卦 | タイ あなどる
[五] 타 [去]禡 | タ あなどる
[字解] [一] ①살필시 자세히 조사함. '一, 諦也'《說文》. ②교활할시 '一, 一曰, 妍黠也'《說文》. ③어미시 '一, 江淮呼母也'《廣韻》. [二] ①편안할제 '一, 爾雅云, 一一, 安也'《廣韻》. ②예쁠제 '一, 美好皃'《廣韻》. ③아양떨제 교태를 부림. '一娧, 嫵媚'《集韻》. ④살필제 [一]❶과 뜻이 같음. ⑤향부자열매제 향부자(香附子)의 열매. '薃侯, 莎. 其實, 一'《爾雅》. [三] 복지 행복. 禔(示부 9획〈891〉)와 同字. '禔, 安福也. 或从女'《集韻》. [四] 업신여길태 '菼一'는 속이고 업신여기는 말. '菼一·謾譾·惼怛, 皆欺嫚之語也'《揚子方言》. [五] 업신여길타 [四]와 뜻이 같음.
[字源] 形聲. 女+是〔音〕

女 9 〔媔〕12 〔인〕 女부 8획(255)을 보라.

女 9 〔媘〕12 〔혼〕 婚(女부 8획〈252〉)과 同字

女 9 〔婷〕12 〔경〕 惸(心부 9획〈400〉)과 同字

女 9 〔媍〕12 〔부〕 婦(女부 8획〈253〉)와 同字

女 9 〔嫂〕12 〔수〕 嫂(女부 10획〈259〉)와 同字

女 9 〔媪〕12 〔온〕 媼(女부 10획〈259〉)의 俗字

女 9 〔婿〕12 [人名] 〔서〕 壻(士부 9획〈226〉)의 俗字
[筆順] 女 女一 女丆 女疋 女疋 婿 婿 婿
[字源] 會意. 女+胥

女 9 〔䵵〕12 축 [入]屋 | cù シュク みにくい
[字解] ①추할축 용모가 보기 흉함. '一, 醜也'《說文》. ②늙은계집축 노녀(老女). '一, 一曰, 老嫗也'《說文》.
[字源] 形聲. 女+酓〔音〕

女 9 〔婺〕12 무 ①②[去]遇 ③[平]尤 | wù ブ·ム したがわない móu ボウ·ム うつくしい
[字解] ①별이름무 '一女'는 여수(女宿)의 별칭(別稱). 여수는 이십팔수(二十八宿)의 하나. 현무칠수(玄武七宿)의 셋째 성수(星宿)로서, 네 별로 구성되었음. '越地一女之分野'《漢書》. ②따르지않을무 따라가지 않음. '一, 不繇也'《說文》. ③아름다울무 여자의 아름다운 모양. '一, 女皃'. '一, 美皃'《集韻》.
[字源] 形聲. 女+敄〔音〕

女 9 〔嫛〕12 ㊀ 희 [平]支 | xī キ よろこびたのしむ
㊁ 이 [平]支 | yī イ よろこびたのしむ

[字解] ㊀ ①기뻐하여즐길희 '一, 說樂也'《說文》. ②좋을희 '一, 善也'《集韻》. ③아내희 처(妻). '謹于一執'《太玄經》. ㊁ 기뻐하여 즐길이 ㊀①과 뜻이 같음.
[字源] 形聲. 女+巸〔音〕

女 10 〔嫛〕13 嫛(前條)의 俗字

女 10 〔嬬〕13 추 ①[平]虞 ②③[平]尤 ④[去]遇 | chú ス やもめ zōu シュウ はらむ ス せい

[字解] ①홀어미추 과부. '惠于一孀'《崔瑗》. ②애밸추 '一, 婦人妊娠也'《說文》. ③예쁠추 아름다움. '一, 好也'《廣雅》. ④성추 성(姓)의 하나.
[字源] 形聲. 女+芻〔音〕

女 10 〔媼〕13 [人名] 온(오[本]) [上]皓 | ǎo オウ としおいたおんな

[筆順] 女 如 如 如 如 媼 媼 媼

[字解] ①할미온 ㉠노파. '翁一'. '高祖常從王一武負貰酒'《漢書》. ㉡할머니. 조모(祖母). '山西平陽呼祖母曰一'《新方言》. ②어미온 모(母)의 별칭(別稱). '一之愛燕后, 賢于長安君'《史記》. ③계집온 부녀(婦女). '與侯妾衛一通'《史記》. ④땅귀신온 토지의 신(神). 지기(地祇). '一神'. '后土富一'《漢書》. ※本音 오.
[字源] 形聲. 女+𥁕〔音〕

女 10 〔嫨〕13 혜 ①②[去]霽 ③[平]齊 | xì ケイ おそれる xī ケイ はしため

[字解] ①겁낼혜 무서워 떪. '一, 怯也'《集韻》. ②강샘하는계집혜 투기하는 여자. '一, 妬女'《集韻》. ③계집종혜 여자종. '一, 女隷也'《說文》.
[字源] 形聲. 女+奚〔音〕

女 10 〔媳〕13 식 [入]陌 | xí セキ よめ

[字解] 며느리식 자부(子婦). '世祖每稱之, 爲賢德一婦'《元史》.
[字源] 形聲. 女+息〔音〕

女 10 〔媸〕13 치 [平]支 | chī シ みにくい

[字解] ①추할치 보기 싫음. 못생김. '妍一好惡'《陸機》. ②얕볼치 경시(輕視)함. 또, 어리석음. '蚩, 侮也. 癡也. 或作媸, 通作蚩' 《集韻》. ③음탕할치 '一, 淫也'《字彙》.
[字源] 形聲. 女+蚩〔音〕

女 10 〔媺〕13 미 [上]紙 | měi ビ うつくしい, よい

[字解] ①아름다울미, 좋을미 美(羊부 3획〈1033〉)와 同字. ②계집아이미 소녀.
[字源] 形聲. 女+微〔音〕

女 10 〔媽〕13 마 [上]麌 | mā ボ·モ はは

[字解] ①어미마 모친(母親). '一一'. ②암말마 말의 암컷.
[字源] 形聲. 女+馬〔音〕

女 10 〔媾〕13 구 [上]有 | gòu コウ かさなるえんぐみ

[字解] ①겹혼인할구 인척(姻戚)끼리 다시 혼인함. 겹사돈이 됨. '如舊昏一'《左傳》. ②괼구 사랑함. '不遂其一'《詩經》. ③교접할구, 교접구 남녀 사이의 교합. '一合'. '交一騰精魄'《李白》. ④화친할구, 화친구 교전국 쌍방이 적대 행위를 중지하고 화목함. '一和'. '不如發重使爲一'《史記》.
[字源] 形聲. 女+冓〔音〕

女 10 〔媲〕13 비 [去]霽 [去]寘 | pì ヘイ·ハイ つれあい ヒ つれあい

[字解] 짝비 아내. '妃, 一也'《爾雅》.
[字源] 形聲. 女+䫴〔音〕

女 10 〔媿〕13 괴 [去]寘 | kuì キ はじる

[字解] ①부끄러워할괴, 부끄러움괴 愧(心부 10획〈404〉)와 同字. '不知一'《漢書》. ②욕보일괴 수치를 당하게 함. '一辱'. '卽中令善一人'《漢書》.
[字源] 形聲. 女+鬼〔音〕

女 10 〔嫁〕13 [人名] 가 [去]禡 | jià カ よめ

[筆順] 女 女' 女'' 女宀 女宁 嫁 嫁 嫁

[字解] ①시집갈가 '一娶'. '女子二十而一'《禮記》. ②시집보낼가 '將一女'《世說》. ③떠넘길가 허물·재난 등을 남에게 떠넘김. 전가함. '是欲一禍於趙也'《史記》. ④갈가 어떤 곳을 향하여 감. 떠남. '將一于衛'《列子》.
[字源] 形聲. 女+家〔音〕

女 10 〔嫜〕13 〔선〕 嬋(女부 12획〈264〉)과 同字

女 10 〔嫂〕13 수 [上]皓 | sǎo ソウ あによめ

字解 ①형수수 형의 아내. '兄—'. '嫂, 說文, 兄妻也. 或从叟'《集韻》. ②노부인수 늙은 여인의 일컬음. 叟(又부 8획〈143〉)와 同字. '—, 叟也. 叟, 老者稱也'《釋名》.
字源 形聲. 女+叜〔音〕

女10〔嫄〕13 人名 원 ㊥元 | yuán ゲン あざな

筆順 女 女 ...

字解 사람이름원 '姜—'은 주(周)나라 선조 후직(后稷)의 어머니 이름. '赫赫姜—'《詩經》.
字源 形聲. 女+原〔音〕

女10〔嫉〕13 질 ㊨質 | jí シツ ねたむ

字解 ①시새움할질 시기함. 질투함. '—視'. '女無美惡, 入室見妒, 士無賢不肖, 入朝見—'《史記》. ②시새움질 시기. 질투. '不虞訕—'《曾鞏》.
字源 形聲. 女+疾〔音〕

女10〔嫋〕13 뇨 ㊤篠 | niǎo ジョウ しなやか

字解 ①휘청휘청할뇨 부드럽고 김. '——柳垂條'《鮑照》. ②간드러질뇨 예쁘고 가냘픔. '——素女'《左思》. ③바람에흔들릴뇨 바람이 불어 흔들리는 모양. '——兮秋風'《楚辭》.
字源 形聲. 女+弱〔音〕
參考 嬝(女부 13획〈265〉)는 俗字.

女10〔嫌〕13 高校 혐 ㊥鹽 | xián ケン きらう

字解 ①싫어할혐 ㉠미워함. 또, 꺼림. '—憚'. '女毋—之, 欲勿與'《吳志》. ㉡소외(疏外)함. '示民不—也'《禮記》. ㉢불만하게 여김. '上—其太重'《史記》. ②의심할혐 의혹함. '—疑'. '爲其—于无陽'《易經》. ③미움혐 증오. 또, 불만. '睚眦之—'. '其累百年之欲, 易一時之—'《荀子》. ④혐의혐 의혹. '苞苴之—'《後漢書》.
字源 形聲. 女+兼〔音〕

女10〔媵〕13 잉 ㊧徑 | yìng ヨウ おくる

字解 ①줄잉 건네어 줌. 내줌. '主人—爵于賓'《儀禮》. ②따라보낼잉 시집가는 여자에게 따라가게 함. '以—秦穆姬'《左傳》. ③전송할잉 전별하여 보냄. '魚鱗鱗兮—予'《楚辭》. ④잉첩잉 시집가는 데 따라보내는 여자. 또, 시녀(侍女). '—侍'. '從衣文之—七十人, 至晉'《韓非子》.
字源 形聲. 女+勝〈省〉〔音〕

女10〔嫇〕13 명 ㊥庚 | míng モウ・ミョウ はにかむ, おずおず

字解 ①새색시명 '嫈—'은 신부(新婦)가 수줍어하는 모양. 또, 시집간 지 얼마 안 되는 어린 여자. '彩伴颯嫈—'《韓愈》. ②소심할명 주뼛주뼛 머뭇거리는 모양.
字源 形聲. 女+冥〔音〕

女10〔嫡〕13 ㊀ 축 ㊨屋 | xù チク こびる
㊁ 휵 ㊨屋 | キク こびる

字解 ㊀ ①아양떨축 '—, 媚也'《說文》. ②시새울축 '—, 妬也'《廣雅》. ③좋아할축 '—, 好也'《廣雅》. ㊁ 아양떨휵, 시새울휵, 좋아할휵 ㊀과 뜻이 같음.
字源 形聲. 女+畜〔音〕

女10〔嫏〕13 랑 ㊥陽 | láng ロウ ふみぐら

字解 서고랑 '—嬛'은 천제(天帝)의 서고(書庫). '玉京—嬛, 天帝藏書處'《字彙補》.

女10〔嫚〕13 원 ㊧願 ㊥元 | wǎn エン やすらか

字解 ①순할원 유순함. '—, 宴—也'《說文》. ②아름다울원 '——'은 아름다운 모양. '—, 美也'《廣韻》.
字源 形聲. 女+冤〔音〕

女10〔嬉〕13 ㊀ 이 ㊧寘 | huì イ よろこばない
㊁ 수 ㊤紙 | スイ よろこばない
㊂ 엽 ㊨葉 | yè ヨウ おんならしい

字解 ㊀ ①기뻐하지아니할이 '—, 不說也'《說文》. ②화낼이 성냄. '—, 怒也'《集韻》. ㊁ 기뻐하지아니할수, 화낼수 ㊀과 뜻이 같음. ㊂ 계집다울엽 '嬈—'은 여자다운 모양. '嬈—, 女態'《集韻》.
字源 形聲. 女+恚〔音〕

女10〔媙〕13 멸 ㊨屑 | miè ベツ ほろぼす

字解 ①멸할멸 없애 버림. 끊음. 滅(水부 10획〈671〉)과 통용. '皆—可以休老'《莊子》. ②비빌멸 문지름. 搣(手부 10획〈458〉)과 통용.

女10〔嫍〕13 〔좌〕 娙(女부 7획〈251〉)의 本字

女10〔嫐〕13 뇨 ㊤晧 | nǎo ドウ・ノウ たわむれる

字解 희롱할뇨 놀림. '—, 嬈—也'《玉篇》.
字源 會意. 女+男+女

女10〔嫋〕13 요 ㊥蕭 | yáo ヨウ みめよい

[字解] ①예쁠요 아름다움. '一, 美好'《廣韻》. ②어깨구부리고걸을요 '一, 曲肩行皃'《說文》. ③희롱할요 '一, 一曰戲也'《集韻》. ④'要一'는 춤추는 모양. '音晏衍兮要一'《楚辭》.
[字源] 形聲. 女+䍃〔音〕

女10 〔嫈〕13 앵 [平]庚 | yīng オウ しょうしん
[字解] ①새색시앵 '一嫇'은 신부(新婦). 유부(幼婦). '彩伴颯一嫇'《韓愈》. ②소심할앵 수줍어하는 모양. '一, 小心態也'《說文》. ③아름다울앵 '一一'. '一, 一曰, 一一, 好皃'《集韻》.
[字源] 形聲. 女+熒〈省〉〔音〕

女10 〔媻〕13 반 [平]寒 [去]翰 | pán ハン おごる
[字解] ①뽐낼반 우쭐함. '一, 奢也'《說文》. ②첩반 소실. '一, 一曰, 小妻也'《說文》. ③비틀거릴반 '一珊'은 비틀거리는 모양. '一珊勃窣, 上乎金隄'《史記》.
[字源] 形聲. 女+般〔音〕

女10 〔⿱陝女〕13 섬 [上]琰 | セン ぐずぐずする
[字解] 꾸물거릴섬 수줍어하여 우물쭈물함. '一, 不媚'《廣韻》.
[字源] 形聲. 女+陝〔音〕

女10 〔⿱⿰氵叀女〕13 〔파〕
婆(女부 8획〈255〉)와 同字

女11 〔嫖〕14 표 [平]蕭 piāo [去]嘯 piào | ヒョウ かるい
[字解] ①날랠표 경첩(輕捷). '一姚'. ②음탕할표 '一客'. '背尊章一以忽'《漢廣王》.
[字源] 形聲. 女+票〔音〕

女11 〔嫗〕14 구(우[本]) [去]遇 yù [上]麌 yǔ | ウ ばば
[字解] ①할미구 노파. '老一'. '願得兩箇爲翁一'《古樂府》. ②계집구 여자. '從少一三十'《南史》. ③따스히할구 따뜻하게 하여 기름. '一煦'. '煦一覆育萬物'《禮記》. ※本音 우.
[字源] 形聲. 女+區〔音〕

女11 〔嫚〕14 만 [去]諫 | màn バン・マン あなどる
[字解] ①업신여길만 모멸함. 慢(心부 11획〈408〉)과 同字. '一罵'. '上一下暴則陰氣勝'《漢書》. ②욕보일만 모욕을 가함. '單于爲書, 一呂太后'《漢書》.
[字源] 形聲. 女+曼〔音〕

女11 〔⿰女虘〕14 처 [去]御 | jù ショ おごる
[字解] ①교만할처 거만함. '一, 驕也'《說文》. ②투기할처 강샘함. '一, 妒也'《說文》.
[字源] 形聲. 女+虘〔音〕

女11 〔嫟〕14 닉 [入]職 | nì ジョク なれちかづく
[字解] ①친압할닉 暱(日부 11획〈513〉)과 뜻이 같음. ②음탕할닉 '一, 淫一'《字彙》.

女11 〔嫜〕14 장 [平]陽 | zhāng ショウ しゅうと
[字解] ①시부모장 남편의 부모. '妾身未分明, 何以拜姑一'《杜甫》. ②시아주버니장 남편의 형(兄). '夫之兄曰兄一'《集韻》.
[字源] 形聲. 女+章〔音〕

女11 〔嫡〕14 적 [入]錫 | dí チャク せいふじん, よつぎ
[字解] ①아내적 첩에 대하여 정실(正室)을 이름. '媵承事一'《釋名》. ②맏아들적 정실이 낳은 장남. 전(轉)하여, 널리, 본처 소생의 아들의 뜻으로도 쓰임. '一子'. '殺一立庶'《左傳》.
[字源] 形聲. 女+商(啻)〔音〕

女11 〔⿰女酓〕14
[一] 암 [上]感 [平]覃 | ①-③ǎn ガン いきどおる ④アン したう
[二] 엄 [平]鹽 | yǎn エン うつくしい
[字解] [一] ①뾰로통할암 불만스러워 성난 빛을 함. '一, 含怒也'《說文》. ②알기어려울암 난해(難解)함. '一, 一曰, 難知也'《說文》. ③엄숙할암 장엄함. '一, 詩曰, 碩大且一'《說文》. ④계집맘둘암 '一一'은 여자가 마음에 그림. [二] ①뾰로통할엄 [一]①과 뜻이 같음. ②아름다울엄 눈에 들게 아름다움. '一, 美也'《廣雅》.
[字源] 形聲. 女+酓〔音〕

女11 〔嫣〕14 언 [平]先 | yān エン うつくしい
[字解] ①아름다울언 미호(美好)함. '側近一紅伴柔綠'《李商隱》. ②상긋웃을언 보기에 아름답게 웃는 모양. '一然一笑'《宋玉》. ③연할언 '蟬一'은 연속함. '有周氏之蟬一兮'《漢書》.
[字源] 形聲. 女+焉〔音〕

女11 〔嫤〕14 [人名] 근 [上]吻 | jǐn キン みめよい
[筆順] 女 ⿰女一 ⿰女艹 ⿰女廿 ⿰女昔 ⿰女菫 嫤 嫤

字解 고울근 아름다운 모양 '一, 好皃'《集韻》.

女11 〔嫦〕 14 ㊀ 항 (平)蒸 ㊁ 상 (平)陽 | héng コウ おんなのあざな chǎng ショウ おんなのあざな

字解 ㊀ 항아항 姮(女부 6획〈247〉)의 俗字. ㊁ 항아상 ㊀과 뜻이 같음.
字源 形聲. 女+常〔音〕

女11 〔嫩〕 14 눈 (去)願 | nèn(nùn) ドン わかい

字解 ①어릴눈 어리고 연약함. 또, 어리고 아름다움. '一葉'. '紅入桃花一'《杜甫》. ②예쁠눈 아름다움. '一, 一曰, 好皃'《集韻》. ③조금눈 '一寒江店杏花前'《高啓》.
字源 形聲. 女+敕(軟)〔音〕

女11 〔嫰〕 14 嫩(前條)의 俗字

女11 〔嫪〕 14 로 ①-③(去)號 ④(平)豪 | lào ロウ こいし láo たう

字解 ①사모할로 그리워하여 잊지 못함. 미련을 남김. '戀一'. '偶往心已一'《陸龜蒙》. ②인색할로 '一, 悋物'《廣韻》. ③성로 성(姓)의 하나. ④질투할로 '一, 妬也'《廣雅》.
字源 形聲. 女+翏〔音〕

女11 〔嫪〕 14 삼 ①(上)感 ②(平)侵 | cān サン むさぼる sēn シン みだら

字解 ①탐할삼 사물을 욕심냄. '一, 婪也'《說文》. ②음란할삼 부정(不貞)함. '一, 婬也'《集韻》.
字源 形聲. 女+參〔音〕

女11 〔嫫〕 14 모 (平)虞 | mó ボ·モ しこめ

字解 못생길모 못생겨 보기에 흉함. '一母有所美'《淮南子》.
字源 形聲. 女+莫〔音〕

女11 〔嫮〕 14 호 (去)遇 | hù コ みめよい

字解 ①아름다울호 미호(美好)함. 嫭(次條)와 同字. '西施之徒, 姿容修一'《張衡》. ②소녀호 처녀. 嫭(次條)와 同字. ③자랑할호 자만함. '車騎皆帝所賜, 即以一鄙小縣'《漢書》.
字源 形聲. 女+雩〔音〕

女11 〔嫭〕 14 호 (去)遇 | hù コ みめよい, ねたむ

字解 ①아름다울호 미호(美好)함. 또, 그 여자. 미녀. '知衆一之嫉妒兮'《漢書》. ②질투할호 시기함. '一, 妬也'《廣雅》.
字源 形聲. 女+虖〔音〕

女11 〔嫕〕 14 예 (去)霽 | yì エイ しとやか

字解 유순할예 온순함. 嫛(女부 11획〈262〉)와 同字. '婉一, 柔順皃'《廣韻》.

女11 〔嫙〕 14 선 (平)先 (去)霰 | xuán セン みめよい

字解 아리따울선 아름다움. 睷(目부 11획〈854〉)과 同字. '一, 美謂之一. 或从目'《集韻》.
字源 形聲. 女+旋〔音〕

女11 〔嫧〕 14 책 (入)陌 | zé サク·セキ ととのう

字解 ①정제할책 가지런히 함. '一, 一竦, 齊謹'《廣韻》. ②예쁠책 고움. '一, 鮮好也. 南楚之外, 通語也'《揚子方言》. ③굳셀책 용맹스러운 모양. '一, 健急皃'《廣韻》.
字源 形聲. 女+責〔音〕

女11 〔嫥〕 14 ㊀ 전 (平)先 ㊁ 단 (平)寒 | zhuān セン もっぱら タン うつくしい

字解 ㊀ ①오로지전 專(寸부 8획〈289〉)과 同字. '一, 壹也'《說文》. ②사랑스러울전 사랑스러운 모양. '一, 可愛之皃'《廣韻》. ③조정할전 조화롭게 정돈함. '一捖剛柔'《淮南子》. ㊁ 아름다울단 '一, 嫩也'《集韻》.
字源 形聲. 女+專〔音〕

女11 〔嫘〕 14 ㊀ 류 (平)支 (去)寘 ㊁ 뢰 (平)灰 | léi ルイ せい ライ

字解 ㊀ 성류 성(姓)의 하나. '一祖'는 서릉씨(西陵氏)의 딸로, 황제(黃帝)의 정비(正妃). 백성에게 양잠(養蠶)을 가르치고, 멀리 여행하기를 즐겼다 함. ㊁ 성뢰 성(姓)의 하나.

女11 〔嫛〕 14 예 ①(平)齊 ②(去)霽 | yī エイ みどりご yì エイ すなお

字解 ①갓난아이예 '一婗'는 갓난아기. '始生曰嫛兒, 或曰一婗'《釋名》. ②유순할예 온순함. 순종. '一, 婉一, 順從也'《集韻》.
字源 形聲. 女+殹〔音〕

女11 〔嫠〕 14 리 (平)支 | lí リ やもめ

字解 홀어미리 과부. '一婦'. '一也何害'《左傳》.
字源 形聲. 女+𠩺〔音〕

女11〔嫫〕14 ㊀모 ㊥虞 mó ㊁맥 ㊍陌 mò バク しずか

字解 ㊀ 嫫(女부 11획〈262〉)의 本字. ㊁ 조용할맥 '一, 靜也'《廣韻》.

女11〔婺〕14 목 ㊍屋 wù ボク うつくしい

字解 아름다울목 아름다운 모양. '一, 美皃'《集韻》.

女11〔嫢〕14 ㊀규 ㊥支 ㊤紙 ①-③guī キ あきらか キ みめよい ㊁의 ㊥支 イ ほそごし ㊂주 ㊥支 zuī スイ ほそごし

字解 ㊀ ①살필규 여자가 자세히 살핌. '一, 一曰, 婦人審諦皃'《集韻》. ②나긋나긋할규 '一, 細也. 自關而西, 秦晉之閒, 凡細而容, 謂之一'《揚子方言》. ③가는허리규 '一, 細腰也'《集韻》. ④아리따울규 '一, 好也'《集韻》. ㊁ ①풍만할의 모습이 풍만한 모양. '一, 盈姿'《集韻》. ②가는허리의 ㊀❸과 뜻이 같음. ③화낼의 '一盈'은 성냄. '一盈, 怒也''《廣雅》. ㊂ ①풍만할주 ㊁❶과 뜻이 같음. ②가는허리주 ㊀❸과 뜻이 같음.

字源 形聲. 女＋規〔音〕

女11〔嫯〕14 오 ㊦號 ㊥豪 ào ゴウ おごる

字解 교만할오, 깔볼오 '一, 侮傷也'《說文》. '一, 慢也'《廣韻》.

字源 形聲. 女＋敖〔音〕

女11〔嫐〕14 嫯(前條)와 同字

女11〔嫯〕14 ㊀지 ㊦寘 zhì シ いたる, にえ ㊁집 ㊍緝 シュウ いたる, にえ

字解 ㊀ ①이를지 '一, 至也. 周書曰, 大命不一'《說文》. ②폐백지 贄(貝부 11획〈1398〉)와 통용. ㊁ 이를집, 폐백집 ㊀과 뜻이 같음.

字源 形聲. 女＋執〔音〕

女11〔婺〕14 婺(前條)의 訛字

女12〔嫵〕15 무 ㊤麌 wǔ ブ こびる, みめよい

字解 ①아리따울무 예쁨. 아름다움. '媚一'. '一媚纖弱'《司馬相如》. ②교태지을무 아양부림. '一媚'《廣韻》.

字源 形聲. 女＋無〔音〕

女12〔嬅〕15 人名 화 ㊦禡 huà カ うつくしい

筆順 女 女̄ 女艹 女㐀 女芈 女丵 嬅 嬅

字解 탐스러울화 여자 모습이 아름다움. '一, 女容麗也'《正字通》.

女12〔嬈〕15 초 ㊥蕭 qiáo ショウ やつれる

字解 야윌초 근심하여 야윔. 憔(心부 12획〈412〉)와 同字. '一妍太息'《漢書》.

字源 形聲. 女＋焦〔音〕

女12〔嫻〕15 한 ㊥刪 xián カン みやびやか

字解 ①우아할한 한아(閒雅)함. 품위가 있음. 정숙함. '雍容一雅'《司馬相如》. ②익힐한 익숙해짐. '一于辭令'《史記》. ③조용할한 침착함. '辭言一雅'《後漢書》.

字源 形聲. 女＋閒〔音〕

女12〔嫺〕15 嫻(前條)과 同字

女12〔嫺〕15 嫻(前前條)의 俗字

女12〔嫽〕15 료 ①㊥蕭 ②③㊤篠 liáo リョウ たわむれる liǎo リョウ かなしむ

字解 ①희롱할료 희학(戲謔)질함. '一戲'. ②아름다울료 '一一, 好皃'《廣韻》. ③슬퍼할료 '一, 一悷'《廣韻》.

字源 形聲. 女＋尞(寮)〔音〕

女12〔嫸〕15 선 ㊤銑 zhǎn セン いいまぎらす

字解 ①남의말어기기좋아할선 '一, 謂, 不欲人語而言他, 以枝格之也'《說文 段注》. ②욕보일선 부끄럽게 함. '一, 一曰, 靳也'《說文》. ③완고할선 '一, 偏忮'《廣韻》.

字源 形聲. 女＋善〔音〕

女12〔嫿〕15 획 ㊍陌 huà カク しとやか

字解 ①안존할획 얌전하고 조용함. '旣姽一于幽靜'《宋玉》. ②자랑할획 자만함. '風俗以韰惈爲一'《左思》. ③달릴획 빨리 감. '徽一霍奕'《後漢書》. ④아름다울획 환하게 예쁨. '一, 分明好皃'《廣韻》.

字源 形聲. 女＋畫〔音〕

女12〔嫴〕15 고 ㊥虞 gū コ まかせる

字解 ①맡길고 기탁함. '一, 保任也'《說文》. ②구차할고 임시적으로. 잠시. '一,

且也'《廣雅》. ③도거리할고 독점함. '一, 榷也'《廣雅》.
[字源] 形聲. 女+辜〔音〕

女12 〔嬀〕 15 규 [平]支 | guī キ かわのな
[字解] ①성규 성(姓)의 하나. 순(舜)임금의 후예(後裔)의 성. ②물이름규 산서성(山西省) 영제현(永濟縣) 남쪽에서 발원(發源)하여 서쪽으로 흘러 황하(黃河)로 들어가는 강. '一水'. '釐降二女于一汭'《書經》.
[字源] 形聲. 女+爲〔音〕

女12 〔嬈〕 15 [一] 뇨 [上]篠 | rǎo ジョウ わずらわしい
[二] 요 [上]篠 | yǎo ヨウ うつくしい
[字解] [一] ①번거로울뇨 까다로움. 또, 까다로운 것. '除苛解一'《漢書》. ②희롱할뇨 희학질함. '嫽一'. ③번뇌할뇨 고뇌함. 괴롭힘. '一, 惱也'《一切經音義》. ④어지럽힐뇨, 어지러울뇨 '一, 一曰, 擾也'《說文》. [二] 아리따울요 예쁨. '佳人屢出董嬌一'《杜甫》.
[字源] 形聲. 女+堯〔音〕

女12 〔㜣〕 15 연 ①[上]銑 | rǎn セン あでやか
②[上]銑 | rǎn ゼン·ネン せい
[字解] ①여자모습연 여자의 아리따운 자태(姿態). '一, 女姿態'《廣韻》. ②성연 성(姓)의 하나.
[字源] 形聲. 女+然〔音〕

女12 〔嬉〕 15 [人名] 희 [平]支 | xī キ たわむれる
[筆順] 女 女 女 女 女 女 嬉 嬉
[字解] ①놀희 장난함. 즐거이 놂. '一樂'. '一, 戲也'《廣雅》. '一, 一曰, 游也'《廣韻》. '一乎玄冥之間'《列仙傳》. ②즐길희 즐거워함. 기뻐함. '追漁夫同一'《張衡》. ③아름다울희 예쁨. '一, 美也'《廣韻》.
[字源] 形聲. 女+喜〔音〕

女12 〔嬎〕 15 반 [去]願 | fàn ハン ふたごをうむ
[字解] ①쌍둥이낳을반 쌍생아(雙生兒)를 낳음. 娩(女부 7획〈251〉)과 뜻이 같음. '一, 生子齊均也'《說文》. ②늘반 번식함. '一, 一息也'《廣韻》. ③깰반 알이 부화함. '一, 一曰, 鳥伏乍出'《廣韻》.
[字源] 會意. 女+兔+生
[參考] 嬔(女부 13획)는 別字.

女12 〔嬋〕 15 [人名] 선 [平]先 | chán セン あでやか
[筆順] 女 女 女 女 女 女 嬋 嬋
[字解] ①아름다울선 달·꽃·사람 등의 모습 또는 빛이 아름다움. '庭木誰能近, 射干復一娟'《阮籍》. ②끌선 끌어당김. 媛(女부 9획〈256〉)을 보라. '垂條一媛'《張衡》.
[字源] 形聲. 女+單〔音〕

女12 〔嬌〕 15 [人名] 교 [平]蕭 [上]篠 | jiāo キョウ みめよい
[筆順] 女 女 女 女 女 女 嬌 嬌
[字解] ①아리따울교 요염하도록 아름다움. 또, 요염한 자태로 아양부리는 모양. '一態'. '牙牙一女總堪誇'《元好問》. 또, 그 여자. '金屋貯一時'《費昶》. ②계집애교 아녀자의 통칭. '關中以兒女爲阿一'《輟耕錄》. ③사랑스러울교 '愛一'. '含一起斜盼, 斂笑動微嚬'《玉筠》. ④사랑할교 '平生所一兒, 顏色白勝雪'《杜甫》.
[字源] 形聲. 女+喬〔音〕

女12 〔𡣍〕 15 [一] 련 [上]銑 | luǎn レンすなお
[二] 란 [去]翰 | luàn ラン わずらわしい
[字解] [一] 순할련 좇음. 孌(女부 19획〈269〉)은 籒文. '一, 順也'《說文》. [二] 번거로울란 괴롭힘. 𢿢(攴부 12획〈488〉)과 同字. '𢿢, 說文, 煩也. 或从女'《集韻》.
[字源] 形聲. 女+𤔔〔音〕

女12 〔嫸〕 15 [一] 념 [上]琰 | niǎn デン·ネン いやしい
[二] 심 [上]寢 [去]沁 | シン いやしい
[三] 담 [平]覃 [上]感 | tán タン おんなのあざな
[四] 첨 [上]琰 | tiǎn テン すらり
[字解] [一] ①천할념 완고하고 욕심이 많음. '一, 志下'. ②약할념 '一, 弱也'《廣韻》. [二] 천할심, 약할심 [一]과 뜻이 같음. [三] ①여자의자(字)담 '一, 女字'《集韻》. ②계집이름담 '一, 女名'《集韻》. [四] 계집몸호리호리할첨 '一, 婦人細長皃'《集韻》.
[字源] 形聲. 女+𠧪(覃)〔音〕

女12 〔嫼〕 15 [一] 묵 [入]職 | mò ボク いかる
[二] 혹 [入]職 | コク いかる
[三] 알 [入]黠 | アツ ねたみいかる
[字解] [一] 화낼묵 시기하여 성냄. '一, 嫉怒'《廣韻》. [二] 화낼혹 [一]과 뜻이 같음. [三] 시새워화낼알 '一, 嫉而怒也'《集韻》.
[字源] 會意. 女+黑

女12 〔嫷〕 15 타 [上]哿 [去]箇 | tuǒ タ·ダ みめよい

[字解] 고울타 아름다움. '一, 美也'《揚子方言》.
[字源] 形聲. 女＋隋〔音〕

女 12 〔嬍〕 15 〔미〕 媚(女부 9획〈256〉)의 本字

女 12 〔𡢃〕 15 〔적〕 嫡(女부 11획〈261〉)의 本字

女 12 〔𡢕〕 15 〔혐〕 嫌(女부 10획〈260〉)의 俗字

女 12 〔嫷〕 15 타 [去]箇 | duǒ タ·ダ おこたる
[字解] ①게을리할타 '惰, 懈也. 亦作一'《集韻》. ②새이름타 '一羿'는 새 이름.

女 12 〔嬃〕 15 수 [平]虞 | xū シュ あね
[字解] ①누님수 여자의 형. '女一之嬋媛兮'《楚辭》. '楚人謂姊爲一'《說文》. ②여자의 자(字)수 여자의 본이름 외에 붙이는 자(字). '一, 女字也'《說文》.
[字源] 形聲. 女＋須〔音〕

女 12 〔𡠉〕 15 嬃(前條)의 本字

女 12 〔嫳〕 15 별 [入]屑 | piē ヘツ おこらせやすい
[字解] ①노하게할별 성내게 하기 쉬움. '一, 易使怒也'《說文》. ②방정스러울별 경박한 모양. '一, 輕也'《集韻》.
[字源] 形聲. 女＋敝〔音〕

女 12 〔𡡔〕 15 〔루〕 婁(女부 8획〈255〉)의 籒文

女 13 〔嬙〕 16 장 [平]陽 | qiáng ショウ じょかん
[字解] 궁녀장 궁중의 시녀. '妃一'. '妃嬪媵一'《杜牧》.
[字源] 形聲. 女＋牆〈省〉〔音〕

女 13 〔嬝〕 16 뇨 [上]篠 | niǎo ジョウ しなやか
[字解] 간드러질뇨 嫋(女부 10획〈260〉)의 俗字.

女 13 〔嬒〕 16 회 [去]泰 | huì ワイ くろい, みにくい
[字解] ①검을회 여자의 살결이 검음. '一兮蔚兮'《詩經》. ②추할회 여자가 못생긴 모양. '方言云, 一, 可憎也'《廣韻》. ③교활할회 獪(犬부 13획〈762〉)와 통용.
[字源] 形聲. 女＋會〔音〕

女 13 〔嬛〕 16 ㊀현 [平]先 | xuān ケン かたい ㊁경 [平]庚 | qióng ケイ ひとり
[字解] ㊀ ①산뜻할현 '便一'은 산뜻하고 아름다움. '便一綽約'《司馬相如》. ②단단할현 치밀(緻密)함. 《說文》에서는 '嬛'으로 보임. '嬛, 材緊也'《說文》. ③낭창낭창할현 부드러움. 나긋나긋함. '柔橈一一'《史記》. ㊁ ①아름다울경 '一, 好也'《廣韻》. ②홀몸경 惸(心부 9획〈400〉)과 同字. '一孤'. '一一在疚'《詩經》.
[字源] 形聲. 女＋睘(瞏)〔音〕

女 13 〔嬗〕 16 선 ①[去]霰 | shàn セン ゆずる ②[平]先 | chán セン あでやか
[字解] ①물려줄선, 전할선 禪(示부 12획〈893〉)과 同字. '五年之間, 號令三一'《史記》. ②아름다울선 嬋(女부 12획〈264〉)과 통용.
[字源] 形聲. 女＋亶〔音〕

女 13 〔嬔〕 16 부 [去]遇 | fù フ うさぎのこ
[字解] 토끼새끼부 娩(女부 8획〈254〉)와 통용. '兎子, 一'《爾雅》.
[參考] 嬎(女부 12획〈264〉)과 別字.

女 13 〔嬐〕 16 섬 [平]鹽 | yǐn セン すばやい
[字解] 빠를섬 민속(敏速)함. '一侵潯而高縱兮'《司馬相如》.
[字源] 形聲. 女＋僉〔音〕

女 13 〔𡣸〕 16 ㊀잉 [去]徑 | yùn ヨウ だく, つつむ ㊁승 [平]蒸 (응[本]) | yíng ヨウ はえ
[字解] ㊀ 안을잉, 쌀잉 품에 안음. '好一惡粥. 〈注〉 一, 懷也. 粥, 出也'《太玄經》. ㊁ 파리승 蠅(虫부 13획〈1250〉)과 同字. ※本音 응.

女 13 〔嬡〕 16 애 | ài アイ むすめのけいしょう
[字解] 따님애 남의 딸에 대한 경칭. '一, 今俗稱人女, 曰令一'《中華大字典》.

女 13 〔嬓〕 16 교 [去]嘯 | jiāo キョウ じんめい
[字解] 사람이름교 '一, 人名. 史記, 齊有太史一'《說文》.

女 13 〔𡢢〕 16 〔료〕 嫽(女부 12획〈263〉)의 本字

女 13 〔𡤜〕 16 〔책〕 嫧(女부 11획〈262〉)의 本字

女13〔嫋〕16 〔와〕
媧(女부 9획〈257〉)의 籀文

女13〔嬢〕16 〔양〕
孃(女부 17획〈268〉)의 略字

女13〔嬴〕16 영 ㊥庚 yíng エイ みちる
字解 ①성영 진(秦)나라 왕(王)의 성(姓). '賜一姓'《史記》. ②풀영 얽힌 것을 풀어지게 함. '天地始肅, 不可以一'《禮記》. ③가득할영 가득히 참. '一縮'. '夏爲長一'《爾雅》. ④뻗을영 펌. '一絀, 猶言伸屈也'《荀子 注》. ⑤나타날영 앞으로 나옴. '成功之道, 一縮爲寶'《管子》. ⑥남을영 많이 남음. '一餘'. '緩急一絀'《荀子》. ⑦끝영 말단. '曾莫我一'《史記》.
字源 形聲. 女+贏〈省〉〔音〕
參考 嬴(女부 14획〈267〉)·嬴(次條)은 同字.

女13〔嬴〕16 嬴(前條)과 同字

女13〔嬴〕16 嬴(前前條)과 同字

女13〔嬜〕16 〔신〕
嬜(女부 14획〈267〉)과 同字

女13〔嫛〕16 훼 ㊤紙 huǐ キ にくむ
筆順 毀 嫛 嫛
字解 ①미워할훼 '一, 惡也'《說文》. ②여자의자(字)훼 '一, 一曰, 女字'《集韻》.
字源 形聲. 女+毀〔音〕

女13〔嬖〕16 폐 ㊦霽 bì ヘイ いつくしむ
字解 사랑할폐 미천(微賤)한 사람을 특별히 사랑함. 총애함. '一姬'. '漢武帝深一李夫人'《拾遺記》. 또, 그 사랑을 받는 사람. '內一如夫人者六人'《左傳》.
字源 形聲. 女+辟〔音〕

女13〔嫛〕16 ㊀계 ㊦霽 qì ケイ なやむ
㊁개 ㊤蟹 カイ なやむ
字解 ㊀괴로워할계 '一, 難也'《廣韻》. ㊁괴로워할개 ㊀과 뜻이 같음.
字源 形聲. 女+毄〔音〕

〔窡〕〔찰〕
穴부 11획(922)을 보라.

女13〔嬰〕16 〔요〕
要(襾부 3획〈1294〉)의 古字

女14〔嬪〕17 人名 빈 ㊥眞 pín ヒン つま, そう
筆順 女 女' 女' 女' 女' 嫔 嬪 嬪
字解 ①아내빈 ㉠죽은 아내. '生曰妻, 死曰一'《禮記》. ㉡아내. '一, 婦也'《爾雅》. 또, 널리 부인(婦人)의 미칭(美稱)으로 쓰임. '七曰一婦'《周禮》. ②시집갈빈 '一于虞'《書經》. ③궁녀빈 궁중의 여관(女官)의 이름. '妃一'. '三夫人九一'《禮記》. ④많을빈 많은 모양. '一然成行'《漢書》.
字源 形聲. 女+賓〔音〕

女14〔嬥〕17 조 ㊤篠 ①-④tiǎo チョウ みめよい
㊦嘯 ⑤チョウ おもいやりがない
字解 ①날씬할조 '一, 直好貌'《說文》. ②아리따울조 요염함. '一, 一曰, 嬈也'《說文》. ③바꿀조 물건을 바꿔침. '俗以更易財物曰一換'《通俗編》. ④오갈조 왕래(往來)하는 모양. '一一, 往來皃'《廣韻》. ⑤매정할조 '一嬈'는 매정함. '一嬈, 不仁'《廣韻》.
字源 形聲. 女+翟〔音〕

女14〔嬩〕17 여 ㊥魚 ㊤語 yú ヨ おんなのあざな
字解 여자의자(字)여 '一, 女字也'《說文》.
字源 形聲. 女+輿〔音〕

女14〔嬬〕17 유 ㊥虞 rú シュ つま, よわい
字解 ①아내유 처. 일설(一說)에는 첩. '妻謂之一, 一曰妾名'《博雅》. ②약할유 '一, 弱也'《說文》.
字源 形聲. 女+需〔音〕

女14〔嬤〕17 마 ㊤哿 mā バ·マ はは
字解 ①엄마마, 어머니마 속(俗)에, 어머니를 부르는 말. '俗呼母爲一一'《字彙》. ②할머니마 늙은 부인(婦人)의 통칭(通稱). '偏奶母李一一'《紅樓夢》.

女14〔嬭〕17 내 ①②㊤蟹 nǎi ダイ·ナイ ちち
③㊤薺 nǐ デイ·ナイ はは
字解 ①젖내, 젖어미내 모유(母乳). 또, 유모. '一婆楊氏'《舊唐書》. ②낮잠내 주침(晝寢). '唐人呼晝睡爲黃一'《風土歲時記》. ③어머니내 '一, 楚人呼母'《廣韻》.
字源 形聲. 女+爾〔音〕

女14〔嬳〕17 확 ㊀藥 yuè ワク しなをつくる
字解 ①모양낼확 태를 부림. '一, 作姿態

也'《集韻》. ②아까워할확 '一, 一日, 惜也'《集韻》.

女14 〔嬣〕17 녕 [平]庚 | níng トウ·ニョウ からだ

[字解] ①몸녕 몸의 상태. '一,一體'《廣韻》. ②용렬할녕 여자가 용렬(庸劣)한 모양. '姘一, 女劣皃'《集韻》. ③찬찬할녕 여자답게 조용조용하고 침착함. '一, 女態舒徐也'《正字通》.

女14 〔嬯〕17 대 [平]灰 | tái タイ にぶい

[字解] 미련스러울대 둔함. 어리석음. '一, 鈍劣'《廣韻》.
[字源] 形聲. 女＋臺〔音〕

女14 〔嬾〕17 람 ①-③[去]勘 ④[平]覃 | làn ラン あやまつ lán ラン おんなのな

[字解] ①외람할람 분수에 넘치는 일을 하여 사리에 어그러짐. '一, 過差也'《說文》. ②탐할람 '一, 貪也'《廣韻》. ③즐길람, 희롱할람 '一, 婬也'《字彙》. ④계집이름람 '一, 女名'《集韻》.
[字源] 形聲. 女＋監〔音〕

女14 〔嬲〕17 뇨 [上]篠 | niǎo ジョウ なぶる

[字解] ①희롱할뇨 희학(戲謔)질함. '一汝以一句'《王安石》. ②어지럽힐뇨, 어지러워질뇨 '堂中走相一'《韓駒》.
[字源] 形聲. 女＋男＋男

女14 〔嬴〕17 〔영〕 嬴(女부 13획〈266〉)과 同字

女14 〔嬸〕17 신 [平]眞 | shēn シン くにのな

[字解] 나라이름신 '有一, 國名'《集韻》.

女14 〔嬰〕17 [人名] 영 [平]庚 | yīng エイ みどりご

[筆順] 丨 冂 目 貝 賏 賏 賏 嬰

[字解] ①갓난아이영 젖먹이. '一孩'. '如一兒之未孩者'《老子》. ②닿을영 접촉함. '龍喉下逆鱗, 一之則殺人'《韓非子》. ③두를영 환요(環繞)함. '一城'. '世網一吾身'《陸機》. ④가(加)할영 더함. '一以廉恥, 故人矜節行'《漢書》. ⑤걸릴영 ㉠걸려듦. '一飛禍'. ㉡병에 걸림. '劉夙一疾病'《李密》. ⑥목에걸영 '是猶使處女一寶珠'《荀子》. ⑦꿰어이을영 '一以百珪百璧'《山海經》. ⑧성영 성(姓)의 하나.
[字源] 形聲. 女＋賏〔音〕

女14 〔嬮〕17 ㊀염 [平]鹽 [去]豔 ㊁엽 [入]葉 | ①-③yān エン みめよい ④yàn エン びじょ ヨウ みめよい

[字解] ㊀①예쁠염 아름다움. '一, 好也'《說文》. ②얌전할염 부드럽고 조용함. '一, 和靜'《廣韻》. ③여자의자(字)염 '一, 女字'《集韻》. ④미녀염 '一嫈'은 아름다운 계집의 모양. 또, 아름다운 모양. '一嫈, 美女'《廣韻》. ㊁ 예쁠엽, 얌전할엽, 여자의자(字)엽 ㊀❶-❸과 뜻이 같음.
[字源] 形聲. 女＋厭〔音〕

女15 〔嬻〕18 독 [入]屋 | dú トク けがす

[字解] 더럽힐독 오욕(汚辱)함. '媟一'. '陳侯棄其伉儷妃嬻, 而淫于夏氏. 不亦一姓矣乎'《國語》.
[字源] 形聲. 女＋賣〔音〕

女15 〔嬸〕18 심 [上]寑 | shěn シン おば

[字解] ①숙모심 아버지의 아우의 부인(婦人). 작은어머니. 아주머니. '俗謂叔母曰一'《集韻》. ②《現》 어머니와 동세대(同世代), 또는 약간 연소(年少)한 기혼(旣婚) 부인을 부르는 말.
[字源] 形聲. 女＋審〔音〕

女15 〔嫡〕18 적 [入]陌 | shì セキ とつぐ

[字解] 시집갈적 '隨女有一'《元包經》.

女15 〔嬽〕18 〔연〕 嬽(女부 16획〈267〉)과 同字

女15 〔嬛〕18 〔현〕 嬛(女부 13획〈265〉)의 本字

女16 〔嬾〕19 란 [上]旱 | lǎn ラン おこたる

[字解] ①게으를란, 께느른할란 懶(心부 16획〈418〉)과 同字. '一惰'. '老來百事一'《蘇軾》. ②누울란 쉬거나 자려고 누움. '一, 一日, 臥'《集韻》.
[字源] 形聲. 女＋賴〔音〕

女16 〔嬝〕19 뇨 [上]篠 | niǎo ジョウ みめよい

[字解] ①아름다울뇨 㒟(人부 16획〈78〉)와 同字. '㒟, 美也. 或从女'《集韻》. ②부드러울뇨 나긋나긋함. '一, 嫋一'《廣韻》.

女16 〔嬽〕19 ㊀연 [平]先 ㊁원 [平]元 ㊂완 [平]刪 | yuān エン みめよい エン みめよい ワン みめよい

[字解] [一] ①예쁠연 '一, 好也'《說文》. ②눈썹예쁠연 '一, 蛾眉皃'《廣韻》. ③흘겨볼연 교태부려 흘겨봄. ④요염할연 '一, 媚容也'《廣韻》. ⑤부드러울연 나긋나긋함. '柔橈一一'《漢書》. [二] 예쁠원, 눈썹예쁠원, 흘겨볼원, 요염할원, 부드러울원 [一]과 뜻이 같음. [三] 예쁠완, 눈썹예쁠완, 흘겨볼완, 요염할완, 부드러울완 [一]과 뜻이 같음.
[字源] 形聲. 女+㚈〔音〕 '㚈언'은 크고 장한 모양임.

女 16 〔嬹〕 19 흥 [去]徑 [平]蒸 | xìng, xīng キョウ·コウ よろこぶ

[字解] ①기뻐할흥 '一, 說也'《說文》. ②여자의자(字)흥, 계집이름흥 '一, 女字'《廣韻》. '一, 一曰, 女名'《集韻》.
[字源] 形聲. 女+興〔音〕

女 16 〔嬿〕 19 연 [上]銑 | yàn エン しとやか

[字解] 아름다울연 '一服'. '一婉之求'《韓詩外傳》.
[字源] 形聲. 女+燕〔音〕

女 16 〔[illegible]〕 19 〔운〕 妘(女부 4획〈241〉)의 籒文

女 16 〔[illegible]〕 19 〔양〕 襄(衣부 11획〈1286〉)의 古字

女 17 〔孀〕 20 상 [平]陽 [去]漾 | shuāng ソウ やもめ

[字解] 홀어미상 과부. '孤一'. '童子不孤, 婦人不一'《淮南子》.
[字源] 形聲. 女+霜〔音〕

女 17 〔孅〕 20 섬 [平]鹽 | xiān セン こまかい

[字解] ①가늘섬 섬세(纖細)함. 纖(糸부 17획〈1020〉)과 통용. '古之治天下, 至一至悉也'《漢書》. ②약할섬 연약함. '嫵媚一弱'《司馬相如》. ③아당할섬 아첨함. 알랑거림. '卑疵而前, 一趨而言'《史記》.
[字源] 形聲. 女+韱〔音〕

女 17 〔[illegible]〕 20 미 [平]支 [平]齊 | mí ビ·ミ はは ベイ·メイ はは

[字解] 어머니미 어머니를 부르는 제인(齊人)의 말. '齊人呼母曰一'《集韻》.

女 17 〔孃〕 20 [人名] 양 (냥[本]) [平]陽 | niáng ジョウ はは, むすめ

[筆順] 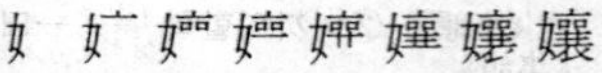

[字解] ①어미양 모친. '爺一'. '一今何處'《南史》. ②계집양 소녀. 아가씨. 娘(女부 7획〈250〉)과 통용. '令一'. '白居易有眞一墓詩, 蓋本當作娘而混用一字者'《辭海》. ※本音 냥.
[字源] 形聲. 女+襄〔音〕

女 17 〔[illegible]〕 20
[一] 교 [上]篠 | jiǎo キョウ すくめる
[二] 궤 [上]紙 | キ すくめる
[三] 규 [上]有 | キョウ すくめる
[四] 겸 [上]琰 | ケン すくめる
[五] 극 [入]職 | コク すくめる

[字解] [一] ①곱송그릴교 두려워서 몸을 움츠리는 모양. 삼가는 모양. '一, 竦身皃'《廣韻》. ②용감할교 赳(走부 2획〈1404〉)와 통용. ③재주있을교 '一, 材也'《廣雅》. [二] 곱송그릴궤, 용감할궤, 재주있을궤 [一]과 뜻이 같음. [三] 곱송그릴규, 용감할규, 재주있을규 [一]과 뜻이 같음. [四] 곱송그릴겸, 용감할겸, 재주있을겸 [一]과 뜻이 같음. [五] 곱송그릴극, 용감할극, 재주있을극 [一]과 뜻이 같음.
[字源] 形聲. 女+簋〔音〕

女 17 〔孁〕 20 령 [平]青 | líng レイ おんなのあざな

[筆順] 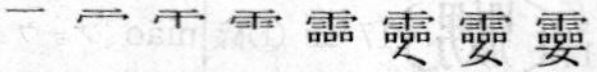

[字解] 여자의자(字)령 '一, 女字也'《說文》.
[字源] 形聲. 女+霝〔音〕

女 17 〔[illegible]〕 20 얼 [入]屑 | niè ゲツ めかけばらのこ

[字解] ①요괴얼 조수충어(鳥獸蟲魚)의 사기(邪氣). 蠥(虫부 16획〈1254〉)과 同字. ②서자얼 첩의 자식. 孼(子부 16획〈273〉)의 俗字.

女 18 〔孈〕 21
[一] 수 [平]支 | xié スイ [一]-[六] おろかでしなをつくる
[二] 이 [上]紙 | イ
[三] 유 [上]紙 | イ·ユイ
[四] 화 [去]卦 | カイ
[五] 휴 [平]支 | キ
[六] 훼 [去]寘 | huì キ

[字解] [一] 어리석고교태부릴수 '一, 愚戇多態也'《說文》. [二] 어리석고교태부릴이 [一]과 뜻이 같음. [三] 어리석고교태부릴유 [一]과 뜻이 같음. [四] 어리석고교태부릴화 [一]과 뜻이 같음. [五] ①어리석고교태부릴휴 [一]과 뜻이 같음. ②북방귀신이름휴 '遇神一兮宴娭'《王逸》. [六] ①어리석고교태부릴훼 [一]과 뜻이 같음. ②예쁠훼 '一, 一曰, 好皃'《集韻》. ③잘못훼 '一, 過也'《廣韻》.
[字源] 形聲. 女+巂〔音〕

女 18 〔⿰女爂〕21 〔표〕
嫖(女부 11획〈261〉)의 本字

女 19 〔孋〕22 리 [平]支 lí り くにのな
[字解] ①나라이름리 국명(國名). '一姬, 晉獻公伐一戎所獲女'《集韻》. ②배필리 '祁祁皇一, 言觀貞淑'《後漢書》. ③아름다울리 '一, 美也'《集韻》. ④성리 성(姓)의 하나.
[字源] 形聲. 女＋麗〔音〕

女 19 〔⿰女贊〕22 찬 [去]翰 zàn サン みめよい
[字解] ①희고예쁠찬 '一, 白好也'《說文》. ②고울찬 화려함. '一, 綺也'《一切經音義》. ③삼가지않을찬 '一, 不謹也'《廣韻》. ④따를찬 순함. '一, 女從'《廣韻》.
[字源] 形聲. 女＋贊〔音〕

女 19 〔⿰女橆〕22 〔무〕
嫵(女부 12획〈263〉)의 本字

女 19 〔孌〕22 련 [上]銑 luán / [去]霰 liàn レン したう
[字解] ①아름다울련 예쁨. '一童'. '婉兮一兮'《詩經》. ②그리워할련 연모(戀慕)함. 戀(心부 19획〈419〉)과 통용. '一, 慕也'《說文》. ③따를련 '一, 從也'《集韻》.
[字源] 形聲. 女＋䜌〔音〕

女 20 〔孍〕23 엄 ①[上]琰 yǎn ゲン びじょ / ②[平]鹽 yán ゲン おんなのあざな
[字解] ①예쁠엄 미녀(美女)의 모양. '一, 好女皃'《玉篇》. ②여자의자(字)엄 여자의 본이름 외의 자(字). '一, 女字'《集韻》.

女 21 〔孏〕24 란 [上]旱 lǎn ラン おこたる
[字解] 게으를란 嬾(女부 16획〈267〉)과 同字. '其墮一者, 恥不致丹'《後漢書》.

女 21 〔孎〕24
[一] 촉 [入]沃 shú, zhú ショク·チョク おんなのあざな
[二] 탁 [入]覺 zhú タク つつしむ
[三] 착 [入]覺 chuó サク つつしむ
[字解] [一] ①여자의자(字)촉 '一, 女字'《集韻》. ②삼갈촉 '一, 謹也'《廣韻》. [二] 삼갈탁 [一]❷와 뜻이 같음. [三] 삼갈착, 좋을착 婥(女부 7획〈251〉)과 同字. '婥, 說文, 謹也. 一曰, 善也. 或作一'《集韻》.
[字源] 形聲. 女＋屬〔音〕

女 21 〔⿰女覃〕24 〔담〕
⿰女覃(女부 12획〈264〉)의 本字

子 部

〔아들자부〕

子 0 〔子〕3 [中·人] 자 [上]紙 zǐ シ こ
[筆順] ㇇ 了 子
[字解] ①아들자 자식. '一女'. '凡爲人一之禮'《禮記》. 또, 자손. '以良家一從軍'《漢書》. ②새끼자 동물의 새끼. '螟蛉有一'《詩經》. ③알자 동물의 알. '魚一'. '蠶一'. ④열매자 과실. '橡一'. '家有一李樹, 結一殊好'《世說》. ⑤씨자 종자. '銜一飛來定鴻皓'《蘇軾》. ⑥이자자 금리(金利). '一母錢'. '一本相侔'《韓愈》. ⑦임자 ㉠남자의 미칭(美稱). '如七十一之服孔子也'《孟子》. ㉡일가언(一家言)을 세운 사람. '孔一'. '孟一'. '一曰, 學而時習之'《論語》. ⑧나자 성씨의 아래에 붙여 쓰는 남자의 자칭(自稱). '蘇一與客泛舟'《蘇軾》. ⑨당신자 남의 호칭. '一誠齊人也'《孟子》. ⑩남자자 장부(丈夫). '長安中輕薄少年惡一'《漢書》. ⑪첫째지지자 십이지(十二支)의 제일위. 방위로는 정북(正北)이고, 시각으로는 오후 열두시임. '甲一'. 달로는 음력 동짓달. ⑫자작자 오등작(五等爵)의 제사위(第四位). '公侯伯一男'. ⑬어조사자 접미(接尾)의 조사(助辭). '亭一'. '衆中遺却金釵一'《王建》. ⑭아들같이여길자 아들같이 사랑함. '一庶民'《中庸》. ⑮아들같이자 아들이 어머니를 대하듯이. '庶民一來'《詩經》. ⑯열매맺을자 결실함. '冬花夏一'《種樹書》. ⑰사랑할자 慈(心부 10획〈403〉)와 통용. '易直一諒之心'《禮記》. ⑱성자 성(姓)의 하나.
[字源] 象形. 두부(頭部)가 크고 손발이 나긋나긋한 젖먹이를 본뜸.
[參考] 부수(部首)로서, '子'를 의부(意符)로 하여 여러 가지 아이에 관한 문자나, '낳다, 늘다'의 뜻을 포함하는 글자를 이룸.

子 0 〔孑〕3 혈 [入]屑 jié ケツ ひとり, あまる
[字解] ①고단(孤單)할혈 외로움. '一立'. '單一獨立'《孔融》. ②창혈 날이 없고 갈고리진 창. '凡戟而無刃, 謂之一'《揚子方言》. ③남을혈, 남길혈 '一·藎, 餘也'《揚子方言》. '一, 遺也'《玉篇》. ④나머지혈 잔여. '靡有一遺'《詩經》. ⑤작을혈, 짧을혈 '盾, 狹而短者曰一盾. 一, 小稱也'《釋名》. ⑥성혈 성(姓)의 하나.
[字源] 指事. 아들의 오른 팔이 없는 것을 본

떠 만듦.

子 0 〔孑〕3 궐(① ①上腫 공本) ②③入月 | jué, jué ケツ ぼうふら

[字解] ①장구벌레궐 '孑—'은 모기의 유충(幼蟲). '孑—爲蟲'《淮南子》. ※本音 공. ②왼팔없을궐 '—, 無左臂也'《說文》. ③짧을궐 '孑—, 短也'《廣雅》.
[字源] 象形. 아이의 왼쪽 팔을 잘라 낸 모양을 본뜸.

子 1 〔孔〕4 [高·人] 공 上董 | kǒng コウ あな

[筆順] 了 了 孑 孔

[字解] ①구멍공 '眼—'. '穿其冢旁—'《史記》. ②성공 성(姓)의 하나. 공자(孔子)의 성. '—丘'. 또, 공자를 이름. '—敎提衡'《晉書》. ③매우공 심히. '—棘'. '德音—昭'《詩經》. ④빌공 공허함. 헛됨. '—, 又空也'《老子》. ⑤클공 '—德之容'《老子》. ⑥깊을공 '—乎莫知其所終極'《淮南子》.
[字源] 指事. '子혈'은 어린애. 'ㄴ'은 유방(乳房)을 보여, 젖이 나오는 구멍의 뜻을 나타냄.

子 2 〔孓〕5 ㊀保(人부 7획〈53〉)의 古字 ㊁孟(子부 5획〈271〉)의 古字

子 2 〔孕〕5 잉 去徑 | yùn ヨウ はらむ

[字解] 애밸잉 잉태함. '—婦'. '婦—不育'《易經》.
[字源] 形聲. 子+乃〔音〕

子 3 〔孖〕6 자 平支 去寘 | zī シ·ジ ふたご

[字解] ①쌍둥이자 쌍생자. ②우거질자 무성함. 滋(水부 10획〈672〉)와 통용. '—, 亦作滋. 蕃長也'《玉篇》.
[字源] 會意. 子+子

子 3 〔孙〕6 〔손〕 孫(子부 7획〈272〉)의 簡體字

子 3 〔字〕6 [中·人] 자 去寘 | zì ジ もじ

[筆順] 丶 丷 宀 字 字 字

[字解] ①글자자 문자. '—義'. ②자자 본이름 외에 부르는 이름. '孔子名丘, —仲尼'《史記》. 또, 자를 지음. '冠而—之'《儀禮》. ③암컷자 동물의 암놈. '乘—牝者'《史記》. ④정혼할자 혼약을 맺음. '女子許嫁曰—'《正字通》. ⑤낳을자 새끼를 낳음. '牛羊腓—'《詩經》. ⑥기를자 사랑하여 양육함. '使—敬叔'《左傳》. ⑦사랑할자 '—撫'. '父不能— 厥子'《書經》. ⑧성자 성(姓)의 하나.
[字源] 形聲. 宀+子〔音〕

子 3 〔存〕6 [中·人] 존 平元 | cún ソン·ゾン ある

[筆順] 一 ナ 左 存 存 存

[字解] ①있을존 존재함. '—亡'. '操則—, 舍則亡'《孟子》. ②보존할존 보지(保持)함. '—亡定危'《漢書》. ③존문(存問)할존 ㉠휼문(恤問)함. '—潤'. '養幼少, —諸孤'《禮記》. ㉡위문함. '—慰'. '無一介之使以—之'《戰國策》. ④살필존 조사함. '大喪—奠彝'《周禮》. ⑤편안할존 안태(安泰)함. '—亡之難'《史記》. ⑥성존 성(姓)의 하나.
[字源] 形聲. 在〈省〉+孫〈省〉〔音〕

子 3 〔抒〕6 存(前條)과 同字

子 3 〔孚〕6 〔자〕 子(部首〈269〉)의 古字

子 4 〔𡤼〕7 서 上語 | xǔ ショ はららご

[字解] ①고기이름서 '堪—'는 물고기의 이름. '—, 山海經, 犲山有堪—之魚. 狀如夸父而彘尾'《集韻》. ②물고기알서 '—, 一曰, 魚子'《集韻》.

子 4 〔孜〕7 자 平支 | zī シ つとめる

[字解] ①부지런할자, 힘쓸자 부지런히 힘쓰는 모양. 孳(子부 10획〈272〉)와 통용. '予思日——'《書經》. ②사랑할자 '—, 力篤愛也'《廣韻》.
[字源] 形聲. 攴(攵)+子〔音〕

子 4 〔孛〕6 孛(次次條)의 本字

子 4 〔孚〕7 [人名] 부 平虞 | fú, ②fū フ まこと

[筆順] 一 ㇒ ㇒ ㇒ 孚 孚 孚

[字解] ①미쁠부 성실함. 성신(誠信). '—信'. '成王之—'《詩經》. ②알깔부 부화함. '—乳'. '雞伏卵而未—'《揚子方言》. ③기를부 양육함. '覆伏—育'《韓詩外傳》. ④껍질부 겉겨 稃(禾부 7획〈902〉)와 통용. '—甲'. ⑤쌀부 덮어 가림. '信, 文之—也'《國語》. ⑥서둘러달릴부 '羸豕—蹢躅'《易經》. ⑦성부 성(姓)의 하나.
[字源] 會意. 爪+子

子 4 〔孛〕7 [一] 패 [去]隊 [二] 발 [入]月 | bèi ハイ ほうきぼし / bó ボツ かおいろがかわる

[字解] [一] ①살별패 혜성(彗星). '有星一'《春秋》. ②어두울패 빛이 가려 밝지 않음. '星辰不一, 日月不蝕'《漢書》. [二] 안색변할발 욱하고 성냄. 勃(力부 7획〈114〉)과 통용. '論語曰, 色一如也'《說文》.
[字源] 象形. 열매 꼭지 밑의 씨방이 크게 부픈 모양을 본뜸.

子 4 〔孝〕7 [中·人] 효 [去]效 | xiào コウ こうこう

[筆順] 一 十 土 耂 耂 孝 孝

[字解] ①효도효 ㉠부모를 잘 섬김. '夫一者德之本也'《孝經》. ㉡조상 제사를 잘 모시고 뜻을 이어받음. 또, 그 사람. '追一于前文人'《書經》. ②거상입을효 부모의 거상(居喪)을 입음. 또, 상복(喪服). '崔九作一, 風吹卽倒'《北史》. ③효자효 부모를 잘 섬기는 아들. '興廉擧一'《漢書》. ④보모효 '一者綴之. (注) 一者, 謂保母也'《大戴禮》. ⑤성효 성(姓)의 하나.
[字源] 會意. 子+老〈省〉

子 4 〔𡥈〕7 교 [平]肴 [去]效 | jiào コウ ならう

[字解] 본받을교 모방함. 본받아 배움. '一, 效也'《玉篇》.
[字源] 形聲. 子+爻〔音〕

子 4 〔𡥉〕7 교 [去]效 | jiào コウ みちびく

[字解] 인도할교 '一, 導也'《佩觿》.

〔斈〕〔학〕
子부 13획(273)을 보라.

子 5 〔孟〕8 [高·人] 맹 [去]敬 [去]漾 | ①-⑧mèng モウ かしら / ⑧モウ とりとめがない

[筆順] 乛 了 子 子 孟 孟 孟 孟

[字解] ①우두머리맹 장. '一侯, 朕其弟小子封'《書經》. ②맏맹 맏아들이나 맏딸. ③첫맹 사시(四時)의 처음. '一月'. '一春之月'《禮記》. ④성맹 성(姓)의 하나. '一軻'. ⑤힘쓸맹 애씀. 노력함. '一, 勉也'《爾雅》. '盍一晉以迨羣兮'《班固》. ⑥클맹 '高言一行'《管子》. ⑦맹자맹 맹가(孟軻)의 약칭(略稱). ⑧맹랑할맹 엉터리임. '一浪之言'《莊子》.
[字源] 形聲. 子+皿〔音〕

子 5 〔孤〕8 [高·人] 고 [平]虞 | gū コ みなしご

[筆順] 乛 了 孑 孑 孑 孤 孤 孤

[字解] ①고아고 아버지가 죽어 없는 아이. '幼而無父曰一'《孟子》. 또, 부모가 모두 없는 아이. '置一獨園, 以恤一幼'《南史》. ②홀로고 단독. '一獨'. '撫一松而盤桓'《陶潛》. ③외로울고 ㉠배우자가 없음. '久一於世'《史記》. ㉡도움이 없음. '一軍'. '勢一力屈'《晉書》. ④저버릴고 배반함. '一負'. '陵雖一恩, 漢亦負德'《李陵》. ⑤떨어질고, 멀리할고 '臣年少材下, 一於外官'《漢書》. ⑥어리석을고 '一陋而寡聞'《禮記》. ⑦돌아볼고 '一遇元夫'《易經》. ⑧벼슬이름고 삼공(三公) 다음 가는 교화(敎化)를 펴는 관직. '立少師·少傅·小保, 曰三一'《書經》. ⑨나고 왕후(王侯)의 겸칭(謙稱). '凡自稱, 小國之君曰一'《禮記》. ⑩성고 성(姓)의 하나.
[字源] 形聲. 子+瓜〔音〕

子 5 〔孢〕8 포 [上]巧 | bāo ホウ はらむ

[字解] 애밸포 잉태함. '一, 孕也'《字彙》.

子 5 〔季〕8 [中·人] 계 [去]寘 | jì キ わかい, すえ

[筆順] 一 二 千 禾 禾 季 季 季

[字解] ①어릴계 ㉠나이가 적음. '有齊一女'《詩經》. ㉡아직 성숙하지 아니함. '斬一材'《周禮》. ②아우계 '羣一俊秀, 皆爲惠連'《李白》. ③말째계 막내 아우. '伯仲叔一'. ④끝계 사시(四時)의 끝. '一月'. '一冬之月'《禮記》. 전(轉)하여, 거의 망하게 된 때. 말세(末世). '此一世也'《左傳》. ⑤철계 1년을 4등분한 석달 동안. '四一'. '伊朱明之一節兮'《夏侯湛》. ⑥작을계 '挂于一指'《儀禮》. ⑦성계 성(姓)의 하나.
[字源] 會意. 子+禾

子 5 〔孥〕8 노 [平]虞 | nú ド こ, さいし

[字解] ①자식노 '一, 子也'《小爾雅》. ②처자노 처와 자식. 한집안 식구. '罪人不一'(형벌이 당사자에게만 과해지고 처자에게 미치지 않는다는 뜻)《孟子》. ③종노 비복(婢僕). '怠而貧者, 擧以爲收一'《史記》.
[字源] 形聲. 子+奴〔音〕

子 5 〔孠〕8 〔사〕
嗣(口부 10획〈180〉)의 古字

子 5 〔学〕8 〔학〕
學(子부 13획〈273〉)의 略字

子 6 〔孨〕9 [一] 전 [上]銑 zhuǎn セン つつしむ
[去]霰 セン つつしむ
[二] 천 [去]霰 nì ジュウ·ニュウ あ
[三] 닙 [入]緝 つまる

[字解] [一] ①삼갈전 사물에 주의함. '一, 謹也'《說文》. ②잔약할전 '一, 耎弱也'《六書本義》. ③고아전 '一, 孤兒也'《玉篇》. [二] 삼갈천, 잔약할천, 고아천 [一]과 뜻이 같음. [三] 모일닙 '一, 聚皃'《廣韻》.
[字源] 會意. 子+子+子

子 6 〔孩〕9 해 [平]灰 hái ガイ あかご

[字解] ①어린아이해 유아. '嬰一'. 또, 어린아이로 칭. '聖人皆一之'《老子》. ②어릴해 ㉠낳은 지 얼마 안 됨. '無殺一蟲'《禮記》. ㉡유치함. '憶昔十五心尙一'《杜甫》. ③어를해 어린아이를 기쁘게 함. '一而名之'《禮記》. ④웃을해 어린아이가 방글방글 웃음. '一笑'. '如嬰兒之未一'《老子》. ⑤성해 성(姓)의 하나.
[字源] 形聲. 子+亥〔音〕

子 6 〔孶〕9 〔자〕
孳(子부 10획〈272〉)의 古字

〔厚〕 〔후〕
厂부 7획(135)을 보라.

子 7 〔⿱孖日〕10 〔읍〕
孴(子부 10획〈272〉)의 籒文

子 7 〔孫〕10 [中·人] 손 [平]元 ①-③sūn ソン まご
[去]願 ④xùn ソン ゆずる, のがれる

[筆順] 乛 了 子 孑 孓 孫 孫 孫

[字解] ①손자손 아들의 아들. '子子一一'. '子之子爲一'《爾雅》. ②자손손 후예(後裔). '七世一'. 전(轉)하여, 갈려 나온 것. '一竹之管'《周禮》. ③성손 성(姓)의 하나. ④겸손할손, 달아날손 遜(辵부 10획〈1503〉)과 同字. '一辭'. '一而出之'《論語》. '夫人一于齊'《春秋》.
[字源] 會意. 子+系

子 7 〔㝃〕10 면 [上]阮 miǎn バン うむ
[上]銑 miǎn ベン うむ

[字解] 해산할면 애를 낳음. 娩(女부 7획〈251〉)과 同字. '欲視皇后一乳'《資治通鑑》.
[字源] 形聲. 子+免〔音〕

子 7 〔孬〕10 외 [去]卦 nāo カイ みにくい

[字解] ①좋지아니할외 '一, 不好也'《字彙》. ②《現》겁많을외 용기가 없음.

子 8 〔孲〕11 아 [平]麻 yā ア あかご

[字解] 갓난아기아 영아(嬰兒). '百子圖開翠屛底, 戲弄一一未生齒'《楊維楨》.

子 8 〔孰〕11 [高·人] 숙 [入]屋 shú ジュク たれ

[筆順] 亠 亩 亯 亨 享 𦎫 孰 孰

[字解] ①누구숙 어느 사람. '一謂子產智'《孟子》. ②어느숙 어느 것. '是可忍也, 一不可忍也'《論語》. ③익을숙 熟(火부 11획〈723〉)과 통용. '五穀時一'《禮記》. ④끓여익힐숙, 끓을숙 '一, 謂亨煮'《禮記疏》. ⑤도타울숙 친절하고 정중함 '寧一諫'《禮記》.
[字源] 會意. 享+丸

子 9 〔孱〕12 잔 [平]先 chán, cán セン よわい
[平]刪 chán サン たかい, おとる

[字解] ①잔약(孱弱)할잔 나약(懦弱)함. '一羸'. '吾王一王也'《史記》. ②높을잔, 험할잔 巉(山부 17획〈322〉)과 뜻이 같음. '攝衣步一顏'《蘇軾》. ③신음할잔 '一, 一曰, 呻吟也'《說文》. ④불초잔 '一, 不肖也'《玉篇》. ⑤좁을잔 '一, 窄也'《集韻》. ⑥가지런하지않을잔 '一, 不齊也'《玉篇》.
[字源] 會意. 尸+孨

子 9 〔⿸尾孕〕12 명 [去]敬 mìng ベイ·ミョウ はじめてはらむ

[字解] 첫아이밸명 '一, 初孕也'《字彙》.

子 10 〔孴〕13 읍 [入]緝 yì ユウ おおい, あつまる

[字解] ①우물우물할읍 많은 모양. '一一'. '一, 多皃'《廣韻》. ②모일읍 '一, 聚皃'《集韻》.
[字源] 會意. 孨+日

子 10 〔孳〕13 자 ①-③[平]支 zī シ つとめる
④[去]寘 zì シ こをもつ

[字解] ①부지런할자 근면함. 孜(子부 4획〈270〉)와 통용. '鷄鳴而起, 一一爲善者, 舜之徒也'《孟子》. ②불을자, 우거질자 번식(繁殖). 또, 무성함. '非能使木壽且一也'《柳宗元》. ③낳을자 새끼를 낳음. '一, 產也'《玉篇》. ④새끼가질자 발정함. 교미(交尾)함. '鳥獸一尾'《書經》.
[字源] 形聲. 子+茲〔音〕

子 10 〔㝅〕13 [一] 누 [上]有 nòu ドウ はぐくむ
[二] 구 [去]宥 gòu コウ やしなう

字解 ㊀①기를누, 품을누 젖을 먹여 양육함. 보살펴 키움. '左傳曰, 楚人謂乳一'《說文 段注》. ②새끼누 '一, 子也'《廣雅》. ③어리석을누 똑똑하지 못함. '一, 謂愚蒙也'《說文 段注》. ㊁①기를구. ②새끼구. ③어리석을구.
字源 形聲. 子+𣪊〔音〕

子 11 〔孵〕14 부 ①(平)虞 ②(去)遇 | fū フ たまごがかえる / フ そだつ

字解 ①알깔부, 알깰부 부화함. '一卵'. '一, 卵化'《廣韻》. ②자랄부 孚(子부 4획〈270〉)와 同字. '孚, 育也. 或从卵'《集韻》.
字源 形聲. 卵+孚〔音〕

子 12 〔學〕15 〔학〕 學(子부 13획〈273〉)의 訛字

子 12 〔孺〕15 〔유〕 孺(子부 14획〈273〉)의 俗字

子 12 〔孺〕15 〔유〕 孺(子부 14획〈273〉)의 俗字

子 13 〔學〕16 中·人 학 (入)覺 | xué(xiáo) ガク まなぶ

筆順 學

字解 ①배울학 ㉠학문을 배움. '一問'. '一而時習之'《論語》. ㉡모방하여 익힘. '豈一春林一餉紅'《蘇舜欽》. ㉢연구함. '吾一周禮'《中庸》. ②학자학 학문에 뛰어난 사람. 또, 학문을 배우는 사람. '幼一'. '鴻儒碩一'《南史》. ③학문학 ㉠배워 익히는 바. '修一'. '安其一而親其師'《禮記》. ㉡사물의 이치를 연구하여 얻은 원리. 체계화한 지식. '天文一'. '少好刑名之一'《史記》. ④학교학 학사(學舍). '大一'. '天子命之教, 然後爲一'《禮記》. ⑤가르칠학 가르침. '一, 教也'《廣雅》. ⑥성학 성(姓)의 하나.
字源 形聲. 臼+冖+爻〔音〕
參考 ①學(子부 12획〈273〉)는 訛字. ②孝(子부 4획〈271〉)·学(子부 5획〈271〉)은 俗字.

子 13 〔孼〕16 〔얼〕 孼(子부 16획〈273〉)과 同字

子 14 〔孺〕17 유 (去)遇 (平)虞 | (rù) rú ジュ ちのみご

字解 ①젖먹이유 ㉠영아(嬰兒). '祇見一子'《禮記》. ㉡사람을 업신여겨 이르는 말. '一子可教'《史記》. ②사모할유 앙모하여 따름. '一慕'. '和樂且一'《詩經》. ③딸릴유 종속함. '大夫曰一人'《禮記》. ④홀레할유, 낳을유 乳(乙부 7획〈22〉)와 통용. 교미함. '一, 生也'《廣雅》. '烏鵲一'《莊子》. ⑤성유 성(姓)의 하나.
字源 形聲. 子+需〔音〕
參考 孺(子부 12획〈273〉)는 俗字.

子 14 〔孻〕17 내 (平)灰 | nái ダイ·ナイ ろう じょのうんだこ

筆順 孻

字解 ①늦둥이내 늙어서 낳은 아기. '廣東謂老人所生幼子曰一'《蔵園雜記》. ②막내내 말자(末子). '閩粵之俗, 謂末子爲一'《觚賸續編》.

子 16 〔孼〕19 얼 (入)屑 | niè ゲツ わきばら

字解 ①서자얼 첩의 아들. '一子'. '商君者衞之庶一公子也'《史記》. ②천민얼 비천(卑賤)한 사람. '一妾'. '攋梟本爲太原一'《張憲》. ③재앙얼 요괴(妖怪)한 재앙. '妖一'. '天作一, 猶可違'《孟子》. ④괴롭힐얼 '聖賢之後, 反以一民'《呂氏春秋》. ⑤치장할얼 성장(盛裝)함. '庶姜一一'《詩經》. ⑥성얼 성(姓)의 하나.
字源 形聲. 子+辥〔音〕

子 17 〔孽〕20 孼(前條)의 俗字

子 17 〔孆〕21 영 (平)庚 | yīng エイ みどりご

字解 갓난아이영 적자(赤子). '落然身後事, 妻病女一孩'《白居易》.

子 17 〔⿰鳥孝〕21 ㊀효 (去)效 ㊁교 (去)效 | xiào コウ けもののな / xiào コウ けもののな

字解 ㊀짐승이름효 해태(獬豸) 비슷한 신수(神獸)의 이름. ㊁짐승이름교 ㊀과 뜻이 같음.
字源 形聲. 篆文은 鳥+孝〔音〕

子 17 〔⿰孝鳥〕21 ⿰鳥孝(前條)의 本字

子 19 〔孿〕22 ㊀산 (去)諫 ㊁련 (平)先 | サン ふたご / luán レン ふたご

筆順 言 孿

字解 ㊀쌍둥이산 쌍생자. '一子之相似者'《戰國策》. ㊁쌍둥이련 ㊀과 뜻이 같음.
字源 形聲. 子+䜌〔音〕

子 22 〔⿱䜌學〕25 孿(前條)과 同字

宀 部
〔갓머리부〕

宀 0 〔宀〕3 면 [平]先 | mián ベン いえ

[筆順] 丶 丷 宀

[字解] 집면 집을 상형(象形)한 글자. '一, 交覆深屋也'《說文》.
[字源] 象形. 맞배지붕의 모양을 본뜸.
[參考] 부수(部首)로서, '갓머리'라 이름. '宀'을 의부(意符)로 하여, 여러 가지 가옥(家屋)이나 그 부속물, 집 안의 상태 등에 관한 문자를 이룸.

宀 2 〔宁〕5 저 [上]語 | zhù チョ たたずむ

[字解] ①뜰저 중국의 가옥에서 외병(外屏)과 정문(正門) 사이의 뜰. 고대에, 천자(天子)가 아침마다 이 뜰에서 조회(朝會)를 하였음. '天子當一而立'《禮記》. ②우두커니설저 '所一立處'《禮記 註》. ③쌓을저, 모을저 貯(貝부 5획〈1387〉)와 통용. '一, 辨積物也'《說文》.
[字源] 象形. 물건을 모아 쌓기 위한 기구(器具)를 본뜸.

宀 2 〔它〕5 [一] 타 [平]歌 | tā, tuō タ ほか
[二] 사 [平]麻 | shé シャ へび

[字解] [一] ①다를타 他(人부 3획〈34〉)의 古字. '一日'. '或敢有一志'《禮記》. ②성타 성(姓)의 하나. [二] 뱀사 蛇(虫부 5획〈1223〉)의 古字.
[字源] 象形. 뱀의 모양을 본뜸.

宀 2 〔宄〕5 귀 [上]紙 | guǐ キ よこしま

[字解] 간악할귀 간사하고 악독함. '寇賊姦一'《書經》.
[字源] 形聲. 宀+九〔音〕

宀 2 〔宂〕5 용 [上]腫 | rǒng ジョウ ひま

[字解] ①한가로울용 한산(閑散)함. '錯所穿非眞廟垣, 乃外堧垣. 故一官居其中'《漢書》. ②가외용 군더더기. '有一從僕射'《續漢志》. ③쓸데없을용 무용임. 무익함. '一兵'. '罷一費'《唐書》. ④번거로울용 번잡함. '一雜'. '天下之大, 萬幾之衆, 錢穀之一'《金史》. ⑤떠다닐용 일정한 주거 없이 방랑함. '流一道路, 朕甚愍之'《後漢書》. ⑥바쁠용 다망함. '知君束裝一, 不敢折簡致'《劉宰》.
[字源] 會意. 宀+儿
[參考] 冗(冖부 2획〈90〉)은 俗字.

宀 2 〔㝉〕5 〔수〕
守(宀부 3획〈274〉)와 同字

宀 3 〔宅〕6 [中·人] 택(①) 댁([俗]) [入]陌 | zhái タク すまい

[筆順] 丶 丷 宀 宀 宀 宅

[字解] ①집택 ㉠주거. '一宇'. '卜一'《書經》. ※俗音 댁. ㉡부지. 대지. '五畝之一, 樹之以桑'《孟子》. ②묏자리택 무덤 자리. '一兆'. '卜一與葬日'《禮記》. ③살택 거주함. '一嵎夷'《書經》. ④자리잡을택 위치·지위에 있음. '使一百揆'《書經》. ⑤정할택 결정함. '一天命'《書經》. ⑥편안할택 편안하게 함. '土反其一'《禮記》. ⑦헤아릴택, 잴택 度(广부 6획〈346〉)과 통용. '一是鎬京'《詩經》.
[字源] 形聲. 宀+乇〔音〕

宀 3 〔宇〕6 [中·人] 우 [上]麌 | yǔ ウ いえ, のき

[筆順] 丶 丷 宀 宀 宇 宇

[字解] ①집우 ㉠주거. '屋一'. '苞玉疊而爲一'《左思》. ㉡거처(居處). '聿來胥一'《詩經》. ②지붕우 '剪茅結一'《晉書》. ③처마우 지붕이 도리 밖으로 내민 부분. '上棟下一'《易經》. ④처마밑우 처마의 아래. '八月在一'《詩經》. ⑤하늘우 천공(天空). '天一'. '四方上下謂之一'《淮南子》. ⑥변방우 국경지대. 변경(邊境). 경계(境界). '失其守一'《左傳》. ⑦나라우, 천하우 국토(國土). 세계. '一內'. '使各有寧一'《國語》. ⑧도량우 기국(器局). 품성. '器一高雅'《晉書》. ⑨끝우 가장자리. '眉一'. '上欲尊而一欲卑'《周禮》. ⑩클우 '一, 大也'《爾雅》. ⑪덮을우 '今君子之德一'《國語》. ⑫성우 성(姓)의 하나.
[字源] 形聲. 宀+亐(于)〔音〕

宀 3 〔宇〕6 宇(前條)의 本字

宀 3 〔守〕6 [中·人] 수 ①-⑥[上]有 ⑦-⑨[去]有 | shǒu シュ まもる / shòu シュ ぐんのちょうかん

[筆順] 丶 丷 宀 宀 守 守

[字解] ①지킬수 ㉠소중히 보존하거나 보호함. '一護'. '獸人職, 時田則一罟'《周禮》.

㉡방어함. '一備'. '王公設險, 以一其國'《易經》. 또, 방비. 방어 시설. '備一已具'《戰國策》. ㉢보살핌. 관장함. '山林之木, 衡麓一之'《左傳》. ㉣관직(官職)에 임(臨)함. '何以一位, 曰仁'《易經》. 또, 맡은 관직. 직책. '平其一'《周禮》. ②절개수 지조. '操一'. '失其一者, 其辭屈'《易經》. ③계비직고(階卑職高)수 품계(品階)는 낮고 관직은 높은 일. '將仕郎一國子四門博士'《韓愈》. ④오랫동안수 '一, 久也'《廣雅》. ⑤구할수 청함. '數一大將軍光'《漢書》. ⑥성수 성(姓)의 하나. ⑦벼슬이름수 ㉠군국(郡國)의 장관. '太一'. '郡一'. '秦始罷侯置一'《魏志》. ㉡관무(官務)의 주임(主任). '都護部一之曹'《後漢書》. ⑧임지수 관직에 있는 곳. '境一淸靜'《魏志》. ⑨돌수 狩(犬부 6획〈751〉)와 통용. '巡一'.
[字源] 形聲. 宀+手〔音〕

宀 3 〔安〕 6 [中·人] 안 [平]寒 ān アン やすい
[筆順] 丶 丷 宀 宀 安 安
[字解] ①편안할안 ㉠마음 편함. '一閒'. '其心一焉'《國語》. ㉡위태롭지 않음. '一危'. '一全'. ㉢잘 다스려짐. '治一'. '國一而天下平'《禮記》. ②안존할안 침착하고 조용함. '一詳'. '恭而一'《論語》. ③편안히할안 ㉠편안하게 함. '在知人, 在一民'《書經》. ㉡안심시킴. '或一而行之'《中庸》. ㉢이동시키지 않고 한 군데 편안히 있게 함. '少一其兵'《戰國策》. ④《韓》값쌀안 '一價'. ⑤어디에안 어느 곳에. '吾將一至'. ⑥어찌안 어떻게 하여. '君一得高枕而臥乎'《史記》. ⑦이에안 乃(丿부 1획〈17〉)와 뜻이 같음. '委然成文, 以示之天下, 而暴國一自化矣'《荀子》. ⑧성안 성(姓)의 하나.
[字源] 會意. 女+宀

宀 3 〔宄〕 6 [一] 구 [去]宥 jiù キュウ なやみ
[二] 유 [上]有 コウ ひさしくいる
[字解] [一] 고민구 가난의 걱정. 빈고(貧苦). 또, 걱정함. '一, 貧病也'《說文》. [二] ①고민유 [一]과 뜻이 같음. ②오래있을유 '一, 久居也'《正字通》.
[字源] 形聲. 宀+久〔音〕

宀 3 〔宂〕 6 〔관〕
官(宀부 5획〈276〉)의 俗字

宀 3 〔写〕 6 〔사〕
寫(宀부 12획〈285〉)의 略字

〔字〕 〔자〕
子부 3획(270)을 보라.

宀 4 〔宋〕 7 [人名] 송 [去]宋 sòng ソウ くにのな
[筆順] 丶 丷 宀 宀 宁 宋 宋
[字解] ①송나라송 ㉠춘추 십이 열국(春秋十二列國)의 하나. 미자(微子)가 세운 나라로 지금의 하남성 상구현(河南省商邱縣) 지방. 제(齊)·위(魏)·초(楚) 삼국에게 멸망당하였음. ㉡남조(南朝)의 하나로 유유(劉裕)가 진(晉)나라의 선양(禪讓)을 받아 세운 왕조(王朝). 도읍은 건강(建康). 8주(主) 60년 만에 남제(南齊)에게 망하였음. 유송(劉宋)이라고도 함. (420～479) ㉢조광윤(趙匡胤)이 후주(後周)의 선위(禪位)를 받아 세운 왕조. 도읍은 변경(汴京). 후에 임안(臨安)으로 천도(遷都). 18주(主) 320년 만에 원(元)나라에 멸망당하였음. 조송(趙宋)이라고도 함. (960～1279) ②성송 성(姓)의 하나.
[字源] 會意. 宀+木

宀 4 〔完〕 7 [中·人] 완 [平]寒 wán カン まったし
[筆順] 丶 丷 宀 宀 宀 宇 完
[字解] ①완전할완 부족함이 없음. 흠이 없음. '一全無缺'. '不如伐蜀之一'《戰國策》. ②온전히할완 본디대로 있게 함. '臣請, 一璧歸趙'《史記》. ③끝날완 일이 완결됨. '一了'. '一功'. ④지킬완 보전함. '一城'. '不如一舊'《左傳》. ⑤기울완 수선함. '繕一'. '大叔一聚'《左傳》. ⑥튼튼할완 견고함. '一牢'. ⑦성완 성(姓)의 하나.
[字源] 形聲. 宀+元〔音〕

宀 4 〔宍〕 7 육 [入]屋 ròu(rù) ニク にく
[字解] 고기육 肉(部首〈1064〉)의 古字. '欲一之心亡於中, 則餓虎可尾'《淮南子》.

宀 4 〔宊〕 7 개 [去]卦 jiè カイ ひとり
[字解] ①홀로개 여럿이 아님. '一, 獨也'《集韻》. ②외짐승개 짝이 없는 짐승. '畜無偶曰一'《五音集韻》.

宀 4 〔宎〕 7 요 [上]篠 yǎo [平]蕭 yāo ヨウ へやのすみ
[字解] ①구석요 방(房)의 동남우(東南隅). ②굴속소리요 깊은 굴 속에서 불어 나오는 바람 소리. '一者, 咬者'《莊子》. ③깊숙할요 깊숙히 들어가 있음. 또, 그 곳. '鶉生於一'《莊子》.
[字源] 形聲. 宀+夭〔音〕
[參考] 窔(宀부 6획〈278〉)은 同字.

宀4 〔宏〕7 [人名] 굉 ㊥庚 hóng コウ ひろい

筆順 丶 丶' 宀 宀 宇 宏 宏

字解 ①클굉, 넓을굉 광대(廣大)함. '一大'. '用一玆賁'《書經》. '一, 增韻, 廣也'《康熙字典》. ②깊을굉 집이 안으로 깊숙함. '一, 屋突也'《說文》. ③널리굉 두루 널리 미치는 모양. '丕大德以一覆'《陸機》. ④성굉 성(姓)의 하나.
字源 形聲. 宀+厷〔音〕

宀4 〔寅〕7 면 ㊤霰 miàn ベン かなう
字解 맞을면 일치(一致)함. 모르는 사이에 일치함. '一, 冥合也'《說文》.
字源 形聲. 宀+丏〔音〕

宀4 〔穷〕7 〔빈〕 貧(貝부 4획〈1386〉)의 古字

宀4 〔宂〕7 〔용〕 容(宀부 7획〈280〉)의 古字

宀4 〔宜〕7 〔의〕 宜(宀부 5획〈277〉)의 本字

宀4 〔㝎〕7 〔정〕 定(宀부 5획〈276〉)의 俗字

〔牢〕 〔뢰〕 牛부 3획(739)을 보라.

宀4 〔宄〕7 〔귀〕 宄(宀부 2획〈274〉)의 古字

宀4 〔宊〕7 ㊀ 突(穴부 4획〈916〉)과 同字 ㊁ 家(宀부 7획〈279〉)와 同字

宀5 〔宓〕8 ㊀ 복 ㊅屋 fú フク ひとのな ㊁ 밀 ㊅質 mì ビツ やすらか
字解 ㊀ ①사람이름복 伏(人부 4획〈38〉)과 통용. '帝一羲氏'《漢書》. ②성복 성(姓)의 하나. ㊁ ①편안할밀 '一穆休于太祖之下'《淮南子》. ②조용할밀 잠잠함.
字源 形聲. 宀+必〔音〕

宀5 〔宕〕8 탕 ㊤漾 dàng トウ すぎる
字解 ①방탕할탕, 지나칠탕 蕩(艸부 12획〈1182〉)과 同字. '豪一'. '發辭偏一'《後漢書》. ②돌굴탕 돌에 뚫린 굴. 석굴(石窟). ③넓을탕, 클탕.
字源 形聲. 宀+碭〈省〉〔音〕

宀5 〔宗〕8 [中·人] 종 ㊥冬 zōng シュウ·ソウ みたまや

筆順 丶 丶' 宀 宀 宀 宇 宗 宗

字解 ①가묘종, 종묘종 사당. '一社'. '承我一事'《儀禮》. ②마루종, 밑종 밑동. 근본. '一家'. '禮之一也'《國語》. ③겨레종 일가. '一門'. '焉能亢一'《左傳》. ④갈래종 유파(流派). '一派'. '釋氏五一'《正字通》. ⑤높일종 존숭함. 숭상함. '學者一之'《史記》. 또, 존숭하는 사람. 앙모하는 사람. '詩一'. ⑥조회볼종 여름에 제후가 천자에게 알현함. '春見曰朝, 夏見曰一'《周禮》. ⑦향할종 향하여 감. '百川朝一于海'《書經》. ⑧많을종 衆(血부 6획〈1259〉)과 통용. '一, 衆也'《廣雅》. ⑨모일종 叢(又부 16획〈144〉)과 통용. '一, 聚也'《廣雅》. ⑩성종 성(姓)의 하나.
字源 會意. 宀+示

宀5 〔官〕8 [中·人] 관 ㊥寒 guān カン つかさ

筆順 丶 丶' 宀 宀 宀 官 官 官

字解 ①벼슬관 관직. '高一'. '任一惟賢材'《書經》. ②마을관 관가. '一廳'. '在一不俟屨'《禮記》. ③벼슬아치관 관원. '一海'. '善事上一'《後漢書》. ④기능관 이목구비(耳目口鼻) 등의 기능. '五一'. '心之一則思'《孟子》. ⑤벼슬줄관 임관함. '一人益秩'《荀子》. '論定, 然後一之'《禮記》. ⑥벼슬살이할관 관직에 나아가 봉사함. '一於大夫者'《禮記》. ⑦본받을관 본보기로 함. '其一於天也'《禮記》. ⑧임금관 천자(天子). 제후(諸侯). '魏晉六朝稱一'《稱謂錄》. ⑨성관 성(姓)의 하나.
字源 會意. 宀+自

宀5 〔宙〕8 [中·人] 주 ㊤宥 zhòu チュウ そら, とき

筆順 丶 丶' 宀 宀 宀 宙 宙 宙

字解 ①집주 주거. ②동량주 마룻대와 들보. '鳳凰之翔至德也, 而燕雀佼之, 以爲不能與之爭於宇一之間'《淮南子》. ③때주 무한한 시간. 세시(歲時). '往古來今, 謂之一'《淮南子》. ④하늘주 허공(虛空). 또, 천지(天地)의 사이. '碧一'. '廼窮一而達幽'《漢書》.
字源 形聲. 宀+由〔音〕

宀5 〔定〕8 [中·人] 정 ㊤徑 dìng テイ さだめる

筆順 丶 丶' 宀 宀 宀 宇 定 定

字解 ①정할정 ㉠결정함. '決一'. '一其論'《禮記》. ㉡바로잡음. '以閏月一四時成歲'《書經》. ㉢평정함. 안정시킴. '鎭一'. '可

傳檄而一也'《史記》. ②정하여질정 전항(前項)의 자동사. '位一然後祿之'《禮記》. '一戎衣, 天下大一'《書經》. ③잘정 취침함. '夜人一後'《後漢書》. ④머무를정 정지함. '一止'. '公一, 予往已'《書經》. ⑤별이름정 별의 하나. '一之方中'《詩經》. ⑥이마정 액(額). '麟之一'《詩經》. ⑦꼭정 반드시. '陳王一死'《史記》.
[字源] 形聲. 宀+正〔音〕
[參考] 定(宀부 4획〈276〉)은 俗字.

宀 5 〔宛〕8 [一] 완 ①-⑦㊤阮 wǎn エン あたかも ⑧[去]願 エン ちいさい [二] 원 [平]元 yuān エン くにのな

[字解] [一] ①완연완 완연(宛然)히. 흡사(恰似). '一然'. '一在水中央'《詩經》. ②굽을완, 굽힐완 고부라짐. 또, 고부라지게 함. '一虹'. '是以欲談者, 一舌而固聲'《漢書》. ③움푹팰완 '一邱之上兮'《詩經》. ④쌓을완 축적함. 蘊(艸부 16획〈1203〉)과 통용. '富則天下無一財'《孔子家語》. ⑤따를완 순종함. '然則天爲粤一'《管子》. ⑥누워뒹굴완 '一, 屈艸自覆也'《說文》. ⑦성완 성(姓)의 하나. ⑧작을완 작은 모양. '一彼鳴鳩'《詩經》. [二] 나라이름원 '大一'은 한(漢)나라 때의 서역(西域) 제국(諸國)의 하나.
[字源] 形聲. 宀+夗〔音〕

宀 5 〔宖〕8 횡 [平]庚 hóng コウ ひびき

[字解] ①집울림횡 바람 따위가 불어 집이 울리는 소리. '一, 屋響也'《說文》. ②편안할횡 무사함. '一, 安也'《玉篇》.
[字源] 形聲. 宀+弘〔音〕

宀 5 〔宜〕8 [高·人] 의 [平]支 yí ギ よろしい, よい

[筆順] 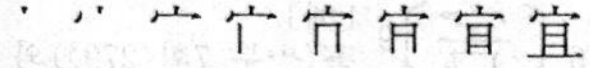

[字解] ①옳을의 ㉠이치에 맞음. '適一'. ㉡선미(善美)함. 아름다움. '好是一德'《太玄經》. ②형편좋을의 '便一'. ③마땅할의 당연함. '不亦一乎'《禮記》. ④마땅히의 당연히 …이어야 함. 결정(決定)의 말. '惟仁者, 一在高位'《孟子》. ⑤화목할의 화순(和順)함. '一其室家'《詩經》. ⑥제사이름의 사(社)의 제사. '一于冢土'《書經》. ⑦안주의 술 안주. '與子一之'《詩經》. ⑧거의의 거진. '家大人曰, 一, 猶殆也'《經傳釋詞》. ⑨성의 성(姓)의 하나.
[字源] 甲骨文은 象形. 篆文은 會意로서, 宀+多〈省〉
[參考] 宐(宀부 4획〈276〉)는 本字.

宀 5 〔宐〕8 宜(前條)와 同字

宀 5 〔宔〕8 주 ㊤麌 zhǔ シュ いはい

[字解] 신주주 사당(祠堂). 사당의 위패(位牌).
[字源] 形聲. 宀+主〔音〕

宀 5 〔宲〕8 포 ㊤晧 bǎo ホウ おさめる

[字解] 감출포 속에 넣어 둠. '一, 藏也'《說文》.
[字源] 形聲. 宀+呆〔音〕

宀 5 〔宝〕8 〔보〕 寶(宀부 17획〈287〉)의 俗字

宀 5 〔実〕8 〔실〕 實(宀부 11획〈284〉)의 略字

宀 5 〔宍〕8 〔육〕 肉(部首〈1064〉)과 同字

宀 5 〔宑〕8 〔해〕 害(宀부 7획〈279〉)의 俗字

宀 5 〔实〕8 〔실〕 實(宀부 11획〈284〉)의 俗字·簡體字

宀 5 〔审〕8 〔심〕 審(宀부 12획〈285〉)의 簡體字

宀 5 〔宊〕8 〔가〕 家(宀부 7획〈279〉)의 古字

宀 6 〔客〕9 [中·人] 객 [入]陌 kè カク·キャク まろうど

[筆順] 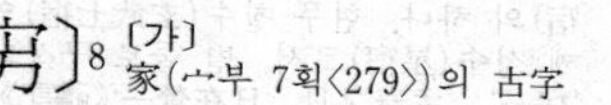

[字解] ①손객 ㉠내방한 사람. '賓一'. '不速之一'(초청하지 않았는데 온 손)《易經》. ㉡주(主)에 대한 위치에 선 사람. '主一'. '不敢爲主而爲一'《老子》. '主一相搏'《李華》. ㉢기식(寄食)하는 사람. '門一'. '門無一一'《論衡》. ㉣단골 손님. '顧一'. '供飮一之用'《南宋市肆記》. ㉤타국에서 온 사람. '大索逐一'《史記》. ㉥좌중(座中)에서 존경하는 사람. 상객(上客). '趙孟爲一'《左傳》. ②나그네객 여행자. '旅一'. '鷄鳴而出一'《史記》. ③사람객 인사(人士). '政一'. '寄言賞心一'《謝脁》. ④지난세월객 지나간 연월(年月). '一冬'. '一年'. ⑤부칠객 기우(寄寓)함. '一居'. '東又一也'《韓愈》. ⑥성객 성(姓)의 하나.
[字源] 形聲. 宀+各〔音〕

宀 6 〔宣〕9 高·人 선 ㊥先 | xuān セン のべる

筆順 丶 ⺈ 宀 宀 宁 宣 宣 宣

字解 ①베풀선 널리 은덕(恩德)을 입힘. '日一三德'《書經》. ②펼선 ㉠널리 알림. '一布'. '人心之動, 因言以一'《程頤》. ㉡임금이 말함. '今賴玉音一'《元稹》. ㉢의사(意思)를 말함. '含懷不能一'《李商隱》. ㉣떨침. 발양(發揚)함. '一揚'. '寵光之不一'《左傳》. ㉤헤침. 흩어지게 함. '節一其氣也'《左傳》. ③밝힐선 명시함. '用一之以懲不壹'《左傳》. ④조칙선 조서(詔書). '一所以示敎也'《國語》. ⑤일찍셀선 머리가 일찍 셈. '黑白雜爲一髮'《易經 釋文》. ⑥통할선, 통하게할선 '去欲則一, 一則靜矣'《管子》. ⑦성선 성(姓)의 하나.

字源 形聲. 宀+亘〔音〕

宀 6 〔室〕9 中·人 실 ㊇質 | shì シツ むろ, へや

筆順 丶 ⺈ 宀 宀 宔 宎 室 室

字解 ①집실 건물. '一家'. '築一于玆'《詩經》. ②방실 집의 방. '寢一'. '相在爾一'《詩經》. ③아내실 처. '三十日壯, 有一'《禮記》. ④가족실 집안 식구. '宜其一家'《詩經》. ⑤굴실 물품을 저장하는 굴혈(窟穴). '窟一'. '氷一'. ⑥광실 시체를 묻는 구덩이. '歸于其一'《詩經》. '是惟子厚之一'《韓愈》. ⑦칼집실 칼의 집. '刀劍一以珠玉飾之'《史記》. ⑧가재(家財)실 재산. '施二師而分其一'《國語》. ⑨별이름실 이십팔수(二十八宿)의 하나. 현무 칠수(玄武七宿)의 여섯째 성수(星宿)로서, 별 둘로 구성되었음. '宿一'. '孟春之月, 日在營一'《禮記》. ⑩성실 성(姓)의 하나.

字源 形聲. 宀+至〔音〕

宀 6 〔宥〕9 人名 유 ㊤宥 | yòu ユウ ゆるす

筆順 丶 ⺈ 宀 宀 宀 宥 宥 宥

字解 ①놓을유, 용서할유 처벌하거나 힐책하지 아니함. '赦一'. '君子以赦過一罪'《易經》. ②도울유 보좌(補佐)함. '一弼'. '王饗醴命之一'《左傳》. ③권할유 侑(人부 6획〈48〉)와 통용. '王大食三一, 皆令奏鐘鼓'《周禮》. ④넓을유 너그러움. 또, 넓고 깊음. '夙夜基命一密'《詩經》. ⑤성유 성(姓)의 하나.

字源 形聲. 宀+有〔音〕

宀 6 〔宦〕9 환 ㊤諫 | huàn カン つかえる

字解 ①벼슬살이환 벼슬함. 사환(仕宦). '入一於吳'《國語》. ②벼슬환 관직. '才名位一'《南史》. ③벼슬아치환 관리. '羣一不平'《唐書》. ④내시환 환관. '一者'. '一寺'. ⑤배울환 관무(官務)를 배움. '一三年矣'《左傳》. ⑥성환 성(姓)의 하나.

字源 會意. 宀+臣

宀 6 〔宧〕9 이 ㊥支 | yí イ くりや

字解 ①구석이 방(房)의 동북우(東北隅). 부엌이나 식기·시렁이 있는 곳. '室之東北隅, 謂之一'《爾雅》. ②석양의햇빛이 기우는 저녁 햇빛. '一, 日側之明也'《爾雅》. ③기를이 頤(頁부 6획〈1688〉)와 통용. '一, 養也'《說文》.

字源 形聲. 宀+匠〔音〕

宀 6 〔宨〕9 조 ㊤篠 | tiǎo チョウ ほしいまま

字解 방자할조 멋대로 함. '一, 肆也'《爾雅》.

宀 6 〔宄〕9 〔귀〕 宄(宀부 2획〈274〉)의 古字

宀 6 〔宅〕9 ㊀宅(宀부 3획〈274〉)의 古字 ㊁度(广부 6획〈346〉)의 古字

宀 6 〔宦〕9 〔관〕 官(宀부 5획〈276〉)의 本字

宀 6 〔宋〕9 〔적〕 寂(宀부 8획〈281〉)의 本字

宀 6 〔官〕9 㝅(次條)의 本字

宀 6 〔宎〕9 〔요〕 宎(宀부 4획〈275〉)와 同字

字源 形聲. 宀+交〔音〕

宀 6 〔害〕9 〔해〕 害(宀부 7획〈279〉)와 同字

宀 6 〔寒〕9 〔한〕 寒(宀부 9획〈282〉)의 俗字

宀 6 〔宪〕9 〔헌〕 憲(心부 12획〈410〉)의 簡體字

宀 6 〔寍〕9 〔녕〕 寧(宀부 11획〈284〉)과 同字

宀 7 〔宬〕10 성 ㊥庚 | chéng セイ ぞうしょしつ

字解 서고성 서고(書庫). 장서실(藏書室). '皇史一'은 명(明)나라 때 열성(列聖)

의 어필(御筆)·실록(實錄)·비전(祕典) 등을 수장(收藏)한 곳.
字源 形聲. 宀+成〔音〕

宀7 〔宭〕10 군 (平)文 qún クン むれいる
字解 떼지어살군 여럿이 모여 삶. 群(羊부 7획〈1036〉)과 통용. '一, 羣居也'《說文》.
字源 形聲. 宀+君〔音〕

宀7 〔宮〕10 高·人 궁 (平)東 gōng キュウ·グウ いえ, みや
筆順 宮
字解 ①집궁 가옥. 진한(秦漢) 이전에는 널리 가옥의 뜻으로 쓰이었으나, 진한 이후부터 궁궐(宮闕)의 전칭(專稱)으로 되었음. '一室'. '公與三子入於季氏之一'《史記》. ②대궐궁 궁전. '一闕'. '起明光一'《漢書》. ③종묘궁 제왕가의 사당. '于以用之, 公侯之一'《詩經》. ④담궁 장원(牆垣). '一垣'. '儒有一畝之一'《禮記》. ⑤소리이름궁 오음(五音)의 하나. '一·商·角·徵·羽'. '中央土, 其音一'《禮記》. ⑥궁형궁 오형(五刑)의 하나. 생식기를 없애는 형벌. '公族無一刑'《禮記》. ⑦둘러쌀궁 위요함. '君爲廬一之'《禮記》. ⑧관궁 '奉安梓一'《後漢書》. ⑨마음궁 '潔其一'《管子》. ⑩성궁 성(姓)의 하나.
字源 象形. 건물 안의 방들이 이어져 있는 모양을 본뜸.

宀7 〔宰〕10 高·人 재 (上)賄 zǎi サイ おさ, つかさ
筆順 宰
字解 ①재상재 수상. '一相'. '天子之一通于四方'《穀梁傳》. ②우두머리재 ㉠장(長). '項王爲天下一不平'《漢書》. ㉡현(縣)·읍(邑) 등의 장관. '縣一'. '爲單父一'《孔子家語》. ㉢가신(家臣)의 장. 가령(家令). '諸一君婦'《詩經》. ③다스릴재 '一周公者何. 天子之爲政者也'《公羊傳》. ④주관할재 맡아 다스림. '一制'. '一割天下'《賈誼》. ⑤늘릴재 불림. '在外不得一吾一邑'《左傳》. ⑥고기저밀재 칼을 가지고 고기를 저며 요리함. 또, 그 사람. '陳平爲一, 分肉甚均'《史記》. ⑦무덤재 뫼. '一上之木拱矣'《公羊傳》. ⑧성재 성(姓)의 하나.
字源 會意. 宀+辛

宀7 〔害〕10 中·人 ㊀해 (去)泰 hài ガイ そこなう ㊁할 (入)曷 hé カツ なに, なんぞ
筆順 害
字解 ㊀①해칠해 ㉠해롭게 함. 또, 재앙을 내림. '一心'. '鬼神一盈而福謙'《易經》. ㉡살상(殺傷)함. '齊大夫欲一孔子'《史記》. ②훼방할해 '妨一'. '三時不一, 而民和年豐也'《左傳》. ③시기할해 질투함. '心一其能'《史記》. ④거리낄해 '一, 忌也'《正字通》. ⑤해해 ㉠해로운 일. 또, 해로운 것. '利一'. ㉡재앙. 재해. '一咎'. '損以遠一'《易經》. ⑥요해처해 산천의 형세가 수비하기에 좋고 공격하기 불리한 곳. '要一'. '地形利一'《戰國策》. ㊁①어느할 어느 것을, 또는 어느 때에. '一澣一否'《詩經》. ②어찌할 무슨 연고로. '王一不違卜'《書經》.
字源 形聲. 宀+口+丯〔音〕

宀7 〔害〕10 害(前條)의 俗字

宀7 〔害〕10 害(前前條)의 俗字

宀7 〔宴〕10 高·人 연 (去)霰 yàn エン うたげ
筆順 宴
字解 ①잔치연 주연(酒宴). '一會'. '一有折俎'《左傳》. ②잔치할연 잔치를 베풂. '賈充一朝士'《晉書》. ③즐길연 마음을 즐겁게 가짐. '總角之一, 言笑晏晏'《詩經》. ④편안할연 편안히 쉼. '一坐'. '君子以嚮晦, 入一息'《易經》.
字源 形聲. 宀+妟〔音〕

宀7 〔宵〕10 소 (平)蕭 xiāo ショウ よい
字解 ①밤소 낮의 대(對). '一晨'. '一中星虛'《書經》. ②작을소 小(部首)와 통용. '一人'. '一雅肄三'《禮記》. ③어두울소, 어리석을소 '一人之離外刑者'《莊子》. ④깁소 綃(糸부 7획〈993〉)와 통용. '一衣'.
字源 形聲. 宀+月+小〔音〕

宀7 〔家〕10 中·人 ㊀가 (平)麻 jiā カ·ケ いえ ㊁고 (平)虞 gū コ おば
筆順 家
字解 ㊀①집가 ㉠건물. '一屋'. '一樓, 臨民一'《史記》. ㉡살림. 주거(住居). '徙一蓮勺'《漢書》. ㉢가족. '盡屠其一'《呂氏春秋》. ㉣문벌. 지체. '良一子'《史記》. ㉤가명(家名). '將成一而致汝'《韓愈》. ㉥재산(財產). '割財捐一'《漢書》. ②남편가 서방. '女子生而願爲之有一'《孟子》. ③아내가 처. '棄其一'《左傳》. ④용한이가 학문·기예 등에 뛰어난 사람. '百一'. '文學一'. '通諸子百一之書'《史記》. ⑤대부가 공경(公卿) 아래의 벼

슬. 또, 그 사람. 또, 그 채지(采地). '一削'. '大夫皆富, 政將在一'《左傳》. ⑥살가집을 장만하여 삶. '以好畤田地善, 往一焉'《史記》. ⑦성가 성(姓)의 하나. ⑧像(人부 10획〈67〉)의 簡體字. [二] 계집고 姑(女부 5획〈244〉)와 통용. '班昭博學高才, 有節行法度, 帝數召入宮, 令皇后諸貴人師事焉, 號曰大一'('大一'는 여자의 존칭)《後漢書》.
[字源] 會意. 宀+豕

宀 7 〔宸〕 10 신 [平]眞 | chén シン のき

[字解] ①집신 옥우(屋宇). '君若不忘周室, 而爲敝邑一宇, 亦寡人之願也'《國語》. ②대궐신 궁전. '一闕'. '風光一掖'《宋書》. 전(轉)하여, 천자(天子)의 일에 관한 말의 관사(冠詞)로 쓰임. '一怒'. '一念'. '求得上皇一翰'《宋史》. ③하늘신 허공(虛空). '消雰埃於中一'《張衡》.
[字源] 形聲. 宀+辰〔音〕

宀 7 〔宸〕 10 宸(前條)의 俗字

宀 7 〔容〕 10 [中·人] 용 [平]冬 | róng ヨウ かたち, いれる

[筆順] 丶 宀 宂 穴 灾 究 容 容

[字解] ①얼굴용, 모습용 용모. 또, 모양. '一姿'. '君子之一舒遲'《禮記》. '泰山之一, 巍巍然高'《淮南子》. ②꾸밀용 맵시를 냄. 화장함. '女爲說己者一'《史記》. ③담을용 담아 넣음. '一量'. '瓠落無所一'《莊子》. ④받아들일용 ㉠남의 말을 들어 줌. '一納'. '納忠一諫'《唐書》. ㉡도량이 커서 잘 포용(包容)함. '一衆'. ⑤용서할용 관대히 보아주어 꾸짖거나 처벌하지 아니함. '一赦'. '每能回一, 宥其小失'《後漢書》. ⑥안존할용 조용함. '從一'. '一兮遂兮'《詩經》. ⑦혹용 或(戈부 4획〈421〉)과 뜻이 같음. '諸王子在京, 一有非常, 亟宜發遣, 各還本國'《後漢書》. ⑧어찌용 豈(豆부 3획〈1369〉)와 뜻이 같음. '苟時未可, 一得已乎'《魏志》. ⑨성용 성(姓)의 하나.
[字源] 形聲. 宀+谷〔音〕

宀 7 〔㝗〕 10 량 [平]陽 | láng ロウ むなしい

[字解] 텅빌량 휑뎅그렁함. 공허(空虛)함. '㝗一, 宮室空皃'《廣韻》.
[字源] 形聲. 宀+良〔音〕

宀 7 〔寤〕 10 오 [去]遇 | wù ゴ さめる

[字解] 깰오 잠이 깸. 寤(宀부 11획〈284〉)와 同字. '一, 寤也'《說文》.
[字源] 形聲. 宀+吾〔音〕

宀 7 〔宲〕 10 [一] 포 [上]晧 [二] 실 | bǎo ホウ おさめる

[字解] [一] 감출포 宝(宀부 5획〈277〉)와 同字. '一, 藏也'《廣韻》. [二] 實(宀부 11획〈284〉)의 古字.

宀 7 〔㝌〕 10 〔의〕 宜(宀부 5획〈277〉)의 古字

宀 7 〔宷〕 10 〔심〕 審(宀부 12획〈285〉)의 古字

宀 7 〔㝅〕 10 〔수〕 叜(又부 7획〈143〉)의 籒文

宀 7 〔宗〕 10 〔적〕 寂(宀부 8획〈281〉)의 俗字

宀 7 〔寇〕 10 〔구〕 寇(宀부 8획〈281〉)의 俗字

宀 7 〔宠〕 10 〔총〕 寵(宀부 16획〈287〉)의 俗字

宀 7 〔密〕 10 〔밀〕 密(宀부 8획〈281〉)의 俗字

宀 7 〔宾〕 10 〔빈〕 賓(貝부 7획〈1392〉)의 簡體字

〔案〕 〔안〕 木부 6획(545)을 보라.

宀 7 〔宗〕 10 〔적〕 寂(宀부 8획〈281〉)의 訛字

宀 7 〔宿〕 10 宿(次條)의 俗字

宀 8 〔宿〕 11 [中·人] [一] 숙 [入]屋 [二] 수 [去]宥 | sù, xiǔ シュク やどる xiù シュウ ほしのやどり

[筆順] 丶 宀 宀 宀 宀 宿 宿 宿

[字解] [一] ①묵을숙 ㉠숙박함. '一舍'. '去齊一於晝'《孟子》. ㉡오래 됨. 또, 경험이 많음. '一債'. '晉鄙嚄唶一將'《史記》. ②묵힐숙 전항(前項)의 타동사. '一諾'. '止子路一'《論語》. '不一肉'《論語》. ③살숙 머물러 삶. '一, 住也'《玉篇》. ④멈출숙 ㉠머묾. '個然無所歸一'《荀子》. '一留海上'《漢書》. ㉡멈추게 함. 정체(停滯)시킴. '有過者, 不

一其罰'《管子》. ㉢망설임. 멈칫거림. '子路無一諾'《論語》. ⑤편안할숙 안심하고 종사함. 자리잡음. '官一其業'《左傳》. ⑥지킬숙 어기지 아니함. 지켜 나감. '國有故則令一'《周禮》. ⑦빠를숙 夙(夕부 3획〈229〉)과 同字. '世婦掌女宮之一戒'《周禮》. ⑧번숙 숙직. 당직. '一次未到'《唐律》. ⑨주막숙 여관. '三十里有一'《周禮》. ⑩오랠숙 오래됨. '一願'. ⑪거듭할숙 '不一戒'《儀禮》. ⑫성숙 성(姓)의 하나. ㊁ 성수수 성차(星次). '二十八一'.
[字源] 形聲. 篆文은 宀+佰〔音〕

宀8 〔宿〕 11 宿(前條)의 本字

宀8 〔寂〕 11 [高·人] 적 [入]錫 | jì ジャク·セキ さびしい
[筆順] 丶 宀 宀 宇 宇 宗 宗 寂
[字解] ①고요할적 적적함. '一漠'. '一兮寥兮'《老子》. ②편안할적 '一, 安也'《廣韻》. ③《佛敎》 열반적 ㉠번뇌에서 벗어나 해탈(解脫)의 경지에 듦. '導人入一'《維摩問疾品》. ㉡중의 죽음. '入一'. '歸一'.
[字源] 形聲. 篆文은, 宀+尗〔音〕
[參考] 宋(宀부 6획〈278〉)은 本字.

宀8 〔寄〕 11 [高·人] 기 [去]寘 | jì キ よる, よせる
[筆順] 丶 宀 宀 宊 宊 宊 寄 寄
[字解] ①부쳐있을기 기우(寄寓)함. '一居'. '嘗一人宅'《顔氏家訓》. 또, 부쳐 있게 함. 머무르게 함. '一蜉蝣於天地'《蘇軾》. ②맡길기 위임함. 부탁함. '一托'. '可以一百里之命'《論語》. ③부칠기 보냄. 전함. '一書'. '以一匹錦相一'《南史》. ④의뢰할기 의탁함. 의지함. '請一無所聽'《史記》. 또, 의뢰하는 바. '爲腹心之一'《魏書》. ⑤일기 임무(任務). '使主兵官兼郡一'《宋史》. ⑥나그네기 길손. '一, 客也'《一切經音義》.
[字源] 形聲. 宀+奇〔音〕

宀8 〔寅〕 11 [中·人] 인 [平]眞 | yín イン とら
[筆順] 丶 宀 宀 宀 宀 宙 宙 寅
[字解] ①셋째지지인 십이지(十二支)의 제삼위. '太歲在一, 曰攝提格'《爾雅》. 시간으로는 오전 3~5시까지의 동안. '一時'. '一晨咀絳霞'《列仙傳》. 방위(方位)로는 동북간. '一方'. 띠로는 범. 달로는 음력 정월. ②동관인 동료. '同一'. ③공경할인 夤(夕부 11획〈230〉)과 同字. '一賓'. '夙夜惟一'《書經》. ④성인 성(姓)의 하나.

[字源] 象形. 화살을 두 손으로 당기는 모양을 본뜸.

宀8 〔密〕 11 [中·人] 밀 [入]質 | mì ミツ ふかい
[筆順] 丶 宀 宀 宀 宓 宓 宻 密
[字解] ①빽빽할밀 밀집함. 또, 짙음. '一林'. '一雲不雨'《易經》. ②꼼꼼할밀 찬찬하여 빈틈이 없음. '綿一'. '謹愼周一'《漢書》. ③촘촘할밀 틈이나 구멍이 썩 뱀. '謹一網, 以羅其罪'《晉書》. ④고울밀 결이 거칠지 아니함. '加一石焉'《國語》. ⑤은밀할밀 ㉠심오함. 알기 어려움. '聖人以此洗心, 退藏於一'《易經》. ㉡남에게 알리지 아니함. 숨김. '祕一'. '幾事不一則害成'《易經》. ⑥가까울밀 친근함. '親一'. ⑦가까이할밀 근접함. '一接'. '一邇王室'《書經》. ⑧조용할밀 고요함. '靜一'. '四海遏一八音'《孟子》. ⑨몰래밀 '一告'. '一訴諸朝'《唐書》. ⑩닫을밀, 닫칠밀 閟(門부 5획〈1597〉)과 통용. '陰而不一'《禮記》. ⑪자상할밀, 바를밀 '傅人則一'《周禮》. ⑫힘쓸밀 '一勿從事, 不敢告勞'《漢書》. ⑬성밀 성(姓)의 하나.
[字源] 形聲. 山+宓〔音〕

宀8 〔居〕 11 거 [平]魚 | jū キョ いえ
[字解] ①집거 주택. '一, 舍也'《玉篇》. ②팔거, 모아둘거 물건을 팖. 또, 물건을 저축함. '賉, 博雅, 賉賺, 賣也, 一曰貯也, 或作一'《集韻》.

宀8 〔寇〕 11 구 [去]宥 | kòu コウ あだ
[字解] ①도둑구 떼를 지어 백성의 재물을 겁탈하는 비도(匪徒). '一賊'. '群行攻劫曰一'《辭海》. ②원수구 '一讎'. '藉一兵, 而齎盜糧'《李斯》. ③난리구 외적(外敵)이 쳐들어온 난리. '兵作於內爲亂, 於外爲一'《左傳》. ④해칠구, 쳐들어올구, 노략질할구 해를 입힘. 침입함. 겁략(劫掠)함. '一掠'. '匈奴一邊'《十八史略》. ⑤풍성할구 물건이 많음. '凡物盛多, 謂之一'《方言》. ⑥성구 성(姓)의 하나.
[字源] 會意. 宀+元+攴

宀8 〔寇〕 11 寇(前條)의 俗字

宀8 〔寁〕 11 ㊀ 첩 [入]葉 | jiē ショウ すみやか
㊁ 잠 [上]感 | zǎn サン すみやかにいる
[字解] ㊀ 빠를첩 신속함. '無我惡兮, 不一故也'《詩經》. ㊁ 빨리있을잠 '一, 尻之速也'

《說文》.
字源 形聲. 宀+走〔音〕

宀8〔寀〕11 人名 채 ㊤賄 ㊦隊 cǎi, cài サイ ちぎょうしょ
筆順 ˙ 宀 宀 㝉 宷 宩 寀 寀
字解 채지채 采(采부 1획〈1546〉)와 同字. '一, 謂一地. 主事者必有一地. 一, 采也, 采取賦稅, 以供己有'《爾雅 疏》.
字源 形聲. 宀+采〔音〕

宀8〔寃〕11 〔원〕冤(冖부 8획〈91〉)과 同字. 일설(一說)에는 俗字

宀8〔寍〕11 〔녕〕寧(宀부 11획〈284〉)의 俗字

宀8〔寂〕11 〔최〕最(日부 8획〈519〉)의 俗字

宀8〔寏〕11 〔수〕叟(又부 8획〈143〉)와 同字

宀8〔寏〕11 〔수〕叟(又부 8획〈143〉)와 同字

宀8〔寀〕11 〔재〕宰(宀부 7획〈279〉)의 古字

宀8〔寑〕11 〔침〕寢(宀부 11획〈284〉)의 古字

宀8〔寈〕11 〔청〕青(部首〈1653〉)의 古字

宀9〔寎〕12 성 ㊤梗 shěng セイ やくしょ
字解 관청(官廳)성 관공서. 閣(門부 9획〈1604〉)·省(目부 4획〈840〉)과 同字. '一, 柴署, 或从門, 通作省'《集韻》.

宀9〔富〕12 中·人 부 ㊦宥 fù フ·フウ とみ, とむ
筆順 ˙ 宀 宀 宫 宫 富 富 富
字解 ①넉넉할부 ㉠재산이 많음. '一裕'. '一而無驕'《論語》. ㉡많이 있음. '一於春秋'(나이가 아직 젊음). '后稷之祀易一'《禮記》. ㉢충실함. '贍一'. '一文辭工書'《唐書》. ②넉넉히할부 넉넉하도록 함. '一國強兵'. '何神不一'《詩經》. ③부부, 부자부 부유함. 또, 그 사람. '一潤屋'《大學》. '阿一順貴'《道德指歸論》. ④행복부 福(示부 9획〈891〉)과 통용. '維昔之一, 不如時'《詩經》. ⑤성부 성(姓)의 하나.
字源 形聲. 宀+畐〔音〕

宀9〔寐〕12 매 ㊦寘 mèi ビ·ミ ねる
字解 ①잘매 잠을 잠. '夙興夜一'《詩經》. ②죽을매 '寤大暮之同一'《陸機》.
字源 形聲. 宀+爿+未〔音〕

宀9〔寎〕12 병 ㊦敬 ㊤梗 bìng bǐng ヘイ·ヒョウ おびえる
字解 ①놀랄병 잠들어 깜짝깜짝 놀람. '一, 臥驚病也'《說文》. ②잠들병 잠이 깊이 듦. 잘 잠. '一, 多寐也'《正字通》. ③삼월병 3월의 별칭. '三月爲一'《爾雅》.
字源 形聲. 㝱〈省〉+丙〔音〕

宀9〔寒〕12 中·人 한 ㊥寒 hán カン さむい
筆順 ˙ 宀 宀 寉 寉 寉 寒 寒
字解 ①찰한 추움. 차가움. '一冷'. '風蕭蕭兮易水一'《史記》. ②서늘할한 간담이 선뜩함. 전율함. '一心'. '西賊聞之心骨一'《名臣言行錄》. ③궁할한 곤궁함. '貧一'. '范叔一一如此哉'《史記》. ④천할한 지체가 낮음. '出自一微'《晉書》. ⑤그만둘한 중지함. 멈춤. '亦可一也'《左傳》. '一, 歇也'《左傳注》. ⑥얼한 추워서 몸이 얾. '有老人, 涉淄而一'《戰國策》. ⑦식힐한 차게 함. '一日暴之, 十日一之'《孟子》. ⑧추위한 '一暑'. '日燠, 曰一'《書經》. ⑨괴로울한, 괴로움한 '齊急舒於一燠'《張衡》. ⑩입다물한 침묵함. '自同一蟬'《後漢書》. ⑪그득찰한 '一, 滿也'《廣雅》. ⑫성한 성(姓)의 하나.
字源 會意. 宀+茻+人+仌

宀9〔寓〕12 〔우〕宇(宀부 3획〈274〉)의 籀文

宀9〔寓〕12 人名 우 ㊦遇 yù グウ よる
筆順 ˙ 宀 宀 宫 寓 寓 寓 寓
字解 ①부쳐살우 남에게 의지하여 삶. '一食'. '諸侯不臣一公'《禮記》. 또, 부쳐 살게 함. '無一人於我室'《孟子》. ②부칠우 보냄. '子產一書于子西'《左傳》. ③맡길우 위탁함. '大夫一祭器於大夫'《禮記》. ④칭탁(稱託)할우 가탁(假託)함. '一話'. '著書十萬餘言, 大抵率一言也'《史記》. ⑤우거(寓居)우 교거(僑居). '國無寄一'《國語》.
字源 形聲. 宀+禺〔音〕

宀9〔寔〕12 人名 식 ㊇職 shí ショク まことに
筆順 ˙ 宀 宀 宣 宣 宣 寔 寔

[字解] ①진실로식 참으로. '春正月一來'《春秋》. ②이식 是(日부 5획〈503〉)와 뜻이 같음. '一命不同'《詩經》. ③멈출식 '一, 止也'《玉篇》. ④성식 성(姓)의 하나.
[字源] 形聲. 宀+是〔音〕

宀9 〔寋〕 12 건 [上]阮 | jiǎn ケン けいだけをうつ

[字解] ①경쇠만칠건 다만 경(磬)쇠만을 두드림. '一, 爾雅, 徒鼓磬, 謂之一'《集韻》. ②여자의자건 '一, 女字'《集韻》. ③성건 성(姓)의 하나.

宀9 〔㝞〕 12 [一] 예 [去]霽 | yì エイ しずか
[二] 설 [入]屑 | ケツ・エツ しずか

[字解] [一] ①고요할예 조용함. '一, 靜也'《廣韻》. ②편안할예 '一, 安也'《廣韻》. [二] 고요할설 [一]❶과 뜻이 같음.
[字源] 形聲. 宀+契〔音〕

宀9 〔寏〕 12 환 [平]寒 | huán カン めぐらしたかき

[字解] 담환 빙 둘러친 담. 院(阜부 7획〈1615〉)과 同字. '一, 周垣. 院, 上同'《廣韻》.
[字源] 形聲. 宀+奐〔音〕

宀9 〔寍〕 12 〔녕〕 寧(宀부 11획〈284〉)의 本字

宀9 〔𡨋〕 12 〔연〕 煙(火부 9획〈717〉)의 古字

宀9 〔寑〕 12 〔침〕 寢(宀부 11획〈284〉)의 古字
[字源] 形聲. 宀+侵〔侵〕

宀9 〔寛〕 12 〔관〕 寬(宀부 12획〈286〉)의 俗字

宀9 〔𡨄〕 12 〔묘〕 苗(艸부 5획〈1127〉)의 古字

宀9 〔𡨦〕 12 〔친〕 親(見부 9획〈1300〉)의 古字

宀10 〔寖〕 13 침 [平]侵 [去]沁 | jìn シン ひたす

[字解] ①잠길침 浸(水부 7획〈649〉)과 同字. '一數百里'《漢書》. ②물댈침 '一, 漑也'《集韻》. ③쌓을침, 쌓일침 '一, 積也'《廣雅》. ④점점침 차차로. 차츰. '一明一昌'《漢書》.

宀10 〔寗〕 13 녕 [平]靑 | níng, nìng ネイ やすらか

[字解] 편안할녕 寧(宀부 11획〈284〉)과 同字.

宀10 〔寘〕 13 치 [去]寘 | zhì シ おく

[筆順] 宀 宀 宀 宵 宵 宣 寘 寘

[字解] ①둘치 ㉠놓아 둠. '一予于懷'《詩經》. ㉡머물러둠. '一之圜土'《周禮》. ㉢버려 둠. '一彼周行'《詩經》. ㉣넣어 둠. 저장함. '凡而器用財賄, 無一於許'《左傳》. ②찰치 충만함. '缾一腹'《太玄經》.
[字源] 形聲. 宀+眞〔音〕

宀10 〔寙〕 13 유 [上]麌 | yǔ ユ ものうい

[字解] ①게으를유 나태함. '呰一偸生'《史記》. ②이지러질유 窳(穴부 10획〈922〉)와 통용. '器不苦一'《十八史略》.
[字源] 形聲. 宀+瓜〔音〕

宀10 〔寕〕 13 〔녕〕 寧(宀부 11획〈284〉)의 俗字

宀10 〔𡨸〕 13 〔월〕 粤(米부 6획〈969〉)의 本字

宀10 〔𡨝〕 13 〔인〕 寅(宀부 8획〈281〉)의 本字

宀10 〔寚〕 13 〔보〕 寶(宀부 17획〈287〉)의 古字

宀10 〔𡪄〕 13 〔침〕 寑(宀부 9획〈283〉)의 籒文

宀10 〔寐〕 13 〔미〕 䆅(宀부 21획〈287〉)와 同字

宀10 〔𡩋〕 13 〔삭〕 索(糸부 4획〈984〉)과 同字
[字源] 形聲. 宀+索〔音〕

宀10 〔𡨚〕 13 〔관〕 寬(宀부 12획〈286〉)의 俗字

宀10 〔𡨱〕 13 〔건〕 蹇(足부 10획〈1442〉)의 俗字

宀10 〔𡩗〕 13 〔사〕 寫(宀부 12획〈285〉)의 俗字

宀10 〔寝〕 13 〔침〕 寢(宀부 11획〈284〉)의 略字・簡體字

〔塞〕 〔새〕 土부 10획(216)을 보라.

宀 10 〔寳〕 13 〔보〕
寶(宀부 17획〈287〉)와 同字

宀 11 〔寞〕 14 막 [入]藥 | mò バク·マク さびしい

[字解] 쓸쓸할막 고요함. '寂一'. '氣恬海一'《王勃》.
[字源] 形聲. 宀+莫〔音〕

宀 11 〔察〕 14 [中·人] 찰 [入]黠 | chá サツ つまびらか

[筆順] 宀 宀 宊 宊 宊 察 察 察

[字解] ①살필찰 ㉠살펴 잘 앎. '一知'. '一其所安'《論語》. ㉡조사함. 생각하여 봄. '檢一'. '畜馬乘不一雞豚'《大學》. ㉢봄. '觀一'. ②드러날찰 환히 드러남. 널리 알려짐. '言其上下一也'《中庸》. ③자세할찰 너무 세밀하여 까다로움. 찰찰함. '其政一一'《老子》. ④깨끗할찰 결백함. '身之一一'《楚辭》. ⑤성찰 성(姓)의 하나.
[字源] 形聲. 宀+祭〔音〕

宀 11 〔寡〕 14 [高·人] 과 [上]馬 | guǎ カ すくない

[筆順] 宀 宀 宁 宵 宜 寘 寡 寡

[字解] ①적을과, 작을과 수효가 적거나 세력이 미약함. '一少'. '生之者衆, 食之者一'《大學》. ②홀어미과, 홀아비과 '一婦'. '五十無夫曰一'《大戴禮》. '無妻亦謂之一'《禮記 疏》. ③홀어미될과 과부가 됨. '新一好音'《史記》. ④나과 왕후(王侯)의 자칭(自稱). '一人'. '世世稱孤一'《戰國策》.
[字源] 會意. 宀+憂〈省〉

宀 11 〔寠〕 14 [一]구 [上]麌 | jù クまずしい
[二]루 [平]尤 | lóu ルせまいこうち

[字解] [一] ①가난할구 窶(穴부 11획〈922〉)와 同字. '終一且貧'《詩經》. ②작을구 '一數, 猶局縮, 皆小意也'《釋名》. [二] 좁은땅루 '甌一'는 협소한 고지(高地). '甌一滿篝, 汙邪滿車'《史記》.
[字源] 形聲. 宀+婁〔音〕

宀 11 〔寢〕 14 [高·人] 침 [上]寢 | qǐn シン ねる

[筆順] 宀 宀 宀 宀 宀 寑 寑 寢

[字解] ①잘침 잠을 잠. '一食'. '宰予晝一'《論語》. ②재울침 자게 함. '載一之牀'《詩經》. ③누울침 ㉠몸을 가로 놓음. '見一石, 以爲伏虎'《荀子》. ㉡병상에 누움. 앓음. '成子高一疾'《禮記》. ④쉴침 그침. '一息'. '兵一刑措'《漢書》. ⑤잠침 자는 일. '客一甚安'《史記》. ⑥능침침 능묘(陵墓) 옆에 설치하여 제전(祭典)을 행하는 곳. '至秦始出一起於墓側'《史記》. ⑦방침 ㉠거실(居室). '庶人祭於一'《禮記》. ㉡침실. '飮食不離一'《禮記》. ⑧못생길침 용모가 못생김. '一陋'. '武安者貌一'《史記》. ⑨성침 성(姓)의 하나.
[字源] 形聲. 宀+爿+㑴(侵〈省〉)〔音〕

宀 11 〔寤〕 14 오 [去]遇 | wù ゴ さめる

[字解] ①깰오 잠이 깸. '一寐'. '愾我一嘆'《詩經》. ②깨달을오 悟(心부 7획〈392〉)와 통용. '欲一言而一'《淮南子》. ③꿈오 꿈을 꿈. '一夢, 覺時道之而夢'《列子 注》.
[字源] 形聲. 㝱〈省〉+吾〔音〕

宀 11 〔寥〕 14 료 [平]蕭 | liáo リョウ さびしい

[字解] ①쓸쓸할료 적막함. '一一'. '寂一兮收潦而水清'《楚辭》. ②휑할료, 클료 공허함. 휑뎅그렁함. '一廓'. '一, 空也'《廣韻》. '一, 廓也'《廣韻》. ③하늘료 허공(虛空). '騰駕碧一'《范成大》. ④깊을료 깊숙함. '一, 深也'《廣雅》. ⑤성료 성(姓)의 하나.
[字源] 形聲. 宀+翏〔音〕

宀 11 〔實〕 14 [中·人] [一]실 [入]質 | shí ジツ み, みのる
[二]지 [去]寘 | zhì シ いたる

[筆順] 宀 宀 宀 宀 审 實 實 實

[字解] [一] ①열매실 '果一'. '草一'. '草木之一'《禮記》. ②씨실 종자. '一函斯活'《詩經》. ③속실 내용(內容). 또, 그릇에 담은 물건. '籩一'. '豆一'. '女承筐无一'《易經》. ④재물실 재화(財貨). '聚斂積一'《左傳》. ⑤기물실 기구(器具). '蒐軍一'《左傳》. ⑥참실 허(虛) 또는 명(名)의 대(對). '虛一'. '誠一'. '事一'. '名聲過一'《史記》. '名者一之賓也'《莊子》. ⑦참으로실 진실로. '一迷塗, 其未遠'《陶潛》. ⑧찰실 충만함. '充一'. '君之倉庫一'《孟子》. ⑨채울실 충만하게 함. '一籩豆'《儀禮》. ⑩익을실 열매가 익음. '秀而不一'《論語》. ⑪맞게할실 죄과와 형벌이 상당하게 함. '閱一其罪'《書經》. ⑫밝힐실 살핌. '使各一二千石以下至黃綬'《後漢書》. ⑬이실 是(日부 5획〈503〉)·寔(宀부 9획〈282〉)과 뜻이 같음. '一墉一壑'《詩經》. ⑭성실 성(姓)의 하나. [二] 이를지 至(部首)와 통용. '某不祿使某一'《禮記》.
[字源] 會意. 金文은 宀+貝+周

宀 11 〔寧〕 14 [高·人] 녕 [平]青 | níng, ①-③nìng ネイ やすい, むしろ

[筆順] 宀 宀 宓 寍 寍 寍 寧 寧

字解 ①차라리녕, 오히려녕 선택하는 뜻을 나타내는 말. '與其殺不辜, 一失不經'《書經》. ②어찌녕 ㉠반어(反語). 어찌 …랴. '一可以馬上治之乎'《史記》. ㉡의문의 말. '一有虛妄不'《法華經》. ③일찍이녕 '先祖匪人, 胡一忍予'《詩經》. ④편안할녕 ㉠무사함. '一日'. '王道興而百姓一'《說苑》. ㉡무병함. '安一'. '三日, 康一'《書經》. ⑤편안히할녕 편안하게 함. '一王'. '以一東土'《史記》. ⑥근친할녕 친정 어버이를 뵘. '一親'. '歸一父母'《詩經》. ⑦성녕 성(姓)의 하나.
字源 會意. 甲骨文은 宀＋皿＋示
參考 寍(宀부 8획〈282〉)·寧(宀부 10획〈283〉)은 俗字.

宀 11〔寗〕14 寧(前條)과 同字

宀 11〔寨〕14 채 ㊀卦 | zhài サイ まがき

字解 나무우리채 목책(木柵)으로 둘러싼 방위 시설. '要一'. '御一及諸營壘'《遼史》.
字源 形聲. 본디, 木＋寀〔音〕

宀 11〔㝩〕14 강 ㊉陽 ㊤養 | kāng コウ むなしい

字解 빌강 휑뎅그렁함. 조용함. '委參差以一㝩'《司馬相如》.
字源 形聲. 宀＋康〔音〕

宀 11〔寣〕14 홀 ㊇月 | hū コツ おびえる

字解 ①자다가놀랄홀 '一, 臥驚也'《說文》. ②깰홀 잠에서 깸. '一, 睡覺也'《廣韻》. ③아이울음홀 어린아이의 우는 소리. '一, 一曰, 小兒號一一'《說文》. ④부를홀 서로 부름. '一, 一曰, 河內相評也'《說文》.
字源 會意. 㝱〈省〉＋言

宀 11〔𡪢〕14 ㊀점 ㊀豔 ㊁첩 ㊇葉 | diàn テン かたむく チョウ おす

字解 ㊀①물매점 지붕이 물매짐. '一, 屋傾下也'《說文》. ②다할점 다 없어짐. 다 들임. '一, 窮也'《廣韻》. ③누를점 내리누름. '一, 一曰, 厭也'《集韻》. ㊁①누를첩 ㊀❸과 뜻이 같음. ②물매첩 ㊀❶과 뜻이 같음.
字源 形聲. 篆文은 宀＋執〔音〕

宀 11〔𡪫〕14 𡪢(前條)의 本字

宀 11〔𡪭〕14 〔오〕 奧(大부 10획〈238〉)의 本字

宀 11〔𡪨〕14 〔의〕 宜(宀부 5획〈277〉)의 古字

〔搴〕〔건〕 手부 10획(457)을 보라.

〔蜜〕〔밀〕 虫부 8획(1234)을 보라.

〔賓〕〔빈〕 貝부 7획(1392)을 보라.

宀 11〔寐〕14 〔미〕 寐(宀부 10획〈283〉)의 本字

宀 11〔𡪒〕14 〔몽〕 夢(夕부 11획〈230〉)과 同字

宀 11〔𡫂〕14 〔밀〕 密(宀부 8획〈281〉)과 同字

宀 11〔𡫀〕14 〔새〕 塞(土부 10획〈216〉)과 同字

宀 11〔𡪤〕14 〔선〕 宣(宀부 6획〈278〉)의 古字

宀 12〔審〕15 高·人 ㊀심 ㊤寢 ㊁반 ㊉寒 | shěn シン つまびらか pán ハン まわる

筆順 宀 宀 宀 宀 宷 審 審 審

字解 ㊀①살필심 상세히 조사함. '一査'. '不可不一'《淮南子》. ②깨달을심 깨달아 환히 앎. '一容膝之易安'《陶潛》. ③자세할심 상세함. '號令明, 法制一'《尉繚子》. ④자세히심 상세하게. '博學之, 一問之'《中庸》. ⑤묶음심 한 묶음. '十羽爲一'《周禮》. ⑥만일심 가설(假說)의 말. '一有內亂殺人'《漢書》. ⑦성심 성(姓)의 하나. ㊁돌반 盤(皿부 10획〈835〉)과 同字. '止水之一爲淵'《莊子》.
字源 會意. 본래, 宀＋釆

宀 12〔寫〕15 高·人 사 ①-⑥㊤馬 ⑦㊀禡 | xiě シャ うつす シャ おろす

筆順 宀 宀 宀 宀 宀 寫 寫 寫

字解 ①베낄사 베껴 씀. '一錄'. '嘗自一其詩並畫以獻'《唐書》. ②그릴사 본떠 그림. '一生'. ③본뜰사 모방함. '雷霆之音, 可以鐘鼓一也'《淮南子》. ④부어만들사 주조함. '以良金一范蠡之狀'《國語》. ⑤쏟을사 瀉(水부 15획〈696〉)와 同字. '以澮一水'《周禮》. ⑥덜사 덜어 없앰. '一憂'. '以一我憂'《詩經》. ⑦부릴사 卸(卩부 6획〈132〉)와 同字. '一鞍'《晉書》.
字源 形聲. 宀＋舃〔音〕

宀12〔寫〕15 寫(前條)의 本字

宀12〔寬〕15 高·人 관 ㊥寒|kuān カン ひろい

筆順 宀 宀 宀 宵 宵 寛 寬 寬

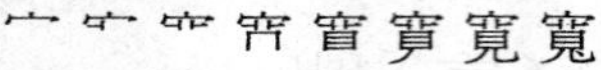

字解 ①너그러울관 관대함. '一嚴'. '一而栗'《書經》. ②넓을관 면적·용적 등이 큼. '一畝'. '地窄天水一'《蘇軾》. ③느슨할관 이완(弛緩)함. '政一則民漫'《左傳》. ④놓아줄관 관대히 용서함. '一假'. '不圖將軍一之至此也'《史記》. ⑤사랑할관 '代虐以一'《書經》. ⑥떨어질관, 멀어질관 '以恭給事, 則一於死'《國語》. ⑦성관 성(姓)의 하나.

字源 會意. 宀+萈

參考 寛(宀부 10획〈283〉)은 俗字.

宀12〔憲〕15 人名 혜 ㊧霽|huì ケイ あきらかにする

筆順 宀 宀 宀 害 害 憲 憲 憲

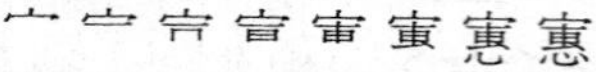

字解 밝힐혜 '一, 察也'《玉篇》.

宀12〔寮〕15 료 ㊥蕭|liáo リョウ つかさ

字解 ①벼슬아치료 관리. '百一庶尹'《書經》. ②동관료 같은 지위의 관리. '吾嘗同一'《左傳》. ③창료 작은 창(窓). '看斜暉之度一'《梁簡文帝》. 전(轉)하여 ④집료 작은 집. ⑤승방료 학승(學僧)의 숙사(宿舍). '屋窄似僧一'《陸游》. ⑥성료 성(姓)의 하나.

字源 形聲. 宀+尞(尞)〔音〕

宀12〔寪〕15 위 ㊤紙|wěi イ せい

筆順 宀 宀 宀 宀 宀 宀 寪 寪

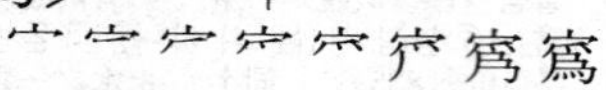

字解 성위 성(姓)의 하나. '公館于一氏'《左傳》.

字源 形聲. 宀+爲〔音〕

宀12〔窿〕15 〔륭〕 窿(穴부 12획〈923〉)과 同字

宀12〔寂〕15 최 ㊧泰|cuǐ サイ さかい

字解 지경최 국경(國境). '儻有賊臣蹈一'《陸贄》.

字源 形聲. 宀+叡〔音〕

宀12〔寝〕15 〔침〕 寑(宀부 9획〈283〉)의 本字

宀12〔亶〕15 〔연〕 煙(火부 9획〈717〉)의 古字

宀12〔款〕15 〔관〕 窾(穴부 12획〈923〉)과 同字

宀12〔㝛〕15 〔성〕 惺(心부 9획〈400〉)과 同字

宀13〔寰〕16 환 ㊥刪|huán カン あめのした

字解 경기고을환 서울 부근의 천자(天子) 직할(直轄)의 영지(領地). '千里一內'《後漢書》. 전(轉)하여, 천하 또는 세계의 뜻으로 쓰임. '叡感通一, 孝思浹宙'《唐書》.

字源 形聲. 宀+瞏〔音〕

〔褰〕 〔건〕 衣부 10획(1284)을 보라.

〔憲〕 〔헌〕 心부 12획(410)을 보라.

宀13〔寯〕16 준 ㊧震|jùn シュン あつめる

字解 ①모을준, 모일준 '一, 聚也'《廣雅》. ②재주준 뛰어남. '一, 才雋也'《玉篇》.

宀14〔寱〕17 예 ㊧霽|yì ゲイ ねごと

字解 ①잠꼬대예 囈(口부 19획〈193〉)와 同字. '不得寢必且一'《莊子》. ②놀랄예 '一, 驚也'《集韻》.

字源 形聲. 㝱〈省〉+臬〔音〕

〔謇〕 〔건〕 言부 10획(1348)을 보라.

〔蹇〕 〔건〕 足부 10획(1442)을 보라.

〔賽〕 〔새〕 貝부 10획(1398)을 보라.

宀14〔寯〕17 寡(次條)의 本字

宀15〔寡〕18 면 ㊥先|mián ベン·メン みえない

字解 ①보이지않을면, 어두울면 '一, 不見'《廣韻》. ②방에사람없을면 '一, 徐鍇曰, 室無人也'《集韻》.

字源 形聲. 宀+㝥〔音〕

宀15〔寋〕18 색 ㊇職|sè ソク ふさぐ, ふさがる

字解 막을색, 막힐색 塞(土부 10획〈216〉)과 同字.

字源 會意. 宀+𤰈+廾

宀15〔⿱宀踰〕18 〔유〕 踰(足부 9획〈1437〉)의 俗字

宀16〔寵〕19 [人名] 총 [上]腫 | chǒng チョウ いつくしむ

[筆順] 宀 宀 宀 宀 宀 宀 寵 寵

[字解] ①굄총 사랑함. '一愛'. '一綏四方'《書經》. ②굄총 총애. 은혜. '恩一'. '天一'. '啓一納侮'《書經》. 또, 군주에게 굄을 받는 사람. 특히, 후궁(後宮). '齊公好內, 多內一'《左傳》. ③영화총 영예. '一辱'. '其一大矣'《國語》. ④숭상할총 '一神其祖'《國語》. ⑤얻을총 명성 따위를 얻음. '一辱若驚'《老子》. ⑥성총 성(姓)의 하나.
[字源] 會意. 宀＋龍

宀16〔寴〕19 친 [去]震 [平]眞 | qīn シン したしい
[字解] ①친할친 親(見부 9획〈1300〉)의 古字. ②빌친 집안이 빈 모양. '一, 屋空皃'《廣韻》.
[字源] 形聲. 宀＋親〔音〕

宀16〔⿱宀⿰匊欠〕19 국 [入]屋 | jū キク きわまる
[字解] 다할국 '一, 說文, 窮也'《廣韻》.
[字源] 形聲. 宀＋⿰匊欠〔音〕

宀16〔⿱宀⿰垔欠〕19 〔연〕 煙(火부 9획〈717〉)의 籒文

宀16〔寳〕19 寶(次條)의 俗字

宀17〔寶〕20 [高·人] 보 [上]晧 | bǎo ホウ たから

[筆順] 宀 宀 宀 宀 宀 宀 寶 寶

[字解] ①보배보 보물. '一庫'. '一者, 玉物之凡名'《公羊傳》. 전(轉)하여 ㉠소중한 사물. '惟善以爲一'《大學》. ㉡화폐. 돈. '更作金銀龜貝錢布之品, 名曰一貨'《漢書》. ㉢몸. 신체(身體). '輕敵幾喪吾一'《老子》. ㉣자식. 자녀. '今人愛惜其子, 每呼之曰一'《留靑日札》. ②보배로여길보 소중히 여김. '所一惟賢'《書經》. ③옥새보 제왕의 인. 전(轉)하여, 천자(天子)에 관한 사물(事物)의 관칭(冠稱)으로 쓰임. '一算'. '一祚'. ④성보 성(姓)의 하나.
[字源] 形聲. 宀＋玉＋貝＋缶〔音〕
[參考] 宝(宀부 5획〈277〉)·寳(前條)는 俗字.

宀17〔⿱宀⿱⿰王缶金〕20 寶(前條)와 同字

宀17〔⿱宀⿰垔示〕20 〔인〕 禋(示부 9획〈891〉)의 籒文

宀18〔寷〕21 풍 [平]東 | fēng ホウ おおきいいえ
[字解] 큰집풍 '一, 大屋也'《說文》.
[字源] 形聲. 宀＋豐〔音〕

宀18〔⿱宀⿰爿女〕21 [一] 어 [去]御 | rǔ ヨ ねる
[二] 여 ①[平]魚 | yù ジョ うたたね
②[上]語 | ジョ ねる
[字解] [一] ①잘어 잠을 잠. '一, 楚人謂寐曰一'《說文》. ②수잠어 깊이 들지 않은 잠. '一, 假寐也'《廣韻》. [二] ①수잠여 [一]❷와 뜻이 같음. ②잘여 [一]❶과 뜻이 같음.
[字源] 形聲. 㝱〈省〉＋女〔音〕

宀18〔⿳宀茻人〕21 〔한〕 寒(宀부 9획〈282〉)의 本字

宀18〔⿱宀塞〕21 〔색〕 寨(宀부 15획〈286〉)과 同字

宀18〔㝱〕21 〔몽〕 夢(夕부 11획〈230〉)과 同字

宀19〔⿱宀⿰爿水〕22 계 [去]霽 | jì キ よくねむる
[字解] 잠깊이들계 숙면(熟眠)함. '一, 孰寐也'《說文》.
[字源] 形聲. 㝱〈省〉＋水〔音〕

宀21〔⿱宀⿰爿米〕24 미 [上]齊 | mí ベイ よくねむる
[上]紙 | ビ よくねむる
[字解] 잠깊이들미 寐(宀부 9획〈282〉)와 同字. '一, 寐不覺'《廣韻》.
[字源] 形聲. 㝱〈省〉＋米〔音〕

宀22〔⿱宀⿰爿吾〕25 〔오〕 寤(宀부 11획〈284〉)의 籒文

宀23〔⿱宀⿰爿壽〕26 〔침〕 寢(宀부 11획〈284〉)의 本字

寸　部
〔마디촌부〕

寸0〔寸〕3 [中·人] 촌 [去]願 | cùn スン すん

[筆順] 一 寸 寸

[字解] ①치촌 한 치. 1 자의 10분의 1. '尺一'. '布指知一'《孔子家語》. 전(轉)하여,

근소·약간 등의 뜻으로 쓰임. '乃惜一陰'《晉書》. ②성촌 성(姓)의 하나. ③《韓》촌수촌 혈족(血族)의 세수(世數)를 세는 말. '三一'. '四一'.
[字源] 指事. 오른손 손목에 엄지손가락을 대어 맥을 짚는 모양에서 재다의 뜻을 나타냄.
[參考] 부수(部首)로서 '마디촌'이라 이르며, 손의 동작을 나타내는 문자를 이룸.

寸1 〔付〕4 〔등〕 等(竹부 6획〈935〉)의 俗字

寸2 〔对〕5 〔대〕 對(寸부 11획〈290〉)의 俗字·簡體字

寸3 〔寺〕6 [中·人] [一] 사 [去]寘 sì ジ つかさ, てら / [二] 시 [去]寘 sì ジ はべる
[筆順] 一 十 土 圭 寺 寺
[字解] [一] ①마을사 관아(官衙). '一署'. '城郭官一'《漢書》. ②절사 중이 있는 곳. '一院'. '幸一捨身'《南史》. [二] ①내시시 환관(宦官). '一人'. '時維婦一'《詩經》. ②모실시 侍(人부 6획〈48〉)와 同字.
[字源] 形聲. 寸+㞢〔音〕

寸3 〔寻〕6 〔심〕 尋(寸부 9획〈290〉)의 簡體字

寸3 〔导〕6 〔도〕 導(寸부 13획〈291〉)의 簡體字

寸4 〔寽〕7 률 [入]質 lǜ リツ とる / lüè リツ じゅうりょうの たんい
[字解] ①잡을률 다섯 손가락으로 물건을 쥠. '一, 持取. 今一禾是'《廣韻》. ②엿냥쭝률 고대의 무게 단위. 鋝(金부 7획〈1562〉)과 同字.
[字源] 會意. 爫+一

寸4 〔対〕7 〔대〕 對(寸부 11획〈290〉)의 略字

寸4 〔寿〕7 〔수〕 壽(士부 11획〈226〉)의 略字

寸4 〔⿵冗寸〕7 〔완〕 刓(刀부 4획〈100〉)과 同字

寸5 〔㝵〕8 [一] 애 [去]隊 ài ガイ さまたげる / [二] 득 [入]職 トク とる
[字解] [一] 막을애 방해함. '一, 釋典云, 无导也'《廣韻》. [二] 취할득 㝵(寸부 7획〈289〉)과 同字. '㝵, 說文, 取也. 今作一'《廣韻》.

寸5 〔尀〕8 파 ㊤哿 pǒ ハ できない
[字解] 못할파 할 수 없음. 叵(口부 2획〈145〉)와 同字. '一耐無禮, 戲弄下官'《水滸傳》.

寸5 〔⿰艮寸〕8 〔작〕 爵(爪부 14획〈733〉)과 同字

寸6 〔封〕9 [高·人] 봉 [平]冬 fēng ホウ·フウ ふうずる
[筆順] 一 十 土 圭 圭 圭 封 封
[字解] ①봉할봉 ㉠토지를 주어 제후(諸侯)로 삼음. '以此一若'《史記》. 또, 그 토지. '往卽乃一'《書經》. '益一二千戶'《史記》. ㉡단단히 붙임. '一緘'. '流淚而一之'《漢書》. 또, 붙인 곳에 표시함. '一以御史大夫印'《漢書》. ②흙더미쌓을봉 하늘에 제사지내기 위하여 산 위에 흙을 높이 쌓음. '一土'. '爲丘一之度與樹數'《周禮》. ③북돋울봉 배토(培土)함. 전(轉)하여, 배양(培養)함. '一殖越國'《國語》. ④클봉 거대함. '一家長蛇'《左傳》. ⑤지경봉 강계(疆界). '一界'. '婦人非三年之喪, 不踰一而弔'《禮記》. ⑥봉사(封祀)봉 흙을 쌓아올리고 하늘에 지내는 제사. '一禪'. '一十有二山'《書經》. ⑦무덤봉 뫼. '馬鬣一'. '一, 冢也'《廣雅》. ⑧편지봉 봉한 편지. '領尚書者先發副一'《漢書》. ⑨부자봉 요부(饒富)함. '素一'. ⑩성봉 성(姓)의 하나.
[字源] 會意. 㞢+土+寸

寸6 〔⿰尗寸〕9 〔숙〕 叔(又부 6획〈142〉)과 同字

寸6 〔将〕9 〔장〕 將(寸부 8획〈289〉)의 簡體字

寸6 〔専〕9 〔전〕 專(寸부 8획〈289〉)의 新《日》字體

〔耐〕 〔내〕 而부 3획(1050)을 보라.

寸6 〔⿰血寸〕9 〔내〕 耐(而부 3획〈1050〉)와 同字

寸7 〔射〕10 [中·人] [一] 사 [去]禡 shè シャ いる / [二] 야 [去]禡 yè ヤ ぼくや / [三] 석 [入]陌 shí セキ いる / [四] 역 [入]陌 yì エキ いとう
[筆順] ′ 亻 ㇒ 自 身 身 射 射
[字解] [一] ①쏠사 활·총 같은 것을 쏨. '一擊'. '孔子一於矍相之圃'《禮記》. 또, 쏘는 일. 사술(射術). '一者男子之事也'《禮

記》. 전(轉)하여, 쏜살같이 나가는 뜻으로 쓰임. '注—'. '噴—'. '奔泉各激—'《鮑照》. ②성사 성(姓)의 하나. [二] ①벼슬이름야 '僕—'는 진(秦)나라 때 처음 둔 벼슬. 본시 활 쏘는 일을 맡았으나, 당(唐)나라 이후에는 상서(尙書)의 다음 벼슬로 되어 실권(實權)을 장악하였으므로 사실상의 재상(宰相)이었음. ②산이름야 '姑—山'은 신산(神山)의 이름. [三] 맞힐석 ㉠활을 쏘아 적중(的中)시킴. '—中漢王'《史記》. ㉡은폐한 것을 알아맞힘. '管仲之—隱不得也'《韓非子》. ㉢명중함. '與人談言口睡—人'《論衡》. [四] ①싫어할역 염오함. '無—於人斯'《詩經》. ②율이름역 '無—'은 율명(律名). 십이율(十二律)의 하나.
[字源] 象形은 활시위에 화살을 메기는 꼴을 본뜸. 篆文은 會意. 身+寸

寸 7 〔尃〕10 [一]부 [平]虞 | fū フ しく
[二]포 [去]遇 | bù ホ あまねし
[字解] [一] 펼부 깖. 또, 깔림. 敷(攴부 11획〈487〉)와 同字. '—, 布也'《說文》. '雲—霧散'《史記》. [二] 널리포 널리 미침. 또, 미치게 함. 佈(人부 5획〈41〉)와 同字. '—, 徧也'《玉篇》.
[字源] 形聲. 寸+甫〔音〕

寸 7 〔𡬶〕10 득 [入]職 | dé トク とる
[字解] 취할득 㝵(寸부 5획〈288〉)과 同字. 得(彳부 8획〈372〉)의 古字. '—, 取也'《說文》.
[字源] 會意. 見+寸

寸 7 〔尅〕10 〔극〕 剋(刀부 7획〈105〉)과 同字

寸 7 〔將〕10 〔장〕 將(寸부 8획〈289〉)의 俗字

寸 7 〔将〕10 〔장〕 將(寸부 8획〈289〉)의 略字

寸 7 〔辱〕10 〔욕〕 辱(辰부 3획〈1486〉)의 俗字

〔辱〕 〔욕〕 辰부 3획(1486)을 보라.

寸 7 〔𡬷〕10 [一] 㝵(寸부 5획〈288〉)와 同字 [二] 得(彳부 8획〈372〉)의 古字

寸 8 〔尉〕11 [人名] [一]위 [去]未 | wèi イ なぐさめる
[二]울 [入]物 | yù ウツ のす
[筆順] ㄱ ㅋ 尸 尸 尸 尸 尉 尉
[字解] [一] ①편안히할위 눌러 안정하게 함. 위안함. '以—士大夫心'《漢書》. ②벼슬이름위 병사(兵事) 또는 형옥(刑獄)을 맡은 벼슬. '廷—'. '大—'. '大縣兩—, 長安四—'《漢官儀》. ③문안드릴위 '—, 候也'《廣韻》. ④성위 성(姓)의 하나. [二] ①다리미울, 다림질할울 熨(火부 11획〈723〉)의 本字. '火斗曰—'《風俗通》. ②성울 '—遲'는 복성(複姓)의 하나. 또, '—繚'는 주대(周代)의 병법가(兵法家).
[字源] 會意. 𡰣+又+火

寸 8 〔將〕11 [中·人] 장 [去]漾 [平]陽 [平]陽 | ①②jiàng ショウ ひきいる ③-㉓jiāng ショウ まさに ④qiāng ショウ ねがわくは
[筆順] 丨 ㅓ ㅓ 爿 爿 爿 將 將
[字解] ①장수장 장군. '大—'. '斬—刈旗'《史記》. ②거느릴장 인솔함. 통솔함. '—御'. '—軍擊趙'《史記》. ③장차장 차차. 앞으로. '吾—仕矣'《論語》. ④청컨대장 바라건대. '—子無怒'《詩經》. ⑤문득장 전환(轉換)하는 말. 抑(手부 4획〈431〉)과 같은 뜻. '寧誅鋤草茆以力耕乎, —遊大人以成名乎'《楚辭》. ⑥또장 且(一부 4획〈12〉)와 같은 뜻. '—安—樂'《詩經》. ⑦기를장 양육함. 또는 봉양함. '—養'. '不遑—母'《詩經》. ⑧도울장 원조함. '補過—美'《史記》. ⑨보낼장 '—迎'. '百兩—之'《詩經》. ⑩받들장 봉승(奉承)함. '—順'. '湯孫之—'《詩經》. ⑪가질장 잡아 가짐. 소지함. '—來'. '吏謹—之'《荀子》. ⑫행할장 실행함. '奉—天罰'《書經》. ⑬나아갈장 진보함. '日就月—'《詩經》. ⑭따를장 복종함. '九夷賓—'《漢書》. ⑮갈장 가 버림. '時幾—矣'《荀子》. ⑯동반할장 같이 감. '鄭伯—王'《左傳》. ⑰클장 '亦孔之—'《詩經》. ⑱장성(壯盛)할장 '鮮我方—'《詩經》. ⑲길장 '恐余壽不—'《宋玉》. ⑳써장 以(人부 3획〈34〉)와 뜻이 같음. '蘇秦始—連橫說秦惠王'《戰國策》. ㉑이장 此(止부 2획〈603〉)와 뜻이 같음. '—何事也'《左傳》. ㉒가장 곁. '在渭之—'《詩經》. ㉓성장 성(姓)의 하나.
[字源] 形聲. 寸+肉+爿〔音〕

寸 8 〔專〕11 [高·人] 전 [平]先 | zhuān セン もっぱら
[筆順] 一 丅 丙 亩 叀 叀 專 專
[字解] ①오로지전 오직 외곬으로. 전혀. 또, 단독으로. '—念'. '—用'. '不能—對'《論語》. ②오로지할전 ㉠독점함. '有喪者

一席而坐'《禮記》. ㉡잡념(雜念)을 끊고 외곬으로 함. '不一心致志, 則不得也'《孟子》. ㉢자기 혼자 처리함. '爾一之'《禮記》. ③전일할전 순일(純一)함. '其靜也一'《易經》. ④제멋대로할전 전단(專斷)함. 또, 방자함. '一橫'. '祭仲一, 鄭伯患之'《左傳》. ⑤같을전 같음. 또, 같게 함. '一, 齊也'《廣雅》. ⑥홑겹전 또, 홑으로 함. '一, 單也'《廣韻》. ⑦성전 성(姓)의 하나.
字源 會意. 叀+寸

寸 8 〔㝷〕11 〔심〕 尋(寸부 9획〈290〉)의 俗字

寸 8 〔⿰京寸〕11 〔경〕 京(亠부 6획〈29〉)과 同字

寸 8 〔⿱冖⿱目寸〕11 〔수〕 守(宀부 3획〈274〉)의 古字

寸 8 〔⿺⿱冂⿱二儿寸〕11 〔심〕 尋(寸부 9획〈290〉)과 同字

寸 9 〔⿸厂⿰示寸〕12 〔위〕 尉(寸부 8획〈289〉)와 同字

寸 9 〔尌〕12 〔수〕 侸(人부 7획〈51〉)와 同字

寸 9 〔尊〕12 中·人 ㊀존 ㊥元 | zūn ソン とうとい ㊁준 ㊥元 | zūn ソン たる
筆順 尊
字解 ㊀①높을존 존귀함. '一位'. '天一地卑, 乾坤定矣'《易經》. 또, 높은 지위. 높은 신분. '一卑'. '此降一以就卑也'《禮記》. 또, 높은 사람. 나라에서는 군주, 집에서는 부친 따위. '國無二君, 家無二一'《禮記》. 전(轉)하여, 경의를 표하는 관칭(冠稱)으로 쓰임. '一大人'. '一兄應期贊世'《蜀志》. ②높일존 ㉠존경함. '一重'. '自卑而一人'《禮記》. ㉡지위를 올림. '項羽乃佯一懷王爲義帝'《史記》. ㉢숭상함. '一五美, 屛四惡'《論語》. ③무거울존 '名一於實'《淮南子》. ④성존 성(姓)의 하나. ㊁술그릇준 주기(酒器). 樽(木부 12획〈578〉)·罇(缶부 12획〈1024〉)과 同字. '一俎'. '掌六彝六一之位'《周禮》.
字源 會意. 篆文은 酋+廾

寸 9 〔尊〕12 尊(前條)과 同字

寸 9 〔尋〕12 高·人 심 ㊥侵 | xún, xín ジン たずねる
筆順 尋
字解 ①찾을심 ㉠탐색함. '探一'. '旣窈窕以一壑'《陶潛》. ㉡방문함. '一訪'. '棹歌搖艇月中一'《李白》. ②물을심 질문함. '硏精一問'《北齊書》. ③생각할심 '退一平常時'《謝靈運》. ④얼마아니있을심 이윽고. '使一至'. '罷行軍參謀一復置'《舊唐書》. ⑤이을심 계속함. '日一干戈, 以相征討'《左傳》. ⑥갑자기심 곧. '一, 俄也'《正字通》. ⑦칠심 쳐 무찌름. '夫三軍之所一'《國語》. ⑧쓸심 사용함. '將一師焉'《左傳》. ⑨여덟자심 척도(尺度)의 단위. 여덟 자의 길이. '十一'. '枉尺而直一'《孟子》. ⑩자심 길이를 재는 기구. '一引規矩'《柳宗元》. ⑪길이심 긴 정도. 장척(丈尺). '越羅萬丈表長一'《孫光憲》. ⑫보통심 범상(凡常). '個中消息也一常'《指月錄》.
字源 形聲. 篆文은 左+右+彡〔音〕
參考 㝷(寸부 8획〈290〉)은 俗字.

寸 9 〔⿱彐⿱工口寸〕12 尋(前條)과 同字

寸 9 〔⿱亼⿱一寸〕12 〔수〕 守(宀부 3획〈274〉)의 古字

寸 10 〔⿰⿱巛目寸〕13 〔도〕 道(辵부 9획〈1502〉)의 古字

寸 10 〔⿰⿱罒正寸〕13 〔강〕 ⿰⿱罒正刂(刀부 10획〈108〉)의 訛字

寸 10 〔⿱⿵冂⿰人尺寸〕13 〔심〕 尋(寸부 9획〈290〉)의 古字

寸 11 〔對〕14 中·人 대 ㊤隊 | duì タイ むかう, こたえる
筆順 對
字解 ①마주볼대 서로 정면(正面)으로 봄. 서로 대함. '一面'. '從者二人坐持几相一'《儀禮》. ②대답할대 응답함. '一答'. '起則一'《禮記》. ③보답할대 갚음. '以一于天下'《詩經》. ④짝대 ㉠배우자. '擇一不嫁'《後漢書》. ㉡한 쌍. '虎雌各六一'《金史》. ⑤적수대 ㉠대등한 자. '自謂無一'《南史》. ㉡적대자(敵對者). '劉備今在境界, 此彊一也'《吳志》. ⑥마침내대 드디어. '一揚王休'《詩經》. ⑦문체이름대 상소(上疏)의 한 체(體). 천자(天子)의 하문(下問)에 대하여 의견을 진술하는 것. '三曰一, 四曰啓'《文體明辯》.
字源 會意. 篆文은 丵+口+又
參考 対(寸부 4획〈288〉)는 俗字.

寸 11 〔尌〕14 〔표〕
剽(刀부 11획〈109〉)의 俗字

寸 11 〔壽〕14 〔수〕
壽(士부 11획〈226〉)와 同字

〔奪〕〔탈〕
大부 11획(238)을 보라.

寸 12 〔導〕15 導(次條)의 略字

寸 13 〔導〕16 [高·人] 도 [去]號 | dǎo(dào) ドウ みちびく

[筆順] 丷 䒑 𦍌 首 首 首 道 道 導

[字解] ①이끌도 ㉠인도함. '君使人一之出疆'《孟子》. ㉡가르침. '教一'. '一民之路, 在務本'《漢書》. ㉢다스림. ㉣소통하게 함. '疏爲川谷以一其氣'《國語》. ②성도 성(姓)의 하나.
[字源] 形聲. 寸+道〔音〕

寸 13 〔對〕16 〔대〕
對(寸부 11획〈290〉)와 同字

寸 15 〔䏝〕18 [一] 전 [上]銑 [二] 추 [上]紙 | shuàn セン さかずき スイ さかずき

[字解] [一] 술잔전 손잡이와 뚜껑이 있는 작은 잔. '一, 小卮'《集韻》. [二] 술잔추 [一]과 뜻이 같음.
[字源] 形聲. 卮+專〔音〕

〔𢺵〕〔확〕
크부 23획(365)을 보라.

小 部

〔작을소부〕

小 0 〔小〕3 [中·人] 소 [上]篠 | xiǎo ショウ ちいさい

[筆順] 亅 小 小

[字解] ①작을소 ㉠크지 아니함. '一戶'. '管仲之器一哉'《論語》. ㉡잚. 미세(微細)함. '一, 物之微也'《說文》. ㉢가늚. '一, 細也'《玉篇》. ㉣짧음. '一暇'. '一年不及大年'《莊子》. ㉤낮음. 얕음. '泰山卑一'《漢書》. ㉥지위가 낮음. '一族'. '不卑一官'《孟子》. ㉦젊음. 어림. '我一未能營養'《晉書》. ㉧협소함. '一徑'. '自用則一'《書經》. ②적을소 많지 아니함. 少(小부 1획〈291〉)와 뜻이 같음. '一經'. '力一而任重'《易經》. ③적게여길소 경시함. '必一羅'《左傳》. ④첩소 비첩(婢妾). '慍于群一'《詩經》. ⑤소인소 ㉠간사한 사람. '衆一在位'《漢書》. ㉡신분이 낮은 사람. 천한 사람. '與羣一, 日遊市肆'《畫繼》. ㉢아이. 연소한 사람. '其老一殘疾'《北史》. ⑥조금소 적게. '可以一試勒兵乎'《史記》. ⑦작은달소 음력으로 30일이 안 되는 달. '帝以爲月當先一'《後漢書》. ⑧성소 성(姓)의 하나.
[字源] 象形. 작은 점(點)의 상형으로 '작다'의 뜻.
[參考] '小'를 기본으로 하여 '작다, 적다'의 뜻을 포함하는 글자가 만들어짐. '尙·尗'도 '小'의 부수(部首)에 포함되어 있으나, 특별히 의미상(意味上)의 관계는 없음.

小 1 〔少〕4 [中·人] 소 [上]篠 [去]嘯 | ①-⑤shǎo ショウ すくない ⑥-⑨shào ショウ わかい

[筆順] 亅 小 小 少

[字解] ①적을소 많지 아니함. 또, 모자람. '羽兵食一'《漢書》. ②좀소 다소. 약간. '吾子其一安'《左傳》. ③잠시소 잠깐. '一焉'. '一則洋洋焉'《孟子》. ④적어질소 줆. 또, 적게 함. '墾田減一'《後漢書》. ⑤적게여길소 비난함. '皆一之'《史記》. ⑥젊을소 나이가 젊음. 또, 어림. '一年'. '一, 幼一也'《廣韻》. '苞一好學'《南史》. ⑦젊은이소 연소자. 또, 어린아이. '一長'. '王氏諸一皆佳'《晉書》. ⑧버금소 부이(副貳). 또, 관명(官名) 같은 데에 장(長)을 돕는 벼슬의 접두어(接頭語)로 쓰임. '一師'. '於是爲置三一'《漢書》. ⑨성소 성(姓)의 하나.
[字源] 象形. 작은 점(點)의 상형으로 '적다'의 뜻.

小 1 〔尐〕4 절 [入]屑 | jié セツ すくない, ちいさい

[字解] ①적을절 '一, 少也'《說文》. ②작을절 '一, 小也'《玉篇》.
[字源] 象形. 모래알 따위 작은 것의 모양을 본뜸.

小 1 〔尒〕4 〔시〕
示(部首〈884〉)의 古字

小 2 〔尒〕5 〔이〕
爾(爻부 10획〈735〉)와 同字
[字源] 象形. 아름답게 빛나는 꽃을 본뜬 모양으로 '爾이'의 생략체.

小 2 〔尔〕5 尒(前條)와 同字

小2〔尓〕5 尒(前前條)와 同字

小2〔尒〕5 ㊩ 이

字解《韓》너이 尒(小부 2획〈291〉)와 同字. '古一王'《三國史記, 目錄》.

小3〔尖〕6 高·人 첨 ㊥鹽|jiān セン とがる

筆順 丨 ⺌ 小 尐 尖 尖

字解 ①뾰족할첨 끝이 날카로움. '一銳'. '子觜一如此'《揮塵錄》. 전(轉)하여, 날카로움. 초각(峭刻)함. '詩冷語多一'《姚合》. ②작을첨 조그마함. '萬點蜀山一'《杜甫》. ③끝첨 ㉠뾰족한 끝. '筆一'. '我舌猶能及鼻一'《黃庭堅》. '城郭微茫見塔一'《薩都剌》. ㉡뾰족한 산봉우리. '縹緲浮青一'《王安石》. ㉢손가락끝. '酒半醺, 玉一搦管蘸香雲'《楊維楨》.
字源 會意. 小+大

小3〔尘〕6 〔진〕塵(土부 11획〈218〉)의 古字·簡體字

〔当〕〔당〕ヨ부 3획(364)을 보라.

〔光〕〔광〕儿부 4획(82)을 보라.

小3〔尗〕6 숙 ㊇屋|shū(shú) シュク まめ

字解 콩숙 菽(艸부 8획〈1151〉)과 同字. '一, 豆也'《說文》.
字源 象形. 지상(地上)의 두 잎, 지하에 뿌리를 뻗은 콩의 모양을 본뜸.

小4〔尖〕7 〔사〕些(二부 5획〈27〉)와 同字

小4〔乺〕7 〔당〕當(田부 8획〈801〉)의 俗字

〔肖〕〔초〕肉부 3획(1065)을 보라.

小4〔米〕7 〔미〕米(部首〈966〉)의 古字

小5〔尙〕8 中·人 상 ㊤漾|shàng ショウ なお, たっとぶ

筆順 丨 ⺌ 小 𫩏 尙 尙 尙 尙

字解 ①오히려상 猶(犬부 9획〈756〉)와 뜻이 같음. '雖無老成人, 一有典刑'《詩經》. ②바랄상 원함. 바라건대. '一饗'. '不一息焉'《詩經》. ③숭상할상 높이 여김. '一武'. '夏后氏一黑'《禮記》. ④더할상 보탬. '好仁者, 無以一之'《論語》. ⑤자랑할상 자만함. '君子不自一其功'《禮記》. ⑥주관할상 맡아함. '一衣'. '一符節'《史記》. ⑦장가들상 공주(公主)에게 장가듦. '娶天子女, 曰一公主'《漢書》. ⑧짝지을상 부부가 됨. '卓王孫, 喟然而歎, 自以得使女一司馬長卿晩'《史記》. ⑨높일상 높게 함. 고상하게 가짐. '何謂一志, 曰仁義而已矣'《孟子》. ⑩꾸밀상 장식함. '一之以瓊華'《詩經》. ⑪오랠상 오래 됨. '樂之所由來者一也'《呂氏春秋》. ⑫받들상 봉승(奉承)함. '得一君之玉音'《司馬相如》. ⑬예〔古〕상 上(一부 2획〈10〉)과 통용. '一友'. '一者, 上也, 言此上代以來書, 故曰一書'《書經序 疏》. ⑭좋아할상 '其爲人也, 剛而一寵'《國語》. ⑮그리워할상 '一前良之遺風兮'《後漢書》. ⑯성상 성(姓)의 하나.
字源 會意. 八+向

小5〔尚〕8 尙(前條)과 同字

小6〔尝〕9 〔상〕嘗(口부 11획〈182〉)의 俗字·簡體字

小6〔尛〕9 〔마〕麽(麻부 3획〈1855〉)의 古字

小6〔尜〕9 尛(前條)와 同字

小7〔㝯〕10 극 ㊇陌|xì ケキ かべのすきま

字解 벽틈극 벽(壁) 사이의 틈. '一, 壁際孔也'《六書正譌》.
字源 會意. 白+小+小

小7〔覍〕10 변 ㊤霰|biàn ベン かんむり

字解 고깔변 弁(廾부 2획〈355〉)과 同字. '一, 冕也. 周曰一, 殷曰吁, 夏曰收'《說文》.
字源 會意. 小+皃

〔党〕〔당〕儿부 8획(83)을 보라.

小7〔尟〕10 〔묘〕玅(玄부 4획〈765〉)와 同字

小8〔𡭽〕11 창|chǎng ショウ はしる

字解 빨리달릴창, 뛰어돌아다닐창.

小8〔尞〕11 〔극〕 㷉(小부 7획〈292〉)의 本字

小8〔𡮱〕11 〔성〕 省(目부 4획〈840〉)의 古字

〔雀〕〔작〕 隹부 3획(1629)을 보라.

〔常〕〔상〕 巾부 8획(334)을 보라.

〔堂〕〔당〕 土부 8획(211)을 보라.

小9〔尞〕12 〔료〕 燎(火부 12획〈725〉)와 同字

小10〔尟〕13 선 ㊤銑 | xiǎn セン すくない
字解 적을선 鮮(魚부 6획〈1792〉)과 同字.
字源 會意. 是+少

小10〔尠〕13 尟(前條)의 俗字
字源 會意. 少+甚

小12〔𡭊〕15 조 ㊥豪 | cáo ソウ あらい
字解 거칠조, 더러울조, 좋지않을조.

小12〔㬪〕15 ㊀ 㒵(自부 6획〈1101〉)의 古字 ㊁ 暨(日부 12획〈514〉)의 古字

〔賞〕〔상〕 貝부 8획(1394)을 보라.

九(尣·兀)部
〔절름발이왕부〕

九0〔尢〕3 왕 ㊥陽 | wāng オウ あしなえ
筆順 一 ナ 尢
字解 ①절름발이왕 정강이뼈가 굽어 있음. 또, 그러한 사람. 尣(次次條)와 同字. ②곱사등이왕 구루(傴僂).
字源 象形. 정강이뼈가 구부러진 사람을 본뜸.
參考 ①尪(尢부 4획〈294〉)과 同字. ②'尢'을 기본으로 발이나 걸음이 정상이 아니라는 뜻의 문자를 이룸. '尣·兀'은 모두 '尢'의 이체자(異體字)로, 변으로 쓰일 때에는 이 세 자체(字體)가 있음.

九0〔兀〕3 尢(前條)과 同字
參考 兀(儿부 1획〈80〉)과는 別字.

九0〔尣〕4 尢(前前條)과 同字

九0〔尣〕4 〔왕〕 尢(部首〈293〉)과 同字

九1〔尤〕4 中·人 우 ㊥尤 | yóu ユウ もっとも
筆順 一 ナ 尢 尤
字解 ①더욱우 가장. '一甚'. '一精物理'《晉書》. 또, 가장 뛰어난 것. '拔其一'《韓愈》. ②허물우 과실. '愆一'. '忍一而攘詬'《楚辭》. ③탓할우 원망함. '不怨天, 不一人'《論語》. ④나무랄우 책망함. 비난함. '一而效之'《左傳》. ⑤망설일우 주저함. '遲疑不決爲一豫'《六書正譌》. ⑥가까이할우 '野花芳草奈相一'《羅隱》. ⑦성우 성(姓)의 하나.
字源 指事. 손끝에 가로획을 그어, 이변(異變)으로서 '나무람'의 뜻을 나타냄.

九2〔尤〕5 尤(前條)와 同字

九3〔尪〕6 우 ㊥虞 | yū ウ またがまがる
字解 ①다리굽을우 다리 가랑이가 굽어 있음. '一, 股一也'《說文》. ②돌우 빙 돎. '一, 盤旋'《廣韻》. ③몸굽을우 몸이 굽어 있음. '一, 李陽冰曰, 體屈曲'《集韻》.
字源 形聲. 尢+亏(于)〔音〕

九3〔尥〕6 ㊀ 료 ㊤嘯 ㊁ 표 ㊥肴 | liào リョウ あしのすねがまじわる ホウ·ビョウ うしのすねがもつれる
字解 ㊀ ①걷는데정강이뒤틀릴료 정강이가 얽혀서 걷기가 불편함. '一, 行脛相交也'《說文》. ②소정강이뒤틀릴료 '一, 牛行後脛相交'《玉篇》. ㊁ 걷는데정강이뒤틀릴표, 소정강이뒤틀릴표 ㊀과 뜻이 같음.
字源 形聲. 尢+勺〔音〕

九4〔尨〕7 방 ①-③㊥江 ④-⑤㊥東 | máng, ③páng ボウ·モウ むくいぬ méng ボウ·ム まじる
字解 ①삽살개방 털이 더부룩한 개. '一

狗'. '無使一也吠'《詩經》. ②얼룩얼룩할방 빛이 얼룩얼룩함. '衣之一服'《左傳》. ③클방 厖(厂부 7획〈135〉)과 통용. '一大'. ④섞일방 '一, 一日, 雜也'《集韻》. '一眉皓髮'《後漢書》. ⑤산란할방 어지러이 뒤섞임. '狐裘一茸'《左傳》.
[字源] 象形. 털북숭이 개의 모양을 본뜸.

九 4 〔尬〕 7 개 [去]卦 | jiè カイ あしなえ
[字解] 절름발이개. '尷一, 行不正也'《說文》.
[字源] 形聲. 九+介〔音〕

九 4 〔尪〕 7 왕 [平]陽 | wāng オウ あしなえ
[字解] ①절름발이왕. ②곱사등이왕 '一傴'. ③약할왕 병약함. '一弱'. '人固有一羸而壽考'《韓愈》.
[字源] 形聲. 尣+王〔音〕

九 4 〔尩〕 7 尪(前條)과 同字
[字源] 形聲. 九+㞷〔音〕

九 4 〔尫〕 7 尰(九부 7획〈294〉)의 俗字

九 5 〔尰〕 8 파 [上]哿 | bǒ ハ あしなえ
[字解] ①절름발파 한쪽 발의 병신. 跛(足부 5획〈1425〉)와 同字. '一, 蹇也'《說文》. ②발비틀어진병파 '一, 足橫病'《集韻》.
[字源] 形聲. 九+皮〔音〕

九 5 〔尳〕 8 좌 [上]哿 [去]箇 [平]歌 | zuǒ サ あしなえ
[字解] 절름발좌 '一一'는 절름거림. 절름발. '一, 行不正也'《廣韻》.
[字源] 形聲. 九+左〔音〕

九 6 〔尦〕 9 요 [去]嘯 [平]蕭 | yào ヨウ ただしくあるけない
[字解] ①절름거릴요 '一, 行不正也'《說文》. ②부을요 발이 부음. '一, 足腫'《集韻》.
[字源] 形聲. 九+䍃〔音〕

九 6 〔尯〕 9 위(귀[本]) [上]紙 | kuì キ うむ, ちんば
[字解] ①진력날위, 고달플위 '一, 博雅, 倦也'《集韻》. ②절름발위 '一, 一日, 跛也'《集韻》. ※本音 귀.

九 7 〔尰〕 10 〔왕〕 尣(部首〈293〉)과 同字

九 8 〔踦〕 11 ㊀기 ①[平]支 ②[去]寘 ㊁의 [上]紙 | qī キ ちんば / キ うむ / イ ちんば
[字解] ㊀ ①절름발이기 한쪽 발의 병신. 踦(足부 8획〈1435〉)와 同字. '一, 一足. 又作踦'《廣韻》. ②진력날기, 고달플기 '一, 倦也'《集韻》. ㊁ 절름발이의 ㊀❶과 뜻이 같음.

九 8 〔尵〕 11 ㊀퇴 [去]隊 ㊁위 [上]紙 (귀[本]) | tuí タイ リューマチス / kuì キ うむ, ちんば
[字解] ㊀ 풍질퇴 '𢴨一'는 지금의 류머티즘. '𢴨一, 風疾'《集韻》. ㊁ 진력날위, 절름발이위 尯(九부 6획〈294〉)와 同字. '尯, 博雅, 倦也. 一日, 跛也. 或从委'《集韻》. ※本音 귀.

九 8 〔尵〕 11 ㊀격 ㊁극 [入]陌 | jì ケキ・キャク うむ
[字解] ㊀ 싫증날격, 고달플격 '一, 倦一也'《玉篇》. ㊁ 싫증날극, 고달플극 ㊀과 뜻이 같음.

九 9 〔尰〕 12 종 [上]腫 | zhǒng ショウ すねのはれるびょうき
[字解] ①수종다리종 발이 붓는 병. '腫足爲一'《詩經傳》. ②부을종 발이 부음. '既微且一'《詩經》.

九 9 〔就〕 12 [中·人] 취 [去]宥 | jiù シュウ つく, なる
[筆順] 亠 古 亨 京 京 就 就 就
[字解] ①이룰취 성사함. '成一'. '日一月將'《詩經》. ②좇을취 따름. '從一'. '先王之制禮也, 過者使俯而一之'《禮記》. ③나갈취 ㉠일자리 또는 벼슬자리에 나아감. '一業'. '吾不以一日輟汝一也'《韓愈》. ㉡향하여 감. '猶水之一下'《孟子》. ④마칠취 끝마침. '一世'(죽는다는 뜻). '每嗟陵早一'《南史》. ⑤능히취 능(能)하게. '一用命焉'《左傳》. ⑥곧취 즉시(卽時). '一加詔許之'《晉書》. ⑦가령취 가정하여. 가사(假使). '一令'으로 연용(連用)하기도 함. '一其能鳴者'《韓愈》. ⑧성취 성(姓)의 하나.
[字源] 會意. 京+尤

九 10 〔尳〕 13 ㊀골 [入]月 ㊁활 [入]黠 | gǔ コツ ひざのびょうき / カツ あしのびょうき
[字解] ㊀ ①무릎병골 '一, 膝病'《廣韻》. ②뼈삘골 탈골(脫骨). '一, 聲類曰, 骨差也'《玉篇》. ㊁ 발병활 '一, 足病'《集韻》.
[字源] 形聲. 九+骨〔音〕

尢 10 〔尲〕13 [一] 감 [平]咸 | gān カン ただしく あるけない
[二] 겸 [平]鹽 | jiān ケン ただしく あるけない

[字解] [一] ①비틀거릴감 똑바로 나가지 못함. '一尬, 行不正也'《說文》. ②어긋날감 어그러짐. '今蘇州俗語, 謂事乖剌者, 曰一尬'《說文 段注》. [二] 비틀거릴겸, 어긋날겸 [一]과 뜻이 같음.
[字源] 形聲. 尢＋兼〔音〕

尢 12 〔尵〕15 퇴 [平]灰 | tuí タイ うまのびょうき

[字解] 말앓을퇴, 말병퇴 마병(馬病). '一, 馬病也'《玉篇》.
[字源] 形聲. 尢＋穨〈省〉〔音〕

尢 12 〔𡰆〕15 [一] 尰(尢부 9획〈294〉)과 同字 [二] 瘇(疒부 12획〈819〉)의 籀文

尢 13 〔𡰒〕16 제 [平]齊 | dī テイ たすけひかれる

[字解] 부축받을제 '一𡱁'는 절름발이가 남의 부축을 받음. '一, 尪不能行, 爲人所引, 曰一𡱁'《說文》.
[字源] 形聲. 尢＋爪＋是〔音〕

尢 13 〔就〕16 〔취〕 就(尢부 9획〈294〉)의 籀文

尢 14 〔尶〕17 〔감〕 尲(尢부 10획〈295〉)의 俗字

尢 19 〔𡰷〕23 [一] 라 [去]箇 [上]哿 | léi ラ ひざのびょうき
[二] 리 [平]支 | ルイ ひざのびょうき
[三] 란 [平]刪 | luán ラン こし, ひざがいたむ

[字解] [一] 무릎병라 '一, 膝病'《廣韻》. [二] 무릎병리 [一]과 뜻이 같음. [三] ①무릎병란 '一𡰷'은 무릎의 병. '一𡰷, 膝病'《集韻》. ②허리무릎아플란 '一𡰷'은 허리나 무릎이 아픔. '一𡰷, 膂膝病也'《廣韻》.
[字源] 形聲. 尢＋羸〔音〕

尢 22 〔𡱁〕26 휴 [平]齊 | xié ケイ たすけひかれる

[字解] 부축받을휴 '𡰒一'는 절름발이가 남의 부축을 받음. '一, 𡰒一也'《說文》.
[字源] 形聲. 尢＋爪＋巂〔音〕

尸　部

〔주검시부〕

尸 0 〔尸〕3 시 [平]支 | shī シ しかばね

[筆順] ㇕ ㇕ 尸

[字解] ①주검시 시체. '一解'. 또, 죄인의 시체를 여러 사람이 보도록 늘어놓음. '殺三郤而一諸朝'《國語》. ②시동(尸童)시 제사때 신(神)을 대신하는 아이. 후세에는 화상(畫像)을 썼음. '弟爲一則誰敬'《孟子》. ③신주시 위패(位牌). '載一集戰'《楚辭》. ④주장할시 주관함. '誰其一之'《詩經》. ⑤진칠시 진(陣)을 침. '荊一'. ⑥성시 성(姓)의 하나.
[字源] 象形. 사람이 죽어서 손발을 뻗은 모양을 본뜸.
[參考] 문자로서는 시체를 의미하지만, 문자의 요소로서는 인체(人體)를 나타내고 있는 경우가 많음. 또, 가옥(家屋)이나 신발에 관한 문자로 '尸'가 붙는 것이 있음.

尸 0 〔𡰣〕3 尸(前條)의 本字

尸 1 〔尺〕4 [中·人] 척 [入]陌 | chǐ シャク しゃく

[筆順] ㇕ ㇕ 尸 尺

[字解] ①자척 ㉠길이의 단위. 열 치. '十寸爲一'《漢書》. ㉡길이를 재는 자. '掘地得古銅一'《晉書》. 전(轉)하여 ㉢근소·약간의 뜻으로 쓰임. '一土'. ②길이척 긴 정도. '一度'. '布帛幅一'《陳書》. ③편지척 '尺素'. '尺牘'. '欲凴書一問寒溫'《韓駒》.
[字源] 象形. 팔을 굽힌 모양으로, 팔목에서 팔꿈치까지의 거리를 나타냄.

尸 1 〔尹〕4 [人名] 윤 [上]軫 | yǐn イン おさめる, おさ

[筆順] ㇕ ㇕ ㇕ 尹

[字解] ①미쁠윤, 미쁨윤 신의가 있음. 신의. '孚一旁達, 信也'《禮記》. ②다스릴윤 다스려 바로잡음. '一, 治也'《說文》. '以一天下'《左傳》. ③벼슬윤, 벼슬이름윤 관직. 또, 관리. 관명(官名). 옛날에는 이 자를 붙인 관명이 많았음. 예컨대, '師一'. '令一'. '詹一'. '奄一' 따위. 후세에도 '京兆一'. '道一' 등이 있음. '庶一允諧'《書經》.

④관장할윤 주장함. '芮一江湖'《漢書》. ⑤나아갈윤 '一, 進也'《廣韻》. ⑥포(脯)윤 건육(乾肉). '一祭'. ⑦성윤 성(姓)의 하나.
[字源] 象形. 신성한 것을 잡는 모양을 본뜸.

尸 2 〔尻〕 5 고 ㊥豪 | kāo コウ しり

[字解] 꽁무니고 ㉠등마루뼈의 끝진 곳. 또, 엉덩이. '兔去一'《禮記》. ㉡끝. 말단. '其一安在'《楚辭》.
[字源] 形聲. 尸(尸)+九〔音〕

尸 2 〔尼〕 5 니 ①②㊥支 | ní ジ・ニ あま
③④㊇質 | nì ジツ・ニチ ちかい

[字解] ①신중니 여승(女僧). '一僧'. '比丘一'《金剛經》. ②성니 성(姓)의 하나. ③가까울니 昵(日부 5획〈505〉)의 고자(古字). '悅一而來遠'《尸子》. ④정지시킬니 그치게 함. '行或使之, 止或一之'《孟子》.
[字源] 會意. 尸(尸)+匕

尸 2 〔㞋〕 5 ㊀즉 ㊇職 | ショク おさめる
㊁년 ㊤銑 | niǎn デン なめす
㊂연 ㊤銑 | ゼン なめす

[字解] ㊀ 다스릴즉 '一, 理也'《玉篇》. ㊁ ①가죽다룰년 무두질함. '一, 柔皮也'《說文》. ②약할년 유약(柔弱)함. '一, 弱也'《廣韻》.
㊂ 가죽다룰연, 약할연 ㊁와 뜻이 같음.
[字源] 會意. 尸(尸)+叉
[參考] 㞋(尸부 3획〈296〉)의 別體.

尸 2 〔𡰯〕 5 ㊀ 夷(大부 3획〈232〉)의 古字
㊁ 仁(人부 2획〈32〉)의 古字

尸 2 〔𡰱〕 5 〔로〕 盧(皿부 11획〈835〉)의 簡體字

尸 3 〔㞋〕 6 연 ㊤銑 | niǎn ゼン よわい

[字解] ①약할연 '一, 博雅, 弱也'《集韻》. ②가죽다룰연 무두질함. 㞋(尸부 2획〈296〉)과 同字.
[字源] 會意. 尸(尸)+叉
[參考] 㞋(尸부 2획〈296〉)의 正字.

尸 3 〔𡰴〕 6 〔알〕 歺(歹부 0획〈605〉)의 古字

尸 3 〔𡰻〕 6 〔량〕 良(艮부 1획〈1118〉)의 古字

尸 3 〔尽〕 6 〔진〕 盡(皿부 9획〈834〉)의 俗字

尸 4 〔尾〕 7 [中·人] 미 ㊤尾 | wěi, yǐ ビ お

[筆順] ㇕ ㇕ 尸 尸 尸 尸 尾

[字解] ①꼬리미 '一大不掉'《左傳》. '狐濡其一'《易經》. ②끝미 '末一'. '帝大署其一'《唐書》. ③뒤미 뒤쪽. '吾等宜附其一'《北史》. ④바닥미 샘의 바닥. '瀵, 大出一下'《爾雅》. ⑤다할미 '一, 盡也'《揚子方言》. ⑥뒤밟을미 '一行'. ⑦별이름미 이십팔수(二十八宿)의 하나. 창룡 칠수(蒼龍七宿)의 여섯째 성수(星宿)로서, 열아홉 별로 구성되었음. 미수(尾宿). '龍一伏辰'《左傳》. ⑧흘레할미 '交一'. '鳥獸孳一'《書經》. ⑨마리미 물고기를 세는 수사(數詞). '肥魚斫千一'《李覯》.
[字源] 會意. 尸(尸)+毛

尸 4 〔尿〕 7 뇨 ㊋嘯 | niào ニョウ ゆばり

[字解] 오줌뇨 소변. '糞一'.
[字源] 會意. 篆文은 尾+水

尸 4 〔屁〕 7 비 ㊋寘 | pì ヒ へ

[字解] 방귀비 똥구멍으로 나오는 구린내 나는 가스. '放一'. '一, 氣下洩也'《廣韻》.
[字源] 形聲. 尸(尸)+比〔音〕

尸 4 〔𡰸〕 7 〔간〕 看(目부 4획〈840〉)과 同字

尸 4 〔局〕 7 [高·人] 국 ㊇沃 | jú キョク つぼね

[筆順] ㇕ ㇕ 尸 月 局 局 局

[字解] ①방국 구획한 한 방(房). '宮一總來爲喜樂'《王建》. 전(轉)하여, 구분·구획의 뜻으로 쓰임. '一部'. '不敢越一'《晉書》. ②마을국 관아. '當一'. '郵遞一'. '分掌二十一一事'《通典》. ③직무국 일. 직책(職責). '匪遑離一'《陳琳》. ④판국 장기·바둑 등의 판. '對一'. '以帕蓋一'《魏志》. 또, 바둑·장기 등의 승부의 결말. 전(轉)하여, 추세(趨勢). 판국. '結一'. '時一'. '一勢'. ⑤재간국 재능. 도량. 기우(器宇). '器一'. '一量'. '剛正有一力'《宋書》. ⑥말릴국 노끈이나 실 등이 감김. '予髮曲一'《詩經》. ⑦굽힐국 몸을 굽힘. 웅크림. '一天蹐地'. '不敢不一'《詩經》. ⑧구애될국 융통성이 없음. '節在儉固, 失在拘一'《人物志》. ⑨모임국 회합(會合). 연회(宴會). '飮一'.
[字源] 形聲. 尺〈省〉+句〔音〕

尸 4 〔㞑〕 7 〔극〕 屐(尸부 7획〈298〉)의 俗字

尸 4 〔层〕 7 〔층〕 層(尸부 12획〈300〉)의 簡體字

尸4 〔⿸尸皮〕7 〔피〕
皮(部首〈828〉)의 本字

尸4 〔⿸尸刃〕7 〔준〕
甇(瓦부 9획〈789〉)의 古字

尸5 〔居〕8 [中·人] [一] 거 ㊥魚 | jū キョ いる
(⑫기[本])
[二] 기 ㊥支 | jī キ や, か

[筆順] ㄱ ㅋ 尸 尸 尸 尸 居 居

[字解] [一] ①살거 거주함. '一所'. '舜之一深山之中'《孟子》. ②살게할거 거주하게 함. '度地以一民'《禮記》. ③앉을거 자리에 앉음. '一, 吾語汝'《禮記》. ④있을거 ㉠집 안에 평상 있음. 또는, 한 경우에 처하여 있음. '一喪'. '仲尼一, 曾子侍'《孝經》. ㉡멈춤. 머물러 있음. '惟所一以其類至'《荀子》. ㉢해당함. 차지함. '一甲'. '天下不如意, 恒十一七八'《晉書》. '數各一其上之三分'《禮記》. ⑤쌓을거 저축함. '奇貨可一'《十八史略》. 또, 저축한 것. '遷有無化一'《書經》. ⑥곳거 있는 곳. '一移氣'《孟子》. ⑦집거 사는 집. '一在山之左'《列仙傳》. ⑧무덤거 분묘. '歸于其一'《詩經》. ⑨산사람거 생존자. '送往事一'《左傳》. ⑩다스릴거 '農一鄙'《逸周書》. ⑪웅크릴거 踞(足부 8획〈1434〉)와 통용. '一, 蹲也'《說文》. ⑫어조사거 영탄(詠歎)의 어조사. '日一月諸'《詩經》. ※⓬는 本音 기. [二] 어조사기 의문의 어조사. 其(八부 6획〈87〉)와 통용. '國有人焉, 誰一, 其孟椒乎'《左傳》.
[字源] 形聲. 尸(尸)+古〔音〕

尸5 〔屆〕8 계 ㊦卦 | jiè カイ いたる, とどけ
[字解] ①이를계 다다름. '無遠弗一'《書經》. ②극한계 궁극(窮極). '致天之一'《詩經》. ③나아가지못할계 '一, 行不便也'《說文》. ④머무를계 묵음. '一, 舍也'《廣韻》. ⑤《日》계출할계 관(官)이나 관계 기관에 공적(公的)인 절차로 신고함. '缺席一'. '寄留一'.
[字源] 形聲. 尸(尸)+凷〔音〕

尸5 〔届〕8 屆(前條)의 俗字

尸5 〔屄〕8 비 ㊥微 | bī ヒ いんぶ
[字解] 보지비 여자의 음부(陰部).

尸5 〔屈〕8 [高·人] 굴 ㊇物 | qū クツ かがむ
[筆順] ㄱ ㅋ 尸 尸 尸 屈 屈 屈

[字解] ①굽을굴 ㉠굴곡함. '有無名之指, 一而不信'《孟子》. ㉡오므라듦. '尺蠖之一, 以求信也'《易經》. ㉢뜻을 얻지 못함. '朝士嗟其一'《北史》. ㉣막힘. 궁함. '失其守者其辭一'《易經》. ㉤쇠(衰)함. 쇠퇴함. '小節伸而大略一'《淮南子》. ②굽힐굴 ㉠굽게 함. '一撓'. ㉡억누름. '一抑'. '威武不能一'《孟子》. ㉢뜻을 굽힘. 절개를 굽힘. '一節'. '一從'. '爲親一'《後漢書》. ③다할굴 다 없어짐. '力一'. '用之無度, 則物力必一'《漢書》. ④굳셀굴 강함. '一起'. '一彊於此'《史記》. ⑤모을굴 '一, 聚也'《爾雅》. ⑥다스릴굴 백성을 다스림. '一此群醜'《詩經》. ⑦속일굴 '大直若一'《老子》. ⑧뒤섞일굴 '韭菹其南, 醓醢一'《儀禮》.
[字源] 會意. 篆文은 尾+出

尸5 〔⿸尸⿱丌几〕8 둔 ㊥元 | tún トン しり
[字解] 볼기둔 궁둥이. 臀(肉부 13획〈1094〉)과 同字. '一, 與臀同'《玉篇》.
[字源] 會意. 尸(尸)+丌+几

尸5 〔⿸尸乏〕8 [一] 집 ㊇緝 | zhé チュウ つづく
[二] 겁 ㊇葉 | jié キョウ こあしにあゆむ
[字解] [一] ①이을집, 뒤따를집 '屆一'은 뒤따라감. '屆一, 前後相次也'《廣韻》. ②적을집 '一, 說文, 屆一. 謂少也'《集韻》. [二] ①이를겁, 뒤따를겁 [一]❶과 뜻이 같음. ②종종걸음칠겁 '一, 屆一, 一日, 少步'《集韻》.
[字源] 形聲. 尸(尸)+乏〔音〕

尸5 〔屉〕8 체 ㊦霽 | tì テイ·タイ くらした
[字解] ①언치체 안장 밑에 까는 담요. 屜(尸부 8획〈299〉)의 略字. '鹵簿道象披藍一, 不加儀飾'《淸會典》. ②서랍체 서랍.

尸5 〔屇〕8 전 ㊥先 | tián テン あな
[字解] 구멍전 '一, 穴也'《玉篇》.
[參考] 屆(尸부 5획〈297〉)·届(尸부 5획〈297〉)는 別字.

尸5 〔⿸尸夂〕8 [一] 복 ㊇屋 | pú ホク ゆく
[二] 축 ㊇屋 | シュク ゆく
[三] 국 ㊇沃 | キク ゆく
[字解] [一] 허둥지둥갈복 당황하여 가는 모양. '一, 行促迫也'《集韻》. [二] 허둥지둥갈축 [一]과 뜻이 같음. [三] 허둥지둥갈국 [一]과 뜻이 같음.

尸5 〔⿸尸毛〕8 〔미〕
尾(尸부 4획〈296〉)의 本字

尸5 〔⿸尸立〕8 [一] 居(尸부 5획〈297〉)의 古字
[二] 尻(几부 3획〈96〉)와 同字

尸5 〔⿸尸矢〕8 [一] 屎(尸부 6획〈298〉)와 同字
[二] 矢(部首〈862〉)와 同字

尸5 〔⿸尸丙〕8 〔속〕
屬(尸부 18획〈301〉)의 略字

尸6 〔屋〕9 [中·人] 옥 [入]屋 | wū オク や

[筆順] ㄱ 尸 尸 屋 屋 屋 屋 屋

[字解] ①집옥 주거. 건물. '家一'. '富潤一'《大學》. ②지붕옥 가옥의 꼭대기의 덮개. '一梁'. '誰謂雀無角, 何以穿我一'《詩經》. ③덮개옥 ㉠수레 뚜껑. 차개(車蓋). '乘黃一車'《史記》. ㉡방장(房帳). 장막. '一者, 室之覆也'《說文 段注》. ④도마옥 '夏一, 大俎也'《字彙》.
[字源] 會意. 尸(尸)+至

尸6 〔屍〕9 시 [平]支 | shī シ しかばね

[字解] 주검시 송장. '一體'. '封殽一而還'《左傳》.
[字源] 形聲. 死+尸(尸)〔音〕

尸6 〔屎〕9 [一] 시 [上]紙 | shǐ シ くそ
[二] 히 [平]支 | xī キ うめく

[字解] [一] 똥시 대변. '一尿'. '道在一溺'《莊子》. [二] 끙끙거릴히 신음함. '殿一'.
[字源] 形聲. 米+尸(尸)〔音〕

尸6 〔昼〕9 〔주〕
晝(日부 7획〈508〉)의 俗字

尸6 〔屌〕9 초 [上]篠 | diǎo チョウ いんぶ

[字解] 자지초 남자의 음부(陰部). '一, 此爲方俗語. 史傳皆曰勢'《正字通》.

尸6 〔⿸尸亥〕9 〔해〕
骸(骨부 6획〈1757〉)의 俗字

尸6 〔⿸尸旨〕9 [一] 기 [去]寘 | qì キ おる
[二] 계 [去]霽 | ケイ おる

[字解] [一] ①있을기 '一, 尻也'《說文》. ②기우듬히앉을기 '一, 身欹坐'《廣韻》. ③볼기기 궁둥이. '一, 一曰, 尻'《廣韻》. [二] 있을계, 기우듬히앉을계, 볼기계 [一]과 뜻이 같음.
[字源] 形聲. 尸(尸)+旨〔音〕

尸6 〔⿸尸自〕9 [一] 희 [去]寘 | xì キ いびき, ねいき
[二] 해 [去]卦 | カイ いびき, ねいき

[字解] [一] ①누워숨쉴희, 코골희 '一, 臥息也'《說文》. ②힘쓸희, 장대할희 '奰一'는 힘을 대단히 쓰는 모양. 또, 장대(壯大)한 모양. '西京賦·吳都賦, 皆用奰一字. 說者謂, 作力之皃也'《說文 段注》. '一, 奰一, 壯大皃'《集韻》. [二] 누워숨쉴해, 코골해, 힘쓸해, 장대할해 [一]과 뜻이 같음.
[字源] 會意. 尸(尸)+自

尸6 〔⿸尸肖〕9 〔설〕
屑(尸부 7획〈298〉)의 本字

尸6 〔屏〕9 〔병〕
屛(尸부 8획〈299〉)의 俗字

〔咫〕 〔지〕
口부 6획(158)을 보라.

尸7 〔屐〕10 극 [入]陌 | jī ゲキ げた

[字解] 나막신극 나무로 만든 신. '一履'. '度門閫乃納一'《宋書》.
[字源] 形聲. 履〈省〉+支〔音〕

尸7 〔屑〕10 설 [入]屑 | xiè セツ くず

[字解] ①가루설 잔부스러기. '一塵'. '時造船, 木一及竹頭, 侃悉令擧掌之'《晉書》. ②부술설, 부서질설 가루로 만듦. 또, 가루로 됨. '一桂與薑'《禮記》. ③잗달설 쇄소(瑣小)함. '一一'. '織一促密'《柳宗元》. ④달갑게여길설 달갑게 생각함. '不一敎之'. '不我一以'《詩經》. ⑤업신여길설 경모(輕侮)함. '一播天命'《書經》. ⑥수고할설 힘씀. 애씀. '一, 勞也'《廣雅》. '晨夜一一'《漢書》. ⑦편치않을설 마음이 편치 아니함. '一一不安也'《揚子方言》. ⑧교활할설 '一, 猾也'《方言》. ⑨부득이할설 '一, 不獲已也'《集韻》. ⑩돌아볼설 마음에 둠. '盡心納忠, 不一毁譽'《後漢書》. ⑪지나칠설 과도함. 멋대로 함. '一, 過也'《小爾雅》. ⑫갑자기설 '超兮西征, 一兮不見'《漢書》. ⑬모두설 다. '一有辭'《書經》.
[字源] 形聲. 尸(尸)+肖(肖)〔音〕

尸7 〔屓〕10 〔희〕
屭(尸부 21획〈301〉)와 同字
[字源] 會意. 尸(尸)+贔〈省〉

尸7 〔展〕10 [中·人] 전 [上]銑 | zhǎn テン のべる

[筆順] ㄱ 尸 尸 屏 屏 屏 屏 展

[字解] ①펼전 ㉠엶. 벌림. '一開'. '讀罷書仍一'《白居易》. ㉡신장(伸長)함. 늘임. '一性'. '修必一'《國語》. ㉢발달함. '發一'.

'能不得一'《李陵》. ㉣진열(陳列)함. 늘어놓음. '一車馬'《左傳》. ㉤의사를 말함. '一敍'. '敢一謝其不共'《左傳》. ㉥뜻을 폄. 뜻대로 됨. '但恨微志未一'《吳志 註》. ㉦홍포(弘布)함. '敷一德音'《北史》. ②늘일전 기한을 연기함. '一期'. '冬令一一月'《漢書》. ③살필전 살펴봄. '一墓'. '一犧牲'《周禮》. '一而受之'《周禮》. ④두터이할전 정의 같은 것을 두터이 함. '時庸一親'《書經》. ⑤적을전 기록함. '一其功緖'《周禮》. ⑥구를전 뒹굴뒹굴 구름. 또, 몸을 이리 뒤치락저리 뒤치락 함. '一轉反側'《詩經》. ⑦베풀전 차림. '必一歡宴'《談苑》. ⑧가지런히할전 정돈함. '稽器一事'《周禮》. ⑨정성전 성의. '一也大成'《詩經》. ⑩진실로전 참으로. '一如之人兮'《詩經》. ⑪성전 성(姓)의 하나.

字源 形聲. 篆文은 尸(尸)+㠭〈省〉〔音〕

尸 7 〔屖〕 10 서 ㉺齊 | xī セイ かたい

字解 ①굳을서 견고(堅固)함. 犀(牛부 8획〈743〉)와 통용. '器不一利'《漢書》. ②쉴서 휴식함. '一, 一遲也. 今作栖'《玉篇》.

字源 形聲. 尸(尸)+辛〔音〕

尸 7 〔屒〕 10 ㊀진 ㊤軫 | zhěn チン ふす / ㊁신 ㊤軫 ㉺眞 | シン ふす

筆順 尸 尸 尸 屃 屄 屄 屒 屒

字解 ㊀ ①엎드릴진 '一, 伏皃'《說文》. ②집진, 처마진 '一, 一曰, 屋宇也'《說文》. ③두꺼운입술진 '一, 重脣'《廣韻》. ㊁ 엎드릴신, 집신, 처마신, 두꺼운입술신 ㊀과 뜻이 같음.

字源 形聲. 尸(尸)+辰〔音〕

尸 7 〔屖〕 10 ㊀서 ㊤語 | xù ショ くつ / ㊁여 ㊦御 | ヨ くつ

字解 ㊀ 신서 신발. '一, 履屬'《廣韻》. ㊁ 신여 ㊀과 뜻이 같음.

字源 形聲. 履〈省〉+予〔音〕

尸 7 〔屋〕 10 〔거〕 居(尸부 5획〈297〉)의 俗字

尸 7 〔屔〕 10 니 ①㉺齊 ②㉺支 | ní デイ·ナイ ジ·ニ やまのな

字解 ①웅덩이진언덕니 꼭대기의 웅덩이에 빗물이 괴어 수렁이 된 언덕. '一, 受水丘也. 爾雅曰, 水潦所止爲一丘'《廣韻》. ②산이름니 니산(屔山)과 같음. '屔, 山名. 顏氏禱於屔丘生孔子. 或从丘, 通作尼'《集韻》.

字源 形聲. 丘+泥〈省〉〔音〕

尸 8 〔屙〕 11 아 ㉺歌 | ē ア かわやにゆく

字解 뒤보러갈아 변소(便所)에 감. '一, 上廁也'《玉篇》.

字源 形聲. 尸(尸)+阿〔音〕

尸 8 〔䖏〕 11 〔조〕 殂(歹부 5획〈606〉)의 古字

尸 8 〔屜〕 11 체 ㊦霽 | tì テイ くつしき

字解 ①신창체 신바닥에 까는 가죽. ②언치체 안장 밑에 까는 받침. '披藍一'《淸會典》. ③서랍체 책상 등에 끼었다 빼었다 하게 만든 제구. '抽一'. '暫設妝奩, 還抽鏡一'《庾信》.

字源 形聲. 履〈省〉+世〔音〕

尸 8 〔屝〕 11 비 ㊦未 | fèi ヒ ぞうり

字解 짚신비 '共其資糧一屨'《左傳》.

字源 形聲. 尸(尸)+非〔音〕

尸 8 〔屛〕 11 高·人 병 ㉺青 ㊤梗 ㉺庚 | ①-④píng へイ·ビョウ へい ⑤-⑥bǐng へイ·ヒョウ しりぞける ⑦へイ·ヒョウ おそれる

筆順 ᅳ 尸 尸 尸 屄 屏 屛 屛

字解 ①울병 담. '一翰'. '之一之幹'《詩經》. ②병풍(屛風)병 '一障'. '惟幕衾一'《南史》. ③가릴병 가려 막음. '一蔽'. '故封建親戚, 以藩一周'《左傳》. 또, 가려 막는 것. '乃命建諸侯樹一'《書經》. ④변방병 변읍(邊邑). 두메. '其在邊邑, 曰某一之臣某'《禮記》. ⑤물리칠병 ㉠제거함. 버림. '尊五美, 一四惡'《論語》. ㉡멀리함. 내쫓음. '一之遠方'《禮記》. ⑥물러날병 ㉠뒤로 물러남. '乃左右一而待'《禮記》. ㉡은퇴함. '一居山田'《漢書》. ⑦두려워할병 '一營彷徨于山林之中'《國語》.

字源 形聲. 尸(尸)+并〔音〕

參考 屏(尸부 6획〈298〉)은 俗字.

尸 8 〔屚〕 11 루 ㊦宥 | lòu ロウ もる

字解 샐루 비가 샘. 漏(水부 11획〈677〉)와 同字. '一, 屋穿水入也'《說文》.

字源 會意. 尸(尸)+雨

尸 8 〔屋〕 11 〔옥〕 屋(尸부 6획〈298〉)의 籀文

尸 8 〔㞘〕 11 〔돈〕 豚(豕부 4획〈1372〉)과 同字

尸 8 〔⿸尸亞〕11 〔아〕 屙(尸부 8획〈299〉)와 同字

尸 9 〔屠〕12 도 [平]虞 | tú ト ほふる

[字解] ①잡을도 짐승을 잡음. '一殺'. '凡一者, 斂其皮角筋骨, 入於玉府'《周禮》. ②무찌를도 쳐들어가 사람을 많이 죽임. '一城'. '今一沛'《漢書》. ③죽일도 죽여 찢어 발김. '一, 刳剝畜牲也'《六書故》. '子一母'《楚辭》. ④백장도, 도수장도 짐승을 잡는 것을 업으로 삼는 사람. 또, 짐승을 잡는 곳. '臣有客, 在市一中, 願枉車騎過之'《史記》. ⑤앓을도 瘏(疒부 9획〈814〉)와 통용. '一, 本又作瘏. 病也'《釋文》. ⑥무너질도 '一, 壞也'《廣雅》. ⑦성도 성(姓)의 하나.

[字源] 形聲. 尸(尸)+者〔音〕

尸 9 〔⿸尸臿〕12
[一] 칩 [入]緝 | qì シュウ つづく
[二] 섭 [入]葉 | ショウ つづく
[三] 참 [入]洽 | ソウ くさび
[四] 삽 [入]洽 | zhǎ ソウ くさび

[字解] [一] ①이을칩 뒤를 이음. '一, 一屖, 从後相躡也'《說文》. ②적을칩 '一, 一日, 少也'《集韻》. [二] 이을섭 [一]❶과 뜻이 같음. [三] ①쐐기찹 얇은 쐐기. '一, 薄楔'《廣韻》. ②이을찹 [一]❶과 뜻이 같음. [四] 쐐기삽 [三]❶과 뜻이 같음.

[字源] 形聲. 尸(尸)+臿〔音〕

尸 9 〔屟〕12
[一] 체 [去]霽 | tì テイ・タイ くつしき
[二] 섭 [入]葉 | xiè ショウ くつしき

[字解] [一] ①신창체 신 바닥에 까는 가죽. '一, 履中薦'《集韻》. ②서랍체 屉(尸부 5획〈297〉)와 통용. [二] 신창섭, 서랍섭 [一]과 뜻이 같음.

[字源] 形聲. 尸(尸)+枼〔音〕

尸 9 〔⿸尸氺〕12 〔뇨〕 尿(尸부 4획〈296〉)의 本字

尸 9 〔⿸尸⿰彳民〕12 〔체〕 屜(尸부 8획〈299〉)와 同字

尸 9 〔属〕12 〔속〕 屬(尸부 18획〈301〉)의 俗字

尸 9 〔屡〕12 〔루〕 屢(尸부 11획〈300〉)의 俗字

尸 9 〔⿸尸⿰辛古〕12 〔고〕 辜(辛부 5획〈1483〉)의 古字

尸 9 〔⿸尸⿰彳且〕12 〔조〕 徂(彳부 5획〈369〉)의 古字

〔犀〕 〔서〕 牛부 8획(743)을 보라.

〔孱〕 〔잔〕 子부 9획(272)을 보라.

尸 10 〔⿸尸⿰彳余〕13 추 [平]魚 | qū ショ いんぶ

[字解] 보지추 여자의 음부. '屄一'.

尸 10 〔⿸尸⿱毛出〕13 〔굴〕 屈(尸부 5획〈297〉)의 本字

尸 10 〔⿸尸⿰彳米〕13 〔사〕 徙(彳부 8획〈372〉)의 古字

尸 10 〔⿸尸⿰彳夌〕13 〔주〕 奏(大부 6획〈235〉)의 古字

尸 11 〔屢〕14 [高·人] 루 [去]遇 | lǚ ル しばしば

[筆順] 尸 尸 屌 屌 屢 屢 屢 屢

[字解] ①여러루 자주. '一次'. '回也其庶乎. 一空'《論語》. ②번거로울루 번잡(煩雜)함. '相過言壓一'《梅堯臣》. ③빠를루 '一, 疾也'《爾雅》.

[字源] 形聲. 尸(尸)+婁〔音〕

尸 11 〔屣〕14
[一] 사 [上]紙 | xǐ
[二] 시 [去]寘 | xǐ
シ ぞうり

[字解] [一] 신사 짚신. '一履'. '吾視去妻子如脫一耳'《史記》. [二] 신시 [一]과 뜻이 같음.

[字源] 形聲. 履〈省〉+徙〔音〕

〔鳲〕 〔시〕 鳥부 3획(1810)을 보라.

尸 11 〔层〕14 層(次條)의 略字

尸 12 〔層〕15 [高·人] 층 [平]蒸 | céng ソウ たかどの

[筆順] 尸 尸 屏 屏 屛 層 層 層

[字解] ①층집층 2층 이상의 집. '珠殿連雲, 金一輝泉'《劉孝綽》. ②층층 ㉠층계(層階). '欲崇其高必重其一'《潘岳》. ㉡겹. 중루(重累). '一濤'. '更築三一樓'《梁書》. ③높을층 '巡一楹而空揜'《江淹》.

[字源] 形聲. 尸(尸)+曾〔音〕

尸 12 〔履〕15 [高·人] 리 [上]紙 | lǚ リ はきもの, はく

[筆順] 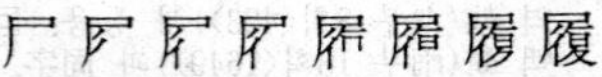

[字解] ①신리 신발. '草一'. '脫一戶外'《列子》. ②신을리 신을 신음. '長跪一之'《史記》. ③밟을리 ㉠발을 위에 대고 디딤. '一虎尾'《易經》. ㉡걸음. '跛態一'《易經》. 또, 족적(足跡)이 미치는 곳, 발로 밟은 바의 땅이라는 뜻으로, 영토를 이름. '賜我先君一'《左傳》. ㉢지위에 이름. 자리에 나아감. '一祚'. '一帝位'《易經》. ㉣행함. 실천함. '一行'. '不一其事'《禮記》. 또, 행하는 바. 곧, 조행(操行). '性一純深'《晉書》. ㉤겪음. 경험함. '一歷'. '備一艱難'《徐陵》. ㉥실지로 가 조사함. '親一其地'《元史》. ④복리 복록(福祿). '福一綏之'《詩經》. ⑤이괘리 육십사괘(六十四卦)의 하나. 곧, ☱☰〈태하(兌下), 건상(乾上)〉. 밟아 나가는 상(象).
[字源] 會意. 尸(尸)+彳+夊+舟

尸 12 〔屨〕 15 履(前條)의 本字

尸 12 〔屨〕 15 履(前前條)의 俗字

尸 12 〔屧〕 15 섭 [入]葉 | xiè ショウ げた, しきわら
[字解] ①나막신섭 '多君方閉戶, 顧我能倒一'《皮日休》. ②신창섭 신바닥에 까는 가죽 또는 짚. '晝日斫一爲業, 夜讀書隨月光'《南史》.
[字源] 形聲. 履〈省〉+葉〔音〕

尸 12 〔屢〕 15 ㊀전 [去]霰 | diàn テン たくわえる ㊁정 [上]迥 | dǐng テイ かさねる
[字解] ㊀①쌓을전 저장함. '一, 倂也'《說文》. ②정할전 定(宀부 5획〈276〉)과 통용. '天地一位'《太玄經》. ㊁①포갤정 '一, 重也'《玉篇》. ②펼정 '一, 展也'《廣韻》.
[字源] 形聲. 尸(尸)+奠〔音〕

尸 14 〔屨〕 17 구 [去]遇 | jù ク はきもの
[字解] ①신구 가죽신. 일설(一說)에는, 짚신 또는 미투리. '一不上於堂'《禮記》. ②신을구 신발을 발에 꿰어 신음. '一校滅趾'《易經》. ③밟을구 ㉠발로 딛음. '一般首, 帶脩蛇'《揚雄》. ㉡그 위치에 섬. '身一典軍'《史記》. ④자주구 종종. 屢(尸부 11획〈300〉)와 통용. '臨事而一斷'《禮記》.
[字源] 形聲. 履〈省〉+婁〔音〕

尸 15 〔屩〕 18 갹 [入]藥 | juē キャク くつ
[字解] 신갹 짚신 또는 미투리. '躡一擔簦'《史記》.
[字源] 形聲. 履〈省〉+喬〔音〕

尸 15 〔屪〕 18 료 [平]蕭 | liáo リョウ いんぶ
[字解] 자지료 남자의 음경(陰莖). '一, 男陰名'《字彙》.

尸 16 〔屭〕 19 〔전〕 展(尸부 7획〈298〉)의 本字

尸 18 〔屬〕 21 [高·人]㊀촉 [入]沃 ㊁속 [入]沃 | zhǔ, shǔ ショク·ゾク つらなる, ともがら

[筆順] 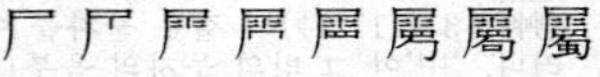

[字解] ㊀①이을촉 연속함. '一聯'. '冠蓋相一於魏'《史記》. ②붙을촉 부착함. '樸一'. '右一櫜鞬'《左傳》. ③맡길촉 부탁함. 위임함. '一託'. '可一大事當一面'《史記》. ④모을촉, 모일촉 한데 모음. 한데 모임. '一其耆老'《孟子》. '不一於王所'《周禮》. ⑤돌볼촉 구원하여 도와 줌. '至于一婦'《書經》. ⑥족할촉 만족함. 충족함. '一厭'. '願以小人之腹, 爲君子之心, 一饜而已'《左傳》. ⑦따를촉 부음. '酌玄酒, 三一於尊'《儀禮》. ⑧맺을촉 원한을 품음. '必一怨焉'《國語》. ⑨가까울촉 접근함. '一者'. '天下一安定'《漢書》. ⑩권할촉 권면함. '酒酣智起舞, 一邑'《後漢書》. ⑪조심할촉 신중하고 공경하는 모양. '一一乎其忠也'《禮記》. ㊁①무리속 제배(儕輩). '以此一取天下'《史記》. ②아랫벼슬아치속 하료(下僚). '官一'. '各率其一, 以倡九牧'《書經》. ③살붙이속 혈족. '眷一'. '族一'. '齊諸田疎一也'《史記》. ④좇을속 ㉠따름. 복종함. '從一'. '諸別將皆一宋義'《史記》. ㉡뒤따름. 수행함. '騎能一者百餘人耳'《史記》. ⑤엮을속 글을 지음. '一文'. ⑥마침속 때마침. '下臣不幸, 一當戎行'《左傳》.
[字源] 形聲. 尾+蜀〔音〕
[參考] 属(尸부 9획〈300〉)은 俗字.

尸 19 〔屧〕 22 력 [入]錫 | lì レキ くつのそこ
[字解] 신바닥력 '一, 履下也'《說文》.
[字源] 形聲. 履〈省〉+歷〔音〕

尸 21 〔屭〕 24 희 [去]寘 | xì キ ちからをだす
[字解] 힘쓸희 '贔一'는 힘을 대단히 쓰는 모양. '巨靈贔一'《張衡》.
[字源] 會意. 尸(尸)+贔
[參考] 屓(尸부 7획〈298〉)와 同字.

屮 部
〔풀철・왼손좌부〕

屮 0 〔屮〕3 철 ㊀屑 | chè テツ め

筆順 丨 屮 屮

字解 ①풀철 초목의 싹. '一茅'. ②싹틀철 '一, 草木之生也微'《六書故》.
字源 象形. 풀의 싹이 튼 모양을 본뜸.
參考 '屮'을 포개어 艸(部首〈1120〉)・茻(艸부 3획〈1121〉)와 같은 문자를 이룸. 그러나, '屮'이 그 밖의 문자의 음부(音符) 가 되는 일은 없음.

屮 0 〔𠂇〕3 〔좌〕 左(工부 2획〈326〉)의 本字
字源 象形. 왼손의 모양을 본뜸.

屮 1 〔屮〕4 〔지〕 之(丿부 3획〈18〉)의 本字

屮 1 〔屮〕4 〔지〕 之(丿부 3획〈18〉)・芝(艸부 4획〈1123〉)와 同字

屮 1 〔屯〕4 高・人 ㊀둔 ㊥元 ㊁준 ㊥眞 | tún トン たむろ zhūn チュン なやむ

筆順 一 𠂉 𠂊 屯

字解 ㊀①진칠둔 진(陣)쳐 지킴. '一戍'. '金人一河南'《宋史》. ②진둔 진친 곳. '京師有南北軍之一'《漢書》. ③언덕둔 구릉. '生於陵一'《列子》. ㊁①어려울준 고난에 허덕임. '一困'. '一如邅如'《易經》. ②모일준 많음. '禮官儒林一朋篤論之士'《後漢書》. ③찰준 가득 참. '一, 滿也'《廣雅》. ④단단할준 견고함. '一固比入'《左傳》. ⑤준괘준 육십사괘(六十四卦)의 하나. 곧, ䷂〈진하(震下), 감상(坎上)〉. 험난하여 전진하는 데 고생하는 상(象).
字源 象形. 유아(幼兒)의 머리를 묶어 꾸민 모양을 본뜸.

屮 2 〔丰〕5 〔봉〕 丰(丨부 3획〈14〉)의 本字

屮 3 〔屰〕6 ㊀역 ㊀陌 ㊁백 ㊀陌 | nì ゲキ・ギャク さからう pò ハク

字解 ㊀①거스를역 逆(辵부 6획〈1494〉)과 同字. '一, 不順也'《說文》. ②양지(兩枝)창역 戟(戈부 8획〈423〉)과 통용. ㊁초승달백 霸(雨부 13획〈1649〉)과 同字. '霸, 月始生. 古作一'《集韻》.
字源 象形. 본디 '人인'을 거꾸로 한 모양을 본떠, '불순(不順), 거스르다'의 뜻을 나타냄.

屮 4 〔𡴆〕7 륙 ㊀屋 | lù リク きのこ

字解 버섯륙 논에 나는 버섯의 한 가지. '一, 菌一, 地蕈, 叢生田中'《說文》.
字源 形聲. 屮+六〔音〕

屮 4 〔㞷〕7 광 ㊥陽 | huáng キョウ はびこる

筆順 一 十 屮 㞢 㞢 㞷 㞷

字解 무성할광 '一, 艸木妄生也'《說文》.
字源 會意. 㞢+土

屮 4 〔岎〕7 분 ㊥文 | fēn フン におう

字解 ①향내날분 어린 풀이 향내를 발함. 芬(艸부 4획〈1123〉)과 同字. '一, 艸初生, 其香分布也'《說文》. ②성분 성(姓)의 하나.
字源 形聲. 屮+分〔音〕

屮 4 〔𡴇〕7 〔각〕 㱿(土부 3획〈200〉)의 本字

屮 5 〔𡴈〕8 〔광〕 㞷(屮부 4획〈302〉)의 古字

屮 6 〔𡴉〕9 ㊀얼 ㊀屑 ㊁예 ㊂霽 | niè ゲツ たかくてあやうい ゲイ つちがたかい

字解 ㊀①높고위태할얼 '一, 危高也'《說文》. ②높을얼 산이 높은 모양. '一, 山高皃'《廣韻》. ㊁흙높을예 '一, 山高也'《集韻》.
字源 形聲. 自+屮〔音〕

〔茻〕 〔훼〕 艸부 3획(1121)을 보라.

屮 7 〔𡴊〕10 〔전〕 專(寸부 8획〈289〉)의 譌字

屮 7 〔𡴋〕10 〔남〕 南(十부 7획〈128〉)의 古字

屮 7 〔𡴌〕10 〔행〕 幸(干부 5획〈341〉)의 本字

屮 8 〔𡴍〕11 〔독〕 毒(毋부 4획〈615〉)의 本字

屮 8 〔㞷〕11 〔강〕 羌(羊부 2획〈1033〉)의 古字

屮 9 〔䊷〕12 윤 ㊤軫|yǔn イン すすむ
字解 나아갈윤 앞으로 나아감. '一, 進也'《說文》.
字源 形聲. 本+屮+允〔音〕

屮 9 〔㞼〕12 〔주〕 奏(大부 6획〈235〉)의 本字

屮 18 〔䖏〕21 〔륙〕 尖(屮부 4획〈302〉)의 籒文

山　部
〔메 산 부〕

山 0 〔山〕3 中·人 산 ㊥刪|shān サン やま
筆順 丨 凵 山
字解 ①메산 산. '一嶽'. '天地定位, 一澤通氣'《易經》. ②산신산 산의 신령. '一川其舍諸'《論語》. ③능산 능침(陵寢). '非獨爲奉一園也'《漢書》. ④절산 사찰(寺刹)의 칭호. '一門'. '歸老於阿育王一廣利寺'《蘇軾》.
字源 象形. 산(山)의 모양을 본뜸.
參考 '山'을 의부(意符)로 하여, 여러 가지 종류의 산이나, 산의 모양, 또 산의 이름을 나타내는 글자를 이룸.

山 2 〔屴〕5 력 ㊇職|lì, lè リョク たかい
字解 치솟을력, 쭈뼛할력 '一崱'은 산봉우리가 높이 솟은 모양. '蒼龍渡海成疊嶂, 一崱西來勢何壯'《貢師泰》.
字源 形聲. 山+力〔音〕

山 2 〔屵〕5 ㊀ 알 ㊇曷|è ガツ たかい
㊁ 얼 ㊇屑|ゲツ たかい
㊂ 언 ㊤阮|yǎn ゲン あおぐ
字解 ㊀ ①벼랑높을알 '一, 岸高也'《說文》. ②높을알 높은 산의 모양. '一, 高山狀'《廣韻》. ㊁ 벼랑높을얼, 높을얼 ㊀과 뜻이 같음. ㊂ ①우러를언 우러러봄. '一, 仰也'《集韻》. ②입술클언 '一㕞'은 입술이 큰 모양. '一, 一㕞, 又大脣皃'《廣韻》.
字源 山+厂〔音〕

山 2 〔屳〕5 잠 ㊥侵|cén シン やまにふかくわけいる
字解 산에깊이들어갈잠 '一, 入山深皃'《廣韻》.
字源 會意. 山+入

山 2 〔屼〕5 기 ㊤紙|jǐ キ やまのな
字解 산이름기 감숙성(甘肅省) 산단현(山丹縣)의 서남쪽에 있는 산. 궁석산(窮石山). '一, 一山也'《說文》.
字源 形聲. 山+几〔音〕

山 2 〔岉〕5 〔호〕 扈(戶부 7획〈427〉)의 古字

山 2 〔屳〕5 〔선〕 仙(人부 3획〈34〉)과 同字

山 3 〔岃〕6 〔전〕 叀(厶부 6획〈139〉)의 古字

山 3 〔岁〕6 〔세〕 歲(止부 9획〈604〉)의 簡體字

山 3 〔岂〕6 〔기〕 豈(豆부 3획〈1369〉)의 簡體字

山 3 〔屾〕6 ㊀ 신 ㊥眞|shēn シン ふたつのやま
㊁ 산 ㊦翰|サン ふたつのやま
字解 ㊀ 같이선산신 나란히 선 두 산. '二山並立曰一'《集韻》. ㊁ 같이선산산 ㊀과 뜻이 같음.
字源 會意. 山+山

山 3 〔屹〕6 人名 흘 ㊇物|yì キツ たかい
筆順 丨 山 山 山′ 山𠂉 屹
字解 쭈뼛할흘 산 같은 것이 우뚝 솟은 모양. '一立'. '山一屼兮水淪漣'《元結》.
字源 形聲. 山+乞〔音〕

山 3 〔屼〕6 올 ㊇月|wù コツ はげやま
字解 민둥민둥할올 민둥산의 모양. 일설에는, 산의 높은 모양. '山屹一兮水淪漣'《元結》.
字源 形聲. 山+兀〔音〕

山 3 〔屺〕6 기 ㊤紙|qǐ キ はげやま
字解 민둥산기 초목이 없는 산. '陟彼一兮, 瞻望母兮'《詩經》.
字源 形聲. 山+己〔音〕

山 3 〔岀〕6 〔출〕 出(凵부 3획〈97〉)의 俗字

山 4 〔岌〕 7 급 [入]緝 jí キュウ たかい

[字解] ①높을급 산이 높은 모양. '一嶪'. '高余冠之一一兮'《楚辭》. ②위태로울급 '一嶪'. '天下殆哉, 一一乎'《孟子》.

[字源] 形聲. 山+及〔音〕

山 4 〔岑〕 7 잠 ①-⑤[平]侵 ⑥[上]寝 cén シン みね ギン きし

[字解] ①봉우리잠 산봉우리. '可使高於一樓'《孟子》. ②높을잠 산 같은 것이 높음. '礭嵬一嵓'《嵇康》. ③날카로울잠 '漂流隕往觸一石兮'《楚辭》. ④험준할잠 '知鳥擇一蔚安閒'《禮記》. ⑤성잠 성(姓)의 하나. ⑥언덕잠, 낭떠러지잠 애안(崖岸). '未始離於一'《莊子》.

[字源] 形聲. 山+今〔音〕

山 4 〔岕〕 7 개 jiè カイ やまのあいだ

[字解] 산과산사이개 절강성(浙江省) 장흥현(長興縣)의 산간(山間) 지방에 '一'를 붙인 땅이름이 많음. '茶名, 宜興羅解兩山之間所產, 故名一茶'《馮可賓》.

山 4 〔岉〕 7 물 [入]物 wù ブツ たかい

[字解] 높을물 산 같은 것이 높은 모양. '隆崛一乎青雲'《王延壽》.

[字源] 形聲. 山+勿〔音〕

山 4 〔岍〕 7 〔견〕 岍(山부 6획〈308〉)의 俗字

山 4 〔岐〕 7 [人名] 기 [平]支 qí キ わかれる

[筆順] 丨 山 山 屵 屵 岐 岐

[字解] ①산이름기 섬서성(陝西省) 기산현(岐山縣)에 있는 산. 주왕조(周王朝)의 발상지(發祥地). '至于一下'《詩經》. ②높을기 산 같은 것이 높음. '尾蟜蟜角一一'《梅堯臣》. ③갈래질기, 갈림길기 가닥이 짐. 또, 옆으로 갈려 나간 길. 歧(止부 4획〈603〉)와 同字. '一路'. '一之中又有一'《列子》. ④성기 성(姓)의 하나.

[字源] 形聲. 山+支〔音〕

山 4 〔岏〕 7 완 [平]寒 yuán ガン けわしい

[字解] ①산뾰족할완 산이 뾰족하여 험준한 모양. '巑一'. '山巒一兮水環合'《江淹》. ②높을완 '一, 高也'《廣雅》.

[字源] 形聲. 山+元〔音〕

山 4 〔岎〕 7 분 [平]文 fén フン たかい

[字解] 높을분 산이 높은 모양. '一崯迴叢'《揚雄》.

[字源] 形聲. 山+分〔音〕

山 4 〔岋〕 7 압 [入]合 è ゴウ ゆらぐ

[字解] 움직일압 요동하는 모양. '天動地一'《揚雄》.

山 4 〔峯〕 7 〔봉〕 峯(山부 7획〈308〉)과 同字

山 4 〔岕〕 7 개 [去]卦 jiè カイ やまのな

[字解] 산이름개 개산(介山). '一, 山名'《集韻》. '一, 晉文公以介子推逃隱緜上山中, 特表其山曰介山. 俗作一'《正字通》.

山 4 〔岒〕 7 겸 [平]鹽 qián ケン やまのな

[字解] ①산이름겸 '一, 山名'《集韻》. ②가지런하지않을겸 '一峨'는 가지런하지 않은 모양. 높낮이가 있는 모양. '俗一峨而嵺嵯'《東方朔》.

山 4 〔岈〕 7 하 [平]麻 xiā カ うつろ

[字解] ①산골휑할하 '峆一'는 골짜기가 매우 휑뎅그렁한 모양. 谺(谷부 4획〈1366〉)와 同字. 峆一, 谷中大空皃'《集韻》. ②깊을하 '峆一'는 산이 깊은 모양. '一, 與谺同. 峆一, 山深貌'《字彙》.

山 4 〔岟〕 7 〔민〕 岷(山부 5획〈305〉)과 同字

山 4 〔岅〕 7 〔판〕 坂(土부 4획〈201〉)·阪(阜부 4획〈1610〉)과 同字

山 4 〔岮〕 7 〔영〕 嶸(山부 14획〈321〉)과 同字

山 4 〔岔〕 7 차 [去]禡 chà サ わかれるところ

[字解] 갈림길차 세 갈래진 길. 삼차로(三叉路).

[字源] 會意. 山+分

山 4 〔岊〕 7 절 [入]屑 jié セツ くま

[字解] ①산굽이절 산모롱이. '竇緣山嶽之一'《左思》. ②산높을절 산이 높은 모양. 節(竹부 9획〈945〉)과 同字.

[字源] 形聲. 山+巴〔音〕

山 5 〔岸〕 8 [高·人] 안 [去]翰 àn ガン きし

筆順 ' 屮 屵 岸 岸 岸 岸 岸

字解 ①언덕안 바다나 강가의 둔덕진 곳. 기슭. '海一'. '淇則有一'《詩經》. ②높을안, 높은지위안 '一, 高也'《小爾雅》. '誕先登于一'《詩經》. ③낭떠러지안 절벽. '崖一'. '斬一堙谿'《呂氏春秋》. ④소송할안, 소송안 '一, 訟也'《詩經 傳》. ⑤층계안 계단. '襄一夷塗'《張衡》. ⑥뛰어날안 인물이 뛰어남. 두드러짐. '爲人魁一'《漢書》. ⑦옥안 역참(驛站)에 있는 옥(獄). '宜一宜獄'《詩經》.
字源 形聲. 屵+干〔音〕

山5〔峌〕8 岸(前條)과 同字

山5〔岪〕8 불 ㊇物|fú フツ やまみち, くま
字解 ①첩첩할불 '一鬱'은 산에 첩첩이 둘러싸인 모양. '其山則盤紆一鬱'《司馬相如》. ②산모롱이불 산의 굽이진 곳. '坱兮軋, 山曲一'《楚辭》. ③산길불 산 속에 있는 길. '一, 山脅道也'《說文》.
字源 形聲. 山+弗〔音〕

山5〔岪〕8 岪(前條)과 同字

山5〔岢〕8 가 ㊤哿|kě カ やまのな
字解 가람산가 '一嵐'은 지금의 산서성 가람현(山西省岢嵐縣)의 북쪽에 있는 산 이름.
字源 形聲. 山+可〔音〕

山5〔峇〕8 岢(前條)와 同字

山5〔岧〕8 초 ㊥蕭|tiáo チョウ たかい
字解 높을초 산이 높은 모양. '登一嶤之高岑'《曹植》.
字源 形聲. 山+召〔音〕

山5〔岹〕8 岧(前條)와 同字

山5〔岦〕8 립 ㊇緝|lì リュウ やま
字解 산립 산이 우뚝한 모양. '一岌, 山皃'《集韻》.
字源 形聲. 山+立〔音〕

山5〔岝〕8 작 ㊇陌 ㊇藥|zuò サク たかい
字解 높을작 산이 높은 모양.
字源 形聲. 山+乍〔音〕

山5〔岞〕8 岝(前條)과 同字

山5〔岺〕8 〔창〕 倉(人부 8획〈55〉)의 古字

山5〔岩〕8 人名 암 ㊥咸|yán ガン いわ
筆順 ' 山 山 屵 屵 岩 岩 岩
字解 ①巖(山부 20획〈323〉)의 俗字. ②嵒(山부 9획〈315〉)의 俗字.
字源 會意. 山+石
參考 자해(字解)는 巖(山부 20획〈323〉)을 보라.

山5〔岣〕8 구 ㊤有|gǒu コウ いただき
字解 봉우리이름구 '一嶁'는 호남성(湖南省)에 있는 형산(衡山)의 주봉(主峯).
字源 形聲. 山+句〔音〕

山5〔岫〕8 수 ㊦宥|xiù シュウ いわあな
字解 ①산굴수 산에 있는 암혈(巖穴). '一雲'. '雲無心以出一'《陶潛》. ②암굴산수 암굴이 있는 산(山). '一, 山有穴也'《說文》. ③산봉우리수 산정(山頂). '窓中列遠一'《謝朓》.
字源 形聲. 山+由〔音〕

山5〔峀〕8 岫(前條)와 同字

山5〔岬〕8 갑 ㊇洽|jiǎ コウ みさき
字解 ①산허리갑 산(山) 중턱. '徘徊山一之旁'《淮南子》. ②산사이갑 산과 산 사이. '傾藪薄, 倒一岫'《左思》. ③갑갑 바다로 뾰족하게 내민 땅. 곳.
字源 形聲. 山+甲〔音〕

山5〔岰〕8 유 ㊤有|yǔ ユウ やまのまがるさま
字解 산굽이유 산이 굽은 모양. '一, 山曲皃'《集韻》.
字源 形聲. 山+幼〔音〕

山5〔岷〕8 人名 민 ㊥眞|mín ビン・ミン やまのな
筆順 丨 山 山 山⁻ 山ᄏ 岷 岷 岷
字解 ①산이름민 사천성(四川省) 송번현

(松潘縣) 북쪽에 있는 산의 이름. 민산(岷山). 문산(汶山). '一山之陽, 至于衡山'《書經》. ②강이름민 민산(岷山)에서 발원(發源)하여, 사천성(四川省)을 남류(南流)해서 성도(成都)의 서쪽을 거쳐, 양자강에 합류하는 강의 이름. 민강(岷江).
[字源] 形聲. 篆文은 山+散〔音〕

山5 〔岠〕 8 거 [上]語 | jù キョ おおきなやま
[字解] ①큰산거 대산(大山). ②이를거 至(部首〈1102〉)와 뜻이 같음. '元龜一冉, 長尺二寸'《漢書》. ③떠날거, 떨어질거 '一齊州以南'《爾雅》.
[字源] 形聲. 山+巨〔音〕

山5 〔岨〕 8 ㊀저 [平]魚 | jū ショ いしやま ㊁서 [上]語 | jǔ ショ けわしい (조[本])
[字解] ㊀ ①돌산저 흙이 덮인 돌산. 砠(石부 5획〈866〉)와 同字. '陟彼一矣'《詩經》. ②험할저 험준함. '一峻'. ㊁ 울퉁불퉁할서 산이 울퉁불퉁함. 전(轉)하여, 서어(齟齬)함. '一峿'. ※本音 조.
[字源] 形聲. 山+且〔音〕

山5 〔岆〕 8 〔족〕 族(方부 7획〈497〉)의 古字

山5 〔岵〕 8 호 [上]麌 | hù コ しげやま
[字解] 산호 ㉠초목이 우거진 산. '陟彼一兮'《詩經》. ㉡민둥산. '山無草木曰一'《詩經傳》.
[字源] 形聲. 山+古〔音〕

山5 〔岟〕 8 앙 [上]養 | yǎng ヨウ ふもと
[字解] ①후미질앙 산이 깊숙한 모양. '山林幽一'《左思》. ②산기슭앙 산자락. '一, 山足'《廣韻》. ③산모양앙 산형(山形). '一, 山形'《集韻》.
[字源] 形聲. 山+央〔音〕

山5 〔岥〕 8 파 [平]歌 | pō ハ ななめ
[字解] 비탈질파, 비탈파 땅이 경사진 모양. 또, 경사진 곳. '裁一岮以隱嶙'《潘岳》.

山5 〔岮〕 8 타 [平]歌 | tuó タ ななめ
[字解] 비탈질타, 비탈타 岥(前條)와 뜻이 같음.

山5 〔岹〕 8 〔타〕 陁(阜부 5획〈1613〉)과 同字

山5 〔岤〕 8 혈 [入]屑 | xué ケツ ほらあな
[字解] 산굴혈 산에 있는 동굴. '憭兮慄虎豹一'《楚辭》.
[字源] 形聲. 山+穴〔音〕

山5 〔岭〕 8 령 [平]青 | líng レイ やまがふかい
[字解] ①산으슥할령 산이 깊음. '一, 山深也'《集韻》. ②산이름령 '一中'은 산 이름. '入一中而登玉峯'《元結》.
[字源] 形聲. 山+令〔音〕

山5 〔岺〕 8 岭(前條)과 同字

山5 〔岾〕 8 ㊀재 [韓] ㊁점 [韓]
[字解] 《韓》㊀ 고개재 땅 이름으로 쓰임. '永郎一'. ㊁ 땅이름점 '楡一寺'는 강원도(江原道) 간성군(杆城郡)에 있는 절.

山5 〔岺〕 8 〔밀〕 密(宀부 8획〈281〉)과 同字

山5 〔岯〕 8 〔배〕 坯(土부 5획〈204〉)과 同字

山5 〔岶〕 8 박 [入]陌 | pò ハク くさきがしげる
[字解] 빽빽할박 '嶀一'은 산에 초목(草木)이 빽빽하게 나 있는 모양. '一, 嶀一, 密皃'《集韻》.

山5 〔峒〕 8 〔사〕 司(口부 2획〈146〉)의 俗字. 산(山) 이름에 쓰임.

山5 〔岡〕 8 [人名] 강 [平]陽 | gāng コウ おか
[筆順] 丨 冂 冂 冂 円 冈 岡 岡
[字解] ①산등성이강 산등성마루. '陟彼高一'《詩經》. ②산봉우리강 산봉(山峯). '覽高一兮嶢嶢'《楚辭》. ③언덕강 구릉. '一陵'. '如一如陵'《詩經》.
[字源] 形聲. 山+网〔音〕

山5 〔罡〕 8 岡(前條)과 同字

山5 〔岱〕 8 대 [去]隊 | dài タイ おおきい
[字解] ①대산대 '一山'은 오악(五嶽)의 하나. 곧, 태산(泰山)의 별칭(別稱). '玉簡禪一山'《劉義恭》. ②클대 '竦誠一駕肅'《謝莊》.

字源 形聲. 山+代〔音〕

山5 〔岳〕8 高·人 악 (入)覺 | yuè ガク たけ

筆順 丿 𠂆 厂 斤 丘 乒 岳 岳

字解 ①큰산악 嶽(山부 14획〈321〉)과 同字. '五—'. '五月, 南巡狩, 至于南—'《書經》. ②벼슬이름악 한 방면(方面)의 제후(諸侯)를 통솔하는 벼슬. '帝曰咨, 四—'《書經》. 전(轉)하여, 큰 제후. 또는 번진(藩鎭). '身居列—, 自御強兵'《徐陵》. ③장인악 아내의 아버지. '—父'. ④성악 성(姓)의 하나.
字源 會意. 丘+山
參考 '岳'은 《廣韻》에서는 '嶽'과 同字라 하고, 《集韻》·《康熙字典》 등에서는 '嶽'의 古字로 침. '嶽'과 '岳'은 자의(字義)도 같아서, 예전부터 둘 다 써 왔으나, 성(姓)에는 '岳'이 쓰임.

山5 〔岴〕8 〔구〕 嶇(山부 11획〈317〉)와 同字

山5 〔⿱丞山〕8 〔승〕 丞(一부 5획〈13〉)의 本字

山5 〔⿶凵山〕8 〔옥〕 嶽(山부 14획〈321〉)의 古字

山6 〔峉〕9 액 (入)陌 | è ガク こうだい

字解 ①웅장할액 산이 높고 큰 모양. '山皀兮——'《楚辭》. ②험준할액 산이 험준하고 울퉁불퉁한 모양. '玄嶺巉巖, 岝—嶇崯'《嵇康》.
字源 形聲. 山+各〔音〕

山6 〔峛〕9 리 (上)紙 | lǐ り さかみち

字解 고개리 재. 산의 오르내리게 된 곳. '登降—施'《揚雄》.
字源 形聲. 山+列〔音〕

山6 〔峎〕9 은 (上)阮 | ěn ゴン やまのな

字解 ①산모퉁이은 '—崿'. ②산이름은 '—, 山名'《集韻》.

山6 〔⿰山艮〕9 峎(前條)과 同字

山6 〔峚〕9 밀 (入)質 | mì ビツ やまのな

字解 산이름밀 섬서성(陝西省) 상현(商縣)의 경계(境界)에 있는 산. '—山, 其上多丹木'《山海經》.

山6 〔峝〕9 동 (去)送 | dòng トウ しゅぞくのな

字解 오랑캐이름동 중국 서남 지방의 묘족(苗族)의 일종. '—, —人, 苗族'《字彙補》.

山6 〔峜〕9 계 | jì ケイ かぞえる

字解 셀계 또, 산법(算法)의 이름. 計(言부 2획〈1312〉)와 뜻이 같음. '宓戲造六—, 以迎陰陽'《管子》.

山6 〔⿱山仌〕9 〔청〕 青(部首〈1653〉)의 古字

山6 〔⿱山目〕9 〔얼〕 ⿱屮目(屮부 6획〈302〉)과 同字

山6 〔峊〕9 〔부〕 阜(部首〈1609〉)와 同字

〔炭〕 〔탄〕 火부 5획(710)을 보라.

〔耑〕 〔단〕 而부 3획(1050)을 보라.

山6 〔峗〕9 ㊀ 위 (平)支 | wēi ギ やまのな
㊁ 외 (平)灰 | wěi ガイ たかい

字解 ㊀ ①산이름위 '三—, 山名, 在鳥鼠西'《集韻》. ②성위 성(姓)의 하나. ㊁ 높을외 산 같은 것이 높음. '—, 高也'《字彙》.
字源 形聲. 山+危〔音〕

山6 〔峞〕9 ㊀ 峗(前條)와 同字
㊁ 嵬(山부 10획〈315〉)와 同字

山6 〔峓〕9 이 (平)支 | yí イ やまのな

字解 산이름이 夷(大부 3획〈232〉)와 통용. '嵎—, 山名, 書作嵎夷'《廣韻》.
字源 形聲. 山+夷〔音〕

山6 〔峋〕9 순 (平)眞 | xún シュン おくふかい

字解 깊숙할순 산이 첩첩(疊疊)하여 끝없이 깊숙한 모양. '山自木落重嶙—'《陸游》.
字源 形聲. 山+旬〔音〕

山6 〔峒〕9 동 ①(平)東 | tóng トウ やまのな
②③(去)送 | dòng トウ やまのほら

字解 ①산이름동 '崆—'은 감숙성(甘肅省)에 있는 산 이름. ②산굴동 산(山)의 동굴. '—, 一曰, 山穴'《集韻》. ③오랑캐이름동 서남 지방의 만족(蠻族). '—丁'.

[字源] 形聲. 山+同〔音〕

山6 〔峐〕9 해 [平]灰 | gāi カイ はげやま
[字解] 민둥산해 초목이 없는 헐벗은 산. '一, 爾雅云, 山無草木曰一'《集韻》.

山6 〔峙〕9 [人名] 치 [上]紙 | zhì ジ そばだつ
[筆順] 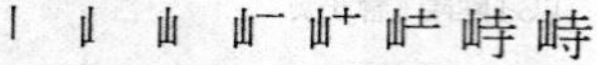
[字解] ①우뚝솟을치 흘립(屹立)함. '一立'. '五山始一'《列子》. ②언덕치 높은 언덕. '散似驚波, 聚似京一'《張衡》. ③쌓을치 저축함. '一積'. '一乃糗糧'《書經》.
[字源] 形聲. 山+寺〔音〕

山6 〔⿰山兇〕9 앙 [平]江 | yáng ゴウ けわしい
[字解] 가파를앙 '崆一'은 산이 험준한 모양. '其山則崆一'《張衡》.

山6 〔峆〕9 합 [入]合 | hé ゴウ やまのさま
[字解] 산합 산의 모양. '一嵱, 山皃'《集韻》.
[字源] 形聲. 山+合〔音〕

山6 〔峌〕9 질(절[本]) [入]屑 | dié テツ たかい
[字解] 높을질 산이 높은 모양. '一峴孤亭'《木華》. ※本音 절.

山6 〔峍〕9 률 [入]月 | lù ロツ がけ
[字解] 산비탈률 산의 낭떠러지.
[字源] 形聲. 山+聿〔音〕

山6 〔岍〕9 견 [平]先 | qiān ケン やまのな
[字解] 산이름견 섬서성(陝西省) 농현(隴縣)에 있는 산. 오악(吳嶽)이라고도 함. '導一及岐'《書經》.

山6 〔峘〕9 ㊀ 환 [平]寒 | huán カン たかいこやま
㊁ 항 [平]蒸 | コウ たかいこやま
[字解] ㊀ 높은작은산환 큰 산과 나란히 있는데 큰 산보다 높은 작은 산. '小山岌大山, 一'《爾雅》. ㊁ 높은작은산항 ㊀과 뜻이 같음.

山6 〔⿰亘山〕9 峘(前條)과 同字

山6 〔⿵网山〕9 〔강〕
岡(山부 5획〈306〉)의 本字

山6 〔峡〕9 〔협〕
峽(山부 7획〈309〉)의 略字

山6 〔峦〕9 〔만〕 巒(山부 19획〈323〉)의 俗字·簡體字

山7 〔峯〕10 [高·人] 봉 [平]冬 | fēng ホウ みね
[筆順] 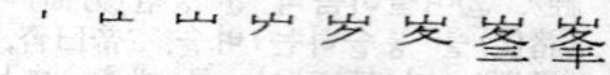
[字解] ①산봉우리봉 산정(山頂). '一巒'. '一嶺上崇崒, 煙雨下微冥'《陳子昂》. ②메봉 산. '雷一在錢唐'《一統志》. ③성봉 성(姓)의 하나.
[字源] 形聲. 山+夆〔音〕

山7 〔峰〕10 [高·人] 峯(前條)의 俗字
[筆順] 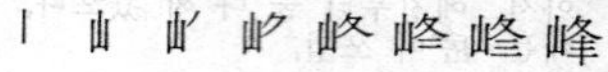

山7 〔峳〕10 유 [平]尤 | yóu ユウ けもののな
[字解] 짐승이름유 '一一'는 동물의 이름. '礎山有獸焉. 其狀如馬而羊目, 四角, 牛尾, 名曰一一'《山海經》.
[字源] 形聲. 山+攸〔音〕

山7 〔峷〕10 신 [平]眞 | shēn シン かみのな
[字解] 도깨비이름신 모양은 개 같고 뿔이 있으며, 몸에 오색의 무늬가 있다 함. '丘有一'《莊子》.
[字源] 形聲. 山+辛〔音〕

山7 〔⿰扌⿱山殳〕10 투 [平]尤 | tóu トウ けわしい
[字解] 가파를투 산이 험준한 모양.

〔豈〕 〔기〕
豆부 3획(1369)을 보라.

山7 〔峨〕10 [人名] 아 [平]歌 | é ガ たかくけわしい
[筆順] 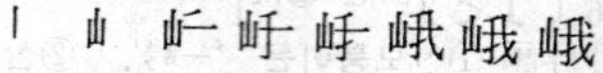
[字解] ①높을아 산이 험준함. '一兮若泰山'《列子》. ②높이할아 장중하게 보이게 높게 함. '一大冠拖長紳'《劉基》. ③메아 높은 산. '輿陟一而善狂'《謝靈運》. ④산이름아 사천성(四川省)의 아미산(峨眉山)을 이름. '彷徉岷一'《唐書》.
[字源] 形聲. 山+我〔音〕

山7 〔峩〕10 峨(前條)와 同字

山 7 〔峪〕10 욕 [入]沃 yù ヨク たに

[字解] 산골짜기욕 산곡(山谷). '嘉—關'은 감숙성(甘肅省)에 있는 지명(地名).
[字源] 形聲. 山+谷〔音〕

山 7 〔峭〕10 초 [去]嘯 qiào ショウ けわしい

[字解] ①가파를초 험준함. '—峻'. '岸—者必阤'《淮南子》. ②가파른비탈초 '峻阪曰—'《一切經音義》. ③엄할초 성품이 준엄함. '—正'. '錯爲人—直刻深'《漢書》.
[字源] 形聲. 山+肖〔音〕

山 7 〔峴〕10 [人名] 현 [上]銑 xiàn ケン やまのな

[筆順] 丨 山 山丨 山冂 山冃 山目 山貝 峴

[字解] ①산이름현 호북성(湖北省) 양양(襄陽)에 있는 산. '祜與鄒潤甫登—山'《晉書》. ②험한산꼭대기현 높고 험준한 산정(山頂). '—, 峻嶺'《廣韻》. ③고개현 재. '迢遞陟陘—'《謝靈運》.
[字源] 形聲. 山+見〔音〕

山 7 〔峻〕10 [人名] 준 [去]震 jùn シュン たかい

[筆順] 丨 山 山' 山亠 山允 山夋 峻 峻

[字解] ①높을준 산 같은 것이 높음. '—邸'. '垂不—'《左傳》. ②가파를준 험함. '險—'. '領水之山峭—'《漢書》. ③클준 높고 큼. 또, 고대(高大)하게 함. '克明—德'《大學》. '—宇彫牆'《書經》. ④길준 장대함. '冀枝葉之—茂'《楚辭》. ⑤엄할준 엄격함. 또, 엄하게 함. '—嚴'. '吏務爲嚴—'《史記》.
[字源] 形聲. 山+夋〔音〕

山 7 〔峊〕10 기 [上]紙 [去]寘 qǐ キ たかい

[字解] 산우뚝할기 산의 높은 모양. '—, 山高皃'《集韻》.
[字源] 形聲. 山+忌〔音〕

山 7 〔峽〕10 [人名] 협 [入]洽 xiá キョウ はざま

[筆順] 丨 山 山一 山丆 山𠂆 山夾 峽 峽

[字解] ①골짜기협 험한 산곡(山谷). '—谷'. '彷徉于山—之旁'《淮南子》. ②시내협 산골짜기를 흐르는 시내. '高江急—雷霆鬪'《杜甫》. ③땅이름협 양자강(揚子江)의 상류에 있는 삼협(三峽)의 약칭(略稱). '引兵下—, 戰荊門'《唐書》.
[字源] 形聲. 山+夾〔音〕
[參考] 峡(山부 6획〈308〉)은 俗字.

山 7 〔峢〕10 별 [入]屑 bié ヘツ やまのな

[字解] 산이름별 '大—'은 산 이름. 別(刀부 5획〈101〉)과 통용.

山 7 〔峿〕10 어 [上]語 yǔ ギョ やすんじない

[字解] ①울퉁불퉁할어 산이 울퉁불퉁함. '岨—'. ②불안할어 '或岨—而不安'《陸機》.

山 7 〔峵〕10 태 [去]泰 duì タイ やまのな

[字解] ①산이름태 '—, 山名'《廣韻》. ②산모양태 '—嵢'는 산의 모양. '—, —嵢, 山皃'《集韻》. ③골깊을태 '嵢—'는 골짜기가 깊고 평평한 모양. '嶰壑嵢—'《馬融》.

山 7 〔峮〕10 [一] 균 [平]眞 キン つらなる [二] 군 [平]文 qūn クン つらなる

[字解] [一] 산연할균 '—嶙'·'嶙—'은 산이 이어서 있는 모양. '—嶙而纚聯'《張衡》. [二] 산연할군 [一]과 뜻이 같음.

山 7 〔峯〕10 峮(前條)과 同字

山 7 〔峣〕10 효 xiāo コウ たかくけわしい

[字解] 험할효 '—嵺'는 높고 험한 모양. '鳥不敢飛, 而玄甲—嵺以岳峙'《杜甫》.

山 7 〔陘〕10 [一] 형 [平]青 xíng ケイ たに [二] 경 [平]庚 kēng ケイ たに

[字解] [一] ①골짜기이름형 섬서성(陝西省) 임동현(臨潼縣)에 있는 골짜기. 진(秦)나라가 유생(儒生)들을 생매장했다는 골짜기임. ②골짜기형, 지레목형 산줄기가 끊어진 곳. 陘(阜부 7획〈1615〉)과 同字. '山—之蹊, 不可勝由矣'《揚子法言》. [二] 골짜기이름경, 골짜기경, 지레목경 [一]과 뜻이 같음.
[字源] 形聲. 山+巠〔音〕

山 7 〔峔〕10 망 [上]養 [去]漾 mǎng ボウ やまのけいよう

[字解] ①산모양망 '嵣—'은 산의 모양. '嵣—, 山皃'《廣韻》. ②돌넓고클망 '嵣—'은 산의 돌이 넓고 큰 모양. '其山則崆峣嶱嵑, 嵣—嶚剌'《張衡》.

山 7 〔峆〕10 함 [平]覃 hán カン おおきいたに

[字解] ①큰골함 큰 골짜기. '—, 大谷也'《廣韻》. ②산깊을함 '—岈'는 산이 깊은 모양. '—岈豁開, 背原面野'《梁元帝》.

山 7 〔峇〕10 峆(前條)과 同字

山 7 〔島〕10 [中·人] 도 [上]晧 | dǎo トウ しま

[筆順] ′ 丨′ 户 户 自 鳥 鳥 島

[字解] 섬도 도서(島嶼). '一國'. '入海居一中'《史記》.

[字源] 形聲. 篆文은 山+鳥〔音〕

山 7 〔峱〕10 노 [平]豪 | náo ドウ やまのな, いぬ

[字解] ①산이름노 산동성(山東省) 치박시(淄博市) 남쪽에 있는 산. '遭我乎一之間兮'《詩經》. ②개노 '一, 犮犬也'《玉篇》.

[字源] 形聲. 山+狃〔音〕

山 7 〔峾〕10 은 [平]文 | yín ギン うずまく

[字解] 소용돌이칠은 '一淪'은 물이 소용돌이치며 흐르는 모양. '一淪淤瀼, 乍浥乍堆'《郭璞》.

山 7 〔峼〕10 [一] 고 [去]號 | gào コウ やまのけいよう
[二] 곡 [入]沃 | コク やまのけいよう

[字解] [一] ①산모양고 '一, 山皃'《說文》. ②산이름고 '一, 一曰, 山名'《說文》. [二] 산모양곡 [一]❶과 뜻이 같음.

山 8 〔崇〕11 [中·人] 숭 [平]東 | chóng スウ たかい

[筆順] ′ 山 屮 岀 岀 峃 崇

[字解] ①높을숭 ㉠산 같은 것이 높음. '一山峻嶺'. '一於軫四尺'《周禮》. ㉡고귀(高貴)함. '一高'. '唯女是一'《國語》. 또, 높은 사람. '師叔楚之一也'《左傳》. ②높일숭 ㉠숭상함. '一尙'. '一神'. '敎厚以一禮'《中庸》. ㉡높게 함. 존귀하게 함. '一德修慝'《論語》. ③모일숭 한데 모임. '福祿來一'《詩經》. ④찰숭, 채울숭 가득 참. 또, 가득 차게 함. '再拜一酒'《儀禮》. ⑤마칠숭 종료함. '曾不一朝'《詩經》. ⑥세울숭, 이룰숭 수립함. 성취함. '維王其一之'《詩經》. ⑦일으킬숭 '進明德而一業'《張衡》. ⑧성숭 성(姓)의 하나.

[字源] 形聲. 山+宗〔音〕

山 8 〔崈〕11 崇(前條)과 同字

山 8 〔崋〕11 화 [平]麻 | (huá) カ やまのな
[去]禡 | huà

[字解] ①화산화 '一山'은 오악(五嶽)의 하나로서, 섬서성(陝西省) 화음현(華陰縣) 남쪽에 있으며, '西一' 또는 '一嶽'이라고도 함. '西嶽爲一山'《白虎通》. ②성화 성(姓)의 하나.

[字源] 形聲. 山+雩〔音〕

山 8 〔崑〕11 [人名] 곤 [平]元 | kūn コン やまのな

[筆順] ′ 山 屮 岜 崑 崑 崑 崑

[字解] 산이름곤 ㉠'一崙'은 서장(西藏)에 있는 산으로서, 고래로 미옥(美玉)을 산출함. ㉡'一山'은 강소성(江蘇省)에 있는 산.

[字源] 形聲. 山+昆〔音〕

山 8 〔崐〕11 崑(前條)과 同字

山 8 〔崒〕11 줄 [入]質 | zú シュツ けわしい

[字解] ①험할줄 산이 높고 험준함. '巉乎一乎'《吳融》. ②무너질줄 '山冢一崩'《詩經》.

[字源] 形聲. 山+卒〔音〕

山 8 〔崪〕11 崒(前條)과 同字

山 8 〔崔〕11 [人名] 최 [平]灰 | ①cuī ②cuī サイ たかい

[筆順] ′ 山 屮 岃 岸 峑 崔 崔

[字解] ①높을최 높고 큼. '一巍'. '南山一一'《詩經》. ②성최 성(姓)의 하나.

[字源] 形聲. 山+隹〔音〕

山 8 〔崖〕11 [人名] 애 [平]佳 | yá (yái) ガイ がけ

[筆順] ′ 山 屵 岸 岸 崖 崖 崖

[字解] ①낭떠러지애 현애(懸崖). '一壁'. 전(轉)하여, 사물의 끝. '無端一之辭'《莊子》. ②모애, 모날애 남과 잘 화합하지 않는 일. '一岸'. '乖則違衆, 一則不和物'《宋史》. ③기슭애 물가. 涯(水부 8획〈653〉)와 통용. '淵生珠而一不枯'《荀子》. ④경계애 지경(地境). '肆畛一之道'《淮南子》.

[字源] 形聲. 山+厓〔音〕

山 8 〔崕〕11 崖(前條)와 同字

山 8 〔崙〕11 [人名] 륜 [平]元 [平]眞 | lún ロン·リン やまのな

[筆順] ′ 山 屮 岃 岺 岺 崙 崙

[字解] 산이름륜 崑(山부 8획〈310〉)을 보라.

[字源] 形聲. 山＋侖〔音〕

山8 〔崙〕 11 崙(前條)과 同字

山8 〔崟〕 11 음 [平]侵 | yín ギン みね
[字解] ①메음 높고 험한 산. '挽葛上崎—'《杜甫》. ②가파를음 산이 높고 험함. 험준함. '慕歷阪之嶔—'《張衡》.
[字源] 形聲. 山＋金〔音〕

山8 〔崩〕 11 [高·人] 붕 [平]蒸 | bēng ホウ くずれる
[筆順] ' 山 屵 屵 岃 岃 崩 崩 崩
[字解] ①무너질붕 ㉠산 같은 것이 무너짐. '一潰'. '不騫不—'《詩經》. '不虧不—'《詩經》. ㉡쓰러짐. '—, 僵也'《廣雅》. ㉢멸망함. '黃帝湯武以興, 桀紂二世以—'《史記》. ㉣어지러워짐. '三年不爲樂, 樂必—'《論語》. ②죽을붕 천자(天子)가 죽음. '—殂'. '始皇—於沙丘平臺'《史記》. ③성붕 성(姓)의 하나.
[字源] 形聲. 山＋朋〔音〕

山8 〔㠮〕 11 崩(前條)과 同字

山8 〔崧〕 11 숭 [平]東 | sōng スウ そばだつ
[字解] ①우뚝솟을숭 산이 우뚝 치솟은 모양. '—高維嶽'《詩經》. ②숭산숭 嵩(山부 10획〈315〉)과 同字. '踰—岱'《水經注》. ③성숭 성(姓)의 하나.
[字源] 形聲. 山＋松〔音〕

山8 〔㟅〕 11 장 [平]陽 | qiāng ショウ けわしい
[字解] 험할장 산이 높이 겹쳐진 모양. '—, 山㥄也'
[字源] 形聲. 山＋戕〔音〕

山8 〔崣〕 11 위 [上]紙 | wěi イ たかい
[字解] 높을위 산이 높은 모양. '摧—崛崎'《司馬相如》.

山8 〔嵫〕 11 치 [平]支 | zī シ ひとしくない
[字解] 고르지않을치 '—嶷'는 한결같지 않음. 또, 높고 크고 험준한 모양. '岑崟—嶷, 駢巃嵸兮'《王延壽》.

山8 〔崗〕 11 [人名] 〔강〕 岡(山부 5획〈306〉)의 俗字
[筆順] ' 山 屵 岗 岗 岗 岗 崗 崗

山8 〔崆〕 11 공 ①[平]東 | kōng コウ たかく ②[平]江 | kōng けわしい
[字解] ①산이름공 '—峒'은 감숙성(甘肅省)에 있는 산. '—峒在岷州溢洛縣'《唐書》. ②가파를공 '—㟮'은 산이 높고 험준한 모양. '詎敢陵—㟮'《韓愈》.
[字源] 形聲. 山＋空〔音〕

山8 〔嵱〕 11 답 [入]合 | tà トウ かさなる
[字解] 산겹칠답 첩첩으로 산이 겹쳐 있는 모양. '—, 山重皃'《集韻》.

山8 〔崎〕 11 [人名] 기 ①[平]支 ②[平]微 | qí キ さき, けわしい
[筆順] ǀ 山 山 山 岐 岐 崎 崎
[字解] ①험할기 산길이 험준함. '—嶇而經丘'《陶潛》. ②갑기 바다로 뾰족하게 내민 땅. 곶. '望之若—'《晉書》.
[字源] 形聲. 山＋奇〔音〕

山8 〔崚〕 11 릉 [平]蒸 | léng リョウ たかくかさなる
[字解] 험할릉 첩첩산이 높고 험준함. '—嶒起青嶂'《沈約》.
[字源] 形聲. 山＋夌〔音〕

山8 〔崏〕 11 〔민〕 岷(山부 5획〈305〉)·䃉(山부 12획〈320〉)과 同字

山8 〔崛〕 11 굴 [入]物 | jué クツ そばだつ
[字解] 우뚝솟을굴 산 같은 것이 높이 솟은 모양. '—起'. '洪臺—其獨出兮'《揚雄》.
[字源] 形聲. 山＋屈〔音〕

山8 〔崫〕 11 崛(前條)과 同字

山8 〔崢〕 11 쟁 [平]庚 | zhēng ソウ たかくけわしい
[字解] 가파를쟁 산 같은 것이 높고 험한 모양. 또, 높은 산봉우리. '—嶸'. '高言軋霄—'《韓愈》.
[字源] 形聲. 山＋爭〔音〕

山8 〔崝〕 11 崢(前條)과 同字

山8 〔崝〕 11 쟁 [平]庚 | zhēng ソウ たかい
[字解] 가파를쟁 崢(前前條)과 同字. '陟西

嶽之嶢一'《揚雄》.
[字源] 形聲. 山＋靑〔音〕

山8 〔崤〕11 효 [平]肴|xiáo yáo コウ やまのな
[字解] 산이름효 하남성(河南省) 낙녕현(洛寧縣) 북쪽에 있는 산. '一之嶔巖, 文王所避風雨'《公羊傳》.
[字源] 形聲. 山＋肴〔音〕

山8 〔崦〕11 엄 [平]鹽 [上]琰|yān エン やまのな
[字解] 산이름엄 '一嵫'는 감숙성(甘肅省) 천수현(天水縣) 서쪽에 있는 산. 해가 지는 산이라 함. '望一嵫而勿迫'《楚辭》.
[字源] 形聲. 山＋奄〔音〕

山8 〔崐〕11 〔외〕 嵬(山부 10획〈315〉)와 同字

山8 〔崵〕11 괴 [去]寘|kuì キ ひきつる
[字解] 당길괴 심줄이 당기는 모양. '筋節一急'《列子》.

山8 〔崥〕11 비 [上]紙|bǐ ヒ ふもと
[字解] 산기슭비 '峡一'는 산록(山麓). '崔嵬不崩, 賴彼峡一'《太玄經》.
[字源] 形聲. 山＋卑〔音〕

山8 〔崍〕11 [人名] 래 [平]灰|lái ライ やまのな
[筆順] 丨 山 山 山一 山亠 山丆 崍 崍
[字解] 산이름래 '邛一'는 사천성(四川省) 영경현(滎經縣) 서쪽에 있는 산. '一山'이라고도 함.
[字源] 形聲. 山＋來〔音〕

山8 〔崌〕11 거 [平]魚|jū キョ やまのな
[字解] 산이름거 '一山, 江水出焉, 東流注於大江, 其中多怪蛇'《山海經》.
[字源] 形聲. 山＋居〔音〕

山8 〔峴〕11 얼 [入]屑|niè ゲツ たかい
[字解] 높을얼 산이 높은 모양. '嵽一孤亭'《木華》.

山8 〔崓〕11 고 [去]遇|gù コ しま
[字解] 섬고 도서(島嶼). '出沒島一'《宋史》.
[字源] 形聲. 山＋固〔音〕

山8 〔崨〕11 첩 [入]葉|jié ショウ たかい
[字解] ①산모양첩 嶫(山부 14획〈321〉)과 통용. '一, 山皃'《玉篇》. ②높을첩 산이 높은 모양. '一, 山高貌'《正字通》.
[字源] 形聲. 山＋疌〔音〕

山8 〔嶘〕11 잔 [上]潸|zhǎn サン けわしい
[字解] 험준할잔 산이 가파르고 험악한 모양. '一嵼, 山峻皃. 或作巉'《集韻》.
[字源] 形聲. 山＋戔〔音〕

山8 〔嵂〕11 嶘(前條)과 同字

山8 〔崞〕11 곽 [平]藥|guō カク やまのな
[字解] ①산이름곽 산서성(山西省) 원평현(原平縣)의 서북쪽에 있는 산. '𡺓, 說文, 山也. 左雁門. 隸作一'《集韻》. ②고을이름곽 지금의 산서성(山西省) 원평현(原平縣). '一, 縣名. 在代州'《廣韻》.
[字源] 形聲. 篆文은 山＋𩫖〔音〕

山8 〔崊〕11 림 [平]侵|lín リン やまいし
[字解] 산석모양림 산석(山石)의 모양. '一, 山石也'《字彙》.

山8 〔崁〕11 감 [上]感|kǎn カン あな
[字解] 구덩이감 깊고 캄캄한 산 속의 구덩이. '一窞巖窫'《馬融》.

山8 〔㟢〕11 〔기〕 郊(邑부 4획〈1513〉)·岐(山부 4획〈304〉)의 古字

山9 〔嵌〕12 감 ①②[平]咸 ③④[去]陷|qiàn(qiān) カン たに, ほらあな
[字解] ①산골짜기감 '山一'은 깊은 산골짜기. '一巖巖其龍鱗'《揚雄》. ②굴감 땅이나 바위의 깊이 팬 곳. 공동(空洞). '一空'. '竹竿接一竇'《杜甫》. ③새겨넣을감 상감(象嵌)함. '一入'. ④끼워넣을감 삽입(插入)함. '漢書舊本, 每於句中一注'《史記評林》.
[字源] 形聲. 山＋歁〈省〉〔音〕

山9 〔嵔〕12 외 [上]尾|wěi イ うねりまがる
[字解] 꾸불꾸불할외 산이 험준하여 꾸불텅꾸불텅한 모양. '嵗磈一廆'《司馬相如》.
[字源] 形聲. 山＋畏〔音〕

山9 〔㟪〕12 嵔(前條)와 同字

山9〔崱〕12 즉 ㊅職|zè ショク つらなる

字解 ①잇닿을즉 산이 연(連)한 모양. '開軒望崱—'《劉峻》. ②쭈뼛할즉 '岃—'은 산봉우리가 높이 솟은 모양. '岃—西來勢何壯'《貢師泰》. ③가지런하지않을즉 참치부제(參差不齊)한 모양. '—繒綾而龍鱗'《王延壽》.

字源 形聲. 山+則〔音〕

山9〔崶〕12 봉 ㊥冬|fēng ホウ やまのな

字解 산이름봉 지금의 광동성 봉천현(廣東省封川縣)의 경계에 있는 산 이름. '—, 山名, 一名, 龍門山, 在封州, 大魚上化爲龍, 上不得點額, 血流, 水爲丹色也'《廣韻》.

字源 形聲. 山+封〔音〕

山9〔崺〕12 이 ㊤紙|yǐ イ ひくくながい

字解 ①낮고길이 '崣—'는 산이 낮고 길게 옆으로 뻗은 모양. '升東嶽, 而知衆山之崣—也'《揚子法言》. ②구릉이름이 '崣—, 丘名'《集韻》.

字源

山9〔嵕〕12 종 ㊥東 ㊤董|zōng ソウ むらがるみね

字解 ①산이름종 '九—'은 섬서성(陝西省) 예천현(醴泉縣) 동북에 있는 산. 또, 호북성(湖北省) 효감현(孝感縣) 동북에 있는 산. '九—山, 一名九宗山, 環阜卅嶂, 林麓深杳, 不減長安之九—'《輿地紀勝》. ②산봉우리종 높이 무리져 있는 봉우리들. '夷—築堂'《漢書》.

字源 形聲. 山+㚇〔音〕

山9〔嵸〕12 嵕(前條)과 同字

山9〔嵐〕12 람 ㊥覃|lán ラン もや

字解 ①남기람 저녁나절에 멀리 보이는 산 같은 데 떠오르는 푸르스름하고 흐릿한 기운. 이내. '—氣'. '夕陽彩翠忽成—'《王維》. ②산바람람 '夕曛—氣陰'《謝靈運》. ③회오리바람람 또, 열풍(烈風). '旋—, 梵云, 迅猛風'《正字通》.

字源 形聲. 山+葻〈省〉〔音〕

山9〔嵊〕12 〔초〕 峭(山부 7획〈309〉)와 同字

山9〔崴〕12 위 ①㊤尾 ②㊥灰|イ けわしい wēi ワイ たいらでない

字解 ①높을위 '—嵬'는 산 같은 것이 높은 모양. '軫石—嵬'《楚辭》. ②울퉁불퉁할위 '—磈'는 울퉁불퉁하여 평탄하지 아니한 모양. '—磈嵔瘣'《司馬相如》.

字源 形聲. 山+威〔音〕

山9〔嵂〕12 률 ㊅質|lǜ リツ けわしい

字解 가파를률 '—崒'은 산이 높고 험한 모양. '隆崇—崒'《司馬相如》.

字源 形聲. 山+律〔音〕

山9〔崽〕12 ㊀새 ㊥佳|サイ こども ㊁재 ㊤賄|zǎi サイ こども ㊂사 ㊤紙|シ こども

字解 ㊀①자식새 아이. '—者, 子也. 湘沅之會, 凡言是子者, 謂之—, 若東齊言子矣'《揚子方言》. ②저것새 사람을 업신여겨 욕하는 말. '—, 方言云, 江湘凡言是子謂之—. 自高而侮人也'《廣韻》. ㊁ 자식재, 저것재 ■과 뜻이 같음. ㊂ 자식사, 저것사 ■과 뜻이 같음.

山9〔崲〕12 정 ㊥青|tíng テイ やまのな

字解 산이름정 산서성(山西省) 대동현(大同縣)의 동쪽에 있는 산.

山9〔崹〕12 제 ㊥齊|tí テイ たいらかになる

字解 산(山)의형태가점점평평해지는모양제 '—, 峠—, 山形漸平皃'《集韻》.

山9〔嵏〕12 수|sǒu ソウ やまのな

字解 ①산이름수 '—崮'는 산동성(山東省) 몽음현(蒙陰縣)의 서남부에 있는 산. ②물이름수 수고산(叟崮山)의 북쪽 기슭에서 발원(發源), 북류(北流)하여 동문하(東汶河)로 흘러 드는 강. '東南與—崮水合'《水經注》.

山9〔嵗〕12 〔세〕 歲(止부 9획〈604〉)의 俗字

山9〔嵋〕12 미 ㊥支|méi ビ やまのくま

字解 산이름미 '峨—'는 사천성(四川省)에 있는 산. '峨—爲衆陽之揭'《郭璞》.

字源 形聲. 山+眉〔音〕

山9〔嵧〕12 〔민〕 岷(山부 5획〈305〉)과 同字

山9〔嵎〕12 우 ㊥虞|yú グウ やまのくま

字解 ①산모퉁이우 산기슭의 모롱이. '虎

負一, 莫之敢攖'《孟子》. ②구석우 모퉁이. 隅(阜부 9획〈1620〉)와 뜻이 같음. '西極之南一有國焉'《列子》. ③가파를우 높고 험준함. '一嵎錯崔'《後漢書》.
字源 形聲. 山+禺〔音〕

山9 〔崿〕12 악 ㊇藥 | è ガク がけ

筆順 丨 山 山 山ㅁ 山ㅁㅁ 山罒 崿 崿

字解 ①낭떠러지악 '崖一'. '坻一鱗眴'《張衡》. ②산모롱이악 '�一'. ③높을악 산이 높고 험준함. '崇岳兮嵬一'《夏侯湛》.
字源 形聲. 山+咢〔音〕

山9 〔崿〕12 崿(前條)과 同字

山9 〔嵁〕12 감 ㊉覃 ㊤感 | kān カン けわしい

筆順 山 山一 山廾 山甘 山其 嵁 嵁 嵁

字解 ①울퉁불퉁할감 '一巖'은 험하여 평탄하지 아니한 모양. '大山一巖之下'《莊子》. ②험준할감 '一崿'은 높고 험한 모양. '恆碣一崿于青霄'《左思》.

山9 〔嵑〕12 갈 ①②㊇月 ③㊇曷 | jié ケツ いしぶみ / hé カツ けわしい

字解 ①비갈 碣(石부 9획〈874〉)과 同字. '封神丘兮建隆一'《漢書》. ②높이솟을갈 산(山)이 우뚝 솟음. '一, 山特立也'《正字通》. ③험준할갈 산석(山石)의 높고 험한 모양. '其山則崆峴嶱一'《張衡》.
字源 形聲. 山+曷〔音〕

山9 〔崷〕12 추 ㊉尤 | qiú シュウ けわしい

字解 가파를추 '一崒'은 산이 높고 험준한 모양. 일설(一說)에는, 산이 길고 높은 모양. '巖峻一崒'《班固》.

山9 〔𡾰〕12 崷(前條)와 同字

山9 〔嵃〕12 언 ㊤銑 ㊋霰 | yǎn ゲン けわしい

字解 가파를언 '一峭'는 산이 험준한 모양. '峻一峭以繩直'《潘岳》.
字源 形聲. 山+彥〔音〕

山9 〔嵄〕12 人名 미 ㊤紙 | měi ビ やま

筆順 丨 山 山丷 山䒑 山羊 嵄 嵄 嵄

字解 깊은산미 심산(深山).

山9 〔崳〕12 유 ㊉虞 | yú ユ やまのな

字解 산이름유 ㉠'一次'는 산서성(山西省) 유차현(榆次縣)의 경계에 있음. ㉡'一山'은 복건성(福建省) 하포현(霞浦縣) 동쪽의 해도(海島)에 있음.
字源 形聲. 山+俞〔音〕

山9 〔嵟〕12 권 ㊉先 | quán ケン やまのな

字解 산이름권 '一嶙'는 하북성(河北省) 당산시(唐山市)의 북쪽에 있는 산. 巏(山부 18획〈323〉)과 통함. '趙郡栢鄉縣有一嶙山'《隋書》.

山9 〔崵〕12 ㊀양 ㊉陽 ㊁탕 ㊤養 | yáng ヨウ やまのな / トウ やまのな

字解 ㊀①산이름양 '首一'은 산서성(山西省) 영제현(永濟縣)의 남쪽에 있는 산. 백이(伯夷)·숙제(叔齊)가 숨어 산 수양산(首陽山)임. '一, 首陽山也'《說文》. ②골짜기이름양 해가 지는 곳으로 여겨졌던 골짜기. 暘(日부 9획〈511〉)과 통용. '一, 此即堯典之嵎夷暘谷也'《說文 段注》. ㊁산이름탕 '一, 山名. 漢高帝隱處'《廣韻》.
字源 形聲. 山+易〔音〕

山9 〔崲〕12 황 ㊉陽 | huáng コウ

筆順 山 山' 山白 山白 山白 崲 崲 崲

字解 호수이름황 '休一'은 호수의 이름. '一, 地名. 南史, 始寧郡有休一湖'《集韻》.

山9 〔崼〕12 시 ㊤紙 | shì シ やまのな

字解 산이름시 '一, 山也'《集韻》.

山9 〔嵖〕12 차 ㊉歌 | chá サ やまのな

字解 산이름차 '一岈'는 산이름. 嵯(山부 10획〈315〉)와 통용. ㉠산동성(山東省) 평도현(平度縣)의 동북쪽에 있는 산. ㉡하남성(河南省) 수평현(遂平縣)의 서쪽에 있는 산.

山9 〔嵃〕12 〔엄〕 崦(山부 8획〈312〉)과 同字

山9 〔嵇〕12 혜 ㊉齊 | jī ケイ やまのな, せい

字解 ①산이름혜 하남성(河南省) 수무현(修武縣) 서북에 있는 산. ②성혜 '一康'은 진(晉)나라 사람.
字源 形聲. 山+稽〈省〉〔音〕

山 9 〔嵇〕12 嵇(前條)와 同字

山 9 〔嵒〕12 암 [平]咸 | yán ガン いわ

[字解] ①바위암 큰 돌. '三一鼎立勢欲墜'《郝經》. ②낭떠러지암 석벽(石壁). '碕嶺爲之一㠋'《郭璞》. ③가파를암 산세(山勢)가 가팔라 위험함. '崔嵬岑一'《嵇康》.
[字源] 會意. 品+山

山 9 〔嵓〕12 嵒(前條)과 同字

山 9 〔嵍〕12 [一] 무 [去]遇 | wù ブ·ム おか
[二] 모 [平]豪 | máo ボウ おか

[字解] [一] ①산이름무 하북성(河北省) 당산시(唐山市)의 북부에 있는 산. '一, 山名'《說文》. ②언덕무 [二]와 뜻이 같음. [二] 언덕모 앞이 높고 뒤가 낮은 언덕. '一, 丘前高後下也'《集韻》.
[字源] 篆文은 形聲. 山+敄〔音〕

山 10 〔嵩〕13 [人名] 숭 [平]東 | sōng スウ たかい

[筆順] 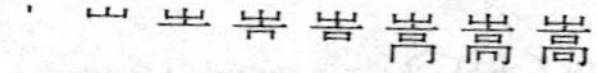

[字解] ①숭산숭 '一山'은 오악(五嶽)의 하나로서, 하남성(河南省) 등봉현(登封縣) 북쪽에 있으며, 중악(中嶽) 또는 '一高'라고도 함. ②높을숭 산이 크고 높음. '瞰帝唐之一高兮'《漢書》. ③성숭 성(姓)의 하나.
[字源] 會意. 山+高

山 10 〔嵬〕13 외 [平]灰 | ①wéi, ②guī ガイ けわしい ③ワイ たいらでない

[字解] ①높을외 산이 높고 험준함. '五岳崔一'《新論》. ②괴이할외 멋대로 굶. '矞宇一瑣'《荀子》. ③평탄치않을외 '崴一, 不平皃'《集韻》.
[字源] 形聲. 山+鬼〔音〕

山 10 〔嵟〕13 퇴 [平]灰 [上]賄 | duī タイ たかい

[字解] 높을퇴 또, 높은 모양. '一, 高也'《說文》. '一, 高皃'《廣韻》.
[字源] 形聲. 屵+隹〔音〕

山 10 〔嶏〕13 비 [上]紙 | pǐ ヒ くずれる

[字解] ①무너질비 '一, 崩也'《廣韻》. ②으슥한곳비 후미지고 어둑어둑한 곳. '一, 隱也'《六書總要》.
[字源] 形聲. 屵+肥〔音〕

山 10 〔嵡〕13 옹 ①[平]東 ②[上]董 | オウ やまのな wěng オウ やまのけいよう

[字解] ①산이름옹 '一, 山名'《集韻》. ②산옹산의 모양. '一, 山皃'《集韻》.

山 10 〔嵟〕13 퇴 [平]灰 | duī タイ きし

[字解] 언덕퇴 물가의 높이 언덕진 곳. '於蜀則蜀守李冰鑿離一, 避沫水之患'《漢書》.

山 10 〔嵕〕13 〔준〕
峻(山부 7획〈309〉)과 同字

山 10 〔嵬〕13 [一] 嵬(山부 10획〈315〉)와 同字
[二] 磈(石부 10획〈876〉)와 同字

山 10 〔嵫〕13 자 [平]支 | zī シ やまのな

[字解] ①산이름자 '崦一'는 감숙성 천수현(甘肅省天水縣) 서쪽에 있는 산. '崦一, 山名, 日所入處'《集韻》. ②험준할자 높고 험준한 모양. '紛厖鴻兮, 崱屴一嶭'《王延壽》.
[字源] 形聲. 山+茲〔音〕

山 10 〔嵠〕13 〔계〕
谿(谷부 10획〈1367〉)와 同字

山 10 〔嫇〕13 명 [上]迥 | mǐng ベイ たかい

[字解] 산높을명 '一, 嫈一, 山高皃'《集韻》.

山 10 〔嵅〕13 함 [平]咸 | hán カン せきのな

[字解] 관(關)이름함 '一谷'은 함곡관(函谷關). 函(凵부 6획〈97〉)과 同字.

山 10 〔嵯〕13 [一] 차 [平]歌 | cuó サ たかい
[二] 치 [平]支 | cī シ ふぞろい

[字解] [一] 우뚝솟을차 '一峨'는 산 같은 것이 우뚝 솟은 모양. '雲髻一峨'《曹植》. '山岳一峨而連岡'《衛恆》. [二] 울쑥불쑥할치 '嵾一'는 여러 산봉우리나 산석(山石) 같은 것이 고저의 차가 심한 모양. '石嵾一以翳目'《楚辭》.
[字源] 形聲. 山+差〔音〕

山 10 〔嵳〕13 嵯(前條)와 同字

山 10 〔嵲〕13 얼 [入]屑 | niè ゲツ やまがたかい

[字解] 산우뚝할얼 산이 높음. '嵽一, 山高'《集韻》.
[參考] 峴(山부 8획〈312〉)과 同字.

山10〔嵱〕13 용 ①㊥冬 yóng ヨウ やまのな ②㊤腫 yǒng ヨウ たかくひくくむらがる

字解 ①산이름용 지금의 광서성(廣西省)에 있는 산명(山名). '一, 山名, 在容州'《集韻》. ②산울쑥불쑥할용 산봉우리의 여기저기 높이 솟은 모양. '臨高衍之一嵷兮'《揚雄》.

山10〔嵰〕13 겸 ①㊤琰 qiǎn ケン たかい ②㊥鹽 ケン たかくけわしい

字解 ①산우뚝할겸 산이 높은 모양. '一, 山高皃'《集韻》. ②산가파를겸 산이 높아 험준(險峻)한 모양.
字源 形聲. 山+兼〔音〕

山10〔嵣〕13 당 ㊥陽 ㊤養 ㊦漾 ①②táng トウ やまのな ③dàng トウ やまのけいよう ④トウ やまのけいよう

字解 ①산당 '一�'은 산의 모양. '一岷, 山皃'《廣韻》. ②산이름당 '岷一'은 산 이름. '岷一, 山名'《集韻》. ③산석(山石)넓고클당 '一崲'은 산석이 넓고 큰 모양. '一崲嶚刺'《張衡》. ④산모양당 산의 모양. '一, 山形'《集韻》.

山10〔嵤〕13 ㊀형 ㊥青 yíng ケイ やまがふかい ㊁영 ㊥庚 róng エイ たかくけわしい

字解 ㊀산으슥할형 산의 깊은 모양. '岭一, 山深皃'《集韻》. ㊁가파를영 嶸(山부 14획〈321〉)과 同字.
字源 形聲. 山+熒〈省〉〔音〕

山10〔嵞〕13 도 ㊥虞 tú ト やまのな

字解 ①산이름도 ㉠우(禹)임금이 제후(諸侯)를 회합(會合)시켰다고 전해지는 산. 지금의 산동성(山東省) 연주현(兗州縣)의 서쪽에 있는 회계산(會稽山). ㉡우임금이 장가든 여인(女人)의 씨족(氏族)의 주거지라고 전해지는 산. 안휘성(安徽省) 회원현(會遠縣)의 동남쪽. ②옛나라이름도 '一山'은 우임금이 장가든 여인의 나라 이름. '一山, 古國名, 禹所娶也'《廣韻》.
字源 形聲. 屾+余〔音〕

山10〔嵮〕13 전 ㊥先 tián テン いただき

字解 ①산꼭대기전 산정(山頂). '望其曠, 皋如也, 一如也'《荀子》. ②막힐전, 찰전 塡(土부 10획〈216〉)과 통용. '一, 與塡同. 謂土塡塞也'《荀子 注》.

山10〔嵮〕13 嵮(前條)의 俗字

山10〔嵊〕13 승 ①㊦徑 shèng ショウ やまのな ②㊥蒸 chéng

字解 ①산이름승 절강성(浙江省) 승현(嵊縣) 동쪽에 있는 산. '今行嵊一外'《江淹》. ②역참이름승 승산(嵊山)의 부근에 있는 역참의 이름. '一, 亭名. 在吳'《集韻》.
字源 形聲. 山+乘〔音〕

山10〔嵥〕13 걸 ㊇屑 jié ケツ たかい

字解 높을걸 산이 높은 모양. '一嵲, 高皃'《廣韻》.

山11〔嶃〕14 참 ㊥咸 chán ザン けわしい

字解 가파를참 산이 험준한 모양. '一絕峯殊狀'《丘遲》. '一巖嵾嵯'《司馬相如》.
字源 形聲. 山+斬〔音〕

山11〔嶄〕14 嶃(前條)과 同字

山11〔巢〕14 초 ㊥蕭 ショウ たかい ㊥肴 cháo ソウ たかい

字解 높을초, 우뚝할초 산의 높은 모양. '嶚一, 山高皃'《集韻》.

山11〔嶈〕14 장 ㊥陽 qiāng ショウ みずのおと

字解 ①물소리장 '一一'은 물결이 산 같은 데 부딪쳐 울리는 소리. '揚波濤於碣石, 激神嶽之一一'《班固》. ②산우뚝솟을장 산의 높은 모양. '一, 山高皃'《集韻》.
字源 形聲. 山+將〔音〕

山11〔嶉〕14 ㊀추 ㊤紙 ツイ こうだい, けわしい ㊁최 ㊤賄 zuǐ サイ こうだい, けわしい

字解 ㊀①높고클추 산이 높고 큰 모양. '一, 山高大貌'《韻會小補》. ②험준할추 '一崣'는 험준한 모양. '一崣崛崎'《司馬相如》. ③높이쌓일추 재목(材木)이 높이 쌓여 있는 모양. '一嶉而成觀'《漢書》. ④숲높이겹쳐질추 산림(山林)이 높게 중첩(重疊)되어 있는 모양. '一, 山林崇積皃'《廣韻》. ㊁높고클최, 험준할최, 높이쌓일최, 숲높이겹쳐질최 ㊀과 뜻이 같음.

山11〔嶉〕14 취 [上]紙 | zuī スイ やまのたかひくがあってうねるさま

[字解] ①산굽이칠취 높고 낮은 산줄기가 굴곡을 이루며 굽이친 모양. '—, 嵬—, 山高下盤曲皃'《玉篇》. ②재목(材木)이많이 쌓여있는모양취 '—, 嶊—, 材木叢積貌'《韻會》.

山11〔⿱山郭〕14 확 [入]藥 | kuò カク たにがふかい

[字解] 골짜기깊을확 '—, 嵺—, 谷深'《集韻》.

山11〔⿱山強〕14 강 [去]漾 | jiàng キョウ やまのな

[字解] 산이름강 청해(青海)·감숙(甘肅)·사천(四川)의 세 성(省)의 경계에 있는 산. 옛날에는 서경산(西傾山)이라 했음. '西傾山, 今—臺山'《括地志》.

山11〔⿱山累〕14 〔뢰〕 礧(石부 15획〈883〉)와 同字

山11〔㠑〕14 ⿱山累(前條)와 同字

山11〔嶁〕14 루 ①[上]麌 | lǚ ル みねのな ②[上]有 | lǒu ロウ いただき

[字解] ①산봉우리이름루 '岣—'는 호남성(湖南省)에 있는 형산(衡山)의 주봉(主峯). ②산꼭대기루 산정(山頂). '—, 文字音義云, 山巓也'《廣韻》.
[字源] 形聲. 山+婁〔音〕

山11〔⿱山婁〕14 嶁(前條)와 同字

山11〔⿱山移〕14 이 [平]支 | yí イ やまのな

[字解] 산이름이 산명(山名). '—, 山也'《集韻》.

山11〔嶂〕14 장 [去]漾 | zhàng ショウ みね

[字解] 산봉우리장 험준하여 병풍을 세운 것처럼 길게 연하여 있는 산봉우리. '崚嶒起靑—'《沈約》.
[字源] 形聲. 山+章〔音〕

山11〔嵷〕14 [一] 송 [上]腫 | sǒng ショウ やまのみね [二] 종 [平]東 | zōng ソウ たかくけわしい

[字解] [一] ①봉우리뾰족할송 '嵱—, 山峯皃'《集韻》. ②산험준할송 산이 높고 험한 모양. '巃—崔巍'《司馬相如》. [二] 산우뚝할종 산이 우뚝한 모양.
[字源] 形聲. 山+從〔音〕

山11〔嵸〕14 嵷(前條)과 同字

山11〔嶇〕14 구 [平]虞 | qū ク たいらでない

[字解] ①언틀먼틀할구 산길이 험하여 평탄하지 아니한 모양. '軌崎—以低仰'《潘岳》. ②가파를구 산이 높고 험준한 모양. '—嶔'. ③ 산꼭대기구 산정(山頂). '隨山上—嶔'《范曄》. ④괴로워할구 '奉兩孱王崎—嶺海'《宋史》.
[字源] 形聲. 山+區〔音〕

山11〔⿱山陵〕14 〔릉〕 崚(山부 8획〈311〉)과 同字

山11〔嵼〕14 산 [上]潸 | chǎn サン くっきょくする

[字解] 산굽을산 산이 굴곡(屈曲)한 모양. '巉—, 山曲皃'《集韻》.

山11〔嵺〕14 료 [平]蕭 | liáo リョウ たかい

[字解] ①우뚝솟을료 산이 우뚝 솟은 모양. '元甲峠—以岳峙'《杜甫》. ②쓸쓸할료 소조(蕭條)한 모양. '原野—愀'《後漢書》.
[字源] 形聲. 山+翏〔音〕

山11〔⿱山翏〕14 嵺(前條)와 同字

山11〔⿰山票〕14 표 ①[上]篠 ②[平]蕭 | biǎo ヒョウ いただき biāo

[字解] ①산꼭대기표 산정(山頂). '拔藥靈山—'《庾蘭》. ②산우뚝솟을표 '—, 山峯出皃'《集韻》.

山11〔⿰山聊〕14 료 ①[平]肴 ②[平]豪 | リョウ やまのな láo ロウ ふかい

[字解] ①산이름료 '—, 山名'《集韻》. ②깊을료, 휑뎅그렁할료 '—嶆'는 산골짜기가 깊고 텅 빈 모양. '嶰谷—嶆張其前'《張協》.

山11〔嶆〕14 조 [平]豪 | cáo ソウ ふかくむなしい

[字解] 산휑뎅그렁할조 산이 깊고 휑 빈 모양. '⿰山聊—, 深空貌'《字彙》.

山11〔⿰山爽〕14 창 [上]養 | chuǎng ショウ よりあう

[字解] 산맞닿을창 여러 산이 서로 닿을 듯 한 모양. '羣山爲之相—'《杜甫》.

山11〔嵾〕14 참 ㊥侵 | cēn シン ひとしくない

字解 울쑥불쑥할참 '一嵯'는 산봉우리나 산석(山石) 같은 것이 높낮이가 고르지 않은 모양. '增宮一嵯'《揚雄》.

字源 形聲. 山+參〔音〕

山11〔嵾〕14 嵾(前條)과 同字

山11〔嵽〕14 ㊀절 ㊅屑 ㊁제 ㊄霽 | dié テツ たかい dì テイ やまのかたち

字解 ㊀ ①산우뚝할절 산이 높은 모양. 또, 높은 산. '凌晨過驪山, 御榻在一嵲'《杜甫》. ②산위험할절 산이 작고 높아 불안(不安)한 모양. '一嵲, 小而不安皃'《玉篇》. ㊁ 산모양제 산형(山形). '岧一, 山形'《集韻》.

山11〔嵽〕14 嵽(前條)과 同字

山11〔嵞〕14 토 ㊥虞 | tū ト やまのな

字解 산이름토 절강성(浙江省) 승현(嵊縣)의 북부에 있는 산. '一, 山名'《廣韻》.

山11〔嵮〕14 막 ㊅陌 | mò バク しげる

字解 우거질막 '一岶'은 우거진 모양. '一岶, 密皃'《集韻》.

山11〔嶇〕14 호 ㊤麌 | hù コ ひくくおおきいやま

字解 ①낮고큰산호 '山卑而大曰一'《廣韻》. ②넓을호 산이 넓은 모양. '一, 山廣皃'《玉篇》.

山11〔嶍〕14 습 | xí シュウ やまのな

字解 ①산이름습 운남성(雲南省) 아산현(峨山縣)의 동북쪽에 있는 산. 본디, '一, 아(峨)'의 두 산을, 지금은 합쳐서 '一峨山'이라 이름. ②고을이름습 운남성 아산현의 일컬음. 원(元)나라 때에 두었음.

山11〔嶅〕14 오 ①㊥肴 ②㊄號 | áo ゴウ こいしのおおいやま ào ゴウ たかい

字解 ①잔돌산오 잔돌이 많은 산. '一, 山多小石也'《說文》. ②산우뚝할오 산이 높은 모양. '一, 山高皃'《集韻》.

字源 形聲. 山+敖〔音〕

山11〔嶅〕14 嶅(前條)와 同字

山11〔嶄〕14 참 ㊄豔 | qiàn セン あな, ほり

字解 ①구덩이참. ②해자참 塹(土부 11획〈218〉)과 同字.

山11〔嶋〕14 島(次條)와 同字

山11〔島〕14 〔도〕 島(山부 7획〈310〉)의 本字

山11〔嶌〕14 島(前條)의 俗字

山12〔嶔〕15 금 ㊥侵 | qīn キン たかくけわしい

字解 ①우뚝솟을금 높고 험준한 산이 우뚝 솟은 모양. '嶇一巋崎'《王褒》. ②산꼭대기금 산정(山頂). '隨山上嶇一'《范曄》.

字源 形聲. 山+欽〔音〕

山12〔嶚〕15 추 ㊄宥 | jiù シュウ やまのな

字解 산이름추 '一, 山名'《集韻》.

山12〔嶜〕15 침 ㊥侵 | jīn シン けわしい

字解 ①뾰족할침 '一崟'은 산봉우리 같은 것이 높고 뾰족한 모양. '玉石一崟'《漢書》. ②가파를침 '一岑'은 산이 험준한 모양. '幽谷一岑, 夏含霜雪'《張衡》. ③높을침 산(山) 따위가 높고 큰 모양. '一, 山高大皃'《集韻》.

山12〔嶘〕15 잔 ㊤潸 | zhǎn サン すぐれてたかい

字解 ①뛰어나게높을잔, 높은산잔 '太淵蘊蘊兮, 絕一岌岌'《元結》. ②산험할잔 산이 험준(險峻)한 모양. 岾(山부 8획〈312〉)과 同字. '岾嵯, 山峻皃. 或作一'《集韻》.

字源 形聲. 山+棧〔音〕

山12〔嵥〕15 ㊀뢰 ㊤賄 ㊁루 ㊤紙 | lěi ライ やま ルイ やま

字解 ㊀ 산뢰 산의 모양. '一嵲'는 산의 모양. '一, 一嵲, 山皃也'《說文》. ㊁ 산루 산의 모양. '礧, 磈礧, 山皃. 或作一'《集韻》.

字源 形聲. 山+絫〔音〕

山12〔嶏〕15 ㊀배 ㊄隊 ㊁비 ㊄未 ㊤紙 ㊂불 ㊅物 | pèi ハイ くずれるおと pǐ ヒ くずれるおと ヒ こわれる フツ くずれるおと

字解 ㊀ 무너지는소리배 '一, 崩聲'《說文》. ㊁ ①무너지는소리비 ㊀과 뜻이 같음.

②부서질비, 무너질비 圮(土부 3획〈200〉)와 同字. '一, 壞也'《集韻》. [二] 무너지는소리불, 돌떨어지는소리불 '一, 崩聲'《廣韻》. '一, 石隕聲'《集韻》.
[字源] 形聲. 屵+配〔音〕

山 12 〔嶡〕15 [一]귀 [去]霽 | guì ケイ そばだつ
[二]궐 [入]月 | jué ケツ そのな
[字解] [一]치솟을귀 산이 우뚝 솟음. '一, 山崛起貌'《字彙》. [二]적대이름궐 가로나무를 댄 다리가 달린 조(俎). '一, 俎名. 足有橫'《集韻》.

山 12 〔[illegible]〕15 〔화〕
崋(山부 8획〈310〉)의 本字

山 12 〔嶒〕15 증 [平]蒸 | céng ショウ けわしい
[字解] 험할증 '崚一'은 산이 높고 험준한 모양. '懸崖抱奇崛, 絶壁駕崚一'《何遜》.

山 12 〔嶕〕15 초 [平]蕭 | jiāo ショウ たかい
[字解] ①높을초 '一嶢'는 산 같은 것이 높은 모양. '別風一嶢'《班固》. ②산꼭대기초 산정(山頂). '山顚曰山一'《正字通》.
[字源] 形聲. 山+焦〔音〕

山 12 〔嶣〕15 嶕(前條)와 同字

山 12 〔[illegible]〕15 건 [上]阮 | jiǎn ケン やま
[字解] ①산건 산의 모양. '一嵃, 山皃'《集韻》. ②산굽을건 산이 굴곡(屈曲)한 모양. '躡五屼之一嵼'《左思》.

山 12 〔嶙〕15 린 ①[平]眞 ②[上]軫 | lín リン がけふかい
lǐn
リン たかくけわしい
[字解] ①깊숙할린 '一峋'은 산이 첩첩(疊疊)이 싸여 깊숙한 모양. '岭巆一峋'《揚雄》. ②가파를린 '嶾一'은 산이 높고 험한 모양. '裁陂陀以嶾一'《潘岳》.
[字源] 形聲. 山+粦〔音〕

山 12 〔㠝〕15 동 [平]東 | tóng トウ はげやま
[字解] ①산모양동. ②민둥산동 초목(草木)이 없이 헐벗은 산. '一, 山無草木也'《字彙》.

山 12 〔嶝〕15 등 [去]徑 | dèng トウ さかみち
[字解] ①고개등 치받이 비탈길. '山上絶梯一'《蘇軾》. ②우러를등 隥(阜부 12획〈1624〉)과 同字. '隥, 說文, 仰也. 或从山'《集韻》.
[字源] 形聲. 山+登〔音〕

山 12 〔嶟〕15 준 ①[平]元 ②[平]眞 | zūn ソン たかい
シュン そばだつ
[字解] ①가파를준, 높을준 산이 높고 험준한 모양. '撽北極之一一'《揚雄》. ②치솟을준 산이 뾰족하게 솟은 모양. '一一, 竦峭皃'《集韻》.
[字源] 形聲. 山+尊〔音〕

山 12 〔嶂〕15 단 [平]寒 | dān
タン こりつしたやま
[字解] ①외딴산단 '山孤者曰一'《集韻》. ②산이름단 '一孤, 山名'《集韻》.

山 12 〔嶠〕15 교 ①[平]蕭 ②③[去]嘯 | qiáo キョウ する
jiào どくたかい
[字解] ①뾰족하고높을교 산 같은 것이 뾰족하게 솟아 있는 모양. 또, 그 산. '山銳而高曰一'《爾雅》. ②산길교 산도(山道). '一道'. '山祇蹕一路'《顏延之》. ③산봉우리교 '開零陵桂陽, 一道'《後漢書》.
[字源] 形聲. 山+喬〔音〕

山 12 〔嵪〕15 嶠(前條)와 同字

山 12 〔嶢〕15 요 [平]蕭 | yáo ギョウ たかい
[字解] 높을요 '嶕一'는 산 같은 것이 높은 모양. 높고 험준한 모양. '泰山之高不嶕一'《漢書》.
[字源] 形聲. 山+堯〔音〕

山 12 〔嶤〕15 嶢(前條)와 同字

山 12 〔嶓〕15 파 [平]歌 [去]箇 | bō ハ やまのな
[字解] 산이름파 '一冢'은 섬서성(陝西省) 면현(沔縣) 서남에 있는 산. '一山'이라고도 함. '一冢道漾'《書經》.
[字源] 形聲. 山+番〔音〕

山 12 〔嶚〕15 료 [平]蕭 | liáo リョウ たかい
[字解] 높을료 '陵絶一嶕, 聿越巉嶮'《左思》.
[字源] 形聲. 山+尞〔音〕

山 12 〔嶛〕15 嶚(前條)와 同字

山 12 〔嶗〕15 로 [平]豪 | láo ロウ やまのな, けわしい

字解 ①산이름로 '一, 山名'《玉篇》. ②험준할로 '一嶆'는 산이 험함.

山12 〔嶕〕 15 ⊟잡 ㊁合 ソウ たかい
⊟첩 ㊁葉 jiē ショウ やま
⊟집 ㊁緝 jí シュウ やま

字解 ⊟ 높을잡 산이 높은 모양. 磼(石부 12획〈880〉)과 同字. '磼, 磼礏, 山高皃. 或从山'《集韻》. ⊟ 산첩 산의 모양. '一, 山皃'《集韻》. ⊟ 산집 '一嶫'은 산의 높은 모양 '一, 一嶫, 山皃'《集韻》.

山12 〔嶞〕 15 타 ㊤哿 duǒ タ·ダ せまくてながいやま

字解 ①뾰족할타 산이 뾰족한 모양. '一山喬嶽'《詩經》. ②회오리봉타 작고 뾰족한 산.
字源 形聲. 山+惰〈省〉〔音〕

山12 〔嶨〕 15 〔민〕 岷(山부 5획〈305〉)의 本字

山12 〔嶖〕 15 〔엄〕 崦(山부 8획〈312〉)과 同字

山12 〔嶚〕 15 〔악〕 崿(山부 9획〈314〉)과 同字

山12 〔嶛〕 15 〔악〕 崿(山부 9획〈314〉)과 同字

山13 〔嶪〕 16 人名 업 ㊁葉 yè ギョウ たかくさかん

筆順 ~~~嶪

字解 험준할업 '岌一'은 산이 높고 험한 모양. 산이 가파른 모양. '狀嵬峩以岌一'《張衡》.
字源 形聲. 山+業〔音〕

山13 〔嶫〕 16 業(前條)과 同字

山13 〔嶭〕 16 알 ㊁曷 niè ガツ けわしい

字解 ①가파를알 '巀一'은 산이 고준(高峻)한 모양. '九嵕巀一, 南山峩峩'《司馬相如》. ②성알 성(姓)의 하나.
字源 形聲. 山+辥〔音〕

山13 〔嶵〕 16 ⊟죄 ㊤賄 zuì サイ けわしい
⊟최 ㊥灰 サイ おおきくたかい

字解 ⊟ ①산죄 산의 모양. 嶉(山부 13획〈321〉)와 同字. '一, 嵾一, 山皃'《廣韻》. ②험준할죄 '其山則嶔岑一嵬也'《沈炯》. ⊟ 크고높을최 崔(山부 8획〈310〉)와 同字. '崔, 說文, 大高也. 或作一'《集韻》.

山13 〔嶧〕 16 역 ㊁陌 yì エキ やまのな

字解 산이름역 ㉠강소성(江蘇省) 비현(邳縣)에 있는 산. '一陽孤桐'《書經》. ㉡산동성(山東省) 추현(鄒縣)에 있는 산.
字源 形聲. 山+睪〔音〕

山13 〔嶦〕 16 첨 ①㊥鹽 zhān セン みね
②㊦豔 shān セン やまざか

字解 ①봉우리첨 '一, 山峯'《集韻》. ②산비탈첨 '一, 山阪'《集韻》.

山13 〔嶲〕 16 〔준〕 峻(山부 7획〈309〉)과 同字

山13 〔嶮〕 16 험 ㊤琰 xiǎn ケン けわしい

字解 험할험 險(阜부 13획〈1626〉)과 同字. '壯天地之一介'《郭璞》.
字源 形聲. 山+僉〔音〕

山13 〔嶥〕 16 굴 ㊁月 kū コツ はげやま

字解 산굴, 민둥산굴 '一屼, 山皃, 一曰, 童山'《集韻》.

山13 〔嶰〕 16 해 ㊤蟹 xiè カイ たにのな

字解 ①골짜기이름해 곤륜산(崑崙山) 북쪽에 있는 골짜기. 옛날에 황제(黃帝)가 영륜(伶倫)에게 명하여 이 골짜기의 대나무로 십이율(十二律)의 피리를 만들게 하였다 함. '取竹於一谿之谷'《通鑑綱目》. 전(轉)하여, 널리 골짜기의 뜻으로 쓰임. '一澗闃, 岡岵童'《左思》. ②떨어진산해 붙어 있지 않은 산. '一, 山不相連也'《玉篇》.
字源 形聲. 山+解〔音〕

山13 〔嶱〕 16 갈 ㊁曷 gē, kě カツ たかくけわしい

字解 가파를갈 '一嵑'은 산석(山石)이 고준(高峻)한 모양. '其山則崆峴一嵑'《張衡》.

山13 〔嶬〕 16 의 ㊥支 yí ギ やまのな

字解 ①산이름의 '一, 山名'《玉篇》. ②높고험할의 '上崎一而重注'《王延壽》.
字源 形聲. 山+義〔音〕

山13 〔峩〕 16 嶬(前條)와 同字

山13 〔嶉〕 16 죄 ㊤賄 zuì サイ やま

[字解] 산죄 산의 모양. 嶵(山부 13획〈320〉)와 同字.
[字源] 形聲. 山+辠〔音〕

山13〔⿱山辠〕16 嶵(前條)의 本字

山13〔⿰山會〕16 괴 [去]泰 | kuài カイ つらなる
[字解] 완만하게연할괴 산이 완만하게 이어지는 모양. 또, 산이 으슥하고 평평한 모양. '嶰壑一峗'《馬融》.

山13〔⿰山當〕16 쟁 [平]庚 | chēng ソウ きかい
[字解] 기괴할쟁 많은 산이 기괴(奇怪)한 모양. '堪一隱倚'《揚雄》.

山13〔⿰山⿸尸⿱出山〕16 〔굴〕
崛(山부 8획〈311〉)의 本字

山13〔嶲〕16 수 [上]紙 | xī(suǐ) スイ しゅうめい
[字解] ①주이름수 지금의 사천성(四川省) 서창현(西昌縣) 일대를 관할하는 주(州)의 이름. 수(隋)나라 때 둠. ②고을이름수 '越一'는 한(漢)나라 때, 지금의 사천성 서창현에 둔 군(郡)의 이름. 巂(隹부 10획〈1635〉)와 同字.

山13〔⿰山農〕16 〔노〕
峱(山부 7획〈310〉)와 同字

山13〔嶨〕16 학 [入]覺 | xué カク おおいしのおおいやま
[字解] 석산(石山)학 큰 돌이 많은 산. '吟巴山犖一, 說楚波堆壟'《韓愈》.
[字源] 形聲. 山+學〈省〉〔音〕

山13〔⿱隓山〕16 타 [上]哿 | tuǒ タ·ダ やまがながい
[字解] ①산타 산의 모양. '一, 山皃'《說文》. ②산길타 산이 길다란 모양.
[字源] 形聲. 山+隓〔音〕

山13〔嶴〕16 〔오〕
奧(大부 10획〈238〉)와 同字
[字源] 形聲. 山+奧〔音〕

山13〔⿰山奧〕16 嶴(前條)와 同字

山14〔嶷〕17 ㊀의 [平]支 | yí ギ やまのな
㊁억 [入]職 | nì ギョク しる
[字解] ㊀ 산이름의 '九一'는 호남성(湖南省)에 있는 산으로, 순(舜)임금의 능(陵)이 있었다 함. ㊁ ①산모양억 '一, 山貌也'《海篇玉鏡》. ②높을억 높이 빼어난 모양. '其德一一'《史記》. ③숙성할억 어린아이가 조성(早成)함. 영리함. '岐一'. '克岐克一'《詩經》.
[字源] 形聲. 山+疑〔音〕

山14〔嶺〕17 [高人] 령 [上]梗 | lǐng レイ みね
[筆順] 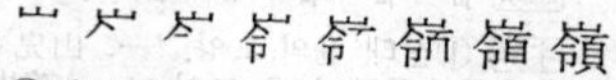
[字解] ①재령 산정(山頂)의 고개. '秋風一'. '置一白雲間'《沈約》. ②산봉우리령 산봉(山峯). '一嶂'. '岑一飛騰而反覆'《木華》. ③산길령 '一, 山道也'《說文》. ④연산령 연속한 산악. '橫看爲一側成峯'《蘇軾》. ⑤산맥이름령 호남성(湖南省)과 광동(廣東)·광서(廣西) 두 성의 경계에 있는 산맥. '一之南其州七十'《韓愈》.
[字源] 形聲. 山+領〔音〕

山14〔嶽〕17 [人名] 악 [入]覺 | yuè ガク たけ
[筆順] 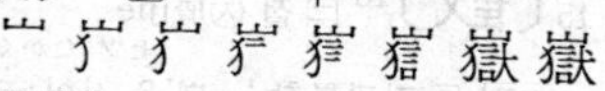
[字解] 큰산악 크고 높은 산. 岳(山부 5획〈307〉)과 同字. '五一'. '崧高維一'《詩經》.
[字源] 形聲. 山+獄〔音〕

山14〔⿱獄山〕17 嶽(前條)과 同字

山14〔嶻〕17 〔찰〕
巀(山부 15획〈322〉)의 俗字

山14〔嶾〕17 은 [上]吻 | yǐn イン たかい
[字解] 산높을은 산이 우뚝 솟은 모양. '裁峻崦以一嶙'《潘岳》.

山14〔⿱山隱〕17 嶾(前條)과 同字

山14〔嶸〕17 영 [平]庚 | róng エイ けわしい
[字解] 가파를영 '崢一'은 산이 높고 험한 모양. '金石崢一'《班固》.
[字源] 形聲. 山+榮〔音〕

山14〔⿰山豪〕17 호 [平]豪 | xiáo コウ やまのな
[字解] 산이름호 '一, 山名, 在弘農'《集韻》.

山14〔嶼〕17 서 [上]語 | yǔ(xù) ショ しま
[字解] 섬서 작은 섬. '島一'. '石帆蒙蘢以蓋

一'《郭璞》.
字源 形聲. 山+輿〔音〕

山14〔⿱山與〕17 嶼(前條)와 同字

山14〔嶵〕17 대 ㊋隊 | duì タイ たかい
筆順 山 岦 峃 峑 峷 峷 嶵 嶵
字解 ①산대 산의 모양. '一, 山皃'《集韻》. ②우뚝솟을대 높은 모양. '一, 若崇山崫起而崔嵬'《左思》.

山15〔⿱山頟〕18 액 ㊇陌 | è ガク こうだい
字解 높고클액, 고저있을액 산이 높고 큰 모양. 또, 산의 고저(高低)가 있는 모양. 峉(山부 6획〈307〉)과 同字. '啓龍門之岝一'《木華》.

山15〔巀〕18 ㊀찰 ㊇曷 | jié サツ たかくけわしい
㊁절 ㊇屑 | jié セツ たかくけわしい
字解 ㊀가파를찰 '一嶭'은 산이 높고 험준한 모양. '九嵕一嶭, 南山峩峩'《司馬相如》. ㊁가파를절.
字源 形聲. 山+截〔音〕

〔巂〕〔휴〕
隹부 10획(1635)을 보라.

山15〔⿰山畾〕18 뢰 ㊤賄 | lěi ライ こうげある
字解 울쑥불쑥할뢰 '嵬一'는 산에 고하(高下)가 있는 모양. '或嵬一而複陸'《左思》.
字源 形聲. 山+畾〔音〕

山15〔⿱山畾〕18 ⿰山畾(前條)와 同字

山15〔巁〕18 ㊀려 ㊋霽 | lì レイ たかい
㊁렬 ㊇屑 | liè レツ やまがたかい
筆順 山 山厂 山𠪚 山厞 山厲 巁 巁 巁
字解 ㊀높을려 '一, 巍也'《廣韻》. ㊁①산높을렬 산이 높은 모양. '一, 山高皃'《集韻》. ②성렬 성(姓)의 하나.
字源 形聲. 山+蠆〔音〕

山15〔⿰山⿱差土〕18 〔차〕
嵯(山부 10획〈315〉)의 本字

山15〔⿰山賛〕18 〔찬〕
巑(山부 19획〈323〉)의 俗字

山16〔巃〕19 롱 ①㊉東 | lǒng ロウ たかくけわしい
②㊤董 | ロウ うんきむしおこる
字解 ①가파를롱 '一嵸'은 산이 험준한 모양. '崇山矗矗, 一嵸崔巍'《司馬相如》. ②자욱할롱 운기(雲氣)가 자욱이 낀 모양. '山一一兮石嵯峨'《楚辭》.
字源 形聲. 山+龍〔音〕

山16〔巄〕19 巃(前條)과 同字

山16〔⿱龍山〕19 巃(前前條)과 同字

山16〔⿱山褱〕19 회 ㊉佳 | huái カイ たいらでない
字解 ①평탄하지않을회 '崴一'는 산골짜기가 울퉁불퉁하여 평탄하지 않은 모양. '一, 崴一, 不平皃'《廣韻》. ②벌여쌓을회 '崴一'는 벌여 쌓는 모양. '縹碧素玉, 隱賑崴一'《左思》.

山16〔⿰山𩫏〕19 〔곽〕
崞(山부 8획〈312〉)의 本字

山16〔⿱山辥〕19 〔알〕
嶭(山부 13획〈320〉)의 本字

山17〔巌〕20 〔암〕
巖(山부 20획〈323〉)의 略字

山17〔巇〕20 희 ㊉支 | xī キ けわしい
字解 ①가파를희 산이 가팔라서 위험한 모양. '丹崖險一'《嵇康》. ②틈희 간극(間隙). '一可抵乎'《揚子法言》.
字源 形聲. 山+戲〔音〕

山17〔巊〕20 영 ㊤梗 | yǐng エイ ふかくくらい
字解 어두울영 '一溟'은 산기(山氣)가 어두운 모양. '一溟鬱岪'《左思》.

山17〔巉〕20 참 ㊉咸 | chán サン けわしい
字解 가파를참 산이 깎아지른 듯이 가파른 모양. '一崖'. '登一巖下望兮'《宋玉》.
字源 形聲. 山+毚〔音〕

山17〔巆〕20 영 ①②㊉庚 | róng コウ ふかい
③㊉青 | ケイ けわしい
字解 ①산으슥할영 '岭一'은 산이 끝없이 깊은 모양. '岭一嶙峋, 洞無涯兮'《揚雄》. ②큰소리영 돌이 부딪치는 소리의 형용.

'礫磈磥而相摩兮, 一震天之磕磕'《宋玉》. ③험준할영 산이 높고 험함.

山17 〔隱〕20 〔은〕 嶾(山부 14획〈321〉)과 同字

山17 〔蹇〕20 〔건〕 㟗(山부 12획〈319〉)과 同字

山18 〔巍〕21 외 [平]微 | wēi(wéi) ギ たかい
[字解] 높을외 고대(高大)한 모양. '一一乎唯天爲大'《論語》.
[字源] 形聲. 嵬+委〔音〕

山18 〔魏〕21 巍(前條)와 同字

山18 〔𡾰〕21 巍(前前條)와 同字

山18 〔巋〕21 귀 ①[去]寘 ②[平]支 | kuì キ どくりつする kuī キ たかくけわしい
[字解] ①우뚝설귀 홀로 우뚝 선 모양. '一然而有餘'《莊子》. ②가파를귀 높고 험준한 모양. '嶇嶔一崎'《王褒》.
[字源] 形聲. 山+歸〔音〕

山18 〔巏〕21 [一] 권 [平]先 [二] 관 [去]翰 | quán ケン やまのな カン やまのな
[筆順] 山 屮 屮 屮 屮 屮 巏 巏
[字解] [一] 산이름권 '一務'는 하북성(河北省) 당산시(唐山市)의 북쪽에 있는 산. '一, 一務, 山名. 在柏人城東北'《集韻》. [二] 산이름관 [一]과 뜻이 같음.

山18 〔㠥〕21 [一] 률 [入]質 [二] 뢰 [上]賄 [上]紙 [三] 루 [平]支 | lǜ リツ たいらでない lěi ライ おおいし ルイ やま
[字解] [一] 평탄하지않을률 '鬱一'은 평탄하지 않은 모양. '一, 鬱一, 不平皃'《集韻》. [二] ①큰돌뢰 바위의 모양. '礧, 大石皃. 或作一'《集韻》. ②평탄하지않을뢰 '隱轔鬱一'《司馬相如》. [三] 산루 '嵔一'는 산의 모양. '㟼, 嵔㟼, 山皃. 或作一'《集韻》.

山18 〔雙〕21 송 [上]腫 | sǒng ショウ みねそびえたつ
[字解] 산봉우리쭈뼛할송 산봉우리가 높이 솟은 모양. '風御冉以縱一'《杜甫》.

山18 〔毚〕21 〔참〕 巉(山부 17획〈322〉)과 同字

山19 〔巔〕22 전 [平]先 | diān テン いただき
[字解] ①산꼭대기전 산정(山頂). '首陽之一'《詩經》. ②머리전 '其動掉眩一疾'《素問》. ③떨어질전, 떨어뜨릴전 '行不羣以一越兮'《楚辭》.
[字源] 形聲. 山+顛〔音〕

山19 〔巑〕22 찬 [平]寒 | cuán サン するどくそびえる
[字解] 산뾰족할찬, 높이솟을찬 '一岏'은 산이 높고 뾰족한 모양. 또, 그 산. '盤岸一岏'《宋玉》.
[字源] 形聲. 山+贊〔音〕

山19 〔巒〕22 만 (란[本]) [平]寒 | luán ラン こやま, やまのせ
[字解] 메만 ㉠작고 뾰족한 산. ㉡둥글고 낮은 산. '登石一以遠望兮'《楚辭》. ㉢길고 좁은 산. '一, 山墮'《爾雅》. ㉣빙 둘러싼 산. '襟帶盡巖一'《徐悱》. ㉤산등성이. '陟玉一兮逍遙'《楚辭》. ※本音 란.
[字源] 形聲. 山+䜌〔音〕

山19 〔靡〕22 미 [上]紙 | mǐ ビ やまのな
[字解] ①산이름미 '一, 山名'《集韻》. ②가파를미 '迤一'는 산이 높고 험준한 모양. '倚巇迤一, 誠可悲乎'《王褒》.

山19 〔蠆〕22 〔려〕 巁(山부 15획〈322〉)의 本字

山20 〔巖〕23 [中·人] 암 [平]咸 | yán ガン いわお
[筆順] 山 山 嵒 嵓 巖 巖 巖 巖
[字解] ①바위암 큰 돌. '一窟'. '武夷一石悉紅紫'《建安記》. ②가파를암 험준한 모양. '嶄一'. '制, 一邑也'《左傳》. ③석굴암 암혈(巖穴). '一居'. '峪窖一寝'《馬融》. ④언덕암, 낭떠러지암 애안(崖岸). '壞崖破一之水'《後漢書》. ⑤산봉우리암 '一, 峯也'《廣韻》.
[字源] 形聲. 山+嚴〔音〕
[參考] 岩(山부 5획〈305〉)은 俗字

山20 〔巗〕23 巖(前條)과 同字

山20 〔巘〕23 헌 [上]銑 [上]阮 | yǎn ゲン みね, がけ
[字解] ①봉우리헌 산의 봉우리. '絶一'. '一, 山峯'《廣韻》. ②낭떠러지헌 벼랑. '連嶂疊一崿'《謝靈運》. ③작은산헌 큰 산에서 갈라진 시루 모양의 산. '陟則在一'《詩經》.

[字源] 形聲. 山＋猷〔音〕

山 20 〔巙〕23 [一]규 [平]支 | kuí キ じんめい
[二]노 [平]豪 | náo ドウ·ノウ やまのな

[字解] [一] 사람이름규 '一, 闕. 人名'《集韻》. [二] ①산이름노 '一, 山名. 在齊'《篇海類篇》. ②개이름노 '一, 又犬也'《篇海類篇》.

山 21 〔巕〕24 [一]얼 [入]屑 | niè ゲツ けわしい
[二]알 [入]黠 | yà ガツ ちゅうぜつ

[字解] [一] 험준할얼 산이 깎아지른듯이 솟아 있는 모양. '嶮巇屹一'《張衡》. [二] 산끊어질알 산이 따로 떨어져 있는 모양. '一, 山中絶皃'《廣韻》.

巛(川)部
〔개미허리부〕

巛 0 〔巛〕3 川(次條)의 本字

[筆順] 〈 巜 巛

[參考] 부수(部首)로서 '개미허리'로 이름. '巛·川'을 의부(意符)로 하여, '내'의 뜻을 포함하는 문자가 이루어짐.

巛 0 〔川〕3 [中·人] 천 [平]先 | chuān セン かわ

[筆順] 丿 川 川

[字解] ①내천 하천. '一邊'. '凡天下之地勢, 兩山之間必有一焉'《周禮》. ②물귀신천 하백(河伯). '祭山一'《禮記》. ③굴천 굴혈(窟穴). '其一在尾上'《山海經》. ④들판천 평원(平原). '平衍田野謂之一'《夜航詩話》. ⑤성천 성(姓)의 하나.

[字源] 象形. 흐르는 물, 내를 본뜬 글자.

巛 0 〔〈〕1 견 [上]銑 | quǎn ケン こみぞ

[字解] 밭도랑견 경작지로 통하는 가장 작은 도랑. 畎(田부 4획〈797〉)의 古字. '一, 水小流也. 深尺廣尺曰一. 畎上同'《廣韻》.

[字源] 象形. 작은 도랑의 흐름을 본뜸.

巛 0 〔巜〕2 [一]괴 [去]泰 | kuài カイ みぞ
[二]환 [平]寒 | カン うるおう

[字解] [一] 봇도랑괴 경작지로 통하는 비교적 큰 도랑. 澮(水부 13획〈689〉)와 同字. '一, 說文, 水流澮澮也. 方百里有一. 廣二尋, 深二仞'《廣韻》. [二] 젖을환 '一, 濡也'《廣韻》.

[字源] 象形. 세차게 흐르는 도랑의 모양을 본뜸.

巛 0 〔巛〕3 〔곤〕 坤(土부 5획〈203〉)의 古字

[參考] 巛(部首〈324〉)·𡿧(次條)는 別字.

巛 1 〔𡿧〕4 〔재〕 災(火부 3획〈707〉)의 本字

[參考] 巛(部首〈9〉)·巛(前條)는 別字.

巛 1 〔𡿨〕4 州(次條)의 古字

巛 3 〔州〕6 [高·人] 주 [平]尤 | zhōu シュウ す

[筆順] 丶 丿 小 州 州 州

[字解] ①고을주 행정 구역의 이름으로서, 고대에 중국 전토를 나누어 '九一' 또는 '十二一'로 하였는데, 후에는 성(省) 같은 것으로 되었음. ②마을주 읍리(邑里). 주대(周代)에 2천5백가(家)를 이른 말. '一閭'. '雖一里行乎哉'《論語》. ③나라주 국토(國土). '一國'. '白狄及君同一'《左傳》. ④섬주, 모래톱주 洲(水부 6획〈643〉)와 同字. '水中可居曰一'《說文》. ⑤모일주 '群萃而一處'《國語》. ⑥성주 성(姓)의 하나.

[字源] 象形. 강 가운데의 모래톱, 강섬의 뜻을 나타냄.

巛 3 〔𡿪〕6 [一]렬 [入]屑 | liè レツ みずながれる
[二]을 [入]質 | ギツ みずながれる

[字解] [一] 흐를렬 물이 흐르는 모양 '一, 水流皃'《廣韻》. [二] 흐를을 ■과 뜻이 같음.

[字源] 形聲. 篆文은 巛＋列〈省〉〔音〕. 甲骨文은 水＋冂〔音〕

巛 3 〔𡿬〕6 𡿪(前條)의 俗字

巛 3 〔𡿫〕6 巟(次條)의 本字

巛 3 〔巟〕6 황 [平]陽 | huāng コウ あふれる

[字解] ①넘칠황 물이 넓게 넘침. '一, 說文曰, 水廣也'《廣韻》. ②큰내황 '包一. (虞注) 一, 大川也'《易經》. ③클황 '一, 大也'《廣雅》. ④미칠황, 이를황 '一, 及也'《玉篇》. ⑤빌황 공허(空虛)함.

[字源] 形聲. 巛＋亾(亡)〔音〕

巛 4 〔巠〕7 경 [平]青 [上]迥 | jīng ケイ ちかすい

字解 ①지하수경 지중(地中)의 물줄기. '一, 水𠂢也'《說文》. ②곧은물결경 수직으로 이는 물결. '直波爲一'《廣韻》. ③물모양경 물의 광대한 형용. 涬(水부 8획〈653〉)과 통용. '冥一, 水大皃'《說文 段注》.
字源 象形. 베를 짤 때의 날실을 본뜸.

巛 4 〔巡〕7 高·人 순 平眞 xún ジュン めぐる
筆順 巛 巡
字解 ①돌순 ㉠시찰 또는 경계를 하기 위하여 순행함. '一檢'. '王乃時一'《書經》. ㉡여러 곳을 빙 돎. '一廻'. '三一數之'《左傳》. ②어루만질순 위로함. '一靖黎蒸'《後漢書》.
字源 形聲. 辵+川〔音〕

巛 4 〔𡿨〕7 ㊀일 入質 yù イツ ながれる ㊁현 上銑 ケン ながれる
字解 ㊀흐를일 물이 흐름. '一, 水流也'《說文》. ㊁흐를현 ■과 뜻이 같음.
字源 形聲. 巛+日〔音〕

巛 4 〔𡿧〕7 〔돌〕 𠫓(厶부 1획〈138〉)과 同字

巛 5 〔巠〕8 〔경〕 巠(巛부 4획〈324〉)의 古字

〔甾〕 〔치〕 田부 3획(796)을 보라.

巛 6 〔𡿪〕9 〔옹〕 邕(邑부 3획〈1511〉)의 籒文

巛 6 〔𡿮〕9 〔중〕 衆(血부 6획〈1259〉)과 同字

〔邕〕 〔옹〕 邑부 3획(1511)을 보라.

〔𩠐〕 〔수〕 首부 1획(1731)을 보라.

巛 8 〔巢〕11 人名 소 平肴 cháo ソウ す
筆順 巢
字解 ①새집소 새의 보금자리. 둥지. '維鵲有一'《詩經》. 전(轉)하여, 벌레·짐승·비적(匪賊) 등의 집의 뜻으로 널리 쓰임. '一窟'. '蟭螟之一'《抱朴子》. '明日賊復傾一而至'《元史》. ②깃들일소 보금자리를 지음. '鵲始一'《禮記》. ③망루소 망대(望臺). '楚子登一車'《左傳》. ④모일소, 무리지을소 '周唯一於林'《呂氏春秋》. ⑤높을소 '一, 高也'《小爾雅》. ⑥완두소 완두콩의 새싹. '一菜'. ⑦성소 성(姓)의 하나.
字源 象形. 세 마리의 새가 나무 위의 둥지에 들어 있는 모양을 본뜸.

巛 8 〔巣〕11 巢(前條)의 略字

巛 8 〔𢧵〕11 ㊀역 入職 ヨク·イキ ながれる ㊁혹 入職 huò コク ながれる
字解 ㊀①흐를역 물이 흐르는 모양. '一, 水流皃'《說文》. ②빛날역 무늬가 있어 아름다운 모양. 彧(彡부 7획〈366〉)과 통용. '一, 詩通作彧'《正字通》. ㊁흐를혹, 빛날혹 ■과 뜻이 같음.
字源 形聲. 巛+或〔音〕

〔順〕 〔순〕 頁부 3획(1683)을 보라.

〔𦎧〕 〔할〕 舛부 7획(1110)을 보라.

巛 11 〔𡿺〕14 〔소〕 巢(巛부 8획〈325〉)의 本字

巛 12 〔巤〕15 렵 入葉 liè リョウ たてがみ
字解 ①갈기렵 '一, 毛一也. 象髮在囟上, 及毛髮一一之形也'《說文》. ②근본렵 '一, 本也'《廣韻》. ③쥐털렵 쥐의 털. '一, 又鼠毛'《廣韻》.
字源 象形. '巛'은 '머리털'의 모양, '囟'는 '머리'로 머리 위의 털, 하부는 머리털이 늘어진 모양을 본뜸.

巛 14 〔𡿿〕17 〔자〕 子(部首〈269〉)의 籒文

巛 26 〔𢀗〕29 〔자〕 孳(子부 10획〈272〉)의 籒文

工　部
〔장인공부〕

工 0 〔工〕3 中·人 공 平東 gōng コウ たくみ
筆順 一 丅 工
字解 ①장인공 물건을 만드는 사람. '職一'. '一欲善其事, 必先利其器'《論語》. ②

공업공 기물을 만드는 업. '百姓當家力農一'《史記》. ③벼슬아치공 관리. '嗟嗟臣一'《詩經》. ④악인공 음악을 연주하는 사람. '一歌文王之三'《左傳》. ⑤일공 하는 일. '女一'. '天一人其代之'《書經》. ⑥교묘할공 기술에 교묘함. '一拙'. '帝一書善畫'《南史》. ⑦점쟁이공 '使一占之'《史記》. ⑧성공 성(姓)의 하나.
字源 象形. 공구(工具)의 모양을 본뜸.

工 1 〔𢀜〕4 〔기〕 己(部首〈327〉)의 古字

工 1 〔𢀚〕4 〔거〕 巨(工부 2획〈326〉)의 古字

工 2 〔巧〕5 高·人 교 ㊤巧 ㊦效 | qiǎo コウ たくみ
筆順 一 丅 工 工 巧
字解 ①공교할교 ㉠솜씨가 있음. '一拙'. '與一者芻剝之'《漢書》. ㉡말솜씨가 있음. 겉만 번드르르하게 꾸밈. '一言令色, 鮮矣仁'《論語》. ②예쁠교 아름다움. 또, 귀염성스러움. '一笑倩兮'《詩經》. ③약을교 약삭빠름. '一妻常伴拙夫眠'《唐伯虎》. ④재주교 기능. '工有一'《周禮》. ⑤계교교 책략. 작은 꾀. '玩一而事末也'《史記》. ⑥공교히교 교묘하게. '一發奇中'. '誰家一作斷腸聲'《杜甫》.
字源 形聲. 工+丂〔音〕

〔功〕 〔공〕 力부 3획(112)을 보라.

工 2 〔巨〕5 中·人 거 ㊤語 | jù キョ おおきい
筆順 一 厂 戸 巨 巨
字解 ①클거 거대함. '一物'. '爲一室, 則必使工師求大木'《孟子》. ②많을거 '一多'. '京師之錢累一萬'《史記》. ③거칠거 조악(粗惡)함. '一屨小屨同賈'《孟子》. ④자거 곡척(曲尺). '必有一獲'《管子》. ⑤어찌거 詎(言부 5획〈1320〉)와 同字. '公一能入乎'《漢書》. ⑥성거 성(姓)의 하나.
字源 象形. 손잡이가 있는 자〔尺〕· 곱자를 본뜸.

工 2 〔左〕5 中·人 좌 ①-⑦㊤哿 ⑧㊦箇 | zuǒ サ ひだり サ たすける
筆順 一 ナ 左 左 左
字解 ①왼좌, 왼편좌 ㉠왼쪽. 왼편. '一右'. '一不攻於一'《書經》. ㉡방위로는 동쪽. 곧, 남향하여 왼쪽. '江一'. '山一'. ㉢아래. 하위(下位). '右賢一戚'《史記》. ②왼쪽으로갈좌 왼편으로 감. '欲一者一'《史記》. ③왼쪽으로할좌 ㉠왼쪽에 둠. '仍一提鼓, 右援枹'《國語》. ㉡왼쪽에 위치함. '一江右湖'《枚乘》. ㉢왼 섶이 안으로 들어가게 입음. '微管仲, 吾其被髮一衽矣'《論語》. ④멀리할좌 소외(疎外)함. '是一之也'《國語》. ⑤그를좌 ㉠옳지 아니함. '執一道以亂政'《禮記》. ㉡일이 잘 되지 아니함. '一計'. '身動而事一'《韓愈》. ⑥증거좌 증명할 수 있는 근거. '證一'. '一驗明白'《漢書》. ⑦성좌 성(姓)의 하나. ⑧도울좌 佐(人부 5획〈42〉)와 통용. '周公一右先生, 綏定厥家'《書經》.
字源 會意. ナ+工

〔仝〕 〔동〕 人부 3획(34)을 보라.

工 3 〔巪〕6 韓 걱
字解 《韓》 사람이름걱 '林一正'.

〔邛〕 〔공〕 邑부 3획(1512)을 보라.

工 3 〔巩〕6 〔공〕 巩(工부 4획〈326〉)과 同字

工 3 〔巩〕6 〔공〕 鞏(革부 6획〈1663〉)의 簡體字

〔汞〕 〔홍〕 水부 3획(626)을 보라.

工 4 〔巫〕7 무 ㊥虞 | wū(wú) フ みこ
字解 ①무당무 여자 무당. 남자 무당 곧 박수는 격(覡)이라 함. '在男曰覡, 在女曰一'《國語》. ②의사무 '一醫'. ③어지러울무 중구 난방. ④산이름무 무산(巫山)의 약칭. ⑤성무 성(姓)의 하나.
字源 象形. 장막 속에서 사람이 양손으로 제구를 받드는 모양을 형상화하여 '무당'을 뜻함.

工 4 〔巩〕7 공 ㊤腫 | gǒng キョウ いだく
字解 안을공 양손으로 안음. '一, 褱也'《說文》.
字源 形聲. 丮+工〔音〕

〔攻〕 〔공〕 攵부 3획(480)을 보라.

〔貢〕 〔공〕 貝부 3획(1385)을 보라.

工 7〔差〕10 高·人 ㊀차 ㊥麻 (④-⑦ ㊥佳 채㊍) ㊤卦 ①-③chā サ たがう ④-⑥chāi サイ つかわす ⑦chài サイ いえる ㊁치 ㊥支 (②채 ㊤卦 ㊍) ①cī シ ひとしくない ②chài サイ やや

筆順 丷 䒑 䒑 羊 羊 差 差 差

字解 ㊀ ①어긋날차 틀림. '一訛', '失之毫釐, 一以千里'《史記》. ②틀림차 상위(相違). 착오. '千里之一, 興自毫端'《後漢書》. ③차차 ㉠등급. 구별. '等一'. '其祿以事爲一也'《禮記》. ㉡한 수에서 다른 수를 뺀 나머지의 수. ④가릴차 선택함. '旣一我馬'《詩經》. ⑤사신갈차, 사신보낼차 사신(使臣)으로 감. 또, 사신으로 보냄. '一遣'. '欽一'. '好一靑鳥使, 封爲百花王'《白居易》. ⑥성차 성(姓)의 하나. ⑦나을차 병이 나음. '一劇'. '病小一'《魏志》. ※❹-❼은 本音 채. ㊁ ①들쑥날쑥할치 가지런하지 아니함. '參一'. '燕燕于飛, 一池其羽'《詩經》. ②조금치 약간. '一緩'. '拔旆投衡上, 使不帆風, 一輕'《左傳 注》. ※❷는 本音 채.
字源 形聲. 𠂹 +左〔音〕

工 7〔𢀩〕10 〔휴〕
隳(阜부 15획〈1627〉)와 同字

工 9〔㠭〕12 ㊀전 ㊤銑 ㊁선 ㊤霰 zhǎn テン みきわめる セン みきわめる
字解 ㊀ 살필전 살펴 봄. '一, 極巧視之也'《說文》. ㊁ 살필선 ㊀과 뜻이 같음.
字源 會意. 工+工+工+工

〔項〕〔항〕
頁부 3획(1683)을 보라.

工 12〔𢀶〕15 〔차〕
差(工부 7획〈327〉)의 本字

己　部

〔몸 기 부〕

己 0〔己〕3 中·人 기 ㊤紙 jǐ キ·コ おのれ

筆順 ㇆ ㇕ 己

字解 ①몸기 ㉠자기 몸. 자아. '自一'. '君子貴人而賤一'《禮記》. ㉡사사. 사욕. '克一復禮'《論語》. ②여섯째천간기 십간(十干)의 제육위(第六位). 방위로는 중앙, 오행으로는 토(土). '戊一'. '太歲在一, 曰屠維'《爾雅》. ③다스릴기 紀(糸부 3획〈980〉)와 同字. '式夷式一'《詩經》. ④성기 성(姓)의 하나.
字源 象形. 실을 둘둘 만 모양을 본뜸. 자신(自身)의 뜻으로 쓰임은 음의 차용.
參考 ①已(次條)·巳(次次條)는 각각 別字. ②'己·已·巳'는 각각 뜻은 다르나, 자형(字形)이 비슷하므로, 일괄해서 부수(部首)로 세워짐.

己 0〔已〕3 中·人 이 ㊤紙 ㊤寘 yǐ イ やむ

筆順 ㇆ ㇕ 已

字解 ①말이, 그칠이 그만둠. 또, 끝남. '死而後一'. '雞鳴不一'《詩經》. ②이미이 벌써. '一成'. '王一立在莒'《史記》. ③버릴이 버려 둠. '三一之'《論語》. ④너무이 대단히. '一甚'. '無一大康'《詩經》. ⑤따름이 단정하는 말. '而一'. '亦無及一'《漢書》. ⑥조금있다가이 그 후 얼마 안 되어. '一而有娠'《史記》. ⑦써이 以(人부 3획〈34〉)와 통용. '人之所以爲人者何一也'《荀子》. ⑧나을이 병이 나음. '疾可一, 身可活也'《史記》.
字源 象形. 농경 도구인 쟁기의 모양을 본뜸. '그치다, 이미, …뿐' 등의 뜻으로 차용함.
參考 己(前條)·巳(次條)는 別字.

己 0〔巳〕3 中·人 사 ㊤紙 sì シ み

筆順 ㇆ ㇕ 巳

字解 ①여섯째지지사 십이지(十二支)의 제육위(第六位). 달로는 음력 4월. 방위로는 동남. 시각으로는 오전 9시부터 11시까지. 띠로는 뱀, 오행(五行)으로는 화(火)에 배당함. '辰一'. '太歲在一, 曰大荒落'《爾雅》. ②자식사 태아(胎兒).
字源 象形. 뱀이 몸을 사리고, 꼬리를 드리우고 있는 모양을 본뜸.
參考 己(前前條)·已(前條)는 別字.

己 1〔巴〕4 人名 파 ㊥麻 bā ハ くにのな

筆順 ㇆ ㇕ ㇕ 巴

字解 ①땅이름파 사천성(四川省)의 중경(重慶) 지방. '一蜀'. '挾一跨蜀'《蜀志》. ②천곡파 천한 가곡(歌曲). 속된 가곡. '歌能莫雜一'《李商隱》. ③성파 성(姓)의 하

나.
[字源] 象形. 뱀이 땅바닥에 바짝 엎드린 모양을 본떠, '뱀·소용돌이'의 뜻을 나타냄.

己 2 〔㠯〕5 〔이〕
以(人부 3획〈34〉)의 古字

己 2 〔㠰〕5 〔액〕
厄(厂부 2획〈133〉)의 俗字

己 3 〔㠱〕6 〔액〕
厄(厂부 2획〈133〉)과 同字

〔异〕 〔이〕
廾부 3획(355)을 보라.

〔忌〕 〔기〕
心부 3획(377)을 보라.

〔改〕 〔개〕
攴부 3획(479)을 보라.

己 4 〔巵〕7 〔치〕
卮(卩부 3획〈131〉)의 俗字

己 5 〔巶〕8 〔근〕
巹(己부 6획〈328〉)의 訛字

己 6 〔巷〕9 [高·人] 항 [去]絳 | xiàng コウ ちまた
[筆順] 一 十 卄 卄 共 共 巷 巷
[字解] ①거리항 마을 또는 시가 안의 길. '一陌'. '一無居人'《詩經》. ②복도항 궁전 또는 저택의 낭하(廊下). '通永一'《唐書》. ③마을항 읍촌(邑村). '達于州一矣'《禮記》. ④후궁항 주되는 궁전의 뒤쪽에 있는 궁전. '司宮一伯'《左傳》. ⑤집항 거택(居宅). '在陋一'《論語》. ⑥성항 성(姓)의 하나. ⑦갱도항 《現》'一道'는 광산의 갱도(坑道).
[字源] 形聲. 篆文은 邑+共〔音〕

己 6 〔巸〕9 [一] 이 [平]支 | yí イ ひろいあご
[二] 희 [平]支 | キ たのしむ
[筆順] 一 丅 丙 丙 匝 匝 匝 巸
[字解] [一] ①넓은턱이 '一, 廣頤也'《說文》. ②넓을이. ③길이 장하고 큼. '一, 長也. (注) 謂壯大'《揚子方言》. ④아름다울이 '謹于一執'《太玄經》. [二] 즐길희 기뻐하여 즐김. 嫛(女부 9획〈259〉)와 同字. '嫛, 說文, 悅樂也. 或省'《集韻》.
[字源] 形聲. 匝+巳〔音〕

己 6 〔巺〕8 〔손〕
巽(己부 9획〈328〉)의 本字

己 6 〔巻〕9 [一] 卷(卩부 6획〈132〉)의 俗字
[二] 捲(手부 8획〈447〉)의 簡體字

己 6 〔巹〕9 〔근〕
卺(卩부 6획〈132〉)의 訛字

己 7 〔巼〕10 〔불〕
韍(黹부 5획〈1870〉)과 同字

己 7 〔𢀿〕10 〔근〕
豋(豆부 9획〈1370〉)과 同字

己 8 〔𢁀〕11 기 [上]紙 | jì キ あぐらをかく
[字解] ①책상다리할기 '一, 長居也'《說文》. ②무릎꿇을기 '一, 長跪也'《玉篇》. ③나라 이름기 杞(木부 3획〈528〉)와 통용.
[字源] 形聲. 己+其〔音〕

己 9 〔巽〕12 [人名] 손 [去]願 | xùn ソン したがう
[筆順] ㄱ ㅋ 巳 巳巳 巳巳 巺 巽 巽
[字解] ①부드러울손 성품이 유함. '一與之言'. '能自卑一者, 亦無所不容'《易經 疏》. ②사양할손 遜(辵부 10획〈1503〉)과 통용. '一朕位'《書經》. ③손괘손 ㉠팔괘(八卦)의 하나. 곧 ☴. 사물(事物)을 잘 받아들이는 덕(德)을 나타내는 상(象). 방위로는 동남간(東南間). '帝出乎震, 齊乎一'《易經》. ㉡육십사괘(六十四卦)의 하나. 곧, ䷸〈손하(巽下), 손상(巽上)〉. 유순비하(柔順卑下)의 상(象). ④성손 성(姓)의 하나.
[字源] 會意. 𠀉(㔾㔾)+丌

己 9 〔𢁉〕12 巽(前條)의 古字

己 12 〔𢁋〕15 巽(前前條)의 篆文

巾 部
〔수건건부〕

巾 0 〔巾〕3 [人名] 건 [平]眞 | jīn キン きれ, ずきん
[筆順] 丨 冂 巾
[字解] ①헝겊건 피륙의 조각. '以帛一抹其眼'《北齊書》. ②수건건 '手一'. '佩一'. '盥卒授一'《禮記》. ③건건 두건(頭巾). '幅一'. '士冠, 庶人一'《釋名》. ④덮을건 물건

을 덮어 가림. '副之一以絺'《禮記》.
字源 象形. 헝겊에 끈을 달아 허리띠에 찔러 넣은 형상으로, '헝겊'을 뜻함.
參考 '巾'을 의부(意符)로 하여, 천으로 만든 것을 나타내는 문자가 이루어짐.

巾1〔帀〕4 잡 ㊀合|zā ソウ めぐる
字解 ①두를잡 빙 두름. 또는, 한 바퀴 돎. '列卒周一'《張衡》. ②두루잡 두루두루.
字源 指事. '가다'의 뜻을 나타내는 '之'의 자형(字形)을 뒤집어 놓아 '나아가지 않다'의 뜻을 나타냄.
參考 匝(匚부 3획〈122〉)은 同字.

巾1〔市〕4 불 ㊀物|fú フツ ひざかけ
字解 슬갑불 앞에 늘어뜨려 무릎을 덮는 헝겊. 韍(韋부 5획〈1674〉)과 同字. '天子朱一'《說文》.
字源 象形. 천자(天子)·제후(諸侯)들이 착용한 슬갑의 모양을 본뜸.
參考 市(巾부 2획〈329〉)는 別字.

巾1〔币〕4 ㊀ 印(卩부 4획〈131〉)과 同字 ㊁ 幣(巾부 12획〈338〉)의 簡體字

巾2〔帍〕5 비 ㊤紙|bǐ ヒ さけたきぬ
字解 헝겊조각비, 자투리비 찢어진 헝겊 조각. '一, 幓裂也'《說文》.
字源 形聲. 巾+匕〔音〕

巾2〔帅〕5 〔수〕帥(巾부 6획〈332〉)의 俗字·簡體字

巾2〔市〕5 中·人 시 ㊤紙|shì シ いち
筆順 ' 一 亠 宀 市
字解 ①저자시 ㉠장. '一井'. '五十里有一'《周禮》. 전(轉)하여, 인가가 많고 상품의 매매가 잘 되는 곳. 번화한 곳. 시가. 도시. '城一'. '長安一上酒家眠'《杜甫》. ㉡형장(刑場). 옛날에는 사람이 많이 모이는 곳에서 형벌을 시행했음. '國君過一'《周禮》. ②팔시 '一恩'. '以一於齊'《史記》. ③살시 '爲君一義'《戰國策》. '沽酒一脯不食'《論語》. ④장사시 매매. 교역. '日中爲一, 致天下之民, 聚天下之貨'《易經》. ⑤값시 가격. '以政令禁物靡而均一'《周禮》. ⑥성시 성(姓)의 하나. ⑦《韓》구역이름시 현행 행정 구역 단위인 시. 행정상의 자치체. '一制'.
字源 形聲. 冂+乀+㞢〈省〉〔音〕

參考 市(巾부 1획〈329〉)은 別字.

巾2〔帇〕5 〔이〕彝(彐부 15획〈365〉)와 同字

巾2〔布〕5 中·人 포 ㊦遇|bù フ ぬの
筆順 ノ ナ オ 右 布
字解 ①베포, 무명포 면직물. '一帛'. '毋暴一'《禮記》. ②돈포 전화(錢貨). '掌邦一之出入'《周禮》. ③펼포 ㉠널리 알림. '一告'. '約束旣一'《史記》. 또, 널리 알리는 서면. 포고문. '潛作捷一'《唐書》. ㉡분산함. '皆自朝一路而罷'《左傳》. ㉢진(陣)을 침. '一陣'. '遠一師旅'《宋書》. ④베풀포 급여함. '一施'. '施于人而不忘, 非天一'《莊子》. ⑤벌일포 벌여 놓음. '一陣'. 진열함. '一石'. '皆一乘黃朱'《書經》. ⑥성포 성(姓)의 하나.
字源 形聲. 巾+父(ナ)〔音〕

巾2〔帀〕5 ㊀ 豕(部首〈1372〉)의 古字 ㊁ 亥(亠부 4획〈29〉)의 古字

巾3〔帆〕6 人名 범 ①㊥咸 ②㊦陷|fān ハン ほ fàn ハン ほをあげる
筆順 丨 冂 巾 巾 帆 帆
字解 ①돛범 배의 돛. '一竿'. '張雲一施蜺幬'《馬融》. 전(轉)하여, 돛단배. '出一'. '布一無恙'《晉書》. ②돛달범 돛을 달고 달리게 함. 출범(出帆)함. '無因一江水'《韓愈》.
字源 形聲. 巾+凡〔音〕

巾3〔帉〕6 ㊀ 인 ㊦震|rèn ジン まくらあて ㊁ 일 ㊀質|ジツ まくらあて
字解 ㊀ ①베갯잇인 '一, 枕巾也'《說文》. ②손수건인 '一, 巾也'《廣雅》. ㊁ 베갯잇일 ㊀❶과 뜻이 같음.

巾3〔希〕6 〔살〕殺(殳부 7획〈612〉)의 古字

巾3〔帇〕6 〔율〕聿(部首〈1062〉)의 本字

巾3〔师〕6 〔사〕師(巾부 7획〈333〉)의 俗字·簡體字

〔吊〕〔조〕口부 3획(147)을 보라.

巾4〔帎〕7 개 ㊦卦|jiè カイ ずきん

[字解] 머릿수건개 介(人부 2획〈31〉)와 통용. '一, 幘也'《集韻》.

巾 4 〔帉〕7 분 [平]文 | fēn フン てぬぐい

[字解] 수건분, 행주분 '左佩一帨'《禮記》.
[字源] 形聲. 巾+分〔音〕

巾 4 〔帍〕7 帉(前條)과 同字

巾 4 〔帊〕7 파 ①-③[去]禡 ④[平]麻 | pà ハ ずきん pā ハ きぬぎれ

[字解] ①머릿수건파 머리를 동여매는 헝겊. '常着絳一'《吳志》. ②휘장파 가리기 위하여 치는 헝겊. 포장. '以月令置于案, 覆以一'《唐書》. ③두폭깁파 '帛二幅曰一'《說文新附》. ④비단조각파.
[字源] 形聲. 巾+巴〔音〕

巾 4 〔帢〕7 합 [入]合 | gé コウ かます

[字解] ①부들가마니합 부들을 엮어 곡식을 담는 가마니. '一, 蒲席䓛也'《說文》. ②수레깔개합 '一, 一曰, 車藉'《集韻》.
[字源] 形聲. 巾+及〔音〕

巾 4 〔帗〕7 폐 [去]霽 | bì へイ やぶれたきもの

[字解] ①해진옷폐 敝(攴부 8획〈483〉)와 同字. '一, 敗衣也'《說文》. ②해질폐 옷이 해진 모양. '一, 衣壞皃'《玉篇》. ③작을폐 '一, 小也'《廣雅》.
[字源] 指事. '巾건'은 바로 천으로, 그 사이에 찢어진 모양을 나타냄.

巾 4 〔帍〕7 호 [上]麌 | hù コ ひれ

[字解] 목도리호 부인(婦人)의 목과 어깨에 걸치던 천으로 된 장식. '一裱謂之被巾'《方言》.

巾 4 〔帍〕7 〔호〕 虎(虍부 2획〈1213〉)와 同字

巾 4 〔帋〕7 希(次條)와 同字

巾 4 〔希〕7 [中·人] 희 [平]微 | xī キ まれ

[筆順] ノ ㄨ 𠂔 𠂔 产 肴 希

[字解] ①드물희 희소함. '一有'. '知我者一則我貴'《老子》. ②성길희 사이가 배지 않고 뜸. '一少'. '鳥獸一革'《書經》. ③바랄희 희망함. '一冀'. '海內一世之流'《後漢書》. ④성희 성(姓)의 하나.
[字源] 會意. 爻+巾

巾 4 〔帋〕7 希(前條)와 同字

巾 4 〔帋〕7 〔지〕 紙(糸부 4획〈983〉)와 同字

巾 5 〔帕〕8 ㊀말 [入]黠 ㊁파 [去]禡 | mò バツ はちまき pà ハ ふくさ

[字解] ㊀ ①머리띠말 머리를 동이는 헝겊. ②싸맬말 머리를 싸맴. '以紅一首'《韓愈》. ㊁ ①배띠파 배를 감는 헝겊. '一腹, 橫一其腹也'《釋名》. ②휘장파 '牀頭翠一羃雙環'《陳旅》. ③보파 보자기. '以秋雲羅一, 裹丹五十粒'《麗情集》.
[字源] 會意. 巾+白

巾 5 〔帓〕8 말 [入]曷 [入]黠 | mò バツ てぬぐい

[字解] ① 손수건말 행주. '一, 一巾也'《玉篇》. ②머리띠말 '一, 幧頭也'《類篇》. ③띠말 '一, 一帶'《廣韻》.
[字源] 形聲. 巾+末〔音〕

巾 5 〔帗〕8 불 [入]物 | fú フツ さきぎぬ

[字解] ①춤수건불 춤추는 사람이 손에 쥐는 오색(五色)의 헝겊. '凡舞有一舞'《周禮》. ②슬갑불 바지 위에 입는 무릎까지 닿는 옷. 韍(韋부 5획〈1674〉)과 통용. ③모직물불.
[字源] 形聲. 巾+友〔音〕

巾 5 〔帔〕8 피 [去]寘 [平]支 | pèi ヒ も

[字解] ①치마피 '帬, 陳魏之間, 謂之一'《揚子方言》. ②배자피 소매 없는 옷. '冬月着葛一練裘'《南史》.
[字源] 形聲. 巾+皮〔音〕

巾 5 〔帖〕8 [人名] ㊀첩 [入]葉 ㊁체 [韓] | tiē, tiě, tiè ジョウ とばり, うわがき

[筆順] 丨 冂 巾 巾丨 巾卜 帖 帖 帖

[字解] ㊀ ①휘장첩 침소(寢所)의 앞에 치는 휘장. '牀前帷曰一'《釋名》. ②표제첩 표시하는 제목. '木爲之, 謂之檢, 帛爲之, 則謂之一, 皆謂標題'《說文 段注》. ③패첩 게시(揭示)하는 종이나 나뭇조각. '百姓那得家家題門一賣宅'《南史》. ④찌첩 부전(附箋). '一黃'. '裁紙爲一'《文獻通考》. ⑤시첩(試帖)첩 당대(唐代)의 과거에서 명경(明經)의 방법. '一經'. '明經者, 但記一括'《唐

書》. ⑥두루마리첩 서화의 권축(卷軸). '懷素絹一一軸'《書苑》. ⑦탑본첩 탁본(拓本). 전(轉)하여, 습자책. '碑一'. '法一'. '劉後村評一'《輟耕錄》. ⑧문서첩 서류. '昨夜府一下'《杜甫》. ⑨장부첩 부적(簿籍). '一子'. '每歲一作計一'《唐開元志》. ⑩주련첩 세로 써 붙이는 연구(聯句). '楹一'. '春一'. ⑪어음첩 어음. 계권(契券). '券一'. '以陣匡範貨一聞'《資治通鑑》. ⑫명함첩 성명을 적은 종이쪽. '魯客多呈一'《張籍》. ⑬편지첩 서한. '凡請一必用封筒'《時用雲箋》. ⑭과녁첩 사적(射的). '遣人伏地持一'《梁書》. ⑮첩첩 약(藥) 한 봉지. '寧王每命尙醫, 止進一藥, 戒以不分作三四一'《四朝聞見錄》. ⑯늘어뜨릴첩 축 처지게 함. '俛首一耳, 搖尾而乞憐者'《韓愈》. ⑰편안할첩 안심함. 안정함. '妥一'. '將凝一乎萬方'《歐陽修》. ⑱성첩 성(姓)의 하나. [三]《韓》체지체 '一紙'는 관청에서 이례(吏隷)를 고용하는 서면(書面).
[字源] 形聲. 巾+占〔音〕

巾 5 〔帪〕8 정 [平]庚 | zhēng セイ まと
[字解] 과녁정 사적(射的). 正(止부 1획〈602〉)과 통용. '一, 射的, 通作正'《集韻》.

巾 5 〔帙〕8 질 [入]質 | zhì チツ ふまき
[字解] ①책갑질 서의(書衣). '飛文染翰, 則卷盈乎緗一'《昭明太子》. ②책질 서책. '書一'. '荷一從師'《北史》. ③책권차례질 '部一之間, 仍有殘缺'《南史》. ④성질 성(姓)의 하나.
[字源] 形聲. 巾+失〔音〕

巾 5 〔帾〕8 저 [上]語 | zhǔ チョ ひつぎかけ
[字解] 관싸개저 관(棺)을 덮는 넓은 천. '一, 棺衣'《玉篇》.

巾 5 〔帑〕8 [一]노 [平]虞 | nú ド しそん
[二]탕 [上]養 | tǎng トウ・ド かねぐら
[字解] [一] ①처자노 孥(子부 5획〈271〉)와 同字. '妻一'. '秦人送其一'《左傳》. ②새꽁지노 새의 꽁지. '以害鳥一'《左傳》. [二] 나라곳집탕 국가의 금은(金銀) 창고. '內一'. '以爲虛費府一'《漢書》.
[字源] 形聲. 巾+奴〔音〕

巾 3 〔帘〕8 렴 [平]鹽 | lián レン さかやのはた
[字解] 술기렴 술집의 표지(標識)로 세우는 기(旗). '閃閃酒一招醉客'《李中》.
[字源] 會意. 巾+穴

巾 5 〔帒〕8 대 [去]隊 | dài タイ ふくろ
[字解] 주머니대 袋(衣부 5획〈1271〉)와 同字. '一, 囊也'《說文新附》.
[字源] 形聲. 巾+代〔音〕

巾 5 〔帚〕8 추 [上]有 | zhǒu ソウ ほうき
[字解] ①비추 청소하는 비. 箒(竹부 8획〈941〉)의 本字. '凡爲長者糞之禮, 必加一于箕上'《禮記》. ②쓸추 비로 씀. '猶令二人交一拂其坐處'《南齊書》.
[字源] ①象形. 걸쳐 세운 비의 모양을 본뜸. ②會意. 又+冂+巾

巾 5 〔帛〕8 [人名] 백 [入]陌 | bó ハク きぬ
[筆順] ノ 丨 白 白 白 白 帛 帛
[字解] ①비단백, 명주백 견직물. '布一'. '束一加璧'《儀禮》. ②성백 성(姓)의 하나.
[字源] 形聲. 巾+白〔音〕

巾 5 〔帵〕8 원 [平]元 | yuān エン ふきん
[字解] 행주원 술잔을 닦는 행주. '一, 幡也'《說文》.
[字源] 形聲. 巾+夗〔音〕

巾 5 〔帝〕8 〔제〕
帝(巾부 6획〈332〉)의 古字

巾 6 〔帢〕9 갑(겹[本]) [入]洽 | qià コウ かぶりもの
[字解] 깁건갑 위(魏)나라 태조(太祖)가 깁으로 만든 두건(頭巾). '魏太祖, 擬古皮弁, 裁縑帛爲一, 以色別其貴賤'《魏志》. ※本音 겹.
[字源] 形聲. 巾+合〔音〕

巾 6 〔帕〕9 순 [平]眞 | xún シュン えりさき
[字解] 옷깃끝순 '一, 領耑也'《說文》.
[字源] 形聲. 巾+旬〔音〕

巾 6 〔帥〕9 〔사〕
師(巾부 7획〈333〉)의 古字

巾 6 〔帜〕9 〔식〕
拭(手부 6획〈439〉)과 同字

巾 6 〔帛〕9 〔탁〕
卓(十부 6획〈128〉)의 古字

巾 6 〔幌〕9 황 ㊥陽 huāng コウ おおう

字解 ①덮을황 물건을 덮음. '一, 一日, 一隔也, 隔之義, 網其上而蓋之'《說文 段注》. ②염색직공황 누인 실을 물들이는 장색. '一, 設色之工, 治絲練者'《說文》. ③휘장황 방과 방 사이에 치는 장막. '一, 帷屬'《正字通》.

字源 形聲. 巾+㠩(巟)〔音〕

巾 6 〔帲〕9 〔병〕 帡(巾부 8획〈334〉)의 俗字

巾 6 〔㠷〕9 겹 ㊀葉 xié キョウ おおおび

字解 허리띠겹 '一, 束帶'《廣韻》.

巾 6 〔帢〕9 과 ㊤馬 kuǎ カ えり

字解 ①옷깃과 '一, 衿袍也'《廣韻》. ②속적삼과 속옷의 하나. '小衫曰一'《集韻》.

巾 6 〔帞〕9 〔말〕 帕(巾부 5획〈330〉)의 俗字

巾 6 〔帥〕9 高·入 ㊀수 ㊧寘 shuài スイ かしら ㊁솔 ㊀質 shuài シュツ ひきいる

筆順 ′ 丨 𠂇 𠂤 𠂤 自 帥 帥

字解 ㊀장수수 군대의 주장(主將). '一長'. '二千五百人爲師, 師一皆中大夫'《周禮》. ㊁ ①거느릴솔 率(玄부 6획〈765〉)과 同字. '堯舜一天下以仁'《大學》. ②좇을솔 순종함. '命鄕簡不一教者以告'《禮記》. ③본보기솔 모범. '蕭曹以寬厚淸靜, 爲天下一'《漢書》.

字源 會意. 巾+𠂤

參考 師(巾부 7획〈333〉)는 別字.

巾 6 〔帤〕9 녀 ㊥魚 rú ジョ ぬぐいぬの

字解 ①걸레녀 훔치거나 씻는 걸레. '一, 一日, 幣巾'《說文》. ②활덧댄나무녀 활의 몸대를 튼튼하게 덧댄 나무. '厚其一則木堅, 薄其一則需'《周禮》.

字源 形聲. 巾+如〔音〕

巾 6 〔帝〕9 中·入 제 ㊧霽 dì テイ みかど

筆順 一 二 亠 产 帝 帝 帝 帝

字解 ①하느님제 상천(上天). 조화(造化). '天一'. '王用享于一'《易經》. ②임금제 천자(天子). '一王'. '日若稽古一堯'《書經》.

字源 象形. 나무를 짜서 만든 신(神)을 모시는 대(臺)의 모양을 본뜸.

巾 6 〔帠〕9 예 ㊧霽 lì レイ きぬぎれ

字解 ①비단자투리예 재고 난 비단의 조각. '一, 帛餘也'《玉篇》. ②나머지예 잔여품. '一, 餘也'《廣雅》.

巾 6 〔帟〕9 역 ㊀陌 yì エキ ひらとばり

字解 장막역 위를 가려 먼지를 막는 작은 장막. '掌帷幕幄一綬之事'《周禮》.

巾 6 〔帣〕9 권 ①㊧霰 juàn ケン ふくろ ②㊤銑 juǎn ケン たすき

字解 ①자루권 크고 긴 주머니. ②걷을권 소매 같은 것을 걷음. 또, 그 끈. '一韝鞠䐺'《史記》.

字源 形聲. 巾+𠔉〔音〕

巾 6 〔帠〕9 예 ㊧霽 yì ゲイ のり

字解 법예 법도(法度). '汝又何一以治天下, 感予之心爲'《莊子》.

字源 形聲. 巾+兒〈省〉〔音〕

巾 6 〔带〕9 〔대〕 帶(巾부 8획〈334〉)의 簡體字

巾 7 〔帪〕10 진 ㊥眞 ㊧震 zhēn シン ふくろ

字解 ①말먹이자루진 말에 먹이를 담아 주는 자루. '飤馬橐, 燕齊之閒, 謂之一'《揚子方言》. ②말머리씌우개진 '一, 馬兜也'《玉篇》. ③주머니진 '一, 囊也'《廣雅》.

巾 7 〔帨〕10 세 ㊧霽 shuì ゼイ てふき

字解 ①수건세 여자가 허리에 차는 수건. '佩一'. '女子設一于門右'《禮記》. ②손씻을세.

字源 形聲. 巾+兌〔音〕

巾 7 〔㡇〕10 ㊀첩 ㊀葉 zhé チョウ えりさき ㊁점 ㊥鹽 zhé テン えりさき

字解 ㊀옷깃끝첩 옷깃의 끝 부분. '一, 領耑也'《說文》. ㊁옷깃끝점 ㊀과 뜻이 같음.

字源 形聲. 巾+耴〔音〕

巾 7 〔帵〕10 문 ㊧問 wèn ブン ずきん

字解 굴건문 상중에 쓰는 건(巾).

巾7〔帩〕10 초 ㊀嘯|qiào ショウ はちまき

字解 머리싸개초 머리를 싸매는 천. '一, 一縛'《廣韻》.

巾7〔悔〕10 모 ㊁虞|mǒ ボ しこめ

字解 못생긴여자이름모 '一母'는 못생긴 여자로, 황제(黃帝)의 비(妃). '一母, 黃帝妃, 生蒼林'《漢書》.

巾7〔帯〕10 〔대〕 帶(巾부 8획〈334〉)와 同字

巾7〔帢〕10 〔격〕 綌(糸부 7획〈994〉)과 同字

巾7〔帬〕10 ㊀ 帬(巾부 7획〈333〉)과 同字 ㊁ 裙(衣부 7획〈1274〉)과 同字

巾7〔帰〕10 〔귀〕 歸(止부 14획〈605〉)의 俗字

巾7〔師〕10 中·人 사 ㊁支|shī シ せんせい, いくさ

筆順 ′ ｢ ｢′ 𠂤 𠂤 𠂤一 𠂤帀 師

字解 ①스승사 ㉠선생. '敎一'. '出則有一, 一也者敎之以事而喩諸德者也'《禮記》. ㉡전문의 기예를 가진 사람. 한 기예에 뛰어난 사람. '醫一'. '閤外傳呼畫一閻立本'《唐書》. ㉢남의 모범이 될 만한 훌륭한 사람. '國有賢相良將, 民之一表也'《史記》. ②스승으로삼을사 본받음. 모범으로 삼음. '一範'. '百僚一一'《書經》. ③벼슬아치사 관리. '州有十二一'《書經》. ④벼슬사 관직. '黃帝氏以雲紀, 故爲雲一'《左傳》. ⑤군사사 ㉠주대(周代)의 군제(軍制)에서 오려(五旅), 곧 2천5백 명의 일컬음. 중화 민국의 군제에서는 사단(師團)의 일컬음. '五旅爲一'《周禮》. ㉡군대의 통칭(通稱). '陳一鞠旅'《詩經》. ⑥뭇사람사 중서(衆庶). 중인(衆人). '殷之未喪一'《大學》. ⑦신령사 신(神). '雷一告余以未具'《楚辭》. ⑧사자사 獅(犬부 10획〈758〉)와 통용. '烏弋山出一子'《漢書》. ⑨사괘사 육십사괘(六十四卦)의 하나. 곧, ☵☷〈감하(坎下), 곤상(坤上)〉. 출사(出師)의 상(象). ⑩성사 성(姓)의 하나.

字源 形聲. 金文은 自+辛〈省〉〔音〕

參考 帥(巾부 6획〈332〉)는 別字.

巾7〔席〕10 中·人 석 ㊇陌|xí セキ むしろ

筆順 亠 广 户 产 产 庐 庴 席

字解 ①자리석 ㉠까는 자리. '茵一'. '我心匪一, 不可卷也'《詩經》. ㉡요나 방석. '衽一牀笫'《周禮》. ㉢서거나 앉는 자리. '坐一'. '羣臣皆就一'《漢書》. ②깔석 자리를 깖. '相枕一於道路'《漢書》. ③베풀석, 벌일석 진열함. '一上之珍'《禮記》. ④자뢰할석 의뢰함. '一寵惟舊'《書經》. ⑤성석 성(姓)의 하나.

字源 形聲. 巾+庶〈省〉〔音〕

巾7〔帬〕10 군 ㊁文|qún クン も

字解 치마군 裙(衣부 7획〈1274〉)과 同字. '羅一飄飄'《張華》.

字源 形聲. 巾+君〔音〕

參考 帮(巾부 7획〈333〉)과 同字.

巾7〔帹〕10 군 ㊁文|chūn クン もすそ

字解 ①치마군 치맛자락. ②속옷군 내복. '中一'. ③조끼군 배자. '一展'.

巾7〔帯〕10 〔대〕 帶(巾부 8획〈334〉)의 俗字

巾7〔帮〕10 〔방〕 幫(巾부 14획〈339〉)의 俗字·簡體字

巾8〔帳〕11 高·人 장 ㊀漾|zhàng チョウ とばり

筆順 冂 巾 巾ˉ 巾𠂤 帀𠂤 帄𠂤 帳 帳

字解 ①휘장장, 장막장 '帷一'. '卽其一中, 斬宋義頭'《史記》. ②천막장 유목민(遊牧民)의 옥사(屋舍). '接一連韝'《晉書》. ③장장 장막 같은 것을 세는 수사(數詞). '一幕九一'《左傳》. ④장부장 치부책. '記一'. '計一戶籍之法'《北史》.

字源 形聲. 巾+長〔音〕

巾8〔帴〕11 ㊀ 전 ㊤銑|jiǎn セン むつき ㊁ 천 ㊁先|jiān セン くらかけ

字解 ㊀ ①포대기전 강보(襁褓). ②좁을전 협소함. '若苟自急者, 先裂則是以博爲一也'《周禮》. ㊁ 언치천 韉(革부 17획〈1673〉)과 同字. '爭割流蘇武帳, 而爲馬一'《晉書》.

字源 形聲. 巾+戔〔音〕

巾8〔帺〕11 기 ㊁支|①qí キ·ギ もえぎ ㊀寘|②③jì キ·ギ ふきん

字解 ①연둣빛비단기. ②맬기. ③수건기.

巾 8 〔⿰巾奄〕11 [一] 업 [入]葉 | yē ヨウ はちまき
[二] 암 [平]覃 | ān アン ふくろ

[字解] [一] 머리수건업 '自河以北, 趙魏之閒, 幧頭, 或謂之一'《揚子方言》. [二] 주머니암 '一, 囊也'《廣雅》.

巾 8 〔帷〕11 유 [平]支 | wéi イ たれぎぬ

[字解] ①휘장유 사방(四方)을 둘러치는 장막. '下一講誦, 三年不窺園'《漢書》. ②덮을유, 가릴유.
[字源] 形聲. 巾＋隹〔音〕

巾 8 〔⿰巾臽〕11 흡(겁[本]) [入]洽 | qià コウ かぶりもの

[字解] 깁건흡 帢(巾부 6획〈331〉)과 뜻이 같음. '漢儀, 立秋日, 獵服緗幘, 哀帝令改用素白一'《晉書》. ※本音 겁.

巾 8 〔帵〕11 [一] 완 [平]寒 | wān ワン たちあまりのきれ
[二] 원 [平]元 | エン たちあまりのきれ

[字解] [一] 자투리완 마르고 난 헝겊 조각. '一, 今釆帛鋪謂剪截之餘曰一子'《正字通》. [二] 자투리원 [一]과 뜻이 같음.
[字源] 形聲. 巾＋宛〔音〕

巾 8 〔帲〕11 병 [上]梗 | píng ヘイ とばり

[字解] 장막병 위를 가리는 막(幕). '知夏屋之爲一幪也'《揚子法言》.
[字源] 形聲. 巾＋幷〔音〕
[參考] 帡(巾부 6획〈332〉)은 俗字.

巾 8 〔⿰巾弦〕11 견 [平]先 | xián ケン ぬののな

[字解] 베견 한(漢)나라 견현(⿰巾弦縣)에서 나던 베의 이름. '一, 一布也. 出東萊'《說文》.
[字源] 形聲. 巾＋弦〔音〕

巾 8 〔⿰巾松〕11 〔종〕
幒(巾부 11획〈337〉)과 同字

巾 8 〔⿰巾⿱日月〕11 〔모〕
帽(巾부 9획〈334〉)의 俗字

巾 8 〔帶〕11 [高·人] 대 [去]泰 | dài タイ おび

[筆順] 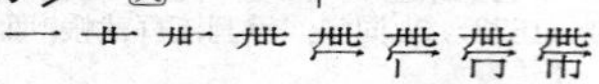

[字解] ①띠대 허리에 띠는 것. '衣一'. '凡一必有佩玉'《禮記》. 또, 띠같이 물건의 주위를 두르는 것. '鐘一謂之篆'《周禮》. ②근처대 길게 뻗은 것의 근방. '門臨溪一'《元稹》. ③띨대 ㉠띠를 두름. '驚遽而起, 衣不及一'《世說》. ㉡빛깔을 조금 지님. '頗一憔悴色'《杜甫》. ④두를대 위요(圍繞)함. 빙 두름. '襟以山東之險, 一以河曲之利'《戰國策》. ⑤찰대 허리에 참. '一劍'. '一以弓韣'《禮記》. ⑥데릴대 데리고 다님. '一同'. '一隨人行'《揚子方言 註》. ⑦성대 성(姓)의 하나.
[字源] 象形. 띠에 장식끈이 겹쳐 늘어진 형상. 일설에는 卌＋重巾의 會意.

巾 8 〔常〕11 [中·人] 상 [平]陽 | cháng ジョウ つね

[筆順] 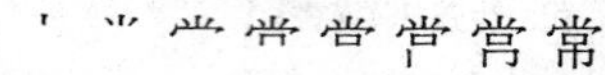

[字解] ①떳떳상, 항상상 ㉠항구. 영구. 불변. '是謂襲一'《老子》. ㉡불변의 도(道). 늘 행하여야 할 도. 전법(典法). '五一'. '無忘國一'《國語》. ㉢당연. 정당. '權者反一者也'《後漢書》. ㉣보통의 상태. 상례(常例). '貧者士之一'《世說》. ㉤일정. 확정. '變化无一'《漢書》. ㉥평상시. '顏色不亂, 陽陽如平一'《韓愈》. ㉦늘. '一用'. '千里馬一有, 而伯樂不一有'《韓愈》. ②범상상 범용(凡庸). '一人'. '蓋世必有非一之人'《史記》. ③두길상 척도(尺度)의 단위. 심(尋)의 두 배. 곧, 16척(尺). '尋一尺寸'. '布帛尋一庸人不釋'《史記》. ④산앵두나무상 장미과에 속하는 낙엽 관목. 산이스랏나무. '一棣'. '維一之華'《詩經》. ⑤일찍상 嘗(口부 11획〈182〉)과 통용. '高祖一繇咸陽'《漢書》. ⑥성상 성(姓)의 하나.
[字源] 形聲. 巾＋尙〔音〕

巾 8 〔⿰巾官〕11 〔관〕
冠(冖부 7획〈90〉)과 同字

巾 8 〔⿰巾矦〕11 〔후〕
帿(巾부 9획〈335〉)와 同字

巾 9 〔帽〕12 모 [去]號 | mào ボウ ぼうし

[字解] ①건모 두건. '冠一'. '一自天子, 下及庶人, 通冠之'《隋書》. ②두겁모 붓두겁. '寫完卽加筆一, 免挫筆鋒'《洞天筆錄》.
[字源] 形聲. 巾＋冒〔音〕

巾 9 〔帾〕12 도 [上]麌 | dǔ ト はた

[字解] 기(旗)도 '無一絲嵩縷翣'《荀子》.
[字源] 形聲. 巾＋者〔音〕

巾 9 〔幀〕12 [人名] 정 [去]敬 | zhèng トウ えぎぬ

[筆順] 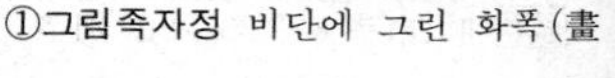

[字解] ①그림족자정 비단에 그린 화폭(畫

幅). ②그림틀정, 수틀정 그림을 그리거나 수를 놓는, 비단을 팽팽히 켕기게 하기 위하여 쓰는 나무로 만든 테. '一撐也, 以木爲框, 撐張絹繒以便作畫也, 今女子以絹帛綳木框而刺繡, 亦謂之一'《品字箋》.
[字源] 形聲. 巾+貞〔音〕

巾 9 〔幃〕12 위 [平]微 | wéi イ とばり, においぶくろ

[筆順] 冂 巾 幃

[字解] ①휘장위 홑겹으로 된 휘장. '一帳'. '垂一痛飮而已'《南唐近事》. ②향낭위 향을 넣는 주머니. '蘇糞壤以充一兮'《楚辭》.
[字源] 形聲. 巾+韋〔音〕

巾 9 〔幃〕12 幃(前條)의 俗字

巾 9 〔⿰巾俞〕12 유 ①[平]虞 ②[平]尤 | yú ユ たちあまり そでなし

[字解] ①자투리유 재단(裁斷)하고 난 토끝. '一, 裁殘帛也'《廣韻》. ②등거리유 소매가 없는 옷. 褕(衣부 9획〈1280〉)와 통용. '褕, 裗褕, 短袖襦, 或从巾'《集韻》.
[字源] 形聲. 巾+兪〔音〕

巾 9 〔幄〕12 악 [入]覺 | wò アク てんまく

[字解] 휘장악, 장막악 위와 사방을 둘러치는 막. '帷一'. '幕人掌帷幕一帟綬之事'《周禮》.
[字源] 形聲. 巾+屋〔音〕

巾 9 〔帿〕12 후 [平]尤 | hóu コウ まと

[字解] 과녁후 侯(人부 7획〈50〉)와 同字.

巾 9 〔幅〕12 [高·人] [一]폭 [入]屋 | fú フク はば
[二]핍 [入]職 | bī ヒョク むかばき
(벽[本])

[筆順] 冂 巾 幅

[字解] [一] ①폭폭 ㉠넓이. '一員既長'《詩經》. ㉡족자 또는 서간(書簡) 등을 세는 수사(數詞). '勉爲新詩章, 月寄三四一'《韓愈》. ②가폭 좌우의 가장자리. '邊一'. '夫富如布帛之有一焉'《左傳》. ③포백폭 직물. '繡文錦一'《孫樵》. ④족자폭 서화의 축(軸). '獨一山水'《揮塵錄》. [二] 행전핍 무릎 아래에 매는 물건. '帶裳一舃'《左傳》. ※本音 벽.
[字源] 形聲. 巾+畐〔音〕

巾 9 〔⿰巾軍〕12 〔곤〕
褌(衣부 9획〈1280〉)과 同字
[字源] 形聲. 巾+軍〔音〕

巾 9 〔⿰巾盾〕12
[一] 준 [平]眞 | zhūn チュン こめぶくろ
[二] 춘 [平]眞 | チュン こめぶくろ
[三] 순 [平]眞 | シュン こめぶくろ
[四] 돈 [上]阮 | トン こめぶくろ

[字解] [一] ①쌀자루준 '一, 載米䈞也'《說文》. ②주머니준 '一, 布貯曰一'《廣韻》. ③깃끝준 ⿰巾旬(巾부 6획〈331〉)과 통용. [二] 쌀자루춘, 주머니춘, 깃끝춘 [一]과 뜻이 같음. [三] 쌀자루순, 주머니순, 깃끝순 [一]과 뜻이 같음. [四] 쌀자루돈, 주머니돈, 깃끝돈 [一]과 뜻이 같음.
[字源] 形聲. 巾+盾〔音〕

巾 9 〔幈〕12 〔병〕
屛(尸부 8획〈299〉)과 同字

巾 9 〔⿱帚巴〕12 [一]파 [上]馬 | bǎ ハ うつ
[二]소 [平]蕭 | ショウ うつ

[字解] [一] 칠파 손을 뒤집어서 침. '一, 搉擊也'《說文》. [二] 칠소 [一]과 뜻이 같음.
[字源] 形聲. 帚+巴〔音〕

巾 9 〔幂〕12 멱 [入]錫 | mì ベキ おおう

[字解] 덮을멱 冪(冖부 14획〈92〉)과 同字. '一八尊'《周禮》.

巾 9 〔⿰巾前〕12 전 [平]先 | jiān セン はたじるし

[字解] 기치전 기(旗)에 붙어있는 표지(標識)의 천. '一, 幡幟也'《說文》.
[字源] 形聲. 巾+前〔音〕

巾 9 〔⿰巾剌〕12 랄 [入]曷 | là ラツ はらう

[字解] 털랄 먼지를 텂. 닦음. '一, 拂也'《玉篇》.
[字源] 形聲. 巾+剌〔音〕

巾 9 〔⿱秋巾〕12 초 [上]篠 [平]蕭 | jiǎo, qiāo ショウ あたまかざり

[字解] ①머리꾸미개초 조의(弔意)를 나타내는 머리 꾸미개. '一, 凶首飾'《廣韻》. ②두건초 머리띠. 幧(巾부 13획〈339〉)와 통용. '一, 幧頭也'《集韻》.

巾 9 〔⿰巾秋〕12 ⿱秋巾(前條)와 同字

巾 9 〔⿱敄巾〕12
[一] 목 [入]屋 | ボク·モク うるしびきのぬの
[二] 무 [去]遇 [去]宥 | wù ブ·ム うるしびきのぬの ボウ·モ うるしびきのぬの
[三] 모 [平]虞 | ボ·モ うるしびきのぬの
[四] 옥 [入]沃 | キョク うるしびきのぬの

[字解] [一] ①옷입힌천목 '一, 髮巾也'《說文》. ②수레가로나무덮개목 '一, 一曰, 車衡上衣'《說文》. ③수레우비목 수레의 덮개. '一, 染布以覆車'《集韻》. ④수레채에감은실목 '一, 轅上絲也'《廣韻》. ⑤머리싸개목 '一, 髮巾也'《廣韻》. [二] 옷입힌천무, 수레가로나무덮개무, 수레우비무, 수레채에감은실무, 머리싸개무 [一]과 뜻이 같음. [三] 옷입힌천모, 수레가로나무덮개모, 수레우비모, 수레채에감은실모, 머리싸개모 [一]과 뜻이 같음. [四] 옷입힌천욱, 수레가로나무덮개욱, 수레우비욱, 수레채에감은실욱, 머리싸개욱 [一]과 뜻이 같음.
[字源] 形聲. 巾+敄〔音〕

巾 9 〔⿱彖巾〕12 〔돈〕 豚(豕부 4획〈1372〉)의 古字

巾 9 〔⿱聿巾〕12 〔윤〕 尹(尸부 1획〈295〉)의 古字

巾 9 〔幇〕12 〔방〕 幫(巾부 14획〈339〉)과 同字

巾 9 〔⿰巾匧〕12 〔갑〕 帢(巾부 6획〈331〉)과 同字

巾 10 〔幏〕13 몽 [平]東 [去]送 | méng ボウ ふろしき
[字解] 보몽 물건을 덮거나 싸는 보. '一, 蓋衣也'《說文》.
[字源] 形聲. 巾+家〔音〕

巾 10 〔⿰巾毘〕13 비 [平]支 [平]齊 | bī ヘイ くるまのとばり / ヒ くるまのとばり
[字解] ①수레포장비 '一, 車一也'《玉篇》. ②포렴비 휘장. '一, ⿰巾兼也'《廣雅》.

巾 10 〔幌〕13 황 [上]養 | huǎng コウ とばり
[字解] ①휘장황 장막. '卷一通河色, 開窓引月輝'《梁簡文帝》. ②덮개황 포장. 휘장처럼 된, 덮어 가리는 헝겊. '小爐低一還遮掩'《陸龜蒙》.
[字源] 形聲. 巾+晃〔音〕

巾 10 〔幍〕13 도 [平]豪 | tāo トウ ぬのぶくろ, くみひも
[字解] ①보도 '一, 巾帙也'《集韻》. ②끈도 여러 겹으로 꼰 끈. 絛(糸부 7획〈995〉)와 同字.

巾 10 〔幏〕13 가 [去]禡 [平]麻 | jià カ こうするぬの
[字解] 구실베가 만이(蠻夷)의 공물(貢物)인 직물(織物). '其民戶出一布八丈二尺'《後漢書》.
[字源] 形聲. 巾+家〔音〕

巾 10 〔幎〕13 멱 [入]錫 | mì ベキ おおう
[字解] ①덮을멱, 가릴멱 덮어 가림. '一目用緇'《儀禮》. ②고르게할멱 균일하게 하는 모양. '欲其一爾而下迤也'《周禮》.
[字源] 形聲. 巾+冥〔音〕

巾 10 〔⿰巾冓〕13 구 [平]尤 | gōu コウ ひとへ
[字解] ①갑옷구 옛날 싸울 때 입던 옷. '一, 甲衣也'《玉篇》. ②홑옷구 겹옷이 아닌 옷. 褠(衣부 10획〈1282〉)와 同字.

巾 10 〔⿰巾兼〕13 렴 [平]鹽 | lián レン のれん
[字解] 휘장렴 문(門)에 치는 포렴(布簾). '一, 帷也'《說文》.
[字源] 形聲. 巾+兼〔音〕

巾 10 〔⿰巾虒〕13 [一] 제 [平]齊 | tí テイ あかいかみ
[二] 혜 [平]齊 | ケイ あかいかみ
[三] 체 [平]齊 | テイ あかいかみ
[四] 사 [平]支 | シ あかいかみ
[字解] [一] ①붉은종이제 '一, ⿰巾閒一, 赤紙'《廣韻》. ②휘장제 '一, 一帷'《廣韻》. [二] ①붉은종이혜 [一]❶과 뜻이 같음. ②새끼혜 새끼줄. '一, 廣雅, 繩索也'《康熙字典》. [三] 붉은종이체, 새끼체 [二]와 뜻이 같음. [四] 붉은종이사, 새끼사 [三]와 뜻이 같음.

巾 10 〔⿰巾荒〕13 〔황〕 㡆(巾부 6획〈332〉)과 同字

巾 10 〔幐〕13 등 [平]蒸 | téng トウ においぶくろ
[字解] ①향주머니등 향낭(香囊). '一, 囊也'《說文》. ②주머니등 '凡囊皆曰一'《說文 段注》.
[字源] 形聲. 巾+朕〔音〕

巾 10 〔幋〕13 반 [平]寒 | pán ハン おおふろしき
[字解] ①햇대보반 옷을 싸 덮는 큰 보. '一覆衣大巾也'《說文》. ②머리꾸미개반 '一, 或以爲首一'《說文》.
[字源] 形聲. 巾+般〔音〕

巾 10 〔⿱𢍏巾〕13 〔권〕 帣(巾부 6획〈332〉)의 本字

巾 11 〔⿰巾逢〕14 봉 [去]宋 | fèng ホウ てぬぐい

字解 ①수건봉 '一, 巾也'《玉篇》. ②표제(標題)봉 '一, 款書也'《集韻》.

巾 11 **〔幗〕** 14 괵 ㊅陌 | guó カク あたまかざり

字解 머리장식괵 부인의 머리를 장식하는 데 쓰는 헝겊. '巾一'. '紺一縉一'《晉書》.
字源 形聲. 巾+國〔音〕

巾 11 **〔幖〕** 14 표 ㊥蕭 | biāo ヒョウ しるし

字解 ①표지표, 기(旗)표 알리기 위하여 하는 표. 또, 그 기(旗). ②펄럭거릴표 기(旗) 같은 것이 나부끼는 모양. '旌竿一一旗燿燿'《杜牧》. ③주기(酒旗)표 술집에 내거는 기. '一, 又今酒旗, 俗稱一'《正字通》.
字源 形聲. 巾+票(㶾)〔音〕

巾 11 **〔幔〕** 14 만 ㊄翰 | màn マン まく

字解 장막만 여러 폭을 이어 댄 휘장. '一幕'. '朱一紅舒, 翠幙蜺連'《張協》.
字源 形聲. 巾+曼〔音〕

巾 11 **〔⿰巾區〕** 14 구 ①㊥尤 ②㊥虞 | kōu コウ ゆがけ / ク くつさきのかざりいと

筆順 冂 巾 巾一 巾冂 巾口 巾品 巾區 ⿰巾區

字解 ①깍지구 활 쏠 때 손가락에 끼는 제구. 抉(手부 4획〈430〉)과 뜻이 같음. ②신코꾸밈실구 엄지총 부분을 장식하는 실. 絇(糸부 5획〈987〉)와 同字.

巾 11 **〔幓〕** 14 ㊀삼 ㊥鹽 ㊁섬 ㊥侵 | shān セン くるまかざりたれる / shēn シン はたのぬの

字解 ㊀수레장식드리울삼 수레에 장식한 것이 드리운 모양. '灕虖一纚'《漢書》. ㊁기폭섬 기의 바탕 헝겊. '旗正幅爲一'《集韻》.
字源 形聲. 巾+參〔音〕

巾 11 **〔⿰巾婁〕** 14 루 ㊥尤 | lóu ロウ うまのみずぶくろ

字解 말먹이자루루 말에게 물을 담아 먹이는 자루. 일설에는, 풀 먹이는 자루. '一, 飤馬橐'《正字通》.

巾 11 **〔幘〕** 14 책 ㊅陌 | zé サク ずきん

字解 ①머리싸개책 머리를 싸는 헝겊. '岸一'. '古者有冠無一'《後漢書》. ②볏책 계관(雞冠). '全如雞一丹'《梅堯臣》.
字源 形聲. 巾+責〔音〕

巾 11 **〔⿰巾曹〕** 14 조 ㊥豪 | zāo ソウ しきもの

字解 ①깔개조 요방석, 자리 따위. '一, 藉也'《玉篇》. ②옷자락조.

巾 11 **〔⿰巾祭〕** 14 ㊀세 ㊄霽 ㊁설 ㊅屑 | xiè セイ きぬぎれ / xuě セツ つくりばな

字解 ㊀①자투리세 재단하고 남은 헝겊. '一, 殘帛也'《說文》. ②나머지세 잔여(殘餘). '一, 餘也'《廣雅》. ㊁조화(造花)설 만든 꽃. 가화(假花). '一縷, 桃花, 今製綾花'《廣韻》.
字源 形聲. 巾+祭〔音〕

巾 11 **〔幒〕** 14 ㊀종 ㊥冬 ㊁총 ㊤腫 | zhōng ショウ さるまた, ふづつみ ショウ さるまた, ふづつみ

字解 ㊀잠방이종, 책갑종 ⿰巾松(巾부 8획〈334〉)과 同字. '一, 幝也. 一曰, 帙'《說文》. ㊁잠방이총, 책갑총 ㊀과 뜻이 같음.
字源 形聲. 巾+悤〔音〕

巾 11 **〔幛〕** 14 장 | zhǎng ショウ だいじをしるしておくるぬのやきぬ

字解 제자(題字)적은포백장 경조사(慶弔事) 때 제자를 적어 예물(禮物)로 보내는 베나 깁. '一, 俗以布帛題字, 爲慶弔之禮, 謂之一'《中華大字典》.

巾 11 **〔幙〕** 14 ㊀幕(次次條)과 同字 ㊁模(木부 11획〈575〉)와 同字

巾 11 **〔幑〕** 14 휘 ㊥微 | huī キ のぼり

字解 표기휘 표지(標識)가 있는 기(旗). 徽(彳부 14획〈376〉)와 同字. '揚一者公徒也'《左傳》.
字源 形聲. 巾+微〈省〉〔音〕

巾 11 **〔幕〕** 14 高·人 막 ㊅藥 | mù マク まく

筆順 ' ⺾ 艹 苜 莒 莫 莫 幕 幕

字解 ①장막막 휘장. 천막. '帷一'. '就一而會'《國語》. ②막부막 장군이 군무(軍務)를 보는 군막(軍幕). 중국에서, 옛날에 장군을 상치(常置)하지 아니하고 유사시(有事時)에 특히 임명하였다가 일이 끝나면 해직(解職)하였으므로, 청사(廳舍)가 없이 장막을 쳐서 집무소로 삼았던 데서 유래(由來)함. '同佐鄭少師宣州一'《摭言》. ③덮을막 덮어 가림. '井收勿一'《易經》. ④사막막 漠(水부 11획〈678〉)과 통용. '衞青將六將

軍絕一'《漢書》. ⑤성막 성(姓)의 하나.
[字源] 形聲. 巾+莫(茣)〔音〕

巾 11 〔⿱執巾〕14 [一]세 [去]霽 | zhì セイ てぬぐい
[二]지 [去]寘 | シ てぬぐい
[三]접 [入]葉 | ショウ てぬぐい

[字解] [一]손수건세 의례용(儀禮用)의 손수건. '一, 禮巾也'《說文》. [二]손수건지 [一]과 뜻이 같음. [三]손수건접 [一]과 뜻이 같음.
[字源] 形聲. 巾+執〔音〕

巾 12 〔幝〕15 천 [上]銑 | chǎn セン ぬののやぶれたけいよう

[字解] 수레휘장해질천 수레의 장막이 해져 너풀거리는 모양. '檀車一一'《詩經》.
[字源] 形聲. 巾+單〔音〕

巾 12 〔幞〕15 복 [入]沃 | fú ボク ずきん

[字解] 건복 두건(頭巾). '戴一頭'《詩話總龜》.
[字源] 形聲. 巾+菐〔音〕

巾 12 〔⿰巾畫〕15 획 [入]陌 | huà カク きぬをさくおと

[字解] 비단찢는소리획 '一, 裂帛聲'《集韻》.

巾 12 〔幟〕15 치 [去]寘 | zhì シ のぼり

[字解] 표기치 표지(標識)가 있는 기. '旗一'. 전(轉)하여, 다만 '표지'의 뜻으로도 쓰임. '以采綖縫其裾爲一'《後漢書》.
[字源] 形聲. 巾+戠〔音〕

巾 12 〔幡〕15 번 [平]元 | fān マン·ハン のぼり

[字解] ①표기번 표지(標識)가 있는 기(旗). '一旗'. ②나부낄번 기 같은 것이 펄럭거림. 翻(羽부 12획〈1047〉)과 통용. '一一'. '旣而一然改'《孟子》.
[字源] 形聲. 巾+番〔音〕

巾 12 〔幜〕15 경 [上]梗 | jǐng ケイ きぬ

[字解] ①비단경 '一, 帛也'《玉篇》. ②너울경 옷 위에 덧씌워 먼지를 막는 쓰개. 景(日부 8획〈508〉)과 통용. '後齊納后禮, 皇后服大嚴繡衣, 帶綬佩, 加一. 入昭陽殿, 前至席位, 姆去一'《隋書》.
[字源] 形聲. 巾+景〔音〕

巾 12 〔幢〕15 당 [平]江 | chuáng トウ はた

[字解] ①기당 의장(儀仗) 또는 지휘하는 데 쓰는 기. '建一棨, 植羽葆'《漢書》. ②괴목당 버팀목. 지주(支柱). '七寶金一, 擎瑠璃地'《觀無量壽經》. ③늘어질당 새털·포목 등의 늘어진 모양. '樹羽一一'《張衡》.
[字源] 形聲. 巾+童〔音〕

巾 12 〔⿰巾喬〕15 교 [平]蕭 | qiāo キョウ はかまのひも

[字解] 끈교, 바지끈교 繑(糸부 12획〈1013〉)와 同字. '一, 袴一也'《玉篇》.

巾 12 〔幠〕15 무 [平]虞 | hū ブ おおう

[字解] ①덮을무 덮어 가림. '一用斂衾'《禮記》. ②업신여길무 깔봄. '毋一毋敖'《禮記》.
[字源] 形聲. 巾+無(橆)〔音〕

巾 12 〔⿰巾散〕15 산 [上]旱 [去]翰 | sǎn サン きぬがさ

[字解] 일산(日傘)산 수레 같은 데에 볕을 가리기 위하여 쓰이는 것. 繖(糸부 12획〈1013〉)·傘(人부 10획〈65〉)과 同字. '功曹吏一扇騎從'《晉書》.
[字源] 形聲. 巾+散〔音〕

巾 12 〔⿰巾𠷎〕15 〔주〕
幬(巾부 14획〈339〉)의 本字

巾 12 〔幩〕15 〔분〕
幩(巾부 13획〈339〉)의 俗字

巾 12 〔⿱須巾〕15 수 [平]虞 | xū シュ きぬぎれ

[字解] 쪽끈수 부인(婦人)이 쪽을 찔 때 머리카락을 묶는 끈. '婦人成服, 布頭一, 用略細麻布一條爲之. 長八寸, 用以束髮根, 而垂其餘于後'《朱子家禮》.

巾 12 〔幣〕15 [高·人] 폐 [去]霽 | bì ヘイ きぬ

[筆順] ⺌ 巾 巾 㡀 㡀 敝 敝 幣

[字解] ①비단폐 견직물. '皮一'. ②폐백폐 예물로 보내는 비단. 전(轉)하여, 널리 예물. '一物'. '一美則沒禮'《儀禮》. ③돈폐 전화(錢貨). '錢一'. '改一以約之'《漢書》. ④재물폐 재화. '以珠玉爲上一'《管子》.
[字源] 形聲. 巾+敝〔音〕

巾 12 〔幚〕15 〔방〕
幫(巾부 14획〈339〉)의 俗字

巾 12 〔⿰巾登〕15 〔정〕
幀(巾부 9획〈334〉)과 同字

巾 13 〔幨〕16 첨 ①②[平]鹽 | chān セン とばり
③[去]豔 | chàn セン えり

[字解] ①수레휘장첨 차체(車體)를 둘러치는 휘장. '一帷'. '擁蓋垂一, 其榮可喜'《歐陽修》. ②끊을첨 단절함. '筋之所由一'《周禮》. ③옷깃첨 '列大夫豹一'《管子》.
[字源] 形聲. 巾+詹〔音〕

巾 13 〔幧〕16 조 [平]蕭 | qiāo ショウ ずきん
[字解] 머리띠조 머리에 감는 헝겊. '少年見羅敷, 脫帽着一頭'《古樂府》.
[字源] 形聲. 巾+喿〔音〕

巾 13 〔𢅈〕16 교 [上]篠 [去]嘯 | jiǎo キョウ むかばき
[字解] 행전교, 각반교 '一脛'. '行縢謂之一'《集韻》.

巾 13 〔幩〕16 분 [平]文 | fén フン くつわのかざり
[字解] 말장식분 말의 재갈 장식. '朱一鑣鑣'《詩經》.
[字源] 形聲. 巾+賁〔音〕

巾 13 〔幘〕16 〔책〕 幘(巾부 11획〈337〉)의 本字

巾 13 〔幦〕16 멱 [入]錫 | mì ベキ くるまのちりよけ
[字解] 수레뚜껑멱 차개(車蓋). '君羔一虎犆'《禮記》.
[字源] 形聲. 巾+辟〔音〕

〔冪〕 〔멱〕 冖부 14획(92)을 보라.

巾 14 〔幪〕17 몽 ①[平]東 | méng ボウ おおう ②[上]董 | měng ボウ しげる
[字解] ①덮을몽 덮어 가림. 또, 그 물건. '知夏屋之爲帡一也'《揚子法言》. ②무성할몽 초목이 무성한 모양. '麻麥一一'《詩經》.
[字源] 形聲. 巾+蒙〔音〕

巾 14 〔𢅮〕17 람 [平]覃 | lán ランへりのないころも
[字解] ①단없는옷람 '一, 楚謂無緣衣也'《說文》. ②털옷람 '一㡾, 毳也'《揚子方言》.
[字源] 形聲. 巾+監〔音〕

巾 14 〔幬〕17 [一] 주 [入]尤 | chóu チュウ とばり [二] 도 [去]號 | dào トウ おおう
[字解] [一] ①휘장주 장막 '一帳'. '蹇余一而請御'《宋玉》. ②바퀴통가죽주 수레의 바퀴통을 싸는 가죽. '欲其一之廉也'《周禮》. [二] 덮을도 덮어 가림. '如天之無不持載無不覆一'《中庸》.
[字源] 形聲. 巾+壽(𠷎)〔音〕

巾 14 〔㡥〕17 은 [去]問 | yìn イン まがる
[字解] ①굽을은, 틀릴은. ②쌀은 안에 넣고 묶어 쌈. '一, 裹也'《廣雅》.

巾 14 〔韓〕17 〔한〕 韓(韋부 8획〈1675〉)의 俗字

巾 14 〔帰〕17 〔귀〕 歸(止부 14획〈605〉)의 略字

巾 14 〔幫〕17 방 [平]陽 | bāng ホウ たすける
[字解] ①도울방 보좌함. '一助補說'《傳習錄》. ②패거리방 동아리. '四人一'. ③《現》단체방 동향인(同鄕人)·동업자 등의 단체나 비밀 결사(祕密結社).
[字源] 形聲. 帛(巾+白)+封〔音〕
[參考] 幇(巾부 9획〈336〉)과 同字.

巾 15 〔幭〕18 [一] 멱 [入]錫 | ベキ おおい [二] 멸 [入]屑 | miè ベツ くるまのおおい
[字解] [一] ①덮개멱 물건을 덮는 천. ②잠옷멱 '一, 一曰, 襌被也'《說文》. ③수레뚜껑멱 수레 위에 덮는 덮개. 차개(車蓋). 차복(車覆). '鞹鞃淺一'《詩經》. ④머리띠멱. [二] 수레뚜껑멸 [一]❸과 뜻이 같음.
[字源] 形聲. 巾+蔑〔音〕

巾 15 〔𢅫〕18 幭(前條)과 同字

巾 15 〔幯〕18 절 [入]屑 | jié セツ ぬぐう
[字解] 걸레질할절 '一, 拭也'《玉篇》.

巾 15 〔幮〕18 주 [平]虞 | chú チュウ とばり
[字解] 휘장주 네모지게 둘러치는 휘장. 모기장 따위. '蚊一'. '葛一竹簟夜更涼'《陸游》.
[字源] 形聲. 巾+廚〔音〕

巾 16 〔𢅸〕19 멱 [入]錫 | mì べき くるまのおおい
[字解] 수레덮개멱 수레의 덮는 뚜껑. 簚(竹부 12획〈955〉)과 同字.

巾 16 〔幰〕19 헌 [上]阮 | xiǎn ケン ほろ
[字解] 수레휘장헌 수레에 치는 휘장. '弗許施一'《隋書》.
[字源] 形聲. 巾+憲〔音〕

巾16 〔⿰巾奮〕19 ㊀분 (上)吻 fěn フン ふくろがはりさける
㊁분 (去)問 フン ふくろがはりさける
㊂불 (入)物 フツ ふくろがはりさける

字解 ㊀①자루터질분 지나치게 많이 넣어 곡식을 담은 자루가 터짐. '一, 盛穀囊滿而裂也'《廣韻》. ②자루찰분 곡식을 담는 자루가 가득 참. '一, 穀囊滿'《集韻》. ③활휠분 활의 힘줄이 들고 일어나 활이 휨. '一, 又弓筋起'《玉篇》. ㊂ 자루터질불 ㊀❶과 뜻이 같음.
字源 形聲. 巾＋奮〔音〕

巾16 〔⿰巾賴〕19 뢰 (上)蟹 lǎi ライ ころもがやぶれる
字解 옷해어질뢰 옷이 해어짐. 襰(衣부 16획〈1292〉)와 同字.

巾17 〔幱〕20 란 (平)寒 lán ラン ころもとともをつらねたきもの
字解 철릭란 윗옷과 아랫도리 옷이 잇대어 된 의복. '一, 衣與裳連也'《正字通》.

巾17 〔⿰巾韱〕20 첨 (平)鹽 ①jiān セン ぬぐう ②qiān セン しるし
字解 ①걸레질할첨 '一, 拭也'《說文》. ②표지첨 알아보도록 표한 것. '一, 標識也'《集韻》.
字源 形聲. 巾＋韱〔音〕

巾17 〔⿰巾登〕20 쟁 (去)敬 zhèng トウ ひょうそうする
字解 그림깁붙일쟁 그림 그린 깁을 틀에 펴서 붙임. '一, 開張畫繪也'《廣韻》.

巾18 〔⿰巾雙〕21 쌍 (平)江 shuāng ソウ ほ
字解 돛쌍 欆(木부 18획〈592〉)과 同字

巾18 〔⿰巾與〕21 〔표〕
幖(巾부 11획〈337〉)의 本字

巾19 〔⿰巾夒〕22 ㊀논 (平)元 ドン ぬる
㊁뇌 (平)灰 něi ダイ ぬる
㊂난 (上)旱 (去)翰 ダン ぬる

字解 ㊀①바를논 '一, 墀地也. 曰巾攔之'《說文》. ②훔칠논 걸레로 지대돌을 훔침. ③붙을논 '一, 一曰著也'《說文》. ㊁ 바를뇌, 훔칠뇌, 붙을뇌 ㊀과 뜻이 같음. ㊂ 바를난, 훔칠난, 붙을난 ㊀과 뜻이 같음.
字源 形聲. 巾＋夒〔音〕

巾19 〔⿰巾蕪〕22 〔무〕
幠(巾부 12획〈338〉)의 本字

干 部
〔방패간부〕

干0 〔干〕3 中·人 간 (平)寒 gān カン たて, ふせぐ
筆順 一 二 干

字解 ①방패간 창을 막는 물건. '一戈'. '寢苫枕一'《禮記》. ②막을간 방어(防禦)함. '師一之試'《詩經》. ③범할간 ㉠법률·도덕에 어긋나는 일을 함. '其敢一大禮, 以自取戾'《左傳》. ㉡저촉(抵觸)함. 촉범(觸犯)함. '一犯'. '以一先王之誅'《書經》. ㉢능모(陵侮)함. 모독(冒瀆)함. '上下不一'《國語》. ㉣분한(分限)을 어지럽힘. '趙孟使人以其乘車一行'《國語》. ㉤무례한 짓을 함. '挾弓持矢, 而一閭廬'《穀梁傳》. ④구할간 요구함. 바람. '一請'. '子張學一祿'《論語》. ⑤간여할간 참여함. '一涉'. '一豫人事'《晉書》. ⑥개간 물건을 세는 수사(數詞). 箇(竹부 8획〈941〉)와 뜻이 같음. '若一'. ⑦말릴간 '方將被髮而干'《莊子》. ⑧산골물간 澗(水부 12획〈683〉)과 통용. '秩秩斯一'《詩經》. ⑨물가간 수변(水邊). '寘之河之一'《詩經》. ⑩천간간 십간(十干). '一支'. '支一配天地之用也'《皇極經世》. ⑪교외간 성문 밖. 국도(國都) 밖. '出宿于一'《詩經》. ⑫성간 성(姓)의 하나. ⑬《韓》 새앙간 약화제(藥和劑)나 약복지에 생강(生薑)의 뜻으로 쓰는 말. '一三召二'.
字源 象形. 끝이 쌍갈래진 무기를 본뜸.
參考 주로, 자형(字形) 분류를 위해 부수(部首)로 세워짐.

干1 〔开〕4 〔견〕
幵(干부 3획〈341〉)의 俗字

干2 〔平〕5 中·人 ㊀평 (平)庚 píng ヘイ·ヒョウ たいら
㊁편 (平)先 pián ヘン わかちおさめる
筆順 一 ㇒ 䒑 亚 平

字解 ㊀①평평할평 평탄함. '一地'. '壞險以爲一'《管子》. ②바를평 올바름. '心一禮正'《禮記》. ③고를평 균등함. '一均'. '雲行雨施天下一也'《易經》. ④편안할평 태평함. '一安'. '國治而后天下一'《大學》. ⑤쉬울평 용이함. '一凡'. '一易近民'《史記》. ⑥화친할평 화해하고 화목하게 지냄. '宋人及楚人一'《春秋》. ⑦평정할평 적을 진압함.

'一賊'. '一夷狄之亂'《淮南子》. ⑧평정될평 평온하게 진정됨. 잘 다스려짐. '西方旣一'《詩經》. ⑨평야평 들. 광원(廣原). '沙篆印廻一'《韓愈》. ⑩평상평 심상. 보통. '一居'. '一常心是道'《指月錄》. ⑪평성평 운(韻)의 이대별(二大別)의 하나. 곧 사성(四聲) 중에서 측운(仄韻)이 아닌 것. '一聲分上一下一'《沈約》. ⑫법관평 법률을 맡은 벼슬. '廷尉天下之一也'《史記》. ⑬성평 성(姓)의 하나. ㊁ 고루다스려질편 '王道一一'《書經》.

字源 象形. 물의 평면에 뜬 수초(水草)의 모양을 본뜸.

〔刊〕〔간〕 刀부 3획(99)을 보라.

干2 〔干〕5 임 ㊤寢 rěn ジン つきおかす

字解 찌를임 찔러 범(犯)함. '一, 𢧵也'《說文》.

字源 會意. '入입'을 거꾸로 한 자형(字形)과 '二이'의 합자(合字).

干3 〔幵〕6 견 ㊥先 jiān ケン たいら

字解 ①평탄할견 '一, 平也'《說文》. ②오랑캐이름견 강(羌)의 별종. '先零罕一'《漢書》. ③성견 성(姓)의 하나.

字源 象形. 두 개의 장대를 나란히 세워 위가 평평하게 하여 '평탄하다'의 뜻을 나타냄.

參考 幵(干부 1획〈340〉)은 俗字.

干3 〔年〕6 中·人 년 ㊥先 nián ネン とし

筆順 ノ 𠂉 𠂉 仁 乍 年

字解 ①해년 ㉠12 개월. '一一歲歲'. '正歲一'《周禮》. ㉡시대. 때. '一世'. '當一不能究其禮'《司馬相如》. ㉢오곡(五穀)의 성숙(成熟). '大有一'《左傳》. ㉣곡물. ②나이년 연령. '一齒'. '豈尙一哉'《左傳》. ③성년 성(姓)의 하나.

字源 形聲. 甲骨文은 禾＋人〔音〕

參考 秊(禾부 3획〈897〉)은 本字.

干3 〔并〕6 人名 〔병〕 幷(干부 5획〈341〉)의 俗字

筆順 丶 丷 䒑 并 并 并

干4 〔玎〕7 정 ㊥青 tíng テイ みぎわ

字解 물가정 汀(水부 2획〈625〉)과 同字.

〔罕〕〔한〕 网부 3획(1026)을 보라.

干5 〔幷〕8 人名 병 ①-④㊥庚 ⑤㊀敬 bīng へイ あわせる bìng へイ しりぞける

筆順 ′ ㅗ ㅗ 𠂇 𠂇 𢆉 𢆉 幷

字解 ①어우를병 ㉠합침. '合一'. '天下良辰美景賞心樂事, 四者難一'《謝靈運》. ㉡아울러 가짐. '兼一'. '魏一中山, 必無趙矣'《戰國策》. ②어울릴병 조화됨. '心與俗一'《嵇康》. ③병주병 십이주(十二州)의 하나. 산서성 대원부(山西省大原府) 지방. '舜分冀州爲幽州一州'《書經 註》. ④성병 성(姓)의 하나. ⑤물리칠병 屛(尸부 8획〈299〉)과 통용. '至貴國爵一焉'《莊子》.

字源 象形. 사람을 늘어 세워 연결한 모양을 본뜸.

干5 〔幸〕8 中·人 행 ㊤梗 xìng コウ さいわい, さち

筆順 一 十 土 𡈼 击 查 幸 幸

字解 ①다행행, 행복행 행복. '一運'. '予以馭其一'《周禮》. ②요행행 우연의 행복. '徼一'. '朝無一位, 民無一生'《荀子》. ③다행할행 운이 좋음. '一哉, 遺黎免俘虜'《晉書》. ④다행히행 운이 좋아. '一而至於旦'《禮記》. ⑤행복게할행 행복을 줌. '願大王以一天下'《漢書》. ⑥바랄행 원함. '一冀'. '一得召見'《漢書》. ⑦굄행 제왕의 총애. '寵一'. '得一于武帝'《漢書》. ⑧괼행 총애함. 또 제왕이 여자를 사랑하여 침석(枕席)에 들게 함. '襄公有賤妾, 一之有身'《史記》. ⑨거둥행 천자의 행차. '行一'. '諸宮館希御一者'《漢書》. ⑩성행 성(姓)의 하나.

字源 象形. 쇠고랑의 모양을 본뜸.

干5 〔𠂹〕8 幸(前條)과 同字

干7 〔𢆶〕10 〔병〕 幷(干부 5획〈341〉)의 本字

干10 〔𣘥〕13 견 ㊤銑 jiǎn ケン こたば

字解 ①작은단견, 작게단지을견 '一, 小束也'《說文》. ②벼열움큼견 열 움큼이 되는 분량의 곡식. '一, 禾十把也'《玉篇》.

字源 形聲. 束＋幵〔音〕

干10 〔幹〕13 高·人 ㊀ 간 ㊀翰 ㊥寒 ①-⑧gàn カン みき ⑨hán カン いげた ㊁ 관 ㊤旱 guǎn カン つかさどる

筆順 一 十 古 古 卓 卓 幹 幹

字解 ㊀ ①몸간 체구(體軀). '軀—'. '非不偉其體—也'《南史》. ②줄기간 '枝'의 대. '—枝'. '山無峻—'《淮南子》. 전(轉)하여, 줄기 같은 역할을 하는 것. '箭—'. ③근본간 본체(本體). '貞者事之—也'《易經》. ④재능간 '才—'. '有文—'《吳志》. ⑤천간간 십간(十干). 干(部首)과 同字. '甲乙爲—'《廣雅》. ⑥등뼈간 척골(脊骨). '所以籍—'《左傳》. ⑦견딜간 일을 감당하여 냄. '—父之蠱'《易經》. ⑧성간 성(姓)의 하나. ⑨우물난간간 '吾跳梁乎井—之上'《莊子》. ㊁ 주관할관 管(竹부, 8획〈943〉)과 통용. '—尙書'《漢書》.

字源 形聲. 篆文은 木+倝〔音〕

幺 部

〔작을요부〕

幺 0 〔幺〕 3 요 ㊥蕭 | yāo ヨウ ちいさい, おさない

筆順 ㄑ 幺 幺

字解 ①작을요 세소(細小)함. '—麽'. '猶絃—而徽急'《陸機》. ②어릴요 나이가 어림. '—弱'. '—麽不及數子'《班彪》. ③성요 성(姓)의 하나.

字源 象形. 실 끝의 상형으로, '작다'의 뜻을 나타냄.

參考 ①么(丿부 2획〈18〉)는 俗字. ②'幺' 또는 '幺'를 둘 합친 '丝'를 의부(意符)로 하여, '작다, 희미하다'의 뜻을 지닌 문자가 이루어짐.

幺 0 〔乡〕 3 〔향〕 鄕(邑부 10획〈1523〉)의 簡體字

幺 1 〔幺〕 4 ㊀ 糸(部首〈979〉)의 古字 ㊁ 玄(部首〈765〉)의 古字

幺 1 〔幻〕 4 人名 환 ㊦諫 | huàn ゲン まぼろし, かわる

筆順 ㄑ 乡 幺 幻

字解 ①변할환 변화함. '神五色于變—'《王光蘊》. ②미혹할환 홀림. '—惑'. '民無或胥譸張爲—'《書經》. ③요술환 마술. '祕—奇伎'《法苑珠林》. ④허깨비환 환상. '—影'. '夢—泡影'. '此生如—耳'《蘇軾》.

字源 象形. 염색한 실을 나뭇가지에 건 형상.

幺 2 〔幼〕 5 中·人 ㊀ 유 ㊦有 ㊁ 요 ㊦嘯 | yòu ユウ おさない yào ヨウ ふかい

筆順 ㄑ 乡 幺 幻 幼

字解 ㊀ ①어릴유 나이가 어림. '—年'. '人生十年曰—學'《禮記》. ②어릴때유 어린 시절. '—被慈母三遷之敎'《趙岐》. ③어린아이유 유아. '攜—入室'《陶潛》. ④사랑할유 어린아이를 사랑함. '—吾—, 以及人之—'《孟子》. ㊁ 깊을요 심원(深遠)함. 오묘(奧妙)함. 窈(穴부 5획〈917〉)와 同字. '聲—妙'《司馬相如》.

字源 形聲. 力+幺〔音〕

幺 2 〔幼〕 5 幼(前條)의 訛字

〔玄〕 〔현〕 部首(765)를 보라.

幺 3 〔丝〕 6 ㊀ 유 ㊥尤 ㊁ 자 | yōu ユウ ごくちいさい シ

字解 ㊀ 작을유 극히 작음. '—, 微小'《廣韻》. ㊁ 玆(玄부 5획〈765〉)의 古字.

字源 形聲. 幺+幺〔音〕

幺 4 〔幼〕 7 요 ㊥蕭 | yāo ヨウ もどる

字解 ①되돌아갈요 급히 되돌아감. '—, 說文, 急戾也'《字彙》. ②작을요 작은 모양. '—, 一曰, —尪, 小皃'《集韻》.

幺 5 〔幼〕 8 幼(前條)와 同字

幺 6 〔幽〕 9 高·人 유 ㊥尤 | yōu ユウ おくふかい, くらい

筆順 丨 㐅 幺 幺 丝 丝 幽 幽

字解 ①그윽할유 ㉠미묘함. 심원함. '—深'. '極—而不隱'《史記》. ㉡깊고 조용함. '—宮'. '出自—谷, 遷于喬木'《詩經》. ②숨을유 세상을 피하여 삶. '—隱'. '—居而不淫'《禮記》. ③어두울유 밝지 않음. '—室'. '上—而下險'《荀子》. '—則有鬼神'《史記》. ④가둘유, 갇힐유 감금함. 감금당함. '—閉'. '身—北闕'《楊惲》. ⑤조용할유 ㉠고요함. '長夏江村事事—'《杜甫》. ㉡정숙함. '—閒貞靜'《詩經》. ⑥귀신유 신. 영혼. '至順感—'《北史》. ⑦저승유 황천(黃泉). '以別—明'《禮記》. ⑧구석유 모퉁이. '光照六—'《後漢書》. ⑨유주유 십이주(十二州)의 하나. 하북성(河北省) 북경(北京) 일대의 지역. '舜分冀州爲—州幷州'《書經 註》. ⑩검을유, 검은빛유 黝(黑부 5획〈1862〉)와

통용. '赤紱一衡'《禮記》.
[字源] 形聲. 甲骨文은 火+玆〔音〕

幺 6 〔𢆶〕9 〔시〕
緦(糸부 9획〈1002〉)의 古字

幺 7 〔𢆸〕10 〔시〕
緦(糸부 9획〈1002〉)의 古字

幺 8 〔𢆻〕11 관 [平]刪 [去]諫 | guān カン ぬく，とおす
[字解] 꿸관, 실북에꿸관 '一, 織邑糸毌杼也'《說文》.
[字源] 形聲. 絲〈省〉+丱〔音〕

幺 9 〔幾〕12 [中·人] 기 ①-⑩[平]微 ⑪-⑫[上]尾 | jī キ きざし jǐ キ いく，あに
[筆順] 幺 幺幺 𢆶 𢆶 𢆶 幾 幾 幾
[字解] ①빌미기 조짐(兆朕). 전조(前兆). '一微'. '一者動之微'《易經》. ②고동기, 기틀기 제일 중요한 데. 요령. 機(木부 12획〈580〉)와 통용. '一日二日萬一'《書經》. '爲政有一'《揚子法言》. ③때기 시기. 期(月부 8획〈522〉)와 同字. '如一如式'《詩經》. ④위태할기 위태로움. '一殆'. '疾大漸, 惟一'《書經》. ⑤바랄기 희망함. 覬(見부 10획〈1301〉)와 同字. '庶一'. '毋一爲君'《史記》. ⑥거의기 하마터면. '一至死境'. '一敗乃公之事'《史記》. ⑦가까울기 거의 되려 함. '月一望'《易經》. ⑧살필기 살펴봄. 기찰(譏察)함. 譏(言부 12획〈1354〉)와 통용. '一出入不物者'《周禮》. ⑨헌걸찰기 頎(頁부 4획〈1684〉)와 통용. '一然而長'《史記》. ⑩성기 성(姓)의 하나. ⑪얼마기 몇. 수의 다과(多寡) 또는 정도의 고하. '一何'. '未一'. '上問車中一馬'《史記》. ⑫어찌기 豈(豆부 3획〈1369〉)와 통용. '一爲知計哉'《荀子》.
[字源] 會意. 𢆶+戍

幺 9 〔𢆿〕12 〔소〕
紹(糸부 5획〈985〉)의 古字

幺 10 〔𢇁〕13 예 [去]霽 | yì エイ もどる
[字解] 돌아올예 일을 이루지 못하고 급히 돌아옴. '一, 不成遂急戾也'《說文》.
[字源] 形聲. 弦〈省〉+曷〔音〕

幺 11 〔𢇍〕14 계 [去]霽 | jì ケイ つぐ
[字解] 이을계 繼(糸부 14획〈1017〉)와 同字. '得水則爲一'《莊子》.

幺 11 〔𢇇〕14 〔이〕
彝(彐부 15획〈365〉)의 古字

幺 13 〔𢇓〕16 〔절〕
絕(糸부 6획〈989〉)의 古字

广　部
〔엄 호 부〕

广 0 〔广〕3 [一]엄 [上]琰 | yǎn ゲン いえ [二]광 [上]養 | guǎng
[筆順] ' 一 广
[字解] [一] ①집엄 바위에 의지하여 지은 집. '草一突如峙'《袁桷》. ②마룻대엄 마룻대의 끝. 동두(棟頭). '剖竹走泉源, 開廊架屋一'《韓愈》. [二] 廣(广부 12획〈352〉)의 簡體字.
[字源] 象形. 가옥의 덮개에 상당하는 지붕의 상형.

广 2 〔庀〕5 비 [上]紙 | pǐ ヒ おさめる
[字解] ①다스릴비 '子匠使一賦'《左傳》. ②갖출비 구비함. '官一其司'《左傳》. ③덮을비 庇(广부 4획〈344〉)와 통용. '一其委積'《周禮》.
[字源] 形聲. 广+匕〔音〕

广 2 〔仄〕5 측 [入]職 | zè ショク ぜにのな
[字解] 돈이름측 '赤一'은 한대(漢代)의 전화(錢貨)의 이름. '公卿請, 令京師鑄官, 赤一一當五. 其後二歲, 赤一民不便錢賤, 又廢'《漢書》.

广 2 〔広〕5 〔광〕
廣(广부 12획〈352〉)의 略字

广 2 〔庁〕5 〔청〕
廳(广부 22획〈354〉)의 略字

广 3 〔庄〕6 [人名] [一]팽 [平]庚 | pēng ホウ たいらか [二]장 [平]陽 | zhuāng ショウ むらざと
[筆順] ' 一 广 广 庄 庄
[字解] [一] 평평할팽 평탄함. [二] 전장장 莊(艸부 7획〈1141〉)의 俗字·簡體字.
[字源] 形聲. 广+壯〈省〉〔音〕

广3 〔庁〕 6 사 [去]禡 | shà サ ひさし

[字解] 행각사 몸채 옆에 내어 지은 집. '一, 旁屋也'《玉篇》.

广3 〔厇〕 6 ㊀ 도 [去]遇 | dù ト のり ㊁ 택 [入]陌 | zhái タク いえ ㊂ 탁 [入]藥 | duó タク はかる

[字解] ㊀ 법도도 度(广부 6획〈346〉)와 同字. '度, 說文, 法制也. 或作一'《集韻》. ㊁ 집택 宅(宀부 3획〈274〉)의 古字. ㊂ 헤아릴탁 度(广부 6획〈346〉)의 古字.

广3 〔庅〕 6 〔마〕 麼(麻부 3획〈1855〉)의 俗字

广3 〔庆〕 6 〔경〕 慶(心부 11획〈406〉)의 簡體字

广4 〔庇〕 7 [人名] 비 [去]寘 | bì ヒ おおう

[筆順] 丶 亠 广 广 庀 庀 庇

[字解] ①덮을비 덮어 가림. 은폐함. '一蔭'. '葛藟猶能一其本根'《左傳》. ②감쌀비 감싸 보호함. '一護'. '有一民之大德'《禮記》. ③의지할비 의탁함. '一賴'. '民知所一矣'《呂氏春秋》. ④그늘비 도움. 의탁. '生民有一'《中說》. ⑤차양비.

[字源] 形聲. 广+比〔音〕

广4 〔庉〕 7 돈 ①-④[上]阮 ⑤[平]元 | dùn トン かき tún トン ひさかんにもえる

[字解] ①담돈 높은 집의 담. '一, 樓牆也'《說文》. ②집돈 가옥(家屋). '一, 舍也'《廣雅》. ③둔소(屯所)돈 사람이 모이는 곳. '一, 屯聚之處'《玉篇》. ④벽장돈 '一, 一曰, 室中藏也'《集韻》. ⑤불활활붙을돈 불이 활활 타는 모양. '風與火爲一'《爾雅》.

[字源] 形聲. 广+屯〔音〕

广4 〔庋〕 7 기 [上]紙 | guǐ キ とだな

[字解] ①시렁기 물건을 올려놓는 설비. '一閣'. '傾筐倒一'《世說》. ②올려놓을기, 둘기 시렁에 올려놓음. 전(轉)하여, 놓아 둠. 저장하여 둠. '一置'. '前後錫與, 緘一不敢用'《唐書》.

[字源] 形聲. 广+支〔音〕

广4 〔序〕 7 [中·人] 서 [上]語 | xù ジョ かき, ついで

[筆順] 丶 亠 广 广 庐 序 序

[字解] ①담서 집의 동서(東西)에 있어, 내외를 구별하는 담. '東一'. '一內'. '東西牆謂之一'《爾雅》. ②차례서 순서. '一次'. '長幼有一'《孟子》. ③차례매길서 순서를 정함. '一列'. '一爵以賢'《詩經》. ④실마리서 단서. 발단(發端). '繼一思不忘'《詩經》. ⑤학교서 은대(殷代)의 초등 학교의 명칭. '庠一'. '殷曰一'《孟子》. ⑥서문서 머리말. 敍(攴부 7획〈482〉)와 同字. '一跋'. '凡百篇而爲之一, 言其作意'《漢書》. ⑦서술할서 ㉠차례를 따라 진술함. '一其事以風焉'《詩經》. ㉡서문을 씀. '因推其意而一之'《韓愈》. ⑧성서 성(姓)의 하나.

[字源] 形聲. 广+予〔音〕

广4 〔庎〕 7 개 [去]卦 | jiē カイ たな

[字解] ①살강개, 시렁개 물건을 얹거나 넣어 두는 곳. '一, 所以庋食器者'《集韻》. ②개수대개 '一, 庋版, 令足流水以受滌濯, 今人設之於廚'《六書故》.

[字源] 形聲. 广+介〔音〕

[參考] 疥(疒부 4획〈806〉)는 別字.

广4 〔庌〕 7 아 [上]馬 [去]禡 | yǎ ガ ひさしをかける

[字解] 가릴아 집 같은 것을 지어 우로(雨露)를 가림. '夏一馬'《周禮》.

[字源] 形聲. 广+牙〔音〕

广4 〔庋〕 7 환 [平]刪 | huán カン まるがわら

[字解] ①수키와환 '一, 屋牡瓦也'《廣韻》. ②벼릿줄매는끈환 벼릿줄을 그물에 매는 가는 끈. 綰(糸부 10획〈1007〉)과 통용.

[字源] 形聲. 广+閔〈省〉〔音〕

广4 〔庈〕 7 금 [平]侵 | qín キン じんめい

[字解] 사람이름금 '費一父勝之'《左傳》.

广4 〔底〕 7 〔저〕 底(广부 5획〈345〉)와 同字

广4 〔庄〕 7 〔장〕 莊(艸부 7획〈1141〉)의 俗字

广4 〔応〕 7 〔응〕 應(心부 13획〈414〉)의 俗字

广4 〔庋〕 7 〔도〕 度(广부 6획〈346〉)의 俗字

广4 〔庐〕 7 〔려〕 廬(广부 16획〈353〉)의 略字

广 4 〔床〕7 [高·人] 〔상〕牀(爿부 4획〈735〉)의 俗字

[筆順] 丶 亠 广 庀 庄 床 床

广 4 〔应〕7 〔응〕 應(心부 13획〈414〉)의 簡體字

广 4 〔庐〕7 〔려〕 廬(广부 16획〈353〉)의 簡體字

〔応〕 〔응〕 心부 3획(377)을 보라.

广 4 〔庌〕7 〔부〕 府(广부 5획〈345〉)와 同字

广 5 〔底〕8 [高·人] 저 ㊤薺 dǐ テイ そこ

[筆順] 丶 亠 广 庀 庀 庇 底 底

[字解] ①밑저 ㉠밑바닥. '一面'. '眼花落井水一眠'《杜甫》. ㉡세월의 거의 다 된 때. 세밑 따위. '歲一'. '月一' ②바닥저 그릇·신 같은 것의 밑 부분. '無一曰槖'《詩經箋》. ③이를저 도달함. '一止'. '瞽瞍一豫而天下之爲父母者定'《孟子》. ④이룰저 되게 함. 致(至부 3획〈1102〉)와 뜻이 같음. '乃一滅亡'《書經》. ⑤그칠저 정지함. '房久將一'《國語》. ⑥어찌저 의문사. 어찌하여. 또, 어떤. 何(人부 5획〈42〉)와 뜻이 같음. 시(詩) 또는 속어에 쓰임. '一事'. '有一忙時不肯來'《韓愈》. ⑦어조사저 지시(指示)의 뜻을 나타내는 조사(助辭). 송인(宋人)의 어록(語錄)에 이 자를 많이 썼음. 的(白부 3획〈825〉)과 뜻이 같음. '是做人一樣子'《朱子語類》. ⑧초고저 문서의 원고. '一本'. '公家文書之槀, 中書謂之草, 樞密院謂之一, 三司謂之檢'《春明退朝錄》. ⑨숫돌저 砥(石부 5획〈867〉)와 통용. '磨礱一厲'《漢書》. ⑩성저 성(姓)의 하나.

[字源] 形聲. 广+氐〔音〕

广 5 〔庌〕8 사 ①㊤馬 zhǎ サ いえ ②㊥麻 chá サ ひとしくない

[字解] ①집사 가옥(家屋). '一, 屋也'《集韻》. ②고르지않을사 가지런하지 않음. '一庌, 不齊'《集韻》.

广 5 〔庖〕8 포 ㊥肴 páo ホウ くりや

[字解] ①부엌포 취사장. '一廚'. '大一不盈'《詩經》. ②요리인포 요리하는 사람. '伊尹爲一'《史記》. ③음식포 요리한 음식. '專主一膳'《宋史》. ④복희씨포 복희씨(伏羲氏)를 이름. '一犧'. '河圖命一'《漢書》. ⑤성포 성(姓)의 하나.

[字源] 形聲. 广+包〔音〕

广 5 〔店〕8 [中·人] 점 ㊦豔 diàn テン みせ

[筆順] 丶 亠 广 广 庀 庀 店 店

[字解] 전방점 가게. 상점. '一鋪'. '營新一, 規利'《宋史》.

[字源] 形聲. 广+占〔音〕

广 5 〔庚〕8 [中·人] 경 ㊥庚 gēng コウ かのえ

[筆順] 丶 亠 广 户 声 戸 庚 庚

[字解] ①일곱째천간경 십간(十干)의 제칠위(第七位). 방위로는 서쪽, 오행(五行)으로는 금(金)에 속(屬)함. '一午'. '太歲在一曰上章'《爾雅》. ②고칠경 更(曰부 3획〈518〉)과 同字. '先一三日, 後一三日'《易經》. ③갚을경 배상함. '請一之'《禮記》. ④단단할경 씨가 잘 여물어 단단함. 견강(堅強)함. '萬物一一有實'《說文》. ⑤나이경 연령. '同一者數十'《癸辛雜識》. ⑥길경 도로. '塞夷一'《左傳》.

[字源] 象形. 절굿공이를 두 손으로 들어 올리는 모양을 본뜸.

广 5 〔庘〕8 압 ㊇洽 yā オウ こわれかけのいえ

[字解] ①쏠린집압 다 쓰러져 가는 집. '一, 屋欲壞也'《玉篇》. ②돼지울압 '一, 一曰, 豕屋也'《集韻》.

广 5 〔府〕8 [高·人] 부 ㊤麌 fǔ フ くら

[筆順] 丶 亠 广 广 庎 庎 府 府

[字解] ①곳집부 문서 또는 재화를 넣어 두는 창고. '一庫'. '在官言官, 在一言一'《禮記》. ②마을부 재화(財貨)를 맡은 관청. 전(轉)하여, 널리 관청. '泉一'. '一寺'. '文深不可居大一'《漢書》. ③도읍부 사람이 많이 모이는 곳. '未嘗入城一'《後漢書》. 전(轉)하여, 사물이 모이는 곳. '吾不爲怨一'《左傳》. ④고을부 행정 구획(區劃)의 하나. 주(州)의 큰 것. 당(唐)나라에서 시작되어, 명(明)·청(清)에 이르러서는 주현(州縣)을 통합하여 성(省)에 속하다가, 중화 민국(中華民國)에 이르러 폐지되었음. '州一三百五十八'《唐書》. ⑤창자부 腑(肉부 8획〈1079〉)와 통용. '藏一'. '在人身中, 飲食所聚, 謂之六一'《周禮 疏》. ⑥구부릴부 俯(人부 8획〈55〉)와 통용. '王一而視之'《列子》. ⑦성부 성(姓)의 하나.

[字源] 形聲. 广+付〔音〕

广5〔庛〕8 자 ㊀寘 ㊁支 | cì シ またぎ

字解 쟁깃술자 보습 옆에 댄 나무. '車人爲耒, 一長尺有一寸'《周禮》.
參考 庇(广부 4획〈344〉)·疵(疒부 5획〈807〉)는 別字.

广5〔㡹〕8 ㊀자 ㊀寘 ㊁저 ㊁魚 ㊂語 | jū シ たがいによりあう ショ たがいによりあう

字解 ㊀서로의지할자 '一, 人相依一也'《說文》. ㊁서로의지할저 ㊀과 뜻이 같음.
字源 形聲. 广+且〔音〕

广5〔庺〕8 발 ㊀曷 | bá ハツ やどる

字解 ①초가집발, 묵을발 '召伯所一.〈傳〉一, 草舍也'《詩經》. ②낮을발 '一, 下也'《玉篇》.
字源 形聲. 广+犮〔音〕

广5〔庙〕8 전 ㊁先 | tián テン たひらか

字解 평평할전 '一, 平也'《玉篇》.

广5〔庙〕8 〔묘〕廟(广부 12획〈352〉)의 俗字·簡體字

广5〔庆〕8 〔지〕知(矢부 3획〈863〉)의 古字

广6〔庠〕9 人名 상 ㊁陽 | xiáng ショウ まなびや

筆順 丶 亠 广 庀 庂 庄 庠 庠

字解 학교상 ㉠은(殷)·주대(周代)의 학교. '一序'. '夏曰校, 殷曰序, 周曰一'《孟子》. ㉡지방 학교. 향학(鄕學). '邑一'. '郡一'. '古之敎者, 家有塾, 黨有一'《禮記》.
字源 形聲. 广+羊〔音〕

广6〔庤〕9 치 ㊂紙 | zhì チ たくわえる

字解 쌓을치 쌓아 둠. 저축함. '一, 儲置屋下也'《說文》.
字源 形聲. 广+寺〔音〕

广6〔庥〕9 휴 ㊁尤 | xiū キュウ こかげ

字解 ①나무그늘휴 나무의 그늘. 수음(樹蔭). '今俗呼樹蔭爲一'《爾雅 註》. ②쉴휴 휴식함. '此邦是一'《韓愈》.
字源 形聲. 广+休〔音〕

广6〔庢〕9 질 ㊃質 | zhì チツ ふさぐ

字解 ①막을질 막아 그치게 함. 저지(沮止)함. '一, 礙止也'《說文》. ②물굽이질 물줄기의 굽어진 부분. '山曲曰盩, 水曲曰一'《太平寰宇記》.
字源 形聲. 广+至〔音〕

广6〔度〕9 中·人 ㊀도 ㊀遇 ㊁탁 ㊃藥 | dù ド のり, ほど duó タク はかる

筆順 丶 亠 广 广 庐 庐 度 度

字解 ㊀①법도도 법칙. '制一'. '一不可改'《左傳》. ②자도 장단을 재는 기구. '尺一'. '同律一量衡'《書經》. ③정도도 알맞은 한도. '制節謹一'《孝經》. ④국량도 기량(器量). '一量'. '有大一'《史記》. ⑤풍채도 모습. '態一'. '此子之風一'《後漢書》. ⑥번도 횟수. '一數'. '前後六一銜命'《北史》. ⑦건널도, 건넬도 渡(水부 9획〈661〉)와 同字. '一航'. '一江河'《漢書》. '莫把金針一與人'《元好問》. ⑧중될도 속인(俗人)이 승적(僧籍)에 들어감. '剃一'. '得一'. '欲請一僧以資福事'《唐書》. ⑨도도 ㉠일월성신(日月星辰)의 운행을 재기 위하여 천체(天體)의 전주(全周)를 360 등분(等分)한 새김. '日月宿一相戾'《後漢書》. ㉡온도(溫度)의 단위. ㉢각도(角度)의 단위. ㉣지구의 표면을 동서 또는 남북으로 각각 360 등분한 새김. '經一'. '緯一'. ⑩성도 성(姓)의 하나. ㊁①잴탁 ㉠길이를 잼. '寸而一之, 至丈必差'《說苑》. ㉡땅을 잼. 측량함. '一地居民'《禮記》. ②헤아릴탁 ㉠촌탁함. 추측함. '神之格思, 不可一思'《詩經》. ㉡고려함. '爰究爰一'《詩經》. ③물을탁 문의함. '周爰咨一'《詩經》. ④셀탁 계산함. '不一民械'《禮記》. ⑤던질탁 흙을 판대기에 던짐. '一之薨薨'《詩經》.
字源 形聲. 又+庶(庚)〈省〉〔音〕

广6〔庡〕9 선 ㊂吻 | shěn シン かしぐ

字解 집기울선 집이 쏠림. '一, 屋斜也'《篇韻》.

广6〔庣〕9 조 ㊁蕭 | tiāo チョウ みたない

字解 ①차지않을조 용기(容器)에 가득 차지 아니함. 또, 그 차지 않는 곳. '旁有一焉'《漢書》. ②지날조 넘침. '一, 過也'《集韻》.

广6〔庢〕9 치 ㊂紙 | chǐ シ ひろげる

字解 넓힐치 廖(广부 8획〈348〉)와 同字. '軍一翼掩之'《唐書》.

广6〔庈〕9 〔척〕
斥(斤부 1획〈492〉)과 同字

广6〔庰〕9 〔병〕
庰(广부 8획〈347〉)의 俗字

广7〔座〕10 高·人 좌 ㊀箇 zuò ザ すわるところ

筆順 ˙ 亠 广 广 庂 应 座 座

字解 ①자리좌 ㉠까는 자리. '繡一'. '蒲一夜間猫占臥'《許棐》. ㉡앉는 자리. '掃除設一'《史記》. ㉢여러 사람이 앉아 있는 장소. '談咏竟一'《晉書》. ㉣지위. '八一樞機'《李嶠》. ㉤성수(星宿). '太一之一也'《晉書》. ㉥좌대(座臺). 기구를 앉혀 놓는 대(臺). '立砲一十有二'《元史》. ②좌좌 안치(安置)하여 놓은 것을 세는 수사(數詞). '佛像一一'.
字源 形聲. 广+坐〔音〕

广7〔庫〕10 高·人 고 ㊀遇 kù コ くら

筆順 ˙ 亠 广 广 庐 肓 直 庫

字解 곳집고 무기를 넣어 두는 창고. '一, 兵車藏也'《說文》. 후세에는, 다른 재화도 저장하는 창고로 널리 쓰임. '一藏'. '審五一之量'《禮記》.
字源 形聲. 广+車〔音〕

广7〔庬〕10 ㊀방㊥江 máng ボウ あつい ㊁몽㊤董 měng ボウ はっきりしない

字解 ㊀두터울방 풍후함. 厖(厂부 7획〈135〉)과 同字. '湛恩一洪'《漢書》. ㊁흐릿할몽 혼돈(混沌)하여 분명하지 않은 모양. '踰一鴻於宕冥兮'《張衡》.
字源 形聲. 广+尨〔音〕

广7〔庭〕10 中·人 정 ①-④㊥青 tíng テイ にわ ⑤㊀徑 tìng テイ へだたりある

筆順 ˙ 亠 广 广 庐 庠 庭 庭

字解 ①뜰정 ㉠집 안의 마당. '一園'. '掌掃門一'《周禮》. ㉡대청. '賓客在一者'《列子》. ㉢백성을 상대하여 정무(政務)·소송을 취급하는 곳. '法一'. '訟於郡一長年'《魏書》. ㉣궁중(宮中). '妖靡盈一, 忠良在朝'《列子》. ㉤집안. 가정. '一訓益峻'《晉書》. ㉥곳. 장소. '宜昇著作之一, 並踐記言之地'《李嶠》. ②조정정 廷(廴부 4획〈355〉)과 同字. '龍輅充一'《張衡》. ③곧을정 반듯함. '旣一且碩'《詩經》. ④성정 성(姓)의 하나. ⑤동안뜰정 사이가 멂. 또, 차이가 큼. '大有逕一'《莊子》.
字源 形聲. 广+廷〔音〕

广7〔庮〕10 유 ㊤有 yǒu ㊥尤 yǒu ユウ くちたき

字解 ①썩은나무유 고옥(古屋)의 썩은 나무. ②썩은내날유 썩은 나무의 냄새가 남. '一, 朽木臭也'《周禮 註》.
字源 形聲. 广+酉〔音〕

广7〔庪〕10 기 ㊤紙 guǐ キ やまのまつり

字解 산신제기 '一縣'은 산신(山神)에 지내는 제사. '祭山曰一縣'《爾雅》.
字源 形聲. 广+技〔音〕

广7〔庨〕10 효 ㊥肴 xiāo コウ ふかくむなしい

字解 ①깊을효 깊고 비어 있는 모양. '一窌巧老'《馬融》. ②드높을효 궁전(宮殿)이 높고 웅숭깊은 모양. '西亭構其巓, 反宇臨呀一'《柳宗元》.

广7〔庯〕10 포 ㊥虞 bū ホ いえがかしぐ

字解 평평하지않을포 집의 구조에 높낮이가 있어, 지붕이 평평하지 않음. '一, 一庩, 屋不平也'《集韻》.

广7〔庮〕10 곤 ㊀願 kùn コン くら

字解 곳집곤 미창(米倉). '一, 倉也'《玉篇》.

〔唐〕 〔당〕
口부 7획(165)을 보라.

〔席〕 〔석〕
巾부 7획(333)을 보라.

广7〔庩〕10 도 ㊥虞 tú ト いえがかしぐ

字解 기울도 집이 기울어짐. '庯一'.

广8〔庰〕11 병 ㊤梗 bìng ヘイ おおい

字解 ①덮개병, 덮을병 '一, 蔽也'《說文》. ②감출병 저장함. '一, 藏也'《廣雅》. ③후미진집병 '坐太陰之一室兮'《張衡》.
字源 形聲. 广+幷〔音〕
參考 庰(广부 6획〈347〉)은 俗字.

广8〔庳〕11 비 ①㉠㉡㊤紙 bǐ ヒ ひくい いえ ①㉢㉣-③㊥支 bēi ヒ たすける

[字解] ①낮을비 ㉠집이 낮음. '宮室卑—'《左傳》. 전(轉)하여 ㉡지위가 낮음. '—則儀秦'《揚子法言》. ㉢땅이 낮음. '陂唐汚—'《國語》. ㉣키가 작음. '其民豐肉而—'《周禮》. ②도울비 毗(比부 5획〈616〉)와 통용. '天子是—'《荀子》. ③성비 성(姓)의 하나.
[字源] 形聲. 广+卑〔音〕

广 8 〔庳〕 11 庳(前條)와 同字

广 8 〔庵〕 11 [人名] 암 [平]覃 | ān アン いおり
[筆順] 丶 亠 广 广 庆 庎 庵 庵
[字解] 암자암 ㉠초막. '草—'. '編草結—'《齊書》. ㉡불상(佛像)을 모신 작은 집.
[字源] 形聲. 广+奄〔音〕

广 8 〔庻〕 11 庶(次條)의 俗字

广 8 〔庶〕 11 [高·人] 서 ①-⑨[去]御 ⑩[上]語 | shù ショ おおい / ショ はらう
[筆順] 丶 亠 广 广 庐 庐 庶 庶
[字解] ①많을서 '我事孔—'《詩經》. ②여러서 여러 가지. 갖가지. '—羞'. '—績咸熙'《書經》. ③무리서 많은 백성. 서민(庶民). '—無罪悔'《詩經》. ④풍성할서, 살찔서 넉넉하고 많음. 또, 살이 쪄 맛이 있음. 비미(肥美)함. '爲豆孔—'《詩經》. ⑤바라건대서 바라노니. '—幾'. '—竭駑鈍, 攘除姦凶'《諸葛亮》. ⑥가까울서 거의 되려 함. '—幾'. '回也, 其—乎'《論語》. ⑦서자서 첩의 자식. '—孼'. '殺嫡立—'《左傳》. ⑧서족서 종가(宗家)에서 갈려 나간 겨레. 지족(支族). 지파(支派). '其澤流枝—'《史記》. ⑨성서 성(姓)의 하나. ⑩제독할서 고독(蠱毒)을 제거함. '凡—蠱之事'《周禮》.
[字源] 會意. 广+炗

广 8 〔庶〕 11 庶(前條)의 本字

广 8 〔康〕 11 [高·人] 강 [平]陽 | kāng コウ やすらか
[筆順] 广 户 户 户 庚 庚 康 康
[字解] ①편안할강 몸 또는 마음이 편안함. '安—'. '四體—且直'《古詩》. ②편안히할강 편안하게 함. '文王—之'《荀子》. ③즐거울강, 즐거워할강 마음이 즐거움. '—樂'. '無已大—'《詩經》. ④풍년들강 풍년이 듦. '—年'. ⑤빌강 공허함. '酌彼—爵'《詩經》. ⑥기릴강 칭송함. '—周公'《禮記》. ⑦오달도강 오달(五達)하는 한 길. '—逵'. '堯遊於—衢'《列子》. ⑧성강 성(姓)의 하나.
[字源] 形聲. 米+庚〔音〕

广 8 〔庸〕 11 [高·人] 용 [平]冬 | yōng(yóng) ヨウ もちいる
[筆順] 广 户 户 户 庐 肩 肩 庸
[字解] ①쓸용 임용함. '疇咨若時登—'《書經》. ②범상할용 보통임. '—人'. '才能不過凡—'《史記》. ③어리석을용 우매함. '—劣'. '意見—淺'《梁昭明太子》. ④평소용 평상(平常). '—行'. '—敬在兄'《史記》. ⑤공용 공적. '—積'. '無功—者, 不敢居高位'《國語》. 또, 공로가 있는 사람. '五曰保—'《周禮》. ⑥수고용 애씀. 노력. '我生之初, 尙無—'《詩經》. ⑦구실용 당대(唐代)의 조세(租稅)의 한 가지. 정년(丁年) 이상의 남자로서 공공(公共)의 부역(賦役)에 나가지 않는 자에게 그 대상(代償)으로 포백(布帛)을 상납(上納)하게 하는 세(稅). '租—調'. '用人之力, 歲二十日, 閏加二日, 不役者日爲絹三尺, 謂之—'《文獻通考》. ⑧어찌용 ㉠豈(豆부 3획〈1369〉)와 뜻이 같음. '—非貳乎'《左傳》. ㉡何(人부 5획〈42〉)와 뜻이 같음. '—詎'. '—必能用之乎'《管子》. ⑨이에용 乃(丿부 1획〈17〉)와 뜻이 같음. '帝—作歌曰'《書經》. ⑩쇠북용 鏞(金부 11획〈1578〉)과 통용. '—鼓有斁'《詩經》. ⑪작은성용 墉(土부 11획〈218〉)과 통용. '因是謝人, 以作爾—'《詩經》. ⑫고용할용 傭(人부 11획〈68〉)과 통용. '—保'. '窮困賣—於齊'《漢書》. ⑬성용 성(姓)의 하나.
[字源] 形聲. 庚+用〔音〕

广 8 〔庱〕 11 릉 [平]蒸 | lǐng リョウ あずまやのな
[字解] 정자이름릉 '—亭'은 오(吳)나라의 손권(孫權)이 범을 쏘았다고 하는 정자. '親乘馬, 射虎於—亭'《吳志》.
[字源] 形聲. 广+夌〔音〕

广 8 〔庴〕 11 [一] 적 [入]陌 [二] 움 [韓] | jí セキ けんめい
[字解] [一] 현이름적 중국의 현(縣) 이름. [二]《韓》움집움 '—幕'.

广 8 〔㢋〕 11 치 [上]紙 | chǐ シ ひろい, おおきい
[字解] ①넓을치, 클치 넓고 큼. '—, 大也'《廣雅》. '—, 廣也'《廣韻》. ②옆에서칠치, 넓힐치 '將來溝而—我. 〈注〉 旁擊曰—'《國語》. '旁擊者, 開拓自廣之意'《說文, 㢋, 段注》.

[字源] 形聲. 广+侈〔音〕

广8 〔⿸广秅〕11 ㊀ 차 [平]麻 | chá タ ひらく
㊁ 책 [入]陌 | タく ひらく

[字解] ㊀ ①열차 넓힘. 가옥(家屋)을 넓힘. '一, 開張屋也'《說文》. ②현이름차 제음(濟陰)에 있는 현(縣)이름. ㊁ 열책, 현이름책 [一]과 뜻이 같음.
[字源] 形聲. 广+秅〔音〕

广8 〔庲〕11 래 [平]灰 | lái ライ いえ

[字解] ①집래 '一, 舍也'《廣雅》. ②대(臺)이름래 '長一'는 제(齊)나라의 대(臺)의 이름. '一, 一曰, 長一, 齊臺名'《集韻》. ③땅이름래 '一降'은 운남성(雲南省) 곡정현(曲靖縣)의 경계에 있는 땅이름. '一降都督鄧方卒'《蜀志》.

广8 〔庹〕11 ㊀ 타 | tuō タ·ダ せい
㊁ 탁 | tuǒ タク ひろ

[字解] ㊀ 성타 성(姓)의 하나. ㊁ 발탁 양팔을 벌린 길이. '一, 兩腕引長, 謂之一'《字彙補》.

广8 〔⿸广隹〕11 퇴 [平]灰 | tuí タイ くずれる

[字解] ①무너질퇴 집이 무너져 내림. '一, 屋從上傾下也'《說文》. ②야트막한언덕 높이 쌓인 흙. '堆, 聚土. 或作一'《集韻》.
[字源] 形聲. 广+隹〔音〕

广8 〔⿸广㐭〕11 〔름〕
廩(广부 13획〈353〉)의 古字

〔麻〕 〔마〕
部首(1854)를 보라.

广8 〔⿸广雨〕11 〔루〕
漏(水부 11획〈677〉)와 同字

广8 〔⿸广坐〕11 〔좌〕
座(广부 7획〈347〉)의 俗字

广8 〔⿸广或〕11 〔혹〕
或(戈부 4획〈421〉)의 古字

广9 〔庾〕12 [人名] 유 [上]麌 | yǔ ユ くら

[筆順] 广 … 庾

[字解] ①곳집유 미곡 창고. 일설(一說)에는, 들에 있는 지붕이 없는 곳집. '發倉一'《史記》. ②열엿말유 斞(斗부 9획〈491〉)와 통용. '粟五千一'《左傳》. ③성유 성(姓)의 하나.

[字源] 形聲. 广+臾〔音〕

广9 〔廋〕12 수 [上]有 | ソウ かくす
[平]尤 | sōu シュウ かくす

[字解] ①숨길수, 숨을수 '一, 隱也'《廣雅》. '一, 匿也'《廣雅》. ②산모롱이수 隈(阜부 9획〈1620〉)와 뜻이 같음. '步從容於山一'《楚辭》.
[字源] 形聲. 广+叜〔音〕

广9 〔廁〕12 측(①- [去]寘 | ①-③cì, si
③치[本]) [入]職 | シ かわや
④⑤cè
ショク かたわら

[字解] ①뒷간측 변소. '一竇'. '沛公起如一'《史記》. ②돼지우리측 돼지를 기르는 울. '一中豕羣出, 壞大官竈'《漢書》. ③섞을측 섞어 넣음. '一之賓客之中'《史記》. ※이상(以上) 本音 치. ④침상가측 침대(寢臺)의 변두리. 상측(牀側). '上常踞一視之'《漢書》. ⑤물가측 수애(水涯). '北臨一'《漢書》.
[字源] 形聲. 广+則〔音〕
[參考] 厠(厂부 9획〈136〉)은 俗字

广9 〔⿸广俞〕12 ㊀ 투 [平]尤 | tōu トウ おまる
[上]麌 | ①yǔ ユ おまる
㊁ 유 [平]虞 | ②yú ユ こめぐら

[字解] ㊀ ①매화틀투 변기(便器). '一, 行圊, 受糞函也'《集韻》. ②구유투 마소에 먹이를 담아 주는 나무통. '一, 木槽也'《玉篇》. ㊁ ①매화틀유 [一]❶과 뜻이 같음. ②곳집유 지붕이 없는 곳집. 庾(广부 9획〈349〉)와 同字.

广9 〔⿸广剌〕12 랄 [入]曷 | là ラツ いおり

[字解] ①초막랄 임시로 초목(草木)으로 집을 꾸며 묶는 장막. '一, 庵也'《廣雅》. ②감방(監房)랄 죄수를 가두어 두는 방. '一, 一曰, 獄室'《集韻》.

广9 〔廂〕12 상 [平]陽 | xiāng ショウ ひさし

[字解] 곁채상, 곁방상 몸채의 동서(東西)에 있는 딴 채. 또, 사랑방 등의 동서에 있는 방. '一廊'. '呂后側耳於東一聽'《史記》.
[字源] 形聲. 广+相〔音〕

广9 〔⿸广曷〕12 알 [入]月 | yè エツ いえがせまい
[入]曷 | アツ いえがせまい

[字解] 집좁을알 '一, 屋迫也'《說文》.
[字源] 形聲. 广+曷〔音〕

广9 〔庿〕12 〔묘〕
廟(广부 12획〈352〉)의 古字

广 9 〔庿〕12 [一] 籃(竹부 14획〈960〉)의 古字 [二] 廉(广부 10획〈350〉)의 古字

广 9 〔廆〕12 〔우〕 寓(宀부 9획〈282〉)와 同字

广 9 〔廃〕12 〔폐〕 廢(广부 12획〈352〉)의 略字

广 9 〔郞〕12 〔랑〕 廊(广부 10획〈350〉)의 略字

广 9 〔庎〕12 〔가〕 架(木부 5획〈539〉)의 俗字

广 10 〔廈〕13 [人名] 하 [上]馬 | shà, xià カ ひさし

[筆順] 广 庐 庐 府 庯 庯 廈 廈

[字解] ①처마하 지붕의 도리 밖으로 내민 부분. '大一成而燕雀相賀'《淮南子》. ②큰집하 거대한 집. '大一高樓'. '所欣成大一'《唐太宗》.

[字源] 形聲. 广+夏〔音〕

广 10 〔廉〕13 [高·人] 렴 [平]鹽 | lián レン きよい

[筆順] 广 庐 庐 庐 庐 庐 廉 廉

[字解] ①청렴할렴 청렴 결백함. '一潔'. '簡而一'《書經》. 또, 그 사람. '興一擧孝'《漢書》. ②검소할렴 검약함. '一, 儉也'《廣韻》. ③곧을렴 바름. '殺君以爲一'《國語》. ④날카로울렴 예리함. '一利'. '其器一而深'《呂氏春秋》. ⑤쌀렴 값이 쌈. '一價'. '就一直取此馬以代步'《春渚紀聞》. ⑥살필렴 살펴봄. 또는, 검찰(檢察)함. '一探'. '一按'. '袁安使仁恕椽肥, 親往一之'《後漢書》. ⑦모렴 모서리. 능각(稜角). '一隅'. '設席于堂一東上'《儀禮》. ⑧성렴 성(姓)의 하나.

[字源] 形聲. 广+兼〔音〕

广 10 〔廊〕13 [高·人] 랑 [平]陽 | láng ロウ ひさし

[筆順] 广 广 庐 庐 底 底 廊 廊

[字解] ①결채랑 몸채 옆의 딴 채. '賜金陳一廡下'《漢書》. ②행랑랑 복도(複道). '一下'.

[字源] 形聲. 广+郞〔音〕

广 10 〔廋〕13 수 [平]尤 [上]有 | sōu シュウ かくす ソウ かくす

[字解] ①숨길수 은닉함. '一詞'. '人焉一哉'《論語》. ②찾을수 수색함. 搜(手부 10획〈458〉)와 통용. '一索私屠酤'《漢書》.

[字源] 形聲. 广+叟〔音〕

广 10 〔廇〕13 류 [去]有 | liù リュウ なかにわ

[字解] 가운데뜰류 집의 중앙의 뜰. '制讒賊於中一兮'《楚辭》.

[字源] 形聲. 广+畱(留)〔音〕

[參考] 廇(广부 12획〈353〉)는 本字.

广 10 〔廆〕13 외 (회[本]) ①[上]賄 ②[上]賄 ③[平]灰 | hì wěi カイ かき guī

[字解] ①벽외, 담외 '一, 廦也'《集韻》. ②사람이름외 '一, 晉有大單于遼東郡公慕容一'《廣韻》. ③산이름외 '一, 山名. 在中山西'《爾雅》. ※本音 회.

[字源] 形聲. 广+鬼〔音〕

广 10 〔廅〕13 [一] 압 [入]合 [二] 합 [入]合 | ē オウ さんぷくにあるあな コウ さんぷくにあるあな

[字解] [一] ①산곁굴압 산허리에 있는 굴. '一, 山旁穴'《集韻》. ②감출압 거두어 감춤. '一其缺'《太玄經》. [二] 산곁굴합, 감출합 [一]과 뜻이 같음.

广 10 〔廌〕13 〔치〕 豸(部首〈1378〉)와 同字

[字源] 象形. 사슴 비슷한 일각수(一角獸)의 모양을 본뜸.

广 10 〔廌〕13 廌(前條)와 同字

广 10 〔㢊〕13 〔경〕 慶(心부 11획〈406〉)의 俗字

广 10 〔厤〕13 〔력〕 歷(止부 12획〈605〉)과 同字

广 11 〔廄〕14 구 [去]有 | jiù キュウ うまや

[字解] ①마구간구 마사(馬舍). '一舍'. '乘馬在一'《詩經》. ②성구 성(姓)의 하나.

[字源] 形聲. 广+段(㱃)〔音〕

[參考] 廐(次條)·厩(厂부 11획〈137〉)는 俗字.

广 11 〔廐〕14 廄(前條)의 俗字

广 11 〔廑〕14 근 [平]文 | ①jǐn, ②qín キン わずか

字解 ①겨우근 僅(人부 11획〈69〉)과 통용. '——'. '—得舍人'《漢書》. ②부지런할근 勤(力부 11획〈116〉)과 통용. '其—至矣'《漢書》. ③작은집근 '—, 小劣之凥'《說文》.
字源 形聲. 广+堇〔音〕

广11〔廜〕14 사 ㊥麻 | chá サ こわれかけたいえ

字解 허물어져가는집사 '—屋之下, 不可坐也'《淮南子》.

广11〔廓〕14 人名 ㊀확 ㊈藥 (곽本) ㊁곽 ㊈藥 | kuò カク おおきい, くるわ

筆順 广 庐 庐 戸 厚 厚 廓 廓

字解 ㊀①넓을확, 클확 광대함. '—大'. '性度恢—'《吳志》. ②휑할확 아무것도 없이 텅 비어 있음. '—然獨居'《漢書》. ③넓힐확 확장함. 개장(開張)함. '—大'. '—四方'《淮南子》. ※本音 곽. ㊁외성곽 郭(邑부 8획〈1520〉)과 통용. '繞—芙蕖拍岸平'《林希》.
字源 形聲. 广+郭〔音〕

广11〔廔〕14 루 ㊥尤 | lóu ロウ まど

字解 ①창루 방을 밝히기 위한 창문. '—, 窗也'《廣韻》. ②용마루루 '—, 屋脊也'《玉篇》. ③씨를뿌리는틀루 耬(耒부 11획〈1053〉)와 통용. '—, 一曰, 所以種也'《說文》.
字源 形聲. 广+婁〔音〕

广11〔廕〕14 음 ㊦沁 | yìn イン かげ

字解 ①덮을음 감쌈. 비호함. '—, 庇也'《集韻》. '席隴畝而—庇'《戰國策》. ②그늘음 蔭(艸부 11획〈1175〉)과 同字. '—補'.
字源 形聲. 广+陰〔音〕

广11〔廖〕14 료 ①②㊥蕭 ③㊦嘯 | liáo リョウ むなしい | liào リョウ せい

字解 ①공허할료 '座下—落如明星'《韓愈》. ②사람이름료 주(周)나라 소백(召伯)의 이름. '王使召伯—賜齊侯命'《左傳》. ③성료 성(姓)의 하나.
字源 形聲. 广+翏〔音〕

广11〔廒〕14 오 ㊥豪 | áo ゴウ こめぐら

字解 곳집오 쌀곳간. '—, 倉—也'《篇海》.
字源 形聲. 广+敖〔音〕

广11〔廗〕14 대 ㊦泰 | dài タイ ゆがむ

字解 ①집쏠릴대 집이 한쪽으로 쏠림. '—, 屋—'《集韻》. ②물이름대 '—水以南, 南北入百里'《魏書》.

广11〔廖〕14 총 ㊥東 ㊤董 | cōng ソウ とうざいりょうがいのちゅうおう

字解 옥계중앙총 동서 양쪽 계단의 중앙에 모이는 곳. '—, 屋階中會也'《說文》.
字源 形聲. 广+悤〔音〕

广11〔廎〕14 경 ①㊥庚 ㊤梗 ②㊤迥 ㊦敬 | qǐng ケイ いえのそば | ケイ ちいさなどう

字解 ①집곁경 집의 옆. '—, 屋側也'《集韻》. ②작은당(堂)경 高(高부 2획〈1763〉)과 同字. '高, 小堂也. —, 高, 或从广, 頃聲'《說文》.

广12〔廚〕15 주 ㊥虞 | chú チュウ くりや

字解 ①부엌주 주방. 취사장. '—人'. '君子遠庖—'《孟子》. ②함주, 상자주 '衣—'. '愷之嘗以一—畫糊題其前, 寄桓玄'《晉書》. ③성주 성(姓)의 하나.
字源 形聲. 广+尌〔音〕

〔腐〕〔부〕
肉부 8획(1078)을 보라.

广12〔廛〕15 전 ㊥先 | chán テン やしき

字解 ①터전 주대(周代)에 시가(市街)의 이묘 반(二畝半)의 집터. '—, 民居之區域也'《周禮注》. ②전방전 상점. '—肆'. ③전방세받을전 가게의 세를 받음. '市—而不稅'《禮記》.
字源 會意. 广+里+八+土

广12〔廜〕15 도 ㊥虞 | tú ト いおり

字解 ①초막도, 움집도 초목으로 임시 지은 집. 지붕을 편평하게 지은 집. '—廡, 草菴, 通俗文曰, 屋平曰—廡'《廣雅》. ②술이름도 원일(元日)에 마시는 술. '—廡, 酒. 元日飮之可除瘟氣'《廣韻》.
字源 形聲. 广+屠〔音〕

广12〔廝〕15 시 ㊥支 | sī シ めしつかい

字解 ①종시 주로 말을 기르거나 땔나무를 하는 종. '—役'. '—徒十萬'《史記》. ②천할시 '—, 賤也'《玉篇》. ③나눌시 가름. 분할함. '乃—二渠以引其河'《史記》.
字源 形聲. 广+斯〔音〕

广12〔廞〕15 흠 ①②㊥侵 ③④㊤寑 xīn キン つらねる キン おこる, ふさがる

字解 ①벌여놓을흠 진열함. '一裘'《周禮》. ②일으킬흠 진흥시킴. '一其樂器'《周禮》. ③노할흠 성을 냄. '虎虓振一'《太玄經》. ④막힐흠 진흙이 쌓여 막혀 통하지 아니함. '滄州無棣渠, 久一塞'《唐書》.
字源 形聲. 广+欽〔音〕

广12〔廟〕15 高·人 묘 ㊤嘯 miào ビョウ たまや

筆順 广 广 庐 庐 盾 庫 廟 廟

字解 ①사당묘 ㉠조상의 신주를 모신 곳. '宗一'. '於穆清一'《詩經》. ㉡신을 제사지내는 곳. '作渭陽五帝一'《史記》. ②묘당묘 나라의 정무(政務)를 청단(聽斷)하는 궁전. 정전(正殿). '不下堂一, 而天下治也'《吳志》. 전(轉)하여, 제왕 또는 조정에 관한 말의 접두어(接頭語)로 쓰임. '一議'. '夫未戰而一算勝者'《孫子》. ③빈궁묘 천자(天子)의 옥체를 매장하기 전에 잠시 관을 안치하는 곳. '從至于一'《大戴禮》.
字源 會意. 广+朝
參考 ①庿(广부 9획〈349〉)는 古字. ②庙(广부 5획〈346〉)는 俗字.

广12〔廠〕15 人名 창 ㊤養 ㊤漾 chǎng ショウ かべのないいえ

筆順 广 广 庐 庐 廂 廂 廠 廠

字解 ①헛간창 벽이 없는 집. '枳籬茅一共桑麻'《韓偓》. ②공장창 일하는 곳. '工一'. '被服一'. '凡鑄造朝鐘, 用響銅於鑄鐘一造'《大明會典》.
字源 形聲. 广+敞〔音〕

广12〔廡〕15 무 ①-③㊤麌 ④㊥虞 wǔ ブ ひさし wú ブ しげる

字解 ①결채무 몸채 옆의 딴 채. '廊一'. '一, 廊下周屋也'《漢書 註》. ②지붕무, 처마무 '有白燕一雙, 巢前庭樹, 馴狎櫚一, 時至几案'《南史》. ③집무 옥사(屋舍). '田舍廬一之數'《史記》. ④무성할무 초목이 무성함. '庶草蕃一'《書經》.
字源 形聲. 广+無(橆)〔音〕

广12〔廙〕15 ㊀익 ㊀職 ㊁이 ㊤寘 yì ヨク てんまく yì イ つつしむ

字解 ㊀①천막익 임시로 친 막사(幕舍). '一, 行屋也'《說文》. ②성익 성(姓)의 하나. ㊁공경할이 삼가 받듦. '一, 恭也, 敬也'《廣韻》.
字源 形聲. 广+異〔音〕

广12〔廢〕15 高·人 폐 ㊤隊 fèi ハイ かたむく, すたれる

筆順 广 广 庐 庐 庐 廢 廢 廢

字解 ①집쏠릴폐 집이 한쪽으로 쏠림. 전(轉)하여, 널리 쏠림. 기욺. '四極一'《淮南子》. ②못쓰게될폐 쓰지 못하게 됨. '一人'. '一物利用'. ③폐할폐 ㉠중지함. '一止'. '半塗而一'《中庸》. ㉡파기함. 깨뜨림. '秦魏之交可一矣'《戰國策》. ㉢내침. '一黜'. '有罪則一退之'《周禮》. ④폐하여질폐 ㉠행하여지지 아니함. 또, 없어짐. '一國'. '大道一有仁義'《老子》. ㉡쇠퇴함. 해이함. '一滅'. '王道衰, 禮儀一'《詩經》. '教之所由一也'《禮記》. ⑤떨어질폐 밑으로 떨어짐. '一於爐炭'《左傳》. ⑥습복할폐 두려워하여 엎드림. '項王喑噁叱咤, 千人皆一'《史記》. ⑦폐질폐 癈(疒부 12획〈819〉)와 통용. '一人'. '矜寡孤獨一疾者'《禮記》.
字源 形聲. 广+發〔音〕

广12〔旛〕15 번 ㊥寒 pān ハン そばだったいえ

字解 ①치솟은집번 높이 돌출한 가옥. '一, 峙屋也'《集韻》. ②쌓을번 물건을 저장함. '一, 儲物也'《集韻》.

广12〔廣〕15 中·人 광 ①-④㊤養 ⑤⑥㊤漾 guǎng コウ ひろい guàng コウ ひろさ, むなしい kuàng

筆順 广 广 庐 庐 庴 庴 廣 廣

字解 ①넓을광 ㉠면적이 광활함. '誰謂河一, 一葦杭之'《詩經》. ㉡범위가 넓음. '帝德一運'《書經》. ㉢안태(安泰)함. '心一體胖'《大學》. ㉣해이(解弛)함. '一則容姦'《禮記》. ②넓힐광 넓게 함. '破宋, 一地千餘里'《史記》. '乃爲賦以自一'《史記》. ③넓어질광 넓게 됨. '齊民歲增, 闢土世一'《後漢書》. ④성광 성(姓)의 하나. ⑤넓이광 ㉠넓은 정도. '一狹'. '周知九州地域一輪之數'《周禮》. ㉡병거(兵車) 십오승(十五乘)을 가로 잇댄 넓이. '十五乘爲一一'《左傳 註》. ⑥빌광 曠(日부 15획〈516〉)과 통용. '師出過時, 之謂一'《漢書》.
字源 形聲. 广+黃〔音〕
參考 広(广부 2획〈343〉)은 俗字.

广12〔廤〕15 〔질〕 秩(禾부 5획〈900〉)의 古字

广12〔廏〕15 〔구〕 廄(广부 11획〈350〉)의 本字

广 12〔廥〕15 廥(广부 10획〈350〉)의 本字

〔摩〕〔마〕 手부 11획(461)을 보라.

〔賡〕〔갱〕 貝부 8획(1395)을 보라.

〔慶〕〔경〕 心부 11획(406)을 보라.

〔縻〕〔혈〕 糸부 9획(1005)을 보라.

广 13〔廥〕16 괴 [去]泰 | kuài カイ まぐさぐら

[字解] ①여물광괴 여물을 저장하는 곳. ②곳집괴 창고. '倉―'. '頻發官―'《唐書》.

[字源] 形聲. 广＋會〔音〕

广 13〔廬〕16 로 [上]麌 [平]虞 | lǔ ロ ひさし, ろうか

[字解] ①행각로, 복도로 당(堂) 밑에 둘린 행각(行閣). 또, 복도. '―, 廡也'《說文》. ②곳집로 창고. '―, 府也'《玉篇》. ③초막로 '―, 庵也'《廣雅》.

[字源] 形聲. 广＋虜〔音〕

广 13〔廨〕16 해 [去]卦 | xiè, jiè カイ やくしょ

[字解] 공해해 관아(官衙). '公―'. '羣情欲府君先入―'《世說》.

[字源] 形聲. 广＋解〔音〕

广 13〔廠〕16 유 [平]虞 | yú ユ からかう

[字解] 희롱할유 야유함. 놀림. '邪―, 擧手相弄'《廣韻》.

广 13〔廧〕16 ㊀장 [平]陽 ㊁색 [入]職 | qiáng ショウ かき sè ショク しょうしん

[字解] ㊀담장 牆(爿부 13획〈736〉)과 통용. '皆以荻蒿楛楚―之'《戰國策》. ㊁소신색 지위가 낮은 신하. 嗇(口부 10획〈180〉)과 통용. '―夫空日'《戰國策》.

[字源] 形聲. 广＋嗇〔音〕

广 13〔廩〕16 름 [上]寢 | lǐn リン こめぐら

[字解] ①곳집름 미곡 창고. 쌀광. '米―'. '亦有高―'《詩經》. ②녹미름 녹봉(祿俸)으로 받는 쌀. '―料'. '恐人稍受―, 往來煩劇'《後漢書》. ③구호미름 구호하는 미곡. '―振'. '振―三十餘郡'《後漢書》.

[字源] 會意. 广＋稟

广 13〔廦〕16 벽 [入]錫 [入]陌 | bì ヘキ かき, へや

[字解] ①담벽 '―, 牆也'《說文》. ②방벽 '―, 室屋'《廣韻》.

[字源] 形聲. 广＋辟〔音〕

广 13〔廑〕16 ㊀僅(人부 11획〈69〉)과 同字 ㊁廑(广부 11획〈350〉)과 同字

〔麈〕〔록〕 鹿부 5획(1845)을 보라.

〔麈〕〔생〕 鹿부 5획(1845)을 보라.

〔麌〕〔우〕 鹿부 5획(1845)을 보라.

〔麆〕〔조〕 鹿부 5획(1845)을 보라.

广 14〔廑〕17 〔근〕 廑(广부 11획〈350〉)의 本字

广 14〔廡〕17 〔무〕 廡(广부 12획〈352〉)의 籀文

〔膺〕〔응〕 肉부 13획(1094)을 보라.

广 15〔廖〕18 료 ①[平]蕭 ②[平]肴 | liáo リョウ むなしい ロウ くうきょ

[字解] ①빌료 '―, 空虛也'《說文》. ②방빌료 방안이 공허(空虛)한 모양. '―, 室中虛皃'《集韻》.

[字源] 形聲. 广＋膠〔音〕

广 16〔廬〕19 ㊀려 [平]魚 | lú リヨ いおり ㊁로 [平]虞 | lú ロ ほこのえ

[字解] ㊀①오두막집려 조잡한 집. 초암(草庵). '―舍'. '結―在人境'《陶潛》. ②농막려 농부가 논밭 가운데 간단히 지은 집. '中田有―'《詩經》. ③주막려 시골의 여인숙. '十里有―, ―有飮食'《周禮》. ④숙직실려 숙직하는 방. '日磾小疾臥―'《漢書》. ⑤성려 성(姓)의 하나. ㊁창자루로 모극(矛戟)의 자루. 櫨(木부 16획〈590〉)와 통용. '秦無―'《周禮》.

[字源] 形聲. 广＋盧〔音〕

广 16〔廯〕19 소 [平]虞 | sū ソ いおり

[字解] ①초막소 초가. 암자. '廜—, 庵也'《廣雅》. ②술이름소 원일(元日)에 마시는 술. '廜, 又廜—酒, 元日飮之, 可除瘟氣'《廣韻》.

〔龐〕〔방〕
龍부 3획(1893)을 보라.

广 17 〔廯〕20 선 [上]銑 [平]先 | xiān セン くら

[字解] 곳집선 또는, 저장한 곡식이 신선함. '一, 倉也. (疏證)一, 藏穀鮮絜也'《廣雅》.

广 17 〔廙〕20 익 [入]陌 | yì エキ ひろい

[字解] 집넓을익 집이 넓음. '一, 屋通也'《篇韻》.

广 17 〔廮〕20 영 [平]梗 | yǐng エイ おちつく

[字解] ①안정되어그칠영 '一, 安止也'《說文》. ②현이름영 '一, 又一陶, 縣名. 在趙州'《廣韻》.
[字源] 形聲. 广+嬰〔音〕

广 17 〔廧〕20 장 [平]陽 | qiáng ショウ せきてき

[字解] 오랑캐장 '一咎如'는 춘추(春秋) 시대의 오랑캐 적적(赤狄)의 별종(別種). '一, 一咎如, 赤狄別種'《集韻》.

广 17 〔廰〕20 〔청〕
廳(广부 22획〈354〉)의 略字

广 18 〔廱〕21 옹 [平]冬 | yōng ヨウ てんしのがっこう

[字解] ①벽옹옹 '辟一'은 고대의 대학교. 또, 천자(天子)의 학교. '於樂辟一'《詩經》. ②화락할옹 화평하고 즐거움. '一一, 和也'《爾雅》. ③막을옹, 막힐옹 壅(土부 13획〈222〉)과 통용. '一偃'. '梁山崩. 穀梁傳曰, 一河三日不流'《漢書》.
[字源] 形聲. 广+雝〔音〕

广 19 〔廲〕22 려 [平]齊 | lí レイ きぬをはったまど

[字解] 김창려 비단을 바른 창. '一廔, 綺窗也'《集韻》.

广 19 〔廡〕22 〔무〕
廡(广부 12획〈352〉)의 本字

广 22 〔廳〕25 [高·人] 청 [平]青 | tīng チョウ やくしょ

[筆順] 广 肓 肩 廥 廨 廳 廳 廳

[字解] ①마을청 관아. '官一'. '丞一舊有記'《韓愈》. ②대청청 빈객을 영접하는 데. '涼榭錦一, 其下可坐數百人'《洛陽名園記》.
[字源] 形聲. 广+聽〔音〕
[參考] 庁(广부 2획〈343〉)은 俗字.

廴 部

〔민책받침부〕

廴 0 〔廴〕3 인 [上]軫 [去]震 | yǐn yìn イン ながくあゆむ

[筆順] ㇇ ㇋ 廴

[字解] 길게걸을인 발을 길게 떼어 놓고 걸음.
[字源] 指事. '行'의 전문(篆文)인 '㣈'의 왼쪽 절반의 일부를 길게 늘인 형태로, 길게 뻗은 길을 간다는 뜻을 나타냄.
[參考] 책받침 '辶(辵)'의 위쪽 점이 없다는 데서 민책받침으로 이름. '廴'을 의부(意符)로 하여, '늘여지다'의 뜻을 포함하는 문자를 이룸.

廴 3 〔延〕6 천 [平]先 [上]銑 | chān テン しずかにあるく

[字解] 조용히걸을천 느릿느릿 걷는 모양. '一, 安步一一也'《說文》.
[字源] 會意. 廴+止

廴 3 〔廵〕6 〔순〕
巡(巛부 4획〈325〉)의 訛字

廴 4 〔延〕7 [高·人] 연 [平]先 | yán エン のべる, のばす

[筆順] 一 丅 下 正 ㇇正 延 延

[字解] ①끌연 ㉠시간을 미룸. '一期'. '晉人謂之遷一之役'《左傳》. ㉡인도(引導)함. '擯者一之'《儀禮》. ㉢끌어들임. 불러들임. '一引'. '開東閤, 以一賢人'《漢書》. ②끌릴연 지체됨. 오래 감. '稽一旦夕'《吳志》. ③늘일연 ㉠길게 함. '一年'. '一眺'. '思漢之士, 一頸鶴望'《漢書》. ㉡늘여 말함. 널리 말하여 퍼뜨림. '使張老一君譽於四方'《國語》. ④미칠연 파급함. '賞一于世'《書經》. ⑤오랠연, 길연 장구(長久)함. '歷十二之一祚'《班固》. ⑥길이연, 넓이연 가로의 넓이. 동서의 길이. '一袤萬餘里'《史記》. ⑦성연 성(姓)의 하나.
[字源] 會意. 正+廴

廴 4 〔延〕7 정 [平]庚 | zhēng セイ ゆく

字解 갈정 征(彳부 5획〈369〉)과 同字. '一, 行也'《說文》.
字源 形聲. 廴+正〔音〕

廴4〔廷〕7 高·人 정 ㊥青 ㊦徑 | tíng テイ ひろにわ, つかさ

筆順 一 二 千 壬 ʼ壬 廷 廷

字解 ①조정정 제왕이 정치를 청단(聽斷)하는 곳. '一議'. '設九賓于一'《史記》. ②마을정 관아. 주로 백성이 출두하여 소송하는 곳을 이름. '法一'. '使給事縣一'《後漢書》. ③공변될정 공정함. '一尉, 秦官. (註) 一, 平也. 治獄貴平. 故以爲號'《漢書》.
字源 形聲. 廴+壬〔音〕

廴5〔廻〕8 〔회〕
廻(廴부 6획〈355〉)와 同字

廴5〔廹〕8 〔박〕
迫(辵부 5획〈1491〉)의 俗字

廴5〔廸〕8 〔적〕
迪(辵부 5획〈1491〉)의 俗字

廴5〔延〕8 〔진〕
趁(走부 5획〈1407〉)과 同字

廴6〔建〕9 中·人 건 ①-③㊦願 ④㊤阮 | jiàn ケン たてる / jiàn ケン くつがえす

筆順 ㄱ ㅋ ㅋ 큰 聿 ʼ聿 建 建

字解 ①세울건 ㉠물건을 꼿꼿이 세움. 또, 섬. '九十杖而朝, 見君一杖'《尙書大傳》. ㉡일으킴. 창시(創始)함. '一置'. '一國'. '先王以一萬國親諸侯'《易經》. ㉢지음. '一立'. '一築'. ㉣이룩함. 수립(樹立)함. '一功'. '可一大功'《戰國策》. ㉤베풂. '一鼓整列'《左傳》. ②열쇠건 鍵(金부 9획〈1571〉)과 통용. '一櫜'. ③성건 성(姓)의 하나. ④엎지를건 '猶居高屋之上, 一瓴水也'《史記》.
字源 會意. 聿+廴

廴6〔廻〕9 人名 회 ㊥灰 | huí カイ まわる, めぐる

筆順 丨 冂 冂 冋 回 ʼ回 㢠 廻

字解 ①돌회, 돌릴회 빙 돎. 또, 빙 돌게 함. '一轉'. '墨子一車'《史記》. ②피할회 회피함. '一避'.
字源 形聲. 廴+回〔音〕
參考 예로부터 回(囗부 3획〈194〉)와 똑같이 쓰였음.

廴6〔廼〕9 〔내〕
迺(辵부 6획〈1493〉)의 俗字

廴7〔廽〕10 廻(前前條)의 俗字

廴9〔䢷〕12 〔연〕
䀽(目부 7획〈847〉)의 本字

廾 部

〔밑스물입부〕

廾0〔廾〕3 공 ㊤腫 | gǒng キョウ ささげる

筆順 一 ナ 廾

字解 들공 두 손을 맞잡아 듦.
字源 象形. 양손을 받드는 모양으로, '받들다'의 뜻을 나타냄.
參考 이 글자의 모양이 '廿입'과 비슷하고, 대개 글자의 밑으로 쓰이므로, '밑스물입'으로 이름.

廾0〔𠬞〕4 廾(前條)의 本字

〔廿〕〔입〕
十부 2획(126)을 보라.

廾1〔廾〕4 〔등〕
等(竹부 6획〈935〉)과 同字

廾2〔弁〕5 ㊀변 ㊦霰 ㊁반 ㊥寒 | biàn ベン かんむり / pán バン たのしむ

字解 ㊀①고깔변 주대(周代)의 통상 예복의 관. '皮一'은 무인(武人)의 관. '周一, 殷冔, 夏收'《儀禮》. ②급할변, 서둘변 '一行, 剡剡起屨'《禮記》. ③떨변 전율함. '吏皆股一'《漢書》. ④칠변 손으로 침. 또, 손으로 서로 쳐 승부(勝負)를 다투는 일. 수박(手搏). '試一爲期門'《漢書》. ⑤성변 성(姓)의 하나. ㊁즐거워할반 般(舟부 4획〈1111〉)과 同字. '一彼鸒斯'《詩經》.
字源 象形. 양손으로 고깔을 쓰는 모양으로, '고깔'의 뜻을 나타냄.
參考 辨(辛부 9획〈1485〉)·辯(辛부 14획〈1486〉)의 俗字로 쓰임.

廾2〔弁〕5 〔계〕
界(田부 4획〈796〉)와 同字

廾3〔异〕6 이 ①②㊥支 ③㊦寘 | yí イ やめる / yí イ ことなる

[字解] ①말이, 그칠이 已(己부 0획〈327〉)와 同字. '一哉, 試可乃已'《書經》. ②성이 성(姓)의 하나. ③다를이 異(田부 6획〈798〉)와 同字. '何以一哉'《列子》.
[字源] 形聲. 廾+巳(㠯)〔音〕

廾 3 〔𢍀〕6 〔기〕 箕(竹부 8획〈942〉)의 古字

廾 3 〔𢌱〕6 〔여〕 與(臼부 7획〈1106〉)의 古字

〔并〕 〔병〕 干부 3획(341)을 보라.

廾 4 〔弄〕7 [高·人] 롱 [去]送 | nòng(lòng) ロウ もてあそぶ
[筆順] 一 二 干 王 王 弄 弄
[字解] ①희롱할롱 '調一'. '夷吾弱不好一'《左傳》. ②놀롱 ㉠손에 가지고 놂. 장난감으로 함. '一具'. '載一之璋'《詩經》. '高祖持御史大夫印一之'《漢書》. ㉡흥에 겨워 하며 놂. '方追山壑, 永一林泉'《梁簡文帝》. ③무롱(舞弄)할롱 멋대로 씀. '一權'. '舞文一法'《史記》. ④업신여길롱 '侮一'. '愚一其民'《左傳》. ⑤탈롱 악기를 타며 즐김. '一琴'. '銀箏夜久殷勤一'《王涯》. ⑥곡조롱 악곡. '改韻易調, 奇一乃發'《嵇康》.
[字源] 會意. 廾+玉

廾 4 〔弅〕7 분 [平]文 [上]吻 | fèn フン もりあがる
[字解] 봉긋할분 언덕이 높직한 모양. '登隱一之丘'《莊子》.

廾 4 〔𢌿〕7 〔거〕 擧(手부 14획〈472〉)의 古字

廾 4 〔𢍈〕7 규 [平]支 | kuí キ にぎり
[字解] 손잡이규 쇠뇌의 손으로 잡는 부분. '一, 持弩閑拊也'《玉篇》.
[字源] 會意. 廾+肉

廾 4 〔弃〕7 〔기〕 棄(木부 8획〈559〉)의 古字
[字源] 會意. 𠫓+廾

廾 4 〔𢌬〕7 〔계〕 戒(戈부 3획〈421〉)와 同字

廾 5 〔弆〕8 거 [上]語 | jǔ キョ しまいこむ
[字解] 감출거 감추어 둠. 또, 저장함. '藏一'.
[字源] 形聲. 廾+去〔音〕

廾 5 〔𢍏〕8 [一]육 [入]屋 | yù イク うける
[二]국 [入]屋 | キク うける
[字解] [一] 받들육 양손으로 물건을 받듦. '一, 兩手捧物'《廣韻》. [二] 받들국 [一]과 뜻이 같음.
[字源] 形聲. 廾+圥〔音〕

廾 5 〔畁〕8 기 [去]寘 [平]支 | qí キ あげる
[字解] ①들기 높이 들어올림. '一, 擧也'《說文》. ②가르칠기 惎(心부 8획〈394〉)와 통용. ③기린기 麒(鹿부 8획〈1847〉)와 통용.
[字源] 會意. 甶+廾

廾 6 〔弇〕9 [一]엄 [上]琰 | yǎn エン おおう
[二]감 [平]覃 | yǎn カン じんめい
[字解] [一] ①덮을엄 덮어 가림. '一日爲蔽雲'《爾雅》. ②좁은길엄 협착한 길. '行及一中'《左傳》. ③깊을엄 '其器宏以一'《呂氏春秋》. ④안으로향할엄 '棧車欲一'《周禮》. [二] 사람이름감 '耿一'은 동한(東漢) 때 사람.
[字源] 會意. 合+廾

廾 6 〔弈〕9 혁 [入]陌 | yì エキ いご, ばくち
[字解] 바둑혁 위기(圍碁). 또, 노름. 도박. '博一'. '一秋, 通國之善一者也'《孟子》.
[字源] 形聲. 廾+亦〔音〕

廾 6 〔𢍆〕9 〔분〕 奔(大부 6획〈236〉)의 本字

廾 6 〔𢍇〕9 〔환〕 奐(大부 6획〈235〉)의 本字

廾 6 〔𢍍〕9 〔계〕 契(大부 6획〈235〉)의 訛字

廾 6 〔𢍉〕9 〔사〕 思(心부 5획〈381〉)의 古字

廾 6 〔𢍎〕9 〔손〕 巽(己부 9획〈328〉)의 本字

廾 7 〔𢍭〕10 권 [去]霰 | juàn ケン めしをまるめる
[字解] 주먹밥쥘권 밥을 뭉쳐 주먹밥을 만듦. '一, 搏飯也'《說文》.
[字源] 會意. 釆+廾

廾 7 〔𢍲〕10 〔장〕 奘(大부 7획〈236〉)의 俗字

廾 7 〔𢍱〕10 〔고〕 誥(言부 7획〈1332〉)의 古字

廾 8 〔庯〕11 〔위〕
䔺(廾부 9획〈357〉)의 本字

廾 8 〔弇〕11 〔엄〕
弇(廾부 6획〈356〉)의 古字

廾 8 〔弁〕11 〔변〕
覍(小부 7획〈292〉)의 籀文

廾 9 〔䔺〕12 위 ㊀未 wěi イ さかん
字解 무성할위 초목이 무성한 모양. '一, 艸木一孛之皃'《說文》.
字源 形聲. 𣎵+畀〔音〕

廾 9 〔尊〕12 〔존〕
尊(寸부 9획〈290〉)과 同字

廾 11 〔舁〕15 〔여〕
與(臼부 7획〈1106〉)의 本字

廾 11 〔獎〕14 〔장〕
奬(大부 11획〈238〉)과 同字

〔鼻〕 〔비〕
部首(1879)를 보라.

廾 12 〔弊〕15 高·人 폐 ㊀霽 bì ヘイ やぶれる
筆順 丷 㡀 㡀 㡀 㡀 敝 敝 弊
字解 ①해질폐 해져 떨어짐. '一衣'. '黑貂之裘一'《戰國策》. 전(轉)하여, 겸사(謙詞)로 쓰임. '一邦'. '臣竊必之一邑之王'《戰國策》. ②곤할폐 피곤함. 피로함. '疲一'. '兵一於周'《戰國策》. ③곤하게할폐 피곤하게 함. '以一魏'《戰國策》. ④피곤폐 피로. 피폐. '秦韓楚乘吾一'《戰國策》. ⑤폐폐 해악(害惡). '一害'. '下受其一'《魏志》. ⑥결단할폐 단정을 내림. 판결함. '一邦治'《周禮》.
字源 形聲. 犬+敝〔音〕

廾 13 〔睪〕16 ㊀ 역 ㊀陌 yì エキ ひきのばす
㊁ 택 ㊀陌 zé タク えらぶ
字解 ㊀ 늘일역 길게 잡아 늘임. '一, 引繒也'《說文》. ㊁ 택할택 擇(手부 13획〈470〉)과 同字.
字源 形聲. 廾+睪〔音〕

廾 13 〔䙴〕16 천 ㊥先 qiān セン うつる
字解 올라갈천 높은 데로 옮김. '一, 升高也'《說文》.
字源 形聲. 舁+囟〔音〕

廾 13 〔興〕16 〔흥〕
興(臼부 9획〈1106〉)의 本字

〔彝〕 〔이〕
彐부 15획(365)을 보라.

廾 19 〔𢍰〕22 〔판〕
攀(斗부 19획〈492〉)과 同字

弋 部
〔주살익부〕

弋 0 〔弋〕3 익 ㊀職 yì ヨク いぐるみ
筆順 一 七 弋
字解 ①주살익 오늬에 줄을 매어 쏘는 화살. '一矰'. 또, 주살로 새를 잡음. '一凫與鴈'《詩經》. ②홰익 횃대. '雞棲於一'《爾雅》. ③검을익 '衣一綈'《漢書》. ④빼앗을익 탈취함. '敢一殷命'《書經》. ⑤뜰익 물 위에 뜸. '虞人掠水輕浮一'《李紳》.
字源 象形. 작은 가지에 지주(支柱)를 받친 형태를 본떠, '말뚝'의 뜻을 나타냄.

弋 1 〔弌〕4 〔일〕
一(部首〈9〉)의 古字

弋 2 〔弍〕5 〔이〕
二(部首〈25〉)의 古字

弋 3 〔式〕6 中·人 식 ㊀職 shì シキ のり
筆順 一 二 亍 工 式 式
字解 ①법식 ㉠규칙. 제도. '法一'. '品一備具'《漢書》. ㉡장정(章程). '律·令·格·一'《北史》. ㉢본보기. 모범. '範一'. '萬邦作一'《書經》. ②꼴식 일정한 형상. '舊一'. '其不依新一者'《北史》. ③식식 ㉠의식. '結婚一'. '開校一'. ㉡산식(算式). '代數一'. ④절도식 적당한 정도. '以九一均節財用'《周禮》. ⑤본뜰식 본보기로 함. '古訓是一'《詩經》. ⑥삼갈식 공경(恭敬)하는 마음을 가짐. '中心必一'《管子》. ⑦쓸식 사용함. '作爲一穀'《詩經》. ⑧가로지른나무식 수레 위에 설치한 횡목(橫木). 이 나무에 의지하여 경례함. 軾(車부 6획〈1465〉)과 同字. '以揉其一'《周禮》. ⑨절할식 식(軾)에 기대어 경례함. '一車'. '一商容閭'《書經》. ⑩발어사(發語辭)식 발언(發言)을 나타내는 말. '一微一微'《詩經》. ⑪성식 성(姓)의 하나.

[字源] 形聲. 工+弋〔音〕

弋 3 〔弎〕6 〔삼〕 三(一부 2획〈9〉)의 古字

弋 3 〔弍〕6 〔이〕 貳(貝부 5획〈1388〉)의 略字

〔忒〕 〔특〕 心부 3획(377)을 보라.

弋 4 〔戕〕7 장 [平]陽 | zāng ソウ くい

[字解] 말뚝장 배를 매는 큰 말뚝.

〔武〕 〔무〕 止부 4획(603)을 보라.

弋 6 〔弔同〕9 동 [去]送 [平]東 | dòng トウ くい

[字解] 말뚝동 선박(船舶)을 잡아매는 말뚝. '舟纜所繫曰一'《集韻》.

弋 8 〔弑〕11 〔시〕 弒(弋부 10획〈358〉)와 同字

〔貳〕 〔이〕 貝부 5획(1388)을 보라.

弋 9 〔弒〕12 弒(次條)의 俗字

弋 10 〔弒〕13 시 [去]寘 | shì シイ しいする

[字解] 죽일시 아랫사람이 윗사람을 죽임. '一, 臣殺君也'《說文》.

[字源] 形聲. 杀+式〔音〕

弋 10 〔哥弋〕13 가 [平]歌 | gē カ くい

[字解] 말뚝가, 배말뚝가 '一, 杙也, 所以繫舟'《韻會》.

弋 12 〔曾弋〕15 〔증〕 矰(矢부 12획〈864〉)과 同字

弓 部
〔활 궁 부〕

弓 0 〔弓〕3 [中·人] 궁 [平]東 | gōng キュウ ゆみ

[筆順] ㄱ ㄱ 弓

[字解] ①활궁 화살을 쏘는 무기. '一矢'. '倕作一浮游作矢'《荀子》. ②여덟자궁 토지의 길이의 단위. 지금의 약 5척(尺)으로서, 보(步)와 같음. 곧, 360궁(弓)은 360 보로서 1리(里)임. '二尺爲一肘, 四肘爲一一'《度地論》. ③여섯자궁 활 쏘는 데서 과녁까지의 거리의 단위. '侯道五十一. (疏)六尺爲步, 一之下制六尺, 與步相應'《儀禮》. ④성궁 성(姓)의 하나.

[字源] 象形. 활의 모양을 본뜸.

[參考] '弓'을 의부(意符)로 하여, 여러 종류의 활, 활에 딸린 것, 또, 활에 관한 동작이나 상태를 나타내는 문자를 이룸.

弓 0 〔马〕2 함 [上]感 [平]覃 | hán カン つぼみ

[字解] 꽃봉오리함 '一, 嘾也. 艸木之𢎘未發函然象形'《說文》.

[字源] 象形. 초목의 꽃이 아직 피지 않고, 줄기 끝에 봉오리가 져 있는 모양.

弓 0 〔弓〕3 〔내〕 乃(丿부 1획〈17〉)의 古字

弓 1 〔弔〕4 [高·人] [一]조 [去]嘯 [二]적 [入]錫 | diào チョウ とむらう dì テキ いたる

[筆順] ㄱ ㄱ 弓 弔

[字解] [一] ①조상할조 ㉠남의 상사에 조의(弔意)를 표시함. '一慰'. '知生者一, 知死者傷'《禮記》. ㉡죽은 사람의 영혼을 위로함. '爲賦以一屈原'《史記》. ②위문할조, 물을조 재난을 당한 사람을 위로하기 위하여 찾아감. 또, 안부(安否)를 물음. '太公任往一之'《莊子》. ③조상조, 위문조 이상(以上)의 명사. '其國有君喪, 不敢受一'《禮記》. ④상심할조 마음 아픔. '中心一兮'《詩經》. ⑤불쌍히여길조 연민함. '一恤'. '不一昊天'《詩經》. ⑥매달조 속(俗)에 吊(口부 3획〈147〉)로 씀. '上一'. '一睛白額'《水滸傳》. [二] 이를적 다다름. '神之一矣'《詩經》.

[字源] 會意. 篆文에서는 人+弓

[參考] 吊(口부 3획〈147〉)는 俗字.

弓 1 〔弓〕4 〔급〕 及(又부 2획〈141〉)의 古字

弓 1 〔弓〕4 〔탄〕 彈(弓부 12획〈363〉)과 同字

弓 1 〔弓〕4 〔권〕 卷(㔾부 6획〈328〉)과 同字

弓 1 〔弓〕4 〔절〕 節(竹부 9획〈945〉)과 同字

弓 1 〔引〕4 [中·人] 인 ①-⑨[上]軫 ⑩⑪[去]震 | yǐn イン ひく / yǐn イン ひつぎなわ

[筆順] ㄱ ㄱ 弓 引

[字解] ①당길인 ㉠활을 당김. '畫腹爲的, 自一滿將射之'《資治通鑑》. ㉡끌어당김. '牽一'. '日暮不能散, 起坐相一牽'《韓愈》. ㉢잡아당겨 뺌. '一楯萬物'《淮南子》. ②끌인 ㉠이끎. '一導'. '一之表儀'《左傳》. ㉡추천함. '一薦'. '兩人相爲一重'《史記》. ㉢끌어들임. 안으로 들어오게 함. '延一寢室'《資治通鑑》. ㉣땅바닥에 끎. '不使人捽一而刑殺之'《孔子家語》. ㉤끌어 댐. 증거로 듦. '一例'. '證一該洽'《北史》. ㉥소리를 길게 빼어 노래부름. '榜謳齊一, 漁歌互歌'《王勃》. ③늘일인 신장(伸長)시킴. '一而伸之'《易經》. ④물러갈인 퇴거함. '一退'. '必一而去君之黨'《禮記》. ⑤바로잡을인 바르게 함. '一其封疆. (註)一, 正也'《左傳》. ⑥자살할인 스스로 자기 목숨을 끊음. '自一'. ⑦열길인 십장(十丈). '縱一橫一三丈'《元史》. ⑧노래곡조인 가곡(歌曲). '思歸一'. '雅一相和'《柳宗元》. ⑨서인 문체(文體)의 한 가지. 서문(序文). '宋蘇洵之族譜一, 卽族譜序也, 蓋洵先世有名序者, 故諱序爲一, 後人亦或襲用之'《辭海》. ⑩상엿줄인 상여를 끄는 바. '弔於葬者,必執一'《禮記》. ⑪가슴걸이인 靷(革부 4획〈1660〉)과 통용. '結一馳外'《荀子》.

[字源] 指事. '弓궁'에 'ㅣ곤'을 덧댄 글자.

弓 1 〔𢎜〕4 현 [平]先 | xián ケン つぼみがおおい

[字解] 봉오리많을현 꽃봉오리가 많음. '一, 艸木𢎘盛也'《說文》.

[字源] 會意. 𢎘+𢎘. '𢎘함'은 가지나 줄기 끝에 봉오리가 붙어 있는 모양.

弓 1 〔𢎗〕4 〔탄〕 彈(弓부 12획〈363〉)의 古字

弓 2 〔弘〕5 [高·人] 홍 [平]蒸 | hóng コウ ゆみなり, ひろい

[筆順] ㄱ ㄱ 弓 弘 弘

[字解] ①활소리홍 궁성(弓聲). ②넓을홍, 클홍 광대함. '廣一'. '一大'. '含一光大'《易經》. ③넓힐홍 넓게 함. '一法'. '人能一道'《論語》.

[字源] 形聲. 弓+厶〔音〕

弓 2 〔弗〕5 [人名] 불 [入]物 | fú フツ ず ドル

[筆順] ㄱ ㄱ 弓 弗 弗

[字解] ①아닐불 不(一부 3획〈11〉)보다 뜻이 강함. '績用一成'《書經》. ②떨불 떨어 버림. '以一無子'《詩經》. ③《現》㉠달러불 미국의 화폐 단위 달러의 역칭(譯稱). '一貨'. ㉡원소불 원소(元素)의 하나인 불소(弗素) fluorine의 약칭.

[字源] 象形. 얽히는 끈을 두 개의 막대기로 휘둘러 떨어뜨리는 모양.

弓 2 〔𢎘〕5 규 [上]有 | jiū(jiǔ) キュウ あざなう

[字解] ①꼴규 끈을 꼼. 糾(糸부 2획〈980〉)와 同字. ②책권규 서책을 세는 말. 권(卷). 질(帙). '一, 音樛, 卽說文糾字, 道經借爲卷帙之卷'《轉注古音》.

弓 2 〔弔〕5 〔조〕 弔(弓부 1획〈358〉)의 本字

弓 2 〔𢎥〕5 〔내〕 乃(丿부 1획〈17〉)의 古字

弓 2 〔𢎞〕5 〔사〕 射(寸부 7획〈288〉)의 本字

弓 2 〔𢎔〕5 〔인〕 引(弓부 1획〈359〉)과 同字

弓 3 〔弜〕6 [一]강 [上]養 [平]陽 | jiàng キョウ つよい / [二]기 [平]支 | キ つよい

[字解] [一] ①강할강 활이 셈. '一, 弓有力也'《廣韻》. ②오랑캐이름강 '一頭虎子'는 서남이(西南夷)의 이름. [二] ①강할기 힘이 셈. '一, 強也'《廣韻》. ②활셀기 활이 강한 모양. '㲉, 弓彊皃. 或作一'《集韻》.

[字源] 會意. 弓+弓. 두 개의 '弓궁'을 합쳐서, '활이 세다'의 뜻을 나타냄.

弓 3 〔弛〕6 [人名] [一]이 (시[本]) [上]紙 | chí, shí シ ゆるめる / [二]치 [上]紙 | チ おちる

[筆順] ㄱ ㄱ 弓 弓 弛 弛

[字解] [一] ①활부릴이 활 시위를 벗김. '不勝者執一弓'《儀禮》. ②느슨할이 팽팽하지 않음. 전(轉)하여, 엄하지 않음. 무름. '一緩'. ③느슨히할이, 늦출이 완화(緩和)함. '請和約一兵'《唐書》. ④풀릴이 해이함. '政刑一紊'《南史》. ⑤폐(廢)하여질이 행하여지지 않게 됨. '一廢'. '大事殆乎一'《荀子》. ⑥게으를이 '無敢一惰'《北史》. ⑦쉴이 휴식함. '一力'《周禮》. ⑧방종할이 방탕함. '跅一之士'《漢書》. ⑨부서질이 파손됨. '延道一兮'《史記》. ⑩부술이 파괴함. '欲一孟文子之宅'《國語》. ※本音 시. [二] 떨어질치,

떨어뜨릴치 낙하함. 낙하시킴. '有時而一'《淮南子》.
字源 形聲. 弓+也〔音〕

弓3 〔玗〕6 오 ㊥虞 | wū オ はる, ひく
字解 ① 활겨눌오 활을 당겨 겨눔. '一, 張也'《廣雅》. ②지휘할오 손짓하여 지시함. '一, 指麾也'《玉篇》. ③가질오 손에 쥠. '一, 持也'《玉篇》.
字源 形聲. 弓+于(亏)〔音〕

弓3 〔弙〕6 玗(前條)의 本字

弓3 〔弞〕6 〔탄〕 彈(弓부 12획〈363〉)과 同字

弓4 〔玦〕7 결 ㊁屑 | jué ケツ ゆがけ
字解 깍지결 활을 쏠 때 엄지손가락에 끼우는 기구. 決(水부 4획〈629〉) 참조.

弓4 〔弝〕7 파 ㊦禡 | bà ハ ゆづか
字解 ①줌통파 활의 한가운데의 손으로 잡는 부분. '玉一角弓珠勒馬'《王維》. ②칼자루파 '劍一懸蘭纓'《李賀》.
字源 形聲. 弓+巴〔音〕

弓4 〔弞〕7 신 ㊤軫 | shěn シン わらう
字解 웃을신 哂(口부 6획〈160〉)과 同字. '孫叔未進, 優孟見一'《宋書》.
字源 形聲. 欠+引〈省〉〔音〕

弓4 〔弦〕7 〔현〕 弦(弓부 5획〈360〉)의 本字

弓4 〔弟〕7 中·人 제 ㊤薺 | dì, ②tì テイ おとうと
筆順 丶 丷 䒑 当 肖 弟 弟
字解 ①아우제 ㉠형(兄)의 대(對). '兄一'. '寡人有一, 不能和協'《左傳》. ㉡못한 사람. 열위(劣位). '元方難爲其兄, 季方難爲其一'《世說》. ㉢자기의 겸칭(謙稱). '愚一'. ②순할제, 공경할제 온순함. 형을 공경하여 잘 섬김. 悌(心부 7획〈391〉)와 同字. '僚友稱其一也'《禮記》. '其爲人也孝一'《論語》. ③다만제 단지. '顧一弗深考'《史記》. ④성제 성(姓)의 하나.
字源 象形. 창〔戈〕에 무두질한 가죽을 차례차례 나선형으로 감은 모양.

弓5 〔弢〕8 도 ㊥豪 | tāo トウ ゆみぶくろ
字解 ①활집도 궁의(弓衣). '中項, 伏一'《左傳》. ②정낭(旌囊)도 기(旗)를 넣어 두는 자루. '內旌於一中'《左傳》. ③두겁도 붓두겁. '去其管一'《陳后山詩 註》.
字源 形聲. 弓+犮〔音〕

弓5 〔弣〕8 부 ㊤麌 | fǔ フ ゆづか
字解 줌통부 활의 가운데의 손으로 잡는 부분. '左手承一'《禮記》.
字源 形聲. 弓+付〔音〕

弓5 〔弤〕8 저 ㊤薺 | dǐ テイ ゆみ
字解 활저 칠을 한 무늬 있는 활. '琴朕, 一朕'《孟子》.
字源 形聲. 弓+氐〔音〕

弓5 〔弦〕8 人名 현 ㊥先 | xián ゲン つる
筆順 ㇕ ㇕ 弓 引 弘 弦 弦 弦
字解 ①시위현 활의 줄. '弓一'. '左執弣, 右執一'《儀禮》. ②초승달현 초승에 뜨는 활 같이 보이는 달. '一影'. '晦朔一望'《漢書》. ③줄현 絃(糸부 5획〈986〉)과 통용. '一歌'. '五一之琴'《禮記》. ④성현 성(姓)의 하나.
字源 形聲. 弓+玄〔音〕

弓5 〔弧〕8 호 ㊥虞 | hú コ ゆみ
字解 ①활호 ㉠목제의 활. '弦木爲一'《易經》. ㉡기(旗)를 단 활. '一弓'. '乘大輅, 載一韣旂'《禮記》. ②호호 활꼴로 휜 곡선. 원둘레 또는 곡선의 일부. '分周天爲三百八十四, 更以分一爲逐限'《四庫提要》.
字源 形聲. 弓+瓜〔音〕

弓5 〔弨〕8 초 ㊥蕭 | chāo ショウ ゆみがそりかえる
字解 시위느슨할초 활의 시위가 느슨함. '彤弓一兮'《詩經》.
字源 形聲. 弓+召〔音〕

弓5 〔弥〕8 〔미〕 彌(弓부 14획〈363〉)와 同字

弓5 〔弛〕8 〔이〕 弛(弓부 3획〈359〉)와 同字

弓5 〔㢭〕8 〔수〕 乑(丿부 9획〈20〉)의 古字

弓5 〔弩〕8 노 ㊤麌 | nǔ ド いしゆみ

字解 쇠뇌노 여러 개의 화살이나 돌을 잇따라 쏘게 된 큰 활. '萬一夾道而發'《史記》.
字源 形聲. 弓+奴〔音〕

弓5 〔弗〕8 〔필〕
弼(弓부 9획〈362〉)과 同字

弓5 〔弡〕8 〔장〕
張(弓부 8획〈361〉)의 古字

弓6 〔卤〕9 〔서〕
西(襾부 0획〈1294〉)의 本字

弓6 〔巽〕9 〔손〕
巽(己부 9획〈328〉)과 同字

弓6 〔弭〕9 미 ㊤紙 | mǐ ビ つのゆみ
字解 ①활미 뿔·뼈 등으로 장식한 활. '弓又謂之一, 以骨爲之'《釋名》. ②활고자미 활의 말단. '象一魚服'《詩經》. ③그칠미 그만둠. 중지함. '一息'. '兵其少一矣'《左傳》. ④잊을미 기억에서 사라짐. '不可一忘'《詩經》. ⑤편안히할미 '治國家, 而一人民者'《史記》. ⑥좇을미 복종함. '城邑無不望風一從'《後漢書》. ⑦성미 성(姓)의 하나.
字源 會意. 弓+耳

弓6 〔弽〕9 협 ㊀葉 | xié キョウ ゆみがつよい
字解 ①활셀협 활이 대단히 셈. '一, 弓強'《集韻》. ②깍지협 韘(弓부 9획〈362〉)과 同字.

弓6 〔弸〕9 병 ㊥庚 | pēng ホウ·ヒョウ はじく, はる
字解 ①탈병 악기 같은 것을 손으로 탐. '一, 彈也'《集韻》. ②시위얹을병 '一, 張弓也'《字彙》.
參考 弸(弓부 8획〈362〉)은 本字.

弓6 〔弓〕9 ㊀수 ㊥尤 ㊁주 ㊥尤 | chóu シュウ た, はた / ちゅう た, はた
筆順 ㇕ ㇕ ...
字解 ㊀밭수 경작지(耕作地). ㊁밭주 畴(田부 9획〈801〉)·疇(田부 14획〈803〉)와 同字.

弓6 〔弙〕9 예 ㊥霽 | yì ゲイ じんめい
字解 사람이름예 옛 활의 명수의 이름. 羿(羽부 3획〈1040〉)와 同字. '一, 古能射人名. …羿, 上同'《廣韻》.
字源 形聲. 弓+幵〔音〕

弓6 〔弮〕9 ㊀환 ㊥先 quān ケン いしゆみ ㊁권 ㊦霰 juàn ケン いしゆみ
字解 ㊀쇠뇌환 弩(弓부 5획〈360〉)와 뜻이 같음. '張空一'《漢書》. ㊁쇠뇌권 ㊀과 뜻이 같음.
字源 形聲. 弓+龹(季)〔音〕

弓6 〔弯〕9 〔만〕 彎(弓부 19획〈364〉)의 俗字·簡體字

弓7 〔弱〕10 中·人 약 ㊀藥 | ruò ジャク よわい
筆順 ㇕ ㇕ 弓 弓 弱 弱 弱 弱
字解 ①약할약 강(強)하지 아니함. '一小'. '強將下無一兵'《蘇軾》. 또, 약한 것. 약한 사람. '馮一犯寡'《周禮》. ②약하게할약 약하여지게 함. '無一君而彊大夫'《說苑》. ③쇠할약 쇠약함. '姜族一矣, 而嬀將始昌'《左傳》. ④날씬할약 허리가 가늚. '體輕腰一'《西京雜記》. ⑤어릴약, 젊을약 연소함. '有寵而一'《左傳》. 또, 연소자. '老一'. '扶老攜一'《史記》. ⑥잃을약 상실함. '又一一个焉'《左傳》. ⑦패할약 전패함. '頡遇王子, 一焉'《左傳》. ⑧침노할약 침범함. '華臣一皇比之室'《左傳》.
字源 會意. 弓+弓

弓7 〔弰〕10 소 ㊥肴 | shāo ソウ·ショウ ゆはず
字解 활고자소 활의 말단.
字源 形聲. 弓+肖〔音〕

弓7 〔弲〕10 ㊀현 ㊥先 xuān ケン つのゆみ ㊁연 ㊥先 yuān エン つのゆみ
字解 ㊀①각궁현 뿔활. '一, 角弓也'《說文》. ②쇠뇌현 '雒陽名弩曰一'《說文》. ③활시위현 '一, 廣雅, 彈一, 弦也'《集韻》. ㊁각궁연, 쇠뇌연, 활시위연 ㊀과 뜻이 같음.
字源 形聲. 弓+昌〔音〕

弓7 〔弻〕10 〔필〕
弼(弓부 9획〈362〉)의 古字

弓8 〔張〕11 高·人 ㊀장 ㊥陽 zhāng チョウ はる ㊁창 ㊦漾 zhàng チョウ はれる
筆順 弓 弓 弭 弭 弭 張 張 張
字解 ㊀①활시위얹을장 활에 시위를 맴. '勝者執一弓'《儀禮》. ②당길장 활시위를 당김. '先一之弧'《易經》. ③베풀장 차림. '一樂設飮'《戰國策》. ④펼장 ㉠벌림. 펴 넓힘. '將欲翕之, 必故一之'《老子》. ㉡강하게 함. '臣欲一公室也'《左傳》. ㉢왕성(旺盛)

하게 함. '虛一聲勢'. '此妄一賊勢, 爲國生事'《北史》. ㉣크게 함. '一皇六師'《書經》. ⑤자랑할장 '誇一'. '我一吾三軍'《左傳》. ⑥속일장 기만함. '譸一'. ⑦어그러질장 괴려(乖戾)함. '乖一'. ⑧고칠장 '更一'. ⑨벌장 궁노(弓弩)·금슬(琴瑟)·유장(帷帳) 등을 세는 수사(數詞). '幄幕九一'《左傳》. ⑩별이름장 이십팔수(二十八宿)의 하나. 주작 칠수(朱雀七宿)의 다섯째 성수(星宿)로서, 별 여섯으로 구성되었음. '一宿'. ⑪장막장 帳(巾부 8획〈333〉)과 통용. '一飮三日'《史記》. ⑫성장 성(姓)의 하나. [二] 배부를창 脹(肉부 8획〈1078〉)과 통용. '晉侯將食, 一, 如廁'《左傳》.
[字源] 形聲. 弓+長〔音〕

弓 8 〔強〕11 [中·人] 강 ①-⑤[平]陽 ⑥-⑩[上]養 | qiáng キョウ つよい qiǎng キョウ つとめる

[筆順] 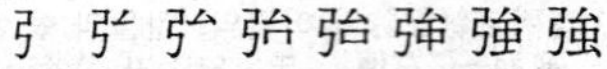

[字解] ①강할강 ㉠기력(氣力)이 강함. '一直'. '雖柔必一'《中庸》. ㉡근력이 강함. '一壯'. '乞身當及一健時'《歐陽修》. ㉢세력이 강함. '一軍'. '天下一國, 無過齊者'《戰國策》. 또, 강한 것. 강한 사람. '一弱'. '抑一扶弱'《漢書》. ②강하게할강 세게 함. '欲一兵者, 務富其民'《戰國策》. ③마흔살강 사람이 가장 강성한 때의 나이. '四十曰一'《禮記》. ④나머지강 표기(表記)한 수 외에 우수리가 있음을 나타내는 말. '賞賜百千一'《木蘭詩》. ⑤성강 성(姓)의 하나. ⑥힘쓸강 힘써 함. '勉一'. '一爲善而矣'《孟子》. ⑦힘쓰게할강 힘써 하도록 함. '正其行而一之道藝'《周禮》. ⑧강요할강 억지로 시킴. '一而後可'《孟子》. ⑨억지로강 무리하게. '一勸'. '一飮一食'《周禮》. ⑩포대기강 襁(衣부 11획〈1285〉)과 통용. '成王少在一葆之中'《史記》.
[字源] 形聲. 虫+彊〈省〉〔音〕
[參考] 强(弓부 9획〈363〉)은 俗字.

弓 8 〔⿰弓𣶒〕11 연 [平]先 | yuān エン ゆみのまがりうねったところ
[字解] 오금연 활고자와 줌통의 중간의 굽은 데. '一, 弓上下曲中'《玉篇》.

弓 8 〔弸〕11 [一] 붕 [平]蒸 [二] 팽 [平]庚 | bēng ホウ みちる, つよい péng ホウ ゆみなり
[字解] [一] ①찰붕, 채울붕 가득 참. 또, 가득 차게 함. '以其一中而彪外也'《揚子法言》. ②셀붕 활이 센 모양. '弓如明月對一'《庾信》. [二] 화살소리팽 화살이 나는 소리. '一彋'.
[字源] 形聲. 弓+朋〔音〕

弓 8 〔弴〕11 돈 [平]元 | dūn トン ゆみ
[字解] 활돈 그림을 그린 활. '天子一弓'《廣韻》.
[字源] 形聲. 篆文은 弓+𦎧〔音〕

弓 8 〔⿰弓㡀〕11 〔별〕 彆(弓부 12획〈363〉)과 同字

弓 8 〔弶〕11 [一] 강 [去]漾 [二] 양 [上]養 | jiàng キョウ あみをはる ギョウ あみをはる
[字解] [一] ①그물칠강, 창애놓을강 '一, 張取獸也'《廣韻》. '一, 字林, 施罟於道'《集韻》. ②활로짐승잡을강 '一, 一曰, 以弓罥鳥獸'《集韻》. [二] 그물칠양, 창애놓을양, 활로짐승잡을양 [一]과 뜻이 같음.

弓 8 〔⿰弓幷〕11 〔병〕 ⿰弓并(弓부 6획〈361〉)의 本字

弓 8 〔⿰弓兒〕11 〔미〕 弭(弓부 6획〈361〉)와 同字

弓 9 〔弼〕12 [人名] 필 [入]質 | bì ヒツ たすける

[筆順] 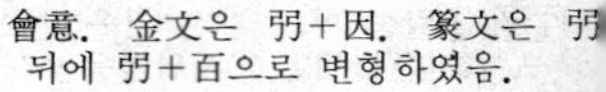

[字解] ①도울필 보좌함. '輔一'. '明于五刑, 以一五敎'《書經》. 또, 보좌하는 사람. '伊周作一, 王室惟康'《傅玄》. ②어그러질필 괴려(乖戾)함. '君臣故一'《漢書》. ③도지개필 활을 바로잡는 틀. ④성필 성(姓)의 하나.
[字源] 會意. 金文은 弜+因. 篆文은 弜+丙. 뒤에 弜+百으로 변형하였음.

弓 9 〔弻〕12 弼(前條)의 本字

弓 9 〔⿲弓因弓〕12 弼(前前條)의 本字

弓 9 〔弽〕12 [一] 섭 [入]葉 [二] 협 [入]葉 | shè ショウ ゆがけ xié キョウ ゆがけ
[字解] [一] 깍지섭 韘(韋부 9획〈1676〉)과 同字. [二] 깍지협 [一]과 뜻이 같음. ⿰弓合(弓부 6획〈361〉)과 同字. '一, 射決也'《集韻》.
[字源] 形聲. 弓+枼〔音〕

弓 9 〔⿰弓扁〕12 편 [平]先 | piān ヘン ゆみがそりかえる
[字解] 활뒤젖혀질편 활이 반대로 튀기어 뒤집혀짐. '一, 弓反張也'《集韻》.

〔粥〕〔죽〕
米부 6획(969)을 보라.

弓9〔㢢〕12 〔약〕
弱(弓부 7획〈361〉)의 本字

弓9〔强〕12 〔강〕
強(弓부 8획〈362〉)의 俗字

弓9〔弾〕12 〔탄〕
彈(弓부 12획〈363〉)의 略字

弓10〔彀〕13 구 ㊀宥 | gòu コウ はる

字解 ①당길구 활을 당김. '一, 張弩也'《說文》. ②구율(彀率)구 화살을 맞히는 표준. 활시위를 당기는 정도. '羿之敎人射, 必志於一'《孟子》.
字源 形聲. 弓+㱿〔音〕

弓10〔㢮〕13 〔이〕
弛(弓부 3획〈359〉)와 同字

弓11〔彃〕14 필 ㊁質 | bì ヒツ いる

字解 ①쏠필 화살을 쏨. '羿焉一日'《楚辭》. ②활시위필.
字源 形聲. 弓+畢〔音〕

弓11〔彄〕14 구 ㊉尤 | kōu コウ ゆはず

字解 ①활고자구 활의 시위를 매게 된 곳. '弓不受一'《蔡邕》. ②고리구 環(玉부 13획〈783〉)과 뜻이 같음. '戚姬以百鍊金爲一環'《西京雜記》.
字源 形聲. 弓+區〔音〕

弓12〔彈〕15 高人 탄 ㊀翰 ㊉寒 | ①②dàn ダン はじきゆみ, たま ③-⑦tán ダン はじく

筆順 弓 弓'' 弓''' 弓罒 弓罒 弓罒 彈 彈

字解 ①활탄 탄알을 쏘는 활. '挾一飛鷹杜陵北'《盧照鄰》. ②탄알탄 탄자. ㉠활로 쏘는 탄알. '作一以守之'《吳越春秋》. ㉡총의 탄알. '砲一'. '隆慶二年, 改鑄鐵一'《大明會典》. 전(轉)하여, 탄알같이 작은 것. '此一丸之地'《史記》. ③쏠탄 활로 탄알을 쏨. '一射'. '晉靈公從臺上一人'《左傳》. ④튀길탄 ㉠반발(反撥)함. '一指應之'《五燈會元》. ㉡튀겨 텲. '新沐者必一冠'《楚辭》. ⑤탈탄 악기 같은 것을 탐. '一琴'. '舜一五絃之琴'《史記》. ⑥칠탄 두드림. '一劍作歌'《十八史略》. ⑦탄핵할탄 죄를 바로잡음. '糾一'. '州司不敢一糾'《後漢書》.
字源 形聲. 弓+單〔音〕

參考 弾(弓부 9획〈363〉)은 略字.

弓12〔彉〕15 확 ㊁藥 | guō カク はる

字解 당길확 쇠뇌를 당김. '勢如一弩'《孫子》.
字源 形聲. 弓+黃〔音〕

弓12〔㢸〕15 〔필〕
弼(弓부 9획〈362〉)의 古字

弓12〔彆〕15 별 ㊁屑 | biè ヘツ そる

字解 활뒤틀릴별 활의 몸대가 어긋나 바르지 못함. '一, 弓末反戾也'《釋文》.
字源 形聲. 弓+敝〔音〕

弓13〔彋〕16 횡 ㊉庚 | hóng コウ とばりのひるがえるこえ

字解 ①휘장펄럭이는소리횡 휘장이 바람에 나부끼는 소리. '弸一, 帷帳起皃'《玉篇》. ②활시위소리횡 활을 당겨서 나는 소리. '弸一, 弓聲'《集韻》.

弓13〔彊〕16 人名 〔강〕 強(弓부 8획〈362〉)과 通字

筆順 弓 弓一 弓冂 弓冋 弓畐 弓畺 彊 彊
字源 形聲. 弓+畺〔音〕

弓14〔彌〕17 人名 미 ①-⑦㊉支 ⑧㊤紙 | mí ビ ゆみをゆるめる mǐ ビ とめる

筆順 弓 弓' 弓'' 弓爫 弓爾 彌 彌 彌

字解 ①활부릴미 弭(弓부 6획〈361〉)와 同字. ②퍼질미 널리 퍼짐. 두루 미침. '一滿'. '一山跨谷'《史記》. ③더욱미 더욱더욱. '一榮'. '仰之一高'《論語》. ④걸릴미 날짜나 시간이 걸림. '曠日一久'《韓非子》. ⑤마칠미, 지낼미 경과함. '誕一厥月'《詩經》. ⑥기울미 수선함. '一縫其闕'《左傳》. ⑦성미 성(姓)의 하나. ⑧그칠미 쉼. 그만둠. '一災兵'《周禮》.
字源 會意. 金文은 弓+日+爾

弓15〔彍〕18 확 ㊁藥 | kuò カク はる

字解 ①당길확 彉(弓부 12획〈363〉)과 同字. ②달릴확 빨리 달림. '駕塵一風'《韓愈》.
字源 形聲. 弓+廣〔音〕

弓15〔㣁〕18 〔봉〕
鳳(鳥부 3획〈1811〉)의 古字

弓 16 〔彇〕19 〔돈〕 弴(弓부 8획〈362〉)의 本字

〔疆〕〔강〕 田부 14획(802)을 보라.

弓 18 〔彌〕21 미 ㊤紙 | mí ビ ゆみをゆるめる

字解 활부릴미 彌(弓부 14획〈363〉)와 同字. '一, 弛弓也'《說文》.
字源 形聲. 弓+璽〔音〕

弓 18 〔彏〕21 권 ㊥先 ㊦願 ㊤阮 | quān ケン ゆみがまがる

字解 활굽을권 '一, 弓曲謂之一'《集韻》.
字源 形聲. 弓+雚〔音〕

弓 19 〔彎〕22 만 ㊥刪 | wān ワン ひく, まがる

字解 ①당길만 활에 화살을 메겨 당김. '一弓'. '逢門子一烏號'《王褒》. ②굽을만 활처럼 굽음. '一曲'. '強來爲吏腰少一'《沈遼》.
字源 會意. 弓+䜌

弓 20 〔彏〕23 확 ㊇藥 | jué キャク はる

字解 당길확 활에 화살을 메겨 급히 당김. '一天狼之威弧'《揚雄》.
字源 形聲. 弓+矍〔音〕

彐(彑·⺕)部
〔터진가로왈부〕

彐 0 〔彐〕3 계 ㊦霽 | jì ケイ いのこのあたま

筆順 ㇇ ㇕ 彐

字解 돼지머리계 돼지의 머리를 상형(象形)한 글자.
字源 象形. 멧돼지의 머리 부분의 상형.
參考 자형(字形) 분류상 부수(部首)가 되어, '터진가로왈(曰)'로 이름.

彐 0 〔彑〕3 彐(前條)의 本字

〔尹〕〔윤〕 尸부 1획(295)을 보라.

彐 2 〔归〕5 〔귀〕 歸(止부 14획〈605〉)의 俗字

彐 2 〔归〕5 〔귀〕 歸(止부 14획〈605〉)의 簡體字

彐 2 〔刍〕5 〔추〕 芻(艸부 4획〈1122〉)의 簡體字

彐 3 〔㺯〕6 〔억〕 抑(手부 4획〈431〉)과 同字

彐 3 〔当〕6 〔당〕 當(田부 8획〈801〉)의 俗字

彐 3 〔当〕6 〔당〕 當(田부 8획〈801〉)의 略字

〔夛〕〔다〕 夕부 3획(229)을 보라.

彐 3 〔彐〕6 〔다〕 多(夕부 3획〈229〉)와 同字

彐 3 〔㚻〕6 〔호〕 好(女부 3획〈240〉)와 同字

彐 4 〔叚〕7 하 ㊥麻 | xiá カ いのこ

字解 돼지하 '一, 豕也'《說文》.
字源 象形. 윗부분은 돼지의 머리, 아랫부분은 발의 모양을 본뜸.

〔帚〕〔추〕 巾부 5획(331)을 보라.

彐 5 〔彔〕8 人名 록 ㊇屋 | lù ロク きをきざむ

筆順 ⺊ ⺕ ⺕ 子 寻 寻 录 彔

字解 ①나무새길록 나무를 깎아 새김. '一, 刻木也'《廣韻》. ②근본록 근본(根本). '一, 本也'《廣韻》. ③錄(金부 8획〈1565〉)의 簡體字.
字源 象形. 두레박 우물의 도르레 근처에 물이 넘치는 모양.

彐 5 〔彖〕8 ㊀이 ㊦寘 | yì イ いのこ
㊁제 ㊦霽 ㊥齊 | テイ·ダイ いのこ

字解 ㊀①털긴짐승이름이, 돼지이 '一, 脩豪獸. 一曰, 河內名豕也'《說文》. ②너구리새끼이 '一, 貍子也'《玉篇》. ㊁털긴짐승이름제, 돼지제, 너구리새끼제 ㊀과 뜻이 같음.
字源 象形. 털이 긴 짐승의 모양을 본뜸.

彐 5 〔㣇〕8 彖(前條)의 古字

크 6 〔彖〕9 단 [去]翰 | tuàn タン かのいぎ
[字解] 판단할단 주역(周易)의 괘(卦)의 뜻을 설명하여 판단을 내림. 또, 그 말. 예컨대, 건괘(乾卦)에서 '乾, 元亨利貞'이라고 한 따위. '序一繫象說卦文言'《史記》.
[字源] 象形. 머리가 큰 멧돼지의 모양을 본뜸.

크 6 〔彔〕9 〔록〕
彔(크부 5획〈364〉)의 本字

크 6 〔𢑚〕9 〔신〕
申(田부 0획〈795〉)의 籀文

크 7 〔𢑏〕10 〔매〕
魅(鬼부 3획〈1780〉)의 籀文

크 7 〔𢑌〕10 〔주〕
疇(田부 14획〈803〉)와 同字

크 8 〔彗〕11 [人名] 혜(수[本]) [去]寘 | suì スイ ほうき, ほうきぼし
[筆順] 一 二 三 丰 丰丰 彗 彗 彗
[字解] ①비혜 대로 만든 비. '一掃'. '國中以策一郵勿驅, 塵不出軌'《禮記》. ②살별혜 꼬리별. '一星'. '妖星一曰一, 二曰孛'《晉書》. ※本音 수.
[字源] 象形. 끝이 가지런한 비를 손에 잡은 형상을 본뜸.

크 8 〔𢑓〕11 〔이〕
㣇(크부 5획〈364〉)의 籀文

크 9 〔彘〕12 체 [去]霽 | zhì テイ いのこ
[字解] 돼지체 가축의 하나. 豕(部首〈1372〉)와 뜻이 같음. '雞豚狗一之畜, 無失其時, 七十者可以食肉'《孟子》.
[字源] 形聲. 甲骨文에서는 豕+矢〔音〕

크 9 〔𢑛〕12 홀 [入]月 | hū コツ いのこのるい
[字解] 돼지무리홀 돼지의 한 종류. '一, 豕屬'《說文》.
[字源] 形聲. 彖+曶〔音〕

크 10 〔彙〕13 [人名] 휘 [去]未 | huì イ はりねずみ, あつめる
[筆順] ' 一 冖 彑 彖 彙 彙 彙
[字解] ①고슴도치휘 蝟(虫부 9획〈1236〉)와 뜻이 같음. '一, 卽蝟也, 其毛如針'《爾雅疏》. ②무리휘 동류(同類). '一集'. '以其一'《易經》. ③모을휘 같은 종류의 것을 한데 모음. '一報'. '一分'.
[字源] 形聲. 彖〈省〉+胃(胃)〈省〉〔音〕
[參考] 彚(次條)는 同字.

크 10 〔彚〕13 彙(前條)와 同字

크 11 〔𢑴〕14 〔이〕
肄(聿부 7획〈1063〉)의 本字

크 12 〔𢑷〕15 〔려〕
蠡(虫부 15획〈1253〉)의 古字

크 13 〔𢑹〕16 [一]시 [去]寘 | sì シ いのこのるい
[二]이 [去]寘 | イ いのこのるい
[字解] [一]①돼지무리시 돼지의 종류. '一, 㣇屬'《說文》. ②돼지소리시 '一, 豕聲也'《玉篇》. ③쥐이름시 '一, 鼠名'《廣韻》. [二] 돼지무리이, 돼지소리이, 쥐이름이 [一]과 뜻이 같음.
[字源] 會意. 㣇+㣇. 두 개의 '㣇이'를 합쳐서 돼지를 나타냄.

크 13 〔彛〕16 彝(次次條)의 俗字

크 14 〔彞〕17 彝(次條)와 同字

크 15 〔彝〕18 [人名] 이 [平]支 | yí イ つね
[筆順] ' 一 彑 彑 彝 彝 彝 彝
[字解] ①떳떳할이 항상 변치 않음. '一倫'. ②법이 법칙. 항상 변치 않는 도(道). '民之秉一, 好是懿德'《詩經》. ③술그릇이 술동이보다 약간 작은 주기(酒器). 주로, 제기(祭器)로 쓰였음. 후세에는, 종묘(宗廟)에 상치(常置)하는 종정류(鐘鼎類)도 이(彝)라 함. '一樽'. '以作一器'《左傳》. ④성이 성(姓)의 하나.
[字源] 象形. 닭을 목졸라 죽여 피를 흘리게 하고, 그것을 양손으로 받드는 모양.

크 15 〔𢑱〕18 〔이〕
肄(聿부 7획〈1063〉)의 籀文

크 16 〔𢑲〕19 〔휘〕
彙(크부 10획〈365〉)의 本字

크 19 〔𢑻〕22 〔이〕
彝(크부 15획〈365〉)의 古字

크 23 〔彠〕26 확 [入]陌 | huò カク はかる
[字解] 잴확, 자확, 법도확 자로 잼. 蒦(艸부 10획〈1169〉)·矱(矢부 14획〈864〉)과

同字. '挑截本末規摹一矩'《馬融》.
[字源] 形聲. 尋+蒦〔音〕

彡　部
〔터럭삼·삐친석삼부〕

彡 0 〔彡〕 3 삼 (平)咸 | shān サン けがながい
[筆順] ノ 彡 彡
[字解] ①터럭삼, 긴머리삼 길게 자란 아름다운 머리. ②그릴삼 붓 같은 것으로 채색함.
[字源] 象形. 길게 흐르는 숱지고 윤기나는 머리의 모양을 본뜸.
[參考] '彡'을 의부(意符)로 하여, '무늬·빛깔·머리·꾸미다'의 뜻을 지니는 문자가 이루어짐.

彡 3 〔⿰工彡〕 6 〔공〕
工(部首〈325〉)의 古字

彡 4 〔彣〕 7 문 (平)文 | wén ブン あや
[字解] ①문채문 무늬. 문장. '一, 古通作文'《集韻》. ②푸르고붉은빛뒤섞일문 '一, 靑與赤雜'《廣韻》.
[字源] 形聲. 彡+文〔音〕

彡 4 〔形〕 7 [中·人] 형 (平)靑 | xíng ケイ·ギョウ かたち
[筆順] 一 二 于 开 开' 开彡 形
[字解] ①형상형 꼴. '一體'. '在地成一'《禮記》. ②형모형 용모. '乃審厥象, 俾以一旁求于天下'《書經》. ③형체형 몸. 신체. '旣自以心爲一役'《陶潛》. ④형세형 상태. '秦一勝之國'《史記》. ⑤나타낼형 드러냄. '喜怒不一色'《蜀志》. ⑥나타날형 드러남. '此謂誠於中, 一於外'《大學》. ⑦꼴이룰형 형상을 이룸. '有一形者'《列子》. ⑧그릇형 토제(土製)의 식기(食器). 鉶(金부 6획〈1557〉)과 통용. '飯土熘, 啜土一'《史記》.
[字源] 形聲. 彡+开(幵)〔音〕

彡 4 〔彤〕 7 동 (平)冬 | tóng トウ あかぬり
[字解] ①붉은칠동 붉게 칠한 장식. 단식(丹飾). '一弓'. '貽我一管'《詩經》. ②성동 성(姓)의 하나.
[字源] 會意. 丹+彡

彡 4 〔⿰井彡〕 7 形(前前條)과 同字

彡 5 〔⿰丹彡〕 8 〔단〕
丹(丶부 3획〈16〉)의 古字

彡 6 〔⿰幵彡〕 9 〔형〕
形(彡부 4획〈366〉)의 本字

彡 6 〔彥〕 9 [人名] 언 (去)霰 | yàn ゲン すぐれただんし
[筆順] 亠 ナ 文 产 产 彦 彥 彥
[字解] ①선비언 뛰어난 남자. 또, 남자의 미칭(美稱). '美士爲一'《爾雅》. '邦之一兮'《詩經》. ②성언 성(姓)의 하나.
[字源] 形聲. 文+彡+厂〔音〕

彡 6 〔彦〕 9 彥(前條)의 俗字

彡 7 〔彧〕 10 욱 (入)屋 | yù イク あや
[筆順] 一 戸 可 式 或 或 彧 彧
[字解] ①문채(文彩)욱 무늬. 또, 무늬로 장식한 것. ②빛날욱 문채가 있는 모양. '紛一一其難分'《何晏》. ③무성할욱 곡식이 잘 자란 모양. '黍稷一一'《詩經》.
[字源] 形聲. 彡+或〔音〕

彡 7 〔⿰釆彡〕 10 〔채〕
彩(彡부 8획〈366〉)의 訛字

彡 7 〔⿰彡走〕 10 〔도〕
徒(彳부 7획〈371〉)와 同字

彡 7 〔⿰彡甫〕 10 〔보〕
補(衣부 7획〈1274〉)의 古字

彡 7 〔⿰羊彡〕 10 〔상〕
祥(示부 6획〈888〉)의 古字

彡 8 〔彩〕 11 [高·人] 채 (上)賄 | cǎi サイ あや, いろどる
[筆順] 一 爫 爫 平 采 采' 彩 彩
[字解] ①무늬채 문채. '龍一雲裳'《鮑照》. ②채색채 ㉠고운 빛깔. '光一'. '潛實內結, 豐一外盈'《傅玄》. ㉡색을 칠하는 일. '不以傅一爲巧'《陳傅良》. ③빛채 광휘. '日華月一'《沈約》. ④노름채 도박. '亦賭一一擲也'《鶴林玉露》.
[字源] 形聲. 彡+采〔音〕

彡 8 〔彪〕 11 [人名] 표 (平)尤 | biāo ヒョウ とら, あや

[筆順] 丨 卜 上 广 卢 虍 虎 彪

[字解] ①범표 작은 범. '熊—顧盼'《庾信》. 전(轉)하여, 두려운 사람. '每戰爲前鋒, 齊軍深憚之, 謂爲程—'《南史》. ②문채날표 빛깔이 아름다움. '——玢玢'《宋史》.
[字源] 會意. 虎＋彡

彡 8 〔彫〕 11 [人名] 조 [平]蕭 | diāo チョウ ほる

[筆順] 丿 冂 冂 円 用 周 周 彫

[字解] ①새길조 조각함. '—弓'. '朽木不可—也'《論語》. ②꾸밀조 수식(修飾)함. '任性而行, 不自—勵'《魏志》. ③시들조 凋(冫부 8획〈93〉)와 통용. '歲寒然後知松柏之後—也'《論語》. 전(轉)하여, 상잔(傷殘)함. 쇠잔(衰殘)함. '—盡'. '於時百姓—弊'《魏志》. ④고미조 줄의 열매. '—胡'. '炊—留上客'《梁簡文帝》.
[字源] 形聲. 彡＋周〔音〕

彡 8 〔彬〕 11 [人名] [一] 빈 [平]眞 | bīn ヒン ぶんしつともにそなわる
[二] 반 [平]刪 | bān ハン あきらか

[筆順] 一 十 才 木 林 林 彬 彬

[字解] [一] ①빛날빈 문채(文彩)와 바탕이 겸비하여 찬란함. '文質——然後君子'《論語》. ②성빈 성(姓)의 하나. [二] 밝을반 문채가 환함. '珊瑚琳碧, 瓀珉璘—'《張衡》.
[字源] 形聲. 彡＋焚〈省〉〔音〕

彡 8 〔⿰者彡〕 11 〔제〕
諸(言부 9획〈1343〉)의 古字

彡 8 〔⿰易彡〕 11 〔마〕
馬(部首〈1734〉)의 籀文

彡 8 〔⿰卓彡〕 11 〔변〕
變(言부 16획〈1363〉)과 同字

彡 8 〔㣎〕 11 [一] 목 [入]屋 | mù ボク こまかいあや
[二] 무 [平]尤 | ビュウ こまかいあや

[字解] [一] 가는문채목 穆(禾부 11획〈909〉)과 통용. '—, 細文也'《說文》. [二] 가는문채무 [一]과 뜻이 같음.
[字源] 會意. 彡＋㝵(省)

〔須〕 〔수〕
頁부 3획(1683)을 보라.

彡 9 〔彭〕 12 [人名] [一] 방 [平]陽 | bāng ホウ かたわら, さかん
[二] 팽 [平]庚 | péng ホウ ふくれる

[筆順] 一 士 吉 吉 吉 壴 壴 彭

[字解] [一] ①곁방 옆. '匪其—, 无咎'《易經》. ②북치는소리방, 두드리는소리방 '打麥打麥, ——魄魄'《張舜民》. ③많을방 '行人——'《詩經》. ④강성(強盛)할방 '駟騵——'《詩經》. [二] ①띵띵할팽 부풀어 띵띵함. '豕腹脹—亨'《韓愈》. ②장수팽 장명(長命). 장수한 사람 팽조(彭祖)에서 나온 말. '齊—殤'《王羲之》. ③땅이름팽 '—城'은 강소성(江蘇省)에 있는 현(縣). 춘추 시대(春秋時代)의 송(宋)나라의 읍(邑). ④성팽 성(姓)의 하나. '—祖'.
[字源] 會意. 彡＋壴

彡 9 〔⿰帚彡〕 12 〔마〕
馬(部首〈1734〉)의 古字

彡 11 〔彰〕 14 [人名] 창 [平]陽 | zhāng ショウ あきらか

[筆順] 亠 立 产 音 音 音 章 彰

[字解] ①밝을창 뚜렷함. 환함. '—明'. '嘉言孔—'《書經》. ②드러날창 저명(著名)하여짐. '—著'. '堯德未—'《世說》. ③드러낼창 저명(著名)하게 함. '—德'. '—厥有常'《書經》. ④무늬창 문채. '織文鳥—'《詩經》. ⑤성창 성(姓)의 하나.
[字源] 形聲. 彡＋章〔音〕

彡 11 〔彯〕 14 표 ①②[平]蕭 ③[去]嘯 | piāo ヒョウ くみいとながい
piào ヒョウ えがく

[字解] ①끈치렁거릴표 끈이 길어 치렁거리는 모양. '——'. ②가벼울표 嫖(女부 11획〈261〉)와 통용. '—搖武猛'《王融》. ③그릴표.
[字源] 形聲. 彡＋票〔音〕

彡 12 〔⿰尋彡〕 15 〔심〕
尋(寸부 9획〈290〉)의 本字

彡 12 〔影〕 15 [高·人] 영 [上]梗 | yǐng エイ かげ

[筆順] 日 旦 昌 昌 景 景 景 影

[字解] ①그림자영 ㉠광선이 가려서 나타난 검은 형상. '形—'. '人—在地'《蘇軾》. ㉡거울에 비친 형상. '引鏡窺—'《後漢書》. ㉢해의 그림자. 일영(日影). '情有遷延, 日無餘—'《潘岳》. ②빛영 광화(光華). '燈—照夢寐'《杜甫》. ③모습영 자태(姿態). '絕

一乎大荒之遐阻'《張協》. ④화상영 초상(肖像). '一像'. '神一亦有酒色'《南史》.
字源 形聲. 彡+景〔音〕

彡12 〔彲〕15 影(前條)과 同字

彡13 〔彧〕16 〔욱〕 彧(戈부 13획〈425〉)과 同字

彡17 〔䊂〕20 〔색〕 色(部首〈1118〉)의 古字

彡19 〔彲〕22 리(치本) 平支 chī チ みずち
字解 이무기리 螭(虫부 11획〈1243〉)와 同字. '非龍非一'《史記》. ※本音 치.
字源 會意. 彡+麗

彳 部
〔두인변·중인변부〕

彳0 〔彳〕3 척 入陌 chì テキ すこしすすむ
筆順 ノ ク 彳
字解 조금걸을척 잠시 걸음. 일설(一說)에는, 좌보(左步)를 '彳'이라 하고, 우보(右步)를 '亍'이라 하여, 합하여 행(行)자가 된다고 함.
字源 象形. '行'의 왼쪽 절반을 추상하여, '길을 가다'의 뜻을 나타냄.
參考 부수(部首)로서, 두인(人)변, 중인(重人)변으로 이름. 彳을 의부(意符)로 하여, 가는 일에 관한 문자가 이루어짐.

彳2 〔彳丁〕5 정 平青 dīng テイ ひとりゆく
字解 홀로걸을정 仃(人부 2획〈33〉)과 통용. '彾一, 獨行也'《韻會》.

彳2 〔彸〕5 〔범〕 犯(犬부 2획〈747〉)의 古字

彳3 〔彺〕6 〔도〕 徒(彳부 7획〈371〉)와 同字

彳3 〔彴〕6 一 박 入覺 bó ハク ながれぼし 二 작 入藥 zhuó シャク まるきばし
字解 一 운성박 별똥. '一約'. 二 외나무다리작 독목교(獨木橋). '一橋'. '澗柳橫孤一'《韋莊》.
字源 形聲. 彳+勺〔音〕

彳4 〔彷〕7 방 人名 ①平陽 pāng ホウ さまよう ②上養 fǎng ホウ にかよう
筆順 ノ ク 彳 彳' 彳' 彷 彷
字解 ①배회할방 오르락내리락하며 돌아다님. '一徉'. '一徨乎, 無爲其側'《莊子》. ②비슷할방 근사함. 흐릿하여 분별하기 어려운 모양. '一彿神動'《傳毅》.
字源 形聲. 彳+方〔音〕

彳4 〔彸〕7 송 平冬 zhōng ショウ あわてゆく
字解 두려워할송 '征一'은 무서워하여 당황하는 모양. '百姓征一, 無所措其手足'《王褒》.
字源 形聲. 彳+公〔音〕

彳4 〔役〕7 高·人 역 入陌 yì ヤク·エキ さきもり
筆順 ノ ク 彳 彳' 彵 役 役
字解 ①수자리역 군대로 뽑히어 변방을 지키는 일. '戍一'. '師田行一之事'《周禮》. ②역사역 부역. '田一以馭其衆'《周禮》. ③일역 ㉠병역·부역 등과 같이 백성을 강제적으로 동원하는 사건. '報采桑之一'《左傳》. ㉡직무. '祗一出皇邑'《謝靈運》. ④일꾼역 남에게 사역(使役)당하는 천한 사람. '厮一'. '無禮無儀, 人之一也'《孟子》. ⑤부릴역 사역(使役)함. '一使'. '正七體以一心'《國語》. ⑥골몰할역 노력하는 모양. '終身一一'《莊子》. ⑦줄지을역, 늘어설역 벼 이삭이 아름답게 줄지어 늘어선 모양. '禾一穟穟'《詩經》.
字源 會意. 彳+殳〔音〕

彳4 〔彶〕7 급 入緝 キュウ いそいでゆく
字解 급히갈급, 분주할급 '一, 急行皃'《說文》. '一, 遽也'《廣韻》.
字源 形聲. 彳+及〔音〕

彳4 〔彻〕7 一 납 入合 nà ドウ·ノウ ゆく 二 퇴 去隊 tuì
字解 一 갈납 가는 모양. '䟜, 行皃, 或从彳'《集韻》. 二 退(辵부 6획〈1493〉)와 同字.

彳4 〔彼〕7 〔반〕 返(辵부 4획〈1489〉)과 同字

彳4 〔征〕7 〔사〕 徙(彳부 8획〈372〉)와 同字

彳4〔徇〕7 〔순〕
徇(彳부 6획〈370〉)과 同字

彳4〔彻〕7 〔철〕
徹(彳부 12획〈375〉)의 簡體字

彳4〔彸〕7 〔종〕
從(彳부 8획〈372〉)과 同字

彳5〔彼〕8 中·人 피 ㊤紙 | bǐ ヒ か, かれ

筆順 ノ ク 彳 彳 犭 犭 彼 彼

字解 ①저피 이〔此〕의 대(對). '一此'. '一月而微, 此日而微'《詩經》. ②그피 ㉠나〔我〕의 대. '一我'. '知一知己, 百戰不殆'《孫子》. ㉡자기에 대한 제삼자. '爾之愛我也不如一'《禮記》. ㉢남을 천히 여겨 소외(疏外)하는 호칭. '一哉一哉'《論語》. ③저쪽피 저편. '在一無惡, 在此無射'《詩經》.

字源 形聲. 彳+皮〔音〕

彳5〔彽〕8 저 ㊥齊 | dī テイ たちもとおる

字解 배회할저 오르락내리락하며 거닒. '一徊'.

字源 形聲. 彳+氐〔音〕

彳5〔彿〕8 불 ㊣物 | fú フツ にかよう

筆順 ノ ク 彳 彳 彳 彳 彿 彿

字解 비슷할불 근사함. 또, 흐릿하여 분별하기 어려운 모양. '彷一神動'《傳毅》.

字源 形聲. 彳+弗〔音〕

彳5〔往〕8 中·人 왕 ①-⑥㊤養 ⑦㊦漾 | wǎng オウ ゆく / wàng オウ むかう

筆順 ノ ク 彳 彳 往 往 往 往

字解 ①갈왕 ㉠어떤 곳을 향하여 움직임. '禮尙一來一而不來非禮也, 來而不一亦非禮也'《禮記》. ㉡가 버림. 떠남. '不保其一也'《論語》. ㉢저승으로 감. 죽음. '送一事居'《左傳》. ②예왕 과거. '一古'. '易彰一而察來'《易經》. ③이따금왕 '一一'은 가끔. '一一稱黃帝堯舜'《史記》. ④일찍왕 이전에. '淸老一與余共學於漣水'《黃庭堅》. ⑤언제나왕 어떠한 경우에도. '無一非道'《傳習錄》. ⑥보낼왕 물건을 보내 줌. '今一僕少所著辭賦一通'《曹植》. ⑦향할왕 귀향(歸向)함. '心嚮一之'《史記》.

字源 形聲. 甲骨文은 止+王〔音〕. 篆文은 '가다'의 뜻인 '彳척'을 붙였음.

參考 徃(次條)은 俗字

彳5〔徃〕8 往(前條)의 俗字

彳5〔作〕8 〔작〕
作(人부 5획〈43〉)의 古字

彳5〔征〕8 中·人 정 ㊥庚 | zhēng セイ ゆく, うつ

筆順 ノ ク 彳 彳 行 行 征 征

字解 ①갈정 먼 곳에 여행함. '一夫'. '之子于一'《詩經》. ②칠정 군주가 군대를 파견하여 악당을 정벌함. '一討'. '王用出一'《易經》. ③취할정 이익을 얻음. '上下交一利'《孟子》. ④구실받을정 징세(徵稅)함. '一稅'. '關市譏而不一'《孟子》. ⑤구실정 조세. '薄一'《周禮》. ⑥축정 바둑에서 상대방의 돌을 자꾸 단수로 비스듬히 몰아 잡을 수 있게 된 기세(碁勢). '有一有劫'《碁經》. ⑦성정 성(姓)의 하나.

字源 形聲. 彳+正〔音〕

彳5〔徂〕8 ㊀조 ㊥虞 | cú ソ ゆく
㊁저 | ソ ねらう

字解 ㊀갈조 ㉠앞으로 감. 다다름. '一徠'. '我一東山'《詩經》 ㉡물러감. 세월 같은 것이 감. '一暑'. '日一月流'《陶潛》. ㉢죽음. '一落'. '吁嗟一兮'《史記》. ㊁겨냥할저 狙(犬부 5획〈749〉)와 통용. '一擊秦皇帝'《漢書》.

字源 形聲. 彳+且〔音〕

彳5〔佟〕8 〔통〕
佟(人부 5획〈44〉)의 訛字

彳5〔伶〕8 령 ㊥青 | líng レイ ひとりゆく

筆順 ノ ク 彳 彳 彳 伶 伶 伶

字解 홀로걸을령 '一彳, 獨行也'《韻會》.

字源 形聲. 彳+令〔音〕

彳5〔油〕8 ㊀적 ㊣錫 | dí テキ ゆく
㊁독 ㊣沃 | トク ゆく
㊂주 ㊦有 | zhōu チュウ きわまりない

字解 ㊀갈적 '一一'은 가는 모양. 평탄하여 가기 좋은 모양. '一, 一一, 行皃'《集韻》. ㊁갈독 ㊀과 뜻이 같음. ㊂ ①끝없을주 때가 끝이 없음. 宙(宀부 5획〈276〉)와 同字. '一, 古往今來無極之名也, 與宙同'《玉篇》. ②끝없이갈주 한없이 가는 모양. '一, 行無極也'《集韻》.

字源 形聲. 彳+由〔音〕

彳5〔径〕8 〔경〕
徑(彳부 7획〈371〉)의 略字

彳6 〔待〕9 [中·人] 대 [上]賄 | dài タイ まつ

[筆順] ノ ク 彳 行 往 往 待 待

[字解] ①기다릴대 ㉠때가 오기를 기다림. '一望'. '一時而動'《易經》. ㉡물품을 미리 준비하여 기다림. 대비함. '一邦之用'《周禮》. ㉢방어의 준비를 하고 적이 쳐들어오는 것을 기다림. '其獨何力以一之'《國語》. ②대접할대 대우함. '接一'. '以季孟子之間一之'《論語》. ③용서할대 관대히 보아 줌. '其誰能一之'《國語》. ④성대 성(姓)의 하나.
[字源] 形聲. 彳+寺〔音〕

彳6 〔徇〕9 순 ①-③[平]眞 ④-⑦[去]震 | (xún) シュン いとなむ, つかう xùn ジュン めぐる, したがう

[字解] ①경영할순 '一其私'《史記》. ②부릴순 사역(使役)함. '夫一耳目'《莊子》. ③두루순 빠짐없이 골고루. '一求'. '思慮一通'《墨子》. ④돌순 ㉠순행(巡行)함. '王乃一師而誓'《書經》. ㉡순행(巡行)하여 명령을 내려 복종시킴. '使將一敵地'. '使周布一魏地'《漢書》. ㉢순행하며 두루 알려 보임. '以木鐸一于路'《書經》. ⑤두를순 위요(圍繞)함. '一以離殿別寢'《後漢書》. ⑥빠를순 신체의 발육, 지식의 발달이 빠름. 숙성함. '幼而一齊'《史記》. ⑦좇을순 殉(歹부 6획〈607〉)과 통용. '一國'. '貪夫一財, 烈士一名'《漢書》.
[字源] 形聲. 彳+旬(匀)〔音〕

彳6 〔徆〕9 이 [平]支 | yí イ たいらにすすむ

[字解] 평탄히갈이 평온하게 나아감. '一, 行平易也'《說文》.
[字源] 形聲. 彳+夷〔音〕

彳6 〔很〕9 흔 [上]阮 | hěn コン もとる

[字解] ①패려궂을흔 성질이 거칠고 사나움. '一戾'. ②어길흔 좇지 아니함. '今王將一天而伐齊'《國語》. ③말다툼할흔 '一毋求勝'《禮記》.
[字源] 形聲. 彳+艮(皀)〔音〕

彳6 〔徉〕9 양 [平]陽 | yáng ヨウ さまよう

[字解] 노닐양 한가히 이리저리 왔다갔다 함. 배회함. '徜一'. '彷一無所倚'《楚辭》.
[字源] 形聲. 彳+羊〔音〕

彳6 〔徊〕9 회 [平]灰 | huái, huí カイ さまよう

[字解] 노닐회 한가히 이리저리 왔다갔다 함. '徘一往來'《漢書》.
[字源] 形聲. 彳+回〔音〕

彳6 〔徦〕9 격 [入]陌 | gé カク いたる

[字解] ①이를격 목적한 곳이나 시간에 닿음. '一, 至也'《揚子方言》. ②올격 가까이 닥침. '一, 來也'《揚子方言》. ③오를격 높은 데를 올라감. '一, 登也'《揚子方言》.

彳6 〔律〕9 [中·人] 률 [入]質 | lǜ リツ のり

[筆順] ノ ク 彳 彳 彳 彳 律 律

[字解] ①법률 법령. 규칙. '一令'. '一者所以定分止爭也'《管子》. ②가락률 광의(廣義)로는, 음악의 가락. 곧, 음조(音調)의 총칭. '聲依永, 一和聲'《書經》. 협의로는, 양(陽)에 속하는 음조의 특칭(特稱). 즉, 양에 속하는 가락 여섯을 '六一', 음에 속하는 가락 여섯을 '六呂'라 하며, 합쳐서 '十二一'이라 함. '陽六爲一, 陰六爲呂'《漢書》. ③피리률 음조를 고르게 하는 피리. '黃鍾之一九寸'《漢書》. ④율률 ㉠한시(漢詩)의 한 체(體). 오언(五言) 또는 칠언(七言)의 팔구(八句)로 되어 있는데, 제삼구(第三句)와 제사구(第四句), 제오구와 제육구가 각각 대구(對句)를 이룸. '一詩'. ㉡《佛敎》 불법(佛法)의 금계(禁戒). 계율(戒律). '善持一'《宋史》. ⑤자리률 지위. '加地進一'《禮記》. ⑥정도률 한도. '千篇一一'. '以治日月之行一'《淮南子》. ⑦본뜰률 본보기로 삼음. '上一天時'《中庸》. ⑧빗을률 머리를 빗음. '不沐則濡櫛三一而止'《荀子》. ⑨성률 성(姓)의 하나.
[字源] 會意. 彳+聿〔音〕

彳6 〔後〕9 [中·人] 후 ①②[上]有 ③④[去]宥 | hòu コウ・ゴ あと, のち, うしろ hòu コウ・ゴ おくれる

[筆順] ノ ク 彳 彳 彳 䘕 後 後

[字解] ①뒤후 '先·前'의 대(對). ㉠배면(背面). '一宮'. '塞其前, 斷其一'《左傳》. ㉡끝. 말미(末尾). '一尾'. '吾從大夫之一'《論語》. ㉢장래. '一難'. '僇辱以懲一'《史記》. ㉣나중. '一考'. '事至而一慮者'《荀子》. ㉤후계(後繼). 후사(後嗣). '承先人之一者, 在孫惟汝'《韓愈》. ㉥후계자. 후보자. 계승자. '請一, 曰鄭甥可'《左傳》. ㉦자손. '無一'. '垂訓乃一'《書經》. ②성후 성(姓)의 하나. ③뒤질후, 뒤떨어질후 ㉠뒤에 처짐. '非敢一也, 馬不進也'《論語》. ㉡정시(定

時)보다 늦음. '賈充宴朝士, 而純一至'《晉書》. ㉢미치지 못함. 낙후(落後)함. '戒子一時'《漢書》. ㉣남보다 못함. '竊自料度, 不一朝士'《曹植》. ④뒤로미룰후 나중에 함. '事君, 敬其事, 而一其食'《論語》.
字源 會意. 彳+幺+夊

彳6 〔徐〕9 ㊀탑 ㊂合 ㊁회 ㊄泰 | tà トウ ゆく huì
字解 ㊀갈탑 가는 모양. '一, 行皃'《玉篇》. ㊁會(曰부 9획〈519〉)의 古字.

彳6 〔従〕9 〔종〕
從(彳부 8획〈372〉)의 俗字

彳6 〔徑〕9 〔경〕
徑(彳부 7획〈371〉)의 俗字

〔衍〕〔연〕
行부 3획(1261)을 보라.

彳7 〔徐〕10 高·人 서 ㊥魚 | xú ジョ おもむろ, ゆっくりゆく
筆順 ノ ㇇ 彳 彳 彸 衿 徐 徐
字解 ①천천할서 느림. '不疾不一'《莊子》. ②천천히서 느리게. '一行'. '淸風一來, 水波不興'《蘇軾》. ③찬찬할서 침착함. '其臥一一'《莊子》. ④고을이름서 구주(九州)의 하나. 지금의 산동(山東)·강소(江蘇)·안휘(安徽) 등 여러 성(省)의 일부에 걸친 땅. ⑤성서 성(姓)의 하나.
字源 形聲. 彳+余〔音〕

彳7 〔徑〕10 高·人 경 ㊄徑 | jìng ケイ こみち, みち
筆順 ノ ㇇ 彳 彳 徑 徑 徑 徑
字解 ①지름길경 질러가는 길. 또, 소로. '一路'. '行不由一'《論語》. ②길경 방도(方途). '仕宦之捷一'《唐書》. ③지름경 직경. '半一'. '圓周率三, 圓一率一'《隋書》. ④간사경 사곡(邪曲). '民好一'《老子》. ⑤빠를경 신속함. '莫一由禮'《荀子》. ⑥곧을경 바름. 정직함. '有直情而一行者'《禮記》. ⑦곧경 바로. '一截輜重'《李華》. ⑧지날경 지나감. '夜一澤中'《史記》. ⑨마침내경 竟(立부 6획〈927〉)과 同字. '不過一斗, 一醉矣'《史記》.
字源 形聲. 彳+巠〔音〕

彳7 〔徒〕10 中·人 도 ㊥虞 | tú ト かち, ともがら
筆順 ノ ㇇ 彳 彳 彳 徍 徍 徒
字解 ①걸어다닐도 보행함. '一步'. '舍車而一'《易經》. ②보졸도 보병(步兵). '公一三萬'《詩經》. ③무리도 ㉠동류. '一黨'. '聖人之一也'《孟子》. ㉡제자. '生一'. '非吾一也'《論語》. ④종도 하인. '一隸'. '一御不驚'《詩經》. ⑤일꾼도 인부. '命諸侯百姓, 輿人一'《史記》. ⑥맨손도 아무것도 가지지 아니함. '一手'. '暴虎, 一搏也'《爾雅》. ⑦징역도 형벌의 하나. '一刑'. '其用刑有五, 其三曰一'《唐書》. ⑧죄수도 징역사는 사람. '送一驪山'《史記》. ⑨다만도 '一勞無功'. '一善不足以爲政'《孟子》. ⑩성도 성(姓)의 하나.
字源 形聲. 篆文은 '辻'로, 辵+土〔音〕
參考 從(彳부 8획〈372〉)는 別字.

彳7 〔徸〕10 봉 ㊥冬 ㊥東 | fēng ホウ つかう
字解 부릴봉 '一, 徺一, 使也'《集韻》.
字源 形聲. 彳+夆〔音〕

彳7 〔後〕10 준 ㊥眞 | qūn シュン しりぞく
字解 물러갈준 逡(辵부 7획〈1497〉)과 同字. '一儉隆約'《漢書》.

彳7 〔徎〕10 ㊀정 ㊤梗 ㊤迥 ㊁령 ㊤梗 | chěng テイ こみちをゆく レイ こみちをゆく
字解 ㊀①작은길갈정 큰 길로 가지 않고 작은 길을 감. '一, 徑行也'《說文》. ②작은길정 소로(小路). '一, 徑也'《廣韻》. ③비갠뒤의작은길정 '一, 雨後徑也'《廣韻》. ㊁작은길갈령, 작은길령, 비갠뒤의작은길령 ㊀과 뜻이 같음.
字源 形聲. 彳+呈〔音〕

彳7 〔很〕10 〔흔〕
很(彳부 6획〈370〉)의 本字

彳7 〔復〕10 〔퇴〕
退(辵부 6획〈1493〉)의 本字

彳7 〔徃〕10 〔왕〕
往(彳부 5획〈369〉)의 本字

彳7 〔徔〕10 ㊀竢(立부 7획〈927〉)와 同字 ㊁矦(矢부 10획〈864〉)와 同字

彳7 〔徬〕10 〔빙〕
𢕹(彳부 14획〈376〉)의 俗字

彳7 〔従〕10 〔종〕
從(彳부 8획〈372〉)의 略字

彳7 〔徏〕10 〔척〕 陟(阜부 7획〈1615〉)과 同字

彳7 〔㣚〕10 〔통〕 通(辵부 7획〈1496〉)의 古字

彳8 〔得〕11 [中·人] [一]득 [入]職 [二]덕 [入]職 | dé, děi, de トク える dé トク とく, とくとする

[筆順] ノ ク 彳 彳冂 彳日 得 得 得

[字解] [一] ①얻을득 ㉠손에 넣음. '一喪'. '迺公居馬上而一之'《史記》. ㉡마땅함을 얻음. 적의(適宜)함. '百官一序'《荀子》. ㉢앎. 깨달음. '吾聞一之矣'《淮南子》. ㉣이룸. 성취함. '一功'. '南狩之志乃大一也'《易經》. ㉤잡음. 체포함. '盜發卽一'《宋史》. ㉥신임을 얻음. 서로 뜻이 맞음. 상득(相得)함. '一得'. 의기가 투합(投合)함. '管仲一君, 如彼其專也'《孟子》. ㉦능함. '不能勤苦, 焉一行此, 不恬貧窮焉能行此'《韓詩外傳》. ②탐할득 탐냄. '戒之在一'《論語》. ③만족할득 득의(得意)함. '意氣揚揚, 甚自一也'《史記》. ④이득득 벌이. 소득. '一失'. '有阡陌之一'《漢書》. [二] 덕덕, 덕으로여길덕 德(彳부 12획〈375〉)과 통용. '尙一推賢'《荀子》. '所識窮乏者一我與'《孟子》.

[字源] 形聲. 彳+㝵〔音〕

彳8 〔徘〕11 배 [平]灰 | pái, pēi ハイ さまよう

[字解] 노닐배 천천히 이리저리 왔다갔다함. '一徊往來'《漢書》.

[字源] 形聲. 彳+非〔音〕

彳8 〔徙〕11 [人名] 사 [上]紙 | xǐ シ うつる

[筆順] ノ ク 彳 彳ト 彳卜 徙 徙 徙

[字解] ①옮길사 ㉠장소를 옮김. '遷一'. '孟母所以三一也'《潘岳》. ㉡고침. 변함. '化民而俗一'《沈約》. ②넘길사 어느 한도를 넘김. '一月樂'《禮記》. ③귀양보낼사 유형(流刑)에 처함. '一逐'. '免湯爲庶人一邊'《漢書》.

[字源] 形聲. 辵+止〔音〕. '辵착'은 '나아가다'의 뜻.

[參考] 徒(彳부 7획〈371〉)는 別字.

彳8 〔徜〕11 상 [平]陽 | cháng ショウ さまよう

[筆順] ノ ク 彳 彳' 彳⺌ 徜 徜 徜

[字解] 노닐상 배회함. '一徉中庭'《宋玉》.

[字源] 形聲. 彳+尙〔音〕

彳8 〔從〕11 [中·人] 종 [平]冬 [平]冬 [去]宋 | ①-⑨cóng ショウ·ジュウ したがう ⑩cōng ショウ·ジュウ ゆったり ⑪-⑮zòng ショウ·ジュウ したがう, ほしいまま

[筆順] ノ ク 彳 彳' 彳从 彳从 從 從

[字解] ①좇을종 ㉠따름. 복종함. '服一'. '不信民弗一'《中庸》. ㉡배반하지 아니함. 거역하지 아니함. '卿士一, 庶民一'《書經》. ㉢하는 대로 내버려 둠. 맡김. '姑慈而一'《左傳》. ②좇게할종 전항(前項)의 타동사. '一八極而朝海內'《鹽鐵論》. ③쫓을종 쫓아감. '晉韓厥一鄭伯'《左傳》. ④들을종 남의 말을 들어 줌. '聽一'. '后一諫則聖'《書經》. ⑤종사할종 일삼아 함. '一政'. '黽勉一事'《詩經》. ⑥부터종 自(部首〈1100〉)와 같은 뜻. '施施一外來'《孟子》. ⑦세로종 縱(糸부 11획〈1009〉)과 통용. '衡一其畝'《詩經》. ⑧자취종 蹤(足부 11획〈1444〉)과 통용. '重自刑以絶一'《史記》. ⑨성종 성(姓)의 하나. ⑩종용할종 침착함. '一容中道, 聖人也'《中庸》. ⑪따를종 수행(隨行)함. '一者'. '一我者, 其由也歟'《論語》. 또, 그 사람. 종자(從者). '其侍御僕一'《書經》. ⑫거느릴종 인솔함. '一而伐齊'《史記》. ⑬방종할종 縱(糸부 11획〈1009〉)과 통용. '欲不可一'《禮記》. ⑭놓을종 縱(糸부 11획〈1009〉)과 통용. '一之純如也'《論語》. ⑮버금종 같은 품계(品階)를 두 종류로 나눈 것 중의 낮은 쪽의 일컬음. '後魏以九品分正一, 隋唐以來因之'《文獻通考》.

[字源] 形聲. 辵+从〔音〕

[參考] 従(彳부 7획〈371〉)은 略字.

彳8 〔徛〕11 기 ①[平]支 ②[上]紙 ③[去]寘 | キ わたる キ たつ jì キ とびいし

[字解] ①건널기 징강이를 들어 물을 건넘. '一, 擧脛有渡也'《說文》. ②설기 서서 있음. '一, 立也'《廣韻》. ③징검다리기 돌을 늘어놓은 징검다리. '石杠謂之一'《爾雅》.

[字源] 形聲. 彳+奇〔音〕

彳8 〔徠〕11 래 ①[平]灰 ②[去]隊 | lái ライ くる lài ライ いたわる

[字解] ①올래 來(人부 6획〈45〉)와 同字. '天馬一從西極'《漢書》. ②위로할래 勑(力부 8획〈115〉)와 同字. '親自勞一'《隋書》.

[字源] 形聲. 彳+來〔音〕

彳8 〔御〕11 [高·人] [一]어 [去]御 [二]아 [去]禡 | yù ギョ·ゴ あつかう, すすむ yà ガ むかえる

[筆順] 彳 彳' 彳' 彳'午 彳午 徉 御 御

[字解] [一] ①어거할어 거느림. 통치함. '統一'. '振長策而一宇內'《賈誼》. ②부릴어 말 같은 것을 부림. '使造父一'《史記》. ③마술(馬術)어 말을 부리는 술법. '禮樂射一書數'《周禮》. ④마부어 말을 부리는 사람. '撫其一之手'《說苑》. ⑤모실어 시종(侍從)함. '一其母以從'《書經》. ⑥괼어 부녀(婦女)를 총애함. '斥西施而弗一'《張衡》. ⑦드릴어 윗사람에게 올림. '一食于君'《禮記》. 전(轉)하여, 천자(天子)에 관한 일의 경칭(敬稱)으로서 이 자를 붙임. '臨一'. '一製'. '宴見進一之次'《唐書》. '命周人, 出一書俟于宮'《左傳》. ⑧주장할어 맡음. '長曰能一矣, 幼曰未能一也'《禮記》. ⑨시비(侍妃)어 천자(天子)의 첩. 후궁(後宮). '嬪一'. '妾一莫敢當夕'《小學》. ⑩아내어 처(妻). '農不出一'《呂氏春秋》. ⑪막을어 禦(示부 11획〈893〉)와 同字. '亦以一冬'《詩經》. ⑫성어 성(姓)의 하나. [二] 맞을아 迓(辵부 4획〈1489〉)와 同字. '百兩一之'《詩經》.

[字源] 形聲. 辵+卩+午〔音〕

彳8 〔徛〕11 치 [上]紙 | zhì チ たくわえる

[字解] 쌓을치 저축함.

彳8 〔徤〕11 〔비〕 俾(人부 8획〈56〉)와 同字

彳8 〔後〕11 천 [上]銑 | jiàn セン あと, ふむ

[字解] ①자취천 '一, 迹也'《說文》. ②밟을천 '一, 履也'《玉篇》.

[字源] 形聲. 彳+戔〔音〕

彳8 〔徬〕11 〔방〕 徬(彳부 10획〈374〉)의 本字

彳8 〔徧〕11 〔리〕 履(尸부 12획〈300〉)와 同字

彳9 〔徧〕12 편 [去]霰 | biàn ヘン あまねし

[字解] ①두루미칠편 ㉠빠짐없이 미침. '一于羣臣'《書經》. ㉡미치지 않는 곳이 없음. '今大國之地一天下'《史記》. ②두루다닐편 빠짐없이 다님. '周一五嶽四瀆'《漢書》. ③두루편 하나도 빠짐없이. '一歷'. '閉戶一讀家藏書'《陸游》.

[字源] 形聲. 彳+扁〔音〕

彳9 〔徢〕12 삽 [入]洽 | shà ソウ ゆくさま

[字解] 가는모양삽 '一, 行皃'《玉篇》.

彳9 〔徨〕12 황 [平]陽 | huáng コウ さまよう

[字解] 배회할황 노닒. '彷一乎無爲其側'《莊子》.

[字源] 形聲. 彳+皇〔音〕

彳9 〔復〕12 [中][人] [一] 부 [去]宥 | fù フウ また
[二] 복 [入]屋 | fù フク かえる, かえす

[筆順] 彳 彳' 彳' 彳宀 彳复 復 復 復

[字解] [一] ①다시부 또. 재차. '天一命武王也'《詩經》. ②덮을부 覆(襾부 12획〈1295〉)와 통용. '陶一陶穴'《詩經》. [二] ①회복할복 '一位'. '興一漢室'《諸葛亮》. ②돌아갈복 ㉠먼저 있던 곳으로 돌아감. '一歸'. '言歸思一'《詩經》. ㉡원상태로 돌아감. '一古'. '可悉一舊'《宋書》. ③돌려보낼복 반려(返戾)함. '吾弔則一殯服'《禮記》. ④되풀이할복 반복함. '反一'. '南容三一白圭'《論語》. ⑤대답할복 '一答'. '說一于王'《書經》. ⑥사뢸복 아룀. '願有一也'《禮記》. ⑦복명할복 명령을 받아 한 것을 상신(上申)함. 반명(反命)함. '諸臣之一'《周禮》. ⑧갚을복 ㉠보상(補償)함. '除喪則不一昏禮乎'《禮記》. ㉡보은 또는 보복함. '一讐'. '我必一楚國'《左傳》. ⑨덜복 제거함. '消一災眚'《後漢書》. ⑩면할복 면제함. '一租'. '七大夫以下, 皆一其身及戶, 勿事'《漢書》. ⑪고복복 초혼(招魂). '招魂曰一, 盡愛之道也'《禮記》. ⑫복괘복 육십사괘(六十四卦)의 하나. 곤, ☷〈진하(震下), 곤상(坤上)〉. 기운(機運)이 순환하는 상(象). ⑬겹칠복 중복함. 複(衣부 9획〈1279〉)과 통용. '爲一道'《史記》.

[字源] 形聲. 彳+复(复)〔音〕

彳9 〔循〕12 [高][人] 순 [平]眞 | xún ジュン したがう

[筆順] 彳 彳' 彳厂 彳斤 彳戶 循 循 循

[字解] ①좇을순 ㉠복종함. 순종함. '一俗'. '卿大夫以一法爲節'《禮記》. ㉡따름. 의(依)함. '一牆而走'《十八史略》. '一山而南'《左傳》. ㉢답습함. '必一其故'《呂氏春秋》. ②돌아다닐순 巡(巛부 4획〈325〉)과 同字. '一行國邑'《禮記》. ③돌순 순환함. '一轉'. '三王之道, 若一環, 終而復始'《史記》. ④어루만질순 ㉠손으로 쓰다듬음. '自一其刀環'《漢書》. ㉡위무(慰撫)함. '一撫'. '拊一勉百姓'《漢書》. ⑤미적미적할순 결단을 내리지 않고 머무적거리는 모양. '願客無因一'《李商隱》. ⑥차례있을순 정연(整然)함. '一一然善誘人'《論語》. ⑦성순 성(姓)의 하나.

[字源] 形聲. 彳+盾〔音〕

彳 9 〔⿰彳皆〕 12 개 [平]佳 | kāi カイ たちもとおる

[字解] 거닐개 '徘一, 行惡'《集韻》.

彳 9 〔徦〕 12 [一]가 [上]馬 | jiǎ カ いたる
[二]하 [平]麻 | xiá カ とおい

[字解] [一]이를가 목적한 곳에 닿음. '一, 至也'《說文》. [二]멀하 가깝지 않음. 遐(辵부 9획〈1501〉)와 통용. '沈沈四塞, 一狄合處'《漢書 註》.
[字源] 形聲. 彳＋叚〔音〕

彳 9 〔徥〕 12 [一]시 [平]支 [上]紙 | shì シ ゆく
[二]대 [上]蟹 | タイ ゆく
[三]치 [上]紙 | チ ゆく
[四]태 [平]佳 | タイ ななめにゆく

[字解] [一]①갈시 걸어가는 모양. '一, 一一, 行皃也'《說文》. ②법시 '爾雅曰, 一, 則也'《說文》. [二]①갈대 걸어감. 또, 그 모양. '一, 行皃'《廣韻》. '一, 行也'《集韻》. ②우아할대 '一, 一曰, 細而有容'《集韻》. [三]갈치 가는 모양. '一, 行皃, 朝鮮語也'《廣韻》. [四]①갈태 '徍一'는 비척거리며 가는 모양. '徍, 徍一, 邪行皃'《集韻》. ②우아할태 '秦晉之閒, 凡細而有容, 謂之魏, 或曰一'《揚子方言》.
[字源] 形聲. 彳＋是〔音〕

彳 9 〔徸〕 12 [一]종 [上]腫 | zhǒng ショウ つぐ
[二]동 [上]董 | dòng

[字解] [一]뒤미처갈종 踵(足부 9획〈1438〉)과 同字. '一, 相迹也'《玉篇》. [二]動(力부 9획〈115〉)의 古字.
[字源] 形聲. 彳＋重〔音〕

彳 9 〔⿰彳柔〕 12 [一]유 [上]有 | rǒu ジュウ かえる
[二]뉴 [上]有 | niǔ ジュウ なれる

[字解] [一]돌아갈유 '一, 復也'《說文》. [二]①돌아갈뉴 [一]과 뜻이 같음. ②익힐뉴 익숙하게 함. '一, 習也'《廣韻》.
[字源] 形聲. 彳＋柔〔音〕

彳 10 〔徭〕 13 요 [平]蕭 | yáo ヨウ えだち

[字解] ①역사요 부역(賦役). '一役'. '平一賦'《後漢書》. ②성요 성(姓)의 하나.
[字源] 形聲. 彳＋䍃〔音〕

彳 10 〔微〕 13 [高][人] 미 [平]微 | wēi(wéi) ビ かすか, しのぶ

[筆順] 彳 … 微

[字解] ①작을미 '一物'. '具體而一'《孟子》. ②정묘할미 아주 묘함. '一妙'. '未可謂一也'《荀子》. ③천할미 미천함. '一時'. '子思臣也一也'《孟子》. ④희미할미 어슴푸레함. '熹一'. '雲月遞一明'《杜甫》. ⑤은밀할미 비밀임. '人可與一言乎'《列子》. ⑥쇠할미 쇠잔함. '衰一'. '斯理日一滅'《張九齡》. ⑦숨길미 은닉함. '其徒一之'《左傳》. ⑧엿볼미 정찰함. '使人一知賊處'《漢書》. ⑨아닐미 非(部首〈1654〉)와 뜻이 같음. '一我無酒'《詩經》. ⑩없을미 無(火부 8획〈716〉)와 뜻이 같음. '一管仲, 吾其被髮左衽矣'《論語》. ⑪조금미, 몰래미 약간. 또, 비밀히. '一行'. '小我皆一有所知'《北史》. ⑫성미 성(姓)의 하나.
[字源] 形聲. 彳＋𢼸〔音〕

彳 10 〔⿰彳屑〕 13 설 [入]屑 | xiè セツ ひるがえる

[字解] 옷너펄거릴설 옷자락이 너펄거리는 모양. '媥姺徶一'《司馬相如》.

彳 10 〔⿰彳留〕 13 류 [去]宥 | liū リュ·ル いってまち あわせる

[字解] 가면서기다릴류 가면서 만나 봄. '一, ⿰彳秀一, 行相待也. 或作留'《集韻》.

彳 10 〔徯〕 13 혜 ①[上]薺 | xī(xí) ケイ まつ
②[平]齊 | ケイ こみち

[字解] ①기다릴혜 蹊(足부 10획〈1441〉)와 통용. '書曰, 一我后'《孟子》. ②샛길혜 蹊(足부 10획〈1441〉)와 통용. '塞一徑'《禮記》.
[字源] 形聲. 彳＋奚〔音〕

彳 10 〔徬〕 13 〔방〕 傍(人부 10획〈65〉)·彷(彳부 4획〈368〉)과 同字
[字源] 形聲. 彳＋旁〔音〕

彳 10 〔⿰彳㝵〕 13 〔득〕 得(彳부 8획〈372〉)의 本字

彳 10 〔⿰彳茸〕 13 〔용〕 聳(耳부 11획〈1060〉)의 本字

彳 11 〔⿰彳悉〕 14 실 [入]質 | xiè シツ ゆらぐ

[字解] 흔들릴실 요동함. '一⿰彳屑'.

彳 11 〔徲〕 14 [一]지 [平]支 | chí チ ひさしい
[二]제 [平]齊 | tí テイ ひさしい

[字解] [一]①오랠지 오래 됨. '一, 久也'《說文》. ②왕래할지 '一一'는 오감. '一一, 往來也'《廣雅》. ③뒤져올지 '一, 一曰, 後至'《集韻》. ④오래기다릴지 遲(辵부 12획〈1506〉)와 同字. '一, 久待也'《字彙》. [二]오랠제, 왕래할제, 뒤져올제, 오래기다릴제 [一]과 뜻이 같음.

[字源] 形聲. 彳+犀〔音〕

彳11〔𢕂〕14 〔복〕
復(彳부 9획〈373〉)의 本字

彳11〔徼〕14 〔오〕
慠(心부 11획〈408〉)와 同字

彳11〔㣙〕14 〔필〕
蹕(足부 11획〈1443〉)과 同字

彳11〔徾〕14 〔미〕
微(彳부 10획〈374〉)의 俗字

彳11〔徳〕14 〔덕〕
德(彳부 12획〈375〉)의 略字

彳11〔徴〕14 徵(次次條)의 略字

〔徽〕 〔휘〕
巾부 11획(337)을 보라.

彳12〔徵〕15 [高·人] [一] 징 [平]蒸 | zhēng, ⑨chéng チョウ めす
[二] 치 [上]紙 | zhǐ チ ごおんのいち

[筆順] 彳 𢓊 𢓊 徨 徨 徨 徨 徵

[字解] [一] ①부를징 호출함. '一召'. '一至長安'《漢書》. ②구할징 요구함. '一詩文'. '寡人是一'《左傳》. ③거둘징 구실 같은 것을 거두어들임. '一斂'. '以時一其賦'《周禮》. ④조짐징 전조. '一祥'. '是其一也'《左傳》. ⑤효험징 효과. '一效'. '久則一, 一則悠遠'《中庸》. ⑥증거징 증명. '一據'. '杞不足一也'《論語》. ⑦이룰징 성취(成就)함. '故聖人見化, 以觀其一也'《淮南子》. ⑧밝힐징 명백히 함. '以一過也'《左傳》 ⑨징계할징 懲(心부 15획〈417〉)과 통용. '且一其未也'《荀子》. ⑩성징 성(姓)의 하나. [二] 음률이름치 오음(五音)의 하나. 이를 합치고 입술을 열어 내는 격렬한 음. 오행(五行)에서 화(火)에, 사시(四時)로는 여름(夏)에 배당함. '宮商角一羽'.

[字源] 形聲. 彳+壬+攴+山〔音〕

彳12〔德〕15 [中·人] 덕 [入]職 | dé トク とく

[筆順] 彳 𢓊 待 徳 徳 徳 德 德

[字解] ①덕덕 ㉠도(道)를 행하여 체득(體得)한 품성. '一行'. 또, 덕을 갖춘 사람. '一不孤'. '佑賢輔一'《書經》. ㉡도덕. 정의(正義). '中庸之爲一也, 其至矣乎'《論語》. ㉢공덕. 이익. '下非地一'《國語》. ㉣교화(敎化). '布一和令'《禮記》. ㉤은혜. '恩一'. '旣飽以一'《詩經》. ②복덕 행복. '百姓之一也'《禮記》. ③덕베풀덕 은혜를 베풂. '又從而振一之'《孟子》. ④덕으로여길덕 은덕을 느낌. '王曰然則一我乎'《左傳》. ⑤별이름덕 목성(木星). 天其報一星'《漢書》. ⑥성덕 성(姓)의 하나. ⑦독일덕 독일(Deutsch)의 음역 '德意志'의 생략. '一國'.

[字源] 形聲. 본디 彳+悳〔音〕

彳12〔徳〕15 德(前條)의 本字

彳12〔徹〕15 [高·人] 철 [入]屑 | chè テツ とおる

[筆順] 彳 彳 𢓊 徃 徇 徇 徹 徹

[字解] ①통할철 ㉠통철함. '透一'. '物一疏明'《莊子》. ㉡전달함. '一命于執事'《左傳》. ②뚫을철 '穿一'. '射之一七札'《左傳》. ③구실이름철 주대(周代)의 전조(田租)의 제도로서, 수입의 십분의 일의 구실. '盍一乎'《論語》. ④벗길철 박취(剝取)함. '一彼桑土'《詩經》. ⑤다스릴철 '一田爲糧'《詩經》. ⑥치울철 거둠. 제거함. '一床'. '軍衞不一'《左傳》. ⑦버릴철 기증함. '捨一淨財'《隋煬帝》. ⑧부술철 '一我牆屋'《詩經》. ⑨성철 성(姓)의 하나.

[字源] 會意. 甲骨文은 鬲+又. 篆文은 彳+育+攴.

彳12〔𢕟〕15 삽 [入]合 | sà ソウ ゆく

[字解] ①갈삽 가는 모양. '一, 行皃'《說文》. ②여럿이갈삽 '一, 衆行皃'《廣韻》. ③왔다갔다할삽 '一, 行不進也'《集韻》. ④빠를삽, 시끄러울삽 '紛一䜌以流漫'《嵇康》.

[字源] 形聲. 彳+𦑟〔音〕

彳12〔徶〕15 별 [入]屑 | bié ヘツ ひるがえる

[字解] 옷너펄거릴별 옷자락이 너울거리는 모양. '一㣯, 衣服婆娑皃'《集韻》.

彳13〔𢕺〕16 〔철〕
徹(彳부 12획〈375〉)의 古字

彳13〔徼〕16 요 (교[本]) [去]嘯 [平]蕭 | ①-④jiào キョウ めぐる ⑤-⑦jiāo キョウ もとめる

[字解] ①돌요 순행함. 순찰함. '掌一循京師'《漢書》. ②순라군요 순찰하는 사람. '少爲縣亭長游一'《後漢書》. ③변방요 국경 지대. '邊一'. '南至牂牁爲一'《史記》. ④샛길요 질러가는 소로. '一道綺錯'《班固》. ⑤

구할요 희구함. '一冀'. '小人行險以一幸'《中庸》. ⑥훔칠요 표절(剽竊)함. '惡一以爲知者'《論語》. ⑦막을요 앞을 막음. '一麋鹿之怪獸'《司馬相如》. ※本音 교.
[字源] 形聲. 彳+敫〔音〕

彳13 〔𨖚〕16 〔피〕 避(辵부 13획〈1508〉)의 古字

彳13 〔𨘇〕16 〔환〕 還(辵부 13획〈1508〉)과 同字

彳14 〔徽〕17 [人名] 휘 ㊥微|huī キ よい
[筆順] 彳 彳' 彳'' 徨 徫 徾 徽 徽
[字解] ①아름다울휘 선미(善美)함. 착함. '一言'. '君子有一猷'《詩經》. ②아름답게할휘 선미(善美)하게 함. '愼一五典'《書經》. ③탈휘 거문고를 탐. '鄒忌一一, 而威王終夕悲感於憂'《淮南子》. ④바휘 굵은 세 겹 노. '一索'. '係用一纆'《易經》. ⑤표기휘 표지(標識)를 한 기(旗). 微(巾부 11획〈337〉)와 同字. '一幟'. '一車輕武'《揚雄》. 전(轉)하여, 기호(記號)의 뜻으로 쓰임. '一章'. ⑥성휘 성(姓)의 하나.
[字源] 形聲. 糸+微〈省〉〔音〕

彳14 〔㣉〕17 빙 ㊥青|pīng へイ つかう
[字解] 부릴빙 사람을 부림. 또, 사자(使者). '一, 使也'《說文》.
[字源] 形聲. 彳+聘〔音〕

彳14 〔𢕟〕17 미 |méi ビ つれだつ
[字解] 같이갈미 동행함. '狐狸一一'《王逸》.

彳14 〔𢔶〕17 〔철〕 徹(彳부 12획〈375〉)의 古字

彳16 〔𢖍〕19 ㊀롱 ㊤宋|lòng リョウ まがる ㊁롱 ㊤董|lǒng ロウ まっすぐゆく
[字解] ㊀비틀거릴롱 바르게 걷지 않음. '一, 行不正'《玉篇》. ㊁곧게갈롱 '一侗'은 똑바로 감. 직행(直行)함.

彳17 〔𢖑〕20 양 (상㊤) ㊥陽|xiāng ショウ たちもとおる
[字解] 거닐양 '聊逍遙以一徉'《楚辭》. ※本音 상.

彳18 〔𢖽〕21 구 ㊥虞 ㊤遇|qú jù ク ゆく
[字解] 갈구 가는 모양. 躣(足부 18획〈1454〉)와 同字. '躣, 行皃. 楚詞曰, 右蒼龍之躣躣. 一, 上同'《廣韻》
[字源] 形聲, 彳+瞿〔音〕

〔黴〕 〔미〕 黑부 11획(1867)을 보라.

心(⺗·忄)部

〔마음심부〕

心0 〔心〕4 [中人] 심 ㊥侵|xīn シン こころ
[筆順] ノ 心 心 心
[字解] ①마음심 ㉠지정의(知情意)의 본체. 의식. 정신. '一身'. '一者形之君, 而神明之主也'《荀子》. ㉡생각. 마음씨. '一術'. '人一不同, 如其面焉'《左傳》. ㉢뜻. 의미. '有一哉擊磬乎'《論語》. ②염통심 오장의 하나. '一臟'. '一者五臟之專精也'《素問》. 심장은 오장 중에서 가장 중요한 것이므로, 전(轉)하여 정요(精要)의 뜻으로 쓰임. '般若一經, 系集大般若經六百卷之精要, 故云一經'《辭海》. ③가슴심 '一腹'. '西施病一'《莊子》. ④가운데심 중앙. '中一'. '月到天一處'《邵雍》. 또, 물건의 중심에 있는 것. '木一'. '菜不食一'《南史》. ⑤근본심 근원. 본성(本性). '復其見天地之一乎'《易經》. ⑥별이름심 이십팔수(二十八宿)의 하나. 창룡 칠수(蒼龍七宿)의 다섯째 성수(星宿)로서, 별 셋으로 구성되었음. '一宿'. ⑦성심 성(姓)의 하나.
[字源] 象形. 심장의 모양을 본떠, '마음'의 뜻을 나타냄.
[參考] 心을 의부(意符)로 하여, '감정·의지' 등의 마음의 움직임에 관한 문자를 이룸.

心0 〔⺗〕4 心(前條)과 同字
[筆順] 丿 小 小 ⺗

心0 〔忄〕3 心(前前條)이 변에 있을 때의 자체(字體). 마음심변. 심방변.
[筆順] 丶 丷 忄

心1 〔必〕5 [中人] 필 ㊇質|bì ヒツ かならず

[筆順] 丶 丿 乄 必 (心 心 心) 必

[字解] ①반드시필 꼭. '一要'. '一死'. '信賞一罰'《漢書》. ②오로지필 전일(專一). '赤石不奪節士之一'《太玄經》. ③기필할필 반드시 그렇게 될 줄로 믿음. '期一'. '毋意毋一'《論語》. ④성필 성(姓)의 하나.
[字源] 會意. 八+弋

心
1 〔忆〕4 〔억〕 憶(心부 13획〈414〉)의 簡體字

心
2 〔忍〕6 [一]의 ①[去]未 ①②[去]寘 yì ギ いかる [二]도

[字解] [一] ①성낼의 '一, 怒也'《集韻》. ②해칠의 '一, 一曰, 害意'《集韻》. [二] 忉(次條)와 同字.
[字源] 形聲. 心+刀〔音〕

心
2 〔忉〕5 도 [平]豪 dāo トウ うれえる

[字解] 근심할도 근심하는 모양. '心爲一一'《詩經》.
[字源] 形聲. 忄(心)+刀〔音〕

心
2 〔忈〕6 애 [去]泰 ài カイ こらす

[字解] 징계할애 나무라서 경계함. '懲一戰國'《晉書》.
[字源] 形聲. 心+乂〔音〕

心
3 〔忌〕7 [高·人] 기 [去]寘 jì キ いむ

[筆順] ㄱ コ 己 己 忌 忌 忌

[字解] ①미워할기 증오함. '嫌一'. '不一其不祥乎'《國語》. ②시기할기 질투함. '猜一'. '夫人無妬一之行'《詩經》. ③꺼릴기 외탄(畏憚)함. '一避'. '一憚'. '不一于上'《左傳》. ④공경할기 '非羇何一'《左傳》. ⑤원망할기 원한을 품음. '小人一而不思'《國語》. ⑥경계할기 타일러 주의시킴. '敬一而罔有擇言在躬'《禮記》. ⑦기일기 부모 또는 조상이 죽은 날. 또, 상중. '一辰'. '君子有終身之喪, 一日之謂也'《禮記》. ⑧어조사기 구조(句調)를 고르게 하기 위한 조사(助辭). '叔善射一, 又良御一'《詩經》. ⑨성기 성(姓)의 하나.
[字源] 形聲. 心+己〔音〕

心
3 〔応〕7 〔응〕 應(心부 13획〈414〉)의 略字

心
3 〔忉〕6 忍(次條)과 同字

心
3 〔忍〕7 [中·人] 인 [上]軫 rěn ニン しのぶ

[筆順] ㄱ 刀 刃 刃 忍 忍 忍

[字解] ①참을인 ㉠견딤. '一耐'. '一辱'. '包羞一恥是男兒'《杜牧》. ㉡용서함. '是可一也, 孰不可一也'《論語》. ㉢어려운 것을 참고 힘씀. '一勉'. '魯以相一爲國'《左傳》. ②참음인 전항(前項)의 명사. '一之一字, 衆妙之門'《呂本中》. ③잔인할인 잔악(殘惡)함. '殘一'. '人皆有不一人之心'《孟子》. ④차마못할인 딱하여 참지 못함. '情懷一一'《後漢書》. ⑤성인 성(姓)의 하나.
[字源] 形聲. 心+刃〔音〕

心
3 〔忍〕7 忍(前條)과 同字

心
3 〔忒〕7 특 [入]職 tè トク たがう

[字解] ①틀릴특 어긋남. '差一'. '昊天不一'《詩經》. ②의심할특 '其儀不一'《詩經》. ③변할특 변경(變更)됨. '享祀不一'《左傳》.
[字源] 形聲. 心+弋〔音〕

心
3 〔志〕7 [中·人] [一]지 [二]치 [去]寘 zhì シ こころざし

[筆順] 一 十 士 志 志 志 志

[字解] [一] ①뜻지 ㉠의향(意向). '詩言一, 歌永言'《詩經》. ㉡의사. '意一'. '匹夫不可奪一也'《論語》. ㉢본심. 본의. '謂之宋一'《左傳》. ㉣사의(私意). '義歟一歟'《禮記》. ㉤감정. '以制六一'《左傳》. ㉥희망. '過於其一'《左傳》. ㉦절개. '一操'. '一士不忘在溝壑'《孟子》. ㉧의사의 표시. '孔子之喪, 公西赤爲一焉'《禮記》. ②뜻할지 할 마음을 먹음. 바람. 기대함. '一望'. '一願'. '一於道'《論語》. ③기억할지 잊지 아니함. '博聞彊一'《後漢書》. ④적을지 기록함. '孔子聞之曰, 弟子一之'《孔子家語》. ⑤기록지 문서. '三國一'. '魏一'. '掌邦國之一'《周禮》. ⑥문체이름지 한문의 한 체(體). 사물의 변천·연혁(沿革)을 적는 것. '漢書藝文一'. ⑦살촉지 화살 끝에 박은 쇠. ⑧성지 성(姓)의 하나. [二] 기치치 幟(巾부 12획〈338〉)와 통용. '張旗一'《史記》.
[字源] 形聲. 心+士(㞢)〔音〕

心
3 〔忘〕7 [中·人] 망 [平]陽 wáng [去]漾 wàng ボウ わすれる

[筆順] 丶 亠 亡 亡 忘 忘 忘

[字解] ①잊을망 ㉠기억하지 못함. '一却'. '健一'. '民一其勞'《易經》. ㉡염두에 두지 아니함. 개의치 아니함. '一死生'. '一其身'

《莊子》. ㉢소홀히 함. '一恩'. '不愆不一'《詩經》. ②건망증망 잘 잊는 병. '中年病一'《列子》.
[字源] 形聲. 心+亡〔音〕

心 3 〔忈〕7 忘(前條)의 本字

心 3 〔忐〕7 [一] 담 [上]感|tǎn タン むなしい
[二] 경 [上]梗|kěng コウ むなしい

[字解] [一] ①마음허할담 '一忑'은 마음이 허함. '一忑, 心虛也'《五音集韻》. ②두려워할담 겁을 먹음. '一, 懼也'《正字通》. [二] 마음허할경, 두려워할경 [一]과 뜻이 같음.

心 3 〔忑〕7 [一] 특 [入]職|tè トク むなしい
[二] 도 [上]晧|dǎo トウ むなしい

[字解] [一] ①마음허할특 '忐一'은 마음이 허함. '忐一, 心虛也'《五音集韻》. ②두려워할특 겁을 먹음. '一, 懼也'《正字通》. [二] 마음허할도, 두려워할도 [一]과 뜻이 같음.

心 3 〔忎〕7 〔공〕
恐(心부 6획〈385〉)의 古字

心 3 〔忎〕7 〔인〕
仁(人부 2획〈32〉)의 古字

心 3 〔忞〕7 [一] 恕(心부 6획〈386〉)의 古字
[二] 怒(心부 5획〈381〉)의 古字

心 3 〔念〕7 〔념〕
念(心부 4획〈378〉)과 同字

心 3 〔忓〕6 [一] 간 [平]寒|gān カン きわめる, おかす
[二] 한 [去]翰|hān カン よい

[字解] [一] ①지극할간, 범할간 극(極)에 이름. 침범함. '一, 極也'《說文》. '一, 干, 一通. 說文, 干, 犯也, 忓, 極也'《正字通》. ②흔들간 어지럽힘. '無一時事'《唐書》. [二] ①착할한 '一, 善也'《廣雅》. ②좋을한 아름다움. '一, 好也'《廣雅》.
[字源] 形聲. 忄(心)+干〔音〕

心 3 〔忬〕6 후 [平]虞|xū ク うれえる

[字解] 근심할후 '一, 憂也'《廣韻》.
[字源] 形聲. 忄(心)+ 亐(于)〔音〕

心 3 〔忬〕6 忬(前條)의 本字

心 3 〔忏〕6 [一] 천 ①[上]銑|qiān セン いかる
②[平]先|qiān
[二] 참|セン うつくしい

[字解] [一] ①성낼천 화를 냄. '一, 怒也'《玉篇》. ②아름다울천 '一, 方言, 自關而西, 秦晉之閒, 呼好爲一'《集韻》. [二] 懺(心부 17획〈419〉)의 簡體字.

心 3 〔忔〕6 흘 [入]物|①qì キツ よろこぶ
②yì ギツ きらう

[字解] ①기뻐할흘 '一, 博雅, 喜也'《集韻》. ②싫어할흘 하고자 하지 아니함. '數一食飮'《史記》.
[字源] 形聲. 忄(心)+乞〔音〕

心 3 〔忖〕6 촌 [上]阮|cŭn ソン はかる

[字解] ①헤아릴촌 남의 마음을 미루어서 헤아림. '一度'. '他人有心, 予一度之'《詩經》. ②성촌 성(姓)의 하나.
[字源] 形聲. 忄(心)+寸〔音〕

心 3 〔忙〕6 [中·人] 망 [平]陽|máng ボウ いそがしい

[筆順] 丶 丷 忄 忄 忙 忙

[字解] ①바쁠망 다망함. '恩一'. '自笑平生爲口一'《蘇軾》. ②빠를망 급속함. '過如霹靂一'《杜牧》. ③애탈망 초조함. '蠶飢日晚妾心一'《王西》. ④성망 성(姓)의 하나.
[字源] 形聲. 忄(心)+亡〔音〕

心 3 〔忚〕6 忙(前條)의 俗字

心 3 〔忕〕6 [一] 태 [去]泰|tài タイ おごる
[二] 세 [去]霽|shì セイ なれる

[字解] [一] 방자할태 忲(心부 4획〈380〉)와 同字. '侈一無度'《晉書》. [二] 익을세 익숙해짐. '一, 狃一, 過度'《集韻》.
[字源] 形聲. 忄(心)+大〔音〕

心 4 〔忠〕8 [中·人] 충 [平]東|zhōng チュウ まごころをつくす

[筆順] ㅣ 冂 口 中 中 忠 忠 忠

[字解] ①충성할충, 충성충 군국(君國)을 위하여 정성을 다함. '一諫'. '一君'. '爲下克一'《書經》. ②정성스러울충, 정성충 성실(誠實)함. '一言'. '一僕'. ③공변될충, 공평충 사(私)가 없음. '無私一也'《左傳》. ④성충 성(姓)의 하나.
[字源] 形聲. 心+中〔音〕

心 4 〔念〕8 [中·人] 념 [去]豔|niàn ネン おもう, おもい

[筆順] ノ 人 亼 今 今 念 念 念

[字解] ①생각념 사려(思慮). '雜一'. '餘一'.

'制一以定志'《雲笈七籤》. ②생각할념 '一願'. '一玆在玆'《書經》. ③욀념 암송함. '一佛'. '一經'. '口一心禱而求者'《杜牧》. ④스물념 음(音)이 廿(十부 2획〈126〉)의 속음(俗音)과 같은 데서 유래(由來)함. '一日'. '開業碑陰, 多宋人題名, 有元祐辛未陽月一五日題'《金石文字記》. ⑤잠깐념 불교(佛教)에서 극히 짧은 시간을 이름. '一一中, 有九十刹那'《仁王經》. ⑥성념 성(姓)의 하나.
[字源] 會意. 心＋今

心 4 〔忽〕8 [高人] 홀 ㊇月 | hū コツ たちまち
[筆順] ノ 勹 勺 勿 勿 忽 忽 忽
[字解] ①홀연홀 돌연(突然). '一焉'. '一地'. '涼風一至'《列子》. ②소홀히할홀 탐탁히 여기지 아니함. 또, 경모(輕侮)함. '疎一'. '一略'. '公愛班固而一崔駰'《後漢書》. ③잊을홀 망각함. '願幸毋一'《漢書》. ④다할홀, 멸할홀 절멸(絶滅)함. '是絶是一'《詩經》. ⑤올홀 누에 입에서 나오는 한 올의 실. 전(轉)하여, 극히 작은 수(數). 곧, 일사(一絲)의 10분의 1. '無秒一之失'《白居易》. ⑥성홀 성(姓)의 하나.
[字源] 形聲. 心＋勿〔音〕

心 4 〔㣲〕7 忽(前條)과 同字

心 4 〔忩〕8 〔총〕 悤(心부 7획〈390〉)과 同字

心 4 〔忿〕8 분 ①㊤吻 ②㊀問 | fèn フン いかる, いかり
[字解] ①성낼분 원망하여 화냄. '一怒'. '激一'. '爾無一疾于頑'《書經》. ②분분 성. 화. '懲違改一'《楚辭》.
[字源] 形聲. 心＋分〔音〕

心 4 〔忞〕8 [人名] 민 ㊥眞 | mín ビン つとめる
[筆順] ' 亠 ナ 文 文 忞 忞 忞
[字解] 힘쓸민 노력함. '穆一隱閔'《淮南子》.
[字源] 形聲. 心＋文〔音〕

心 4 〔忟〕7 忞(前條)과 同字

心 4 〔忦〕8 개 ㊀卦 | xiè カイ ゆるがせ
[字解] ①마음놓을개 마음을 풀어 느긋하게 가짐. '孝子之心, 不若是一'《孟子》. ②언짢을개 불화(不和)한 모양. '一, 一曰, 不和皃'《集韻》. ③걱정없을개 아무 근심이 없는 모양. '一, 一日, 無憂貌'《字彙》.
[字源] 形聲. 心＋介〔音〕

心 4 〔忥〕8 희 ①-③㊀未 ④㊀寘 | xì キ おろか, よろこぶ
[字解] ①어리석을희 '一, 癡也'《玉篇》. ②고요할희 '一, 靜也'《廣韻》. ③쉴희 '一, 一日, 息也'《集韻》. ④기뻐할희 '一一, 喜也'《廣雅》.
[字源] 形聲. 心＋气〔音〕

心 4 〔㤂〕8 〔급〕 急(心부 5획〈382〉)의 本字

心 4 〔㤄〕7 㤂(前條)과 同字

心 4 〔㤅〕8 ㊀ 愛(心부 9획〈398〉)와 同字 ㊁ 忌(心부 3획〈377〉)·懸(心부 11획〈407〉)와 同字

心 4 〔态〕8 〔태〕 態(心부 10획〈403〉)의 簡體字

心 4 〔忢〕8 〔오〕 悟(心부 7획〈392〉)의 古字

心 4 〔㞢〕8 〔지〕 志(心부 3획〈377〉)의 古字

心 4 〔忝〕8 첨 ①㊤琰 ②㊀豔 | tiǎn テン はずかしめる tiǎn テン かたじけない
[字解] ①더럽힐첨 욕되게 함. '無一爾所生'《詩經》. ②황송할첨 받는 것이 분(分)에 넘치는 일이라고 겸양(謙讓)하여 하는 말. '榮一'. '否德一帝位'《書經》.
[字源] 會意. ⺗(心)＋天

心 4 〔忝〕8 忝(前條)의 本字

心 4 〔忡〕7 충 ㊥東 | chōng チュウ うれえる
[字解] 근심할충 걱정함. '怔一'. '憂心一一'《詩經》.
[字源] 形聲. 忄(心)＋中〔音〕

心 4 〔忤〕7 오 ㊀遇 | wǔ ゴ さからう
[字解] ①거스를오 거역함. '一色'. '皆以一旨抵罪'《後漢書》. ②미워할오 증오함. '猜一'. ③섞일오 착잡(錯雜)함. '陰陽散一'《春秋》.
[字源] 形聲. 忄(心)＋午〔音〕

心 4 〔忨〕7 완 [去]翰 | wàn ガン むさぼる

[字解] 탐할완, 아낄완 탐냄. 또, 소중히 여김. '一愒'. '一歲而愒日'《左傳》.

[字源] 形聲. 忄(心)+元〔音〕

心 4 〔快〕7 [中·人] 쾌 [去]卦 | kuài カイ こころよい

[筆順] 丶 丷 忄 忄 忄 快 快

[字解] ①쾌할쾌 ㉠상쾌함. '一樂'. '構怨於諸侯, 然後一於心與'《孟子》. ㉡몸이 건강함. '體有不一'《後漢書》. ②빠를쾌 신속함. '一馬'. '一走'. '馬雖一, 然力薄不堪苦行'《晉書》. ③방종할쾌 멋대로 굶. '恭于教而不一'《戰國策》. ④성쾌 성(姓)의 하나.

[字源] 形聲. 忄(心)+夬〔音〕

心 4 〔忭〕7 변 [去]霰 | biàn ベン よろこぶ

[字解] 좋아할변 기뻐함. '欣一'. '歡一'. '百官雷一讚如驚'《曹植》.

[字源] 形聲. 忄(心)+卞〔音〕

心 4 〔恔〕7 효 [去]效 | xiào コウ こころよい

[字解] 쾌할효 마음이 상쾌함. '恔, 方言, 快也, 或从爻'《集韻》.

心 4 〔忮〕7 기 [去]寘 | zhì キ そこなう

[字解] ①해칠기 질투하여 해침. '一害'. '鞫人一忒'《詩經》. ②탐할기 탐냄. '不一不求'《詩經》. ③거스를기 거역함. '不一於衆'《莊子》.

[字源] 形聲. 忄(心)+支〔音〕

心 4 〔忱〕7 침 [平]侵 | chén シン まこと

[字解] 정성침 성심. '悃一'. '天難一斯'《詩經》.

[字源] 形聲. 忄(心)+冘〔音〕

心 4 〔⿰忄冗〕7 忱(前條)의 俗字

心 4 〔忺〕7 험 [平]鹽 | xiān ケン のぞむ

[字解] 바랄험 마음에 뜻이 있어 원함. '散帙揮毫總不一'《林逋》.

[字源] 形聲. 忄(心)+欠〔音〕

心 4 〔忲〕7 태 [去]泰 | tài タイ おごる

[字解] 방자할태 교사(驕奢)함. '有憑虛公子者, 心奓體一'《張衡》.

[字源] 形聲. 忄(心)+太〔音〕

[參考] 忕(心부 3획〈378〉)와 同字.

心 4 〔忸〕7 [一]뉵 [入]屋 | niǔ(nǜ) ジク はじる
[二]뉴 [上]有 | niǔ ジュウ なれる

[字解] [一] 부끄러워할뉵 겸연쩍어함. '鬱陶思君爾, 一怩'《孟子》. [二] 친압할뉴, 익을뉴 狃(犬부 4획〈748〉)와 同字. '一之以慶賞'《荀子》.

[字源] 形聲. 忄(心)+丑〔音〕

心 4 〔⿰忄犬〕7 설 [入]屑 | shì セツ なれる

[字解] 익을설 여러 번 경험하여 익숙함. '一邪臣計謀, 爲淫亂'《史記》.

心 4 〔⿰忄反〕7 판 [去]願 | fàn ハン わるいこころ

[字解] ①악한마음판 '一, 惡心也'《玉篇》. ②급한성질판 '一, 急性也'《玉篇》. ③급할판 바삐 서두름. '一, 急也'《集韻》. ④뉘우칠판 '一, 悔也'《集韻》.

心 4 〔忻〕7 흔 [平]文 | xīn キン よろこぶ

[字解] ①기뻐할흔 欣(欠부 4획〈595〉)과 同字. '一悅'. '姜原見巨人跡, 心一然說欲踐之'《史記》. ②성흔 성(姓)의 하나.

[字源] 形聲. 忄(心)+斤〔音〕

心 4 〔⿰忄牙〕7 [一]가 [平]麻 | qiā カ おそれる
[二]아 [去]禡 | yà ガ するい

[字解] [一] 두려울가 '一, 恐懼'《玉篇》. [二] 간사(姦邪)할아 '怍, 一怍, 多姦也'《集韻》.

心 4 〔忯〕7 [一]기 [平]支 | qí キ つつしむ
[二]지 [上]紙 | shì シ たのむ

[字解] [一] ①공경할기 '一, 敬也'《玉篇》. ②사랑할기 '一, 愛也'《玉篇》. [二] 기댈지 의뢰(依賴)함. 恀(心부 6획〈388〉)와 同字. '一, 恃也'《爾雅》.

[字源] 形聲. 忄(心)+氏〔音〕

心 4 〔忼〕7 강 [上]養 | kāng(kǎng) コウ なげく

[字解] 강개할강 의기가 북받치어 분개함. '悲歌一慨'《史記》.

[字源] 形聲. 忄(心)+亢〔音〕

心 4 〔忳〕7 돈 ①[平]元 | tún トン うれえる
②[去]願 | dùn トン おろか

[字解] ①근심할돈 걱정하여 번민함. '一鬱邑余侘傺兮'《楚辭》. ②어리석을돈 우매함. '我愚人之心也哉, 一一兮'《老子》.

[字源] 形聲. 忄(心)＋屯〔音〕

心 4 〔⿰忄巿〕7 [一] 패 [去]泰 | pèi ハイ うらみいかる
[二] 폐 [去]隊 | ハイ いかる
[三] 벌 [入]月 | ハツ うらみいかる
[四] 발 [入]曷 | ハツ よろこばない

[字解] [一] ①원망하여성낼패 '一, 恚恨也'《集韻》. ②성낼패 '一, 博雅, 怒也'《集韻》. [二] 성낼폐 [一]❶과 뜻이 같음. [三] 원망하여성낼벌 [一]❶과 뜻이 같음. [四] 기뻐하지않을발 '一, 意不悅也'《集韻》.
[字源] 形聲. 忄(心)＋巿〔音〕

心 4 〔怣〕7 우 [去]宥 [平]尤 | yòu ユウ うごく

[字解] ①마음동할우 설렘. '一, 心動也'《說文》. ②憂(心부 11획〈406〉)의 簡體字.
[字源] 形聲. 忄(心)＋尤〔音〕

心 4 〔忦〕7 [一] 애 [去]卦 | ガイ うれえる
[二] 계 [去]卦 | カイ うれえおそれる
[三] 개 [去]泰 | カイ おそれる
[四] 괴 [去]卦 | カイ うらむ
[五] 알 [入]黠 | jiá ガツ うれえる

[字解] [一] ①근심할애 '一, 恖也'《說文》. ②삼갈애 '一, 一曰, 懂也'《集韻》. [二] 근심하여두려워할계 '一, 憂懼也'《集韻》. [三] 두려워할개 '一, 懼也'《玉篇》. [四] 한할괴 원한을 품음. '一, 恨也'《集韻》. [五] ①근심할알 [一]과 뜻이 같음. ②두려워할알 [三]과 뜻이 같음. ③한할알 [四]와 뜻이 같음. ④급할알 바쁨. '一, 急也'《集韻》.
[字源] 形聲. 忄(心)＋介〔音〕

心 4 〔忪〕7 종 [平]冬 | zhōng ショウ おどろく

[字解] ①놀랄종 '一, 驚也'《玉篇》. ②설렘종 마음이 움직임. '一, 心動不定'《玉篇》. ③황급할종 황망하여 허둥댐. '一, 惶遽也'《玉篇》. ④동요할종 '惺一'은 마음이 동요(動搖)하여 안정되지 않음.

心 4 〔怀〕7 [一] 부 [去]宥 | fù フウ いかる
[二] 회

[字解] [一]성낼부 '一, 怒也'《字彙補》. [二] 懷(心부 16획〈418〉)의 俗字・簡體字.

心 4 〔⿰忄分〕7 분 | fēn フン まぎれみだれる

[字解] 헷갈려어지러울분 紛(糸부 4획〈983〉)과 同字. '塊然獨以其形立, 一然而封戎'《列子》.

心 4 〔⿰忄匀〕7 [一] 순 [平]眞 | シュン うれえる
[二] 경 [平]庚 | qióng ケイ うれえる

[字解] [一] 근심할순 걱정하여 번민함. [二] 근심할경 惸(心부 9획〈400〉)과 同字. '惸, 惸, 惸, 憂也. 或作一'《集韻》.

心 4 〔忈〕7 〔임〕
恁(心부 6획〈385〉)과 同字

心 4 〔忷〕7 〔흉〕 兇(儿부 4획〈81〉)・恟(心부 6획〈388〉)과 同字

心 4 〔忾〕7 [一] 忔(心부 3획〈378〉)과 同字
[二] 愾(心부 10획〈404〉)와 同字

心 4 〔忰〕7 〔췌〕
悴(心부 8획〈395〉)의 俗字

心 5 〔怎〕9 즘 [上]寢 | zěn シン いかで

[字解] 어찌즘 속어(俗語)에 쓰이는 글자로서, 고문(古文)의 '여하(如何)'와 동의(同意)임. '一麽'. '一生' 등으로 연용(連用)하기도 함. '王孫心眼一安排'《范成大》.
[字源] 形聲. 乍〔音〕＋心〔音〕

心 5 〔怒〕9 [中・人] 노 [去]遇 | nù ド いかる

[筆順] く 女 女 奴 奴 奴 怒 怒

[字解] ①성낼노 ㉠화냄. '憤一'. '文王一一, 而安天下之民'《孟子》. ㉡분기(奮起)함. '一而飛'《莊子》. ②곤두설노 꼿꼿이 거꾸로 섬. '一生'. '一髮上衝冠'《史記》. ③세찰노 기세가 대단함. '一潮'. '江上秋風捲一濤'《孟貫》. ④살질노 비대함. '鮮車一馬'《後漢書》. ⑤성노 화. '發一'. '不遷一, 不貳過'《論語》. ⑥기세노 위세(威勢). '急繕其一'《禮記》.
[字源] 形聲. 心＋奴〔音〕

女 5 〔⿱伮心〕9 怒(前條)의 古字

心 5 〔思〕9 [中・人] [一] 사 [平]支 | ①②sī シ おもう
[去]寘 | ③④sì シ おもい
[二] 새 [平]灰 | sāi サイ ひげおおい

[筆順] 丨 冂 日 用 田 田 思 思

[字解] [一] ①생각할사 ㉠사유(思惟)함. '一考'. '三一而後行'《論語》. ㉡유의함. '不一而得'《中庸》. ㉢따름. 사모함. '爲後人所一'《南史》. ㉣추억함. '閑一往事似前身'《白居易》. ㉤사랑함. '子惠一我'《詩經》. ㉥근심함. '一婦'. '步徙倚而遙一兮'《楚辭》. ㉦바람. '一皇多士'《詩經》. '一修身, 不可以

不事親'《中庸》. ②어조사사 ㉠발어(發語)의 조사. '一樂泮水'《詩經》. ㉡어말(語末)의 조사. '不可求一'《詩經》. ③생각사 '妙一'. '春一'. '儲精垂一'《揚雄》. ④성사 성(姓)의 하나. 曰 수염많을새 '于一'는 수염이 많이 난 모양. '于一于一, 棄甲復來'《左傳》.

字源 會意. 전문(篆文)은 心+囟. '囟신'은 소아의 뇌의 상형.

心5 〔怠〕9 高·人 태 ㊤賄 | dài タイ おこたる

筆順 ㇐ 𠫓 厶 台 台 台 怠 怠

字解 ①게으를태, 게을리할태 태만함. 태만히 함. '一荒'. '汝惟不一'《書經》. ②업신여길태 경멸함. '諸公稍自引而一驁'《漢書》. ③게으름태 나태(懶怠). '敬勝一則吉'《六韜》. ④새이름태 '意一'는 동해(東海)의 새 이름.

字源 形聲. 心+台〔音〕

心5 〔急〕9 中·人 급 ㊀緝 | jí キュウ いそぐ, せまる

筆順 ノ ク ⺈ 刍 刍 刍 急 急

字解 ①급할급 ㉠절박함. 위급함. '一難'. '一迫'. 또, 절박한 일. 위급한 일. 사변. 재난(災難). '襄王告一于晉'《史記》. ㉡긴급함. 빨리 하여야 함. 중요함. '一務'. 또, 급한 일. 중요한 일. 요무(要務). '禮者人之一也'《中論》. ㉢빠름. '一流'. '天風狂一'《後漢書》. ㉣성급함. '狷一'. '西門豹之性一, 故佩韋緩己'《韓非子》. ②켕길급 팽팽함. '大絃一則小絃絕矣'《韓詩外傳》. ③서두를급 급히 굶. '一遽'. '一於自解而謝'《韓愈》. ④죄칠급 재촉함. '一趣丞相御史, 定功行封'《史記》. ⑤성급 성(姓)의 하나.

字源 形聲. 心+及〔音〕

心5 〔㤪〕8 怨(次條)의 古字

心5 〔怨〕9 中·人 원 ①②㊄願 ③㊥元 | yuàn エン うらむ | yùn エン あだ

筆順 ノ ク タ 夕' 夘 夗 怨 怨

字解 ①원망할원 ㉠불평을 품고 미워함. 적대시함. '一望'. '父母惡之, 勞而不一'《孟子》. ㉡무정(無情)함을 슬퍼함. '閨一'. '一慕'. '內無一女'《孟子》. ②원한원 '宿一'. '構一於諸侯'《孟子》. ③원수원 '一讎'. '毋家有仇一'《史記》.

字源 形聲. 心+夗〔音〕

心5 〔怨〕9 怨(前條)의 俗字

心5 〔㤅〕9 怨(前前條)의 古字

心5 〔怱〕9 총 ㊥東 | cōng ソウ いそぐ

字解 바쁠총 悤(心부 7획〈390〉)과 同字. '一忙'. '多事一卒'《歐陽修》.

參考 匆(勹부 3획〈119〉)은 俗字.

心5 〔怤〕9 부 ㊥虞 | fū フ おもう, よろこぶ

字解 ①생각할부. ②기뻐할부.

字源 形聲. 心+付〔音〕

心5 〔怫〕8 怤(前條)와 同字

心5 〔怗〕9 첨 ㊥鹽 | chān テン やぶれる

字解 악음(樂音)이조화(調和)롭지못할첨 㦒(心부 5획〈383〉)과 同字. '一, 一懘, 樂音不和, 或書作㦒'《集韻》.

心5 〔怵〕9 출 ㊀質 | shù チュツ つちがこまかい

字解 흙고울출 흙이 덩이지지 않고 고움. '一, 密也'《管子 註》.

心5 〔㤇〕9 〔모〕 謀(言부 9획〈1343〉)와 同字

心5 〔怹〕9 ㊊탄 | tān タン かれ

字解 《現》그분탄 북방의 방언(方言)으로, 他(人부 3획〈34〉)의 경어(敬語)로서 쓰임.

心5 〔忒〕9 曰 특 ㊀職 | tè トク たがう
曰 대 ㊄隊 | タイ たがう

字解 曰 틀릴특 어긋남. '一, 失常也'《說文》. 曰 틀릴대 ■과 뜻이 같음.

字源 形聲. 心+代〔音〕

心5 〔柔〕9 曰 유 ㊥尤 | róu ジュウ やすらか
曰 무 ㊄有 | mào

字解 曰 편안할유 마음이 편안함. '一, 心安也'《集韻》. 曰 懋(心부 13획〈414〉)와 同字.

心5 〔怸〕9 〔실〕 悉(心부 7획〈390〉)의 古字

心 5 〔⿱弗心〕9 [一] 弼(弓부 9획〈362〉)의 古字 [二] 怫(心부 5획〈384〉)과 同字

心 5 〔⿱尤心〕9 〔우〕 尤(尢부 1획〈293〉)의 古字

心 5 〔⿱巧心〕9 교 ①[平]肴 qiāo, qiǎo ②[去]效 コウ·キョウ いつわり
[字解] ①감정드러내지않을교 '一, 一忓, 伏態'《玉篇》. ②거짓교 '巧, 僞也. 或从心'《集韻》.

心 5 〔㤙〕9 〔은〕 恩(心부 6획〈386〉)의 俗字

心 5 〔总〕9 〔총〕 總(糸부 11획〈1010〉)의 簡體字

心 5 〔怍〕8 작 [入]藥 zuò サク はじる
[字解] ①부끄러워할작 '羞一'. '慙一'. '俯不一於人'《孟子》. ②빨개질작 부끄러워서 안색이 변함. '靦一'. '容毋一'《禮記》.
[字源] 形聲. 忄(心)+乍〔音〕

心 5 〔怊〕8 초 [平]蕭 chāo チョウ かなしむ
[字解] 슬퍼할초 '一悵'. '一乎若嬰兒之失其母'《莊子》.
[字源] 形聲. 忄(心)+召〔音〕

心 5 〔怏〕8 앙 [去]漾 [上]養 yàng オウ うらむ
[字解] 원망할앙 불만을 품고 우울함. '一鬱'. '居常一一'《史記》.
[字源] 形聲. 忄(心)+央〔音〕

心 5 〔怐〕8 구 [去]宥 kòu コウ おろか
[字解] 어리석을구 '一愗'는 우매한 모양. '直一愗以自苦'《楚辭》.
[字源] 形聲. 忄(心)+句〔音〕

心 5 〔⿰忄出〕8 [一] 줄 [入]質 chù チュツ うれえる [二] 돌 [入]月 トツ おそれる
[字解] [一] 근심할줄 '一, 憂心也'《玉篇》. [二] 두려워할돌 '一, 怖也'《集韻》.

心 5 〔怓〕8 노 [平]肴 náo ニョウ みだれる
[字解] ①어지러울노 혼란함. '無縱詭隨, 以謹惛一'《詩經》. ②지껄일노 함부로 지껄임. '一一'.
[字源] 形聲. 忄(心)+奴〔音〕

心 5 〔怔〕8 정 [平]庚 zhēng セイ おそれる
[字解] 황겁할정 두려워하여 어찌할 줄 모름. '惶怖一營'《晉書》.
[字源] 形聲. 忄(心)+正〔音〕

心 5 〔怕〕8 파 [去]禡 pà ハ おそれる
[字解] ①두려워할파 무서워함. '畏一'. '懼一'. '一入刑辟'《論衡》. ②아마파 아마도. 주로, 시(詩)에 쓰임. '江邊一有梅花發'《僧浩溪》. ③성파 성(姓)의 하나.
[字源] 形聲. 忄(心)+白〔音〕

心 5 〔怖〕8 포 [去]遇 bù フ こわい
[字解] ①두려워할포 무서워함. '恐一'. '一畏'. '吾驚一其言'《莊子》. ②떨포 전율함. '欲蹐毛骨一'《沈遘》. ③으를포 협박함. '詐一愚民'《後漢書》. ④두려움포 공포. '董卓懷一'《魏志》.
[字源] 形聲. 忄(心)+布〔音〕

心 5 〔怗〕8 [一] 첩 [入]葉 tiē チョウ しずか [二] 점 [平]鹽 zhān セン とどこおる
[字解] [一] ①고요할첩 조용함. '妥一'. '一生長一一'《元稹》. ②좇을첩 복종(服從)함. '卒一荊'《公羊傳》. [二] 막힐점 지체함. '無一滯之音'《禮記》.
[字源] 形聲. 忄(心)+占〔音〕

心 5 〔怙〕8 호 [上]麌 hù コ たのむ
[字解] ①믿을호 믿어 의지함. '一恃其衆'《左傳》. ②아비호 시경(詩經)의 '無父何一, 無母何恃'에 의하여 부친을 '一', 모친을 '恃'라 함. 또, 널리 부모의 뜻으로 쓰임. '父母何一'《詩經》.
[字源] 形聲. 忄(心)+古〔音〕

心 5 〔怑〕8 반 [去]翰 bàn ハン したがわない
[字解] 거스를반 '一換'은 순종(順從)하지 않음.

心 5 〔怚〕8 저 ①[去]御 jù ショ おごる ②[平]虞 cū ソ あらい
[字解] ①교만할저 '恃愛肆一'《晉書》. ②거칠저 성품이 거칢. '秦王一而不信人'《史記》.
[字源] 形聲. 忄(心)+且〔音〕

心 5 〔⿰忄甲〕8 합 [入]洽 xiá コウ たのしむ
[字解] ①즐길합 '一, 樂也'《玉篇》. ②기뻐할

합 '一, 悅也'《集韻》.

心 5 〔怛〕 8 달 [入]曷 | dá タツ おどろく

[字解] ①놀랄달 경악함. '一惕'. '一然震悚'《朱熹》. ②애태울달 노심 초사(勞心焦思)하는 모양. '勞心一一'《詩經》. ③슬퍼할달 '一傷'. '惻一'. '中心一兮'《詩經》.
[字源] 形聲. 忄(心)+旦〔音〕

心 5 〔⿱旦心〕 9 怛(前條)과 同字

心 5 〔怜〕 8 [人名] 一 령 [平]青 | líng レイ さとい
二 련 [平]先 | lián レン あわれむ

[筆順] 丶 丷 忄 忄 忄 怜 怜 怜
[字解] 一 영리할령 똑똑하고 민첩(敏捷)함. '始知一悧不如癡'《朱淑眞》. 二 불쌍히여길련 憐(心부 12획〈411〉)과 同字. '捫竹一粉汚'《韋應物》.
[字源] 形聲. 忄(心)+令〔音〕

心 5 〔怡〕 8 [人名] 이 [平]支 | yí イ よろこぶ

[筆順] 丶 丷 忄 忄 怡 怡 怡 怡
[字解] ①기뻐할이 '一悅'. '一然'. '主色不一'《國語》. ②온화할이 화기(和氣)가 있음. '眄庭柯以一顏'《陶潛》.
[字源] 形聲. 忄(心)+台〔音〕

心 5 〔⿰忄甘〕 8 감 [平]覃 | gān カン したがう

[字解] 좇을감 복종(服從)함. '一, 心伏也'《集韻》.

心 5 〔怦〕 8 평 [平]庚 | pēng ホウ ただしい

[字解] 곧을평 충직(忠直)한 모양. '心一一兮諒直'《楚辭》.
[字源] 形聲. 忄(心)+平〔音〕

心 5 〔性〕 8 [中·人] 성 [去]敬 | xìng セイ さが

[筆順] 丶 丷 忄 忄 忄 性 性 性
[字解] ①성품성 사람이 타고난 성질(性質). '天一'. '天命之謂一'《中庸》. ②성질성 만물이 가지고 있는 본바탕. '野一'. '是豈水之一也'《孟子》. ③마음성 심의(心意). '一情'. '是謂拂人之一'《大學》. ④목숨성 수명(壽命). '莫保其一'《左傳》. ⑤모습성 용모. '不待脂粉芳澤, 而一可說者'《淮南子》. ⑥성성 성(姓)의 하나. ⑦성별성 남녀의 구별. '男一'. '女一'. ⑧성욕성 남녀·자웅(雌雄) 사이의 성적 욕망. '一慾'.
[字源] 形聲. 忄(心)+生〔音〕

心 5 〔怩〕 8 니 [平]支 | ní ジ はじる

[字解] 부끄러워할니 겸연쩍어함. '忸一'. '恧一面已赤'《鮑照》.
[字源] 形聲. 忄(心)+尼〔音〕

心 5 〔⿱尼心〕 9 怩(前條)의 古字

心 5 〔怪〕 8 [高·人] 괴 [去]卦 | guài カイ あやしむ

[筆順] 丶 丷 忄 忄 忄 怪 怪 怪
[字解] ①의심할괴 '一疑'. '一訝'. '知者不一'《淮南子》. ②의심스러울괴 '疑一之論生'《嵇康》. ③기이할괴 괴상함. 또, 진기함. '一巖奇石'. '珍一奇物'《淮南子》. ④도깨비괴, 요괴괴 유령(幽靈). 요망스러운 마귀. '妖一'. '木石之一'《史記》. ⑤성괴 성(姓)의 하나.
[字源] 形聲. 忄(心)+土+又〔音〕

心 5 〔⿰忄冬〕 8 동 [平]冬 | tóng トウ うれえる

[字解] ①근심할동 '一, 憂也'《玉篇》. ②두려워할동, 당황할동 '怪一, 懼也'《廣雅》. ③성동 성(姓)의 하나.

心 5 〔怫〕 8 一 비 [去]未 | fèi ヒ·フツ いかる
二 불 [入]物 | fú ヒツ むすぼれる

[字解] 一 발끈할비 발끈 화냄. '一然作色'《莊子》. 二 ①답답할불 마음이 울적함. '我心何一鬱'《魏武帝》. ②어그러질불 도리에 어그러짐. '一戾'. '五帝之言一異'《史記》.
[字源] 形聲. 忄(心)+弗〔音〕

心 5 〔怭〕 8 필 [入]質 | bì ヒツ あなどる

[字解] 설만할필 '一一'은 행동이 무례하고 단정치 못한 모양. '威儀一一'《詩經》.
[字源] 形聲 忄(心)+必〔音〕

心 5 〔怯〕 8 겁 [入]葉 | qiè キョウ おそれる

[字解] ①겁낼겁 무서워함. '將軍一邪'《漢書》. ②겁많을겁 겁을 잘 냄. '卑一'. '中情一耳'《史記》. ③겁쟁이겁 겁 많은 사람. '聽冰一似狐'《韋莊》.
[字源] 會意. 忄(心)+去

心 5 〔怲〕 8 병 [上]梗 [去]敬 | bǐng ヘイ うれえる

[字解] 근심할병 '一一'은 근심하는 모양. '憂

心一一'《詩經》.
[字源] 形聲. 忄(心)+丙〔音〕

心5〔怳〕8 황 [上]養 | huǎng キョウ くらい
[字源] ①어슴푸레할황 흐릿하여 분명하지 않은 모양. '一惚'. '道之爲物, 惟一惟忽'《老子》. ②멍할황 정신이 빠진 것 같은 모양. '望美人兮未來, 臨風一兮浩歌'《楚辭》.
[字源] 形聲. 忄(心)+兄〔音〕

心5〔怵〕8 [一]출 [入]質 | chù ジュツ おそれる
[二]술 [入]質 | xù キツ·ジュツ いざなう
[字解] [一]①두려워할출 '一惕惟厲'《書經》. ②슬퍼할출 '心一而奉之以禮'《禮記》. [二]꾈술 유혹함. '一迫之徒, 或趨西東'《賈誼》.
[字源] 形聲. 忄(心)+朮〔音〕

心5〔怞〕8 유 [平]尤 | yóu ユウ うれえる
[筆順] ′ 丷 忄 忄丨 忄冂 忄冃 怞 怞
[字解] 근심할유 '一一'는 우려하는 모양. '永余思兮一一'《楚辭》.
[字源] 形聲. 忄(心)+由〔音〕

心5〔怢〕8 돌 [入]月 | tū トツ みすごす
[字解] 분별없을돌 분별(分別)이 없는 모양. '美玉蘊於碔砆, 凡人視之一焉'《王褒》.

心5〔怮〕8 유 [平]尤 | yōu ユウ むっとする
[字解] 부루퉁할유 성을 내어 말을 하지 아니함.
[字源] 形聲. 忄(心)+幼〔音〕

心5〔怋〕8 [一]혼 [平]元 | コン みだれる
[二]민 [平]眞 | mín ビン·ミン みだれる
[三]문 [平]元 | mén ボン·モン くらい
[字解] [一]어지러울혼 혼란함. 惛(心부 8획〈397〉)과 同字. '一, 怓也'《說文》. [二]어지러울민 '一, 亂也'《廣韻》. [三]①어두울문 '一, 不明也'《玉篇》. ②어지러울문 [二]과 뜻이 같음. ③번민할문 '一, 悶也'《玉篇》.
[字源] 形聲. 忄(心)+民〔音〕

心5〔怬〕8 희 [去]寘 | xì キ よろこぶ
[字解] ①기뻐할희 '一, 忻也'《集韻》. ②숨쉴희, 쉴희 호흡함. 또, 휴식함. 呬(口부 5획〈154〉)과 同字. '一河林之蓁蓁兮'《張衡》.

心5〔怇〕8 [一]거 [上]語 | jù キョ あなどる
[二]광 [平]陽 | kuāng
[字解] [一]업신여길거 모멸함. '一, 慢也'《集韻》. [二] 恇(心부 6획〈387〉)과 同字.

心5〔怾〕8 [韓] 기
[字解] 《韓》 산이름기 '怾怛山'《地誌》.

心5〔忄朩〕8 〔패〕
怖(心부 4획〈381〉)의 本字

心5〔忄叏〕8 〔쾌〕
快(心부 4획〈380〉)의 本字

心5〔忄母〕8 〔모〕
侮(人부 7획〈50〉)의 古字

心6〔恥〕10 [高·人] 치 [上]紙 | chǐ チ はじ
[筆順] 一 丅 F F 耳 耳 耴 恥
[字解] ①부끄럼치 수치. '人不可以無一'《孟子》. ②욕치 모욕. '包羞忍一是男兒'《杜牧》. ③부끄러워할치 수치로 여김. '不一不若人'《孟子》. ④욕보일치 모욕함. 치욕을 당하게 함. '一匹夫, 不可以無備'《左傳》.
[字源] 形聲. 心+耳〔音〕
[參考] 耻(耳부 4획〈1056〉)는 俗字.

心6〔恁〕10 임 [上]寢 [去]沁 | nèn(rèn) ジン おもう, このように
[字解] ①생각할임 '亦宜懃一旅力'《班固》. ②이러할임 속어(俗語)로서, '一麼'·'一地'·'一兒'가 모두 여차(如此)와 같은 뜻임. '一樣人'.
[字源] 形聲. 心+任〔音〕

心6〔忄任〕9 恁(前條)과 同字

心6〔汚心〕10 오 [去]遇 | wū オ むさぼる
[字解] 탐할오 '一, 貪也'《字彙》.

心6〔恐〕10 恐(次條)의 俗字

心6〔恐〕10 [高·人] 공 [上]腫 [去]宋 | ①-③kǒng キョウ おそれる ④キョウ おそらくは
[筆順] 一 丅 工 工几 巩 巩 恐 恐
[字解] ①두려워할공 ㉠무서워함. '一怖'. '齊人將築薛, 吾甚一'《孟子》. ㉡위구함. 염려함. '惡莠一其亂苗也'《孟子》. ㉢공구하

여 근신함. '孝子, 祭之日, 顏色必溫, 行必一'《禮記》. ②으를공 공갈함. '一喝'. '一脅'. '令弟光一王'《漢書》. ③두려움공 공포. '胷在志爲一'《素問》. ④아마공 아마도. 반신반의하는 말. '一事不成'. '秦城一不可得'《史記》.
[字源] 形聲. 篆文은 心+巩〔音〕'巩공'은 조심스럽게 끝을 손으로 잡는 모양.

心6 〔恐〕10 恐(前條)과 同字

心6 〔恕〕10 [高·人] 서 [去]御 | shù ジョ ゆるす, おもいやり
[筆順] 𠆢 女 女 如 如 如 恕 恕
[字解] ①어질서 남의 정상을 잘 살펴 동정(同情)함. 또, 그 마음. 어진 마음. 동정심. '忠一'. '仁一'. '其一乎, 己所不欲勿施於人'《論語》. ②용서할서 관대히 보아 줌. '容一'. '宥一'. '竊自一'《史記》. ③성서 성(姓)의 하나.
[字源] 形聲. 心+如〔音〕

心6 〔恙〕10 양 [去]漾 | yàng ヨウ やまい
[字解] 병양 원래는, 사람을 무는 독충(毒蟲)의 이름. 태고에 사람이 벌레의 해독을 많이 입었으므로, 전(轉)하여, 병(病)·근심 등의 뜻으로 쓰이며, 남의 안부를 물을 때 '無一乎'라 함. '一, 噬人蟲也. 善食人心. 古者草居, 多被此害. 故相問勞曰無一'《風俗通》.
[字源] 形聲. 心+羊〔音〕

心6 〔㤅〕10 흡 [入]緝 | xí コウ あう
[字解] 합할흡 '陰氣㥷而一之'《太玄經》.

心6 〔恚〕10 에(혜[本]) [去]寘 | huì イ いかる
[去]霽 | huì ケイ いかる
[字解] ①성낼에 원한을 품고 분노함. '一望'. '怨一'. '欲試寬令一'《後漢書》. ②성에화. 분노. '解一之方'《陸龜蒙》. ※本音 혜.
[字源] 形聲. 心+圭〔音〕

心6 〔恝〕10 개 [去]卦 | jiá カイ しんぱいがない
[字解] 근심없을개 조금도 걱정이 없는 모양. '爲不若是一'《孟子》.
[字源] 形聲. 心+㓞〔音〕

心6 〔恣〕10 [高·人] 자 [去]寘 | zì シ ほしいまま
[筆順] 冫 冫 冫 冫 次 次 恣 恣
[字解] 방자할자 방종함. '一行'. '一意'. '不得自一'《史記》.
[字源] 形聲. 心+次〔音〕

心6 〔恧〕10 뉵 [入]屋 | nǜ ジク はじる
[入]職 | nǜ ジョク はじる
[字解] ①부끄러워할뉵 '一然'. '莫吾知而不一'《張衡》. ②겸연쩍을뉵 무안하여 낯이 뜨뜻함. '心愧爲一'《詩經》.
[字源] 形聲. 心+而〔音〕

心6 〔恩〕10 [中·人] 은 [平]元 | ēn オン めぐみ
[筆順] 丨 冂 冃 冃 因 因 恩 恩
[字解] ①은혜은 혜택. '一典'. '謝一'《後漢書》. ②정은 인정. '慘礉少一'《史記》. ③사랑할은 사랑하여 은혜를 베풂. '一斯勤斯'《詩經》. ④성은 성(姓)의 하나.
[字源] 形聲. 心+因〔音〕

心6 〔息〕10 [高·人] 식 [入]職 | xī(xí) ソク いき
[筆順] ′ 丿 冂 白 自 自 息 息
[字解] ①숨식 호흡. '鼻一'. 전(轉)하여, 잠시(暫時)의 뜻으로 쓰임. '間不容一'《史記》. ②숨쉴식 호흡함. '太一'. '歎一'. '屛氣, 似不一者'《論語》. ③쉴식 휴식함. '休一'. '勞者弗一'《孟子》. ④그칠식 ㉠중지함. 끝남. '一止'. '攻戰未一'《戰國策》. ㉡그만둠. 끊음. '請一交而絕遊'《陶潛》. ⑤살식 생존함. '棲一'. ⑥자랄식 생장함. 증가함. '其日夜之所一'《孟子》. ⑦번식할식 증식함. '畜多一'《史記》. ⑧아들식 '子一'. '老臣賤一'《戰國策》. ⑨아이식 소아. '棄黎老之言, 用姑一之語'《尸子》. ⑩변식 이자. '利一'. '不能與其一'《史記》. ⑪ 나라이름식 주대(周代)의 나라. 초(楚)나라에 멸망당하였음. '一侯伐鄭'《左傳》. ⑫성식 성(姓)의 하나.
[字源] 會意. 心+自

心6 〔㥏〕9 息(前條)과 同字

心6 〔思〕10 ㊀섬 [平]鹽 | xiān セン くちがしこい
㊁첨 [上]琰 | セン くちがしこい
㊂산 [平]刪 | サン くちがしこい
[字解] ㊀간살부리며재잘거릴섬 '一, 疾利口也'《說文》. ㊁간살부리며재잘거릴첨 ㊀과 뜻이 같음. ㊂간살부리며재잘거릴산 ㊀과 뜻이 같음.

字源 會意. 册＋心

心 6 〔㤬〕10 사 ㊥歌 | suō サ けんめい

字解 현이름사 '一題'는 현의 이름. 莎(艸부 7획〈1141〉)의 古字. '淸河郡, 縣十, 一題'《漢書》.

心 6 〔恏〕10 호 ㊤晧 | hào コウ むさぼる

字解 욕심낼호 '一, 欲也'《篇海》.

心 6 〔𢘓〕10 〔사〕 思(心부 5획〈381〉)의 本字

心 6 〔恳〕10 〔간〕 懇(心부 13획〈413〉)의 俗字·簡體字

心 6 〔悉〕10 〔실〕 悉(心부 7획〈390〉)과 同字

心 6 〔悪〕10 〔악〕 惡(心부 8획〈394〉)의 俗字

心 6 〔恋〕10 〔련〕 戀(心부 19획〈419〉)의 俗字

心 6 〔恖〕10 〔사〕 思(心부 5획〈381〉)의 古字

心 6 〔恵〕10 〔혜〕 惠(心부 8획〈394〉)의 略字

心 6 〔恭〕10 恭(次條)의 本字

心 6 〔恭〕10 高·人 공 ㊥冬 | gōng キョウ うや うやしい

筆順 一 十 艹 共 共 共 恭 恭

字解 ①공손할공 공경하고 겸손한 태도가 용모나 동작에 나타남. '一順'. '手容一'《禮記》. ②공손히할공 삼감. 근신함. '一己'. '夙夜一也'《國語》. ③공손히공 장상(長上)에 대한 경어(敬語)로 쓰임. '一承嘉惠兮'《賈誼》. ④공손공 이상(以上)의 명사. '色思溫, 貌思一'《論語》. ⑤받들공 윗사람의 뜻을 받듦. '今予惟一行天之罰'《書經》. ⑥성공 성(姓)의 하나.

字源 形聲. ⺗(心)＋共〔音〕

參考 恭(前條)은 本字.

心 6 〔恂〕9 ㊀순 ㊥眞 xún シュン·ジュン まこと ㊁준 ㊦震 shùn シュン·ジュン にわか

字解 ㊀ ①미쁠순 신의가 있고 진실함. '恂一'. '孔子於鄕黨一一如也'《論語》. ②두려워할순 '一慄'. '惴慄一懼'《莊子》. ㊁ ①갑자기준 별안간. '一然棄而走'《莊子》. ②끔쩍거릴준 눈을 끔쩍끔쩍함. '今汝怵然有一目之志'《列子》. ③엄할준 '瑟兮僩兮者, 一慄也'《大學》.

字源 形聲. 忄(心)＋旬〔音〕

心 6 〔恃〕9 人名 시 ㊤紙 | shì ジ たのむ

筆順 ' ' 忄 忄 忙 怯 恃 恃

字解 ①믿을시 믿어 의뢰함. '一賴'. '萬物一之而生'《老子》. ②어미시 怙(心부 5획〈383〉)를 보라. '怙一'.

字源 形聲. 忄(心)＋寺〔音〕

心 6 〔恞〕9 이 ㊥支 | yí イ よろこぶ

字解 기뻐할이 夷(大부 3획〈232〉)와 통용. '一, 悅也'《爾雅》.

心 6 〔恆〕9 中·人 ㊀항 ㊥蒸 héng コウ つね ㊁긍 ㊦徑 gèng コウ ゆみはりづき

筆順 ' ' 忄 忄 忙 怐 恒 恆

字解 ㊀ ①항구항 영구(永久). '人而無一'《論語》. ②항구히항 영구히. '一不死'《易經》. ③항상항 언제나. 늘. '財一足矣'《大學》. ④항상할항 늘 변하지 않고 그렇게 함. '不一其德'《易經》. ⑤항괘항 육십사괘(六十四卦)의 하나. 곧, ䷟〈손하(巽下), 진상(震上)〉. 항구 불변의 상(象). ⑥성항 성(姓)의 하나. ㊁ ①반달긍 현월(弦月). '如月之一'《詩經》. ②두루미칠긍 빠짐없이 미침. '一之秬秠'《詩經》. ③뻗칠긍, 걸칠긍 亙(二부 4획〈27〉)과 통용. '一以年歲'《漢書》.

字源 形聲. 忄(心)＋亙〔音〕

心 6 〔恒〕9 中·人 恆(前條)의 俗字

筆順 ' ' 忄 忄 忙 怕 恒 恒

心 6 〔恇〕9 광 ㊥陽 | kuāng キョウ おそれる

字解 겁낼광 두려워함. 공구함. '一怯'. '闔境士庶, 莫不一駭'《晉書》.

字源 形聲. 忄(心)＋匡〔音〕

心 6 〔恈〕9 모 ㊥尤 | móu ボウ むさぼりおしむ

字解 탐낼모 탐함. '一一然惟利之見'《荀

子》.
[字源] 形聲. 忄(心)＋牟〔音〕

心6 〔恌〕9 조 [平]蕭 | tiāo チョウ うすい
[字解] 경박할조 경조부박함. '輕一'. '視民不一'《詩經》.
[字源] 形聲. 忄(心)＋兆〔音〕

心6 〔恍〕9 황 [上]養 | huǎng コウ ほのか
[字解] ①어슴푸레할황 분명하지 아니한 모양. '惚兮一兮'《老子》. ②멍할황 자실(自失)한 모양. 정신이 착란한 모양. '一然'. '心儻一而不我與兮'《劉向》.
[字源] 形聲. 忄(心)＋光〔音〕

心6 〔恔〕9 교 [去]效 | xiào コウ こころよい
[字解] 쾌할교 유쾌함. '於人心獨無一乎'《孟子》.
[字源] 形聲. 忄(心)＋交〔音〕

心6 〔恟〕9 흉 [平]冬 | xiōng キョウ おそれる
[字解] ①두려워할흉 공구함. '一一'. '譎夢意猶一'《韓愈》. ②떠들썩할흉 시끄러움. '爭訟一一'《易林》.
[字源] 形聲. 忄(心)＋匈〔音〕

心6 〔悋〕9 린 [去]震 | lìn リン おしむ
[字解] 아낄린 悋(心부 7획〈391〉)·吝(口부 4획〈153〉)과 同字. '甚一於財'《孔子家語》.

心6 〔恢〕9 [人名] 회 [平]灰 | huī カイ ひろい
[筆順] 丶 丷 忄 忄 忄 忄 恢 恢
[字解] ①넓을회 마음이 넓음. 전(轉)하여, 딴 사물에도 이름. '一弘'. '一大'. '天網一一, 疎而不漏'《老子》. ②넓힐회 확장함. 확대함. '廓之一之'《太玄經》.
[字源] 形聲. 忄(心)＋灰〔音〕

心6 〔恤〕9 휼 [入]質 | xù ジュツ うれえる
[字解] ①근심할휼 '憂一'. '苟得志焉, 無一其他'《左傳》. ②기민(饑民)먹일휼 구휼(救恤)함. '賑一'. '一孤寡'《禮記》. ③사랑할휼 친애(親愛)함. '字一'. '不一之刑'《周禮》. ④성휼 성(姓)의 하나.
[字源] 形聲. 忄(心)＋血〔音〕
[參考] 卹(卩부 6획〈132〉)과 同字.

心6 〔恗〕9 [一] 호 [平]虞 | hū コ おそれる
[二] 과 ①[平]麻 | kuā カ ほこる
②[上]馬 | kuǎ カ もとる
[字解] [一] ①두려워할호 '一, 怯也'《廣雅》. ②근심할호 '一, 一日, 憂也'《集韻》. [二] ①거만할과 자만(自慢)함. '一, 心自大也'《集韻》. ②거스를과 '一, 心悷也'《集韻》.
[字源] 形聲. 忄(心)＋夸〔音〕

心6 〔恨〕9 [中·人] 한 [去]願 | hèn コン うらむ
[筆順] 丶 丷 忄 忄 忄 忄 恨 恨 恨
[字解] ①한할한 ㉠원한을 품음. '一恚'. '知公子一之復返也'《史記》. ㉡유감으로 생각함. '始屈終伸, 公其無一'《歐陽修》. ②뉘우칠한 애석히 여겨 후회함. '悔一'. '一事'. '廣曰, 羌降者八百餘人. 吾詐而盡殺之. 至今大一'《史記》. ③한한 원한. 유감. 후회. '此一綿綿無絶期'《白居易》.
[字源] 形聲. 忄(心)＋艮(皀)〔音〕

心6 〔㤺〕9 恨(前條)의 本字

心6 〔恪〕9 [人名] [一] 각 [入]藥 | kè カク つつしむ
[二] 격
[筆順] 丶 丷 忄 忄 忄 忄 恪 恪
[字解] [一] ①삼갈각 근신함. 근신. '一謹'. '一肅'. '執事有一'《詩經》. ②성각 성(姓)의 하나. [二] 삼갈격 [一]과 뜻이 같음.
[字源] 形聲. 篆文은 忄(心)＋客〔音〕

心6 〔恫〕9 통 [平]東 | tōng ドウ いたむ
[字解] ①상심할통 대단히 슬퍼함. '一痛'. '神罔時一'《詩經》. ②으를통 공갈함. '一疑'. '虛聲一喝'《史記》. ③의심할통 의혹함. '一疑虛喝'《史記》.
[字源] 形聲. 忄(心)＋同〔音〕

心6 〔恬〕9 념 [平]鹽 | tián テン やすらか
[字解] ①편안할념 마음이 안한(安閑)함. 마음이 조금도 동하지 아니함. '一淡'. '引養引一'《書經》. ②조용할념 마음이 침착하고 평정(平靜)함. '一虛'. '以一養志'《莊子》.
[字源] 形聲. 忄(心)＋甛〈省〉〔音〕

心6 〔恓〕9 恬(前條)과 同字

心6 〔恀〕9 [一] 지 [上]紙 | chǐ シ たのむ
[二] 치 [上]紙 | chǐ シ たのむ
[字解] [一] 믿을지, 의지할지 전(轉)하여, 어

머니〔母〕. '一, 恃也.(註)今江東呼母爲一'《爾雅》. [二] 믿을치, 의지할치 [一]과 뜻이 같음
[字源] 形聲. 忄(心)+多〔音〕

心6 〔⿰忄肙〕9 〔연〕
悁(心부 7획〈391〉)의 俗字

心6 〔⿰忄巟〕9 〔황〕
慌(心부 10획〈405〉)과 同字

心6 〔恰〕9 [人名] 흡 [入]洽 | qià コウ あたかも
[筆順] 丶 丷 忄 忄丿 忄𠆢 忄今 恰 恰
[字解] ①꼭흡 아주 적당함을 나타내는 말. '一似'. '一好'. '野航一受兩三人'《杜甫》. ②새우는소리흡 '自在嬌鶯一一啼'《杜甫》.
[字源] 形聲. 忄(心)+合〔音〕

心6 〔恛〕9 회 [平]灰 | huí カン こんらんする
[字解] 흐릴회 '一一'는 마음이 혼란(昏亂)한 모양. '初一疑一一'《太玄經》.

心6 〔恜〕9 칙 [入]職 | chì チョク つつしむ
[字解] 조심할칙 '一一'은 삼가 주의하는 모양. '卜得惡卦, 反令一一'《顏氏家訓》.

心6 〔怴〕9 휼 [入]質 | xù キツ くるう
[字解] 미칠휼 미친 사람이 됨. '曷爲以二日卒之. 一也'《公羊傳》.

心6 〔⿰忄宅〕9 [一] 타 [平]麻 | chà タ ぼうぜんとする
[二] 탁 [入]藥 | duó タク はかる
[字解] [一] 실의할타 '一傺'는 실의(失意)한 모양. [二] 헤아릴탁 '一, 忖也'《集韻》.

心6 〔恅〕9 로 [上]皓 | lǎo ロウ みだれる
[字解] 심란할로 마음이 산란함. '懆一, 心亂'《廣韻》.

心6 〔恊〕9 협 [入]葉 | xié キョウ かなう, あう
[字解] ①맞을협, 합할협 '一, 同心之龢也'《說文》. ②으를협 愶(心부 10획〈405〉)과 同字.
[字源] 形聲. 忄(心)+劦〔音〕
[參考] 《說文》은 '協'은 많은 사람이 화합하다의 뜻, '恊'은 많은 사람이 마음을 합치다의 뜻이라고 설명하나, 지금은 같은 글자로 쓰임.

心6 〔⿰忄曳〕9 [一] 예 [去]霽 | yì エイ ならう
[二] 체 [去]霽 | テイ ならう
[字解] [一] ①익힐예 '一, 習也'《說文》. ②밝을예 '一, 明也'《廣韻》. [二] 익힐체 [一]①과 뜻이 같음.
[字源] 形聲. 忄(心)+曳〔音〕

心6 〔恓〕9 서 [平]齊 | xū セイ なやむ
[字解] 번뇌할서 '一, 一惶, 煩惱之貌'《篇海》.

心6 〔⿰忄亥〕9 해 [去]隊 | hài カイ くるしむ
[字解] ①괴로워할해 근심하여 괴로워함. '一, 患苦'《廣韻》. ②근심할해 근심하여 두려워함. '患愁曰一'《一切經音義》.
[字源] 形聲. 忄(心)+亥〔音〕

心6 〔⿰忄充〕9 충 [平]東 | chōng シュウ こころうごく
[字解] 마음동할충 마음이 설렘. '久懰兮一一'《元結》.

心6 〔恲〕9 [一] 팽 [平]庚 | pēng ホウ みちる
[二] 병 [去]敬 | ヘイ みちる
[字解] [一] ①찰팽 '一, 滿也'《廣韻》. ②한탄할팽 '一, 忼慨也'《集韻》. ③낯빛팽 '仁發一以見容'《淮南子》. ④충직할팽 '一一'은 충직(忠直)한 모양. '思比干之一一兮'《東方朔》. [二] 찰병 [一]①과 뜻이 같음.

心6 〔恭〕9 [一] 공 [上]腫 | gǒng
[平]冬 | キョウ おののく
[二] 홍 [平]東 | コウ おののく
[字解] [一] 떨공, 두려워할공 '一, 戰慄也'《廣韻》. '一, 愽雅, 懼也'《集韻》. [二] 떨홍, 두려워할홍 [一]과 뜻이 같음.
[字源] 形聲. 忄(心)+共〔音〕

心6 〔恮〕9 전 [平]先 | quān
[去]霰 | セン つつしむ, まがる
[字解] ①삼갈전 '一, 謹也'《說文》. ②굽을전 구부러짐. '一, 曲卷也'《廣韻》.
[字源] 形聲. 忄(心)+全〔音〕

心6 〔恑〕9 [一] 궤 [上]紙 | guǐ キ かわる
[二] 위 [平]支 | wéi ギ ひとりだち
[字解] [一] ①변할궤 '一, 變也'《說文》. ②뉘우칠궤 '一, 悔也'《廣韻》. ③이상히여길궤 '一, 異也'《玉篇》. ④아름다울궤 '一, 美也'《廣雅》. ⑤ 거스를궤 배반함. '一, 反也'《廣韻》. [二] 오뚝할위 '一, 獨立皃'《集韻》.
[字源] 形聲. 忄(心)+危〔音〕

心 6 〔恉〕 9 지 ㊤紙 [去]寘 | zhǐ シ こころ

[字解] 뜻지 마음. '一, 志也. 意向也'《字彙》.
[字源] 形聲. 忄(心)＋旨〔音〕

心 6 〔恠〕 9 〔괴〕
怪(心부 5획〈384〉)의 俗字

心 6 〔悦〕 9 〔열〕
悅(心부 7획〈391〉)의 俗字

心 6 〔悔〕 9 〔회〕
悔(心부 7획〈391〉)의 略字

心 6 〔恼〕 9 〔뇌〕
惱(心부 9획〈400〉)의 簡體字

心 7 〔⿱㤅夊〕 11 애 [去]隊 | ài アイ ゆく

[字解] ①갈애 가는 모양. '一, 行皃也'《說文》. ②불쌍히여길애 愛(心부 9획〈398〉)와 同字. '愛, 憐也. 說文作一'《廣韻》.
[字源] 形聲. 夊＋㤅〔音〕

心 7 〔患〕 11 [中·人] 환 [去]諫 | huàn カン わずらう

[筆順] 丨 冂 口 吕 吕 串 患 患

[字解] ①근심환 ㉠걱정. '一憂'. '吾屬亡一矣'《漢書》. ㉡고통. 고난. '一苦'. '與民同一'《易經》. ②재앙환 화난. '禍一'. '一禍當何從而來'《世說》. ③병환 질병. '內一'. '有眼一'《南史》. ④근심할환 걱정함. '不一無位, 一所以立'《論語》. ⑤앓을환 '一者'. '導引閉氣, 以攻所一'《神仙傳》. ⑥미워할환 '一忌'. '上下忿一'《後漢書》.
[字源] 形聲. 心＋串〔音〕

心 7 〔悠〕 11 [高·人] 유 [平]尤 | yōu ユウ とおい, うれえる

[筆順] 亻 亻 亻 仦 攸 攸 悠 悠

[字解] ①멀유 아득하도록 멂. '一久'. '微則一遠, 一遠則博厚'《中庸》. ②근심할유 '一一我思'《詩經》. ③한가할유 바쁘지 않은 모양. 침착하여 서두르지 않는 모양. '一然'. '紛焱一以容裔'《張衡》.
[字源] 形聲. 心＋攸〔音〕

心 7 〔悉〕 11 [人名] 실 [入]質 | xī シツ つくす, ことごとく

[筆順] 一 ⺈ 立 平 釆 釆 悉 悉

[字解] ①갖출실 구비함. '陳餘因一三縣兵'《史記》. ②다알실 모두 상세히 앎. '對上所問禽獸簿甚一'《史記》. ③다낼실 모두 내놓음. 톡 털어 놓음. '一心以對'《後漢書》. ④다실 모두. 하나도 빠짐없이. '一皆'. '一發以擊楚軍'《漢書》. ⑤성실 성(姓)의 하나.
[字源] 會意. 心＋釆

心 7 〔悤〕 11 총 [平]東 | cōng ソウ あわてる

[字解] 바쁠총 허둥댐. 몹시 일에 몰리어 급한 모양. '無故一一'《晉書》.
[字源] 形聲. 心＋囪〔音〕
[參考] 怱(心부 5획〈382〉)은 同字

心 7 〔悆〕 11 여 [去]御 | yù ヨ よろこぶ

[字解] 기뻐할여 '辛未, 帝不一'《晉書》.
[字源] 形聲. 心＋余〔音〕

心 7 〔您〕 11 닌 | nín ニン あなた

[字解] 님닌 당신. 제이인칭(第二人稱)의 경어(敬語). 곧, 이(你)의 경칭(敬稱). 본디, 你(人부 4획〈44〉)의 俗字. '一, 俗你字'《篇海類編》.
[字源] 形聲. 你〔音〕＋心〔音〕

心 7 〔⿱狂心〕 11 광 [去]漾 | guàng キョウ あやまる

[字解] ①그르칠광 잘못을 범함. ②속일광 '一, 詐也'《玉篇》. ③혹할광 정신이 빠져 반함. '一, 惑也'《正韻》.
[字源] 形聲. 心＋狌(狂)〔音〕

心 7 〔⿱聿⿰心刀〕 11 〔숙〕
肅(聿부 7획〈1063〉)의 古字

心 7 〔⿱孜心〕 11 〔자〕
慈(心부 10획〈403〉)와 同字

心 7 〔⿱夾心〕 11 겹 [入]葉 | qiè キョウ おもう

[字解] 생각할겹 생각하는 모양. '一, 思皃'《說文》.
[字源] 形聲. 心＋夾〔音〕

心 7 〔⿱卵心〕 11 [一] 론 [上]阮 | ロン しまりがない
[二] 란 [上]旱 | ラン しまりがない

[字解] [一] 염치없을론 '一睡'·'睡一'은 염치가 없음. '一, 行無廉隅, 謂之睡一'《集韻》.
[二] 염치없을란 [一]과 뜻이 같음.

心 7 〔⿱辰心〕 11 〔욕〕
辱(辰부 3획〈1486〉)과 同字

心 7 〔⿱⿰工卂心〕 11 〔공〕
恐(心부 6획〈385〉)의 本字

心7〔㤿〕11 〔간〕 姦(女부 6획〈246〉)의 古字

心7〔悊〕11 〔철〕 哲(口부 7획〈165〉)의 古字
字源 形聲. 心+折〔音〕

心7〔恿〕11 〔용〕 勇(力부 7획〈115〉)의 古字
字源 形聲. 心+甬〔音〕

心7〔㥉〕11 〔억〕 意(心부 12획〈411〉)의 籒文

心7〔怎〕11 〔작〕 怍(心부 5획〈383〉)과 同字

心7〔悐〕11 〔척〕 惕(心부 8획〈396〉)과 同字
字源 形聲. 心+狄〔音〕

心7〔㥠〕10 悐(前條)의 俗字

心7〔悪〕11 〔악〕 惡(心부 8획〈394〉)의 俗字

心7〔悬〕11 〔현〕 懸(心부 16획〈418〉)의 簡體字

心7〔悅〕10 中·人 열 入屑 | yuè エツ たのしむ, よろこぶ
筆順 ' ·' 忄 忄' 忄˝ 怡 怳 悅
字解 ①기뻐할열 ㉠즐거워함. '—樂'. '喜—'. '取之而燕民—'《孟子》. ㉡기뻐하여 복종함. 심복(心服)함. '我心則—'《詩經》. '中心—而誠服'《孟子》. ㉢좋아함. 사랑함. '女爲—己者容'《史記》. ②기쁨열 희열. '千歡萬—'《易林》. ③성열 성(姓)의 하나.
字源 形聲. 忄(心)+兌〔音〕

心7〔悦〕10 悅(前條)과 同字

心7〔悁〕10 연 平先 | yuān エン いかる
字解 ①성낼연 화냄. '—忿'. '棄忿—之節'《史記》. ②근심할연 우려함. '中心——'《詩經》.
字源 形聲. 忄(心)+肙〔音〕

心7〔悀〕10 용 上腫 | yǒng ヨウ いかる
字解 ①성낼용 '—, 怒也, 忿也'《玉篇》. ②기뻐할용 '—, 心喜也'《集韻》. ③가득찰용 충만함. '凡以器盛而滿, 謂之—'《集韻》.

心7〔悃〕10 곤 上阮 | kǔn コン まこと
字解 정성곤 마음이 지성이고 순일(純一)함. '—誠'. '——款款, 朴以忠乎'《楚辭》.
字源 形聲. 忄(心)+困〔音〕

心7〔悄〕10 초 ①②上篠 ③去嘯 | qiǎo, qiāo ショウ うれえる qiào ショウ きびしい
筆順 ' ·' 忄 忄' 忄˝ 忄˝ 悄 悄
字解 ①근심할초 걱정함. 또, 낙심(落心)하여 근심에 잠긴 모양. '——'. '勞心—兮'《詩經》. ②고요할초 조용함. 쓸쓸함. '—然'. '東船西舫—無語'《白居易》. ③엄할초 엄중함. '—乎其言, 若不接其情也'《韓愈》.
字源 形聲. 忄(心)+肖〔音〕

心7〔悋〕10 린 去震 | lìn リン やぶさか, おしむ
字解 아낄린 인색함. 吝(口부 4획〈153〉)과 同字. '商甚—於財'《孔子家語》.
字源 形聲. 忄(心)+吝〔音〕

心7〔㤼〕10 悋(前條)과 同字

心7〔悌〕10 人名 제 去霽 | tì テイ したがう, やすらか
筆順 ·' 忄 忄' 忄˝ 忄˝ 悌 悌 悌
字解 ①화락할제 '愷—'는 화평하고 즐거움. '愷—君子'《左傳》. ②공경할제 형 또는 존장을 공손히 잘 섬김. '孝—'. '出則—'《孟子》.
字源 形聲. 忄(心)+弟〔音〕

心7〔悍〕10 한 去翰 | hàn カン たけし
字解 ①사나울한 흉포함. '—毒'. '妻—不得畜媵妾'《後漢書》. ②굳셀한 강함. '精—'. '三晉之兵, 素—勇而輕齊'《史記》. ③성급할한 조급함. '愚—少慮'《漢書》. ④빠를한 신속함. '水湍—'《史記》. ⑤부릅뜰한 보기 사납게 눈을 크게 뜸. '瞵—目以旁睞'《潘岳》.
字源 形聲. 忄(心)+旱〔音〕

心7〔悔〕10 高·人 회 去隊 上賄 | huǐ カイ くいる, くやしい
筆順 忄 忄' 忄˝ 忙 恠 悔 悔 悔
字解 ①뉘우칠회 ㉠후회함. 후회하여 고침. '—改'. '雖九死其猶未—'《楚辭》. ㉡분

하게 생각함. 한(恨)으로 여김. '一恨'. '一不殺湯於夏臺'《淮南子》. ②뉘우침회 ㉠후회. '言寡尤, 行寡一'《論語》. ㉡한(恨). '此講之一也'《戰國策》. ③회괘회 역(易)의 외괘(外卦). 예컨대, 태괘(泰卦) ䷊에 있어서 위의 곤(坤) ☷을 회(悔)라 하고 아래의 건(乾) ☰을 정(貞)이라 함. '曰貞曰一'《書經》.
[字源] 形聲. 忄(心)+每〔音〕

心 7 〔㥜〕11 悔(前條)와 同字

心 7 〔悒〕10 읍 [入]緝 | yì ユウ たのしまぬ
[字解] 근심할읍 근심하여 마음이 편하지 아니함. '鬱一'. '武發殺殷, 何所一'《楚辭》.
[字源] 形聲. 忄(心)+邑〔音〕

心 7 〔悕〕10 희 [平]微 | xī キ ねがう
[字解] 슬퍼할희 '在招丘一矣'《公羊傳》.
[字源] 形聲. 忄(心)+希〔音〕

心 7 〔悙〕10 ㊀형 [平]庚 | hēng コウ ほこる ㊁행 [去]敬 | hèng コウ そそっかしい
[字解] ㊀뽐낼형. ㊁경솔할행 '一, 佷一, 疏率也'《集韻》.

心 7 〔悖〕10 ㊀패 [去]隊 | bèi ハイ もとる ㊁발 [入]月 | bó ボツ さかん
[字解] ㊀어그러질패 도리에 거스름. '一逆'. '一亂'. '言一而出者, 亦一而入'《大學》. ㊁①우쩍일어날발 왕성하게 흥기(興起)하는 모양. 勃(力부 7획〈114〉)과 통용. '其興也一焉'《左傳》. ②성발 성(姓)의 하나.
[字源] 形聲. 忄(心)+孛〔音〕
[參考] 背(肉부 5획〈1072〉)와 바꿔 쓰기도 함. '悖德 → 背德'.

心 7 〔悗〕10 문 [平]寒 [上]阮 | ①mán バン まどう ②③mèn ボン わすれる
[字解] ①흐릴문 정신이 흐린 모양. '一, 惑也'《廣韻》. ②잊을문 '一乎忘其言也'《莊子》. ③정직할문.
[字源] 形聲. 忄(心)+免〔音〕

心 7 〔悚〕10 송 [上]腫 | sǒng ショウ おそれる
[字解] 두려워할송 '一懼'. '惶一'. '心憂魄一'《江淹》.
[字源] 形聲. 忄(心)+束〔音〕

心 7 〔悛〕10 전 [平]先 | quān セン あらためる
[字解] ①고칠전 전비(前非)를 뉘우쳐 고침. 회개함. '一改'. '其有一乎'《國語》. ②이을전 뒤를 이음. 계속함. '外內以一'《左傳》.
[字源] 形聲. 忄(心)+夋〔音〕

心 7 〔悝〕10 ㊀리 [上]紙 | lǐ リ うれえる ㊁회 [平]灰 | kuī カイ たわむれる
[字解] ㊀근심할리 걱정함. '云如何一'《劉基》. ㊁①농할회 해학함. 詼(言부 6획〈1326〉)와 同字. '由余以西戎孤臣, 而一秦穆公於宮室'《張衡》. ②사람이름회 '孔一'는 춘추 시대(春秋時代) 위(衞)나라 사람. '李一'는 전국 시대(戰國時代) 위(魏)나라 사람.
[字源] 形聲. 忄(心)+里〔音〕

心 7 〔悞〕10 오 [去]遇 | wù ゴ あやまる, あざむく
[字解] ①그릇할오 誤(言부 7획〈1332〉)와 同字. ②속일오 기만함.
[字源] 形聲. 忄(心)+吳〔音〕

心 7 〔悮〕10 悞(前條)의 俗字

心 7 〔悟〕10 [中·人] 오 [去]遇 | wù ゴ さとる
[筆順] 忄 忄 忊 忊 悟 悟 悟 悟
[字解] ①깨달을오 ㉠이해함. '一道'. '一覺'. '一已往之不諫, 知來者之可追'《陶潛》. ㉡의심이 풀림. 해탈(解脫)함. '賢者雖獨一, 所困在羣愚'《後漢書》. ②깨달음오 전항(前項)의 명사. '無所覺之謂迷, 有所覺之謂一'《困知記》. ③슬기로울오 잘 깨달음. 재주가 있음. '一性'. '阿連才一如此'《南史》. ④깨우칠오 계발함. '唐睢華顚以一秦'《崔駰》.
[字源] 形聲. 忄(心)+吾〔音〕

心 7 〔悢〕10 량 [去]漾 | liàng リョウ かなしむ
[字解] ①슬퍼할량 서러워함. '一一不能辭'《李陵》. ②돌볼량 사랑하여 돌보아 줌. '天之於漢, 一一無已'《後漢書》.
[字源] 形聲. 忄(心)+良〔音〕

心 7 〔恾〕10 망 [平]陽 | máng ボウ おそれる
[字解] ①겁낼망 두려워함. '一然無以應'《列子》. ②바쁠망 忙(心부 3획〈378〉)과 同字.
[字源] 形聲. 忄(心)+芒〔音〕

心 7 〔悈〕10 계 [去]卦 | jiè カイ いましめる

[筆順] 丷 忄 忄 忓 忓 悈 悈 悈

[字解] 신칙할계 단단히 일러서 경계함. '一, 飭也. 从心戒聲'《說文》.
[字源] 形聲. 忄(心)＋戒〔音〕

心 7 〔悧〕10 리 [去]寘 | lì り さとい

[字解] 영리할리 약음. '始知悧一不如癡'《朱淑眞》.
[參考] 俐(人부 7획〈52〉)와 同字.

心 7 〔⿰忄寽〕10 〔렬〕
劣(力부 4획〈113〉)과 同字

心 7 〔悓〕10 〔현〕
俔(人부 7획〈53〉)과 同字

心 7 〔⿰忄巠〕10 행 [上]迥 | xìng ケイ うらむ
[上]梗 | コウ うらむ

[字解] 원망할행 '一, 恨也'《說文》.
[字源] 形聲. 忄(心)＋巠〔音〕

心 7 〔⿰忄坒〕10 비 ①②[平]支 | pī ヒ あやまる
③[上]薺 | bī ヘイ つつしむ

[字解] ①어그러질비 잘못함. 또, 잘못. '兼眾一以賘繆'《左思》. ②마음맞을비 '一, 意併也'《集韻》. ③삼갈비 '一, 愼也'《集韻》.

心 7 〔悑〕10 포 [去]遇 | bù ホ おそれる

[字解] 두려워할포 怖(心부 5획〈383〉)와 同字. '一, 惶也'《說文》.
[字源] 形聲. 忄(心)＋甫〔音〕

心 7 〔⿰忄冋〕10 경 [平]青 | jiǒng ケイ おもう

[字解] ①생각할경 잊지 않고 생각함. '一, 憶也'《字彙》. ②조금밝을경 '一, 小明也'《正字通》.

心 7 〔悇〕10 도 [平]虞 | tú ト うれえる

[字解] 근심할도 '一一'는 근심하는 모양. 걱정하는 모양. '終一憛而洞疑'《馮衍》.

心 7 〔⿰忄𥃩〕10 〔한〕
恨(心부 6획〈388〉)의 本字

心 7 〔⿰忄㞷〕10 〔광〕
狂(犬부 4획〈748〉)의 古字

心 7 〔悏〕10 〔협〕
愜(心부 9획〈402〉)과 同字

心 7 〔⿰忄𡿺〕10 〔뇌〕
惱(心부 9획〈400〉)의 俗字

心 7 〔悩〕10 〔뇌〕
惱(心부 9획〈400〉)의 略字

心 8 〔惢〕12 [一] 솨 [上]哿 | suǒ サ うたがう
[二] 수 [上]紙 | スイ うたがう, よい
[平]支
[三] 예 [上]紙 | ruǐ ズイ しべ

[字解] [一] 의심할솨 '一, 心疑也'《廣韻》. [二] ①의심할수 [一]과 뜻이 같음. ②착할수 '一, 善也'《廣雅》. [三] 꽃술예 '一, 華一也…俗作蘂·蕊·橤, 並非'《字彙》.
[字源] 會意. 心＋心＋心

心 8 〔⿳旡心夂〕12 〔애〕
愛(心부 9획〈398〉)와 同字

心 8 〔悶〕12 민(문[本]) [去]願 | mèn, mēn モン もだえる

[字解] ①번민할민 근심 걱정으로 마음이 괴롭고 답답함. '一死'. '遯世無一'《易經》. ②번민민 고민. '解煩釋一'《蘇軾》. ③어두울민 '一一'은 사리(事理)에 어두운 모양. '其政一一, 其民醇醇'《老子》. ※本音 문.
[字源] 形聲. 心＋門〔音〕

心 8 〔⿰忄門〕11 悶(前條)과 同字

心 8 〔⿵門心〕12 悶(前前條)과 同字

心 8 〔悲〕12 [中人] 비 [平]支 | bēi ヒ かなしむ

[筆順] 丿 ㅋ ㅋl 非 非 悲 悲 悲

[字解] ①슬퍼할비 ㉠상심함. '一痛'. '女心傷一'《詩經》. ㉡가련하게 여김. '惆悵而自一'《楚辭》. ㉢회상함. 생각함. '游子一故鄕'《漢書》. ②슬플비 서러움. '嗚呼一哉'. ③슬픔비 비애. '積一滿懷'《潘岳》. ④《佛》자비비 인혜(仁惠)를 베풀고 은덕을 줌. ⑤성비 성(姓)의 하나.
[字源] 形聲. 心＋非〔音〕

心 8 〔惄〕12 녁 [入]錫 | nì デキ うえる

[字解] 허출할녁 허기지어 출출함. 일설(一說)에는, 근심하는 모양. '一如調飢'《詩經》.
[字源] 形聲. 心＋叔〔音〕

心 8 〔惉〕12 첨 [平]鹽 | zhān セン ととのわない

字解 가락어지러울첨 '一懘'는 음조(音調)가 막혀 고르지 못하고 어지러움. '五者不亂, 則無一懘之音'《史記》.
字源 形聲. 心+沾〔音〕

心 8 〔惦〕12 沾(前條)의 俗字

心 8 〔惎〕12 기 去寘 | jì キ そこなう

字解 ①해칠기 해를 끼침. '一間王室'《左傳》. ②가르칠기 알려 줌. '楚人一之脫扃'《左傳》. ③기(忌)할기 미워함. '趙襄子由是一智伯'《左傳》.
字源 形聲. 心+其〔音〕

心 8 〔惧〕11 惎(前條)와 同字

心 8 〔惑〕12 高·人 혹 入職 | huò ワク まどう

筆順 一 𠮛 𠮛 或 或 或 惑 惑

字解 ①미혹할혹 의심이 나서 정신이 헷갈리고 어지러움. '疑一'. '四十而不一'《論語》. ②미혹게할혹 전항의 타동사. '一世'. '將衒外以一愚瞽也'《劉基》. ③미혹혹 의혹. '師者, 所以傳道授業解一也'《韓愈》.
字源 形聲. 心+或〔音〕

心 8 〔惠〕12 中·人 혜 去霽 | huì ケイ めぐみ

筆順 一 𠮛 亩 甫 叀 叀 惠 惠

字解 ①은혜혜 인애(仁愛). 은덕 '仁一'. '行慶施一'《禮記》. ②베풀혜 ㉠은혜를 베풂. '則不我一'《詩經》. ㉡금전 같은 것을 줌. '一鮮鰥寡'《書經》. ③순할혜 유순함. '一然'. '一於父母'《國語》. ④슬기로울혜 慧(心부 11획〈406〉)와 통용. '知一'. '將不早一乎'《後漢書》. ⑤꾸밀혜 장식함. '五采一之'《山海經》. ⑥세모창혜 날이 세모진 창. '二人雀弁執一'《書經》. ⑦성혜 성(姓)의 하나.
字源 會意. 心+叀〈省〉

心 8 〔惡〕12 中·人 ㊀악 入藥 | è アク わるい ㊁오 去遇 平虞 | ①-③wù オ にくむ ④⑤wū オ いずくんぞ, ああ

筆順 一 丅 亞 亞 亞 亞 亞 惡

字解 ㊀①모질악 성품이 악함. '一人'. '形相雖善, 而心術一, 無害爲小人也'《荀子》. 또, 악한 일. 악한 행위. 악한 사람. '罪一'. '承天誅一'《新語》. ②나쁠악 ㉠도의적으로 나쁨. '一政'. ㉡질이 나쁨. '一食'. ㉢불쾌함. '一臭'. '一氣'. ㉣불길함. '一夢'. '此夢甚一'《史記》. ③흉년들악 오곡이 잘 여물지 아니함. '一歲'. '歲一民流'《漢書》. ④못생길악 용모 같은 것이 보기 흉함. '一女'. '狀貌甚一'《史記》. ⑤똥악 대변. '句踐爲吳王嘗一'《吳越春秋》. ㊁①미워할오 증오함. '憎一'. '周鄭交一'《左傳》. ②헐뜯을오 비방함. '毁一'. '人有一蘇秦於燕王者'《戰國策》. ③부끄러워할오 수치를 느낌. '羞一之心, 人皆有之'《孟子》. ④어찌오 반어사(反語辭). 何(人부 5획〈42〉)와 뜻이 같음. '居一在'《孟子》. '一乎成名'《論語》. ⑤허오 탄식사(嘆息辭). '嗚呼'와 뜻이 같음. '一, 是何言也'《孟子》.
字源 形聲. 心+亞〔音〕

心 8 〔悹〕12 관 去翰 | guàn カン うれえる

字解 근심할관 우려함.
字源 形聲. 心+官〔音〕

心 8 〔悺〕11 悹(前條)과 同字

心 8 〔惂〕12 구 上有 平尤 | qiú キュウ うらむ

字解 원망할구, 나무랄구 또, 원한. '一, 說文, 怨仇也'《集韻》.
字源 形聲. 心+咎〔音〕

心 8 〔惤〕12 현 平先 | xián ケン·ゲン きびしい

字解 ①엄할현 사람의 성질이 급함. '一, 急也'《說文》. ②정자이름현 '一, 河南密縣有一亭'《說文》.
字源 形聲. 心+弦〔音〕

心 8 〔悠〕12 의 平微 上尾 | yī イ いたむこえ

字解 탄식하는소리의 '一, 念痛聲也'《廣韻》.
字源 形聲. 心+依〔音〕

心 8 〔惌〕12 ㊀원 平元 ㊁울 入物 | yuān エン まげる yù ウツ むすぼれる

字解 ㊀①굽을원, 굽힐원 '一, 一枉'《廣韻》. ②작은구멍빤할원 구멍이 가는 모양. '一, 小孔貌'《周禮 注》. ③원수원, 성낼원 怨(心부 5획〈382〉)과 同字. '怨, 讐也. 恚也. 或作一'《集韻》. ㊁울적할울 불행(不幸)을 안고 있음.

心 8 〔悳〕12 人名 〔덕〕 德(彳부 12획〈375〉)의 古字

[筆順] 一 十 古 直 直 直 悳 悳

[字源] 形聲. 心＋直〔音〕

心8 〔㥁〕12 悳(前條)의 古字

心8 〔𢛳〕12 悳(前前條)과 同字

心8 〔𢜪〕12 〔오〕 悟(心부 7획〈392〉)의 古字

心8 〔𢗔〕12 〔숙〕 肅(聿부 7획〈1063〉)의 古字

心8 〔𢘍〕12 〔연〕 悁(心부 7획〈391〉)의 籀文

心8 〔惣〕12 〔총〕 揔(手부 9획〈456〉)의 訛字

心8 〔㥠〕12 〔달〕 怛(心부 五획〈384〉)과 同字

心8 〔𢙣〕12 〔자〕 慈(心부 10획〈403〉)의 俗字

心8 〔恿〕12 〔용〕 慂(心부 10획〈403〉)의 俗字

心8 〔惩〕12 〔징〕 懲(心부 15획〈417〉)의 簡體字

心8 〔惁〕12 석 [入]錫 | xī セキ うれえるさま

[字解] ①근심할석 염려하는 모양. '一, 博雅, 一一, 憂也'《集韻》. ②공경할석 삼가는 모양. '一, 一曰, 敬也'《集韻》.

心8 〔𢝊〕12 〔수〕 讎(言부 16획〈1363〉)의 古字

心8 〔𢛀〕12 〔화〕 和(口부 5획〈157〉)의 俗字

心8 〔悻〕11 행 [上]迥 | xìng ケイ·コウ もとる

[字解] 성낼행 '一一'은 발끈 성을 내는 모양. '一一然見於其面'《孟子》.

[字源] 形聲. 忄(心)＋幸〔音〕

心8 〔㥊〕11 붕 [平]庚 | péng ホウ いかる

[字解] ①성낼붕 짜증을 내는 모양. ②탄식할붕 한탄함.

心8 〔悱〕11 비 [上]尾 | fěi ヒ いらだつ

[字解] 말나오지아니할비 마음 속으로는 이해하면서도 말로는 발표하지 못함. '一一'. '不一不發'《論語》.

[字源] 形聲. 忄(心)＋非〔音〕

心8 〔悴〕11 췌(취[本]) [去]寘 | cuì スイ やつれる, うれえる

[字解] ①파리할췌 야윔. '憔一'. '形貌毁一'《後漢書》. ②근심할췌 우려함. '憂一'. '靜沈思以自一'《陸雲》. ※本音 취.

[字源] 形聲. 忄(心)＋卒〔音〕

心8 〔悵〕11 창 [去]漾 | chàng チョウ いたむ, うらむ

[字解] 원망할창, 한탄할창 뜻과 같이 되지 않아 원망함. 실의(失意)하여 한탄함. '一恨'. '弟子增欷, 洿沫一兮'《漢書》.

[字源] 形聲. 忄(心)＋長〔音〕

心8 〔悸〕11 계 [去]寘 | jì キ おそれる, むなさわぎ

[字解] ①두근거릴계 놀라거나 병으로 가슴이 두근거림. '肌慄心一'《後漢書》. ②동계계 가슴이 두근거리는 일. 또, 그 병. '使我至今病一'《漢書》. ③늘어질계 띠가 늘어진 모양. '垂帶一兮'《詩經》.

[字源] 形聲. 忄(心)＋季〔音〕

心8 〔悼〕11 도 [去]號 | dào トウ いたむ

[字解] ①슬퍼할도 ㉠죽음을 슬퍼함. '哀一'. ㉡불쌍히 여김. '晉王寵一'《徐陵》. ㉢상심함. '中心是一'《詩經》. ②떨도 전율함. '尙心一不自禁'《蘇洵》. ③어린이도 소아. '耄與一, 雖有罪不可刑'《禮記》.

[字源] 形聲. 忄(心)＋卓〔音〕

心8 〔𢡆〕12 悼(前條)와 同字

心8 〔悽〕11 [人名] 처 [平]齊 | qī セイ かなしむ

[筆順] 忄 忄 忄 忄 悽 悽 悽 悽

[字解] ①슬퍼할처 비통(悲痛)함. '曹操過其墓, 輒一愴致祭奠'《後漢書》. ②야윌처 기아 또는 질병으로 야윈 모양. '一一碩人'《後漢書》.

[字源] 形聲. 忄(心)＋妻〔音〕

心8 〔㥄〕11 릉 [平]蒸 | líng リョウ おどろく

[字解] 놀랄릉 경악(驚愕)함. '百禽一遽'《張衡》.

心8 〔悾〕11 공 ①②㊥東 ③㊤董 | kōng コウ まこと kǒng コウ こころざしをえぬ

字解 ①정성공 성의. '不任一款'《任昉》. ②어리석을공 '一一'은 우매한 모양. '一一而不信'《論語》. ③경황없을공 '一憁'은 바쁘기만 하고 뜻대로 되지 않아 마음이 상하는 모양. 실의(失意)한 모양. 경황이 없는 모양.
字源 形聲. 忄(心)+空〔音〕

心8 〔情〕11 中·人 정 ㊥庚 | qíng ジョウ こころ, なさけ

筆順 忄 忙 忭 情 情 情 情 情

字解 ①뜻정 사물(事物)에 감촉(感觸)되어 일어나는 마음의 작용. '性'의 대(對). '性一'. '七一'. '何謂人一, 喜·怒·哀·懼·愛·惡·欲, 七者弗學而能'《禮記》. ②정성정 성심. 성의. '一實'. '一僞'. '上好信, 則民莫敢不用一'《論語》. ③욕정 욕망. 사리(私利). '無辭而行一, 則民爭'《禮記》. ④인정정 ㉠사람이 선천적(先天的)으로 가지고 있는 마음씨. '奪一'. '聖人忘一'《晉書》. ㉡남을 도와 주는 갸륵한 마음씨. 자애. '一理'. '一愛甚厚'《宋書》. ⑤사랑정 남녀간의 사랑. 연모하는 마음. '一火'. '與君初定一'《曹植》. ⑥심정정 마음의 정황. '一調'. '老夫一懷惡'《杜甫》. ⑦실상정 실제. 사실. 진상. '推鞫得一'《唐書》. '聲聞過一, 君子恥之'《孟子》. ⑧사정정 형편. 상태. '一況'. '一勢'. '盡輸西周之一于東周'《戰國策》. ⑨멋정 정취. 취미. 재미. '風一'. '一景'. '似畫外有一'《歷代名畫記》. ⑩이치정 조리(條理). '物之不齊, 物之一也'《孟子》. ⑪참으로정 진실로. 주로, 시(詩)에 많이 쓰임. '一知積粟腐倉'《王符》.
字源 形聲. 忄(心)+靑〔音〕

心8 〔情〕11 情(前條)과 同字

心8 〔惇〕11 人名 돈 ㊥元 | dūn トン あつい

筆順 忄 忄 忙 忄亠 忄亨 惇 惇 惇

字解 도타울돈 인정이 두터움. 순후(淳厚)함. '一惠'. '一德允元'《書經》.
字源 形聲. 忄(心)+享(𦎫)〔音〕

心8 〔惆〕11 추 ㊥尤 | chóu チュウ がっかりする

字解 실심할추 실망한 모양. 원한을 품고 슬퍼하는 모양. '一然不嗛'《荀子》.
字源 形聲. 忄(心)+周〔音〕

心8 〔惋〕11 완 ㊎翰 | wǎn ワン なげく

字解 한탄할완 깜짝 놀라며 한탄함. '一怛'. '悵一不已'《晉書》.
字源 形聲. 忄(心)+宛〔音〕

心8 〔惏〕11 ㊀람 ㊥覃 ㊁림 ㊥侵 | lán ラン むさぼる lín リン さむい

字解 ㊀탐할람 탐냄. '飽而強, 饑而一'《大戴禮》. ㊁①찰림 추움. '憯悽一慄'《宋玉》. ②슬퍼할림 '令人一悷憯悽'《宋玉》.
字源 形聲. 忄(心)+林〔音〕

心8 〔惓〕11 권 ㊥先 | quán ケン つつしむ

字解 삼갈권, 정성스러울권 '一一'은 근신하는 모양. 또, 간절한 모양. '一一之義也'《漢書》.
字源 形聲. 忄(心)+卷〔音〕

心8 〔惏〕11 ㊀삼 ㊎勘 ㊁탐 ㊎勘 | sàn サン のぞみをうしなう tàn タン おもう

字解 ㊀실심할삼 '憛一'은 실망(失望)함. 실의(失意)함. '憛一, 失志'《廣韻》. ㊁생각할탐, 걱정할탐, 황급할탐 憛(心부 12획〈412〉)과 同字.

心8 〔惔〕11 담 ㊥覃 | tán タン やく

字解 속탈담 너무 근심하여 속이 탐. '憂心如一'《詩經》.
字源 形聲. 忄(心)+炎〔音〕

心8 〔惕〕11 척 ㊇錫 | tì テキ おそれる

字解 ①두려워할척, 근심할척 우구(憂懼)함. '怵一'. '無日不一'《左傳》. ②삼갈척 공구하여 조심함. '終日乾乾, 夕一若'('若'은 무의미한 조사)《易經》. ③빠를척 신속함. '一日一'《國語》.
字源 形聲. 忄(心)+易〔音〕
參考 悐(心부 7획〈391〉)은 同字.

心8 〔惖〕12 惕(前條)의 古字

心8 〔惘〕11 망 ㊤養 | wǎng ボウ·モウ ぼんやりする

字解 멍할망 망연 자실(茫然自失)한 모양. '一輟駕而容與'《潘岳》.
字源 形聲. 忄(心)+罔〔音〕

心8 〔惙〕11 철 ㊇屑 | chuò テツ うれえる

字解 ①근심할철 우려함. '一怛'. '憂心

——'《詩經》. ②고달플철 피로함. '力恆—'《王獻之》. ③그칠철 輟(車부 8획〈1470〉)과 통용. '匡人圍之數匝, 而弦歌不—'《莊子》.
字源 形聲. 忄(心)+叕〔音〕

心8 〔惚〕11 人名 홀 ㊀月 | hū コツ うっとりする
筆順 忄 忄 忄 忄 忄 惚 惚 惚
字解 황홀할홀 ㉠흐릿하여 유무(有無)가 분명하지 아니한 모양. 또, 미묘(微妙)하여 헤아려 알 수 없는 모양. '恍—'. '惟恍惟—'《老子》. ㉡멍하니 있는 모양. 도취(陶醉)된 모양. '神心—恍'《揚子法言》.
字源 形聲. 忄(心)+忽〔音〕

心8 〔惛〕11 ㊀혼 ①㊥元 ②㊦願 ㊁민 ㊦願 | hūn コン くらい コン ぼける mèn ボン·モン もだえる
字解 ㊀ ①흐릴혼 마음이 흐림. 어리석음. '—悅'. '—然若亡而存'《莊子》. ②혼모할혼 늙어서 정신이 흐리고 잘 잊음. 노모(老耄)함. '—耄'. '五漫漫, 六——, 孰知之哉'《管子》. ㊁ 번민할민 悶(心부 8획〈393〉)과 同字. '下爲匹夫而不—'《呂氏春秋》.
字源 形聲. 忄(心)+昏〔音〕

心8 〔惜〕11 中·人 석 ㊀陌 | xī セキ おしむ
筆順 忄 忄 忄 忄 忄 惜 惜 惜
字解 ①아낄석 ㉠소중히 여김. '—陰'. '大禹聖者, 仍—寸陰'《晉書》. ㉡탐냄. 인색함. '吝—'. '諸將貪—財貨'《後漢書》. ②아까워할석 ㉠애석하게 여김. '痛—'. '爲時—之'《後漢書》. ㉡버리거나 잃기를 싫어함. '棄之則可—'《後漢書》. ③아까울석 이상(以上)의 형용사. '嗟乎—哉'《史記》. 또, 아깝게도. '—無纖纖來捧椀'《黃庭堅》. ④애처롭게여길석 가엾이 여김. '寵—'. '樹木猶爲人愛—'《杜甫》.
字源 形聲. 忄(心)+昔〔音〕

心8 〔惝〕11 창 ㊤養 | chǎng ショウ がっかりする
字解 경황없을창, 낙심할창 실망하여 재미가 없는 모양. 또, 기대에 어그러져 낙망하는 모양. '君—然若有亡也'《莊子》.
字源 形聲. 忄(心)+尙〔音〕

心8 〔惟〕11 高·人 유 ㊥支 | wéi イ·ユイ ただ, これ, おもう
筆順 忄 忄 忄 忄 忄 惟 惟 惟
字解 ①오직유 단지. 유독. '——'. '—王不邇聲色'《書經》. ②이유 伊(人부 4획〈37〉)·是(日부 5획〈503〉)와 뜻이 같음. '濟河—兗州'《書經》. '食哉—時'《書經》. ③생각할유 사려(思慮)함. '思—'. '載謀載—'《史記》. ④생각건대유 자기의 의견을 말할 때의 겸사(謙辭). '恭—'. '伏—'. '—信亦爲大王不如也'《史記》. ⑤성유 성(姓)의 하나.
字源 形聲. 忄(心)+隹〔音〕

心8 〔惪〕12 惟(前條)의 古字

心8 〔悰〕11 人名 종 ㊥冬 | cóng ソウ たのしむ
筆順 忄 忄 忄 忄 忄 悰 悰 悰
字解 즐길종 즐거워함. '戚戚苦無—'《謝朓》.
字源 形聲. 忄(心)+宗〔音〕

心8 〔惔〕11 전 ㊤銑 | tiǎn テン はじる
字解 부끄러워할전 부끄럽게 여김. '荊楊靑徐之間, 謂慙曰—'《揚子方言》.
字源 形聲. 忄(心)+典〔音〕

心8 〔悷〕11 려 ㊦霽 | lì レイ かなしみいたむ
字解 서러워할려 슬퍼하는 모양. '意悽—而增悲'《應瑒》.
字源 形聲. 忄(心)+戾〔音〕

心8 〔惂〕11 감 ㊤感 | kǎn カン うれえくるしむ
字解 ①괴로워할감 근심하여 괴로워함. '—, 憂困也'《廣韻》. ②한할감 원망함. '—, 又恨也'《廣韻》.
字源 形聲. 忄(心)+臽〔音〕

心8 〔悿〕11 ㊀돌 ㊀月 ㊁퇴 ㊦隊 | トツ ほしいまま tuì タイ ゆるい
字解 ㊀ ①방자할돌 '—, 肆也'《說文》. ②홀연돌 갑자기. '—, 忽也'《玉篇》. ③잊을돌 '—, 忘也'《玉篇》. ㊁ ①느슨할퇴 '—, 緩也'《廣雅》. ②잊을퇴 '—, 忘也'《廣雅》. ③방자할퇴 '—, 肆也'《廣韻》.

心8 〔悇〕11 채 ㊤賄 ㊥灰 | ①-③cǎi サイ よこしま ④cāi サイ うらみそこなう
字解 ①간사할채 간악함. '—, 姦也'《說文》. ②원망할채 '—, 恨也'《廣韻》. ③성급할채 '—, 急也'《玉篇》. ④원망하여해칠채 '猜, 說文, 恨賊也. 或作—'《集韻》.

[字源] 形聲. 忄(心)+采〔音〕

心8 〔惀〕11 [一]론 [平]元 [上]阮 [去]願 ①lǔn ロン しりたいとねがう ①② ロン しりたいとねがう ③ロン もだえる [二]륜 [上]軫 リン しりたいとねがう
[字解] [一] ①알고싶어할론 '一, 思求曉知, 謂之一'《集韻》. ②생각할론 '一, 思也'《玉篇》. ③번민할론 '一, 懣也'《集韻》. [二] 알고싶어할륜 [一]❶과 뜻이 같음.
[字源] 形聲. 忄(心)+侖〔音〕

心8 〔惈〕11 과 [上]哿 guǒ カ いさましい
[字解] 과감할과 '一, 一敢, 勇也'《集韻》.

心8 〔⿰忄固〕11 〔호〕 怙(心부 5획〈383〉)와 同字

心8 〔⿰忄奄〕11 엄 [平]鹽 yān エン いつくしむ
[字解] ①사랑할엄 '一, 愛也'《集韻》. ②잊을엄 '一, 一曰, 忘也'《集韻》.

心8 〔惐〕11 [一]욱 [入]屋 yù イク こころをいためる [二]혁 [入]職 xù キョク まどう
[字解] [一] 마음아플욱 '一, 痛心也'《集韻》. [二] 미혹할혁 마음이 홀림. '一, 心惑也'《集韻》.

心8 〔惊〕11 [一]량 [平]陽 [去]漾 liáng リョウ かなしむ [二]경 jīng
[字解] [一] 슬퍼할량 '一, 悲也'《集韻》. [二] 驚(馬부 13획〈1752〉)의 簡體字.

心8 〔惦〕11 점 diàn テン きにかける
[字解] 걱정할점 신경을 씀. '累你二位一着'《紅樓夢》.

心8 〔⿰忄亟〕11 〔항〕 恆(心부 6획〈387〉)의 本字

心8 〔⿰忄劫〕11 〔겁〕 怯(心부 5획〈384〉)의 俗字

心8 〔惨〕11 〔참〕 慘(心부 11획〈408〉)의 俗字

心8 〔惧〕11 〔구〕 懼(心부 18획〈419〉)의 俗字

心8 〔惞〕11 〔흔〕 欣(欠부 4획〈595〉)과 同字
[字源] 形聲. 忄(心)+欣〔音〕

心8 〔⿰忄忩〕11 〔총〕 憁(心부 11획〈408〉)과 同字

心9 〔愛〕13 [中·人] 애 [去]隊 ài アイ あいする
[筆順] 一 ⺈ ⺥ 爫 𤔠 𢜤 𢜤 愛
[字解] ①사랑할애 ㉠귀애함. '一兒'. '慈親之一其子也'《呂氏春秋》. ㉡친밀하게 대함. '汎一衆而親仁'《論語》. ㉢이성을 그리워함. '戀一'. '有與君之夫人相一者'《戰國策》. ㉣위함. 소중히 여김. '一錢'. '明主一其國'《戰國策》. ㉤좋아함. '一讀'. '衆仙奇一之'《洞冥記》. ㉥은혜를 베풂. '一日'. '不拊一子其民'《戰國策》. ②사랑애 전항의 명사. '老牛舐犢之一'《後漢書》. ③그리워할애 사모함. '欽一'. '十人一之, 則十人之吏也'《鬻子》. ④아낄애 탐냄. 인색함. '一惜'. '百姓皆以王爲一也'《孟子》. ⑤성애 성(姓)의 하나.
[字源] 形聲. 본디, '⿱㤅夊'로 썼으며, 夊+炁〔音〕

心9 〔感〕13 [中·人] 감(⑦ 함[本]) [上]感 [去]勘 ①-⑥gǎn カン かんずる ⑦hàn カン うらむ
[筆順] 丿 厂 厂 后 咸 咸 咸 感
[字解] ①느낄감 깨달을감 느껴 앎. '一覺'. '一吾生之行休'《陶潛》. ②감동할감 깊이 느끼어 마음이 움직임. '一泣'. '人生一意氣'《魏徵》. ③감동시킬감 감동하게 함. '使人微一張儀'《史記》. ④감응할감 감촉(感觸)되어 통함. '一通'. '寂然不動, 一而遂通天下之故'《易經》. ⑤감동감, 감응감, 느낌감 이상(以上)의 명사. '萬一'. '以紆慘惻之一'《陸機》. ⑥움직일감, 흔들감 撼(手부 13획〈470〉)과 통용. '無一我帨兮'《詩經》. ⑦한할감 원한을 품음. 憾(心부 13획〈414〉)과 통용. '唯蔡於一'《左傳》. ※❼은 本音 함.
[字源] 會意. 心+咸

心9 〔愗〕13 무 [去]宥 mào ボウ おろか
[字解] 어리석을무 '怐一'는 어리석은 모양. '直怐一以自苦. (註) 怐一守死忠信以自畢也'《楚辭》.
[字源] 形聲. 心+敄〔音〕

心9 〔想〕13 [中·人] 상 [上]養 xiǎng ソウ おもう

筆順 一 十 才 木 机 相 想 想

字解 ①생각할상 ㉠바람. 사모함. '一望'. '夢一賢士'《後漢書》. ㉡추측함. '一像'. '悠然遐一'《晉書》. ㉢추억함. '回一'. '追一'. '望風懷一'《李陵》. ②생각상 생각하는 바. '出塵之一'. '淸風滌煩一'《韋應物》. ③생각건대상 생각하기를. '一捨遺公, 冠帶就車, 惠然肯來'《韓愈》.
字源 形聲. 心+相〔音〕

心9 〔惷〕13 준 ㊤軫 | chǔn シュン みだれる
字解 ①어수선할준 동요하여 어지러운 모양. '王室實一一焉'《左傳》. ②어리석을준 우매함. 蠢(虫부 15획〈1253〉)과 同字. '一愚'. '愍耄儒之一窒兮'《皮日休》.
字源 形聲. 心+春〔音〕

心9 〔惹〕13 야 ㊤馬 | rě ジャ ひく
字解 이끌야 끌어당김. '一起'. '微香暗一遊人步'《羅鄴》.
字源 形聲. 心+若〔音〕

心9 〔愁〕13 中·人 수 ㊥尤 | chóu シュウ うれえる, うれい
筆順 一 二 千 禾 禾' 秋 秋 愁
字解 ①근심할수 우려함. '一心'. '悲一垂涕'《列子》. ②근심수 우려. 수심. '時取醉銷一'《王績》.
字源 形聲. 心+秋〔音〕

心9 〔愁〕13 愁(前條)와 同字

心9 〔愆〕13 건 ㊥先 | qiān ケン あやまち, あやまる
字解 ①허물건 과실(過失). 죄과(罪過). '一尤'. '一謬'. '侍於君子, 有三一'《論語》. ②어그러질건 차착(差錯)함. '歸妹一期'《易經》. ③악질(惡疾)건 나쁜 병. '王一於厥身'《左傳》.
字源 形聲. 心+衍〔音〕

心9 〔愆〕13 愆(前條)과 同字

心9 〔愈〕13 유 高·人 ㊤麌 ㊥虞 | yù, ⑥yú ユ まさる, いえる
筆順 ノ 人 亼 合 俞 俞 愈 愈
字解 ①나을유 남보다 우수함. '丹之治水也, 一於禹'《孟子》. ②나을유 병이 나음. '癒(疒부 13획〈820〉)와 통용. '小一'. '昔者疾, 今日一'《孟子》. ③고칠유 치유함. 癒(疒부 13획〈820〉)와 통용. '一病析醒'《宋玉》. ④더할유 자꾸 더해짐. '憂心一一'《詩經》. ⑤더욱유 더욱 더욱. '動而一出'《老子》. ⑥즐길유 愉(心부 9획〈401〉)와 통용. '心至一'《荀子》.
字源 形聲. 心+俞〔音〕

心9 〔愍〕13 민 ㊤軫 | mǐn ビン·ミン うれえる, あわれむ
字解 ①근심할민 우려함. '吾代二子一矣'《左傳》. ②가엾어할민 가엾게 여김. '矜一'. '其憐一焉'《漢書》.
字源 形聲. 心+敃〔音〕

心9 〔意〕13 中·人 ㊀의 ㊀寘 | yì イ こころ ㊁희 ㊥支 | yī イ ああ
筆順 一 二 立 立 音 音 意 意
字解 ㊀①뜻의 ㉠마음의 발동(發動). '一志'. '一識'. '欲正其心, 先誠其一'《大學》. ㉡생각. '如一'. '君行制, 臣行一'《國語》. ㉢사심(私心). 사욕. '一必固我'. '毋一, 毋必'《論語》. ㉣글이나 말의 의의. '一味'. '大一'. '原於道德之一'《史記》. ㉤정취. '筆一幽閒'《圖繪寶鑑》. ②뜻할의 생각함. '攻其無備, 出其不一'《孫子》. ③의심할의 의심을 둠. '一忌'. '妄一不疑'《史記》. ④헤아릴의 상량(商量)함. 추측함. '妄一室中之藏'《莊子》. ⑤생각건대의 생각해 보건대. '一者'. '吾一不然'《柳宗元》. ⑥나라이름의 이탈리아〔意大利〕의 약칭. ⑦성의 성(姓)의 하나. ㊁한숨쉴희 噫(口부 13획〈187〉)와 통용. '一, 治人之過也'《莊子》.
字源 會意. 心+音

心9 〔愚〕13 高·人 우 ㊥虞 | yú グ おろか
筆順 丨 冂 日 目 禺 禺 愚 愚
字解 ①어리석을우 우매함. '一直'. '終日不違如一'《論語》. 또, 어리석음. 어리석은 사람. '以智役一'《宋書》. ②어리석게할우 지식을 개발하지 아니하고 알리지 아니함. '一民政策'. ③우직할우 고지식함. '戇一'. '柴也一'《論語》. ④나우 자기의 겸칭. '一見'. '一猶有惑也'《蘇洵》. 또, 자기의 의견의 겸칭. '略陳一而抒情素'《漢書》. ⑤성우 성(姓)의 하나.
字源 形聲. 心+禺〔音〕

心9 〔愍〕13 〔긍〕 矜(矛부 4획〈861〉)과 同字

心9 〔悳〕13 우 ㊥尤 | yōu ユウ うれえる

[字解] 근심할우 憂(心부 11획〈406〉)의 本子. '一, 愁也. 一心形於顔面. 故从頁'《說文》.
[字源] 會意. 心+頁

心 9 〔恪〕13 〔각〕 恪(心부 6획〈388〉)과 同字

心 9 〔悉〕13 〔실〕 悉(心부 7획〈390〉)의 古字

心 9 〔慈〕13 〔자〕 慈(心부 10획〈403〉)의 略字

心 9 〔惐〕12 유 [平]虞 yú ユ うれえる [上]麌 yǔ ユ おそれる
[字解] ①근심할유 걱정함. '一, 憂也'《集韻》. ②두려워할유 외람히 여김. '一, 懼也'《集韻》.

心 9 〔惰〕12 타 [上]哿 duò ダ おこたる
[字解] ①게으를타 ㉠나태함. '一怠'. '一游之士'《禮記》. ㉡소홀히 함. '臨祭不一'《禮記》. ㉢삼가지 아니함. 단정하지 아니함. 버릇이 없음. '一容'. '今成子一'《左傳》. ②게으름타 나태. '非關恭一'《法苑珠林》. ③사투리타 방언. '言不一'《禮記》.
[字源] 形聲. 忄(心)+隋(隋)〔音〕
[參考] 憜(心부 12획〈413〉)는 同字.

心 9 〔惱〕13 [高人] 뇌(노[本]) [上]晧 nǎo ノウ なやむ
[筆順] 忄 忄 忄巛 忄巛 忄巛 惱 惱 惱
[字解] ①괴로워할뇌 고민함. '苦一'. '高篇空自一'《蘇軾》. ②괴롭힐뇌 괴롭게 함. '春一情懷身覺瘦'《韓偓》. ③괴로움뇌 고민. '已捨苦境得無一'《淨住子》. ※本音 노.
[字源] 形聲. 忄(心)+𡿺〔音〕

心 9 〔愱〕12 극 [入]職 jí キョク あわただしい, はやい
[字解] ①경망할극 경솔함. '一, 急性也'《說文》. ②말더듬을극 '譴一夌誶'《列子》. ③빠를극 '一, 說文, 疾也'《集韻》. ④조심스러울극 신중한 모양. 차근차근한 모양. '一, 一日, 謹重皃'《說文》. ⑤사랑할극 자애(慈愛)롭게 여겨 사랑함. '一, 博雅, 愛也'《集韻》.
[字源] 形聲. 忄(心)+亟〔音〕

心 9 〔惲〕12 운 [上]吻 yùn ウン あつい
[字解] ①혼후할운 중후(重厚)함. '一, 重厚也'《說文》. ②꾀할운 계획함. '一, 謀也. 議也'《廣韻》. ③성운 성(姓)의 하나.
[字源] 形聲. 忄(心)+軍〔音〕

心 9 〔愇〕12 위 [上]尾 wěi イ うらむ
[字解] ①한할위 원망함. '一, 恨也'《集韻》. ②얕을위 깊지 않음. '一, 淺也'《廣雅》.
[字源] 形聲. 忄(心)+韋〔音〕

心 9 〔惴〕12 췌(취[本]) [去]寘 zhuì スイ おそれる
[字解] 두려워할췌 우구(憂懼)함. '一慄'. '一恐'. '吾不一焉'《孟子》. ※本音 취.
[字源] 形聲. 忄(心)+耑〔音〕

心 9 〔惵〕12 접 [入]葉 dié チョウ おそれる
[字解] 두려워할접 위구(危懼)함. '一一'. '宮房一息'《後漢書》.
[字源] 形聲. 忄(心)+枼〔音〕

心 9 〔惶〕12 황 [平]陽 huáng コウ おそれる
[字解] 두려워할황 몹시 공구하여 어찌할 줄 모름. '一恐'. '蕭廣縱暴, 百姓一擾'《後漢書》.
[字源] 形聲. 忄(心)+皇〔音〕

心 9 〔惸〕12 경 [平]庚 qióng ケイ ひとりみ, うれえる
[字解] ①독신자경 홀몸인 사람. 형제가 없는 사람. '一嫠'. '哀此一獨'《詩經》. ②근심할경 근심하는 모양. '憂心一一'《詩經》.
[字源] 形聲. 忄(心)+子+瞢〈省〉〔音〕

心 9 〔惑〕12 획 [入]陌 huò カク おどろく
[字解] 놀랄획 놀라는 모양. '一, 心驚皃'《集韻》.

心 9 〔惺〕12 [人名] 성 [平]青 xīng セイ さとる
[筆順] 忄 忄 忄 忄 忄 惺 惺 惺
[字解] ①깨달을성 개오(開悟)함. '敬是常一一法'《上蔡語錄》. ②조용할성 정적(靜寂)함.
[字源] 形聲. 忄(心)+星〔音〕

心 9 〔惰〕12 惺(前條)과 同字

心 9 〔惻〕12 측 [入]職 cè ソク いたむ
[字解] 슬퍼할측 비통함. '一隱'. '爲我心一'《易經》.

[字源] 形聲. 忄(心)+則〔音〕

心 9 〔⿱則心〕 13 惻(前條)의 古字

心 9 〔惼〕 12 편 [上]銑 | biǎn ヘン せまい

[字解] 편협할편 마음이 좁고 조급함. '有虛船來觸舟, 雖有一心之人不怒'《莊子》.
[字源] 形聲. 忄(心)+扁〔音〕

心 9 〔惽〕 12 혼 [平]元 | hūn コン くらい

[字解] 흐릴혼, 어두울혼 마음이 혼미함. 惛(心부 8획〈397〉)과 同字. '吾一不能進於是矣'《孟子》.

心 9 〔愀〕 12 초 [上]篠 | qiǎo ショウ うれえる

[字解] ①근심할초 수심(愁心)에 잠겨 안색이 달라지는 모양. '一然正襟危坐'《蘇軾》. ②발끈할초 발끈 화를 내어 안색이 변하는 모양. '一然作色'《禮記》. ③삼갈초 근신하는 모양. '聞其言者, 一如也'《揚子法言》.
[字源] 形聲. 忄(心)+秋〔音〕

心 9 〔愃〕 12 [人名] [一] 훤 [上]阮 | xuān ケン ゆたか
[二] 선 [平]先 | xuān セン こころよい

[筆順] 丶 忄 忄' 忙 忙 恒 愃 愃
[字解] [一] 너그러울훤 마음이 넓은 모양. '赫兮一兮'《詩經》. [二] 쾌할선 '一, 吳人語, 快'《廣韻》.
[字源] 形聲. 忄(心)+宣〔音〕

心 9 〔愉〕 12 [人名] [一] 유 [平]虞 | yú ユ よろこぶ
[二] 투 [平]尤 | tōu トウ うすい

[筆順] 丶 忄 忄 忄 忄 愉 愉 愉
[字解] [一] 기뻐할유 즐거워함. '一悅'. '有和氣者, 必有一色'《禮記》. [二] 구차할투 偸(人부 9획〈63〉)와 同字. '以俗教民, 則民不一'《周禮》.
[字源] 形聲. 忄(心)+兪〔音〕

心 9 〔愉〕 12 愉(前條)와 同字

心 9 〔愊〕 12 [一] 픽 [入]職 | bì フク まこと
[二] 핍 [入]緝 | bì フク むすぼれる

[字解] [一] 정성픽 성의. '發憤悃一'《漢書》. [二] 답답할핍 마음이 울결하여 답답함. '一抑'. '一憶誰訴'《李華》.
[字源] 形聲. 忄(心)+畐〔音〕

心 9 〔愒〕 12 [一] 게 [去]霽 | qì ケイ いこう
[二] 개 [去]泰 | kài カイ むさぼる
[三] 할 [入]曷 | hè カツ おびやかす

[字解] [一] 쉴게 휴식함. '汔可小一'《詩經》. [二] ①탐낼개 탐(貪)함. '忨一'. '忨歲而一日'《左傳》. ②서두를개 급히 굶. '不及時而葬曰一'《公羊傳》. [三] 으를할 공갈함. '恐一諸侯'《史記》.
[字源] 形聲. 忄(心)+曷〔音〕

心 9 〔愓〕 12 [一] 탕 [上]養 | dàng トウ ほしいまま
[二] 상 [平]陽 | shāng ショウ はやい

[字解] [一] 방자할탕 방약 무인함. '一悍憍暴'《荀子》. [二] 빠를상 자세를 바르게 하고 빨리 가는 모양. '行容一一'《禮記》.
[字源] 形聲. 忄(心)+昜〔音〕

心 9 〔愎〕 12 퍅 [入]職 | bì フク もとる

[字解] 퍅할퍅 성질이 강퍅함. '一戾'. '一諫違卜'《左傳》.
[字源] 形聲. 忄(心)+复〔音〕

心 9 〔愔〕 12 음 [平]侵 | yīn イン やすらか

[字解] ①조용할음 침묵을 지킴. '一一度日'《唐書》. ②화평할음 안화(安和)함. '祈招之一一, 式昭德音'《左傳》.
[字源] 形聲. 忄(心)+音〔音〕

心 9 〔⿰忄癸〕 12 〔계〕 悸(心부 8획〈395〉)와 同字

心 9 〔⿰忄亮〕 12 〔량〕 悢(心부 7획〈392〉)과 同字

心 9 〔⿰忄盾〕 12 〔순〕 順(頁부 3획〈1683〉)의 古字

心 9 〔⿰忄哀〕 12 〔애〕 哀(口부 6획〈161〉)와 同字

心 9 〔⿰忄胃〕 12 위 [去]未 | wèi イ うれえる

[字解] ①불안할위 안절부절못함. '一, 怫一, 不安也'《廣韻》. ②분개할위 개탄함. '一怫, 忼慨也'《廣雅》.

心 9 〔愕〕 12 악 [入]藥 | è ガク おどろく

[字解] 놀랄악 깜짝 놀람. '驚一'. '群臣皆一'《史記》.

字源 形聲. 忄(心)＋咢〔音〕

心 9 〔愖〕12 심 (平)侵 | chén, ②xìn シン まこと, ためらう

字解 ①정성심 諶(言부 9획〈1342〉)과 同字. ②머뭇거릴심 주저함. '意斟一而不澹'《後漢書》.

字源 形聲. 忄(心)＋甚〔音〕

心 9 〔愅〕12 종 ㊤腫 (去)宋 | zhǒng チョウ おそい

字解 느릴종 둔함. '一, 遲也'《說文》.

字源 形聲. 忄(心)＋重〔音〕

心 9 〔惆〕12 ㊀면 ㊤銑 | mǐ ベン はげしい ㊁미 ㊤紙 | ビ はげしい

字解 ㊀①엄할면 '一, 厲也'《說文》. ②그칠면 중지함. '一, 止也'《廣韻》. ㊁엄할미 ㊀❶과 뜻이 같음.

字源 形聲. 忄(心)＋弭〔音〕

心 9 〔惰〕12 서 (平)魚 ㊤語 | xū ショ さとい

字解 슬기서, 밝을서 諝(言부 9획〈1341〉)와 同字. '一, 知也'《說文》.

字源 形聲. 忄(心)＋胥〔音〕

心 9 〔慘〕12 ㊀해 (平)佳 | xié カイ うらむ ㊁휴 (平)齊 | ケイ たいらかでない

字解 ㊀①한할해 원망함. '一, 恨也. 怨也'《玉篇》. ②성낼해 '一, 恚也'《玉篇》. ③마음편치않을해 '一, 心不平'《廣韻》. ㊁마음편치않을휴 ㊀❸과 뜻이 같음.

字源 形聲. 忄(心)＋彖〔音〕

心 9 〔愜〕12 협(겹(本)) (入)葉 | qiè キョウ こころよい

字解 ①쾌할협 상쾌함. '意殊不一'《宋書》. ②만족할협 뜻에 참. '一心'. '天下人民, 未有一志'《漢書》. ③ 맞을협 마음에 듦. '深一物議'《宋史》. ※本音 겹.

字源 形聲. 忄(心)＋匧〔音〕

心 9 〔㥦〕13 愜(前條)의 本字

心 9 〔愞〕12 ㊀연 ㊤銑 | ruǎn ゼン よわい ㊁나 (去)箇 | nuò ダ·ナ よわい

字解 ㊀여릴연 '蘇威怯一'《北史》. ㊁여릴나 ㊀과 뜻이 같음.

字源 形聲. 忄(心)＋耎〔音〕

心 9 〔愯〕12 수 (去)宥 | sǒu ソウ つまる

字解 막힐수 '困一'는 코가 막힘. '五臭熏鼻, 困一中顙'《莊子》.

心 9 〔惿〕12 ㊀제 (平)齊 | tí テイ おそれる ㊁시 ㊤紙 | shì シ おさめる, ただす

字解 ㊀겁낼제 '一慚, 心怯'《集韻》. ㊁다스릴시, 바로잡을시 諟(言부 9획〈1341〉)와 同字. '諟, 說文, 理也. 一曰, 正也. 審也. 或从心'《集韻》.

心 9 〔惆〕12 우 (平)虞 | yú グ よろこぶ

字解 기뻐할우 '一一憧憧'《說苑》.

字源 形聲. 忄(心)＋禺〔音〕

心 9 〔愐〕12 면 ㊤銑 | miǎn ベン·メン つとめる

字解 ①힘쓸면 '一, 勉也'《說文》. ②생각할면 '一, 想也'《玉篇》.

字源 形聲. 忄(心)＋面〔音〕

心 9 〔慔〕12 ㊀무 ㊤麌 (平)虞 | wǔ ブ·ム いたわる ㊁모 ㊤麌 | wǔ ボ·モ いつくしむ

字解 ㊀어루만질무, 사랑할무 '一, 憐也'《揚子方言》. ㊁어루만질모, 사랑할모 ㊀과 뜻이 같음.

字源 形聲. 忄(心)＋某〔音〕

心 9 〔憶〕12 ㊀체 ㊤薺 | chì セイ すこしいかる ㊁부 ㊤有 | フウ すこしいかる

字解 ㊀약간성낼체 '一, 小怒也'《集韻》. ㊁약간성낼부 ㊀과 뜻이 같음.

字源 形聲. 忄(心)＋壴〔音〕

心 9 〔愅〕12 격 (入)陌 | gé カク かざる

字解 꾸밀격, 삼갈격, 변할격 諽(言부 9획〈1344〉)과 同字. '一詭吧僾'《荀子》.

心 9 〔愪〕12 집 (入)緝 | qì シュウ おもいがとまらない

字解 마음끊지못할집 '一, 心不止也'《集韻》. '心愪一兮意惶懹'《元結》.

心 9 〔愣〕12 (現) 릉 | lèng リョウ ぼんやりする

字解 《現》 ①멍할릉. ②무턱대고릉.

心 9 〔㥞〕12 수 (去)寘 | suì スイ さとい

字解 총명할수 생각이 깊음. '一, 智也'《廣雅》.

字源 形聲. 忄(心)+豦〔音〕

心 9 〔㤼〕12 ㊀각 ㊇藥|キャク つかれる
㊁극 ㊇陌|jǐ ケキ つかれる

字解 ㊀고달플각 피로함. '一, 疲力也'《玉篇》. ㊁①고달플극 ■과 뜻이 같음. ②싫증날극 '㣈, 方言, 倦也. 或作一'《集韻》.
字源 形聲. 忄(心)+卻〔音〕

心 9 〔惬〕12 〔광〕
恇(心부 6획〈387〉)의 本字

心 9 〔㥲〕12 탁 ㊇藥|duó タク はかる
字解 헤아릴탁 度(广부 6획〈346〉)과 同字.

心 9 〔惇〕12 〔돈〕
惇(心부 8획〈396〉)의 俗字

心 9 〔惚〕12 〔총〕
憁(心부 11획〈408〉)의 俗字

心 9 〔愠〕12 〔온〕
慍(心부 10획〈404〉)의 俗字

心 10 〔愨〕14 각 ㊇覺|què カク まこと
字解 성실할각 거짓이 없고 정성스러움. '謹一'. '有一士者'《荀子》.
字源 形聲. 心+㱿〔音〕
參考 慤(心부 11획〈408〉)은 俗字.

心 10 〔愬〕14 ㊀소 ㊄遇|sù ソ うったえる
㊁색 ㊇陌|shuò サク おそれる
字解 ㊀하소연할소, 참소할소 訴(言부 5획〈1319〉)와 同字. '薄言往一'《詩經》. '公伯寮一子路於季孫'《論語》. ㊁①두려워할색 무서워하여 놀람. '履虎尾一一, 終吉'《易經》. ②놀랄색 경악하는 모양. '一而再拜'《公羊傳》.
字源 形聲. 心+朔〔音〕

心 10 〔愿〕14 人名 원 ㊄願|yuàn ゲン つつしむ
筆順 一 厂 厂 戶 盾 原 原 愿
字解 성실할원 근각(謹愨)함. '誠一'. '一而恭'《書經》.
字源 形聲. 心+原〔音〕

心 10 〔㥦〕14 ㊀협 ㊇葉|qiè キョウ かなう
㊁예 ㊄霽|yì エイ かくれる
字解 ㊀맞을협 화합(和合). '陰氣一而念之. (註) 一, 猶協也'《太玄經》. ㊁숨을예 '中自一也'《太玄經》.

心 10 〔慁〕14 혼 ㊄願|hùn コン うれえる
字解 ①근심할혼 우려함. '主不一賓'《左傳》. ②어지럽힐혼 번거롭게 함. 폐를 끼침. '天以寡人一先生'《史記》. ③욕보일혼 욕되게 함. '不一君王'《禮記》.
字源 形聲. 心+圂〔音〕

心 10 〔慁〕13 慁(前條)과 同字

心 10 〔慂〕14 용 ㊤腫|yǒng ヨウ すすめる
字解 종용할용 권함. '慫一'. '南楚之閒, 凡己不欲喜怒, 而旁人說者, 謂慫一'《揚子方言》.
字源 形聲. 心+涌〔音〕

心 10 〔慇〕14 은 ㊦眞|yīn イン うれえる
字解 ①근심할은 대단히 근심하는 모양. '憂心一一'《詩經》. ②은근할은 친절함. 간절함. '惜別空一懃'《李白》.
字源 形聲. 心+殷〔音〕

心 10 〔㥯〕13 慇(前條)과 同字

心 10 〔慈〕14 中·人 자 ㊦支|cí ジ いつくしむ
筆順 丶 亠 㓜 玄 玆 兹 慈 慈
字解 ①사랑할자 ㉠은애(恩愛)를 가(加)함. '一以甘旨'《禮記》. ㉡애육(愛育)함. '一幼'《周禮》. ②사랑자 은애(恩愛). '一者所以使衆也'《大學》. ③어머니자 아버지를 엄(嚴)이라 함의 대(對). '家一'. '一母'. ④자석자 磁(石부 10획〈876〉)와 통용. '一石吸鐵'《郭璞》. ⑤성자 성(姓)의 하나.
字源 形聲. 心+兹〔音〕

心 10 〔態〕14 高·人 태 ㊄隊|tài タイ すがた
筆順 ㇜ 㠯 育 育' 育ᐠ 能 能 態
字解 모양태 ㉠용모. 맵시. '姿一'. '君子之一'《司馬相如》. ㉡꼴. 형상. 몸짓. 모습. '形一'. '相背而異一'《史記》.
字源 形聲. 心+能〔音〕

心 10 〔愻〕14 손 ㊄願|xùn ソン したがう
字解 겸손할손 遜(辵부 10획〈1503〉)과 통용.
字源 形聲. 心+孫〔音〕

心10〔㥶〕14 ㊀ 색 [入]職 | sè ソク みちる
㊁ 새 [去]隊 | サイ みちる
㊂ 건 [平]先 | qiān ケン あやまる

[字解] ㊀ ①찰색 지기(志氣)가 충만(充滿)함. 충실(充實)함. '一, 實也. 書曰, 剛而一'《廣韻》. ②편안할색 '一, 安也'《廣雅》. ㊁ ①찰새 ㊀①과 뜻이 같음. ②넓을새 '一, 寬也'《廣韻》. ㊂ 잘못할건, 허물건 과실(過失). 愆(心부 9획〈399〉)과 同字. '愆, 過也. 失也. 一, 說文同上'《玉篇》.
[字源] 形聲. 心＋㝥〔音〕

心10〔㥠〕14 숙 [入]屋 | shū シュウ はやい

[字解] ①빠를숙, 길숙 跾(足부 7획〈1432〉)과 同字. '跾, 說文, 疾也. 長也. 或作一'《集韻》. ②倏(人부 8획〈61〉)의 俗字.

心10〔㥯〕14 은 [去]問 [上]吻 [平]文 | ①yǐn イン·オン つつしむ ①-③yǐn イン·オン つつしむ ④⑤イン·オン うれえる

[字解] ①삼갈은 '一, 謹也'《說文》. ②근심하여앓을은 '一, 憂病也'《集韻》. ③슬퍼할은 '一, 哀也'《集韻》. ④근심할은 '一, 憂也'《集韻》. ⑤사랑할은 '一, 愛也'《五音集韻》.
[字源] 形聲. 心＋𤔌〔音〕

心10〔𢞁〕14 〔광〕 㤮(心부 7획〈390〉)과 同字

心10〔𢠾〕14 〔구〕 懼(心부 18획〈419〉)의 古字

心10〔𢡤〕14 ㊀ 閔(門부 4획〈1596〉)의 古字
㊁ 愍(心부 9획〈399〉)의 古字

心10〔慗〕14 〔정〕 整(攵부 12획〈488〉)의 俗字

心10〔𥞩〕14 〔려〕 黎(黍부 3획〈1858〉)의 俗字

心10〔慍〕13 온 [去]問 | yùn ウン いかる

[字解] ①성낼온 발끈 화를 냄. '一色'. '人不知而不一, 不亦君子乎'《論語》. ②화온 분노. '可以解吾民之一'《孔子家語》.
[字源] 形聲. 忄(心)＋昷〔音〕

心10〔愧〕13 [高·人] 괴 [去]寘 | kuì キ はじる

[筆順] 丷 忄 忄' 忙 怕 恎 愧 愧

[字解] 부끄러워할괴 수치를 느낌. '羞一'. '一慙'. '尙不一于屋漏'《詩經》.
[字源] 形聲. 忄(心)＋鬼〔聲〕

心10〔愫〕13 소 [去]遇 | sù ソ まこと

[字解] 정성소 성의. 진정. '披心腹見情一'《漢書》.
[字源] 形聲. 忄(心)＋素〔音〕

心10〔愮〕13 요 [平]蕭 | yáo ヨウ うれえる

[字解] 근심할요 '一一'는 근심하는 모양.

心10〔愴〕13 창 [去]漾 | chuàng ソウ いたむ

[字解] 슬퍼할창 비통(悲痛)함. 가슴 아픔. 슬퍼 상심함. '悲一'. '空一魏君'《南史》.
[字源] 形聲. 忄(心)＋倉〔音〕

心10〔愷〕13 [人名] 개 [上]賄 | kǎi ガイ たのしむ

[筆順] 丷 忄 忄' 忄山 忄出 愷 愷 愷

[字解] ①즐거울개 화락함. 즐거워함. '一風'. '一悌君子, 民之父母'《詩經》. ②싸움이긴풍류개 凱(几部 十畫)와 통용. '一歌'. '一樂獻于社'《周禮》.
[字源] 形聲. 忄(心)＋豈〔音〕

心10〔愼〕13 [高·人] 신 [去]震 | shèn シン つつしむ

[筆順] 丷 忄 忄一 忄匕 忄旨 愔 愼 愼

[字解] ①삼갈신 ㉠신중히 함. 과오가 없도록 조심함. '謹一'. '一獨'. ㉡소중히 다룸. 중히 여김. '一禮儀務忠信'《荀子》. ②삼감신 전항(前項)의 명사. '以寡交爲一'《夏侯湛》. ③삼가신 결코, 또는 절대로의 뜻. '上謂濞曰, 一無反'《史記》. ④진실로신 참으로. '予一無罪'《詩經》. ⑤성신 성(姓)의 하나.
[字源] 形聲. 忄(心)＋眞〔音〕

心10〔慎〕13 愼(前條)과 同字

心10〔㥲〕14 愼(前前條)의 古字

心10〔愾〕13 ㊀ 희 [去]未 | xì キ ためいき
㊁ 개 [去]隊 | kài カイ いかる

[字解] ㊀ 한숨희 태식(太息). '一然'. '一我寤歎'《詩經》. ㊁ 성낼개 분개함. '一憤邊戎'

《常袞》.
字源 形聲. 忄(心)＋氣〔音〕

心10 〔惲〕 13 운 ㊥文 | yǔn ウン うれえる
字解 근심할운 우려하는 모양.
字源 形聲. 忄(心)＋員〔音〕

心10 〔慄〕 13 률 ㊤質 | lì リツ おそれる
字解 ①두려워할률 두려워하여 떪. '戰—'. '吾甚—之'《莊子》. ②떨률 벌벌 떪. '股—心悸'《後漢書》. ③슬퍼할률 비통(悲痛)함. '憭—兮'《宋玉》.
字源 形聲. 忄(心)＋栗〔音〕

心10 〔愭〕 13 기 ㊥支 | qí キ おそれる
字解 ①두려워할기 '—, 畏也'《集韻》. ②공경할기 '—, 恭敬也'《韻會》.

心10 〔慅〕 13 ㊀소 ㊥豪 | sāo ソウ さわぐ
㊁초 ㊤晧 | cǎo ソウ つかれる
字解 ㊀소동할소 야단 법석함. '軍中——'《隋書》. ㊁고달플초 피로함. '勞心—兮'《詩經》.
字源 形聲. 忄(心)＋蚤〔音〕

心10 〔慆〕 13 도 ㊥豪 | tāo トウ あなどる, みだら
字解 ①방자할도 멋대로 굶. 방종함. '—, 又慢也'《玉篇》. ②기뻐할도 '師乃—'《尙書大傳》. ③난잡할도 '無即—淫'《書經》. ④지날도, 지낼도 '今我不樂, 日月其—'《詩經》. ⑤오랠도 '我徂東山, ——不歸'《詩經》. ⑥감출도 숨김. 속에 넣고 드러내지 아니함. '以樂—憂'《左傳》. ⑦의심할도 의아함. '天命不—久矣'《左傳》.
字源 形聲. 忄(心)＋舀〔音〕

心10 〔慉〕 13 ㊀휵 ㊤屋 | xù キク やしなう
㊁축 ㊤屋 | chù チク うらむ
字解 ㊀①기를휵 양육함. '不我能—, 以我爲讎'《詩經》. ②쌓을휵 축적함. '疏越積—'《馬融》. ③아플휵 통증을 느낌. '三指—'《漢書》. ㊁한할축 원망함. '—, 恨也'《玉篇》.
字源 形聲. 忄(心)＋畜〔音〕

心10 〔慊〕 13 ㊀겸 ㊤琰 | qiàn ケン きらう, うらむ
㊁협 ㊤葉 | qiè キョウ あきたりる
㊂혐 ㊥鹽 | xiàn ケン うたがう
字解 ㊀①앙심먹을겸 불만을 품고 절치(切齒)함. '—怨'. '吾何—乎哉'《孟子》. ②찐덥지않을겸 마음에 차지 아니함. '——道相思'《沈約》. ③마음에맞을겸 '行有不—於心'《孟子》. ④정성겸 성의. '誠—'. '重陳丹—'《白居易》. ㊁족할협 만족함. '盡去而後—'《莊子》. ㊂혐의혐 嫌(女부 10획〈260〉)과 同字. '得避—之便'《漢書》.
字源 形聲. 忄(心)＋兼〔音〕

心10 〔慌〕 13 황 ①㊤養 | huǎng コウ うっとりする
②㊥陽 | huāng コウ あわてる
字解 ①황홀할황 멍함. 恍(心부 6획〈388〉)과 同字. ②허겁지겁할황 몹시 바빠서 어찌할 바를 모름. '—忙'.
字源 形聲. 忄(心)＋荒〔音〕

心10 〔㥬〕 13 慌(前條)의 本字

心10 〔愲〕 13 골 ㊤月 | gǔ コツ こころみだれる
字解 심란할골 마음이 산란함. '心結—兮傷肝'《漢書》.

心10 〔愶〕 13 협 ㊤葉 | xié キョウ おびやかす
字解 으를협 위협함. '劫—使者'《魏志》.
字源 形聲. 忄(心)＋脅〔音〕

心10 〔愰〕 13 황 ①㊦漾 | huàng コウ こころあきらか
②㊤養 | huǎng コウ こころさだまらない
字解 ①밝을황 훤함. ②들뜰황 마음이 들뜸. '—懩'.
字源 形聲. 忄(心)＋晃〔音〕

心10 〔㥾〕 13 닉 ㊤錫 | nì デキ うれえる
字解 근심할닉 우려함. '久—兮忼忼'《元結》.
字源 形聲. 忄(心)＋弱〔音〕

心10 〔愵〕 14 㥾(前條)과 同字

心10 〔㥣〕 13 ㊀이 ㊤紙 ㊥支 | yí イ うれえない
㊁시 ㊤紙 ㊥支 | シ うれえない
㊂제 ㊥齊 | tí テイ はじる
字解 ㊀근심하지않을이 '—, 不憂事也'《廣韻》. ㊁근심하지않을시 ㊀과 뜻이 같음. ㊂부끄러워할제 '—, 怍也'《玉篇》.
字源 形聲. 忄(心)＋虒〔音〕

心10 〔愺〕 13 초 ㊤晧 | cǎo ソウ こころみだれる

字解 ①심란할초 '一恅'는 마음이 흐트러짐. '一恅, 心亂'《廣韻》. ②고요할초 '一恅'는 조용한 모양. '一恅爛漫, 亡稱失嚋'《王褒》.

心10 〔慫〕 13 송 ㊤腫 | sǒng ショウ おそれる

字解 두려워할송 '一, 懼也. 春秋傳曰, 駟氏一'《說文》.

字源 形聲. 忄(心)＋雙〈省〉〔音〕

心10 〔㦛〕 13 〔해〕 憏(心부 9획〈402〉)의 本字

心10 〔愻〕 13 〔순〕 訇(勹부 8획〈120〉)과 同字

心10 〔㥭〕 13 〔태〕 忕(心부 3획〈378〉)와 同字

心10 〔愽〕 13 〔박〕 博(十부 10획〈128〉)의 俗字

心10 〔慨〕 13 〔개〕 慨(心부 11획〈409〉)의 俗字

心10 〔慉〕 13 〔류〕 懰(心부 15획〈417〉)와 同字

心10 〔㥮〕 13 초 ㊤巧 | zhòu ソウ こころがせまい

字解 빙퉁그러질초 고집이 세고 성질이 비뚤어짐. '一, 心迫也'《集韻》.

心11 〔慶〕 15 中·人 ㊀경 ㊍敬 | qìng ケイ よろこび ㊁강 ㊥陽 | qiāng キョウ ああ

筆順 广 户 声 声 声 唐 慶 慶

字解 ㊀①경사경 축하할 만한 일. '一弔'. '賀一之禮'《周禮》. ②상경 상사(賞賜). '一賞'. '行一施惠'《禮記》. ③선행경 착한 행위. '一人有一'《書經》. ④복경 행복. '餘一'. '孝孫大有一'《詩經》. ⑤하례할경 경사를 축하함. '一其喜而弔其憂'《國語》. ⑥성경 성(姓)의 하나. ㊁어조사강 발어사(發語辭). '一天悴而喪榮'《揚雄》.

字源 會意. 鹿＋心＋夊

心11 〔憂〕 15 中·人 우 ㊥尤 | yōu ユウ うれい

筆順 一 丙 百 直 㥑 惪 憂 憂

字解 ①근심우 ㉠걱정. '樂以忘一'《論語》. ㉡환난(患難). '朝廷無西顧之一'《魏志》. ②병우 질병(疾病). '某有負薪之一'《禮記》. '某有采薪之一'《孟子》. ③친상우 부모의 상(喪). '丁一'. '王宅一'《書經》. ④근심할우 걱정함. '仁者不一'《論語》. ⑤앓을우 병을 앓음. '文王在胎, 母不一'《國語》. ⑥고생할우 궁하여 괴로워함. '小人道一也'《易經》. ⑦가엾게여길우 불쌍히 여김. '民有厄喪教相一恤也'《周禮 疏》. ⑧성우 성(姓)의 하나.

字源 形聲. 夊＋惪〔音〕

心11 〔慙〕 15 高·人 참 ㊥覃 | cán ザン はじる

筆順 一 亘 車 車 斬 斬 慙 慙

字解 ①부끄러워할참 양심에 가책을 느껴 남을 대할 면목이 없음. '一愧'. '吾甚一於孟子'《孟子》. ②부끄러움참 수치. '必知其懷一'《韓愈》.

字源 形聲. 心＋斬〔音〕

心11 〔慚〕 14 高·人 慙(前條)과 同字

筆順 忄 忙 恒 恒 悼 悼 慚 慚

心11 〔慝〕 15 특 ㊅職 | tè トク わるい

字解 ①악할특 불선(不善)함. '凶一'. 또, 악한 일. '崇德脩一'《論語》. 또, 악한 자. 악인. '民無一'《管子》. ②간사할특 사곡(邪曲)함. '之死矢靡一'《詩經》. ③더러울특 '穢一'. '禮一而樂淫'《禮記》. ④음(陰)한기운특 해독이 되는 나쁜 기운. '道地一'《周禮》. ⑤재앙특 재해. '妖一'. '亦罹咎一'《漢書》. ⑥사투리특 방언. '掌道方一'《周禮》. ⑦속일특, 숨길특 '一名'. '一則大惑'《荀子》.

字源 形聲. 心＋匿〔音〕

心11 〔慧〕 15 高·人 혜 ㊍霽 | huì ケイ·エ さとい

筆順 三 丰 丰 丰丰 彗 彗 慧 慧

字解 ①슬기로울혜 총명함. '聰一質仁'《國語》. ②슬기혜 '智一'. '周子有兄, 而無一'《左傳》.

字源 形聲. 心＋彗〔音〕

心11 〔慫〕 15 종 ㊤腫 | sǒng ショウ おどろく

字解 ①놀랄종 경악함. '怵悼慄而一兢'《張衡》. ②종용할종 권함. '一慂'.

字源 形聲. 心＋從〔音〕

心11〔慮〕15 [高·人] [一]려 [去]御 [二]록 | lǜ リョ おもんぱかる lù ロク はかる, しらべる

[筆順] ⺊ 卢 广 虍 虍 虑 慮 慮

[字解] [一] ①생각할려 사려함. '考—'. '—而后能得'《大學》. ②걱정할려 근심함. '念—'. '君臣疑—'《後漢書》. ③꾀할려 모책을 세움. '子爲寡人—之'《戰國策》. ④생각려 사유(思惟). '遠—'. '困於心, 衡於—'《孟子》. ⑤근심려 걱정. 우환. '省國家之邊—'《後漢書》. ⑥의심려 의려(疑慮). 의혹. '決狐疑之—'《晉書》. ⑦꾀려 모책. '出謀發—'《禮記》. ⑧기려 '—無'는 척후(斥候)가 들고 다니는 기(旗). '前茅—無'《左傳》. ⑨성려 성(姓)의 하나. [二] 사실할록 조사함. 錄(金부 8획〈1565〉)과 同字. '凡繫囚五日——'《左傳》.

[字源] 形聲. 心+盧(慮)〔音〕

心11〔慰〕15 [高·人] 위 [去]未 | wèi イ なぐさめる

[筆順] 尸 尸 戸 尉 尉 尉 慰 慰

[字解] ①위로할위 남의 근심을 풂. '—問'. '有子七人, 莫—母心'《詩經》. ②위안할위 마음을 즐겁게 함. 자기의 근심을 풂. '以—我心'《詩經》. ③위로위 '數召見, 加招—'《後漢書》. ④위안위 마음을 편하게 하고 즐겁게 하는 일. '伊余雖寡—'《謝強》.

[字源] 形聲. 心+尉〔音〕

心11〔慰〕15 慰(前條)의 本字

心11〔蔕〕15 채 [去]卦 | dì タイ とげ

[字解] 가시채 '—芥'는 가시. 전(轉)하여, 장애(障碍), 또는 마음에 걸리는 일 등의 비유로 쓰임. '細故—芥'《賈誼》.

[字源] 形聲. 心+帶〔音〕

心11〔憏〕14 蔕(前條)와 同字

心11〔慹〕15 [一] 접 [入]葉 [二] 집 [入]緝 | zhé ショウ うごかない zhí シュウ おそれる

[字解] [一] 꼼짝않을접 움직이지 아니하는 모양. '—然似非人'《莊子》. [二] 두려워할집 외구(畏懼)함. '豪強—服'《漢書》.

[字源] 形聲. 心+執〔音〕

心11〔慼〕15 척 [入]錫 | qī(qì) セキ うれえる

[字解] 근심할척, 근심척 걱정함. 걱정. 戚(戈부 7획〈422〉)과 통용. '憂—'. '衆—'《書經》.

[字源] 形聲. 心+戚〔音〕

心11〔慽〕14 慼(前條)과 同字

心11〔慾〕15 [高·人] 욕 [入]沃 | yù ヨク ほしいとおもうこころ

[筆順] 𠆢 㕣 谷 谷 谷 欲 欲 慾

[字解] 탐낼욕, 욕심욕 탐함. 또, 그 마음. '嗜—'. '貪—'.

[字源] 形聲. 心+欲〔音〕

[參考] 예로부터 欲(欠부 7획〈596〉)과 통하여 쓰이었음.

心11〔憃〕15 [一] 창 [平]江 [二] 송 [平]冬 | chuāng トウ おろか chōng ショウ おろか, にぶい

[字解] [一] 천치창 선천적으로 바보임. 또, 그 사람. 바보. '三赦, 曰—愚'《周禮》. [二] 어리석을송 우매함. '寡人—愚冥頑'《禮記》.

[字源] 形聲. 心+舂〔音〕

[參考] 惷(心부 9획〈399〉)은 別字.

心11〔慜〕15 [人名] 민 [上]軫 | mǐn ビン さとい

[筆順] 𠂉 𠂉 每 每 每 敏 敏 慜

[字解] 민첩할민 총명(聰明)함.

心11〔㤅〕15 [一] 애 [去]隊 [二] 기 [去]未 | ài アイ xì キ いき, いこう

[字解] [一] 㤅(心부 4획〈379〉)의 古字. [二] 숨기, 쉴기 호흡. 또, 휴식함. '—, 息也'《廣韻》.

心11〔慩〕15 [一] 련 ①[平]先 ②[上]銑 [二] 전 [平]先 | lián レン なく liǎn レン きをつける テン なく

[字解] [一] ①울련 눈물이 떨어짐. 훌쩍훌쩍 욺. '—, 泣下也'《說文》. ②주의할련 조심함. '—, 留意'《集韻》. [二] 울전 우는 모양. '—, 泣皃'《集韻》.

[字源] 形聲. 心+連〔音〕

心11〔慈〕15 리 [去]寘 [平]支 | lì リ うれえる

[字解] 근심할리 또, 근심하는 모양. '—, 楚穎之間, 謂悳曰—'《說文》. '—, 愁憂之皃'《廣韻》.

[字源] 形聲. 心+犛〔音〕

心11〔𢥒〕15 〔협〕 勰(力부 13획〈117〉)과 同字

心11〔𢡄〕15 〔상〕 常(巾부 8획〈334〉)의 古字

心11〔慿〕15 〔빙〕 憑(心부 12획〈410〉)의 俗字

心11〔𢡆〕15 〔각〕 慤(心부 10획〈403〉)의 俗字

心11〔憇〕15 〔게〕 憩(心부 12획〈411〉)의 俗字

心11〔慕〕15 高·人 모 ㊀遇 mù ボ したう

筆順 ' ⺾ 艹 莫 莫 慕 慕 慕

字解 ①사모할모 ㉠그리워함. '戀一'. '大孝終身一父母'《孟子》. ㉡우러러 받들고 본받음. '一藺相如之爲人, 更名相如'《史記》. ②성모 성(姓)의 하나.

字源 形聲. ⺗(心)+莫(茻)〔音〕

心11〔𢡱〕15 慕(前條)의 本字

心11〔慓〕14 표 ㊀嘯 piāo ヒョウ はやい

筆順 忄 忄 忄 忄 慓 慓 慓 慓

字解 ①날랠표 경첩(輕捷)함. 재빠름. '一疾'. '項羽爲人, 一悍禍賊'《漢書》. ②가벼울표 경박함. 僄(人부 11획〈69〉)와 통용. '汝資誠楚一'《韓駒》.

字源 形聲. 忄(心)+票(㶾)〔音〕

心11〔憁〕14 총 ①㊤董 ②㊀送 zǒng ソウ こころざしをえない cǒng ソウ せわしい

筆順 忄 忄 忄 忄 忄 忄 憁 憁

字解 ①실심할총 '倥一'은 득의하지 못한 모양. '一, 倥一, 傯不得志'《集韻》. ②바쁠총 분망(奔忙)함. '一恫官府之間'《抱朴子》.

字源 形聲. 忄(心)+悤〔音〕

參考 惚(心부 9획〈403〉)은 俗字.

心11〔慘〕14 高·人 참 ㊤感 cǎn サン いたむ

筆順 ' 忄 忄 忄 忄 慘 慘 慘

字解 ①아플참 통증을 느낌. '疾痛一怛'《史記》. ②근심할참 걱정함. '勞心一兮'《詩經》. ③혹독할참 가혹함. '一苛'. '雖一酷, 斯稱其位矣'《史記》. ④비통할참 몹시 슬픔. '一愴'. '酸一之聲'《晉書》. ⑤손상할참 상하게 함. '不忍楚撻一其肌膚'《顏氏家訓》. ⑥추울참 몹시 참. '一凜'. '冰霜一烈'《張衡》.

字源 形聲. 忄(心)+參

心11〔慒〕14 ㊀종 ㊥冬 ㊁조 ㊥豪 cóng ソウ おもんばかる cúo ソウ みだれる

字解 ㊀생각할종 깊이 생각함. '一, 慮也'《說文》. ㊁어지러울조 사물이 어수선함. '一, 亂也'《玉篇》.

字源 形聲. 忄(心)+曹〔音〕

心11〔慟〕14 통 ㊀送 tòng ドウ かなしむ

字解 서러워할통 대단히 슬퍼함. 몸을 떨며 큰 소리로 욺. '一哭'. '子哭之一'《論語》.

字源 形聲. 忄(心)+動〔音〕

心11〔𢤱〕15 慟(前條)과 同字

心11〔慠〕14 오 ㊀號 ào ゴウ おごる

字解 오만할오 傲(人부 11획〈68〉)와 同字. '一慢'. '生而貴者一'《後漢書》.

字源 形聲. 忄(心)+敖〔音〕

心11〔慗〕15 慠(前條)와 同字

心11〔慔〕14 모 ㊀遇 mù ボ·モ つとめる

字解 힘쓸모 '一, 勉也'《說文》.

字源 形聲. 忄(心)+莫〔音〕

心11〔慢〕14 高·人 만 ㊀諫 màn マン おこたる

筆順 ' 忄 忄 忄 忄 忄 忄 慢

字解 ①게으를만 나태함. '怠一'. '懈一'. ②게을리할만 소홀히 함. '暴君汚吏, 必一其經界'《孟子》. ③거만할만 오만함. '驕一'. '傲一'. '王素一無禮'《史記》. ④느릴만 더딤. '緩一'. '叔馬一忌'《詩經》. ⑤느슨할만 해이함. 엄하지 아니함. '刑一則懼及君子'《呂氏春秋》. ⑥방자할만 방종함. '放一'. '暴一之行'《史記》. ⑦업신여길만 모멸함. '侮一'. '輕一'. '可敬不可一'《禮記》.

字源 形聲. 忄(心)+曼〔音〕

心11〔慣〕14 高·人 관 ㊀諫 guàn カン なれる

[筆順] 慣

[字解] 익숙할관 익숙하여짐. 익숙하게 함. 貫(貝부 4획〈1386〉)과 同字. '一用'. '一習'. '平生一寫龍鳳質'《韓愈》. 또, 익숙하여진 것. 버릇. 관례. '習一'. '舊一'.

[字源] 形聲. 忄(心)+貫〔音〕

心 11 〔⿰忄匿〕14 [一] 닉 [入]職 | nì ジョク はじる
[二] 닐 [入]質 | ジツ はじる

[筆順] 忄 … ⿰忄匿

[字解] [一] 부끄러울닉 떳떳하지 못함. '一, 愧也'《集韻》. [二] 부끄러울닐 [一]과 뜻이 같음.

心 11 〔慥〕14 조 [去]號 | zào(cào) ゾウ まことある

[字解] 진실할조 독실함. '君子胡不一一爾'《中庸》.

[字源] 形聲. 忄(心)+造〔音〕

心 11 〔慨〕14 [高·人] 개 [去]隊 | kǎi ガイ いきどおる

[筆順] 慨

[字解] ①분개할개 비분하여 개탄함. '一世'. '一然恥在廝役'《後漢書》. ②슬퍼할개 비탄함. '旣葬, 一然如不及'《禮記》. ③분개개 '旣漸臧孫一'《謝靈運》.

[字源] 形聲. 忄(心)+旣〔音〕

心 11 〔⿰忄逢〕14 봉 [平]東 | féng ホウ よろこぶ

[字解] ①기뻐할봉 '一, 悅也'《五音集韻》. ②사랑할봉 '一, 愛也'《五音集韻》.

心 11 〔慬〕14 근 [平]文 | qín キン·ゴン うれえる

[字解] ①근심할근 슬퍼하며 걱정함. '一, 憂哀'《廣韻》. ②겨우 약간(若干). 조금. '一, 僅也'《集韻》. '一然後得免'《公羊傳》. ③용맹근 용기. '無以立一於天下'《列子》.

[字源] 形聲. 忄(心)+堇〔音〕

心 11 〔慳〕14 간 [平]刪 | qiān カン おしむ

[字解] 아낄간 인색함. '一吝'. '一貪'. '漸貴漸富心漸一'《元稹》.

[字源] 形聲. 忄(心)+堅〔音〕

心 11 〔慱〕14 단 [平]寒 | tuán タン うれえる

[字解] 근심할단 근심하여 야윔. '勞心一一兮'《詩經》.

[字源] 形聲. 忄(心)+專〔音〕

心 11 〔慯〕14 상 [去]漾 | shāng ショウ うれえる

[字解] ①근심할상 '一, 憂也'《說文》. ②아플상 '一, 一曰, 痛也'《集韻》.

[字源] 形聲. 忄(心)+傷〈省〉〔音〕

心 11 〔慴〕14 습(접[本]) [入]葉 | shè(zhé) ショウ おそれる

[字解] ①두려워할습 겁내어 떪. '怖一'. '一府中皆一伏'《史記》. ②두렵게할습 두려움을 느끼게 함. '威一萬乘'《曹植》. ※本音 접.

[字源] 形聲. 忄(心)+習〔音〕

心 11 〔慵〕14 용 [平]冬 | yōng(yǒng) ヨウ ものうい

[字解] 게으를용 나태함. 귀찮음. 일을 하기 싫어함. '一惰'. '觀棊向酒一'《杜甫》.

[字源] 形聲. 忄(心)+庸〔音〕

心 11 〔慷〕14 [人名] 강 [平]陽 | kāng コウ いきど
[去]漾 | kǎng おりなげく

[筆順] 慷

[字解] 강개할강 비분(悲憤)하여 개탄함. '性剛毅一慨'《後漢書》.

[字源] 形聲. 忄(心)+康〔音〕

心 11 〔⿰忄眷〕14 권 [去]霰 | juàn ケン かえりみる

[字解] 돌아볼권 돌이켜 생각함. '一, 回顧也'《篇海》.

[字源] 形聲. 忄(心)+眷〔音〕

心 11 〔慺〕14 루 ①②[平]尤 ③[上]麌 | lóu ロウ つつしみうやまう
| lǚ ル せい

[字解] ①정성스러울루 '一一'는 간절한 모양. 성실한 모양. '不盡其一一之心哉'《後漢書》. ②공근할루 '一一'는 공손하고 삼가는 모양. '臣之一一, 竊願居安思危'《晉書》. ③성루 성(姓)의 하나.

[字源] 形聲. 忄(心)+婁〔音〕

心 11 〔憀〕14 료 [平]蕭 | liáo リョウ たよる

[字解] ①힘입을료 의뢰함. '吏民不相一'《淮南子》. ②쓸쓸할료 마음이 적적함. 의지할 곳이 없음. '雲晴山晚動情一'《陸龜蒙》. ③맑을료 음성이 맑은 모양. '新聲一亮'《嵇康》.

[字源] 形聲. 忄(心)+翏〔音〕

心 11 〔⿰忄罙〕14 憀(前條)의 俗字

心11 〔慞〕 14 장 [平]陽 | zhāng ショウ おそれる

[字解] ①두려워할장 '一, 一惶, 懼也'《集韻》. ②당황할장 '一惶'은 당황함. 황급함. '嫂姪兮一惶'《潘岳》.

心11 〔慲〕 14 만 [平]寒 | mán バン·マン わすれる

[字解] 잊을만 '一, 忘也. 一兜也'《說文》.
[字源] 形聲. 忄(心)＋㒼〔音〕

心11 〔慪〕 14 [一] 우 [平]尤 | ōu オウ おしむ
[二] 구 [平]尤 | コウ おしむ

[字解] [一] ①아낄우 인색함. '一, 悋也. 惜也'《玉篇》. ②성낼우 격(激)함. '不是一老哥哥'《兒女英雄傳》. [二] 아낄구, 성낼구 [一]과 뜻이 같음.

心11 〔慵〕 14 〔비〕 憊(心부 12획〈410〉)의 本字

心11 〔憏〕 14 〔제〕 憏(心부 12획〈412〉)와 同字

心11 〔憎〕 14 〔증〕 憎(心부 12획〈411〉)의 略字

心11 〔慌〕 14 〔황〕 慌(心부 10획〈405〉)의 訛字

心12 〔憋〕 16 별 [入]屑 | biē ヘツ わるい

[字解] ①모질별 악(惡)함. '光胡一腸狗態'《後漢書》. ②성급할별 조급함. '嘽咺一憋'《列子》.
[字源] 形聲. 心＋敝〔音〕

心12 〔憋〕 15 憋(前條)과 同字

心12 〔憊〕 16 비 ①②[去]卦 | bèi ハイ つかれる
②[去]霽 | ハイ くるしみなやむ

[字解] ①고달플비 피곤함. '困一'. '知老之一'《列子》. ②앓을비 병으로 고생함. '貧也, 非一也'《莊子》.
[字源] 形聲. 心＋備(葡)〔音〕

心12 〔憑〕 16 [人名] 빙 [平]蒸 | píng ヒョウ よる

[筆順] 冫 冫 汇 沪 沪 馮 馮 憑

[字解] ①기댈빙 물건에 의지함. '一軾'. '一玉几'《書經》. ②의지할빙 의뢰함. 의탁함. '一恃'. '一依'. '上一神明之佑'《唐書》. ③의거할빙 전거(典據)로 삼음. '一據'. '所引經旨, 足可依一'《舊唐書》. 또, 의거할데. '丈尺規矩, 皆有准一'《隋書》. ④붙을빙 귀신이 붙음. '此爲魅所一'《唐書》. ⑤건널빙 걸어서 강 따위를 건넘. '一河'. '虎可搏, 河難一'《李白》. ⑥클빙 대단함. '帝一怒'《列子》. ⑦증거빙 증서 같은 것. '文一'. '公一'. ⑧성빙 성(姓)의 하나.
[字源] 形聲. 心＋馮〔音〕
[參考] 凴(心부 11획〈408〉)은 俗字.

心12 〔憖〕 16 은 [去]震 | yìn ギン しいて

[字解] ①억지로은 마음은 내키지 않지마는 강잉(強仍)히. '不一遺一老'《詩經》. ②원할은 바람. '一庇州犁焉'《國語》. ③부족할은 모자람. '兩君之士皆未一也'《左傳》. ④어조사은 발어사(發語辭). '一使我君聞勝與臧之死也以爲快'《左傳》.
[字源] 形聲. 心＋猌〔音〕
[參考] 憗(次條)은 俗字.

心12 〔憗〕 16 憖(前條)의 俗字

心12 〔憙〕 16 [人名] 희 ①②[上]紙 [去]寘 ③④[平]支 | xǐ キ よろこぶ
キ ああ

[筆順] 亠 吉 吉 壴 喜 喜 喜 憙

[字解] ①기뻐할희 희열함. '無不欣一'《史記》. ②좋아할희 '遇之有禮, 則羣臣自一'《賈誼》. ③허희 감탄하는 소리. '試潛聽之, 曰, 一'《後漢書》. ④성희 성(姓)의 하나.
[字源] 形聲. 心＋喜〔音〕

心12 〔憘〕 15 [一] 憙(前條)와 同字
[二] 喜(口부 9획〈176〉)의 古字

心12 〔憝〕 16 대 [去]隊 | duì タイ うらむ

[字解] ①원망할대 원한을 품음. '怨一'. '凡民罔弗一'《書經》. ②모진사람대 악인(惡人). '大一'. '元一授首'《晉書》.
[字源] 形聲. 心＋敦〔音〕

心12 〔憞〕 15 憝(前條)와 同字

心12 〔憨〕 16 감 [平]覃 | hān カン おろか

[字解] 어리석을감 우매함. '一態'. '狂一以致戮'《文心雕龍》.
[字源] 形聲. 心＋敢〔音〕

心12 〔憲〕 16 헌 ①-⑦[去]願 ⑧[上]銑 | xiàn ケン のり
xiǎn ケン さかんにおこる

[筆順] 宀 宀 宝 害 害 害 憲 憲

[字解] ①법헌 법도. '一法'. '國一'. '愼乃一'《書經》. ②모범헌 본보기. '模一'. '百辟爲一'《詩經》. ③상관헌 윗자리의 관리. '一臺'. '臺一固在分別邪正'《金史》. ④본뜰헌 본받음. '一章'. '五帝一'《禮記》. ⑤민첩할헌 '發慮一'《禮記》. ⑥고시할헌 법(法)을 기록하여 보임. '一禁于王宮'《周禮》. ⑦성헌 성(姓)의 하나. ⑧성할헌 흥성함. '一一令德'《中庸》.

[字源] 形聲. 金文은 目+害〈省〉〔音〕

心 12 〔憲〕 16 憲(前條)과 同字

心 12 〔毳+心〕 16 [一] 찬 ㊤旱 | サン おろか
[二] 홀 [入]月 | hū
[三] 활 [入]黠 | コツ おろか, ねいる / カツ めざめる
[四] 혁 [入]陌 | xù ケキ めざめる

[字解] [一] 어리석을찬 '一, 精戇也'《說文》. [二] ①어리석을홀 [一]과 뜻이 같음. ②잠들홀 푹 잠이 듦. '一, 寢熟'《廣韻》. [三] 잠깰활 '一, 臥覺也'《集韻》. [四] 잠깰혁 [三]과 뜻이 같음.

[字源] 形聲. 心+毳〔音〕

心 12 〔憌〕 16 [一] 순 [平]眞 | シュン うれえる
qióng
[二] 경 [平]庚 | ケイ うれえる

[字解] [一] 근심할순 '一, 惪也'《說文》. [二] 근심할경 [一]과 뜻이 같음.

[字源] 形聲. 心+鈞〔音〕

心 12 〔𣦼+心〕 16 취 [去]霽 | cuì セイ つつしむ

[字解] 삼갈취 '一, 謹也'《說文》.

[字源] 形聲. 心+𣦼〔音〕

心 12 〔音+十+心〕 16 억 [入]職 | yì オク みちる

[字解] ①찰억 '一, 滿也'《說文》. ②십만억 만(萬)의 십배. 億(人부 13획〈75〉)과 통용. '一, 一日, 十萬日一'《說文》. ③헤아릴억 '一, 度也'《玉篇》. ④편안할억 '一, 安也'《玉篇》. ⑤사랑할억 '一, 仁也'《玉篇》.

[字源] 形聲. 心+音十〔音〕

心 12 〔憩〕 16 [人名] 게 [去]霽 | qì ケイ いこう

[筆順] 二 千 舌 舌' 舌自 甜 憩 憩

[字解] 쉴게 휴식함. '休一'. '召伯所一'《詩經》.

[字源] 會意. 活〈省〉+息

[參考] 憇(心부 11획〈408〉)는 俗字.

心 12 〔自+舌+心〕 16 憩(前條)와 同字

心 12 〔萅+心〕 16 〔준〕 惷(心부 9획〈399〉)의 本字

心 12 〔惠+心〕 16 〔혜〕 惠(心부 8획〈394〉)의 古字

心 12 〔門+吕+心〕 16 〔환〕 患(心부 7획〈390〉)의 古字

心 12 〔猒+心〕 16 〔염〕 懕(心부 14획〈416〉)과 同字

心 12 〔囟+心〕 16 〔구〕 懼(心부 18획〈419〉)의 古字

心 12 〔𤇾+心〕 16 〔로〕 勞(力부 10획〈116〉)의 俗字

心 12 〔憍〕 15 교 [平]蕭 | jiāo キョウ たかぶる

[字解] 교만할교 驕(馬부 12획〈1751〉)와 同字. '戒之一, 一則逃'《周武王》.

[字源] 形聲. 忄(心)+喬〔音〕

心 12 〔憎〕 15 [高·人] 증 [平]蒸 | zēng ゾウ にくむ

[筆順] 忄 忄' 忄八 忄⺍ 忄罒 忄曲 憎 憎

[字解] ①미워할증 증오함. '一惡'. '伊誰云一'《詩經》. ②미움받을증 증오를 당함. '屢一於人'《論語》. ③미움증 증오. '愛一'. '必生好一之心'《漢書》.

[字源] 形聲. 忄(心)+曾〔音〕

心 12 〔憢〕 15 효 [平]蕭 | xiāo キョウ おそれる

[字解] 두려워할효 '一一, 懼也'《爾雅》.

心 12 〔憐〕 15 [高·人] 련 [平]先 | lián レン あわれむ

[筆順] 忄 忄' 忄⺷ 忄米 忄米 忄粦 憐 憐

[字解] ①어여삐여길련 귀애함. '大夫亦愛一少子乎'《史記》. ②불쌍히여길련 가련하게 생각함. '一愍'. '同病相一'《吳越春秋》.

[字源] 形聲. 忄(心)+粦(粦)〔音〕

心 12 〔粦+心〕 16 憐(前條)과 同字

心 12 〔憕〕 15 징(증[本]) [平]蒸 | chéng チョウ たいらか

字解 ①평온할징, 마음평온할징 '一, 心平也'《玉篇》. ②마음고요할징 마음이 차분히 가라앉아 조용한 모양. '一, 心靜貌'《玉篇》. ※本音 증.
字源 形聲. 忄(心)+登〔音〕

心12 〔憒〕 15 궤 ㊄隊 ㊤賄 | kuì カイ みだれる
字解 ①심란할궤 마음이 산란함. '一亂'. '意慘一而無聊兮'《晉書》. ②어두울궤. '一眊, 不明也'《漢書 注》.
字源 形聲. 忄(心)+貴〔音〕

心12 〔憓〕 15 人名 혜 ㊄霽 | huì ケイ したがう
筆順 忄 忄̄ 忄 忄 忄 憓 憓 憓
字解 순할혜 유순함. 순종(順從)함. 惠(心부 8획〈394〉)와 同字. '義征不一'《史記》.
字源 形聲. 忄(心)+惠〔音〕

心12 〔憔〕 15 초 ㊥蕭 | qiáo ショウ やつれる
字解 ①파리할초 병이나 고생에 시달려 야윔. '顔色一悴'《楚辭》. ②시달릴초 괴로움을 당함. '民之一悴於虐政'《孟子》. ③탈초 '一慮'는 괴로워 마음이 탐. '毁身一慮, 出於百死'《後漢書》.
字源 形聲. 忄(心)+焦〔音〕

心12 〔憛〕 15 ㊀담 ㊥覃 | tán タン うれえる ㊁탐 ㊄勘 | tàn タン おもう
字解 ㊀염려할담 걱정함. '一, 憂意'《集韻》. ㊁①생각할탐 '一, 博雅, 思也'《集韻》. ②근심스러울탐 걱정스러움. '一, 一曰, 一悇, 憂惑也'《集韻》. ③황급할탐 황급히 하려함. '一, 一曰, 惶遽也'《集韻》. ④화복정해지지않을탐 화복(禍福)이 미정(未定)임. '一, 一曰, 禍福未定意'《集韻》.

心12 〔憚〕 15 탄 ㊄翰 | dàn タン はばかる
字解 ①꺼릴탄 ㉠두려워함. '畏一'. '王公貴人, 望風一之'《晉書》. ㉡싫어함. 미워함. '心則不競, 何一於病'《左傳》. ㉢주저함. '過則勿一改'《論語》. ㉣삼감. '小人而無忌一也'《中庸》. ②고달플탄, 수고할탄 피로함. 또는, 고생함. '哀我一人'《詩經》.
字源 形聲. 忄(心)+單〔音〕

心12 〔𢡼〕 16 憚(前條)과 同字

心12 〔憤〕 15 高·人 분 ㊤吻 | fèn フン いきどおる
筆順 忄 忄̄ 忄 忄 忄 憤 憤 憤
字解 ①결낼분 ㉠분노함. '一慨'. '一世疾邪'《劉基》. ㉡발분함. '不一不啓'《論語》. ②결분 전항의 명사. '發一忘食'《論語》.
字源 形聲. 忄(心)+賁〔音〕

心12 〔憈〕 15 허 ㊥魚 | xū キョ きおくれする
字解 주눅들허 기가 죽음. '一, 志怯也'《集韻》.

心12 〔憧〕 15 동 ㊥冬 | chōng ショウ こころがさだまらない
字解 ①뜻정치못할동 뜻이 정하여지지 아니한 모양. '一一往來'《易經》. ②그리워할동 동경함. '一憬'. ③어리석을동 우매함. '愚一而不逮事'《史記》.
字源 形聲. 忄(心)+童〔音〕

心12 〔憪〕 15 한 ㊥刪 ㊤潸 | ①xián カン しずか ②③xiàn カン おちつかない
字解 ①안존할한 마음이 안온함. '安排祇自一'《柳宗元》. ②불안할한 마음이 편안치 않은 모양. '一然念外人之有非'《史記》. ③성낼한 화내는 모양. '一然以爲天下無人'《唐書》.
字源 形聲. 忄(心)+間〔音〕

心12 〔憫〕 15 憪(前條)과 同字

心12 〔𢞬〕 15 憪(前前條)의 俗字

心12 〔憫〕 15 高·人 민 ㊤軫 | mǐn ビン あわれむ
筆順 忄 忄 忄 忄 忄 憫 憫 憫
字解 ①불쌍히여길민 가련하게 여김. '憐一'. '仁人一物'《傳習錄》. ②근심할민 우려함. '憂一'. '阨窮而不一'《孟子》.
字源 形聲. 忄(心)+閔〔音〕

心12 〔憏〕 15 제 ㊄霽 | chì テイ さだまらない
字解 정해지지않을제 '㤞一'는 결정되어 있지 않음. '㤞一, 未定也'《集韻》.

心12 〔憬〕 15 人名 경 ㊤梗 | jǐng ケイ とおい
筆順 忄 忄 忄 忄 憬 憬 憬 憬
字解 ①멀경 요원함. '一彼淮夷'《詩經》. ②깨달을경 각성함. '一悟'. ③그리워할경

동경함. '憧—'.
[字源] 形聲. 忄(心)＋景〔音〕

心 12 〔憭〕15 료 [上]篠 [平]蕭 ①liǎo リョウ さとい ②-④liáo リョウ こころよい
[字解] ①총명할료 마음이 밝음. ②쾌할료 상쾌함. ③떨료 추위에 떠는 모양. '—慄起寒襟'《朱熹》. ④구슬플료 처창(悽愴)함. '—慄兮若在遠行'《楚辭》.
[字源] 形聲. 忄(心)＋尞〔音〕

心 12 〔憮〕15 [一] 무 [上]麌 wǔ ブ いつくしむ [二] 후 [上]麌 ブ みめよい [三] 호 [平]虞 コ おおきい, おごる
[字解] [一] ①어루만질무 애무함. '遲想歡—'《陸雲》. ②멍할무 실의한 모양. '夷子—然'《孟子》. ③놀랄무 경악한 모양. '夫子—然'《論語》. [二] 아리따울후 예쁨. '京兆媚—'《漢書》. [三] ①클호 거대함. '昊天泰—'《詩經》. ②오만할호 거만함. '毋—毋傲'《禮記》.
[字源] 形聲. 忄(心)＋無〔音〕

心 12 〔憯〕15 참 [上]感 cǎn サン いたむ
[字解] ①비통할참 몹시 슬퍼함. 慘(心부 11획〈408〉)과 同字. '—痛'. '胡—莫懲'《詩經》. ②일찍참 이왕에. '—莫懲嗟'《詩經》.
[字源] 形聲. 忄(心)＋朁〔音〕

心 12 〔憯〕15 憯(前條)의 俗字

心 12 〔憯〕15 憯(前前條)의 俗字

心 12 〔憎〕15 려 [去]霽 lí レイ あなどる
[字解] ①수다떨려, 이죽거릴려 '譎詍, 多言也. 或作—'《說文》. ②속이고업신여길려 '—他, 欺謾語也'《揚子方言》.

心 12 〔𢡵〕15 획 [入]陌 huò カク かたくな
[字解] 완고할획 완명(頑冥)함. '乃陳文墨, ——無言者須言'《顔氏家訓》.

心 12 〔憣〕15 반 [平]刪 fān ハン かわりうごく
[字解] 변할반 변동함. '一校四時, 冬起雷, 夏造氷'《列子》.

心 12 〔憰〕15 휼(결[本]) [入]屑 jué ケツ いつわる
[字解] 속일휼 거짓말함. '—, 權詐也'《說文》. ※本音 결.

[字源] 形聲. 忄(心)＋矞〔音〕

心 12 〔憱〕15 추 [去]宥 cù シュウ いたむ
[字解] 슬퍼할추 '—, 慼也'《字彙》.

心 12 〔憦〕15 로 [去]號 lào ロウ くいる
[字解] 뉘우칠로 '懊—'는 뉘우침. '—, 懊—, 悔也'《集韻》.

心 12 〔憋〕15 창 [上]養 chǎng ショウ おどろく
[字解] ①놀랄창 '—怳'은 깜짝 놀라는 모양. '—, —怳, 驚皃'《廣韻》. ②넋잃을창 '—怳'은 황홀해서 넋을 잃는 모양. '—, —怳, 失精神皃'《字彙》. ③마음편치않을창 '惘—'은 뜻대로 되지 않아 마음이 평온하지 않은 모양. '魂—惘而無儔'《張衡》.
[字源] 形聲. 忄(心)＋敞〔音〕

心 12 〔惕〕15 탕 [上]養 dàng トウ ほしいまま
[字解] 방자할탕 '—, 放—'《廣韻》.
[字源] 形聲. 忄(心)＋象〔音〕

心 12 〔憎〕15 〔석〕 惜(心부 8획〈397〉)의 本字

心 12 〔惰〕15 〔타〕 惰(心부 9획〈400〉)와 同字

心 12 〔慘〕15 〔참〕 慘(心부 11획〈408〉)의 俗字

心 12 〔懽〕15 〔환〕 懽(心부 18획〈419〉)의 俗字

心 12 〔懜〕16 〔맹〕 萌(艸부 8획〈1152〉)과 同字

心 13 〔懃〕17 근 [平]文 qín キン ねんごろ
[字解] ①은근할근 정성스러움. 곡진(曲盡)함. '—懇'. '雖不負米, 實勞且—'《蘇軾》. ②성근 성(姓)의 하나.
[字源] 形聲. 心＋勤〔音〕

心 13 〔懇〕17 [高人] 간 [上]阮 kěn コン ねんごろ, まこと
[筆順] 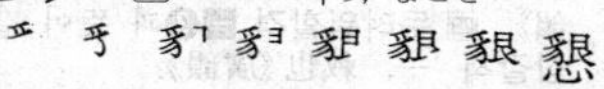
[字解] ①정성간 성심. '—誠'. '忠—內發'《吳志》. ②간절할간 성의가 두터움. '意氣懃懃——'《司馬遷》. ③간절히간 성의를 다하여. '—請愈堅'《宋史》.
[字源] 形聲. 篆文은 心＋貇〔音〕

心13 〔懇〕 17 懇(前條)의 本字

心13 〔憼〕 17 경 ㊤梗 jǐng ケイ うやまう

字解 ①공경할경 '一, 敬也'《說文》. ②경계할경 병마(兵馬) 따위를 갖추고 경비함. '無私罪人, 一革貳兵'《荀子》.

字源 形聲. 心＋敬〔音〕

心13 〔應〕 17 中·人 응 ㊥蒸 ㊦徑 ①②yīng オウ まさに ③-⑤yìng オウ あたる

筆順 广 庍 府 腌 膴 雁 應 應

字解 ①응당응 생각건대 마땅히. '一須'·'一合'도 같은 뜻임. '罪一誅'《孔子家語》. ②성응 성(姓)의 하나. ③당할응 닥쳐오는 일을 감당함. '臨機一變'. '齊威王使章子將而一之'《戰國策》. ④응할응 ㉠대답함. '一答'. '坐而言, 不一'《孟子》. ㉡감통(感通)함. '感一'. '同聲相一'《易經》. ㉢따름. 응종(應從)함. '嚮一'. '一而不藏'《淮南子》. ㉣승낙함. '阿母謂阿女, 汝可去一之'《古詩》. ⑤악기이름응 ㉠옛 악기의 하나. ㉡작은 북. 응고(應鼓).

字源 形聲. 心＋雁〔音〕

心13 〔懋〕 17 人名 무 ㊦有 mào(mòu) ボウ つとめる

筆順 木 木 杧 杧 材 楙 楙 懋

字解 ①힘쓸무 노력함. '一力'. '惟時一哉'《書經》. ②성대할무, 성대히할무 성(盛)하고 큼. 아주 성함. 또, 성하고 크게 함. '一典'. '一績'. '予一乃德'《書經》.

字源 形聲. 心＋楙〔音〕

心13 〔憝〕 17 ㊀계 ㊦霽 qì ケイ つかれる ㊁기 ㊦寘 キ つかれる ㊂개 ㊦卦 kuài カイ なやむ ㊃격 ㊅陌 ケキ おそれる ㊄척 ㊅錫 テキ つつしむ

字解 ㊀①고단할계 피로함. '一, 㑳也'《玉篇》. ②심할계 '一, 劇也'《廣韻》. ③두려워할계 '一, 怖也'《集韻》. ④근심할계 '一, 憂也'《集韻》. ㊁고단할기 ㊀❶과 뜻이 같음. ㊂괴로워할개 '繫, 說文, 難也. 或从心'《集韻》. ㊃두려워할격 ㊀❸과 뜻이 같음. ㊄삼갈척 '一, 敕也'《廣韻》.

字源 形聲. 心＋毄〔音〕

心13 〔憵〕 17 벽 ㊅錫 pī ヘキ にわか

字解 갑작스러울벽 '一, 猝也'《廣雅》.

心13 〔憶〕 16 中·人 억 ㊅職 yì オク おもう

筆順 忄 忄' 忙 忙 惜 愔 憶 憶

字解 ①기억할억 마음 속에 간직하여 잊지 아니함. '猶一疇昔'《晉書》. ②생각할억 잊지 않고 생각함. '一念'. '猶能一識之不'《後漢書》. ③기억억 '撰次諳一'《南史》. ④생각억 '何爲忍一含羞'《梁簡文帝》.

心13 〔憸〕 16 ㊀섬 ㊥鹽 xiān セン へつらう ㊁험 ㊤琰 xiān ケン へつらう

字解 ㊀간사할섬 간사하여 아첨을 잘 함. '姦一'. '爾無昵于一人'《書經》. ㊁간사할험 ㊀과 뜻이 같음.

字源 形聲. 忄(心)＋僉〔音〕

心13 〔憹〕 16 뇌 ㊤晧 nǎo ドウ·ノウ なやむ

字解 괴로워할뇌 惱(心부 9획〈400〉)와 同字. '懊一'.

字源 形聲. 忄(心)＋農〔音〕

心13 〔憺〕 16 담 ㊦勘 dàn タン やすらか

字解 ①편안할담 마음이 편안함. '恬一'. '游子一忘歸'《謝靈運》. ②움직일담 '一一'. '威稜一乎鄰國'《漢書》.

字源 形聲. 忄(心)＋詹〔音〕

心13 〔憾〕 16 ㊀감 ㊦勘 hàn (함㊍) カン うらむ ㊁담 ㊤感 dàn タン うれえる

字解 ㊀①한할감 원한을 품음. '一怨'. '反爲一恚'《徐陵》. ②섭섭할감 마음에 부족을 느낌. '遺一'. '天地之大也, 人猶有所一'《中庸》. ③한감 원한. '私一'. '請君釋一于宋'《左傳》. 또, 원한을 품은 사람. '二一往矣'《左傳》. ※本音 함. ㊁근심할담 우려함. 마음이 불안(不安)함. '志欲一而不憺兮'《楚辭》.

字源 形聲. 忄(心)＋感〔音〕

心13 〔懃〕 16 〔근〕 懂(心부 11획〈409〉)과 同字

心13 〔憷〕 16 초 ①㊤語 chǔ ショ·ソ いたむ ②㊦御 chù ショ·ソ かしこい

字解 ①아플초 '一, 痛也'《集韻》. ②영리할초 총명함. '一, 心利也'《集韻》.

心13 〔懁〕 16 환 ㊥刪 xuān カン きばや

字解 조급할환 성급함. '一促'. '順一而達'《莊子》.

[字源] 形聲. 忄(心)＋買〔音〕

心 13 〔懂〕 16 동 [上]董 | dǒng トウ こころみだれる

[字解] ①심란할동 마음이 산란함. '一, 懵一, 心亂也'《洪武正韻》. ②명백할동 백화문(白話文)에서, '이해(理解)하다'의 뜻으로 씀. '一得'. '我一牠'.
[字源] 形聲. 忄(心)＋董〔音〕

心 13 〔懅〕 16 거 [平]魚 | jù キョ はじる

[字解] ①황급할거 '一, 心急也'《玉篇》. ②부끄러워할거 '覇慚一而退'《後漢書》.

心 13 〔憴〕 16 승 [平]蒸 | shéng ショウ いましめる

[字解] 경계할승 조심시킴. '兢兢·一一, 戒也'《爾雅》.

心 13 〔懆〕 16 조 [上]皓 | cǎo ソウ うれえる

[字解] 근심할조 근심하여 마음이 불안한 모양. '念子一一, 視我邁邁'《詩經》.
[字源] 形聲. 忄(心)＋喿〔音〕

心 13 〔懈〕 16 해 [去]卦 | xiè カイ おこたる

[字解] 게으름해, 게으를해 나태함. 나태. '一怠'. '一慢'. '小心翼翼, 一之不一'《小學》.
[字源] 形聲. 忄(心)＋解〔音〕

心 13 〔懊〕 16 오 [上]皓 | ào オウ うらむ

[字解] 한할오 원통하게 여겨 고민함. '一歎'. '後時徒悔一'《韓愈》.
[字源] 形聲. 忄(心)＋奧

心 13 〔懌〕 16 역 [入]陌 | yì エキ よろこぶ

[字解] ①기뻐할역 희열함. '悅一'. '予一人以一'《書經》. ②기쁘게할역 희열하게 함. '用一先王受命'《書經》.
[字源] 形聲. 忄(心)＋睪〔音〕

心 13 〔憻〕 16 탄 [上]旱 | tǎn タン ゆるやか, たいら

[字解] 너그러울탄, 평탄할탄 坦(土부 5획〈203〉)과 同字.

心 13 〔懍〕 16 [一] 름 [上]寑 | lǐn リン つつしみおそれる
[二] 람 [上]感 | lǎn ラン かなしみいたむ

[字解] [一] ①삼갈름 두려워하여 근신함. '祗一'. '心一一以懷霜'《陸機》. ②두려워할름 공구함. '百姓一一'《書經》. ③위태할름 위태로운 모양. '一乎若朽索之馭六馬'《書經》. [二] ①찰람 몹시 추움. '一慄'. '悲夫冬之爲氣, 亦何憯一以蕭索'《陸機》. ②비통할람 대단히 슬퍼함. '莫不憯一慘悽, 愀愴傷心'《嵇康》.
[字源] 形聲. 忄(心)＋稟〔音〕

心 13 〔憷〕 16 금 [平]侵 | jīn キン かたい, つとめる

[字解] ①마음단단할금 마음이 꿋꿋한 모양. '一, 心一皃'《廣韻》. ②일할금 부지런히 함. '一, 懃也'《集韻》.

心 13 〔懀〕 16 회 [去]泰 | wèi ワイ にくむ

[字解] ①미워할회 증오함. '此君公私並一'《陸雲》. '衆人一一, 不爲我言'《岑參》. ②번민할회 고민함. '一, 悶也'《集韻》.
[字源] 形聲. 忄(心)＋會〔音〕

心 13 〔憿〕 16 요(교[本]) [平]蕭 | jiǎo キョウ さいわい

[字解] 요행요 儌(彳부 13획〈375〉)와 同字. '一, 幸也'《說文》. ※本音 교.
[字源] 形聲. 忄(心)＋敫〔音〕

心 13 〔㦏〕 16 업 [入]葉 | yè ギョウ おそれる

[字解] ①두려워할업 '一, 懼也'《廣韻》. ②위태할업 '一, 危也'《篇海類編》.

心 13 〔懎〕 16 색 [入]職 | sè ショク うらむ

[筆順] 忄 忄⁻ 忄十 忄来 忄来 忄啬 懎 懎

[字解] 한할색, 슬퍼할색 '一, 悲恨'《廣韻》.

心 13 〔憽〕 16 송 [平]東 | sōng ソウ さとい

[字解] 똑똑할송 또, 똑똑한 사람. '一, 惺一, 了慧人也'《廣韻》. '一, 惺一'《玉篇》.

心 13 〔懔〕 16 〔률〕
慄(心부 10획〈405〉)의 本字

心 13 〔憤〕 16 〔분〕
憤(心부 12획〈412〉)의 本字

心 13 〔㥯〕 16 〔만〕
慢(心부 11획〈408〉)과 同字

心 13 〔懐〕 16 〔회〕
懷(心부 16획〈418〉)의 俗字

心14〔辮〕18 변 ㊤銑|biǎn ヘン うれえる

字解 ①근심할변 걱정함. '一, 憂也, 从心辡聲'《說文》. ②급할변 급박(急迫)함. '一, 一日, 急也'《說文》. ③辮(次條)와 同字. '一, 或作辮'《集韻》.

字源 形聲. 心+辡〔音〕

心14〔辮〕18 辮(前條)과 同字

心14〔懘〕18 체 ㊦霽|chì セイ がくおんが ちょうわしない

字解 가락어지러울체 음조(音調)가 고르지 못하고 어지러움. '五音不亂, 則無怗一之音矣'《禮記》.

字源 形聲. 心+滯〔音〕

心14〔懟〕18 대 ㊦隊|duì タイ うらむ

字解 원망할대 원한을 품음. '怨一'. '盍亦求之, 以死誰一'《左傳》.

字源 形聲. 心+對〔音〕

心14〔懇〕18 〔막〕 懇(心부 16획〈418〉)과 同字

心14〔懣〕18 ㊀문 ㊦願|mèn モン もだえる ㊁만 ㊤旱|mèn マン もだえる

字解 ㊀①번민할문 마음이 번거로워 답답해함. '志一氣盛'《禮記》. ②번민문 '發憤吐一'《後漢書》. ㊁번민할만, 번민만 ㊀과 뜻이 같음.

字源 形聲. 心+滿〔音〕

心14〔懕〕18 염 ㊥鹽|yān エン やすらか

字解 ①편안할염 '一一, 安也'《爾雅》. ②앓는모양염 '一一瘦損'《西廂記》.

字源 形聲. 心+厭〔音〕

心14〔㦖〕17 懕(前條)과 同字

心14〔懖〕18 괄 ㊀曷|kuò カツ もとる

字解 ①마음대로할괄 고집대로 함. ②미련할괄 무지(無知)한 모양. '一, 愚一, 無知'《廣韻》.

字源 形聲. 心+銽〔音〕

心14〔懲〕18 〔징〕 懲(心부 15획〈417〉)의 略字

心14〔懞〕17 몽 ㊥東|méng ボウ·モウ くらい

字解 어두울몽, 어리석을몽, 마음산란할몽 '標表發昏一'《吳師道》.

字源 形聲. 忄(心)+夢〔音〕

參考 懜(心부 16획〈418〉)은 同字.

心14〔懠〕17 제 ㊥齊|qí ㊦霽|jì セイ いかる

筆順 忄 忄 忙 忙 忙 懠 懠 懠

字解 성낼제 화냄. '天之方一'《詩經》.

字源 形聲. 忄(心)+齊〔音〕

心14〔㦨〕17 람 ㊥覃 ㊦勘|lán ラン むさぼる

字解 즐길람, 탐할람 탐하여 좋아함. '貪一, 嗜也'《集韻》.

字源 形聲. 忄(心)+監〔音〕

心14〔懤〕17 주 ㊥尤|chóu チョウ うれえいたむ

字解 근심할주 우수(憂愁)에 잠긴 모양. '懼吾心兮一一'《楚辭》.

字源 形聲. 忄(心)+壽〔音〕

心14〔懥〕17 치(지㊍) ㊦寘|zhì チ いかる

字解 성낼치 분노함. '身有所忿一, 則其得不正'《大學》. ※本音 지.

字源 形聲. 忄(心)+疐〔音〕

心14〔懦〕17 ㊀유 ㊥虞|nuò ジュ よわい ㊁나 ㊦箇|nuò ダ·ナ よわい

字解 ㊀①나약할유 무기력함. 마음이 약하고 겁이 많음. '一夫'. '一弱'. '善屬文, 然一於武'《漢書》. ②겁쟁이유 겁이 많은 사람. '激貪立一'《謝朓》. ㊁나약할나, 겁쟁이나 ㊀과 뜻이 같음.

字源 形聲. 忄(心)+需〔音〕

參考 愞(心부 9획〈402〉)·懧(心부 14획〈416〉)는 同字.

心14〔懧〕17 懦(前條)와 同字

心14〔懛〕17 대 ㊥灰|dāi タイ しついのさま

字解 실의(失意)한모양대 '一, 一魰, 失志皃'《廣韻》.

心14〔懡〕17 마 ㊤哿|mǒ マ すくない, はじる

字解 ①적적할마 쓸쓸함. '人烟一㦟不成村, 溪水微茫劣半分'《楊萬里》. ②부끄러워할마 '一㦟, 慙也'《集韻》.

字源 形聲. 忄(心)+麼〔音〕

心14〔懞〕17 몽 ㊥東|méng ボウ·ム くらい
字解 흐리멍덩할몽 '一憧'은 속어(俗語)로서, 흐린 모양. '善畫無根樹, 能描一憧山'《畫鑑》.
字源 形聲. 忄(心)＋蒙〔音〕

心14〔懝〕17 애 ㊦隊|ài ガイ おろか
字解 ①어리석을애 둔함. '一, 騃也'《說文》. ②두려워할애 당황함. '一, 一曰, 惶也'《說文》.
字源 形聲. 忄(心)＋疑〔音〕

心14〔懙〕17 여 ㊤語|yǔ ヨ うやまいつつしむ
字解 ①공경할여 공손히 섬김. ②느릴여 행보(行步)가 느린 모양. '長倩一一'《漢書》.
字源 形聲. 忄(心)＋與〔音〕

心14〔懟〕18 懙(前條)와 同字

心14〔憐〕17 〔련〕
憐(心부 12획〈411〉)의 本字

心15〔懲〕19 高·人 징 ㊥蒸|chéng チョウ こらす
筆順 彳 彳' 徎 徨 徵 徵 懲 懲
字解 ①징계할징 ㉠기왕지사를 후회하며 삼감. '以怨報怨, 則民有所一'《禮記》. ㉡장래에 삼가도록 하기 위하여 제재를 가함. '膺一'. '戎狄是膺, 荊舒是一'《孟子》. ②징계징 '不忍加一'《舊唐書》.
字源 形聲. 心＋徵〔音〕

心15〔懬〕19 광 ㊦漾|kuàng
㊤養|コウ ひろい, むなしい
字解 ①너그러울광, 클광 관대(寬大)함. '一彼淮夷'《詩經》. ②빌광 텅 빔. 曠(日부 15획〈516〉)과 통용. ③사나울광, 굳셀광 獷(犬부 15획〈763〉)과 통함.
字源 形聲. 心＋廣〔音〕

心15〔懖〕19 ㊀리 ㊥支|lí リ うらむ
㊁려 ㊥齊|レイ うらむ
字解 ㊀①한할리 원망함. '一, 恨也'《說文》. ②게을리할리 '一, 一曰, 怠也'《說文》. ③기뻐할리 '一, 一曰, 悅也'《集韻》. ㊁한할려 ㊀①과 뜻이 같음.

心15〔懤〕19 주 ㊥尤|chōu チュウ ためらう
字解 ①머뭇거릴주 망설임. '一, 一箸也'《說文》. ②사람이름주 인명(人名).
字源 形聲. 心＋籌〔音〕

心15〔懖〕19 〔괄〕
懖(心부 14획〈416〉)의 本字

心15〔懁〕19 〔환〕
患(心부 7획〈390〉)의 古字

心15〔懫〕18 치 ㊦寘|zhì シ いかる
字解 성낼치 懥(心부 14획〈416〉)와 同字. '叨一日欽'《書經》.
字源 形聲. 忄(心)＋質〔音〕

心15〔懯〕19 부 ㊥虞|fū フ すみやかなさま, おもう
字解 ①재빠를부 신속한 모양. '一, 憋一, 急速皃'《集韻》. ②생각할부 怤(心부 5획〈382〉)과 같음. '一, 同怤'《正字通》.

心15〔懮〕18 우 ㊤有|yǒu, yōu
㊥尤|ユウ ゆるやか, うれえる
字解 ①느릴우 느릿느릿함. '舒一受兮'《詩經》. ②근심할우 憂(心부 11획〈406〉)와 同字. '傷余心之一一'《楚辭》.
字源 形聲. 忄(心)＋憂〔音〕

心15〔懰〕18 류 ①㊤有|liǔ リュウ みめよい
②㊥尤|liú リュウ うれえる
字解 ①아름다울류 용모가 아름다움. '佼人一兮'《詩經》. ②근심할류 걱정하는 모양. 또, 원망하는 모양. '一慄不言'《漢書》.
字源 形聲. 忄(心)＋劉〔音〕

心15〔憽〕18 숭 ㊥東|sōng ソウ さとい
字解 총명할숭 영리함. 또, 그 사람.

心15〔懭〕18 광 ①㊤養|kuǎng コウ こころざしをえない
②㊤梗|コウ あらい
字解 ①실의할광 '一悢'은 뜻을 펴지 못한 모양. '愴怳一悢兮'《楚辭》. ②굳셀광 사나움.
字源 形聲. 忄(心)＋廣〔音〕

心15〔懩〕18 양 ㊤養|yǎng ヨウ ねがう
字解 ①하고자할양 원(願)함. '一, 心所欲也'《集韻》. ②가려울양 癢(疒부 15획〈821〉)과 통용.
字源 形聲. 忄(心)＋養〔音〕

心 15 〔懱〕 18 멸 ㊀屑 | miè ベツ あなどる

字解 ①업신여길멸 경멸(輕蔑)함. '一, 輕易也'《說文》. ②끝멸 말단(末端). '一, 一曰, 末也'《集韻》. ③멸망할멸 박멸함. '一抆, 滅也'《一切經音義》.

字源 形聲. 忄(心)＋蔑〔音〕

心 15 〔懪〕 18 박 ㊀覺 | bó ハク·バク もだえる

字解 번민할박 '一, 煩悶也'《廣韻》.

心 15 〔懺〕 18 〔참〕 懺(心부 17획〈419〉)의 俗字

心 16 〔懸〕 20 高·人 현 ㊥先 | xuán ケン かける, かかる

筆順 目 県 県 県 縣 縣 懸 懸

字解 ①달현 매닮. '一垂'. '以朽索一萬斤石于心上'《後漢書》. ②달릴현 매달림. '金鉤翠幔一'《庾信》. ③걸현 ㉠손쉽게 벗길 수 있도록 매닮. 게시(揭示)함. '一磬'. '一琴於城門, 以爲寡人符'《說苑》. ㉡현상금을 걸고 목적물을 구함. '一購'. '一賞以待功'《鹽鐵論》. ④현격할현 서로 동떨어짐. '一絕'. '一隔'. '優劣相一'《馬融》. ⑤멀리현 멀리 떨어져서. '一知獨有子雲才'《王維》. ⑥빚현 부채. '逋一租調'《北史》.

字源 形聲. 心＋縣〔音〕

心 16 〔懇〕 20 막 ㊀覺 | miǎo バク ほめる

字解 ①칭찬할막 찬미(讚美)함. '一, 美也'《說文》. ②범할막, 업신여길막 남을 능모(凌侮)함. 모멸함. '沮先聖之成論兮, 一名賢之高風. (註) 一, 陵也'《後漢書》.

字源 形聲. 心＋貌〔音〕

心 16 〔懲〕 20 위 ㊃霽 | wèi エイ ねごと

字解 잠꼬대할위 자면서 지껄임. '一, 寱寱言不慧也'《說文》.

字源 形聲. 心＋衛〔音〕

心 16 〔懿〕 20 〔의〕 懿(心부 18획〈419〉)와 同字

心 16 〔懕〕 20 〔닌〕 您(心부 7획〈390〉)의 訛字

心 16 〔懶〕 19 ㊀라 ㊤旱 | lǎn ランものうい (란㊍) ㊁뢰 ㊃泰 | lài ライ にくむ

字解 ㊀①게으를라 나태함. '一惰'. '一婦'. '吾少一學問'《南史》. ②느른할라 몸이 고단하여 싫증이 남. '一讀書, 但欲眠'《後漢書》. ③누울라 누워 잠. '借得小窓容我一'《柳貫》. ※本音 란. ㊁미워할뢰 혐오함. '傍人任嫌一'《蘇轍》.

字源 形聲. 忄(心)＋賴〔音〕

參考 嬾(女부 16획〈267〉)·懶(次條)는 俗字.

心 16 〔懶〕 19 〔란〕 嬾(女부 16획〈267〉)·懶(前條)의 俗字

心 16 〔儱〕 19 롱 ㊤董 | lǒng ロウ もとる

字解 어그러질롱 패려궂음. '一悷, 多惡也'《集韻》.

心 16 〔懷〕 19 高·人 회 ㊥佳 | huái カイ おもう, いだく

筆順 忄 忙 愐 愐 懷 懷 懷 懷

字解 ①품을회 ㉠생각을 품음. '一春'. '君子一德'《論語》. ㉡물건을 품음. '一瑾握瑜兮'《楚辭》. ㉢애를 뱀. '一姙'. '一子三月, 出居別宮'《顏氏家訓》. ②따를회 그리워하여 붙좇음. '一慕'. '少者一之'《論語》. ③올회 이리로 옴. '曷又一止'《詩經》. ④편안할회 '一哉一哉'《詩經》. ⑤편안히할회 어루만져 편안하게 함. '一柔'. '一諸侯也'《中庸》. ⑥쌀회 둘러쌈. 포위함. '一山襄陵'《書經》. ⑦위로할회 위안함. '一之好音'《詩經》. ⑧품회 가슴. '一襟'. '一中'. '然後免於父母之一'《論語》. ⑨마음회 생각. '從一如流'《國語》. ⑩성회 성(姓)의 하나.

字源 形聲. 忄(心)＋褱〔音〕

心 16 〔懻〕 19 기 ㊃寘 | jì キ つよくもとる

字解 사나울기 포악함. '人民矜一忮'《史記》.

心 16 〔懵〕 19 〔몽〕 懞(心부 14획〈416〉)과 同字

字源 形聲. 忄(心)＋曹〔音〕

心 16 〔憞〕 19 〔돈〕 惇(心부 8획〈396〉)의 本字

心 16 〔憒〕 19 〔궤〕 憒(心부 12획〈412〉)의 本字

心 16 〔憯〕 19 〔참〕 憯(心부 12획〈413〉)의 俗字

心 17 〔㦖〕 21 〔로〕 勞(力부 10획〈116〉)의 古字

心17〔懺〕20 참 ㊀陷|chàn ザン くいる

字解 뉘우칠참 전비(前非)를 깨달아 고백하고 고침. '一悔'. '愕然愧一'《晉書》.

字源 形聲. 忄(心)+韱〔音〕

參考 懴(心부 15획〈418〉)은 俗字.

心17〔懹〕20 양 ㊀漾 ㊁陽|①②ràng ジョウ はばかる ③ジョウ あわてる

字解 ①꺼릴양 두려워서 꺼림. '一, 憚也. 相畏也'《玉篇》. '心慅愲兮意惶一'《元結》. ②괴로워할양 '一, 難也'《廣雅》. ③당황할양 허둥댐. '恇一, 犾遽也'《集韻》.

心17〔懪〕20 박 ㊂覺|bó ハク·バク もだえる

字解 번민할박 懪(心부 15획〈418〉)과 同字. '一, 爾雅, 一一, 悶也'《集韻》.

心18〔懿〕22 人名 의 ㊀寘|yì イ うるわしい

筆順 士 壴 壴 壴 壹 壹 歖 懿

字解 ①아름다울의 순미(醇美)함. '好是一德'《詩經》. ②허의 탄식하는 소리. '一厥哲婦'《詩經》. ③찬미할의 '一前烈之純淑兮'《班固》. ④성의 성(姓)의 하나.

字源 形聲. 본디 欠+心+壹〔音〕

參考 懿(心부 16획〈418〉)는 同字.

心18〔䆅〕22 〔색〕
寋(心부 10획〈404〉)과 同字

心18〔寨〕22 〔색〕
寋(心부 10획〈404〉)의 古字

心18〔懼〕21 高·人 구 ㊀遇|jù ク おそれる

筆順 忄 忄ᄆ 忄ᄆᄆ 忄ᄆᄆ 懼 懼 懼 懼

字解 ①두려워할구 ㉠공포를 느낌. 무서워함. '恐一'. '獨立不一'《易經》. ㉡걱정함. '危一'. '羣公盡一'《史記》. ㉢경계함. 삼감. '必也臨事而一, 好謀而成者也'《論語》. ㉣어려워함. '君側之人, 衆所畏一'《唐書》. ②으를구 위협함. '一士卒'《史記》. ③두려움구 '多男子則多一'《莊子》.

字源 形聲. 忄(心)+瞿〔音〕

心18〔懽〕21 환 ㊁寒|huān カン よろこぶ

字解 기뻐할환 歡(欠부 18획〈601〉)과 同字. '一然'. '得萬國之一心'《孝經》.

字源 形聲. 忄(心)+雚〔音〕

心18〔懾〕21 섭 ㊂葉|(zhé) shè ショウ おそれる

筆順 忄 忄ᅳ 忄ᅲ 懾 懾 懾 懾 懾

字解 ①두려워할섭 공구함. '一服'. '挫而一'《荀子》. ②으를섭 두렵게 함. 위협함. '威所以一之也'《呂氏春秋》.

字源 形聲. 忄(心)+聶〔音〕

心18〔爞〕21 충 ㊁東|chōng チュウ うれえる

字解 근심할충 忡(心부 4획〈379〉)과 同字. '極勞心兮一一'《楚辭》.

心18〔㦗〕21 쌍 ㊁江|sǒng ソウ おそれる, すすめる

字解 ①두려워할쌍 송구(悚懼)스러워함. '一然心神肅'《朱熹》. ②권할쌍 권장함. '一之以行'《漢書》.

心18〔𢥠〕21 휴 ①②㊁齊 ①㊁支|xié ケイ そむく キ そむく

字解 ①배반할휴 이심(異心)을 품음. 변심(變心)함. '一, 離心也'《廣韻》. ②떨어질휴 '一, 離也'《廣雅》.

字源 形聲. 忄(心)+巂〔音〕

心18〔懪〕21 〔표〕
慓(心부 11획〈408〉)의 本字

心19〔戀〕23 高·人 련 ㊀霰|liàn レン こう, こい

筆順 亠 言 言 結 絹 䜌 戀 戀

字解 ①그리워할련 사모(思慕)함. '一愛'. '兄弟相一'《後漢書》. ②그리움련 그리워하는 마음. 사모하는 정. '犬馬之一, 不堪悲塞'《魏書》. ③성련 성(姓)의 하나.

字源 形聲. 본디 心+攣〈省〉〔音〕

心19〔戁〕23 난 ㊤潸|nǎn ダン·ナン おそれる

字解 두려워할난 송구스러워함. '不一不悚'《詩經》.

字源 形聲. 心+難〔音〕

心19〔儸〕22 라 ㊤哿|luǒ ラ はじる

字解 ①부끄러워할라 '懡一, 慚也'《集韻》. ②적을라 수가 많지 않은 모양. '人烟懡一不成村'《楊萬里》.

心19〔𢸎〕22 찰 ㊂曷|zā サツ おこたる

字解 게으를찰 '懵一'은 마음이 게을러짐. '懵一, 心慢怠'《集韻》.

心 20〔懟〕24 〔대〕
憝(心부 12획〈410〉)의 古字

心 20〔戄〕23 확 ㊀藥|jué キャク おどろく
字解 놀랄확 눈을 휘둥그렇게 하고 놀라 허둥지둥하는 모양. '晏子—然攝衣冠謝'《史記》.
字源 形聲. 忄(心)+矍〔音〕

心 20〔懵〕23 〔조〕
慒(心부 11획〈408〉)의 本字

心 20〔戃〕23 〔창〕
惝(心부 8획〈397〉)과 同字
字源 形聲. 忄(心)+黨〔音〕

心 21〔戅〕25 戇(次條)의 俗字

心 24〔戇〕28 당(장本) ㊁絳|zhuàng トウ おろか
字解 어리석을당 고지식함. 우직함. '—直'. '甚矣, 汲黯之—也'《史記》. ※本音 장.
字源 形聲. 心+贛〔音〕
參考 戅(前條)은 俗字.

戈 部
〔창 과 부〕

戈 0〔戈〕4 人名 과 ㊥歌|gē カ ほこ
筆順 一 七 戈 戈
字解 ①창과 무기의 한 가지. 한두 개의 가지가 있는 창. '—矛'. '進—者前其鐏後其刃'《禮記》. 전(轉)하여, 전쟁(戰爭)의 뜻으로 쓰임. '干—'. '偃武息—'《後漢書》. ②성과 성(姓)의 하나.
字源 象形. 손잡이가 달린 자루 끝에 날이 달린 창을 본떠 '창'을 뜻함.
參考 戈를 의부(意符)로 하여, 창·무기, 무기를 사용하는 일에 관한 문자가 이루어짐.

戈 1〔戊〕5 中·人 무 ㊁宥|wù ボ つちのえ
筆順 丿 厂 戊 戊 戊
字解 다섯째천간무 십간(十干)의 제오위(第五位). 오행설(五行說)에서 토(土)에 속하며, 방위로는 중앙(中央), 시각으로는 오전 3시부터 5시까지임. '—夜'. '太歲在—日著雍, 月在—日厲'《爾雅》.
字源 象形. 도끼 같은 날이 달린 창의 모양을 본뜸.

戈 1〔戉〕5 월 ㊀月|yuè エツ まさかり
字解 도끼월 큰 도끼. '左執律, 右秉—'《周禮》.
字源 象形. 큰 도끼의 모양을 본떠, '도끼'의 뜻을 나타냄.

戈 1〔戋〕5 〔잔〕
戔(戈부 4획〈421〉)의 簡體字

戈 2〔戌〕6 中·人 술 ㊀質|xū ジュツ いぬ
筆順 丿 厂 F 尸 戌 戌
字解 ①열한째지지술 십이지(十二支)의 하나. 시각으로는 오후 7시부터 9시까지, 달로는 음력 9월, 방위로는 서북방, 띠로는 개임. '太歲在—日閹茂'《爾雅》. ②성술 성(姓)의 하나.
字源 形聲. 戊+一〔音〕

戈 2〔戍〕6 수 ㊁遇|shù ジュ まもる
字解 ①지킬수 무기를 가지고 변방을 지킴. '—邊'. '不與我—申'《詩經》. ②수자리수 ㉠변방을 지키는 일. '我—未定'《詩經》. ㉡변방을 수비하는 군사. '以適遣—'《史記》. ③둔영수 수비하는 군사가 주둔하고 있는 군영(軍營). '築—於軹關'《北史》.
字源 會意. 人+戈
參考 戌(前條)은 別字.

戈 2〔戎〕6 융 ㊥東|róng ジュウ いくさどうぐ
筆順 一 二 于 戎 戎 戎
字解 ①병장기융 군기(軍器). '—馬'. '以習五—. (註)五—, 弓矢殳矛戈戟也'《禮記》. ②싸움수레융 병거(兵車). '元—十乘'《詩經》. ③군사융 병정. '—伏于莽'《易經》. ④싸움융 전쟁. 투쟁. '惟口出好興—'《書經》. ⑤오랑캐융 주로 서방의 만족. 전(轉)하여, 널리 만족을 이름. '西—'. '隱公會—于潛'《春秋》. ⑥클융 거대함. '念玆—功'《詩經》. ⑦도울융 보좌함. '烝也無—'《詩經》. ⑧너융 자네. '—有良翰'《詩經》. ⑨성융 성(姓)의 하나.
字源 會意. 戈+十

戈 2〔戏〕6 〔희〕
戲(戈부 13획〈424〉)의 簡體字

戈 2 〔𢦍〕6 〔재〕
𢦏(戈부 3획〈421〉)와 同字

戈 2 〔戋〕6 〔전〕
錢(金부 8획〈1567〉)의 略字

戈 2 〔成〕6 成(次條)의 略字

戈 3 〔成〕7 [中·人] 성 [平]庚 | chéng セイ·ジョウ なる, なす
[筆順] 丿 厂 𠂆 厅 戊 成 成
[字解] ①이룰성 성취함. '一功'. '完一'. '一己仁也, 一物知也'《中庸》. ②이루어질성 ㉠성취됨. '功一名遂'《老子》. ㉡됨. '桑田變一海'《劉希夷》. ㉢성숙함. '果實早一'《禮記》. ㉣생김. '幾事不密, 則害一'《易經》. ③우거질성 무성해짐. '松柏一'《呂氏春秋》. ④다스릴성 평정함. '以一宋亂'《左傳》. ⑤살질성 비대함. '犧牲不一'《孟子》. ⑥가지런할성 정돈됨. 정비됨. '儀旣一兮'《禮記》. ⑦고르게할성 균평하게 함. '一賁賈'《周禮》. ⑧끝날성 완료함. '簫韶九一'《書經》. ⑨화해할성 사화함. '以民一之'《周禮》. ⑩화해성 화목. '請一於陳'《左傳》. ⑪층성 층계나 집 따위의 층. '九一之臺'《呂氏春秋》. ⑫십리성 사방 십 리의 땅. '有田一一'《左傳》. ⑬총계성 종합한 계산. '歲之一'《禮記》. ⑭성성 성(姓)의 하나.
[字源] 形聲. 戊+丁〔音〕

戈 3 〔我〕7 [中·人] 아 [上]哿 | wǒ ガ われ
[筆順] 一 二 千 手 我 我 我
[字解] ①나아 자신. '自一'. '父兮生一, 母兮育一'《詩經》. 전(轉)하여, 자국(自國) 또는 이편. 내편. '彼'의 대. '彼一'. '虜亦不得犯一'《漢書》. ②나의아 ㉠자기의 소속임을 나타내는 말. '一國'. '一心匪石'《詩經》. ㉡특히 친밀한 뜻을 나타내는 말. '竊比於一老彭'《論語》. ③아집부릴아 소아(小我)에 집착하여 자기만을 내세움. '毋意毋一'《論語》. ④성아 성(姓)의 하나.
[字源] 象形. 날끝이 들쭉날쭉한 창의 모양을 본뜬 것으로, 假借하여 '우리'의 뜻을 나타냄.

戈 3 〔戍〕7 我(前條)의 古字

戈 3 〔犾〕7 我(前前條)와 同字

戈 3 〔𢦓〕7 〔혹〕
或(戈부 4획〈421〉)과 同字

戈 3 〔𢦔〕7 〔혹〕
或(戈부 4획〈421〉)의 俗字

戈 3 〔戒〕7 [高·人] 계 [去]卦 | jiè カイ いましめる
[筆順] 一 二 于 开 戒 戒 戒
[字解] ①경계할계 ㉠주의함. '一終'. '警一無虞'《書經》. ㉡삼감. '一飮'. '血氣未定, 一之在色'《論語》. ㉢타이름. '糾一'. '一勅'. '一之用休'《書經》. ㉣방비함. '一不虞'《易經》. ②경계계 전항의 명사. '聞一'《孟子》. ③재계할계 심신을 깨끗이 하여 부정한 일에 가까이하지 아니함. '七日一'《禮記》. ④고할계 알림. '主人一賓'《儀禮》. ⑤계계 ㉠한문의 한 체(體). 경계의 뜻을 진술한 글. '一者, 警敕之辭'《文體明辯》. ㉡《佛敎》 중이 지키는 행검(行檢). '五一'. '三學之中, 以一爲首'《觀經疏記》. ⑥지경계 界(田부 4획〈796〉)와 同字. '江河爲南北兩一'《唐書》. ⑦성계 성(姓)의 하나.
[字源] 會意. 戈+廾

戈 3 〔𢦏〕7 재 [平]灰 | zāi サイ きずつく
[字解] 다칠재 해침. '一, 傷也'《說文》.
[字源] 形聲. 戈+才〔音〕

戈 4 〔戔〕8 [一] 잔 [平]寒 | cán サン そこなう
[二] 전 [平]先 | jiān セン すくない
[字解] [一] 해칠잔 '一, 賊也'《說文》. [二] ①쌓일전 가득 쌓인 모양. '石一一兮水成分'《江淹》. ②적을전 얼마 안 되는 모양. 근소한 모양. 일설(一說)에는, 분열(分裂)의 모양. '束帛一一'《易經》.
[字源] 會意. 戈+戈

戈 4 〔戕〕8 장 [平]陽 | qiāng ショウ ころす
[字解] ①죽일장 살해함. '一殺'. '邾人一鄫子于鄫'《春秋》. ②상할장 손상을 입힘. '一賊杞柳'《孟子》.
[字源] 形聲. 戈+爿〔音〕

戈 4 〔或〕8 [中·人] [一] 혹 [入]職 | huò コク あるいは
[二] 역 [入]職 | yù ヨク·イキ くに
[筆順] 一 丅 冂 口 𠮛 式 或 或
[字解] [一] ①혹혹 ㉠혹은. '一出一處'《易經》. '一學而知之, 一困而知之'《中庸》. ㉡혹시. 상상 또는 추측(推測)의 말. '一者'. '恐其一失'《大戴禮》. ②혹이혹 어떤 사람이. '一問'. '一謂孔子曰'《論語》. ③괴이쩍어할혹 이상하게 여김. 의혹함. 惑(心부 8획

〈394〉)과 통용. '無一乎王之不智也'《孟子》. ④있을혹 존재함. '一治之'《孟子》. [二] 나라역 域(土부 8획〈209〉)과 同字. '一, 邦也'《說文》.
[字源] 會意. 戈+口+一

戈 4 〔戓〕 8 감 [平]覃 | kān カン ころす
[字解] ①죽일감 戡(戈부 9획〈423〉)과 同字. '一, 殺也'《說文》. ②찌를감 '一, 刺也'《廣韻》. ③견딜감 堪(土부 9획〈213〉)의 古字. '王心弗一'《漢書》.
[字源] 形聲. 戈+今〔音〕

戈 4 〔戙〕 8 화 [上]馬 | huà カ くるぶしをうつ
[字解] ①복사뼈칠화 '䞤, 說文, 擊踝也. 或作一'《集韻》. ②큰입화 또, 목소리. '一, 大口. 又聲'《廣韻》.
[字源] 形聲. 丮+戈〔音〕

戈 4 〔戔〕 8 첨 [平]鹽 | kān セン たつ
[字解] ①끊을첨 '一, 絕也'《說文》. ②다할첨 '一, 又盡也'《玉篇》. ③찌를첨 '一, 刺也'《廣韻》. ④날카로울첨 '一, 銳意也'《廣韻》. ⑤쟁기첨 밭을 가는 농구. '一, 一曰, 田器'《說文》.
[字源] 會意. 从+戈

戈 4 〔𢦍〕 8 〔아〕 我(戈부 3획〈421〉)의 古字

戈 4 〔戋〕 8 〔재〕 哉(口부 6획〈161〉)의 俗字

戈 5 〔戎〕 9 〔융〕 戎(戈부 2획〈420〉)의 本字

戈 5 〔戌〕 9 〔성〕 成(戈부 3획〈421〉)의 古字

戈 5 〔戙〕 9 〔용〕 勇(力부 7획〈115〉)과 同字

戈 5 〔戊〕 9 〔모〕 矛(部首〈861〉)의 古字

戈 5 〔战〕 9 〔전〕 戰(戈부 12획〈424〉)의 俗字

〔哉〕 〔재〕 口부 6획(161)을 보라.

〔威〕 〔위〕 女부 6획(249)을 보라.

〔咸〕 〔함〕 口부 6획(161)을 보라.

戈 6 〔戙〕 10 동 [去]送 | dòng トウ ふねのいたぎ
[字解] 배널동 선박에 쓰는 판자.

戈 6 〔戟〕 10 격 [入]陌 | gé カク とらえる
[字解] ①잡을격 포획함. '一, 捕也'《集韻》. ②싸울격 '一, 鬪也'《集韻》.

戈 6 〔𢧀〕 10 〔화〕 戙(戈부 4획〈422〉)의 本字

戈 6 〔戋〕 10 〔기〕 幾(幺부 9획〈343〉)의 俗字

戈 6 〔威〕 10 〔멸〕 滅(水부 10획〈671〉)의 古字

〔栽〕 〔재〕 木부 6획(545)을 보라.

戈 7 〔戚〕 11 [高]·[人] [一] 척 [入]錫 / [二] 촉 [入]沃 | qī セキ いたむ / cù ショク せまる
[筆順] ㇓ 厂 厂 庄 床 戚 戚 戚
[字解] [一] ①슬퍼할척 서러워함. '哀一'. '喪與其易也, 寧一'《論語》. ②근심할척 우려함. '憂一'. '小人長一一'《論語》. ③성낼척 분노함. '慍斯一'《禮記》. ④친할척 친근히 지냄. '一一兄弟'《詩經》. ⑤괴롭힐척 괴롭게 함. 걱정을 끼침. '未可以一我先王'《書經》. ⑥겨레척 친척. '姻一'. '有貴一之卿'《孟子》. ⑦도끼척 무악(舞樂)·의식(儀式) 등에 쓰는 도끼. '干一'. '干戈一揚'《孟子》. ⑧성척 성(姓)의 하나. [二] 재촉할촉 促(人부 7획〈52〉)과 同字. '無以爲一速也'《周禮》.
[字源] 形聲. 戉+尗〔音〕

戈 7 〔戜〕 11 절 [入]屑 | dié テツ するどい
[字解] ①날카로울절, 벨절 '一, 利也. 一曰, 剔也'《說文》. ②평상절 '一, 常也'《玉篇》. ③나라이름절 '一, 又國名. 在苗國東. 出山海經'《廣韻》.
[字源] 形聲. 戈+呈〔音〕

戈 7 〔戦〕 11 [一] 한 [去]翰 | gān カン たて / [二] 간 [平]寒 | gān カン たて
[字解] [一] 방패한 '一, 盾也'《說文》. [二] 방패간 干(部首〈340〉)과 통용. '一, 博雅, 櫓一, 盾也. 通作干'《集韻》.

字源 形聲. 戈+旱〔音〕

戈7〔𢧀〕11 〔세〕
歲(止부 9획〈604〉)의 古字

戈7〔戝〕11 〔적〕
賊(貝부 6획〈1390〉)과 同字

戈7〔戛〕11 알 入黠|jiá カツ ほこ

字解 ①창알 긴 창(槍). '立戈迤—'《張衡》. ②칠알 가볍게 두드림. '—擊鳴球'《書經》. ③어근버근할알 서어(齟齬)함. '——乎其難哉'《韓愈》. ④법알 정칙(定則). '不率大—'《書經》.
字源 會意. 戈+百

戈8〔戞〕12 戛(前條)의 俗字

戈8〔戟〕12 극 入陌|jǐ ゲキ ほこ

字解 ①미늘창극 끝이 좌우로 가닥진 창. '修我矛—'《詩經》. ②찌를극 뾰족한 것으로 들이밂. '其根辛苦, —人咽喉'《本草》.
字源 會意. 戈+榦〈省〉
參考 '戟'은 '戈'와 '矛'의 합체로 생긴 무기로, 걸어 당기는 '戈'와 찌르는 '矛'의 두 기능을 겸함.

戈8〔戟〕12 戟(前條)의 俗字

戈8〔戦〕12 〔전〕
戰(戈부 12획〈424〉)의 俗字

〔幾〕〔기〕
幺부 9획(343)을 보라.

〔胾〕〔자〕
肉부 6획(1072)을 보라.

戈9〔戭〕13 〔모〕
矛(部首〈861〉)의 古字

戈9〔戡〕13 감 平覃|kān カン かつ

字解 ①이길감 쳐서 이김. 전승(戰勝)함. '—定'. '西伯—黎'《書經》. ②죽일감 살해함. '—殄'.
字源 形聲. 戈+甚〔音〕

戈9〔戢〕13 즙 入緝|jí シュウ おさめる

字解 ①거둘즙 ㉠무기를 거두어들여 저장함. '—櫜'. '載—干戈'《詩經》. ㉡거두어 옴츠림. 수렴(收斂)함. '—翼'. '鴛鴦在梁, —其左翼'《詩經》. ②그칠즙 하던 일을 그만둠. 또는, 그만두게 함. '—兵'. '兵猶火也, 弗—將自焚'《左傳》. ③성즙 성(姓)의 하나.
字源 形聲. 戈+咠〔音〕

戈9〔戥〕13 양 平陽|yáng ヨウ ほこ

字解 ①창(槍)양 '—, 戈也'《集韻》. ②도끼양 무기(武器)의 일종. 揚(手부 9획〈453〉)과 통용. '—, 通揚, 戉也'《韻會小補》.

戈9〔戣〕13 규 平支|kuí キ ほこ

字解 창규 창의 한 가지. '一人冕, 執—'《書經》.
字源 形聲. 戈+癸〔音〕

戈9〔戤〕13 개 去泰|gài カイ しちにする

字解 ①전당잡힐개 '—, 以物相質也'《字彙補》. ②《現》 속일개 명의(名義)를 속임.

戈9〔戠〕13 ㊀직 入職|zhī ショク へいきのな
㊁시 去寘|zhí シ ねばつち

字解 ㊀ ①무기이름직 병기(兵器). ②찰흙직 埴(土부 8획〈210〉)과 통용. ③모일직. ④거둘직 '—, 斂也'《字彙》. ㊁ 찰흙시 '—, 黏土'《集韻》.
字源 形聲. 音+戈〔音〕

戈9〔戥〕13 등 |děng トウ こばかり

字解 ①작은저울등 '向來收稅一兩, 加—耗一分八釐'《清會典事例》. ②《現》 대저울로 달등.

戈9〔戦〕13 〔전〕
戰(戈부 12획〈424〉)의 略字

〔載〕〔재〕
車부 6획(1467)을 보라.

戈10〔截〕14 절 入屑|jié セン きる, たつ

字解 ①끊을절 ㉠절단함. '斷—'. '所過池苑, 多令衛士射雕—柳'《宋太祖實錄》. ㉡막음. 차단함. '遮—'. '徑—輜重, 橫攻士卒'《李華》. ②말잘할절 언변이 좋은 모양. '惟——善諞言'《書經》.
字源 會意. 본디 戈+小+隹

戈10〔戩〕14 전 上銑|jiǎn セン ことごとく,
去霰|ほろぼす

[字解] ①다할전 죄다. 모두. '俾爾一㦰'《詩經》. ②멸할전 멸망시킴. 翦(羽부 9획〈1045〉)과 통용.
[字源] 形聲. 戈+晉〔音〕

戈 10 〔戟〕14 〔극〕 戟(戈부 8획〈423〉)의 本字

戈 10 〔㦵〕14 〔예〕 穢(禾부 13획〈912〉)의 古字

戈 10 〔戧〕14 〔창〕 創(刀부 10획〈108〉)의 古字

〔臧〕 〔장〕 臣부 8획(1099)을 보라.

戈 11 〔戭〕15 [一] 인 [上]軫 | yǐn イン ながいやり
[二] 연 [上]銑 | yǎn エン ひとのな
[字解] [一] ①긴창인 장창(長槍). ②성인 성(姓)의 하나. [二] 사람이름연 '檮一'은 고양씨(高陽氏)의 팔재자(八才子)의 한 사람.
[字源] 形聲. 戈+寅〔音〕

戈 11 〔㦷〕15 용 [平]冬 | yōng ヨウ ぶき
[字解] 병기(兵器)용 무기(武器). '一, 兵器'《集韻》.

戈 11 〔戲〕15 〔호〕 呼(口부 5획〈155〉)와 同字

戈 11 〔戮〕15 륙 [入]屋 | lù リク ころす
[字解] ①죽일륙 살해함. '殺一'. ②욕시할륙 이미 죽은 사람을 참형(斬刑)에 처함. '殺其生者而一其死者'《晉語》. ③죽음륙 사형(死刑). '得執就一'《晉書》. ④욕보일륙 치욕을 당하게 함. '賈季一臾駢'《左傳》. ⑤욕륙 치욕. '爲天下一'《戰國策》. ⑥죄줄륙 형벌에 처함. '搏而一之'《周禮》. ⑦죄륙 형벌. '刑一'. '有顯一'《史記》. ⑧합할륙 힘을 합함. 勠(力부 11획〈116〉)과 통용. '與之一力'《書經》.
[字源] 形聲. 戈+翏〔音〕

戈 11 〔戳〕15 〔절〕 截(戈부 10획〈423〉)의 本字

戈 11 〔𢧵〕15 〔준〕 蠢(虫부 15획〈1253〉)의 古字

戈 11 〔戯〕15 〔희〕 戲(戈부 13획〈424〉)의 俗字

戈 11 〔戱〕15 〔희〕 戲(戈부 13획〈424〉)의 俗字

戈 12 〔戰〕16 전 [去]霰 | zhàn セン たたかう, いくさ
[筆順] 吅 罒 罝 單 單 戰 戰 戰
[字解] ①싸움전 전쟁. '大一'. '王好一, 請以一喩'《孟子》. ②싸울전 전쟁을 함. '善一'. '一必勝, 攻必取'《史記》. ③두려워할전 공구함. '一一兢兢'. '見豺而一'《揚子法言》. ④떨전 무서워서 떪. '股一而栗'《史記》. ⑤흔들릴전 요동함. '怯敎蕉葉一'《白居易》. ⑥성전 성(姓)의 하나.
[字源] 形聲. 戈+單〔音〕
[參考] 战(戈부 5획〈422〉)은 俗字.

戈 12 〔𧫷〕16 〔패〕 誖(言부 7획〈1331〉)의 籒文

戈 12 〔𢦸〕16 〔대〕 戴(戈부 13획〈424〉)의 籒文

戈 12 〔𢧐〕16 〔증〕 矰(矢부 12획〈864〉)의 俗字

戈 12 〔戯〕16 戲(次條)의 俗字

戈 13 〔戲〕17 [中·人] [一] 희 [去]寘 | xì ギ たわむれる
[二] 호 [平]虞 | hū コ ああ
[三] 휘 [平]支 | huī キ はた
[筆順] 广 广 虍 虚 虚 戯 戲 戲
[字解] [一] ①놀희 재미있게 놂. '遊一'. '爲兒嬉一, 常陳俎豆'《史記》. ②희롱할희 희학질함. '一談'. '善一謔兮, 不爲虐兮'《詩經》. ③놀이할희 연극·기악 등을 함. '俳優侏儒一于前'《孔子家語》. ④놀이희 연극·기악·씨름 등. '一場'. '優倡侏儒, 爲一而前'《史記》. ⑤성희 성(姓)의 하나. [二] 서럽다할호 呼(口부 5획〈155〉)와 同字. '嗚一'. '於一前王不忘'《詩經》. [三] 기휘 麾(麻부 4획〈1855〉)와 同字. '建大一以田'《周禮》.
[字源] 形聲. 戈+虛〔音〕
[參考] 戱(戈부 11획〈424〉)·戯(前條)는 俗字.

戈 13 〔戴〕17 [人名] 대 [去]隊 | dài タイ いただく
[筆順] 十 土 𠦒 𡋯 𢦏 戴 戴 戴
[字解] ①일대 머리 위에 임. '頒白者不負一於道路矣'《孟子》. ②받들대 ㉠떠받듦. 공경하여 모심. '推一'. '衆非元后何一'《書經》. ㉡하사(下賜)한 것을 받음. '捧一皇恩'《柳宗元》. ③성대 성(姓)의 하나.
[字源] 形聲. 𢦏+異〔音〕

戈13〔彧+戈〕17 욱 ⊗屋 | yù イク あや

字解 문채욱 문채(文彩)가 고운 모양. '一, 有彣彰也'《說文》.
字源 形聲. 彡+或+有〔音〕

戈13〔戳〕17 〔치〕 熾(火부 12획〈724〉)의 古字

戈13〔戠+戈〕17 〔시〕 栻(弋부 10획〈358〉)의 俗字

戈14〔戳〕18 착 ⊗覺 | chuō タク さす

字解 ①찌를착 창으로 찌름. '一, 槍一也'《篇海》. ②도장착 조그만 인(印). '眞紋則打一赴納'《願體集》. ③도장찍을착 '印蓋一記於米袋之上也'《六部成語解》.

戈14〔戴〕18 〔대〕 戴(戈부 13획〈424〉)의 本字

戈15〔戴〕19 戴(前條)의 本字

口18〔戵〕22 구 ㊥虞 | qú ク ほこ

字解 창구 끝이 네 가닥진 창.

戶　部

〔지게호부〕

戶0〔戶〕4 中·人 호 ㊤麌 | hù コ と

筆順 ㇐ ㇕ ⺕ 戶

字解 ①지게호 지게문. '門之單扇者曰一'《辭海》. 전(轉)하여, 문짝. '一扇'. '將排一入'《晉書》. 또, 집이나 방의 출입구. '一牖'. '不出一知天下'《老子》. ②방호 거처하는 칸. '府吏嘿無聲, 再拜還入一'《古詩》. ③집호 ㉠가옥. '一數'. '案一比民'《後漢書》. ㉡집의 수. '一口'. '封萬一'《史記》. ㉢집마다. '若門到一說矣'《任昉》. ④구멍호 공혈(孔穴). '啓一始出'《禮記》. ⑤주량호 술을 마시는 양. '小一'. '一大嫌甜酒'《白居易》. ⑥막을호 방해하여 못 하게 함. '屈蕩一之'《左傳》. '坐一殿門失闌免'《漢書》. ⑦성호 성(姓)의 하나.
字源 象形. 한쪽만 열리는 문짝의 모양을 본떠, '문'의 뜻을 나타냄.
參考 '戶'를 의부(意符)로 하여, 문, 집, 집에 딸린 물건에 관한 문자를 이룸.

戶1〔戹〕5 액 ⊗陌 | è アク せまい

字解 ①좁을액 협착함. '壺口梗一'《漢書》. ②고생할액 괴롭게 수고함. '兩賢豈相一哉'《史記》. ③재난액 厄(厂부 2획〈133〉)과 同字. '一, 災也, 亦作厄'《玉篇》.
字源 象形. 금문(金文)에서는 멍에를 본뜬 것으로, '좁다, 고생하다'의 뜻을 나타냄.

戶3〔戾〕7 ㊀대 ㊦泰 | タイ くるまのよこのひらきど
㊁제 ㊦霽 | tì テイ くるまのよこのひらきど

字解 ㊀ 수레옆문대 덮개 있는 수레의 밀어여는 옆문. '一, 說文曰, 輜車旁推戶也'《玉篇》. ㊁ 수레옆문제 ㊀과 뜻이 같음.
字源 形聲. 戶+大〔音〕
參考 戾(戶부 4획〈425〉)는 別字.

〔启〕 〔계〕 口부 4획(154)을 보라.

戶3〔戺+〕7 戺(次條)와 同字

戶3〔戺〕7 사 ㊤紙 | shì シ とのかいてんじく

字解 ①지도리사 문지도리. '落時謂之一'《爾雅》. '一, 持樞木也'《字彙補》. ②집모퉁이사 당우(堂隅). '夾兩階一'《書經》. ③문지방사 문한(門限). '金一玉階'《張衡》.
字源 形聲. 戶+巳〔音〕

戶3〔戼〕7 〔묘〕 卯(卩부 3획〈131〉)의 本字

戶4〔戽〕8 호 ㊤麌 | hù コ くむ
hù コ あかくみ

字解 ①퍼낼호 떠냄. '一, 抒也'《廣雅》. ②두레박호 '一斗, 挹水器也'《農政全書》.
字源 形聲. 斗+戶〔音〕

戶4〔戾〕8 려 ㊦霽 | lì レイ もとる

字解 ①어그러질려 위배(違背)함. '悖一'. '自以行無一也'《列子》. ②사나울려 흉포함. '猛一'. '虛殷國而天下不稱一焉'《荀子》. ③이를려 도착함. '鳶飛一天'《詩經》. ④평정할려 '民之未一, 職盜爲寇'《詩經》. ⑤거셀려 굳세고 날램. '勁風一而吹帷'《潘岳》. ⑥허물려 죄. '以自取一'《左傳》. ⑦성려 성(姓)의 하나.
字源 會意. 戶+犬

戶4〔房〕8 中·人 방 ㊥陽 | fáng ボウ へや, ふさ

[筆順] 一 ㄱ 彐 戶 戸 戸 房 房

[字解] ①곁방방 집의 정실(正室)의 옆에 있는 방. '一室'. '在西一'《書經》. ②집방 ㉠가옥. '一錢'. '保其土一'《國語》. ㉡벌집 같은 것. '蜂一不容鵠卵'《淮南子》. ③전동방 화살 넣는 통. 전실(箭室). '納諸廚子之一'《左傳》. ④송이방 열매·꽃 같은 것의 한 덩이. '綠一合青實'《陸雲》. ⑤별이름방 이십팔수(二十八宿)의 하나. 창룡 칠수(蒼龍七宿)의 넷째 성수(星宿)로서, 별 넷으로 구성되었음. '一宿'. ⑥성방 성(姓)의 하나.
[字源] 形聲. 戶+方〔音〕

戶 4 〔戾〕 8 ㊀감 ㊤賺 | qiǎn カン まど
㊁호 ㊤㩮 | hù
[字解] ㊀ ①창감 '一, 牖也'《廣韻》. ②작은 지게감 조그만 지게문. '一, 一曰, 小戶也'《廣韻》. ③지게감, 문설주감 지게문. 또, 창문의 문설주. ㊁戶(部首〈425〉)의 古字.

〔肩〕 〔견〕 肉부 4획(1068)을 보라.

戶 4 〔所〕 8 [中·人] 소 ㊤語 | suǒ ショ ところ
[筆順] 一 ㄱ 彐 戶 戶 所 所 所
[字解] ①바소 방법 또는 일이라는 뜻을 나타내는 어사(語辭). '視其一以, 觀其一由'《論語》. ②곳소 ㉠거처. '及爾斯一'《詩經》 ㉡위치. '得其一'《論語》. ㉢경우. '非歎一也'《左傳》. ㉣토지. 고향. '爰得我一'《詩經》. ㉤자리. 지위. '適材適一'. ㉥마을. 관아(官衙). '立益部課稅一'《元史》. ③쯤소 얼마쯤. '父去里一, 復還'《漢書》. ④얼마소 수량의 정도. '幾'와 연용(連用)함. '問金餘尙有幾一'《漢書》. ⑤어조사소 무의미의 어조사. '多經年一'《張衡》. ⑥성소 성(姓)의 하나.
[字源] 會意. 戶+斤

戶 5 〔扁〕 9 [人名] 편 ①-④㊤銑 ⑤㊥先 | biǎn ヘン ひらたい | piān ヘン こぶね
[筆順] 一 ㄱ 彐 戶 戶 肩 肩 扁
[字解] ①납작할편 편평하고 얇음. '一平'. '生兒, 欲其頭一, 壓之以石'《後漢書》. ②낮을편 얕음. '有一斯石'《詩經》. ③현판편 편액. '一額'. '夢至一亭, 一曰侍康'《宋史》. ④성편 성(姓)의 하나. ⑤거룻배편 돛 없는 작은 배. 艑(舟부 9획〈1114〉)과 통용. '乘一舟, 浮於江湖'《史記》.
[字源] 會意. 戶+冊

戶 5 〔扂〕 9 점 ㊤琰 | diàn テン かんぬき
[字解] 빗장점 문빗장. '椳闑一楔'《韓愈》.
[字源] 形聲. 戶+占〔音〕

戶 5 〔扃〕 9 ㊀거 ㊦御 | qù キョ とじる
㊁합 ㊅合 | hé コウ とじる
[字解] ㊀ 닫을거 문빗장을 걸어 닫음. '一, 閉也'《說文》. ㊁ ①닫을합 闔(門부 10획〈1605〉)과 통용. ②성(姓)합 '一, 姓也'《集韻》.
[字源] 形聲. 戶+劫〈省〉〔音〕

戶 5 〔扃〕 9 경 ㊥青 | jiōng ケイ かんぬき
[字解] ①빗장경 문빗장. '入戶奉一'《禮記》. ②수레위가로나무경 병거(兵車) 위의 앞쪽에 무기를 기대어 놓기 위하여 설비한 횡목(橫木). '楚人惎之, 脫一'《左傳》. ③문호경 출입구. '或假步于山一'《孔稚圭》. ④닫을경 폐쇄함. '和門晝一'《顏延之》.
[字源] 形聲. 戶+冋〔音〕

戶 5 〔扆〕 9 료 | liáo リョウ ちめい
[字解] 땅이름료 '一城'은 조(趙)나라의 지명. '秦子異人質于趙, 處于一城'《戰國策》.

戶 6 〔扅〕 10 이 ㊥支 | yí イ かんぬき
[字解] 빗장이 문빗장. '烹伏雌, 炊扊一'《顏氏家訓》.

戶 6 〔扆〕 10 의 ㊤尾 | yǐ イ ついたて
[字解] 병풍의 '斧一'는 도끼의 두부(頭部)의 모양을 수(繡)놓은 병풍으로서, 천자의 거처에 침. '天子斧一, 南鄕而立'《禮記》.
[字源] 形聲. 戶+衣〔音〕

戶 6 〔扇〕 10 [人名] 선 ㊦霰 | shàn セン とびら, おうぎ
[筆順] 一 ㄱ 彐 戶 戶 肩 肩 扇 扇
[字解] ①문짝선 문비(門扉). '門一'. '乃修闔一'《禮記》. ②부채선 단선(團扇). '一子'. '擧一自蔽'《晉書》. ③부채질할선 ㉠부채를 부침. '暑卽一牀枕'《東觀漢記》. ㉡선동함. 煽(火부 10획〈720〉)과 同字. '一惑'. '更相一動, 往往棊峙'《魏志》. ④성선 성(姓)의 하나.
[字源] 會意. 戶+羽

戶 7 〔扈〕11 人名 호 ㊤麌 hù コ つきそう

筆順 一 ㇇ ㇇ 戶 戶 戽 扈 扈

字解 ①따를호 군주(君主)의 뒤를 따름. '—駕'. '—從橫行'《司馬相如》. ②제지할호 못 하게 함. '—民無淫者也'《左傳》. ③입을호 몸에 걸침. '—江離與辟芷兮'《楚辭》. ④넓고클호 마음이 크고 넓음. '爾毋——爾'《禮記》. ⑤성호 성(姓)의 하나.
字源 形聲. 邑＋戶〔音〕

戶 8 〔扉〕12 人名 비 ㊥微 fēi ヒ とびら

筆順 一 ㇇ ㇇ 戶 戶 戶 扉 扉 扉

字解 ①문짝비 문선(門扇). '柴—'. '子尾抽桷, 擊—三'《左傳》. ②집비 가옥. 거실(居室). '欲去公門歸野—'《白居易》.
字源 形聲. 戶＋非〔音〕

戶 8 〔扊〕12 염 ㊤琰 yǎn エン かんぬき

字解 빗장염 문빗장. '烹伏雌, 炊—扅'《顔氏家訓》.
字源 形聲. 戶＋炎〔音〕

〔扈〕〔고〕
隹부 4획(1630)을 보라.

手（扌）部
〔손 수 부〕

手 0 〔手〕4 中·人 수 ㊤有 shǒu シュ て

筆順 一 二 三 手

字解 ①손수 ㉠상지(上肢). '—足'. '艮爲—'《易經》. ㉡손목. '執子之—, 與子偕老'《詩經》. ㉢손바닥. '有文在其—'《左傳》. ㉣손가락. '十—所指'《大學》. ㉤도움. 돌봐주는 일. '可假—于術'《後漢書》. ㉥기술. '皆出碩儒之思, 成才士之—'《抱朴子》. ㉦손잡이. '把—'. ②잡을수 손으로 잡음. '—弓'. '—劍而從之'《公羊傳》. ③칠수 손으로 침. '—熊羆'《司馬相如》. ④손수수 자기 자신이. '—墨'. '—自作'《南史》.
字源 象形. 다섯 손가락이 있는 손을 본떠 '손'을 뜻함.
參考 '手수'를 의부(意符)로 하여, 손의 각 부분의 명칭이나, 손의 동작에 관한 문자를 이룸. 변이 될 때에는 '扌'의 꼴을 취함.

手 0 〔扌〕3 '手'가 변에 있을 때의 자체(字體). 글자 모양이 '才재'와 비슷하므로, 속칭 '재방변'.

筆順 一 丁 扌

手 0 〔才〕3 中·人 재 ㊥灰 cái サイ ざえ, たち

筆順 一 十 才

字解 ①재주재 재능. '—藝'. '旣竭我—'《論語》. 또, 재능이 있는 사람. '取賢斂—焉'《禮記》. ②바탕재 성질. '若夫爲不善, 非—之罪也'《孟子》. ③겨우재 纔(糸부 17획〈1021〉)와 통용. '—小富貴, 便豫人家事'《晉書》. ④결단할재 裁(衣부 6획〈1273〉)와 통용. '惟王—之'《戰國策》. ⑤성재 성(姓)의 하나.
字源 象形. 강이 넘치는 것을 막기 위한 봇둑으로 세워진 질 좋은 나무를 본뜸.

手 1 〔乇〕5 〔실〕
失(大부 2획〈232〉)의 本字

手 1 〔扎〕4 찰 ㊦黠 zhā サツ ぬく

字解 뺄찰 뽑음. '—, 拔也'《廣雅》.
字源 會意. 扌(手)＋乚

手 2 〔扐〕5 륵 ㊦職 lè ロク はさむ

字解 낄륵 시초점(蓍草占)을 칠 때 시초를 세어 약손가락과 새끼손가락 사이에 끼는 일. '筮, 再—而後卦'《易經》.
字源 形聲. 扌(手)＋力〔音〕

手 2 〔扑〕5 복 ㊦屋 pū ボク かるくうつ

字解 ①칠복 때림. '高漸離擧筑—秦皇帝'《史記》. ②종아리채복 학업을 게을리하는 제자를 징계(懲戒)하는 채. '—撻'. '—作教刑'《書經》.
字源 形聲. 扌(手)＋卜〔音〕

手 2 〔扒〕5 배 ㊧卦 bā ハイ ぬく

字解 뺄배 뽑음. '拔𡵉—氏'《元包經》.
字源 形聲. 扌(手)＋八〔音〕

手 2 〔打〕5 中·人 타 ㊤馬 dǎ, ④dá ダ うつ

筆順 一 丁 扌 扌 打

字解 ①칠타 ㉠두드림. '—擊'. '與人相—'《晉書》. ㉡공격함. '敵疲我—'《毛澤東》. ②및타 及(又부 2획〈141〉)과 뜻이 같음. '赤

洪崖一白洪崖'《丁晉公》. ③관사타 동작을 나타내는 관사(冠詞). '一算'. '一聽'. ④《現》 타타 물품 열두 개를 한 묶음으로 하여 세는 말. 영어 다즌(dozen)의 역칭(譯稱). 다스. ⑤성타 성(姓)의 하나.
[字源] 形聲. 扌(手)+丁〔音〕

手 2 〔扔〕5 잉 [平]蒸 | rēng ジョウ ひく
[字解] 당길잉 끌어당김. '攘臂而一之'《老子》.
[字源] 形聲. 扌(手)+乃〔音〕

手 2 〔払〕5 〔불〕 拂(手부 5획〈435〉)의 略字

手 2 〔扝〕5 〔교〕 巧(工부 2획〈326〉)의 古字

手 2 〔扏〕5 〔수〕 收(攴부 2획〈479〉)의 古字

手 3 〔扛〕6 강 [平]江 | kāng コウ あげる
[字解] ①마주들강 ㉠두 손으로 마주 듦. '力能一鼎'《史記》. ㉡두 사람이 마주 듦. '令十人一之, 猶不擧'《後漢書》. ②멜강 등에 멤. '蔡福收了金子, 藏在身邊, 起身道, 明日早來一屍'《水滸全傳》.
[字源] 形聲. 扌(手)+工〔音〕

手 3 〔托〕6 [高·人] 탁 [入]藥 | tuō タク まかせる
[筆順] 一 十 扌 扌 扌 托
[字解] ①밀탁 '一, 推也'《玉篇》. ②맡길탁 위탁함. 託(言부 3획〈1314〉)과 同字. '囑一'. '一手一銃, 一手點火'《紀效新書》. ③열탁 拓(手부 5획〈436〉)과 同字. '以手掌一石壁'《李山甫》.
[字源] 形聲. 扌(手)+乇〔音〕

手 3 〔扚〕6
[一] 조 [上]篠 | diǎo チョウ うつ
[二] 적 [入]錫 | dí テキ うつ
[三] 작 [入]藥 | シャク よこあいからうつ
[四] 약 [入]藥 | yuē ヤク ゆびのふしのすじ
[字解] [一] 빨리칠조 느닷없이 침. '一, 疾擊也'《說文》. [二] ①칠적 공격함. '一, 擊也'《集韻》. ②끌적 잡아당김. [三] 옆에서칠작 곁에서 침. '一, 旁擊'《集韻》. [四] 손가락마디금약 '一, 手指節文'《集韻》.
[字源] 形聲. 扌(手)+勺〔音〕

手 3 〔扞〕6 한 [去]翰 | hàn カン ふせぐ
[字解] ①막을한 방어함. '一衞'. '手足之一頭目'《漢書》. ②호위할한 보호하여 지킴. '親帥一之'《左傳》. ③다닥칠한 충돌함. '一格而不勝'《禮記》. ④당길한 활 같은 것을 당김. '一烏號之弓'《淮南子》. ⑤팔찌한 활을 쏠 때 소매를 걷어 매는 띠. '被金一'《漢書》. ⑥범할한 침범함. 干(部首〈340〉)과 통용. '一當世之文罔'《史記》.
[字源] 形聲. 扌(手)+干〔音〕

手 3 〔扜〕6 우 [平]虞 | yū ウ さしまねく
[字解] ①지휘할우 지시(指示)함. ②가질우 손에 쥠. '一, 持也'《玉篇》. ③당길우 잡아당김. '有人方一弓射黃蛇'《山海經》.
[字源] 形聲. 扌(手)+于(亐)〔音〕

手 3 〔扝〕6 扜(前條)의 本字

手 3 〔扣〕6 구 [去]有 | kòu コウ うつ
[字解] ①두드릴구, 칠구 '一石墾壤'《列子》. ②당길구 끌어당김. '一制'. '一繆公之駿'《淮南子》. ③덜구 뺌. '一除'.
[字源] 形聲. 扌(手)+口〔音〕

手 3 〔扤〕6 올 [入]月 | wù ゴツ うごく, うごかす
[字解] ①흔들릴올, 흔들올 요동함. 요동시킴. '天之一我'《詩經》. ②위태할올 불안한 모양. '邦之阢隉, 曰由一人'《書經》. ③성올 성(姓)의 하나.
[字源] 形聲. 扌(手)+兀〔音〕

手 3 〔扠〕6 차 [平]麻 | chā サ はさみとる
[字解] ①집을차 물건을 끼워서 듦. '饞一飽活臠'《韓愈》. ②작살차 물고기를 찔러 잡는 기구. '江魚或共一'《柳宗元》.
[字源] 形聲. 扌(手)+叉〔音〕

手 3 〔扱〕6 扠(前條)와 同字

手 3 〔扢〕6
[一] 흘 [入]物 | xì キツ よろこぶ
[二] 골 [入]月 | gǔ コツ めぐう
[字解] [一] 기뻐할흘 뛸 듯이 기뻐하는 모양. '子路一然, 執干而舞'《莊子》. [二] 닦을골 씻어냄. '濡不給一. (注) 一, 拭也'《淮南子》.
[字源] 形聲. 扌(手)+乞〔音〕

手 3 〔扟〕6 신 [平]眞 | shēn シン くみとる
[字解] ①떠낼신 퍼냄. '一, 从上挹取也'《說

文》. ②추릴신 가리어 취함. '一, 自上擇取物也'《廣韻》. ③감할신, 뗄신 덞. 양을 줄임. '損, 一且搸, 傳曰, 一且搸, 剝之也'《元包經》.
字源 形聲. 扌(手)+卂〔音〕

手3〔扡〕6 〔타〕
拕(手부 5획〈436〉)와 同字
字源 形聲. 扌(手)+也〔音〕

手3〔扦〕6 〔천〕
搌(手부 11획〈464〉)의 俗字

手3〔执〕6 〔집〕 執(土부 8획〈209〉)의 俗字・簡體字

手3〔扫〕6 〔소〕
掃(手부 8획〈448〉)의 簡體字

手3〔扟〕6 〔식〕
拭(手부 6획〈439〉)의 訛字

手3〔扪〕6 〔인〕
引(弓부 1획〈359〉)의 古字

手3〔扗〕6 〔재〕
在(土부 3획〈200〉)의 本字

手4〔拜〕8 〔공〕
廾(部首〈355〉)과 同字

手4〔承〕8 中・人 ㊀승 ㊥蒸 chéng ショウ うける
㊁증 ㊤迥 zhěng ショウ すくう

筆順 ㇖ 了 子 手 手 手 承 承

字解 ㊀ ①받들승 ㉠봉승(奉承)함. '一奉'. '一寡君之命以請'《左傳》. ㉡밑을 잘 들어 올림. '一捧'. '一筐是將'《詩經》. ②이을승 계승함. '一統'. '一先人之後者, 在孫惟汝'《韓愈》. ③받을승 주는 것을 가짐. '是謂一天之祐'《禮記》. ④도울승 보좌함. 丞(一부 5획〈13〉)과 同字. '右抽劍自一'《呂氏春秋》. ⑤장가들승 성취(成娶)함. '國人一翁主'《漢書》. ⑥후계승 뒤를 잇는 일. '鄭師爲一'《左傳》. ⑦도움승 보좌. '使帥師而行, 請一'《左傳》. ⑧차례승 순차(順次). '子產爭一'《左傳》. ⑨성승 성(姓)의 하나. ㊁ 건질증 구제함. 拯(手부 6획〈439〉)과 同字. '使弟子竝流而一之'《列子》.
字源 會意. 手+卩+廾

手4〔汞〕8 承(前條)의 俗字

手4〔𢪏〕8 장 ㊥陽 jiāng ショウ たすける
字解 도울장 '一, 扶也'《說文》.
字源 形聲. 手+爿〔音〕

手4〔扴〕7 갈 ㊇黠 jiá カツ こする, かく
字解 ①긁을갈 마찰(摩擦). '一, 括也'《說文》. ②탄주(彈奏)할갈 '公歡鐘晨撞, 室宴絲曉一'《征蜀聯句》.
字源 形聲. 扌(手)+介〔音〕

手4〔扱〕7 ㊀흡 ㊇緝 xī キュウ おさめる
㊁삽 ㊇洽 chā ソウ およぶ, はさむ
㊂급 韓 あつかう, こく
字解 ㊀ 거두어가질흡 염취(斂取)함. '以箕自鄕而一之'《禮記》. ㊁ ①짚을삽 손을 땅에 짚고 절함. '婦拜一地'《儀禮》. ②끼울삽 삽입함. 插(手부 9획〈453〉)과 통용. '一上衽'《禮記》. ③걷을삽 옷 같은 것을 걷음. '渡水衣須一'《徐鍇》. ㊂《韓》 ①취급할급 사물을 다룸. '取一'. ②훑을급 곡식을 훑음. '稻一機'.
字源 會意. 扌(手)+吸〈省〉〔音〕

手4〔扮〕7 분(③ ㊤吻 ①②fěn フン あわせる
반㊍) ㊦諫 bàn ハン よそおう
字解 ①섞을분 혼합(混合)함. '以椒薑一之'《史記 註》. ②아우를분 합병함. '地則虛三以一天之十八也'《太玄經》. ③꾸밀분 화장하거나 변장함. '一裝'. '里中雜劇, 輒一作東方朔'《五雜俎》. ※❸은 本音 반.
字源 形聲. 扌(手)+分〔音〕

手4〔扨〕7 아 ①㊥麻 yá ガ ただしくない
②㊦禡 yà ガ ひく
字解 ①비뚤아 바르지 않은 모양. '扠一, 不正'《集韻》. ②갈아 맷돌로 갊. 砑(石부 4획〈866〉)와 同字.

手4〔扶〕7 中・人 ㊀부 ㊥虞 fú フ たすける
㊁포 ㊥虞 pú ホ はう

筆順 一 十 扌 扌 扌 抙 扶

字解 ㊀ ①도울부 ㉠조력함. '一助'. '蓬生麻中, 不一自直'《荀子》. ㉡구원함. '一梁伐趙'《戰國策》. ②붙들부 넘어지지 않도록 붙듦. 부축함. '一攜'. '一腋'. '策一老以流憩'《陶潛》. ③곁부 옆. '去高木而巢一枝'《淮南子》. ㊁ 길포 匍(勹부 7획〈120〉)와 同字. '一服救之'《禮記》.
字源 形聲. 扌(手)+夫〔音〕

手4〔批〕7 高・人 ㊀비 ㊤紙 ①-⑤pī ヒ うつ
㊥支 ⑥pí ヒ びわ
㊁별 ㊇屑 biē ヘツ うつ

筆順 一 十 扌 扌 扎 扎 批

字解 ⊟①칠비 손으로 침. '一而殺之'《左傳》. ②밀비, 굴릴비 떼밂. 또는, 굴러가게 함. '會一之六沴'《書經》. ③깎을비 깎아 얇게 함. '竹一雙耳峻'《杜甫》. ④찌붙일비 부전(附箋)을 달아 의견 또는 가부를 적음. '制敕有不便者, 黃紙後一之'《唐書》. ⑤비답비, 비답할비 신하의 상주문(上奏文)의 끝에 적는 임금의 대답. 또, 그 대답을 내림. '帝皇詔答, 謂之一者, 一之所上表奏尾也'《谷響集》. ⑥비파비 琵(玉부 8획〈773〉)와 통용. '一把, 近世樂家所作'《風俗通》. ⊟칠별 때림. 떼밀며 침. '一亢擣虛'《史記》.

字源 形聲. 扌(手)+比(皀)〔音〕

手4〔抵〕7 지 ⓤ紙|zhǐ シ うつ

筆順 一 十 扌 扌 扌 扺 抵

字解 칠지 ㉠손뼉을 침. '一掌而談'《戰國策》. ㉡쳐부숨. '一穰侯而代之'《揚雄》.

字源 形聲. 扌(手)+氏〔音〕

手4〔扼〕7 액 ⓡ陌|è ヤク おさえる

字解 ①누를액 꼭 눌러 꼼짝 못 하게 함. 搤(手부 5획〈438〉)과 同字. '一殺'. '力一虎'《漢書》. ②멍에액 軛(車부 4획〈1461〉)과 同字. '加之以衡一'《莊子》.

字源 形聲. 扌(手)+厄〔音〕

手4〔扭〕7 뉴 ⓤ有|niǔ ジュウ ねじる

字解 ①비빌뉴, 굴릴뉴 손으로 비빔. 손으로 회전시킴. '一, 一手轉皃'《廣韻》. ②누를뉴 조름. 비틂. '一, 案也'《集韻》. ③묶을뉴 얽어맴. 구인(拘引)함. '一, 手縛也'《正字通》.

字源 形聲. 扌(手)+丑〔音〕

手4〔技〕7 中·人 기 ⓤ紙|jì ギ わざ

筆順 一 十 扌 扌 扌 技 技

字解 ①재주기 예능(藝能). '一術'. '凡執一以事上者'《禮記》. ②재능기 능력. '無他一'《書經》.

字源 形聲. 扌(手)+支〔音〕

手4〔抃〕7 변 ⓠ霰|biàn ベン てをうつ

字解 손뼉칠변 기뻐하여 손뼉을 침. '一手'. '坤神一舞'《晉書》.

字源 形聲. 扌(手)+卞〔音〕

手4〔抄〕7 高·人 초 ⓟ肴|chāo ショウ かすめる

筆順 一 十 扌 扎 扎 抄 抄

字解 ①노략질할초 약탈(掠奪)함. '一略'. '匈奴數一郡界'《後漢書》. ②베낄초, 초할초 글을 베낌. 또, 중요한 것만 추려 베낌. '一錄'. '手自一寫'《晉書》. '擇其可用者一之'《葉庭珪》. ③뜰초 ㉠숟갈로 음식 같은 것을 뜸. '匙一爛飯穩送之'《韓愈》. ㉡종이를 만듦. '凡一紙槽'《天工開物》. ④거를초 액체를 체 따위로 거름. '一紙槽'. ⑤초초 등사(謄寫). 발록(拔錄). '樂府歌辭一'《隋書》. ⑥성초 성(姓)의 하나.

字源 形聲. 扌(手)+少〔音〕

手4〔抆〕7 문 ⓤ吻 ⓠ問|wěn ブン ぬぐう

字解 닦을문 씻음. '孤子唫而一淚'《楚辭》.

字源 形聲. 扌(手)+文〔音〕

手4〔扻〕7 ⊟자 ⓠ寘|zhì シ くしけずる ⊟즐 ⓡ質|zhì シツ くし

字解 ⊟머리빗을자 빗으로 머리를 손질함. '簡髮而一, 數米而炊'《莊子》. ⊟빗즐 櫛(木부 15획〈588〉)과 同字.

手4〔抉〕7 결 ⓡ屑|jué ケツ えぐる

字解 ①긁을결 긁어 냄. 후벼 냄. '一剔'. '一吾眼, 懸吳東門之上'《史記》. ②들추어낼결 폭로함. '搆一過失'《唐書》. ③깍지결 각지(角指). 玦(弓부 4획〈360〉)과 同字. '革一'. '掌王之用, 弓弩矢箙矰弋一拾'《周禮》.

字源 形聲. 扌(手)+夬〔音〕

手4〔把〕7 高·人 파 ⓤ馬|bǎ ハ とる

筆順 一 十 扌 扌 扣 扣 把

字解 ①잡을파, 쥘파 ㉠손으로 움켜쥠. 꼭 쥠. '一持'. '湯自一鉞'《史記》. ㉡결점을 집어 냄. '皆一其陰重罪, 而縱'《漢書》. ②자루파, 손잡이파 그릇·연장 따위의 자루나 손잡이. '刀一'. '戻翳旋一'《潘岳》. ③움큼파 한 줌에 움켜 쥐는 일. 또 그 분량. '烝嘗不過一握'《國語》. ④묶음파 묶어 놓은 덩이. 단·다발 따위. '淸晨送菜一'《杜甫》. ⑤성파 성(姓)의 하나. ⑥《韓》발파 두 팔을 펴서 벌린 길이.

字源 形聲. 扌(手)+巴〔音〕

手4〔抎〕7 운 ①ⓤ吻|yǔn ウン うしなう ②ⓤ軫|イン おちる

字解 ①잃을운 잃어버림. '惟恐失一之'《戰

國策》. ②떨어질운 隕(阜부 10획〈1621〉)과 同字. '不戰而一'《史記》.
字源 形聲. 扌(手)+云〔音〕

手 4 〔抪〕7 발 (入)曷 | pō ハツ ふく / ハツ おす
字解 ①닦을발 손으로 훔치거나 씻음. '一, 撻也'《說文》. '游者以足蹶, 以手一'《淮南子》. ②밀발 밀침. '一, 推也'《集韻》.
字源 形聲. 篆文은 扌(手)+巿〔音〕

手 4 〔抑〕7 高·人 억 (入)職 | yì ヨク おさえる
筆順 一 十 扌 扌 扌 扌 抑
字解 ①누를억 ㉠힘으로 내리 눌림. '敬一搔之'《禮記》. ㉡힘을 못 쓰게 함. '聳善而一惡'《國語》. ㉢막음. '禹一洪水'《孟子》. ㉣겸양(謙讓)함. '一讓'. '俛詘以自一'《史記》. ②굽힐억 숙임. '皆伏一首'《史記》. ③문득억 발어사(發語辭). '一此皇文'《詩經》. ④또한억 전의사(轉意辭). '一磬控忌'《詩經》.
字源 指事. '印인'자를 뒤집은 모양. '抑억'은 '手수'를 더한 俗字.

手 4 〔抒〕7 人名 서 (上)語 | shū ショ くむ
筆順 一 十 扌 扌 扌 扌 抒
字解 ①떠낼서 퍼냄. '一米以出臼也'《詩經疏》. '汲出謂之一'《通俗文》. ②쏟을서 토로함. '一情'. '略陳愚而一情素'《漢書》. ③덜서 제거함. '難必一矣'《左傳》.
字源 形聲. 扌(手)+予〔音〕

手 4 〔扲〕7 ㊀겸 (平)鹽 | qián ケン わざ
㊁금 ①(平)侵 | キン かたくもつ
②(去)沁 | qín キン とらえる
字解 ㊀①업(業)겸 기업(基業). '一, 業也. (註) 謂基業也'《揚子方言》. ②업(業)에힘쓸겸 자기 직업에 전심(專心)함. '一, 博雅, 甾一, 專職業也'《集韻》. ③적을겸 기록함. '一, 記也'《玉篇》. ㊁①움켜쥘금 단단히 쥠. 捦(手부 8획〈448〉)과 同字. ②붙잡을금 擒(手부 13획〈481〉)과 同字. '一, 捉也'《集韻》.

手 4 〔抓〕7 조 (上)巧 (平)肴 | zhuā ソウ かく, つまむ
筆順 一 十 扌 扌 扌 扌 抓
字解 ①긁을조 손톱 같은 것으로 긁음. '委蛇攫一'《莊子》. ②움킬조 움켜쥠. '手可攫而一'《枚乘》.
字源 形聲. 扌(手)+爪〔音〕

手 4 〔抔〕7 부 (平)尤 | póu ホウ すくう
字解 ①움켜쥘부 '汚尊而一飮'《禮記》. ②움큼부 움켜쥔 분량. 줌. '一一之土'.
字源 形聲. 扌(手)+不〔音〕

手 4 〔投〕7 中·人 ㊀투 (平)尤 | tóu トウ なげる
㊁두 (去)宥 | dòu トウ とまる
筆順 一 十 扌 扌 扌 投 投
字解 ㊀①던질투 ㉠내던짐. '一擲'. '一石'. ㉡몸을 내던짐. '乃一水而死'《古詩》. ㉢내버림. '一筆事戎軒'《魏徵》. ㉣추방함. '一諸四裔'《左傳》. ②줄투 증여함. '一我以木瓜'《詩經》. ③의탁할투 의탁하여 머무름. '一宿'. '望門一止'《後漢書》. ④맞을투 합치함. '意氣一合'. '氣味相一'. ⑤들일투 받아들임. '一殷之後於宋'《禮記》. ⑥떨칠투 세게 흔듦. '一袂而起'《左傳》. ⑦성투 성(姓)의 하나. ㊁①머무를두 逗(辵부 7획〈1496〉)와 同字. '遠一錦江波'《杜甫》. ②구두두 讀(言부 15획〈1361〉)와 통용. '察度于句一'《馬融》.
字源 形聲. 扌(手)+殳〔音〕

手 4 〔抖〕7 두 (上)有 | dǒu ト あげふるう
字解 떨두 '一擻'는 손으로 물건을 들어 텖. 전(轉)하여, 없앰. 제거함. '一擻胸中三斗塵'《王炎》.
字源 形聲. 扌(手)+斗〔音〕

手 4 〔抗〕7 高·人 항 (去)漾 | kàng コウ あげる, ふせぐ
筆順 一 十 扌 扌 扌 抗 抗
字解 ①들항 들어 올림. '歌者上如一, 下如隊'《禮記》. ②막을항 방어함. '未能朝楚而一宋'《國語》. ③겨룰항 대항함. '一敵'. '戎夏不一王師'《李華》. ④높을항 '一行'. '不可以爲一'《淮南子》. ⑤성항 성(姓)의 하나.
字源 形聲. 扌(手)+亢〔音〕

手 4 〔折〕7 高·人 ㊀절 (入)屑 | zhé セツ おる
㊁제 (平)齊 | tí テイ やすらか
筆順 一 十 扌 扌 扌 扩 折
字解 ㊀①꺾을절 ㉠부러뜨림. '一枝'. '無一我樹杞'《詩經》. ㉡굽힘. '一節下士'《漢書》. ㉢찢음. '一券棄責'《漢書》. ㉣기를 꺾음. '一伏'. '一辱秦吏卒'《史記》. ㉤힐난함. '面一不能容人之過'《史記》. ②꺾일절 ㉠부러짐. '天柱一, 地維缺'《淮南子》. ㉡굽음. '河九一注於海'《淮南子》. ③결단할절 판단함. 단정함. '片言可以一獄者'《論語》. ④꺾

을절 값을 낮춤. '一價'. '良賈不爲一開不市'《荀子》. ⑤일찍죽을절 요사함. '夭一'. '凶·短·一'《書經》. ⑥성절 성(姓)의 하나. [二] 천천할제 안서(安徐)한 모양. '吉事欲其一一爾'《禮記》.
[字源] 會意. 金文·篆文은 㞢+斤

手4 〔拼〕7 승 [上]迥 | zhěng ショウ あげる

[字解] 들승 들어 올림. '用一馬壯吉'《易經》.
[字源] 形聲. 扌(手)+升〔音〕

手4 〔抇〕7 골 [入]月 | gǔ, hǔ コツ ころがす, ほる

[字解] ①굴릴골 굴러가게 함. '掎一泥淖'《柳宗元》. ②뚫을골 구멍을 냄. '一人之墓'《荀子》. ③팔골 구덩이를 만듦. '一其谷而得其鈇'《列子》.
[字源] 形聲 扌(手)+曰〔音〕

手4 〔抈〕7 월 [入]月 | yuè ゲツ おる

[字解] ①꺾을월 부러뜨림. '車軸折, 其衡一'《太玄經》. ②움직일월 흔들리게 함. '其置本也, 固矣. 故不可一也'《國語》.
[字源] 形聲. 扌(手)+月〔音〕

手4 〔抐〕7 [一] 눌 [入]月 | nè ドツ そめる / [二] 납 [入]合 | nà ノウ うつ

[字解] [一] 물들일눌, 담글눌 물들임. 물에 적심. '一, 擩也'《廣雅》. '一, 按物水中也'《字彙》. [二] 칠납 捺(手부 10획〈459〉)과 同字.
[字源] 形聲. 扌(手)+內〔音〕

手4 〔抏〕7 완 ①②[平]寒 | wán ガン つきる / ③[去]翰 | wàn ガン もてあそぶ

[字解] ①무지러질완 모손(耗損)함. '百姓一弊'《史記》. ②안마할완 몸을 주무르고 두드리고 함. '案一毒熨'《史記》. ③완롱할완 玩(玉부 4획〈767〉)과 통용. '游一之脩'《荀子》.
[字源] 形聲. 扌(手)+元〔音〕

手4 〔抁〕7 [一] 연 [上]銑 | yǎn エン うごく / [去]霰 | エン うごかす / [二] 유 [上]紙 | イ·ユイ はかる / [三] 전 [上]銑 | セン はかる / [四] 예 [去]霽 | エイ うごく

[字解] [一] ①움직일연 흔들림. '一, 動也. 搖也'《玉篇》. ②헤아릴연 '一, 揣也'《集韻》. ③움직이게할연 '一, 動也. 老子, 揣而一也'《集韻》. [二] ①움직일유 [一]❶과 뜻이 같음. ②헤아릴유 [一]❷와 뜻이 같음. [三] 헤아릴전 [一]❷와 뜻이 같음. [四] 움직일예 [一]❶과 뜻이 같음.

手4 〔扽〕7 돈 [去]願 | dèn トン ひく

[字解] ①끌돈 '一, 引也'《廣雅》. ②움직일돈 '一, 撼也'《玉篇》. ③갈돈, 비빌돈 '一, 一曰, 摩也'《集韻》.

手4 〔抌〕7 침 [上]寑 | shěn シン おす

[字解] 밀칠침 떼밂. '挨一'. '攩挻挨一, 亡所不爲'《列子》.
[字源] 形聲. 扌(手)+冘〔音〕

手4 〔扢〕7 개 [去]隊 | gài カイ みがく

[字解] 갈개 마찰함. '一, 磨也'《廣雅》. ②취할개 '一, 取也'《集韻》.

手4 〔抩〕7 [一] 탐 [平]覃 | タン もつ / [二] 남 [平]覃 | nán カン もつ / [三] 염 [平]鹽 | ゼン もつ

[字解] [一] 가질탐 함께 가짐. '一, 并持也'《說文》. [二] 가질남 [一]과 뜻이 같음. [三] 가질염 [一]과 뜻이 같음.
[字源] 形聲. 扌(手)+冄〔音〕

手4 〔扸〕7 석 [入]錫 | xī セキ わける, わかれる

[字解] ①가를석, 나누일석 析(木부 4획〈532〉)과 同字. '常變錯, 故百事一'《太玄經》. ②꺾일석 '輿之一. 傳曰, 輿之一, 車之脫也'《元包經》.

手4 〔抗〕7 방 ①[上]養 | fǎng ホウ にる / ②[平]庚 | bēng ホウ ひく

[字解] ①어렴풋할방, 비슷할방 仿(人부 4획〈37〉)·髣(髟부 4획〈1764〉)과 同字. '仿, 相似也. 或作一'《說文》. ②끌방 서로 끎. '搒, 相牽也. 或作一'《集韻》.

手4 〔找〕7 [一] 화 [平]麻 | huá カ さおさす / [二] 조 | zhǎo ソウ おぎなう

[字解] [一] 삿대질할화 '划, 舟進竿謂之划. 或从手'《集韻》. [二] ①채울조 부족(不足)을 채움. '一, 補不足曰一'《洪武正韻》. ②찾을조 사람을 찾음. '一, 凡尋覓人物曰一'《中華大字典》.

手4 〔扰〕7 [一] 우 [去]宥 | yòu ユウ さいわい / [二] 요 | rǎo

[字解] [一] ①복우 '一, 福也'《玉篇》. ②움직일우 '一, 動也'《字彙》. [二] 擾(手부 15획〈474〉)의 簡體字.

手 4 〔扳〕7 〔반〕
攀(手부 15획〈473〉)과 同字
[字源] 形聲. 扌(手)+反〔音〕

手 4 〔⿰扌旡〕7 〔개〕
概(木부 11획〈572〉)와 同字
[參考] 抚(次條)는 別字.

手 4 〔抚〕7 〔무〕
撫(手부 12획〈468〉)의 俗字

手 4 〔扯〕7 〔차〕
撦(手부 12획〈468〉)의 俗字
[字源] 會意. 扌(手)+止

手 4 〔扵〕7 〔어〕
於(方부 4획〈495〉)의 俗字

手 4 〔抅〕7 〔구〕
拘(手부 5획〈437〉)의 俗字

手 4 〔択〕7 〔택〕
擇(手부 13획〈470〉)의 略字

手 4 〔抛〕7 〔포〕
拋(手부 5획〈435〉)의 俗字

手 4 〔报〕7 〔보〕 報(土부 9획〈212〉)의 俗字·簡體字

手 4 〔抝〕7 〔요〕
拗(手부 5획〈436〉)의 俗字

手 4 〔护〕7 〔호〕 護(言부 14획〈1360〉)의 簡體字

手 4 〔抜〕7 〔발〕
拔(手부 5획〈436〉)의 略字

手 4 〔抂〕7 광 [平]陽 | kuáng キョウ みだれるさま
[字解] ①어지러울광 어지러운 모양. '一攘'. ②狂(犬부 4획〈748〉)의 訛字.

手 4 〔⿰扌引〕7 〔인〕
引(弓부 1획〈359〉)과 同字

水 4 〔⿰扌卆〕7 〔졸〕
捽(手부 8획〈447〉)의 俗字

手 5 〔拜〕9 [中·人] 배 [去]卦 | bài ハイ おがむ
[筆順] 一 二 三 手 手 手 拜 拜
[字解] ①절배 배례. '禮一'. '太祝辨九一'《周禮》. ②절할배 배례를 함. '先一客'《禮記》. 전(轉)하여, 경의(敬意)를 표하는 말로 쓰임. '一辭'. '自製一章, 便有文采'《南史》. ③받을배 사여(賜與)를 받음. '一恩私第'《北史》. ④벼슬줄배 관작을 수여함. '一大將'《史記》. ⑤굽힐배 굽게 함. 휨. '勿翦勿一'《詩經》. ⑥성배 성(姓)의 하나.
[字源] 會意. 篆文은 手+𠦬

手 5 〔拝〕8 拜(前條)의 略字

手 5 〔拏〕9 [人名] 나 [平]麻 | ná ダ とる, とらえる
[筆順] 𡿨 女 女 奴 奴 奴 拏 拏
[字解] ①맞당길나 서로 끌어당김. '漢匈奴相紛一'《史記》. ②잡을나 체포함. '一捕'.
[字源] 形聲. 手+奴〔音〕

手 5 〔⿱此手〕9 자 [去]寘 | zì シ つむ
[字解] ①쌓을자 또, 높이 쌓은 사냥감. '一, 積也. 詩曰, 助我擧一'《說文》. ②볼비빌자 뺨을 문지름. '一, 一日, 搣頰旁也'《說文》.
[字源] 形聲. 手+此〔音〕

手 5 〔⿱丞手〕9 〔승〕
承(手부 4획〈429〉)과 同字

手 5 〔抨〕8 평 [平]庚 | pēng ホウ しらべあばく
[字解] ①탄핵할평 죄를 조사하여 책망함. '一劾'. '其意不樂彈一事'《唐書》. ②하여금평 …로 하여금 …하게 함. '一雄鳩以作媒兮'《漢書》.
[字源] 形聲. 扌(手)+平〔音〕

手 5 〔抪〕8 포 [平]虞 | pū ホ しく
[字解] 퍼질포 넓게 퍼짐. '塵埃一覆'《漢書》.
[字源] 形聲. 扌(手)+布〔音〕

手 5 〔抮〕8 진 [上]軫 | zhěn シン ねじれる, つく
[字解] ①휘어잡을진 거머잡음. '扶搖一抱, 羊角而上'《淮南子》. ②껴안을진 끼어 가짐. '雖天地覆育, 亦不與之一抱矣'《淮南子》.
[字源] 形聲. 扌(手)+㐱〔音〕

手 5 〔抋〕8
㊀ 별 [入]屑 | bié ヘツ ねじる
㊁ 비 [去]寘 | bì ヒ うつ
㊂ 필 [入]質 | bì ヒツ さす
[字解] ㊀ ①비틀별 잡아 비틂. '一, 捩也'《集韻》. ②밀별 밀어 침. '一, 推也. 南楚凡推搏曰一'《揚子方言》. ③쳐넘어뜨릴별 '徒搏之所撞一'《張衡》. ㊁ 칠비 장난삼아 침.

'一, 戲擊也'《集韻》. [三] 찌를필. '一, 博雅, 刺也'《集韻》.
[字源] 形聲. 扌(手)+必〔音〕

手5 〔披〕8 피 ①-⑥[平]支 | pī ヒ ひらく / ⑦[上]紙 | ヒ さく / ⑧[去]寘 | ヒ せい

[字解] ①헤질피 속에 있는 것을 드러나게 함. '一拂'. '一心腹見情素'《漢書》. ②열피 개척(開拓)함. '一山通道'《史記》. ③펼피 책장 따위를 폄. '一讀'. '一於百家之編'《韓愈》. ④나눌피 나누어 줌. '又一其邑'《左傳》. ⑤입을피 옷을 걸침. '一服'. '一鶴氅行雪中'《世說》. ⑥쓰러질피 쏠리어 넘어짐. '一一'. '應風一靡, 吐芳揚烈'《司馬相如》. ⑦찢어질피, 찢을피 파열함. '一厤'. '木實繁者, 一其木'《史記》. ⑧성피 성(姓)의 하나.
[字源] 形聲. 扌(手)+皮〔音〕

手5 〔抱〕8 [中·人] 포 ①-④[上]皓 | bào ホウ だく / ⑤[平]肴 | pāo ホウ なげうつ

[筆順] 一 十 扌 扌 扚 扚 抅 抱

[字解] ①안을포, 품을포 ㉠껴안음. '一擁'. '亦既一子'《詩經》. ㉡지킴. '聖人一一爲天下式'《老子》. ㉢가짐. '是一空質也'《戰國策》. ㉣쥠. '一關擊柝'《孟子》. ㉤둘러쌈. 위요함. '一圍'. '鬱律衆山一'《獨孤及》. ㉥갖춤. 구비함. '奈何君獨一奇才'《韓愈》. ㉦마음 속에 가짐. '一志'. '一懷'. ②가슴포 ㉠흉부. '凡與大人言語, 始視面, 中見一'《儀禮》. ㉡마음. 생각. '區區丹一'《宋書》. ③아름포 팔을 벌리어 껴안은 둘레. '連一之木'. '長千仞, 大連一'《司馬相如》. ④성포 성(姓)의 하나. ⑤던질포 拋(手부 5획〈435〉)와 통용. '姜嫄生后稷, 一之山中'《史記》.
[字源] 形聲. 扌(手)+包〔音〕

手5 〔抱〕8 抱(前條)와 同字

手5 〔抱〕8 抱(前前條)의 俗字

手5 〔抵〕8 [高·人] [一] 저 [上]薺 | dǐ テイ ふれる, あたる / [二] 지 [上]紙 | zhǐ シ うつ

[筆順] 一 十 扌 扌 扌 扺 抵 抵

[字解] [一] ①닥뜨릴저 저촉함. 또, 거역함. '習俗薄惡, 民人一冒'《漢書》. ②겨룰저 대항함. '一抗'. '角一'. ③다다를저 이름. '一冬降霜'《漢書》. ④당할저 해당함. '傷人及盜一罪'《史記》. ⑤던질저 내던짐. '因毁以一地'《後漢書》. ⑥대컨저 무릇. '大一'. [二] 칠지 손으로 침. 扺(手부 4획〈430〉)와 통용. '一掌'. '奮髯一几'《漢書》.
[字源] 形聲. 扌(手)+氏〔音〕

手5 〔抶〕8 질 [入]質 | chì チツ むちうつ

[字解] 종아리칠질 초달(楚撻)함. '一其僕以徇'《左傳》.
[字源] 形聲. 扌(手)+失〔音〕

手5 〔抹〕8 말 [入]曷 | mò, mǒ, mā マツ する, はく

[字解] ①바를말 칠함. '塗一'. '酒入香腮紅一一'《歐陽修》. ②지울말 형적을 없앰. '一消'. '濃筆一之'《杜陽雜編》. ③문지를말 비빔. 또, 현악기(絃樂器)의 줄을 살짝 대고 누름. '轉腕攏絃促揮一'《李紳》. ④닦을말 씻음. '嘉賓入幕金尊一'《梅堯臣》. ⑤지나갈말 '快馬輕衫來一一'《蘇軾》.
[字源] 形聲. 扌(手)+末〔音〕

手5 〔抺〕8 [一] 매 [去]泰 | mèi / [二] 말 [入]曷 | ベイ·マイ さぐる

[字解] [一] 더듬을매 '一, 摸也'《集韻》. [二] 抹(前條)의 訛字.

手5 〔抦〕8 병 [上]梗 | bǐng ヘイ もつ

[字解] 잡을병 柄(木부 5획〈535〉)·秉(禾부 3획〈898〉)과 통용.
[字源] 形聲. 扌(手)+丙〔音〕

手5 〔抽〕8 [高·人] 추 [平]尤 | chōu チュウ ひく, ぬく

[筆順] 一 十 扌 扌 扣 扣 抽 抽

[字解] ①뺄추 뽑음. '一籤'. '一刃劫新婦'《世說新語》. ②당길추 끌어당김. '挈水若一'《莊子》. ③거둘추 거두어 들임. '羣綸一緒'《太玄經》. ④싹틀추 식물이 자람. '草以春一'《東晳》.
[字源] 形聲. 扌(手)+由(畱)〔音〕

手5 〔抻〕8 [一] 신 [去]震 | (shēn) シン のべる / [二] 진 [平]眞 | chēn チン のべる

[字解] [一] 펼신 벌림. 뻗음. 늘임. '一, 展也, 一物長也'《集韻》. [二] 펼진 [一]과 뜻이 같음.
[字源] 形聲. 扌(手)+申〔音〕

手5 〔押〕8 [高·人] [一] 압 [入]洽 | yā(yá) オウ かきはん, おす / [二] 갑 [入]洽 | jiǎ コウ くくる, なれる

[筆順] 一 十 扌 扌 扣 押 押 押

字解 ㊀ ①수결압 도장 대신 쓰는 자형(字形). '花―'. '必先書―而後報行'《宋史》. ②주관할압 관리함. '―班'. '中書省舍人, 以六員分―尙書六曹'《唐書》. ③찍을압 도장을 찍음. '―捺'. '―署'. ④누를압 내리 누름. '便以石―其頭'《晉書》. ⑤운자찍을압 운자(韻字)를 맞춤. '―韻'. '平韻可重―'《滄浪詩話》. ⑥잡을압 체포함. '―送'. '拱―天人'《後漢書》. ㊁ ①단속할갑 검속(檢束)함. '蠢廸檢―'《漢書》. ②겹칠갑 중첩(重疊)함. '羽檄重迹而―至'《漢書》.
字源 形聲. 扌(手)+甲〔音〕

手5 〔批〕8 ㊀ 자 ㊤紙 zǐ シ つかむ (지㊍) ㊁ 제 ㊤薺 jǐ セイ つかむ
筆順 一 十 扌 扎 扑 扯 扯 批
字解 ㊀ ①꺼두를자 꼭 잡음. '―, 捽也'《說文》. ②끌자 잡고 끎. '通俗文, 掣挽曰―'《一切經音義》. ③칠자, 주먹질할자 抵(手부 4획〈430〉)와 同字. ※本音 지. ㊁ 꺼두를제 ㊀❶과 뜻이 같음.
字源 形聲. 扌(手)+此〔音〕

手5 〔拂〕8 高·人 ㊀ 불 ㊇物 fú フツ はらう ㊁ 필 ㊇質 bì ヒツ たすける
筆順 一 十 扌 扫 扫 拐 拂 拂
字解 ㊀ ①털불 ㉠먼지를 텖. '―塵'. '進几杖者―之'《禮記》. ㉡사악(邪惡)을 제거함. '―其邪心'《韓愈》. ②떨칠불 힘있게 흔듦. '―衣從之'《國語》. ③닦을불 씻음. '長袂―面'《楚辭》. ④거스를불 어김. '―戾'. '―人之性'《大學》. ⑤먼지떨이불 '―塵'. '白旄―二枚'《晉東宮舊事》. ㊁ 도울필 弼(弓부 9획〈362〉)과 同字. '法家―士'《孟子》.
字源 形聲. 扌(手)+弗〔音〕

手5 〔拄〕8 주 ㊤麌 zhǔ チュ ささえる
字解 ①버틸주 물건을 굄. '枝―'. '脩劍―頤'《戰國策》. ②손가락질할주 뒷손질함. 비방함. '連―五鹿君'《漢書》.
字源 形聲. 扌(手)+主〔音〕

手5 〔抯〕8 ㊀ 자 ㊥麻 zhā サ とる, くみとる (저㊗) ㊁ 차 ㊤馬 zhā シャ とる
字解 ㊀ 잡을자, 건질자 '―, 挹也'《說文》. '南楚之間, 凡取物溝泥中, 謂之―'《揚子方言》. ※俗音 저. ㊁ 취할차 취득(取得)함. '―, 取也'《集韻》.
字源 形聲. 扌(手)+且〔音〕

手5 〔担〕8 ㊀ 걸 ㊇屑 qiè ケツ あげる ㊁ 담 ㊥覃 dān タン になう
字解 ㊀ 들걸 들어 올림. '意恣睢以―撟'《楚辭》. ㊁ 멜담 擔(手부 13획〈471〉)의 俗字.
字源 形聲. 扌(手)+旦〔音〕

手5 〔拆〕8 탁 ㊇陌 chāi(chè) タク さく, さける
字解 터질탁 갈라짐. '―裂'. '百果草木皆甲―'《易經》.
字源 形聲. 扌(手)+斥〔音〕
參考 坼(土부 5획〈204〉)·柝(木부 5획〈536〉)과 통용.

手5 〔拇〕8 人名 무 ㊤有 mǔ ボウ おやゆび ㊤麌 mǔ ボ おやゆび
筆順 一 十 扌 扌 扣 扣 拇 拇 拇
字解 엄지손가락무 대지(大指). '―指'. '騈―枝指'《莊子》.
字源 形聲. 扌(手)+母〔音〕

手5 〔拈〕8 ㊀ 념 ㊥鹽 niān デン·ネン つまむ ㊁ 점 ㊤琰 zhǎn セン つまむ
字解 ㊀ 집을념 손가락으로 집. '―出'. '舍西柔桑葉可―'《杜甫》. ㊁ 집을점 ㊀과 뜻이 같음.
字源 形聲. 扌(手)+占〔音〕

手5 〔拉〕8 랍 ㊇合 lā ラツ·ラ くじく
字解 ①꺾을랍 부러뜨림. '―殺'. '―脅折齒'《漢書》. ②끌랍 이끎. '―友而歸'. '于時情好日密, 相―總師'《諸葛亮》.
字源 形聲. 扌(手)+立〔音〕

手5 〔拊〕8 부 ㊤麌 fǔ フ なでる
字解 ①어루만질부 쓰다듬음. 위무함. '―循'. '―而勉之'《左傳》. ②칠부 가볍게 두드림. '予擊石―石'《書經》. ③손잡이부, 자루부 기물의 손으로 잡는 데. '屈韣執―'《禮記》. ④악기이름부 북 비슷한 악기. 목에 걸고 양손으로 침. 부박(拊搏) 또는 박부(搏拊)라고도 함.
字源 形聲. 扌(手)+付〔音〕

手5 〔抛〕8 포 ㊥肴 pāo ホウ なげうつ
字解 ①버릴포 내버림. '―棄'. ②던질포 내던짐. '―擲'. '同―財産'《後漢書》.
字源 會意. 扌(手)+九+力
參考 拋(手부 4획〈433〉)는 俗字.

手5〔拌〕8 [一]반 [平]寒|pān ハン すてる
[二]판 [去]翰|pàn ハン さく

[字解] [一]①버릴반 내버림. '楚凡揮棄物謂之一'《揚子方言》. ②섞을반. '攪一'. [二]가를판 判(刀부 5획〈101〉)과 통용. '鑴石一蚌'《史記》.
[字源] 形聲. 扌(手)+半〔音〕

手5〔拍〕8 [高·人] 박 [入]陌 [入]藥|①②pāi, pò ハク·ヒョウ うつ, ひょうし ③bó ハク けんこうこつ

[筆順] 一 十 扌 扌' 扩 拍 拍 拍

[字解] ①칠박 두드림. '一手'. '一手獨一, 雖疾無聲'《韓非子》. ②박자박 음악의 가락을 조절하는 소리. '胡笳十八一'. '此霓裳第三疊最初一也'《唐書》. ③어깻죽지박 髆(肉부 10획〈1085〉)과 同字. '饋食之豆, 其實豚一'《周禮》.
[字源] 形聲. 扌(手)+百〔音〕

手5〔拐〕8 괴 [上]蟹|guǎi カイ かたる

[字解] ①속일괴 기만함. '一騙犯姦'《政刑大觀》. ②지팡이괴 杖(木부 3획〈528〉)의 속용(俗用). '鐵一'.
[字源] 形聲. 扌(手)+另〔音〕

手5〔拑〕8 겸 [平]鹽|qián ケン つぐむ
[上]豏|カン つぐむ

[字解] 재갈먹일겸, 다물겸 箝(竹부 8획〈942〉)·鉗(金부 5획〈1555〉)과 同字. '臣畏刑而一口'《漢書》.
[字源] 形聲. 扌(手)+甘〔音〕

手5〔拒〕8 [高·人] [一]거 [上]語|jù キョ こばむ
[二]구 [上]麌|jǔ ク ほうじん

[筆順] 一 十 扌 扌 扩 扩 拒 拒

[字解] [一]①막을거 ㉠거절함. '一否'. '其不可者一之'《論語》. ㉡방어함. '一扞'. '內以固城, 外以一難'《荀子》. ②겨룰거 저항함. '高談鮮能抗一'《齊書》. ③어길거 좇지 아니함. '一逆'. '必不違一'《梁武帝》. ④방어거 막는 일. 또, 그 설비. '攻其前一'《史記》. [二]방진구 방형(方形)의 진(陣). '請爲左一'《左傳》.
[字源] 形聲. 扌(手)+巨〔音〕

手5〔拓〕8 [高·人] [一]척 (①탁[本]) [入]陌|zhí セキ·タク ひらく
[二]탁 [入]藥|tuō, tà タク おす, いしずり

[筆順] 一 十 扌 扌 扩 扩 拓 拓

[字解] [一]①넓힐척 개척함. '開一'. '一地太大'《唐書》. ②주울척 떨어진 것을 주움. '一果樹實'《儀禮註》. ③꺾을척 부러뜨림. '一若華而躊躇'《張衡》. ※❶은 本音 탁. [二]①밀칠탁 손으로 밂. '一一纖痕更不收'《李山甫》. ②박을탁 비문(碑文) 등을 비석에 종이를 대고 박아 냄. '一本'. ③성탁 성(姓)의 하나.
[字源] 形聲. 扌(手)+石〔音〕

手5〔拔〕8 [高·人] [一]발 [入]黠 [入]曷|①-④bá バツ ぬく ⑤⑥bō ハツ はやい, やはず
[二]패 [去]隊|bèi ハイ しげる

[筆順] 一 十 扌 扌 扩 扐 拔 拔

[字解] [一]①뺄발 ㉠뽑음. '一去'. '一茅茹以其彙'《易經》. ㉡공략(攻略)함. 쳐 빼앗음. '攻下邑一之'《史記》. ②가릴발 가려 뽑음. '一擢'. ③덜어버릴발 제거함. '猶言拂一'《周禮 註》. ④빼어날발 특출함. '一群'. '神采英一'《陳書》. ⑤빠를발 속함. '毋一來'《禮記》. ⑥오늬발 화살의 시위에 끼우게 된 부분. '舍一則獲'《詩經》. [二]성할패 지엽이 무성한 모양. '柞棫斯一'《詩經》.
[字源] 形聲. 扌(手)+犮〔音〕

手5〔抜〕8 拔(前條)의 俗字

手5〔扷〕8 拔(前前條)의 同字

手5〔拖〕8 타 [平]歌 [上]哿|tuō タ ひく

[字解] 끌타 끌어당김. '一曳'. '一舟而入水'《漢書》.
[字源] 形聲. 扌(手)+㐌(它)〔音〕
[參考] 拕(次條)는 同字.

手5〔拕〕8 拖(前條)와 同字

手5〔拗〕8 [一]요 ①[上]巧 ②[去]效|ǎo オウ·ヨウ くじく ào オウ·ヨウねじける
[二]욱 [入]屋|yù イク おさえる

[字解] [一]①꺾을요 부러뜨림. '一矢折矛'《尉繚子》. ②비꼬일요 마음이 비뚦. '執一'. '王臨川, 天資亦有一強處'《朱子語類》. [二]누를욱 억누름. '乃一怒而少息'《班固》.
[字源] 形聲. 扌(手)+幼〔音〕

手
5 〔拘〕8 高·人 구 ㉲虞 ㉲尤 ①-③jū ク とらえる, かかわる ④-⑥gōu コウ かかえる, まがる

筆順 一 十 扌 扌 扚 扚 拘 拘

字解 ①잡을구 체포함. '一束'. '武夫力而一諸原'《左傳》. ②잡힐구 체포당함. '一焉五日'《史記》. 또, 잡히는 일. 또, 그 사람. '弛獄出一'《月令廣義》. ③거리낄구 구애함. '一泥'. '不一文法'《史記》. ④껴안을구 두 팔로 껴안음. '以袂一而退'《禮記》. ⑤취할구 가짐. 쥠. '自下一之'《禮記》. ⑥굽을구 굴곡함. '夫指之一也'《淮南子》.
字源 形聲. 扌(手)+句〔音〕
參考 抅(手부 4획〈433〉)는 俗字.

手
5 〔拙〕8 高·人 졸 ㉧屑 zhuō(zhuó) セツ つたない

筆順 一 十 扌 扌 扌 扌 拙 拙

字解 졸할졸 ㉠서투름. '巧一'. '一劣'. '鐵劍利, 而倡優一'《史記》. ㉡옹졸함. 또, 옹졸한 일. '守一歸田園'《陶潛》. 전(轉)하여, 자기 또는 자기의 사물의 겸칭(謙稱)으로 쓰임. '一稿'. '一妻好乘鸞'《李白》.
字源 形聲. 扌(手)+出〔音〕

手
5 〔拚〕8 ㊀번 ㉲元 fān ハン ひるがえる ㊁반 ㉲寒 pàn ハン すてる ㊂변 ㉹霰 pīn ヘン·ベン てをうつ ㊃분 ㉹問 pàn, fèn フン はらう

字解 ㊀번득일번, 날번 翻(羽부 12획〈1047〉)과 통용. '一飛維鳥'《詩經》. ㊁버릴반 拚(手부 7획〈443〉)의 本字. ㊂손뼉칠변 抃(手부 4획〈430〉)과 同字. '歌一就路'《宋書》. ㊃쓸분 소제함. '旣一以俟矣'《儀禮》.
字源 形聲. 扌(手)+弁〔音〕

手
5 〔招〕8 中·人 ㊀초 ㉲蕭 zhāo ショウ まねく ㊁교 ㉲蕭 qiáo キョウ あげる ㊂소 ㉲蕭 sháo ショウ ほしのな

筆順 一 十 扌 扌 扨 抈 招 招

字解 ㊀①부를초 ㉠손짓하여 부름. '以手曰一, 以言曰召'《楚辭 註》. 전(轉)하여, 불러 옴. '旁一俊艾'《書經》. ㉡초래함. '一災'. ②구할초 요구함. '數一權, 顧金錢'《漢書》. ③묶을초 결박함. '旣入其苙, 又從而一之'《孟子》. ④ 과녁초 사적(射的). '共射其一一'《呂氏春秋》. ⑤성초 성(姓)의 하나. ㊁①들교 지적함. 사실을 끌어 말함. 초둚. '好盡言, 以一人過'《國語》. ②걸교 게시(揭示)함. '一仁義, 以撓天下'《莊子》. ㊂별이름소 '一搖'는 북두 칠성의 일곱째 별. '北斗七星, 第七搖光, 則一搖也'《禮記疏》.
字源 形聲. 扌(手)+召〔音〕

手
5 〔挡〕8 招(前條)의 俗字.

手
5 〔抴〕8 ㊀예 ㉹霽 yì エイ ひく ㊁열 ㉧屑 yè エツ ひく ㊂설 ㉧屑 shé セツ かぞえる

字解 ㊀끌예 견인(牽引)함. '接人則用一'《荀子》. ㊁끌열 拽(手부 6획〈440〉)과 同字. ㊂맥짚을설 揲(手부 9획〈455〉)과 同字.
字源 形聲. 扌(手)+世〔音〕

手
5 〔抭〕8 ㊀요 ㉯篠 yǎo ヨウ くみだす ㊁유 ㉲尤 yǒu ユウ くみだす

字解 ㊀퍼낼요 방아찧은 것을 확〔臼〕에서 퍼 올림. '或舂或一'《詩經》. ㊁퍼낼유 ㊀과 뜻이 같음.
參考 抌(手부 4획〈432〉)는 訛字.

手
5 〔拃〕8 ㊀잔 ㉯潸 zhǎn サン さぐる ㊁찰 ㉧曷 zhǎ サツ せまる

字解 ㊀더듬을잔 '一, 摸也'《集韻》. ㊁닥칠찰 拶(手부 6획〈439〉)의 俗字.

手
5 〔抧〕8 ㊀지 ㉯紙 zhǐ シ ひらく ㊁기 ㉯紙 キ ひらく ㊂채 ㉯蟹 zhǎi サイ うつ

字解 ㊀열지 '一, 開也'《說文》. ㊁열기 ㊀과 뜻이 같음. ㊂칠채 두드림. '一, 擊也'《玉篇》.
字源 形聲. 扌+只〔音〕

手
5 〔抰〕8 앙 ①②㉯養 ③㉲陽 yāng ヨウ むながいでうつ オウ うつ

字解 ①가슴걸이로칠앙 '一, 㠯車鞅擊也'《說文》. ②가운데앙 중앙(中央). '暉鑒一振'《左思》. ③칠앙 두드림. '一, 打也'《集韻》.
字源 形聲. 扌+央〔音〕

手
5 〔抲〕8 ㊀하 ㉲歌 ㉯哿 ①②hē カ さしまねく ②hè カ になう ㊁가 ㉲麻 qiā カ にぎる ㊂나 ㉲麻 ナ とらえる

字解 ㊀①지휘할하 '一, 一撝也. 周書曰, 盡執一'《說文》. ②멜하 '一, 擔一. 俗'《廣韻》. ㊁움켜쥘가 '一, 扼也'《集韻》. ㊂잡

을나 붙잡음. '一, 搿也'《集韻》.
[字源] 形聲. 扌(手)+可〔音〕

手5 〔抾〕8 ㊀거 [平]魚 qū キョ とる ㊁겁 [入]葉 [入]洽 キョウ くむ ㊂기 [平]支 キ くむ

[字解] ㊀①떠낼거 액체 같은 것을 퍼냄 '一靈蠵'《漢書》. ②받들거 '一, 一曰, 捧也'《集韻》. ③가져갈거 '一摸, 去也. 齊趙之總語也. 一摸, 猶言持去也'《揚子方言》. ㊁①뜰겁 떠냄. '一, 挹也'《廣雅》. ②가질겁 '一, 持也'《集韻》. ③으를겁 劫(力부 5획〈113〉)과 통용. '一封豨'《後漢書》. ㊂뜰기 두 손으로 떠냄. '一, 兩手挹也'《玉篇》.

手5 〔抬〕8 ㊀笞(竹부 5획〈932〉)와 同字 ㊁擡(手부 14획〈472〉)의 俗字
[字源] 形聲. 扌(手)+台〔音〕

手5 〔拠〕8 〔거〕 據(手부 13획〈471〉)의 俗字

手5 〔扼〕8 〔액〕 扼(手부 4획〈430〉)과 同字

手5 〔抿〕8 〔문〕 捪(手부 9획〈454〉)과 同字
[字源] 形聲. 扌(手)+民〔音〕

手5 〔拟〕8 〔의〕 擬(手부 14획〈473〉)의 俗字・簡體字

手5 〔拦〕8 〔란〕 攔(手부 17획〈476〉)의 簡體字

手5 〔拣〕8 〔간〕 揀(手부 9획〈452〉)의 簡體字

手5 〔拥〕8 〔옹〕 擁(手부 13획〈470〉)의 簡體字

手5 〔扩〕8 〔확〕 擴(手부 15획〈474〉)의 略字

手5 〔拎〕8 령 [平]青 līng レイ かける, さげる
[字解] 들령 손에 듦. 매닮. '一, 手懸捻物也'《玉篇》.

手6 〔拜〕10 〔배〕 拜(手부 5획〈433〉)와 同字

手6 〔卺〕10 근 [上]軫 jǐn キン つつしむ
[字解] 삼갈근 '一, 謹身所承也'《正韻》.

手6 〔拳〕10 [高・人] 권 [平]先 [上]阮 ①-⑧quán ケン こぶし ⑨quān ケン いしゆみ

[筆順] 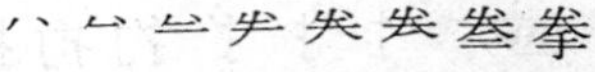

[字解] ①주먹권 오그려 쥔 손. '空一'. '奮一以致力'《後漢書》. ②주먹쥘권 주먹을 쥠. '女兩手皆一'《漢書》. ③권법권 수박(手搏)과 같은 것으로 권투의 한 가지. '古今一家'《經國雄略》. ④근심할권 근심하는 모양. 일설(一說)에는, 사랑하는 모양. '違慈母之一一乎'《後漢書》. ⑤충근할권 충실하고 부지런한 모양. '不勝一一'《漢書》. ⑥정성껏지킬권 '一一服膺'《中庸》. ⑦힘권 여력(膂力). '無一無勇'《詩經》. ⑧성권 성(姓)의 하나. ⑨쇠뇌활권 弮(弓부 6획〈361〉)과 통용. '士張空一, 冒白刃'《漢書》.
[字源] 形聲. 手+𢍏〔音〕

手6 〔拏〕10 척 [入]陌 zhé タク てでものをはかる

[筆順] 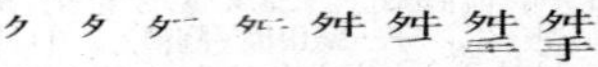

[字解] 물건을손으로헤아릴척 搩(手부 10획〈459〉)과 同字. '搩, 手度物, 或作一'《集韻》.

手6 〔挈〕10 ㊀설(결[本]) [入]屑 qiè ケツ たずさえる ㊁계 [去]霽 qì ケイ たつ

[字解] ㊀①끌설 손으로 끎. 전(轉)하여, 데리고 다님. '提一'. '一其妻子'《公羊傳》. ②가지런히할설 수정(修整)함. '君子一其辯'《荀子》. ③절박할설 급(急)한 모양. '箝鍵一一'《司馬光 註》. '一一, 急切貌'《太玄經》. ※本音 결. ㊁①끊을계 단절함. '一三神之歡'《司馬相如》. ②그슬릴계 점치려고 거북 껍데기를 불에 쬠. '且算祀於一龜'《班固》. ③문서계 契(大부 6획〈235〉)와 통용. '臣請領一'《戰國策》.
[字源] 形聲. 手+㓞〔音〕

手6 〔拲〕10 공 [上]腫 gǒng キョウ てかせ
[字解] 고랑공 수갑. '上罪梏一而桎'《周禮》.
[字源] 形聲. 手+共〔音〕

手6 〔挐〕10 〔나〕 拏(手부 5획〈433〉)와 同字
[字源] 形聲. 手+如〔音〕

手6 〔拿〕10 〔나〕 拏(手부 5획〈433〉)의 俗字
[字源] 會意. 手+合

手6 〔拲〕 10 공 [上]腫 | gǒng キョウ だく

[字解] ①안을공 '一, 抱持'《廣韻》. ②들공 '一, 擧也'《廣雅》. ③화법이름공 손톱과 가는 침(針)으로 밑그림을 그리는 화법(畫法)의 하나.
[字源] 形聲. 手+巩〔音〕

手6 〔拳〕 10 〔거〕 擧(手부 14획〈472〉)의 略字

手6 〔拫〕 9 흔 [平]元 | hén コン ひく

[字解] ①당길흔 급히 끌어당김. '引繩排一不附己者'《朱子語類》. ②물리칠흔 배격함. 배제(排擠)함. '一却'. '爲姦憸一抑'《唐書》.

手6 〔拰〕 9 임 [上]寢 | nǐn ニン からめる

[字解] ①잡을임, 누를임 포박(捕縛)함. '一, 搦也'《集韻》. ②활잡을임 활을 바르게 조절함. '一搦, 調弓皃'《集韻》. ③흔들임 동요(動搖)시킴. '一, 一曰, 搖也'《字彙》.

手6 〔括〕 9 [人名] 괄 [入]曷 | guā, kuō カツ くくる

[筆順] 一 寸 扌 扌 扌 扦 括 括

[字解] ①묶을괄 ㉠결속(結束)함. '一結'. '一囊'《易經》. ㉡머리를 동임. '向也一, 而今也被髮'《莊子》. ㉢단속함. 검속(檢束)함. '鑄錢一苗'《唐書》. ②묶음괄 묶는 일. 또, 묶은 것. '周士貴經一一卷'《宋史》. ③담을괄, 쌀괄 속에 넣고 닫음. '包一'. '有席卷天下, 苞擧宇內, 囊一四海之意'《賈誼》. ④이를괄 다다름. '牛羊下一'《詩經》. ⑤모일괄 회합함. '德音來一'《詩經》. ⑥궁구할괄 구명(究明)함. '硏一煩省'《陶弘景》. ⑦오늬괄 筈(竹부 6획〈935〉)과 통용. '往省一于度'《書經》.
[字源] 形聲. 扌(手)+舌(𠯑)〔音〕

手6 〔拺〕 9 호 [平]豪 | hāo コウ くさをのぞきさる

[字解] 김맬호 논밭의 풀을 뽑음. 薅(艸부 13획〈1189〉)와 同字.

手6 〔拭〕 9 식 [入]職 | shí ショク ぬぐう

[字解] 닦을식 씻음. '一拂'. '一目傾耳'《漢書》.
[字源] 形聲. 扌(手)+式〔音〕

手6 〔扔〕 9 [一] 용 [平]東 | rèng ジュウ たすける
[二] 잉 [平]蒸 | rēng ジョウ よる, ひく

[字解] [一] 도울용 보좌함. '一, 爾雅, 相也'《集韻》. [二] 인할잉, 당길잉 말미암음. 扔(手부 2획〈428〉)과 同字.

手6 〔㧺〕 9 회 [平]灰 | huī カイ あいうつ

[字解] 칠회 마주 치고 때림. 豗(豕부 3획〈1372〉)와 同字.

手6 〔拮〕 9 [一] 길 [入]質 | jié キツ はたらく
[二] 결 [入]屑 | jié ケツ はたらく
[三] 갈 [入]黠 | jiá カツ せまる

[字解] [一] 일할길 '一据'는 힘써 일함. '一据勉勵'. '予手一据'《詩經》. [二] 일할결 [一]과 뜻이 같음. [三] 핍박할갈 바싹 죄치어 괴롭게 굶. '句踐終一而殺之'《戰國策》.
[字源] 形聲. 扌(手)+吉〔音〕

手6 〔拯〕 9 증 [上]迥 | zhěng ジョウ すくう

[字解] ①건질증, 도울증 구조함. 구원함. '一救'. '子路一溺者'《呂氏春秋》. ②들증 들어 올림. '不一其隨'《易經》.
[字源] 形聲. 扌(手)+丞〔音〕

手6 〔拸〕 9 치 [上]紙 | chǐ チ さく

[字解] ①가를치 두개로 가름. 搋(手부 10획〈459〉)와 同字. ②칠치 때림. '一, 拍也'《字彙》. ③끌치 당김. '一, 拽也'《字彙》. ④버릴치 멀리함. '介者一畫. (註) 一而棄之. (疏) 一, 去也'《莊子》.
[字源] 形聲. 扌(手)+多〔音〕

手6 〔拱〕 9 공 ①-⑤[上]腫 | gǒng キョウ・コウ こまぬく
⑥[平]冬 | キョウ おおきいたま

[字解] ①두손마주잡을공 공경하는 뜻을 표하기 위하여 두 손을 마주 잡음. '一揖'. '子路一而立'《論語》. ②팔짱낄공 두 팔을 굽혀 마주 낌. '一手'. '垂一而天下治'《書經》. ③껴안을공 두 팔을 벌리어 껴안음. '合一'. ④아름공 두 손을 벌리어 껴안은 둘레. '一把'. '爾墓之木一矣'《左傳》. ⑤성공 성(姓)의 하나. ⑥옥공 큰 옥(玉). 대벽(大璧). 珙(玉부 6획〈770〉)과 통용. '與我其一璧'《左傳》.
[字源] 形聲. 扌(手)+共〔音〕

手6 〔拶〕 9 찰 [入]曷 | zā, ②zǎn サツ せまる

[字解] ①닥칠찰 들이닥침. 핍박함. '滿騰相排一, 龍鳳交橫飛'《韓愈》. ②손가락죌찰 '一指'는 다섯 개의 나무 토막을 엮어 손가락 사이에 끼우고 죄는 고문(拷問)의 하나.

字源 會意. 扌(手)+劣

手 6 〔拷〕9 고 ㊤晧 | kǎo ゴウ うつ

字解 칠고 죄상을 자백하게 하기 위하여 매질함. '一問'. '或一不承引'《魏書》.
字源 形聲. 扌(手)+考〔音〕

手 6 〔拽〕9 ㊀예 ㊁霽 | yè エイ ひく
㊁열 ㊅屑 | yè エツ ひく

字解 ㊀끌예 인퇴(引退)함. '便一身退'《朱子語類》. ㊁끌열 질질 끎. '曳一也, 不得擧足'《禮記 疏》.
字源 形聲. 扌(手)+曳〔音〕

手 6 〔拴〕9 전 ㊥先 | shuān セン えらぶ

字解 가릴전 간택(揀擇)함. 詮(言부 6획〈1325〉)과 통용. '一, 揀也'《集韻》.
字源 形聲. 扌(手)+全〔音〕

手 6 〔拾〕9 中·人
㊀습 ㊅緝 | shí シュウ ひろう
㊁십 ㊅緝 | shí ジュウ じゅう, とお
㊂섭 ㊅葉 | shè ショウ のぼる
㊃겁 ㊅葉 | jiè キョウ かわる がわる

筆順 一 十 扌 扌 扑 拎 拾 拾

字解 ㊀①주울습 습득함. '塗不一遺'《史記》. ②팔찌습 활 쏠 때 왼팔 소매를 걷어 매는 띠. '決一既佽'《詩經》. ③성습 성(姓)의 하나. ㊁열십 十(部首〈125〉)과 통용. ㊂오를섭 상승(上升)함. '一級聚足, 連步以上'《禮記》. ㊃번갈아겁 교체하여. '請一投'《禮記》.
字源 會意. 扌(手)+合
參考 숫자의 개변(改變)을 막기 위하여, '十십' 대신 차용(借用)하는 수가 있음.

手 6 〔持〕9 中·人 지 ㊥支 | chí ジ もつ

筆順 一 十 扌 扌 扩 拦 持 持

字解 ①가질지 ㉠손으로 잡음. '一節問之'《漢書》. ㉡휴대함. '齎一金玉'《史記》. ②지닐지 ㉠보존함. 고집함. '保一'. '議論一平'《漢書》. ㉡견딤. 견디어 냄. '一續'. '曠日一久, 積數十年'《東方朔》. ③버틸지 ㉠지탱함. '治亂一危'《中庸》. ㉡대항함. '楚漢相一未決'《史記》. ④도울지 부조(扶助)함. '能一管仲'《荀子》. ⑤믿을지 마음으로 의지함. '頩薄怒以自一兮'《宋玉》. ⑥빅수지 승부가 없음. '兩棋相圍, 而皆不死不活曰一'《徐鉉》. ⑦성지 성(姓)의 하나.

字源 形聲. 扌(手)+寺〔音〕

手 6 〔挄〕9 선 ㊤銑 | xiǎn セン ひねる

字解 비틀선 '抰一'은 손가락으로 잡아 돌림. '抰一, 手捻物'《集韻》.

手 6 〔挂〕9 ㊀괘 ㊁卦 | guà ケイ·ケ かける
㊁계 ㊥齊 | guī ケイ·ケ わける

字解 ㊀걸괘, 걸릴괘 掛(手부 8획〈449〉)와 同字. '一冠'. '一於季指'《儀禮》. ㊁나눌계 갈라 분명히 함. '以一功名'《莊子》.
字源 形聲. 扌(手)+圭〔音〕

手 6 〔挃〕9 질 ㊥質 | zhì チツ つく, いねをかる

字解 ①칠질 때림. 두드림. '五指之更彈, 不若捲手之一一'《淮南子》. ②벼벨질 벼를 베는 모양. 또, 그 소리. '穫之一一'《詩經》.
字源 形聲. 扌(手)+至〔音〕

手 6 〔拺〕9 ㊀색 ㊅陌 | sè サク えらびとる
㊁착 ㊅覺 | chuò サク さしとる

字解 ㊀①고를색, 추릴색 '一, 擇也'《集韻》. ②채찍색 마소를 때리는 채. '一, 馬箠也'《玉篇》. ㊁찌를착 물고기를 작살 같은 것으로 찔러 잡음. 擉(手부 13획〈471〉)과 同字.
參考 拺(手부 7획〈443〉)은 別字.

手 6 〔指〕9 지 中·人 ㊤紙 | zhǐ シ ゆび

筆順 一 十 扌 扌 扌 指 指 指

字解 ①손발가락지 손가락 또는 발가락. '一爪'. '子公之食一動'《左傳》. ②가리킬지 ㉠손가락질함. '十手所一'《大學》. ㉡지시함. '以其策一之'《史記》. ㉢지휘함. '一示'. '吾一使而羣工役焉'《柳宗元》. ③곤두설지 직립함. '目裂鬢一'《呂氏春秋》. ④아름다울지 화미(華美)함. '雖一非禮也'《荀子》. ⑤뜻지 旨(日부 2획〈500〉)와 同字. '一意'. '言近而一遠者, 善言也'《孟子》.
字源 形聲. 扌(手)+旨〔音〕

手 6 〔㧗〕9 指(前條)의 古字

手 6 〔按〕9 人名 ㊀안 ㊁翰 | àn アン おさえる
㊁알 ㊅曷 | è アツ とどめる

筆順 一 十 扌 扌 扩 扩 按 按

字解 ㊀①누를안 ㉠억누름. 내리누름. '陸離抑一'《梁簡文帝》. ㉡꼼짝 못 하게 함. '王一兵毋出'《史記》. ②어루만질안 손으로 쓰

다듬음. '一絃'. '毛遂一劍, 歷階而上'《史記》. ③당길안 끌어당김. '天子乃一轡徐行'《史記》. ④생각할안 사고함. '考一'. '思一之而逾深'《陸機》. ⑤살필안 죄과(罪過)를 규찰하거나 사정을 순찰함. '一治'. '督一'. '公府不一吏'《漢書》. ⑥안험할안 조사하여 증거를 세움. '以古一今'. '驗之往古, 一之當今之務'《漢書》. ⑦성안 성(姓)의 하나. [二] 막을알 저지함. 遏(辵부 9획〈1501〉)과 同字. '以一徂旅'《詩經》.
[字源] 形聲. 扌(手)+安〔音〕

手 6 〔掎〕9 [一] 궤 [上]紙 | guǐ キ やぶりすてる
[二] 위 [上]尾 | wěi ギ かける
[字解] [一] 헐어버릴궤 부수어 버림. '一, 毀撤也'《集韻》. [二] 걸위 높이 겖. '一, 懸也'《集韻》.

手 6 〔挋〕9 진 [去]震 | zhèn シン ぬぐう
[字解] ①닦을진 씻음. '一用浴衣'《禮記》. ②떨진 먼지를 텀. '新浴者必一衣'《楚辭》.
[字源] 形聲. 扌(手)+臣〔音〕

手 6 〔挏〕9 동 [上]董 | dòng トウ おす, ひく
[字解] 밀었다당겼다할동 '撢掞挺一世之風俗'《淮南子》.
[字源] 扌(手)+同〔音〕

手 6 〔挌〕9 격 [入]陌 | gé カク うつ
[字解] 칠격 格(木부 6획〈542〉)과 同字. '一殺'. '手一猛獸'《魏志》.
[字源] 形聲. 扌(手)+各〔音〕

手 6 〔拹〕9 [一] 랍 [入]合 | lā ロウ くじく
[二] 협 [入]葉 | xié キョウ くじく
[字解] [一] 꺾을랍 부러뜨림. 拉(手부 5획〈435〉)과 同字. [二] 꺾을협 [一]과 뜻이 같음.
[字源] 形聲. 扌(手)+劦〔音〕

手 6 〔挑〕9 [高·人] [一] 도 [上]篠 | ①②tiǎo チョウ いどむ
[平]豪 | ③tāo トウ ゆききする
[二] 조 [平]蕭 | tiāo チョウ になう
[筆順] 一 十 扌 扎 扎 抄 挑 挑
[字解] [一] ①돋울도 싸움을 걸거나 화를 나게 함. '一發'. '若漢一戰, 愼勿與戰'《史記》. ②꾈도 유인함. '楚人有兩妻, 人一其長者'《戰國策》. ③뛸도 도약함. 일설(一說)에는, 왕래(往來)함. '一達'. '一兮達兮'《詩經》. [二] ①멜조 어깨에 멤. '擔一雙草屨'《陸游》. ②돋울조 심지를 끌어올림. '一燈長'《王君玉》. ③후빌조 도려 파냄. '侃以鍼一令徹'《異苑》. ④칠조 준설(浚渫)함. '官銀一濬'《通州志》. ⑤가릴조 선택함.
[字源] 形聲. 扌(手)+兆〔音〕

手 6 〔挎〕9 [一] 고 [平]虞 | kū コ もつ
[二] 구 [平]尤 | kōu コウ かかげる
[字解] [一] ①가질고 '一, 持也'《集韻》. '一越內弦'《儀禮》. ②쨀고, 속팔고 도려 냄. 도려 내어 비움. 刳(刀부 6획〈102〉)와 통용. '一木爲舟'《易經》. [二] 걷을구 摳(手부 11획〈463〉)와 同字.

手 6 〔挆〕9 타 ①[上]哿 | duǒ タ はかる
②[去]箇 | duò タ ほをおろす
[字解] ①헤아릴타 양이나 높이를 헤아림. ②돛내릴타 '一, 落帆'《廣韻》

手 6 〔挒〕9 렬 [入]屑 | liè レツ かかげる
[字解] ①내걸렬 높이 겖. ②비틀렬 바싹 꼬아 틂. '一, 捩'《集韻》.

手 6 〔挀〕9 벽 [入]陌 | bāi ハク さく
[字解] 찢을벽 '夫人之所以莫一玉石而一瓜瓠者何也'《淮南子》.

手 6 〔捆〕9 인 [平]眞 | yīn イン つく, よる
[字解] 붙일인, 인할인 因(口부 3획〈194〉)과 통용. '因, 說文, 就也. 一曰, 仍也. 或作一'《集韻》.
[字源] 形聲. 扌(手)+因〔音〕

手 6 〔拵〕9 존 ①[平]元 | cún ソン·ゾン よる
②[去]願 | zùn ソン·ゾン さす
[字解] ①의거(依據)할존 '一, 据也'《廣韻》. ②꽂을존 '一, 插也'《集韻》.

手 6 〔拼〕9 [一] 평 [平]庚 | pīn ホウ したがえる
[二] 병 [去]敬 | ヘイ のぞく
[字解] [一] ①따르게할평, 하여금평 …로 하여금 하게 함. '一, 爾雅, 使也'《集韻》. ②튕길평 '絣, 彈也. 通作一'《集韻》. [二] 물리칠병 摒(手부 9획〈456〉)과 同字. '摒, 博雅, 除也. 或从并'《集韻》.

手 6 〔挖〕9 알 [入]曷 | wā アツ うがつ
[字解] ①우벼낼알 '一, 挑一也'《字彙補》. ②

《現》 빈정댈알 '一苦'는 비꼼. 야유함.

手6 〔拪〕9 ㊀천 [平]先 | qiān セン うつる
㊁이 [平]支 | イ うつる

[字解] ㊀옮길천 遷(辵부 12획〈1507〉)과 同字. ㊁옮길이 迻(辵부 6획〈1494〉)와 同字. '迻, 說文, 遷徙也. 或作一'《集韻》.

手6 〔挀〕9 〔박〕
拍(手부 5획〈436〉)과 同字

手6 〔挍〕9 〔교〕
校(木부 6획〈541〉)와 同字

[字源] 形聲. 扌(手)+交〔音〕

[參考] 명(明)나라 휘종(徽宗)의 휘(諱)를 피하여, '校'를 생략한 글자.

手6 〔挻〕9 〔연〕
捐(手부 7획〈444〉)의 俗字

手6 〔挵〕9 〔롱〕
弄(廾부 4획〈356〉)의 俗字

手6 〔挟〕9 〔협〕 挾(手부 7획〈443〉)의 略字·簡體字

手7 〔拏〕11 ㊀좌 [上]蟹 | zhuǒ タイ さす
㊁파 [上]蟹 | bāi ハイ ひらく

[字解] ㊀찌를좌 물건을 찔러 잡음. '一, 攙物也'《集韻》. ㊁①열파 갈라서 엶. '一, 分開也'《字彙》. ②《現》 따돌릴파.

手7 〔拲〕11 ㊀ 拲(手부 6획〈439〉)의 本字
㊁ 巩(工부 4획〈326〉)과 同字

手7 〔挨〕10 애 [上]蟹 [上]賄 | āi アイ おしのける

[字解] 밀칠애 떼밂. '士庶一挱'《葛長庚》.

[字源] 形聲. 扌(手)+矣〔音〕

手7 〔挩〕10 ㊀세 [去]霽 | shuì セイ ぬぐう
㊁탈 [入]曷 | tuō タツ とく, ぬぐ

[字解] ㊀씻을세 닦음. '坐一手'《儀禮》. ㊁벗을탈 脫(肉부 7획〈1076〉)의 古字.

[字源] 形聲. 扌(手)+兌〔音〕

手7 〔捖〕10 ㊀완 (환[本]) [平]寒 | wán カン けずる
㊁괄 [入]黠 | guā カツ かきとる

[字解] ㊀①깎을완, 갈완 윤이 나게 다듬음. '一摩, 工治玉也'《集韻》. ②칠완 '一, 擊也'《集韻》. ※本音 환. ㊁긁어낼괄, 갈괄 刮(刀부 6획〈102〉)과 통용.

[字源] 形聲. 扌(手)+完〔音〕

手7 〔挫〕10 좌 [去]箇 | cuò ザ くじく

[字解] ①꺾을좌 부러뜨림. 전(轉)하여, 기세를 꺾음. 욕보여 꼼짝 못 하게 함. '一折'. '暴虐以一人'《史記》. ②꺾일좌 전항의 자동사. '兵一地削'《史記》.

[字源] 形聲. 扌(手)+坐(㘴)〔音〕

手7 〔振〕10 [高·人] 진 [去]震 [平]眞 | ①-⑨zhèn シン ふるう ⑩zhēn シン ねんごろ

[筆順] 一 寸 扌 扩 护 抚 振 振

[字解] ①떨칠진 ㉠위세를 일으킴. 분기함. '士氣大一'. ㉡힘있게 움직임. '一筆書之'. ㉢힘있게 흔들어 먼지 따위를 텖. '一衣千仞岡'《左思》. ②움직일진 '孟春之月蟄蟲始一'《禮記》. ③떨진 전율함. '一怖'. '一驚朕衆'《史記》. ④거둘진 수용함. '一河海而不洩'《中庸》. ⑤건질진 구호함. 구휼함. 賑(貝부 7획〈1392〉)과 통용. '一恤'. '一人不贍'《史記》. ⑥정돈할진 정제(整齊)함. 정리함. '一旅'. '一之刑罰'《管子》. ⑦열진 열어서 내놓음. '一廩同食'《左傳》. ⑧떼지어 날진 군비(群飛)함. 일설(一說)에는, 빠름. 신속함. '一鷺于飛'《詩經》. ⑨성진 성(姓)의 하나. ⑩무던할진 인후(仁厚)함. '一一公子'《詩經》.

[字源] 形聲. 扌(手)+辰〔音〕

手7 〔挀〕10 振(前條)의 俗字

手7 〔挭〕10 갱 [平]庚 | kēng コウ ひきのばす

[字解] ①늘일갱, 펼갱 '一, 引申也'《同文擧要》. ②거문고소리갱 '一, 琴聲'《集韻》.

手7 〔挶〕10 국 [入]沃 | jú キョク もつ

[字解] ①가질국 받쳐 듦. 팔꿈치를 굽혀서 가짐. ②들것국 흙을 나르는 기구. '陳畚一, 具綆缶'《左傳》.

[字源] 形聲. 扌(手)+局〔音〕

手7 〔挹〕10 읍 [入]緝 | yì ユウ くむ

[字解] ①뜰읍 액체를 떠냄. '一酌'. '一彼注玆'《詩經》. ②누를읍 억압을 물리침. '一損'. '一而損之'《荀子》. ③당길읍 잡아당김. '左一浮丘袖'《郭璞》. ④읍할읍 揖(手부 9획〈453〉)과 통용. '拱一指麾'《荀子》.

[字源] 形聲. 扌(手)+邑

手7〔挻〕10 ㊀연 ㊥先 shān (선㊍) セン ながくする ㊁선 ㊥先 shān セン こねる

字解 ㊀①당길연 끎. '相一爲亂'《唐書》. ②달아날연 도망함. 일설(一說)에는, 찬탈(簒奪)함. '主上有敗, 則因而一之矣'《賈誼》. ③오래연 장구하게. 오래도록. '一亂江南'《晉書》. ※本音 선. ㊁이길선 흙을 반죽함. 埏(土부 7획〈208〉)과 통용. '揲一其土'《淮南子》.
字源 形聲. 扌(手)＋延〔音〕

手7〔挺〕10 人名 정 ㊤迥 tǐng テイ ぬく

筆順 一 十 扌 扌 扌 扌 挺 挺

字解 ①뺄정, 뽑을정 ㉠빼냄. '一鈹搢鐶'《國語》. ㉡인재를 뽑음. 기용함. '一秀才'. '以一力田議'《漢書》. ②빼날정 쑥 솟아 나옴. 전(轉)하여, 훨씬 뛰어남. '一出'. '幼而一立'《南史》. ③빼낼정 자유롭지 못한 몸을 빼냄. 탈신함. '一身逃'《漢書》. ④곧을정 굽지 아니함. '周道一一'《左傳》. ⑤너그러울정 관대함. 또, 관대히 함. '一囚徒'《禮記》. ⑥달릴정 빨리 감. '獸一亡羣'《李華》.
字源 形聲. 扌(手)＋廷〔音〕

手7〔挼〕10 ㊀뇌 ㊥灰 nuó ダイ する, もむ ㊁휴 ㊥支 (huī) キ たべものをまつるまつり

字解 ㊀비빌뇌 손을 대고 문지름. '劉裕一五木, 久之卽成盧矣'《晉書》. ㊁제미휴 제사에 쓰는 쌀. '祝命一祭'《儀禮》.
字源 形聲. 扌(手)＋妥〔音〕

手7〔挽〕10 만 ㊤阮 wǎn バン·マン ひく

字解 ①당길만 잡아당김. '一弓'. '他弓莫一'《無門關》. ②말릴만 끌어당겨 못 하게 함. '一留'. ③끌만 輓(車부 7획〈1468〉)과 同字. '一歌'. '命一士唱'《唐書》.
字源 形聲. 扌(手)＋免〔音〕

手7〔捈〕10 도 ㊥虞 tú ト ひく

字解 ①끌도 옆으로 끎. '一, 臥引也. (段註) 謂橫而引之也'《說文》. ②떠낼도 퍼냄. '一, 抒也'《廣雅》. ③날카로울도 '一, 銳也'《廣雅》.
字源 形聲. 扌(手)＋余〔音〕

手7〔挵〕10 ㊀翻(羽부 12획〈1047〉)과 同字 ㊁拚(手부 5획〈436〉)의 俗字

手7〔挾〕10 人名 협 ㊇葉 xié キョウ はさむ

筆順 扌 扌 扌 扌 扌 扌 挾 挾

字解 ①낄협 ㉠겨드랑이·손가락 사이 같은 데에 낌. '一持'. '一太山, 以超北海'《孟子》. '兼一乘矢'《儀禮》. ㉡가짐. 소지함. '除一書律'《漢書》. ㉢믿고 뽐냄. 또, 믿고 의지함. '一勢'. '不一長, 不一貴'《孟子》. ㉣좌우에서 끼고 도움. '一輔'. '一天子以令諸侯'《蜀志》. ②돌협, 두루미칠협 浹(水부 7획〈649〉)과 同字. '方皇周一'《荀子》. '使不一四方'《詩經》. ③젓가락협 저. 젓갈. '右執一匕'《管子》.
字源 形聲. 扌(手)＋夾〔音〕

手7〔挮〕10 체 ①㊤薺 ②㊦霽 tǐ テイ なみだをぬぐう tí テイ ぬぐう

字解 ①눈물씻을체 눈물을 씻음. '一, 去涕也'《集韻》. ②씻을체 깨끗이 함. '一, 物拭也'《集韻》.

手7〔捂〕10 오 ㊦遇 wǔ ゴ ふれる

字解 ①거스를오 거역함. 저촉함. '或有抵一'《漢書》. ②버틸오 굄. '阪互橫一'《宋玉》. ③향할오 마주 대함. '一而受之'《儀禮》.
字源 形聲. 扌(手)＋吾〔音〕

手7〔捁〕10 교 ㊤巧 jiǎo コウ みだす

字解 어지러울교, 어지럽힐교 攪(手부 20획〈478〉)와 同字. '散毛族, 一羽羣'《馬融》.
字源 形聲. 扌(手)＋告〔音〕

手7〔捔〕10 각 ㊇覺 jué カク つのとる

字解 ①뿔잡을각 뿔을 잡아 짐승을 잡아 누름. '一, 掎也'《廣雅》. ②공손할각 정중히 받드는 모양. '一, 恭也'《廣雅》.
字源 形聲. 扌(手)＋角〔音〕

手7〔捃〕10 군 ㊦問 jùn クン ひろう

字解 주울군 습득함. 주워 모음. 攈(手부 16획〈475〉)과 同字. '一摭春秋之文'《史記》.
字源 形聲. 扌(手)＋君〔音〕

手7〔捒〕10 ㊀송 ㊤腫 sǒng ショウ つつしむ ㊁수 ㊦遇 shù ス よそおう ㊂속 ㊇沃 shù ショク しばる

字解 ㊀공경할송 竦(立부 7획〈927〉)과 同字. ㊁차릴수 준비함. '一, 裝也'《集韻》. ㊂묶을속 束(木부 3획〈529〉)과 同字.

[字源] 形聲. 扌(手)＋束〔音〕
[參考] 捒(手부 6획〈440〉)은 別字.

手 7 〔捄〕 10 구 ①平虞 jū ク もる ②平尤 jiū キュウ ながい ③去宥 jiù キュウ すくう

[字解] ①담을구 흙을 삼태기 같은 것에 담음. '一之陾陾'《詩經》. ②길구 가늘고 긴 모양. '有一棘匕'《詩經》. ③구원할구 救(支부 7획〈482〉)와 同字. '將以一溢扶衰'《漢書》.
[字源] 形聲. 扌(手)＋求〔音〕

手 7 〔捆〕 10 곤 上阮 kǔn コン たたく

[字解] 두드릴곤 두드려서 견고하고 치밀하게 함. '一屨織席'《孟子》.
[字源] 形聲. 扌(手)＋困〔音〕

手 7 〔挴〕 10 매 上賄 měi バイ·マイ むさぼる

[字解] ①탐할매 '穆王巧一, 夫何周流'《楚辭》. ②부끄러워할매 수치를 느낌. '一, 愧也'《揚子方言》.

手 7 〔捉〕 10 [高·人] 착 入覺 zhuō ソク とる

[筆順] 扌 扌 扣 扣 扣 押 押 捉

[字解] 잡을착 ㉠쥠. '一鼻'. '周公躬吐一之勞'《漢書》. ㉡붙잡음. 체포함. '一捕'. '莫一狐與兎'《元稹》.
[字源] 形聲. 扌(手)＋足〔音〕

手 7 〔捋〕 10 랄 入曷 luō ラツ とる

[字解] ①뽑을랄 풀 같은 것을 쑥쑥 뽑음. '薄言一之'《詩經》. ②틀랄 수염 같은 것을 배배 틂. '一虎鬚'. '一須蹇不顧'《李商隱》. ③만질랄 쓰다듬음. '郁一劫捂'《潘岳》.
[字源] 形聲. 扌(手)＋寽〔音〕

手 7 〔捌〕 10 팔 入黠 bā ハツ やぶる

[字解] ①깨뜨릴팔 부숨. '解捽者, 不在於一格'《淮南子》. ②여덟팔 八(部首〈85〉)과 통용. 주로, 관문서·증서 등에 쓰임. '一, 官文書紀數借爲八字'《康熙字典》.
[字源] 形聲. 扌(手)＋別〔音〕
[參考] 숫자의 개변(改變)을 막기 위하여, '八팔' 대신 차용(借用)됨.

手 7 〔捍〕 10 한 去翰 hàn カン ふせぐ

[字解] ①막을한 扞(手부 3획〈428〉)과 同字. '一塞'. '能一大患'《禮記》. ②팔찌한 활을 쏠 때 왼팔의 소매를 걷어 매는 띠. '右佩玦一'《禮記》. ③사나울한 悍(心부 7획〈391〉)과 통용. '民雕一少慮'《史記》.
[字源] 形聲. 扌(手)＋旱〔音〕

手 7 〔捎〕 10 소 平蕭 ①xiāo ショウ のぞく 平肴 ②③shāo ソウ·ショウ かる

[字解] ①덜소 제거함. '一其藪'《周禮》. ②벨소 풀을 벰. '一菟絲'《史記》. ③살짝닿을소 가볍게 접촉함. '花妥鶯一蝶'《杜甫》.
[字源] 形聲. 扌(手)＋肖〔音〕

手 7 〔捏〕 10 날 入屑 niē ネツ こねる

[字解] 이길날 흙 같은 것을 반죽함. '一造'.
[字源] 會意. 扌(手)＋뫂(垩)

手 7 〔揑〕 10 捏(前條)의 訛字

手 7 〔捐〕 10 연 平先 juān エン すてる

[字解] ①버릴연 ㉠내버림. '一忘'. '細大不一'《韓愈》. ㉡희생함. '一軀赴國難'《古詩》. ㉢냄. 지출함. 또, 기부함. '義一'. '出一數萬斤金'《史記》. ②덜연 없앰. 제거함. '一不急之官'《史記》. ③기부연 헌납. 또, 부과·징발 등의 뜻으로도 쓰임. '起於紳民好義者一設'《大清會典》.
[字源] 形聲. 扌(手)＋肙〔音〕

手 7 〔挪〕 10 나 平歌 nuó ダ·ナ もむ

[字解] ①비빌나 두 손으로 비빔. '一, 搓一也'《集韻》. ②유용(流用)할나 '如此項, 應作某項使用, 而擅自改爲別項之用, 則曰一移'《六部成語》.
[字源] 形聲. 扌(手)＋那〔音〕

手 7 〔捓〕 10 야 平麻 yē ヤ もてあそぶ

[字解] 농지거리할야 揶(手부 9획〈456〉)와 同字.
[字源] 形聲. 扌(手)＋邪〔音〕

手 7 〔捅〕 10 ㊀통 上董 tǒng トウ すすむ ㊁송 上董 ソウ ひく

[字解] ㊀①나아갈통 앞으로 나감. '一, 進前也'《集韻》. ②끌어당길통 '一, 引也'《集韻》. ㊁칠송 때림. '一, 擊也'《集韻》.

手 7 〔捕〕 10 [高·人] 포 去遇 bǔ ホ とらえる

[筆順] 一 丅 扌 扌 扪 捕 捕 捕

[字解] ①잡을포 사로잡음. 체포함. '一縛'. '一鼠不如狸狌'《莊子》. ②성포 성(姓)의 하나.
[字源] 形聲. 扌(手)+甫〔音〕

手 7 〔挭〕10 경 [上]梗 | gěng コウ みだれる
[字解] ①어지러울경, 어지럽힐경 분란함. 분란하게 함. 㨜(手부 9획〈456〉)과 同字. ②대강경 대략(大略). 梗(木부 7획〈548〉)과 통용. '一槩'.
[字源] 形聲. 扌(手)+更〔音〕

手 7 〔捗〕10 [一] 보 [去]遇 | bù, pú ホ おさめる
[二] 척 [入]職 | zhì チョク うつ
[字解] [一] 거둘보 수렴(收斂)함. [二] 칠척 때림.
[字源] 形聲. 扌(手)+步〔音〕
[參考] '進一'은 일어(日語)임.

手 7 〔捘〕10 준 [去]願 | zùn ソン おす, おさえる
[字解] 밀칠준 떠다밂. 일설(一說)에는, 붙잡음. '一衞侯之手'《左傳》.
[字源] 形聲. 扌(手)+夋〔音〕

手 7 〔⿰扌豆〕10 [一] 단 [上]旱 | duǎn タン みじかい
[二] 두 [去]宥 | dòu トウ よんすくい
[字解] [一] 짧을단 短(矢부 7획〈863〉)과 同字. '短, 說文, 有所長短, 以矢爲正, 或从手'《集韻》. [二] 양사(量詞)두 4 움큼이 1 두(⿰扌豆)임. '一, 四匊曰一'《集韻》.

手 7 〔捀〕10 봉 [平]冬 | féng ホウ うける
[字解] ①받들봉 두 손을 높이 올려 받음. '一, 奉也'《說文》. ②갈라셀봉 두 손에 나누어 수를 셈. '一, 孫伷曰, 兩手分而數'《集韻》.
[字源] 形聲. 扌(手)+夆〔音〕

手 7 〔捇〕10 척 [入]陌 | chì セキ はねのける
[字解] 덜척 제거함. '赤犮, 猶言一拔也'《周禮 註》.
[字源] 形聲. 扌(手)+赤〔音〕

手 7 〔捊〕10 부 [平]尤 | ①②póu ホウ·フ たがやす
[平]尤 | ③pōu ホウ·フ くむ
[平]虞 | ④fū フ うつ
[字解] ①갈부 논밭을 갈아 손질함. '謂以手一聚, 卽耕種耘鋤也'《禮記 疏》. ②긁어모을부 손으로 모음. '一, 說文云, 引取也'《廣韻》. ③움켜쥘부 '一, 掬也'《集韻》. ④칠부 '一, 擊也'《集韻》.
[字源] 形聲. 扌(手)+孚〔音〕

手 7 〔挱〕10 사 [平]歌 | suō サ さする, もむ
[字解] 만질사 주무름. '誰復著手更摩一'《韓愈》.

手 7 〔挲〕11 挱(前條)와 同字

手 7 〔⿰扌耴〕10 [一] 첩 [入]葉 | zhé チョウ つまむ
[二] 접 [入]葉 | diè チョウ つまむ
[三] 녑 [入]葉 | niè ジョウ つまむ
[字解] [一] ①집을첩 손가락으로 집음. '一, 拈也'《說文》. ②굳게가질첩 '一者, 攝之固也'《六書故》. ③칠첩 '一, 打也'《廣韻》. [二] 집을접, 굳게가질접, 칠접 [一]과 뜻이 같음. [三] 집을녑, 굳게가질녑, 칠녑 [一]과 뜻이 같음.
[字源] 形聲. 扌(手)+耴〔音〕

手 7 〔挬〕10 발 [入]月 | bó ホツ ぬく
[字解] 뽑을발 '一, 拔也'《廣雅》. '一拔其根'《淮南子》.

手 7 〔⿰扌秀〕10 [一] 추 [平]尤 | chōu チュウ ひく
[二] 숙 [入]屋 | シュク ひく
[字解] [一] 뺄추, 당길추 抽(手부 5획〈434〉)와 同字. '抽, 拔也, 引也, …一, 上同'《廣韻》. [二] 당길숙 '一, 引也'《集韻》.

手 7 〔挷〕10 〔방〕 搒(手부 10획〈457〉)의 俗字

手 7 〔⿰扌囱〕10 〔총〕 摠(手부 11획〈465〉)의 本字

手 7 〔⿰扌何〕10 〔하〕 荷(艸부 7획〈1140〉)와 同字

手 7 〔⿰扌𠯑〕10 〔괄〕 括(手부 6획〈439〉)의 本字

手 7 〔挵〕10 〔롱〕 弄(廾부 4획〈356〉)과 同字
[字源] 形聲. 扌(手)+弄〔音〕

手 7 〔掟〕10 〔선〕 旋(方부 7획〈496〉)의 俗字

手 7 〔捜〕10 〔수〕 搜(手부 10획〈458〉)의 略字

手 7 〔挿〕10 〔삽〕 插(手부 9획〈453〉)의 俗字

手 7 〔括〕10 〔부〕
掊(手부 8획〈448〉)의 訛字

手 8 〔掱〕12 수 | shǒu シュ すり
[字解] 소매치기수 '一手'·'扒一'는 속(俗)에 소매치기의 이름.

手 8 〔掰〕12 〔좌〕
挲(手부 7획〈442〉)와 同字

手 8 〔掌〕12 [高·人] 장 [上]養 | zhǎng ショウ たなごころ
[筆順] ' ⺌ 㐄 尚 尚 堂 掌
[字解] ①손바닥장 수장(手掌). '一中'. '其如示諸一'《中庸》. ②맡을장 주관함. '管一'. '冢宰一邦治'《書經》. ③성장 성(姓)의 하나.
[字源] 形聲. 手+尙〔音〕

手 8 〔掔〕12 견 [平]先 | qiān ケン ひく
[字解] 끌견 牽(牛부 7획〈742〉)과 同字. '鄭襄公肉袒一羊以迎'《史記》.
[字源] 形聲. 手+臤〔音〕

手 8 〔掔〕12 〔완〕
擥(手부 9획〈452〉)과 同字

手 8 〔掣〕12 [一] 체 [去]霽 | chè セイ ひく
[二] 철 [入]屑 | chè セツ ひく
[字解] [一] 끌체 질질 끎. '見輿曳其牛一'《易經》. [二] 당길철 끌어당김. '一肘'. '羲之密從後一其筆'《晉書》.
[字源] 形聲. 手+制〔音〕

手 8 〔掣〕11 掣(前條)와 同字

手 8 〔掔〕12 〔반〕
擊(手부 10획〈457〉)과 同字

手 8 〔捥〕11 완 [去]翰 | wàn ワン うで
[字解] 팔완 腕(肉부 8획〈1080〉)과 同字. '莫不搤一'《史記》.
[字源] 形聲. 扌(手)+宛〔音〕

手 8 〔捧〕11 [人名] 봉 [上]腫 | pěng ホウ ささげる
[筆順] 一 † 扌 扌 扌 扶 捧 捧
[字解] 받들봉 두 손으로 받듦. '一持'. '兩手一長者之手'《禮記》.
[字源] 形聲. 扌(手)+奉〔音〕

手 8 〔掁〕11 쟁 [平]庚 | chéng トウ·チョウ ふれる
[字解] 닿을쟁 접촉(接觸)함.

手 8 〔捨〕11 [高·人] 사 [上]馬 | shě シャ すてる
[筆順] 一 † 扌 扌 扌 扲 捨 捨
[字解] ①버릴사 ㉠내버림. 또, 사용하지 않고 버려 둠. '取一'. '居家不暫一周禮'《文中子》. ㉡잊음. '三世俱一'《傳燈錄》. ②베풀사 베풀어 줌. 시여(施與)함. '喜一'. '一撤淨財'《隋煬帝》. ③성사 성(姓)의 하나.
[字源] 形聲. 扌(手)+舍〔音〕

手 8 〔捨〕11 捨(前條)와 同字

手 8 〔捩〕11 [一] 렬 [入]屑 | liè レツ ねじる
[二] 려 [去]霽 | lì レイ ばち
[字解] [一] 비틀렬 바싹 꼬아 틂. '一手覆羹'《韓愈》. [二] 채려 비파를 타는 제구. '插一舉琵琶'《梁簡文帝》.
[字源] 形聲. 扌(手)+戾〔音〕

手 8 〔掾〕11 〔록〕
攎(手부 11획〈463〉)과 同字

手 8 〔捫〕11 문 [平]元 | mén モン もつ, とる
[字解] ①잡을문 ㉠움키어 놓지 아니함. '在外爲人所一摸也'《釋名》. ㉡이를 잡음. '一蝨而言, 旁若無人'《晉書》. ②더듬을문 더듬어 찾음. '傷胷, 乃一足'《史記》.
[字源] 形聲. 扌(手)+門〔音〕

手 8 〔捫〕11 조 [上]篠 | zhào チョウ さす
[字解] 찌를조 날카로운 것으로 들이밂. '一, 刺也. 詩其鎛斯一'《集韻》.

手 8 〔捭〕11 [一] 패 [上]蟹 | bǎi ハイ なげうつ
[二] 벽 [入]陌 | bò ハク さく
[字解] [一] ①던질패, 칠패 투척(投擲)함. 일설(一說)에는, 두 손으로 침. '莫不衂銳挫鋩, 拉一摧藏'《左思》. ②열패 開(門부 4획〈1595〉)와 뜻이 같음. 擺(手부 15획〈474〉)와 통용. '擧一闔揣摩'《鬼谷子》. [二] 뻐갤벽, 가를벽 擗(手부 13획〈471〉)과 同字. '燔黍一豚'《禮記》.
[字源] 形聲. 扌(手)+卑〔音〕

手 8 〔捭〕11 捭(前條)와 同字

手 8 〔捍〕11 특 [入]職 | zhé トク うつ

字解 ①칠특 쥐어박음. '一, 擊也'《集韻》. ②밀칠특 '一, 挨也'《集韻》.

手8〔据〕11 거 ①平魚|jū キョ はたらく ②去御|jù キョ よる

字解 ①일할거 '拮一'는 힘써 일하는 모양. '予手拮一'《詩經》. ②의거할거 據(手부 13획〈471〉)와 통용. '趙禹一法守正'《史記》.
字源 形聲. 扌(手)+居〔音〕

手8〔捆〕11 〔곤〕 捆(手부 7획〈444〉)의 俗字

手8〔捾〕11 알 入曷|wò ワツ とる, ひく

字解 ①꺼낼알, 긁어낼알 '一, 搯一也'《說文》. ②당길알 끌어당김. '一, 一曰, 援也'《說文》
字源 形聲. 扌(手)+官〔音〕

手8〔捲〕11 권 平先|quán ケン まく

字解 ①말권 卷(卩부 6획〈132〉)과 同字. '席一常山之險'《史記》. ②주먹권 拳(手부 6획〈438〉)과 同字. '解雜亂紛糾者, 不控一'《史記》. ③힘쓸권 힘써 일하는 모양. '一一乎后之爲人'《莊子》.
字源 形聲. 扌(手)+卷〔音〕

手8〔捲〕11 〔권〕 拳(手부 6획〈438〉)의 古字

手8〔掑〕11 전 上銑|tiǎn テン のばす

字解 펼전 길게 늘임. '一, 手伸物也'《集韻》.
字源 形聲. 扌(手)+典〔音〕

手8〔捸〕11 표 去嘯|biào ヒョウ わけあたえる

字解 나누어줄표 분배(分配)하여 줌. 俵(人부 8획〈55〉)와 同字.

手8〔捶〕11 추 上紙|chuí スイ うつ, つく

字解 ①종아리칠추, 채찍질할추 '一打'. '一笞臏脚'《荀子》. ②찧을추 절구에 빻음. '一而食之'《禮記》. ③종아리채추, 채찍추 '一扑'. '撽以馬一'《莊子》.
字源 形聲. 扌(手)+垂(埀)〔音〕

手8〔捷〕11 人名 첩 入葉|jié ショウ かつ

筆順 一 十 扌 扌 扌 挿 挿 捷

字解 ①이길첩 승전함. '戰一'. '一月三一'《詩經》. ②빠를첩 민첩함. '輕一'. '吳越智之, 可謂一矣'《呂氏春秋》. ③빨리첩 속히. '事業一成'《荀子》. ④노획물첩 전리품. '齊侯來獻戎一'《左傳》.
字源 形聲. 扌(手)+疌〔音〕

手8〔捺〕11 人名 날 入曷|nà ナツ おす

筆順 一 十 扌 扌 扩 拎 捺 捺

字解 ①누를날 도장 같은 것을 누름. '一印'. ②삐침날 서법(書法)의 하나. '大'·'人' 등의 '乀'.
字源 形聲. 扌(手)+奈〔音〕

手8〔捻〕11 념(녑本) 入葉|niē ジョウ ひねる

字解 비틀념 바싹 꼬며 틂. 집음. '一出'. '十方諸佛, 手一香付彼爐中'《法苑珠林》. ※本音 녑.
字源 形聲. 扌(手)+念〔音〕

手8〔捼〕11 뇌 平灰|ruó ダイ·ナイ もむ, する

字解 비빌뇌 挼(手부 7획〈443〉)와 同字. '一莎五木擲梟盧'《元稹》.
字源 形聲. 扌(手)+委〔音〕

手8〔捿〕11 서 平齊|qī セイ すむ

筆順 扌 扌 扌 扌 扌 挕 捿 捿

字解 깃들일서, 살서 棲(木부 8획〈555〉)와 同字. '恣此永幽一'《謝靈運》.

手8〔捽〕11 졸 入月|zuó(zú) ソツ つかむ, とる

字解 ①잡을졸 ㉠머리를 휘어잡음. '溺則一其髮而拯'《淮南子》. ㉡붙잡음. 꼭 잡음. '一引'. '一胡投何羅殿下'《漢書》. ②뽑을졸 '一中把土'《漢書》. ③겨룰졸 대항함. '戎夏交一'《國語》. ④다툴졸 싸움. '齊人之井飮者相一也'《莊子》.
字源 形聲. 扌(手)+卒〔音〕

手8〔掀〕11 흔 平元|xiān ケン あげる

字解 번쩍들흔 손으로 높이 듦. '乃一公以出於淖'《左傳》.
字源 形聲. 扌(手)+欣〔音〕

手8〔掅〕11 청 去徑|qìng セイ とる

字解 ①잡을청 붙잡음. '一, 捽也'《廣雅》. ②가질청 손에 넣음. '一, 博雅, 持也'《集韻》.

手 8〔掃〕11 [高·人] 소 [上]晧 [去]號 | sǎo ソウ はく

[筆順] 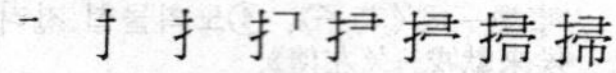

[字解] ①쓸소 ㉠소제함. '淸一'. '一灑待之'《後漢書》. ㉡제거함. '一項軍於垓下'《張衡》. ②칠할소 바름. '淡一娥眉朝至尊'《杜甫》.

[字源] 形聲. 扌(手)+帚〔音〕

手 8〔掃〕11 掃(前條)와 同字

手 8〔掄〕11 [一] 륜 [平]眞 | lún リン えらぶ
[二] 론 [平]元 | lún ロン えらぶ

[字解] [一] 가릴륜 선택함. '入山林一材'《周禮》. [二] 가릴론 [一]과 뜻이 같음.

[字源] 形聲. 扌(手)+侖〔音〕

手 8〔㧥〕11 현 [平]先 | xián ケン けんめい

[字解] 고을이름현 현재 산동성(山東省) 황현(黃縣)의 서남쪽에 있던 옛 고을. '一, 縣名, 在東萊'《集韻》.

手 8〔掆〕11 강 [平]陽 | gāng コウ あげる

[字解] 들강 들어 올림. 扛(手부 3획〈428〉)과 同字. '一鼓金鉦'《唐書》.

手 8〔捦〕11 금 [平]侵 | qín キン とる

[字解] 움켜쥘금 꼭 쥠. '一, 手捉物也'《一切經音義》.

[字源] 形聲. 扌(手)+金〔音〕

手 8〔㧻〕11 탁(착[本]) [入]覺 | zhuó タク きをさす

[字解] ①나무찌를탁 나무에 구멍을 팜. '一, 刺木也'《玉篇》. ②밀탁 밀침. '一, 推也'《廣韻》. ③칠탁 두드림. ※本音 착.

手 8〔掇〕11 철 [入]屑 | duō テツ ひろう

[字解] ①주울철 ㉠습득함. '一拾山中薪'《楊基》. ㉡주워 모음. '一切一拾, 成集古錄'《宋史》. ②노략질할철 약탈함. '秦得燒一焚杅君之國'《史記》. ③성철 성(姓)의 하나.

[字源] 形聲. 扌(手)+叕〔音〕

手 8〔授〕11 [中·人] 수 [上]有 | shòu ジュ さずける

[筆順] 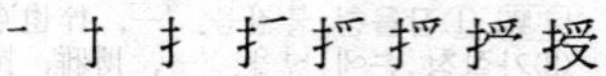

[字解] ①줄수 ㉠수여함. '一受'. '還予一子之粲兮'《詩經》. ㉡수교(手交)함. '男女不親一'《禮記》. ㉢가르침. '一業'. '子夏居西河敎一'《史記》. ㉣임명함. '一爵'. '近寤今日謬一之失'《吳志》. ②성수 성(姓)의 하나.

[字源] 形聲. 扌(手)+受〔音〕

手 8〔掉〕11 도 [去]嘯 | diào チョウ ふるう

[字解] ①흔들도 요동시킴. '一尾'. '一臂而不顧'《史記》. ②흔들릴도 요동함. '尾大不一'《左傳》. ③바로잡을도 정돈함. '一鞅而還'《左傳》.

[字源] 形聲. 扌(手)+卓〔音〕

手 8〔掊〕11 부 [平]尤 [上]有 [去]遇 | ①②póu ホウ·ブ かく ③④pǒu ホウ·フ うつ, さく ⑤fù フ たおす

[字解] ①헤칠부 속에 있는 것을 드러나게 하려고 헤침. '一視得鼎'《漢書》. ②거둘부 가렴 주구함. '曾是一克'《詩經》. ③칠부 공격함. '自一擊於世俗'《莊子》. ④가를부 剖(刀부 8획〈105〉)와 同字. '一斗折衡'《莊子》. ⑤엎드러질부, 넘어뜨릴부 仆(人부 2획〈32〉)·踣(足부 8획〈1434〉)와 同字. '一兵罷去'《史記》.

[字源] 形聲. 扌(手)+咅〔音〕

手 8〔掍〕11 혼 [上]阮 | hǔn コン まじえる

[字解] ①섞을혼 混(水부 8획〈657〉)과 同字. '一建章而連外屬'《班固》. ②합칠혼 합동(合同)함. '帶以象牙, 一其會合'《王褒》.

[字源] 形聲. 扌(手)+昆〔音〕

手 8〔掎〕11 기 [上]紙 | jǐ キ ひく, あしをひく

[字解] ①한다리끌기 다리 하나를 잡아당김. '譬如捕鹿, 晉人角之, 諸戎一之'《左傳》. ②당길기 ㉠뒤에서 끌어당김. '一止晏萊焉'《國語》. ㉡옆으로 끌어당김. '伐木一矣'《詩經》. ㉢시위를 당김. '機不虛一'《班固》. ③뽑을기 뽑아 냄. '一拔五嶽'《木華》.

[字源] 形聲. 扌(手)+奇〔音〕

手 8〔掏〕11 도 [平]豪 | tāo トウ えらぶ

[字解] ①가릴도 선택함. ②더듬을도 속어(俗語)로서, 물건을 더듬어 찾는 일. 전(轉)하여, 소매치기를 하는 일. '一兒'.

[字源] 形聲. 扌(手)+匋〔音〕

手 8〔掐〕11 겹 [入]洽 | qiā コウ つまむ

[字解] ①딸겹 적취(摘取)함. '以一摘供廚'

《顔氏家訓》. ②할퀼겹 손톱으로 생채기를 냄. '一鼻灸眉頭'《晉書》.
[字源] 扌(手)+臽〔音〕

手8〔排〕11 [高·人] 배 [平]佳 [去]卦 | ①-④pái ハイ おす ⑤bèi ハイ ふいごう
[筆順] 一 十 扌 扌 扌 扌 扌 排
[字解] ①밀칠배 밀어젖힘. 밀어 엶. '一門'. '廼一闥直入'《史記》. ②물리칠배 배척함. '一擠'. '一患釋難'《史記》. ③늘어설배 차례로 섬. '一立'. '一列'. ④줄배 늘어선 줄. '二人一一'《紀效新書》. ⑤풀무배 韛(韋부 10획〈1677〉)와 통용. '造作水一, 鑄爲農器'《後漢書》.
[字源] 形聲. 扌(手)+非〔音〕

手8〔掖〕11 액 [入]陌 | yè エキ わき
[字解] ①겨드랑이액 腋(肉부 8획〈1079〉)과 同字. '衣逢一之衣'《禮記》. ②낄액 겨드랑이에 낌. '一以赴外殺之'《左傳》. ③곁부축할액 곁에서 도와 줌. '扶一'. '誘一其君也'《詩經》. ④곁채액, 곁문액 주요한 건물 곁에 있는 채, 또는 문. '闌入尙方一門'《漢書》. ⑤후궁액 뒤쪽에 있는 궁전. '特宮一聲勢'《後漢書》. ⑥성액 성(姓)의 하나.
[字源] 形聲. 扌(手)+夜〔音〕

手8〔掘〕11 ㊀굴 [入]物 [入]月 | ①-③jue クツ ほる ④ケツ あな
㊁궐 [入]月 | jué コツ ほる, うがつ
[字解] ㊀①팔굴 ㉠우묵하게 팜. '辟若一井'《孟子》. ㉡파냄. 땅 속의 매장물을 캐냄. '採一北芒及南山佳石'《北史》. ②우뚝솟을굴 崛(山부 8획〈311〉)과 통용. '洪臺一其獨出兮'《揚雄》. ③다할굴 다 들임. '一變極物窮情'《太玄經》. ④암굴굴, 구멍굴 窟(穴부 8획〈920〉)과 통용. '窮巷一門'《戰國策》. ㊁뚫을궐 구멍을 뚫음. '一地爲臼'《易經》.
[字源] 形聲. 扌(手)+屈〔音〕

手8〔掛〕11 [高·人] 괘 [去]卦 | guà カ·カイ かける
[筆順] 一 十 扌 扌 扌 扌 挂 掛
[字解] 걸괘 걸쳐 놓음. '一軸'. '一一以象三'《易經》.
[字源] 形聲. 扌(手)+卦〔音〕
[參考] 挂(手부 6획〈440〉)는 俗字.

手8〔掞〕11 ㊀섬 [去]豔 | shàn セン のべる
㊁염 [去]豔 [上]琰 | ①yǎn エン かがやく ②yàn エン するどい
[字解] ㊀퍼질섬, 펼섬 널리 퍼짐. 널리 퍼지게 함. '摛藻一天庭'《左思》. ㊁①불꽃염, 탈염 炎(火부 4획〈707〉)과 통용. '長麗前一光耀明'《漢書》. ②날카로울염 剡(刀부 8획〈106〉)과 통용. '剸一度擬'《馬融》.
[字源] 形聲. 扌(手)+炎〔音〕

手8〔㨖〕11 ㊀치 ①[去]寘 ②[上]紙 | zhì チ なげる チ もつ zhí
㊁식 [入]職 | ショク つえつく
[字解] ㊀①던질치 멀리 던짐. '一, 投也'《集韻》. ②가질치 손에 쥠. '一, 持也'《集韻》. ㊁짚을식 지팡이를 짚음. '拄杖曰一'《廣韻》.

手8〔掠〕11 [高·人] ㊀략 [入]藥 | lüè リャク かすめる
㊁량 [去]漾 | lüè リョウ かすめる
[筆順] 一 十 扌 扌 扌 扌 掠 掠
[字解] ㊀①노략질할략 탈취함. '一奪'. '一於郊野, 以足軍食'《戰國策》. ②볼기칠략, 매질할략 죄인을 매질함. '一笞'. '下獄一治'《漢書》. ㊁노략질할량, 볼기칠량, 매질할량 ㊀과 뜻이 같음.
[字源] 形聲. 扌(手)+京〔音〕

手8〔⿰扌叀〕11 순 [去]霰 | shuàn セン みずなわ
[字解] 다림볼순 물건의 수평(水平) 또는 수직(垂直)을 알기 위하여 다림줄을 늘여 보는 일. '一, 望繩取正'《集韻》.

手8〔採〕11 [中·人] 채 [上]賄 | cǎi サイ とる
[筆順] 一 十 扌 扌 扌 扌 抨 採
[字解] ①캘채, 딸채 채굴하거나 적취(摘取)함. '一鑛'. '一摘'. '秋冬則勸民山一'《史記》. ②가릴채 골라 씀. '一擇'. '屬文著辭, 有可觀一'《後漢書》. ③나무꾼채 초부(樵夫). '芻牧薪一'《戰國策》.
[字源] 形聲. 扌(手)+采〔音〕

手8〔探〕11 [中·人] 탐 [平]覃 | tān タン さぐる
[筆順] 一 十 扌 扌 扌 扌 探 探
[字解] ①더듬을탐 ㉠찾음. '一索'. '一賾索隱'《易經》. ㉡밝히려고 함. 구명(究明)함. '春秋深一其本'《漢書》. ㉢엿봄. 염탐함. '一偵'. '已一先君之邪志'《穀梁傳》. ②찾을탐 가 봄. 방문함. '一友'. '在昔一賞猶可數, 深景秀句今得傳'《梅堯臣》.

[字源] 形聲. 扌(手)+突〔音〕

手 8 〔掤〕11 붕 [平]蒸 | bīng ヒョウ やづつのふた

[字解] 전동뚜껑붕 화살을 넣는 통의 뚜껑. '抑釋—忌'《詩經》.

[字源] 形聲. 扌(手)+朋〔音〕

手 8 〔接〕11 [中·人] 접 [入]葉 | jiē セツ まじわる

[筆順] 一 十 扌 扩 扌 挖 接 接

[字解] ①사귈접 교차함. '交—'. '兵不—刃'《呂氏春秋》. ②모일접, 모을접 회합함. 회합하게 함. '偃兵—好'《國語》. ③이을접 ㉠이어 맞춤. '—合'. '—骨'. ㉡이어받음. 계승함. '漢興, —秦之弊'《史記》. ㉢연함. 잇닮. '—續'. '水光—天'《蘇軾》. ㉣계속함. '—踵'. '堂上—武'《禮記》. ④접할접 이어서 닿음. 인접(隣接)함. '州—夜郎諸夷'《唐書》. ⑤가까이할접 가까이 감. '—近'. ⑥대접할접 대우함, '—待'. '—客'. ⑦접붙일접 나무에 접을 붙임. '—木'. ⑧성접 성(姓)의 하나.

[字源] 形聲. 扌(手)+妾〔音〕

手 8 〔控〕11 [人名] [一]공 [去]送 | kōng コウ ひく [二]강 [平]江 | qiāng コウ うつ

[筆順] 扌 扌 扩 扩 扩 控 控 控

[字解] [一] ①당길공 ㉠잡아당김. '—弦'. '弦不再—'《班固》. ㉡당겨 못 가게 하거나 못하게 함. 제어함. '—馬'. '—壓'. ②고할공 아룀. '—訴'. '—于大邦'《詩經》. ③던질공 투척함. '時則不至, 而—於地而已矣'《莊子》. [二] 칠강 때림. '—捲'. '—其頤'《莊子》.

[字源] 形聲. 扌(手)+空〔音〕

手 8 〔推〕11 [中·人] [一]추 [平]支 | tuī スイ うつりかわる [二]퇴 [平]灰 (추[俗]) | tuī タイ おす

[筆順] 扌 扌 扌 扌 扌 推 推 推

[字解] [一] ①옮을추 천이(遷移)함. '—移'. '寒暑相—而歲成焉'《易經》. ②밀추 ㉠밀어 올림. 나은 사람을 내세움. '—薦'. '—賢讓能'《書經》. ㉡숭배하여 높이 받듦. 추앙함. '—戴'. '乃是一國所—'《晉書》. ㉢밀어 올라가 캐어 냄. 연유를 캐어 냄. 궁구함. '—窮'. '有意其—本之也'《漢書》. [二] ①밀퇴 ㉠뒤에서 밂. '—輓'. '或輓之, 或—之'《左傳》. ㉡옮김. '—赤心置人腹中'《後漢書》. ㉢밀어서 줌. 양여함. '—食食我'《史記》. ②밀어젖힐퇴 밀어 엶. 또는, 배제(排除)함. '不—人危'《穀梁傳》. ※俗音 추.

[字源] 形聲. 扌(手)+隹〔音〕

手 8 〔掩〕11 [人名] 엄 [上]琰 | yǎn エン おおう

[筆順] 扌 扌 扌 扌 扌 拚 掩 掩

[字解] ①가릴엄 안 보이게 하거나 막음. '—蔽'. '諺有—目捕雀'《後漢書》. ②숨길엄 감쌈. '—意打兒女'(본의는 아니면서 자식을 때림)《李義山雜纂》. ③닫을엄 문을 닫음. '—門'. '席門常—'《南史》. ④엄습할엄 불의에 침. '—擊'. '大夫不—羣'《禮記》. ⑤비호할엄 뒤덮어서 보호함. '—護'. '矜憐, 撫—之也'《爾雅》.

[字源] 形聲. 扌(手)+奄〔音〕

手 8 〔措〕11 [人名] [一]조 [去]遇 | cuò ソ おく [二]책 [入]陌 | zé サク とらえる

[筆順] 扌 扌 扌 扌 扌 拱 措 措

[字解] [一] ①놓을조 ㉠둠. '—置'. '—之于參保介之御閒'《禮記》. ㉡하던 것을 놓고 하지 아니함. '學之弗能, 弗—也'《中庸》. ②베풀조 시행함. '擧而—之天下之民'《易經》. ③쓸조 사용함. '時—之宜也'《中庸》. ④처리할조 처치함. 조처함. '—置'. '—大'. ⑤거조조 행동거지. '周惶失—'《李嶠》. ⑥섞을조, 섞일조 錯(金부 8획〈1567〉)과 통용. '內—齊晉'《史記》. [二] 잡을책 추포(追捕)함. 쫓아가 잡음. '迫—青徐盜賊'《漢書》.

[字源] 形聲. 扌(手)+昔〔音〕

手 8 〔掫〕11 추 [平]尤 | zōu ソウ よまわりする

[字解] ①야경돌추 야경(夜警)을 돎. '賓將—, 主人辭'《左傳》. ②성추 성(姓)의 하나.

[字源] 形聲. 扌(手)+取〔音〕

手 8 〔掬〕11 국 [入]屋 | jū キク すくう

[字解] ①움킬국 두 손으로 움켜쥠. '舟中之指可—也'《左傳》. ②손바닥국 수장(手掌). '受珠玉者以—'《禮記》.

[字源] 形聲. 扌(手)+匊〔音〕

[參考] 匊(勹부 6획〈120〉)은 同字.

手 8 〔掜〕11 예 ①[上]薺 | nǐ ゲイ なぞらえる ②[去]霽 | yì ゲイ つる

[字解] ①비길예 견줌. ②땅길예 손의 심줄이 켕김. '兒子終日握, 而手不—'《莊子》.

手 8 〔捱〕11 애 [平]佳 | ái ガイ ふせぐ

[字解] ①막을애 항거함. ②늘어질애 길어져 느슨하여짐.

[字源] 形聲. 扌(手)+厓〔音〕

手
8 〔挣〕11 쟁 [平]庚 | zhēng ソウ さす

[字解] 찌를쟁 뾰족한 물건을 들이밂.
[字源] 形聲. 扌(手)+爭〔音〕

手
8 〔掂〕11 점 [平]鹽 | diān テン はかる

[字解] 손대중할점 손으로 물건의 무게를 헤아림. '一, 手量一也'《字彙》.
[字源] 形聲. 扌(手)+店〔音〕

手
8 〔掝〕11 ㊀혹 [入]職 | huò コク くらい
㊁획 [入]陌 | huò カク さく

[字解] ㊀흐릴혹 혼몽함. '以己之潐潐, 受人之一一'《荀子》. ㊁찢을획, 쨰질획 擭(手부 12획〈467〉)과 同字.

手
8 〔掟〕11 정 ①[上]梗 | zhěng トウ はる
②[去]徑 | dìng テイ おきて

[字解] ①벌릴정 '一, 揮張也'《玉篇》. ②규정정 규칙. 법(法). '一, 天一. 出道書'《廣韻》.

手
8 〔捬〕11 부 ①②[上]麌 | fǔ フ なでる
③[去]遇 | fù フ つける
④[上]有 | ホウ·フ ふるう

[字解] ①어루만질부 쓰다듬음. 撫(手부 12획〈468〉)와 통용. '選擇良吏, 一循和輯'《漢書》. ②막을부 '一, 捍也'《集韻》. ③댈부 손을 물건에 댐. 拊(手부 5획〈435〉)와 同字. '拊, 以手著物也. 或作一'《集韻》. ④떨칠부 '一擻, 振也'《集韻》.

手
8 〔掗〕11 아 ①②[上]馬 | yǎ ア ゆれる
[上]禡 | ア ゆれる
③[去]禡 | ア おしつける

[字解] ①흔들릴아 '一搖'는 흔들림. '一, 一搖, 搖也'《玉篇》. ②잡을아 손에 잡음. '一, 取也'《篇海》. ③안길아 강제로 물건을 줌. '一, 強與人物也'《字彙》.

手
8 〔掕〕11 릉 [去]徑 | líng リョウ とどめる
[平]蒸 | リョウ·ロウ とどめる

[字解] 말멈출릉 말을 멈춤. '一, 止馬也'《說文》.
[字源] 形聲. 扌(手)+夌〔音〕

手
4 〔揀〕11 동 [上]董 | dǒng トウ うつ

[字解] 칠동 두드림. '一, 打也'《玉篇》.

手
4 〔掚〕11 량 [上]養
[去]漾 | liǎng リョウ かざる

[字解] 꾸밀량 장식(裝飾)함. '一, 整飾也. 春秋傳曰, 御下一馬'《集韻》.

手
8 〔掯〕11 [現] 긍 | kèn コウ しぶる

[字解] 《現》①주저할긍 꾸물거리고 하려 하지 않음. ②억누를긍 압복(壓伏)함. ③억지로긍 무리하게.

手
8 〔掦〕11 척 [入]錫 | tī テキ かかげる

[字解] ①내걸척 '一, 挑揚也'《篇海》. ②도려낼척 剔(刀부 8획〈105〉)과 통용. '一, 亦借用剔'《篇海》.

手
8 〔搭〕11 ㊀답 [入]合 | tà トウ ゆびぬき
㊁탑 [入]合 | tà トウ おおう

[字解] ㊀①골무답 바느질할 때 손가락에 끼우는 가죽. '一, 縫指一也'《說文》. ②가죽주머니답 '一, 一曰, 韜也'《集韻》. ㊁①덮을탑 '一, 冒也'《集韻》. ②찾을탑 더듬어 찾음. '一, 一曰, 摹也'《集韻》.
[字源] 形聲. 扌(手)+沓〔音〕

手
8 〔掭〕11 첨 [去]豔 | tiàn テン とうしんをかきたてるぼう

[字解] ①심지돋우개첨 등심(燈心)을 돋우는 막대. '一, 挑剔燈火之杖曰一'《中華大字典》. ②《現》붓끝가지런히할첨 먹 묻힌 붓끝을 가지런히 추림.

手
8 〔掮〕11 견 | qián ケン になう

[字解] 멜견 짐을 짊어짐. '一, 俗謂以肩擧物也'《中華大字典》.

手
8 〔掹〕11 〔문〕
揊(手부 9획〈454〉)의 本字

手
8 〔拼〕11 〔병〕
拼(手부 6획〈441〉)의 本字

手
8 〔掦〕11 〔방〕
搒(手부 10획〈457〉)의 本字

手
8 〔掫〕11 〔도〕
擣(手부 14획〈473〉)와 同字

手
8 〔掤〕11 〔비〕
畀(田부 3획〈796〉)와 同字

手
8 〔掽〕11 〔증〕
拯(手부 6획〈439〉)과 同字

手
8 〔擇〕11 〔택〕
擇(手부 13획〈470〉)의 俗字

手
8 〔揔〕11 〔총〕
摠(手부 11획〈465〉)의 俗字

手 8 〔掲〕11 〔게〕
揭(手부 9획〈455〉)의 略字

手 9 〔掔〕13 완 [去]翰 | wàn ワン うで
[字解] 팔뚝완 腕(肉부 8획〈1080〉)과 同字. '麗于一'《儀禮》.
[字源] 形聲. 手+臤〔音〕

手 9 〔揫〕13 추 [平]尤 | jiū シュウ あつめる
[字解] 모을추 모이게 함. '一斂九藪之動物'《馬融》.
[字源] 形聲. 手+秋(烁)〔音〕

手 9 〔[illegible]〕13 揫(前條)의 本字

手 9 〔揪〕12 揫(前前條)와 同字
[字源] 形聲. 扌(手)+秋〔音〕

手 9 〔揱〕13 삭 [入]覺 | shuò サク ひじがながい
[字解] ①팔날씬할삭 팔이 가늘고 긴 모양. '一, 長臂皃'《集韻》. ②빨삭 끝이 예리하게 뾰족한 모양. '望其輻, 欲其一爾而纖也'《周禮》.
[字源] 形聲. 手+削〔音〕

手 9 〔[illegible]〕13 방 [平]陽 | bāng ホウ ふせぐ
[字解] ①막을방 방위(防衛)함. 지킴. '一, 捍也, 衞也'《集韻》. ②벌여놓을방 나란히 늘어놓음. '一, 竝也'《集韻》.

手 9 〔[illegible]〕13 〔연〕
揅(手부 11획〈462〉)의 俗字

手 9 〔掾〕12 연 [去]霰 | yuàn エン したやく
[字解] 아전연 하급 관리. 속관. '一吏'. '王導辟爲一'《晉書》.
[字源] 形聲. 扌(手)+彖〔音〕

手 9 〔揀〕12 [人名] [一]간 [上]潸 | jiǎn カン えらぶ
[二]련 [去]霰 | レン えらぶ
[筆順] 揀
[字解] [一] 가릴간 ㉠구별함. 분간함. '博愛容衆, 無所一擇'《魏志》. ㉡간발(簡拔)함. 뽑음. '選一召募官健三千人'《舊唐書》. [二] 가릴련 [一]과 뜻이 같음.
[字源] 形聲. 扌(手)+柬〔音〕

手 9 〔揃〕12 전 [上]銑 | jiǎn セン さく
[字解] ①자를전 분단(分斷)함. 翦(羽부 9획〈1045〉)과 同字. '一剃'. '公旦自一其爪, 以沈於河'《史記》. ②뽑을전 뽑아 냄. '吾年五十, 拭鏡一白'《唐書》.
[字源] 形聲. 扌(手)+前〔音〕

手 9 〔揄〕12 [一]유 [平]虞 | yú ユ ひく
[二]요 [平]蕭 | yáo ヨウ きさきのころも
[字解] [一] ①끌유 질질 끎. '一長袂'《史記》. ②빈정거릴유 조롱함. '揶一'. '市人皆大笑, 擧手邪一之'《後漢書》. ③퍼낼유 절구질한 곡식을 퍼냄. '或舂或一'《詩經》. [二] 요적(揄狄)옷요 꿩을 수놓은 옛날의 귀부인(貴婦人)의 옷. 褕(衣부 9획〈1280〉)와 통용. '夫人一狄'《禮記》.
[字源] 形聲. 扌(手)+兪〔音〕

手 9 〔揗〕12 순 [上]軫 [去]震 | xún シュン なでる
[字解] ①어루만질순 위로(慰勞)함. '一, 摩也. (段注) 廣雅曰手相安慰也, 今人撫循字, 古蓋作一'《說文》. ②좇을순 순종함. 循(彳부 9획〈373〉)과 통용. '一, 順也'《廣雅》.
[字源] 形聲. 扌(手)+盾〔音〕

手 9 〔揆〕12 [人名] 규 [上]紙 | kuí, kuǐ キ はかる
[筆順] 揆
[字解] ①헤아릴규 상량(商量)함. '一度'. '一之以日'《詩經》. ②법도규 법칙. 도(道). '一一'. '先聖後聖, 其一一也'《孟子》. ③꾀규 계략. '一策'. '內參機一'《北史》. ④벼슬규, 벼슬아치규 관직. 또는 관리. '百一均任'《魏志》. ⑤재상규 대신. '桓溫居一'《晉書》.
[字源] 形聲. 扌(手)+癸〔音〕

手 9 〔揉〕12 유 ①-③[平]尤 | róu ジュウ もむ
④⑤[上]有 | róu ジュウ ためる
[字解] ①주무를유 손으로 주물러 부드럽게 함. '暖手一雙目'《王建》. ②순하게할유 유순하게 함. '一此萬邦'《詩經》. ③섞일유 한데 섞임. 난잡함. '雜一'. '事跡錯一'《史通》. ④휠유 구부러지게 함. '一木爲耒'《史記》. ⑤바로잡을유 구부러짐과 곧음을 바로잡음. '一, 直也'《廣雅》.
[字源] 形聲. 扌(手)+柔〔音〕

手 9 〔[illegible]〕12 연 [上]銑 | yǎn エン うごく, はかる
[字解] 움직일연, 잴연 가만히 있지 않음.

또, 높이를 측정함.

手 9 〔揎〕 12 선 [平]先 | xuān セン かかげる

[字解] 걷을선 소매를 걷어올려 어깨를 드러냄. '玉腕半一雲碧袖'《蘇軾》.
[字源] 形聲. 扌(手)＋宣〔音〕

手 9 〔描〕 12 [人名] 묘 [平]蕭 | miáo ビョウ えがく

[筆順] 扌 扌' 扌⁺⁺ 扌⁺⁺ 扌艹 描 描 描

[字解] 그릴묘 묘사함. '一畫'. '嘗以左手一寫'《圖繪寶鑑》.
[字源] 形聲. 扌(手)＋苗〔音〕

手 9 〔提〕 12 [高·人] [一] 제 [平]齊 ①-⑥tí テイ さげる / [上]薺 ⑦⑧dǐ テイ なげうつ [二] 시 [平]支 shí シ とりがむれとぶ

[筆順] 扌 扌ㄇ 扌日 扌旦 扌早 扌早 扌是 提

[字解] [一] ①끌제 손으로 끎. 끌고 감. '長者與之一攜'《禮記》. ②들제 손에 가짐. '范蠡乃左一鼓'《國語》. ③걸제 게시(揭示)함. '一名責實'《淮南子》. ④거느릴제 통솔함. '一督'. ⑤점잖이걸을제 '好人一一'《詩經》. ⑥성제 성(姓)의 하나. ⑦던질제 투척함. '太后以冒絮一文帝'《史記》. ⑧끊을제 단절함. '離而不一心'《禮記》. [二] 떼지어날시 '歸飛一一'《詩經》.
[字源] 形聲. 扌(手)＋是〔音〕

手 9 〔揞〕 12 암 [上]感 / [去]勘 | ǎn アン かくす

[字解] ①감출암 넣어 둠. '一, 藏也'《廣雅》. ②덮을암 손으로 덮음. '一, 手覆'《廣韻》.

手 9 〔插〕 12 [人名] 삽 [入]洽 | chā ソウ さす

[筆順] 扌 扌ー 扌千 扌干 插 插 插 插

[字解] ①꽂을삽 ㉠꼭 끼워 있게 함. '一入'. '使妃嬪輩爭一艷花'《開元遺事》. ㉡박아 세움. '露檄一羽'《漢書 註》. ②가래삽 鍤(金부 9획〈1571〉)과 同字. '立則杖一'《戰國策》.
[字源] 形聲. 扌(手)＋臿〔音〕
[參考] ①挿(次條)은 俗字. ②揷(手부 7획〈445〉)은 '揷'의 略字.

手 9 〔揷〕 12 [人名] 插(前條)의 俗字

[筆順] 扌 扌ー 扌千 扌干 扌千 扌千 揷 揷

手 9 〔揕〕 12 침 [去]沁 | zhèn チン さす

[字解] 찌를침 뾰족한 것을 들이밂. '手持匕首一之'《史記》.
[字源] 形聲. 扌(手)＋甚〔音〕

手 9 〔揬〕 12 돌 [入]月 | tú トツ つく, こする

[字解] ①찌를돌, 문지를돌 '一, 衝一也'《玉篇》. '一, 揩也'《一切經音義》. ②당을돌 부딪침. '塘一, 觸也'《集韻》.
[字源] 形聲. 扌(手)＋突〔音〕

手 9 〔揖〕 12 [一] 읍 [入]緝 | yī ユウ えしゃく / [二] 집 [入]緝 | jí シュウ あつまる

[字解] [一] ①읍할읍 공수(拱手)하고 절함. '一讓'. '一巫馬斯而進之'《論語》. ②사양할읍 사퇴함. '一大福之恩'《漢書》. [二] 모일집 한데 모임. 輯(車부 9획〈1472〉)과 통용. '螽斯羽, 一一兮'《詩經》.
[字源] 形聲. 扌(手)＋咠〔音〕

手 9 〔揚〕 12 [中·人] 양 [平]陽 | yáng ヨウ あがる

[筆順] 扌 扌ㅣ 扌ㄇ 扌日 扌旦 扌昜 揚 揚

[字解] ①오를양 위로 떠오름. '飛一'. '浮一'. ②날양 ㉠하늘을 낢. '中強則一'《周禮》. ㉡바람에 흩날림. '塵不一'《列子》. ③날릴양 날게 함. 전(轉)하여, 이름 따위를 들날림. '一名於後世'《孝經》. ④나타날양 드러남. '滿內而外一'《楚辭》. ⑤나타낼양 드러냄. '顯一'. '宣一'. ⑥칭찬할양 찬양함. '稱一'. '褒一'. ⑦도끼양 '干戈戚一'《詩經》. ⑧땅이름양 구주(九州)의 하나. 북쪽은 회수(淮水)를 경계로 하고 남쪽은 바다에 이르는 지역. 곧, 지금의 절강(浙江)·강서(江西)·복건(福建)의 제성(諸省). '淮海惟一州'《書經》. ⑨성양 성(姓)의 하나. ⑩《韓》흉배(胸背)양 관복(官服)의 가슴과 등에 붙이는 수놓은 헝겊 조각. '無一黑團領'은 흉배를 달지 않은 관복.
[字源] 形聲. 扌(手)＋昜〔音〕

手 9 〔挌〕 12 객 [入]陌 | kè カク にぎる

[字解] ①움켜쥘객 가짐. 손에 쥠. '一, 手把著也'《廣韻》. ②잡을객 체포함. '一, 搦也'《集韻》.

手 9 〔挍〕 12 수 [平]尤 | sōu ソウ さがす

[字解] ①찾을수 수색함. 搜(手부 10획〈458〉)와 同字. '大一上林'《漢書》. ②화살소리수 화살이 빨리 나는 소리. '束矢其一'《詩經》.

[字源] 形聲. 扌(手)+変〔音〕

手 9 〔換〕 12 [高·人] 환 [去]翰 | huàn カン かえる

[筆順] 扌 扩 扩 护 换 换 换 換

[字解] ①바꿀환 교환함. '一易'. '以金貂一酒'《晉書》. ②갈환 교체함. '一衣'. '宜選才幹之士, 往一之'《韓愈》. ③바뀔환, 갈릴환 교체됨. 변이(變移)함. '一局'. '物一星移幾度秋'《王勃》. ④고칠환 변경함. '變一'. '損益修一四千四百餘事'《宋史》.
[字源] 形聲. 扌(手)+奐〔音〕

手 9 〔揹〕 12 [一] 유 [上]紙 | wěi イ すてる
[二] 타 [上]哿 | tuǒ タ おとす

[字解] [一] ①버릴유 내버림. '一, 棄也'《廣雅》. ②잡을유 손에 쥠. '捫摸曰一'《一切經音義》. [二] ①떨어뜨릴타 떨어지게 함. '一, 俗云, 落'《玉篇》. ②헤아릴타 셈. '一, 揲也'《集韻》. ③잴타 높이를 잼. '一, 揬也'《集韻》.

手 9 〔揾〕 12 문 [上]吻 | wěn ビン·ミン ぬぐう

[字解] 닦을문 씻음. 抆(手부 4획〈430〉)과 同字.
[字源] 形聲. 扌(手)+昬(昏)〔音〕

手 9 〔揌〕 12 〔단〕
摶(手부 11획〈464〉)과 同字

手 9 〔揹〕 12 [現] 배 | bēi ハイ せおう

[字解] 《現》 등에질배 등에 짐을 짐.

手 9 〔揸〕 12 〔자〕
摣(手부 11획〈463〉)와 同字

手 9 〔揠〕 12 알 [入]黠 | yà アツ ぬく

[字解] 뽑을알 박혀 있는 것을 뽑아 냄. '宋人有閔其苗之不長而一之者'《孟子》.
[字源] 形聲. 扌(手)+匽〔音〕

手 9 〔揌〕 12 시 [平]灰 | sāi サイ うごかす

[字解] ①움직일시 '一, 動也'《廣雅》. ②가릴시 선택함. '一, 擇也'《集韻》.

手 9 〔揜〕 12 엄 [上]琰 | yǎn エン おおう

[字解] ①가릴엄 掩(手부 8획〈450〉)과 同字. '一蔽'. '浮雲一日'《傳習錄》. ②곤박할엄 고생함. '篤以不一'《禮記》. ③빠를엄 빨리 돌아가는 모양. '一乎反鄕'《司馬相如》.

④이을엄 계승함. '能一迹於文武'《荀子》.
[字源] 形聲. 扌(手)+弇〔音〕

手 9 〔揿〕 12 치 [去]寘 | zhì チ さす

[字解] ①찌를치 '一, 刺也'《說文》. ②이를치 찔러서 겨우 다다름. '一, 一曰, 刺之財至也'《說文》. ③칠치 손으로 두드림. '一, 一曰, 搏也'《集韻》. ④뺏을치 재물 같은 것을 겁탈함. '一, 又劫財也'《廣韻》.
[字源] 形聲. 扌(手)+致〔音〕

手 9 〔握〕 12 악 [入]覺 | wò アク にぎる

[字解] ①쥘악 ㉠주먹을 쥠. '終日一而手不掜'《莊子》. ㉡손에 쥠. '掌一'. '一粟出卜'《詩經》. ㉢잡음. 점유(占有)함. '且一權則爲卿相'《揚雄》. ②줌악 주먹으로 쥘 만한 분량. 또는, 그만한 크기. 한 움큼. '宋廟之牛, 角一'《禮記》. ③주먹악 '汗沾兩一色如菜'《陸游》. ④손아귀악 수중. '金丹滿一'《李白》. ⑤손잡이악 쥐는 곳. '笴籌長尺有一'《儀禮》. ⑥장막악, 휘장악 幄(巾부 9획〈335〉)과 통용. '翟車具面, 維總有一'《周禮》.
[字源] 形聲. 扌(手)+屋〔音〕

手 9 〔揣〕 12 췌(취[本]) [上]紙 | chuǎi スイ はかる

[字解] ①헤아릴췌 ㉠촌탁함. 추측함. '一度'. '善用天下者, 必一諸侯之情'《鬼谷子》. ㉡잼. 측량함. '不一其本, 而齊其末'《孟子》. ②시험할췌 뜻을 알아봄. '令褘往一延意指'《蜀志》. ③불릴췌 금속을 단련함. '一而鋭之'《老子》. ④성췌 성(姓)의 하나.
※本音 취.
[字源] 形聲. 扌(手)+耑〔音〕

手 9 〔揋〕 12 외 [平]灰 | wēi ワイ ひく

[字解] 끌외 잡아 끎. '一, 掎也'《集韻》.

手 9 〔揥〕 12 체 [去]霽 | tì, ②dì テイ こうがい

[字解] ①빗치개체 가리마를 타는 제구. '象之一也'《詩經》. ②버릴체 내버림. '意徘徊而不能一'《陸機》.
[字源] 形聲. 扌(手)+帝〔音〕

手 9 〔揩〕 12 개 [平]佳 | kāi カイ ぬぐう

[字解] ①닦을개 씻음. '歎息無言一病目'《蘇軾》. ②지울개 말소함. '皆有一字注字處'《韓愈》.
[字源] 形聲. 扌(手)+皆〔音〕

手 9 〔揭〕12 人名 게(계本) 去霽 | qì ケイ かかげる

筆順 扌 扣 扫 押 押 掲 揭 揭

字解 ①들게 높이 듦. 고거(高擧)함. '一揚'. '一竿爲旗'《漢書》. ②걸게 게시함. '一貼'. '徧牒諸路, 昭一通衢'《癸辛雜識》. ③질게 등에 짐. '數賜縑帛, 擔一而去'《史記》. ④걷을게 옷의 아랫도리를 걷음. '淺則一'《詩經》. ※本音 계.

字源 形聲. 扌(手)+曷〔音〕

手 9 〔揯〕12 긍 平蒸 | gèng コウ きびしくひく

字解 당길긍 바싹 당김. '一, 引急也'《說文》.

字源 形聲. 扌(手)+恆〔音〕

手 9 〔揮〕12 高·人 휘 平微 | huī キ ふるう

筆順 扌 扩 扩 护 护 揎 揎 揮

字解 ①휘두를휘 ㉠휘휘 돌리며 움직임. '一刀紛紜'《韓愈》. ㉡서화를 쓰거나 그림. '一毫'. '一筆如流星'《李頎》. ②뿌릴휘 액체를 뿌림. '一汗成雨'《戰國策》. ③지휘할휘 지시함. '指一'. '抽戈而一'《梁元帝》. ④대장기휘 지휘하는 기(旗). '戎士介而揚一'《張衡》.

字源 形聲. 扌(手)+軍〔音〕

手 9 〔揲〕12 설 入屑 | shé セツ かぞえる

字解 ①맥짚을설 손의 맥을 짚음. '一荒爪幕'《史記》. ②셀설 하나하나 집어 셈. '一蓍'. '一之以四, 以象四時'《易經》.

字源 形聲. 扌(手)+葉〔音〕

手 9 〔揳〕12 ㊀설 入屑 | xiē セツ ただしくない
㊁혈 入屑 | xié ケツ はかる
㊂할 入黠 | jiá カツ うちならす

字解 ㊀①일비뚤게할설 바르지 않음. '一, 㩙一, 不方正也'《廣韻》. ②막을설 '一, 塞也'《正韻》. ㊁잴혈 絜(糸부 6획〈992〉)과 同字. '不揣長, 不一大'《荀子》. ㊂①탈할 탄주(彈奏)함. '趙女鄭姬設形容一鳴琴'《史記》. ②칠할 擊(手부 13획〈469〉)과 통함. '乃捶一牽曳於前'《後漢書》.

字源 形聲. 扌(手)+契〔音〕

手 9 〔揙〕12 편 上銑 平先 | biān ヘン うつ

字解 칠편 두드림. '一, 擊也'《集韻》.

字源 形聲. 扌+扁〔音〕

手 9 〔揝〕12 잠 上感 | zuàn サン てがうごく

字解 ①손떨릴잠 撍(手부 12획〈466〉)과 同字. '一, 手動也'《集韻》. ②《現》쥘잠, 잡을잠.

手 9 〔揈〕12 ㊀횡 平庚 | hōng コウ うつ
㊁현 去霰 | ケン うつ
㊂국 入屋 | キク すくう

字解 ㊀①칠횡 또, 치는 소리. '一, 擊也'《集韻》. '一, 擊聲'《廣韻》. ②휘두를횡 '一, 揮也'《集韻》. ③《現》쫓을횡 '一走'. ㊁칠현 '掏, 博雅, 擊也. 或从訇'《集韻》. ㊂움킬국 두 손으로 움켜쥠. 掬(手부 8획〈450〉)과 통용.

手 9 〔揟〕12 서 平魚 | xū ショ こす

字解 ①거를서 물을 걸러 찌끼를 제거(除去)함. '一, 取水沮也'《說文》. ②물뜨는그릇서 '一, 取水具也'《廣韻》. ③고기잡을서 '一, 一曰, 取魚也'《集韻》. ④고을이름서 '一次'는 현(縣)의 이름. '武威有一次縣'《說文》.

字源 形聲. 扌(手)+胥〔音〕

手 9 〔援〕12 高·人 원 平元 | yuán エン ひく, たすける

筆順 扌 扩 扩 护 护 揺 揺 援

字解 ①당길원 ㉠끌어당김. 잡아당김. '嫂溺, 一之以手'《孟子》. ㉡먼뎃것을 당겨 손에 쥠. '一筆'. '一琴奏別鵠之曲'《南史》. ㉢가까이 끌어 씀. '擧賢一能'《禮記》. ㉣끌어 증거로 삼음. '一例'. '一引他經'《公羊傳序》. ②매달릴원 도와 달라고 붙들고 늘어짐. '在下位, 不一上'《中庸》. ③뽑을원 발취(拔取)함. '不肖者敢一而廢之'《荀子》. ④구원할원 구조함. '一助'. '子欲手一天下乎'《孟子》. ⑤도움원 구원. '爲四隣之一, 結諸侯之信'《國語》. ⑥성원 성(姓)의 하나.

字源 形聲. 扌(手)+爰〔音〕

手 9 〔揵〕12 건 平先 上阮 | ①②qián ケン になう
③-⑤jiàn ケン せき, とじる

字解 ①멜건 어깨에 멤. '一弓鞬九鞬'《後漢書》. ②들건 들어 올림. '一鰭掉尾'《司馬相如》. ③막을건 틀어막음. 통하지 못하게 함. '一石菑'《史記》. ④닫을건 문 따위를 닫음. '將內一'《莊子》. ⑤둑건 물을 막는 설비. '下淇園之竹, 以爲一'《漢書》.

字源 形聲. 扌(手)+建〔音〕

手9 〔揶〕 12 야 [平]麻 | yē ヤ からかう

[字解] 빈정거릴야 조롱함. '擧手—揄之'《後漢書》.

[字源] 形聲. 扌(手)＋耶〔音〕

手9 〔揘〕 12 황 [平]庚 | héng コウ うつ

[字解] 칠황 때림. '竿殳之所—嚮'《張衡》.

手9 〔㨗〕 12 보 [上]晧 | bǔ ホウ うつ

[字解] 옷위로칠보 '—, 衣上擊也'《說文》.

[字源] 形聲. 扌(手)＋保〔音〕

手9 〔揤〕 12 [一] 즉 [入]職 | jí ショク つかむ [二] 질 [入]質 | シツ ぬぐう

[字解] [一] ①꺼두를즉 꼭 잡음. '—, 捽也'《說文》. ②닦을즉 [二]와 뜻이 같음. ③고을이름즉 '—裴'는 현(縣)의 이름. '—裴縣在魏郡'《廣韻》. [二] 닦을질 '—, 拭也'《廣雅》.

手9 〔揨〕 12 정 [平]庚 | chén トウ ふれる

[字解] ①닿을정 '—, 觸也'《廣韻》. ②칠정 두드림. '朾, 說文, 撞也. 或作—'《廣韻》. ③찌를정 '—, 刺也'《廣雅》. ④북채정 북을 치는 방망이. '若鼓之有—. (注) —, 鼓枹也'《管子》.

手9 〔揼〕 12 팽 [去]敬 | pèng ホウ つく

[字解] 칠팽 '搕—'은 침. 두드림. '—, 搕—, 撞也'《字彙》.

手9 〔揍〕 12 주 [去]宥 | zǒu, ③còu ソウ さす

[字解] ①꽂을주 꽂아 넣음. '—, 插也'《集韻》. ②던질주 '—, 投'《玉篇》. ③도리주 이치(理致). '發必中銓, 言必合數, 動必順時, 解必中—. (注) —, 理也'《淮南子》. ④《現》 칠주 때림.

手9 〔揦〕 12 랄 [入]曷 | lá ラツ ひらく

[字解] 열할 손으로 엶. '擸, 撥擸, 手披也. 或从剌'《集韻》.

手9 〔揆〕 12 규 [平]齊 | kuī ケイ かける

[字解] ①걸규 갈고리에 걸리게 함. 당겨 붙임. '—, 中鉤'《廣韻》. ②찌를규, 잴규 刲(刀부 6획〈102〉)와 同字. '刲, 說文, 刺也. 或作—'《集韻》.

手9 〔掿〕 12 낙 [入]覺 | nuò ダク まくる

[字解] 걷을낙 걷어올림. '—, 手—也'《篇海》.

手9 〔揂〕 12 [一] 추 [平]尤 | jiū シュウ あつめる [二] 유 [平]尤 | yōu ユウ おおう

[字解] [一] 모을추, 모일추 '—, 聚也'《說文》. [二] 가릴유 '—, 掩也'《集韻》.

[字源] 形聲. 扌(手)＋酋〔音〕

手9 〔揻〕 12 함 [上]感 | hàn カン ゆする

[字解] 흔들함, 움직일함 '—, 搖也'《說文》.

[字源] 形聲. 扌(手)＋咸〔音〕

手9 〔揭〕 12 구 [上]麌 | jǔ ク せい

[字解] 성구 성(姓)의 하나.

手9 〔揙〕 12 〔병〕 摒(手부 11획〈465〉)의 俗字

手9 〔揯〕 12 〔경〕 掶(手부 7획〈445〉)과 同字

手9 〔揰〕 12 〔등〕 橳(木부 9획〈562〉)과 同字

手9 〔揬〕 12 〔연〕 撋(手부 12획〈466〉)과 同字

[字源] 形聲. 扌(手)＋耎〔音〕

手9 〔揥〕 12 〔제〕 擿(手부 11획〈463〉)와 同字

手9 〔揧〕 12 〔찬〕 撰(手부 12획〈468〉)의 本字

手9 〔揭〕 12 〔천〕 遷(辵부 12획〈1507〉)의 古字

手9 〔揔〕 12 〔총〕 摠(手부 11획〈465〉)의 俗字

[字源] 形聲. 扌(手)＋怱〔音〕

手9 〔揑〕 12 〔날〕 捏(手부 7획〈444〉)의 俗字

手9 〔損〕 12 〔손〕 損(手부 10획〈457〉)의 俗字

手9 〔揔〕 12 〔총〕 總(糸부 11획〈1010〉)의 俗字

手9 〔捺〕 12 〔날〕 捺(手부 8획〈447〉)의 俗字

手 9 〔捷〕12 〔첩〕 捷(手부 8획〈447〉)의 俗字

手 9 〔擺〕12 〔파〕 擺(手부 15획〈474〉)의 俗字·簡體字

手 9 〔攙〕12 〔참〕 攙(手부 17획〈476〉)의 俗字·簡體字

手 9 〔揺〕12 〔요〕 搖(手부 10획〈458〉)의 略字

手 10 〔搴〕14 건 [平]先 [上]銑 | qiān ケン とる, ぬく
[字解] 뺄건, 뽑을건 뽑아 가짐. '一出'. '一長茇兮沈美玉'《史記》.
[字源] 形聲. 手+寒〈省〉〔音〕

手 10 〔搫〕14 ㊀반 [平]寒 ㊁파 [平]歌 | bān ハン ただしくない | pó ハ はらう
[字解] ㊀ ①바르지않을반 춤사위가 바르지 않음. ②옮길반 搬(手부 10획〈459〉)과 同字. ㊁ ①터닦을파 '一場拄翳'《潘岳》. ②헤칠파 '一, 又披散也'《廣韻》.
[字源] 形聲. 手+般〔音〕

手 10 〔搼〕14 〔권〕 拳(手부 6획〈458〉)의 本子

手 10 〔搉〕14 국 [入]屋 | jū キク とる
[字解] 집을국 손끝으로 집음. '一, 撮也'《說文》.
[字源] 形聲. 手+籟〈省〉〔音〕

手 10 〔搆〕13 구 [平]尤 | gòu コウ ひく
[筆順] 扌 扌 扌 扌 搆 搆 搆 搆
[字解] 끌구 끌어당김.
[字源] 形聲. 扌(手)+冓〔音〕

手 10 〔搉〕13 각 [入]覺 | què カク うつ
[字解] ①두드릴각, 칠각 때림. '支斷戚夫人手足, 一其眼'《漢書》. ②끌각 끌어 따 옴. 인용함. '揚一古今'《漢書》. ③헤아릴각 상량(商量)함. '商一古今'《北史》. ④도거리할각 독차지함. 榷(木부 10획〈567〉)과 통용. '般輸一巧於斧斤'《班固》.
[字源] 形聲. 扌(手)+隺〔音〕

手 10 〔損〕13 [高·人] 손 [上]阮 | sǔn ソン へらす
[筆順] 扌 扌 扌 扌 扌 捐 損 損
[字解] ①덜손 감소함. 또는, 삭감함. '有能增一 一字者, 予千金'《史記》. ②잃을손 상실함. 손해를 봄. '一失'. '費日一工'《鹽鐵論》. ③낮출손 낮게 함. '貶一'. '常自退一'《晉書》. ④상할손 잔상(殘傷)함. '兆人傷一'《後漢書》. ⑤손괘손 육십사괘(六十四卦)의 하나. 곧, ䷨〈태하(兌下), 간상(艮上)〉. 아래를 덜고 위를 보태는 상(象). '一有孚吉'《易經》.
[字源] 會意. 扌(手)+員〈省〉〔音〕

手 10 〔搏〕13 박 [入]藥 | bó ハク うつ
[字解] ①칠박 ㉠때림. '一殺'. '一牛之蝱'《史記》. ㉡격투함. 싸움. '晉侯夢與楚子一'《左傳》. ㉢날개를 침. '一搖'. '一扶搖羊角而上者九萬里'《莊子》. ㉣손으로 쳐서 울림. '彈箏一髀'《史記》. ②잡을박 체포함. '務一執'《禮記》. ③쥘박 움키어 가짐. '鑠金百鎰, 盜跖不一'《史記》.
[字源] 形聲. 扌(手)+尃〔音〕

手 10 〔搩〕13 혜 ①②[平]佳 ③[去]霽 ④[上]薺 | xié カイ さしはさむ | xì ケイ かえる | ケイ かかげる
[字解] ①끼울혜 두 사이에 끼움. '一, 挾物'《廣韻》. ②도울혜 도와 줌. '一, 扶也'《集韻》. ③바꿀혜 교환함. '杭越之間, 謂換曰一'《集韻》. ④걸혜 높이 걺. '一, 揭也'《集韻》.

手 10 〔搐〕13 축 [入]屋 | chù チク ひく
[字解] 땅길축 힘줄이 땅겨 아픔. '一二指一'《漢書》.
[字源] 形聲. 扌(手)+畜〔音〕

手 10 〔搒〕13 방 ①[去]漾 ②[平]庚 | bàng ホウ ふねをやる | péng ホウ むちうつ
[字解] ①배저을방 榜(木부 10획〈566〉)과 同字. '一人船人也'《廣韻》. ②매질할방, 볼기칠방 '吏一笞數千'《漢書》.
[字源] 形聲. 扌(手)+旁〔音〕

手 10 〔搓〕13 차 [平]歌 | cuō サ もむ
[字解] 비빌차 손으로 문지름. '柳細一難似, 花新染未乾'《陸游》.
[字源] 形聲. 扌(手)+差〔音〕

手 10 〔搷〕13 전 [平]先 | tián テン うつ
[字解] ①칠전 두드림. '一鳴鼓些. (注) 一, 擊也'《楚辭》. ②날릴전 이름 따위를 들날

림. '一, 揚也'《廣雅》. ③당길전 잡아당김. '一, 引也'《集韻》.

手10 〔搔〕 13 소 [平]豪 | sāo ソウ かく

[字解] ①긁을소 손톱 따위로 긁음. '一頭'. '一首踟躕'《詩經》. ②떠들소 騷(馬부 10획〈1747〉)와 통용. '所在一擾'《吳志》.
[字源] 形聲. 扌(手)+蚤〔音〕

手10 〔搽〕 13 차 | chá タ·チャ ぬる

[字解] 바를차, 칠할차 분이나 약 같은 것을 바름. '一, 俗字. 敷也. 如婦女敷粉曰一粉, 瘡瘍敷藥曰一藥之類'《中華大字典》.
[字源] 形聲. 扌(手)+茶〔音〕

手10 〔搖〕 13 [高·人] 요 [平]蕭 [去]嘯 | yáo ヨウ ゆれる

[筆順] 扌 扌 扌 扌 扌 搖 搖 搖

[字解] ①흔들릴요 ㉠요동함. '動一'. '一者不定'《管子》. ㉡인심이 흔들려 떠들썩함. '嶺徼驚一'《宋史》. ②흔들요 요동시킴. '夾而一之'《周禮》. ③움직일요 이동함. 장소를 옮김. '天星盡一'《漢書》. ④성요 성(姓)의 하나.
[字源] 形聲. 扌(手)+䍃〔音〕

手10 〔搡〕 13 상 ①②[上]養 ③[去]漾 | sǎng ソウ うつ sàng ソウ おしつける

[字解] ①칠상 손으로 침. '一, 擯也'《集韻》. ②내던지려할상 던지려고 하는 기세(氣勢). '一, 投擲之勢'《字彙》. ③누를상 꼭 눌러 움직이지 못하게 함.

手10 〔搗〕 13 도 [上]晧 | dǎo トウ つく

[筆順] 扌 扌 扌 扌 扌 搗 搗 搗

[字解] 찧을도 擣(手부 14획〈473〉)와 同字. '和一塗之'《聖濟總錄》.
[字源] 形聲. 扌(手)+島〔音〕

手10 〔搘〕 13 지 [平]支 | zhī シ ささえる

[字解] 버틸지, 괼지 '一捂'. '一頤問樵客'《王維》.
[字源] 形聲. 扌(手)+耆〔音〕

手10 〔搚〕 13 랍 [入]合 | lā ロウ くじく

[字解] 꺾을랍 拉(手부 5획〈435〉)과 同字. '一幹而殺之'《公羊傳》.
[字源] 形聲. 扌(手)+脅〔音〕

手10 〔搜〕 13 [高校] ㊀수 [平]尤 ㊁소 [上]巧 | sōu シュウ·ソウ さがす shǎo ソウ みだれる

[字解] ㊀찾을수 ㉠수색함. '一査'. '閉城門大一'《漢書》. ㉡구(求)함. '獨旁一而遠紹'《韓愈》. ㊁어지러울소 난잡함. '炎風日一攪'《韓愈》.
[字源] 形聲. 篆文은 扌(手)+叟〔音〕

手10 〔搧〕 13 섬 [上]琰 [去]豔 | shǎn セン はやくうごく shàn セン のべる

[字解] ①빨리움직일섬 번개같이 빠른 모양. '一降丘以馳敵'《潘岳》. ②펼섬 掞(手부 8획〈449〉)과 同字.

手10 〔搢〕 13 진(② 창[本]) ①[去]震 ②[上]養 | jìn シン さしはさむ ショウ ふるう

[字解] ①꽂을진 끼움. '一笏'. '天子一珽'《禮記》. ②흔들진 요동시킴. '一鐸'《國語》. ※ ❷ 本音 창.
[字源] 形聲. 扌(手)+晉〔音〕

手10 〔搢〕 13 搢(前條)과 同字

手10 〔搤〕 13 액 [入]陌 | è アク しめつける, にぎる

[字解] ①조를액 손으로 조름. '一殺'. '一天下之吭, 而拊其背'《史記》. ②쥘액 잡음. '釋弓一劍'《史記》. ③막을액 통하지 못하게 함. '因而一之可也'《管子》.

手10 〔搮〕 13 률 [入]質 | lì リツ おさめる

[字解] 다스릴률 물건을 손질함. '一, 以手理物'《集韻》.

手10 〔搥〕 13 ㊀추 [平]支 ㊁퇴 [平]灰 | chuí ツイ うつ duī タイ なげうつ

[字解] ㊀칠추 망치 같은 것으로 침. 槌(木부 10획〈569〉)와 同字. '一一鼓爲一嚴'《唐書》. ㊁던질퇴 투척함. '一提仁義'《揚子法言》.
[字源] 形聲. 扌(手)+追〔音〕

手10 〔搦〕 13 닉 [入]職 | nuò ジョク とる

[字解] 잡을닉 ㉠손에 쥠. '舟子於是一棹'《郭璞》. ㉡체포함. '金鳳欲飛遭掣一'《錢俶》.
[字源] 形聲. 扌(手)+弱〔音〕

手10 〔搣〕 13 ㊀멸 [入]屑 ㊁혈 [入]屑 | miè ベツ する, もむ ケツ そる

[字解] ㊀ ①문지를멸 손으로 비빔. '一, 批

也'《說文》. ②잡을멸 붙잡음. 졈. '一, 捽也'《廣雅》. ③뽑을멸 잡아 뺌. '一, 手拔'《廣韻》. 曰 뽑을혈 '沐浴揃一寡合同'《急就篇》.
字源 形聲. 扌(手)+威〔音〕

手10〔搨〕13 탑 入合 | tà トウ うつす

字解 ①베낄탑 필사(筆寫)함. '八會舊文多一寫'《皮日休》. ②박을탑 비석에 종이를 대고 비문 같은 것을 박아 냄. '一本'. '古碣憑人一'《王建》.
字源 形聲. 扌(手)+搨〔音〕

手10〔搪〕13 당 平陽 | táng トウ つきあたる

字解 ①막을당 통하지 못하게 함. '一塞'. ②부딪칠당 충돌함. '一突'. '千里相一挨'《王安石》.
字源 形聲. 扌(手)+唐〔音〕

手10〔搬〕13 반 平寒 | bān ハン うつす

字解 옮길반 擊(手부 10획〈457〉)과 同字. ㉠운반함. '一運之勞'《夢溪筆談》. ㉡이사함. '擇日一住'《尺牘雙魚》.
字源 形聲. 扌(手)+般〔音〕

手10〔搻〕13 납 入合 | nà ノウ うつ

字解 칠납 때림. 두드림. 抐(手부 4획〈432〉)과 同字. '一, 打也'《集韻》.

手10〔搭〕13 탑 入合 | dā, ⑤tà トウ のる, かける

字解 ①탈탑 탈것에 탐. '一乘'. '可一我船而去'《龍圖公案》. ②실을탑 물건을 실음. '一載'. ③칠탑 때림. '一奴肋折'《北史》. ④걸탑 걸쳐 놓음. '一住'. '夜深斜一秋千索'《韓偓》. ⑤박을탑 搨(手부 10획〈459〉)과 同字. '韓幹馬本摸一時'《梅堯臣》. ⑥성탑 성(姓)의 하나.
字源 形聲. 扌(手)+荅〔音〕

手10〔搋〕13 曰 치 上紙 | chǐ チ さく
曰 이 平支 | yí イ からかう
曰 차 平佳 | chuāi タイ うつ

字解 曰 ①가를치 나누어 가름. '一, 析也'《集韻》. ②끌치 잡아당김. '一, 拽也'《集韻》. 曰 희롱할이 놀림. 비웃음. 欼(欠부 10획〈600〉)와 同字. 曰 칠차 주먹질함.

手10〔搯〕13 도 平豪 | tāo トウ とりだす

字解 ①꺼낼도 속에 있는 것을 뽑아 냄. '一擢胃腎'《韓愈》. ②두드릴도 때림. '無一膺'《國語》.
字源 形聲. 扌(手)+舀〔音〕

手10〔搰〕13 골 入月 | hú コツ ほる

字解 ①팔골 땅을 팜. '狐埋之, 而狐一之'《國語》. ②흐리게할골 혼탁하게 함. '水之性淸, 土者一之'《呂氏春秋》. ③힘쓸골 부지런히 일하는 모양. '一一然用力甚多, 而見功寡'《莊子》.
字源 形聲. 扌(手)+骨〔音〕

手10〔搩〕13 曰 걸 入屑 | jiē ケツ かつぐ
曰 책 入陌 | zhǎ タク てでものをはかる

字解 曰 멜걸 어깨에 멤. '一, 擔也'《集韻》. 曰 뼘으로잴책 뼘으로 재어 봄. '一, 手度物'《集韻》.
字源 形聲. 扌(手)+桀〔音〕

手10〔搇〕13 금 去沁 | qìn キン おさえる

字解 누를금 손으로 누름. '一, 按也'《集韻》.

手10〔搠〕13 삭 入覺 | shuò サク ぬる

字解 칠할삭 바름. '一, 博雅, 塗也'《集韻》.

手10〔搗〕13 現 오 | wǔ オ しきる

字解《現》①막을오 통하지 못하게 함. ②손으로가릴오 덮어 가림. '大夫叫他一着被子出點汗'《秦兆陽》.

手10〔摁〕13 現 은 | èn オン おす

字解《現》누를은 손으로 누름. '一, 按也, 如一電鈴'《國音常用字彙》.

手10〔搲〕13 現 황 | huàng コウ ゆれる

字解《現》흔들릴황 요동(搖動)함. '得這等一位一動乾坤的大上司紆尊降貴合他作親家'《兒女英雄傳》.

手10〔搶〕13 창 平陽 平庚 | ①-③qiāng ショウ つく, あつまる ④cāng ソウ みだれる

字解 ①부딪칠창 충돌함. '以頭一地爾'《戰國策》. ②모일창 집합함. '一榆枋'《莊子》. ③빼앗을창 약탈함. '白晝一奪'《康熙字典》. ④어지러울창 문란함. '國制一攘'《漢書》.

[字源] 形聲. 扌(手)+倉〔音〕

手 10〔⿰扌罡〕13 강 [平]江 | gāng コウ あげる

[字解] 들강 쥙어짐. 扛(手부 3획〈428〉)과 통용. '大駕鹵簿, 有一鼓'《晉書》.

手 10〔搾〕13 [現] 착 (자[本]) [去]禡 | zhà サク しぼる

[字解] 《現》짤착 짜냄. 榨(木부 10획〈567〉)의 俗字. '一取'. ※本音 자.
[字源] 形聲. 扌(手)+穴+乍〔音〕

手 10〔搲〕13 와 ①[平]麻 | wā ワ とる
②[上]馬 | wǎ ワ かく
③[去]禡 | wà ワ ひく

[字解] ①움킬와 움켜쥠. '一, 以手捉物'《集韻》. ②긁을와 손으로 긁음. '吳俗謂手爬物曰一'《集韻》. ③당길와 끌어당김. '吳人謂挽曰一'《集韻》.

手 10〔⿰扌索〕13 색 ①[入]藥 | suǒ サク さぐる
②[入]陌 | サク もとめる

[字解] ①더듬을색 손으로 찾음. '摸一'. ②찾을색 索(糸부 4획〈984〉)과 통용. '三以一數'《太玄經》.

手 10〔⿰扌圂〕13
[一] 홀 [入]月 | コツ おす
[二] 혼 ①[平]元 | hún コン おす
②[上]阮 | コン はさむ
[三] 곤 [上]阮 | コン はさむ

[字解] [一] ①밀홀 손으로 밂. 일설에, 두드림. '一, 手推之也'《說文》. ②길홀 '一, 一曰, 拊也'《集韻》. [二] ①밀혼 [一]❶과 뜻이 같음. ②길혼 [一]❷와 뜻이 같음. [三] 길곤 [一]❷와 뜻이 같음.
[字源] 形聲. 扌(手)+圂〔音〕

手 10〔⿰扌留〕13 〔추〕
⿰扌畱(手부 12획〈469〉)의 俗字

手 10〔搵〕13 [一] 온 [去]願 | wèn オン しずむ
[二] 올 [入]月 | wù オツ とらえる

[字解] [一] ①잠길온 물에 젖음. 물듦. '一, 沒也. (段注)謂湛浸於中也'《說文》. ②담글온, 물들일온 '一, 揾也'《廣雅》. ③누를온 손가락으로 누름. '一, 指按也'《六書故》. [二] 잡을올 손으로 물건을 잡는 모양. '一, 手撩物皃'《廣韻》.
[字源] 形聲. 扌(手)+昷〔音〕

手 10〔搌〕13 전 [去]霰 | zhǎn テン まく, ぬぐう

[字解] ①걷을전 걷어올림. ②닦을전 씻음.

手 10〔搹〕13 격 [入]陌 | gé カク とる

[字解] 쥘격 손에 쥠. 가짐. '苴絰大一'《儀禮》.
[字源] 形聲. 扌(手)+鬲〔音〕

手 10〔搊〕13 추 [平]尤 | chōu シュウ かなでる

[字解] 탈추 손으로 현악기를 탐. '爲一琵琶'《唐書》.
[字源] 形聲. 扌(手)+芻〔音〕

手 10〔携〕13 [中·人] 휴 [平]齊 | xié ケイ たずさえる

[筆順] 扌 扌 扌 扌 扌 扌 扌 携

[字解] ①끌휴 이끎. 이끌고 감. '一其妻子'《公羊傳》. ②들휴 손에 가짐. '一帶'. '如取如一'《詩經》. ③떨어질휴 분리함. '節度不一'《國語》. ④연할휴 이음. '杓一龍角'《漢書》. ⑤성휴 성(姓)의 하나.
[字源] 形聲. 扌(手)+隽(巂)〔音〕
[參考] 攜(手부 18획〈476〉)는 本字.

手 10〔⿰扌虔〕13 [一] 건 [平]元 [平]先 | qiān ケン ひきあう
[二] 간 [平]删 | カン ひきあう

[字解] [一] ①서로도울건 '一, 相援也'《說文》. ②멜건 어깨에 멤. '一, 以肩擧物也'《通雅》. ③서로들추어낼건 '一, 互訐告也'《通雅》. [二] 서로도울간, 멜간, 서로들추어낼간 [一]과 뜻이 같음.
[字源] 形聲. 扌(手)+虔〔音〕

手 10〔搳〕13 할 [入]黠 | xiá, ③huá カツ けずる

[字解] ①깎을할 '一, 擖也'《說文》. ②긁을할 '一, 搔也'《廣雅》. ③가위바위보할 '一拳'은 술자리에서 흥(興)을 돋우기 위한 가위바위보. '和芳官兩箇, 先一拳'《紅樓夢》.
[字源] 形聲. 扌(手)+害〔音〕

手 10〔搈〕13 용 ①[上]腫 | róng ヨウ うごく
②[平]冬 | ヨウ おちつかない

[字解] ①움직일용 '一, 動一也'《說文》. ②편치않을용 '一, 不安'《集韻》.
[字源] 形聲. 扌(手)+容〔音〕

手 10〔搞〕13 고 ①[平]肴 | qiāo コウ うつ
②[去]號 | kào コウ もとる
③[現] | gǎo コウ する

[字解] ①칠고 두드림. '敲, 說文, 橫撾也. 或作一'《集韻》. ②다를고 靠(非부 7획〈1655〉)와 同字. '靠, 說文, 相違也. 或从手'《集韻》. ③《現》할고, 지을고 본디 서

남(西南) 방언(方言)으로, 근자(近者)에 널리 쓰임.

手10〔搕〕13 ㊀갑 ㊅合 kē コウ とる ㊁압 ㊅合 è オウ おおう

字解 ㊀①취할갑 '一, 取也'《集韻》. ②칠갑 두드림. '一, 打也. 擊也'《字彙》. ㊁①가릴압 손으로 가림. '一, 以手盍也'《廣韻》. ②똥압 '一㩉'은 똥. '一, 一㩉, 糞也'《廣韻》.

手10〔搑〕13 ㊀용 ㊤腫 ㊥冬 ①②róng ジョウ おす ③ジョウ おさめる ㊁낭 ㊥江 ㊤講 ①②nǎng ドウ おす ③ドウ つく

字解 ㊀①밀용 밀어붙임. '一, 推擣也'《說文》. ②수레밀용 수레를 되밂. '軵, 推車. 或作一'《廣韻》. ③거둘용 '一, 收也'《廣雅》. ㊁①밀낭 ㊀❶과 뜻이 같음. ②막을낭 '一, 一曰, 窒也'《集韻》. ③찌를낭 '攮, 擋也. 刺也. 或作一'《集韻》.
字源 形聲. 扌(手)+茸〔音〕

手10〔搛〕13 ㊀렴 ㊥鹽 lián レン つづみをうつ ㊁겸 ㊥鹽 jiān ケン さしはさむ

字解 ㊀장구칠렴 '鼘, 擊鼓謂之鼘. 或从手'《集韻》. ㊁낄겸 끼어가짐. '一, 夾持也'《集韻》.

手10〔搧〕13 선 ㊥先 ㊦霰 shān セン うつ

字解 ①칠선 손으로 얼굴을 침. '一, 今謂以手批面曰一'《通俗編》. ②부채질할선 움직여서 바람을 일으킴. '一, 動也'《字彙》.

手10〔搿〕14 격 gé カク りょうてであわせだく

字解 ①두손으로안을격 '一, 俗字, 吳方言, 兩手合抱之曰一'《辭海》. ②힘써사귈격 '一, 引申爲結交'《漢語大字典》. '魚一魚, 蝦一蝦, 王八一合鱉親家'《中國諺語資料》.

手10〔摲〕13 ㊀擿(手부 16획〈475〉)과 同字 ㊁撕(手부 11획〈463〉)의 訛字

手10〔揆〕13 〔규〕 揆(手부 9획〈452〉)의 本字

手10〔探〕13 〔탐〕 探(手부 8획〈449〉)의 本字

手10〔挫〕13 〔좌〕 挫(手부 7획〈442〉)의 本字

手10〔搥〕13 〔비〕 批(手부 4획〈429〉)과 同字

手10〔搻〕13 〔여〕 舁(臼부 4획〈1105〉)의 俗字

手10〔摂〕13 〔섭〕 攝(手부 18획〈476〉)의 略字

手11〔摩〕15 마 ㊥歌 mó マ する

字解 ①갈마 닳게 하기 위하여 문지름. '硏一'. '硏一之工'《周禮》. ②비빌마 문지름. '一擦'. '濯手以一之, 去其皽'《禮記》. ③만질마 쓰다듬음. 또, 어루만짐. '撫一'. '手一其頂'《陳書》. ④가까이할마 가까이 감. 접근함. '一壘而還'《左傳》. 전(轉)하여, 필적(匹敵)·근사(近似)의 뜻으로 쓰임. '一李杜'. ⑤헤아릴마 상량(商量)함. '揣一臆測'. '古之善一者'《鬼谷子》.
字源 形聲. 手+麻〔音〕

手11〔摩〕15 摩(前條)와 同字

手11〔攠〕14 摩(前前條)의 古字

手11〔摯〕15 人名 지 ㊦寘 zhì シ つかむ

筆順 ⼟ ⼟ 圭 幸 幸九 執 埶 摯

字解 ①잡을지 손에 쥠. '以鷹擊毛一爲治'《史記》. ②이를지 옴. '大命不一'《書經》. ③올릴지 진언(進言)함. '近習之人, 其一諂也固矣'《戰國策》. ④지극할지 정의(情意) 같은 것이 극진함. '眞一'. '甲鍛不一, 則不堅'《禮記》. ⑤사나울지 鷙(鳥부 11획〈1833〉)와 통용. '前有一獸'《禮記》. ⑥폐백지 贄(貝부 11획〈1398〉)와 통용. '庶人之一匹'《禮記》. ⑦성지 성(姓)의 하나.
字源 形聲. 手+執〔音〕

手11〔摹〕15 모 ㊥虞 mó ボ ならう, うつす

字解 ①본뜰모 모방함. '一倣'. '規一弘遠矣'《漢書》. ②베낄모 글 같은 것을 그대로 옮겨 씀. 摸(手부 11획〈464〉)와 同字. '一本'. '其觀視及一寫者'《後漢書》.
字源 形聲. 手+莫(茣)〔音〕

手11〔摮〕15 오 ㊥豪 áo ゴウ うつ

字解 칠오 때림. '一殺'. '以斗一而殺之'《公

羊傳》.

手11 〔摰〕 15 얼 ㊀屑 | niè ゲツ あやうい

字解 위태할얼 '轂小而長則柞, 大而短則—'《周禮》.

手11 〔摲〕 15 참 ㊤感 | chǎn サン·ザン うつ

字解 칠참 공격함.
字源 形聲. 手+斬〔音〕

手11 〔撂〕 15 략 ㊀藥 | lüè リャク かすめとる

字解 노략질할략 약탈함. 掠(手부 8획〈449〉)의 俗字.

手11 〔撂〕 14 掔(前條)의 俗字

手11 〔揅〕 15 연 ㊥先 | yán ケン みがく

字解 갈연 연마(硏磨)함. 전(轉)하여, 연구함.
字源 形聲. 手+硏〔音〕
參考 揅(手부 9획〈452〉)은 俗字.

手11 〔撃〕 15 〔격〕 擊(手부 13획〈469〉)의 略字

手11 〔摋〕 14 살 ㊀曷 | sà サツ うつ

字解 ①칠살 손으로 후려침. '宋萬臂—仇牧'《公羊傳》. ②지울살, 쓸살 지워 버림. 또, 쓸어 없애 버림. '與世抹—'《韓愈》.
字源 形聲. 扌(手)+殺〔音〕

手11 〔摎〕 14 규 ㊥尤 | jiū キュウ くくる

字解 ①졸라맬규 단단히 동여맴. '殤之絰, 不—垂'《儀禮》. ②구할규 찾음. '—天道'《張衡》. ③묶을규 한데 묶음. '葉相—結'《漢書》. ④성규 성(姓)의 하나.
字源 形聲. 扌(手)+翏〔音〕

手11 〔摌〕 14 근 ㊦問 | jìn キン ぬぐう

字解 ①닦을근, 씻을근 '—, 飾也. (段注) 飾, 各本作拭, 今正, 云云, 飾拭, 正俗字'《說文》. ②깨끗이할근 청결하게 함. '—, 淸也'《玉篇》.
字源 形聲. 扌(手)+堇〔音〕

手11 〔摏〕 14 용(송本) ㊥冬 | chōng ショウ つく

字解 찌를용, 칠용 '—其喉, 以戈殺之'《左傳》. ※本音 송.
字源 形聲. 扌(手)+春〔音〕

手11 〔摐〕 14 창 ㊥江 | chuāng ソウ うつ

字解 ①칠창 두드림. '—金鼓吹鳴籟'《司馬相如》. ②뒤섞일창, 어지러울창 뒤섞여 혼란함. 분착(紛錯)함. '聞君遊靜境, 雅具更——'《陸龜蒙》
字源 形聲. 扌(手)+從〔音〕

手11 〔摑〕 14 괵(귁本) ㊀陌 | guó カク うつ

字解 칠괵 후려갈김. '—其口'《避暑錄話》. ※本音 귁.
字源 形聲. 扌(手)+國〔音〕

手11 〔摓〕 14 봉 ㊥冬 | féng, ②pěng ホウ ぬう

字解 ①꿰맬봉 縫(糸부 11획〈1009〉)과 同字. ②받들봉 두 손으로 받듦. '—策定數'《史記》. ③클봉 逢(辵부 7획〈1497〉)과 통용. '—衣淺帶'《莊子》.
字源 形聲. 扌(手)+逢〔音〕

手11 〔摤〕 14 창 ㊤養 | qiǎng ソウ みがく

字解 ①닦을창 돌 같은 것으로 갈아 닦음. '—, 磨滌也'《集韻》. ②찌를창 '—, 突也'《字彙》.

手11 〔摔〕 14 솔 ㊀質 | shuāi シュツ すてる

筆順 扌 扩 扩 扻 搩 摔 摔 摔

字解 버릴솔 내던짐.
字源 形聲. 扌(手)+率〔音〕

手11 〔摘〕 14 高·人 적 ㊀錫 | zhāi テキ つむ

筆順 扌 扌 扩 扩 掮 掮 摘 摘

字解 ①딸적 잡아뗌. '—掇'. '——使瓜好, 再—令瓜稀'《唐書》. ②들추어낼적 지적함. 적발함. '—奸'. '指—經史謬誤'《北史》. ③손가락질할적 손가락으로 가리킴. '—齊行列'《傅毅》. ④움직일적 움직여 가게 함. '兼去—船行'《元稹》.
字源 形聲. 扌(手)+商(啇)〔音〕

手11 〔摗〕 14 ㊀수 ㊥尤 | sōu ソウ とる
㊁송 ㊤董 | sǒng ソウ くつわをふりながらはしる

字解 ㊀취할수 가짐. '摟—, 取也'《集韻》. ㊁달릴송 말이 재갈을 흔들면서 뛰어감. 駷(馬부 7획〈1741〉)과 同字.

手 11 〔摛〕14 [一] 치 [平]支 | chī チ しく, のべる
[二] 리 [平]支 | lí り はる

[字解] [一] 펼치 아름답게 표현함. '一藻'. '一翰振操, 非爲乏人'《齊書》. [二] 펼리 [一]과 뜻이 같음.
[字源] 形聲. 扌(手)+离〔音〕

手 11 〔摜〕14 관 [去]諫 | guàn カン なげる, なれる

[字解] ①《現》던질관. ②익힐관 慣(心부 11획〈408〉)과 同字.
[字源] 形聲. 扌(手)+貫〔音〕

手 11 〔摝〕14 록 [入]屋 | lù ロク ふる

[字解] 흔들록 진동(振動)시킴. '鼓人皆三鼓, 司馬一鐸'《周禮》.
[字源] 形聲. 扌(手)+鹿〔音〕

手 11 〔摕〕14 [一] 제 [去]霽 | dì テイ·タイ つまむ, とる
[二] 철 [入]屑 | dì テツ つまむ, とる

[字解] [一] ①집을제 손끝으로 집음. '一, 撮取也'《說文》. ②가질제 취(取)함. '一, 取也'《廣雅》. ③빼앗을제 채어 가짐. '超殊榛一飛鼯. (註) 一, 捎取之'《張衡》. [二] 집을철, 가질철, 빼앗을철 [一]과 뜻이 같음.
[字源] 形聲. 扌(手)+帶〔音〕

手 11 〔摟〕14 루 [平]尤 | lōu, lóu ロウ ひく

[字解] 끌루 ㉠이끎. 이끌어서 모음. '五霸者, 一諸侯以伐諸侯者也'《孟子》. ㉡꾀어 끎. 유인함. '踰東家牆, 而一其處子'《孟子》.
[字源] 形聲. 扌(手)+婁〔音〕

手 11 〔摡〕14 개 [去]隊 | gài カイ そそぐ, ぬぐう

[字解] 닦을개 씻음. '帥女官而濯一'《周禮》.
[字源] 形聲. 扌(手)+旣〔音〕

手 11 〔摀〕14 〔도〕
擣(手부 14획〈473〉)와 同字

手 11 〔摢〕14 호 [去]遇 | hù コ だます

[字解] 속일호 기만함. '一弄'.

手 11 〔摌〕14 산 [上]潸 | chǎn サン ゆする

[字解] ①움직일산 손으로 움직이게 함. '一, 以手核物'《廣韻》. ②고를산 손으로 선택함. '捍一, 手精擇物也'《集韻》.

手 11 〔摣〕14 자 [平]麻 | zhā サ とる

[字解] 잡을자 움켜잡음. '一狒猬'《張衡》.
[字源] 形聲. 扌(手)+虘〔音〕

手 11 〔摦〕14 화 [去]禡 | huà カ ひろい

[字解] 넓을화 광대함. '大者不一'《左傳》.
[字源] 形聲. 扌(手)+瓠〔音〕

手 11 〔摧〕14 [一] 최 [平]灰 | cuī サイ くじく
[二] 좌 [去]箇 | cuò サ まぐさ

[字解] [一] ①꺾을최 ㉠부러뜨림. '寒風一樹木'《古詩》. ㉡기를 꺾음. '一辱宰相'《漢書》. ②꺾일최 전항의 피동사. '已見松柏一爲薪'《劉廷芝》. ③누를최 억압함. '能一剛爲柔'《史記》. ④막을최 저지함. '室人交徧一我'《詩經》. ⑤밀칠최 배제함. '擠一'. ⑥멸할최 멸망함. '先祖于一'《詩經》. ⑦이를최 옴. '一, 至也, 楚語也'《揚子方言》. [二] 꼴좌, 꼴벨좌 마소에 먹이는 풀. 또, 그 풀을 벰. '一之秣之'《詩經》.
[字源] 形聲. 扌(手)+崔〔音〕

手 11 〔扌扈〕14 호 ①[上]麌 | hù コ りふじん
②[去]遇 | コ ほどこす

[字解] ①순조롭지못할호 원활하지 못함. '拂一, 不順理'《集韻》. ②펼호 베풀어 폄. '體用相彙, 彌綸布一'《路史》.

手 11 〔摭〕14 척 [入]陌 | zhí セキ とる, ひろう

[字解] 주울척 습득(拾得)함. 또는, 주워 모음. '一拾'. '采經一傳'《漢書》.
[字源] 形聲. 扌(手)+庶〔音〕

手 11 〔摲〕14 [一] 삼 [平]咸 | shān サン かる
[二] 참 [去]陷 | zhàn サン かる

[字解] [一] 벨삼 풀을 벰. '君子之於禮也, 有一而播也'《禮記》. [二] 벨참 [一]과 뜻이 같음.

手 11 〔扌旋〕14 선 [去]霰 | xuàn セン かかげる

[字解] ①돋울선 손으로 높이 올림. '一, 手挑物'《集韻》. ②끌선 길게 끌어당김. '一, 長引也'《玉篇》.

手 11 〔摳〕14 구 [平]尤 [平]虞 | kōu コウ かかげる

[字解] ①걷을구 옷의 아랫도리를 걷어올림. '一衣趨隅'《禮記》. ②던질구 투척함. '以瓦一者巧'《列子》. ③더듬을구 손으로 더듬어 가짐. '以黃金一者惛'《列子》. ④올벼구 '一揄'는 일찍 익는 벼. '一揄, 旋也. 秦晉, 凡物樹稼早成熟, 謂之旋, 燕齊之閒, 謂之

一揄'《揚子方言》.
字源 形聲. 扌(手)더區〔音〕

手11〔摴〕14 저 ㊥魚 shū チョ ばくち
字解 ①노름저 '一蒱'. '老子入胡爲一蒱'《太平御覽》. ②성저 성(姓)의 하나.
字源 形聲. 扌(手)+雩〔音〕

手11〔摵〕14 색 ㊇陌 shè サク はのおちるおと
字解 우수수떨어질색 낙엽이 우수수 떨어지는 소리. '楓葉荻花秋一一'《白居易》.
字源 形聲. 扌(手)+戚〔音〕

手11〔摷〕14 건 ㊥元 jiān ケン さいのな
筆順 扌 扌 扌 扌 扌 扌 扌 摷
字解 저포짝건 저포(摴蒱)에 쓰이는 말. '一子, 摴蒱采名'《集韻》.

手11〔摶〕14 ㊀단 ㊥寒 tuán タン まるめる ㊁전 ㊥先 zhuān セン あわせすべる
字解 ㊀①칠단 ㉠손바닥으로 침. '一埴之工二'《周禮》. ㉡날개를 침. '大鵬一扶搖'《莊子》. ②둥글단 원형임. 團(口부 11획〈198〉)과 통용. '欲生而一'《周禮》. ③뭉칠단 손으로 둥글게 뭉침. '毋一飯'《禮記》. ④모을단 취합(聚合)함. '一國不在敦古'《管子》. ⑤늘어질단 축 늘어진 모양. '一一以應懸兮'《張衡》. ⑥새이름단 '一黍'는 꾀꼬리. '聲詩辨一黍, 比興思無窮'《孫處》. ㊁①쥘전 장악함. '一三國之兵'《史記》. ②오로지전 專(寸부 8획〈289〉)과 同字. '琴瑟之一一'《左傳》.
字源 形聲. 扌(手)+專〔音〕

手11〔摸〕14 人名 모(①) 막㊍) ①㊇藥 mō バク なでる ②㊥虞 mó ボ・モ うつす
筆順 扌 扌 扌 扌 扌 扌 摸 摸
字解 ①더듬을모 손으로 더듬어 찾음. '一索'. '能手一其文讀之'《後漢書》. ※本音 막. ②본뜰모 摹(手부 11획〈461〉)와 同字. '文宗勅, 一詔本'《唐書》.
字源 形聲. 扌(手)+莫〔音〕

手11〔擳〕14 〔질〕 挃(手부 6획〈440〉)과 同字

手11〔搭〕14 〔태〕 笞(竹부 5획〈932〉)와 同字

手11〔擲〕14 〔확〕 擴(手부 15획〈474〉)과 同字

手11〔擇〕14 천 ㊥先 qiān セン さす
筆順 扌 扌 扌 扌 扌 摽 摽 擇
字解 꽂을천 '一, 插也'《集韻》.

手11〔摺〕14 ㊀접 ㊇葉 zhé (섭㊍) ショウ たたむ ㊁랍 ㊇合 lā ロウ くじく
字解 ㊀①접을접 꺾어서 겹침. '一疊'. '衣帶卷一'《南史》. ②주름접 접힌 데. '袪褻襞一'《方鳳》. ※本音 섭. ㊁꺾을랍 拉(手부 5획〈435〉)과 同字. '折脇一齒'《史記》.
字源 形聲. 扌(手)+習〔音〕

手11〔摻〕14 ㊀삼 ㊤豏 shǎn サン とる ㊁섬 ㊥鹽 xiān セン しなやか ㊂참 ㊦勘 càn サン みたびうつ
字解 ㊀잡을삼 쥠. '一執子之袪兮'《詩經》. ㊁섬섬할섬 가냘프고 고운 모양. '一一女手'《詩經》. ㊂칠참 악곡(樂曲)에 맞추어 세 번 북을 침. '疊鼓誰一漁陽撾'《古詩》.
字源 形聲. 扌(手)+參〔音〕
參考 掺(手부 12획〈469〉)은 俗字.

手11〔摽〕14 표 ㊤篠 ㊥蕭 ㊥肴 ①-③piǎo ヒョウ うつ ④⑤biāo ヒョウ さしまねく ⑥biào ホウ すてる
字解 ①칠표 '一擊'. 두드림. '長木之斃, 無不一也'《左傳》. ②가슴칠표 슬퍼하여 가슴을 두드리는 모양. '寤辟有一'《詩經》. ③떨어질표 낙하함. '一有梅'《詩經》. ④손짓할표 손짓하여 부름. '一使者'《孟子》. ⑤칼끝표 도말(刀末). '一末之功'《漢書》. ⑥버릴표 내던짐. '一劍而去之'《公羊傳》.
字源 形聲. 扌(手)+票(㶾)〔音〕

手11〔擗〕14 벽 ㊇職 pì ヒョク さく
字解 쨀벽 절개함. 疈(田부 15획〈803〉)과 통용. '不一痤則寖益'《韓非子》.

手11〔擅〕14 음 ㊥侵 yīn イン しずか
字解 조용할음 愔(心부 9획〈401〉)과 同字. '推其一一, 擠其揭揭'《淮南子》.

手11〔摫〕14 규 ㊥支 guī キ たつ
字解 마를규 옷을 재단함. '一, 裁也, 梁益之間, 裂帛爲衣, 曰一'《揚子方言》.

手 11 〔㨾〕14 양 [去]漾 | yàng ヨウ のり

[字解] ①모양양 樣(木부 11획〈575〉)과 同字. '一, 式樣'《廣韻》. ②내버려둘양 내버림. '這煩惱如何向? 待一下, 又瞻仰, 道忘了'《董解元, 西廂記諸官調》.

手 11 〔摙〕14 련 [上]銑 | liǎn レン になう

[字解] 멜련 등에 짐. '以錢買井水, 不受錢者, 一水還之'《南史》.

手 11 〔摒〕14 병 [去]敬 | bìng ヘイ はらう

[字解] 가든히할병 정돈함. '一擋不盡'《晉書》.

[字源] 形聲. 扌(手)+屛〔音〕

手 11 〔摼〕14 [一]갱 ①[平]庚 | kēng コウ うつ ②[上]梗 | qiān コウ うつ [二]견 [平]先 | ケン ひく

[字解] [一] ①머리칠갱 머리를 두드림. '一, 擣頭也'《說文》. ②종칠갱 '一, 擊鐘也'《集韻》. [二] 끌견 牽(牛부 7획〈742〉)과 통용. '牽, 說文, 引前也. 古作一'《集韻》.

[字源] 形聲. 扌(手)+堅〔音〕

手 11 〔摍〕14 숙 [入]屋 | sù シュク ひく

[字解] 뺄숙 뽑음. '一, 抽也'《廣韻》.

[字源] 形聲. 扌(手)+宿〔音〕

手 11 〔[illegible]〕14 摍(前條)의 本字

手 11 〔[illegible]〕14 조 [上]篠 | tiǎo チョウ しょほう のひとつ

[字解] 서법조 '亂란'이나 '炙자'와 같이 자형(字形)이 한쪽으로 치우친 것은 그 균형을 유지하기 위하여 방(傍)이나 각(脚) 따위를 삐쳐 올리는 서법(書法).

手 11 〔摬〕14 [一]영 [去]敬 [上]梗 | ①②yǐng エイ うちあてる ③yǐng エイ うつ [二]강 [上]養 | キョウ うつ

[字解] [一] ①맞힐영 쳐서 맞힘. '一, 中擊也'《說文》. ②다치게할영 쳐서 다치게 함. '一, 傷擊也'《玉篇》. ③칠영 '一, 擊也'《廣雅》. [二] 칠강 [一]❸과 뜻이 같음.

[字源] 形聲. 扌(手)+竟〔音〕

手 11 〔[illegible]〕14 [一]촉 [入]屋 | zú ソク うながす [二]착 [入]覺 | zhuó サク さす

[字解] [一] ①재촉할촉 '一, 促也'《字彙》. ②거둘촉 '攟, 斂也. 或書作一'《集韻》. [二] 찌를착 '捔, 刺也. 或作一'《集韻》.

手 11 〔摚〕14 [一]당 [平]陽 | トウ·ドウ とどめる chēng [二]정 [平]庚 | トウ·ジョウ とどめる

[字解] [一] 막을당 '一, 博雅, 距也'《集韻》. [二] 막을정 [一]과 뜻이 같음.

手 11 〔摞〕14 라 [平]歌 [去]箇 | luǒ ラ おさめる

[字解] ①다스릴라 '一, 博雅, 理也'《廣韻》. ②《現》쌓을라 겹쳐 쌓음. 또, 쌓은 것을 셀 때 붙이는 말.

手 11 〔摷〕14 [一]초 [上]篠 [平]肴 | ①②ショウ うつ ③chāo ソウ うつ [二]료 [平]蕭 | リョウ うごかす [三]로 [平]豪 | ロウ すなどる

[字解] [一] ①칠초 '一, 拘擊也'《說文》. ②끊을초, 벨초 剿(刀부 13획〈110〉)와 통용. ③다할초 다 잡음. '一鯤鮞殄水族'《張衡》. [二] ①움직일료 '一, 動也'《廣雅》. ②칠료 '一, 擊也'《廣韻》. [三] ①고기잡을로 '一, 取也'《廣雅》. ②칠로 '一, 擊也'《廣雅》.

[字源] 形聲. 扌(手)+巢〔音〕

手 11 〔摠〕14 〔총〕 總(糸부 11획〈1010〉)과 同字

[字源] 形聲. 扌(手)+悤〔音〕

手 11 〔[illegible]〕14 〔촬〕 撮(手부 12획〈468〉)과 同字

手 11 〔[illegible]〕14 〔요〕 搖(手부 10획〈458〉)와 同字

手 11 〔[illegible]〕14 〔전〕 揃(手부 9획〈452〉)의 俗字

手 11 〔[illegible]〕14 〔거〕 據(手부 13획〈471〉)의 俗字

手 11 〔[illegible]〕14 〔거〕 據(手부 13획〈471〉)의 俗字

手 12 〔[illegible]〕16 돈 [平]元 | dūn トン うつ

[字解] 칠돈 '一, 擊也'《集韻》.

手 12 〔[illegible]〕16 〔절〕 絶(糸부 6획〈989〉)과 同字

手 12 〔撆〕16 撇(次條)과 同字

手 12 〔撇〕15 별 [入]屑 | piē ヘツ はらう, うつ

[字解] ①칠별 때림. '一波而濟水'《王褒》. ②삐침별 서법(書法)의 한 가지. '人'의 '丿' 따위. '長一須迅其鋒'《書法離鉤》. ③닦을별 눈물·콧물을 닦음. '一涕抆淚'《王褒》.
[字源] 形聲. 扌(手)+敝〔音〕

手12 〔撅〕15 [一]궐 [入]月 | juē ケツ うつ
[二]게 [去]霽 | guì ケイ かかげる

[字解] [一] ①칠궐 공격함. '一高昌, 纓突厥'《唐書》. ②팔궐 발굴함. '一其城郭'《杜牧》. [二] 걷을게 옷의 아랫자락을 걷어올림. 揭(手부 9획〈455〉)와 同字. '不涉不一'《禮記》.
[字源] 形聲. 扌(手)+厥〔音〕

手12 〔撈〕15 로 [平]豪 | lāo ロウ とる

[字解] ①잡을로 물 속에 들어가 채취함. 또는, 물 속의 물건을 잡음. '一魚'. '山禿逾高採, 水窮益深一'《舒元輿》. ②《韓》공게로 씨를 뿌린 뒤에 씨앗이 흙에 덮이게 하는 농구(農具).
[字源] 形聲. 扌(手)+勞〔音〕

手12 〔撗〕15 광 [去]漾 | guàng コウ みたす

[字解] ①찰광, 채울광 충족(充足)시킴. '一, 充也'《集韻》. ②풀이름광 초명(草名). '一, 艸名. 爾雅, 傳, 一目. 一名, 縷艸'《集韻》.

手12 〔撊〕15 한 [上]潸 | xiàn カン いかる

[字解] 성낼한 불끈 화냄. '一然授兵登陴'《左傳》.
[字源] 形聲. 扌(手)+閒〔音〕

手12 〔撋〕15 연 [平]先 | ruán ゼン もむ

[字解] 비빌연 손으로 문지름. '煩一, 猶挼抄'《阮孝緒》.
[字源] 形聲. 扌(手)+閏〔音〕

手12 〔撎〕15 의 [去]寘 | yì エイ えしゃく

[字解] 읍할의 공수(拱手)하고 절함. '九曰, 肅拜. (註)但俯下手, 今時一, 是也'《周禮》.
[字源] 形聲. 扌(手)+壹〔音〕

手12 〔撍〕15 잠 [上]感 [平]覃 | ①②zǎn サン てがふるえる
③④zān サン つきる

[字解] ①손떨릴잠 '一, 手動也'《集韻》. ②잡을잠 손에 쥠. '一, 又執持'《字彙》. ③다할잠 '一, 盡也'《廣韻》. ④빠를잠 날램. '一, 疾也'《集韻》.

手12 〔撏〕15 잠 [平]覃 | xián サン とる

[字解] 딸잠 달려 있는 것을 뗌. '溫李諸人, 困於一撦'《劉克莊》.
[字源] 形聲. 扌(手)+尋〔音〕

手12 〔撐〕15 탱 [平]庚 | chēng トウ ささえる

[字解] ①버팀목탱 지주(支柱). '摧杌饒孤一'《韓愈》. ②버틸탱 굄. '一拄'. '斷橋無力强支一'《趙元》. ③배저을탱 배〔船〕를 저음. '一刺'. '破月衝雲取次一'《朱熹》.
[字源] 形聲. 扌(手)+牚〔音〕
[參考] 撑(次條)은 俗字.

手12 〔撑〕15 撐(前條)의 俗字

手12 〔(扌+棠)〕15 撐(前前條)의 俗字

手12 〔撒〕15 살 [入]曷 | sā サツ·サン まく, はなつ

[字解] ①놓을살 방치(放置)함. '望見嶮巇多退步, 有誰一手肯承當'《淸珙》. ②흩을살 흩어지게 함. '一壞'. '北人種麥漫一'《本草》. ③뿌릴살 물 같은 것을 뿌림. '一水'. ④성살 성(姓)의 하나.
[字源] 形聲. 扌(手)+散〔音〕

手12 〔撤〕15 [人名] 철 [入]屑 | chè テツ さる

[筆順] 扌 扌 扌 挬 揹 揹 撤 撤
[字解] 거둘철, 치울철 ㉠제거함. '一去'. '不一薑'《論語》. ㉡그만둠. 폐(廢)함. '減膳一樂'《唐書》.
[字源] 形聲. 扌(手)+徹〈省〉〔音〕

手12 〔(扌+絜)〕15 결 [入]屑 | xié ケツ しばる

[字解] 묶을결 '一, 束也'《廣雅》.

手12 〔撓〕15 [一]뇨 [上]巧 [去]效 | náo ドウ·ニョウ みだす / ドウ·ニョウ たわむ
[二]효 [平]蕭 | xiāo キョウ めぐる

[字解] [一] ①휠뇨 ㉠구부러짐. '一屈'. '不膚一, 不目逃'《孟子》. ㉡정당하지 아니함. '枉辟邪一之人'《呂氏春秋》. ㉢구부러지게 함. '一折棟梁'《後漢書》. ㉣정당히 하지 아니함. '一法治之'《史記》. ②꺾일뇨 용기가 꺾임. '師徒一敗'《左傳》. ③어지러울뇨, 어

지럽힐뇨 혼란함. 또, 혼란하게 함. '一亂我同盟'《左傳》. [二] 돌효 순환함. '一挑無極'《莊子》.
[字源] 形聲. 扌(手)+堯〔音〕

手12 〔㩇〕 15 획 [入]陌 | huò カク むねうつ
[字解] ①가슴칠획 슬퍼하여 가슴을 침. '一, 擗也'《集韻》. ②찢을획, 째질획 掝(手부 8획〈451〉)과 同字.

手12 〔撕〕 15 시 [平]齊 | xī セイ ひきつれる
[字解] 끌시 손을 잡고 끎. '提一之'《漢書》.
[字源] 形聲. 扌(手)+斯〔音〕

手12 〔撙〕 15 준 [上]阮 | zǔn ソン おさえる
[字解] ①누를준 억제함. 또, 겸양함. '恭敬一節'《禮記》. ②꺾을준 부러뜨림. '伏軾一銜'《戰國策》. ③모일준 한데 많이 모이는 모양. '齊總總以——'《揚雄》.
[字源] 形聲. 扌(手)+尊〔音〕

手12 〔撚〕 15 년 [上]銑 | niǎn デン·ネン ひねる
[字解] ①꼴년 비비어 꼼. '一紙'. ②탈년 비파 같은 것을 탐. '輕攏慢一撥復挑'《白居易》. ③밟을년 발로 밟음. '前後不相一'《淮南子》. ④노년 종이·실 등을 꼰 것. '金一千絲翠萬行'《楊萬里》.
[字源] 形聲. 扌(手)+然〔音〕

手12 〔擳〕 15 치 [去]寘 | zhì チ うちあわせる
[字解] 상당(相當)하게할치 서로 합당하게 함. '一, 持物使相當也'《集韻》.

手12 〔撝〕 15 [一] 휘 [平]支 | huī キ さく / [二] 위 [平]支 | wěi イ たすける
[字解] [一] ①찢을휘 쨈. '一介鮮'《馬融》. ②가리킬휘, 휘두를휘 지시(指示)함. 지휘함. '一指'. '瞋目而一之'《淮南子》. [二] 도울위 보좌(保佐)함. '事貌用恭一肅'《太玄經》.
[字源] 形聲. 扌(手)+爲〔音〕

手12 〔撜〕 15 [一] 증 [去]徑 | zhěng ショウ すくう / [二] 쟁 [平]庚 | chēng トウ ふれる
[字解] [一] 건질증, 도울증 拯(手부 6획〈439〉)과 同字. '子路一溺而受牛謝'《淮南子》. [二] 닿을쟁 접촉함 '不爲手所一'《韓愈》.
[字源] 形聲. 扌(手)+登〔音〕

手12 〔撞〕 15 당 [平]江 | chuáng トウ·シュ つく
[字解] ①부딪칠당 충돌함. '一突'. ②칠당 두드림. '善待問者, 如一鐘'《禮記》.
[字源] 形聲. 扌(手)+童〔音〕

手12 〔撌〕 15 귀 [去]寘 | guì キ はらう
[字解] 떨귀 떨어 버림.

手12 〔撟〕 15 교 [上]篠 | jiǎo キョウ あげる
[字解] ①들교 위로 올림. '仰一首以高視兮'《揚雄》. ②굳셀교 강한 모양. '一然剛折端志'《荀子》. ③칭탁할교 핑계함. '一制以令天下'《漢書》. ④바로잡을교 矯(矢부 12획〈864〉)와 同字. '一枉, 過其正'《漢書》.
[字源] 形聲. 扌(手)+喬〔音〕

手12 〔撠〕 15 극 [入]陌 | jǐ ケキ うつ
[字解] ①칠극 때림. '救鬪者不搏一'《史記》. ②가질극 소지함. '一膠葛, 騰九閎'《揚雄》.
[字源] 形聲. 扌(手)+戟〔音〕

手12 〔撨〕 15 [一] 초 [平]蕭 | sōu ショウ えらぶ / [二] 수 [平]尤 | xiāo ソウ おす
[字解] [一] ①고를초 골라 가짐. '一, 擇也'《廣韻》. ②취할초 가짐. '一, 取也'《廣韻》. ③닦을초 씻음. '一, 拭也'《集韻》. [二] 밀수 밀침. '一, 推也'《集韻》.
[字源] 形聲. 扌(手)+焦〔音〕

手12 〔撢〕 15 탐 [去]勘 | tàn タン さぐる
[字解] 더듬을탐 더듬어 찾음. 探(手부 8획〈449〉)과 同字. '誦王志者, 若一取王之志'《周禮 疏》.
[字源] 形聲. 扌(手)+覃〔音〕

手12 〔撣〕 15 [一] 탄 [上]旱 | dǎn タン さげる / [二] 선 [平]先 | chán セン ひく
[字解] [一] 들탄 손에 가짐. '提禍——'《太玄經》. [二] 당길선 끌어당김. '一援'.
[字源] 形聲. 扌(手)+單〔音〕

手12 〔撥〕 15 [一] 발 [入]曷 | bō ハツ おさめる / [二] 벌 [入]月 | fá ハツ たて
[字解] [一] ①다스릴발 治(水부 5획〈635〉)와 뜻이 같음. '一亂反正'. '一亂世反諸正'《公羊傳》. ②덜발 제거함. '秦一去古文'《史記》. ③휠발 휜 것이 반대쪽으로 휨. '弓一矢鉤'《戰國策》. ④퉁길발 반발(反撥)함. '一條'. ⑤벌릴발 오므라진 것을 펴서 엶. '衣毋一'《禮記》. ⑥탈발 현악기를 튀김. '細

一紫雲金鳳語'《李羣玉》. ⑦채발 현악기를 타는 채. '曲終收一當心畫'《白居易》. ⑧상엿줄발 상여를 끄는 줄. '廢輴而設一'《禮記》. [二] 방패벌 대순(大盾). '矛戟劍一'《史記》.
[字源] 形聲. 扌(手)+發〔音〕

手12〔搜〕15 수 [平]尤 | sōu シュ かぜのふくおと
[字解] 바람소리수 바람이 부는 소리. '甄后塘上行云, 邊地多悲風, 樹木何一一'《藝林伐山》.

手12〔撦〕15 차 ㊤馬 | chě シャ さく
[字解] 찢을차 열개(裂開)함. '一裂'. '困于撦一'《劉克莊》.
[字源] 形聲. 扌(手)+奢〔音〕

手12〔撩〕15 료 [平]蕭 | liáo リョウ おさめる
[字解] ①다스릴료 처리함. '理亂, 謂之一理'《通俗文》. ②돋울료 싸움을 돋움. '持長矛一戰'《魏志》. ③어지러울료 산란함. '上一之木, 鳥所不集'《太玄經 註》.
[字源] 形聲. 扌(手)+尞〔音〕

手12〔撫〕15 [人名] 무 ㊤麌 | fǔ ブ なでる
[筆順] 扌 扌 扩 扩 抙 撫 撫 撫
[字解] ①어루만질무 ㉠쓰다듬음. '一孤松而盤桓'《陶潛》. ㉡애무함. '嫂常一汝而言曰'《韓愈》. ㉢위로함. 위안함. '慰一'. '一四夷'《孟子》. ②좇을무 따름. '一于五辰'《書經》. ③누를무 손으로 누름. '君一僕之手'《禮記》. ④기댈무 의지함. '一式'《禮記》. ⑤칠무 두드림. '坐者一掌擊節'《晉書》. ⑥성무 성(姓)의 하나.
[字源] 形聲. 扌(手)+無〔音〕

手12〔播〕15 [高·人] 파 [去]箇 | bō ハ まく
[筆順] 扌 扩 扩 扦 揺 播 播 播
[字解] ①뿌릴파 씨를 뿌림. '一種'. '其始一百穀'《詩經》. ②펼파 널리 퍼뜨림. '傳一'. '一其說於士大夫間矣'《十八史略》. ③베풀파 널리 시행함. 널리 미치게 함. '一敷'. '王一告之'《書經》. ④헤칠파 흩뜨림. '北一爲九河'《書經》. ⑤버릴파 내버림. 방기(放棄)함. '一弓矢'《說苑》. ⑥달아날파 도망함. 또, 방랑함. '一遷'. '一越'. '伐殷逋一臣'《書經》. ⑦까불파 簸(竹부 13획〈958〉)와 통용. '鼓筴一精'《莊子》. ⑧성파 성(姓)의 하나.
[字源] 形聲. 扌(手)+番〔音〕

手12〔撉〕15 [現] 돈 | dūn トン うつ, なげる
[字解] 《現》 ①던질돈. ②칠돈 타격(打擊)함. ③흔들릴돈.

手12〔擸〕15 〔랍〕 擸(手부 15획〈474〉)의 俗字

手12〔撧〕15 〔절〕 絕(糸부 6획〈989〉)과 同字

手12〔擒〕15 [一] 搨(手부 10획〈459〉)과 同字 [二] 拉(手부 5획〈435〉)과 同字

手12〔撮〕15 촬 [入]曷 | cuō サツ つまむ
[字解] ①집을촬 ㉠손가락 끝으로 집음. '鴟鵂夜一蚤察毫末'《莊子》. ㉡요점을 집음. 요점을 추림. '一要'. '一名法之要'《漢書》. ②모을촬 한데 모음. '其居處足以一徒成黨'《孔子家語》. ③자밤촬 손가락 끝으로 집을 만한 분량. '一一土'. ④양이름촬 양(量)의 단위. 규(圭)의 네 배(倍). 규(圭)는 기장 예순네 알의 양. ⑤《韓》 찍을촬 사진을 찍음. '一影'.
[字源] 形聲. 扌(手)+最〔音〕

手12〔撰〕15 [人名] [一] 찬 ㊤潸 | zhuǎn サン のべる [二] 선 ㊤銑 | xuǎn セン えらぶ, もつ
[筆順] 扌 扌 扌 扌 扌 撰 撰 撰
[字解] [一] ①지을찬 시문 따위를 지음. '一述'. '共一國書'《北史》. ②적을찬 기록함. '密一事情'《北齊書》. ③가질찬 '結一至思'《楚辭》. ④일찬 사항. '以體天地之一'《易經》. ⑤저술찬 저작. '出於後人僞一'《楊愼外集》. [二] ①가릴선 選(辵부 12획〈1507〉)과 同字. '一良馬者, 非以逐狐狸, 將以射麋鹿'《淮南子》. ②가질선 쥠. '一杖屨'《禮記》.
[字源] 形聲. 扌(手)+巽〔音〕

手12〔撱〕15 타 ㊤哿 | tuǒ タ せまくてながい
[字解] 길쭉할타 橢(木부 12획〈580〉)와 同字. '一圓'.

手12〔撲〕15 [人名] [一] 박 [入]覺 | pū ハク·ボク うつ [二] 복 [入]屋 | pū ホク·ボク むち

筆順 扌 扌' 扌'' 扌''' 扌丵 撲 撲 撲

字解 ㊀ ①칠박 두드림. '一殺'. '擢一大寇'《後漢書》. ②찌를박 자극함. '剖之如有煙一口鼻'《劉基》. ③엎드러질박 넘어짐. '朽杌擢傾一'《韓愈》. ㊁ ①종아리채복 扑(手부 2획〈427〉)과 同字. '桎梏鞭一, 以加小人'《申鑒》. ②길들이지않을복 아직 조련(調練)이 되지 아니함. '若馭一馬'《荀子》.
字源 形聲. 扌(手)+菐〔音〕

手12〔攢〕15 ㊀비 ㊄未 | fèi ヒ うちたおす
㊁분 ㊄問 | フン うちたおす

字解 ㊀ ①때려눕힐비 '一, 擊仆也'《集韻》. ②칠비 '一, 楚謂搏擊曰一'《集韻》. ㊁ 때려눕힐분 ㊀❶과 뜻이 같음.

手12〔攓〕15 건 ㊤銑 | qiān ケン ぬく

字解 뽑아낼건 '一, 拔取也. 南楚語'《說文》.
字源 形聲. 扌(手)+寒〔音〕

手12〔擿〕15 ㊀치 ㊄寘 | zhì チ すてる
㊁시 ㊄寘 | chì シ とる
㊂적 | zhāi

字解 ㊀ 버릴치 '一, 棄也'《集韻》. ㊁ 잡을시 '搋, 把也. 或作一'《集韻》. ㊂ 摘(手부 11획〈462〉)의 本字.

手12〔撎〕15 ㊀치 ㊄寘 | zhì チ あたる
㊁이 ㊄寘 | ジ あたる

筆順 扌 扌一 扌= 扌亘 扌亘 扌貢 撎 撎

字解 ㊀ 당할치 '一, 當也. 對也'《廣韻》. ㊁ 당할이 ㊀과 뜻이 같음.
字源 形聲. 扌(手)+貳〔音〕

手12〔撖〕15 ㊀감 ①②㊤豏 | qiǎn
①③㊥覃 | カン かける
| カン かける
㊁함 ㊤豏 | hàn カン せい

字解 ㊀ ①걸감 '一, 挂也'《玉篇》. ②위태로울감 '一, 一日, 危也'《玉篇》. ③성감 성(姓)의 하나. ㊁ 성함 성(姓)의 하나.

手12〔撳〕15 ㊊ 근 | qìn キン おす

字解 《現》 누를근 손이나 손가락으로 누름. 또, 앞으로 기울어짐.

手12〔撬〕15 효 ㊥蕭 | qiào キョウ あげる

字解 ①들효 '一, 擧也'《集韻》. ②비집을효 비집어 엶.

手12〔撰〕15 ㊀선 ㊄先 | xuān
㊁성 ㊥敬 | セン ひじをまくる
| セイ ひじをまくる

字解 ㊀ ①소매걷을선 소매를 걷어올려 팔을 드러냄. 揎(手부 9획〈453〉)과 同字. ②탐낼선 '一, 貪也'《廣雅》. ③당길선 '一, 引也'《字彙》. ㊁ 소매걷을성 ㊀❶과 뜻이 같음.

手12〔擂〕15 ㊀추 ㊥尤 | chōu
㊁륙 ㊇屋 | チュウ ひく, ぬく
㊂류 ㊄宥 | リク ひく
| liù
| リュウ つちをぬる

字解 ㊀ 뺄추, 당길추 抽(手부 5획〈434〉)와 同字. '抽, 拔也. 引也. 一, 上同'《廣韻》. ㊁ 당길륙 '一, 引也'《集韻》. ㊂ 흙바를류 토담을 쌓고 흙을 바름. '一, 築墻布土也'《集韻》.
字源 形聲. 扌(手)+畱〔音〕

手12〔擣〕15 〔도〕
擣(手부 14획〈473〉)의 本字

手12〔擩〕15 〔추〕
捶(手부 8획〈447〉)의 本字

手12〔擠〕15 〔조〕
措(手부 8획〈450〉)의 本字

手12〔擶〕15 〔전〕
揃(手부 9획〈452〉)의 本字

手12〔擊〕15 〔견〕
牽(牛부 7획〈742〉)의 古字

手12〔撘〕15 〔탑〕
搭(手부 10획〈459〉)과 同字

手12〔擦〕15 ㊀ 摻(手부 11획〈464〉)의 俗字
㊁ 操(手부 13획〈471〉)의 俗字

手12〔據〕15 〔거〕
據(手부 13획〈471〉)의 俗字

手13〔擊〕17 中·人 격 ㊇錫 | jī ゲキ うつ

筆順 一 亘 亘 車 軎 軎' 毄 擊

字解 ①칠격 ㉠두드림. '一鼓'. '孔子一磬'《史記》. ㉡공격함. '一退'. '急一勿失'《史記》. ㉢다툼. 싸움. '日夜相一于前'《莊子》. ②부딪칠격 충돌함. '肩摩轂一'. '車轂一'《戰國策》. ③죽일격 쳐죽임. '刲羊一家'《國語》. ④마주칠격 눈으로 봄. '目一'.

字源 形聲. 手＋轂〔音〕

手13〔擘〕17 벽 ⓐ陌 | bò ハク さく, おやゆび

字解 ①쪼갤벽 가름. '一裂'. '塗皆乾一之'《禮記》. ②당길벽 활을 당김. '弓弩手張曰一'《康熙字典》. ③엄지손가락벽 무지(拇指). '巨一'. '首大如一'《爾雅》.

字源 形聲. 手＋辟〔音〕

手13〔擎〕17 人名 경 ㊥庚 | qíng ケイ ささげる

筆順 ⁻ ⁺⁺ 艻 茍 茍⁻ 敬 擎 擎

字解 들경 높이 듦. '書從稚子一'《杜甫》.

字源 形聲. 手＋敬〔音〕

手13〔擊〕17 훼 ⓢ紙 | huǐ キ うちいためる

字解 쳐부술훼 손으로 쳐서 부숨. '一, 傷擊也'《說文》.

字源 形聲. 手＋毀〔音〕

手13〔撻〕16 달 ⓐ曷 | tà タツ むちうつ

字解 ①매질할달 매·채찍 따위로 때림. '一罰'. '罰不敬, 一其背'《儀禮》. ②빠를달 속함. '一彼殷武'《詩經》.

字源 形聲. 扌(手)＋達〔音〕

手13〔撼〕16 감 ⓢ感 | hàn カン ゆする

字解 흔들감, 흔들릴감 요동시킴. 요동함. '搖一'. '蚍蜉一大樹'《韓愈》.

字源 形聲. 扌(手)＋感〔音〕

手13〔撽〕16 교 ①㊀嘯 ②ⓢ篠 | qiào キョウ うつ / キョウ もつ

字解 ①칠교 옆에서 침. '一以馬捶'《莊子》. ②가질교 손에 쥠. '一, 持也'《集韻》.

字源 形聲. 扌(手)＋敫〔音〕

手13〔擊〕17 撽(前條)와 同字

手13〔撾〕16 과 ㊥歌 | zhuā カ うつ, ばち

字解 ①칠과 ㉠때림. '一撻'. '一婦翁'《魏志》. ㉡북을 침. '一鼓'. '更鼓畏添一'《蘇軾》. ②북채과 북을 치는 채. '操一之次'《宣和畫譜》.

字源 會意. 扌(手)＋過

手13〔擷〕16 번 ㊥元 | fán ハン もむ

字解 비빌번 손으로 문지름. '一攔, 挼也'《集韻》.

手13〔擁〕16 高人 옹 ⓢ腫 ㊥冬 | ①-③yǒng ヨウ だく ④yōng ヨウ さえぎる

筆順 扌 扩 扩 㧑 搉 擁 擁 擁

字解 ①낄옹 ㉠겨드랑이에 낌. '一書抱籍'《蔡邕》. ㉡가짐. 소유함. '一天下之樞'《漢書》. ㉢호위함. '一護'. '嬰甲冑, 一衛親族'《後漢書》. ②안을옹 품에 안음. '一抱'. '走則一之'《禮記》. ③들옹 손에 가짐. '太公一彗'《漢書》. ④가릴옹, 막을옹 '一遏'. '一蔽其面'《禮記》.

字源 形聲. 扌(手)＋雍(雝)〔音〕

手13〔擊〕17 擁(前條)과 同字

手13〔擂〕16 뢰 ①㊥灰 ②㊀隊 | léi ライ する / lèi ライ おしおとす

字解 ①갈뢰 연마함. ②돌내려굴릴뢰 礌(石부 15획〈883〉)와 同字. '一石車'《唐書》. ③《韓》 고무래뢰 '一木'은 고무래.

字源 形聲. 扌(手)＋雷〔音〕

手13〔擄〕16 로 ⓢ麌 | lǔ ロ かすめる

字解 ①노략질할로 약탈함. 鹵(部首〈1842〉)와 同字. ②사로잡을로 虜(虍부 6획〈1214〉)와 同字.

字源 形聲. 扌(手)＋虜〔音〕

手13〔擅〕16 천 ㊀霰 | shàn セン ほしいまま

字解 ①천단천 제멋대로 하는 일. 전횡(專橫). '此所謂一也'《管子》. ②천단할천 제멋대로 함. '一恣'. '六卿一權'《史記》. ③멋대로천 제 마음대로. '一將其兵'《史記》.

字源 形聲. 扌(手)＋亶〔音〕

手13〔擸〕16 잡 ⓐ合 | ①②sà ソウ やぶれるおと ③zá ソウ ごたごたする

字解 ①부서지는소리잡 '一, 破聲'《集韻》. ②가질잡 손에 가짐. '一, 一曰, 持也'《集韻》. ③혼잡할잡 '攤一'은 소란함. 어수선함. '攤一, 和攪也'《集韻》.

手13〔擇〕16 高人 택 ⓐ陌 | zé タク えらぶ

筆順 扌 扩 押 押 挳 擇 擇 擇

[字解] 가릴택 ㉠고름. 선택함. '選一'. '一善固執之'《中庸》. ㉡구별함. 차별함. '牛羊何一焉'《孟子》. '與惡劍無一'《呂氏春秋》.
[字源] 形聲. 扌(手)+睪〔音〕

手13〔擊〕16 〔표〕 摽(手부 11획〈464〉)와 同字

手13〔擉〕16 착 [入]覺 chuō サク やす, さす
[字解] ①작살착 물고기를 찔러 잡는 기구. '罔繩一刃, 以除蟲蛇惡物'《韓愈》. ②찌를착 작살로 찔러 잡음. '一鼈於江'《莊子》.
[字源] 形聲. 扌(手)+蜀〔音〕

手13〔操〕16 [高·人] 조 [平]豪 [去]號 ①-③cāo ソウ とる, あやつる ④-⑥(cào) ソウ みさお
[筆順] 扌 扌 扌 扌 扌 扌 掙 操
[字解] ①잡을조 쥠. '一几杖以從'《禮記》. ②부릴조 사역(使役)함. '一縱'. '津人一舟若神'《莊子》. ③성조 성(姓)의 하나. ④지조조 절개. '志一'. '熹少有節一'《後漢書》. ⑤풍치조 운치. '清整有風一'《南史》. ⑥곡조조 금곡(琴曲). 또, 금곡의 이름. '龜山一'(孔子 作). '樂詩曲一'《後漢書》.
[字源] 形聲. 扌(手)+喿〔音〕

手13〔擓〕16 괴 [去]泰 guài カイ おさめる
[字解] 거둘괴 거두어들임. '一, 收也'《集韻》. '有巢氏一菘桔以爲蓐'《路史》.

手13〔擋〕16 [現] 당 [去]漾 dàng トウ しょりする
[字解] 《現》가든히할당 정돈함. '摒一'.
[字源] 形聲. 扌(手)+當〔音〕

手13〔擏〕16 경 [平]庚 qíng ケイ ゆだめ
[字解] 도지개경 檠(木부 13획〈586〉)과 同字.
[字源] 形聲. 扌(手)+敬〔音〕

手13〔擐〕16 [一] 관 [平]刪 guān カン つらぬく [二] 환 [去]諫 huàn カン つらぬく
[字解] [一] 꿸관 갑옷을 꿰어 입음. '一甲'. '躬一甲冑'《左傳》. [二] 꿸환 [一]과 뜻이 같음.
[字源] 形聲. 扌(手)+睘〔音〕

手13〔擌〕16 숙 [入]屋 sù シュク うつ, うつおと
[字解] 칠숙 치는 소리. '飛罤一箭'《張衡》.

手13〔擒〕16 금 [平]侵 qín キン とりこにする
[字解] ①사로잡을금 생포함 '七縱七一'《漢晉春秋》. ②포로금 생포한 적(敵). '坐守襄平成一耳'《晉書》.
[字源] 形聲. 扌(手)+禽〔音〕

手13〔擔〕16 [高·人] 담 [平]覃 [去]勘 ①②dān タン になう ③dàn タン にもつ
[筆順] 扌 扌 扌 扩 护 护 擔 擔
[字解] ①멜담 짐을 어깨에 멤. '一銃'. '負書一囊'《戰國策》. ②맡을담 부담함. 인수함. '一任'. '荷一大事'《白居易》. ③짐담 하물 또는 부담한 일. '棄一號泣'《齊書》.
[字源] 形聲. 扌(手)+詹〔音〕
[參考] 担(手부 5획〈435〉)은 俗字.

手13〔擖〕16 엽 [入]葉 yè ヨウ ちりとりのした
[字解] 키바닥엽 까부는 키의 바닥. '執箕膺一'《禮記》.
[字源] 形聲. 扌(手)+葛〔音〕

手13〔擗〕16 벽 ①[入]陌 ②③[入]錫 pì ヘキ むねうつ pǐ ヘキ ひらく
[字解] ①가슴칠벽 슬퍼하여 가슴을 침. '一踊哭泣'《孝經》. ②굽힐벽 손발을 구부림. '摘一爲禮'《莊子》. ③빼갤벽 쪰. 가름. 擘(手부 13획〈470〉)과 同字.
[字源] 形聲. 扌(手)+辟〔音〕

手13〔擒〕16 〔금〕 捦(手부 8획〈448〉)과 同字

手13〔據〕16 [高·人] 거 [去]御 jù キョ よる
[筆順] 扌 扌 扩 扩 护 摅 據 據
[字解] ①의거할거 ㉠증거로 삼음. '一實'. '援一徵之'《郭璞》. ㉡의지함. '一於德, 依於仁'《論語》. ㉢의탁함. '亦有兄弟, 不可以一'《詩經》. ②웅거할거 땅을 차지하고 막아 지킴. '一守'. '先一北山上者勝'《史記》. ③누를거 억누름. '猛獸不一'《老子》. ④의거거 의지할 데. '州失郡一'《後漢書》.
[字源] 形聲. 扌(手)+豦〔音〕
[參考] 拠(手부 5획〈438〉)는 俗字.

手13〔擛〕16 설 [入]屑 shé セツ かぞえる
[字解] 셀설 揲(手부 9획〈455〉)과 同字. '一之以三策'《漢書》.

手13〔擓〕16 괴 [平]佳 kuǎi カイ する

字解 ①문지를괴 '一, 揩摩'《廣韻》. ②닦을괴 '一, 摩拭也'《玉篇》. ③《現》긁을괴, 팔에걸괴, 뜰괴.

手13〔擗〕16 벽 ㊅陌|pò ハク いてものにあたるおと
字解 맞는소리벽 활을 쏘아 물건에 맞는 소리. '流鏑一擗'《張衡》.

手13〔擀〕16 간 ㊤旱|gǎn カン てでのばす
字解 펼간 손으로 물건을 폄. '一, 以手伸物'《集韻》.

手13〔擤〕16 〔굴〕 掘(手부 8획〈449〉)의 本字

手13〔撿〕16 〔검〕 檢(木부 13획〈584〉)과 同字
字源 形聲. 扌(手)+僉〔音〕

手13〔擑〕16 〔접〕 接(手부 8획〈450〉)과 同字

手13〔擃〕16 〔양〕 攘(手부 17획〈476〉)의 俗字

手13〔擡〕16 〔대〕 擡(手부 14획〈472〉)의 俗字

手13〔擕〕16 〔휴〕 攜(手부 18획〈476〉)의 俗字

手13〔擕〕16 〔휴〕 攜(手부 18획〈476〉)의 俗字

手14〔擥〕18 람 ㊤感|lǎn ラン とる
字解 ①잡을람 손에 쥠. '一取'. '飯必捧一'《管子》. ②캘람 채취함. '夕一洲之宿莽'《楚辭》. ③총찰할람 주관함. '皆親一焉'《蜀志註》.
字源 形聲. 手+監〔音〕
參考 攬(手부 21획〈478〉)은 同字.

手14〔擸〕17 擥(前條)과 同字

手14〔擪〕18 엽 ㊅葉|yè ヨウ おさえる
字解 누를엽 손가락으로 누름. '彈琴一笛'《張衡》.
字源 形聲. 手+厭〔音〕

手14〔擫〕17 擪(前條)과 同字

手14〔擧〕18 中·人 거 ㊤語|jǔ キョ あげる
筆順 ⺁ ⺁ ⺁ 㠯 舁 與 興 擧
字解 ①들거 ㉠높이 들어 올림. '一手'. '一百鈞'《孟子》. ㉡손에 쥠. '一杯'. '一酒於亭上以屬客'《蘇軾》. ㉢사실이나 예(例)를 듦. '一證'. '一一篇之要, 而約言之'《中庸章句》. ㉣모두 합침. '一國而與仲子爲讎'《史記》. ②날거 새가 낢. '色斯一矣'《論語》. ③키울거 애를 키움. '一子'. 또, 자람. 키워짐. '嬰告其母曰, 勿一也'《史記》. ④빼앗을거 ㉠성을 탈취함. '五旬而一之'《孟子》. ㉡재화를 몰수함. '凡財物犯禁者一之'《周禮》. ⑤주울거 습득함. 착복함. '財物之遺者, 民莫之一'《呂氏春秋》. ⑥올릴거 기용(起用)함. '一賢才'《論語》. 또, 기용됨. '有賢才而不一者'《說苑》. ⑦일으킬거 ㉠사물을 시작함. 행함. '一兵'. '一事'. ㉡몸을 일으킴. '一身赴清池'(못에 투신 자살함)《古詩》. ㉢흥(興)하게 함. '一廢國'《中庸》. ⑧모두거 다. '一國'. '事物之理, 一集目前'《司馬光》. ⑨거동거 행동. '一一一動'. '人主無過一'《漢書》. ⑩거사거 행사(行事). 계획. '美一'. '今日之一, 非本願也'《晉書》. ⑪과거거 관리 등용의 시험. '孝廉之一'《漢書》. ⑫성거 성(姓)의 하나.
字源 形聲. 手+與〔音〕
參考 挙(手부 6획〈439〉)는 略字.

手14〔擠〕17 제 ㊇霽|jǐ セイ·サイ おす
字解 ①밀칠제 ㉠밀어제침. 밀어 떨어뜨림. '反一之, 又下石焉'《韓愈》. ㉡배척함. '排一'. '一有罪'《荀子》. ②떨어질제 낙하(落下)함. '知一于溝壑矣'《左傳》.
字源 形聲. 扌(手)+齊〔音〕

手14〔擡〕17 人名 대 ㊥灰|tái タイ もたげる
筆順 扌 扩 拧 掉 搷 擡 擡 擡
字解 들대 들어 올림. '一擧'. '使人一頭不得'《天寶遺事》.
字源 形聲. 扌(手)+臺〔音〕
參考 抬(手부 5획〈438〉)는 俗字.

手14〔擢〕17 人名 탁 ㊅覺|zhuó タク ぬく
筆順 扌 扌 扌 扌 挧 擢 擢 擢
字解 ①뽑을탁 ㉠뽑아 버림. '一德塞性'《莊子》. ㉡선발함. '拔一'. '一之乎賓客之中'《戰國策》. ②빼어날탁 솟음. 또, 특출함. '一秀'. '一雙立之金莖'《班固》.
字源 形聲. 扌(手)+翟〔音〕

手14〔擣〕17 [一]도 [上]晧 dǎo トウ つく / [二]주 [平]尤 chōu チュウ あつまる

[字解] [一] ①찧을도 절구에 찧음. '我心憂傷, 惄焉如—'《詩經》. ②칠도 두드리거나 공격함. '批亢—虛'《史記》. [二] 밸주 빽빽함. 꽉참. 稠(禾부 8획〈904〉)와 同字. '上有—蓍, 下有神龜'《史記》.
[字源] 形聲. 扌(手)+壽〔音〕

手14〔⿰扌㥯〕17 은 [去]問 yìn イン わける, はかる

[字解] ①가름은 가지런히 나눔. '—, 劑也'《集韻》. ②달은, 잴은 바르게 달거나 잼. '—, 一日, 平量'《集韻》.

手14〔擦〕17 찰 [入]黠 cā サツ する

[字解] 비빌찰 되게 문지름. '摩—'.
[字源] 形聲. 扌(手)+察〔音〕

手14〔⿰扌遞〕17 〔치〕 遞(辵부 11획〈804〉)와 同字

手14〔擩〕17 유 [上]麌 rǔ ジュ ひたす, つける

[字解] 물들유 감염(感染)함. '耳—目染, 不學以能'《韓愈》.
[字源] 形聲. 扌(手)+需〔音〕

手14〔擬〕17 [人名] 의 [上]紙 nǐ ギ はかる

[筆順] 扌 扩 扸 挨 挨 挨 擬 擬

[字解] ①헤아릴의 상량(商量)함. '—之而後言'《易經》. ②비길의 ㉠흉내냄. 본뜸. '—古'. '侈—於君'《漢書》. ㉡견줌. '乃與五經相—'《後漢書》.
[字源] 形聲. 扌(手)+疑〔音〕

手14〔擹〕17 단 [上]旱 duǎn タン いとわくをまわす

[字解] 자새질할단 '—, 一日, 轉篗也'《集韻》.

手14〔擭〕16 [一]화 [去]禡 huò カ わな / [二]확 [入]藥 huò カク わな / [三]획 [入]陌 wò ワク とる, にぎる

[字解] [一] 덫화 동물을 잡는 기구. '罟—陷阱之中'《中庸》. [二] 덫확 [一]과 뜻이 같음. [三] 잡을획 쥠. '抄本末—獑猢'《張衡》.
[字源] 形聲. 扌(手)+蒦〔音〕

手14〔擯〕17 빈 [去]震 bìn ヒン しりぞける

[字解] ①물리칠빈 배척함. '—斥'. '寡不勝衆, 遂見—棄'《崔寔》. ②인도할빈 儐(人부 14획〈76〉)과 同字. '—介'. '凡四方之使者, 大客則—'《周禮》.
[字源] 形聲. 扌(手)+賓〔音〕

手14〔⿰扌竭〕17 [一]갈 [入]月 / [二]결 [入]屑 jiē ケツ になう

[字解] [一] 짊어질갈 揭(手부 9획〈455〉)과 同字. '揭, 擔也, 或从竭'《集韻》. [二] 짊어질결 揭(手부 9획〈455〉)·搩(手부 10획〈459〉)과 同字. '—, 擔也, 或省, 亦从桀'《集韻》.

手14〔擱〕17 각 [入]藥 gē カク おく

[字解] 놓을각 잡은 것을 놓음. '及見此文—筆'《南史》.
[字源] 形聲. 扌(手)+閣〔音〕

手14〔擰〕17 녕 [平]庚 níng ドウ みだれる

[字解] 어지러울녕 '搶—'은 어지러워짐.
[字源] 形聲. 扌(手)+寧〔音〕

手14〔擤〕17 형 [上]梗 xǐng コウ てばなをかむ

[字解] 코풀형 코를 풂.
[字源] 會意. 扌(手)+鼻

手14〔擨〕17 [一]야 [平]麻 / [二]이 [平]支 hé ヤ さげすみわらう / イ からかう

[字解] [一] ①얕보고웃을야 '—⿰扌歈'는 깔보고 웃는 모양. '—, —⿰扌歈, 輕笑皃'《玉篇》. ②가지고놀야 '—⿰扌歈'는 손을 들어 서로 놀림. '—, —⿰扌歈, 擧手相弄'《集韻》. [二] 조롱할이 놀림. '歋, 說文, 人相笑歋瘉. 或作—'《集韻》.

手14〔⿰扌槖〕17 〔척〕 拓(手부 5획〈436〉)과 同字

手14〔摷〕17 〔초〕 操(手부 11획〈465〉)의 本字

手14〔⿰扌⿱林丰〕17 〔배〕 拜(手부 5획〈433〉)의 本字

手14〔擈〕17 〔박〕 撲(手부 12획〈468〉)과 同字

手14〔⿰扌團〕17 〔단〕 摶(手부 11획〈464〉)과 同字

手15〔攀〕19 반 [平]刪 pān ハン よじる

字解 ①더위잡고오를반 나무를 타거나 산 같은 것을 기어오름. '一登'. '百歲老翁一枯枝'《晉書》. ②당길반 끌어당김. '一輦卽利而舍'《國語》.
字源 形聲. 手+樊〔音〕

手15〔擲〕18 척 ㊀陌|zhì テキ なげうつ
字解 던질척 ㉠내던짐. 투척함. '投一'. '卿試一地, 當作金石聲也'《晉書》. ㉡내버림. 방기함. '棄一邐迤'《杜牧》.
字源 形聲. 扌(手)+鄭〔音〕

手15〔擴〕18 高·人 확 ㊀藥|kuò カク ひろめる
筆順 扌 扩 扩 揗 擴 擴 擴 擴
字解 넓힐확 확대함. '一張'. '凡有四端於我者, 知皆一而充之矣'《孟子》.
字源 形聲. 扌(手)+廣〔音〕
參考 拡(手부 5획〈438〉)은 略字.

手15〔擷〕18 힐(혈㊍) ㊀屑|xié ケツ つむ
字解 뽑을힐 손으로 뽑음. '雨中一園蔬'《蘇軾》. ※本音 혈.
字源 形聲. 扌(手)+頡〔音〕

手15〔擮〕18 ㊀멸 ㊀屑|miè ベツ うつ
㊁미 ㊃霽|mì ベイ·メイ ぬぐいけす, たつ
字解 ㊀①칠멸 때림. '一, 擊也'《廣雅》. ②비뚤멸 모양이 바르지 못하고 뒤틀림. 일이 잘못됨. '一偰, 不方正'《集韻》. ㊁①마를미 옷감을 맞추어 자름. '一, 裁也'《廣韻》. ②씻어버릴미 지워 버림. '一, 拭滅也'《集韻》.

手15〔擸〕18 랍 ㊀合|là ロウ おる
字解 꺾을랍 부러뜨림. '拉一'은 나무가 꺾이는 소리.
字源 形聲. 扌(手)+巤〔音〕

手15〔擺〕18 파 ㊤蟹|bǎi ハイ ひらく
字解 ①열파 밀쳐 엶. '一牲班禽'《馬融》. ②흔들파 요동시킴. '搖舌一吻歸之仙'《王令》. ③털요 흔들어 텂. '一落'. ④벌여놓을파 진열함. '一列'.
字源 形聲. 扌(手)+罷〔音〕

手15〔擻〕18 수 ㊤有|sǒu ソウ はらう
字解 털어버릴수 털어 없앰. '抖一'.
字源 形聲. 扌(手)+數〔音〕

手15〔擽〕18 ㊀략 ㊀藥|lüè リャク うつ
㊁력 ㊀錫|lì レキ なでる
字解 ㊀칠략 때림. '一合其跗'《唐書》. ㊁문지를력 비빔. '或摟搥一捋'《嵇康》.
字源 形聲. 扌(手)+樂〔音〕

手15〔擓〕18 휘 ㊉微|huī キ ふるう
字解 ①떨칠휘, 다할휘 揮(手부 9획〈455〉)와 同字. '一散之者也'《太玄經》. ②옮길휘 이동함. '天渾而一. (註) 一, 猶移也'《太玄經》.

手15〔擾〕18 요 ㊤篠|rǎo ジョウ したがえる, みだれる
字解 ①길들일요 짐승 같은 것을 길들임. '一柔'. '一畜龍'《左傳》. 전(轉)하여, 가축. '其畜宜六一'《周禮》. ②순할요 유순함. '一而毅'《書經》. ③어지러울요, 어지럽힐요 ㉠난잡함. 난잡하게 함. '德用不一'《左傳》. ㉡소란함. 소란하게 함. '一亂'. '俶一天紀'《書經》. ④편안히할요 안일(安逸)하게 함. '安一邦國'《周禮》.
字源 形聲. 扌(手)+憂〔音〕

手15〔擿〕18 ㊀척 ㊀陌|zhí テキ かく
㊁적 ㊀錫|tì テキ あばく
字解 ㊀①긁을척 손가락으로 긁음. '指一無痟癢'《列子》. ②던질척 투척함. '引匕首, 以一秦王'《史記》. ③비녀다리척 잠고(簪股). '簪以瑇瑁爲一'《後漢書》. ㊁들출적 적발함. '發姦一伏'《漢書》.
字源 形聲. 扌(手)+適〔音〕

手15〔擈〕18 박 ㊀覺|bō ハク うつ
字解 ①칠박 '一, 擊也'《廣雅》. ②치는소리박 물건을 두드릴 때 나는 소리. '一, 擊聲'《廣雅》.

手15〔攄〕18 터 ㊉魚|shū チョ のべる
字解 ①펼터 널리 퍼뜨림. '獨一意乎宇宙之外'《班固》. ②오를터 높이 뛰어오름. '八乘一而超驤'《後漢書》. ③헤칠터 헤뜨림. '奮六經以一頌'《漢書》. ④성터 성(姓)의 하나.
字源 會意. 扌(手)+慮

手15〔攃〕18 찰 ㊀曷|sǎ サツ まく
字解 뿌릴찰 던져 헤뜨림. '星如一沙出'《韓愈》.

手15〔擶〕18 전 ㊃霰|jiàn セン ただす

字解 바로잡을전 화살이 굽은 것을 바로잡음. '一, 射敧令正也'《集韻》.

手15〔攆〕18 련 | niǎn デン おう

字解 쫓을련 쫓아냄. '你誠心要一他也好'《紅樓夢》.

手15〔⿰扌睘〕18 〔관〕

擐(手부 13획〈471〉)의 本字

手15〔⿰扌磊〕18 라 (上)哿 | luǒ ラ ゆれる

字解 흔들릴라 요동(搖動)함. '一, 掗一, 搖也'《集韻》.

手15〔⿰扌樊〕18

一 攀(手부 15획〈473〉)과 同字

二 𠬞(又부 2획〈140〉)과 同字

手15〔⿰扌麃〕18

一 鏖(金부 11획〈1580〉)와 同字

二 捊(手부 7획〈445〉)의 古字

手15〔攂〕18 〔뢰〕

擂(手부 13획〈470〉)의 本字

手15〔擕〕18 〔휴〕

攜(手부 18획〈476〉)와 同字

手15〔攅〕18 〔찬〕

攢(手부 19획〈477〉)의 俗字

手15〔擵〕18 〔마〕

摩(手부 11획〈461〉)의 俗字

手16〔攈〕19 군 (去)問 (上)吻 | jùn クン ひろう

字解 주울군 捃(手부 7획〈443〉)과 同字. '一摭秦法'《漢書》.

字源 形聲. 扌(手)+麇〔音〕

手16〔攇〕19 헌 (上)阮 | xiǎn ケン なぞらえる

字解 ①비길헌 서로 견줌. '一, 博雅, 擬也'《集韻》. ②맬헌 잡아 묶음. '一, 一曰, 手約物'《集韻》. ③흔들어움직일헌 진동함. '時尋楚撻, 以相震一'《蜀志》.

手16〔攉〕19 一 확 (入)藥 二 각 (入)覺 | huò カク てをかえす / què カク しめる

字解 一 손뒤집을확 '搖手曰揮, 反手曰一'《康熙字典》. 二 ①도거리할각 이익을 독점함. 搉(手부 10획〈457〉)·榷(木부 10획〈567〉)과 同字. '令豪吏猾民, 辜而一之'《漢書》. ②헤아릴각 상량(商量)함. 搉(手부 10획〈457〉)·榷(木부 10획〈567〉)과 同字. '物豈可謂無大揚一乎'《淮南子》.

字源 形聲. 扌(手)+霍〔音〕

手16〔攍〕19 영 (平)庚 | yíng エイ になう

字解 멜영 등에 짐. '一, 負也'《廣雅》.

手16〔攌〕19 환 (上)潸 | huǎn カン きのさく

字解 목책환 울짱. '一如囚拘'《史記》.

手16〔⿰扌學〕19 효 (上)巧 | jiǎo コウ みだす, みだれる

字解 어지러울효, 어지럽힐효 난잡하게 함. '一, 亂也'《集韻》.

手16〔攏〕19 롱 (上)董 | lǒng ロウ つかねる

筆順 扌 扩 揞 揞 揞 揞 攏 攏

字解 ①합칠롱 하나로 함. '一萬川乎巴梁'《郭璞》. ②어루만질롱 쓰다듬음. '輕一慢撚撥復挑'《白居易》. ③묶을롱 속박함. '且請一船頭'《丁仙芝》.

字源 形聲. 扌(手)+龍〔音〕

手16〔攋〕19 一 랄 (入)曷 | là ラツ てでひらく / 二 뢰 ①(上)蟹 ②(去)泰 | lài ライ すてさる / ライ やぶる

字解 一 뒤적거릴랄 손으로 펼침. '撥一, 手披也'《集韻》. 二 ①버릴뢰 내버림. '把一, 弃去也'《類篇》. ②찢어버릴뢰 갈라 찢음. '一, 毀裂'《集韻》.

手16〔攐〕19 건 (平)先 | qiān ケン かかげる

字解 걷을건 褰(衣부 10획〈1284〉)과 同字. '可一裳而越也'《淮南子》.

字源 形聲. 扌(手)+褰〔音〕

手16〔攎〕19 로 (平)虞 | lú ロ ひきとる

字解 ①잡을로 잡아 가짐. 붙잡음. '一, 拏持也'《說文》. ②당길로 끌어당김. '一, 引也'《廣雅》. ③베풀로 벌여 놓음. '一, 張也'《揚子方言》. ④거둘로 거두어들임. '一, 一曰, 斂也'《集韻》.

字源 形聲. 扌(手)+盧〔音〕

手16〔⿰扌褭〕19 뇨 (上)篠 | niǎo ジョウ つむ

字解 딸뇨 손으로 땀. '一, 摘也'《集韻》.

手16 〔攊〕19 〔략〕
擽(手부 15획〈474〉)과 同字

手17 〔擧〕21 여 [平]魚 | yú ヨ かく
[字解] ①멜여 두 사람이 마주 듦. 舁(臼부 3획〈1104〉)와 同字. '舁, 對擧. 一, 上同'《廣韻》. ②가마여 두 사람이 메는 탈것. '一, 兩手對擧之車'《增修禮部韻略》.
[字源] 形聲. 手+輿〔音〕

手17 〔攔〕20 란 [平]寒 | lán ラン さえぎる
[字解] 막을란 차단함. '以足一之'《聞見錄》.
[字源] 形聲. 扌(手)+闌〔音〕

手17 〔攖〕20 영 [平]庚 | yīng エイ せまる
[字解] ①가까이할영 접근함. '虎負嵎. 莫之敢一'《孟子》. ②어지러울영 혼란함. '汝愼無一人心'《莊子》. '一而後成者也'《莊子》. ③걸릴영 매달림.
[字源] 形聲. 扌(手)+嬰〔音〕

手17 〔攕〕20 [一] 섬 [平]鹽 | xiān セン しなやか
[二] 삼 [平]咸 | xiān サン しなやか
[字解] [一] 손고울섬 손이 가냘프고 예쁨. 纖(糸부 17획〈1020〉)과 통용. '一, 好手皃. 詩曰, 一一女手'《說文》. [二] 손고울삼 [一]과 뜻이 같음.
[字源] 形聲. 扌(手)+韱〔音〕

手17 〔攘〕20 [一] 양 [平]陽 [去]漾 | ráng ジョウ しりぞける, はらう
ràng
[二] 녕 [平]庚 | níng ドウ みだす, みだれる
[字解] [一] ①물리칠양 쫓아 버림. 배격함. '一夷'. '外一四夷'《詩經 序》. ②덜양 제거함. '一之剔之'《詩經》. ③걷을양 소매를 걷어올림. '一臂'. '一袂而正議'《漢書》. ④물러날양 뒤로 물러섬. '左右一辟'《禮記》. ⑤훔칠양 도둑질함. '一竊'. '其父一羊'《論語》. ⑥겸손할양 讓(言부 17획〈1364〉)과 통용. '堯之克一'《漢書》. [二] 어지러울녕, 어지럽힐녕 분란함. 소란함. 소란하게 함. '搶一'. '傾側擾一楚魏之間'《漢書》.
[字源] 形聲. 扌(手)+襄〔音〕

手17 〔𢹿〕20 〔분〕
坌(土부 5획〈205〉)과 同字

手17 〔攐〕20 건 [平]先 [上]銑 | qiān ケン ぬく
[字解] ①뽑을건 搴(手부 10획〈457〉)과 同字. '一蓬'《列子》. ②업신여길건 모멸함. '望我而笑, 是一也'《淮南子》.
[字源] 形聲. 扌(手)+蹇〔音〕

手17 〔𢺋〕20 〔쟁〕
幨(巾부 17획〈340〉)과 同字

手17 〔攑〕20 [一] 건 [平]元 | qiān ケン あげる
[二] 거 [上]語 | jǔ
[字解] [一] 들건 들어올림. '一, 擧也'《說文》. [二] 擧(手부 14획〈472〉)의 俗字.

手17 〔攙〕20 참 [平]咸 | chān サン さす
[字解] 찌를참 속으로 들이밂. '長松一天龍起立'《蘇軾》.
[字源] 形聲. 扌(手)+毚〔音〕

手18 〔攛〕21 찬 [去]翰 | cuān サン なげうつ
[字解] ①던질찬 투척함. ②권할찬 권유함. 종용함. '告老兄且莫相一掇'《朱熹》.
[字源] 形聲. 扌(手)+竄〔音〕

手18 〔㩳〕21 송 [上]腫 | sǒng ショウ とる
[字解] ①잡을송 손에 쥠. '曾奉郊宮爲近侍, 分明一一羽林槍'《杜甫》. ②밀송 밀침. '一, 推也'《集韻》. ③뺄송 뽑아 냄. '一, 挺也'《禮部韻略》. ④솟구칠송 솟게 함. '一身思狡兎'《杜甫》.

手18 〔攜〕21 〔휴〕
携(手부 10획〈460〉)의 本字

手18 〔𢺕〕21 〔박〕
㩧(手부 15획〈474〉)의 本字

手18 〔攝〕21 [高·人] [一] 섭 [入]葉 | shè ショウ ひく
[二] 녑 [入]葉 | niè ジョウ やすらか
[筆順] 扌 扌 扌 扌 扌 揖 攝 攝
[字解] [一] ①당길섭 끌어당김. '皆一弓而馳'《史記》. ②쥘섭 잡음. '請一飮焉'《左傳》. ③가질섭 소유함. '故能一固不解'《國語》. ④걷을섭 걷어올림. '一齊升堂'《論語》. ⑤도울섭 보좌함. '朋友攸一'《詩經》. ⑥거느릴섭 관할(管轄)함. '總一百揆'《晉書》. ⑦겸할섭 겸무함. '兼一'. '官事不一'《論語》. ⑧성낼섭 성내어 봄. '目一之'《史記》. ⑨빌릴섭 남의 물건을 빌려 씀. '一束帛'《禮記》. ⑩추포할섭 쫓아가 잡음. '一少司馬'《國語》. ⑪대신할섭 남을 대신함. '一行政事'《史記》. 또, 대리(代理). '王莽居一, 變漢制'《漢書》. ⑫낄섭 양쪽 사이에 낌. '一乎大國之間'《論語》. ⑬다스릴섭 양생함. '善

一生者'《老子》. ⑭잡맬섭 고결(固結)함. '一緘滕'《莊子》. ⑮두려워할섭 무서워함. '一讋者弗取'《漢書》. ⑯성섭 성(姓)의 하나. ⑰으를섭 위압함. '一威之'《左傳》. 曰 고요할녑 조용함. '天下一然'《漢書》.
字源 形聲. 扌(手)+聶〔音〕

手18〔擢〕21 작 入藥 | jué シャク えらぶ
字解 ①가릴작 선택함. '一, 擇也'《廣雅》. ②들작 들어 올림. '一, 一日, 擱也'《集韻》. ③제할작 제거(除去)함. '一, 一日, 捎也'《集韻》. ④깎을작 깎아 없앰. '一, 削也'《字彙》.

手18〔攫〕21 曰 국 入沃 曰 구 平虞 | jú キョク つかむ qú ク えだはおいしげる
字解 曰 ①움킬국 붙잡음. '一, 爪持也'《說文》. ②버릴국 내버림. '故不一所有. (註)一, 去也'《太玄經》. 曰 잎무성할구 나뭇가지의 잎이 무성한 모양. '一疎, 枝葉敷布皃'《集韻》.
字源 形聲. 扌(手)+瞿〔音〕

手18〔攠〕21 〔무〕 撫(手부 12획〈468〉)의 本字

手18〔摽〕21 〔표〕 摽(手부 11획〈464〉)의 本字

手18〔攡〕21 〔옹〕 擁(手부 13획〈470〉)의 本字

手18〔攙〕21 〔참〕 攙(手부 17획〈476〉)과 同字

手18〔攟〕21 〔군〕 攟(手부 19획〈477〉)과 同字

手19〔攣〕23 련 平先 去霰 | ①luán レン かける, かかる ②③(liàn) レン かがまる
字解 ①걸릴련 매어져 연(連)함. 견련(牽連)됨. '一拘'. '有孚, 一如'《易經》. ②오그라질련 병으로 손발 같은 것이 오그라듦. '一踠'. '躄齃膝一'《史記》. ③그리워할련 戀(心부 19획〈419〉)과 통용. '一一顧念我'《漢書》.
字源 形聲. 手+䜌〔音〕

手19〔攠〕23 〔휘〕 麾(麻부 4획〈1855〉)의 本字

手19〔攡〕22 曰 리 平支 曰 치 平支 | lí リ はる chī チ のべる
字解 曰 베풀리 물건을 차려 놓음. '玄者, 幽一萬類而不見形者也'《太玄經》. 曰 펼치 널리 폄. 摛(手부 11획〈463〉)와 同字.

手19〔攟〕22 군 去問 | jùn クン ひろう
字解 주울군 捃(手부 7획〈443〉)·攈(手부 16획〈475〉)과 同字. '收一而蒸, 納要也'《國語》.
字源 形聲. 扌(手)+麕〔音〕

手19〔攞〕22 라 上哿 | luō ラ えらぶ
字解 ①가릴라 간택(揀擇)함. '一, 揀也'《集韻》. ②찢을라 찢. '一, 裂也'《集韻》.
字源 形聲. 扌(手)+羅〔音〕

手19〔攢〕22 찬 平寒 | cuān サン あつまる
字解 ①모일찬 鑽(金부 19획〈1591〉)과 통용. '一生'. '一立叢倚'《司馬相如》. ②모을찬 한 곳에 모이게 함. '一戾莎'《漢書》. ③뚫을찬 구멍을 팜. '相梨曰一之'《禮記》.
字源 形聲. 扌(手)+贊〔音〕
參考 攅(手부 15획〈475〉)은 俗字.

手19〔擱〕22 관 平刪 | guān カン かかわる
字解 관계할관 손을 맞잡음. 서로 상관함. '一神明而定摹'《太玄經》.

手19〔攤〕22 탄 平寒 | tān タン ひらく
字解 ①펼탄 책 같은 것을 폄. '一書滿牀'《世說》. ②헤칠탄 흐트러뜨림. '白晝一錢高浪中'《杜甫》.
字源 形聲. 扌(手)+難〔音〕

手19〔攦〕22 려 去霽 | lì レイ おる
字解 꺾을려 부러뜨림. '一工倕之指'(공수(工倕)는 유명한 목수의 이름)《莊子》.
字源 形聲. 扌(手)+麗〔音〕

手19〔攠〕22 曰 미 平支 曰 마 去箇 平歌 | mí ビ かねのつちのあたるところ バ·マ かねのつちのあたるところ バ·マ とぐ
字解 曰 쇠북방망이받이미 종의 방망이로 치는 데. '于上之一, 謂之隧. (注)一, 所擊之處'《周禮》. 曰 갈마 문질러서 갊. '摩, 研也. 一, 上同'《玉篇》.

手19〔擾〕22 〔요〕 擾(手부 15획〈474〉)의 本字

手 19 〔攩〕 22 〔달〕
撻(手부 13획〈470〉)의 古字

手 20 〔攩〕 23 당 [上]養 | dǎng トウ とも
[字解] ①무리당 黨(黑부 8획〈1865〉)과 통용. ②칠당 몽치로 침.
[字源] 形聲. 扌(手)+黨〔音〕

手 20 〔攪〕 23 교 [上]巧 | jiǎo カク・コウ みだす
[字解] 어지러울교, 어지럽힐교 분란함. 혼란하게 함. '一亂'. '祇一我心'《詩經》.
[字源] 形聲. 扌(手)+覺〔音〕

手 20 〔攥〕 23 찰 [入]曷 | zuàn サツ とる
[字解] 잡을찰 손에 쥠. '一, 把也'《集韻》.

手 20 〔攫〕 23 확 [入]藥 | jué カク つかむ
[字解] 움킬확 움켜쥠. '鷙蟲一搏'《禮記》.
[字源] 形聲. 扌(手)+矍〔音〕

手 21 〔攬〕 24 람 [上]感 | lǎn ラン とる
[字解] 잡을람 쥠. 擥(手부 14획〈472〉)과 同字. '主將之法, 在務一英雄之心'《六韜》.
[字源] 形聲. 篆文은 扌(手)+監〔音〕

手 21 〔攭〕 24 ㊀라 [上]哿 | luǒ ラ あかはだか
㊁례 [去]霽 | lì レイ わける, わかれる
[字解] ㊀벌거숭이라 몸에 우모(羽毛)가 없는 모양. '一, 無毛羽貌'《韻會》. '一一兮其狀, 屢化如神'《荀子》. ㊁나눌례, 나누어질례 '一, 分判也'《正韻》.

手 21 〔攓〕 24 〔건〕
搴(手부 12획〈469〉)의 本字

手 21 〔攤〕 24 〔탐〕
撢(手부 12획〈467〉)의 本字

手 21 〔攨〕 24 〔파〕
欛(木부 21획〈594〉)와 同字

手 22 〔攝〕 25 첩 [入]葉 | dié チョウ おさめる
[字解] ①거둘첩 거두어들임. '一, 收也'《玉篇》. ②걸첩 위에 걸어 놓음. '一, 掛一'《廣韻》. ③배열할첩 벌여 놓음. '一, 排也'《集韻》.

手 22 〔攮〕 25 낭 [上]養 | nǎng ドウ・ノウ おす
[字解] ①밀낭 '一, 推一也'《字彙》. ②《現》찌를낭 비수(匕首)로 찌름.

支　部

〔지탱할지부〕

支 0 〔支〕 4 [中·人] 지 [平]支 | zhī シ わかれ, ささえる
[筆順] 一 十 ㇀ 支
[字解] ①가지지 ㉠초목의 가지. 枝(木부 4획〈533〉)와 同字. '芄蘭之一'《詩經》. ㉡종파(宗派)에서 갈린 지파(支派). '本一百世'《詩經》. ②팔다리지 두 팔과 두 다리. 肢(肉부 4획〈1066〉)와 同字. '一體'. '發於聲, 見乎四一'《張載》. ③갈릴지, 가를지 분리함. 분리시킴. '一離其德'《莊子》. ④헤아릴지 계산함. '一地計衆'《大戴禮》. ⑤버틸지 ㉠쓰러지지 않게 가눔. '天之所一, 不可壞也'《左傳》. ㉡의지하게 함. 굄. '暫拳一手一頤臥'《韓愈》. ㉢맞서서 겨룸. '魏不能一'《戰國策》. ㉣배겨 냄. '皆知其資材不足以一長久也'《國語》. ⑥지출지 지불. '其五曰, 收一'《宋史》. ⑦지급지 급여. '冬至有特一'《宋史》. ⑧지지지 십이지(十二支). '干一'. '明帝時, 以反一之日不受章奏'《後漢書》. ⑨성지 성(姓)의 하나.
[字源] 象形. 나무의 가지를 손에 든 모양을 본떠, '버티다, 가지를 치다, 가르다'의 뜻을 나타냄.
[參考] 부수(部首)로서, '지탱할지'로 불려, 주로 몸, 방(旁)으로 쓰이며, 가지로 갈리다의 뜻을 나타냄.

支 2 〔攰〕 6 기 [去]寘 | qì キ かたむく
[字解] ①기울기 한쪽으로 기울어짐. '一, 傾也'《廣韻》. ②우러러볼기 우러러보는 모양. '一, 顒皃'《玉篇》.
[字源] 形聲. 匕+支〔音〕

支 3 〔㩼〕 7 〔지〕
支(部首〈478〉)의 古字

支 5 〔攱〕 9 기 [上]紙 | guǐ キ のせる
[字解] ①얹을기 얹어 놓음. '一, 載也'《廣雅》. ②시렁기 물건을 얹어 놓는 시렁. '庪, 閣藏食物, 或作一'《集韻》. ③걸상기 의자(椅子). '一, 椅也'《玉篇》. ④베개기 '一, 枕也'《玉篇》.
[字源] 形聲. 立+支〔音〕

支 6 〔枝〕10 시 [去]寘 | shì シ みそのるい

[字解] 메주시 간장을 담그는 원료. '鹽―千合'《史記》.
[字源] 形聲. 朩+支〔音〕
[參考] 枝(攴부 6획〈482〉)은 別字.

支 6 〔敍〕10 지 [平]支 | zhí シ おおい

[字解] 많을지 다수(多數)임. '炙炮夥, 淸酤―'《張衡》.

支 6 〔攱〕10 攱(次次條)와 同字

[字源] 形聲. 危+支〔音〕

支 7 〔敊〕11 기 [平]支 | qí キ よこえだ

[字解] ①곁가지기 옆으로 뻗은 나뭇가지. '―, 字林, 横首枝也'《集韻》. ②움날기 옆에서 움이 남. 또, 그 움. '―, 一曰, 木別生'《集韻》.

支 8 〔攲〕12 기 [平]支 | jī キ かたむく

[字解] 기울어질기 경사짐. 비스듬함. '――側側海門帆'《吳融》.
[字源] 形聲. 支+奇〔音〕
[參考] 攱(前前條)는 同字, 觭(次次條)는 俗字.

支 12 〔䞿〕16 심 [平]侵 | xún ジン ながい

[字解] 길심 짧지 아니함. '踔―枝'《後漢書》.

支 16 〔𢻫〕20 攲(前前條)의 俗字

攴 (攵) 部

〔등글월문부〕

攴 0 〔攴〕4 복 [入]屋 | pū ボク うつ

[筆順] 丨 卜 𠂇 攴
[字解] 칠복 가볍게 똑똑 두드림.
[字源] 形聲. 又+卜〔音〕
[參考] 단독 문자로는 거의 쓰이지 않고, 부수로서 치다, 강제하다, 특정한 행동을 하게 하다 등의 뜻을 포함하는 문자를 이룸. 속(俗)에 '文문'과의 생김새의 대비에서 '등글월문'이라 이름. 또, 몸, 곧 방(旁)이 될 때에는 생략된 변형 자체인 '攵'이 흔히 쓰임.

攴 0 〔攵〕4 攴(前條)과 同字

[筆順] ノ 𠂉 𠂉 攵
[參考] '攴복'의 생략된 변형으로, 몸, 곧 방(旁)이 될 때에 흔히 쓰임.

攴 2 〔收〕6 [中·人] 수 [平]尤 | shōu シュウ おさめる

[筆順] 丨 丩 丩 丩 收 收
[字解] ①거둘수 한데 모아들임. '―穫'. '我其―之'《詩經》. ②길을수 물을 길음. '井―勿幕'《易經》. ③쇠할수 쇠잔함. '彭澤菊初―'《中宗》. ④가질수 소지함. '―以奔褒'《國語》. ⑤잡을수 체포함. '―捕'. '此宜無罪, 女反―之'《詩經》. ⑥쉴수 그만둠. 그침. '秦可以少割而―害也'《戰國策》. ⑦가든히할수 정제함. '―斂'. '―其威也'《禮記》. ⑧쓸수 등용함. '―採'. '陽―其身, 而實疏之'《韓非子》. ⑨뒤턱가로나무수 수레 뒤의 횡목(橫木). '小戎俴―'《詩經》. ⑩성수 성(姓)의 하나.
[字源] 形聲. 攵(攴)+丩〔音〕

攴 2 〔攷〕6 [人名] 〔고〕 考(老부 2획〈1048〉)의 古字

[筆順] 一 丂 丂 丂 攷 攷
[字源] 形聲. 攵(攴)+丂〔音〕

攴 3 〔斈〕7 〔학〕 學(子부 13획〈273〉)의 俗字

攴 3 〔攸〕7 [人名] 유 ①-⑤[平]尤 ⑥[上]有 | yōu ユウ ところ / ユウ あぶなげ

[筆順] ノ 亻 亻 攸 攸 攸 攸
[字解] ①바유 어조사(語助辭). 所(戶부 4획〈426〉)와 뜻이 같음. '四方―同'《詩經》. ②곳유 장소. '爲韓姞相―'《詩經》. ③달릴유 질주(疾走)하는 모양. 일설(一說)에는, 헤엄치는 모양. '―然而逝'《孟子》. ④아득할유 썩 먼 모양. '――外寓'《漢書》. ⑤성유 성(姓)의 하나. ⑥위태할유 걸려 있어 위태로운 모양. '湫乎, ―乎'《左傳》.
[字源] 會意. 人+攵(攴)+丨(水)

攴 3 〔改〕7 [中·人] 개 [上]賄 | gǎi カイ あらためる

[筆順] ㇆ ㇆ 己 己 改 改 改

字解 ①고칠개 ㉠바로잡음. '一革'. '過則勿憚一'《論語》. ㉡변경함. '一名'. '歲寒無一色'《李德林》. ②고쳐질개 전항의 자동사. '前圖未一'《楚辭》. ③성개 성(姓)의 하나.
字源 形聲. 攵(支)+己〔音〕

支 3 〔攻〕7 高·人 공 (平)東 | gōng コウ せめる

筆順 一 丅 工 工 巧 巧 攻

字解 ①칠공 ㉠공격함. '一守'. '造一自鳴條'《書經》. ㉡책망함. '一駁'. '小子, 鳴鼓而一之, 可也'《論語》. ㉢괴롭힘. '蚤蝨羣一, 臥不獲安'《抱朴子》. ②다스릴공 ㉠정돈함. '左不一于左'《書經》. ㉡병을 다스림. '一砭'. '瘡瘍以五毒一之'《周禮》. ③닦을공 ㉠학문을 연구함. '專一'. '一乎異端'《論語》. ㉡문질러 윤기를 냄. 옥 같은 것을 갊. '他山之石, 可以一玉'《詩經》. ④지을공 만듦. '庶民一之'《詩經》. ⑤굳을공 견고함. '我車既一'《詩經》. ⑥불깔공 거세함. '頒馬一特'《周禮》. ⑦성공 성(姓)의 하나.
字源 形聲. 攵(支)+工〔音〕

支 3 〔[亡+攵]〕7 ㊀부 (上)麌 | fǔ フ なでる
㊁무 (平)虞 | ブ·ム なでる

字解 ㊀어루만질부 '一, 撫也'《說文》. ㊁어루만질무 ㊀과 뜻이 같음.
字源 形聲. 攵(支)+亡〔音〕

支 3 〔攺〕7 ㊀이 (上)紙 | yǐ イ まじないのつえ
㊁시 (上)紙 | シ まじないのつえ

字解 ㊀①주술지팡이이 '毅一'는 정월 묘(卯)날에 귀신을 쫓는 주술(呪術) 지팡이. '一, 毅一, 大剛卯, 㠯逐鬼魅也'《說文》. ②굳을이 매우 굳음. '一, 大堅'《廣韻》. ㊁주술지팡이시, 굳을시 ㊀과 뜻이 같음.
字源 形聲. 攵(支)+巳〔音〕

支 3 〔[也+支]〕7 시 (平)支 | shī シ ほどこす

字解 베풀시 '一, 敷也'《說文》.
字源 形聲. 支+也〔音〕

支 3 〔收〕7 〔수〕
收(支부 2획〈479〉)의 俗字

支 4 〔放〕8 中·人 방 ①-⑪(去)漾 ⑫-⑮(上)養 | fàng ホウ はなす fǎng ホウ ならう, にる

筆順 ' 亠 方 方 方' 方' 放 放

字解 ①내칠방 추방함. '一逐'. '一驩兜于崇山'《書經》. ②놓을방 ㉠둠. 하지 아니함. '隱居一言'《論語》. ㉡석방함. '一免'. '開一無罪之人'《書經 傳》. ㉢불을 지름. '一火菰葑'《晉書》. ㉣발사(發射)함. '無令熁繳一'《王績》. ③놓일방 석방됨. '屈平既一, 游於江潭'《楚辭》. ④내놓을방 동물 같은 것을 내놓아 기름. '一牧'. '一牛于桃林之野'《書經》. ⑤내걸방 게시(揭示)함. '一榜'. '一進士標'《賈公談錄》. ⑥낼방 빛을 발함. '目若一光也'《酉陽雜俎》. ⑦버릴방 내버림. '一棄'. ⑧꾸어줄방 대여함. 또, 빚놀이함. '一債'. ⑨필방 꽃이 핌. '花一林逋村'《趙師秀》. ⑩방자할방 방종함. '一肆'. '諸侯一恣'《孟子》. ⑪멋대로할방 거리낌없이 함. '一言'. '大一其辭'《韓愈》. ⑫이를방 다다름. '一乎四海'《孟子》. ⑬의할방 의지함. '一於利而行'《論語》. ⑭본받을방 모방함. '一傚'. '民將爲一'《國語》. ⑮성방 성(姓)의 하나.
字源 形聲. 攵(支)+方〔音〕

支 4 〔攽〕8 반 (平)刪 | bān ハン わける

字解 ①나눌반, 나뉠반 나눔. 나뉨. '乃惟孺子一'《周書》. ②나누어줄반 頒(頁부 4획〈1684〉)·班(玉부 6획〈770〉)과 뜻이 같음.
字源 形聲. 攵(支)+分〔音〕

支 4 〔[比+攵]〕8 비 (平)支 | pī ヒ うつわがこわれかける

字解 ①그릇금갈비 그릇이 깨어져 감. '一, 器破也'《集韻》. ②옷해질비 옷이 해어져 감.

支 4 〔[今+支]〕8 ㊀금 (平)侵 | qín キン もつ
㊁감 (平)覃 | kān カン ひとしくない

字解 ㊀가질금 손에 쥠. '一, 說文, 持也'《集韻》. ㊁층날감 가지런하지 않음. '一敧, 不齊'《集韻》.

支 4 〔[夫+支]〕8 〔부〕
扶(手부 4획〈429〉)의 古字

支 4 〔[爻+攵]〕8 〔교〕
教(支부 7획〈482〉)의 古字

支 4 〔政〕8 〔정〕
支부 5획(481)을 보라.

支 4 〔[戶+支]〕8 〔계〕
啓(口부 8획〈171〉)와 同字

支 4 〔敎〕8 〔교〕
教(支부 7획〈482〉)와 同字

攴 4 〔攸〕8 〔유〕 攸(攴부 3획〈479〉)의 訛字

攴 5 〔敂〕9 구 [上]有 | kòu コウ うつ, たたく

[字解] 두드릴구 침. 또는, 남을 찾아가서 문을 두드림. '凡四方賓客一關, 則爲之告'《周禮》.

[字源] 形聲. 攴+句〔音〕

攴 5 〔敃〕9 [人名] ㊀민 [平]眞 | mǐn ミン つとめる ㊁분 [平]文 | fēn フン みだれる

[筆順] ㄱ ㄱ 𠃑 𠂹 民 民 民' 敃

[字解] ㊀ ①강인할민 굳셈. '一, 彊也'《說文》. ②힘쓸민 힘써 함. '一, 勉也'《玉篇》. ㊁ 어지러울분 분잡(紛雜)한 모양. '一, 亂皃'《集韻》.

[字源] 會意. 民+攵(攴)

攴 5 〔政〕9 [中·人] 정 ①-⑥[去]敬 ⑦⑧[平]庚 | zhèng セイ まつりごと zhēng セイ とりたて

[筆順] 一 丅 下 正 正 正' 正𠂉 政

[字解] ①정사정 정치. '一教'. '爲一以德'《論語》. 전(轉)하여, 널리 사물을 다스리는 일. '財一'. '家一'. ②법정 법제. 금령(禁令). '道之以一'《論語》. ③구실정 이무(吏務). '棄一而役'《國語》. ④부역정 국가의 노역(勞役). '五十不從力一'《禮記》. ⑤바로잡을정 바르게 함. '肅一黎心'《江淹》. ⑥성정 성(姓)의 하나. ⑦구실정 조세. 征(彳부 5획〈369〉)과 통용. '掌均地一'《周禮》. ⑧칠정 정벌(征伐). '一適伐國'《史記》.

[字源] 形聲. 攵(攴)+正〔音〕

攴 5 〔敁〕9 점 [平]鹽 | diān テン はかる

[字解] 달점 손으로 무게를 달아 봄. '一掇, 以手稱物'《類篇》.

攴 5 〔故〕9 [中·人] 고 [去]遇 | gù, ⑩gǔ コ こと, もと

[筆順] 一 十 𠂇 古 古 古' 古𠂉 故

[字解] ①일고 ㉠사건. 사항. '知幽明之一'《易經》. ㉡사변. '事一'. '國有一, 則令宿'《周禮》. ②예고 ㉠옛날. '今一'. ㉡옛일. '典一'. '溫一而知新'《論語》. ㉢오래 됨. '一址'. '一國者, 非有喬木之謂也'《孟子》. ③옛벗고 옛 친구. '敬一'《周禮》. ④본디고 본래. '非一生於人之性也'《荀子》. ⑤예부터고 옛날부터. 오래 전부터. 구래(舊來). '食其一得幸太后'《史記》. ⑥옛날에고 이전에. '一居'. '一事蔡公'《左傳》. ⑦죽을고 '物一'. '一人'. ⑧짐짓고 일부러. '一意'. '一不爲禮'《史記》. ⑨연고고 이유. 까닭. '凡物之然也, 必有一也'《呂氏春秋》. ⑩훈고고 주석. 주해. '魯一二十五卷'《漢書》. ⑪고로고 그런고로. '夫然一生則親安之'《孝經》. ⑫성고 성(姓)의 하나.

[字源] 形聲. 攵(攴)+古〔音〕

攴 5 〔敀〕9 박 [入]陌 | pò ハク せまる

[字解] ①핍박할박 억지로 하게 함. '一, 強也'《玉篇》. ②붙을박 '一, 附也'《玉篇》. ③칠박 몹시 침. '一, 大打也'《廣韻》.

攴 5 〔敄〕9 무 [平]遇 [上]麌 | wù ブ·ム つとめる

[字解] 힘쓸무 '一, 強也'《玉篇》.

[字源] 形聲. 攵(攴)+矛〔音〕

攴 5 〔叓〕9 〔경〕 更(曰부 3획〈518〉)의 本字

攴 5 〔敂〕9 ㊀ 扣(手부 3획〈428〉)와 同字 ㊁ 叩(口부 2획〈145〉)와 同字

攴 5 〔敁〕9 〔졸〕 拙(手부 5획〈437〉)과 同字

攴 6 〔敋〕10 ㊀격 [入]陌 | gé カク うつ ㊁괵 [入]陌 | guó カク うつ

[字解] ㊀ 칠격 손으로 갈김. 挌(手부 6획〈441〉)과 同字. ㊁ 칠괵 摑(手부 11획〈462〉)과 통용.

攴 6 〔效〕10 [中·人] 효 [去]效 | xiào コウ ならう

[筆順] ' 亠 六 六 ㇏ 交 交' 效

[字解] ①본받을효 본받아 배움. '放一'. '一法之爲坤'《易經》. ②힘쓸효 힘써 함. '一忠'. '願一愚忠'《漢書》. ③드릴효 바침. '一馬一羊者, 右牽之'《禮記》. ④나타낼효 드러냄. '一徵'. '雖妙必一情'《史記》. ⑤줄효 수여함. '宣王有志而後一官'《左傳》. ⑥공효 공적. '一勞'. '上嘉其功一'《漢書》. ⑦보람효 효험. '一果'. '儒者已試之一'《漢書》. ⑧성효 성(姓)의 하나.

[字源] 形聲. 攵(攴)+交〔音〕

[參考] 効(力부 6획〈114〉)는 俗字.

攴 6 〔敆〕10 ㊀갑 [入]合 | gé コウ あう ㊁합 [入]洽 | hé ギョウ あう

[字解] ㊀ 만날갑, 합할갑 '一, 合會也'《說文》. ㊁ 만날합, 합할합 ㊀과 뜻이 같음.

[字源] 形聲. 攴+合〔音〕

支 6 〔敉〕 10 미 ㊤紙 | mǐ ビ·ミ なでる

字解 어루만질미 어루만져 편안히 함. '一寧武圖功'《書經》.
字源 形聲. 攵(支)+米〔音〕

支 6 〔敌〕 10 ㊀활 ㊁黠 | huá カツ つくす
㊁기 ㊄寘 | キ あえぐ

字解 ㊀ 다할활 힘씀. '一, 盡也'《集韻》. ㊁ 헐레벌떡거릴기 걸어서 숨이 참.

支 6 〔敊〕 10 ㊀축 ㊁屋 | chù チク いたむ
㊁수 ㊄有 | shōu シュウ おさめる

字解 ㊀ 앓을축 아픈 모양. '一, 病貌'《類篇》. ㊁ 얻을수, 거둘수 획득함. 收(支부 2획〈479〉)와 同字.
參考 敊(支부 6획〈479〉)는 別字.

支 6 〔敚〕 10 미 ㊥微 | wēi ビ·ミ かすか

字解 작을미 微(彳부 10획〈374〉)와 同字. '一, 眇也'《說文》.
字源 形聲. 人+攵(支)+豈〈省〉〔音〕

支 6 〔敇〕 10 책 ㊁陌 | cè サク むちうつ

字解 채찍질할책 채찍으로 말을 때림. '一, 擊馬也'《說文》.
字源 形聲. 攵(支)+朿〔音〕

支 6 〔敱〕 10 왕 ㊤養 | wǎng オウ おう

字解 ①쫓을왕 내쫓음. '一, 放也'《說文》. ②굽혀침범할왕 '一, 曲侵也'《廣韻》. ③굽힐왕 枉(木부 4획〈531〉)과 同字. '一, 曲也. 今作枉'《玉篇》.
字源 形聲. 支+㞷〔音〕

支 6 〔敭〕 10 〔양〕
養(食부 6획〈1718〉)의 古字

支 6 〔赦〕 10 〔사〕
赦(赤부 4획〈1403〉)와 同字

支 6 〔敏〕 10 〔민〕
敏(支부 7획〈482〉)의 略字

〔致〕 〔치〕
至부 3획(1102)을 보라.

支 7 〔敘〕 11 高·人 서 ㊤語 | xù ジョ ついで, のべる

筆順 ノ 𠆢 亼 亽 仐 余 余' 敘

字解 ①차례서 ㉠순차. 급. '一次'. '官府之六一'《周禮》. ㉡등급. '行其秩一'《周禮》. ②차례매길서 순서를 정함. '以一其財'《周禮》. ③차례정해질서 순서가 정하여짐. '百揆時一'《書經》. ④늘어설서 차례로 섬. '不得齒一'《蜀志》. ⑤서문서 머리말. 序(广부 4획〈344〉)와 同字. '首章總一, 以發端也'《詩經 傳》. ⑥서지을서 서문을 지음. '向一此書'《曾鞏》. ⑦줄서 관작을 줌. '一爵'. '咸加一擢'《晉書》. ⑧베풀서 진술함. '一懷'. '具自申一'《晉書》. ⑨성서 성(姓)의 하나.
字源 形聲. 支+余〔音〕
參考 敍(次條)는 俗字.

支 7 〔敍〕 11 敘(前條)의 俗字

支 7 〔敏〕 11 高·人 민 ㊤軫 | mǐn ビン はやい, さとい

筆順 ノ 𠂉 𠂉 𠂇 每 每 每' 敏

字解 ①민첩할민 ㉠행동이 재빠름. '一速'. '一於事而愼於言'《論語》. ㉡총명하여 정체함이 없음. '穎一'. '一而好學'《論語》. ②공손할민 공근(恭謹)함. '恭一'. '書其敬一任恤者'《周禮》. ③힘쓸민 힘써 함. '人道一政'《中庸》. ④엄지발가락민 장지(將指). '履帝武一歆'《詩經》. ⑤성민 성(姓)의 하나.
字源 形聲. 攵(支)+每〔音〕

支 7 〔救〕 11 中·人 구 ㊄有 | jiù キュウ すくう

筆順 一 十 才 扌 才 求 求' 救

字解 ①구원할구 건짐. 구조함. '一命'. '一護'. ②도울구 조력함. '凡民有喪, 匍匐一之'《詩經》. ③막을구 못 하게 함. 방어함. '一禦'. '女不能一與'《論語》. ④구원구, 도움구 구조. 조력. '求一於齊'《戰國策》. ⑤성구 성(姓)의 하나.
字源 形聲. 攵(支)+求〔音〕

支 7 〔敔〕 11 어 ㊤語 | yǔ ギョ とどめる

字解 ①막을어 금(禁)함. ②악기이름어 목제(木製)의 악기. 모양은 복호(伏虎, 엎드린 범) 같으며, 등 위 스물일곱 개의 깔쭉깔쭉한 부분이 있어, 그것을 채로 마찰하여 소리를 냄. 음악을 그치게 할 때 사용함. '一, 禁也. 一曰樂器. 控楬也. 形如木虎'《說文》.
字源 形聲. 攵(支)+吾〔音〕

支 7 〔教〕 11 中·人 교 ㊄效 | jiào キョウ おしえる

筆順 ノ 㐅 乂 孝 孝 孝 孝' 教

[字解] ①가르침교 ㉠학문. 도덕. '先生施一'《管子》. ㉡교육. 훈계. 지도. '溫柔敦厚, 詩一也'《禮記》. ㉢덕화. '刑一竝用'《荀悅》. ㉣종교. '佛老, 異方一耳'《唐書》. ②교령교 왕·제후의 명령. '一令'. '皆願奉一'《史記》. ③가르칠교 알게 함. '一授'. '十三一汝織'《古詩》. ④하여금교 …로 하여금 …하게 함. '令'과 연용(連用)하기도 함. '一人如此發憤勇猛向前'《朱熹》. ⑤성교 성(姓)의 하나.
[字源] 形聲. 攵(攴)+孝(𡥈)〔音〕
[參考] 敎(次條)는 俗字.

支 7 〔教〕11 教(前條)의 俗字

支 7 〔敓〕11 탈 [入]曷 | duó タツ うばう
[字解] ①훔칠탈, 빼앗을탈 몰래 가짐. 강제로 빼앗음. 奪(大부 11획〈238〉)과 통용. '一, 彊取也'《說文》. ②성탈 성(姓)의 하나.
[字源] 形聲. 攵(攴)+兌〔音〕

支 7 〔敖〕11 오 ①③[去]號 ②④[平]豪 | ào ゴウ おごる / áo ゴウ かまびすしい
[字解] ①거만할오 교만함. 傲(人부 11획〈68〉)와 同字. '一不可長'《禮記》. ②놀오 희롱하며 놂. 멋대로 놂. 遨(辵부 11획〈1505〉)와 同字. '一遊'. '以一以遊'《詩經》. ③시끄러울오 嗷(口부 11획〈180〉)와 同字. '百姓讙一'《荀子》. ④성오 성(姓)의 하나.
[字源] 會意. 篆文은 出+放

支 7 〔敗〕11 [中·人] 패 [去]卦 | ①③⑤⑥bài ハイ やぶれる / ②④⑦⑧⑨ ハイ やぶる
[筆順] 丨 冂 冃 月 目 貝 貝𠂉 敗
[字解] ①패할패 ㉠짐. '勝一'. '秦軍佯一而走'《史記》. ㉡실패함. '成一'. ②패하게할패 전항(前項)의 타동사. '公一宋師于菅'《公羊傳》. ③무너질패, 부서질패 퇴락함. 또, 파손함. '頹一'. '轊折車一'《史記》. ④무너뜨릴패, 부술패 깨뜨림. 손상을 입힘. '反道一德'《書經》. ⑤해질패 떨어짐. '一絮'. '安貧着一衣'《司空曙》. ⑥썩을패 부패함. '腐一'. '魚餒而肉一'《論語》. ⑦기근패 흉년. '豐年補一'《穀梁傳》. ⑧재앙패 재화. '四方有一'《禮記》. ⑨성패 성(姓)의 하나.
[字源] 形聲. 攵(攴)+貝〔音〕

支 7 〔⿰旱攴〕11 [一]한 [去]翰 | hàn カン とどめる / [二]하 [上]哿 | hě カ うつ
[字解] [一]막을한 扞(手부 3획〈428〉)과 통용. '一我于艱'《周書》. [二]칠하 때림.
[字源] 形聲. 支+旱〔音〕

支 7 〔敒〕11 [一]진 [去]震 / [二]신 [平]眞 / [三]승 [平]蒸 | shēn チン おさめる / シン おさめる / ショウ おさめる
[字解] [一]①다스릴진 '一, 治也'《類篇》. ②펼진, 돌이킬진 伸(人부 5획〈40〉)과 同字. '伸, 申也. 引戾也. 或作一'《集韻》. [二]다스릴신, 펼신, 돌이킬신 [一]과 뜻이 같음. [三]다스릴승, 펼승, 돌이킬승 [一]과 뜻이 같음.
[字源] 形聲. 攵(攴)+伸〔音〕

支 7 〔⿰豈攴〕11 〔살〕殺(殳부 7획〈612〉)의 古字

支 7 〔⿱宀⿰元攴〕11 〔구〕寇(宀부 8획〈281〉)와 同字

支 7 〔敕〕11 〔칙〕勅(力부 7획〈114〉)과 同字

支 7 〔⿰孛攵〕11 〔발〕勃(力부 7획〈114〉)과 同字

支 8 〔敝〕12 폐 [去]霽 | bì ヘイ やぶれる
[字解] ①해질폐 떨어짐. '一甲'. '一衣閒步'《史記》. ②깨질폐 부수어짐. '一屣'. '甕一漏'《易經》. ③질폐 싸움에 패함. '一於韓'《左傳》. ④버릴폐 내버림. '冠而一之可也'《禮記》. ⑤피폐할폐 지치고 쇠약함. '刑肅而俗一'《禮記》. ⑥피폐하게할폐 피로하여 야위게 함. '以一楚人'《左傳》. ⑦해진옷폐 폐의. '一予又改爲兮'《詩經》. ⑧줌통폐 활의 한가운데의 손으로 잡는 곳. '薄其一'《周禮》. ⑨겸사폐 자기의 겸칭으로 쓰이는 접두사. '一族'. '一邑以賦與陳蔡從'《左傳》. ⑩가릴폐 蔽(艸부 12획〈1180〉)와 통용. '自執宰一膝'《漢書》.
[字源] 形聲. 攵(攴)+㡀〔音〕

支 8 〔敟〕12 전 [上]銑 | diǎn テン つかさどる
[字解] ①맡을전, 주장할전 직무를 맡음. 典(八부 6획〈87〉)과 통용. '一, 主也'《說文》. ②떳떳할전 '一, 常也'《玉篇》.
[字源] 形聲. 攵(攴)+典〔音〕

支 8 〔敜〕12 녑 [入]葉 | niè ジョウ ふさぐ
[字解] 막을녑 틀어막음. '一乃穽'《書經》.
[字源] 形聲. 攵(攴)+念〔音〕

攴 8 〔敡〕12 이 [去]寘 | yì イ あなどる

[字解] ①업신여길이 경멸(輕蔑)함. '一, 侮也'《說文》. ②고칠이 새로 고침. '一, 改也'《佩觿集》. ③기뻐할이 좋아함. '一, 說也'《篇海》. ④간편할이 손쉬움. '輕簡爲一'《廣韻》.
[字源] 形聲. 攴+易〔音〕
[參考] 敭(攴부 9획〈486〉)은 別字.

攴 8 〔敞〕12 [人名] 창 [上]養 | chǎng ショウ たかい

[筆順] … 敞
[字解] 통창(通敞)할창 토지가 높고 판판하며 앞이 탁 트이어 있음. '一豁'. '行營高一地'《史記》. 전(轉)하여, 관대(寬大)하다는 뜻으로 쓰임. '爽塏以閒一'《張衡》.
[字源] 形聲. 攵(攴)+尙〔音〕

攴 8 〔敠〕12 ㊀탈 [入]曷 | duō タツ はかる
㊁철 [入]屑 | què セツ たつ

[字解] ㊀①드레질할탈 무게를 잼. '敁一, 知輕重也'《廣韻》. ②스스로올탈 청(請)하지 않은 데에 옴. '一敪, 不迎自來也'《集韻》. ③더디먹을탈 천천히 먹음. '一敪, 食不速也'《類篇》. ㊁끊을철 절단함. '一, 斷也'《集韻》.
[字源] 形聲. 攴+叕〔音〕

攴 8 〔敢〕12 [中·人] 감 [上]感 | gǎn カン あえて

[筆順] … 敢
[字解] ①굳셀감 용맹스러움. '勇一'. '一毅善戰'《唐書》. ②결단성있을감 '一然'. '潔廉而果一者也'《大戴禮》. ③감히할감 감행(敢行)함. '若聖與仁, 吾則豈一'《論語》. ④감히감 ㉠과단성 있게. '一行'. ㉡송구함을 무릅쓰고. '一固辭'《禮記》. ㉢함부로. '子在, 回何一死'《論語》.
[字源] 會意. 金文은 又+又+古의 변형(變形).

攴 8 〔⿰⿱彐口攴〕12 敢(前條)의 古字

攴 8 〔⿰卓攴〕12 ㊀작 [入]藥 | chuō シャク うばう
㊁소 [上]篠 | diāo ショウ うつ

[字解] ㊀빼앗을작 '一, 奪取物也'《集韻》. ㊁두드릴소 때림. 침. '一, 撲也'《集韻》.

攴 8 〔攲〕12 기 [平]支 | jī キ はさむ
[上]紙 | qī キ もちさる

[字解] ①집을기 '一, 以箸取物'《集韻》. ②가지고갈기 '一, 持去也'《集韻》.

攴 8 〔散〕12 [中·人] 산 [上]旱 | ①-⑨sǎn サン ちる
[平]寒 | ⑩shān サン よろめく

[筆順] … 散
[字解] ①헤어질산 흩어짐. 이산함. '一亂'. '財聚則民一'《大學》. ②헤칠산 흩뜨림. '風以一之'《易經》. ③내칠산 추방함. '一舍諸宮中'《公羊傳》. ④쓸모없을산 '一材'. '一人又惡知一木'《莊子》. ⑤한산할산 한가함. '一官'. ⑥한산산 한가. 겨를. '投閒置一'《韓愈》. ⑦가루약산 '一藥'. '胃一'. '授以漆葉青黏一'《後漢書》. ⑧금곡산 거문고의 가곡. '廣陵一'《晉書》. ⑨성산 성(姓)의 하나. ⑩절룩거릴산 跚(足부 5획〈1425〉)과 同字. '槃一行汲'《史記》.
[字源] 甲骨文은 會意로 林+攵(攴)

攴 8 〔敦〕12 [高·人]
㊀돈 [平]元 | dūn, ②tún トン あつい
㊁퇴 [平]灰 | duī タイ おさめる
㊂대 [去]隊 | duì タイ こくもつをもるうつわ
㊃단 [平]寒 | tuán タン あつまる
㊄조 [平]蕭 | diāo チョウ ほる
㊅도 [去]號 | dào トウ おおう

[筆順] … 敦
[字解] ㊀①도타울돈 독후(篤厚)함. '一厚'. '示一朴'《史記》. ②진칠돈 진(陣)을 침. '鋪一淮濆'《詩經》. '一萬騎於中營兮'《揚雄》. ③힘쓸돈 노력함. '一衆神, 使式道兮'《漢書》. ④동독(董督)할돈 감독함. '使虞一匠事'《孟子》. ⑤세울돈 직립하게 함. '一杖'《莊子》. ⑥성돈 성(姓)의 하나. ㊁①다스릴퇴 '一商之旅'《詩經》. ②혼자잘퇴 쓸쓸히 혼자 유숙(留宿)하는 모양. '一彼獨宿'《詩經》. ③던질퇴 투척함. 던져 줌. '王事一我'《詩經》. ④정할퇴 단정(斷定)함. '今日試使士一劍'《莊子》. ㊂①제기대 서직(黍稷)을 담는 제기. '有虞氏之兩一'《禮記》. ②쟁반대 남을 대접하는 데 쓰는 쟁반. '若合諸侯則共珠槃玉一'《周禮》. ㊃①모일단 메지어 모이는 모양. '一彼行葦'《詩經》. ②외주렁주렁달릴단 외가 주렁주렁 많이 달린 모양. '有一瓜苦'《詩經》. ㊄아로새길조 조각함. '一琢其旅'《詩經》. ㊅덮을도 燾(火부 14획〈729〉)와 통용.
[字源] 形聲. 篆文은 攵(攴)+𦎧〔音〕

攴 8 〔⿰彔攴〕12 록 ①[入]屋 | lù ロク うつ
②[入]沃 | リョク うつおと

[字解] ①두드릴록 똑똑 침. '一, 擊也'《類篇》. ②똑똑소리록 두드리는 소리. '一, 撲

聲也'《類篇》.

支 8 〔⿰卑支〕12 [一]비 [上]薺|bǐ ヘイ こぼつ
[二]폐 [去]霽|ヘイ こぼつ

[字解] [一]①헐비 부숨. '一, 毁也'《說文》. ②치는소리비 '一⿰兒支'는 치는 소리. 또, 휣. '一, 一⿰兒支, 擊聲'《類篇》. [二]헐폐, 치는소리폐 [一]과 뜻이 같음.
[字源] 形聲. 支＋卑〔音〕

支 8 〔⿰兒支〕12 예 ①[去]霽 [平]齊|ní ゲイ こぼつ
②[上]薺|ゲイ うつおと

[筆順] 𠂉 门 臼 臼 兒 兒 ⿰兒支

[字解] ①헐예 '一, ⿰卑支一, 毁'《廣韻》. ②치는소리예 '⿰卑支一'는 두드리는 소리. '一, ⿰卑支一, 擊聲'《廣韻》.
[字源] 形聲. 支＋兒〔音〕

支 8 〔⿰果支〕12 과 [上]哿 [去]箇|kě カ みがく

[字解] ①갈과 연마(硏磨)함. '一, 硏治也'《說文》. ②칠과 두드림. '一, 擊也'《廣雅》.
[字源] 形聲. 支＋果〔音〕

支 8 〔⿰林支〕12 산 [上]旱 [去]翰|sǎn サン ちる

[字解] 헤어질산 또, 헤침. 散(攴부 8획〈484〉)과 통용. '一, 分離也'《說文》.
[字源] 會意. 林＋支

支 8 〔⿰豖支〕12 [一]탁 [入]覺|zhuō タク うつ
[二]독 [入]屋|dū トク たたくおと

[字解] [一]①칠탁 두드림. '一, 擊也'《說文》. ②던질탁 '一, 擿也'《類篇》. [二]두드리는소리독 '一, 擊聲'《廣韻》.
[字源] 形聲. 支＋豖〔音〕

支 8 〔⿰𡴀支〕12 〔주〕
奏(大부 6획〈235〉)의 古字

支 8 〔⿱癶⿰豆支〕12 〔발〕
發(癶부 7획〈823〉)의 俗字

支 8 〔⿰朿支〕12 〔칙〕
敕(攴부 7획〈483〉)의 訛字

支 8 〔⿰苟支〕12 〔경〕
敬(攴부 9획〈485〉)의 略字

支 8 〔⿰帚支〕12 〔부〕
婦(女부 8획〈253〉)의 古字

支 8 〔⿰𡵂支〕12 〔징〕
徵(彳부 12획〈375〉)의 古字

支 8 〔⿰岂支〕12 〔징〕
徵(彳부 12획〈375〉)의 古字

〔鼓〕〔고〕
部首(1873)를 보라.

支 9 〔⿰柬支〕13 련 [去]霰|liàn レン うつ

[字解] ①두드릴련 다짐. 단련(鍛鍊)함. '一, 搥打物也'《廣韻》. ②가릴련 선택함. '一, 擇也'《集韻》.

支 9 〔⿰耑支〕13 [一]취 [上]紙|chuǎi
(췌[俗])|シ はかる
[二]천 [上]銑|セン はかる
[三]타 [上]哿|duǒ タ はかる

[字解] [一]①헤아릴취 셈함. 재어 봄. '一, 量也'《廣韻》. ②시험할취 시도해 봄. '一, 試也'《玉篇》. ※俗音 췌. [二]헤아릴천, 시험할천 [一]과 뜻이 같음. [三]달타 저울에 무게를 닮.

支 9 〔敬〕13 [中·人] 경 [去]敬|jìng ケイ うやまう

[筆順] 丨 卝 艹 艹 芍 苟 苟 敬

[字解] ①공경경 존경. '君臣主一'《孟子》. ②공경할경 '一仰'. '一親者, 不敢慢於天'《孝經》. ③삼감경 조심. 근신. '一者禮之本也'《國語》. ④삼갈경 경계하여 조심함. '一愼'. '執事一'《論語》.
[字源] 形聲. 攵(攴)＋苟〔音〕

支 9 〔⿰茍支〕13 敬(前條)의 本字

支 9 〔⿰亭支〕13 쟁 [平]庚|chéng
トウ·ジョウ つく

[字解] ①두드릴쟁 종 같은 것을 침. '一, 撞也'《集韻》. ②부딪칠쟁 충돌함. '一, 觸也'《集韻》.

支 9 〔⿰度支〕13 두 [上]麌|dù ト とじる

[字解] 닫을두, 막을두 杜(木부 3획〈528〉)와 同字. '一, 閉也'《說文》. '一, 塞也'《廣韻》.
[字源] 形聲. 攵(支)＋度〔音〕

支 9 〔⿰韋支〕13 [一]위 [平]微|wéi イ もとる
[二]휘 [平]微|キ そむきもとる

[字解] [一]①어그러질위 '一, 戾也'《說文》. ②비낄위 비스듬함. '一, 衺也'《廣雅》. [二]배반할휘 '一㦣'은 배반함. '一㦣, 乖剌也'《廣雅》.
[字源] 形聲. 支＋韋〔音〕

支 9 〔敫〕13 ㊀ 약 ㉧藥 | jiǎo ヤク ひあしがうつる
㊁ 교 ①㉯篠 ②㉬蕭 | キョウ ひあしがうつる
㊂ 격 ㉧錫 | qiāo キョウ うつ ケキ つつしむ

字解 ㊀ ①해그림자옮아갈약 해그림자가 옮아가는 모양. '一, 光景流皃'《說文》. ② 성약 성(姓)의 하나. ㊁ ①해그림자옮아갈교, 성교 ㊀과 뜻이 같음. ②칠교 두드림. '一, 擊也'《集韻》. ㊂ 삼갈격 '一, 敬也'《集韻》.
字源 會意. 白+放

支 9 〔敯〕13 ㊀ 민 ①②㉯軫 ②③㉬眞 | mǐn ビン·ミン おかす ビン·ミン つとめる
㊁ 혼 ㉬元 | コン·もだえる

字解 ㊀ ①범(犯)할민. ②힘쓸민 '敃, 說文, 彊也. 或作一'《集韻》. ③번민할민 마음이 괴롭고 답답함. ㊁ 번민할혼 '一, 悶也'《集韻》. '慰一沈屯'《莊子》.
字源 形聲. 日+敃〔音〕

支 9 〔敹〕13 〔오〕 敖(支부 7획〈483〉)의 本字

支 9 〔敭〕13 〔양〕 揚(手부 9획〈453〉)의 古字
參考 敡(支부 8획〈484〉)는 別字.

支 9 〔数〕13 〔수〕 數(支부 11획〈487〉)의 俗字

支 9 〔敦〕13 〔돈〕 敦(支부 8획〈484〉)과 同字

支 9 〔敾〕13 〔잔〕 殘(歹부 8획〈608〉)과 同字

支 10 〔敳〕14 ㊀ 애 ㉬灰 | ái ガイ おさめる
㊁ 축 ㉧沃 | zhú ショク つづみをうつ

字解 ㊀ ①다스릴애 고침. '一, 有所治也'《說文》. '一, 改理也'《集韻》. ②성애 성(姓)의 하나. '一氏, 八凱隕一之後, 以王父字爲氏'《通志》. ㊁ 칠축 북을 두드림. '一, 擊鼓也'《集韻》.
字源 形聲. 支+豈〔音〕

支 10 〔敲〕14 人名 고 ㉬肴 | qiāo コウ うつ, たたく
筆順 ' 亠 古 亨 高 高 高 敲
字解 ①두드릴고, 칠고 가볍게 톡톡 두드림. 또, 회초리 같은 것으로 때림. '一門'. '奪之杖以一之'《左傳》. ②매고 짧은 회초리. '執一扑, 以鞭笞天下'《賈誼》.
字源 形聲. 支+高〔音〕

支 10 〔敵〕14 敲(前條)와 同字

支 10 〔敆〕14 합 ㉧合 | kē コウ たたく
字解 두드릴합 때림. 침. '一, 敲也'《集韻》.

支 10 〔歉〕14 감 ㉮陷 | qiàn カン むさぼる
字解 ①탐할감 '一, 貪也'《集韻》. ②맞을감 합당함. '一, 物相值合也'《類篇》.

支 10 〔敼〕14 ㊀ 개 ㉮泰 | kài カイ はずかしめる
㊁ 갈 ㉧曷 | kě カツ かたき
字解 ㊀ ①욕보일개 치욕을 줌. '一, 辱也'《廣雅》. ②칠개 공격함. '一, 伐也'《玉篇》. ③두드릴개 '一, 擊也'《玉篇》. ㊁ 적(敵)갈 원수. '一, 敵也'《集韻》.

支 10 〔敍〕14 비 ㉬支 | pī ヒ いえがくずれかかる
字解 집쓸릴비 집이 허물어져 감.

支 10 〔敱〕14 지 ㉯紙 | zhǐ チ さす
字解 찌를지 '一, 刺也'《說文》.
字源 形聲. 支+耑〔音〕

支 10 〔尃〕14 〔부〕 數(支부 11획〈487〉)의 本字

支 10 〔敹〕14 〔징〕 徵(彳부 12획〈375〉)의 古字

支 10 〔肈〕14 〔조〕 肇(聿부 8획〈1063〉)와 同字

支 11 〔敵〕15 中·人 적 ㉧錫 | dí テキ かたき
筆順 亠 亣 产 产 商 商 商 敵
字解 ①원수적 구수(仇讎). '仇一'. '相爲一讎'《書經》. ②짝적 상대. 적수. '匹一'. '劍者一人之一'《史記》. ③적적 대항 또는 전쟁의 상대방. '強一'. '勝一而益強'《孫子》. ④필적할적 대등함. '貴賤不一'《禮記》. ⑤겨룰적 대항함. 저항함. '諸侯一王所愾'《左傳》.
字源 形聲. 攵(支)+商(啻)〔音〕

支 11 〔敷〕15 [人名] 부 ㊤麌|fū フ しく

[筆順] 一 百 甫 甫 専 尃 旉 敷

[字解] ①펼부 ㉠베풂. '一政'. '翁受一施'《書經》. ㉡넓게 깖. '一筵席'《穆天子傳》. ②퍼질부 널리 미침. '一廣'. '文命一于四海'《書經》. ③나눌부 분할함. '禹一土'《書經》. ④두루부, 널리부 너르게. '一宣'. '一求先王'《詩經》. ⑤초목무성할부 '篠簜既一'《漢書》. ⑥성부 성(姓)의 하나.
[字源] 形聲. 攵(支)+尃〔音〕

支 11 〔敷〕15 敷(前條)와 同字

支 11 〔敮〕15 자 ㊥麻|zhā サ ゆびでおさえる

[字解] ①손가락으로누를자 '一, 指按也'《集韻》. ②취할자 가짐. '一, 取也'《玉篇》.

支 11 〔數〕15 [中·人]
㊀ 수 ㊦遇 ①-⑧shù スウ かず
㊤麌 ⑨-⑪shǔ スウ かぞえる
㊁ 삭 ㊇覺 shuò サク しばしば
㊂ 촉 ㊇沃 cù ショク こまかい

[筆順] 口 呂 昌 書 婁 婁 數 數

[字解] ㊀①셈수 ㉠수량. '量一'. '書其一'《周禮》. ㉡계산. 산법(算法). '算一'. '禮·樂·射·御·書·一'《周禮》. ②이치수 도리. '理一'. '必然之一'. '固其一也'《管子》. ③운수수 운명. '命一'. '天之曆一, 在汝躬'《書經》. ④꾀수 권모(權謀). '權一'. '精練策一'《魏志》. ⑤정세수 형편. '知先後遠近縱舍之一'《呂氏春秋》. ⑥등급수 품등(品等). '滋而後有一'《左傳》. ⑦재주수 기술. '奕之爲一, 小一也'《孟子》. ⑧두어수, 서너너덧수, 대여섯수 이삼의. 삼사의. 사오의. 오륙의. '一年'. '一口之家'《孟子》. ⑨셈할수 ㉠계산함. '一邦用'《周禮》. ㉡셈에 넣음. 들어 말함. '諸曹以下僕遬不足一'《漢書》. ⑩헤아릴수 추측함. 살핌. '一往者順, 知來者逆'《易經》. ⑪책할수 죄목을 일일이 세어 책망함. '一罪'. '使吏一之'《左傳》. ㊁①자주삭 여러 번. '頻一'. '一改條約'《唐書》. ②자주할삭 여러 번 함. '事君一斯辱矣'《論語》. ③빨리할삭 급히 함. '一之則不中'《淮南子》. ㊂촘촘할촉 구멍이 썩 잚. '一罟不入洿池'《孟子》.
[字源] 會意. 攵(支)+婁
[參考] 数(支부 9획〈486〉)는 俗字.

支 11 〔數〕15 數(前條)와 同字

支 11 〔敶〕15 인 ㊦震|yìn イン つく

[字解] 찧을인, 칠인 짓찧음. 두드림. '一, 擣也'《集韻》.

支 11 〔敹〕15 료 ㊥蕭|liáo リョウ えらぶ

[字解] 가릴료 선택함. '善一乃甲冑'《書經》.
[字源] 會意. 攵(支)+尞

支 11 〔敶〕15 진 ㊦震|zhèn チン つらねる

[字解] ①벌여놓을진 진열함. '一鐘按鼓'《楚辭》. ②진칠진, 진진 陣(阜부 7획〈1615〉)과 통용.
[字源] 形聲. 攵(支)+陳〔音〕

支 11 〔敻〕15 형 ㊦敬|xiòng ケイ はるか

[字解] ①아득할형 시간적으로나 공간적으로 대단히 멂. '一古'. '一不見人'《李華》. ②성형 성(姓)의 하나.
[字源] 會意. 𠂊+目+支

支 11 〔敺〕15 驅(馬부 11획〈1749〉)의 古字
[字源] 形聲. 支+區〔音〕

支 11 〔敺〕15 敺(前條)와 同字

支 11 〔斁〕15 필(③ 피㊍) ①②㊇質 ③㊦寘|bì ヒツ つきる ヒ うながす

[字解] ①다할필 끝남. '一, 盡也'《說文》. ②불필 불의 모양. '一, 火貌'《類篇》. ③빨리오라할필 불러서 빨리 오게 함. '一, 一曰, 召使疾行也'《集韻》. ※❸은 本音 피.
[字源] 形聲. 支+畢〔音〕

支 11 〔𢿡〕15 〔살〕 殺(殳부 7획〈612〉)의 古字

支 11 〔整〕15 〔정〕 整(支부 12획〈488〉)의 訛字

支 12 〔敿〕16 교 ㊤篠|jiǎo キョウ つなぐ

[字解] 맬교 잡아맴. 묶음. '一乃干'《書經》.
[字源] 形聲. 支+喬〔音〕

支 12 〔敼〕16 희 ㊤紙|yǐ イ たわむれる

[字解] 희롱할희 놀림. '一, 戲也'《篇海》.

支 12 〔整〕 16 [高·人] 정 [上]梗 | zhěng セイ ととのえる

[筆順] 一 車 東 束ㇾ 敕 整 整 整

[字解] ①가지런할정 정돈됨. '一齊'. '望虜陣不一'《魏志》. ②가지런히할정 정돈함. '爰一其旅'《詩經》.
[字源] 形聲. 束＋夊(支)＋正〔音〕

支 12 〔整〕 16 整(前條)과 同字

支 12 〔敽〕 16 란 [去]翰 | luàn ラン わずらわしい
[字解] ①번거로울란 괴롭힘. '一, 煩也'《說文》. ②어지러울란 분란함. '一, 亂也'《玉篇》. ③게으를란 나태함. '一, 惰也'《玉篇》.
[字源] 形聲. 支＋𤔔〔音〕

支 12 〔敲〕 16 [一] 교 [平]蕭 | qiāo キョウ うつ
[二] 오 [平]肴 | ゴウ うつ
[三] 격 [入]錫 | ケキ うつ
[字解] [一] 칠교 '一, 玉篇云, 擊也'《廣韻》. [二] 칠오 [一]과 뜻이 같음. [三] 칠격 [一]과 뜻이 같음.
[字源] 形聲. 支＋堯〔音〕

支 12 〔敲〕 16 〔수〕 𢿭(支부 14획〈488〉)와 同字

支 12 〔敵〕 16 〔적〕 敵(支부 11획〈486〉)의 本字

支 12 〔散〕 16 〔산〕 散(支부 8획〈484〉)의 本字

支 12 〔敽〕 16 〔파〕 播(手부 12획〈468〉)의 古字

支 13 〔斁〕 17 [一] 역 [入]陌 | yì エキ いとう
[二] 두 [去]遇 | dù ト やぶれる
[字解] [一] ①싫어할역 싫증이 남. 물림. '服之無一'《詩經》. ②성(盛)할역 '庸鼓有一'《詩經》. [二] 패할두 殬(歹부 13획〈611〉)와 同字. '彝倫攸一'《書經》.
[字源] 形聲. 夊(支)＋睪〔音〕

支 13 〔敼〕 17 뢰 [平]灰 | léi ライ くだく
[字解] 꺾을뢰 부러뜨림. '一, 摧也'《玉篇》.

支 13 〔斂〕 17 [人名] 렴 [上]琰 | liǎn レン おさめる

[筆順] 亼 亼 侖 侖 僉 僉ㇾ 僉ケ 斂

[字解] ①거둘렴 ㉠거두어들임. 모아들임. '收一'. '一時五福'《書經》. ㉡오므림. '韓必一手'《史記》. ②염할렴 염습(斂襲)함. '衣尸曰小一, 以尸入棺曰大一'《辭海》. ③감출렴 ㉠넣어 둠. 저장함. '挾日而一之'《周禮》. ㉡죽음. '宿姦老蠹爲一迹'《唐書》. ④단속할렴 잡도리를 함. '閉戶自一'《漢書》. ⑤줄잡아렴 최소한. '一三百里'《史記》. ⑥성렴 성(姓)의 하나.
[字源] 形聲. 夊(支)＋僉〔音〕

支 13 〔攈〕 17 군 [平]文 | qún クン たいきょしておかす
[字解] ①대거침범할군 '一, 說文, 朋侵也'《說文》. ②벗군 '一, 朋也'《玉篇》.
[字源] 形聲. 支＋羣〔音〕

支 13 〔斀〕 17 탁 [入]覺 | zhuó タク きょせいのけい
[字解] 궁형(宮刑)탁 거세(去勢)의 형벌(刑罰). 劅(刀부 13획〈111〉)과 同字. '一, 去陰之刑也'《說文》.
[字源] 形聲. 支＋蜀〔音〕

支 13 〔敵〕 17 〔엄〕 嚴(口부 17획〈191〉)의 略字

支 14 〔斃〕 18 폐 [去]霽 | bì ヘイ たおれる
[字解] ①넘어질폐 ㉠엎드러짐. '一踣'. ㉡넘어져 죽음. '一於車中'《左傳》. ㉢실패함. '多行不義, 必自一'《左傳》. ②넘어뜨릴폐 죽여 넘어지게 함. '射之一一人'《禮記》.
[字源] 形聲. 死＋敝〔音〕

支 14 〔𢿭〕 18 [一] 수 [平]尤 | chóu シュウ すてる
[二] 추 [平]尤 | chóu チュウ すてる
[字解] [一] ①버릴수 내버림. '無我一兮'《詩經》. ②칠수 토벌함. '一, 周書以爲討'《說文》. [二] 버릴추, 칠추. [一]과 뜻이 같음.
[字源] 形聲. 支＋壽〔音〕

支 14 〔斀〕 18 탁(착[本]) [入]覺 | chuō タク さずける
[字解] ①줄탁 아랫사람에게 줌. '一, 授也'《廣韻》. ②찌를탁 '一, 刺也'《類篇》. ③아플탁 '一椒, 痛至也'《集韻》. ④찧을탁 방아를 찧음. '一, 舂也'《集韻》. ⑤다질탁 땅을 다짐. '一, 築也'《集韻》. ※本音 착.

支 14 〔敠〕 18 총 [去]送 | zǒng ソウ まねかないのにやってくる
[字解] 스스로올총 청(請)하지 않은 데에 옴. '敠一, 不迎自來也'《集韻》.

攴14 〔⿰算攴〕 18 ㊀ 만 [去]願 ㊁ 취 [去]霽 ㊂ 쵀 [去]卦 chuān ハン かるく うすづく セイ うすづく サイ のぎをのぞく

[字解] ㊀ 쓿을만 애벌 방아를 찧음. '一, 小舂也'《說文》. ㊁ 쓿을취 방아를 찧음. ㊂ 몽글릴쵀 곡식의 까끄라기를 떨어지게 함. '一, 除穀芒也'《篇海》.

[字源] 形聲. 攴+算〔音〕

攴14 〔⿰貝攴〕 18 〔패〕 敗(攴부 7획〈483〉)의 籒文

攴15 〔斄〕 19 〔태〕 邰(邑부 5획〈1514〉)와 同字

[筆順] 〒 未 𢼸 𠩺 𠩺 斄 斄 斄

[字源] 形聲. 𠩺+來〔音〕

攴16 〔⿰⿱林隹攴〕 20 산 ①-③[去]翰 ④[上]旱 sàn サン いぐるみをまきはなつ サンとりのかたち

[字解] ①주살놓을산 주살을 흩뜨려 쏨. '一, 繳一也'《說文》. ②헤칠산, 헤어질산 '一, 一日, 飛㪔也'《說文》. ③무너질산 '一, 壞也'《廣雅》. ④새산 새의 모양. '一, 鳥形'《廣韻》.

[字源] 形聲. 隹+㪔〔音〕

攴16 〔斆〕 20 [人名] 효 [去]效 xiào コウ おしえる

[筆順] ⺊ ⺊⺊ 𦥑 𦥯 𦥯 學 學 斆

[字解] 가르칠효 교육함. '一于民'《書經》.

[字源] 形聲. 攴+學〔音〕

攴16 〔斅〕 20 斆(前條)와 同字

攴16 〔⿰𦎫攴〕 20 〔돈〕 敦(攴부 8획〈484〉)의 本字

攴16 〔⿰褱攴〕 20 〔괴〕 壞(土부 16획〈224〉)의 籒文

攴18 〔⿰聶攴〕 22 녑 [入]葉 niè ジョウ あいおよぶ

[字解] 서로미칠녑 마주 미침. 서로 만남. '敏一, 相及也'《集韻》.

攴19 〔⿰麗攴〕 23 ㊀ 려 [上]薺 [去]霽 lǐ レイ・ライ かず ㊁ 리 [平]支 lí リ じんのな

[字解] ㊀ ①셀려 헤아림. '一, 數也'《說文》. ②펼려 '一, 布也'《廣雅》. ㊁ 진이름리 '魚一'는 진(陣)의 이름. '一, 魚一, 陣名'《廣韻》.

[字源] 形聲. 攴+麗〔音〕

〔變〕 〔변〕 言부 16획(1363)을 보라.

文 部

〔글월문부〕

文0 〔文〕 4 [中·人] 문 [平]文 [去]問 ①-⑨wén ブン・モン ふみ ⑪⑫wèn ブン・モン かざる

[筆順] 丶 亠 ナ 文

[字解] ①글월문 ㉠어구. '不以一害辭'《孟子》. ㉡문장. '一筆'. '誦詩書, 屬一'《漢書》. ㉢산문(散文). 시(詩)의 대(對). '詩一之類'《蘇軾》. ㉣학문·예술. 무(武)의 대. '一武'. '行有餘力, 則以學一'《論語》. ㉤서책. 기록. '古一盡發'《揚雄》. ②글자문 '一字'. '書同一'《中庸》. ③문채문 ㉠무늬. '一繡'. '五色成一而不亂'《禮記》. ㉡채색. '共其絲纊組一之物'《周禮》. ㉢아름다운 외관. '一質'. '先王之立禮也, 有本有一'《禮記》. ㉣예악·제도 등 국가 사회를 빛나게 하는 것. '一物'. '一明'. '郁郁乎一哉'《論語》. ④법문 법률. '舞一'. '不拘一法'《史記》. ⑤결문 나무·돌·피부 등의 결. '一理'. ⑥엽전문 네모진 구멍이 있는 둥근 돈. 또, 돈을 세는 수사(數詞). '一一'. '漢一斤金四兩, 直二千五百一'《董彥遠》. ⑦아름다울문 선미(善美)함. '一曜'. '樂盈而反, 以反爲一'《禮記》. ⑧빛날문 화려함. '一而類'《荀子》. ⑨성문 성(姓)의 하나. ⑩《韓》문문 신의 크기를 나타내는 말. 일문은 2.4센티미터. ⑪꾸밀문 ㉠모양이 나도록 함. '一竿'. '一之以禮樂'《論語》. ㉡참이 아닌 것을 그럴 듯하게 만듦. '一過'. '小人之過也, 必一'《論語》. ⑫자자할문 입묵(入墨)함. '一面'. '被髮一身'《禮記》.

[字源] 象形. 사람의 가슴을 열어, 거기에 입묵(入墨)한 문양이 있는 모양을 본뜸.

[參考] 부수(部首)로서 '무늬, 문채'의 뜻을 포함하는 글자를 이룸. 이름은 '글월문'.

文2 〔齐〕 6 〔제〕 齊(部首〈1882〉)의 俗字·簡體字

文3 〔⿱文手〕 7 〔거〕 擧(手부 14획〈472〉)의 俗字

文3 〔斈〕 7 〔학〕 學(子부 13획〈273〉)의 俗字

〔吝〕〔린〕
口부 4획(153)을 보라.

文4 〔斉〕8 〔제〕
齊(部首〈1882〉)의 略字

文6 〔斋〕10 〔재〕 齋(齊부 3획〈1882〉)와 同字·簡體字

文6 〔⿱文木〕10 〔재〕
齋(齊부 3획〈1882〉)와 同字

文7 〔⿱文言〕11 〔예〕
譽(言부 14획〈1360〉)의 俗字

文7 〔斎〕11 〔재〕
齋(齊부 3획〈1882〉)의 俗字

文7 〔斍〕11 〔각〕
覺(見부 13획〈1303〉)의 俗字

文7 〔斌〕11 人名 빈 ㊥眞 | bīn ヒン うつくしい

筆順 ' 文 文一 文丁 文丁 文正 斌 斌

字解 빛날빈 彬(彡부 8획〈367〉)과 同字. '一一碩人'《蔡邕》.

字源 會意. 文+武

文7 〔⿰余文〕11 〔서〕
敍(攴부 7획〈482〉)의 訛字

文8 〔斑〕12 반 ㊥刪 | bān ハン まだら

字解 얼룩반 여러 빛깔이 섞여 얼룩얼룩함. 또, 그 무늬. '一點'. '貍首之一然'《禮記》.

字源 會意. 篆文은 文+辡

文8 〔斐〕12 비 ㊤尾 | fěi ヒ うるわしい

字解 문채날비 문채가 있어 화려한 모양. '一然成章'《論語》.

字源 形聲. 文+非〔音〕

文9 〔斒〕13 반 ㊥刪 | bān ハン まだらあって うつくしい

字解 얼룩얼룩할반 얼룩얼룩하여 아름다운 모양. '一斕'.

字源 形聲. 文+扁〔音〕

文9 〔⿰文奐〕13 환 ㊦翰 | huàn カン あや

字解 무늬환 문채(文采). '一斕, 文采'《集韻》.

文11 〔斄〕15 리 ㊥支 | lì リ あわいあやもよう

字解 엷은무늬리 흐린 무늬. 담채(淡彩). '一, 微畫文也'《說文》.

字源 形聲. 文+𠩺〔音〕

文11 〔⿰采文〕15 〔채〕
彩(彡부 8획〈366〉)와 同字

文14 〔辬〕18 반 ㊥刪 | bān ハン まだら

字解 ①얼룩반 '一, 駁文也'《說文》. ②무늬반 '一, 文也'《廣雅》.

字源 會意. 文+辡

文15 〔⿰文臾〕19 〔유〕
斞(斗부 9획〈491〉)와 同字

文17 〔斕〕21 란 ㊥刪 | lán ラン まだらあって うつくしい

字解 얼룩얼룩할란 얼룩얼룩하여 아름다운 모양. '曉得異石青一斑'《蘇軾》.

字源 形聲. 文+闌〔音〕

文19 〔斖〕23 미 ㊤尾 | wěi ビ·ミ うるわしい

字解 아름다울미 또, '一一'는 힘쓰는 모양. 亹(亠부 20획〈31〉)와 同字.

斗 部

〔말 두 부〕

斗0 〔斗〕4 中·人 두 ㊤有 | dǒu ト とます

筆順 丶 ⺀ 斗 斗

字解 ①말두 ㉠용량(容量)의 단위. 열 되. '一糧'. '一者, 聚升之量也'《漢書》. ㉡위의 용량을 되는 용기. '大如一'《孔子家語》. 전(轉)하여, 널리 용량을 되는 용기, 곧 양기(量器)의 뜻으로 쓰임. '掊一折衡'《莊子》. ②구기두 술을 푸는, 자루가 긴 연모. '飲可五六一, 徑醉矣'《史記》. ③별이름두 남북에 있는 성수(星宿)의 이름. 북쪽에 있는 일곱 별을 '北一', 남쪽에 있는 여섯 별을 '南一'라 함. '日中見一'《易經》. ④조두(刁斗)두 군중(軍中)에서 치는 징(鉦)의 일종. 낮에는 밥을 짓는 데 쓰고, 밤에는 야경을 돌 때 침. '擊一宿危樓'《陸瓊》. ⑤갑자기두 홀연(忽然)히. '一覺霜毛一半加'《韓愈》. ⑥성두 성(姓)의 하나.

字源 象形. 물건의 양을 되기 위한 자루 달린 국자의 모양을 본뜸.

參考 부수(部首)로서, '국자, 뜨다, 재다

의 뜻을 포함하는 문자를 이룸.

斗 0 〔斗〕4 斗(前條)의 本字

斗 5 〔料〕9 반 ㊀翰 | bàn ハン はんはんにわける

字解 ①반으로나눌반 되어서 반으로 나눔. '一, 量物分半也'《說文》. ②닷말반 '一, 一曰, 升五十, 謂之一'《集韻》. ③닷되반 '一, 五升'《集韻》.
字源 形聲. 斗+半〔音〕

〔科〕〔과〕 禾부 4획(898)을 보라.

斗 5 〔斟〕9 〔짐〕 斟(斗부 9획〈491〉)과 同字

斗 6 〔料〕10 中·人 료 ㊀蕭 ㊀嘯 | liào リョウ はかる

筆順 丶 丷 半 米 米 米 米- 料

字解 ①되질할료 용량을 됨. '一量'. '嘗爲季氏吏, 一量平'《史記》. ②셀료 수를 셈. '一民於太原'《國語》. ③헤아릴료 요량함. 추측함. '一度'. '君侯自一, 能孰與蒙恬'《史記》. ④잡아당길료 잡아끎. '一虎頭, 編虎須'《莊子》. ⑤거리료 감. '材一'. '山色供詩一'《杜甫》. ⑥녹료 급여. 봉급. '給外官半一'《唐書》. ⑦《韓》 요금료 어떤 대상으로서 내는 돈. '手數一'. '過怠一'.
字源 會意. 米+斗

斗 6 〔斡〕10 알 ㊀曷 | wò ワツ くむ

字解 ①풀알 물을 떠 올림. '一, 抒也'《集韻》. ②되어담을알 말〔斗〕로 되어서 담음. '一, 斗取物也'《集韻》.

斗 6 〔斝〕10 〔가〕 斝(斗부 8획〈491〉)의 俗字

斗 6 〔斛〕10 斛(次條)과 同字

斗 7 〔斛〕11 곡 (괵㊕) ㊀屋 | hú コク ようりょう

字解 휘곡 열 말의 용량. 또, 그 용량을 되는 연모. '十斗曰一'《儀禮》. ※俗音 괵.
字源 形聲. 斗+角〔音〕

斗 7 〔斜〕11 高·人 ㊀사 ㊀麻 ㊁야 ㊀麻 | xié(xiá) シャ ななめ yé ヤ たにのな

筆順 𠆢 亼 亽 今 余 余 余- 斜

字解 ㊀①비낄사 비스듬함. '一面'. '夜讀書隨月光, 光一, 則握卷升屋'《南史》. ②기울사 해나 달이 서쪽으로 기욺. '日一'. '起視江月一'《孟浩然》. ③성사 성(姓)의 하나. ㊁골짜기이름야 섬서성(陝西省)에 있는 골짜기 이름. '一谷'. '西自褒一'《漢書》.
字源 形聲. 斗+余〔音〕

斗 7 〔斗〕11 〔두〕 斗(部首〈490〉)의 俗字

斗 8 〔斛〕12 〔방〕 斛(斗부 10획〈492〉)의 本字

斗 8 〔斝〕12 가 ㊤馬 | jiǎ カ たまのさかずき

字解 옥잔가 헌수(獻酬)의 예(禮)에 쓰는, 옥(玉)으로 만든 술잔. '洗爵奠一'《詩經》.
字源 會意. 吅+斗

斗 8 〔斟〕12 斟(次次條)과 同字

斗 9 〔斞〕13 유 ㊤麌 | yǔ ユ ようりょう

字解 열엿말유 용량의 단위. 庾(广부 9획〈349〉)와 통용. '絲三邸漆三一'《周禮》.
字源 形聲. 斗+臾〔音〕

斗 9 〔斟〕13 짐(침㊕) ㊀侵 | zhēn シン くむ

字解 ①술따를짐 ㉠잔에 술을 따름. '用一裨典一'《雲仙散錄》. ㉡잔에 술을 따라 마심. 음주함. '獨一'. '且邀明月伴孤一'《蘇軾》. ②짐작할짐 헤아림. '而後王一酌焉'《國語》. ③머뭇거릴짐 주저함. '意一愖而不澹兮'《後漢書》. ④성짐 성(姓)의 하나. ※本音 침.
字源 形聲. 斗+甚〔音〕

斗 9 〔斛〕13 조 ㊀蕭 | tiāo(qiāo) チョウ ます

字解 ①휘조 속을 파서 만든 열 말의 되. '一, 斛旁有庣也'《說文》. ②부딪칠조 '一, 一曰, 突也'《說文》. ③날카로울조 '一, 一曰, 一利也'《說文》.
字源 形聲. 斗+庣〔音〕

斗 10 〔斠〕14 각 ㊀覺 | jiào カク はかる

字解 평미레질할각 '一, 平斗斛量也'《說文》.
字源 形聲. 斗+冓〔音〕

斗 10 〔斡〕14 [一]간 [上]旱 guǎn カン つかさどる
[二]알 [入]曷 wò アツ めぐる

[字解] [一] 주장할간 주관함. 幹(干부 10획〈341〉)과 同字. '欲擅一山海之貨'《漢書》. [二] ①돌알 선전(旋轉)함. '一運'. '一流而遷兮'《賈誼》. ②성알 성(姓)의 하나.
[字源] 會意. 斗+倝

斗 10 〔斛〕14 방 [平]陽 pāng ホウ あふれる
[筆順] 亠 亣 产 立 卒 旁 旁 斛

[字解] 되넘칠방 곡식 같은 것을 말에 되고 남음.
[字源] 形聲. 斗+旁(㫄)〔音〕

〔魁〕〔괴〕
鬼부 4획(1781)을 보라.

斗 10 〔斢〕14 〔유〕
斞(斗부 9획〈491〉)와 同字

斗 11 〔斢〕15 루 [上]有 lǒu ロウ うばう
[字解] 겁탈할루 병기(兵器) 따위로 남의 물건을 강제로 빼앗음. '斢一, 兵奪人物'《廣韻》.

斗 11 〔斴〕15 적 [入]錫 dí テキ ます
[字解] 될적, 말적 곡식을 됨. 또, 그 되는 말. '一, 量器'《集韻》.

斗 11 〔尉〕15 熨(火부 11획〈723〉)과 同字

斗 12 〔斢〕16 주(두[本]) [上]有 tǒu トウ うばう
[字解] 겁탈할주 '一斢'. ※本音 두.

斗 13 〔斣〕17 [一]축 [入]屋 シュク かえあう
[二]주 [去]宥 dòu トウ かえあう
[字解] [一] ①맞바꿀축 서로 물건을 교환하여 비김. '相易物俱等爲一'《說文》. ②겨룰축 경주(競走)를 하여 힘을 비교함. '一, 競走角力也'《玉篇》. [二] 맞바꿀주, 겨룰주 [一]과 뜻이 같음.
[字源] 形聲. 斗+蜀〔音〕

斗 13 〔斢〕17 구 [平]虞 jū ク くむ
[字解] ①뜰구 액체를 떠냄. '勺, 尊升, 所以一酒也'《儀禮 註》. ②성구 성(姓)의 하나. '一, 見直音幷氏族通志'《萬姓統譜》.
[字源] 形聲. 斗+臾〔音〕

斗 15 〔斢〕19 斢(前條)의 訛字

斗 19 〔斸〕23 [一]판 [去]願 juàn ハン くみながす
[二]권 [去]願 juàn ケン くみあげる
[字解] [一] ①퍼쏟을판 퍼내어 버림. 퍼내어 따름. '一, 抒扇也'《說文》. ②될판 분량을 됨. '一, 量也'《集韻》. [二] 퍼낼권 확〔臼〕속의 것을 담아 올림.
[字源] 形聲. 斗+䜌〔音〕

斤 部

〔날 근 부〕

斤 0 〔斤〕4 [高·人] 근 [平]文 jīn キン おの, きん
[筆順] 一 厂 斤 斤

[字解] ①근근 중량의 단위. 열여섯 냥. '酒一升, 脯一一'《後漢書》. ②도끼근, 자귀근 나무를 찍고 패거나, 깎는 연장. '一斧'. '斧一以時入山林'《孟子》. ③벨근 나무를 벰. '橫一山木'《南史》. ④살필근 명찰(明察)하는 모양. '一一其明'《詩經》. ⑤삼갈근 근신하는 모양. '一一謹愼'《後漢書》. ⑥성근 성(姓)의 하나.
[字源] 象形. 구부러진 자루 끝에 날을 단 자귀 모양을 본뜸.
[參考] 부수(部首)로서, 음부(音符), 의부(意符)가 되어, '도끼, 베다'의 뜻을 포함하는 문자를 이룸. 속(俗)에 '날근방(旁)'으로 이름.

斤 1 〔斥〕5 [高·人] 척 [入]陌 chì セキ しりぞける
[筆順] 一 厂 斤 斤 斥

[字解] ①물리칠척 배척함. '一黜'. '大國之求, 無禮以一之'《左傳》. ②가리킬척 손가락질함. '一言'. '目晉侯一殺'《穀梁傳》. ③나타날척 나와서 눈에 띔. '寇盜充一'《左傳》. ④엿볼척 몰래 살핌. 염탐함. '一候'. '一山澤之險'《左傳》. ⑤넓힐척 개척함. '一地'. '視作一土者'《漢書》. ⑥개펄척 염분이 많은 해변의 땅. '一鹵'. '乾而不一'《管子》.
[字源] 形聲. 篆文은 广+屰〔音〕

〔欣〕〔흔〕
欠부 4획(595)을 보라.

斤4〔斦〕8 ㊀은 ㊥文 ㊁질 ㊂質 yín ギン おの zhì シツ ものきりだい

字解 ㊀①두도끼은 도끼 두 자루. '一, 二斤也'《說文》. ②밝을은 '爾雅·毛傳曰, 一, 明也'《說文 段注》. ③다듬잇돌은 '一, 增韻, 砧也'《康熙字典》. ㊁ 모탕질.
字源 會意. 斤+斤

斤4〔斨〕8 장 ㊥陽 qiāng ショウ おの

字解 도끼장 자루를 박는 구멍이 네모진 도끼. '取彼斧一'《詩經》.
字源 形聲. 斤+爿〔音〕

〔所〕〔소〕
戶부 4획(426)을 보라.

斤4〔斧〕8 부 ㊤麌 fǔ フ おの

字解 ①도끼부 나무를 찍거나 패는 연장. 군기(軍器)·의장(儀仗) 또는 살육하는 형구로도 쓰임. '一鉞'. '一斤以時入山林'《孟子》. ②찍을부, 벨부 나무 같은 것을 찍음. '一氷持作糜'《魏武帝》.
字源 形聲. 斤+父〔音〕

斤4〔斦〕8 〔사〕
斯(斤부 8획〈493〉)의 古字

斤5〔斫〕9 작 ㊂藥 zhuó シャク うつ

字解 ①찍을작, 칠작 찍거나 쳐서 끊음. '一斬'. '拔戟一机'《後漢書》. ②성작 성(姓)의 하나.
字源 形聲. 斤+石〔音〕

斤5〔斪〕9 구 ㊥虞 qú ク すき, くわ

字解 호미구, 괭이구 흙을 파헤치는 농구. '一斸, 所以斫也. (段注) 斤斧, 所以斫木, 一斸, 所以斫地'《說文》.
字源 形聲. 斤+句〔音〕

斤6〔斮〕10 〔절〕
折(手부 4획〈431〉)과 同字

斤6〔斦〕10 〔근〕
近(辵부 4획〈1489〉)의 本字

斤7〔斬〕11 참 ㊤豏 zhǎn ザン きる

字解 ①벨참 베어 죽임. '一首'. '一殺賊諜'《周禮》. ②끊어질참 다함. 없어짐. '君子之澤, 五世而一'《孟子》. ③도련하지않은상복참 자락의 끝 둘레를 접어 꿰매지 않은 상복. '一衰'. '晏嬰麤縗一'《左傳》.
字源 會意. 斤+車

斤7〔斪〕11 라 ㊤哿 luǒ ラ うつ

字解 칠라 두드림. '一, 柯擊也'《說文》.
字源 形聲. 斤+良〔音〕

斤7〔斮〕11 〔절〕
折(手부 4획〈431〉)과 同字

斤7〔断〕11 〔단〕
斷(斤부 14획〈494〉)의 俗字

斤8〔斮〕12 ㊀착 ㊂覺 ㊁작 ㊂覺 zhuó サク きる シャク けずる

字解 ㊀벨착 끊어 자름. '一朝涉之脛'《書經》. ㊁깎을작 깎아 냄. '魚則一之'《爾雅》.
字源 形聲. 斤+昔(㫺)〔音〕

斤8〔斯〕12 高·人 사 ㊥支 sī シ さく, これ

筆順 一 卄 甘 其 其 斯 斯 斯

字解 ①찍을사 찍어 쪼갬. '斧以一之'《詩經》. ②이사 此(止부 2획〈603〉)와 뜻이 같음. '一道'. '天之將喪一文也'《論語》. ③어조사사 무의미의 조자(助字). '湛湛露一'《詩經》. ④떠날사, 떨어질사 '不知一齊國幾千萬里'《列子》. ⑤흴사 하얌. '有兔一首'《詩經》. ⑥천할사 비천(卑賤)함. 廝(广부 12획〈351〉)와 통용. '職一祿薄'《後漢書》. ⑦성사 성(姓)의 하나.
字源 會意. 其+斤

斤8〔斱〕12 〔기〕
剞(刀부 8획〈106〉)와 同字

斤8〔斱〕12 〔잔〕
剗(刀부 8획〈106〉)과 同字

斤8〔斲〕12 〔착〕
斲(斤부 10획〈494〉)과 同字

〔頎〕〔기〕
頁부 4획(1684)을 보라.

斤9〔新〕13 中·人 신 ㊥眞 xīn シン あたらしい

筆順 亠 立 立 辛 辛 亲 新 新

字解 ①새신 새로움. '一舊'. '咸與惟一'《書經》. 또, 새로운 사물. '溫故知一'《論語》. 또, 새로 안 사람. '禮一親故'《國語》. ②새롭게할신 혁신함. '日一其德'《易經》. ③새로신 처음으로. '一作南門'《公羊傳》. ④나라이름신 왕망(王莽)이 한(漢)나라를 찬탈

하여 세운 왕조. 16년 만에 멸망하였음. (8~23) ⑤성신 성(姓)의 하나.
字源 形聲. 篆文은 斤+木+辛〔音〕

斤 9 〔斷〕13 〔단〕 斷(斤부 14획〈494〉)과 同字

斤 10 〔新〕14 新(前前條)의 本字

斤 10 〔斲〕14 착 ⼊覺 | zhuó タク けずる
字解 깎을착 깎아 냄. '匠人一而小之'《孟子》.
字源 形聲. 斤+㽞〔音〕

斤 10 〔㪿〕14 〔절〕 折(手부 4획〈431〉)의 籀文

斤 10 〔斷〕14 〔단〕 斷(斤부 14획〈494〉)의 俗字

斤 12 〔斲〕16 〔착〕 斲(斤부 8획〈493〉)의 本字

斤 12 〔斸〕16 〔촉〕 斸(斤부 21획〈494〉)의 俗字

斤 13 〔斶〕17 촉 ⼊沃 | chù ショク じんめい
字解 사람이름촉 인명(人名). '齊宣王見顏一'《戰國策》.

斤 13 〔斲〕17 〔착〕 斲(斤부 10획〈494〉)의 俗字

斤 14 〔斷〕18 高·人 단 ⓤ旱 ⓠ翰 | ①-③duàn タン·ダン たつ ④-⑧duàn タン たつ·ひとしい
筆順 ⺰ ⺰⺰ ⺰⺰ 㡭 㡭 㡭 㡭 斷
字解 ①끊을단 ㉠절단함. '一絕'. '二人同心, 其利一金'《易經》. ㉡그만둠. 폐지함. '一食'. '長一腥膻, 持齋蔬食'《梁書》. ㉢거절함. '自可一來信'《古詩》. ②끊어질단 계속되지 아니함. '一續'. '萬世不一'《隋書》. ③조각단 한 조각. '比犧樽於溝中之一'《莊子》. ④결단할단 결정하거나 재결함. '一定'. '以一天下之疑'《易經》. ⑤결단단 결단력. 과단성. '懦而少一'《晉書》. ⑥단연단 단연히. '一而敢行'《史記》. ⑦나눌단, 나누일단 '剛柔一矣'《易經》. ⑧한결같을단 전일(專一)하여 변하지 않는 모양. 성실하고 전일한 모양. '一一兮無他技'《大學》.
字源 會意. 篆文은 㡭+斤
參考 断(斤부 7획〈493〉)은 俗字.

斤 16 〔斷〕20 斷(前條)의 本字

斤 21 〔斸〕25 ㊀촉 ⼊沃 | zhú チョク きる ㊁착 ⼊覺 | サク きる
字解 ㊀찍을촉 도끼로 찍음. ㊁찍을착 ㊀과 뜻이 같음.
字源 形聲. 斤+屬〔音〕

方 部
〔모 방 부〕

方 0 〔方〕4 中·人 방 ㊥陽 | fāng ホウ かく, ただしい
筆順 ' 亠 方 方
字解 ①모질방, 모방 네모짐. 또, 그 형상. '正一形'. '規矩一員之至也'《孟子》. 전(轉)하여, 품행이 방정함. '智欲圓而行欲一'《淮南子》. 또, 땅. 대지(大地). 땅은 네모지다 하여 이른 말. '戴圓履一'《淮南子》. ②방위방 방향. '四一'. '云誰之思, 西一美人'《詩經》. ③이제방 지금. '我一先君後臣'《史記》. ④길방 방법. '一途'. '可謂仁之一也已'《論語》. ⑤떳떳할방 일정함. 변하지 않음. '賞罰無一'《呂氏春秋》. ⑥견줄방 비교함. '子貢一人'《論語》. ⑦바야흐로방 이제 한창. '血氣一剛'《論語》. ⑧가질방 소유함. '維鵲有巢, 維鳩一之'《詩經》. ⑨배나란히 세울방 선박을 병렬(竝列)시킴. '一舟而濟於河'《莊子》. ⑩당할방 때를 당함. '一今之時'《莊子》. ⑪향할방 대(對)함. '日一南'《史記》. ⑫거스를방 거역함. '一命虐民'《孟子》. ⑬나눌방 구별함. '不可一物'《國語》. ⑭널조각방 목판(木版). '不及百名, 書於一'《儀禮》. ⑮술법방 신선술(神仙術). '一士欲煉以求奇藥'《史記》. ⑯의술방 의학. '夫子之爲一也'《史記》. ⑰나라방 국가. 국토. '異一之所生'《劉向》. ⑱성방 성(姓)의 하나.
字源 象形. 甲骨文은 ㄇ+亅로 나눌 수 있음. '亅'는 칼의 상형.
參考 부수(部首)로서의 '方방'은 '㫃(㫃)언'의 왼쪽 절반의 모양을 딴 것이며, '㫃'은 기(旗)가 바람에 펄럭이는 모양을 본뜸. 기의 뜻을 포함하는 문자를 이룸. 이름은 '모방'.

方 2 〔㫃〕6 언 ⓤ阮 ⓤ銑 | yǎn エン はたあしがひるがえる
字解 깃발펄럭일언 깃발이 바람에 펄럭이는 모양. '一, 旌旗之游, 一蹇之皃'《說文》.

字源 象形. 기(旗)가 바람에 펄럭이는 모양을 본뜸.

方3 〔㫃〕7 ㊀전 ㊤銑 chǎn テン はたざお
㊁징 ㊥蒸 チョウ はたざお
㊂당 ㊥江 トウ はたざお

字解 ㊀깃대전 '一, 旌旗柱'《集韻》. ㊁깃대징 ㊀과 뜻이 같음. ㊂깃대당 ㊀과 뜻이 같음.
字源 形聲. 丨+㫃〔音〕

方3 〔㫄〕7 〔방〕
旁(方부 6획〈496〉)의 古字

方4 〔於〕8 中·人 ㊀어 ㊥魚 yú, ④yū ヨ·オ じょじ
㊁오 ㊥虞 wū オ·ウ ああ

筆順 ' 亠 方 方 方' 於 於 於

字解 ㊀①어조사어 전후 자구(字句)의 관계를 나타내는 말. 于(二부 1획〈26〉)와 뜻이 같음. '夫子至一是邦也'《論語》. ②기댈어 의거함. 의지함. '冠昏之所一'《韓愈》. '心相一'《曹植》. ③있을어 在(土부 3획〈200〉)와 뜻이 같음. '軒冕在前, 非義弗乘, 斧越一後, 義死不避'《說苑》. ④성어 성(姓)의 하나. ㊁①오홉다할오 감탄사. 아아. '一乎不顯'《詩經》. ②땅이름오 지명(地名). '商一'. ③까마귀오 烏(火부 6획〈712〉)의 古字. '一鵲與處'《穆天子傳》.
字源 象形. 본디, '烏오'와 같음. 까마귀의 울음소리의 의성어에서 감탄사 '아'로 쓰임.
參考 扵(手부 4획〈433〉)는 俗字.

方4 〔斻〕8 항 ㊥陽 háng コウ もやう

字解 ①배나란히맬항 '一, 方舟也'《說文》. ②건널항 배로 물을 건넘. '北一涇流'《後漢書》.
字源 形聲. 方+亢〔音〕

〔放〕 〔방〕
攴부 4획(480)을 보라.

方4 〔㫊〕8 〔방〕
旁(方부 6획〈496〉)의 本字

方5 〔施〕9 中·人 ㊀시 ㊥支 ①-⑥shī シ ほどこす
㊦寘 ⑦⑧ シ ほどこし
㊤紙 ⑨-⑪shǐ シ ほこる, すてる
㊁이 ㊦寘 ①-③yì イ うつる
㊥支 ④yì イ かたむく

筆順 亠 方 方 方' 方' 於 施 施

字解 ㊀①베풀시 ㉠차림. '一設'. '彰一五色'《書經》. ㉡시행함. '一政'. '君嗣不可一刑'《十八史略》. ㉢은혜를 베풂. '博一於民'《論語》. ②전할시 전달됨. '名一後世'《淮南子》. ③기시(棄屍)할시 시체를 버려 뭇 사람에게 보임. '秦人殺冀芮而一之'《國語》. ④기뻐할시 '一一從外來'《孟子》. ⑤곱사등이시 꼽추. '戚一'. ⑥성시 성(姓)의 하나. ⑦은혜시 '德一普也'《易經》. ⑧공로시 '功一到今'《史記》. ⑨자랑할시 뽐냄. '無一勞'《論語》. ⑩버릴시 유기(遺棄)함. '君子不一其親'《論語》. ⑪느슨할시, 늦출시 이완(弛緩)함. 이완하게 함. '一刑屯北邊'《後漢書》. ㊁①옮을이, 옮길이 移(禾부 6획〈901〉)와 뜻이 같음. '一于中谷'《詩經》. ②뻗을이 연장됨. 미침. '一于子孫'《詩經》. ③미칠이 어느 한도에 이름. '絶族無一服'《儀禮》. ④기울이 비스듬함. '庚子日一兮'《史記》.
字源 形聲. 㫃+也〔音〕

方5 〔㫆〕9 ㊗ 며

字解 《韓》 한국어의 '며'음을 표기하기 위하여 만든 문자.

方5 〔斿〕9 유 ㊥尤 yóu ユウ はたあし

字解 ①깃발유 기각(旗脚). '一旆'. '建大常十有二一'《周禮》. ②놀유 游(水부 9획〈663〉)와 同字. '泛泛滇滇從高一'《漢書》.
字源 會意. 㫃+子

方5 〔旆〕9 〔패〕
旆(方부 6획〈496〉)의 訛字

方5 〔旁〕9 〔방〕
旁(方부 6획〈496〉)의 古字

〔瓬〕 〔방〕
瓦부 4획(788)을 보라.

方5 〔旍〕9 〔정〕
旌(方부 7획〈496〉)과 同字

方6 〔旂〕10 기 ㊥微 qí キ はた

字解 ①기기 교룡(交龍)을 그리고 방울을 단 붉은 기. '有虞氏之一'《禮記》. ②성기 성(姓)의 하나.
字源 形聲. 㫃+斤〔音〕

方6 〔旃〕10 전 ㊥先 zhān セン はた

[字解] ①기전 비단으로 만든 깃발과 기드림이 달린, 무늬 없는 붉은 기. '—以招大夫'《左傳》. ②어조사전 之(丿부 3획〈18〉)와 뜻이 같음. '虞公求—'《左傳》. ③모직물전 氈(毛부 13획〈621〉)과 同字. '—裘'. '荷—被毳者'《漢書》. ④성전 성(姓)의 하나.
[字源] 形聲. 㫃+丹〔音〕

方6 〔旅〕10 [中·人] 려 [上]語 | lǚ リョ たび, たびびと
[筆順] 亠 亍 方 方 㫃 旅 旅 旅
[字解] ①나그네려 ㉠객지에 기류하는 일. '羇—之臣'《左傳》. ㉡여인(旅人). '于時舍—'《詩經》. ②여행할려 멀리 감. '—于明年之次'《左傳》. ③무리려 다수의 사람. '—力'. '敢煩里—'《左傳》. ④군사려 오백명의 군사. '五卒爲—'《周禮》. 전(轉)하여, 군대. '師—'. '爰整其—'《詩經》. ⑤여괘려 육십사괘(六十四卦)의 하나. 곧, ䷷〈간하(艮下) 이상(離上)〉. 머무른 곳을 떠나지 않는 상(象). ⑥벌여놓을려, 늘어설려 진열함. 또, 줄지어 섬. '—見'. '殽核惟—'《詩經》. ⑦산신제지낼려 '季氏—於泰山'《論語》. ⑧등뼈려 膂(肉부 10획〈1087〉)와 통용. '—力絶群'《晉書》. ⑨성려 성(姓)의 하나.
[字源] 會意. 㫃+从

方6 〔𣃘〕10 旅(前條)의 古字

方6 〔旄〕10 모 ①[平]豪 ②[去]號 | máo ボウ さしずばた mào ボウ としより
[字解] ①기모 이우(犛牛)의 꼬리로 장식한 지휘하는 기. '干—'. '右秉白—以麾'《書經》. ②늙은이모 耄(老부 4획〈1048〉)와 통용. '友其—倪'《孟子》.
[字源] 形聲. 㫃+毛〔音〕

方6 〔㫚〕10 물 [入]物 | wù ブツ はた
[字解] 기물 주리(州里)에 세우는 기(旗). '勿, 州里小建旗. —, 勿或从㫃'《說文》.

方6 〔旆〕10 패 [去]泰 | pèi ハイ はた, ひらめく
[字解] ①기패 ㉠잡색(雜色)의 기. 기폭(旗幅)의 끝이 갈라져 제비꼬리처럼 되어 있음. '白—央央'《詩經》. ㉡큰 기. 또, 널리 일반의 기의 뜻으로도 쓰임. '—旌'. '設二—而退之'《左傳》. ②깃발날릴패 '胡不——'《詩經》.
[字源] 形聲. 㫃+宋〔音〕

方6 〔旁〕10 [一] 방 [平]陽 [去]漾 [二] 팽 [平]庚 | ①-③páng ホウ かたわら ④bàng ホウ よる pēng ホウ うまがはしってとまらない
[字解] [一] ①곁방 옆. 傍(人부 10획〈65〉)과 同字. '兩—'. '食於道—'《漢書》. ②널리방 너르게. 두루. '—求'. '獨—搜而遠紹'《韓愈》. ③방방 한자(漢字)의 우방(右方)의 일컬음. '文書暗偏—'《程俱》. ④기댈방 의지함. '—日月'《莊子》. [二] 달릴팽 말이 쉬지 않고 달리는 모양. '駟介——'《詩經》.
[字源] 形聲. 甲骨文·金文은 凡+方〔音〕

方6 〔旂〕10 〔기〕 旗(方부 10획〈497〉)와 同字

方7 〔旊〕11 방 [上]養 | fǎng ホウ すえものし
[字解] 옹기장방 옹기장이. 도공(陶工). '—人爲簋'《周禮》.

方7 〔旇〕11 [一] 비 [平]支 [二] 피 [去]寘 | pī ヒ はたがなびく bì ヒ いふくがひるがえる
[字解] [一] ①기휘날릴비 기(旗)가 바람에 나부끼는 모양. '—, 旌旗披靡也'《說文》. ②옷펄럭일비 옷이 바람에 날리는 모양. '—, 衣服貌'《廣韻》. ③지휘(指揮)할비 손짓하여 일을 시킴. '麾謂之—'《集韻》. [二] 휘날릴피, 옷펄럭일피, 지휘할피 [一]과 뜻이 같음.
[字源] 形聲. 㫃+皮〔音〕

方7 〔旋〕11 [高·人] 선 [平]先 | xuán セン めぐらす, めぐる
[筆順] 亠 亍 方 方 㫃 旋 旋 旋
[字解] ①돌릴선 ㉠돌게 함. '—轉'. '—乾轉坤'《韓愈》. ㉡방향을 돌림. 돌아섬. '—踵'《史記》. ②돌선 회전함. '—回'. '—入雷淵'《楚辭》. ③돌아올선 도로 옴. '凱—'. '玉輦望南斗, 未知何日—'《李商隱》. ④빠를선 동안이 짧음. '—興—廢'. '殃—至'《史記》. ⑤조금선 좀. '病—已'《史記》. ⑥오줌선 소변. '夷射姑—焉'《左傳》. ⑦두를선 빙 두름. '東郊十里香塵—'《僧用晦》. ⑧성선 성(姓)의 하나.
[字源] 會意. 疋+㫃

方7 〔旌〕11 정 [平]庚 | jīng セイ はた
[字解] ①기정 깃대 위에 이우(犛牛)의 꼬리를 달고 이것을 새털로 장식한 기. '大夫以—'《孟子》. 또, 널리 기의 총칭. '—旗'. '朝有進善之—'《史記》. ②나타낼정 표시

함. 또는, 밝힘. 표창(表彰)함. '一表'. '一別淑慝'《書經》. ③성정 성(姓)의 하나.
[字源] 形聲. 㫃+生〔音〕

方7〔旑〕11 旌(前條)과 同字

方7〔旎〕11 니 ㊤紙|nǐ ジ はたがなびく
[字解] 깃발펄펄날니 旖(方부 10획〈497〉)를 보라.
[字源] 形聲. 㫃+尼〔音〕

方7〔族〕11 [中·人] ㊀족 ㊀屋|zú ゾク やから ㊁주 ㊄有|zòu ソウ かなでる
[筆順] 亠 方 方 方 方 族 族 族
[字解] ㊀①겨레족 ㉠일가. 집안. '一人'. '以親九一'《書經》. ㉡인종(人種)의 유별(類別). '民一'. '斯拉夫一'. ②백집족 백가(百家). '四閭爲一'《周禮》. ③무리족 동류(同類). '方命圮一'《書經》. ④성족 성씨(姓氏). '羽父請謚與一'《左傳》. ⑤족멸할족 씨를 멸함. '罪人以一'《書經》. ⑥떼질족 한데 모임. '一居'. '木一生爲灌'《爾雅》. ㊁풍류가락주 음악의 절주(節奏). 奏(大부 6획〈235〉)와 통용. '使有節一'《漢書》.
[字源] 會意. 㫃+矢

方7〔旑〕11 ㊀의 ㊤紙|yǐ イ はたがなびく ㊁아 ㊤哿|ě ア はたがなびく
[字解] ㊀①기(旗)휘날릴의 旖(方부 10획〈497〉)의 略字. ②기(旗)의 '一旎, 旌旎也'《集韻》. ㊁기휘날릴아, 기(旗)아 ㊀과 뜻이 같음.

方7〔旒〕11 〔류〕 旒(方부 9획〈497〉)와 同字

方7〔旉〕11 〔부〕 敷(攴부 11획〈487〉)의 古字

方7〔旃〕11 〔전〕 旃(方부 6획〈495〉)의 俗字

方8〔旐〕12 조 ㊤篠|zhào チョウ はた
[字解] 기조 ㉠기폭(旗幅)을 길이가 여덟 자되는 비단으로 만든 기. '綢練設一夏也'《禮記》. ㉡거북과 뱀을 그린 폭이 넓은 검은 빛깔의 기. '龜蛇爲一'《周禮》.
[字源] 形聲. 㫃+兆〔音〕

方8〔旑〕12 나 ㊤哿|nuǒ ダ·ナ はためく
[字解] ①기펄렁일나 기(旗)가 바람에 나부끼는 모양. '旑一, 旌旗皃'《集韻》. ②기(旗)나 '旑一, 旌旎也'《集韻》.

方8〔旑〕12 〔의〕 旖(方부 10획〈497〉)와 同字

方8〔旌〕12 〔정〕 旌(方부 7획〈496〉)과 同字

方9〔旒〕13 류 ㊥尤|liú リュウ はたあし
[字解] ①깃발류 기각(旗脚). '爲下國綴一'《詩經》. ②면류관끈류 면류관의 주옥을 꿰어 늘어뜨린 끈. 천자(天子)는 열두 줄, 제후(諸侯)는 아홉 줄, 상대부(上大夫)는 일곱 줄, 하대부(下大夫)는 다섯 줄임. '一冕'. '天子玉藻, 十有二一'《禮記》.
[字源] 形聲. 㫃+流〈省〉〔音〕

方9〔旓〕13 소 ㊥肴|shāo ソウ はたあし
[字解] 깃발소 기각(旗脚). '建光耀之長一兮'《漢書》.

方9〔旒〕13 ㊀유 ㊥尤|yóu ユウ はたあし ㊁요 ①㊥蕭 ②㊤篠|yǎo ヨウ はたあし ヨウ はたのるい
[字解] ㊀깃발유 '一, 旗旒'《集韻》. ㊁①깃발요 ㊀과 뜻이 같음. ②기요 기(旗)의 종류. 또, 기(旗)의 모양.
[字源] 形聲. 㫃+攸〔音〕

方9〔㫌〕13 [韓] 엇
[字解] 《韓》①땅이름엇 땅 이름. ②엇시조(㫌時調) 엇 엇시조.

方10〔旖〕14 의 ㊥支|yǐ イ はたがなびく
[字解] ①깃발펄펄날의 '一旎'는 깃발이 펄럭이는 모양. '一旎從風'《史記》. ②구름피어오를의 '一旎'는 구름이 피어 오르는 모양. '乘雲蜺之一旎兮'《漢書》. ③성할의 '一旎'는 성(盛)한 모양. '紛一旎乎都房'《楚辭》.
[字源] 形聲. 㫃+奇〔音〕

方10〔旗〕14 [高·人] 기 ㊥支|qí キ はた
[筆順] 亠 方 方 方 旂 旂 旗 旗
[字解] ①기기 곰과 범을 그린 기. '師都建一'《周禮》. 또, 널리 기의 총칭. '旌一'. '下可以建五丈一'《史記》. ②표기 표지(標識).

'佩, 夷之一也'《左傳》. ③군대기 청조 시대(淸朝時代)의 군대의 일컬음. '八一'. '建一辨色'《大淸會典》. ④별이름기 성수(星宿)의 하나. '東北曲十二星爲一'《史記》. ⑤성기 성(姓)의 하나.
字源 形聲. 㫃+其〔音〕

方10〔旙〕14 분 ㊤阮|běn ホン ふねのとま
字解 배뜸분 선박(船舶)의 지붕을 덮는 거적. '一, 舟篷也'《韻會》.

方11〔旛〕15 ㊀휘 ㊥微 ㊁운 ㊤阮|huī キ しるし gǔn コン はたのな
字解 ㊀①표기(標旗)휘 표지가 있는 기(旗). 徽(巾부 11획〈337〉)와 同字. ②움직일휘 움직거리게 함. '一, 動也'《玉篇》. ㊁기이름운 기명(旗名). '一, 旗名'《集韻》.

方11〔旚〕15 요 ㊤篠|yǎo ヨウ はた
字解 ①기요 기(旗)의 한 가지. '一, 旗屬'《說文》. ②기모양요 기(旗)의 모양. '一, 一曰, 旗皃'《集韻》.
字源 形聲. 㫃+要〔音〕

方12〔旟〕16 황 ㊤養|huǎng コウ さかみせののぼり
字解 주기황 술집을 표시하는 기(旗). '一, 酒家之望子也'《篇海》.

方12〔旘〕16 〔치〕 幟(巾부 12획〈338〉)와 同字

方13〔旚〕17 표 ㊥蕭|piāo ヒョウ ひるがえる
字解 펄럭일표 기(旗)가 펄럭이는 모양. '一, 旌旗動皃'《廣韻》.
字源 形聲. 㫃+㶾(票)〔音〕

方14〔旛〕18 번 ㊥元|fān ハン はた
字解 기번 깃발을 가로 길게 하여 늘어뜨린 기. 전(轉)하여, 기의 총칭. '一旒'. '立靑一'《後漢書》.
字源 形聲. 㫃+番〔音〕

方14〔旚〕18 표 ㊥蕭|biāo ヒョウ ひるがえる
字解 기휘날릴표 기(旗)가 바람에 나부끼는 모양. '一, 旌旗飛揚皃'《說文》.
字源 形聲. 㫃+猋〔音〕

方14〔旜〕18 〔당〕 幢(巾부 12획〈338〉)과 同字

方15〔旜〕19 전 ㊥先|zhān セン はた
字解 기전 기폭(旗幅)이 붉은 기. 공경(公卿)이 세우는 것임. '孤卿建一'《周禮》. 旃(方부 6획〈495〉)과 同字.

方15〔旝〕19 괴 ㊦泰|kuài カイ はた
字解 ①기괴 기폭(旗幅)이 붉으며 대장이 지휘하는 데 쓰는 기. '一動而鼓'《左傳》. ②돌쇠뇌괴 돌을 발사하는 쇠뇌. '又爲大一連弩'《唐書》.
字源 形聲. 㫃+會〔音〕

方15〔旞〕19 수 ㊦寘|suì スイ はた
字解 기수 새털로 깃대의 꼭대기를 장식한 기. '道車載一'《周禮》.
字源 形聲. 㫃+遂〔音〕

方16〔旟〕20 여 ㊥魚|yú ヨ はた
字解 ①기여 송골매를 그려 일을 급속히 함을 상징한 기(旗). '州里建一'《周禮》. ②펄렁거릴여 기(旗) 같은 것이 바람에 펄렁거림. '髮則有一'《詩經》.
字源 形聲. 㫃+與〔音〕

方18〔旜〕22 ㊀수 ㊦寘|suì スイ はた ㊁유 ㊥支|wéi イ はた
字解 ㊀기수 旞(方부 15획〈498〉)와 同字. ㊁기유 '一, 旌也'《廣韻》.

方20〔旚〕24 〔표〕 旚(方부 13획〈498〉)의 本字

无(旡)部

〔없을무부〕

无0〔无〕4 人名 무 ㊤麌|wú ブ·ム ない
筆順 一 二 于 无
字解 없을무 毋(部首〈615〉)·無(火부 8획〈716〉)와 同字. 역경(易經)과 노자(老子)에는 이 자를 썼음. '厲一咎'《易經》.
字源 指事. '無무'의 奇字로, '없다'의 뜻을 나타냄.

无0 **〔旡〕** 4 기 [去]未 | jì キ むせぶ

[字解] 목멜기 음식을 먹을 때 구역질이 나서 숨이 막힘. '一, 飮食屰氣不得息曰一'《說文》.
[字源] 象形. 甲骨文은, 앉은 사람이 얼굴을 돌려 외면한 모양을 본뜸.
[參考] 부수(部首)로서, 얼굴을 돌려 외면하는 상태에 관한 문자를 이룸. 속(俗)에 '이미기(旣)방(旁)'이라 이름.

无5 **〔既〕** 9 旣(次條)의 略字

无7 **〔旣〕** 11 [中·人] [一]기 [去]未 [二]희 [去]未 | jì キ すでに xì キ きゅうまい

[筆順] ′ 白 白 白 皀 皀 皀 旣

[字解] [一] ①이미기 ㉠벌써. '一已'. '一醉以酒, 一飽以德'《詩經》. ㉡원래. '爾酒一淸'《詩經》. ②다할기 ㉠다 마침. '言未一'《韓愈》. ㉡다 없어짐. '日有食之, 一'《左傳》. ㉢다 없앰. '一月'《書經》. ③성기 성(姓)의 하나. [二] 쌀희, 녹미희 餼(食부 10획〈1724〉)와 통용. '一廩稱事'《中庸》.
[字源] 形聲. 皀＋旡〔音〕

无7 **〔旣〕** 11 旣(前條)의 俗字

无8 **〔琼〕** 12 량 [去]漾 [平]陽 | liàng リョウ うすい

[字解] ①엷을량 후(厚)하지 않음. '一, 事有不善言一也. 爾雅, 一, 薄也'《說文》. ②슬퍼할량 '一, 悲也'《玉篇》.
[字源] 形聲. 旡＋京〔音〕

无9 **〔旤〕** 13 화 [上]哿 | huò カ おどろくこえ

[字解] ①놀라는소리화 재앙을 만나 놀라는 소리. '一, 屰惡驚詞也'《說文》. ②재화화 재앙. 禍(示부 9획〈891〉)와 同字. '一, 與禍同'《晉書音義》.
[字源] 形聲. 旡＋咼〔音〕

无9 **〔𣄴〕** 13 〔화〕 禍(示부 9획〈891〉)의 古字

日　　部
〔날 일 부〕

日0 **〔日〕** 4 [中·人] 일 [入]質 | rì ジツ·ニチ ひ

[筆順] 丨 冂 冃 日

[字解] ①해일 ㉠태양. '一月'. '天無二一'《孟子》. ㉡낮의 길이. '春一遲遲'《詩經》. ②날일 ㉠하루. '一一'. '一受千金之賜'《韓愈》. ㉡때. 시기. '壯者以暇一, 修其孝悌忠信'《孟子》. ③낮일 밤의 대. '夜以繼一'《孟子》. ④나날일 나날이. 매일. '一改月化'. '又一新'《大學》. ⑤접때일 이왕에. '一者'. '一世過此也'《左傳》. ⑥나라이름일 일본(日本)의 약칭.
[字源] 象形. 태양의 모양을 본뜸.
[參考] 부수(部首)로서, 태양, 명암(明暗), 시간 등에 관한 문자를 이룸. 이름은 '날일'.

日1 **〔旦〕** 5 [高·人] 단 [去]翰 | dàn タン よあけ

[筆順] 丨 冂 冃 日 旦

[字解] ①아침단 해 돋을 무렵. '一夕'. '正月朔一'《書經》. ②밝을단 밤이 샘. '長夜漫漫何時一'《甯戚》. ③밤새울단 철야함. '誰與獨一'《詩經》. ④성단 성(姓)의 하나.
[字源] 指事. '日일'에 지평선을 가리키는 '一'을 더하여 '이른 아침'을 뜻함.

日1 **〔旦〕** 5 탁(착[本]) [入]覺 | zhuō タク したたる

[字解] 물방울떨어질탁 涿(水부 8획〈653〉)의 古字. ※本音 착.

日1 **〔旧〕** 5 〔구〕 舊(臼부 12획〈1107〉)의 俗字

日1 **〔旦〕** 5 〔혼〕 昏(日부 4획〈503〉)의 古字

日2 **〔早〕** 6 [中·人] 조 [上]皓 | zǎo ソウ はやい

[筆順] 丨 冂 冃 日 旦 早

[字解] ①새벽조 이른 아침. '莫知晩與一'《儲光羲》. ②이를조 ㉠아침이 이름. '一朝而晏退'《說苑》. ㉡때가 아직 오지 아니함. '盛服將朝, 尙一'《左傳》. ㉢급속함. '汝亦大一計'《莊子》. ③일찍조 ㉠먼저. 서둘러. '由辨之不一辨也'《易經》. ㉡급히. '一救之'《戰國策》. ④성조 성(姓)의 하나.
[字源] 會意. 篆文은 日＋甲. 뒤에 '甲'이 '十'으로 생략됨.

日2 **〔旨〕** 6 요 [上]篠 | yǎo ヨウ はるか

字解 아득할요 '一, 望遠也'《玉篇》.
字源 會意. 日+匕

日2 〔⿱日二〕6 〔혼〕
昏(日부 4획〈503〉)의 古字

日2 〔叶〕6 ㊀叶(口부 2획〈145〉)과 同字
㊁協(十부 6획〈127〉)의 古字

〔亘〕〔선〕
二부 4획(27)을 보라.

日2 〔旭〕6 人名 욱 ㊅沃 xù キョク あさひ
筆順 丿 九 九 旭 旭 旭
字解 ①아침해욱 아침에 떠오르는 해. '一光'. '一日'. '初一纔照, 露華半晞'《劇談錄》. ②해뜰욱 아침에 해가 뜨는 모양. '一一'. '一日始旦'《詩經》. ③교만할욱 거만한 모양. 또, 만족한 모양. '一一蹻蹻, 憍也'《爾雅釋訓》. ④성욱 성(姓)의 하나.
字源 形聲. 日+九〔音〕

日2 〔旮〕6 ㊀가 ㊉ gā カ すみ
㊁욱 ㊅沃 xù キョク あさひ
字解 ㊀《現》 모퉁이가 귀퉁이. ㊁旭(前條)의 俗字.

日2 〔旨〕6 人名 지 ㊤紙 zhǐ シ うまい, むね
筆順 ⺈ 匕 𠤎 旨 旨 旨
字解 ①맛지 음식의 맛. '甘一'. 또, 맛있는 음식. '食一不甘'《論語》. ②맛있을지 '爾酒旣一'《詩經》. ③아름다울지 선미(善美)함. '王曰, 一哉'《書經》. ④뜻지 ㉠의향. '高一'. '有一無簡不聽'《禮記》. ㉡의의. '一義'. '語高而一深'《韓愈》. ㉢천자(天子)의 뜻. 성지(聖旨). '奉使稱一'《漢書》.
字源 會意. 甲骨文·金文에서는 匕+口. 篆文에서는 匕+甘

日2 〔⿱亠日〕6 旨(前條)와 同字

日2 〔旬〕6 高·人 순 ㊉眞 xún ジュン とおかかん
筆順 丿 勹 勹 旬 旬 旬
字解 ①열흘순 10일. '一朔'. '三百有六一有六日'《書經》. ②열번순 10회. '一年之間'《後漢書》. ③두루미칠순 골고루 미침. '來一來宣'《詩經》. ④고를순 균일함. '雖一无咎'《易經》. ⑤찰순 제 돌이 꼭 참. '一月'. '一歲間, 免兩司隷'《漢書》. ⑥성순 성(姓)의 하나.
字源 形聲. 日+勻〔音〕

日3 〔旱〕7 高·人 한 ㊋翰 hàn カン ひでり
筆順 丨 冂 日 旦 旦 旦 旱
字解 가물한 비가 오래 오지 아니함. '一災'. '一旣太甚'《詩經》.
字源 形聲. 日+干〔音〕

日3 〔旲〕7 ㊀대 ㊉灰 tái タイ ひかげ
㊁영 yīng エイ おおきい
字解 ㊀햇빛대 일광(日光). '一, 日光也'《玉篇》. ㊁클영 모양이 큼. '一, 大也'《篇海》.
字源 形聲. 日+大〔音〕

日3 〔旵〕7 참 ㊤豏 chǎn タン ひがてる
字解 햇빛비출참 햇빛이 비춤. '一, 日光照也'《玉篇》.
字源 指事. 해가 산 위에 나와 비추다의 뜻을 나타냄.

日3 〔昌〕7 〔창〕
昌(日부 4획〈501〉)의 籀文

日3 〔旰〕7 간 ㊋翰 gàn, ②hàn カン くれる
字解 ①해질간, 늦을간 해가 져서 늦음. '一食'. '日一, 天子忘食'《漢書》. ②성(盛)할간 '皓皓一一'《王延壽》.
字源 形聲. 日+干〔音〕
參考 旴(次條)는 別字.

日3 〔旴〕7 우 ㊉虞 xū ク あける
字解 ①클우 '廣一營表'《漢書》. ②해뜰우.
字源 形聲. 日+于(亏)〔音〕
參考 旰(前條)은 別字.

日3 〔旳〕7 〔적〕
的(白부 3획〈825〉)의 本字

日3 〔时〕7 〔시〕 時(日부 6획〈506〉)의 俗字·簡體字

〔更〕〔경〕
曰부 3획(518)을 보라.

日3 〔⿱丌日〕7 〔기〕
期(月부 8획〈522〉)의 古字

日3 〔⿱千日〕7 〔지〕
旨(日부 2획〈500〉)의 古字

日 3 〔旨〕7 〔지〕 旨(日부 2획〈500〉)의 俗字

日 4 〔昌〕8 [中·人] 창 [平]陽 | chāng ショウ さかん

[筆順] 丨 冂 冃 日 昌 昌 昌 昌

[字解] ①창성할창 번성함. '一運'. '邦乃其一'《漢書》. ②착할창 선미(善美)함. '禹拜一言'《書經》. ③아름다울창 용모가 고움. 일설(一說)에는, 장건(壯健)함. '子之一兮'《詩經》. ④물건창 '百一皆生於土'《莊子》. ⑤창포창 菖(艸부 8획〈1149〉)과 통용. '一本'. ⑥성창 성(姓)의 하나.

[字源] 象形. 빛을 내쏘는 해를 본뜸.

日 4 〔旻〕8 [人名] 민 [平]眞 | mín ビン そら

[筆順] 丨 冂 冃 日 旻 旻 旻 旻

[字解] ①하늘민 가을 하늘. '一天疾威'《詩經》. 또, 널리 하늘의 범칭(泛稱)으로 쓰임. '和吹度穹一'《薛能》. ②성민 성(姓)의 하나.

[字源] 形聲. 日+文〔音〕

日 4 〔昂〕8 [人名] 앙 [平]陽 | áng コウ あがる, あきらか

[筆順] 丨 冂 冃 日 昂 昂 昂 昂

[字解] ①밝을앙 환한 모양. '顒顒一一, 如圭如璋'《詩經》. ②들앙 머리를 듦. '黍熟頭低, 麥熟頭一'《談藪》. ③높을앙 '低'의 대. '左低右一'《柳宗元》. ④오를앙 높이 오름. '一騰'. '物價踴一'《唐書》. ⑤뜻높을앙 뜻이 높고 뛰어남. '軒一'. '不自激一'《漢書》. ⑥말이저벅저벅걸을앙 준마가 머리를 쳐들고 기운차게 달리는 모양. '一一若千里之駒'《楚辭》. ⑦성앙 성(姓)의 하나.

[字源] 形聲. 日+卬〔音〕

[參考] 昻(日부 5획〈504〉)은 俗字.

日 4 〔⿸厂日〕8 昃(次條)의 本字

日 4 〔昃〕8 측 [入]職 | zè ショク かたむく

[字解] ①기울측 ㉠정오가 지나 해가 서쪽으로 기욺. '自朝至于日中一'《書經》. ㉡한쪽으로 기욺. '過則一'《揚子法言》. ②하오측 오후. '日向一'《宋書》.

[字源] 形聲. 日+仄〔音〕

日 4 〔⿱日矢〕8 昃(前條)과 同字

日 4 〔昆〕8 [人名] 곤 [平]元 | kūn コン あに, おおい

[筆順] 丨 冂 冃 日 旦 昆 昆 昆

[字解] ①형곤 아우의 대(對). '一弟'. '謂他人一'《詩經》. ②뒤곤 나중. '一命于元龜'《書經》. ③자손곤 후예. '一後'. '垂裕後一'《書經》. ④같을곤 동일함. '噍噍一鳴'《漢書》. ⑤많을곤 중다(衆多)함. '一蟲'. ⑥벌레곤 곤충(昆蟲). '一蟲毋作'《禮記》. ⑦성곤 성(姓)의 하나.

[字源] 象形. 발이 많은 벌레의 모양을 본떠, '곤충'을 뜻함.

日 4 〔昇〕8 [高·人] 승 [平]蒸 | shēng ショウ のぼる

[筆順] 丨 冂 冃 日 旦 昇 昇 昇

[字解] ①오를승 ㉠해가 떠오름. '東一西沒'《宋史》. ㉡위로 올라감. '一降'. '嶺壁窮晨一'《韓愈》. ㉢승진함. '便佞巧宦, 早一朝籍'《舊唐書》. ②올릴승 올라가게 함. '一級'. ③성승 성(姓)의 하나.

[字源] 形聲. 日+升〔音〕

日 4 〔昊〕8 [人名] 호 [上]晧 | hào コウ そら

[筆順] 丨 冂 冃 日 旦 昊 昊 昊

[字解] ①하늘호 여름 하늘. '以禋祀祀一天'《周禮》. 또, 널리 하늘의 범칭(汎稱)으로 쓰임. '忍饑未擬窮呼一'《蘇軾》. ②성호 성(姓)의 하나.

[字源] 形聲. 篆文은 日+天(奡)〈省〉〔音〕

日 4 〔易〕8 [中·人] [一]역 [入]陌 | yì エキ かえる, かわる
[二]이 [去]寘 | yì イ やすい

[筆順] 丨 冂 冃 日 旦 易 易 易

[字解] [一] ①바꿀역 교환함. '交一'. '以小一大'《孟子》. ②고칠역 변개함. '變一'. '聖人一之以書契'《易經》. ③바뀔역 달라짐. '不一乎世'《易經》. ④바꿈역 변화. '生生之謂一'《易經》. ⑤점역 괘효(卦爻)의 변화에 의하여 길흉 화복을 아는 법. '掌三一之法'《周禮》. ⑥주역역 오경(五經)의 하나. '一經'. '從田何受一'《漢書》. ⑦성역 성(姓)의 하나. [二] ①쉬울이 ㉠용이함. '難一'. '乾以一知'《易書》. ㉡…하기 쉬움. '一惑難曉'《韓愈》. ②간략할이, 간략히할이 간편함. 간편하게 함. '一簡'. '一關市, 來商旅'《呂氏春秋》. ③홀하게여길이 경시함. '輕一'. '能慮勿一'《史記》. ④소홀히할이 경홀하게 함. '俾君子一怠'《公羊傳》. ⑤다스릴이 가다듬어 보살핌. '一其田疇'《孟子》. ⑥편편

할이 평탄함. '—則用車'《淮南子》.
字源 象形. 도마뱀을 본뜸. 도마뱀은 광선에 의해 모양이 변하므로 '바뀌다'의 뜻을 나타냄. 가차하여, '쉽다'의 뜻도 나타냄.

日4 〔昍〕8 〔두〕
豆(部首〈1368〉)의 古字

日4 〔昰〕8 〔시〕
是(日부 5획〈503〉)의 俗字

〔杲〕 〔고〕
木부 4획(534)을 보라.

〔果〕 〔과〕
木부 4획(533)을 보라.

日4 〔明〕8 中·人 명 ㊥庚 míng メイ あきらか
筆順 丨 冂 日 日 日) 明 明 明
字解 ①밝을명 ㉠환히 비침. '—月'. '月—星稀'《蘇軾》. ㉡사리에 밝음. '—哲'. '辨之弗—弗措也'《中庸》. ㉢눈이 밝음. '離婁之—'《孟子》. ㉣현명함. '聰—'. '元首—哉'《書經》. 또 현명한 사람. 어진 이. '黜陟幽—'《書經》. ㉤날이 밝음. '東方—矣'《詩經》. ②밝힐명 ㉠밝게 함. '在—明德'《大學》. ㉡증거를 댐. '證—'. ③밝게명 환하게. 판연(判然)하게. '—斷'. '—示百官'《左傳》. ④나타날명 명료함. '著—'. ⑤휠명 하얌. '水碧沙—兩岸苔'《錢起》. ⑥빛명 광채. '發采揚—'《嵇康》. ⑦낮명 주간. '晦—'. ⑧새벽명 이튿날 새벽. '待—而入'《漢書》. 전(轉)하여, 이튿날을 '—日'이라 함. ⑨이승명 이 세상. '幽—'. '分知隔—幽'《韓愈》. ⑩신령명 귀신. '神—'. ⑪시력명 안력. '喪其—'《禮記》. ⑫일월명 해와 달. '天見其—'《荀子》. ⑬명나라명 주원장(朱元璋)이 원(元)나라를 이어 세운 왕조(王朝). 수도(首都)는 처음에 금릉(金陵)에 정하였다가, 3대 성조(成祖) 때 북경(北京)으로 천도(遷都)하였음. 17대 277 년 만에 유적(流賊) 이자성(李自成)에게 멸망당하였음. (1368~1644) ⑭성명 성(姓)의 하나.
字源 會意. 日+月

日4 〔旺〕8 人名 왕 ㊤漾 wàng オウ さかん
筆順 丨 冂 日 日 旷 旷 旰 旺
字解 ①햇무리왕 '—, 日暈'《玉篇》. ②빛고울왕 '—, 光美也'《類篇》. ②왕성할왕 '—運'. '犬生一子, 其家興—'《田家雜占》. ③성왕 성(姓)의 하나.
字源 形聲. 日+王〔音〕

日4 〔旼〕8 人名 민 ㊥眞 mín ビン やわらぐ
筆順 丨 冂 日 日 日' 日' 旼 旼
字解 온화할민 성품이 온화한 모양. '——睦睦, 君子之能'《史記》.

日4 〔昐〕8 분 ㊥文 fēn フン ひのひかり
字解 햇빛분 일광(日光). '—, 日光也'《玉篇》.

日4 〔昄〕8 판 ㊤潸 bǎn ハン おおきい
字解 클판 '爾土宇—章. (傳)—, 大也'《詩經》.
字源 形聲. 日+反〔音〕

日4 〔旽〕8 ㊀돈 ㊥元 tūn トン あける
㊁순 ㊤震 zhùn シュン ねんごろ
字解 ㊀먼동틀돈 날이 샘. 暾(日부 12획〈514〉)과 同字. ㊁지성스러울순 간절한 모양. 정성스러운 모양. '——, 懇誠'《集韻》.

日4 〔昈〕8 호 ㊤麌 hù コ あきらか
字解 밝을호 환함. '—分殊事'《揚雄》.
字源 形聲. 日+戶〔音〕

日4 〔昉〕8 人名 방 ㊤養 fǎng ホウ あきらか
筆順 丨 冂 日 日 日' 日' 昉 昉
字解 ①밝을방 환함. ②비로소방 처음으로. '衆—同疑'《列子》. ③마침방 때마침. '始滅, —於此乎'《公羊傳》. ④성방 성(姓)의 하나.
字源 形聲. 日+方〔音〕

日4 〔昕〕8 人名 흔 ㊥文 xīn キン あさ
筆順 丨 冂 日 日 旷 旷 昕 昕
字解 새벽흔 해뜰 무렵. '凡行事必用昏—'《儀禮》.
字源 形聲. 日+斤〔音〕

日4 〔昳〕8 결 ㊇屑 jué ケツ にっしょくのいろ
字解 일식빛깔결 일식(日食) 때의 빛깔. '—, 日食色也'《玉篇》.

日4 〔昑〕8 人名 금 ㊤寑 qǐn キン あきらか

[筆順] 丨 ∏ 月 日 日' 日^ 旿 昑

[字解] 밝을금 '一, 明也'《玉篇》.

日4 〔昒〕8 [一] 물 [入]物|hū ブツ よあけ
[二] 홀 [入]月|hū コツ よあけ

[字解] [一] 어둑새벽물 밤이 장차 밝으려 할 때. '一爽'《漢書》. [二] 어둑새벽홀 [一]과 뜻이 같음.
[字源] 形聲. 日+勿〔音〕

日4 〔曶〕8 昒(前條)의 本字

日4 〔旿〕8 [人名] 오 [上]麌|wǔ ゴ あきらか
[去]遇|wù

[筆順] 丨 ∏ 月 日 日' 日ˊ 旿 旿

[字解] 밝을오 햇빛이 비치어 밝음. 대낮의 밝음. '日當午而盛明爲一'《正韻 牋》.
[字源] 形聲. 日+午〔音〕

日4 〔昍〕8 훤 [平]元|xuān ケン あきらか

[字解] 밝을훤 '一, 明也'《集韻》.

〔東〕〔동〕
木부 4획(533)을 보라.

日4 〔昏〕8 [高·人] 혼 ①-⑤[平]元|hūn コン くらい
⑥[去]願|hùn コン せい

[筆順] 一 ㄷ 乒 氏 氏 昏 昏 昏

[字解] ①날저물혼 해가 지고 어둑어둑해짐. 또, 그 때. 황혼. '一暮叩人之門戶'《孟子》. ②어두울혼 ㉠잘 보이지 아니함. '一暗'. ㉡어리석음. '一愚'. '我獨若一'《老子》. ③일찍죽을혼 요사함. '札瘥夭一'《左傳》. ④어지러울혼, 어지럽힐혼 혼란함. 또, 혼란하게 함. '一棄厥肆祀'《書經》. ⑤장가들혼 婚(女부 8획〈252〉)과 통용. '宴爾新一'《詩經》. ⑥성혼 성(姓)의 하나.
[字源] 指事. 甲骨文은 사람의 발 밑으로 해가 떨어진 모양. 篆文은 '人인'이 '氏씨'의 꼴로 바뀜.

日4 〔昔〕8 [中·人] 석 [入]陌|xī セキ むかし

[筆順] 一 十 廾 丗 昔 昔 昔 昔

[字解] ①예석 옛날. '古一'. ②접때석 어제 또는 이삼일 이전, 또는 단지 기왕(旣往)의 뜻으로 쓰임. '疇一之夜'《禮記》. ③저녁석, 밤석 夕(部首〈228〉)과 同字. '爲一一之期'《左傳》. ④오랠석 오래 됨. '誰一然矣'《詩經》. ⑤성석 성(姓)의 하나.
[字源] 會意. 日+𠀎(巛)

日4 〔杳〕8 밀 [入]質|mì ビツ くらい

[字解] 보이지않을밀 '一, 不見也'《說文》.
[字源] 形聲. 日+否〈省〉〔音〕

日4 〔昋〕8 [一] 계 [去]霽|guì ケイ せい
[二] 경 [上]迥|ケイ・キョウ あらわれる

[字解] [一] 성계 성(姓)의 하나. [二] 나타날경 炅(火부 4획〈708〉)과 同字. '炅, 說文, 見也. 或作一'《集韻》.

日4 〔旹〕8 〔시〕
時(日부 6획〈506〉)의 古字

日4 〔旾〕8 〔춘〕
春(日부 5획〈505〉)의 古字

日4 〔昘〕8 〔방〕
訪(言부 4획〈1316〉)과 同字

日4 〔昶〕8 〔수〕
晬(日부 8획〈509〉)와 同字

日4 〔旹〕8 〔시〕
時(日부 6획〈506〉)와 同字

日4 〔㫷〕8 〔개〕
皆(白부 4획〈825〉)와 同字

日5 〔星〕9 [中·人] 성 [平]青|xīng セイ ほし

[筆順] 丨 ㄇ 日 月 旦 旦 星 星

[字解] ①별성 하늘의 작은 천체. '恆一'. '曆象日月一辰'《書經》. 또, 별은 1년에 하늘을 일주(一週)한다 하여, 세월·광음의 뜻으로 씀. '一霜'. '物換一移幾度秋'《王勃》. ②별이름성 이십팔수(二十八宿)의 하나. 주조칠수(朱鳥七宿)의 넷째 성수(星宿)로서 남방에 속하며, 별 일곱으로 이룸. '一宿'. '七一, 一名天都'《隋書》. ③희뜩희뜩할성 백발이 희뜩희뜩한 모양. '一一白髮垂'《謝靈運》. ④특출한인물비유할성 '救星', '歌星'. ⑤성성 성(姓)의 하나.
[字源] 形聲. 본디, 晶+生〔音〕

日5 〔是〕9 [中·人] 시 [上]紙|shì シ・ゼ これ, ただしい

[筆順] 丨 ㄇ 日 旦 早 早 昰 是

[字解] ①이시 ㉠지시(指示)하는 말. '一日'. '夫子至於一邦也'《論語》. ㉡도구법(倒句

法)으로서 사용하는 말. '無若丹朱傲, 惟慢遊一好'《書經》. ㉢여기. 이 곳. '今其人在一'《史記》. ②옳을시 바름. '一耶非耶'. '別異同, 明一非'《禮記》. ③바로잡을시 바르게 함. '一正文字'《後漢書》. ④옳게여길시 '一認'. '一古非今'《漢書》. ⑤대저시 夫(大부 1획〈231〉)와 뜻이 같음. '今一大鳥獸'《禮記》. ⑥성시 성(姓)의 하나.
字源 會意. 篆文에 日+正

日5 〔昱〕9 人名 욱 ㊅屋|yù イク かがやく
筆順 丨 ㄇ 日 日 旦 昱 昱 昱
字解 빛날욱 햇빛 같은 것이 밝은 모양. '一一'. '日以一乎晝'《太玄經》.
字源 會意. 日+立

日5 〔昴〕9 묘 ㊤巧|mǎo ボウ すばる
字解 별이름묘 이십팔수의 하나. 백호칠수(白虎七宿) 넷째 성수(星宿)로서, 별 일곱으로 구성됨. '一宿'. '日短星一'《書經》.
字源 形聲. 日+卯(丣)〔音〕

日5 〔昪〕9 변 ㊄霰|biàn ベン よろこびたのしむ
字解 ①즐길변 좋아 즐기는 모양. '一, 喜樂皃'《說文》. ②환할변 밝음. '一, 明也'《玉篇》. ③햇빛변 일광(日光). '一, 日光皃'《廣韻》.
字源 形聲. 日+弁〔音〕

日5 〔昜〕9 〔양〕 陽(阜부 9획〈1619〉)의 古字
字源 象形. 해가 지상에 떠오르는 모양을 본뜸.

日5 〔昻〕9 〔앙〕 昂(日부 4획〈501〉)의 俗字

日5 〔昰〕9 人名 ㊀是(日부 5획〈503〉)의 本字 ㊁夏(夊부 7획〈228〉)의 古字
筆順 丨 ㄇ 日 日 旦 早 早 昰 昰

日5 〔昦〕9 〔호〕 昊(日부 4획〈501〉)의 本字

日5 〔皁〕9 〔조〕 早(日부 2획〈499〉)의 本字

日5 〔昷〕9 〔온〕 昷(皿부 5획〈832〉)과 同字

日5 〔显〕9 〔현〕 顯(頁부 14획〈1701〉)의 簡體字

日5 〔昺〕9 人名 昞(次條)과 同字
筆順 丨 ㄇ 日 日 旦 昺 昺 昺 昺

日5 〔昞〕9 人名 〔병〕 炳(火부 5획〈709〉)과 同字
筆順 丨 ㄇ 日 日 日 昞 昞 昞 昞
字源 形聲. 日+丙〔音〕
參考 昺(前條)은 同字.

日5 〔映〕9 高·人 영 ㊄敬|yìng エイ うつる
筆順 丨 ㄇ 日 日 日 日 映 映
字解 ①비칠영 광선이 반사함. '一射'. '千里鶯啼綠一紅'《杜牧》. ②미시영 지금의 오후 2시경. '日在午曰亭, 在未曰一'《梁元帝纂要》.
字源 形聲. 日+央〔音〕

日5 〔昤〕9 人名 령 ㊥青|líng レイ ひのひかり
筆順 丨 ㄇ 日 日 日 日 昤 昤
字解 햇빛령 맑게 갠 날의 일광(日光). '一曨, 日光也'《廣韻》.
字源 形聲. 日+令〔音〕

日5 〔昧〕9 매 ㊄隊|mèi マイ くらい
字解 ①어두울매 ㉠어둠침침함. '一一'. '路幽一以險隘'《楚辭》. ㉡어리석음. '愚一'. '兼弱攻一'《書經》. ㉢눈이 밝지 아니함. '目不別五色之章爲一'《左傳》. ②어둑새벽매 날이 샐 무렵. '一爽'. '士曰一旦'《詩經》. ③탐할매 탐냄. '楚王是故一於一來'《左傳》. ④무릅쓸매 冒(冂부 7획〈89〉)와 뜻이 같음. '一死再拜'《漢書》.
字源 形聲. 日+未〔音〕

日5 〔昩〕9 말 ㊅曷|mò バツ くもる
字解 ①흐릴말 날이 흐리어 음침함. '一, 日中不明也'《集韻》. ②별말 하늘의 별. '一, 星也'《廣韻》.
字源 形聲. 日+末〔音〕

日5 〔昨〕9 中·人 작 ㊅藥|zuó サク きのう

筆順 丨 ∏ 日 日' 日𠂉 昨 昨 昨

字解 ①어제작 작일. '一今'. '周一來'《莊子》. ②예작 과거. '覺今是而一非'《陶潛》. ③성작 성(姓)의 하나.
字源 形聲. 日+乍〔音〕

日5〔昫〕9 후(구㊎) ㊥虞|xū ㊦遇|xù ク あたたか

字解 따뜻이할후 煦(火부 9획〈719〉)와 同字. '一嫗覆育'《淮南子》. ※俗音 구.
字源 形聲. 日+句〔音〕

日5〔昭〕9 高·人 소 ㊥蕭|zhāo ショウ あきらか

筆順 丨 ∏ 日 日' 日ㄗ 日ㄗ 昭 昭

字解 ①밝을소 ㉠환히 빛남. '一光'. '於一于天'《詩經》. ㉡환히 나타남. '一著'. '百姓一明'《書經》. ②밝힐소 환히 나타나게 함. '君子以自一明德'《易經》. ③밝게소 환히. 명백히. '敢一告于皇皇后帝'《論語》. ④신주차례소 종묘·사당의 신주의 서차(序次)에서 목(穆)의 위. '一穆'. '天子七廟, 三一三穆'《禮記》. ⑤성소 성(姓)의 하나.
字源 形聲. 日+召〔音〕

日5〔昭〕9 昭(前條)의 俗字

日5〔昳〕9 질 ㊄屑|dié テツ かたむく

字解 ①기울질 해가 서산(西山)에 기욺. '至日一, 皆會'《漢書》. ②고울질 용모가 아름다움. '形貌一麗'《戰國策》.
字源 形聲. 日+失〔音〕

日5〔昵〕9 ㊀닐 ㊄質|nì ジツ ちかづく ㊁녜 ㊤薺|nǐ ㊂직 ㊄職|デイ ぼうふのたまや zhī ショク のり

字解 ㊀친할닐 친근함. '一近'. '一比罪人'《書經》. 또, 그 사람. 측근자. '官不及私一'《書經》. ㊁아비사당녜 부친의 사당. '典祀無豐于一'《書經》. ㊂풀직, 아교직 점착제(黏着劑). '凡一之類, 不能方'《周禮》.
字源 形聲. 日+尼〔音〕

日5〔昲〕9 비 ㊦未|fèi ヒ かわく

字解 마를비 건조함. '酒未清, 肴未一'《列子》.

日5〔昢〕9 불 ㊄月|pò ホツ よあけ

字解 새벽불 해뜰 무렵. 또, 해나 달이 뜨기 시작하여 빛이 아직 환하지 않은 모양. '時一一兮旦旦'《楚辭》.
字源 會意. 日+出

日5〔昡〕9 현 ㊦霰|xuàn ゲン ひのひかり

字解 햇빛현 일광. '世幽昧以一曜兮'《楚辭》.
字源 形聲. 日+玄〔音〕

日5〔昶〕9 人名 창 ㊤養|chǎng ㊦漾|チョウ ながい

筆順 ㇐ 亅 犭 永 永 永 昶 昶

字解 ①해길창 해가 긺. ②통할창, 화창할창 暢(日부 10획〈512〉)과 同字. '固以和一而足耽矣'《嵇康》.
字源 會意. 日+永

日5〔昼〕9 〔주〕晝(日부 7획〈508〉)의 略字·簡體字

日5〔昝〕9 잠 ㊤感|zǎn サン せい

字解 ①성잠 성(姓)의 하나. ②昝(日부 8획〈519〉)의 訛字.

日5〔春〕9 中·人 춘 ㊥眞|chūn シュン はる

筆順 一 二 三 夫 夫 表 春 春

字解 ①봄춘 ㉠사시(四時)의 첫째. '一秋'. '一者何. 歲之始也'《公羊傳》. ㉡젊은 시대. '一年少'《水滸傳》. ㉢남녀의 연정. '一機'. '有女懷一'《詩經》. ②술춘 술〔酒〕의 별칭. '五壺買一'《司空圖》. ③성춘 성(姓)의 하나.
字源 形聲. 日+艸+屯〔音〕

日5〔沓〕9 〔신〕愼(心부 10획〈404〉)의 古字

日5〔昬〕9 〔혼〕昏(日부 4획〈503〉)과 同字

參考 당태종(唐太宗)의 휘(諱)를 피하여 '昬'으로 쓰게 되었다고 함. 일설에는, '昬'의 俗字.

日6〔晃〕10 人名 황 ㊤養|huǎng コウ あきらか, かがやく

筆順 丨 ㄇ 日 日 旦 早 显 晃

字解 ①밝을황, 빛날황 '光旰旰以一一'《郭璞》. ②성황 성(姓)의 하나.
字源 形聲. 日+光〔音〕

日6 〔晄〕10 晃(前條)과 同字

字源 形聲. 日+光〔音〕

日6 〔晏〕10 人名 안 ㊁諫 | yàn アン はれる

筆順 丨 冂 日 日 旦 旦 旲 旲 晏

字解 ①맑을안 하늘이 맑음. '一, 天淸也'《說文》. ②저물안 해가 저묾. '及年歲之未一兮'《楚辭》. ③늦을안 이르지 아니함. '一起'. '冉子退朝, 子曰, 何一也'《論語》. ④화락(和樂)할안 '言笑一一'《詩經》. ⑤편안할안 안온함. '一息'. '方隅淸一'《魏志》. ⑥고울안 아름답고 깨끗함. '羔裘一兮'《詩經》. ⑦성안 성(姓)의 하나.

字源 形聲. 日+安〔音〕

日6 〔晁〕10 人名 조 ㊀蕭 | cháo チョウ むしのな

筆順 冂 日 旦 旦 㫓 㫓 晁 晁 晁

字解 ①벌레이름조. ②성조 성(姓)의 하나. ③아침조 朝(月부 8획〈522〉)의 古字.

字源 形聲. 日+兆〔音〕

日6 〔昰〕10 〔시〕 是(日부 5획〈503〉)의 籒文

日6 〔显〕10 〔현〕 顯(頁부 14획〈1701〉)의 俗字

日6 〔時〕10 中·人 시 ㊀支 | shí ジ とき

筆順 丨 日 日一 日十 日土 旹 時 時

字解 ①때시 ㉠세월. '一日'. '歲一日月星辰'《左傳》. ㉡연대. '朕獨不能與此人同一哉'《漢書》. ㉢기회. '一機'. '圖之此爲一矣'《左傳》. ㉣운명. '遇不遇者一也'《韓詩外傳》. ㉤당시. 그 때. '一人'. '以佐一政'《後漢書》. ㉥적당한 시기. '斧斤以一入山林'《孟子》. ②철시 사철. '天有四一, 春夏秋冬'《禮記》. ③시시 하루의 12분의 1 또는 24분의 1. '午一'. '掌夜一'《周禮》. ④때맞출시 시기에 알맞음. 적기(適期)임. '陰陽調, 風雨一'《漢書》. ⑤때에시 그 때. '一王陵見而怪其美士'《史記》. ⑥틈탈시 적당한 때를 노림. '孔子一其亡也, 而往拜之'《論語》. ⑦때때로시 가끔. 또, 기회 있을 때마다. '學而一習之'《論語》. ⑧좋을시 훌륭함. '爾殽旣一'《詩經》. ⑨이시 是(日부 5획〈503〉)와 同字. '一日'. '黎民於變一雍'《書經》. ⑩성시 성(姓)의 하나.

字源 形聲. 日+寺〔音〕

日6 〔晅〕10 훤 ㊤阮 | xuǎn ケン かわかす

字解 마를훤, 말릴훤 건조함. 건조시킴. 烜(火부 6획〈711〉)과 同字. '日以一之'《易經》.

字源 形聲. 日+亘〔音〕

日6 〔晊〕10 질 ㊇質 | zhì シツ おおきい

字解 ①클질 모양이 큼. '一, 大也'《爾雅》. ②밝을질 환함. '一, 明也'《類篇》.

字源 形聲. 日+至〔音〕

日6 〔晌〕10 상 ㊤養 | shǎng ショウ まひる

字解 ①대낮상 정오. '一飯'. ②때상 길지 않은 시간. '片一卽謂片時'《成語考》.

字源 形聲. 日+向〔音〕

日6 〔晐〕10 해 ㊀灰 | gāi カイ そなわる

字解 갖출해 구비함. 該(言부 6획〈1326〉)와 同字. '執箕帚, 以一姓於王宮'《國語》.

字源 形聲. 日+亥〔音〕

日6 〔晈〕10 〔교〕 皎(白부 6획〈826〉)와 同字

字源 形聲. 日+交〔音〕

日6 〔晒〕10 〔쇄〕 曬(日부 19획〈517〉)의 俗字·簡體字

字源 形聲. 日+西〔音〕

日6 〔晉〕10 人名 진 ㊁震 | jìn シン すすむ

筆順 一 𠄌 亚 亚 亚 晉 晉

字解 ①나아갈진 進(辵부 8획〈1498〉)과 同字. '一接'. ②꽂을진 搢(手부 10획〈458〉)과 同字. '王一大圭'《周禮》. ③억누를진 억제함. '諸侯一, 大夫馳'《周禮》. ④진괘진 육십사괘(六十四卦)의 하나. 곤, ☷〈곤하(坤下), 이상(離上)〉. 명성(明盛)한 상(象). '一康侯用錫馬蕃庶'《易經》. ⑤진나라진 ㉠주대(周代)의 제후국(諸侯國)의 하나. 산서(山西)·직례(直隷) 양성(兩省)의 남경(南境)과 하남성(河南省)의 북경(北境)을 영유하였음. (B.C. ?~B.C. 276) ㉡사마염(司馬炎)이 삼국(三國)의 위(魏)나라의 선위(禪位)를 받아 세운 왕조. 처음에 낙양(洛陽)에 도읍하였다가 후에 건강(建康)에 천도(遷都)하였음. 전자를 서진(西晉), 후자를 동진(東晉)이라 일컬음. (265~419) ㉢오대(五代) 때 석경당(石敬塘)이 후당(後唐)을 이어 세운 왕조. 후진(後晉)이라고도 함. (936~946) ⑥성진 성

(姓)의 하나.
字源 象形. 두 대의 화살을 그릇에 꽂아 넣는 모양을 본뜸.

日6〔晋〕10 人名 晉(前條)의 俗字
筆順 一 丅 亓 亞 亞 亞 晋 晋

日6〔書〕10 〔주〕 晝(日부 7획〈508〉)의 籒文
參考 書(曰부 6획〈518〉)는 別字.

日6〔舂〕10 〔용〕 舂(臼부 5획〈1105〉)의 俗字

〔耆〕〔기〕 老부 4획(1048)을 보라.

日6〔昵〕10 〔닐〕 昵(日부 5획〈505〉)과 同字

日7〔晜〕11 곤 ㊊元 kūn コン あに
字解 ①형곤 昆(日부 4획〈501〉)과 同字. '父之一弟'《爾雅》. ②뒤곤 후(後). '來孫之子, 爲一孫'《爾雅》.
字源 會意. 弟+昆〈省〉

日7〔晟〕11 人名 성 ㊎敬 shèng セイ あきらか
筆順 ⺜ 尸 昘 昘 昘 晟 晟 晟
字解 밝을성 환함.
字源 形聲. 日+成〔音〕

日7〔晠〕11 人名 晟(前條)과 同字
筆順 日 ⽇ 旷 昕 昕 晠 晠 晠

日7〔㬉〕11 난 ①㊤潸 nǎn ダン むす ②㊎諫 nàn ダン あかい
字解 ①찔난 날씨가 무더움. '一, 盈溼也'《說文》. ②불그레할난 붉음. '一, 小赤'《類篇》.
字源 形聲. 日+赧〈省〉〔音〕

日7〔晨〕11 高·人 신 ㊊眞 chén シン あした
筆順 ⺜ ⺜ ⺜ 尸 晨 晨 晨 晨
字解 ①새벽신 샐녘. '一旦'. '夜鄕一'《詩經》. ②새벽알릴신 닭이 울어 새벽을 알림. '牝雞無一'《書經》. ③별이름신 이십팔수(二十八宿)의 하나인 방성(房星)의 이칭(異稱). '農祥一正'《張衡》.

字源 形聲. 日+辰〔音〕

日7〔晷〕11 晨(前條)과 同字

日7〔昴〕11 〔묘〕 昴(日부 5획〈504〉)의 本字

日7〔曡〕11 〔첩〕 疊(田부 17획〈803〉)과 同字

日7〔晚〕11 中·人 만 ㊤阮 wǎn バン くれ, おそい
筆順 ⺜ 日 旷 旷 昈 昈 晚 晚
字解 ①저물만, 해질만 해가 저묾. 해가 서산에 짐. '登臨日將一'《楊師道》. ②늦을만 ㉠때가 늦음. '一時之歎'. '君何相見之一'《史記》. ㉡중년(中年) 이후임. '一學'. '孔子一而喜易'《史記》. ㉢끝임. '一唐'. '雖一周亦郊焉'《漢書》. ③저녁만 해질 무렵. '一餐'. '伏見蚤一'《漢書》. ④성만 성(姓)의 하나.
字源 形聲. 日+免〔音〕

日7〔晩〕11 晚(前條)의 俗字

日7〔䂺〕11 晚(前前條)과 同字

日7〔晛〕11 人名 현 ㊎霰 ㊤銑 xiàn ケン ひざし
筆順 ⺜ 日 ⽇ 叩 昍 晛 晛 晛
字解 햇빛현 일광. '雨雪瀌瀌, 早一曰消'《詩經》.
字源 形聲. 日+見〔音〕

日7〔晙〕11 人名 준 ㊎震 jùn シュン あきらか
筆順 ⺜ 日 旷 旷 昣 晙 晙 晙
字解 ①밝을준 환함. '一, 明也'《說文新附》. ②이를준 늦지 않음. '一, 早也'《爾雅》.
字源 形聲. 日+夋〔音〕

日7〔晞〕11 人名 희 ㊊微 xī キ かわく
筆順 ⺜ 日 旷 旷 昕 昕 晞 晞
字解 ①마를희, 말릴희 건조함. 건조시킴. '白露未一'《詩經》. ②밝을희 날이 밝음. '東方未一'《詩經》.
字源 形聲. 日+希〔音〕

日 7 〔晡〕11 포 [平]虞 | bū ホ さるのこく

[字解] ①신시포 오후 세 시부터 다섯 시까지의 사이. '一時復'《漢書》. ②저녁포 해가 저물 때. '一夕'. '朝一給與御食'《北齊書》.
[字源] 形聲. 日＋甫〔音〕

日 7 〔晤〕11 [人名] 오 [去]遇 | wù ゴ あきらか

[筆順] 𠀃 日 日一 日丅 日王 日五 晤 晤

[字解] ①밝을오 총명함. 영명(英明)함. '英一'. '少秀一'《唐書》. ②만날오 상봉함. 또, 마주 대함. '可與一歌'《詩經》.
[字源] 形聲. 日＋吾〔音〕

日 7 〔晥〕11 [人名] 환 [上]潸 | wǎn カン あきらか

[筆順] 𠀃 日 日' 日宀 日宀 日完 晥 晥

[字解] 밝을환 어둡지 않고 환한 모양. '一彼牽牛'《詩經》.

日 7 〔晦〕11 [人名] 회 [去]隊 | huì カイ みそか

[筆順] 𠀃 日 日' 日𠂉 日𠂉 晦 晦 晦

[字解] ①그믐회 음력의 매월 말일. '一朔'. ②밤회, 어둠회 '一昧'. '陰陽風雨一明'《左傳》. ③어두울회 ㉠햇빛이 없음. '一夜'. '窈冥晝一'《史記》. ㉡분명하지 아니함. '志而一'《左傳》. ④감출회 숨김. '一名'. '韜一'. '深自一匿'《隋書》. ⑤얼마못될회 얼마 안 됨. 또, 얼마 안 가서. '鮮生民之一在'《班固》. ⑥시들회 초목이 조상(凋傷)함. '寂歷百草一'《江淹》.
[字源] 形聲. 日＋每〔音〕

日 7 〔晧〕11 [人名] 호 [上]晧 | hào コウ あきらか

[筆順] 𠀃 日 日' 日𠂉 日牛 日告 晧 晧

[字解] 밝을호, 해뜨는모양호 '戈殳一旰'《曹植》.
[字源] 形聲. 日＋告〔音〕

日 7 〔晛〕11 패 [去]隊 | bèi ハイ·バイ くらい

[字解] 어두울패 밝지 아니함. '旭日晻一'《左思》.

日 7 〔晗〕11 함 [平]覃 | hán カン あけかかる

[字解] 날샐함 날이 새려 하고 있음. '一, 欲明也'《玉篇》.

日 7 〔晣〕11 ㊀哲(日부 7획〈508〉)과 同字 ㊁晰(日부 8획〈509〉)와 同字

日 7 〔晝〕11 [中·人] 주 [去]宥 | zhòu チュウ ひる

[筆順] ⺕ ⺕ 𠃌 聿 聿 書 晝 晝

[字解] ①낮주 밤의 대(對). '一夜'. '臣卜其一'《左傳》. ②성주 성(姓)의 하나.
[字源] 會意. 日＋畫〈省〉
[參考] 昼(日부 5획〈505〉)는 俗字.

日 7 〔晢〕11 [人名] ㊀절 [入]屑 | zhé セツ あきらか ㊁제 [去]霽 | zhì セイ ほしのひかり

[筆順] 一 扌 扌 扌' 扩 折 晢 晢

[字解] ㊀밝을절 소명(昭明)함. '明作一'《書經》. ㊁별반짝반짝할제 '明星一一'《詩經》.
[字源] 形聲. 日＋折〔音〕
[參考] 晣(日부 7획〈508〉)과 同字.

日 7 〔晛〕11 〔소〕 宵(宀부 7획〈279〉)의 古字

日 7 〔㖫〕11 〔효〕 哮(口부 7획〈163〉)와 同字

日 8 〔晶〕12 [人名] 정 [平]庚 | jīng ショウ あきらか

[筆順] ㅣ 冂 日 日 日 昌 晶 晶

[字解] ①맑을정 투명함. '八月涼風天氣一'《宋之問》. ②수정정 투명한 석영(石英). '以玉一爲盤'《三輔黃圖》.
[字源] 象形. 아주 맑은 별빛의 모양을 본떠, '빛, 밝다'의 뜻을 나타냄.

日 8 〔景〕12 [中·人] ㊀경 [上]梗 | jǐng ケイ ひかり ㊁영 [上]梗 | yǐng エイ かげ

[筆順] ㅣ 冂 日 旦 早 昙 景 景

[字解] ㊀①빛경 햇빛. '流一內照, 引曜日月'《張衡》. ②볕경 양지. '一竟也, 明所照有竟限也'《爾雅》. ③밝을경 환히 밝음. '一行行止'《詩經》. ④클경 '一命'. '介爾一福'《詩經》. ⑤우러러볼경 사모함. '一慕'. '萬世一仰'《金史》. ⑥경치경 풍경. '一色'. '良辰美一'《陳書》. ⑦남풍경 남쪽에서 부는 바람. '南方一風夏至至'《史記》. ⑧성경 성(姓)의 하나. ㊁그림자영 影(彡부 12획〈367〉)과 同字. '汎汎其一'《詩經》.
[字源] 形聲. 日＋京〔音〕

日 8 〔晸〕12 [人名] 정 [上]梗 | zhěng テイ ひがでる

[筆順] 冂 日 旦 旦 昰 晸 晸

[字解] 해돋을정 아침 해가 솟는 모양. '一, 日出皃'《集韻》.

[字源] 形聲. 日＋政〔音〕

日 8 〔晷〕12 구(궤·귀[本]) [上]紙 | guǐ キ ひかげ

[字解] ①햇빛구 일광. '焚膏油以繼一'《韓愈》. ②해그림자구 해의 진행에 따라 장단이 변하는 그림자. 이 그림자의 장단으로 시간을 잼. '要以一景'《漢書》. ③그림자구 '月一呈祥'《謝莊》. ※本音 궤·귀.

[字源] 形聲. 日＋咎〔音〕

日 8 〔暑〕12 〔서〕 暑(日부 9획〈510〉)의 略字

〔量〕 〔량〕 里부 5획(1548)을 보라.

日 8 〔晫〕12 [人名] 탁 [入]覺 | zhuó タク あきらかなさま

[筆順] 丨 冂 日 日 日⺊ 晫 晫 晫

[字解] 한창밝을탁 썩 밝은 모양. '一, 明盛貌'《玉篇》.

[字源] 形聲. 日＋卓〔音〕

日 8 〔睨〕12 예 [上]薺 | nǐ ゲイ ひがかたむく

[字解] 해기울예 서쪽에 해가 기울어짐. '一, 日昳也'《玉篇》.

日 8 〔晬〕12 수(쉬[本]) [去]隊 | zuì サイ ひとまわり

[字解] 돌수, 생일수 난 후 첫 번의 생일. 첫돌. 또, 널리 생일. '一宴'. ※本音 쉬.

[字源] 形聲. 日＋卒〔音〕

日 8 〔晫〕12 첩 [入]葉 | jiē ショウ ひがくれかかる

[字解] 해저물어갈첩 '一, 日欲沒也'《集韻》.

日 8 〔晹〕12 [人名] 역 [入]陌 | yì エキ かげる

[筆順] 丨 冂 日 日 日冖 日冃 晹 晹

[字解] ①별날역 흐리었다가 구름 사이에서 해가 잠깐 비침. '一, 日覆雲暫見也'《說文》. ②별시원찮을역 햇볕이 약함. '一, 日無光也'《廣韻》.

[字源] 形聲. 日＋易〔音〕

[參考] 暘(日부 9획〈511〉)은 別字.

日 8 〔晴〕12 [中·人] 청 [平]庚 | qíng セイ はれる

[筆順] 冂 日 日一 日⁺ 日⁼ 晴 晴 晴

[字解] 갤청 비가 그치고 하늘이 맑음. '一天'. '天一而見景星'《史記》.

[字源] 形聲. 日＋靑〔音〕

日 8 〔晴〕12 晴(前條)과 同字

日 8 〔晻〕12 ㊀암 [上]感 | ǎn アン くらい ㊁엄 [上]琰 | yǎn エン ひにひかりのないさま

[字解] ㊀어두울암 暗(日부 9획〈511〉)과 同字. '一昧'. '孤獨而一謂之危'《荀子》. ㊁①햇빛침침할엄 '日一一其將暮兮'《班彪》. ②음우(陰雨)엄 구름이 잔뜩 끼고 오는 비. '有一凄凄'《呂氏春秋》.

[字源] 形聲. 日＋奄〔音〕

日 8 〔晣〕12 제 [去]霽 | zhé, zhì セイ あきらか

[字解] 밝을제, 밝힐제 '雖司命其不一. (注) 一, 昭晣也'《後漢書》.

日 8 〔晼〕12 원 [上]阮 | wǎn エン ひがかたむく

[字解] 해기울원 정오가 지나 해가 서쪽으로 기욺. '白日一晩其將入兮'《楚辭》.

[字源] 形聲. 日＋宛〔音〕

日 8 〔暀〕12 왕 [上]養 | wǎng オウ かがやく

[字解] ①빛나고고울왕 찬란(燦爛)함. 旺(日부 4획〈502〉)과 同字. '一一, 美也. (注)一一, 美盛之貌'《爾雅》. ②덕(德)왕 '一, 德也'《廣韻》.

[字源] 形聲. 日＋往〔音〕

日 8 〔晾〕12 량 | liàng リョウ さらす

[字解] 쬘량 햇빛에 쬐어 말림. '一, 曬暴也'《字彙補》.

日 8 〔晽〕12 림 | lín リン しりたがる

[字解] 알고싶어할림 '一一'은 알고 싶어하는 모양. '而知乃始昧昧一一, 皆欲離其童蒙之心, 而覺視於天地之間. (注) 一一, 欲知之貌'《淮南子》.

日 8 〔暁〕12 〔효〕 曉(日부 12획〈514〉)의 俗字

日 8 〔晰〕12 晢(次條)과 同字

日8 〔晳〕12 人名 석 入陌 xī セキ あきらか

筆順 一 十 木 木′ 析 析 晳 晳

字解 ①밝을석 환함. 분명함. '忘昭一之害'《蔡邕》. ②성석 성(姓)의 하나.

字源 形聲. 日+析〔音〕

參考 晰(前條)과 同字.

日8 〔普〕12 高·人 보 上麌 pǔ フ あまねし

筆順 丷 并 并 並 並 並 普 普

字解 ①넓을보 두루 넓음. '一天之下'《孟子》. ②나라이름보 프러시아, 곧 보로사(普魯士)의 약칭(略稱). '一佛戰爭'. ③성보 성(姓)의 하나.

字源 形聲. 日+並(竝)〔音〕

日8 〔智〕12 高·人 지 去寘 zhì チ ちえ

筆順 ′ 乛 ⺈ 矢 矢 知 智 智

字解 ①슬기지 ㉠지혜. '一力'. '是非之心, 一之端也'《孟子》. ㉡꾀. 모략. '吾寧鬪一'《史記》. 또, 슬기가 있는 사람. '師賢而友一'《孔叢子》. ②슬기로울지 '一謀'. '夙一早成'《後漢書》. ③성지 성(姓)의 하나.

字源 會意. 甲骨文은 矢+于+口

日8 〔晵〕12 ㊀계 上薺 qǐ ケイ はれる ㊁견 去霰 ケン はれる

字解 ㊀①갤계 낮에 비가 갬. '一, 雨而晝止'《廣韻》. ②성계 성(姓)의 하나. ㊁갤견, 성견 ㊀과 뜻이 같음.

字源 形聲. 日+啓〈省〉〔音〕

日8 〔㫺〕12 〔석〕 昔(日부 4획〈503〉)의 本字

日8 〔朁〕12 〔전〕 腆(肉부 8획〈1079〉)의 古字

日8 〔敯〕12 〔민〕 敃(攴부 9획〈486〉)과 同字

日8 〔晉〕12 〔진〕 晋(日부 6획〈506〉)의 俗字

日8 〔晩〕12 〔만〕 晚(日부 7획〈507〉)과 同字

日8 〔暡〕12 〔물〕 昒(日부 4획〈503〉)과 同字

日9 〔暈〕13 훈(운本) 去問 yùn ウン かさ

字解 ①무리훈 햇무리. 혹은, 달무리. '一輪'. '兩軍相當日一'《史記》. 또, 등불이나 촛불의 둘레에 보이는 그리 밝지 않은 빛. 등화(燈火)의 외염(外焰). '夢覺燈生一'《韓愈》. ②현기증날훈 눈이 아찔하여 어지러움. '眼一 夜書多'《姚合》. ※本音 운.

字源 形聲. 日+軍〔音〕

日9 〔暑〕13 中·人 서 上語 shǔ ショ あつい

筆順 冂 日 旦 早 旱 昊 暑 暑

字解 ①더울서 열이 많음. '一氣'. '土潤溽一'《禮記》. ②더위서 '一退'. '一寒一一'《易經》. ③여름서 '一天'. '一月未嘗褻袒'《南史》.

字源 形聲. 日+者〔音〕

日9 〔景〕13 경 jǐng ケイ ひのいろ

字解 ①햇빛경 해의 빛깔. '一, 日色也'《川篇》. ②景(日부 8획〈508〉)의 俗字.

日9 〔暖〕13 환 上旱 huǎn カン あきらか

字解 ①밝을환 '一, 明也'《玉篇》. ②성환 성(姓)의 하나.

日9 〔暄〕13 人名 훤 平元 xuān ケン あたたか

筆順 冂 日 日′ 日宀 日宀 暄 暄 暄

字解 따뜻할훤 온난함. '一日'. '敍溫郁則寒谷成一'《劉峻》.

字源 形聲. 日+宣〔音〕

日9 〔暇〕13 高·人 가 去禡 xiá カ ひま, いとま

筆順 冂 日 日ᄀ 日ᄀ 日ᄆ 日ᄅ 暇 暇

字解 ①겨를가 틈. '應接不一'. '壯者以一日, 修其孝悌忠信'《孟子》. ②한가할가 한적함. '一逸' '好以一'《左傳》.

字源 形聲. 日+叚〔音〕

日9 〔暆〕13 이 平支 yí イ ひがめぐる

字解 ①해다닐이 태양(太陽)이 운행(運行)하는 모양. '一, 日行貌'《正字通》. ②해기울이 해가 서쪽으로 기울어 감. '古語呼日斜曰一'《正字通》.

字源 形聲. 日+施〔音〕

日9 〔暉〕13 人名 휘 平微 huī キ ひかり, かがやく

筆順 ⺆ 日 日' 日⼍ 日⺈ 暉 暉 暉

字解 ①빛휘 煇(火부 9획〈717〉)와 同字. '一芒'. '君子之光, 其一吉也'《易經》. ②빛날휘 광휘를 발함. '一映'. '景星垂一於淸漢'《南史》. ③성휘 성(姓)의 하나.
字源 形聲. 日＋軍〔音〕
參考 暈(日부 9획〈510〉)과 '暉'는 본디 같은 글자이지만, 지금은 '暈'은 '무리', '暉'는 '빛'으로 보고 혼용하지 않음.

日 9 〔暌〕13 규 ㊥齊 | kuí ケイ そむく
字解 ①어긋날규 '爾來雲雨一'《白居易》. ②틀릴규 '可以校運算之一合'《陸倕》.
字源 形聲. 日＋癸〔音〕

日 9 〔暍〕13 갈(알㊍) ㊇月 | yē エツ あつさあたり
字解 더위먹을갈 서증(暑症)에 걸림. '一死'. '一者望冷風於秋'《淮南子》. ※本音 알.
字源 形聲. 日＋曷〔音〕

日 9 〔暖〕13 中·人 ㊀난 ㊤旱 | nuǎn ダン あたたか ㊁훤 ㊥元 | xuān ケン やわらか
筆順 ⺆ 日 日⼀ 日⺈ 日⺤ 日⺥ 暖 暖
字解 ㊀ ①따뜻할난 온난함. '一風'. '冬一而兒號寒'《韓愈》. ②따뜻이할난 온난하게 함. '一房'. '煦一寒禽日漸蘇'《元稹》. ㊁ 부드러울훤 유화한 모양. '一一'. '有一姝者'《莊子》.
字源 會意. 日＋爰

日 9 〔㬉〕13 暖(前條)과 同字
字源 形聲. 日＋耎〔音〕

日 9 〔暗〕13 中·人 암 ㊦勘 | àn アン くらい
筆順 ⺆ 日 日⼀ 日⼆ 日⼇ 日⽴ 暗 暗
字解 ①어두울암 ㉠빛이 밝지 않음. '明一'. '出入時光一'《論衡》. ㉡어리석음. '昏一'. '識一鳴蛙, 智昏文蛤'《晉書》. ㉢눈이 어두움. '濁則目一'《雲笈七籤》. ㉣개명(開明)되지 않음. '時一而文章者, 君子之眞也'《班固》. ㉤보이지 않음. 숨어 있음. '一礁'. ②밤암 낮의 대(對). '車駕逼一乃還'《晉書》. ③몰래암 남이 알지 못하게. '一殺'. '林園一換四時春'《白居易》. ④외울암 諳(言부 9획〈1342〉)과 통용. '一誦'. ⑤성암 성(姓)의 하나.

字源 形聲. 日＋音〔音〕

日 9 〔暕〕13 ㊀간 ㊤潸 | jiǎn カン はれる ㊁란 ㊥寒 | lán ラン かげぼし
筆順 日 日⼀ 日⼍ 日⼍ 日⼍ 日⽊ 暕 暕
字解 ㊀ 갤간 아침에 흐렸다가 햇살이 남. 오랜만에 날이 갬. '一, 陰旦日明也'《廣韻》. ㊁ 그늘에말릴란 '一, 陰乾也'《集韻》.

日 9 〔暘〕13 양 ㊥陽 | yáng ヨウ ひので
字解 ①해돋이양 일출(日出). '宅嵎夷曰一谷'《書經》. ②말릴양 볕에 말림. 일설(一說)에는, 날이 갬. '曰雨, 曰一'《書經》. ③밝을양 환함. '天晏一者, 辰星曉燭'《論衡》.
字源 形聲. 日＋昜〔音〕
參考 晹(日부 8획〈509〉)은 別字.

日 9 〔暐〕13 人名 위 ㊤尾 | wěi イ ひかりのさかんなさま
筆順 日 日' 日⺾ 日⺾ 暐 暐 暐 暐
字解 환할위 빛이 환한 모양. '玄素之一一'《曹植》.
字源 形聲. 日＋韋〔音〕

日 9 〔暅〕13 훤 ㊤阮 | xuǎn ケン かわく
字解 마를훤, 말릴훤 건조함. 건조시킴. '日以一之'《易經》.

日 9 〔睹〕13 ㊀도 ㊤麌 | dǔ ト あけぼの ㊁서 ㊦御 | shǔ ショ あけぼの
字解 ㊀ 새벽도 '一, 旦明也'《說文》. ㊁ 새벽서 ㊀과 뜻이 같음.
字源 形聲. 日＋者〔音〕

日 9 〔暵〕13 환 ㊦翰 | huàn カン くにのな
字解 나라이름환 '䍃一'은 옛 나라 이름. '埻端·䍃一, 在昆侖虛東南'《山海經》.

日 9 〔暒〕13 〔청〕 晴(日부 8획〈509〉)과 同字

日 9 〔暎〕13 人名 〔영〕 映(日부 5획〈504〉)과 同字
筆順 日 日' 日⺾ 日⺾ 暎 暎 暎 暎

日 9 〔暍〕13 〔온〕 㬈(日부 10획〈512〉)의 俗字

日 9 〔暁〕13 〔효〕 曉(日부 12획〈514〉)의 俗字

日 9 〔暁〕13 〔효〕
曉(日부 12획〈514〉)의 俗字

日 9 〔暋〕13 민 ①[上]軫 | mǐn ビン·ミン つよい
②[平]眞 | mín ビン·ミン もだえる

[字解] ①강할민 굳셈. 敃(攴부 5획〈481〉)과 同字. '一不畏死'《書經》. ②번민할민 번뇌함. '慰一沈屯'《莊子》.
[字源] 形聲. 日+敃〔音〕

日 9 〔㬂〕13 우 [平]虞 | yú グ じんめい
[字解] 사람이름우 사람 이름. '漢有周一'《集韻》.

日 9 〔萅〕13 〔춘〕
春(日부 5획〈505〉)의 古字

日 9 〔㬰〕13 토 [平]虞 | tú ト ひかげ
[字解] 그늘토 그늘. 음지. '一, 日陰也'《集韻》.

日 10 〔暠〕14 호 [上]晧 | gǎo コウ あきらか
[字解] 휠호, 밝을호 皓(白부 7획〈826〉)와 同字. '一然白首'《漢書》.
[字源] 形聲. 日+高〔音〕

日 10 〔㬎〕14 [一] 현 [上]銑 | xiǎn ケン あきらか
[二] 압 [入]合 | ゴン あきらか
[三] 금 [上]寑 | キン あきらか

[字解] [一] ①밝을현 顯(頁부 14획〈1701〉)과 同字. '一, 著也. 光也'《類篇》. ②시끄러울현 '一, …或曰, 衆口皃'《說文》. ③마디실현 마디 많은 명주실. '一, …或旨爲繭. 繭者, 絮中往往有小繭也'《說文》. ④머리꾸미개현 '一, 頭明飾也'《類篇》. ⑤성현 성(姓)의 하나. [二] 밝을압, 시끄러울압, 마디실압, 머리꾸미개압, 성압 [一]과 뜻이 같음. [三] 밝을금, 시끄러울금, 마디실금, 머리꾸미개금, 성금 [一]과 뜻이 같음.
[字源] 會意. 日+絲

日 10 〔暝〕14 명 [平]青 | míng メイ くらい
[字解] ①어두울명 冥(冖부 8획〈91〉)과 同字. '晦一'. '誰昭誰一'《汲冢周書》. ②질명 해가 짐. '晻晻日欲一'《古詩》. ③잘명 잠을 잠. '甘一乎溷澖之域'《淮南子》. ④밤명 낮의 대(對). '待一合神光'《許敬宗》. ⑤성명 성(姓)의 하나.
[字源] 形聲. 日+冥〔音〕

日 10 〔暟〕14 개 [上]賄 | kǎi カイ てらす
[字解] ①비출개 해가 비춤. ②아름다울개 '一一, 美德也'《揚子方言》.
[字源] 形聲. 日+豈〔音〕

日 10 〔㬈〕14 온 [平]元 | wēn オン あたたかい
[字解] 따스할온 아침 햇볕이 따뜻함.
[參考] 昷(日부 9획〈511〉)은 俗字.

日 10 〔暤〕14 호 [上]晧 | hào コウ あきらか
[字解] ①밝을호 밝게 빛남. ②휠호. 皞(白부 10획〈826〉)와 同字.
[字源] 形聲. 日+皋〔音〕
[參考] 暭(日부 11획〈513〉)는 俗字.

日 10 〔暢〕14 [高·人] 창 [去]漾 | chàng チョウ とおる, のびる
[筆順] 𠔿 日 申 申ᄇ 申旦 申昜 暢 暢
[字解] ①통할창 통달함. '通一'. '一於四支'《易經》. ②자랄창 성장함. '夸條直一'《司馬相如》. ③화창할창 날씨나 마음씨가 부드럽고 밝음. 또, 화락(和樂)함. '一適'. '神識恬一'《晉書》. ④펼창 진술(陳述)함. '一敍'. '述一往事'《越絕書》. ⑤성창 성(姓)의 하나.
[字源] 形聲. 申+昜〔音〕

日 10 〔㬤〕14 [人名] 기 [去]未 | qì キ ひのき
[筆順] 日 日′ 日𠂉 日𠂇 旴 旣 㬤 㬤
[字解] ①별기운기 '一, 日氣也'《集韻》. ②성기 성(姓)의 하나.

日 10 〔暡〕14 옹 [上]董 | wěng オウ くもる
[字解] ①흐릴옹 햇빛이 어스레함. '一, 天氣不明也'《玉篇》. ②운기성할옹 운기(雲氣)가 성(盛)한 모양. '一, 氣盛皃'《廣韻》.

日 10 〔𣈜〕14 내 [上]賄 | nài ダイ·ナイ くもる
[字解] 날흐릴내 '埃一, 日無光也'《說文》.
[字源] 形聲. 日+能〔音〕

日 10 〔㬐〕14 아 [去]禡 | yà ア せい
[字解] 성아 성(姓)의 하나.
[字源] 形聲. 日+爽〔音〕

日 10 〔暜〕14 〔보〕
普(日부 8획〈510〉)의 本字

日 10 〔暦〕14 〔력〕 曆(日부 12획〈515〉)의 略字

〔嘗〕〔상〕 口부 11획(182)을 보라.

日 10 〔⿱日⿱冖果〕14 〔휘〕 彙(彐부 10획〈365〉)와 同字

日 11 〔暴〕15 [中·人] ㊀포 [去]號 (폭[俗]) ㊁폭 [入]屋 | bào ボウ あらい pù ボク さらす

[筆順] 冂 旦 早 昇 異 㬥 暴 暴

[字解] ㊀ ①사나울포 ㉠난포함. '一惡'. '性行一如雷'《古詩》. ㉡격렬함. '一風雨'. '終風且一'《詩經》. ②사나움포 난포. '以一易一兮'《史記》. 또, 난포한 짓. 폭행. '凶歲子弟多一'《孟子》. 또, 난포한 사람. 무뢰한. '折一禁悍'《韓詩外傳》. ③급할포 돌연(突然)함. '何興之一也'《史記》. ④갑자기포 급작스럽게. '一富'. '淮瀆一溢《南史》. ⑤모질게굴포 학대함. '敢行一虐'《書經》. ⑥맨손으로칠포 도수(徒手)로 때림. '一虎馮河'《論語》. ⑦불끈일어날포 갑자기 일어나거나, 또는 솟아 나오는 모양. '貨財一一如水源'《荀子》. ⑧성포 성(姓)의 하나. ※俗音 폭. ㊁ ①쬘폭 햇빛에 쬠. 曝(日부 15획〈516〉)과 同字. '一日一之'《孟子》. ②나타날폭 드러남. '近事一著'《後漢書》. ③나타낼폭 드러냄. '一露'. '一之於民'《孟子》.
[字源] 會意. 日＋出＋廾＋本

日 11 〔⿰日莽〕15 망 [上]養 | mǎng ボウ·モウ くらい
[字解] 희미할망, 흐릴망 햇빛이 약함. 흐림. '曭一, 日無光不明也'《玉篇》.

日 11 〔⿰日荒〕15 황 [上]養 | huǎng コウ あつさ
[字解] 더위황 쨍쨍 쬐어 더움. '一, 旱熱也'《集韻》.

日 11 〔暭〕15 〔호〕 暤(日부 10획〈512〉)의 俗字

日 11 〔暯〕15 막 [入]藥 | mò バク くらい
[字解] ①어두울막 밝지 않음. '一, 冥也'《集韻》. ②없을막 텅 비어 있음. '一, 虛無也'《字彙》.

日 11 〔暱〕15 닐 [入]質 | nì ジツ なじむ
[字解] ①친할닐 친근함. 昵(日부 5획〈505〉)과 同字. '一近'. '不義不一'《左傳》. ②가까이할닐 접근함. '無自一焉'《詩經》.
[字源] 形聲. 日＋匿〔音〕

日 11 〔暲〕15 [人名] 장 [平]陽 | zhāng ショウ ひがのぼる
[筆順] 日 日亠 日立 日产 暗 暗 暲 暲
[字解] ①해돋을장 아침 해가 떠오름. '一, 日光上進皃'《集韻》. ②밝을장 환함. '一, 明也'《玉篇》.
[字源] 形聲. 日＋章〔音〕

日 11 〔暳〕15 혜 [去]霽 | huì ケイ ほしのさま
[字解] 별반짝거릴혜. '一, 衆星貌'《玉篇》.

日 11 〔⿰日票〕15 표 [去]嘯 | piào ヒョウ さらす
[字解] 바랠표 볕에 쬠. 볕에 말림. '一, 曝也'《廣雅》.

日 11 〔暵〕15 한 [上]旱 | hàn カン かわく, かわかす
[字解] ①마를한, 말릴한 '一乾'. '一其乾矣'《詩經》. ②볕내리쬘한 '一, 耕暴田曰一'《說文》. ③더울한 '冒風雪, 犯暴一'《梁啓超》. ④가물한 '旱一則舞雩'《周禮》.
[字源] 形聲. 日＋𦰩〔音〕

日 11 〔⿰日區〕15 〔구〕 熰(火부 11획〈722〉)와 同字

日 11 〔暫〕15 [高·人] 잠 [去]勘 | zàn ザン しばらく
[筆順] 一 亘 亘 車 斬 斬 暫 暫
[字解] ①잠깐잠 잠시. '一, 不久也'《說文》. ②별안간잠 창졸간. 졸지에. '武夫力而拘諸原, 婦人一而免諸國'《左傳》.
[字源] 形聲. 日＋斬〔音〕

日 11 〔⿰日斬〕15 暫(前條)과 同字

日 11 〔暬〕15 설 [入]屑 | xiè セツ なれる
[字解] 설만할설 褻(衣부 11획〈1286〉)과 同字. '曾我一御'《詩經》.
[字源] 會意. 日＋埶

日 11 〔暮〕15 [中·人] 모 [去]遇 | mù ボ くれる
[筆順] 艹 艹 苩 莫 莫 暮 暮
[字解] ①저물모, 해질모 해가 저묾. 해가

짐. '日一途遠'《史記》. ②늦을모 ㉠끝에 가까움. '一春'. ㉡때에 늦음. 뒤늦음. '廉叔度來何一'《漢書》. ㉢나이 먹음. 연로함. '一年'. '恐美人之遲一'《楚辭》. ③밤모 낮의 대(對). '一夜'. '一去次而敢止'《楚辭》. ④성모 성(姓)의 하나.
[字源] 形聲. 日＋莫〔音〕

日11 〔暓〕15 〔무〕 務(力부 9획〈116〉)와 同字

日11 〔曄〕15 〔엽〕 曄(日부 12획〈514〉)의 俗字

日12 〔曇〕16 담 [平]覃 | tán ドン くもる
[字解] ①구름낄담 '一天'. ②구름담 하늘에 낀 구름. '月華揚彩一'《楊愼》. ③성담 성(姓)의 하나.
[字源] 會意. 日＋雲

日12 〔㬎〕16 〔현〕 㬎(日부 10획〈512〉)과 同字

日12 〔曌〕16 〔조〕 照(火부 9획〈720〉)와 同字
[參考] 당(唐)나라 측천무후(則天武后)의 이름.

日12 〔暸〕16 료 [平]蕭 | liáo リョウ あきらか
[筆順] 日 日一 日大 日夾 日夾 暸 暸 暸
[字解] 밝을료 '一, 明也'《集韻》.
[字源] 形聲. 日＋尞〔音〕
[參考] 瞭(目부 12획〈856〉)와는 別字.

日12 〔暾〕16 [人名] 돈 [平]元 | tūn トン ひがでる
[筆順] 日 日' 日亠 日享 日享 暾 暾 暾
[字解] 먼동틀돈, 아침해돈 욱일(旭日). '一將出兮東方'《楚辭》.
[字源] 形聲. 日＋敦〔音〕

日12 〔曀〕16 예 [去]霽 | yì エイ くもる, かげる
[字解] ①음산할예 구름이 끼고 바람이 붊. '終風且一'《詩經》. ②가릴예 가려 안 보이게 함. '雲風一日光'《爾雅 疏》.
[字源] 形聲. 日＋壹〔音〕

日12 〔曈〕16 동 [平]東 | tóng トウ あけそめる
[字解] 해뜨려고점점밝아지는모양동 '一, 一曨, 日欲明也'《說文新附》.
[字源] 形聲. 日＋童〔音〕

日12 〔暻〕16 [人名] 경 [上]梗 | jǐng ケイ あきらか
[筆順] 日 日一 日早 暻 暻 暻 暻 暻
[字解] 밝을경 환함. '一, 明也'《集韻》.
[字源] 形聲. 日＋景〔音〕

日12 〔曉〕16 [高·人] 효 [上]篠 | xiǎo ギョウ あかつき
[筆順] 日 日土 日去 日垚 日垚 曉 曉 曉
[字解] ①새벽효 '一起'. '向一辭去'《晉書》. ②밝을효 환함. '冥冥之中, 獨見一焉'《淮南子》. ③깨달을효 환히 앎. '通一'. '不一世務'《宋史》. ④타이를효 알아듣게 일러 줌. '一諭'. '指一南越'《史記》. ⑤사뢸효 아룀. '未一大將軍'《漢書》. ⑥성효 성(姓)의 하나.
[字源] 形聲. 日＋堯〔音〕

日12 〔曄〕16 [人名] 엽 [入]葉 | yè ヨウ かがやく
[筆順] 日 日' 日艹 日艹 日芈 曄 曄 曄
[字解] 빛날엽 광휘를 발함. 또, 그 모양. '列缺一其照夜'《後漢書》.
[字源] 會意. 日＋華(𠌶)〔音〕

日12 〔曅〕16 曄(前條)과 同字

日12 〔曃〕16 태 [去]隊 | dài タイ くらい
[字解] 희미할태 '曖一'는 밝지 아니한 모양. '時曖一其曭莽兮'《楚辭》.
[字源] 形聲. 日＋逮〔音〕

日12 〔曋〕16 심 [上]寢 | shěn シン やどる
[字解] 머물심 또, 해가 머무는 데. '貨一神廬. (注) 日所次隅曰一'《管子》.

日12 〔暹〕16 [人名] 섬 [平]鹽 | xiān セン ひがのぼる
[筆順] 日 旦 旦 昆 暹 暹 暹 暹
[字解] ①햇살오를섬 해가 떠오름. '一, 日光升也'《集韻》. '西淪則東一'《柳貫》. ②나라이름섬 '一羅'는 Siam의 음역(音譯)으로서, 현재의 태국(泰國).
[字源] 會意. 日＋進

日12 〔暨〕16 기 [去]寘 | jì キ およぶ, と
[字解] ①및기 그 밖에 또. 급(及). 與(臼부 7획〈1106〉)와 뜻이 같음. '汝羲一和'《書

經》. ②미칠기 이름. 다다름. '一及'. '上求不一'《國語》. ③굳셀기 용맹한 모양. '戎容一一'《禮記》.
字源 形聲. 旦+旣〔音〕

日12〔暼〕16 별 入屑|piē ヘツ ひのおちるいきおい
字解 해지는기세별 해가 지려고 하는 기세(氣勢). '一一, 日落勢也'《集韻》.
字源 形聲. 日+敝〔音〕

日12〔曆〕16 高·人 력 入錫|lì レキ こよみ
筆順 厂 厈 厤 厤 厤 曆 曆 曆
字解 ①책력력 역법(曆法). 또는, 역서(曆書). '覘一復開書'《古詩》. 전(轉)하여, 연대·수명·운명 등의 뜻으로 쓰임. '一數'. '周過其一, 秦不及期'《漢書》. ②수력, 셈력 수효. 계수(計數). '此其大一也'《管子》. ③일기력 일지(日誌). '子宜置一卷一, 晝之所爲, 夜必書之'《蘇軾》.
字源 形聲. 日+厤〔音〕

日12〔晉〕16 〔진〕 晉(日부 6획〈506〉)의 本字

日12〔䁺〕16 〔위〕 暐(日부 9획〈511〉)와 同字

日12〔暿〕16 〔희〕 熹(火부 12획〈726〉)와 同字

日13〔曏〕17 향 上養|xiàng キョウ さきに
字解 ①접때향 이전에. '一者右宰穀臣之觴吾子也'《呂氏春秋》. ②향할향 向(口부 3획〈148〉)과 同字.
字源 形聲. 日+鄉〔音〕

日13〔曑〕17 〔참〕 參(厶부 9획〈140〉)의 本字

日13〔曐〕17 〔성〕 星(日부 5획〈503〉)의 本字

日13〔㬥〕17 〔포〕 暴(日부 11획〈513〉)一의 本字

日13〔曅〕17 〔엽〕 曄(日부 12획〈514〉)의 本字

〔曓〕 〔포〕 言부 10획(1348)을 보라.

日13〔䎘〕17 숙 入屋|sù シュク かわかす
字解 ①말릴숙 볕에 말림. '一, 燥也'《集韻》. ②바랠숙 볕에 쬠. '一, 暴也'《篇海》.

日13〔曒〕17 一교 上篠 二호 上晧|jiǎo キョウ あきらか コウ あきらか
字解 一①밝을교 환함. '恢獨一然, 不汙於法. (注) 一, 明也'《後漢書》. ②흰옥석교 옥석(玉石)의 흰 것. '一, 玉石之白者'《五經文字》. 二 밝을호, 흰옥석호 一과 뜻이 같음.

日13〔曖〕17 애 去隊|ài アイ かげる
字解 ①희미할애 환하지 않음. 흐림. '一然'. '時一一其將罷兮'《楚辭》. ②가릴애 가림. '甘是堙一'《漢書》.
字源 形聲. 日+愛〔音〕

日13〔曔〕17 경 去敬|jìng ケイ あきらか
字解 ①밝을경 환함. '一, 明也'《玉篇》. ②마를경 '一, 乾也'《類篇》.
字源 形聲. 日+敬〔音〕

日13〔㬓〕17 一 煞(火부 9획〈720〉)과 同字 二 曬(日부 19획〈517〉)의 俗字

日13〔曦〕17 〔희〕 曦(日부 16획〈516〉)의 俗字

日13〔燠〕17 〔욱〕 燠(火부 13획〈727〉)과 同字

日13〔署〕17 〔저〕 著(艸부 9획〈1160〉)와 同字

日14〔暴〕18 〔포〕 暴(日부 11획〈513〉)二의 本字

日14〔曙〕18 人名 서 去御|shǔ ショ あけぼの
筆順 日 日' 日罒 日罒 曙 曙 曙 曙
字解 ①새벽서 날이 샐 때. '一鐘'. '魂瞀瞀而至一'《楚辭》. ②밝을서 날이 샘. '日入于虞淵之汜, 一於蒙谷之浦'《淮南子》.
字源 形聲. 日+署〔音〕

日14〔曖〕18 애 去泰|ài アイ ひのいろ
字解 ①햇빛애 태양의 빛. '一, 日色也'《玉篇》. ②흐릴애 어두움. '一, 當是日不明'《正字通》.

日14〔曚〕18 몽 ㊥東|méng モウ ほのぐらい

字解 ①어스레할몽 날이 아직 완전히 밝지 않아 어두움. '一曨'. '曠若發一'《後漢書》. ②어리석을몽 우매함. '一昧'.
字源 形聲. 日＋蒙〔音〕

日14〔曛〕18 훈 ㊥文|xūn クン たそがれ

字解 ①어스레할훈 땅거미짐. '天色正一'《舊唐書》. ②황혼훈 해진 뒤의 어스레한 때. '一黃'. '夕一嵐氣陰'《謝靈運》.
字源 形聲. 日＋熏〔音〕

日14〔曖〕18 대 ㊤隊|duì タイ しげる

字解 무성할대 숲이 무성(茂盛)함. '一兮若松榯'《宋玉》.

日14〔曜〕18 人名 요 ㊤嘯|yào ヨウ かがやき

筆順 日 日 日 日 𣊭 曜 曜 曜

字解 ①빛요 광휘. '日出有一'《詩經》. ②빛날요 광휘를 발함. '一一'. '百華一九枝'《王筠》. ③일월성신요 일월(日月)을 '兩一'라 하고, 이에 목·화·토·금·수의 오성(五星)을 합쳐 '七一'라 함. '七一爲之盈縮'《穀梁傳》. ④《韓》요일요 칠요(七曜)를 날에 배분하여 부르는 이름. 그 연이은 칠일을 일주일이라 함.
字源 形聲. 日＋翟〔音〕

日14〔曘〕18 유 ㊥虞|rú ジュ くらい

字解 ①어두울유 '曲學所習, 一昧所守'《舊唐書》. ②햇빛유 일광(日光). 해의 빛깔. '一, 日色也'《玉篇》. '一, 日光'《字彙》.

日14〔㬤〕18 급 ㊦緝|qì キュウ さらす

字解 ①쬘급 햇빛에 쬠. '一, 曝也'《廣雅》. ②마르려할급 '一, 欲乾也'《玉篇》.

日14〔𣋡〕18 〔갈〕
碣(石부 9획〈874〉)의 古字

日14〔曞〕18 마 ㊤碼|mǒ マ くらい

字解 어두울마 어두움. 태양에 빛이 없음. '一, 一曬, 日無光'《集韻》.

日15〔曡〕19 〔첩〕
疊(田부 17획〈803〉)의 本字

日15〔曟〕19 〔신〕
晨(日부 7획〈507〉)과 同字

日15〔曝〕19 폭 ㊦屋|pù バク さらす

字解 쬘폭 햇볕에 쬠. '一衣'. '冬一其日'《陶潛》. 전(轉)하여, 한데 두어 우로(雨露)를 맞거나 맞게 함. '一露墻壁外'《杜甫》.
字源 形聲. 日＋暴〔音〕

日15〔曠〕19 人名 광 ㊤漾|kuàng コウ むなしい

筆順 日 日' 日广 日广 日庐 日廣 曠 曠

字解 ①빌광 공허함. '一古'. '率彼一野'《詩經》. ②밝을광 환함. '一若發曚'《後漢書》. ③비울광 공허하게 함. '一安宅而弗居'《孟子》. ④헛되이지낼광 허송(虛送)함. '一歲'. '一日十年'《漢書》. ⑤넓을광 광활함. '一原'. '器宇宏一'《晉書》. ⑥멀광 요원함. '一塗'. '遙途嶮一'《晉書》. ⑦성광 성(姓)의 하나.
字源 形聲. 日＋廣〔音〕

日15〔曮〕19 曠(前條)과 同字

日15〔曞〕19 려 ㊤霽|lì レイ ひのひかりがさかん

字解 햇빛성할려 '一, 日光盛'《集韻》.

日15〔㬥〕19 〔포〕暴(日부 11획〈513〉)㊂의 古字

日15〔𣋲〕19 㬥(前條)과 同字

日16〔曦〕20 人名 희 ㊥支|xī ギ ひのひかり

筆順 日 日' 日ᅭ 日羊 日羊 日羲 曦 曦

字解 햇빛희 일광. '一光'. '朝一射崖赤'《范椁》.
字源 形聲. 日＋義〔音〕
參考 曦(日부 13획〈515〉)는 俗字.

日16〔曨〕20 롱 ㊥東|lóng ロウ うすあかるい

字解 어스레할롱 날이 아직 완전히 밝지 아니함. '曚一'. '日通一而上度'《江淹》.
字源 形聲. 日＋龍〔音〕

日16〔曥〕20 려 ㊥魚|lú リョ ひのいろ

字解 ①해빛깔려 태양의 빛깔. '一, 日色

也'《玉篇》. ②해비출려 햇살이 비춤. '一, 日照也'《篇海類編》.

日16〔曣〕20 연 ㊀霰 | yàn エン はれる
字解 청명할연 '一, 晴朗無雲'《漢語大字典》.
字源 形聲. 日+燕〔音〕

日16〔䜩〕20 曣(前條)과 同字

日17〔曩〕21 낭 ㊤養 | nǎng ノウ さき
字解 ①접때낭 ㉠이전. 지난번. '一日'. '猶有一之態'《楚辭》. ㉡이전에. '一者志入而已'《左傳》. ②성낭 성(姓)의 하나.
字源 形聲. 日+襄〔音〕

日19〔曩〕23 ㊀난 ㊀翰 ㊁刪 | nàn ナン あたたか
㊁날 ㊂曷 | ダツ あたたか
字解 ㊀ 따뜻할난 훈훈함. 또, 따뜻한 모양. '一, 溫也. 安也'《玉篇》. '一, 暍一, 暖狀'《廣韻》. ㊁ 따뜻할날 ㊀과 뜻이 같음.
字源 形聲. 日+難〔音〕

日19〔曬〕23 쇄 ㊀卦 | shài サイ さらす
字解 쬘쇄 볕에 쬠. '白日一光'《漢書》.
字源 會意. 日+麗

日19〔曪〕23 라 ㊤哿 | luǒ ラ ひにひかりがない
字解 어두울라 태양에 빛이 없음. '一, 曥一, 日無光'《集韻》.

日19〔䜌〕23 ㊀란 ㊁寒 | luán ラン たそがれ
㊁만 ㊁刪 | バン・マン たそがれ
㊂련 ㊀霰 | レン たそがれ
字解 ㊀ 황혼란 해가 질 때. '一, 日且昏時也'《說文》. ㊁ 황혼만 ㊀과 뜻이 같음. ㊂ 황혼련 ㊀과 뜻이 같음.

日20〔曭〕24 당 ㊤養 | tǎng トウ くらい
字解 희미할당 어스레함. '時曖曃其一莽兮'《楚辭》.
字源 形聲. 日+黨〔音〕

日20〔曮〕24 엄 ㊤琰 | yǎn ガン ひがめぐる
字解 ①해다닐엄 태양이 운행(運行)함. '一, 日行'《篇海》. ②해운행길엄 해가 운행(運行)하는 길. '一, 日躔謂之一'《類篇》.

字源 形聲. 日+嚴〔音〕

日21〔曯〕25 촉 ㊂沃 | zhú ショク てらす
字解 비출촉 빛이 비춤. '一, 照也'《韻會》.

曰 部
〔가로왈부〕

曰0〔曰〕4 中·人 ㊀왈 ㊂月 | yuē
(월㊍) | エツ いわく
㊁월 ㊂物 | yuē エツ ここに
筆順 丨 冂 日 曰
字解 ㊀ ①가로되왈 말하되. 말하기를. '帝一, 疇咨若時'《書經》. ②이를왈 일컬음. …라 말함. '宅嵎夷, 一暘谷'《書經》. ※本音 월. ㊁ 말낼월 발어사(發語辭). '一若稽古帝堯'《書經》.
字源 象形. 입과 날숨을 본떠, 목소리를 내어 말하다의 뜻을 나타냄.
參考 ①'日일' 이외에 '曰왈'의 자형(字形)을 지닌 문자를 모으기 위해 편의적으로 부수로 설정함. 이름은 '가로왈'. ②日(部首〈499〉)은 別字.

曰2〔曳〕6 예 ㊀霽 | yè エイ ひく
字解 ①끌예 ㉠땅에 늘어뜨리고 감. '子有衣裳, 弗一弗婁'《詩經》. ㉡끌어당김. '一, 申也, 牽也, 引也'《玉篇》. ㉢끌고 다님. 짚음. '率然一杖, 徒行城邑'《南史》. ②끌릴예 전항의 피동사. '賢聖逆一兮, 方正倒植'《賈誼》. ③고달플예 피로함. '年雖疲一, 猶庶幾名賢之風'《後漢書》.
字源 象形. 얽힌 실의 한쪽을 양손으로 끌어올리는 모양을 본뜸.

曰2〔曲〕6 中·人 곡 ㊂沃 | qū, ⑨qǔ キョク まがる
筆順 丨 冂 日 由 曲 曲
字解 ①굽을곡 ㉠굽음. 휨. '一線'. '不待自一之木'《鹽鐵論》. ㉡마음이 굽음. '邪一'. '師儒之席, 不拒一士'《柳宗元》. ②굽힐곡 전항(前項)의 타동사. '一筆'. '一法'. '一學以阿世'《史記》. ③곡진할곡 간절함. 정성을 다함. '一允微誠'《庾信》. ④자세할곡 상세함. '委一'. ⑤자세히곡 상세하게. '一盡'. '一暢旁通'《朱熹》. ⑥간사곡 사벽(邪辟). '一私'. '以一合於趙王'《戰國策》. ⑦구석곡 변우(邊隅). '一知之人, 觀於道

之一隅'《荀子》. ⑧잠박곡 누에를 기르는 제구. '簿—'. '具—植籧筐'《禮記》. ⑨가락곡 곡조. '音—'. '歌—'. '其—彌高, 其和彌寡'《宋玉》. ⑩마을곡 부락. '部—'. '鄕—'. ⑪성곡 성(姓)의 하나.
[字源] 象形. 나무나 대나무를 구부려 만든 그릇을 본뜸.

曰 2 〔臾〕6 〔유〕
臾(臼부 2획〈1104〉)의 俗字

曰 3 〔㫗〕7 후 [上]有|hòu コウ あつい
[字解] 두터울후 厚(厂부 7획〈135〉)의 古字. '—, 厚也'《說文》.
[字源] 指事. 亯(익힌 물건을 높이 괴어 신(神)에게 바치는 뜻. =享)을 거꾸로 하여, 신이 내린 물건이 두텁다의 뜻을 나타냄.

曰 3 〔更〕7 [中·人] [一]경 [平]庚|gēng コウ かえる
[二]갱 [去]敬|gèng コウ さらに
[筆順] 一 丆 丆 百 百 更 更
[字解] [一] ①고칠경 변개함. '變—'. '君子問—端'《禮記》. ②바꿀경 교대함. '—代'. '—僕未可終也'《禮記》. ③고쳐질경, 바뀔경 이상의 피동사. '應國之稱號, 亦—矣'《管子》. ④갚을경 배상함. '不足以—之'《淮南子》. ⑤이을경 연속함. '姓利相—'《國語》. ⑥겪을경 겪어 지내 옴. '—事未多'《隋書》. 또, 일을 많이 겪은 사람. 경험이 많은 사람. '尊老尙—'《魏書》. ⑦지날경 통과함. '欲通使道, 必—匈奴中'《張騫》. ⑧시각경 해질녘부터 새벽까지 5등분한 야간의 시각. '五—'. '衞以嚴—之署'《張衡》. ⑨번갈아경 갈마들어. '祕舞—奏'《張衡》. ⑩성경 성(姓)의 하나. [二] 다시갱 재차. '—生'. '—穿—門出'《史記》.
[字源] 會意. 攴+丙

曰 3 〔曵〕7 〔예〕
曳(曰부 2획〈517〉)의 俗字

曰 4 〔㫰〕8 〔량〕
良(艮부 1획〈1118〉)의 本字

曰 4 〔曶〕8 홀 [入]月|hū コツ ことば
[字解] ①말홀, 말낼홀 말을 꺼냄. '—, 出气詞也'《說文》. ②가벼이여길홀 忽(心부 4획〈379〉)과 통용. '於時人皆—之'《漢書》. ③사람이름홀 주(周)나라 때의 사람 이름.
[字源] 會意. 勿+曰

曰 4 〔昬〕8 〔서〕
書(曰부 6획〈518〉)의 俗字

曰 5 〔曷〕9 갈 [入]曷|hé カツ なんぞ
[字解] ①어찌갈 어찌하여. 何(人부 5획〈42〉)와 뜻이 같음. '—爲'. '—不委心任去留'《陶潛》. ②어느때갈 어느 때에. '時日—喪'《書經》.
[字源] 形聲. 曰+匃〔音〕

曰 5 〔冒〕9 〔모〕
冒(冂부 7획〈89〉)의 訛字

曰 5 〔𣅚〕9 〔책〕
𣅚(曰부 6획〈518〉)과 同字

曰 5 〔𣅳〕9 〔후〕
厚(厂부 7획〈135〉)의 本字

曰 6 〔書〕10 [中·人] 서 [平]魚|shū ショ かく
[筆順] ㇕ ㇕ ⺕ ⺕ 聿 聿 書 書
[字解] ①글서 ㉠문장. 기록. '—同文'《中庸》. ㉡책. '—册'. '桓公讀—乎堂上'《莊子》. ②편지서 서한. '—翰'. '使貽子產—'《左傳》. ③장부서 기록하는 책. '簿—'. ④서경서 오경의 하나. 곧, 상서(尙書). '詩—'. '—云, 孝乎惟孝'《論語》. ⑤글자서 문자. '—足以記姓名而已'《史記》. ⑥글씨서 ㉠필법. '學—不成'《史記》. ㉡필적. '取人以身·言·—·判'《資治通鑑》. ⑦쓸서 글씨를 씀. 문자로 적음. '—紳'. '—其德行道藝'《周禮》. ⑧성서 성(姓)의 하나.
[字源] 形聲. 聿+者〔音〕

曰 6 〔𣅚〕10 책 [入]陌|cè サク つげる
[字解] 고할책 책(册)에 써서 알림. '—, 告也'《說文》.
[字源] 形聲. 曰+冊〔音〕

曰 6 〔㑹〕10 〔회〕
會(曰부 9획〈519〉)의 古字

曰 6 〔曺〕10 [韓] 조 曹(次次條)와 同字
[參考] 《韓》 성(姓)으로서 우리 나라에서는 흔히 이 자를 쓰고, 중국에서는 '曹'를 씀.

曰 7 〔曼〕11 [人名] 만 [去]願|wàn マン ながい, よい
[筆順] 丨 冂 冃 日 昌 昌 曼 曼
[字解] ①길만 짧지 않음. '—聲'. '孔—且碩'《詩經》. ②아름다울만 ㉠살결이 고움. 용모가 미려함. '—麗'. '鄭女—姬'《漢書》. ㉡말이 미려함. 언변이 있음. '—辭以自解'《漢書》. ③가벼울만 무겁지 않음. '—媛'.

④없을만 無(火부 8획〈716〉)와 뜻이 같음. '行有之也, 病一之也'《揚子法言》. ⑤성만 성(姓)의 하나.
字源 會意. 篆文은 日(曰)+目+又

日7〔曹〕11 人名 조 ㊥豪 | cáo ソウ むれ, つかさ

筆順 一 冂 冃 冃 冊 冊 曲 曹

字解 ①무리조 ㉠떼. '乃造其一'《詩經》. ㉡동류. '我一'. '爾一'. '分一循行郡國'《史記》. ②짝조 자기와 상대되는 자. 법원에서 원고와 피고를 병칭하여 '兩一'라 함. '就聽訟之地言之則曰一'《周禮正義》. ③마을조 관청. '一司'. '世祖凡分六一'《後漢書》. ④방조 실내(室內). '坐一治事'《漢書》. ⑤조나라조 춘추 시대(春秋時代)의 제후(諸侯)의 나라. 지금의 산동성(山東省) 안에 있었음. ⑥성조 성(姓)의 하나.
字源 會意. 甲骨文은 𣗥+口
參考 성(姓)으로서, 우리 나라에서는 曺(前前條)를 흔히 씀.

日7〔曽〕11 〔증〕
曾(日부 8획〈519〉)의 俗字

日8〔最〕12 中·人 최 ㊦泰 | zuì サイ もっとも

筆順 冂 日 旦 早 早 㫖 最 最

字解 ①가장최 제일. '一高'. '秦滅六國, 楚一無罪'《史記》. ②모두최 모조리. '一從高帝'《史記》. ③우두머리최 수위(首位). 관리의 치적(治績)이나 공적의 일등. '功一'. '猶無益於殿一'《漢書》. ④모일최, 모을최 한 군데 모이거나 모음. '物何爲一之哉'《莊子》. ⑤성최 성(姓)의 하나.
字源 會意. 曰+取

日8〔曾〕12 中·人 ㊀증 ㊥蒸 ㊁층 ㊥蒸 | zēng ソウ かつて | céng ソウ そう

筆順 丿 八 亼 㒼 𠔉 曾 曾 曾

字解 ㊀①일찍증 일찍이. 이전에. 지금까지. '未一有'. '一待客夜食'《史記》. ②이에증 乃(丿부 1획〈17〉)와 뜻이 같음. '一是以爲孝乎'《論語》. ③거듭증 다시 덧포개어. '一欷歔余鬱邑兮'《楚辭》. ④거듭할증 한 것을 또 함. '一孫'. ⑤더할증 增(土부 12획〈219〉)과 同字. '一益其所不能'《孟子》. ⑥성증 성(姓)의 하나. ㊁층층 層(尸부 12획〈300〉)과 同字. '登閬風之一城兮'《後漢書》.
字源 會意. 八+田+日
參考 曽(日부 7획〈519〉)은 俗字.

日8〔朁〕12 참 ㊤感 | cǎn サン かって

筆順 一 二 扌 夫 㚘 㚘 朁 朁

字解 일찍참 일찍이. 이에. '一, 曾也'《說文》. '一, 發語辭也'《玉篇》.
字源 形聲. 日+兓〔音〕

日8〔替〕12 高·人 체 ㊦霽 | tì タイ すたれる

筆順 一 二 夫 夫 夫一 扶 㚘 替

字解 ①폐할체 폐기(廢棄)함. 폐지함. '一懈'. '薦可而一不'《國語》. 또, 폐기당함. '兄其一乎'《左傳》. ②멸할체, 쇠할체 절멸(絶滅)함. 또, 쇠퇴함. '一衰'. '君之家嗣其一乎'《國語》. ③갈체, 바꿀체 교환함. '以山光水色, 一其玉肌花貌'《蘇軾》. ④갈마들체 교대함. '一代'. ⑤성체 성(姓)의 하나.
字源 會意. 曰+扶(竝)

日8〔𣍳〕12 〔우〕
友(又부 2획〈141〉)의 古字

日8〔㑹〕12 會(次條)의 俗字

日9〔會〕13 中·人 ㊀회 ㊦泰 ㊁괴 ㊦泰 | huì カイ あつまる, あう | kuài カイ かく

筆順 𠆢 亼 会 侖 侖 侖 會 會

字解 ㊀①모일회 ㉠회합함. '一同'. '俱一大道口'《古詩》. ㉡하나가 됨. 일치함. '筆與手一'《陶弘景》. ②모을회 모이게 함. '大一耆老'《晉書》. ③모임회 회합. '詩一'. '周人作一, 而民始疑'《禮記》. ④반드시회 꼭. 필연. '一當有業'《顏延之》. ⑤마침회 때마침. '一遇'. '一閣下, 辱臨攷第'《柳宗元》. ⑥기회회 적당한 시기. '烈士立功之一'《三國志》. ⑦셈회 계산. 월계(月計)를 요(要), 세계(歲計)를 '一'라 함. '孔子嘗爲委吏矣, 曰一計當而已'《孟子》. ⑧깨달을회 이해함. '一得'. '智者融一'《隋煬帝》. ⑨그림회 繪(糸부 13획〈1015〉)와 통용. '日月星辰山龍華蟲作一'《書經》. ㊁그릴괴 '一, 畫也'.
字源 象形. 시루에 뚜껑을 덮은 모양을 본떠, '잘 맞다'의 뜻을 나타냄.
參考 会(人부 4획〈36〉)는 俗字.

日9〔㬅〕13 〔만〕
曼(日부 7획〈518〉)의 俗字

日9〔𣍘〕13 〔위〕
韋(部首〈1673〉)의 古字

日10〔朅〕14 ㊀걸 (入)屑 | qiè ケツ さる
㊁흘 (入)月 | ケツ いさましい

字解 ㊀갈걸 가 버림. '回車—來兮'《司馬相如》. ㊁헌걸찰흘 씩씩한 모양. '庶士有—'《詩經》.
字源 形聲. 去+曷〔音〕

日10〔[illegible]〕14 朄(次條)과 同字

日10〔朄〕14 인 (去)震 | yìn イン こつづみ

筆順 一 冂 ... 朄

字解 작은북인, 북소리인 큰 북을 치기 전에 치는 작은 북. 또, 그 북 소리. '—, 小鼓在大鼓上, 擊之以引樂也'《玉篇》.
字源 形聲. 申+柬〔音〕

日10〔[illegible]〕14 〔체〕 替(日부 8획〈519〉)와 同字

日11〔[illegible]〕15 〔풍〕 豐(豆부 11획〈1371〉)의 古字

日12〔[illegible]〕16 〔체〕 替(日부 8획〈519〉)와 同字

日16〔[illegible]〕20 〔조〕 曹(日부 7획〈519〉)의 本字

月 部
〔달 월 부〕

月0〔月〕4 中·人 월 (入)月 | yuè ゲツ·ガツ つき

筆順 丿 刀 月 月

字解 ①달월 ㉠지구의 위성. 태음(太陰). '—光'. '莫大乎日—'《易經》. ㉡한 해의 12분의 1. '年—'. '孟春之—'《禮記》. ㉢달을 세는 수사(數詞). '三—不知肉味'《論語》. ②세월월 광음. '歲—不待人'《陶潛》. ③다달이월 달마다. 매월. '日省—試'《中庸》. ④성월 성(姓)의 하나.
字源 象形. 달이 이지러진 모양을 본뜸.
參考 부수로서, 달과 관계 있는 문자를 모음. '舟주'의 변형인 '月'도 이 부수에 포함됨. '肉육'이 변으로 될 때의 '月 육달월'과는 다름.

月1〔[illegible]〕5 〔주〕 舟(部首〈1110〉)와 同字

月2〔[illegible]〕6 〔복〕 服(月부 4획〈520〉)의 古字

月2〔有〕6 中·人 ㊀유 (上)有 | yǒu ユウ ある
㊁우 (去)宥 | yòu ユウ また

筆順 ノ ナ 冇 有 有 有

字解 ㊀①있을유 ㉠존재함. '—無'. '—文在其手'《左傳》. ㉡생김. 일어남. '日—食之'《左傳》. ㉢가지고 있음. '陳文子—馬十乘'《論語》. ②가질유 보유함. 보지(保持)함. '所—'. '—國者, 不可以不愼'《大學》. ③소유유 가진 물건. '尺土非復漢—'《曹植》. ④고을유 州(巛부 3획〈324〉)와 뜻이 같음. '奄有九—'《詩經》. ⑤또유 又(部首〈140〉)와 뜻이 같음. '十—二年'. '朞三百—六旬—六日'《書經》. ⑥성유 성(姓)의 하나. ㊁또우 又(部首〈140〉)와 同字. '邪說暴行—作'《孟子》.
字源 形聲. 肉+又〔音〕
參考 문자의 성립상으로, 의부(意符)인 '月월'은 '肉육'이지만, 《康熙字典》에 따라, '月'부(部)에 넣음.

月4〔朋〕8 中·人 붕 (平)蒸 | péng ホウ とも

筆順 丿 刀 月 月 刖 肌 朋 朋

字解 ①벗붕 ㉠친구. '—友'. '有—自遠方來'《論語》. ㉡동문 수학하는 사람. '以—友講習'《易經》. ②떼붕 무리. '—溺'. '羣居而—飛'《山海經》. ③쌍붕 한 쌍. '—酒斯饗'《詩經》. ④쌍조개붕 전화(錢貨)로 사용하는 한 쌍의 조개. '錫我百—'《詩經》. ⑤성붕 성(姓)의 하나.
字源 象形. 甲骨文·金文은, 몇 개의 조개를 실로 꿰어서 두 줄로 늘어놓은 모양을 본뜸.

月4〔服〕8 中·人 복 (入)屋 | fú フク きもの

筆順 丿 刀 月 月 月 肵 服 服

字解 ①옷복 의복. '被—'. '車—以庸'《書經》. ②말복 네 마리가 끄는 마차에서 멍에를 끼고 달리는 안쪽의 두 말. 바깥쪽의 두 마리의 말은 '驂'이라 함. '兩—上襄'《詩經》. ③직책복 맡은 직무. '無替厥—'《書經》. ④일복 처리하여야 할 일. '昭哉嗣—'《詩經》. ⑤구역복 주대(周代)에 왕기(王畿)의 밖 주위에서부터 5백 리마다 설정(設定)한 구역. '九—'. '弼成五—'《書經》. ⑥복복 복제(服制). 또, 상복(喪服). '喪—'. '絶族無移—'《禮記》. ⑦입을복 옷을 입음. '非先王之法服, 不敢—'《孝經》. ⑧잡을복 쥠. '—兵擐甲'《國語》. ⑨찰복 칼 따위를

참. '一劍臂刃'《呂氏春秋》. ⑩좇을복 ㉠따름. '一從'. '四罪而天下咸一'《書經》. ㉡복죄(伏罪)함. '一罪'. '五罰不一'《書經》. ⑪행할복 수행함. '一行'. '上身一以先之'《管子》. ⑫쓸복 사용함. 채용함. '旨哉說, 乃言惟一'《書經》. ⑬생각할복 '一念'. '吾一女也'《莊子》. ⑭다스릴복 바로잡아 처리함. '一之無斁'《詩經》. ⑮익을복 익숙해짐. '一其水土'《漢書》. ⑯먹을복 약 같은 것을 먹음. '一藥'. '令更一丸藥'《史記》. ⑰탈복 탈것에 탐. '一牛乘馬'《書經》. ⑱전동복 箙(竹부 8획〈942〉)과 통용. '象弭魚一'《詩經》. ⑲올빼미복 鵩(鳥부 5획〈1815〉)의 별칭(別稱). '楚人命鴞曰一'《史記》. ⑳길복 匐(勹부 9획〈120〉)과 통용. '扶一救之'《禮記》. ㉑성복 성(姓)의 하나.
[字源] 形聲. 月(舟)＋𠬝〔音〕

月4〔朌〕8 반 ㊥刪|bān ハン わける
[字解] 나눌반 나누어 줌. 분배함. 頒(頁부 4획〈1684〉)과 同字. '名山大澤不以一'《禮記》.
[字源] 形聲. 月＋分〔音〕
[參考] 肦(肉부 4획〈1066〉)과는 別字.

月4〔肭〕8 〔뉵〕
朒(月부 6획〈521〉)의 訛字
[參考] 肭(肉부 4획〈1066〉)은 別字.

月5〔朏〕9 비 ㊤尾|fěi ヒ みかづき
[字解] 초승달비 음력 초사흗날에 뜨는 달. '魄一'. '三月惟丙午一'《書經》.
[字源] 會意. 月＋出

月5〔朎〕9 령 ㊥青|líng レイ つきのうつくしいひかり
[字解] 달빛영롱할령 아름다운 달빛. '一朧, 月光也'《集韻》.
[字源] 形聲. 月＋令〔音〕

月5〔朐〕9 구 ㊥虞|qú ク くびき
[字解] 멍에구 軥(車부 5획〈1462〉)와 同字. '繇一汰輈'《左傳》.
[字源] 形聲. 月＋句〔音〕
[參考] 朐(肉부 5획〈1069〉)와는 別字.

〔前〕〔전〕
刀부 7획(105)을 보라.

月6〔朒〕10 뉵 ㊇屋|nǜ ジク ついたちづき
[字解] ①초하룻달뉵 음력 초하루에 동쪽에 보이는 달. '審朓一以定朔'《五代史》. ②줄어들뉵 작게 됨. '與月盈一'《埤雅》. ③주눅들뉵 '縮一'은 기가 꺾여 우므러듦. '王侯縮一, 不任事'《漢書》.
[字源] 形聲. 月＋肉〔音〕
[參考] 肭(月부 4획〈521〉)과 同字.

月6〔朓〕10 조 ㊤篠|tiǎo チョウ みそかづき
[筆順] 月 月 刖 刖 刖 朓 朓 朓
[字解] 그믐달조 음력 그믐에 서쪽에 보이는 달. '一, 晦而月見西方, 謂之一'《說文》.
[字源] 形聲. 月＋兆〔音〕

月6〔朕〕10 짐 ㊤寢|zhèn チン われ
[字解] ①나짐 원래 일반의 자칭(自稱)이었으나, 진시황(秦始皇) 이후로 천자(天子)의 자칭으로만 쓰이게 되었음. '一爲始皇帝'《史記》. ②조짐짐 '一兆'. '未成兆一'《淮南子》.
[字源] 形聲. 篆文은 舟＋灷〔音〕

月6〔朔〕10 [中·人] 삭 ㊇覺|shuò サク ついたち
[筆順] 丶 丷 㔾 屰 屰 屰 朔 朔
[字解] ①초하루삭 음력의 매월 첫날. '一望'. '秋七月壬辰一'《春秋》. ②처음삭 시초. '皆從其一'《禮記》. ③북녘삭 북방. '一風'. '宅一方, 曰幽都'《書經》. ④정삭삭 고대(古代)에 천자(天子)가 연말(年末)에 이듬해의 달력을 제후(諸侯)에게 나누어 주고, 겸하여 정령(政令)을 내린 일. 제후(諸侯)는 이를 종묘(宗廟)에 보관하였다가, 매월 초하루에 한 마리의 양(羊)의 희생(犧牲)을 차려 종묘에 고하고, 그 달의 달력을 꺼내어 시행하였음. '奉一'. '子貢欲去告一之餼羊'《論語》. ⑤성삭 성(姓)의 하나.
[字源] 形聲. 月＋屰〔音〕

月6〔朗〕10 〔랑〕
朗(月부 7획〈522〉)의 略字

月7〔朘〕11 전 ㊥先|juān セン ちぢまる
[字解] 쪼그라질전 위축함. '民日削月一'《漢書》.
[字源] 形聲. 月＋夋〔音〕
[參考] 脧(肉부 7획〈1076〉)과는 別字.

月7〔望〕11 [中·人] 망 ㊦漾 ㊥陽|wàng ボウ のぞむ
[筆順] 亠 亡 切 胡 望 望 望 望

字解 ①바라볼망 ㉠먼 데를 봄. '眺―'. '出沒―平原'《魏徵》. ㉡마주 대함. '兩山相―如門'《地理通釋》. ②바랄망 기대함. '希―'. '海內企―之意'《後漢書》. ③원망할망 못마땅하게 여겨 책함. '責―'. '絳侯―袁盎'《史記》. ④엿볼망 몰래 봄. '覘―知之'《吳志》. ⑤우러러볼망 앙모함. '―慕'. '良人者所仰―而終身也'《孟子》. ⑥조망망 바라보는 바. '窮目極―'《漢書》. ⑦소망망 바라는 바. '過―'《漢書》. ⑧앙망망 앙모하는 바. '民―如草, 我澤如春'《曹植》. ⑨원망망 원한. '大臣不服罪, 懷恚―'《後漢書》. ⑩이름망 명성. '名―'. '令聞令―'《詩經》. ⑪망제망 산천에 지내는 제사. 또, 그 제사를 지냄. '―于山川'《書經》. ⑫보름망 음력 보름날의 밤. '朔―'. '月幾―'《易經》. ⑬성망 성(姓)의 하나.

字源 象形. 甲骨文은 기지개를 켠 사람 위에 강조(強調)한 눈의 모양을 본떠 멀리 바라보다의 뜻을 나타냄.

月7 〔望〕11 望(前條)과 同字

月7 〔朗〕11 人名 랑 ㊤養 lǎng ロウ ほがらか

筆順 ' ㇉ ㅋ 自 自 良 朗 朗

字解 ①밝을랑 환하고 맑음. '―月'. '是日也, 天―氣淸'《王羲之》. ②성랑 성(姓)의 하나.

字源 形聲. 月+良〔音〕

月7 〔朖〕11 朗(前條)의 本字

月7 〔朙〕11 〔명〕 明(日부 4획〈502〉)의 古字

月7 〔朚〕11 ㊀ 황 ㊥陽 huāng コウ あくるひ ㊁ 망 ㊥陽 wáng ボウ いそがしい ㊂ 맹 ①㊦敬 ②㊥庚 モウ みちをうしなう モウ めくら

字解 ㊀ 이튿날황 익일(翌日). ㊁ 바쁠망 '―, 卽今之忙字'《說文 段注》. ㊂ ①길잃을맹 '―倀'은 길을 잃은 모양. '―, ―倀, 失道皃'《廣韻》. ②소경맹 盲(目부 3획〈838〉)과 同字. '―, 說文, 目無牟子. 或作瞢 · ―'《集韻》.

字源 形聲. 朙(明)+亡〔音〕

〔勝〕〔승〕 力부 10획(116)을 보라.

月8 〔朝〕12 中·人 조 ㊥蕭 ①②zhāo チョウ あさ ③-⑪cháo チョウ まみえる, まつりのにわ

筆順 一 十 𠫓 古 直 卓 朝 朝

字解 ①아침조 ㉠새벽부터 조반 때까지. '―夕'. ㉡새벽부터 정오 때까지. '崇―其雨'《詩經》. ㉢널리, 날 · 시간 등의 뜻으로 쓰임. '一―之忿忘其身'《論語》. ②나라이름조 '―鮮'은 나라 이름. '―, 又―鮮, 國名'《廣韻》. ③조정조 ㉠제왕이 정사를 재결하는 곳. '―廷'. '―與下大夫言'《論語》. ㉡한 임금이 재위하는 기간. '列聖―'. '歷―佐命'《唐書》. ④마을조 관아(官衙). '山谷鄙生, 未嘗識郡―'《後漢書》. ⑤뵐조 ㉠신하가 조정에 나아가 임금을 배알함. '―見'. '稱病不―'《漢書》. ㉡고대(古代)에는 아들이 부모를 뵙거나 존경하는 사람을 찾아가 뵙는 데도 썼음. '昧爽而―'《禮記》. '日往―相如'《史記》. ⑥조회받을조 제왕이 정사(政事)를 봄. '朞年不聽―'《呂氏春秋》. ⑦부를조 호출함. '―西靈於九濱'《楚辭》. ⑧모일조 회합함. '耆老皆―于庠'《禮記》. ⑨흐를조 흘러들어감. '江漢―宗于海'《書經》. ⑩왕조조 한 왕조(王朝)의 통치 기간. '淸―'. '漢―之刑以弊'《舊唐書》. ⑪성조 성(姓)의 하나.

字源 會意. 𠦝+日

月8 〔期〕12 中·人 기 ㊥支 qī(qí), ③jī キ とき, ちぎる

筆順 一 廾 甘 甘 其 其 期 期

字解 ①때기 시기. '―間'. '歸妹愆―'《易經》. ②한기 한정. '―限'. '萬壽無―'《詩經》. ③돌기 ㉠만 일주야. '叔孫旦而立, ―焉'《左傳》. ㉡만 일주년. 朞(次條)와 同字. '―年'. '當―之日'《易經》. ④백년기 백년간. '―頤'. '百年曰―'《禮記》. ⑤바랄기 희망을 가짐. 요망함. '―待'. ⑥기약할기 약속함. '―約'. '與老人―, 後何也'《史記》. ⑦기다릴기 '以―年耆'《莊子》. ⑧모일기 회합함. '―於司里'《國語》. ⑨정할기 결정함. '―死非勇也'《左傳》. '凡萬民之―于市者'《周禮》. ⑩말더듬거릴기 '口曰訥――艾艾'《書言故事》. ⑪목표삼을기 목적으로 함. '刑―于無刑'《書經》. ⑫구할기 요구함. '非―不同, 所急異務也'《漢書》. ⑬성기 성(姓)의 하나.

字源 形聲. 金文은 日+其〔音〕. 篆文은 月+其〔音〕

月8 〔朞〕12 기 ㊥支 jī キ とき

字解 돌기 1주년. 期(前條)와 통용. '一三百有六旬有六日'《書經》.
字源 形聲. 月＋其〔音〕

月8 〔朞〕12 〔패〕
霸(雨부 13획〈1649〉)의 古字

月9 〔朡〕13 종 ㊥東 | zōng ソウ つなぐ
字解 ①맬종 잡아맴. '叔糴爲之奴而一'《呂氏春秋》. ②좌초할종 배가 모래땅에 얹혀 가지 못함. 艐(舟부 9획〈1114〉)과 同字. '艐, 船著不行也. 隷作一'《集韻》.

〔塍〕〔승〕
土부 10획(217)을 보라.

〔媵〕〔잉〕
女부 10획(260)을 보라.

月10 〔朚〕14 황 ㊤養 | huāng コウ つきがほのぐらい
字解 달빛어슴푸레할황 '朦一'은 달빛이 희미함. '朦一, 月不明也'《集韻》.

月10 〔朡〕14 〔릉〕
凌(冫부 8획〈93〉)과 同字

月10 〔朢〕14 망 ㊧漾 | wàng ボウ もちづき
字解 ①보름망 음력 15일. 만월(滿月)이 됨. 보름달. '一, 月滿也'《說文》. ②望(月부 7획〈521〉)과 同字.
字源 會意. 月＋臣＋壬

月10 〔朚〕14 〔황〕
肓(月부 7획〈522〉)의 本字

月11 〔膰〕15 〔승〕
塍(土부 10획〈217〉)의 俗字

月12 〔朣〕16 동 ㊥東 | tóng ドウ つきがはじめてでる
字解 ①달빛밝으려할동 '一朧'은 달이 떠오르기 시작하여 밝으려고 하는 모양. '月一朧以含光兮'《潘岳》. ②흐릴동 '一朦'은 흐린 모양. 어렴풋한 모양. '湖色濃蕩漾, 海光漸一朦'《陶翰》.
字源 形聲. 月＋童〔音〕

〔謄〕〔등〕
言부 10획(1348)을 보라.

〔賸〕〔잉〕
貝부 10획(1398)을 보라.

月14 〔朦〕18 몽 ㊥東 | méng モウ おぼろ
字解 흐릴몽 달빛 같은 것이 흐린 모양. 어슴푸레한 모양. '一一'. '一朧煙, 霧曉'《李嶠》.
字源 形聲. 月＋蒙〔音〕

〔蠃〕〔라〕
虫부 13획(1251)을 보라.

〔羸〕〔리〕
羊부 13획(1039)을 보라.

月16 〔朧〕20 롱 ㊥東 | lóng ロウ おぼろ
字解 흐릴롱 달빛 같은 것이 흐린 모양. '朦一'. '紙窗弄色如一月'《范成大》.
字源 形聲. 月＋龍〔音〕

〔贏〕〔영〕
貝부 13획(1401)을 보라.

〔臝〕〔라〕
肉부 17획(1097)을 보라.

月20 〔曭〕24 당 ㊤養 | tǎng トウ つきがほのぐらい
字解 달빛어슴푸레할당 달빛이 희미함. '一, 月不明'《篇海》.

木　部
〔나무목부〕

木0 〔木〕4 中·人 목 ㊇屋 | mù ボク·モク き
筆順 一 十 才 木
字解 ①나무목 ㉠선 나무. 수목(樹木). '灌一'. '百穀草一麗于土'《易經》. ㉡벤 나무. 재목(材木). '朽一不可雕也'《論語》. ㉢나무를 재료로 하여 제작한 것. '一像'. '皆著一履屐'《後漢書》. ㉣오행의 첫째. 방위로는 동쪽, 사계(四季)로는 봄, 간지(干支)로는 갑(甲)·을(乙)에 배당함. '巽爲一'《易經》. ②관목 목제의 관곽(棺槨). '入一'. '如是而嫁, 則就一矣'《左傳》. ③목제악기목 나무로 만든 악기. 팔음(八音)의 하나임. '石·金·土·革·絲·一·匏·竹'《周禮》. ④질박할목 순박함. '剛毅一訥近於仁'《論語》. ⑤차꼬목 죄인(罪人)의 수족 따위에 끼우는 형구(刑具). 고랑·칼 따위. 질곡(桎梏). ⑥별이름목 목성(木星).

'一字循環相起伏'《文天祥》. ⑦요일목 목요일(木曜日). ⑧성목 성(姓)의 하나. ⑨《韓》무명목 면포(綿布).

字源 象形. 대지(大地)를 덮은 나무의 모양을 본뜸.

參考 '木'을 의부(意符)로 하여, 여러 가지 나무의 종류, 나무의 부분, 나무로 만들어진 것, 나무의 상태 등을 나타내는 문자를 이룸.

木 0 〔𣎴〕4 ㊀알 (入)曷 è ガツ きりかぶ ㊁애 (去)隊 ài ガイ まがってのびない ㊂돈 (平)元 dŭn トン きをきってまくらぎをつくる

字解 ㊀그루터기알 櫱(木부 20획〈593〉)의 古字. ㊁나무뻗지않을애 나무의 끝이 구부러져 뻗지 않음. '一, 木屈頭不出也'《集韻》. ㊂①나무베어침목(枕木)만들돈. ②도토(陶土)돈 자기(磁器)를 만드는 흙의 일종.

參考 不(一부 3획〈11〉)은 別字.

木 0 〔朩〕4 ㊀빈 (去)震 pìn ヒン あさのくきからはいだかわ ㊁패 (去)卦 ハイ・ハ あさ

字解 ㊀①삼껍질빈 삼줄기에서 벗긴 껍질. '一, 分枲莖皮也'《說文》. ②삼베빈 삼베 조각. '一, 麻片'《集韻》. ㊁①삼껍질패 ㊀①과 뜻이 같음. ②삼패 𣏟(木부 4획〈529〉)와 同字.

字源 象形. '屮'은 삼〔大麻〕의 줄기. '八'은 그 껍질을 줄기에서 벗긴 모양. 삼의 줄기에서 벗긴 껍질의 뜻을 나타냄.

木 1 〔本〕5 中·人 본 (上)阮 běn ホン もと

筆順 一 十 才 木 本

字解 ①밑본 나무의 밑동. 전(轉)하여, 줄기. '一支'. '枝大於一'《史記》. ②근원본 시작. 원시(原始). '其一在人心之惑於物也'《禮記》. ③근본본 ㉠기본. '一義'. '皆以修身爲一'《大學》. ㉡조상. 부모. '報一反始'《禮記》. ㉢종가(宗家). '一支百世'《詩經》. ㉣고향. 본국. '遼西流人, 悉有戀一之心'《晉書》. ㉤원천(原泉). '必以天地爲一'《禮記》. ㉥천품. 성질. '必反其一'《呂氏春秋》. ④농사본 농업. '彊一而節用'《荀子》. ⑤본전본 이자에 대한 본전. '子一相侔'《韓愈》. ⑥바탕본 소지(素地). 밑절미. '豫爲後地曰張一'《左傳 註》. ⑦예본 왕석(往昔). '一俗'《周禮》. ⑧첩본 서첩 또는 화첩. '楊雨一進'《書斷》. ⑨책본 전적(典籍). '一人持一, 一人對讀'《西溪叢語》. ⑩본디본 원래. '一欲以全民也'《漢書》. ⑪근본으로할본 기본으로 삼음. '一之則無'《論語》. ⑫이본 此(止부 2획〈603〉)와 뜻이 같음. '一年'. '珠官拜一州'《王維》. ⑬본본 초목 등을 세는 수사(數詞). '稚杉戢戢三千一'《蘇軾》. ⑭성본 성(姓)의 하나.

字源 指事. 나무 밑동 뿌리 부분에 그 표시를 덧붙여 '근본'의 뜻을 나타냄.

木 1 〔札〕5 찰 (入)黠 zhá サツ ふだ

字解 ①패찰 ㉠얇고 작은 나뭇조각. ㉡글씨를 쓰는 조그마한 나뭇조각. '上令尙書給筆一'《漢書》. ②편지찰 '書一'. ③미늘찰 갑옷의 미늘. '射之, 徹七一焉'《左傳》. ④적을찰 씀. '一, 署也'《廣韻》. ⑤노찰 배를 젓는 막대기. '櫂, 又謂之一'《釋名》. ⑥일찍죽을찰 요사(夭死)함. '民不夭一'《左傳》. ⑦돌림병찰 전염병. '國凶一'《周禮》.

字源 會意. 木+乙

木 1 〔未〕5 中·人 미 (去)未 wèi ミ いまだ

筆順 一 二 キ 未 未

字解 ①여덟째지지미 십이지(十二支)의 제8위. 시간으로는 오후 1시부터 3시까지, 방위로는 서남방, 달로는 6월, 띠로는 양에 배당함. '太歲在一, 曰協洽'《爾雅》. ②아닐미 ㉠부정(否定)의 말. '一之有也'《論語》. ㉡아직 …하지 아니함. '一知'. '學詩乎, 對曰一也'《論語》. ③미래미 장래. '且徵其一也'《荀子》. ④계속될미 '一, 續也'《揚子方言》. ⑤가지잎우거질미 나무가 나이를 먹어 가지 잎이 우거짐. '一, 木老枝葉重也'《說文通訓》. ⑥성미 성(姓)의 하나.

字源 象形. 나무에 어린 가지가 뻗은 모양을 본떠, '어리다, 작다, 조금'의 뜻을 나타내었음. 차용하여 부정(否定)의 조사(助辭)로 사용됨.

參考 末(次條)은 別字.

木 1 〔末〕5 中·人 말 (入)曷 mò マツ・バツ すえ

筆順 一 二 キ 才 末

字解 ①끝말 ㉠나무 끝. 우듬지. '木上曰一'《說文》. ㉡첨단(尖端). '一端'. '獻杖者執一'《禮記》. '若錐之處囊中. 其一立見'《史記》. ㉢하위(下位). 아래쪽. '一席'. '編於百主之一'《漢書》. ㉣종말. '一日'. '是月之一, 擇吉日大合樂'《禮記》. ㉤중요하지 아니한 부분. '瑣一'. '反本成一'《荀子》. ㉥신하. 백성. '本一弱'《易經》. ②꼭대기말 정상(頂上). '起于靑蘋之一'《宋玉》. ③사지말 수족(手足). '四一'. '風淫一疾'《左傳》.

④장사말 상업. '上農除一'《史記》. ⑤말세말 난세. '叔一澆訛'《後漢書》. ⑥가루말 '粉一'. '燒爲灰一'《晉書》. ⑦천할말 미천함. '位一名卑'《南史》. ⑧늙을말 나이 먹음. '武王一受命'《中庸》. ⑨가벼울말 경(輕)함. '不爲一減'《左傳》. ⑩자손말 후예(後裔). '垂及後世裔一也'《書經 疏》. ⑪등말 '一僂而後耳'《素問》. ⑫작을말 '淺智之所爭則一矣'《呂氏春秋》. ⑬쇠할말 쇠퇴함. '彊弩之一力, 不能入魯縞'《漢書》. ⑭지울말 抹(手부 5획〈434〉)과 통용. '一殺災異'《漢書》. ⑮없을말 無(火부 8획〈716〉)와 뜻이 같음. '一之難也'《論語》. ⑯말말 勿(勹부 2획〈119〉)과 뜻이 같음. '一有原'《禮記》. ⑰마침내말 드디어. 기어이. '我則一惟成德之彥'《書經》. ⑱성말 성(姓)의 하나.
字源 指事. '木목' 위에 가로획을 그어 나무 끝의 뜻을 나타냄.
參考 未(前條)는 別字.

木1〔朮〕5 출 ①②㊀質 ③㊀質 | shú ジュツ もちあわ zhú ジュツ おけら
字解 ①차조출 秫(禾부 5획〈900〉)과 同字. ②성출 성(姓)의 하나. ③삽주출 국화과(科)에 속하는 다년초. 뿌리는 백출(白朮) 또는 창출(蒼朮)이라 하여, 한약재로 씀. '一, 山薊'《爾雅》.
字源 象形. 차조의 모양을 본뜸.

木1〔朩〕5 ㊀ 발 ㊀曷 | bó ハツ しげる ㊁ 패 ㊃隊 | bèi ハイ しげる
字解 ㊀ 우거질발 초목(草木)이 무성한 모양. '一, 艸木盛一一然'《說文》. ㊁ 우거질패 ㊀과 뜻이 같음.
字源 形聲. 屮+八〔音〕

〔禾〕〔계〕
禾부 0획(896)을 보라.

木1〔术〕5 〔술〕
術(行부 5획〈1262〉)의 簡體字

木1〔东〕5 〔동〕
東(木부 4획〈533〉)의 簡體字

木2〔朴〕6 中·人 박 ㊀覺 | pǔ(pú), ②pò ボク きのかわ, ほおのき
筆順 一 十 才 木 朩 朴
字解 ①나무껍질박 목피(木皮). '膚如桑一'《崔駰》. ②팽나무박 느릅나뭇과(科)에 속하는 낙엽 교목(落葉喬木). 담황색 꽃이 피며, 황적색의 열매는 단맛이 있음. 목재는 단단하여 기구재로 쓰임. ③순박할박 꾸밈이 없음. 질박함. 樸(木부 12획〈578〉)과 同字. '素一'. '示敦一'《史記》. ④떨어질박 '一, 離也'《廣雅》. ⑤클박 '焉得夫一牛'《楚辭》. ⑥갑자기박 '一, 猝也'《廣雅》. ⑦칠박 때림. '一擊賣請'《史記》. ⑧성박 성(姓)의 하나.
字源 形聲. 木+卜〔音〕

木2〔机〕6 궤 ㊤紙 ②jǐ キ つくえ ㊥支 jī キ さるなし
字解 ①책상궤 几(部首〈95〉)와 同字. '一上'. '渙奔其一'《易經》. ②나무이름궤 느릅나무 비슷한 나무 이름. '一, 一木也'《說文》. '單狐之山多一木'《山海經》.
字源 形聲. 木+几〔音〕

木2〔朻〕6 규 ㊥尤 | jiū キュウ たかいき
字解 ①높은나무규 '一, 說文云, 高木也'《廣韻》. ②굽어늘어질규 나무의 가지가 아래로 늘어져 굽은 모양. '木下句曰一, 上句曰喬'《爾雅》.
字源 形聲. 木+丩〔音〕

木2〔朽〕6 후 ㊤有 | xiǔ キュウ くちる
字解 ①썩을후 ㉠부패함. '腐一'. '荼蓼一止'《詩經》. ㉡폐(廢)하여 전하지 아니함. '甘惡名之速一'《陳琳》. ㉢늙어 폐인이 됨. '年一齒落'《晉書》. ②썩은냄새후 殠(歹부 10획〈609〉)와 통용. '鼻將窒者, 先覺焦一'《列子》.
字源 形聲. 木+丂〔音〕

木2〔朼〕6 비 ㊤紙 | bǐ ヒ さじ
字解 수저비 나무로 만든 숟가락. 제사 때에 씀. '乃一載'《儀禮》.

木2〔朾〕6 정 ①②㊥庚 ③㊥庚 ④㊥庚 | chēng トウ つく zhēng トウ きをきるおと tīng テイ ちめい
字解 ①칠정 두드림. ②쐐기정. ③나무베는소리정. ④땅이름정 '虛一'은 춘추 시대(春秋時代)의 송(宋)나라의 지명(地名).
字源 形聲. 木+丁〔音〕

木2〔朷〕6 ㊀ 도 ㊥豪 ㊁ 초 ㊥蕭 ㊂ 목 ㊀屋 | dāo トウ きのな tiáo チョウ えだがおちる mù ボク くわをきる
字解 ㊀ ①나무이름도 '一, 木名'《玉篇》. ②나무고갱이도 나무의 속. 목심(木心). '木心曰一'《集韻》. ㊁ 나뭇가지질초 나뭇가지가 떨어짐. '一, 枝落也, 通作條'《集韻》. ㊂ 뽕가지칠목 뽕나무 가지를 자름. '一, 刀

治桑也'《集韻》.
字源 形聲. 木+刀〔音〕

木2〔朸〕6 력 ㉤職 lè ロク もくめ / lì リョク すみ
字解 ①나이테력 연륜(年輪). 목리(木理). ②구석력 집의 구석. 옥우(屋隅).
字源 形聲. 木+力〔音〕

木2〔朳〕6 팔 ㉤黠 bā ハツ さらえ
字解 고무래팔 '一, 無齒杷也'《玉篇》.
字源 形聲. 木+八〔音〕

木2〔朹〕6 ㊀구 ㉠尤 qiú キュウ さんざし / ㊁궤 ㉡紙 guǐ キ さいき
字解 ㊀산사나무구 능금나뭇과에 속하는 낙엽 교목(落葉喬木). 과실은 산사자(山査子)라 하여 약용으로 함. 아가위나무. ㊁궤궤 簋(竹부 11획〈953〉)의 古字.
字源 形聲. 木+九〔音〕

木2〔朷〕6 ㊀잉 ①㉠蒸 ①②㉢徑 réng ジョウ きのな / ㊁이 ㉠支 ジ きのな
字解 ㊀①나무이름잉 '一, 一木也'《說文》. ②수레멈추는나무잉 '一, 一曰, 止車木'《集韻》. ㊁나무이름이 '一, 木名'《集韻》.
字源 形聲. 木+乃〔音〕

木2〔权〕6 〔권〕權(木부 18획〈592〉)의 俗字·簡體字

木2〔朱〕6 中·人 주 ㉠虞 zhū シュ あか
筆順 ノ 𠂉 二 牛 朱 朱
字解 ①붉을주, 붉은빛주 적색(赤色). '一肉'. 또, 적색의 물건. '被一佩紫'《夏侯湛》. '惡紫之奪一也'《論語》. ②연지주 화장품의 하나. '傅粉施一'《顏氏家訓》. ③난쟁이주 侏(人부 6획〈48〉)와 통용. '一儒一儒, 使我敗於邾'《左傳》. ④그루주, 줄기주 株(木부 6획〈541〉)와 통용. '幹以一數'《正字通》. ⑤성주 성(姓)의 하나.
字源 指事. '木목'의 중심에 한 획을 덧붙여, 나무의 벤 단면의 심이 붉음의 뜻을 나타냄.

木2〔朿〕6 ㊀자 ㉢寘 cì シ とげ / ㊁극 ㉤職 jì キョク いばら
字解 ㊀가시자 나무의 가시. '一, 木芒也'《說文》. ㊁가시나무극 棘(木부 8획〈553〉)과 同字.
字源 象形. 가시의 모양을 본뜸.

木2〔朿〕6 東(木부 6획〈540〉)의 本字

木2〔朶〕6 타 ㉡哿 duǒ ダ しだれる
字解 ①늘어질타 나뭇가지 또는 열매가 휘늘어짐. '解語花枝嬌一一'《趙師牧》. 전(轉)하여, 휘늘어진 물건, 한 떨기의 휘늘어진 꽃 등. '數一梅花'. '冠笄冠一'《宋史》. ②움직일타 움직이게 함. '觀我一頤'《易經》. ③가지타 꽃이 달린 가지. '白花檐外一'《杜甫》. ④성타 성(姓)의 하나.
字源 會意. 乃+木

木2〔朵〕6 朶(前條)와 同字

木2〔杀〕6 〔살〕殺(殳부 7획〈612〉)의 簡體字

木2〔杂〕6 〔잡〕雜(隹부 10획〈1635〉)의 簡體字

木2〔采〕6 〔보〕保(人부 7획〈53〉)의 古字

木3〔李〕7 中·人 리 ㉡紙 lǐ リ すもも
筆順 一 十 才 木 李 李 李
字解 ①오얏나무리 장미과(科)에 속하는 낙엽 교목(落葉喬木). 자두나무. ②오얏리 오얏나무의 열매. 자두. '投我以桃, 報之以一'《詩經》. ③다스릴리 理(玉부 7획〈772〉)와 통용. '司一'. ④재판관리 법관(法官). 옥관(獄官). '國子爲一'《管子》. ⑤별이름리 '熒惑爲一'《史記》. ⑥심부름꾼리 사자(使者). '行一之往來'《左傳》. ⑦성리 성(姓)의 하나.
字源 會意. 木+子

木3〔杏〕7 人名 행 ㉡梗 xìng キョウ あんず
筆順 一 十 才 木 杏 杏 杏
字解 ①살구나무행 장미과(科)에 속하는 낙엽 교목(落葉喬木). 씨는 행인(杏仁)이라 하여 약재로 씀. '牧童遙指一花村'《杜牧》. ②살구행 살구나무의 열매. '一仁'. ③은행나무행 '一, 銀杏'《正字通》. ④성행 성(姓)의 하나.
字源 形聲. 木+向〈省〉〔音〕

木3〔杍〕7 ㊀자 ㉡紙 zǐ シ だいく / ㊁리 ㉡紙 lǐ リ
字解 ㊀①나무다듬질기구자 나무를 다듬는 데 쓰는 기구(器具). '治木器曰一'《集

韻》. ②목수자 목공(木工). '一, 木工'《正字通》. 曰李(木부 3획〈526〉)의 古字.

木3〔杅〕7 우 ①-③㊥虞 ④㊤遇 | yú ウ みずのみ wū ウ ひく

字解 ①바리우 물을 마시는 그릇. '一不穿'《公羊傳》. ②목욕통우 '浴時入一, 浴竟出一'《禮記》. ③만족할우 만족하게 여기는 모양. '是一一亦富人已'《荀子》. ④누를우 견제함. '秦得燒掇焚一君之國'《史記》.
字源 形聲. 木+于〔音〕

木3〔杆〕7 人名 간 ①㊤翰 ②-⑤㊥寒 | gàn カン まゆみ gān カン たおれたき

筆順 一 十 才 木 木 杆 杆

字解 ①나무이름간 ㉠박달나무. 자작나뭇과의 낙엽 교목(喬木). 단목(檀木). '一, 檀木'《廣韻》. ㉡산뽕나무. 뽕나뭇과의 낙엽 활엽 교목. '一, 柘也'《廣雅》. ②쓰러진 나무간. ③몽둥이간. ④방패간 창이나 칼, 화살 따위를 막아 내는 무기. '披鎧一'《漢書》. ⑤난간간 속(俗)에 '欄干'을 '欄一'으로 씀.
字源 形聲. 木+干〔音〕

木3〔杄〕7 천 ㊥先 | qiān セン ぶどうがき

字解 고욤나무천 '梬一'은 감나무의 일종. 櫏(木부 15획〈589〉)과 同字.

木3〔杇〕7 오 ㊥虞 ㊤遇 | wū オ こて

字解 ①흙손오 벽 따위에 흙을 바르는 연장. '槾謂之一'《爾雅》. ②흙질할오 벽 따위에 흙을 바름. '糞土之牆, 不可一也'《論語》.
字源 形聲. 木+亏〔音〕

木3〔朽〕7 〔후〕
朽(木부 2획〈525〉)의 訛字

木3〔杈〕7 차 ①②㊥麻 ③㊥佳 ④㊤禡 | chā, ①chà サ えだ サイ さらえ chà サ やらい

字解 ①가장귀진나무차, 가지차 나뭇가지. 또, 나무의 가장귀진 데. '突一枒而皆折'《杜甫》. ②작살차 물고기를 찍어 잡는 기구. '以一刺泥中'《周禮 註》. ③농구차 농구(農具)의 하나. 볏단을 끼워 잡거나 경지(耕地)를 평평히 고르는 데 쓰이는 나무 기구. '一把, 平田具也'《廣韻》. ④울짱차 마책(馬柵).
字源 形聲. 木+叉〔音〕

木3〔杉〕7 人名 삼 ㊥咸 | shān, shā サン すぎ

筆順 一 十 才 木 木 杉 杉

字解 삼나무삼 소나뭇과(科)에 속하는 상록 교목(常綠喬木). '稚一戢戢三千本'《蘇軾》.
字源 形聲. 木+彡〔音〕

木3〔杋〕7 人名 범 ㊤鹽 | fán ヘン きのな

筆順 一 十 才 木 杋 杋 杋

字解 나무이름범 '一, 俗呼爲水浮木也'《玉篇》.
字源 形聲. 木+凡〔音〕

木3〔杌〕7 올 ①㊦月 ②㊦月 | wò ゲツ きりかぶ wù ゴツ あやうい

字解 ①등걸올 나무를 베고 난 그루터기. ②위태할올 위태한 모양. 불안한 모양. '邦之一隉'《書經》.
字源 形聲. 木+兀〔音〕

木3〔材〕7 中·人 재 ㊥灰 ㊤隊 | cái ザイ しろ, あらき

筆順 一 十 才 木 木 村 材

字解 ①재목재 건축·기구 등의 재료로 쓰이는 나무. '一木'. '一朴委積'《楚辭》. 전(轉)하여, 널리 딴 천연 재료의 뜻으로 쓰임. '石一'. '其一足以備器用'《左傳》. ②자품재 자질(資質). 바탕. '一質'. '必因其一而篤焉'《左傳》. ③재주재 재능. 才(手부 0획〈427〉)와 同字. '一能'. '任官惟賢一'《書經》. ④헤아릴재 裁(衣부 6획〈1273〉)와 통용. '治萬變, 一萬物'《荀子》. ⑤쓸재 사용함. '聖人於物也, 無不一'《呂氏春秋》. ⑥나무뿌리재 지상에 드러나 있는 뿌리. '駕而乘一'《左傳》. ⑦나무열매재 '掌斂疏一'《周禮》. ⑧길재 '敎人不盡其一'《禮記》. ⑨성재 성(姓)의 하나.
字源 形聲. 木+才〔音〕

木3〔杔〕7 曰탁 ㊦藥 曰척 ㊦陌 | tuō タク うつぎ zhé タク·チャク さけこし, とがた

字解 曰나무이름탁 탁로(杔櫨), 일설(一說)에는, 병꽃나무. '一櫨, 木名'《集韻》. 曰①쳇다리척, 술주자척 술을 거를 때 쓰이는 기구. '一櫨, 盪酒器'《集韻》. ②대접받침척 기둥머리를 장식하는 나무. 주두(柱枓). '一, 一曰, 柱上枅'《集韻》.
字源 形聲. 木+乇〔音〕

木3 〔村〕7 [中·人] 촌 [平]元 cūn ソン むら

[筆順] 一 十 才 木 村 村 村

[字解] ①마을촌 시골. '一落'. '一中聞有此人'《陶潛》. ②촌스러울촌 '薛駙馬有一氣, 主羞之'《隋唐嘉話》.

[字源] 形聲. 木+寸〔音〕

木3 〔杓〕7 [人名] [一]표 [平]蕭 biāo ヒョウ ひしゃくのえ
[二]작 [入]藥 sháo(shuó) シャク ひしゃく

[筆順] 一 十 才 木 杓 杓 杓

[字解] [一]①북두자루표 북두칠성의 자루를 이룬 부분. '斗一'. '一至四爲魁, 五至七爲一'《漢書》. ②당길표 끌어당김. '勁一國門之關'《淮南子》. ③맬표 잡아맴. '爲人一者死'《淮南子》. [二]구기작 술 같은 것을 뜨는 국자 비슷한 것. '一子'. '沛公不堪桮一'《史記》.

[字源] 形聲. 木+勺〔音〕

木3 〔杕〕7 [一]체 [去]霽 dì テイ きのいっぽんたっているさま
[二]타 [上]哿 duò タ·ダ かじ

[字解] [一]우뚝설체 나무가 하나 우뚝 선 모양. 일설(一說)에는, 지엽이 무성한 모양. '有一之杜'《詩經》. '一, 木盛皃'《廣韻》. [二]키타 선박의 방향을 잡는 배 뒤에 장치한 기구. '毁舟爲一'《淮南子》.

[字源] 形聲. 木+大〔音〕

木3 〔杖〕7 [人名] 장 [上]養 zhàng ジョウ つえ

[筆順] 一 十 才 木 杖 杖 杖

[字解] ①지팡이장 걸을 때에 손에 짚는 막대기. '几一'. '植其一而芸'《論語》. ②몽둥이장 길고 굵은 막대기. '大一則逃走'《孔子家語》. ③짚을장 지팡이 같은 것을 짚음. '一劍'. '五十一於家'《禮記》. ④때릴장 지팡이·몽둥이 등으로 때림. '一罰'. '自一三十'《晉書》. ⑤장형(杖刑)장 오형(五刑)의 하나. 곤장(棍杖)으로 때리는 형벌. '時制一罪'《金史》. ⑥창자루장 창의 자루. '操一以戰'《呂氏春秋》. ⑦잡을장 쥠. '左一黃鉞'《書經》. ⑧의지할장 의뢰함. '一信以晉'《左傳》.

[字源] 形聲. 木+丈〔音〕

木3 〔杙〕7 익 [入]職 yì ヨク くい

[字解] 말뚝익 ㉠땅에 박은 말뚝. '槩一'. '以一抉其傷而死'《左傳》. ㉡짐승을 매어 두는 말뚝. '狙猴之一'《莊子》.

[字源] 形聲. 木+弋〔音〕

木3 〔杜〕7 [人名] 두 [上]麌 dù ト やまなし, とじる

[筆順] 一 十 才 木 杜 杜 杜

[字解] ①팥배나무두 장미과에 속하는 낙엽교목(落葉喬木). 흰 꽃이 피고 열매는 10월에 익음. 감당(甘棠). 당리(棠梨). '有杕之一'《詩經》. ②막을두 틀어막음. '一塞'. '一口裹足'《史記》. ③끊을두 '一, 絶也'《正字通》. ④뿌리두 '一, 根也'《廣雅》. ⑤성두 성(姓)의 하나.

[字源] 形聲. 木+土〔音〕

木3 〔杝〕7 [一]이 [平]支 yí イ きのな, いこう
[二]치 [上]紙 zhì チ さく, まがき

[字解] [一]①나무이름이 백양(白楊) 비슷한 나무로서, 관재(棺材)로 쓰임. '一棺四寸'《孝經 註》. ②횃대이 옷걸이. 의항(衣桁). 椸(木부 9획〈560〉)와 뜻이 같음. [二]①쪼갤치 장작을 결에 따라서 팸. '析薪一矣'《詩經》. ②떨어질치 낙하함. ③바자울치 '柴垣曰一, 木垣曰柵'《說文》. ④펼치 펼침. '地一其緒'《太玄經》.

[字源] 形聲. 木+也〔音〕

木3 〔杞〕7 [人名] 기 [上]紙 qǐ キ くこ, おうち, くにのな

[筆順] 一 十 才 木 杞 杞 杞

[字解] ①소태나무기 소태나뭇과에 속하는 낙엽 소교목(落葉小喬木). 열매가 몹시 써서 약재로 씀. '南山有一'《詩經》. ②나무이름기 ㉠'一柳'는 고리버들. '性猶一柳也'《孟子》. ㉡'枸一'는 구기자나무. ③나라이름기 주대(周代)의 나라로, 우왕(禹王)의 자손이 통치하였음. 지금의 하남성(河南省) 기현(杞縣). '一不足徵'《論語》. ④성기 성(姓)의 하나.

[字源] 形聲. 木+己〔音〕

木3 〔杠〕7 [人名] 강 [平]江 gāng コウ こばし

[筆順] 一 十 才 木 杠 杠 杠

[字解] ①다리강 작은 다리. 외나무다리 같은 것. '一梁'. '徒一成'《孟子》. ②깃대강 기(旗)의 대. '素錦韜一'《爾雅》. ③들강 扛(手부 3획〈428〉)과 통용. '力能一鼎'《漢書》.

[字源] 形聲. 木+工〔音〕

木3 〔杒〕7 [一]인 [去]震 rèn ジン きのな
[二]이 [平]支 ér ジ しょうしゃのぼく

字解 ㊀①나무이름인 '一, 木名'《廣韻》. ②바퀴굄목인 軔(車부 3획〈1460〉)과 同字. ㊁수레채가죽이 소차(小車)의 수레채를 감는 꾸미개 가죽. '一, 小車篆'《集韻》.
字源 形聲. 木+刃〔音〕

木3〔杪〕7 초 ㊤篠|jiǎo ショウ こずえがたかい
字解 우듬지높을초 나뭇가지의 끝이 높음. '一, 木忽高也'《廣韻》.
字源 形聲. 木+小〔音〕

木3〔杚〕7 ㊀골 ㊀月|gǔ コツ たいらか
㊁개 ㊅隊|gài カイ とかき
筆順 一 十 才 木 朩 杧 杚
字解 ㊀①평평할골, 평평하게할골. ②갈골, 문지를골 '一, 摩也'《廣雅》. ㊁평미레개 평목(平木). '一, 同槩. 平斗木'《玉篇》.
字源 形聲. 木+气〔音〕

木3〔杓〕7 〔표〕
杓(木부 3획〈528〉)의 訛字

木3〔束〕7 高·人 속 ㊀沃|shù ソク たば
筆順 一 丆 冂 冋 申 束 束
字解 ①묶을속 ㉠단으로 동여맴. '牆有茨, 不可一也'《詩經》. ㉡결박함. '一縛以刑罰'《史記》. ②맬속 잡아맴. '士皆釋甲一馬'《左傳》. ③단속할속 잡도리를 단단히 함. '一身自修'《後漢書》. ④묶음속, 단속 한 묶음. '一薪'(단나무). '生芻一一, 其人如玉'《詩經》. ⑤다섯필속 포백(布帛) 다섯 필(疋). '納幣一一'《禮記》. ⑥열조각속 포(脯) 10매(枚). '一脩之肉'《穀梁傳》. ⑦쉰개속 화살 50본(本). '一矢其搜'《詩經》. ⑧모을속 '布於布, 一於帛'《漢書》. ⑨약속할속 언약을 맺음. '約一'. '定要一耳'《史記》. ⑩성속 성(姓)의 하나.
字源 象形. 땔나무를 묶은 모양을 본떠 '단짓다, 묶다, 매다'의 뜻을 나타냄.

木3〔杘〕7 치 ㊅寘|chì チ いとわくのえ
字解 ①얼레자루치 실을 감는 기구의 자루. '一, 籰柄也'《說文》. ②속일치 '嘿一, 多詐'《廣韻》.
字源 形聲. 木+尸〔音〕

木3〔宋〕7 망 ㊥陽|máng ボウ うつばり
字解 들보망 칸과 칸 사이의 두 기둥을 건너지르는 나무. '大木爲一'《韓愈》.
字源 形聲. 木+亡〔音〕

木3〔呆〕7 매 ㊥灰|méi バイ ばか
字解 ①어리석을매 아둔함. '今俗以一爲癡獃字'《正字通》. ②매화나무매 某(木부 5획〈539〉)와 同字.
參考 呆(口부 4획〈149〉)는 別字이나, 속(俗)에 '一'를 '어리석을매'로 통용함.

木3〔来〕7 〔래〕
來(人부 6획〈45〉)의 略字

木3〔杀〕7 〔살〕
殺(殳부 7획〈612〉)과 同字

木3〔条〕7 〔조〕
條(木부 7획〈552〉)의 俗字

〔呆〕 〔보〕
口부 4획(149)을 보라.

〔床〕 〔상〕
广부 4획(345)을 보라.

木4〔林〕8 中·人 림 ㊥侵|lín リン はやし
筆順 一 十 才 木 朩 村 林 林
字解 ①수풀림 숲. '山一'. '依彼平一'《詩經》. 전(轉)하여, 사물이 많이 모이는 곳. '藝一'. '儒一'. '亦當世得失之一也'《史記》. ②많을림 중다(衆多)한 모양. '一立'. '有壬有一'《詩經》. ③들림 야외(野外). '郊外曰野, 野外曰一'《詩經 傳》. '施于中一'《詩經》. ④모일림 '一, 聚也'《廣雅》. ⑤성림 성(姓)의 하나.
字源 會意. 木+木

木4〔林〕8 패 ㊅卦|pài ハイ あさ
字解 ①삼패 대마(大麻). '一, 葩之總名也'《說文》. ②삼베패 삼의 섬유로 짠 천. '一, 麻紵也'《廣韻》.
字源 會意. 朩+朩

木4〔杳〕8 묘(요㊍) ㊤篠|yǎo(miǎo) ヨウ くらい
字解 ①어두울묘 어둠침침함. '日一一而西匿'《張衡》. ②깊을묘 깊고 넓은 모양. '一乎如入於淵'《管子》. ③아득할묘 아득히 멂. '一旭弃兮'《揚雄》. ※本音 요.
字源 會意. 木+日

木4〔枣〕8 〔조〕 棗(木부 8획〈553〉)의 俗字·簡體字

木4〔杰〕8 人名 〔걸〕 傑(人부 10획〈66〉)의 俗字

筆順 一 十 才 木 朩 杰 杰 杰

木4 〔杪〕8 초 (上)篠 | miǎo ビョウ こずえ
(去)效 | ソウ·ショウ こずえ

字解 ①나무끝초 나무의 끝. '一頭'. ②가는가지초 '木細枝謂之一'《揚子方言》. 전(轉)하여, ③끝초 말단. 시절(時節)의 끝. '一春'. '冢宰制國用, 必于歲之一'《禮記》. ④작을초 秒(禾부 4획〈898〉)와 통용. '一, 小也'《廣雅》.
字源 形聲. 木+少〔音〕

木4 〔杸〕8 수 (平)虞 | shū シュ ほこ

字解 창수 창(槍)의 한 가지. '一, 軍中士所持殳也'《說文》.
字源 形聲. 木+殳〔音〕

木4 〔杬〕8 ㊀원 (平)元 | yuán ゲン きのな
㊁완 (平)寒 | wán ガン もむ

字解 ㊀나무이름원 교목(喬木)의 하나. 나무껍질이 두껍고 쓴맛이 있음. 일설(一說)에는, 팥꽃나무라 함. '緜一杶櫨'《左思》. ㊁어루만질완 안마(按摩).
字源 形聲. 木+元〔音〕

木4 〔杴〕8 험 ①(平)鹽 | xiān ケン すき
②(平)鹽 | qiān ケン みずをもらすうつわ

字解 ①가래험 흙을 치는 가래. '一, 鍬屬'《玉篇》. ②물뽑아내는기구험 물을 밖으로 내보내는 기구(器具). '一, 泄水器'《集韻》.
字源 形聲. 木+欠〔音〕

木4 〔杭〕8 항 (平)陽 | háng コウ わたる, わたす

字解 ①건널항, 건넬항 航(舟부 4획〈1111〉)과 同字. '一葦一之'《詩經》. ②나룻배항 '呼渡津航爲一'《揚子方言》. ③고을이름항 '一州'는 지금의 절강성(浙江省)의 성도(省都).
字源 形聲. 木+亢〔音〕

木4 〔柿〕8 폐 (去)隊 | fèi ハイ こけら

字解 대팻밥폐 '風吹削一'《後漢書》.
字源 形聲. 木+朩〔音〕
參考 ①柹(木부 5획〈535〉)·林(木부 4획〈529〉)은 別字. ②柿(次條)는 俗字.

木4 〔柿〕8 柹(前條)의 俗字
參考 柹(木부 5획〈535〉)는 別字.

木4 〔杯〕8 中·人 배 (平)灰 | bēi ハイ さかずき

筆順 一 十 才 木 木 杯 杯 杯

字解 ①잔배 술잔. 桮(木부 7획〈546〉)와 同字. '一酒'. '一棬不能飮焉'《禮記》. ②대접배 국을 담는 대접. '幸分我一一羹'《史記》.
字源 形聲. 木+不〔音〕
參考 盃(皿부 4획〈831〉)는 俗字.

木4 〔杵〕8 저 (上)語 | chǔ ショ きね

字解 ①공이저 절굿공이. '一臼'. '斷木爲一'《易經》. ②다듬잇방망이저 '一聲'. '秋山響砧一'《儲光羲》. ③방패저 무기(武器)의 한 가지. '流血漂一'《書經》.
字源 形聲. 木+午〔音〕

木4 〔杶〕8 춘 (平)眞 | chūn チュン たまつばき

字解 참죽나무춘 멀구슬나뭇과에 속하는 낙엽 교목(落葉喬木). 옛날에, 금재(琴材) 또는 수레의 복토(伏兎) 재료로 많이 썼음. 향춘(香椿). '一幹栝柏'《書經》.
字源 形聲. 木+屯〔音〕

木4 〔杷〕8 파 ①-③(平)麻 | pá ハ さらい
④(去)禡 | bà ハ つか, え

字解 ①발고무래파 갈퀴 모양의 고무래. 땅을 고르거나 곡류를 긁어 모으는 농구. '屈竹作一'《王褒》. ②비파나무파 枇(木부 4획〈531〉)를 보라. '枇一'. '枇一橪柹'《司馬相如》. ③비파파 琶(玉부 8획〈773〉)와 통용. '枇一, 本出於胡中, 馬上所鼓也'《釋名》. ④자루파 欛(木부 21획〈594〉)와 同字. '犀一麈尾'《晉書》.
字源 形聲. 木+巴〔音〕

木4 〔杻〕8 ㊀뉴 (上)有 | niǔ ジュウ もちのき
㊁추 (上)有 | chǒu チュウ てかせ
㊂축 (韓)

字解 ㊀감탕나무뉴 감탕나뭇과에 속하는 상록 교목(常綠喬木). 궁재(弓材)로 쓰임. '山有栲, 隰有一'《詩經》. ㊁수갑추 손을 채우는 형구. 고랑. '死罪絞而加一'《唐書》. ㊂《韓》싸리축 콩과에 속하는 낙엽 관목.
字源 形聲. 木+丑〔音〕

木4 〔杼〕8 ㊀저 (上)語 | zhù チョ ひ
㊁서 ①(上)語 ②(去)御 | shū ショ どんぐりのき / ショ ながし

字解 ㊀①북저 베틀에 딸린 씨를 푸는 제구. '母投一下機'《十八史略》. ②얇을저 두껍지 않음. '凡爲輪, 行澤者欲一'《周禮》.

[三] ①상수리나무서 '食一栗'《莊子》. ②물통서 물을 푸는 통. 또, 통으로 물을 품. '一井易水'《管子》.
[字源] 形聲. 木+予〔音〕

木4〔松〕8 [中·人] 송 ㊥冬|sōng ショウ まつ
[筆順] 一 十 才 木 木 朩 松 松
[字解] ①소나무송 소나뭇과에 속하는 상록 교목(常綠喬木). 솔. '一竹'. '千歲之一'《史記》. ②성송 성(姓)의 하나.
[字源] 形聲. 木+公〔音〕

木4〔枩〕8 松(前條)과 同字
[字源] 形聲. 木+公〔音〕

木4〔板〕8 [高·人] 판 ㊤潸|bǎn ハン·バン いた
[筆順] 一 十 才 木 朩 朾 板 板
[字解] ①널조각판 판자. '一榜'. '在其一屋'《詩經》. 전(轉)하여, 널리 나무 외의 것에도 쓰임. '鐵一'. '銅一'. '石一重疊躋'《孟郊》. ②판목판 글자나 그림을 새긴 나무. '出一'. '已鏤一文集'《宋史》. ③조서판 조칙(詔勅)을 쓴 것을 '詔一'이라 함. '使作詔一'《後漢書》. ④딱따기판 시각(時刻)을 알리거나 경계(警戒)하느라고 마주 쳐 소리내는 두 개의 나무토막. '七星挂城聞漏一'《李賀》. ⑤직첩판 사령서(辭令書). 고신(告身). '府一則爲行參軍'《宋書》. ⑥글판 문장. 서독(書牘). '發兵自防, 露一上言'《南史》. ⑦홀판 조현(朝見)할 때 오른손에 쥐는 패. '手一'. '投一棄官而去'《後漢書》. ⑧길판 열 자 또는 여덟 자의 길이. '城下不沈者三一'《戰國策》. ⑨배반할판 反(又부 2획〈141〉)과 뜻이 같음. '上帝一一'《詩經》. ⑩성판 성(姓)의 하나.
[字源] 形聲. 木+反〔音〕

木4〔极〕8 겁 ㊇葉|jí キョウ にぐら
[字解] 길마겁 당나귀의 등에 얹어 짐을 싣는 안장. '一, 驢上負版'《廣韻》.
[字源] 形聲. 木+及〔音〕

木4〔枅〕8 〔계〕
枅(木부 6획〈544〉)의 俗字

木4〔枇〕8 [人名] 비 ①②㊥支|pí ヒ·ビ びわ ③④㊦寘|bí ヒ·ビ くし ⑤㊤紙|bǐ ヒ さじ
[筆順] 一 十 才 木 木 朼 朼 枇
[字解] ①비파나무비 '一杷'는 장미과(科)에 속하는 상록 교목(常綠喬木). 꽃은 황백색. 비파(琵琶) 모양의 둥근 장과(漿果)는 식용함. '一杷橪柹'《司馬相如》. ②비파비 琵(玉부 8획〈773〉)와 통용. '一杷馬上所鼓'《釋名》. ③참빗비 빗살이 촘촘한 대빗. ④빗을비 빗으로 머리를 빗음. '頭不一沐'《後漢書》. ⑤수저비 숟가락. '一以桑'《禮記》.
[字源] 形聲. 木+比〔音〕

木4〔枉〕8 [人名] 왕 ㊤養|wǎng オウ まがる
[筆順] 一 十 才 木 朾 枉 枉 枉
[字解] ①굽을왕 ㉠휨. '一屈'. ㉡마음이 굽음. '邪一'. '能使一者直'《論語》. 또, 이상의 명사(名詞). '擧直錯諸一'《論語》. ②굽힐왕 굽게 함. '一法'. '一玉衡於炎火兮'《楚辭》. ③원죄왕 억울한 죄. '軍中皆呼一'《唐書》. 또, 원죄에 빠뜨림. '斬殺必當, 毋或一撓'《禮記》. ④헛되이왕 '雲雨巫山一斷腸'《李白》. ⑤성왕 성(姓)의 하나.
[字源] 形聲. 篆文은 木+㞷〔音〕

木4〔杫〕8 지(시[本]) ㊦寘|sì シ まないた
[字解] ①도마지 고기 따위를 다지는 판. '一, 肉机'《廣韻》. ②나무이름지 '一, 木名, 可以爲器'《集韻》. ※本音 시.

木4〔枊〕8 앙 ㊦漾|àng ゴウ こまつなぎ
[字解] ①말뚝앙 말을 매어 두는 말뚝. '著馬一'《蜀志》. ②단단할앙 '一, 堅也'《類篇》. ③쪼구미앙 건물의 동자기둥. '飛一鳥踊'《何晏》.
[字源] 形聲. 木+卬〔音〕
[參考] 柳(木부 5획〈537〉)는 別字.

木4〔枋〕8 [一] 방 ㊥陽|fāng ホウ きのな, ふしづけ [二] 병 ㊦敬|bìng ヘイ え
[字解] [一] ①나무이름방 수레를 만드는 재료로 쓰는 나무의 하나. '其杞其一'《管子》. ②어살방 어전(魚箭). '蜀人以一偃魚曰一'《揚子方言》. ③다목방 콩과에 속하는 작은 상록 교목. '蘇一'. [二] 자루병 柄(木부 5획〈535〉)과 同字. '受醴面一'《儀禮》. '內史掌王八一之法'《周禮》.
[字源] 形聲. 木+方〔音〕

木4〔枌〕8 분 ㊥文|fén フン しろにれ
[字解] ①흰느릅나무분 느릅나무의 일종. 백유(白楡). '東門之一'《詩經》. ②마룻대분

이중 지붕의 마룻대.
字源 形聲. 木+分〔音〕

木4〔枂〕8 월 ①②㊀曷 ③㊀月 | wò カツ はぐ yuè ゲツ むながわら

字解 ①벗길월 나무껍질을 벗김. '一, 去樹皮'《廣韻》. ②대접받침월 '柮一'은 주두(柱頭)의 나무. '柮一, 柱耑木'《集韻》. ③용마루기와월 용마루에 이는 기와. '一, 鞍瓦'《集韻》.

木4〔枏〕8 남 ㊥覃 | nán ダン·ナン くすのき

字解 ①녹나무남 녹나뭇과(科)에 속하는 상록 교목(常綠喬木). 예장(橡樟). '江南出一梓'《史記》. ②굴거리나무남 대극과(大戟科)에 속하는 상록 교목(常綠喬木). 교양목(交讓木). '黃金山有一木'《任昉》.
字源 形聲. 木+冄〔音〕

木4〔枎〕8 부 ㊥虞 | fū フ しげる

字解 ①퍼질부 '一疏'는 나뭇가지가 무성하여 사방으로 퍼진 모양. '遶屋樹一疏'《陶潛》. ②곁부 옆. '夫鵲去高木而巢一枝'《淮南子》.
字源 形聲. 木+夫〔音〕

木4〔枙〕8 ㊀와 ㊥歌 | ē カ ふし ㊁액 ㊀陌 | è アク·ヤク やく

字解 ㊀옹이와 나무의 마디. '木節曰一'《集韻》. ㊁재앙액 厄(厂부 2획〈133〉)의 俗字.
字源 形聲. 木+厄〔音〕

木4〔析〕8 高·人 석 ㊀錫 | xī セキ さく

筆順 一 十 才 木 朩 析 析 析

字解 ①가를석, 나눌석 ㉠해부함. '一才士之脛'《淮南子》. ㉡분석함. '疑義相與一'《陶潛》. ②쪼갤석 조각이 나게 함. '一薪如之何'《詩經》. ③나누일석 갈라짐. '厥民一'《書經》. '藩國自一'《漢書》. ④성석 성(姓)의 하나.
字源 會意. 木+斤
參考 折(手부 4획〈431〉)·柝(木부 5획〈536〉)은 別字.

木4〔枬〕8 析(前條)과 同字

木4〔枸〕8 구 ㊥尤 | gōu コウ こうぞ

字解 ①구부러질구 휘어짐. '檃栝之生, 爲一木也'《荀子》. ②닥나무구 뽕나뭇과의 낙엽 관목. '一, 同構, 楮木也'《篇海》.
字源 形聲. 木+勾〔音〕

木4〔枑〕8 호 ㊍遇 | hù コ こまよけ

字解 울짱호 목책(木柵). '梐一'. '設梐一再重'《周禮》.
字源 形聲. 木+互〔音〕

木4〔枒〕8 아 ㊥麻 | yē ヤ やしのき

字解 야자나무아 椰(木부 9획〈559〉)와 同字. '櫻一'《左思》.
字源 形聲. 木+牙〔音〕

木4〔枓〕8 人名 ㊀주 ㊤麌 | zhǔ シュ ひしゃく ㊁두 ㊤有 | dǒu トウ ますがた

筆順 一 十 才 木 朩 枓 枓 枓

字解 ㊀구기주 술 따위를 푸는 국자 비슷한 제구. '沃水用一'《禮記》. ㊁두공(枓栱) 두 옥로(屋櫨).
字源 形聲. 木+斗〔音〕

木4〔枕〕8 高·人 침 ㊤寑 ①-④zhěn チン まくら ㊍沁 ②zhèn ㊥侵 ⑤chén チン くい

筆順 一 十 才 木 朩 朩 杪 枕

字解 ①베개침 잘 때 베고 자는 물건. '一席'. '高一而臥'《史記》. ②벨침 베개를 벰. '曲肱而一之'《論語》. ③임(臨)할침 내려다봄. '北一大江'《漢書》. ④성침 성(姓)의 하나. ⑤말뚝침 소를 매는 말뚝. '一, 繫牛杙也'《廣韻》.
字源 形聲. 木+冘〔音〕

木4〔枕〕8 枕(前條)의 俗字

木4〔枘〕8 예 ㊍霽 | ruì ゼイ ほぞ

字解 장부예 나무 끝을 구멍에 맞추어 박기 위하여 깎아 가늘게 만든 부분. '一鑿不相容'. '鑿不圍一'《莊子》.

木4〔枚〕8 매 ㊥灰 | méi マイ まい, ばい

字解 ①낱매 셀 수 있게 된 얇은 물건의 하나하나. 장. '一數'. '木器髹者千一'《史記》. ②낱낱이매 일일이. 하나하나. '一擧'. '一卜功臣'《書經》. ③줄기매 나무줄기. '莫莫葛藟, 施于條一'《詩經》. ④채찍매 말의 채찍. 마편(馬鞭). '以一數闔'《左傳》. ⑤하

무매 군인이 떠들지 못하도록 입에 물리는 나무 막대. '夜銜一擊項梁定陶'《漢書》. ⑥서까래매 '雙一旣脩'《何晏》. ⑦거둘매 '一, 收也'《廣雅》. ⑧점매 복서(卜筮). '洞曉龜一'《晉書》. ⑨널리매 광범(廣範)히. '一筮之'《左傳》. ⑩성매 성(姓)의 하나.
字源 會意. 木+攵(攴)

木4〔枝〕8 枚(前條)와 同字

木4〔枏〕8 〔면〕 棉(木부 8획〈553〉)과 同字

木4〔枝〕8 中·人 ㊀지 ㊥支|zhī シ えだ ㊁기 ㊥支|qí キ むつゆび
筆順 一 十 才 木 木 杧 枋 枝
字解 ㊀①가지지 초목의 가지. '一幹'. '一布葉分'《左傳》. 전(轉)하여, 본근(本根)에서 갈려 나온 것. '一族'. '本一百世'《左傳》. ②팔다리지 肢(肉부 4획〈1066〉)와 同字. '爲長者折一'《孟子》. ③갈라질지 분기(分岐)함. 岐(山부 4획〈304〉)와 통용. '江汜一分, 東入大江'《水經注》. ④지지지 십이지(十二支). '幹一'. '寅卯爲一'《博雅》. ⑤가지칠지 가지가 나옴. '中通外直, 不蔓不一'《周敦頤》. ⑥흩어질지 분산함. '中心疑者, 其辭一'《易經》. ⑦버틸지 붙들어 굄. 지지(支持)함. '一梧'. '師曠之一策也'《莊子》. ⑧버팀목지 지주(支柱). '漂嶢峴, 而一柱張'《王延壽》. ⑨성지 성(姓)의 하나. ㊁육손이기 손가락의 수가 여섯 있는 불구(不具). '一指'. '一指, 手有六指也'《三倉》.
字源 形聲. 木+支〔音〕

木4〔枖〕8 요 ㊥蕭 yāo ヨウ きがわかくさかん ㊤篠 yǎo ヨウ きのな
字解 ①나무어리고번성할요 '一, 木少盛皃'《說文》. ②나무이름요 '一, 木名'《集韻》. ③나무꽃무성할요 '一, 木華茂也'《玉篇》.
字源 形聲. 木+夭〔音〕

木4〔杽〕8 추 ㊤有|chǒu チュウ てかせ
字解 수갑추 고랑. 杻(木부 4획〈530〉)와 同字. '一, 械也'《說文》.
字源 形聲. 木+手〔音〕

木4〔杚〕8 ㊀개 ㊦隊|gài カイ とかき ㊁골
字解 ㊀평미레개 평목(平木). '一, 平斗木'《集韻》. ㊁杚(木부 3획〈529〉)의 本字.

木4〔枍〕8 예 ㊦霽|yì エイ きのな
字解 ①나무이름예 버드나무의 일종. '一, 木名. 楊愼曰, 如五柞長楊之類'《類篇》. ②궁전이름예 '一詣'는 한(漢)나라 궁전(宮殿)의 이름.

木4〔杹〕8 화 ㊦禡|huà カ もくふよう
字解 목부용화 나무 이름. 목부용(木芙蓉). '一, 木名. 皮可爲索'《廣韻》.

木4〔杛〕8 〔강〕 綱(糸부 8획〈997〉)의 古字

木4〔枢〕8 〔추〕 樞(木부 11획〈575〉)의 略字

〔牀〕 〔상〕 爿부 4획(735)을 보라.

木4〔東〕8 中·人 동 ㊥東|dōng トウ ひがし
筆順 一 丆 冂 冃 百 申 東 東
字解 ①동녘동 동방. '一西'. '一伐諸侯'《史記》. ②동녘으로갈동 동쪽으로 향하여 감. '吾亦欲一'《漢書》. ③봄동 오행설(五行說)에서 동쪽은 봄에 배당하므로 이름. '一風'. '平秩一作'《書經》. ④주인동 옛날에는 객(客)은 서(西)쪽에, 주인은 동쪽에 자리잡은 데서 이름. '一家蹇驢許借我'《杜甫》. ⑤성동 성(姓)의 하나.
字源 ①象形. 자루의 양끝을 동여맨 모양을 본뜸. ②會意. 木+日. 해가 나무 중간까지 돋았음을 나타내므로 '동쪽'을 뜻함.

〔來〕 〔래〕 人부 6획(45)을 보라.

木4〔果〕8 中·人 ㊀과 ㊤哿|guǒ カ くだもの ㊁관 ㊦翰|guàn カン まつりのな
筆順 丨 冂 日 日 旦 甲 果 果
字解 ㊀①실과과 나무 열매. '一實'. 전(轉)하여, 결말. 사물의 귀결(歸結). '結一'. '必以業一爲證'《舊唐書》. ②날랠과 용감함. '由也一'《論語》. ③과단성있을과 '行必一'《論語》. ④해낼과 수행(遂行)함. '善者一而已'《老子》. ⑤과연과 ㉠정말. '一然'. '詰之一服'《十八史略》. ㉡의심하여 다짐하는 말. '一聖人法乎'《歐陽修》. ⑥마침내과 필경. '一伏劍而死'《呂氏春秋》. ⑦성과 성(姓)의 하나. ㊁강신제관 술을 땅에

뿌려 신령(神靈)의 강림(降臨)을 비는 제사. '以待—將'《周禮》.
字源 象形. 나무에 열매가 달린 모양을 본뜸.

木4 〔杲〕8 ㊀고 ㊤晧 ㊁호 ㊤晧 | gǎo コウ あきらか / コウ あきらか
字解 ㊀①밝을고 어둡지 않고 환함. '——出日'《詩經》. ②높을고 '—乎如登乎天'《管子》. ③성고 성(姓)의 하나. ㊁밝을호, 높을호 ㊀①②와 뜻이 같음.
字源 會意. 日+木

木4 〔杼〕8 서 ㊤語 | shù ショ つるばみ
字解 상수리나무서 杼(木부 4획〈530〉)와 同字. '—, 栩也'《說文》.
字源 形聲. 木+予〔音〕

木4 〔茉〕8 화 ㊥麻 | huá カ もろばのすき
字解 양날가래화 '—, 兩刃臿也'《說文》.
字源 會意. 木+丫

木4 〔朱〕8 ㊀困(口부 4획〈195〉)의 古字 ㊁梱(木부 7획〈550〉)과 同字

木4 〔耒〕8 〔뢰〕 耒(部首〈1050〉)의 本字

〔采〕 〔변〕 釆부 1획(1546)을 보라.

木5 〔査〕9 高·人 사 ㊥麻 | chá, ③⑤zhā サ しらべる
筆順 一 十 才 木 木 杏 杳 査
字解 ①사실(査實)할사 조사함. '檢—'. '審—'. '支—停積'《續文獻通考》. ②떼사 뗏목. 槎(木부 10획〈569〉)와 同字. '巨—浮西海上'《拾遺記》. ③풀명자나무사 樝(木부 11획〈574〉)와 同字. '山—'. ④찌끼사 渣(水부 9획〈662〉)와 同字. '無因淨—滓'《張憲》. ⑤성사 성(姓)의 하나.
字源 形聲. 木+且〔音〕

木5 〔柰〕9 人名 ㊀내 ㊦泰 ㊁나 ㊦箇 | nài ダイ·ナイ からなし / nài ダイ·ナイ いかん
筆順 一 十 才 木 杢 李 柰 柰
字解 ㊀①능금나무내 능금나무의 일종. 또, 그 열매. '二—曜丹白之色'《潘岳》. ②어찌내 奈(大부 5획〈234〉)와 同字. ③성내 성(姓)의 하나. ㊁어찌나 那(邑부 4획〈1512〉)와 同字. 흔히, 何(人부 5획〈42〉)와 연용(連用)함. '何—'. '人莫予—'《揚雄》.
字源 形聲. 木+示〔音〕

木5 〔枯〕9 高·人 고 ㊥虞 | kū コ かれる
筆順 一 十 才 木 朩 朩 枯 枯
字解 ①마를고 ㉠초목이 마름. '—木'. '蓬斷草—, 凜若霜晨'《李華》. ㉡겨울에 초목의 잎이 말라 떨어짐. '草木蚤—'《禮記》. ㉢물이 마름. '—渴'. '淵生珠, 而崖不—'《荀子》. ㉣야위어 뼈만 남음. '形容—槁'《楚辭》. ㉤살이 썩어 없어지고 마른 뼈만 남음. '—骨'. '一將功成萬骨—'《曹松》. ②말릴고 마르게 함. '斬斷—磔'《荀子》. ③마른 나무고 말라서 죽은 나무. 고목(枯木). '已獨集於—'《國語》.
字源 形聲. 木+古〔音〕

木5 〔枮〕9 ㊀섬 ㊥鹽 ㊁침 ㊥侵 | xiān セン すぎ / zhēn チン あてぎ
字解 ㊀삼목(杉木)섬 소나뭇과의 상록 교목. 檆(木부 13획〈585〉)과 뜻이 같음. ㊁모탕침 椹(木부 9획〈560〉)과 同字.
字源 形聲. 木+占〔音〕

木5 〔枰〕9 人名 평 ㊥庚 | píng ヘイ すごろくばん
筆順 一 十 才 木 朩 杇 栕 枰
字解 ①판평 바둑판·장기판, 또는 쌍륙(雙六)판. '所志不過——之上'《韋曜》. ②은행나무평 은행나뭇과(科)에 속하는 낙엽 교목. 공손수(公孫樹). '華楓—櫨'《司馬相如》.
字源 形聲. 木+平〔音〕

木5 〔枅〕9 변 ㊦霰 | biàn ヘン·ベン ますがた
字解 대접받침변 기둥머리의 장식. 주두(柱頭). '—, 柱上欂櫨也'《玉篇》.

木5 〔枳〕9 지 ㊤紙 | zhǐ キ からたち
字解 ①탱자나무지 운향과(科)에 속하는 낙엽 교목(落葉喬木). 구귤(枸橘). '橘踰淮而北爲—'《周禮》. ②해칠지 적해(賊害)함. '率過以小罪, 謂之—'《孔叢子》.
字源 形聲. 木+只〔音〕

木5 〔枴〕9 괘 ㊤蟹 | guǎi カイ つえ
字解 지팡이괘 걸을 때 짚는 막대기. '—, 老人拄杖也'《廣韻》. '賜以木——'《五代

史》.
[字源] 形聲. 木＋号〔音〕

木5〔枵〕9 효 [平]蕭 | xiāo キョウ うつろ

[字解] ①빌효 공허함. '一空'. '虎頭鼠尾, 外肥內一'《林下偶談》. ②주릴효 배를 곯음. '一腹'. '糧盡衆一'《唐書》.
[字源] 形聲. 木＋号〔音〕

木5〔枷〕9 가 ①②[平]麻 ③[去]禡 | jiā カ からざを jià カ ものをかけさげておくきぐ

[字解] ①도리깨가 곡식을 두드려 떠는 농구. '夜連一響到明'《范成大》. ②칼가 죄인의 목에 씌우는 칼. '一鎖'. '獄吏欲爲脫一'《北史》. ③횃대가 架(木부 5획〈539〉)와 同字. '男女不同椸一'《禮記》.
[字源] 形聲. 木＋加〔音〕

木5〔柀〕9 피 [上]紙 | bǐ ヒ すぎ

[字解] ①삼(杉)나무피 소나뭇과의 상록 교목. ②비자나무피 비자나뭇과에 속하는 상록 침엽수. '榧, 一名一子'《羣芳譜》. ③가를피 짜갬. '一, 一曰, 析也'《說文》.
[字源] 形聲. 木＋皮〔音〕

木5〔枸〕9 구 ①[上]麌 ②[上]有 ③④[平]尤 | jǔ ク けんぽなし gǒu ク くこ gōu コウ からたち

[字解] ①호깨나무구 갈매나뭇과(科)에 속하는 낙엽 교목(落葉喬木). 과실은 맛이 있음. '南山有一'《詩經》. ②구기자나무구 '一杞'. '貢一杞黃精'《唐書》. ③탱자나무구 '一橘'. '枳一來巢'《宋玉》. ④굽을구 휨. '一木'.
[字源] 形聲. 木＋句〔音〕

木5〔枹〕9 ㊀부 [平]虞 ㊁포 [平]肴 | fú フ たいこのばち bāo ホウ むらがりはえる

[字解] ㊀①북채부 북을 치는 채. '援一而鼓'《左傳》. ②삽주부 국화과의 다년초. 마계(馬薊). ㊁①더부룩히날포 총생(叢生)함. '樸屬叢生者爲一'《爾雅 註》. ②졸참나무포 참나뭇과의 낙엽 교목. '槲有二種. 一種, 叢生小者名一'《本草》.
[字源] 形聲. 木＋包〔音〕

木5〔枻〕9 ㊀예 [去]霽 ㊁설 [入]屑 | yì エイ かい xiè セツ ゆだめ

[字解] ㊀노예 배를 젓는 막대기. '鼓一而去'《楚辭》. ㊁도지개설 활을 바로잡는 틀. '檠一, 正弓弩之器'《韻會》.
[字源] 形聲. 木＋世〔音〕

木5〔柹〕9 柿(次條)의 俗字

木5〔柿〕9 柹(次條)의 本字

木5〔柹〕9 시 [上]紙 [去]寘 | shì シ かき

[字解] ①감나무시 감나뭇과(科)에 속하는 낙엽 교목(落葉喬木). 중요 과수(果樹)임. ②감시 감나무의 열매. '棗栗榛一'《禮記》.
[字源] 形聲. 木＋𠂔〔音〕
[參考] ①柿(前條)는 本字. ②柿(次條)는 俗字.

木5〔柿〕9 柹(前條)의 俗字

[字源] 形聲. 木＋市〔音〕
[參考] 柿(木부 4획〈530〉)는 別字.

木5〔枺〕9 말 [入]曷 | mò バツ とうはぜ

[字解] ①오구목(烏臼木)말 대극과의 낙엽 교목. ②기둥말 지주(支柱). '欐一欂櫨, 以相支持. (注) 欐一, 柱也'《淮南子》.

木5〔柁〕9 타 [上]哿 | duō ダ かじ

[字解] 키타 선박의 고물에 장치하여 방향을 잡는 제구. 舵(舟부 5획〈1112〉)와 同字. '一手'. '操一正櫓'《晉書》.
[字源] 形聲. 木＋它〔音〕

木5〔柂〕9 ㊀이 [平]支 ㊁타 [上]哿 | yí イ きのな duō タ·ダ かじ

[字解] ㊀나무이름이 杝(木부 3획〈528〉)와 同字. '一棺'《禮記》. ㊁키타 柁(前條)·舵(舟부 5획〈1112〉)와 同字. '凌波縱一'《郭璞》.
[字源] 形聲. 木＋㐌〔音〕

木5〔柄〕9 [人名] 병 [去]敬 | bìng ヘイ え, もと

[筆順] 一 十 才 木 朩 朾 柄 柄

[字解] ①자루병 기구(器具)의 손잡이. '斗一'. '酢夫人執一'《禮記》. ②근본병 밑절미. '坤爲地爲一'《易經》. ③권세병 권력. '權一'. '二一, 刑德也'《韓非子》.
[字源] 形聲. 木＋丙〔音〕

木5〔柅〕9 니 [上]紙 [平]支 | nǐ ジ·ニ きのな

[字解] ①고동목니 수레를 정지시키는 나무.

바퀴굄목. '繫于金—'《易經》. ②살필니 명찰(明察)함. '楗—姦冒'《唐書》. ③성할니 무성한 모양. '總莖——'《左思》.
[字源] 形聲. 木+尼〔音〕

木5〔柊〕9 종 [平]東 zhōng シュウ きのな
[字解] ①종엽종 '—葉'은 파초(芭蕉) 비슷한 상록 초본(常綠草本). 높이 2~3척(尺)임. ②박달목서종 물푸레나뭇과(科)에 속하는 상록 교목(常綠喬木). 구골(枸骨). ③망치종 작은 망치. '—楑'.
[字源] 形聲. 木+冬〔音〕

木5〔柈〕9 반 [平]寒 pán ハン はち
[字解] 쟁반반 槃(木부 10획〈571〉)과 同字. '焦糖幸——'《杜甫》.
[字源] 形聲. 木+半〔音〕

木5〔柍〕9 [一] 영 [平]庚 yīng エイ きのな
[平]陽 yāng
[二] 앙 [去]漾 yàng オウ なかば
[字解] [一] ①나무이름영 ㉠녹나무. 녹나뭇과의 상록 활엽 교목. ㉡살구나무. 살구. ②도리깨영 '—, 打穀具'《集韻》. [二] 가운데앙 중앙. '日月纔經于—振'《揚雄》.
[字源] 形聲. 木+央〔音〕

木5〔柎〕9 부 ①②[平]虞 fū フ がく
③-⑥[上]麌 fǔ フ ゆづか
⑦[去]遇 fù フ つける
[字解] ①꽃받침부 화악(花萼). '圓葉而白—'《山海經》. ②뗏목부 桴(木부 7획〈547〉)와 同字. '方舟投—'《管子》. ③줌통부 弣(弓부 5획〈360〉)와 同字. '有—焉'《周禮》. ④칼자루부 '削授—'《禮記》. ⑤기댈부 의지함. '父老—枝而論'《管子》. ⑥성부 성(姓)의 하나. ⑦따를부 액체를 따름. '以魁—之'《儀禮》.
[字源] 形聲. 木+付〔音〕

木5〔柏〕9 [人名] [一] 백 [入]陌 bǎi(bó) ハク きのな
[二] 박 [入]陌 pò ハク せまる
[筆順] 一 十 才 木 木′ 杧 柏 柏
[字解] [一] ①나무이름백 측백나무, 곧 '側—'과, 노송나무, 곧 '扁—'의 총칭. '—葉酒'. '楄柎栝—'《書經》. ②성백 성(姓)의 하나. ③《韓》잣나무백, 잣백 소나뭇과에 속하는 상록 교목. 또, 그 열매. '—葉茶'. [二] 닥칠박 迫(辵부 5획〈1491〉)과 통용. '—冬日'《漢武帝》.
[字源] 形聲. 木+白〔音〕. '白백'은 측백나무 열매의 象形.

木5〔柆〕9 랍 [入]合 lā ロウ おれたき
[字解] 부러진나무랍 '—, 折木也'《說文》.
[字源] 形聲. 木+立〔音〕

木5〔柑〕9 [一] 감 [平]覃 gān カン こうじ
[二] 겸 [平]鹽 qián ケン くつわをはめる
[字解] [一] 홍귤나무감 운향과(芸香科)에 속하는 상록 교목(常綠喬木). 과수(果樹)임. 감자나무. '—別種有八'《橘錄》. [二] ①재갈먹일겸 입에 재갈을 물림. 鉗(金부 5획〈1555〉)과 同字. '—馬而秣之'《公羊傳》. ②다물겸 鉗(金부 5획〈1555〉)과 同字. '畏刑—口'《漢書》.
[字源] 形聲. 木+甘〔音〕

木5〔柘〕9 자 [去]禡 zhè シャ やまぐわ
[字解] ①산뽕나무자 뽕나뭇과(科)에 속하는 낙엽 교목. 산이나 들에 자생(自生)함. 산상(山桑). '弓人取幹之道, —爲上'《周禮》. ②성자 성(姓)의 하나.
[字源] 形聲. 木+石〔音〕

木5〔柙〕9 [一] 합 [入]洽 xiá コウ おり
[二] 갑 [入]洽 jiǎ コウ はこ
[字解] [一] ①나무이름합 향나무의 일종. '木則楓—豫章'《左思》. ②우리합 짐승을 가두어 기르는 곳. '虎兕出於—'《論語》. ③수감할합 죄인을 체포하여 우리에 가둠. '生束縛而—, 以予齊'《管子》. [二] 궤갑 상자. 匣(匚부 5획〈123〉)과 통용. '有干將之劍者, —而藏之'《莊子》.
[字源] 形聲. 木+甲〔音〕

木5〔柚〕9 [人名] [一] 유 [去]宥 yòu ユウ ゆず
[二] 축 [入]屋 zhú ジク たてまき
[筆順] 一 十 才 木 杓 枂 柚 柚
[字解] [一] 유자나무유 운향과(芸香科)에 속하는 상록 교목(常綠喬木). '厥包橘—'《書經》. [二] 바디축 軸(車부 5획〈1463〉)과 同字. '杼—其空'《詩經》.
[字源] 形聲. 木+由〔音〕

木5〔柝〕9 탁 [入]藥 tuò タク ひょうしぎ
[字解] ①딱따기탁 야경 돌 때 두드리는 나무. '魯擊—聞於邾'《左傳》. ②열탁, 열릴탁 '廓四方, —八極'《淮南子》. ③터질탁 갈라짐. 說文에는 㯓(木부 9획〈565〉)으로 나옴. '土裂曰㯓, 木判曰—'《說文段注》.
[字源] 形聲. 木+斥(㡿)〔音〕
[參考] 析(木부 4획〈532〉)·拆(手부 5획〈435〉)

은 別字.

木5〔柞〕9 ㊀작 [入]藥|zuò サク きのな
㊁책 [入]陌|zé サク きる

[字解] ㊀①조롱나무작 조롱나뭇과에 속하는 상록 교목. '維一之枝'《詩經》. ②떡갈나무작 참나뭇과(科)에 속하는 낙엽 교목. 작목(柞木). ㊁①발매할책 벌목함. '載芟載一'《詩經》. ②좁을책 협착함. '轂小而長則一'《周禮》.
[字源] 形聲. 木+乍〔音〕

木5〔柢〕9 저 [上]薺 [去]霽|dǐ テイ ね

[筆順] 一 十 木 木´ 朾 杠 柢 柢

[字解] ①뿌리저 목근(木根). '深根固一'《老子》. ②밑저 밑절미. 사물의 근본. 底(广부 5획〈345〉)와 통용. '根一'. ③싹틀저 생겨남. 어떠한 기운(機運)이 열림. '萌一疇昔'《左思》.
[字源] 形聲. 木+氐〔音〕

木5〔柣〕9 질 [入]質|zhì チツ しきみ

[字解] 문지방질 문한(門限). '一謂之閾'《爾雅》.

木5〔柤〕9 ㊀사 [平]麻|zhā サ さんざし
㊁조 [上]語|zǔ ショ・ソ まないた

[字解] ㊀①풀명자나무사 樝(木부 11획〈574〉)와 同字. '洞庭之山多一'《山海經》. ②난간사 '一, 以木爲闌'《集韻》. ㊁ 도마조 俎(人부 7획〈50〉)와 통용.
[字源] 形聲. 木+且〔音〕

木5〔柩〕9 구 [去]宥|jiù キュウ ひつぎ

[字解] 널구 관(棺). '一車'. '一不早出, 不暮宿'《禮記》.
[字源] 形聲. 木+匛〔音〕

木5〔柮〕9 돌(①올[本]) ①[入]月 ②[入]月|wù ゴツ えだのないき duò トツ きりはし

[字解] ①마들가리돌 杌(木부 3획〈527〉)과 통용. '榾一'. '杌, 樹無枝也. 或作一'《集韻》. ※本音 올. ②끄트러기돌 '一, 檮一也'《說文》.
[字源] 形聲. 木+出〔音〕

木5〔柌〕9 사 [平]支|cí シ かまのえ

[字解] 낫자루사 낫의 손잡이. '一, 鎌柄也'《玉篇》.

木5〔柯〕9 가 [平]歌|kē カ きのな, え

[字解] ①모밀잣밤나무가 참나뭇과(科)에 속하는 상록 교목(常綠喬木). 목재는 건축재로 씀. ②가지가 나뭇가지. '一葉'. '眄庭一以怡顏'《陶潛》. ③줄기가 풀의 줄기. '濯靈芝以朱一'《張衡》. ④바리가 반기(飯器). '魯人以槽, 衞人用一'《荀子》. ⑤자루가 도낏자루. '伐一伐一, 其則不遠'《詩經》. ⑥성가 성(姓)의 하나.
[字源] 形聲. 木+可〔音〕

木5〔柱〕9 [高・人] 주 ①-③[上]麌 ④-⑥[去]遇|zhù チュウ はしら zhù チュウ ささえる

[筆順] 一 十 才 木 木´ 朾 柱 柱

[字解] ①기둥주 ㉠보・도리 따위를 받치는 나무. '一石'. '秦王環一而走'《史記》. 전(轉)하여, 널리 괴어 버티는 물건의 뜻으로 쓰임. '天一折, 地維絕'《史記》. ㉡의지하여 기대는 것. 믿는 것. '一石臣'. ②기러기발주 현악기의 줄을 고르는 데 쓰는 제구. 줄 밑에 괴어 소리를 조절함. 안족(雁足). '雁一'. '膠一而鼓瑟'《史記》. ③성주 성(姓)의 하나. ④버틸주 굄. '鼎也, 不可以一車'《韓愈》. ⑤비방할주 기자(譏刺)함. '連一五鹿君'《漢書》. ⑥막을주 통하지 못하게 함. '藜藿一乎䶂鼬之逕'《莊子》.
[字源] 形聲. 木+主〔音〕

木5〔柴〕9 자 [平]支|cí シ きのな

[字解] 나무이름자 녹나무〔楠〕의 일종.

木5〔柲〕9 비 [去]寘|bì ヒ え

[字解] ①자루비 창・도끼 등의 자루. '以爲鉞一'. ②도지개비 활을 바로잡는 틀. '弓檠曰一'《周禮》.
[字源] 形聲. 木+必〔音〕

木5〔柳〕9 [中・人] 류 [上]有|liǔ リュウ やなぎ

[筆順] 一 十 木 木´ 朾 枊 柳 柳

[字解] ①버드나무류 버드나뭇과에 속하는 낙엽 교목(落葉喬木). 가늘고 긴 가지가 죽죽 늘어짐. 버들. '一腰'. '一態花容'《杜荀鶴》. ②별이름류 이십팔수(二十八宿)의 하나. 주작 칠수(朱雀七宿)의 셋째 성수(星宿)로, 별 여덟 개로 구성됨. '一宿'. '季夏九月日在一'《禮記》. ③모일류 '秋祀一穀華山'《尙書大傳》. ④성류 성(姓)의 하나.
[字源] 形聲. 木+卯〔音〕

木5〔栁〕9 柳(前條)와 同字

木5〔柫〕9 불 [入]物 | fú フツ からざお
[字解] 도리깨불 콩·보리 따위를 떠는 농구. 연가(連枷). '一, 擊禾連枷也'《說文》.
[字源] 形聲. 木+弗〔音〕

木5〔柵〕9 책 [入]陌 | zhà サク やらい
[字解] ①울짱책 목책(木柵). '柴一'. ②성채책 보루(堡壘). '連營樹一'《魏志》. ③잔교책 높이 걸쳐 놓은 다리. '跨淮立橋一'《陳書》. ④말뚝책 '一, 杙也'《廣雅》.
[字源] 形聲. 木+冊(册)〔音〕

木5〔栅〕9 柵(前條)과 同字

木5〔柶〕9 사 [去]寘 | sì シ さじ
[字解] ①수저사 숟가락. '加一于觶'《儀禮》. ②《韓》 윷사 작고 둥근 나무 도막 두 개를 반으로 쪼개어, 네 쪽으로 만든 놀잇감. 또, 그것으로 노는 놀이. '擲一'.
[字源] 形聲. 木+四〔音〕

木5〔柖〕9 [人名] 소 ①②[平]蕭 ③[上]篠 | sháo ショウ まと / shào ショウ ゆあみのゆか
[筆順] 一 十 木 杓 杓 杓 柖 柖
[字解] ①과녁소 화살로 맞히는 목표. '一, 又射的也'《廣韻》. ②나무흔들릴소 수목(樹木)이 흔들리는 모양. '一, 樹搖皃'《說文》. ③욕상(浴牀)소 목욕할 때 앉아서 하는 길이 2척(尺), 너비 4척(尺)의 네모진 나무 깔개. '浴牀, 謂之一'《廣雅》.
[字源] 形聲. 木+召〔音〕

木5〔柷〕9 축 [入]屋 | zhù シュク がっき
[字解] 악기이름축 음악을 시작할 때 울리는 악기. 방 이척 사촌(方二尺四寸), 깊이 일척 팔촌(一尺八寸)의 통 속에 좌우로 흔들어 쳐서 소리를 내는 자루를 장치해 놓았음. '合止一敔'《書經》.
[字源] 形聲. 木+祝〈省〉〔音〕

木5〔柜〕9 [一]거 [上]語 | jǔ キョ きのな
[二]구 [上]麌 | jǔ ク あまだれうけ
[字解] [一] 느티나무거 느릅나뭇과에 속하는 낙엽 교목(落葉喬木). [二] 낙숫물통구 낙숫물을 받는 그릇. '一, 受居溜水涑櫜者也'《周禮 注》.
[字源] 形聲. 木+巨〔音〕

木5〔栀〕9 치 [平]支 | zhī シ くちなし
[字解] 치자나무치 '一, 黃木可染者'《說文》.
[字源] 形聲. 木+卮〔音〕

木5〔⿰木尻〕9 [一]고 [上]晧 [平]豪 | kǎo コウ きのな, ぬるで
[二]곡 [入]沃 | キョク かんじき
[三]국 [入]屋 | jú キク きのな
[字解] [一] ①붉나무고 '一, 山樗也'《說文》. ②수유나무고 '一, 茱萸也'《廣雅》. [二] 사갈곡 산에 오를 때 미끄러지지 않게 신는 못 박은 신. '檋, 山行所乘, 以鐵如錐, 施之屐下. 或从尻'《集韻》. [三] 나무이름국 '一, 木名'《廣韻》.
[字源] 形聲. 木+尻〔音〕

木5〔柾〕9 [人名] [一]구 [去]宥 | jiù キュウ ひつぎ
[二]정 [日] | キュウ まさ
[筆順] 一 十 木 木 杠 杆 杆 柾
[字解] [一] 널구 관(棺). 柩(木부 5획〈537〉)와 同字. [二]《日》 나무바를정 나뭇결이 바름.
[字源] 會意. 木+正

木5〔柃〕9 령 [平]青 | líng レイ ひさかき
[字解] 사스레피나무령 후피향나뭇과(科)에 속하는 작은 상록 교목(常綠喬木).
[字源] 形聲. 木+令〔音〕

木5〔柧〕9 [一]고 [平]虞 | gū コ かど
[二]외 [韓]
[字解] [一] ①모고 모서리. 觚(角부 5획〈1306〉)와 同字. '漢興破一爲圜'《史記》. ②술잔고 觚(角부 5획〈1306〉)와 통용. '一, 鑢一也. 一曰, 鄕飮酒爵也'《類篇》. [二]《韓》 욋가지외 椳(木부 9획〈559〉)와 同字.
[字源] 形聲. 木+瓜〔音〕

木5〔柸〕9 배 [平]灰 | pēi ハイ うらむ
[字解] 한할배 '一治'는 원한을 품음. '止駕一治'《淮南子》.

木5〔⿰木乎〕9 [一]로 [平]虞 [上]麌 | lú ロ きのな
[二]도 [平]虞 | ト きのな
[三]호 [平]虞 | コ きのな
[字解] [一] 나무이름로 거망옻나무의 무리. '一, 木名. 可染繒'《廣韻》. [二] 나무이름도 [一]과 뜻이 같음. [三] 나무이름호 [一]과 뜻이

같음.
[字源] 形聲. 木+乎〔音〕

木 5〔柛〕9 신 [平]眞|shēn シン きがたおれる
[字解] 나무쓰러질신 나무가 저절로 쓰러짐. '木自斃, —'《爾雅》.

木 5〔木+㠯〕9 [一] 사 [上]紙|sì シ すき [二] 이 [平]支|イ あかとり
[字解] [一] ①보습사 '—, 臿也'《說文》. ②흙담는들것사 '—, 一曰, 徙土輦. 齊人語也'《說文》. [二] 뱃바닥물퍼내는그릇이 '㴇斗謂之—'《廣雅》.
[字源] 形聲. 木+㠯〔音〕

木 5〔木+去〕9 거 [平]魚|qū キョ にぐら
[字解] 길마거 '—, 极也'《說文》
[字源] 形聲. 木+去〔音〕

木 5〔柭〕9 [一] 발 [入]曷|bā ハツ からざお [二] 팔 [入]黠|bō ハツ からざお [三] 불 [入]物|fú フツ からざお [四] 패 [去]隊|pèi ハイ えだはがしょうずる [五] 별 [入]屑|biē ヘツ からざお
[字解] [一] ①도리깨발 '—, 棓也'《說文》. ②살촉발 '—, 矢末'《集韻》. [二] 도리깨팔, 살촉팔 [一]과 뜻이 같음. [三] 도리깨불, 살촉불 [一]과 뜻이 같음. [四] 나무지엽돋을패 '—, 木生柯葉也'《篇海》. [五] 도리깨별 [一]❶과 뜻이 같음.
[字源] 形聲. 木+犮〔音〕

木 5〔栍〕9 [韓] 생
[字解] 《韓》 ①찌생 표지(標識). ②장승생 '長—'은 이수(里數)를 표하기 위하여 길가에 세운 푯말.
[字源] 形聲. 木+生〔音〕

木 5〔木+卉〕9 〔얼〕
櫱(木부 16획〈591〉)과 同字
[字源] 形聲. 木+卉〔音〕

木 5〔枱〕9 〔사〕
耜(耒부 5획〈1051〉)와 同字
[字源] 形聲. 木+台〔音〕

木 5〔柠〕9 〔저〕
楮(木부 9획〈562〉)와 同字

木 5〔枏〕9 〔남〕
柟(木부 4획〈532〉)과 同字

木 5〔柗〕9 〔송〕
松(木부 4획〈531〉)과 同字

木 5〔树〕9 〔수〕
樹(木부 12획〈578〉)의 簡體字

木 5〔栏〕9 〔란〕
欄(木부 17획〈591〉)의 簡體字

木 5〔标〕9 〔표〕
標(木부 11획〈574〉)의 簡體字

〔相〕 〔상〕
目부 4획(839)을 보라.

木 5〔柬〕9 간 [上]潸|jiǎn カン えらぶ
[字解] ①가릴간 揀(手부 9획〈452〉)과 同字. '安燕而血氣不惰, —理也'《荀子》. ②편지간 簡(竹부 12획〈955〉)과 同字. '大勝詩客裁成—'《皮日休》.
[字源] 會意. 束+八

木 5〔枲〕9 시 [上]紙|xǐ シ からむし
[字解] 모시풀시 쐐기풀과(科)에 속하는 다년초. 섬유는 모시의 원료임. '岱畎絲—'《書經》.
[字源] 形聲. 木(朩)+台〔音〕

木 5〔架〕9 [高·人] 가 [去]禡|jià カ たな
[筆順] フ カ か 加 加 架 架 架
[字解] ①시렁가 물건을 얹어 놓게 된 장치. '書—'. '陳書滿—'《嫏嬛記》. ②횃대가 옷걸이. '衣—'. '衣服在—'《晉書》. ③말뚝가 땅에 박는 몽둥이. '斬去梢, 仍爲—'《種樹書》. ④건너지를가 가로 대어 놓음. 가설함. '—空'. '險路—橋'《傳燈錄》. ⑤얽을가 얽어 만듦. '—屋'. ⑥능가할가 훨씬 뛰어남. '專相凌—'《詩品》.
[字源] 形聲. 木+加〔音〕

木 5〔某〕9 [高·人] [一] 모 [上]有|mǒu ボウ それがし [二] 매 [平]灰|méi バイ うめ
[筆順] 一 十 廾 廿 甘 甘 某 某
[字解] [一] 아무모 ㉠성명을 알 수 없는 사람. '—甲'. '使勇士—者往殺之'《公羊傳》. ㉡어떠한 일. 어떠한 물건. '問品味, 子食于—乎'《禮記》. ㉢일부러 이름을 명시(明示)하지 아니할 때 씀. '惟爾玄孫—'《書經》. ㉣자기의 겸칭. '蘇仙公, 白母曰, —受命當仙, 被召有期'《神仙傳》. [二] 매화나무매 梅

(木부 7획〈547〉)의 古字.
[字源] 會意. 甘(日)+木

木5 〔柒〕9 [一] 漆(水부 11획〈677〉)의 俗字 [二] 七(一부 1획〈9〉)의 代用字

木5 〔染〕9 [高·人] 염 ㊤琰 [去]豔 | rǎn セン そめる

[筆順] 丶 丷 氵 氿 氿 氿 淬 染

[字解] ①물들일염 ㉠염색함. '一料'. '掌一絲帛'《周禮》. ㉡색칠함. 바름. '割鮮一輪'《史記》. ②적실염 액체에 젖게 함. '一筆'. '蒸牲一身'《嵇康》. ③물들염 ㉠염색이 됨. '出淤泥而不一'《周敦頤》. ㉡감화되어 몸에 뱀. '感一'. '一善一心, 萬劫不朽'《夏文彦》. ④옮을염 병 같은 것이 옮음. '傳一'. '疫癘不相一也'《晉書》. ⑤익숙해질염 습관이 됨. '漸一朝事, 頗識典物'《後漢書》. ⑥더러울염, 더러워질염 때묻음. 또, 더럽혀짐. '一心'. '眞性本來無所一'《張喬》. ⑦더럽힐염 더럽게 함. '轉相誣一'《後漢書》. ⑧성염 성(姓)의 하나.
[字源] 會意. 氿+木

木5 〔柔〕9 [中·人] 유 [平]尤 | róu ジュウ やわらか

[筆順] 一 マ 又 予 矛 柔 柔 柔

[字解] ①부드러울유 ㉠유연함. '一毛'. '荏染一木'《詩經》. ㉡초목의 싹이 나온 지 얼마 안 됨. '薇亦一止'《詩經》. ㉢온순함. '和一'. '日一與剛'《易經》. ㉣약함. '一弱'. '一能制剛'. '一情綽態'《曹植》. ②편안히할유 심신을 편안하게 함. '一遠人'《中庸》. '輯一爾類'《詩經》. ③복종할유 좇음. '我且一之矣'《左傳》.
[字源] 會意. 木+矛

木5 〔柴〕9 [人名] [一]시 [平]佳 (재[本]) | chái サイ しば
[二]채 [去]卦 | zhài サイ ふさぐ

[筆順] 丨 ⺊ 止 此 此 柴 柴 柴

[字解] [一] ①섶시 땔나무, 또는 잡목. '一草'. ②삭정이시 말라 죽은 가지. '樹枳棘與薪一'《楚辭》. ③시제사시, 시제사지낼시 섶을 불살라 천제(天帝)에게 지내는 제사. 또, 그 제사를 지냄. '至于岱宗一'《書經》. ④성시 성(姓)의 하나. ※本音 재. [二] ①지킬채 호위함. '一箕子之門'《淮南子》. ②막을채 틀어막음. '趣舍聲色, 以一其內'《莊子》. ③울짱채 목책(木柵). '鹿一'. '結一營'《吳志》.
[字源] 形聲. 木+此〔音〕

木5 〔枼〕9 엽 [入]葉 | yè ヨウ うすいきふだ
[字解] ①얇은나무패엽 '一, 楄也'《說文》. ②얇을엽 '一, 薄也'《說文》. ③들창엽 楪(木부 9획〈560〉)과 同字. '楪, 牖也. 一, 同上'《玉篇》.
[字源] 象形. 원래 나뭇잎의 상형으로, '葉엽'의 원자(原字)였으나 '枼'이 방(旁)으로 쓰이게 되어, 독립체로서의 의미, 얇은 나무 팻말의 뜻이 주어졌음.

木5 〔桒〕9 〔상〕 桑(木부 6획〈545〉)의 略字

木5 〔栄〕9 〔영〕 榮(木부 10획〈571〉)의 略字

木5 〔荣〕9 〔영〕 榮(木부 10획〈571〉)의 俗字·簡體字

木5 〔亲〕9 〔친〕 親(見부 9획〈1300〉)의 俗字·簡體字

木6 〔東〕10 함 ㊤感 [平]覃 | hán カン はなやみをたれる
[字解] 꽃열매늘어뜨릴함 풀이나 나무가 꽃이나 열매를 늘어뜨림. '一, 說文, 木垂華實也'《康熙字典》.
[字源] 形聲. 木+𢎘〔音〕

木6 〔栓〕10 [人名] 전 ①②[平]先 | shuān セン せん
③[去]霰 | shuàn セン とかき

[筆順] 一 十 才 木 朩 栓 栓 栓

[字解] ①나무못전 목정(木釘). ②마개전 속(俗)에 병마개의 뜻으로 씀. ③평미레전 '一, 槩也'.
[字源] 形聲. 木+全〔音〕

木6 〔栖〕10 [人名] 서 ①[平]齊 | qī, xī セイ すむ
②[去]霽 | セイ ねぐら

[筆順] 一 十 木 木 朩 栖 栖 栖

[字解] ①깃들일서, 살서 棲(木부 8획〈555〉)와 同字. '養馬者宜一之深林'《莊子》. ②보금자리서 棲(木부 8획〈555〉)와 同字. '一, 雞所宿也'《廣韻》.
[字源] 形聲. 木+西〔音〕

木6 〔桻〕10 항(강[俗]) [平]江 | xiáng コウ ほ
[字解] ①돛항 배의 돛. '一, 一雙也'《說文》.

②펴지않은돛항 '一篷, 帆未張'《廣韻》. ※ 俗音 강.
[字源] 形聲. 木+夅〔音〕

木6 〔栘〕10 [一] 이 [平]支 | yí イ にわうめ
[二] 체 [平]齊 | yí セイ にわうめ

[字解] [一] 산앵두나무이 장미과(科)에 속하는 낙엽 관목(落葉灌木). 당체(棠棣). [二] 산앵두나무체 [一]과 뜻이 같음.
[字源] 形聲. 木+多〔音〕

木6 〔栝〕10 [一] 괄 [入]曷 | guā カツ びゃくしん
[二] 첨 [去]豔 | tiān テン たきぎ

[字解] [一] ①향나무괄 향나뭇과에 속하는 상록 침엽 교목(常綠針葉喬木). '杶榦—柏'《書經》. ②틀이름괄 휜 물건을 바로잡는 틀. '枸木必待櫽—蒸揉, 然後直也'《荀子》. [二] ①땔나무첨 '—, 炊竈木'《說文》. ②활고자첨 '—, 一曰, 矢—. 築弦處'《集韻》.
[字源] 形聲. 木+舌〔音〕

木6 〔栟〕10 〔병〕
栟(木부 8획〈557〉)의 俗字

木6 〔木𠂢〕10 려 [上]語 | lǚ リョ きのな

[字解] ①소나무려 소나무〔松〕의 일종. '庾沙彌母亡, 晝夜號痛, 墓忽生—松百餘株'《南史》. ②나무이름려 화살대로 쓰이는 나무 이름. '—, 木中箭笴者'《玉篇》.

木6 〔校〕10 [中·人] 교 ①-⑫[去]效 ⑬[上]巧 | xiào, jiào コウ まなびや jiǎo コウ はやい

[筆順] 一 十 才 木 木' 杧 栨 校

[字解] ①학교교 '學—'. '郡國曰學, 侯國曰—'《漢書》. ②본받을교 배움. 效(攴부 6획〈481〉)와 통용. '不敬宗廟, 則民乃上—'《管子》. ③가르칠교 教(攴부 7획〈482〉)와 뜻이 통함. '王乃—劍士七日'《莊子》. ④질곡교 차꼬와 수갑·칼 등의 총칭. '履—滅趾'《易經》. ⑤부대(部隊)교 군대(軍隊)의 구분. '內增七—'《漢書》. ⑥장교교 부대를 지휘 호령하는 사람. '皆諸—力戰之功也'《漢書》. ⑦꾾을교 고사(考査)함. 헤아림. '比年入學, 中年考—'《禮記》. ⑧셀교 계산함. '憂患不可勝—'《荀子》. ⑨사실할교 조사함. '檢—'. '卽部吏案—'《漢書》. ⑩교정할교 '—書'. '—中五經祕書'《漢書》. ⑪갚을교 '足以—於秦矣'《戰國策》. ⑫성교 성(姓)의 하나. ⑬빠를교 신속함. '釋之則不—'《周禮》.
[字源] 形聲. 木+交〔音〕

木6 〔栩〕10 허(후[本]) [上]麌 | xǔ ク くぬぎ

[字解] ①상수리나무허 참나뭇과에 속하는 상록 교목(常綠喬木). '集于苞—'《詩經》. ②기뻐할허 기뻐하는 모양. '夢爲蝴蝶, ——然胡蝶也'《莊子》. ③성허 성(姓)의 하나. ※本音 후.
[字源] 形聲. 木+羽〔音〕

木6 〔株〕10 [高·人] 주 [平]虞 | zhū シュ かぶ
[平]虞 | zhū チュ かぶ

[筆順] 一 十 木 木' 杧 杵 株

[字解] ①뿌리주 나무뿌리. '困于—木'《易經》. ②줄기주 나무줄기. '宋人守—, 冀復得兔'《韓非子》. ③그루주 나무를 세는 수사(數詞). '梅三—'. '成都有桑八百—'《蜀志》. ④《韓》주식주 은행·회사 등의 출자자 등이 갖는 권리. '—式'. '—主'.
[字源] 形聲. 木+朱〔音〕

木6 〔栫〕10 천 [去]霰 | jiàn セン ふしづけ

[筆順] 十 木 杧 杇 材 栫 栫 栫

[字解] ①어살천 섶나무를 물속에 꽂아 물고기를 잡는 설비. 어전(魚箭). '—澱爲涔'《郭璞》. ②울천 울타리. ③둘러막을천 울타리로 둘러막음. '囚諸樓臺, —之以棘'《左傳》.
[字源] 形聲. 木+存〔音〕

木6 〔木邛〕10 공 [平]冬 | qióng キョウ きのな

[字解] 나무이름공 '高陵土山, 其木乃—'《管子》.
[字源] 形聲. 木+邛〔音〕

木6 〔栭〕10 이 [平]支 | ér ジ ますがた

[字解] ①두공이 기둥 위의 방형(方形)의 나무. 대들보를 받침. 옥로(屋櫨). '繡—雲楣'《張衡》. ②산밤나무이 밤나무의 일종. 밤알이 잚. '子如細栗可食, 今江東亦呼爲—栗'《爾雅 註》. ③버섯이름이 고목(枯木)에 나는 버섯의 한 가지. '芝—蔆椇'《禮記》.
[字源] 形聲. 木+而〔音〕

木6 〔栿〕10 복 [入]屋 | fú フク はり

[字解] ①들보복 '—, 梁也'《集韻》. ②얹을복 겹침. 포갬. 작은 나무를 큰 나무 위에 덧얹음. '今人以小木附大木上爲—'《正字通》.
[字源] 形聲. 木+伏〔音〕

木6〔栰〕10 벌 [入]月 | fá ハツ いかだ

[字解] 뗏목벌 筏(竹부 6획〈936〉)과 同字. '有火─'《魏書》.
[字源] 形聲. 木+伐〔音〕

木6〔栱〕10 공 [上]腫 | gǒng キョウ ますがた

[字解] ①두공공 기둥 위의 방형(方形)의 나무. 대들보를 받침. 옥로(屋櫨). '─, 柱頭斗─'《正字通》. ②말뚝공 '杙大者, 謂之─'《爾雅》.
[字源] 形聲. 木+共〔音〕

木6〔栲〕10 고 [上]晧 [平]豪 | kǎo コウ ぬるで

[字解] ①멀구슬나무고 멀구슬나뭇과(科)에 속하는 낙엽 교목(落葉喬木). 산저(山樗). '山有─'《詩經》. ②고리고 버들고리. 유기(柳器). '─栳'.
[字源] 形聲. 木+考〔音〕

木6〔栳〕10 로 [上]晧 | lǎo ロウ やなぎごうり

[字解] 고리로 버들고리. 유기(柳器). '栲─'.
[字源] 形聲. 木+老〔音〕

木6〔栴〕10 전 [平]先 | zhān セン せんだん

[字解] 단향목전 자단(紫檀)·백단(白檀) 등의 향나무. '─檀根芽, 漸漸生長, 纔欲成樹, 香氣昌成'《觀佛三昧經》.
[字源] 形聲. 木+旃〈省〉〔音〕

木6〔栮〕10 이 [上]紙 | ěr ジ きくらげ

[字解] 목이버섯이 담자균류(擔子菌類)에 속하는 나무버섯. 목이(木栮). '漢嘉─脯美勝肉'《陸游》.

木6〔栵〕10 ㊀례 [去]霽 | lì レツ ならびはえる
㊁렬 [入]屑 | liè レイ しばぐり

[字解] ㊀늘어설례 나무가 죽 늘어서 있음. '其灌其─'《詩經》. ㊁산밤나무렬 '─, 栭'《爾雅》.
[字源] 形聲. 木+列(歹刂)〔音〕

木6〔核〕10 [高·人] 핵 [入]陌 | hé カク さね

[筆順] 一 十 木 木' 木亠 杧 柲 核

[字解] ①씨핵 단단한 알맹이로 된 씨. '─果'. '賜果于君前, 其有─者懷其─'《禮記》. ②핵심핵 사물의 가장 요긴한 곳. '─心'. '文吏不學, 世之敎, 無─也'《論衡》. ③실과핵 밤·용안(龍眼) 같은 과실. '殽─旣盡'《蘇軾》. ④각삭할핵, 엄할핵 覈(襾부 13획〈1295〉)과 통용. '剋─太至'《莊子》. ⑤확실할핵 틀림없음. '─實'. ⑥사실할핵, 궁구할핵 깊이 조사함. '綜─名實'《漢書》. ⑦바를핵 올바름. '其文直, 其事─'《漢書》.
[字源] 形聲. 木+亥〔音〕

木6〔根〕10 [中·人] 근 [平]元 | gēn コン ね

[筆順] 一 十 木 木ㄱ 木ㅋ 根 根 根

[字解] ①뿌리근 식물의 땅속에 있는 부분. '木─'. '其民食草─木實'《列子》. ②근본근 사물의 본원(本原). '─元'. '重爲經─'《老子》. ③밑동근 하부. '山─'. '舌─遺味輕浮齒'《蘇軾》. ④뿌리박을근 ㉠뿌리가 생김. '木樹─於土'《淮南子》. ㉡생김. 근원이 됨. '仁義禮智─於心'《孟子》. ⑤뿌리뽑을근 뿌리째 없앰. '─絕'. '攻之不─'《後漢書》. ⑥성근 성(姓)의 하나. ⑦근근 수학(數學)에서 제곱근, 세제곱근 따위의 거듭제곱근을 이르는 말.
[字源] 形聲. 木+艮(皀)〔音〕

木6〔栻〕10 [人名] 식 [入]職 | shì ショク うらないのぐ

[筆順] 一 十 木 木一 杧 杙 栻 栻

[字解] 점판식 점치는 기구. '─, 梮也, 梮有天地, 所以推陰陽占吉凶. 以楓子棗心木爲之'《博雅》.
[字源] 形聲. 木+式〔音〕

木6〔格〕10 [高·人] ㊀격 [入]陌 | gé カク いたる
㊁각 [入]藥 | gé カク えだ

[筆順] 一 十 才 木 木' 杪 柊 格

[字解] ㊀①이를격 ㉠다다름. 미침. '─于上下'《書經》. ㉡감동(感動)하여 통함. '─于皇天'《書經》. ②올격 이리로 옴. '來─'. '帝曰, ─汝舜'《書經》. ③바로잡을격 바르게 함. '─心'. '─君心之非'《孟子》. ④궁구할격 연구함. '─物致知'. ⑤겨룰격 저항함. 대적(對敵)함. '─虜'. '驅群羊而攻猛虎, 虎之與羊不─明矣'《史記》. ⑥칠격 때림. '─鬪'. '斷獄者急於篣─酷烈之痛'《後漢書》. ⑦오를격 올라감. 올림. '─, 陞也'《爾雅》. '──, 擧也'《爾雅》. '庶有─命'《書經》. ⑧거부할격 버팀. '而嚴家無─虜者'《史記》. ⑨법격 법식. 표준. '─式'. '言有物, 而行有─也'《禮記》. ⑩자리격 지위. 품등. '合─'. '登─者二百七十八人'《南史》. ⑪시렁격 물건을 얹어 놓는 장치. '書─'. '挂肉─'《周禮 註》. ⑫자품격 인품. '人─'. '資─'. ⑬격자격 선(線)을 종횡(縱橫)으로

방형(方形)이 되게 한 것. '閣子窗—'《夢溪筆談》. ⑭성격 성(姓)의 하나. [一] ①가지각 나무의 긴 가지. '有枝—如角'《史記》. ②그칠각 중지함. '沮—'. '太后議—'《史記》. ③막을각 저지함. '毋—其言'《說苑》.
[字源] 形聲. 木+各〔音〕

木6〔桁〕10 [一] 형 [平]庚 | héng コウ けた
[二] 항 [平]陽 [去]漾 | ①②háng コウ かせ ③hàng コウ ころもかけ
[字解] [一] ①도리형 기둥과 기둥 위에 둘러 얹히는 나무. '小者爲之椽—'《新論》. ②가로나무형 교량·정간(井幹) 등의 가로지른 나무. '井—鳥鳴破曙煙'《高啓》. [二] ①차꼬항 형구(刑具)의 하나. 족가(足枷). '—楊'. ②배다리항 航(舟부 4획〈1111〉)과 同字. '燒朱雀—, 以挫其鋒'《晉書》. ③횃대항 의가(衣架). '還視—上無懸衣'《古樂府》.
[字源] 形聲. 木+行〔音〕

木6〔桂〕10 [高·人] 계 [去]霽 | guì ケイ かつら
[筆順] 一 十 才 木 朩 杜 柱 桂
[字解] ①계수나무계 녹나뭇과(科)의 상록 교목. 껍질은 계피(桂皮). '—樹'. '—櫂蘭槳'《蘇軾》. ②성계 성(姓)의 하나.
[字源] 形聲. 木+圭〔音〕

木6〔桃〕10 [高·人] 도 [平]豪 | táo トウ もも
[筆順] 一 十 才 木 杉 杉 桃 桃
[字解] ①복숭아나무도, 복숭아도 장미과(科)에 속하는 낙엽 교목(落葉喬木). 또, 그 열매. 열매는 식용. 씨는 약재로 씀. 옛날에, 선목(仙木)으로서, 사기(邪氣)를 좇는 데 썼음. '—花'. '仲春—始華'《禮記》. ②성도 성(姓)의 하나.
[字源] 形聲. 木+兆〔音〕

木6〔𣐨〕10 桃(前條)의 俗字

木6〔桄〕10 [人名] 광 [去]漾 | guàng コウ たが
[平]陽 | guāng やさん
[筆順] 一 十 才 木 朩 朩 桄 桄
[字解] ①광랑나무광 '—榔'은 야자과(椰子科)에 속하는 상록 교목(常綠喬木). 꽃으로는 사탕을 만들고, 줄기의 수부(髓部)에서는 전분(澱粉)을 취함. ②가로목광 배나 수레에 쓰이는 횡목(橫木). '—, 舟前木'《集韻》. '—, 車下橫木也'《疏證》.
[字源] 形聲. 木+光〔音〕

木6〔桅〕10 [一] 외 [平]灰 | wéi ガイ ほばしら
[二] 괴 [上]紙 | guǐ キ くちなし
[字解] [一] 돛대외 장간(檣竿). '—, 小船上檣竿也'《廣韻》. [二] 치자나무괴 '—, 黃木可染者'《說文》.
[字源] 形聲. 木+危〔音〕

木6〔框〕10 광 [平]陽 | kuàng キョウ かまち
[字解] 문얼굴광 문테. '門—'.
[字源] 形聲. 木+匡〔音〕

木6〔桋〕10 이 [平]支 | yí イ さねぶとなつめ
[字解] 멧대추나무이 대추나무의 일종. '隰有杞—'《詩經》.
[字源] 形聲. 木+夷〔音〕

木6〔桎〕10 질 [入]質 | zhì シツ あしかせ
[字解] ①차꼬질 형구(刑具)의 한 가지. 족가(足枷). '—梏'. '—, 足械也'《說文》. ②차꼬채울질 차꼬를 채움. 전(轉)하여, 자유를 구속함. '儒學自—'《東晳》. ③막힐질, 막을질 통하지 아니함. 부자유스러움. '其靈臺一而不—'《莊子》. ④쐐기질 틈새에 박아서 사개가 물러나지 못하게 하는 물건. '爲周之—鎋'《詩經 箋》.
[字源] 形聲. 木+至〔音〕

木6〔桐〕10 [人名] 동 [平]東 | tóng ドウ きり
[筆順] 一 十 才 木 杁 桐 桐 桐
[字解] ①오동나무동 오동과(科)에 속하는 낙엽 교목(落葉喬木). '梧—'. '仲春之月, —始華'《禮記》. ②거문고동 '久厭凡—不復彈'《蘇轍》. ③통할동 통하게 함. '—車馬於瀆上'《史晨碑》. ④갑자기동, 가벼이동 '毋—好逸'《漢書》. ⑤성동 성(姓)의 하나.
[字源] 形聲. 木+同〔音〕

木6〔桓〕10 [人名] 환 [平]寒 | huán カン たけだけしい
[筆順] 一 十 才 木 朩 栢 桓 桓
[字解] ①굳셀환 힘세고 날랜 모양. '——于征'《詩經》. ②머뭇거릴환 주저하여 앞으로 잘 나아가지 않는 모양. '盤—'. ③푯말환 우정(郵亭)의 표목(標木). 또, 이정표(里程標). '葬寺門—東'《漢書》. ④하관틀환 하관(下棺)할 때 쓰는 나무틀. '三家視—楹'《禮記》. ⑤클환 '玄王—撥'《詩經》. ⑥근심

할환 격정함. 咺(口부 6획〈159〉)과 통용. '一, 憂也'《廣雅》. ⑦성환 성(姓)의 하나.
字源 形聲. 木+亘〔音〕

木6〔桔〕10 人名 길(결本) 入屑 | jié キツ き きょう
筆順 一 十 木 木 杧 桔 桔 桔
字解 ①도라지길 '一梗'은 초롱꽃과에 속하는 다년초. 뿌리는 식용함. '一梗辛微溫'《本草經》. ②두레박틀길 '一槔'는 물을 긷는 장치. '子獨不見夫一槔者乎, 引之則俯, 舍之則仰'《莊子》. ※本音 결.
字源 形聲. 木+吉〔音〕

木6〔桕〕10 구 上有 | jiù キュウ とうはぜ
字解 오구목(烏臼木)구 열대 원산의 낙엽교목(落葉喬木). '烏一'.
字源 形聲. 木+臼〔音〕

木6〔栒〕10 순 上軫 | sǔn シュン しょうけいをかけるはしら
字解 악기다는틀순 簨(竹부 12획〈956〉)·筍(竹부 6획〈936〉)과 同字. '懸鐘磬之木, 直立者爲虡, 橫牽者爲一'《爾雅》.

木6〔枅〕10 一 계 平齊 | jī ケイ とがた
二 견 平先 | ケン とがた
字解 一 두공(斗栱)계 옥로(屋櫨). '短者以爲朱儒一櫨'《淮南子》. 二 두공견 一과 뜻이 같음.
字源 形聲. 木+幵〔音〕
參考 枅(木부 4획〈531〉)는 俗字.

木6〔栛〕10 려 去霽 | lì レイ きのな
字解 나무이름려 비파(枇杷) 비슷한 열매를 맺는 나무. '一, 果似枇杷子'《玉篇》.

木6〔栚〕10 一 양 平陽 | yáng ヨウ かいこだなのたてぎ
二 상 平陽 | ショウ かいこだなのたてぎ
三 장 平陽 | ソウ かいこだなのたてぎ
字解 一 ①누에시렁기둥양 '槌, 齊謂之一'《揚子方言》. ②樣(木부 11획〈575〉)의 簡體字. 二 누에시렁기둥상 一❶과 뜻이 같음. 三 누에시렁기둥장 一❶과 뜻이 같음.

木6〔梼〕10 적 入陌 | zhé タク·チャク かいこだなのたてぎ
字解 누에시렁기둥적 '一, 槌也'《說文》.
字源 形聲. 木+寺〔音〕

木6〔栜〕10 一 색 入陌 | sè サク さねぶとなつめ
二 석 入錫 | セキ さねぶとなつめ
三 자 去寘 | cì シ ひさし
四 척 入陌 | テキ たるき
字解 一 ①멧대추나무색 '一, 棗也'《說文》. ②위를향한가지색 '棟, 木枝上生. 或从朿'《集韻》. 二 멧대추나무석, 위를향한가지석 一과 뜻이 같음. 三 차양자 처마. '一, 楣屬'《集韻》. 四 서까래척 '一, 椽'《集韻》.
字源 形聲. 木+策〈省〉〔音〕

木6〔梜〕10 一 협 入洽 | xiá コウ·ギョウ さや
二 겁 入葉 | gé キョウ さや
三 갑 入合 | コウ さや
四 합 入合 | hé コウ·ゴウ ねむのき
字解 一 칼집협 검초(劍鞘). '一, 劒柙也'《說文》. 二 칼집겁 一과 뜻이 같음. 三 칼집갑 一과 뜻이 같음. 四 자귀나무합 '一, 一棔, 木名, 朝舒暮卷'《集韻》.
字源 形聲. 木+合〔音〕

木6〔栯〕10 一 욱 入屋 | yòu イク いくり
二 유 上有 去宥 | yǒu ユウ きのな
字解 一 산이스랏나무욱 욱리(栯李). '一, 一李'《廣韻》. 二 나무이름유 '一, 木名. 服之不妬'《廣韻》.

木6〔梅〕10 〔매〕
梅(木부 7획〈547〉)의 略字

木6〔梔〕10 제 去霽 | zhì セイ ちいさなくい
字解 작은말뚝제 '一, 小杙也'《類篇》.

木6〔桙〕10 一 우 平虞 | yú
二 모 平尤 | móu ボウ·ム うつわ
字解 一 杅(木부 3획〈527〉)와 同字. 二 그릇이름모 '一, 器名'《集韻》.

木6〔栚〕10 짐 上寢 | zhèn チン かいこだなのよこぎ
字解 ①누에시렁가로나무짐. ②나무이름짐 '一, 山樊也. 染者用其葉燒灰, 以藏所染之色'《正字通》.
字源 形聲. 木+灷(灷)〔音〕

木6〔柵〕10 〔책〕
柵(木부 5획〈538〉)의 本字

木6〔栧〕10 〔예〕
枻(木부 5획〈535〉)와 同字

木6〔栢〕10 〔백〕
柏(木부 5획〈536〉)의 俗字
字源 形聲. 木+百〔音〕

木6〔桩〕10 〔장〕椿(木부 11획〈573〉)의 簡體字

木6〔桧〕10 〔회〕檜(木부 13획〈584〉)의 俗字·簡體字

木6〔栽〕10 中·人 재 ①②㊥灰 ③④㊤隊 | zāi サイ うえる zài サイ いた

筆順 一 十 土 丰 耒 栽 栽 栽

字解 ①심을재 초목을 심음. '一培'. '一者培之'《中庸》. ②묘목재 모나무. '爲乞桃一二百根'《杜甫》. ③성재 성(姓)의 하나. ④담틀재 토담을 쌓는 데 쓰는 긴 널조각. '水昏正而一'《左傳》.
字源 形聲. 木+𢦏〔音〕

木6〔栗〕10 高·人 률 ㉠質 | lì リツ くり

筆順 一 冂 冂 襾 襾 覀 覀 栗

字解 ①밤나무률 참나뭇과에 속하는 낙엽교목(落葉喬木). 과수(果樹)의 하나. ②밤률 밤나무의 열매. '饋食之籩, 其實一'《周禮》. ③단단할률 견실함. '縝密而一'《禮記》. ④공손할률 공근(恭謹)함. '寬而一'《書經》. ⑤엄할률 위엄이 있음. '位欲嚴, 政欲一'《司馬法》. ⑥떨률 전율함. '戰一'. '不寒而一'《漢書》. ⑦추울률 '二之日一烈'《詩經》. ⑧여물률 곡식이 잘 익어 단단함. '實穎實一'《詩經》. ⑨건널률 건너뜀. 넘음. '一階不過二等'《儀禮》. ⑩성률 성(姓)의 하나.
字源 會意. 卤+木. 甲骨文은, 나무 위에 밤송이가 달려 있는 것을 본뜬 모양으로, '밤'의 뜻을 나타냄.

木6〔桊〕10 공 ㊤腫 | gǒng キョウ かせ

字解 수갑공 拲(手부 6획〈438〉)과 同字.

木6〔栞〕10 간 ㊥寒 | kān カン つうろのしるし

字解 표할간 산길의 도표(道標)로서 나뭇가지를 꺾거나 나무를 깎아서 표함. '隨山一木'《書經》. 또, 그 표지(標識). '一, 槎識也'《說文》.
字源 形聲. 木+幵〔音〕

木6〔桀〕10 걸 ㉠屑 | jié ケツ ねぐら

字解 ①홰걸 닭이 앉는 홰. '雞棲于一'《詩經》. ②사나울걸 흉포함. '凶一'. '多暴一子弟'《史記》. ③교활할걸 교힐(巧黠)함. '一黠奴, 人之所患也'《史記》. ④들걸 들어올림. '一石以投人'《左傳》. ⑤뛰어날걸 傑(人부 10획〈66〉)과 同字. '一俊'. '千人曰英, 萬人曰一'《辨名記》. ⑥떠날걸 사라짐. '一, 去也'《廣雅》. ⑦하왕이름걸 하(夏)나라 말대(末代)의 임금. 폭군으로 유명함. '一紂'. '一犬吠堯'. ⑧성걸 성(姓)의 하나.
字源 會意. 舛+木

木6〔案〕10 中·人 안 ㊤翰 | àn アン つくえ

筆順 宀 安 安 安 宰 宰 案 案

字解 ①안석안 앉을 때 몸을 기대는 물건. '一席'. '張幕設一'《周禮》. ②책상안 서안(書案). '一頭'. '窺室惟一几'《丘爲》. ③소반안 밥상. '自持一, 進食甚恭'《史記》. ④주발안 식기. '持一而食'《鹽鐵論》. ⑤지경안 경계. '參國起一'《國語》. ⑥초안안 초고. '議一'. '千一百牘'《唐書》. ⑦안건안 조사·논증(論證)을 요하는 사건. '牒一塡委'《唐書》. ⑧상고할안 생각함. '一之當今之務'《漢書》. ⑨어루만질안 '一撫'. '一劍以前'《史記》. ⑩누를안 멈춤. '一節未舒'《史記》. ⑪볼안 자세히 봄. '一程度'《淮南子》.
字源 形聲. 木+安〔音〕

木6〔桉〕10 案(前條)과 同字
字源 形聲. 木+安〔音〕

木6〔桊〕10 권 ①㊤霰 ②㊥先 | juàn ケン うしのはなわ quán ケン はち

字解 ①쇠코뚜레권 쇠코에 꿰뚫어 매는 고리. '一, 牛拘'《廣韻》. ②나무바리때권 나무를 휘어서 만든 작은 그릇. '一, 屈木盂也'《集韻》.
字源 形聲. 篆文은 木+𠔉〔音〕

木6〔桑〕10 高·人 상 ㊥陽 | sāng ソウ くわ

筆順 フ ヌ 叒 叒 叒 叒 桑 桑

字解 ①뽕나무상 뽕나뭇과에 속하는 낙엽교목(落葉喬木). 잎을 누에의 먹이로 함. '齊魯千畝一麻'《史記》. ②뽕잎딸상 '東鄉躬一'《禮記》. ③뽕나무심을상 뽕나무를 재배하여 누에를 침. 또, 그 업(業). 양잠(養蠶). '農一'. '耕一者益衆'《漢書》. ④성상 성(姓)의 하나.
字源 會意. 叒+木

木 6 〔桒〕10 桑(前條)의 俗字

木 6 〔栔〕10 ㊀결 [入]屑 | ケツ たつ ㊁계 [去]霽 | qì ケイ きざむ
[字解] ㊀끊을결 절단함. '陽貨借邑人之車, 一其軸'《左傳》. ㊁①새길계 契(大부 6획〈235〉)·鍥(金부 9획〈1571〉)와 통용. '一, 刻也'《說文》. ②빠질계 결여(缺如)함. 없음. '一, 缺也'《廣雅》. ③근심할계 걱정함. '一一, 憂也'《廣雅》.
[字源] 會意. 㓞+木

木 6 〔栠〕10 임 [上]寢 [去]沁 | rěn ジン·ニン よわい
[字解] 약할임 나무가 부드러운 모양. '一, 木弱皃'《廣韻》.
[字源] 形聲. 木+任〔音〕

木 6 〔桌〕10 〔탁〕 卓(十부 6획〈128〉)의 古字

木 6 〔桒〕10 ㊀桑(木부 6획〈545〉)과 同字 ㊁業(木부 5획〈540〉)과 同字

木 6 〔亲〕10 〔진〕 亲(木부 7획〈552〉)과 同字

木 6 〔柒〕10 〔염〕 染(木부 5획〈540〉)의 俗字

木 6 〔桨〕10 〔장〕 槳(木부 11획〈577〉)의 簡體字

木 6 〔栺〕10 예 [去]霽 | yì ケイ きのな
[字解] ①나무이름예 '一, 木名'《集韻》. ②궁전이름예 '一, 枍一, 殿名'《廣韻》.

木 6 〔桵〕10 ㊀挼(手부 6획〈439〉)의 訛字 ㊁桵(木부 7획〈550〉)의 訛字

木 6 〔栾〕10 〔란〕 欒(木부 19획〈593〉)의 俗字

木 6 〔栈〕10 〔잔〕 棧(木부 8획〈555〉)의 略字

木 6 〔桜〕10 〔앵〕 櫻(木부 17획〈591〉)의 略字

〔臬〕〔얼〕 自부 4획(1101)을 보라.

木 6 〔柴〕10 〔시〕 木부 5획(540)을 보라.

木 7 〔梵〕11 범 [去]陷 | fàn ハン·ボン ぼん
[字解] ①깨끗할범 범어(梵語)의 Brahman의 음역(音譯)으로, 청정(淸淨)의 뜻. '淨修一行'《法華經》. 전(轉)하여, 불교 또는 인도에 관한 사물에 쓰임. '一唄'. '聞雲入一宮'《朱餘慶》. ②바라문범 인도의 귀족. '爲一士師'《法華經》. ③범어범 인도의 고대어(古代語). 산스크리트. '一文'. '宋上貝書多譯一'《周伯琦》. ④성범 성(姓)의 하나.
[字源] 形聲. 林+凡〔音〕

〔埜〕〔야〕 土부 8획(212)을 보라.

木 7 〔梦〕11 〔몽〕 夢(夕부 11획〈230〉)의 俗字

木 7 〔桼〕11 칠 [入]質 | qī シツ うるし
[字解] 옻칠, 옻나무칠 漆(水부 11획〈677〉)과 同字. '木汁名一. 因名其木曰一'《說文段注》.
[字源] 象形. '木'에 여섯 점(點)을 가(加)하여, 수액(樹液)을 채취하는 모양을 본떠 '옻'의 뜻을 나타냄.

〔彬〕〔빈〕 彡부 8획(367)을 보라.

木 7 〔桯〕11 [人名] 정 [平]青 | tīng テイ はしら
[筆順] 一 十 才 木 木口 枵 桯 桯
[字解] ①기둥정 집의 기둥. '一圍倍之'《周禮》. ②탁자정 침대 앞에 놓아 두는 탁자. '榻前几, 江沔之間曰一'《揚子方言》.
[字源] 形聲. 木+呈〔音〕

木 7 〔桮〕11 배 [平]灰 | bēi ハイ さかずき
[字解] ①술잔배 杯(木부 4획〈530〉)와 同字. '案上不過三一'《漢書》. ②그릇배 나무를 구부려 만든 그릇. '義猶一棬也'《孟子》. ③성배 성(姓)의 하나.
[字源] 形聲. 木+否〔音〕
[參考] 盃(皿부 4획〈831〉)는 俗字.

木 7 〔桲〕11 발 [入]月 | bō, ②po ホツ からざお
[字解] ①도리깨발 곡식을 두드려 떠는 농구(農具). 연가(連枷). '一, 今連枷, 所以打

穀也'《玉篇》. ②올발발 '榲一'은 장미과(科)에 속하는 낙엽 교목(落葉喬木). 과실은 달고 향기가 있음. 마르멜로. ③지팡이발 '一, 杖也'《廣雅》.
[字源] 形聲. 木+孛〔音〕

木 7 〔桵〕 11 유 [平]支 | ruí ズイ たら
[字解] 두릅나무유 두릅나뭇과의 낙엽 관목. '白一, 棫也'《說文》.
[字源] 形聲. 木+妥〔音〕

木 7 〔桴〕 11 부 ①②[平]尤 ③[平]虞 | fú フ むね, ばち フ いかだ
[字解] ①마룻대부 집의 용마루 밑에 서까래가 걸리게 된 나무. '荷棟一而高驤'《班固》. ②북채부 북을 치는 채. 枹(木부 5획〈535〉)와 同字. '蕢一而土鼓'《禮記》. ③떼부 뗏목. '一筏'. '乘一浮于海'《論語》.
[字源] 形聲. 木+孚〔音〕

木 7 〔桶〕 11 [人名] [一]통 [上]董 | tǒng トウ おけ [二]용 [上]腫 | yǒng ヨウ ます
[筆順] 一 十 木 朩 朾 析 梋 桶
[字解] [一] 통통 나무로 만든 원형(圓形)의 용기. '水一'. '市中有一物, 如小一而無底'《癸辛雜識》. [二] 되용 곡식 같은 것의 분량을 되는 네모진 그릇. '平斗一權衡丈尺'《史記》.
[字源] 形聲. 木+甬〔音〕

木 7 〔棻〕 11 분 [平]文 | fén フン こうばくのな
[字解] 향나무분 향목(香木)의 일종. '一, 香木也'《說文》.
[字源] 形聲. 木+芬〔音〕

木 7 〔桷〕 11 각 [入]覺 | jué カク たるき
[字解] ①서까래각 네모진 서까래. '椽一'. '刻桓宮一'《左傳》. ②가지각 가로 뻗은 나뭇가지. '或得其一'《易經》.
[字源] 形聲. 木+角〔音〕

木 7 〔桭〕 11 진 [平]眞 | chén シン のき
[字解] ①처마진 지붕의 가장자리 부분. '柍一, 屋端'《類篇》. ②기둥사이진 두 기둥의 사이. '一, 兩楹間也'《廣韻》. ③가지런히할진 정돈함. '一, 整也'《集韻》.

木 7 〔桹〕 11 랑 [平]陽 | láng ロウ きのな, ふないた
[字解] ①광랑나무랑 桄(木부 6획〈543〉)을 보라. '桄一'. ②배널랑 선판(船板). '一, 船板名'《正字通》. ③몽둥이랑 긴 막대기. '鳴一厲響'《潘岳》.
[字源] 形聲. 木+良〔音〕

木 7 〔梃〕 11 정 [上]迥 | tǐng テイ つえ
[字解] ①막대기정 ㉠기름한 나무토막. 곤봉. '可使制一以撻秦楚之堅甲利兵矣'《孟子》. ㉡지팡이정 '杖謂之一'《小爾雅》. ②지저깨비정 목편(木片). '一, 木片'《廣雅》. ③대정 줄기를 세는 수사(數詞). '酒二器, 甘蔗百一'《魏書》. ④지레정 지렛대. 공간(槓杆).
[字源] 形聲. 木+廷〔音〕

木 7 〔桫〕 11 사 [平]歌 | suō サ へご
[字解] 사라(桫欏)나무사 유구(琉球) 등지에 나는 다년생의 목본성(木本性) 은화식물(隱花植物). '一欏, 木名. 出崑崙山'《廣韻》.
[字源] 形聲. 木+沙〔音〕

木 7 〔梅〕 11 [高人] 매 ①-③[平]灰 ④[上]賄 | méi バイ うめ バイ せい
[筆順] 一 十 木 朩 杧 梅 梅 梅
[字解] ①매화나무매 장미과에 속하는 낙엽교목(落葉喬木). '一實'. '看了一花睡過春'《陸游》. ②매우(梅雨)매 매화나무 열매가 익을 무렵에 오는 장마. '閩人以立夏後逢庚入一, 芒種後逢壬出一'《四時纂要》. ③어두울매 晦(日부 7획〈508〉)와 뜻이 같음. '視容瞿瞿一一'《禮記》. ④성매 성(姓)의 하나.
[字源] 形聲. 木+每〔音〕
[參考] 楳(木부 9획〈565〉)는 同字.

木 7 〔棊〕 11 梅(前條)와 同字

木 7 〔梏〕 11 [一]곡 [入]沃 | gù コク てかせ [二]각 [入]覺 | jué カク おおきい
[字解] [一] ①수갑곡 형구(刑具)의 하나. 고랑. '桎一'. '中罪桎一'《周禮》. ②수갑채울곡 고랑을 채움. '執而一之'《左傳》. ③묶을곡 묶어 맴. 잡음. '帝乃一之疏屬之山'《山海經》. ④꿸곡 목을 꿰뚫음. '一華氏于朝'《左傳》. ⑤어지럽힐곡 혼란하게 함. '有一亡之矣'《孟子》. [二] 클각 覺(見부 13획〈1303〉)과 뜻이 통함. '有一德行'《禮記》.
[字源] 形聲. 木+告〔音〕

木 7 〔梀〕 11 [一]촉 [入]屋 | sù ソク たるき [二]속 [入]屋 | sù ソク たるき [三]은 [去]問 | yìn イン たば

字解 ㊀서까래촉 짧은 서까래. '一, 短椽也. (註) 今大屋重橑下, 四隅多爲短椽, 卽此也'《說文》. ㊁서까래속 ㊀과 뜻이 같음. ㊂다발은, 다발지을은 묶음. '一, 束也'《集韻》.
字源 形聲. 木+束〔音〕

木7〔梐〕11 폐 ㊤薺 | bì へイ こまよけ, ひとや
字解 ①울짱폐 목책(木柵). '一枑'. ②옥폐 감옥. '周一'《孔子家語》.
字源 形聲. 木+坒〔音〕

木7〔梌〕11 도 ㊥虞 | tú ト ひさぎ
字解 ①개오동나무도 능소화과에 속하는 낙엽 교목. 노나무. '一, 木名, 楸也'《類篇》. ②단풍나무도 '北方人謂楓曰一'《畿輔通志》.

木7〔梓〕11 人名 재(자㊟) ㊤紙 | zǐ シ あずさ
筆順 一 十 木 木' 桁 梓 梓 梓
字解 ①가래나무재 가래나뭇과(科)에 속하는 낙엽 교목(落葉喬木). 일설(一說)에는, 개오동나무. '一爲百木之長'《埤雅》. ②목수재 목공. '一人'. '攻木之工七, 輪·輿·弓·廬·匠·車·一'《周禮》. ③판목재 글자나 그림을 새긴 나무. '上一'. '一本未興'《文海披沙》. ④나무그릇재 목기(木器). '杯盂之屬亦謂一'《禮記 疏》. ⑤관재 관(棺). '一宮'. ⑥성재 성(姓)의 하나. ※本音 자.
字源 形聲. 木+宰〈省〉〔音〕

木7〔桾〕11 군 ㊥文 ㊦問 | jūn クン さるがき
字解 고욤나무군 '一櫏'은 고욤나무. '平仲一櫏'《左傳》.
字源 形聲. 木+君〔音〕

木7〔梔〕11 치 ㊥支 | zhī シ くちなし
字解 치자나무치 '一子'는 꼭두서닛과에 속하는 상록 관목(常綠灌木). 열매에서 황적색 물감을 취하며, 또 약재로도 쓰임.
字源 形聲. 木+巵〔音〕

木7〔梘〕11 ㊀견 ㊦霰 ㊤銑 ㊁간 ㊦諫 | ①②jiàn ケン せん ③jiǎn ケン かけい カン ひつぎかけ
字解 ㊀①마개견 아가리를 막는 물건. '一, 栓也'《集韻》. ②사실할견 검사함. '一, 檢也'《集韻》. ③홈통견 물을 받아 내는 홈통. 筧(竹부 7획〈938〉)과 同字. '一, 通水器'《類篇》. ㊁관싸개간 관(棺)을 덮어 싸는 포목. '一, 棺衣'《集韻》.
字源 形聲. 木+見〔音〕

木7〔梖〕11 패 ㊦泰 | bèi ハイ ばいたら
字解 패다나무패 '一多'는 인도에서 나는 상록 교목(常綠喬木). 껍질은 경문(經文)을 쓰는 데 사용함. '一多木出摩伽陀國'《酉陽雜俎》.
字源 形聲. 木+貝〔音〕
參考 棋(木부 8획〈556〉)는 別字.

木7〔梬〕11 영(잉㊛) ㊤梗 | yǐng エイ さるがき
字解 고욤나무영 감나뭇과에 속하는 낙엽 교목. 군천(桾櫏). '樝梨一栗'《漢書》. ※俗音 잉.
字源 形聲. 木+甹〔音〕

木7〔梗〕11 人名 경 ㊤梗 ㊦敬 | gěng コウ とげ, あらまし
筆順 一 十 木 木 杆 柘 梗 梗
字解 ①가시나무경 가시가 있는 나무. '一林爲之靡拉'《張衡》. ②가시경 나무의 가시. '筆力於枝一極遒健'《圖繪寶鑑》. ③근심경 걱정. '至今爲一'《詩經》. ④막을경 재난을 방지함. '以時招一'《周禮》. ⑤막힐경 통하지 아니함. '一塞'. '以道一, 共投元忠'《北史》. ⑥곧을경 정직함. '一一亮直'《孔叢子》. ⑦굳셀경 강함. 강맹(強猛)함. '鋤其強一'《淮南子》. ⑧인형경 우인(偶人). '木一'. '吾所學者, 眞土一耳'《莊子》. ⑨바뀔경 '一者, 更也. 歲終更始, 受介祉也'《風俗通》. ⑩깨달을경 憬(心부 12획〈412〉)과 뜻이 통함. '一, 覺也'《揚子方言》. ⑪대강경 대개. '略擧其一概'《左思》.
字源 形聲. 木+更(叓)〔音〕

木7〔梆〕11 방 ㊥江 | bāng ホウ きのな
字解 ①나무이름방 '一, 木名'《集韻》. ②목탁방 옛적에, 관아에서 사람을 부르는 신호로 치던 기구. 나무에 구멍을 뚫어 놓은 것으로, 이를 때리면 소리가 나게 됨. 혹은 통으로도 만듦. '一, 斲木三尺許, 背上穿直孔. 今官衙設之, 爲號召之節. 或以竹截作筒, 兩頭留竹節, 旁穿小孔, 擊之有聲, 亦曰一'《正字通》.
字源 形聲. 木+邦〔音〕

木7〔梛〕11 나 ㊥歌 | nuó ダ·ナ きのな
字解 구나나무나 '栒一'는 버드나무 비슷한 나무. 여름에 담홍색 꽃이 핌.

[字源] 形聲. 木+郱〔音〕

木7〔梣〕11 침 [平]侵 | chén シン とねりこ

[字解] 구주물푸레나무침 '夫一木色青翳'《淮南子》.

[字源] 形聲. 木+岑〔音〕

木7〔梜〕11 협 [入]葉 | jiā キョウ はし

[字解] 젓가락협 筴(竹부 7획〈939〉)과 同字. '羹之有菜者, 用一'《禮記》.

[字源] 形聲. 木+夾〔音〕

木7〔梠〕11 려 [上]語 | lǚ リョ ひさしのはし

[字解] 처마려 지붕의 도리 밖으로 내민 부분. '屋一'. '一, 梋端連綿木名. 說文, 楣也'《廣韻》.

[字源] 形聲. 木+呂〔音〕

木7〔梪〕11 두 [去]有 | dòu トウ たかつき

[字解] ①제기이름두 나무로 만든 두(豆). '木豆謂之一'《說文》. ②넉되두 4승(升)의 일컬음. '合十曰升, 升四曰一'《廣雅》.

[字源] 形聲. 木+豆〔音〕

木7〔梡〕11 [人名] 관 [上]旱 | kuǎn カン まないた

[筆順] 一 十 才 木 木 柠 柠 梡

[字解] 도마관 순(舜)임금 시절의 네 발이 있는 도마. '俎用一嶡'《禮記》.

[字源] 形聲. 木+完〔音〕

木7〔梢〕11 [一]소 [平]肴 | shāo ソウ·ショウ ながくのびたき
[二]초 [平]肴 | shāo ソウ·ショウ こずえ
(소[本])

[字解] [一] ①마들가리소 곁가지가 없는 긴 가지. '一, 一櫂'《爾雅》. ②막대기소 악공(樂工)이 쥐는 막대기. '飾玉一以舞歌'《漢書》. ③잡나무소 작은 잡목(雜木). '曳一肆柴'《淮南子》. ④키소 艄(舟부 7획〈1113〉)와 同字. '今人謂篙師爲一子'《字彙》. [二] ①나무끝초 나무의 꼭대기. 우듬지. '林一出沒'《畫史》. ②끝초 말미(末尾). '末一'. '垂一植髮'《顔延之》. ※本音 소.

[字源] 形聲. 木+肖〔音〕

木7〔梫〕11 침 [平]侵 [上]寢 | qǐn シン かつら

[字解] 침(梫)나무침 높이 2 내지 3미터 되는 나무. 잎을 달여 살충제로 씀. '一, 葉似枇杷而大, 白華, 冬夏長青'《韻會》.

[字源] 形聲. 木+寑〈省〉〔音〕

木7〔梧〕11 [人名] 오 [平]虞 [去]遇 | ①-⑤wú ゴ あおぎり ⑥wù ゴ おおきい

[筆順] 一 十 才 木 杆 栖 梧 梧

[字解] ①벽오동나무오 벽오동과에 속하는 낙엽 교목(落葉喬木). '一桐'. '舍其一檟, 養其樲棘'《孟子》. ②책상오 서안(書案). '一右'. ③거문고오 '惠子之據一也'《莊子》. ④버틸오 '枝一'는 맞서서 겨룸. 또는, 쓰러지지 않게 가눔. '諸將皆慴服, 莫敢枝一'《史記》. ⑤성오 성(姓)의 하나. ⑥장대할오 '魁一'는 장대(壯大)한 모양. '魁一奇偉'《史記》.

[字源] 形聲. 木+吾〔音〕

木7〔梒〕11 함 [平]覃 | hán カン ゆすらうめ

[字解] 앵두나무함, 앵두함 '一, 一桃'《廣韻》.

木7〔梩〕11 리 [平]支 | lí リ ふご

[字解] 흙담는들것리 흙을 운반하는 농구. 삼태기. 일설(一說)에는, 삽〔鍤〕 또는 가래〔鍬〕라고 함. '反虆一而掩之'《孟子》.

[字源] 形聲. 木+里〔音〕

木7〔梭〕11 사 [平]歌 | suō サ ひ

[字解] 북사 베틀에 딸린 제구. '一杼'. '網得一一'《晉書》.

[字源] 形聲. 木+夋〔音〕

木7〔梮〕11 국 [入]沃 | jú キク·キョク ぜん, かんじき

[字解] ①동철국 밑에 징을 박아 미끄러지지 않게 한 등산용 신. '山行則一'《漢書》. ②소반국 '一, 舉食器也'《廣韻》. ③삼태기국 '一, 一曰, 土轝'《集韻》.

[字源] 形聲. 木+局〔音〕

木7〔木+壳〕11 각 [入]覺 | qiào コク からたち

[字解] 탱자나무각 운향과에 속하는 낙엽 교목. 지각(枳殼). '枳一, 有實如柚'《篇海》.

木7〔梯〕11 [人名] 제 [平]齊 | tī テイ はしご

[筆順] 一 十 才 木 木' 栏 梯 梯

[字解] ①사닥다리제 '一階'. '視城中則有雲一飛樓'《六韜》. 전(轉)하여, 사물이 차차

로 올라가거나 진행하는 경로. '階一'. '毋曠其衆以爲亂一'《國語》. ②기댈제 의지함. '西王母一几而戴勝杖'《山海經》. ③성제 성(姓)의 하나.
[字源] 形聲. 木+弟〔音〕

木 7 〔楼〕11 [一] 찰 [入]曷 | zuō サツ せまい [二] 잠 [上]感 | zǎn サン ゆびひしぎ
[字解] [一] ①좁을찰 '一, 笮也'《集韻》. ②손가락형(刑)찰 拶(手부 6획〈439〉)의 訛字. '一, 指刑. 俗呼一子. 卽拶字之譌'《正字通》. [二] 손가락형(刑)잠 [一]❷와 뜻이 같음.

木 7 〔栝〕11 괄 [入]曷 | kuō カツ ゆだめ
[筆順] 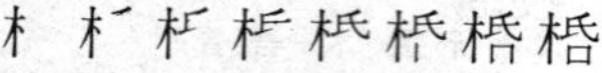
[字解] ①도지개괄 활·화살이 굽은 것을 바로잡는 틀. '一, 隱也'《說文》. ②오늬괄 桰(木부 6획〈541〉)과 통용. ③나무이름괄 노송(老松)나무.
[字源] 形聲. 木+𠯑〔音〕

木 7 〔梭〕11 [一] 혁 [入]錫 | xí ケキ たねをまくどうぐ [二] 역 [入]陌 | エキ たねをまくどうぐ [三] 핵 [入]陌 | カク たねをまくどうぐ
[字解] [一] 씨뿌리는도구혁 일설에는 '柃一'은 보리를 볶는 기구. '一, 種樓也. 一曰, 燒麥柃一也'《說文》. [二] 씨뿌리는도구역 [一]과 뜻이 같음. [三] 씨뿌리는도구핵 [一]과 뜻이 같음.
[字源] 形聲. 木+役〔音〕

木 7 〔桂〕11 [一] 광 [平]陽 | kuāng キョウ みずをくむき [二] 왕 [上]養 | wǎng オウ まげる
[字解] [一] 물푸는그릇광 '一, 汲具'《集韻》. [二] 굽힐왕 枉(木부 4획〈531〉)의 本字. '一, 說文, 衺曲也. 隸作枉'《集韻》.

木 7 〔械〕11 [高·人] 계 [去]卦 | xiè(jiè) カイ かせ
[筆順] 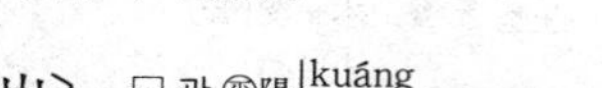
[字解] ①형틀계 차꼬·수갑·칼 따위. '一杻'. '受一於陳'《司馬遷》. ②형틀채울계 형틀을 채워 자유를 구속함. '一繫以歸'《十八史略》. ③기구계 용기(用器). '一器'. '器一之資'《漢書》. ④병장기계 무기(武器). '一謂弓矢戈殳矛戟也'《周禮 註》. ⑤틀계 기교를 베푼 장치. '開諸船底, 以木掩之, 名爲船一'《晉書》.
[字源] 形聲. 木+戒〔音〕

木 7 〔梱〕11 곤 [上]阮 [去]願 | ①-⑤kǔn コン しきみ ⑥kùn コン そろえる
[字解] ①문지방곤 閫(門부 7획〈1600〉)과 同字. '一外'. '外言不入于一'《禮記》. ②칠곤 두드림. '一纂組'《淮南子》. ③이룰곤 됨. 성취(成就)함. '一, 就也'《廣雅》. ④도살할곤 짐승을 잡음. '一, 屠也'《廣雅》. ⑤《韓》 포장한화물(貨物)곤. ⑥가지런히할곤, 다발지을곤 '取矢一之'《通訓》.
[字源] 形聲. 木+困〔音〕

木 7 〔棁〕11 [一] 절 [入]屑 | zhuō セツ うだち [二] 탈 [入]曷 | tuō タツ つえ
[字解] [一] 동자기둥절 들보 위의 짧은 기둥. '藻一'《論語》. [二] ①막대기탈 곤봉(棍棒). '執彈而招鳥, 揮一而招狗'《淮南子》. ②벗을탈 脫(肉부 7획〈1076〉)과 통용. '始乎一'《荀子》.
[字源] 形聲. 木+兌〔音〕

木 7 〔梴〕11 전 [平]先 | chān テン ながい
[字解] ①길전 나무가 긴 모양. '松桷有一'《詩經》. ②다듬잇돌전 碪(石부 7획〈870〉)과 뜻이 같음. '碓機, 自關而東, 謂之一'《揚子方言》.
[字源] 形聲. 木+延〔音〕

木 7 〔梶〕11 미 [上]尾 | wěi ビ こずえ
[字解] 나무끝미 나무의 끝. '一, 木杪也'《集韻》.
[字源] 形聲. 木+尾〔音〕

木 7 〔梳〕11 소 [平]魚 | shū ショ·ソ くし
[字解] ①빗소 얼레빗. '白齒一'. '朝有諷諫, 猶髮之有一'《唐書》. ②빗을소 머리를 빗음. '一沐'. '頭蓬不暇一'《揚雄》.
[字源] 形聲. 木+疏〈省〉〔音〕

木 7 〔梩〕11 [一] 렬 [入]屑 | liè レツ きのな [二] 랄 [入]曷 | ラツ ほばしら
[字解] [一] ①나무이름렬 '一, 木名'《廣韻》. ②돛대렬 '一, 舟檣也'《類篇》. [二] 나무이름랄, 돛대랄 [一]과 뜻이 같음.
[字源] 形聲. 木+寽〔音〕

木 7 〔桭〕11 진 [去]震 | zhèn チン きのな
[字解] 나무이름진 그 즙(汁)으로 술을 만듦. '棍, 木名. 汁可爲酒. 或作一'《集韻》.

木 7 〔桸〕11 희 ①[平]支 ②[平]微 | xī キ ひしゃく キ きのな

[字解] ①구기희 국자 비슷한 기구. '一, 杓也'《廣韻》. ②나무이름희 '一, 木名. 汁可食'《廣韻》.

木7 〔椕〕11 ㊀팔 [入]黠 bā ハツ きのな ㊁별 [入]屑 biē ハツ ほこのえ ㊂폐 [去]隊 bèi ハイ わりふ

[字解] ㊀①나무이름팔 '一, 木名'《廣韻》. ②고무래팔 朳(木부 2획〈526〉)과 同字. ③창자루팔 창(槍)의 손잡이. '一, 柲也'《集韻》. ㊁창자루별 ㊀❸과 뜻이 같음. ㊂엄쪽폐 어음 조각. '一, 券契也'《類篇》.

木7 〔梂〕11 ㊀구 [平]尤 qiú キュウ くぬぎのみ ㊁곡 [入]沃 キョク くぬぎのみ ㊂국 [入]屋 キク くぬぎのみ

[字解] ㊀①상수리구 상수리나무의 열매. '一, 櫟實'《說文》. ②끌끝구 '一, 一曰, 鑿首'《說文》. ③자루구 기구(器具)의 손잡이. '一, 柎也'《廣雅》. ④산사나무구 '一, 山樝也'《唐本草》. ㊁상수리곡, 끌끝곡, 자루곡, 산사나무곡 ㊀과 뜻이 같음. ㊂상수리국, 끌끝국, 자루국, 산사나무국 ㊀과 뜻이 같음.

[字源] 形聲. 木+求〔音〕

木7 〔梇〕11 롱 [去]送 lòng ロウ きのな

[字解] ①나무이름롱 '一, 一木也'《說文》. ②현(縣)이름롱 옛 현의 이름. '一, 一棟, 古縣名. 在益州'《廣韻》.

[字源] 形聲. 木+弄〔音〕

木7 〔梌〕11 저 [平]魚 zhuó チョ きのたちがれ

[字解] 말라죽은나무저 '一, 木立死也'《集韻》.

木7 〔桱〕11 경 ①②[去]徑 jìng ケイ きのな ③[平]青 ケイ よりかかり

[字解] ①나무이름경 삼(杉)나무 비슷한 나무. '一, 一木, 似杉而梗'《集韻》. ②실패경 '一, 經絲具'《類篇》. ③탁자경 침대(寢臺) 앞에 두는 탁자. '一, 桯也'《說文》.

[字源] 形聲. 木+巠〔音〕

木7 〔梕〕11 〔짐〕 栚(木부 6획〈544〉)의 本字

木7 〔桓〕11 〔환〕 桓(木부 6획〈543〉)의 本字

木7 〔梎〕11 〔근〕 根(木부 6획〈542〉)의 本字

木7 〔梜〕11 〔갑〕 匣(匚부 5획〈123〉)과 同字

木7 〔梀〕11 〔류〕 柳(木부 5획〈537〉)의 本字

木7 〔梍〕11 〔부〕 枹(木부 5획〈535〉)와 同字

木7 〔梛〕11 〔야〕 椰(木부 9획〈559〉)와 同字

[字源] 形聲. 木+邪〔音〕

木7 〔梄〕11 〔유〕 槱(木부 11획〈572〉)와 同字

[字源] 形聲. 木+酉〔音〕

木7 〔桿〕11 〔간〕 杆(木부 3획〈527〉)의 俗字

木7 〔梹〕11 〔빈〕 檳(木부 14획〈586〉)의 俗字

〔郴〕 〔침〕 邑부 8획(1520)을 보라.

木7 〔梁〕11 [高·人] 량 [平]陽 liáng リョウ はり

[筆順] 氵 汈 汈 沏 沏 㳀 㴓 梁

[字解] ①들보량 옥량(屋梁). '不可以爲棟一'《莊子》. ②나무다리량 나무로 만든 교량. 또, 다리를 놓음. '造舟爲一'《詩經》. ③징검돌량 징검다리로 놓은 돌. '在彼淇一'《詩經》. ④발담량 물을 막아 고기를 잡는 설비. 어량(魚梁). '無逝我一'《詩經》. ⑤둑량 제방. '一, 水堤也'《水經注》. ⑥기장량 수수. 粱(米부 7획〈970〉)과 뜻이 통함. '肥貴人則高一之疾也'《素問》. ⑦강할량 굳셈. '彊一不能與天爭'《後漢書》. ⑧관(冠)골량, 양량 관의 앞이마에서 뒤로 골이 지게 한 것. '公侯三一, 博士兩一'《漢書》. ⑨양나라량 ㉠전국 시대(戰國時代)의 위(魏)나라가 대량(大梁)에 천도(遷都)한 이후의 칭호. (B.C. 403~B.C. 225) ㉡남조(南朝)의 하나. 소연(蕭衍)이 제(齊)나라의 선위(禪位)를 받아 세운 왕조(王朝). 건강(建康)에 도읍. (502~557) ㉢오대(五代)의 하나. 주전충(朱全忠)이 당(唐)나라의 선위(禪位)를 받아 세운 왕조. 대량(大梁)에 도읍. 사가(史家)가 이를 후량(後梁)이라 일컬음. (907~923) ⑩양주량 우공 구주(禹貢九州)의 하나. 지금의 사천성(四川省)의 대부분과 섬서(陝西)·감숙(甘肅) 두 성(省)의 일부분. '華陽黑水, 惟一州'《書經》. ⑪성량 성(姓)의 하나.

[字源] 會意. 氵(水)+刅+木

木 7 〔梟〕 11 효 ㊥蕭 | xiāo キョウ ふくろう

字解 ①올빼미효 부엉이 비슷한 맹금(猛禽). 고래(古來)로 어미새를 잡아먹는다고 오신(誤信)하여, 불효조(不孝鳥)라 일컬음. '一鴟'. '爲一爲鴟'《詩經》. ②목베어달효 목을 베어 나무 또는 옥문(獄門) 등에 매닮. '一首'. '一故塞王欣頭櫟陽市'《漢書》. ③효용할효 사납고 날램. '一悍'. '致一騎助漢'《漢書》. ④영웅효 걸출한 자. '爲天下一'《淮南子》. ⑤어지럽힐효 '以一亂天下'《荀子》. ⑥꼭대기효 산정. '其山之一'《管子》. ⑦성효 성(姓)의 하나.
字源 會意. 鳥+木

木 7 〔梋〕 11 ㊀현 ㊥先 ㊁선 ㊥先 ㊂휴 ㊥齊 | xuān ケン はち, わん セン·ゼン まるい, しくみ xié ゲイ むぎをやくきぐ

字解 ㊀주발현, 사발현 주발. 사발. '一, 椀屬'《廣韻》. '一, 盂也'《廣雅》. ㊁①둥글선 둥긂. '一, 圜也'《廣雅》. ②얼개선 규모. '規模曰一'《一切經音義》. ㊂영휴(柃梋)휴 보리를 볶는 기구(器具). '一, 柃一, 燒麥具'《集韻》.

木 7 〔梨〕 11 高·人 리 ㊥支 | lí り なし

筆順 一 二 千 禾 利 利 梨 梨

字解 ①배나무리 능금나뭇과에 속하는 낙엽 교목(落葉喬木). 과수(果樹)의 하나. '一花'. ②배리 배나무의 열매. '一棗'. ③쪼갤리 가름. '分一單于'《淮南子》. ④좇을리 따름. '之旁郡國一來'《史記》. ⑤성리 성(姓)의 하나.
字源 形聲. 木+利〔音〕

木 7 〔桬〕 11 사 ㊥麻 | shā サ きのな

字解 사당(桬棠)나무사 '一棠'은 배나무의 일종. 꽃은 붉고, 열매 맛은 오얏(李) 비슷한데 씨가 없음. '一棠, 木名, 出崑崙山'《廣韻》.
字源 形聲. 木+沙〔音〕

木 7 〔亲〕 11 ㊀진 ㊥眞 ㊤軫 ㊁전 ㊥先 | ①zhēn シン はしばみ ②zhěn シン きがおおくてそろう セン はしばみ

字解 ㊀①개암나무진 '一, 一實如小栗'《說文》. ②나무많고가지런할진 '一, 木衆齊曰一'《集韻》. ㊁개암나무전 ㊀❶과 뜻이 같음.
字源 形聲. 木+辛〔音〕

木 7 〔棸〕 11 ㊀추 ㊥支 ㊁취 ㊤紙 ㊂주 ㊥支 | スイ しるす zuǐ シ しるす zuī シ はり

字解 ㊀①표할추 표지(表識). '一, 識也'《說文》. ②감출추 '一, 一曰, 藏也'《說文》. ③부리추 觜(角부 5획〈1306〉)와 통용. '一, 鳥喙'《廣韻》. ㊁표할취, 감출취, 부리취 ㊀과 뜻이 같음. ㊂①침주 석침(石鍼). '石鍼謂之一'《廣雅》. ②부리주 '一, 一曰, 鳥喙'《集韻》.
字源 形聲. 此+束〔音〕

木 7 〔條〕 11 高·人 조 ㊥蕭 | tiáo ジョウ えだ, すじ, くだり

筆順 亻 亻 亻 亻 攸 攸 條 條

字解 ①가지조 곁가지. '枝一'. '伐其一枚'《詩經》. ②유자나무조 운향과에 속하는 상록 교목(喬木). '有一有梅'《詩經》. ③조리조 맥락. '一貫'. '有一而不紊'《書經》. ④끈조 노·줄 따위. '喪冠一屬'《禮記》. ⑤줄조 가늘고 긴 물건을 세는 수사(數詞). '一抹朱紘四十一'《王仁裕》. ⑥법규조 '一規'. '科一既備, 民多僞態'《戰國策》. ⑦조목조 '約法爲二十一'《舊唐書》. ⑧조목으로나눌조 조목별로 함. '一陳'. '一奏毋有所諱'《漢書》. ⑨길조 짧지 않음. '厥木惟一'《書經》. ⑩멀조 '一暢乎四'《太玄經》. ⑪가르침조 '一, 教也'《廣韻》. ⑫통할조 통달함. 달함. '一達'. '聲氣遠一'《漢書》. ⑬휘파람불조 휘파람을 부는 모양. '一其歗矣'《詩經》. ⑭가지칠조 가지를 절단함. '蠶月一桑'《詩經》. ⑮동북풍조 동북에서 부는 바람. 팔풍(八風)의 하나. '一風自是出'《山海經》. ⑯성조 성(姓)의 하나.
字源 形聲. 木+攸〔音〕

木 7 〔絛〕 11 條(前條)와 同字

木 7 〔枀〕 11 〔송〕 松(木부 4획〈531〉)의 古字

木 7 〔栽〕 11 〔재〕 栽(木부 6획〈545〉)의 本字

木 8 〔森〕 12 人名 삼 ㊥侵 | sēn シン もり

筆順 一 十 木 木 本 本 森 森

字解 ①나무빽빽할삼 '一羅'. '蕭一繁茂'《潘岳》. ②성할삼 무성한 모양. 또는, 왕성한 모양. '鬱一'. '一奉璋以階列'《潘岳》.

③오싹할삼 무섭거나 차가워 움츠러지는 모양. '山氣一岑入葛衣'《元好問》. ④늘어설삼 벌이어 섬. '一列'. '衆星燦然一'《梅堯臣》. ⑤우뚝솟을삼 치솟음. '松一上曾雲, 柏踞抱幽石'《范成大》. ⑥축늘어질삼 '蜛蠩一衰以垂翹'《郭璞》. ⑦많을삼 '百神一其備從兮'《後漢書》. ⑧성삼 성(姓)의 하나.
[字源] 會意. 木＋木＋木. 세 개의 '木'으로 나무가 많은 곳, '숲'을 뜻함.

木 8 〔棼〕12 분 [平]文 | fén フン むなぎ
[字解] ①들보분 짧은 들보. ②삼베분 마포(麻布). '素車一蔽'《周禮》. ③어지러울분, 어지럽힐분 문란함. 문란하게 함. '一一'. '猶治絲而一之也'《左傳》. ④누각분 높고 큰 집. 전각(殿閣). '一, 閣也'《廣雅》.
[字源] 形聲. 林＋分〔音〕

木 8 〔棽〕12 [一] 림 [平]侵 | lín リン しげる
[二] 침 [平]侵 | chēn チン しげる
[字解] [一] 무성할림 나뭇가지가 우거진 모양. '鳳蓋一麗'《班固》. [二] 뒤덮일침 [一]과 뜻이 같음.
[字源] 形聲. 林＋今〔音〕

木 8 〔棗〕12 조 [上]晧 | zǎo ソウ なつめ
[字解] ①대추나무조 갈매나뭇과의 낙엽 교목(落葉喬木). 과목(果木)의 하나. ②대추조 대추나무의 열매. '婦摯, 舅用一栗'《儀禮》. ③성조 성(姓)의 하나.
[字源] 會意. 朿＋朿. '朿자'는 '가시'의 뜻. 곧, 가시가 많은 '대추나무'를 뜻함.

木 8 〔棘〕12 극 [入]職 | jí キョク いばら
[字解] ①가시나무극 가시가 있는 초목(草木). '一茨'. '凡草木刺人, 江湘之間, 謂之一'《揚子方言》. ②멧대추나무극 대추나무의 일종. '園有一'《詩經》. ③가시극, 침극 가시. 바늘. '一, 箴也'《廣雅》. ④창극 무기의 하나. '一門'. '拔一以逐之'《左傳》. ⑤감옥극 '係用徽纆, 寘于叢一'《易經》. ⑥꾸밀극, 늘어놓을극 '啓一賓商'《楚辭》. ⑦빠를극 亟(二부 7획)과 통용. '玁狁孔一'《詩經》. ⑧야윌극 파리함. '一者欲肥, 肥者欲一'《呂氏春秋》. ⑨성극 성(姓)의 하나.
[字源] 會意. 朿＋朿. 가시가 돋친 나무, 곧 '가시나무'를 뜻함.

木 8 〔⿱林之〕12 〔초〕
楚(木부 9획〈559〉)의 俗字

木 8 〔棥〕12 번 [平]元 | fán ハン まがき
[字解] 울번 울타리. 樊(木부 11획〈571〉)과 통용. '一, 藩屏'《廣韻》.
[字源] 會意. 爻＋林. 바자울에서 많은 나무를 엮어 합친다는 뜻에서 '울타리'를 뜻함.

木 8 〔椐〕12 거 [平]魚 | jū キョ へびのき
[字解] ①느티나무거 柜(木부 5획〈538〉)·欅(木부 17획〈591〉)와 통용. ②영수목(靈壽木)거 대나무 비슷하며, 마디가 있는 나무 이름. 지팡이로 씀. '其檉其一'《詩經》. ③따를거 '一一'는 따르는 모양. '一一彊彊'《枚乘》. ④울짱거 '疎籬, 青除曰一'《釋名》.
[字源] 形聲. 木＋居〔音〕

木 8 〔⿰木委〕12 [一] 유 [平]支 | ruí ズイ たら
[二] 위 [平]支 | wēi イ くわ
[字解] [一] 두릅나무유 桵(木부 7획〈547〉)와 同字. [二] 굽정이위 호미〔鋤〕의 일종. '一, 田器'《集韻》.

木 8 〔棅〕12 [人名] 병 [去]敬 [上]梗 | bìng ヘイ え
[筆順] 
[字解] 자루병 柄(木부 5획〈535〉)과 同字. '權數之一, 吾已得聞之矣'《管子》.
[字源] 形聲. 木＋秉〔音〕

木 8 〔棔〕12 혼 [平]元 | hūn コン ねむのき
[字解] 자귀나무혼 함수초과에 속하는 낙엽 교목. 합환목(合歡木). '合一, 木名, 一名, 合歡'《廣韻》.
[字源] 形聲. 木＋昏〔音〕

木 8 〔棉〕12 [人名] 면 [平]先 | mián メン わた
[筆順] 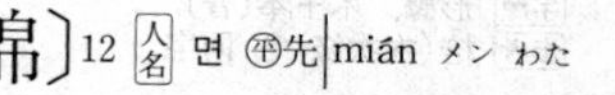
[字解] ①목화면 무궁화과에 속하는 초본(草本), 또는 목본(木本). 열매를 싼 섬유로 면사(綿絲)를 만듦. '木一'. '交趾安定縣有木一樹'《張勃》. ②서까래면 '一, 屋聯一'《廣韻》.
[字源] 會意. 木＋帛

木 8 〔棌〕12 채 [上]賄 [去]隊 | cǎi サイ くぬぎ, かしわ
[字解] 참나무채 떡갈나무·상수리나무 등의 총칭. '一椽不斲'《史記》.
[字源] 形聲. 木＋采〔音〕

木 8 〔⿰木昂〕12 앙 [平]陽 | áng ゴウ やねのかど

字解 추녀앙 '飛—'은 추녀. 처마의 귀. '屋斜角謂之飛—'《類篇》.

木 8 〔棍〕12 ㊀혼 ㊤阮 hùn コン たばねる ㊁곤 ㊦願 gùn コン ぼう

字解 ㊀묶을혼 동여맴. '—申椒與菌桂兮'《漢書》. ㊁①몽둥이곤, 곤장곤 '—棒'. '杖無首尾, 以堪撻人, 曰—'《品字箋》. ②일으킬곤 일으켜 세움. '以—根兮'《漢書》.
字源 形聲. 木+昆〔音〕

木 8 〔棕〕12 人名 종 ㊥東 zōng ソウ しゅろ

筆順 一 十 木 木' 木' 栏 棕 棕

字解 종려나무종 '—櫚'는 야자과에 속하는 상록 교목(常綠喬木). 큰 잎은 부챗살처럼 찢겼으며, 노르스름한 잔 꽃은 종어(棕魚)라 하여 요리(料理)에 씀. 椶(木부 9획〈565〉)과 同字.
字源 象形. 木+宗〔音〕

木 8 〔棆〕12 륜 ㊥眞 lún リン くすのき

字解 나무이름륜 녹나무 비슷한 나무의 이름. '—, 楩屬, 似豫章'《爾雅 註》.
字源 形聲. 木+侖〔音〕

木 8 〔棒〕12 人名 봉(방㊍) ㊤講 ㊦漾 bàng ボウ ぼう

筆順 一 十 木 木 杧 栋 棒 棒

字解 ①몽둥이봉 '棍—'. '人馬逼戰, 刀不如—'《魏書》. ②칠봉 몽둥이로 침. '赤——之'《北齊書》. ※本音 방.
字源 形聲. 木+奉〔音〕
參考 棓(次次條)은 同字.

木 8 〔棎〕12 섬 ㊥鹽 chán セン かじゅのな

字解 나무이름섬 과수(果樹)의 이름. 배나무 비슷함. '—榴禦霜'《左思》.

木 8 〔棓〕12 ㊀봉(방㊍) ㊤講 ㊦漾 bàng ホウ ぼう, つえ ㊁부 ㊤有 pǒu フ ふみいた

字解 ㊀①몽둥이봉, 지팡이봉 棒(前前條)과 同字. '持—白—'《周書》. ②도리깨봉 곡식을 두드려 떠는 농구. '僉, …自關而西, 謂之—'《方言》. ③칠봉 몽둥이로 침. '以次—殺'《魏志》. ※本音 방. ㊁ 발판부 높은 곳에 올라가기 위하여 설치하여 놓은 널. '踊于—而窺客'《公羊傳》.
字源 形聲. 木+咅〔音〕

木 8 〔棖〕12 정 ㊥庚 chéng トウ・ジョウ はしら

字解 ①문설주정 문미(門楣)와 문지방 사이의 문의 양편에 세운 기둥. '大夫中—與闑之閒'《禮記》. ②기둥정, 지팡이정 '—, 杖也'《說文》. ③멈출정 '—, 止也'《廣雅》. ④따를정 '—, 隨也'《揚子方言》. ⑤칠정 때림. '以物—撥之, 應手灰滅'《謝惠連》.
字源 形聲. 木+長〔音〕

木 8 〔棙〕12 려 ㊦霽 lì レイ ばち

字解 ①채려 비파를 타는 채. '琵琶, 其撥曰—'《集韻》. ②태엽려 용수철 장치. '彫木爲鸞鶴, 置機—于腹中'《廣記》. ③비틀려 되돌림. '—手覆羹'《韓愈》.
字源 形聲. 木+戾〔音〕

木 8 〔梱〕12 고 ㊦遇 ㊤麌 gù コ ねずみおとし

字解 쥐덫고 쥐를 잡는 틀. '—斗, 可射鼠'《說文》.
字源 形聲. 木+固〔音〕

木 8 〔棚〕12 붕 ㊥庚 ㊥蒸 péng ホウ たな

字解 ①시렁붕 물건을 얹는 두 개의 장나무. '書—'. '爲乞巧—'《東京歲時記》. ②잔교붕 나무를 건너질러 놓은 다리. '—棧'. '治戰—雲橋'《唐書》. ③누각붕 관람하기 위하여 세운 바라크식(式)의 건물. '—屋拉然有聲'《輟耕錄》.
字源 形聲. 木+朋〔音〕

木 8 〔棜〕12 어 ㊦御 yù ヨ あしのないだい

字解 가자(架子)어 술그릇 기타 음식을 올려놓고 나르는 판판한 판자. 가자. '大夫側尊用—'《禮記》.
字源 形聲. 木+於〔音〕

木 8 〔棟〕12 人名 동 ㊦送 dòng トウ むね

筆順 一 十 木 木 柜 桓 棟 棟

字解 ①마룻대동 집의 용마루 밑에 서까래가 걸치게 된 나무. '上—'. '—折榱崩'《左傳》. 전(轉)하여, 중요한 인물의 비유. '—梁'. '養吾—也'《國語》. ②용마루동 옥척(屋脊). '—隆. 吉'《易經》. ③성동 성(姓)의 하나.
字源 形聲. 木+東〔音〕

木 8 〔棣〕12 ㊀체 ㊦霽 dì, ②tì テイ にわざくら ㊁태 ㊦隊 dài タイ れいぎになれる

[字解] [一] ①산앵두나무체 장미과에 속하는 낙엽 관목(落葉灌木). 당체(棠棣). 산이스랏나무. '常一, 一'《爾雅》. ②통할체 유통함. '萬物一通'《漢書》. ③성체 성(姓)의 하나. [二] 익숙할태 '威儀一一, 不可選也'《詩經》.
[字源] 形聲. 木+隶〔音〕

木8 〔椄〕12 [一] 삽 [入]洽 shà ソウ きめだつ / [二] 첩 [入]葉 jié ショウ つぐ

[字解] [一] 나뭇결일어날삽 나무의 결이 일어나는 모양. '一, 木理起貌'《集韻》. [二] 접할첩 닿음. '一, 接也'《篇海》.

木8 〔棧〕12 [一] 잔 [上]潸 zhàn サン かけはし / [二] 전 [平]眞 chén シン さかん

[字解] [一] ①잔교잔 험한 골짜기에 나무로 건너질러 놓은 다리. '燒絕一道'《史記》. ②창고잔 화물 창고. '貨一'. ③장선잔 마루 밑에 가로댄 마루청의 받침나무. '編之以阜一'《莊子》. ④주막잔 여인숙. 여관. '一房'. ⑤우리잔 짐승을 기르는 곳. 울. '羊一雞塒接'《劉弇》. ⑥장강틀잔 관(棺)을 메는 틀. '賓奠幣于一左服'《儀禮》. ⑦쇠북잔 음악용의 작은 종. '大鐘謂之鏞, 小者謂之一'《爾雅》. ⑧성잔 성(姓)의 하나. [二] 성할전 물건이 많아 성(盛)한 모양. '叢棘一一'《漢書》.
[字源] 形聲. 木+戔〔音〕

木8 〔棫〕12 역 [入]職 yù ヨク・イキ たら

[字解] 두릅나무역 두릅나뭇과에 속하는 낙엽 관목(落葉灌木). 잎·뿌리·열매는 건위제(健胃劑)로 씀. 일설(一說)에는, 떡갈나무〔柞〕. '瑟彼柞一'《詩經》.
[字源] 形聲. 木+或〔音〕

木8 〔棬〕12 권 ①②[平]先 quān ケン まげもの / ③[平]元 quān ケン はなぎ

[字解] ①나무그릇권 나무를 휘어 만든 둥근 그릇. '能順杞柳之性, 而以爲桮一乎'《孟子》. ②힘쓸권 捲(手부 8획〈447〉)과 통용. '一一乎, 后之爲人也'《呂氏春秋》. ③코뚜레권 '五尺童子引其一'《呂氏春秋》.
[字源] 形聲. 木+卷〔音〕

木8 〔棪〕12 엄 [上]琰 yǎn エン べにりんご

[字解] 능금나무엄 능금나무의 일종. '一, 博雅, 一欙, 梌也'《集韻》.

木8 〔棰〕12 추 [上]紙 chuí スイ つえ

[字解] ①매추 때리는 휘추리. 회초리. '一楚之下, 何求不得'《漢書》. ②매질할추, 칠추 '薄腊曰脯, 一之而施薑桂'《周禮 註》.
[字源] 形聲. 木+垂〔音〕

木8 〔棱〕12 릉 [平]蒸 léng ロウ かど

[字解] ①모릉 ㉠모서리. '廉一'. '上觚一而棲金雀'《班固》. ㉡규각(圭角). 모난 성질. '剛一疾惡'《後漢書》. ②위엄릉 서슬. 신령의 위엄. '威一憺乎列國'《漢書》.
[字源] 形聲. 木+夌〔音〕

木8 〔棡〕12 강 [平]陽 gāng コウ どべいのよこぎ

[字解] ①울가로나무강 울짱이나 토담의 가로 댄 나무. '一, 橫牆木'《玉篇》. ②강(棡)나무강 교목(喬木)의 하나. '一, 高木也'《篇海》.
[字源] 形聲. 木+岡〔音〕

木8 〔棲〕12 [人名] 서 ①-③[平]齊 qī セイ すむ / ④-⑥[去]霽 セイ すみか

[筆順] 一 十 木 朩 朩 棲 棲 棲

[字解] ①깃들일서 보금자리에서 삶. '雞一于塒'《詩經》. ②살서 머물러 삶. '一息'. '衡門之下, 可以一遲'《詩經》. ③쉴서 휴식함. '心一清虛之域'《蔡邕》. ④집서 주거(住居). '山林隱遁一'《郭璞》. ⑤보금자리서 새집. '鳴鳳無卑一'《孟郊》. ⑥잠자리서 '二嫂使治朕一'《孟子》.
[字源] 形聲. 木+妻〔音〕

木8 〔棷〕12 [一] 추 [平]尤 zōu シュウ たきぎ / [二] 수 [上]有 sǒu ソウ やぶ

[字解] [一] 섶추 섶나무. [二] 늪수, 수풀수 藪(艸부 15획〈1199〉)와 同字. '鳳凰麒麟, 皆在郊一'《禮記》.
[字源] 形聲. 木+取〔音〕

木8 〔棹〕12 [人名] [一] 도 [去]效 (조[本]) zhào トウ かい zhuō / [二] 탁 [入]覺 タク つくえ

[筆順] 一 十 木 朩 朴 桌 植 棹

[字解] [一] ①노도 배를 젓는 기구. '一聲'. '驚一逐驚流'《謝靈運》. ②노저을도 '或命巾車, 以一孤舟'《陶潛》. ※本音 조. [二] 책상탁 '一, 倚卓也'《正字通》.
[字源] 形聲. 木+卓〔音〕

木8 〔㮧〕12 [一] 고 [平]豪 gāo コウ はねつるべ / [二] 구 [上]有 gāo キュウ はねつるべ

[字解] [一] ①두레박고 槔(木부 11획〈573〉)

와 同字. ②거망옻나무고 옻나뭇과의 낙엽 교목. '一, 一木也'《說文》. 曰 두레박구, 거망옻나무구 ■과 뜻이 같음.
字源 形聲. 木+咎〔音〕

木8〔棺〕12 관 ①㊥寒 ②㊤諫 | guān カン ひつぎ guàn カン ひつぎにおさめる
字解 ①널관 관. '一槨'. '有虞氏瓦一'《禮記》. ②입관할관 시체를 관에 넣음. '一而出之'《左傳》.
字源 形聲. 木+官〔音〕

木8〔棿〕12 曰 예 ㊥齊 曰 얼 ㊀屑 | ní ゲイ くびきのつなぎ niè ゲツ あやうい
字解 曰 끌채끝예 멍에를 끌채에 잇는 나무. 輗(車부 8획〈1469〉)과 同字. 曰 위태할얼 위태한 모양. 불안한 모양. '圜方杌一'《太玄經》.

木8〔棪〕12 염 ㊤琰 ㊥鹽 | yǎn エン きのな
字解 ①나무이름염 붉은 대추 비슷한 열매가 열림. '堂庭之山, 多一木'《山海經》. ②재염(梓棪)나무염 큰 나무의 일종. '梓一, 樹大十圍. 材貞勁, 非利剛截不能剋. 堪作船. 其實類棗'《異物志》.
字源 形聲. 木+炎〔音〕

木8〔椀〕12 완 ㊤旱 | wǎn ワン こばち
字解 주발완 음식을 담는 작은 식기. 공기 따위. '一器'. '木一盛之'《北史》.
字源 形聲. 木+宛〔音〕

木8〔椄〕12 접 ㊀葉 | jiē, jié ショウ·セツ つぎき
字解 ①접붙일접 접목(接木)함. ②형틀접 형구(刑具). '桁楊一槢'《莊子》.
字源 形聲. 木+妾〔音〕

木8〔棯〕12 曰 임 ㊤寑 曰 심 ㊤寑 | rěn ジン かじつのな shěn シン きのな
字解 曰 과일이름임 '一, 果名'《玉篇》. 曰 나무이름심.
字源 形聲. 木+念〔音〕

木8〔椅〕12 의 ㊥支 ㊤紙 | yī yǐ イ いいぎり
字解 ①의나무의 산유자나뭇과에 속하는 낙엽 교목(落葉喬木). 세공재(細工材)로 씀. '一桐梓漆'《詩經》. 일설(一說)에는, 개오동나무. ②벽오동나무의 '一, 今人云梧桐, 是也'《字彙》. ③교의의 의자. '一子'. '一, 坐具'《正字通》.
字源 形聲. 木+奇〔音〕

木8〔椆〕12 주 ㊥尤 ㊦有 | ①②chóu シュウ きのな ③zhòu シュウ さお
字解 ①나무이름주 상록수(常綠樹)의 한 가지. '虎首之山多一椐'《山海經》. ②내이름주 수명(水名). '自投於一水'《莊子》. ③상앗대주 '木一'는 배를 젓는 삿대. '木一, 船篙木也'《廣韻》.
字源 形聲. 木+周〔音〕

木8〔椔〕12 〔치〕 楢(木부 9획〈564〉)의 俗字

木8〔椇〕12 구 ㊤麌 | jǔ ク けんぽなし
字解 ①호깨나무구 갈매나뭇과에 속하는 낙엽 교목(落葉喬木). 또, 그 열매. '枳一'. '婦人之贄, 一·榛·脯·脩·棗·栗'《禮記》. ②적대구 발이 굽은 은대(殷代)의 적대(炙臺). '殷俎以一'《禮記》.
字源 形聲. 木+具〔音〕
參考 椇(木부 7획〈548〉)는 別字.

木8〔椈〕12 국 ㊀屋 | jú キク ひのきのるい
字解 측백나무국 편백과(扁柏科)에 속하는 상록 교목(常綠喬木). '暢臼以一'《禮記》.

木8〔椮〕12 삼 ㊦陷 | shàn サン ひさし
字解 차양삼 처마 끝에 내어 댄 것. '屋東西榮柱外之宇爲一'《六書故》.

木8〔椋〕12 량 ㊥陽 | liáng リョウ むくのき
字解 푸조나무량 느릅나뭇과에 속하는 낙엽 교목(落葉喬木). 자흑색(紫黑色)의 작은 열매는 식용함.
字源 形聲. 木+京〔音〕

木8〔椌〕12 강 ㊥江 | qiāng コウ がっきのな
字解 악기이름강 축(柷)의 작은 것. '鞉鼓一楬'《禮記》.
字源 形聲. 木+空〔音〕

木8〔棶〕12 래 ㊥灰 | lái ライ むく
字解 ①푸조나무래 '即一'는 느릅나뭇과에 속하는 낙엽 교목. ②송양(松楊)나무래 '一椋'은 송양나뭇과에 속하는 낙엽 활엽 교목. 여름에 흰 꽃이 피며, 잎이 감나무 잎

과 비슷함. '一椋, 木名'《廣韻》.
字源 形聲. 木+來〔音〕

木8〔植〕12 中·人 曰 식 入職 zhí ショク うえる / 曰 치 去寘 zhí チ おく
筆順 一 十 木 木 杧 杧 植 植 植
字解 曰 ①심을식 ㉠재배함. '一樹'. '東西一松柏'《古詩》. 전(轉)하여, 초목의 총칭. '動一'. '促爾耕, 勗爾一'《柳宗元》. ㉡그 곳에 근거를 두게 함. '一民'. '一字'. ②세울식 곧추 세움. 또, 섬. 수립(樹立)함. '一其杖而芸'《論語》. '髮一目裂'《呂氏春秋》. '一虡旗于中'《周禮》. 曰 ①감독치 공사의 감독관. '宋華元爲一巡功'《左傳》. ②둘치 置(网부 8획〈1028〉)와 통용. '一璧秉珪'《書經》.
字源 形聲. 木+直〔音〕

木8〔椎〕12 추 平支 chuí, zhuī ツイ つち
字解 ①몽치추 망치. 방망이. '一鑿'. '袖四十斤鐵一'《史記》. ②칠추 몽치로 침. '一打'. '引一一破之'《戰國策》. ③순박할추 가식(假飾)이 없음. '其一少文'《漢書》. ④어리석을추 우둔함. '皆一魯無能爲者'《蘇軾》. ⑤상투추 '一, 叉一髻'《廣韻》. ⑥등뼈추 척추골(脊椎骨). '三一下間主胸中熱'《素問》.
字源 形聲. 木+隹〔音〕

木8〔椏〕12 아 平麻 yā ア また
字解 가장귀아 수목의 분기(分岐). 나무의 아귀. '江東謂樹岐曰一杈'《揚子方言》.
字源 形聲. 木+亞〔音〕

木8〔椐〕12 굴 入物 jué クツ きりかぶ
字解 그루터기굴, 토막나무굴 베어 낸 나무 그루. 자른 나무. '一, 斷木也'《集韻》.

木8〔椑〕12 曰 비 平齊 ①②pí ヘイ たる / 平支 ③bēi ヒ しぶがき / 曰 벽 入陌 pì ヘキ ひつぎ
字解 曰 ①술통비 둥근 술통. '都人酒滿一'《袁凱》. ②성비 성(姓)의 하나. ③감나무비 과수의 하나. '宜都出大一'《荊州記》. 曰 널벽 관(棺). '三年之戒, 以一從'.
字源 形聲. 木+卑〔音〕

木8〔椒〕12 초 平蕭 jiāo ショウ さんしょう
字解 ①산초나무초 운향과에 속하는 낙엽관목(落葉灌木). 잎에 특이한 향기가 있으며, 열매는 위약(胃藥)으로 씀. 분디나무 비슷함. '山一'. '一聊之實'《詩經》. ②산꼭대기초 산정(山頂). '菊散芳於山一'《謝莊》. ③향기로울초 향기가 좋음. '一蘭'. '有一其馨'《詩經》. ④성초 성(姓)의 하나.
字源 形聲. 木+叔〔音〕

木8〔椓〕12 탁 入覺 zhuó タク うつ, たたく
字解 ①칠탁 ㉠두드림. '一之丁丁'《詩經》. ㉡공격함. '又使一之'《左傳》. ②다질탁 땅을 쳐 다짐. '一之橐橐'《詩經》. ③궁형탁 음부를 썩이는 형벌. '劓刵一黥'《書經》. ④내시탁 환관(宦官). '昏一靡共'《詩經》. ⑤쫄탁 쪼아먹음. 啄(口부 8획〈167〉)과 통용. '諒不登棲而一蠡兮'《曹大家》.
字源 形聲. 木+豖〔音〕

木8〔椺〕12 량 上養 liǎng リョウ まつやに
字解 송진(松津)량 '一, 松脂也'《類篇》.

木8〔椊〕12 曰 졸 入月 zuó ソツ ほぞ / 曰 취 去寘 cuì スイ くさる
字解 曰 장부졸 재목을 이어 맞출 때 내민 부분. '一杌, 以柄內孔'《廣韻》. 曰 나무썩을취 나무가 썩음. '一, 木朽'《集韻》.
字源 形聲. 木+卒〔音〕

木8〔椧〕12 韓 명
字解 《韓》홈통명 물을 이끄는 반원형의 긴 물건.

木8〔棵〕12 曰 관 上旱 kuǎn カン たきぎ / 曰 과 上哿 kē カ まないた / 曰 괘 韓
字解 曰 땔나무관 자른 그대로의 나무. '一, 斷木也'《集韻》. 曰 도마과 도마의 한 가지. '一, 俎名'《集韻》. 曰 《韓》괘괘 현악기의 현(絃)을 괴는 기둥.
字源 形聲. 木+果〔音〕

木8〔栟〕12 병 平庚 bīng ヘイ しゅろ
字解 종려나무병 '一櫚'는 종려(棕櫚)와 뜻이 같음. '訶陵國雖大屋亦覆以一櫚'《唐書》.
字源 形聲. 木+并〔音〕

木8〔棑〕12 曰 패 平佳 去泰 去隊 pái ハイ いかだ / ハイ ふねのまえのき / 曰 배 去卦 ハイ きのな, かじ
字解 曰 ①떼패 뗏목. '一, 一筏'《廣韻》. ②방패패 '一, 盾也'《集韻》. ③배앞나무패 배

의 앞에 댄 나무. '一, 舟前木'《集韻》. [三] ①나무이름배 '一, 木名'《廣韻》. ②키배 배 뒤의 키. '一, 船後一木也'《玉篇》.

木8 〔榙〕12 [一] 탑 [入]合|tà トウ ますがた
[二] 답 [入]合|トウ ますがた
[字解] [一] 주두탑, 대접받침탑 '一, 柱斗謂之一'《類篇》. [二] 주두답, 대접받침답 [一]과 뜻이 같음.

木8 〔棭〕12 액 [入]陌|yì エキ きのな
[筆順] 木 杧 杧 杧 杬 棭 棭 棭
[字解] 나무이름액 '一, 木名'《類篇》.

木8 〔棈〕12 [一] 천 [去]霰|qiàn セン きのな
[二] 청 [平]庚|セイ きのな
[字解] [一] 나무이름천 '一, 木名'《廣韻》. [二] 나무이름청 [一]과 뜻이 같음.

木8 〔棤〕12 [一] 석 [入]陌|セキ あらい
[二] 작 [入]藥|cuò シャク あらい
[字解] [一] 나무껍질두꺼울석 '一, 皮甲錯也'《廣韻》. [二] 나무껍질두꺼울작 [一]과 뜻이 같음.

木8 〔[木+曶]〕12 홀 [入]月|hū コツ きがたかい
[字解] 나무높을홀 나무가 높은 모양. '一, 高皃'《廣韻》.
[字源] 形聲. 木+曶〔音〕

木8 〔棳〕12 절 [入]屑|zhuō セツ きのな, うだち
[字解] ①나무이름절 '一, 一木也'《說文》. ②동자기둥절 梲(木부 7획〈550〉)과 통용. '宋廇謂之梁. 其上楹謂之一'《爾雅》. ③현이름절 '毋一'은 현(縣)의 이름. 지금의 운남성(雲南省) 여현(黎縣). '一, 益州有一縣'《說文》.
[字源] 形聲. 木+叕〔音〕

木8 〔栵〕12 〔례〕 栵(木부 6획〈542〉)의 本字

木8 〔[木+肩]〕12 〔계〕 枅(木부 6획〈544〉)과 同字

木8 〔楮〕12 〔저〕 楮(木부 9획〈562〉)의 俗字

木8 〔[木+肴]〕12 효 [平]肴|xiáo コウ くちなし
[字解] 치자나무효 꼭두서닛과의 상록 관목(常綠灌木). '一, 一桃, 梔子也'《廣韻》.

木8 〔[木+㫄]〕12 〔방〕 榜(木부 10획〈566〉)의 本字

木8 〔[木+㚔]〕12 〔얼〕 欁(木부 20획〈593〉)의 古字

木8 〔椁〕12 〔곽〕 槨(木부 11획〈575〉)과 同字
[字源] 形聲. 木+享〔音〕

木8 〔[木+囷]〕12 〔곤〕 梱(木부 7획〈550〉)과 同字

木8 〔検〕12 〔검〕 檢(木부 13획〈584〉)의 俗字

木8 〔椗〕12 〔정〕 碇(石부 8획〈872〉)의 俗字

木8 〔[木+备]〕12 〔비〕 [木+𤰇](木부 10획〈569〉)의 俗字

木8 〔棋〕12 [人名] 棊(次條)와 同字
[筆順] 一 十 木 杆 柑 柑 椇 棋

木8 〔棊〕12 기 [平]支|qí, ③jī キ ご
[字解] ①바둑기 ㉠놀이의 한 가지. '一譜'. '舜造圍一, 丹朱善之'《博物志》. ㉡바둑을 둠. '安一常劣于玄'《晉書》. ②말기 바둑돌과 장기·윷 따위의 말로 쓰는 물건. '弈者擧一不定, 不勝其耦'《左傳》. ③근본기 기본. 토대. '萬物根一'《史記》.
[字源] 形聲. 木+其〔音〕

木8 〔棐〕12 비 [上]尾|fěi ヒ ゆだめ
[字解] ①도지개비 트집 간 활을 바로잡는 기구. '按, 一, 薑弓檠之類'《說文 段注》. ②도울비 보좌함. '越天一忱辭'《書經》. ③비자나무비 榧(木부 10획〈567〉)와 同字. '見門生一几滑淨作書'《晉書》. ④광주리비 篚(竹부 10획〈949〉)와 同字. '賦入貢一'《漢書》.
[字源] 形聲. 木+非〔音〕

木8 〔棠〕12 당 [平]陽|táng トウ やまなし
[字解] ①팥배나무당 장미과에 속하는 낙엽교목(落葉喬木). '甘一'. '一梨'. ②산앵두나무당 장미과에 속하는 낙엽 관목. 열매는 약재로 쓰임. 산이스랏나무. '一棣'. ③방죽당 둑. 塘(土부 10획〈215〉)과 통용. '遊于一行'《列子》. ④성당 성(姓)의 하나.
[字源] 形聲. 木+尙〔音〕

木8〔椈〕12 棠(前條)과 同字

木8〔棻〕12 〔분〕
梤(木부 7획〈547〉)과 同字
字源 形聲. 木+芬〔音〕

木8〔棨〕12 계 ㊤薺 | qǐ ケイ わりふ
字解 ①부절(符節)계 부신(符信). '一者刻木爲合符也'《漢書 注》. ②창계 '一戟'은 적흑색(赤黑色)의 비단으로 싼 나무창. 군주(君主)의 전구자(前驅者)가 가짐. '一戟遙臨'《王勃》.
字源 形聲. 木+啓〈省〉〔音〕

木8〔棸〕12 추 ㊥尤 | zōu シュウ せい
字解 성추 성(姓)의 하나. '一子內史'《詩經》.

木8〔棃〕12 〔리〕
梨(木부 7획〈552〉)의 本字

木8〔栞〕12 〔간〕
栞(木부 6획〈545〉)의 本字

木8〔椉〕12 〔승〕
乘(丿부 9획〈19〉)의 本字

木8〔棄〕12 高·人 기 ㊦寘 | qì キ すてる
筆順 亠 㐬 㐬 㐬 㐬 㐬 華 棄
字解 ①버릴기 ㉠내버림. '放一'. '一之則如可惜'《後漢書》. ㉡돌보지 아니함. '鼠壤有餘蔬而一妹, 不仁也'《莊子》. ㉢잊어버림. '其庸可一乎'《左傳》. ㉣물리침. 배척함. '不安職則一'《荀子》. ②폐할기 폐기됨. 스러짐. '水官一矣'《左傳》.
字源 會意. ①甲骨文은 子+其+廾+기타. ②篆文은 廾+華+㐬〈省〉

木8〔梮〕12 곡 ㊀沃 | jú キョク たべものをのせてはこぶどうぐ
字解 가자곡 그릇에 담은 음식을 얹어 나르는 도구. '一, 所吕舉食者'《說文》.
字源 形聲. 木+臭〔音〕

〔渠〕〔거〕
水부 9획(661)을 보라.

〔集〕〔집〕
隹부 4획(1629)을 보라.

木9〔𣡕〕13 〔본〕
本(木부 1획〈524〉)의 古字

木9〔楚〕13 人名 초 ㊤語 | chǔ ソ いばら, むち
筆順 一 十 木 林 林 林 楚 楚
字解 ①가시나무초 가시가 있는 잡목. '荊一'. ②모형(牡荊)초 마편초과에 속하는 낙엽 관목(落葉灌木). 잎은 이뇨(利尿)의 약제로 쓰임. 인삼목(人蔘木). '言刈其一'《詩經》. ③매초 매질하는 회초리. '夏一二物, 以收其威'《禮記》. ④매질할초 '一撻'. '民無夏一之憂'《漢書》. ⑤줄지을초 줄지어 늘어섬. '籩豆有一'《詩經》. ⑥아플초 고통을 느낌. 또, 가슴 아픔. '痛一'. '慷慨含辛一'《陸機》. ⑦고울초 선명한 모양. '衣裳一一'《詩經》. ⑧우거질초 가시나무 같은 것이 무성한 모양. '一一者茨'《詩經》. ⑨초나라초 ㉠춘추 전국 시대(春秋戰國時代)의 나라. 도읍은 영(郢). 진(秦)나라에 망하였음. (B.C. ?~B.C. 223) ㉡오대(五代)의 십국(十國)의 하나. 마은(馬殷)이 호남(湖南) 지방에 세운 나라. 도읍은 장사(長沙). 육주(六主) 45년 만에 남당(南唐)에게 멸망당하였음. (907~951) ⑩땅이름초 호남(湖南)·호북(湖北) 두 성(省)의 통칭(通稱). ⑪성초 성(姓)의 하나.
字源 形聲. 林+疋〔音〕

木9〔楙〕13 〔무〕
茂(艸부 5획〈1131〉)의 古字
字源 形聲. 林+矛〔音〕

木9〔椰〕13 야 ㊥麻 | yē ヤ やし
筆順 木 木 朩 相 相 相' 椰 椰
字解 야자나무야 야자과에 속하는 상록 교목(常綠喬木). 열대(熱帶) 지방에 많이 나며, 열매는 식용함. '一子'. '一葉無陰'《左思》.
字源 形聲. 木+耶〔音〕

木9〔椳〕13 외 ㊥灰 ㊤賄 | wēi ワイ もんのかいてんじく
字解 ①문지도리외 문짝을 여닫게 하는 물건. 문장부·돌쩌귀 따위. '樞謂之一'《爾雅》. ②《韓》 욋가지외 벽(壁)을 치려고 댓가지·싸리·잡목 따위를 가로 세로 얽은 것.
字源 形聲. 木+畏〔音〕

木9〔椶〕13 소 ㊥豪 | sōu ソウ ふね
字解 배소 艘(舟부 9획〈1114〉)·艘(舟부 10획〈1115〉)와 同字. '發河南以東漕船五百一, 徙民避水'《漢書》.
字源 形聲. 木+叜〔音〕

木9〔楀〕13 ㊀우 ㊤麌|yǔ ウ きのな
㊁구 ㊤麌|jǔ ク きのな

字解 ㊀나무이름우 '一, 一木也'《說文》. ㊁①나무이름구 ㊀과 뜻이 같음. ②성구 성(姓)의 하나. '一維師氏. (箋)一, 氏也'《詩經》.
字源 形聲. 木+禹〔音〕

木9〔椷〕13 ㊀감 ㊥咸|jiān カン はこ
㊁함 ㊥覃|hán カン いれる

字解 ㊀①함감 궤짝. ②잔감 술잔. ㊁넣을함 용납(容納)함. '辰星過太白, 間可一劍'《漢書》.
字源 形聲. 木+咸〔音〕

木9〔椵〕13 가 ①㊦禡|jiā カ くい
②㊤馬|jiǎ カ きのな
③㊥麻|jiā カ かせ

字解 ①말뚝가 땅에 박아 세우는 나무. '一, 博雅, 杙也'《集韻》. ②나무이름가 유자나무의 일종. '一, 柚屬也. 子大如盂, 皮厚二三寸, 中似枳. 食之少味'《爾雅 註》. ③칼가 목에 씌우는 형틀. 枷(木부 5획〈535〉)와 통용. '一, 囚械也'《集韻》.
字源 形聲. 木+叚〔音〕

木9〔椸〕13 이 ㊥支|yí イ いこう

字解 횃대이 옷걸이. 箷(竹부 9획〈947〉)와 同字. '男女不同一架'《禮記》.
字源 形聲. 木+施〔音〕

木9〔椹〕13 ㊀침 ㊥侵|zhēn チン あてぎ
㊁심 ㊤寑|shèn シン くわのみ

字解 ㊀①모탕침 도끼받침. '不足以當一質'《史記》. ②과녁침 사적(射的). '射甲革一質'《周禮》. ③다듬잇돌침 砧(石부 5획〈867〉)·礁(石부 9획〈875〉)과 통용. '一, 擣衣, 以石爲質'《正字通》. ㊁①오디심 뽕나무 열매. 葚(艸부 9획〈1160〉)과 同字. '桑一'. '積乾一以禦饑'《魏略》. ②버섯심 균류(菌類). '經春夏生菌, 謂之一'《博物志》.
字源 形聲. 木+甚〔音〕

木9〔椽〕13 연 ㊥先 ㊦霰|chuán テン たるき

字解 ①서까래연 둥근 서까래. '一桷'. '茅屋采一'《漢書》. ②기어오를연, 사다리연 '一能踰, 則一於踰'《管子》.
字源 形聲. 木+彖〔音〕

木9〔㮇〕13 첨 ㊦豔|tiàn テン たきぎ

字解 땔나무첨, 부지깽이첨 부엌에서 때는 나무. 또, 아궁이 불을 헤치는 막대기.

木9〔椿〕13 人名 춘 ㊥眞|chūn チュン·チン ちゃん

筆順 一 十 木 村 杆 栲 椿 椿

字解 ①참죽나무춘 멀구슬나뭇과에 속하는 낙엽 교목(落葉喬木). 상고(上古)에, 대춘(大椿)이란 나무가 만년 이상을 살았다는 장자(莊子)의 우언(寓言)에 의하여, 장수(長壽)의 비유로 쓰임. '一壽'. '上古有大一者, 以八千歲爲春, 八千歲爲秋'《莊子》. ②아버지춘 '今人以一萱擬父母'《藝苑卮言》.
字源 形聲. 木+春〔音〕
參考 椿(木부 11획〈573〉)은 別字.

木9〔楂〕13 사 ㊥麻|chá, zhā サ いかだ

字解 ①떼사 뗏목. '廻一急礙浪'《何遜》. ②풀명자나무사 樝(木부 11획〈574〉)와 同字. ③까치우는소리사 '鵲鳴聲一一'《韓愈》. ④성사 성(姓)의 하나.
字源 形聲. 木+査〔音〕

木9〔楄〕13 편 ㊥先|pián ヘン かくざい

字解 ①각목편 각재(角材). '一部, 方木也'《說文》. ②무환자나무편 '名曰天一. 方莖而葵狀. 服者不哩'《山海經》. ③액자편 편액(扁額). '爰有禁一'《何晏》.
字源 形聲. 木+扁〔音〕

木9〔楪〕13 ㊀엽 ㊇葉|yè ヨウ まど
㊁접 ㊇葉|dié チョウ ゆか
㊂섭 ㊇葉|xiè ショウ ちいさいくさび

字解 ㊀들창엽 벽에 낸 창. '一, 牖也'《玉篇》. ㊁마루접 댓조각으로 바닥을 깐 마루. '一, 牀簀也'《類篇》. ㊂작은쐐기섭 '棲, 楼一, 小楔'《集韻》.
字源 形聲. 木+葉〔音〕

木9〔楅〕13 ㊀복 ㊇屋|bī フク つのよけ
㊁벽 ㊇職|bī ヒョク つのよけ

字解 ㊀①쇠뿔가로나무복 소가 뿔로 받는 것을 막기 위하여 두 뿔 끝에 가로 댄 나무. '夏而一衡'《詩經》. ②살그릇복 화살을 나란히 세워 두는 제구. '設一于中庭南'《儀禮》. ㊁쇠뿔가로나무벽, 살그릇벽 ㊀과 뜻이 같음.
字源 形聲. 木+畐〔音〕

木9〔椯〕13 타 ㊤哿|duǒ タ むち

字解 ①회초리타 매. '一, 箠也'《說文》. ②헤아릴타 측량함. 추측함. 揣(手부 9획〈454〉)와 뜻이 같음. '一, 一曰, 度也'《說

文》. ③틀릴타 '狂馬一木. (註) 一, 差也'《太玄經》.
字源 形聲. 木+耑〔音〕

木9〔楊〕13 高·人 양 (平)陽 | yáng ヨウ やなぎ
筆順 一 十 木 朩 杩 栂 楬 楊
字解 ①버드나무양 버드나뭇과에 속하는 낙엽 교목(落葉喬木). 냇버들. '一柳依依'《詩經》. ②오를양, 올릴양 揚(手부 9획〈453〉)과 통용. '古假一爲揚'《說文 段注》. ③성양 성(姓)의 하나.
字源 形聲. 木+昜〔音〕

木9〔楈〕13 서 (平)魚 (去)御 | xū ショ きのな, からすき
字解 ①나무이름서 종려(棕櫚)나무 비슷한 나무. ②쟁기서 '一, 犂也'《類篇》.
字源 形聲. 木+胥〔音〕

木9〔椱〕13 ㊀부 (去)有 | fù フウ いのあし
㊁복 (入)屋 | fù フク いのあし
字解 ㊀말코부 길쌈할 때 짠 베를 감는 대. ㊁말코복 ㊀과 뜻이 같음.
字源 形聲. 木+复(夏)〔音〕

木9〔楑〕13 규 (平)支 | kuí キ つち
字解 ①망치규 작은 망치. '柊一'. ②규나무규. ③헤아릴규 揆(手부 9획〈452〉)와 통용.
字源 形聲. 木+癸〔音〕

木9〔楎〕13 ㊀휘 (平)微 | huī キ くい
㊁혼 (平)元 | hún コン からすき
字解 ㊀①말뚝휘 땅에 박는 몽둥이. '杙在牆者, 謂之一'《爾雅》. ②횃대휘 옷걸이. '不敢懸于夫之一椸'《禮記》. ㊁쟁기혼 말 두 필이 끄는 쟁기. '一, 三爪犂曰一'《說文》.
字源 形聲. 木+軍〔音〕

木9〔楇〕13 ㊀화 (去)箇 | huò カ あぶらづつ
㊁과 (平)歌 | ①guō カ いとをつむぐくるま
(괘俗)(上)馬 | ②kuǎ カ むち
字解 ㊀기름통화 수레의 바퀴통에 치는 기름을 담는 그릇. '一, 車中盛膏以塗輪者'《字彙》. ㊁①물레과 실을 잣는 틀. 방차(紡車). '一, 紡車也'《集韻》. ②회초리과 옆으로 때리는 매. '一, 横檛杖'《類篇》. ※俗音 괘.
字源 形聲. 木+咼〔音〕

木9〔楓〕13 人名 풍 (平)東 | fēng フウ かえで
筆順 一 十 木 杋 杋 楓 楓 楓
字解 단풍나무풍 단풍나뭇과에 속하는 낙엽 교목(落葉喬木). '丹一'. '停車坐愛一林晩, 霜葉紅於二月花'《杜牧》.
字源 形聲. 木+風〔音〕

木9〔楔〕13 人名 설 (入)屑 | xiē(xiè) セツ ほこだち, くさび
筆順 一 十 木 杉 栔 楔 楔 楔
字解 ①문설주설 문미(門楣)와 문지방 사이의 문의 양쪽에 세운 기둥. '根闑扂一'《韓愈》. ②쐐기설 물건과 물건과의 틈에 박아서, 사개가 물러나지 못하게 하는 물건. '小者以爲楫一'《淮南子》. ③앵두나무설 '一, 荊桃'《爾雅》.
字源 形聲. 木+契〔音〕

木9〔楉〕13 약 (入)藥 | ruò ジャク ざくろ
字解 석류나무약 '一榴, 石榴也'《廣雅》.
字源 形聲. 木+若〔音〕

木9〔楗〕13 人名 건 (去)願 (上)銑 | jiàn ケン かんぬき
筆順 一 十 木 杍 杪 桿 楗 楗
字解 ①문빗장건 문을 잠그는 나무매기. '關一之固'《淮南子》. ②방죽건 물을 막기 위하여 대나 나무를 세우고 풀과 흙으로 메운 둑. '下淇園之竹以爲一'《史記》.
字源 形聲. 木+建〔音〕

木9〔楖〕13 즐 (入)質 | jí, jié シツ くし
字解 ①나무이름즐 '一栗'은 나무의 한 가지로서, 선가(禪家)에서 지팡이를 만드는 데 많이 쓰임. '一栗, 木名. 可爲杖'《廣韻》. ②빗즐 櫛(木부 15획〈588〉)과 同字. '刮摩之工, 玉·一·雕·矢·磬'《周禮》.

木9〔楀〕13 우 (去)遇 | yǔ グ でく
字解 허수아비우, 제웅우 '一, 偊類也, 卽木偶'《正字通》.

木9〔楛〕13 ㊀호 (上)麌 | hù コ きのな
㊁고 (上)麌 | kū コ あらい
字解 ㊀나무이름호 모형(牡荊) 비슷한 나무로서, 화살을 만들기에 적합하다고 함. '一矢'. '惟箘簵一'《書經》. ㊁거칠고 만든 물건이 거칢. '一僈'. '問一者勿告也'《荀子》.

字源 形聲. 木+苦〔音〕

木9 〔楝〕 13 련 ㊀霰 liàn レン おうち

字解 멀구슬나무련 멀구슬나뭇과에 속하는 낙엽 교목(落葉喬木). 근피(根皮)·과실은 약재로 쓰임. 전단(旃檀). '其樹—'《淮南子》.

字源 形聲. 木+柬〔音〕

木9 〔楞〕 13 릉 ㊁蒸 léng リョウ かど

字解 모릉 棱(木부 8획〈555〉)과 同字. 불교의 능엄경(楞嚴經)은 특히 이 자를 씀.

字源 會意. 木+四+方

木9 〔椦〕 13 등 ㊀徑 dèng トウ になう

字解 멜등 짊어짐. '—, 負擔也'《類篇》.

木9 〔楟〕 13 정 ㊁青 tíng テイ やまなし

字解 문배나무정 능금나뭇과에 속하는 낙엽 교목(落葉喬木). '橙柹楟—'《左思》.

木9 〔楡〕 13 人名 유 ㊁虞 yú ユ にれ

筆順 一 十 木 朩 朩 榆 榆 楡

字解 ①느릅나무유 느릅나뭇과에 속하는 낙엽 교목(落葉喬木). 수피(樹皮)는 약용. 즙(汁)은 도료(塗料)로 함. '—令人瞑'《嵇康》. ②옮길유 輸(車부 9획〈1473〉)와 뜻이 통함. '—漏率刻'《太玄經》. ③흔들유 搖(手부 10획〈458〉)와 통용. '使—臂膂肘'《素問》. ④성유 성(姓)의 하나.

字源 形聲. 木+兪〔音〕

木9 〔楢〕 13 유 ①㊁尤 ②㊤有 yóu ユウ なら / yǒu ユウ かがりびをたく

字解 ①졸참나무유 참나뭇과에 속하는 낙엽 교목(落葉喬木). 수피(樹皮)는 염료(染料)로 씀. 일설(一說)에는, 섬속소리나무〔枹〕. '岷山, 其木多—'《山海經》. ②화톳불피울유 '薪之—之'《詩經》.

字源 形聲. 木+酋〔音〕

木9 〔楣〕 13 미 ㊁支 méi ビ まぐさ

字解 ①문미미 문 위에 가로 댄 상인방. '門—'. '—, 門戶上橫梁也'《辭海》. ②처마미 '接棟連—'《王勃》. ③들보미 楣(木부 9획〈565〉)와 同字. '堂則物當—'《儀禮》.

字源 形聲. 木+眉〔音〕

木9 〔楤〕 13 총 ㊤董 sǒng ソウ きのな

字解 두릅나무총 두릅나뭇과에 속하는 관목(灌木). 수피(樹皮)는 당뇨병·신장병의 약재로 씀.

字源 形聲. 木+怱〔音〕

木9 〔楥〕 13 원 ㊀願 ㊀霰 ①②xuàn ケン くつがた / ③yuán エン けやき

字解 ①신골원 신의 골. 신의 모형. '—, 履法也'《說文》. ②얼레원 실을 감는 기구. ③느티나무원 느릅나뭇과에 속하는 낙엽 교목.

字源 形聲. 木+爰〔音〕

木9 〔楦〕 13 楥(前條)의 俗字

字源 形聲. 木+宣〔音〕

木9 〔楨〕 13 人名 정 ㊁庚 zhēn(zhēng) テイ ねずみもち

筆順 一 十 木 朩 朩 朩 楨 楨

字解 ①광나무정 물푸레나뭇과에 속하는 상록 교목(常綠喬木). '女—'. '太山之上多—木'《山海經》. ②담치는나무정 담을 칠 때 담의 두 끝에 세우는 나무. '—幹'. ③근본정 의지가 되는 것·사람. '維周之—'《詩經》.

字源 形聲. 木+貞〔音〕

木9 〔楫〕 13 人名 ㊀즙 ㊃葉 jí ショウ かい / ㊁집 ㊃緝 jí シュウ かい

筆順 一 十 木 朩 朩 朩 楫 楫

字解 ㊀①노즙 배 젓는 기구. '舟—'. '剡木爲—'《易經》. ②노저을즙 '烝徒—之'《詩經》. ㊁노집, 노저을집 ㊀과 뜻이 같음.

字源 形聲. 木+咠〔音〕

木9 〔楬〕 13 갈 ㊃月 jié ケツ たてふだ

字解 ①푯말갈 표로 박아 세우는 말뚝. '—櫫也'《說文》. ②패갈 적어서 게시하는 나무패. '—而璽之'《周禮》.

字源 形聲. 木+曷〔音〕

木9 〔楮〕 13 人名 저 ㊤語 chǔ チョ こうぞ

筆順 一 十 木 朩 朩 朩 楮 楮

字解 ①닥나무저 뽕나뭇과에 속하는 낙엽 관목(落葉灌木). 껍질은 종이의 원료가 됨. '葉有瓣曰—, 無曰構'《酉陽雜俎》. ②종이저 '寸—'. '—先生'. '敗—遺墨人爭寶'《眞

德秀》. ③돈저 지폐. '一券'. '不能行一'《宋史》. ④성지 성(姓)의 하나.
[字源] 形聲. 木+者〔音〕

木9〔楯〕13 ㊀순 [上]軫 shǔn シュン てすり ㊁준 [上]軫 chūn チュン つくえ
[字解] ㊀ ①난간순 '欄一'. '秦始皇時有陛一郎'《史記》. ②방패(防牌)순 盾(目부 4획〈840〉)과 통용. '矛一'. '揚一六十'《左傳》. ③뽑을순 뺌. '引一萬物'《淮南子》. ㊁ 책상준 '死於豚一之上'《莊子》.
[字源] 形聲. 木+盾〔音〕

木9〔楰〕13 유 [平]虞 [上]麌 yú ユ ねずみもち
[筆順] 木 杠 杆 杆 柏 柏 柳 楰
[字解] 광나무유 물푸레나뭇과에 속하는 상록 관목(常綠灌木). 과실은 약재로 쓰임. 여정목(女貞木). '北山有一'《詩經》.
[字源] 形聲. 木+臾〔音〕

木9〔楲〕13 위 [平]微 wēi イ おまる
[字解] 변기위 대소변을 누는, 나무로 만든 변기. '一窬'. '一虎子也, 古之受大小溲者, 皆以虎子呼之'《賈逵》.
[字源] 形聲. 木+威〔音〕

木9〔極〕13 [中·人] 극 [入]職 jí キョク むね, きわまる
[筆順] 一 十 木 杠 杇 柄 極 極
[字解] ①용마루극 옥척(屋脊). '夫妻臣妾登一'《莊子》. ②극처극 ㉠사물의 최상 최종의 곳. '此布衣之一'《十八史略》. ㉡사물의 지극히 미묘한 곳. '君子無所不用其一'《大學》. ㉢진선(眞善) 또는 도덕의 근본. '莫匪爾一'《詩經》. ㉣극악(極惡). 지흉(至凶). '威用六一'《書經》. ㉤우주의 끝. '四一'. '南一'. ③극극 ㉠전극(電極). ㉡자석(磁石)에서 자력이 가장 센 두 끝. ㉢구(球)의 대원(大圓) 및 소원의 평면에 수직되는 직경의 양끝. ④별이름극 북극성. '一星'. ⑤임금자리극 제위(帝位). '登一'. '體元御一'《唐書》. ⑥멀극 거리가 멂. '望涔陽兮一浦'《楚辭》. ⑦빠를극 '出入甚一'《荀子》. ⑧다할극 ㉠없어짐. '澹然無一'《淮南子》. ㉡다 들임. '一其數, 遂定天下之象'《易經》. ⑨마칠극 끝남. '焉知其一'《呂氏春秋》. ⑩그칠극 멈춤. '曷其有一'《詩經》. ⑪이를극 다다름. '駿一于天'《詩經》. ⑫극진할극 극도에 이름. '一土木之美'《通鑑》. ⑬극히극 지극히. '軍一簡易'《史記》. ⑭성극 성(姓)의 하나.
[字源] 形聲. 木+亟〔音〕

木9〔楷〕13 [人名] 해 (개[本]) [上]蟹 [平]佳 kǎi カイ かた, のっとる jiē
[筆順] 一 十 木 木 杜 桦 楷 楷
[字解] ①본해 본보기. 모범. 법식. '一模'. '今世行之, 後世以爲一'《禮記》. ②본뜰해 본받음. '天子模一李元禮'《後漢書》. ③해서해 서체(書體)의 하나. 예서(隸書)에서 변한 것으로 자형(字形)이 가장 방정(方正)한 것. '一書'. '上谷王次仲, 始作一法'《晉書》. ④곧을해 바름. '彊一堅勁, 用在楨幹, 失在專固'《人物志》. ※本音 개.
[字源] 形聲. 木+皆〔音〕

木9〔楸〕13 [人名] 추 [平]尤 qiū シュウ ひさぎ
[筆順] 一 十 木 木 杆 杯 桙 楸
[字解] ①개오동나무추 능소화과에 속하는 낙엽 교목(落葉喬木). 노나무. '一梧早脫'《埤雅》. ②《韓》 가래나무추. ③바둑판추 '一局'. '閑對弈一傾一壺'《段成式》.
[字源] 形聲. 木+秋〔音〕

木9〔楺〕13 楸(前條)의 本字

木9〔楹〕13 [人名] 영 [平]庚 yíng エイ はしら
[筆順] 一 十 木 朴 朷 杒 楹 楹
[字解] 기둥영 둥글고 큰 기둥. '一棟'. '一階俎豆之間'《漢書》.
[字源] 形聲. 木+盈〔音〕

木9〔楺〕13 유 [上]有 rǒu ジュウ ためる
[字解] 휠유 나무를 구부림. 揉(手부 9획〈452〉)와 통용. '一木爲耒'《易經》.
[字源] 形聲. 木+柔〔音〕

木9〔椴〕13 단 [去]翰 duàn タン むくげ
[字解] 무궁화나무단 아욱과의 낙엽 관목(落葉灌木).
[字源] 形聲. 木+段〔音〕

木9〔楒〕13 후 [平]尤 hóu コウ かじつのな, きのな
[字解] 과실이름후, 나무이름후 '一, 一桃. 又一櫟, 木也'《廣韻》.

木9〔楙〕13 ㊀무 [去]宥 mào ボウ ふゆもも ㊁모 [平]豪 [上]晧 ボウ ふゆもも
[字解] ㊀ 과수이름무 복숭아의 일종. '一,

冬桃'《說文》. ㊁ 과수이름모 ■과 뜻이 같음.
字源 形聲. 木+敄〔音〕

木9〔楇〕13 포 (去)效 | pào ホウ じゅうりょうのたんい
字解 중량단위(重量單位)포 예전에 쓰던 무게 단위의 하나. 40 근(斤), 또는 30 근, 10 근 등으로 품목에 따라 다름. '俗謂四十斤爲一'《免疑韻》. '一, 魚以三十斤爲一一'《正字通》. '今則以銀十兩爲一一, 又蕭十斤爲一一'《通俗編》.

木9〔楃〕13 악 (入)覺 | wò アク とばり
字解 휘장악, 장막악 幄(巾부 9획〈335〉)과 同字. '一, 木帳也'《說文》.
字源 形聲. 木+屋〔音〕

木9〔楔〕13 설 (入)屑 | xiè セツ しきみ
字解 ①문지방설 '一, 限也'《說文》. ②나무이름설 '一, 木名'《廣韻》. ③楔(木부 9획〈561〉)의 俗字.
字源 形聲. 木+屑〔音〕

木9〔榦〕13 〔간〕 竿(竹부 3획〈930〉)과 同字

木9〔概〕13 〔개〕 槪(木부 11획〈572〉)의 略字

木9〔椈〕13 〔구〕 枸(木부 5획〈535〉)과 同字

木9〔榅〕13 〔면〕 棉(木부 8획〈553〉)의 俗字

木9〔楩〕13 편 (平)先 | pián ヘン·ベン きのな
字解 나무이름편 남방(南方)에서 나는 녹나무 비슷한 교목(喬木). '一楠豫章'《司馬相如》.
字源 形聲. 木+便〔音〕

木9〔楴〕13 제 (去)霽 | tì テイ こうがい
字解 빗치개제 가르마를 타는 물건. '象之一也'《詩經》.
字源 形聲. 木+帝〔音〕

木9〔楱〕13 주 (去)宥 | còu zòu ソウ かじゅのな
字解 나무이름주 귤(橘)나무의 일종. '黃甘橙一'《司馬相如》.
字源 形聲. 木+奏〔音〕

木9〔椔〕13 치 (去)寘 (平)支 | zī シ たちがれのき
字解 죽은나무치 말라 죽어 서 있는 나무. '木立死, 一'《爾雅》. '輂糞壤, 燔一翳, 卻立而視之'《韓愈》.
參考 椔(木부 8획〈556〉)는 俗字.

木9〔楘〕13 ㊀ 격 (入)錫 ㊁ 보 (韓) | xí ケキ さかづき
字解 ㊀ 술잔격. ㊁《韓》들보보 梁(木부 7획〈551〉)과 뜻이 같음.

木9〔椲〕13 ㊀ 위 (上)尾 (平)支 ㊁ 휘 (平)微 | wěi イ きのな huī キ くい
字解 ㊀ 나무이름위 그 나무껍질을 휘어서 공기 따위 그릇을 만듦. '一, 木名. 皮如韋, 可屈以爲盂'《玉篇》. ㊁ 말뚝휘 '楎, 橛也. 爾雅, 杙在牆者謂之楎. 或作一'《集韻》.
字源 形聲. 木+韋〔音〕

木9〔椬〕13 긍 (去)徑 | gèn コウ わたる
字解 건널긍 강을 배로 건넘. '一, 竟也'《廣韻》.
字源 形聲. 木+恆〔音〕
參考 亙(二부 4획〈27〉)은 古字.

木9〔楜〕13 호 (平)虞 | hú コ こしょう
字解 후추호 호초(胡椒). '一, 俗作胡椒字'《正字通》.

木9〔榛〕13 ㊀ 내 (去)霽 (②니(俗)) ㊁ 날 (入)曷 | nài デイ からなし, たちがれ nà ダツ ひこばえがしょうずる
字解 ㊀ ①능금나무내 능금나무의 일종. 柰(木부 5획〈534〉)의 俗字. '一, 俗柰字'《字彙》. ②죽은나무내 나무가 말라죽음. '一, 木立死也'《集韻》. ※ ❷는 俗音 니. ㊁ 움틀날 베어낸 나무 뿌리에서 움이 트는 모양. '一, 櫱生貌'《集韻》.

木9〔楋〕13 랄 (入)曷 | là ラツ きのな
字解 나무이름랄 '一, 木名'《廣韻》.
字源 形聲. 木+剌〔音〕

木9〔楆〕13 ㊀ 이 (平)支 ㊁ 연 (上)銑 | ジ きのな ruǎn ゼン べにばな
字解 ㊀ 나무이름이. ㊁ ①잇꽃연 홍화(紅花). '一, 紅藍'《廣韻》. ②고욤나무연 '一, 木名, 梬棗也. 似柹而小'《集韻》.

木9〔楷〕13 ㊀성 ㊤梗 | shěng セイ ざるのだい
㊁가 ㊤禡 | カ まないた
㊂시 ㊤寘 | sì シ まないた

字解 ㊀①쳇다리성 인 쌀을 담은 소쿠리를 얹어 놓는 받침대. '一, 木參交目支炊籅者也'《說文》. ②도마성 고기 써는 도마. '一, 肉几也'《集韻》. ㊁도마가 ㊀②와 뜻이 같음. ㊂도마시 ㊀②와 뜻이 같음.
字源 形聲. 木+省〔音〕

木9〔楣〕13 ㊀모 ㊤號 | mào モウ ねずみばしり
㊁목 ㊦沃 | モク ねずみばしり

字解 ㊀문위도리모 문지도리 위에 얹은 도리. '一, 門樞之橫梁'《說文》. ㊁문위도리목 ㊀과 뜻이 같음.
字源 形聲. 木+冒〔音〕

木9〔楒〕13 사 ㊥支 | sī シ とうあずき

字解 상사수(相思樹)사 콩과(科)의 상록관목(常綠灌木). 꽃은 희거나 불그스름하고 나비 모양이며, 씨는 팥만하고 고와, 목걸이 따위에 쓰임. '一, 相一木'《廣韻》.

木9〔㯔〕13 수 ㊤寘 | suì スイ やまなし

字解 팥배나무수 檖(木부 13획〈584〉)와 同字. '一, 一羅也'《說文》.
字源 形聲. 木+㒸〔音〕

木9〔榌〕13 ㊙ 비

字解 《韓》 사닥다리비.

木9〔榼〕13 〔합〕
榼(木부 10획〈568〉)의 本字

木9〔㮜〕13 〔탁〕
柝(木부 5획〈536〉)의 本字

木9〔㮩〕13 〔경〕
梗(木부 7획〈548〉)의 本字

木9〔㮥〕13 〔전〕
牋(片부 8획〈737〉)의 古字

木9〔㮧〕13 㮥(前條)과 同字

木9〔楳〕13 〔매〕
梅(木부 7획〈547〉)와 同字

木9〔椶〕13 〔종〕
棕(木부 8획〈554〉)과 同字
字源 形聲. 木+㚇〔音〕

木9〔㮎〕13 〔배〕
杯(木부 4획〈530〉)와 同字

木9〔楕〕13 〔타〕
橢(木부 12획〈580〉)의 俗字

木9〔楠〕13 人名 〔남〕 枏(木부 4획〈532〉)와 同字

筆順 一 十 木 木 朩 枬 楠 楠

字源 形聲. 木+南〔音〕

木9〔榲〕13 〔올〕
榲(木부 10획〈567〉)의 俗字

木9〔楼〕13 〔루〕
樓(木부 11획〈574〉)의 俗字

木9〔椭〕13 〔타〕 橢(木부 12획〈580〉)의 簡體字

木9〔業〕13 中·人 업 ㊦葉 | yè ギョウ·ゴウ わざ

筆順 丷 业 业 业 丵 業 業

字解 ①종다는널업 종·북 등을 거는 가로댄 나무를 씌우는 큰 장식 널. '設一設虡'《詩經》. ②업업 ㉠일. 근무. '一務'. '暢於四支, 發於事一'《易經》. ㉡학습. '學一'. '所習必有一'《禮記》. ㉢생계. '爲子孫一耳'《史記》. ㉣경영. 직업. '生一'. '賣漿賤小一也'《史記》. ㉤기초. 기업(基業). '君子創一垂統, 爲可繼也'《孟子》. ㉥불교에서의 인(因)을 과(果)로 하게 하는 소행. '一切生法, 皆屬一因'《成實論》. ③공업 공적. '功一'. '富有之謂大一'《易經》. ④업으로삼을업 일을 경영함. '宜一其家者'《韓愈》. ⑤이미업 벌써. '一已'. '良一爲取履'《史記》. ⑥위태할업 위태한 모양. '累卵一一'《太玄經》. ⑦시작할업 처음으로 함. '項梁一之'《史記》. ⑧차례업 순서. '民從事有一'《國語》. ⑨클업 '一, 大也'《廣韻》. ⑩높을업 '增槃一峨'《後漢書》. ⑪성업 성(姓)의 하나.
字源 象形. 톱니 모양의 들쭉날쭉한 장식을 한 악기(樂器)를 거는 널의 모양을 본뜸.

木9〔楘〕13 목 ㊦屋 | mù ボク ながえまき

字解 수레채가죽목 수레채에 감아 장식하는 가죽. '五一梁輈'《詩經》.
字源 形聲. 木+敄〔音〕

木9〔㲦〕13 초(소㊍) ㊤效 | xiāo ソウ そぐ

字解 뾰족이깎을초 나무 위 끝을 뾰족이 깎

음. ※本音 소.

木9〔楶〕13 절 ㊅屑|jié セツ うだち

字解 동자기둥절 들보 위에 세우는 짧은 기둥. 쪼구미. '一梲之材, 不荷棟梁之任'《班彪》.

字源 形聲. 木+咨〔音〕

木9〔⿰木咨〕13 楶(前條)과 同字

木9〔⿱㲋木〕13 ㊀참 ㊄咸 ㊁탁 ㊅藥|chán サン ほうき ぼしのべつめい タク きのはがちる

字解 ㊀ 혜성이름참 欃(木부 17획〈591〉)과 同字. '欃, 爾雅, 彗星爲欃槍. 一曰, 木名, 或省'《集韻》. ㊁ 나뭇잎떨어질탁 '一, 木葉隊也'《說文》.

字源 形聲. 木+㲋〔音〕

木9〔㮚〕13 〔률〕 栗(木부 6획〈545〉)의 古字

木9〔⿱直木〕13 〔직〕 直(目부 3획〈837〉)의 古字

木9〔楽〕13 〔락〕 樂(木부 11획〈577〉)의 俗字

木10〔尌〕14 〔수〕 樹(木부 12획〈578〉)의 古字

木10〔榎〕14 가 ㊤馬|jiǎ カ ひさぎ

字解 ①개오동나무가 檟(木부 13획〈584〉)와 同字. '一, 同檟'《廣韻》. ②회초리가 매질할 때 사용하는 회추리. '一楚'. '用一與楚'《爾雅翼》.

字源 形聲. 木+夏〔音〕

木10〔榑〕14 부 ㊄虞|fú フ ふそう

字解 부상부 해 돋는 곳에 있다는 신목(神木). 扶(手부 4획〈429〉)와 同字. '朝發一桑'《淮南子》.

字源 形聲. 木+尃〔音〕

木10〔榏〕14 익(역㊍) ㊅錫|yì ゲキ ふね

字解 배익 익(鷁)새의 형상을 선수(船首)에 장식한 배. 艗(舟부 10획〈1115〉)과 同字. '一, 舟也'《玉篇》. ※本音 역.

木10〔榔〕14 랑 ㊄陽|láng ロウ びんろう

字解 빈랑나무랑 '檳一'은 야자과에 속하는 상록 교목(常綠喬木). 과실은 식용·약용으로 함.

字源 形聲. 木+郞〔音〕

木10〔榕〕14 人名 용 ㊄冬|róng ヨウ あこう

筆順 一 十 木 木' 杪 梈 榕 榕

字解 용나무용 뽕나뭇과(科)에 속하는 상록 교목(常綠喬木). 간지(幹枝)에서 땅에 늘어지는 뿌리가 생겨 만연(蔓延)함. 남방에 남. 여름에 흰 꽃이 핌. '閩中多一樹'《榕城隨筆》.

字源 形聲. 木+容〔音〕

木10〔榛〕14 진 ㊄眞|zhēn シン はしばみ

字解 ①개암나무진 개암나뭇과에 속하는 낙엽 관목(落葉灌木). 열매는 식용·약용으로 함. '山有一'《詩經》. ②가시나무진 황무지에 난생(亂生)하는 잡목(雜木). '下田長荊一'《李商隱》. ③덤불진 잡목·잡초가 우거진 곳. '一蕪'. '披一採蘭'《晉書》.

字源 形聲. 木+秦〔音〕

木10〔榜〕14 방 ㊤養 ㊦漾 ㊄庚|①-③bǎng ボウ たてふだ ④-⑦bàng ボウ むち ⑧⑨bēng ボウ ゆだめ

字解 ①패방 문자를 적어 표지(標識)로 하는 목패(木牌). '凌雲殿, 一未題, 而匠者誤釘之'《晉書》. ②방목방 과거 급제자의 성명을 공시(公示)하는 패. 또는, 발표서. '放一'. '裴延齡爲吏部, 作長名一詮註法'《唐書》. ③방써붙일방 써서 게시함. 표시(標示)함. '共相標一'《後漢書》. ④매방, 매질할방 매로 때림. '一掠'. '一笞數千'《史記》. ⑤떼방, 배방 '涉人於是檥一'《郭璞》. ⑥노방 배 젓는 막대기. '一聲催曉渡江心'《貢師泰》. ⑦배저을방 노로 배를 저음. 搒(手부 10획〈457〉)과 同字. '一聲'. '自一船送妻'《南史》. ⑧도지개방 트집 간 활을 바로잡는 도구. 㮄(木부 8획〈558〉)은 本字. '㮄, 所㠯輔弓弩也'《說文》. ⑨도울방 '一, 輔也'《廣雅》.

字源 形聲. 木+旁(㫄)〔音〕

木10〔槝〕14 ㊀오 ㊄虞|wū オ きのな ㊁올 ㊅月|wēn オツ まるめろ

字解 ㊀ ①나무이름오 '一構, 木, 中箭笴'《玉篇》. ②땡감오 '一椑'는 덜 익어 떫은 감. '一椑, 青柹也'《類篇》. ㊁ 올발올 榲(木부 10획〈567〉)과 同字.

木10〔榠〕14 명 ㊄青|míng メイ めいさ

[字解] 명사나무명 '一樝'는 능금나뭇과에 속하는 낙엽 교목(落葉喬木). 모과(木瓜)나무와 비슷함. 타원형의 장과(漿果)는 떫고, 약용(藥用)하며, 꽃은 분홍색임. '一樝, 木葉花實, 酷類木瓜'《蘇頌圖經》.
[字源] 形聲. 木+冥〔音〕

木10〔榡〕14 소 [去]遇|sù ソ きじ
[字解] 바탕소 물건의 자료. 감. 소재(素材). '一, 器未飾也'《類篇》.
[字源] 形聲. 木+素〔音〕

木10〔[illegible]〕14 색 [入]陌|suǒ サク きのな
[字解] 사스레피나무색 '一柃'은 후피향나뭇과에 속하는 상록 교목. 잿물을 받아 염료(染料)로 씀.

木10〔榤〕14 걸 [入]屑|jié ケツ ねぐら
[字解] ①홰걸 桀(木부 6획〈545〉)과 同字. '雞棲于杙爲一'《爾雅》. ②말뚝걸 '一, 杙也'《玉篇》.

木10〔[illegible]〕14 공 [平]冬|qióng キョウ ちいさいふね
[字解] ①거룻배공 돛 없는 작은 배. '南楚江湘, 凡艇之小而深者, 謂之一'《揚子方言》. ②밉살스러울공 '一松'은 밉살맞은 모양. '一松, 可憎之貌'《廣韻》.

木10〔[illegible]〕14 직 [入]職|jì ショク きのな
[字解] 나무이름직 소나무 비슷한 나무. 결이 곱고 가시가 있음. '樫松楔一'《張衡》.
[字源] 形聲. 木+畟〔音〕

木10〔榥〕14 [人名] 황 [上]養|huàng コウ ふづくえ
[筆順] 一 十 木 … 榥
[字解] ①책상황 서안(書案). '一, 讀書牀'《品字箋》. ②창문황 천을 바른 채광창(採光窓). '交綺對一'《張協》.
[字源] 形聲. 木+晃〔音〕

木10〔榬〕14 원 [平]元|yuán エン いとまき
[字解] ①얼레원 실을 감는 틀. '籰, 一也, 所以絡絲也'《揚子方言》. ②종거는나무원 종·북 등을 걸어 두는 기구. '懸鐘磬之一'《管子》. ③성원 성(姓)의 하나.

木10〔榧〕14 비 [上]尾|fěi ヒ かや
[字解] 비자나무비 비자나뭇과에 속하는 상록 교목(常綠喬木). 과실은 기름을 짬. '一似紕, 而材光文彩如柏'《爾雅翼》.
[字源] 形聲. 木+匪〔音〕

木10〔榨〕14 자 [去]禡|zhà サ しめぎ
[字解] ①기름틀자 기름을 짜는 틀. ②술주자자 술을 거르는 틀. '酒一'. ③짤자 기름 같은 것을 짜냄. ④거를자 술을 거름. '光祿寺一酒'《大明會典》.
[字源] 形聲. 木+窄〔音〕

木10〔榭〕14 사 [去]禡|xiè シャ うてな
[字解] ①정자사 대(臺) 위에 있는 정자. '亭一'. '宮室臺一'《書經》. ②사정사 강무(講武)하는 곳. '三部將謀於一'《左傳》. ③사당사 내실(內室) 없는 사당. '成周宣一火'《春秋》. ④곳집사 악기를 넣어 두는 창고. '一者, 所以藏樂器'《漢書》.
[字源] 形聲. 木+射〔音〕

木10〔榩〕14 건 [平]先|qián ケン あてぎ
[字解] ①모탕건 도끼 받침. '椹謂之一'《爾雅》. ②곳집건 쌀 창고. '一, 廩也. 構木爲之'《廣韻》.

木10〔榰〕14 지 [平]支|zhī シ いしずえ
[字解] ①주추지 기둥 밑에 괴어 놓은 나무. 옛날에는 나무를 썼음. ②버틸지 넘어지지 않게 버팀. '一梧'. '相一柱也'《爾雅 註》.
[字源] 形聲. 木+耆〔音〕

木10〔榱〕14 최 [平]支|cuī スイ たるき
[字解] 서까래최 '一桷'. '飾華一與璧璫'《張衡》.
[字源] 形聲. 木+衰〔音〕

木10〔榲〕14 [一]올 [入]月|wēn オウ まるめろ
[二]온 [平]元|wēn オン すぎ
[字解] [一] 올발올 '一桲'은 장미과에 속하는 낙엽 교목(落葉喬木). 과실은 달며, 식용함. 마르멜로. [二] ①삼목(杉木)온 소나뭇과에 속하는 상록 교목. ②뿌리온 나무의 뿌리.
[字源] 形聲. 木+昷〔音〕

木10〔榷〕14 [一]교 [去]效|jiào コウ まるきばし
[二]각 [入]覺|què カク せんばい
[字解] [一] 외나무다리교 독목교(獨木橋). '以木渡水曰一'《漢書 註》. [二] 도거리할각

정부가 전매(專賣)하여 이익을 독점함. '一酤'. '初一酒酤'《漢書》.
[字源] 形聲. 木+隺〔音〕

木 10 〔榴〕14 류 [平]尤|liú リュウ ざくろ
[字解] 석류나무류 석류나뭇과에 속하는 낙엽 교목(落葉喬木). 근피(根皮)·수피(樹皮)·과피(果皮) 등은 약재로 씀. '石一'. '五月一花照眼明'《韓愈》.
[字源] 形聲. 木+留〔音〕
[參考] 橊(木부 12획〈582〉)는 本字.

木 10 〔榤〕14 결 [入]屑|jié ケツ はねつるべ
[字解] 두레박틀결 桔(木부 6획〈544〉)과 同字. '林端擧一槹'《王維》.

木 10 〔㮲〕14 추 [平]尤|chōu シュウ はなぎ
[字解] ①쇠코뚜레추 소의 코를 꿰뚫어 고삐를 매는 고리. '一, 牛鼻繫繩具'《類篇》. ②뒤틀린널추 판목이 바르지 못함. '一, 板木不正'《廣韻》.

木 10 〔榌〕14 비 [平]支|pí ヒ のきさきのよこぎ
[字解] 평고대비 처마 끝에 가로 댄 나무. '樓檻文一'《張衡》.
[字源] 形聲. 木+毘〔音〕

木 10 〔榻〕14 탑 [入]合|tà トウ こしかけ
[字解] ①걸상탑 긴 의자. '連一而坐'《晉書》. ②거친무명탑 거친 면직물. '一布皮革千石'《史記》.
[字源] 形聲. 木+㒓〔音〕

木 10 〔榻〕14 榻(前條)의 訛字

木 10 〔榯〕14 시 [平]支|shí シ たつ
[字解] ①나무곧게설시 우뚝 솟음. 수목(樹木)이 직립(直立)함. '其始出也, 暆兮若松一'《宋玉》. ②문설주시 문지도리를 지탱하게 하는 부분. '落一, 持門樞'《類篇》.
[字源] 形聲. 木+時〔音〕

木 10 〔榼〕14 합 [入]合|kē コウ おけ
[字解] ①통합 물통·술통 따위. '足以溢壺一'《淮南子》. ②뚜껑합 그릇의 아가리를 덮는 물건. '行人執一承飮'《左傳》. ③칼집합 '以木爲劍衣. 若今刀一'《禮記 疏》.
[字源] 形聲. 木+盍〔音〕

木 10 〔榾〕14 골 [入]月|gǔ コツ きりかぶ
[字解] ①등걸골 나무를 베고 난 그루터기. '一柮'. '古墓深林盡株一'《元稹》. ②나무이름골 '枸一'은 호랑가시나무.
[字源] 形聲. 木+骨〔音〕

木 10 〔榿〕14 [一] 기 [平]支|qī キ はんのき
[二] 개 [上]蟹|カイ はんのき
[字解] [一] 나무이름기 오리나무. 자작나뭇과의 낙엽 교목. 빨리 자라 3년 후면 큰 나무가 된다 함. '飽聞一樹三年大'《杜甫》. [二] 나무이름개 [一]과 뜻이 같음.
[字源] 形聲. 木+豈〔音〕

木 10 〔槁〕14 고 [上]晧|gǎo コウ かれる
[字解] ①마를고 ㉠말라 죽음. '一木'. '七八月之間, 旱則苗一矣'《孟子》. ㉡건조함. '一魚曰商祭'《禮記》. ②말라죽은나무고 고목(枯木). '若振一然'《荀子》. ③쌓을고 축적함. '去表之一'《左傳》. ④위로할고 槀(木부 10획〈568〉)와 同字. '凡潤其枯槀曰槀'《說文 段注》. ⑤짚고 稾(禾부 10획〈909〉)와 통용. '特箭一而莖立'《馬融》.
[字源] 形聲. 木+高〔音〕

木 10 〔槀〕14 槁(前條)의 本字

木 10 〔槇〕14 [一] 전 [平]先|diān テン こずえ
[二] 진 [上]軫|zhěn シン きめがこまかい
[字解] [一] 나무끝전 우듬지. '人頂曰顚, 木頂曰一'《說文 段注》. [二] 결고울진 나뭇결이 촘촘함. '一, 木密'《廣韻》.
[字源] 形聲. 木+眞〔音〕

木 10 〔槙〕14 槇(前條)의 略字

木 10 〔槅〕14 [一] 혁 [入]陌|gé カク くびき
[二] 핵 [入]陌|hé カク さね
[字解] [一] 멍에혁 마소의 목에 얹는 기구. '商旅連一'《張衡》. [二] 씨핵, 실과핵 核(木부 6획〈542〉)과 同字. '肴一四陳'《左思》.
[字源] 形聲. 木+鬲〔音〕

木 10 〔槈〕14 누 [去]有|nòu ドウ すき
[字解] 낫누 끝을 땅에 박아 풀 같은 것을 깎는 연장. '挾其槍刈一鎛'《管子》.
[字源] 形聲. 木+辱〔音〕

木 10 〔槏〕14 [一] 겸 [上]豏|qiǎn カン と
[二] 렴 [平]鹽|lián レン らんかん

[字解] [一]①문겸 방의 출입구. '—, 戶也'《說文》. ②문설주겸 창문의 기둥. ③벼이름겸 벼〔稻〕의 일종. '—, 稻名'《集韻》. [二]난간렴, 모렴 廉(广부 10획〈350〉)과 同字.
[字源] 形聲. 木+兼〔音〕

木 10〔⿰木𤰇〕14 비 [去]寘 | bèi ヒ ぬるで
[字解] 붉나무비 옻나뭇과에 속하는 낙엽 소교목(落葉小喬木). 나뭇잎에 곤충이 기생하여 된 오배자(五倍子)는 염료(染料)·약용으로 함. '其木乃—'《管子》.

木 10〔構〕14 [高·人] 구 [去]宥 | gòu コウ かまえる
[筆順] 一 十 木 杆 栉 構 構 構
[字解] ①얽을구 ㉠집 등을 얽어 만듦. '—筏'. '—造'. '厥子乃弗肯堂. 矧肯—'《書經》. '築土—木'《淮南子》. ㉡생각을 얽어 짬. '—想'. '文章宏富, 善—新調'《漢書》. ㉢없는 사실을 꾸며 해침. '—誣'. '—陷'. '宣姜與公子朔, —急子'《左傳》. ㉣합침. '男女—精'. ②맺을구 만듦. 지음. '—釁'. '怨之所—'《荀子》. '—怨於諸侯'《孟子》. ③이룰구 이루어짐. '事已—矣'《漢書》. ④경영구 사업. '永懷先—'《齊書》. ⑤서까래구 '華堂傾—, 廣宅頹墉'《陸雲》. ⑥꾸지나무구 뽕나뭇과에 속하는 낙엽 교목. 수피는 종이의 원료. '—膠可以塗丹砂'《物類相感志》.
[字源] 形聲. 木+冓〔音〕

木 10〔槌〕14 [一]추 [平]支 | chuí ツイ つち
[二]퇴 [平]灰 | duī タイ なげうつ
[字解] [一]①망치추 짧은 몽둥이. '—鑿'. '雙—亂擊'《魏書》. ②칠추 망치 따위로 침. '—牀便大怒'《古詩》. [二]①망치퇴, 칠퇴 [一]과 뜻이 같음. ②내던질퇴 팽개침. 搥(手부 10획〈458〉)와 통용. '—提仁義'《法言》.
[字源] 形聲. 木+追〔音〕

木 10〔槍〕14 창 [平]陽 | qiāng ソウ やり
[字解] ①창창 무기의 하나. '—劍'. '選諸軍中善用—槊者'《宋史》. ②다다를창 이름. '見獄吏則頭—地'《漢書》. '我決起而飛, —榆枋'《莊子》. ③《現》 소총(小銃)창. ④성창 성(姓)의 하나.
[字源] 形聲. 木+倉〔音〕

木 10〔槎〕14 사 ①②[平]麻 | chá サ いかだ
③[上]馬 | サ ななめにきる
[字解] ①떼사 뗏목. 查(木부 5획〈534〉)·楂(木부 9획〈560〉)와 同字. '乘—'《北史》. '流—一去上天池'《庾信》. ②성사 성(姓)의 하나. ③엇찍을사 비스듬히 찍음. '柞(木부 5획〈537〉)과 통용. '山不—蘖'《國語》.
[字源] 形聲. 本+差〔音〕

木 10〔榐〕14 [一]전 [上]銑 | zhǎn テン さかずき
[二]년 [去]霰 | niàn デン·ネン ひきくだくどうぐ
[三]진 [去]震 | zhèn チン きのな
[字解] [一]①잔전 술잔. ②나무길전 나무가 긴 모양. '—, 橏—, 樹長貌'《集韻》. [二]가는도구년 물건을 갈거나 타는 도구. '—, 轢物器'《集韻》. [三]나무이름진 '—, 木名'《集韻》.

木 10〔槐〕14 괴 [平]佳 [平]灰 | huái カイ えんじゅ
[字解] ①홰나무괴 콩과에 속하는 낙엽 교목(落葉喬木). 회화나무. 주대(周代)에, 조정(朝廷)에 이 나무를 세 그루 심어서 삼공(三公)의 좌석의 표지(標識)로 하였으므로, '三—'를 삼공(三公)의 위계(位階)의 뜻으로 씀. '面三—, 三公位焉'《周禮》. ②성괴 성(姓)의 하나.
[字源] 形聲. 木+鬼〔音〕

木 10〔槓〕14 공 [平]江 | gāng コウ てこ
[字解] 막대기공 '—杆'은 지렛대.
[字源] 形聲. 木+貢〔音〕

木 10〔榫〕14 순 [上]軫 | sǔn シュン ほぞ
[字解] 장부순 나무 끝을 구멍에 맞추어 박기 위하여 깎아 가늘게 만든 부분. '枘鑿者—卯也'《明道語錄》.
[字源] 形聲. 木+隼〔音〕

木 10〔榣〕14 요 [平]蕭 | yáo ヨウ うごく
[字解] ①움직일요 나무가 흔들림. '—, 樹動也'《說文》. ②나무요 큰 나무. '—木不生危'《國語》.
[字源] 形聲. 木+䍃

木 10〔⿰木害〕14 할 ①[入]曷 | hé カツ あてぎ
②[入]黠 | xiá カツ ゆだめ
[字解] ①덧댄나무할 나무의 구르는 것을 보조하는 재목. '—, 所以輔木轉也'《玉篇》. ②도지개할 트집 간 활을 바로잡는 틀. '—, 木所以正弓也'《集韻》.

木 10〔榶〕14 당 [平]陽 | táng トウ わん
[字解] ①주발당 음식을 담는 작은 식기. '魯人以—, 衛人用柯, 齊人用一革'《荀子》. ②

산앵두나무당 당체(唐棣). '一, 一棣, 木名'《廣韻》.

木10〔榢〕14 질 入質 jí シツ ますがた
字解 두공질 기둥 위의 방형(方形)의 나무. 옥로(屋櫨).

木10〔榋〕14 순 平眞 xún シュン たいぼくのな
字解 큰나무이름순 호미의 자루를 만드는 데 쓰임. '一, 大木, 可爲鉏柄'《說文》.
字源 形聲. 木+㝷〔音〕

木10〔榹〕14 사 平支 sī シ たらい
字解 ①쟁반사 '一, 槃也'《說文》. ②산복숭아사 '一桃, 山桃'《爾雅》.
字源 形聲. 木+虒〔音〕

木10〔槄〕14 ㊀도 平豪 tāo トウ やまひさぎ ㊁토 上晧 トウ やまひさぎ
字解 ㊀가나무도 '一, 山楸'《集韻》. ㊁가나무토 ㊀과 뜻이 같음.

木10〔榽〕14 ㊀혜 平齊 去霽 xī ケイ がまずみ ㊁해 平佳 カイ がまずみ
字解 ㊀가막살나무혜 '一蘇, 木名, 似檀'《廣韻》. ㊁가막살나무해 ㊀과 뜻이 같음.

木10〔槵〕14 식 入職 xī ショク きのな
字解 나무이름식 '一, 一木也'《說文》.
字源 形聲. 木+息〔音〕

木10〔槅〕14 혁 入陌 hé カク かせ
字解 ①형틀혁 차꼬·수갑·칼 따위. '一, 角械也'《說文》. ②밑동흰나무혁 '一, 一曰, 木下白也'《說文》. ③나무이름혁 '一, 木名'《廣韻》. ④책상다리혁 '一, 案足'《類篇》.
字源 形聲. 木+鬲〔音〕

木10〔棞〕14 ㊀혼 平元 hún コン まるき ㊁할 入黠 huá カツ まるき
字解 ㊀①통나무혼 '一, 梡木未析也'《說文》. ②땔나무혼 패지 않은 통째로의 장작. ③묶을혼 장작을 묶음. '合薪曰一'《一切經音義》. ㊁통나무할, 땔나무할, 묶을할 ㊀과 뜻이 같음.
字源 形聲. 木+圂〔音〕

木10〔榙〕14 ㊀탑 入合 tā トウ かじゅのな ㊁합 入合 コウ かじゅのな
字解 ㊀과수이름탑 자두나무의 일종. '一, 一櫨, 果似李'《說文》. ㊁과수이름합 ㊀과 뜻이 같음.
字源 形聲. 木+荅〔音〕

木10〔榗〕14 ㊀전 去霰 jiàn セン あずさ ㊁진 去震 jìn シン つづみのな
字解 ㊀가래나무전 일설에는 대나무의 이름. 梓(木부 7획〈548〉)와 통용. '一, 一木也. 書曰, 竹箭如一'《說文》. ㊁①가래나무진 ㊀과 뜻이 같음. ②북이름진 '一, 鼓名'《類篇》.
字源 形聲. 木+晉〔音〕

木10〔榔〕14 영 réng エイ きのな
字解 나무이름영 '一桐'은 나무 이름. 벽오동(碧梧桐) 비슷함.

木10〔栴〕14 전 平先 zhān セン せんだん
字解 단향목전 栴(木부 6획〈542〉)과 同字.

木10〔槔〕14 〔고〕 槹(木부 12획〈582〉)의 本字

木10〔梫〕14 〔침〕 梫(木부 7획〈549〉)의 本字

木10〔榎〕14 〔부〕 椱(木부 9획〈561〉)의 本字

木10〔槎〕14 〔송〕 送(辵부 6획〈1493〉)과 同字

木10〔樹〕14 〔수〕 樹(木부 12획〈578〉)의 俗字

木10〔槗〕14 〔교〕 橋(木부 12획〈579〉)의 俗字

木10〔槪〕14 〔개〕 槪(木부 11획〈572〉)의 略字

木10〔樣〕14 〔양〕 樣(木부 11획〈575〉)의 略字

木10〔榢〕14 〔가〕 架(木부 5획〈539〉)의 俗字

木10〔㭎〕14 〔강〕 剛(刀부 8획〈106〉)과 同字

木10〔槜〕14 〔취〕 檇(木부 13획〈583〉)와 同字

木10〔槕〕14 〔탁〕 卓(十부 6획〈128〉)의 古字

木10〔榟〕14 〔재〕 梓(木부 7획〈548〉)와 同字

木10〔榍〕14 〔설〕 楔(木부 9획〈561〉)과 同字

木10〔穀〕14 곡 [入]屋|gǔ コウ かじ

[字解] 꾸지나무곡 뽕나뭇과에 속하는 낙엽 교목. 수피(樹皮)는 제지용(製紙用). 닥나무〔楮〕와 비슷함. '其下維一'《詩經》.
[字源] 形聲. 木+殼〔音〕
[參考] 穀(禾부 10획〈909〉)은 別字.

木10〔槃〕14 穀(前條)과 同字

木10〔榦〕14 ㊀간 [去]翰|gàn カン みき ㊁한 [平]寒|hán カン いげた

[字解] ㊀①담결기둥간 담을 치는 데 좌우 양쪽에 세우는 기둥. '峙其楨一'《書經》. ②줄기간 나무의 줄기. '根一'. '枝不得大於一'《淮南子》. ③바로잡을간 바르게 함. '一不庭方'《詩經》. ㊁우물난간한 정란(井闌). '跳梁井一之上'《莊子》.
[字源] 形聲. 木+倝〔音〕

木10〔榺〕14 승 [去]徑|shèng ショウ たていとまき

[字解] 도투마리승 베틀의 날을 감는 틀. '一, 機持經者'《說文》.
[字源] 形聲. 木+朕〔音〕

木10〔槑〕14 ㊀梅(木부 7획〈547〉)의 古字 ㊁某(木부 5획〈539〉)의 古字

木10〔榮〕14 [中·人] 영 [平]庚|róng エイ さかえる

[筆順] 丶 火 炏 炏 炏 𤇾 𤇾 榮

[字解] ①비첨영 양쪽 끝이 번쩍 들린 처마. 비우(飛宇). '升自東一'《禮記》. ②오동나무영 오동(梧桐). '一, 桐木'《爾雅》. ③꽃영 풀의 꽃. '木謂之華, 草謂之一'《爾雅》. ④영화영 영달. '一辱'. '欲一而惡辱'《呂氏春秋》. ⑤빛영 ㉠광명. '日月合一'《傅玄》. ㉡윤택. 윤. '此五藏所生之外一也'《素問》. ⑥피영 혈액. '一衞不行'《內經》. ⑦필영 꽃이 핌. '半夏生, 木菫一'《禮記》. ⑧성할영 ㉠무성함. '一茂'. '木欣欣向一'《陶潛》. ㉡창성함. '室宮一與'《荀子》. ⑨번영할영 번성하고 영화로움. '仁則一, 不仁則辱'《孟子》. ⑩나타날영 이름이 나타남. '其名無不一者'《呂氏春秋》. ⑪즐길영, 즐거움영 '非以翟爲一'《國語》. ⑫버릴영 '一汝之糧'《列子》. ⑬성영 성(姓)의 하나.
[字源] 象形. 金文은 타오르는 횃불을 엇걸어 세운 화톳불을 본떠, '번영하다'의 뜻을 나타냄.

木10〔榘〕14 구 [上]麌|jǔ ク じょうぎ

[字解] 곱자구, 법구 矩(矢부 5획〈863〉)와 同字. '何時俗之工巧兮, 滅規一而改鑿'《楚辭》.
[字源] 形聲. 木+矩〔音〕

木10〔槊〕14 ㊀삭 [入]覺|shuò サク ほこ ㊁소 [韓]

[字解] ㊀①창삭 무기의 하나. 矟(矛부 7획〈862〉)과 同字. '橫一賦詩'《蘇軾》. ②쌍륙삭 놀이의 한 가지. '棊一以自娛'《韓愈》. ㊁《韓》 욧속소 이불이나 요 따위의 속에 두는 물건.
[字源] 形聲. 木+朔〔音〕

木10〔槊〕14 槊(前條)과 同字

木10〔槃〕14 반 [平]寒|pán ハン たらい

[字解] ①쟁반반 운두가 낮고 둥글납작한 그릇. 盤(皿부 10획〈835〉)과 同字. '少者奉一'《禮記》. ②즐길반 般(舟부 4획〈1111〉)과 同字. '考一在澗'《詩經》. ③멈출반 정지함. '一停'.
[字源] 形聲. 木+般〔音〕

木10〔桊〕14 〔권〕 桊(木부 6획〈545〉)의 本字

木10〔寀〕14 〔송〕 松(木부 4획〈531〉)과 同字

木10〔槖〕14 〔탁〕 橐(木부 12획〈582〉)의 俗字

木11〔樊〕15 번 [平]元|fán ハン まがき

[字解] ①울번 울타리. '一籬'. '止於一'《詩經》. ②농번 버들·싸리 따위로 만든 그릇. 또, 새장. '一籠'. '不期畜於一中'《莊子》. ③끝번 가. '以游于天地之一'《淮南子》. ④곁번 부근. '鳥則休乎山一'《莊子》. ⑤에워쌀번 포위함. '一以葅圃'《左思》. ⑥어수선할번 분잡(紛雜)한 모양. '一然殽亂'《莊子》. ⑦뱃대끈번 말의 배띠. '一纓十有再

就'《周禮》. ⑧성번 성(姓)의 하나.
字源 形聲. 井+棥〔音〕

木11〔槥〕15 혜 ㊀霽|huì エイ ひつぎ
字解 널혜 작은 관. '一櫝'. '令, 從軍死者, 爲一, 歸其縣'《漢書》.
字源 形聲. 木+彗〔音〕

木11〔槪〕15 高·人 개 ㊀隊|gài ガイ とかき, あらまし
筆順 木 朩 枦 枦 梎 椐 概 槪
字解 ①평미레개 평목(平木). '正權一'《禮記》. ②평미리칠개 평평하게 고름. '釜鼓滿則人一之, 人滿則天一之'《管子》. ③달개 저울질함. 또, 저울. '食饗不爲一'《禮記》. ④대개개 대강. '一要'. '一乎皆常有聞者也'《莊子》. ⑤절개개 절조. '節一'. '常慕先達一'《江淹》. ⑥풍채개 풍도. '豪爽有風一'《晉書》. ⑦풍치개 경치. '極都城之勝一'《舊唐書》. ⑧느낄개 감동(感動)함. '臣愚而不一於王心邪'《史記》. ⑨개탄할개 慨(心부 11획〈409〉)와 통용. '感一而自殺'《史記》. ⑩물댈개, 씻을개 漑(水부 11획〈677〉)와 통용. '一祭器也'《周禮》.
字源 形聲. 木+既〔音〕

木11〔概〕15 槪(前條)의 俗字

木11〔槩〕15 槪(前前條)와 同字

木11〔榝〕15 ㊀살 ㊀黠|shā サツ ごしゅゆ
㊁설 ㊀屑|xiè セツ くさび
字解 ㊀오수유살 운향과의 낙엽 교목. 한방에서 건위(健胃)·살충(殺蟲)으로 쓰임. '一又欲充夫佩幃'《楚辭》. ㊁쐐기설 楔(木부 9획〈561〉)과 同字.
字源 形聲. 木+殺〔音〕

木11〔槬〕15 화 ㊀禡|huà カ よこにひろい
字解 종가로퍼질화 종이 납작하고 큰 모양. '今鐘一矣'《左傳》.

木11〔槭〕15 ㊀척 ㊀屋 (축㊀)|qī(zū) シュク·セキ かえで
㊁색 ㊀陌|sè サク·セキ しぼむ
字解 ㊀단풍나무척 단풍나뭇과에 속하는 낙엽 교목(落葉喬木). '相彼一矣, 亦類其楓'《蕭穎士》. ※本音 축. ㊁앙상할색 나뭇잎이 떨어져 앙상한 모양. '庭樹一以灑落'《潘岳》.

字源 形聲. 木+戚〔音〕

木11〔槢〕15 ㊀습 ㊀緝|xí シュウ きのな
㊁접 ㊀葉|dié チョウ はり
字解 ㊀①나무이름습 단단한 나무의 일종. '一, 一木也'《說文》. ②형틀습 형구(刑具). '吾未知聖知之不爲桁楊椄一也'《莊子》. ㊁들보접 대들보. '一, 梁也. 莊子, 桁楊椄一'《集韻》.
字源 形聲. 木+習〔音〕

木11〔槮〕15 삼 ①②㊥咸|shēn サン きのながいさま
③㊤感|sǎn サン ふし
字解 ①밋밋할삼 나무가 긴 모양. '森一柞樸'《馬融》. ②앙상할삼 꽃이나 잎이 떨어져 가지가 앙상한 모양. '前欞一之可哀兮'《楚辭》. ③섶삼 고기를 잡기 위하여 묶어서 물 속에 쌓은 섶. '一謂之涔'《爾雅》.
字源 形聲. 木+參〔音〕

木11〔槱〕15 유 ㊤有|yǒu, yóu
㊥尤|ユウ やく, かがりび
筆順 木 朩 朾 栖 栖 栖 槱 槱
字解 ①화톳불놓을유 하늘에 제사 지내기 위하여 화톳불을 놓음. '薪之一之'《詩經》. ②제사이름유 화톳불을 놓고 하늘에 지내는 제사.
字源 形聲. 木+火+酉〔音〕

木11〔槲〕15 곡 ㊀屋|hú コク かしわ
字解 떡갈나무곡 참나뭇과에 속하는 낙엽 교목. '古木高生一'《許渾》.
字源 形聲. 木+斛〔音〕

木11〔樣〕15 ㊀다 ㊥麻|chá タ ちゃ
㊁도 ㊥虞|tú ト ひさぎ
字解 ㊀차나무다 荼(艸부 6획〈1135〉)와 同字. ㊁개오동나무도 개오동나무의 이명(異名). '一, 楸木別名'《廣韻》.

木11〔槵〕15 환 ㊀諫|huàn カン むくろじ
字解 무환자나무환 무환자나뭇과에 속하는 낙엽 교목. 과실을 삶은 물은 세탁하는 데 씀. '一, 木名, 無患也. 皮子可澣'《集韻》.
字源 形聲. 木+患〔音〕

木11〔槶〕15 귀 ㊀隊|guì カイ そこ
字解 상자바닥귀 상자의 밑바닥.
字源 形聲. 木+國〔音〕

木 11〔樀〕15 적 ㊀錫 dí テキ のき, いとまき

字解 ①추녀적 지붕의 갓. '檐謂之一'《爾雅》. ②실패적 실을 감는 제구. '一, 一日, 機上卷絲器'《集韻》. ③소리적 두드리는 소리. '叩門聲一一'《白居易》.

字源 形聲. 篆文은, 木+啻〔音〕

木 11〔槔〕15 고 ㊥豪 gāo コウ つるべ

字解 두레박고 물 긷는 기구. '桔一'.

字源 形聲. 木+皐(皋)〔音〕

參考 槹(木부 10획〈570〉)는 本字. 橰(木부 12획〈582〉)는 同字.

木 11〔槻〕15 규 ㊥支 guī キ つき, とねりこ

字解 ①둥근느티나무규 담팔수과(膽八樹科)에 속하는 상록 교목. ②물푸레나무규 물푸레나뭇과의 낙엽 소교목.

字源 形聲. 木+規〔音〕

木 11〔槦〕15 용 ㊥冬 yōng ヨウ きのな

筆順 木 杧 杧 槦 槦 槦 槦 槦

字解 ①나무이름용 '槝一'은 나무의 이름. '槝一, 木名, 材中箭笴'《集韻》. ②무기걸이용 무기를 걸어 두는 틀. '兵架謂之一'《集韻》.

木 11〔槽〕15 조 ㊥豪 cáo ソウ かいばおけ

字解 ①구유조 마소의 먹이를 담는 통. '一櫪'. '三馬同食一一'《晉書》. ②술통조 술을 저장해 두는 그릇. '捧罌承一'《劉伶》. ③물통조 물을 저장해 두는 그릇. '水一'. '雲湧浴一朝自暖'《王安石》. ④홈통조 널로 만든 통수로(通水路). '安流復其故道謂之復一水'《宋史》. ⑤비파바탕조 현악기·비파의 줄을 매는 몸체. '檀一'. '賀懷智善瑟琶, 以石爲一'《開元遺事》. ⑥절구조 곡식 같은 것을 빻는 제구. '茶一藥臼杵聲中'《范成大》.

字源 形聲. 木+曹(䡆)〔音〕

木 11〔槿〕15 人名 근 ㊤吻 jǐn キン むくげ

筆順 木 木 朩 栉 栉 桦 槿 槿

字解 무궁화나무근 아욱과에 속하는 낙엽 관목(落葉灌木). 꽃은 한국의 국화(國花)임. '一花一日榮'. '松樹千年終是朽, 一花一日自爲榮'《白居易》.

字源 形聲. 木+菫〔音〕

木 11〔樷〕15 아 ①㊤哿 ②㊥歌 ě ア きのさかんなさま / ē ア えだのながくしなやかなさま

字解 ①무성할아 '一㮯'는 나무가 무성한 모양. '一㮯, 木盛貌'《玉篇》. ②가지휘청거릴아 나뭇가지가 가늘고 길며 약한 모양. '一㮯, 樹枝長弱皃'《集韻》.

木 11〔樁〕15 ㊀장 ㊥江 zhuāng トウ くい / ㊁용 ㊥冬 chōng ショウ つく

字解 ㊀말뚝장 '一杙'. '斬拔栟輿一'《韓愈》. ㊁칠용 두드림. '扼其喉, 而一其心'《晉書》.

字源 形聲. 木+舂〔音〕

參考 椿(木부 9획〈560〉)은 別字.

木 11〔樜〕15 자 ㊦禡 zhè シャ きのな

字解 산뽕나무자 柘(木부 5획〈536〉)와 同字.

字源 形聲. 木+庶〔音〕

木 11〔樅〕15 종 ㊥冬 cōng ショウ もみ

字解 ①전나무종 전나뭇과에 속하는 상록 침엽 교목(常綠針葉喬木). '一木外臧椁十五具'《漢書》. ②들쭉날쭉할종 '崇牙之貌一一然也'《詩經 傳》. ③칠종 종·북 같은 것을 쳐 울림. '一金鼓'《司馬相如》. ④성종 성(姓)의 하나.

字源 形聲. 木+從〔音〕

木 11〔樋〕15 통 ㊥東 tōng トウ きのな

字解 나무이름통 나무의 하나.

字源 形聲. 木+通〔音〕

木 11〔樏〕15 류 ㊥支 léi ルイ はち

字解 ①찬합류 반찬이나 술안주를 담는 여러 층으로 된 그릇. ②나막신류 밑에 징을 박아 미끄러지지 않게 한 등산용 신.

字源 形聲. 木+累〔音〕

木 11〔樘〕15 탱(쟁㊗) ㊥庚 chēng トウ はしら

字解 기둥탱 집의 기둥. '一, 柱也'《說文》. ※俗音 쟁.

字源 形聲. 木+堂〔音〕

木 11〔樒〕15 밀 ㊀質 mì ミツ じんこう

字解 침향밀 팥꽃나뭇과에 속하는 상록 교목(常綠喬木). 수지(樹脂)에서 취하는 향료(香料)로 유명함. '一, 字林, 香木也. 似

槐'《集韻》.
[字源] 形聲. 木+密〔音〕

木11 〔樓〕15 [高·人] 루 [平]尤 lóu ロウ たかどの

[筆順] 木 … 樓

[字解] ①다락루 다락집. 이층집. '一閣'. '美人居一上, 臨見大笑之'《史記》. ②망루루 높이 지어 적을 정찰하거나 먼 곳을 바라보는 건물. '一觀'. '光武舍城一上'《後漢書》. ③겹칠루 모임. '嶔崟離一'《王延壽》.
[字源] 形聲. 木+婁〔音〕

木11 〔樔〕15 [一] 소 [平]肴 cháo ソウ やぐら [二] 초 [上]篠 jiǎo ショウ たつ, たえる

[字解] [一] 풀막소 소택(沼澤)에 있는 야만인의 집. 또는, 소택의 풀을 지키는 사람이 있는 집. '一, 澤中守草樓'《說文》. [二] 끊을초, 끊일초 剿(刀부 11획〈109〉)와 同字. '命一絶而不長'《漢書》.
[字源] 形聲. 木+巢〔音〕

木11 〔槴〕15 호 [上]麌 hù コ ふばこ

[字解] ①문갑(文匣)호 서류(書類)를 넣어 두는 상자. '一, 藉書具'《集韻》. ②통발호 물고기를 잡는 제구. '一, 一曰, 取魚具'《集韻》.

木11 〔樕〕15 속 [入]屋 sù ソウ しば, いばら

[字解] ①덤불속 총생(叢生)한 소목(小木). '林有樸一'《詩經》. ②떡갈나무속 참나뭇과에 속하는 낙엽 교목(落葉喬木). '槲一'.
[字源] 形聲. 木+欶〔音〕

木11 〔[木+速]〕15 樕(前條)의 俗字

木11 〔樗〕15 저 [平]魚 chū チョ ぬるで

[字解] ①가죽나무저 소태나뭇과에 속하는 낙엽 교목(落葉喬木). '采荼薪一'《詩經》. 잎은 냄새가 이상하고, 재목은 옹이가 많아 쓸모가 없으므로, 무용(無用)의 뜻으로 쓰임. '櫟一'. '豈有松柏後身化爲一櫟'《隋書》. ②성저 성(姓)의 하나.
[字源] 形聲. 木+雩〔音〕

木11 〔標〕15 [高·人] 표 [平]蕭 [上]篠 biāo ヒョウ こずえ, しるし

[筆順] 木 … 標

[字解] ①나무끝표 나무의 끝. 우듬지. '大本而小一'《管子》. ②가지표 높은 데 있는 나뭇가지. '上如一枝, 民如野鹿'《莊子》. ③꼭대기표 '少陰, 所謂一也'《素問》. ④처음표 시작. '本一不同'《素問》. ⑤표표 ㉠표적 또는 표시. '一識'. '立兩一, 以別新舊'《晉書》. ㉡목표. 준적(準的). '一準'. '立一簡試'《晉書》. ⑥표할표 표를 하여 나타냄. '一示'. '一之以翠翳'《郭璞》. ⑦나타날표, 나타낼표 드러남. 눈에 뜨임. 또, 표현(表現)함. '一空'. '相一榜'《後漢書》. ⑧적을표 기록함. '名一於奇紀'《孫綽》. ⑨세울표 '黃琬之早一聰察'《任昉》.
[字源] 形聲. 木+票(㶾)〔音〕

木11 〔[木+庳]〕15 [一] 피 [平]支 pí ヒ したむきのえだ [二] 비 [平]齊 bī ビ ちいさいたちき

[字解] [一] 처진가지피 밑으로 늘어진 가지. '下支, 謂之一榹'《廣韻》. [二] 작은나무비 '一, 一榹, 小木'《集韻》.

木11 〔橷〕15 두 [平]尤 dōu トウ きのな

[筆順] 木 … 橷

[字解] ①나무이름두 '一, 木名'《集韻》. ②곧은뿌리두 잔가지 뿌리가 나지 않은 나무뿌리. '木根入地無枝椏曰, 一'《正字通》.

木11 〔樛〕15 규 [平]尤 jiū キュウ まがる, めぐる

[字解] ①늘어져휠규 나뭇가지가 아래로 늘어져 굽음. '南有一木'《詩經》. ②돌고돌규, 두루다닐규 꾸불꾸불함. 주류(周流)함. '一流'. '遠紆廻以一流'《班彪》. ③동여맬규 묶음. 맴. '不一垂'《儀禮》. ④구할규 '一天道其焉如'《張衡》. ⑤성규 성(姓)의 하나.
[字源] 形聲. 木+翏〔音〕

木11 〔樝〕15 사 [平]麻 zhā サ こぼけ

[字解] 풀명자나무사 능금나뭇과에 속하는 낙엽 소관목(落葉小灌木). 열매는 모과(木瓜) 비슷한데, 맛이 몹시 심. '禮義法度, 其猶一梨橘柚耶'《莊子》.
[字源] 形聲. 木+虘〔音〕

木11 〔樚〕15 록 [入]屋 lù ロク ろくろ

[字解] 고패록 ㉠우물의 물을 긷기 위하여 두레박줄을 오르내리게 한 고패. '一櫨, 井上汲水器'《韻會》. ㉡무거운 물건을 끌어당기거나 올리는 데 쓰이는 도르래. '道險臥一櫨'《庾信》.
[字源] 形聲. 木+鹿〔音〕

木 11 〔樞〕15 [人名] [一]추 [平]虞 shū シュ とのかいてんじく
[二]우 [平]尤 ōu オウ やまにれ

[筆順] 木 朩 杄 枦 栕 桭 樞 樞

[字解] [一]①지도리추 문의 지도리. '戶—'. '—, 謂之椳'《爾雅》. ②고동추 ㉠운전 활동을 맡은 장치. '施機設—'《吳越春秋》. ㉡가장 중요한 점. '—機'. '人君者管分之—要也'《荀子》. ③근본추 '經營四方, 還反於—'《淮南子》. ④한가운데추 중앙. 중심이 되는 것. '中—'. '韓魏, 天下之—也'《史記》. ⑤처음추 시작. '事在—'《太玄經》. ⑥별이름추 북두칠성(北斗七星)의 첫째 별. '—星'. '影雜繞—之電'《常袞》. ⑦성추 성(姓)의 하나. [二]나무이름우 느릅나무의 일종. '山有—'《詩經》.

[字源] 形聲. 木+區〔音〕

木 11 〔樆〕15 [一]리 [平]支 lí リ やまなし
[二]치 [平]支 chī チ しげる

[字解] [一]문배나무리 능금나뭇과에 속하는 낙엽 교목. '在山曰—, 人植曰梨'《爾雅疏》. [二]무성할치 나무가 우거짐. '—, 布木也'《集韻》.

木 11 〔樟〕15 [人名] 장 [平]陽 zhāng ショウ くす

[筆順] 木 朩 朩 栏 栌 梓 樟 樟

[字解] 녹나무장 녹나뭇과에 속하는 상록 교목(常綠喬木). '橡—'. '臣郡有枯—更生'《晉書》.

[字源] 形聲. 木+章〔音〕

木 11 〔樠〕15 [一]만 [平]寒 mán バン・マン きのな
[二]문 [平]元 mén ボン・モン まつのしん
[三]랑 [上]養 lǎng ロウ あきにれ

[字解] [一]①흑단만 감나뭇과에 속하는 상록 교목(常綠喬木). '烏孫國, 山多松—'《漢書》. ②진흐를만 나무의 진이 나와서 흐름. 또, 진. '以爲門戶, 則液—'《莊子》. [二]흑단문, 진흐를문 [一]과 뜻이 같음. [三]나무이름랑 느릅나무의 일종. '楚王遂行, 卒于—木之下'《左傳》.

[字源] 形聲. 木+㒼〔音〕

木 11 〔樇〕15 수 [平]尤 xiū シュウ きがながい

[字解] ①나무밋밋할수 나무가 길. '—, 木長也'《正字通》. ②나무이름수 '—, 木名'《玉篇》.

木 11 〔模〕15 [高·人] 모 [平]虞 mú, mó ボ・モ かた, のっとる

[筆順] 木 朩 栌 栌 栉 措 模 模

[字解] ①법모 법식. 규범. '陳三皇之軌—'《張衡》. ②본모 본보기. '—範'. '邦之宗—'《晉書》. ③무늬모 어룽진 문채. '繽乎其猶—繡'《書經》. ④거푸집모 주형(鑄型). '鑄器, 必先用蠟爲—'《洞天淸錄》. ⑤본뜰모 본받음. '以身—之'《武帝內傳》. ⑥모양모 형상. '異狀奇—此其匹'《王惲》. ⑦문지를모 비빔. '印—履踪'《名勝志》.

[字源] 形聲. 木+莫〔音〕

木 11 〔樣〕15 [高·人] [一]양 [去]漾 yàng ヨウ かた, さま
[二]상 [上]養 xiàng ショウ くぬぎのみ

[筆順] 木 杧 栏 栏 样 様 樣 樣

[字解] [一]①본양 본보기. 양식. '—制'. '依—畫葫蘆'《續湘山野錄》. ②모양양 형상. '同—'. '淵角殊—'《任昉》. ③무늬양 어룽진 문채. '繡—'. '猶戀機中錦—新'《王建》. ④처럼양 …같이. '岷山玉—淸, 岷水眼—明'《楊萬里》. [二]상수리나무상 橡(木부 12획〈580〉)과 同字.

[字源] 形聲. 木+羕〔音〕

木 11 〔樉〕15 상 [上]養 shuǎng ショウ きのしげるさま

[字解] ①나무더부룩할상 '—, 木茂貌'《集韻》. ②나무이름상 '—, 木名'《廣韻》.

木 11 〔槨〕15 곽 [入]藥 guǒ カク そとひつぎ

[字解] 덧널곽 외관(外棺). '范獻子去其柏—'《左傳》.

[字源] 形聲. 木+郭〔音〕

木 11 〔権〕15 〔권〕 權(木부 10획〈567〉)의 俗字

木 11 〔槺〕15 강 [平]陽 kāng コウ むなしい

[字解] 빌강 공허함. '委參差以—梁'《司馬相如》.

木 11 〔槫〕15 단 [平]寒 tuán タン まるい

[字解] ①둥글단 '曾枝剡棘圓果—兮'《楚辭》. ②영구차단 '輲, 載柩車也, 或作—'《集韻》.

[字源] 形聲. 木+專〔音〕

木 11 〔槺〕15 〔랑〕 桹(木부 7획〈547〉)의 俗字

木11〔槾〕15 만 ①㊥寒 màn バン·マン こて ②-④㊦翰 màn バン·マン むさぼる, やに

字解 ①흙손만 鏝(金부 11획〈1578〉)과 同字. '一, 杇也'《說文》. ②탐할만 '一, 貪也'《廣雅》. ③나무이름만 나무의 하나. ④나뭇진만 수지(樹脂). '一, 一日, 木脂'《集韻》.

字源 形聲. 木+曼〔音〕

木11〔槮〕15 신 ㊥眞 shēn シン きのな

字解 팥배나무신 장미과에 속하는 낙엽 교목(落葉喬木). '杜, 東齊海岱之間, 謂之一'《揚子方言》.

木11〔橏〕15 산 ①㊤潸 chǎn サン きのな ②㊦諫 shàn サン しとね

筆順 木 朩 朩 桥 桥 樟 棒 橏

字解 ①나무이름산 과수의 이름. 복숭아 비슷한 열매가 열. '一, 木名'《玉篇》. ②요산 잠자리에 까는 것. '一, 牀蓐也'《集韻》.

木11〔槤〕15 련 ①㊤銑 liǎn レン さいき ②㊥先 lián レン かんぬき

字解 ①제기련 서직(黍稷)을 담는 제기(祭器). '夏后氏四一, 殷六瑚'《禮記》. ②빗장련 문빗장.

字源 形聲. 木+連〔音〕

木11〔樑〕15 人名 량 ㊥陽 liáng リョウ はり

筆順 木 杉 杒 杒 梆 梁 樑 樑

字解 들보량 梁(木부 7획〈551〉)의 俗字. '以爲舟航柱一'《淮南子》.

字源 形聲. 木+梁〔音〕

木11〔檑〕15 침 ㊥侵 cén シン きのな

字解 구주물푸레나무침 梣(木부 7획〈549〉)과 同字. '梣, 靑皮木名. …或作一'《集韻》.

木11〔樀〕15 닐 ㊀質 nì ジツ きのな

字解 나무이름닐 '一, 木名'《類篇》.

木11〔槬〕15 ㊀화 ㊦禡 huà カ かば ㊁저 ㊥魚 huò チョ あくぼくのな

字解 ㊀자작나무화 樺(木부 12획〈578〉)와 同字. '一, 一木也'《說文》. ㊁못쓸나무이름저 쓸모없는 나무. '一, 惡木'《廣韻》.

木11〔樿〕15 필 ㊀質 bì ヒツ きのな

筆順 木 木罒 栶 椢 椢 楒 樿 樿

字解 나무이름필 '一, 木名'《廣韻》

字源 形聲. 木+畢〔音〕

木11〔樢〕15 ㊀목 ㊀屋 mù ボク とりのな ㊁조 ㊤篠 niǎo チョウ つた

字解 ㊀새이름목 '一, 鳥名'《集韻》. ㊁누홍초(縷紅草)조 메꽃과에 속하는 일년생 만초. 蔦(艸부 11획〈1175〉)와 同字. '蔦, 寄生草也. …一, 蔦或从木'《說文》.

木11〔樨〕15 서 ㊥齊 xī セイ もくせい

字解 목서(木犀)서 '一, 江南謂桂曰木一'《字彙補》.

木11〔橔〕15 진 ㊥眞 chén チン かけまわる

字解 뛰어다닐진 '一梴'은 일하느라 뛰어다님. '扶嶔崟以一梴'《王延壽》.

木11〔櫃〕15 〔긍〕 栢(木부 9획〈564〉)의 本字

木11〔桼〕15 〔칠〕 桼(木부 7획〈546〉)과 同字

木11〔槧〕15 〔천〕 櫏(木부 15획〈589〉)과 同字

木11〔樐〕15 〔로〕 櫓(木부 15획〈588〉)와 同字

木11〔檯〕15 〔태〕 笞(竹부 5획〈932〉)와 同字

木11〔権〕15 〔권〕 權(木부 18획〈592〉)의 俗字

木11〔横〕15 〔횡〕 橫(木부 12획〈581〉)의 略字

木11〔樬〕15 〔연〕 椽(木부 9획〈560〉)의 訛字

木11〔頴〕15 경 ㊤迥 ①②jiǒng ケイ はこ ㊤梗 ③-⑤ケイ きりのえ

字解 ①상자경 대나무로 결은 상자. '一, 一日, 篋也'《類篇》. ②책상경 발이 달린 책상. '一, 足几也'《類篇》. ③송곳자루경 '一, 一日, 錐柄'《集韻》. ④칼코등이경 칼자루의 슴베 박은 쪽의 목에 감은 쇠 테. '一, 一日, 刀鐶'《集韻》. ⑤나무이름경 '一, 木名'《集韻》.

木 11〔槔〕15 호 [平]豪|コウ·ゴウ きのな

[字解] 나무이름호 '一, 木名'《廣韻》.
[字源] 形聲. 木＋號〈省〉〔音〕

木 11〔槳〕15 장 [上]養|jiǎng ショウ かい

[字解] 노장 배 젓는 나무. 큰 것을 '櫓', 작은 것을 '一'이라 함. '桂櫂兮蘭一'《楚辭》.
[字源] 形聲. 木＋將〔音〕

木 11〔槡〕15 槳(前條)과 同字

木 11〔槷〕15 얼 [入]屑|niè ゲツ はしら, あやうい

[字解] ①칠얼 두드림. '無一而固'《周禮》. ②기둥얼 땅의 고저를 측량할 때 세우는 기둥. '置一以縣'《周禮》. ③위태로울얼 '摯, 讀爲一. 謂輻危一也'《周禮 注》.
[字源] 形聲. 木＋執〔音〕

木 11〔槸〕15 槷(前條)과 同字
[字源] 形聲. 木＋埶〔音〕

木 11〔樂〕15 [中·人] [一] 악 [入]覺|yuè ガク おんがく [二] 락 [入]藥|lè ラク たのしむ [三] 요 [去]效|yào ゴウ このむ

[筆順] ′ 自 白 䋈 𢀩 樂 樂 樂

[字解] [一] ①풍류악 음악. '一隊'. '王語暴以好一'《孟子》. ②아뢸악 음악을 연주함. '獨一樂, 與人一樂, 孰樂'《孟子》. ③악인(樂人)악 가수(歌手). 연주자. '齊人歸女一'《論語》. ④악기악 '太師抱一, 箕子拘囚'《史記》. ⑤낳을악 남. 태어남. '地載以一'《淮南子》. ⑥성악 성(姓)의 하나. [二] ①즐길락 기뻐함. 쾌하게 여김. '所一而玩'《易經》. ②즐거움락 쾌락. '苦一'. '回也不改其一'《論語》. ③즐거울락 쾌함. '有朋自遠方來, 不亦一乎'《論語》. ④즐겁게할락 '一爾妻孥'《詩經》. [三] 좋아할요 마음에 들어 바람. '仁者一山, 智者一水'《論語》. 또, 좋아하는 바. 바라는 바. '益者三一, 損者三一'《論語》.
[字源] 象形. 크고 작은 북이 받침 위에 놓여 있는 모양을 본뜸. 파생하여 '즐겁다'의 뜻을 나타냄.

木 11〔槧〕15 [一] 참 [上]感|qiàn サン ふだ [二] 첨 [去]豔|qiàn セン てがみ

[字解] [一] ①분판참 글씨를 쓰는 널조각. '斷木爲一'《論衡》. 전(轉)하여, 글씨를 쓰거나 문장을 지음. '叔孫通一人也'《揚子法言》. ②판참 책의 판본(版本). '宋一'. '元一'. [二] 편지첨 간독(簡牘). '時作寄我一'《王令》.
[字源] 形聲. 木＋斬〔音〕

木 11〔㵝〕15 〔의〕 㶊(木부 12획〈583〉)와 同字

木 11〔槃〕15 〔형〕 馨(香부 11획〈1734〉)과 同字

木 11〔梟〕15 〔효〕 梟(木부 7획〈552〉)의 本字

木 12〔樷〕16 〔총〕 叢(又부 16획〈144〉)의 古字
[字源] 形聲. 林＋取〔音〕

木 12〔槑〕16 〔록〕 麓(鹿부 8획〈1847〉)의 古字

木 12〔䰍〕16 [一] 포 [去]效 [平]肴 ①pào ホウ うわぬり ②páo ホウ あかぐろいろのうるし [二] 환 [去]翰 カン うわぬり

[字解] [一] ①덧칠할포 옻을 거듭 칠함. '一, 桼垸已, 復桼之'《說文》. ②적흑색칠포 적흑색(赤黑色)의 옻칠. '一, 赤黑漆'《廣韻》. [二] 적흑색칠환 [一]❷와 뜻이 같음.
[字源] 形聲. 桼＋包〔音〕

木 12〔樲〕16 이 [去]寘|èr ジ·ニ さねぶとなつめ

[字解] 멧대추나무이 갈매나뭇과에 속하는 낙엽 교목(落葉喬木). 대추나무와 비슷하나, 열매가 둥글고 가시가 있는 것이 다름. '養其一棘'《孟子》.
[字源] 形聲. 木＋貳〔音〕

木 12〔樳〕16 심 [平]侵|xún シン·ジン たいぼくのな

[字解] 나무이름심 서촉(西蜀) 지방에서 나는 큰 나무. 홰나무와 비슷하다 함. '亦猶疎林螢燿, 而與夫一木龍燭也'《左思》.

木 12〔橁〕16 춘 [平]眞|chūn チュン きのな

[字解] 참죽나무춘 '孟莊子斬其一, 以爲公琴'《左傳》.
[字源] 形聲. 木＋筍〔音〕

木 12〔樴〕16 직 [入]職|zhí ショク くい

[字解] 말뚝직 소 또는 짐승을 매어 두는 말뚝. '一謂之杙'《爾雅》.
[字源] 形聲. 木＋戠〔音〕

木 12 〔橅〕 16 무(모[俗]) [平]虞 | mú, mó ボ·モ かた, のり

[字解] 법무 법칙. 규범. 模(木부 11획〈575〉)와 뜻이 같음. ※俗音 모.
[字源] 形聲. 木+無〔音〕

木 12 〔樵〕 16 [人名] 초 [平]蕭 | qiáo ショウ たきぎ

[筆順] 木 村 朴 栌 椎 椎 樵 樵

[字解] ①땔나무초 화목. 잡목. '一採'. '無扞採一者, 以誘之'《左傳》. ②나무할초 땔나무를 함. '一夫'. '一彼桑斯'《詩經》. ③나무꾼초 나무하는 사람. '一歌'. '問一, 一不知'《王安石》. ④불사를초 '焚之者何. 一之也'《公羊傳》. ⑤망루초 譙(言부 12획〈1355〉)와 同字. '爲塹壘木一'《漢書》.
[字源] 形聲. 木+焦〔音〕

木 12 〔橃〕 16 [一] 벌 [入]月 | fá ハツ おおぶね
[二] 발 [入]曷 | fá ハツ おおぶね

[字解] [一] ①큰배벌 큰 선박(船舶). '一, 海中大船'《說文》. ②떼벌 뗏목을 엮은 것. '廣韻, 一下曰, 木一. 說文云, 海中大船. 謂, 說文所說者古義. 今義則同筏也'《說文 段注》. [二] 큰배발, 떼발 [一]과 뜻이 같음.
[字源] 形聲. 木+發〔音〕

木 12 〔樸〕 16 [一] 박 [入]覺 | pǔ ボク あらき, すなお, じみ
[二] 복 [入]屋 | pú ボク つく, むくのき

[字解] [一] ①통나무박 자르기만 하고 아직 다듬지 아니한 나무. '旣勤一斲'《書經》. 또, 건목만 친 목재(木材). '斲雕爲一'《史記》. ②순박할박 외모를 꾸미지 않으며 거짓이 없음. '質一'. '民敦而俗一'《孔子家語》. ③근본박 '知一則復歸於一'《呂氏春秋》. [二] ①달라붙을복 밀착함. '欲其一屬而微至'《周禮》. ②더부룩하게날복 무더기로 총생(叢生)함. '芃芃棫一'《詩經》. ③푸조나무복 느릅나뭇과(科)에 속하는 낙엽 교목. 잎으로 그릇을 닦고, 재목은 세공재·기구재로 씀.
[字源] 形聲. 木+菐〔音〕

木 12 〔橠〕 16 나 [上]哿 [平]歌 | ①nuǒ ダ·ナ しげる ②nuó ダ·ナ えだのよわいさま

[字解] ①나무무성할나 '檹一, 木盛皃'《集韻》. ②가지휘청거릴나 나뭇가지가 연약한 모양. '檹一, 枝弱皃'《集韻》.

木 12 〔[illegible]〕 16 와 [上]哿 | wǒ ワ しだれる

[字解] 가지늘어질와 가지가 축 늘어짐. '一, 枝垂也'《篇海類編》.

木 12 〔樹〕 16 [中·人] 수 [去]遇 [上]麌 | ①-⑥shù ジュ たちき, かき ⑦⑧shù ジュ うえる, たてる

[筆順] 木 朩 桔 桔 桔 桔 樹 樹

[字解] ①나무수 서 있는 산 나무. '一木'. '斫大一, 白而書之'《史記》. ②초목수 식물의 총칭. '萍一根于水, 木一根于土'《淮南子》. ③담수 병장(屛障). '屛謂之一'《爾雅》. ④담세울수 담을 둘러쳐 세움. '邦君一塞門'《論語》. ⑤근본수 '一, 本也'《廣雅》. ⑥성수 성(姓)의 하나. ⑦심을수 식물을 심음. '一藝'. '不封不一'《易經》. ⑧세울수 서게 함. '一立'. '一勳'. '一德務滋'《書經》.
[字源] 形聲. 木+尌〔音〕

木 12 〔橬〕 16 [一] 심 [平]侵 | qín シン ふしづけ
[二] 잠 [平]鹽 | qián セン ふしづけ

[筆順] 木 杧 杧 杧 杧 橬 橬 橬

[字解] [一] ①고기깃심 추울 때 고기를 잡기 위하여 물속에 풀포기나 나무를 잠가 두는 것. 섶. '一, 積柴水中以取魚也'《集韻》. ②구주물푸레나무심 梣(木부 7획〈549〉)과 뜻이 같음. [二] 고기깃잠, 구주물푸레나무잠 [一]과 뜻이 같음.

木 12 〔[illegible]〕 16 전 ①[平]先 | jiān セン しばぐり
②[去]霰 | jiàn セン やまうめ

[字解] ①작은밤전 톨이 작은 밤. '趙·魏之間, 謂栗之小者曰一'《集韻》. ②산매(山梅)전 매화나무의 일종. '一, 山梅也'《類篇》.

木 12 〔樺〕 16 [人名] 화 [去]禡 [平]麻 | huà カ かば

[筆順] 木 朩 栏 栏 栟 樺 樺 樺

[字解] 자작나무화 자작나뭇과에 속하는 낙엽 교목(落葉喬木). 수피(樹皮)는 표면이 희며, 약재(藥材)로 씀. '煙霞爲一綿千載'《麻九疇》.
[字源] 形聲. 木+華〔音〕

木 12 〔樽〕 16 준 [平]元 | zūn ソン さかだる

[字解] ①술그릇준 단지 비슷한 술그릇. 술통. 尊(寸부 9획〈290〉)·罇(缶부 12획〈1024〉)과 同字. '一杓'. '有酒盈一'《陶潛》. ②그칠준 그만둠. '一流遁之觀'《淮南子》.
[字源] 形聲. 木+尊〔音〕

木 12 〔[illegible]〕 16 〔경〕
耕(耒부 4획〈1051〉)과 同字

木12〔榪〕16 〔탁〕
欜(木부 21획〈593〉)의 俗字

木12〔橅〕16 ㊙ 추
字解 《韓》싸리추 싸리나무. '卽差一城郡太守金峻爲告奏使'《三國史記 46》. '地膚子, 鄉名, 唐一'《鄉藥集成方》.

木12〔樾〕16 월 ㊀月|yuè エツ こかげ
字解 ①나무그늘월 수음(樹蔭). '蔭暍人于一下'《淮南子》. ②가로수월 길거리에 심은 나무. '設燎相屬, 道一爲枯'《唐書》.
字源 形聲. 木+越〔音〕

木12〔橜〕16 결 ㊀屑|jié ケツ はねつるべ
字解 두레박틀결 桔(木부 6획〈544〉)과 同字.

木12〔樿〕16 전 ㊤銑㊦霰|shàn セン つげ
字解 회양목전 회양목과에 속하는 상록 교목(常綠喬木). 결이 곱고 단단하여 도장·빗 등 세공의 기구를 만듦. 황양(黃楊). '櫛用一櫛'《禮記》.
字源 形聲. 木+單〔音〕

木12〔橄〕16 감 ㊤感|gǎn カン かんらん
字解 ①감람나무감 '一欖'은 감람과에 속하는 상록 교목(常綠喬木). 아시아 열대 지방에서 야생함. '漢武帝破南越, 得一欖百餘本'《三輔黃圖》. ②성감 성(姓)의 하나.
字源 形聲. 木+敢〔音〕

木12〔樻〕16 궤 ㊤紙|kuì キ へびのき
字解 영수목(靈壽木)궤 대나무 비슷하고 마디가 있음. 椐(木부 8획〈553〉)와 뜻이 같음.
字源 形聲. 木+貴(賫)〔音〕

木12〔橇〕16 ㊀ 취 ㊦霽|cuì セイ そり ㊁ 교 ㊥蕭|qiāo キョウ そり
字解 ㊀ 썰매취 진흙 위를 가는 키같이 생긴 탈것. 지금은 눈 위에서 씀. '泥行乘一'《史記》. ㊁ 썰매교 ㊀과 뜻이 같음.
字源 形聲. 木+毳〔音〕

木12〔橈〕16 ㊀ 요 ㊥蕭|ráo ジョウ·ニョウ かい ㊁ 뇨 ㊦效|nāo ドウ·ニョウ まがる, まげる
字解 ㊀ 노요 짧은 노. '楫謂之一'《博雅》. ㊁ ①휠뇨 ㉠구부러짐. '轅直且無一也'《周禮》. ㉡구부림. '毋或枉一'《禮記》. ②꺾일뇨 기세가 꺾임. '師徒一敗'《左傳》. ③약할뇨 연약함. 또, 약해짐. '棟一凶'《易經》. ④약하게할뇨 '謀一楚權'《漢書》. ⑤헤칠뇨 흩어지게함. '一萬物'《易經》.
字源 形聲. 木+堯〔音〕

木12〔橉〕16 린 ①㊦震 ②㊤軫|lìn リン きのな リン しきい
字解 ①나무이름린 이 나무를 땐 재는 약용 또는 물감으로 쓰인다고 함. '一杞稹薄於潯涘'《郭璞》. ②문지방린 '枕戶一而臥'《淮南子》.
字源 形聲. 木+粦〔音〕

木12〔樿〕16 ㊀ 전 ㊤銑|zhǎn セン きのこぶ ㊁ 건 ㊤銑|jiǎn ケン じゅもくのながいさま
字解 ㊀ ①옹두리전 나무에 생기는 혹. '一, 木瘤'《集韻》. ②나무이름전 '一, 木名'《集韻》. ③마른나무전 말라 죽은 나무. ㊁ 나무밋밋할건 '一棍'은 나무가 길다란 모양. '一棍, 樹長皃'《集韻》.

木12〔橋〕16 中·人 ㊀ 교 ㊥蕭 ①-⑦qiáo キョウ はし ㊥蕭 ⑧-⑩jiǎo キョウ ためる ㊁ 고 ㊥豪 jiǎo コウ つよい
筆順 木 朩 杧 柸 桥 榗 橋 橋
字解 ㊀ ①다리교 교량. '一頭'. '初作河一'《史記》. ②시렁교 나무를 가로질러 물건을 얹어 두게 한 것. '笄加于一'《儀禮》. ③업신여길교 깔봄. '一泄者人之殃也'《荀子》. ④가로나무교 두레박틀의 가로 댄 나무. '一直植立而不動, 俯仰取制焉'《淮南子》. ⑤나무이름교 나무의 하나. '一木高而仰, 梓木晉而俯'《尙書大傳》. ⑥높을교 喬(口부 9획〈176〉)와 통용. '山有一松'《詩經》. ⑦성교 성(姓)의 하나. ⑧어그러질교 이치에 어그러짐. '其與一言無擇'《呂氏春秋》. ⑨가마교 轎(車부 12획〈1478〉)와 同字. '山行即一'《史記》. ⑩고칠교 바로잡음. 교정함. 矯(矢부 12획〈864〉)와 통용. '一飾其性情'《荀子》. ㊁ 셀고 세찬 모양. '欲惡去就, 於是一起'《莊子》.
字源 形聲. 木+喬〔音〕

木12〔橑〕16 ㊀ 로 ㊤晧|lǎo ロウ たるき ㊁ 료 ㊥蕭|liáo リョウ さぬがさのほね
字解 ㊀ ①서까래로 '桂棟兮蘭一'《楚辭》. ②장작로, 나뭇조각로 '雕一然後爨之'《管

子). 曰 우산살료 '一, 一曰, 蓋骨'《廣韻》.
字源 形聲. 木+尞〔音〕

木12〔橕〕16 탱 ㊥庚|chēng トウ ささえる
字解 버틸탱 쓰러지지 않게 굄. 또, 버팀기둥. '一, 又一柱也'《廣韻》. '離樓梧以相一'《司馬相如》.
字源 形聲. 木+掌〔音〕

木12〔橘〕16 人名 귤 ㊤質|jú キツ みかん
筆順 木 杧 杼 桥 桥 橘 橘 橘
字解 귤나무귤, 귤귤 운향과에 속하는 작은 상록 교목(常綠喬木). '一顆'. '一踰淮而北, 爲枳'《周禮》. 또, 그 열매. '一中之樂'.
字源 形聲. 木+矞〔音〕

木12〔橙〕16 등(① 증㊍) ㊥庚 ㊦徑 |①chéng トウ だいだい ②dèng トウ ふみだい
字解 ①등자나무등 운향과에 속하는 작은 상록 교목(常綠喬木). 귤 비슷한 누런 열매는 약재로 씀. '黃甘一榛'《司馬相如》. ※本音 증. ②등상등 일종의 책상. '使韋仲將懸一書之'《晉書》.
字源 形聲. 木+登〔音〕

木12〔橒〕16 운 ㊥文|yún ウン もくめ
字解 ①나무무늬운 연륜·나뭇결 같은 나무의 무늬. '一, 木文'《玉篇》. ②나무이름운 '一, 木名'《集韻》.
字源 形聲. 木+雲〔音〕

木12〔橛〕16 궐 ㊤月|jué ケツ くい
字解 ①말뚝궐 '一杙'. '旁樹長一'《爾雅註》. ②문지방궐 '楣一與棟梁'《杜牧》. ③등걸궐 그루터기의 몸. '若一株駒'《列子》. ④재갈궐 마함(馬銜). '前有一飾之患'《莊子》.
字源 形聲. 木+厥〔音〕

木12〔橜〕16 橛(前條)의 本字

木12〔橝〕16 담 ㊥覃|tán タン たるき
字解 ①서까래담 지붕 끝의 처마. ②시렁담 잠박을 올리는 시렁. ③나무이름담 樼(木부 12획〈579〉)의 별칭(別稱). 이 나무를 땐 재는 약제(藥劑)와 염료(染料)로 쓰인다 함. '擥瑤木之一枝兮'《楚辭》.
字源 形聲. 木+覃(㠭)〔音〕

木12〔機〕16 高·人 기 ㊥微|jī キ しかけ, はた
筆順 木 杙 杙 桦 桦 機 機 機
字解 ①틀기 기계. '一關'. '虞一張'《書經》. ②재치기 기교(技巧). '一巧'. '爲一變之巧者'《孟子》. ③거짓기 허위. 또, 나쁜 책략(策略). '一心'. '一械之心, 藏於胸中'《淮南子》. ④베틀기 베 짜는 틀. '一杼'. '其母投杼下一, 踰牆而走'《史記》. ⑤계기기 동인(動因). '其一如此'《大學》. ⑥기틀기 고동. 사북. '樞一'. '此皆達於治亂之一'《淮南子》 ⑦때기 ㉠시기. '遲重少決, 失在後一'《魏志》. ㉡기회. '乘一'. '成敗之一, 在此一擧'《後漢書》. ⑧실마리기 단서(端緖). '啓一于身後'《後漢書》. ⑨조짐기 '知一道者, 不可挂以髮'《素問》. ⑩작용기 활동. '嗜慾深者, 天一淺'《莊子》. ⑪권세기 권병(權柄). '後裔握一'《後漢書》. ⑫별이름기 북두칠성의 셋째 별. '北斗魁星第三爲一'《後漢書 注》.
字源 形聲. 木+幾〔音〕

木12〔橓〕16 순 ㊦震|shùn シュン むくげ
字解 무궁화나무순 아욱과의 낙엽 교목. 근화(槿花). 목근(木槿). 蕣(艸부 12획〈1182〉)과 同字.

木12〔橡〕16 상 ㊤養|xiàng ショウ くぬぎ
字解 ①상수리나무상 참나뭇과에 속하는 낙엽 교목(落葉喬木). ②상수리상 상수리나무의 열매. '與邑人山拾一'《晉書》.
字源 形聲. 木+象〔音〕

木12〔橢〕16 타 ㊤哿|tuǒ ダ まるくてほそながい
字解 ①길쭉할타 가늘고 깖. '蟦, 小而一'《爾雅》. ②둥글고길쭉할타 '一圓'. '小一之'《漢書》.
字源 形聲. 木+隋〔音〕

木12〔墮〕16 橢(前條)와 同字

木12〔橦〕16 曰 동 ㊥東|tóng トウ きのな 曰 충 ㊥冬|chōng ショウ つく 曰 장 ㊥江|chuáng トウ さお
字解 曰 나무이름동 꽃을 따서 베를 짤 수 있다는 나무. '漢女輸一布'《王維》. 曰 ①병거(兵車)충 적진을 돌파하는 전차(戰車). '楯櫓鉤一'《晉書》. ②찌를충 공격함. '衝

轞一城'《後漢書》. ③나무토막충 나무의 한 토막. '一, 木一截也'《集韻》. 曰 ①장대장 길고 밋밋한 나무나 대. 또, 깃대. '揭鳴鳶之脩一'《後漢書》. ②돛대장 '决帆摧一'《木華》.
字源 形聲. 木+童〔音〕

木12〔橁〕16 석 入陌 | xì セキ きぐつ
字解 나막신석 나무를 파서 만든 신. '一, 木履也'《集韻》.

木12〔橧〕16 증 平蒸 | zēng ソウ すまい, やねのないたかどの
字解 ①집증 '一巢'는 장작이나 섶나무를 높이 쌓고 그 위에서 기거하는 일종의 집. '先王未有宮室, 夏則居一巢'《禮記》. ②다락증 지붕 없는 누각. '一桴重棼'《張衡》.
字源 形聲. 木+曾〔音〕

木12〔橪〕16 연 上銑 平先 | rǎn ゼン·ネン こなつめ yān エン こうそう
字解 ①좀대추나무연 대추나무의 일종. 열매는 대추보다 작고 싱. '枇杷一柿'《司馬相如》. ②향풀이름연 '一支'는 향초(香草)의 하나. '采一支于中洲'《楚辭》.
字源 形聲. 木+然〔音〕

木12〔横〕16 高·人 횡 平庚 去敬 | ①-⑨héng コウ·オウ よこ ⑩hèng コウ まげる
筆順 木 朩 栟 栱 楉 楁 横 横
字解 ①가로횡 세로의 대(對). 동서 또는 좌우의 방향. '縱一'. '不別一之與縱'《東方朔》. ②옆횡 곁. 측면. '一眸'. '一擊之'《左傳》. ③가로놓을횡 '坐一弓'《儀禮》. ④가로놓일횡 ㉠가로 누움. 옆으로 이어짐. 가로길게 뻗침. '一中流兮揚素波'《漢武帝》. ㉡꽉 참. 막힘. '以一於天下'《禮記》. ⑤가로지를횡 횡단함. '一過'. '一江東來'《蘇軾》. ⑥섞일횡 '涕一集而成行'《楚辭》. ⑦방자할횡 방일함. '一恣'. '一暴'. '時一潰以陽遂'《王褒》. ⑧연횡횡 전국 시대(戰國時代)에 관동(關東)의 육국(六國)을 연합하여 관서(關西)의 진(秦)나라를 복종시키려고 한 정책. '趙魏困一'《千字文》. ⑨성횡 성(姓)의 하나. ⑩거스를횡 상리(常理)에 어그러짐. 도덕에 어긋남. '待我以一逆'《孟子》.
字源 形聲. 木+黃〔音〕

木12〔橭〕16 고 平虞 | gū コ はびこる, きのな
字解 ①목련고 목련과에 속하는 낙엽 교목(落葉喬木). 신이(辛夷). ②나무이름고 '牡一'는 느릅나무의 일종. '以牡一午貫象齒而焚之'《周禮》. ③퍼질고 나무가 사면으로 뻗어 퍼짐. '一, 木四布也'《廣韻》.

木12〔橲〕16 人名 韓 희
筆順 木 朩 朩 槙 槙 槙 橲 橲
字解 (韓) 사람이름희.

木12〔橨〕16 분 ①平文 ②③上吻 | fén フン いちょう fèn フン あし, ふなべり
字解 ①나무이름분 은행나무. '一, 枰仲木別名'《廣韻》. ②발분 기물(器物)의 발. '一, 柎也'《廣雅》. ③뱃전분 '一, 舟邊也'《集韻》.

木12〔樻〕16 曰비 去未 曰폐 | fèi ヒ きのな ハイ こけら
字解 曰 나무이름비 '一, 木名'《廣韻》. 曰 대팻밥폐 杮(木부 4획〈530〉)와 통용. '一, 木一. 與杮通'《正字通》.
字源 形聲. 木+費〔音〕

木12〔橒〕16 루 平支 | léi ルイ きのみ
字解 나무열매루 '一, 木實也'《說文》.
字源 形聲. 木+絫〔音〕

木12〔橎〕16 曰번 上阮 曰파 平歌 | fán ハン きのな ハ きのな
字解 曰 나무이름번 재질(材質)이 단단하며, 꽃은 피지 않고 열매가 열리는 나무. '一, 說文, 木也. 一曰, 剛木, 不華而實'《集韻》. 曰 나무이름파 ■과 뜻이 같음.
字源 形聲. 木+番〔音〕

木12〔橂〕16 전 去霰 | diàn テン きめかたく こまかい
字解 나뭇결촘촘할전 '一, 木理堅密'《集韻》.

木12〔橞〕16 혜 去霽 | huì ケイ きのな
字解 나무이름혜 '一, 木名'《廣韻》.
字源 形聲. 木+惠〔音〕

木12〔樨〕16 曰서 平齊 曰사 平支 | xī セイ ゆびひしぎ シ したむきのえだ
字解 曰 ①손가락형구서 열 손가락을 묶어 놓는 형구(刑具)의 하나. '一, 櫪一也'《說文》. ②아래로벋은가지서 '槺一'는 아래로 벋은 나뭇가지. '槺一, 木枝向下者也'《廣雅》. 曰 아래로벋은가지사 ■❷와 뜻이 같음.
字源 形聲. 木+斯〔音〕

木 12〔檣〕16 [一]시 [去]寘|shì シ きのな
[二]적 [入]錫|dī テキ のき

[字解] [一] 나무이름시 '一, 木名'《集韻》. [二] 樀(木부 11획〈573〉)의 本字.

木 12〔樝〕16 [一]혜 [平]齊|xī ケイ がまずみ
[二]해 [上]賄|カイ がまずみ

[字解] [一] 가막살나무혜 '楑一'는 가막살나무. [二] 가막살나무해 [一]과 뜻이 같음.

木 12〔橩〕16 경 [平]庚|qióng
ケイ·ギョウ きのな

[字解] ①나무이름경 '一, 木名'《玉篇》. ②쌍륙의주사위경 '一, 樗蒲戲骰子也'《正字通》.

木 12〔橖〕16 [一]당 [平]陽|táng トウ はどめ
[二]탱 [去]敬 [平]庚|①トウ ささえる ②chēng トウ ささえばしら

[字解] [一] 바퀴굄목당 '一, 車木'《集韻》. [二] ①버팀탱 '一, 柱也'《集韻》. ②버팀목탱 樘(木부 11획〈573〉)과 同字. '樘, 說文, 衺柱也. 或作橕·堂·一'《集韻》.

木 12〔橌〕16 한 [上]潸|xiàn
カン たいぼくのさま

[字解] 큰나무한 큰 나무의 모양. '一, 大木皃'《說文》.
[字源] 形聲. 木+閒〔音〕

木 12〔橞〕16 [韓] 덕

[字解] 《韓》 산덕 산(山) 이름으로 많이 쓰임.

木 12〔橵〕16 [韓] 산

[字解] 《韓》 산자(橵子)산 지붕의 서까래 위에 흙을 받기 위해 가로 펴 엮은 나뭇개비.

木 12〔檮〕16 〔도〕
檮(木부 14획〈586〉)의 本字

木 12〔橵〕16 〔사〕
榭(木부 10획〈567〉)의 本字

木 12〔楣〕16 〔미〕
楣(木부 9획〈562〉)의 本字

木 12〔橲〕16 〔억〕
檍(木부 13획〈583〉)의 古字

木 12〔槫〕16 〔진〕
榛(木부 10획〈566〉)과 同字

木 12〔橰〕16 〔고〕
槔(木부 11획〈573〉)와 同字

木 12〔橾〕16 〔탑〕
榻(木부 10획〈568〉)과 同字

木 12〔橊〕16 〔류〕
榴(木부 10획〈568〉)의 本字

木 12〔槮〕16 〔삼〕
槮(木부 11획〈572〉)과 同字

木 12〔権〕16 〔권〕
權(木부 18획〈592〉)의 俗字

木 12〔橱〕16 〔주〕
廚(广부 12획〈351〉)의 俗字

〔橚〕 〔숙〕
木부 13획(583)을 보라.

木 12〔棗〕16 조 [平]豪|zāo ソウ よがあける

[字解] 날샐조 '一, 日出明'《集韻》.
[字源] 會意. 東+東

木 12〔橆〕16 무 [上]麌|wǔ ブ ゆたか, ない

[字解] ①우거질무 무성함. 蕪(艸부 12획〈1183〉)와 同字. '庶草蕃一'《書經》. ②없을무 無(火부 8획〈716〉)와 同字. '秦以一作无'《字彙》.
[字源] 會意. 篆文은 林+夾〔音〕

木 12〔橆〕16 〔무〕
無(火부 8획〈716〉)의 古字

木 12〔橐〕16 탁 [入]藥|tuó
タク ふくろ, ふいご

[字解] ①전대탁 주머니의 한 가지. '于一于囊'《詩經》. ②풀무탁 바람을 일으키는 제구. '鼓一吹埵, 以消銅鐵'《淮南子》. ③절구질하는소리탁 '椓之一一'《詩經》.
[字源] 形聲. 橐〈省〉+石〔音〕

木 12〔橤〕16 예 [上]紙|ruǐ ズイ たれる, しべ

[字解] ①드리울예 축 늘어짐. '一一'. '佩玉壘一, 無以繫之'《易林》. ②꽃술예 화예(花蘂). 蘂(艸부 16획〈1203〉)와 同字. ③모일예 '一, 聚也'《廣雅》.
[字源] 形聲. 木+惢〔音〕

木 12〔橤〕16 橤(前條)과 同字

木12 〔⿱減木〕 16 의 [去]寘 | yì ギ しゅんばのな

[字解] 준마이름의 '白一'는 백마(白馬)로 주목왕(周穆王)의 팔준마(八駿馬)의 하나. '右驂赤驥而左白一'《列子》.

木12 〔⿱臾木〕 16 [一] 후 [平]虞 | xū ク もろはのすき
[二] 규 [平]支 | キ すき

[字解] [一] 양날쟁기후 '一, 茉臿也'《說文》. [二] 쟁기규 '𣚍, 廣雅, 臿也. 或作一'《集韻》.
[字源] 形聲. 木＋入＋朋〔音〕

木12 〔⿱猪木〕 16 〔저〕
櫫(木부 16획〈591〉)의 俗字

木13 〔檒〕 17 풍 [平]東 | fēng フウ かぜがきをふきすぎる

[字解] ①살랑거리게할풍 바람이 불어 나무를 살랑거리게 함. 또, 그 소리. '一, 風行木上曰一'《集韻》. ②風(部首〈1703〉)의 古字.

木13 〔橿〕 17 [人名] 강 [平]陽 | jiāng キョウ もち

[筆順] 橿

[字解] ①감탕나무강 감탕나뭇과에 속하는 상록 교목(常綠喬木). 동청(冬青). ②굳셀강 강성한 모양. '左右一一'《太玄經》.
[字源] 形聲. 木＋畺〔音〕

木13 〔⿰木禁〕 17 금 [去]沁 | jìn キン やらい

[字解] 울짱금, 사립짝금 집을 둘러막는 울. 또, 사립문. '一, 方言, 格也, 謂今竹木格, 一曰, 所以扞門'《集韻》.

木13 〔橚〕 17 [人名] 숙 [入]屋 | sù シュク ながくしげる

[筆順] 橚

[字解] ①밋밋할숙 나무가 곧게 자라 긴 모양. '一矗森萃'《左思》. ②무성할숙 초목이 무성한 모양. '一爽櫹槮'《張衡》.
[字源] 形聲. 木＋肅〔音〕

木13 〔檀〕 17 [高·人] 단 [平]寒 | tán ダン まゆみ

[筆順] 檀

[字解] ①박달나무단 자작나뭇과에 속하는 낙엽 교목(落葉喬木). '爰有樹一'《詩經》. ②단향목단 자단(紫檀)·백단(白檀) 등의 향나무의 총칭. '梅一'. ③성단 성(姓)의 하나.
[字源] 形聲. 木＋亶〔音〕

木13 〔檄〕 17 [人名] 격 [入]錫 | xí ゲキ めしぶみ

[筆順] 檄

[字解] ①격서(檄書)격 격문(檄文). 또, 징소(徵召)하는 문서. '飛一'. '爲一召通'《漢書》. ②편지격 간독(簡牘). '爲文一告楚相'《史記》. ③회장(回狀)격 회문(廻文). '佗移一'《史記》. ④격서보낼격 격서를 발송함. '一飛捕劇賊馬友'《宋史》.
[字源] 形聲. 木＋敫〔音〕

木13 〔⿰木豦〕 17 거 [平]魚 | qú キョ まがき

[字解] 울타리거 나무를 엮어 둘러친 울. '一, 籬也'《廣雅》.

木13 〔檇〕 17 취 [平]支 | ①zuì サイ くだもののな
[去]寘 | ②zuì サイ ちめい

[筆順] 檇

[字解] ①과실이름취 '一李'는 과실의 하나. ②땅이름취 '一李'는 지명(地名). '一, 地名. 春秋傳, 越敗吳於一李'《集韻》.
[字源] 形聲. 木＋雋〔音〕

木13 〔檉〕 17 정 [平]庚 | chēng テイ かわやなぎ

[字解] 위성류정 위성류과(渭城柳科)에 속하는 낙엽 교목(落葉喬木). 수사류(垂絲柳). 정원수로 심음. 잎은 약용. '其一其椐'《詩經》.
[字源] 形聲. 木＋聖〔音〕

木13 〔檎〕 17 금 [平]侵 | qín キン りんご

[字解] 능금나무금 '林一'은 과수(果樹)의 하나. '其園則有林一枇杷'《左思》.
[字源] 形聲. 木＋禽〔音〕

木13 〔檐〕 17 [一] 첨 [平]鹽 | yán エン のき
[二] 담 [去]勘 | dàn タン になう

[字解] [一] ①처마첨 추녀. '飛一'. '復廟重一'《禮記》. ②전첨 화로·갓·모자 따위의 전. '笠一'. '折花簪之, 壓損帽一'《雲仙雜記》. [二] 질담 擔(手부 13획〈471〉)과 통용. '猶一竿而欲定其末'《管子》.
[字源] 形聲. 木＋詹〔音〕

木13 〔檍〕 17 [人名] 억 [入]職 | yì ヨク もち

[筆順] 檍

[字解] 감탕나무억 감탕나뭇과의 상록 활엽 교목. 단단하여 세공재(細工材)로 씀.
[字源] 形聲. 木＋意〔音〕

木 13 〔檔〕17 당 [平]陽 dāng / [去]漾 dàng トウ ぶんしょ

[字解] ①책상당 서안(書案). ②문서당 문서(文書).

[字源] 形聲. 木+當〔音〕

木 13 〔檖〕17 수 [去]寘 suì スイ やまなし

[字解] ①돌배나무수 능금나뭇과에 속하는 낙엽 교목(落葉喬木). 배보다 작은 열매가 열림. '隰有樹一'《詩經》. ②따를수 순종함. '披斷撥一'《淮南子》. ③깊을수 깊숙함. '疏房一貇'《荀子》.

[字源] 形聲. 木+遂〔音〕

木 13 〔檛〕17 과 [平]麻 zhuā タ むち

[字解] 채찍과 말의 채찍. '壯士執一隨之'《五代史》.

[字源] 會意. 木+過〔音〕

木 13 〔檈〕17 선 [平]先 [去]霰 ①②xuán セン まるいつくえ ③セン なわでじくをてんずる

[字解] ①둥근책상선 원탁(圓卓). '一, 圜案也'《說文》. ②식탁선 식사를 하는 대(臺). '一, 承食之案'《廣韻》. ③갈이질할선 끈으로 돌려 갈이틀의 굴대를 돌림. 또, 나무그릇을 만듦. '一, 繩轉軸也'《集韻》.

[字源] 形聲. 篆文은 木+瞏〔音〕

木 13 〔檜〕17 [人名] 회 [去]泰 guì, kuài カイ ひのき

[筆順] 木 杧 杧 柃 桧 棆 槍 檜

[字解] ①노송나무회 소나뭇과에 속하는 상록 교목(常綠喬木). 편백(扁柏). '一楫松舟'《詩經》. ②회나라회 춘추(春秋) 시대의 나라 이름. '鄶'로도 씀. '一國在禹貢豫州外方之北, 滎波之南'《詩經 詩譜序》.

[字源] 形聲. 木+會〔音〕

木 13 〔檝〕17 [一]즙 [入]葉 jí ショウ かい / [二]집 [入]緝 jí シュウ かい

[字解] [一] 노즙 楫(木부 9획〈562〉)과 同字. '不須舟一'《管子》. [二] 노집 [一]과 뜻이 같음.

[字源] 形聲. 木+戢〔音〕

木 13 〔檟〕17 가 [上]馬 jiǎ カ ひさぎ

[字解] 개오동나무가 능소화과에 속하는 낙엽 교목(落葉喬木). 고대에 관곽의 재료로 하였음. 열매는 약용함. '樹吾墓一'《左傳》.

[字源] 形聲. 木+賈〔音〕

木 13 〔橾〕17 [一]수 [上]有 shū ソウ こしきのあな / [二]추 [平]虞 shū シュ こしきのあな / [三]초 [平]蕭 qiāo ショウ すき

[字解] [一] 바퀴통수 수레바퀴의 축이 들어가는 구멍. '一, 車轂中空也'《說文》. [二] 바퀴통추 [一]과 뜻이 같음. [三] 가래초 흙을 치는 농구(農具). '一, 鍫也'《集韻》.

[字源] 形聲. 木+喿〔音〕

木 13 〔檢〕17 [高·人] 검 [上]琰 jiǎn ケン ふう, しらべる

[筆順] 木 朩 杧 柃 梌 棆 榆 檢

[字解] ①봉함검 문서의 비밀을 보지하기 위하여 봉한 곳에 글자를 쓰거나 표시를 하는 일. '金一玆發, 玉牒斯刊'《劉克莊》. ②금제할검 검속(檢束)함. 단속함. '一遏'. '狗彘食人食, 而不知一'《孟子》. ③조사할검 사실(査實)함. '一査'. '遣使巡一河北'《北史》. ④법검 법식. '先自爲一式儀表'《淮南子》. ⑤행검검 조행. '不治素一'《蜀志》. ⑥초고검 초안(草案). '公家文書稿, 中書謂之草, 樞密院謂之底, 三司謂之一'《春明退朝錄》. ⑦본검 모형. '一範模也'《爾雅註》. ⑧성검 성(姓)의 하나.

[字源] 形聲. 木+僉〔音〕

木 13 〔檑〕17 뢰 [平]灰 léi ライ きのな

[字解] ①나무이름뢰 '一, 木名'《集韻》. ②무기이름뢰 성(城) 위 같은 데서 내려뜨리는 돌덩이나 나무토막. '矢石一木併下, 止傷老幼'《遼史》.

[字源] 形聲. 木+雷〔音〕

木 13 〔檣〕17 장 [平]陽 qiáng ショウ ほばしら

[字解] 돛대장 돛을 달기 위하여 배에 세운 기둥. 범주(帆柱). '一竿'. '拊衿倚舟一'《王粲》.

[字源] 形聲. 木+嗇〔音〕

木 13 〔檥〕17 의 [上]紙 yǐ ギ ふなよそいをする

[字解] 배댈의 배를 언덕에 대어 출발의 준비를 함. 艤(舟부 13획〈1116〉)와 同字. '亭長一船待項羽'《史記》.

[字源] 形聲. 木+義〔音〕

木 13 〔檞〕17 해 [上]蟹 jiě, xiè カイ まつやに

[字解] 송진해 송지(松脂).

[字源] 形聲. 木+解〔音〕

木13〔橌〕17 함 [上]感 hǎn カン きのさけめ
[字解] 나무틈함 나무가 갈라져서 벌어진 사이. '一, 木裂'《集韻》.

木13〔檦〕17 표 [上]篠 biǎo ヒョウ しるし
[字解] ①표표 나무로 된 표(表). '列一建旌'《魏書》. ②기둥표 집의 기둥. '一株欂櫨'《淮南子》.

木13〔檊〕17 간 [去]翰 gàn カン やまぐわ
[字解] ①산뽕나무간 뽕나뭇과의 낙엽 교목. 산상(山桑). '一, 木名, 柘也'《集韻》. ②박달나무간 자작나뭇과의 낙엽 교목. '一, 一曰, 檀也'《集韻》.

木13〔橽〕17 달 [入]曷 tà タツ みずこし
[字解] ①수채달 '一, 所以洩水也'《類篇》. ②《韓》박달나무달 檀(木부 13획〈583〉)과 뜻이 같음.

木13〔檓〕17 훼 [上]紙 huǐ キ さんしょう
[字解] 큰산초나무훼 산초나무의 일종. '一, 大椒'《爾雅》.

木13〔⿰木虜〕17 〔로〕
櫓(木부 15획〈588〉)와 同字

木13〔⿰木菊〕17 〔국〕
椈(木부 7획〈549〉)과 同字

木13〔檁〕17 름 [上]寢 lǐn リン けた, はり
[字解] 도리름 '一, 屋上橫木'《集韻》.

木13〔檨〕17 사 [平]麻 shē シャ マンゴー
[字解] 망고사 과수(果樹)의 하나. '有香一·木一·肉一三種'《淸一統志》.

木13〔㯃〕17 칠 [入]質 qī シツ きのな
[字解] 나무이름칠 '一, 一木, 可爲杖'《說文》.
[字源] 形聲. 木+桼〔音〕

木13〔⿰木遄〕17 [一] 천 [平]先 chuán セン きのな
[二] 추 [上]紙 chuǎi スイ むち
[字解] [一] 나무이름천 '一, 一木也'《說文》. [二] ①회초리추 매. '一, 箠也'《類篇》. ②깎을추 '一, 剟也'《類篇》.
[字源] 形聲. 木+遄〔音〕

木13〔檡〕17
[一] 택 [入]陌 zhái タク きのな
[二] 탁 [入]藥 タク きのな
[三] 역 [入]陌 エキ きのな
[四] 석 [入]陌 shì セキ さるがき
[五] 도 [平]虞 tú ト とら
[字解] [一] 나무이름택 '一, 一棘, 善理堅刃者, 可以爲射決'《廣韻》. [二] 나무이름탁 [一]과 뜻이 같음. [三] 나무이름역 [一]과 뜻이 같음. [四] ①나무이름석 [一]과 뜻이 같음. ②고욤석 '一, 梬棗'《廣韻》. [五] 범도 '於一'는 호랑이의 별명. '謂虎於一'《漢書》.

木13〔⿰木賛〕17
[一] 공 [去]送 gòng コウ ちいさいさかずき
[二] 담 [上]感 dǎn タン はこ
[三] 구 [上]麌 jù ク にないぐ
[字解] [一] 작은잔공 작은 술잔. [二] 함담 '一, 匧類'《類篇》. [三] 져나르는기구구 짐을 져서 나르는 기구. '一, 一盝, 負戴器'《集韻》.

木13〔檏〕17 〔박〕
樸(木부 12획〈578〉)과 同字

木13〔檆〕17 〔삼〕
杉(木부 3획〈527〉)과 同字

木13〔⿰木置〕17 〔식〕
植(木부 8획〈557〉)과 同字

木13〔⿰木節〕17 〔즐〕
櫛(木부 15획〈588〉)의 訛字

木13〔檃〕17 은 [上]吻 [去]問 yǐn イン ためぎ
[字解] ①도지개은 휜 것을 곧게 바로잡는 기구. '枸木必將待一栝烝矯然後直'《荀子》. ②바로잡을은 '商量雅俗, 一括眞僞'《任昉》.
[字源] 形聲. 木+隱〈省〉〔音〕

木13〔檕〕17 계 [去]霽 [平]齊 xì ケイ つるべどめ
[字解] ①두레박멈추개계 두레박 줄의 끝에 묶어 매달아서 두레박이 되내려가게 한 나무. '一, 繘耑木也'《說文》. ②두레박틀가로나무계 두레박을 매다는 가로 나무. '一, 當爲桔槔上橫木, 所以轉機'《康熙字典》.
[字源] 形聲. 木+毄〔音〕

木13〔檗〕17 벽 [入]陌 bò ハク きはだ
[字解] 황벽나무벽 운향과에 속하는 낙엽 교목(落葉喬木). 속껍질은 황백피(黃白皮)라 하여 약용하며, 또 황색의 물감으로도 씀. '黃一'. '一離朱楊'《司馬相如》.
[字源] 形聲. 木+辟〔音〕

木13〔檘〕17 檗(前條)과 同字

木13〔橐〕17 표 ㉲蕭 | pāo ヒョウ·ビョウ ふくろのふくらんださま

字解 자루불룩할표 자루가 가득 담겨서 불룩한 모양. '一, 囊張大皃'《說文》.

字源 形聲. 槖〈省〉+缶〔音〕

木13〔檠〕17 경 ㉲庚 ㉯梗 | qìng ケイ ともしびたて

字解 ①등경걸이경 등잔을 걸어 놓는 제구. '燈一'. '長一八尺空自長'《韓愈》. ②등불경 등화(燈火). '一間茅屋對寒一'《劉克莊》. ③도지개경 트집 간 활을 바로잡는 틀. '弓待一而後能調'《淮南子》. ④바로잡을경 트집 간 활을 바로잡음. '能一弓弩'《漢書》.

字源 形聲. 木+敬〔音〕

木13〔檄〕17 人名 檠(前條)과 同字

筆順 木 朩 朩 朩 朽 檄 檄 檄

木14〔檬〕18 몽 ㉲東 | méng ボウ レモン·マンゴー

字解 ①영몽몽 檸(次條)을 보라. ②망고몽 '一果'는 옻나뭇과의 상록 교목 망고(mango)의 음역(音譯).

字源 形聲. 木+蒙〔音〕

木14〔檸〕18 녕 ㉯梗 ㉲庚 | níng ドウ·ニョウ レモン

字解 영몽녕 '一檬'은 레몬(lemon)의 음역(音譯). 운향과에 속하는 작은 상록 교목(常綠喬木). 또, 그 열매. 구연(枸櫞).

字源 形聲. 木+寧〔音〕

木14〔檼〕18 은 ㉰問 ㉯吻 | yìn yǐn イン むなぎ

字解 ①마룻대은 이중(二重)의 지붕의 마룻대. '一, 卽今複屋棟'《正字通》. ②도지개은 檃(木부 13획〈585〉)과 同字.

字源 形聲. 木+㥯〔音〕

木14〔檮〕18 도 ㉲豪 ㉯晧 | táo dǎo トウ きりかぶ

字解 ①등걸도 나무의 베고 난 그루터기. ②어리석을도 무지몽매함. '不揆一昧'《郭璞》.

字源 形聲. 木+壽(𠷎)〔音〕

木14〔櫼〕18 전 ㉲先 | jiān セン こうぼくのな

字解 향나무이름전 '不沈不浮者, 曰一香'《梁書》.

木14〔檳〕18 빈 ㉲眞 | bīn, bīng ビン びんろう

字解 빈랑나무빈, 빈랑빈 '一榔'은 야자과에 속하는 상록 교목(常綠喬木). 또, 그 열매. 빈랑자(檳榔子). '何須竟晒食一榔'《盧綸》.

字源 形聲. 木+賓〔音〕

木14〔櫫〕18 긴 ㉯軫 | jǐn キン きめのこまかいき

字解 나뭇결치밀할긴 나무의 결이 배고 잔나무. '一, 木文理密緻也'《正字通》.

木14〔檻〕18 함 ㉯豏 | jiàn, kǎn カン てすり, おり

字解 ①난간(欄干)함 '一欄'. '攀殿一, 一折'《漢書》. ②우리함 짐승 또는 죄수를 가두어 두는 곳. '獸兕出一'《晉書》. '瞻覺其詐, 便破一出之'《晉書》. '養虎豹犀象者, 爲之圈一'《淮南子》. ③함정함 '其毀壞一穽'《後漢書》. ④잡을함 붙잡아 가둠. '羣王被囚一之困'《晉書》. ⑤욕기함 목욕하는 그릇. '同一而浴'《莊子》. ⑥막을함 폐색(閉塞)함. '一塞大異'《漢書》.

字源 形聲. 木+監〔音〕

木14〔檘〕18 벽 ㉱陌 | bì ヘキ かべのはしら

字解 중깃벽 벽의 욋가지를 엮기 위하여 듬성듬성 세운 기둥. '一, 壁柱也'《說文》.

字源 形聲. 木+薜〔音〕

木14〔櫺〕18 누 ㉰宥 | nòu ドウ·ヌ きのな

字解 나무이름누 재목은 관곽(棺槨)을 만들며, 껍질은 물감으로 쓰는 나무. '江南一梓以爲棺槨'《潛夫論》.

字源 形聲. 木+需〔音〕

木14〔檵〕18 계 ㉰霽 | qǐ, jì ケイ くこ

字解 ①구기자나무계 가짓과의 낙엽 관목. '一, 枸杞也'《說文》. ②단단한나무계 '一, 一曰, 堅木也'《說文》.

字源 形聲. 木+繼〈省〉〔音〕

木14〔檴〕18 확 ㉱藥 | huò カク きのな

字解 나무이름확 느릅나무의 일종. '無浸一薪'《詩經》.

字源 形聲. 木+蒦〔音〕

木14〔檶〕18 ㊀겸 ㉲鹽 ㊁렴 ㉲鹽 | qiān ケン みずこし lián レン

字解 ㊀개수통겸 개숫물을 버리는 통. ㊁경대렴 匳(匸부 13획〈124〉)의 俗字.

木14〔櫂〕18 도 ㉠效|zhào トウ かい

字解 노도 배 젓는 막대기. 짧은 노를 '棹', 긴 노를 '一'라 함. '在旁撥水日一'《釋名》.
字源 形聲. 木+翟〔音〕

木14〔櫅〕18 ㊀자 ㉠齊|jī セイ しろなつめ ㊁제 ㉠霽|jì セイ きりかぶ

字解 ㊀①흰대추나무자 '一, 白棗'《爾雅》. ②수레바퀴통나무자 느릅나무의 일종. 바퀴통을 만듦. '一榆, 堪作車轂'《唐韻》. ㊁그루터기제, 토막나무제 나무의 베어낸 부분. 또, 나무 토막. '一, 斷木也'《類篇》.
字源 形聲. 木+齊〔音〕

木14〔櫃〕18 궤 ㉠寘|guì キ ひつ

字解 함궤 궤. '一櫝'. '玉與石而同一'《東方朔》.
字源 形聲. 木+匚+貴〔音〕

木14〔櫋〕18 면 ㉠先|mián ベン·メン とちゅう

字解 두충(杜冲)면 나무를 꺾으면 흰 실 같은 것이 많으므로 이름. '杜仲, …其皮折之, 白絲相連. 江南謂之一'《本草》.

木14〔櫆〕18 괴 ㉠灰|kuí カイ ほくとう

字解 북두성괴 '一師'는 북두성(北斗星)의 별명. '一師, 一日, 北斗星'《字彙補》.

木14〔檫〕18 찰 ㉠黠|chá サツ きのな

字解 ①나무이름찰 가래나무의 일종. '一, 木名, 梓屬'《集韻》. ②불탑중심기둥찰.

木14〔橢〕18 의 ㉠支 ㉡紙|yī イ しなやか

字解 ①나무낭창낭창할의 '一, 木一施也'《說文》. ②가래나무의 '賈侍中說, 一, 卽椅也'《說文》.
字源 形聲. 木+旖〔音〕

木14〔檯〕18 대 ㉠灰|tái タイ·ダイ きのな, つくえ

字解 ①나무이름대 '一, 木名也'《廣韻》. ②상대 탁자(卓子).

木14〔檷〕18 ㊀니 ㉡紙|nǐ ジ·ニ いとまきのえ ㊁미 ㉡紙|mí ビ·ミ いとまきのえ ㊂녜 ㉡薺|nǐ デイ·ナイ いとまきのえ

字解 ㊀①물레자루니 물레의 손잡이. '一, 絡絲柎也'《說文》. ②산이름니 '一枸'는 산(山)의 이름. '一, 一枸, 山名'《集韻》. ㊁얼레자루미, 산이름미 ㊀과 뜻이 같음. ㊂얼레자루녜, 산이름녜 ㊀과 뜻이 같음.
字源 形聲. 木+爾〔音〕

木14〔橾〕18 답 ㉠合|tà トウ すもも

字解 자두답 '楷一'은 자두의 일종. '一, 果名. 說文, 楷一. 似李'《集韻》.
字源 木+遝〔音〕

木14〔樸〕18 ㊀복 ㉠屋|pú ホク きのな ㊁박 ㉠覺|ハク きのな

字解 ㊀①나무이름복 대추의 일종. '一, 一棗也'《說文》. ②단단한나무복 '一, 堅木也'《集韻》. ③더부룩하게날복 나무가 밀생(密生)함. '一, 木密也'《集韻》. ④작은나무복 '一, 一日, 一楝, 小木也'《集韻》. ㊁나무이름박, 단단한나무박, 더부룩하게날박, 작은나무박 ㊀과 뜻이 같음.
字源 形聲. 木+僕〔音〕

木14〔櫋〕18 〔면〕 櫋(木부 15획〈588〉)의 本字

木14〔橐〕18 〔탁〕 柝(木부 5획〈536〉)과 同字

木14〔櫁〕18 〔밀〕 樒(木부 11획〈573〉)과 同字

木14〔檱〕18 〔기〕 綦(木부 8획〈558〉)와 同字

木14〔櫉〕18 〔주〕 櫥(木부 15획〈589〉)와 同字

木14〔櫄〕18 〔춘〕 杶(木부 4획〈530〉)과 同字

木14〔櫈〕18 〔등〕 凳(几부 12획〈96〉)과 同字

木14〔檣〕18 〔장〕 檣(木부 13획〈584〉)과 同字

木14〔櫆〕18 〔표〕 檦(木부 13획〈585〉)의 訛字

木14〔櫛〕18 〔즐〕 櫛(木부 15획〈588〉)의 訛字

木14〔檾〕18 경 ㉡梗 ㉡迥|qǐng jiǒng ケイ いちび

字解 어저귀경 아욱과에 속하는 일년초. 섬유는 마사(麻絲)보다 조금 약함. 백마

(白麻). 경마(苘麻).
[字源] 形聲. 林+熒〈省〉〔音〕

木14〔橐〕18 곤 [上]阮 | hùn コン ふくろ

[字解] ①전대곤 주머니. '一, 囊也'《說文》. ②큰다발곤 '一, 大束也'《廣韻》.
[字源] 形聲. 束+圂〔音〕

木14〔檿〕18 염 [上]琰 | yǎn エン やまぐわ

[字解] 산뽕나무염 뽕나뭇과에 속하는 낙엽 교목(落葉喬木). 산상(山桑). '一桑'. '厥篚一絲'《書經》.
[字源] 形聲. 木+厭〔音〕

木14〔檿〕18 檿(前條)과 同字

木14〔檻〕18 함 [上]感 | jiàn カン かたい

[字解] 딱딱할함 토지(土地)가 굳음. '凡糞種疆一用蕡'《周禮》.

木14〔橆〕18 〔무〕 橆(木부 12획〈582〉)의 本字

木14〔轝〕18 여 ①[去]御 | yù ヨ ほかい ②[平]魚 | yú ヨ たけごし

[字解] ①갸자여 음식을 담아 나르는 기구. '一, 舁食者'《廣韻》. ②가마여 대나무로 엮은 가마. '一, 篠輿, 以竹爲之'《篇海》.

木15〔櫋〕19 면 [平]先 | mián ベン のきつけ

[字解] 처마면 평고대. '擗蕙一兮旣張'《楚辭》.
[字源] 形聲. 木+㒼〔音〕

木15〔櫌〕19 우 [平]尤 | yōu ユウ たのつちをかきならすぐ

[字解] 곰방메우 흙덩이를 부스러뜨리는 메. 땅을 고르거나 씨를 덮는 데 씀. 耰(耒부 15획〈1054〉)와 同字. 일설(一說)에는, 호미자루. '鉏一白梃'《史記》.
[字源] 形聲. 木+憂〔音〕

木15〔櫗〕19 ㊀멸 [入]屑 | miè ベツ なわ ㊁메 [去]霽 | ベイ ほそくちいさい

[字解] ㊀나무끈멸 가는 나무로 꼰 새끼끈. '一, 木索也'《玉篇》. ㊁나무작을메 '一楔'은 나무가 가늘고 작은 모양. 또, 나무가 똑바르지 못함. '一楔, 細小貌'《類篇》.

木15〔櫍〕19 질 [入]質 | zhì シツ だい

[字解] 모탕질 도끼받침. 鑕(金부 15획〈1587〉)과 同字.
[字源] 形聲. 木+質〔音〕

木15〔櫎〕19 황 [上]養 | huǎng コウ とばり

[字解] ①방장황 창문에 치는 휘장. '房櫎對一'《左思》. ②책상황 榥(木부 10획〈567〉)과 同字.
[字源] 形聲. 木+廣〔音〕

木15〔櫑〕19 뢰 [平]灰 ①léi ライ たる [上]賄 ②lěi ライ ちょうけんのつかがしらのかざり

[字解] ①술그릇뢰 구름과 우레 무늬를 새긴 단지 비슷한 그릇. 罍(缶부 15획〈1025〉)와 同字. ②칼자루장식뢰 칼자루의 녹로(鹿盧)의 장식. '帶一具劍'《漢書》.
[字源] 形聲. 木+畾〔音〕

木15〔櫐〕19 가(라[本]) [上]架 | luǒ ラ ななめ

[字解] 나무기울가 '一椏'는 나무가 비스듬히 기운 모양. '一椏, 樹斜貌'《類篇》. ※本音 라.

木15〔櫓〕19 로 [上]麌 | lǔ ロ たて

[字解] ①방패로 큰 방패. '矛一'. '禮義爲干一'《禮記》. ②노로 배를 젓는 막대기. 艣(舟부 15획〈1117〉)와 同字. '一聲'. '船尾曰柂, 在旁曰一'《釋名》. ③망루로 지붕이 없는 망루(望樓). '樓一千里'《漢書》.
[字源] 形聲. 木+魯〔音〕

木15〔櫚〕19 려 [平]魚 | lǘ リョ しゅろ

[字解] 종려려 '棕一'는 야자과에 속하는 상록 교목(常綠喬木).
[字源] 形聲. 木+閭〔音〕

木15〔櫛〕19 [人名] 즐 [入]質 | zhì(jié) シツ くし

[筆順] 木 木⺮ 榃 榃 櫛 櫛 櫛 櫛

[字解] ①빗즐 머리를 빗는 제구. '梳一'. '不同巾一'《禮記》. ②빗을즐 빗질함. '一沐'. '冠者不一'《禮記》. ③늘어설즐 빗의 살처럼 죽 늘어섬. '一一'. '密一疊重'《馬融》. ④긁을즐 긁어 냄. '一垢爬痒'《韓愈》.
[字源] 形聲. 木+節〔音〕

木15〔櫝〕19 독 [入]屋 | dú トク はこ

[字解] ①함독 궤. '匱一'. '龜玉毀於一中'《論語》. ②널독 관(棺). '棺一'. '給棺一'《漢書》. '公將爲之一'《左傳》. ③넣을독 궤에

넣음. '一而藏之'《國語》. ④목침독 '一, 木枕也'《說文》.
[字源] 形聲. 木+賣〔音〕

木 15〔櫞〕19 연 [平]先 | yuán エン まるぶしゅかん
[字解] 구연연 '枸一'은 운향과에 속하는 상록 교목(常綠喬木). 영몽(檸檬)이라고도 함. 레몬(lemon).
[字源] 形聲. 木+緣〔音〕

木 15〔櫏〕19 천 [平]先 | qiān セン さるがき
[字解] 고욤나무천 '梬一'은 고욤나무. '梬一, 木名, 子如馬乳'《集韻》.

木 15〔櫟〕19 력 [入]錫 | lì レキ くぬぎ
[字解] ①상수리나무력 ㉠참나뭇과에 속하는 낙엽 교목(落葉喬木). '山有苞一'《詩經》. ㉡재목으로 쓸 수 없으므로 쓸모없는 나무로서 '樗'와 병칭(竝稱)함. '自愧一樗非遠器'《司馬光》. ②난간(欄干)력 '重一中'《史記》. ③문지를력 擽(手부 15획〈474〉)과 통용. '嫂詳爲羹盡, 一釜'《史記》. ④칠력 '一蜚遽'《漢書》. ⑤밟고넘을력 轢(車부 15획〈1481〉)과 통용. '注一機稽'《史記》. ⑥성력 성(姓)의 하나.
[字源] 形聲. 木+樂〔音〕

木 15〔櫴〕19 랍 [入]合 | là ロウ いぼた
[字解] 쥐똥나무랍 물푸레나뭇과에 속하는 낙엽 관목(落葉灌木). 백랍목(白蠟木).

木 15〔櫢〕19 수 [上]有 | sǒu ソウ しげる
[字解] 무성할수 '一檽'는 나무가 우거진 모양. '卽蹴縮以一檽'《黃香》.

木 15〔櫔〕19 려 [去]霽 | lì レイ きのな
[字解] 나무이름려 밤 비슷한 열매가 열리는 나무. '歷兒之山, 其上多櫔, 多一木'《山海經》.
[字源] 形聲. 木+厲〔音〕

木 15〔櫙〕19 우 [平]尤 | ōu オウ とげのあるにれ
[字解] ①나무이름우 가시가 있는 느릅나무. '一, 茎. (注)今之刺榆'《爾雅》. ②말라죽을우 나무가 말라죽음. '一, 椋也'《廣雅》.

木 15〔櫠〕19 폐 [去]隊 | fèi ハイ かじゅのな
[字解] 과수이름폐 유자(柚子)의 종류. '一, 椵'《爾雅》.

木 15〔櫥〕19 [現] 주 | chú チュ ひつ
[字解] 《現》장주 의걸이·찬장·책장 따위. '碗一'. '衣一'. '書一'.

木 15〔櫏〕19 〔선〕 櫏(木부 13획〈584〉)의 本字

木 15〔櫡〕19 〔저〕 箸(竹부 9획〈944〉)와 同字
[字源] 形聲. 木+箸〔音〕

木 15〔櫱〕19 〔얼〕 槷(木부 11획〈577〉)와 同字

木 15〔櫵〕19 〔취〕 樵(木부 13획〈583〉)와 同字

木 15〔櫕〕19 〔찬〕 欑(木부 19획〈593〉)과 同字

木 15〔櫖〕19 려 [去]御 | lǜ ロ ふじ
[字解] 등나무려, 덩굴풀려 '一, 諸一, 山櫐'《廣韻》.

木 15〔櫜〕19 고 [平]豪 [去]號 | gāo コウ ゆみぶくろ
[字解] ①활집고 궁의(弓衣). '一韔'. '請垂一而入'《左傳》. ②갑옷전대고 갑옷을 넣어 두는 전대. '名之曰建一'《禮記》. ③전동고 화살을 넣는 통. '右屬一鞬'《左傳》. ④보따리고 보퉁이. '觵金而解一'《楊愼》. ⑤쌀고 포장함. '載一弓矢'《詩經》.
[字源] 形聲. 橐〈省〉+咎〔音〕

木 15〔櫐〕19 루 [上]紙 | lěi ルイ かずら
[字解] 등나무루 콩과(科)에 속하는 만목(蔓木). '五隱之土, 其種一葛'《管子》.
[字源] 形聲. 木+畾〔音〕

木 16〔櫧〕20 저 [平]魚 | zhū ショ いちいがし
[字解] 종가시나무저 참나뭇과에 속하는 상록 활엽 교목. 재목은 단단하여 기구재(器具材)로 적합함. 중국 등지에 남. '一, 木名, 似柃, 葉冬不落'《集韻》.
[字源] 形聲. 木+諸〔音〕

木 16〔櫰〕20 회 [平]佳 [上]賄 | huái カイ いぬえんじゅ
[字解] 개회화나무회 콩과에 속하는 낙엽 교목. '槐樹, 葉大色黑者, 名爲一'《爾雅 註》.

字源 形聲. 木+襄〔音〕

木16 〔櫨〕20 로 (平)虞 | lú ロ ますがた, はぜ

字解 ①거망옻나무로 옻나뭇과에 속하는 낙엽 교목(落葉喬木). '黃—'. '楓柙—櫪'《張衡》. ②두공(枓栱)로 기둥 위의 방목(方木). 옥로(屋櫨). '欂—'. '短者以爲朱儒枅—'《淮南子》.
字源 形聲. 木+盧〔音〕

木16 〔櫯〕20 소 (平)虞 | sū ソ すほう

字解 다목소 콩과에 속하는 작은 교목. 소방목(蘇枋木). '—枋木, 可染緋'《玉篇》.

木16 〔櫩〕20 염 ①-③(平)鹽 | yán エン のき
④(上)琰 | yǎn エン つぐ

字解 ①처마염 추녀. '飛—'. ②댓돌염 처마 밑에 죽 놓은 돌. '曲屋步—'《楚辭》. ③낭하염 복도. '步—周流'《司馬相如》. ④이을염 부러진 나무를 이어 줌. '績折木謂之—'《集韻》.
字源 形聲. 木+閻〔音〕

木16 〔櫜〕20 탁 (入)藥 | tuò タク ひょうしぎ

字解 딱딱이탁 밤에 순라(巡邏) 돌 때 치는 나무판. 柝(木부 5획〈536〉)과 同字. '縣壺以序聚—'《周禮》.
字源 形聲. 木+橐〔音〕

木16 〔櫪〕20 력 (入)錫 | lì レキ うまやのねだ

字解 ①마판력 마구간에 깔아 놓은 널빤지. '老驥伏—, 志在千里'《魏武帝》. ②말구유력 말먹이를 담아 주는 그릇. '寄宿班氏第舍馬—間'《史記》. ③상수리나무력 櫟(木부 15획〈589〉)과 同字. '—樹山中處處有之'《本草別錄》.
字源 形聲. 木+歷〔音〕

木16 〔櫭〕20 ㊀걸 (入)屑 | jié ケツ くぎ
㊁계 (去)霽 | jì ケイ くぎ
㊂기 (去)寘 | jì キ くるまのくさび

字解 ㊀못걸, 나무못걸 '檢—, 釘也'《廣雅》. ㊁나무못계, 못계 ㊀과 뜻이 같음. ㊂수레비녀장기 수레바퀴의 비녀장. '—, 車木鍇'《類篇》.

木16 〔櫬〕20 ㊀츤 (去)震 | chèn シン ひつぎ
㊁친 (去)震 | qìn シン むくげ

字解 ㊀①널츤 관(棺). '穆姜爲—'《左傳》. ②오동나무츤 '—, 梧'《爾雅》. ㊁무궁화나무친 '—, 木槿'《爾雅》.
字源 形聲. 木+親〔音〕

木16 〔⿰木褭〕20 뇨 (上)篠 | niǎo ジョウ・ニョウ きのながくよわいさま

字解 나무휘청휘청할뇨 나무가 기다랗고 약한 모양. '—, 木長弱皃'《集韻》.

木16 〔櫳〕20 롱 (平)東 | lóng ロウ れんじまど

字解 ①창(窓)롱 큰 창. '—櫺'. '房—虛兮風泠泠'《班婕妤》. ②우리롱 짐승을 가두어 기르는 우리. '—, 檻也. 養獸所也'《廣韻》.
字源 形聲. 木+龍〔音〕

木16 〔⿱龍木〕20 櫳(前條)과 同字

字源 形聲. 木+龍〔音〕

木16 〔櫇〕20 빈 (平)眞 | pín ヒン びんろうじゅ

字解 빈랑나무빈 야자과에 속하는 상록 교목. 빈랑수(檳榔樹). '—, 字亦作檳, 今檳榔樹也'《說文》.
字源 形聲. 木+頻〔音〕

木16 〔欄〕20 〔란〕
欄(木부 17획〈591〉)의 略字

木16 〔⿰木贏〕20 〔영〕
楹(木부 9획〈563〉)과 同字

木16 〔⿰木蓁〕20 〔진〕
榛(木부 10획〈566〉)의 俗字

木16 〔櫲〕20 여 (去)御 | yù ヨ くすのき

字解 녹나무여 녹나뭇과에 속하는 상록 교목(常綠喬木).
字源 形聲. 木+豫〔音〕

木16 〔櫶〕20 人名 헌 | xiǎn ケン きのな

筆順 木 杧 栏 栣 梼 櫶 櫶 櫶

字解 ①나무이름헌 헌목(櫶木). 현목(蜆木). 상록 교목. 단엽 호생. 백색의 꽃이 핌. ②《韓》사람이름헌.

木16 〔⿰木寉〕20 곽 (入)覺 | què カク からたち

字解 탱자나무곽 운향과에 속하는 낙엽 교목. 지각(枳殼). '—, 枳木, 有實如柚'《玉篇》.

木16 〔⿰木隸〕20 ㊀례 (去)霽 | レイ きのな
㊁리 (去)寘 | lì リ きのな

[字解] [一] ①나무이름례 '一, 木名'《廣韻》. ②얼레자루례 '榬謂之篗. 其柅謂之一'《廣韻》. [二] 나무이름리, 얼레자루리 [一]과 뜻이 같음.

木 16 〔櫴〕20 뢰 [去]泰 | lài ライ こわれる

[字解] 무너질뢰 위태로움. '小度差差, 大一之階'《太玄經》.

木 16 〔櫆〕20 [韓] 귀

[字解] 《韓》 느티나무귀.

木 16 〔櫃〕20 〔궤〕 樻(木부 12획〈579〉)의 本字

木 16 〔櫙〕20 〔타〕 橢(木부 12획〈580〉)의 俗字

木 16 〔欖〕20 〔람〕 欖(木부 21획〈593〉)의 俗字

木 16 〔櫹〕20 〔숙〕 木부 17획(592)을 보라.

木 16 〔櫅〕20 〔시〕 枲(木부 5획〈539〉)의 籒文

木 16 〔櫫〕20 저 [平]魚 | zhū チョ くい

[字解] 말뚝저. '楬一, 有所表識'《廣韻》.

木 16 〔櫱〕20 얼 [入]屑 | niè ゲツ ひこばえ

[字解] 움얼 베어 낸 나무의 뿌리에서 나는 싹. 糵(艸부 17획〈1206〉)과 同字.
[字源] 形聲. 木+辥〔音〕

木 17 〔櫸〕21 거 [上]語 | jǔ キョ けやき

[字解] ①느티나무거 '一樹, 山中處處有之'《本草別錄》. ②고리버들거 기류(杞柳). 柜(木부 5획〈538〉)와 통용.
[字源] 形聲. 木+擧〔音〕

木 17 〔櫶〕21 희 [平]支 | xī キ ひしゃく

[字解] 구기희 국자. '一, 杓也'《玉篇》.

木 17 〔櫺〕21 령 [平]青 | líng レイ れんじ

[字解] ①격자창령 欞(木부 24획〈594〉)과 同字. '檻一'. '一檻邳張'《何晏》. ②처마령 '屋梠謂之一'《揚子方言》.
[字源] 形聲. 木+霝〔音〕

木 17 〔櫻〕21 앵 [平]庚 | yīng オウ ゆすらうめ

[字解] 앵두나무앵 함도(含桃). '一桃'. '紫禁朱一出上蘭'《王維》.
[字源] 形聲. 木+嬰

木 17 〔欂〕21 [一] 박 [入]藥 | bó ハク ますがた
[二] 벽 [入]錫 | bó ヘキ ますがた

[字解] [一] ①두공(枓栱)박 '一櫨'는 기둥 위의 방목(方木). 옥로(屋櫨). '一櫨謂柱上方木也'《禮記 註》. ②중깃박 榑(木부 14획〈586〉)과 同字. [二] 두공벽, 중깃벽 [一]과 뜻이 같음.
[字源] 形聲. 木+薄〔音〕

木 17 〔欆〕21 산 [平]刪 | shuān サン かんぬき

[字解] 빗장산 문의 빗장. '一, 閉門機也'《集韻》.

木 17 〔欃〕21 참 ①②[平]咸 ③[去]陷 | chán サン ほしのな サン すいもん

[字解] ①살별이름참 '一槍'은 혜성의 하나로서, 전쟁의 전조(前兆)라 함. '彗星爲一槍'《爾雅》. ②나무이름참 박달나무. '一, 檀木別名'《廣韻》. ③수문(水門)참 '一, 水門'《廣韻》.
[字源] 形聲. 木+毚〔音〕

木 17 〔檈〕21 선 [平]先 | xuán セン なつめ

[字解] 대추나무선 대추나무의 일종. '一, 棗屬'《集韻》.
[字源] 形聲. 木+還〔音〕

木 17 〔欀〕21 양(상[本]) [平]陽 | xiāng ショウ きのな

[字解] 나무이름양 껍질 속에 쌀 같은 것이 있어 이것을 찧어 떡 또는 국수를 만든다는 나무. '文一楨橿'《左思》. ※本音 상.

木 17 〔櫼〕21 [一] 첨 [平]鹽 | jiān セン くさび
[二] 삼 [平]咸 | shān サン すぎ

[字解] [一] 쐐기첨 틈에 박아 놀지 않게 하는 나무. '一, 楔也'《說文》. [二] 삼목삼 杉(木부 3획〈527〉)과 同字.
[字源] 形聲. 木+韱〔音〕

木 17 〔欄〕21 [高·人] 란 [平]寒 | lán ラン てすり

[筆順] 木 … 欄

[字解] ①난간란 '一干'. '句一'. '一簇青煙鎖玉樓, 半垂一畔半垂溝'《羅隱》. ②울간란 짐승을 기르는 곳. '一一之羊'《嵇康》. 전

(轉)하여 ③난란 지면(紙面)에 설정한 부분의 계선(界線). 또는, 그 경계선의 안. '家庭—'. '—外'. ④우물난간란 '井'자 모양으로 짠 우물의 난간. '井幹者, 井上木—也'《漢書 注》.
字源 形聲. 木+闌〔音〕

木17 〔⿰枲焦〕21 ㊀주 ㊥尤 | jiū シュウ あさたば
㊁초 ㊥蕭 | qiāo ショウ あめがちであさがやぶれる
字解 ㊀①삼다발주 삼묶음. '—, 束枲也'《集韻》. ②모을주 '—, 聚也'《廣韻》. ㊁①장마비로삼썩을초 '—, 麻苦雨生壞也'《集韻》. ②날삼초 '—, 生麻'《廣韻》.

木17 〔⿰木燮〕21 섭 ㊇葉 | xiè ショウ たかむしろ
字解 대자리섭 '棚—'은 대오리를 엮어 만든 자리. 죽점(竹簟). '棚—, 簟名'《集韻》.

木17 〔⿰木𩫏〕21 〔곽〕
椁(木부 8획〈558〉)의 本字

木17 〔櫹〕21 〔숙〕
橚(木부 13획〈583〉)과 同字
字源 形聲. 木+蕭〔音〕

木17 〔櫾〕21 〔유〕
柚(木부 5획〈536〉)와 同字
字源 形聲. 木+繇〔音〕

木17 〔⿱隱木〕21 ㊀櫽(木부 14획〈586〉)과 同字
㊁檃(木부 13획〈585〉)과 同字

木17 〔櫜〕21 〔곤〕
橐(木부 14획〈588〉)의 本字

木18 〔權〕22 中人 ㊀권 ㊥先 | quán ケン おもり
㊁관 ㊦翰 | guàn カン のろし
筆順 木 朩 朩 桛 棤 權 權 權
字解 ㊀①저울추권 저울의 추. 일설(一說)에는, 저울의 대. '正—槩'《禮記》. ②저울권 중량을 다는 용기. '謹—量'《漢書》. ③꾀권 ㉠모략. '中—後勁'《左傳》. ㉡기지(機智). '—謀術數'. '須—以勝之'《新唐書》. ④저울질할권 ㉠저울에 닮. '然後—之'《周禮》. ㉡경중·대소를 분별함. '不—輕重'《荀子》. ⑤꾀할권 모책을 씀. '任輕者易—'《淮南子》. ⑥고르게할권 편파(偏頗)하지 않게 함. '原父子之情, 立君臣之義, 以—之'《禮記》. ⑦권도권 ㉠수단은 정도(正道)에 맞지 아니하나 결과는 정도에 맞는 일. '巽以行—'《易經》. ㉡임기응변의 방도(方途). '嫂溺, 援之以手者, —也'《孟子》. ⑧권세권 권력. '—柄'. '親—者不能與人柄'《莊子》. ⑨권섭권, 권섭할권 임시로 직무를 대리하여 봄. '—攝'. '—字, 唐始用之. 韓愈—知國子博士, 三歲爲眞'《鼠璞》. ⑩구차할권 구차스러움. '—假日以餘榮'《左思》. ⑪무궁화권 목근(木槿). '—, 黃華'《爾雅》. ⑫시초권 사물의 시초. '—輿'. ⑬광대뼈권 顴(頁부 18획〈1703〉)과 통용. '靨輔承—'《曹植》. ⑭성(姓)권 성(姓)의 하나. ㊁봉화관 爟(火부 18획〈731〉)과 통용. '見通—火'《後漢書》.
字源 形聲. 木+雚〔音〕

木18 〔欆〕22 쌍 ㊥江 | shuāng ソウ ほ
字解 돛쌍 배의 돛. '—, 棹船羽'《玉篇》.
字源 形聲. 木+雙〔音〕

木18 〔欇〕22 섭 ㊇葉 | shè ショウ ふじまめ
字解 까치콩섭 콩과에 속하는 일년생 만초(蔓草). '—, 虎櫐'《爾雅》.
字源 形聲. 木+聶〔音〕

木18 〔欋〕22 구 ㊥虞 | qú ク くまで
字解 ①쇠스랑구 발이 넷 있는 쇠스랑. '齊魯謂四齒杷曰—'《釋名》. ②서릴구 나무의 뿌리가 엉겨 착잡(錯雜)함. '木大則根—'《淮南子》.

木18 〔欌〕22 ㊙장
字解 《韓》장롱장 옷장·찬장·책장 따위와 같이 무엇을 넣어 두는 세간. '衣—'. '饌—'. '冊—'.

木18 〔⿰木彝〕22 이 ㊥支 | yí イ きのな
字解 나무이름이 '—, 或曰, 古禮器多用木'《正字通》.
字源 形聲. 木+彝〔音〕

木18 〔⿰木㶾〕22 〔표〕
標(木부 11획〈574〉)의 本字

木18 〔欃〕22 〔참〕
欃(木부 17획〈591〉)과 同字

木18 〔⿰木鬵〕22 〔침〕
梣(木부 7획〈549〉)과 同字

木18 〔⿰木蹙〕22 〔척〕
槭(木부 11획〈572〉)의 俗字

木18 〔橆〕22 〔무〕 無(火부 8획〈716〉)의 本字

木18 〔𣡌〕22 잡 [入]合 | zá ゾウ まじわる
[字解] 섞일잡 雜(隹부 10획〈1635〉)과 통용. '水火旣納, 陰陽不一'《元包經》.

木18 〔欇〕22 첩 [入]葉 | zhé ショウ このはがかぜでうごく
[字解] ①바람에나뭇잎움직일첩 '一, 樹葉動皃'《廣韻》. ②바람이움직일첩 바람이 움직이는 모양. '一, 風動皃'《廣韻》. ③나무이름첩 '一, 一曰, 木名. 似白楊'《集韻》.
[字源] 形聲. 木＋聶〔音〕

木19 〔櫦〕23 ㊀선 [平]先 | shuān セン くい
㊁관 [平]刪 | guān カン かける
[字解] ㊀말뚝선 '一, 豎木杙'《集韻》. ㊁손댈관 상관(相關)함. '一, 手相關付也'《集韻》.

木19 〔欐〕23 려 [去]霽 | lì / [上]薺 | lǐ レイ むなぎ
[字解] ①들보려 집의 들보. '餘音遶梁一'《列子》. ②거룻배려 작은 배. '呼吸呑船一'《曹植》.
[字源] 形聲. 木＋麗〔音〕

木19 〔𣠔〕23 첩 [入]葉 | qiè ショウ めしじゃくし
[字解] 주걱첩 밥주걱. '一, 飯臬也'《集韻》.

木19 〔欑〕23 찬 [平]寒 | cuán シン あつめる, あつまる
[字解] 모을찬, 모일찬 한데 모아 쌓음. 또는, 한데 모여 쌓임. '一至于上'《禮記》.
[字源] 形聲. 木＋贊〔音〕
[參考] 櫕(木부 15획〈589〉)은 俗字.

木19 〔𣡖〕23 리 [平]支 | lí リ まがき
[字解] 울타리리 섶이나 대나무를 엮어 친 울타리. 籬(竹부 19획〈964〉)와 同字.

木19 〔𣡽〕23 촬 [入]曷 | zuó サツ きのきり
[字解] 꼬챙이촬 나무로 만든 꼬챙이. '一, 木錐'《玉篇》.

木19 〔欏〕23 라 [平]歌 / [去]箇 | luó ラ やまなし
[字解] 돌배나무라 능금나뭇과에 속하는 낙엽 교목(落葉喬木). '一木出湖廣及安南'《格物要論》.
[字源] 形聲. 木＋羅〔音〕

木19 〔𣡈〕23 〔파〕 欛(木부 21획〈594〉)의 譌字

木19 〔欒〕23 란 [平]寒 | luán ラン おうち
[字解] ①모감주나무란 무환자나뭇과에 속하는 낙엽 교목. 목재는 기구재, 씨는 염주용. '樹以一'《周禮 疏》. ②곡계(曲枅)란 두공(枓栱)의 일부로서, 위에서 누르는 하중(荷重)을 버티는 횡목(橫木). '一櫨疊施'《左思》. ③둥글란 '披書寓直月團一'《陸羽》. ④대나무무리지어모인모양란 '修竹檀一, 夾水碧鮮'《枚乘》.
[字源] 形聲. 木＋䜌〔音〕

木20 〔欓〕24 당 [上]養 | dǎng トウ きおけ
[字解] ①나무통당 나무로 만든 통(桶). '一, 木桶也'《類篇》. ②머귀나무당 '一子'는 운향과의 낙엽 교목. 식수유(食茱萸). '一, 茱萸類'《玉篇》.

木20 〔欕〕24 [韓] 엄
[字解] 《韓》 엄나무엄 두릅나뭇과에 속하는 낙엽 활엽 교목. 자동(刺桐).

木20 〔欔〕24 곽 [入]藥 | jué キャク きのな, すき
[字解] ①나무이름곽 '一, 木名'《集韻》. ②가래곽 가래〔鍬〕의 일종. '一, 鍫屬, 與钁同類'《正字通》.

木20 〔𣡽〕24 〔조〕 槽(木부 11획〈573〉)의 本字

木20 〔𣠶〕24 〔구〕 柩(木부 5획〈537〉)와 同字

木20 〔𣠽〕24 〔얼〕 櫱(木부 16획〈591〉)과 同字

木21 〔欖〕25 람 [上]感 / [去]勘 | lǎn ラン きのな
[字解] 감람나무람 '橄一'은 감람과에 속하는 상록 교목(常綠喬木).
[字源] 形聲. 木＋覽〔音〕

木21 〔欗〕25 란 [平]寒 | lán ラン きのな
[字解] 나무이름란 '一, 木名, 桂類'《集韻》.
[字源] 形聲. 木＋蘭〔音〕

木21 〔欘〕25 ㊀탁 [入]覺 | zhuó タク すき
㊁촉 [入]沃 | zhú チョク おの

字解 ㊀호미탁 농구의 하나. '一, 鋤也'《類篇》. ㊁①도끼촉 자귀. '一, 斫也'《說文》. ②도끼자루촉 자귀의 자루. '一, 一日, 斤柄'《廣韻》.
字源 形聲. 木+屬〔音〕

木21〔欙〕25 〔류〕 樏(木부 11획〈573〉)와 同字
字源 形聲. 木+纍〔音〕

木21〔欚〕25 례 ㊤薺 | lǐ レイ おおぶね
字解 ①큰배례 큰 강(江) 배. '一, 江中大船也'《說文》. ②거룻배례 '東南丹陽會稽之閒, 謂艖爲一'《揚子方言》. ③올무례 새·짐승을 잡는 올가미. '其罥謂之一'《廣雅》.
字源 形聲. 木+蠡〔音〕

木21〔欜〕25 〔담〕 橝(木부 12획〈580〉)의 本字

木21〔欛〕25 파 ㊄禡 | bà ハ つか
字解 칼자루파 杷(木부 4획〈530〉)와 同字. '得此一柄'《丹鉛錄》.
字源 形聲. 木+霸〔音〕
參考 欄(木부 19획〈593〉)는 俗字.

木22〔欝〕26 만 ㊥刪 | wān ワン まがったき
字解 굽은나무만 '一, 曲木'《集韻》.

木22〔欞〕26 낭 ㊥陽 | náng ノウ きのな
字解 ①나무이름낭 '一, 木名'《集韻》. ②그릇낭 '一, 盛物器'《六書故》.

木22〔欝〕26 〔울〕 鬱(鬯부 19획〈1777〉)의 俗字

木23〔欜〕27 〔낭〕 囊(口부 19획〈193〉)의 本字

木24〔𣡽〕28 〔률〕 栗(木부 6획〈545〉)의 古字

木24〔欞〕28 〔령〕 櫺(木부 17획〈591〉)과 同字
字源 形聲. 木+靈〔音〕

〔鬱〕 〔울〕 鬯부 19획(1777)을 보라.

木26〔櫐〕30 〔류〕 藟(艸부 19획〈1210〉)의 籒文

欠 部

〔하품흠부〕

欠0〔欠〕4 흠(겸㊥) ㊄陷 | qiàn ケン あくび
筆順 ノ ⺈ ケ 欠
字解 ①하품흠 저절로 입이 벌려지면서 나오는 호흡. '噫一爲飄風'《韓愈》. ②하품할흠 '君子一伸, 侍坐者請出'《禮記》. ③모자랄흠 부족함. '齖一'. '所懷無一一'《韓愈》. ④빚흠 부채. 또, 공세(貢稅)의 미납(未納). '其餘自小民已上, 大率皆有積一'《蘇軾》. ※本音 겸.
字源 象形. 사람이 입을 벌리고 있는 모양을 본떠, '하품'의 뜻을 나타냄.
參考 ①'欠'을 의부(意符)로 하여, 숨을 들이쉬다, 내쉬다 등, 입을 벌리는 일, 또 그런 상태를 수반하는 기분의 움직임에 관한 문자를 이룸. ②속(俗)에 缺(缶부 4획〈1022〉)의 略字로 씀.

欠2〔次〕6 中·人 차 ㊄寘 ㊥支 | ①-⑫cì ジ つぐ, つぎ ⑬zī ジ すすまない
筆順 ⼀ 二 ⺀ 𠂉 次 次
字解 ①버금차 둘째. 다음. '一席'. '一將'. '太上有立德, 其一有立功'《左傳》. ②이을차 계승함. 뒤를 이음. '論孟一之'《中庸章句》. '青與白相一也'《周禮》. ③차례차 순서. 등급. 위치. '一序'. '以功一定朝位'《漢書》. ④매길차 순서를 정함. '以一位常'《周禮》. ⑤사처차 숙사(宿舍). '旅卽一'《易經》. ⑥머무를차 유숙함. 군대에서는 이틀 이상 유숙함을 이름. '王一于河朔'《書經》. ⑦진영차 영사(營舍). '師陳焚一'《左傳》. ⑧성좌차 천체의 성수(星宿). '日窮于一'《禮記》. ⑨번차 횟수. '兩一'. '第二一交涉'. ⑩이를차 도달함. '內深一骨'《史記》. ⑪안차 속. '喜怒哀樂, 不入于胷一'《莊子》. ⑫성차 성(姓)의 하나. ⑬나아가지않을차 '其行一且'《易經》.
字源 象形. 사람이 한숨 쉬는 모양을 본떠, '묵다'의 뜻을 나타냄.
參考 汊(水부 4획〈633〉)은 別字.

欠2〔欢〕6 〔환〕 歡(欠부 18획〈601〉)의 略字·簡體字

欠3〔欥〕7 히 ㊥支 | xī キ うめき

[字解] 신음할히 끙끙거리며 앓는 소리를 냄. 吚(口부 3획〈147〉)와 同字. '一, 呻吟也'《玉篇》.

欠 3 〔⿰已欠〕7 이 [上]紙 | yǐ イ しわぶき

[字解] 기침할이 '一, 欬也'《玉篇》.

欠 3 〔⿰己欠〕7 [一] 해 [平]灰 | hāi カイ ほほえむ
[二] 희 [平]支 | xī キ ほほえむ

[字解] [一] ①빙그레웃을해 '一, 笑不壞顏也'《玉篇》. ②희롱하며웃는소리해 欪(欠부 4획〈595〉)와 통용. [二] 빙그레웃을희, 희롱하며웃는소리희 [一]과 뜻이 같음.

欠 4 〔欣〕8 [人名] 흔 [平]文 | xīn キン よろこぶ

[筆順] ˊ 厂 F 斤 斤ˊ 斤𠂊 斦 欣

[字解] ①기뻐할흔 기쁘게 여김. '一快'. '一喜'. '乃瞻衡宇, 載一載走'《陶潛》. ②기쁨흔 전향의 명사. '萬國含一'《宋書》. ③즐길흔 '一, 樂也'《爾雅》. ④힘셀흔 짐승이 힘이 셈. '兎絕有力, 一'《爾雅》. ⑤성흔 성(姓)의 하나.
[字源] 形聲. 欠+斤〔音〕

欠 4 〔欦〕8 함 [平]覃 [平]咸 | hān カン·コン ほほえむ

[字解] ①빙그레웃을함 '一, 含笑也'《說文》. ②슬기로울함 지혜로움. '一, 一曰, 多智也'《集韻》. ③탐할함 욕심을 냄. '一, 貪欲也'《玉篇》.
[字源] 形聲. 欠+今〔音〕

欠 4 〔欪〕8 [一] 희 [平]支 | xī キ たわむれわらう
[二] 해 [平]灰 | カイ たわむれわらう

[字解] [一] 희롱하며웃을희 '一一'는 희롱하며 웃는 모양. '一, 一一, 戲笑皃'《說文》. [二] 희롱하며웃을해 [一]과 뜻이 같음.
[字源] 形成. 欠+出〔音〕

欠 4 〔欥〕8 [一] 율 [入]質 | yù イツ ここに, よろこぶ
[二] 일 [入]質 | yì イツ ここに, よろこぶ

[字解] [一] ①이에율 윗글을 받아 아랫글을 꺼내는 조사(助詞). ②기뻐할율 '一, 一曰, 喜也'《集韻》. [二] 이에일, 기뻐할일 [一]과 뜻이 같음.
[字源] 形聲. 欠+曰〔音〕

欠 4 〔⿰乞欠〕8 [一] 기 [去]未 [去]寘 | ①-③jì キ こいねがう, どもる ①qì キ こいねがう
[二] 글 [入]物 | キツ どもる

[字解] [一] ①바랄기 '一, 一曰, 幸也'《集韻》. ②말더듬을기 '一, 一曰, 口不便言'《說文》. ③기(氣)기 氣(气부 6획〈623〉)와 통용. [二] ①줄글 시여(施與)함. ②말더듬을글 吃(口부 3획〈147〉)과 통용. '吃, 說文, 言蹇難也. 或作一'《集韻》.
[字源] 形成. 欠+气〔音〕

欠 4 〔欤〕8 〔여〕 歟(欠부 14획〈601〉)와 同字

欠 4 〔欧〕8 〔구〕 歐(欠부 11획〈600〉)의 俗字

欠 4 〔欤〕8 〔여〕 歟(欠 부 14획〈601〉)의 俗字・簡體字

欠 4 〔⿰尢欠〕8 〔감〕 欿(欠부 8획〈598〉)과 同字

〔⿰歹欠〕 〔자〕 歹부 4획(606)을 보라.

欠 5 〔⿰去欠〕9 거 [去]御 | qù キョ あくび

[字解] 하품할거 呿(口부 5획〈155〉)와 同字. '口一而不能合'《莊子》.

欠 5 〔⿰只欠〕9 희 [平]支 | xiā キ むせぶ

[筆順] ㄇ 口 只 只 只ˊ 只𠂊 ⿰只欠

[字解] 허덕일희 숨가쁘게 허덕임. '欷一'. '欷一, 氣逆也'《集韻》.

欠 5 〔欨〕9 구(후[本]) [上]麌 | xū ク ふく

[字解] ①불구 입김으로 붊. 呴(口부 5획〈155〉)와 同字. ②웃을구 벙긋 웃음. 또, 벙긋 웃는 모양. '其康樂者聞之, 則一愉歡釋, 抃舞踊溢'《嵇康》. ③하품할구 '一, 一曰, 欠也'《集韻》. ※本音 후.
[字源] 形聲. 欠+句〔音〕

欠 5 〔⿰可欠〕9 [一] 가 [去]禡 | qiè カ おおわらいする
[二] 하 [上]哿 | hē カ わらう

[字解] [一] ①껄껄웃을가 '一, 大張口笑也'《玉篇》. ②숨가 '一, 息也'《廣雅》. ③입벌리고숨쉴가 입을 쩍 벌리고 호흡을 함. '一, 張口息也'《集韻》. [二] 웃는소리하 呵(口부 5획〈155〉)와 同字. '一一, 大笑也'《廣韻》.

欠 5 〔⿰甘欠〕9 함 [平]覃 | hán カン あるいは

[字解] 혹함 혹시(或是). '一, 或也'《集韻》.

欠5 〔欻〕9 ㊀ 힐 ㊇質 chù キツ はじない
㊁ 훌 ㊇物 qù クツ はじない
㊂ 할 ㊇黠 カツ はじない
㊃ 출 ㊇質 チュツ はじない
㊄ 질 ㊇質 xì チツ わらう

字解 ㊀ ①부끄럼없을힐 뻔뻔스러움. '一, 咄一, 無慙'《說文》. ②꾸짖을힐 '一, 訶也'《廣韻》. ③기뻐할힐 '一, 說也'《集韻》. ㊁ 부끄럼없을훌, 꾸짖을훌, 기뻐할훌 ㊀과 뜻이 같음. ㊂ 부끄럼없을할, 꾸짖을할, 기뻐할할 ㊀과 뜻이 같음. ㊃ 부끄럼없을출, 꾸짖을출, 기뻐할출 ㊀과 뜻이 같음. ㊄ 웃을질 咥(口부 6획〈159〉)과 同字. '咥, 笑也. 或作一'《集韻》.
字源 形聲. 欠+出〔音〕

欠5 〔㰳〕9 ㊀ 유 ㊤有 ㊥尤 ①yǒu ユウ うれえる ②yōu ユウ しかのなくこえ
㊁ 욱 ㊇屋 イク うれえる

字解 ㊀ ①근심할유 근심하는 모양. '一, 愁皃'《說文》. ②사슴우는소리유 呦(口부 5획〈154〉)와 同字. '一, 鹿鳴'《廣韻》. ㊁ 근심할욱 ㊀❶과 뜻이 같음.
字源 形聲. 欠+幼〔音〕

欠5 〔欪〕9 자 ㊦寘 ㊥支 zī シ はく

字解 ①토할자 뱉음. '一, 歐也'《說文》. ②탄식할자 '一, 嗟歎也'《玉篇》. ③흐느낄자 '一, 倉頡篇, 嘎一也'《集韻》.
字源 形聲. 欠+此〔音〕

欠5 〔欭〕9 〔신〕 呻(口부 5획〈155〉)과 同字

欠6 〔欬〕10 해 ㊦隊 ké, kài ガイ せき

字解 기침해, 기침할해 '一嗽'. 咳(口부 6획〈159〉)와 同字. '車上不廣一'《禮記》. 또, 기침이 나는 병. '國多風一'《禮記》.
字源 形聲. 欠+亥〔音〕

欠6 〔欯〕10 힐 ㊇質 xì キツ よろこぶ

字解 ①기뻐할힐 '一, 喜也'《說文》. ②웃을힐 '一, 笑也'《廣韻》.
字源 形聲. 欠+吉〔音〕

欠6 〔㱉〕10 궤 ㊤紙 guǐ キ つかれきる

字解 고달플궤, 피로할궤 '一, 疲極也'《集韻》.

欠6 〔欱〕10 합 ㊇合 hē コウ すう

字解 ①들이마실합 혹 들이마심. '一野歕山'《班固》. ②합할합 '上一下一'《太玄經》.
字源 形聲. 欠+合〔音〕

欠6 〔欮〕10 궐 ㊇月 jué ケツ せきこむ

字解 ①숨찰궐, 가쁠궐 쿨룩거려 숨이 차며 괴로워함. '吳楚有大木. 其名爲櫾, 食其皮汁, 已憤一之病'《列子》. ②팔궐, 뚫을궐 '一, 穿也'《廣雅》. '一, 掘也'《玉篇》.

欠6 〔㰬〕10 순 ㊥眞 xún シュン むせぶ

字解 ①가쁠순 숨이 차고 가쁨. '一, 氣逆也'《廣韻》. ②미더울순 '一, 信也'《玉篇》. ③기뻐할순 기뻐하는 모양.

欠6 〔欭〕10 ㊀ 이 ㊦寘 yì イ むせぶ, なく
㊁ 인 ㊥眞 yīn イン なげく

字解 ㊀ 흐느껴울이 목메어 욺. '一, 嚘也'《說文》. ㊁ 한탄할인 개탄함. 탄식함. '一歖, 嘅也'《集韻》.
字源 形聲. 欠+因〔音〕

欠6 〔欳〕10 축 ㊇屋 zú シュク やすからぬ

字解 ①불안할축 불안한 모양. '一, 愁然也'《說文》. ②슬퍼할축 슬퍼하는 모양. '一, 一日, 悲皃'《集韻》.
字源 形聲. 欠+赤〔音〕

欠7 〔欲〕11 中·人 욕 ㊇沃 yù ヨク ほっする

筆順 ノ 八 㕣 谷 谷 谷 欲 欲

字解 ①하고자할욕 하려 함. '一明明德於天下'《大學》. ②바랄욕 ㉠원함. '人之所一也'《孟子》. ㉡…하여야 함. …함을 요함. '膽一大, 而心一小'《孫思邈》. ㉢탐함. '人情一生而惡死'《呂氏春秋》. ③하려할욕 장차…려 함. '一雨'(비가 오려 함). '一墮不墮'《古銘》. ④욕욕 칠정(七情)의 하나. 욕심. '情一'. '性之一也'《禮記》. ⑤순할욕 온순한 모양. '敬以一'《禮記》.
字源 形聲. 欠+谷〔音〕

欠7 〔欷〕11 희 ㊥微 ㊦未 xī キ むせびなく

字解 한숨쉴희, 흐느낄희 탄식함. 또는, 흑흑 느끼어 욺. '歔一'. '坐者悽一'《張衡》.
字源 形聲. 欠+希〔音〕

欠7 〔㰷〕11 신 ㊤軫 ㊦震 shěn シン ゆびさしてわらう

字解 손가락질하며웃을신 辴(辰부 12획〈1487〉)과 통용. '一, 指而笑也'《說文》.

[字源] 形聲. 欠+辰〔音〕

欠 7 〔欸〕 11 애 [平]灰 āi, èi / [上]賄 ǎi アイ なげく

[字解] ①한숨쉴애 탄식함. '一秋冬之緖風'《楚辭》. ②어애 ㉠놀라는 소리. '今人暴見事之不然者, 必出聲曰一'《陳芳》. ㉡그렇다고 대답하는 소리. '一一效忠信'《柳宗元》.
[字源] 形聲. 欠+矣〔音〕

欠 7 〔⿰夾欠〕 11 합 [入]合 xiā コウ いき, うめく

[筆順] 一 ㇀ 㐅 夾 夾 夾' 夾𠂉 ⿰夾欠

[字解] ①숨쉴합 '一, 息也'《廣雅》. ②가쁠합 '一, 氣逆也'《玉篇》. ③신음할합 '一, 一吹, 呻也'《集韻》.

欠 7 〔欶〕 11 [一] 삭 [入]覺 shuò サク すう / [二] 수 [去]宥 sòu ソウ せき

[字解] [一] ①빨아들일삭 '一, 吮也'《說文》. ②붙을삭 부착함. '淬霜露, 一蹢趹'《淮南子》. [二] 기침수 嗽(口부 11획〈180〉)와 同字. '一, 欬也'《集韻》.
[字源] 形聲. 欠+束〔音〕

欠 7 〔⿰豆欠〕 11 [一] 투 [去]宥 tòu トウ いなむ / [二] 구 [去]宥 (후[本]) hòu コウ いなむ

[字解] [一] ①받아들이지않을투 침을 뱉고 받아들이지 않음. '杏, 相與語, 唾而不受也. …一, 杏或从豆欠'《說文》. ②침뱉는소리투 '一, 唾聲'《集韻》. ③아이흉악할투 '歔一'는 어린애가 흉악함. '一, 歔一, 小兒凶惡'《集韻》. [二] 받아들이지않을구, 침뱉는소리구, 아이흉악할구 [一]과 뜻이 같음. ※[二] 本音 후.

欠 7 〔⿰含欠〕 11 〔함〕 欦(欠부 4획〈595〉)과 同字

欠 7 〔欵〕 11 〔관〕 款(欠부 8획〈597〉)의 俗字

欠 7 〔⿰⿱士氺欠〕 11 〔관〕 款(欠부 8획〈597〉)과 同字

〔⿰赤欠〕 〔혁〕 赤부 4획(1403)을 보라.

欠 8 〔欹〕 12 [一] 기 [平]支 qī キ かたむく / [二] 의 [平]支 yī イ ああ

[字解] [一] 기울기 한쪽으로 기욺. 攲(支부 8획〈479〉)와 통용. '一側'. [二] 어의 탄미(歎美)하는 소리. 猗(犬부 8획〈754〉)와 통용. '一歟'.

欠 8 〔欺〕 12 [高·人] 기 [平]支 qī ギ あざむく

[筆順] 一 十 廾 甘 甘 其 其𠂉 欺

[字解] ①속일기 기만함. '一罔'. '誠其意者, 毋自一也'《大學》. ②거짓기 기만. 허위. '甚矣哉爲一也'《劉基》. ③깔볼기 업신여김. '見陵於人爲一負'《李翊》. ④탐할기 '晉魏河內之北, 謂惏曰殘, 楚謂之貪, 南楚江湘之閒, 謂之一'《揚子方言》.
[字源] 形聲. 欠+其〔音〕

欠 8 〔⿰亞欠〕 12 아 [去]禡 yà ア らばがなく

[字解] 노새울아 '一, 欧一, 驢鳴'《玉篇》.

欠 8 〔欻〕 12 훌 [入]物 hū, xū クツ うごく, たちまち

[字解] ①일훌 바람 같은 것이 생김. '靈氣翕一'《柳宗元》. ②희미할훌 흐린 모양. '指晝變怳一'《韓愈》. ③홀연훌 홀연히. 갑자기. '一然'. '神山崔巍, 一從背見'《張衡》.
[字源] 會意. 欠+炎

欠 8 〔欼〕 12 [一] 치 [上]紙 chǐ シ かむ / [二] 최 [去]卦 chuài サイ ひとくちにくう

[字解] [一] 씹을치. [二] 산적한입에넣을최 산적(散炙)을 한입에 넣고 먹음. '一, 一擧盡臠也'《集韻》.

欠 8 〔欽〕 12 [人名] 흠 [平]侵 ①-④qīn キン うやまう / [去]沁 ⑤qìn キン おさえる

[筆順] ノ 𠆢 亼 仐 全 金 釒 欽

[字解] ①공경할흠 조심하고 존경함. '一哉一哉'《書經》. 전(轉)하여, 칙명(勅命)을 나타내는 접두사(接頭辭)로 쓰임. '一定'. '今御晉曰一敕, 御使曰一命'《正字通》. ②부러워할흠 선망(羨望)함. '一羨'. '煙霞得所一'《李嶠》. ③굽힐흠 머리를 숙임. '變生而一頤折頞'《後漢書》. ④성흠 성(姓)의 하나. ⑤누를흠 '按謂之一'《李翊》.
[字源] 形聲. 欠+金〔音〕

欠 8 〔⿰卒欠〕 12 졸 [入]質 zú シュツ すう

[字解] ①빨졸 입으로 빪. '一, 吮也'《玉篇》. ②마실졸 음식을 마심. '口飮謂之一'《集韻》.

欠 8 〔款〕 12 [人名] 관 [上]旱 kuǎn カン まこと

[筆順] 一 十 士 圭 㚔 奈 款𠂉 款

[字解] ①정성관 성의(誠意). '一誠'. '披一'《晉書》. ②정의관 친근한 정. '通一'. '結一諸侯'《公羊傳》. ③사랑할관 '情意稍一'《南史》. ④두드릴관 문을 열어 달라고 두드림. '一關請見'《史記》. ⑤이를관 도달함. '繞黃山, 而一牛首'《張衡》. ⑥머무를관 두류(逗留)함. '斷絶雖殊念, 俱爲歸慮一'《謝靈運》. ⑦음자(陰字)관 금석(金石)에 음각(陰刻)한 문자. '文鏤無一識'《史記》. 전(轉)하여, 널리 서화가 등의 인장의 뜻으로도 쓰임. '落一'. ⑧항목관 계약서·장부 등의 조목. '一項目'. '命具一'《宋史》. 전(轉)하여, 경비. '借一'. ⑨빌관 공허함. '一言不聽'《漢書》. ⑩느릴관 완만함. '一一'. '御一段馬'《後漢書》. ⑪한탄할관 탄식함. '始皇方獵六國而翦牙一'《揚子法言》. ⑫문서관 '前代遺篇墜一, 因得槩見'《雲谷雜記》.
[字源] 會意. 欠+𡋲(祟·柰)〔音〕

欠 8 〔⿰死次〕 12 자 [去]寘 | zì シ よみがえる
[字解] ①깨어날자 까무러쳤다가 소생함. '一, 戰見血曰傷. 亂或爲惛, 死而復生爲一'《說文》. ②앓을자 병을 앓음. '一, 病也'《廣雅》.
[字源] 形聲. 死+次〔音〕

欠 8 〔欿〕 12 감 [上]感 | kǎn カン あきたらない, あな
[字解] ①서운할감 만족하지 않는 모양. '自視一然'《孟子》. ②구멍감 坎(土부 4획〈201〉)과 同字. '一陷'. '一用牲'《左傳》. ③근심할감 시름에 젖음. '一愁悴而委惰'《楚辭》. ④구할감 구(求)하여 찾음. '一, 欲得也'《說文》.
[字源] 形聲. 欠+臽〔音〕

欠 8 〔⿰咎欠〕 12
[一] 유 [上]有 | yǒu ユウ はなをしかめる
[二] 구 [上]有 | キュウ はなをしかめる
[三] 우 [上]有 | ǒu オウ はく
[四] 표 [上]篠 | ヒョウ はく
[五] 교 [上]篠 | キョウ はく
[字解] [一] 코찡그릴유 '一, 蹴鼻也'《說文》. [二] 코찡그릴구 [一]과 뜻이 같음. [三] 토할우 '一, 歐吐'《廣韻》. [四] 토할표 [三]과 뜻이 같음. [五] 토할교 [三]과 뜻이 같음.
[字源] 形聲. 欠+咎〔音〕

欠 8 〔⿰或欠〕 12
[一] 욱 [入]屋 | yū イク はきだすき
[二] 촉 [入]沃 | ショク はきだすき
[三] 획 [入]陌 | カク はきだすき
[四] 혁 [入]職 | xū キョク ふく
[字解] [一] ①토해내는기(氣)욱 '一, 吹氣也'《廣韻》. ②역한소리욱 귀에 거슬리는 목소리. '一, 嚱惡聲'《正字通》. [二] 토해내는기촉, 역한소리촉 [一]과 뜻이 같음. [三] 토해내는기획, 역한목소리획 [一]과 뜻이 같음. [四] 불혁 부는 모양. '一, 一聲, 吹皃'《廣韻》.
[字源] 形聲. 欠+或〔音〕

欠 8 〔⿰谷欠〕 12 〔욕〕
欲(欠부 7획〈596〉)의 俗字

欠 8 〔⿰曷欠〕 12 〔헐〕
歇(欠부 9획〈598〉)의 俗字

欠 9 〔歃〕 13
[一] 삽 [入]洽 | shà ソウ すする
[二] 흡 [入]洽 | xiá ソウ なめる
[字解] [一] 마실삽 훅 들이마심. '一血'은 맹세할 때 희생(犧牲)의 피를 들이마시는 일. 일설(一說)에는, 그 피를 입가에 바르는 일. '王當一血而定從'《史記》. [二] 맛볼흡 '䬸, 博雅, 嘗也. 或作一'《集韻》.
[字源] 形聲. 欠+臿〔音〕

欠 9 〔⿰咸欠〕 13
[一] 함 [平]覃 | xiān カン ほほえむ
[二] 감 [去]陷 | xiàn カン さけぶ
[字解] [一] 방그레웃을함 欦(欠부 4획〈595〉)과 同字. [二] 부르짖을감 '一, 叫也'《集韻》.

欠 9 〔歆〕 13 흠 [平]侵 | xīn キン うける
[字解] ①흠향할흠 신(神)이 제사 음식의 기(氣)를 마심. '一享'. '上帝居一'《詩經》. ②받을흠 남이 대접하는 것을 기꺼이 받음. '民一而德之'《國語》. ③부러워할흠 선망(羨望)함. '無然一羨'《詩經》. ④움직일흠 마음이 동함. '履帝武敏一'《詩經》.
[字源] 形聲. 欠+音〔音〕

欠 9 〔歅〕 13
[一] 인 [平]眞 | yīn イン うたがう
[二] 연 [平]先 | yān エン うたがう
[字解] [一] ①의심할인 '無所一者'《莊子》. ②사람이름인 진(秦)나라 목공(穆公) 때 말〔馬〕의 감정가의 이름. '一, 人名, 秦穆公時, 有九方一'《集韻》. [二] 의심할연, 사람이름연 [一]과 뜻이 같음.

欠 9 〔⿰匽欠〕 13 언 [去]願 | yàn エン こえをはりあげてよぶ
[字解] 크게소리쳐부를언 '一, 大呼用力'《廣韻》.

欠 9 〔歇〕 13
[一] 헐 [入]月 | xiē ケツ やすむ
[二] 갈 [入]曷 | hè カツ いぬのな
[字解] [一] ①쉴헐 ㉠그침. '憂未一也'《左傳》. ㉡휴식함. '一息'. ②다할헐 다 없어짐. '谷無以盈, 將恐一'《老子》. [二] 개갈 猲(犬부 9

획〈756〉)과 통용. '載獫—驕'《詩經》.
字源 形聲. 欠+曷〔音〕

欠9 〔歂〕13 천 ㊥先 ㊤銑 | ①②chuán セン·ゼン すう ③chuǎn セン·ゼン ぜんそく

字解 ①들이마실천 숨을 들이마심. '—, 口氣引也'《說文》. ②성(姓)천 '—, 亦姓'《集韻》. ③헐떡거릴천 喘(口부 9획〈173〉)과 同字. '喘, 說文, 疾息也. 或从欠'《集韻》.
字源 形聲. 欠+耑〔音〕

欠9 〔歈〕13 유 ㊥虞 | yú ユ うたう

字解 ①노래유 오(吳)나라에서 부르는 노래. '吳—越吟'《庾信》. 또, 널리 노래의 뜻으로도 쓰임. '吳—蔡謳, 奏大呂些. (註) —·謳, 皆歌也'《楚辭》. ②기뻐할유 愉(心부 9획〈401〉)와 통용. '陳醴發悴顔, 色—暢眞心'《劉伶》.
字源 形聲. 欠+兪〔音〕

欠9 〔歁〕13 감 ①㊤感 ②㊥覃 | kǎn カン くいたりない カン あきたらない

字解 ①나쁠감 먹고도 배가 덜 차서 감질이 남. '—, 食不滿也'《說文》. ②성에차지않을감, 서운할감 마음에 흡족하지 않음. '—, 意不滿也'《集韻》.
字源 形聲. 欠+甚〔音〕

欠9 〔[illegible]〕13 ㊀교 ㊎嘯 | jiào キョウ そかのちょうし ㊁격 ㊅錫 | ケキ つつしむ

字解 ㊀①초가조(楚歌調)교 격하고 애절하게 부르는 노래 방식. ②악기이름교 호루라기의 종류. '—, 今樂器塤篪之屬有—子. 俗稱叫𥫗'《正字通》. ㊁삼갈격 '—, 敬也'《廣韻》.
字源 形聲. 欠+噭〈省〉〔音〕

欠9 〔歖〕13 ㊀희 ㊥支 | xī キ にわかによろこぶ ㊁이 ㊤紙 | yǐ イ ろばがなく ㊂후 ㊎宥 | hòu コウ わるくあらい

字解 ㊀갑자기기뻐할희 '—, 卒喜也'《說文》. ㊁나귀울이 '—, —欸, 驢鳴'《廣韻》. ㊂나쁘고거칠후 '—, 歎—, 凶麤也'《集韻》.

欠9 〔[illegible]〕13 오 | ǎi オウ ふなうた

字解 뱃노래오 '—靄'는 뱃노래. '洪駒父曰, 柳子厚詩曰, —靄一聲山水綠. —, 音奧'《冷齋夜話》.

欠9 〔款〕13 〔관〕 款(欠부 8획〈597〉)과 同字

欠9 〔[illegible]〕13 〔가〕 歌(欠부 10획〈599〉)의 俗字

〔飮〕〔음〕 食부 4획(1714)을 보라.

欠10 〔歉〕14 ㊀겸 ㊤琰 | qiàn ケン ききん, くいたりない ㊁감 ㊎陷 | qiàn カン むさぼる

字解 ㊀①흉년들겸 흉년이 들어 곡식이 모자람. '—饉'. '久歲不登, 公私—敝'《宋書》. ②뜻에차지않을겸 ㉠만족하게 여기지 아니함. 적음. 모자람. '—然'. '—, 少也'《廣雅》. '仁生於—, 義生於豐'《文中子》. ㉡먹은 것이 성에 차지 않음. '—, 食不飽'《廣韻》. ㊁탐할감 탐냄.
字源 形聲. 欠+兼〔音〕

欠10 〔[illegible]〕14 협 ㊅葉 | xié キョウ いきをとまる

字解 호흡멈출협 '—, 翕气也'《說文》. '馬行聞虎氣, 竪耳鼻息—'《梅堯臣》.
字源 形聲. 欠+脅〔音〕

欠10 〔歊〕14 효 ㊥蕭 | xiāo キョウ きがうえにでる

字解 ①김오를효 수증기·열기 따위가 오르는 모양. '吐金景兮—浮雲'《班固》. ②더운기운효 열기(熱氣). '秋暑尙有殘—, 更冀特加精攝'《歐陽修》.
字源 形聲. 欠+高〔音〕

欠10 〔[illegible]〕14 치 ㊥支 | chī シ わらう

字解 비웃을치 嗤(口부 10획〈179〉)와 同字. '或受—於拙目'《陸機》.

欠10 〔歌〕14 中·人 가 ㊥歌 | gē カ うた, うたう

筆順 一 口 可 可 哥 哥 哥 歌

字解 ①노래가 ㉠곡조를 붙여 부르는 소리. 협의(狹義)로는, 음악이 따르는 것을 '—', 음악이 없는 것을 '謠'라 함. '詩—'. '—謠'. '詩言志, —永言'《書經》. ㉡한시(漢詩)의 한 체(體). 악부(樂府)에 연원(淵源)하며, 고시(古詩)에 속함. '放情曰—'《白石道人詩說》. ②노래할가 ㉠노래를 부름. '誦明月之詩, —窈窕之章'《蘇軾》. ㉡음악에 맞추어 노래를 부름. '我—且謠'《詩經》. ㉢새가 지저귐. '鳥—花舞太守醉'《歐

陽修》. ③노래지을가 노래를 지음. '論一文武之德'《漢書》. ④성가 성(姓)의 하나.
字源 形聲. 欠+哥〔音〕

欠10 〔㰤〕14 합 入合 | hē コウ しわぶき
字解 ①기침합 감기 기침. '一, 㰤也'《集韻》. ②훅들이마실합 '一, 大啜'《廣韻》.

欠10 〔歍〕14 曰오 平虞 | wū オ はく, ああ 曰앵 平陽 | yāng オウ むせぶ
字解 曰①한숨쉴오 탄식함. '一欽'. ②헛구역날오 '一, 心有所惡若吐也'《說文》. 曰울앵 흐느껴 욺. '增欷一唈'《淮南子》.
字源 形聲. 欠+烏〔音〕

欠10 〔㱍〕14 이 平支 | yé イ からかう
字解 서로웃을이 손을 들어 서로 희학질하며 웃음. '一, 人相笑相一瘉'《說文》.
字源 形聲. 欠+虒〔音〕

欠10 〔歋〕14 유 上有 | yǒu ユウ いわんとする
字解 말하려할유 '一, 言意也'《說文》.
字源 形聲. 欠+卣〔音〕

欠10 〔歂〕14 曰수 去寘 | shì スイ とう 曰관 上旱 | kuǎn カン まこと
字解 曰물을수 '一, 問也'《玉篇》. 曰款(欠부 8획〈597〉)의 本字.

欠10 〔䌛〕14 요 平蕭 上篠 | yáo ヨウ いきのでるさま
字解 숨나오는모양요 '一, 一一, 气出皃'《說文》.
字源 形聲. 欠+䍃〔音〕

欠11 〔歎〕15 高·入 탄 去翰 平寒 | tàn タン なげく
筆順 一 艹 艹 昔 莫 菓 菓 歎
字解 ①한숨쉴탄 탄식함. '一傷'. '當食不一'《禮記》. ②칭찬할탄 '一賞'. '孔子屢一之'《禮記》. ③노래도울탄 노래하는 곡조를 돕기 위하여 말미(末尾)에 소리를 보태주는 것. '壹倡而三一'《禮記》. ④한숨탄 탄식. '聞之者含一'《宋書》. ⑤신음할탄 '戚斯一'《禮記》. ⑥성탄 성(姓)의 하나.
字源 形聲. 欠+鷬〈省〉〔音〕
參考 嘆(口부 11획〈180〉)과 同字.

欠11 〔歑〕15 호 平虞 | hū コ ふきあたためる
字解 ①숨내쉴호 '出曰一, 入曰哈'《說文》. ②불어따사롭게할호 '一, 温吹也'《說文》.
字源 形聲. 欠+虖〔音〕

欠11 〔歐〕15 구 ①②上有 | ǒu オウ はく ③-⑤平尤 | ōu オウ うたう
字解 ①토할구 뱉음. '一吐'. '跪據樹一絲'《山海經》. ②칠구 구타함. 毆(殳부 11획〈614〉)와 同字. '一打'. '欲一之'《史記》. ③노래할구 謳(言부 11획〈1350〉)와 통용. '百姓一歌'《三公山碑》. ④성구 '一陽'은 복성(複姓). ⑤구라파구 유럽(Europe)의 약칭(略稱). '一亞'.
字源 形聲. 欠+區〔音〕

欠11 〔歠〕15 최 去卦 | chuài サイ かむ
字解 ①씹을최 입으로 씹음. '一, 齧也'《廣韻》. ②산적한입에넣을최 嘬(口부 12획〈183〉)와 同字.

欠11 〔歒〕15 적 入錫 | tì テキ よろこびわらう
字解 선웃음칠적 '一歃'은 어린아이가 기뻐서 웃는 모양. '一歃, 小人喜笑貌'《集韻》.
字源 形聲. 欠+啇〔音〕

欠11 〔㱂〕15 강 平陽 | kāng コウ うえてはらがむなしい
字解 ①속빌강 주려서 배가 허함. '一, 飢虛也'《說文》. ②기근강 흉년이 듦. '四穀不升曰一'《廣雅》.
字源 形聲. 欠+康〔音〕

欠11 〔歙〕15 〔음〕 飲(食부 4획〈1714〉)의 本字

欠11 〔歆〕15 〔음〕 飲(食부 4획〈1714〉)과 同字

欠11 〔歡〕15 〔환〕 歡(欠부 18획〈601〉)의 俗字

欠12 〔歔〕16 허 平魚 | xū キョ むせびなく
字解 ①흐느낄허 훌쩍훌쩍 욺. '泣一欷而霑衿'《東方朔》. ②두려워할허 공구하는 모양. '增一欷余鬱邑兮'《楚辭》. ③숨내쉴허 콧김을 내쉼. '一, 一曰, 出气也'《說文》.
字源 形聲. 欠+虛〔音〕

欠12 〔歙〕16 흡 入緝 | xī, xié キュウ おさめる, あう
字解 ①들이쉴흡 吸(口부 4획〈150〉)과 同字. ②거둘흡 수렴(收斂)함. '將欲一之, 必固張之'《老子》. ③줄어들흡 수축(收縮)함. '張一其舌'《論衡》. ④맞을흡 일치함. 翕(羽

부 6획〈1043〉)과 同字. '郡中一然歸仁'《漢書》.
字源 形聲. 欠+翕〔音〕

欠12 〔歜〕 16 흑 入職 | hēi コク しわぶき
字解 ①기침흑 '一, 咳也'《集韻》. ②침뱉는 소리흑 '一, 一日, 唾聲'《集韻》.

欠12 〔歕〕 16 분 平元 | pēn ホン ふく
字解 ①불분 입김을 내어 보냄. 재채기함. '一, 吹气也'《說文》. '歕野一山'《班固》. ②뱉을분 토함. '一飯'. '一, 口含物一散也'《玉篇》.
字源 形聲. 欠+賁〔音〕

欠12 〔歖〕 16 ㊀희 平支 ㊁이 上紙 | xī キ にわかによろこぶ イ ろばがなく
字解 ㊀갑자기기뻐할희 '一, 卒喜也'《說文》. ㊁나귀울이 歖(欠부 9획〈599〉)와 同字. '一, 一欧, 驢鳴, 或省'《集韻》.
字源 形聲. 欠+喜〔音〕

欠12 〔歘〕 16 〔훌〕
欻(欠부 8획〈597〉)의 本字

欠12 〔歡〕 16 〔환〕
歡(欠부 18획〈601〉)의 俗字

欠12 〔歗〕 〔소〕
欠부 13획(601)을 보라.

欠13 〔歛〕 17 감 去勘 | hàn カン あたえる, のぞむ
字解 ①줄감 수여함. '一, 與也'《廣雅》. ②바랄감 원함. '一, 欲也'《廣雅》.
字源 形聲. 欠+僉〔音〕
參考 斂(支부 13획〈488〉)과는 別字.

欠13 〔歜〕 17 ㊀잠 上感 ㊁촉 入沃 | zǎn サン つけもの chù ショク いかる
字解 ㊀김치잠 침채(沈菜). '饗有昌一'《左傳》. ㊁①노할촉 대로(大怒)함. 또, 노기(怒氣). '一, 盛气怒也'《說文》. ②사람이름촉 인명(人名). '甘一'·'丙一'은 춘추 시대(春秋時代)의 사람.
字源 形聲. 欠+蜀〔音〕

欠13 〔歖〕 17 희 平支 | xī キ わらいあう
字解 서로웃을희 '一, 相笑也'《集韻》.

欠13 〔歗〕 17 소 去嘯 | xiào ショウ うそぶく
字解 휘파람불소 嘯(口부 13획〈186〉)와 同字. '條其一矣'《詩經》.
字源 形聲. 欠+肅〔音〕

欠13 〔歡〕 17 ㊀색 入職 ㊁혁 入職 ㊂효 去嘯 | xì ショクかなしむ sè キョクかなしむ キョウ かなしむ
字解 ㊀①슬퍼할색 '一, 悲意'《說文》. ②두려워할색 '一, 小怖皃'《廣韻》. ㊁슬퍼할혁, 두려워할혁 ㊀과 뜻이 같음. ㊂슬퍼할효 ㊀①과 뜻이 같음.
字源 形聲. 欠+嗇〔音〕

欠13 〔歡〕 17 ㊀격 入錫 ㊁혜 去霽 ㊂체 去霽 | xì ケキ ㊀-㊂ つばをするおと ケイ テイ・タイ
字解 ㊀①침뱉는소리격 '一, 且唾聲'《說文》. ②방그레웃을격 '一, 一日, 小笑'《說文》. ㊁침뱉는소리혜, 방그레웃을혜 ㊀과 뜻이 같음. ㊂침뱉는소리체, 방그레웃을체 ㊀과 뜻이 같음.
字源 形聲. 欠+毄〔音〕

木13 〔歟〕 17 〔유〕
欲(欠부 5획〈596〉)과 同字

欠13 〔歝〕 17 〔역〕
斁(攴부 13획〈488〉)의 古字

欠14 〔歟〕 18 여 平魚 | yú ヨ か, や
字解 그런가여 ㉠의문사(疑問辭). '子非三閭大夫一'《史記》. ㉡추측사(推測辭). '其達者一'《史記》. ㉢부정사(不定辭). '秦一漢一, 將近代一'《李華》.
字源 形聲. 欠+與〔音〕

欠15 〔歠〕 19 철 入屑 | chuò セツ のむ
字解 ①들이마실철 마셔 넘김. '毋一醢'《禮記》. 또, 마시는 음식. '進熱一'《戰國策》. ②마시게할철 '不一役只'《楚辭》.
字源 形聲. 歙〈省〉+叕〔音〕

欠15 〔歡〕 19 우 平尤 | yōu ユウ なげく
字解 개탄할우 분개하여 탄식함. '終日號而不一'《老子》.

欠18 〔歡〕 22 中·人 환 平寒 | huān カン よろこぶ
筆順 十 艹 萠 萨 萑 雚 雚 歡
字解 ①기뻐할환 즐거워함. '一迎'. '欣喜一愛, 樂之官也'《禮記》. ②기쁘게할환

'一感閭里'《湘山野錄》. ③기쁨환 희열. 즐거움. '平生一'. '啜菽飮水, 盡其一'《禮記》. ④정의(情誼)환 친분. 교정(交情). '勞苦如平生一'《漢書》. ⑤사랑할환 '聞一在揚州, 相送楚山頭'《古樂府》.
[字源] 形聲. 欠+雚〔音〕

欠 18 〔歂〕 22 [一] 첩 [入]葉 | chè ショウ きがうごく
[二] 업 [入]葉 | yě ヨウ とる
[字解] [一] 기(氣)동(動)할첩 기(氣)가 움직이는 모양. '一一, 氣動貌'《集韻》. [二] 취할업 취(取)함. '一, 取也'《玉篇》.

欠 18 〔歉〕 22 초 [去]嘯 | jiào ショウ さけをのみつくす
[字解] 술다마실초 '一, 盡酒也'《說文》.
[字源] 形聲. 欠+樵〔音〕

欠 18 〔歡〕 22 [一] 축 [入]屋 | zú シュク くちとくちをつけあう
[二] 잡 [入]合 | zā ソウ こえ
[字解] [一] 입맞출축 '歔一'은 입을 맞춤. '一, 歔一也'《說文》. [二] 목소리잡 '一歎'은 목소리의 모양. '一, 一歎, 聲'《廣韻》.
[字源] 形聲. 欠+䶑〔音〕

欠 19 〔欒〕 23 [一] 란 [平]寒 | luán ラン あくびをする
[二] 권 [去]霰 | ケン あくびをする
[字解] [一] ①하품할란 하품을 하는 모양. '一, 欠皃'《說文》. ②깨닫지못할란 마음이 미혹(迷惑)되어 이치를 깨닫지 못하는 모양. '一, 心惑不悟皃'《集韻》. [二] 하품할권, 깨닫지못할권 [一]과 뜻이 같음.
[字源] 形聲. 欠+䜌〔音〕

欠 21 〔歠〕 25 곤 [平]元 | kūn コン しりがたい
[字解] 알기어려울곤 '一干'은 알기 어려움. '一, 一干, 不可知也'《說文》.
[字源] 形聲. 欠+鰥〔音〕

欠 22 〔歎〕 26 〔탄〕 歎(欠부 11획〈600〉)의 籒文

止 部

〔그칠지부〕

止 0 〔止〕 4 [中·人] 지 [上]紙 | zhǐ シ あし, とまる
[筆順] 丨 ⺊ 屮 止
[字解] ①발지 趾(足부 4획〈1422〉)와 同字. '一, 足也'《廣韻》. '北一'《儀禮》. ②거동지 행동거지. 범절. '擧一'. '容一'. '人而無一'《詩經》. ③그칠지 ㉠정지함. '一水'. '行一'. ㉡멈추게 됨. '中一'. '寇盜不爲衰一'《史記》. ㉢멎음. 없어짐. '一, 滅也'《廣雅》. '言論自此衰一'《世說新語補》. ④머무를지 ㉠발을 멈춤. '過客一'《老子》. ㉡일정한 곳에 있음. '在一於至善'《大學》. ㉢유숙함. '一宿'. '汝來省吾, 一歲'《韓愈》. ⑤그만둘지 ㉠중지함. 폐함. '廢一'. '未成一簣, 一, 吾一也'《論語》. ㉡나음. 치유됨. 없앰. '疾乃一'《呂氏春秋》. ㉢버림. '一念慮'《淮南子》. ⑥살지 거주함. '居一'. '邦畿千里, 惟民所一'《詩經》. ⑦족할지 만족함. 충분함. '知一不怠'《老子》. ⑧이를지 옴. 도달함. '魯侯戾一'《詩經》. ⑨조용할지 고요함. '口容一'《禮記》. ⑩막을지 ㉠금함. '禁一'. '靖郭君不能一'《呂氏春秋》. ㉡막아 못 가게 함. '一子路宿'《論語》. ⑪사로잡을지 생포함. '輅秦伯, 將一之'《左傳》. ⑫사로잡힐지 생포당함. '是以皆一'《詩經》. ⑬겨우지 오직. '一可以一宿'《莊子》. ⑭어조사지 무의미의 조사(助辭). '百室盈一, 婦子寧一'《詩經》. ⑮성지 성(姓)의 하나.
[字源] 象形. 멈춰 서는 발의 모양을 본뜸.
[參考] '止'를 의부(意符)로 하여, '걷다, 멈춰 서다' 등 발의 움직임이나 시간의 경과에 관한 문자를 이룸.

止 0 〔𣥂〕 3 달 [入]曷 | tà タツ ふむ
[字解] 밟을달 '一, 蹈也'《說文》.
[字源] 象形. '발'의 모양으로, '밟다'의 뜻을 나타냄.

止 1 〔正〕 5 [中·人] 정 [去]敬 [平]庚 | ①-⑰zhèng セイ·ショウ ただしい
⑱-⑳zhēng セイ·ショウ しょうがつ, まと
[筆順] 一 丅 下 正 正
[字解] ①바를정 ㉠도리에 맞음. '邪'의 대. '廉一'. ㉡비뚤어지지 않고 곧음. 기울지 않음. '傾'의 대. '儀一而景一'《荀子》. '剛健中一'《易經》. ㉢틀리지 아니함. '譌'의 대. '眞一者少'《北史》. ㉣바름. 바른 일. 바른 도(道). '以順爲一者, 妾婦之道也'《孟子》. ㉤바른 이. 바른 사람. 군자(君子). '昔先一保衡'《書經》. ②바로잡을정 ㉠바르게 함. 곧게 함. '各一性命'《易經》. ㉡개선(改善)함. '革一法度'《魏志》. ㉢정제(整齊)함. '一其衣冠'《論語》. ㉣죄를 다스림. 문초함. '賊殺其親, 則一之'《周禮》. ③정할정 결정함. '一月要'《周禮》. ④질정할정 모르

는 것을 물어 바로 앎. '就有道而一'《論語》. ⑤순수할정 섞임이 없음. '一白'. '一赤'. ⑥미리작정할정 예기(豫期)함. '必有事焉而勿一'《孟子》. ⑦바로정 ㉠바르게. '一告天下'《漢書》. ㉡틀림없이. 확실히. '一唯弟子不能及也'《論語》. ⑧단지정 다만. '一頗重聽何傷'《漢書》. ⑨네모정 방형(方形). '不量鑿而一柄兮'《楚辭》. ⑩가운데정 한가운데. '乃四方之中一也'《詩經 箋》. ⑪상도정 떳떳한 도리. '奇一'. ⑫정정 위계의 상하를 나타내는 말로, '從'의 대. '一一品'. ⑬본정 사물에 관하여 주가 되는 것. '副'의 대. '一本'. '立一妻'《愼子》. ⑭맏아들정 적장자(嫡長子). '諸侯與一而不與賢'《穀梁傳》. ⑮장관정 벼슬의 장관. '樂一'. ⑯정사정 政(攴부 5획〈481〉)과 同字. '仲春班馬一'《禮記》. ⑰성정 성(姓)의 하나. ⑱첫정 세수(歲首). '一月'. ⑲과녁정 과녁의 한가운데. '一鵠'. ⑳구실정 征(彳부 5획〈369〉)과 통용. '司馬不一'《周禮》.

[字源] 會意. 一＋止. 一(하늘)과 止(걸음)의 합자. 하늘의 운행이 정확함의 뜻. 전하여, '바름'을 뜻함.

止 1 〔𣥄〕5 〔핍〕 乏(丿부 4획〈18〉)의 本字

止 2 〔此〕6 [中·人] 차 [上]紙 | cǐ シ ここ, これ

[筆順] 丨 ト 𠄌 止 此 此

[字解] ①이차 ㉠가장 가까운 사물을 가리키는 말. 이것. '彼一'. '去彼取一'《老子》. ㉡가장 가까운 장소를 가리키는 말. 이 곳. '與我會一'《史記》. ②이에차 발어사(發語辭). 玆(玄부 5획〈765〉)와 뜻이 같음. '有德一有人, 有人一有土'《大學》.

[字源] 會意. 止＋匕

止 2 〔𣥂〕6 此(前條)와 同字

止 2 〔𤴓〕6 〔정〕 正(止부 1획〈602〉)의 古字

〔企〕 〔기〕 人부 4획(36)을 보라.

止 3 〔步〕7 [中·人] 보 [去]遇 | bù ホ あゆみ, あるく

[筆順] 丨 ト 止 止 步 步 步

[字解] ①걸음보 발걸음. '行一'. '失其故一, 匍匐而返'《後漢書》. ②걸을보 ㉠보행함. '一行'. '王朝一自周'《書經》. ㉡천천히 걸음. '走者之速, 一者之遲'《說苑》. ③걸릴보 걸어가게 함. 끌고 감. '一路馬必中道'《禮記》. ④보병보 걷는 군사. '一騎羅些'《楚辭》. ⑤처할보 처세함. '高一當年'《晉書》. ⑥행위보 행동. '易跡更一'《蜀志》. ⑦운수보 운명. '天一'. '國一斯頻'《詩經》. ⑧천자의자리보 제위(帝位). '改玉改一'《國語》. ⑨나루보 나루터. '蕃船至泊一'《韓愈》. ⑩여섯자보 지적(地積)의 단위. 곧, 사방 6척. '數以六爲紀, 六尺爲一'《史記》.

[字源] 象形. 좌우의 발〔止〕의 모양으로, '걷다'의 뜻을 나타냄.

止 3 〔𣥪〕7 〔회〕 會(曰부 9획〈519〉)의 古字

止 4 〔歩〕8 步(前前條)의 俗字

止 4 〔𣦀〕8 〔전〕 戰(戈부 12획〈424〉)의 古字

止 4 〔𣥸〕8 〔려〕 旅(方부 6획〈496〉)의 古字

止 4 〔𣥺〕8 〔근〕 近(辵부 4획〈1489〉)의 古字

止 4 〔𣥼〕8 〔려〕 旅(方부 6획〈496〉)의 古字

止 4 〔歨〕8 〔보〕 步(止부 3획〈603〉)와 同字

〔肯〕 〔긍〕 肉부 4획(1068)을 보라.

止 4 〔歧〕8 기 [平]支 | qí キ わかれみち, むつゆび

[字解] ①갈림길기 두 갈래로 갈라진 길. '臨一矩步'《顏延之》. ②갈래기 분기(分岐). '麥穗兩一'《後漢書》. ③갈릴기 岐(山부 4획〈304〉)와 同字. '一, 音岐'《華嚴經音義》. ④육발이기 발가락이 여섯 개임. 跂(足부 4획〈1422〉)와 同字. '一, 說文, 足多指也'《集韻》.

[字源] 形聲. 止＋支〔音〕

止 4 〔𣥠〕8 〔발〕 癶(部首〈823〉)의 本字

止 4 〔武〕8 [中·人] 무 [上]麌 | wǔ ブ·ム たけし, もののふ

[筆順] 一 二 千 干 壬 正 武 武

[字解] ①굳셀무 강함. 무용(武勇)이 있음. 용감함. '一猛'. '孔一有力'《詩經》. ②군용(軍容)무 병위(兵威). 위력(威力). '非敢耀一也'《左傳》. ③병법무 전술. '乃命將帥,

講一習射御'《禮記》. ④병장기무 병기. 무기. '一庫'. ⑤무인무 무사(武士). '爲天下顯一'《淮南子》. ⑥무사무 군사(軍事)에 관계되는 일. '文'의 대. '文一'. '乃偃一修文'《書經》. ⑦무악이름무 주무왕(周武王)이 지은 무악(舞樂). '武王作一'《漢書》. ⑧악기이름무 금속의 악기. 곧, 종 같은 것. '始奏以文, 復亂以一'《禮記》. ⑨발자취무 족적. '接一'《禮記》. ⑩자취무 유업(遺業). '繩其祖一'《詩經》. ⑪이을무 계승함. '下一惟周'《詩經》. ⑫반걸음무 한 발짝의 거리. 곧, 석자. 삼척(三尺). '步一尺寸之間'《國語》. ⑬성무 성(姓)의 하나.
字源 會意. 止+戈

止4 〔疋〕8 〔정〕 正(止부 1획〈602〉)의 古字

止5 〔歫〕9 거 ㊤語 | jù キョ いたる, とめる
筆順 丨 ⺊ 止 止一 止𠀃 歫 歫 歫
字解 ①이를거 다다름. 距(足부 5획〈1425〉)와 同字. '騰空虛, 一連卷'《揚雄》. ②막을거 저지함. 拒(手부 5획〈436〉)와 同字. '一, 止也'《說文》. ③어긋날거 어그러짐. '一, 違也. 戾也'《玉篇》.
字源 形聲. 止+巨〔音〕

止5 〔哿〕9 〔가〕 訶(言부 5획〈1319〉)의 古字

止5 〔歪〕9 ㊀왜 ㊁외 ㊂의 ㊥佳 | wāi, wǎi ワイ ゆがむ
字解 ㊀비뚤왜 바르지 아니함. 기욺. '俗合不正二字, 改作一'《正字通》. ㊁비뚤외 ㊀과 뜻이 같음. ㊂비뚤의 ㊀과 뜻이 같음.
字源 會意. 正+不

木6 〔歬〕10 〔전〕 前(刀부 7획〈105〉)의 本字

止6 〔峙〕10 치 ①㊥支 ②㊤紙 | chí チ ためらう チ そなえる
字解 ①머뭇거릴치 주저함. '一躇'. ②비축할치 峙(山부 6획〈308〉)와 同字. '一乃糗糧'《書經》.
字源 形聲. 止+寺〔音〕

止6 〔歱〕10 〔근〕 跟(足부 6획〈1427〉)과 同字

〔耻〕 〔치〕 耳부 4획(1056)을 보라.

止6 〔齒〕10 〔치〕 齒(部首〈1884〉)의 古字

止8 〔齒〕12 저 ㊦御 | zhù チョ うつわにもる
字解 담을저 물건을 그릇에 담음. '吳俗謂盛物於器曰一'《集韻》.

止8 〔歬〕12 〔전〕 前(刀부 7획〈105〉)의 本字

〔歯〕 〔치〕 凵부 10획(98)을 보라.

止8 〔歸〕12 〔귀〕 歸(止부 14획〈605〉)의 籒文

止8 〔歩〕12 〔발〕 迹(辵부 4획〈1490〉)의 本字

止8 〔堂〕12 ㊀탱 ㊥庚 | chēng トウ ふむ ㊁상 ㊦漾 | ショウ ただす
字解 ㊀①밟을탱 밟음. '一, 蹋也'《集韻》. ②벋디딜탱 벋디디어 막음. '維角一之'《周禮》. ㊁바로잡을상 '一, 正也'《周禮 疏》.
字源 形聲. 止+尙〔音〕

止9 〔歲〕13 中學 세 ㊦霽 | suì サイ もくせい, とし
筆順 ⺊ 𠂉 𠂉 产 产 㞢 歲 歲
字解 ①목성세 태양계의 다섯째 행성(行星). '一星'. '一在星紀'《左傳》. ②해세 ㉠일년. '一入'. '孔子居陳三一'《史記》. ㉡곡식이 잘 여무는 해. 풍년. '國人望君, 如望一焉'《左傳》. ㉢새해. 신년(新年). '一朝'. '元旦早晨賀一'《雜纂新續》. ㉣세월. 광음. '一時'. '翫一而愒日'《左傳》. ③해마다세 매년. '一幣'. '必使諸侯一貢'《漢書》. ④나이세 ㉠연령. '同郡又同一'《晉書》. ㉡일생. '可以卒一'《史記》. ⑤성세 성(姓)의 하나.
字源 形聲. 步+戌〔音〕

止9 〔歳〕13 歲(前條)의 略字

止9 〔歱〕13 종 ㊤腫 | zhǒng ショウ きびす
字解 ①발꿈치종 '一, 跟也'《說文》. ②자취종 '一, 迹也'《廣雅》.
字源 形聲. 止+重〔音〕

〔頉〕 〔탈〕 頁부 3획(1683)을 보라.

止10〔𣥜〕14 〔삽〕 澀(水부 12획〈685〉)과 同字
字源 會意. 刃+止+刃+止

止10〔歷〕14 歷(次次條)의 略字

〔齒〕〔치〕 部首(1884)를 보라.

止12〔歷〕16 中·人 력 ㊀錫 lì レキ へる
筆順 厂 厈 厤 厤 厤 厤 歴 歷
字解 ①지낼력 겪음. 세월을 보냄. '經一'. '多一年所'《書經》. '一世彌光'《張衡》. ②다닐력 감. '橫一天下'《戰國策》. ③넘을력 지나침. 유월(踰越)함. '不一位而相與言'《孟子》. ④셀력 수를 셈. 또, 수효. '一, 數也'《爾雅》. ⑤매길력 차례를 정함. '一卿大夫至於庶民土田之數'《禮記》. ⑥가릴력 '一吉日以齋戒'《司馬相如》. ⑦어지러울력 문란함. 혼란함. '一者獄之所由生也'《大戴禮》. ⑧다할력 하나도 빼지 아니함. 모조리 함. '一周唐之所進以爲法'《漢書》. ⑨엇걸력 교착(交錯)시킴. '交臂一指'《莊子》. ⑩성길력 촘촘하지 아니함. '齞脣一齒'《宋玉》. ⑪두루력 빠짐없이 널리. '一告爾百姓于朕志'《書經》. ⑫가마력 가마솥. '銅一爲棺'《史記》. ⑬달력력 曆(日부 12획〈515〉)과 통용. '黃帝造一'《漢書》. ⑭마판력 櫪(木부 16획〈590〉)과 同字. '伏一千駟'《漢書》. ⑮성력 성(姓)의 하나.
字源 形聲. 止+厤〔音〕

止13〔躄〕17 벽 ㊀陌 bì ヘキ いざり
字解 ①앉은뱅이벽 '一, 人不能行也'《說文》. ②곱사등이벽 꼽추. '一, 癃也'《廣雅》.
字源 形聲. 止+辟〔音〕

止13〔𨇤〕17 〔저〕 躇(足부 13획〈1449〉)와 同字

止14〔歸〕18 中·人 귀 ㊥微 ㊄寘 ①-⑩guī キ かえる ⑪kuì キ おくる
筆順 ſ 㠯 𠂤 𠂤 𠂤 𠂤 歸 歸
字解 ①돌아갈귀, 돌아올귀 온 길을 감. 간 길을 옴. '回一'. '使者一, 則必拜送于門外'《禮記》. ②돌려보낼귀 ㉠온 길을 도로 가게 함. '一馬于華山之陽'《書經》. ㉡반환함. '齊人來一鄆·讙·龜陰之田'《春秋》. ③시집갈귀 '之子于一'《詩經》. ④붙좇을귀 따름. '一依'. '民之攸一'《詩經》. ⑤편들귀 한편이 됨. '天下一仁焉'《論語》. ⑥맡길귀 위임함. '請一死于司寇'《左傳》. ⑦맞을귀 틀리지 않음. '私惠不一德'《禮記》. ⑧마칠귀 끝냄. '以貪一之'《左傳》. ⑨뜻귀 지취(旨趣). '同一而殊途'《易經》. ⑩성귀 성(姓)의 하나. ⑪보낼귀 물건을 줌. '一孔子豚'《論語》.
字源 會意. 본래 自+帚. 뒤에 '발'의 뜻인 '止'를 덧붙여 그 뜻을 분명히 함.

止14〔𨺔〕18 歸(前條)와 同字

歹(歺)部

〔죽을사부〕

歹0〔歹〕4 ㊀알 ㊀曷 è ガツ あまりのほね ㊁대 ㊤賄 dǎi タイ わるい
筆順 一 丆 歹 歹
字解 ㊀앙상한뼈알 살을 발라 낸 뼈. '一, 列骨之殘也'《說文》. ㊁나쁠대 어그러짐. '也有幾日一些'《紅樓夢》.
字源 象形. 살이 깎여 없어진 시체의 백골(白骨)의 상형으로, '앙상한 뼈'를 뜻함.
參考 ①歺(次條)은 同字. ②부수(部首)로서 '죽을사(死)부'로 이름하여, '죽음'에 관한 문자를 이룸.

歹0〔歺〕5 歹(前條)과 同字

歹0〔𣦵〕5 歹(前前條)과 同字
字源 象形. 살이 깎여 없어진 시체의 백골(白骨)의 상형으로, '뿔뿔이 따로 떨어진 뼈'를 뜻함.
參考 '𣦵'이 자획(字畫)의 일부가 될 때에는, 흔히 '歹(前前條)' 또는 '歺(前條)'의 형태를 취함.

歹0〔歹〕3 대 ㊤賄 dǎi タイ わるい
字解 ①나쁠대 어긋남. '一, 好之反也. 悖德逆行曰一'《字彙》. ②너, 나 이인칭(二人稱). 또, 자칭(自稱). '南蠻稱人曰一, 自稱, 亦曰一'《炎徼紀聞》.

歹2〔歼〕6 후 ㊤有 ㊄宥 xiǔ キュウ くちる
字解 썩을후, 썩일후 朽(木부 2획〈525〉)

와 同字. '腐一餘財, 不以相分'《墨子》.
字源 形聲. 歹(歺)＋丂〔音〕

歹2 〔死〕6 中·人 사 ㊤紙 sǐ シ しぬ
筆順 一 厂 万 歹 歼 死
字解 ①죽을사 ㉠생명이 없어짐. '一亡'. '觸槐而一'《左傳》. ㉡서인(庶人)이 죽음. 붕(崩)·홍(薨)·졸(卒)의 대(對). '小人曰一'《禮記》. ㉢망함. '一於安樂'《孟子》. 또, 전(轉)하여, 효력이 없거나 실제로 행하여지지 아니함의 비유. '一法'. '一語'. ㉣등불이 꺼짐. '獨立每看斜日盡, 一坐直至孤燈一'《王諲》. ㉤끝남. '故知一生之說'《易經》. ②죽일사 살육함. '殺人者一'《史記》. ③말라죽을사 고사(枯死)함. '桑穀一'《漢書》. ④다할사 다 없어짐. '惡言一焉'《荀子》. ⑤죽음사 사망. '生一'. '事一如事生'《中庸》. ⑥목숨걸사 죽음을 두려워하지 않음. '出行乃得一友'《後漢書》. ⑦주검사 사해(死骸). '求谷吉等一'《漢書》.
字源 會意. 歹(歺)＋人

歹2 〔歺人〕7 死(前條)의 本字

歹2 〔㱚〕7 잔 ㊥寒 cán サン えぐる
字解 후빌잔 해쳐 구멍을 뚫음. '一, 殘穿也'《說文》.
字源 會意. 又＋歺

〔列〕〔렬〕
刀부 4획(100)을 보라.

歹3 〔歼〕7 〔섬〕
殲(歹부 17획〈611〉)의 簡體字

歹4 〔歾〕8 ㊀몰 ㊇月 mò ボツ しぬ
㊁문 ㊤吻 wěn ブン くびきる
字解 ㊀①죽을몰 沒(水부 4획〈631〉)의 古字. '將何以一'《左傳》. ②다할몰 '詘其節, 執其術, 共所一'《太玄經》. ㊁ 목벨문 刎(刀부 4획〈100〉)과 同字.
字源 形聲. 歹(歺)＋勿〔音〕

歹4 〔歿〕8 몰 ㊇月 mò ボツ しぬ
字解 죽을몰 沒(水부 4획〈631〉)과 同字. '戰一'《後漢書》.
字源 形聲. 歹(歺)＋殳(叟)〔音〕

歹4 〔殁〕8 歿(前條)의 俗字

歹4 〔殀〕8 요 ㊤篠 yāo(yǎo) ヨウ わかじに
字解 ①일찍죽을요 요사함. '一壽不貳'《孟子》. ②죽일요 베어 죽임. 참살함. '不一夭'《禮記》.
字源 形聲. 歹(歺)＋夭〔音〕

歹4 〔歼〕8
㊀잔 ㊥寒 cán サン くいのこし
㊁찬 ㊦翰 サン くいのこし
㊂월 ㊇黠 ㊇曷 ガツ くいのこし
㊃발 ㊇曷 ハツ くいのこし
字解 ㊀짐승먹던찌꺼기잔 '一, 禽獸所食餘也'《說文》. ㊁짐승먹던찌꺼기찬 ㊀과 뜻이 같음. ㊂짐승먹던찌꺼기월 ㊀과 뜻이 같음. ㊃짐승먹던찌꺼기발 ㊀과 뜻이 같음.
字源 會意. 歹(歺)＋月
參考 '殘잔'과 동일어 이체자(同一語異體字).

歹4 〔歨〕8 자 ㊦寘 zì シ よみがえる
字解 까무러쳤다깨어날자 '一, 死而復生也'《篇海》.

歹4 〔㱙〕8 눌 ㊇月 nè トツ こころがみだれる
字解 마음어지러울눌 '殟一, 心亂也'《玉篇》.

歹4 〔殈〕8 흉 ㊥冬 ㊤腫 xiōng キョウ わるい
字解 흉할흉 凶(凵부 2획〈97〉)과 同字.

歹4 〔殉〕8 〔순〕
殉(歹부 6획〈607〉)과 同字

歹5 〔殂〕9 조 ㊥虞 cú ソ しぬ
字解 죽을조 임금의 죽음을 휘(諱)하여 이름. '帝乃一落'《書經》.
字源 形聲. 歹(歺)＋且〔音〕

歹5 〔㱟〕9 피 ①㊥支 pī ヒ にくをさく
②㊤紙 pǐ ヒ おる
字解 ①살가를피 살을 가름. '一, 剖肉也'《類篇》. ②꺾을피 부러뜨림. '一, 折也'《集韻》.

歹5 〔殃〕9 高·人 앙 ㊥陽 yāng オウ わざわい
筆順 一 厂 万 歹 歹 歼 歼 殃
字解 ①재앙앙 주로, 하늘이나 신명(神明)이 내리는 재화(災禍). 버력. '一禍'. '作

不善, 降之百一'《書經》. '必有天一'《淮南子》. ②패할앙 '一, 敗也'《廣雅》. ③해칠앙 해를 끼침. '一民者, 不容於堯舜之世'《孟子》.
字源 形聲. 歹(歺)+央〔音〕

歹5〔殃〕9 질 入質 | chì チツ えやみのかみ
字解 염병귀신질 역병신(疫病神).

歹5〔殄〕9 진 上銑 | tiǎn テン つきる
字解 ①끊어질진, 다할진 절멸함. 없어짐. '一滅'. '餘風未一'《書經》. ②끊을진, 멸할진 절멸시킴. '一滅'. '不一厥慍'《孟子》. ③앓을진, 앓게할진 병듦. 병들게 함. '一瘁'. '凡稼澤, 夏以水一草而芟夷之'《周禮》. ④죽을진 '胤嗣一沒'《沈約》. ⑤모조리진 남김없이. '邦國一瘁'《詩經》.
字源 形聲. 歹(歺)+㐱〔音〕

歹5〔殀〕9 殄(前條)의 俗字

歹5〔殙〕9 ㊀면 上銑 | mèn ベン あわれむ ㊁혼 平元 | hūn コン くらむ
字解 ㊀불쌍히여길면 '一, 矜也'《集韻》. ㊁흐릴혼 어두움. 殙(歹부 9획〈609〉)과 同字. '以黃金注者一'《莊子》.

歹5〔殆〕9 高·人 태 上賄 | dài タイ あやうい
筆順 一 厂 歹 歹 歼 殆 殆 殆
字解 ①위태할태 위험함. '一危'. '亦曰一哉'《大學》. ②위태롭게할태 '一諸侯也'《公羊傳》. ③위태로워할태 위태롭게 여김. '當此時也, 論士一之'《呂氏春秋》. ④해칠태 해를 끼침. '身見一'《淮南子》. ⑤무서워할태 '一於蝍蛆'《淮南子》. ⑥지칠태 피곤함. '一, 向云, 疲困之謂'《釋文》. ⑦무너질태, 패할태 '一, 壞也'《廣雅》. '一, 敗也'《廣雅》. ⑧가까이할태 접근함. '無小人一'《詩經》. ⑨가까울태 비슷함. '一於不可'《孟子》. ⑩거의태 아마. '一不可復'《孟子》. ⑪처음태 시초에. '一及公子同歸'《詩經》.
字源 形聲. 歹(歺)+台〔音〕

歹5〔殌〕9 〔종〕 終(糸부 5획〈986〉)의 古字

歹5〔殆〕9 고 平虞 | kū コ かれる
字解 마름고 고사(枯死)함. '一, 枯也'《說文》.
字源 形成. 歹(歺)+古〔音〕

歹5〔殅〕9 생 平庚 | shēng ソウ よみがえる
字解 소생할생 죽었다 살아남. '一, 死而更生也'《類篇》.

歹6〔殈〕10 혁 入錫 入陌 | xù ケキ さける
字解 알부화되기전에깨질혁 '一, 鳥卵破也'《廣韻》. '卵生者不一'《禮記》.
字源 會意. 歹(歺)+血

歹6〔殑〕10 승 平蒸 上迥 | shēng ショウ しにかかる
字解 죽어갈승 죽어 가는 모양. '殑一, 欲死皃'《玉篇》.

歹6〔殉〕10 高·人 순 去震 平眞 | xùn ジュン おいじに
筆順 一 厂 歹 歹 歹 歺 殉 殉
字解 ①따라죽을순 죽은 사람을 따라 죽음. '一死'. '以一葬, 非禮也'《禮記》. ②바칠순 목숨을 바침. '一難'. '一國家之急'《漢書》. '貪夫一財'《史記》. ③구할순 바라 찾음. '一于貨色'《集韻》. ④경영할순 영위함. '豈余身之足一兮'《漢書》. ⑤돌순 '一尸不肯去'《後漢書》.
字源 形聲. 歹(歺)+旬〔音〕

歹6〔殎〕10 미 上薺 | mǐ ベイ こめがなかばくだける
字解 싸라기미 반 동강으로 부스러진 쌀. '一, 米半壞也'《類篇》.

歹6〔殊〕10 高·人 수 平虞 | shū シュ ころす, たつ
筆順 一 厂 歹 歹 歹 歼 殊 殊
字解 ①벨수 베어 죽임. '一死者相枕也'《莊子》. ②결심할수 각오함. '軍皆一死戰'《史記》. ③끊을수, 끊어질수 단절함. 단절됨. '斷其後之木, 而弗一'《左傳》. ④거의죽을수 중상을 입었으나 아직 목숨이 끊어지지 않음. '使人刺蘇秦, 不死, 一而走'《史記》. ⑤다를수 틀림. '一塗同歸'. '人同類而智一'《呂氏春秋》. ⑥지날수 넘음. '年一七十'《後漢書》. ⑦뛰어날수 특이(特異)함. '一恩'. '立一勳于魏室'《李德林》. ⑧특히수 유달리. 특별히. '一勝'. '一異乎公路'《詩經》. ⑨클수 '超一棒'《張衡》.
字源 形聲. 歹(歺)+朱〔音〕

歹6〔殜〕10 락 入藥 | luò ラク しぬ
字解 죽을락 '殂一'은 죽음. '殂一, 死也'《類篇》.

歹 6 〔殔〕10 [一]시 [去]寘|sì シ はかあな
[二]이 [去]寘|イ はかあな

[字解] [一] ①무덤구덩이시 관(棺)을 묻을 구덩이. '一, 埋棺之坎也'《字彙》. ②묻을시 관(棺)을 곳에 묻음. '威公薨, 一九月不得葬'《呂氏春秋》. ③가매장(假埋葬)할시 길가에 가매장함. '假葬於道側曰一'《釋名》. ④늘어놓을시 주검을 무덤 구덩이에 벌여 놓음. '一, 訓爲陳. 謂陳尸於坎'《儀禮 疏》. [二] 무덤구덩이이, 묻을이, 가매장할이, 늘어놓을이 [一]과 뜻이 같음.

歹 6 〔⿰歹次〕10 〔자〕
⿰歹欠(欠부 8획〈598〉)와 同字

歹 6 〔残〕10 〔잔〕
殘(歹부 8획〈608〉)의 俗字

歹 6 〔⿱不死〕10 란 [去]翰|luàn ラン みだれる

[筆順] 一 丆 不 不 丕 ⿱丕夕 ⿱丕歹 ⿱不死

[字解] 까무러칠란 죽음에 임하여 혼미(昏迷)에 빠지는 모양. '一, 諸物臨死時, 迷離沒亂貌'《字彙補》.

歹 7 〔⿰歹皃〕11 〔묘〕
⿰食皃(食부 7획〈1720〉)와 同字

歹 7 〔殍〕11 표 [上]篠|piǎo ヒョウ うえてしぬ

[字解] 주려죽을표 아사(餓死)함. 또, 그 주검. '一餓'. '民多流一'《遼史》.

歹 7 〔⿰歹甫〕11 殍(前條)의 俗字

歹 7 〔殑〕11 긍 [平]蒸|qíng キョウ もののけがでる

[字解] ①허깨비나올긍 허깨비가 나타남. '殑一, 鬼出'《集韻》. ②죽어갈긍 죽어 가는 모양. '一殑, 欲死皃'《集韻》.

歹 7 〔殏〕11 구 [平]尤|qiú キュウ おわる, しぬ

[字解] 마칠구, 죽을구 '一, 終也'《爾雅》.

歹 7 〔⿰歹乍〕11 〔조〕
殂(歹부 5획〈606〉)의 古字

歹 8 〔殗〕12 [一]업 [入]葉|yè ヨウ やむ
[二]엄 [平]鹽|yān エン しぬ

[字解] [一] ①앓을업 가벼운 병을 앓음. '凡病而不甚者, 曰一殜'《揚雄》. ②겹칠업 중첩함. '重葩一葉'《左思》. [二] 죽을엄 '一, 殁也'《集韻》.

歹 8 〔⿰歹卒〕12 졸 ①[入]質|zú シュツ しぬ
②[入]月|ソツ にわかにしぬ

[字解] ①죽을졸 대부(大夫)의 죽음을 일컬음. '大夫死曰一'《說文》. ②갑자기죽을졸 급사(急死)함. '一, 暴終也'《類篇》.

[字源] 形聲. 歹(歺)+卒〔音〕

歹 8 〔殖〕12 [人名] 식 [入]職|zhí ショク うえる, ふえる

[筆順] 一 丆 万 歹 歼 殖 殖 殖

[字解] ①심을식 식물을 심음. '農一嘉穀'《書經》. ②세울식 건립함. '以一義方'《國語》. ③자랄식 성장함. '其生不一'《左傳》. ④번성할식 무성함. '五穀所一'《呂氏春秋》. ⑤불을식 ㉠수효 또는 이자 같은 것이 늚. '貨財一焉'《中庸》. ㉡번식함. '同姓不婚, 惡不一'《國語》. ⑥불릴식 전항의 타동사. '一利'. '不一貨利'《書經》. ⑦성식 성(姓)의 하나.

[字源] 形聲. 歹(歺)+直〔音〕

歹 8 〔⿰歹委〕12 위 ①②[平]支|wēi イ やむ
③[去]寘|wèi イ しかのにく

[字解] ①병들위 '一, 病也'《說文》. ②말라죽을위 시들어 죽음. '一, 枯死'《廣韻》. ③사슴고기위 땅 속에 묻어 냄새를 없앤 사슴고기. '今益州有鹿一者'《禮記 註》.

[字源] 形聲. 歹(歺)+委〔音〕

歹 8 〔殕〕12 [一]부 [上]有|fǒu フウ くさる
[二]복 [入]職|bó ホク たおれる

[字解] [一] 썩을부 부패함. '一, 敗也'《廣雅》. [二] 쓰러질복 踣(足부 8획〈1434〉)과 同字. '或拜跪跳躍倒一於地'《杜光庭》.

歹 8 〔⿰歹奇〕12 기 [平]支 [上]紙|qī キ すてる, しぬ

[字解] ①버릴기, 죽을기 버림. 또 죽음. '一, 棄也. 俗語謂死曰大一'《說文》. ②찰기 그릇에 가득 참. '一, 盈也'《廣雅》.

[字源] 形聲. 歹(歺)+奇〔音〕

歹 8 〔殘〕12 [高·人] 잔 [平]寒|cán ザン そこなう, のこる

[筆順] 一 丆 万 歹 歹一 歼 残 殘

[字解] ①해칠잔 적해(賊害)함. '一害于爾萬姓'《書經》. ②죽일잔 살해함. '放弑其君, 則一之'《周禮》. ③멸할잔 멸망시킴. '欲一中山'《戰國策》. ④잔인할잔, 사나울잔 모짊. 포악함. '一酷'. '嚴而不一'《漢書》. 또, 그러한 사람. 흉악한 사람. '取彼凶一'《書經》. ⑤쇠잔할잔 쇠하여 약함. 퇴폐함. 또, 멸망함. '一民'. '本國一, 社稷壞'《戰國

策》. ⑥허물잔, 무너뜨릴잔 또, 무너짐. 패함. '滔水至, 則汝一矣'《戰國策》. ⑦탐할잔 욕심부림. '晉魏河內之北, 謂惏曰一'《揚子方言》. ⑧미워할잔 '凡人一罵, 謂之鉗'《揚子方言》. ⑨남을잔 잔존함. 또, 나머지. '一餘'. '帥其一卒'《呂氏春秋》. ⑩턱찌끼잔 먹다 남은 찌끼. '食一'《高僧傳》. ⑪재앙잔 흠. 해독. '大利之一也'《呂氏春秋》. ⑫삶은 고기잔 '鬻臛羊一'《崔駰》.
[字源] 形聲. 歹(歺)+戔〔音〕
[參考] 残(歹부 6획〈608〉)은 俗字.

歹 8 〔⿰歹宛〕12 [一] 완 [上]阮 [二] 왈 [入]曷 | yuǎn エン ひとがしぬさま wò ワツ くさいき
[字解] [一] 사람죽는모양완 '一, 人死貌'《類篇》. [二] 역한냄새왈 좋지 못한 냄새. '一, 臭氣'《集韻》.

歹 8 〔殙〕12 혼 [平]元 | hūn コン くらい
[字解] ①흐릴혼 어리석음. 惛(心부 8획〈397〉)과 同字. '以黃金注者一'《莊子》. ②지칠혼 '一, 極也'《廣雅》. ③앓을혼 병듦. '一, 病也'《廣雅》. ④죽어갈혼 '一, 欲死也'《聲類》. ⑤죽을혼 공명을 이루지 못하고 죽음. '一, 又未立名而死'《廣韻》. ⑥불쌍히여길혼 '一, 矜也'《類篇》.
[字源] 形聲. 歹(歺)+昏〔音〕

歹 8 〔殔〕12 이 [去]寘 | yì イ うずめる
[字解] ①묻을이 관(棺)을 묻음. '一, 瘞也'《說文》. ②무덤구덩이 肂(歹부 6획〈608〉)와 同字.
[字源] 形聲. 歹(歺)+隶〔音〕

歹 8 〔⿰歹夌〕12 릉 ①[平]蒸 ②[去]徑 | lèng リョウ おにがでる ロウ くるしみやむ
[字解] ①귀신나올릉 귀신이 나옴. 유령이 나타남. '一殑'. ②앓을릉 앓음. 괴로워하며 걱정함. '一殑'.

歹 9 〔殜〕13 엽 [入]葉 | yè ヨウ やむ
[字解] ①병들엽 '一殗, 病也'《集韻》. ②쇠할엽 기력이 감퇴함. '一, 一曰, 微也'《集韻》.

歹 9 〔殛〕13 극 [入]職 | jí キョク ころす
[字解] ①죄줄극 형벌에 처함. 죽임. '一鯀于羽山'《書經》. ②꾸짖을극 견책함. '是糾是一'《左傳》.
[字源] 形聲. 歹(歺)+亟〔音〕

歹 9 〔⿰歹昬〕13 〔혼〕
殙(歹부 8획〈609〉)의 本字

〔飱〕〔손〕
食부 4획(1715)을 보라.

歹 9 〔⿰歹咼〕13 〔화〕
禍(示부 9획〈891〉)와 同字

歹 9 〔⿰歹彖〕13 훼 [去]隊 | huì カイ つかれる
[筆順] 一 歹 歹' 歹⺕ 歹彑 歹彖 歹彖
[字解] 지칠훼 지침. 나른함. '殨一'.

歹 10 〔殞〕14 운 [上]軫 [上]吻 | yǔn イン しぬ, おちる ウン しぬ, おちる
[字解] ①죽을운 사망함. '一死'. '尙復投一'《梁書》. ②떨어질운 낙하함. '一石'. '槁葉夕一'《潘岳》. ③떨어뜨릴운 낙하시킴. '莫不一涕'《淮南子》.
[字源] 形聲. 歹(歺)+員〔音〕

歹 10 〔殟〕14 [一] 올 [入]月 [二] 온 [平]元 | wēn オツ きぜつする wēn オン つかれる, やむ
[字解] [一] ①까무러칠올 '一, 暴無知也'《說文》. '悒一絕兮咶復蘇'《楚辭》 ②낙태할올 태아가 죽어서 썩음. '一, 胎敗也'《說文繫傳》. ③심란할올 번민함. '一, 心悶'《廣韻》. ④죽어갈올 '烏一, 欲死也'《一切經音義》. ⑤천천할올 완만(緩漫)한 모양. '縱弛一歿'《傅毅》. [二] ①병들온 '一, 病也'《廣雅》. ②지칠온 피로함. '一, 極也'《廣韻》.
[字源] 形聲. 歹(歺)+昷〔音〕

歹 10 〔殠〕14 추 [去]有 | chòu シュウ わるいにおい
[字解] ①썩은내추 악취(惡臭). '上不泄一'《漢書》. ②썩은내날추 악취가 남. '單于得漢美食好物, 謂之一惡'《漢書》.
[字源] 形聲. 歹(歺)+臭〔音〕

歹 10 〔⿰歹益〕14 의 [去]寘 | yì イ しぼむ
[字解] 시들어죽을의 '一, 物凋死'《廣韻》.

歹 10 〔⿰歹豈〕14 [一] 애 [平]灰 [二] 개 [平]灰 | āi ガイ はらご カイ はらご
[字解] [一] 태애 죽은 태(胎). 양(羊)을 죽여 그 태(胎)를 꺼냄. '一, 殺羊出其胎也'《說文》. '一, 胎也'《廣雅》. [二] 태개 [一]과 뜻이 같음.
[字源] 形聲. 歹(歺)+豈〔音〕

歹 10 〔殪〕 14 〔에〕 殪(歹부 12획〈610〉)의 古字

歹 10 〔殞〕 14 〔명〕 冥(冖부 8획〈91〉)과 同字

歹 10 〔殕〕 14 〔부〕 腐(肉부 8획〈1078〉)와 同字

歹 10 〔瘥〕 14 차 [平]麻 | cuó シャ かるいえきびょう

[字解] ①돌림병차 가벼운 역병(疫病). '一, 小疫也'《玉篇》. ②혼전에 죽을차 결혼 전에 죽음. '一, 未婚而夭'《類篇》.

歹 11 〔殣〕 15 근 [去]震 | jìn, jǐn キン ゆきだおれ

[字解] ①굶어죽을근 아사(餓死)함. 또, 그 사람. '殍一'. '道一相望'《左傳》. ②묻을근 시체를 파묻음. '尙或一之'《詩經》. ③뵐근 覲(見부 11획〈1302〉)과 통용.
[字源] 形聲. 歹(歺)+堇〔音〕

歹 11 〔殤〕 15 상 [平]陽 | shāng ショウ わかじに

[字解] 일찍죽을상 요사(夭死). 16세부터 19세까지에 죽는 것을 '長一', 12세부터 15세까지를 '中一', 8세부터 11세까지를 '下一', 7세 이하를 '無服之一'이라 함. '周人以殷人之棺椁葬長一'《禮記》.
[字源] 形聲. 歹(歺)+傷〈省〉〔音〕

歹 11 〔殢〕 15 [一] 체 [去]霽 | tì テイ つかれる
[二] 혜 [去]霽 | tì ケイ つかれる

[字解] [一] ①느른할체 깨나른하게 지쳐 버림. '一, 極也'《廣雅》. ②정체할체, 막힐체 '一, 滯也'《字彙》. [二] 느른할혜 [一]❶과 뜻이 같음.
[字源] 形聲. 歹(歺)+帶〔音〕

歹 11 〔募〕 15 막 [入]藥 | mò バク·マク しぬ

[字解] 죽어조용할막, 죽을막 '一, 死宋一也'《說文》. '殞, 死也. 說文作一'《廣韻》.
[字源] 形聲. 歹+莫〔音〕

歹 11 〔殥〕 15 인 [平]眞 | yín イン とおい

[字解] 멀인 요원함. 또, 그 곳. '九州之外, 乃有八一'《淮南子》.

歹 11 〔殔〕 15 록 [入]屋 | lù ロク ちにうずめしゅうきをなくしたしかのにく

[字解] 사슴고기록 땅 속에 묻어서 냄새를 없앤 사슴고기. '一, 一殍, 蜀人埋鹿臭而食之'《集韻》.

歹 11 〔殲〕 15 〔륙〕 戮(戈부 11획〈424〉)의 俗字

歹 11 〔殰〕 15 〔축〕 縮(糸부 11획〈1009〉)과 同字

歹 12 〔殪〕 16 에 [去]霽 | yì エイ たおれる

[字解] ①쓰러질에 죽어 쓰러짐. 죽음. '一仆'. '奔一百餘里間'《後漢書》. ②쓰러뜨릴에 죽여 쓰러뜨림. '一此大兕'《詩經》. ③다할에 다 없앰. 또, 다 없어짐. '將可一也'《左傳》. ④끊을에, 멸할에 절멸(絶滅)시킴. '天乃大命文王, 一戎殷'《書經》.
[字源] 形聲. 歹(歺)+壹〔音〕

歹 12 〔殨〕 16 궤 (회[本]) ①[上]賄 ②[去]隊 | かい はれてうみがでる huì カイ ただれる

[字解] ①종기터질궤 종기가 터져 고름이 나옴. '一, 腫決也'《廣韻》. ②문드러질궤 진무름. '一, 爛也'《說文》. ※本音 회.
[字源] 形聲. 歹(歺)+賷(貴)〔音〕

歹 12 〔殫〕 16 탄 [平]寒 | dān タン つきる

[字解] ①다할탄 ㉠다 없어짐. '一竭'. '財一力痛'《李華》. ㉡다 없앰. '一其地之出'《柳宗元》. ②쓰러질탄, 쓰러뜨릴탄 또, 죽음. 죽임. '上山斫檀, 楱榼先一'《爾雅 注》. ③두루탄 빠짐없이 널리. '一洽'. '一見洽聞'《班固》.
[字源] 形聲. 歹(歺)+單〔音〕

歹 12 〔殟〕 16 등 [去]徑 | dèng トウ くるしみやむ

[字解] 앓을등 괴로워하며 앓음. '一, 殑一, 困病貌'《玉篇》.

歹 12 〔殩〕 16 찬 [去]翰 | cuàn サン そうかにたべものをおくる

[字解] 음식물보낼찬 음식물을 보냄. 상가에서 죽이나 술 따위 음식을 보냄. '一, 一孝, 秦人云饋喪家食'《廣韻》.

歹 13 〔殭〕 17 강 [平]陽 [去]漾 | jiāng キョウ かたくなる

[字解] ①굳어질강 주검이 단단히 굳어져서 썩지 않음. '一, 死不朽也'《廣韻》. ②누에말라죽을강 누에가 희게 말라 굳어져서 죽음. '一蠶'.
[字源] 形聲. 歹(歺)+畺〔音〕

歹 13 〔殮〕17 렴 ㉠豔 | liàn レン かりもがり

字解 염할렴 염습(殮襲)함. '小一於戶內, 大一於阼'《禮記》.

字源 形聲. 歹(歺)+僉〔音〕

歹 13 〔殬〕17 두 ㉠遇 | dù ト やぶれる

字解 썩을두 퇴패(頹敗)함. '彝倫攸一'《書經》.

字源 形聲. 歹(歺)+睪〔音〕

歹 13 〔殭〕17 〔라〕
殭(歹부 19획〈611〉)의 本字

歹 13 〔殁〕17 몰 ㉤月 | zhài ボツ しにぎわ

字解 임종할몰 임종(臨終). '臨死之時日一殁'《篇海》.

歹 13 〔殜〕17 업 ㉤葉 | yè ヨウ やむ

字解 앓을업 앓음. 병에 걸림. '一, 殗一, 病也, 或作殜'《類篇》.

歹 14 〔殯〕18 빈 ㉠震 | bìn ヒン かりもがり

字解 ①초빈할빈 시체를 입관(入棺)한 후 장사지낼 때까지 안치(安置)함. '一於五父之衢'《禮記》. ②파묻힐빈 매몰됨. '道帙長一, 法筵久埋'《孔稚珪》.

字源 形聲. 歹(歺)+賓〔音〕

歹 14 〔殰〕18 〔해〕
薤(艸부 13획〈1190〉)와 同字

歹 15 〔殰〕19 독 ㉤屋 | dú トク はらごもりがやぶれる

字解 낙태할독 유산함. '胎生者不一'《禮記》.

字源 形聲. 歹(歺)+賣〔音〕

歹 15 〔殨〕19 소 ㉣虞 | sū ソ ただれる

字解 문드러질소 '一, 爛也'《集韻》.

歹 15 〔殲〕19 殲(次條)의 俗字

歹 17 〔殲〕21 섬 ㉣鹽 | jiān セン つきる

字解 ①멸할섬 모두 죽음. 섬멸당함. '齊人一于遂'《春秋》. ②섬멸할섬 모조리 죽임. '一厥渠魁'《書經》.

字源 形聲. 歹(歺)+韱〔音〕

歹 17 〔殲〕21 란 ㉠翰 | làn ラン ただれる

字解 문드러질란 부란(腐爛)함.

歹 19 〔殭〕23 ㊀라 ㉡哿 ㉠箇 | luǒ ラ ちくるいのえきびょう
㊁뢰 ㉠泰 | ライ ちくるいのえきびょう

字解 ㊀①축류역병라 '一, 畜產疫病'《廣韻》. ②병들라 '一, 病也'《廣雅》. ㊁축류역병뢰, 병들뢰 ■과 뜻이 같음.

字源 形聲. 歹(歺)+羸〔音〕

殳 部
〔갖은등글월문부〕

殳 0 〔殳〕4 수 ㉣虞 | shū シュ つえぼこ

筆順 丿 几 殳 殳

字解 몽둥이수 길이 1장(丈) 2척(尺)의 여덟 모진 몽둥이.

字源 象形. 손에 나무 몽둥이를 든 모양을 본떠, '치다, 때리다, 부수다' 등을 뜻함.

參考 부수(部首)로서, 속(俗)에 갖은 등글월문이라 이름. '殳'를 의부(意符)로 하여, '치다, 때리다, 부수다' 등의 뜻을 갖는 문자를 이룸.

殳 3 〔殹〕7 〔이〕
攺(攴부 3획〈480〉)의 訛字

殳 4 〔㲃〕8 ㊀침 ㉡寑 | zhěn チン うえをうつ
㊁금 ㉣侵 | qín キン おさめる

字解 ㊀칩떠질침 밑에서 위로 올려 침. '一, 下擊上也'《說文》. ㊁①다스릴금 '一, 治也'《玉篇》. ②제어할금 누름. '一, 制也'《玉篇》. ③금할금 '一, 禁也'《集韻》.

字源 形聲. 殳+尤〔音〕

殳 4 〔殳〕8 ㊀班(玉부 6획〈770〉)의 古字
㊁斑(文부 8획〈490〉)과 同字

殳 4 〔殴〕8 〔구〕
毆(殳부 11획〈614〉)의 略字

殳 5 〔段〕9 高·人 단 ㉠翰 | duàn ダン わかち, こわけ

筆順 ′ 亻 F F F E 段 段

字解 ①조각단 단편. '片一'. '揮劍截蛟, 數一而去'《晉書》. ②갈림단 구분. '一落'. '自

古諸歷失分一'《五代史》. ③가지단 종류. 등급(等級). '因賜物百一'《舊唐書》. ④포목단 '賜茶葉綵一'《十六國春秋》. ⑤반필단 포목 한 필의 반. 緞(糸부 9획〈1002〉)과 同字. '有風從東來, 吹帛一一, 高數十丈'《金史》. ⑥포단 腶(肉부 9획〈1082〉)과 同字. '婦執笄棗栗一脩以見'《禮記》. ⑦수단단 방법. '此人在風塵時節, 便是偏覇手一'《謝上蔡語錄》. ⑧단련할단 불림. '一, 椎物也'《說文》. ⑨칠단 몽치로 때림. '一氏爲鎛器'《周禮》. ⑩나눌단 분할함. '斷一也, 分爲異段也'《釋名》. ⑪성단 성(姓)의 하나.
字源 會意. 殳+𠂤

殳 5 〔投〕 9 주 ㊀遇 | zhù シュ いる

字解 쏠주 던짐. 注(水부 5획〈639〉)와 同字. '以瓦一者翔'《呂氏春秋》.

殳 5 〔㱿〕 9 〔살〕
殺(殳부 7획〈612〉)과 同字

殳 6 〔殷〕 10 人名
㊀은 ㊥文 ㊤吻 | ①-⑨yīn イン さかん ⑩yǐn イン かみなりのおと
㊁안 ㊥刪 | yān アン あかぐろいろ

筆順 ㇀ 厂 𠂆 戶 戸 㫐 殷 殷

字解 ㊀①성할은 은성함. '一昌'. '惟一于民'《書經》. ②많을은 '一其盈矣'《詩經》. ③클은 '翼一不逝'《莊子》. ④당할은 해당함. '衡一中州河濟之間'《史記》. ⑤근심할은 근심하는 모양. '憂心一一'《詩經》. ⑥바로잡을은 바르게 함. '日中星鳥以一仲春'《書經》. ⑦가운데은 중앙. '九江孔一'《書經》. ⑧은나라은 탕왕(湯王)이 하(夏)나라를 멸하고 세운 왕조. 원래는 상(商)나라라고 하였는데, 반경(盤庚)이 도읍을 은(殷)〈지금의 하남성 언사현(河南省偃師縣)〉으로 옮긴 뒤에 은(殷)나라로 개칭(改稱)하였음. 제28대 주왕(紂王)에 이르러 주무왕(周武王)에게 멸망을 당하였음. (B.C. 1766~B.C. 1123) '自彼一商'《詩經》. ⑨성은 성(姓)의 하나. ⑩천둥소리은 뇌성. '一其雷'《詩經》. ㊁검붉은빛안 적흑색. '左輪朱一'《左傳》.
字源 會意. 殳+㐆

殳 6 〔㱾〕 10 ㊀개 ㊥灰 | gāi カイ うづち
㊁해 ㊤賄 | カイ・ガイ うづち

字解 ㊀①강묘(剛卯)개 '一改'는 정월 묘일(卯日)에 사기(邪氣)를 물리치기 위하여 차는 물건. 금(金)·옥(玉)·복숭아나무 따위로 만듦. '一, 一改, 大剛卯也. 已逐精魅'《說文》. ②웃음소리개 '一段'는 웃는 소리. '𥬔, 一段'《廣韻》. ㊁강묘해, 웃음소리해 ㊀과 뜻이 같음.
字源 形聲. 殳+亥〔音〕

殳 6 〔㱾〕 10 㱾(前條)의 訛字

殳 6 〔㱿〕 10 ㊀𣪊(殳부 8획〈613〉)의 本字
㊁㱿(口부 10획〈180〉)과 同字

殳 6 〔殺〕 10 殺(次次條)의 俗字

〔般〕 〔반〕
舟부 4획(1111)을 보라.

殳 7 〔殺〕 11 中·人 ㊀살 ㊀黠 | shā サツ ころす
㊁쇄 ㊀卦 | shài サイ そぐ

筆順 ノ ㄨ 㐅 ⺌ 杀 杀 殺 殺

字解 ㊀①죽일살 ㉠살해함. '一戮'. '行一不義, 一一不辜'《孟子》. ㉡사형(死刑)에 처함. '罪人曰一'《釋名》. ②죽을살 '絕其哺乳, 立可餓一'《魏志》. ③벨살 풀을 벰. '利以一草'《禮記》. ④지울살 문대어 없앰. '摩𢶩猶抹一'《釋名》. ⑤멸할살 없앰. '一生者不死'《莊子》. ⑥깰살 깨뜨림. '一風景'《李商隱》. ⑦마를살 말라 죽음. 시듦. '隕霜不一草'《春秋》. ⑧잡을살 사냥감을 잡음. '天子一則下大綏'《禮記》. ⑨다스릴살 '一, 治也'《初學記》. ⑩어조사살 어세(語勢)를 강하게 하는 조사(助辭). '愁一'. '笑一天下人'《唐書》. ㊁①덜쇄 감삭(減削)함. '減一'. '非帷裳必一之'《論語》. ②빠를쇄 신속함. '東風莫一吹'《白居易》. ③매우쇄 심히. 대단히. '一有好處'《容齋隨筆》.
字源 會意. 殳+杀

殳 7 〔㲉〕 11 수 ㊥尤 | chóu シュウ つりさげてうつ

字解 매달고칠수 '一, 縣物一擊也'《說文》.
字源 形聲. 殳+𠷎〔音〕

殳 7 〔殸〕 11 ㊀경 ①㊀徑 ②㊥庚 | qìng ケイ けい kēng コウ てき
㊁성 ㊥庚 | shēng セイ こえ

字解 ㊀①경쇠경 磬(石부 11획〈879〉)의 籀文. ②적(敵)경 상대(相對). '一, 敵也'《廣韻》. ㊁소리성 聲(耳부 11획〈1060〉)의 古字.

殳 7 〔殶〕 11 ㊀투 ㊥尤 ㊀有 | tǒu トウ なげる
㊁대 ㊀泰 | duì タイ ほこ

[字解] [一] 던질투 멀리서 겨냥하여 침. 投(手부 4획〈431〉)의 古字. '一, 繇擊也. 古文投如此'《說文》. [二] 祋(示부 4획〈886〉)의 古字.
[字源] 形聲. 殳＋豆〔音〕

殳 7 〔殹〕11 예 [去]霽 [平]齊 | yì エイ うちあう

[字解] ①마주치는소리예 '一, 擊中聲也'《說文》. ②추한모습예 '醫, 治病工也. 从一从酉. 一, 惡姿也'《說文》. ③앓는소리예 신음하는 소리. '醫, …一曰, 一, 病聲'《說文》. ④어조사예 也(乙부 2획〈21〉)와 뜻이 같음. '汧一沔沔'《石鼓文》.
[字源] 形聲. 殳＋医〔音〕

殳 7 〔𣪊〕11 〔감〕 敢(攴부 8획〈484〉)의 本字

殳 7 〔殸〕11 〔학〕 嗀(口부 10획〈180〉)의 訛字

殳 8 〔殼〕12 [人名] 각 [入]覺 | kě, qiào カク から

[筆順] 一 十 士 声 壳 壳 壳 殼

[字解] ①껍질각 ㉠조개·알 등의 껍데기. '卵一'. '蝸牛之一'. '如鳥一之裹黃'《唐書》. ㉡과실 등의 두꺼운 껍질. '木葉幹一'《列子》. ㉢곡물의 외피(外皮). 겨. '其穀一有紅白二色'《本草》. ㉣탈피한 껍질. 허물. '脫皮一'. '蟬蛻亡一'《後漢書》. ㉤둘러싼 굳은 외피(外皮). '破煩惱一'《李邕》. ②등딱지각 갑각(甲殼). '玄武縮于一中兮'《張衡》. ③씨각 껍질 속의 알맹이. '一, 果核'《正字通》. ④칠각 내리침. '君將一之'《左傳》.
[字源] 形聲. 篆文은 殳＋㱿〔音〕

殳 8 〔殽〕12 효 ①-④[平]肴 ⑤[去]效 | yáo コウ まじる xiào コウ ならう

[字解] ①섞일효, 섞을효 뒤섞임. 뒤섞음. '混一'. '鑄作錢布, 皆用銅, 一以連錫'《漢書》. ②어지러울효, 어지럽힐효 혼란함. 혼란하게 함. '賢不肖混一'《漢書》. ③뼈붙은살효 뼈를 발라 내지 않은 살. '左一右胾'《禮記》. ④안주효 肴(肉부 4획〈1068〉)와 同字. '一核維旅'《詩經》. ⑤본받을효 效(攴부 6획〈481〉)와 同字. '夫禮必本於天, 一於地'《禮記》.
[字源] 形聲. 殳＋肴〔音〕

殳 8 〔㱿〕12 학 [入]覺 | huō カク はく

[字解] 구역질할학 또, 구역질하는 모양. '君將一之'《左傳》.

殳 8 〔𣪘〕12 [一] 구 [去]宥 [平]尤 [二] 뉴 [平]尤 | jiū キュウ かがめる ジュウ かがめる

[字解] [一] ①구부릴구 '一, 揉屈也'《說文》. ②세게칠구 '一, 強擊'《廣韻》. [二] 구부릴뉴, 세게칠뉴 [一]과 뜻이 같음.
[字源] 形聲. 殳＋皀〔音〕

殳 8 〔𣪞〕12 殿(次次條)의 本字

殳 8 〔毁〕12 毀(次次條)의 俗字

殳 9 〔殿〕13 [高·人] 전 [去]霰 | diàn デン·テン との, しんがり

[筆順] ㇕ ㇕ 尸 屏 屁 展 展 殿

[字解] ①큰집전 ㉠고대(高大)하고 장엄한 건물. 궁성·불각(佛閣) 따위. '一閣'. '一堂'. '佛一'. '先作前一阿房'《史記》. ㉡정무(政務)를 보는 곳. '一, 丞相所坐屋也'《漢書 註》. ②후군전 ㉠후진(後陣)의 군대. '寘諸戎車之一'《左傳》. ㉡최후까지 남아서 적을 방어하는 일. '奔而一'《論語》. ③하공전 치적(治績)의 하등. '最'의 대(對). '課一最之間'《漢書》. ④진정(鎭定)할전 진압하여 안정하게 함. '一天子之邦'《詩經》. ⑤성전 성(姓)의 하나.
[字源] 形聲. 篆文은 屍＋殳

殳 9 〔毀〕13 [高·人] 훼 [上]紙 [去]寘 | huǐ, huì キ こぼつ, こわれる

[筆順] ' 𠂆 𦥑 臼 臼 㲃 毁 毀

[字解] ①헐훼 ㉠무너뜨림. 또, 깨짐. '一破'. '一, 壞也. 破也'《廣韻》. '一泉臺'《春秋》. ㉡험담을 함. '一訾'. '誰一誰譽'《論語》. ②무너질훼 헐어짐. '一墜'. '行成於思, 一於隨'《韓愈》. ③상할훼 또, 상하게 함. '不敢一傷'《孝經》. ④멸할훼 망하게 함. '自一其家'《左傳》. ⑤없앨훼 제거함. '至於廟門不一牆'《禮記》. ⑥꺾일훼 '趙不以一搆矣'《戰國策》. ⑦이갈훼 소아가 배냇니를 감. '男八歲一齒'《白虎通》. ⑧양재(禳災)할훼 기도를 드려 재앙을 물리침. '凡外祭, 一事用尨'《周禮》. ⑨야윌훼 수척해짐. '一瘠'. '一不滅性'《孝經》.
[字源] 形聲. 土＋毇〈省〉〔音〕

殳 9 〔譭〕13 毀(前條)의 俗字

殳 9 〔𣪠〕13 〔살〕
殺(殳부 7획〈612〉)의 古字

殳 9 〔𣪘〕13 〔살〕
殺(殳부 7획〈612〉)의 籒文

殳 9 〔𣪩〕13 〔격〕
毄(殳부 10획〈614〉)의 譌字

〔彀〕〔구〕
弓부 10획(363)을 보라.

〔㝅〕〔누〕
子부 10획(272)을 보라.

〔嗀〕〔학〕
口부 10획(180)을 보라.

殳 10 〔毃〕14 각 (入)覺 | qiāo カク うつ

[字解] 칠각 ㉠머리를 때림. '奪之杖, 以一之'《左傳》. ㉡옆에서 침. '一, 橫擿也'《釋文》.
[字源] 形聲. 殳+高〔音〕

殳 10 〔毄〕14 ㊀격 (入)錫 | jī ゲキ あたる
㊁계 (去)霽 | jì ケイ つなぐ

[字解] ㊀ ①부딪칠격 서로 부딪침. '一, 相擊中也'《說文》. ②털격 힘있게 흔들어 턺. '和弓一摩'《周禮》. ③애쓸격 힘써 용력(用力)함. '勤苦用力曰一'《集韻》. ㊁ 매어기를계 붙들어 매어 기름. '農桑一畜'《漢書》.
[字源] 會意. 殳+軎

殳 10 〔𣫅〕14 ㊀동 (平)冬 | tōng トウ うつろのものをうつおと
㊁홍 (平)東 | キュウ うつろのものをうつおと

[字解] ㊀ 궁궁울리는소리동 속이 빈 것을 칠 때 울리는 소리. '一, 擊空聲也'《說文》. ㊁ 궁궁울리는소리홍 ㊀과 뜻이 같음.
[字源] 形聲. 殳+宮〔音〕

殳 10 〔𣫂〕14 〔훼〕
毀(殳부 9획〈613〉)의 古字

〔榖〕〔곡〕
木부 10획(571)을 보라.

殳 11 〔毅〕15 [人名] 의 (去)未 | yì キ つよい, たけし

[筆順] 亠 立 辛 豸 豙 豙 毅 毅

[字解] ①굳셀의 의지가 강함. 과감(果敢)함. '剛一'. '擾而一'《書經》. '士不可以不弘一'《論語》. ②성발끈낼의 함부로 화냄. '一而不勇'《國語》. ③이길의 승리함. '一, 勝也'《爾雅》. ④성의 성(姓)의 하나.
[字源] 形聲. 殳+豙〔音〕

殳 11 〔毆〕15 구 ①㊤有 | ōu オウ うつ
②(平)虞 | qū ク かる, かける

[字解] ①칠구 때림. '一打'. '拳所一擊, 無不顚踣'《隋書》. ②말몰구, 달릴구 驅(馬부 11획〈1749〉)와 통용.
[字源] 形聲. 殳+區〔音〕
[參考] 殴(殳부 4획〈611〉)는 略字.

殳 12 〔毈〕16 단 (去)翰 | duàn タン すもり

[字解] 알곯을단 알이 부화(孵化)되지 않고 곯음. '鳥卵不一'《淮南子》.
[字源] 形聲. 卵+段〔音〕

殳 12 〔毇〕16 훼 ㊤紙 | huǐ キ しらげる

[字解] 쌀쓿을훼 한 섬의 쌀을 쓿어 아홉 말이 되게 함. '一, 糲米一斛, 舂爲九斗也'《說文》.
[字源] 會意. 臼+米+殳

殳 12 〔𣫌〕16 〔소〕
韶(音부 5획〈1680〉)와 同字

〔糓〕〔곡〕
米부 10획(975)을 보라.

殳 13 〔㲉〕17 각 (入)覺 | què カク たまご

[字解] ①새알각 조란(鳥卵). '貫雞一于歲首'《束皙》. ②껍질각 무엇의 표면을 싸고 있는 것. '一, 一曰, 物之孚甲'《集韻》.

〔轂〕〔곡〕
車부 10획(1476)을 보라.

殳 14 〔毉〕18 〔의〕
醫(酉부 11획〈1541〉)와 同字
[字源] 形聲. 巫+殹〔音〕

殳 19 〔𣫽〕23 효 (平)蕭 | xiāo キョウ けいのおとのたかいもの

[字解] 큰경쇠효 경(磬)쇠 가운데 소리가 높은 것. '大磬謂之一'《爾雅》.

殳 20 〔𣫼〕24 〔계〕
系(糸부 1획〈980〉)와 同字

毋 部
〔말 무 부〕

毋 0 〔毋〕4 무 ①②㊥虞 ③㊥尤 | wú ブ·ム なかれ, ない | móu ボウ·ム かんむりのな

[筆順] ㇗ 𠃊 毌 毋

[字解] ①없을무 無(火부 8획〈716〉)와 同字. '一意一必'《論語》. ②말무 금지의 말. '臨難一苟免'《禮記》. ③관이름무 '一追'는 하대(夏代)의 치포관(緇布冠).

[字源] 象形. 본디 '母모'와 동형(同形)이었으나, 篆文에서 두 점을 하나의 세로획으로 고쳐 '없다'의 뜻으로 쓰이게 됨.

[參考] ①'毋'가 의부(意符)가 되는 문자의 예는 없지만, 유사한 모양의 '母' 등을 포함하여, 자형 분류상 부수(部首)로 세워짐. ②毌(次條)은 別字.

毋 0 〔毌〕4 〔관〕 貫(貝부 4획〈1386〉)과 同字

[字源] 象形. 물건에 구멍을 내어 꿰뚫은 모양을 본뜸.

[參考] 毋(前條)는 別字.

毋 1 〔母〕5 [中·人] 모 ㊤翼 ㊤有 | mǔ ボ·モ はは | ボウ·モ はは

[筆順] ㇗ 𠃊 𠃊 母 母

[字解] ①어미모 모친. '父一'. '一兮鞠我'《詩經》. 전(轉)하여, 어머니뻘의 여자. '叔一'. '姑一'. 또, 유모(乳母). '生三人. 公與之一'《國語》. 또, 같은 물건 중에 크거나 무거운 것은 '一', 작거나 가벼운 것은 '子'라 함. '子一環'. 또, 소생(所生)의 근원 또는 근본의 뜻으로 쓰임. '一財'. '一音'. '有名萬物之一'《老子》. ②밑천모 본전(本錢). 원금(元金). '一錢'. '州郡闕一錢'《宋史》. ③할미모 나이 먹은 여자. '諸一漂'《史記》. ④엄지모 엄지손가락. 拇(手부 5획〈435〉)와 뜻이 같음. ⑤암컷모 금수의 암놈. '五一雞二一彘'《孟子》.

[字源] 指事. '女'는 '여성'의 뜻. 두 점(點)은 두 팔로 아이를 안은 모양이라고도 하고, 아이에게 젖을 먹이는 모양이라고도 함.

[參考] 毋(前前條)·毌(前條)은 別字.

毋 2 〔毎〕6 毎(次條)의 略字

毋 3 〔每〕7 [中·人] 매 ㊤賄 ㊦隊 | měi, mèi | マイ つね, ごとに

[筆順] ノ 𠂉 𠂉 𣫬 每 每 每

[字解] ①매양매 늘. 항상. '一一'. '一與臣論此事'《諸葛亮》. ②마다매 그 때에는 늘. '一日'. '一月入見'《魏書》. ③비록매 아무리 그렇다 하나. '一有良朋'《詩經》. ④탐낼매 탐(貪)함. '衆庶一生'《漢書》. ⑤풀우거질매 풀이 무성한 모양. '原田一一'《左傳》. ⑥어두울매 어리석음. '故天下一一大亂'《莊子》. ⑦어릴매 작음. '一牛者, 牛之小者也'《逸周書》. ⑧성매 성(姓)의 하나.

[字源] 象形. 머리 장식을 달고 결발(結髮)하는 여성을 본뜸. 가차하여 '늘, 매양'의 뜻으로 쓰임.

[參考] 毎(前條)는 略字.

毋 3 〔毐〕7 每(前條)의 俗字

毋 3 〔毐〕7 애 ㊤賄 | ǎi アイ みだら

[筆順] 一 十 士 𠮛 𠮛 毐 毐

[字解] 음란한사람애 진(秦)나라의 '嫪一'는 음란한 사람이었으므로, 진나라 사람들이 음란한 자를 '嫪一'라고 욕하였음.

[字源] 會意. 士+毋

毋 4 〔毒〕8 [高·人] ㊀독 ㊇沃 ㊁대 ㊦隊 | dú ドク どく | dài | タイ たいまい

[筆順] 一 二 丰 圭 圭 責 毒 毒

[字解] ㊀①독독 건강을 해쳐 생명을 위험케 하는 성분. '聚一藥, 以供醫事'《周禮》. 전(轉)하여, 해독·고통을 이름. '害一'. '惟汝自生一'《書經》. ②유독하게할독 독약을 사용하여 해를 끼침. '秦人一涇上流'《左傳》. ③해칠독 해롭게 함. '惟君子能好其正, 小人一其正'《禮記》. ④괴로워할독, 괴롭게할독 고통을 느낌. 고통을 줌. '分骸斷首, 以一生民'《後漢書》. ⑤근심할독 우려함. '僊聖一之'《列子》. ⑥미워할독, 한탄할독 미워하여 한탄함. 또, 원망함. '一縱橫之敗俗'《馮衍》. ⑦다스릴독 정돈하여 처리함. '以此一天下'《易經》. ⑧자랄독, 기를독 생장함. 키움. 양육함. '亭之一之'《老子》. ⑨분개할독, 분개독 성냄. '哀僕夫之坎一兮'《楚辭》. ⑩편안할독 '一, 安也'《廣雅》. ⑪나라이름독 '天一'·'身一'은 후세의 천축(天竺), 지금의 인도(印度). ⑫성독 성(姓)의 하나. ㊁거북대 '一冒'는 바다거북의 이름. 瑇(玉부 9획〈777〉)·玳(玉부 5획〈769〉)와 同字. '犀象一冒'《漢書》.

[字源] 會意. 屮+毐

毋 4 〔毎〕8 〔매〕 每(毋부 3획〈615〉)의 本字

〔貫〕〔관〕 貝부 4획(1386)을 보라.

毋 10 〔毓〕 14 육 ⓐ屋 | yù イク やしなう

字解 ①기를육 育(肉부 4획〈1068〉)과 同字. '以蕃鳥獸, 以一草木'《周禮》. ②어릴육 '一, 稚也'《廣韻》. ③성육 성(姓)의 하나.
字源 會意. 每＋㐬

比 部
〔견줄비부〕

比 0 〔比〕 4 中·人 비 ①-⑥㊤紙 ⑦-⑮㊁寘 ⑯㊥支 | bǐ ヒ くらべる (bì) ヒ たすける bǐ ヒ となり

筆順 ⺊ 上 𠤎 比

字解 ①견줄비 ㉠비교함. '一較'. '一校民之有道者'《國語》. '凡禮事, 贊小宰一官府之具'《周禮》. ㉡겨눔. '每自一於管仲樂毅'《蜀志》. ㉢비김. '白一狼, 赤一心'《史記》. ㉣겨룸. '一力而爭智'《人物志》. ②무리비 동류(同類). '擬其倫一'《魏志》. ③엮을비 편집함. '一輯其義'《漢書》. ④다스릴비 庀(广부 2획〈343〉)와 同字. '大胥一樂官'《周禮》. ⑤전례비 선례(先例). '必察小大之一, 以成之'《禮記》. ⑥따를비 좇음. '克順克一'《詩經》. '義之與一'《論語》. ⑦도울비 보좌함. '足以一大事'《國語》. ⑧아첨할비 아유함. '君子周而不一'《論語》. ⑨친할비 친밀함. '親一'. '使小國事大國, 大國一小國'《周禮》. ⑩미칠비 及(又부 2획〈141〉)과 뜻이 같음. '一于文王'《詩經》. ⑪이마적비 근래. 작금. '一來'. '一得軟脚病'《韓愈》. ⑫자주비 여러 번. '中山再戰一勝'《戰國策》. ⑬나란할비, 나란히할비 늘어섬. '櫛一'. '其一如櫛'《詩經》. ⑭오늬비 화살의 시위에 끼게 된 부분. '夾其一以設其羽'《周禮》. ⑮비괘비 육십사괘(六十四卦)의 하나. 곧, ䷇〈곤하(坤下), 감상(坎上)〉으로서, 천하가 한 사람을 우러러보는 상(象). ⑯이웃비 인근. '一郡'. '不敎鵝鴨惱一隣'《杜甫》.
字源 會意. 두 사람이 늘어선 모양을 본뜸.
參考 부수(部首)로서의 '比'에는 일정한 뜻이 없으며, 자형(字形) 분류상 부수로 세워짐.

比 2 〔毕〕 6 〔필〕 畢(田부 6획〈798〉)의 簡體字

〔坒〕 〔비〕 土부 4획(202)을 보라.

比 5 〔毖〕 9 비 ㊁寘 | bì ヒ つつしむ

字解 ①삼갈비 근신함. '懲一'. '予其懲而一後患'《詩經》. ②고달플비 피로함. '無一于恤'《書經》. ③멀비 가깝지 않음. '一, 遠也'《廣雅》. ④알릴비 고(告)함. '一, 告也'《廣韻》. ⑤졸졸흐를비 샘물이 졸졸 흐르는 모양. '一彼泉水'《詩經》.
字源 形聲. 比＋必〔音〕

〔皆〕 〔개〕 白부 4획(825)을 보라.

比 5 〔毗〕 9 비 ㊥支 | pí ヒ・ビ たすける, あきらか

字解 ①도울비 보좌함. 조력함. '一益'. '天子是一'《詩經》. '人大喜邪, 一於陽'《莊子》. ②명백할비 분명함. '一, 明也'《揚子方言》. ③스러질비 쇠퇴함. 폐함. '一, 廢也'《揚子方言》. ④벗겨질비 剝(刀부 8획〈106〉)과 통용. '一劉, 暴樂也'《爾雅》. ⑤번민할비 '一, 懣也'《揚子方言》. ⑥배꼽비. ⑦성비 성(姓)의 하나.
字源 形聲. 篆文은 囟＋比〔音〕

比 5 〔毘〕 9 毗(前條)와 同字

比 5 〔毚〕 9 착 ⓐ藥 | chuò チャク けもののな

字解 짐승이름착 토끼 비슷하고, 청색(青色)이며 큼. '一, 一獸也. 侣兔, 青色而大. 象形. 頭與兔同, 足與鹿同'《說文》.
字源 象形. 머리가 토끼 비슷하고, 발이 사슴 비슷한 청색의 큰 짐승의 뜻.

比 6 〔毙〕 10 〔폐〕 斃(攴부 14획〈488〉)의 簡體字

比 6 〔毞〕 10 〔비〕 毗(比부 5획〈616〉)의 本字

比 6 〔毟〕 10 〔배〕 拜(手부 5획〈433〉)의 古字

〔琵〕 〔비〕 玉부 8획(773)을 보라.

比 9 〔㲋〕 13 결 ⓐ屑 | jué ケツ けもののな

字解 짐승이름결 ㉠성성(猩猩)이 비슷한 짐승. '一, 一獸也. 侣狌狌'《說文》. ㉡너구리 비슷한 짐승. '一, 獸名. 似狸'《廣韻》.
字源 形聲. 毚＋夬〔音〕

比 12 〔𣬉〕 16 〔배〕 拜(手부 5획〈433〉)의 古字

比 12〔䶘〕16 ㊀사 ㊤馬 ㊁우 ㊍遇 ㊂오 ㊍遇 | xiě シャ けもののな グ けもののな ゴ けもののな

字解 ㊀짐승이름사 '一, 獸名'《說文》. ㊁짐승이름우 ■과 뜻이 같음. ㊂짐승이름오 ■과 뜻이 같음.
字源 形聲. 㲋+吾〔音〕

比 13〔䶚〕17 참 ㊥咸 | chàn ザン はしこいうさぎ

字解 ①약은토끼참 교토(狡兎). 일설(一說)에는, 걸음이 빠른 토끼. '躍躍一兎'《詩經》. ②약빠를참 교활함. '一, 獪也'《廣雅》. ③조금참 약간. 불과. 纔(糸부 17획〈1021〉)와 통용.
字源 會意. 㲋+兎

比 14〔䶛〕18 䶚(前條)과 同字

毛　部

〔터럭모부〕

毛 0〔毛〕4 中·人 모 ①-⑩㊥豪 ⑪㊍號 | máo モウ け mào モウ えらぶ

筆順 一 二 三 毛

字解 ①털모 ㉠사람 또는 짐승의 털. '羽一'. '不屬于一'《詩經》. ㉡수염 또는 머리카락. '手拇一脈'《國語》. ㉢물건의 거죽에 생기는 실 모양의 것. '桃多一. 拭治去一'《禮記 疏》. ㉣지극히 가벼운 것의 비유. '德輶如一'《詩經》. ②짐승모 길짐승. '其蟲一'《禮記》. ③희생모 털이 순색(純色)인 희생(犧牲). '羣公不一'《史記》. ④모피모 털이 붙은 가죽. '衣一而冒皮'《漢書》. ⑤털뜯을모 털을 없애 버림. '一炰胾羹'《詩經》. ⑥나이차례모 모발의 흑백 곧, 연령의 고하로 석차를 정하는 일. '王之燕, 諸侯一'《周禮》. ⑦풀모 자라는 풀. '食土之一'《左傳》. ⑧풀자랄모 유용(有用) 식물이 자람. '不一之地'《公羊傳》. ⑨근소모 약간. '有益毫一'《漢書》. ⑩성모 성(姓)의 하나. ⑪고를모 택(擇)함. '一, 擇也'《集韻》.
字源 象形. 털이 나 있는 모양을 본뜸.
參考 '毛'를 의부(意符)로 하여, 털, 털로 만들어진 것 등에 관한 문자를 이룸.

〔尾〕〔미〕 尸부 4획(296)을 보라.

毛 0〔毛〕4 삼 ㊥覃 | sān サン さん

字解 ①석삼 셋. ②땅이름삼 지명. '一陽'.

毛 2〔毣〕6 녕 ㊍徑 | nèng チョウ いぬのけ

字解 개털녕 개의 털. '毴一'.

毛 4〔毠〕8 개 ㊍卦 | jiè カイ けもののほそいけ

字解 솜털개 짐승의 가는 털. '獸毛細曰一'《集韻》.

毛 4〔毟〕8 분 ㊥文 | fēn フン けがおちる

字解 털빠질분 '一, 毛落也'《集韻》.

毛 4〔毞〕8 포 ㊥豪 | pāo ホウ けだつ

字解 ①털일어날포 털이 일어난 모양. '一, 毛起皃'《集韻》. ②가벼울포 '一, 輕也'《集韻》.

毛 4〔毞〕8 비 ㊥支 | pí ヒ けおりもの

字解 모직물비 '一, 氏罽也. 通作紕'《集韻》.

毛 4〔毤〕8 〔염〕 髥(髟부 4획〈1765〉)과 同字

毛 5〔毡〕9 〔전〕 氈(毛부 13획〈621〉)·氊(毛부 13획〈621〉)의 俗字·簡體字

毛 5〔毢〕9 ㊀령 ㊥青 ㊁련 ㊥先 | líng レイ けがこんがらがっている líng レン けがこんがらがっている

字解 ㊀털엉킬령 털이 길고 엉켜 있음. ㊁털엉킬련 ■과 뜻이 같음.

毛 5〔毠〕9 〔가〕 袈(衣부 5획〈1271〉)와 同字

毛 6〔毨〕10 선 ㊤銑 | xiǎn セン ととのう

字解 털갈선 가을에 털갈이를 하여 함치르르함. '鳥獸毛一'《書經》.
字源 形聲. 毛+先〔音〕

毛 6〔毪〕10 毨(前條)과 同字

毛 6〔毸〕10 새(시㊞) ㊥灰 | sāi サイ はねをはる

字解 날개벌릴새 새가 날개를 펴고 분노(奮怒)하는 모양. '一, 按, 鳥奮怒則羽張, 與毰毸同義'《康熙字典》. ※俗音 시.

毛6〔毧〕10 융 ㊥東|rōng ジュウ ほそいけ
字解 솜털융 가는 털. '一, 細毛'《玉篇》.
字源 形聲. 毛+戎〔音〕

毛6〔毦〕10 이 ㊤寘|ěr ジ けかざり
筆順 一 厂 丌 耳 耳 耳 毦 毦
字解 ①깃장식이 우모(羽毛)의 장식. '齎黃金旄牛一'《後漢書》. ②모직물이 '一, 罽也'《廣雅》. ③향초(香草)이름이 '揚皓一, 擢紫茸'《郭璞》.
字源 形聲. 毛+耳〔音〕

毛6〔毪〕10 毦(前條)와 同字

毛6〔毤〕10 ㊀타 ㊤箇|tuò タ ぬけかわる ㊁태 ㊤泰|タイ ぬけかわる ㊂열 ㊅屑|エツ ぬけかわる
字解 ㊀새털갈타 새가 털을 갊. 또, 빠진 털. 毻(毛부 9획〈619〉)와 同字. '毻, 鳥易毛也. 或作一'《集韻》. '一, 落毛'《廣韻》. ㊁새털갈태 ㊀과 뜻이 같음. ㊂새털갈열 ㊀과 뜻이 같음.

〔耗〕〔모〕
耒부 4획(1051)을 보라.

毛6〔毣〕10 ㊀목 ㊅屋|mù ボク よい, おもう ㊁모 ㊤號|mào モウ くらい
字解 ㊀①인정깊을목 '一一'은 정이 깊은 모양. 일설(一說)에는, 곰곰 생각하는 모양. '極竭一一之思'《漢書》. ②솔솔불목 '一一'은 바람이 솔솔 부는 모양. '覺風一一而過'《柳宗元》. ③좋을목 아름다운 모양. '一, 好皃'《廣韻》. ㊁어두울모 눈이 어두운 모양. '一, 目少精也'《集韻》.
字源 形聲. 羽+毛〔音〕

〔耄〕〔모〕
老부 4획(1048)을 보라.

毛7〔毬〕11 구 ㊥尤|qiú キュウ けまり
字解 공구 차거나 치는 구형(球形)의 운동용구. '擊一'. '尙穿城蹋一'《史記》. 전(轉)하여, 공같이 둥근 물건. '一子'. '玻璃一燈'《范成大》.
字源 形聲. 毛+求〔音〕

毛7〔毱〕11 毬(前條)와 同字

毛7〔毩〕11 부 ㊥虞|fū フ ぬけげ
字解 ①새털갈부 새가 털갈이 때에 빠진 털. '鳥解毛曰一'《集韻》. ②담(毯)부 모직물의 한 가지. '一, 罽也'《集韻》.

毛7〔毧〕11 용 ㊤腫|rǒng ジョウ にこげ
字解 솜털용 부드러운 깃털. '一, 鳥細毛也'《廣韻》.

毛7〔毮〕11 사 ㊥麻|shā サ けのながいさま
字解 ①털너털할사 털이 긴 모양. '一, 長毛貌'《正字通》. ②털옷사 裟(衣부 7획〈1276〉)와 同字.

毛7〔毫〕11 高·人 호 ㊥豪|háo ゴウ ほそげ
筆順 ` 亠 亡 亩 亭 亭 毫 毫
字解 ①잔털호 길고 뾰족한 가는 털. '秋一爲小'《莊子》. ②조금호 근소. '一末'. '一一'. '有益一毛'《漢書》. ③붓호 모필. '揮一'. '或含一而渺然'《陸機》. ④호호 척도(尺度) 또는 분량의 단위. 1리(釐)의 10분의 1. '十絲曰一, 十一曰釐'《算經》.
字源 形聲. 毛+高〈省〉〔音〕

毛8〔毳〕12 취(⑧ ㊤霽|①-⑦cuì セイ にこげ 절㊍) ㊅屑|⑧qiāo セツ そり
字解 ①솜털취 부드럽고 가는 털. '一毛'. '鴻一性輕, 積之沈舟'《新論》. ②배밑털취 복모(腹毛). '腹下之一'《韓詩外傳》. ③모직물취 부드러운 털로 짠 직물. '荷旃被一者'《王褒》. ④털가죽취 모피(毛皮). '南金北一'《沈約》. ⑤연약할취 부드럽고 약함. 또, 그것. '事小敵一, 則偸可用也'《荀子》. ⑥맛날취 연하고 맛이 있음. 또, 그 고기. 脃(肉부 6획〈1073〉)와 통용. '旦夕得甘一, 以養親'《史記》. ⑦성취 성(姓)의 하나. ⑧썰매취 橇(木부 12획〈579〉)와 통용. '泥行乘一'《漢書》. ※❽本音 절.
字源 會意. 毛+毛+毛

毛8〔毰〕12 배 ㊥灰|péi ハイ はねをはる
字解 ①날개펼배 날개를 펴는 모양. 또는, 봉황이 춤추는 모양. '一, 一毸, 說文, 張羽貌'《正字通》. ②어지러울배 눈발이 어지러이 내리는 모양. '晴天鏡裏雪一毸'《王安

石》.

毛8 〔毯〕 12 담 [上]感 | tǎn タン けむしろ
[字解] 담요담 모포(毛布). '—子'. '悉取軍中氈—'《五代史》.
[字源] 形聲. 毛+炎〔音〕

毛8 〔⿰炎毛〕 12 毯(前條)과 同字

毛8 〔毴〕 12 [一] 용 [上]腫 | rǒng ジョウ おおい
[二] 모 [去]號 | mào ボウ うもうのさかんなさま
[字解] [一] 많을용, 모일용 많음. 또, 모임. '—, 眾也. 聚也'《玉篇》. [二] 새털성할모 '—, 鳥毛盛也'《廣韻》.

毛8 〔毱〕 12 〔국〕 鞠(革부 8획〈1665〉)과 同字
[字源] 形聲. 毛+匊〔音〕

毛8 〔⿰匊毛〕 12 毱(前條)과 同字

毛8 〔毲〕 12 탈 [入]曷 | duó タツ けおりもの
[字解] 모직물탈 오랑캐 나라에서 생산하는 털로 짠 직물. '文繡罽—'《後漢書》.

毛8 〔⿰來毛〕 12 리 [平]支 | lái リ けだつ, こわげ
[字解] ①센털리 세고 곱은 털. ②털일어날리 털이 읾. '—, 毛起'《廣韻》.

毛8 〔⿱𥝢毛〕 12 〔리〕 氂(毛부 11획〈620〉)와 同字

毛8 〔⿺毛昌〕 12 〔첩〕 睫(目부 8획〈849〉)과 同字

毛8 〔⿰庚毛〕 12 〔첩〕 睫(目부 8획〈849〉)과 同字

毛9 〔毽〕 13 건 [去]霰 | jiàn ケン はねおい
[字解] 제기건 엽전을 몇 장 겹치고 그 구멍에 새의 깃털을 꽂아 신 뒤축으로 차서 노는 장난감. '—, 拋足之戲具'《字彙補》.

毛9 〔毸〕 13 새(시[俗]) [平]灰 | sāi サイ ほうのまうさま
[字解] 봉황날새, 날개벌릴새 '毰—'는 봉황이 나는 모양. 또, 날개를 펴는 모양. '毰—, 鳳舞皃'《集韻》. ※俗音 시.

毛9 〔⿺毛叜〕 13 수 [平]尤 | sōu シュウ·シュ あやあるけおりもの
[字解] 무늬놓은모직수 '氍—'는 무늬를 놓은 모직물. '氍—, 織毛有文者'《類篇》.

毛9 〔⿰叜毛〕 13 ⿺毛叜(前條)와 同字

毛9 〔毷〕 13 모 [去]號 | mào ボウ もだえる
[字解] ①담요모 모포(毛布). ②번민할모 '—氉'는 번민하는 모양. '擧子不捷, 而醉飽, 謂之打—氉'《唐國史補》.
[字源] 形聲. 毛+冒〔音〕

毛9 〔⿰並毛〕 13 방 [上]養 | bǎng ホウ けおりもの
[字解] 털로짠천방 방형(方形) 또는 비낀 무늬가 든 모직물.

毛9 〔毹〕 13 유 [平]虞 | yú ユ もうせん
[字解] 담요유 모포(毛布). '獻蒲桃大馬氍—等物'《南史》.
[字源] 形聲. 毛+俞〔音〕

毛9 〔⿺毛俞〕 13 毹(前條)와 同字

毛9 〔⿰扁毛〕 13 변 [上]銑 | biàn ヘン けがもつれる
[字解] 털엉킬변 '—⿰类毛, 毛⿰毛屯也'《玉篇》.

毛9 〔毻〕 13 타 [去]箇 [上]哿 | tuò タ ぬけかわる
[字解] 털갈타 새나 짐승이 털을 갊. '—毛新鴻小'《庾信》.

毛9 〔毼〕 13 [一] 할 [入]曷 (갈[俗]) | hé カツ けおりもの
[二] 갈 [入]曷 | kě カツ しらきのたかつき
[字解] [一] ①모직물할 털로 짠 직물의 한 가지. '作文繡織㲪—'《後漢書》. ②새이름할 鶡(鳥부 9획〈1826〉)과 同字. '輕毛—雞'《後漢書》. ※俗音 갈. [二] 그릇갈 칠하지 않은 굽이 달린 나무 그릇. 楬(木부 9획〈562〉)과 同字. '梪不飾曰楬, 或作—'《集韻》.
[字源] 形聲. 毛+曷〔音〕

毛9 〔毠〕 13 가 [平]麻 | jiā カ けごろも
[字解] 털옷가 '—毟'는 털옷. '—, —毟, 毛衣'《廣韻》.

毛 9 〔氂〕 13 〔리〕
氂(毛부 11획〈620〉)의 俗字

毛 10 〔毴〕 14 ⊟용 ㊤腫 | rǒng ジョウ うもうのさかんなこと
⊟윤 ㊤軫 | ジュン うもうのさかんなこと

字解 ⊟깃털성할용 '一, 毛盛也'《說文》.
⊟깃털성할윤 ⊟과 뜻이 같음.
字源 形聲. 毛+隼〔音〕

毛 10 〔毾〕 14 탑 ㊀合 | tà トウ けむしろ
字解 담요탑 모포(毛布). '天竺國有細好一㲪'《後漢書》.
字源 形聲. 毛+搨〔音〕

毛 10 〔𣯌〕 14 한 ㊔翰 ㊥寒 | hàn カン けもののけ
字解 ①짐승털한 '一, 獸豪也'《說文》. ②긴털한 '一謂之毫'《廣雅》.
字源 形聲. 毛+倝〔音〕

毛 10 〔毹〕 14 당 ㊥陽 | táng トウ けおりもの
字解 ①담(毯)당 모직물. 또, 구불구불한 무늬 있는 모직물. '一, 罽也'《廣韻》. ②관끈장식당 관영(冠纓) 위의 장식. '一, 冠纓上飾'《正字通》.

〔髦〕 〔모〕
髟부 4획(1765)을 보라.

毛 10 〔毸〕 14 쇠 ㊥支 | shuāi スイ けのながいさま
字解 털길쇠 털이 긴 모양. 또, 일설(一說)에는 여우의 모양. '一, 毶一, 毛長皃. 一曰, 狐皃'《集韻》.

毛 10 〔毸〕 14 〔수〕
毸(毛부 9획〈619〉)와 同字

毛 11 〔𣰽〕 15 문 ㊥元 | mén ボン·モン あかもうふ
字解 붉은담요문 '一, 赤色罽名'《廣韻》.
字源 形聲. 毛+㒼〔音〕

毛 11 〔𣰆〕 15 모 ㊥虞 | mú ボ·モ けおりもの
字解 모직물모 털로 짠 무늬 있는 직물의 한 가지. '一子用粉土黃檀子'《輟耕錄》.

毛 11 〔毵〕 15 삼 ㊥覃 | sān サン けのながいさま
字解 ①털길삼 털이 긴 모양. '——然與衆毛異'《詩經 疏》. ②축늘어질삼 가늘고 긴 것이 축 늘어진 모양. '綠岸——楊柳垂'《孟浩然》.
字源 形聲. 毛+參〔音〕

毛 11 〔氀〕 15 ⊟루 ㊥虞 | lǘ ル けおりもの
⊟두 ㊥尤 | dōu トウ おとる
字解 ⊟모직물루 털로 짠 직물의 한 가지. '作文繡織一氀'《後漢書》.
⊟열등할두 '一氀, 今人謂性劣者爲一氀'《字彙》.

毛 11 〔𣯸〕 15 氀(前條)와 同字

毛 11 〔氂〕 15 리 ㊥支 | lí リ からうしのお, うまのお
字解 ①꼬리리 검정 소나 말의 꼬리. '馬一截玉'《淮南子》. ②억센털리 억세고 꼬불꼬불한 털. '以一裝衣'《漢書》. ③긴털리 장모(長毛). '足下生一'《後漢書》. ④잡털리 잡모(雜毛). '雜毛曰一'《小爾雅》. ⑤모직물리 털로 짠 직물. '錦繡罽一'《華陽國志》. ⑥이리 척도(尺度) 및 분량의 단위. 호(毫)의 십 배. 釐(里부 11획〈1548〉)와 통용. '不失毫一'《漢書》.
字源 會意. 犛〈省〉+毛

毛 11 〔氅〕 15 〔계〕
髻(髟부 6획〈1767〉)와 同字

〔麾〕 〔휘〕
麻부 4획(1855)을 보라.

毛 12 〔氆〕 16 방 ㊤養 | pǔ ホウ けおりもの
字解 서양융방 '一氌'는 서역(西域)에서 산출하는 융모(羢毛)의 천. '一氌, 西番羢毛織者'《字彙》.

毛 12 〔𣰼〕 16 氆(前條)와 同字

毛 12 〔氄〕 16 용 ㊤腫 | rǒng ジョウ にこげ
字解 솜털용 부드럽고 가는 털. '鳥獸一毛'《書經》.
字源 會意. 毛+𠕁

毛 12 〔氃〕 16 동 ㊥東 | tóng トウ けのさま
字解 털모양동 '氋一'은 털의 모양. 털이 날리는 모양. '氋一, 毛散貌'《正字通》. '氋一而不肯舞'《世說》.

毛 12 〔𣰾〕 16 복 ㊀屋 | pú ホク けがもつれる
字解 털엉킬복 털이 엉킴. '毸一, 毛不理'

《集韻》.

毛 12 〔氃〕16 등 [平]蒸 | dēng トウ けおりのしきもの

[字解] ①담요등 모포(毛布). '天竺國有細好㲣一'《後漢書》. ②털흩어질등 털이 흩어지는 모양.
[字源] 形聲. 毛+登〔音〕

毛 12 〔𣯷〕16 氃(前條)과 同字

毛 12 〔𣰖〕16 초 [平]蕭 | jiāo ショウ かぶとのうえのかざりげ

[字解] ①투구깃털초 투구 위의 삭모(槊毛). '胄顚毛曰一'《集韻》. ②깃부서질초 새의 깃이 찢어지고 부서짐. 譙(言부 12획〈1355〉)와 同字. '一, 羽殺也'《正字通》.

毛 12 〔氅〕16 창 [上]養 | chǎng ショウ とりのけ

[字解] ①새털창 새의 우모(羽毛). ②새털옷창 새털로 짠 옷. '一衣'. '衣鶴一'《新五代史》.
[字源] 形聲. 毛+敞〔音〕
[參考] 氅(次條)은 俗字.

毛 12 〔氅〕16 氅(前條)의 俗字

毛 13 〔氈〕17 전 [平]先 | zhān セン けむしろ

[字解] ①모전전 솜털로 만든 모직물. 또, 이 천으로 만든 요. '毛一'. '共其毳皮爲一'《周禮》. ②성전 성(姓)의 하나.
[字源] 形聲. 毛+亶〔音〕

毛 13 〔氊〕17 氈(前條)의 俗字

毛 13 〔氉〕17 소 [去]號 | sào ソウ つよいけ

[字解] ①뻣뻣한털소 억센 털. ②번민할소 毷(毛부 9획〈619〉)를 보라. '毷一'.
[字源] 形聲. 毛+喿〔音〕

毛 14 〔氋〕18 몽 [平]東 | méng ボウ けのちるさま

[字解] 털흩어질몽 '一氃'은 털이 흩어지는 모양. '一氃而不肯舞'《世說》.

毛 14 〔𣰰〕18 녕 [平]庚 | míng ドウ けのおおいいぬ

[字解] 북슬개녕 털이 많은 개. '一, 大多毛, 謂之一'《集韻》.

毛 14 〔𣱌〕18 람 [平]覃 | lán ラン けのながいさま

[字解] 털길람 털이 긴 모양. '巖花垂露碧一毿'《朱熹》.

毛 14 〔𣯿〕18 〔첩〕 睞(目부 7획〈846〉)과 同字

毛 14 〔𣱀〕18 평 [去]徑 | bìng ヒョウ いぬのけ

[字解] 개털평 개털. '一, 一毦, 犬毛'《集韻》.

毛 15 〔𣱃〕19 〔렵〕 鬣(髟부 15획〈1774〉)과 同字

毛 15 〔氌〕19 로 [上]麌 | lǔ ロ けおりもの

[字解] 서역융로 서역에서 산출하는 융모(羢毛)의 천. '氆一, 西番羢毛織者'《字彙》.

毛 16 〔𣱋〕20 비 [平]微 | fēi ヒ けがみだれる

[字解] ①털어지러울비 털이 텁수룩함. '一, 毛紛紛也'《說文》. ②솜털비 부드럽고 가는 털. '一, 細毛'《廣韻》.
[字源] 形聲. 毳+非〔音〕

毛 18 〔氍〕22 구 [平]虞 | qú ク もうせん

[字解] 담요구 모포(毛布). '獻蒲桃大馬一毹等物'《南史》.
[字源] 形聲. 毛+瞿〔音〕

毛 22 〔氎〕26 첩 [入]葉 | dié チョウ·ジョウ けおりもの

[字解] 모직물첩 명주같이 고운 모직물. '隴右道, 厥賦有毛毲白一'《唐書》.
[字源] 形聲. 毛+疊〔音〕

氏 部

〔각시씨부〕

氏 0 〔氏〕4 [中·人] [一] 씨 [上]紙 (시[本]) [二] 지 [平]支 | shì シ うじ zhī シ くにのな

[筆順] 一 厂 斤 氏

[字解] [一] ①씨씨 ㉠한 성(姓) 중에서 계통의 종별(種別)을 표시하는 칭호. '天子建德, 因生以賜姓, 胙之土, 而命之一'《左

傳》. ㉡후세(後世)에는 성(姓)과 구별하지 않고 혼용함. '姓一後世不復別, 但曰姓某一, 雖史筆亦然'《趙彥衛》. ㉢왕조(王朝) 또는 제후(諸侯)의 봉지(封地)에 붙여 쓰는 칭호. '伏羲一'. '有扈一不服'《史記》. ㉣관직에 붙여 쓰는 칭호. 세습(世襲)의 제도에서 생긴 것임. '太史一'. '職方一掌天下之圖'《周禮》. ㉤사람을 지칭하는 데 붙여 쓰는 칭호. '伯一吹壎, 仲一吹篪'《詩經》. ㉥시집간 여자의 친가(親家)의 성에 붙여 쓰는 칭호. '某一來歸'《儀禮》. ②성씨 성(姓)의 하나. ※本音 시. [二] 나라이름지 '大月一'는 기원전 5세기 중엽에 중앙 아시아의 아무강(江) 유역에 터키 계통의 민족이 세운 나라. 또, 그 민족.
[字源] 象形. 甲骨文·金文은 '民민'의 자형(字形)과 아주 비슷한 모양으로, 비스듬한 획은 두 눈꺼풀이 감겨져 있는 모양, 세로 획은 날카로운 날붙이의 모양. 날붙이에 찔려 멀게 된 눈의 형상을 본뜸.
[參考] 유사한 모양의 '民'을 포함하여, 자형(字形) 분류상 부수(部首)로 세워짐.

氏 1 〔氐〕 5 저 ①②[上]薺 | dǐ テイ もと
③-⑥[平]齊 | dī テイ みんぞくのな, とも
[字解] ①근본저 근원. '維周之一'《詩經》. ②대저저 抵(手부 5획〈434〉)와 同字. '大一皆遇告'《漢書》. ③오랑캐이름저 파촉(巴蜀) 부근에 살던 민족. 후에, 한중(漢中)·하동(河東)에 이주하여 번성하여, 오호(五胡)의 하나로 손꼽히게 되었음. '自彼一羌, 莫敢不來享'《詩經》. ④별이름저 이십팔수(二十八宿)의 하나. 청룡 칠수(青龍七宿)의 셋째 성수(星宿)로서, 별 넷으로 구성되었음. '一宿'. '一四星, 東方之宿, 一者, 言萬物皆至也'《史記》. ⑤숙일저 低(人부 5획〈42〉)와 同字. '一首仰給'《漢書》. ⑥낮을저 低(人부 5획〈42〉)와 同字. '其賈一賤'《漢書》.
[字源] 指事. 氏+一. '氏씨'는 예리한 날붙이의 象形. '一'은 그 날붙이를 가는 편평한 숫돌을 뜻함. 칼날을 바닥에 대는 모양에서 '낮추다, 이르다' 등을 뜻함.

氏 1 〔民〕 5 [中·人] 민 [平]眞 | mín ミン たみ
[筆順] ㇇ コ 尸 民 民
[字解] ①백성민 ㉠뭇 사람. 인류. '烝一乃粒'《書經》. ㉡국가의 통치를 받는 사람. 국민. '一以君爲心, 君以一爲體'《禮記》. ㉢토착(土着)의 민중. '一, 安土者也'《後漢書》. ㉣벼슬하지 않은 사람. 평민. '宜一宜人'《詩經》. ㉤자기 이외의 뭇 사람. '一莫不穀, 我獨何害'《詩經》. ②어두울민 어리석음. '一之爲言, 固猶瞑也'《春秋繁露》. ③성민 성(姓)의 하나.
[字源] 象形. 한쪽 눈을 바늘로 찌른 형상을 본떠, 한쪽 눈이 먼 노예·피지배 민족의 뜻에서 '백성'을 이름.

氏 2 〔氒〕 6 궐 [入]月 | jué ケツ ね
[筆順] 一 𠂆 𠂋 氏 氏 氒
[字解] ①뿌리궐, 밑동궐 '一, 木本也'《說文》. ②厥(厂부 10획〈136〉)의 古字.
[字源] 會意. 氏+十

〔昏〕 〔혼〕 日부 4획(503)을 보라.

氏 4 〔氓〕 8 맹 [平]庚 | méng, máng ボウ たみ
[字解] 백성맹 서민(庶民). '一俗'. '天下之民, 皆悅而願爲之一矣'《孟子》.
[字源] 形聲. 民+亡〔音〕

氏 4 〔㡯〕 8 氓(前條)의 俗字

氏 5 〔䛐〕 9 〔사〕 伺(人부 5획〈40〉)의 俗字

氏 6 〔昳〕 10 질 [入]質 | zhì チツ ふれる, ぬく
[筆順] ⼀ 𠂆 𠂋 氏 氏 氐 氐⺧ 昳
[字解] ①건드릴질 건드림. '一, 觸也'《說文》. ②뽑을질 손으로 뽑음. '一, 手拔物也'《廣韻》.
[字源] 形聲. 氏+失〔音〕

氏 10 〔㲷〕 14 [一] 인 [去]震 | yìn イン ふす
[二] 치 [去]寘 | zhì チ たおれる
[三] 예 [平]齊 | エイ たおれる
[字解] [一] ①엎어질인. ②뽑을인 손으로 뽑아 냄. '一, 昳'《廣韻》. [二] 넘어질치 쓰러짐. '一, 仆也'《廣韻》. [三] 넘어질예 [三]와 뜻이 같음.
[字源] 形聲. 氏+垔〔音〕

氏 13 〔㲸〕 17 㲷(前條)의 本字

氏 14 〔㲹〕 18 [一] 효 [去]效 | xiào コウ あやまる
[二] 호 [上]皓 | hào コウ ちめい
[字解] [一] 그르칠효 '一, 誤也'《廣雅》. [二] 땅이름호 '一, 地名'《集韻》.
[字源] 形聲. 氏+學〈省〉〔音〕

气 部

〔기운기부〕

气 0 〔气〕4 [一]기 [去]未 qì キ うんき, あたえる
[二]걸 [入]物 qǐ キツ もとめる

[筆順] ノ 𠂉 ⺈ 气

[字解] [一] ①기운기 氣(气부 6획〈623〉)와 同字. '天地人物之氣雖別, 而一氣字義實同'《康熙字典》. ②줄기 내어 줌. '一, 與人物也'《廣韻》. [二] 빌걸 乞(乙부 2획〈21〉)과 同字. '一乞本同一字也'《古今印史》.

[字源] 象形. 뭉게뭉게 피어 오르는 구름을 본떠 '수증기, 숨, 입김' 등을 나타냄.

[參考] '气'를 의부(意符)로 하여, 기(氣)·기운에 관한 문자를 이룸.

气 2 〔気〕6 〔기〕 氣(气부 6획〈623〉)의 略字

气 2 〔⿹气乀〕6 〔기〕 氣(气부 6획〈623〉)의 略字

气 2 〔氖〕6 氝(次次條)와 同字

气 3 〔氙〕7 〔서〕 氥(气부 6획〈623〉)와 同字

气 4 〔氝〕8 내 nèi ダイ·ネオン

[字解] 네온(neon)내 원소(元素)의 이름.

气 4 〔氛〕8 분 [平]文 fēn フン き, わざわい

[字解] ①기운분 ㉠일에 앞서 나타나 길흉(吉凶)을 보이는 기(氣). '梓愼望一'《左傳》. ㉡나쁜 기(氣). 요기(妖氣). 흉기(凶氣). '一祥'. '一祲, 妖氣'《廣韻》. ②재앙분 흉화(凶禍). '一邪歲增'《漢書》.

[字源] 形聲. 气+分〔音〕

气 4 〔⿹气火〕8 〔기〕 氣(气부 6획〈623〉)의 古字

气 4 〔⿹气月〕8 〔음〕 陰(阜부 8획〈1617〉)의 俗字

气 4 〔氜〕8 일 rì ジツ·ヘリウム

[字解] 헬륨일 헬륨(helium). 원소(元素)의 이름. He.

气 5 〔氟〕9 불 fú フツ フローリン

[字解] 불소불 불소(弗素 ; fluorine). 원소(元素)의 하나. F.

气 6 〔氣〕10 [中·人] 기 [去]未 qì キ き

[筆順] ノ 𠂉 ⺈ 气 ⿹气丷 ⿹气⺷ ⿹气半 氣

[字解] ①기운기 ㉠만물 생성(生成)의 근원. 만유(萬有)의 근원. '精一爲物, 遊魂爲變'《易經》. ㉡심신(心神)의 세력. 원기. '浩然之一'. '一, 體之充也'《孟子》. ㉢세력. 힘. 기세. '一鋭'. '一蓋世'《史記》. ㉣풍(風)·우(雨)·회(晦)·명(明)·한(寒)·서(暑) 등의 자연의 현상. '天有六一'《左傳》. ㉤수증기·연기 등의 공중에 올라가 보이는 현상. '直有金寶一'《史記》. ㉥냄새·빛·열 같은 감각으로 그 존재를 아는 현상. '貴一臭也'《禮記》. ㉦풍취(風趣). '一味'. '有林下風一'《世說》. ②공기기 땅을 포위한 유동체. '天積一耳'《列子》. ③숨기 호흡. '一息'. '屛一似不息者'《論語》. ④기질기 성질. '志彊而一弱'《列子》. ⑤마음기 의사. '百姓無怨一'《史記》. ⑥기후기 시후(時候). '務順時一'《後漢書》. ⑦절후기 음력에서 1년을 24분(分)한 기간. 절기. '五日謂之候, 三候謂之一'《內經》. ⑧말을기 냄새를 맡음. '執食飮者勿一'《禮記》.

[字源] 形聲. 米+气〔音〕

[參考] 気(气부 2획〈623〉)는 俗字.

气 6 〔氤〕10 인 [平]眞 yīn イン きのさかんなさま

[字解] 기운어릴인 '一氳'은 천지의 기(氣)가 서로 합하여 어린 모양. '春物其一氳'《宋之問》.

[字源] 形聲. 气+因〔音〕

气 6 〔氥〕10 서 sī セイ ゼノーン

[字解] 크세논(xenon)서 원소(元素)의 이름. Xe.

气 6 〔氦〕10 〔일〕 氜(气부 4획〈623〉)과 同字

气 6 〔氧〕10 〔양〕 氱(气부 9획〈624〉)과 同字

气 7 〔⿹气肖〕11 〔소〕 霄(雨부 7획〈1642〉)와 同字

气 7 〔氪〕 11 극 | kè コク クリプトン

字解 크립톤극 크립톤(krypton). 원소(元素)의 이름. Kr.

气 8 〔氱〕 12 〔읕〕 虩(虍부 5획〈1214〉)의 本字

气 8 〔氮〕 12 〔담〕 氰(气부 12획〈624〉)과 同字

气 8 〔氯〕 12 〔록〕 氯(气부 11획〈624〉)과 同字

气 8 〔氬〕 12 아 | yà ア·アルゴン

字解 아르곤아 아르곤(argon). 원소(元素)의 이름. Ar.

气 9 〔氧〕 13 양 | yǎng ヨウ オキシゲン

字解 산소양 산소(酸素; oxygen). 원소의 이름. O.

气 10 〔氳〕 14 온 ㊥文 | yūn ウン きのさかんなさま

字解 ①기운어릴온 氤(气부 6획〈623〉)을 보라. ②기운성할온 기(氣)가 왕성하게 오르는 모양. '氛—'.
字源 形聲. 气+昷〔音〕

气 11 〔氯〕 15 록 | lǜ リョク クローリン

字解 염소(鹽素)록 원소(元素)의 이름. Cl.

气 12 〔氰〕 16 담 | dàn タン ニトローゲン

字解 질소(窒素)담 원소(元素)의 이름. N.

水(氵)部
〔물 수 부〕

水 0 〔水〕 4 中·人 수 ㊤紙 | shuǐ スイ みず

筆順 亅 才 水 水

字解 ①물수 ㉠산소와 수소로 이루어진 액체. '—火'. '今夫—, 一勺之多'《中庸》. ㉡물이 흐르거나 괸 곳. 곧, 내·호수·바다 등. '若涉大—'《書經》. ㉢물의 범람. 곧, 홍수. '堯禹有九年之—'《漢書》. ㉣오행(五行)의 하나. 고대에, 우주를 구성하는 원소(原素)로 생각되었음. 계절로는 겨울, 방위로는 북(北), 오성(五星)으로는 진성(辰星), 오음(五音)으로는 우(羽), 십간(十干)으로는 임계(壬癸)에 배당함. '五行, 一曰—'《書經》. ②물일수 물을 긷거나 물을 사용하여 하는 일. '助爾薪—之勞'《梁昭明太子》. ③평평할수 수평(水平). 평준(平準). '—, 準也, 準平物也'《釋名》. ④평평하게할수 수준기(水準器)를 써서 물건을 평평하게 함. '—地以縣'《周禮》. ⑤수성수 행성(行星) 중에서 가장 작고 태양에 가장 가까운 별. 진성(辰星). ⑥성수 성(姓)의 하나.
字源 象形. 흐르는 물의 象形으로, '물'의 뜻을 나타냄.
參考 '水'가 변이 될 때에는 '氵'의 꼴을 취하며, 삼수(三水)변으로 이름. '水'를 의부(意符)로 하여, 물·강의 이름, 또 물의 상태나 물을 수반하는 동작에 관한 문자를 이룸.

水 1 〔氷〕 5 中·人 빙 ㊥蒸 ㊦徑 | ①-⑥bīng ヒョウ こおる, こおり ⑦ヒョウ つめたい

筆順 亅 冫 氵 氵 氷

字解 ①얼음빙 물이 얼어 굳어진 것. '—山'. '—水爲之, 而寒于水'《荀子》. ②얼빙 물이 얾. '—結'. '孟冬水始—'《禮記》. ③식힐빙 서늘하게 함. 냉각(冷却)함. '不欲其以冷語—人爾'《外史檮杌》. ④기름빙 지방. '肌膚若—雪'《莊子》. ⑤전동뚜껑빙 시통(矢筩)의 뚜껑. '執—而踞'《左傳》. ⑥성빙 성(姓)의 하나. ⑦차가울빙 냉함. '—, 冷迫也'《集韻》.
字源 形聲. 篆文은 水+冫(仌)〔音〕
參考 冰(冫부 4획〈92〉)은 本字.

水 1 〔永〕 5 中·人 영 ㊤梗 | yǒng エイ ながい

筆順 ˋ 亅 才 永 永

字解 ①길영 ㉠강 같은 것의 흐름이 긺. 거리가 긺. '江之—矣, 不可方思'《詩經》. ㉡시간이 긺. 오램. '—久'. '其寧惟—'《左傳》. ②멀영 요원함. '齊秦悠—'《張衡》. ③깊을영 얕지 아니함. '啜過始知眞味—'《蘇軾》. ④길게할영 길게 늘임. '歌—言'《書經》. ⑤길이영 오래도록. 영구히. '—住'. '萬世—賴'《書經》. ⑥노래할영 '誰之—號'《詩經》. ⑦성영 성(姓)의 하나.
字源 象形. 지류를 흡수하여 아우르는 긴 유역을 가진 강의 상형으로, '길다'의 뜻을 나타냄.

水 1 〔氶〕5 [一] 증 [上]迥 [去]徑 zhěng ショウ·ジョウ すくいあげる / zhèng ショウ·ジョウ くにのな
[二] 승 [平]蒸 chéng ショウ·ジョウ うける

[字解] [一] ①건질증, 도울증 拯(手부 6획〈439〉)과 同字. '一, 與抍同. 救助也'《康熙字典》. ②현이름증 '一, 縣名'《集韻》. ③사람이름증 '一, 晉譙王名'《廣韻》. ④나라이름증 '一鄉'은 한(漢)나라의 후국(侯國)의 이름. '承, 承鄉, 漢侯國名. 或作一'《集韻》. [二] 건질승, 도울승, 현이름승, 사람이름승, 나라이름승 [一]과 뜻이 같음.

水 2 〔求〕7 [中·人] 구 [平]尤 qiú キュウ もとめる

[筆順] 一 十 寸 才 才 求 求

[字解] ①구할구 ㉠바람. '欲一'. '富而可一'《論語》. ㉡찾음. '索一'. '如有一而弗得'《禮記》. ㉢힘씀. '君子行禮, 不一變俗'《禮記》. ㉣초래함. '是自一禍也'《孟子》. ②요구구 '民之所以避一者多'《商子》. ③끝구 '世德作一'《詩經》. ④빌구 구걸함. '童蒙一我'《易經》. ⑤탐낼구 탐함. '不忮不一'《論語》. ⑥책할구 책망함. '所一乎子'《中庸》. ⑦모을구, 모일구 逑(辵부 7획〈1495〉)와 통용. ⑧성구 성(姓)의 하나.
[字源] 象形. 찢어 발긴 모피의 모양을 본뜸. 가차하여 '구하다, 찾다'의 뜻으로 쓰임.

水 2 〔氽〕6 탄 [上]阮 tǔn トン うかぶ, うかべる

[字解] ①뜰탄 사람이 물 위에 뜸. '人在水上爲一'《字林撮要》. ②뜨게할탄 띄움. '一, 水推物也'《字彙》.

水 2 〔永〕6 〔영〕 永(水부 1획〈624〉)과 同字

水 2 〔氼〕6 𠇍(次條)과 同字

水 2 〔𠇍〕6 〔닉〕 溺(水부 10획〈670〉)의 古字
[字源] 會意. 人＋水

水 2 〔氾〕5 [人名] 범 ①-④[去]陷 ⑤[平]鹽 fàn ハン ひろがる / ハン かわのな

[筆順] 丶 丷 氵 汀 氾

[字解] ①넘칠범 물이 넘침. '一濫'. '河水決濮陽, 一郡十六'《漢書》. ②넓을범 광대함. 汎(水부 3획〈626〉)과 同字. '一博'. '一埽反道'《禮記》. ③많을범 여러. 여럿. '普一無私'《淮南子》. ④뜰범 물에 떠서 불안정한 모양. '一虖若不繫之舟'《漢書》. ⑤물이름범 하남성(河南省)을 북류(北流)하는 황하(黃河)의 지류(支流). 사수(汜水)라고도 함. '項羽大司馬曹咎, 渡兵一水'《漢書》.
[字源] 形聲. 氵(水)＋㔾〔音〕

水 2 〔氿〕5 [一] 궤 [上]紙 guǐ キ いずみ
[二] 구 [平]尤 qiú キュウ みずぎわ

[字解] [一] 샘궤 곁구멍에서 솟아 나오는 샘. '有洌一泉'《詩經》. [二] 물가구 '一, 水厓也'《集韻》.
[字源] 形聲. 氵(水)＋九〔音〕

水 2 〔汀〕5 [人名] 정 [平]青 [去]徑 ①②tīng テイ みぎわ ③tìng テイ こころざしをとげない

[筆順] 丶 丶 氵 汀 汀

[字解] ①물가정 물가의 평지. 둔치. '一沙'. '一曲舟已隱'《謝靈運》. ②모래섬정 얕은 물 가운데에 토사(土沙)가 쌓여 물 위에 나타난 곳. '搴一洲兮杜若'《楚辭》. ③뜻이루지못할정 뜻을 못 이룸. '一瀅不遂志'《廣韻》.
[字源] 形聲. 氵(水)＋丁〔音〕

水 2 〔汁〕5 [人名] [一] 즙 [入]緝 zhī ジュウ しる
[二] 협 [入]葉 xié キョウ かなう

[筆順] 丶 丶 氵 汁 汁

[字解] [一] ①즙즙 ㉠진액(津液). '果一'. '一獻涚於醆酒'《禮記》. ㉡물질을 혼합한 액체. '墨一'. ②국물즙 ㉠국의 국물. '烹雞多一'《後漢書》. ㉡남의 덕으로 얻는 공리(功利). '彼勸太子戰攻, 欲啜一者衆'《史記》. ③진눈깨비즙 비가 섞인 눈. '天時雨一'《禮記》. [二] 맞을협, 화합할협 協(十부 6획〈127〉)과 통용. '一洽'. '五緯相一'《張衡》.
[字源] 形聲. 氵(水)＋十〔音〕

水 2 〔汃〕5 팔 [入]黠 pà ハツ なみのげきしあうおと

[字解] ①물결치는소리팔 물결이 요란하게 치는 소리. 또, 물이 흐르는 모양. '砏一輣軋'《張衡》. ②빛날팔 물이 번쩍이는 모양. '好鳥鳴丁丁, 小溪光一一'《杜牧》.
[字源] 形聲. 氵(水)＋八〔音〕

水 2 〔汇〕5 [一] 匯(匚부 11획〈123〉)의 簡體字
[二] 彙(彐부 10획〈365〉)의 簡體字

水 2 〔汉〕5 〔한〕 漢(水부 11획〈678〉)의 簡體字

水 3 〔汞〕7 홍 [上]董 [去]送 gǒng (hòng) コウ みずがね

[字解] 수은홍 은백색의 액체인 금속. '眞一產于離'《參同契 註》.

水 3 〔汊〕6 차 [去]禡 chà サ わかれながれる

[字解] 두갈래진내차 갈래져서 흐르는 물. 또, 그 곳. '行跐一川'《韓愈》.

[字源] 形聲. 氵(水)＋叉〔音〕

水 3 〔汋〕6 ㊀삭 [入]覺 zhuō サク みずがげきするおと ㊁작 [入]藥 zhuó シャク みずのおと

[字解] ㊀ ①물결치는소리삭 물결이 부딪치는 소리. '有水聲一一然也'《釋名》. ②윤날삭 윤기가 돎. 윤택함. '一, 澤也. 有潤澤也'《釋名》. ㊁ ①물소리작 '一, 水聲'《集韻》. ②익힐작 불에 삶음. '新菜可一'《爾雅 註》. ③따를작, 퍼낼작 酌(酉부 3획〈1531〉)과 통용. '一, 讀如酌酒尊中之酌'《周禮 註》.

[字源] 形聲. 氵(水)＋勺〔音〕

水 3 〔汎〕6 [人名] 범 [去]陷 fàn ハン うかぶ, うかべる

[筆順] 丶 冫 氵 汈 汎 汎

[字解] ①뜰범 물 위에 둥둥 뜨는 모양. 또, 띄움. '浮一'. '亦一其流'《詩經》. '一舟於河'《國語》. ②떠돌범 표류함. '一, 任風波自縱也'《正字通》. ③넓을범 ㉠광대함. '眇一滄流'《沈約》. ㉡보편적임. 널리 …함. '一愛'. '一稱'. '普一加一級'《魏書》. ④많을범 '普一'《淮南子》. ⑤빠를범 '一一其景'《詩經》. ⑥성범 성(姓)의 하나.

[字源] 形聲. 氵(水)＋凡〔音〕

水 3 〔汍〕6 환 [平]寒 wán カン なみだのながれるさま

[字解] 눈물흐를환 눈물이 줄줄 흐르는 모양. '淚一瀾而雨集'《馮衍》.

[字源] 形聲. 氵(水)＋丸〔音〕

水 3 〔汏〕6 대 [去]泰 tài タイ なみ, よなげる

[字解] ①물결대 파도. '齊吳榜而擊一'《楚辭》. ②씻을대 세탁함. ③일대 쌀을 읾. '祝淅米於堂. (註) 淅, 一也'《儀禮》. ④지날대 통과함. 汰(水부 4획〈628〉)와 뜻이 같음. '伯棼射王一輈'《左傳》. ⑤교만할대 스스로 뽐냄. '一哉叔氏'《禮記》. ⑥지나칠대 도가 지나침. '一, 太過也'《集韻》.

[字源] 形聲. 氵(水)＋大〔音〕

[參考] 본래, 汰(水부 4획〈628〉)는 別字.

水 3 〔汐〕6 [人名] 석 [入]陌 xī (xì) セキ ゆうしお

[筆順] 丶 冫 氵 汐 汐 汐

[字解] 석수석 저녁때에 밀려 들어왔다가 나가는 조수(潮水). '潮一'. '滄海之水入於江, 謂之潮, 江湖之水歸於滄海, 謂之一'《海潮論》.

[字源] 形聲. 氵(水)＋夕〔音〕

水 3 〔汔〕6 흘 [入]物 qì キツ ほとんど

[字解] 거의흘 거반. '一可少康'《詩經》.

[字源] 形聲. 氵(水)＋乞〔音〕

水 3 〔汒〕6 망 [平]陽 [上]養 máng, mǎng ボウ あわただしいさま

[字解] ①총급할망 황급함. 총망(怱忙)한 모양. '一, 怱遽皃'《集韻》. ②망연할망 망연함. 어두움. '一若於夫子之所言矣'《莊子》.

[字源] 形聲. 氵(水)＋亡〔音〕

水 3 〔汜〕6 사 [上]紙 sì シ ほんりゅうからわかれてほんりゅうにはいるかわ

[字解] ①지류사 본류(本流)에서 갈라졌다가 다시 본류로 합치는 지류(支流). '江有一'《詩經》. ②웅덩이사 움푹 패어 물이 괸 곳. '窮瀆, 一'《爾雅》. ③물가사 수애(水涯). '猶有汰沃之一'《淮南子》. ④물이름사 하남성(河南省)을 북류(北流)하는 황하(黃河)의 지류(支流). 범수(氾水)라고도 함. '一水'.

[字源] 形聲. 氵(水)＋巳〔音〕

水 3 〔汕〕6 산 [去]諫 [上]潸 shàn サン すくいあみ

[字解] ①오구산 그물의 한 가지. '白魚在一'《柳貫》. ②뜰산 오구로 고기를 떠서 잡음. '魴鱒可罩一'《韓愈》.

[字源] 形聲. 氵(水)＋山〔音〕

水 3 〔汚〕6 [高·人] ㊀오 [平]虞 [去]遇 ①-⑥wū オ たまりみず, けがれる ⑦wù オ あらう ㊁와 [平]麻 wā ワ うがつ

[筆順] 丶 冫 氵 汀 汻 汚

[字解] ㊀ ①괸물오 정지한 물. '潢一行潦之水'《左傳》. ②낮을오 ㉠하등(下等)임. '埤一'. ㉡땅이 낮음. '隆'의 대. '一隆'. ③더

러울오 ㉠불결함. '一濁'. '衣盡一'《史記》. ㉡마음이나 행실이 더러움. '一吏'. ④더럽힐오 더럽게 함. '一損'. '一名'. '以佛事一吾先人'《五代史》. ⑤더러움오 ㉠때. '煩澣公服, 則無垢一'《詩經 疏》. ㉡수치. 치욕(恥辱). '無驚一之名'《漢書》. ⑥굽힐오 뜻을 굽힘. '一不至阿其所好'《孟子》. ⑦빨오 더러운 것을 빪. 씻음. '薄一我私'《詩經》. ㊂ 팔와 움푹 들어가게 팜 '一尊而抔飲'《禮記》.
字源 形聲. 氵(水)+亏〔音〕
參考 汙(次條)는 同字.

水3〔汙〕6 汚(前條)와 同字
參考 汗(次次條)은 別字.

水3〔污〕6 汚(前前條)와 同字

水3〔汗〕6 高·人 한 (去)翰 (平)寒 | ①-⑤hàn カン あせ ⑥hán カン とっけつのちょう

字解 ①땀한 피부에서 나오는 액체. '揮一成雨'《史記》. ②땀날한 땀이 나옴. 땀을 냄. '匈喘膚一'《漢書》. 또, 땀은 한번 나오면 다시 들어가지 않으므로, 나왔다 다시 돌아가지 않음의 비유로 쓰임. '渙一'. ③탁할한 탁해짐. 흐림. '一, 濁也'《漢書》. ④윤택한, 윤택해질한 '飲一吮吮'《太玄經》. ⑤성한 성(姓)의 하나. ⑥추장이름한 '可一'은 돌궐(突厥)의 임금 이름. '可一, 蕃王稱'《廣韻》.
字源 形聲. 氵(水)+干〔音〕
參考 汙(前前條)는 別字.

水3〔汓〕6 수 (平)尤 | qiú シュウ およぐ
字解 헤엄칠수 '一, 浮行水上也'《說文》.
字源 形聲. 甲骨文·別體는 水+囚〔音〕

水3〔汛〕6 신 (去)震 | xùn シン そそぐ
字解 ①뿌릴신 물을 뿌림. 물을 끼얹어 씻음. '盡一掃前聖數千載功業'《揚雄》. ②넘칠신, 조수(潮水)신 '潮一往來'《宋史》. ③신문할신 캐어 물어 조사함. 訊(言부 3획〈1313〉)과 통용.
字源 形聲. 氵(水)+卂〔音〕

水3〔汝〕6 中·人 여 ㊤語 | rǔ ジョ なんじ

字解 ①너여 대등 이하의 사람에 대한 호칭. '一輩'. '予欲左右有民, 一翼'《書經》. ②물이름여 하남성(河南省)을 흘러 회수(淮水)로 들어가는 강. '一水'. '遵彼一墳'《詩經》. ③성여 성(姓)의 하나.
字源 形聲. 氵(水)+女〔音〕

水3〔江〕6 中·人 강 (平)江 | jiāng コウ かわのな

字解 ①물이름강 양자강(揚子江)을 예전에는 단지 '一'이라 하였음. 하(河), 곧 황하(黃河)와 병칭하여 '一河'라 함. 속칭을 '大一'·'長一'이라 함. '一水三千里, 家書十五行'《袁凱》. 전(轉)하여, 큰 강의 통칭(通稱)으로 쓰임. '黑龍一'. '白露橫一'《蘇軾》. ②같이할강 함께 함. 공공(公共). '一, 公也. 諸水流入於其中, 所公共也'《釋名》. ③바칠강 '一者貢也. 珍物可貢獻也'《風俗通》. ④별이름강 '天潢旁一星'《史記》.
字源 形聲. 氵(水)+工〔音〕

水3〔池〕6 高·人 지 (平)支 | chí チ いけ

字解 ①못지 ㉠물이 괴어 넓고 깊은 곳. '一沼'. '蛟龍之山有一, 方七百里'《括地志》. ㉡벼루 따위 기물을 오목하게 파서 물을 담는 곳. '硯一'. '墨一'. ②해자지 성(城) 밖을 둘러 판 못. '城一'. '一非不深也'《孟子》. ③베풀지 '咸一備矣'《禮記》. ④성지 성(姓)의 하나.
字源 形聲. 氵(水)+也〔音〕

水3〔汘〕6 천 (平)先 | qiān セン かわのな
字解 물이름천 '一, 水名'《廣韻》.
字源 形聲. 氵(水)+千〔音〕

水3〔氵刃〕6 ㊀년 (去)霰 | niàn デン·ネン かわのな
㊁상 (平)陽 | ショウ かわのな
㊂인 ㊤軫 | rěn ジン べとつく

字解 ㊀물이름년 '一, 一水也'《說文》. ㊁물이름상 ■과 뜻이 같음. ㊂①끈적거릴인 '沴一'은 끈적거림. 젖어서 서로 붙음. '一, 沴一, 溼相著'《集韻》. ②더럼인, 때인 '沴一'은 더럼, 때. '沴一, 亦垢濁也'《說文段注》.
字源 形聲. 氵(水)+刃〔音〕

水3〔汷〕6 종 (平)東 | zhōng シュウ かわのな

[字解] 물이름종 '一, 說文, 水也. 一曰, 水名. 在襄陽'《集韻》.
[字源] 形聲. 氵(水)+終〈省〉〔音〕

水3 〔汷〕6 〔지〕 坻(土부 5획〈204〉)와 同字

水3 〔汑〕6 〔돈〕 沌(水부 4획〈631〉)과 同字

水3 〔汑〕6 탁 ㊇藥 | tuō タク なめらか
[字解] 미끄러질탁 '一, 滑也'《集韻》.

水3 〔汞〕7 〔우〕 雨(部首〈1638〉)의 古字

水4 〔汫〕7 ㊀경 ㊤迥 ㊁정 ㊥青 | jǐng ケイ ひょうりゅうする セイ みずのさま
[字解] ㊀①표류할경 표류함. '一涏'. ②물적은시내경 수량이 적은 시내. '一涏'. ㊁물모양정 물의 모양. '一濴'.

水4 〔汐〕7 〔석〕 汐(水부 3획〈626〉)과 同字

水4 〔泬〕7 〔쉬〕 淬(水부 8획〈656〉)과 同字

水4 〔沝〕8 추 ㊤紙 | zhuǐ スイ ふたつのかわ
[字解] ①이수추 두 개의 강(江). '一, 二水也'《說文》. ②물추 '一, 閩人謂水曰一'《集韻》.
[字源] 會意. 水+水. '水수'를 둘 나란히 놓아, 나란히 흐르는 두 줄기의 강의 뜻.

水4 〔沓〕8 답 ㊇合 | tà トウ かさなる, あう
[字解] ①겹칠답 중첩함. '噂一背憎'《詩經》. ②합칠답 합함. '天與地一'《揚雄》. ③탐할답 탐냄. '其民一貪而忍'《國語》. ④끓을답 물 같은 것이 끓어 넘침. '發怒庢一'《枚乘》. ⑤유창할답 언변이 있는 모양. '語多一一若水之流'《說文》.
[字源] 會意. 水+曰
[參考] 畓(田부 4획〈797〉)은 別字.

水4 〔冰〕8 〔빙〕 冰(冫부 4획〈92〉)의 本字

水4 〔汬〕8 〔정〕 穽(穴부 4획〈916〉)의 古字

水4 〔汆〕8 〔음〕 飮(食부 4획〈1714〉)의 古字

水4 〔汨〕7 ㊀골 ㊇月 ㊁멱 ㊇錫 | gǔ コツ しずむ, おさめる mì べキ かわのな
[字解] ㊀①다스릴골 정돈하여 처리함. '別生分類, 作一作'《孔安國》. ②통할골 막힌 것을 통하게 함. '決一九川'《國語》. ③어지럽힐골 혼란케 함. '一陳其五行'《書經》. ④잠길골 물 속에 가라앉음. '一沒一朝伸'《杜甫》. ⑤물결골 파도. '與一偕出'《莊子》. ㊁물이름멱 초(楚)나라 굴원(屈原)이 투신자살하였다는, 강서성(江西省)에서 발원(發源)하여 호남성(湖南省)으로 흐르는 강. '一水'. '一羅'. '源出豫章, 分二水, 一南流曰一水'《一統志》.
[字源] 形聲. 氵(水)+冥〈省〉〔音〕
[參考] 汩(次條)은 別字.

水4 〔汩〕7 율 ㊇質 | yù イツ ながれる, はやい
[字解] ①흐를율 물이 흐름. '一一'. '浩浩沅湘, 分流一兮'《楚辭》. ②빠를율 속함. '一流'. '一徂南土'《史記》. ③맑을율 청정함. '一磑磑以璀璨'《王延壽》. ④성율 성(姓)의 하나.
[字源] 形聲. 氵(水)+曰〔音〕
[參考] 汨(前條)은 別字.

水4 〔汪〕7 [人名] 왕 ㊥陽 | wāng オウ ひろい
[筆順] 丶 冫 氵 汀 汀 汗 汪
[字解] ①넓을왕 ㉠깊고 넓음. '一然平靜'《淮南子》. ㉡광대함. '一洋'. '一是土也'《國語》. ②못왕 물이 흐린 못. '尸諸周氏之一'《左傳》. ③바다왕 남방의 바다. '寘之祝融之一'《楊萬里》. ④성왕 성(姓)의 하나.
[字源] 形聲. 篆文은 氵(水)+䞖〔音〕

水4 〔汭〕7 예 ㊦霽 | ruì ゼイ ながれいるところ
[字解] ①물굽이예 수류(水流)의 굽어 후미진 곳. '會於漢一而還'《左傳》. ②물합치는곳예 두 하천의 물이 합쳐 흐르는 곳. '釐降二女于嬀一'《書經》. ③물가예 수애(水涯). '斲多之一'《穆天子傳》. ④안쪽예 內(入부 2획〈84〉)와 통용. '涇屬渭一'《書經》. ⑤물북편예 수류(水流)의 북쪽. '徯于洛之一'《書經》.
[字源] 形聲. 氵(水)+內〔音〕

水4 〔汰〕7 [人名] 태 ㊦泰 | tài タイ すぎる, よなげる
[筆順] 丶 冫 氵 氵 汁 汏 汰
[字解] ①지날태 통과함. '伯棼射王一輈'《左傳》. ②일태, 추릴태 물에 일어 추려 냄.

'淘一'. '沙之一之, 瓦礫在後'《晉書》. ③씻을태 세탁함. '洮一學者之累惑'《後漢書》. ④사치할태 호사스럽게 지냄. '一侈'. '般樂奢一'《荀子》. ⑤흐릴태 결백하지 않고 혼탁(混濁)함. '反潔爲一'《新書》. ⑥미끄러울태, 미끄러질태 '一而仆地'《棠隱比事》. ⑦심할태 汰(水부 3획〈626〉)와 뜻이 같음. '一, 太過也'《廣韻》. ⑧놀태 큰 물결. 파도. '齊吳榜以擊一'《楚辭》.
字源 形聲. 氵(水)＋太〔音〕
參考 원래, 汰(水부 3획〈626〉)는 別字.

水4〔汲〕7 人名 급 入緝 | jí キュウ くむ

筆順 丶 冫 氵 氵 汈 汲 汲

字解 ①길을급 물을 길음. '一器'. '綆短者, 不可以一深'《莊子》. ②당길급 ㉠끌어당김. '匠人大一其版'《周禮》. ㉡끌어들임. 추천 또는 등용함. '銓衡一引'《陳書》. ㉢끌어올림. 이끎. '一鄭伯'《穀梁傳》. ③취(取)할급 '一, 取也'《廣雅》. ④분주할급 쉬지 않고 부지런히 힘씀. 彶(彳부 4획〈368〉)과 통용. '一一, 劇也'《廣雅》. ⑤거짓급 허위. '狂狂一一'《莊子》. ⑥성급 성(姓)의 하나.
字源 形聲. 氵(水)＋及〔音〕

水4〔汴〕7 변 去霰 | biàn ヘン·ベン かわのな

字解 ①물이름변 하남성(河南省)을 흘러 황하(黃河)로 들어가는 강. '河一分流'《後漢書》. ②땅이름변 하남성(河南省) 개봉현(開封縣)의 고칭(古稱). 후량(後梁) 및 북송(北宋)의 도읍이었음. '一梁'이라고도 함. ③성변 성(姓)의 하나.
字源 形聲. 氵(水)＋卞〔音〕

水4〔汳〕7 汴(前條)과 同字

水4〔汶〕7 人名 문 去問 平文 平元 | ①②wèn ブン·モン かわのな ③wén ブン·モン ねばねばしたつば ④mén ボン·モン はずかしめ

筆順 丶 冫 氵 氵 汁 汸 汶

字解 ①물이름문 산동성(山東省)에 있는 강(江). 셋이 있어 이를 합쳐 삼문(三汶)이라 함. '在一上矣'《論語》. ②성문 성(姓)의 하나. ③끈끈한침문 '一, 黏唾'《廣韻》. ④수치문 치욕. '安能以身之察察, 受物之一一者乎'《楚辭》.
字源 形聲. 氵(水)＋文〔音〕

水4〔汸〕7 방 平陽 | pāng ホウ みずのさかんなさま

字解 콸콸흐를방 물이 세차게 흐르는 모양. '一一如河海'《荀子》.
字源 形聲. 氵(水)＋方〔音〕

水4〔沥〕7 ㊀력 入職 ㊁륵 入職 | lì リョク みずがこりかたまる lì リョク いしがさける

字解 ㊀물엉겨붙을력 '一, 水凝合皃'《廣韻》. ㊁돌부스러질륵 泐(水부 5획〈637〉)의 俗字.

水4〔決〕7 中·人 결 入屑 | jué ケツ きれる, きる, きめる

筆順 丶 冫 氵 汀 汩 決 決

字解 ①터질결 제방 같은 것이 무너져 물이 흘러 나옴. '一潰'. '河一不可復壅'《史記》. ②터뜨릴결 전항의 타동사. '一河之勢'. '一漳水, 灌鄴旁'《呂氏春秋》. ③끊을결 이로 끊음. '齒一'《禮記》. ④넘칠결 '賁星墜而勃海一'《淮南子》. ⑤판단할결 판별함. '判一'. '定親疏, 一嫌疑'《禮記》. ⑥결정할결 결단함. '一心'. '豈掩于衆人之言, 而以冥冥一事也'《戰國策》. ⑦이별할결 헤어짐. 訣(言부 4획〈1316〉)과 同字. '李陵與武一去'《漢書》. ⑧상처입힐결 상해(傷害)함. '故一指而身死'《淮南子》. ⑨결코결 결단코. '一不相鬪矣'《戰國策》. ⑩반드시결 꼭. 기어코. '寡人一講矣'《戰國策》. ⑪감연히결 과감하게. '我一起而飛'《莊子》. ⑫깍지결 활 쏠 때 오른쪽 엄지손가락에 끼는 기구. '一拾'. ⑬틈결 缺(缶부 4획〈1022〉)과 同字. '過一隙也'《史記》.
字源 形聲. 氵(水)＋夬〔音〕

水4〔汽〕7 人名 ㊀기 去未 ㊁흘 入物 | qì キ ゆげ qì キツ かれる

筆順 丶 冫 氵 氵 汇 汽 汽

字解 ㊀①김기 증기. 수증기. '一車'. '一, 水气也'《集韻》. ②가까울기, 접근할기 '一, 相摩近也'《集韻》. ㊁①말라붙을흘 물이 말라 붙음. '一, 水涸也'《說文》. ②다할흘 진(盡)함. 떨어짐. ③흘러내릴흘 눈물이 흘러내림. '一, 或曰, 泣下'《說文》. ④거의흘 거반. 汔(水부 3획〈626〉)과 同字.
字源 形聲. 氵(水)＋气〔音〕

水4〔汾〕7 人名 분 平文 | fén フン かわのな, おおきい

筆順 丶 冫 氵 氵 汃 汾 汾

字解 ①물이름분 산서성(山西省)에서 발

원(發源)하여 황하(黃河)로 들어가는 강. '一水'. '一河'. '冀州, 其浸一潞'《周禮》. ②많을분 紛(糸부 4획〈983〉)과 同字. '一沄沸渭'《揚雄》. ③클분 '一王之甥'《詩經》.
[字源] 形聲. 氵(水)+分〔音〕

水4 〔沁〕7 [人名] 심 [去]沁 [上]寢 | qìn シン かわのな, しみこむ
[筆順] 丶 ⺀ 氵 氵 汃 沁 沁
[字解] ①물이름심 산서성(山西省)에서 발원(發源)하여 하남성(河南省)을 거쳐 황하(黃河)로 들어가는 강. '一水'. '一河'. ②더듬어찾을심 물건을 물 속에 넣어서 딴 물건을 찾음. '盜索不敢一'《韓愈》. ③밸심 스며 들어감. '一痕'. '襪羅塵一'《趙閒禮》. ④성심 성(姓)의 하나.
[字源] 形聲. 氵(水)+心〔音〕

水4 〔沂〕7 [人名] [一] 기 [平]微 [二] 은 [平]眞 | yī キ かわのな yín ギン ほとり
[筆順] 丶 ⺀ 氵 氵 沂 沂 沂
[字解] [一] 물이름기 산동성(山東省)에서 발원(發源)하여 사수(泗水)로 들어가는 강. '一水'. '一河'. '浴于一'《論語》. [二] 지경은 圻(土부 4획〈200〉)·垠(土부 6획〈205〉)과 통용. '漢良受書於邳一'《漢書》.
[字源] 形聲. 氵(水)+斤〔音〕

水4 〔沃〕7 [人名] 옥 [入]沃 [入]屋 | wò ヨク そそぐ オク そそぐ
[筆順] 丶 ⺀ 氵 氵 氵 沃 沃
[字解] ①물댈옥 관개함. 전(轉)하여, 계발(啓發)함. '啓乃心, 一朕心'《書經》. ②적실옥 축임. '一, 濕也'. '一, 漬也'《廣雅》. ③흐를옥 '雲霞之所一蕩'《王巾》. ④아름다울옥 싱싱하게 아름다움. '天之一一'《詩經》. ⑤성할옥 무성함. 또는, 장성함. '其葉一若'《詩經》. ⑥부드러울옥 유연함. '其葉有一'《詩經》. ⑦기름질옥 걸참. '肥一'. '一野'. '一土之民'《國語》. ⑧장마옥 임우(霖雨). '烈野無一霖'《梅堯臣》. ⑨거품옥, 거품일옥 '其動漂泄一涌'《素問》. ⑩성옥 성(姓)의 하나.
[字源] 形聲. 篆文은 氵(水)+芺〔音〕

水4 〔沄〕7 [人名] 운 [平]文 | yún ウン めぐりながれる
[筆順] 丶 ⺀ 氵 氵 氵 沄 沄
[字解] ①돌아흐를운 전류(轉流)하는 모양. '一一逆素浪'《杜甫》. ②깊을운 넓고 깊은 모양. '望一一兮視冥冥'《李華》. ③넓을운 광대한 모양. '湘流之一一'《柳宗元》.
[字源] 形聲. 氵(水)+云〔音〕

水4 〔沅〕7 [人名] 원 [平]元 [上]阮 | yuán ゲン かわのな
[筆順] 丶 ⺀ 氵 氵 氵 沅 沅
[字解] 물이름원 호남성(湖南省)을 흘러 동정호(洞庭湖)로 들어가는 강. '一水'. '一有芷兮, 澧有蘭'《楚辭》.
[字源] 形聲. 氵(水)+元〔音〕

水4 〔沆〕7 [人名] 항 ①②[上]養 ③[平]陽 | hàng コウ ひろい コウ ながれる
[筆順] 丶 ⺀ 氵 氵 氵 沆 沆
[字解] ①넓을항 ㉠강이나 호수가 광대한 모양. '一茫'. '一漭遙天浮'《王安石》. ㉡물이 깊고 넓은 모양. '飄飄可終年, 一瀁安是非'《江淹》. ②괸물항 괴어서 흐르지 않는 물. '停水, 東方曰都. 一名一'《說文》. ③흐를항, 건널항 '一, 水流皃. 一曰, 渡也'《集韻》.
[字源] 形聲. 氵(水)+亢〔音〕

水4 〔沇〕7 [人名] [一] 연 [上]銑 [二] 유 [上]紙 | yǎn エン かわのな wěi イ たにまをながれる
[筆順] 丶 ⺀ 氵 氵 氵 沇 沇
[字解] [一] ①물이름연 제수(濟水)의 상류. '道一水東流爲濟'《書經》. ②고을이름연 주(州)의 이름. 兗(儿부 7획〈83〉)과 통용. '角亢氐, 一州'《漢書》. ③흐를연 물이 졸졸 흐르는 모양. '一一四塞'《漢書》. ④침향연 '一水'는 침향(沈香)의 별칭(別稱). '一水薰衣白璧堂'《獨孤及》. [二] 흐를유 '一溶'은 물이 산골짜기를 흐르는 모양. '一溶淫鬻'《司馬相如》.
[字源] 形聲. 氵(水)+允〔音〕

水4 〔汱〕7 견 [上]銑 | quǎn ケン おちる
[字解] ①물떨어질견 물이 떨어지는 모양. '一, 墜也. (注) 一, 水落貌'《爾雅》. ②스밀견 물이 스밈. '一, 又伏水也'《廣韻》.

水4 〔沈〕7 [高·人] [一] 침 [平]侵 [二] 심 [上]寢 | chén チン しずむ shěn シン しる
[筆順] 丶 ⺀ 氵 氵 氵 沈 沈
[字解] [一] ①가라앉을침 ㉠물 속에 가라앉음. 잠김. 빠짐. '浮一'. '載一載浮'《詩經》. ㉡마음이 가라앉음. 침착함. '一重'. '性

一敏寬和'《晉書》. ②빠질침 ㉠물에 빠져 죽음. 익사(溺死)함. '一, 溺也'《集韻》. ㉡탐닉함. '一溺'. '一湎冒色'《書經》. ③가라앉힐침 ㉠가라앉게 함. '一舟'. '周公自揃其蚤一之河'《史記》. ㉡물 속에 던져 넣음. '一, 投物於水中也'《字彙》. ④영락할침 '白首一下吏'《蘇軾》. ⑤막힐침 정체함. 멈춤. '一, 止也'《廣雅》. '以揚一伏, 而黜散越也'《國語》. ⑥진흙침 이토(泥土). '一有履'《莊子》. ⑦호수침 호소(湖沼). '有鳥當一'《述征記》. 㑒 ①즙심 즙액(汁液). 瀋(水부 15획〈696〉)과 同字. '爲楡一故設撥'《禮記》. ②성심 성(姓)의 하나. '一德潛'.
字源 形聲. 氵(水)+冘〔音〕
參考 沉(次條)은 俗字.

水4〔沉〕7 沈(前條)의 俗字·簡體字

水4〔汄〕7 칙 ㊇職 zè ショク みずのながれるさま
字解 ①물흐르는모양칙 '湢一, 水流皃'《集韻》. ②수세(水勢)칙 '湢一, 水勢'《廣韻》.

水4〔沌〕7 돈 ①②㊤阮 ③④㊥元 ⑤㊦願 dùn トン·ドン ふさがる tún トン·ドン ぐるぐるめぐる トン おろか
字解 ①막힐돈 물이 유통(流通)하지 않음. '一, 水不通'《集韻》. ②기운덩어리돈 '渾一'은 천지가 아직 개벽(開闢)되지 않아 모든 사물이 확실히 구별되지 않는 상태. ③물결칠돈 물결이 세차게 치는 기세. '一一渾渾, 狀如奔馬'《枚乘》. ④돌돈 빙빙 도는 모양. '渾渾一一, 形圓而不可敗'《孫子》. ⑤어리석을돈 우매한 모양. '愚人之心也哉一一兮'《老子》.
字源 形聲. 氵(水)+屯〔音〕

水4〔冱〕7 호(②혁㊍) ①㊦遇 ②㊇陌 hù コ·ゴ とじる カク こおる
字解 ①닫을호, 막을호 폐색(閉塞)함. '固陰一寒'《左傳》. ②얼호 얼음이 얾. '川池瀑一'《列字》. ※❷는 本音 혁.
字源 形聲. 氵(水)+互〔音〕

水4〔汧〕7 〔견〕 汧(水부 6획〈645〉)의 俗字

水4〔沐〕7 人名 목 ㊇屋 mù モク かみをあらう
筆順 丶 丷 氵 汁 汁 沐 沐
字解 ①머리감을목 머리를 감음. '一髮'. '一浴'. '新一者彈冠'《楚辭》. 전(轉)하여, 윤택(潤澤)하게 하는 뜻으로도 쓰임. '冬無宿雪, 春不澳一'《後漢書》. ②씻을목 '一蘭澤'《宋玉》. ③뜨물목 머리 감는 데 쓰는 쌀뜨물. '丐一一我'《史記》. ④베어없앨목 제거함. '一涂樹之枝'《管子》. ⑤다스릴목 '夫子助之一椁'《禮記》. ⑥성목 성(姓)의 하나.
字源 形聲. 氵(水)+木〔音〕

水4〔汭〕7 절 ㊇屑 qiè セツ ながれのはやいさま
字解 ①물살빠를절 '鬱一迭而隆頹'《木華》. ②물소리절 '一, 水聲'《廣韻》. ③갈절 문질러 갊. '激勢相一'《木華》.

水4〔沒〕7 高人 㑒 몰 ㊇月 㑓 매 ㊦隊 mò, ⑨méi ボツ しずむ, しぬ mèi バイ しずみおぼれる
筆順 丶 丷 氵 氵 氵 沒 沒
字解 㑒 ①빠질몰 가라앉음. '沈一'. '乃夫一人'《莊子》. ②다할몰 다 없어짐. '舊穀既一'《論語》. ③마칠몰 끝마침. 끝남. '未一喪'《禮記》. ④망할몰 멸망시킴. '一, 滅也'《小爾雅》. ⑤지나칠몰 정도를 넘음. '君子不以美一禮'《禮記》. ⑥숨을몰 은닉함. '乍一乍出'《北史》. ⑦죽을몰 사망함. '一年'. '晏子一十有七年'《說苑》. ⑧탐할몰 탐냄. '不一爲後'《國語》. ⑨없을몰 '一常識'. '怕一有枝葉花實'《傳習錄》. ⑩빼앗을몰 몰수함. '官一'. '一入縣官'《周禮 註》. ⑪들어갈몰 '冒一輕儳'《國語》. ⑫성몰 성(姓)의 하나. 㑓 ①빠져가라앉을매 '一, 沈溺也'《集韻》. ②어두울매 어리석음. '何一一也'《左傳》.
字源 形聲. 氵(水)+殳(𠬛)〔音〕
參考 没(次條)은 同字

水4〔没〕7 沒(前條)과 同字

水4〔泜〕7 지 ㊥支 zhǐ チ とどまる, つく
字解 ①멈출지 멈춤. 또, 닿음. '一, 箸止也'《說文》. ②가지런할지 가지런한 모양. '一一庶類, 含甘吮滋. (注) 一一, 齊貌'《後漢書》.
字源 形聲. 氵(水)+氏〔音〕

水4〔沔〕7 면 ㊤銑 miǎn ベン·メン みずのな, おぼれる
字解 ①물이름면 섬서성(陝西省)을 흐르는 한수(漢水)의 지류. '一水'. '逾于一'《書經》. ②물그득히흐르면 물이 많아 넘실넘

실 흐르는 모양. '一彼流水'《詩經》. ③빠질 면 湎(水부 9획〈664〉)과 통용. '流一沈佚'《史記》.
字源 形聲. 氵(水)+丙〔音〕

水4 〔沕〕7 ㊀물 ㊅物 ㊁밀 ㊅質 | wù ブツ ふかくかすか mì ビツ ひそみかくれる

字解 ㊀아득할물 깊어 아득한 모양. '一穆無窮兮'《賈誼》. ㊁숨을밀 잠복함. '一深潛以自珍'《史記》.
字源 形聲. 氵(水)+勿〔音〕

水4 〔沖〕7 人名 충 ㊥東 | chōng チュウ むなしい, やわらぐ

筆順 丶 冫 氵 氵 汩 汩 沖

字解 ①빌충 공허함. '虛一'. '大盈若一'《老子》. ②깊을충 '深一'. '泳之彌廣挹, 之彌一'《潘尼》. ③온화할충 유화(柔和)함. '一和'. '無累在淵一'《蕭愨》. ④높이날충 하늘 높이 날아 올라감. '一飛一天'《史記》. ⑤어릴충 유소함. '幼一'. '惟予一弗及知'《書經》. ⑥부딪칠충 속(俗)에, 衝(行부 9획〈1263〉)의 대자(代字)로 쓰임. '子午相一'. ⑦용솟음칠충 물이 용솟음쳐 움직임. '一, 涌繇也'《說文》. ⑧성충 성(姓)의 하나.
字源 形聲. 氵(水)+中〔音〕

水4 〔沘〕7 비 ㊤紙 ㊥支 | bǐ ヒ かわのな

筆順 丶 冫 氵 氵 汢 汢 沘

字解 물이름비 하남성(河南省)을 흐르는 강. '漢軍復與甄阜梁丘賜, 戰於一水西'《後漢書》.
字源 形聲. 氵(水)+比〔音〕

水4 〔沙〕7 高·人 사 ①-⑥㊥麻 ⑦㊦禡 | shā サ·シャ すな shà サ·シャ しわがれる

筆順 丶 冫 氵 氵 氵 沙 沙

字解 ①모래사 돌의 부스러기. '一石'. '爲萬餘囊, 滿盛一, 壅水上流'《史記》. ②물가사 물가의 모래땅. '鳧鷖在一'《詩經》. ③사막사 넓은 모래 벌판. '少草木多大一'《漢書》. ④모래일사 모래가 일어남. '風一晦暝'《舊唐書》. ⑤일사, 추릴사 쌀 같은 것을 읾. 추려 냄. '一汰'. '一之汰之'《晉書》. ⑥사붙이사 얇은 옷감. 紗(糸부 4획〈982〉)와 통용. '素一'《周禮》. ⑦목쉴사 '鳥皫色而一鳴, 鬱'《禮記》.
字源 會意. 氵(水)+少

水4 〔沚〕7 人名 지 ㊤紙 ㊦寘 | zhǐ シ なかす

筆順 丶 冫 氵 汁 汁 沚 沚

字解 물가지 바다·강·호수 등의 물결이 쳐 밀려오는 수변(水邊). 또, 강섬. '于沼于一'《詩經》.
字源 形聲. 水+止〔音〕

水4 〔沜〕7 반 ㊦翰 | pàn ハン きし, ながれる

字解 ①물가반 수애(水涯). '輞川有芙蓉一'《唐書》. ②흐를반 물이 흐름. '一, 水流也'《集韻》.
字源 形聲. 氵(水)+片〔音〕
參考 泮(水부 5획〈639〉)의 古字.

水4 〔汯〕7 굉 ㊥庚 | hóng コウ はやくながれる

字解 빨리흐를굉, 물결일굉 수세(水勢)가 빠름. 또, 물결이 읾. '泓一泂漻'《郭璞》.
字源 形聲. 氵(水)+厷〔音〕

水4 〔沛〕7 패 ㊦泰 | pèi ハイ さわ

字解 ①늪패 잡초가 무성한 늪. 초택(草澤). '一澤'. '水草雜處曰一'《管子 註》. ②갈패 가는 모양. '一吾乘兮桂舟'《楚辭》. ③흐를패 흐르는 모양. '灌二江而湍一'《郭璞》. ④넉넉할패 풍성풍성한 모양. '一若有餘'《公羊傳》. ⑤많을패 많은 모양. '一焉競溢'《王褒》. ⑥클패 큰 모양. '一然自大'《漢書》. ⑦비올패 비가 줄기차게 오는 모양. '一然下雨'《孟子》. ⑧빠를패 빠른 모양. '靈之神, 神哉一'《漢書》. ⑨성할패 성대(盛大)한 모양. 또는, 왕성한 모양. '一然德敎, 溢乎四海'《孟子》. ⑩넘어질패 자빠짐. '顚一必於是'《論語》. ⑪덮일패, 어두울패 '豐其一'《易經》. ⑫보(洑)패 논에 물을 대기 위해 봇물을 막은 저수지(池). '遇旱歲, 開以灌田, 名之曰一'《三餘贅筆》. ⑬고을이름패 한고조(漢高祖)의 고향. 지금의 강소성 패현(沛縣). '上還過一, 留置酒一宮'《史記》.
字源 形聲. 氵(水)+市〔音〕

水4 〔沬〕7 沛(前條)의 本字

水4 〔沑〕7 ㊀유 ㊤有 ㊁뉴 ㊤有 ㊂뉵 ㊅屋 | ジュウ みずがはやい niǔ ジュウ うるおう nǜ ジク どろ

字解 ㊀①물빠를유. ②사랑할유 '一, 又溫也'《廣韻》. ㊁젖을뉴 '一, 溼也'《集韻》. ㊂①진흙뉵 '一, 泥也'《集韻》. ②파문모일뉵 파문(波紋)이 모임. '一, 䶑一, 水文聚'《廣

韻》.
字源 形聲. 氵(水)+丑〔音〕

水4〔汥〕7
㊀지 (平)支 zhī シ ふち
㊁기 (平)支 キ ふち
(去)寘 jì キ みずがもどる
㊂피 (去)寘 ヒ みずがもどる

字解 ㊀ ①물모이는곳지 '一, 水都也. (段注) 水都者, 水所聚也'《說文》. ②지류지 분류(分流). '一, 一曰, 分流'《集韻》. ㊁ ①물모이는곳기, 지류기 ㊀과 뜻이 같음. ②물되돌아올기 '一, 水戾'《廣韻》. ㊂ ①물모이는곳피 ㊀❶과 뜻이 같음. ②물되돌아올피 ㊁❷와 뜻이 같음.
字源 形聲. 氵(水)+支〔音〕

水4〔沋〕7 우 (平)尤 yóu ユウ かわのな

字解 ①물이름우 산동성(山東省) 고밀현(高密縣)을 흐르는 강의 이름. '一, 水名. 在高密'《廣韻》. ②튀어올라뒤집힐우 물고기나 자라가 튀어올라 몸을 뒤집는 모양. 또, 그 소리. '一一湲湲'《枚乘》.
字源 形聲. 氵(水)+尤〔音〕

水4〔汵〕7
㊀감 (去)勘 gàn カン あか
㊁함 (平)覃 hán カン あか
㊂잠 (平)侵 cén シン いけ

字解 ㊀ ①뱃바닥에괸물감 배 안에 스며들어온 흙탕물. '淦, 水入船中也. … 一, 淦或从今'《說文》. ②젖을감 물기가 많음. '涵, 說文, 水澤多也. …或从今'《集韻》. ㊁ 뱃바닥에괸물함, 젖을함 ㊀과 뜻이 같음. ㊂ ①못잠 '一, 池也'《集韻》. ②돌이름잠 '曰號山. 多一石'《山海經》.

水4〔汻〕7
㊀호 (上)麌 hǔ コ みぎわ
㊁항 (上)養 huǎng コウ せい

字解 ㊀ 물가호 '一, 水厓也'《說文》. ㊁ 성항 성(姓)의 하나.
字源 形聲. 氵(水)+午〔音〕

水4〔汮〕7 균 (平)眞 jūn キン かわのな

字解 물이름균 하남성(河南省) 서부를 남쪽으로 흘러, 호북성(湖北省) 균현(均縣)에서 한수(漢水)로 흘러드는 강. 지금의 석수(淅水)와 그 하류(下流)인 단강(丹江).

水4〔次〕7 〔연〕
涎(水부 7획〈650〉)의 本字

水4〔沗〕7 〔류〕
流(水부 7획〈651〉)의 古字

水4〔沙〕7 〔사〕
沙(水부 4획〈632〉)와 同字

水4〔汹〕7 〔흉〕
洶(水부 6획〈644〉)과 同字

水4〔汥〕7 〔유〕
攸(攴부 3획〈479〉)와 同字

水4〔沿〕7 〔연〕
沿(水부 5획〈636〉)의 俗字

水4〔沢〕7 〔택〕
澤(水부 13획〈688〉)의 略字

水4〔沪〕7 〔로〕
瀘(水부 16획〈699〉)의 略字

水4〔沪〕7 〔호〕 滬(水부 11획〈675〉)의 簡體字

水4〔泛〕7 〔범〕
水부 5획(638)을 보라.

水4〔忝〕9 〔첨〕
添(水부 8획〈657〉)과 同字

水5〔泉〕9 中·人 천 (平)先 quán セン いずみ

筆順 ' 𠂉 白 白 白 皃 皃 泉 泉

字解 ①샘천 수원(水源). '山下出一'《易經》. ②돈천 고대에 금전을 '一'이라 하였음. 샘처럼 유통(流通)하기 때문에 이른 말. '一布'. '貨一'. '一與錢, 今古異名'《周禮 疏》. ③성천 성(姓)의 하나.
字源 象形. 바위틈 구멍에서 솟아 나오는 샘의 모양을 본뜸.

水5〔泰〕10 中·人 태 (去)泰 tài タイ おおきい

筆順 一 三 夫 夫 泰 泰 泰 泰

字解 ①클태 太(大부 1획〈231〉)와 同字. '橫一河'《漢書》. ②풍요로울태 넉넉함. '西風謂之一風'《爾雅》. ③편안할태 편안하여 구애됨이 없음. '君子一而不驕'《論語》. ④통(通)할태 '天地交一'《易經》. ⑤너그러울태 성품이 너그럽고 인색하지 않음. '用財欲一'《荀子》. ⑥교만할태 거만함. 뽐냄. '一侈'. '不以一乎'《孟子》. ⑦심히태 대단히. '昊天一憮'《詩經》. ⑧미끄러울태 미끄러짐. '一, 滑也'《說文》. ⑨술동이태 술을 담는 질그릇. '一, 有虞氏之尊也'《禮記》. ⑩태괘태 육십사괘(六十四卦)의 하나. 곧, ☷☰〈건하(乾下), 곤상(坤上)〉으로, 음양(陰陽)이 조화되어 사물이 통리(通利)하는

상(象). ⑪성태 성(姓)의 하나.
字源 形聲. 甲骨文은 水+大〔音〕. 篆文은 收+水+大〔音〕

水5〔泉〕9 〔극〕 克(儿부 5획〈82〉)의 古字

水5〔羕〕9 〔승〕 承(手부 4획〈429〉)의 俗字

水5〔荥〕9 〔형〕 滎(水부 10획〈668〉)의 略字·簡體字

水5〔沫〕8 말 ㊀曷 | mò マツ あわ
字解 ①거품말 ㉠물의 거품. 큰 것을 '泡', 작은 것을 '一'이라 함. '拊拂瀑一'《郭璞》. ㉡물이 끓을 때 나는 거품. '凡酌茶置諸盌, 令一餑均'《茶經》. ㉢입에서 나오는 침의 거품. 게거품. '疲驂喘一白'《曾鞏》. ②비말말 튀어올랐다가 헤어지는 물방울. '更相觸搏, 飛一起濤'《木華》. ③거품일말 '冰井騰一'《夏侯湛》. ④땀흘릴말 '霑赤汗, 一流赭'《漢書》. ⑤말말 그만둠. 그침. '芬至今猶未一'《楚辭》. '身服義而未一'《楚辭》. ⑥물이름말 '一水'는 사천성(四川省)에 발원(發源)하는 대도하(大渡河)를 이름.
字源 形聲. 氵(水)+末〔音〕

水5〔泭〕8 부 ㊥虞 | fú フ いかだ
字解 ①작은떼부 '乘氾一以下流'《楚辭》. ②물거품부 물 위에 뜬 거품. '一, 水上一漚'《廣韻》.
字源 形聲. 氵(水)+付〔音〕

水5〔沬〕8 ㊀매 ㊁隊 | mèi マイ ちめい
㊁회 ㊁隊 | huì カイ あらう
字解 ㊀①땅이름매 은대(殷代)의 도읍 조가(朝歌)를 이름. 현재의 하남성(河南省) 기현(淇縣). '一之鄉矣'《詩經》. ②어둑어둑할매 약간 어두움. 어스레함. '日中見一'《易經》. ㊁씻을회 낯을 씻음. '王乃洮一水'《漢書》.
字源 形聲. 篆文은 氵(水)+未〔音〕

水5〔沮〕8 저 ①-⑤㊤語 | jǔ ショ はばむ
⑥㊁御 | jù ショ しっち
⑦㊥魚 | jū ショ かわのな
字解 ①그칠저 그만둠. '何日斯一'《詩經》. ②막을저 저지함. 방해를 함. '一格'. '一之以兵'《禮記》. ③꺾일저 기가 꺾임. '一喪'. '傅長沙而志一'《謝靈運》. ④샐저 틈에서 흘러 나옴. '地氣一泄'《禮記》. ⑤적실저, 담글저 물에 적심. 또는, 물 속에 담금. '何益湍一'《唐書》. ⑥습한땅저 습지(濕地). '山川一澤'《禮記》. ⑦물이름저 섬서성(陝西省)을 흐르는 위수(渭水)의 지류(支流). 의군수(宜君水)라고도 함. '漆一旣從'《書經》.
字源 形聲. 氵(水)+且〔音〕

水5〔沱〕8 타 ①-③㊥歌 | tuó タ·ダ なみだのながれるさま
④㊤哿 | duò タ·ダ ながれる
字解 ①물이름타 사천성(四川省)을 흐르는 강으로서, 양자강(揚子江)의 지류임. '一江'. '岷山導江, 東別爲一'《書經》. ②눈물흐를타 눈물이 흐르는 모양. '一若'. '涕泗滂一'《易經》. ③비쏟아질타 큰비가 오는 모양. '俾滂一矣'《詩經》. ④흐를타 물이 흐르는 모양. '澧一, 沙水往來皃'《廣韻》.
字源 形聲. 氵(水)+它〔音〕

水5〔沲〕8 沱(前條)와 同字

水5〔河〕8 中·人 하 ㊥歌 | hé カ·ガ かわ
筆順 丶 冫 氵 汀 沪 沪 泂 河
字解 ①물이름하 황하(黃河)를 옛날에는 단지 '一'라 하였음. 양자강(揚子江)과 병칭하여 '江一'라 함. '導一積石, 至于龍門'《書經》. 또, 널리 강의 뜻으로도 쓰임. '在一之洲'《詩經》. ②운하하 개착(開鑿)한 수로(水路). '鑿一開渠'《宋史》. ③강섬하 강 가운데의 모래톱. '乃遯于荒野, 入宅于一'《書經》. ④은하하 천한(天漢). '明一在天'《歐陽修》. ⑤신(神)하 정령(精靈). ㉠강(江)의 신(神). 하백(河伯). '一者水之伯'《孝經緯援神契》. ㉡사독(四瀆)의 정(精). '一者四瀆之精也'《春秋緯考異郵》. ㉢음(陰)의 정(精). '一者陰之精'《公羊傳 注》. ⑥성하 성(姓)의 하나.
字源 形聲. 氵(水)+可〔音〕

水5〔沴〕8 ㊀려 ㊁霽 | lì レイ そこなう
㊁전 ㊤銑 | zhěn テン みだる
字解 ㊀①해칠려 상해(傷害)함. '惟金一木'《漢書》. ②물가려 수변(水邊). '負一'《漢書》. ③요기(妖氣)려 기후가 고르지 못하여 생기는 재화(災禍)·병마(病魔)를 가져오는 악기(惡氣). '一氣'. '六一之作'《漢書》. ④찰려 그득 참. '一, 普麗. …云滿也'《釋文》. ㊁어지러울전 능란(陵亂)함. '陰陽之氣有一'《莊子》.
字源 形聲. 氵(水)+黎〈省〉〔音〕

水5〔沷〕8 발 ㊀月 | fā ハツ そそぐ, さらう

[字解] ①흘러들어갈발 물이 유입(流入)함. 물을 댐. '鏟臨崖之阜陸, 決陂潢而相一'《木華》. ②쳐낼발 물이 통하게 함. '一, 渫也. 通流也'《正字通》.

水 5 〔沸〕8 ㊀비 [去]未 | fèi ヒ わく
㊁불 [入]物 | fú フツ わきでる

[字解] ㊀①끓을비 물이 끓음. '一湯'. '一騰'. '如一如羹'《詩經》. 전(轉)하여, 물 끓듯이 일어남. 들끓음. '市里喧一'《南史》. ②끓일비 전항의 타동사. '以水沃之, 便如煎一'《述異記》. ③끓는물비 열탕(熱湯). '以指撓一'《荀子》. ㊁①용솟음할불 물이 솟아오름. 샘솟음. '觱一檻泉'《詩經》. ②거센물소리불 '一乎暴怒'《司馬相如》.
[字源] 形聲. 氵(水)+弗〔音〕

水 5 〔⿱弗水〕9 沸(前條)와 同字

水 5 〔油〕8 [中][人] 유 ①-⑤[平]尤 ⑥[去]宥 | yóu ユ あぶら | yòu ユ つや

[筆順] 丶 冫 氵 氵 汩 汩 油 油

[字解] ①기름유 지방(脂肪)의 액체. 또, 가연성(可燃性)의 액체. '膏一'. '石一'. '積一滿萬石自然生火'《博物志》. ②구름일유 구름이 뭉게뭉게 일어나는 모양. '一然作雲'《孟子》. ③나가지못할유 잘 전진하지 못하는 모양. '一然若將可越而終不可及'《孔子家語》. ④흐를유 물이 흐르는 모양. '一一, 流也'《廣雅》. ⑤성유 성(姓)의 하나. ⑥윤유, 윤낼유 광. 또, 광을 냄. 釉(釆부 5획〈1546〉)와 同字. '一, 與釉同. 物有光也'《篇海》.
[字源] 形聲. 氵(水)+由〔音〕

水 5 〔沺〕8 전 [平]先 | tián テン すいせいのこうだいなさま

[字解] 물결퍼질전 수세(水勢)가 광대(廣大)한 모양. '溟沔渺㳌, 汗汗一一'《郭璞》.
[字源] 形聲. 氵(水)+田〔音〕

水 5 〔治〕8 [中][人] 치 [去]寘 [平]支 | ①-⑫zhì チ·ジ おさめる | ⑬⑭chí チ·ジ かわのな

[筆順] 丶 冫 氵 ... 治 治 治

[字解] ①다스릴치 ㉠정돈함. '一物者不於物'《呂氏春秋》. ㉡바로잡음. '上一祖禰'《禮記》. ㉢편안하게 함. 평정함. '一亂持危'《中庸》. '以一人情'《禮記》. ㉣만듦. '能多者莫不一'《淮南子》. ㉤감독함. '遂一之'《周禮》. ㉥죄를 다스림. '一罪'. '鞫一'. '一臣之罪, 以告先帝之靈'《諸葛亮》. ㉦나라 등을 다스림. '一家'. '一國'. '欲一其國者, 先齊其家'《大學》. ㉧수리함. '繕一郵亭'《漢書》. ㉨병을 다스림. '一療'. '掌養疾馬而乘一之'《周禮》. ㉩다스려 이끎. 물을 이끌어 넘치지 않게 함. '禹之一水, 水之道也'《孟子》. ②다스려질치 전항의 자동사. '家齊而后國一'《大學》. ③익힐치 배워 익힘. '一其大體'《周禮》. ④견줄치 ㉠비교함. '皆無敢與趙一'《戰國策》. ㉡필적함. '公等足與一乎'《漢書》. ⑤빌치 구걸함. '凡新甿之一, 皆聽之'《周禮》. ⑥정사치 정령(政令). 정치. '擧舜而敷一焉'《孟子》. ⑦공치 공적. '以敍進其一'《周禮》. ⑧감영치 지방 장관의 정청(政廳)의 소재지. '省一'. '縣一'. '徙一櫟陽'《史記》. ⑨도읍할치 도읍을 정함. '一秦中'《漢書》. ⑩도울치 '穰侯之一秦也'《戰國策》. ⑪사람의길치 정도(正道). '人之大倫曰一'《太玄經》. ⑫벽돌치 바닥에 까는 벽돌. '一, 甎也'《廣雅》. ⑬물이름치 ㉠현재의 소고천(小沽川). 산동성(山東省) 액현(掖縣)의 양구산(陽丘山)에서 발원(發源), 교주만(膠州灣)으로 흘러듦. ㉡현재의 탑수(漯水). 산동성(山東省) 범현(范縣)의 북쪽에서 발원하여 사수(泗水)로 흘러듦. ⑭성치 성(姓)의 하나.
[字源] 形聲. 氵(水)+台〔音〕

水 5 〔沰〕8 탁 [入]藥 | tuō タク おとす

[字解] ①떨어뜨릴탁 떨어뜨림. 또는, 돌을 던짐. '一, 落也, 磓也'《玉篇》. ②떨어질탁 물방울이 뚝뚝 떨어짐. '上火不落, 下火滴一'《四民月令》. ③붉을탁 '一, 赭也'《廣韻》.

水 5 〔⿰氵右〕8 우 | yòu

[字解] ①義未詳《篇海》. ②《韓》 물오른우 냇물·강물의 오른쪽.

水 5 〔沼〕8 [人名] 소 [上]篠 [去]嘯 | zhǎo ショウ ぬま

[筆順] 丶 冫 氵 氵 沼 沼 沼 沼

[字解] 늪소 못. 둥근 것을 '池', 굽은 것을 '一'라 함. '于一于沚'《詩經》.
[字源] 形聲. 氵(水)+召〔音〕

水 5 〔沽〕8 고 ①②[平]虞 ③-⑤[上]麌 | gū コ うる | gǔ コ さかうり

[字解] ①팔고 물건을 팖. '一劵'. '求善賈而一諸'《論語》. ②살고 물건을 삼. '一酒市脯'《論語》. ③술장수고 술을 파는 사람. '屠一'. '一者亦知酒之多少'《尸子》. ④등한할고 소홀함. '以爲一也'《禮記》. ⑤거칠고 물

건이 조악(粗惡)함. '等, 謂功一上下'《周禮註》.
[字源] 形聲. 氵(水)+古〔音〕

水5 〔沾〕8 [一]첨 [平]鹽 zhān テン うるおう
[二]점 [平]鹽 chān セン みる
(첨[本]) tiān
[三]첩 [入]葉 チョウ けいはく

[字解] [一] 젖을첨, 적실첨 霑(雨부 8획〈1643〉)과 뜻이 같음. '一寒'. '汗出一背'《史記》. [二] 엿볼점 覘(見부 5획〈1297〉)과 통용. '我喪也斯一'《禮記》. ※本音 첨. [三] 경망할첩 경박한 모양. '一一自喜耳'《史記》.
[字源] 形聲. 氵(水)+占〔音〕

水5 〔沿〕8 [高·人] 연 [平]先 yán, yàn エン そう
[筆順] 丶 丶 氵 氵 沪 沿 沿 沿
[字解] ①물따라내려갈연 수류(水流)를 좇아 내려감. '一于江海'《書經》. 전(轉)하여, 널리 해안·도로 등을 끼고 감에도 쓰임. '一海'. '一道'. ②좇을연 따름. 인(因)함. '一襲'. '故明王, 以相一也'《禮記》. ③굽이진곳연 강물이 구부러져 돌게 된 곳. '水隈亦曰一'《中華大字典》.
[字源] 形聲. 氵(水)+㕣〔音〕
[參考] 沿(水부 4획〈633〉)은 俗字.

水5 〔沿〕8 沿(前條)의 本字

水5 〔況〕8 [高·人] 황 [去]漾 kuàng キョウ たとえる, いわんや
[筆順] 丶 冫 氵 氵 氵 沪 沪 況
[字解] ①비유할황 비유를 끌어 대어 설명함. '每下愈一'《莊子》. ②견줄황 비교함. 겨눔. '成名一乎諸侯'《荀子》. ③더할황 자심해짐. '亂一斯削'《詩經》. ④더욱황 더욱더. '衆一厚之'《國語》. ⑤줄황 貺(貝부 5획〈1387〉)과 同字. '一使臣, 以大禮'《國語》. ⑥이에황 자(玆)에. '一也永歎'《詩經》. ⑦모양황 형편. '狀一'. '老一青燈外'《許衡》. ⑧하물며황 황차. '一乎以不賢人之招招賢人乎'《孟子》.
[字源] 形聲. 氵(水)+兄〔音〕
[參考] 况(二부 5획〈27〉)은 別字.

水5 〔泂〕8 [人名] 형 [上]迥 jiǒng ケイ とおい
[筆順] 丶 冫 氵 氵 汌 泂 泂 泂
[字解] ①멀형 迥(辵부 5획〈1491〉)과 同字. '一酌彼行潦'《詩經》. ②깊을형 물이 깊고 넓은 모양. '登高臨下水一一'《北史》. ③추울형, 찰형 '一, 滄也'《說文》. '一, 寒也'《廣雅》.
[字源] 形聲. 氵(水)+冋〔音〕

水5 〔泑〕8 [一]유 [上]有 yōu ユウ くろい
[平]尤 āo
[二]요 [平]肴 オウ·ヨウ かわのな
[字解] [一] ①물빛검을유 '一, 水黑色也'《康熙字典》. ②호수이름유 지금의 신강성(新疆省)에 있는 호수. 나포박(羅布泊). '不周之山, 東望一澤, 河水所潛也'《山海經》. ③잿물유 유약(釉藥). '窯器色光滑者, 俗謂一'《正字通》. [二] 물이름요 '一水'. '長沙之山. 泚水出焉, 北流注于一水'《山海經》.
[字源] 形聲. 氵(水)+幼〔音〕

水5 〔泄〕8 [一]설 [入]屑 xiè セツ もれる
[二]예 [去]霽 yì エイ おおい
[字解] [一] ①샐설 틈에서 흘러 나옴. 전(轉)하여, 비밀 따위가 드러남. '漏一'. '微謀外一之謂也'《管子》. ②넘칠설 물이 넘쳐 나옴. '一, 泆也'《廣雅》. ③섞을설 한데 섞음. '頗一用之'《後漢書》. ④없앨설 제거함. 또, 줄임. '俾民憂一'《詩經》. '濟其不及, 以一其過'《左傳》. ⑤일어날설 발생함. 흥기(興起)함. '陽氣發一'《禮記》. ⑥설사할설 '一痢'. '爲脇痛嘔一'《素問》. ⑦업신여길설 깔봄. '憍一者人之殃也'《荀子》. ⑧알릴설 고(告)함. '平原君曰, 勝已一之矣'《戰國策》. ⑨그칠설 쉼. '戲·一, 歇也'《揚子方言》. ⑩친압해질설 친한 나머지 버릇없이 굶. '武王不一邇'《孟子》. ⑪통할설 '精一于目'《淮南子》. ⑫성설 성(姓)의 하나. [二] ①많을예 '桑者一一兮'《詩經》. ②날개칠예 '一一其羽'《詩經》.
[字源] 形聲. 氵(水)+世〔音〕

水5 〔泅〕8 수 [平]尤 qiú シュウ およぐ
[字解] 헤엄칠수 수영을 함. '一泳'. '習於水, 勇於一'《列子》.
[字源] 形聲. 氵(水)+囚〔音〕

水5 〔泆〕8 일 [入]質 yì イツ ほしいまま
[字解] ①음탕할일 음란하고 방자함. '驕奢淫一'《左傳》. ②넘칠일 물이 출렁거려 넘침. '一湯'. '入于河, 一爲滎'《書經》.
[字源] 形聲. 氵(水)+失〔音〕

水5 〔泊〕8 [高·人] 박 [入]藥 bó, ⑦pō ハク とまる, とめる
[筆順] 丶 冫 氵 氵 汩 泊 泊 泊
[字解] ①배댈박 배를 물가에 대어 정지시

킴. 정박(停泊)함. '一船'. '風利不得一也'《晉書》. ②머무를박 ㉠정지함. '洪厓先生乘鸞, 所憩一也'《水經 注》. ㉡유숙함. 묵음. '宿一'. '夜一靈臺驛'《吹簡記》. 또, 머무는 곳. '淩波赴一'《東皙》. ㉢일시 몸을 의탁함. 몸을 부침. 우거(寓居)함. '聞君太平世, 栖一靈臺側'《陳子昂》. ㉣푹 쉼. 휴식함. '一, 息也'《韻會》. ③머물게할박 정지시킴. '中流兮風一之'《韓愈》. ④조용할박 마음이 조용하고 담담함. '澹一'. '我獨一兮其未兆'《老子》. ⑤엷을박 薄(艸부 13획〈1188〉)과 同字. '氣有厚一'《論衡》. ⑥흐를박 물이 흐르는 모양. '一如四海之池徧觀'《漢書》. ⑦호수박, 늪박 '北人以止水爲一'《六書故》.

[字源] 形聲. 氵(水)+白〔音〕

水 5 〔泋〕8 휘 ①②[去]未 ③㊤尾 | huì キ みずのはもん huǐ キ ながれる

[字解] ①물결무늬휘 파문(波紋) '一, 水波紋也'《廣韻》. ②물결소리휘 '瀖一濩渭'는 물결의 소리. '瀖一濩渭, 蕩雲沃日'《木華》. ③흐를휘 물이 흐르는 모양.

水 5 〔泌〕8 [人名] [一] 비 [去]寘 [二] 필 [入]質 | bì ヒ いずみのながれるさき bì ヒツ しむ

[筆順] 丶 冫 氵 氵 氵 汃 泌 泌 泌

[字解] [一] ①샘물졸졸흐를비 '一之洋洋'《詩經》. ②스밀비 스며 나옴. '分一'. [二] 샘물졸졸흐를필, 스밀필 [一]과 뜻이 같음.

[字源] 形聲. 氵(水)+必〔音〕

水 5 〔泏〕8 [一] 출 [入]質 [二] 골 [入]月 | zhú チュツ ながれでる kū コツ わたる

[字解] [一] 물솟을출 물이 솟아 나오는 모양. '原流一一'《文子》. [二] 물건널골 涉(水부 7획〈649〉)과 뜻이 같음. '奉命全璧, 身一項營'《班固》.

[字源] 形聲. 氵(水)+出〔音〕

水 5 〔泐〕8 륵 [入]職 | lè リョク いしがさける

[字解] ①돌부서질륵 돌이 풍화 작용으로 자연히 갈라져 부서짐. '石有時而一'《周禮》. ②물줄기륵 수맥(水脈). ③새길륵, 쓸륵 勒(力부 9획〈115〉)의 借字. '手一'〈수서(手書)·서간(書簡)〉.

[字源] 形聲. 氵(水)+阞〔音〕

水 5 〔泓〕8 [人名] 홍 [平]庚 | hóng コウ みずがふかい

[筆順] 丶 冫 氵 氵 汈 沕 泓 泓

[字解] ①물속깊을홍 물이 깊은 모양. '極一量而海運'《郭璞》. ②물맑을홍 '一澄龍首渠'《梁簡文帝》. ③물이름홍 하남성(河南省)을 흐르는 환수(渙水)의 지류. '一水'. '宋公及楚人戰于一'《春秋》.

[字源] 形聲. 氵(水)+弘〔音〕

水 5 〔泔〕8 [一] 감 [平]覃 [二] 함 ㊤感 | ①-④gān カン しろみず hàn カン みちる

[字解] [一] ①뜨물감 쌀뜨물. '周謂潘曰一'《說文》. ②삶을감 물에 넣고 익힘. 또, 쌀뜨물에 담금. '曾子食魚有餘, 曰, 一之'《荀子》. ③쉴감 음식이 쉼. '今謂食久味變曰一'《新方言》. ④달감 맛이 닮. '秦之水, 一最而稽'《管子》. [二] 찰함 가득 참. '秬鬯一淡'《揚雄》.

[字源] 形聲. 氵(水)+甘〔音〕

水 5 〔法〕8 [中·人] 법 [入]洽 | fǎ ホウ のり

[筆順] 丶 冫 氵 氵 汁 注 法 法

[字解] ①법법 ㉠형벌. 처벌. '一律'. '惟作五虐之刑, 曰一'《書經》. ㉡제도. 규칙. '謹修其一, 而審行之'《禮記》. ㉢일정하여 변치 않음. 상경(常經). '守典奉一'《禮記》. '當故不改曰一'《管子》. ㉣사람이 지켜야 할 길. 예의. 도리. '非先王之一服, 不敢服'《孝經》. '一者天下之至道也'《管子》. ㉤모범. 본보기. '行而世爲天下一'《中庸》. ㉥준칙(準則). '論藥一, 定五味'《史記》. ㉦방법. '戰一'. '教籍兵一'《史記》. ㉧도의(道義). '三綱淪而九一斁'《韓愈》. ㉨가르침. 종교. '佛一'. '一門'. ②골법 모형(模型). '治器一, 謂之鎔'《史記 註》. ③본받을법 모범으로 삼음. '天下一之'. '崇效天, 卑一地'《易經》. ④법국법 프랑스의 약칭(略稱). '一國'. ⑤성법 성(姓)의 하나.

[字源] 會意. 金文은, 氵(水)+廌+去

水 5 〔㳒〕8 法(前條)과 同字

水 5 〔泗〕8 [人名] 사 [去]寘 | sì シ かわのな, はなじる

[筆順] 丶 冫 氵 氵 汌 沪 泗 泗

[字解] ①물이름사 산동성(山東省)에서 발원(發源)하여, 강소성(江蘇省)을 거쳐 회수(淮水)로 들어가던 강. 지금은 회수(淮水)에 들어가지 않고 운하(運河)로 흐름. '一水'. '一河'. '事夫子於一洙之間'《禮記》. ②콧물사 비액(鼻液). '涕一滂沱'《詩經》.

字源 形聲. 氵(水)+四〔音〕

水5〔泙〕8 팽 (平)庚 | pēng ヘイ みずのいきおいのさかんなさま

字解 물결셀팽 물결이 센 모양. 또, 그 소리. 澎(水부 12획〈686〉)과 同字. '—湃'. '灂—洞潝者, 彌數千里'《柳宗元》.
字源 形聲. 氵(水)+平〔音〕

水5〔泚〕8 체 (上)霽 | cǐ セイ きよい

字解 ①물맑을체 '新臺有—'《詩經》. ②땀날체 땀이 나는 모양. '其顙有—'《孟子》. ③담글체 액체 속에 담금. '—筆'.
字源 形聲. 氵(水)+此〔音〕

水5〔泛〕8 ㊀범 (去)陷 | fàn ハン うかぶ
㊁봉 (上)腫 | fěng ホウ くつがえす
㊂핍 (入)洽 | fá ホウ みずのおと

字解 ㊀①뜰범 물 위에 뜸. 또, 띄움. 汎(水부 3획〈626〉)과 同字. '——'. '—樓船兮濟汾河'《漢武帝》. ②흐를범 물이 흐르는 모양. '—, 流皃'《玉篇》. ③물찰범 물이 차는 모양. '—濫, 水滿貌'《韻會》. ④넓을범 광대함. 또, 보편적임. 널리. 汎(水부 3획〈626〉)과 同字. '—稱'. '—論物理'《吳志》. ㊁엎을봉 전복시킴. 覂(襾부 5획〈1294〉)과 同字. '—駕之馬'《漢書》. ㊂물소리핍 물소리가 자질자질하게 나는 모양. '—, 渣聲微小貌'《康熙字典》.
字源 形聲. 氵(水)+乏(五)〔音〕

水5〔[illegible]〕8 泛(前條)의 本字

水5〔[illegible]〕8 〔충〕 [illegible](水부 6획〈645〉)의 本字

水5〔泜〕8 ㊀지 (平)支 | chí シ かわのな
㊁저 (去)霽 | dì テイ かわのな
㊂치 (上)紙 | zhì チ かわのな

字解 ㊀물이름지 남지수(南泜水)와 북지수(北泜水)가 있음. 남지수는 하북성(河北省) 임성현(臨城縣)의 서남(西南)에서 발원(發源)하는 강. '敦與之山—水出其陰'《山海經》. 북지수는 하북성 원씨현(元氏縣)에서 발원(發源)하는 강. '斬餘—水上'《漢書》. ㊁물이름저 ㊀과 뜻이 같음. ㊂물이름치 여수(汝水)의 지류(支流). 潪(水부 10획〈672〉)와 同字. '楚子上救之, 與晉師夾—而軍'《左傳》.
字源 形聲. 氵(水)+氏〔音〕

水5〔泝〕8 소 (去)遇 | sù ソ さかのぼる

字解 ①거슬러올라갈소 溯(水부 10획〈670〉)와 同字. '—流'. '沿漢—江'《左傳》. ②향할소 면(面)함. '—洛背河'《張衡》. ③맞이할소 '其—於日乎'《揚子法言》. ④갈소 '—, 行也'《一切經音義》. ⑤흐를소 물이 흐름. '—八埏'《司馬相如》.
字源 形聲. 氵(水)+斥(㡿)〔音〕

水5〔泠〕8 령 (平)青 | líng レイ きよらか, さとす

字解 ①맑을령 청명함. '—然'. '—, 清—水也'《廣韻》. ②온화할령 화창함. '—風'. ③맑은소리령 물 또는 바람의 맑은 소리. '清清——'《宋玉》. ④깨우칠령 환히 알도록 가르침. '舜之將死, 眞—禹曰, 汝戒之哉'《莊子》. ⑤깨달을령 聆(耳부 5획〈1056〉)과 통용. '精神曉—'《淮南子》. ⑥물이름령 섬서성(陝西省)에서 발원(發源)하여 북류(北流)하는 위수(渭水)의 지류(支流). '—水'. ⑦악인(樂人)령 伶(人부 5획〈40〉)과 통용. '晉侯見鍾儀, 問其族, 對曰—人也'《左傳》. ⑧떨어질령 낙하함. 零(雨부 5획〈1640〉)과 통용. '同僚涕—'《冀州從事郭君碑》. ⑨성령 성(姓)의 하나.
字源 形聲. 氵(水)+令〔音〕

水5〔泡〕8 포 (平)肴 | pào pāo ホウ あわ

字解 ①거품포 물거품. '—沫'. '夢幻—影'《金剛經》. ②성할포 왕성함. '—溲'. '—, 盛也, 江淮之間曰—'《揚子方言》. ③흐를포 물이 흐르는 모양. '——, 流也'《廣雅》. ④물이름포 포수(泡水). 강소성(江蘇省) 패현(沛縣)의 남쪽을 흘러, 사수(泗水)로 들어감.
字源 形聲. 氵(水)+包〔音〕

水5〔波〕8 中·人 ㊀파 (平)歌 | bō(pō) ハ なみ
㊁피 ①(平)支 ②(去)寘 | bēi ヒ つつみ / bì ヒ そってゆく

筆順 丶 冫 氵 氵 汇 沪 波 波

字解 ㊀①물결파 ㉠파도. '—紋'. '大—爲瀾, 小—爲淪'《爾雅》. ㉡흐름. 수류(水流). '—流'. '分—而共源'《後漢書》. ㉢어수선한 사단(事端). '言者風—也'《莊子》. ㉣주름. '羅幕生繡—'《范成大》. ㉤매체(媒體) 안에서 각 부분에 진동(振動)이 점차로 전파하는 현상. '電—'. ②물결일파 파도가 일어남. '洞庭—兮木葉下'《楚辭》. ③쏟아져흐를파 물이 용솟음쳐 흐름. '—, 水涌流也'《說文》. ④움직일파 동요함. '其孰能不—'《莊子》. ⑤눈영채파 안광(眼光). '秋—'. '託微—以通辭'《曹植》. ⑥촉촉히적

실파 영향을 미침. 흘러 전함. '其一及晉國者, 君之餘也'《左傳》. ⑦달릴파 뜀. '老少奔一'《韓愈》. ⑧발버둥칠파 '跑謂之一, 立謂之站'《俗呼小錄》. ⑨성파 성(姓)의 하나. 曰 ①방죽피 陂(阜부 5획〈1612〉)와 同字. '後游雷一, 天大風'《漢書》. ②따라갈피 강을 따라 내려감. '一, 循水行也'《續字彙補》.
字源 形聲. 氵(水)+皮〔音〕

水5 〔泣〕8 中·人 曰읍 入緝 qì キュウ なく / 曰립 入緝 lì リュウ しぶる
筆順 丶 丶 氵 氵 汁 汁 泣 泣
字解 曰 ①울읍 소리는 내지 않고 눈물만 흘리며 욺. '一涕'. '一血三年'《禮記》. ②울음읍 우는 일. '周人有路傍之一'《梁武帝》. ③눈물읍 '一數行下'《漢書》. ④우려할읍 근심함. 또, 우려. '一于道'《太玄經》. 曰 ①원활치않을립 혈액 순환이 잘 안 됨. '血凝於脈者爲一'《素問》. ②빠를립 바람이 빠름. '猋一, 風疾貌'《漢書 注》.
字源 會意. 氵(水)+立

水5 〔泥〕8 高·人 니 ①-⑧平齊 / ⑨⑩上薺 / ⑪去霽 ní デイ どろ / nǐ デイ うる おいぬれる / nì デイ とどこおる
筆順 丶 丶 氵 氵 氵 沪 沪 泥
字解 ①진흙니 이토(泥土). '一濘'. '蕊其一而揚其波'《楚辭》. 전(轉)하여, 진흙 비슷한 것. '金一'. ②진창니 땅이 곤죽같이 진 곳. '一行'. '猶逢蜀坂一'《孟浩然》. ③흐릴니 흙탕물이 됨. '井一不食'《易經》. ④약할니 재력(才力)이 적음. '威夷長脊而一'《爾雅》. ⑤가까울니 '一, 邇也. 邇, 近也'《釋名》. ⑥붙일니 풀로 붙임. '紅錦一窻遶四廊'《花蘂夫人》. ⑦벌레이름니 동해(東海)에서 난다는 뼈 없는 벌레. 물이 있으면 살고, 물이 없으면 진흙같이 된다고 함. '一醉'. '先拚一飮醉如一'《杜甫》. ⑧성니 성(姓)의 하나. ⑨이슬짙을니 이슬이 많이 내린 모양. '零露一一'《詩經》. ⑩야드르르할니 잎이 야드르르한 모양. '維葉一一'《詩經》. ⑪막힐니, 거리낄니 정체(停滯)함. 구애함. '拘一'. '致遠恐一'《論語》.
字源 形聲. 氵(水)+尼〔音〕

水5 〔注〕8 中·人 주 去遇 ①-⑫zhù シュ·チュウ そそぐ / 去遇 ⑬-⑯ チュ·チュウ しるす / 去宥 ⑰zhòu チュウ くちばし
筆順 丶 丶 氵 氵 汁 汁 汢 注
字解 ①흐를주 물이 흐름. '流一'. '豐水東一'《詩經》. ②흐름주 수류(水流). '微派涓一'《水經注》. ③물댈주 물을 끌어 댐. '灌一'. '一塡閼之水'《漢書》. ④부을주 물을 따라 넣음. '傾一'. '挹水而一之'《荀子》. ⑤비올주 비가 내림. '請雨三日而雨一'《晉書》. ⑥뜻둘주 마음을 둠. '一意'. '君人者上一'《管子》. ⑦메길주 화살을 활시위에 끼움. '射之不中, 又一'《左傳》. ⑧모일주 한데 모임. '令禽一于虞中'《周禮》. ⑨붙을주 부착함. 붙임. '一旄首曰旌'《爾雅》. ⑩칠주 때림. '以黃金一者殙'《莊子》. ⑪걸주 도박에 겲. '孤一'. ⑫쓸주 사용함. '百姓皆一其耳目'《老子》. ⑬적을주 기록함. '一記'. '記物曰一'《通俗文》. ⑭주낼주 주석을 함. '有揩字一字處'《韓愈》. ⑮주주 주해. 주석. 註(言부 5획〈1320〉)와 통용. '一疏'. '遂竊以爲己一'《世說》. ⑯성주 성(姓)의 하나. ⑰부리주 味(口부 6획〈159〉)와 통용. '以一鳴者'《周禮》.
字源 形聲. 氵(水)+主〔音〕

水5 〔泫〕8 人名 현 上銑 / 平先 / 去霰 ①-③xuàn ゲン ひかる / ④xuán ゲン ふかい / ⑤ゲン こんごうする
筆順 丶 丶 氵 氵 汁 汴 泫 泫
字解 ①이슬빛날현 이슬이 일광을 받아 반짝임. '花上露猶一'《謝靈運》. ②이슬떨어질현 이슬이 뚝뚝 떨어지는 모양. '一一露盈條'《謝惠連》. ③눈물흘릴현 눈물을 줄줄 흘리는 모양. '孔子一然流涕'《禮記》. ④깊을현 물이 깊음. '瀇滉困一'《郭璞》. ⑤뒤섞을현 혼합함. '一滑, 混合也'《集韻》.
字源 形聲. 氵(水)+玄〔音〕

水5 〔泮〕8 曰반 去翰 / 曰판 去翰 pàn ハン はんすい, とける / ハン わかれる
字解 曰 ①반수반 반궁(泮宮)의 동서의 문 이남에 호(濠)를 파 빙 돌린 물. '思樂一水'《詩經》. ②녹을반 날이 풀려 얼음이 녹음. '迨冰未一'《詩經》. ③경계반, 발두둑반 畔(田부 5획〈797〉)과 同字. '隰則有一'《詩經》. 曰 나누일판 判(刀부 5획〈101〉)과 同字. '天地剖一'《史記》.
字源 形聲. 氵(水)+半〔音〕

水5 〔泯〕8 민 上軫 / 平眞 mǐn / mín ビン ほろびる
字解 멸할민, 다할민 멸망함. 없어짐. '一滅'. '幸此書之不一'《中庸章句》.
字源 形聲. 氵(水)+民〔音〕

水5 〔泱〕8 [一] 앙 ①[平]陽 yāng オウ ふかい ②[上]養 yǎng オウ ひろい [二] 영 [平]庚 yīng エイ しらくものさま

[字解] [一] ①깊을앙 물이 깊고 넓은 모양. '維水——'《詩經》. ②넓을앙 광대한 모양. '過乎—漭之壄'《司馬相如》. [二] 구름일영 구름이 이는 모양. '天——以垂雲'《潘岳》.
[字源] 形聲. 氵(水)+央〔音〕

水5 〔泲〕8 제 [上]薺 jǐ セイ すみざけ

[字解] ①강이름제 濟(水부 14획〈693〉)와 同字. 하북성(河北省)에서 발원. ②땅이름제 제수(泲水) 가의 지명. '出宿于—'《詩經》. ③맑은술제 약주. '淸, 謂醴之—者'《周禮註》.

水5 〔沛〕8 泲(前條)의 本字

水5 〔泳〕8 [高·人] 영 [去]敬 yǒng エイ およぐ

[筆順] 丶 丶 氵 氵 汀 汸 泳 泳
[字解] ①무자맥질할영 물 속을 잠행(潛行)함. 헤엄침. '—之游之'《詩經》. ②헤엄영 수영. '濯髮浴—'《郭璞》.
[字源] 形聲. 金文은 止+永〔音〕. 뒤에 氵(水)+永〔音〕

水5 〔泬〕8 혈 [入]屑 jué, ②xuè ケツ よこしま

[字解] ①간사할혈 사벽(邪僻)함. '事泂—而好還'《潘岳》. ②빌혈 공허한 모양. '—寥兮天高而氣淸'《楚辭》.
[字源] 形聲. 氵(水)+穴〔音〕

水5 〔沭〕8 술 [入]質 shù シュツ かわのな

[字解] 물이름술 산동성(山東省) 기수현(沂水縣)에서 발원(發源)하여, 동남(東南)으로 흐르는 사수(泗水)의 지류(支流). '—水'. '靑州其浸沂—'《周禮》.
[字源] 形聲. 氵(水)+朮〔音〕

水5 〔泒〕8 고 [平]虞 gū コ かわのな

[字解] 물이름고 저룡하(豬龍河)의 상류(上流). 지금의 사하(沙河). '—, 水在鴈門'《廣韻》.
[字源] 形聲. 氵(水)+瓜〔音〕

水5 〔泞〕8 [一] 저 [上]語 zhù チョ すむ [二] 녕 [平]青 nìng

[字解] [一] ①맑을저 깊게 맑음. '泱漭澹—'《木華》. ②조용할저 '—, 澹也'《字彙》. ③물머무를저 물이 멈추는 모양. '—, 水停貌'《篇海》. [二] 濘(水부 14획〈693〉)의 簡體字.

水5 〔泜〕8 [一] 이 [平]支 yí イ かわのな [二] 지 [平]支 chí チ なぎさ [三] 시 [去]寘 [上]紙 shì シ·ジ けんのな [四] 치 [去]寘 チ けんのな

[字解] [一] 물이름이 호북성(湖北省) 방현(房縣)의 남쪽을 흘러 언수(鄢水)로 흘러드는 강. '—, 水名'《集韻》. [二] ①물가지 坻(土부 5획〈204〉)와 同字. '—, 說文, 小渚. 或作—'《集韻》. ②고을이름지 '—陵'은 한(漢)나라의 후읍(侯邑)의 이름. '—陵康侯魏駟'《漢書》. [三] 현이름시 '—鄕'은 현(縣)의 이름. '—, —鄕, 縣名'《集韻》. [四] 현이름치 [三]과 뜻이 같음.

水5 〔泧〕8 [一] 월 [入]月 xuè エツ おおみずのさま [二] 활 [入]曷 カツ ぬぐいけすさま [三] 살 [入]曷 サツ ぬぐいけすさま

[字解] [一] 큰물월 홍수(洪水)의 모양. '—, 大水'《廣韻》. [二] ①닦을활 훔쳐 깨끗이 지우는 모양. '—, —瀎, 拭滅'《集韻》. ②흐를활 '——'은 흐르는 모양. '——, 流也'《廣雅》. ③콸콸솟을활 '—潪'은 콸콸 솟는 모양. '潰濩—潪'《郭璞》. [三] 닦을살, 흐를살, 콸콸솟을살 [二]와 뜻이 같음.
[字源] 形聲. 氵(水)+戉〔音〕

水5 〔泃〕8 [一] 구 ①[平]尤 ②[去]遇 gōu コウ·ク みずのおと ク かわのな [二] 거 [平]魚 jū キョ かわのな

[字解] [一] ①물소리구 '—, 水聲'《集韻》. ②물이름구 하북성(河北省) 계현(薊縣)의 북쪽 황애구(黃崖口)에서 발원함. '—, 水名. 在北地'《集韻》. [二] 물이름거 [一]❷와 뜻이 같음.

水5 〔泖〕8 [一] 묘 [上]巧 mǎo ボウ·ミョウ みずうみのな [二] 류 [上]有 liǔ リュウ みずのさま

[字解] [一] ①호수이름묘 지금의 상해시(上海市) 송강현(松江縣) 안에 있던 호수. '상묘(上泖)·중묘(中泖)·하묘(下泖)'로 나뉘어, 삼묘(三泖)로도 일컬었음. ②소묘 웅덩이 '江左人, 目水之渟滀不湍者爲—'《春渚紀聞》. [二] 물모양류 '—, 水皃'《集韻》.

水5 〔泇〕8 가 [平]麻 jiā カ みず, かわ

[字解] ①물가 '一, 水也'《玉篇》. ②물이름가 발원지(發源地)가 둘 있어, 동가(東洳)는 산동성(山東省) 비현(費縣)의 동남쪽 기산(箕山)에서 발원하고, 서하(西河)는 서남쪽 포독산(抱犢山)에서 발원하여, 강소성(江蘇省) 비현(邳縣)에서 합류(合流)하여 운하(運河)로 흘러듦.

水 5 〔𣲙〕8 〔결〕 決(水부 4획〈629〉)의 本字

水 5 〔泟〕8 [一] 赬(赤부 7획〈1403〉)과 同字 [二] 涞(水부 7획〈651〉과 同字

水 5 〔泪〕8 〔루〕 淚(水부 8획〈655〉)와 同字

水 5 〔𣳚〕8 〔몰〕 沒(水부 4획〈631〉)의 俗字

水 5 〔泻〕8 〔사〕 瀉(水부 15획〈696〉)의 俗字·簡體字

水 5 〔泘〕8 〔호〕 滹(水부 11획〈676〉)와 同字

水 6 〔浆〕10 〔장〕 漿(水부 11획〈675〉)의 簡體字

水 6 〔洀〕9 [一] 주 [平]尤 | zhōu シュウ さざなみ
[二] 반 [平]寒 | pán ハン わだかまる

[字解] [一] 파문주 물결의 무늬. [二] 서성거릴반 盤(皿부 10획〈835〉)과 同字. '意者君乘駿馬而一桓'《管子》.

水 6 〔洄〕9 회 [平]灰 | huí カイ めぐりながれる

[字解] ①돌아흐를회 회류함. '更相一注'《後漢書》. ②거슬러올라갈회 물의 흐름의 반대 방향으로 감. '溯一從之'《詩經》.
[字源] 形聲. 氵(水)+回〔音〕

水 6 〔洊〕9 천 [去]霰 | jiàn セン いたる

[字解] ①이를천 瀳(水부 17획〈701〉)과 同字. '水一至'《易經》. ②연거푸천 잇달아 여러 번. '一歲'.
[字源] 會意. 氵(水)+存

水 6 〔洋〕9 [中·人] 양(⑦ 상[本]) [平]陽 | ①-⑥yáng ヨウ おおうみ
[平]陽 | ⑦xiáng ショウ かわのな

[筆順] 丶 丶 氵 氵 氵 泮 洋 洋

[字解] ①큰바다양 대해(大海). '大一'. '海一'. '中有白水一'《徐兢》. ②큰물결양 대파(大波). '望一向若而歎'《莊子》. ③서양양 서양(西洋)의 약칭(略稱). '一式'. '一樂'. ④넓을양, 클양, 성할양 광대한 모양. 성대한 모양. '一一'. '聲名一溢乎中國'《中庸》. ⑤넘칠양 충만하여 퍼짐. '一普'. '德一而恩普'《史記》. ⑥성양 성(姓)의 하나. ⑦강이름양 '一水'. 산동성(山東省) 중부에서 발원하여, 북으로 흘러 바다에 들어감. 한수(漢水)의 지류(支流). 현재의 미하(瀰河). ※❼은 本音 상.
[字源] 形聲. 氵(水)+羊〔音〕

水 6 〔洌〕9 [人名] 렬 [入]屑 | liè レツ きよい

[筆順] 丶 丶 氵 汀 汐 汐 洌 洌

[字解] ①맑을렬 액체가 맑음. '井一寒泉食'《易經》. ②찰렬 한랭함. '一風過而增悲哀'《宋玉》. ③물이름렬 우리 나라의 한강(漢江)의 옛 이름. '一水'.
[字源] 形聲. 氵(水)+列(刿)〔音〕

水 6 〔洎〕9 [一] 계(기[本]) [去]寘 | jì キ うるおう
[二] 기 [去]寘 | jì キ およぶ

[字解] [一] ①윤택할계 '越之水重濁而一'《管子》. ②부을계 물을 부음. '一鑊水'《周禮》. ③국물계 고깃국의 국물. '去其肉, 而以其一饋'《左傳》. ※이상(以上) 本音 기. [二] 미칠기 暨(日부 12획〈514〉)와 同字. '於斯胥一'《張衡》.
[字源] 形聲. 氵(水)+自〔音〕

水 6 〔洏〕9 이 [平]支 | ér ジ なみだのながれるさま

[字解] 눈물흘릴이 '涕流連一'《王粲》.
[字源] 形聲. 氵(水)+而〔音〕

水 6 〔洑〕9 [一] 복 [入]屋 | fú
[二] 보 [韓] | フク めぐりながれる

[字解] [一] ①돌아흐를복 회류(回流)함. 일설(一說)에는, 스며 흐름. '一流何處入'《杜甫》. ②나루복 배가 정박하는 곳. '有魯家一長風一'《吳船錄》. [二]《韓》 보보 논에 물을 대기 위하여 둑을 쌓고 흐르는 물을 막아 두는 곳.
[字源] 形聲. 氵(水)+伏〔音〕

水 6 〔洒〕9 [一] 쇄 [上]蟹 | sǎ サイ そそぐ, あらう
[二] 세 [上]薺 | xǐ セイ あらう
[三] 선 [上]銑 | ①-③xiǎn セン うやうやしい
[上]阮 | ④⑤sěn ソン おどろく
[四] 최 [上]賄 | cuǐ サイ けわしい

[字解] [一] ①뿌릴쇄 물을 뿌려 소제함. '一埽'. '弗一弗埽'《詩經》. ②시원할쇄 마음에 조금도 티가 없어 상쾌함. '瀟一'. '胸中一落, 如光風霽月'《十八史略》. [二] 씻을세 ㉠세탁함. '一濯其心'《左傳》. ㉡설치함. 명예를 회복함. '願比死者一一之'《孟子》. [三] ①엄숙할선 장엄하고 정숙한 모양. '君子之飮酒, 受一爵, 而色一如也'《禮記》. ②깊을선 물이 깊음. '望厓一而高岸'《爾雅》. ③뿌릴선 살포(撒布)함. '屑桂與薑, 以一諸上'《禮記》. ④떨선 추워 오들오들 떠는 모양. '令人一一時寒'《素問》. ⑤놀랄선 놀라는 모양. '羣臣莫不一然變色易容者'《史記》. [四] 험할최 험준한 모양. 일설(一說)에는, 고운 모양. 선명한 모양. '新臺有一'《詩經》.
[字源] 形聲. 氵(水)+西(鹵)〔音〕

水6 〔洗〕9 [中·人] [一] 세 [上]薺 [二] 선 [上]銑 | xǐ セイ あらいきよめる xiǎn セン あらう

[筆順] 丶 冫 氵 氵' 氵⺧ 氵⺧ 洗 洗

[字解] [一] ①씻을세 닦음. 깨끗하게 함. '一濯'. '聖人以此一心'《易經》. ②그릇세 낯·손 등을 씻은 물을 버리는 그릇. '設一, 直于東榮'《儀禮》. ③성세 성(姓)의 하나. [二] ①씻을선 발을 닦음. '一足'. '使兩女子一'《史記》. ②조촐할선 깨끗함. '自一腆, 致用酒'《書經》. ③성선 성(姓)의 하나.
[字源] 形聲. 氵(水)+先〔音〕

水6 〔洣〕9 미 [去]薺 | mǐ ベイ かわのな

[筆順] 丶 冫 氵 氵' 氵⺌ 洣 洣 洣

[字解] 물이름미 호남성(湖南省)을 흘러 상수(湘水)로 합치는 강. 다릉강(茶陵江). '一, 水名, 在茶陵'《集韻》.

水6 〔洙〕9 [人名] 수 [平]虞 | zhū シュ かわのな

[筆順] 丶 冫 氵 氵' 氵⺧ 氵⺧ 泮 洙

[字解] ①물이름수 사수(泗水) 지류(支流)로서 둘이 있는데, 하나는 공자(孔子)의 출생지인 산동성(山東省) 곡부현(曲阜縣)에서 발원(發源)하여 기수(沂水)와 합쳐, 사수(泗水)로 흘러들어가고, 또 하나는 산동성 비현(費縣)에서 발원하여, 서쪽으로 흘러 사수로 들어감. '一泗'. '一水出泰山郡蓋縣臨樂子山, 西北入泗'《漢書》. ②성수 성(姓)의 하나.
[字源] 形聲. 氵(水)+朱〔音〕

水6 〔洚〕9 홍 [平]東 | hóng コウ おおみず

[字解] 큰물홍 洪(水부 6획〈643〉)과 同字. '一水警余'《孟子》.
[字源] 形聲. 氵(水)+夅〔音〕

水6 〔泾〕9 채 [去]卦 | chāi サイ うら

[字解] 개채, 나루채 바다 등이 뭍으로 움푹 패어 들어간 어귀. 포변(浦邊). '一, 水浦也'《集韻》.

水6 〔洛〕9 [人名] 락 [入]藥 | luò ラク かわのな

[筆順] 丶 冫 氵 氵' 氵⺧ 汐 洛 洛

[字解] ①물이름락 황하(黃河)의 지류(支流)로서 둘이 있는데, 하나는 섬서성(陝西省) 낙남현(雒南縣)에서 발원(發源)하여, 이수(伊水)와 합쳐 황하로 흘러 들어감. 옛날에는 '雒'으로도 썼음. '伊一'. '導一自熊耳'《書經》. 하나는 섬서성 정변현(定邊縣)에서 발원(發源)하여, 위수(渭水)와 합쳐 황하로 흘러 들어감. '瞻彼一矣'《詩經》. ②서울이름락 낙수(洛水)의 북쪽에 위치하여, 동주(東周)가 이 곳에 도읍을 정하였고, 그 후 후한(後漢)·서진(西晉)·후위(後魏)·수(隋)·오대(五代) 등도 이 곳을 수도로 하였음. 곧, 낙양(洛陽). '周公朝于一'《書經》. ③성락 성(姓)의 하나.
[字源] 形聲. 氵(水)+各〔音〕

水6 〔⿱各水〕10 洛(前條)의 古字

水6 〔洞〕9 [中·人] [一] 동 [去]送 | dòng ドウ ほら [二] 통 [去]送 (동[本]) | dòng ドウ とおる

[筆順] 丶 冫 氵 汌 汩 洞 洞 洞

[字解] [一] ①골동 ㉠깊은 구멍. 굴. '一穴'. '傍爲土一'《宋史》. ㉡깊은 골짜기. 구렁. '一壑'. '仙女一在京山縣東南'《名山記》. ②연할동 연통(連通)함. '連房一戶'《後漢書》. ③깊을동 '思一希微'《陸倕》. ④빌동 공허함. '心氣內一'《素問》. ⑤진실할동 질박하고 성실함. '一一乎, 屬屬乎'《禮記》. ⑥빠를동 물의 흐름이 빠름. '潰渭一河'《班固》. ⑦성동 성(姓)의 하나. ⑧《韓》동네동 부락. '一里'. [二] 꿰뚫을통 ㉠관통함. '一貫'. '括蔽一胸'《史記》. ㉡통달함. '一徹'. '遂兮一兮'《淮南子》. ※本音 동.
[字源] 形聲. 氵(水)+同〔音〕

水6 〔洟〕9 [一] 이 [平]支 | yí イ はなじる [二] 체 [去]霽 | tì テイ なみだ

[字解] [一] 콧물이 비액(鼻液). '垂涕一'《禮記》. [二] 눈물체 涕(水부 7획〈650〉)와 同字. '不敢唾一'《禮記》.
[字源] 形聲. 氵(水)＋夷〔音〕

水 6 〔津〕9 [人名] 진 [平]眞 | jīn シン つ, きし

[筆順] 丶 冫 氵 汀 沪 浔 津 津

[字解] ①나루진 도선장(渡船場). '一渡'. '使子路問一焉'《論語》. 또, 배가 발착하는 곳. 포구. 항구. '一驛'. '泛舟俱遠一'《杜甫》. ②언덕진 변애(邊崖). '日出九一'《呂氏春秋》. ③연줄진 인연(夤緣). '欲之困無一耳'《晉書》. ④길진 경로(徑路). '分流合智一'《庾肩吾》. ⑤진액진 생물의 몸 안에서 생겨나는 액체. '松一'. '露菊傾一'《王勃》. ⑥침진 입 속의 액체. '一唾'. '令人望梅生一, 食芥墮淚'《埤雅》. ⑦윤택할진 '一潤'. '二曰, 川澤, 其民黑而一'《周禮》. ⑧넘칠진 넘쳐 흐르는 모양. '興味一一'.
[字源] 形聲. 篆文은 氵(水)＋𦘔〔音〕

水 6 〔洧〕9 [人名] 유 [上]紙 | wěi イ かわのな

[筆順] 丶 冫 氵 氵 汁 汻 洧 洧

[字解] 물이름유 하남성(河南省) 등봉현(登封縣)에서 발원(發源)하여 동(東)으로 흐르는 강으로서, 밀현(密縣)을 거쳐 대외진(大隗鎭)에서 진수(溱水)와 합쳐 쌍박하(雙泊河)가 됨. '一水'.
[字源] 形聲. 氵(水)＋有〔音〕

水 6 〔洆〕9 승 [平]蒸 | chéng ショウ しずむ

[字解] 빠질승 빠져서 가라앉음. '一, 沒也'《廣雅》.

水 6 〔洨〕9 효 [平]肴 [去]效 | xiáo コウ かわのな

[字解] ①물이름효 '一河'는 하북성(河北省) 획록현(獲鹿縣)에서 발원(發源)하는 강. 사효(斯洨)라고도 하고, 또 동수(童水)·녹천수(鹿泉水)·정경수(井陘水)라고도 일컬음. ②고을이름효 안휘성(安徽省)에 있던 현명(縣名). 후한(後漢)의 허신(許愼)이 이 곳의 장관을 지냈으므로, 세인(世人)이 그를 '一長'이라 함.
[字源] 形聲. 氵(水)＋交〔音〕

水 6 〔洩〕9 [一] 예 [去]霽 | yì エイ とびかける
[二] 설 [入]屑 | xiè セツ もれる

[字解] [一] ①훨훨날예 비상(飛翔)하는 모양. '翔霧連軒, 一一泄泄'《木華》. ②바람따를예 바람을 따르는 모양. '或掣掣一一于裸人之國'《木華》. [二] ①샐설 泄(水부 5획〈636〉)과 同字. '一漏'. '振河海而不一'《中庸》. ②줄설, 덜설 감소함. 감함. '濟其不足, 以一其過'《左傳》. ③성설 성(姓)의 하나.
[字源] 形聲. 氵(水)＋曳〔音〕

水 6 〔洪〕9 [高·人] 홍 [平]東 | hóng コウ おおみず

[筆順] 丶 冫 氵 汁 泔 泮 洪 洪

[字解] ①큰물홍 대수(大水). '湯湯一水方割'《書經》. ②클홍 '一大'. '一惟我幼冲人'《書經》. ③성홍 성(姓)의 하나.
[字源] 形聲. 氵(水)＋共〔音〕

水 6 〔洫〕9 혁 [入]職 | xù キョク みぞ

[字解] ①봇도랑혁 논 사이의 물을 통하게 한 도랑. '溝一'. '田有封一'《左傳》. ②해자혁 성을 빙 둘러싼 못. '築城伊一'《詩經》. ③수문혁 수도(水道)의 문. '作方梁石一'《後漢書》. ④빌혁 공허함. '滿者一之'《管子》. ⑤외람할혁, 참람할혁 분수에 넘침. '所行之備而不一'《莊子》.
[字源] 會意. 氵(水)＋血

水 6 〔洮〕9 조 [平]豪 | táo トウ かわのな, あらう

[筆順] 丶 氵 氵 汌 氵 洮 洮 洮

[字解] ①물이름조 ㉠감숙성(甘肅省)을 흐르는 황하(黃河)의 지류. 파이서하(巴爾西河). '一水, 出隴西臨一, 東北入河'《說文》. ㉡산서성(山西省)을 흐르는 강. ②씻을조, 빨조 세수함. 또는, 세탁함. '王乃一頮水'《書經》. '一汰學者之累惑'《後漢書》.
[字源] 形聲. 氵(水)＋兆〔音〕

水 6 〔洲〕9 [高·人] 주 [平]尤 | zhōu シュウ·ス す, しま

[筆順] 丶 冫 氵 氵 沙 沙 洲 洲

[字解] ①섬주, 모래톱주 사주(沙洲). 작은 섬. '一島'. '在河之一'《詩經》. ②뭍주 대륙. '五大一'.
[字源] 形聲. 氵(水)＋州〔音〕

水 6 〔洳〕9 여 ①[去]御 ②[平]魚 | rù ジョ かわのな

[字解] ①습한땅여 습지. '彼汾沮一, 言采其莫'《詩經》. ②강이름여 북경시(北京市)에서 발원하여, 남류(南流)해서 구하(泃河)에 합류함.
[字源] 形聲. 氵(水)＋如〔音〕

水 6 〔洵〕9 [人名] [一]순 [平]眞 [二]현 [去]霰 | xún シュン·ジュン まことに xuàn ケン とおい

[筆順] 丶 冫 氵 氵 汋 汋 洵 洵 洵

[字解] [一] ①진실로순 참으로. '一美且都'《詩經》. ②소리없이울순 소리 없이 눈물을 흘리며 욺. '請無瘠色, 無一涕'《國語》. ③고를순 旬(日부 2획〈500〉)과 同字. '一直且侯一'《詩經》. [二] 멀현 요원함. '吁嗟一兮'《詩經》.

[字源] 形聲. 氵(水)+旬〔音〕

水 6 〔洶〕9 흉 [上]腫 | xiōng キョウ みずがわく

[字解] 용솟음할흉 물이 세차게 솟아오름. 또, 그 소리. '一淵'. '波濤一涌'《司馬相如》.

[字源] 形聲. 氵(水)+匈〔音〕

[參考] 汹(水부 4획〈633〉)은 同字.

水 6 〔洸〕9 [人名] [一]광 [平]陽 [二]황 [上]養 | guāng コウ いかる, いさましい huàng コウ ふかい

[筆順] 丶 冫 氵 氵 氵 氵 洸 洸

[字解] [一] ①굳셀광 용맹한 모양. '武夫一一'《詩經》. ②성낼광 노(怒)하는 모양. '有一有潰'《詩經》. [二] ①깊을황 물이 깊고 넓은 모양. 滉(水부 10획〈671〉)과 同字. '一洋'. ②황홀할황 恍(心부 6획〈388〉)과 同字. '西望崐崙之軋沕一忽兮'《司馬相如》.

[字源] 形聲. 氵(水)+光〔音〕

水 6 〔洖〕9 洸(前條)의 本字

水 6 〔洍〕9 사 [上]紙 | sì シ ほんりゅうからわかれてまたほんりゅうにがっするかわ

[字解] 물모여들사 본류(本流)에서 갈라졌다 다시 본류에 합치는 강물. 汜(水부 3획〈626〉)와 同字.

[字源] 形聲. 氵(水)+𦣝〔音〕

水 6 〔洹〕9 [人名] [一]원 [平]元 [二]환 [平]寒 | yuán エン かわのな huán カン みずのながれるさま

[筆順] 丶 冫 氵 氵 汀 汇 洹 洹

[字解] [一] 물이름원 하남성(河南省) 북부의 임현(林縣)에서 발원하여, 동류(東流)하여 안양시(安陽市)를 거쳐 내황현(內黃縣)에서 위하(衛河)로 들어가는 강. 일명 안양하(安陽河). 소진(蘇秦)과 육국(六國)이 이 강가에서 동맹의 약속을 맺은 것으로 유명함. '一水出上黨泫氏縣'《水經》. '令天下將相盟於一水之上'《戰國策》. [二] 세차게흐를환 '一一'은 물이 세차게 흐르는 모양. 또, 성한 모양. '一一水流盛也'《辭海》.

[字源] 形聲. 氵(水)+亘〔音〕

水 6 〔活〕9 [中人] [一]활 [入]曷 [二]괄 [入]曷 | huó カツ いきる guō カツ ながれるさま

[筆順] 丶 冫 氵 氵 汀 汗 活 活

[字解] [一] ①살활 ㉠생존함. '一物'. '民非水火不生一'《孟子》. ㉡살아 나감. 목숨을 이음. '以焦飯得一'《世說》. ㉢소생함. '得此馬一矣'《晉書》. ㉣활발함. 또, 생동(生動)함. '一潑'. '一句'. '人心一'《朱子語類》. '雨餘山態一'《杜牧》. ②살릴활 전항(前項)의 타동사. '相天子一百姓'《十八史略》. ③살림활 생계. 호구(餬口). '共汝掃市作一也'《魏書》. [二] 물콸콸흐를괄 물이 콸콸 흐르는 소리. '北流一一'《詩經》.

[字源] 形聲. 氵(水)+舌〔音〕

水 6 〔洼〕9 와 [平]麻 | wā ワ くぼみ

[字解] 웅덩이와 窪(穴부 9획〈921〉)와 同字. '似一者, 似汙者'《莊子》.

[字源] 形聲. 氵(水)+圭〔音〕

水 6 〔浀〕9 곡 [入]沃 | qū キョク かわのな

[字解] 물이름곡 曲(曰부 2획〈517〉)과 통용. '一池, 水名'《正字通》.

水 6 〔洽〕9 [人名] [一]흡 [入]洽 [二]합 [入]合 | qià, xiá コウ あまねし hé コウ かわのな

[筆順] 丶 冫 氵 氵 氵 氵 洽 洽

[字解] [一] ①두루미칠흡 널리 미침. '一普'. '好生之德, 一于民心'《書經》. 또, 두루 미치는 일. '推其博一'《後漢書》. ②화목할흡 화합함. '一和'. '與道不一'《舊五代史》. [二] 강이름합 섬서성(陝西省)에서 발원하여, 황하(黃河)로 들어감. 금수하(金水河).

[字源] 形聲. 氵(水)+合〔音〕

水 6 〔派〕9 [高·人] 파 [去]卦 | pài ハ わかれる

[筆順] 丶 冫 氵 氵 氵 汀 浜 派 派

[字解] ①갈라질파 갈라져 흐름. 갈라져 나옴. 분기(分岐)함. '百川一別, 歸海而會'《左思》. ②갈래파 ㉠갈라져 나온 물. '流

九一乎潯陽'《郭璞》. ㉡갈라져 나온 계통. '黨一'. '學一'. '具書支一'《宋書》. ③가를파 나눔. 분배함. '輪一'. '一遣'. '疏一天潢'《北史》.
[字源] 形聲. 氵(水)+𠂢〔音〕

水6 〔派〕9 派(前條)와 同字

水6 〔洿〕9 [一]오 [平]虞 | wū オ くぼみ
[二]호 [上]麌 | hū コ けがれ, ふかい
[字解] [一] ①웅덩이오 움푹하게 패어 물이 괸 곳. '數罟不入一池'《孟子》. ②우묵할오 오목함. 또, 오목하게 함. '一其宮而豬焉'《禮記》. [二] ①더럼호 오염(汚染). '治舊一'《左傳》. ②물들일호 염색함. '以墨一色其周垣'《漢書》. ③깊을호 물이 깊음. '川谷何一'《楚辭》.
[字源] 形聲. 氵(水)+夸〔音〕

水6 〔㳅〕9 〔류〕
流(水부 7획〈651〉)의 本字

水6 〔洔〕9 지 [上]紙 | zhǐ シ·チ みぎわ
[字解] 물가지 수애(水涯). 沚(水부 4획〈632〉)와 同字. '飮於枝一之中'《穆天子傳》.
[字源] 形聲. 氵(水)+寺〔音〕

水6 〔洺〕9 명 [平]庚 | míng ベイ·メイ かわのな
[字解] ①물이름명 하남성(河南省) 무안현(武安縣)에서 발원(發源)하여, 하북성(河北省) 대륙택(大陸澤)으로 흘러들어가는 강. '一水'. ②고을이름명 북주(北周) 때 두었던 주(州)의 하나. 지금의 하북성(河北省)의 일부. '廣平府漢曰廣平, 唐曰一州'《廣輿記》.
[字源] 形聲. 氵(水)+名〔音〕

水6 〔洝〕9 [一]안 [去]翰 | àn アン ぬるまゆ
[二]알 [入]曷 | è アツ うるおう
[字解] [一] 더운물안 미지근한 물. [二] 습윤할알 '㴸一, 濕潤也'《集韻》.
[字源] 形聲. 氵(水)+安〔音〕

水6 〔汧〕9 견 [平]先 | qiān ケン かわのな
[字解] ①물이름견 섬서성(陝西省) 농현(隴縣)의 서북부에서 발원하여 위하(渭河)로 흘러들어가는 강. 용어천(龍魚川). '一水'. '一水出右扶風一縣西北, 入渭'《說文》. ②못견 솟던 물이 그치고 이루어진 못. 또, 물이 둑을 부수고 흘러들어 이루어진 못. '水決之澤爲一'《爾雅》. ③떠다닐견 '聲類曰, 一, 漂也'《枚乘 注》.
[字源] 形聲. 氵(水)+幵〔音〕

水6 〔洗〕9 충 [平]東 | chōng シュウ やましたのいずみ
[字解] ①산밑샘충 '一, 山下泉也'《玉篇》. ②물소리충 '一淙'은 물 소리.

水6 〔涑〕9 [一]색 [入]陌 | sè サク そぼふる
[二]지 [去]寘 | zì シ ひたす
[字解] [一] ①가랑비내릴색 漬(水부 11획〈679〉)의 古字. 가랑비가 내리는 모양. '一, 小雨霝皃'《說文》. ②성색 성(姓)의 하나. [二] 담글지 물에 적심. '漬, 說文, 漚也. 古作一'《集韻》.
[字源] 形聲. 氵(水)+朿〔音〕

水6 〔洱〕9 이 [上]紙 | ěr ジ かわのな
[字解] 강이름이 이수(洱水). 하남성(河南省) 내향현(內鄕縣)에서 발원(發源)하여, 육수(淯水)와 합치는 강. '一, 水名'《廣韻》.
[字源] 形聲. 氵(水)+耳〔音〕

水6 〔洐〕9 행 [平]庚 | xíng コウ みぞのながれ
[字解] 도랑호름행, 도랑물흐를행 '一, 溝行水也'《說文》.
[字源] 形聲. 氵(水)+行〔音〕

水6 〔洭〕9 광 [平]陽 | kuāng キョウ かわのな
[字解] 물이름광 호남성(湖南省) 계양현(桂陽縣)에서 발원(發源)하는 강으로, 광동성(廣東省)의 북강(北江)의 상류(上流). '一, 水名. 出桂陽含洭縣'《廣韻》.
[字源] 形聲. 氵(水)+匡〔音〕

水6 〔洁〕9 [一]길 [入]質 | jí キツ かわのな
[二]결 | jié
[字解] [一] 물이름길 '一, 水也'《玉篇》. [二] 潔(水부 12획〈682〉)의 簡體字.

水6 〔洅〕9 [一]재 [去]隊 | サイ かみなりがふるう
[二]최 [上]賄 | zài サイ かみなりがふるう
[字解] [一] 천둥칠재 '一, 靁震一一也'《說文》. [二] 천둥칠최 [一]과 뜻이 같음.
[字源] 形聲. 氵(水)+再〔音〕

水6 〔洦〕9 [一]맥 [入]陌 | バク·ミャク あさいみず
[二]백 [入]陌 | pò ハク あさいみず
[字解] [一] 얕은물맥 '一, 淺水也'《說文》. [二]

얕은물백 [一]과 뜻이 같음.
[字源] 形聲. 氵(水)+百〔音〕

水 6 〔㳚〕9 휼 [入]質 | xù キツ ながれる
[字解] 물흐를휼 물이 흐르는 모양. 물이 세차게 솟는 모양. '潰濩一漷'《郭璞》.

水 6 〔⿰氵囟〕9 [一] 세 [去]霽 | xì セイ かわのな
[二] 신 [去]震 | シン かわのな
[字解] [一] 물이름세 안휘성(安徽省) 부양현(阜陽縣)에서 발원(發源)하여, 영수(潁水)로 흘러드는 강. '一, 一水. 出汝南新郪入潁'《說文》. [二] 물이름신 [一]과 뜻이 같음.
[字源] 形聲. 氵(水)+囟〔音〕

水 6 〔洈〕9 [一] 위 [平]支 | wéi ギ かわのな
[二] 궤 [上]紙 | キ かわのな
[字解] [一] 물이름위 호북성(湖北省) 당양현(當陽縣)의 동쪽을 흘러, 장수(漳水)로 들어가는 강. '一, 一水, 出南郡高城一山, 東入繇'《說文》. [二] 물이름궤 [一]과 뜻이 같음.
[字源] 形聲. 氵(水)+危〔音〕

水 6 〔浂〕9 〔종〕
汥(水부 3획〈627〉)의 本字

水 6 〔洤〕9 〔천〕
泉(水부 5획〈633〉)의 古字

水 6 〔洇〕9 〔인〕
湮(水부 9획〈666〉)과 同字
[字源] 形聲. 氵(水)+因〔音〕

水 6 〔⿰氵⿱八月〕9 〔연〕
涓(水부 7획〈650〉)의 俗字

水 6 〔洴〕9 〔병〕
洴(水부 8획〈659〉)의 俗字

水 6 〔浅〕9 〔천〕
淺(水부 8획〈657〉)의 俗字

水 6 〔浄〕9 〔정〕
淨(水부 8획〈656〉)의 俗字

水 6 〔⿰氵⿱八㚇〕9 〔담〕
淡(水부 8획〈655〉)의 俗字

水 6 〔流〕9 〔류〕
流(水부 7획〈651〉)의 俗字

水 6 〔⿰氵屔〕9 〔니〕
泥(水부 5획〈639〉)의 俗字

水 6 〔浊〕9 〔탁〕 濁(水부 13획〈690〉)의 俗字・簡體字

〔柒〕 〔칠〕
木부 5획(540)을 보라.

〔染〕 〔염〕
木부 5획(540)을 보라.

水 6 〔⿰氵厇〕9 〔도〕
渡(水부 9획〈661〉)와 同字

水 6 〔洠〕9 모 [平]尤 | móu ボウ きし
[字解] 물가모 물가의 언덕. '陴一, 厓也'《集韻》.

水 6 〔洂〕9 〔액〕
液(水부 8획〈653〉)과 同字

水 6 〔泿〕9 은 [平]眞 [平]元 | yín ギン かわのな
[字解] ①강이름은 내 이름. 광서성(廣西省)의 의강(義江). '一水出焉, 而南流注于海'《山海經》. ②물가은, 지경(地境)은 垠(土부 6획〈205〉)과 통용. '垠, 地垺也. 岸也. 通作一・沂'《集韻》.

水 6 〔洢〕9 이 [平]支 | yī イ かわのな
[字解] 물이름이 물 이름. 하남성(河南省)에서 발원하여 황하(黃河)로 흘러드는 강.

水 6 〔⿰氵⿱㠯口〕9 〔치〕
治(水부 5획〈635〉)와 同字

水 6 〔海〕9 〔해〕
海(水부 7획〈648〉)의 略字

水 6 〔浃〕9 〔협〕
浹(水부 7획〈649〉)의 俗字

水 7 〔⿱毎水〕11 〔해〕
海(水부 7획〈648〉)와 同字

水 7 〔浘〕10 [一] 미 [上]尾 [二] 매 [上]尾 | wěi ビ ながれる
[字解] [一] 흐를미 물이 흐르는 모양. '河水一一'《韓詩外傳》. [二] 샘밑매 샘의 밑바닥.

水 7 〔浵〕10 동 [平]冬 [平]東 | tóng トウ みずがふかい
[字解] 물깊을동 '汪一, 水深'《集韻》.

水 7 〔浙〕10 절 [入]屑 | zhè セツ かわのな
[字解] ①물이름절 절강성(浙江省)에 있는 전당강(錢塘江)의 하류(下流). '至錢塘臨一江'《史記》. ②땅이름절 절강성 지방의 총칭. '及幸一'《宋史》.

字源 形聲. 氵(水)＋折〔音〕

水 7 〔湓〕 10 분 ㊀願 | bèn ホン みずのおと

字解 ①물소리분 '一, 水聲'《廣韻》. ②솟아날분 물이 솟아 나오는 모양. '一, 水出皃'《集韻》.

水 7 〔浚〕 10 人名 준 ㊀震 | jùn シュン ふかい, さらう

筆順 丶 丷 氵 氵' 氵' 氵⺈ 浚 浚

字解 ①깊을준 물이 깊음. '一照'. '水道一利'《漢書》. ②칠준 준설함. '一井'. '冬一洙'《春秋》. ③걸터들일준 재물을 탐내어 걸터들임. '一我以生'《左傳》. ④기다릴준 대망(待望)함. '夙夜一明有家'《書經》. ⑤빼앗을준 탐내어 탈취함. '一民財'.

字源 形聲. 氵(水)＋夋〔音〕

水 7 〔浞〕 10 착 ㊁覺 | zhuó サク ひたす

字解 ①담글착 액체 속에 넣음. ②사람이름착 '寒一'은 하(夏)나라 때 사람으로, 예(羿)를 죽이고 그의 지위를 빼앗았다는 사람.

字源 形聲. 氵(水)＋足〔音〕

水 7 〔浡〕 10 발 ㊁月 | bó ボツ おこる

字解 ①우쩍일어날발 갑자기 성하게 일어나는 모양. '苗一然興之矣'《孟子》. ②용솟음할발 물이 솟아 나옴. '原流泉一'《淮南子》.

字源 形聲. 氵(水)＋孛〔音〕

水 7 〔浣〕 10 人名 완(환本) ㊀翰 | huàn カン あらう

筆順 丶 丷 氵 氵' 氵⺌ 氵宀 浣 浣

字解 ①빨완, 씻을완 '一腸'. ②말미완 관리의 휴가. 옛날에, 관리가 열흘마다 하루의 휴가를 얻어 집에서 목욕한 데서 유래함. 전(轉)하여, ③열흘완 일순(一旬). '上一'. ※本音 환.

字源 形聲. 氵(水)＋完〔音〕

水 7 〔涆〕 10 간 ㊀翰 | hàn カン はやくながれる

字解 빨리흐를간 물이 빨리 흐르는 모양. '滮滮一一'《左思》.

水 7 〔浽〕 10 수 ㊂支 | suī スイ こさめ

字解 ①부슬비수 '微一'는 부슬부슬 내리는 가랑비. '一微, 小雨'《集韻》. ②물이름수 강(江)의 이름.

G I

水 7 〔涇〕 10 人名 경 ㊂青 | jīng ケイ つうずる

筆順 丶 丷 氵 氵一 氵巛 涇 涇 涇

字解 ①물이름경 감숙성(甘肅省) 화평현(化平縣)과 고원현(固原縣) 두 군데에서 발원(發源)하여 합류(合流)한 후, 섬서성(陝西省)에 이르러 위수(渭水)로 흘러 들어가는 강. '一水'. '一屬渭汭'《書經》. ②통(通)할경 '一流之大'《莊子》.

字源 形聲. 氵(水)＋巠〔音〕

G I

水 7 〔消〕 10 中·人 소 ㊂蕭 | xiāo ショウ けす, きえる

筆順 丶 丷 氵 氵' 氵⺌ 氵⺌ 消 消

字解 ①사라질소 ㉠없어짐. 멸망함. '一滅'. '小人道一也'《易經》. ㉡녹아 없어짐. '冰凍一釋'《禮記》. ㉢닳아 없어짐. 또, 흩어짐. '一耗'. '九事, 七爲一'《太玄經》. ㉣다함. 다 없어짐. 소진(消盡)함. '鳥獸之害人者一'《孟子》. ②사라지게할소 전항의 타동사. '一却'. '樂琴書, 以一憂'《陶潛》. ③쓸소 속어(俗語)로서, 사용함. 또, 가(可)하다는 뜻으로 쓰임. '不一言說'.

字源 形聲. 氵(水)＋肖〔音〕

水 7 〔消〕 10 消(前條)와 同字

水 7 〔浤〕 10 굉 ㊂庚 | hóng コウ みずのわきのぼるさま

筆順 氵 氵' 氵⺌ 氵宀 氵宀 浤 浤 浤

字解 바닷물용솟음칠굉 바닷물이 용솟음치는 모양. '崩雲屑雨, 一一汩汩'《木華》.

字源 形聲. 氵(水)＋宏〔音〕

水 7 〔浥〕 10 ㊀읍 ㊁緝 | yì ユウ うるおう ㊁압 ㊁洽 | yà オウ ながれくだる

字解 ㊀①젖을읍, 적실읍 비나 물에 젖음, 또는 적심. '渭城朝雨一輕塵'《王維》. ②성읍 성(姓)의 하나. ㊁흐를압 물이 흘러 내려감. '乍一乍堆'《郭璞》.

字源 形聲. 氵(水)＋邑〔音〕

水 7 〔浦〕 10 高·人 포 ㊤麌 | pǔ ホ うら

筆順 丶 丷 氵 氵一 汀 洧 浦 浦

字解 ①개포 개펄. '一溆'. '率彼淮一'《詩經》. ②성포 성(姓)의 하나.

字源 形聲. 氵(水)＋甫〔音〕

水7〔浧〕10 [一]정 ㊤梗 [二]영 ㊤梗 | chéng テイ すらすらとながれる yǐng エイ よどむ

[字解] [一] 통할정, 흐를정 막히지 않고 통함. 통류(通流)함. [二] 앙금영 침전물(沈澱物).
[字源] 形聲. 氵(水)+呈〔音〕

水7〔浩〕10 [高·人] 호 ㊤晧 | hào コウ ひろい

[筆順] 丶 氵 氵 氵 汁 汢 浩 浩

[字解] ①넓을호 ㉠큰 물이 넓게 흐르는 모양. '——滔天'《書經》. ㉡광대한 모양. '——其天'《中庸》. ②넉넉할호 풍부함. '喪祭有餘曰—'《禮記》. ③성호 성(姓)의 하나.
[字源] 形聲. 氵(水)+告〔音〕

水7〔澔〕10 浩(前條)와 同字

水7〔浪〕10 [中·人] 랑 [去]漾 | làng ロウ なみ

[筆順] 丶 氵 氵 氵 氵 汩 浪 浪

[字解] ①물결랑 파도. '波—'. '冒—而進'《南史》. ②물결일랑 파도가 일어남. '溫泉毖涌而自—'《左思》. ③표랑할랑 유랑함. '放—'. '—跡寄滄洲'《李白》. ④방자할랑 방종함. '—士'. '縱—大化中'《陶潛》. ⑤눈물흐를랑 눈물이 흐르는 모양. '霑余襟之——'《楚辭》. ⑥함부로랑 마구. '—費'. '—戰爲下策'《資治通鑑》. ⑦성랑 성(姓)의 하나.
[字源] 形聲. 氵(水)+良〔音〕

水7〔浬〕10 리 [平]支 | lǐ り かいり

[字解] 해리(海里)리 영어 노트(knot)의 역어(譯語). 해상(海上)의 거리를 나타내는 단위. 약 1,852 m임.
[字源] 形聲. 氵(水)+里〔音〕

水7〔浮〕10 [中·人] 부 [平]尤 | fú(fóu) フ うかぶ, うく

[筆順] 丶 氵 氵 氵 汀 浮 浮 浮

[字解] ①뜰부 ㉠물 위에 뜸. '—游'. '五馬—渡江'《晉書》. ㉡공중에 뜸. '—雲'. '景風翔慶雲—'《列子》. ㉢배·떼를 타고 물 위를 감. '乘桴—于海'《論語》. ㉣흐름을 따라 내려감. '—於濟漯'《書經》. ㉤근거가 없음. '—辭'. '胥動以—言'《書經》. ㉥들뜸. 침착하지 아니함. 경솔함. '—薄'. '—淺行于衆庶'《漢書》. ㉦불안정함. 덧없음. '—漚'. '逍遙—世'《阮籍》. ②띄울부 뜨게 함. '—舟江海'《文子》. ③찌부 낚시찌. '釣絲之半, 繫以荻梗, 謂之—子'《雞肋編》. ④부낭부 사람이 가라앉지 않기 위하여 몸에 지니는 용구(用具). '百人抗—'《淮南子》. ⑤가벼울부 무겁지 아니함. '疏其穢, 而鎭其—'《國語》. ⑥앞설부 앞에 나섬. '鮮以不—于天時'《書經》. ⑦지날부 초과함. 지나침. '恥名之—於行'《禮記》. ⑧넘칠부 넘쳐 흐름. '披山麓而溢—'《應瑒》. ⑨벌주부 벌로 마시게 하는 술. 벌배. '若是者—'《禮記》. ⑩성부 성(姓)의 하나.
[字源] 形聲. 氵(水)+孚〔音〕

水7〔涪〕10 浮(前條)와 同字

水7〔浯〕10 오 [平]虞 | wú ゴ かわのな

[字解] ①물이름오 ㉠'—水'는 산동성(山東省) 거현(莒縣) 오산(浯山)에서 발원(發源)하여, 동북으로 흐르는 유수(濰水)의 지류(支流). ㉡'—溪'는 호남성(湖南省) 기양현(祁陽縣)에서 발원(發源)하여, 북으로 흐르는 상수(湘水)의 지류. ②성오 성(姓)의 하나.
[字源] 形聲. 氵(水)+吾〔音〕

水7〔湔〕10 담 [平]覃 | tān タン たかいなみのさま

[字解] ①높은물결담 '—, 㴱沺, 峻波皃'《集韻》. ②물이름담 '—, 水名'《篇海》.

水7〔浴〕10 [中·人] 욕 [入]沃 | yù ヨク あびる, ゆあみ

[筆順] 丶 氵 氵 氵 浴 浴 浴 浴

[字解] ①미역감을욕, 목욕할욕 '—客'. '新—者必振衣'《楚辭》. ②미역감길욕 전항의 타동사. '圉人—馬'《禮記》. ③미역욕, 목욕욕 '海水—'. '燂湯請—'《禮記》. ④입을욕 받음. '—化'. '有澡身而—德'《禮記》. ⑤성욕 성(姓)의 하나.
[字源] 形聲. 氵(水)+谷〔音〕

水7〔浶〕10 로 [平]豪 | lāo ロウ おどろきみだれる

[字解] 놀랄로 놀라 소요(騷擾)하는 모양. '摎蓼—浪'《張衡》.

水7〔涏〕10 [一]정 ㊤迥 [二]전 [去]霰 | tǐng テイ ながれがつめたい diàn テン うつくしい

[字解] [一] 물찰정 흐르는 냇물이 참. '—, 涇寒'《廣韻》. [二] ①흠치르르할전 '燕燕尾——'《漢書》. ②아름다울전 '—, 美好皃'《廣韻》.

水7〔海〕10 [中·人] 해 ㊤賄 | hǎi カイ うみ

筆順 丶 氵 氵 氵 汇 沟 海 海 海

字解 ①바다해 해양. '一陸'. '江漢朝宗于一'《書經》. 전(轉)하여, 사물(事物)이 모이는 곳. '學一'. '文一'. '許下, 人物之一也'《抱朴子》. 또, 광대(廣大)한 모양. '一容'. ②바닷물해 해수(海水). '煮一爲鹽'《漢書》. ③성해 성(姓)의 하나.
字源 形聲. 氵(水)+每〔音〕

水7〔浸〕10 高·人 침 ㊄沁 | jìn シン ひたす, ひたる

筆順 丶 氵 氵 氵 汀 氵 浸 浸

字解 ①잠글침, 담글침, 적실침 '一漬'. '一彼苞稂'《詩經》. ②잠길침, 젖을침 전항의 피동사. '一水'. '城不一者三版'《史記》. ③물댈침 물을 대어 윤택하게 함. '一彼稻田'《詩經》. ④밸침 스미어 들어감. '一染' '一潤之譖'《論語》. ⑤번질침, 나아갈침 점진(漸進)함. '剛一而長'《易經》. ⑥차츰차츰침 점차로. '一漸'. '殺氣一盛, 陽氣日衰'《呂氏春秋》. ⑦좀침 약간. '理宗在位久, 政理一怠'《宋史》. ⑧큰물침 홍수. '大一稽天'《莊子》.
字源 形聲. 氵(水)+侵〈省〉〔音〕

水7〔㵃〕10 浸(前條)과 同字

水7〔浹〕10 人名 협 ㊇葉 | jiā, jiá ショウ あまねし

筆順 丶 氵 氵 汀 沂 浹 浹 浹

字解 ①두루미칠협 널리 미침. 빠짐없이 퍼짐. 보급함. '一和'. '教化一洽'《漢書》. ②사무칠협 깊이 미치어 닿음. '不一於骨髓'《淮南子》. ③젖을협 액체가 묻어 축축하게 됨. '一一'. '開卷涕流, 拜嘉汗一'《張舜民》. ④돌협 일주함. '周一'. '不足以一萬物之變'《荀子》. ⑤일주협 한 바퀴 도는 일. '一日'은 십간(十干)의 첫째인 갑(甲)부터 끝의 계(癸)까지 한 바퀴 돈 열흘간.
字源 形聲. 氵(水)+夾〔音〕

水7〔浺〕10 충 ㊥東 | chōng チュウ ふかくひろい

字解 깊을충 '一瀜'은 물이 깊고 넓은 모양. '一瀜沆瀁'《木華》.

水7〔泂〕10 형 ㊤梗 | jiǒng オウ めぐりながれる

字解 소용돌이칠형 '一濴'은 물이 빙빙 돌다가 흘러 내려가는 모양. '泓汯一濴'《郭璞》.

水7〔涍〕10 人名 효 ㊥肴 | xiào コウ かわのな

筆順 丶 氵 氵 氵 浐 涍 涍 涍

字解 물이름효 '一, 水名, 在南郡'《集韻》. '一, 水名在河南'《集韻》.

水7〔浼〕10 ㊀매 ㊤賄 | měi バイ けがす
㊁면 ㊤銑 | miǎn ベン たいらかにながれる

字解 ㊀ 더럽힐매 명예 등을 손상케 함. '爾焉能一我哉'《孟子》. 전(轉)하여, 남에게 폐를 끼치는 뜻으로 쓰임. ㊁ 펀히흐를면 '一一'은 물이 펀히 흐르는 모양. '河水一一'《詩經》.
字源 形聲. 氵(水)+免〔音〕

水7〔浿〕10 人名 패 ㊄泰 ㊄卦 | pèi ハイ かわのな

筆順 丶 氵 氵 氵 汌 泪 泪 浿

字解 물이름패 우리 나라 압록강(鴨綠江). 일설(一說)에는, 대동강(大同江) 또는 예성강(禮成江)의 고칭(古稱). '一水出遼東塞外, 西南至樂浪縣西入海'《漢書》.
字源 形聲. 氵(水)+貝〔音〕

水7〔涂〕10 도 ㊥虞 | tú ト みち

字解 ①길도 途(辵부 7획〈1496〉)와 同字. ㉠밭도랑을 따라 난 길. '洫上有一'《周禮》. ㉡통행하는 길. 도로. '設國之五溝五一'《周禮》. ㉢당(堂) 앞의 벽돌을 깐 길. '堂一謂之陳'《爾雅》. ②섣달도 음력 12월의 별칭. '十二月爲一月'《爾雅》. ③성도 성(姓)의 하나.
字源 形聲. 氵(水)+余〔音〕

水7〔涅〕10 녈(날㊕) ㊇屑 | niè デツ·ネツ くろつち

字解 ①개흙녈 물 밑의 염료(染料)로 쓰이는 고운 검은 흙. '以一染緇'《淮南子》. ②검은물들일녈 '一髮'. '一而不緇'《論語》. ※俗音 날.
字源 形聲. 氵(水)+土+日〔音〕

水7〔湼〕10 涅(前條)의 俗字

水7〔涉〕10 高·人 섭 ㊇葉 | shè ショウ わたる

筆順 丶 氵 氵 汁 泮 浐 涉 涉

字解 ①건널섭 도보로 물을 건넘. '徒一'. '利一大川'《易經》. 건너는 일. 건너는 곳. '濟有深一'《詩經》. ②겪을섭, 거칠섭 경과

함. 지냄. '歷一'. '經一'. '背秋一冬'《枚乘》. ③거닐섭 돌아다님. '園日一以成趣'《陶潛》. ④통할섭 널리 통함. '精一'. '博一書記'《後漢書》. ⑤관계할섭 관계를 가짐. '交一'. '干一'. '轉更無相一'《竹坡詩話》. ⑥성섭 성(姓)의 하나.
[字源] 會意. 氵(水)+步

水7 〔涊〕 10 년 [上]銑 | niǎn デン あせのでるさま
[字解] 땀날년 땀이 나는 모양. '一然汗出'《枚乘》.

水7 〔涌〕 10 [人名] 용 [上]腫 | yǒng ヨウ わく
[筆順] 丶 氵 氵 汀 汀 洏 涌 涌
[字解] ①솟아날용 물이 용출(涌出)함. '一泉'. '洶一澎湃'《司馬相如》. ②떠오를용 ㉠뭉게뭉게 떠오름. '騰雲似一煙, 密雨如散絲'《張協》. ㉡떠올라 나타남. '雪峯缺處一冰輪'(冰輪은 달)《蘇軾》.
[字源] 形聲. 氵(水)+甬〔音〕

水7 〔涎〕 10 연(①② [平]先 선[本]) [去]霰 | ①②xián セン よだれ ③yàn エン ながれる
[字解] ①침연 구액(口液). '流一'. '垂一相告'《新書》. ②점액연 끈끈한 액체. '一篆'. '煎之有一'《炮炙論》. ※이상(以上) 本音 선. ③졸졸흐를연 물이 졸졸 흐르는 모양. '涵一'. '池一八裔'《木華》.
[字源] 形聲. 氵(水)+延〔音〕

水7 〔涑〕 10 ㊀수 [平]尤 | sōu ソウ すすぐ ㊁속 [入]屋 | sù ソク かわのな
[字解] ㊀헹굴수 발로 밟아 빤 후 손으로 헹굼. '一, 澣也'《說文》. ㊁물이름속 '一水'는 산서성(山西省) 강현(絳縣)에서 발원(發源)하여 섬서성(陝西省)을 흐르는 황하(黃河)의 지류(支流). '一川'. '伐我一水'《左傳》.
[字源] 形聲. 氵(水)+束〔音〕

水7 〔涒〕 10 군(돈[本]) [平]元 | tūn トン おおきい
[字解] ①클군 '一, 大'《淮南子 注》. ②신군 '一灘'은 십이지(十二支)의 신(申)의 이칭(異稱). '太歲在申曰一灘'《爾雅》. ※本音 돈.
[字源] 形聲. 氵(水)+君〔音〕

水7 〔涓〕 10 [人名] 연 (견[本]) [平]先 | juān ケン しずく, ちいさいながれ
[筆順] 丶 氵 氵 氵 汩 汩 涓 涓
[字解] ①물방울연 수적(水滴). '一滴'. '大海滴微一'《張正見》. ②졸졸흐르는물연 세류(細流). '微一細水'《水經 注》. ③물졸졸흐를연 '泉一一而始流'《陶潛》. ④가릴연 선택함. '一吉日陟中壇'《左思》. ⑤깨끗할연 정결함. '一潔'. ⑥근소할연 약간. '細一'. ※本音 견.
[字源] 形聲. 氵(水)+肙〔音〕
[參考] 涓(水부 6획〈646〉)은 俗字.

水7 〔涔〕 10 잠 [平]侵 | cén シン たまりみず, ながあめ
[字解] ①괸물잠 길바닥 같은 데 괸 물. '牛蹏之一'《淮南子》. ②큰물잠 홍수. '一旱災害之殃'《淮南子》. ③못잠 양어(養魚)하는 못. '渟一障潰'《馬融》. ④눈물흐를잠 눈물이 줄줄 흐르는 모양. '一淚猶在袂'《江淹》. ⑤비죽죽올잠 비가 세차게 오는 모양. '一一寒雨繁'《杜甫》.
[字源] 形聲. 氵(水)+岑〔音〕

水7 〔涕〕 10 체 [上]薺 | tì テイ なみだ
[字解] ①눈물체 '一淚'. '一零如雨'《詩經》. ②울체 눈물을 흘리며 욺. '一欷'. '紓予袂長一'《曹植》.
[字源] 形聲. 氵(水)+弟〔音〕

水7 〔涖〕 10 리 [去]寘 | lì リ のぞむ
[字解] ①임할리 臨(臣부 11획〈1100〉)과 뜻이 같음. '一止'. '明吏事, 一南曹五年'《唐書》. ②물소리리 물 흐르는 소리. '一一下瀨'《司馬相如》.
[字源] 會意. 氵(水)+位

水7 〔涗〕 10 세 [去]霽 | shuì セイ あく, ぬるまゆ
[字解] ①잿물세 '一水'는 재에 물을 부어 받아서 내린 물. '以一水漚其絲七日'《周禮》. ②미지근한물세. ③맑을세, 맑게할세 '盎齊一酌'《周禮》.
[字源] 形聲. 氵(水)+兌〔音〕

水7 〔涘〕 10 사 [上]紙 | sì シ みぎわ
[字解] 물가사 수애(水涯). '在河之一'《詩經》.
[字源] 形聲. 氵(水)+矣〔音〕

水7 〔浰〕 10 ㊀련 [去]霰 | liàn レン はやくながれる ㊁리 [去]寘 | lì リ はやくながれる
[字解] ㊀빨리흐를련 '儵眒倩一'《司馬相如》.

[二] 빨리흐를리 [一]과 뜻이 같음.
[字源] 形聲. 氵(水)+利〔音〕

水7〔浢〕10 두 [去]宥 | dòu トウ かわのな
[字解] 강이름두 현 산서성(山西省) 예성현(芮城縣) 동쪽, 중조산(中條山) 기슭에서 발원하여 황하(黃河)로 흘러들어가는 강. 의가구(儀家溝)라고도 함. '乃次於一水之陽'《穆天子傳》.

水7〔浟〕10 [一] 유 [平]尤 | yōu ユウ ながれる
[二] 적 [入]錫 | dí テキ りをほっする
[字解] [一] 흐를유 물이 흐르는 모양. 滺(水부 11획〈676〉)와 同字. '一滐瀲灩'《木華》. [二] 바랄적 '一一'은 이(利)를 바라는 모양. '其欲一一'《漢書》.
[字源] 形聲. 氵(水)+攸〔音〕

水7〔涀〕10 견 [去]霰 | xiàn ケン かわのな
[字解] 물이름견 하남성(河南省)에 있는 강. '澧水出焉, 東流注于一水'《山海經》.

水7〔浜〕10 [一] 병 [平]庚 | bāng ホウ ふねをいれるみぞ
[二] 빈 [平]眞 | bīn ヒン はま
[字解] [一] 선거(船渠)병 배를 매어 두는 곳. 선구(船溝). '絕橫斷港, 謂之一'《李翊》. [二] 물가빈 濱(水부 14획〈695〉)의 俗字.
[字源] 形聲. 氵(水)+兵〔音〕

水7〔流〕10 [中·人] 류 [平]尤 | liú リュウ ながれる
[筆順] 丶 冫 氵 汁 浐 浐 浐 流 流
[字解] ①흐를류 ㉠액체가 내려감. '一水'. '如川之一'《詩經》. ㉡떠내려감. '譬彼舟一'《詩經》. ㉢쏠림. 지나침. '說者一於辯'《孔子家語》. ㉣세월이 감. '鬱鬱一年度'《杜甫》. ㉤별·총탄·화살 등이 날아 지나감. '一丸'. '觸白刃冒一矢'《司馬相如》. ㉥번져 퍼짐. '一布'. '地道變盈而一謙'《易經》. ㉦옮겨 감. '德之一行, 速於置郵而傳命'《孟子》. ㉧미침. 이름. '澤一苗裔'《史記》. ㉨빙빙 돎. 주전(周轉)함. '周一無不偏'《禮記》. ㉩방랑함. '一浪'. '漂一二十年'《蘇軾》. ㉪절제(節制)를 잃음. '一優'. '樂勝則一'《禮記》. ㉫근원 없이 일어남. '一聞'. '一言一說'《荀子》. ㉬곁눈질함. '一眄'. '鄭伯視一而行速'《左傳》. ②흐르게할류, 흘릴류 전항(前項)의 타동사. '一涕'. '何其血之一杵也'《孟子》. ③흐름류 ㉠흐르는 물. '激一'. '從一下而忘反'《孟子》. ㉡흐르는 방향. '逆一而上'《爾雅》. ㉢유전(流傳)하는 바. '承一而宣化'《漢書》. ④내릴류 강하(降下)함. '七月一火'《詩經》. ⑤내칠류, 귀양보낼류 추방함. 유배(流配)함. '乃一王於彘'《國語》. ⑥구할류 찾아 얻음. 바람. '左右一之'《詩經》. ⑦달아날류 도주함. '楚襄王一淹于城陽'《戰國策》. ⑧펼류 늘어놓음. '品物一形'《易經》. ⑨갈래류 분파(分派). '九一分而微言隱'《穀梁傳》. ⑩핏줄류 혈통. '男女婚嫁, 皆得勝一'《北史》. ⑪품위류 등급. '上一'. '是第二一中人耳'《世說》. ⑫유(類)류, 무리류 비류(比類). 동류. '陰陽家一'. '與天地同一'《孟子》.
[字源] 會意. 氵(水)+㐬

水7〔浾〕10 [一] 정 [平]庚 | chēng テイ やまなし, なつめのしる
[二] 진 [平]眞 | シン やまなし, なつめのしる
[三] 차 [平]麻 | サ やまなし, なつめのしる
[字解] [一] 아가위나대추의즙정 '一, 棠汁'《廣韻》. [二] 아가위나대추의즙진 [一]과 뜻이 같음. [三] 아가위나대추의즙차 [一]과 뜻이 같음.
[字源] 會意. 氵(水)+赤

水7〔浾〕10 浾(前條)의 本字

水7〔浭〕10 경 [平]庚 | gēng コウ かわのな
[字解] 물이름경 계(薊) 운하(運河)의 상류(上流). 하북성(河北省) 준화현(遵化縣)의 동쪽 경계(境界)에서 발원(發源)하여, 서류(西流)하다가 누수(灅水)와 합류(合流)하여, 계현(薊縣)을 거쳐 바다로 흘러듦. '一, 水名. 出北平'《廣韻》.

水7〔浝〕10 방(本망) [平]江 | máng ボウ·モウ かわのな
[字解] 물이름방 하남성(河南省) 제원현(濟源縣) 서북쪽의 망산(莽山)에서 발원(發源)하는 강. '一, 一水也'《說文》. ※本音망.
[字源] 形聲. 氵(水)+尨〔音〕

水7〔浛〕10 함 [去]勘 [平]覃 | hán カン どろ
[字解] ①진흙함 흙탕물. 또, 물이 진흙 따위와 섞임. '一, 水和泥也'《玉篇》. '一, 泥皃'《集韻》. ②뱃바닥에괸물함 淦(水부 8획〈656〉)과 同字. '淦, 水入舟隙, 謂之淦. 或从含'《集韻》. ③잠길함 '一, 方言, 沈也. 或作淊·淦'《集韻》. ④땅이름함 '一洸'은 지금의 광동성(廣東省) 영덕현(英德縣)의 서북쪽.

水 7 〔浠〕10 희 ㊥微 | xī キ かわのな

字解 물이름희 호북성(湖北省) 영산현(英山縣)의 곽산(霍山) 서쪽 기슭에서 발원(發源)하여 서남쪽으로 흘러, 희호(浠湖), 낙령하(落翎河), 험석하(嶮石河)가 되었다가, 희수현(浠水縣)에 이르러 양자강(揚子江)으로 흘러드는 강. '一, 水名'《集韻》.

水 7 〔涐〕10 아 ㊥歌 ㊤哿 | é ガ かわのな

字解 물이름아 지금의 대도하(大渡河). 상류(上流)는 대금천(大金川). 사천성(四川省) 서부를 남류(南流)하고, 아미산(峨眉山) 북쪽을 동류(東流)하여, 낙산현(樂山縣)에 이르러 민강(岷江)으로 흘러드는 강.

字源 形聲. 氵+我〔音〕

水 7 〔𣲗〕11 〔욕〕 浴(水부 7획〈648〉)과 同字

水 7 〔洡〕10 〔재〕 渽(水부 9획〈664〉)의 本字

水 7 〔洹〕10 〔원〕 洹(水부 6획〈644〉)의 本字

水 7 〔浘〕10 〔몰〕 沒(水부 4획〈631〉)의 本字

水 7 〔浯〕10 〔활〕 活(水부 6획〈644〉)의 本字

水 7 〔浧〕10 〔왕〕 汪(水부 4획〈628〉)의 本字

水 7 〔淯〕10 〔육〕 淯(水부 8획〈658〉)와 同字

水 7 〔淀〕10 〔선〕 漩(水부 11획〈679〉)과 同字

字源 形聲. 氵(水)+旋〈省〉〔音〕

水 7 〔浟〕10 〔숙〕 淑(水부 8획〈654〉)과 同字

水 7 〔浲〕10 ㊀ 洚(水부 6획〈642〉)과 同字 ㊁ 逢(水부 11획〈680〉)과 同字

水 7 〔涑〕10 〔설〕 渫(水부 8획〈658〉)과 同字

水 7 〔淂〕10 〔득〕 得(彳부 8획〈372〉)의 俗字

水 7 〔汉〕10 〔한〕 漢(水부 11획〈678〉)의 俗字

水 7 〔涛〕10 〔도〕 濤(水부 14획〈693〉)의 俗字·簡體字

水 7 〔涩〕10 〔삽〕 澀(水부 12획〈685〉)의 簡體字

水 7 〔淚〕10 〔루〕 淚(水부 8획〈655〉)의 略字

〔酒〕 〔주〕 酉부 3획(1532)을 보라.

水 7 〔涬〕10 〔빈〕 濱(水부 14획〈695〉)의 古字

水 7 〔淢〕10 〔역〕 減(水부 8획〈655〉)의 俗字

水 7 〔淵〕10 〔연〕 淵(水부 9획〈661〉)과 同字

水 8 〔淼〕12 묘 ㊤篠 | miǎo ビョウ はてしなくひろい

字解 아득할묘 수면(水面)이 아득하게 넓은 모양. '一一'. '狀滔天以一茫'《郭璞》.

字源 會意. 水+水+水. 물수(水)를 석 자 합하여 끝없는 물의 모양을 나타냄.

水 8 〔㳄〕12 〔연〕 涎(水부 7획〈650〉)의 籒文

水 8 〔㴬〕12 〔연〕 涎(水부 7획〈650〉)과 同字

水 8 〔涪〕11 부 ①㊥尤 ②③㊥尤 | pōu ホウ·ブ あわ fú フウ·ブ かわのな

字解 ①거품부 물의 거품. '一漚'. ②물이름부 사천성(四川省) 송반현(松潘縣)에서 발원(發源)하여, 동남으로 흐르는 가릉강(嘉陵江)의 지류(支流). '一江'. '一水出廣漢屬國剛氏游徼外'《水經注》. ③성부 성(姓)의 하나.

字源 形聲. 氵(水)+咅(杏)〔音〕

水 8 〔涪〕11 涪(前條)의 本字

水 8 〔涫〕11 관 ㊦翰 | guàn カン わく

字解 끓을관 물이 끓음. '氣一瀇其若波'《楚辭》.

字源 形聲. 氵(水)+官〔音〕

水8 〔涬〕11 행 [上]迥 | xìng ケイ ひく

[字解] ①클행 큰 모양. '大同乎溟—'《莊子》. ②당길행 끌어당김. '無緜攣以—己兮'《張衡》.
[字源] 形聲. 氵(水)+幸〔音〕

水8 〔涯〕11 [高·人] 애 [平]佳 | yá ガイ みぎわ

[筆順] 丶 丶 氵 氵 汇 汇 涯 涯
[字解] ①물가애 수변(水邊). '水—'. '若涉大水, 其無津—'《書經》. ②끝애 맨 끝. 한계. '—限'. '吾生也有—, 而知也無—'《莊子》.
[字源] 形聲. 氵(水)+厓〔音〕
[參考] 漄(水부 11획〈682〉)는 同字.

水8 〔涳〕11 공 [平]東 | kōng コウ まっすぐなながれ

[字解] ①물곧게흐를공 '—, 直流也'《說文》. ②가랑비공 '—濛, 細雨'《集韻》. ③성공 성(姓)의 하나.
[字源] 形聲. 氵(水)+空〔音〕

水8 〔液〕11 [人名] [一]액 [入]陌 | yè(yì) エキ しる
[二]석 [入]陌 | shì セキ ひたす

[筆順] 丶 丶 氵 氵 汴 液 液 液
[字解] [一] ①즙액, 진액 즙액(汁液). 진액. '津—'. '病不以湯—'《史記》. ②곁액 掖(手부 8획〈449〉)과 통용. '—廷, 媵未充'《漢書》. ③성액 성(姓)의 하나. [二] ①담글석 액체 속에 넣음. '浸—'. '春—角'《周禮》. ②흩을석 흩어지게 함. 해산(解散)함. '渙兮其若冰之—'《文中子》.
[字源] 形聲. 氵(水)+夜〔音〕

水8 〔涵〕11 [人名] 함 [平]覃 | hán カン うるおう, いれる

[筆順] 丶 丶 氵 氵 氵 汀 汀 泬 涵
[字解] ①담글함, 적실함 물에 담금. 또는, 물에 적심. '沈—'. '海—春育'《王僧孺》. ②넣을함 안에 넣음. '胸次要—蓄'《王炎》. ③들일함 받아들임. 용납함. '亂之初生, 僭始旣—'《詩經》. ④가라앉을함 침몰함. '—泳乎其中'《左思》.
[字源] 形聲. 氵(水)+函(圅)〔音〕
[參考] 涵(水부 10획〈674〉)은 本字.

水8 〔涷〕11 동 [平]東 | dōng
[去]送 | dòng トウ にわかあめ

[字解] ①소나기동 '今江東呼夏月暴雨爲—雨'《爾雅註》. ②얼동 凍(冫부 8획〈93〉)과 同字.
[字源] 形聲. 氵(水)+東〔音〕

水8 〔涸〕11 [一]학 [入]藥 | hé カク かれる
[二]후 [去]遇 | hào コ かれる

[字解] [一] ①마를학 물이 마름. '—渴'. '仲秋之月, 水始—'《禮記》. ②말릴학 물을 말림. '不—澤而漁'《淮南子》. [二] 마를후, 말릴후 [一]과 뜻이 같음.
[字源] 形聲. 氵(水)+固〔音〕

水8 〔涼〕11 [中·人] 량 [平]陽 [去]漾 | ①-⑧liáng リョウ すずしい
⑨⑩liàng リョウ まことに

[筆順] 丶 丶 氵 氵 广 泞 涼 涼
[字解] ①서늘할량 약간 추움. '—秋'. '孟秋之月, —風至'《禮記》. ②서늘한바람량 양풍. 또, 서늘한 기운. '消暑招—'《拾遺記》. ③맑을량 깨끗함. '其性爲—'《素問》. ④엷을량 두텁지 못함. '虢多—德'《左傳》. ⑤슬퍼할량 상심함. '撫錦幙而虛—'《江淹》. ⑥쐴량 바람에 쐼. '暴—之'《唐書》. ⑦맑은술량 醇(酉부 8획〈1537〉)과 同字. '水·漿·醴·—·醫·酏'《周禮》. ⑧성량 성(姓)의 하나. ⑨도울량 보좌함. '—彼武王'《詩經》. ⑩진실로량 참으로. '—日不可'《詩經》.
[字源] 形聲. 氵(水)+京〔音〕
[參考] 凉(冫부 8획〈93〉)은 俗字.

水8 〔涰〕11 철 [入]屑 | chuō テツ なく

[字解] 눈물흘릴철 눈물을 흘리며 욺. 啜(口부 8획〈168〉)과 통용.

水8 〔涽〕11 혼 [平]元 | hūn コン くらい

[字解] ①흐릴혼 혼탁(混濁)한 모양. ②정하지않은혼 미정(未定)의 모양. '——淑淑'《荀子》.
[字源] 形聲. 氵(水)+昏〔音〕

水8 〔涿〕11 탁 [入]覺 | zhuō タク したたる

[字解] ①들을탁 물이 방울져 떨어짐. '—, 流下滴也'《說文》. ②칠탁 두드림. '壺, 謂瓦鼓, —, 擊之也'《周禮 註》.
[字源] 形聲. 氵(水)+豖〔音〕

水8 〔淀〕11 [人名] 정(전[本]) [去]霰 | diàn テン よど

[筆順] 丶 丶 氵 氵 氵 泞 浐 淀
[字解] 얕은물정 물이 흐르다가 괸 얕은 곳. '—如淵而淺'《左思 魏都賦 註》. ※本音 전.

字源 會意. 氵(水)+定

水8 〔淄〕 11 치 ㊥支 | zī シ くろ

字解 ①물이름치 산동성(山東省) 내무현(萊蕪縣)에서 발원(發源)하여, 동북으로 흘러 황하(黃河)로 들어가는 강. '俗傳云, 禹理水功畢, 土石黑, 數理之中, 波若漆, 故謂之一水也'《括地志》. ②검은빛치 흑색. '恩隆好合, 遂忘一蠹'《後漢書》. ③검은물들치, 검은물들일치 '涅而不一'《史記》.
字源 形聲. 氵(水)+甾〔音〕

水8 〔淅〕 11 人名 석 ㊀錫 | xī セキ よなぐ

筆順 丶 丶 氵 汁 汁 淅 淅 淅

字解 ①일석 쌀을 읾. '矛頭一米, 劍頭炊'《晉書》. ②인쌀석 물에 인 쌀. '接一而行'《孟子》. ③눈비소리석 눈비가 오거나 바람이 부는 소리. '一一'. '霰一瀝而先集'《謝惠連》. ④쓸쓸할석 처량한 모양. '飛霜早一瀝'《李白》.
字源 形聲. 氵(水)+析〔音〕

水8 〔淅〕 11 淅(前條)의 俗字

水8 〔淆〕 11 효 ㊥肴 | xiáo, yáo コウ みだす, みだれる

字解 ①흐릴효, 어지러울효 혼탁함. 또는, 혼란함. '混一'. '溷一無別'《漢書》. ②흐리게할효, 어지럽힐효 전항(前項)의 타동사. '一之不濁'《後漢書》.
字源 形聲. 氵(水)+肴〔音〕

水8 〔淇〕 11 人名 기 ㊥支 | qí キ かわのな

筆順 丶 丶 氵 氵 汁 沚 淇 淇

字解 물이름기 하남성(河南省) 임현(林縣)에서 발원(發源)하는 황하(黃河)의 지류(支流). '一水'. '送子涉一'《詩經》.
字源 形聲. 氵(水)+其〔音〕

水8 〔淈〕 11 굴 ㊀月 | gǔ コツ にごす, にごる

字解 ①흐릴굴, 흐리게할굴 혼탁함. 또, 혼탁하게 함. '何不一其泥而揚其波'《楚辭》. ②어지러울굴, 어지럽힐굴 혼란함. 또, 혼란케 함. '一泥而潛蟠'《張衡》. ③다할굴 물건이 다 없어짐. '洸洸乎不一盡'《荀子》. ④흐를굴 막힌 물이 통하여 흐르는 모양. '潏潏一一'《司馬相如》.
字源 形聲. 氵(水)+屈〔音〕

水8 〔淋〕 11 人名 림 ㊥侵 | lín リン そそぐ

筆順 丶 丶 氵 氵 汁 沐 淋 淋

字解 ①뿌릴림 물을 뿌림. '雨一日炙野火燎'《韓愈》. ②물방울떨어질림 물방울이 떨어지는 모양. 또, 비가 오는 모양. '聽長空之一一'《曹植》. ③장마림 霖(雨부 8획〈1643〉)과 同字. '滋一既浹旬'《皮日休》. ④임질림 痳(疒부 8획〈812〉)과 同字. '消一逐水'《飽照》.
字源 形聲. 氵(水)+林〔音〕

水8 〔淌〕 11 창 ㊦漾 | chàng ショウ おおきいなみ

字解 ①큰물결창 큰 파도. ②흐를창 물이 흐르는 모양. '一游瀷淢'《淮南子》.
字源 形聲. 氵(水)+尙〔音〕

水8 〔淑〕 11 中·人 숙 ㊀屋 | shū(shú) シュク よい

筆順 丶 丶 氵 氵 汁 汁 洙 淑

字解 ①착할숙 선량함. 정숙함. 주로, 부인의 미덕(美德)을 이름. '一女'. '一人君子'《詩經》. ②맑을숙 '一, 淸湛也'《康熙字典》. ③사모할숙 경모(敬慕)함. '予私一諸人也'《孟子》. ④잘숙 좋게. '一問'. '一愼其身'《詩經》. ⑤비로소숙 俶(人부 8획〈56〉)과 통용. '一獻無常數'《儀禮》. ⑥성숙 성(姓)의 하나.
字源 形聲. 氵(水)+叔〔音〕

水8 〔淖〕 11 ㊀뇨 ㊦效 | nào ドウ どろ
㊁작 ㊀藥 | chuò シャク しなやか

字解 ㊀ ①진흙뇨 이토(泥土). '泥一'. '濯一汚泥之中'《史記》. ②진창뇨 땅이 곤죽같이 된 곳. '有一於前'《左傳》. ③젖을뇨 물이 묻음. '一乎如在於海'《管子》. ④온화할뇨 마음이 부드러움. '嘉薦普一'《儀禮》. ⑤빠질뇨 가라앉음. '世沈一而難論兮'《東方朔》. ㊁ 얌전할작 綽(糸부 8획〈998〉)과 통용. '一約若處子'《莊子》.
字源 形聲. 氵(水)+卓〔音〕

水8 〔淘〕 11 도 ㊥豪 | táo トウ あらう, よなぐ

字解 ①일도 ㉠쌀을 읾. '冷水淨一'《齊民要術》. ㉡물건을 읾. '沙恨無金盡日一'《殷文圭》. 전(轉)하여, 가려 냄. '一汰'. ②칠도 준설(浚渫)함. '監一在城溝渠'《東京夢華錄》. ③개통할도 유통(流通)하게 함. '開一舊河'《宋史》. ④씻을도 세정(洗淨)함. '千一萬漉雖辛苦'《劉禹錫》.
字源 形聲. 氵(水)+匋〔音〕

水8〔淙〕11 人名 종 ㊥冬 cóng ソウ あつめる

筆順 氵 氵 氵 氵 浐 浐 淙 淙

字解 ①물댈종 물을 흘러들어가게 함. '一大壑與沃焦'《郭璞》. ②물소리종 물이 흐르는 소리. 또, 물이 흐르는 모양. '石泉一一若風雨'《高適》.

字源 形聲. 氵(水)＋宗〔音〕

水8〔淚〕11 高·人 루 ㊤寘 lèi ルイ なみだ

筆順 氵 氵 氵 氵 沪 沪 淚 淚

字解 ①눈물루 '揮一'. '士皆垂一涕泣'《戰國策》. ②울루 눈물을 흘리며 욺. '泣一想望'《後漢書》.

字源 形聲. 氵(水)＋戾〔音〕

水8〔淝〕11 비 ㊥微 féi ヒ かわのな

字解 물이름비 안휘성(安徽省) 합비시(合肥市)의 서북에서 발원하여 흐르는 회수(淮水)의 지류(支流). 전진왕(前秦王) 부견(苻堅)이 동진(東晉)과 회전(會戰)하여 대패한 전쟁터임. '一水出九江成德縣廣陽鄕'《水經》.

水8〔淞〕11 人名 송 ㊥冬 sōng ショウ かわのな

筆順 氵 氵 氵 汁 沐 淞 淞 淞

字解 물이름송 '吳一江'은 강소성(江蘇省) 태호(太湖)에서 발원(發源)하여 황포강(黃浦江)과 합치는 강. 오송(吳淞)은 이 강이 바다로 들어가는 어귀에 있음. '剪取吳一半江水'《杜甫》.

字源 形聲. 氵(水)＋松〔音〕

水8〔淟〕11 전 ㊤銑 tiǎn テン しずむ

字解 ①빠질전 침몰함. '一汩不傳'《洪邁泉志》. ②때낄전 때가 낌. 또, 때. 오예(汚穢). 구탁(垢濁). '切一涊之流俗'《楚辭》.

字源 形聲. 氵(水)＋典〔音〕

水8〔淠〕11 ㊀비 ㊤寘 pì ヒ かわのな ㊁패 ㊤泰 pèi ハイ うごく

字解 ㊀①물이름비 ㉠안휘성(安徽省) 곽산현(霍山縣)에서 발원하여 동북으로 흐르는 회수(淮水)의 지류(支流). 비수(沘水). 백사하(白沙河). ㉡하남성(河南省) 광산현(光山縣)에서 발원(發源)하여 북으로 흐르는 회수(淮水)의 지류(支流). 백로하(白露河). ②더부룩할비 무성한 모양. '萑葦一一'《詩經》. ③배떠날비 배가 가는 모양. '一彼涇舟'《詩經》. ㊁움직일패 흔들리는 모양. '其旂一一'《詩經》.

字源 形聲. 氵(水)＋畀〔音〕

水8〔淡〕11 高·人 ㊀담 ㊤感 dàn タン あわい ㊁염 ㊤琰 yàn エン みずのみちるさま

筆順 氵 氵 氵 氵 沙 泱 淡 淡

字解 ㊀①싱거울담 맛이 심심함. 또, 맛이 없음. '一味'. '大味必一'《漢書》. 또, 싱거운 음식. 맛없는 음식. 조식(粗食). '攻苦食一'《史記》. ②엷을담 빛 같은 것이 짙지 아니함. '一色'. '一雲'. '往往以色暈一而成'《宣和畫譜》. ③담박할담 집착(執着)이 없음. 욕심이 없음. '一如'. '君子之道, 一而不厭'《中庸》. 또, 그러한 일. 담박. '君子之交, 一若水'《莊子》. ④성담 성(姓)의 하나. ㊁질펀히흐를염 물이 질펀하게 흐르는 모양. '潰一一而竝入'《宋玉》.

字源 形聲. 氵(水)＋炎〔音〕

水8〔淢〕11 ㊀역 ㊦職 yù ヨク はやいながれ ㊁혁 ㊦職 xù キョク みぞ

筆順 氵 氵 汀 汀 沪 淢 淢 淢

字解 ㊀빨리흐를역 '漻淚一汨'《張衡》. ㊁도랑혁, 해자혁 洫(水부 6획〈643〉)과 同字. '築城伊一'《詩經》.

字源 形聲. 氵(水)＋或〔音〕

水8〔淤〕11 어 ㊤御 yū オ どろ

字解 ①진흙어, 앙금어 이토(泥土). '一泥'. '畎瀆潤一'《杜篤》. ②실컷먹을어 飫(食부 4획〈1714〉)와 통용. '一賜犒功'《馬融》. ③작은섬어 소주(小洲). '三輔謂之一'《揚子方言》.

字源 形聲. 氵(水)＋於〔音〕

水8〔淛〕11 제 ㊤霽 zhè セイ かわのな

字解 물이름제 절강(浙江)의 고칭(古稱). '禹治水, 以至一河'《山海經》.

字源 形聲. 氵(水)＋制〔音〕

水8〔淥〕11 록 ㊦屋 ㊦沃 lù ロク こす

字解 ①거를록 여과(濾過)함. 漉(水부 11획〈677〉)과 同字. ②거른물록, 거른술록 여과한 물 또는 술. '更盡杯中一'《王禹偁》. ③맑을록 물이 맑음. 또, 맑은 모양. '一水'. '水一一'《張衡》. ④성록 성(姓)의 하나.

字源 形聲. 氵(水)＋彔〔音〕

水8〔淦〕11 감 ㊄勘 ㊥覃 | gàn カン あか

字解 ①뱃바닥에괸물감 '一, 水入船中也'《說文》. ②진흙감 '一, 一曰, 泥也'《說文》 ③물이름감 강서성(江西省) 청강현(淸江縣)에서 발원(發源)하여 북으로 흐르는 공강(灨江)의 지류(支流). ④성감 성(姓)의 하나.

字源 形聲. 氵(水)+金〔音〕

水8〔淨〕11 中·人 정 ㊄敬 | jìng ジョウ きよい

筆順 丶 氵 氵 汀 浐 浮 淨 淨

字解 ①깨끗할정 ㉠정함. '淸一'. '亭亭一植'《周敦頤》. ㉡사념(邪念)이 없음. '新愁百慮一'《袁朗》. ②깨끗이할정 '鶴豈浴一'《鮑照》. ③악역정 악인역(惡人役). '傳奇以戲爲稱. 其名欲顚倒而無實也. …塗汚不潔, 而命以一也'《莊嶽委談》.

字源 形聲. 氵(水)+爭〔音〕

水8〔淩〕11 릉 ㊥蒸 | líng リョウ はせる

字解 ①달릴릉, 지날릉 달려감. 지나감. '汎海一山'《木華》. ②떨릉 전율함. '一, 慄也'《爾雅》. ③성릉 성(姓)의 하나.

字源 形聲. 氵(水)+夌〔音〕

參考 凌(冫부 8획〈93〉)은 別字.

水8〔淪〕11 륜 ㊥眞 ㊤軫 | lún リン さざなみ

字解 ①잔물결륜 소파(小波). '一漪'. '小波爲一'《爾雅》. ②빠질륜 침몰함. '沈一'. '今殷其一喪'《書經》. ③거느릴륜 이끎. '一胥以鋪'《詩經》. ④성륜 성(姓)의 하나.

字源 形聲. 氵(水)+侖〔音〕

水8〔淫〕11 高·人 음 ㊥侵 | yín イン ひたす, みだら

筆順 丶 氵 氵 氵 浐 浮 淫 淫

字解 ①담글음 물에 담금. '沈一'. '水一之'《周禮》. ②방탕할음 방종함. '一佚'. '一德不倦'《禮記》. ③음란할음 음탕함. '一行'. '男女不一'《管子》. ④탐할음 탐냄. '示不一也'《禮記》. ⑤넘칠음 넘쳐 흐름. '積蘆灰以止一水'《淮南子》. ⑥과할음 정도에 지나침. '一樂'. '罔一于樂'《書經》. ⑦심할음 우심함. '朕之過一矣'《列子》. ⑧클음 대단함. '一夷'. '旣有一威'《詩經》. ⑨오랠음 장구함. '底著滯一'《國語》. ⑩미혹할음 혹란(惑亂)하게 함. '富貴不能一'《孟子》. ⑪윤택할음, 윤택하게할음 '施玉色外一'《楚辭》.

字源 形聲. 氵(水)+㸒〔音〕

水8〔淬〕11 ㊀쉬(쵀㊍) ㊄隊 | cuì サイ にらぐ ㊁줄 ㊆質 | zú シュツ ながれる

字解 ㊀①담글쉬 달군 칼을 물에 담가 식혀 견고하게 함. '磨一'. '火與水合爲一'《漢書》. ②물들쉬 염색됨. '脟割輪一'《史記》. ③범할쉬 침범함. '身一霜露'《淮南子》. ④찰쉬 한랭함. '鳳江泠一'《劉詵》. ※이상(以上) 本音 쵀. ㊁흐를줄 물이 흐르는 모양. '渺溟蓯一'《杜甫》.

字源 形聲. 氵(水)+卒〔音〕

水8〔淮〕11 회 ㊥佳 | huái カイ かわのな

字解 ①물이름회 하남성(河南省) 동백산(桐柏山)에서 발원(發源)하여, 안휘성(安徽省)·강소성(江蘇省)을 거쳐 황하로 흘러들어가는 전장 약 1,000 km의 큰 강. '一水'. '導一自桐柏'《書經》. ②성회 성(姓)의 하나.

字源 形聲. 氵(水)+隹

參考 准(冫부 8획)은 別字.

水8〔淰〕11 ㊀심 ㊤寢 | shěn シン にごる ㊁섬 ㊤琰 | shěn セン おどろく

字解 ㊀①흐릴심 물이 혼탁함. ②물놀이칠심 물이 움직임. 물결이 침. '巴蜀動餘一'《郝經》. ㊁놀랄섬 물고기가 놀람. '魚鮪不一'《禮記》.

字源 形聲. 氵(水)+念〔音〕

水8〔深〕11 中·人 심 ①-④㊥侵 ⑤㊄沁 | shēn シン ふかい シン ふかく

筆順 氵 氵 汀 沪 浑 浑 深 深

字解 ①깊을심 ㉠얕지 아니함. '淺'의 대(對). '一海'. '一則厲, 淺則揭'《詩經》. ㉡깊숙함. '一山幽谷'. '山一而獸往之'《史記》. ㉢정미(精微)함. '一奧'. '唯一也. 故能通天下之志'《易經》. ㉣심함. '一愁'. '其憂之也一'《中庸章句》. ㉤멂. '一智'. '一圖'. '其慮患也一'《孟子》. ㉥중(重)함. '一痼'. '害莫一焉'《呂氏春秋》. ㉦후함. '一厚'. '人情恩一者'《漢書》. ㉧경박하지 아니함. '一重'. '志念一矣'《史記》. ㉨엄함. 잔인함. '一文'. '外寬而內一'《漢書》. ㉩한창임. 성(盛)함. '一夜'. '三國之兵一矣'《戰國策》. ②깊게할심 ㉠깊이 파냄. 준설(浚渫)함. '一溝'. '決河一川'《漢書》. 깊이 숨김. 감춤. '必一其爪'《周禮》. ㉡높게 함. '一壘固軍'《左傳》. ③깊게심 매우. 심(甚)히. '一思熟考'. '一鑑物情'《漢書》. ④성심 성(姓)의 하나. ⑤깊이심 깊은 정도. '一淺'. '以土圭之法, 測土一'《周禮》.

字源 形聲. 篆文은 氵(水)+㚇〔音〕
參考 浚(水부 10획〈674〉)은 本字.

水8〔淳〕11 人名 순 ①-⑥㊥眞 ⑦㊤軫 | chún ジュン あつい zhǔn ジュン はば

筆順 氵 氵 氵 氵 淳 淳 淳 淳

字解 ①순박할순 순진하고 질박함. '忠一'. '澆一散樸'《漢書》. ②깨끗할순, 맑을순 청정(淸淨)함. '一白'. '何道眞之一粹兮'《張衡》. ③뿌릴순 물을 뿌려 깨끗이 함. '王乃一濯饗醴'《國語》. ④클순 '黎一耀於高辛兮'《漢書》. ⑤짤순 염분이 있음. '表一鹵'《左傳》. ⑥성순 성(姓)의 하나. ⑦폭순 직물의 폭. 純(糸부 4획〈982〉)과 통용. '壹其一制'《周禮》.
字源 形聲. 氵(水)+享(㐭)〔音〕

水8〔淶〕11 래 ㊥灰 | lái ライ かわのな

字解 ①물이름래 '一水'. 하북성(河北省)을 흐르는 강. 일명 거마하(拒馬河). '并州其浸一易'《周禮》. ②성래 성(姓)의 하나.
字源 形聲. 氵(水)+來〔音〕

水8〔混〕11 中·人 ㊀혼 ㊤阮 ㊁곤 ㊥元 | hùn コン まじる kūn コン せいじゅうのな

筆順 氵 氵 氵 氵 氵 混 混 混

字解 ㊀①섞일혼, 섞을혼 혼잡함. 또, 혼합함. '一淆'. '一合'. '善惡一'《揚子法言》. ②합할혼, 합칠혼 합동함. 또, 합동하게 함. '一壹'. '故一而爲一'《老子》. ③흐릴혼 혼탁함. '色一元氣深'《劉長卿》. ④흐를혼 많이 흐르는 모양. 세차게 흐르는 모양. '原泉一一, 不舍晝夜'《孟子》. ⑤클혼 '猶在于一冥之中'《淮南子》. ⑥덩어리질혼 나뉘어지지 않고 한데 엉기어 있음. '兩儀未分, 其氣一沌'《鶡冠子》. ⑦성혼 성(姓)의 하나. ㊁ 오랑캐이름곤 서이(西夷)의 하나. 昆(日부 4획〈501〉)과 통용. '一夷駾矣'《詩經》.
字源 形聲. 氵(水)+昆〔音〕

水8〔淸〕11 中·人 청 ㊥庚 | qīng セイ きよい

筆順 氵 氵 氵 氵 氵 淸 淸 淸

字解 ①맑을청 ㉠물이 맑음. '一水'. '在山泉水一, 出山泉水濁'《杜甫》. ㉡하늘이 맑음. '一夜'. '騰一霄而軼浮景兮'《揚雄》. ㉢눈동자가 맑음. '美目一矣'《詩經》. ㉣소리가 맑음. '一音'. '其聲一越以長'《禮記》. ㉤향기가 맑고 깨끗함. '一香'. '香遠益一'《周敦頤》. ㉥성품이 깨끗함. 또, 욕심이 없음. '一廉'. '直哉惟一'《書經》. ㉦밝음. '一鑒'. '中心不定, 則外物不一'《荀子》. ㉧간결하고 혼란하지 아니함. '一省'. '政簡刑一'. ㉨고귀(高貴)함. '一顯'. '叨冒一列'《柳宗元》. ㉩조용함. 평온함. '一時'. '古之一世'《呂氏春秋》. ②맑아질청 맑게 됨. '泉流旣一'《詩經》. '滄浪之水一兮, 可以濯吾纓'《楚辭》. ③깨끗할청 청결함. '一淨'. ④맑게할청, 깨끗이할청 '一宮'. '一其灰'《周禮》. '一道整列'《陳琳》 ⑤시원할청 선선함. '一切'. '一有餘'《呂氏春秋》. ⑥맑은술청 약주. '辨四飮之物, 一曰一'《周禮》. ⑦마실것청 음료(飮料). '凡王之饋, 飮用六一'《周禮》. ⑧눈아래청 사람의 눈의 하부. '目上爲名, 目下爲一'《詩經 傳》. '子之一揚'《詩經》. ⑨뒷간청 변소. '至穢之處, 宜常修治使潔一'《釋名》. ⑩청나라청 만주족(滿洲族)인 누르하치(奴兒哈赤)가 명(明)나라를 멸하고 세운 왕조. 수도(首都)는 처음에는 심양(瀋陽), 나중에는 북경(北京). 신해혁명(辛亥革命)으로 망하였음. (1616~1911) ⑪성청 성(姓)의 하나.
字源 形聲. 氵(水)+靑〔音〕

水8〔清〕11 淸(前條)과 同字

水8〔淹〕11 엄 ㊥鹽 | yān エン ひたす

字解 ①담글엄, 적실엄 '一漬'. '一之以樂好'《禮記》. ②머무를엄 오래 체류함. '一留'. '一久於敝邑'《左傳》. ③넓을엄 홍대(弘大)함. '一弘'. '器量一雅'《晉書》.
字源 形聲. 氵(水)+奄〔音〕

水8〔淺〕11 中·人 천 ㊤銑 | qiǎn セン あさい

筆順 氵 氵 氵 氵 氵 淺 淺 淺

字解 ①얕을천 ㉠물이 깊지 아니함. '一瀨'. '深則厲, 一則揭'《詩經》. ㉡소견·지식·학문 등이 깊지 아니함. '一薄'. '一學'. '少聞曰一'《荀子》. ㉢적음. '一鮮'. '奉祠祭之日一'《戰國策》. ②얕아질천 얕게 됨. '東海三爲桑田, 蓬萊水又一矣'《列仙傳》. ③얕이천 조금. '一斟低唱'. '一酌一杯酒'《白居易》. ④엷을천 ㉠얇음. '煩挐澆一'《淮南子》. ㉡짙지 아니함. '一紅'.
字源 形聲. 氵(水)+戔〔音〕

水8〔添〕11 高·人 첨 ㊥鹽 | tiān テン そえる

筆順 氵 氵 汇 汿 沃 添 添 添

字解 ①더할첨 보탬. '一加'. '雨一山氣色'《白居易》. ②안주첨 주효(酒肴). '呼下酒具爲一'《俗呼小錄》.
字源 形聲. 氵(水)+忝〔音〕

水8 〔淴〕11 올 ㊀月 | hū オツ みずのわきでるおと
字解 ①물솟는소리올 '一, 水出聲'《廣韻》. ②빨리흐를올 '潏湟一泱'《郭璞》.
字源 形聲. 氵(水)+忽〔音〕

水8 〔涾〕11 답 ㊀合 | tà トウ なみのよせたたむさま
字解 물결출렁거릴답 '長波一渀'《木華》.
字源 形聲. 氵(水)+沓〔音〕

水8 〔淜〕11 빙 ㊥蒸 | píng ヒョウ かちわたり
字解 ①걸어서물건널빙 발을 벗고 강을 건넘. '一, 無舟渡河也'《說文》. ②물결소리빙, 바람소리빙 '一滂'은 물결 또는 바람이 물건을 치는 소리. '飄忽一滂'《宋玉》.
字源 形聲. 氵(水)+朋〔音〕

水8 〔涴〕11 ㊀완 ㊤阮 ㊁와 ㊋箇 | wǎn エン めぐりまがる wò ワ けがす
字解 ㊀①물굽이쳐흐를완 물이 구불구불 흐르는 모양. '洪瀾一演而雲廻'《郭璞》. ②성완 성(姓)의 하나. ㊁더럽힐와 진흙이나 먼지로 더러워짐. '勿使泥塵一'《韓愈》.
字源 形聲. 氵(水)+宛〔音〕

水8 〔淈〕11 호 ㊤麌 | hù コ あかくみ
字解 자루달린두레박호 배 안의 물을 퍼내는 제구. '一斗謂之柜'《廣雅》.

水8 〔淴〕11 ㊀홀 ㊀月 ㊁민 | hū コツ あおぐろ mǐn モン あう
字解 ㊀①검푸를홀 '一, 青黑色'《說文》. ②아주깨끗할홀 '一, 大清也'《玉篇》. ㊁맞을민 적합함. '心愛綿一'《楞嚴經》.
字源 形聲. 氵(水)+曶〔音〕

水8 〔涽〕11 淴(前條)과 同字

水8 〔渫〕11 ㊀설 ㊀屑 ㊁예 ㊋霽 | xiè セツ のぞきさる yè エイ むしたねぎ
字解 ㊀①칠설, 샐설 渫(水부 9획〈662〉)과 同字. '渫, 說文, 除去也. 一曰漏也. 或作一'《集韻》. ②흩어질설, 다할설 '士怒未一'《班固》. ③황소설 수소. '一, 特牛也'《龍龕手鑑》. ④성설 성(姓)의 하나. ㊁데친파예 渫(水부 9획〈662〉)과 同字. '葱一處末'《禮記》.

水8 〔淯〕11 육 ㊀屋 | yù イク かわのな
字解 물이름육 한수(漢水)의 지류(支流). 하남성(河南省) 숭현(嵩縣)에서 발원(發源)하여, 호북성(湖北省)에서 당하(唐河)와 합침. '一河'. '攻離之山, 一水出焉, 南流注于漢'《山海經》.
字源 形聲. 氵(水)+育〔音〕

水8 〔淲〕11 포 ㊋效 | pào ホウ ひたす
字解 ①적실포 담금. '一漬也'《集韻》. ②맑을포 '一, 一曰, 清也'《字彙》.

水8 〔淍〕11 주 ㊥尤 | zhōu シュウ みずがめぐる
字解 ①물돌주 물이 돌아 흐름. '一, 水匝'《集韻》. ②에워쌀주 周(口부 5획〈157〉)와 同字. '一, 帀也, 或作周'《玉篇》. ③물이름주 '一, 水名'《集韻》.

水8 〔淊〕11 ㊀함 ㊤感 ㊁염 ㊤琰 | hàn カン どろみず yǎn エン みずのみちるさま
字解 ㊀①흙탕물함 흙탕물의 형용. '一, 泥水一一也'《說文》. ②실삶는물함 실을 잣는 데 쓰는 끓는 물. '一, 一曰, 繅絲湯'《說文》. ㊁물가득할염 '一, 潭一, 水滿'《廣韻》.
字源 形聲. 氵(水)+臽〔音〕

水8 〔涮〕11 ㊀산 ㊋諫 ㊁선 ㊋霰 ㊂솰 ㊀屑 | shuàn サン すすぐ セン すすぐ shuā セツ かわのな
字解 ㊀①씻을산 '一, 一洗也'《廣韻》. ②차산 차(茶)의 별명(別名). '一, 茶別名也'《龍龕手鑑》. ㊁씻을선, 차선 ■과 뜻이 같음. ㊂물이름솰 '一, 水名'《集韻》.

水8 〔淭〕11 거 ㊥魚 | jū キョ かわのな
字解 물이름거 '一, 一水也'《說文》.
字源 形聲. 氵(水)+居〔音〕

水8 〔浻〕11 앵 ㊤梗 | yǒng オウ みずのめぐるさま
字解 ①소용돌이칠앵 '一濴'은 소용돌이치는 모양. '一, 一濴, 水回旋也'《廣韻》. ②호수이름앵 '偉哉一上隱'《皮日休》.

水8 〔涻〕11 사 ㊋禡 | shè シャ かわのな

[字解] 물이름사 '一, 一水, 出北囂山, 入卬澤'《說文》.
[字源] 形聲. 氵(水)+舍〔音〕

水 8 〔涹〕11 [一] 와 [平]歌 | wō カ·ワ にごる
[二] 뇌 [上]賄 | ダイ にごる
[三] 위 [去]寘 | イ みずのあつまるところ

[字解] [一] ①흐릴와 맑지 아니함. '一, 濁也'《廣雅》. ②담글와 '一, 漚也'《集韻》. ③산이름와 '葱聾之山, …又東十五里, 曰一山'《山海經》. [二] 흐릴뇌 '涹, 博雅, 濁也. 或作一'《集韻》. [三] ①물모이는곳위 '一, 水所聚也'《集韻》. ②담글위 [一]②와 뜻이 같음.

水 8 〔淣〕11 예 [平]齊 [去]霽 [平]佳 | ní ゲイ みぎわ ガイ きわ

[字解] ①물가예 '一, 水際也'《集韻》. ②끝예 倪(人부 8획〈59〉)와 同字. '一, 極際也'《集韻》.

水 8 〔⿰氵乳〕11 [一] 누 [上]有 | mǒu ドウ·ヌ かわのな
[二] 유 [平]虞 | rǔ ジュ·ニュ さけ

[字解] [一] ①물이름누 '一, 一水也'《說文》. ②술누 [二]와 뜻이 같음. [二] 술유 진한 술. '一, 酒也'《廣雅》.
[字源] 形聲. 氵(水)+乳〔音〕

水 8 〔淐〕11 창 [平]陽 | chāng ショウ かわのな

[字解] 물이름창 강 이름. '一, 水名'《集韻》.

水 8 〔⿰氵往〕11 [一] 왕 [上]養 | wǎng オウ ゆく
[二] 광 [去]漾 | wàng キョウ ゆく

[字解] [一] 갈왕 물속으로 감. '因江潭一記兮'《揚雄》. [二] 갈광 [一]과 뜻이 같음.

水 8 〔⿰氵幷〕11 병 [平]青 | píng ヘイ わたをしろくするためにあらう

[字解] 표백할병 솜을 표백함. '世世以一澼絖爲事'《莊子》.
[字源] 形聲. 氵(水)+幷〔音〕
[參考] 洴(水부 6획〈646〉)은 俗字.

水 8 〔淏〕11 [人名] 호 [上]皓 | hào コウ きよい

[筆順] 氵 氵丨 氵冂 氵日 氵旦 氵昌 淏 淏
[字解] 맑을호 맑은 모양. '一, 淸貌'《集韻》.

水 8 〔淲〕11 [一] 퓨 [平]尤 | biāo ヒュウ すいりゅう
[二] 호 [平]虞 | hū コ かわのな

[字解] [一] 흐를퓨 물이 흐르는 모양. 滮(水부 11획〈680〉)와 同字. '一, 水流貌. 詩曰, 一池北流'《說文》. [二] 물이름호 '一池'는 강(江)의 이름. '滹, 滹池, 水名. 或作一'《集韻》.
[字源] 形聲. 氵(水)+彪〈省〉〔音〕

水 8 〔淁〕11 [一] 첩 [入]葉 | qiè ショウ かわのな
[二] 집 [入]緝 | jí シュウ わきあがる

[字解] [一] 물이름첩 '一, 一水也'《說文》. [二] 물솟아오를집 潗(水부 12획〈683〉)과 同字. '潗, 水潗也. 或作一'《集韻》.
[字源] 形聲. 氵(水)+妾〔音〕

水 8 〔⿰氵冉〕11 담 [平]覃 | tān タン たかいなみ

[字解] ①높은파도담 '⿰氵峭一·⿰氵峭一'은 높은 파도. '⿰氵峭一滐而爲魁'《木華》. ②파도갑자기일담.

水 8 〔⿰氵冊〕11 ⿰氵冉(前條)과 同字

水 8 〔⿰氵昔〕11 [一] 책 [入]陌 | zé サク いせき
[二] 색 [入]陌 | サク いせき
[三] 조 [去]遇 | ソ いせき

[字解] [一] ①방죽책, 보책 물을 다른 곳으로 끌어 대기 위하여 강을 막은 곳. '一, 堰也'《廣雅》. ②막을책 물을 막음. '一, 遮水'《廣韻》. [二] 방죽색, 보색, 막을색 [一]과 뜻이 같음. [三] 방죽조, 보조, 막을조 [一]과 뜻이 같음.
[字源] 形聲. 氵(水)+昔〔音〕

水 8 〔淔〕11 [一] 칙 [入]職 | zhí チョク かわのな
[二] 식 [入]職 | ショク かわのな

[字解] [一] ①물이름칙 '一, 一水也'《說文》. ②샘이름칙 '一泉'. ③불을칙 번식함. [二] 물이름식, 불을식 [一]과 뜻이 같음.
[字源] 形聲. 氵(水)+直〔音〕

水 8 〔渀〕11 분 [去]願 | bèn ホン かわにながれこむ

[字解] 강으로흘러들어갈분 '一薄汾撓'《後漢書》.

水 8 〔⿰氵疌〕11 [一] 접 [入]葉 | jiē ショウ みずのわずかにあるけいよう
[二] 첩 [入]葉 | diē チョウ みずのけいよう

[字解] [一] 자질자질할접 ㉠'汎一'은 물이 조금 있는 모양. 또, 급한 파도 소리. '又似

流波泡溲汎—'《王褒》. ㉡'—泬'은 물이 조금 있는 모양. 또, 물이 나오는 모양. '—, —泬, 纔有水皃'《廣韻》. '—, —泬, 水出皃'《集韻》. ㊂ 물첩 물의 모양. '—, 水皃'《集韻》.

水8〔淉〕11 ㊀과 ㊤哿 ㊁관 ㊦翰 | guǒ カ かわのな guàn カン さけをちにそそぐ

字解 ㊀ 물이름과 '—, —水也'《說文》. ㊁ 강신제지낼관 제사(祭祀)에 술을 땅에 뿌림. '祼, 灌祭也. 亦从水'《集韻》.
字源 形聲. 氵(水)+果〔音〕

水8〔涶〕11 〔타〕 唾(口부 8획〈167〉)와 同字
字源 形聲. 氵(水)+垂(坐)〔音〕

水8〔淓〕11 〔방〕 滂(水부 10획〈671〉)의 本字

水8〔淛〕11 〔렬〕 洌(水부 6획〈641〉)의 本字

水8〔淖〕11 〔조〕 潮(水부 12획〈684〉)의 本字

水8〔渓〕11 〔옥〕 沃(水부 4획〈630〉)의 本字

水8〔渉〕11 〔섭〕 涉(水부 7획〈649〉)과 同字

水8〔淄〕11 〔류〕 溜(水부 10획〈669〉)의 俗字

水8〔浇〕11 〔요〕 澆(水부 12획〈685〉)의 俗字

水8〔泽〕11 〔택〕 澤(水부 13획〈688〉)의 俗字

水8〔渋〕11 〔삽〕 澁(水부 12획〈685〉)의 俗字

水8〔渕〕11 〔연〕 淵(水부 9획〈661〉)의 俗字

水8〔渊〕11 〔연〕 淵(水부 9획〈661〉)의 俗字·簡體字

水8〔渆〕11 〔연〕 淵(水부 9획〈661〉)의 俗字

水8〔淒〕11 〔처〕 凄(冫부 8획〈93〉)와 同字
字源 形聲. 氵(水)+妻〔音〕

水8〔淹〕11 〔타〕 沱(水부 5획〈634〉)의 俗字

水8〔済〕11 〔제〕 濟(水부 14획〈693〉)의 俗字

水8〔游〕11 〔유〕 游(水부 9획〈663〉)의 俗字

水8〔沵〕11 〔미〕 瀰(水부 17획〈700〉)의 俗字

水8〔渇〕11 〔갈〕 渴(水부 9획〈663〉)의 略字

水8〔渚〕11 〔저〕 渚(水부 9획〈661〉)의 略字

水8〔渓〕11 〔계〕 溪(水부 10획〈670〉)의 略字

水8〔漆〕11 ㊥韓 칠 | qī シツ·シチ ぐんめい

字解 《韓》 군이름칠 한국의 군 이름. '慶尙道有—原郡'《朝鮮國志》.

水8〔淃〕11 권 ㊦霰 | juàn ケン かわのな

字解 ①물이름권. ②물모양권 물의 모양.

水8〔淚〕11 〔루〕 淚(水부 8획〈655〉)의 俗字

水8〔淫〕11 밀 ㊅質 | mì ヒツ どろ, ぬかるみ

字解 진흙밀 진창. '—, —洼, 泥淖'《集韻》.

水8〔渁〕11 〔연〕 淵(水부 9획〈661〉)과 同字

水8〔涠〕11 〔와〕 洼(水부 6획〈644〉)와 同字

水8〔淦〕11 〔제〕 濟(水부 14획〈693〉)의 古字

水8〔涱〕11 〔창〕 漲(水부 11획〈680〉)과 同字

水8〔浣〕11 〔타〕 沱(水부 5획〈634〉)의 俗字

水9〔渙〕12 人名 환 ㊦翰 | huàn カン ちる

筆順 氵 氵 汋 汋 涣 渙 渙 渙

字解 ①흩어질환, 풀릴환 헤어짐. 또, 녹아 없어짐. '—散'. '—兮若冰之將釋'《老

子》. ②찬란할환 문채가 나는 모양. '一爛'. '一乎其有似也'《淮南子》. ③환괘환 육십사괘(六十四卦)의 하나. 곧, ䷺〈감하(坎下), 손상(巽上)〉. 물건이 흩어지는 상(象). '一亨, 王假有廟'《易經》.
[字源] 形聲. 氵(水)+奐〔音〕

水 9 〔淵〕12 [人名] 연 [平]先 | yuān エン ふち
[筆順] 氵 氵 氵 氵 氵 淵 淵 淵
[字解] ①못연, 웅덩이연 물이 깊이 괸 곳. '積水成一'. '魚躍于一'《詩經》. 전(轉)하여, 사물(事物)이 많이 모이는 곳. '一藪'. '不如保殖五穀之一'《後漢書》. ②깊을연 '一博'. '秉心塞一'《詩經》. ③조용할연 고요함. '曠博靜一'《曾鞏》. ④성연 성(姓)의 하나.
[字源] 形聲. 氵(水)+㴊〔音〕
[參考] 渕(水부 8획〈660〉)·渊(水부 8획〈660〉)은 俗字.

水 9 〔渃〕12 약 [入]藥 | ruò ジャク たにがわのな
[字解] 시내이름약 '一溪'는 호북성(湖北省) 지강현(枝江縣)을 흐르는 시내로서, 양자강(揚子江)의 지류(支流)임.

水 9 〔渚〕12 저 [上]語 | zhǔ ショ なぎさ, す
[字解] ①물가저 수애(水涯). '一岸'. ②사주(砂洲)저 모래섬. '江有一'《詩經》.
[字源] 形聲. 氵(水)+者〔音〕

水 9 〔減〕12 [中·人] 감 [上]豏 | jiǎn ゲン へる, へらす
[筆順] 氵 氵 氵 汇 沪 涯 減 減 減
[字解] ①덜릴감 수량이 적어짐. 줆. '一少'. '聲望日一'《晉書》. ②덜감 ㉠적게 함. 양을 줄임. '一半'. '實一無實之物'《後漢書》. ㉡뺌. 수를 줄임. '一百官俸給三分之一'《南史》. ③빼기감 감산. 뺄셈. '加一乘除'. ④성감 성(姓)의 하나.
[字源] 形聲. 氵(水)+咸〔音〕

水 9 〔渜〕12 난 ①[上]旱 ②[去]翰 ③[平]寒 | nuǎn ダン·ナン ゆ / ダン·ナン のこりゆ / nuán ダン·ナン かわのな
[字解] ①끓인물난 '一, 湯也'《說文》. ②목욕한물난 목욕하고 남은 뜨거운 물. '一濯棄于坎'《儀禮》. ③강이름난 '一, 水名. 在遼西肥如. 南入海陽'《集韻》.
[字源] 形聲. 氵(水)+耎〔音〕

水 9 〔湏〕12 미 [上]紙 | mǐ ビ·ミ みずのさま
[筆順] 氵 氵 氵 氵 氵 氵 湏 湏
[字解] ①물모양미 '一, 水皃'《廣韻》. ②송장미역감길미 울창주(鬱鬯酒)로 시체를 깨끗이 씻음. '一, 周禮, 大一, 謂浴尸也'《集韻》.
[字源] 形聲. 氵(水)+弭〔音〕

水 9 〔渝〕12 투(유[本]) [平]虞 | yú ユ かわる
[字解] ①변할투, 변경할투 달라짐. 또, 달라지게 함. '一移'. '一盟無享國'《左傳》. ②넘칠투 넘쳐 흐름. '沸潰一溢'《木華》. ③땅이름투 '一州'는 사천성(四川省) 중경(重慶)의 고칭(古稱). ※本音 유.
[字源] 形聲. 氵(水)+兪〔音〕

水 9 〔渟〕12 정 [平]青 | tíng テイ たたえる
[字解] ①괼정 물이 모여 흐르지 아니함. '一一'. '決一水, 致之海'《史記》. ②머무를정 정지함. 또, 정지하게 함. 停(人부 9획〈62〉)과 同字. '一泊'. '一車呼與共載'《後漢書》. ③물가정 물가의 평지. 汀(水부 2획〈625〉)과 同字.
[字源] 形聲. 氵(水)+亭〔音〕

水 9 〔渠〕12 [人名] 거 ①-⑤[平]魚 ⑥[去]御 | qú キョ みぞ / jù キョ あに
[筆順] 氵 汇 沪 洰 洰 渠 渠 渠
[字解] ①도랑거 개통(開通)한 수로(水路). '暗一'. '溝一必步'《禮記》. ②클거 '一大'. '誅其一帥'《史記》. ③우두머리거 두목. '象郡之一'《左思》. ④그거 그 사람. '一輩'. '一會總無緣'《古詩》. ⑤성거 성(姓)의 하나. ⑥어찌거 詎(言부 5획〈1320〉)와 同字. 어째서. 왜. '何一'·'寧一'로 연용(連用)하기도 함. '蘇君在, 儀寧一能乎'《史記》.
[字源] 形聲. 氵(水)+榘(榘)〔音〕

水 9 〔渡〕12 [高·人] 도 [去]遇 | dù ト わたる
[筆順] 氵 氵 汁 泞 泞 浐 渡 渡
[字解] ①건널도 ㉠물을 건너감. '一來'. '項梁一淮'《史記》. ㉡지나감. 통과함. '一海'. '半隨飛雪一關山'《蘇軾》. ②건넬도 ㉠건너게 함. '以木罌缻一軍'《史記》. ㉡가설(架設)함. '作橋, 跨一渭水'《漢書 註》. ㉢줌. 교부함. '檢括州府付一事'《資治通鑑》. ③나루도 도선장(渡船場). '一津'. '荒城臨古一'《王維》.
[字源] 形聲. 氵(水)+度〔音〕

水9〔渢〕12 ㊀풍 [平]東 | féng フウ みずのおと
㊁범 [平]咸 | fán ハン ほどよいこえ

[字解] ㊀물소리풍 물이 흐르는 소리. 일설(一說)에는, 큰 소리. ㊁①알맞은소리범 중용(中庸)의 소리. '一, 一一, 中庸聲'《集韻》. ②뜰범 물 위에 뜨는 모양. '美哉, 一一乎'《左傳》.

水9〔渣〕12 사 [平]麻 | zhā サ かす

[字解] ①찌끼사 침전물. '一滓'. '得其一滓者爲物'《朱熹》. ②강이름사 '溠, 水名. 出義陽. 一, 上同'《廣韻》.
[字源] 形聲. 氵(水)+査〔音〕

水9〔湋〕12 위 [平]微 | wéi イ めぐる

[字解] ①물돌아나갈위 강물이 돌아 흐름. '一, 回也'《說文》. ②못위 '一, 淵也'《廣雅》. ③물이름위 근원은 섬서성(陝西省) 봉상현(鳳翔縣) 서북의 옹산(雍山) 아래, 무수(武水)와 만나 위수(渭水)로 들어감.
[字源] 形聲. 氵(水)+韋〔音〕

水9〔渤〕12 [人名] 발 [入]月 | bó ボツ うみのな

[筆順] 氵 氵 汁 浐 涬 浡 渤 渤

[字解] ①바다이름발 황해(黃海)의 일부. 요동 반도(遼東半島)와 산동 반도(山東半島)에 둘러싸인 바다. '一海'. '不臨溟一'《梁元帝》. ②안개낄발 '滃一'은 안개가 자욱하게 끼는 모양. '氣滃一以霧杳'《郭璞》.
[字源] 形聲. 氵(水)+勃〔音〕

水9〔渥〕12 악 [入]覺 | wò アク あつい

[字解] ①짙을악 진함. 농후함. '一味'. '顏如一丹'《詩經》. ②두터울악 독후(篤厚)함. '一恩'. '優一'. '既優既一'《詩經》. ③젖을악 물에 흠씬 젖음. 전(轉)하여, 은혜를 입음. '周澤未一'《韓非子》. ④적실악, 담글악 물에 담가 흠씬 적심. '一淳其帛'《周禮》. ⑤윤날악 광택이 남. '一美'. '芳鬱一而純美'《楚辭》. ⑥윤악 광택. 윤택. '華陽與春一'《謝靈運》. ⑦은혜악 은택. '荷君子之惠一'《潘岳》.
[字源] 形聲. 氵(水)+屋〔音〕

水9〔渦〕12 와 [平]歌 | wō ワ うず

[字解] ①소용돌이와 빙빙 돌며 흘러가는 물. 또, 그 형상. '一中'. '蜂房水一'《杜牧》. ②소용돌이칠와 빙빙 돌며 흐름. '一旋'. '盤一谷轉'《郭璞》.
[字源] 形聲. 氵(水)+咼〔音〕

水9〔湌〕12 ㊀손 [平]元 | sūn ソン めし
㊁찬 [平]寒 | cān サン くらう

[字解] ㊀밥손 飧(食부 3획〈1713〉)과 통용. ㊁먹을찬 餐(食부 7획〈1720〉)과 同字.

水9〔渧〕12 제 [去]霽 | dì テイ しずく

[字解] 물방울제 떨어지는 물방울. '一毛一一沙一塵'《地藏經》.
[字源] 形聲. 氵(水)+帝〔音〕

水9〔渨〕12 ㊀외 [平]灰 | ①wēi ワイ しずむ
[上]尾 | ②wěi イ なみのわきおこるさま
㊁위 [上]賄 | ワイ けがれる

[字解] ㊀①빠질외 침몰함. ②물결일외 '一潿'는 파도가 이는 모양. '一潿濆瀑'《郭璞》. ㊁흐릴위 '一涹'는 혼탁함. 더러움. '溞一涹之奸咎兮'《楚辭》.
[字源] 形聲. 氵(水)+畏〔音〕

水9〔渫〕12 ㊀설 [入]屑 | xiè セツ さらう
㊁접 [入]葉 | dié チョウ とおる

[字解] ㊀①칠설 물 밑의 토사(土砂)를 쳐냄. '浚一'. '井一不食'《易經》. ②흩을설 분산시킴. '淸一'. '農民有錢, 粟有所一'《漢書》. ③그칠설 쉼. '爲歡未一'《曹植》. ④샐설 洩(水부 6획〈643〉)과 同字. '尾閭一之而不虛'《莊子》. ⑤더러울설 '去卑辱奧一'《漢書》. ⑥업신여길설 멸시함. '醉而不出, 是一宗也'《詩經 傳》. ⑦성설 성(姓)의 하나. ㊁①통철할접 통효(通曉)함. '憤毦不一'《漢書》. ②출렁출렁할접 '浹一'은 물결이 연하는 모양. 출렁출렁하는 모양. '長波浹一, 峻湍崔嵬'《郭璞》.
[字源] 形聲. 氵(水)+枼〔音〕

水9〔測〕12 [高人] 측 [入]職 | cè ソク はかる

[筆順] 氵 氵 汌 汨 泪 浿 測 測

[字解] ①잴측 ㉠물 같은 것의 깊이를 잼. '一水'. '一土深'《周禮》. ㉡광협·장단·원근·고저 등을 계량(計量)함. '一量'. '與占一之'《宋史》. ㉢헤아림. 추측함. '憶一'. '人心難一也'《漢書》. ②재어질측 전항의 피동사. '陰陽不一之謂神'《易經》. ③맑을측 깨끗함. '漆欲一'《周禮》.
[字源] 形聲. 氵(水)+則〔音〕

水9〔渭〕12 [人名] 위 [去]未 | wèi イ かわのな

[筆順] 氵 氵 氵冂 氵⺆ 氵罒 氵罒 渭 渭

[字解] ①물이름위 감숙성(甘肅省) 위원현(渭源縣)에서 발원(發源)하여, 섬서성(陝西省)을 거쳐 황해(黃海)로 들어가는 강. '一水'. '雍州, 其浸一洛'《周禮》. ②갈위 유행(流行)함.

[字源] 形聲. 氵(水)＋胃〔音〕

水 9 〔渮〕 12 가 [平]歌 [上]哿 | hé カ かわのな

[字解] 물이름가 '一澤'은 옛날에, 하남성(河南省)에서 산동성(山東省)으로 흐르던 제수(濟水)의 지류(支流). 지금은 매몰(埋沒)되어 없음. '導一澤被孟豬'《書經》.

[字源] 形聲. 氵(水)＋苛〔音〕

水 9 〔港〕 12 [高·人] ㊀항 [上]講 (강[本]) ㊁홍 [去]送 | gǎng コウ みなと hòng コウ ひらけつうずる

[筆順] 氵 氵 氵廾 氵共 洪 洪 涔 港

[字解] ㊀①분류항 본류(本流)에서 갈라져 흐르는 물줄기. '沿沙下岸, 涇一極多'《宋史》. ②뱃길항 배가 다니는 길. '開以爲一'《五代史》. ③항구항 배가 정박하는 곳. '一灣'. '泊舟宋田一'《陳與義》. ※本音 강. ㊁통할홍 '一洞'은 상통(相通)함. 또, 그 모양. '一洞坑谷'《馬融》.

[字源] 形聲. 氵(水)＋巷〔音〕

水 9 〔港〕 12 港(前條)과 同字

水 9 〔渰〕 12 엄 [上]琰 | yǎn エン あまぐものさま

[字解] ①구름일엄 비가 오려고 구름이 이는 모양. '有一萋萋'《詩經》. ②찔엄 비가 오려고 날씨가 무더움. '一浸萬物'《詩經 疏》

[字源] 形聲. 氵(水)＋弇〔音〕

水 9 〔渶〕 12 [人名] 영 [平]庚 | yīng エイ かわのな

[筆順] 氵 氵 氵丷 氵艹 氵艹 泋 泋 渶

[字解] ①물맑은영. ②강이름영 '一, 水名, 出青丘'《集韻》.

水 9 〔游〕 12 ㊀유 [平]尤 ㊁류 [平]尤 | yóu ユウ およぐ liú リユウ はたあし

[字解] ㊀①헤엄칠유 수영함. '一龍'. '泳之一之'《詩經》. ②헤엄유 수영. '一泳'. '禁川一者'《周禮》. ③뜰유 ㉠가라앉지 않고 위에 있음. '一塵'. '一乎塵垢之外'《莊子》. ㉡근거 없이 생김. '一談'. '不倡一言'《禮記》. ④놀유 ㉠재미있는 일을 하고 즐김. '一玩'. '依於德一於藝'《禮記》. ㉡사귐. '交一'. '上與造物者一'《莊子》. ㉢게으름을 핌. '一民'. '莫一食'《荀子》. ㉣떠남. 감. '一魂'. '身處江海之上, 神一於魏闕之下'《淮南子》. ⑤놀이유 전항의 명사. '外一'. '請息交以絶一'《陶潛》. ⑥별장유, 이궁(離宮)유 '囿一亦如之'《周禮》. ⑦성유 성(姓)의 하나. ㊁①기류 旒(方부 9획〈497〉)와 同字. '鞶厲一纓'《左傳》. ②흐름류 수류(水流). '必居上一'《漢書》.

[字源] 會意. 甲骨文은 㫃＋子. 《說文》에서는 㫃＋汓〔音〕

[參考] 遊(辵부 9획〈1501〉)는 俗字.

水 9 〔渲〕 12 [人名] 선 [去]霰 | xuàn セン くまどり

[筆順] 氵 氵 氵宀 氵宀 涫 涫 渲 渲

[字解] 바림선 채색을 점점 엷게 하여 흐리게 하는 일. '一染'. '擦以水墨, 再三而淋之, 謂之一'《郭熙》.

[字源] 形聲. 氵(水)＋宣〔音〕

水 9 〔渴〕 12 [中·人] 갈(④ 걸[本]) [入]曷 [入]屑 | ①-③kě カツ かわく ④jié ケツ かれる

[筆順] 氵 氵 氵冂 氵日 泹 渇 渇 渴

[字解] ①목마를갈 갈증이 남. '一者易爲飮'《孟子》. '載飢載一'《詩經》. 목이 마르면 대단히 물을 마시고 싶어하므로, 전(轉)하여, 마음이 몹시 한쪽으로 쏠림을 이름. '一望'. '一仰於佛'《法華經》. ②갈증갈 목이 마른 일. '臨一掘井'. '可以解煩釋一'《魏文帝》. ③서두를갈 급히 함. '不及時而日, 一葬也'《公羊傳》. ④마를갈 물이 마름. 고갈함. '涸一'. '一澤用鹿'《周禮》. ※❹는 本音 걸.

[字源] 形聲. 氵(水)＋曷〔音〕

水 9 〔渹〕 12 굉 [平]庚 | hōng コウ なみのとどろくおと

[字解] 물결소리굉 물결이 요란하게 이는 소리. 또, 흐르는 물이 돌에 부딪치는 소리. '一湱滂湃'《周光鎬》.

[字源] 形聲. 氵(水)＋訇〔音〕

水 9 〔渺〕 12 묘 [上]篠 | miǎo ビョウ はるか

[字解] ①아득할묘 수면(水面)이 넓어 끝없는 모양. '一茫'. '一一乎如窮無極'《管子》. ②작을묘 아주 작은 모양. '一然'. '一滄海之一粟'《蘇軾》.

[字源] 形聲. 氵(水)＋眇〔音〕

水9〔渻〕12 ㊀생 ㊤梗 ㊁성 ㊤梗 | shěng セイ はぶく shěng セイ すいもん

字解 ㊀덜생 省(目부 4획〈840〉)과 同字. '一, 少減也'《說文》. ㊁수문(水門)성 '一, 一曰, 水門也'《說文》.
字源 形聲. 氵(水)＋省〔音〕

水9〔渼〕12 人名 미 ㊤紙 | měi ビ なみのあや

筆順 氵 氵' 氵⺷ 氵⺷ 渼 渼 渼 渼

字解 ①파문미 수면(水面)에 이는 잔 물결. '一, 水波也'《玉篇》. ②물이름미 '一陂'는 섬서성(陝西省) 호현(鄠縣)에서 발원(發源)하여, 종남산(終南山)의 물을 받아 서북으로 흐르는 노수(澇水)의 지류(支流). ③성미 성(姓)의 하나.
字源 形聲. 氵(水)＋美〔音〕

水9〔渽〕12 人名 재 ㊥灰 | zāi サイ かわのな

筆順 氵 氵 氵 氵 渽 渽 渽 渽

字解 ①맑을재. ②강이름재 지금의 대도하(大渡河)임. '一, 水名, 出蜀'《集韻》.

水9〔渾〕12 人名 ㊀혼 ㊥元 ㊤阮 ㊁곤 ㊤阮 | ①-③hún コン にごる ④-⑨hùn コン まじる gǔn コン ゆたかにながれる

筆順 氵 氵 氵 氵 渾 渾 渾 渾

字解 ㊀①흐릴혼 혼탁함. '一濁'. '一兮其若濁'《老子》. ②오랑캐혼 서강(西羌)의 하나인 토욕혼(吐谷渾)의 약칭(略稱). ③성혼 성(姓)의 하나. ④섞일혼 뒤섞임. '賢不肖一殽'《董仲舒》. ⑤가지런히할혼 제등(齊等)하게 함. '一人我, 同天地'《關尹子》. ⑥클혼 '一元運物'《班固》. ⑦온전할혼 '類胚一之未凝'《郭璞》. ⑧둥글혼 '天體一圓'《元史》. ⑨모두혼 전부. 또, 아주. '一身'. '白頭搔更短, 一欲不勝簪'《杜甫》. ㊁흐를곤 滾(水부 11획〈676〉)과 同字. '財貨一一如泉源'《荀子》.
字源 形聲. 氵(水)＋軍〔音〕

水9〔湃〕12 人名 배 ㊦卦 | pài ハイ なみのおと

筆順 氵 氵 氵 氵 湃 湃 湃 湃

字解 ①물결소리배 물결이 치는 소리. 파도 소리. '空聽餘瀾鳴一一'《蘇軾》. ②물결셀배 수세(水勢)가 센 모양. '洶涌澎一'《司馬相如》.
字源 形聲. 氵(水)＋拜〔音〕

水9〔湄〕12 미 ㊥支 | méi ビ・ミ みぎわ

字解 물가미 수애(水涯). '所謂伊人, 在水之一'《詩經》.
字源 形聲. 氵(水)＋眉(𥄉)〔音〕

水9〔湅〕12 련 ㊦霰 | liàn レン ねる

字解 삶을련, 누일련 練(糸부 9획〈1003〉)과 同字. '㡛氏一絲'《周禮》.
字源 形聲. 氵(水)＋柬〔音〕

水9〔湆〕12 읍(급㊍) ㊀緝 | qì キュウ あつもののしる

字解 국읍 갱탕(羹湯). '凡羞有一者, 不以齊'《禮記》. ※本音 급.

水9〔湇〕13 읍(급㊍) ㊀緝 | qì キュウ うるおう

字解 ①축축할읍 축축하게 젖음. '一, 幽溼也'《說文》. ②국읍 湆(前條)과 同字. '一, 羹汁也'《廣韻》. ※本音 급.
字源 形聲. 氵(水)＋音〔音〕

G I
水9〔湊〕12 人名 주 ㊦宥 | còu ソウ みなと, あつまる

筆順 氵 氵 氵 氵 湊 湊 湊 湊

字解 ①항구주 해운(海運)의 물자 선박이 모여드는 곳. 전(轉)하여, 사람 또는 물자가 많이 모이는 곳. '以爲天下之大一'《逸周書》. ②모일주, 모을주 모여듦. 회집(會集)함. '輻一'. '士爭一燕'《戰國策》. ③나갈주 향하여 나감. 다투어 나감. '衰世一學'《淮南子》. ④살결주 피부의 결. 腠(肉부 9획〈1081〉)와 통용. '一理無滯'《文心雕龍》.
字源 形聲. 氵(水)＋奏〔音〕

水9〔湍〕12 ㊀단 ㊥寒 ㊁전 ㊥先 | tuān タン はやせ zhuān セン かわのな

字解 ㊀①여울단 물이 빨리 흐르는 곳. '清一'. '稻生于水, 而不能生一瀨之流'《淮南子》. ②소용돌이단 회류(回流). '性猶一水也'《孟子》. ③소용돌이칠단 '一一縈水'《孟子 註》. ④빠를단 수세(水勢)가 빠름. '水一悍'《史記》. ㊁물이름전 전하(湍河). 하남성(河南省) 내향현(內鄕縣)에서 발원하여 백하(白河)로 흘러들어가는 강.
字源 形聲. 氵(水)＋耑〔音〕

水9〔湎〕12 면 ㊤銑 | miǎn ベン・メン おぼれる

[字解] ①빠질면 술에 빠짐. '沈一'. '天不一爾以酒'《詩經》. 전(轉)하여, 널리 사물(事物)에 탐닉(耽溺)하는 뜻으로 쓰임. '流一而忘本'《禮記》. ②흘러옮길면 흘러서 옮겨가는 모양. '風流民化, 一一紛紛'《漢書》.
[字源] 形聲. 氵(水)+面〔音〕

水 9 〔湑〕 12 서 [上]語 xǔ / [平]魚 xū ショ こす

[字解] ①거를서 술을 거름. 醑(酉부 9획〈1538〉)와 同字. '有酒一我'《詩經》. ②이슬많이내릴서 이슬이 많이 내린 모양. '零露一兮'《詩經》. ③우거질서 초목이 무성한 모양. '其葉一一'《詩經》. ④맑을서, 깨끗할서 '一, 淸也'《玉篇》.
[字源] 形聲. 氵(水)+胥〔音〕

水 9 〔湓〕 12 분 ①②[去]問 フン わきあふれる pèn / [去]願 ホン わきあふれる / ③[平]元 pén ホン かわのな

[字解] ①용솟음할분 물이 솟아오름. '一湧'. '河水一溢'《漢書》. ②물소리분 '一流雷呴而電激'《郭璞》. ③물이름분 강서성(江西省) 서창현(瑞昌縣) 청분산(淸湓山)에서 발원(發源)하여 동으로 흐르는 양자강(揚子江)의 지류(支流). '送客一浦口'《白居易》.
[字源] 形聲. 氵(水)+盆〔音〕

水 9 〔湔〕 12 전 [平]先 jiān セン あらう

[字解] 씻을전, 빨전 '一洗'. '君獨無意一拔僕也'《戰國策》.
[字源] 形聲. 氵(水)+前(葥)〔音〕

水 9 〔湖〕 12 [中·人] 호 [平]虞 hú コ みずうみ

[筆順] 丶 氵 汁 汁 沽 沽 湖 湖
[字解] ①호수호 육지가 우묵하게 패어 물이 괸 곳. '一, 池也'《廣雅》. ②성호 성(姓)의 하나.
[字源] 形聲. 氵(水)+胡〔音〕

水 9 〔湘〕 12 [人名] 상 [平]陽 xiāng ショウ にる, かわのな

[筆順] 丶 氵 汁 汁 沐 湘 湘 湘
[字解] ①삶을상, 끓일상 '于以一之'《詩經》. ②물이름상 광서성(廣西省) 흥안현(興安縣)에서 발원(發源)하여, 호남성(湖南省) 동정호(洞庭湖)로 흘러들어가는 강. '一江'. '過一水, 投書以弔屈原'《史記》. ③산이름상 상산(湘山). '一, 又山名'《字彙》. ④땅이름상 호남성(湖南省) 장사부(長沙府)의 고칭(古稱). 전(轉)하여, 호남성의 약칭(略稱).
[字源] 形聲. 氵(水)+相〔音〕

水 9 〔湛〕 12 [一] 잠 [上]豏 zhàn / [二] 침 [平]侵 タン みちあふれる / [三] 탐 [平]覃 chén チン しずむ / (담[本]) dān タン たのしむ / [四] 음 [平]侵 イン ながあめ

[字解] [一]①괼잠 물이 가득 깊이 괴어 있음. '一水'. '東風至而酒一溢'《淮南子》. ②맑을잠 물이 깨끗함. '一寂'. '水木一淸華'《謝混》. ③깊을잠 ㉠물이 얕지 아니함. '一碧'. '洞庭淵一'《魏書》. ㉡두터움. 후(厚)함. '一恩汪濊'《史記》. ④편안할잠 '淸一幽凝'《王勃》. ⑤성잠 성(姓)의 하나. [二]①잠길침 沈(水부 4획〈630〉)과 同字. '一沔'. '浮一隨行'《漢書》. ②담글침 浸(水부 7획〈649〉)과 同字. '一諸美酒'《禮記》. [三] 즐길탐 耽(耳부 4획〈1055〉)·妉(女부 4획〈242〉)과 同字. '一樂'. '子孫其一'《詩經》. ※本音담. [四] 장마음 霪(雨부 11획〈1647〉)과 同字. '久雨爲一'《論衡》.
[字源] 形聲. 氵(水)+甚〔音〕

水 9 〔湒〕 12 집 [入]緝 jí シュウ あめふる

[筆順] 氵 氵 汩 汩 浧 湒 湒 湒
[字解] ①비부슬부슬올집 비가 옴. 또, 그 소리. '一, 雨下也'《說文》. ②물용솟음칠집 샘이 솟는 모양. 濈(水부 12획〈683〉)과 同字.
[字源] 形聲. 氵(水)+咠〔音〕

水 9 〔湜〕 12 [人名] 식 [入]職 shí ショク きよい

[筆順] 丶 氵 氵 汩 浧 浧 湜 湜
[字解] ①맑을식 물이 맑아 속까지 환히 보이는 모양. '一一其沚'《詩經》. ②엄정할식 굳게 정의를 지키는 모양. '一一李公'《柳宗元》.
[字源] 形聲. 氵(水)+是〔音〕

水 9 〔湝〕 12 개 [平]佳 jiē カイ ながれる

[字解] 출렁출렁흐를개 물이 많이 세차게 흐르는 모양. '淮水一一'《詩經》.
[字源] 形聲. 氵(水)+皆〔音〕

水 9 〔湞〕 12 [人名] 정 [平]庚 zhēn(zhēng) トウ かわのな

[筆順] 丶 氵 氵 汁 沾 湞 湞 湞
[字解] 물이름정 '一, 一水'《說文》.

水 9 〔湟〕12 황 ㊥陽 | huáng コウ ほり, ながれるさま

字解 ①빨리흐를황 질류(疾流)하는 모양. '潏一潨泱'《郭璞》. ②물이름황 청해(青海)에서 발원(發源)하여, 감숙성(甘肅省)을 거쳐 황화(黃河)로 들어가는 강. 하류(下流)는 서녕하(西寧河)라고도 일컬음. '一河'. ③해자황 성 둘레의 성지(城池). 호(濠). '一水'. '一池紆曲'《枚乘》.
字源 形聲. 氵(水)+皇〔音〕

水 9 〔湢〕12 벽 ㊣職 | bì ヒョク ゆどの

字解 ①목욕간벽 욕실(浴室). '外內不共井, 不共一浴'《禮記》. ②삼갈벽 정숙(整肅)한 모양. '軍旅之容, 一然肅然, 以固以猛'《新書》.
字源 形聲. 氵(水)+畐〔音〕

水 9 〔湣〕12 ㊀민 ㊤軫 | mǐn ビン・ミン おくりな; ㊁혼 ㊥元 | hūn コン さだまらない

字解 ㊀시호이름민 시호(諡號)에서 쓰는 글자. 閔(門부 4획〈1596〉)과 同字. '春秋宋閔公, 魯閔公, 史記宋魯世家, 作一公'《正韻》. ㊁분란(紛亂)일고안정되지않을 혼 '置其滑一'《莊子》.
字源 形聲. 氵(水)+昏〔音〕

水 9 〔湧〕12 人名 용 ㊤腫 | yǒng ヨウ わく

筆順 丶 氵 汀 汸 浐 涌 湧 湧

字解 솟아날용 涌(水부 7획〈650〉)과 同字. '噴氣則雲一'《新論》.
字源 形聲. 氵(水)+勇〔音〕

水 9 〔湨〕12 격 ㊣錫 | jú ケキ かわのな

字解 물이름격 하남성(河南省)을 흐르는 황하(黃河)의 지류(支流). '會于一梁'《春秋》.
字源 形聲. 氵(水)+狊〔音〕

水 9 〔湩〕12 동 ①㊧送 ②㊥東 | dòng トウ ちしる; tōng トウ つづみのおと

字解 ①젖동 유즙(乳汁). '具牛羊之一, 以洗天子之足'《穆天子傳》. ②북소리동 '一然擊鼓'《管子》.
字源 形聲. 氵(水)+重〔音〕

水 9 〔湫〕12 ㊀추 ㊥尤 | qiū シュウ すずしい; ㊁초 ㊤篠 | jiǎo ショウ ひくい, あつまる

字解 ㊀①서늘할추 선선한 모양. '一兮如風'《宋玉》. ②못추, 웅덩이추 '南有龍兮在山一'《杜甫》. ③근심할추, 슬퍼할추 '一一者, 憂悲之狀也'《春秋繁露》. ㊁①낮을초, 좁을초 저습(低濕)함. 또, 협착함. '一宅'. '一隘囂塵'《左傳》. ②막힐초 정체(停滯)함. '有所壅閉一底'《左傳》.
字源 形聲. 氵(水)+秋(烁)〔音〕

水 9 〔湺〕12 湫(前條)의 本字

水 9 〔㴇〕13 湫(前前條)와 同字

水 9 〔湮〕12 ㊀인 ㊥眞 | yīn イン しずむ; ㊁연 ㊥先 | yān エン むすぼれる

字解 ㊀빠질인 빠져 파묻힘. '首惡一沒'《史記》. ㊁막힐연 통하지 못함. '一塞'. '鬱一不育'《左傳》.
字源 形聲. 氵(水)+垔〔音〕

水 9 〔湮〕12 湮(前條)의 俗字

水 9 〔湯〕12 高·人 ㊀탕 ㊥陽 | tāng トウ ゆ; ㊁상 ㊥陽 | shāng ショウ ながれるさま; ㊂양 ㊥陽 | yáng ヨウ ひがでる

筆順 丶 氵 氵 汩 浔 浔 湯 湯

字解 ㊀①끓인물탕 가열한 물. '微溫一'. '燂一請浴'《禮記》. ②온천탕 뜨뜻한 물이 솟구쳐 나오는 샘. '廻一沸於重泉'《晉書》. ③목욕간탕 욕실(浴室). '華清有蓮花一, 卽貴妃澡沐之室'《太眞外傳》. ④끓일탕 물을 끓임. '夏不頻一, 非愛火也'《韓詩外傳》. ⑤탕약탕 끓인 물약. '藥一'. '葛根一'. '其療疾合一, 不過數種'《魏志》. ⑥사람이름탕 은왕조(殷王朝)의 시조(始祖). '一歸自夏'《書經》. ⑦방탕할탕 蕩(艸부 12획〈1182〉)과 통용. '子之一兮'《詩經》. ⑧성탕 성(姓)의 하나. ㊁물세차게흐를상 물이 세차게 흐르는 모양. 또, 물결이 이는 모양. '江漢一一'《詩經》. '浩浩一一'《范仲淹》. ㊂해돋이양 暘(日부 9획〈511〉)과 통용. '右以一谷爲界'《司馬相如》.
字源 形聲. 氵(水)+昜〔音〕

水 9 〔湲〕12 ㊀원 ㊥先 | yuán エン ながれるさま; ㊁완 ㊥刪 | yuán カン ながれるさま

字解 ㊀흐를원 ㉠물이 졸졸 흐르는 모양. 또, 그 소리. '觀流水兮潺一'《楚辭》. ㉡눈물이 줄줄 흐르는 모양. '橫流涕兮一一'《楚

辭》. [二] 흐를완 [一]과 뜻이 같음.
[字源] 形聲. 氵(水)+爰〔音〕

水 9 〔湉〕12 첨 [平]鹽 | tián テン やすらかなながれ
[字解] 고요히흐를첨 물이 고요히 흐르는 모양. '澶一漠而無涯'《左思》.
[字源] 形聲. 氵(水)+恬〔音〕

水 9 〔湳〕12 [人名] 남 [上]感 | nǎn ダン·ナン かわのな
[筆順] 丶 氵 氵 汁 沛 沛 湳 湳
[字解] ①물이름남 남수(湳水). 옛 황하의 지류로, 내몽고 자치구에서 발원하는 강. ②추장남 '一德'은 저강(氐羌)의 추장(酋長). '盧畠一德'《潘岳》. ③성남 성(姓)의 하나.
[字源] 形聲. 氵(水)+南〔音〕

水 9 〔湁〕12 칩 [入]緝 | chì チュウ わく
[字解] 솟아날칩 '一潗'은 물이 조금 솟아 나오는 모양. '一潗鼎沸'《司馬相如》.
[字源] 形聲. 氵(水)+拾〔音〕

水 9 〔湠〕12 탄 [去]翰 | tàn タン ひろいみず
[字解] 물너를탄 수면(水面)이 너른 모양. '渺瀰一漫'《木華》.

水 9 〔湱〕12 획 [入]陌 | huò カクなみのげきするおと
[字解] 물결부딪는소리획 물결이 서로 부딪치는 소리. '潚一㶁瀤'《郭璞》.

水 9 〔湎〕12 면 [去]霰 | miàn ベン·メン おおみずのさま
[筆順] 氵 汌 洎 湏 湎 湎 湎 湎
[字解] 창일할면 '㶑一'은 물이 벌창하게 흐르는 모양. '㶑一淼漫'《左思》.

水 9 〔澒〕12 홍 [平]東 | hòng コウ わきあがる
[字解] 솟아날홍 물이 솟아나는 모양. 일설(一說)에는, 물이 흐르는 소리. '潰一泮汗'《左思》.

水 9 〔湡〕12 우 [平]虞 | yú グ かわのな
[字解] ①물이름우 하북성(河北省) 형태시(邢台市) 서쪽 태행 산록(太行山麓)에서 발원하는 강. 현재의 섭하(涉河). ②땅이름우 '曲拂邅廻, 以像一浯'《淮南子》.
[字源] 形聲. 氵(水)+禺〔音〕

水 9 〔湀〕12 규 [上]紙 | guǐ キ いずみ, かわ
[字解] 샘솟아큰강으로흘러드는강규 '一, 泉水通川'《廣韻》.
[字源] 形聲. 氵(水)+癸〔音〕

水 9 〔湶〕12 견 [上]銑 | quǎn ケン たがやす
[字解] 물갈이할견 물이 담긴 논을 갊. '一, 淖耕也'《集韻》.

水 9 〔湏〕12 [一] 회 [去]泰 [去]隊 [上]賄 [二] 수 [平]虞 | huì カイ ただれる カイ かおをあらう カイ みずのけいよう シュ
[字解] [一] ①문드러질회 '一, 爛也'《字彙》. ②낯씻을회 '沬, 洒面也. 古作一'《集韻》. ③물회 물의 모양. '潤, 水皃. 或从頁'《集韻》. [二] 須(頁부 3획〈1683〉)의 俗字.

水 9 〔湙〕12 역 [入]陌 | yì エキ かわのな
[字解] ①물이름역 '一, 水名'《玉篇》. ②물흐르는모양역 '湫一瀲灎'《木華》.

水 9 〔湙〕12 湙(前條)과 同字

水 9 〔湭〕12 추 [平]尤 | qiú シュウ みなもと
[字解] 물근원추 수원(水源). '坎㷄援以一煬'《黃香》.

水 9 〔湴〕12 팜 ①②[去]陷 ③④[平]咸 | bàn ハン どろ pán ハン どろのなかをゆく
[字解] ①수렁팜 '埿, 泥淖也. 或作一'《集韻》. ②뜰팜 물에 뜸. '一, 又水泛也'《字彙》. ③수렁속을갈팜 '一, 行淖中也'《集韻》. ④흉운이름팜 성명가(星命家)의 말로, 깊은 수렁에 빠진 것과 같은 흉운(凶運).

水 9 〔渿〕12 내 [去]泰 | nài ダイ·ナイ なみのさま
[字解] ①물결내 '一, 一沛, 水波也'《玉篇》. ②물소리내 '一, 又水聲'《玉篇》. ③거를내 액체를 거름.

水 9 〔湀〕12 궤 [上]紙 | guǐ キ かれる
[字解] ①물궤 물의 모양. '一, 水皃'《玉篇》. ②마를궤 물이 마름. '厬, 字又作一'《爾雅注》. ③결구멍에서 나오는샘궤 '厬, 仄出泉也. 或作一・氿'《集韻》.

水 9 〔澮〕 12 회 ㊄卦 huài カイ みずのげきするおと

字解 물부딪는소리회 물이 서로 부딪치는 소리. '濼淏瀤—'《郭璞》.

水 9 〔溲〕 12 〔수〕 溲(水부 10획〈670〉)의 本字

水 9 〔湕〕 12 〔진〕 津(水부 6획〈643〉)의 本字

水 9 〔滙〕 12 〔광〕 洭(水부 6획〈645〉)의 本字

水 9 〔溘〕 12 〔합〕 溘(水부 10획〈669〉)의 本字

水 9 〔漍〕 12 〔쇄〕 洒(水부 6획〈641〉)의 本字

水 9 〔渿〕 12 〔량〕 梁(木부 7획〈551〉)의 古字

水 9 〔湻〕 12 〔순〕 淳(水부 8획〈657〉)과 同字

水 9 〔湶〕 12 〔천〕 泉(水부 5획〈633〉)과 同字

水 9 〔渷〕 12 〔연〕 沇(水부 4획〈630〉)과 同字

水 9 〔湀〕 12 〔침〕 浸(水부 7획〈649〉)과 同字

水 9 〔溯〕 12 ㊀ 泝(水부 5획〈638〉)의 本字 ㊁ 遡(辵부 10획〈1504〉)와 同字

水 9 〔温〕 12 〔온〕 溫(水부 10획〈668〉)의 俗字

水 9 〔湾〕 12 〔만〕 灣(水부 22획〈705〉)의 略字

水 9 〔満〕 12 〔만〕 滿(水부 11획〈676〉)의 略字

水 9 〔湿〕 12 〔습〕 濕(水부 14획〈692〉)의 略字

水 9 〔溌〕 12 〔발〕 潑(水부 12획〈682〉)의 俗字

水 9 〔滔〕 12 〔도〕 滔(水부 10획〈672〉)의 俗字

水 9 〔滋〕 12 〔자〕 滋(水부 10획〈672〉)의 俗字

水 9 〔湼〕 12 〔녈〕 涅(水부 7획〈649〉)의 俗字

水 9 〔渘〕 12 유 ㊥尤 róu ジュウ やわらかい

字解 ①부드러울유 '實—實剛'《北海相景君銘》. ②내이름유 '—, 水名'《集韻》.

水 9 〔渪〕 12 〔유〕 濡(水부 14획〈693〉)와 同字

水 10 〔㳅〕 14 〔류〕 流(水부 7획〈651〉)의 古字

水 10 〔滎〕 14 형 ㊥青 xíng, yíng ケイ さわのな

字解 ①못이름형 하남성(河南省) 성고현(成皐縣)에 있던 못. 한(漢)나라 평제(平帝) 때, 메워 평지(平地)가 되었음. '—波旣豬'《書經》. ②물이름형 하남성(河南省)을 흐르던 강. '豫州, 其川—洛'《周禮》. ③물결일형 '—瀯'은 물결이 세차게 일어나는 모양. '漩澴—瀯'《郭璞》.

字源 形聲. 水＋熒〈省〉〔音〕

水 10 〔滕〕 15 등 ㊥蒸 téng トウ あがる

字解 ①물오를등 '—, 水超湧也'《說文》. 騰(馬부 10획〈1748〉)과 通字. ②방언(放言)할등 '—, 口說也'《易經》. ②등나라등 지금의 산동성(山東省) 등현(滕縣) 일대에 있던 서주(西周)의 제후국(諸侯國).

字源 形聲. 水＋朕(舟)〔音〕

水 10 〔溫〕 13 中·人 온 ①-⑧㊥元 ⑨㊄問 wēn オン あたたかい yùn ウン つつむ

筆順 氵 氵 氵 沪 泗 泗 淵 溫

字解 ①따뜻할온 온난함. '—氣'. '—風始至'《禮記》. ②따뜻해질온 '坐席未—'《易林》. ③따뜻이할온 '冬—而夏凊'《禮記》. ④부드러울온 온화함. 유순함. '—色'. '色思—'《論語》. ⑤순수할온 잡된 것이 섞이지 아니함. '—其如玉'《詩經》. ⑥익힐온 과거의 일을 연구함. 또, 복습함. '—習'. '—故而知新, 可以爲師矣'《論語》. ⑦온천온 더운 물이 나오는 샘. '湯井—谷'《潘岳》. ⑧성온 성(姓)의 하나. ⑨쌀온 蘊(艸부 16획〈1203〉)과 同字. '—藉'. '飮酒—克'《詩經》.

字源 形聲. 氵(水)＋𥁕〔音〕

水10 〔⿰氵貢〕13 공 (去)送 gàn コウ かわのな

字解 물이름공 강서성(江西省)을 흘러 파양호(鄱陽湖)로 들어가는 강. 贛(貝부 17획〈1402〉)과 통용. '一, 水名, 出豫章, 或作灨, 通作贛'《集韻》.

水10 〔溏〕13 당 (平)陽 táng トウ いけ

字解 못당 지소(池沼). '頹一委蛇'《郭璞》.
字源 形聲. 氵(水)+唐〔音〕

水10 〔源〕13 [高·人] 원 (平)元 yuán ゲン みなもと

筆順 丶 氵 氵 汇 沥 洉 源 源

字解 ①수원원 물이 흐르는 근원. 수근(水根). '祀山川百一'《禮記》. ②근원원 사물이 발생하는 근본. '一委'. '刑罰之所從生有一'《大戴禮》. ③성원 성(姓)의 하나.
字源 形聲. 氵(水)+原〔音〕

水10 〔溦〕13 미 (平)微 wēi ビ こさめ

字解 이슬비미 '一, 小雨也'《說文》.
字源 形聲. 氵(水)+𢼸〔音〕

水10 〔溓〕13 ㊀렴 (平)鹽 (上)琰 ①-③lián レン とぎれてながれでたおがわ ④liǎn レン ひたす ㊁점 (平)鹽 nián デン·ネン ねばりつく

字解 ㊀①지척지척한물렴 중간에서 끊긴 세류(細流). ②살얼음렴 박빙(薄氷). ③살얼음얼렴 얇은 얼음이 어는 모양. '水一一以微凝'《潘岳》. ④담글렴 물에 넣음. ㊁붙을점 끈끈하여 달라붙음. '雖有深泥, 亦弗之一也'《周禮》.
字源 形聲. 氵(水)+兼〔音〕

水10 〔準〕13 [高·人] ㊀준 (上)軫 zhǔn ジュン みずもり ㊁절 (入)屑 zhuó セツ はなばしら

筆順 丶 氵 氵 氵' 汼 淮 準 準

字解 ㊀①수준기준 수평(水平)을 재는 기계(器械). '一繩'. '一者所以揆平取正也'《漢書》. ②법도준 표준. 모범. '一則'. '有一如契約'《唐書》. ③평평할준 수평(水平)함. '平一'. '推而放之東海而一'《禮記》. ④고를준 균등(均等)함. '先定一直'《禮記》. ⑤고르게할준 평균하게 함. '一之, 然後量之'《周禮》. ⑥바로잡을준 바르게 함. '一人'《書經》. ⑦본받을준 모범으로 삼음. 본뜸. '一擬'. '易與天地一'《易經》. ⑧성준 성(姓)의 하나. ㊁콧마루절 비량(鼻梁). 頗(頁부 5획〈1686〉)과 同字. '一頭'. '隆一而龍顔'《史記》.
字源 形聲. 氵(水)+隼〔音〕

水10 〔溔〕13 요 (上)篠 yǎo ヨウ ひろくはてしない

字解 ①물벌창할요 물이 넓고 끝이 없는 모양. '浩一'. '灝一'. '浩一, 水無際也'《玉篇》. ②물빛흴요 물빛이 희고 깊은 모양. '沆瀁畾一'《郭璞》. ③성요 성(姓)의 하나.
字源 形聲. 氵(水)+羔〔音〕

水10 〔溘〕13 합 (入)合 kè コウ たちまち

字解 갑자기합 별안간. '一死'. '朝露一至'《江淹》.
字源 形聲. 氵(水)+盍(盇)〔音〕

水10 〔溜〕13 류 (去)宥 liù リュウ したたる

字解 ①떨어질류 물방울이 떨어짐. '雨所一處'《酉陽雜俎》. ②흐를류 흘러 내려감. '廻沙一碧水'《梁簡文帝》. ③물방울류 '玉一簷下垂'《謝朓》. ④낙수고랑류 낙숫물이 떨어지는 곳. 霤(雨부 10획〈1646〉)와 同字. '三進及一'《左傳》.
字源 形聲. 氵(水)+留(畱)〔音〕
參考 澑(水부 12획〈688〉)는 本字.

水10 〔溝〕13 [人名] 구 (平)尤 gōu コウ みぞ

筆順 丶 氵 汁 泄 溝 溝 溝 溝

字解 ①봇도랑구 전답 사이의 수로(水路). '一洫'. '井間廣四尺深四尺謂之一'《周禮》. ②도랑구 땅을 판 통수로. '一渠'. '設國之五一五涂'《周禮》. ③시내구 골짜기를 흐르는 물. '水注谷曰一'《爾雅》. ④해자구 성을 빙 둘러 판 호(濠). '一池'. '深一高壘'《史記》. ⑤홈통구 물을 이끄는 물건. '點點無聲落瓦一'《朱灣》. ⑥도랑팔구 도랑을 팜. '城而封一之'《周禮》.
字源 形聲. 氵(水)+冓〔音〕

水10 〔溟〕13 [人名] 명 (平)青 míng メイ くらい

筆順 丶 氵 氵 沪 洹 洹 溟 溟

字解 ①어두울명 가랑비가 부슬부슬 와서 하늘이 약간 어두운 모양. '一濛'. '密雨一沐'《太玄經》. 전(轉)하여, 물상(物象)의 환하지 아니한 모양. '經途瀴一'《木華》. ②바다명 대해(大海). '滄一'. '北一有魚'《莊子》.
字源 形聲. 氵(水)+冥〔音〕

水10〔溢〕13 人名 일 ㊀質 yì イツ みちる，あふれる

筆順 氵 氵 氵 氵 氵 浴 溢 溢

字解 ①찰일 가득 참. '充一而露積於外'《史記》. ②넘칠일 넘쳐 흐름. '一流'. '河一通泗'《史記》. ③지나칠일 정도를 지나침. '一美'. '禁一利'《鹽鐵論》. ④교만할일 거만함. '滿而不一'《孝經》. ⑤타이를일 경계함. '假以一我'《詩經》. ⑥큰물일 홍수. '凶旱水一'《禮記》. ⑦한움큼일 한 손에 쥐거나 담는 분량. '兩手曰掬, 一手曰一'《孔叢子》. ⑧스물넉냥쭝일 鎰(金부 10획〈1575〉)과 통용.

字源 會意. 氵(水)+益

水10〔溥〕13 人名 부(보㊍) ㊤褒 ㊥虞 ①②pǔ ホ ひろい ③fū フ しく

筆順 氵 氵 氵 汇 浦 浦 溥 溥

字解 ①넓을부 광대함. '一博'. '我受命一將'《詩經》. ②두루미칠부 널리 미침. '一被'. '一天之下, 莫非王土'《詩經》. ※이상(以上) 本音 보. ③펼부 널리 폄. '一之而橫于四海'《禮記》.

字源 形聲. 氵(水)+尃〔音〕

水10〔溪〕13 中·人 계 ㊥齊 xī(qī) ケイ たにがわ

筆順 氵 氵 氵 氵 氵 浮 溪 溪

字解 시내계 谿(谷부 10획〈1367〉)와 同字. '一流正清激'《韓愈》.

字源 形聲. 氵(水)+奚〔音〕

參考 谿(谷부 10획〈1367〉)는 同字.

水10〔潲〕13 초 ㊧嘯 qiào ショウ たかいなみ

字解 높은물결초 '一, 浚波也'《集韻》.

水10〔㴋〕13 潲(前條)와 同字

水10〔溯〕13 소 ㊧遇 sù ソ さかのぼる

字解 거슬러올라갈소 泝(水부 5획〈638〉)·㴑(水부 9획〈668〉)·遡(辵부 10획〈1504〉)와 同字. '一源'. '一洄從之'《詩經》.

字源 形聲. 氵(水)+朔〔音〕

水10〔溱〕13 진 ㊥眞 zhēn シン いたる，おおい

字解 ①물이름진 하남성(河南省) 밀현(密縣)에서 발원(發源)하여, 동남(東南)으로 흘러 유수(洧水)와 합치는 강. '褰裳涉一'《詩經》. ②이를진 臻(至부 10획〈1103〉)과 통용. '萬祥畢一'《漢書》. ③많을진 '室家一一'《詩經》. ④성(盛)할진 '百穀一一'《後漢書》. ⑤퍼질진 '陽引而進, 物出一一'《揚雄》. ⑥성진 성(姓)의 하나.

字源 形聲. 氵(水)+秦〔音〕

水10〔溲〕13 수 ㊥尤 sōu シュウ いばり

字解 ①오줌수 소변. '一溺'. '遺失一便'《後漢書》. ②반죽할수 밀가루 따위를 반죽함. '糔一之'《禮記》.

字源 形聲. 氵(水)+叟(叜)〔音〕

參考 涹(水부 9획〈668〉)는 本字.

水10〔溠〕13 자 ㊧禡 ㊥麻 zhà zhā サ かわのな

字解 ①물이름자 호북성(湖北省)을 흘러 운수(涢水)로 들어가는 강. 지금의 부공하(扶恭河). '河南曰豫州, 其浸波一'《周禮》. ②일자 쌀을 물에 읾. '一, 又一淅也'.

字源 形聲. 氵(水)+差〔音〕

水10〔溶〕13 人名 용 ㊥冬 róng ヨウ とける，やすらか

筆順 氵 氵 氵 氵 氵 浈 溶 溶

字解 ①질펀히흐를용 물이 도도(滔滔)히 흐르는 모양. '二川一一, 流入宮牆'《杜牧》. ②안한할용 마음이 편하고 한가로운 모양. 또, 마음이 침착하고 여유가 있는 모양. '心一一其不可量兮'《劉向》. ③녹을용, 녹일용 용해함. 또, 용해시킴. '一液'.

字源 形聲. 氵(水)+容〔音〕

水10〔溷〕13 혼 ㊧願 hùn コン みだれる

字解 ①어지러울혼 혼란함. '一淆'. '世一濁而不分兮'《楚辭》. ②흐릴혼 맑지 아니함. '一汁'. '世謂隨夷爲一'《漢書》. ③더러울혼 '君子不食一餘'《禮記》. ④뒷간혼 변소. '一廁'. '門庭藩一, 皆著紙筆'《晉書》. ⑤울혼 돼지 울. '捐於猪一中'《論衡》.

字源 形聲. 氵(水)+圂〔音〕

水10〔溺〕13 ㊀닉 ㊀錫 nì デキ おぼれる ㊁뇨 ㊧嘯 niào ジョウ ゆばり

字解 ㊀ ①빠질닉 ㉠물에 빠짐. '一死'. '嫂一, 援之以手者權也'《孟子》. ㉡물에 빠진 것처럼 대단히 고생함. '天下一, 援之以道'《孟子》. ㉢침면(沈湎)함. '耽一'. '一而不止'《禮記》. ②빠뜨릴닉 전항(前項)의 타동사. '由己一之'《孟子》. ㊁ 오줌뇨, 오줌눌뇨 소변. 또, 소변을 봄. '一器'. '醉更一睢'《史記》.

字源 形聲. 氵(水)+弱〔音〕

水 10 〔澥〕 13 사 [去]禡 | xiè シャ かわのな

[字解] 물이름사 '瞻諸之山, 一水出焉'《山海經》.

水 10 〔溽〕 13 욕 [入]沃 | rù ジョク しめる, こい

[筆順] 氵 氵 汇 沪 浐 泝 溽 溽

[字解] ①젖을욕 물에 젖음. '林無不一'《郭璞》. ②질을욕 농후함. '一露方霑衣'《隋煬帝》. ③기름질욕 음식이 기름짐. '其飮食不一'《禮記》. ④찔욕 무더움. '土潤一暑'《禮記》.

[字源] 形聲. 氵(水)＋辱〔音〕

水 10 〔滀〕 13 축 [入]屋 | chù, xù チク あつまる

[字解] ①모일축 물이 모임. '潰淪而一潔'《木華》. ②발끈할축 성을 발끈 내는 모양. '一乎進我色也'《莊子》. ③빠를축 수세(水勢)가 급함. '一水陵高'《後漢書》.

[字源] 形聲. 氵(水)＋畜〔音〕

水 10 〔⿰氵朕〕 13 짐 [上]寑 | zhèn チン ながれるさま

[字解] 물졸졸흐를짐 물이 졸졸 흐르는 모양. '一, 水流皃'《集韻》.

水 10 〔滁〕 13 저 [平]魚 | chú チョ かわのな

[字解] 물이름저 안휘성(安徽省) 합비현(合肥縣)에서 발원(發源)하여, 강소성(江蘇省)을 흐르는 양자강(揚子江)의 지류. '一河'.

[字源] 形聲. 氵(水)＋除〔音〕

水 10 〔滂〕 13 방 [平]陽 | pāng ボウ あめのさかんにふるさま

[字解] ①죽죽퍼부을방 비가 세차게 퍼붓는 모양. '一沛'. '月離于畢, 俾一沱矣'《詩經》. ②뚝뚝떨어질방 눈물이 연거푸 뚝뚝 떨어지는 모양. '涕泗一沱'《詩經》. ③세차게흐를방 격류가 흐르는 모양. '一湃'.

[字源] 形聲. 氵(水)＋旁〔音〕

水 10 〔滃〕 13 옹 [上]董 | wěng オウ くもおこる

[字解] ①구름일옹 구름 · 안개가 이는 모양. '一一'. '氣一渤以霧杳'《郭璞》. ②용솟음칠옹 샘이 용솟음치는 모양. '中有淸泉, 一然而仰出'《歐陽修》.

[字源] 形聲. 氵(水)＋翁〔音〕

水 10 〔濅〕 13 〔침〕 浸(水부 7획〈649〉)과 同字

水 10 〔滄〕 13 [人名] 창 [平]陽 | cāng ソウ さむい

[筆順] 氵 氵 氵 沴 浍 浛 滄 滄

[字解] ①찰창 한랭함. '一一'. '天地之間有一熱'《逸周書》. ②푸를창 물이 푸름. '一溟'. '渺一海之一粟'《蘇軾》.

[字源] 形聲. 氵(水)＋倉〔音〕

水 10 〔滅〕 13 [高·人] 멸 [入]屑 | miè メツ ほろびる

[筆順] 氵 氵 氵 汇 泝 泝 滅 滅

[字解] ①멸망할멸, 다할멸 망하여 없어짐. 또, 다 없어짐. '一國'. '天理幾一'《朱熹》. ②멸할멸 없애 버림. '殲一'. '無以死傷生, 毁不一性'《孝經》. '鳥獸行則一之'《周禮》. ③죽을멸 사망함. '寂一'. ④꺼질멸 불이 꺼짐. '明一'. '火三月不一'《史記》. ⑤빠질멸 침몰함. '過涉一頂'《易經》.

[字源] 形聲. 氵(水)＋威〔音〕

水 10 〔溧〕 13 률 [入]質 | lì リツ かわのな

[字解] 물이름률 강소성(江蘇省) 율양현(溧陽縣)을 흐르는 강. '一水'. '一水出丹陽一陽縣'《說文》.

[字源] 形聲. 氵(水)＋栗(㮚)〔音〕

水 10 〔滇〕 13 전 [平]先 diān / [平]先 tián テン さかん

[字解] ①성할전 성(盛)한 모양. 또, 큰 물의 모양. '泛泛一一'《漢書》. ②못이름전 '一池'는 운남성(雲南省) 곤명현(昆明縣)과 곤양현(昆陽縣)에 걸쳐 있는 호수. 곤명지(昆明池)라고도 함. 넓이 약 3백여 리. ③오랑캐이름전 한대(漢代)의 서남이(西南夷)의 하나. 운남성 곤명현(昆明縣) 부근이 그 근거지이었음. 전(轉)하여, 운남성의 약칭. '靡莫之屬, 以什數, 一最大'《史記》. ④성전 성(姓)의 하나.

[字源] 形聲. 氵(水)＋眞〔音〕

水 10 〔滈〕 13 호 [上]皓 | hào コウ ながあめ

[字解] ①장마호 장마비. 임우(霖雨). ②비칠호 물이 희게 비치는 모양. '安翔徐回, 翯乎一一'《司馬相如》.

[字源] 形聲. 氵(水)＋高〔音〕

水 10 〔滉〕 13 [人名] 황 [上]養 | huàng コウ ふかい

[筆順] 氵 氵 氵 沪 泹 浞 湜 滉

[字解] 깊을황 물이 깊고 넓은 모양. '一漾'. '瀇一囦泫'《郭璞》.

[字源] 形聲. 氵(水)+晃〔音〕

水10〔渰〕13 ㊀ 연 ㊄霰 | yàn エン みずがひろい
㊁ 계 ㊄霽 | guì ケイ かわのな

[字解] ㊀ 물창일할연 물이 넓은 모양. 홍수가 진 모양. '一, 水大也'《玉篇》. ㊁ 물이름계 '一, 水名'《集韻》.

水10〔滋〕13 [人名] 자 ㊉支 | zī ジ ます, しげる

[筆順] 氵 氵 氵 汁 汷 汷 滋 滋

[字解] ①불을자 늚. 증가함. '一殖'. '物生而後有象, 象而後有一'《左傳》. ②우거질자 무성함. '一繁'. '苦雨數來, 五穀不一'《禮記》. ③번식할자 동물이 늘어서 퍼짐. '鳥獸卑一'《張衡》. ④자랄자 생장함. '草木庳小不一'《呂氏春秋》. ⑤심을자 초목을 심음. '余旣一蘭之九畹兮'《楚辭》. ⑥흐릴자 혼탁함. '何故使吾水一'《左傳》. ⑦잦을자 빈번함. '干戈日一'《史記》. ⑧더욱자 한층 더. '其虐一甚'《左傳》. ⑨맛있을자 '薄一味'《禮記》. ⑩맛있는음식자 '含甘吮一'《漢書》. ⑪진자 진액(津液). '必有草木之一'《禮記》.

[字源] 形聲. 氵(水)+玆〔音〕

水10〔滍〕13 치 ㊤紙 | zhì チ かわのな

[字解] 물이름치 '一水'는 하남성(河南省) 노산현(魯山縣)에서 발원(發源)하여 동남으로 흐르는 여수(汝水)의 지류(支流). 지금의 사하(沙河). '一水盛溢'《後漢書》.

[字源] 形聲. 氵(水)+蚩〔音〕

水10〔滏〕13 부 ㊤麌 | fǔ フ かわのな

[字解] 물이름부 하북성(河北省) 자현(磁縣)에서 발원(發源)하여 호타하(滹沱河)와 합치는 강. '一陽河'라고도 함. '一水'. '北臨漳一'《左思》.

[字源] 形聲. 氵(水)+釜〔音〕

水10〔滑〕13 ㊀ 활 ㊅黠 | huá カツ なめらか
㊁ 골 ㊅月 | gǔ コツ みだれる

[字解] ㊀ ①반드러울활 미끄러움. '圓一'. '調以一甘'《周禮》. ②미끄러질활 미끄러운 곳에서 밀려 나가거나 넘어짐. '足一跌墜火中'《書經 疏》. ③미끄럽게할활 반드럽게 함. '滫瀡以一之'《禮記》. ④교활할활 猾(犬부 10획〈758〉)과 통용. '一賊任威'《史記》. ⑤성활 성(姓)의 하나. ㊁ ①어지러울골 혼란함. '置不仁, 以一其中'《國語》. ②흐릴골, 흐리게할골 혼탁함. 또, 혼탁하게 함. '一涽'. '一其泥而揚其波'《楚辭》. ③다스릴골 '一欲於俗思, 以求致其明'《莊子》. ④흐를골 물이 흐르는 모양. '湧泉一一'《易林》.

[字源] 形聲. 氵(水)+骨〔音〕

水10〔溕〕13 몽 ㊄送 | mèng ボウ こさめ

[字解] 가랑비몽 濛(水부 14획〈693〉)과 同字. '一, 微雨也'《集韻》.

水10〔滓〕13 재 ①②㊤紙 | zǐ シ おり
③㊉支 | シ くろめる

[字解] ①찌끼재 ㉠침전물. '渣一'. '動增泥一'《李陵》. ㉡허섭스레기. '汁一相將'《周禮註》. ②때재 더러운 것. '澡雪垢一'《馬融》. ③때낄재 '泥而不一'《史記》.

[字源] 形聲. 氵(水)+宰〔音〕

水10〔滔〕13 도 ㊉豪 | tāo トウ はびこる

[字解] ①창일할도 물이 불어서 넘침. '一一'. '浩浩一天'《書經》. ②넓을도 '一蕩'. '一乎莫知所止息'《淮南子》. ③게을리할도 '士不濫, 官不一'《左傳》. ④업신여길도 깔봄. '簒漢一天'《漢書》. ⑤움직일도 동요함. 동요시킴. '振一洪水'《淮南子》. ⑥모일도, 모을도 '一乎前'《莊子》. ⑦동풍도 동쪽에서 불어 오는 바람. '東方曰一風'《呂氏春秋》.

[字源] 形聲. 氵(水)+舀〔音〕

水10〔滒〕13 가 ㊉歌 | gē カ どろ

[字解] 진창가 곤죽이 된 진흙. '甚淖而一'《淮南子》.

[字源] 形聲. 氵(水)+哥〔音〕

水10〔溭〕13 직 ㊅職 | cè ショク ゆれうごく

[字解] 움직일직 물건이 움직이는 모양. 또, 크고 작은 파도가 차례로 밀어닥치는 모양. '一淢瀊溳'《郭璞》.

[字源] 形聲. 氵(水)+畟〔音〕

水10〔溴〕13 취 ㊄宥 | xiù シュウ みずのき

[字解] ①물기운취 '一, 水氣也'《玉篇》. ②원소이름취 화학 원소(化學元素)의 이름. 브롬. 취소(臭素).

水10〔溮〕13 사 ㊉支 | sī シ かわのな

[字解] ①물이름사 하북성(河北省) 형태시(邢台市)의 동남쪽에서 발원(發源)하는 강(江). 백천하(百泉河). '一, 一水, 出趙國襄國, 東入湡'《說文》. ②물가사 '一, 一曰, 水厓'《集韻》.

[字源] 形聲. 氵(水)+虒〔音〕

水10〔滐〕13 걸 入屑 | jié ケツ うずまく

字解 ①소용돌이칠걸 물이 소용돌이침. '一, 水激廻'《廣韻》. ②물결갑자기일걸 '淯沸一而爲魁'《木華》. ③큰물걸 큰물의 형용(形容). '一, 大水皃'《玉篇》.

水10〔㴸〕13 여 去御 | rù ジョ ひたる

字解 잠길여, 적실여 '一, 漸溼也'《說文》.
字源 形聲. 氵(水)+挐〔音〕

水10〔溛〕13 와 平麻 | wā ワ くぼむ

筆順 氵 氵 氵 氵 氵 氵 溛 溛

字解 ①우묵할와 窊(穴부 5획〈917〉)와 同字. ②울퉁불퉁할와 물이 평탄하지 아니한 모양. '沂淪一瀤'《郭璞》.
字源 形聲. 氵(水)+窊〔音〕

水10〔溔〕13 묘(요本) 上篠 | yǎo ヨウ ふかくてはかられぬ

字解 아득할묘 '一一'는 깊어서 헤아릴 수 없음. '一一, 深不測'《集韻》. ※本音 요.

水10〔㶒〕13 섬 上琰 | shǎn セン すいりゅうがはやい

字解 ①빨리흐를섬. ②출렁거릴섬 물이 요동하는 모양. '一泊'. '一泊洦而迆颺'《木華》.

水10〔溹〕13 一 삭 入藥 | shǒ サク かわのな
二 색 入陌 | sè サク あめのふるさま

字解 一 물이름삭 '一水'는 하남성(河南省) 형양현(滎陽縣)에서 발원(發源)하여, 현의 남쪽에서 수수(須水)와 합하여 수삭하(須索河)를 이루는 강. '一河'. '敦與之山, 一水出于其陽'《山海經》. 二 비내릴색 비가 오는 모양. '一一'.

水10〔㴼〕13 합 入洽 | xiá コウ はやせ

字解 여울합 '一, 一濈, 湍流'《集韻》.

水10〔溰〕13 의 平微 | yí ギ しろい

字解 흴의 '一一'는 눈·서리 같은 것이 흰 모양. '銀光爛爛雪一一'《金農》.
字源 形聲. 氵(水)+豈〔音〕

水10〔溞〕13 소 平豪 | sāo ソウ こめをとぐ

字解 일소 쌀을 읾. 또, 그 소리. '一一, 淅也'《爾雅》.

水10〔溳〕13 운 ①平文 | yún ウン かわのな
②③上軫 | yǔn イン なみがよせる

字解 ①강이름운 '一水'는 호북성(湖北省) 수현(隨縣) 서남의 대홍산(大洪山)에서 발원하여 한수(漢水)로 흘러 들어가는 강. '一, 水名, 在南陽'《廣韻》. ②물결칠운 '瀘一·一瀘'은 크고 작은 파도가 잇달아 밀려오는 모양. '一, 瀘一, 波相次也'《廣韻》. ③떨어질운 '磒落也. 通作一'.
字源 形聲. 氵(水)+員〔音〕

水10〔滊〕13 一 희 去未 | xì キ かわのな
二 할 入月 | xiē ケツ しおいけ

字解 一 물이름희 '一, 水名'《康熙字典》. 二 소금못할 염지(鹽池). 또, 단물을 소금물에 섞어서 소금을 만듦. '一, 字林, 鹽池. 一曰, 以甘水和鹹水爲鹽曰一'《集韻》.

水10〔㳽〕13 一 각 入覺 | quē カク そそぐ
二 확 入藥 | カク そそぐ
三 혹 入沃 | hú コク みずのおと

字解 一 ①물댈각 관개(灌漑). '一, 灌也'《說文》. ②젖을곽 '一, 霑也'《玉篇》. ③담글곽 '一, 漬也'《玉篇》. 二 물댈확 一❶과 뜻이 같음. 三 물소리혹 '一, 水聲'《集韻》.
字源 形聲. 氵(水)+隺〔音〕

水10〔渚〕13 지 平支 | chí チす

字解 ①모래톱지, 강(江)섬지 坻(土부 5획〈204〉)와 同字. ②이를지 '一, 至也'《廣雅》.

水10〔瀧〕13 一 몽 上董 | lǒng ボウ おろか
二 망 平江 | ボウ どろ

字解 一 어리석을몽 '一, 一澒, 無知也'《篇海》. 二 진흙망 '一, 涂也'《說文》.
字源 形聲. 氵(水)+土+尨〔音〕

水10〔滆〕13 一 혁 入陌 | gé カク みずうみのな
二 격 入陌 | カク みずうみのな

字解 一 호수이름혁 강소성(江蘇省) 상주시(常州市)의 서남쪽에 있는 호수. 사자호(沙子湖). '具區洮一'《郭璞》. 二 호수이름격 一과 뜻이 같음.

水10〔溑〕13 쇄 上哿 | suǒ サ かわのな

字解 물이름쇄 '一, 一水也'《說文》.
字源 形聲. 氵(水)+貨〔音〕

水10〔溡〕13 시 平支 | shí シ かわのな

字解 물이름시 지금의 오하(烏河). 수원(水源)은 산동성(山東省) 치박시(淄博市) 임치(臨淄)의 서남(西南). '一, 水名, 在齊'《集韻》.

水10〔溻〕13 탑 ㊂合 | tā トウ うるおう, うるおす
字解 ①젖을탑, 적실탑 '一, 濕也'《集韻》. ②《現》 땀이 나서 옷이나 침구(寢具)를 젖게 함.

水10〔溞〕13 〔규〕 湀(水부 9획〈667〉)의 本字

水10〔溔〕13 〔고〕 滜(水부 12획〈684〉)의 本字

水10〔溮〕13 사 ㊀支 | shī シ かわのな
字解 물이름사 하남성(河南省) 신양시(信陽市)의 서남쪽에서 발원(發源)하여, 동북류(東北流)하여 회하(淮河)로 흘러드는 강(江). '一, 水名'《集韻》.

水10〔溾〕13 ㊀ 위 ㊀佳 | āi ワイ にごる
㊁ 외 ㊀灰 | ワイ にごる
㊂ 회 ㊤賄 | カイ にごる
字解 ㊀ ①흐릴위 더러워져 흐림. '一, 一涹, 穢濁'《廣韻》. ②빠질위 잠김. '一, 一沒也'《玉篇》. ③소용돌이위 소용돌이치는 소(沼). '一, 一曰, 回淵'《集韻》. ㊁ 흐릴외, 빠질외, 소용돌이외 ㊀과 뜻이 같음. ㊂ 흐릴회, 빠질회, 소용돌이회 ㊀과 뜻이 같음.

水10〔滚〕13 〔곤〕 滾(水부 11획〈676〉)의 本字

水10〔滊〕13 〔제〕 濟(水부 14획〈693〉)의 本字

水10〔滋〕13 〔잠〕 湛(水부 9획〈665〉)의 古字

水10〔溠〕13 〔양〕 漾(水부 11획〈680〉)과 同字

水10〔滗〕13 〔필〕 滭(水부 12획〈686〉)과 同字·簡體字

水10〔漢〕13 〔한〕 漢(水부 11획〈678〉)의 略字

水10〔滞〕13 〔체〕 滯(水부 11획〈675〉)의 略字

水10〔漠〕13 〔막〕 漠(水부 11획〈678〉)의 俗字

水10〔漁〕13 〔어〕 漁(水부 11획〈676〉)의 俗字

水10〔湿〕13 〔습〕 溼(水부 10획〈674〉)·濕(水부 14획〈692〉)의 俗字

水10〔滚〕13 〔심〕 深(水부 8획〈656〉)의 本字

水10〔溼〕13 〔습〕 濕(水부 14획〈692〉)과 同字

水10〔涵〕13 〔함〕 涵(水부 8획〈653〉)의 本字

水10〔溵〕13 人名 〔은〕 濦(水부 14획〈693〉)과 同字
筆順 丶 氵 氵 汀 沪 淠 溵 溵

水10〔滃〕13 〔옹〕 灉(水부 18획〈702〉)과 同字

水10〔溸〕13 〔침〕 濅(水부 13획〈691〉)과 同字

水10〔溹〕13 〔소〕 溯(水부 9획〈668〉)의 俗字

水10〔滝〕13 〔롱〕 瀧(水부 16획〈699〉)의 古字

水10〔滙〕13 〔회〕 匯(匚부 11획〈123〉)와 同字

水10〔滛〕13 〔음〕 淫(水부 8획〈656〉)의 訛字

水10〔㴋〕13 〔담〕 𣳚(水부 7획〈648〉)과 同字

水10〔馮〕13 〔빙〕 馮(馬부 2획〈1735〉)의 俗字

水10〔澁〕13 〔삽〕 澀(水부 12획〈685〉)의 俗字

水10〔滌〕13 〔척〕 滌(水부 11획〈675〉)의 俗字

水11〔㵄〕15 〔섭〕 涉(水부 7획〈649〉)의 古字

水11〔潁〕15 영 ㊤梗 | yǐng エイ かわのな

[字解] ①물이름영 '—水'는 하남성(河南省) 등봉현(登封縣)에서 발원(發源)하여, 안휘성(安徽省)에서 회수(淮水)로 흘러 들어가는 강. '荊州其浸—湛'《周禮》. ②성영 성(姓)의 하나.
[字源] 形聲. 水+頃〔音〕

水 11 〔漿〕 15 장 [平]陽 | jiāng ショウ おもゆ
[字解] ①미음장 끓인 쌀의 즙(汁). '辨四飮之物. …三曰—'《周禮》. ②마실것장 음료. '水—'. '簞食壺—'《孟子》. ③풀먹일장 옷에 풀을 먹임. '今人—衣, 多用之'《本草》.
[字源] 形聲. 水+將〔音〕

水 11 〔漐〕 15 칩 [入]緝 | zhí チュウ あせのでるさま
[字解] ①땀흐를칩 '—, 汗出貌'《集韻》. ②가랑비잇따를칩 '——, 小雨不輟'《正字通》.

水 11 〔漀〕 15 경 [上]迥 | qīng ケイ さけをだす
[平]庚 | qǐng ケイ そばからでるいずみ
[平]青
[字解] ①술따를경 항아리를 기울여 술을 따름. '—, 側器傾酒漿也'《集韻》. ②옆으로나오는샘경 '—, 側出泉也'《說文》.
[字源] 形聲. 水+殸〔音〕

水 11 〔漦〕 15 시 [平]支 | chí シ あわ
[字解] 거품시 입에서 나오는 거품. 침방울. '龍亡而—在'《國語》. '卜請其—而藏之'《國語》.
[字源] 形聲. 水+𠩺〔音〕

水 11 〔滌〕 14 척 [入]錫 | dí テキ あらう
[字解] ①닦을척, 씻을척 '洗—'. '—器於市中'《史記》. ②청소할척 소제함. '十月—場'《詩經》. ③우리척 희생(犧牲)을 기르는 우리. '帝牛必在—三月'《禮記》.
[字源] 形聲. 氵(水)+條〔音〕
[參考] 滌(水부 10획〈675〉)은 俗字.

水 11 〔滌〕 14 滌(前條)의 本字

水 11 〔滫〕 14 수 [上]有 xiǔ / [平]尤 xiū シュウ しろみず
[字解] ①뜨물수 곡식을 씻어서 부옇게 된 물. 또, 쌀을 씻음. '—瀡以滑之'《禮記》. ②오줌수 소변. '其漸之—'《荀子》.
[字源] 形聲. 氵(水)+脩〔音〕

水 11 〔滬〕 14 호 [上]麌 | hù コ かわのな
[字解] ①물이름호 '—瀆'은 강소성(江蘇省)을 흐르는 오송강(吳淞江)의 하류(下流). 상해시(上海市)의 동북을 흐르므로, 전(轉)하여, 상해(上海)의 별칭. ②대어살호 대나무를 바닷가에 죽 늘어세워서 고기를 잡는 어살. '別浦廻時魚—密'《陸游》.
[字源] 形聲. 氵(水)+扈〔音〕

水 11 〔滯〕 14 [高校] 체 [去]霽 | zhì テイ・タイ とどこおる
[字解] ①막힐체 ㉠막혀 통하지 아니함. '流而不—'《淮南子》. ㉡말이 잘 나오지 아니함. 일이 잘 진척되지 아니함. '澀—'. '應對無—'《後漢書》. ②쌓일체 묵어 쌓임. '—貨'. '敢告—積'《國語》. ③남을체 ㉠빠져 남음. 잔류(殘留)함. '此有—穗'《詩經》. 또, 등용되지 않고 빠져 남은 어진 사람. 유현(遺賢). '訪賢擧—'《南史》. ㉡팔리지 않아 남음. '凡珍異之有—者'《周禮》. ④엉길체 한 가지 일에 열중함. 집착(執着)함. '—固'. '聖人不凝—於物'《楚辭》. ⑤머무를체 체재함. '—留'.
[字源] 形聲. 氵(水)+帶〔音〕

水 11 〔漴〕 14 종 (충[本]) ①[平]江 ②[平]東 | ソウ にわかあめ chóng シュウ みずのおと
[字解] ①소낙비종 비가 갑자기 옴. '雨急謂之—'《集韻》. ②물소리종 '—, 水聲'《集韻》. ※本音 충.

水 11 〔滲〕 14 삼 [去]沁 | shèn シン しみこむ, もれる
[字解] ①밸삼 물이 뱀. 물이 스미어 들어감. '—透'. '以生者血瀝死者骨, —卽爲父子'《南史》. ②샐삼 조금씩 흘러 나옴. '—涸'. '財無—漏'《宋史》.
[字源] 形聲. 氵(水)+參〔音〕

水 11 〔滴〕 14 [高人] 적 [入]錫 | dī テキ したたり
[筆順] 丶 氵 氵 浐 湇 渧 滴 滴
[字解] ①물방울적 '雨—'. '流—垂氷'《謝惠連》. ②물방울떨어질적 '點—'. '香露—瀝'《拾遺記》.
[字源] 形聲. 氵(水)+商(啇)〔音〕

水 11 〔滳〕 14 상 [平]陽 | shāng ショウ ながれゆくさま
[字解] 세차게흐를상 물이 세차게 흐르는 모양. '鬱鬱芊芊, 若何——'《列子》.

水 11 〔滻〕 14 산 [上]潸 | chǎn サン なく
[字解] ①울산 눈물을 흘리는 모양. '—, 出

涕'《玉篇》. ②많을산 '一一'은 많음. 일설(一說)에, 물고기가 떼지어 헤엄치는 모양. ③물이름산 섬서성(陝西省) 남전현(藍田縣) 서남쪽에서 발원하여, 위수(渭水)로 흐르는 강. '一水'. '一水, 出京兆藍田縣, 入霸'《說文》.
字源 形聲. 氵(水)＋產〔音〕

水11〔滷〕14 로 ㊤麌 lǔ ロ しおつち, にがり
字解 ①짠땅로 염분이 많이 섞인 땅. 척로(斥鹵). '一, 苦地也, 謂斥鹵可煑鹽者'《爾雅 疏》. ②짠물로 염분을 포함한 물. 또, 간수. '一, 鹹水也'《玉篇》.
字源 形聲. 氵(水)＋鹵〔音〕

水11〔滸〕14 호 ㊤麌 hǔ コ みぎわ
字解 물가호 수애(水涯)의 평지(平地). '在河之一'《詩經》.
字源 形聲. 氵(水)＋許〔音〕

水11〔滹〕14 호 ㊥虞 hū コ かわのな
字解 ①물이름호 '一沱河'는 산서성(山西省) 번치현(繁峙縣)에서 발원(發源)하여, 하북성(河北省)에서 백하(白河)로 흘러들어가는 강. '至一沱河, 無船'《後漢書》. ②성호 성(姓)의 하나.
字源 形聲. 氵(水)＋虖〔音〕

水11〔漊〕14 루 ①㊥虞 ②㊤有 ③㊥尤 lǚ ル こさめのたえぬさま lǒu ロウ みぞ lóu ロウ かわのな
字解 ①가랑비잇달루 '一一, 猶縷縷也, 不絕之皃'《說文 段注》. ②봇도랑루, 돌창루 '一, 溝也'《集韻》. ③물이름루 호북성(湖北省) 학봉현(鶴峰縣) 서북쪽에서 발원하여 풍수(灃水)로 흘러들어가는 강. 지금의 구계하(九溪河). '一水'. '一, 水名, 出武陵蠻中'《集韻》.
字源 形聲. 氵(水)＋婁〔音〕

水11〔滺〕14 유 ㊥尤 yóu ユウ ながれる
字解 흐를유 물이 흐르는 형용. '淇水一一'《詩經》.

水11〔滾〕14 곤 ㊤阮 gǔn コン さかんにながれる
字解 ①흐를곤 물이 세차게 흐르는 모양. '不盡長江一一來'《杜甫》. ②끓을곤 물이 끓음. '一, 俗謂湯沸曰一'《中華大字典》.
字源 形聲. 氵(水)＋袞〔音〕
參考 滚(水부 10획〈674〉)은 同字

水11〔滿〕14 中·人 만 ㊤旱 mǎn マン みちる
筆順 氵 氵 汒 汼 㴎 湍 滿 滿
字解 ①찰만 ㉠가득 참. '充一'. '戶外之屨一矣'《莊子》. ㉡풍족함. 충분함. '一足'. '羽毛不豐一者'《戰國策》. ㉢기한이 참. '一期'. '官未嘗至秩一'《南史》. ②채울만 전항(前項)의 타동사. '買地爲馬埒, 編錢一之'《晉書》. ③교만할만 거만함. '驕一'. '其一之甚也'《國語》. ④땅이름만 '一洲'의 약칭. '一漢各一人'《大淸會典》. ⑤성낼만 懣(心부 14획〈416〉)과 통용. '憂一不食'《漢書》. ⑥속일만 瞞(目부 11획〈854〉)과 통용. '一讕誣天'《漢書》. ⑦성만 성(姓)의 하나.
字源 形聲. 氵(水)＋㒼〔音〕

水11〔滿〕14 滿(前條)의 俗字

水11〔漁〕14 中·人 어 ㊥魚 yú ギョ·リョウ すなどる
筆順 氵 氵 汋 洎 渔 渔 漁 漁
字解 ①고기잡을어 물고기를 잡음. '一網'. '以佃以一'《易經》. ②낚을어 약탈함. 선악을 가리지 않고 탐내어 취함. '一奪'. '諸侯不下一色'《禮記》. ③고기잡이어 ㉠고기를 잡는 일. '一獵'. '命一師始一'《禮記》. ㉡어부(漁夫). '一家'. '伴樵一'《孔魚》.
字源 形聲. 氵(水)＋魚〔音〕

水11〔漂〕14 高·人 표 ①-⑤㊥蕭 ⑥㊤嘯 piāo ヒョウ ただよう piào ヒョウ あらう
筆順 氵 氵 汀 沔 洒 湮 漂 漂
字解 ①떠다닐표 ㉠풍파에 따라 이리저리 떠다님. '一流'. '流澌浮一'《魏武帝》. ㉡정처 없이 유랑함. '一寓'. '萍一上國'《皇甫松》. ②떠다니게할표 '流血一杵'《書經》. ③나부낄표 飄(風부 11획〈1710〉)와 통용. '風其一女'《詩經》. ④움직일표 위치를 변경시킴. '衆煦一山'《漢書》. ⑤능가할표 훨씬 뛰어남. '一陵絲簧'《馬融》. ⑥바랠표, 빨래할표 세탁함. '一白'. '一母'. '竟一數十日'《史記》.
字源 形聲. 氵(水)＋票(㶾)〔音〕

水11〔漹〕14 언 ㊥先 yān エン かわのな
字解 물이름언 산서성(山西省) 중양현(中陽縣)의 경계에서 발원하여 남류(南流), 황하로 흘러드는 강. '一, 一水, 出西河中陽北沙, 南入河'《說文》.

[字源] 形聲. 氵(水)＋焉〔音〕

水11〔漆〕14 [高·人] ㊀칠 [入]質 | qī シツ うるし ㊁철 [入]屑 | qiè セツ せんしん

[筆順] 氵 氵 汁 汁 汰 涞 涤 漆

[字解] ㊀①옻나무칠 옻나뭇과에 속하는 낙엽 교목(落葉喬木). 진(津)은 유독(有毒)하며 칠에 씀. '椅桐梓一'《詩經》. ②옻칠칠 옻나무의 진(津). '厥貢一絲'《書經》. ③검을칠 흑색. '一車藩蔽'《周禮》. ④옻칠할칠 '歲壹一之'《禮記》. ⑤강이름칠 '一水'는 섬서성(陝西省)의 대신산(大神山)에서 발원, 위수(渭水)로 들어감. '一, 一水, 出右扶風杜陵岐山, 東入渭'《說文》. ⑥일곱칠 七(一부 1획〈9〉)과 통용. ⑦성칠 성(姓)의 하나. ㊁전심할철 한 가지 일에 마음을 경주하는 모양. '祭濟濟一一然'《禮記》.

[字源] 形聲. 氵(水)＋桼〔音〕

水11〔滜〕14 요(교本) [平]蕭 | jiāo キョウ うすい

[字解] ①엷을요, 엷게할요 澆(水부 12획〈685〉)와 同字. '一醇散朴'《莊子》. ②기름질요 비옥함. ※本音 교.

水11〔漈〕14 제 [去]霽 | jì セイ みぎわ

[字解] ①물가제 수애(水涯). ②바다밑이터져깊이꺼진데제 해거(海渠). '至彭湖漸低. 近瑠求, 則謂之落一'《元史》.

[字源] 形聲. 氵(水)＋祭〔音〕

水11〔漉〕14 록 [入]屋 | lù ロク こす, さらう

[字解] ①거를록 액체를 거름. '滲一'. '一汁灑地'《戰國策》. ②칠록 토사를 쳐내고 물을 모두 뺌. '毋一陂池'《禮記》.

[字源] 形聲. 氵(水)＋鹿〔音〕

水11〔漌〕14 [人名] 근 [上]吻 | jǐn キン きよい

[筆順] 氵 氵 汁 汁 汁 湛 漌 漌

[字解] 맑을근 맑음. '一, 淸也'《廣韻》.

水11〔漏〕14 [高·人] 루 [去]宥 | lòu ロウ もれる, もらす

[筆順] 氵 氵 沪 沪 涓 漏 漏 漏

[字解] ①샐루 ㉠물·빛·바람 등이 틈으로 흘러 나오거나 비쳐 나옴. '一水'. '月光穿一'《韓愈》. ㉡비밀이 탄로됨. '一泄'. '密有殺繡之計, 計一'《魏志》. ②틈날루 틈이 생김. 구멍이 뚫림. '千里之隄, 以螻螘之穴一'《淮南子》. ③빠뜨릴루 유실(遺失)함. '一落'. '採史漢所一二百餘事'《齊書》. ④구멍루 '禹耳三一'《白虎通》. ⑤누수기루 물시계. '一刻'. '仆表決一'《史記》. ⑥서북모퉁이루 방(房)의 서북 모퉁이의 가장 어두운 곳. '尙不愧于屋一'《詩經》. ⑦병이름루 '痔一'. '腦一' 따위. ⑧《佛敎》번뇌루 번뇌(煩惱)의 이칭(異稱). '惑業爲諸一之因, 生死爲諸一之果'《大藏法數》. ⑨성루 성(姓)의 하나.

[字源] 形聲. 氵(水)＋扇〔音〕

水11〔漑〕14 [人名] ㊀개 [去]隊 | gài ガイ そそぐ ㊁기 [去]未 | jì キ すでに

[筆順] 氵 泊 泊 浿 浿 浬 漑 漑

[字解] ㊀①물댈개 '灌一'. '引漳水一鄴'《史記》. ②씻을개, 닦을개 '濼一'. '一之釜鬵'《詩經》. ㊁이미기 旣(无부 7획〈499〉)와 통용. '一執中'《史記》.

[字源] 形聲. 氵(水)＋旣〔音〕

水11〔漓〕14 리 [平]支 | lí リ しみこむ, うすい

[字解] ①스밀리 배어 들어감. '風一化改'《沈約》. ②엷을리 경박함. 醨(酉부 11획〈1540〉)와 同字. '棄一而歸厚'《司馬光》.

[字源] 形聲. 氵(水)＋离〔音〕

水11〔演〕14 [高·人] 연 [上]銑 | yǎn エン ながれる, おこなう

[筆順] 氵 氵 沪 浐 淯 渖 演 演

[字解] ①흐를연 길게 흐름. 먼 곳으로 흘러감. '東一析木'《木華》. ②윤택할연 물이 흘러 윤택함. '夫水土一而民用也'《國語》. ③펼연 널리 폄. '廣一'. '推一聖德'《漢書》. ④당길연 잡아당김. '留侯一成'《班固》. ⑤부연할연 알기 쉽게 설명함. '一義'. '能莫述一'《應劭》. ⑥헤아릴연 추측함. '一天地之數'《易經 註》. ⑦행할연 '一武'. '別一一法'《宋史》. ⑧무자맥질할연 헤엄침. 물 속을 잠행함. '一以潛沫'《左思》.

[字源] 形聲. 氵(水)＋寅〔音〕

水11〔漕〕14 조 [去]號 | zāo ソウ はこぶ

[字解] ①배저을조 물 위에서 배를 가게 함. '一舟至河口'《唐書》. ②배로실어나를조 배로 물건을 운반함. '一運'. '轉一給軍'《史記》. ③뱃길조 배의 통행하는 수로. '欲令通一大原'《後漢書》. ④성조 성(姓)의 하나.

[字源] 形聲. 氵(水)＋曹〔音〕

水11〔漅〕14 소(초俗) ㊤篠 ㊥肴 | cháo ショウ みずうみのな

字解 호수이름소 '一湖出黃金. (註) 在今廬州合肥縣東南'《後漢書》. ※俗音 초.

水11〔漘〕14 순 ㊥眞 | chún シン みぎわ

字解 물가순 위가 평평하고 아래가 깊은 수애(水涯). '在河之一'《詩經》.
字源 形聲. 氵(水)+脣〔音〕

水11〔漙〕14 단 ㊥寒 | tuán タン つゆのおおいさま

字解 이슬많을단 이슬이 많이 내린 모양. '零露一兮'《詩經》.
字源 形聲. 氵(水)+專〔音〕

水11〔滰〕14 ㊀강 ㊤養 ㊁경 ㊦敬 | jiàng キョウ こめをほす ケイ こす

字解 ㊀ 쌀말릴강 물에 담근 쌀을 말림. '一, 浚乾漬米也'《說文》. ㊁ 거를경 '一, 漉也'《廣雅》.
字源 形聲. 氵(水)+竟〔音〕

水11〔漚〕14 구 (우本) ㊦宥 ㊥尤 | ①òu オウ ひたす ②③ōu オウ あわ, かもめ

字解 ①담글구 물에 오래 담가 부드럽게 함. '東門之池, 可以一麻'《詩經》. ②거품구 물거품. '浮一'. '如海一一發'《楞嚴經》. ③갈매기구 鷗(鳥부 11획〈1832〉)와 통용. '海上之人, 有好一鳥者'《列子》. ※本音 우.
字源 形聲. 氵(水)+區〔音〕

水11〔漠〕14 高·人 막 ㊇藥 | mò バク さばく, ひろい

筆順 氵 氵' 氵'' 氵艹 汫 涔 漠 漠

字解 ①사막막 넓은 모래 벌판. '沙一'. '北出塞一'《後漢書》. ②넓을막 '廣一'. '溥一汜濫'《郭璞》. ③어두울막 '一一'. '幽室之黯一'《蔡邕》. ④조용할막 고요함. '幽一'. '眞人恬一, 獨與道息'《漢書》. ⑤쓸쓸할막 寞(宀부 11획〈284〉)과 同字. '元成等一然'《漢書》.
字源 形聲. 氵(水)+莫〔音〕

水11〔滵〕14 밀 ㊇質 | mì ミツ ながれのはやいさま

字解 물빨리흐를밀 '一, 水流疾皃'《集韻》.

水11〔漢〕14 中·人 한 ㊦翰 | hàn カン あまのがわ, くにのな

筆順 氵 氵 氵' 氵艹 汫 漌 漢 漢

字解 ①물이름한, 한수한 섬서성(陝西省) 영강현(寧羌縣)에서 발원(發源)하여, 호북성(湖北省)을 관류(貫流)하는 양자강(揚子江)의 지류. '一水'. '嶓冢導漾, 東流爲一'《書經》. 또, 이 강의 유역(流域). 섬서(陝西), 호북(湖北) 두 성(省)을 '一中'이라 하며, 약(略)하여 '一'이라고도 함. ②은하수한 '銀一'. '天一'. '維天有一'《詩經》. ③한민족한 중국 본토의 민족. 또, 중국 본토의 뜻으로도 쓰임. '滿一各一人'《大淸會典》. ④한나라한 ㉠유방(劉邦)이 진(秦)나라를 멸하고 세운 나라. 서울은 장안(長安). '西一' 또는 '前一'이라 함. 15주(主) 211년 만에 왕망(王莽)에게 찬탈(簒奪)됨. (B.C. 202～A.D. 8) ㉡유수(劉秀)가 왕망(王莽)의 신(新)을 토평하고 한실(漢室)을 중흥(中興)하여 세운 나라. 서울은 낙양(洛陽). '東一' 또는 '後一'이라 함. 12주(主) 196년 만에 위(魏)나라에게 찬탈(簒奪)됨. (25～220) ㉢삼국(三國)의 하나. 유비(劉備)가 위(魏)·오(吳)와 정립(鼎立)하여 중국 서남부에 세운 나라. 서울은 성도(成都). '蜀一'이라 함. ㉣서진(西晉) 때 오호 십육국(五胡十六國)의 하나. 흉노족(匈奴族)의 유연(劉淵)이 산서(山西)에 의거하여 세운 나라. 뒤에, 국호(國號)를 조(趙)로 고치었으므로, 역사상(歷史上) 전조(前趙)로 일컬어짐. 6주(主) 26년 만에 석륵(石勒)에게 망하였음. (304～329) ㉤서진(西晉) 때 오호 십육국(五胡十六國)의 하나. 저족(氐族)의 이웅(李雄)이 성도(成都)에 의거하여 칭제(稱帝)하고 세운 나라. 처음에 국호를 성(成)이라 하였으나, 뒤에 한(漢)으로 고쳤음. 역사상 '成一' 또는 '後蜀'으로 일컬어짐. 6주(主) 46년 만에 동진(東晉)에 망하였음. (302～347) ㉥오대(五代) 때의 십국(十國)의 하나. 유은(劉隱)이 칭제(稱帝)하고 광동(廣東) 및 광서(廣西) 남부 지방에 세운 나라. 처음 국호(國號)는 대월(大越). '南一'으로 일컬어짐. 5주(主) 63년 만에 송(宋)나라에 망하였음. (909～971) ㉦오대(五代) 때의 십국(十國)의 하나. 사타부(沙陀部)의 유지원(劉知遠)이 후진(後晉)에 갈음하여 칭제(稱帝)하고 하남(河南) 지역에 세운 나라. 서울은 변(汴). 역사상 '後一'으로 일컬어짐. 2주(主) 4년 만에 후주(後周)에 망하였음. (947～950) ㉧오대(五代) 때 십국(十國)의 하나. 후한(後漢)의 은제(隱帝)가 시해(弑害)되자 그의 숙부(叔父) 유숭(劉崇)이 자립(自立)하여 세운 나라. 역사상 '北一' 또는 '東一'으로 일컬어짐. 4주(主) 29년 만에 송(宋)나라에 망하였음. (951～979) ⑤사내한 남자의 천칭(賤稱). '村一'. '今人謂賤丈夫爲一子'《輟耕錄》. ⑥성한 성(姓)의 하나.

字源 形聲. 氵(水)+英〔音〕

水11〔瀷〕14 漢(前條)의 古字

水11〔漣〕14 련 ㊥先 | lián レン さざなみ

字解 ①잔물결련, 물결일련 세파(細波). '微一'. '河水淸且一猗'《詩經》. ②눈물흐를련 눈물이 줄줄 흐르는 모양. '一如'. '涕流一'《陸瑜》.

字源 形聲. 氵(水)+連〔音〕

水11〔淑〕14 적 ㊀錫 | jí セキ·ジャク きよい

字解 ①물맑을적 일설에는, 풀이 물 속에서 나부끼는 모양. '一漻蕭·蓼, 蔓草芳苓'《枚乘》. ②고요할적 寂(宀부 8획〈281〉)과 同字.

水11〔漩〕14 선 ㊥先 | xuán センめぐる, うずまく

字解 소용돌이칠선 '一澴滎瀯'《郭璞》.

字源 形聲. 氵(水)+旋〔音〕

水11〔漪〕14 의 ㊥支 | yī イ さざなみ

字解 ①잔물결의 세파(細波). '一漣'. '淸波一漣'《晉書》. ②물결일의 '一, 波動貌'《詳校篇海》.

字源 形聲. 氵(水)+猗〔音〕

水11〔潨〕14 총 ㊥東 | cōng ソウ くむ

字解 물길을총 '一, 汲也'《字彙》.

水11〔漫〕14 高人 만 ①-⑨㊦翰 ⑩㊥寒 | màn マン ひろい | mán マン みちる

筆順 氵 氵冂 氵日 氵旦 氵昷 温 漫 漫

字解 ①질펀할만 땅이 넓고 평평한 모양. '夷一數百里'《唐書》. ②넓을만 수면(水面)이 아득하게 넓은 모양. '渺一'. '柳塘春水一'《嚴維》. ③멀만 유원(悠遠)함. '七嶺悠一'《王僧儒》. ④방종할만 멋대로 굶. '放一'. '澶一爲樂'《莊子》. ⑤더러울만, 더럽힐만 '以辱行汙一我'《莊子》. ⑥흩어질만 난잡함. '散一'. '混一'. '有蕪一之累矣'《鐘嶸》. ⑦넘칠만 범람함. '其流波一'《唐書》. ⑧함부로만 ㉠멋대로. '一羨而無所歸心'《漢書》. ㉡무리하게. '一勞車駕駐江干'《杜甫》. ⑨성만 성(姓)의 하나. ⑩찰만 가득참. '桃李任一山'《朱熹》.

字源 形聲. 氵(水)+曼〔音〕

水11〔漬〕14 지 ㊦寘 | zì シ ひたす, つける

字解 ①담글지 물에 담금. '浸一'. '淹一, 通俗文, 水浸曰一'《一切經音義》. ②잠길지 물 속에 담가짐. '天下沈一'《吳越春秋》. ③젖을지 액체나 또는 습관 따위가 점차로 배어듦. '漸一於失敎'《史記》. ④물들지, 물들일지 염색함. '染羽淳而一之'《周禮》. ⑤앓을지 중병을 앓음. '一甚'《呂氏春秋》. ⑥거품지 물의 거품. '空生大覺中如海一一'《楞嚴經》.

字源 形聲. 氵(水)+責〔音〕

水11〔漤〕14 람 ㊤感 | lǎn ラン しおづけのくだもの

字解 ①과실장아찌람 소금에 절인 과실. '一, 鹽漬果'《廣韻》. ②즙(汁)람 짜낸 즙. '一, 汁也'《集韻》. ③《現》우릴람 땡감을 우려 떫은 맛을 뺌.

水11〔漭〕14 망 ㊤養 | mǎng モウ ひろい

字解 넓을망 넓고 먼 모양. 평평하고 먼 모양. '一瀁'. '一一'. '過乎泱一之壄'《司馬相如》.

字源 形聲. 氵(水)+莽〔音〕

水11〔漯〕14 ㊀탑 ㊀合 | tà トウ かわのな ㊁루 ㊤紙 | lěi ルイ かわのな

筆順 氵 氵冂 氵冂 氵田 氵田 漯 漯 漯

字解 ㊀물이름탑 산동성(山東省) 임평현(茌平縣)에서 발원(發源)하여, 동북으로 흐르는 도해하(徒骸河)의 지류(支流). 옛날에는 황하(黃河)의 지류(支流)였다가 송(宋)나라 때부터 변하였음. '一河'. '一水出東郡東武陽縣'《漢書》. ㊁강(江)이름루 '一水'. 현재의 상건하(桑乾河)와 그 하류인 영정하(永定河). '一, 水名, 出鴈門'《集韻》.

字源 形聲. 氵(水)+累〔音〕

水11〔漰〕14 붕 ㊥蒸 | pēng ホウ みずのあいうつおと

字解 물결치는소리붕 물결이 서로 부딪치는 소리. '鼓砳窟以一渤'《郭璞》.

字源 形聲. 氵(水)+崩〔音〕

水11〔漱〕14 수 ㊦宥 | shù シュウ くちすすぐ, あらう (sòu) ソウ くちすすぐ, あらう

字解 ①양치질할수 '雞初鳴, 咸盥一'《禮記》. ②빨수, 씻을수 '一滌'. '冠帶垢, 和灰請一'《禮記》.

字源 形聲. 氵(水)+敕〔音〕

水11〔潄〕14 潄(前條)의 俗字

水11〔漲〕14 창 [去]漾 | zhǎng チョウ みなぎる

[字解] ①불을창 물이 벌창함. '一溢'. '一餘野水有殘痕'《陸游》. ②찰창 가득 차서 넘침. '烟塵一天'《南史》.
[字源] 形聲. 氵(水)+張〔音〕

水11〔漳〕14 [人名] 장 [平]陽 | zhāng ショウ かわのな

[筆順] 氵 氵 氵 氵 淬 漳 漳 漳

[字解] 물이름장 산서성(山西省)에서 발원(發源)하여, 하남성(河南省)·하북성(河北省)을 거쳐 위하(衛河)로 흘러 들어가는 강. '一水'. '一河'. '冀州, 其川一'《周禮》.
[字源] 形聲. 氵(水)+章〔音〕

水11〔漵〕14 서 [上]語 | xù ジョ うら

[字解] 개서 개펄. '舟人漁子入浦一'《杜甫》.
[字源] 形聲. 氵(水)+敘〔音〕

水11〔潊〕14 漵(前條)와 同字

水11〔漶〕14 환 [去]翰 | huàn カン はっきりしない

[字解] 흐릴환 흐려져서 글씨 같은 것이 잘 보이지 않는 모양. '圖書已漫一'《蘇軾》.
[字源] 形聲. 氵(水)+患〔音〕

水11〔漥〕14 〔와〕 窪(穴부 9획〈921〉)와 同字

[參考] 이 자는 '水+窐'로 보아 여기에 싣는 것이 옳으나, 《康熙字典》 등은 모두 '窪'로 써서 '穴部'에도 중복하여 싣고 있음. 이 책에서는 속례(俗例)에 따라 穴部의 '窪'로 통합하였음.

水11〔漸〕14 [高·人] ㊀ 점 [上]琰 [平]鹽 | ①-④jiàn ゼン ようやく ⑤-⑧jiān ゼン そそぐ, そめる ㊁ 참 [平]咸 | chán サン やまいしのたかいさま

[筆順] 氵 氵 沪 浉 湕 漸 漸 漸

[字解] ㊀ ①차차점 점점. 차츰차츰. '一進'. '一入佳境'《晉書》. ②차례점 순차. 순서. '以一盡復熙豐之法'《十八史略》. ③나아갈점 차츰차츰 나감. '鴻一于干'《易經》. ④점괘점 육십사괘(六十四卦)의 하나. 곧 ䷴ 〈간하(艮下), 손상(巽上)〉. 점차로 나가는 상(象). ⑤흐를점 흘러 들어감. '東一于海'《書經》. ⑥물들점, 물들일점 감화함. 또, 감화시킴. '一民以仁'《漢書》. ⑦자랄점 보리 같은 것이 잘 자라는 모양. '麥秀一一兮'《史記》. ⑧적실점, 젖을점 물에 적심. 또는, 물에 젖음. '一車帷裳'《詩經》. ㊁ 험할참 바위가 높고 험한 모양. '一一之石, 維其高矣'《詩經》.
[字源] 形聲. 氵(水)+斬〔音〕

水11〔漻〕14 ㊀ 료 [平]蕭 ㊁ 력 [入]錫 | liáo リョウ きよくふかい lì レキ へんかのさま

[字解] ㊀ ①깊을료 맑고 깊음. '湫一寂寞'《淮南子》. ②멀료 높고 멂. '寂一上天知厥時'《漢書》. ㊁ 변할력 변화하는 모양. '油然一然'《莊子》.
[字源] 形聲. 氵(水)+翏〔音〕

水11〔漼〕14 최 [上]賄 | cuǐ サイ ふかい

[字解] ①깊을최 물이 깊음. '有一者淵'《詩經》. ②고울최 선명함. '新臺有一'《詩經》. ③눈물흘릴최 눈물을 줄줄 흘리는 모양. '指季豹而一焉'《陸機》. ④무너질최 헐어지는 모양. '王綱一以陵遲'《後漢書》. ⑤꺾일최 꺾어지는 모양. '一似摧折'《傅毅》.
[字源] 形聲. 氵(水)+崔〔音〕

水11〔漾〕14 양 ①-③[上]養 ④[去]漾 | yǎng ヨウ ゆらぐ yàng ヨウ かわのな

[筆順] 氵 氵 氵 氵 洋 洋 漾 漾

[字解] ①출렁거릴양 물결이 요동함. '蕩一'. '漣漪繁波一'《謝惠連》. ②뜰양 둥둥 뜸. 표류함. '泛一天淵池'《梁武帝》. ③길양 물이 길게 흐름. '川既一而濟深'《王粲》. ④물이름양 섬서성(陝西省)을 흐르는 한수(漢水)의 상류(上流). '一水'. '嶓冢導一'《書經》.
[字源] 形聲. 氵(水)+羕〔音〕

水11〔滮〕14 표 [平]尤 | biāo ヒュウ ながれる

[字解] 흐를표 물이 흐르는 모양. '一池北流'《詩經》.
[字源] 形聲. 氵(水)+彪〔音〕

水11〔漨〕14 봉 [平]東 | péng ホウ むすぼれる

[字解] 울적할봉 마음이 우울함. '歊霧一浡, 雲蒸昏昧'《左思》.

水11〔滭〕14 필 [入]質 | bì ヒツ わく

[字解] 용솟음할필 물이 세차게 솟아 나옴. '黃瑞湧出, 一渤泧潏'《揚雄》.

字源 形聲. 氵(水)＋畢〔音〕

水11〔漎〕14 ㊀총 ㊥東 cōng ソウ かわがごうりゅうする
㊁송 ㊤董 sǒng ソウ はやい

字解 ㊀모일총 물이 모여드는 모양. '中——以回復'《杜甫》. ㊁빠를송 신속한 모양. '風——而扶轄兮'《揚雄》.

水11〔漖〕14 교 ㊦效 jiào キョウ かわのな

字解 ①물이름교. ②땅이름교 광동성(廣東省)의 지명에서 이 자가 든 경우가 많이 보임.
字源 形聲. 氵(水)＋教〔音〕

水11〔漺〕14 상 ㊤養 shuǎng ソウ きよい

字解 ①맑을상 '一, 淨也'《揚子方言》. ②찰상 온도가 낮음. '一, 冷也'《玉篇》.

水11〔漇〕14 사 ㊤紙 xǐ シ ながれる

字解 흐를사 물이 흐르는 모양. '淒淒兮——'《楚辭》.

水11〔漷〕14 곽 ㊇藥 kuò カク みずのあいうってながれるさま

字解 물결부딪칠곽 파도가 서로 부딪치는 모양. '濆濩淢一'《郭璞》.
字源 形聲. 氵(水)＋郭〔音〕

水11〔漝〕14 습 ㊇緝 xí シュウ かげ

字解 ①그림자습 '一, 影也'《玉篇》. ②물습 물의 모양. '一, 湁一, 水皃'《集韻》.

水11〔滱〕14 구 ㊦宥 ㊥尤 kòu コウ かわのな

字解 물이름구 산서성(山西省) 혼원현(渾源縣) 남쪽의 취병산(翠屛山)에서 발원(發源)하여, 하북성(河北省) 내원현(淶源縣)으로 들어가 당하(唐河)가 되는 강(江). '一, 一水, 起北地靈丘, 東入河. 一水卽漚夷水. 幷州川也'《說文》.
字源 形聲. 氵(水)＋寇〔音〕

水11〔漮〕14 강 ㊥陽 kāng コウ むなしい

字解 ①빌강 물이 없음. '一, 水虛也'《說文》. ②물이름강 '一, 水名. 在伊闕'《集韻》.
字源 形聲. 氵(水)＋康〔音〕

水11〔滽〕14 용 ㊥冬 yōng ヨウ かわのな

字解 물이름용 하남성(河南省) 숭현(嵩縣)의 서쪽에 있는 강(江). '一, 水名, 出宜蘇山'《廣韻》.

水11〔滶〕14 오 ㊥豪 áo ゴウ かわのな

筆順 氵 汁 汢 洼 涍 涝 滶 滶

字解 물이름오 하남성(河南省) 노산현(魯山縣)의 서북쪽에서 발원(發源)하여 동남(東南)으로 흐르다가 보풍현(寶豐縣)의 북쪽을 거쳐 겹현(郟縣)에 이르러 여수(汝水)로 들어감. 지금의 이름은 석하(石河).
字源 形聲. 氵(水)＋敖〔音〕

水11〔⿰氵頂〕14 정 ㊤迥 dǐng テイ・チョウ みずのさま

字解 ①물정 '一濘'은 물의 모양. '⿰氵鼎, ⿰氵鼎濘, 水皃. 或作一'《集韻》. ②끓을정 물이 끓음. '一濘潗湆'《木華》.

水11〔滫〕14 순 ㊥眞 xiǔ シュン かわく

字解 땀마를순 '病得之流汗出一. 一者去衣而汗晞也'《史記》.

水11〔漒〕14 강 ㊥陽 qiáng キョウ かわのな

字解 ①물이름강 '一, 水名, 在河南'《集韻》. ②씨족이름강 '沙一'은 씨족(氏族)의 이름. '沙一, 洮強之漢也. 吐谷渾復興, 沙一皆附之'《通雅》.

水11〔⿰氵虘〕14 ㊀사 ㊥麻 サ かわのな
㊁저 ㊥魚 jū ショ かわのな

字解 ㊀물이름사 '一, 一水, 出北地直路西, 東入洛'《說文》. ㊁물이름저 ■과 뜻이 같음.
字源 形聲. 氵(水)＋虘〔音〕

水11〔漞〕14 멱 ㊇錫 mì ベキ ふちのな

字解 ①웅덩이이름멱 '一灑'는 웅덩이 이름. 汨(水부 4획〈628〉)과 同字. '汨, 汨灑, 水名. 在預章. 屈原所沈之處. ⿰氵買·一, 並上同'《廣韻》. ②물얕을멱 '⿰氵幕, 水淺皃. 通作一'《集韻》. ③연석(硯石)이름멱 '一, 石名. 可爲硏'《康熙字典》.

水11〔澈〕14 〔철〕
澈(水부 12획〈685〉)의 本字

水11〔潨〕14 〔총〕
潀(水부 12획〈684〉)의 本字

水11〔⿰氵奄〕14 〔엄〕
淹(水부 8획〈657〉)의 本字

水 11 〔漧〕 14 〔건〕
乾(乙부 10획〈23〉)의 古字

水 11 〔濅〕 14 〔침〕
浸(水부 7획〈649〉)과 同字

水 11 〔澍〕 14 〔지〕
洔(水부 6획〈645〉)와 同字

水 11 〔漄〕 14 〔애〕
涯(水부 8획〈653〉)와 同字

水 11 〔潅〕 14 〔관〕
灌(水부 18획〈702〉)의 俗字

水 11 〔澹〕 14 〔담〕
澹(水부 13획〈690〉)의 俗字

水 11 〔漡〕 14 상 [平]陽 shāng ショウ みずのながれるさま

[字解] 물흐르는모양상 '湯, 湯湯, 水流皃, 或作一'《集韻》.

水 11 〔潒〕 14 설 [入]屑 xiè セツ みずのながれるさま

[字解] 물흐르는모양설 '潗一'.

水 12 〔澋〕 16 [一] 빙 [平]蒸 píng ヒョウ みずのおと
[二] 팽 [平]庚 ホウ みずのおと

[字解] [一] ①물소리빙 '一, 水聲'《玉篇》. ②물부딪칠빙 '一淏'는 물이 부딪치는 모양. '一淏瀼溆'《郭璞》. [二] 물소리팽, 물부딪칠팽 [一]과 뜻이 같음.

水 12 〔澈〕 15 [一] 폐 [去]霽 pì ヘイ うおのおよぐさま
[二] 별 [入]屑 piē ヘツ ながれのかるくはやいさま

[字解] [一] 물고기오락가락할폐 물고기가 물속에서 오락가락하며 노니는 모양. '玩游儵之——'《潘岳》. [二] 빨리흐를별 '轉騰一洌'《史記》.
[字源] 形聲. 氵(水)+敝〔音〕

水 12 〔潏〕 15 [一] 휼 [入]屑 jué ケツ わきでる
[二] 술 [入]質 shù シュツ す

[字解] [一] ①샘솟을휼 물이 솟아 나옴. '一一'. '天綱浡一'《木華》. ②물이름휼 섬서성(陝西省) 서안시(西安市)에서 발원(發源)하여, 서북으로 흐르다가 두 갈래로 갈라져서, 하나는 북류(北流)하여 조수(皁水)가 되어 위수(渭水)로 흘러 들어가고, 하나는 서남으로 흘러 호수(鎬水)와 합하여 풍수(豐水)로 들어가는 강. 관중 팔천(關中八川)의 하나임. [二] 사주(沙洲)술 물 가운데에 밀려온 모래로 된 조그만 섬. '水中可居者曰洲, 人所爲爲一'《爾雅》.
[字源] 形聲. 氵(水)+矞〔音〕

水 12 〔潑〕 15 [人名] 발 [入]曷 pō ハツ そそぐ

[筆順] 氵 氵 氵 氵 氵 潑 潑 潑

[字解] ①뿌릴발 ㉠물·비가 날려 떨어짐. '巨浪倒一東南天'《孔武仲》. ㉡물을 끼얹음. '一寒'. '以墨一絹'《畫斷》. ②솟아날발, 샐발 물이 솟아 나옴. 또, 물이 샘. '亂翠曉如一'《蘇軾》. ③한바탕내릴발 비가 한바탕 옴. '雨一番一起, 爲一一'《李翊》. ④무뢰배발 속어(俗語)에서, 악한 무뢰배 따위를 '一皮' 또는 '撒一'이라 함.
[字源] 形聲. 氵(水)+發〔音〕

水 12 〔潿〕 15 위 [平]微 wéi イ ながれないでにごる

[字解] 웅덩이위 물이 갇혀 흐린 곳. '一, 不流濁也'《說文》.
[字源] 形聲. 氵(水)+圍〔音〕

水 12 〔潔〕 15 [中人] 결 [入]屑 jié ケツ いさぎよい

[筆順] 氵 氵 汢 浻 潔 潔 潔 潔

[字解] ①깨끗할결 ㉠더럽지 아니함. '淸一'. '粢盛不一'《孟子》. ㉡품행이 바름. 청렴함. '一白'. '卞急而好一'《左傳》. ②깨끗이할결 스스로 몸을 닦아 결백하게 함. '修一'. '人一己以進'《論語》. ③성결 성(姓)의 하나.
[字源] 形聲. 氵(水)+絜〔音〕

水 12 〔潘〕 15 [人名] [一] 번 [平]元 fān ハン しろみず
[二] 반 [平]寒 pān ハン うずまき

[筆順] 氵 氵 泙 泙 潘 潘 潘 潘

[字解] [一] 뜨물번 쌀의 뜨물. '一沐'. '其閒面垢, 燂一請靧'《禮記》. [二] ①소용돌이반 소용돌이치는 물. '鯢旋之一爲淵'《列子》. ②뜨물반 [一]과 뜻이 같음. ③성반 성(姓)의 하나.
[字源] 形聲. 氵(水)+番〔音〕

水 12 〔潬〕 15 [一] 단 [上]旱 (탄[本]) dān タン す
[二] 선 [上]銑 shàn セン みずがうちあう

[字解] [一] 모래섬단 물에 모래가 밀려 쌓인 섬. '一, 沙出'《爾雅》. ※本音 탄. [二] ①물맞부딪칠선 '一, 涴一, 水相薄也'《集韻》. ②물이돌선 '宛一膠盭'《司馬相如》.
[字源] 形聲. 氵(水)+單〔音〕

水12〔潗〕15 [人名] 집 ㊅緝|jí シュウ わく

[筆順] 氵 汁 汼 泎 淮 潗 潗 潗

[字解] 샘솟는소리집 샘이 솟는 소리. 또는, 솟는 모양. '啾啾——'《柳宗元》.
[字源] 形聲. 氵(水)+集〔音〕

水12〔潗〕15 [人名] 潗(前條)과 同字

[筆順] 氵 汁 汼 泎 淮 潗 潗 潗

水12〔潙〕15 ㊀규 ㊥支|guī キ かわのな ㊁위 ㊥支|wéi イ かわのな

[字解] ㊀물이름규 산서성(山西省) 영제현(永濟縣)에서 발원(發源)하여 서쪽으로 흐르는 황하(黃河)의 지류(支流). 嬀(女부 12획〈264〉)와 同字. ㊁물이름위 호남성(湖南省) 익양현(益陽縣) 마두산(馬頭山)에서 발원(發源)하는 상수(湘水)의 지류.
[字源] 形聲. 氵(水)+爲〔音〕

水12〔潛〕15 [高·人] 잠 ㊥鹽|qián セン もぐる, ひそむ

[筆順] 氵 汇 泆 泆 潛 潛 潛 潛

[字解] ①무자맥질할잠 물 속을 잠행함. '水—陸行'《淮南子》. ②숨을잠 몸을 감춤. '—伏'. '陽氣—藏'《易經》. ③숨길잠 감춤. '—師閉塗'《左傳》. ④몰래잠 은밀히. '—入'. '銜枚—涉'《國語》. ⑤가라앉을잠 마음이 침착함. '沈—剛克'《書經》. ⑥깊을잠 '—雖伏矣'《詩經》. ⑦섶잠 물고기를 모이게 하기 위하여 물 속에 쌓은 섶. '—有多魚'《詩經》. ⑧물이름잠 한수(漢水)의 이칭(異稱). '沱—旣道'《書經》.
[字源] 形聲. 氵(水)+朁〔音〕

水12〔潜〕15 [人名] 潛(前條)의 俗字

[筆順] 氵 氵 氵 泆 泆 潜 潜 潜

水12〔潝〕15 흡 ㊅緝|xì キュウ ながれのはやいおと

[字解] ①물빨리흐르는소리흡. ②부화할흡 부화뇌동함. '——訿訿'《詩經》.
[字源] 形聲. 氵(水)+翕〔音〕

水12〔潞〕15 로 ㊦遇|lù ロ かわのな

[字解] ①물이름로 산서성(山西省)을 흐르는 탁장수(濁漳水)의 고칭(古稱). '—水'. '—川'. ②땅이름로 춘추(春秋) 시대의 지명(地名). '齊人伐衛, 執般師以歸, 舍諸—'《左傳》.
[字源] 形聲. 氵(水)+路〔音〕

水12〔潟〕15 석 ㊅陌|xì セキ かた

[字解] 개펄석 조수가 드나들어 염분이 많이 섞인 땅. 척로(斥鹵). '—滷'. '凡糞種鹹—用貆'《周禮》.
[字源] 形聲. 氵(水)+舄〔音〕
[參考] 澙(次條)는 本字.

水12〔澙〕15 潟(前條)의 本字

水12〔潢〕15 황 ①㊥陽|huáng コウ いけ ②㊤養|huǎng コウ ふかい ③㊦漾|huàng コウ かみをそめる

[字解] ①못황 저수지(貯水池). '—汙行潦之水'《左傳》. ②깊을황 滉(水부 10획〈671〉)과 同字. '灝溔—漾'《司馬相如》. ③책꾸밀황, 장황할황 서책이나 서화첩(書畫帖)을 꾸며 만듦. 또, 종이를 염색함. '有裝—紙法'《齊民要術》.
[字源] 形聲. 氵(水)+黃〔音〕

水12〔潣〕15 민 ㊤軫|mǐn ビン すいりゅうのたいらかなさま

[字解] 물편히흐를민 '—, 水流浼浼皃'《說文》.
[字源] 形聲. 氵(水)+閔〔音〕

水12〔澗〕15 간 ㊥刪 ㊦諫|jiàn カン たにがわ

[字解] 산골물간 '—聲'. '于以采蘋于—之中'《詩經》.
[字源] 形聲. 氵(水)+間〔音〕
[參考] 澗(次條)은 本字.

水12〔澗〕15 澗(前條)의 本字

水12〔潤〕15 [高·人] 윤 ㊦震|rùn ジュン うるおう

[筆順] 氵 氵 汀 潤 潤 潤 潤 潤

[字解] ①젖을윤 물기가 있음. 습함. '—濕'. '山雲蒸而柱礎—'《淮南子》. ②윤택할윤 번지르르함. 또, 번영함. '朝含榮—, 夕爲枯槁'《蜀志》. ③적실윤 물에 적심. 또, 습하게 함. '雨露之所—'《孟子》. ④윤택하게할윤 ㉠이익 또는 덕을 베풂. '功—諸侯'《漢書》. ㉡꾸밈. 수식함. '—色'. '富—屋, 德—身'《大學》. ⑤더할윤 보탬. '樂章累朝多刪—'《宋史》. ⑥물기윤 수분. '吹雲吐—'《曹植》. ⑦은혜윤 은덕. '祿—已優'《北史》.

⑧이득윤 '利一'. ⑨부드러울윤 온화함. '每乏溫一之色'《後漢書》. ⑩윤윤 광택. '光一'. '秀一可喜'《圖繪寶鑑》.
[字源] 形聲. 氵(水)+閏〔音〕

水12 〔滜〕15 ㊀고 (平)肴 | gāo コウ さわ
㊁호 (平)豪 | háo コウ なく
[字解] ㊀ 늪고 물이 크게 괴어 있는 곳. '一, 澤也'《正韻》. ㊁ 울호 새가 욺. '百草奮興, 秭鳺先一'《史記》.

水12 〔潦〕15 료 (上)晧 | lǎo リョウ おおみず
[字解] ①큰비료 대우(大雨). '水一盛昌'《禮記》. ②장마료 음우(淫雨). '霖一大水'《晉書》. ③길바닥물료 길바닥에 괸 물. '泂酌彼行一'《詩經》.
[字源] 形聲. 氵(水)+尞(尞)〔音〕

水12 〔潨〕15 ㊀총 (平)東 | zhōng ソウ あつまる
㊁종 (平)冬 | cóng ソウ あつまる
[字解] ㊀ 흘러들어갈총 작은 물이 큰 물에 합류함. '一洞'. '仰聽大壑一'《謝靈運》. 또, 그 곳. '鳧鷖在一'《詩經》. ㊁ 흘러들어갈종 ㊀과 뜻이 같음.
[字源] 形聲. 氵(水)+衆(眾)〔音〕

水12 〔[氵+策]〕15 색 (入)陌 | sè サク そぼふる
[字解] 빗방울뚝뚝떨어질색.

水12 〔潭〕15 [人名] ㊀담 (平)覃 | tán タン ふかい
㊁심 (平)侵 | xún シン みぎわ
[筆順] 氵 氵 沪 浉 浉 潭 潭 潭
[字解] ㊀ ①깊을담 '一深'. '一思渾天'《漢書》. ②소담 물이 괸 깊은 곳. '碧澗淸一'. ㊁ 물가심 수애(水涯)의 깊은 곳. '或橫江一而漁'《揚雄》.
[字源] 形聲. 氵(水)+覃〔音〕

水12 〔潮〕15 [高·人] 조 (平)蕭 | cháo チョウ うしお
[筆順] 氵 氵 汁 洁 渞 淖 潮 潮
[字解] ①조수조 ㉠밀려 들어왔다 나갔다 하는 바닷물. '一候'. '水者地之血脈, 隨氣進退, 而爲一'《論衡》. ㉡아침에 일어나는 조수. '一汐'. '隨月消長, 早日一, 晩日汐'《字彙》. ②밀물조 밀려 들어오는 조수(潮水). '滄海之水入江, 謂之一'《海潮論》. ③밀물들어올조 '海水上一'《枚乘》. ④나타날조 빛이 나타남. 징후(徵候)가 나타남. '玉顏醉裏紅一'《蘇軾》. ⑤바닷물조 해수(海水). '鯨疑噴海一'《蘇頲》. ⑥고을이름조 광동성(廣東省)에 있는 주(州). '一封朝奏九重天, 夕貶一州路八千'《韓愈》.
[字源] 形聲. 氵(水)+朝〔音〕

水12 〔潮〕15 潮(前條)와 同字

水12 〔潐〕15 초 ①②(去)噍 | jiào ショウ つきる
③(上)篠 | jiǎo ショウ さけをこす
[字解] ①마를초 물이 밑바닥까지 졸아 붙음. 醮(酉부 12획〈1542〉)와 同字. '一, 盡也'《說文》. ②밝을초 밝게 살핌. '一一, 明察之貌'《荀子 註》. ③술거를초.
[字源] 形聲. 氵(水)+焦〔音〕

水12 〔潯〕15 심 (平)侵 | xún シン ふち, みぎわ
[字解] ①물가심 수애(水涯). '江一海裔'《淮南子》. '垂釣廣川一'《張正見》. ②물이름심 광서성(廣西省)을 흐르는 강. '一水出巨公之山'《水經注》. 또, '一陽江'은 강서성(江西省)의 구강(九江)의 별칭(別稱)으로서, 백낙천(白樂天)이 〈비파행(琵琶行)〉을 지은 곳이므로, 구강부(九江府)를 '一'이라고도 함.
[字源] 形聲. 氵(水)+尋〔音〕

水12 〔潰〕15 궤 (去)隊 | kuì カイ ついえる
[字解] ①무너질궤 ㉠제방 따위가 무너져 물이 쏟아져 나옴. '決一'. '大水一出'《漢書》. ㉡패전하여 진(陣)이 무너져 군사들이 도망함. '一走'. '當之者一'《荀子》. ②무너뜨릴궤 전항(前項)의 타동사. '願爲諸君一圍'《史記》. ③문드러질궤 부란(腐爛)함. '一爛'. '杭有賣菓者, 善藏柑, 涉寒暑不一'《劉基》. ④어지러울궤 혼란한 모양. '一一回遹'《詩經》. ⑤이룰궤 성취함. '是用不一于成'《詩經》. ⑥성낼궤 화냄. '有洸有一'《詩經》.
[字源] 形聲. 氵(水)+貴〔音〕

水12 〔潸〕15 산 (平)刪 | shān サン なみだのながれるさま
(上)潸 |
[字解] ①눈물흐를산 눈물이 줄줄 흐르는 모양. '一焉出涕'《詩經》. ②비올산 비가 오는 모양. '疎林日暮雨一一'《貢奎》.
[字源] 形聲. 氵(水)+散〈省〉〔音〕

水12 〔[氵+林+月]〕15 潸(前條)과 同字

水12 〔[氵+林+日]〕15 潸(前前條)과 同字

水12〔潺〕15 잔 ㊥刪 chǎn サン ながれる

字解 ①졸졸흐를잔 물이 졸졸 흐르는 모양. 또, 그 소리. '春來幽谷水——'《蘇軾》. ②눈물흐를잔 눈물이 줄줄 흐르는 모양. '橫流涕兮—湲'《楚辭》.
字源 形聲. 氵(水)＋孱〔音〕

水12〔潹〕15 潺(前條)의 俗字

水12〔潼〕15 人名 동 ㊥東 tóng トウ かわのな

筆順 氵 氵 氵 氵 潼 潼 潼 潼

字解 ①물이름동 사천성(四川省) 평무현(平武縣)에서 발원(發源)하여 동남으로 흐르는 부강(涪江)의 지류. 자동현(梓潼縣)을 흐르므로 '梓—'이라고도 함. 옛날에 치수(馳水)라 하였음. '—水, 出廣漢梓—北界'《說文》. ②관소(關所)이름동 '—關'은 후한(後漢) 시대에 둔 관소로, 현재의 섬서성(陝西省) 동관현(潼關縣) 동남부로, 황하(黃河)의 대굴곡부에 해당함. 고래로, 낙양(洛陽)에서 장안(長安)을 통하는 용병상(用兵上)의 요지였음. ③높을동 높은 모양. '沫——而高厲'《宋玉》.
字源 形聲. 氵(水)＋童〔音〕

水12〔澁〕15 삽 ㊇緝 sè ジュウ しぶる

字解 ①껄끄러울삽 미끄럽지 아니함. '冷—比于寒蜒'《風俗通》. ②막힐삽 통하지 아니함. '—滯'. '以利滑喉中, 不令—噎'《禮記疏》. ③어려울삽 '—體'. '艱—'. ④떫을삽 맛이 떫음. '酸—如棠梨'《杜甫》.
字源 會意. 篆文은 𣥂＋止＋𣥂＋止

水12〔澀〕15 澁(前條)의 本字

水12〔澂〕15 징 ㊥蒸 chéng チョウ きよい

字解 맑을징, 맑게할징 澄(次條)과 同字. '千載不作, 淵原誰—'《漢書》.
字源 形聲. 氵(水)＋徵〈省〉〔音〕

水12〔澄〕15 人名 징 ㊥蒸 chéng チョウ すむ

筆順 氵 氵 氵 氵 浌 澄 澄 澄

字解 ①맑을징 ㉠물이 맑음. '—淵'. '鑑于—水'《淮南子》. ㉡빛이 맑음. '—空'. '天淸月暉—'《曹毗》. ㉢세상이 맑음. 잘 다스려짐. '—正'. '世—道玄'《夏侯湛》. ②맑게할징 전항(前項)의 타동사. '—淸天下'. '—之不淸'《世說》.

字源 形聲. 氵(水)＋登〔音〕

水12〔濺〕15 〔천〕
濺(水부 15획〈696〉)과 同字

水12〔澈〕15 人名 철 ㊇屑 chè テツ すむ

筆順 氵 氵 氵 氵 洁 淸 湝 澈

字解 맑을철 물이 맑음. '淸—'. '昔者論道者, 或曰澄—'《關尹子》.
字源 形聲. 氵(水)＋徹〈省〉〔音〕
參考 澈(水부 11획〈681〉)은 本字.

水12〔澆〕15 요(교㊍) ㊥蕭 jiāo ギョウ そそぐ, うすい

字解 ①물줄요 물을 줌. 물을 댐. 또, 물을 뿌림. '—灌'. '須洒—之'《世說》. ②엷을요 순후하지 아니함. 경박함. '—薄'. '三季—浮, 舊章陵替'《齊書》. ③성요 성(姓)의 하나. ※本音 교.
字源 形聲. 氵(水)＋堯〔音〕

水12〔漻〕15 〔료〕
漻(水부 11획〈680〉)의 俗字

水12〔潫〕15 만(완㊍) ㊥刪 wān ワン ふかい

字解 ①물깊고넓을만 '𣽎—, 水深皃'《玉篇》. ②물빙돌아나갈만 '泓澄𣽎—'《左思》. ※本音 완.

水12〔澇〕15 로 ㊥豪 ㊤晧 lào ロウ おおなみ

字解 ①큰물결로 대파(大波). '飛—相磢'《木華》. ②물이름로 섬서성(陝西省) 호현(鄠縣)에서 발원(發源)하여 북쪽으로 흐르는 위수(渭水)의 지류(支流). '—水'. '—河'.
字源 形聲. 氵(水)＋勞〔音〕

水12〔澉〕15 감 ㊤感 gǎn カン あらう

字解 ①씻을감 세척(洗滌)함. '澹—手足'《枚乘》. ②성감 성(姓)의 하나.

水12〔澌〕15 시 ㊥支 sī シ つきる

字解 다할시 얼음이 녹아 없어짐. 또, 물건이 다하여 없어짐. '—盡灰滅'. '精神盡—'《儀禮 疏》.
字源 形聲. 氵(水)＋斯〔音〕

水12〔澍〕15 人名 주 ㊄遇 shù ジュ うるおす

筆順 氵 氵 氵 氵 洁 洁 澍 澍

字解 ①적실주 시우(時雨)가 와서 백곡(百穀)을 적셔 잘 자라게 함. '雨露時一'《王褒》. ②흘러들어갈주 注(水부 5획〈639〉)와 同字. '聲磕磕而一淵'《王褒》. ③성주 성(姓)의 하나.
字源 形聲. 氵(水)+尌〔音〕

水12〔澎〕15 人名 팽 ㊥庚 pēng, péng ホウ みずのおと
筆順 氵 氵 氵 氵 氵 氵 澎 澎
字解 ①물부딪는소리팽 '一湃'는 물 또는 물결이 서로 부딪치는 소리. '洶涌一湃'《司馬相如》. ②땅이름팽 '一, 縣名, 在東海'《集韻》.
字源 形聲. 氵(水)+彭〔音〕

水12〔濆〕15 비 ㊦未 fèi ヒ みずがわきでる
字解 ①물용솟음할비 沸(水부 5획〈635〉)와 同字. '一, 泉涌出也'《集韻》. ②물철렁철렁할비 물이 넘치는 모양. '一渭'. '一渭, 水溢皃'《集韻》.

水12〔濆〕15 〔분〕 濆(水부 13획〈689〉)의 俗字

水12〔澋〕15 횡 ㊤梗 hòng コウ めぐる
字解 물삥돌아나갈횡 '泂一'. '泂一水回旋皃'《集韻》.
字源 形聲. 氵(水)+景〔音〕

水12〔澐〕15 人名 운 ㊥文 yún ウン かわのおおなみ
筆順 氵 氵 氵 氵 氵 澐 澐 澐
字解 큰물결일운 강(江)에서 큰 물결이 이는 모양. '漲濤涌一'《于邵》.
字源 形聲. 氵(水)+雲〔音〕

水12〔濡〕15 〔유〕 濡(水부 14획〈693〉)와 同字

水12〔澒〕15 홍 ㊤董 gǒng(hǒng) コウ みずがね
字解 ①수은홍 汞(水부 3획〈626〉)과 同字. '凝一成白銀'《漢武內傳》. ②잇닿을홍 연속한 모양. '運淸濁之一一兮'《賈誼》.
字源 形聲. 氵(水)+項〔音〕

水12〔濄〕15 活(水부 6획〈644〉)과 同字

水12〔澓〕15 복 ㊇屋 fú フク めぐりながれる
字解 ①물삥돌아나갈복 '迅一增澆'《郭璞》. ②물스며흐를복 물이 지하로 스며 흐름. '一, 伏流也'《集韻》. ③성복 성(姓)의 하나.
字源 形聲. 氵(水)+復〔音〕

水12〔潾〕15 人名 린 ㊦震 lín リン いわしみず
筆順 氵 氵 氵 氵 氵 氵 潾 潾
字解 돌샘린 석간수(石澗水). '出山石間水曰一'《初學記》.
字源 形聲. 氵(水)+粦〔音〕

水12〔潒〕15 ㊀탕 ㊤養 dàng トウ ひろい ㊁상 ㊤養 xiàng ショウ ながれのはやいさま
字解 ㊀편할탕 많은 물이 아득한 모양. '瀰望廣一'《張衡》. ㊁세찰상 수세(水勢)가 빠른 모양.
字源 形聲. 氵(水)+象〔音〕

水12〔澿〕15 〔축〕 筑(竹부 6획〈936〉)과 同字

水12〔潠〕15 손 ㊦願 sùn ソン はく
字解 뿜을손 입 속에 든 액체를 토함. '含酒三一'《後漢書》.
字源 形聲. 氵(水)+巽〔音〕

水12〔潧〕15 ㊀진 ㊥眞 zhēn シン かわのな ㊁증 ㊥蒸 ソウ かわのな
字解 ㊀물이름진 '一, 一水, 出鄭國'《說文》. ㊁물이름증 '一, 水名'《集韻》.
字源 形聲. 氵(水)+曾〔音〕

水12〔潷〕15 필 ㊇質 bì ヒツ こす
字解 ①거를필 걸러서 찌꺼기를 제거함. '一, 博雅, 盪也. 一曰, 去滓'《集韻》. ②짤필 짜서 즙(汁)을 제거함. '一, 笮去汁也'《玉篇》.

水12〔潕〕15 무 ㊤麌 wǔ ブ·ム かわのな
字解 물이름무 하남성(河南省) 심양현(沁陽縣)의 서북쪽에서 발원(發源)하는 강(江). 남여하(南汝河)의 상류. '一水出焉'《山海經》.
字源 形聲. 氵(水)+無〔音〕

水12〔潲〕15 소 ㊦效 ㊤巧 shào ソウ·ショウ しろみず
字解 ①뜨물소 쌀을 씻은 물. '一, 滫也'《廣雅》. ②돼지먹이소 '一, 豕食'《廣韻》. ③칠소 쌀뜨물로 돼지를 키움. '一, 一曰, 汛

潘以食豕'《集韻》. ④물부딪칠소 '一, 水激也'《集韻》. ⑤비뿌릴소 빗줄기가 뿌림. '一, 又雨濺也'《廣韻》.

水12 〔⿰氵臮〕 15 기 [去]寘 | jì キ かわのな

[字解] 물이름기 '一, 一水也'《說文》.
[字源] 形聲. 氵(水)＋臮〔音〕

水12 〔澅〕 15 [一] 화 [去]卦 | huà カイ かわのな
[二] 획 [入]陌 | カク かわのな

[字解] [一] ①물이름화 산동성(山東省) 임치현(臨淄縣)의 서쪽에 있어, 시수(時水)로 흘러드는 강. '臨淄惟有一水, 西北入沛'《水經注》. ②나라이름화 '一淸'은 한(漢)나라의 후국(侯國)의 이름. [二] 물이름획, 나라이름획 [一]과 뜻이 같음.

水12 〔⿰氵屠〕 15 [一] 도 [平]虞 | tú ト やまのな
[二] 차 [平]麻 | zhā タ うるおう

[字解] [一] 산이름도 '一, 山名, 在南郡'《集韻》. [二] 불을차 '一 滐'는 불음. 젖음. '一, 一滐, 沾溼也'《集韻》.

水12 〔潽〕 15 보 [上]麌 | pū ホ かわのな

[字解] 물이름보 '一, 水也'《集韻》.

水12 〔潓〕 15 혜 [去]霽 | huì ケイ かわのな

[字解] 물이름혜 여강(廬江)에서 나와 회하(淮河)로 흘러드는 강(江). 결수(決水). '一, 一水, 出廬江入淮'《說文》.
[字源] 形聲. 氵(水)＋惠〔音〕

水12 〔潖〕 15 파 [平]麻 | pá ハ かわのな

[筆順] 氵 汘 汪 汪 泙 潖 潖 潖

[字解] 물이름파 광동성(廣東省) 불강현(佛岡縣)의 동남쪽에서 발원(發源)하여, 파강구(潖江口)에 이르러 북강(北江)으로 흘러 들어가는 강. '一, 水名'《集韻》.

水12 〔⿰氵厥〕 15 궐 [入]月 | jué ケツ かわのな

[字解] ①물이름궐 호북성(湖北省) 수현(隨縣)의 북쪽 고성산(固城山)에서 발원(發源)하여 운수(涢水)로 흘러드는 강(江). 노성하(魯城河). ②나라이름궐 '一, 國名'《玉篇》.

水12 〔潶〕 15 흑 [入]職 | hēi コク かわのな

[字解] 물이름흑 '一, 水名, 出黑山西'《集韻》.

水12 〔⿰氵喟〕 15 위 [去]未 | wèi イ みだれる

[字解] 어지러울위 '一潰淪而滀潔'《木華》.

水12 〔澖〕 15 한 [平]刪 | xián カン はてしなくひろい

[字解] 아득할한 '㶑一'은 끝없이 넓은 모양. '甘瞑於㶑一之域'《淮南子》.

水12 〔⿰氵買〕 15 [一] 매 [上]蟹 | バイ かわのな
[二] 멱 [入]錫 | mì ベキ・ミャク かわのな

[字解] [一] 물이름매 호남성(湖南省) 상음현(湘陰縣)의 북쪽의 멱수(汨水). 상수(湘水)의 지류(支流). '一, 一水, 出豫章艾縣, 西入湘'《說文》. [二] 물이름멱 '一羅'는 강(江) 이름. 굴원(屈原)이 투신(投身)한 곳. 汨(水부 4획〈628〉)과 同字. '汨, 汨羅, 水名, 在豫章. 屈原所沈之處. 一, 㴑, 並上同'《廣韻》.
[字源] 形聲. 氵(水)＋買〔音〕

水12 〔潩〕 15 [一] 익 [入]職 | ヨク・イキ かわのな
[二] 칙 [入]職 | ショク かわのな
[三] 이 [去]寘 | yì イ かわのな

[字解] [一] 물이름익 하남성(河南省) 밀현(密縣)의 동남쪽 대괴산(大騩山)에서 발원(發源)하여 석량하(石梁河)로 흘러듦. 청류하(淸流河). 노고하(魯固河). 칙수(勅水). '一, 一水, 出河南密縣大隗山, 南入潁'《說文》. [二] 물이름칙 [一]과 뜻이 같음. [三] 물이름이 [一]과 뜻이 같음.
[字源] 形聲. 氵(水)＋異〔音〕

水12 〔⿰氵啻〕 15 〔적〕
滴(水부 11획〈675〉)의 本字

水12 〔⿰氵歬〕 15 〔전〕
湔(水부 9획〈665〉)의 本字

水12 〔⿰氵睂〕 15 〔미〕
湄(水부 9획〈664〉)의 本字

水12 〔⿰氵殿〕 15 〔전〕
澱(水부 13획〈689〉)의 本字

水12 〔⿰氵⿴囗垔〕 15 〔인〕
湮(水부 9획〈666〉)의 本字

水12 〔⿰氵⿱艹啇〕 15 〔억〕
澺(水부 13획〈692〉)과 同字

水12 〔⿰氵㕡〕 15 [一] 睿(谷부 5획〈1367〉)과 同字
[二] 濬(水부 14획〈694〉)과 同字

水12〔潫〕15 〔삼〕 滲(水부 11획〈675〉)의 俗字

水12〔澑〕15 〔류〕 溜(水부 10획〈669〉)의 本字

水12〔漭〕15 〔망〕 漭(水부 11획〈679〉)의 本字

水12〔潴〕15 〔저〕 瀦(水부 16획〈699〉)와 同字

水12〔澞〕15 〔유〕 濡(水부 14획〈693〉)와 同字

水12〔澔〕15 人名 〔호〕 浩(水부 7획〈648〉)와 同字
筆順 氵 氵 氵 氵 氵 氵 澔 澔

水12〔澣〕15 〔한〕 寒(宀부 9획〈282〉)과 同字

水12〔灌〕15 〔관〕 灌(水부 18획〈702〉)의 俗字

水12〔潚〕15 〔축〕 水부 13획(688)을 보라.

水13〔䵬〕17 탑 入合 tà トウ あつい
字解 ①두툼할탑 두껍게 쌓음. '一, 積厚也'《集韻》. ②어두울탑 현우(賢愚)를 분변(分辨)할 수가 없음. '一一, 無賢不肖之辨'《康熙字典》.

水13〔澩〕17 학 入覺 xué カク たまりみず
字解 ①잦은샘학 철 따라 물이 마르는 샘. '夏有水, 冬無水曰一'《爾雅》. ②물소리학.
字源 形聲. 水+學〈省〉〔音〕

水13〔潚〕16 축 入屋 sù シュク はやい
字解 ①빠를축 속함. '迅猋一其膢我兮'《張衡》. ②성축 성(姓)의 하나.
字源 形聲. 氵(水)+肅〔音〕

水13〔澠〕16 ㊀ 민 上軫 miǎn ビン けんめい ㊁ 면 上銑 miǎn ベン けんめい ㊂ 승 平蒸 shéng ショウ かわのな
字解 ㊀ ①고을이름민 '一池'는 하남성(河南省)에 있는 현(縣). 진(秦)·조(趙) 두 나라가 회맹(會盟)한 곳. ②물이름민 하남성 민지현(澠池縣)의 서북쪽에서 발원(發源)하여, 남류(南流)하여 간수(澗水)로 흘러들어가는 강. ㊁ 고을이름면 ㊀❶과 뜻이 같음. ㊂ 물이름승 강(江) 이름. 산동성(山東省) 임치현(臨淄縣)에서 발원(發源)하여 서북(西北)으로 흐르는 시수(時水)의 지류(支流). '一水'. '有酒如一'《左傳》. '一水, 出齊國臨淄縣, 北入時水'《左傳 注》.
字源 形聲. 氵(水)+黽〔音〕

水13〔澴〕16 환 平刪 huán カン うずまく
字解 물결꿈틀거려흐를환 물결이 소용돌이쳐 꿈틀거리며 흐르는 모양. '漩一縈瀠'《郭璞》.

水13〔澬〕16 자 平支 zī シ あめふりつづく
字解 ①장마비자 오래 비가 계속함. '一, 久雨涔一也'《說文》. ②물이름자 호남성(湖南省)에서 발원하여 동정호(洞庭湖)로 흘러들어가는 강.
字源 形聲. 氵(水)+資〔音〕

水13〔澡〕16 조 上晧 zǎo ソウ あらう
字解 ①씻을조, 빨조 세척(洗滌)함. '一濯'. '以水飲水一頻'《東觀漢記》. ②깨끗이할조 결백하게 함. '一身而浴德'《禮記》.
字源 形聲. 氵(水)+喿〔音〕

水13〔澣〕16 人名 한 上旱 (환本) huàn(huǎn, wǎn) カン すすぐ
筆順 氵 氵 氵 氵 淖 滰 澣 澣
字解 ①빨한, 씻을한 세척(洗滌)함. '一沐'. '一濯'. '薄一我衣'《詩經》. ②열흘한 열흘간, 곧 일순(一旬). 당대(唐代)에, 관리(官吏)에게 열흘마다 휴목(休沐)을 허가한 데 연유함. '上一'. '中一'. '下一'. ※本音 환.
字源 形聲. 篆文은 氵(水)+幹〔音〕

水13〔澤〕16 高人 ㊀ 택 入陌 zé タク さわ, つや ㊁ 석 入陌 shì セキ とく, とける
筆順 氵 氵 氵 氵 澤 澤 澤 澤
字解 ㊀ ①윤택 광윤(光潤). '光一'. '芳與一其雜糅兮'《楚辭》. ②윤날택 윤이 나서 아름다움. '車甚一'《左傳》. ③윤낼택 마찰하여 광택이 나게 함. '一劍首'《禮記》. ④못택 얕은 소택(沼澤). '山一'. '乾一而漁'《古詩》. ⑤진펄택 습하고 풀이 무성한 곳. '一鹵'. '大陷于沛一之中'《公羊傳》. ⑥윤택하게할택 ㉠비를 내려 초목 같은 것을 번드르르하게 함. '潤一萬物'《風俗通》. ㉡은

덕을 베풂. '一潤生民'《書經》. ⑦우로택 비와 이슬. '一滲灕而下降'《漢書》. ⑧은덕택 '德一'. '施一於民'《孟子》. ⑨유풍택 여운(餘韻). '君子之一, 五世而斬'《孟子》. ⑩기름택 향기로운 기름. '膏一'. '好煎一'《梁簡文帝》. ⑪녹택 녹봉. 봉급. '是干一也'《孟子》. ⑫사정택 활을 쏘는 곳. '先習射于一'《禮記》. ⑬잠방이택 짧은 홑고의. '與子同一'《詩經》. ⑭성택 성(姓)의 하나. ㊁ 풀릴석, 풀석 釋(釆부 13획〈1546〉)과 同字. '水有時以一'《周禮》.
[字源] 形聲. 氵(水)+睪〔音〕

水13 〔澤〕 16 澤(前條)의 本字

水13 〔澻〕 16 수 ㊀寘 suì スイ たのあいだのみぞ
[字解] 밭고랑수 '一, 田閒小溝也'《集韻》.

水13 〔澥〕 16 해 ㊤蟹 xiè カイ うみのな
[字解] 바다해 바다의 일부분의 일컬음. '一, 勃一, 海之別也'《說文》. '浮勃一'《司馬相如》.
[字源] 形聲. 氵(水)+解〔音〕

水13 〔澧〕 16 례 ㊤薺 lǐ レイ かわのな
[字解] ①물이름례 ㉠호남성(湖南省)을 흘러 동정호(洞庭湖)에 들어가는 강. 수원(水源)이 셋이 있는데, 남쪽 수원은 영순현(永順縣), 북쪽 수원은 용산현(龍山縣), 가운데 수원은 상식현(桑植縣)이며, 이 세 흐름이 상식현 서북에서 합침. '一水'. '東至于一'《書經》. ㉡하남성(河南省) 동백현(桐柏縣)에서 발원하여 서북으로 흐르는 당하(唐河)의 지류(支流). ②단물나는샘례 醴(酉부 13획〈1543〉)와 통용. '甘露降, 一泉涌'《列子》. ③성례 성(姓)의 하나.
[字源] 形聲. 氵(水)+豊〔音〕

水13 〔澬〕 16 예 ㊀霽 yì エイ うねりうごく
[字解] 물놀칠예 '溶一'는 물결이 거칠게 일어나는 모양. '洪波淫淫之溶一'《宋玉》.

水13 〔澨〕 16 서 ㊀霽 shì セイ みぎわ
[字解] 물가서 수변(水邊)의 땅. '海一'. '夕濟兮西一'《楚辭》.
[字源] 形聲. 氵(水)+筮〔音〕

水13 〔澪〕 16 령 ㊥青 líng レイ かわのな
[字解] ①물이름령 '一, 水名'《廣韻》. ②泠(水부 5획〈638〉)의 俗字.
[字源] 形聲. 氵(水)+零〔音〕

水13 〔薬〕 16 예 ㊀霽 yì エイ むしねぎ
[字解] 찐파예 뜨거운 김을 올려 익힌 파. '一, 烝葱'《集韻》.

水13 〔澮〕 16 [人名] 회(괴[本]) ㊀泰 kuài カイ こみぞ
[筆順] 氵 氵 汻 浍 澮 澮 澮 澮
[字解] ①봇도랑회 전답 사이의 수로. '溝一'. '千夫有一'《周禮》. ②물이름회 산서성(山西省) 회산(澮山)에서 발원(發源)하여 서류(西流)하는 분하(汾河)의 지류(支流). 소수(少水)라고도 함. '一水'. '一河'. '不如新田土厚水深, 有汾一以流其惡'《左傳》. ※本音 괴.
[字源] 形聲. 氵(水)+會〔音〕

水13 〔澱〕 16 전 ㊀霰 diàn デン おり
[字解] ①찌끼전, 앙금전 침전물. '一淤'. '一謂之滓'《廣雅》. ②괼전 흐르는 물이 정지하여 모임. '歲歲堙一'《宋史》. ③얕은물전 淀(水부 8획〈653〉)과 同字. '諸河淺一'《宋史》.
[字源] 形聲. 氵(水)+殿〔音〕

水13 〔濄〕 16 과 ㊥歌 guō カ かわのな
[字解] ①물이름과 하남성(河南省) 개봉시(開封市) 서남쪽에서 발원하여 회수(淮水)로 흘러드는 강. '一水, 受淮陽扶溝湯渠, 東入淮'《說文》. ②성과 성(姓)의 하나.
[字源] 形聲. 氵(水)+過〔音〕

水13 〔濆〕 16 분 ①㊥文 fén フン みぎわ ②㊤吻 fèn フン わく ③㊥元 pēn ホン はく
[字解] ①물가분 수변(水邊). '鋪敦淮一'《詩經》. ②솟아나올분 샘물이 솟음. '一泉者何, 直泉也, 直泉者何, 涌泉也'《公羊傳》. ③뿜을분 噴(口부 12획〈185〉)과 통용. '一水'.
[字源] 形聲. 氵(水)+賁〔音〕
[參考] 濆(水부 12획〈686〉)은 俗字.

水13 〔澳〕 16 ㊀오 ㊀號 ào オウ ふかい ㊁욱 ㊇屋 yù イク くま
[字解] ㊀ ①깊을오 물이 깊음. '深潭之一濆'《何遜》. ②땅이름오 ㉠마카오, 곧 '一門'의 약칭. ㉡오스트레일리아, 곧 '一大利亞'의 약칭. ㊁ 후미욱, 굽이욱 물이 육지로 만입한 곳. '若亂之墜於一也'《申鑒》.

[字源] 形聲. 氵(水)+奧〔音〕

水13 〔澒〕16 동 [上]董 dǒng トウ みずにおちるおと
[字解] 풍덩할동 물체가 물에 떨어지며 나는 소리. '一, 物墮水聲'《集韻》.

水13 〔澶〕16 ㊀전 [平]先 chán セン みずうみのな ㊁단 [去]翰 dàn タン ほしいまま
[字解] ㊀호수이름전, 땅이름전 '一淵'은 하북성(河北省) 복양현(濮陽縣) 서북에 있는 땅. 거란(契丹)과 송(宋)나라가 회전(會戰)한 곳임. '一淵之幸, 力沮衆議, 竟成雋功'《宋史》. ㊁①방종할단 멋대로 구는 모양. '一漫爲樂'《莊子》. ②멀단 먼 모양. '案衍一漫'《司馬相如》.
[字源] 形聲. 氵(水)+亶〔音〕

水13 〔湫〕16 수 [平]尤 chóu シュウ はらのみずけ
[字解] ①뱃속의물기수 뱃속의 물이 철렁거림. '一, 腹中有水气也'《說文》. ②근심할수 '滲然一然憂以湫'《新書》.
[字源] 形聲. 氵(水)+愁〔音〕

水13 〔懋〕16 湫(前條)의 本字

水13 〔澹〕16 [人名] ㊀담 [上]感 [去]勘 dàn タン うすい shàn ㊁섬 [去]豔 セン たす, たる
[筆順] 氵 氵' 氵⺈ 氵产 氵产 澹 澹 澹
[字解] ㊀①싱거울담 맛이 심심함. '一味'. ②담박할담 욕심이 없고 마음이 깨끗함. '一如'. '疎星一月'《揮塵餘話》. ③조용할담 고요함. 무사함. '海內一然'《揚雄》. ④안존할담 염정(恬靜)함. '一容與獻壽觴'《漢書》. ⑤움직일담 동요함. 동요시킴. '震一心'《漢書》. ⑥성담 '一臺'는 복성(複姓)의 하나. ㊁넉넉할섬, 채울섬 贍(貝부 13획〈1400〉)과 통용. '猶不足以一其欲'《漢書》.
[字源] 形聲. 氵(水)+詹〔音〕

水13 〔澼〕16 벽 [入]錫 pì ヘキ すいちゅうでわたをうつ
[字解] 표백할벽 솜을 물에 빨아 표백(漂白)함. '世世以洴一絖爲業'《莊子》.
[字源] 形聲. 氵(水)+辟〔音〕

水13 〔澔〕16 예 [去]霽 yì ゲイ まつやに
[字解] 송진예 소나무에서 나는 진. '燒松枝取汁曰一'《集韻》.

水13 〔澾〕16 달 [入]曷 tà タツ なめらか
[字解] 미끄러울달, 미끄러질달 반드러움. '磴蘚一拳踢'《韓愈》.

水13 〔濛〕16 미 ①[平]支 méi ビ・ミ みぎわ ②[平]微 wēi ビ・ミ こさめ
[字解] ①물가미 湄(水부 9획〈664〉)와 同字. ②가랑비미 溦(水부 10획〈669〉)와 同字. '一, 浽一, 小雨'《廣韻》.

水13 〔激〕16 [高人] 격 [入]錫 jī ゲキ つく, はげしい
[筆順] 氵 氵' 氵白 氵白 氵身 湧 淤 激
[字解] ①부딪칠격 물결이 바위 같은 데 부딪침. '驚湍一巖阿'《潘岳》. ②빠를격 세차고 빠름. '一流'. '風力迅一'《晉書》. ③과격할격 언론이 지나치게 곧음. '一論'. '言事者, 必多一切'《後漢書》. ④분발할격 감분(感奮)함. '一揚'. '不困厄, 惡能一乎'《史記》. ⑤격려할격 분기시킴. '一發'. '以一其意'《史記》. ⑥떨칠격 발양(發揚)함. '其勢一也'《史記》. ⑦맑은소리격 '一楚'. ⑧성격 성(姓)의 하나.
[字源] 形聲. 氵(水)+敫〔音〕

水13 〔澯〕16 [人名] 찬 [去]翰 càn サン きよい
[筆順] 氵 氵' 氵夕 氵夕又 澯 澯 澯 澯
[字解] ①맑을찬 '一, 淸也'《玉篇》. ②물출렁거릴찬 '一瀾'은 물이 출렁거리는 모양. '一瀾, 水皃'《集韻》.
[字源] 形聲. 氵(水)+粲〔音〕

水13 〔濁〕16 [高人] 탁 [入]覺 zhuó ダク にごる
[筆順] 氵 氵罒 氵罒 渇 渇 濁 濁 濁
[字解] ①흐릴탁 ㉠물이 맑지 아니함. '一流'. '涇以渭一'《詩經》. '在山泉水淸, 出山泉水一'《杜甫》. ㉡혼란함. '一亂'. '書策綢一'《戰國策》. ㉢곱지 아니함. 선명하지 아니함. '一澤而有光'《山海經》. ㉣더러움. '一汙'. '擧世皆一, 我獨淸'《楚辭》. ②흐리게할탁 전항(前項)의 타동사. '汶一之'《論衡》. ③성탁 성(姓)의 하나.
[字源] 形聲. 氵(水)+蜀〔音〕

水13 〔澰〕16 렴 [上]琰 liàn レン あふれる
[字解] 물넘칠렴 瀲(水부 17획〈700〉)과 同字.

[字源] 形聲. 氵(水)＋僉〔音〕

水13〔濂〕16 [人名] 렴 ㊉鹽 | liàn レン うすい

[筆順] 氵 氵 汸 浐 浐 淒 溓 濂

[字解] ①엷을렴 경박함. ②시내이름렴 '一溪'는 ㉠호남성(湖南省) 도현(道縣)에 있는 시내로서, 소수(瀟水)로 들어감. ㉡강서성(江西省) 여산(廬山)의 연화봉(蓮花峰) 기슭을 흘러 양자강(揚子江)으로 들어감. 송(宋)나라 주돈이(周敦頤)가 그 곳에 살며, 고향인 호남성의 염계(濂溪)를 따서 명명(命名)함. '取營道所居一溪以名之'《宋史》. ③성렴 성(姓)의 하나.

[字源] 形聲. 氵(水)＋廉〔音〕

水13〔𤀓〕16 록 ㊇屋 | lù ロク こす

[字解] ①거를록 여과함. 盝(皿부 8획〈834〉)과 同字. ②마를록 '一, 涸也'《揚子方言》.

水13〔濃〕16 [人名] 농 ㊉冬 | nóng ノウ こい

[筆順] 氵 氵 沪 沪 浬 浬 濃 濃 濃

[字解] ①짙을농 ㉠색이 진함. '一淡'. '飽食一粧倚柂樓'《白居易》. ㉡음식이 진하고 맛이 있음. '一味'. '杯香酒絕一'《庾信》. ㉢안개 같은 것이 깊음. '一霧'. '一雲垂畫堂'《梁簡文帝》. ㉣이슬이 많음. '一露'. '零露一一'《詩經》. ②두터울농 정의가 두터움. '弘一恩降盪澤'《班固》.

[字源] 形聲. 氵(水)＋農〔音〕

水13〔㵪〕16 연 (①선㊄) ㊉先 ㊋霰 | ①xián セン よだれ ②yàn エン あふれる

[字解] ①침흘릴연 次(水부 4획〈633〉)과 同字. ※本音 선. ②물넘칠연 물이 넘치는 모양. '一, 水溢皃'《集韻》.

水13〔濅〕16 침 ㊋沁 | jìn シン やや

[字解] ①차츰차츰침 浸(水부 7획〈649〉)의 本字. '一以成俗'《漢書》. ②웅덩이침, 호수침 물이 넓게 괸 곳. 寖(宀부 10획〈283〉)과 同字. '揚州, 川曰三江, 一曰五湖'《漢書》.

水13〔濈〕16 읍 ㊇緝 | nì ジュウ みずのわくおと

[字解] ①물끓는소리읍 '㵫一'. '㵫一, 沸聲'《集韻》. ②물놀칠읍 물무늬의 모양. 또는, 물이 파동치는 모양. '㵫一, 水文貌, 一曰, 水動貌'《字彙》.

水13〔濇〕16 색 ㊇職 | sè ショク しぶる

[字解] 꺼칠할색 반드럽지 않음. '瀸一肌膚'《淮南子》.

[字源] 形聲. 氵(水)＋嗇〔音〕

水13〔濋〕16 초 ㊤語 | chǔ ソ ぶんりゅうのな

[字解] 물이름초 제수(濟水)의 분류(分流)의 이름. '濟爲一. (注) 大水溢出, 別爲小水之名'《爾雅》.

水13〔濈〕16 즙 ㊇緝 | jí シュウ やわらぐ

[字解] ①화목할즙 '其角一一'(뿔로 서로 받지 않는다는 뜻)《詩經》. ②빠를즙 질속(疾速)한 모양. '一然鳧沒'《曹植》. ③여울즙 급류(急流). '流湍投一'《張衡》.

[字源] 形聲. 氵(水)＋戢〔音〕

水13〔濅〕16 〔천〕 瀳(水부 17획〈701〉)과 同字

水13〔漼〕16 최 ㊤賄 | cuǐ サイ きよい

[字解] 맑을최 '泚一'는 맑음. 漼(水부 13획〈692〉)와 통용. '一, 泚一, 清也. 通作漼'《集韻》.

水13〔濊〕16 ㊀예 ㊋泰 ㊁활 ㊇曷 | wèi ワイ ふかい, けがれる huò カツ あみをうちこむおと

[字解] ㊀①깊을예 물이 깊고 넓은 모양. '澤汪一輯萬國'《漢書》. ②더러울예 穢(禾부 13획〈912〉)와 통용. '一, 濁也'《廣雅》. '盪滌濁一'《漢書》. ㊁그물치는소리활 물 속에 그물을 던지는 소리. '施罛一一'《詩經》.

[字源] 形聲. 氵(水)＋歲〔音〕

水13〔澦〕16 여 ㊋御 | yù ヨ ちめい

[字解] 땅이름여 '灩一堆'는 사천성(四川省)의 구당협(瞿塘峽)의 상류의 한 큰 암석이 있는 장소. 초(楚)·촉(蜀)의 문호(門戶)를 이룸.

[字源] 形聲. 氵(水)＋預〔音〕

水13〔潪〕16 ㊀갈 ㊇曷 ㊁예 ㊋霽 | gě カツ ふかくひろい yì エイ きよい

[字解] ㊀물깊고넓을갈 '浩浩潪潪, 漻漻一一'《劉咸》. ㊁맑을예 '一, 清也'《集韻》.

水 13〔⿰渴欠〕16 갈 [入]曷|kě カツ おそい, かわく

[字解] ①더딜갈 느림. '今忨日而一歲'《國語》. ②목마르갈 渴(水부 9획〈663〉)과 同字.

[字源] 形聲. 欠＋渴〔音〕

水 13〔濎〕16 정 [上]迥 [去]徑|dǐng テイ ちいさいながれ tìng

[字解] 물적을정 물이 적은 모양. 적은 물의 모양. '梁弱水之一濙兮'《揚雄》.

水 13〔⿰氵窟〕16 굴 [入]月|kū コツ ふかい

[字解] 깊을굴 물이 깊은 모양. '溶一而泉出'《論衡》.

水 13〔澟〕16 름 [上]寑|lǐn リン さむい

[字解] 추울름, 서늘할름 '一, 寒也'《玉篇》. '一, 凄淸也'《集韻》.

[字源] 形聲. 氵(水)＋稟〔音〕

水 13〔澭〕16 옹 [平]冬|yōng ヨウ かわのな

[字解] 물이름옹 灉(水부 18획〈702〉)과 同字. '一, 水名, 在宋. 灉, 上同'《廣韻》.

水 13〔澺〕16 억 [入]職|yì ヨク·オク かわのな

[字解] 물이름억 하남성(河南省) 방성현(方城縣)에서 발원(發源)하여, 남여하(南汝河)로 흘러드는 강(江). 지금의 홍하(洪河). '一, 水名, 在上蔡'《廣韻》.

[字源] 形聲. 氵(水)＋意〔音〕

水 13〔⿰湅攵〕16 련 [去]霰|liàn レン きたえる

[字解] 불릴련 쇠를 단련함. '一, 辟一鐵也'《說文》.

[字源] 會意. 攵(攴)＋湅

水 13〔澽〕16 거 [去]御 [上]語|①②jù キョ かわかす ③キョ さらす

[字解] ①말릴거, 마를거 '一, 乾也'《廣雅》. ②물이름거 섬서성(陝西省)에 있는 강(江). ③쬘거 볕에 쬠. '一, 曝也'《集韻》.

水 13〔澞〕16 우 [平]虞|yú グ たにがわ

[字解] 산골짝시내우 구릉(丘陵) 사이의 내. '山夾水, 澗. 陵夾水, 一'《爾雅》.

水 13〔⿰氵辠〕16 최 [上]賄|cuǐ サイ あたらしい

[字解] 새로울최 물빛이 새로움. 맑음. '一, 新水狀也'《廣韻》.

[字源] 形聲. 氵(水)＋辠〔音〕

水 13〔⿰氵敫〕16 〔오〕 滶(水부 11획〈681〉)의 本字

水 13〔⿰氵⿱艹昜〕16 〔탕〕 蕩(艸부 12획〈1182〉)의 本字

水 13〔⿰氵尞〕16 〔료〕 潦(水부 12획〈684〉)의 本字

水 13〔⿰氵⿱夾貝〕16 〔지〕 漬(水부 11획〈679〉)의 本字

水 13〔⿰氵⿱共邑〕16 〔항〕 港(水부 9획〈663〉)의 本字

水 13〔⿰氵⿱艹壽〕16 〔도〕 濤(水부 14획〈693〉)의 本字

水 13〔⿰氵㮚〕16 〔률〕 溧(水부 10획〈671〉)의 本字

水 13〔⿰氵剽〕16 〔표〕 漂(水부 11획〈676〉)와 同字

水 13〔⿰氵屈〕16 〔굴〕 淈(水부 8획〈654〉)의 本字

水 13〔⿰氵⿱氏口〕16 〔활〕 活(水부 6획〈644〉)과 同字

水 13〔⿰氵寅〕16 〔연〕 演(水부 11획〈677〉)의 本字

水 13〔濉〕16 〔수〕 睢(目부 8획〈848〉)와 同字

水 13〔⿰氵⿱冒方〕16 〔만〕 漫(水부 11획〈679〉)의 俗字

水 14〔濔〕17 [一] 니 [上]薺 [二] 미 [上]紙|nǐ デイ みちる mǐ ビ たいらにつらなる

[字解] [一] ①치런치런할니 瀰(水부 17획〈700〉)와 同字. ②많을니 중다(衆多)한 모양. '垂轡一一'《詩經》. [二] 연하여평평할미 서로 연이어 평탄한 모양. '一迤平原. (註) 一, 相連漸平之貌也'《鮑照》.

[字源] 形聲. 氵(水)＋爾〔音〕

水 14〔濕〕17 [高·人] 습 [入]緝|shī シツ しめる

[筆順] 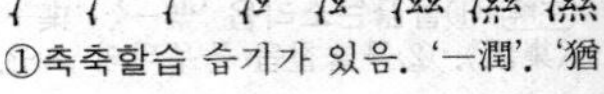

[字解] ①축축할습 습기가 있음. '一潤'. '猶

惡一而居下也'《孟子》. ②습기습 물기. '一度'. '腎其畏一'《素問》.
字源 會意. 甲骨文·金文은 水+㬎 실을 물에 담근 모양에서, '축이다'의 뜻을 나타냄. 뒤에, '土토'를 덧붙여 '溼(濕)'이 되고, 다시 변형하여 '濕(濕)'이 됨.
參考 湿(水부 9획〈668〉)은 俗字.

水14〔濘〕17 녕 ㊀徑 ㊤迥 | nìng ネイ ぬかるみ
字解 ①진창녕 수렁. '泥一'. '晉戎馬還一而止'《左傳》. ②질척질척할녕 진흙이 질커덕하여 보행하기 곤란함. '蹊一走獸稀'《鮑照》.
字源 形聲. 氵(水)+寧〔音〕

水14〔濛〕17 몽 ㊥東 | méng モウ ぬかあめ
字解 ①가랑비올몽 가랑비가 자욱이 오는 모양. '零雨其一'《詩經》. ②흐릿할몽 분명하지 않은 모양. '新月隔溪煙霧一'《方岳》.
字源 形聲. 氵(水)+蒙〔音〕

水14〔濦〕17 은 ㊥文 ㊤吻 | yīn イン かわのな
字解 ①물소리은 '汩一'은 물 소리. '汩一漂疾'《司馬相如》. ②물이름은 하남성(河南省) 등봉현(登封縣)의 소실산(少室山)에서 발원하여, 동으로 흘러 영수(潁水)로 들어가는 강. '一水'. '一水, 出潁川陽城少室山, 東入潁'《說文》.
字源 形聲. 氵(水)+㥯〔音〕

水14〔濞〕17 비 ㊀寘 | pì ヒ みずのおと
字解 물소리비 ㉠물이 흐르는 소리. '一一有聲'《晉書》. ㉡물이 갑자기 들이닥치는 소리. '一焉洶洶'《左思》.
字源 形聲. 氵(水)+鼻〔音〕

水14〔濟〕17 高·人 제 ㊀霽 ㊤薺 | ①-⑩jì セイ わたる, すむ ⑪⑫jǐ セイ しのおおいさま
筆順 氵 氵 汸 泞 淶 淶 濟 濟
字解 ①건널제 물을 건넘. '一河而西'《史記》. ②나루제 도선장(渡船場). '一有深涉'《詩經》. ③이룰제 성취함. '一美'. '世一其美'《左傳》. ④건질제 구제함. '一世'. '一民'. '道一天下'《易經》. ⑤이루어질제 성취됨. '以人從欲鮮一'《左傳》. ⑥그칠제 그만 둠. '不能旋一'《詩經》. ⑦더할제 증가함. '盍請一師于王'《左傳》. ⑧쓸제 사용함. '杵臼之利, 萬民以一'《易經》. ⑨도울제 원조함. '天道下一而光明'《易經》. ⑩밀칠제 배제(排擠)함 擠(手부 14획〈472〉)와 통용. '二帝用師, 以相一也'《國語》. ⑪많을제 재주 있는 사람이 많은 모양. '一一多士'. ⑫물이름제 연수(沇水)의 하류(下流). '導沇水, 東流爲一'《書經》.
字源 形聲. 氵(水)+齊〔音〕
參考 済(水부 8획〈660〉)는 俗字.

水14〔濠〕17 人名 호 ㊥豪 | háo ゴウ ほり
筆順 氵 汀 汴 洁 湾 濠 濠 濠
字解 ①해자호 성을 빙 둘러판 못. 壕(土부 14획〈223〉)와 同字. '荒山爲城溪爲一'《陸游》. ②물이름호 동호수(東濠水)와 서호수(西濠水) 둘이 있는데, 모두 안휘성(安徽省) 봉양현(鳳陽縣)에서 발원(發源)하여 북류(北流)하는 회수(淮水)의 지류(支流)임. '一水'. ③고을이름호 주(州)의 이름. 지금의 안휘성(安徽省) 봉양현(鳳陽縣). 오대(五代) 때, 후주(後周)의 세종(世宗)이 남당(南唐)과 다툰 곳. ④호주호 '一洲'는 남양(南洋)의 대륙. 곧, 오스트레일리아(Australia).
字源 形聲. 氵(水)+豪〔音〕

水14〔濡〕17 人名 유 ㊥虞 | rú ジュ ぬれる
筆順 氵 汀 汸 沪 浡 渟 湡 濡
字解 ①젖을유 물이 묻음. '一潤'. '能入水不一'《列仙傳》. ②적실유 젖게 함. '濟盈不一軌'《詩經》. ③입을유 은덕을 입음. '一化'. '涵一天休'《元結》. ④베풀유 은덕을 베풂. '區宇懷一'《柳宗元》. ⑤습기유, 은택유 '釋雨而更有所仰一'《管子》. ⑥윤유 흠치르르한 광택. '六轡如一'《詩經》. ⑦지체할유 머물러 더딤. '三宿而後出晝, 是何一滯也'《孟子》. ⑧익을유 자주 견문함. 익숙함. '目一耳染, 不學以能'《韓愈》. ⑨견딜유 인내함. '無一忍之心'《史記》. ⑩오줌유 소변. '病必入一腎'《史記》.
字源 形聲. 氵(水)+需〔音〕

水14〔濥〕17 인 ①㊀震 ②㊤軫 | yǐn イン くぐりながれる yǐn イン すいもん
字解 ①물줄기통할인 물줄기가 지하(地下)로 흐르는 모양. '一一, 水脈行地中'《集韻》. ②물문인, 물끌인 수문(水門). 또, 물을 끌어들임. '一, 水門, 又引水也'《廣韻》.
字源 形聲. 氵(水)+夤〔音〕

水14〔濤〕17 人名 도 ㊥豪 | tāo(táo) トウ なみ

[筆順] 氵 濤

[字解] ①물결도 큰 물결. '波—'. '乃鼓怒而作—'《郭璞》. ②물결일도 큰 파도가 일어남. '二月已風—'《杜甫》.
[字源] 形聲. 氵(水)+壽〔音〕
[參考] 涛(水부 7획〈652〉)는 俗字.

水14〔[illegible]〕17 〔호〕
滈(水부 10획〈671〉)와 同字

水14〔濩〕17 [人名] [一] 확 [入]藥 | huò カク にる
[二] 호 [去]遇 | hù コしきひろめる

[筆順] 氵 濩

[字解] [一] ①삶을확 물에 담가 익힘. '是刈是—'《詩經》. ②깊숙할확 깊숙한 모양. '嫺娟蠖—之中'《揚雄》. ③성확 성(姓)의 하나. [二] ①퍼질호 널리 퍼짐. '聲敎布—'《張衡》. ②은나라풍류호 은(殷)나라의 탕왕(湯王)이 제정한 음악. '見舞韶—者'《左傳》.
[字源] 形聲. 氵(水)+蒦〔音〕

水14〔瀔〕17 〔곡〕
瀫(水부 15획〈698〉)의 俗字

水14〔[illegible]〕17 [一] 맥 [入]陌 | mò バク·ミャク ちょうみつ
[二] 환 | huán

[字解] [一] 빽빽할맥 촘촘히 모인 모양. '嵮, 嵮帕, 密皃, 亦作—'《集韻》. [二] 물결환 파도(波濤). '音桓. —, 波也'《玉篇》.

山14〔[illegible]〕17 멱 [入]錫 | mì ベキ·ミャク みずのあさいさま

[字解] 물얕을멱 물이 얕은 모양. '—, 瀝—, 水淺'《廣韻》.

水14〔[illegible]〕17 봉 [平]東 | féng フ みずのおと

[字解] 물소리봉 '—, 水聲'《集韻》.

水14〔濐〕17 서 [去]御 | shù ショ みぎわ

[字解] ①물가서 '—, 水涯也'《字彙補》. ②넘칠서 넘쳐 흐름. '渚水—漲'《水經》.

水14〔濫〕17 [高·人] [一] 람 [去]勘 | làn ラン あふれる
[二] 함 [上]豏 | ①jiàn カン いずみ
[去]勘 | ②③jiàn カン たらい

[筆順] 氵 濫

[字解] [一] ①넘칠람 물이 넘침. '水逆行, 氾—於中國'《孟子》. ②뜰람, 띄울람 물 위에 뜸. 또, 뜨게 함. '其源可以—觴'《孔子家語》. ③담글람 물 속에 담금. '—于泗淵'《國語》. ④훔칠람 도둑질함. '君子以爲—矣'《禮記》. ⑤탐할람 탐냄. '虞公—於寶與馬'《呂氏春秋》. ⑥외람할람 분수에 넘치는 일을 하여 도덕이나 예의에 어그러짐. '僭—'. '不僭不—'《詩經》. ⑦함부로람 마구. '—伐'. '—用'. '—入黨中'《後漢書》. ⑧뜬말람 허언(虛言). '除煩以去—'《陸機》. [二] ①샘함 바로 밑에서 솟는 샘. '—泉正出, 正出, 涌出也'《爾雅》. ②목욕통함 욕기(浴器). '同—而浴'《莊子》. ③동이함 아가리가 큰 질그릇. '鐘鼎壺—'《呂氏春秋》.
[字源] 形聲. 氵(水)+監〔音〕

水14〔濬〕17 [人名] 준 [去]震 | jùn シュン さらう

[筆順] 氵 濬

[字解] ①칠준 토사(土沙)를 쳐 내고 수저(水底)를 깊이하여 물을 잘 흐르게 함. '—川'《書經》. ②깊을준 ㉠얕지 않음. '—池'. '仰眺層峯, 俯鏡—壑'《謝靈運》. ㉡심원함. 유심(幽深)함. '—哲惟商'《詩經》.
[字源] 形聲. 氵(水)+睿(叡의 古文)〔音〕

水14〔濧〕17 대 [去]隊 | duì タイ ひたす

[字解] ①담글대 담금. 적심. '—, 漬也, 濡也'《集韻》. ②움직일대 '澹—'. '澹—, 猶澹淹也'《康熙字典》.

水14〔濚〕17 〔영〕
瀯(水부 17획〈700〉)과 同字

水14〔濴〕17 〔영〕
瀯(水부 17획〈700〉)과 同字

水14〔濮〕17 복 [入]屋 | pú ボク かわのな

[字解] ①물이름복 하남성(河南省) 봉구현(封丘縣)에서 발원(發源)하여, 하북성(河北省) 복양현(濮陽縣)과 산동성(山東省) 복현(濮縣)으로 흐르던 황하(黃河)의 지류(支流). '—水'. '—上之音'. ②성복 성(姓)의 하나.
[字源] 形聲. 氵(水)+僕〔音〕

水14〔濯〕17 [高·人] 탁 [入]覺 | zhuó タク あらう

[筆順] 氵 濯

[字解] ①빨탁, 씻을탁 ㉠세척(洗滌)함. '洗—'. '滄浪之水淸兮, 可以—吾纓'《楚辭》. ㉡심정·언행을 결백하게 함. '洒—其心'

《左傳》. ②클탁 '王公伊一'《詩經》. ③빛날탁 번쩍번쩍 빛나는 모양. '鉤膺一一'《詩經》. ④민둥민둥할탁 산에 나무가 없는 모양. '是以若彼一一也'《孟子》. ⑤살질탁 살쪄 번드르르한 모양. 일설(一說)에는, 즐거이 노는 모양. '麌鹿一一'《詩經》. ⑥성탁 성(姓)의 하나.
[字源] 形聲. 氵(水)+翟〔音〕

水 14 〔濰〕17 유 [平]支 | wéi イ かわのな
[字解] 물이름유 산동성(山東省) 거현(莒縣)에서 발원(發源)하여, 동북으로 흘러 황해(黃海)로 들어가는 강. '一水'. '一河'. '一, 淄其道'《書經》.
[字源] 形聲. 氵(水)+維〔音〕

水 14 〔濭〕17 [一] 애 [去]泰 | ǎi アイ くもる
[二] 개 [去]泰 | kài カイ ふねがすなにつく
[字解] [一] 흐릴애 '晻一'는 구름이 끼어 흐림. '露夜零, 晝晻一'《漢書》. [二] 배모래에박힐개 배가 사주(沙洲)에 얹힘. '一, 船著沙'《集韻》.

水 14 〔濱〕17 [人名] 빈 [平]眞 | bīn ヒン はま
[筆順] 氵 氵 氵宀 浐 沱 濱 濱 濱
[字解] ①물가빈 수애(水涯). '海一廣斥'《書經》. ②끝빈 맨 가 쪽 부분. '率土之一, 莫非王臣'《詩經》. ③가까울빈 땅이 물 가까이 있음. 연(沿)함. '鄒魯一洙泗'《史記》. ④임박할빈 절박함. '一死'. '是以一於死'《國語》. ⑤성빈 성(姓)의 하나.
[字源] 形聲. 氵(水)+賓〔音〕
[參考] 浜(水부 7획〈651〉)은 俗字.

水 14 〔瀅〕17 형 [上]迥 [平]青 | yíng エイ みずのさま ケイ めぐりながれる
[字解] ①물적을형 물이 적은 모양. 작은 물의 모양. '梁弱水之濎一兮'《揚雄》. ②돌아흐를형 물이 회류하는 모양. '洪波左瀅一'《杜甫》.

水 14 〔濜〕17 진 [上]軫 | jǐn シン すいりゅうのはやいさま
[字解] 빠를진 수세(水勢)가 빠름. '一, 一湏, 水流急皃'《廣韻》. '漻淢一湏'《郭璞》.

水 14 〔濢〕17 [一] 취 [去]寘 | cuì
[二] 최 [上]紙 | スイ すこしうるおう スイ すこしうるおう
[字解] [一] ①눅눅할취 조금 습함. '一, 小溼也'《說文》. ②낮고습(濕)할취 '一, 下溼也'《廣韻》. ③즙(汁)으로담글취 '一, 汁漬也'《廣韻》. [二] 눅눅할최, 낮고습할최, 즙으로 담글최 [一]과 뜻이 같음.
[字源] 形聲. 氵(水)+翠〔音〕

水 14 〔澼〕17 [一] 파 [去]卦 | pài ハイ・ハ かわのな
[二] 비 [去]霽 | ヘイ・ハイ かわのな
[字解] [一] ①물이름파 '一, 一水, 在丹陽'《說文》. ②씨뿌릴파 '一, 種'《廣雅》. ③떼파 뗏목. '一, 筏也'《廣雅》. [二] 물이름비, 씨뿌릴비, 떼비 [一]과 뜻이 같음.
[字源] 形聲. 氵(水)+箄〔音〕

水 14 〔濝〕17 기 [平]支 | qí キ かわのな
[字解] 물이름기 '沮如之山. 無草木有金玉. 一水出焉. 南流注于河'《山海經》.

水 14 〔瀌〕17 표 [平]蕭 | piǎo ヒョウ みずのさま
[字解] ①물모양표 '一, 水皃'《集韻》. ②물보라표 '揚鑣一沫'《魏志》.

水 14 〔潠〕17 [一] 솰 [入]曷 | suō サツ のむ
[二] 삽 [入]洽 | ソウ のむ
[三] 선 [去]霰 | セン のむ
[四] 산 [去]諫 | shàn サン うまをあらう
[五] 취 [去]霽 | shuài セイ のむ
[字解] [一] 마실솰 瀎(水부 16획〈698〉)과 同字. [二] 마실삽 [一]과 뜻이 같음. [三] 마실선 [一]과 뜻이 같음. [四] 말씻을산 '一, 洗馬'《集韻》. [五] 마실취 [一]과 뜻이 같음.
[字源] 形聲. 氵(水)+算〔音〕

水 14 〔澳〕17 〔오〕
澳(水부 13획〈689〉)의 本字

水 14 〔㵄〕17 〔한〕
漢(水부 11획〈678〉)의 本字

水 14 〔潕〕17 〔무〕
潕(水부 12획〈686〉)와 同字

水 14 〔漵〕17 〔서〕
漵(水부 11획〈680〉)와 同字

水 14 〔潤〕17 [人名] 〔활〕 闊(門부 9획〈1603〉)의 俗字
[筆順] 氵 氵 氵 沪 淵 潤 潤 濶

水 14 〔濵〕17 〔빈〕
濱(水부 14획〈695〉)의 俗字

水 14 〔瀞〕17 〔정〕
瀞(水부 16획〈699〉)의 俗字

水 14 〔灩〕17 〔청〕
濪(水부 15획〈698〉)의 訛字

水 14 〔潛〕17 〔잠〕
潛(水부 12획〈683〉)의 訛字

〔鴻〕 〔홍〕
鳥부 6획(1817)을 보라.

水 15 〔濺〕18 천 ①[去]霰 ②[平]先 | jiàn セン そそぐ / jiān セン はやくながれる

[字解] ①뿌릴천 물 같은 것을 흩음. '以頸血一大王'《史記》. ②빨리흐를천 질류(疾流)하는 모양. '出浦水一一'《沈約》.
[字源] 形聲. 氵(水)+賤〔音〕

水 15 〔瀊〕18 반 [平]寒 | pán ハン うずまく

[字解] 물굽이쳐돌반 물이 소용돌이침. '一, 洄也'《玉篇》.

水 15 〔濾〕18 려 [去]御 | lǜ リョ こす

[字解] 거를려 여과(濾過)함. '羅者一水具'《白行簡 濾水羅賦 註》.
[字源] 形聲. 氵(水)+慮〔音〕

水 15 〔瀁〕18 양 [去]漾 [上]養 | yàng / yǎng ヨウ かわのな

[字解] ①물이름양 漾(水부 11획〈680〉)의 古字. '嶓冢導一'《史記》. ②넓을양 끝없이 넓은 모양. '心一一而無所終薄兮'《阮籍》.
[字源] 形聲. 氵(水)+養〔音〕

水 15 〔瀂〕18 려 [平]魚 | lú リョ びりょ

[字解] 미려혈(泥瀂穴)려 동쪽 바다 가운데 있어서 바닷물을 빨아들인다고 하는 큰 구멍. '一, 泥一, 泄海水出外者'《集韻》.

水 15 〔瀅〕18 [人名] 형 [去]徑 | yìng エイ おがわ

[筆順] 氵 氵' 氵'' 㳟 滎 濴 瀅 瀅

[字解] ①시내형 작은 내. '一, 小水'《廣韻》. ②맑을형 '汀一'은 물이 맑아 깨끗한 모양. '曲江汀一水平杯'《韓愈》.
[字源] 形聲. 氵(水)+瑩〔音〕

水 15 〔𤅩〕18 획 [入]陌 | huò カク みずのおと

[字解] 물소리획 '一一'은 물이 흐르는 소리. 또, 물이 부딪치는 소리. '水一一循除鳴'《韓愈》.
[字源] 形聲. 氵(水)+虢〔音〕

水 15 〔㵿〕18 효 [上]篠 | xiào キョウ はるかにひろがっているさま

[字解] ①물펀할효 '渺一'는 물이 멀리 퍼져 있음. '渺一, 水遠也'《集韻》. ②물깊고흴효 '一漾'은 물이 깊고 흰 모양. '一漾, 水深白皃'《集韻》.

水 15 〔瀆〕18 ㊀독 [入]屋 ㊁두 [去]宥 | dú トク みぞ / dòu トウ あな

[字解] ㊀①도랑독 전답 사이나 마을 사이를 통하는 수로(水路). '自經於溝一'《論語》. ②큰강독 작은 내의 물을 합쳐 바다로 흐르는 강. '四一視諸侯'(사독(四瀆)은 양자강(揚子江)·황하(黃河)·회수(淮水)·제수(濟水)의 네 큰 강)《禮記》. ③더러울독 '褻一'. '下交不一'《易經》. ④더럽힐독 '一職'. '再三一, 一則不告'《易經》. ⑤업신여길독 ㉠깔봄. 버릇없이 굶. '一慢'. '毋一神'《禮記》. ㉡가볍게 여겨 지키지 아니함. '一齊盟'《左傳》. ㊁ 구멍두 竇(穴부 15획〈925〉)와 통용. '自墓門之一入'《左傳》.
[字源] 形聲. 氵(水)+賣〔音〕

水 15 〔瀀〕18 우 [平]尤 | yōu ユウ ゆたか, ひろい

[字解] ①넉넉할우, 너를우 '一, 饒也'《廣雅》. '一, 寬也'《玉篇》. ②적실우 '一, 漬也'《廣雅》. ③흠치르르할우 윤기가 많음. '既一既渥'《詩經》.
[字源] 形聲. 氵(水)+憂〔音〕

水 15 〔瀉〕18 사 ①②[上]馬 ③-⑤[去]禡 | シャ そそぐ / xiè シャ はく, しおっち

[字解] ①쏟을사 물을 기울여 부음. '一千里'. '以澮一水'《周禮》. ②쏟아질사 경사져서 흐름. '石磴一紅泉'《謝靈運》. ③게울사 토함. '盡一其食'《淮南子》. ④설사할사 묽스그레한 똥을 눔. '吐一'. '腎主一'《白虎通》. ⑤짠땅사 염분을 함유한 땅. '地無毛, 則爲一土'《論衡》.
[字源] 形聲. 氵(水)+寫〔音〕

水 15 〔瀉〕18 瀉(前條)의 本字

水 15 〔霅〕18 잡 [入]洽 | zhá チョウ かわのな

[字解] 물이름잡 절강성(浙江省) 오흥현(吳興縣)에 있는 강. '一水'. '一, 水名'《集韻》.

水 15 〔瀋〕18 심 [上]寢 | shěn シン しる

[字解] ①즙심 즙액(汁液). '墨一'. '煮鱖爲作一'《元結》. ②물이름심 요령성(遼寧省) 심양현(瀋陽縣)에서 발원(發源)하여 남으

로 흐르는 혼하(渾河)의 지류(支流). '一水'.
[字源] 形聲. 氵(水)+審〔音〕

水15 〔濿〕18 려 [去]霽 | lì レイ わたる
[字解] 징검다리건널려, 옷걷을려 징검다리를 딛고 건넘. 또, 물을 건널 때 옷자락을 걷음. 厲(厂부 13획〈137〉)와 同字.

水15 〔瀌〕18 표 [平]蕭 | biāo ヒョウ ゆきのさかんにふるさま
[筆順] 氵 汇 沪 浐 浐 浐 漉 瀌
[字解] 비눈퍼부을표 비나 눈이 퍼붓는 모양. '雨雪一一'《詩經》.
[字源] 形聲. 氵(水)+麃〔音〕

水15 〔瀃〕18 사 [去]寘 | sì シ ひのくち
[字解] ①수문(水門)사, 물구멍사 물이 빠져나가게 한 문. '一, 泄水門'《集韻》. ②방죽사 물을 막기 위해 둑을 쌓음. '一, 障水也'《增韻》.

水15 〔瀍〕18 전 [平]先 | chán テン かわのな
[字解] 물이름전 하남성(河南省) 맹진현(孟津縣)에서 발원(發源)하여, 동으로 흐르는 낙수(洛水)의 지류(支流). '一水'. '東北會于澗一'《書經》.
[字源] 形聲. 氵(水)+廛〔音〕

水15 〔瀎〕18 [一]말 [入]曷 [二]멸 [入]屑 | mǒ バツ ぬぐいけす / miè ベツ はやくながれる
[字解] [一] ①닦을말 훔쳐 깨끗이 함. 없앰. '瀞巾謂之一布'《揚子方言》. ②바를말 도말(塗抹)함. [二] 빨리흐를멸 질류(疾流)하는 모양. '沒滑一潏'《張衡》.
[字源] 形聲. 氵(水)+蔑〔音〕

水15 〔瀏〕18 류 [平]尤 [上]有 | liú リュウ きよい
[字解] ①맑을류 물이 맑고 깊은 모양. '一其清矣'《詩經》. ②빠를류 바람이 빠른 모양. '秋風一以蕭蕭'《劉向》. ③밝을류 청명(清明)함. 명랑함. '賦體物而一亮'《陸機》. ④선선할류 시원함. '一風'.
[字源] 形聲. 氵(水)+劉〔音〕

水15 〔滭〕18 필 [入]質 | bì ヒツ いずみがわきでる
[字解] 샘용솟음할필 滭(水부 11획〈680〉)과 同字.

水15 〔瀑〕18 [一]포 [去]號 [二]폭 [入]屋 [三]팍 [入]覺 | bào ホウ にわかあめ / pù ボク たき / bó バク なみのわきおこるさま
[字解] [一] ①소나기포 퍼붓는 비. ②거품포 물거품. 포말(泡沫). '拊拂一沫'《郭璞》. ③성포 성(姓)의 하나. [二] 폭포폭 폭포수. '飛一'. '一布飛流以界道'《孫綽》. [三] ①물결일팍 파도가 이는 모양. '渨灅濆一'《郭璞》. ②용솟음할팍 물이 솟아나는 모양. 또, 그 소리. '龍池灂一'《左思》.
[字源] 形聲. 氵(水)+暴〔音〕

水15 〔瀇〕18 왕 [上]養 | wǎng オウ ふかくひろい
[字解] 깊을왕 물이 깊고 넓은 모양. '一洋無涯'《論衡》.
[字源] 形聲. 氵(水)+廣〔音〕

水15 〔瀈〕18 휘 [平]微 | huī キ つくす, ふるう
[字解] ①잦을휘 물이 밑바닥까지 졸아 빠짐. '一, 竭也'《廣韻》. ②물뿌릴휘 물을 흔들어 흩뿌림. '一, 振去水也'《集韻》.

水15 〔濼〕18 [一]록 [入]沃 [二]락 [入]藥 | luò ロク かわのな / luò ラク かわのな
[字解] [一] 물이름록 산동성(山東省) 역성현(歷城縣)의 서북(西北)에서 발원(發源)하여 동류(東流)하는 소청하(小清河)의 지류(支流). '一水'. '公會齊侯于一'《春秋》. [二] 물이름락 [一]과 뜻이 같음.
[字源] 形聲. 氵(水)+樂〔音〕

水15 〔灅〕18 뢰(② 루[本]) [上]賄 [上]紙 | ①lěi ライ かわのな ②ルイ なみがわきおこる
[字解] ①물이름뢰 '一, 水名, 在右北平'《廣韻》. ②용솟음할뢰 '渨一'는 물이 용솟음하는 모양. '渨一濆瀑'《郭璞》. ※❷는 本音루.

水15 〔㵳〕18 교 [平]肴 | jiāo コウ ふかくひろい
[字解] 깊을교 '一澫'은 물이 깊고 넓은 모양. '一澫浩汗'《木華》.

水15 〔瀄〕18 즐 [入]質 | jié シツ ながれる
[字解] 흐를즐 물이 흐르는 모양. 또, 그 소리. '一汩澎湃'《嵇康》.

水15 〔瀒〕18 〔색〕
濇(水부 13획〈691〉)의 本字

水15〔瀔〕18 곡 ㊀屋|gǔ コク かわのな

字解 물이름곡 하북성(河北省) 섬현(陝縣)에서 발원(發源)하여 동쪽으로 흘러 낙양시(洛陽市)의 서쪽에서 낙하(洛河)로 흘러드는 강. 지금의 간수(澗水). '伊一絕津濟'《顔延之》.

水15〔瀄〕18 ㊀ 척 ㊀陌|dí テキ うるおう
㊁ 택 ㊀陌|タク うるおう
㊂ 적 ㊀錫|テキ うるおう

字解 ㊀ ①젖을척 흙이 물에 젖음. 또, 축축한 흙. '一, 土得水沮也'《說文》. ②스며들척 '今俗謂水稍稍侵物入其內曰瀄'《說文段注》. 본래, 瀄으로 썼음. '一, 本作瀄'《正字通》. ㊁ 젖을택, 스며들택 ㊀과 뜻이 같음. ㊂ 젖을적, 스며들적 ㊀과 뜻이 같음.
字源 形聲. 氵(水)+㪻〔音〕

水15〔瀄〕18 瀄(前條)의 本字

水15〔瀞〕18 ㊂徑|qìng セイ ひややか
청 ㊤梗|ソウ ひややか
㊂敬|セイ ひややか

字解 찰청 서늘함. 추움. '一, 冷寒也'《說文》.
字源 形聲. 氵(水)+靚〔音〕

水15〔濥〕18 〔인〕
濥(水부 14획〈693〉)의 本字

水15〔瀰〕18 〔미〕
瀰(水부 14획〈692〉)의 本字

水15〔瀣〕18 〔자〕
涾(水부 10획〈670〉)의 本字

水15〔瀌〕18 〔퓨〕
滮(水부 11획〈680〉)와 同字

水15〔灑〕18 〔쇄〕
灑(水부 19획〈703〉)의 俗字

水15〔滴〕18 〔적〕
滴(水부 11획〈675〉)과 同字

水15〔瀸〕18 〔첨〕
瀸(水부 17획〈701〉)의 俗字

水15〔瀟〕18 〔소〕
瀟(水부 17획〈700〉)의 俗字

水15〔灌〕18 〔관〕
灌(水부 18획〈702〉)의 俗字

水15〔瀸〕18 렵 ㊀葉|liè リョウ みずのおと

筆順 氵 氵 氵 氵 氵 氵 氵 瀸

字解 물소리렵 '一, 水聲'《集韻》.

水15〔漻〕18 료 ㊤篠|liáo リョウ きよい

字解 ①맑을료 물이 맑음. '一, 一浰, 水清'《集韻》. ②작은시내료 '一, 一澥, 小水別名也'《玉篇》.

水15〔瀓〕18 〔징〕
澂(水부 12획〈685〉)과 同字

水16〔瀕〕19 빈 ㊥眞|bīn(pín) ヒン みぎわ

字解 ①물가빈 濱(水부 14획〈695〉)과 同字. '海一廣潟'《漢書》. ②임박할빈 땅이 강이나 바다에 연(沿)하여 있음. 또, 바싹 닥침. '一死'. '行擧一河之郡'《漢書》.
字源 會意. 涉+頁

水16〔瀙〕19 친 ㊂震 ㊥眞|qìn シン かわのな

字解 강이름친 연원(淵源)은 하남성(河南省) 비양현(泌陽縣) 북쪽 중양산(中陽山). 사하(沙河)의 정원(正源). 무수(潕水)를 합하여 사하가 됨. 남여하(南汝河)의 상원(上源). 산해경(山海經)에서는 시수(視水)라 함. '一, 字林云, 水名, 在豫州'《廣韻》.
字源 形聲. 氵(水)+親〔音〕

水16〔瀿〕19 번 ㊥元|fān ハン おおなみ

字解 큰물결번 큰 파도. '一, 說文, 大波也'《集韻》.

水16〔瀾〕19 염 ㊥鹽|yán エン けがす

字解 더러울염 '一, 海岱之閒, 謂相汚曰一'《說文》.
字源 形聲. 氵(水)+閻〔音〕

水16〔瀽〕19 ㊀ 선 ㊂霰|セン のむ
㊁ 쵀 ㊂霽|shuài セイ のむ

字解 ㊀ ①마실선 '一, 飲也'《說文》. ②빨선 '一, 歃也'《說文》. ③들이마실선 '一, 吮也'《說文》. ㊁ 마실쵀, 빨쵀, 들이마실쵀 ㊀과 뜻이 같음.

水16〔瀜〕19 융 ㊥東|róng ユウ ふかくひろい

字解 깊을융 물이 깊고 넓은 모양. '沖一流瀁'《木華》.

水 16 〔瀤〕19 회 [平]佳 | huái カイ かわのな

[字解] ①물이름회 중국 북방에 있는 강 이름. '一水'. '獄法之山, 一澤之水出焉'《山海經》. ②울쑥불쑥할회 물이 평탄하지 않은 모양. '泝淪流一'《郭璞》.
[字源] 形聲. 氵(水)＋褱〔音〕

水 16 〔瀘〕19 로 [平]虞 | lú ロ かわのな

[字解] 물이름로 티베트에서 발원(發源)하여, 운남성(雲南省) 북변(北邊)을 흘러 사천성(四川省)을 거쳐 양자강(揚子江)으로 흘러드는 강. '一水'. '五月涉一, 深入不毛'《諸葛亮》.
[字源] 形聲. 氵(水)＋盧〔音〕

水 16 〔瀚〕19 [人名] 한 [去]翰 | hàn カン ひろい

[筆順] 氵 氵 氵 氵 渖 渖 瀚 瀚

[字解] ①넓을한 광대한 모양. '浩浩一一'《淮南子》. ②사막이름한 '一海'는 고비 사막. '翰海'라고도 씀.
[字源] 形聲. 氵(水)＋翰〔音〕

水 16 〔瀛〕19 영 [平]庚 | yíng エイ うみ

[字解] ①바다영 큰 바다. '滄一'. '乃有大一海, 環其外'《史記》. ②늪영 소택(沼澤). '倚沼畦一兮'《宋玉》. ③신선사는섬영 '一洲'는 삼신산(三神山)의 하나. 동해(東海) 중에 있는 신선이 산다는 곳. '歷蓬一而超碧海'《拾遺記》.
[字源] 形聲. 氵(水)＋嬴〔音〕

水 16 〔潢〕19 횡 ①[去]敬 ②[平]庚 | コウ わたし hēng コウ いかだ, わたしぶね

[字解] ①나루횡 작은 도선장(渡船場). '一, 小津也'《說文》. ②떼횡, 나룻배횡 나무를 엮어 물 위에 띄운 것. '一, 筏也'《集韻》.
[字源] 形聲. 氵(水)＋横〔音〕

水 16 〔瀝〕19 력 [入]錫 | lì レキ したたり

[字解] ①물방울력 방울방울 떨어지는 물. '水一滴地'《佛國記》. ②물방울떨어질력 '動滴一以成響'《王延壽》. ③찌끼력 마시다 남은 액체. '空樽已絕一'《方回》. ④쏟을력 쏟아 넣음. 부음. '皆決一之'《晉書》. ⑤맑은술력 약주. '和楚一只'《楚辭》.
[字源] 形聲. 氵(水)＋歷〔音〕

水 16 〔瀞〕19 정 [去]敬 | jìng セイ・ジョウ きよい

[字解] 맑을정, 깨끗할정 淨(水부 8획〈656〉)과 통용.
[字源] 形聲. 氵(水)＋靜〔音〕

水 16 〔瀠〕19 ㊀영 [上]迥 ㊁형 [平]庚 | yíng エイ おおみず yíng エイ めぐりながれる

[字解] ㊀큰물영 '一, 大水也'《玉篇》. ㊁돌아흐를형 '一泂'는 물이 회류하는 모양. 濙(水부 14획〈695〉)과 同字. '鼓樓巖下水一泂'《朱熹》.
[字源] 形聲. 氵(水)＋縈〔音〕

水 16 〔瀡〕19 수 [上]紙 | suǐ スイ なめらか

[字解] 미끄러울수 반드러움. '滫一以滑之'《禮記》.

水 16 〔瀣〕19 해 [去]卦 | xiè カイ つゆけ

[字解] 이슬기운해 '沆一'는 이슬의 기운. 일설(一說)에는, 바다 기운. 또 일설에는, 북방(北方) 야반(夜半)의 기운. '含沆一以長生'《楚辭》.
[字源] 形聲. 氵(水)＋韰〔音〕

水 16 〔瀦〕19 저 [平]魚 | zhū チョ みずだまり

[字解] ①웅덩이저 물이 정지하여 괸 곳. 늪. 저수지(貯水池). '以一畜水'《周禮》. ②괼저 물이 정지하여 모임. '海流出復一'《宋史》.
[字源] 形聲. 氵(水)＋豬〔音〕

水 16 〔瀧〕19 [人名] ㊀롱 [平]東 ㊁랑 [平]江 ㊂상 [平]江 | lóng ロウ あめふる lòng ロウ はやせ shuāng ソウ ちめい

[筆順] 氵 氵 瀧 瀧 瀧 瀧 瀧 瀧

[字解] ㊀비올롱 비가 오는 모양. ㊁여울랑 급류(急流). '湍一'. ㊂땅이름상 '一岡'은 강서성(江西省) 영풍현(永豐縣) 남쪽에 있는 봉황산(鳳凰山). 송(宋)나라의 구양수(歐陽修)가 부친을 장사지낸 곳임.
[字源] 形聲. 氵(水)＋龍〔音〕
[參考] 滝(水부 10획〈674〉)은 俗字.

水 16 〔瀩〕19 대 [去]隊 | duì タイ ただよう

[字解] 물에모래밀릴대 물이 모래를 띄고 이리저리 밀림. '一, 水帶沙往來貌'《正字通》.

水 16 〔瀨〕19 뢰 [去]泰 | lài ライ せ

[字解] 여울뢰 사석(沙石) 위를 흐르는 얕고 빠른 물. '湍一'. '石一兮淺淺'《楚辭》.
[字源] 形聲. 氵(水)+賴〔音〕

水 16 〔瀨〕 19 瀨(前條)의 略字

水 16 〔濩〕 19 곽(확本) 入藥 | huò カク なみのおと
[字解] ①물결소리곽 '一洊'는 많은 물결이 서로 부딪치는 소리. '一洊濩渭'《木華》. ②번쩍번쩍할곽 '一濩'은 채색(彩色)이 번쩍번쩍하는 모양. '一濩燐亂, 煒煒煌煌'《王延壽》. ※本音 확.
[字源] 形聲. 氵(水)+霍〔音〕

水 16 〔灈〕 19 선 去霰 | xuàn セン はく
[筆順] 氵 氵 氵 氵 氵 氵 氵 灈
[字解] 물뿜을선 입에 물을 품고 뿜음. '一, 口含水噴一'《廣韻》.

水 16 〔澯〕 19 〔등〕 滕(水부 10획〈668〉)의 俗字

水 16 〔瀢〕 19 一 유 上紙 | wěi イ うおのしたがいゆくさま 二 대 上賄 | duì タイ すながうきうごく
[字解] 一 물고기떼지어다닐유 '一, 一一, 魚行相隨'《玉篇》. 二 모래밀릴대 '一㴸'는 사석(沙石)이 물에 밀리는 모양. '碧沙一㴸而往來'《郭璞》.

水 16 〔瀔〕 19 곡 入屋 | hú コク みずのおと
[筆順] 氵 氵 氵 氵 氵 氵 氵 瀔
[字解] ①물소리곡 '一, 水聲'《集韻》. ②물이름곡 절강성(浙江省)의 서경(西境)을 흐르는 강. 난계(蘭溪).

水 16 〔瀍〕 19 〔습〕 濕(水부 14획〈692〉)의 本字

水 16 〔滜〕 19 〔순〕 淳(水부 8획〈657〉)의 本字

水 16 〔㵎〕 19 〔습〕 濕(水부 14획〈692〉)의 本字

水 16 〔瀆〕 19 〔궤〕 潰(水부 12획〈684〉)의 本字

水 16 〔瀵〕 19 〔복〕 濮(水부 14획〈694〉)의 本字

水 16 〔澩〕 19 〔학〕 澩(水부 13획〈688〉)과 同字

水 16 〔灁〕 19 〔여〕 澦(水부 13획〈691〉)와 同字

水 16 〔瀟〕 19 水부 17획(700)을 보라.

水 17 〔瀯〕 20 [人名] 영 平庚 | yíng エイ みずのおと
[筆順] 氵 氵 氵 氵 氵 氵 氵 瀯
[字解] 물소리영 쉬지 않고 흐르는 물 소리. 또, 물이 소용돌이치는 모양. '一一之聲與耳謀'《柳宗元》.
[字源] 形聲. 氵(水)+營〔音〕
[參考] 濚(水부 14획〈694〉)은 同字.

水 17 〔瀟〕 20 소 平蕭 | xiāo ショウ きよい
[字解] ①물이름소 호남성(湖南省) 영원현(寧遠縣)에서 발원(發源)하여, 영릉현(零陵縣)의 성(城) 밖을 흘러 상수(湘水)로 흘러가는 강. '一水'. '一湘何事等閑回'《錢起》. ②맑을소 깊고 맑음. '一者, 水清深也'《水經注》. ③비바람칠소 풍우가 세차게 치는 모양. '風雨一一'《詩經》.
[字源] 形聲. 氵(水)+蕭〔音〕

水 17 〔瀰〕 20 미 ①②上紙 ③平支 | mí ビ みちる ビ ひろい
[筆順] 氵 氵 氵 氵 氵 氵 氵 瀰
[字解] ①치런치런할미 물이 널리 가득 찬 모양. '有一濟盈'《詩經》. ②흐를미 물이 흐르는 모양. '河水一一'《詩經》. ③아득할미 수면(水面)이 끝없이 넓어 아득한 모양. '渺一漭漫'《木華》.
[字源] 形聲. 氵(水)+彌〔音〕

水 17 〔瀱〕 20 계 去霽 | jì ケイ でたりかれたりするいど
[字解] ①우물계 '一汋'은 물이 괴었다 말랐다 하는 우물. '井, 一有水, 一無水, 爲一汋'《爾雅》. ②샘퐁퐁솟을계 '一, 泉出皃'《廣韻》. ③물잦을계 '一, 竭也'《釋名》.
[字源] 形聲. 氵(水)+罽〔音〕

水 17 〔瀲〕 20 렴 上琰 | liàn レン うかぶ
[字解] ①뜰렴 물 위에 뜸. '或泛一于潮波'《郭璞》. ②넘칠렴 술잔에 가득 찬 모양. '力飮何妨一灩斟'《明宣宗》. ③물가렴 '青蕃蔚乎翠一. (注) 一, 波際也'《潘岳》.
[字源] 形聲. 氵(水)+斂〔音〕

水17〔瀵〕20 분 [去]問 | fèn フン いずみ

[字解] ①샘분 땅 밑에서 솟아 나오는 물. ②담글분 물속에 담금. '翹莖—蘖'《郭璞》.
[字源] 形聲. 氵(水)+糞〔音〕

水17〔瀸〕20 첨 [平]鹽 | jiān セン ひたす

[字解] ①건샘첨 물이 자주 마르는 샘. ②적실첨 물에 담가 적심. '—濇肌膚'《淮南子》. ③멸망할첨, 멸할첨 '齊人—于遂'《公羊傳》.
[字源] 形聲. 氵(水)+韱〔音〕

水17〔瀓〕20 등 [平]蒸 | tēng トウ ます

[字解] 물모여들등 냇물이 모여서 물이 불음. '—, 小水相添益皃'《廣韻》.

水17〔瀹〕20 약 [入]藥 | yuè ヤク ゆでる, にる

[字解] ①삶을약 물을 넣고 익힘. '有—雞子法'《齊民要術》. ②데칠약 끓는 물에 넣어 약간 삶음. '管筲三, 其實皆—'《儀禮》. ③다스릴약 치수(治水)함. '疏九河, —濟漯'《孟子》. ④씻을약 세척(洗滌)함. '疏—而心'《莊子》.
[字源] 形聲. 氵(水)+龠〔音〕

水17〔瀺〕20 참 ①[平]咸 ②[上]琰 | chán サン みずのおと セン うきしずみする

[字解] ①물소리참 '—灂'은 물이 떨어지는 소리. 또는, 물이 흘러 내려가는 소리. '—灂霣墜'《司馬相如》. ②가라앉았다떴다할참 '—灂'은 ㉠물고기가 출몰하는 모양. '游鱗—灂'《潘岳》. ㉡돌이 수중(水中)에서 출몰하는 모양. '巨石溺溺之—灂兮'《宋玉》.
[字源] 形聲. 氵(水)+毚〔音〕

水17〔瀼〕20 [一]양 [平]陽 [二]낭 [上]養 | ráng ジョウ つゆのおおいさま nǎng ノウ ながれる, どろ

[字解] [一]이슬흠치르르할양 이슬이 많이 내린 모양. '零露——'《詩經》. [二]①흐를낭 물이 흐르는 모양. '涓流泱—'《木華》. ②수렁낭 진흙땅. '有填淤反—之害'《漢書》.
[字源] 形聲. 氵(水)+襄〔音〕

水17〔灀〕20 상 [去]漾 | shuàng ソウ からす

[字解] 된서리때릴상 된서리 맞아 마르게 함. '—, 殺物也'《字彙》.

水17〔瀾〕20 [人名] 란 ①②[平]寒 ③[去]翰 | lán ラン おおなみ làn ラン こめのとぎじる

[筆順] 氵 … 瀾

[字解] ①물결란 ㉠큰 물결. '—波'. '觀水有術, 必觀其—'《孟子》. ㉡잔물결. '—, 漪水波也'《爾雅》. ②물결일란 파도가 일어남. '若流波之將—'《宋玉》. ③뜨물란 쌀뜨물. '潘—, 盞餘'《周禮 註》.
[字源] 形聲. 氵(水)+闌〔音〕

水17〔瀿〕20 번 [平]元 | fán ハン あふれる

[字解] ①넘칠번 물이 갑자기 넘침. '樹木者灌以—水'《淮南子》. ②물결번 '—, 波也'《玉篇》.

水17〔瀴〕20 영 [平]庚 | yíng エイ はるかにとおい

[字解] 물질펀할영 '—溟'은 수면(水面)이 대단히 넓어 먼 모양. '經途—溟'《木華》.
[字源] 形聲. 氵(水)+嬰〔音〕

水17〔瀳〕20 천 [去]霰 [平]元 | jiàn セン いたる, ひろい ソン いたる, ひろい

[字解] ①이를천 물이 이름. '—, 水至也'《說文》. ②물넓을천. ③물이름천 '—, 水名'《廣韻》.
[字源] 形聲. 氵(水)+薦〔音〕

水17〔瀽〕20 건 [上]銑 | jiǎn ケン かわのな

[字解] ①물이름건 '—, —水也'《字彙》. ②물꼬건 논의 물을 대고 떼는 구멍. '四面俱置—穴'《農政全書》.

水17〔瀷〕20 [人名] 익 [入]職 | yì ヨク かわのな

[筆順] 氵 … 瀷

[字解] ①물이름익 '—水'는 하남성(河南省) 밀현(密縣)에서 발원하여 영수(潁水)로 들어가는 강. '—, —水, 出河南密縣, 東入潁'《說文》. ②소나기로갑자기생긴내익 물이 모여 생긴 흐름. '—, 水潦積聚'《廣韻》.
[字源] 形聲. 氵(水)+翼〔音〕

水17〔瀶〕20 림 [平]侵 | lín リン たに, たにがわ

[字解] ①골짜기림, 계류(溪流)림 '—, 谷也'《說文》. ②추울림 凜(冫부 16획〈95〉)과 통함. ③물나올림 '—, 水出皃'《廣韻》. ④비올림 '——'은 비가 내리는 모양. '——, 雨

也'《廣雅》.
[字源] 形聲. 氵(水)+臨〔音〕

水17 〔潐〕 20 초 [上]篠 | jiǎo ショウ こす

[字解] ①술거를초 헝겊으로 술을 거름. '一, 盪酒'《廣韻》. ②다할초 물이 다 없어짐. '一, 水盡也'《玉篇》.
[字源] 形聲. 氵(水)+网+焦〔音〕

水17 〔瀿〕 20 번 [平]元 | fān ハン おおなみ

[字解] ①큰물결번 '一, 大波也'《說文》. ②넘칠번 물이 갑자기 넘침. ③물흐를번 '一一'은 물이 흐르는 모양. '此流又高懸, 一一在長空'《元結》.
[字源] 形聲. 氵(水)+旛〔音〕

水17 〔濊〕 20 ㊀활 [入]曷 | huō カツ ながれをさえぎる
㊁월 [入]月 | エツ にごる
㊂예 [去]隊 | huì ワイ にごる

[字解] ㊀①막을활 물의 흐름을 막음. '施罛一一'《詩經》. ②물소리활 '濊, 水聲. 一, 上同'《廣韻》. ㊁흐릴월 '一, 濁也'《集韻》. ㊂흐릴예 ㊁와 뜻이 같음.
[字源] 形聲. 氵(水)+薉〔音〕

水17 〔瀇〕 20 횡 [平]庚 [平]蒸 | hōng コウ みずのげきするおと

[字解] ①물부딪치는소리횡 '濦湲一瀫'《郭璞》. ②물소리횡 '一, 水聲'《廣韻》.

水17 〔灡〕 20 ㊀암 [上]感 [去]勘 | ǎn アン みずがおおいにいたる
㊁음 [上]寑 | イン みずがおおいにいたる

[字解] ㊀물크게이를암 '一, 水大至也'《說文》. ㊁물크게이를음 ㊀과 뜻이 같음.
[字源] 形聲. 氵(水)+闇〔音〕

水17 〔瀏〕 20 〔류〕
瀏(水부 15획〈697〉)의 本字

水17 〔瀚〕 20 〔한〕
澣(水부 13획〈688〉)의 本字

水17 〔濼〕 20 〔락〕
濼(水부 15획〈697〉)과 同字

水17 〔瀰〕 20 〔미〕
湄(水부 9획〈664〉)과 同字

水17 〔瀷〕 20 〔미〕
湄(水부 9획〈664〉)과 同字

水17 〔灁〕 20 〔학〕
涸(水부 8획〈653〉)과 同字

水17 〔灂〕 20 〔은〕
濦(水부 14획〈693〉)과 同字

水18 〔灥〕 22 반 [去]願 | fàn ハン いずみのみず

[字解] 뿜어나오는샘물반 '一, 泉水也'《說文》. '一, 噴涌的泉水'《漢語大字典》.
[字源] 形聲. 泉+緐〔音〕

水18 〔灂〕 21 ㊀조 [去]嘯 | jiào ショウ うるしぬり
㊁착 [入]覺 | zhuó サク みずのおと

[字解] ㊀옻칠할조 수레의 채에 옻칠을 함. '良輈環一'《周禮》. ㊁물소리착, 가라앉았다떴다할착 瀺(水부 17획〈701〉)을 보라.
[字源] 形聲. 氵(水)+爵〔音〕

水18 〔灃〕 21 풍 [平]東 | fēng ホウ かわのな

[字解] 물이름풍 섬서성(陝西省) 영섬현(寧陝縣)의 진령(秦嶺)에서 발원하여, 장안(長安)을 거쳐 위수(渭水)로 흘러 들어가는 강. '一水'. '一水攸同'《書經》.
[字源] 形聲. 氵(水)+豐〔音〕
[參考] 澧(水부 13획〈689〉)은 別字.

水18 〔灅〕 21 루 [上]紙 | lěi ルイ かわのな

[字解] 물이름루 하북성(河北省) 준화현(遵化縣)에서 발원(發源)하는 이하(梨河)의 지류(支流). 지금은 사하(沙河)라 함. '一水'.
[字源] 形聲. 氵(水)+壘〔音〕

水18 〔灉〕 21 옹 [平]冬 [去]宋 | yōng ヨウ かわのな

[字解] 물이름옹 산동성(山東省) 조현(曹縣)에서 발원(發源)하여, 동북으로 흐르다가 저수(沮水)와 합하여 황하(黃河)로 흘러 들어가는 강. '一沮會同'《書經》.
[字源] 形聲. 氵(水)+雝〔音〕

水18 〔灌〕 21 [人名] 관 [去]翰 | guàn カン そそぐ

[筆順] 氵 氵 汁 潸 潸 潅 灌 灌

[字解] ①물댈관 물을 흘러 들어가게 함. '一漑'. '決晉水以一之'《戰國策》. ②따를관 부음. '膏油一其中'《吳志》. ③흘러들어갈관 유입(流入)함. '百川一河'《莊子》. ④끼얹을관 뿌림. '一頂'. ⑤씻을관 세척함. '一澡'. '澡一一口'《南史》. ⑥마실관 액체를

먹음. '奉觴曰賜一'《禮記》. ⑦강신제지낼관 술을 따라서 땅에 뿌려 신(神)에게 제사지냄. '一用鬱鬯'《禮記》. ⑧더부룩이날관 한 뿌리에서 총생(叢生)함. '一木'. '丹桂一叢'《左思》. ⑨정성들일관 정성을 다하는 모양. '老夫一一'《詩經》. ⑩성관 성(姓)의 하나.
字源 形聲. 氵(水)+雚〔音〕

水18〔灊〕21 ㊀심 ㊥侵|qián シン かわのな
㊁첨 ㊥鹽|qián セン けんめい
字解 ㊀물이름심 사천성(四川省)을 흐르며, 현재의 이름은 거강(渠江). ㊁땅이름첨 춘추 시대(春秋時代)의 초(楚)나라의 지명. 지금의 안휘성(安徽省) 곽산현(霍山縣)의 동북에 있음. '以兵圍楚之六一'《史記》.
字源 形聲. 氵(水)+鬵〔音〕

水18〔𤅿〕21 灊(前條)의 俗字

水18〔灄〕21 섭 ㉧葉|shè ショウ かわのな
字解 물이름섭 수원(水源)이 둘이 있어, 동쪽 수원은 호북성(湖北省) 홍안현(紅安縣), 서쪽 수원은 하남성(河南省) 나산현(羅山縣)에서 나와 중간에서 합쳐 남류(南流)하는 강으로, 양자강(揚子江)으로 들어감. '江水左爲湖口, 水通太湖, 東合一口'《水經》.
字源 形聲. 氵(水)+聶〔音〕

水18〔灈〕21 구 ㊥虞|qú ク かわのな
字解 물이름구 하남성(河南省) 수평현(遂平縣)의 남쪽에서 동북쪽으로 흘러 친수(瀙水), 지금의 사하(沙河)로 흘러드는 강. 석양하(石羊河). '一, 一水, 出汝南吳房, 入瀙'《說文》.
字源 形聲. 氵(水)+瞿〔音〕

水18〔灛〕21 ㊀심 ㊤寢|シン すいりゅうのはやいさま
㊁삼 ㊤感|shǎn サン つよい
㊂탐 ㊦勘|tàn タン うかぶ
㊃섬 ㊤琰|shěn セン ながれる
㊄함 ㊤感|カン ながれる
字解 ㊀물흐름빠를심 '一瀹'은 물의 흐름이 빠른 모양. '瀺灂一瀹'《郭璞》. ㊁①물흐름빠를삼 ㊀과 뜻이 같음. ②굳셀삼 과감(果敢)한 모양. '一, 果決勇也'《廣韻》. ㊂뜰탐 '一汎'은 물에 뜨는 모양. '一, 一汎, 水浮皃'《廣韻》. ㊃흐를섬 潤(水부 10획〈673〉)과 同字. '潤, 流皃. 一, 同上'《玉篇》. ㊄흐를함 ㊃와 뜻이 같음.

水18〔灞〕21 패 ㊦卦|bèi ハイ なみだつ
字解 ①물결칠패 또, 물결이 치는 모양. '澋一灞瀄'《郭璞》. ②물이름패 '一, 水名'《集韻》.

水18〔瀽〕21 간 ㊤潸|jiǎn カン よなげる
字解 ①쌀일간 쌀을 씻음. '一, 淅也'《說文》. ②씻을간 '一, 洒也'《廣雅》.
字源 形聲. 氵(水)+簡〔音〕

水18〔瀱〕21 〔계〕
瀱(水부 17획〈700〉)의 本字

水18〔灖〕21 〔초〕
灖(水부 17획〈702〉)의 本字

水18〔㶽〕21 〔표〕
漂(水부 11획〈676〉)의 本字

水18〔灋〕21 〔법〕
法(水부 5획〈637〉)의 古字

水18〔灋〕21 灋(前條)과 同字

水18〔瀑〕21 〔폭〕
瀑(水부 15획〈697〉)의 本字

水18〔灒〕21 〔분〕
濆(水부 17획〈701〉)의 本字

水18〔灕〕21 〔류〕
溜(水부 10획〈669〉)와 同字

水18〔瀺〕21 〔참〕
瀺(水부 17획〈701〉)과 同字

水19〔灓〕23 란 ㊥寒|luán ラン もれながれる
字解 ①샐란 새어 흐름. '一, 漏流也'《說文》. ②적실란 '一, 漬也'《廣雅》.
字源 形聲. 水+䜌〔音〕

水19〔灑〕22 쇄 ㊤蟹|sǎ サイ そそぐ
字解 ①뿌릴쇄 ㉠물이 흩어져 떨어짐. '涕淚所一'《梁書》. ㉡물을 헤뜨리어 끼얹음. '一埽庭內'《詩經》. 전(轉)하여, 청소함. '清一舊京'《孫綽》. ②가를쇄 나눔. '開竇一流'《張衡》. ③불쇄 바람이 붊. '時風夕一'《陸機》. ④던질쇄 물건을 물 속에 던짐. '一鉤投網'《潘岳》. ⑤깨끗할쇄 '神韻蕭一'《南史》.
字源 會意. 氵(水)+麗

水19 〔瀭〕 22 숙 [入]屋 | shū シュク なみ

[字解] ①물결숙 '一, 波也'《集韻》. ②물살빠를숙 일설(一說)에는, 느린 모양. '潏湟忽泱. 一泋瀾淪'《郭璞》.

水19 〔灘〕 23 [人名] ㊀탄 [平]寒 | tān タン せ ㊁한 [上]旱 | hàn カン ぬれてかわく

[筆順] 氵 𣲖 漌 漢 𣿅 灘 灘 灘

[字解] ㊀여울탄 물이 빨리 흐르고 돌이 많아 배가 다니기에 위험한 곳. '峻一'. '七里一在釣臺之西'《一統志》. ㊁젖었다마를한 '一, 水濡而乾也'《集韻》.

[字源] 形聲. 氵(水)+難〔音〕

水19 〔灒〕 22 찬 [去]翰 | zàn サン そそぐ

[字解] 물뿌릴찬 더러운 물을 뿌림. '一, 汚灑也'《說文》.

[字源] 形聲. 氵(水)+贊〔音〕

水19 〔灕〕 22 리 [平]支 | lí リ しみこむ

[字解] ①스며들어갈리 물이 땅 속으로 들어감. '澤滲一而下降'《揚雄》. ②흐를리 물이 흐르는 모양. '一乎滲灑'《揚雄》.

[字源] 形聲. 氵(水)+離〔音〕

水19 〔灓〕 22 약 [入]藥 | yào ヤク なみがうごく

[字解] ①물결움직일약 '一, 一曰, 水動皃'《集韻》. ②물펄펄끓을약 물이 뜨거운 모양. '心勺一其若湯'《張衡》.

水19 〔灑〕 22 라 [平]歌 | luó ラ ふちのな

[字解] 물이름라 호남성(湖南省) 상음현(湘陰縣)의 북쪽에서 발원(發源)하여 서류(西流)하는 상수(湘水)의 지류(支流). 멱수(汨水)와 합쳐 '汨一水'라고 함.

水19 〔瀝〕 22 려 [去]霽 | lì レイ みちる

[字解] 찰려 가득 차서 막힘 '一, 滿也. 莊子, 陰陽之氣有一'《集韻》.

水19 〔灗〕 22 선 [上]銑 | shàn セン みずがせまる

[字解] 물닥칠선, 물돌선. '蜿一膠戾. (注) 蜿一, 展轉也'《史記》.

水19 〔瀆〕 22 〔독〕 瀆(水부 15획〈696〉)의 本字

水19 〔灩〕 22 〔염〕 灩(水부 28획〈706〉)의 俗字

水20 〔灛〕 23 천 [上]銑 | chǎn セン かわのな

[字解] 물이름천 문수(汶水)의 별류(別流). '汶爲一'《爾雅》.

水20 〔灙〕 23 여 [平]魚 | yú ヨ みずがゆらぎうごく

[字解] 물출렁거릴여 '一, 一曰, 水搖蕩貌'《正字通》.

[字源] 形聲. 氵(水)+旟〔音〕

水20 〔灚〕 23 교 [上]巧 | jiǎo コウ かきまぜるおと

[字解] 물젓는소리교 물을 휘젓는 소리. '一, 攪水聲'《集韻》.

水20 〔灙〕 23 당 [上]養 | dǎng トウ かわのな

[字解] ①물이름당 섬서성(陝西省)에 있는 강(江). '洛谷水, …其水南流, 右則一水注之'《水經注》. ②물모양당 '漭一·一漭'은 물의 모양. '一漭潒溔'《庾闡》.

水20 〔讞〕 23 얼 [入]屑 | yàn ゲツ ただす

[字解] ①밝힐얼 죄(罪)를 논의(論議)함. '一, 議辠也'《說文》. ②의심할얼 '一, 疑也'《廣雅》.

[字源] 形聲. 氵(水)+獻〔音〕

水20 〔瀪〕 23 〔무〕 潕(水부 12획〈686〉)의 本字

水20 〔灃〕 23 〔조〕 漕(水부 11획〈677〉)의 本字

水20 〔灢〕 23 〔농〕 濃(水부 13획〈691〉)의 本字

水21 〔灝〕 24 [人名] 호 [上]晧 | hào コウ まめのしる

[筆順] 氵 氵̈ 淂 渂 滉 灝 灝 灝

[字解] ①콩즙호 삶은 콩즙. '一, 豆汁也'《說文》. '一, 煮豆汁'《玉篇》. ②아득할호 '一一'는 끝없이 넓고 먼 모양. '商書一一爾'《揚子法言》.

[字源] 形聲. 氵(水)+顥〔音〕

水21 〔瀾〕 24 란 [去]翰 | lán ラン しろみず

[字解] 뜨물란 쌀 뜨물. 瀾(水부 17획〈701〉)과 통용. '一, 潘也'《說文》.

[字源] 形聲. 氵(水)＋蘭〔音〕

水 21〔灞〕24 파 [去]禡 | bà ハ かわのな

[字解] 물이름파 관중 팔천(關中八川)의 하나. 섬서성(陝西省) 남전현(藍田縣)에서 발원(發源)하여 서안시(西安市)의 부근을 흐르는 위수(渭水)의 지류. 패수(霸水). '一水'. '一水出藍田縣藍田谷, 所謂多玉者也'《水經注》.
[字源] 形聲. 氵(水)＋霸〔音〕

水 21〔[illegible]〕24 낭 [上]養 | nǎng ノウ ながれる

[字解] 물흐를낭 물이 흐르는 모양. 瀼(水부 17획〈701〉)과 同字.

水 21〔灠〕24 람 ①[去]勘 ②③[上]感 | lǎn ラン いずみ　lǎn ラン つけたくだもの

[字解] ①샘용솟음할람 '一, 涌泉也'《玉篇》. ②절인실과람 '一, 漬果也'《集韻》. ③물들일람 '一, 一曰, 染也'《集韻》.

水 21〔灟〕24 촉 [入]沃 | zhú ショク うやうやしい

[字解] ①공손할촉 '一, 博雅, 一一, 恭也'《集韻》. ②형체없을촉 '洞洞一一'《淮南子》. ③눈물촉 '一, 目汁'《集韻》.

水 21〔灖〕24 미 [平]支 | mǐ ビ・ミ おおみず

[字解] 큰물미 瀰(水부 14획〈692〉)의 俗字.
[字源] 形聲. 氵(水)＋镾〔音〕

水 21〔灅〕24 루 [平]支 [上]紙 | lěi ルイ かわのな

[字解] 물이름루 산서성(山西省) 북부에서 발원(發源)하여, 하북성(河北省)을 흘러, 천진시(天津市)에서 해하(海河)로 흘러들어갔다가 발해(渤海)로 흘러듦. 지금의 상건하(桑乾河)와 그 하류(下流)인 영정하(永定河). 치수(治水). '一, 一水, 出鴈門陰館絫頭山, 東入海. 一曰, 治水也'《說文》.
[字源] 形聲. 氵(水)＋纍〔音〕

水 21〔灗〕24 〔담〕
潭(水부 12획〈684〉)의 本字

水 21〔[illegible]〕24 〔조〕
灂(水부 18획〈702〉)의 本字

水 22〔灣〕25 만 [平]刪 | wān ワン みずのくま

[字解] 물굽이만 물이 육지에 굽어 들어온 곳. '海一'. '舟險萬重一'《沈佺期》.
[字源] 形聲. 氵(水)＋彎〔音〕

水 22〔灢〕25 낭 [去]漾 [上]養 | nǎng ノウ にごる

[字解] 물흐릴낭 '泱一, 濁也'《集韻》.

水 22〔[illegible]〕25 〔어〕
漁(水부 11획〈676〉)의 古字

水 22〔[illegible]〕25 〔탄〕
灘(水부 19획〈704〉)과 同字

水 23〔灥〕27 [一]순 [平]眞 | xún シュン おおくのいずみ　①②quán
[二]천 [平]先 [去]霰 | ③quàn セン いずみがわく

[字解] [一] ①많은샘순 '一, 三泉也'《說文》. ②많은샘이통할순 '一, 三泉相通'《廣韻》. ③많은물흐름순 '一, 眾流也'《集韻》. [二] ①많은샘천, 많은샘이통할천, 많은물흐름천 [一]과 뜻이 같음. ②샘천 수원(水源). 泉(水부 5획〈633〉)과 同字. '泉, 說文, 水原也. 或作一'《集韻》. ③비로샘솟을천 비가 와서 샘이 솟음. '一, 雨而泉出'《集韻》.
[字源] 會意. 泉＋泉＋泉

水 23〔灤〕26 란 [平]寒 | luán ラン かわのな, もれる

[字解] ①물이름란 하북성(河北省) 동북부에 있는 강. 상류(上流)는 내몽고 자치구(內蒙古自治區) 다륜현(多倫縣)의 북쪽을 흘러 섬전하(閃電河)가 되고, 하북성에 흘러 들어와 난하(灤河)가 되어, 동남쪽으로 흘러 발해(渤海)로 들어감. '一, 水名'《廣韻》. ②샐란 물이 새어 흐름. '一, 說文, 漏流也'《集韻》.
[字源] 形聲. 氵(水)＋欒〔音〕

水 23〔灦〕26 현 [上]銑 [去]霰 | xiǎn ケン きよくふかい

[字解] ①맑고깊을현 물이 맑고 깊은 모양. '混瀚一渙'《郭璞》. ②물이름현 '一, 水也'《玉篇》.

水 23〔灔〕26 〔염〕
灩(水부 28획〈706〉)의 俗字

水 23〔[illegible]〕26 고 [上]麌 | gǔ コ みずむし

[字解] 무좀고 수고(水蠱)는 무좀임. '一, 水一, 蟲病'《字彙》.

水 24〔灨〕27 [一]감 [上]感 | gàn カン かわのな
[二]공 [去]送 | コウ かわのな

[字解] [一] 물이름감 강서성(江西省)에 있는 파양호(鄱陽湖)에 흘러 들어가는 강. 수원(水源)이 둘이 있는데, 서쪽 수원 강서성 숭의현(崇義縣)에서 흐르는 것을 장수(章水)라 하고, 동쪽 수원 복건성(福建省) 장정현(長汀縣)에서 흐르는 것을 공수(貢水)라 함. 이 두 물이 산서성 감현(灨縣)에서 합쳐 감강(灨江)을 이룸. 감강(灨江). '一江'. '一, 水名. 一曰, 邑名. 在豫章'《集韻》. [二] 물이름공 [一]과 뜻이 같음.

水 24 〔灩〕27 〔곽〕
漷(水부 11획〈681〉)의 本字

水 28 〔灧〕31 염 [去]豔 [上]琰 | yàn エン ただよいうごく
[字解] 출렁거릴염 물결이 움직이는 모양. '野水一長塘'《韋應物》.
[字源] 形聲. 氵(水)+豔〔音〕
[參考] 灩(水부 23획〈705〉)·灔(水부 19획〈704〉)은 俗字.

水 29 〔灪〕32 울 [入]物 | yù ウツ おおみず
[字解] 물벌창할울 '一滃, 大水皃'《集韻》.

火(灬) 部
〔불 화 부〕

火 0 〔火〕4 [中·人] 화 [上]哿 | huǒ カ ひ
[筆順] 丶 丷 少 火
[字解] ①불화 ㉠물체의 연소. '一光'. '鑽燧改一'《論語》. ㉡불의 이용. 주로, 음식의 조리. '禁一'. '有不一食者'《禮記》. ㉢등불. '若夜蛾之投一'《北史》. ㉣횃불. '乃令多擲一爲一城, 以斷其路'《南史》. ㉤화재. '陳不救一'《左傳》. ㉥빛을 발하는 것. '鬼一'. '螢一亂飛秋已近'《元稹》. ㉦작열(灼熱)한 물체. '鐵一'. ㉧아주 격렬한 것의 형용. '舌端吐一'. ㉨오행(五行)의 하나. 시기(時氣)로는 여름, 방위로는 남방, 오성(五星)으로는 형혹(熒惑), 십간(十干)으로는 병정(丙丁)에 배당함. '五行, 一曰水, 二曰一'《書經》. ㉩《佛敎》사대(四大)의 하나. '一以燥熱爲性'《大藏法數》. ②화화 심기(心氣)의 흥분. '欲一'. '憂喜皆心一'《白居易》. ③불날화 탐. '成周宣榭一'《春秋》. ④불사를화 태움. '昆蟲未蟄, 不以一田'《禮記》. ⑤화성화 심수(心宿)에 있는 항성(恒星) 이름. '七月流一'《詩經》. ⑥편오화 군대의 편오(編伍). 당대(唐代)의 병제(兵制)에서, 군사 10명으로 이룬 대오(隊伍)의 일컬음. '府兵十人爲一, 一有長'《唐書》. 전(轉)하여, 동반자(同伴者). '一伴'. ⑦성화 성(姓)의 하나.
[字源] 象形. 타오르는 불꽃의 모양을 본떠, '불'의 뜻을 나타냄.
[參考] ①'火'를 의부(意符)로 하여, 불을 사용하는 도구(道具)나 동작, 불의 성질·작용 등에 관한 글자를 이룸. ②'火'는 각(脚) 곧, 받침이 될 때에는 흔히 '灬'(次條)의 꼴을 취함.

火 0 〔灬〕4 火(前條)가 각(脚), 곧 받침이 될 때의 자체(字體). '연화(連火)'라 이름.
[筆順] 丶 丷 灬 灬

火 1 〔灭〕5 〔멸〕滅(水부 10획〈671〉)의 簡體字

火 2 〔灮〕6 〔광〕
光(儿부 4획〈82〉)의 本字

火 2 〔灸〕6 〔사〕
赦(赤부 4획〈1403〉)의 古字

火 2 〔𤆁〕6 〔재〕
灾(火부 3획〈707〉)와 同字

火 2 〔灯〕6 등 [平]蒸 | dēng トウ ひ
[字解] 열화(烈火)등 맹렬한 불.
[字源] 形聲. 火+丁〔音〕
[參考] 속(俗)에 燈(火부 12획〈725〉)의 略字로 씀.

火 2 〔灰〕6 [人名] 회 [平]灰 | huī カイ はい
[筆順] 一 ナ ナ 𠂇 灰 灰
[字解] ①재회 타고 남은 분말. '一塵'. '飮一洗胃'《南史》. 전(轉)하여, 활기를 아주 잃은 사물의 비유. '白首自憐心未一'《陸游》. ②재로만들회 태워 없앰. '燔康居一珍奇'《後漢書》. ③재로될회 재가 되어 없어짐. '一滅'《謝靈運》.
[字源] 形聲. 火+又〔音〕
[參考] 灰(次條)는 俗字.

火 2 〔灰〕6 灰(前條)의 俗字

火 2 〔𤆍〕6 灰(前前條)의 本字

火 2 〔𤆄〕6 〔화〕 火(部首〈706〉)의 古字

火 3 〔灺〕7 사 [上]馬 | xiè シャ もえさし
[字解] 불똥사 심지의 끝의 탄 나머지. '香一燈光奈爾何'《李商隱》.
[字源] 形聲. 火＋也〔音〕

火 3 〔灼〕7 [人名] 작 [入]藥 | zhuó シャク やく, あきらか
[筆順] ' '' ㇒ 火 火' 灼 灼
[字解] ①사를작 태움. '一熱'. '一其中, 必文於外'《國語》. ②밝을작, 빛날작 '一然'. '我其克一知厥若'《書經》. ③더울작 뜨거움. '何堪爵一'《常袞》. ④놀랄작 경악함. '寔懍用悼一'《後漢書》.
[字源] 形聲. 火＋勺〔音〕

火 3 〔灴〕7 홍 [平]東 | hōng コウ かがりび
[字解] ①횃불홍 烘(火부 6획〈711〉)과 同字. ②불성할홍 '一, 火盛也'《玉篇》.

火 3 〔灷〕7 선 [去]霰 | zhuàn セン もえさし
[字解] 불똥선 심지의 끝의 탄 나머지. '一, 按, 一, 非火種, 蓋燭餘也'《正字通》.

火 3 〔灶〕7 조 [去]號 | zào ソウ かまど
[字解] 부엌조 竈(穴부 16획〈925〉)의 俗字·簡體字

火 3 〔𤆍〕7 〔적〕 赤(部首〈1402〉)과 同字

火 3 〔灿〕7 〔찬〕 燦(火부 13획〈727〉)의 簡體字

火 3 〔灸〕7 구 [上]有 [去]有 | jiǔ キュウ やいと
[字解] ①뜸구 약쑥으로 살을 떠서 병을 다스리는 일. '鍼一'. '形弊者, 不當關一鑱石, 及飲毒藥也'《史記》. ②뜸질할구 '無病自一'. '爲一兩穴'《顏氏家訓》. ③버틸구 넘어지지 않도록 괴어 버팀. '一諸牆'《周禮》. ④성구 성(姓)의 하나.
[字源] 形聲. 火＋久〔音〕

火 3 〔𤆇〕7 灸(前條)와 同字

火 3 〔災〕7 [高·人] 재 [平]灰 | zāi サイ わざわい
[筆順] ㇛ ㇛㇛ 巛 巛' 巛'' 巛火 災
[字解] ①화재재 화난(火難). '御廩一'《春秋》. ②재앙재 재난. '一禍'. '救一恤隣'《左傳》.
[字源] 形聲. 篆文은 火＋𢦏〔音〕, 甲骨文은 火＋才〔音〕, 籀文은 火＋巛
[參考] 灾(次次條)는 同字.

火 3 〔𢪃〕7 災(前條)의 古字

火 3 〔灾〕7 災(前前條)와 同字

火 3 〔𤆗〕7 ㊀ 점 [平]鹽 | chán テン やく
㊁ 담 [平]覃 | タン やく
㊂ 음 [平]侵 | yín イン やく
[字解] ㊀ ①구울점 조금 구움. '一, 字林云, 小熱也'《廣韻》. ②화톳불점 '一, 燎也'《玉篇》. ㊁ 구울담, 화톳불담 ㊀과 뜻이 같음. ㊂ ①구울음 ㊀❶과 뜻이 같음. ②밝을음 '一, 明也'《廣雅》.
[字源] 形聲. 火＋羊〔音〕

火 3 〔灻〕7 〔적〕 赤(部首〈1402〉)의 本字

火 3 〔灵〕7 〔령〕 靈(雨부 16획〈1652〉)의 俗字

火 3 〔灵〕7 〔령〕 靈(雨부 16획〈1652〉)의 簡體字

火 4 〔炎〕8 [中·人] ㊀ 염 [平]鹽 [去]豔 | ①-③yán エン もえる ④yàn エン ほのお
㊁ 담 [平]覃 | tán タン うつくしくさかん
[筆順] ' '' 丷 火 火' 炏 炎 炎
[字解] ㊀ ①탈염 불탐. '一上'. ②태울염 불사름. '火一崑岡'《書經》. ③더울염 뜨거움. '一天'. '觀一氣之相仍也'《楚辭》. ④불꽃염 焰(火부 8획〈715〉)과 同字. '其氣一以取之'《漢書》. ㊁ 아름다울담 아름답고 성(盛)한 모양. '大言一一'《莊子》.
[字源] 會意. 火＋火. 타오르는 불꽃을 나타냄.

火 4 〔炊〕8 취 [平]支 | chuī スイ たく, かしぐ
[字解] ①불땔취 밥을 지음. '易子而食之, 析骸而一之'《公羊傳》. 또, 밥을 짓는 일. 취사(炊事). '晨一蓐食'《漢書》. ②불취 吹(口부 4획〈151〉)와 통용. '可一而億也'《荀子》.

[字源] 形聲. 火＋欠(吹)〔音〕

火 4 〔炒〕8 초 ㊤巧 chǎo ショウ いる

[字解] 볶을초 불에 익힘. '生稻一晨鑊'《舒頓》.
[字源] 形聲. 火＋少〔音〕

火 4 〔炕〕8 항 [去]漾 kàng コウ かわく, あぶる

[字解] ①마를항 건조함. '一陽而暴虐'《漢書》. ②구울항 불에 구움. '一火曰炙'《詩經註》. ③자랑할항 자만함. '驕一以導盛陽'《唐書》. ④끊을항 단절함. '一其氣'《揚雄》. ⑤구들항 방(房)의 구들. 온돌 장치. '土房通火爲長一'《馬祖常》.
[字源] 形聲. 火＋亢〔音〕

火 4 〔炘〕8 [人名] 흔 [平]文 xīn キン あつい

[筆順] 丶 丷 ㇒ 火 火ˊ 灯 炘 炘
[字解] 화끈거릴흔 광선이 강렬하여 대단히 뜨거운 모양. '垂景炎之一一'《揚雄》.
[字源] 形聲. 火＋斤〔音〕

火 4 〔炂〕8 종 [平]冬 zhōng ショウ かわる

[字解] ①변할종 열로 인하여 증발함. '一, 熱化也'《廣韻》. ②폭끓인국물종 '一, 熟汁'《字彙》.

火 4 〔炄〕8 뉴 ㊤有 niǔ ジュウ なまかわき

[字解] 반마를뉴 반만 마름. '炒一, 欲乾, 一曰, 半乾'《字彙》.

火 4 〔炆〕8 [人名] 문 [平]文 wén ブン あたたか

[筆順] 丶 丷 ㇒ 火 火ˊ 炉 炆 炆
[字解] 뭉근불문 불꽃이 없는 약한 불. 또, 그런 불로 음식을 데우는 것. '一, 熅也'《集韻》.
[字源] 形聲. 火＋文〔音〕

火 4 〔炈〕8 역 [入]陌 yì エキ かまのまど

[字解] 질그릇가마창역 도조창(陶竈窓). '一, 陶竈囪'《玉篇》.

火 4 〔炐〕8 방 [去]絳 pàng ホウ ひのおと

[字解] ①불소리방 '一, 火聲'《集韻》. ②부풀어오를방 물건이 불을 만나 부풀어오름. '一, 完物遇火張起也'《六書故》.

火 4 〔炓〕8 료 [去]嘯 liào リョウ ひのひかり

[字解] 불빛료 불빛 모양. '一, 火光皃'《玉篇》.

火 4 〔炔〕8 [一] 계 [去]霽 guì ケイ けむりのでるさま [二] 결 [入]屑 xuè ケツ けむりのさま

[字解] [一] ①연기날계 연기가 나는 모양. 炅(火부 4획〈708〉)와 同字. '一, 煙出皃'《玉篇》. ②성계 성(姓)의 하나. [二] ①연기모양결 연기의 모양. '一, 煙皃'《集韻》. ②불필결 불이 피기 시작함.
[字源] 形聲. 火＋夬〔音〕

火 4 〔炉〕8 〔로〕 爐(火부 16획〈730〉)의 俗字

火 4 〔炅〕8 [人名] [一] 경 ㊤迥 jiǒng ケイ ひかる [二] 영 ㊤梗 エイ けむりのでるさま [三] 계 [去]霽 guì ケイ けむりのでるさま

[筆順] 丨 冂 日 日 旦 炅 炅 炅
[字解] [一] 빛날경 耿(耳부 4획〈1055〉)과 同字. '一, 光也'《集韻》. [二] 연기날영 연기가 나는 모양. '一, 煙出貌'《篇海》. [三] ①연기날계 炔(火부 4획〈708〉)와 同字. ②성계 성(姓)의 하나.
[字源] 會意. 日＋火

火 4 〔炙〕8 [一] 자 [去]禡 zhì シャ あぶる, あぶりもの [二] 적 [入]陌 zhì セキ あぶる, あぶりもの

[字解] [一] ①구울자 불 위에 놓고 구움. '燔一'. '或燔或一'《詩經》. 전(轉)하여, 태워 죽임. 소살(燒殺)함. '焚一忠良'《書經》. ②고기구이자, 불고기자 구운 고기. '毋嘬一'《禮記》. ③가까이할자 친근히 함. '親一之者'《孟子》. [二] 구울적, 고기구이적, 가까이할적.
[字源] 會意. 夕(肉)＋火

火 4 〔炳〕8 눈 [去]願 nèn ナン あつい

[字解] 더울눈 더움. 열기(熱氣)가 있음. '一, 熱也'《集韻》.

火 4 〔炖〕8 돈 ㊤阮 dùn トン あかいいろ

[字解] 붉은빛돈 '一, 赤色也'《玉篇》. ②바람이불어불이세차지는모양돈 '一, 風而火盛皃'《集韻》.

火 4 〔炏〕8 ㊀ 災(火부 3획〈707〉)의 本字
㊁ 烖(火부 7획〈714〉)의 籒文

火 4 〔炗〕8 〔광〕
光(儿부 4획〈82〉)의 古字

火 4 〔炁〕8 기 ㊄未 | qì キ いき
字解 기운기 氣(气부 6획〈623〉)와 同字. '以一一生萬物'《關尹子》.
字源 形聲. 灬(火)+旡〔音〕

火 5 〔炤〕9 人名 ㊀ 소 ㊉蕭 | zhāo ショウ あきらか
㊁ 조 ㊄嘯 | zhào ショウ てらす
筆順 丶 丷 火 灯 炤 炤 炤 炤
字解 ㊀ 밝을소 昭(日부 5획〈505〉)와 同字. '是釋其一一而道其冥冥也'《淮南子》. ㊁ 비출조 照(火부 9획〈720〉)와 同字. '一一兮其用知之明也'《荀子》.
字源 形聲. 火+召〔音〕

火 5 〔炫〕9 人名 현 ㊄霰 | xuàn ゲン ひかる
筆順 丶 丷 火 火 炉 炫 炫 炫
字解 ①빛날현 광채를 발함. '一耀'. '一, 爛燿也'《說文》. ②비출현, 빛낼현. ③밝을현 '一一, 明也'《廣雅》. ④자랑할현 '自一'. '美價初一, 微明內融'《張仲方》. ⑤눈부실현.
字源 形聲. 火+玄〔音〕

火 5 〔炬〕9 거 ㊤語 | jù キョ たいまつ
字解 ①홰거 싸리·갈대 같은 것을 묶어서 길을 밝히거나 화톳불을 놓는 물건. '一火'. ②사를거 태움. '楚人一一, 可憐焦土'《杜牧》.
字源 形聲. 火+巨〔音〕

火 5 〔炯〕9 人名 형 ㊤迥 | jiǒng ケイ あきらか
筆順 丶 丷 火 火 炯 炯 炯 炯
字解 밝을형 빛남. 환함. '一眼'. '金沙發光一'《李羣玉》.
字源 形聲. 火+冋〔音〕

火 5 〔炮〕9 포 ㊉肴 | páo, bāo ホウ あぶる
字解 ①통째로구울포 전체를 한꺼번에 구움. 또는, 싸서 구움. '一之燔之'《詩經》. ②통째로구운고기포 '毛一之豚'《周禮》. ③제사포 섶을 태워 신명에게 지내는 제사. '三日一祭'《周禮》.
字源 形聲. 火+包〔音〕

火 5 〔炳〕9 人名 병 ㊤梗 | bǐng ヘイ あきらか
筆順 丶 丷 火 火 炉 炳 炳 炳
字解 빛날병, 밝을병 빛이 환히 나서 밝음. '象曰, 大人虎變, 其文一也'《易經》.
字源 形聲. 火+丙〔音〕

火 5 〔炷〕9 人名 주 ㊄遇 | zhù シュ とうしん
筆順 丶 丷 火 火 炷 炷 炷 炷
字解 ①심지주 등잔의 심지. '宿民家, 鐙一盡'《唐書》. ②사를주 불사름. '一香'. '一火於箭端而射'《金史》.
字源 形聲. 火+主〔音〕

火 5 〔炨〕9 〔사〕
灺(火부 3획〈707〉)와 同字

火 5 〔炸〕9 작 ㊅陌 | zhà サ·サク はじける
字解 ①터질작 폭발함. 터뜨림. '一裂'. '演試一發者'《大明會典》. ②《現》화약터질작 또, 폭파함. ③튀길작 기름에 튀김. 또, 그 음식. '一, 油煎食物也'《中華大字典》.
字源 形聲. 火+乍〔音〕

火 5 〔炠〕9 압 ㊅洽 | xiá コウ ひでかわかす
字解 ①불에말릴압 '一, 火乾也'《集韻》. ②불모양압 '一, 火皃'《廣韻》.

火 5 〔炡〕9 人名 정 ㊉庚 | zhēng セイ かがやく
筆順 丶 丷 火 火 灯 炡 炡 炡
字解 불번쩍거릴정 '一爚'은 불이 번쩍거림. 또는, 태움.

火 5 〔炻〕9 석 | shí
字解 석기(炻器)석 도기(陶器)와 자기(磁器)의 중간적인 제품으로, 냄비와 물병 따위가 있음. '炻器, 介于陶器和瓷器之間的一種陶瓷制品'《漢語大字典》.

火 5 〔炵〕9 동 ㊉冬 | tōng トウ ほのお
字解 ①불길동 화염(火炎). '一, 火焱也'《玉篇》. ②불빛동 불의 빛깔. '一, 火色'《廣韻》. ③불활활탈동 불이 성한 모양. '一, 火盛皃'《集韻》.

火5 〔炟〕9 ㊀달 [入]曷 | dá タツ ひがおこる
㊁달 [韓]

[字解] ㊀ 불일달 불이 붙음. ㊁《韓》 다래달 '一艾'는 다래과에 속하는 낙엽 활엽 만목. 또, 그 열매.
[字源] 形聲. 火＋旦〔音〕

火5 〔炥〕9 ㊀불 [入]物 | fú フツ ひのさま
㊁발 [入]曷 | ハツ ひのさま
㊂비 [去]未 | ヒ ひのさま

[字解] ㊀ ①불불 불의 모양. '一, 火皃'《說文》. ②불시에타올랐다꺼지는불불 '熚一'은 불시(不時)에 타올랐다가 다시 꺼지는 불. 또, 도깨비불. 또, 불이 이글이글 타는 모양. 爨(火부 16획〈730〉)·㶿(火부 8획〈716〉)과 同字. '爨, 熚爨, 火不時出而滅. 一曰, 鬼火. 一曰, 火盛皃. 亦从弗'《集韻》. ③더운기운불 '一, 一曰, 熱氣'《集韻》. ㊁ 불발, 불시에타올랐다꺼지는불발, 더운기운발 [一]과 뜻이 같음. ㊂ 불비, 불시에타올랐다꺼지는불비, 더운기운비 [一]과 뜻이 같음.
[字源] 形聲. 火＋弗〔音〕

火5 〔炨〕9 타 [上]哿 | xiè タ もえさし

[字解] ①불똥타 심지 끝의 탄 나머지. 灺(火부 3획〈707〉)와 同字. '一, 燭餘也'《集韻》. ②등촉타 '一燭煒煌'《方孝孺》.

火5 〔炦〕9 ㊀발 [入]曷 | bá ハツ ほのお
㊁별 [入]屑 | ヘツ きがのぼる

[字解] ㊀ 불길발 '一, 火气也'《說文》. ㊁ ①김오를별 기운이 위로 오름. '一, 氣上也'《玉篇》. ②불길별 [一]과 뜻이 같음.
[字源] 形聲. 火＋犮〔音〕

火5 〔炪〕9 ㊀졸 [入]屑 | zhuō セツ ひかり
㊁출 [入]質 | チュツ むすぼれる

[字解] ㊀ ①빛졸 불빛. '一, 火光也'《說文》. ②졸할졸 拙(手부 5획〈437〉)과 통용. '商書曰, 予亦一謀. (段注) 壁中古文, 叚一爲拙也'《說文》. ㊁ ①맺힐출 '一, 欝也'《玉篇》. ②연기출 '一爩'은 연기(煙氣)의 모양. '一, 一爩, 煙皃'《集韻》. ③불타는소리출 '一, 火聲'《集韻》. ④빛출 [一]❶과 뜻이 같음.
[字源] 形聲. 火＋出〔音〕

火5 〔炟〕9 〔연〕
烟(火부 6획〈711〉)의 俗字

火5 〔烂〕9 〔란〕 爛(火부 17획〈730〉)의 簡體字

火5 〔炼〕9 〔련〕
煉(火부 9획〈717〉)의 簡體字

火5 〔炭〕9 [高·人] 탄 [去]翰 | tàn タン すみ

[筆順] 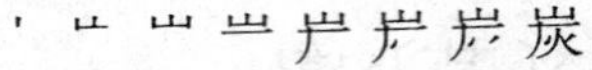

[字解] ①숯탄 목탄. '一火'. '草木黃落, 乃伐薪爲一'《禮記》. ②숯불탄 '自投於床, 廢於爐一'《左傳》. ③재탄 불타고 남은 분말. '以蜃一攻之'《周禮》. ④탄소탄, 석탄탄 탄소 또는 석탄의 약칭. '一坑'. ⑤성탄 성(姓)의 하나.
[字源] 會意. 屵＋火

火5 〔炱〕9 태 [平]灰 | tái タイ すす

[字解] ①철매태 매연(煤煙). '煤一'. '置煙一中'《南方草木狀》. ②검을태 '其色一'《素問》.
[字源] 形聲. 火＋台〔音〕

火5 〔炲〕9 炱(前條)와 同字

火5 〔炗〕9 〔점〕
灮(火부 3획〈707〉)의 本字

火5 〔炶〕9 〔점〕
點(黑부 5획〈1862〉)의 俗字

火5 〔荧〕9 〔형〕 熒(火부 10획〈720〉)의 略字·簡體字

火5 〔炰〕9 포 [平]肴 | páo ホウ やく

[字解] ①통째로구울포 炮(火부 5획〈709〉)와 同字. '一鼈膾鯉'《詩經》. ②기세대단할포 '一烋'는 자만하여 기세가 대단한 모양. '女一烋于中國'《詩經》.
[字源] 形聲. 灬(火)＋包〔音〕

火5 〔為〕9 〔위〕
爲(爪부 8획〈733〉)의 略字

火5 〔炟〕9 유 [上]有 | yǒu ヨウ かわきかかる

[字解] 마를유 물기가 없어지기 시작함. '一, 一炟, 欲乾, 或从日'《集韻》.

火5 〔点〕9 [人名] 〔점〕 點(黑부 5획〈1862〉)의 俗字

[筆順] 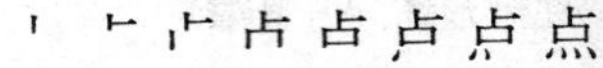

火6 〔烊〕10 양 [平]陽 | yáng ヨウ あぶる

[字解] ①구울양 '一, 炙也'《玉篇》. ②녹일양 금속을 녹임. 또, 그 금속. 煬(火부 9획〈718〉)과 同字.

字源 形聲. 火+羊〔音〕

火6 〔烓〕10 人名 계(유本) 平齊 | wēi エイ おきかまど

筆順 丶 丷 火 灶 灶 炷 烓 烓

字解 화로계 휴대용의 화로. '一, 行竈'《說文》. '一, 古時一種可移動的火爐'《漢語大字典》. ※本音 유.

字源 形聲. 火+圭〔音〕

火6 〔烘〕10 人名 홍 平東 去送 | ①-③hōng コウ かがりびをたく ④コウ かわかす

筆順 丶 丷 火 灶 灶 烘 烘 烘

字解 ①땔홍 불을 땜. '樵彼桑薪, 卬一于煁'《詩經》. ②탈홍 불탐. '山櫻火似一'《余靖》. ③밝을홍 환함. '日暖翠始一'《楊萬里》. ④쬘홍 불에 쬐어 말림. '熾炭以一之'《劉禹錫》.

字源 形聲. 火+共〔音〕

火6 〔烙〕10 락 入藥 | luò, lào ラク やく

字解 ①지질락 불로 지짐. '燒之一之'《莊子》. ②단금질할락 몸을 지짐. '一刑'. ③화침(火鍼)락 달군 쇠침. '鍼一熨裹成瘢痂'《文同》.

字源 形聲. 火+各〔音〕

火6 〔烜〕10 日 훤 上阮 | xuǎn カン かわく, かわかす
日 훼 上紙 | huǐ キ ひ

字解 日 ①마를훤, 말릴훤 건조함. 건조시킴. '日以一之'《易經》. ②빛날훤 '一赫'은 환히 빛나는 모양. 전(轉)하여, 위세(威勢)가 대단한 모양. '一赫耀旌旗'《李白》. 日 불훼 제사를 지내기 위해 태양에서 취하는 불. '司一氏'《周禮》.

字源 形聲. 火+亘〔音〕

火6 〔烑〕10 요 平蕭 | yáo ヨウ ひかる, ひかり

字解 빛요, 빛날요 '一, 光也'《集韻》. '挾日月而不一'《淮南子》.

字源 形聲. 火+兆〔音〕

火6 〔烆〕10 행 平庚 | héng コウ たいまつ

字解 횃불행 거화(炬火). '一, 火炬也'《字彙》.

火6 〔烔〕10 동 平東 | tóng トウ あつい

字解 ①더울동 뜨거운 모양. '一, 熱貌'《玉篇》. ②불사를동 '一, 爇也'《博雅》.

字源 形聲. 火+同〔音〕

火6 〔烄〕10 日 교 上巧 | jiǎo コウ きをもやす
日 고 去號 | コウ きをもやす
日 요 去效 | yào ゴウ いる

字解 日 태울교 나무를 쌓아 태워서 하늘을 제사지냄. '一, 交木然之, 以燎祡天也'《玉篇》. 日 태울고 ■과 뜻이 같음. 日 볶을요 '一, 煎也'《集韻》.

字源 形聲. 火+交〔音〕

火6 〔烤〕10 고 去號 | kǎo コウ あぶる

字解 구울고 '一, 以火炙物謂之一'《中華大字典》.

火6 〔烞〕10 박 入覺 | pō ハク たけのもえはぜるおと

字解 대나무타며터지는소리박 '一燡'·'爆一'은 대나무가 타며 터지는 소리. '一, 一燡, 竹火聲'《集韻》.

火6 〔焺〕10 적 入錫 | dí テキ ひをぼうけんする

字解 불바라볼적 불을 바라보는 모양. '一, 望見火皃'《說文》.

字源 形聲. 火+㡿〔音〕

火6 〔烙〕10 치 上紙 | chǐ シ さかんなひ

字解 ①성(盛)한불치 '一, 盛火也'《說文》. ②성(盛)할치 '一, 盛也'《廣韻》.

字源 形聲. 火+多〔音〕

火6 〔烟〕10 人名 〔연〕 煙(火부 9획〈717〉)과 同字·簡體字

筆順 丶 丷 火 火 灯 炯 烟 烟

火6 〔烛〕10 〔촉〕 燭(火부 13획〈728〉)의 俗字·簡體字

火6 〔烎〕10 日 은 平元 | オン あぶる
日 오 平豪 | āo オウ うずめやく

字解 日 구울은, 쬘은 뭉근한 불로 고기를 쬠. '一, 炮炙也. 㠯微火溫肉'《說文》. 日 재에묻어구울오 '爊, 煨也. 或作一'《集韻》.

字源 形聲. 火+衣〔音〕

火6 〔烕〕10 日 혈 入屑 | xuè ケツ ほろびる
日 멸 入屑 | miè ベツ きえる

字解 日 멸할혈 滅(水부 10획〈671〉)과 통용. '赫赫宗周, 褒姒一之'《詩經》. 日 꺼질멸 불이 꺼짐. '一, 火滅也'《集韻》.

字源 形聲. 火+伐〔音〕

火6 〔炭〕 10 신 ㊃震 jìn シン もえさし

字解 ①탄나머지신 燼(火부 14획〈728〉)과 同字. '一, 火之餘木也'《說文》. ②땔나무신 '一, 一日, 薪也'《說文》.

字源 形聲. 火+盡〈省〉〔音〕

火6 〔烖〕 10 〔재〕 災(火부 3획〈707〉)의 本字

火6 〔烗〕 10 〔해〕 害(宀부 7획〈279〉)와 同字

火6 〔烈〕 10 中·人 렬 ㊇屑 liè レツ はげしい

筆順 一 ㄏ 歹 歹 歹 列 列 烈

字解 ①세찰렬 화세(火勢)가 강함. 전(轉)하여, 기세가 대단함. '猛一'. '天吏逸德一于猛火'《書經》. ②사나울렬 포악함. '皆以酷一爲聲'《史記》. ③굳셀렬 곧고 강함. '一操'. '一士徇名'《史記》. ④불사를렬 태움. '一山澤而焚之'《孟子》. ⑤빛날렬 '休有一光'《詩經》. ⑥밝을렬 '於今爲一'《孟子》. ⑦아름다울렬 미덕(美德)이 있음. '烝衎一祖'《詩經》. ⑧사업렬 큰 사업, 또는 공덕. '功一'. '一祖之成德'《書經》. ⑨나머지렬 잔여. 뒤. '承厲王之一'《詩經 序》. ⑩편오렬 다섯 명으로 이룬 군대의 대오. '五人爲一'《通典》. ⑪성렬 성(姓)의 하나.

字源 形聲. 灬(火)+列〔音〕

火6 〔烋〕 10 人名 ㊀효 ㊥肴 xiāo コウ いきのつよくさかんなさま ㊁휴 ㊥尤 xiū キュウ めでたい

筆順 ノ 亻 仁 什 休 休 烋 烋

字解 ㊀기세대단할효 焦(火부 5획〈710〉)를 보라. ㊁①다행할휴 '一, 福祿也'《廣韻》. ②경사로울휴 '一, 慶善也'《廣韻》. ③아름다울휴 '一, 美也'《廣韻》.

字源 形聲. 灬(火)+休〔音〕

火6 〔焉〕 10 〔언〕 焉(火부 7획〈714〉)의 俗字

火6 〔烏〕 10 中·人 오 ㊥虞 wū オ からす

筆順 ′ 𠂆 户 户 白 乌 烏 烏

字解 ①까마귀오 몸이 온통 검은 새. '一之雌雄'. '莫黑匪一'《詩經》. ②검을오 흑색. '一髮'. '北方盡一驪馬'《史記》. ③아오 탄식하는 소리. '一乎'. '仰天拊缶, 而呼一一'《漢書》. ④어찌오 어찌하여. '一有此事也'《史記》. ⑤성오 성(姓)의 하나.

字源 象形. '鳥'에서 한 획을 없애어 검고 눈을 분간할 수 없는 새, 곧 '까마귀'를 뜻함.

火6 〔烝〕 10 人名 증 ㊥蒸 zhēng ジョウ むす

筆順 ㇖ 了 丞 丞 丞 丞 烝 烝

字解 ①김오를증 더운 김이 올라감. '陽氣俱一'《國語》. ②찔증 ㉠더운 기운이 울결하여 흩어지지 아니함. 무더움. '煩一'. '處涼臺而有鬱一之煩'《應璩》. ㉡더운 김을 올려 익힘. '炊一'. '一之浮浮'《詩經》. ③올릴증 물건을 바침. 진상(進上)함. '一畀祖妣'《詩經》. ④임금증 군주. '文王一哉'《詩經》. ⑤많을증, 뭇증 '一庶'. '一民乃粒'《書經》. ⑥이에증 조사(助辭)로서 쓰임. '一在桑野'《詩經》. ⑦치붙을증 손위의 여자와 간음함. '衞宣公一于夷姜'《左傳》. ⑧겨울제사증 겨울에 제수(祭需)를 차리고 신(神)에게 지내는 제사. '一祭歲'《書經》.

字源 形聲. 灬(火)+丞〔音〕

火6 〔炰〕 10 부 ㊤有 fǒu ホウ やく

字解 ①구울부 '一, 火熟之也'《集韻》. ②찔부 '一, 蒸也'《廣韻》.

火6 〔热〕 10 〔열〕 熱(火부 11획〈723〉)의 俗字·簡體字

〔羔〕 〔고〕 羊부 4획(1034)을 보라.

〔馬〕 〔마〕 部首(1734)를 보라.

火7 〔烾〕 11 〔적〕 赤(部首〈1402〉)의 古字

火7 〔焭〕 11 〔경〕 煢(火부 9획〈717〉)과 同字

火7 〔烽〕 11 人名 봉 ㊥冬 fēng ホウ のろし

筆順 ′ 火 火 炒 炒 烙 烽 烽

字解 봉화봉 병란(兵亂)을 알리는 불. '一燧'. '一擧燧燔'《史記》. 전(轉)하여, 적(敵)에 대한 경계의 비유. '邊鄙收一'《庾信》.

字源 形聲. 火+夆(逢)〔音〕

火7 〔烾〕 11 烽(前條)과 同字

火7 〔焌〕11 人名 ㊀준 (去)震 jùn シュン やく / ㊁출 (入)質 qū シュツ きえる

筆順

字解 ㊀구울준 ①불로 물건을 굽는 것. '一, 然火也'《說文》. ②귀갑(龜甲)을 구워 점을 치는 것. '凡卜以明火爇燋, 遂歓其一契, 以授卜師'《周禮》. ㊁불꺼질출 불이 꺼짐. '一, 亦火滅也'《廣韻》.

字源 形聲. 火+夋〔音〕

火7 〔烰〕11 부 (平)尤 fú フウ·ブ むす

字解 ①화기(火氣)오를부 김이 오르는 모양. '一一, 烝也'《爾雅》. '一, 一一, 火氣盛也'《玉篇》. ②부엌부 庖(广부 5획〈345〉)와 뜻이 같음. '有侁氏女子採桑, 得嬰兒于空桑之中, 獻之其君, 其君令一人養之'《呂氏春秋》.

字源 形聲. 火+孚〔音〕

火7 〔焍〕11 제 (去)霽 dì テイ かめのこうをやくき

字解 거북굽는나무제 거북점을 칠 때 귀갑(龜甲)을 굽는 데 쓰는 나무. '以梁卵一黃, 祓去玉靈之不祥'《史記》.

火7 〔烿〕11 융 (平)東 róng ユウ ひのけ

字解 ①불김융 화기(火氣). '一, 火氣'《集韻》. ②불빛붉을융 불빛이 붉음. '一, 火色赤也'《正字通》.

火7 〔⿰火尾〕11 훼 (上)紙 huǐ キ ひ

字解 ①불훼 성한 불. '一, 烈火'《玉篇》. ②태울훼 燬(火부 13획〈727〉)와 同字.

字源 形聲. 火+尾〔音〕

火7 〔烴〕11 경 (上)迥 jǐng ケイ あたためる

字解 ①데울경 따뜻하게 함. '一, 溫也'《玉篇》. ②눋는모양경 '一, 焦皃'《集韻》. ③눋는냄새경 타는 냄새. '一, 焦臭也'《集韻》.

火7 〔烷〕11 완 (平)寒 wán カン ひ

字解 불완 '一, 火也'《集韻》.

火7 〔⿰火芍〕11 작 (入)藥 zhuó シャク はなのいろがさかんなさま

字解 꽃빛깔좋을작 꽃이 성하여 빛깔이 화려한 모양. '一, 一爍, 草木華色盛皃'《集韻》. ②사를작 불태움. 또는 구움. 灼(火부 3획〈707〉)의 俗字. '一, 俗灼字'《正字通》.

火7 〔焎〕11 철 (入)屑 chè テツ ひがもえる

字解 ①불붙을철 불이 타기 시작함. '一, 火然也'《集韻》. ②불기철 불기운. 화기(火氣). '一, 火氣'《集韻》.

火7 〔烯〕11 〔희〕 晞(日부 7획〈507〉)와 同字

火7 〔烺〕11 랑 (上)養 lǎng ロウ ひのさま

字解 ①불의모양랑 '爣一, 火皃'《集韻》. ②빛밝을랑 '是固不苟爲炳炳一一, 務采色夸聲音, 而以爲能也'《柳宗元》.

字源 形聲. 火+良〔音〕

火7 〔焲〕11 혁 (入)陌 hé カク むぎをやく

字解 보리볶을혁 '一, 燒麥'《廣韻》.

火7 〔⿰火豖〕11 휼 (入)物 xù クツ あたたか

字解 ①따뜻할휼 '一, 煴也'《玉篇》. ②햇볕쬘휼 '一, 曝也'《集韻》. ③마를휼 '一, 乾也'《廣雅》. ④불타오를휼 '一, 火煨起皃'《廣韻》.

火7 〔⿰火矣〕11 ㊀애 (平)灰 āi アイ かがやく / ㊁희 (平)支 xī キ ひのさかんなさま

字解 ㊀①빛날애 '一, 炫也'《玉篇》. ②뜨거울애 '一, 熱也'《玉篇》. ③불땔애 불을 사름. '一, 爇也'《廣雅》. ㊁불이글이글할희 불이 성한 모양. '一, 火盛皃'《集韻》.

火7 〔焃〕11 혁 (入)陌 hè カク あかい

字解 ①붉을혁 불이 붉은 모양. 赫(赤부 7획〈1403〉)과 同字. ②밝을혁, 빛날혁 밝음. 또, 빛남. '一, 明也'《集韻》.

字源 形聲. 火+赫〈省〉〔音〕

火7 〔焅〕11 ㊀곡 (入)沃 kù コク かんき / ㊁고 (去)號 kào コウ かわかす

字解 ㊀①가뭄기운곡 가뭄. 또는, 열기(熱氣). '一, 旱气也'《說文》. ②말릴곡 불에 쬐어 말림. ㊁가뭄기운고, 말릴고 ㊀과 뜻이 같음.

字源 形聲. 火+告〔音〕

火7 〔⿰火孛〕11 발 (入)月 bó ホツ けむりのおこるさま

字解 ①연기일발 연기가 뭉게뭉게 이는 모양. '一, 煙起皃'《集韻》. ②무더울발 찌는 듯이 무더움. '一, 烝熱也'《正韻》.

火7 〔焇〕11 소 (平)蕭 xiāo ショウ かわく, かわかす

字解 ①마를소, 말릴소 '一, 乾也'《玉篇》. ②녹일소 '一, 爍也'《集韻》. ③쬘소 '一, 曝也'《集韻》.
字源 形聲. 火+肖〔音〕

火7〔焆〕11 ㊀열 (入)屑 yè エツ けむり / ㊁결 (入)屑 ケツ けむり / ㊂견 (平)先 juān ケン あきらか / ㊃연 (平)先 yuān エン ひのさま

字解 ㊀ ①연기의모양열 '一, 一一, 煙皃'《說文》. ②연기열 '一, 煙氣'《廣韻》. ③타기시작할열 '一, 火始燃也'《類篇》. ④불빛열 '一, 火光'《廣韻》. ㊁ 연기의모양결, 연기결, 타기시작할결, 불빛결 ㊀과 뜻이 같음. ㊂ 밝을견, 비출견 '或一曜涯鄰'《郭璞》. ㊃ 불의모양연 '一, 火皃'《集韻》.
字源 形聲. 火+肙〔音〕

火7〔烻〕11 ㊀선 (平)先 shān セン ひかる / ㊁전 (平)先 テン ひかる / ㊂연 (去)霰 yǎn エン さかる

字解 ㊀ 빛날선, 빛선 '一, 光也'《集韻》. ㊁ 빛날전, 빛전 ㊀과 뜻이 같음. ㊂ 번쩍일연 '丹柱歙艶而電一'《王延壽》.

火7〔烜〕11 ㊀ 烜(火부 6획〈711〉)의 本字 ㊁ 爟(火부 18획〈731〉)과 同字

火7〔焊〕11 한 (上)旱 hàn カン かわかす

字解 불에말릴한 暵(日부 11획〈513〉)과 同字.

火7〔烱〕11 〔형〕
炯(火부 5획〈709〉)의 俗字

火7〔𤇺〕11 〔적〕
[illegible](火부 6획〈711〉)의 訛字

火7〔焋〕11 장 (去)漾 zhuàng ソウ ひのさま

字解 ①불의모양장 '一, 火貌'《字彙》. ②찔장 뜨거운 김에 익힘. '一, 熏烝也'《字彙》.
字源 形聲. 火+壯〔音〕

火7〔𡰥〕11 〔위〕
尉(寸부 8획〈289〉)의 本字

火7〔𤇹〕11 〔희〕
熙(火부 9획〈719〉)의 古字

火7〔烖〕11 〔재〕
災(火부 3획〈707〉)와 同字

火7〔㷟〕11 〔엄〕
嚴(口부 17획〈191〉)의 俗字

火7〔羨〕11 〔치〕
羨(火부 10획〈721〉)의 俗字

火7〔烹〕11 팽 (平)庚 pēng ホウ にる

字解 ①삶을팽 ㉠물 속에 넣어 익힘. '一飪'. '以一魚肉'《左傳》. ㉡열탕(熱湯)에 던져 죽임. '乃就一'《國語》. ②삶아질팽 ㉠삶기어 죽음. '狡兎死走狗一'《史記》. ㉡삶기어 익음. '方不炊而自一'《墨子》. ③요리팽 익힌 음식. '寒庖有珍一'《蘇軾》.
字源 會意. 灬(火)+亨(亯)

火7〔焄〕11 人名 훈 (平)文 xūn クン ふすべる

筆順

字解 ①향기로운냄새훈 '一蒿悽愴'《禮記》. ②연기에그을릴훈 熏(火부 10획〈722〉)과 同字. '一, 火上出也'《玉篇》.
字源 形聲. 灬(火)+君〔音〕

火7〔焉〕11 高·人 언 (平)先 yān エン いずくんぞ

筆順

字解 ①어찌언 ㉠의문의 말. '一得諼草'《詩經》. ㉡반어(反語)의 말. '一得人人而濟之'《孟子》. ②이에언 이리하여. '天子一始乘舟'《淮南子》. ③이언 是(日부 5획〈503〉)와 뜻이 같음. '上有好者, 下必有甚一者矣'《孟子》. ④어조사언 ㉠무의미의 조사. '故先王一爲之立中制節'《禮記》. ㉡지정(指定)의 뜻을 나타내는 조사(助辭). '四時行一, 百物生一'《論語》. ⑤형용어사언 然(火부 8획〈716〉)·如(女부 3획〈240〉) 등과 같이 형용의 어사(語辭)로 쓰임. '忽一'. '勃一'. '始舍之圉圉一, 少則洋洋一'《孟子》. ⑥성언 성(姓)의 하나.
字源 象形. 새의 모양을 본떠 '노란 새'의 뜻을 나타냄. 가차하여, 의문·구말(句末) 조사로 씀.

火7〔𤈷〕11 (韓) 통

字解 《韓》화통통 화력으로 적을 소멸하는 무기. '火一都監, 辛禑三年, 判事崔茂宣建議置之'《高麗史 77. 百官志》.

〔魚〕〔어〕
部首(1786)를 보라.

〔鳥〕〔조〕
部首(1809)를 보라.

火 8 〔焱〕12 염 [去]豔 | yàn エン ほのお

[字解] 불꽃염, 탈염 炎(火부 4획〈707〉)과 同字. '一一炎炎, 揚光飛文'《班固》.
[字源] 會意. 火＋火＋火

火 8 〔⿱火長〕12 추 [上]紙 | chuǐ ツイ ひさしくもえる

[字解] 불오래갈추 불이 오래 탐. '一, 火久也'《玉篇》.

火 8 〔焙〕12 배 [去]隊 | bèi ホウ あぶる

[字解] ①쬘배 불 위에서 쬐어 말림. '火一之'《傳燈錄》. ②배롱배 화로에 씌워 놓고 옷 같은 것을 얹어 말리는 기구. '湘筠一一茶箱'《居家必用》.
[字源] 形聲. 火＋咅〔音〕

火 8 〔焜〕12 혼 [上]阮 | kūn コン かがやく

[字解] 빛날혼, 빛낼혼 광휘를 발함. '一燿寡人之望'《左傳》.
[字源] 形聲. 火＋昆〔音〕

火 8 〔焞〕12 [人名]
[一] 퇴 [平]灰 | tuī タイ さかん
[二] 돈 [平]元 | tūn トン うすぐらい
[三] 순 [平]眞 | シュン·ジュン あきらか

[筆順] ′′ 火 ⿰火亠 ⿰火⿱亠冂 ⿰火⿱亠口 ⿰火亯 ⿰火⿱亯了 焞
[字解] [一]성할퇴 세력이 왕성한 모양. '嘽嘽一一'《詩經》. [二]어스름할돈 어스레한 모양. 빛이 없는 모양. '天策一一'《左傳》. [三]밝을순 '一, 明也'.
[字源] 形聲. 火＋享〔音〕

火 8 〔焠〕12 쉬 [去]隊 | cuì サイ にらぐ

[字解] ①담글쉬 달군 칼을 물에 담가 쇠의 질을 굳게함. 淬(水부 8획〈656〉)와 통용. '使工以藥一之'《史記》. ②태울쉬 불에 태움. '一掌'. '有子惡臥而一掌'《荀子》.
[字源] 形聲. 火＋卒〔音〕

火 8 〔焫〕12 설 [入]屑 | ruò ゼツ やく

[字解] 사를설 爇(火부 15획〈729〉)과 同字. '故既奠, 然後一蕭合羶薌'《禮記》.
[字源] 形聲. 火＋芮〔音〕

火 8 〔焮〕12 흔 [去]問 | xìn キン やく, てらす

[字解] ①태울흔 불사름. '行火所一'《左傳》. ②비출흔, 빛날흔 광휘를 발함. '光彌一洲渚'《杜甫》.
[字源] 形聲. 火＋欣〔音〕

火 8 〔焯〕12 작 [入]藥 | zhuó シャク あきらか

[字解] ①밝을작, 빛날작 '一, 明也'. ②태울작 灼(火부 3획〈707〉)과 同字. '一一其陂'《漢書》.
[字源] 形聲. 火＋卓〔音〕

火 8 〔焰〕12 염 [去]豔 | yàn エン ほのお

[字解] 불꽃염 燄(火부 12획〈724〉)·爓(火부 16획〈730〉)과 同字. '火一'.
[字源] 形聲. 火＋臽〔音〕

火 8 〔⿰火奄〕12 압 [入]合 | è オウ うずみび

[字解] ①불묻을압 불을 덮어 묻음. 또는, 그 불. '一, 藏火也'《集韻》. ②불헤칠압 묻은 불을 헤쳐 되살림. '今人謂藏火使復然曰一'《正字通》.

火 8 〔焝〕12 혼 [去]願 | hùn コン ひ

[字解] ①불혼 화기. '一, 火也'《玉篇》. ②불탈혼 불이 타는 모양. '一, 火皃'《集韻》.

火 8 〔焵〕12 강 [去]漾 | gàng コウ やいば

[字解] ①날강 칼 같은 것의 날〔刃〕. '一, 刃也'《玉篇》. ②불릴강 쇠를 불에 넣어 날을 단련함. '一, 堅刃也'《字彙》.

火 8 〔⿰火⿱廾廾〕12 〔홍〕
烘(火부 6획〈711〉)의 本字

火 8 〔焼〕12 〔소〕
燒(火부 12획〈725〉)의 略字

火 8 〔焚〕12 분 ①-③[平]文 | fén フン やく
④[去]問 | fèn フン たおれる

[字解] ①탈분 불탐. '玉石俱一'《書經》. ②태울분, 불사를분 '一殺'. '仲春毋一山林'《禮記》. ③불살라사냥할분 원야(原野)·산림을 불사르고 사냥함. '一咸丘'《春秋》. ④넘어질분, 넘어뜨릴분 僨(人부 12획〈72〉)과 통용. '以一其身'《左傳》.
[字源] 會意. 火＋林

火 8 〔⿱林灬〕12 焚(前條)의 俗字

火 8 〔焣〕12 [一]초 [上]巧 | chǎo ソウ いる
[二]잡 [入]洽 | ソウ いる

[字解] [一] 말릴초 불에 말림. '一, 火乾也'《揚子方言》. [二] 말릴잡 [一]과 뜻이 같음.

火8 〔㷆〕12 불 [入]物 | fú フツ おにび

[字解] ①불시에타올랐다꺼지는불불 '燡一'. ②도깨비불불. ③불이글이글할불 '一, 火盛皃'《玉篇》.
[字源] 形聲. 篆文은 火＋𤇾〔音〕

火8 〔焛〕12 린 [去]震 | lìn リン ひのさま

[字解] 불의모양린 '一, 火皃'《說文》.
[字源] 形聲. 火＋閵〈省〉〔音〕

火8 〔烄〕12 교 [上]巧 [去]效 | jiǎo コウ·キョウ やく

[字解] 태울교 나무를 쌓아올려서 태움. '一, 交灼木也'《說文》.
[字源] 形聲. 火＋敎〈省〉〔音〕

火8 〔無〕12 [中·人] 무 [平]虞 | wú, ④mó ム ない

[筆順] ノ 𠂉 𠂉 𠂉 𠂉 無 無 無

[字解] ①없을무 ㉠있지 아니함. '一物'. '仁者一敵'《孟子》. ㉡공허함. 또, 공허. '虛一'. '有生於一'《老子》. ②아닐무 부정하는 말. '曰一易之道也'《禮記》. ③말무 금지의 말. '一若宋人然'《孟子》. ④《佛敎》'南一'는 범어(梵語) namas 의 음역(音譯). ⑤성무 성(姓)의 하나.
[字源] 假借. 본래 '舞무'의 글자와 동형(同形)으로, 사람이 춤추는 모습을 형상화하여 '춤'의 뜻을 나타냈었으나, 빌려서 '없다'의 뜻으로 씀. 篆文은 '亡망'을 붙여, '없다'의 뜻을 분명히 했으며, 뒤에 '亡'을 생략하여 '無'가 되었음.

火8 〔焦〕12 [人名] 초 [平]蕭 | jiāo ショウ こげる, こがす

[筆順] 亻 亻 仁 住 隹 隹 焦 焦

[字解] ①그슬릴초, 그을초 불에 태워 검게 함. 또, 불에 타서 검게 됨. '卜戰龜一'《左傳》. ②탈초 ㉠마음이 탐. 애탐. '誰知我心一'《阮籍》. ㉡말라 뜨거워짐. 입술 같은 것이 탐. '脣一口燥'《杜甫》. ㉢시들어 까매짐. 얼굴 같은 것이 탐. '心悲則面一'《眞誥》. ③태울초 전항(前項)의 타동사. '勞身一思'《史記》. ④탄내날초 불에 타는 냄새가 남. '其味苦, 其臭一'《禮記》.
[字源] 形聲. 篆文은 灬(火)＋隹〔音〕

火8 〔焦〕12 焦(前條)와 同字

火8 〔然〕12 [中·人] 연 [平]先 | rán ゼン·ネン しかり, もえる

[筆順] ノ ク タ タ 夕 夕 然 然

[字解] ①사를연 燃(火부 12획〈725〉)은 俗字. '火之始一'《孟子》. ②허락할연 마음을 허락함. '相一信以死'《史記》. ③그럴연 ㉠그러함. '皇甫湜曰, 子與賀且得罪, 愈曰一'《韓愈》. ㉡그리하여서. '一而衆知父子之道矣'《禮記》. ④그러면연 그렇게 하면. '一則子非食志也, 食功也'《孟子》. ⑤그렇게여길연 그렇다고 생각함. 이치에 맞는다고 생각함. '心一元計'《後漢書》. ⑥그러나연 그렇기는 하나. '吾嘗將百萬軍, 一安知獄吏之貴乎'《史記》. ⑦형용어사연 如(女부 3획〈240〉)·焉(火부 7획〈714〉)과 같이, 사물을 형용하는 데 붙이는 어사(語辭). '沛一'. '心欣一欲踐之'《史記》. ⑧어조사연 焉(火부 7획〈714〉) 등과 같이, 어말(語末)에 붙이는 조사(助辭). '歲旱, 穆公召縣子而問一'《禮記》. ⑨성연 성(姓)의 하나.
[字源] 會意. 犬＋肉＋火

火8 〔煎〕12 〔겸〕 兼(八부 8획〈87〉)의 俗字

火8 〔烈〕12 〔렬〕 烈(火부 6획〈712〉)의 本字

火8 〔𤈦〕12 〔시〕 兕(儿부 5획〈83〉)의 俗字

火8 〔𤉷〕12 〔상〕 象(豕부 5획〈1373〉)의 古字

火8 〔煮〕12 〔자〕 煮(火부 9획〈719〉)의 略字

火8 〔焭〕12 〔경〕 煢(火부 9획〈717〉)과 同字

火8 〔焥〕12 [一] 알 [入]曷 | wò ワツ けむりのおこるさま
[二] 애 [去]泰 | ài アイ けむり

[字解] [一] 연기일알 연기 피어 오르는 모양. '一, 煙起皃'《集韻》. [二] 연기애 연기(煙氣). '一, 燤一, 煙氣'《集韻》.

火8 〔尉〕12 〔위〕 尉(寸부 8획〈289〉)의 古字

〔舄〕 〔석〕 臼부 6획(1105)을 보라.

〔黑〕 〔흑〕 部首(1861)를 보라.

〔爲〕〔위〕
爪부 8획(733)을 보라.

〔煦〕〔후〕
口부 9획(172)을 보라.

火9〔煢〕13 경 ㊥庚|qióng ケイ ひとり
字解 ①외로울경 형제 또는 아내가 없음. 의지할 데가 없음. 또는, 그러한 사람. '哀此一獨'《孟子》. ②근심할경 근심하는 모양. '一一余在疚'《左傳》.
字源 形聲. 凡+營〈省〉〔音〕

〔塋〕〔영〕
土부 10획(216)을 보라.

火9〔煁〕13 심 ㊥侵|shén シン おきかまど
字解 화덕심 음식을 끓이게 된 화로. '卬烘于一'《詩經》.
字源 形聲. 火+甚〔音〕

火9〔煆〕13 하 ㊦禡|xià カ やく, あつい
字解 ①데울하 불을 가(加)하여 덥게 함. ②더울하 뜨거움. ③마를하 건조함.
字源 形聲. 火+叚〔音〕

火9〔煇〕13 人名 ㊀휘 ㊥微|huī キ ひかり ㊁훈 ㊥文|xūn クン ふすべる ㊂운 ㊦問|yùn ウン ひがさ
筆順 丷 火 炉 炉 焀 焆 煊 煇
字解 ㊀빛휘, 빛날휘 輝(車부 8획〈1471〉)와 同字. '一光'. '德一動于內'《禮記》. ㊁지질훈 불로 지짐. '去眼一耳'《史記》. ㊂햇무리운 暈(日부 9획〈510〉)과 同字. '掌十一之法'《周禮》.
字源 形聲. 火+軍〔音〕

火9〔煉〕13 人名 련 ㊦霰|liàn レン ねる
筆順 丷 火 炉 炉 炬 炬 炼 煉
字解 달굴련, 이길련 鍊(金부 9획〈1570〉)과 同字. '爐一白珠砂'《列仙傳》.
字源 形聲. 火+柬〔音〕

火9〔煌〕13 人名 황 ㊥陽|huáng コウ かがやく
筆順 丷 火 火' 炉 炉 焊 焊 煌
字解 빛날황 반짝반짝 빛나는 모양. '明星一一'《詩經》.
字源 形聲. 火+皇〔音〕

火9〔煒〕13 ㊀위 ㊤尾|wěi イ あかい, さかん ㊁휘 ㊥微|huī キ ひかる, ひかり
字解 ㊀①빨갈위 새빨갛고 빛남. '彤管有一'《詩經》. ②성할위 성(盛)한 모양. 또, 밝은 모양. '諱一衆親盛'《張華》. ㊁빛휘, 빛날휘 煇(火부 9획〈717〉)와 同字. '靑一登平'《漢書》.
字源 形聲. 火+韋〔音〕

火9〔煖〕13 人名 ㊀난 ㊤旱|nuǎn ダン あたたか ㊁훤 ㊥元|xuān ケン あたたか
筆順 丷 火 火' 炉 炉 焊 煖 煖
字解 ㊀따뜻할난, 따뜻이할난 暖(日부 9획〈511〉)과 同字. '七十非帛不一'《禮記》. '一之以日月'《禮記》. ㊁따뜻할훤 暄(日부 9획〈510〉)과 同字.
字源 形聲. 火+爰〔音〕

火9〔煗〕13 난 ㊤旱|nuǎn ダン・ナン あたたか
字解 따뜻할난 煖(前條)과 同字. '海多大風, 冬一'《國語》.
字源 形聲. 火+耎〔音〕

火9〔煙〕13 中·人 연 ㊥先|yān エン けむり
筆順 丷 火 火 炬 炳 烟 煙 煙
字解 ①연기연 물건이 탈 때 일어나는 기체. '火一'. '以其一被之'《周禮》. 전(轉)하여, 먼지·구름·안개 등이 자욱이 끼어 오르는 기운. '一霧'. '塵一'. '南朝四百八十寺, 多少樓臺一雨中'《杜牧》. ②연기낄연 연기가 낌. '寒食, 莫敢一爨'《後漢書》. ③그을음연 유연(油煙). '煤一'. '乃丸漆一松煤'《洞天淸錄》. ④담배연 연초. '飮酒, 喫一'《仕學大乘》. ⑤성연 성(姓)의 하나.
字源 形聲. 火+垔〔音〕
參考 烟(火부 6획〈711〉)은 同字.

火9〔煙〕13 煙(前條)과 同字

火9〔煜〕13 人名 욱 ㊂屋|yù イク かがやく
筆順 丷 火 炉 炉 炉 煜 煜 煜
字解 ①비칠욱, 빛날욱 광휘를 발함. '日一乎晝, 月一乎夜'《揚雄》. ②불꽃욱 화염. '飛烽戢一'《陸雲》.

[字源] 形聲. 火＋昱〔音〕
[參考] 청(淸)나라 때, 성조(聖祖)의 휘(諱)인 현엽(玄燁)을 피하여, '燁' 대신에 '煜' 자를 썼음.

火9 〔煠〕13 잡 [入]洽 | zhá ソウ ゆでる
[字解] 삶을잡 끓는 물이나 기름에 넣어 익힘. '一, 湯爚也'《廣雅》.
[字源] 形聲. 火＋枼〔音〕

火9 〔煣〕13 유 [上]有 | rǒu ジュウ たわめる
[字解] 휠유 불기운을 쬐어 나무를 휨. '一木爲耒'《漢書》.
[字源] 形聲. 火＋柔〔音〕

火9 〔煤〕13 매 [平]灰 | méi バイ すす
[字解] ①그을음매 유연(油煙). '一煙'. '嚮者一炱入甑中'《呂氏春秋》. ②먹매 유연(油煙)으로 만든 먹. '蜀紙麝一沾筆興'《韓偓》. ③석탄매 '一炭'.
[字源] 形聲. 火＋某〔音〕

火9 〔煥〕13 [人名] 환 [去]翰 | huàn カン あきらか
[筆順] 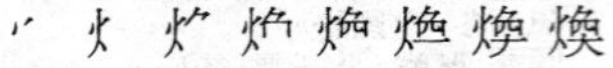
[字解] 빛날환, 불꽃환 광휘를 발하는 모양. 광명(光明)한 모양. '一乎其有文章'《論語》.
[字源] 形聲. 火＋奐〔音〕

火9 〔煨〕13 외 [平]灰 | wēi ワイ うずみび
[字解] ①묻은불외 꺼지지 않게 잿속에 묻은 불. '犯白刃, 蹈一炭'《戰國策》. ②구울외 잿속에 묻어 구움. '穉兒嬌女共燔一'《蘇軾》.
[字源] 形聲. 火＋畏〔音〕

火9 〔煩〕13 [高·人] 번 [平]元 | fán ハン・ボン わずらう
[筆順] 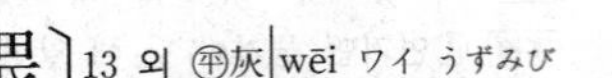
[字解] ①번열증날번 신열이 나고 가슴이 답답함. '病使人一懣'《史記》. ②번민할번 번뇌함. '一悶'. '心一於慮, 而身親其勞'《司馬相如》. ③번거로울번 ㉠번잡하여 까다로움. '一務'. '禮一則亂'《書經》. ㉡귀찮음. '一厭'. '簡絲數米, 一而不察'《說苑》. ④번거롭게할번 폐를 끼침. '敢以一執事'《左傳》. ⑤바쁠번 일이 많아 겨를이 없음. '一劇'. '簿書轉一'《舊唐書》. ⑥어지러울번 문란함. '世濁則禮一而樂淫'《呂氏春秋》. ⑦시끄러울번 떠들썩함. '一費'. '嘖有一言'《左傳》.
[字源] 會意. 頁＋火

火9 〔煬〕13 양 [去]漾 | yàng ヨウ あぶる
[字解] ①땔양 불을 활활 땜. '冬則一之'《莊子》. ②쬘양 불을 쬠. '若竈則不然, 前之人一, 則後之人無從見也'《戰國策》. ③녹일양 금속을 용해함.
[字源] 形聲. 火＋昜〔音〕

火9 〔烮〕13 〔렬〕 烈(火부 6획〈712〉)의 古字

火9 〔㶿〕13 〔발〕 𤈦(火부 7획〈713〉)과 同字

火9 〔㶥〕13 〔배〕 焙(火부 8획〈715〉)와 同字

火9 〔煟〕13 위 [去]未 | wèi イ ひのひかり
[字解] 빛위, 빛날위 광휘. 또, 빛나 밝은 모양. '一, 火光'《廣韻》. '一一, 光也'《廣雅》.

火9 〔煓〕13 단 [平]寒 | tuān タン かがやく
[字解] ①불길성할단 '一, 一曰, 火熾盛皃'《集韻》. ②빛날단 '一, 赫也'《揚子方言》.

火9 〔㷎〕13 알 [入]月 | yē エツ しょきにあたる
[字解] 더위먹을알 '一, 中熱也'《字彙》.

火9 〔煐〕13 [人名] 영 [平]庚 | yīng エイ じんめい
[筆順] 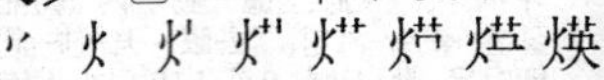
[字解] ①빛날영. ②사람이름영 '一, 闕, 人名'《集韻》. '有張一'《南史》.

火9 〔煝〕13 미 [去]寘 | mèi ビ・ミ かがやく
[字解] ①빛날미 '一, 焃也'《玉篇》. ②가뭄별미 가뭄의 뜨거운 볕. '一, 焅熱'《廣韻》.

火9 〔熜〕13 총 [上]董 | zǒng ソウ あさがらをもやす
[字解] ①삼대태울총 삼을 벗기고 난 대를 불사름. '一, 然麻蒸也. (段注) 蒸, 卽謂麻榦'《說文》. ②횃불총 '一, 炬也'《集韻》.
[字源] 形聲. 火＋怱(悤)〔音〕

火9 〔煊〕13 훤 [平]元 | xuān ケン あたたか

字解 따듯할훤 '煖, 說文, 溫也. 或作一·暄'《集韻》.

火9 〔煳〕13 호 現 | hú コ こげる

字解 《現》탈호, 태울호.

火9 〔煠〕13 접 入葉 | chè チョウ のこりび

字解 타다남은불접 '一, 火燒殘也'《玉篇》.

火9 〔煔〕13 ㊀ 첨 去豔 | tiàn テン もえあがる
㊁ 점 平鹽 | qián セン ゆでる
㊂ 삼 平咸 | shān サン すぎ

字解 ㊀ 불타오를첨 또, 그 형용. '一, 火行也'《說文》. '一, 火行皃'《廣韻》. ㊁ 데칠점 '炙鵠烝鳧一鶉敶只'《楚辭》. ㊂ 나무이름삼 杉(木부 3획〈527〉)과 同字. '一, 似松, 生江南. 可以爲船及棺材'《爾雅 注》.

字源 形聲. 炎+占〔音〕

火9 〔煏〕13 〔픽〕 爰(火부 14획〈729〉)과 同字

火9 〔煴〕13 〔온〕 熅(火부 10획〈720〉)의 俗字

火9 〔煅〕13 〔단〕 鍛(金부 9획〈1571〉)과 同字

火9 〔煖〕13 〔전〕 臇(肉부 13획〈1094〉)과 同字

火9 〔焰〕13 〔염〕 焰(火부 8획〈715〉)의 俗字

火9 〔尞〕13 료 去嘯 | liào リョウ てんをまつる

字解 천제(天祭)지낼료 섶을 태워서 천제를 지냄. '一, 燔柴祭天也'《集韻》.

字源 象形. 불 위에 나무를 엮고, 그 나무 둘레에 불똥이 튀는 모양을 본떠 '화톳불'의 뜻을 나타냄. 옛날에는 화톳불을 피우고 천제(天祭)를 지냈음.

火9 〔蔑〕13 멸 入屑 | miè ベツ くらい

字解 불꺼물거릴멸 불이 밝지 않음. 어두움. '一, 火不明也'《說文》.

字源 形聲. 火+苜〔音〕

火9 〔煲〕13 보 | bāo(bào) ホウ とろびでにる

字解 ①찔보 뭉근한 불로 찜. '一, 廣東俗字. 以緩火煮物也'《中華大字典》. ②가마보 밑이 깊은 냄비.

火9 〔炅〕13 경 上梗 | jiǒng ケイ ひ

字解 ①불경 '一, 火也'《廣韻》. ②햇빛 '一, 一日, 日光'《集韻》. ③사람이름경 '一, 人名. 唐書, 毋一, 開元含象亭十八學士之一'《正字通》.

火9 〔㷫〕13 〔어〕 魚(部首〈1786〉)의 本字

火9 〔煎〕13 전 平先 | jiān セン にる, いる

字解 ①달일전, 졸일전 끓여서 진하게 만듦. '一藥'. '性嗜茶, 始創一茶法'《全唐詩話》. ②졸일전 애태움. '恐不任我意, 逆以一我懷'《古詩》. ③지질전 지짐질을 함. '一油'. ④끓일전 가열하여 끓게 함. '我有至味非一烹'《蘇軾》. ⑤끓을전 끓어 익음. '潏潏有聲如粥一'《范成大》.

字源 形聲. 灬(火)+前〔音〕

火9 〔煑〕13 煮(次條)와 同字

火9 〔煮〕13 자(저本) 上語 | zhǔ ショ·シャ にる

字解 ①끓일자, 삶을자, 익힐자 가열하여 익게 함. '一沸'. '一豆持作羹'《曹植》. ②구울자 바닷물로 제염(製鹽)함. '燕有遼東之一'《管子》. ③익을자 익혀짐. '豆至難一'《晉書》. ※本音 저.

字源 形聲. 灬(火)+者〔音〕

火9 〔熙〕13 人名 희 平支 | xī キ ひかる, ひろい

筆順 一 丅 丆 丙 匝 匝 巸 熙

字解 ①빛날희 광휘를 발함. '於緝一敬止'《詩經》. ②넓을희, 넓어질희 광대함. 또, 광대하여짐. '庶績咸一'《書經》. ③넓힐희 홍대(弘大)하게 함. '有能奮庸一帝之載'《書經》. ④화락할희 화목하게 즐김. '衆人一一'《老子》. ⑤일어날희 흥기(興起)함. ⑥아아희 탄식하는 소리. '一念我孺子'《後漢書》. ⑦복희 禧(示부 12획〈893〉)와 통용. '一事備成'《漢書》. ⑧기뻐할희 嬉(女부 12획〈264〉)와 同字. '一笑'. '出咸陽一邯鄲'《宋玉》.

字源 形聲. 灬(火)+巸〔音〕

火9 〔煕〕13 熙(前條)의 俗字

火9 〔煦〕13 후 去遇 | xù ク あたためる

[字解] ①따뜻하게할후 ㉠일광으로 따뜻하게 함. 또, 김을 불어 따뜻하게 함. '吹—'. '—噓'. '—嫗覆育萬物'《禮記》. ㉡찌거나 열함. '—, 烝也'《說文》. '—, 熱也'《玉篇》. ②은혜후 은덕. '恩—'. '彼以——爲仁'《韓愈》. ③햇빛후 일광. ④더울후 햇빛이 더움.
[字源] 形聲. 灬(火)+日+句〔音〕

火 9 〔照〕 13 [高·人] 조 [去]嘯 | zhào ショウ てらす
[筆順] 日 日 日刀 日刀 昭 昭 照 照
[字解] ①비칠조 빛남. '日月得天, 而能久—'《易經》. ②비출조 ㉠빛을 보냄. '日月所—'《中庸》. ㉡전(轉)하여, 해의 뜻으로 쓰임. '夕—'. '晩—'. ㉢그림자를 비추어 봄. '攬鏡自—'《晉書》. ㉣맞대어 봄. '對—'. '以自鑒—'《後漢書》. ㉤비추어 인도함. 효유(曉諭)함. '—惑者'《淮南子》. ㉥환히 앎. '同明相—'《史記》. ③빛조 광명. '鑿牖自取—'《淮南子》. ④영상조 비치는 그림자. 또는, 사진 따위. '小—'. '寫—'. '傳神寫—'《晉書》. ⑤증서조 증권. '取索契—'《文獻通考》. ⑥거울조 형상을 비추어 보는 물건. '賣半—'《羣談採餘》. ⑦성조 성(姓)의 하나.
[字源] 形聲. 灬(火)+昭〔音〕

火 9 〔𤎥〕 13 照(前條)의 本字

火 9 〔煞〕 13 〔살〕 殺(殳부 7획〈612〉)의 俗字

火 9 〔熏〕 13 〔훈〕 熏(火부 10획〈722〉)의 俗字

火 10 〔粦〕 14 린 [去]震 | lín リン おにび
[字解] 도깨비불린 귀화(鬼火). '戰鬪死亡之所, 有人馬血積年化爲—'《博物志》.
[字源] 會意. 炎+舛

火 10 〔熒〕 14 [人名] 형 ①-④[平]青 ⑤[上]迥 | yíng ケイ ともしびのひかり yíng エイ まどわす
[筆順] ⺍ 火 火⺍ 炏 炏 炏 𤇾 熒
[字解] ①등불형 조그마한 등불 또는 촛불. '守突奧之—燭'《漢書》. ②비칠형, 빛날형 '火之始—'《新論》. ③아찔할형 현기증이 남. '而目將—之'《莊子》. ④개똥벌레형 螢(虫부 10획〈1242〉)과 통용. '逐—光行數里'《後漢書》. ⑤현혹할형 혹란(惑亂)함. '—惑'. '是皇帝所聽—也'《莊子》.
[字源] 形聲. 焱+冂〔音〕

火 10 〔𤏶〕 14 영 [上]迥 [上]梗 | yǐng エイ·ヨウ いけ
[字解] 못영 깊은 못. '—, 澤池也'《玉篇》.
[字源] 形聲. 井(井)+熒〈省〉〔音〕

〔榮〕 〔영〕 木부 10획(571)을 보라.

〔犖〕 〔락〕 牛부 10획(744)을 보라.

〔滎〕 〔형〕 水부 10획(668)을 보라.

火 10 〔煽〕 14 선 [去]霰 | shàn セン あおる
[字解] ①일선 불이 성(盛)하여짐. '高爓飛—于天垂'《左思》. ②붙일선 불을 붙임. '—熛章華'《新論》. ③부채질할선 부추김. '—動'. '羣凶挾—'《任昉》. ④성(盛)할선 세력이 성대함. '—熾'. '豔妻—方處'《詩經》.
[字源] 形聲. 火+扇〔音〕

火 10 〔熄〕 14 식 [入]職 | xī ショク·ソク きえる
[字解] ①꺼질식 불이 꺼짐. '—滅'. '爝火不—'《莊子》. ②사라질식 사라져 없어짐. '—滅'. '王者之迹—'《孟子》.
[字源] 形聲. 火+息〔音〕

火 10 〔熀〕 14 [人名] ㊀황 [上]養 | huǎng キョウ·コウ ひのひかりのさかんなさま ㊁엽 [入]葉 | yè ヨウ あきらか
[筆順] ⺍ 火 火日 火旦 火昱 煜 熀 熀
[字解] ㊀화광(火光)이이글거릴황 '—, 煒—, 火光盛貌'《五音篇海》. ㊁환히비칠엽 밝게 비침. '不見天光之—爛'《抱朴子》.
[字源] 形聲. 火+晃〔音〕

火 10 〔熅〕 14 온 [平]文 | yūn ウン うずみび
[字解] ①숯불온 불꽃이 없는 숯불. '置—火'《漢書》. ②따뜻할온 온난함. '地富—'《新書》. ③김오를온 김이나 연기 같은 것이 오르는 모양. '烟烟——'《班固》.
[字源] 形聲. 火+昷〔音〕
[參考] 煴(火부 9획〈719〉)은 俗字.

火 10 〔熇〕 14 ㊀혹 [入]沃 | hè コク あつい ㊁효 [平]蕭 | xiāo キョウ ほのお

[字解] [一] ①뜨거울혹 불이 뜨거움. '一暑'. ②불꽃일어날혹 불꽃이 성하게 일어나는 모양. '多將——'《詩經》. [二] 불길효 燆(火부 12획〈725〉)와 同字.
[字源] 形聲. 火+高〔音〕

火10 〔熉〕 14 운 [平]文 [上]吻 | yún ウン きいろ
[字解] 노랄운 빛이 노란 모양. '照紫幄珠一黃'《漢書》.

火10 〔熕〕 14 공 [日] | gōng コウ おおづつ
[字解] 《日》 대포(大砲)공 '砲一'. '一砲'. '一炮'. '銅發一'《武備志》.
[字源] 形聲. 火+貢〔音〕

火10 〔熔〕 14 〔용〕
鎔(金부 10획〈1574〉)의 俗字

火10 〔熂〕 14 희 [去]未 | xì キ のび
[字解] ①풀베어불놓을희 '薙艸燒之曰一'《集韻》. ②들불희 들풀에 놓는 불. '一, 燹火'《廣韻》.

火10 〔熘〕 14 초 [上]巧 | chǎo ソウ いる, かわかす
[字解] ①볶을초 볶음. 또는, 구움. 炒(火부 4획〈708〉)와 同字. '一, 熬也'《廣韻》. ②말릴초 '一, 乾也'《廣雅》.

火10 〔煻〕 14 당 [平]陽 | táng トウ うずみび
[字解] 묻은불당, 뜨거운재당 '一, 灰火也'《六書故》.

火10 〔熑〕 14 렴 [平]鹽 | lián レン たつ
[字解] ①끊을렴 수레바퀴의 테를 불에 구워 휘는데 불기운을 없애고 끊음. '一, 絕也'《玉篇》. ②불꺼지지아니할렴 '一, 火不絕也'《集韻》.
[字源] 形聲. 火+兼〔音〕

火10 〔煿〕 14 박 [入]藥 | bó ハク かわかす
[字解] 불에말릴박 爆(火부 15획〈729〉)과 同字.

火10 〔熁〕 14 협 [入]葉 | xié キョウ むす
[字解] ①찔협 화기(火氣)가 오름. '一, 火氣一上'《廣韻》. ②불닥칠협 불길이 가까이 닥침. '一, 火迫也'《集韻》.

火10 〔煹〕 14 구 [去]宥 | gōu コウ かがりび
[字解] 횃불구 '一, 舉火也'《集韻》.
[字源] 形聲. 火+冓〔音〕

火10 〔熌〕 14 섬 [去]豔 | shǎn セン もえあがる
[字解] ①불타오를섬 煔(火부 9획〈719〉)과 同字. ②번쩍일섬.
[字源] 形聲. 火+閃〔音〕

火10 〔熓〕 14 옹 [上]董 | wěng オウ けむりのさま
[字解] 연기의모양옹 '一然, 煙氣'《集韻》.

火10 〔熐〕 14 명 [平]青 | mì ベイ きょうどのぶらくのな
[字解] 흉노부락이름명 '一蠡, 匈奴聚落也'《集韻》.

火10 〔焰〕 14 함 [上]感 | hàn カン やけただれる
[字解] 델함 불에 데어 부르틈. '一, 灼爛'《集韻》.

火10 〔熩〕 14 [一] 혹 [入]沃 | hú コク やく
[二] 곽 [入]藥 | キャク·カク やく
[字解] [一] 구울혹 센 불로 구움. '一, 灼也'《說文》. [二] 구울곽 ■과 뜻이 같음.
[字源] 形聲. 火+隺〔音〕

火10 〔煺〕 14 퇴 [平]灰 | tuì タイ·ツイ ゆがく
[字解] 튀할퇴 끓는 물에 담가 털을 제거(除去)함. '一, 一燖毛'《廣韻》.

火10 〔熥〕 14 煺(前條)와 同字

火10 〔煌〕 14 〔황〕
煌(火부 9획〈717〉)의 本字

火10 〔㶣〕 14 점 [去]豔 | tiàn テン ほのお
[字解] 불길첨 銛(舌부 8획〈1108〉)과 同字. '一, 炎光也'《說文》.
[字源] 形聲. 炎+西〔音〕

火10 〔羨〕 14 [一] 치 [平]支 | シ たばねたすみ
[二] 차 [平]歌 | サ たばねたすみ
[三] 자 [上]馬 | zhǎ
[四] 지 [去]寘 | サ たばねたすみ
| シ たばねたすみ
[字解] [一] ①묶은숯치 '羨, 束炭也'《說文》. ②말릴치 '一, 乾也'《廣雅》. ③쬘치 햇빛에 쬠. '一, 博雅, 曝也'《集韻》. [二] 묶은숯차,

말릴차, 쬘차 [一]과 뜻이 같음. [三] 묶은숯자, 말릴자, 쬘자 [一]과 뜻이 같음. [四] 묶은숯지, 말릴지, 쬘지 [一]과 뜻이 같음.
[字源] 形聲. 火＋𢀩(差)〈省〉〔音〕

火10 〔㷱〕14 [一] 내 [平]灰 | ナイ あつい
[二] 웅 [平]東 | xióng キュウ くま
[字解] [一] 뜨거울내 '一, 熱也'《集韻》. [二] 熊(火부 10획〈722〉)과 同字.

火10 〔𤎌〕14 〔설〕
爇(火부 15획〈729〉)의 俗字

火10 〔𤐫〕14 〔흑〕
黑(部首〈1861〉)의 本字

火10 〔熊〕14 [人名] 웅 [平]東 | xióng キュウ くま
[筆順] ⺈ 厶 ⺉ 育 育' 能 能 熊
[字解] ①곰웅 맹수(猛獸)의 하나. 쓸개는 약용으로 함. '一膽'. '維一維羆'《詩經》. ②빛날웅 고운 빛이 나는 모양. 광택이 고운 모양. '一一赤色有光'《史記》. ③성웅 성(姓)의 하나.
[字源] 形聲. 能＋黑〈省〉＋肱〈省〉〔音〕

火10 〔熏〕14 [人名] 훈 [平]文 | xūn クン ふすぶる
[筆順] 一 䒑 𠂒 𠂒 𠂒 重 熏 熏
[字解] ①연기낄훈 연기가 낌. 연기가 올라감. '惟佛像多經香煙一損本色'《畫史》. ②연기끼울훈 연기가 끼게 함. '穹窒一鼠'《詩經》. ③탈훈, 태울훈 불탐. 불태움. '憂心如一'《詩經》. ④움직일훈 감동시킴. '衆口一天'《呂氏春秋》. ⑤취할훈 술에 취함. 醺(酉부 14획〈1544〉)과 통용. '杯一覺醉'《宋之問》. ⑥황혼훈 曛(日부 14획〈516〉)과 통용. '遂與言談, 至一夕'《後漢書》.
[字源] 會意. 屮＋黑

火10 〔熈〕14 〔희〕
熙(火부 9획〈719〉)의 俗字

火11 〔𤏲〕15 〔영〕
熒(火부 10획〈720〉)의 本字

〔瑩〕 〔영〕
玉부 10획(778)을 보라.

火11 〔熛〕15 표 [去]蕭 | biāo
ヒョウ ひのこ, あかい
[字解] ①불똥표 타는 물건에서 튀어 흩어지는 썩 작은 불덩이. '一至風起'《史記》. ②불똥튈표 '炎熾一怒'《詩經 箋》. ③붉을표 적색. '前一闕而後應門'《揚雄》.
[字源] 形聲. 火＋票(㶾)〔音〕

火11 〔熠〕15 습 [入]緝 | yì シュウ あざやか
[字解] ①고울습 선명함. '一燿其羽'《詩經》. ②빛날습, 빛낼습 빛을 발함. '燿一祖禰'《蔡邕》. ③빛습 성(盛)한 빛. '欣煌一之朝顯兮'《阮籍》. ④반딧불습 개똥벌레의 불. 형화(螢火). '一燿宵行'《詩經》.
[字源] 形聲. 火＋習〔音〕

火11 〔熯〕15 [一] 선 [上]銑 | rǎn ゼン もやす
[二] 한 [去]翰 | hàn カン かわかす
[字解] [一] ①사를선 불사름. 태움. '燒烘一焚鄭地'《管子》. ②공경할선 공경하고 삼감. '我孔一矣'《詩經》. [二] 말릴한 건조시킴. '燥萬物者, 莫一乎火'《易經》.
[字源] 形聲. 火＋𦰩〔音〕

火11 〔熢〕15 봉 [平]東 | péng ホウ けむりのこめたさま
[字解] ①내자욱할봉 '一焞'은 연기가 자욱이 낀 모양. '一焞, 煙鬱皃'《集韻》. ②봉화봉 烽(火부 7획〈712〉)과 同字.
[字源] 形聲. 火＋逢〔音〕

火11 〔熮〕15 료 [平]蕭 | liǔ リョウ ただれる, はげしい
[字解] ①불료 불의 모양. '一, 火皃'《說文》. ②데일료 불에 데어 부르틈. '一, 燒也, 爛也'《玉篇》. ③매울료 맹렬함. '一, 逸周書曰, 味辛而不一'《說文》.
[字源] 形聲. 火＋翏〔音〕

火11 〔熰〕15 구(우[本]) [平]尤 | ōu オウ つつみやく
[字解] ①통째구울구 통째로 싸서 불에 구움. '一, 炮也'《集韻》. ②뜨거울구 한열(旱熱)이 심함. '古之祭有時而一. (註)一, 熱甚也, 祭, 謂旱熱甚而祭'《管子》. ※本音우.
[字源] 形聲. 火＋區〔音〕

火11 〔熞〕15 견 [平]先 | jiān ケン にらぐ
[字解] 담금질할견 '一, 灼鐵淬之'《集韻》.

火11 〔𤏶〕15 조 [平]肴 | zhāo ソウ もえる
[字解] 불사를조 '一, 然也'《集韻》.

火11 〔𤏆〕15 조 [平]豪 | zāo ソウ やく
[字解] ①태울조 까맣게 태움. ②깨뜨릴조 깨뜨림. 또, 태워 부서뜨림. '今俗語謂燒壞曰一. 凡物壞, 亦曰一'《說文 段注》. ③

불탄끄트러기조 불탄 나무의 끄트러기. '一, 火餘木也'《廣韻》.
[字源] 形聲. 火+曹〔音〕

火 11 〔熤〕15 익 [入]陌 | yì エキ じんめい
[字解] 사람이름익 '一, 人名, 後魏有張一'《集韻》.

火 11 〔熜〕15 〔총〕 熜(火부 9획〈718〉)의 本字

火 11 〔爕〕15 〔섭〕 燮(火부 13획〈727〉)의 籒文

火 11 〔熚〕15 필 [入]質 | bì ヒツ ひのおと
[字解] ①불의모양필 '一, 火皃'《廣韻》. ②불소리필 '一一'은 불의 소리. '一, 一一, 火聲也'《玉篇》.
[字源] 形聲. 火+畢〔音〕

火 11 〔熥〕15 통 [平]東 | tōng トウ あたためる
[字解] 데울통 불에 데움. '一, 以火煖物'《集韻》.

火 11 〔熫〕15 〔자〕 炙(火부 4획〈708〉)의 俗字

火 11 〔熸〕15 〔잠〕 熸(火부 12획〈724〉)의 俗字

火 11 〔熳〕15 〔만〕 漫(水부 11획〈679〉)의 訛字

火 11 〔熲〕15 [人名] 경 [上]迥 | jiǒng ケイ ひかり
[筆順] 一 匕 ⺈ 炅 炅 熲 熲 熲
[字解] 빛경 불빛. '不出于一'《詩經》.
[字源] 形聲. 火+頃〔音〕

火 11 〔熨〕15 ㊀위 [去]未 | wèi イ おさえあたためる
㊁울 [入]物 | yùn ウツ ひのし
[字解] ㊀①다리미위 다림질하는 제구. ②따뜻이할위 위에서 눌러 따뜻하게 함. '更一兩脇下'《史記》. ③붙일위 약을 붙임. '案杌毒一'《史記》. ㊁다릴울 다리미로 다림. '一帖舊生衣'《白居易》.
[字源] 形聲. 火+尉〔音〕

火 11 〔熭〕15 위 [去]霽 | wèi エイ かわかす
[字解] 말릴위 불이나 햇볕에 쬐어 건조시킴. '日中必一'《漢書》.
[字源] 形聲. 火+彗〔音〕

火 11 〔㶳〕15 서 [上]語 | shū ショ のび
[字解] 들불서 '一, 野火也'《玉篇》.

火 11 〔熢〕15 〔봉〕 烽(火부 7획〈712〉)의 本字

火 11 〔熸〕15 〔찬〕 爨(火부 25획〈731〉)과 同字

火 11 〔㷇〕15 〔퇴〕 熖(火부 10획〈721〉)와 同字

火 11 〔勲〕15 [人名] 〔훈〕 勳(力부 14획〈118〉)의 略字
[筆順] 一 旨 盲 重 重 動 動 勲

火 11 〔熟〕15 [高·人] 숙 [入]屋 | shú, shóu ジュク にる, にえる
[筆順] 亠 亩 亨 享 孰 孰 孰 熟
[字解] ①익을숙 ㉠날것이 익음. '半一'. '宰夫胹熊蹯不一'《左傳》. ㉡곡식·과실 등이 익음. '豐一'. '歲則大一'《書經》. ㉢익숙함. '一達'. '一練'. '目一朝庭之事'《唐書》. ②익힐숙 익게 함. '一食'. '君賜腥, 必一而薦之'《論語》. ③무를숙 열로 물러짐. '委靡輭一'《唐書》. ④익히숙 깊이. 곰곰이. '一考'. '願王之一慮之也'《戰國策》.
[字源] 形聲. 灬(火)+孰〔音〕

火 11 〔熬〕15 오 [平]豪 | áo, āo ゴウ いる
[字解] ①볶을오 마른 것을 바싹 익힘. 익혀 수분(水分)을 없앰. '共飯米一穀'《周禮》. ②근심하는소리오 수심에 잠긴 소리. '下至衆庶, 一一苦之'《漢書》.
[字源] 形聲. 灬(火)+敖〔音〕

火 11 〔熱〕15 [中·人] 열 [入]屑 | rè ネツ ねつ, あつい
[筆順] 一 土 夫 坴 埶 埶 熱 熱
[字解] ①열열 ㉠더운 감각을 일으키는 본원(本源). '地藏其一'《揚雄》. ㉡체온(體溫). '平一'. ㉢높아지는 체온. 또, 체온이 높아지는 병. '煩一'. '使人身一無色, 頭痛嘔吐'《漢書》. ②더위열 여름철의 더운 기운. '叡冒一'《北史》. ③몸달열 초조하여 애태움. '不得於君則一中'《孟子》. ④바쁠열 일이 바쁜 동시에 권세가 있음. '非不愛作一官'《北齊書》. ⑤더울열 '如水益深, 如火益一'《孟子》. ⑥태울열 불태움. '灼一'. '天下熬然

若蕉—'《淮南子》. ⑦성열 성(姓)의 하나.
字源 形聲. 灬(火)+執〔音〕

火11〔熼〕15 〔박〕
熼(火부 10획〈721〉)의 訛字

火12〔燊〕16 ㊀신 ㊥眞|shēn シン さかん
㊁화 ㊥麻|カ さかん
㊂쇄 ㊧隊|サイ さかん
字解 ㊀성할신 불이 성(盛)한 모양. '—, 火熾皃'《集韻》. ㊁성할화 ㊀과 뜻이 같음. ㊂성할쇄 ㊀과 뜻이 같음.
字源 會意. 焱+木

火12〔燷〕16 ㊀름 ㊤寢|lǐn リン もえひろがるさま
㊁심 ㊤寢|シン もえひろがるさま
㊂음 ㊤寢|yǐn イン ひがさかん
字解 ㊀①불번질름 불이 넓게 타들어가는 모양. '—, 火舒'《廣韻》. ②불범(犯)할름 불에 가까이함. '—, 侵火也'《說文》. ㊁불번질심, 불범할심 ㊀과 뜻이 같음. ㊂불성(盛)할음 '—, 火盛也'《集韻》.
字源 形聲. 炎+亩〔音〕

火12〔炗〕16 〔광〕
光(儿부 4획〈82〉)의 古字

火12〔燄〕16 함 ㊧陷|xiàn カン うおのな
字解 물고기이름함 '—, 魚名. 山海經, 囧水多—父之魚. 其狀如鮒而彘身'《集韻》.

火12〔燄〕16 염 ①㊧豔|yàn エン ほのお
②㊤琰|yǎn エン ひのすこしもえあがるさま
字解 ①불꽃염 화염. '飛—'. '吐—生風'《班固》. ②불조금타오를염 불이 조금 타오르는 모양. '——不滅, 若炎炎何'《孔子家語》.
字源 形聲. 炎+臽〔音〕

火12〔黕〕16 ㊀담 ㊤感|tǎn タン あおぐろいろのきぬ
㊁첨 ㊥鹽|chān セン ころものうごくさま
字解 ㊀검푸른비단담 '—, 青黑繒'《玉篇》. ㊁옷펄럭거릴첨 '—, 衣動皃'《集韻》.

火12〔燅〕16 잠(섬㊍) ㊥鹽|qián セン ゆびく
字解 ①데칠잠 고기·채소 등을 뜨거운 물에 데침. '—, 於湯中爚肉也'《說文》. ②튀할잠 끓는 물에 담가 털을 뽑음. '以湯去毛曰—'《一切經音義》. ③데울잠 '—, 溫也'《玉篇》. ※本音 섬.
字源 會意. 炎+熱(㷗)〈省〉

火12〔燂〕16 燅(前條)과 同字

火12〔熸〕16 잠(점㊍) ㊥鹽|jiān セン きえる
字解 ①꺼질잠 불이 꺼짐. 또, 불이 꺼지듯 사라짐. '王夷師—'《左傳》. ②세력없어질잠 '楚師—'《左傳》. ※本音 점.
字源 形聲. 火+朁〔音〕

火12〔熾〕16 人名 치 ㊧寘|chì シ さかん
筆順 丷 火 炉 炉 焙 熾 熾 熾
字解 ①성할치 ㉠불이 활활 탐. 불 기운이 성함. '火旣—矣'《北史》. ㉡세력이 강성함. '玁狁孔—'《詩經》. ②사를치 불을 부쳐 활활 타게 함. '—炭於位'《左傳》.
字源 形聲. 火+戠〔音〕

火12〔熿〕16 황 ㊥陽|huáng コウ かがやく
字解 빛날황, 빛낼황 '炫—'. '—炳輝湟'《司馬相如》.
字源 形聲. 火+黃〔音〕

火12〔燀〕16 ㊀천 ㊤銑|chǎn セン かしぐ
㊁단 ㊤旱|dǎn タン あたたか
字解 ㊀①불땔천 밥을 지으려고 불을 땜. '—之以薪'《左傳》. ②빛날천 빛을 발함. '—耀'. '威—旁達'《史記》. ㊁따뜻할단 옷이 두꺼워 몸이 따뜻함. '衣不—熱'《呂氏春秋》.
字源 形聲. 火+單〔音〕

火12〔燂〕16 섬 ㊥鹽|qián セン ねっする, あたためる
字解 ①데울섬 덥게 만듦. '五日則—湯請浴'《禮記》. ②무를섬 너무 가열하여 무르익음. '欲孰於火而無—'《周禮》.
字源 形聲. 火+覃(覃)〔音〕

火12〔燁〕16 人名 엽 ㊇葉|yè ヨウ かがやく
筆順 火 火' 火'' 火" 炏 炏 燁 燁
字解 빛날엽 번쩍번쩍 빛나는 모양. 曄(日부 12획〈514〉)과 통용. '——'. '—然玉質而金色'《劉基》.
字源 形聲. 火+𠌶(曄)〔音〕

火12〔熚〕16 燁(前條)과 同字

火 12 〔燃〕 16 [高·人] 연 [平]先 | rán ネン もえる, もやす

[筆順] 丷 火 炒 炒 炒 燃 燃 燃

[字解] ①탈연, 사를연 불에 탐. 불사름. 불을 땜. 본디, 然(火부 8획〈716〉)의 俗字. '一燒'. '一料'. '然, 說文, 燒也. 俗作一'《廣韻》. ②성연 성(姓)의 하나.

[字源] 形聲. 火+然〔音〕

火 12 〔燈〕 16 [中·人] 등 [平]蒸 | dēng トウ ともしび

[筆順] 丷 火 炒 炒 炒 燈 燈 燈

[字解] ①등등, 등잔등 '一火'. '上元然一'《春明退朝錄》. ②초등 심지를 한가운데 박은, 불을 켜는 물건. '翦一短'(초의 심지를 짧게 자름)《王君玉雜纂》. ③등불등, 촛불등 '一影'. ④《佛敎》불법등 불교의 도(道). 불교. '法一'. '傳一無白日'《杜甫》.

[字源] 形聲. 火+登〔音〕

[參考] 속(俗)에 灯(火부 2획〈706〉)은 약자로 씀.

火 12 〔燉〕 16 [人名] 돈 [平]元 | dūn, dūn トン ひのいろ

[筆順] 丷 火 炉 炉 焞 焞 燉 燉

[字解] ①불이글이글할돈 불이 성(盛)한 모양. '一, 火熾'《廣韻》. ②불빛돈 불의 색. '一, 火色'《廣韻》.

[字源] 形聲. 火+敦〔音〕

火 12 〔燋〕 16 [一] 초 [平]蕭 [二] 착 [入]覺 | jiāo ショウ こげる, こがす zhuó サク ひをつけないたいまつ

[字解] [一] ①그슬릴초, 그스를초 焦(火부 8획〈716〉)와 통용. '焚地一草'《管子》. ②횃불초 홰에 붙인 불. 거화(炬火). '以明火爇一'《周禮》. [二] 불안켠초착 아직 불을 켜 놓지 않은 초. '執燭抱一'《禮記》.

[字源] 形聲. 火+焦〔音〕

火 12 〔燎〕 16 료 [去]嘯 | liào リョウ かがりび

[字解] ①화톳불료 한데 놓은 불. '一火'. '庭一之光'《詩經》. ②불놓을료 불을 지름. '民所一矣'《詩經》. ③탈료 연소함. '若火之一于原'《書經》. ④밝을료 밝은 모양. '一朗'. '佼人一兮'《詩經》. ⑤말릴료 불에 쬐어 말림. '對竈一衣'《後漢書》. ⑥제사이름료 섶을 때어 하늘에 지내는 제사. '郊一之禮'《晉書》. ⑦야화(野火)료 들에 놓은 불. '一之方揚'《詩經》.

[字源] 形聲. 火+尞(寮)〔音〕

火 12 〔燐〕 16 린 [去]震 [平]眞 | lìn リン りん, おにび

[字解] ①인린 비금속(非金屬) 원소의 하나. '赤一'. '黃一'. ②도깨비불린 인(燐)에서 나는 불. 귀화(鬼火). 粦(火부 10획〈720〉)·粦(米부 6획〈969〉)과 同字. '久血爲一'《淮南子》. ③반딧불린 형화(螢火). '熠燿, 一也. 一, 螢火也'《詩經 傳》.

[字源] 形聲. 火+粦〔音〕

火 12 〔燒〕 16 [高·人] 소 [平]蕭 [去]嘯 | ①-③shāo ショウ やく ④⑤shào ショウ のび

[筆順] 丷 火 灶 炷 烓 焼 燒 燒

[字解] ①불사를소 태움. '一却'. '因一其券'《戰國策》. ②탈소 불탐. '一失'. '薰以香自一'《漢書》. ③익힐소 불에 익게 함. '上自一二梨, 以賜之'《鄴侯家傳》. ④불날소 화재가 일어남. 야화(野火)가 일어남. '齊之北澤一'《管子》. ⑤야화(野火)소 들에서 타는 불. '夕照紅於一'《白居易》.

[字源] 形聲. 火+堯〔音〕

火 12 〔燔〕 16 번 [平]元 | fán ハン やく, ひもろぎ

[字解] ①사를번 불사름. '或一或炙'《詩經》. ②제육(祭肉)번 膰(肉부 12획〈1090〉)과 통용. '一肉'. '與執一焉'《左傳》.

[字源] 形聲. 火+番〔音〕

火 12 〔燓〕 16 〔분〕 焚(火부 8획〈715〉)과 同字

火 12 〔燖〕 16 [一] 심 [平]侵 [二] 섬 [平]鹽 | xún ジン にる qián セン ゆびく

[字解] [一] ①삶을심 음식을 삶음. '以炮以一'《路史》. ②데울심 따뜻하게 함. '若可一也, 亦可寒也'《儀禮 註》. [二] 삶을섬 고기를 끓는 물에 삶음. '膚豕肉也, 惟一者有膚'《儀禮 註》.

[字源] 形聲. 火+尋〔音〕

火 12 〔熷〕 16 증 [平]蒸 | zēng ソウ やく, むす

[字解] 고기대속에넣어구울증 고기나 물고기를 대통 속에 넣어서 불에 구움. '一, 蜀人取生肉於竹中炙'《廣韻》.

[字源] 形聲. 火+曾〔音〕

火 12 〔𤎯〕 16 熷(前條)의 本字

火 12 〔燆〕 16 효 [平]蕭 | qiāo キョウ ひがひらめく

[字解] ①불번득일효 불이 번득거림. '一, 火行'《集韻》. ②불길효 화염(火焰). 熇(火부 10획〈720〉)와 同字. ③뜰효 제 몸의 훈김으로 열이 나서 썩기 시작함. '幣帛一蠹而不服矣'《戰國策》.

火 12 〔燍〕 16 사 [平]支 | sī シ こげくさい

[字解] 화독내날사 '一, 火焦臭也'《集韻》.

火 12 〔燗〕 16 란 [去]翰 | làn ラン にる

[字解] 삶을란 爛(火부 17획〈730〉)과 同字. '一, 火熟也. …爛或从閒'《說文》.

火 12 〔燜〕 16 민 | mèn モン むしにする

[字解] 찔민 뭉근한 불로 찜. '一, 俗以微火久煮食物不使洩氣者曰一'《中華大字典》.

火 12 〔[illegible]〕 16 혹 | huò ワク ほしのな

[字解] 별이름혹 '熒一'은 별의 이름. '四方上下左右前後, 熒一之處安在'《鬼谷子》.

火 12 〔燏〕 16 율 [入]質 | yù イツ ひのひかり

[字解] ①불빛율 '一, 火光'《廣韻》. ②빛의모양율 불빛의 모양. '一, 火光皃'《集韻》.

火 12 〔[illegible]〕 16 〔연〕 煙(火부 9획〈717〉)의 本字

火 12 〔[illegible]〕 16 〔전〕 腆(肉부 13획〈1094〉)과 同字

火 12 〔燚〕 16 일 [入]質 | yì イツ ひのさま

[字解] 불의모양일 불타는 모양. '一, 火貌'《玉音篇海》.

火 12 〔[illegible]〕 16 〔조〕 燥(火부 13획〈727〉)의 俗字

火 12 〔熺〕 16 [人名] 〔희〕 熹(火부 12획〈726〉)와 同字

[筆順] 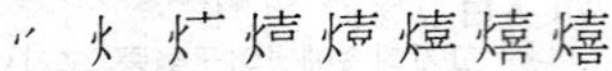

火 12 〔燑〕 16 〔동〕 烔(火부 6획〈711〉)과 同字

火 12 〔[illegible]〕 16 〔연〕 煙(火부 9획〈717〉)의 籀文

火 12 〔燙〕 16 탕 [去]漾 | tàng トウ あたためる

[字解] ①씻을탕 헹구어 씻음. '一, 滌一也'《篇海》. ②데울탕 끓는 물에 물건을 데움. '俗謂以熱水溫物曰一. 如一酒之類'《中華大字典》. ③손쬘탕 손을 불에 쬠. 또, 끓는 물이나 불에 뎀. '俗又謂炙手曰一. 故湯火灼肌膚, 亦曰一'《中華大字典》.

[字源] 形聲. 火＋湯〔音〕

火 12 〔[illegible]〕 16 안 [去]諫 [去]翰 | yàn ガン ひのいろ

[字解] ①불빛안 '一, 火色也'《說文》. ②불암 '一, 火也'《玉篇》. ③거짓안 위조한 물건. 贋(貝부 12획〈1400〉)과 同字.

[字源] 形聲. 火＋雁〔音〕

火 12 〔[illegible]〕 16 〔치〕 炽(火부 7획〈714〉)의 本字

火 12 〔[illegible]〕 16 〔열〕 熱(火부 11획〈723〉)의 本字

火 12 〔[illegible]〕 16 〔전〕 煎(火부 9획〈719〉)의 本字

火 12 〔[illegible]〕 16 〔주〕 鑄(金부 14획〈1586〉)의 古字

火 12 〔[illegible]〕 16 〔수〕 燧(火부 13획〈727〉)와 同字

火 12 〔熹〕 16 [人名] 희 [平]支 | xī キ さかん, かすか

[筆順] 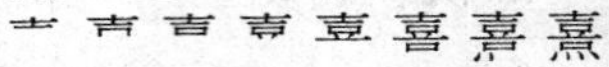

[字解] ①성할희 왕성함. 은성(殷盛)함. '改元延一'《後漢書》. ②희미할희 햇빛이 밝지 아니함. '恨晨光之一微'《陶潛》. ③밝을희 광명(光明)이 있음. '東暾淡未一'《楊萬里》.

[字源] 形聲. 灬(火)＋喜〔音〕

[參考] 熺(火부 12획〈726〉)는 同字.

火 12 〔[illegible]〕 16 熹(前條)의 本字

火 12 〔燕〕 16 [高·人] 연 [去]霰 [平]先 | ①-③yàn エン つばめ ④⑤yān エン くにのな

[筆順] 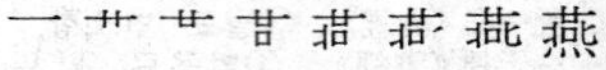

[字解] ①제비연 현조(玄鳥). '一巢'. '一雀安知鴻鵠之志'《史記》. ②잔치연, 잔치할연 주연(酒宴). 주연을 베풂. 醼(酉부 16획〈1544〉)과 同字. '一遊'. '雖一必冠'《漢書》. ③편안할연, 편안히할연 한가하여 심신이 편안함. 또, 심신을 편안하게 함. '一居'.

'一息'. '以一天子'《詩經》. ④연나라연 주(周)나라의 제후국(諸侯國)의 하나. 소공(召公) 석(奭)이 시조(始祖)이며, 전국 칠웅(戰國七雄)의 하나로서, 진(秦)나라에 멸망당하였음. (?-B.C. 222) 그 영토가 하북성(河北省) 지방이었으므로, 전(轉)하여, 그 지방의 별칭으로 되었음. '齊人伐一, 勝之'《孟子》. ⑤성연 성(姓)의 하나.
字源 象形. 제비의 상형. 가차하여, '연회(宴會), 편안'의 뜻을 나타냄.

火 12 〔爕〕 16 燕(前條)의 本字

火 13 〔營〕 17 高·人 ㊀영 ㊥庚 yíng エイ いとなむ ㊁형 ㊥青 cuō ケイ いいとく
筆順 丶 火 炏 熒 營 營 營 營
字解 ㊀①경영할영 ㉠가업(家業)을 영위함. '不是一生拙'《杜旬鶴》. ㉡맡아 함. '執正一事'《淮南子》. ②지을영 집 같은 것을 지음. '一造'. '經之一之'《孟子》. ③꾀할영 계획함. '一私'. '饋遺朝貴, 以一譽'《世說》. ④다스릴영 ㉠나라를 다스림. '召伯一之'《左傳》. ㉡병을 다스림. '王顯以一療之功, 封衞南伯'《魏書》. ⑤경영영 영위(營爲)하는 바. '無一無欲'《束晳》. ⑥진영영 군루(軍壘). '兵一'. '馳從, 儳道歸一'《後漢書》. ⑦집영 주택. '室一'. '冬則居一窟'《禮記》. ⑧갈영 경작함. '菁藋是一'《楚辭》. ⑨두려워할영 황공(惶恐)함. '屛一'. '正一'. ⑩오락가락할영 왕래하는 모양. '一一青蠅'《詩經》. ⑪잴영 측량함. '一丘壟之小大·高卑·薄厚之度, 貴賤之等級'《呂氏春秋》. ⑫현혹할영, 현혹하게할영 혹란(惑亂)함. 또, 혹란하게 함. '一亂'. '一惑耳目'《漢書》. ⑬별이름영 '絕漢抵一室'〈절한(絕漢)은 은하수를 건너감〉《十八史略》. ⑭고을이름영 순(舜)임금 때의 십이주(十二州)의 하나. 지금의 산동성(山東省)의 북부. '齊曰一州'《爾雅》. ⑮성영 성(姓)의 하나. ㊁변명할형 변해함. '口將一之'《莊子》.
字源 形聲. 宮+熒〈省〉〔音〕

火 13 〔燤〕 17 ㊀대 ㊤隊 tài タイ けむるさま ㊁렬 ㊇屑 liè レツ ひがきえる
字解 ㊀연기날대 연기가 나는 모양. '一, 一炮, 煙皃'《集韻》. ㊁불꺼질렬 타던 불이 꺼짐. '一, 火斷也'《類篇》.

火 13 〔爕〕 17 섭 ㊇葉 xiè ショウ にる
字解 삶을섭, 삶길섭 잘 삶음. '一, 大熟也'《說文》.
字源 會意. 又+炎+辛

〔營〕 〔영〕 言부 10획(1348)을 보라.

火 13 〔燮〕 17 人名 섭 ㊇葉 xiè ショウ やわらぐ
筆順 一 ㅋ 言 ′言 焐 燃 燮 燮
字解 ①화할섭 조화(調和)함. '一理'. '一友柔克'《書經》. ②불에익힐섭 속(俗)에 '불꽃섭'으로 훈(訓)함. ③성섭 성(姓)의 하나.
字源 會意. 본래 '燮'으로 又+炎+辛. '辛'이 '𢆉'으로 변형하여 '言'이 되었음.

火 13 〔燠〕 17 ㊀욱 ㊇屋 yù イク あたたかい ㊁오 ㊥尤 ào ユウ くつうをなぐさめる
字解 ㊀따뜻할욱 온난함. '曰寒, 曰一'《書經》. ㊁위로할오 고통을 가엾이 여겨 위로함. '民人痛疾, 而或一休之'《左傳》.
字源 形聲. 火+奧〔音〕

火 13 〔燥〕 17 高·人 조 ㊤號 ㊦晧 zào ソウ かわく, かわかす
筆順 ′ 火 炉 炉 焜 焜 焊 燥
字解 ①마를조 건조함. '火就一'《易經》. ②말릴조 건조시킴. '一萬物者, 莫熯乎火'《易經》.
字源 形聲. 火+喿〔音〕

火 13 〔燦〕 17 人名 찬 ㊤翰 càn サン あきらか
筆順 ′ 火 火 炉 炒 燦 燦 燦
字解 빛날찬 광휘가 번쩍이는 모양. '一爛'. '煥一'《齊東野語》.
字源 形聲. 火+粲〔音〕

火 13 〔燧〕 17 수 ㊤寘 suì スイ ひとり, のろし
字解 ①부싯돌수 불을 일으키는 돌이나 나무 또는 금속. '鑽一改火, 期可已矣'《論語》. ②봉화수 적의 침입을 경보(警報)하는 불. '一烽'. '爲烽一大鼓'《史記》.
字源 形聲. 火+遂〔音〕

火 13 〔燹〕 17 燧(前條)와 同字

火 13 〔燬〕 17 훼 ㊦紙 huǐ キ ひ
字解 불훼, 탈훼 열화(烈火). 또, 열화에 탐. '王室如一'《詩經》.

字源 形聲. 火+毁〔音〕

火13 〔燭〕17 高·人 촉 入沃 | zhú ショク ろうそく

筆順 丶 火 炉 炉 炉 烔 燭 燭

字解 ①초촉 심지를 한가운데에 박은, 불을 켜는 물건. '一淚在地, 往往成堆'《歸田錄》. ②촛불촉, 등불촉 '燈一'. '秉一夜遊'《李白》. ③비칠촉, 비출촉 '日月所一'《漢書》. ④성촉 성(姓)의 하나.
字源 形聲. 火+蜀〔音〕

火13 〔爊〕17 오 平豪 | āo オウ やく

字解 구울오 잿불 속에 묻어서 익힘. 熝(火부 15획〈729〉)와 同字. '一, 埋物灰中令熟'《廣韻》.

火13 〔燣〕17 람 上感 | lǎn ラン こげいろ

字解 누렇게눌을람 타서 물건이 누렇게 눌음. '一, 焦黃色'《集韻》.

火13 〔燪〕17 총 平東 | cōng ソウ たいまつ

字解 홰총, 횃불총.

火13 〔燡〕17 역 入陌 | yì エキ ひかる

字解 빛날역 빛나는 모양. 불빛이 심한 모양. '赫一一而爥坤'《王延壽》.

火13 〔燴〕17 회 | huì カイ にえやすい

字解 ①쉬삶아질회 적은 시간 안에 삶아지는 식품(食品). '一, 俗以調和食物, 稍煮卽熟者爲一'《中華大字典》. ②범벅회 녹말가루 따위를 섞어서 곤죽같이 삶은 요리.

火13 〔燞〕17 험 平鹽 | xiān ケン あつい

字解 뜨거울험 '一, 字林, 一熇, 熱也'《集韻》.

火13 〔燎〕17 〔료〕
燎(火부 12획〈725〉)의 本字

火13 〔熏〕17 〔훈〕
熏(火부 10획〈722〉)의 本字

火13 〔爨〕17 〔찬〕
爨(火부 25획〈731〉)의 籒文

火13 〔熬〕17 〔오〕
熬(火부 11획〈723〉)의 本字

〔燓〕〔경〕
木부 14획(587)을 보라.

火14 〔燼〕18 신 去震 | jìn シン·ジン もえのこり

字解 ①탄나머지신 타고 남은 것. '餘一'. '具禍以一'《詩經》. ②나머지신 멸망하였을 때 간신히 살아 남은 일족(一族), 또는 백성. 망국(亡國)의 여민(餘民). '收二國之一'《左傳》.
字源 形聲. 火+盡〔音〕

火14 〔燿〕18 ㊀요 去嘯 | yào(yuè) ヨウ てる, ひかる
㊁삭 入藥 | shuò シャク とかす

字解 ㊀①비칠요, 빛날요 '光一'. '昭一'. '光明之一也'《國語》. ②빛요 광명. '天樞凝一'《宋書》. ㊁녹일삭 爍(火부 15획〈729〉)과 同字. '一金爲刃'《漢書》.
字源 形聲. 火+翟〔音〕

火14 〔爁〕18 람 去勘 | làn ラン さかる

字解 불번질람 불이 연소하는 모양. '火一焱而不滅'《淮南子》.

火14 〔燺〕18 고 上晧 | kǎo コウ かわく, かわかす

字解 마를고, 말릴고 '一, 燥也'《集韻》.

火14 〔爀〕18 人名 혁 入陌 | hè カク ひのいろ

筆順 丶 火 炉 炉 焃 焃 爀 爀

字解 불빛혁 불빛. 또는, 불이 붉은 모양. '一, 火色也'《玉篇》.
字源 形聲. 火+赫〔音〕

火14 〔燻〕18 人名 훈 平文 | xūn クン ふすぶる

筆順 丶 火 炉 炉 炉 煙 燻 燻

字解 ①불길치밀훈 불이 성(盛)한 모양. 熏(火부 10획〈722〉)과 同字. '一灼'. ②연기낄훈, 연기끼울훈 '一製'. ③숨막힐훈 질식함.
字源 形聲. 火+熏〔音〕

火14 〔燹〕18 〔선〕
燹(火부 11획〈722〉)의 本字

火14 〔爈〕18 〔자〕
炙(火부 4획〈708〉)의 籒文

火14 〔燹〕18 선 上銑 | xiǎn セン のび

字解 ①들불선 야화(野火). ②병화선 난리 때문에 일어나는 불. '兵—'. '鬼章兵—'《宋史》. ③봉화선 봉수(烽燧). '煙火高低變烽—'《高啓》.
字源 形聲. 火+豩〔音〕

火14 〔爾〕 18 燹(前條)과 同字

火14 〔戠〕 18 〔치〕 熾(火부 12획〈724〉)의 古字

火14 〔㷷〕 18 픽(벽俗) 入職 | bì ヒョク ひでにくをかわかす
字解 불에고기말릴픽 煏(火부 9획〈719〉)과 同字. '—, 以火乾肉也'《說文》. ※俗音 벽.
字源 形聲. 火+畐〔音〕

火14 〔熛〕 18 표 平蕭 | biāo ヒョウ かるい
字解 가볍고연할표 '輕—用犬'《周禮》.

火14 〔㶾〕 18 표 平蕭 去嘯 | biāo ヒョウ とびひ
字解 ①불똥표, 불똥튈표 熛(火부 11획〈722〉)와 同字. '—, 火飛也'《說文》. ②가벼울표 가볍고 날카로움. '引申爲凡輕銳之偁'《說文 段注》.
字源 會意. 火+㒒

火14 〔燾〕 18 人名 도 去號 | dào トウ おおう
筆順 一 十 圭 圭 壽 壽 壽 燾
字解 ①덮을도 幬(巾부 14획〈339〉)와 同字. '伊我皇之仁德兮, 配—育於二儀'《傅咸》. ②비출도 온통 덮어 비춤. '周公盛, 魯公—'《公羊傳》.
字源 形聲. 灬(火)+壽〔音〕

火15 〔爆〕 19 高·人 ㊀폭 去效 (포本) | bào ホウ·バク はじける ㊁박 入覺 | bó ハク やく
筆順 丶 火 炉 焊 焊 煤 爆 爆
字解 ㊀터질폭 화력으로 갈라짐. 또는, 폭발함. '—裂'. '—見兆'《白虎通》. '—, 火裂'《廣韻》. ※本音 포. ㊁지질박 불로 지짐. '靈蚰以神見—'《新論》.
字源 形聲. 火+暴〔音〕

火15 〔爊〕 19 오 平豪 | āo オウ まるやきにする
字解 구울오 ㉠싸서 구움. ㉡고기를 털이 붙은 채로 구움. '炰, 毛炙肉也. 卽今所謂—也'《漢書 注》.

火15 〔爍〕 19 삭 入藥 | shuò シャク ひかる
字解 ①빛날삭 빛을 발함. '—爚'. '雲濛濛兮電儵—'《王逸》. ②태울삭 연소시킴. '金火相—, 水火相煎'《晉書》. ③녹일삭 鑠(金부 15획〈1588〉)과 통용. '—金以爲刃'《周禮》.
字源 形聲. 火+樂〔音〕

火15 〔爈〕 19 려 平魚 | lǜ リョ やく
字解 ①태울려 '—, 燒也'《集韻》. ②산불려 산이 불탐. 또, 그 불. '山火曰—'《集韻》.
字源 形聲. 火+慮〔音〕

火15 〔爄〕 19 절 入屑 | jié セツ もえのこり
字解 촛불똥절 촛불이 타다 남은 꼬투리. '—, 燭燼'《集韻》.

火15 〔爄〕 19 ㊀례 去霽 | lì レイ ひをけす ㊁렬 入屑 | liè レツ ひがきえる
字解 ㊀불끌례 '—, 止火'《集韻》. ㊁불꺼질렬 불이 꺼짐. '—, 火斷也'《集韻》.

火15 〔爌〕 19 황 ①去漾 | kuàng コウ あきらか ②上養 | kuǎng コウ ひろくあきらか
字解 ①밝을황 曠(日부 15획〈516〉)과 同字. '—, 光明'《玉篇》. ②넓고밝을황 '—, 寬明皃'《集韻》.
字源 形聲. 火+廣〔音〕

火15 〔㸅〕 19 멱 入錫 | mì ベキ·ミャク チーズ
字解 건락멱 '—䰛'는 건락(乾酪). 치즈. '燒—䰛'《漢書》.

火15 〔爕〕 19 〔섭〕 燮(火부 13획〈727〉)의 俗字

火15 〔爇〕 19 설 入屑 | ruò(rè) ゼツ·ネツ やく
字解 사를설 불사름. '入火不—'《史記》.
字源 形聲. 灬(火)+蓺〔音〕

火15 〔爇〕 19 爇(前條)의 俗字

火15 〔爗〕 19 〔휘〕 煇(火부 9획〈717〉)와 同字

火16 〔㸌〕 20 〔섬〕 燂(火부 12획〈724〉)과 同字

火16 〔爋〕20 훈 [去]問 | xūn クン ひでかわかす

[字解] 불에말릴훈 불로 물건을 말림. 熏(火부 10획〈722〉)의 俗字. '一, 火乾物也'《字彙》.

火16 〔爐〕20 [高·人] 로 [平]虞 | lú ロ いろり

[筆順] 火 火⺊ 炸 爈 爈 爈 爐 爐

[字解] 화로로 불을 사르거나 또는 담아 놓는 그릇. '香一'. '一邊'. '以鴻毛燎于一炭之上'《史記》.
[字源] 形聲. 火＋盧〔音〕
[參考] 炉(火부 4획〈708〉)는 俗字.

火16 〔爓〕20 [一] 염 [去]豔 | yàn エン ほのお
[二] 섬 [平]鹽 | qián セン ゆでる

[字解] [一] 불꽃염 炎(火부 4획〈707〉)·燄(火부 12획〈724〉)과 同字. '吐一生風'《班固》. [二] 삶을섬 끓는 물에 넣어 익힘. '三獻一'《禮記》.
[字源] 形聲. 火＋閻〔音〕

火16 〔爗〕20 엽 [入]葉 | yè ヨウ かがやく

[字解] 빛날엽 燁(火부 12획〈724〉)과 同字. '華一一'《漢書》.
[字源] 形聲. 火＋曅〔音〕

火16 〔爏〕20 력 [入]錫 | lì レキ ひのさま

[字解] 불모양력 불의 모양.

火16 〔⿰火閹〕20 업 [入]葉 | yé ヨウ くらい

[字解] 어두울업 '一, 火不明'《集韻》.

火16 〔爔〕20 [人名] 희 [平]支 | xī き ひ, にっこう

[筆順] 火 火⺷ 火⺶ 烊 烊 爔 爔 爔

[字解] ①불희 '一, 火也'《玉篇》. ②햇빛희 曦(日부 16획〈516〉)와 同字. '赫一'.

火16 〔爖〕20 롱 [平]東 | lóng ロウ ひのさま

[字解] 불모양롱 '一, 火皃'《玉篇》.

火16 〔⿰火𦎫〕20 〔퇴〕
焞(火부 8획〈715〉)의 本字

火16 〔⿰炙番〕20 번 [平]元 | fán ハン ひもろぎ

[字解] 제육번 삶은 제육(祭肉). 膰(肉부 12획〈1090〉)과 同字. '一, 宗廟火熟肉'《說文》.
[字源] 形聲. 炙＋番〔音〕

火16 〔⿰炙尞〕20 료 [上]篠 | liǎo リョウ あぶる

[字解] 구울료 불에 쬐어 구움. '一, 炙也'《說文》.
[字源] 形聲. 炙＋尞(寮)〔音〕

火16 〔⿱癶⿰火火〕20 〔불〕
⿱癶火(火부 8획〈716〉)의 本字

火16 〔⿰阝⿱㒸炎〕20 〔수〕
燧(火부 13획〈727〉)와 同字

火16 〔⿰龠亢〕20 약 [入]藥 | yuè ヤク あおぐ

[字解] 우러를약 ⿰龠亢(龠부 4획〈1895〉)과 同字. '⿰龠亢, 仰也, 或从龠'《集韻》.

火16 〔⿱⿰呂呂⿰火火〕20 〔업〕
業(木부 9획〈565〉)의 古字

火17 〔爚〕21 [一] 약 [入]藥 | yuè ヤク ひかり
[二] 삭 [入]藥 | shuò シャク ひかり

[字解] [一] ①빛약 광휘. '彌融一以隱處'《史記》. ②빛날약 광휘를 발함. '功牌銀爍一'《楊愼》. [二] 삭 ■과 뜻이 같음.
[字源] 形聲. 火＋侖〔音〕

火17 〔爛〕21 [人名] 란 [去]翰 | làn ラン ただれる

[筆順] 火 灯 炉 燗 燗 燗 爛 爛

[字解] ①문드러질란 ㉠화상(火傷)을 입어 살결이 문드러짐. '一死'. '邾子自投于牀, 廢于鑪炭一'《左傳》. ㉡썩어 문드러짐. '腐一'. '魚一而亡'《公羊傳》. ㉢너무 익어 문드러짐. 무르녹음. '熟而不一'《呂氏春秋》. ㉣부서짐. 궤파(潰破)함. '肌膚刻一'《蜀志》. ㉤고민하고 애통함. '心一形燋'《齊書》. ②문드러지게할란 전항(前項)의 타동사. '糜一'. '煎沙一石'《說苑》. ③고울란 선명한 모양. '錦衾一兮'《詩經》. ④빛날란 빛이 번쩍번쩍하는 모양. '明星有一'《詩經》.
[字源] 形聲. 篆文은 火＋蘭〔音〕

火17 〔⿰火⿱日華〕21 〔엽〕
燁(火부 12획〈724〉)의 本字

火17 〔⿰炙寮〕21 〔료〕
⿰炙尞(火부 16획〈730〉)의 本字

火17 〔⿰阝⿱㒸炎〕21 〔수〕
⿰阝⿱㒸火(火부 12획〈726〉)의 本字

火18 〔爝〕22 [一] 작 [入]藥 | jué シャク かがりび
[二] 조 [去]嚼 | jiào ショウ かがりび

[字解] [一] ①횃불작 홰에 붙인 불. '日月出矣, 而一火不息'《莊子》. ②비칠작 광휘를 발함. '一以爝火'《呂氏春秋》. [二] 횃불조, 비칠조 [一]과 뜻이 같음.
[字源] 形聲. 火＋爵〔音〕

火18 〔爟〕22 관 [去]翰 | guàn カン のろし

[字解] ①봉화관 봉수(烽燧). '一火通於灞上'《庾信》. ②화톳불관 요화(燎火). '田燭置, 一火通'《顏延之》.
[字源] 形聲. 火＋雚〔音〕

火18 〔爞〕22 충 [平]東 | chóng チュウ ふすべる, あつい

[字解] ①그슬릴충 불에 그슬림. '一, 熏也'《玉篇》. ②가뭄더위충 가뭄의 더위. '自冬及春暮, 不雨旱一一'《白居易》.
[字源] 形聲. 火＋蟲〔音〕

火18 〔爆〕22 〔폭〕
爆(火부 15획〈729〉)의 本字

火18 〔爡〕22 섭(녑[本]) [入]葉 | niè ジョウ あたたか

[字解] 따뜻할섭 '一, 煠也'《集韻》. ※本音 녑.

火18 〔爂〕22 〔표〕
熛(火부 11획〈722〉)의 本字

火19 〔爢〕23 미 [平]支 | mí ビ·ミ ただれる

[字解] ①문드러질미 '一, 爛也'《說文》. ②익을미 '一, 熟也'《廣雅》.
[字源] 形聲. 火＋靡〔音〕

火19 〔爢〕23 爢(前條)와 同字

火19 〔爨〕23 〔연〕
然(火부 8획〈716〉)의 古字

火19 〔爨〕23 〔연〕
然(火부 8획〈716〉)의 古字

火20 〔爣〕24 당 [上]養 | tǎng トウ ひのひかりのひろくあきらかなさま

[字解] 불빛밝을당 '一朗'은 불빛이 넓고 밝은 모양. '一, 一朗, 火光寬明'《廣韻》.

火20 〔爒〕24 〔조〕
燰(火부 11획〈722〉)의 本字

火21 〔爥〕25 〔촉〕
燭(火부 13획〈728〉)과 同字

火21 〔爤〕25 〔란〕
爛(火부 17획〈730〉)의 本字

火21 〔爦〕25 〔섬〕
燂(火부 12획〈724〉)의 本字

火21 〔爧〕25 〔픽〕
㷩(火부 14획〈729〉)의 籒文

火24 〔爨〕28 〔초〕
焦(火부 8획〈716〉)와 同字

火25 〔爨〕29 찬 [去]翰 | cuàn サン かまど, かしぐ

[字解] ①부뚜막찬 아궁이 위의 솥을 걸게 된 데. '執一踖踖'《詩經》. ②불땔찬, 밥지을찬 불을 때어 밥을 지음. '一炊'. '以釜甑一'《孟子》.
[字源] 會意. 𦥑＋冖＋林＋廾＋火

火25 〔爨〕29 爨(前條)의 本字

火29 〔爩〕33 울 [入]物 | yù ウツ けぶる

[字解] ①연기낼울 연기가 나거나 끼는 모양. '一, 煙出皃'《玉篇》. ②연기울 '一, 煙氣'《廣韻》.

爪(爫)部
〔손톱조부〕

爪0 〔爪〕4 조 [上]巧 | zhǎo, zhuǎ ソウ つめ

[筆順] 一 厂 爪 爪

[字解] ①손톱조 손가락 끝의 각질부(角質部). '一牙'. '虎無所措其一'《老子》. 또, 기구(器具)의 끝에 달려 물건을 걸거나 긁는 소용을 하는 것. '葩一文畫'《吳志》. ②깍지조 손가락에 끼는 물건. '彈箏者以鹿角爲一, 彈之'《樂錄》. ③긁을조, 할퀼조 손톱으로 긁거나 할퀴. '一其膚, 以驗其生枯'《柳宗元》.
[字源] 象形. 손을 엎어서 밑에 있는 물건을 집어 드는 모양을 본떠, '손톱'의 뜻을 나타냄.
[參考] '爪'를 의부(意符)로 하여, 손으로 잡다의 뜻을 포함하는 문자를 이룸.

爪0 〔爫〕4 '爪'가 글자 머리로 올 때의 자체(字體).

筆順

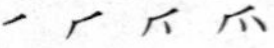

爪0 〔爪〕4 장 ㊤養 zhǎng ショウ もつ, たなごころ

字解 ①가질장 손바닥을 위를 향하게 하여 물건을 잡음. '一, 亦丮也'《說文》. ②손바닥장 掌(手부 8획〈446〉)과 同字.

字源 指事. '爪조'를 반대로 써서, 손을 위로 향하게 하여, 위에 있는 물건을 집다의 뜻을 나타냄.

爪1 〔⿰爪乙〕5 〔규〕 糺(糸부 1획〈980〉)와 同字

爪3 〔⿺乙𠬪〕7 렬 ㊅屑 liè レツ つまむ

字解 집을렬 손가락 끝으로 집음. '一, 撮也'《說文》.

字源 會意. 𠬪+乙. '乙을'은 '己기'로 물건을 나타내며, 손끝으로 물건을 집다의 뜻을 나타냄.

爪4 〔爭〕8 中·人 쟁 ㊥庚 zhēng ソウ あらそう

筆順

字解 ①다툴쟁 ㉠우열·승패를 겨룸. '競一'. '一霸'. '莫與汝一能'《書經》. ㉡앞을 다툼. '一窺'. '士一趨燕'《十八史略》. ㉢옳고 그름을 말하여 싸움. 말다툼함. '一議'. '滕侯薛侯來朝一長'《左傳》. ㉣서로 빼앗음. '姦邪比周, 欺上蔽主, 以一爵祿'《說苑》. ㉤하소연함. 소송함. '守約而一'《漢書》. ②간할쟁 諍(言부 8획〈1336〉)과 同字. '一臣'. '父有一子, 則身不陷於不義'《孝經》. ③다투게할쟁 '一民施奪'《大學》. ④다툼쟁 '分一辨訟'《禮記》. ⑤어찌쟁 어찌하여. 반어(反語)로서 속어(俗語)이며, 당시(唐詩)에 많이 쓰임. '一如'·'一若'으로 연용(連用)하기도 함. 怎(心부 5획〈381〉)과 뜻이 같음. '徘徊一忍忙歸去'《呂濱老》.

字源 會意. 𠬪+厂

爪4 〔⿱爫壬〕8 ㊀음 ㊥侵 yín イン ちかづきもとめる ㊁임 ㊥侵 ジン ちかづきもとめる

字解 ㊀①다가가바랄음 요행을 바람. '一, 近求也'《說文》. ②탐할음 '一, 貪也'《廣韻》. ㊁ 다가가바랄임, 탐할임 ㊀과 뜻이 같음.

字源 會意. 爪+壬

爪4 〔⿱爫为〕8 〔위〕 爲(爪부 8획〈733〉)의 古字

〔受〕 〔수〕 又부 6획(142)을 보라.

〔采〕 〔채〕 采부 1획(1546)을 보라.

爪4 〔爬〕8 파 ㊥麻 pá ハ かく

字解 ①긁을파 ㉠손톱으로 긁음. '一羅剔抉'《韓愈》. ㉡가려운 데를 긁음. '一背向陽眠'《白居易》. ②잡을파 把(手부 4획〈430〉)와 통용. ③길파 기어감. '今謂手行曰一'《新方言》. ④성파 성(姓)의 하나.

字源 形聲. 爪+巴〔音〕

爪5 〔爰〕9 원 ㊥元 yuán エン ここに

字解 ①이에원 이리하여. '一居一處'《詩經》. ②성낼원 화냄. '一, 恚也, 楚曰一'《揚子方言》. ③바꿀원 교환함. '一書'. '晉於是乎作一田'《左傳》. ④느즈러질원 서완(徐緩)한 모양. '有兔一一'《詩經》. ⑤성원 성(姓)의 하나.

字源 象形. 손을 뻗어서 물건을 끌어당기는 모양을 본떠 '당기다'의 뜻으로 씀. 가차하여, '이에, 아아'의 뜻으로 사용함.

爪5 〔爯〕9 칭 ㊥蒸 ①②chēng ショウ あわせあげる ㊅徑 ③④chèng ショウ おおきい

字解 ①겹쳐들칭 두 개를 함께 듦. '一, 幷擧也'《說文》. ②이름칭, 칭찬칭 偁(人부 9획〈63〉)과 통용. ③클칭 '一, 大也'《集韻》. ④들칭 들어 올림. '一, 擧也'《集韻》.

字源 會意. 爪+冓〈省〉

爪5 〔⿱爫⿱己又〕9 렬 ㊅屑 liè レツ つまむ

字解 잡을렬 손끝으로 물건을 잡음. '一, 撮也'《說文》.

字源 指事. '𠬪표'(두 손을 아래위에서 합친 모양)로 '己기'(물건)를 잡다의 뜻을 나타냄.

爪5 〔⿱爫示〕9 〔부〕 孚(子부 4획〈270〉)의 古字

爪5 〔⿱爫⿱一又〕9 도 ㊦號 dào トウ せい

字解 성도 성(姓)의 하나. '一, 姓也, 出河內'《廣韻》.

爪6〔㸚〕10 은 ①㊀震 ①㊤吻 ②㊀問 | yǐn イン よる / イン よる / イン よりどころ

字解 ①기댈은 의지할 데가 있음. '一, 有所依也'《說文》. ②의지은 기댈 데. '一, 所依據也'《廣韻》.
字源 會意. 爪＋工＋彐

爪6〔爱〕10 〔애〕 愛(心부9획〈398〉)의簡體字

〔奚〕 〔해〕 大부 7획(236)을 보라.

爪7〔爰〕11 𤔔(次條)의 古字

爪8〔𤔔〕12 란 ㊀翰 | luàn ラン おさめる

字解 다스릴란 亂(乙부 12획〈24〉)과 同字.
字源 象形. 물레에 건 실을 양손으로 당겨 엉클어지게 하는 모양을 본떠, '어지러워지다'의 뜻을 나타냄. '다스리다'의 뜻이 된 것은 '司사'의 古文 '𤔔사'와의 혼란에서 말미암은 것이 아닌가 여겨짐.

〔覓〕 〔멱〕 見부 4획(1296)을 보라.

爪8〔爲〕12 中·人 위 ①-⑩㊥支 ⑪-⑭㊀寘 | wéi イ なす / wèi イ ために

筆順 一 厂 爫 爫 爲 爲 爲 爲

字解 ①할위 ㉠행함. '一政'. '一之難'《論語》. ㉡…라 이름. '一一乾豆, 二一賓客'《穀梁傳》. '曾是以一孝乎'《論語》. ②만들위, 지을위 ㉠제작함. '以一樂器'《周禮》. ㉡시문(詩文)을 지음. '王使屈原一之'《史記》. ③다스릴위 ㉠백성·나라를 다스림. '何以一民'《左傳》. ㉡병을 다스림. '疾不可一也'《國語》. ④배울위 학습함. '女一周南召南矣乎'《論語》. ⑤생각할위 …라고 생각함. '百姓皆以王一愛也'《孟子》. ⑥삼을위 간주(看做)함. '乾一馬'《易經》. ⑦체할위 가장함. '佯一不知永巷, 而入其中'《史記》. ⑧행위위 동작. '羞前之一'《韓愈》. ⑨될위 ㉠일정한 형태가 이루어짐. '一人敏給'《史記》. '重一輕根, 靜一躁君'《老子》. ㉡당함. '皆一殺戮'《史記》. ⑩성위 성(姓)의 하나. ⑪위할위 …을 위하여. '一國'. '一人謀而不忠乎'《論語》. ⑫위하여할위 위하여 꾀함. 위하여 행함. '求忠而自一'《史記》. ⑬도울위 보좌함. '夫子一衞君乎'《論語》. ⑭더불어위 …와 더불어. '寡人獨一仲父言'《韓詩外傳》.

字源 甲骨文은 會意로서, 爪＋象
參考 為(火부 5획〈710〉)는 俗字.

爪9〔畐〕13 〔복〕 福(示부 9획〈891〉)과 同字

〔愛〕 〔애〕 心부 9획(398)을 보라.

爪11〔𤔔〕15 〔란〕 𤔔(爪부 8획〈733〉)의 本字

爪11〔䜌〕15 〔련〕 䜌(言부 12획〈1356〉)의 古字

爪12〔觴〕16 〔상〕 觴(角부 11획〈1310〉)의 籀文

爪13〔𤔲〕17 ㊀ 司(口부 2획〈146〉)의 古字 ㊁ 辭(辛부 12획〈1485〉)의 籀文

爪13〔爵〕17 爵(次條)과 同字

爪14〔爵〕18 高·人 작 ㊀藥 | jué シャク すずめ, さかずき

筆順 爫 爫 爫 爫 爫 爵 爵 爵

字解 ①참새작 雀(隹부 3획〈1629〉)과 통용(通用). '爲叢敺一者鸇也'《孟子》. ②잔작 참새 부리 모양을 한 술잔. '乃羞無算一'《儀禮》. 전(轉)하여, 술잔의 범칭(泛稱). '王予之一'《左傳》. ③벼슬작 신분(身分)의 계급. '公一'. '一位'. '序一, 所以辨貴賤'《中庸》. ④벼슬줄작 위계(位階)를 수여함. '一之大夫'《史記》.
字源 甲骨文·金文은 象形. 참새 모양의 의식용(儀式用) 주기(酒器) 모양을 본떠, '술잔'의 뜻을 나타냄.

父　部

〔아비부부〕

父0〔父〕4 中·人 ㊀부 ㊤麌 | fù フ ちち / ㊁보 ㊤麌 | fǔ フ·ホ あざな

筆順 ノ ハ ク 父

字解 ㊀아비부 아버지. '嚴一'. '一之讎'《禮記》. 전(轉)하여, 남성인 연장자의 일컬음. '一老'. '漁一'. '與禍之一睨之'《左傳》. ㊁자(字)보 남자(男子)에 대한 미칭

(美稱). 甫(用부 2획〈793〉)와 통용. '尼一'. '尙一'. '壬一'. '昔者, 齊公得管仲, 時以爲仲一'《戰國策》.
字源 象形. 손에 매채를 든 모양을 본떠, 일족(一族)의 통솔자, 아버지의 뜻을 나타냄.
參考 '父'를 의부(意符)로 하여, '부친, 노인'에 관한 문자를 이룸.

父2 〔爷〕6 〔야〕
爺(父부 9획〈734〉)의 簡體字

父4 〔爸〕8 파 ㊄禡 | bà ハ ちち
字解 아비파 아버지의 속어(俗語). '夷語稱老者爲八八, 或巴巴. 後人因加父作一字'《正字通》.
字源 形聲. 父+巴〔音〕

〔斧〕 〔부〕
斤부 4획(493)을 보라.

父6 〔爹〕10 다 ㊤哿 | diē タ ちち
字解 아비다 아버지. 또, 웃어른의 호칭(呼稱). '始興王, 人之一, 赴人急如水火'《南史》.
字源 形聲. 父+多〔音〕

〔釜〕 〔부〕
金부 2획(1549)을 보라.

父9 〔爺〕13 야 ㊀麻 | yé ヤ ちち
字解 아비야 아버지의 속어(俗語). 또, 웃어른. '阿一'. '一一'. '軍書十二卷, 卷卷有一名'《木蘭辭》.
字源 形聲. 父+耶〔音〕

父9 〔爹〕13 자 ㊀麻 | zhē シャ ちち
字解 ①아비자 '一, 父稱'《玉篇》. ②할미의 지아비자 노파(老婆)의 남편. '阿一'. '世謂嫗壻爲阿一'《唐書》.
字源 形聲. 父+者〔音〕

爻(乂)部
〔점괘효부〕

爻0 〔爻〕4 人名 효 ㊀肴 | xiáo ㊄效 | yáo コウ まじわる
筆順 ノ ㄨ 乄 爻
字解 ①사귈효 교착(交錯)함. ②육효효 역(易)의 괘(卦)를 이룬 여섯 개의 가로 그은 획. '⚊'는 양(陽)이고, '⚋'는 음(陰)임. '六一之動, 三極之道也'《易經》. ③성효 성(姓)의 하나.
字源 象形. 팔랑개비처럼 물건을 엮어 맞춘 모양을 본떠, '엇갈리다, 만나다'의 뜻을 나타냄.
參考 주로, 문자 정리상 부수(部首)로 세워짐.

爻4 〔爻爻〕8 ㊀리 ㊤紙 | lǐ り まじわる ㊁이 ㊤紙 | イ まじわる ㊂려 ㊄霽 | lì レイ とどまる
字解 ㊀ ①사귈리 교유(交遊)가 넓음. '一, 二爻也. (段注) 二一者, 交之廣也'《說文》. ②밝을리 창살을 통한 밝음이 선명한 모양. '一, 一尒, 明白'《廣韻》. ㊁ 사귈이, 밝을이 ㊀과 뜻이 같음. ㊂ ①머무를려 '一, 止也'《廣韻》. ②맬려 '一, 系也'《廣韻》. ③사귈려, 밝을려 ㊀과 뜻이 같음.
字源 會意. 爻+爻. '爻효'는 '사귀다'의 뜻. 사귐이 넓다의 뜻을 나타냄.

爻5 〔延〕9 소 ㊀魚 | shū ショ·ソ とおる
字解 ①통할소 이름. '一, 通也'《說文》. ②멀소 '一, 一曰, 遠也'《集韻》. ③성소 성(姓)의 하나.
字源 形聲. 爻+疋〔音〕

爻5 〔俎〕9 〔조〕
俎(人부 7획〈50〉)의 訛字

爻7 〔爽〕11 人名 상 ㊤養 | shuǎng ㊀陽 | ソウ さわやか
筆順 一 厂 ㄨ 㐅 爻 爻爻 爽 爽
字解 ①시원할상 기분이 시원함. '一快'. '飮之神氣淸一'《杜陽雜篇》. ②밝을상 ㉠밤이 새어 밝음. '時甲子昧一'《書經》. ㉡높고 밝음. '請更諸一塏者'《左傳》. ㉢빛나서 밝음. '故有一德'《書經》. ㉣정신이 맑음. '精一'. '玆心不一'《左傳》. ③굳셀상 장건(壯健)함. '英一'. '豪一'. ④어그러질상 사리에 어그러짐. '一德'. '其德不一'《詩經》. ⑤상할상 썩음. '露雞臛蠵厲而不一些'《宋玉》. ⑥성상 성(姓)의 하나.
字源 形聲. 金文은, 日+喪〈省〉〔音〕

爻8 〔爽〕12 爽(前條)과 同字

爻8 〔𤕨〕12 〔귀〕
龜(部首〈1894〉)의 古字

爻 9 〔爽〕13 〔상〕 爽(爻부 7획〈734〉)과 同字

爻 10 〔爾〕14 人名 이 ㊤紙 ěr ジ なんじ

筆順 一 丆 冂 冂 冂 冂 爾 爾

字解 ①너이 이인칭 대명사. '一汝'. '宜一室家'《詩經》. ②같이이 이와 같이. '天之降才一殊'《孟子》. ③그러할이 然(火부 8획〈716〉)과 뜻이 같음. '一則'. '不一'. '同是被逼迫, 君一妾亦然'《古詩》. ④그이 其(八부 6획〈87〉)와 뜻이 같음. '一時'. ⑤이이 此(止부 2획〈603〉)와 뜻이 같음. '公與爲一奈何, 公與議一也'《公羊傳》. ⑥가까울이 邇(辵부 14획〈1509〉)와 통용. '道在一'《孟子》. ⑦뿐이 단지 이에 그친다는 뜻. 耳(部首〈1054〉)와 뜻이 같음. '鬱陶思君一'《孟子》. ⑧어조사이 然(火부 8획〈716〉)·如(女부 3획〈240〉) 등과 같이 형용의 조자(助字)로 쓰임. '徒一'. '蹴一'. '爾毋從從一, 爾毋扈扈一'《禮記》. ⑨성이 성(姓)의 하나.

字源 象形. 아름답고 성(盛)한 꽃의 뜻을 나타냄. 가차하여, 2인칭으로 씀.

爻 11 〔㒩〕15 爾(前條)의 本字

爻 11 〔𤕦〕15 㲎(次條)의 籒文

爻 12 〔㲎〕16 녕 ㊥庚 níng ドウ·ニョウ おさめる

字解 ①다스릴녕, 다스려질녕 '一, 亂也'《說文》. ②막을녕 채워 막음. '一, 一曰, 窒一'《說文》.

字源 會意. 金文은, 衣〈省〉+土+攴. 篆文은 金文의 변형(變形)으로, 爻+工+吅+己.

爿 部

〔장수장변부〕

爿 0 〔爿〕4 장 ㊥陽 qiáng, pán ショウ きぎれ

筆順 丨 ㇉ ㇉ 爿

字解 ①조각장 나무를 두 조각으로 나눈 왼쪽 조각. 片의 대(對). 자형(字形)은 '木'의 전자(篆字) '𣎳'을 양분한 왼쪽임. ②평상장 牀(爿부 4획〈735〉)과 뜻이 같음. '臣鍇曰, 一則牀'《說文》.

字源 象形. '牀상'의 原字. 침상을 세워 옆에서 본 모양을 본떠, '침상'의 뜻을 나타냄.

參考 항상 문자의 왼쪽 변(邊)의 위치에 오므로 부수(部首)로 세워짐.

爿 1 〔𠀆〕5 〔녁〕 疒(部首〈804〉)의 本字

〔壯〕〔장〕 士부 4획(225)을 보라.

〔妝〕〔장〕 女부 4획(243)을 보라.

〔戕〕〔장〕 弋부 4획(358)을 보라.

爿 4 〔牀〕8 人名 상 ㊥陽 chuáng ショウ ねだい

筆順 丨 ㇉ ㇉ 爿 爿 牀 牀 牀

字解 ①평상상 나무로 만든 걸상을 겸한 침상(寢牀). '一几'. '剝一以足'《易經》. ②마루상 집의 널조각으로 바닥을 깔아 놓은 데. '一上安一'. '破一弊席'《北史》. ③우물난간상 정간(井幹). '後園鑿井, 銀作一'《古樂府》.

字源 形聲. 木+爿〔音〕

參考 床(广부 4획〈345〉)은 俗字.

爿 4 〔𤖅〕8 〔장〕 漿(水부 11획〈675〉)의 古字

〔戕〕〔장〕 戈부 4획(421)을 보라.

〔狀〕〔상〕 犬부 4획(747)을 보라.

爿 5 〔牁〕9 가 ㊥歌 gē カ ふなつなぎ

字解 배말뚝가 배를 매 놓는 말뚝. '斫材牂一'《世說》.

字源 形聲. 爿+可〔音〕

爿 5 〔牊〕9 소 ㊥蕭 sháo ショウ ながし

字解 목욕상소 목욕판. '一, 浴牀也'《廣雅》.

爿 6 〔牂〕10 장 ㊥陽 zāng ソウ めひつじ

字解 ①암양장 양의 암컷. '一羊墳首'《詩經》. ②성할장 무성한 모양. '其葉一一'《詩經》. ③배말뚝장 배를 매는 말뚝. '斫材一牁'《世說》.

字源 形聲. 羊＋爿〔音〕

〔將〕〔장〕
寸부 8획(289)을 보라.

爿 7 〔牀〕11 구 ㊥尤|qiú キュウ うつわのあし
字解 그릇발구 그릇을 받치는 발. '一, 廣雅, 牘一, 柎也'《集韻》.

爿 7 〔牆〕11 〔장〕
醬(酉부 11획〈1541〉)의 古字

爿 8 〔牋〕12 잔 ㊤潸|zhàn サン ひつじごや
字解 양의우리잔 양치는 작은 집. 羬(羊부 8획〈1036〉)과 同字. '一, 豢羊屋也, 或从羊'《集韻》.

爿 8 〔牄〕12 〔장〕
莊(艸부 7획〈1141〉)의 古字

爿 8 〔牕〕12 〔장〕
漿(水부 11획〈675〉)의 本字

爿 10 〔牄〕14 창 ㊥陽|qiāng ショウ·ソウ ちょう じゅうがくうこえ
字解 새날아와먹는소리창 '一, 鳥獸來食聲也'
字源 形聲. 倉＋爿〔音〕

〔臧〕〔장〕
臣부 8획(1099)을 보라.

爿 11 〔牆〕15 〔장〕
醬(酉부 11획〈1541〉)의 本字

爿 11 〔牅〕15 〔용〕
墉(土부 11획〈218〉)과 同字

爿 12 〔牆〕16 〔장〕
醬(酉부 11획〈1541〉)의 籀文

爿 12 〔牘〕16 분 ㊥文|fén フン うつわのあし
字解 그릇발분 그릇 밑에 달리어 그것을 받치게 된 짧은 부분. '一, 一牀, 柎也'《集韻》.

爿 13 〔牆〕17 人名 장 ㊥陽|qiáng ショウ かき
筆順 ㇄ 丬 爿 爿 爿 牆 牆 牆
字解 ①담장 집을 흙이나 돌 같은 것으로 둘러막은 것. '一垣'. '峻宇彫一'《書經》. ②경계장 계한(界限). '目短曹劉一'《杜甫》. ③관(棺)옆널장 관(棺)의 방판(傍板). '飾棺一, 置翣'《禮記》.
字源 形聲. 嗇＋爿〔音〕

爿 15 〔牆〕19 牆(前條)의 本字

爿 18 〔牆〕22 牆(前前條)의 籀文

爿 24 〔牆〕28 〔장〕
牆(爿부 13획〈736〉)의 籀文

片 部
〔조각편부〕

片 0 〔片〕4 中人 편 ㊤霰|piàn, piān ヘン かた
筆順 丿 丿' 片 片
字解 ①조각편 나무를 두 조각으로 나눈 오른쪽 조각. 자형(字形)은 '木'의 전자(篆字) '𣎳'을 양분한 오른쪽임. 전(轉)하여, 널리 사물(事物)의 반쪽이나 떼어낸 일부분을 이름. '一言'. '斷一'. '乃破莪爲一'《南史》. ②꽃잎편 화판(花瓣). '紅蕚萬一從風吹'《韓愈》. ③성편 성(姓)의 하나.
字源 指事. '木목'자를 세로 쪼갠 오른쪽 절반으로, 나뭇조각의 뜻과 납작하고 얇은 물체의 뜻을 나타냄.
參考 '片'을 의부(意符)로 하여, 널빤지로 만들어진 것, 패(牌), 조각 따위에 관한 글자를 이룸.

片 3 〔版〕7 〔장〕
妝(女부 4획〈243〉)의 訛字

片 4 〔版〕8 高人 판 ㊤潸|bǎn ハン·バン いた
筆順 丿 丿' 片 片 片 版 版 版
字解 ①널판 널빤지. 板(木부 4획〈531〉)과 同字. '縮一以載'《詩經》. ②담틀판 성(城)·담 같은 것을 쌓을 때 흙을 양쪽에서 끼는 널. '一鍤'. '身負一築, 以爲士卒先'《漢書》. ③여덟자판 8척(尺)의 길이. 일설(一說)에는, 1장(丈)의 길이. '城不浸者三一'《史記》. ④호적(戶籍)판 '一圖'. '式負一者'《論語》. ⑤책판 서적. '修業不息一'《管子》. ⑥판목판 도서의 인쇄판(印刷板). '一本'. ⑦홀(笏)판 벼슬아치가 손에 쥐는 물건. '手一'. '投一棄官而去'《後漢書》.

[字源] 形聲. 片＋反〔音〕

片 5 〔牉〕9 반 [去]翰 pàn ハン わかつ

[字解] ①나눌반, 나누어질반 절반함. '一, 分也'《玉篇》. '背膺一以交痛兮'《楚辭》. ②반반 반쪽. '夫婦一合也'《儀禮》.

[字源] 形聲. 片＋半〔音〕

片 5 〔牀〕9 화 [平]歌 hé カ かんのかしら

[字解] 널머리화 관(棺)의 머리쪽. '一, 棺頭'《廣韻》.

片 6 〔版〕10 백 [入]陌 pò ハク わかつ

[字解] 쪼갤백 물건을 쪼개어 나눔. '一, 破物也'《集韻》.

片 7 〔牘〕11 〔독〕 牘(片부 15획〈738〉)의 略字

片 8 〔牋〕12 전 [平]先 jiān セン かみ, かきつけ

[字解] ①종이전 글씨를 쓰는 종이. '出小碧一'《侯鯖錄》. ②편지전 서신. '撰立一草'《吳志》. ③상소전 군주에게 올리는 문서. 후세에는, 천자에게는 '表'라 하고 황후·태자 등에게는 '一'이라 하였음. '一奏'. '所著賦·一·奏·書, 凡五篇'《後漢書》.

[字源] 形聲. 片＋戔〔音〕

片 8 〔牌〕12 [人名] 패 [平]佳 pái ハイ ふだ

[筆順] 丿 𠂇 片 片' 片白 牌 牌 牌

[字解] ①패패 ㉠글자를 써서 게시하는 나뭇조각. '門一'. ㉡죽은 사람의 직함·법명(法名) 등을 적은 나뭇조각. '位一'. ㉢노름에 쓰는 나뭇조각. '骨一'. ②간판패 광고판. '招一'. ③방패패 화살을 막는 물건. '蠻一木刀'《夢華錄》.

[字源] 形聲. 片＋卑〔音〕

片 8 〔腌〕12 엄 [上]琰 yǎn エン のきいた

[字解] 평고대엄 처마 끝에 가로 놓은 오리목. '一, 屋檐耑版也'《集韻》.

片 8 〔牎〕12 〔창〕 牕(片부 11획〈738〉)의 俗字

片 8 〔牓〕12 牒(次條)과 同字

片 9 〔牒〕13 첩 [入]葉 dié チョウ ふだ

[字解] ①서찰첩 글씨를 쓴 나뭇조각. '簡一'. '受一而退'《左傳》. ②계보첩 계통의 표기. '取之譜一'《史記》. ③조회첩 관문서의 한 가지. '通一'. '移一'. '即日以報一到'《唐書》. ④사령첩 임명장. '受一之明日'《韓愈》. ⑤송사(訟辭)첩 소장(訴狀). '一狀'. '寧容都無訊一'《齊書》. ⑥증서첩 증신(證信). '受一貸罪'《唐書》. ⑦장부(帳簿)첩 '視簿一'《唐書》. ⑧명부(名簿)첩 '隨一展轉'《晉書》. ⑨문서(文書)첩 '皆顯史一'《晉書》. ⑩널첩 널빤지. '積一旋石'《淮南子》. ⑪성첩 성(姓)의 하나.

[字源] 形聲. 片＋枼〔音〕

片 9 〔牏〕13 투 [去]遇 zhù チュ かきをきずくいた / [平]尤 tóu トウ おまる

[字解] ①담틀투 담을 쌓는 데 쓰이는 널빤지. ②변기투 대소변을 받아 내는 그릇. '取親中裙廁一身自浣滌'《史記》.

[字源] 形聲. 片＋兪〔音〕

片 9 〔牐〕13 삽 [入]洽 zhā ソウ もんをとじるぐ

[筆順] 丿 𠂇 片 片 牙 牐 牐 牐

[字解] 빗장삽 성문(城門)이나 수문(水門)을 위에서 잠그는 빗장. '置木一, 以限水勢'《宋史》.

[字源] 形聲. 片＋臿〔音〕

片 9 〔牑〕13 벽 [入]職 bì ヒョク きぎれ

[字解] ①나무쪽벽 '一, 片也'《說文》. ②쪼갤벽 '一, 坼也'《廣韻》.

[字源] 形聲. 片＋畐〔音〕

片 9 〔牑〕13
㊀ 변 [平]先 biān ヘン ゆかいた
㊁ 편 [上]銑 ヘン·ベン ゆかのすのこ
㊂ 면 [去]霰 miàn ベン·メン おくじょうのたけす

[字解] ㊀ 청널변 마룻바닥을 까는 널. '一, 牀版也'《說文》. ㊁ 살평상편 '一, 牀簀'《集韻》. ㊂ 지붕덮은대삿자리면 木緜, 屋簀. 或作一'《集韻》.

[字源] 形聲. 片＋扁〔音〕

片 9 〔牕〕13 〔창〕 牕(片부 11획〈738〉)과 同字

片 10 〔牓〕14 방 [上]養 bǎng ホウ ふだ

[字解] 패방, 방목방 榜(木부 10획〈566〉)과 同字. '牌一'. '天門日射黃金一'《杜甫》.

[字源] 形聲. 片＋旁〔音〕

片 10 〔牔〕 14 박 [入]藥 | bó ハク のきいた

[字解] 박공박 '一, 屋耑板'《集韻》.

片 10 〔牃〕 14 〔첩〕 牒(片부 9획〈737〉)의 本字

片 11 〔牖〕 15 유 [上]有 | yǒu ユウ まど

[字解] ①들창유 벽을 뚫어 낸 격자창(格子窓). '戶一'. '自一執其手'《論語》. ②깨우칠유 誘(言부 7획〈1331〉)와 통용. '天之一民'《詩經》. ③성유 성(姓)의 하나.
[字源] 會意. 片+戶+甬의 변형(變形).

片 11 〔牕〕 15 〔창〕 窗(穴부 7획〈919〉)과 同字

片 12 〔牋〕 16 린 [去]震 | lìn リン かど

[筆順] 丨 ℩ 片 片 片 片 片 牋

[字解] 모질린 모진 데. 모서리. '一, 觚一'《字彙》.

片 13 〔牒〕 17 업 [入]葉 | yè ギョウ かきをきずくいた

[字解] ①담틀업 담을 치는 판자. '一, 築牆版'《字彙》. ②쇠북위가로댄널업 종·북 등을 거는 가로 나무를 씌우는 큰 장식널. '筍扁上橫版, 鋸齒刻之, 指其縣鐘鼓者則名簴, 指其橫版之飾則名一'《字彙》.

片 13 〔牆〕 17 첨 [去]豔 | chàn セン のきいた

[字解] 평고대첨 처마 끝에 가로 놓은 오리목. '一, 屋檐耑版也'《集韻》.

片 14 〔牉〕 18 변 [去]霰 | piàn ヘン なかば

[字解] ①절반변 반(半). '一, 與辨同'《正字通》. ②끊어진고삐변 도중에서 끊어진 마차(馬車)의 가죽끈. '一, 爾雅, 革中絕, 謂之一·革, 車轡勒也'《廣韻》.

片 15 〔牘〕 19 독 [入]屋 | dú トク ふだ

[字解] 서찰독 글자를 쓰는 나뭇조각. '持一趨謁'《漢書》. 전(轉)하여, 편지, 또는 기타 모든 문서. '書一'. '案一'. '尺一'. '所見篇一, 一覽多能誦記'《後漢書》.
[字源] 形聲. 片+賣〔音〕

片 17 〔牘〕 21 牘(前條)의 本字

牙 部

〔어금니아부〕

牙 0 〔牙〕 4 [高·人] 아 [平]麻 | yá ガ おくば

[筆順] 一 二 于 牙

[字解] ①어금니아 '一齒'. '豶豕之一'《易經》. 전(轉)하여, 어금니같이 생긴 물건. '崇一樹羽'《詩經》. 또, 자기 몸을 수호하는 것. '予王之爪一'《詩經》. ②깨물아 어금니로 깨묾. '輕起相一'《戰國策》. ③대장기아 대장이 세우는 기(旗). 깃대 위에 상아(象牙)로 장식하였으므로 이름. '大一'. '一旗'. 전(轉)하여, 본영(本營). '徙一于磧口'《舊唐書》. ④중매장이아 '一儈'. '中山詩話云, 古稱駔儈, 今謂一, 非也'《唐韻正》. ⑤싹아, 싹틀아 芽(艸부 4획〈1125〉)와 통용. '萌一'. ⑥성아 성(姓)의 하나.
[字源] 象形. 엄니의 위아래가 맞물리는 모양을 본뜸.
[參考] '牙'를 의부(意符)로 하여, '이, 치아(齒牙)'에 관한 문자를 이룸.

〔邪〕 〔사〕 邑부 4획(1513)을 보라.

牙 6 〔䶩〕 10 〔아〕 牙(部首〈738〉)의 古字

牙 8 〔犄〕 12 기 [平]支 | qī キ きば

[字解] ①송곳니기 '一, 虎牙也'《說文》. ②요사할기 요사(妖邪)함. '一, 邪也'《字彙》.
[字源] 形聲. 牙+奇〔音〕

〔雅〕 〔아〕 隹부 4획(1630)을 보라.

牙 8 〔牚〕 12 탱 [去]敬 | chēng トウ ささえばしら

[筆順] 丨 ⺌ 尚 尚 尚 尚 掌 牚

[字解] 버틸탱, 버팀목탱 樘(木부 12획〈580〉)과 同字.
[字源] 形聲. 牙+尙〔音〕

牙 9 〔䶫〕 13 〔우〕 齲(齒부 9획〈1889〉)와 同字
[字源] 形聲. 牙+禹〔音〕

牛(牜)部

〔소 우 부〕

牛 0 〔牛〕 4 [中·人] 우 [平]尤 | niú ギュウ うし

[筆順] ノ 𠂉 二 牛

[字解] ①소우 농경(農耕)에 사용하는 가축. '一馬'. '一日一元大武'《禮記》. ②별이름우 이십팔수(二十八宿)의 하나. 견우성(牽牛星). '徘徊於斗一之間'《蘇軾》. ③성우 성(姓)의 하나.
[字源] 象形. 뿔이 있는 소의 모양을 본뜸.
[參考] '牛'를 의부(意符)로 하여, 여러 종류의 소나, 소를 키우는 일, 부리는 일 등에 관한 문자를 이룸.

牛 2 〔牝〕 6 빈 [上]軫 | pìn ヒン めす

[字解] ①암컷빈 동물의 여성. '一牡'. '一雞無晨'《書經》. ②자물쇠빈 여닫는 물건을 잠그는 쇠. 또, 자물쇠의 열쇠가 들어가는 구멍. '鍵牡, 閉一也'《禮記 註》. ③골짜기빈 계곡. '谿谷爲一'《大戴禮》.
[字源] 形聲. 牜(牛)+匕〔音〕

牛 2 〔牞〕 6 구 [平]尤 | jiū キュウ おおきいおうし

[字解] 황소구 큰 황소. '大牡謂之一'《集韻》.

牛 2 〔牟〕 6 [人名] ㊀모 (무[本]) [平]尤 | móu ボウ·ム うしのなきごえ
㊁무 [去]有 | mào ボウ·ム かぶと, くらい

[筆順] 𠂉 厶 𠂉 𠂉 𠂉 牟

[字解] ㊀①소우는소리모 '一然而鳴'《柳宗元》. ②탐할모 탐냄. '一利'. '一食之民'《韓非子》. ③늘모 배가(倍加)함. '成臬而一'《楚辭》. ④클모 거대함. '一而難知'《呂氏春秋》. ⑤보리모 대맥. 麰(麥부 6획〈1851〉)와 통용. '貽我來一'《詩經》. ⑥눈동자모 眸(目부 6획〈844〉)와 통용. '堯舜參一子'《荀子》. ⑦제기모 서직(黍稷)을 담는 제기(祭器). '敦一巵匜'《禮記》. ⑧질냄비모 토부(土釜). ⑨성모 성(姓)의 하나. ※本音 무. ㊁①투구무 鍪(金부 9획〈1573〉)와 통용. '著岑一單紋之服'《後漢書》. ②어두울무 '擧一光'《荀子》.
[字源] 會意. 牛+厶

牛 3 〔牡〕 7 모(무[本]) [上]有 | mǔ ボウ おす

[字解] ①수컷모 동물의 남성. '牝一'. '雉鳴求其一'《詩經》. ②열쇠모 여닫는 물건 중의 여는 쇠. '門一自亡'《漢書》. ※本音 무.
[字源] 會意. 牜(牛)+土

牛 3 〔牣〕 7 인 [去]震 | rèn ジン みちる

[字解] ①찰인 가득함. '充一'. '於一魚躍'《詩經》. ②질길인 韌(韋부 3획〈1674〉)과 同字. '黃所以爲一也'《呂氏春秋》.
[字源] 形聲. 牜(牛)+刃〔音〕

牛 3 〔犫〕 7 순 [去]問 | chún シュン うしのあゆみのののろいさま

[字解] ①소걸음뜰순 소의 걸음의 느린 모양. '一, 牛行遲皃'《集韻》. ②길들순 馴(馬부 3획〈1735〉)과 同字.
[字源] 會意. 牜(牛)+川

牛 3 〔牠〕 7 타 [平]歌 | tā タ つののないうし

[字解] ①뿔없는소타 '一, 無角牛'《篇海》. ②《現》그타, 그것타 사물(事物)이나 생물(生物)에 대한 지시 대명사(指示代名詞).

牛 3 〔牢〕 7 뢰(로[本]) [平]豪 | láo ロウ おり

[字解] ①우리뢰 짐승을 가두어 기르는 곳. '牲一'. '執豕于一'《詩經》. ②옥뢰 감옥. '一獄'. '刻地爲一, 議不入'《史記》. ③희생뢰 소·양·돼지의 세 희생. '太一'. '小一'. '環山於有一'《國語》. ④곳간뢰 미곡 창고. ⑤에울뢰 사방을 에워쌈. '皐一天下'《荀子》. ⑥값뢰 가치. '多其一賞'《漢書》. ⑦굳을뢰 견고함. '一不可破'. '欲連固根本一甚'《史記》. ⑧녹뢰 녹미(祿米). '一廩'. '官與一盆'《史記》. ⑨쓸쓸할뢰 적적함. '一愁'. ⑩안온할뢰 조용하고 편안함. '將一太過耳'《晉書》. ⑪성뢰 성(姓)의 하나. ※本音 로.
[字源] 象形. 우리에 들어간 소를 형상화한 것. 篆文은 會意로서, 牛+冬〈省〉

牛 4 〔牦〕 8 모 [平]豪 | máo ボウ·モウ うしのな

[字解] 소모 소〔牛〕의 일종. 물소 비슷하며, 꼬리가 길. '一, 牛名. 今所謂犏牛者'《集韻》.

牛 4 〔牧〕 8 [高·人] 목 [入]屋 | mù ボク まき

[筆順] ノ 𠂉 牛 牛 牜 牜 牧 牧

[字解] ①목장목 짐승을 방사(放飼)하는 곳. '孟春焚一'《周禮》. ②마소치는사람목 목축

(牧畜)하는 사람. '任一以畜事'《周禮》. ③기를목, 칠목 짐승을 방사함. '一畜'. '一六牲而阜蕃其物'《周禮》. 전(轉)하여, 널리 양육·수양하는 뜻으로 쓰임. '卑以自一'《易經》. ④성밖목 교외(郊外). '王朝至商郊一野'《書經》. ⑤다스릴목 '一民'. '請一基'《荀子》. ⑥벼슬이름목 ㉠지방의 장관. '州一'. '覲四岳羣一'《書經》. ㉡전답의 관리. '自一歸荑'《詩經》. ㉢배를 맡은 관리. '命舟一覆舟'《禮記》. ⑦성목 성(姓)의 하나.
字源 會意. 牜(牛)+攵(攴)

牛 4 〔物〕 8 中·人 물 ⓐ物 | wù ブツ·モツ もの
筆順 ノ 𠂉 牛 牜 牞 牣 物 物
字解 ①만물물, 물건물 천지 사이에 존재하는 온갖 물건. '品一'. '萬一'. '天地與其所產焉一也'《公孫龍子》. ②일물 사실. 사물. 사항(事項). '格一致知'. '以鄕三一教萬民'《周禮》. ③무리물 종류. '與吾同一'《左傳》. ④재물물 재화. '辨三酒之一'《周禮》. ⑤상볼물 인상(人相)·지세를 살펴보아 판단함. '一其地'《周禮》. ⑥견줄물 비교함. '一馬而頒之'《周禮》.
字源 形聲. 牜(牛)+勿〔音〕

牛 4 〔牥〕 8 방 ㉮陽 | fāng ホウ うしのな
字解 탁타(橐駝)소방 모양이 낙타 같다는 소의 이름. '一, 牛名, 日行二百里, 能行流沙中'《集韻》.

牛 4 〔牫〕 8 침 ㉮侵 | chén チン すいぎゅう
字解 물소침 '一, 水牛'《玉篇》.

牛 4 〔㸬〕 8 패 ㉰泰 | bèi ハイ にさいのうし
字解 이듭송아지패 두 살 먹은 소.
字源 形聲. 篆文은 牜(牛)+巿〔音〕

牛 4 〔𤘽〕 8 㸬(前條)의 本字

牛 4 〔犯〕 8 파 ㉮麻 | bā ハ つののあいそむくうし
字解 천지각(天地角)이파 뿔이 하나는 위로, 하나는 아래로 번은 소. '牛角相背, 謂之一'《集韻》.

牛 4 〔犗〕 8 개 ㉰卦 | jiè カイ よんさいのうし
字解 나릅소개 네 살 된 소. '一, 四歲牛'《集韻》.

牛 4 〔牪〕 8 언 ㉰霰 | yàn ゲン うしのつれ
字解 소의짝언 소 두 마리가 동반됨을 나타냄. '一, 牛伴也'《字彙》.

牛 4 〔牫〕 8 금 ㉰沁 | jìn キン うしのしたのびょうき
字解 소〔牛〕의혀에난병금 舒(舌부 4획〈1108〉)·齡(齒부 4획〈1885〉)과 同字. '舒, 牛舌之病也, 从牛今聲'《說文》. '一, 或从舌, 从齒'《集韻》.
字源 形聲. 牜(牛)+今〔音〕

牛 5 〔牯〕 9 고 ㉮虞 | gǔ コ おうし
字解 수소고 소의 수컷. 또, 거세(去勢)한 소. '一, 牡牛'《字彙》. '一, 俗謂牡牛之去勢者曰一牛'《中華大字典》.
字源 形聲. 牜(牛)+古〔音〕

牛 5 〔牲〕 9 생 ㉮庚 | shēng セイ いけにえ
字解 희생생 제사에 쓰이는 짐승. '一牢'. '用大一吉'《易經》.
字源 形聲. 牜(牛)+生〔音〕

牛 5 〔牴〕 9 저 ㉯薺 | dǐ テイ ふれる
字解 ①부딪힐저 抵(手부 5획〈434〉)와 통용. '一觸'. '甚多疏略, 或有一牾'《漢書》. ②수양저 羝(羊부 5획〈1035〉)와 통용.
字源 形聲. 牜(牛)+氐〔音〕

牛 5 〔牱〕 9 가 ㉮歌 | gē カ ちめい
字解 ①배말뚝가 배를 매는 말뚝. ②고을이름가 '一, 郡名'《篇海》.
字源 形聲. 牜(牛)+可〔音〕

牛 5 〔牠〕 9 타 ㉮歌 | tuó タ つののないうし
字解 뿔없는소타 '一, 牛之無角者'《集韻》.

牛 5 〔𤙔〕 9 牠(前條)와 同字

牛 5 〔牭〕 9 사 ㉰寘 | sì シ よんさいのうし
字解 나릅소사 네 살 된 소. '一, 四歲牛'《說文》.
字源 形聲. 牜(牛)+四〔音〕

牛 5 〔柞〕 9 작 ㉤藥 | zuó サク うしのいっしゅ
字解 메소작 긴 털이 많아 정모(旌旄)를 만드는 데 적합함. 이우(犛牛). '一, 山牛'《集

韻》.

牛 5 〔牨〕 9 후 [上]有 | hǒu コウ うしがなく

[字解] ①소울후 소가 욺. '一, 牛鳴'《玉篇》. ②송아지후 '今青州呼犢爲一'《爾雅 註》.

牛 5 〔抨〕 9 평 [平]庚 | pēng ホウ ほしのようなまだらのあるうし

[字解] 얼룩소평 별과 같은 얼룩이 있는 소. '犻, 牛駁如星. 从牛平聲'《說文》.
[字源] 形聲. 牜(牛)+平〔音〕

牛 5 〔犻〕 9 抨(前條)의 本字

牛 5 〔牰〕 9 [一] 유 [去]有 [二] 수 [去]宥 | yòu ユウ めのくろいうし シュウ めのくろいうし

[字解] [一] 눈검은소유 소의 눈자위가 검음. '黑眥, 一'《爾雅》. [二] 눈검은소수 [一]과 뜻이 같음.

牛 5 〔牪〕 9 도 [平]豪 | tāo トウ おそい

[字解] 느릴도 소가 천천히 걸음. '一, 牛徐行也'《說文》.
[字源] 形聲. 牜(牛)+叏〔音〕

牛 5 〔牮〕 9 천 [去]霰 | jiàn セン つっぱり

[字解] ①버팀목천 기운 집을 버티는 나무. '一, 屋斜用一'《字彙》. ②보(洑)막을천 '一, 又以土石遮水, 亦曰一'《字彙》.
[字源] 形聲. 弋+件〔音〕

牛 6 〔牷〕 10 전 [平]先 | quán セン いけにえ

[字解] 희생전 털이 순색(純色)인 희생. '凡時祀之牲, 必用一物'《周禮》.
[字源] 形聲. 牜(牛)+全〔音〕

牛 6 〔牸〕 10 자 [去]寘 | zì シ めうし

[字解] ①암소자 소의 암컷. '乳一'. '當畜五一'《孔叢子》. ②암컷자 짐승의 암컷의 총칭. '一馬'는 말의 암컷. '一, 雌也'《廣雅》. '有畜一馬' 《史記》.
[字源] 形聲. 牜(牛)+字〔音〕

牛 6 〔特〕 10 [中·人] 특 [入]職 | tè トク おす

[筆順] ノ ⺈ 牛 牜 牪 牪 特 特

[字解] ①수소특 소의 수컷. '用一'《書經》. ②수컷특 동물의 남성. '頒馬攻一'《周禮》. ③한사람특, 하나특 단독. '一行'. '一舟'. '我一以三國城從之'《戰國策》. ④짝특 배필. '求爾新一'《詩經》. ⑤유다를특 특별함. '獨一'. '一立獨行, 有如此者'《禮記》. 또, 유다른 사람. 특별히 뛰어난 사람. '百夫之一'《詩經》. ⑥일일이특 하나씩. 모조리. '孤卿一揖大夫'《周禮》. ⑦특히특 특별히. '一其小小者耳'《史記》. ⑧다만특 단지. '一備員弗用'《史記》. ⑨성특 성(姓)의 하나.
[字源] 形聲. 牜(牛)+寺〔音〕

牛 6 〔牿〕 10 가 [去]禡 | jià カ うしをくるまにつける

[字解] ①소멍에맬가 '一, 六書統, 牛在軛也'《正字通》. ②말멍에맬가 駕(馬부 5획〈1739〉)의 籒文. '駕, 馬在軛中也. …一, 籒文駕'《說文》.

牛 6 〔牺〕 10 〔희〕 犧(牛부 16획〈746〉)의 簡體字

牛 6 〔牂〕 10 〔장〕 羊부 4획(1034)을 보라.

牛 6 〔桊〕 10 권 [去]願 | quàn ケン はなづな

[字解] 쇠코뚜레끈권 쇠코에 꿴 새끼. '牛繩鼻, 謂之一'《集韻》.

牛 7 〔牻〕 11 방 [平]江 | máng ボウ まだらうし

[字解] 얼룩소방 흰 털과 검은 털이 섞인 소.
[字源] 形聲. 牜(牛)+尨〔音〕

牛 7 〔牼〕 11 경 [平]庚 [去]徑 | kēng コウ・キョウ うしのはぎのほね ケイ・キョウ うしのはぎのほね

[字解] 정강이뼈경 소의 슬하골(膝下骨). '一, 牛膝下骨也'《說文》.
[字源] 形聲. 牜(牛)+巠〔音〕

牛 7 〔牿〕 11 곡 [入]沃 | gù コク おり

[字解] ①외양간곡, 마구간곡 마소의 우리. '一牢'. '舍一牛馬'《書經》. ②우리에마소칠곡 마소를 우리에서 기름. '一, 閑牧牛馬也'《字彙》.
[字源] 形聲. 牜(牛)+告〔音〕

牛 7 〔牾〕 11 〔오〕 忤(心부 4획〈379〉)·啎(口부 8획〈170〉)와 同字

〔觕〕 〔추〕 角부 4획(1305)을 보라.

牛7 〔牸〕 11 성 [平]庚 | xīng セイ あかいいけにえ

[字解] 붉은희생성 털빛이 붉은 희생(犧牲). 騂(馬부 7획〈1742〉)과 同字. '騂, 馬赤色也. 一, 上同'《廣韻》.

牛7 〔㻬〕 11 도 [平]虞 | tú ト とらのもようのあるうし

[字解] 칡소도 누런빛에 범의 무늬가 있는 소. '一, 黃牛虎文'《說文》

[字源] 形聲. 牜(牛)+余〔音〕

牛7 〔捋〕 11 ⊟ 렬 [入]屑 | liè レツ しろいせのうし
⊟ 랄 [入]曷 | luō ラツ まだらうし

[字解] ⊟ 등흰소렬 등의 털빛이 하얀 소. '一, 牛白脊也'《說文》. ⊟ 얼룩소랄 '一, 駁也'《集韻》.

[字源] 形聲. 牜(牛)+寽〔音〕

牛7 〔㹌〕 11 사 [上]紙 | sì シ いっさいのうし

[字解] ①하릅송아지사 한 살 된 송아지. '一, 牛一歲謂之一'《集韻》. ②소사 '一, 牛也'《玉篇》.

牛7 〔牂〕 11 장 [平]陽 | zāng ソウ めひつじ

[字解] 암양장 양의 암컷.

牛7 〔㹀〕 11 부 [平]虞 | fū フ くろいくちびるのうし

[字解] 입술검은소부 '牛玄脣, 謂之一'《集韻》.

牛7 〔牽〕 11 [高·人] 견 [平]先 | qiān
[去]霰 | qiàn ケン ひく

[筆順] 丶 亠 玄 𤣥 㝃 𤙔 牽

[字解] ①끌견 ㉠끌어당김. '一引'. '兒女一衣啼'《古詩》. ㉡끌고 감. '有一牛而過堂下者'《孟子》. ㉢강제함. 강제로 시킴. '道而弗一'《禮記》. ②이끌견 거느림. '一帥老夫, 以至於此'《左傳》. ③거리낄견 구애함. '學者一於所聞'《史記》. ④줄견 물건을 매어 끌어당기는 밧줄·노끈 따위. '施一其外'《獨斷》. ⑤끌려가는동물견 소·말·양·돼지 등. 또, 희생(犧牲). '是脯資餼一竭矣'《左傳》. ⑥별이름견 '一牛'.

[字源] 形聲. 牛+冖+玄〔音〕

牛7 〔犂〕 11 〔려〕
犂(牛부 8획〈743〉)와 同字

牛7 〔犀〕 11 〔서〕
犀(牛부 8획〈743〉)의 俗字

牛7 〔犀〕 11 〔서〕
犀(牛부 8획〈743〉)와 同字

牛8 〔犇〕 12 분 [平]元 | bēn ホン うしがおどろく

[字解] ①소놀랄분 '一, 牛驚'《廣韻》. ②달아날분 奔(大부 5획〈234〉)의 古字. '抱其器而一散'《漢書》.

[字源] 會意. 牛+牛+牛. '牛우' 셋으로 소가 놀라다의 뜻을 나타냄.

牛8 〔犆〕 12 ⊟ 특 [入]職 | tè トク ひとり
⊟ 직 [入]職 | zhí チョク へり

[字解] ⊟ ①수소특 特(牛부 6획〈741〉)과 同字. ②한사람특, 하나특 特(牛부 6획〈741〉)과 同字. '不一弔'《禮記》. ⊟ 가선직 가장자리의 선 두른 데. '君羔幦虎一'《禮記》.

[字源] 形聲. 牜(牛)+直〔音〕

牛8 〔犉〕 12 순 [平]眞 | rún ジュン きいろでくちびるのくろいうし

[字解] 누르고입술검은소순 털이 누르고 입술이 검은 소. 일설(一說)에는, 신장이 7척(尺) 되는 큰 소. '九十其一'《詩經》. '一有二義. 黑脣者爲一, 七尺者亦爲一'《爾雅 疏》.

[字源] 形聲. 篆文은 牜(牛)+享(𩫖)〔音〕

牛8 〔犋〕 12 구 | jù

[字解] 쟁기·써레를끄는우마(牛馬)의축력단위(畜力單位)구 쟁기·써레를 한 번 견인하는 축력(畜力)을 1구(犋)라 함. '假如一一牛, 總營得小畝三頃(據齊地, 大畝一頃三十五畝). 每年一易, 必須頻種'《農政全書》.

牛8 〔㼏〕 12 강 [平]陽 | gāng コウ おうし

[字解] 붉은수소강 털이 붉은 수소. '魯公用騂一'《左傳》.

[字源] 形聲. 牜(牛)+岡〔音〕

牛8 〔犂〕 12 뇨 [平]肴 | chāo トウ つのでひっかける

[字解] 뿔로받을뇨 뿔로 받음. '一, 角挑也'《集韻》.

牛8 〔犄〕 12 의 [平]支 | yī イ きょせいしたうし

[字解] ①불깐소의 거세(去勢)한 소. '一, 犗也'《廣韻》. ②길의 길이가 길. '一, 長也'《廣韻》. ③기댈의 '一, 倚也'《廣韻》. ④베풀의 '一, 施也'《廣韻》.

[字源] 形聲. 牜(牛)+奇〔音〕

牛 8 〔犈〕12 권 [平]先 | quán ケン あしのくろいうし
[字解] ①다리검은소권 '牛之黑脚者名—'《爾雅 疏》. ②귀검은소권 '—, 牛黑耳'《廣韻》.

牛 8 〔㹁〕12 량 [平]陽 [去]漾 | liáng リョウ まだらうし
[字解] 얼룩소량 '—, 牻牛駁色'《廣韻》.
[字源] 形聲. 牜(牛)+京〔音〕

牛 8 〔堅〕12 견 [去]霰 | qiǎn ケン もとる
[字解] 코셀견 소가 끌어당겨도 따르지 않음. '—, 牛很不從牽也'《說文》.
[字源] 形聲. 牛+臤〔音〕

牛 8 〔犕〕12 비 [去]未 | fèi ヒ たがやす
[字解] ①밭갈비 두 마리의 소가 동서 양쪽에서 밭을 갊. '—, 兩壁耕也'《說文》. ②씨덮을비 뿌린 씨를 흙으로 덮음. '—, 一曰覆耕種也'《說文》.
[字源] 形聲. 牛+非〔音〕

牛 8 〔犂〕12 [一]려 [平]齊 | lí レイ からすき [二]리 [平]支 | lí リ まだらうし [三]류 [平]尤 | liú リュウ おののく
[字解] [一] ①쟁기려 전답을 가는 농구. 소가 끎. '童五尺一—'《管子》. ②쟁기질할려 쟁기로 논밭을 갊. '—其庭'《漢書》. ③검을려 색이 검음. 黎(黍부 3획〈1858〉)와 통용. '—旦, 城中皆降伏波'《史記》. [二] ①얼룩소리 털이 얼룩얼룩한 소. '—牛之子'《論語》. ②검버섯리 노인의 피부의 검은 점. '播棄—老'《書經》. [三] 떨류 전율(戰慄)하는 모양. '—然有當於人之心'《莊子》.
[字源] 形聲. 牛+𥝢(黎)〔音〕
[參考] 犁(牛부 7획〈742〉)는 同字.

牛 8 〔犀〕12 서 [平]支 | xī サイ さい
[字解] ①무소서 물소와 비슷한 맹수. 코뿔소. '黃支國獻—牛'《漢書》. ②무소뿔서 서각(犀角). '人以爲明珠文—'《後漢書》. ③굳을서 무기(武器) 등이 견고함. '器不—利'《漢書》. ④박씨서 박 속의 씨. '齒如瓠—'《詩經》.
[字源] 會意. 牛+尾

牛 8 〔犀〕12 犀(前條)의 本字

牛 8 〔觢〕12 〔체〕 觢(角부 6획〈1307〉)와 同字

牛 9 〔犍〕13 건 [平]元 | jiān ケン きんきりうし
[字解] ①불깐소건 거세(去勢)한 소. ②불깔건 거세(去勢)함. '—, 以刀去勢也'《正字通》. ③짐승이름건 표범 비슷하고 꼬리가 길며 사람의 목에 외눈과 쇠귀를 가진 짐승의 이름. '—, 獸. 似豹, 人首一目'《玉篇》.
[字源] 形聲. 牜(牛)+建〔音〕

牛 9 〔犑〕13 유 [平]虞 | yú ユ くろいうし
[字解] 검은소유 '—, 黑牛'《集韻》.

牛 9 〔犝〕13 중 [去]送 | zhòng チュウ はらみうし
[字解] 소새끼밸중 새끼 밴 소. '—, 牛有孕'《篇海》.

牛 9 〔犙〕13 수 [平]尤 | shōu シュウ さんさいのうし
[字解] 사릅송아지수 세 살 된 소. '—, 牛三歲也'《集韻》.

牛 9 〔犐〕13 과 [平]歌 | kē カ つののないうし
[字解] ①소과, 뿔없는소과 '郭—'는 소의 일종. 또, 뿔이 없는 소. '—, 博雅, 郭—, 牛屬, 一曰, 牛無角也'《集韻》. ②추한소과 '—犦'는 추한 소의 모양. '—犦, 醜牛狀'《正字通》.

牛 9 〔犏〕13 편 [平]先 | piān ヘン からうし
[字解] ①잡종소편 봉우(封牛)와 모우(牦牛)와의 잡종(雜種). '牦牛與封牛合, 則生—牛. 狀類牦牛. 偏氣使然. 故謂之—'《水東日記》. ②소편 물소 비슷한 소. 모우(牦牛). '牦, 牛名. 今所謂—牛者. 顏師古說'《集韻》.

牛 9 〔犑〕13 격 [入]錫 | jú ケキ うしのな
[字解] 소의이름격 '—, 牛屬'《集韻》.

牛 9 〔犌〕13 가 [平]麻 | jiā カ ちからのつよいうし
[字解] 힘센소가 '欣—'는 힘이 센 소. '絕有力, 欣—'《爾雅》.

牛 9 〔㹅〕13 〔총〕 揔(手부 9획〈456〉)·總(糸부 11획〈1010〉)과 同字

牛 9 〔犎〕13 봉 [平]冬 | fēng ホウ やぎゅう
[字解] 들소이름봉 등 위의 살이 융기(隆起)

하여 낙타의 육봉(肉峯) 모양을 한 들소. '犦牛, 卽一牛'《爾雅 注》.
[字源] 形聲. 牛＋封〔音〕

牛 10 〔犒〕 14 호 [去]號 | kào コウ ねぎらう
[字解] 호궤할호 군사에게 음식을 주어 위로함. '一軍'. '使展喜一師'《左傳》. 또, 호궤(犒饋)하는 음식. '不如一簞一'《韓愈》.
[字源] 形聲. 牜(牛)＋高〔音〕

牛 10 〔犗〕 14 개 [去]卦 | jiè カイ きんきりうし
[字解] 불깐소개 거세한 소. '五十一以爲餌'《莊子》.
[字源] 形聲. 牜(牛)＋害〔音〕

牛 10 〔⿰牛隺〕 14 악 [入]覺 | yuè ガク しろいうし
[字解] 흰소악 '一, 白牛也'《說文》.
[字源] 形聲. 牜(牛)＋隺〔音〕

牛 10 〔犓〕 14 추 [平]虞 | chú スウ まぐさかう
[字解] 소꼴먹일추 꼴을 먹여 소를 기름. '天子必且一豢其牛羊犬彘'《墨子》.
[字源] 形聲. 牜(牛)＋芻〔音〕

牛 10 〔犔〕 14 희 [去]未 | xì キ うしがうえる
[字解] ①소굶을희 소가 주림. '一, 集韻, 牛饑謂之一'《康熙字典》. ②소병들희 '一, 牛病'《玉篇》. ③소먹이희 소의 먹이. '一, 一曰, 牛餉'《集韻》.

牛 10 〔犕〕 14 비 [去]寘 | bèi ヒ・ビ はをそなえたうし
[字解] ①소이갖출비 이를 갖춘 소. '一, 牛具齒'《廣韻》. ②여듭소비 여덟 살 된 소. '牛八歲謂之一'《集韻》. ③수레지울비 마소에 수레 안장을 지움. '一, 服也, 以案革裝馬也'《玉篇》.
[字源] 形聲. 牜(牛)＋葡〔音〕

牛 10 〔犞〕 14 수 [平]尤 | xiū シュウ おのないうし
[字解] ①꼬리없는소수 '一, 牛無尾也'《字彙補》. ②추한소수 추한 소의 모양. '犐一, 醜牛狀'《正字通》.

牛 10 〔⿰牛𠷎〕 14 〔도〕 ⿰牛壽(牛부 14획〈745〉)의 本字

牛 10 〔⿰牛⿱亠妻〕 14 〔건〕 犍(牛부 9획〈743〉)과 同字

牛 10 〔⿰⿳士冖牛殳〕 14 구 [去]宥 | gòu コウ うしひつじのちちをとる
[字解] 소양젖짤구 소나 양의 젖을 짬. '一, 取牛羊乳'《廣韻》.

牛 10 〔犖〕 14 락 [入]覺 | luò ラク まだらうし
[字解] ①얼룩얼룩할락, 얼룩소락 털이 얼룩얼룩함. 또, 그 소. '赤瑕駁一'《司馬相如》. ②뛰어날락 탁월함. '卓一乎方州'《班固》. ③환할락 분명한 모양. '此其一一大者, 若至委曲小變不可勝道'《史記》.
[字源] 形聲. 牛＋勞〈省〉〔音〕

牛 11 〔⿰牛庸〕 15 용 [平]冬 | yōng ヨウ やぎゅう
[字解] 들소용 목에 융육(隆肉)이 있는 들소. '一, 牛名, 領有隆肉'《集韻》.
[字源] 形聲. 牜(牛)＋庸〔音〕

牛 11 〔⿰牛產〕 15 [一] 산 [上]潸 | chǎn サン かっているいけにえ
[二] 성 [去]敬 | shèng セイ めうし
[字解] [一]기르는희생산 먹여 기르고 있는 희생(犧牲). '畜一, 畜牲也'《說文》. [二]암소성 소의 암컷. '一, 牸牛'《集韻》.
[字源] 形聲. 牜(牛)＋產〔音〕

牛 11 〔⿰牛習〕 15 랍 [入]合 | lā ロウ うしがつく
[字解] 소가받을랍 소가 뿔로 받음. '一, 牛抵也'《玉篇》.

牛 11 〔犙〕 15 삼 [平]覃 | sān サン さんさいのうし
[字解] ①사릅송아지삼 세 살 된 소. '一, 三歲牛'《說文》. ②곁소삼 우차(牛車)를 끄는 곁소. '一, 或曰, 當是牛車之副'《正字通》.
[字源] 形聲. 牜(牛)＋參〔音〕

牛 11 〔⿰牛累〕 15 루 [平]支 | léi ルイ おうし
[字解] ①암내내는소루 '一, 求子牛'《玉篇》. ②수소루 황소. '乃合一牛騰馬'《淮南子》.

牛 11 〔⿰牛堇〕 15 근 [上]吻 | jǐn キン うしがなれておとなしい
[字解] ①소길들근 소가 길들여져 순함. '一, 博雅, 柔也, 謂牛柔馴'《集韻》. ②착할근 '一, 善也'《玉篇》.

牛 11 〔⿰牛崔〕 15 최 [平]灰 | cuī サイ しろいうし
[字解] 흰소최 일설(一說)에는, ⿰牛隺(牛부 10획〈744〉)의 訛字라고도 함. '一, 牛白色也'《集韻》.

牛11 〔犤〕 15 타 | duǒ ダ うしにおがない

[字解] 쇠꼬리없을타 '髡屯犤牛, 旣犐以一. (注)一, 無尾'《淮南子》.

牛11 〔㹅〕 15 〔총〕 總(糸부 11획〈1010〉)의 俗字

牛11 〔犕〕 15 〔비〕 犕(牛부 10획〈744〉)의 本字

牛11 〔犚〕 15 위 [去]未 | wèi イ くろいみみのうし

[字解] 귀검은소위 귀가 검은 소. '黑耳, 一'《爾雅》.

牛11 〔㸿〕 15 犚(前條)와 同字

牛11 〔犛〕 15 민 [上]軫 | mǐn ビン けもののな

[字解] 메소민 소를 닮은 검푸른 짐승. '黃山, 有獸焉, 其狀如牛, 而蒼黑大目, 其名曰一'《山海經》.

牛11 〔犛〕 15 [一] 리 [平]支 | lí リ からうし
[二] 모 [平]肴 | máo ボウ からうし

[字解] [一] 검정소리 털이 아주 검고 꼬리가 긴 소. '犀・一・兕・象'《國語》. [二] 검정소모 [一]과 뜻이 같음.
[字源] 形聲. 牛＋𠩺〔音〕

牛11 〔犘〕 15 마 [平]麻 | má バ からうし

[字解] 검정소마 이우(犛牛). 중국 서북부 지방에서 산출되는 소로, 큰 꼬리를 가졌으며 무게가 천근이라 함. '一, 犛牛別名'《正字通》.

牛12 〔犝〕 16 동 [平]東 | tóng トウ つののないうし

[字解] 뿔없는소동 '一, 無角牛也'《說文》.
[字源] 形聲. 牜(牛)＋童〔音〕

牛12 〔犙〕 16 사 [去]寘 | sì シ よんさいのうし

[字解] ①나릅소사 네 살 된 소. 牭(牛부 5획〈740〉)의 籒文. ②이듭소사 두 살 된 소.

牛13 〔犟〕 17 강 [平]陽 | jiāng キョウ せのながいうし

[字解] ①허리긴소강 '一, 牛長脊'《說文》. ②등흰소강 등의 털이 흰 소. '一, 一曰, 白脊牛'《廣韻》. ③흰소강 '一, 白牛也'《玉篇》.

[字源] 形聲. 牜(牛)＋畺〔音〕

牛13 〔犧〕 17 〔환〕 豢(豕부 6획〈1374〉)과 同字

牛13 〔犠〕 17 〔희〕 犧(牛부 16획〈746〉)의 略字

牛14 〔犨〕 18
[一] 도 [平]豪 | tāo トウ [一]-[六] このないうしひつじ
[二] 대 [平]灰 | タイ
[三] 소 [平]蕭 | ショウ
[四] 구 [上]有 | キュウ
[五] 채 [平]灰 | サイ
[六] 수 [平]尤 | シュウ

[字解] [一] 둘치도 새끼가 없는 소나 양(羊). [二] 둘치대 [一]과 뜻이 같음. [三] 둘치소 [一]과 뜻이 같음. [四] 둘치구 [一]과 뜻이 같음. [五] 둘치채 [一]과 뜻이 같음. [六] 둘치수 [一]과 뜻이 같음.
[字源] 形聲. 牜(牛)＋𠷎〔音〕

牛15 〔犢〕 19 독 [入]屋 | dú トク こうし

[字解] ①송아지독 소의 새끼. '舐一'. '天子適諸侯, 諸侯膳以一'《禮記》. ②성독 성(姓)의 하나.
[字源] 形聲. 牜(牛)＋賣〔音〕

牛15 〔犦〕 19 박 [入]覺 | bó ハク のうし

[字解] 들소이름박 등 위의 살이 융기(隆起)하여 낙타의 육봉(肉峯) 모양을 한 들소. 봉우(犎牛). '一牲雞卜羞我觴'《蘇軾》.
[字源] 形聲. 牜(牛)＋暴〔音〕

牛15 〔犤〕 19
[一] 피 [平]支 | pái ヒ ちいさいうし
[二] 패 [上]蟹 | pái ハイ あしのみじかいうし

[字解] [一] 키작은소피 광동성(廣東省)에서 나는 키가 낮고 작은 소. [二] 다리짧은소패 '一, 牛短足'《集韻》.

牛15 〔犥〕 19 표 [平]蕭 ⑤[上]篠 | piāo ヒョウ こうはくしょくのうし
pào ホウ うしのな

[字解] ①누르고흰소표 '一, 牛黃白色'《說文》. ②푸르고흰소표 '一, 牛白蒼色'《集韻》. ③털빛꺼칠한소표 '一, 牛色不美澤'《玉篇》. ④깃털붉고꺼칠할표 '犥, 毛羽朱色不澤也. 或从牛'《集韻》. ⑤소의이름표 '一, 牛名'《集韻》.
[字源] 形聲. 牜(牛)＋麃〔音〕

牛 15 〔犡〕19 [一] 뢰 [去]泰 | lì ライ せのしろいうし
[二] 례 [去]霽 | lì レイ せのしろいうし

[字解] [一] ①등흰소뢰 '一, 牛白脊也'《說文》. ②소이름뢰 '一, 牛名'《廣韻》. ③소의병뢰 '一, 牛病也'《正字通》. [二] 등흰소례, 소이름례, 소의병례 [一]과 뜻이 같음.
[字源] 形聲. 牜(牛)＋厲〔音〕

牛 15 〔犣〕19 렵 [入]葉 | liè リョウ からうし

[字解] ①소의이름렵 '一, 又旄牛名'《廣韻》. ②수소렵 소의 수컷. '一, 牛牡'《廣韻》.

牛 15 〔犂〕19 〔려〕
犂(牛부 8획〈743〉)의 本字

牛 16 〔犧〕20 [一] 희 [平]支 | xī ギ いけにえ
[二] 사 [平]歌 | suō サ さかだる

[字解] [一] ①희생희 종묘(宗廟) 등의 제사에 쓰는 짐승. '一牷'. '以我齊明, 與我一羊'《詩經》. ②술그릇희 소의 형상으로 만들거나 옆면에 소 그림을 새긴 제사 때 쓰는 술그릇. '一尊疏布'《禮記》. [二] 술그릇사 '一尊'은 비취(翡翠)의 깃으로 장식한 술그릇. '一尊將將'《詩經》.
[字源] 形聲. 牜(牛)＋羲〔音〕

牛 16 〔犪〕20 회 [平]佳 | huái カイ けもののな

[字解] 네뿔짐승회 몸은 소를 닮고 사람의 눈과 뿔을 넷 가진 짐승. '一, 獸似牛, 四角人目'《玉篇》.

牛 16 〔犉〕20 〔순〕
犉(牛부 8획〈742〉)의 本字

牛 16 〔衛〕20 [一] 위 [去]霽 | wèi エイ うしのひづめ
[二] 궤 [去]隊 | guì カイ うしがひとをつく

[字解] [一] ①쇠굽위 소의 발굽. '一, 牛蹄'《廣韻》. ②소땅밟을위 소가 땅을 밟음. '踶一, 猶踐蹋也'《說文 段注》. [二] 뜸베질할궤 소가 뿔로 사람을 받음. '牛觸謂之一'《集韻》.
[字源] 形聲. 牛＋衞〔音〕

牛 16 〔犨〕20 주 [平]尤 | chōu シュウ うしのあえぐこえ

[字解] ①소헐떡임소리주 소가 헐떡거리는 소리. '一, 牛息聲'《說文》. ②내밀주 앞으로 나와 있음. '南家之牆, 一於前而不直'《呂氏春秋》. ③성주 성(姓)의 하나.
[字源] 形聲. 牛＋雔(또는 讎)〔音〕

牛 17 〔犩〕21 옹 [上]梗 | wěng オウ こうし

[字解] ①송아지옹 '一, 又犢也'《篇海》. ②소울옹 소가 욺. 또, 그 소리. '一, 一曰, 牛鳴'《篇海》.

牛 18 〔犦〕22 〔박〕
犦(牛부 15획〈745〉)의 本字

牛 18 〔犩〕22 위 [平]微 [去]未 | wéi ギ うしのいっしゅ

[字解] 소이름위 소의 일종. 몸이 크며 무게 천근(千斤). '一牛. (注) 如牛而大, 肉數千斤. 出蜀中'《爾雅 注》.

牛 19 〔犪〕23 요 [上]篠 | ráo ジョウ なれる

[字解] ①길들요 소가 길들어서 순함. '一, 牛柔謹也'《說文》. ②쉬울요 편안함. '一, 安也'《玉篇》.
[字源] 形聲. 牜(牛)＋夒〔音〕

牛 23 〔犨〕27 〔주〕
犨(牛부 16획〈746〉)와 同字

犬(犭)部
〔개견부〕

犬 0 〔犬〕4 [中·人] 견 [上]銑 | quǎn ケン いぬ

[筆順] 一ナ大犬

[字解] 개견 가축의 하나. '一馬'. '效一者左牽之'《禮記》.
[字源] 象形. 귀를 세운 개의 모양을 본뜸.
[參考] ①'犬'을 의부(意符)로 하여, 여러 가지 종류의 개나, 개와 비슷한 동물, 그 밖에 개의 상태나 야수적(野獸的)인 성질·행위, 사냥에 관한 문자 등을 이룸. 또, 예전에는 이민족을 경멸했으므로, 그 명칭에 관한 문자도 있음. ②변(邊)이 될 때에는 '犭(次條)'의 꼴을 취함.

犬 0 〔犭〕3 犬(前條)이 변(邊)으로 될 때의 자체(字體).

[筆順] ノ犭犭

犬 1 〔犮〕5 발 [入]曷 | bá ハツ いぬのはしるさま

[字解] ①달릴발 개가 달리는 모양. '一, 犬走皃'《說文》. ②덜발 제거함. 拔(手부 5획

〈436〉)과 통용. '赤一, 猶言捇拔也'《周禮注》.
[字源] 象形. 개를 책형(磔刑)한 모양을 형상화하여, 재해(災害)를 없애다의 뜻을 나타냄. '祓불'의 원자(原字).

犬 2 〔犯〕5 [高·人] 범 [上]豏 | fàn ハン おかす
[筆順] 丿 犭 犭 犭㇆ 犯
[字解] ①범할범 ㉠죄를 저지름. '一罪'. '爲一二名律乎'《韓愈》. ㉡저촉함. '衆怒難一'《左傳》. ㉢거스름. 거역함. '事親有隱, 而無一'《禮記》. ㉣무시함. 짓밟음. '凌一'. '孝弟而好一上者鮮矣'《論語》. ②침범할범 ㉠침노함. '一齊師'《左傳》. ㉡해침. '水火之所一'《國語》. ③범죄범 죄를 범하는 일. 범한 죄. '私鬻茶三一'《唐書》. ④범인범 죄수. '與衆一隔別嚴審'《仕學大乘》.
[字源] 形聲. 犭(犬)+㔾〔音〕

犬 2 〔犰〕5 구 [平]尤 | qiú キュウ せんざんこう
[字解] 천산갑구 '一狳'는 천산갑(穿山甲)의 일종. '一, 一狳, 獸名. 鳥喙鴟目蛇尾'《集韻》.

犬 3 〔犴〕6 안 [平]寒 [去]翰 | hān カン えびすののいぬ / àn ガン えびすののいぬ
[字解] ①오랑캐땅의들개안 야견(野犬). 豻(豸부 3획〈1379〉)과 同字. '青一白虎'《淮南子》. ②옥안 향정(鄕亭)에 있는 감옥. '獄一塡滿'《後漢書》. ③성안 성(姓)의 하나.
[字源] 形聲. 犭(犬)+干〔音〕

犬 3 〔犵〕6 힐 [入]質 | gē キツ いみんぞくのな
[字解] 오랑캐이름힐 '一狫'는 옛날에 광서(廣西)·호남(湖南)·귀주(貴州)에 있던 만인(蠻人)의 일종. '一狫, 一曰一獠, 種有五, 蓬頭赤脚, 輕命死黨, 以布一幅, 橫圍腰間, 旁無襞積, 謂之桶裙'《田汝成》.

犬 3 〔犭也〕6 시 [上]紙 | shì シ おおかみ
[字解] 이리시 이리〔狼〕의 일종. 일설(一說)에는, 여우〔狐〕의 일종이라 함. '蛇山, 有獸焉. 其狀如狐, 而白尾長耳, 名一狼'《山海經》.

犬 3 〔犲〕6 〔시〕 豺(豸부 3획〈1379〉)와 同字

犬 3 〔犭卂〕6 신 [去]震 | xìn シン けもののな
[字解] 짐승이름신 너구리의 한 가지.

犬 3 〔状〕7 狀(次次條)의 俗字

犬 4 〔犾〕8 은 [平]文 | yín ギン かむ
[字解] ①개서로물은 개가 서로 묾. '一, 兩犬相齧也'《說文》. ②개서로짖을은 '一, 犬相吠也'《廣韻》.
[字源] 會意. 犬+犬. '犬견'을 두 자 나란히 놓아, 개가 서로 물다의 뜻을 나타냄.

犬 4 〔狀〕8 [高·人] [一]상 [去]漾 (장[本]) [二]장 [去]漾 | zhuàng ジョウ かたち / zhuàng ジョウ かきつけ
[筆順] 丨 ㇗ 丬 丬 丬一 壯 狀 狀
[字解] [一] ①모양상 ㉠꼴. '形一'. '孔子一類陽虎'《史記》. ㉡정형. '一況'. '知鬼神之情一'《易經》. ②형용할상 형상·정상을 형용함. '難一'. '自一其過'《莊子》. ※本音 장. [二] ①문서장 '訴一'. '直詣閤門進一'《宋史》. ②편지장 서간. '書一'. '五曰一, 一者, 陳也'《文體明辨》.
[字源] 形聲. 犬+爿〔音〕
[參考] 状(前前條)은 俗字.

犬 4 〔犻〕8 패 [去]泰 | bó ハイ いぬがはぐきをはる
[字解] 개이빨드러낼패 개가 이빨을 드러내고 으르렁거림. '一, 犬張齗皃'《集韻》.

犬 4 〔哭〕8 〔곡〕 哭(口부 7획〈162〉)의 俗字

〔戾〕 〔려〕 戶부 4획(425)을 보라.

犬 4 〔犿〕7 [一]환 [平]寒 | huān カン おおかみ [二]변 [平]元 | fān ハン めぐる
[字解] [一]이리환, 오소리환 貛(豸부 18획〈1384〉)과 同字. [二]빙빙돌변 '連一'은 빙빙 도는 모양. 원전(圓轉)하는 모양. '其書雖瓌瑋, 而連一無傷也'《莊子》.

犬 4 〔犺〕7 강 [去]漾 [上]養 | kàng gǎng コウ はりねずみ
[字解] ①고슴도치강 '一, 猬也'《玉篇》. ②개강 건장한 개. '一, 健犬也'《說文》.
[字源] 形聲. 犭(犬)+亢〔音〕

犬 4 〔犽〕7 아 [去]禡 | yà ガ けもののな
[字解] ①짐승이름아 '一, 獸名. 似貛長尾'

《集韻》. ②오랑캐이름아 만족(蠻族)의 하나. '一, 蠻也'《中華大字典》.

犬 4 〔狁〕7 윤 [上]軫 | yǔn イン いみんぞくのな

[字解] 오랑캐이름윤 '獫一'은 주(周)나라 때, 북방의 만족(蠻族). 한(漢)나라 시대 이후, 흉노(匈奴)라 이름.
[字源] 形聲. 犭(犬)＋允〔音〕

犬 4 〔狂〕7 [高校] 광 [平]陽 | kuáng キョウ くるう

[字解] ①미칠광 ㉠정신 이상이 됨. '一生'. '箕子被髮, 佯一而爲奴'《史記》. ㉡마음이 미혹(迷惑)하여 도리·시비를 분간 못 함. '以是一而不信'《莊子》. ㉢뜻이 커서 상규(常規)를 벗어난 일을 함. '一狷'. '一者進取'《論語》. ②경망할광 경솔하고 조급함. '疎一'. '衆穉且一'《詩經》. ③사나울광 기세가 맹렬함. '一風'. '廻一瀾於旣倒'《韓愈》. ④광병광 미친 병. '發一'. '我其發出一'《書經》. ⑤광인광 미친 사람. '不見子都, 乃見一且'《詩經》. ⑥성광 성(姓)의 하나.
[字源] 形聲. 篆文은 犭(犬)＋㞷〔音〕

犬 4 〔狃〕7 뉴 [上]有 [去]有 | niǔ ジュウ なれる

[字解] ①익을뉴 익숙해져서 아무렇지도 않게 여김. '一恩'. '一于姦宄'《書經》. ②익힐뉴 익숙하게 함. '一之以慶賞'《荀子》. ③탐할뉴 탐냄. '不足一也'《國語》. ④바로잡을뉴 '一中軍之司馬'《國語》.
[字源] 形聲. 犭(犬)＋丑〔音〕

犬 4 〔狄〕7 적 [入]錫 | dí テキ えびす

[字解] ①오랑캐적 북방의 만족. '北一'. '北方曰一'《禮記》. 전(轉)하여, 널리 미개 야만 민족의 뜻으로 쓰임. '夷一'. '群一斯柔'《蔡邕》. ②악공적 지위가 낮은 영인(伶人). '一者樂吏之賤者也'《禮記》. ③아전적 하급 관리. '一設黼扆綴衣'《書經》. ④꿩털적 翟(羽부 8획〈1043〉)과 통용. '干戚旄一'《禮記》. ⑤멀적 逖(辵부 7획〈1496〉)과 통용. '舍爾介一'《詩經》. ⑥빠를적 왕래가 빠른 모양. '一成滌濫之音作'《禮記》. ⑦깎을적 깎아 냄. '一彼東南'《詩經》. ⑧성적 성(姓)의 하나.
[字源] 形聲. 犭(犬)＋亦〈省〉〔音〕

犬 4 〔狆〕7 충 | zhòng チュウ いみんぞくのな

[字解] 오랑캐이름충 귀주(貴州)·운남(雲南) 지방에 살던 만족(蠻族). '一家凡三種'《苗族記》.
[字源] 形聲. 犭(犬)＋中〔音〕

犬 4 〔㕯〕7 날 [入]黠 | nà ダツ けもののな

[字解] 짐승이름날 앞발이 없는 짐승의 일종이라 함. '跳鋒壯驚一'《韓愈》.

犬 4 〔㹠〕7 돈 [平]元 | tún トン ぶたのこ

[字解] 돼지새끼돈 豚(豕부 4획〈1372〉)과 同字. '豚, 豕子. 一, 上同'《廣韻》.

犬 4 〔豜〕7 연 [去]霰 | yàn ゲン ひとくいいぬ

[字解] ①사나운개연 사람을 먹는 개. 일설에는, 범을 쫓는 개. '一, 獟犬也, 一曰, 逐虎犬也'《說文》. ②호박개연 뼈대가 굵고 털이 북실북실하게 난 개. 오랑캐 땅에서 많이 남.
[字源] 形聲. 犭(犬)＋幵〔音〕

犬 4 〔犷〕7 은 ①[平]眞 ②[上]軫 | yín ギン いぬのほえるこえ yǐn ギン いぬのあらそい

[字解] ①개짖을은 개 짖는 소리. 狺(犬부 7획〈752〉)과 同字. '一, 犬吠聲'《說文》. ②개싸울은 개가 싸움. 齗(齒부 4획〈1884〉)과 同字.
[字源] 形聲. 犭(犬)＋斤〔音〕

犬 4 〔狇〕7 목 | mù ボク いみんぞくのな

[字解] 이민족이름목 '一狫'는 이민족(異民族)의 이름.

犬 4 〔犻〕7 패 [去]隊 | pèi ハイ いぬがいかる

[字解] ①개성낼패 '一, 一曰, 犬怒皃'《集韻》. ②개짖을패.
[字源] 形聲. 篆文은 犭(犬)＋朩〔音〕

犬 4 〔犻〕7 犻(前條)의 本字

犬 4 〔犹〕7 유 [去]宥 | yóu ユウ·ウ けもののな

[字解] ①짐승이름유 '一, 禽獸名'《集韻》. ②개짖는소리유 '一, 犬吠聲'《龍龕手鑑》. ③猶(犬부 9획〈756〉)의 簡體字.

犬 4 〔犼〕7 후 [上]有 | hǒu コウ おおかみのな

[字解] 이리후 몽고(蒙古)에 나는 이리의 이름. '一, 北方獸名. 似犬食人'《集韻》.

犬 5 〔狊〕9 격 [入]錫 | jú ケキ とりがつばさをはる

[字解] ①날개펄걱 새가 두 날개를 편 모양. '鳥之張兩翅, 一一然搖動者名一'《爾雅疏》. ②노려볼격 개가 노려보는 모양. '一, 犬視皃'《說文》.
[字源] 會意. 犬+目

犬5〔狉〕8 비 [平]支|pī ヒ こだぬき
[字解] ①새끼너구리비 豾(豸부 5획〈1379〉)와 同字. ②떼지어달릴비 짐승이 떼를 지어 달리는 모양. '草木榛榛, 鹿豕一一'《柳宗元》.
[字源] 形聲. 犭(犬)+丕〔音〕

犬5〔狋〕8 의 [平]支|yí ギ いぬがおこる
[字解] 으르렁거릴의 개가 으르렁대며 서로 싸우는 모양. 또, 개가 성낸 모양. '一吽牙者, 兩犬爭也'《漢書》.
[字源] 形聲. 犭(犬)+示〔音〕

犬5〔狌〕8 성 ①[平]庚 xīng セイ·ショウ しょうじょう ②[去]敬 shēng セイ·ショウ いたち
[字解] ①성성이성 猩(犬부 9획〈756〉)과 同字. '一一知往'《論衡》. ②족제비성 鼪(鼠부 5획〈1876〉)과 뜻이 같음. '一, 鼠屬'《集韻》. '捕鼠不如狸一'《莊子》.
[字源] 形聲. 犭(犬)+生〔音〕

犬5〔狎〕8 압 [入]洽|xiá コウ なれる
[字解] ①익을압 익숙함. '未一君政'《國語》. ②친압할압 허물 없이 가까이함. '雖一必變'《論語》. ③업신여길압 경시함. 경멸함. '一敵'. '民一而玩之'《左傳》. ④희롱할압 실없는 일을 하며 놂. '今俳優侏儒一徒, 罵侮而不鬪者'《荀子》. ⑤편안할압 '民一其野'《左傳》. ⑥번갈아압 교대하여. '晉楚一主天下之盟'《左傳》.
[字源] 形聲. 犭(犬)+甲〔音〕

犬5〔狐〕8 호 [平]虞|hú コ きつね
[字解] ①여우호 개과(科)에 속하는 개 비슷한 짐승. 산야에 혈거하며, 성질이 교활하여 옛날부터 사람을 호린다는 전설이 있음. '一狸'. '田獲三一'《易經》. ②여우털옷호 '輕一稱美'《梁昭明太子》. ③성호 성(姓)의 하나.
[字源] 形聲. 犭(犬)+瓜〔音〕

犬5〔狑〕8 령 [平]青|líng レイ りょうけんのな
[字解] ①좋은개령 양견(良犬). '一, 良犬也'《集韻》. ②오랑캐이름령 중국 서남의 산계(山溪)에 살던 만족(蠻族).

犬5〔狒〕8 비 [去]未|fèi ヒ ひひ
[字解] 비비비 '一一'는 원숭이과에 속하는 짐승. 아프리카·아라비아의 깊은 숲 속에서 살며, 성질이 아주 흉포함. '一一怪獸'《郭璞》.
[字源] 形聲. 犭(犬)+弗〔音〕

犬5〔狓〕8 피 [平]支|pī ヒ とびあがる
[字解] 방자할피 멋대로 굶. '一猖'.

犬5〔狖〕8 유 [去]宥|yòu ユウ くもざる
[字解] 검은원숭이유 원숭이의 일종으로, 털이 검음. 흑원(黑猿). 일설(一說)에는, 긴 꼬리원숭이. '猿一'. '猨啾啾兮一夜鳴'《楚辭》.
[字源] 會意. 犭(犬)+穴

犬5〔狗〕8 [高·人] 구 [上]有|gǒu ク いぬ
[筆順] ノ 犭 犭 犭' 犳 犳 狗 狗
[字解] ①개구 가축의 하나. 일설(一說)에, '犬'은 큰 개, '一'는 작은 개라 함. '喪家之一'. '尊客之前, 不叱一'《禮記》. ②성구 성(姓)의 하나.
[字源] 形聲. 犭(犬)+句〔音〕

犬5〔狘〕8 월 [入]月|xuè ケツ おどろきはしる
[字解] 놀라달아날월 짐승이 놀라서 달아남. '麟以爲畜. 故獸不一'《禮記》.
[字源] 形聲. 犭(犬)+戉〔音〕

犬5〔狙〕8 저 [去]御 [平]魚|jū ショ·ソ てながざる
[字解] ①긴팔원숭이저 원숭이의 일종. '猿一'. '衆一皆怒'《莊子》. ②엿볼저 틈을 엿봄. 기회를 노림. '一伺'. '其一害陰毒'《唐書》. ③노릴저 겨눔. '一擊秦皇帝'《史記》. ④찾을저 웃어른을 찾아 안부를 물음. 사후(伺候)함. '從一而好小察'《管子》. ⑤교활할저 간사한 꾀가 많음. 간교함. '兵固天下之一喜也'《戰國策》.
[字源] 形聲. 犭(犬)+且〔音〕

犬5〔狚〕8 ㊀단 [去]翰 dàn タン けもののな ㊁달 [入]曷 dá タツ いみんぞくのな
[字解] ㊀짐승이름단 늑대 비슷한 짐승.

'一, 獦一, 獸名. 似狼而赤. 出山海經'《廣韻》. [二] 오랑캐이름달 '一, 獶也. 廣西懷遠有一獶, 性愚弱'《中華大字典》.
[字源] 形聲. 犭(犬)+旦〔音〕

犬5 〔狛〕8 박 [入]藥 | bó ハク けもののな
[字解] 짐승이름박 이리 비슷한 짐승. '一, 如狼, 善驅羊'《說文》.
[字源] 形聲. 犭(犬)+白〔音〕

犬5 〔狕〕8 변 [去]霰 | fán ヘン·ベン いぬのあらそうさま
[字解] 개싸움할변 개가 싸우는 모양. '一, 犬爭皃'《玉篇》.

犬5 〔狣〕8 초 [平]蕭 | diāo チョウ みじかいおのいぬ
[字解] 동경이초 꼬리가 짧은 개. '一, 犬之短尾者'《集韻》.

犬5 〔狆〕8 신 [平]眞 | chēn チン くるう
[字解] 미칠신 '一, 狂也'《集韻》.

犬5 〔狘〕8 출 [入]質 | chù チュツ けもののな
[字解] 두머리짐승출 '一踢'은 좌우 두 개의 머리를 가진 전설상(傳說上)의 짐승.

犬5 〔狌〕8
[一] 주 [去]遇 | zhù シュ あたまがくろくからだのきいろないぬ
[二] 투 [上]有 | トウ あたまがくろくからだのきいろないぬ
[字解] [一] 머리검은누런개주 '一, 黃犬黑頭'《說文》. [二] 머리검은누런개투 [一]과 뜻이 같음.
[字源] 形聲. 犭(犬)+主〔音〕

犬5 〔狙〕8 거 [上]語 | jù キョ うま
[字解] 말거 '一驢'는 말의 일종. '駏, 駏驢, 獸名. 或作一'《集韻》.

犬5 〔狯〕8 겁 [入]葉 | qiè キョウ おそれる
[字解] 겁낼겁 怯(心부 5획〈384〉)과 同字. '一, 多畏也'《說文》.
[字源] 形聲. 犭(犬)+去〔音〕

犬5 〔狍〕8 포 [平]肴 | páo ホウ けもののな
[字解] 짐승이름포 '一鴞'는 짐승의 이름. 양(羊)의 몸에 사람의 낯을 하고, 겨드랑 밑에 눈이 있다고 함.

犬5 〔狝〕8 〔가〕
獨(犬부 10획〈758〉)와 同字

犬5 〔狜〕8 고 | kǔ コ しゅぞくのな
[字解] 종족이름고 서장(西藏)의 종족 이름.

犬5 〔狔〕8 니 [平]支 | nǐ ジ かぜにしたがうさま
[字解] ①나부낄니 나부낌. '一, 猗一, 從風皃'《廣韻》. ②나긋나긋할니 나긋하고 숙부드러운 모양.

犬5 〔狪〕8 모 [去]有 | mǔ ボウ けもののな
[字解] 짐승이름모 짐승 이름. '一, 狐一, 獸名'《集韻》.

犬6 〔狟〕9 훤 [平]元 | huán ケン あなぐま
[字解] 오소리훤 족제비과에 속하는 들짐승. 모양이 너구리와 비슷함. 貆(豸부 6획〈1380〉)과 同字. '一狢得埵防, 弗去而緣'《淮南子》.
[字源] 形聲. 犭(犬)+亘〔音〕

犬6 〔狠〕9
[一] 한 [平]刪 | yán ガン いぬのかみあうこえ
[二] 흔 [上]阮 | hěn コン もとる
[字解] [一] 개싸우는소리한. [二] 어길흔, 패려궂을흔 강퍅함. 很(彳부 6획〈370〉)과 통용. '一愎'. '好勇鬪一'《孟子》.
[字源] 形聲. 犭(犬)+艮〔音〕

犬6 〔狡〕9 교 [上]巧 | jiǎo コウ わるがしこい
[字解] ①간교할교 교활함. '一黠'. '一兔有三窟, 僅得免其死耳'《戰國策》. 얼굴은 예쁘나 마음은 비뚤어짐. '乃見一童'《詩經》. ②미칠교 광란(狂亂)함. '亂氣一憤'《左傳》. ③재빠를교 민첩함. '一兔死, 走狗烹'《史記》. ④해칠교 해(害)함. '無一民之辭'《大戴禮》.
[字源] 形聲. 犭(犬)+交〔音〕

犬6 〔狧〕9
[一] 시 [上]紙 | shì ジ ねぶる
[二] 탑 [入]合 | tà トウ どんよく
[字解] [一] 핥을시 혓바닥으로 쓸어 들이어 먹음. '一糠及米'《漢書》. [二] 탐낼탑 탐(貪)함. '棼狩一一'《太玄經》.
[字源] 會意. 犭(犬)+舌

犬6 〔狢〕9 狧(前條)의 俗字

犬6〔狨〕9 융 ㊥東|róng ジュウ むくげざる

字解 ①원숭이이름융 원숭이의 일종으로, 털이 부드럽고 깊. ②융융 絨(糸부 6획〈990〉)과 통용. ③성융 성(姓)의 하나.

字源 形聲. 犭(犬)+戎〔音〕

犬6〔狩〕9 수 ㊤宥|shǒu シュ かり

字解 ①사냥수 겨울에 몰이를 하여 하는 사냥. '春蒐, 夏苗, 秋獮, 冬一'《左傳》. 전(轉)하여, 불을 놓고 포위하여 잡는 사냥. '田一畢弋'《國語》. 또, 널리 조수(鳥獸)를 포획하는 뜻으로 쓰임. '一獵'. ②사냥할수 '不一不獵'《詩經》. ③임소수 임지(任地). '巡一'. '行一記政事'《史記》. ④순행수 천자(天子)의 순찰(巡察). '五一期恒岱'《韓愈》.

字源 形聲. 犭(犬)+守〔音〕

犬6〔狢〕9 학 ㊇藥|hé カク むじな

字解 오소리학 貉(豸부 6획〈1380〉)과 同字. '狟一得埵防, 弗去而緣'《淮南子》.

字源 形聲. 犭(犬)+各〔音〕

犬6〔狪〕9 동 ㊥東|tóng トウ ばんぞくのな

字解 ①오랑캐이름동 광서(廣西)·귀주(貴州) 지방에 살던 만족(蠻族). 峒(山부 6획〈307〉)과 同字. ②짐승이름동 '一一'은 돼지 비슷하며, 체내(體內)에 주옥(珠玉)이 있다는 짐승. '一一如豚, 被褐懷禍'《郭璞》.

字源 形聲. 犭(犬)+同〔音〕

犬6〔狫〕9 로 ㊤皓|lǎo ロウ ばんぞくのな

字解 오랑캐이름로 獠(犬부 12획〈760〉)와 同字.

犬6〔㺊〕9 양 |yáng ヨウ えびすのな

字解 오랑캐이름양 광서(廣西)·귀주(貴州) 지방에 살던 만족(蠻族).

犬6〔㹻〕9 산 ㊥刪|shān サン わるくつよいいぬ

字解 모질고센개산 '一, 惡健犬也'《說文》.

字源 形聲. 犭(犬)+冊〔音〕

犬6〔狤〕9 길 ㊇質|jí キツ くるう

字解 미칠길 '一, 狂也'《廣韻》.

犬6〔狛〕9 맥 ㊇陌|mò バク もうじゅうのな

字解 맹수맥 곰 비슷하며 검은 얼룩무늬가 있음. 貊(豸부 6획〈1380〉)과 同字. '山有九折坂, 出一, 一, 似熊而黑白駮'《山海經》.

犬6〔㹱〕9 파 ㊤哿|pǒ ハ·バ こしをかがめてゆく

字解 허리굽혀갈파 '玀一'는 허리를 구부리고 감. '一, 玀一, 謂僂腰而行. 出釋典'《篇海》.

犬6〔㹭〕9 예 ㊤霽|yì エイ たぬきのこ

字解 새끼너구리예 '一, 貍子'《廣韻》.

犬6〔狣〕9 ㊀조 ㊤篠 ㊥蕭|zhào チョウ ちからのつよいいぬ ㊁도 ㊤晧|トウ ちからのつよいいぬ

字解 ㊀힘센개조 '絕有力, 一'《爾雅》. ㊁힘센개도 ㊀과 뜻이 같음.

犬6〔狦〕9 〔연〕 豣(犬부 4획〈748〉)의 本字

犬6〔狭〕9 〔협〕 狹(犬부 7획〈752〉)의 略字

犬6〔狳〕9 〔휴〕 貅(豸부 6획〈1380〉)와 同字

犬6〔狥〕9 〔순〕 徇(彳부 6획〈370〉)의 俗字

犬6〔独〕9 〔독〕 獨(犬부 13획〈761〉)의 俗字

犬6〔狚〕9 ㊀열 ㊇屑|yè エツ けもののな ㊁연 ㊥先|エン けもののな

字解 ㊀짐승이름열 네 개의 뿔이 있는 소를 닮은 짐승. '獒一'. ㊁짐승이름연 ㊀과 뜻이 같음.

犬6〔狏〕9 이 ㊥支|yí イ けもののな, えびす

字解 ①짐승이름이 짐승의 이름. ②오랑캐이 오랑캐 이름. '老聃至西戎而效一言'《新論》.

犬6〔㹽〕9 항 ㊥江|xiáng コウ いぬがしたがわない

字解 개말듣지않을항 개가 말을 듣지 아니함. '㺃一'.

犬7〔奘〕11 장 ㊤養 ㊥陽 ㊤漾|zàng ソウ つよいいぬ ショウ つよいいぬ ソウ つよいいぬ

[字解] ①힘센개장 함부로 힘이 센 개. '一, 妄彊犬也'《說文》. ②클장, 성할장 '一, 又大也. 盛也'《字彙》.
[字源] 形聲. 犬+壯〔音〕

犬7 〔狴〕 10 폐 ㊥齊 bì ヘイ のいぬ, ひとや
[字解] ①들개폐 야견(野犬). '狂吠一犴'《柳宗元》. ②옥폐 감옥. '如幽一牢'《易林》.
[字源] 形聲. 犭(犬)+坒〔音〕

犬7 〔狶〕 10 ㊀희 ㊥微 xī キ ぶた ㊁시 ㊤紙 shǐ シ たいこのていおうのな
[字解] ㊀멧돼지희, 돼지희 '食一如食人'《列子》. ㊁황제이름시 '一韋氏'는 태고의 제왕(帝王)의 이름.
[字源] 形聲. 犭(犬)+希〔音〕

犬7 〔狷〕 10 견 ㊤銑 juàn ケン きみじか
[字解] ①성급할견 성미가 좁고 급함. '不罪狂一之言'《漢書》. ②견개할견 고집이 세어 용납성이 없고 지조가 굳음. '一介'. '一者有所不爲也'《論語》.
[字源] 形聲. 犭(犬)+肙〔音〕

犬7 〔狸〕 10 리 ㊥支 lí リ たぬき
[字解] 너구리리 ㉠개과에 속하는 들짐승. 여우보다 살이 찌고 작음. 동부 아시아에 분포함. 산달(山獺). ㉡살쾡이.
[字源] 形聲. 犭(犬)+里〔音〕
[參考] 貍(豸부 7획〈1381〉)의 同字.

犬7 〔狹〕 10 협 ㊇洽 xiá キョウ せまい
[字解] ①좁을협 ㉠넓지 아니함. '廣一'. '地一人寡'《史記》. ㉡많지 아니함. '其所持者一, 而所欲者奢'《史記》. ②좁아질협, 좁힐협 좁게 됨. 좁게 함. '無自廣而一人'《書經》.
[字源] 形聲. 犭(犬)+夾〔音〕
[參考] 狭(犬부 6획〈751〉)은 俗字.

犬7 〔狺〕 10 은 ㊥文 yín ギン いぬがかみあう
[字解] 으르렁거릴은 개가 서로 으르렁거리며 물어뜯는 소리. 또, 개 짖는 소리. '猛犬一一'《楚辭》.
[字源] 形聲. 犭(犬)+言〔音〕

犬7 〔狻〕 10 산 ㊥寒 suān サン しし
[字解] 사자산 맹수의 하나. '一猊野馬'《穆天子傳》.
[字源] 形聲. 犭(犬)+夋〔音〕

犬7 〔狼〕 10 랑 ㊥陽 láng ロウ おおかみ
[字解] ①이리랑 개과에 속하는 산짐승. 늑대보다 크고 귀가 쫑긋하며 꼬리를 늘어뜨림. 성질이 사나워 인축(人畜)을 해침. '虎一'. '並驅從兩一兮'《詩經》. 전(轉)하여, 이리와 같이 욕심이 많거나 잔인 무도한 사람의 비유로 쓰임. '一心'. '嫂溺不援, 是豺一也'《孟子》. ②어지러울랑 산란함. '一藉'. '爲一疾人也'《孟子》. ③별이름랑 '東有大星曰一'《史記》. ④성랑 성(姓)의 하나.
[字源] 形聲. 犭(犬)+良〔音〕

犬7 〔狽〕 10 패 ㊦泰 bèi ハイ けもののな
[字解] ①이리패 이리〔狼〕의 일종. '一, 獸名. 狼屬也. 生子, 或缺一足·二足者, 相附而行, 離則顚'《集韻》. ②허겁지겁할패 '狼一'는 허둥지둥하여 어찌할 줄 모르는 모양.
[字源] 形聲. 犭(犬)+貝〔音〕

犬7 〔狲〕 10 사 shā サ ばんぞくのな
[字解] 종족이름사 광서성(廣西省) 지방의 한 종족(種族). '一, 蠻也. 廣西有之'《中華大字典》.

犬7 〔狳〕 10 구 qiú キュウ ばんぞくのな
[字解] 오랑캐이름구 운남성(雲南省) 서변(西邊)의 만족(蠻族).

犬7 〔狾〕 10 제 ㊦霽 zhí セイ きちがいいぬ
[字解] 미친개제 광견(狂犬). '宋國人逐一犬'《漢書》.
[字源] 形聲. 犭(犬)+折(㪿)〔音〕

犬7 〔狵〕 10 방 ㊥江 máng ボウ むくいぬ
[字解] 삽살개방 털이 많은 개. 尨(尢부 4획〈293〉)과 同字. '一, 犬多毛'《廣韻》.

犬7 〔狿〕 10 연 ㊥先 yán エン けもののな
[字解] 만연짐승연 너구리와 비슷함. '獌一, 獸名. 似貍而長'《集韻》.

犬7 〔涏〕 10 정 ㊥青 tíng テイ さる
[字解] 원숭이정 '一猱, 猨屬'《集韻》.

犬7〔犯〕10 작 ㊅藥|què シャク りょうけんのな
字解 개작 송(宋)나라 양견(良犬)의 이름. '一, 宋良犬名'《集韻》.

犬7〔猢〕10 호 ㊊虞|hú コ こいぬ
字解 작은개호 '一狢, 小犬'《篇海》.

犬7〔猜〕10 소 ㊊蕭|xiāo ショウ きちがい
字解 미치광이소 '一, 狂病'《玉篇》.

犬7〔狢〕10 욕 ㊅沃|yù ヨク けもののな
字解 독욕(獨狢)짐승욕 몸은 호랑이 같고, 개 머리에 말 꼬리를 가진 상상상(想像上)의 짐승. '獨一, 獸也'《說文》.
字源 形聲. 犭(犬)+谷〔音〕

犬7〔涇〕10 경 ㊤梗|yǐng ゲイ かる
字解 사냥할경 사냥질. '一, 狩也'《篇海》.

犬7〔狴〕10 양 ㊊陽|yáng ヨウ いぬ
字解 개양 '一獚'은 개의 이름.

犬7〔狳〕10 여 ㊊魚|yú ヨ けもののな
字解 짐승이름여 '犰一'는 짐승 이름. '一, 獸名'《廣韻》.

犬7〔猁〕10 리 |lì リ けもののな
字解 짐승이름리 '猞一猻'은 짐승의 이름. '一, 猞一猻, 獸名'《中華大字典》.

犬7〔狦〕10 〔산〕
狦(犬부 6획〈751〉)의 本字

犬7〔狟〕10 〔훤〕
狟(犬부 6획〈750〉)의 本字

犬7〔狴〕10 〔광〕
狂(犬부 4획〈748〉)의 本字

〔猫〕〔노〕
山부 7획(310)을 보라.

犬7〔猂〕10 〔한〕
悍(心부 7획〈391〉)의 俗字

犬8〔猋〕12 표 ㊊蕭|biāo ヒョウ いぬのはしるさま
字解 ①개떼달릴표 '一, 群犬走皃'《廣韻》. ②달릴표 빨리 달리는 형용. '一, 犬走皃'《說文》. ③회오리바람표 飆(風부 12획〈1711〉)와 통용. '一風暴雨總至'《禮記》.
字源 會意. 犬+犬+犬

犬8〔猒〕12 ㊀염 ㊊鹽|yàn エン あきる ㊁엽 ㊅葉|yā ヨウ ふさぐ
字解 ㊀ ①물릴염 ㉠싫어짐. '一, 飽也. 足也'《說文》. ㉡만족함. 넉넉함. '豈敢一縱其耳目心腹, 以亂百度'《國語》. ②편안할염 안정됨. 懕(心부 14획〈416〉)과 통함. '一, 安也'《揚子方言》. ㊁ ①막을엽 '於是東游以一當之'《漢書》. ②다그칠엽 얹음. 합함. 厭(厂부 12획〈137〉)과 同字. '厭, 說文, 笮也. 一曰, 伏也. 合也. 或作一'《集韻》.
字源 會意. 金文은 口+月(肉)+犬

犬8〔猌〕12 은 ㊀震|yìn ギン いぬがはをむきだしていかる
字解 개이드러내어성낼은 '一, 犬張齗怒皃'《廣韻》.
字源 會意. 犬+來

犬8〔猰〕12 〔장〕
奬(大부 11획〈238〉)과 同字

犬8〔猇〕11 효 ㊊肴|xiāo コウ とらのうなりごえ
字解 ①범의소리효 범이 사람을 물려고 으르렁대는 소리. '一, 虎聲'《廣韻》. ②개짖는소리효 '一, 一曰犬聲'《集韻》. ③옛고을이름효 현명(縣名). 지금의 산동성(山東省) 장구현(章丘縣) 북쪽에 있음. '濟南郡一'《漢書》.
字源 會意. 犭(犬)+虎

犬8〔猊〕11 예 ㊊齊|ní ゲイ しし
字解 사자예 고양이과(科)에 속하는 맹수의 하나. '狻一野馬走五百里'《穆天子傳》.
字源 形聲. 犭(犬)+兒〔音〕

犬8〔猍〕11 래 ㊊灰|lái ライ たぬき
字解 ①너구리래 '猍, 貍也. 一, 上同'《廣韻》. ②오랑캐이름래 광서(廣西) 지방의 만족(蠻族). '一, 蠻族'《中華大字典》.
字源 形聲. 犭(犬)+來〔音〕

犬8〔猓〕11 과 ㊤哿|guǒ カ おながざる
字解 ①긴꼬리원숭이과 원숭이의 일종. 꼬리가 몹시 긺. '一然'. ②오랑캐이름과 '一玀'는 중국 서남방에 살던 만족(蠻族)으로, 묘족(苗族)의 일종.
字源 形聲. 犭(犬)+果〔音〕

犬 8 〔猖〕 11 창 [平]陽 | chāng ショウ たけりくるう

[字解] 미칠창 미쳐 날뜀. '一蹶'. '一狂妄行, 乃蹈乎大方'《莊子》.
[字源] 形聲. 犭(犬)+昌〔音〕

犬 8 〔猗〕 11 ㊀ 의 [平]支 [上]紙 | ①-④yī イ きんきりいぬ ⑤-⑦yǐ イ よる
㊁ 아 [上]哿 | ē ア しなやか

[字解] ㊀ ①불깐개의 거세한 개. ②아의 탄미(歎美)하는 소리. '一嗟'. '一與漆沮'《詩經》. ③길의 짧지 아니함. '有實其一'《詩經》. ④어조사의 어귀의 끝에 쓰는 조자(助字). 兮(八부 2획〈86〉)와 동의(同意). '斷斷一無他技'《書經》. ⑤의지할의 倚(人부 8획〈57〉)와 통용. '一重較兮'《詩經》. ⑥보탤의 가(加)함. '一于畝丘'《詩經》. ⑦잔물결의 漪(水부 11획〈679〉)와 통용. '河水淸且漣一'《詩經》. ㊁ 부드러울아 야들야들한 모양. 유연(柔輭)한 모양. 또, 유순한 모양. '一儺其枝'《詩經》.
[字源] 形聲. 犭(犬)+奇〔音〕

犬 8 〔猘〕 11 제 [去]霽 | zhì セイ きちがいいぬ

[字解] 미친개제 광견. 狾(犬부 7획〈752〉)와 同字. '一狗之驚'《淮南子》.
[字源] 形聲. 犭(犬)+制〔音〕

犬 8 〔猙〕 11 쟁 [平]庚 | zhēng ソウ けもののな

[字解] ①짐승이름쟁 표범 비슷하며, 뿔 하나 꼬리 다섯이 있다는 상상상(想像上)의 짐승. 일설(一說)에는, 여우 비슷하며 날개가 있다 함. '章莪之山, 有獸焉. 其狀如赤豹, 五尾一角, 其音如擊石. 其名如一. (註)一曰, 似狐有翼'《山海經》. ②사나울쟁 포악함. '容貌一獰'《廣異記》.
[字源] 形聲. 犭(犬)+爭〔音〕

犬 8 〔猛〕 11 [高·人] 맹 [上]梗 | měng モウ たけし

[筆順] ノ 犭 犭 犭 犴 犴 猛 猛 猛

[字解] ①날랠맹 용감함. '一將'. '虎豹之皮, 示服一也'《禮記》. ②엄할맹 너그럽지 아니함. '寬一相濟'. '寬以濟一'《左傳》. ③사나울맹 ㉠흉포함. '一惡'. '苛政一于虎'《禮記》. ㉡맹렬함. '一雨'. '烈于一火'《書經》. ④성맹 성(姓)의 하나.
[字源] 形聲. 犭(犬)+孟〔音〕

犬 8 〔猜〕 11 시 [平]灰 | cāi サイ そねむ

[字解] ①시새울시 투기함. '一忌'. '耦俱無一'《左傳》. ②의심할시 의구함. '一阻'. '雖吾子亦有一焉'《左傳》. ③시기시, 의심시 이상(以上)의 명사. '愚者抱一'《梁書》.
[字源] 會意. 犭(犬)+靑

犬 8 〔猝〕 11 졸 [入]月 | cù ソツ にわか

[字解] 갑작스러울졸 뜻밖이 되어 급함. '一然'. '倉一'. '項王意烏一嗟'《漢書》.
[字源] 形聲. 犭(犬)+卒〔音〕

犬 8 〔猎〕 11 ㊀ 작 [入]藥 | què シャク りょう けんのな
㊁ 석 [入]陌 | xī セキ けもののな

[字解] ㊀ 개작 송(宋)나라 양견(良犬)의 이름. 猈(犬부 7획〈753〉)과 同字. ㊁ 짐승이름석 곰 비슷한 짐승의 이름. '一, 黑獸, 似熊'《集韻》.

犬 8 〔猈〕 11 패 [上]蟹 | bài ハイ すねのみじかいいぬ

[字解] ①발바리패 정강이가 짧은 개. '一, 短脛犬'《說文》. ②목짧은개패 '一, 犬短頸'《廣韻》.
[字源] 形聲. 犭(犬)+卑〔音〕

犬 8 〔猉〕 11 기 [平]支 | qí キ いぬのこ

[字解] 강아지기 '汝南謂犬子爲一'《集韻》.

犬 8 〔猑〕 11 곤 [平]元 | kūn コン おおいぬ

[字解] ①큰개곤 '一, 大犬也'《集韻》. ②들말곤 '一蹏'는 야생의 말. '羂一蹏. (注)一蹏, 野馬也'《後漢書》.

犬 8 〔猔〕 11 종 [去]宋 | zǒng ソウ いぬのひとつご

[字解] 외동이강아지종.

犬 8 〔逴〕 11 탁 [入]覺 | zhuó タク たけだけしいいぬ

[字解] ①사나운개탁 맹견. 또, 개가 사나워서 들이덤벼 묾. '一, 猛犬'《玉篇》. ②사냥할탁 사냥. 사냥함. '一, 狩也'《玉篇》.

犬 8 〔猏〕 11 견 [平]先 | jiān ケン おおきいぶた

[字解] 큰돼지견, 사릅돼지견 세 살 된 돼지. '懼虎而刺一. (注)獸三歲曰一也'《呂氏春秋》.

犬 8 〔猄〕 11 경 [平]庚 | jīng ケイ·キョウ けもののな

[字解] ①짐승이름경 '一, 獸名'《字彙》. ②

《現》 사슴경 '黃一'은 사슴의 일종.

犬8 〔猹〕11 찬 [上]潸 | chǎn サン·セン かむ
[字解] ①물찬 개가 묾. '一, 犬齧也'《說文》. ②먹을찬 개가 먹음. '一, 犬食也'《玉篇》.
[字源] 形聲. 犭(犬)＋戔〔音〕

犬8 〔猲〕11 적 [入]陌 | zhé タク·チャク いぬがいかってみみをたてる
[字解] 개성내귀벌쭉세울적 개가 성내어 귀를 벌쭉 일으켜 세우는 모양. '一, 犬怒張耳'《廣韻》.
[字源] 形聲. 犭(犬)＋易〔音〕

犬8 〔猞〕11 사 | shē シャ けもののな
[字解] 짐승이름사 '一猁猻'은 짐승의 이름. 몽고(蒙古)의 오랍제산(烏拉諸山)에 나는데, 원숭이와 여우와의 잡종(雜種). 고양이 비슷하되 크고, 털가죽은 진중(珍重)됨. '一, 一猁猻, 獸名'《中華大字典》.

犬8 〔猚〕11 ㊀ 애 [平]佳 | yá ガイ とりのな
㊁ 의 [平]支 | ギ かわのな
㊂ 루 [上]紙 | ルイ さるのいっしゅ
㊃ 유 [去]宥 | wèi ユウ さるのいっしゅ
[字解] ㊀ ①새이름애 '一, 一鳥也'《說文》. ②물이름애 '一, 睢陽有一水'《說文》. ㊁ 새이름의, 물이름의 ㊀과 뜻이 같음. ㊂ 원숭이루 ㊃와 뜻이 같음. ㊃ 원숭이유 콧구멍이 위로 향하고 꼬리가 매우 긴 원숭이. 나무 위에서 생활을 함. 蜼(虫부 8획〈1232〉)와 同字. '蜼, 似猿, 仰鼻而尾長. 尾端有歧. 一, 上同'《廣韻》.
[字源] 形聲. 隹＋犭(犬)〔音〕

犬8 〔猠〕11 [韓] 전
[字解] 《韓》 염소전 '店裏買一皮去來. 店에 一皮 사라 가쟈'《朴通事諺解》.

犬8 〔猕〕11 〔미〕
獼(犬부 17획〈764〉)의 俗字

犬8 〔猟〕11 〔렵〕
獵(犬부 15획〈763〉)의 略字

犬8 〔猪〕11 〔저〕
豬(犬부 9획〈756〉)의 略字

犬8 〔猤〕11 경 [平]庚 | gēng コウ いぬのな
[字解] 개이름경 개 이름. '狓一'.

犬8 〔猕〕11 〔교〕
狡(犬부 6획〈750〉)의 俗字

犬8 〔猦〕11 굴 [入]物 | jué クツ けもののな
[字解] 짐승이름굴 서역(西域)에 산다는 짐승 이름. '猎一'.

犬8 〔猥〕11 ㊀ 와 [平]歌 | wō ワ こいぬ
㊁ 위 [平]支 | wēi イ いぬのいっしゅ
[字解] ㊀ 발바리와 발바리. 猧(犬부 9획〈756〉)와 同字. ㊁ 개위 개의 한 가지. '一猗'.

犬8 〔猖〕11 〔창〕
悵(心부 8획〈395〉)의 俗字

犬8 〔奨〕12 〔장〕
奬(大부 11획〈238〉)의 本字

犬8 〔猫〕12 〔묘〕
貓(犬부 9획〈756〉)의 俗字

犬9 〔猷〕13 [人名] 유 [平]尤 | yóu ユウ はかりごと
[筆順] ノ 八 亼 台 酋 酋 猷 猷
[字解] ①꾀유 모계(謀計). '謀一'. '爾有嘉謀嘉一'《書經》. ②꾀할유 '一念'. '汝, 一黜乃心'《書經》. ③그릴유 그림을 그림. '以一鬼神祇'《爾雅 注》. ④길유 도(道). 도리. '若昔之大一'《書經》. ⑤같을유 猶(犬부 9획〈756〉)와 통용. ⑥아유 탄식하여 내는 소리. '一大誥爾多邦'《書經》. ⑦성유 성(姓)의 하나.
[字源] 形聲. 犬＋酋〔音〕

犬9 〔猒〕13 〔염〕
猒(犬부 8획〈753〉)과 同字

犬9 〔㲋〕13 작 [入]藥 | chuò チャク けもののな
[字解] ①짐승이름작 토끼 비슷하고, 청색인 큰 짐승. 㲋(比부 5획〈616〉)과 同字. '㲋 說文, 獸也. 似兔, 青色而大. 頭與兔同, 足與鹿同. 一, 上同'《廣韻》. ②약(弱)할작 '息一庸微'《顏延之》.

犬9 〔献〕13 〔헌〕
獻(犬부 16획〈764〉)의 俗字

犬9 〔猢〕12 호 [平]虞 | hú コ さる
[字解] 원숭이호 속어(俗語)로, 원숭이를 '一猻'이라 함.
[字源] 形聲. 犭(犬)＋胡〔音〕

犬9 〔猥〕 12 외 ㊤賄 | wěi ワイ みだれる

字解 ①뒤섞일외 난잡함. 혼잡함. '一雜'. '取此雜一之物'《左傳 註》. ②더러울외 ㉠야비함. 상스러움. '卑一不獲處人間'《洞冥記》. ㉡추잡함. '一褻'. ③성(盛)할외 왕성함. '無不一大'《漢書》. ④많을외 '水一盛則放溢'《漢書》. ⑤쌓을외 축적함. '勿一勿幷'《漢書》. ⑥함부로외 아무 생각 없이 마구. '何故一自發舒'《漢書》. ⑦외람될외 외람되이. 분수에 넘치게. 스스로 겸손하는 말. '一託賓客之上'《後漢書》.
字源 形聲. 犭(犬)+畏〔音〕

犬9 〔猧〕 12 와 ㊥歌 | wō ワ ちん

字解 발바리와 동양 특산의 작은 개. '嬌一睡猶怒'《元稹》.
字源 形聲. 犭(犬)+咼〔音〕

犬9 〔猨〕 12 원 ㊥元 | yuán エン てながざる

字解 원숭이원 猿(犬부 10획〈758〉)과 同字. '一臂'.
字源 形聲. 犭(犬)+爰〔音〕

犬9 〔猿〕 12 猨(前條)의 俗字

犬9 〔猩〕 12 성 ㊥庚 | xīng セイ·ショウ しょうじょう

字解 성성이성 '一一'은 ㉠유인원과(類人猿科)에 속하는 짐승. 모양이 사람과 가장 닮았으며, 힘이 세어 악어와 큰 뱀을 잡아먹음. ㉡상상(想像)의 동물(動物). 머리털이 길고 술을 좋아하며 춤을 잘 춤. '一一能言, 不離禽獸'《禮記》.
字源 形聲. 犭(犬)+星〔音〕

犬9 〔猱〕 12 노 ㊥豪 | náo ドウ てながざる

字解 원숭이노 긴팔원숭이. '毋敎一升木'《詩經》.
字源 形聲. 犭(犬)+柔〔音〕

犬9 〔猲〕 12 시 ㊤紙 | xǐ シ やすらかでない

字解 두려워할시 불안(不安)함. 마음이 진정(鎭靜)되지 않음. 偲(人부 9획〈62〉)와 통함. '心一一而發悸'《王延壽》.

犬9 〔猲〕 12 갈 ㊀曷 | xiē ケツ くちのみじかいいぬ

字解 ①개갈 주둥이가 짧은 개. '載獫一獢'《詩經》. ②으를갈 喝(口부 9획〈173〉)과 통용. '各爲權勢, 恐一良民'《漢書》. ③큰이리갈 '一狚'은 큰 이리. 또, 이리 비슷하고 목이 붉으며 쥐 눈을 가진 동물의 이름. '一狚, 巨狼'《集韻》.
字源 形聲. 犭(犬)+曷〔音〕

犬9 〔猴〕 12 후 ㊥尤 | hóu コウ さる

字解 원숭이후 원숭이과에 속하는 짐승. 모양이 사람과 비슷함. '楚人沐一而冠耳'《史記》.
字源 形聲. 犭(犬)+侯〔音〕

犬9 〔猴〕 12 猴(前條)의 本字

犬9 〔猵〕 12 편 ㊥先 | biān ヘン かわうそ

字解 수달편 거대(巨大)한 수달(水獺). '畜池魚者, 必去一獺'《淮南子》.
字源 形聲. 犭(犬)+扁〔音〕

犬9 〔猶〕 12 中·人 ㊀유 ㊥尤 ㊁요 ㊥蕭 | yǒu ユウ さる, ひとしい yáo ヨウ うごく

筆順 丿 犭 犭 犭 犭 狁 猶 猶

字解 ㊀ ①원숭이유 원숭이의 일종. 의심이 많으며 나무를 잘 탐. ②망설일유 주저함. 의심하여 결단을 못내림. '一豫'. '一兮如畏四隣'《老子》. ③같을유 ㉠유사함. '性一杞柳也'《孟子》. ㉡똑 같음. '淑人君子, 其德不一'《詩經》. ④가히유 조동사의 '可'와 뜻이 같음. '一來無止'《詩經》. ⑤오히려유 ㉠도리어 좀. 더욱더. '我一尸之'《莊子》. ㉡아직도 좀. 그래도 좀. '管仲晏子一不足爲與'《孟子》. ㉢여전히. 계속하여. '然一不止'《史記》. ⑥꾀유, 꾀할유 猷(犬부 9획〈755〉)와 同字. '克壯其一'《詩經》. '允一翕河'《詩經》. ⑦말미암을유 由(田부 0획〈795〉)와 同字. '文王一方百里起'《孟子》. ⑧성유 성(姓)의 하나. ㊁ 움직일요 搖(手부 10획〈458〉)와 통용. '咏斯一, 一斯舍'《禮記》.
字源 形聲. 犭(犬)+酋〔音〕

犬9 〔猪〕 12 저 ㊥魚 | zhū チョ ぶた

字解 ①돼지저 豬(豕부 9획〈1376〉)의 俗字. ②웅덩이저, 괼저 瀦(水부 16획〈699〉)와 同字. '一水'. '大野旣一'《書經》.
字源 形聲. 犭(犬)+者〔音〕

犬9 〔猫〕 12 묘 ㊥蕭 | māo ビョウ ねこ

字解 ①고양이묘 貓(豸부 9획〈1382〉)의 俗字. '養一以捕鼠'《蘇軾》. ②닻묘 錨(金부 9획〈1570〉)와 통용. '船上鐵一'《俗書刊誤》.
字源 形聲. 犭(犬)+苗〔音〕

犬 9 〔猤〕12 계 去霽 jì キ たけし

字解 날랠계 용장(勇壯)한 모양. '狂趭獷一'《左思》.
字源 形聲. 犭(犬)+癸〔音〕

犬 9 〔猳〕12 가 平麻 jiā カ おすのぶた

字解 수퇘지가 豭(豕부 9획〈1376〉)와 同字. '旦暮欲齧我一'《管子》.
字源 形聲. 犭(犬)+叚〔音〕

犬 9 〔猣〕12 종 平東 zōng ソウ いぬのみつご

字解 숱발이종 한 배에서 세 마리가 난 강아지. '犬生三, 一'《爾雅》.

犬 9 〔猰〕12 ㊀알 入黠 yà アツ けもののな ㊁갈 入黠 jiá カツ まじりけのいぬ

字解 ㊀알유(猰貐)짐승알 짐승의 이름. '一貐, 獸名'《說文新附》. ㊁①얼룩개갈 털이 얼룩얼룩한 개. '一, 雜犬'《玉篇》. ②개갈 '一, 犬也'《集韻》.
字源 形聲. 犭(犬)+契〔音〕

犬 9 〔猐〕12 휘 平微 huī キ けもののな

字解 휘짐승휘 '獄法之山, …有獸焉. 其狀如犬而人面, 善投. 見人則笑. 其名山一. 其行如風. 見則天下大風'《山海經》.
字源 形聲. 犭(犬)+軍〔音〕

犬 9 〔猯〕12 단 平寒 tuān タン いのしし

字解 산돼지단 貒(豕부 9획〈1376〉)과 同字. '一, 野猪'《玉篇》.
字源 形聲. 犭(犬)+耑〔音〕

犬 9 〔猨〕12 암 平咸 去陷 yān アン あなのなかで いぬのほえるこえ

字解 구멍속에서개짖는소리암 '一, 竇中犬聲'《說文》.
字源 形聲. 犭(犬)+音〔音〕

犬 9 〔猦〕12 풍 平東 fēng フウ けもののな

字解 짐승이름풍 '一, 一狦, 獸. 有尾. 小打卽死, 因風更生'《玉篇》.

犬 9 〔猭〕12 ㊀전 ①②平先 ③去霰 chuàn テン はしる ㊁연 平先 エン はしる ㊂선 平先 セン けもののな

字解 ㊀①달릴전 '貒一 · 一貒'은 토끼 따위가 달리는 모양. ②짐승이름전 ㊂과 뜻이 같음. ③달릴전 짐승이 풀 사이를 달림. '獸不得一'《馬融》. ㊁달릴연, 짐승이름연 ㊀①②와 뜻이 같음. ㊂짐승이름선 토끼와 비슷한 짐승. '一, 獸名. 似兎'《集韻》.

犬 9 〔猤〕12 〔수〕 獀(犬부 10획〈758〉)의 本字

犬 9 〔猬〕12 ㊀蝟(虫부 9획〈1236〉)와 同字 ㊁彙(彐부 10획〈365〉)와 同字

犬 9 〔猶〕12 ㊀猃(犬부 7획〈753〉)와 同字 ㊁貐(豸부 9획〈1382〉)의 俗字

犬 9 〔猸〕12 미 平支 méi ビ けもののな

字解 짐승이름미 짐승 이름. 물가에 살며, 그 모피는 중히 여겨짐. '一, 獸名'《集韻》.

犬 9 〔猷〕13 〔헌〕 獻(犬부 16획〈764〉)과 同字

犬 10 〔獄〕14 高·人 옥 入沃 yù ゴク ひとや

筆順 ノ 丿 犭 犭 犭 犭 獄 獄

字解 ①옥옥 감옥. '一舍'. '宜岸宜一'《詩經》. ②송사옥 소송. '訟一'. '折一'. '何以速我一'《詩經》. ③판결옥 재판. '使者覆一'《漢書》. ④법옥 율령(律令). '遂使書一'《漢書》. ⑤죄옥 죄악. 죄상. '褒人褒姁有一'《國語》.
字源 會意. 㹜+言

犬 10 〔獃〕14 애 平灰 dāi, ái ガイ おろか

字解 어리석을애 우둔함. 시비 · 선악을 분별 못 함. '一癡'.
字源 形聲. 犬+豈〔音〕

犬 10 〔㺉〕14 ㊀혹 入屋 hù コク けもののな ㊁구 去宥 コウ·ク けもののな ㊂학 入覺 カク けもののな

字解 ㊀짐승이름혹 ㉠개의 일종. '一, 似犬惡也. 上黃下黑'《玉篇》. ㉡암양(羊) 비슷한 짐승. ㉢원숭이의 일종. '一, 爲猨屬'

《正字通》. [二] 짐승이름구 [一]과 뜻이 같음. [三] 짐승이름학 '一, 獸名'《集韻》.
[字源] 形聲. 犬+㱿〔音〕

犬 10 〔猺〕13 요 [平]蕭 | yáo ヨウ ばんぞくのな
[字解] 오랑캐이름요 중국 서남 지방의 만족(蠻族). '山一穴居野處'《溪蠻叢談》.
[字源] 犭(犬)+䍃〔音〕

犬 10 〔猻〕13 손 [平]元 | sūn ソン さる
[字解] 원숭이손 속어(俗語)로, 원숭이를 '猢一'이라 함.
[字源] 形聲. 犭(犬)+孫〔音〕

犬 10 〔猾〕13 활 [入]黠 | huá カツ わるがしこい
[字解] ①교활할활 간교(奸巧)함. '一吏'. '一民佐吏爲治'《史記》. ②어지러울활, 어지럽힐활 '蠻夷一夏'《書經》.
[字源] 形聲. 犭(犬)+骨〔音〕

犬 10 〔猿〕13 원 [平]元 | yuán エン さる
[字解] 원숭이원 긴팔원숭이. 전(轉)하여, 널리 원숭이의 뜻. '一猴'. '堂庭之山, …多白一'《山海經》.
[字源] 形聲. 犭(犬)+袁〔音〕

犬 10 〔⿰犭員〕13 猿(前條)의 俗字

犬 10 〔獀〕13 수 [平]尤 | sōu シュウ あきがり
[字解] ①가을사냥수 가을에 하는 수렵. '放乎一狩'《禮記》. ②봄사냥수 봄에 하는 사냥. ③사냥할수 '一于農隙'《國語》.
[字源] 形聲. 犭(犬)+叟(叜)〔音〕

犬 10 〔獅〕13 사 [平]支 | shī シ しし
[字解] 사자사 고양이과에 속하는 맹수. '一子'.
[字源] 形聲. 犭(犬)+師〔音〕

犬 10 〔⿰犭哥〕13 가 [平]麻 | jiā カ さる
[字解] 원숭이가 ⿰犭加(犬부 5획〈750〉)와 同字.

犬 10 〔⿰犭般〕13 반 [平]寒 | pán ハン おのみじかいいぬ
[字解] 동경이반 꼬리가 짧은 개. '一狐, 犬短尾'《集韻》.

犬 10 〔⿰犭兼〕13 [一] 혐 [上]琰 | xiàn ケン ほえる
[二] 함 [上]豏 | xiàn カン ほえる
[字解] [一] ①개짖을혐 개가 그치지 않고 짖음. '一, 犬吠不止也'《說文》. ②개싸울혐 두 개가 서로 싸움. '一, 一曰, 兩犬爭也'《說文》. [二] 개짖을함, 개싸울함 [一]과 뜻이 같음.
[字源] 形聲. 犭(犬)+兼〔音〕

犬 10 〔⿰犭畟〕13 즉 [入]職 | jí ショク いぬのみつご
[字解] 솥발이즉 한 배에 세 마리가 난 강아지. '一, 犬生三子曰一'《集韻》.

犬 10 〔⿰犭留〕13 류 [平]尤 | liú リュウ いぬ
[字解] 사냥개류 '執一'는 사냥을 잘 하는 개 이름. '執一, 狗名, 言善執留禽獸'《集韻》.

犬 10 〔⿰犭荒〕13 황 [平]陽 | huāng コウ おおかみ
[字解] 이리황 이리의 일종. '一, 狼屬'《集韻》.

犬 10 〔⿰犭蚩〕13 치 [平]支 | chī シ かり
[字解] ①사냥질할치 '一, 狩也'《玉篇》. ②삽살개치 '獶一'. '獶一, 犬也'《集韻》.

犬 10 〔獂〕13 원 [平]元 | húan, yuán ゲン けもののな
[字解] 원(獂)짐승원 소를 닮은 세 발 가진 짐승. '乾山, …有獸焉. 其狀如牛而三足, 其名曰一'《山海經》.
[字源] 形聲. 犭(犬)+原〔音〕

犬 10 〔⿰犭翁〕13 옹 [平]東 | wēng オウ ぶた
[字解] 돼지옹 '一, 豬也'《集韻》.

犬 10 〔猼〕13 박 [入]藥 | bó ハク けもののな
[字解] 짐승이름박 사람처럼 생기고 날개가 있는 짐승. '一, 獸名. 似人有翼'《集韻》.

犬 10 〔⿰犭恙〕13 양 [去]漾 | yàng ヨウ ししににた もうじゅう
[字解] 사자비슷한맹수(猛獸)양 '一, 獸名. 如狻猊, 食熊羆'《集韻》.

犬 10 〔獁〕13 마 [去]禡 | mǎ バ・メ けもののな
[字解] ①짐승이름마 '一, 獸名'《集韻》. ②《現》매머드마 '猛一'는 매머드(mammoth).

犬 10 〔獄〕13 사 [平]支 [去]寘 | sī シ ごくをつかさどる やくにん

[字解] ①옥맡은벼슬아치사 재판관(裁判官). '一, 司空也'《說文》. ②살필사 '一, 辯獄相察'《廣韻》.
[字源] 形聲. 㹜+匠〔音〕

犬10 〔獆〕13 〔호〕
獋(犬부 12획〈760〉)의 本字

犬10 〔㺸〕13 〔제〕
㹪(犬부 7획〈752〉)의 本字

犬10 〔貔〕13 〔비〕
貔(豸부 10획〈1383〉)와 同字

犬10 〔獉〕13 〔진〕
榛(木부 10획〈566〉)과 同字

犬10 〔猺〕13 〔료〕
獠(犬부 11획〈759〉)와 同字

犬10 〔㻑〕13 률 | lì リツ ばんぞくのな
[字解] 종족이름률 종족 이름. '一蘇'.

犬10 〔㺷〕13 〔웅〕
熊(火부 10획〈722〉)과 同字

犬10 〔獝〕13 〔축〕
畜(田부 5획〈798〉)과 同字

犬11 〔獣〕15 〔수〕
獸(犬부 15획〈763〉)의 略字

犬11 〔獒〕15 오 [平]豪 | áo ゴウ いぬ
[字解] 개오 맹견(猛犬). '公嗾夫一焉'《左傳》.
[字源] 形聲. 犭(犬)+敖〔音〕

犬11 〔獎〕15 〔장〕
奬(大부 11획〈238〉)의 本字

犬11 〔獍〕14 경 [去]敬 | jìng ケイ けもののな
[字解] ①짐승이름경 범 비슷한 짐승으로서, 어미를 잡아먹는다 함. 전(轉)하여, 불효(不孝)의 뜻으로 쓰임. '梟一'. '一之爲獸, 狀如虎豹而小'《述異記》. ②거울경 鏡(金부 11획〈1578〉)과 통용.
[字源] 形聲. 犭(犬)+竟〔音〕

犬11 〔獠〕14 [一] 료 [平]肴 | liáo ロウ・リョウ わるがしこい
[二] 교 [平]肴 | xiāo コウ わるがしこい
[字解] [一] 교활할료 간교(奸巧)함. '一, 獪也'《集韻》. [二] 교활할교 [一]과 뜻이 같음.
[字源] 形聲. 犭(犬)+翏〔音〕

犬11 〔獐〕14 장 [平]陽 | zhāng ショウ のろ
[字解] 노루장 麞(鹿부 11획〈1848〉)과 同字.
[字源] 形聲. 犭(犬)+章〔音〕

犬11 〔獌〕14 만 [去]願 | màn バン・マン おおかみ
[字解] ①이리만 이리의 일종. '一, 狼屬'《說文》. ②추만짐승만 '貙一'은 너구리의 일종. '貙一似狸'《爾雅》.
[字源] 形聲. 犭(犬)+曼〔音〕

犬11 〔㹽〕14 [一] 삼 [上]豏 | shān サン そこなう
[二] 소 [平]豪 | sāo ソウ やまおとこ
[字解] [一] ①개머리구멍에내밀삼 개가 좁은 구멍에 머리를 내밀고 빠져 나가는 모양. '一, 犬容頭進也'《說文》. ②손상할삼 해침. '一, 一日, 賊疾也'《說文》. ③개물삼 개가 무는 모양. '一, 犬齧皃'《集韻》. [二] 산사람소 깊은 산에 산다는 짐승 같은 산인(山人). '山一'. '西方深山有人, 長尺餘, 袒身捕蝦蟇食, 名曰山一'《神異經》.
[字源] 形聲. 犭(犬)+參〔音〕

犬11 〔㺀〕14 체 [去]霽 | zhì セイ きちがいいぬ
[字解] 미친개체 광견(狂犬).

犬11 〔㺏〕14 루 [平]虞 | lóu ル こをもとめるぶた
[字解] 돼지암내낼루 '豕求子, 謂之一'《集韻》.

犬11 〔獏〕14 [一] 모 [平]虞 | mú ボ・モ けもののな
[二] 맥 [入]陌 | mò バク もうじゅうのな
[字解] [一] 짐승이름모 개의 일종. '一, 獸名'《集韻》. [二] 맹수이름맥 貘(豸부 11획〈1383〉)과 同字.
[字源] 形聲. 犭(犬)+莫〔音〕

犬11 〔㺜〕14 호 [平]豪 | hāo コウ むじな
[字解] 오소리호 몸은 희고 꼬리가 작으며 개와 비슷한 오소리의 일종. '一, 貉類, 色白尾小如狗, 北人謂之皮狐子, 亦曰一子'《正字通》.

犬11 〔獓〕14 오 [平]豪 | áo ゴウ けもののな
[字解] ①짐승이름오 '一㹗'은 소와 비슷하고, 몸이 희며, 뿔이 넷 있는 짐승의 이름.

'一, 山海經, 三危之山有獸焉. …名曰一猢. 是食人'《集韻》. ②獘(犬부 11획〈759〉)와 同字.

犬11 〔獑〕 14 참 [平]咸 chán サン·ゼン さるのいっしゅ
[字解] 원숭이참 '一猢'는 원숭이의 일종. 허리 위는 검고, 허리 둘레에 흰 털이 있으며, 앞다리에 긴 흰 털이 있음. '一, 一猢, 似猿而白'《廣韻》. '杪木末, 獲一猢'《張衡》.

犬11 〔獓〕 14 진 [平]眞 chēn チン つらなる
[字解] 이을진 '一猭'은 이어지는 모양. '密漠泊以一猭'《王褒》.

犬11 〔獔〕 14 [一] 조 [上]巧 sāo ソウ せいなんのいみんぞく [二] 로 [上]晧 lǎo ロウ せいなんのいみんぞく
[字解] [一] 서남오랑캐조 '一, 西南夷種'《集韻》. [二] 서남오랑캐로 [一]과 뜻이 같음.

犬11 〔獭〕 14 〔함〕 獙(犬부 12획〈761〉)의 本字

犬11 〔獄〕 14 〔옥〕 犬부 10획(757)을 보라.

犬11 〔獵〕 14 종 [去]宋 zòng ソウ いぬのひとつご [平]東 zōng ソウ いっさいのぶた
[字解] ①외강아지종 한 배에서 한 마리만 난 강아지. ②한살되는돼지종 豵(豕부 11획〈1377〉)과 同字.

犬12 〔獘〕 16 폐 [去]霽 bì ヘイ たおれる
[字解] 넘어질폐, 죽을폐 斃(攴부 14획〈488〉)와 同字. '木自一柛'《爾雅》.
[字源] 形聲. 犬+敝〔音〕

犬12 〔獣〕 16 〔수〕 獸(犬부 15획〈763〉)의 略字

〔默〕 〔묵〕 黑부 4획(1862)을 보라.

犬12 〔獗〕 15 궐 [入]月 jué ケツ たける
[字解] 날뛸궐 발호(跋扈)함. '猖一'.
[字源] 形聲. 犭(犬)+厥〔音〕

犬12 〔獝〕 15 휼 [入]質 xù キツ おどろきあわてる
[字解] 놀랄휼.깜짝 놀라 허둥지둥함. '鳳以爲畜. 故鳥不一'《禮記》.
[字源] 形聲. 犭(犬)+矞〔音〕

犬12 〔獟〕 15 교 (②요[本]) [去]嘯 [去]嘯 ①xiāo キョウ いさましい ②yào ギョウ きちがいいぬ
[字解] ①날랠교 용맹스러움. '誅一驛'《史記》. ②미친개교 광견(狂犬). ※❷는 本音요.
[字源] 形聲. 犭(犬)+堯〔音〕

犬12 〔獞〕 15 동 [平]東 tóng, zhuàng トウ いぬのな
[字解] ①개이름동 '一, 犬名'《集韻》. ②오랑캐이름동 중국 서남 지방의 만족(蠻族). 장족(壯族)의 구칭(舊稱).
[字源] 形聲. 犭(犬)+童〔音〕

犬12 〔獠〕 15 [一] 료 [去]嘯 [二] 로 [上]晧 liáo リョウ よるのかり lǎo ロウ ばんぞくのな
[字解] [一] 밤사냥료 밤에 하는 사냥. '宵田爲一'《爾雅》. [二] 오랑캐이름로 중국 서남 지방 벽지의 계곡(溪谷)에 사는 만족(蠻族). '何不撲殺此一'《唐書》.
[字源] 形聲. 犭(犬)+尞(尞)〔音〕

犬12 〔獢〕 15 효 [平]蕭 xiāo キョウ くちのみじかいいぬ
[字解] 개효 주둥이가 짧은 개. '爲人兇悍一勇'《五代史》.
[字源] 形聲. 犭(犬)+喬〔音〕

犬12 〔獋〕 15 호 [平]豪 háo コウ ほえる
[字解] 개짖을호 개가 짖음. 嗥. 또, 으르렁거림. '一, 犬呼也. 鳴也. 咆也'《玉篇》.

犬12 〔獜〕 15 린 ①[平]眞 ②[去]震 lín リン すこやか lìn リン かいじゅうのな
[字解] ①건장할린 개가 굳셈. '一, 健也'《說文》. ②인(獜)짐승린 괴수(怪獸)의 이름. '依軲之山, 有獸焉. 其狀如犬, 虎爪有甲. 其名曰一'《山海經》.
[字源] 形聲. 犭(犬)+粦(粦)〔音〕

犬12 〔獚〕 15 황 [平]陽 huáng コウ いぬ
[字解] 개황 '一, 犬也'《玉篇》.

犬12 〔獣〕 15 연 [平]先 rán ゼン てながざる
[字解] 긴팔원숭이연 '猓一'은 긴팔원숭이.

'猓一, 猨屬. 色靑赤有文'《集韻》.
[字源] 形聲. 犭(犬)＋然〔音〕

犬12 〔⿰犭彭〕 15 팽 [平]庚 | bēng ホウ いぬ
[字解] 개팽 '一, 犬也'《集韻》.

犬12 〔⿰犭貴〕 15 계 [去]霽 | guì ケイ くもざる
[筆順] 丿 犭 犭 ⿰犭口 ⿰犭中 ⿰犭虫 ⿰犭貴 ⿰犭貴
[字解] 몽계(獴⿰犭貴)짐승계 원숭이 비슷한데 작고 쥐를 잘 잡음. '獴一, 蜼之小者. 紫黑色, 能捕鼠'《正字通》.

犬12 〔⿰犭敢〕 15 [一] 함 [上]嗛 [上]感 (감[俗]) [去]勘 [去]陷 [二] 암 [上]嗛 [三] 참 [去]陷 | hǎn カン [一]-[三] こ いぬがほえるこえ / カン / カン / カン / アン / サン
[字解] [一] ①개짖을함, 개짖는소리함 '一, 犬吠聲'《廣韻》. ②땅이름함 '一鄕'은 하남성(河南省) 남양현(南陽縣)의 땅이름. ※俗音 감. [二] 개짖을암, 개짖는소리암, 땅이름암 [一]과 뜻이 같음. [三] 개짖을참, 개짖는소리참, 땅이름참 [一]과 뜻이 같음.
[字源] 形聲. 犭(犬)＋敢(敢)〔音〕

犬12 〔獖〕 15 [一] 분 [上]吻 [平]文 | fèn フン ひつじのな / フン きょせいしたぶた
[二] 본 [上]阮 | bèn ホン いぬ
[筆順] 丿 犭 犭 犭 ⿰犭土 ⿰犭卉 獖 獖
[字解] [一] ①양이름분 '一, 羊名'《玉篇》. ②흙괴물분 '一羊'은 흙의 괴물(怪物). '土之怪爲一羊'《博物志》. ③개이름분 '狂一'은 개의 일종. '一, 博雅, 狂一, 犬屬'《集韻》. ④불깐돼지분 '豶, 說文, 羠豕也. 或从犬'《集韻》. [二] ①개본 '一, 廣雅, 犬屬'《集韻》. ②번견(番犬)본 파수보는 개. '一, 守犬'《廣韻》.

犬12 〔⿰犭敶〕 15 진 [平]眞 | chēn チン つらなる
[字解] 이을진 '一猭'은 이어지는 모양. ⿰犭陳(犬부 11획〈760〉)과 同字. '一, 一猭, 連延皃'《集韻》.

犬12 〔獛〕 15 복 [入]屋 | pú ホク いみんぞくのな
[字解] 오랑캐복 '一鉛'은 이민족(異民族)의 이름. '一, 一鉛, 南極之夷, 尾長數寸, 巢居山林. 出山海經'《廣韻》.

犬12 〔⿰犭番〕 15 [一] 번 [平]元 | fān ハン いぬがけんかする
[二] 변 [去]霰 | ヘン いぬがけんかする
[字解] [一] 개싸울번 또, 개가 싸우는 소리. '一, 犬鬥聲'《說文》. [二] 개싸울변 [一]과 뜻이 같음.
[字源] 形聲. 犭(犬)＋番〔音〕

犬12 〔獡〕 15 [一] 삭 [入]藥 | shuò シャク なつかない
[二] 석 [入]陌 | xī セキ けもののな
[筆順] 犭 犭 ⿰犭冂 ⿰犭内 ⿰犭白 ⿰犭臼 獡 獡
[字解] [一] ①따르지않을삭 개가 사람을 따르지 않음. '一, 犬一一不附人也'《說文》. ②놀랄삭 '一, 南楚謂相驚曰一'《說文》. ③개삭 송(宋)나라의 양견(良犬)의 이름. [二] 짐승이름석 '一措'은 짐승의 이름. 猎(犬부 8획〈754〉)과 同字. '猎, 山海經, 先民之山有黑蟲, 狀如熊. 名曰猎猎. 或从舄'《集韻》.
[字源] 形聲. 犭(犬)＋舄〔音〕

犬12 〔獤〕 15 [韓] 돈
[字解] 《韓》 돈피돈 '一皮'는 담비의 모피(毛皮). 잘. 초피(貂皮).

犬12 〔獙〕 15 폐 [去]霽 | bì ヘイ けもののな
[字解] 짐승이름폐 여우의 한 가지로 날개가 있으며, 울음소리는 기러기 울음소리와 비슷하다 함. '一一'.

犬12 〔⿰犭壹〕 15 〔희〕 豷(豕부 12획〈1377〉)의 俗字

犬13 〔獣〕 17 〔수〕 獸(犬부 15획〈763〉)의 俗字

犬13 〔獨〕 16 [中][人] 독 [入]屋 | dú ドク ひとり
[筆順] 犭 犭 ⿰犭罒 ⿰犭罒 ⿰犭⿱罒勹 獨 獨 獨
[字解] ①홀로독 ㉠독신으로 의지할 곳 없는 사람. '鰥寡孤一'. '老而無子曰一'《孟子》. ㉡자기 혼자임. '單一'. ㉢남의 힘을 빌리지 아니하고 혼자서. '特立一行'《禮記》. ㉣여럿 가운데 홀로. '唯一'. '於今可見古人爲學次第者, 一賴此篇之存'《大學章句》. ②성독 성(姓)의 하나.
[字源] 形聲. 犭(犬)＋蜀〔音〕

犬13 〔⿰蜀犬〕 17 獨(前條)과 同字

犬13 〔獶〕16 [一] 노 [平]豪 nóng ドウ けのおおいいぬ [二] 농 [平]冬 nóng ドウ けのおおいいぬ

[字解] [一] ①삽살개노 털이 북슬북슬하게 많은 개. ②오랑캐이름노 광서(廣西) 지방에 살던 만족(蠻族). [二] 삽살개농, 오랑캐이름농 [一]과 뜻이 같음.
[字源] 形聲. 犭(犬)+農〔音〕

犬13 〔獧〕16 견 [平]先 juàn ケン こころがせまい

[字解] 성급할견, 견개(狷介)할견 狷(犬부 7획〈752〉)과 同字. '一者有所不爲也'《孟子》.
[字源] 形聲. 犭(犬)+睘〔音〕

犬13 〔獪〕16 [一] 회 [去]泰 kuài カイ わるがしこい [二] 쾌 [去]卦 kuài カイ わるがしこい

[字解] [一] 교활할회 간교(奸巧)함. '狡一'. '性敏一'《唐書》. [二] 교활할쾌 [一]과 뜻이 같음.
[字源] 形聲. 犭(犬)+會〔音〕

犬13 〔獫〕16 [一] 렴 [去]豔 liǎn レン くちのながいいぬ [二] 험 [上]琰 xiǎn ケン ばんぞくのな

[字解] [一] 개렴 주둥이가 긴 개. '載一歇驕'《詩經》. [二] 오랑캐이름험 '一狁'은 중국 북방의 만족(蠻族). 험윤(獫狁)이라고도 쓰며, 하(夏)나라 때는 훈육(獯鬻), 한(漢)나라 때에는 흉노(匈奴)라 했음.
[字源] 形聲. 犭(犬)+僉〔音〕

犬13 〔獬〕16 해 [上]蟹 xiè カイ かいち

[字解] 해태해 부정한 사람을 보면 뿔로 받는다는 신수(神獸). '一豸'. '好服一冠'《淮南子》.
[字源] 形聲. 犭(犬)+解〔音〕

犬13 〔獩〕16 예 [去]隊 huì ワイ みんぞくのな

[字解] 민족이름예 '一貊'은 고대(古代)에 남만주(南滿洲) 및 한반도(韓半島) 북부에 살던 민족.
[字源] 形聲. 犭(犬)+歲〔音〕

犬13 〔獥〕16 [一] 격 [入]錫 xí ケキ おおかみのこ [二] 교 [平]蕭 jiào キョウ おおかみのこ

[字解] [一] 이리새끼격 '一, 狼子'《集韻》. [二] 이리새끼교 [一]과 뜻이 같음.

犬13 〔犭廌〕16 대 [上]蟹 zhǎi タイ つよい

[字解] 억셀대 호강(豪強)한 모양. '一, 豪強皃, 後魏時語, 莫一獬'《集韻》.
[字源] 形聲. 犭(犬)+廌〔音〕

犬13 〔犭尞〕16 〔료〕 獠(犬부 12획〈760〉)의 本字

犬13 〔㺚〕16 〔달〕 獺(犬부 16획〈764〉)과 同字

犬13 〔犭葛〕16 〔갈〕 猲(犬부 9획〈756〉)과 同字
[字源] 形聲. 犭(犬)+葛〔音〕

犬13 〔犭喿〕16 소 [平]蕭 sāo ショウ すだま

[字解] 도깨비소 도깨비. 魈(鬼부 7획〈1782〉)와 同字.

犬13 〔犭雍〕16 앙 [平]江 yāng オウ いぬがじゅうじゅうでない

[字解] 개가말을듣지아니할앙 개가 말을 듣지 않음. '一狳'.

犬14 〔獮〕17 선 [上]銑 xiǎn セン あきがり

[字解] 가을사냥선 가을에 하는 사냥. '遂以一田'《周禮》. '秋獵爲一'《爾雅》.
[字源] 形聲. 篆文은 犭(犬)+璽〔音〕
[參考] ①獼(犬부 17획〈764〉)는 別字. ②犭璽(犬부 18획〈764〉)은 本字.

犬14 〔獯〕17 훈 [平]文 xūn クン ばんぞくのな

[字解] 오랑캐이름훈 '一鬻'은 하(夏)나라 때의 중국 북방의 만족(蠻族)으로서, 한(漢)나라 때에는 흉노(匈奴)라고 하였음. '大王事一鬻'《孟子》.
[字源] 形聲. 犭(犬)+熏〔音〕

犬14 〔獰〕17 녕 [平]庚 níng ドウ にくにくしい

[字解] 모질녕 맹악(猛惡)함. 흉악함. '一惡'. '容貌猙一'《廣異記》.
[字源] 形聲. 犭(犬)+寧〔音〕

犬14 〔獱〕17 빈 [平]眞 biān ヒン かわうそ

[字解] 수달빈 족제비과에 속하는 물가에 사는 짐승. 일설(一說)에는, 작은 수달. '蹈一獺'《揚雄》.
[字源] 形聲. 犭(犬)+賓〔音〕

犬14〔獲〕17 高·人 ㊀획 ㊁陌 ㊁확 ㊁藥 | huò カク える huò カク こころざしをうしなう

筆順 犭 犭' 犭" 犷 犷 狞 獲 獲

字解 ㊀ ①얻을획 ㉠사냥 또는 전쟁을 하여 얻음. '捕一'. '西狩一麟'《春秋》. 또, 그 물건. '田獵之一, 常過人矣'《呂氏春秋》. ㉡손에 넣음. '一得'. '耕者之所一'《孟子》. ㉢신용을 얻음. 인정을 받음. '不一乎上'《中庸》. ㉣죄를 얻음. 죄를 짐. '恐一罪焉'《史記》. ㉤마땅함을 얻음. 적의함. '其政不一'《詩經》. ㉥성취함. 결과를 얻음. '攻城野戰, 一功歸報'《史記》. ②맞힐획 쏘아 맞힘. '以旌一'《儀禮》. ③종획 계집종. '臧一'. '罵婢曰一'《揚子方言》. ④성획 성(姓)의 하나. ㊁ 실심할확 낙심함. 낙담함. '不隕一於貧賤'《禮記》.

字源 形聲. 犭(犬)+蒦〔音〕

犬14〔獳〕17 누 ㊃有 | nòu ドウ いぬのいかるさま

字解 으르렁거릴누 개가 성냄. '叫獳之一'《范𣚾》.

字源 形聲. 犭(犬)+需〔音〕

犬14〔獵〕17 함 ㊤豏 | hàn カン とらのほえるこえ

字解 ①범짖을함 범이 짖는 소리. '一, 虎聲'《玉篇》. ②사나운개짖을함 사나운 개가 짖어대는 소리. '一, 惡犬吠不止也'《集韻》.

犬14〔獴〕17 몽 ㊥東 | méng ボウ けもののな

字解 몽계짐승몽 원숭이의 일종. '一獖, 蜼之小者. 紫黑色, 能捕鼠'《正字通》.

犬14〔獨〕17 탁 ㊁覺 | zhuó タク けもののな

字解 짐승이름탁 ㉠원숭이 비슷하고 털이 누런 짐승. ㉡사슴 비슷하고 꼬리가 흰 짐승.

犬14〔獜〕17 〔린〕
獜(犬부 12획〈760〉)의 本字

犬14〔獵〕17 獵(次次條)의 俗字

犬15〔獸〕19 高·人 수 ㊃有 | shòu ジュウ けもの

筆順 口 吅 㗊 嘼 嘼 嘼 獸 獸

字解 ①짐승수 네 발이 달리고 전신에 털이 있는 동물. '禽一'. ②포수 말린 고기. '實一于其上'《儀禮》.

字源 會意. 甲骨文·金文은 單+犬

參考 獣(犬부 12획〈760〉)은 略字.

犬15〔獵〕18 高·人 렵 ㊁葉 | liè リョウ かり

筆順 犭 犭 犭巛 犭𡿺 犭巤 獵 獵 獵

字解 ①사냥렵 수렵. '一犬'. '春一爲蒐, 夏一爲苗, 秋一爲獮, 冬一爲狩'《爾雅》. ②사냥할렵 '不狩不一'《詩經》. ③찾을렵 찾아 구함. '涉一'. '爲一魚師'《大藏一覽》. ④쥘렵 손으로 잡음. '一纓正襟危坐'《史記》. ⑤지날렵 통과함. '一蕙草'《宋玉》. ⑥넘을렵 躐(足부 15획〈1451〉)과 통용. '不一禾稼'《荀子》. ⑦불렵 바람이 부는 모양. 또, 그 소리. '一一晩風遒'《鮑照》. ⑧휘날릴렵 바람에 휘날리는 모양. '雲旗一一過潯陽'《李白》.

字源 形聲. 犭(犬)+巤〔音〕

參考 猟(犬부 8획〈755〉)은 略字.

犬15〔獶〕18 노 ①②㊥豪 ③㊤巧 | náo ドウ さる nǎo ドウ おどろく

字解 ①원숭이노 猱(犬부 9획〈756〉)와 同字. '一, 獼猴也'《禮記 註》. ②희롱할노 장난을 함. '一雜子女'《禮記》. ③놀랄노 개가 놀라는 모양.

字源 形聲. 犭(犬)+夒〔音〕

犬15〔獷〕18 광 ㊤養 | guǎng コウ あらい

筆順 犭 犷 犷 犷 獷 獷 獷 獷

字解 ①모질광, 사나울광 맹악함. 포악함. '一悍'. '政移一俗'《後漢書》. ②《韓》 족제비광 서랑(鼠狼).

字源 形聲. 犭(犬)+廣〔音〕

犬15〔𤢖〕18 유 ㊃有 | yòu ユウ くろいさる

字解 ①검은원숭이유 狖(犬부 5획〈749〉)와 同字. '狖·一, 二同. 黑猿也'《玉篇》. ②맹수(猛獸)이름유 '攎㺜猬批一狻'《張衡》.

犬15〔𤢴〕18 루(뢰㊗) ㊤紙 | lěi ルイ むささび

字解 날다람쥐루 鸓(鼠부 15획〈1879〉)의 俗字. ※俗音 뢰.

犬15〔獬〕18 힐 ㊁屑 | xié ケツ けもののな

字解 짐승이름힐 모양은 개와 비슷하고 몸에는 비늘이 있으며, 털은 돼지털과 비슷하다 함.

犬16 〔獻〕 20 [高]·[人] [一] 헌 [去]願 | xiàn ケン たてまつる
[二] 사 [平]歌 | suō サ さかだる

[筆順] 丶 广 广 虍 虍 膚 鬳 獻 獻

[字解] [一] ①드릴헌 ㉠금품을 바침. 또, 그 금품. '一金'. '奠一'《儀禮》. ㉡아뢰어 드림. '一策'. '大夫種乃一謀'《國語》. ②권할헌 술을 권하여 잔을 줌. '一酬'. '或一或酢'《詩經》. ③어진이헌 성현. '文一'. '萬邦黎一'《書經》. ④성헌 성(姓)의 하나. [二] 술통사 술동이.
[字源] 形聲. 篆文은 鬳＋犬〔音〕
[參考] 献(犬부 9획〈755〉)은 俗字.

犬16 〔獺〕 19 달 [入]曷 | tǎ タツ かわうそ
[字解] 수달달 족제비과에 속하는 짐승. 모양이 족제비 비슷하며, 발가락 사이에 물갈퀴가 있어 교묘하게 헤엄쳐 물고기를 잡아먹음. '獱一'. '一祭魚'《禮記》.
[字源] 形聲. 犭(犬)＋賴〔音〕

犬16 〔獹〕 19 로 [平]虞 | lú ロ いぬ
[字解] 개로 전국 시대(戰國時代) 한(韓)나라의 날랜 개. '韓一, 天下駿犬'《玉篇》.
[字源] 形聲. 犭(犬)＋盧〔音〕

犬16 〔⿰犭聯〕 19 [一] 련 [平]先 | lián レン はしる
[二] 잔 [平]刪 | タン はしる
[三] 진 [平]眞 [去]震 | チン はしる
[四] 전 [平]先 | テン はしる
[字解] [一] ①짐승달릴련 '一猭'은 짐승이 달리는 모양. '一, 獸走皃'《廣韻》. ②원숭이나무에오를련 '一猭'은 원숭이가 나무에 오르는 모양. '一, 一猭, 猿狖緣木皃'《集韻》. ③개가풀사이달릴련 '一, 犬走草狀'《廣韻》. [二] 짐승달릴잔, 원숭이나무에오를잔, 개가풀사이달릴잔 [一]과 뜻이 같음. [三] 짐승달릴진, 원숭이나무에오를진, 개가풀사이달릴진 [一]과 뜻이 같음. [四] 짐승달릴전, 원숭이나무에오를전, 개가풀사이달릴전 [一]과 뜻이 같음.

犬17 〔獼〕 20 미 [平]支 | mí ビ·ミ おおざる
[字解] 원숭이미 모후(母猴). '一猴'.
[字源] 形聲. 犭(犬)＋彌〔音〕

犬17 〔玂〕 20 영 [平]庚 | yīng エイ·ヨウ けもののな
[字解] 영여짐승영 사슴 비슷한데 꼬리가 희고, 말 발에 사람 손을 하였으며, 네 개의 뿔이 있음. '皐塗之山, 有獸焉, 其狀如鹿而白尾, 馬足人手而四角, 名曰一如'《山海經》.

犬17 〔獽〕 20 양 [平]陽 | ráng ジョウ けもののな
[字解] ①원숭이이름양 융(狨)의 일종(一種). '一, 獸名. 狨屬也'《集韻》. ②오랑캐이름양 사천성(四川省) 간주(簡州) 지방에 살던 오랑캐. '一, 戎屬'《廣韻》.

犬17 〔⿰犭壐〕 20 〔선〕
獮(犬부 14획〈762〉)의 本字

犬18 〔獿〕 21 노 ①[平]豪 ②[平]灰 | nǎo ドウ おおざる
ダイ かべぬりにたくみなひと
[字解] ①원숭이노 猱(犬부 9획〈756〉)와 同字. ②미장이노 벽을 바르는 사람. '一人亡, 則匠石輟斤'《漢書》.
[字源] 形聲. 犭(犬)＋夒〔音〕

犬18 〔⿰犭璽〕 21 〔선〕
獮(犬부 14획〈762〉)의 本字

犬18 〔獾〕 21 〔환〕
貛(豸부 18획〈1384〉)과 同字
[字源] 形聲. 犭(犬)＋雚〔音〕

犬19 〔玀〕 22 라 [平]歌 | luó ラ ばんぞくのな
[字解] 오랑캐이름라 '猓一'는 중국 묘족(苗族)의 일종.
[字源] 形聲. 犭(犬)＋羅〔音〕

犬20 〔玁〕 23 험 [上]琰 | xiǎn ケン えびす
[字解] 오랑캐이름험 獫(犬부 13획〈762〉)과 同字. '一狁之故'《詩經》.
[字源] 形聲. 犭(犬)＋嚴〔音〕

犬20 〔玃〕 23 [一] 확 [入]藥 | jué カク おおざる
[二] 격 [入]陌 | ケキ てでうつ
[字解] [一] 원숭이확 모후(母猴). '一似狙'《新論》. [二] 칠격 때림. '一笞潰失'《韓詩外傳》.
[字源] 形聲. 犭(犬)＋矍〔音〕

犬20 〔⿰犭蘄〕 23 기 [平]微 | qí キ いぬのひとつご
[字解] 개새끼한마리낳을기 '犬生三猣. 二師, 一一'《爾雅》.

犬20 〔⿰犭⿱𦥑辰〕 23 〔노〕
獶(犬부 13획〈762〉)의 本字

犬24 〔⿰犭靈〕 27 령 [平]青 | líng レイ よいいぬ

[字解] 좋은개령 羚(犬부 5획〈749〉)과 同字.

玄　部
〔검을현부〕

玄 0 〔玄〕5 [高·人] 현 [平]先 | xuán ゲン くろ

[筆順] 丶 亠 𠃋 玄

[字解] ①검을현 붉은빛을 띤 검은빛. 하늘의 빛. 북방의 빛. '天一而地黃'《易經》. ②하늘현 상천(上天). '上一'. '懸火延起兮一顔烝'《楚辭》. ③오묘할현 미묘유심(微妙幽深)함. '一之又一'《老子》. 전(轉)하여, 노장(老莊)의 도덕. '三一'. '妙於談一'《世說》. ④깊을현 유심(幽深)함. 으늑함. '處於一宮'《漢書》. ⑤고요할현 청정(淸靜)함. '以一默爲神'《漢書》. ⑥현손현 증손의 아들. '豈百世之曾一'《韋誕》. ⑦빛날현 炫(火부 5획〈709〉)과 同字. '采色一耀'《司馬相如》. ⑧성현 성(姓)의 하나.
[字源] 象形. 검은 실을 묶은 모양을 본뜸.
[參考] '玄현'을 의부(意符)·음부(音符)로 하며, '검다'의 뜻을 나타내는 문자를 이룸.

玄 4 〔玅〕9 〔묘〕
妙(女부 4획〈241〉)와 同字

[筆順] 丶 亠 𠃋 玄 玄 玅 玅 玅

[字源] 會意. 玄+少

玄 5 〔玆〕10 [高·人] [一] 자 [平]支 | zī シ くろい, ここに
[二] 현 [平]先 | xuán ケン・ゲン くろい

[筆順] 丶 亠 𠃋 玄 玄 玄 玆 玆

[字解] [一] ①검을자, 흐릴자 빛이 검고 흐림. '使吾水一'《左傳》. ②이자 가까운 사물을 가리키는 관형사. '受一介福'《易經》. ③이곳자 여기. '爰宅于一'《書經》. ④이때자 지금. '歷載臻一'《漢書》. ⑤이에자 발어사(發語辭). '一之永歎'《詩經》. ⑥해자 일년(一年). '今一'. '何能待來一'《古詩》. [二] 검을현 [一]❶과 뜻이 같음.
[字源] 會意. 玄+玄. '玄'을 둘 합쳐서 '검다'의 뜻을 나타냄.

〔畜〕〔축〕
田부 5획(798)을 보라.

玄 6 〔率〕11 [高·人] [一] 솔 [入]質 | shuài シュツ ひきいる
[二] 률 [入]質 | lǜ リツ わりあい
[三] 수 [去]寘 | shuài スイ かしら

[筆順] 亠 亠 玄 玄 玆 玆 率 率

[字解] [一] ①거느릴솔 인솔함. '統一'. '昭公一師擊平子'《史記》. ②좇을솔 ㉠준봉(遵奉)함. '一循'. '一由舊章'《詩經》. ㉡따름. 의거함. '一性之謂道'《中庸》. ㉢복종함. '一服'. '惟時有苗不一'《書經》. ㉣행함. 실행함. '一義之謂勇'《左傳》. ③대강솔 대략. '大一'. '其一用此'《禮記》. ④소탈할솔 예법 등에 구애하지 아니함. '坦一'. ⑤꾸밈없을솔 솔직함. '眞一'. ⑥가벼울솔 경망함. '輕一'. '子路一 爾而對'《論語》. ⑦거칠솔 조잡함. '粗一'. '豬性卑而一'《埤雅》. ⑧성솔 성(姓)의 하나. [二] ①율률 수(數) 등의 비례. '比一'. '以周一 乘之'《晉書》. ②제한률 한도. '變其彀一'《孟子》. [三] ①우두머리수, 장수수 帥(巾부 6획〈332〉)와 同字. '渠一'. '方伯連一'《詩經》. ②새그물수 조망(鳥網).
[字源] 象形. 씻은 실의 물을 짜는 모양을 본떠, 한군데로 죄어치다, 정리해서 거느리다의 뜻을 나타냄.

〔牽〕〔견〕
牛부 7획(742)을 보라.

玄 6 〔玈〕11 로 [平]虞 | lú ロ くろい

[字解] 검을로 빛이 검음. '王賜晉侯一弓矢千'《左傳》.
[字源] 形聲. 玄+旅〈省〉〔音〕

玉 (王) 部
〔구슬옥부〕

玉 0 〔玉〕5 [中·人] 옥 [入]沃 | yù ギョク たま

[筆順] 一 二 干 王 玉

[字解] ①옥옥 아름다운 돌. '寶一'. '珠一'. 전(轉)하여, 사물의 미칭(美稱). '一顔'. '一樓'. '其人如一'《詩經》. ②사랑할옥 옥같이 소중히 여김. 애지중지함. '王欲一女'《詩經》. ③이룰옥 옥같이 아름다운 물건이 되게 함. '庸一女于成也'《張載》.
[字源] 象形. 세 개의 옥(玉), 많은 보석을 세로의 끈으로 꿴 모양을 본떠, '옥'의 뜻

을 나타냄.

參考 '玉'을 의부(意符)로 하여, 여러 종류의 옥이나 옥으로 만든 것. 옥의 상태, 옥을 세공하는 일 등에 관한 문자를 이룸. 변이 될 때에는 자형이 '王'이 됨. 속칭 '구슬옥'.

玉 0 〔王〕4 〔옥〕
玉(前條)의 本字

玉 0 〔王〕4 中·人 왕 ①-③(平)陽 ④-⑥(去)漾 ⑦(上)養 | wáng オウ きみ | wàng オウ きみとなる | wǎng オウ ゆく

筆順 一 二 干 王

字解 ①임금왕 ㉠군주. 천자(天子). '帝—'. '天子作民父母, 以爲天下—'《書經》. ㉡큰 제후(諸侯)의 칭호. '大丈夫定諸侯, 卽爲眞—耳'《史記》. ②왕왕 ㉠같은 종류 중에서의 우두머리. '—蜂'. '人謂牡丹花—'《洛陽牡丹記》. ㉡황족 남자의 칭호. '江都—緖霍—, 元軌之子, 太宗皇帝猶子也'《名畫記》. ㉢혈통상(血統上) 윗대(代)의 일컬음. '父之考爲—父'《爾雅》. ㉣형체가 특히 거대한 것. '春獻—鮪'《周禮》. ③성왕 성(姓)의 하나. ④왕노릇할왕 임금 노릇을 함. '—此大邦'《詩經》. ⑤왕으로삼을왕 '—君王於南鄭'《漢書》. ⑥왕성할왕 旺(日부 4획〈502〉)과 통용. '神雖—不善也'《莊子》. ⑦갈왕 往(彳부 5획〈369〉)과 통용. '昊天曰明, 及爾出—'《詩經》.

字源 象形. 고대 중국에서 지배권(支配權)의 상징으로 쓰인 큰 도끼의 모양을 본뜸.

玉 0 〔玊〕5 ㊀숙 (入)屋 ㊁속 (入)沃 ㊂후 (去)宥 | sù シュク たまにかこうするひと | ショク·ソク たまにかこうするひと | キュウ たまにかこうするひと

字解 ㊀①옥세공인숙 '—, 又琢玉工'《廣韻》. ②티있는옥숙 '—, 朽玉也'《說文》. ③오랑캐나라이름숙 서쪽 오랑캐의 나라 이름. '—, 西戎國名'《集韻》. ④성숙 성(姓)의 하나. ㊁옥세공인속, 티있는옥속 ㊀과 뜻이 같음. ㊂옥세공인후, 티있는옥후, 오랑캐나라이름후 ㊀과 뜻이 같음.

字源 指事. 篆文이 '王'으로 된 것은, 잘못해서 '丶'이 빠진 것으로 여겨짐. '王옥'에 '丶주' 점(點)을 찍어서, 티가 있는 옥(玉)의 뜻을 나타냄.

玉 0 〔𤣩〕4 玉(部首〈765〉)이 글자의 변으로 올 때의 자체(字體).

參考 임금과는 관계가 없지만, 부수(部首)의 이름으로 속칭 '임금왕변'이라 이름.

玉 1 〔[王+乚 자형]〕6 〔옥〕
玉(部首〈765〉)의 古字

玉 2 〔玎〕6 人名 ㊀정 (平)青 ㊁쟁 (平)庚 | dīng テイ たまのおと | dìng トウ たまのおと

筆順 一 二 千 王 玎 玎

字解 ㊀옥소리정 옥이 부딪쳐 울리는 소리. '石根寒溜玉—玲'《元好問》. ㊁옥소리쟁 ㊀과 뜻이 같음.

字源 形聲. 𤣩(玉)+丁〔音〕

玉 2 〔玏〕6 륵 (入)職 | lè ロク たまにつぐびせき

字解 옥돌륵 옥 비슷한 돌. '瑊—'은 옥 비슷한 아름다운 돌.

玉 2 〔[𤣩+厶]〕6 사 (平)支 | sī シ たまににたいし

字解 옥돌사 옥 비슷한 돌. '—, 石之似玉者'《說文》.

字源 形聲. 𤣩(玉)+厶〔音〕

玉 2 〔[𤣩+卜]〕6 〔박〕
璞(玉부 12획〈781〉)과 同字

〔匡〕〔광〕
匚부 4획(122)을 보라.

〔全〕〔전〕
入부 4획(84)을 보라.

〔宝〕〔보〕
宀부 5획(277)을 보라.

〔弄〕〔롱〕
廾부 4획(356)을 보라.

玉 3 〔玕〕7 人名 간 (平)寒 | gān カン ろうかん

筆順 一 二 千 王 玕 玕 玕

字解 옥돌간 '琅—'은 벽옥(碧玉) 비슷한 아름다운 돌. '球琳琅—'《書經》.

字源 形聲. 𤣩(玉)+干〔音〕. 古文은 玉+旱〔音〕

玉 3 〔玖〕7 人名 구 (上)有 | jiǔ キュウ くろいろのびせき

筆順 一 二 千 王 玏 玖 玖

字解 ①옥돌구 옥 비슷한 검은 빛깔의 아

름다운 돌. '報之以瓊一'《詩經》. ②아홉구 九(乙부 1획〈20〉) 대신으로 쓰임. '出一若和合者'《唐律》. ③성구 성(姓)의 하나.
字源 形聲. 王(玉)+久〔音〕

玉3 〔玓〕 7 적 ㊅錫 | dì テキ ひかる
字解 빛날적 '一瓅'은 명주(明珠)가 광채를 발하는 모양. '一瓅江靡'《史記》.
字源 形聲. 王(玉)+勺〔音〕

玉3 〔玗〕 7 人名 우 ㊥虞 | yú ウ びせき
筆順 一 二 千 王 王 玗 玗
字解 옥돌우 옥 비슷한 아름다운 돌. '東方之美者, 有醫無閭之珣一琪焉'《爾雅》.
字源 形聲. 王(玉)+于(亏)〔音〕

玉3 〔玙〕 7 玗(前條)의 本字

玉3 〔玒〕 7 ㊀공 ㊥東 | hóng コウ たまのな
㊁강 ㊥江 | hóng コウ たまのな
字解 ㊀공옥공 옥석 이름. '一, 玉也'《說文》. ㊁공옥강 ㊀과 뜻이 같음.
字源 形聲. 王(玉)+工〔音〕

玉3 〔玘〕 7 人名 기 ㊤紙 | qǐ キ おびだま
筆順 一 二 千 王 王ᄀ 王ᄏ 玘
字解 ①차는옥기 패옥(佩玉). ②옥기 옥. '一, 玉也'《說文新附》.
字源 形聲. 王(玉)+己〔音〕

玉4 〔玨〕 8 각 ㊅覺 | jué カク いっついのたま
字解 쌍옥각 한 쌍의 옥. 珏(玉부 5획〈769〉)의 本字. '二玉相合爲一一'《說文》.
字源 珏(玉부 5획〈769〉)의 字源을 보라.

玉4 〔玟〕 8 人名 민 ㊥眞 | mín ビン たまににたいし
筆順 一 二 千 王 王' 玟 玟 玟
字解 옥돌민 珉(玉부 5획〈768〉)과 同字. '士佩瑻一'《禮記》.
字源 形聲. 王(玉)+文〔音〕
參考 玫(玉부 4획〈768〉)는 別字.

玉4 〔玞〕 8 부 ㊥虞 | fū フ びせき
字解 옥돌부 砆(石부 4획〈865〉)와 同字. '會稽之山下, 多一石'《山海經》.
字源 形聲. 王(玉)+夫〔音〕

玉4 〔玠〕 8 개 ㊄卦 | jiè カイ だいけい
字解 홀개 제후(諸侯)를 봉(封)할 때 신표(信標)로 쓰던 한 자 두 치의 큰 홀(笏). '珪, 大尺二寸, 謂之一'《爾雅》.
字源 形聲. 王(玉)+介〔音〕

玉4 〔玦〕 8 결 ㊅屑 | jué ケツ おびだま
字解 ①패옥결 고리 모양인데 한쪽이 트인, 허리에 차는 옥(玉). '玉一'. '范增數目項王, 擧所佩玉一, 以示者三'《史記》. ②깍지결 활 쏠 때 엄지손가락에 끼는 기구. 決(水부 4획〈629〉) 참조. '右佩一'《禮記》.
字源 形聲. 王(玉)+夬(叏)〔音〕

玉4 〔玢〕 8 빈 ㊥眞 | bīn ヒン たまのあや
字解 옥무늬빈 '一豳'은 옥(玉)에 무늬가 있는 모양. '一豳文磷'《漢書》.
字源 形聲. 王(玉)+分〔音〕

玉4 〔玭〕 8 빈 ㊥眞 | pín ヒン たまのいし
字解 옥빈 회수(淮水)에서 난다는 일종의 옥(玉). '垂環一之琳琅'《何晏》.
字源 形聲. 王(玉)+比〔音〕

玉4 〔玩〕 8 人名 완 ㊄翰 | wán ガン もてあそぶ
筆順 一 二 千 王 王一 王二 玩 玩
字解 ①장난할완 심심풀이를 함. '一弄'. '一物喪志'《書經》. ②익힐완 익숙해짐. '所樂而一者, 爻之辭也'《易經》. ③사랑할완 '一爾淸藻'《潘尼》. ④장난감완 애완(愛玩)하는 물건. 노리개. '珍一'. '奇一應響而赴'《陸機》.
字源 形聲. 王(玉)+元〔音〕

玉4 〔玤〕 8 방 ㊤講 | bàng ホウ·ボウ びせき
字解 옥돌방 옥에 다음 가는 미석(美石).
字源 形聲. 王(玉)+丰〔音〕

玉4 〔玣〕 8 변 ㊤霰 | biàn ヘン·ベン たまでかざったかんむり
字解 구슬로꾸민고깔변 구슬로 장식한 고깔. '弁, 玉飾弁也. 或作一'《類篇》.

玉4 〔玧〕 8 人名 ㊀윤 ㊤軫 | yǔn イン みみだま
㊁문 ㊥元 | mén ボン あかいろのたま

筆順 一 二 千 王 王' 王'' 玩 玧

字解 ㊀ 귀막이옥윤 귀를 막는 옥. '一, 瑱也'《集韻》. ㊁ 붉은옥문 璊(玉부 11획〈780〉)과 同字.

玉4 〔玻〕 8 몰 ㊅月 | mò ボツ たま

字解 옥몰 일종의 옥(玉). '采石之山有一瑤'《穆天子傳》.
字源 形聲. 王(玉)+夂(叟)〔音〕

玉4 〔玫〕 8 매 ㊥灰 | méi バイ·マイ あかいろのびぎょく

字解 매괴매 '一瑰'는 ㉠붉은빛의 옥. '其石則赤玉一瑰'《司馬相如》. ㉡장미과에 속하는 낙엽 관목(落葉灌木). '一瑰芍藥本妖嬈'《方文》.
字源 形聲. 王(玉)+枚〈省〉〔音〕
參考 玟(玉부 4획〈767〉)은 別字.

玉4 〔玲〕 8
㊀ 감 ㊥咸 | jiān カン たまにつぐびせき
㊁ 겸 ㊥鹽 | qián ケン たまのな
㊂ 음 ㊥侵 | yín ギン たまのな
㊃ 림 ㊥侵 | lín リン うつくしいたま

字解 ㊀ 옥돌감 옥(玉)에 버금가는 아름다운 돌의 한 가지. '一, 一墍, 石之次玉者'《說文》. ㊁ 옥겸 '一, 玉名'《集韻》. ㊂ 옥음 '一, 玉名'《集韻》. ㊃ 옥림 아름다운 옥의 한 가지. '琳, 說文, 美玉也. 古作一'《集韻》.
字源 形聲. 王(玉)+今〔音〕

玉4 〔玥〕 8 월 ㊅月 | yuè ゲツ かみのたま

字解 신령스런구슬월 전설 속의 구슬. '一, 神珠'《廣韻》.

玉4 〔玥〕 8 〔모〕 瑁(玉부 9획〈776〉)의 古字

玉4 〔珇〕 8 〔뉴〕 鈕(金부 4획〈1552〉)의 古字

玉4 〔环〕 8 〔환〕 環(玉부 13획〈783〉)의 俗字·簡體字

玉5 〔玺〕 10 〔새〕 璽(玉부 14획〈783〉)의 俗字

玉5 〔莹〕 10 〔영〕 瑩(玉부 10획〈778〉)의 略字·簡體字

玉5 〔玲〕 9 人名 령 ㊥青 | líng レイ たまのおと

筆順 一 二 千 王 王' 王'' 玲 玲

字解 ①금옥소리령 금옥(金玉) 또는 옥이 울리는 소리. '一瓏'. '一一如振玉'《文心雕龍》. ②고울령, 투명할령 곱고 투명한 모양. '一一'. '一瓏望秋月'《李白》.
字源 形聲. 王(玉)+令〔音〕

玉5 〔玷〕 9 점 ㊇豔 ㊤琰 | diàn テン かける

字解 ①이지러질점 옥에 한쪽이 떨어져 흠이 남. '白圭之一, 尙可磨也'《詩經》. ②잘못할점 과실을 저지름. '斯言之一, 不可爲也'《詩經》. ③옥티점 옥의 이지러진 곳. '懷璧者, 恥慢藏而成一'《張仲素》. ④잘못점 과실. '小一亦將不免于罪'《金史》.
字源 形聲. 王(玉)+占〔音〕

玉5 〔玻〕 9 파 ㊥歌 | bō ハ ガラス

字解 유리파 단단하고 깨지기 쉬운 투명한 물건. '一璃'.
字源 形聲. 王(玉)+皮〔音〕

玉5 〔玼〕 9
㊀ 체 ㊤薺 | cǐ セイ あざやか
㊁ 자 ㊤紙 | cǐ シ きず

字解 ㊀ 고울체 빛이 고운 모양. '急雪白一一'《陳孚》. ㊁ 흠자 疵(疒부 5획〈807〉)와 통용. '去一吝'《後漢書》.
字源 形聲. 王(玉)+此〔音〕

玉5 〔珀〕 9 人名 박 ㊅陌 | pò ハク こはく

筆順 一 二 千 王 王' 王' 珀 珀

字解 호박박 琥(玉부 8획〈774〉)를 보라. '琥一'.
字源 形聲. 王(玉)+白〔音〕

玉5 〔珂〕 9 가 ㊥歌 | kē カ めのう, くつわ

字解 ①흰마노(瑪瑙)가 '皆以南海白蜃爲一'《西京雜記》. ②굴레가 흰 마노로 장식한 말의 굴레. '連一往淇上'《梁簡文帝》.
字源 形聲. 王(玉)+可〔音〕

玉5 〔珈〕 9 가 ㊥麻 | jiā カ かみかざり

字解 머리꾸미개가 부인의 머리에 꽂는 주옥(珠玉)의 장식. '副笄六一'《詩經》.
字源 形聲. 王(玉)+加〔音〕

玉5 〔珉〕 9 人名 민 ㊥眞 | mín ビン びせき

筆順 一 二 千 王 王' 王' 珉 珉 珉

[字解] 옥돌민 옥 비슷한 일종의 아름다운 돌. '貞一'. '君子貴玉而賤一'《禮記》.
[字源] 形聲. 王(玉)+民〔音〕

玉 5 〔珊〕9 [人名] 산 [平]寒 | shān サン さんご
[筆順] 一 二 千 王 玎 玎 珊 珊
[字解] ①산호산 '一瑚'는 산호충(珊瑚蟲)의 골격이 모여 나뭇가지 모양을 이룬 것. '一瑚叢生'《漢書》. ②패옥소리산 허리에 찬 옥이 울리는 소리. '時聞雜佩聲一一'《杜甫》.
[字源] 形聲. 王(玉)+刪〈省〉〔音〕

玉 5 〔珊〕9 珊(前條)과 同字

玉 5 〔珌〕9 [人名] 필 [入]質 | bì ヒツ はいとうのこじりにあるかざり
[筆順] 一 二 千 王 王 玐 玜 珌
[字解] 칼집장식필 차는 칼의 아래쪽의 장식. 칼집의 위쪽의 장식은 '琫'이라고 함. '鞞琫有一'《詩經》.
[字源] 形聲. 王(玉)+必〔音〕

玉 5 〔珍〕9 [高·人] 진 [平]眞 | zhēn チン めずらしい
[筆順] 一 二 千 王 王 玠 珍 珍
[字解] ①보배진 귀중한 재화. '儒有席上之一以待聘'《禮記》. ②맛있는음식진 '五味八一'. '八十常一'《禮記》. ③희귀할진 드물어 귀중함. '一貴'. '一禽奇獸'《書經》. ④진귀히여길진 '一之也'《左傳》. ⑤성진 성(姓)의 하나.
[字源] 形聲. 王(玉)+㐱〔音〕

玉 5 〔珎〕9 珍(前條)의 俗字

玉 5 〔珇〕9 조 [上]麌 | zǔ ソ あげぼり
[字解] ①옥홀장식조 옥홀에 부조(浮彫)한 장식. '一, 琮玉之瑑'《說文》. ②아름다울조, 좋을조 '一, 好也, 美也'《揚子方言》.
[字源] 形聲. 王(玉)+且〔音〕

玉 5 〔玹〕9 [人名] 현 [平]先 | xuán ケン·ゲン たまにつぐいし
[筆順] 一 二 千 王 玗 玹 玹 玹
[字解] ①현옥(玹玉)현 옥의 다음 가는 돌. '一, 一曰, 石次玉'《集韻》. ②옥빛현 옥의 빛깔. '一, 玉色'《集韻》.
[字源] 形聲. 王(玉)+玄〔音〕

玉 5 〔玴〕9 예 [去]霽 | yú エイ たまににたいし
[字解] 옥돌예 옥 비슷한 돌.

玉 5 〔玵〕9 감 [平]覃 | án ガン うつくしいたま
[字解] 아름다운옥감 '一, 美玉也'《集韻》.
[字源] 形聲. 王(玉)+甘〔音〕

玉 5 〔玶〕9 평 [平]庚 | píng ヘイ たまのな
[字解] 평옥(玶玉)평 옥의 이름. '一, 玉名'《集韻》.

玉 5 〔玽〕9 구 [上]有 | gǒu コウ·ク たまににたいし
[字解] 옥돌구 옥 비슷한 돌의 이름. '一, 石之似玉者'《說文》.
[字源] 形聲. 王(玉)+句〔音〕

玉 5 〔玿〕9 [人名] 소 [平]蕭 | sháo ショウ うつくしいたま
[筆順] 一 二 千 王 玎 玑 玿 玿
[字解] 아름다운옥소 '一, 美玉'《集韻》.
[字源] 形聲. 王(玉)+召〔音〕

玉 5 〔珏〕9 [人名] 각 [入]覺 | jué カク いっついのたま
[筆順] 一 二 千 王 王 玉 珏 珏
[字解] 쌍옥각 한 쌍의 옥.
[字源] 會意. 玉+玉. '玉옥'을 둘 합쳐서 한 쌍의 옥의 뜻을 나타냄.
[參考] 玨(玉부 4획〈767〉)은 本字.

玉 5 〔玳〕9 [人名] 대 [去]隊 | dài タイ たいまい
[筆順] 一 二 千 王 玎 玏 玳 玳
[字解] 대모대 '一瑁'는 열대 지방의 바다거북. 등껍데기는 장식용품의 재료로 씀. 瑇(玉부 8획〈777〉)의 俗字. 일설(一說)에는 同字.
[字源] 形聲. 王(玉)+代〔音〕

玉 5 〔珅〕9 신 [平]眞 | shēn シン たまのな
[字解] 옥신 옥석 이름. '一, 玉名'《集韻》.

玉 5 〔玦〕9 〔결〕
玦(玉부 4획〈767〉)의 本字

玉 5 〔玤〕9 〔방〕
玤(玉부 4획〈767〉)의 本字

玉5〔珐〕9 〔법〕
琺(玉부 8획〈775〉)의 俗字

玉6〔琹〕10 〔금〕
琴(玉부 8획〈773〉)의 本字

玉6〔珓〕10 교 ㊀效|jiào コウ うらなうぐ
字解 옥산통교 '杯—'는 길흉을 점치는 옥으로 된 그릇. '相率卜—'《陸游》.
字源 形聲. 王(玉)+交〔音〕

玉6〔珙〕10 人名 공 ㊤腫 ㊥冬|gǒng キョウ たまのな
筆順 一 二 干 王 王一 玴 珙 珙
字解 큰옥공 '一, 大璧也'《玉篇》. '求天叩地持雙—'《元稹》.
字源 形聲. 王(玉)+共〔音〕

玉6〔珞〕10 人名 락 ㊁藥|luò ラク たまをつないでつくったくびかざり
筆順 一 二 干 王 王' 玐 玟 珞
字解 구슬목걸이락 瓔(玉부 17획〈785〉)을 보라. '瓔—'.
字源 形聲. 王(玉)+各〔音〕

玉6〔珕〕10 려 ㊀霽|lì レイ はいとうのかざり
字解 자개로칼장식할려 '佩刀, 士—琫而—珧珌'《禮記》.
字源 形聲. 王(玉)+劦〔音〕

玉6〔珠〕10 高·人 주 ㊥虞|zhū シュ たま
筆順 一 二 干 王 王' 玽 玽 珠
字解 구슬주 바다에서 산출되는 진주(眞珠). 또는, 원형의 옥(玉). '經寸之—'《史記》. 전(轉)하여, 원형(圓形)으로 된 구슬 같은 물건. '淚—'. '白露垂—滴秋月'《李白》. 또 전(轉)하여, 사물의 미칭(美稱). '—米'. '詩成—玉在揮毫'《杜甫》.
字源 形聲. 王(玉)+朱〔音〕

玉6〔珣〕10 人名 순 ㊥眞|xún シュン たまのな
筆順 一 二 干 王 王' 玓 珣 珣
字解 옥이름순 옥의 한 가지. '東方之美者, 有醫無閭之—玗琪焉'《爾雅》.
字源 形聲. 王(玉)+旬〔音〕

玉6〔珥〕10 人名 이 ㊀寘|ěr ジ みみだま
筆順 一 二 干 王 王一 玎 珏 珥
字解 ①귀고리이 귀를 장식하는 주옥. '夫人脫簪—叩頭'《史記》. ②햇무리이 해의 주위의 둥그렇게 보이는 고리 모양의 테두리. ③날밑이 칼자루와 칼날 사이에 끼우는 테. '撫長劍兮玉—'《楚辭》. ④귀벨이 새의 왼쪽 귀를 자름. '致禽而—焉'《周禮》. ⑤끼울이 '—筆'. 삽입함. '七葉—漢貂'《左思》.
字源 形聲. 王(玉)+耳〔音〕

玉6〔琤〕10 〔쟁〕
琤(玉부 8획〈774〉)의 略字

玉6〔珧〕10 요 ㊥蕭|yáo ヨウ たいらぎ
字解 ①대합조개요 패각(貝殼)은 적갈색임. 장식용·바둑돌 등으로 쓰임. 일설(一說)에는 국자가리비. '蜃小者, —'《爾雅》. 또, 이 조가비로 만든, 칼의 장식. '—琕'. ②옥요 옥의 한 가지.
字源 形聲. 王(玉)+兆〔音〕

玉6〔珩〕10 人名 형 ㊥庚|héng コウ おびだま
筆順 一 二 干 王 王' 玎 珩 珩
字解 ①패옥형 패옥(佩玉)의 상부(上部)에 있는 옥. '雜佩者, —璜琚瑀衝牙之類'《詩經 傳》. ②갓끈형 갓에 달린 끈. '—紞紘綖'《張衡》.
字源 形聲. 王(玉)+行〔音〕

玉6〔珪〕10 人名 규 ㊥齊|guī ケイ しるしだま
筆順 一 二 干 王 王一 玤 珪 珪
字解 ①홀규 圭(土부 3획〈199〉)의 古字. '圭, 圭璧, —, 古文'《廣韻》. ②규소규 비금속 원소(非金屬元素)의 하나. 실리콘.
字源 形聲. 王(玉)+圭〔音〕

玉6〔珫〕10 人名 충 ㊥東|chōng シュウ みみだま
筆順 一 二 干 王 王' 玜 珫 珫
字解 귀고리옥충 '—, 珥玉名'《集韻》.

玉6〔班〕10 高·人 반 ㊥刪|bān ハン わかつ
筆順 一 二 干 王 玔 玡 玬 班
字解 ①나눌반 ㉠신표(信標)로 쓰려고 서옥(瑞玉)을 나눔. '—瑞於羣后'《書經》. ㉡물건·사람들을 나눔. '—, 凡以物與人, 亦曰—'《正字通》. ②이별할반 '有—馬之聲'

《左傳》. ③돌아올반 '一師振旅'《書經》. ④차례반 '一次'. '使魯爲其一'《左傳》. ⑤자리반 지위. '一資'. '一在九人'《左傳》. ⑥줄반 행렬. '一列'. ⑦아롱질반 斑(文부 8획〈490〉)과 통용. '一白者不提挈'《禮記》. ⑧같을반 한가지임. '若是一乎'《孟子》. ⑨서성거릴반 般(舟부 4획〈1111〉)과 통용. '乘馬一如'《易經》. ⑩성반 성(姓)의 하나.
[字源] 會意. 玨+刀

玉 6 〔班〕10 班(前條)의 本字

玉 6 〔珮〕10 패 ㊀隊 | pèi ハイ おびだま
[字解] 패물패 佩(人부 6획〈45〉)와 同字. '一, 玉一也. 本作佩, 或从玉'《玉篇》.
[字源] 會意. 王(玉)+凡+巾

玉 6 〔珝〕10 후 ㊤麌 | xǔ ク たまのな
[字解] 후옥(珝玉)후 옥의 이름. '一, 玉也'《說文新附》.
[字源] 形聲. 王(玉)+羽〔音〕

玉 6 〔珦〕10 [人名] 향 ㊀漾 | xiàng キョウ たまのな
[筆順] 一 二 干 王 王' 玽 珦 珦
[字解] 향옥(珦玉)향 옥의 이름. '一, 玉也'《說文》.
[字源] 形聲. 王(玉)+向〔音〕

玉 6 〔珬〕10 술 ㊅質 | xù シュツ たまのな
[字解] 옥술 백마노(白瑪瑙)의 종류. '一, 珂屬'《廣韻》. '致遠流離與珂一'《左思》.

玉 6 〔珆〕10 이 ㊥支 | yí イ たまににたいし
[字解] ①옥돌이 옥 비슷한 돌. '一, 石之似玉者'《說文》. ②오색돌이 '一, 一曰, 五色石'《集韻》.
[字源] 形聲. 王(玉)+𢀖〔音〕

玉 6 〔珛〕10 후 ㊀宥 | xiù キュウ くちてくだけやすいたま
[字解] 티박힌옥후 썩어서 부서지기 쉬운 옥. '一, 朽玉也'《說文》.
[字源] 形聲. 王(玉)+有〔音〕

玉 6 〔珖〕10 [人名] 광 ㊥陽 | guāng コウ たまでつくったふえ
[筆順] 一 二 干 王 王ᐟ 玔 玔 珖
[字解] ①옥피리광 옥으로 만든 피리. '一, 一琯也'《玉篇》. ②광옥(珖玉)광 옥의 이름. '一, 玉名'《集韻》.
[字源] 形聲. 王(玉)+光〔音〕

玉 6 〔珗〕10 [人名] 선 ㊥先 | xiān セン たまにつぐいし
[筆順] 一 二 干 王 王' 玍 玾 珗
[字解] 옥돌선 옥으로 된 돌. '一, 石次玉也'《集韻》.

玉 6 〔珢〕10 은 ㊥眞 | yín ギン たまににたびせき
[字解] 옥돌은 옥 같은 아름다운 돌. '一, 石之似玉者'《說文》.
[字源] 形聲. 王(玉)+艮〔音〕

玉 6 〔珣〕10 예 ㊀霽 | yì エイ たまににたびせき
[字解] 옥돌예 옥 같은 아름다운 돌. '一, 石之次玉也'《廣韻》.
[字源] 形聲. 王(玉)+曳〔音〕

玉 6 〔琉〕10 〔류〕 琉(玉부 7획〈772〉)와 同字

玉 6 〔珤〕10 〔보〕 寶(宀부 17획〈287〉)의 古字

玉 7 〔珽〕11 [人名] 정 ㊤迥 | tǐng テイ たまのな
[筆順] 一 二 干 王 王⺘ 玨 珽 珽
[字解] ①옥이름정 옥의 한 가지. ②옥홀정 주척(周尺)으로 석 자 가량 되는 옥으로 만든 홀(笏). '天子搢一'《禮記》.
[字源] 形聲. 王(玉)+廷〔音〕

玉 7 〔現〕11 [中·人] 현 ㊀霰 | xiàn ゲン あらわれる
[筆順] 一 二 干 王 玑 玥 玥 現
[字解] ①나타날현 출현함. '一象'. '或形一往來'《抱朴子》. ②나타낼현 나타나게 함. '能一色像'《大藏法數》. ③실재현 실제의 존재. '生乎一境'《梁武帝》. ④지금현 현재. '一世'. '雖不一作'《大藏法數》.
[字源] 形聲. 王(玉)+見〔音〕

玉 7 〔琁〕11 [人名] 선 ㊥先 | xuán セン うつくしいたま
[筆順] 一 二 干 王 玗 玙 琁 琁
[字解] 옥선 璇(玉부 11획〈780〉)·璿(玉부 14획〈784〉)과 同字. '一玉瑤珠'《荀子》.
[字源] 形聲. 王(玉)+旋〈省〉〔音〕

玉7〔球〕11 高·人 구 ㊥尤 qiú キュウ たま

筆順 一 二 千 王 玎 玎 球 球

字解 ①옥구 아름다운 옥. '受小一大一'《詩經》. ②《現》 둥근물체구 원형의 물체. 공 따위. '一根'. '地一'. ③옥경쇠구 옥으로 만든 경쇠. '戛擊鳴一'《書經》.
字源 形聲. 王(玉)+求〔音〕

玉7〔琅〕11 人名 랑 ㊥陽 láng ロウ たまににたいし

筆順 一 二 千 王 玎 珀 琅 琅

字解 ①옥돌랑 '一玕'은 옥 비슷한 일종의 아름다운 돌. '厥貢, 惟球琳一玕'《書經》. ②금옥소리랑 쇠와 옥이 서로 부딪쳐 나는 소리. '礧石相擊, 一一磕磕'《司馬相如》. ③성랑 성(姓)의 하나.
字源 形聲. 王(玉)+良〔音〕

玉7〔琉〕11 人名 류 ㊥尤 liu リュウ るり

筆順 一 二 千 王 玎 玕 琉 琉

字解 ①유리류 瑠(玉부 10획〈778〉)와 同字. '移我一璃榻, 出置前廳下'《古詩》. ②나라이름류 '一球'는 옛 나라 이름. 지금의 유구 열도(琉球列島)에 있던 나라로, 현재는 일본의 오키나와현(沖繩縣).
字源 形聲. 王(玉)+流〈省〉〔音〕

玉7〔理〕11 中·人 리 ㊤紙 lǐ リ おさめる

筆順 一 二 千 王 玑 珄 理 理

字解 ①다스릴리 ㉠옥을 다스림. 옥을 갊. '玉未一者璞'《戰國策》. ㉡일을 다스림. '整一'. '處一'. '幹一家事'《南史》. ㉢재판을 함. '峻文決一'《史記》. ㉣기욺. 수선함. '修一'. '法斁而不知一'《劉基》. ㉤장식함. 꾸밈. '夸容乃一'《傅毅》. ②다스려질리 잘 다스려짐. '政平訟一'《漢書》. ③도리리 사람이 지켜야 할 길. '天一'. '倫一'. '易簡而天下之一得矣'《易經》. ④이치리 사리. '條一'. '一論'. '井井兮其有一也'《荀子》. ⑤결리 나무·살 등의 잔 금. '木一'. '君疾在腠一'《史記》. ⑥재판관리 송사를 맡은 벼슬아치. '大一'. '命一瞻傷'《禮記》. ⑦매개리 중개(仲介). '吾令蹇脩以爲一'《楚辭》. ⑧사자리 사명을 전하는 사람. '行一'('行李'로도 씀). ⑨거동리 용지(容止). '一發諸外'《禮記》. ⑩의뢰할리 '大不一於口'《孟子》. ⑪성리 성(姓)의 하나.
字源 形聲. 王(玉)+里〔音〕

玉7〔琇〕11 人名 수 ㊦有 xiù シュウ たまのな

筆順 一 二 千 王 王一 琈 琇 琇

字解 ①옥돌수 옥 비슷한 아름다운 돌의 한 가지. '一, 石之似玉者'《說文》. ②빛날수 광채를 발함. '有匪君子, 充耳一瑩'《詩經》. ③성수 성(姓)의 하나.
字源 形聲. 王(玉)+秀〔音〕

玉7〔琊〕11 야 ㊥麻 yá ヤ ちめい

字解 땅이름야 琊(玉부 9획〈778〉)와 同字. '琅一'는 산동성(山東省)에 있는 지명(地名). '琅一在勃海間'《山海經》.
字源 形聲. 王(玉)+邪〔音〕

玉7〔珸〕11 人名 오 ㊥虞 wú ゴ たまのな

筆順 一 二 千 王 玨 珸 珸 珸

字解 옥돌오 '琨一'는 옥 비슷한 일종의 아름다운 돌. '琳瑉琨一'《史記》.
字源 形聲. 王(玉)+吾〔音〕

玉7〔珼〕11 珸(前條)와 同字

玉7〔琓〕11 人名 ㊥ 완

筆順 一 二 千 王 玓 玓 琓 琓

字解 《韓》 나라이름완 완하국(琓夏國)은 동해(東海) 가운데 있었다고 하는 나라.

玉7〔珷〕11 人名 무 ㊤麌 wǔ ブ たまににたいし

筆順 一 二 千 王一 玏 珷 珷 珷

字解 옥돌무 '一玞'는 옥 비슷한 돌. '一玞亂玉, 魚月開珠'《司馬光》.
字源 形聲. 王(玉)+武〔音〕

玉7〔琄〕11 현 ㊤銑 xuǎn ゲン たまのさま

字解 ①옥모양현 옥의 모양. '一, 玉皃'《廣韻》. ②패옥현 몸에 찬 옥의 모양. '一, 佩玉皃'《集韻》.
字源 形聲. 王(玉)+肙〔音〕

玉7〔珋〕11 류 ㊥尤 ㊤有 liú リュウ ひかりをはっするいし

字解 빛나는돌류 유리(琉璃)·금강석 따위의 빛이 나는 돌. '石之有光者, 璧一也'《說文》.
字源 形聲. 王(玉)+丣〔音〕

玉7〔琈〕11 보 ㊀遇 bù ホ たま

字解 아름다운옥보 '一瑤, 美玉'《字彙》.

玉7〔珵〕11 人名 정 ㊥庚 chéng テイ おびだまのぶぶん

筆順 一 二 干 王 玕 珵 珵 珵

字解 ①패옥정 패옥(佩玉)의 상부(上部)에 있는 옥. 형(珩)의 일컬음. '一, 佩玉也, 珩謂之一'《集韻》. ②아름다운옥정 스스로 빛을 내는 아름다운 옥. '覽察草木, 其猶未得分兮, 豈一美之能當'《楚辭》.
字源 形聲. 王(玉)+呈〔音〕

玉7〔珹〕11 人名 성 ㊥庚 chéng セイ たまのな

筆順 一 二 王 玎 玎 珹 珹 珹

字解 ①성옥(珹玉)성 옥의 이름. '一, 玉名'《玉篇》. ②아름다운구슬성 '一, 美珠也'《集韻》.
字源 形聲. 王(玉)+成〔音〕

玉7〔琈〕11 부 ㊥尤 fú フウ たまのさいしょく

字解 ①옥문채부 옥의 채색(彩色). '一筍, 玉采色'《玉篇》. ②부옥(琈玉)부 아름다운 옥의 일종. '一, 美玉名'《集韻》.

玉7〔珺〕11 군 ㊀問 jùn クン うつくしいたま

字解 아름다운옥군 '一, 美玉也'《字彙》.
字源 形聲. 王(玉)+君〔音〕

玉7〔琄〕11 패 ㊀泰 bèi ハイ かいでつくったかざり

字解 자개장식패 자개로 만든 장식. '一, 貝飾'《集韻》.

玉7〔琀〕11 함 ㊀勘 hàn カン ふくみだま

字解 빈함옥(殯含玉)함 염할 때 시체의 입에 물리는 옥. '一, 送死口中玉也'《說文》.
字源 形聲. 王(玉)+含〔音〕

玉7〔琂〕11 언 ㊥元 yán ゲン たまににたびせき

字解 옥돌언 옥 같은 아름다운 돌. '一, 石之似玉者'《說文》.
字源 形聲. 王(玉)+言〔音〕

玉7〔琝〕11 〔몰〕
玫(玉부 4획〈768〉)의 本字

玉7〔琸〕11 〔간〕
玕(玉부 3획〈766〉)의 古字

玉7〔琋〕11 〔제〕
瑅(玉부 9획〈777〉)와 同字

玉7〔琇〕11 〔롱〕
瓏(玉부 16획〈785〉)의 俗字

玉8〔琜〕13 래 ㊥灰 lái ライ ごしょくのたま

字解 오색옥래 '一瓄'은 오색(五色)의 옥돌. '一, 一瓄, 玉也'《說文》.
字源 形聲. 玉+來〔音〕

玉8〔琴〕12 高·人 금 ㊥侵 qín キン こと

筆順 一 二 千 王 玨 玨 琹 琴

字解 ①거문고금 현악기의 한 가지. 옛날에는 오현(五絃)이었으나, 후에 칠현(七絃)으로 되었음. '一書'. '彈一復長嘯'《王維》. ②성금 성(姓)의 하나.
字源 象形. 기러기발이 있는 거문고의 단면을 본뜸.

玉8〔琹〕12 琴(前條)의 俗字

玉8〔琵〕12 人名 비 ㊥支 pí ヒ びわ

筆順 一 二 千 玨 玨 玨 琵 琵

字解 ①탈비 현악기의 줄을 위에서부터 차례로 탐. '推手爲一却手琶'《歐陽修》. ②비파비 '一琶'는 현악기의 한 가지.
字源 形聲. 玨〈省〉+比〔音〕

玉8〔琶〕12 人名 파 ㊥麻 pá ハ びわ

筆順 一 二 千 王 玨 玨 琶 琶

字解 ①탈파 현악기의 줄을 아래서부터 거꾸로 탐. '推手爲琵却手一'《歐陽修》. ②비파파 琵(前條)를 보라. '琵一'.
字源 形聲. 玨〈省〉+巴〔音〕

〔斑〕〔반〕
文부 8획(490)을 보라.

玉8〔琖〕12 잔 ㊤潸 zhǎn サン たまでつくったさかずき

字解 옥잔잔 하(夏)나라 때의 옥으로 만든 작은 술잔. '爵用玉一仍彫'《禮記》.
字源 形聲. 王(玉)+戔〔音〕

玉8〔琚〕12 거 ㊥魚 jū キョ おびだま

字解 패옥거 패옥(佩玉)의 형(珩)과 황(璜)의 중간에 있는 옥. 모양은 규(圭)와

같음. 우(瑀) 참조. '報之以瓊一'《詩經》.
字源 形聲. 王(玉)+居〔音〕

玉8〔琛〕12 人名 침 ㊥侵 chēn チン たから
筆順 一 二 千 王 王ᅳ 琛 琛 琛
字解 보배침 자연에서 산출되는 아름다운 보물. '來獻其一'《詩經》.
字源 形聲. 王(玉)+深(滚)〈省〉〔音〕

玉8〔琢〕12 人名 탁 ㊁覺 zhuó タク みがく
筆順 一 二 千 王 琢 琢 琢 琢
字解 ①쫄탁 옥을 쪼아 모양을 냄. '彫一'. '如一如磨'《詩經》. ②닦을탁 학문 같은 것을 닦음. '一磨'. '不在鐫一語言'《宣和畫譜》. ③가릴탁 선택함. '敦一其旅'《詩經》.
字源 形聲. 王(玉)+豕〔音〕

玉8〔琤〕12 쟁 ㊥庚 chēng ソウ たまのなるおと
字解 ①옥소리쟁 옥이 서로 부딪는 소리. 또는, 물건이 서로 부딪는 소리. '一一碧澗流'《韓琦》. ②거문고소리쟁 거문고를 타는 소리. '前溪忽調琴, 隔林寒一一'《孟郊》.
字源 形聲. 王(玉)+爭〔音〕

玉8〔琥〕12 人名 호 ㊤麌 hǔ コ こはく
筆順 一 二 千 王 王ᅡ 琥 琥 琥
字解 ①호박호 '一珀'. '松柏脂入地千年, 化爲茯苓, 茯苓化爲一珀'《博物志》. ②옥그릇호 범의 모양을 한, 옥으로 만든 그릇. '以白一禮西方'《周禮》. ③성호 성(姓)의 하나.
字源 形聲. 王(玉)+虎〔音〕

玉8〔琦〕12 人名 기 ㊥支 qí キ たまのな
筆順 一 二 千 王 王大 琦 琦 琦
字解 ①옥기 아름다운 옥의 한 가지. '一賂寶貨'《後漢書》. ②기이할기 ㉠예사 사람과 다름. '夫聖人瑰意一行'《宋玉》. ㉡보통의 사물과 다름. '好治怪說, 玩一辭'《荀子》.
字源 形聲. 王(玉)+奇〔音〕

玉8〔琨〕12 人名 곤 ㊥元 kūn コン うつくしいいし
筆順 一 二 千 王 王日 琨 琨 琨
字解 옥돌곤 옥 비슷한 아름다운 돌의 한 가지. '一珸'. '瑤一美玉'《書經》.
字源 形聲. 王(玉)+昆〔音〕

玉8〔琪〕12 人名 기 ㊥支 qí キ たま
筆順 一 二 千 王 王廾 琪 琪 琪
字解 옥기 옥의 한 가지. '東方之美者, 有醫無閭之珣玗一焉'《爾雅》.
字源 形聲. 王(玉)+其〔音〕

玉8〔琫〕12 人名 봉 ㊤董 běng ホウ かたなのかざり
筆順 一 二 千 王 王三 琫 琫 琫
字解 칼집장식봉 칼집 윗부분에 하는 장식. 칼집의 아랫부분의 장식은 '珌'이라고 함. '鞞一有珌'《詩經》.
字源 形聲. 王(玉)+奉〔音〕

玉8〔琬〕12 人名 완 ㊤阮 wǎn エン けい
筆順 一 二 千 王 王宀 琬 琬 琬
字解 ①홀완 '一圭'는 옥으로 만든 끝이 뾰족하지 아니한 홀(笏). '一圭以治德, 以結好'《周禮》. ②옥완 '一琰'은 아름다운 옥의 한 가지. '弘璧一琰, 在西序'《書經》.
字源 形聲. 王(玉)+宛〔音〕

玉8〔琭〕12 록 ㊁屋 lù ロク たま
字解 ①옥록 옥의 한 가지. '天人一夜剪瑛一'《劉乂》. ②옥모양록 '一, 玉皃'《集韻》.
字源 形聲. 王(玉)+彔〔音〕

玉8〔琮〕12 人名 종 ㊥冬 cóng ソウ ずいぎょく
筆順 一 二 千 王 王宀 琮 琮 琮
字解 ①옥홀종 옛날에, 천자 또는 제후(諸侯)가 주는 예물(禮物)로 쓰던 모가 있는 옥으로 만든 홀. 여덟 모 진 것을 '瑑一'이라 하는데, 이것은 천자가 갖는 것이고, 이외 '大一'·'駔一'등이 있음. '員日璧, 方日一'《周禮 註》. ②성종 성(姓)의 하나.
字源 形聲. 王(玉)+宗〔音〕

玉8〔琸〕12 人名 탁 ㊁覺 zhuó タク じんめい
筆順 一 二 千 王 王ᅡ 琸 琸 琸
字解 사람이름탁 '有都統劉一'《宋史》.

玉8〔琯〕12 人名 ㊀관 ㊤旱 guǎn カン ふえ ㊁곤 ㊦願 gùn コン みがいてひかるせる

筆順 一 二 干 王 玗 琯 琯 琯

字解 ㊀ 옥피리관 구멍이 여섯 개 있음. '西王母來獻其白一'《玉篇》. ㊁ 금·옥닦아광낼곤 '治金玉使瑩曰一'《集韻》.
字源 形聲. 王(玉)＋官〔音〕

玉8 〔琰〕12 人名 염 ㊤琰 yǎn エン たま

筆順 一 二 干 王 王′ 玫 琰 琰

字解 ①옥염 아름다운 옥의 한 가지. ②홀염 위가 뾰족한 홀. '一圭以易行以除慝'《周禮》. ③깎을염 홀〔圭〕의 상부를 깎음. '凡圭一上寸半'《周禮 註》.
字源 形聲. 王(玉)＋炎〔音〕

玉8 〔琱〕12 조 ㊥蕭 diāo チョウ きざむ

字解 ①아로새길조 彫(彡부 8획〈367〉)·雕(隹부 8획〈1633〉)와 통용. '一麗'. '黼黻一戈'《漢書》. ②그릴조 그림을 그림. '牆塗而不一'《漢書》.
字源 形聲. 王(玉)＋周〔音〕

玉8 〔琲〕12 배 ㊦隊 ㊤賄 bèi ハイ つらぬく

字解 ①꿸배 구멍으로 꿤. '一落如珠'《張維》. ②구슬꿰미배 '珠一'.
字源 形聲. 王(玉)＋非〔音〕

玉8 〔琳〕12 人名 림 ㊥侵 lín リン たま

筆順 一 二 干 王 玎 玬 琳 琳

字解 옥림 아름다운 옥의 한 가지. '厥貢, 惟球一琅玕'《書經》.
字源 形聲. 王(玉)＋林〔音〕

玉8 〔琗〕12 채 ㊦隊 cuì サイ たまのひかり

字解 빛날채 주옥(珠玉)이 광채(光彩)를 발함. '瑤珠怪石一其表'《郭璞》.

玉8 〔琺〕12 법 fà ホウ エナメル

字解 법랑법 '一瑯'은 광물을 원료로 하여 만든 유약(釉藥). 사기 그릇의 겉에 발라 윤기를 나게 함. 에나멜.
字源 形聲. 王(玉)＋法〔音〕
參考 珐(玉부 5획〈770〉)은 俗字.

玉8 〔琙〕12 역 ㊇職 yù ヨク じんめい

字解 사람이름역 '一, 闕, 人名, 漢有公孫一'《集韻》.

玉8 〔琩〕12 창 ㊥陽 chāng ショウ みみだま

字解 귀막이옥창 만인(蠻人)들의 귀의 옥장식. '一玩, 蠻夷充耳'《集韻》.
字源 形聲. 王(玉)＋昌〔音〕

玉8 〔琠〕12 人名 전 ㊤銑 ㊦霰 ①tiǎn テン たま ②tiàn テン みみだま

筆順 一 二 干 王 玎 玴 琠 琠

字解 ①전옥전 구슬 이름. '一, 玉也'《集韻》. ②귀막이옥전 瑱(玉부 10획〈779〉)과 同字.
字源 形聲. 王(玉)＋典〔音〕

玉8 〔琕〕12 ㊀ 병 ㊤迥 bǐng ヘイ さや ㊁ 빈 ㊥先 pín ヘン たま

字解 ㊀ 칼집병 鞞(革부 8획〈1665〉)과 同字. ㊁ 구슬이름빈 玭(玉부 4획〈767〉)과 同字.

玉8 〔琡〕12 人名 숙 ㊇屋 chù シュク たま

筆順 一 二 干 王 王 玗 琡 琡

字解 ①숙옥(琡玉)숙 옥의 이름. '一, 玉也'《說文新附》. ②홀숙 크기 8촌(寸)의 홀〔璋〕. '璋大八寸, 謂之一'《爾雅》.
字源 形聲. 王(玉)＋叔〔音〕

玉8 〔琟〕12 ㊀ 유 ㊥支 wéi イ·ユイ たまににたいし ㊁ 옥 ㊇沃 yù ギョク とりのな

字解 ㊀ 옥돌유 옥 비슷한 돌. '一, 石之似玉者'《說文》. ㊁ 새이름옥 '鸐一'은 새 이름. '鳿, 鸐鳿, 鳥名. 或从隹'《集韻》.
字源 形聲. 王(玉)＋隹〔音〕

玉8 〔琘〕12 민 ㊥眞 mín ビン·ミン たまににたいし

字解 옥돌민 珉(玉부 5획〈768〉)·玟(玉부 4획〈767〉)과 同字. '敢問, 君子貴玉而賤一者何也'《禮記》.

玉8 〔琠〕12 〔예〕
瑰(玉부 6획〈771〉)의 本字

玉8 〔琼〕12 〔경〕 瓊(玉부 15획〈784〉)의 簡體字

玉9 〔琝〕14 ㊀ 완 ㊦翰 wàn ワン たまににたいし ㊁ 한 ㊦翰 カン たまににたいし

字解 ㊀ 옥돌완 옥 비슷한 돌. '一, 石之似玉者'《說文》. ㊁ 옥돌한 ㊀과 뜻이 같음.

字源 形聲. 玉+毆〔音〕

玉9〔瑬〕14 〔류〕
瑬(玉부 10획〈778〉)와 同字

玉9〔瑟〕13 人名 슬 ㊀質|sè シツ おおごと
筆順 一 = 王 玨 玨 珡 瑟 瑟
字解 ①큰거문고슬 현악기의 하나. 모양은 거문고 같으나 크며 줄이 열다섯·열아홉·스물다섯·스물일곱 줄로 된 것 등의 여러 종류가 있음. '搏拊琴—'《書經》. ②많을슬 물건이 많은 모양. '—彼柞棫'《詩經》. ③엄숙할슬 장엄하고 정숙한 모양. '—兮僩兮'《詩經》. ④고울슬 깨끗하고 선명한 모양. 또, 치밀한 모양. '—彼玉瓚'《詩經》. ⑤쓸쓸할슬 적막한 모양. '—居'. '蕭—兮'《宋玉》.
字源 形聲. 玨〈省〉+必〔音〕

玉9〔瑁〕13 ㊀모 ㊂號|mào ボウ ずいぎょく
㊁매 ㊂隊|mèi マイ たいまい
字解 ㊀ ①옥홀모 제후(諸侯)가 조회(朝會)할 때 천자(天子)가 지니던 사방 네 치의 옥으로 만든 홀. 그 하부(下部)를 제후가 가진 홀〔圭〕 위에 끼우면 마치 부절(符節)을 합친 것 같은 모양이 되어, 이로써 서신(瑞信)으로 삼음. '執—朝群后'《沈約》. ②대모모 '瑇—'는 바다거북의 일종. ㊁ 대모매 ㊀❷와 뜻이 같음.
字源 形聲. 王(玉)+冒〔音〕

玉9〔瑀〕13 人名 우 ㊤麌|yǔ ウ おびだま
筆順 一 = 干 王 玎 瑀 瑀 瑀
字解 패옥우 패옥(佩玉)의 중간에 있는 옥. '乃爲大佩, 衝牙雙—璜, 皆以白玉'《後漢書》.
字源 形聲. 王(玉)+禹〔音〕

玉9〔瑄〕13 人名 선 ㊥先|xuān セン たま
筆順 一 = 干 王 玗 玗 瑄 瑄
字解 도리옥선 크기가 여섯 치 되는 도리옥. '有司奉—玉'《漢書》.
字源 形聲. 王(玉)+宣〔音〕

玉9〔瑋〕13 人名 위 ㊤尾|wěi イ たま
筆順 一 = 干 王 玝 珆 瑋 瑋
字解 ①옥위 옥의 한 가지. ②진기할위 진귀함. '—寶'. '奇妙瑰—'《何承天》.

字源 形聲. 王(玉)+韋〔音〕

玉9〔瑌〕13 人名 연 ㊥先|ruǎn ゼン たま
筆順 一 = 王 王 玕 珊 瑌 瑌
字解 옥돌연 옥 비슷한 아름다운 돌의 한 가지. '—石武夫'《史記》.

玉9〔瑖〕13 단 ㊂翰|duàn タン たまににたいし
字解 옥돌단 옥 비슷한 아름다운 돌의 한 가지. '—, 石之似玉'《廣韻》.

玉9〔瑑〕13 전 ㊂霰|zhuàn テン あげぼり
字解 ①새길전 옥을 새겨 모양을 냄. '良玉不—'《漢書》. ②돋을새김전 규벽(圭璧)의 주변(周邊)의 부조(浮彫). '—圭璋璧琮'《周禮》.
字源 形聲. 王(玉)+彖〔音〕

玉9〔瑒〕13 ㊀탕 ㊤養|dàng トウ たま
㊁창 ㊂漾|chàng チョウ けいのいっしゅ
字解 ㊀ 옥탕 옥의 한 가지. 璗(玉부 12획〈781〉)과 통용. '—琫—珌'《漢書》. ㊁ ①옥찬(玉瓚)창 종묘(宗廟)의 제사에서, 울창주(鬱鬯酒)를 담는 술그릇. 길이가 한 자 두 치의 옥의 자루가 달렸음. 규찬(圭瓚). '—, 圭, 尺二寸, 有瓚, 以祀宗廟者也'《說文》. ②창주창 鬯(部首〈1777〉)과 통용.
字源 形聲. 王(玉)+昜〔音〕

玉9〔瑕〕13 하 ㊥麻|xiá カ きず
字解 ①티하 옥의 흠. '—瑜'. '瑾瑜匿—'《左傳》. ②흠하 결점. 과실. '—尤'. '烈假不—'《詩經》. ③허물하 죄과. '不女疵—也'《左傳》. ④틈하 틈새. '乘—則神'《管子》. ⑤멀하 遐(辵부 9획〈1501〉)와 통용. '不—有害'《詩經》. ⑥어찌하 어찌하여서. '—不謂矣'《禮記》. ⑦성하 성(姓)의 하나.
字源 形聲. 王(玉)+叚〔音〕

玉9〔瑗〕13 人名 원 ㊂霰|yuàn エン たま
筆順 一 = 干 王 玊 琈 瑗 瑗
字解 옥원 고리 모양의 옥〔璧〕. 중앙의 구멍의 내경(內徑)이 고리의 곱이 되는 옥. 벽(璧) 참조. '好倍肉, 謂之—'《爾雅》.
字源 形聲. 王(玉)+爰〔音〕

玉9〔瑙〕13 노 ㊤晧|nǎo ノウ めのう

字解 마노노 瑪(玉부 10획〈779〉)를 보라. '瑪—'.
字源 形聲. 王(玉)+𡿺〔音〕

玉9〔瑚〕13 人名 호 ㊥虞 hú コ さんご
筆順 一 二 千 王 玗 珐 瑚 瑚
字解 ①산호호 珊(玉부 5획〈769〉)을 보라. '珊—'. ②호련호 은(殷)나라 때의 종묘(宗廟)에서, 서직(黍稷)을 담던 제기(祭器). '—璉'. '夏后氏之四璉, 殷之六—'《禮記》.
字源 形聲. 王(玉)+胡〔音〕

玉9〔瑛〕13 人名 영 ㊥庚 yīng エイ たまのひかり
筆順 一 二 王 𤣩 𤤃 珙 瑛
字解 ①옥빛영 옥의 광채. ②수정영 투명한 석영(石英). '玉—'. ③패옥영 '—琚'는 몸에 차는 옥. '織女奉—琚'《古豔歌》.
字源 形聲. 王(玉)+英〔音〕

玉9〔瑜〕13 人名 유 ㊥虞 yú ユ たま
筆順 一 二 千 王 玠 玠 瑜 瑜
字解 ①옥유 광채가 있는 아름다운 옥의 한 가지. '瑾—匿瑕'《左傳》. ②옥빛유 옥의 광채. '瑕不揜—'《禮記》.
字源 形聲. 王(玉)+兪〔音〕

玉9〔瑞〕13 人名 서 ㊤寘 ruì ズイ めでたいしるし
筆順 一 二 千 王 玔 瑞 瑞 瑞
字解 ①상서(祥瑞)서 길조(吉兆). '麟鳳五靈, 王者之嘉—也'《杜預》. ②홀서 천자(天子)가 제후를 봉할 때, 신표(信標)로서 주는 옥으로 만든 홀〔圭〕. '五—'. '—玉'. '圭—'. '以玉作六—, 以等邦國'《周禮》. ③부절서 부신(符信). '符—'. '司馬請—焉'《左傳》. ④경사스러울서 '—兆'. '—應辨至'《史記》. ⑤성서 성(姓)의 하나.
字源 形聲. 王(玉)+耑〔音〕

玉9〔琿〕13 혼 ㊥元 hún コン たま
字解 옥혼 아름다운 옥의 한 가지.
字源 形聲. 王(玉)+軍〔音〕

玉9〔瑇〕13 대 ㊤隊 dài タイ たいまい
字解 대모대 '—瑁'는 거북과(科)에 속하는 열대 지방의 바다거북. 등껍데기는 누른 바탕에 검은 점이 있는데, 별갑대(鼈甲瑇)라 하여 각종 장식 용품의 재료로 씀. '—瑁鼈黿'《史記》.
字源 形聲. 王(玉)+毒〔音〕
參考 玳(玉부 5획〈769〉)는 同字.

玉9〔瑉〕13 민 ㊥眞 mín ビン たま
字解 옥돌민 珉(玉부 5획〈768〉)과 同字. '琳—琨珸'《史記》.
字源 形聲. 王(玉)+昬〔音〕

玉9〔瑊〕13 감 ㊥咸 jiān カン たまににたいし
字解 옥돌감 옥 비슷한 아름다운 돌의 한 가지. '—玏玄厲'《史記》.

玉9〔瑸〕13 빈 ㊥眞 bīn ヘン ぶんさい
字解 문채날빈 '璘—'은 옥의 문채가 어른어른하는 모양. 또, 무늬가 있는 모양. '璧馬犀之璘—'《漢書》.

玉9〔瑆〕13 人名 성 ㊥青 xīng セイ たまのひかり
筆順 一 二 王 玾 玾 瑆 瑆 瑆
字解 옥빛성 '—, 玉光'《集韻》.
字源 形聲. 王(玉)+星〔音〕

玉9〔瑎〕13 계 ㊤卦 jiē カイ おおきいけい
字解 큰홀계 玠(玉부 4획〈767〉)와 뜻이 같음.

玉9〔瑂〕13 미 ㊥支 méi ビ たまににたいし
字解 옥돌미 옥과 비슷한 돌.
字源 形聲. 王(玉)+眉〔音〕

玉9〔瑃〕13 人名 춘 ㊥眞 chūn チュン たま
筆順 一 二 千 王 玨 玦 瑃 瑃
字解 춘옥(瑃玉)춘 옥의 이름.
字源 形聲. 王(玉)+春〔音〕

玉9〔瑅〕13 人名 제 ㊥齊 tí テイ たま
筆順 一 二 千 王 玾 瑅 瑅 瑅
字解 제당옥(瑅瑭玉)제 옥의 이름. 瑅(玉부 7획〈773〉)와 同字. '—瑭, 玉名'《集韻》.

玉9〔瑍〕13 환 ㊤翰 huàn カン たま

[字解] 환옥환 아름다운 무늬가 든 옥의 이름. '一, 玉有文采'《字彙》.
[字源] 形聲. 王(玉)＋奐〔音〕

玉 9 〔瑎〕 13 해 [平]佳 | xié カイ たまににたくろいし
[字解] 검은옥돌해 옥 비슷한 검은 돌. '一, 黑石似玉者'《說文》.
[字源] 形聲. 王(玉)＋皆〔音〕

玉 9 〔瑝〕 13 황 [平]陽 | huáng コウ たまのうちあうおと
[字解] ①옥소리황 옥이 부딪쳐 나는 큰 소리. '一, 玉聲也. (段注) 謂玉之大聲也'《說文》. ②종소리황 鍠(金부 9획〈1571〉)과 통용.
[字源] 形聲. 王(玉)＋皇〔音〕

玉 9 〔瑐〕 13 전 [上]銑 | jiǎn セン たまのな
[字解] 옥전 '一, 玉名'《集韻》.

玉 9 〔⿰王剌〕 13 랄 [入]曷 | là ラツ たまのな
[字解] 옥랄 '一, 玉也'《說文》.
[字源] 形聲. 王(玉)＋剌〔音〕

玉 9 〔瑘〕 13 〔야〕
琊(玉부 7획〈772〉)와 同字

玉 9 〔瑶〕 13 〔요〕
瑤(玉부 10획〈778〉)의 略字

〔頊〕 〔욱〕
頁부 4획(1684)을 보라.

玉 10 〔瑩〕 15 [人名] 一영 [平]庚 | yíng エイ たまににたいし ①yǐng エイ まどう
二형 [上]迥 [去]徑 | ②③エイ あきらか

[筆順] 火 炏 炏 瑩

[字解] 一①옥돌영 옥 비슷한 아름다운 옥돌의 한 가지. '充耳琇一'《詩經》. ②빛영 광채. '不能掩其一'《韓詩外傳》. ③맑을영 아름답고 투명함. '一鏡'. ④밝을영 ㉠선명(鮮明)함. '一生一死, 性命一矣'《太玄經》. ㉡명료함. '語意未一'《朱熹》. ⑤빛날영 광채를 발함. '見之一然'《晉書》. 二①의혹할형 熒(火부 10획〈720〉)과 통용. '黃帝之所聽一'《莊子》. ②옥빛조촐할형 '如玉之一'《揚子法言》. ③맑을형 '此人之水鏡, 見之一然'《晉書》.
[字源] 形聲. 玉＋熒〈省〉〔音〕

玉 10 〔瑬〕 15 류 [平]尤 | liú リュウ かんむりのたまかざり
[字解] ①면류관드림류 면류관의 앞뒤에 드리운 구슬장식. 旒(方부 9획〈497〉)와 통용. '一, 垂玉也, 冕飾'《說文》. ②깃발류 기각(旗脚). '鸞輅靑羽蓋, 駕四馬, 旒九一'《宋書》.
[字源] 形聲. 玉＋流〔音〕

玉 10 〔⿱玨巴〕 14 〔파〕
琶(玉부 8획〈773〉)의 本字

玉 10 〔⿱玨比〕 14 〔비〕
琵(玉부 8획〈773〉)의 本字

玉 10 〔瑠〕 14 [人名] 류 [平]尤 | liú リュウ・ル るり

[筆順] 一 二 王 瑠

[字解] 유리류 '一璃'는 황금색의 작은 점이 있고 야청빛이 나는 광물. '移我一璃榻'《古詩》.
[字源] 形聲. 王(玉)＋留〔音〕
[參考] ①璢(玉부 12획〈782〉)는 本字. ②琉(玉부 7획〈772〉)와 同字.

玉 10 〔瑣〕 14 쇄 [上]哿 | suǒ サ こまかい
[字解] ①잘쇄 세소(細小)함. '一細'. '一兮尾兮, 流離之子'《詩經》. ②천할쇄 비천(卑賤)함. '名地卑一'《南史》. ③가루쇄 옥의 가루. 전(轉)하여, 널리 가루. 분말. '委曲如一'《仲長統》. ④쇠사슬쇄 鎖(金부 10획〈1574〉)와 통용. '畢罕一結'《左思》. 전(轉)하여, 쇠사슬의 모양을 새긴 대궐 문의 뜻으로 쓰임. '靑一'. '欲少留此靈一兮'《楚辭》. ⑤성쇄 성(姓)의 하나.
[字源] 形聲. 王(玉)＋𧴪〔音〕

玉 10 〔⿰王⿱巛貝〕 14 瑣(前條)의 俗字

玉 10 〔瑤〕 14 [人名] 요 [平]蕭 | yáo ヨウ うつくしいたま

[筆順] 一 二 王 瑤

[字解] ①옥돌요 옥 비슷한 아름다운 돌의 한 가지. '一琨'《書經》. 전(轉)하여, 사물의 미칭(美稱). '一札'. '眺一堂'《漢書》. ②《現》 민족이름요 중국 소수 민족의 하나. 주로, 광서(廣西) 장족 자치구(壯族自治區)에 살며, 호남(湖南)·운남(雲南)·귀주(貴州)의 각 성(省)에도 분포함. 예전에는, 요(猺)로 불렸음.
[字源] 形聲. 王(玉)＋䍃〔音〕

玉 10 〔瑪〕14 [人名] 마 [上]馬 | mǎ バ·メ めのう

[筆順] 一 二 王 … 瑪 瑪

[字解] 마노마 '一瑙'는 석영(石英)의 일종.
[字源] 形聲. 王(玉)＋馬〔音〕

玉 10 〔瑯〕14 [人名] 랑 [平]陽 | láng ロウ ぐんめい

[筆順] 一 二 王 … 瑯 瑯

[字解] ①땅이름랑 '一琊'는 군명(郡名). 琅(玉부 7획〈772〉)의 俗字. '一, 琅邪, 郡名. 俗作一琊'《廣韻》. ②《現》 법랑랑 '珐一'은 에나멜.
[字源] 形聲. 王(玉)＋郎〔音〕

玉 10 〔瑰〕14 괴 [平]灰 | guī カイ たま

[字解] ①구슬괴 원형의 미주(美珠). '或與己瓊一食之'《左傳》. ②진기할괴 '奇一'. '因一材而究奇'《後漢書》. ③클괴 위대함. '一, 偉也'《正字通》. '一意琦行'《宋玉》.
[字源] 形聲. 王(玉)＋鬼〔音〕

玉 10 〔瑳〕14 [人名] 차 [上]哿 [平]歌 | cuō サ あざやか

[筆順] 一 二 王 … 瑳 瑳

[字解] ①고울차 ㉠옥 같은 것의 빛이 고운 모양. '一兮一兮, 其之展也'《詩經》. ㉡이 같은 것이 곱고 흰 모양. '女齒笑一一'《梅堯臣》. ②웃을차 흰 이를 잠시 드러내 보이며 상긋 웃는 모양. '巧笑之一'《詩經》. ③갈차 磋(石부 10획〈876〉)와 통용.
[字源] 形聲. 王(玉)＋差(𢀩)〔音〕

玉 10 〔瑱〕14 [人名] [一]진 [去]震 | zhèn チン みみだま
[二]전 [去]霰 | tiàn テン みみだま

[筆順] 一 二 王 … 瑱 瑱

[字解] [一]①귀막이옥진 귀를 막는 옥. 후세에는, 면류관(冕旒冠) 같은 데에 장식으로 달았음. '玉之一也'《詩經》. ②옥진 일종의 미옥(美玉)의 이름. '王用一圭'《周禮》. [二]귀막이옥전, 옥전 [一]과 뜻이 같음.
[字源] 形聲. 王(玉)＋眞〔音〕

玉 10 〔瑲〕14 창 [平]陽 | qiāng ショウ·ソウ たまのなるおと

[字解] 옥소리창, 풍류소리창 옥이 울리는 소리. 또는, 악기의 소리. '八鸞一一'《詩經》.
[字源] 形聲. 王(玉)＋倉〔音〕

玉 10 〔瑴〕14 각 [入]覺 | jué カク ふたつのたま

[字解] 쌍옥각 珏(玉부 4획〈767〉)과 同字. '公爲之請納玉於王與晉侯, 皆十一'《左傳》.
[字源] 形聲. 王(玉)＋㱿〔音〕

玉 10 〔瑴〕15 瑴(前條)와 同字

玉 10 〔瑢〕14 [人名] 용 [平]冬 | róng ヨウ おびだまのおと

[筆順] 一 二 王 … 瑢 瑢

[字解] 패옥소리용 '瑽一'은 패옥(佩玉)의 소리. '瑽一, 佩玉行貌'《玉篇》.
[字源] 形聲. 王(玉)＋容〔音〕

玉 10 〔瑨〕14 [人名] 진 [去]震 | jìn シン うつくしいいし

[筆順] 二 王 … 瑨 瑨

[字解] 아름다운돌진 璡(玉부 12획〈782〉)과 同字.
[字源] 形聲. 王(玉)＋晉〔音〕

玉 10 〔瑨〕14 [人名] 瑨(前條)의 俗字

[筆順] 一 二 王 … 瑨 瑨

玉 10 〔瑥〕14 [人名] 온 [平]元 | wēn オン じんめい

[筆順] 二 王 … 瑥 瑥

[字解] 사람이름온 '一, 闕, 人名, 晉有翟一'《集韻》.

玉 10 〔璅〕14 조 [上]巧 | zhǎo ソウ くるまのかさのたまかざり

[字解] 수레덮개장식조 수레 덮개의 살 꼭지에 베푼 발톱 모양의 구슬 장식. '金一羽葆'《漢書》.
[字源] 形聲. 王(玉)＋蚤〔音〕

玉 10 〔瑰〕14 퇴 [平]灰 | duī タイ たまをみがく

[字解] 옥광채낼퇴 옥을 광채나게 다듬고 닦음. '一, 治玉'《篇海類編》.

玉 10 〔瑫〕14 도 [平]豪 | tāo トウ うつくしいたま

[筆順] 二 干 王 … 瑫 瑫

[字解] ①아름다운옥도 아름다운 옥의 이름. '一, 美玉'《集韻》. ②옥으로꾸민칼도 '一, 一日, 玉飾劍'《集韻》.
[字源] 形聲. 王(玉)＋舀〔音〕

玉10 〔瑭〕14 당 ㊥陽 táng トウ たま
[字解] 당무옥당 '一瑭'는 옥의 하나.
[字源] 形聲. 王(玉)＋唐〔音〕

玉10 〔瑮〕14 률 ㊇質 lì リツ たまのあやうつくしいさま
[字解] 옥의무늬질서있을률 '一, 玉上紋采排列有序'《漢語大字典》.
[字源] 形聲. 王(玉)＋栗(㮚)〔音〕

玉10 〔瑦〕14 오 ㊤麌 ㊥虞 wǔ オ たまににたびせき
[字解] 옥돌오 '一, 石之似玉者'《說文》.
[字源] 形聲. 王(玉)＋烏〔音〕

玉10 〔瑄〕14 〔선〕 瑄(玉부 9획〈776〉)의 本字

玉10 〔瑹〕14 〔침〕 琛(玉부 8획〈774〉)의 本字

玉11 〔瑿〕16 예 ㊥齊 yī エイ くろいろのびせき
[字解] ①검은옥예 흑색의 아름다운 돌. 豎(石부 11획〈879〉)와 同字. ②흑호박(黑琥珀)예 천 년 묵은 호박. '一, 黑玉, 本草, 琥珀千年者爲一, 狀似玄玉, 黑如純漆, 大如車輪. 永昌有黑玉鏡, 卽一也'《正字通》.

玉11 〔瑟〕15 〔슬〕 瑟(玉부 9획〈776〉)의 本字

玉11 〔瑾〕15 [人名] 근 ㊤吻 jǐn キン うつくしいたま
[筆順] ⼆ 王 王艹 王廿 王苩 瑄 瑾 瑾
[字解] 옥근 미옥(美玉). '懷一握瑜'《楚辭》.
[字源] 形聲. 王(玉)＋堇〔音〕

玉11 〔璀〕15 최 ㊤賄 cuǐ サイ たまのひかり
[字解] 빛날최 옥의 빛이 찬란한 모양. '琪樹一璨而垂珠'《孫綽》.
[字源] 形聲. 王(玉)＋崔〔音〕

玉11 〔璂〕15 [人名] 기 ㊥支 qí キ かざりだま
[筆順] ⼆ 王 王一 王卄 王甘 琪 琪 璂
[字解] 피변옥기 피변(皮弁)의 솔기를 장식하는 옥. '王之皮弁, 會五采玉一'《周禮》.

玉11 〔璃〕15 [人名] 리 ㊥支 lí リ るり, ガラス
[筆順] ⼆ 王 王亠 王亠 王离 璃 璃 璃
[字解] 유리리 '琉一'는 황금색 점(點)이 있고 야청빛이 나는 광물(鑛物). 유리(瑠璃). '移我琉一榻'《古詩》. '賣碧玻一鏡'《梁四公記》.
[字源] 形聲. 王(玉)＋离〔音〕

玉11 〔璅〕15 ㊀소 ㊤晧 ㊁쇄 ㊤哿 zǎo ソウ たまににたいし suǒ サ ちいさい
[字解] ㊀옥돌소 옥 비슷한 아름다운 돌. ㊁쇠사슬쇄, 잘쇄 瑣(玉부 10획〈778〉)와 同字. '欲少留此靈一'《楚辭》. '一一常流'《晉書》.
[字源] 形聲. 王(玉)＋巢〔音〕

玉11 〔璆〕15 구 ㊥尤 qiú キュウ うつくしいたま
[字解] ①옥구, 옥경쇠구 球(玉부 7획〈772〉)와 同字. '一磬金鼓'《漢書》. ②옥소리구 옥이 울리는 소리. '環珮玉聲一然'《史記》.
[字源] 形聲. 王(玉)＋翏〔音〕

玉11 〔璇〕15 [人名] 선 ㊥先 xuán セン うつくしいたま
[筆順] ⼆ 王 王亠 玗 玡 玡 璇 璇
[字解] ①옥선 璿(玉부 14획〈784〉)과 同字. '有一瑰瑤磬'《書經》. ②별이름선 북두칠성의 둘째별. '斗第一天樞, 第二一'《史記註》.
[字源] 形聲. 王(玉)＋旋〔音〕

玉11 〔瑽〕15 [人名] 종 (총[本]) ㊥冬 cōng ショウ おびだまのおと
[筆順] ⼆ 王 玐 玐 玐 瑽 瑽 瑽
[字解] 패옥소리종 '一瑢'은 패옥(佩玉)을 몸에 차고 걸어갈 때 나는 소리. '獻酬鳴一瑢'《陳師道》. ※本音 총.

玉11 〔璈〕15 오 ㊥豪 áo ゴウ がっきのな
[字解] 악기이름오 악기(樂器)의 한 가지. '彈八琅之一'《漢武帝內傳》.

玉11 〔璉〕15 [人名] 련 ㊤銑 liǎn レン れいきのな
[筆順] ⼆ 王 王一 王百 王亘 璉 璉 璉
[字解] 호련(瑚璉)련 서직(黍稷)을 담는 제기(祭器). '夏后氏之四一'《禮記》.
[字源] 形聲. 王(玉)＋連〔音〕

玉11 〔璊〕15 문 ㊥元 mén ボン・モン あかい

字解 붉은옥문 붉은빛의 옥. 또, 붉은 옥의 빛. '毳衣如一'《詩經》.
字源 形聲. 王(玉)+㒼〔音〕

玉11 〔璋〕 15 人名 장 ㊥陽 zhāng ショウ ずいぎょく

筆順 二 王 王' 王⁺ 王ᵇ 瑄 瑄 璋

字解 홀장 끝의 반을 깎아 뾰족하게 한 홀〔圭〕. 반규(半圭). '載弄之一'《詩經》.

玉11 〔璄〕 15 경 ㊤梗 jǐng ケイ たまのひかり

字解 옥광채경 璟(玉부 12획〈781〉)과 同字. '一, 玉光彩'《玉篇》.

玉11 〔㻞〕 15 반 ㊥刪 bān ハン まだら

字解 어룽질반 어룽진 반문. 斑(文부 8획〈490〉)과 同字.

玉11 〔琇〕 15 ⊟ 수 ㊦有 ⊟ 유 ㊤有 xiù シュウ たまにつぐいし ユウ たまにつぐいし

字解 ⊟ ①옥돌수 옥에 버금가는 돌. '充耳一實. (傳)一, 美石也'《詩經》. ②아름다울수 '一, 美也'《廣雅》. ⊟ 옥돌유, 아름다울유 ⊟과 뜻이 같음.
字源 形聲. 王(玉)+莠〔音〕

玉11 〔瓅〕 15 륵 ㊇職 ロク たまについでうつくしいいし

字解 옥돌륵 옥에 버금가는 아름다운 돌. '一, 美石次玉. 玏, 上同'《廣韻》.
字源 形聲. 王(玉)+勒〔音〕

玉11 〔塾〕 16 瓅(前條)의 本字

玉11 〔瑹〕 15 ⊟ 서 ㊥魚 ⊟ 도 ㊥虞 shū ショ しゃく tū ト しゃく

字解 ⊟ ①홀(笏)서 '一, 笏也'《廣雅》. ②아름다운옥서 '一, 美玉'《廣韻》. ⊟ 홀도, 아름다운옥도 ⊟과 뜻이 같음.

玉11 〔璁〕 15 총 ㊥東 ㊤董 cōng ソウ たまににたうつくしいいし

字解 옥돌총 옥 비슷한 아름다운 돌. '一, 石之似玉者'《說文》.
字源 形聲. 王(玉)+悤〔音〕

玉11 〔瓔〕 15 〔필〕 珌(玉부 5획〈769〉)의 古字

玉11 〔瑻〕 15 〔곤〕 琨(玉부 8획〈774〉)과 同字

〔璉〕 〔복〕 車부 8획(1471)을 보라.

玉12 〔璗〕 17 탕 ㊤養 dàng トウ こがね

字解 금탕 황금. '黃金謂之一'《爾雅》.
字源 形聲. 玉+湯〔音〕

玉12 〔璐〕 16 로 ㊦遇 lù ロ たま

字解 옥로 아름다운 옥의 한 가지. '被明月兮珮寶一'《楚辭》.
字源 形聲. 王(玉)+路〔音〕

玉12 〔璜〕 16 人名 황 ㊥陽 huáng コウ おびだま

筆順 二 王 王⁺⁺ 王⁺⁺ 珙 瑞 瑞 璜

字解 패옥황 반원형(半圓形)의 패옥(佩玉). '一珩'. '衝牙雙瑀一皆以白玉'《後漢書》.
字源 形聲. 王(玉)+黃〔音〕

玉12 〔璞〕 16 人名 박 ㊇覺 pú ハク あらたま

筆順 二 王 王" 王⁼ 王⁼ 王⁼ 璞 璞

字解 ①옥덩이박 아직 탁마(琢磨)하지 아니한 옥 덩어리. '一玉渾金'. '一散則爲器'《老子》. ②성박 성(姓)의 하나.
字源 形聲. 王(玉)+菐〔音〕

玉12 〔璟〕 16 人名 경 ㊤梗 jǐng ケイ たまのひかり

筆順 二 王 王ᵔ 王ᵖ 王ᵖ 璟 璟 璟

字解 옥의광채경 '一, 玉光彩'《埤蒼》.
字源 形聲. 王(玉)+景〔音〕

玉12 〔璠〕 16 번 ㊥元 fán ハン たま

字解 옥번 '璵一'은 노(魯)나라에서 산출(產出)하는 아름다운 옥. '陽虎將以璵一斂'《左傳》.
字源 形聲. 王(玉)+番〔音〕

玉12 〔璣〕 16 人名 기 ㊥微 jī キ たま

筆順 二 王 王ᵏ 璣 璣 璣 璣 璣

字解 ①구슬기 둥글지 않은 구슬. 일설(一說)에는, 물 속에서 나는 작은 구슬. '珠一'. '厥篚玄纁一組'《書經》. ②선기기 고대에 천문(天文)을 관측하는 혼천의(渾天儀)의 원형(圓形)으로 되어 회전하는 부분. '璿一'. ③별이름기 북두칠성(北斗七星)의 셋째 별.

字源 形聲. 王(玉)＋幾〔音〕

玉12〔璚〕16 경 ㊥庚|qióng ケイ たま

字解 옥경 瓊(玉부 15획〈784〉)과 同字. '俯漱神泉, 仰嘰一枝'《嵇喜》.

字源 形聲. 王(玉)＋矛＋冏〔音〕

玉12〔璘〕16 人名 린 ㊥眞|lín リン たまのひかり

筆順 = 王 王' 珠 珠 玤 璘 璘

字解 옥빛린 옥의 광채. '璠珉一彬'《張衡》.

字源 形聲. 王(玉)＋粦〔音〕

玉12〔璡〕16 人名 진 ㊥眞|jīn シン たまににたいし

筆順 = 王 玎 玤 琟 琟 璡 璡

字解 옥돌진 옥 비슷한 아름다운 돌. 瑨(玉부 10획〈779〉)과 同字.

字源 形聲. 王(玉)＋進〔音〕

玉12〔璙〕16 료 ㊥蕭|liáo リョウ たま

字解 옥료 미옥(美玉)의 한 가지.

字源 形聲. 王(玉)＋尞(尞)〔音〕

玉12〔璏〕16 체 ㊦霽|zhì テイ つかがしらのたまかざり

字解 칼코등이옥으로꾸밀체 칼코등이에 꾸민 옥의 장식. '碎玉劍一'《漢書》.

字源 形聲. 王(玉)＋彘〔音〕

玉12〔璑〕16 무 ㊥虞|wú ブ·ム さんさいのたま

字解 세빛깔옥무 세 가지 빛깔 나는 옥돌. '一, 三采玉也'《說文》.

字源 形聲. 王(玉)＋無〔音〕

玉12〔璒〕16 등 ㊥蒸|dēng トウ たまににたいし

字解 옥돌등 옥 비슷한 돌. '一, 石之似玉者'《說文》.

字源 形聲. 王(玉)＋登〔音〕

玉12〔璔〕16 잠 ㊥侵|zēn シン たまににたいし

字解 옥돌잠 옥 비슷한 돌. '一, 石之似玉者'《說文》.

字源 形聲. 王(玉)＋朁〔音〕

玉12〔璢〕16 瑠(玉부 10획〈778〉)의 本字

玉12〔璿〕16 〔미〕 瑂(玉부 9획〈777〉)의 本字

玉12〔璹〕16 〔수〕 璹(玉부 14획〈784〉)의 古字

玉12〔璿〕16 〔선〕 璿(玉부 14획〈784〉)의 古字

玉13〔璧〕18 人名 벽 ㊇陌|bì ヘキ ずいぎょく

筆順 尸 启 启' 辟 辟 壁 璧 璧

字解 옥벽 환상(環狀)의 옥. 그 구멍을 호(好), 고리를 육(肉)이라 함. '肉倍好, 謂之一'《爾雅》. 후세에, 널리 옥(玉)의 통칭(通稱)으로 쓰이며, 전(轉)하여, 아름다운 사물(事物)의 비유로 쓰임. '一月'. '一人'.

字源 形聲. 玉＋辟〔音〕

參考 壁(土부 13획〈222〉)과는 別字.

玉13〔璳〕18 전 ㊦霰|tiàn デン みみだま

字解 ①귀막이옥전 귀막이 구슬. 瑱(玉부 10획〈779〉)과 同字. ②옥빛깔전.

玉13〔璱〕17 人名 슬 ㊇質|sè シツ たまのうつくしくあざやかなさま

筆順 = 王 玨 玨 珡 瑟 璱 璱

字解 ①아름다운옥슬 옥의 빛깔이 아름답고 선명한 모양. '一, 玉鮮潔皃'《廣韻》. ②푸른구슬슬 '一一, 碧珠也'《字彙》.

字源 形聲. 王(玉)＋瑟〔音〕

玉13〔璨〕17 人名 찬 ㊦翰|càn サン たまのひかり

筆順 = 王 玊 玝 琛 琛 璨 璨

字解 ①미옥찬 '一, 美玉'《廣韻》. ②빛날찬 찬란한 모양. '煌煌青琳宮, 一一列玉華'《吳筠》. ③성찬 성(姓)의 하나.

字源 形聲. 王(玉)＋粲〔音〕

玉13〔璪〕17 조 ㊤晧|zǎo ソウ べんのたれかざり

字解 면류관드림옥조 옥을 색실에 꿴 면류관의 장식. '載冕一十有二旒'《禮記》.

字源 形聲. 王(玉)＋喿〔音〕

玉13〔璫〕17 당 ㊥陽|dāng トウ みみだま

字解 ①귀고리옥당 귀고리에 달린 구슬. 이주(耳珠). '耳一'. '耳著明月一'《古詩》. 후에, 환관(宦官)의 장식품이 되었으므로 환관을 '一'이라 일컬음. ②서까래장식당

서까래 끝의 장식. '華榱璧—'《漢書》. ③관 장식당 관(冠)의 장식. '銀—左貂'《漢官儀》. ④방울당 흔들면 소리가 나게 된 물건. '琅—'. ⑤옥소리당 옥이 부딪쳐 울리는 소리. '丁—'.
字源 形聲. 王(玉)+當〔音〕

玉13 〔環〕17 高·人 환 ㊥刪 | huán カン たまき

筆順 ⺀ 王 王罒 王罒 王罒 王睘 王睘 環

字解 ①옥환 고리 모양의 옥. '佩—'. '—佩之聲'《禮記》. ②고리환 기름한 물건을 휘어서 맞붙이어 만든 물건. '耳—'. '遊—脅驅'《詩經》. ③두를환 위요함. '—坐'. '三里之城, 七里之郭, —而攻之'《孟子》. ④돌환 ㉠선회함. '—旋'. '—拜以鐘鼓爲節'《周禮》. ㉡순찰함. '—四方之故'《周禮》. ⑤성환 성(姓)의 하나.
字源 形聲. 王(玉)+睘〔音〕

玉13 〔璲〕17 수 ㊦寘 | suì スイ おびだま

字解 패옥수 허리띠에 차는 옥. '鞙鞙佩—'《詩經》.
字源 形聲. 王(玉)+遂〔音〕

玉13 〔璯〕17 회 ㊦泰 | huì カイ かんむりのぬいめのたまかざり

字解 ①관혼솔꾸미개회 관(冠)의 솔기에 꾸며 단 구슬 장식(裝飾). '—, 玉飾冠縫'《集韻》. ②성회 성(姓)의 하나.
字源 形聲. 王(玉)+會〔音〕

玉13 〔璬〕17 교 ㊤篠 | jiǎo キョウ たまのおびもの

字解 ①패옥교 옥을 몸에 참. '—, 玉佩'《說文》. ②흰옥교 '—之言, 皦也. 玉石之白曰—'《說文 段注》.
字源 形聲. 王(玉)+敫〔音〕

玉13 〔璹〕17 촉 ㊨沃 | shǔ ショク たまのな

字解 촉옥(璹玉)촉 옥의 이름. '—, 玉也'《集韻》.

玉13 〔璥〕17 경 ㊤梗 | jǐng ケイ たまのな

字解 경옥(璥玉)경 옥의 이름. '—, 玉名'《廣韻》.
字源 形聲. 王(玉)+敬〔音〕

玉13 〔璩〕17 거 ㊥魚 | qú キョ たま

字解 옥고리거 '—, 環屬'《說文新附》.
字源 形聲. 王(玉)+豦〔音〕

玉13 〔璭〕17 곤 ㊦願 | gùn コン みがいてひからす

字解 금옥닦아광낼곤 琯(玉부 8획〈774〉)과 同字. '—, 同琯, 治金玉使瑩也'《集韻》.

玉13 〔璦〕17 애 ㊦隊 | ài アイ うつくしいたま

字解 ①아름다운옥애 '—, 美玉'《玉篇》. ②고을이름애 '—琿'은 흑룡강성(黑龍江省)에 있던 현명(縣名). 애휘현(愛輝縣)이라고 고쳤다가, 1983년 흑하시(黑河市)에 편입됨. ③瑷(玉부 9획〈776〉)의 訛字.

玉13 〔瓑〕17 력 ㊨錫 | lì レキ たまのな

字解 옥력 '—, 說文云, 玉名'《廣韻》.
字源 形聲. 王(玉)+殸〔音〕

玉13 〔琥〕17 호 ㊦號 ㊤晧 | hào コウ·ゴウ たまににたいし

字解 옥돌호 옥 비슷한 돌. '—, 石之似玉者'《說文》.
字源 形聲. 王(玉)+號〔音〕

玉13 〔璙〕17 〔료〕
璙(玉부 12획〈782〉)의 本字

玉13 〔璖〕17 〔률〕
瑮(玉부 10획〈780〉)의 本字

玉14 〔璽〕19 새(사㊍) ㊤紙 | xǐ ジ おしで

字解 ①인장새 도장. '—書'. '凡通貨賄, 以—節出入之'《周禮》. ②옥새새 진한(秦漢) 이전에는 널리 도장의 뜻으로 쓰이다가 진한(秦漢) 이후에는 천자(天子)의 도장의 특칭(特稱)으로 되었음. '御—'. '傳國—'. '—皆玉螭虎紐'《後漢書》. ③성새 성(姓)의 하나. ※本音 사.
字源 形聲. 玉+爾〔音〕

玉14 〔鋈〕19 ㊀유 ㊥尤 ㊤有 ㊁요 ㊦嘯 | yǒu ユウ·ユ ししゃにおくるたま ヨウ ししゃにおくるたま

字解 ㊀①죽은이에게보내는옥유 '—, 遺玉也'《說文》. ②옥유 '—, 玉名'《集韻》. ㊁죽은이에게보내는옥요, 옥요 ㊀과 뜻이 같음.
字源 形聲. 玉+猷〔音〕

玉14 〔璺〕19 문 ㊦問 | wèn ブン ひび

字解 티갈문, 금갈문 가늘게 터져서 금이 감. 옥의 티. '—, 玉破'《集韻》.
字源 形聲. 玉+釁〈省〉〔音〕

玉14〔璵〕18 여 ㊥魚 | yú ヨ たま

字解 옥여 '一璠'은 옥의 일종으로, 춘추 시대(春秋時代)에 노(魯)나라가 소유한 보옥(寶玉) 이름. '陽虎將以一璠斂'《左傳》.
字源 形聲. 王(玉)+與〔音〕

玉14〔璿〕18 人名 선 ㊥先 | xuán センうつくしいたま

筆順 ⺀ 王 王̇ 玝 玝 璇 璇 璿

字解 ①옥선 옥의 한 가지. '天子之寶一珠'《穆天子傳》. ②선기선 '一璣'는 고대에 천문을 관측하는 데 쓰는 기계. 혼천의(渾天儀). '一璣玉衡'. 璇(玉부 11획〈780〉)과 同字.
字源 形聲. 王(玉)+睿〔音〕
參考 琁(玉부 7획〈771〉)·璇(玉부 11획〈780〉)과 同字.

玉14〔瑌〕18 연 ㊥先 | ruǎn ゼン たまににてうつくしいいし

字解 옥돌연 옥 비슷한 아름다운 돌. '士佩一玫, 而縕組綬'《禮記》.
字源 形聲. 王(玉)+需〔音〕
參考 瑌(玉부 9획〈776〉)과 同字.

玉14〔璸〕18 빈 ㊥眞 | bīn ヒン たまのあや

字解 옥무늬어룽어룽할빈 옥에 무늬가 있는 모양. '一㻞文鱗'《史記》.

玉14〔璂〕18 기 ㊥支 | qí キ かんむりのかざり

字解 고깔꾸미개옥기 고깔의 혼솔에 오색의 옥을 달아 장식으로 한 것. '一, 弁飾也'《說文》.
字源 形聲. 王(玉)+綦〔音〕

玉14〔璹〕18 人名 ㊀수 ㊤有 | shú シュウ たまのな ㊁도 ㊦號 | dào トウ たまのな ㊂숙 ㊅屋 | shú シュク たまのうつわ

筆順 ⺀ 王 玤 珪 瑇 瑇 璹 璹

字解 ㊀옥이름수 옥의 이름. '一, 玉名'《集韻》. ㊁옥이름도. ㊂옥그릇숙 옥으로 만든 그릇. '一, 玉器也'《說文》.
字源 形聲. 王(玉)+壽〔音〕

玉14〔矱〕18 확(와㊍) ㊅藥 | wò ガク あらたま

字解 ①옥덩이확 '一, 玉璞'《集韻》. ②물이름확 '決一洛之水, 通之杭莊之間'《管子》.

※本音 와.

玉14〔瓂〕18 할 ㊅黠 ㊅曷 | xiá カツ たまににたいし

字解 옥돌할 옥 비슷한 돌. '一, 石之似玉者'《說文》.
字源 形聲. 王(玉)+牽〔音〕

玉14〔璶〕18 신 ㊦震 | jìn シン·ジン たまににたいし

字解 옥돌신 옥 비슷한 돌. '一, 石之似玉者'《說文》.
字源 形聲. 王(玉)+盡〔音〕

玉14〔瑾〕18 〔근〕
瑾(玉부 11획〈780〉)의 本字

玉14〔瓅〕18 〔력〕
瓅(玉부 13획〈783〉)의 本字

玉14〔璅〕18 〔소〕
璅(玉부 11획〈780〉)의 本字

玉14〔璘〕18 〔린〕
璘(玉부 12획〈782〉)의 本字

玉15〔瓈〕19 려 ㊥齊 | lí レイ·リ ガラス

字解 유리려 玻(玉부 5획〈768〉)를 보라. '玻一'.
字源 形聲. 王(玉)+黎〔音〕

玉15〔瓊〕19 人名 경 ㊥庚 | qióng ケイ たま

筆順 ⺀ 王 玠 琌 琌 瓊 瓊 瓊

字解 옥경 아름다운 붉은 옥의 한 가지. '一杯'. '報之以一琚'《詩經》. 전(轉)하여, 사물의 미칭(美稱). '一姿'. '開一筵以坐花'《李白》.
字源 形聲. 王(玉)+夐〔音〕
參考 璚(玉부 12획〈782〉)과 同字.

玉15〔瓊〕19 瓊(前條)과 同字

玉15〔瓋〕19 적 ㊅錫 | tì テキ たまのきず

字解 티적 옥의 티. 옥의 흠. '寸之玉必有瑕一'《呂氏春秋》.

玉15〔瑑〕19 ㊀전 ㊤銑 | zhuàn テン たまのうきぼり ㊁춘 ㊥眞 | chūn チュン たまのな

字解 ㊀옥(玉)의부조(浮彫)전 돋을새김을 한 옥. '一, 圭璧上起兆, 或从篆'《集韻》.

㈢ 옥이름춘 瑃(玉부 9획〈777〉)과 同字. '一, 玉名, 或从春'《集韻》.

玉15〔瓅〕19 력 (入)錫 lì レキ たまのひかり
筆順 瓅
字解 옥빛력 옥이 번쩍번쩍하는 빛. 또, 번쩍번쩍 빛남. '玓一江靡'《史記》.
字源 形聲. 王(玉)+樂〔音〕

玉15〔瓃〕19 뢰 (平)灰 léi ライ さやにつける たまかざり
字解 ①칼자루끝옥장식뢰. ②옥이름뢰 '一, 一曰, 玉名'《集韻》.
字源 形聲. 王(玉)+畾〔音〕

玉15〔瓄〕19 독 (入)屋 dú トク たまのうつわ
字解 ①옥그릇독 옥으로 만든 그릇. '一, 玉器'《集韻》. ②독홀(瓄笏)독 홀의 이름. '一, 一曰, 圭名'《集韻》. ③옥이름독 '佩采一玉'《晉書》.

玉15〔瓆〕19 人名 질 (入)質 zhì シツ じんめい
筆順 瓆
字解 사람이름질 '一, 闕, 人名, 後漢有劉一'《集韻》.

玉15〔璱〕19 〔슬〕 璱(玉부 13획〈782〉)의 本字

玉15〔環〕19 〔환〕 環(玉부 13획〈783〉)의 本字

玉15〔瑳〕19 〔차〕 瑳(玉부 10획〈779〉)의 本字

玉15〔瓉〕19 〔찬〕 瓚(玉부 19획〈786〉)의 俗字

玉16〔瓏〕20 人名 롱 (平)東 lóng ロウ たまのおと
筆順 瓏
字解 ①옥소리롱 옥이 서로 부딪쳐 울리는 소리. '擊玉碎一玲'《陽載》. ②환할롱 환히 보이는 모양. '朱草蒙一, 白玉嵯峨'《抱朴子》.
字源 形聲. 王(玉)+龍〔音〕

玉16〔瓍〕20 수 (平)支 suí スイ たまのな
字解 구슬수 구슬 이름. '一, 珠也, 蛇銜之以報隨侯, 楚辭因从玉'《集韻》.

玉16〔瓐〕20 로 (平)虞 lú ロ みどりのたま
字解 푸른옥로 '一, 碧玉也'《韻會》.
字源 形聲. 王(玉)+盧〔音〕

玉16〔璿〕21 〔선〕 璿(玉부 14획〈784〉)의 籒文

玉16〔瓌〕20 〔괴〕 瑰(玉부 10획〈779〉)와 同字

玉16〔瓌〕20 〔괴〕 傀(人부 10획〈65〉)와 同字

玉17〔𩆜〕21 령 (平)青 líng レイ みこ
字解 무당령 '一, 巫也, 以玉事神'《說文》.

玉17〔瓔〕21 人名 영 (平)庚 yīng エイ たまに にたいし
筆順 瓔
字解 ①옥돌영 옥 비슷한 돌. '一, 石似玉'《集韻》. ②구슬목걸이영 '珞, 一珞, 頸飾'《集韻》. '金星墮連一'《韓愈》.
字源 形聲. 王(玉)+嬰〔音〕

玉17〔瓖〕21 양 (平)陽 xiāng ショウ はらおびのかざりだま
筆順 瓖
字解 뱃대끈장식양 말의 뱃대끈의 장식. '鉤膺玉一'《張衡》.

玉17〔瓓〕21 人名 란 (去)翰 làn ラン たまのあや
筆順 瓓
字解 옥무늬란 옥(玉)의 광채(光彩). 옥의 무늬. '一, 玉采'《集韻》.
字源 形聲. 王(玉)+闌〔音〕

玉17〔𤫟〕21 섭 (入)葉 xiè ショウ たまににたいし
筆順 𤫟
字解 옥돌섭 옥과 비슷한 아름다운 돌. '一, 石之玉'《說文》.
字源 形聲. 王(玉)+燮〔音〕

玉18〔瓘〕22 人名 관 (去)翰 guàn カン たま
筆順 瓘
字解 ①옥관 '一, 玉也'《說文》. ②홀〔圭〕관 '用一斝玉瓚'《左傳》.
字源 形聲. 王(玉)+雚〔音〕

玉 18 〔瓗〕22 ㊀경 (平)庚 qióng ケイ たま
㊁휴 (平)齊 ケイ たま
㊂위 (去)寘 wěi ユイ たま
㊃계 (去)霽 ケイ たま
㊄수 (平)支 スイ たま

字解 ㊀①옥경 瓊(玉부 15획〈784〉)과 同字. '瓊, 亦玉也. …一, 瓊或从巂'《說文》. ②옥이름경 '一, 玉名'《廣韻》. ㊁옥휴, 옥이름휴 ■과 뜻이 같음. ㊂옥위, 옥이름위 ■과 뜻이 같음. ㊃옥계, 옥이름계 ■과 뜻이 같음. ㊄옥수, 옥이름수 ■과 뜻이 같음.

玉 18 〔瓇〕22 ㊀유 (平)尤 ジュウ たまのな
㊁노 (平)豪 náo ドウ たまのな
㊂요 (平)蕭 ジョウ たまのな

字解 ㊀옥유 '一, 玉也'《說文》. ㊁옥노 ■과 뜻이 같음. ㊂옥요 ■과 뜻이 같음.
字源 形聲. 王(玉)+夒〔音〕

玉 19 〔瓚〕23 人名 찬 (去)翰 (上)旱 zàn サン れいきのな

筆順 二 王 … 瓚 瓚

字解 술그릇찬 자루를 옥으로 만든, 창주(鬯酒)를 담는 구기 모양의 술그릇. 종묘(宗廟)의 제사에 씀. '瑟彼玉一'《詩經》. '祼圭有一'《周禮》. '一者勺也, 大五升, 口徑八寸, 下有龍, 口徑一尺, 黃金勺青金外, 朱中, 以圭爲柄, 曰圭一, 以璋爲柄, 曰璋一'《辭海》.
字源 形聲. 王(玉)+贊〔音〕
參考 瓉(玉부 15획〈785〉)은 俗字.

玉 20 〔瓛〕24 환 (平)寒 huán カン ずいぎょくのな

字解 옥홀환 주(周)나라 때, 공작(公爵)이 천자(天子)를 뵐 때 손에 갖던 홀. 환규(桓圭). '一, 桓圭, 公所執'《說文》.
字源 形聲. 王(玉)+獻〔音〕

瓜 部

〔오이과부〕

瓜 0 〔瓜〕5 人名 과 (平)麻 guā カ うり

筆順 一 厂 丌 瓜 瓜

字解 오이과 박과(科)에 속하는 일년생 만초(蔓草)로서 열매를 식용으로 하는 것의 총칭(總稱). 곧, 오이·참외·호박·수박 따위. '一葛'. '七月食一'《詩經》.
字源 象形. 덩굴에 열린 오이의 모양을 본뜸.
參考 ①부수(部首)로서, '瓜과'를 의부(意符)로 하여, 여러가지 종류의 오이를 나타내는 문자를 이룸. ②'瓜'의 획수는 《康熙字典》에서 'ㄥ' 부분을 'ㅿ'처럼 연속해서 헤아리므로 5획이 됨.

瓜 3 〔瓝〕8 박 (入)覺 bó ハク ちいさいうりのな

字解 오이박 작은 오이. '瓞一, 其紹瓞'《爾雅》.

瓜 4 〔⿰瓜丰〕9 봉 (上)董 běng ホウ うりのみのおおいさま

字解 오이주렁주렁맺힐봉 '一, 瓜多實皃'《集韻》.

瓜 5 〔瓞〕10 질(절本) (入)屑 dié テツ もとなりのこうり

字解 북치질 뿌리에 가까운 덩굴에 열린 작은 오이. '緜緜瓜一'《詩經》. ※本音 절.
字源 形聲. 瓜+失〔音〕

瓜 5 〔瓟〕10 ㊀박 (入)覺 bó ハク ちいさいうり
㊁포 (平)肴 báo ホウ ひさご

字解 ㊀오이박 瓝(瓜부 3획〈786〉)과 同字. '援一瓜兮接糧'《楚辭》. ㊁박포 박과(科)에 속하는 만초(蔓草).
字源 形聲. 瓜+包〔音〕

瓜 5 〔瓳〕10 ㊀고 (平)虞 gū コ からすうり
㊁여 (上)語 rǔ ジョ かわかしたやさい

字解 ㊀쥐참외고 '一, 王瓜也. 或作菇'《集韻》. ㊁말린나물여 '一, 乾菜'《廣韻》.

瓜 5 〔㼌〕10 유 (上)麌 yǔ ユ もとがすえよりよわい

字解 ①밑동약할유 오이가 주렁주렁 맺히고 덩굴이 약함. '一, 本不勝末, 微弱也'《說文》. ②지쳐앓을유 '一, 勞病也'《玉篇》. ③오이주렁주렁맺힐유 '一, 瓜實繁也'《六書故》.
字源 會意. 瓜+瓜

瓜 6 〔瓠〕11 호 (平)虞 hú コ ひさご
(去)遇 コ ひさご

字解 ①박호 박과(科)에 속하는 만초(蔓草). 열매는 바가지를 만듦. '一瓜'. '幡幡一葉'《詩經》. ②병호 질로 만든 병. 질병. '寶康一'《漢書》. ③성호 성(姓)의 하나.
字源 形聲. 瓜+夸〔音〕

瓜 6 〔⿰瓜交〕11 박 (入)覺 bó ハク ちいさいうりのな

[字解] 작은오이박 '一, 小瓜也'《說文》.
[字源] 形聲. 瓜＋交〔音〕

瓜 8 〔瓡〕13 [一] 집 [入]緝 | zhí シュウ ちめい
[二] 호 [平]虞 | hú コ ちめい
[字解] [一] 땅이름집 '一, 縣名, 在北海'《廣韻》. [二] 땅이름호 '一讘'은 땅이름. '一, 一讘, 漢侯國名. 在河東'《集韻》.

瓜 8 〔踝〕13 과 [上]哿 | huǒ カ·ワ うり
[字解] ①오이과 제사나 빈객(賓客) 접대용으로 쓰이는 오이. '一, 瓜也'《字彙》. ②질과 敤(攴부 8획〈485〉)와 통용.

瓜 9 〔瓯〕14 후 [平]尤 | gōu コウ からすうり
[字解] 쥐참외후 '瓯, 王瓜也. 或从侯'《集韻》.

瓜 10 〔瓮〕15 [一] 형 [平]青 | xíng
[二] 영 [平]庚 | ケイ ちいさいうり
エイ ちいさいうり
[字解] [一] 작은오이형 '一, 小瓜也'《說文》. [二] 작은오이영 [一]과 뜻이 같음.
[字源] 形聲. 瓜＋熒〈省〉〔音〕

瓜 11 〔瓢〕16 표 [平]蕭 | piáo ヒョウ ひさご
[字解] 바가지표 박으로 만든 그릇. '一簞食, 一一飮'《論語》.
[字源] 形聲. 瓜＋票(𤐫)〔音〕

瓜 11 〔繇〕16 [一] 요 [平]蕭 | yáo ヨウ しろうり
[二] 소 [平]蕭 | ショウ しろうり
[字解] [一] 월과(越瓜)요 '一, 瓜也'《說文》. [二] 월과소 [一]과 뜻이 같음.
[字源] 形聲. 瓜＋繇〈省〉〔音〕

瓜 11 〔瓺〕16 루 [平]尤 | lóu ロウ からすうり
[字解] 쥐참외루.

瓜 14 〔瓣〕19 판 [去]諫 | bàn ベン うりのさね
[字解] ①오이씨판 오이의 씨. ②꽃잎판 화판. '花一'. '須叟蹋破蓮花一'《楊維楨》. ③《韓》 날름쇠판 ㉠기체나 액체의 출입 조절을 하는 기구·장치의 총칭. ㉡심장 내벽(內壁)이나 혈관 안에 있어서 피의 역류를 막는 막(膜). '僧帽一'.
[字源] 會意. 瓜＋辡

瓜 16 〔瓐〕21 로 [平]虞 | lú ロ ゆうがお
[字解] 호로박로 '瓠一, 瓠而圜者'《集韻》.

瓜 17 〔瓤〕22 양 [平]陽 | ráng ジョウ うりわた
[字解] 박속양 박의 씨가 박혀 있는 부분. '青皮黑一'《拾遺記》.
[字源] 形聲. 瓜＋襄〔音〕

瓜 18 〔𤬲〕23 〔표〕
瓢(瓜부 11획〈787〉)의 本字

瓦　部
〔기와와부〕

瓦 0 〔瓦〕5 [中·人] 와 [上]馬 | wǎ ガ かわら
[筆順] 一 丁 工 瓦 瓦
[字解] ①기와와 흙 같은 것으로 구워, 지붕을 이는 물건. '一屋'. '武安屋一盡震'《史記》. ②질그릇와 진흙만으로 구워 만든 그릇. '一釜'. '君尊一甒'《禮記》. ③실패와 실을 감는 물건. '載弄之一'《詩經》. ④방패등와 방패의 등의 부분. 순척(楯脊). '射之中楯一'《左傳》. ⑤성와 성(姓)의 하나. ⑥《韓》 미터법의 무게의 단위 그램의 음역 '瓦蘭姆'의 약기(略記). 克(儿부 5획〈82〉)과 同字.
[字源] 象形. 진흙을 구부려서 구운 질그릇의 모양을 본뜸.
[參考] '瓦와'를 의부(意符)로 하여, '질그릇·오지그릇'에 관한 문자를 이룸.

瓦 3 〔瓨〕8 강 [平]江 | xiáng コウ もたい
[字解] 항아리강 목이 긴 질그릇. 열 되를 담음. '醯醬千一'《漢書》.
[字源] 形聲. 瓦＋工〔音〕

瓦 3 〔瓨〕8 [一] 두 [上]虞 | dù ト かめ
[二] 감 [平]覃 | kān カン かわらけ
[三] 도 [去]遇 | ト かめ
[四] 항 [平]江 | コウ もたい
[字解] [一] 큰독두 '一, 甖也'《廣雅》. [二] 질그릇감 '一, 瓦器'《廣韻》. [三] 질독도 '一, 土甁'《集韻》. [四] 항아리항 瓨(瓦부 3획〈787〉)의 訛字. '醯醬千一'《史記》.

瓦 3 〔瓩〕8 [現] 킬로그램 | キログラム
[字解] 《現》 미터법의 무게의 단위 킬로그램의 약기(略記). 兙(儿부 8획〈83〉)과 同字.
[字源] 會意. 瓦＋千〔音〕

[參考] 중국에서는 qiān wǎ 로 읽어, 킬로와트의 뜻으로 쓰임.

瓦 4 **〔瓪〕** 9 [一] 판 [上]潸 | bǎn ハン かわらのかけ
[二] 반 [上]阮 | ハン かわらのかけ

[字解] [一] ①깨진기와판 '一, 敗瓦也'《說文》. ②암키와판 '一, 牝瓦也'《廣韻》. [二] 깨진기와반, 암키와반 [一]과 뜻이 같음.
[字源] 形聲. 瓦+反〔音〕

瓦 4 **〔瓰〕** 9 [一] 함 [平]覃 | hán カン ふいごうのえ
[二] 검 [去]豔 | qiàn ケン とってのあるこびん

[字解] [一] ①풀무손잡이함 옛날에는 기와로 만들었음. '一, 冶橐榦也'《說文》. ②귀달린질그릇함 병(瓶) 비슷하고 귀가 달린 질그릇. '一, 似瓶有耳'《廣韻》. [二] 귀달린작은병검 '一, 陶器. 小瓶有耳者'《集韻》.
[字源] 形聲. 瓦+今〔音〕

瓦 4 **〔瓨〕** 9 강 [平]陽 | gǎng コウ おおがめ

[字解] 큰독강 '大瓮爲一'《集韻》.

瓦 4 **〔瓬〕** 9 방 [上]養 | fǎng ホウ すえものし

[字解] ①옹기장이방 주대(周代)에, 질그릇을 만드는 장색(匠色). '一, 周家搏埴之工也'《說文》. ②독방 '一, 瓶也'《廣雅》.
[字源] 形聲. 瓦+方〔音〕

瓦 4 **〔瓯〕** 9 〔구〕
甌(瓦부 11획〈790〉)의 俗字

瓦 4 **〔瓮〕** 9 옹 [去]送 | wèng オウ かめ

[字解] 항아리옹 甕(瓦부 13획〈791〉)과 同字. '四瀆之濁, 不方一水之淸'《抱朴子》.
[字源] 形聲. 瓦+公〔音〕

瓦 4 **〔瓫〕** 9 분 [平]元 | pén ホン ほとぎ, あふれる

[字解] ①넘칠분 湓(水부 9획〈665〉)과 통용. '水潦一溢'《晉書》. ②동이분 盆(皿부 4획〈831〉)과 同字.
[字源] 形聲. 瓦+分〔音〕

瓦 5 **〔瓴〕** 10 령 [平]靑 | líng レイ かめ

[字解] ①동이령 양옆에 귀가 달린 그릇. '或以甕一'《淮南子》. ②암키와령 지붕의 고랑이 되게 놓는 기와. '致錯石之一甓兮'《司馬相如》.
[字源] 形聲. 瓦+令〔音〕

瓦 5 **〔瓵〕** 10 이 [平]支 | yí イ ちいさいかめ

[字解] 단지이 작은 항아리. '甌瓵謂之一'《說文》.
[字源] 形聲. 瓦+台〔音〕

瓦 5 **〔㼣〕** 10 백 [入]陌 | bó ハク たたみがわら

[字解] ①우물벽돌백 우물에 까는 바닥 벽돌. '一, 井甃'《正字通》. ②기와집아귀토아니물릴백 '一, 瓦屋不泥也'《集韻》.
[字源] 形聲. 瓦+白〔音〕

瓦 5 **〔㼝〕** 10 완 [去]旱 | wǎn ワン わん

[字解] 주발완 작은 주발. '一, 小盂也'《說文》.
[字源] 形聲. 瓦+夗〔音〕

瓦 5 **〔㼜〕** 10 앙 [去]漾 | àng オウ ほとぎ

[字解] 장군앙 盎(皿부 5획〈832〉)과 同字.
[字源] 形聲. 瓦+央〔音〕

瓦 6 **〔瓶〕** 11 〔병〕
甁(瓦부 8획〈789〉)의 俗字

瓦 6 **〔瓷〕** 11 [人名] 자 [平]支 | cí ジ いしやき

[筆順] 冫 冫 次 次 次 瓷 瓷 瓷
[字解] 오지그릇자 결이 곱고 견고한 오지그릇.
[字源] 形聲. 瓦+次〔音〕
[參考] 磁(石부 9획〈875〉)는 俗字.

瓦 7 **〔㼨〕** 12 함 [平]覃 | hán カン とってのあるちいさいかめ

[字解] 귀달린단지함 귀 달린 작은 단지. '一, 似瓶有耳'《字彙》.

瓦 7 **〔㼧〕** 12 동 [平]東 | tōng トウ おがわら

[字解] 수키와동 '一, 牡瓦也'《玉篇》.

瓦 7 **〔瓻〕** 12 치 [平]支 | chī チ かめ

[字解] 술단지치 술을 담는 단지.
[字源] 形聲. 瓦+稀〈省〉〔音〕

瓦 8 **〔瓿〕** 13 부 [上]有 | bù ホウ かめ
[平]虞 | ブ かめ

[字解] 단지부 작은 항아리. '吾恐後人用覆醬一也'《漢書》.
[字源] 形聲. 瓦+咅〔音〕

瓦 8〔甀〕13 추 [去]寘|zhuì ツイ かめ
[字解] 항아리추 아가리가 작은 항아리. '抱一而汲'《淮南子》.

瓦 8〔瓺〕13 〔강〕
瓬(瓦부 4획《788》)과 同字

瓦 8〔瓶〕13 [人名] 병 [平]青|píng ビン かめ
[筆順] ′ 丷 扌 并 并 瓶 瓶 瓶
[字解] ①병병, 단지병 술·물 같은 것을 담는 그릇. '酒一'. '毁其一'《左傳》. ②두레박병 물 긷는 그릇. '羸其一'《易經》. ③시루병 떡 같은 것을 찌는 그릇. '尊於一'《禮記》. ④성병 성(姓)의 하나.
[字源] 形聲. 瓦+幷〔音〕

瓦 8〔瓲〕13 쇄 [去]隊|suì サイ やぶれる
[字解] 깨질쇄 기와가 깨짐. '一, 破也'《說文》.
[字源] 形聲. 瓦+卒〔音〕

瓦 8〔甍〕13 맹 [上]梗|ボウ こしきのおび
[字解] 시루띠맹 '弊箄甑一'《淮南子》.

瓦 8〔甈〕13 비 [平]齊|pǐ ヘイ かめ
[平]支|ヒ かめ
[上]紙|ヒ かめ
[字解] ①독비 '一, 罌謂之一'《說文》. ②질그릇비 '一, 瓦器'《廣韻》.
[字源] 形聲. 瓦+卑〔音〕

瓦 8〔甞〕13 당 [去]漾|dàng トウ おおきいかめ
[字解] ①큰독당 '一, 大盆也'《說文》. ②바닥벽돌당 땅바닥에 까는 벽돌. '爲一所輻'《漢書》. ③성당 성(姓)의 하나.
[字源] 形聲. 瓦+尙〔音〕

瓦 8〔甎〕13 점 [去]豔|diàn テン ささえばしら
[字解] ①굄벽돌점 지주(支柱). '一, 楮也'《集韻》. ②괼점 버팀. '一, 支也'《廣韻》.

瓦 9〔甄〕14 [一]견 [平]先|jiān ケン すえもの
[二]진 [平]眞|zhēn シン すえもの
[字解] [一] ①질그릇구울견 질그릇을 굽는 일. 또, 그 사람. '一陶'. '一工'. '唯一者之所爲'《漢書》. ②교화할견 가르쳐 감화시킴. '玄化所一'《左思》. ③살필견 주의하여 알아봄. '一無名之士於草萊'《抱朴子》. ④나타낼견 표명함. '一大義以明責'《潘岳》. ⑤밝힐견 명확히 구별함. '一別'. '靈眖自一'《後漢書》. ⑥양익견 군대의 좌우익. '張兩一'《左傳》. '令李桓督左一'《晉書》. ⑦날견 새가 나는 모양. '鶉鴿兮一一'《楚辭》. [二] 진 [一]❶-❼과 뜻이 같음.
[字源] 形聲. 瓦+垔〔音〕

瓦 9〔甂〕14 변 [平]先|piān ヘン ほとぎ
[字解] 자배기변, 단지변 아가리가 쩍 벌어진 질그릇. 또, 작은 항아리. '自關而西, 盆盎小者曰一'《揚子方言》.
[字源] 形聲. 瓦+扁〔音〕

瓦 9〔瓿〕14 유 [平]虞|yú ユ かめ
[字解] 단지유 목이 긴 단지. '罃, 陳魏宋楚之間曰一'《揚子方言》.

瓦 9〔甄〕14 렵 [入]葉|liè リョウ かわらをふむおと
[字解] ①기와밟는소리렵 '一, 蹈瓦聲'《廣韻》. ②기와깨지는소리렵. ③깨지는소리렵 '一, 凡損破聲, 通謂之歷一'《正字通》. ④얇은기와렵 '一, 一曰, 瓦薄也'《集韻》.
[字源] 形聲. 瓦+枼〔音〕

瓦 9〔甃〕14 추 [上]宥|zhòu シュウ れんが
[字解] ①벽돌추 흙으로 구워 만든 정사각형 또는 직사각형의 돌. 지면(地面)에 까는 데 씀. '缺一之崖'《莊子》. ②꾸밀추 장식함. '腰龜徒一銀'《李賀》.
[字源] 形聲. 瓦+秋〔音〕

瓦 9〔甃〕14 甃(前條)의 本字

瓦 9〔甍〕14 [一]준 [去]震|jùn シュン なめしがわ
[二]유 [平]虞|ジュ なめしがわ
[三]연 [上]銑|ruǎn ゼン なめしがわ
[字解] [一] ①다룬가죽준 무두질한 가죽. '一, 柔皮'《廣韻》. ②가죽바지준 사냥할 때 입는 가죽바지. '一, 獵之韋袴'《廣韻》. ③기와가마준 가죽을 다루는 데 쓰는 기와 가마. '一, 治皮革者, 以瓦爲竈, 而反覆薰揉之'《六書正僞》. [二] 다룬가죽유, 가죽바지유, 기와가마유 [一]과 뜻이 같음. [三] 다룬가죽연, 가죽바지연, 기와가마연 [一]과 뜻이 같음.
[字源] 形聲. 北+皮〈省〉+夐〈省〉〔音〕

瓦 10〔甈〕15 계 [去]霽|qì ケイ かめ

字解 ①항아리계 토기(土器). '康瓠謂之一'《爾雅》. ②마를계 '一, 燥也'《揚子法言》. ③깨질계 금이 감. '一, 裂也'《廣雅》. ④깨진항아리계 금이 간 항아리.
字源 形聲. 瓦+臬〔音〕

瓦10 〔㼛〕15 용 ㊥冬 rŏng ヨウ かめ
字解 독용 '一, 罌也'《廣韻》.
字源 形聲. 瓦+容〔音〕

瓦10 〔㼺〕15 당 ㊥陽 táng トウ いしやき
字解 ①자기(磁器)당 '一, 瓷也'《玉篇》. ②귀달린작은항아리당 '一, 小缾有耳者曰瓴一'《集韻》.

瓦10 〔甇〕15 앵 ㊥庚 yīng オウ ほとぎ
字解 목긴항아리앵 목이 긴 항아리. '一, 長頸瓶也'《玉篇》.

瓦10 〔甆〕15 〔자〕
瓷(瓦부 6획〈788〉)의 俗字

瓦11 〔甋〕16 적 ㊥錫 dì テキ しきがわら
字解 벽돌적 흙으로 구워 만든 정사각형 또는 직사각형의 벽돌. '瓴一夸璵璠, 魚目笑明月'《張協》.

瓦11 〔甌〕16 구 ㊥尤 ōu オウ ちいさいはち
字解 ①단지구 '一甂謂之瓵'《爾雅》. ②사발구 작은 사발. 또는, 깊숙한 사발. 또는, 찻종. '一, 小盆也'《說文》. '今俗謂盌深者爲一'《字彙》. '遺之餅一一'《南史》. ③성구 성(姓)의 하나.
字源 形聲. 瓦+區〔音〕

瓦11 〔甪瓦〕16 록 ㊥屋 lù ロク しきがわら
字解 벽돌록 '一甎'은 바닥에 까는 벽돌.

瓦11 〔甎〕16 전 ㊥先 zhuān セン しきがわら
字解 벽돌전 흙 같은 것으로 구운 정사각형 또는 직사각형의 돌. '層一起塔'《唐書》.
字源 形聲. 瓦+專〔音〕

瓦11 〔㽘〕16 강 ㊥陽 kāng コウ かめ
字解 ①항아리강 '一瓠, 陶器'《集韻》. ②깨진독강.

瓦11 〔甐〕16 창 ㊤養 chuăng ソウ うつわをみがくかわらいし
字解 ①기왓장가루창 병 안의 때를 닦는 기왓가루. '以碎瓦石一去瓶內垢'《說文繫傳》. ②와륵(瓦礫)창 깨진 기왓조각. '一, 半瓦也'《玉篇》.
字源 形聲. 瓦+爽〔音〕

瓦11 〔甍〕16 맹 ㊥庚 méng ボウ·ミョウ いらか
字解 ①수키와맹 대마루에 얹는 수키와. '一桷椽楹不斲'《六韜》. ②대마루맹 용마루. '鎭其一矣. (注) 一, 棟也'《國語》.
字源 形聲. 瓦+夢〈省〉〔音〕

瓦11 〔㼻〕16 〔계〕
瓡(瓦부 10획〈789〉)와 同字

瓦12 〔甐〕17 린 ㊍震 ㊥眞 lìn リン うごく
字解 움직일린 요동함. '輪雖敝, 不一於鑿'《周禮》.

瓦12 〔甑〕17 人名 증 ㊍徑 zèng ショウ こしき
筆順 八 ⺈ 𠚍 ⿵ 曾 曾一 甑 甑
字解 시루증 술밥 또는 떡을 찌는 그릇. '破釜一, 燒廬舍'《史記》.
字源 形聲. 瓦+曾〔音〕

瓦12 〔甒〕17 무 ㊤麌 wŭ ブ·ム かめ
字解 술단지무 술을 붓는 조그마한 그릇. '君尊瓦一'《禮記》.
字源 形聲. 瓦+無〔音〕

瓦12 〔甏〕17 팽 ㊍敬 bèng ホウ かめ
字解 오지그릇팽 도기(陶器).

瓦12 〔甄〕17 〔견〕
甄(瓦부 9획〈789〉)의 本字

瓦12 〔甓〕17 〔력〕
鬲(部首〈1777〉)과 同字

瓦13 〔甔〕18 담 ㊥覃 dān タン かめ
字解 항아리담 큰 항아리. '一甀'. '醬千一'《史記》.
字源 形聲. 瓦+詹〔音〕

瓦13 〔㽅〕18 등 ㊥蒸 dēng トウ やきもののたかつき
字解 제기(祭器)접시등 음식을 괴는 구워 만든 예기(禮器). '盛以一'《唐書》.
字源 形聲. 瓦+登〔音〕

瓦 13 〔甓〕 18 벽 ㊅錫 | pì ヘキ かわら

筆順 尸 吊 辟 辟 甓 甓 甓 甓

字解 ①벽돌벽 흙 같은 것을 구워 만든 직사각형 또는 정사각형의 돌. '瓦—'. '中唐有—'《詩經》. ②기와벽 '朝運百—于齋外'《晉書》.

字源 形聲. 瓦+辟〔音〕

瓦 13 〔甕〕 18 옹 ㊋送 | wèng オウ かめ

字解 ①항아리옹 도자기의 한 가지. 술이나 물을 담는 질그릇. '擊—扣甂'《李斯》. ②성옹 성(姓)의 하나.

字源 形聲. 瓦+雍〔音〕

瓦 14 〔甖〕 19 앵 ㊊庚 ㊋敬 | yīng ヨウ·オウ かめ エイ·ヨウ かめ

字解 술단지앵 술을 담는 단지. '捧—承槽'《劉伶》.

字源 形聲. 瓦+賏〔音〕

瓦 14 〔甗〕 19 함 ㊋陷 | xiān カン おおがめ

字解 ①큰독함 '—, 大甕'《集韻》. ②큰동이함 큰 바리때. '—, 大瓮似盆'《廣韻》.

瓦 16 〔甗〕 21 언 ㊤銑 ㊊元 | yǎn ゲン こしき

字解 시루솥언 위는 시루를 이루고 아래는 솥을 이루어, 시루와 솥으로 겸용하는 그릇. '陶人爲—, 實二鬴. 厚半寸, 脣寸'《周禮》. 또, 이 시루솥과 같은 형상의 산. '重—隒'《爾雅》.

字源 象形. 양쪽에 귀가 달린 시루의 모양을 본뜸.

瓦 16 〔𤮩〕 21
㊀ 용 ㊤腫 | ジョウ ㊀-㊃ かわばかま
㊁ 준 ㊋震 | jùn シュン
㊂ 연 ㊤銑 | ゼン
㊃ 윤 ㊤軫 | ジュン

字解 ㊀가죽바지용 사냥할 때 입는 다룬 가죽으로 만든 바지. '—, 羽獵韋袴'《說文》. ㊁가죽바지준 ㊀과 뜻이 같음. ㊂가죽바지연 ㊀과 뜻이 같음. ㊃가죽바지윤 ㊀과 뜻이 같음.

字源 形聲. 甍+㚘〔音〕

瓦 17 〔甗〕 22 참 ㊋陷 | chàn サン かめ

字解 두멍참 큰 동이. '—, 罌也'《集韻》.

甘 部

〔달 감 부〕

甘 0 〔甘〕 5 中·人 감 ㊊覃 | gān カン あまい

筆順 一 十 廾 廿 甘

字解 ①달감 감미가 있음. '—旨'. '其—如薺'《詩經》. ②맛날감 맛이 좋음. '—肴'. '—易牙之和'《淮南子》. ③달콤할감 들어서 기분이 좋음. '—言'. '幣重而言—'《左傳》. ④달게여길감 ㉠맛있게 먹거나 마심. '—酒嗜音'《書經》. ㉡만족함. '—心首疾'《詩經》. ⑤단것감 단 음식 또는 맛있는 음식. '絕—分少'《司馬遷》. ⑥느슨할감 늘어짐. '—而不固'《淮南子》. ⑦성감 성(姓)의 하나.

字源 指事. '口구'에 선을 하나 그어, 음식을 입에 물어 끼운 모양을 나타내어, 혀에 얹어 단맛을 맛보다의 뜻을 나타냄.

參考 '甘감'을 의부(意符)로 하여, '달다, 맛있다'의 뜻을 포함하는 문자를 이룸.

甘 0 〔𤯓〕 5 甘(前條)의 本字

甘 2 〔旨〕 7 〔지〕 旨(日부 2획〈500〉)의 本字

〔邯〕 〔한〕 邑부 5획(1514)을 보라.

甘 4 〔甚〕 9 中·人 심 ㊋沁 ㊤寢 | shèn ジン はなはだしい shén

筆順 一 十 廾 廿 甘 其 甚 甚

字解 ①심할심 정도에 지남. '藉—'. '—矣吾衰也'《論語》. ②심히심 대단히 심하게. '—深'. '其道—大'《易經》. ③무엇심 속어(俗語)에서, 何(人부 5획〈42〉)와 같은 뜻. '—麽事'(무슨 일).

字源 象形. 부뚜막 위에 물 담은 그릇을 놓고, 밑에서 불을 때는 모양을 본떠 '화덕'의 뜻을 나타냄.

甘 4 〔𤯔〕 9 〔괄〕 𠯑(口부 4획〈154〉)의 古字

〔某〕 〔모〕 木부 5획(539)을 보라.

甘 6 〔甜〕11 첨 [平]鹽 | tián テン あまい

[字解] ①달첨, 맛날첨 감미가 있음. 맛이 좋음. '酸一滋味'《張衡》. ②낮잠첨 주침(晝寢). '黑一'.
[字源] 會意. 舌+甘

甘 6 〔甛〕11 甜(前條)과 同字

甘 8 〔⿰甘炎〕13 염 ㊤琰 | yǎn エン うまい

[字解] 달염 맛이 닮. '一, 味甘也'《集韻》.

甘 8 〔⿰甚冘〕13 [一] 담 [平]覃 ㊤感 | ①tán タン いえのおくふかいさま ②タン さかん
[二] 흠 [平]侵 | xīn キン ひのさかんなさま

[字解] [一] ①깊숙할담 '一一'은 집이 깊숙한 모양. '一, 一一, 室深皃'《廣韻》. ②성할담 '一一'은 성(盛)한 모양. '一一, 盛也'《廣雅》. [二] 불성할흠 '一, 火盛皃'《廣韻》.

甘 8 〔甝〕13 함 [平]覃 | hán カン けもののな

[字解] ①짐승이름함 백호(白虎). '一, 白虎'《廣雅》. ②사나울함 '一一'은 사나운 모양. '怒虎一一'《李陽冰》.

甘 8 〔甞〕13 〔상〕 嘗(口부 11획〈182〉)과 同字

甘 11 〔⿸麻甘〕16 [一] 함 [平]覃 | カン ととのえる gān
[二] 감 [平]覃 | カン ととのえる
[三] 담 [平]覃 | タン ととのえる
[四] 갑 [入]合 | コウ ととのえる

[字解] [一] 조미(調味)할함. [二] 조미할감 [一]과 뜻이 같음. [三] 조미할담 [一]과 뜻이 같음. [四] 조미할갑 [一]과 뜻이 같음.
[字源] 形聲. 麻+甘〔音〕

甘 12 〔⿸厤甘〕17 ⿸麻甘(前條)의 本字

生 部
〔날 생 부〕

生 0 〔生〕5 [中·人] 생 [平]庚 | shēng セイ・ショウ いきる, うむ, はえる

[筆順] 丿 𠂉 𠂒 牛 生

[字解] ①날생 출생함. '一日'. '一乎今之世'《中庸》. ②낳을생 분만함. '一子'. ③살생 생존함. '一佛'. '狄人歸其元, 面如一'《左傳》. ④살릴생 죽이지 아니함. '一殺'. ⑤산채로생 죽이지 아니하고. '一擒'. '有能一得者'《史記》. ⑥저절로생 나면서부터. 선천적으로. '一而知之'《中庸》. ⑦산것생 생물. '群一'. '君賜一, 必畜之'《論語》. ⑧산이생 산 사람. '衆一'. '事死如事一'《中庸》. ⑨목숨생 생명. '舍一而取義'《孟子》. ⑩생계생 활계(活計). 생업(生業). 또, 산업. '民一'. '以織薄曲爲一'《漢書》. ⑪생길생 일어남. '吾時月不見黃淑度, 則鄙吝之心已復一矣'《世說》. ⑫만들생 조작(造作)함. '遂者何, 一事也'《公羊傳》. ⑬나올생 솟아 나옴. '黿鼉蛟龍魚鼈一焉'《中庸》. ⑭자랄생 생장함. '師之所處, 荆棘一焉'《老子》. ⑮불생, 불릴생 증식(增殖)함. '一財有大道'《大學》. ⑯설생 익숙하지 아니함. '一硬'. '不可容一人入內'《致富奇書》. ⑰날생 익지 아니함. '一肉'. '與一一彘肩'《史記》. ⑱백성생 인민. '蒼一'. ⑲서생생 독서인. '儒一'. '魯有兩一, 不肯行'《史記》. ⑳나생 자기의 겸칭. '一揣我何念'《史記》. ㉑선생생 남의 존칭. '脫以此一有伯夷之廉'《漢書》. ㉒어조사생 접두(接頭) 또는 접미(接尾)의 조자(助字). '何似一'. '借問別來太瘦一'《李白》. ㉓성생 성(姓)의 하나.
[字源] 象形. 초목이 땅 위에 생겨난 모양을 본떠, '생겨나다, 살다' 등의 뜻을 나타냄.
[參考] '生생'을 의부(意符)로 하여, '출산·생명' 등에 관한 문자를 이룸. '날생부'로 이름.

生 0 〔𤯓〕5 生(前條)의 本字

生 3 〔𤯔〕8 〔성〕 姓(女부 5획〈244〉)과 同字

生 5 〔甡〕10 신 [平]眞 | shēn シン おおい, あつまる

[字解] 우물우물할신 많이 모여든 모양. '瞻彼中林, 一一其鹿'《詩經》.
[字源] 會意. 生+生. '生'을 둘 합쳐서, 생물이 나란히 태어나다의 뜻을 나타냄.

〔眚〕〔생〕 目부 5획(843)을 보라.

生 6 〔產〕11 [中·人] 산 ㊤潸 | chǎn サン うむ

[筆順] 丶 亠 亠 文 产 彦 産 產

[字解] ①낳을산, 낼산 해산함. 또, 생산함. '一婦'. '剖脅而一高蜜'《吳越春秋》. '一萬物者聖也'《禮記》. ②자랄산, 날산 생산함. 또, 발생함. '一地'. '珍怪之所化一'《郭璞》. '百姦衆辟, 從是一矣'《呂氏春秋》. ③출생산 그 토지의 출신. '陳良楚一也'《孟子》. ④산물산 산출하는 물자. '以天一作陰德'《周禮》. ⑤업산 생업(生業). '有恆一者'《孟子》. ⑥자산산 재산. 자재(資財). '家一'. '中民十家之一'《史記》. ⑦성산 성(姓)의 하나.
[字源] 會意. 生+彥〈省〉

生 6 〔産〕11 産(前條)과 同字

生 7 〔甥〕12 생 [平]庚|shēng セイ おい
[筆順] 𠂉 牛 生 生口 生田 生男 甥 甥
[字解] ①생질생 자매의 아들. '汾王之一'《詩經》. ②사위생 딸의 남편. '一館'. '帝館一于貳室'《孟子》. ③성생 성(姓)의 하나.
[字源] 形聲. 男+生〔音〕

生 7 〔⿰男生〕12 甥(前條)과 同字

生 7 〔甤〕12 유 [平]支|ruí ズイ みがたれさがる
[筆順] 一 了 豸 豸 豕 豕生 甤 甤
[字解] ①열매맺힐유 '一一'는 초목의 열매가 다닥다닥 맺히는 모양. ②새끼많이낳을유 돼지새끼가 많이 태어남. ③꽃술유.
[字源] 形聲. 生+豕〔音〕

生 7 〔甦〕12 소 [平]虞|sū ソ よみがえる
[筆順] 一 丆 百 更 更 更生 甦 甦
[字解] 소생할소 穌(禾부 11획〈910〉)의 俗字. '蒼生一息'《梁文帝》.
[字源] 會意. 生+更

生 9 〔⿺更生〕14 甦(前條)와 同字

生 9 〔⿱降生〕14 〔륭〕 隆(阜부 9획〈1620〉)의 本字

生 12 〔⿰舜生〕17 황 [平]陽|huáng コウ はな
[字解] 꽃황 葟(艸부 9획〈1162〉)과 同字.
[字源] 形聲. 舜+㞷〔音〕

用　部
〔쓸 용 부〕

用 0 〔用〕5 [中·人] 용 [去]宋|yòng ヨウ もちいる
[筆順] 丿 冂 月 月 用
[字解] ①쓸용 ㉠부림. '使一'. '晉實一之'《左傳》. ㉡인물을 끌어 씀. '登一'. '任一'. '試一之'《漢書》. ㉢남의 말을 들어 줌. '一言'. '何鄕者慕一之誠, 後相背之鷙也'《漢書》. ㉣행함. '一刑'. '焉一稼'《論語》. ㉤행동함. '愚而好自一'《中庸》. ②쓰일용 전항의 피동사. '孔子始一於魯, 云云, 一三年, 男子行乎塗右, 女子行乎塗左'《呂氏春秋》. ③씀씀이용 경비. '費一'. '節一而愛人'《論語》. ④쓸데용 용도. '有財此有一'《大學》. ⑤작용용, 효용용 영향을 미치는 힘. 공능(功能). '運一'. '禮之一, 和爲貴'《論語》. ⑥재물용 재화. 자력(資力). '財一'. '吾一多'《戰國策》. ⑦그릇용 도구. '器一'. ⑧써용 以(人부 3획〈34〉)와 같은 뜻. '是一'은 '是以'와 뜻이 같음. '居門下者, 皆一爲恥'《史記》. ⑨성용 성(姓)의 하나.
[字源] 象形. '용종(甬鐘)'이라는 종의 象形. 이 종의 꼭지를 잡고 들어 올리다의 뜻에서 파생하여, '끌어 쓰다, 쓰다'의 뜻을 나타냄.
[參考] 주로 자형(字形) 분류상 부수(部首)로 설정됨.

用 0 〔甩〕5 [現] 솔|shuǎi シュツ ふる
[字解] 《現》 흔들솔, 털어버릴솔.

用 1 〔⿵冂卄〕6 用(前前條)의 本字

用 1 〔甪〕6 록 [入]屋|lù ロク じんめい
[字解] 사람이름록 '一里先生'은 한(漢)나라 상산(商山)의 사호(四皓)의 한 사람. 일설(一說)에는, 角(部首〈1304〉)의 訛字라 함.

用 2 〔甫〕7 [人名] 보 ㊤麌|fǔ ホ はじめて
[筆順] 一 丨 冂 冃 肙 甫 甫
[字解] ①겨우보 근근히. '神宗崩太子卽位, 一十歲'《十八史略》. ②비로소보 처음으로. '一從博士爲刺史'《漢書》. ③씨보 남자의 미

칭(美稱). 공자(孔子)를 '尼一'라 하는 따위. '有天王某一'《禮記》. ④자보 남의 자(字)를 물을 때 '台一'라 함. ⑤클보 '倬彼一田'《詩經》. ⑥많을보 많은 모양. 또, 큰 모양. '魴鱮一一'《詩經》. ⑦성보 성(姓)의 하나.

字源 會意. 屮+田

用 2 〔甬〕7 용 ㊤腫|yǒng ヨウ みち

筆順 ㇇ マ 乛 丙 甬 甬 甬

字解 ①길용 양측(兩側)에 담을 쌓은 길. '築一道'《史記》. ②섬용, 휘용 용량의 단위. 열 말들이. 지금의 곡(斛)에 해당함. '角斗一'《禮記》. ③쇠북꼭지용 종의 손잡이. '舞上謂之一, 一上謂之衡'《周禮》. ④땅이름용 '一東'은 지금의 절강성(浙江省) 영파부(寧波府). ⑤성용 성(姓)의 하나.

字源 象形. '용종(甬鐘)'이라는 대롱 모양의 꼭지가 달린 종의 모양을 본떠, 그 대롱 모양의 꼭지의 뜻을 나타냄.

用 3 〔甪〕8 〔용〕 用(部首〈793〉)의 古字

用 5 〔甪〕10 〔서〕 鼠(部首〈1875〉)의 俗字

用 5 〔甫〕10 葡(次條)와 同字

用 6 〔葡〕11 비 ㊦寘|bèi ヒ そなえる

筆順 ‐ 艹 艹 芦 芦 芇 葡 葡

字解 갖출비, 갖추어질비 備(人부 10획〈66〉)의 古字.

字源 象形. 화살을 넣는 전동의 모양을 본뜸. 《說文》에서는, 用+苟〈省〉의 會意.

用 7 〔甯〕12 녕 ㊦徑 ㊤青|nìng, níng ネイ・ニョウ ねがい

筆順 宀 宀 宓 宵 宵 甯 甯 甯

字解 ①소원녕 '一, 所欲也'《玉篇》. ②차라리녕 寧(宀부 11획〈284〉)과 同字. ③성녕 성(姓)의 하나.

字源 形聲. 用+寧〈省〉〔音〕

用 9 〔甯〕14 〔용〕 庸(广부 8획〈348〉)의 本字

〔鋪〕〔포〕 舌부 9획(1109)을 보라.

田 部
〔밭 전 부〕

田 0 〔田〕5 中·人 전 ㊤先|tián デン た

筆順 丨 冂 日 田 田

字解 ①밭전, 논전 ㉠농작물을 심는 전지. '桑一'. '見龍在一'《易經》. ㉡밭의 모양을 한 것. '鹽一'. 또, 전(轉)하여, 생업(生業)을 영위하는 사물에도 이름. '硯一'. '紙一'. ②밭갈전 전지를 경작함. '無一甫田'《詩經》. ③사냥할전 수렵을 함. 畋(田부 4획〈797〉)과 同字. '一獵'. '叔于一'《詩經》. ④성전 성(姓)의 하나.

字源 象形. 구획된 사냥터, 경작지의 象形으로, '사냥, 논밭'의 뜻을 나타냄.

參考 '田전'을 의부(意符)로 하여, 논밭, 경작에 관한 문자를 이룸. 부수 이름은 '밭전'.

田 0 〔甲〕5 中·人 갑 ㊄洽|jiǎ コウ きのえ

筆順 丨 冂 日 日 甲

字解 ①첫째천간갑 십간(十干)의 제일위(第一位). '一子'. '太歲在一曰閼逢, 月在一曰畢'《爾雅》. ②첫째갑 ㉠제일위. 또, 최상(最上). '一富'. '北闕一第'《張衡》. ㉡둘 이상 있는 중에서 처음 것을 나타내는 대명사. 곧, 순번의 첫째. '兄弟二人, 一某乙某'. ③첫째갈갑 제일위임. 또, 최상이 됨. '臣萬乘之魏, 而一秦楚'《戰國策》. ④시작할갑 '一于內亂'《書經》. ⑤껍질갑 초목·과실 등의 싹을 싸고 있는 얇은 껍질. '孚一'. '雷雨作, 而百果草木, 皆一坼'《易經》. ⑥껍데기갑 거북·게 등의 등에 있는 단단한 껍질. '一殼'. '龜一'. '虎爪而有一'《山海經》. ⑦갑옷갑 전쟁 때 화살 등을 막기 위하여 입는 옷. '一胄'. 또, 갑옷을 입은 군사. '伏一'. '秦下一攻趙'《戰國策》. ⑧손톱갑 '爪一'. '陰生金與一'《管子》. ⑨등갑 배면(背面). '手一'. ⑩친압할갑 狎(犬부 5획〈749〉)과 통용. '能不我一'《詩經》. ⑪반갑 송대(宋代)에, 십호(十戶)를 한 조(組)로 한 자치 단체. '保一'. '紹興三十一年, 詔淮漢閒, 取主戶之雙丁十戶爲一, 五一爲團'《正字通》. ⑫아무갑 이름의 대용으로 쓰는 말. '奮長子建, 次子一, 次子乙'《史記》. ⑬성갑 성(姓)의 하나.

字源 象形. 거북의 등딱지의 모양을 본떠,

'등딱지, 껍데기'의 뜻을 나타냄. 가차하여, 천간의 첫째로 쓰임.

田 0 〔申〕5 [中·人] 신 [平]眞 | shēn シン さる, もうす

[筆順] 丨 冂 日 日 申

[字解] ①아홉째지지신 십이지(十二支)의 제구위. 시각으로는 오후 세 시부터 다섯 시까지. 방위로는 서남서(西南西). 띠로는 원숭이. '太歲在一, 曰涒灘'《爾雅》. ②거듭할신 되풀이함. '一諭'. '以一命'《易經》. ③이야기할신 말함. 진술함. '一令'. '命閹尹, 一宮令'《呂氏春秋》. ④아뢸신 사룀. '一奏'. '官府吏文一請于上者, 曰一曰覆'《正字通》. ⑤펼신 伸(人부 5획〈40〉)과 同字. '行止屈一, 與時息兮'《班彪》. ⑥기지개켤신 伸(人부 5획〈40〉)과 同字. '熊經鳥一'《莊子》. ⑦보낼신 문서를 보냄. 송치(送致)함. '所以一信'《禮記》. ⑧환할신 명확함. '罪無一證'《後漢書》. ⑨성신 성(姓)의 하나.

[字源] 象形. 번개치는 모양을 본떠, '퍼지다, 뻗다'의 뜻을 나타냄.

[參考] 성(姓)으로서는, 속(俗)에 '납신'이라 훈(訓)함.

田 0 〔由〕5 [中·人] 유 [平]尤 | yóu ユウ よる

[筆順] 丨 冂 日 由 由

[字解] ①말미암을유 ㉠겪어 지나옴. 경력함. '觀其所一'《論語》. ㉡인연을 얻음. '願見無一達'《儀禮》. ㉢말미암아. 인하여. '一是觀之'《孟子》. ②좇을유 따름. 본받음. '率一'. '可使一之'《論語》. ③부터유 기점(起點)을 나타내는 말. 自(部首〈1100〉)·從(彳부 8획〈372〉)과 뜻이 같음. '一湯至於武丁'《孟子》. ④쓸유 ㉠사용함. '君子不一也'《荀子》. ㉡등용함. '不能一吾子'《左傳》. ⑤행할유 실행함. '率一典常'《書經》. ⑥자득할유 스스로 흡족하게 여기는 모양. '一一焉與之偕'《孟子》. ⑦까닭유 이유. '一來'. '原一'. '易初本一'《史記》. ⑧오히려유 猶(犬부 9획〈756〉)와 同字. '王一足用爲善'《孟子》. ⑨움유 초목의 싹. '若顚木之有一蘖'《書經》. ⑩성유 성(姓)의 하나.

[字源] 象形. 바닥이 깊은 술단지의 모양을 본뜸. 가차하여, '말미암다'의 뜻을 나타냄.

田 1 〔甶〕6 [一]불 [入]物 | fú フツ おにのあたま
[二]비 [去]未 | ヒ おにのあたま

[字解] [一] 귀신머리불 '一, 鬼頭也'《說文》. [二] 귀신머리비 [一]과 뜻이 같음.

[字源] 象形. 귀신의 머리의 모양을 본뜸.

田 2 〔男〕7 [中·人] 남 [平]覃 | nán ダン·ナン おとこ

[筆順] 丨 冂 日 田 田 男 男

[字解] ①사내남 ㉠남자. '一女'. '乾道成一, 坤道成女'《易經》. ㉡정부(情夫). '此女欲奔一之辭'《詩經箋》. ②젊은이남 장정. '丁一'. '民有二一以上'《史記》. ③아들남 자식. '賈有五一'《史記》. ④남작남 오등작(五等爵)의 최하급. '公侯伯子一'. ⑤성남 성(姓)의 하나.

[字源] 會意. 田＋力

田 2 〔町〕7 [人名] 정 [平]靑 [上]迥 | tǐng チョウ あぜ

[筆順] 丨 冂 日 田 田 町 町

[字解] ①밭두둑정 밭의 둔덕. '一畦'. '一原防'《左傳》. ②경계정 구역. '彼且爲無一畦'《莊子》. ③《韓》 정정 지적(地積)의 단위. 3천 평(坪). 약 9,930 평방 미터.

[字源] 形聲. 田＋丁〔音〕

田 2 〔甽〕7 〔견〕
甽(田부 4획〈797〉)의 古字

田 2 〔甸〕7 [人名] 전 [去]霰 [平]先 | ①-⑦diàn テン·デン でんぷく
⑧tián テン·デン かる

[筆順] ノ 勹 勹 勹 甸 甸 甸

[字解] ①경기전 상고(上古) 때의 왕도(王都) 주위 500리 이내의 지역. 천자가 직할(直轄)하는 땅임. '畿一'. '五百里, 一服'《書經》. ②육십사정전 주대(周代)의 세법(稅法)에서, 64정(井)의 지적(地積). 병거(兵車) 일승(一乘)·병사 75인을 내는 토지. '十六井爲丘, 四丘六十四井曰一'《禮記註》. ③성밖전 교외. '郊一'. '郭外曰郊, 郊外曰一'《左傳 註》. ④경계전 구역. '區一分其內外'《南史》. ⑤벼슬이름전 교야(郊野)를 맡은 벼슬. '磬于一人'《禮記》. ⑥다스릴전 백성을 다스림. '俊民一四方'《書經》. ⑦농산물전 전답의 산물. '納一於有司'《禮記》. ⑧사냥할전 田(部首〈794〉)과 同字. '大一'《周禮》.

[字源] 形聲. 勹＋田〔音〕

田 2 〔甹〕7 병 [平]靑 | pīng ヘイ ひく

[字解] ①끌병 꿤. 악(惡)으로 끌어 넣음. ②말빠를병 성급하게 말함.

[字源] 會意. 由＋丂

田 2 〔粤〕7 유 [平]尤 | yóu ユウ ひこばえ

字解 ①순유 넘어진 나무의 그루터기에서 나는 순. '若顚木之有一枿'《古商書》. ②산굴유 岫(山부 5획〈305〉)와 통용.
字源 形聲. 乃＋由〔音〕

田3 〔畀〕8 비 ㊄寘 | bì ヒ あたえる
字解 줄비 남에게 넘김. '不一洪範九疇'《書經》.
字源 會意. 由＋丌

田3 〔畁〕8 畀(前條)의 本字

田3 〔甾〕8 〔외〕
畏(田부 4획〈796〉)의 古字

田3 〔甿〕8 맹 ㊉庚 | méng モウ たみ
字解 백성맹 ㉠농민. 氓(氏부 4획〈622〉)과 同字. '以田里安一'《周禮》. ㉡무식한 백성. '北郭者, 盡屨縷之一也'《管子》.
字源 形聲. 田＋亡〔音〕

田3 〔甾〕8 치 ㊉支 | zī シ ほとぎ
字解 ①꿩치 '翟類有六曰翬曰搖曰壽曰一曰希曰蹲'《周禮 註》. ②장군치 '一, 說文, 東楚名缶曰一'《集韻》.
字源 象形. 본래의 자형은 '甶'이며, 거기에 '巛천'이 더해진 '𤰔'이 옳지만 '甾'로 잘못 쓰임. '甶'는 장군의 상형이며, '巛'는 수증기의 상형.
參考 畄(田부 4획)는 別字.

田3 〔甽〕8 甽(次條)의 籀文

田3 〔甽〕8 〔견〕
畎(田부 4획〈797〉)의 古字
字源 形聲. 田＋川〔音〕

田3 〔畂〕8 ㊀류 ㊄宥 | liù リュウ・ル ひゃくほ
㊁구 ㊄宥 | jiù キュウ・ク たがやす
字解 ㊀ 밭백묘(百畝)류 '一, 百畝也'《字彙》. ㊁ 밭갈구 논밭을 갊. 坆(土부 7획〈 〉)와 同字. '坆, 耕隴中, 或作一'《集韻》.

田3 〔画〕8 〔화〕
畫(田부 7획〈800〉)와 同字

田3 〔画〕8 〔화〕
畫(田부 7획〈800〉)와 同字

田3 〔畄〕8 〔류〕
留(田부 5획〈798〉)의 俗字

田3 〔备〕8 〔비〕
備(人부 10획〈66〉)의 簡體字

田4 〔界〕9 中·人 계 ㊄卦 | jiè カイ さかい
筆順 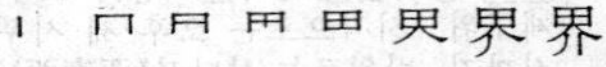
字解 ①지경계 토지의 경계. '疆一'. '域民不以封疆之一'《孟子》. ②한계계 한정. '一限'. '以禮爲一'《後漢書》. 전(轉)하여, 장소. 범위. '學一'. '社交一'. '欲一之仙都'《陶弘景》. ③경계삼을계 경계를 삼음. 또, 경계를 접함. '與秦壤一'《戰國策》. ④이간할계 사이를 떼어 놓음. '范睢一涇陽'《揚雄》.
字源 形聲. 田＋介〔音〕
參考 堺(土부 9획〈214〉)는 俗字.

田4 〔畍〕9 界(前條)와 同字

田4 〔畏〕9 高·人 외 ㊄未 | wèi イ おそれる
筆順 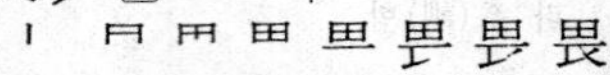
字解 ①두려워할외 ㉠경외(敬畏)함. '一服'. '一敬'. '一天命'《論語》. ㉡무서워함. '一懼'. '一縮'. '是一三軍者也'《孟子》. ㉢삼가고 조심함. '一愼'. '子一於匡'《論語》. ㉣꺼려함. '一忌'. '魚不一網'《莊子》. ②두려움외 전항(前項)의 명사. '君子有三一'《論語》. ③성외 성(姓)의 하나.
字源 會意. 甲骨文·金文은 鬼＋卜, 《說文》에서는 由＋虎〈省〉.

田4 〔㽞〕9 畏(前條)와 同字

田4 〔畇〕9 〔윤〕
允(儿부 2획〈80〉)의 古字

〔毘〕 〔비〕
比부 5획(616)을 보라.

〔胃〕 〔위〕
肉부 5획(1071)을 보라.

〔思〕 〔사〕
心부 5획(381)을 보라.

田4 〔畇〕9 人名 ㊀윤 ㊉眞 | yún イン たつくる
㊁균 ㊉眞 | キン たつくる
筆順 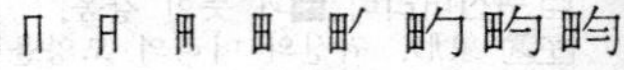

[字解] ㊀ 따비이룰윤 개간하여 경지를 만듦. 또, 경지(耕地)가 넓은 모양. '一, 墾田也'《集韻》. '一一原隰'《詩經》. ㊁ 따비이룰균 ■과 같음.
[字源] 形聲. 田＋勻〔音〕

田 4 〔畊〕9 경 [平]庚 | gēng コウ たがやす
[字解] 갈경 耕(耒부 4획〈1051〉)의 古字.

田 4 〔畋〕9 전 [平]先 [去]霰 | tián テン たつくる
[字解] ①밭갈전 전답을 경작함. '一爾田'《書經》. ②사냥할전 수렵을 함. '一于有洛之表'《書經》.
[字源] 形聲. 攴＋田〔音〕

田 4 〔畎〕9 견 [上]銑 | quǎn ケン みぞ
[字解] ①밭도랑견 밭 사이의 수로(水路). '濬一澮, 距川'《書經》. 전(轉)하여, 전답. 시골. '一畝'. ②산골짜기견 물 흐르는 산골짝. '羽一夏翟'《書經》.
[字源] 形聲. 田＋犬〔音〕

田 4 〔畈〕9 판(반[俗]) [去]願 | fàn ハン た
[字解] 밭판 '一, 田也'《集韻》. ※俗音 반.
[字源] 形聲. 田＋反〔音〕

田 4 〔甿〕9 강 [上]養 | gǎng コウ さかい
[字解] ①지경강 경계. '一, 竟也'《說文》. ②못강 '一, 池也'《廣雅》. ③길강 밭 사이의 길. '一, 道也'《廣雅》.
[字源] 形聲. 田＋亢〔音〕

田 4 〔畉〕9 부 [平]虞 | fú フ たがやす
[字解] 갈부 논밭을 갊. '一, 耕田'《玉篇》.

〔毗〕〔비〕
比부 5획(616)을 보라.

田 4 〔画〕9 〔화〕
畫(田부 3획〈796〉)의 本字

田 4 〔畆〕9 〔묘〕
畝(田부 5획〈798〉)의 俗字

田 4 〔畒〕9 〔묘〕
畮(田부 7획〈800〉)와 同字

田 4 〔畐〕9 복 [入]屋 | fú フク みちる
[字解] ①찰복 가득 참. 두터움. ②나비복 피륙의 폭.
[字源] 象形. 봉긋한 술통, 항아리의 모양을 본뜸.
[參考] 畗(田부 5획〈798〉)은 本字.

田 4 〔甾〕9 〔방〕
邦(邑부 4획〈1513〉)의 古字

田 4 〔畓〕9 [高·人] 답 [韓]
[筆順] 亅 刀 水 水 沓 沓 畓 畓
[字解] 《韓》 논답 수전(水田). '田一'.
[字源] 會意. 水＋田

田 4 〔甾〕9 〔치〕
菑(艸부 9획〈1165〉)와 同字
[字源] 形聲. 田＋巛〔音〕

田 5 〔畟〕10 측 [入]職 | cè ショク すきのするどいさま
[字解] 보습날카로울측 보습이 예리한 모양. '一一良耜'《詩經》.
[字源] 會意. 田＋儿(人)＋夂

田 5 〔畕〕10 강 [平]陽 | jiāng キョウ となりあうふたつのた
[字解] 이웃하는두밭강 '一, 比田也'《說文》.
[字源] 會意. 田＋田

田 5 〔畔〕10 [人名] 반 [去]翰 | pàn ハン あぜ
[筆順] 丨 冂 日 田 田 田丶 畔 畔
[字解] ①두둑반 밭의 지경을 이룬 두둑. '畦一'. '耕者皆讓一'《史記》. ②지경반 경계. '脩其疆一'《國語》. ③물가반 수애(水涯). '澤一'. '江河之一'《劉向》. 전(轉)하여, 모든 물건의 가. ④떨어질반 분리(分離)함. '一官離次'《書經》. ⑤배반할반 叛(又부 7획〈142〉)과 同字. '一逆'. '齊梁一之'《漢書》.
[字源] 形聲. 田＋半〔音〕

田 5 〔畛〕10 진 [上]軫 [平]眞 | zhěn シン あぜ
[字解] ①두둑진 밭의 경계를 이룬 두둑. '一域'. '徂隰徂一'《詩經》. ②지경진 경계. '一畦'. '爲是而有一也'《莊子》. ③본바탕진 사물의 근본. '不見其一'《太玄經》. ④아뢸진 고(告)함. '一于鬼神'《禮記》.
[字源] 形聲. 田＋㐱〔音〕

田 5 〔昣〕10 畛(前條)의 俗字

田 5 〔畇〕10 구 ①[平]尤 ②[平]虞 | gōu コウ·ク うね / ク いみんぞくのな

[字解] ①이랑구 '一, 畦也'《玉篇》. ②오랑캐구 한(漢)나라 때, 서남쪽의 오랑캐 이름. '一, 一町王, 西戎君長號'《集韻》.

田 5 〔畘〕 10 남 [平]覃 | nán ダン·ナン じゅうほのた

[字解] ①열묘(畝)남 열 이랑의 밭. '一, 田十畝曰一'《字彙》. ②밭많을남 밭이 많음. '一, 田多也'《字彙》.

田 5 〔畝〕 10 [人名] 묘(무[本]) [上]有 | mǔ ボウ·ホ せ, うね

[筆順] 亠 亡 亩 亩 亩 亩 畂 畝

[字解] ①이랑묘 지적(地積)의 단위. 육척 사방(六尺四方)을 일보(一步)라 하고, 백보를 '一一'라 함. '五一之宅, 樹之以桑'《孟子》. 진(秦)나라 이후에는, 240보임. '秦田二百四十步爲一'《說文》. ②두둑묘 밭의 두둑. 전(轉)하여, 전답. '田一'. '畎一'. '舜發於畎一之中'《孟子》. ※本音 무.
[字源] 形聲. 篆文은 田+每〔音〕
[參考] 畒(田부 4획)는 俗字.

田 5 〔畞〕 10 畝(前條)의 本字

田 5 〔畛〕 10 〔저〕 䝼(田부 8획〈801〉)의 本字

田 5 〔畏〕 10 〔외〕 畏(田부 4획〈796〉)의 本字

田 5 〔留〕 10 [中·人] 류 [平]尤 | liú リュウ·ル とどまる

[筆順] ㄈ 𠂎 卬 卯 畄 留 留 留

[字解] ①머무를류 정지함. 체류함. '逗一'. '可急去矣, 愼勿一'《史記》. ②뒤질류 늦음. 지체함. '遲一'. '一不欲一'《呂氏春秋》. ③오랠류 '悉數之, 乃一'《禮記》. ④엿볼류 기회를 엿봄. '執彈而一之'《莊子》. ⑤성류 성(姓)의 하나.
[字源] 形聲. 田+丣〔音〕

田 5 〔畚〕 10 분 [上]阮 | běn ホン ふご

[字解] 둥구미분, 삼태기분 곡식·채소·흙 같은 것을 담아 나르는 그릇. 짚 같은 것으로 엮어 만듦. '挈一以令糧'《周禮》.
[字源] 形聲. 田+弁〔音〕

田 5 〔畚〕 10 〔원〕 畹(田부 8획〈800〉)과 同字

田 5 〔畜〕 10 [高·人] 축(④-⑧[本]휵) [入]屋 | chù, xù チク たくわえる

[筆順] 亠 𠫓 玄 玄 斊 斊 畜 畜

[字解] ①쌓을축 저축함. '貯一'. '一積'. '趣民收斂, 務一菜'《禮記》. ②저축축 축적(畜積). '餘一'. '無私貨, 無私一'《禮記》. ③붙들축 가지 못하게 만류함. '一君何尤'《孟子》. ④기를축 ㉠옆에 놓고 먹여 살림. '一妾'. '不一聚斂之臣'《大學》. ㉡짐승을 사육함. '一牛'. '君賜生, 必一之'《論語》. 또, 그 짐승. '家一'. '六一'. ⑤일어날축 흥기(興起)함. '諫者得進, 忠信乃一'《說苑》. ⑥따를축 순종함. '孝者, 一也'《禮記》. ⑦받아들일축 용납함. '天下誰一之'《左傳》. ⑧성축 성(姓)의 하나. ※❹-❽本音 휵.
[字源] 象形. 짐승의 머리에 끈을 단 모양을 본뜸. 일설에는, 田+玆〈省〉의 會意.

田 5 〔畐〕 10 ㊀畐(田부 4획〈797〉)의 本字 ㊁福(示부 9획〈891〉)의 古字

田 6 〔畢〕 11 [高·人] 필 [入]質 | bì ヒツ あみ, ことごとく

[筆順] ㄇ 日 田 田 畢 畢 畢 畢

[字解] ①그물필, 그물질할필 새 또는 토끼를 사냥할 때 쓰는 긴 자루가 달린 작은 그물. '荷垂天之一'《揚雄》. 또, 이 그물로 덮어 잡음. '一之羅之'《詩經》. ②마칠필 끝남. 끝냄. '一生'. '獻酬之禮一'《禮記》. ③다필 모두. '同軌一至'《左傳》. ④다할필 남기지 아니함. '一力'. ⑤별이름필 이십팔수(二十八宿)의 하나. 서방(西方)에 있음. '趙地昴一之分野'《漢書》. ⑥간찰필 글씨를 쓰는 댓조각. '呻其佔一'《禮記》. ⑦성필 성(姓)의 하나.
[字源] 形聲. 田+華〔音〕

田 6 〔異〕 11 [中·人] 이 [去]寘 | yì イ ことなる

[筆順] ㄇ 日 田 田 田 畀 畀 異

[字解] ①다를이 ㉠같지 아니함. '一同'. '一乎三子者之撰'《論語》. ㉡한 사물이 아님. '一日'. '事爲一別'《禮記》. ㉢남달리 뛰어남. 걸출함. '一等'. '皆一能之士也'《史記》. ②괴이할이 괴상함. '奇一'. '市之貨賄人民牛馬兵器珍一'《周禮》. ③달리할이 ㉠다르게 함. '耳目殊司, 工藝一等'《何承天》. ㉡따로따로 떨어짐. '手足一處'《史記》. ④이상히여길이 ㉠기이하게 여김. '人皆謂長人而一之'《史記》. ㉡의심함. '王無一於百姓之以王爲愛也'《孟子》. ⑤재앙이 요재(妖災). 괴변. '乖氣致一'《漢書》. ⑥성이 성(姓)의 하나.

[字源] 象形. 사람이 악귀를 쫓을 때 쓰는 탈을 쓰고, 두 손을 들고 있는 모양을 본뜸. 《說文》에서는 艹＋畀의 會意.
[參考] 異(田부 7획〈799〉)는 本字.

田 6 〔䂃〕11 조 ㊤篠|diāo チョウ あぜ
[字解] ①밭두렁조 밭·논의 두렁. '一, 田界'《集韻》. ②구멍조 밭 가운데에 있는 구멍. '一, 一日, 畷田中穴'《集韻》.

〔累〕〔루〕
糸부 5획(988)을 보라.

田 6 〔畤〕11 치 ㊤紙|zhì チ·ジ まつりのにわ
[字解] 제터치 천지(天地)의 신명(神明) 또는 오제(五帝)〈동·서·남·북·중앙의 신〉를 제사지내는 곳. '祠上帝西一'《史記》.
[字源] 形聲. 田＋寺〔音〕

田 6 〔略〕11 [高·人] 략 [入]藥|lüè リャク おさめる
[筆順] 冂 日 田 田 田′ 畂 畋 略
[字解] ①다스릴략 방침을 세워 다스림. 경영(經營)함. '天子經一'《左傳》. ②돌략 순행(巡行)함. '吾將一地焉'《左傳》. ③간략할략 자세하지 아니함. '一字'. '傳者久則論一'《荀子》. ④간략히할략 약(略)함. '省一'. '傳者得一而聞之'《禮記》. ⑤덜략 뺌. 감소시킴. '喪數一也'《公羊傳》. ⑥노략질할략 약탈함. 掠(手부 8획〈449〉)과 同字. '一奪'. '攻城一地'《淮南子》. ⑦범할략 침범함. '一則行志'《國語》. ⑧날카로울략 예리함. '有一其耜'《詩經》. ⑨꾀략 모계(謀計). '計一'. '方一'. '果能授孫吳之一耶'《劉基》. ⑩길략 ㉠도(道). '欲復文武之一'《左傳》. ㉡경로(經路). '以遏亂一'《書經》. ⑪지경략 경계. '東盡虢一'《左傳》. ⑫대강략 ㉠대략(大略). '崖一'. '嘗聞其一也'《孟子》. ㉡대충대충 추리어. '一述'. '一陳固陋'《司馬遷》. ⑬거의략 얼추. 거진. '與昭帝一同年'《漢書》. ⑭성략 성(姓)의 하나.
[字源] 形聲. 田＋各〔音〕

田 6 〔畧〕11 略(前條)과 同字

田 6 〔畦〕11 휴 [平]齊|qí(xí) ケイ さかい, うね
[字解] ①두둑휴 밭의 경계(境界)를 이룬 두둑. '一町'. '菜茹有一'《漢書》. 전(轉)하여, ②밭휴 전답. '荒一'. ③지경휴 경계. '一畛'. '爲無町一'《莊子》. ④쉰이랑휴 전답의 50묘(畝). '千一薑韭'《史記》.

[字源] 形聲. 田＋圭〔音〕

田 6 〔䀆〕11 〔진〕
畛(田부 5획〈797〉)의 古字

田 6 〔畡〕11 〔해〕
垓(土부 6획〈205〉)와 同字
[字源] 形聲. 田＋亥〔音〕

田 6 〔𤱶〕11 ㊀례 [去]霽|lì レイ おちいる
㊁렬 [韓]
[字解] ㊀빠질례 빠짐. 빠져듦. '一, 陷也'《字彙》. ㊁《韓》논배미렬 논과 논과의 구획(區劃).
[字源] 形聲. 田＋列〔音〕

田 6 〔畊〕11 공 [平]冬|gōng キョウ·ク にらばたけ
[字解] 부추밭공 '一畮'은 부추를 심은 밭. '一, 埤蒼, 一畮, 韭畦也'《集韻》.

田 6 〔畣〕11 〔답〕
答(竹부 6획〈936〉)의 古字

田 6 〔畫〕11 〔화〕
畫(田부 7획〈800〉)과 古字

田 6 〔畄〕11 〔류〕
留(田부 5획〈798〉)의 俗字

田 6 〔畱〕11 〔류〕
留(田부 5획〈798〉)의 俗字

田 6 〔畨〕11 〔번〕
番(田부 7획〈800〉)의 略字

田 7 〔異〕12 〔이〕
異(田부 6획〈798〉)의 本字

田 7 〔畢〕12 〔필〕
畢(田부 6획〈798〉)의 本字

田 7 〔畳〕12 〔첩〕
疊(田부 17획〈803〉)의 略字

田 7 〔畯〕12 [人名] 준 [去]震|jùn シュン のうふ, たおさ
[筆順] 冂 日 田 田 田厶 田允 畯 畯
[字解] ①농부준 농사짓는 사람. ②권농관준 밭을 순시하며 농사를 권하는 벼슬아치. '田一至喜'《詩經》. ③준걸준 俊(人부 7획〈52〉)과 同字. '登崇一良'《韓愈》.
[字源] 形聲. 田＋夋〔音〕

田 7 〔畟〕12 畯(前條)과 同字

田7〔畮〕12 〔묘〕 畝(田부 5획〈798〉)와 同字

田7〔畫〕12 中·人 ㊀화 ㊄卦 huà ガ え, えがく ㊁획 ㊅陌 huà カク かぎる

筆順 ㇇ ⺕ ⺺ 聿 聿 書 書 畫 畫

字解 ㊀①그림화 '圖一'. '名一'. '妙一通靈'《晉書》. ②그릴화 그림을 그림. '一蛇添足'. '一以虎豹'《儀禮》. ③성화 성(姓)의 하나. ㊁①가를획 ㉠나눔. 구분함. '一爲九州'《左傳》. ㉡한계를 지음. '區一'. '一宮而受弔焉'《禮記》. ②꾀할획 계책을 세움. '一策'. ③꾀획 계책. '計一'. '故願大王審一而已'《鄒陽》. ④획획 자획(字畫). '點一'.

字源 甲骨文·金文은 象形. 篆文은 會意로, 聿+田+口.

田7〔番〕12 中·人 ㊀번 ㊃元 fān ハン·バン かず ㊁반 ㊃寒 pān ハン けんめい ㊂파 ㊃歌 bō ハ ゆうきのあるさま

筆順 ㇒ ㇒ 立 平 釆 番 番 番

字解 ㊀①번번 ㉠순서. 순번. '頭一'. '一百五日寒食雨, 二十四一花信風'《徐俯》. ㉡횟수. '往復數一'《南史》. ㉢차례로 임무를 맡는 일. '交一'. '賢良直宿更一'《漢書》. ②장번 매수(枚數). '紙萬一'《天中記》. ③짝번 대우(對偶). ㊁①땅이름반 '一禺'는 광동성 광주부(廣州府)에 있는 지명. ②성반 성(姓)의 하나. ㊂①날랠파 '一一'는 용맹한 모양. '一一良士'《書經》. ②땅이름파 '一吾'는 옛날의 조(趙)나라의 지명(地名). 지금의 하북성(河北省) 평산현(平山縣)에 있었음. ③성파 성(姓)의 하나.

字源 形聲. 田+釆〔音〕

田7〔畭〕12 畬(次條)와 同字

田7〔畬〕12 ㊀여 ㊃魚 yú ヨ あらた ㊁사 ㊃麻 shē シャ やきた

字解 ㊀새밭여 새로 개간한 지 이태 된 밭. 일설(一說)에는, 3년 된 밭. '不耕穫, 不菑一'《易經》. ㊁①따비밭사 잡초를 불살라 일군 밭. '燒一度地偏'《杜甫》. ②성사 성(姓)의 하나.

字源 形聲. 田+余〔音〕

田7〔畲〕12 畬(前條)와 同字

田7〔畱〕12 〔류〕 留(田부 5획〈798〉)의 本字

田7〔畯〕12 렬 ㊅屑 liè レツ たがやす

字解 밭갈렬 밭을 갈아 흙을 일으킴. '一, 耕田起土也'《集韻》.

田8〔畺〕13 疆(田부 14획〈802〉)·彊(弓부 13획〈363〉)과 同字

字源 指事. '田'과 '田' 사이에 구획을 나타내는 '三'을 그려서, '경계'의 뜻을 나타냄.

田8〔畟〕13 국 ㊅屋 jú キク にらばたけ

字解 부추밭국 '一, 韭畦'《集韻》.

田8〔畷〕13 철 ㊅屑 zhuó テツ なわて

字解 두둑길철 밭 사이의 두둑으로 된 길. '饗農及郵表一禽獸'《禮記》.

字源 形聲. 田+叕〔音〕

田8〔畸〕13 기 ㊃支 jī キ わりのこりのた

字解 ①뙈기밭기 정전(井田)을 만들고 남은 귀퉁이 밭. '田不可井者爲一'《正字通》. ②나머지기 잔여(殘餘). '一人者, 一於人而侔於天'《莊子》. ③기이할기 奇(大부 5획〈233〉)와 同字. '一人'. ④병신기 불구(不具). '一形'.

字源 形聲. 田+奇〔音〕

田8〔畹〕13 원 ㊤阮 wǎn エン こうさくちのめんせきのたんい

字解 ①스무이랑원 밭 20 묘(畝). 일설(一說)에는, 30 묘. 또, 일설에는, 12 묘. '滋蘭之九一'《楚辭》. ②밭원 전답. '下一高堂'《左思》. ③종실원 황제의 일족. '戚一'.

字源 形聲. 田+宛〔音〕

田8〔畊〕13 병 ㊃青 píng ヘイ·ビョウ こめぶくろ

字解 쌀섬병 부들을 엮어서 만든 쌀 멱서리. 일설(一說)에는, 대나무둥구미. '一, 織蒲爲器'《廣韻》.

字源 形聲. 田+并〔音〕

田8〔畊〕13 畊(前條)의 本字

田8〔畛〕13 〔역〕 域(土부 8획〈209〉)의 古字

田8〔畚〕13 〔분〕 畚(田부 5획〈798〉)과 同字

田 8 〔畤〕 13 〔치〕 庤(广부 6획〈346〉)의 俗字

田 8 〔䆁〕 13 저 ㊤語 | zhǔ チョ こめをたくわえるうつわ

字解 쌀그릇저 쌀을 저장해 두는 그릇.
字源 形聲. 甾+宁〔音〕

田 8 〔畯〕 13 ㊥ 릉

字解 《韓》 토지면적단위릉 토지 면적 단위의 하나. 1묘(畝)의 10분의 1에 해당함. '凡方六尺爲步, 十步爲一一, 十一爲一畝'《經世遺表》.

田 8 〔畵〕 13 〔화〕 畫(田부 7획〈800〉)의 俗字

田 8 〔當〕 13 中·人 당 ㊥陽 ㊦漾 | ①-⑨dāng トウ あたる ⑩-⑫dàng トウ その, あの, しち

筆順 ' ⺌ 尚 尚 尚 常 當 當

字解 ①당할당 ㉠당해 냄. 감당함. '非福非德不一'《國語》. ㉡맞섬. 대적함. '天下莫能一'《史記》. ㉢일을 만남. '一事'. '一食不歎'《禮記》. ㉣숙직함. '妾御莫敢一夕'《禮記》. ㉤지킴. 방어함. '一夫一關萬夫莫開'《李白》. ②당하게할당 전항(前項)의 타동사. '以一儀而一漢中地'《史記》. ③대할당 마주 대함. '一公而進'《左傳》. ④마땅할당 적당함. 상당함. '其位一'《易經》. ⑤맡을당 주관함. '一國'. '夫子一路於齊'《孟子》. ⑥맞을당 ㉠어떠한 일에 바로 맞음. '該一'. ㉡어떠한 죄가 법률의 어느 조문에 해당함. '一死'. '一斬'《史記》. '犯蹕一罰'《十八史略》. ⑦덮을당 위를 덮어 가림. '一門'《左傳》. ⑧마땅히당 의당 …하여야 함. '宜一'. '一殺之'《史記》. ⑨성당 성(姓)의 하나. ⑩이당, 그당 이것·저것·지금 등을 나타냄. '一時'. '一人'. '喪一家之寶'《北史》. ⑪밑당 물건의 밑바탕. '千金之玉卮, 通而無一'《韓非子》. ⑫저당당 담보. '一店'. '典一胡夷'《後漢書》.
字源 形聲. 田+尙〔音〕

田 8 〔畱〕 13 〔류〕 留(田부 5획〈798〉)와 同字

田 9 〔塍〕 14 승 ㊥蒸 | chéng ショウ あぜ, くろ

字解 두둑승 밭 사이의 두둑. 堘(土부 9획〈214〉)·塍(土부 10획〈217〉)과 同字.

田 9 〔畽〕 14 탄 ㊤旱 | tuǎn タン あきち, しかのあしあと

字解 마당탄 '町一'은 집의 앞이나 뒤의 공지. 일설(一說)에는, 사슴의 발자국. '町一鹿場'《詩經》.
字源 會意. 田+重

田 9 〔糅〕 14 유 ㊥尤 | róu ジュウ よいこうさくち

字解 걸찬밭유 좋은 밭. '一, 良田'《廣韻》.
字源 形聲. 田+柔〔音〕

田 9 〔㽉〕 14 연 ㊥先 ㊦霰 | ruán ゼン·ネン あきち

字解 ①빈땅연 공터. '一, 郤也. 隙地也'《韻會》. ②성밑밭연 성 아래 밭. '一, 城下田也'《說文》. ③강변연 강가. '一, 一曰, 江滸'《集韻》.
字源 形聲. 田+耎〔音〕

田 9 〔暘〕 14 ㊀창 ㊥漾 ㊁장 ㊥陽 | chàng チョウ しょうじない チョウ·ジョウ にわ

字解 ㊀①풀나지않을창 풀이 자라지 아니함. '一, 不生也'《說文》. ②조금날창 풀이 조금 자람. ③자랄창 暢(日부 10획〈512〉)과 통용. ④길창 '一, 長也'《廣韻》. ㊁마당장 場(土부 9획〈213〉)과 同字. '場, 說文, 祭神道也. 一曰, 田不耕. 一曰, 治穀田也, 或作一'《集韻》.
字源 形聲. 田+昜〔音〕

田 9 〔疁〕 14 〔주〕 疇(田부 14획〈803〉)의 本字

田 10 〔畾〕 15 뢰 ㊥灰 | léi ライ でんかんのち

字解 밭사이땅뢰 밭과 밭 사이의 땅. '田閒地, 謂之一'《集韻》.
字源 會意. 田+田+田. '田'을 셋 포개어 보루, 논밭 사이의 땅을 뜻함.

田 10 〔瘥〕 15 차 ㊥歌 | cuó サ あれたこうさくち

字解 ①거친밭차 구획을 노느다가 남은 거친 밭. ②앓을차 병듦. '天方薦一'《詩經》. 瘥(疒부 10획〈816〉)와 통용.
字源 形聲. 田+差〔音〕

田 10 〔畦〕 15 〔혜〕 蹊(足부 10〈1441〉)와 同字

田 10 〔畿〕 15 高·人 기 ㊥微 | jī キ みやこ

筆順 幺 幺幺 幺幺 畿 畿 畿 畿 畿

字解 ①경기기 왕도(王都) 주위의 5백 리 이내의 땅. '一內'. '京一'. '天子千里地, 以

遠近言之, 則言一'《說文》. ②지경기 경계. '制一封國'《周禮》. ③서울기 국도(國都). '俘我洛一'《顏延之》. ④뜰기 문 안의 마당. '薄送我一'《詩經》. ⑤문지방기 문한(門限). '白石爲門一'《韓愈》. ⑥성기 성(姓)의 하나.
字源 形聲. 田＋幾〈省〉〔音〕

田10 〔畵〕15 〔화〕
畫(田부 7획〈800〉)의 本字

田10 〔𤲳〕15 ㈠ 순 ㊥眞 | xún シュン ひとしい
㈡ 균 ㊥眞 | jūn キン たをきりひらく
字解 ㈠ ①고를순 '一, 均也'《廣韻》. ②밭 편편할순 밭의 땅이 고름. ㈡ 따비이룰균 개간하는 모양. 畇(田부 4획〈796〉)과 同字. '一, 墾田皃'《集韻》.

田10 〔𤲶〕15 ㈠ 嗇(口부 10획〈180〉의 古字
㈡ 穡(禾부 13획〈912〉의 古字

田10 〔𤳉〕15 〔축〕
畜(田부 5획〈798〉)의 古字

田11 〔𤳖〕16 한 ㊦翰 | hàn カン むぎばたけ
字解 보리밭한 '一, 耕麥地'《玉篇》.

田11 〔𤳝〕16 참 ㊦勘 | càn サン うねがつらなる
字解 밭두렁서로연할참 '一, 田隴相聯也'《集韻》.

田11 〔𤳳〕16 ㈠ 류 ㊥尤 | liú リュウ ❶-❸ くさをやいてたねをまく
㈡ 휵 ㊅屋 | キク
㈢ 혹 ㊅沃 | コク
字解 ㈠ ①풀불살라씨뿌릴류 또, 화전(火田). '一, 燒種也'《說文》. ②성류 성(姓)의 하나. ㈡ 풀불살라씨뿌릴휵, 성휵 ❶과 뜻이 같음. ㈢ 풀불살라씨뿌릴혹, 성혹 ❶과 뜻이 같음.
字源 形聲. 田＋翏〔音〕

田11 〔𤳆〕16 ㈠ 잡 ㊅洽 | chā ソウ すき
㈡ 별 ㊅屑 | ヘツ すき
㈢ 절 ㊅屑 | セツ すき
㈣ 삽 ㊅葉 | ショウ むぎをすくいあげるすき
字解 ㈠ ①삽잡 臿(臼부 3획〈1104〉)과 통용. ②절구질할잡 절구질하여 보리의 겉겨를 쓿음. '臿, 舂去皮也. 或作一'《廣韻》. ㈡ 삽별, 절구질할별 ❶과 뜻이 같음. ㈢ 삽절, 절구질할절 ❶과 뜻이 같음. ㈣ 보릿가래삽 보리를 뜨는 가래. 또, 옛 농구(農具). '𤳆, 揚麥枚. 一曰, 古田具. 或从甾'《集韻》.
字源 形聲. 𤰔＋疌〔音〕

田11 〔畼〕16 〔장〕
塲(土부 11획〈218〉)과 同字

田12 〔疄〕17 린 ①㊦震 | lìn リン たにくるまをひく
②㊥眞 | lín リン やさいばたけ
字解 ①밭에수레몰린 밭으로 수레를 몲. 밭을 짓밟음. ②남새밭린 채전(菜田). 壣(土부 17획〈224〉)과 同字.
字源 形聲. 田＋粦(燐)〔音〕

田12 〔𤳹〕17 반 ㊥寒 | bān ハン ともがら
字解 무리반 패. '一, 輩也'《集韻》.

田12 〔疃〕17 탄 ㊤旱 | tuǎn タン けもののふんだあと
字解 자귀탄 짐승이 디딘 발자국. '一, 禽獸所踐處也'《說文》.

田12 〔𤳷〕17 증 ㊤迥 | zěng ソウ みずた
字解 논증 수전(水田). '一, 水田'《集韻》.

〔壘〕 〔루〕
土부 15획(223)을 보라.

田13 〔𤴁〕18 옹 ㊥冬 | yōng ヨウ·ユ みずぶきのみ
字解 ①가시연옹 가시연밥. '雞一'은 가시연의 열매. '一, 雞一, 卽芡實'《字彙》. ②북돋울옹 '一, 與壅通, 培田也'《正字通》. ③막을옹 '壅, 塞也, 或从雍, 亦作一'《集韻》.

〔櫐〕 〔루〕
木부 15획(589)을 보라.

田14 〔疆〕19 강 ㊥陽 | jiāng キョウ さかい, はて
字解 ①지경강 경계. '一界'. '古者諸侯出一, 必具官以從'《史記》. ②끝강 제한(際限). '萬壽無一'《詩經》. ③두둑강 전답의 경계를 이룬 둔덕. '兆民勸於一場'《張衡》. ④나라강 국토. '闢土開一'《晉書》. ⑤경계삼을강 경계를 설정함. '迺一迺理'《詩經》.
字源 形聲. 土＋彊〔音〕

田 14 〔疇〕19 人名 주 ㊀尤 | chóu チュウ うね

筆順

字解 ①두둑주 밭의 경계. '取我田一而伍之'《左傳》. ②삼밭주 삼을 심는 밭. '季夏之月, 可以糞田一'《禮記》. ③밭주 경작하는 전지. '男樂其一'《史記》. ④누구주 어느 사람. 誰(言부 8획〈1334〉)와 뜻이 같음. '帝曰, 一咨若時, 登庸'《書經》. ⑤접때주 이전. '予一昔之夜'《禮記》. ⑥세습주 가업(家業)을 세습(世襲)하는 일. 지금은 오로지 천문학자에게 쓰임. '一人'《史記》. ⑦무리주 ㉠부류(部類). 분류된 항목. '洪範九一'《書經》. ㉡제배(儕輩). '賢者之一也'《戰國策》. ⑧짝주 배필. '顧一弄音'《嵇康》. ⑨같을주 동등함. '一其爵邑'《漢書》. ⑩북돋울주 배토(培土)함. '今夫樹木者, 云云, 一以肥壤'《淮南子》. ⑪성주 성(姓)의 하나.

字源 形聲. 田＋壽〔音〕

田 14 〔疄〕19 〔린〕 疄(田부 12획〈802〉)의 本字

田 14 〔㽉〕19 〔연〕 畂(田부 9획〈801〉)과 同字

田 15 〔𤳳〕20 〔차〕 𤳳(田부 10획〈801〉)의 本字

田 15 〔疈〕20 벽 ㊁職 | pì ヒョク さく

字解 ①가를벽 희생(犧牲)을 가름. '以一辜祭四方百物'《周禮》. ②쪼갤벽 갈라 나눔. '一瓜抓棗'《王維》.

田 15 〔畾畾〕20 ㊀ 뢰 ㊀灰 | léi ライ かみなり ㊁ 훼 ㊀紙 | huǐ キ じんめい

字解 ㊀ 우레뢰 우레. 雷(雨부 5획〈1640〉)와 뜻이 같음. ㊁ 사람이름훼 사람 이름.

〔纍〕 〔루〕 糸부 15획(1019)을 보라.

〔罍〕 〔뢰〕 缶부 15획(1025)을 보라.

田 16 〔𤳸〕21 〔로〕 虛(虍부 5획〈1214〉)의 籀文

田 17 〔疊〕22 첩 ㊁葉 | dié ジョウ たたまる, たたむ

字解 ①겹쳐질첩, 포개질첩 여러 겹이 됨. '重一'. '雖累葉百一, 而富強相繼'《左思》. ②겹칠첩, 포갤첩 겹쳐 놓음. '吐其舌, 三一之'《宋史》. ③두려워할첩 공구함. '莫不震一'《詩經》. ④무명첩 면포. '白一'《後漢書》.

字源 會意. 晶＋宜〔音〕

田 17 〔曡〕22 疊(前條)의 本字

田 27 〔靁〕32 〔뢰〕 雷(雨부 5획〈1640〉)의 古字

疋　部

〔필필부, 짝필부〕

疋 0 〔疋〕5 ㊀ 소 ㊀魚 | shū ショ あし ㊁ 필 ㊁質 | pǐ ヒツ ひき

筆順

字解 ㊀ 발소 다리 끝의 발. '問一何止'《說文》. ㊁ ①필필 匹(匚부 2획〈124〉)과 同字. '馬一'. ②끗필 옷감의 길이의 단위. 필. '五尺謂之墨, 倍墨謂之丈, 倍丈謂之端, 倍端謂之兩, 倍兩謂之一'《小爾雅》.

字源 象形. 본디 '足족'과 같은 꼴로, 발의 모양을 본떠, '발'의 뜻을 나타냄.

參考 자형 분류상 부수(部首)로 설정됨. 예로부터 '匹필'의 俗字로서 '疋'이 씌어 왔으므로, '짝필'로 이름. 변으로 쓰일 때에는 자형이 '⺪'이 됨.

疋 0 〔⺪〕5 ㊀ 正(止부 1획〈602〉)의 古字 ㊁ 疋(前條)와 同字

疋 3 〔疌〕8 ㊀ 섭 ㊁葉 | jié ジョウ·ニョウ はたのふみどころ ㊁ 치 ㊀寘 | チ さえぎる

字解 ㊀ ①베틀디딜판섭 베틀 아래의 발로 밟는 데. '一, 機下足所履者'《說文》. ②빠를섭 '一, 說文, 疾也'《廣韻》. ㊁ 거리낄치 '疐, 說文, 礙不行也. 亦作一'《集韻》.

疋 4 〔㽞〕9 疌(前條)의 本字

〔胥〕 〔서〕 肉부 5획(1072)을 보라.

疋 5 〔疌〕10 섭 ㊁葉 | jié ショウ·ジョウ はやい

字解 ①빠를섭 '一, 疾也'《說文》. ②성섭 성(姓)의 하나.

字源 形聲. 止＋及〔音〕

疋 6 〔䟽〕11 疏(次次條)의 本字

疋 7 〔踈〕12 [高·人] 疏(次條)의 俗字. 단, '疏'의 ❶⓮⓯⓱⓲은 관습상 이 자를 쓰지 아니함.

[筆順] ⺈ 了 𠄌 𤴓 𤴔 𤴕 踈 踈

[字源] 形聲. 束＋疋〔音〕

疋 7 〔疏〕12 [高·人] 소 [平]魚 [去]御 | ①-⑯shū ショ·ソ とおる, うとい ⑰⑱shū ショ·ソ ときあかし

[筆順] ⺈ 了 𠄌 𤴓 𤴔 𤴕 𤴖 疏

[字解] ①트일소, 틀소 막힌 것이 통함. 또, 막힌 것을 치워 통하게 함. '一通'. '禹一九河'《孟子》. ②나누일소, 나눌소 갈라짐. 가름. '一隊而擊之'《淮南子》. ③멀소 ㉠가깝지 않음. '遐方一俗'《漢書》. ㉡친하지 않음. '親一'. '公族一遠者'《史記》. ④멀리할소 가까이하지 아니함. '一外'. '一太子'《呂氏春秋》. ⑤멀어질소 소원하여짐. '以此益一'《史記》. ⑥드물소 성김. '一密'. '祭不欲一'《禮記》. ⑦거칠소 정하지 아니함. '一惡'. '飯一食'《論語》. ⑧길소 장대(長大)함. '體大者節一'《淮南子》. ⑨새길소 조각함. '一屛, 天子之廟飾'《禮記》. ⑩그릴소 그림을 그림. '大夫一器'《管子》. ⑪치울소 철거시킴. '一軍而去之'《國語》. ⑫깔소 밑에 깖. '一石蘭兮爲芳'《楚辭》. ⑬맨발소 도선(徒跣). 벗은 발. '子佩一揖'《淮南子》. ⑭채소소 蔬(艸부 11획〈1175〉)와 통용. '聚斂一材'《周禮》. ⑮빗질소 梳(木부 7획〈550〉)와 통용. ⑯성소 성(姓)의 하나. ⑰주소 주석. '註一'. '一解'. '鼠銜孝經一, 置榻前'《長編》. ⑱상소할소, 상소소 조목별(條目別)로 써서 군주에게 아룀. 또, 그 글. '獨可抗一時道是非'《揚雄》.

[字源] 形聲. 㐬＋疋〔音〕

[參考] 踈(前條)는 俗字.

疋 7 〔𤴙〕12 소 [平]魚 | shū ショ·ソ こうしまど

[字解] ①격자창소 영창. '一, 門戶靑疏窗也'《說文》. ②술거르는그릇소 '一, 沛酒具'《集韻》. ③트일소 疏(前條)와 통용.

[字源] 形聲. 囱＋疋〔音〕

疋 8 〔𤴚〕13 〔잡〕 疀(田부 11획〈802〉)의 本字

疋 8 〔𤴛〕13 〔하〕 夏(夊부 7획〈228〉)의 古字

疋 9 〔疑〕14 [高·人] [一]의 [平]支 [二]응 [平]蒸 | yí ギ うたがう níng ギョウ さだまる

[筆順] ⺊ 匕 𠤕 𠤕 𠤕 𠤕 疑 疑

[字解] [一] ①의심할의 ㉠알지 못하여 의혹함. '一問'. '三人一之'《戰國策》. ㉡이상하게 여김. 혐의를 둠. '一其隣之子'《列子》. ②의심스러울의 확실하지 아니함. '一獄'. '罪一惟輕'《書經》. ③의심컨대의 의심하노니. '一是銀河落九天'《李白》. ④의심의 이상(以上)의 명사. '宿一'. '蓄一敗謀'《書經》. ⑤두려워할의 공구함. '皆爲一死'《禮記》. ⑥싫어할의 미워함. '嫌一'. '何嫌何一'《後漢書》. ⑦헤아릴의 촌탁함. '正方不一君'《儀禮》. ⑧비길의 擬(手부 14획〈473〉)와 통용. '陰一于陽'《易經》. [二] 안정할응 한 장소에 안정함. '靡所止一'《詩經》.

[字源] 象形. 사람이 고개를 쳐들고 생각하며 서 있는 모양을 본뜸. 《說文》에서는 子＋止＋匕＋矢〔音〕의 形聲.

疋 9 〔𤴝〕14 疐(次條)의 俗字

疋 11 〔疐〕16 [一]치 [去]寘 [二]체 [去]霽 | zhì チ つまずく dì テイ へた

[字解] [一] 엎드러질치 넘어짐. '狼跋其胡, 載一其尾'《詩經》. [二] 꼭지체 蔕(艸부 11획〈1174〉)와 同字. '棗李曰一之'《爾雅》.

[字源] 會意. 金文은 辛＋止＋苗의 변형. 篆文은 叀＋止＋冖

疋 11 〔𤴟〕16 〔의〕 疑(疋부 9획〈804〉)의 俗字

疒 部

〔병 질 엄 부〕

疒 0 〔疒〕5 녁 [入]陌 | nè ダク·ニャク よる

[筆順] ˋ 亠 广 疒 疒

[字解] 병들어누울녁 병으로 자리에 누움.

[字源] 會意. 人＋爿

[參考] '疒녁'을 의부(意符)로 하여, 병이나 상해, 그에 수반하는 감각 등에 관한 문자를 이룸. 이름은 '병질(病疾)엄'.

疒 2 〔疔〕7 정 [平]靑 | dīng テイ·チョウ かさ

字解 정정 '一瘡'은 대개 면부(面部)에 생기며 동통(疼痛)이 심하고 위험한 부스럼임. '一形有十三種'《方書》.
字源 形聲. 疒(疒)+丁〔音〕

疒2 〔疕〕7 비 ㊤紙|bǐ ヒ あたまのできもの
字解 두창비 머리의 종기. '一瘍者造焉'《周禮》.
字源 形聲. 疒(疒)+匕〔音〕

疒2 〔疝〕7 교 ㊤巧|jiāo コウ はらいたみ
字解 배갑자기아플교 배가 갑자기 몹시 아픔. '一, 腹中急痛也'《說文》.
字源 形聲. 疒(疒)+丩〔音〕

疒2 〔疚〕7 유 ①㊥有|yōu ユウ ふるえる ②㊤有|yǒu ユウ あたまがゆらぐ
字解 ①떨릴유 머리가 떨려 흔들림. '一, 頭搖也'《玉篇》. ②흔들릴유 머리가 흔들리는 모양. '一, 顫一, 頭搖皃'《集韻》.
字源 形聲. 疒(疒)+又〔音〕

疒2 〔疖〕7 〔절〕 癤(疒부 15획〈821〉)의 簡體字

疒2 〔疗〕7 〔료〕 療(疒부 12획〈818〉)의 簡體字

疒3 〔疘〕8 공 ㊥東|gāng コウ だっこう
字解 탈항증공 미주알이 빠지는 병. 탈장(脫腸). '脫一, 下病'《集韻》.

疒3 〔疛〕8 주 ㊤有|zhǒu チュウ したはらのびょうき
字解 ①배앓이주 아랫배가 아픈 병. '一, 說文曰, 小腹病'《廣韻》. ②가슴앓이주 '一, 一曰, 心腹疾也'《集韻》.
字源 形聲. 疒(疒)+肘〈省〉〔音〕

疒3 〔疜〕8 투 ㊦遇|dù ト ちちのできもの
字解 젖멍울투 유종(乳腫). '一, 乳癰也'《玉篇》.

疒3 〔疜〕8 하 ㊦禡|xià カ はらくだし
字解 이질하 설사. '一, 痢疾'《集韻》.
字源 形聲. 疒(疒)+下〔音〕

疒3 〔疙〕8 흘 ㊇物|gē ギツ かさ
字解 쥐부스럼흘 머리 위에 툭툭 불거지는 부스럼. '親母爲其子, 治一禿'《淮南子》.
字源 形聲. 疒(疒)+乞〔音〕

疒3 〔疚〕8 구 ㊦有|jiù キュウ やむ
字解 ①오래앓을구 병으로 오래 고생함. ②꺼림할구 양심에 가책을 느낌. '內省不一'《論語》. ③상구 거상(居喪)중을 '在一'라 함. '嬛嬛在一'《詩經》.
字源 形聲. 疒(疒)+久〔音〕

疒3 〔疝〕8 산 ㊦諫|shàn サン·セン せんき
字解 산증산 허리 또는 아랫배가 아픈 병. 장신경통. '一氣'. '男子有七一'《方書》.
字源 形聲. 疒(疒)+山〔音〕

疒3 〔疒〕8 〔장〕 莊(艸부 7획〈1141〉)의 俗字

疒3 〔疟〕8 〔학〕 瘧(疒부 9획〈814〉)의 簡體字

疒3 〔疣〕8 환 ㊦翰|huàn ガン できもの
字解 ①종기환. ②긁은생채기환 긁어 난 부스럼.

疒4 〔疢〕9 진 ㊦震|chèn チン ねつびょう
字解 ①열병진 신열이 대단한 병. '疾一不作'《禮記》. 또, 열병에 걸림. '一如疾首'《詩經》. ②미식진 맛있는 음식. '美一不如惡石'《左傳》.
字源 會意. 疒(疒)+火

疒4 〔疣〕9 우 ㊥尤|yóu ユウ いぼ
字解 혹우 내민 군더더기의 살덩이. '贅一'. '附贅縣一'《莊子》.
字源 形聲. 疒(疒)+尤〔音〕

疒4 〔痳〕9 수 ㊦寘|shuì スイ はれやまい
字解 습종수 종기. '風一膚脹'《黃帝靈樞經》.

疒4 〔疲〕9 반 ①㊦願|fàn ハン はきけ ②㊤阮|fǎn ハン わるい
字解 ①헛구역할반 구역질이 자꾸 나는 증세. '一, 心惡吐疾也'《字彙》. ②나쁠반 사람을 미워하고 욕하는 말. '一, 惡也, 南楚凡人殘罵謂之鉗, 又謂之一'《揚子方言》.

疒4 〔痄〕9 첨 ㊥鹽|chǎn セン かわがむける

[字解] 피풍첨 허물이 벗어지는 병. 무좀 같은 병. '一, 皮膚多蚌如風疾. 故曰皮剝病'《正字通》.
[字源] 形聲. 疒(疒)＋毋〔音〕

疒4 〔疤〕9 파 [平]麻 | bā ハ かさのあと
[字解] 흉파 헌데의 아문 자국.
[字源] 形聲. 疒(疒)＋巴〔音〕

疒4 〔疥〕9 [一] 개 [去]卦 | jiè カイ ひぜん
[二] 해(개[本]) [去]卦 | jiè カイ おこり
[字解] [一] 옴개 전염성 피부병의 한 가지. '一癬'. '有痒一疾'《周禮》. [二] 학질해 痎(疒부 6획〈809〉)와 同字. '齊侯一'《左傳》. ※ 本音 개.
[字源] 形聲. 疒(疒)＋介〔音〕

疒4 〔疧〕9 [一] 기 [平]支 | qí キ やむ
[二] 저 [上]薺 | dǐ テイ やむ
[字解] [一] 앓을기 병을 앓음. '俾我一兮'《詩經》. [二] 앓을저 [一]과 뜻이 같음.
[字源] 形聲. 疒(疒)＋氏〔音〕

疒4 〔疪〕9 비 [去]寘 | bì ヒ あしのひえるやまい
[字解] ①각기비 다리가 붓는 병의 한 가지. '一, 脚冷濕病'《字彙》. ②두둔할비 비호(庇護)함. 庇(广부4획〈344〉)와 同字. '魂靈有所依一'《後漢書》.

疒4 〔疫〕9 [高·人] 역 [入]陌 | yì エキ えやみ
[筆順] ˙ 亠 广 疒 疒 疒 疫
[字解] ①돌림병역 전염병. '癘一'. '民殃於一'《禮記》. ②역귀역 돌림병을 퍼뜨리는 귀신. '遂令始難毆一'《周禮》.
[字源] 形聲. 疒(疒)＋役〈省〉〔音〕

疒4 〔疨〕9 [一] 하 [平]麻 | xiā カ のどのびょうき
[二] 아 [平]麻 [上]馬 | yá ガ びょうきがおもい
[字解] [一] 목병하 인후병(咽喉病). '瘕, 喉病. 或从牙'《集韻》. [二] 병심할아 '疟一'는 병이 더함. '一, 疟一, 病甚'《集韻》.

疒4 〔疲〕9 [一] 합 ①-③[入]洽 ④[入]合 | コウ やみつかれる コウ こえる
[二] 급 [入]緝 | jí キュウ やんであぶない
[字解] [一] ①병들어지칠합 또, 그 모양. '一, 病劣皃'《廣韻》. ②병들어위태로울합 '一, 病劣也. (段注) 劣, 猶危也'《說文》. ③병들려할합 '一, 或曰, 病且至也'《正字通》. ④걸합 '一, 肥一'《廣韻》. [二] 병들어지칠급, 병들어위태로울급, 병들려할급 [一]①-③과 뜻이 같음.
[字源] 形聲. 疒(疒)＋及〔音〕

疒4 〔疦〕9 [一] 혈 [入]屑 | xuè ケツ かさのあな
[二] 결 [入]屑 | jué ケツ くちのゆがみ
[字解] [一] ①창(瘡)구멍혈 '一, 瘡裏空也'《廣韻》. ②큰종기혈 큰 부스럼. '一, 瘡大者一'《集韻》. [二] 입비뚤결 '一, 癟也'《說文》.
[字源] 形聲. 疒(疒)＋夬〔音〕

疒4 〔疣〕9 〔심〕 瘎(疒부 9획〈815〉)과 同字

疒4 〔疢〕9 심 [去]沁 | qìn シン いたむ
[字解] 아플심 몸이 아픔. '一, 痛也'《集韻》.

疒4 〔疟〕9 〔자〕 疵(疒부 5획〈808〉)의 訛字

疒4 〔疹〕9 흔 [去]問 | xìn キン きずいたみ
[字解] ①상처아플흔 상처가 아픔. ②부을흔 부어 오름.

疒5 〔疱〕10 포 [去]效 | pào ホウ ほうそう
[字解] 마마포 천연두. '一瘡'.
[字源] 形聲. 疒＋包〔音〕

疒5 〔疲〕10 [高·人] 피 [平]支 | pí ヒ つかれる
[筆順] ˙ 亠 广 疒 疒 疒 疲
[字解] ①고달플피 ㉠신체가 피로함. '一倦'. '我自樂此, 不爲一也'《後漢書》. ㉡시량(柴糧) 등이 떨어져 고생함. '今賊適一於西'《諸葛亮》. ②고달프게할피 전항(前項)의 타동사. '一民以逞'《左傳》. ③고달픔피 '民一'. '士忘一'《張衡》. ④느른할피 기력이 쇠함. '一癃'. '心形俱一'《列子》. ⑤야윌피 수척함. '諸侯以一馬犬羊爲幣'《管子》.
[字源] 形聲. 疒(疒)＋皮〔音〕

疒5 〔疳〕10 감 [去]覃 | gān カン ひかん
[字解] ①감질감 어린아이가 위장이 나빠져서 몸이 야위고 배가 불러지는 병. '小兒食甘物, 多生一病'《正字通》. ②감창감 남녀의 음부에 나는 창병.

[字源] 形聲. 疒(疒)+甘〔音〕

疒 5 〔疴〕10 아 [平]歌 | ē ア やまい

[字解] 병아 痾(疒부 8획〈812〉)와 同字. '時卽有口一'《漢書》.

[字源] 形聲. 疒(疒)+可〔音〕

疒 5 〔疵〕10 자 [平]支 | cī シ きず

[字解] ①흠자 ㉠흉터. '吹毛覓一'. '不吹毛而求小一'《韓非子》. ㉡흠. 결점. '一瑕'. '詩書春秋無一'《韓愈》. ②흠볼자 헐뜯음. '正義直指擧人之過, 非毁一也'《荀子》.

[字源] 形聲. 疒(疒)+此〔音〕

疒 5 〔疸〕10 달(단[本]) [去]翰 | dǎn タン おうだん

[字解] 달병달 간장(肝臟)이 허약하여 일어나는 병. '黃一'. '一有五種'《方書》. ※本音 단.

[字源] 形聲. 疒(疒)+旦〔音〕

疒 5 〔疹〕10 진 [上]軫 | zhěn シン はしか

[字解] ①홍역진 전염병의 한 가지. '痲一'. 전(轉)하여, 널리 좁쌀 같은 부스럼이 많이 돋는 병의 일컬음. '濕一'. '水泡一'. ②앓을진 병을 앓음. '思百憂以自一'《張衡》.

[字源] 形聲. 疒(疒)+㐱〔音〕

疒 5 〔疼〕10 동 [平]冬 | téng トウ いたむ

[字解] 아플동 몸이 쑤시고 아픔. '一痛'.

[字源] 形聲. 疒+冬〔音〕

疒 5 〔疽〕10 저 [平]魚 | jū ショ・ソ あくせいのできもの

[字解] 악창저 악성(惡性)의 종기. '一腫'. '有病一者'《史記》.

[字源] 形聲. 疒(疒)+且〔音〕

疒 5 〔疾〕10 [高·人] 질 [入]質 | jí シツ やまい

[筆順] 丶 亠 广 广 疒 疒 疟 疾

[字解] ①병질 ㉠질병. '一患'. '父母唯其一之憂'《論語》. ㉡불구(不具). '老者一者'《周禮》. ㉢버릇. 성벽. '有笑一'《晉書》. ㉣결점. 흠. '中諸侯之一'《史記》. ㉤해독을 끼치는 것. '山藪藏一'《左傳》. ②괴로움질 고통. '一苦'. '牧民必知其一'《管子》. ③앓을질 병을 앓음. '昔者一, 今日愈'《孟子》. ④괴로워할질 고통을 느낌. 고생함. '使民一歟'《荀子》. ⑤근심할질 걱정함. '君子一沒世而名不稱焉'《論語》. ⑥미워할질 싫어함. '一覗'. '人而不仁, 一之已甚亂也'《論語》. ⑦빠를질 ㉠급속함. '一風'. '爲之者一, 用之者舒'《大學》. ㉡민첩함. '捷一'. '鬪甚一'《史記》. ⑧빨리질 신속히. 바로. '若一入趙壁'《史記》. ⑨힘쓸질 힘써 함. '一諷誦'《呂氏春秋》. ⑩투기할질 시기함. 嫉(女부 10획〈260〉)과 同字. '冒一而惡之'《大學》. ⑪성질 성(姓)의 하나.

[字源] 形聲. 疒(疒)+矢〔音〕

疒 5 〔疿〕10 비 [去]未 | fèi ヒ あせも

[字解] 땀띠비 여름철에 생기는 발진(發疹). '汗出見濕, 乃生痤一'《素問》.

[字源] 形聲. 疒(疒)+弗〔音〕

疒 5 〔痀〕10 구 [平]虞 | jū ク せむし

[字解] 곱사등이구 꼽추. '見一僂者'《列子》.

[字源] 形聲. 疒(疒)+句〔音〕

疒 5 〔痁〕10 점 [平]鹽 | shān セン おこり [去]豔 | diàn テン おこり

[字解] 학질점 열이 매일 나는 학질. 또, 이 학질을 앓음. '齊侯疥, 遂一'《左傳》.

[字源] 形聲. 疒(疒)+占〔音〕

疒 5 〔痂〕10 가 [平]麻 | jiā カ かさぶた

[字解] 딱지가 헌데가 아물었을 때 생기는 껍질. '子邕爲太守, 嗜創一'《南史》.

[字源] 形聲. 疒(疒)+加〔音〕

疒 5 〔痃〕10 현 [平]先 | xuán, xián ケン けんぺき

[字解] ①현벽현 '一癖'은 근육이 땅기는 병. '昔有患一癖者'《本草》. ②가래톳현 '橫一'은 살의 임파선이 붓는 성병의 하나.

[字源] 形聲. 疒(疒)+玄〔音〕

疒 5 〔疘〕10 痃(前條)과 同字

疒 5 〔病〕10 [中·人] 병 [去]敬 | bìng ビョウ やまい

[筆順] 亠 广 广 疒 疒 疔 病

[字解] ①병병 ㉠질환. '疾一'. '猶七年之一求三年之艾也'《孟子》. ㉡성벽. 나쁜 버릇. '一癖'. '好辭工書, 皆癖一也'《柳宗元》. ㉢흠. 병통. '誠中弘之一'《史記》. ②근심병 걱정. 또 고통. '是楚一也'《戰國策》. ③앓을병 병을 앓음. '毋一'《後漢書》. ④더칠병 병이 중해짐. '子疾一'《論語》. ⑤근심할병 걱정함. '一不得其衆'《禮記》. ⑥괴로워할병 고통을 느낌. '鄭人一之'《左傳》. ⑦원

망할병 원한을 품음. '與刖其父而弗能一者何如'《左傳》. ⑧피로할병 피곤해짐. '今日一矣'《孟子》. ⑨헐뜯을병 비방함. '舅所一也'《國語》. ⑩욕보일병 부끄러움을 당하게 함. '相詬一'《禮記》. ⑪괴롭힐병 고통을 줌. '君子不以其所能一人'《禮記》.
[字源] 形聲. 疒(𤕫)+丙〔音〕

疒 5 〔症〕10 [高·人] 증 [去]徑 | zhēng ショウ びょうきのちょうこう
[筆順] 丶 亠 广 疒 疔 疔 疔 症
[字解] 증세증 병의 성질. 證(言부 12획〈1353〉)의 俗字. '一狀'. '泄瀉爲注下之一'《揚子方言》.
[字源] 形聲. 疒(𤕫)+正〔音〕

疒 5 〔疻〕10 지 [上]紙 | zhǐ シ うちきず
[字解] 멍지 타박상(打撲傷). 맞은 자국이 길고 벌겋게 부풀어 오른 것. '一痏'. '遇人不以義, 而見一者, 與痏人之罪均'《漢書》.
[字源] 形聲. 疒(𤕫)+只〔音〕

疒 5 〔痄〕10 차 [上]馬 | zhà, zhǎ サ·シャ きずぐちがふさがらない
[字解] 아물지않는부스럼차 딱지가 앉지 않는 종기. '宋仁宗患一腮'《朱氏集驗方》.
[字源] 形聲. 疒(𤕫)+乍〔音〕

疒 5 〔疺〕10 핍 [入]洽 | fá ホウ やせる
[筆順] 亠 广 疒 疒 疒 疒 疒 疺
[字解] 파리할핍, 고달플핍 '人皆一矣'《北征錄》.
[字源] 形聲. 疒(𤕫)+乏〔音〕

疒 5 〔疰〕10 주 [去]遇 | zhù シュ びょうめい
[字解] 병주 돌림병. 유행병. '一, 病也'《廣雅》.

疒 5 〔⿸疒瓜〕10 과 [平]歌 | guō カ しらくも, かさ
[字解] ①헌데과 피부병. '一, 瘡也'《玉篇》. ②백선(白癬)과 머리가 빠지는 피부병. '一, 禿也, 春發爲燕一, 秋發爲鴈一'《集韻》.

疒 5 〔⿸疒朮〕10 술 [入]質 | shù シュツ くるう
[字解] 미쳐달아날술 미쳐서 뛰는 모양. '一, 狂走也'《說文》.
[字源] 形聲. 疒(𤕫)+朮〔音〕

疒 5 〔⿸疒丕〕10 배 [平]灰 | bēi ハイ はらにかたまりがあっていたむ
[字解] 배결릴배 뱃속에 뭉치가 생겨 아픔. '一, 瘕結痛'《玉篇》.

疒 5 〔痆〕10 ㊀ 날 [入]黠 | niè ダツ きずのいたみ
㊁ 닐 [入]質 | nì ジツ かゆい
[字解] ㊀ 헌데쑤실날 상처가 아픔. 또, 상처. '視傷悼瘢一'《韓愈》. ㊁ 가려울닐 '一, 痒也'《集韻》.
[字源] 形聲. 疒(𤕫)+尼〔音〕

疒 5 〔疶〕10 설 [入]屑 | xuē セツ はらくだり
[字解] 이질설 설사. '一, 痢病'《集韻》.

疒 5 〔⿸疒古〕10 고 [去]遇 | gù コ ながわずらい
[字解] ①고질고 오래 낫지 않는 병. '一, 久病也'《說文》. ②어린아이의입병고 어린아이의 입의 부스럼. '一, 小兒口瘡'《廣韻》.
[字源] 形聲. 疒(𤕫)+古〔音〕

疒 5 〔⿸疒出〕10 올 [入]月 | wù ゴツ やむ, やまい
[筆順] 亠 广 疒 疒 疒 疒 疒 ⿸疒出
[字解] ①병들올, 병올 '一, 病也'《說文》. ②냉올 대하증(帶下症). '一, 一說, 婦人帶下有出病'《正字通》. ③끊을올 '一, 又斷也'《玉篇》.
[字源] 形聲. 疒(𤕫)+出〔音〕

疒 5 〔⿸疒付〕10 ㊀ 보 [上]麌 | fǔ フ せむし
㊁ 부 [平]虞 | フ せむし
[字解] ㊀ ①구루병(佝僂病)보 등뼈가 만곡되는 병. '一, 俛病也'《說文》. ②키작을보 또, 그 사람. '一, 短也'《廣雅》. ③부을보 '一, 病腫也'《廣韻》. ④앓을보 '一, 病也'《廣雅》. ㊁ 구루병부, 키작을부, 부을부, 앓을부 ㊀과 뜻이 같음.
[字源] 形聲. 疒(𤕫)+付〔音〕

疒 5 〔⿸疒朿〕10 자 [上]紙 | zǐ シ きず
[字解] ①흠자 '一, 瑕也'《說文》. ②앓을자, 병자 '一, 病也'《廣雅》.
[字源] 形聲. 疒(𤕫)+朿〔音〕

疒 5 〔⿸疒㞋〕10 〔첨〕
⿸疒开(疒부 4획〈805〉)의 籒文

疒 5 〔痈〕10 〔옹〕 癰(疒부 18획〈822〉)의 簡體字

疒 5 〔痃〕10 ㊀겁 [入]葉 | qiè キョウ やんで よわる
㊁거 [上]語 | qǔ キョ やむ, やまい

[字解] ㊀ ①앓아약해질겁 앓아 약해짐. ②파리할겁 파리함. ③겁낼겁. ㊁ 앓을거 병을 앓음.

疒 5 〔疪〕10 비 [去]寘 | bì ヒ べんぴ

[筆順] 亠 广 疒 疒 疒 疪 疪 疪

[字解] 변비비 변비증.

疒 5 〔疷〕10 ㊀지 [平]支 | zhī チ たこ
㊁기 [平]支 | キ やむ

[字解] ㊀ 못박힐지 못이 박힘. ㊁ 앓을기 앓음.

疒 5 〔痈〕10 〔첨〕
痱(疒부 4획〈805〉)의 俗字

疒 6 〔痊〕11 전 [平]先 | quán セン いえる

[字解] ①나을전 병이 나음. '比獲微—'《陳書》. ②고칠전 병을 낫게 함. '以—病也'《抱朴子》.

[字源] 形聲. 疒(疒)+全〔音〕

疒 6 〔痍〕11 이 [平]支 | yí イ きず

[字解] ①상처이 다친 데. '瘡—'. ②다칠이 부상함. '傷—'. '—傷者未瘳'《史記》.

[字源] 形聲. 疒(疒)+夷〔音〕

疒 6 〔痎〕11 해(개[本]) [平]佳 | jiē カイ おこり

[字解] 학질해 하루거리. '—, 二日一發瘧也'《說文》. ※本音 개.

[字源] 形聲. 疒(疒)+亥〔音〕

疒 6 〔痏〕11 유 [上]紙 | wěi イ うちきず

[字解] 멍유 타박상. '痕—'. '生瘡—於玉肌'《抱朴子》.

[字源] 形聲. 疒(疒)+有〔音〕

疒 6 〔痒〕11 양 ①-③[平]陽 | yáng ヨウ やむ
④[上]養 | yǎng ヨウ かゆい

[字解] ①병양 질병. ②앓을양 병을 앓음. '癙憂以—'《詩經》. ③종기양 瘍(疒부 9획〈814〉)과 同字. '夏時有—疥疾'《周禮》. ④가려울양 癢(疒부 15획〈821〉)과 同字. '老少痛—'《抱朴子》.

[字源] 形聲. 疒(疒)+羊〔音〕

疒 6 〔痢〕11 례 [去]霽 | lì レイ えやみ

[字解] 염병례 돌림병. 전염병. '大痢者何. —也'《公羊傳》.

疒 6 〔痔〕11 치 [上]紙 | zhì チ·ジ しもがさ

[字解] 치질치 항문(肛門)에 나는 병. '—瘻'. '舐—者得車五乘'《莊子》.

[字源] 形聲. 疒(疒)+寺〔音〕

疒 6 〔痕〕11 흔 [平]元 | hén コン きずあと

[字解] ①흉흔 상처의 자국. '洗垢求其瘢—'《後漢書》. ②자취흔 남은 형적. '—迹'. '刻其水—'《魏志》.

[字源] 形聲. 疒(疒)+艮〔音〕

疒 6 〔痌〕11 통 [平]東 | tōng トウ かさがやぶれる

[字解] ①헌데터질통 '—, 創潰也'《集韻》. ②아파할통 恫(心부 6획〈388〉)과 同字. '天子—傷'《韓愈》. ③끙끙앓을통 恫(心부 6획〈388〉)과 同字.

[字源] 形聲. 疒(疒)+同〔音〕

疒 6 〔痒〕11 방 [平]江 | pāng ホウ はれる

[字解] 헌데방 부스럼이 나서 부음. 胮(肉부 6획〈1073〉)과 同字.

疒 6 〔痐〕11 회 [平]灰 | huí カイ かいちゅう

[字解] ①거위회 회충(蛔蟲). 蛕(虫부 6획〈1225〉)와 同字. ②거윗배회 회충으로 인한 병. '—, 腹蟲聚而成疾也'《正字通》.

疒 6 〔痋〕11 ㊀동 [平]冬 | téng トウ いたむ
㊁충 [平]東 | chóng チュウ やむ

[字解] ㊀ 아플동 아파서 떨림. '—, 動病也'《說文》. ㊁ 앓을충 병. '—, 病也'《集韻》.

[字源] 形聲. 疒(疒)+蟲〈省〉〔音〕

疒 6 〔痄〕11 ㊀척 [入]陌 | jí セキ やせる
㊁색 [入]陌 | sè サク さむけ
㊂속 [入]屋 | ソク さむけ
㊃자 [去]寘 | cì シ ひふびょう

[字解] ㊀ 여윌척 瘠(疒부 10획〈816〉)의 古字. ㊁ 오한증(惡寒症)색 ㊂과 뜻이 같음. ㊂ 오한증속 '瘳—'은 오한증. '—, 瘳—, 寒病'《集韻》. ㊃ 피부병자 '—, 風—, 膚疾'《集韻》.

疒 6 〔痓〕11 치 [去]寘 | chì シ わるい

字解 ①악할치 나쁨. '一, 惡也'《廣雅》. ②풍병(風病)치 손발의 경련. '一, 一曰, 風病'《集韻》.

疒 6 〔痑〕11
㊀ 다 ㊤哿 タ うまがつかれる
㊁ 탄 ㊥寒 ㊦翰 tān タン うまがつかれる
タン うまがつかれる
㊂ 타 ㊥歌 タ うまがつかれる
㊃ 시 ㊤紙 shǐ シ おおい

字解 ㊀ ①말지칠다 '一, 馬病也'《說文》. ②고달플다 '一一, 疲也'《廣雅》. ㊁ 말지칠탄, 고달플탄 ㊀과 뜻이 같음. ㊂ 말지칠타, 고달플타 ㊀과 뜻이 같음. ㊃ ①많을시 많은 모양. '一, 衆皃'《廣韻》. ②방종(放縱)할시 '一, 一曰, 自放縱'《集韻》.
字源 形聲. 疒(疒)+多〔音〕

疒 6 〔痝〕11 〔선〕
癬(疒부 17획〈822〉)과 同字

疒 6 〔痠〕11 〔수〕
瘦(疒부 10획〈816〉)와 同字

疒 6 〔痴〕11 여 ①㊥魚 rú ジョ やむ ②㊦御 rù ジョ おろか
字解 ①앓을여 앓음. ②어리석을여 어리석음. '一, 瘵'.

疒 6 〔痎〕11 해 ㊦泰 hài カイ えやみ
字解 유행병해 유행병.

疒 6 〔痳〕11
㊀ 휴 ㊥尤 xiū キュウ しぶりばら
㊁ 후 ㊦宥 xiù キュウ うるしかぶれ
字解 ㊀ 후중증휴 뒤가 시원하게 보이지 않고 무지근한 증세. ㊁ 옻오를후 옻이 오름.

疒 7 〔痗〕12 매 ㊦隊 mèi バイ やむ
字解 ①병매 질병. ②앓을매 병을 앓음. 또, 마음이 괴로움. '使我心一'《詩經》.
字源 形聲. 疒(疒)+每〔音〕

疒 7 〔痘〕12 두 ㊦宥 dòu トウ ほうそう
字解 마마두 천연두. '一瘡'. '凡一汁納鼻, 呼吸卽出'《方書》.
字源 形聲. 疒(疒)+豆〔音〕

疒 7 〔痙〕12 경 ㊤梗 jìng ケイ ひきつる
字解 심줄땅길경 경련을 일으킴. 또, 그 병. '一攣'. '諸一項強'《內經》.
字源 形聲. 疒(疒)+巠〔音〕

疒 7 〔痛〕12 高·人 통 ㊦送 tòng ツウ いたい
筆順 丶 亠 广 疒 疗 疔 痡 痡 痛

字解 ①아파할통 ㉠몸에 괴로움을 느낌. '非不一'《後漢書》. ㉡마음 아파함. '常一於心'《史記》. ②아플통 전항(前項)의 형용사. '悲莫一於傷心'《李陵》. ③아프게할통 이상(以上)의 타동사. '一心疾首'《左傳》. ④슬퍼할통 비탄함. '可甚悼一'《漢書》. ⑤원망할통 원한을 품음. '使人無有怨一於楚國'《國語》. ⑥몹시통 대단히. '一惜'. '市物一騰躍'《漢書》. ⑦힘껏통 힘이 자라는 대로. '一言人情以驚主'《管子》. ⑧성통 성(姓)의 하나.
字源 形聲. 疒(疒)+甬〔音〕

疒 7 〔痞〕12 비 ㊤紙 pǐ ヒ はらいたみ
字解 뱃속결릴비 뱃속이 마치는 것같이 아픔. '腹有一塊'《靈樞經》.
字源 形聲. 疒(疒)+否〔音〕

疒 7 〔痟〕12 소 ㊥蕭 xiāo ショウ ずつう
字解 ①두통소 머리가 아픈 병. '春時有一首疾'《周禮》. ②소갈증소 목이 마르고 소변이 나오지 않는 병. 당뇨병. '中乾欲病一'《李商隱》.
字源 形聲. 疒(疒)+肖〔音〕

疒 7 〔痡〕12 부(포㊍) ㊥虞 pū ホ やむ
字解 앓을부, 고달플부 병을 앓음. 또, 피로함. '我僕一矣'《詩經》. ※本音 포.
字源 形聲. 疒(疒)+甫〔音〕

疒 7 〔痢〕12 리 ㊦寘 lì リ げり
字解 설사리 묽은 똥을 누는 배탈. '下一'. '食之已一'《酉陽雜俎》. 또, 설사한 오물(汚物). '嘗一以求'《元史》.
字源 形聲. 疒(疒)+利〔音〕

疒 7 〔痏〕12 유 ㊥尤 ㊦宥 yǒu ユウ やむ
字解 ①앓을유 병을 앓음. '牛夜鳴則一'《周禮》. ②썩은나무냄새유 고옥(古屋)에서 나는 후목(朽木)의 냄새.

疒 7 〔痣〕12 지 ㊦寘 zhì シ ほくろ
字解 ①사마귀지 흑자(黑子). '彈丸黑一之地'《通鑑》. ②점지 색소가 침착하여 피부에 생긴 반점.
字源 形聲. 疒(疒)+志〔音〕

疒 7 〔痤〕 12 좌 [平]歌 | cuó サ·ザ はれもの

[字解] 부스럼좌 종기. '彈—者痛, 飮藥者苦'《韓非子》.
[字源] 形聲. 疒(㽼)+坐〔音〕

疒 7 〔痧〕 12 사 [平]麻 | shā サ コレラ

[字解] ①콜레라사 전염병의 하나. ②《現》마진사 '—子'는 홍역(紅疫). 마진(痲疹)의 속칭.
[字源] 形聲. 疒(㽼)+沙〔音〕

疒 7 〔痟〕 12 연 [平]先 | yuān エン うずく

[字解] ①뼈쑤실연 골절이 쑤심. '—, 骨節疼也'《廣韻》. ②피로할연 지침. '—, 疲也'《說文》. ③답답할연 '心—體煩'《列子》.
[字源] 形聲. 疒(㽼)+肙〔音〕

疒 7 〔瘠〕 12 [一] 흔 [去]問 | xìn キン はれる, はぜる
[二] 희 [去]未 | xì キ いたむ

[字解] [一] ①멍울설흔 멍울이 섬. '—, 腫起'《玉篇》. ②궂은살나올흔 상처에서 궂은살이 빠져 나옴. '睎, 創肉反出也, 或作—'《集韻》. ③신열날흔 몸에 열이 생김. '睎, 熱氣著膚也, 今或作—'《集韻》. [二] 아플희 '—, 痛也'《集韻》.

疒 7 〔痚〕 12 효 [平]肴 | xiāo コウ のどのやまい

[字解] 인후증효 인후의 병. 천식. '—瘶, 喉病'《集韻》.

疒 7 〔㾛〕 12 침 [上]寢 | qǐn シン みにくい

[字解] ①추할침 더러움. 용모가 추함. '—, 又皃醜也'《廣韻》. ②아플침 아픔. '—, —痛'《廣韻》.

疒 7 〔痒〕 12 심 [上]寢 | shěn シン さむけ

[字解] 오한증심 추워서 몸이 떨림. '—, 寒病也'《說文》.
[字源] 形聲. 疒(㽼)+辛〔音〕

疒 7 〔痠〕 12 산 [平]寒 | suān サン いたむ

[字解] ①저릴산 쑤시고 아픔. '—, —疼'《廣韻》. ②돌이름산 '風伯之山, …其下多—石·文石'《山海經》.

疒 7 〔痰〕 12 겹 [入]葉 | qiè キョウ こきゅうのびじゃくなこと

[字解] 숨결약할겹 병자의 호흡이 미약함. '—, 病息也'《說文》.
[字源] 形聲. 疒(㽼)+夾〔音〕.

疒 7 〔痝〕 12 방 (망([本])) [平]江 | máng ボウ·モウ やみくるしむ

[字解] ①괴로워할방 병이 들어 괴로워함. '—, 病困'《廣韻》. ②숙취방 '—, 一日, 病酒'《集韻》. ③부어오를방 '—然'은 부어오르는 모양. '多汗惡風, 面—然浮腫'《素問》.
※本音 망.

疒 7 〔痺〕 12 리 [上]紙 [平]支 | lí リ ふさぎのやまい

[字解] 우울증(憂鬱症)리 '—, 憂病'《字彙》.

疒 7 〔痥〕 12 [一] 탈 [入]曷 | duō タツ うまのすねのはれもの
[二] 철 [入]屑 | テツ うまのすねのはれもの

[字解] [一] ①말부스럼탈 말의 정강이의 부스럼. '—, 馬脛瘍也'《說文》. ②말정강이상처탈 '—, 馬脛傷也'《廣韻》. ③잡아깰탈 '—, 一日, 將傷. (段注) 將, 疑當作捋'《說文》. [二] 말부스럼철, 말정강이상처철, 잡아깰철 [一]과 뜻이 같음.
[字源] 形聲. 疒(㽼)+兌〔音〕

疒 7 〔痕〕 12 〔흔〕 痕(疒부 6획〈809〉)의 本字

疒 7 〔痒〕 12 〔양〕 痒(疒부 6획〈809〉)의 本字

疒 7 〔瘚〕 12 〔각〕 瘚(疒부 9획〈815〉)과 同字

疒 7 〔痁〕 12 려 [上]語 | lǚ リョ かさ

[字解] ①종기려 종기. 부스럼. ②오래앓을려 고질병.

疒 7 〔痡〕 12 보 [去]遇 | bū ホ やみがえり

[字解] 병도질보 병이 도짐.

疒 7 〔瘵〕 12 저 [平]魚 | chá チョ きずあと

[字解] 상처자국저 헌데.

疒 7 〔痺〕 12 차 [去]禡 | chē シャ りびょう

[字解] 설사병차 설사병.

疒 8 〔痯〕 13 관 [上]旱 | guǎn カン やみつかれる

[字解] 앓을관, 고달플관 병들어 지친 모양. '四牡——'《詩經》.
[字源] 形聲. 疒(疒)+官〔音〕

疒8 〔痰〕 13 담 [平]覃 | tán タン たん
[字解] 가래담 담. '喀—'. '甘遂葶藶之逐—癖'《抱朴子》.
[字源] 形聲. 疒(疒)+炎〔音〕

疒8 〔痱〕 13 비 [平]微 | féi ヒ ちいさいはれもの
[字解] ①뾰루지비 조그만 종기. '—, 一曰小腫'《集韻》. 일설(一說)에는, ②풍병비 중풍. '—, 風病也'《說文》.
[字源] 形聲. 疒(疒)+非〔音〕

疒8 〔疤〕 13 痱(前條)와 同字

疒8 〔痳〕 13 마 [平]麻 | má マ しびれる
[字解] ①저릴마, 마비될마 신체의 감각 작용을 잃음. 또, 그 현상. '—痹'. ②홍역마 소아 전염병의 한 가지. '—疹'.
[字源] 形聲. 疒(疒)+麻〔音〕
[參考] 痳(次條)은 別字.

疒8 〔痳〕 13 림 [平]侵 | lín リン りんびょう
[字解] 임질림 요도(尿道)의 점막에 염증이 생기어 오줌이 잘 나오지 않는 화류병. '—疾'.
[字源] 形聲. 疒(疒)+林〔音〕
[參考] 痲(前條)는 別字.

疒8 〔痺〕 13 비 [平]支 | pí ヒ うずらのめす
[字解] ①암메추리비 '鳥名. 鶴鶉之雌者'《字彙》. ②저릴비, 마비될비 신체의 감각 작용을 잃음. 또, 그 현상. '痲—'.
[字源] 形聲. 疒(疒)+卑〔音〕
[參考] 속(俗)에 잘못 痹(次條)와 통용함. '痲痹'의 뜻으로 '痺'를 쓰는 것은 본래 오용(誤用)이지만, 지금은 일반적으로 씀.

疒8 〔痹〕 13 비 [去]寘 | bì ヒ しびれる
[字解] ①저릴비, 마비될비 '—, 手足不仁也'《一切經音義》. '臂已—而猶攘'《歐陽修》. ②류머티즘비 몸이 저려 감각을 잃는 신경계의 병. '—, 溼病也'《說文》. '—, 脚冷濕病'《廣韻》.
[字源] 形聲. 疒(疒)+畀〔音〕
[參考] 痺(前條)의 〈참고〉를 보라.

疒8 〔痻〕 13 민 [平]眞 | mín ビン·ミン やむ
[字解] 병민, 앓을민 질병. 또, 병듦. '多我覯—'《詩經》.

疒8 〔痼〕 13 고 [去]遇 | gù コ ひさしくなおらないやまい
[字解] 고질고 오래 낫지 않는 병. '飮之者—疾皆愈'《後漢書》.
[字源] 形聲. 疒(疒)+固〔音〕

疒8 〔痾〕 13 아 [平]歌 | ē ア やまい
[字解] 숙병아 병세가 중해져서 좀처럼 고치기 어려운 병. 숙아(宿痾). '舊—有痊'《潘岳》.
[字源] 形聲. 疒(疒)+阿〔音〕

疒8 〔痿〕 13 위 [平]支 | wěi イ しびれるやまい
[字解] 바람맞을위 몸이 마비되어 동작이 자유롭지 못함. 중풍에 걸림. '—痺'. '如—人不忘起'《史記》.
[字源] 形聲. 疒(疒)+委〔音〕

疒8 〔瘀〕 13 어 [去]御 | yū ヨ·オ やまい
[字解] ①병어 질병. '八爲疾—'《太玄經》. ②어혈어 한 곳에 뭉친 악혈(惡血). '—血'.
[字源] 形聲. 疒(疒)+於〔音〕

疒8 〔瘁〕 13 췌(취[本]) [去]寘 | cuì スイ やむ
[字解] ①병들췌 앓음. '唯躬是—'《詩經》. ②고달플췌, 야윌체 피로함. 또 수척함. '僕夫況—'《詩經》. ③무너질췌 파손됨. '悼堂構之隤—'《陸機》. ※本音 취.
[字源] 形聲. 疒(疒)+卒〔音〕

疒8 〔瘂〕 13 아 [上]馬 | yǎ ア おし
[字解] 벙어리아 啞(口부 8획〈169〉)와 同字.
[字源] 形聲. 疒(疒)+亞〔音〕

疒8 〔瘃〕 13 촉 [入]沃 | zhū チョク しもやけ
[字解] 얼음박일촉 동상(凍傷). '手足皸—'《漢書》.
[字源] 形聲. 疒(疒)+豖〔音〕

疒8 〔瘃〕 13 瘃(前條)과 同字

疒8 〔痳〕 13 ㊀ 뢰 [去]隊 | lài ライ らいびょう
㊁ 래 [平]灰 | lái ライ らいびょう

字解 [一] ①나병뢰 문둥병. '一, 癘也'《廣雅》. ②염병뢰 오래도록 낫지 않는 악질(惡疾). '一, 久疾也'《集韻》. [二] 나병래, 염병래 [一]과 뜻이 같음.

疒 8 〔痭〕13 [一] 붕 (平)庚 | bēng ホウ ふじん びょうのな
[二] 팽 (去)徑 | bìng ヒョウ はらの ふくれるやまい

字解 [一] 대하증붕 부인병의 하나. '一, 婦人癥血不止也'《玉篇》. [二] 단복고창(單腹鼓脹)팽 배가 몹시 붓는 병. '一, 腹滿'《集韻》.

疒 8 〔痵〕13 권 (平)先 | quán ケン てのまがる びょうき

字解 ①손굽을권 손이 굽는 병. '一, 手屈病'《集韻》. ②질력날권 싫증이 남. 倦(人부 8획〈58〉)과 통용. '疲一向之久'《程曉》.

疒 8 〔痶〕13 천 (上)銑 | jiàn セン かゆい

字解 근지러울천 '一, 小痒也'《玉篇》.

疒 8 〔痮〕13 장 (去)漾 | zhàng チョウ はらがはる

字解 복창증(腹脹症)장 배가 더부룩해지는 병. 脹(肉부 8획〈1078〉)과 同字. '一, 脹滿'《廣韻》.
字源 形聲. 疒(疒)+長〔音〕

疒 8 〔痞〕13 배 (去)隊 | pèi ハイ かさぶた
(平)灰 | pēi ハイ かさ

字解 ①딱지배 헌데가 아물었을 때 생기는 껍질. '一, 痂也'《廣雅》. ②부스럼배 헌데. '一, 創也'《廣雅》. ③약할배 '一, 弱也'《廣韻》.

疒 8 〔㽣〕13 [一] 혁 (入)職 | xù キョク ずつう
[二] 획 (入)陌 | カク ずつう

字解 [一] 두통혁 '一, 頭痛也'《說文》. [二] 두통획 [一]과 뜻이 같음.
字源 形聲. 疒(疒)+或〔音〕

疒 8 〔痷〕13 [一] 암 (平)覃 | ān アン ひろい
[二] 업 (入)葉 | yè ヨウ ねたりおきたりのやまい
[三] 압 ①(去)洽 ②(入)合 | è オウ ねたりおきたりのやまい オウ あしなえ

字解 [一] 넓을암 '一婪'은 넓음. '一婪者以博約爲通濟'《玉篇》. [二] ①몸져누웠다일어났다하는병업 심하지는 않고 시름시름 앓는 병. '一, 一殜, 半臥半起病也. 亦作殗'《玉篇》. ②야위는병업 '一, 瘓病'《集韻》. [三] ①몸져누웠다일어났다하는병압, 야위는병압 [二]와 뜻이 같음. ②절름발이압 '踚, 跛疾. 或作一'《集韻》.

疒 8 〔瘍〕13 [一] 역 (入)陌 | yì エキ·ヤク しんきこうしんしょう
[二] 석 (入)陌 | セキ·シャク しんきこうしんしょう

字解 [一] ①심계항진증(心悸亢進症)역 '一, 脈一也. 〈段注〉 善驚之病也'《說文》. ②어리석을역 치매증(痴呆症). '一, 癡也'《廣雅》. ③전염할역 병이 전염(傳染)함. '一, 病相染也'《廣韻》. [二] 심계항진증석, 어리석을석, 전염할석 [一]과 뜻이 같음.
字源 形聲. 疒(疒)+易〔音〕

疒 8 〔痶〕13 전 (上)銑 | diǎn テン やむさま

字解 앓을전 앓는 모양. '一, 一瘓, 病也'《廣韻》.

疒 8 〔痵〕13 계 (去)寘 | jì キ ときめく

字解 두근거릴계 가슴이 두근거림. 또, 그 병. '一, 氣不足也. 心動也. 亦作悸'《玉篇》.
字源 形聲. 疒(疒)+季〔音〕

疒 8 〔痴〕13 〔치〕
癡(疒부 14획〈821〉)의 俗字
字源 形聲. 疒(疒)+知〔音〕

疒 8 〔痬〕13 [一] 예 (去)霽 | yì ゲイ うらむ
[二] 애 (去)卦 | yá ガイ にらむ

字解 [一] 원망할예 원망함. [二] 눈초리애, 눈흘길애.

疒 8 〔疣〕13 우 (平)尤 | yóu ユウ いぼ

字解 ①사마귀우 사마귀. ②종기우 부스럼.

疒 8 〔痵〕13 [一] 의 (平)支 | yī イ ひきつる
(上)紙 | イ うしなう
[二] 기 (上)紙 | qǐ キ うしなう
[三] 애 (上)蟹 | ǎi アイ せがひくい

字解 [一] ①쥐날의 경련이 잃. ②약할의 약함. ③부스럼의 종기. ④숨길의 숨겨서 간직함. [二] ①잃을기 잃음. ②종기기 부스럼. ③부스럼날기 부스럼이 남. [三] 키작을애 키가 작은 모양.

疒 9 〔瘇〕14 종 (上)腫 | zhǒng ショウ あしがはれる

字解 수중다리종 퉁퉁하게 붓는 다리. 또, 다리가 부음. '天下之勢, 方病大一'《漢書》.

[字源] 形聲. 疒(疒)＋重〔音〕

疒 9 〔瘈〕14 계 [去]霽 | jì ケイ くるう

[字解] 미칠계 광란(狂亂)함. '國人逐一狗'《左傳》.
[字源] 形聲. 疒(疒)＋契〔音〕

疒 9 〔瘉〕14 유 ①②[上]麌 ③[去]遇 | yù ユ いえる ユ まさる

[字解] ①나을유 병이 나음. 癒(疒부 13획〈820〉)와 同字. '漢王疾一'《漢書》. ②앓을유 병듦. '胡俾我一'《詩經》. ③나을유 남보다 나음. 愈(心부 9획〈399〉)와 통용. '不猶一於野乎'《漢書》.
[字源] 形聲. 疒(疒)＋兪〔音〕
[參考] 癒(疒부 13획〈820〉)는 俗字.

疒 9 〔瘊〕14 후 [平]尤 | hóu コウ いぼ

[字解] 무사마귀후 밥알만큼 크게 내민 군더더기 살덩이. '地膚子白礬各等分, 煎湯洗數次, 一子盡消'《方書》.
[字源] 形聲. 疒(疒)＋侯〔音〕

疒 9 〔瘋〕14 풍 [平]東 | fēng フウ ずつう

[字解] ①두통풍 머리가 아픈 병. ②광증풍 미친 병. 정신병. '一癲'.
[字源] 形聲. 疒(疒)＋風〔音〕

疒 9 〔瘍〕14 양 [平]陽 | yáng ヨウ できもの

[字解] ①두창양 머리의 부스럼. '生一於頭'《左傳》. ②부스럼양 종기. '潰一'. '身有一則浴'《禮記》. ③상처양 다친 데. '金一析一'《周禮》.
[字源] 形聲. 疒(疒)＋昜〔音〕

疒 9 〔瘏〕14 도 [平]虞 | tú ト やむ

[字解] 앓을도 병듦. '我馬一矣'《詩經》.
[字源] 形聲. 疒(疒)＋者〔音〕

疒 9 〔瘝〕14 관 [平]刪 | guān カン やむ

[字解] ①병들관, 병들게할관 '恫一乃身'《書經》. ②빌관, 비울관 공허함. 공허하게 함. 또, 소홀히 함. 게을리 함. 曠(日부 15획〈516〉)과 뜻이 같음. '若時一厥官'《書經》.

疒 9 〔瘐〕14 유 [上]麌 | yǔ ユ やむ

[字解] 병들유 죄인이 옥중에서 기한(飢寒) 또는 고민으로 말미암아 병듦. '一死獄中'《漢書》.

[字源] 形聲. 疒(疒)＋臾〔音〕

疒 9 〔瘕〕14 하 [上]馬 | jiǎ カ むしのやまい

[字解] ①기생충병하 뱃속에 있는 일종의 작은 기생충으로 인하여 생기는 병. '一病'. ②부녀병하 임신한 것 같은 증상을 나타내는 여자의 병. ③티하 瑕(玉부 9획〈776〉)와 통용. ④성하 성(姓)의 하나.
[字源] 形聲. 疒(疒)＋叚〔音〕

疒 9 〔瘖〕14 음 [平]侵 | yīn イン おし

[字解] 벙어리음 말을 못 하는 병. '一瘂'. '飮一藥'《史記》.
[字源] 形聲. 疒(疒)＋音〔音〕

疒 9 〔瘧〕14 학 [入]藥 | nüè ギャク おこり

[字解] 학질학 말라리아. '一癘'. '民多一疾'《禮記》.
[字源] 形聲. 疒(疒)＋虐〔音〕

疒 9 〔瘦〕14 수 [去]宥 | shòu シュウ やせる

[字解] 야윌수 파리함. 瘦(疒부 10획〈816〉)와 同字. '是妾愁成一, 非君愛細腰'《范雲》.
[字源] 形聲. 疒(疒)＋叜〔音〕

疒 9 〔瘖〕14 해 [平]佳 | jiē カイ おこり

[字解] 학질해 하루거리. 痎(疒부 6획〈809〉)와 同字. '老瘖發作無時, 名一瘖, 俗呼妖瘖'《本草》.

疒 9 〔瘺〕14 편 [平]先 | piān ヘン ちゅうぶう

[字解] 편고증(偏枯症)편 반신 불수의 병. '一, 半枯也'《說文》.
[字源] 形聲. 疒(疒)＋扁〔音〕

疒 9 〔瘊〕14 호 [平]虞 | hú コ のどにしょくりょうがとおらぬやまい

[字解] 목에걸릴호 음식이 목에 걸려 넘어가지 않는 병. '一瘻, 物在喉中'《集韻》.

疒 9 〔瘖〕14 생 [上]梗 | shěng セイ やせる

[字解] 파리할생 여윔. '瘦謂之一'《集韻》.

疒 9 〔瘍〕14 [一]갈 [入]曷 | kě カツ あつけ [二]알 [入]月 | kě エツ あつけ

[字解] [一] ①더위먹을갈 더위를 먹음. '一, 內熱病'《集韻》. ②앓을갈 병으로 앓음. '一, 病也'《廣雅》. [二] 더위먹을알, 앓을알

[一]과 뜻이 같음.

疒9 〔瘑〕14 과 [平]歌|guō カ かさ

[字解] 헌데과 부스럼. 疴(疒부 5획〈808〉)와 同字. '一, 瘡也'《廣韻》.

疒9 〔瘓〕14 탄 [上]旱|huàn タン ちゅうぶう

[字解] ①전신불수탄 중풍. '癱一, 四體癱痺不仁也'《正字通》. ②앓을탄 병으로 앓는 모양.
[字源] 形聲. 疒(疒)+奐〔音〕

疒9 〔瘣〕14 [一] 회 [平]灰 huī カイ うまがやみつかれる
[平]佳 カイ うまがやみつかれる
[二] 외 [上]賄 ワイ ちゅうぶう
[三] 퇴 [平]灰 tuí タイ いんぶのびょうき

[字解] [一] ①고달플회 말이 병들어 지침. 또, 말의 병. '一, 馬病'《廣韻》. ②앓을회, 병회. [二] 중풍외 '一瘬'는 중풍(中風). '一, 一瘬, 風病'《集韻》. [三] 음부의병퇴 '㿉, 倉頡篇, 陰病. 或作一'《集韻》.

疒9 〔瘌〕14 [一] 랄 [入]曷|là ラツ くすりまけ
[二] 뢰 [去]泰|ライ くすりまけ

[字解] [一] ①약독랄 약(藥)의 부작용으로 아픔. 노랄(癆瘌). '一, 楚人謂藥毒曰痛一'《說文》. ②따끔따끔할랄 독충에 쏘였을 때의 살갗의 아픔. '癆·一, 皆辛螫也'《揚子方言》. ③상처랄 '一, 傷也'《廣雅》. ④옴랄 피부병의 하나. '一, 疥也'《集韻》. ⑤《現》상처자국랄 '疤一'은 상처 자국. [二] 약독뢰, 따끔따끔할뢰, 상처뢰, 옴뢰, 상처자국뢰 [一]과 뜻이 같음.
[字源] 形聲. 疒(疒)+剌〔音〕

疒9 〔𤸰〕14 〔압〕
𤺄(疒부 10획〈816〉)의 本字

疒9 〔𤸫〕14 〔민〕
痻(疒부 8획〈812〉)과 同字

疒9 〔𤸤〕14 〔륭〕
癃(疒부 12획〈819〉)과 同字

疒9 〔𤺋〕14 〔폐〕
癈(疒부 12획〈819〉)의 略字

疒9 〔瘸〕14 각 [入]藥|què カク かさ

[字解] 부스럼각 종기.

疒9 〔瘔〕14 고 [去]遇|kù コ くるしむ

[字解] ①괴로워할고 괴로워함. ②멀미할고 배·차의 멀미를 함.

疒9 〔瘎〕14 [一] 심 [平]侵|chén シン はらのじびょう
[二] 잠 [上]豏|タン はらのじびょう

[字解] [一] 뱃속병심 오래도록 낫지 아니하는 뱃병. [二] 뱃속병잠 [一]과 뜻이 같음.

疒9 〔𤸎〕14 〔위〕
痿(疒부 8획〈812〉)의 俗字

疒9 〔𤸢〕14 〔황〕
癀(疒부 12획〈819〉)과 同字

疒10 〔瘚〕15 궐 [入]月|jué ケツ のぼせ

[字解] 상기궐 피가 머리로 모이는 병. '一不作'《韓詩外傳》.
[字源] 形聲. 疒(疒)+欮〔音〕

疒10 〔瘛〕15 계 [去]霽|chì ケイ ひきつけ

[字解] 경풍계 어린아이의 병의 하나. 경기. 경풍. '一瘲'. '筋脈相引而急病, 名曰一'《素問》.
[字源] 形聲. 疒(疒)+恝〔音〕

疒10 〔瘈〕15 [一] 치 [去]霽|chì セイ ひく
[二] 철 [入]屑|セツ やむ, やまい

[字解] [一] ①끌어당길치 견제(牽制)함. '一, 引縱曰一'《說文》. ②문둥병치 나병(癩病). '瘌, 郭璞云, 癩病一, 上同'《廣韻》. [二] 앓을철, 병(病)철 '瘌, 瘌瘲, 病也. 或作一'《集韻》.
[字源] 形聲. 手+瘛〈省〉〔音〕

疒10 〔瘜〕15 식 [入]職|xī ソク あまじし

[字解] 궂은살식 군살. 췌육(贅肉). '咽生一肉'《聖濟總錄》.
[字源] 形聲. 疒(疒)+息〔音〕

疒10 〔瘞〕15 예 [去]霽|yì エイ うずめる

[字解] ①묻을예 매장함. '埋一'. '收一'. ②무덤예 묘(墓). '發一出尸'《晉書》.
[字源] 形聲. 土+㾜〔音〕

疒10 〔瘟〕15 온 [平]元|wēn オン えやみ

[字解] 염병온 돌림병. 급성 전염병. '經一疫則不畏'《抱朴子》.
[字源] 形聲. 疒(疒)+昷〔音〕

疒 10〔瘠〕15 척 [入]陌 | yí セキ やせる

[字解] ①파리할척 마름. 야윔. '瘦一'. '乾爲一馬'《易經》. ②파리하게할척 전항(前項)의 타동사. '一魯而肥杞'《左傳》. ③메마를척 땅이 척박함. '一薄'. '擇一土而處之'《國語》. ④궁핍할척 물건이 모자람. '國亡捐一者'《漢書》. ⑤송장척 주로 옥사(獄死)하거나 아사(餓死)한 시체. '分爲溝中一'《文天祥》. ⑥성척 성(姓)의 하나.
[字源] 形聲. 疒(⽧)+脊〔音〕

疒 10〔瘡〕15 창 [平]陽 | chuāng ソウ かさ

[字解] ①부스럼창 종기. '凍一'. '石患面一'《晉書》. ②상처창 다친 데. '金一'. '一痍'. '虎魄療金一'《南史》.
[字源] 形聲. 疒(⽧)+倉〔音〕

疒 10〔瘢〕15 반 [平]寒 | bān ハン きずあと

[字解] ①흉반 헌데나 다친 데의 아문 자국. '一痕'. '吳王好劍客, 百姓多瘡一'《後漢書》. ②자국반 사물의 흔적. '洗垢索一'. '新一陪蓄漲'《范成大》.
[字源] 形聲. 疒(⽧)+般〔音〕

疒 10〔瘣〕15 외 [上]賄 | huì カイ やむ

[字解] ①앓을외, 병들외 일설(一說)에는, 부스럼이 곁에서 남. '一, 病也, 一曰腫旁出'《說文》. '譬彼一木'《詩經》. ②혹외 나무의 혹. '一木, 苻婁'《爾雅》. ③높을외 嵬(山부 10획〈315〉)와 통용.
[字源] 形聲. 疒(⽧)+鬼〔音〕

疒 10〔瘤〕15 류 [平]尤 [去]宥 | liú リュウ こぶ

[字解] 혹류 ㉠병적으로 내민 군살. 췌육(贅肉). '一贅'. '時景王新割目一, 創甚'《漢晉春秋》. ㉡물건의 표면에 생기는 돌기(突起). '杯杓盡杉一'《皮日休》.
[字源] 形聲. 疒(⽧)+留〔音〕

疒 10〔瘥〕15 [一] 채 [去]卦 | chài サイ いえる
[二] 차 [平]歌 | cuó サ やまい

[字解] [一] 나을채 병이 나음. '竟至瘥一'《開元遺事》. [二] 병차 질병. 또, 전염병. '一善禳衆一'《葉適》.
[字源] 形聲. 疒(⽧)+差(㚷)〔音〕

疒 10〔瘦〕15 수 [去]宥 | shòu ソウ やせる

[字解] 파리할수 몸이 야윔. 마름. '一瘠'. '久餓羸一'《漢書》.
[字源] 形聲. 疒(⽧)+叟(叜)〔音〕

[參考] 瘐(疒부 9획〈814〉)는 同字.

疒 10〔瘨〕15 전 [平]先 | diān テン やむ

[字解] ①앓을전, 앓게할전 병듦. 병들게 함. ②애탈전, 애태울전 속을 태움. 애타게 함. '胡寧一我以旱'《詩經》. ③미칠전 광란(狂亂)함. '一而殫悶'《戰國策》. ④부을전 배가 부음. ⑤쓰러질전 넘어짐.
[字源] 形聲. 疒(⽧)+眞〔音〕

疒 10〔瘊〕15 쇠 [平]支 | shuāi スイ へる, おとろえる

[字解] ①덜릴쇠 병세가 덜림. '一, 減也. (段注) 減, 亦謂病減於常也'《說文》. ②이울쇠 차차로 감소해짐. '一, 一曰, 秏也'《說文》. ③병들쇠 '一, 病也'《廣韻》.
[字源] 形聲. 疒(⽧)+衰〔音〕

疒 10〔瘙〕15 소 [去]號 | sào ソウ かさ

[字解] 살갗병소 피부병(皮膚病). '一, 創也'《廣雅》.
[字源] 形聲. 疒(⽧)+蚤〔音〕

疒 10〔瘵〕15 [一] 차 [平]佳 | chái サイ やせる
[二] 시 [平]支 | chí シ はやりびょう

[字解] [一] ①여윌차 여윔. ②앓을차 앓음. [二] 유행병시 돌림병.

疒 10〔瘙〕15 상 [上]養 | sǎng ソウ うまのびょうき

[字解] 말병상 말의 병. '一, 馬病'《集韻》.

疒 10〔瘍〕15 마 [去]禡 | mà バ・メ めのやまい

[字解] ①눈병마 '一, 目病'《說文》. ②비루먹을마 마소의 병. '一, 畜病'《集韻》.
[字源] 形聲. 疒(⽧)+馬〔音〕

疒 10〔瘝〕15 혐 [平]鹽 | xiān ケン のどのつかえるやまい

[字解] 목에걸릴혐 음식이 목에 걸려 넘어가지 않음. '瘸一, 喉阻病也'《正字通》.

疒 10〔瘟〕15 [一] 압 [入]合 [入]洽 | è オウ あしなえ / yà オウ やむ
[二] 갑 [入]合 | kè コウ つかれやむ
[三] 개 [去]泰 | kài カイ のどのびょうき

[字解] [一] ①절름발이압. ②숨가쁘게쉴압 병이 들어 숨을 가쁘게 쉼. '一, 短氣也'《廣韻》. ③앓을압 '痷, 病也. 或从盍'《集韻》. [二] 몸살앓을갑 '一, 疲病也'《集韻》. [三] 목병개 '一, 喉病'《集韻》.

[字源] 形聲. 疒(疒)+益(盍)〔音〕

疒 10 〔瘩〕15 [現]탑 | dá, ②da トウ せにできるはれもの

[字解] 《現》①등창탑 '一背'는 등에 생기는 부스럼. ②부스럼탑 '疙一'은 작게 돌기(突起)한 피부의 부스럼.

疒 10 〔瘨〕15 운 [去]問 [上]吻 [上]軫 | yùn ウン くらくらする イン くらくらする

[字解] 어질어질할운 두통(頭痛)으로 현기증이 남. '一, 病也'《說文》.
[字源] 形聲. 疒(疒)+員〔音〕

水 10 〔瘫〕15 응 [平]蒸 | yīng ヨウ たか

[字解] 매응 鷹(鳥부 13획〈1838〉)과 同字. '一, 一鳥也'《說文》.
[字源] 形聲. 隹+人+瘖〈省〉〔音〕

疒 10 〔瘵〕15 증 [上]迥 | zhěng ショウ ねつのあるやまい

[字解] 신열나는병증 폐병 환자가 저녁때 신열이 나는 것과 같은 증세. '一, 骨一病也'《集韻》.

疒 10 〔瘝〕15 〔관〕 瘝(疒부 9획〈814〉)의 本字

疒 10 〔痛〕15 〔비〕 憊(心부 11획〈410〉)와 同字

疒 10 〔瘷〕15 〔해〕 欬(欠부 6획〈596〉)의 俗字

疒 10 〔痔〕15 [一]부 [去]遇 [二]보(포[本]) [去]遇 | bù ホ つかえ

[字解] [一]결릴부 결림. [二]가슴답답할보 가슴이 답답한 증세. ※本音 포.

疒 10 〔瘠〕15 솔 [入]月 | sù ソツ おろか

[字解] 어리석을솔 어리석은 모양.

疒 10 〔瘵〕15 저 ①②[去]御 ③[平]魚 | zhù, chú チョ かっけ

[字解] ①각기저 각기병. ②어리석을저 총명하지 못함. ③생채기자국저 상처 자국. 상흔.

疒 10 〔瘣〕15 퇴 ①②[上]賄 ③[去]隊 | tuǐ タイ ちゅうぶう

[字解] ①중풍퇴 풍병. ②가만히앉은모양퇴 가만히 앉은 모양. ③각기병퇴 각기병.

疒 11 〔瘭〕16 표 [平]蕭 | biāo ヒョウ ゆびさきのうみただれるやまい

[字解] 생인손표 '一疽'는 손가락 끝이 곪아 붓는 병. '一疽, 謂病瘡膿出也'《釋文》.
[字源] 形聲. 疒(疒)+票〔音〕

疒 11 〔瘯〕16 족 [入]屋 | cù ゾク ひぜんかさ

[字解] 옴족 '一蠡'는 옴 및 옴 비슷한 피부병. '謂其不疾一蠡也'《左傳》.
[字源] 形聲. 疒(疒)+族〔音〕

疒 11 〔瘵〕16 대 [去]泰 | dài タイ あかち, しらち

[字解] 대하증대 부인(婦人)의 자궁병. '赤一', '白一'.
[字源] 形聲. 疒(疒)+帶〔音〕

疒 11 〔瘶〕16 [一]애 [去]卦 [二]의 [平]支 | ài アイ うめくこえ ài イ うめくこえ

[字解] [一]①앓는소리애 신음하는 소리. '一, 劇聲也'《說文》. ②파리할애 '一, 一曰羸也'《集韻》. [二]앓는소리의, 파리할의 ■과 뜻이 같음.
[字源] 形聲. 疒(疒)+殹〔音〕

疒 11 〔瘰〕16 라 [上]哿 [平]歌 | luǒ ラ るいれき

[字解] 연주창라 '一癧'은 목 둘레에 잇달아 나는 단단한 멍울. '一癧或在耳後頤項缺盆'《揚子方言》.
[字源] 形聲. 疒(疒)+累〔音〕

疒 11 〔瘳〕16 추 [平]尤 | chōu チュウ いえる

[字解] ①나을추 병이 나음. '王翼日乃一'《書經》. ②나을추 남보다 나음. '其何一於晉'《左傳》. ③줄추 감소함. '君不度而賀大國之襲. 於己何一'《國語》.
[字源] 形聲. 疒(疒)+翏〔音〕

疒 11 〔瘴〕16 장 [去]漾 | zhàng ショウ しょうき

[字解] 장기장 산천(山川)의 악기(惡氣). 여기(厲氣). '山多氛一'《唐書》. 또, 그 기운 때문에 걸리는 일종의 열병. 풍토병(風土病). 말라리아 같은 것을 이른 것임. '然多一疫'《晉書》.
[字源] 形聲. 疒(疒)+章〔音〕

疒 11 〔瘵〕16 채 [去]卦 | zhài サイ やむ

[字解] 앓을채 지치어 앓음. 또, 그 병. '無自一焉'《詩經》.
[字源] 形聲. 疒(疒)+祭〔音〕

疒 11 〔瘻〕 16 루 ①[去]宥 lòu ロウ るいれき ②[平]虞 lǘ ル せむし

[字解] ①부스럼루 목에 나는 부스럼. 연주. '一癘'. '可以已一'《山海經》. ②곱사등이루 僂(人부 11획〈69〉)와 同字. '痀一'.
[字源] 形聲. 疒(⺧)+婁〔音〕

疒 11 〔瘼〕 16 막 [入]藥 mò バク やむ

[字解] ①병막 질병. 또, 폐해. 고통. '疾一'. '民一'. ②병들막 앓음. 또, 괴로워함. 고생함. '亂離一矣'《詩經》. ③병들게할막 전항(前項)의 타동사. '一此下民'《詩經》.
[字源] 形聲. 疒(⺧)+莫〔音〕

疒 11 〔瘽〕 16 근 [平]文 qín キン やむ

[筆順] 疒 疒 疒 疒 瘽 瘽 瘽 瘽
[字解] ①앓을근 병듦. ②고달프게할근 피로하게 함. '一身從事'《漢書》.
[字源] 形聲. 疒(⺧)+堇〔音〕

疒 11 〔瘱〕 16 예 [去]霽 yì エイ しずか

[字解] ①조용할예 정숙(靜肅)함. '婉一有節操'《漢書》. ②그윽할예 심수(深邃)함. '其妙聲則淸靜厭一'《王褒》.
[字源] 形聲. 心+瘞〔音〕

疒 11 〔瘲〕 16 종 [去]宋 zòng ショウ きょうふう

[字解] 경풍종 '瘛一'은 어린아이의 뇌막염(腦膜炎). 경풍(驚風). 경기. '金創一瘛方, 三十卷'《漢書》.
[字源] 形聲. 疒(⺧)+從〔音〕

疒 11 〔㿫〕 16 피 [去]寘 bì ヒ こむらがえり

[字解] ①다리에쥐날피 장딴지의 근육의 경련(痙攣). '一, 足氣不順, 轉筋'《玉篇》. ②다리냉병피 다리에 일어나는 냉증(冷症). '一, 俗謂脚冷濕病也'《正字通》.
[字源] 形聲. 疒(⺧)+畢〔音〕

疒 11 〔瘟〕 16 사 [平]麻 zhā サ かさぶた

[字解] 헌데딱지사 부스럼 딱지. '一, 瘡痂甲也'《字彙》.

疒 11 〔瘶〕 16 수 [去]宥 sòu ソウ せき

[字解] 기침수 한기로 인하여 기침이 나는 병. 嗽(口부11획〈180〉)와 통용. '一, 寒病'《集韻》.
[參考] 瘶(次條)은 別字.

疒 11 〔瘶〕 16 색 [入]陌 sè サク ひえるやまい

[字解] 오한증색.
[參考] 瘶(前條)는 別字.

疒 11 〔㾰〕 16 음 [去]沁 yìn イン むねのやまい

[筆順] 疒 疒 疒 疒 疒 疒 㾰 㾰
[字解] 심질음 심병(心病). '一, 字林, 心病'《集韻》.
[字源] 形聲. 疒(⺧)+陰〔音〕

疒 11 〔癬〕 16 선 [上]銑 xuǎn セン ひぜん

[字解] 옴선 피부병의 한 가지. 癬(疒부 17획〈822〉)과 同字. '齊與吳疥一也'《史記》.

疒 11 〔瘠〕 16 척 [入]陌 jí セキ やせる

[字解] 파리할척 瘠(疒부 10획〈816〉)의 訛字. '一, 瘠字之譌'《正字通》.

疒 11 〔瘆〕 16 ㊀심 [上]寢 shěn シン おどろきおそれる ㊁삼 [去]沁 シン やむ

[字解] ㊀①놀라두려워할심 놀라서 무서워하는 모양. '一, 駭恐皃'《集韻》. ②오한심 '痒, 寒病. 一, 上同'《廣韻》. ㊁ 앓을삼, 병삼 '一, 病也'《集韻》.

疒 11 〔瘺〕 16 루 [去]宥 lòu ロウ·ル かさ

[字解] 부스럼루 아픈 부스럼. '一, 痛瘡. 亦作瘻'《字彙》.

疒 11 〔瘸〕 16 가 [平]歌 qué カ てあしのびょうき

[字解] 손발병가 '一, 手足病'《集韻》.

疒 11 〔㾶〕 16 비 [上]紙 bǐ ヒ ちょうのむすぼれるやまい

[字解] 속결릴비 속이 결리는 병. 창자가 결리는 병.

疒 12 〔療〕 17 료 [去]嘯 liáo リョウ いやす

[字解] ①고칠료 병을 고침. '凡一瘍, 以五毒攻之'《周禮》. ②면할료 고통을 면함. '一饑'.
[字源] 形聲. 疒(⺧)+寮(尞)〔音〕

疒 12 〔㿊〕 17 참 [上]感 cǎn サン いたむ

[字解] 아플참 고통을 느낌. '榜箠一於炮烙'《漢書》.

疒 12 〔⿸疒焦〕17 초 [去]嘯 [去]效 | qiáo ショウ やせる

[字解] 야윌초 憔(心부 12획〈412〉)와 同字. '一瘁'.
[字源] 形聲. 疒(疒)+焦〔音〕

疒 12 〔癃〕17 륭 [平]東 | lóng リュウ つかれる, せむし

[字解] ①느른할륭 연로(年老)하여 몸이 느른함. '年老一病勿遣'《漢書》. ②곱사등이 륭 꼽추. '民雖老羸一疾, 扶杖而往聽之'《漢書》.
[字源] 形聲. 疒(疒)+隆〔音〕

疒 12 〔癆〕17 로 [去]號 [平]豪 | lào ロウ おとろえやせ / láo る, かぶれ

[字解] ①노점로 폐결핵. '肺一'. '今俗以積勞瘦削爲一病'《正字通》. ②중독로 약물에 중독(中毒)됨. '凡飮藥傳藥而毒, 北燕朝鮮之間, 謂之一'《揚子方言》.
[字源] 形聲. 疒(疒)+勞〔音〕

疒 12 〔癎〕17 간(한[本]) [平]刪 | xián カン ひきつけ

[字解] 경풍간 소아병의 하나. 경련을 일으키며 감정이 격(激)하는 병. '一病'. '哺乳多, 則生一病'《後漢書》. ※本音 한.
[字源] 形聲. 疒(疒)+間〔音〕
[參考] 癇(次條)의 略字.

疒 12 〔癇〕17 癎(前條)의 本字

疒 12 〔⿸疒閑〕17 癎(前前條)과 同字

疒 12 〔癈〕17 폐 [去]隊 | fèi ハイ はいしつ

[字解] 폐질폐 고칠 수 없어 몸의 일부가 병신이 되는 병. 또, 그 사람. '一人'.
[字源] 形聲. 疒(疒)+發〔音〕

疒 12 〔癉〕17 [一]단 [去]翰 [上]旱 [二]다 [上]哿 | dàn タン やむ / dǎn タン つよくわるい / duǒ タ つかれる

[字解] [一]①병들단 앓음. '下民卒一'《詩經》. ②괴롭힐단 고통을 줌. '彰善一惡'《書經》. ③황달단 달병(疸病). '南方暑濕, 近夏一熱'《漢書》. ④굳셀단 제어하기 어려움. '剛一必斃'《張衡》. [二]고달플다 피로함. '商民久勞一'《王禹偁》.
[字源] 形聲. 疒(疒)+單〔音〕

疒 12 〔癌〕17 암 [平]咸 | yán ガン がん

[字解] 암암 악성 종양(腫瘍)의 한 가지. '一, 臟腑所生毒瘤也'《中華大字典》.
[字源] 形聲. 疒(疒)+嵒〔音〕

疒 12 〔⿸疒貴〕17 [一]퇴 [平]灰 | tuí タイ いんぶのやまい / [二]대 [去]隊 | tuí タイ いんぶのやまい

[字解] [一]소문병퇴 여자들의 음부의 병. '一, 倉頡篇, 陰病'《集韻》. [二]소문병대 [一]과 뜻이 같음.

疒 12 〔⿸疒敝〕17 별 [入]屑 | biē ヘツ はれてかわがさける

[字解] 곪아터질별 종기가 곪아서 터짐. '一, 腫滿悶而皮裂'《字彙》.

疒 12 〔⿸疒童〕17 [一]종 [上]腫 [二]동 [平]東 | zhǒng ショウ かっけ / tōng トウ はれものがつぶれる

[字解] [一]수중다리종 발이 붓는 병. '一, 脛气腫'《說文》. [二]종기터질동 '痌, 創潰也. 或从童'《集韻》.
[字源] 形聲. 疒(疒)+童〔音〕

疒 12 〔癀〕17 황 [平]陽 | huáng コウ おうだん

[字解] ①황달황 '一, 一疸也'《玉篇》. ②《現》탄저병(炭疽病)황 소·말 따위 가축의 탄저병.

疒 12 〔⿸疒斯〕17 [一]서 [平]齊 [二]사 [平]支 | xī セイ しわがれごえ / sī シ むせぶ

[字解] [一]쉰소리서 목쉰 소리. 또, 물건이 깨지는 소리. 물건의 소리가 변하여 평상(平常)과 다름. '一, 披散也. 東齊, 聲散曰一, 秦晉, 聲變曰一, 器破而不殊, 其音亦謂之一'《揚子方言》. [二]목멜사 목이 아파 막힘. '一·嗌, 噎也. 楚曰一. 〈注〉此皆謂咽痛也'《揚子方言》.
[字源] 形聲. 疒(疒)+斯〔音〕

疒 12 〔⿸疒爲〕17 위 [上]紙 | wěi イ くちがゆがむ

[字解] 입비뚤어질위 '一, 口咼也'《說文》.
[字源] 形聲. 疒(疒)+爲〔音〕

疒 12 〔⿸疒畱〕17 〔류〕 瘤(疒부 10획〈816〉)의 本字

疒 12 〔⿸疒罽〕17 계 [去]霽 | qì, ③jì ケイ あたまのできもの

[字解] ①머리헌데계 머리에 난 부스럼. ②살갗에상처낼계 살갗에 상처를 냄. ③대머

리계 대머리.

疒 12 〔⿸疒絜〕 17 〔계〕 瘛(疒부 10획〈815〉)와 同字

疒 12 〔癁〕 17 복 [入]屋 | fú フク やまいがもりかえす

[字解] ①병도질복 병이 도짐. ②앓을복 앓음.

疒 12 〔⿸疒曷〕 17 월 [入]月 | niè ゴツ おろか

[字解] 어리석을월 어리석은 모양.

疒 12 〔⿸疒𠦝〕 17 효 [平]蕭 | xiāo キョウ はれる

[字解] ①곪을효 종기가 곪음. ②부을효 부어 오름.

疒 13 〔癒〕 18 유 [上]麌 | yù ユ いえる

[字解] 나을유 병이 나음. 瘉(疒부 9획〈814〉)의 俗字. '平一'.

疒 13 〔癕〕 18 옹 [平]冬 | yōng ヨウ あくせいのできもの

[字解] 악창옹 등창·발찌 같은 악성의 종기. '一腫'. '多病一疽脛腫'《後漢書》.

疒 13 〔癖〕 18 벽 [入]陌 [入]錫 | pǐ ヘキ くせ

[字解] ①적취벽 구체(久滯)의 한 가지. 적병(積病). '一痼'. '飮過則成痰一'《抱朴子》. ②버릇벽 성벽. '惡一'. '臣有左傳一'《晉書》.
[字源] 形聲. 疒(𤕫)+辟〔音〕

疒 13 〔癘〕 18 [一]라 [去]泰 | lì ライ かったい / [二]려 [去]霽 | lì レイ えやみ

[字解] [一] 문둥병라 癩(疒부 16획〈822〉)와 同字. '一病'. '時病一歸國'《史記》. [二] 염병려 유행병. '一疫'. '一疾不降'《左傳》.
[字源] 形聲. 疒(𤕫)+厲〈省〉〔音〕

疒 13 〔癙〕 18 서 [上]語 | shǔ ショ きやみ

[字解] ①병들서 너무 근심한 나머지 속이 타서 앓음. '一憂以痒'《詩經》. ②부스럼서 구멍이 생기는 종기. '貍頭療一'《淮南子》.
[字源] 形聲. 疒(𤕫)+鼠〔音〕

疒 13 〔癜〕 18 전 [去]霰 | diàn テン なまず

[字解] 어루러기전 피부병의 한 가지. '一風'. '治一用茄蒂蘸硫黃'《本草》.
[字源] 形聲. 疒(𤕫)+殿〔音〕

疒 13 〔癑〕 18 농 ①②[上]腫 ③[平]冬 | nòng ドウ いたむ / nóng ドウ うみ

[字解] ①아플농 몸이 아픔. ②곪아터질농 헌데가 곪아서 터짐. '一, 一日, 瘡潰'《集韻》. ③고름농 종기의 고름.
[字源] 形聲. 疒(𤕫)+農(農)〔音〕

疒 13 〔⿸疒亶〕 18 단 [上]旱 | dǎn タン やむ

[字解] ①병들단 '一, 病也'《爾雅》. ②중풍(中風)단. '一, 風病'《集韻》.

疒 13 〔癐〕 18 [一]괴 [去]泰 | guì カイ きとく / [二]위 [平]支 | wēi イ ときのこえ

[字解] [一] 병더칠괴 병세가 심함. 위독함. '一, 病甚'《字彙》. [二] 고함지를위 함성을 지르는 소리. '淮人寇江南日, 於臨陣之際, 齊聲大喊阿——'《輟耕錄》.

疒 13 〔癛〕 18 름 [上]寑 | lǐn リン さむけ

[字解] 소름끼칠름 추워서 몸에 소름이 돋음. '一, 粟體'《廣韻》.

疒 13 〔癓〕 18 미 [平]微 | wēi ビ·ミ あしのかさ

[字解] 발종기미 무좀 따위 발의 종기. '一, 足蒼也. 通作微'《集韻》.

疒 13 〔癔〕 18 억 [入]職 | yì ヨク·オク やまい

[字解] 심화병억 마음의 병. '一, 心意病也'《廣韻》.

疒 13 〔癗〕 18 뢰 [上]賄 | lěi ライ ちいさいできもの

[字解] 뾰루지뢰 '一, 痱一, 皮外小起'《廣韻》.

疒 13 〔癏〕 18 〔관〕 瘝(疒부 10획〈817〉)과 同字

疒 13 〔⿸疒解〕 18 〔개〕 疥(疒부 4획〈806〉)의 俗字

疒 13 〔⿸疒賁〕 18 분 ①[去]問 ②[平]文 | fén / fèn フン かさのくるしみ

[字解] ①종기앓을분 종기로 고생함. 종기를 앓음. ②근심할분 근심함.

疒 13 〔⿸疒暑〕 18 서 [上]語 | shǔ ショ あつさあたり

[字解] 더위먹을서 더위를 먹음.

疒 13〔⿸疒雋〕18 전 [上]銑 | juàn セン おおいにかゆい

[字解] 가려울전 몹시 가려움.

疒 14〔癠〕19 제 [去]霽 | jí セイ·ザイ やむ

[字解] ①앓을제 병듦. '親一色容不盛, 此孝子之疏節也'《禮記》. ②작을제 '江湘之會, 凡物生不長大, 曰一'《揚子方言》.

[字源] 形聲. 疒(𤕫)＋齊〔音〕

疒 14〔癡〕19 치 [平]支 | chī チ おろか

[字解] ①어리석을치 미련함. '白一'. '一謂眞實'《金光明經》. ②미칠치 어떤 일에 열중하게 됨. '書一'.

[字源] 形聲. 疒(𤕫)＋疑〔音〕

[參考] 痴(疒부 8획〈813〉)는 俗字.

疒 14〔癮〕19 은 [上]吻 | yǐn イン かざほろし

[字解] 두드러기은 피부병의 한 가지. 피부가 우툴두툴 붓고 가려움. '一疹, 皮小起皃'《集韻》.

[字源] 形聲. 疒(𤕫)＋㥯〔音〕

[參考] 癮(疒부 17획〈822〉)과 同字.

疒 14〔⿸疒蒦〕19 확 [入]藥 | huó カク のどにつかえる

[字解] 목에걸릴확 음식이 목에 걸림. '瘑一, 物在喉中'《集韻》.

疒 14〔癟〕19 별 [入]屑 | biě, ⑤biē ヘツ しんたいふずいのびょうき

[字解] ①신체불수병별 중풍(中風) 따위와 같이 신체 불수가 되는 병. '一, 枯病'《廣韻》. ②날지못할별 '一, 不能飛'《玉篇》. ③시들별 생기를 잃고 시듦. '一夜西風起乾一'《七修類槀》. ④바르지않을별 '㾕一'은 바르지 않음. '一, 㾕一, 不正'《廣韻》. ⑤《現》'一三'은 상해(上海) 방언(方言)으로 졸때기, 건달.

疒 14〔⿸疒⿱倠心〕19 〔응〕

應(心부 13획〈414〉)의 本字

疒 14〔⿸疒鼻〕19 비 [去]寘 | bì ヒ やむ

[字解] ①앓을비 앓음. ②곱을비 추워서 손이 곱음.

疒 14〔⿸疒壽〕19 주 ①[去]宥 ②[平]尤 | zhòu チュウ したはらのやまい chóu

[字解] ①아랫배병주 흉복의 병. ②두근거릴주 가슴이 두근거림.

疒 15〔癤〕20 절 [入]屑 | jiē セツ ねぶと

[字解] 부스럼절 옹(癰)보다는 작은 부스럼.

[字源] 形聲. 疒(𤕫)＋節〔音〕

疒 15〔癢〕20 양 [上]養 | yǎng ヨウ かゆい

[字解] 가려울양 痒(疒부 6획〈809〉)과 同字. '無痟一'《列子》.

[字源] 形聲. 疒(𤕫)＋養〔音〕

疒 15〔癥〕20 징 [平]蒸 | zhēng チョウ はらのなかにかたまりのできるやまい

[字解] 적취징 구체(久滯)의 한 가지. 적병(積病). '盡見五藏一結'《史記》.

[字源] 形聲. 疒(𤕫)＋徵〔音〕

疒 15〔⿸疒樂〕20 료 [去]嘯 | liáo リョウ いやす

[字解] 병고칠료 療(疒부 12획〈818〉)와 同字. '一, 治也'《說文》.

[字源] 形聲. 疒(𤕫)＋樂〔音〕

疒 15〔⿸疒蠃〕20 〔라〕

瘰(疒부 13획〈820〉)의 本字

疒 15〔⿸疒𢀩〕20 〔채〕

瘥(疒부 10획〈816〉)의 本字

疒 15〔⿸疒滕〕20 〔동〕

疼(疒부 5획〈807〉)의 俗字

疒 15〔⿸疒慮〕20 로 [去]遇 | lǜ ロ つかえ

[字解] 답답증로 가슴이 답답한 증세.

疒 15〔⿸疒數〕20 〔수〕

瘦(疒부 10획〈816〉)와 同字

疒 16〔癧〕21 력 [入]錫 | lì レキ るいれき

[字解] 연주창력 瘰(疒부 11획〈817〉)를 보라.

[字源] 形聲. 疒(𤕫)＋歷〔音〕

疒 16〔⿸疒龍〕21 롱 [去]宋 | lòng リョウ いたむ / lóng リョウ つんぼ

[字解] ①아플롱, 병들롱 '一, 癐一, 病也'《集韻》. ②귀머거리롱 聾(耳부 16획〈1062〉)과 同字.

疒 16〔癨〕21 곽 [入]藥 | huō カク かくらん

[字解] 곽란곽 '一亂'은 음식이 체하여 토사가 나는 급성 위장병의 하나. '一, 一亂,

吐病'《正字通》.
[字源] 形聲. 疒(㽱)+霍〔音〕

疒16 〔癩〕 21 라 [去]泰 | lài ライ らいびょう
[字解] 문둥병라 나병. 천형병. '一子'. '伯牛有疾. (註)先儒以爲一也'《論語》.
[字源] 形聲. 疒(㽱)+賴〔音〕

疒16 〔癘〕 21 로 ①[平]虞 | lú ロ はれもの ②[去]遇 | lù ロ つかえ
[字解] ①종기로 부스럼. ②답답증로 답답한 증세.

疒16 〔㿉〕 21 퇴 [平]灰 | tuí タイ いんぶのやまい
[字解] 음부의병퇴 산증(疝症).

疒17 〔癬〕 22 선 [上]銑 | xuǎn(xiǎn) セン たむし
[字解] 옴선 피부병의 한 가지. '譬諸疾, 疥一也'《國語》.
[字源] 形聲. 疒(㽱)+鮮〔音〕

疒17 〔癭〕 22 영 [上]梗 | yǐng エイ こぶ
[字解] 혹영 목에 나는 혹. '一腫'. '頸處險而一'《嵇康》. 전(轉)하여, 나무의 옹두리. '柳一'.
[字源] 形聲. 疒(㽱)+嬰〔音〕

疒17 〔癮〕 22 〔은〕
瘾(疒부 14획〈821〉)과 同字
[字源] 形聲. 疒(㽱)+隱〔音〕

疒18 〔癯〕 23 구 [平]虞 | qú ク やせる
[字解] 야윌구 파리함. '一瘠'. '形容甚一'《漢書》.
[字源] 形聲. 疒(㽱)+瞿〔音〕

疒18 〔㿙〕 23 비 [去]寘 | pì ヒ みちる
[字解] 찰비 기(氣)가 충만(充滿)함. '一, 氣滿也'《玉篇》.
[字源] 形聲. 疒(㽱)+奰〔音〕

疒18 〔㿔〕 23 [一] 유 [上]紙 | ユイ かさがつぶれる
[二] 위 [上]紙 | wěi イ かさがつぶれる
[三] 회 [去]卦 | huà カイ おろか
[字解] [一] ①부스럼터질유, 부스럼앓을유 '一, 創裂也. 一日, 疾一'《說文》. ②앓을유, 병(病)유 '一, 一日, 病也'《玉篇》. [二] 부스럼터질위, 부스럼앓을위, 앓을위, 병위 [一]과 뜻이 같음. [三] 어리석을회 '一, 愚也'《集韻》.
[字源] 形聲. 疒(㽱)+嶲〔音〕

疒18 〔癰〕 23 〔옹〕
癕(疒부 13획〈820〉)과 同字
[字源] 形聲. 疒(㽱)+雝〔音〕

疒19 〔癱〕 24 탄 [平]寒 | tān タン ちゅうぶう
[字解] 중풍탄 신체의 전체 또는 일부가 마비되는 병.
[字源] 形聲. 疒(㽱)+難〔音〕

疒19 〔癲〕 24 전 [平]先 | diān テン くるう
[字解] 미칠전, 광증전 瘨(疒부 10획〈816〉)과 同字. '瘋一'.
[字源] 形聲. 疒(㽱)+顚〔音〕

疒19 〔㿮〕 24 [一] 란 [平]寒 | luán ラン やむ, やまい
[二] 련 [平]先 | レン やむ, やまい
[字解] [一] ①앓을란, 병(病)란 '一, 病也'《廣韻》. ②야윌란 '一一'은 야위는 모양. '一, 瘦也'《廣韻》. [二] ①앓을련, 병(病)련 [一]①과 뜻이 같음. ②병들어몸이오그라질련 '一, 病體拘曲也'《集韻》.

疒19 〔癧〕 24 [一] 려 [去]霽 | レイ できもの
[去]寘 | lì リ できもの
[二] 리 [平]支 | リ できもの
[上]紙 | リ できもの
[三] 력 [入]錫 | レキ るいれき
[字解] [一] ①종기려 '一, 癰也'《說文》. ②야위고검을려 '一, 一日, 瘦黑'《說文》. ③야윌려 야위는 모양. '一, 一日, 瘦皃'《集韻》. [二] 종기리, 야위고 검을리, 야윌리 [一]과 뜻이 같음. [三] 나력(瘰癧)력 경부임파선(頸部淋巴腺)의 종기. '癧, 瘰癧, 病也. 或作一'《集韻》.
[字源] 形聲. 疒(㽱)+麗〔音〕

疒20 〔癑〕 25 〔농〕
癑(疒부 13획〈820〉)의 本字

疒21 〔癮〕 26 〔응〕
癃(疒부 10획〈817〉)의 籒文

疒21 〔癵〕 26 〔라〕
瘰(疒부 11획〈817〉)와 同字

疒23 〔癴〕 28 〔란〕
㿮(疒부 19획〈822〉)과 同字

疒24 〔㿿〕 29 〔비〕
㿙(疒부 18획〈822〉)의 本字

疒25〔癵〕30 〔란〕 癵(疒부 19획〈822〉)과 同字

癶　部
〔필발머리부〕

癶0〔癶〕5 발 ㊅曷 | bō ハツ ゆく

筆順 フ ヲ ヲ' 癶(ヲ' ヲ'') 癶

字解 ①걸을발 두 발을 벌리고 가는 것을 상형(象形)한 문자. ②등질발 사이가 틀어짐. '昆北——, 傳曰, 兩人相背也'《元包經》.

字源 象形. 두 발을 벌린 모양을 본떠, '등지다'의 뜻을 나타냄.

參考 '癶발'을 의부(意符)로 하여, 발의 동작에 관한 문자를 이룸. 자수는 적음. 부수로서의 이름은 이 부수의 대표적인 글자 '發발'의 훈과 음을 따서, '필발(發)머리'라 이름.

癶0〔癶〕4 癶(前條)과 同字

筆順 フ ヲ ヲ' 癶

癶4〔癸〕9 中·人 계(규㊍) ㊤紙 | guǐ キ みずのと

筆順 フ ヲ ヲ' 癶 癶 癶 癸 癸

字解 ①열째천간계 십간(十干)의 끝. 철로는 겨울, 방위로는 북(北), 오행(五行)으로는 물에 배당(配當)함. '陳揆于—'《漢書》. ②경도계 월경. '天—'. '—水'. ③성계 성(姓)의 하나. ※本音 규.

字源 象形. 두 개의 나무를 열십자로 맞춰서, 해돋이와 일몰을 관측하여, 동서남북의 방위를 아는 기구의 상형으로, '헤아리다'의 뜻을 나타냄. 가차하여, 천간의 열째로 씀.

癶4〔癹〕9 발 ㊅曷 | bá ハツ ふみにじる

字解 짓밟을발, 벨발 발로 풀을 짓밟음. 일설(一說)에는, 풀을 깎음. 제초(除草)함. '—夷蘊崇之'《左傳》.

字源 會意. 癶+殳

癶4〔発〕9 〔발〕 發(癶부 7획〈823〉)의 略字

癶5〔癸〕10 〔계〕 癸(癶부 4획〈823〉)의 本字

癶5〔𤼷〕10 登(次條)의 古字

癶7〔登〕12 中·人 ㊀등 ㊥蒸 ㊁득 ㊅職 | dēng トウ のぼる dé チョク える

筆順 フ ヲ 癶 癶 癶 登 登 登

字解 ㊀①오를등 ㉠높은 데 오름. '—山'. '—高必自卑'《中庸》. ㉡물건 위에 오름. '—壇'. '—城不指'《禮記》. ㉢지위에 오름. '—極'. '帝竟—大位'《晉書》. ㉣수레 같은 것을 탐. '—輦'. '出門—車去'《古詩》. ②올릴등 ㉠위로 올림. ㉡물건을 드림. 바침. '農乃—麥'《禮記》. ㉢장부에 실림. '—錄'. '—記'. ㉣사람을 끌어올려 씀. '舜—用, 攝行天子之政'《史記》. ㉤보탬. '皆—一焉'《左傳》. ③높일등 존숭함. '—龜'《禮記》. ④높을등 '不哀年之不—'《國語》. ⑤이룰등 성취함. '以—乃辟'《書經》. ⑥정할등 일정하게 함. '各—其鄕之衆寡六畜車輦'《周禮》. ⑦익을등 성숙(成熟)함. 여묾. '五穀不—'《孟子》. ⑧바로등 즉시. '—加罪戮'《晉書》. ⑨성등 성(姓)의 하나. ㊁얻을득 得(彳부 8획〈372〉)과 同字. '—來之也'《公羊傳》.

字源 形聲. 癶+豆〔音〕

癶7〔發〕12 中·人 발 ㊅月 | fā ハツ ひきはなつ

筆順 フ ヲ 癶 癶 癶 發 發 發

字解 ①쏠발 활 따위를 쏨. '百—百中'. '壹—五豝'《詩經》. ②떠날발 출발함. '先—'. '早—白帝城'《李白》. ③보낼발 떠나 보냄. 또, 파견함. '王何不—將而擊之'《戰國策》. ④일어날발 ㉠생김. '—生'. '喜怒哀樂之未—, 謂之中'《中庸》. ㉡입신(立身)함. '舜—於畎畝之中'《孟子》. ⑤일으킬발 ㉠입신(立身)시킴. '—身'. ㉡일을 벌임. '無—大事'《呂氏春秋》. ⑥필발 꽃이 핌. '滿—'. '花—風雨多'《于武陵》. ⑦헤질발 흩어짐. '惡氣不—'《素問》. ⑧비로소발 시작함. '開春—歲'《楚辭》. ⑨열발 닫힌 것을 엶. '—倉廩賜貧窮'《禮記》. ⑩밝힐발 분명히 함. '啓—'. '亦足以—'《論語》. ⑪행할발 실행함. '旣楚—其賞'《荀子》. ⑫나타날발, 드러날발 노현(露顯)함. '—現'. '—覺'. '君子樂其—'《禮記》. ⑬드러낼발 ㉠공표함. '—表'. '祕之不—喪'《史記》. ㉡파냄. '—掘'. '近寺僧—古殿基'《蘇軾》. ⑭들출발 폭로함. '摘—'. '—人之惡也'《史記》. ⑮성발 성(姓)의 하나.

字源 形聲. 弓+癹〔音〕

參考 発(癶부 4획〈823〉)은 俗字.

癶 8 〔發〕 13 發(前條)의 俗字

癶 10 〔䒑〕 15 〔등〕 登(癶부 7획〈823〉)의 古字

癶 11 〔䕃〕 16 〔등〕 登(癶부 7획〈823〉)의 籀文

白 部

〔흰 백 부〕

白 0 〔白〕 5 中·入 백 ㊀陌 | bái(bó) ハク しろ

筆順 ' 丿 白 白 白

字解 ①흰빛백 백색. 오색(五色)의 하나. 서방(西方)의 빛. 가을의 빛. '黑―'. '殷人上―'《禮記》. ②흴백 ㉠색이 흼. '―衣'. '―髮三千丈'《李白》. ㉡채색하지 아니함. 장식이 없음. '―賁无咎'《易經》. ㉢무구(無垢)함. 더럽히지 아니함. 공명 정대함. '安能以皓皓之―, 而蒙世俗之塵埃乎'《楚辭》. ㉣없는 것을 뜻함. '―徒'는 갑옷을 입지 아니한 군사 또는 군사(軍事)의 소양이 없는, 곧 훈련을 받지 아니한 군사. '繫毆衆―徒'《管子》. '―民'은 관작이 없는, 곧 벼슬하지 아니한 백성. '―民輸五百石, 聽依第出身'《魏書》. '―癡'는 판단의 능력이 아주 없는 천치. '蓋世所謂―癡'《左傳 註》. ③희어질백, 희게할백 백색이 됨. 또, 백색이 되게 함. '頭髮爲―'《後漢書》. '―而書曰'《十八史略》. ④밝을백 ㉠환함. '明―'. ㉡날이 밝음. '不知東方之既―'《蘇軾》. ⑤밝게할백 명백하게 함. '說不行則―道'《荀子》. ⑥깨끗할백 청백함. '潔―'. ⑦맑은술백 청주. '酒淸―'《禮記》. ⑧잔백 술잔. '太―'. '引滿擧―'《漢書》. ⑨은백 광물의 하나. '隋末行五銖―錢'《唐書》. ⑩흘겨볼백 흰자위를 나타내어 노려봄. '途窮反遭俗眼―'《杜甫》. ⑪사뢸백 상진(上陳)함. '告―'. '以李膺言―皓'《後漢書》. 또, 결백함을 증명함. '今晏子見疑, 吾將以身死―之'《說苑》. ⑫해백 불교에서 1년간을 이름. '已經九―'《傳燈錄》. ⑬성백 성(姓)의 하나.

字源 象形. 머리가 흰 뼈의 상형, 또는 흰 머리의 상형, 또는 도토리 열매의 상형이라고도 함.

參考 '白백'을 의부(意符)로 하여, '희다, 밝다' 등의 뜻을 나타내는 문자를 이룸.

白 1 〔百〕 6 中·入 ㊀ 백 ㊀陌 / ㊁ 맥 ㊀陌 | bǎi, bó ヒャク もも / mò バク はげむ

筆順 一 丆 丆 百 百 百

字解 ㊀ ①일백백 ㉠열의 열 배. '一年'. '協于十長于―'《漢書》. ㉡모든 또는 다수의 뜻으로 쓰임. '―姓'. '―官以治'《易經》. ㉢확실함의 뜻으로 쓰임. '―不知也'(절대로 모름). ②백번백 백 회. 여러 번. 또, 백 번 함. '己―之'《中庸》. ③성백 성(姓)의 하나. ㊁ 힘쓸맥 힘써 함. '距躍三―'《左傳》.

字源 形聲. 一+白〔音〕

參考 금전의 기재(記載) 등에서, 고쳐 쓰지 못하게 陌(阜부 6획〈1613〉)을 빌려 씀.

白 1 〔皀〕 6 가 ㊁麻 | qié カ ちめい

字解 ①땅이름가 '築十―城, 及開―, 名平戎道'《宋史》. ②성가 성(姓)의 하나.

白 2 〔皁〕 7 조 ㊤晧 | zào ソウ しもべ

字解 ①하인조 심부름꾼. 또, 천한 일을 하는 사람. 종. '―隸'. '士臣―, ―臣輿, 輿臣隸'《左傳》. ②검정조, 검을조 흑색. 흑색임. '―巾'. '中山―白太多'《北史》. ③검은비단조 흑색의 견직물. '身衣―綈'《漢書 註》. ④쭉정이조 잘 여물지 않은 벼나 보리의 열매. '既方既―'《詩經》. ⑤상수리조, 도토리조 '宜―物'《周禮》. ⑥외양간조, 마구간조 '編之以―棧'《莊子》. ⑦구유조, 마판조 마소의 먹이를 담는 그릇. 또, 마구간에 깐 널빤지. '―櫪'. '與牛驥同―'《史記》. ⑧말열두필조 말의 삼승(三乘). 곧, 열두 마리의 일컬음. '三乘爲―'《周禮》.

字源 形聲. 丿+早〔音〕

白 2 〔皂〕 7 皁(前條)의 俗字

白 2 〔皀〕 7 ㊀ 핍 ㊀緝 | bī ヒュウ かんばしい / ㊁ 급 ㊀緝 | jí キュウ かんばしい / ㊂ 벽 ㊀職 | ヒョク かんばしい / ㊃ 향 ㊁陽 | キョウ·コウ かんばしい

字解 ㊀ ①향기로울핍 곡물(穀物)의 좋은 향기. '―, 穀之馨香也'《說文》. ②낟알핍 곡식의 한 알. '―, 一粒'《廣韻》. ㊁ 향기로울급, 낟알급 ㊀과 뜻이 같음. ㊂ 향기로울벽, 낟알벽 ㊀과 뜻이 같음. ㊃ 향기로울향, 낟알향 ㊀과 뜻이 같음.

字源 會意. 白+匕

白 2 〔皃〕 7 〔모〕 貌(豸부 7획〈1381〉)와 同字

白 2 〔𣅳〕7 〔향〕 香(部首〈1732〉)의 古字

〔帛〕〔백〕 巾부 5획(331)을 보라.

白 3 〔的〕8 [中·人] 적 [入]錫 | dì テキ まと

[筆順] ′ 亻 白 白 白 的 的 的

[字解] ①과녁적 활를 쏘는 목표. '射─'. '矢道同─'《漢書》. ②목표적 표준. '目─'. '天下以爲準─'《後漢書》. ③참적 진실. '林恐或非眞─'《魏志》. ④밝을적 환히 나타나는 모양. '小人之道, ─然而日亡'《中庸》. ⑤고울적 선명한 모양. '─歷'. '宜笑─皪'《司馬相如》. ⑥적실할적 꼭 그러함. 확실함. '─確'. ⑦꼭적 틀림없이. 확실히. '─無官職趁人來'《白居易》. ⑧의적 속어(俗語)에서, 형용 조사(助辭)로 쓰임. '好─'. '美─'. '知是行─主意, 行是知─功夫'《傳習錄》. ⑨《韓》주로 한어(漢語) 밑에 받치어, '…와 같은', '…성(性)의', '…에 관한', '…상(上)'의 등의 뜻의 관형어를 만듦. '美─' '科學─'.

[字源] 形聲. 日＋勺〔音〕

白 3 〔皔〕8 한 [上]旱 [去]翰 | hàn カン しろい

[字解] 흴한 흰 모양. '璀璨皓─, 華瑠四乘'《張協》.

[參考] 皔(白부 7획〈826〉)과 同字.

白 4 〔皇〕9 [中·人] 황 [平]陽 | huáng コウ きみ

[筆順] ′ 亻 白 白 白 皀 皇 皇

[字解] ①임금황 황제. '三─五帝'. '─王維辟'《詩經》. ②클황 굉장히 큼. '─天'. '惟─上帝'《書經》. ③훌륭할황 썩 아름다움. '思─多士'《詩經》. ④바를황, 바로잡을황 '四國是─'《詩經》. ⑤엄숙할황 장엄함. '賓入門─'《儀禮》. ⑥관황 상부(上部)에 깃의 장식이 있는 관(冠). '有虞氏─而祭'《禮記》. ⑦벽없는방황 '列坐堂─上'《漢書》. ⑧춤황 오색(五色)의 깃을 가지고 추는 춤. '敎─舞'《周禮》. ⑨겨를황 遑(辵부 9획〈1501〉)과 同字. '不─啓處'《左傳》. ⑩봉황황 凰(几부 9획〈96〉)과 同字. '鳳─來儀'《書經》. ⑪성황 성(姓)의 하나.

[字源] 形聲. 白＋王〔音〕

白 4 〔皅〕9 파 ①②[平]麻 ③[去]禡 | pā ハ しろい bà ハ しんでないいろ

[字解] ①흴파 꽃이 흼. '─, 艸華之白也'《說文》. ②많을파 '──'는 많은 모양. '紛紛──, 蓋言多也'《說文 段注》. ③참답지않은빛파 '─, 色不眞也'《集韻》.

[字源] 形聲. 白＋巴〔音〕

白 4 〔皈〕9 〔귀〕 歸(止부 14획〈605〉)와 同字

白 4 〔皆〕9 [中·人] 개 [平]佳 | jiē カイ みな

[筆順] 一 ト ト' 比 比 比 皆 皆

[字解] ①다개 모두. '悉─'. '人─謂, 卿但知經術, 不曉時務'《宋史》. ②두루미칠개 골고루 미침. '降福孔─'《詩經》. ③성개 성(姓)의 하나.

[字源] 會意. 比＋白

白 4 〔皀〕9 〔기〕 氣(气부 6획〈623〉)의 古字

白 4 〔皃〕9 발 [入]曷 | pō ハツ あわいしろいろ

[字解] 엷게흴발 엷게 흼.

白 4 〔皂〕9 〔음〕 陰(阜부 8획〈1617〉)의 古字

白 4 〔皅〕9 파 [平]麻 | pā ハ みだれるさま

[字解] 어지러울파 뒤섞이어 어지러움. 복잡하고 어지러움.

白 5 〔𤽄〕10 〔신〕 申(田부 部首〈795〉)의 古字

白 5 〔皋〕10 〔고〕 皐(白부 6획〈826〉)와 同字

白 5 〔皌〕10 〔곡〕 斛(斗부 7획〈491〉)의 訛字

白 5 〔皊〕10 〔령〕 皊(白부 24획〈828〉)과 同字

白 5 〔皌〕10 말 [入]曷 | mò バツ うすいしろいろ

[字解] 흴말 흼. 엷은 백색. '皃─'.

白 5 〔皕〕10 〔백〕 白(部首〈824〉)과 同字

白 5 〔皉〕10 ㊀자 [上]薺 | cǐ セイ しろい ㊁차 [上]紙 | シ あざやか

[字解] ㊀흴자 흼. ㊁선명할차 선명함. 옥빛이 선명함.

白6 〔皐〕 11 [人名] 고 [平]豪 | gāo コウ さわ

[筆順] 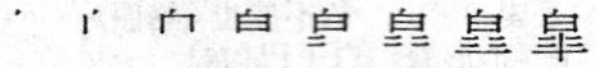

[字解] ①부르는소리고 느리고 길게 빼어 부르는 소리. '升屋而號, 告曰, 一某復'(지붕 위에 올라가, 죽은 사람의 영혼을 부르는 소리)《禮記》. ②느릴고 완만함. '魯人之一'《左傳》. ③명할고 시킴. '詔來瞽, 一舞'《周禮》. ④늪고 소택(沼澤). '鶴鳴于九一'《詩經》. ⑤물가고 수애(水涯). '牧隰一'《左傳》. ⑥높을고 '天子一門'《禮記》. ⑦오월고 5월의 이칭(異稱). '五月爲一'《爾雅》. ⑧성고 성(姓)의 하나.
[字源] 象形. 흰 머리뼈와 네발 짐승의 주검을 본뜸.
[參考] 皋(白부 5획〈825〉)는 同字.

白6 〔皎〕 11 교 [上]篠 | jiǎo キョウ しろい

[字解] ①흴교, 깨끗할교 흼. 또, 깨끗함. '一潔'. '一一白駒'《詩經》. ②밝을교 달빛 같은 것이 희게 빛나 밝음. '一月'. '月出一兮'《詩經》. ③성교 성(姓)의 하나.
[字源] 形聲. 白+交〔音〕

白6 〔皃〕 11 〔두〕 兜(儿부 9획〈84〉)와 同字

白6 〔皊〕 11 〔력〕 皪(白부 15획〈827〉)과 同字

白6 〔皏〕 11 팽 [上]梗 | pěng ホウ しろい

[字解] ①흴팽 흼. ②엷은빛팽 엷은 빛깔.

白7 〔皕〕 12 [一] 벽 [入]職 | bì ヒョク にひゃく
[二] 비 [去]寘 | bì ヒ にひゃく

[字解] [一] 이백벽 백(百)의 두 배. [二] 이백비 [一]과 뜻이 같음.
[字源] 會意. 百+百

白7 〔皓〕 12 [人名] 호 [上]晧 | hào コウ しろい

[筆順] 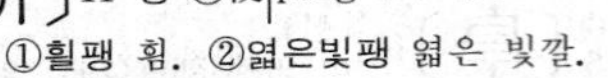

[字解] ①흴호, 깨끗할호 희고 깨끗함. '一齒'. '鬚眉一白'《史記》. ②밝을호 달빛 같은 것이 희게 빛나 밝음. '一月'. '月出一兮'《詩經》. ③하늘호 昊(日부 4획〈501〉)와 통용(通用). '一天不復'《荀子》. ④성호 성(姓)의 하나.
[字源] 形聲. 白+告〔音〕

白7 〔皖〕 12 환 ①②[上]潸 | wǎn カン みょうじょう
③[平]寒 | wǎn カン ちめい

[字解] ①밝은별환 '一, 明星'《廣韻》. ②밝은 모양환 '一明皃'《集韻》. ③땅이름환 춘추시대(春秋時代)의 지명. 현재의 안휘성(安徽省) 여주부(廬州府)에 있으므로, 안휘성을 '一省'이라고도 함.
[字源] 形聲. 白+完〔音〕
[參考] 晥(日부 7획〈508〉)과 同字.

白7 〔皔〕 12 한 [上]旱 [去]翰 | hàn カン しろい

[字解] 흴한 흰 모양. 皯(白부 3획〈825〉)과 同字. '一, 白也'《廣韻》.

白8 〔皙〕 13 석 [入]錫 | xī セキ しろい

[字解] ①흴석 사람의 피부가 흼. '白一'. '其民一而瘠'《周禮》. ②대추나무석 대추나무의 일종. '一, 無實棗'《爾雅》.
[字源] 形聲. 白+析〔音〕

白9 〔皛〕 14 〔주〕 皭(白부 14획〈827〉)와 同字

白10 〔皛〕 15 효 [上]篠 | xiǎo キョウ あらわれる

[字解] ①나타날효 환히 드러남. '虛一滴德'《潘岳》. ②흴효 하얌. '沆瀁一溔'《郭璞》.
[字源] 會意. 白+白+白. '白백'을 셋 합쳐서, 온통 희다, 밝다의 뜻을 나타냄.

白10 〔皚〕 15 애 [平]灰 | ái ガイ しろい

[字解] 흴애 서리나 눈이 흰 모양. '漂積雪之一一兮'《劉歆》.
[字源] 形聲. 白+豈〔音〕

白10 〔皜〕 15 [一] 고 [上]晧 | hào コウ しろい
[二] 호 [上]晧 | hào コウ しろい

[字解] [一] 흴고 빛이 하얌. '一身朱足'《隋書》. [二] 흴호 [一]과 뜻이 같음.
[字源] 形聲. 白+高〔音〕

白10 〔皠〕 15 학 [入]覺 | hé カク しろい

[字解] 흴학 새의 털이 하얀 모양. '一一白鳥'《何晏》.
[字源] 形聲. 白+隺〔音〕

白10 〔皝〕 15 황 [上]養 | huàng コウ きのさま

[字解] ①엄숙할황 기운의 모양. '一, 氣容貌'《康熙字典》. ②사람이름황 '一, 闕, 人名'《集韻》.
[字源] 形聲. 皇+光〔音〕

白10 〔皞〕 15 호 [上]晧 | hào コウ しろい

[字解] ①힐호 하얌. ②밝을호 환함. ③자적할호 편안하여 만족한 모양. '王者之民, ——如也'《孟子》. ④성호 성(姓)의 하나.
[字源] 形聲. 白+皋〔音〕
[參考] 皞(白부 11획〈827〉)·皡(白부 12획〈827〉)와 同字.

〔魄〕〔백〕
鬼부 5획(1782)을 보라.

白10〔晳〕15 〔체〕
替(曰부 8획〈519〉)와 同字

白10〔皍〕15 〔창〕
艙(舟부 10획〈1115〉)과 同字

白11〔皠〕16 최 [上]賄|cuì サイ しろい
[字解] 흴최 특히, 눈이나 서리의 빛이 하얌. '一霜'. '繽翻落羽一'《韓愈》.
[字源] 形聲. 白+崔〔音〕

白11〔皞〕16 〔호〕
皥(白부 10획〈826〉)와 同字

白11〔皟〕16 책 [入]陌|zé サク きよい
[字解] ①맑을책 깨끗함. '一, 淨也'《集韻》. ②흴책 새하얀 빛. 몹시 흼. '一, 深白也'《字彙》. ③파리할책 여윔. '一, 瘠也'《字彙》.
[字源] 形聲. 白+責〔音〕

白12〔皤〕17 파 [平]歌|pó ハ しろい
[字解] ①흴파 빛이 하얌. '賁如一如'《易經》. ②불룩할파 배가 큰 모양. '一其腹'《左傳》.
[字源] 形聲. 白+番〔音〕

白12〔皣〕17 〔엽〕
皣(白부 15획〈827〉)과 同字

白12〔皡〕17 〔호〕
皥(白부 10획〈826〉)와 同字

白12〔皢〕17 효 [上]篠|xiǎo キョウ ひのしろいひかり
[字解] ①해의흰빛효 '一, 日之白也'《說文》. ②흴효 '一, 白也'《廣雅》. ③밝을효 '一, 明也'《玉篇》.
[字源] 形聲. 白+堯〔音〕

白12〔皥〕17 〔위〕
皬(白부 16획〈827〉)와 同字

白13〔皦〕18 교 [上]篠|jiǎo キョウ しろい
[字解] ①흴교 하얗게 빛나 밝음. '有如一日'《詩經》. ②밝을교 명백함. '一如也'《論語》.
[字源] 形聲. 白+敫〔音〕

白13〔皭〕18 〔령〕
皭(白부 24획〈828〉)과 同字

白13〔皧〕18 애 [去]隊|ài アイ きよい
[字解] ①맑을애 맑음. 깨끗함. ②하얀색애 흰빛.

白14〔皨〕19 몽 [平]東 [上]董|měng モウ しろいかび
[字解] 흰곰팡이몽 물건 위에 골마지같이 앉는 흰 곰팡이. '一, 物上白醭'《集韻》.

白14〔皩〕19 [一]주 [平]尤|chóu チュウ たれ
[二]수 [平]尤|シュウ·ジュ たれ
[字解] [一] 누구주 어느 사람. 疇(田부 14획〈803〉)와 同字. [二] 누구수 [一]과 뜻이 같음.
[字源] 形聲. 篆文은 白+𠷎〔音〕

白14〔皪〕19 룡 [平]東|lóng リュウ さゆうのちいさいもん
[字解] 좌우의소문룡 좌우의 작은 문. '一歷'.

白15〔皣〕20 [一]엽 [入]葉|yè ヨウ しろいはな
[二]읍 [入]緝|ユウ しろいはな
[字解] [一] ①꽃흴엽 꽃이 흰 모양. ②밝을엽 '一, 明也'《字彙》. ③빛고울엽 빛깔이 고움. '一, 光華盛也'《同文擧要》. [二] 꽃흴읍, 밝을읍, 빛고울읍 [一]과 뜻이 같음.
[字源] 會意. 蕐+白

白15〔皪〕20 력 [入]錫|lì レキ あきらか
[字解] 고울력 '的一'은 희고 고운 모양. '丹藕凌波而的一'《左思》.
[字源] 形聲. 白+樂〔音〕

白15〔皫〕20 표 [上]篠|piǎo ヒョウ しろい
[字解] ①흴표 하얌. ②까칠할표 퇴색하여 윤기(潤氣)가 없음. '鳥一色而沙鳴貍'《周禮》.

白16〔皬〕21 위 [上]紙|wěi イ はな
[字解] 꽃위 초목의 꽃. '王服烏羅冠, 飾以金一'《唐書》.

白16〔皬〕21 학 [入]藥|hé カク しろい

字解 흴학 하얀 모양. '一然白首'《史記》.
字源 形聲. 白＋霍〔音〕

白16〔皪〕21 〔력〕
皪(白부 15획〈827〉)과 同字

白17〔皣〕22 〔엽〕
皣(白부 15획〈827〉)의 本字

白17〔皭〕22 〔령〕
皭(白부 24획〈828〉)과 同字

白18〔皭〕23 작 ⓐ藥 jiào シャク しろい
字解 ①흴작 하얌. ②깨끗할작 결백한 모양. '一然泥而不滓者也'《史記》.
字源 形聲. 白＋爵〔音〕

白20〔皭〕25 당 ⓤ養 tǎng トウ あきらか
字解 ①밝을당 밝음. ②흰빛당 흰빛.

白24〔皭〕29 령 ⓟ青 líng レイ しろいいろ
字解 흰빛령 흰빛. 皊(白부 5획〈825〉)·皭(白부 13획〈827〉)·皭(白부 17획〈828〉)과 同字.

皮 部
〔가죽피부〕

皮0〔皮〕5 中·人 피 ⓟ支 pí ヒ かわ
筆順 丿 厂 广 皮 皮
字解 ①가죽피 동물의 표피. 또, 털이 붙어 있는 동물의 가죽. '一膚'. '一革'. '秋斂一'《周禮》. ②껍질피 식물의 표피. '果一'. '木一三寸, 氷厚六尺'《鼂錯》. ③겉피 거죽. '地一'. 전(轉)하여, 얇은 것의 형용. '銅一'. '以目一相, 恐失天下之能士'《史記》. ④과녁피 거죽을 가죽으로 싼 과녁. '射不主一'《論語》. ⑤껍질벗길피 껍질을 벗겨 냄. '一面抉眼'《戰國策》. ⑥성피 성(姓)의 하나.
字源 象形. 짐승의 가죽을 벗겨 내는 모양을 본떠, '가죽'의 뜻을 나타냄.

皮2〔皯〕7 쟁 ⓤ梗 zhěng トウ·チョウ ひふがひきつる
字解 살가죽땅길쟁 피부가 땅기는 모양. '一, 一膚急皃'《集韻》.

皮3〔皯〕8 간 ⓤ旱 gǎn カン つらかわのうすぐろいこと
字解 기미낄간 병 또는 괴로움으로 얼굴에 기미가 나거나 거무데데함. '燋然肌色一䵟'《列子》.
字源 形聲. 皮＋干〔音〕

皮3〔皯〕8 皯(前條)과 同字

皮3〔皵〕8 환 ⓟ寒 huān カン ひふびょう
字解 ①피부병환 '一, 皮病'《廣韻》. ②전동환 '皾一'은 화살을 넣는 통.

皮3〔皰〕8 박 ⓐ覺 báo ハク にくがはれあがる
字解 ①살부풀박 살가죽이 부어 오름. ②살가죽터질박 살가죽이 찢어짐.

皮3〔皰〕8 皰(前條)과 同字

皮4〔皻〕9 피 ⓤ紙 pī ヒ ひらきはる
字解 ①벌릴피 개장(開張)함. '一, 開張也'《字彙》. ②입벌릴피 입을 딱 벌리는 모양.

皮4〔皻〕9 피 ⓟ支 ⓤ紙 pī ヒ ひび
字解 금피 그릇이 금이 간 것. '器破而未離, 南楚之間謂之一'《揚子方言》.

皮4〔皻〕9 비 ⓠ寘 bì ヒ あさのかわをはぐ
字解 ①삼모시껍질벗길비 '一, 劈麻苧一頭也'《字彙》. ②주름펴지지않을비 주름이 펴지지 않음. 쪼그라짐. '一, 皺不伸也'《字彙》.

皮4〔皻〕9 파 ⓟ麻 bā ハ ざくろばな
字解 ①주부코파 비사증(鼻皶症). '一皶'. ②흉질파 흉짐.

皮5〔皰〕10 포 ⓠ效 pào ホウ にきび
字解 여드름포 주로 청년 남녀의 얼굴에 나는 수포(水疱) 모양의 작은 부스럼. 면창(面瘡). '潰小一而發痤疽'《淮南子》.
字源 形聲. 皮＋包〔音〕

皮5〔皻〕10 민 ⓤ軫 mǐn ビン·ミン きめよい
字解 살결고울민 살결이 고움. '皮理細, 一一'《玉篇》. '一, 細理也'《集韻》.

皮5 〔皺〕10 〔추〕皺(皮부 10획〈830〉)의 俗字·簡體字

皮5 〔皵〕10 자 [去]寘|zhì シ しわよる
[字解] 가죽오그라질자 가죽이 펴지지 않음. '一, 皮不展也'《集韻》.

皮5 〔皌〕10 〔말〕
韈(韋부 15획〈1678〉)과 同字

皮5 〔皧〕10 ㊀영 [平]庚 ㊁앙 [去]漾|エイ あおいさま yàng ヨウ かおがあおい
[字解] ㊀①푸를영 푸른 모양. ②창백할영 창백함. ㊁①창백할앙 ㊀②와 뜻이 같음. ②청혈앙 검푸른 피. 정맥의 피.

皮5 〔皪〕10 ㊀탁 [入]陌|chè タク しわ ㊁력 [入]陌|lè レキ せい
[字解] ㊀주름살탁. ㊁성력 성(姓)의 하나.

皮5 〔皻〕10 추 ①[平]虞 ②[上]語|cū ソ ひび ショ ひび
[字解] ①살갗틀추 살갗이 틈. ②피부갈라질추 추위로 피부가 갈라짐.

皮6 〔皴〕11 순 [平]眞|xún シュン あかぎれ
[字解] 틀순 손발의 살이 추위에 튼 것. '足坼曰一'《集韻》.

皮6 〔皵〕11 길 [入]質|jí キツ かわがくろい
[字解] 가죽검을길 가죽이 검음. 또, 검은 가죽. '一, 皮黑也'《類篇》.

皮6 〔皶〕11 귀 [去]寘|guì キ つかれる
[字解] 느른할귀 피곤함. 劸(力부 4획〈113〉)와 同字.

皮7 〔皴〕12 준 [平]眞|cūn シュン しわ, あかぎれ
[字解] ①틀준 피부가 얼어 터짐. '執筆觸寒, 手爲一裂'《梁書》. ②주름준 피부 같은 것의 잔줄이 진 금. '一皺'. '皮一皵以龍鱗'《鄒浩》. ③주름잡힐준 주름이 짐. '髮白更面一'《歐陽修》. ④준법준 화법(畫法)의 하나. 산악·암석 등의 굴곡·중첩(重疊) 및 의복의 주름 등을 그리는 법. '一法董源麻皮一, 范寬雨點一'《妮古錄》.
[字源] 形聲. 皮+夋〔音〕

皮7 〔皯〕12 한 [去]翰|hàn カン ゆごて
[字解] 팔찌한 활 쏠 때 소매를 걷어 싸매는 가죽 제구. 捍(手부 7획〈444〉)과 同字. '射韝, 謂之一'《集韻》.

皮7 〔皻〕12 솝 [入]洽|zhǎ ソウ しわのよったさま
[字解] 쭈글쭈글할솝 '皺一'은 노인의 살갗이 주름이 잡혀 쭈글쭈글한 모양. '皺一, 老人皮膚皃'《集韻》.

皮7 〔皵〕12 탈 [入]曷|chuò タツ かわがむける
[字解] ①가죽벗어질탈 '一, 皮剝也'《集韻》. ②가죽터질탈 '一, 皮壞也'《集韻》.

皮7 〔皺〕12 〔구〕
毬(毛부 7획〈618〉)와 同字

皮7 〔皶〕12 설 [入]屑|xué セツ かれる
[字解] ①마를설 말라 시듦. '一, 枯也'《廣韻》. ②잡아뜯을설 가죽을 잡아 뜯음. '一, 撮取皮也'《集韻》.

皮7 〔皵〕12 각 [入]覺|què カク かわのかわくさま
[字解] 가죽마를각 가죽이 마름.

皮8 〔皵〕13 작 [入]藥|què シャク しわ
[字解] 주름작 피부의 잔줄이 진 금.

皮8 〔皷〕13 전 [上]銑|diǎn テン はれあがるさま
[字解] 부르틀전 가죽이 부풀어오름. '一, 皮起也'《篇海》.

皮8 〔皻〕13 흠 [上]寢|qǐn キン かわのあついさま
[字解] 가죽두툼할흠 가죽이 두꺼운 모양. '一, 皮厚皃'《廣韻》.

〔頗〕〔파〕
頁부 5획(1686)을 보라.

皮9 〔皸〕14 군 [平]文|jūn クン ひび
[字解] 틀군 피부가 얼어 터짐. '一裂'. '將軍士寒, 手足一瘃'《漢書》.
[字源] 形聲. 皮+軍〔音〕

皮9 〔皾〕14 두 [上]麌|dù ト くわのしろいかわ
[字解] 흰뽕나무껍질두 뽕나무의 흰 껍질. 杜(木부 3획〈528〉)와 통용. '一, 桑白皮, 今作杜'《玉篇》.

皮 9 〔皶〕14 〔사〕
皻(皮부 11획〈830〉)와 同字

皮 9 〔皷〕14 〔고〕
鼓(部首〈1873〉)의 俗字

皮 9 〔⿱封皮〕14 봉 [上]董 | bĕng ホウ こどものかわぐつ
[字解] 꺽두기봉 어린아이의 가죽 신. 또, 모시로 삼은 미투리. ⿰糹封(糸부 9획〈1004〉)과 同字.

皮 9 〔⿰耷皮〕14 답 [入]合 | dā トウ やせてかわがたるむ
[字解] ①살갗느슨할답 여위어 살갗이 느슨함. ②비린내날답 비린내. 누린내가 남.

皮 10 〔皺〕15 추 ①②[去]宥 | zhòu シュウ しわ
③[平]尤 | zhōu シュウ いが
[字解] ①주름추 피부 같은 데 잔줄이 진 금. '爛漫堆衆一'《韓愈》. ②주름잡힐추 주름이 짐. '面一髮欲疎'《黃庭堅》. ③밤송이추 밤알의 덧껍데기. '新蟬避栗一'《貫休》.
[字源] 形聲. 皮＋芻〔音〕

皮 10 〔⿰麻皮〕15 마 [平]麻 | má バ くちをとじる
[字解] 입다물마 입을 다무는 모양.

皮 10 〔⿰差皮〕15
[一] 추 [去]寘 | cuǒ スイ とりはだ
[二] 차 [平]歌 | cuǒ サ とりはだ
[三] 조 [去]號 | cāo ソウ うすづかないでもみのまじっているこめ
[字解] [一] 소름끼칠추 몸에 좁쌀 같은 것이 생겨 꺼끌꺼끌한 피부. '一, 膚如粟'《集韻》. [二] 소름끼칠차 [一]과 뜻이 같음. [三] 매조미쌀조 아직 곱게 찧지 않아 뉘가 섞인 쌀. 糙(米부 11획〈975〉)와 통용. '一, 米穀雜'《廣韻》.

皮 10 〔⿰旁皮〕15 방 [平]陽 | bāng ホウ はきもののへりをつくろう
[字解] 신돌이할방 신의 가장자리를 꾸밈.

皮 10 〔⿰壳皮〕15 확 [入]覺 | què カク たまごがかえる
[字解] ①알깰확 알이 부화(孵化)함. '一, 卵孚也'《集韻》. ②껍데기확 물건의 껍질. '一, 一曰, 物之孚甲'《集韻》.

皮 10 〔⿱能皮〕15 〔비〕
羆(网부 14획〈1032〉)의 古字

皮 11 〔⿱肉皮〕16 추 [去]宥 | zhòu シュウ·シュ かわがちぢむ
[字解] 가죽오그라들추 가죽이 줄어듦. '一, 皮縮'《字彙補》.

皮 11 〔⿰皮曼〕16 만 [上]阮 | wǎn バン·マン かわがむける
[字解] 가죽벗어질만 겉가죽이 벗어짐. ⿰曼皮(次條)과 同字. '一, 博雅, 離也, 謂皮脫離'《集韻》.

皮 11 〔⿰曼皮〕16 만 [平]寒 | wǎn バン·マン かわ
[字解] ①가죽만 '一, 皮也'《集韻》. ②가죽벗어질만 ⿰皮曼(前條)과 同字.

皮 11 〔皻〕16 사 [平]麻 | zhā サ にきび
[字解] ①여드름사 주로 청년 남녀의 얼굴에 나는 수포상(水疱狀)의 작은 부스럼. 면창(面瘡). '勞汗當風, 寒薄爲一'《素問》. ②비사증사 얼굴 특히 코에 붉은 점이 생기는 병증. '酒一鼻'.
[字源] 形聲. 皮＋虘〔音〕

皮 11 〔⿰鹿皮〕16 록 [入]屋 | lù ロク けもののかわにもようのあるさま
[字解] 짐승몸얼룩얼룩할록 짐승의 몸이 얼룩얼룩한 모양.

皮 11 〔⿰皮嗇〕16 치 [平]支 | zī シ たこ
[字解] 굳은살치 굳은살.

皮 11 〔⿰畢皮〕16 필 [入]質 | bì ヒツ えをかいたかわ
[字解] ①슬갑필 폐슬(蔽膝). ②그림그린가죽필 그림을 그린 가죽.

皮 13 〔皽〕18 전 [上]銑 | zhǎn テン うすかわ
[字解] 박막전 피부의 얇은 꺼풀. '濯手以摩之, 去其一'《禮記》.
[字源] 形聲. 皮＋亶〔音〕

皮 13 〔⿱𦥯皮〕18 학 [入]覺 | xué カク かわがかわく
[字解] 가죽마를학 가죽이 마름.

皮 14 〔⿸厭皮〕19 염 [上]琰 | yǎn エン かさぶた
[字解] 딱지염 상처에 앉은 딱지. '一, 瘍痂也'《集韻》.

皮 14 〔⿰需皮〕19 연 [上]銑 | rǎn ゼン なめしがわ
[字解] 다룸가죽연 무두질한 가죽.

皮 15 〔皾〕 20 독 ㊀屋 | dú トク なめらか

字解 ①반드러울독 미끄러움. '一, 滑也'《廣韻》. ②활집독 활을 넣어 두는 자루. 궁대(弓袋). '一, 貯弓器'《玉篇》. ③전동독 활의 살을 넣는 통. 韇(革부 15획〈1672〉)과 同字.

皮 15 〔⿰皮賣〕 20 皾(前條)과 同字

皮 15 〔⿰暴皮〕 20 박 ㊀覺 | báo ハク はれる

字解 ①부르틀박 ㉠살이 부풀어 오름. '一, 亦作爆. 肉膹起也'《玉篇》. ㉡살갗이 부풀어 오름. '一, 一皱, 皮起'《廣韻》. ②가죽터질박 '一, 一曰, 皮破也'《康熙字典》. ③부풀어오를박 '一, 墳起也'《集韻》.

皮 15 〔⿰巤皮〕 20 랍 ㊀合 | là ロウ やせてかわがたるむ

字解 살갗느슨할랍 여위어 살갗이 느슨한 모양.

皮 16 〔⿰盧皮〕 21 ㊀ 려 ㊉魚 | lú リョ かわ ㊁ 로 ㊉虞 | ロ はなれる

字解 ㊀ 가죽려 뱃가죽. ㊁ 떨어질로 떨어짐. 사이가 뜸.

皮 19 〔⿰繭皮〕 24 견 ㊤銑 | jiǎn ケン はれる

字解 ①부을견 부음. ②굳은살견 굳은살. ③상처날견 발가락 마디에 상처가 남.

皿 部

〔그릇명부〕

皿 0 〔皿〕 5 명 ㊤梗 | mǐn(mǐng) ベイ·ミョウ さら

筆順 丨 冂 冂 罒 皿

字解 그릇명 기명(器皿). '於文一蟲爲蠱'《左傳》.

字源 象形. 음식을 담는 접시를 본뜸.

參考 '皿명'을 의부(意符)로 하여, 여러 가지 종류의 접시나 접시에 담는 일에 관한 문자를 이룸. 부수 이름은 '그릇명밑'.

皿 2 〔盀〕 7 기 ㊤紙 | qǐ キ うつわ

字解 ①그릇기 그릇. ②사람이름기 사람이름. '崇一'《宋史》.

皿 3 〔盂〕 8 우 ㊉虞 | yú ウ わん

字解 ①사발우 음식을 담는 그릇. '酒一一'《史記》. ②진이름우 사냥할 때의 진형(陣形)의 이름. '宋公爲右一, 鄭伯爲左一'《左傳》. ③성우 성(姓)의 하나.

字源 形聲. 皿+于(丂)〔音〕

參考 ⿱干皿(皿부 3획〈831〉)은 別字.

皿 3 〔⿱亐皿〕 8 盂(前條)의 本字

皿 3 〔⿱亏皿〕 8 盂(前前條)와 同字

皿 3 〔⿱干皿〕 8 간 ㊉寒 | gān カン さら

字解 ①접시간, 쟁반간 음식을 담는 납작한 그릇. '一, 博雅, 謂之盤'《集韻》. ②큰바리간 큰 밥그릇. '一, 又大盌名'《廣韻》.

參考 盂(皿부 3획〈831〉)는 別字.

皿 3 〔⿱亡皿〕 8 망 ㊆漾 | màng ボウ·モウ とりとめない

字解 맹랑할망 '一浪'은 엉터리임. '孟, 孟浪, 不精要皃. 或作一'《集韻》.

〔孟〕 〔맹〕 子부 5획(271)을 보라.

皿 4 〔盃〕 9 人名 배 ㊉灰 | bēi ハイ さかずき

筆順 一 ア 不 不 不 否 盃 盃

字解 잔배 杯(木부 4획〈530〉)의 俗字. '貯一盃一筒'《唐書》.

皿 4 〔盆〕 9 人名 분 ㊉元 | pén ボン はち

筆順 ノ 八 分 分 分 岔 盆 盆

字解 ①동이분 물·술 같은 것을 담는 질그릇. '傾一'. '戴一'. '陶人爲一'《周禮》. ②성분 성(姓)의 하나.

字源 形聲. 皿+分〔音〕

皿 4 〔盈〕 9 人名 영 ㊉庚 | yíng エイ みたす, みちる

筆順 ノ 乃 乃 夃 夃 盈 盈 盈

字解 ①찰영 충만함. '一虛'. '有酒一樽'《陶潛》. ②남을영 한도 밖에 더 있음. '進退一縮'《史記》. ③성영 성(姓)의 하나.

字源 會意. 皿+乃+又

皿 4 〔⿱兮皿〕 9 혜 ㊉齊 | xī ケイ ちいさいぼん

字解 방구리혜 작은 동이. '一, 小盆也'《五音集韻》.

皿4 〔盅〕9 충 ㊥東 zhōng チュウ むなしい
字解 빈그릇충 그릇 속에 아무것도 없음. '一, 器虛也'《說文》. '道一而用之'《老子》.
字源 形聲. 皿+中〔音〕

皿4 〔盄〕9 조 ㊥蕭 zhāo ショウ うつわ
字解 그릇조 '一, 器也'《說文》.
字源 形聲. 皿+弔〔音〕

皿4 〔盇〕9 〔합〕
盍(皿부 5획〈832〉)의 本字

皿4 〔盥〕9 〔관〕
盥(皿부 11획〈835〉)과 同字

皿5 〔益〕10 中·人 익 ㊇陌 yì エキ ます
筆順 ノ 八 䒑 亼 𠆢 谷 㕣 益 益
字解 ①더할익 보탬. '增一'. '一之以三怨'《國語》. ②더해질익 많아짐. '其家必日一'《呂氏春秋》. ③이로울익 도움이 됨. 유익함. '無一'. '一友'. ④많을익 넉넉함. '饒一'. ⑤이익 이득. '損一'. '利一'. ⑥더욱익 더욱더. '愈一'. '因其已知之理, 而一窮'《大學章句》. ⑦익괘익 육십사괘(六十四卦)의 하나. 곧, ☳〈진하(震下), 손상(巽上)〉. 위를 덜고 아래를 보태는 상(象). ⑧성익 성(姓)의 하나.
字源 象形. 접시에 음식을 수북이 담은 모양을 본뜸.

皿5 〔益〕10 益(前條)의 略字

皿5 〔盌〕10 완 ㊤旱 wǎn ワン はち
字解 주발완 椀(木부 8획〈556〉)과 同字. '以銀一酌酒'《吳志》.
字源 形聲. 皿+夗〔音〕

皿5 〔盍〕10 ㊀ 합 ㊇合 hé コウ あう
㊁ 갈 ㊇曷 kě カツ とりのな
字解 ㊀ ①모일합 합함. '朋一簪'《易經》. ②어찌아니할합 어찌 …하지 않느냐는 뜻. '何'와 '不'의 절음(切音)으로, 의문의 반어(反語)임. '一各言爾志'《論語》. ③성합 성(姓)의 하나. ㊁ 할단새갈 鶡(鳥부 9획〈1826〉)과 뜻이 같음. '一旦'.
字源 象形. 물건을 담은 접시에 뚜껑을 덮은 모양을 본뜸.

參考 盇(皿부 4획〈832〉)은 本字.

皿5 〔盎〕10 앙 ㊦漾 ㊤養 àng オウ ほとぎ
字解 ①동이앙 술 또는 물을 담는 그릇. '首戴瓦一'《後漢書》. ②넘칠앙 넘쳐 흐름. 뚜렷이 나타남. '睟然見於面, 一於背'《孟子》. ③성앙 성(姓)의 하나.
字源 形聲. 皿+央〔音〕

皿5 〔盋〕10 발 ㊇曷 bō ハツ わん
字解 사발발 식기(食器). '盂食器, 如一而大'《程大昌》.
字源 形聲. 皿+犮〔音〕
參考 鉢(金부 5획〈1555〉)과 同字.

皿5 〔盉〕10 화 ①㊦箇 ②㊥歌 hé カ あじをととのえる カ ごみをちょうわするのにもちいる うつわ
字解 ①조미할화 음식에 맛을 고르게 맞춤. '調聲曰龢, 調味曰一'《說文 段註》. ②양념그릇화 양념을 담는 그릇.
字源 形聲. 皿+禾〔音〕

皿5 〔氾皿〕10 범 ㊥鹽 ㊦陷 fàn ハン さかずき
字解 잔범 술잔. '一, 桮也, 自關而東, 趙魏之間, 或曰一'《揚子方言》.

皿5 〔监〕10 〔염〕 監(皿부 9획〈834〉)의 俗字·簡體字

皿5 〔盐〕10 〔염〕 鹽(鹵부 13획〈1844〉)의 簡體字

皿5 〔宁皿〕10 저 ㊤語 zhù チョ うつわ
字解 그릇저 '一, 器也'《說文》.
字源 形聲. 皿+宁〔音〕

皿5 〔必皿〕10 밀 ㊇質 mì ビツ よごれをぬぐいとるぐ
字解 더럼을닦아내는제구밀 솔같은 더럼을 닦아내는 연모. '一, 拭器也'《說文》.
字源 形聲. 皿+必〔音〕

皿5 〔𥁕〕10 온 ㊥元 wēn オン おもいやりがある
字解 ①어질온 '一, 仁也'《說文》. ②온화할온 '一, 和也'《玉篇》.
字源 會意. 囚+皿

皿5 〔疋皿〕10 아 ㊤馬 yǎ ガ さかずき

[字解] 잔아 술잔. '一, 桮也. 秦晉之郊, 謂之一'《揚子方言》.

皿 5 〔盁〕10 〔유〕 盍(皿부 6획〈833〉)와 同字

皿 6 〔盒〕11 합 [入]合 | hé ゴウ ふたもの

[字解] 합합 뚜껑이 있는 둥글넓적한 작은 그릇. '香一'.

[字源] 形聲. 皿＋合〔音〕

皿 6 〔盔〕11 회 [平]灰 | kuī カイ はち

[字解] ①바리회 '一, 鉢也'《玉篇》. ②투구회 '一, 俗呼首鎧曰一'《正字通》.

[字源] 形聲. 皿＋灰〔音〕

皿 6 〔盓〕11 우 [平]虞 | yū ウ めぐりながれる

[字解] 돌아흐를우 '盤一'는 물이 돌아 흐르는 모양. '盤一激而成窟'《木華》.

皿 6 〔盕〕11 권 [去]願 [去]霰 | juàn カン わん ケン わん

[字解] 나무바리권 나무로 만든 밥그릇. '盂, 海岱東齊北燕之間, 或謂之一'《揚子方言》.

皿 6 〔盍〕11 [一]유 [去]有 [上]有 [二]회 [平]灰 | yǒu ユウ みずくみようのちいさいかめ カイ みずくみようのちいさいかめ

[字解] [一]물뜨는그릇유 물 긷는데 쓰는 작은 항아리. '一, 小甌也'《說文》. [二]물뜨는그릇회 [一]과 뜻이 같음.

[字源] 形聲. 皿＋有〔音〕

皿 6 〔盗〕11 〔도〕 盜(皿부 7획〈833〉)의 俗字

皿 6 〔盖〕11 [人名] 〔개〕 蓋(艸부 10획〈1167〉)의 俗字·簡體字

[筆順] 丷 䒑 兰 羊 羊 盖 盖 盖

皿 6 〔盡〕11 〔진〕 盡(皿부 9획〈834〉)의 俗字

皿 6 〔盞〕11 〔잔〕 盞(皿부 8획〈834〉)의 俗字

皿 6 〔盘〕11 〔반〕 盤(皿부 10획〈835〉)의 簡體字

皿 6 〔盎〕11 안 [平]寒 | ān アン はち, わん

[字解] 큰바리안 '一, 一盨, 大盂也'《玉篇》.

皿 6 〔盛〕11 盛(次條)의 略字

皿 7 〔盛〕12 [中人] 성 ①②[平]庚 ③-⑦[去]敬 | chéng セイ わん, もる shèng セイ さかん

[筆順] ノ 厂 厅 成 成 成 盛 盛

[字解] ①그릇성 물건을 담는 그릇. '食粥於一'《禮記》. ②담을성 물건을 그릇에 담음. '于以一之, 維筐及筥'《詩經》. 또, 그릇에 담아 제사지내는 서직(黍稷) 따위. '犧牲粢一'《書經》. ③성할성 ㉠문화가 한창 발달하고 세상이 잘 다스려진 모양. '一世'. '堯舜之一, 尙書載之'《史記》. ㉡광대(廣大)한 모양. '一德'. '鬼神之爲德, 其一矣乎'《中庸》. ㉢한창인 모양. 강장(強壯)한 모양. '鼎一'. '一年'. '氣力方一'. ㉣번영하는 모양. '繁一'. '隆一'. '宗族富一'《晉書》. ㉤많아지는 모양. '衆一'. '學者滋一, 弟子萬數'《後漢書》. ㉥무성한 모양. '茂一'. '是月也, 樹木方一'《禮記》. ④성하게할성 전항(前項)의 타동사. '太后一氣而胥之入'《史記》. ⑤성하여질성 성하게 됨. 번성하여짐. '平者水停之一也'《莊子》. ⑥장하게여길성 탄미함. '一夏后之致美'《張衡》. '於斯爲一'《論語》. ⑦성성 성(姓)의 하나.

[字源] 形聲. 皿＋成〔音〕

皿 7 〔盜〕12 [高人] 도 [去]號 | dào トウ ぬすむ

[筆順] 氵 氵 氵 汸 次 盗 盗 盜

[字解] ①훔칠도 ㉠도둑질함. '一用'. '一器爲姦'《左傳》. ㉡부당한 수단을 써서 분수에 넘치는 것을 탐내어 얻음. '一名'. '一名字者, 不可勝數'《後漢書》. ②도둑질도 훔치는 일. '十歲便能爲一'《南史》. ③도둑도 물건을 훔치는 사람. '強一'. '刑一于市'《周禮》. ④도적도 ㉠비적(匪賊). ㉡사리를 꾀하는 간악한 자. '備他一之出入與非常也'《史記》. '君子信一, 亂是用暴'《詩經》.

[字源] 會意. 次＋皿

[參考] 盗(皿부 6획〈833〉)는 俗字.

皿 7 〔盄〕12 조 [去]嘯 | diào チョウ じょそうき

[字解] 김매는제구조 莜(艸부 6획〈1136〉)와 同字. '一, 草器, 與蓧同'《玉篇》.

皿 7 〔盟〕12 〔맹〕 盟(皿부 8획〈834〉)과 同字

皿7 〔盚〕12 구 ㊥尤 | qiú キュウ ふたもの

字解 ①뚜껑있는그릇구 뚜껑이 있는 그릇. '一, 俗以一爲盒名'《正字通》. ②성구 성(姓)의 하나.

皿7 〔𥁢〕12 〔궤〕 簋(竹부 11획〈953〉)의 本字

皿7 〔𥁣〕12 〔담〕 監(皿부 8획〈834〉)과 同字

皿7 〔𥁤〕12 〔보〕 簠(竹부 12획〈955〉)의 本字

皿7 〔𥁥〕12 아 ㊤馬 | yǎ ア もる

字解 ①담을아 그릇에 담음. '一, 盛也'《字彙補》. ②술잔아 '一, 酒器也'《海篇心鏡》.

皿8 〔盝〕13 록 ㊀屋 | lù ロク こす

字解 ①거를록 여과함. '淸其灰而一之'《周禮》. ②궤록 작은 궤. '納於小一'《宋史》.
字源 形聲. 皿＋彔〔音〕

皿8 〔盞〕13 잔 ㊤潸 | zhǎn サン さかずき

字解 잔잔 작은 술잔. '酒一'. '盃一'. '客喜而笑, 洗一更酌'《蘇軾》.
字源 形聲. 皿＋戔〔音〕

皿8 〔盟〕13 高·人 맹 (명本) ㊥庚 méng メイ ちかい ㊤梗 ㊦敬 mèng メイ ちめい

筆順 丨 冂 日 明 明 明 盟 盟

字解 ①맹세맹 옛날에, 희생(犧牲)으로 바친 피를 마시며 신명(神明)에게 장래에 위약을 하지 않겠다고 고하던 일. 후세에는, 널리 양자간에 약정하는 일로 쓰임. '一約'. '一可負耶'《左傳》. ②맹세할맹 전항(前項)의 동사. '一于蔑'《左傳》. ③땅이름맹 孟(子부 5획〈271〉)과 통용. '武王東觀兵, 至于一津'《史記》. ※本音 명.
字源 形聲. 血＋明〔音〕

皿8 〔𥁯〕13 몽 ㊥東 | méng ボウ うつわにみちるさま

字解 그릇에가득찰몽 '饛, 說文, 盛器滿皃, 或作一'《集韻》.

皿8 〔𥁰〕13 〔개〕 蓋(艸부 10획〈1167〉)의 本字

皿8 〔𥁱〕13 〔지〕 莯(艸부 8획〈1155〉)와 同字

皿8 〔𥁲〕13 〔권〕 棬(木부 8획〈555〉)과 同字

皿8 〔監〕13 〔담〕 醓(酉부 9획〈1538〉)과 同字

皿9 〔盡〕14 中·人 진 ㊤軫 | jìn, ③jǐn ジン つくす

筆順 ⺕ ⺕ 聿 聿 肀 盡 盡 盡

字解 ①다할진 ㉠죄다 없어짐. '勢窮力一'. '兵少食一'《史記》. ㉡끝남. '言一淚下'. '可以近一'《荀子》. ㉢극진(極盡)함. '心力備一'《隋書》. ㉣다 써 없앰. '竭一'. '終身用之, 有不能一者'《中庸章句》. ㉤힘을 다 들임. '一力'. '一忠報國'《宋史》. ㉥남김없이 말함. 자세히 함. '書不一言, 言不一意'《易經》. ㉦유루(遺漏)가 없게 함. 충분하게 함. '未有若是之明且一者也'《中庸章句》. ㉧다 없애 버림. '去疾莫如一'《左傳》. ②다진 모두. '周禮一在魯矣'《左傳》. ③가령진 '一道'는 '儘道'와 같으며, '縱令'의 속어(俗語)임. '相逢一道休管去'《謝靈運》. ④성진 성(姓)의 하나.
字源 會意. 聿＋皿
參考 尽(尸부 3획〈296〉)은 俗字.

皿9 〔𥂁〕14 盡(前條)의 本字

皿9 〔監〕14 高·人 감 ㊥咸 ①-⑤jiān カン みる ㊦陷 ⑥-⑨jiàn カン かがみ

筆順 一 丆 𦣝 臣 臣 𢀖 監 監

字解 ①볼감 위에서 내려다봄. '天一在下'《詩經》. ②살필감 살펴봄. 독찰함. '一督'. '周公使管叔一殷'《孟子》. ③옥감 감옥. '一房'. '雖與收一有異'《未信編》. ④비추어볼감 거울에 비춰 봄. '人無於水一'《書經》. ⑤거울삼을감 ㉠남의 잘못을 보고 경계로 삼음. '宜一于殷'《詩經》. ㉡본보기로 삼음. '周一於二代'《論語》. ⑥거울감 경계. 본보기. '殷一不遠'《漢書》. ⑦감찰감 독찰하는 사람. '守尉一'. '天子使其大夫爲三一'《禮記》. ⑧마을감 관청의 이름. '國子一'. '少府一'. ⑨성감 성(姓)의 하나.
字源 會意. 臣＋人＋皿

皿9 〔蠡〕14 ㊀려 ㊤薺 | lí レイ ひさご ㊁리 ㊤紙 | lí リ ひさご

字解 ㊀①표주박려 조롱박 따위로 만든 바가지. '一, 以瓢爲飮器也'《廣韻》. ②도시락

려 밥을 담아 꾸려 가지고 다니는 그릇. '一, 簞也'《廣韻》. ㊁ 표주박리, 도시락리 ■과 뜻이 같음.
字源 會意. 皿+彖

〔蓋〕〔개〕
艸부 10획(1167)을 보라.

皿 9 〔⿱畎皿〕14 혁 (入)錫 | xù ケキ やまのな
字解 산이름혁 '東南一町山'《漢書 注》.

皿 10 〔盤〕15 高·人 반 (平)寒 | pán バン ものをのせるだい
筆順 ⺆ 舟 舟 舟𠘧 般 盤 盤 盤
字解 ①소반반, 쟁반반 음식을 올려놓는 제구. '杯一'. '饋一飧寘璧'《左傳》. ②대야반 세수 같은 것을 하는 그릇. '湯之一銘'《大學》. ③대반 물건을 받치거나 올려놓는 제구. '見好燭一'《宋書》. ④칼코등이반 칼자루에 감은 쇠 테. '刃下數寸施鐵一'《經國雄略》. ⑤즐길반 般(舟부 4획〈1111〉)과 통용. '一樂'. '一遊無度'《書經》. ⑥돌반, 돌릴반 선회함. '一渦'. '一馬彎弓故不發'《韓愈》. ⑦서릴반 蟠(虫부 12획〈1247〉)과 통용. '一紆茀鬱'《司馬相如》. ⑧큰돌반 磐(石부 10획〈878〉)과 통용. '一石之宗'《漢書》. ⑨성반 성(姓)의 하나.
字源 形聲. 皿+般〔音〕

皿 10 〔⿱浦皿〕15 〔포〕
餔(食부 7획〈1719〉)의 籀文

皿 11 〔盥〕16 관 (去)翰 (上)旱 | guàn カン たらい, あらう
字解 ①대야관 세숫대야. '爰潔其一'《金史》. ②씻을관 손 따위를 씻음. '一櫛'. '雞初鳴, 咸一漱'《禮記》.
字源 會意. 臼+水+皿

皿 11 〔盦〕16 암 (平)覃 | ān アン ふた
字解 뚜껑암 그릇의 뚜껑. 복개(覆蓋). '周有交虬一'《博古圖》.
字源 形聲. 皿+酉+今〔音〕

皿 11 〔盧〕16 人名 로 (平)虞 | lú ロ めしびつ
筆順 ⺊ ⺊ 广 卢 虍 𧆨 盧 盧
字解 ①밥그릇로 반기(飯器). ②화로로 爐(火부 16획〈730〉)와 통용. '形如鍛一'《漢書 註》. ③목로로 술동이를 놓고 술을 파는 곳. 壚(土부 16획〈224〉)와 통용. '令文君當一'《漢書》. ④검을로 흑색. '一弓一矢'. '一弓一, 一矢百'《書經》. ⑤눈동자로 矑(目부 16획〈859〉)와 통용. '玉女無所眺其清一兮'《漢書》. ⑥개이름로 색이 검은 전국 시대(戰國時代) 한(韓)나라의 명견(名犬). '韓一'. ⑦창자루로 창(槍)의 자루. '侏儒扶一'《國語》. ⑧갈대로 蘆(艸부 16획〈1203〉)와 통용. '夫政也者蒲一也'《中庸》. ⑨성로 성(姓)의 하나.
字源 形聲. 皿+𧆨(虛)〔音〕

皿 11 〔盬〕16 고 (平)虞 | gǔ コ うつわ
字解 그릇고 '一, 器也'《說文》.
字源 形聲. 缶+皿+古〔音〕

皿 11 〔⿱朙皿〕16 〔맹〕
盟(皿부 8획〈834〉)과 同字

皿 11 〔⿱酖皿〕16 〔담〕
醓(酉부 9획〈1538〉)과 同字

皿 11 〔⿱淥皿〕16 〔록〕
盝(皿부 8획〈834〉)과 同字

皿 11 〔⿱既皿〕16 기 (去)未 (去)寘 | jì キ うつわのな
字解 ①그릇이름기 그릇 이름. '一, 器名'《集韻》. ②짐승이름기 짐승 이름. '一, 居一, 獸名, 似蝟而赦尾'《廣韻》.

皿 12 〔盩〕17 주 ①②(平)尤 ③(平)尤 | zhōu チュウ うつ chōu チュウ ぬく
字解 ①칠주 끌어당겨 피가 나올 때까지 침. '一, 引擊也'《說文》. ②산굽이주 산의 굽은 곳. ③뺄주 抽(手부 5획〈434〉)와 뜻이 같음. '涉血一肝'《呂氏春秋》.
字源 會意. 幸(㚔)+攵(攴)+皿(血)

皿 12 〔盪〕17 탕 ①②(上)養 ③④(去)漾 | dàng トウ うごく トウ ほしいままにする
字解 ①움직일탕 동요함. 동요시킴. '一舟'. '震一播越'《左傳》. ②씻을탕 蕩(艸부 12획〈1182〉)과 同字. ㉠마음을 깨끗이 함. '一意平心'《漢書》. ㉡물건을 깨끗이 함. '一滌'. ③방종할탕 방탕함. '敖一'. ④성탕 성(姓)의 하나.
字源 形聲. 皿+湯〔音〕

皿 12 〔盨〕17 ㊀ 수 (上)麌 ㊁ 소 (上)語 | xǔ シュ あたまにのせるうつわ ショ あたまにのせるうつわ
字解 ㊀ 머리에이는그릇수 물건을 담아 머리에 이어 나르는 그릇. '一, 櫝一, 負戴器也'《說文》. ㊁ 머리에이는그릇소 ■과 뜻

이 같음.
[字源] 形聲. 皿＋須〔音〕

皿 12 〔盉〕17 교 ㊥蕭|qiáo キョウ はち
[字解] ①바리교 '一, 盂也'《廣韻》. ②밥그릇교 '椀謂之一'《揚子方言》.

皿 12 〔盩〕17 ㊀돈 ㊥元|dūn トン はち ㊁퇴 ㊥灰|タイ ちをすするにもちいるうつわ
[字解] ㊀바리돈 바리. '一, 盂也'《廣雅》. ㊁피를마시는데쓰는그릇퇴 피를 마시는 데 쓰는 그릇. '一, 歃血器'《集韻》.

皿 12 〔醢〕17 〔해〕 醢(酉부 10획〈1539〉)와 同字

皿 13 〔盬〕18 고 ㊤麌|gǔ コ しおいけ, あらしお
[字解] ①짠못고 염지(鹽池). '沃饒而近一'《左傳》. ②호렴고 정제하지 않은 소금. '一鹽'. '鬻一以待戒令'《周禮》. ③무름고 단단하지 아니함. '器用一惡'《漢書》. ④소홀할고 경홀(輕忽)함. '王事靡一'《詩經》. ⑤마실고 들이마심. '一其腦'《左傳》.
[字源] 形聲. 鹽〈省〉＋古〔音〕

皿 13 〔醢〕18 〔해〕 醢(酉부 10획〈1539〉)와 同字

皿 13 〔盞〕18 잔 ㊥寒|cán サン はち
[字解] ①바리잔 밥그릇. '盂, 河濟之閒, 謂之盌一'《方言》. ②술잔잔 술잔. '一, 俗盞字'《正字通》.

皿 14 〔盪〕19 ㊀교 ㊤巧|jiǎo コウ うつわ ㊁륙 ㊇屋|リク うつわ
[字解] ㊀①그릇교 기구(器具). '一, 器也'《說文》. ②데우는그릇교 따뜻하게 데우는 그릇. '一, 溫器'《字彙》. ③옹달솥교 작은 솥. ④휘정거릴교 저어서 흐리게 함. '一, 一曰, 撓使濁'《集韻》. ㊁①그릇륙. ②데우는그릇륙. ③옹달솥륙. ④휘정거릴륙.
[字源] 形聲. 皿＋漻〔音〕

皿 15 〔盭〕20 려 ㊦霽|lì レイ もとる
[字解] ①어그러질려 戾(戶부 4획〈425〉)와 同字. '爲人賊一'《漢書》. ②못려 피부의 딴딴하게 된 곳. '長肘而一'《呂氏春秋》. ③초록색려 綟(糸부 8획〈996〉)와 同字. '諸侯王, 金璽一綬'《漢書》.
[字源] 會意. 弦〈省〉＋盩

皿 15 〔盭〕20 盭(前條)의 本字

皿 15 〔盧〕20 〔로〕 盧(皿부 11획〈835〉)의 籒文

皿 15 〔櫑〕20 〔뢰〕 櫑(木부 15획〈588〉)와 同字

皿 15 〔盬〕20 고 ㊤麌|gǔ コ もろもろ
[字解] ①뭇〔衆〕고 '一, 師也'《字彙補》. ②단단하지아니할고 단단하지 아니함. '一, 不固也'《字彙補》. ③소금고 소금. '一, 鹽也'《海篇心鏡》.

皿 18 〔𥂕〕23 저 ㊤語|zhǔ チョ うつわ
[字解] 그릇저 '一, 器也'《說文》.
[字源] 形聲. 虘＋宔〔音〕

〔蠱〕 〔고〕 虫부 17획(1255)을 보라.

皿 18 〔釁〕23 〔흔〕 釁(酉부 18획〈1545〉)과 同字

〔鹽〕 〔염〕 鹵부 13획(1844)을 보라.

皿 24 〔贛〕29 감 ㊦勘|kàn カン はこ
[字解] ①상자감 상자의 일종. '一, 箱類'《韻會》. ②그릇덮개감 뚜껑. '一, 器蓋'《增韻》. ③그릇감 기구(器具). '一, 器也'《玉篇》. ④술잔감 작은 술잔. '一, 小桮也'《正字通》.

目 (罒) 部

〔눈 목 부〕

目 0 〔目〕5 [中·人] 목 ㊇屋|mù モク め
[筆順] 丨 冂 月 月 目
[字解] ①눈목. ㉠동물의 시관(視官). '耳一'. ㉡그물 따위의 구멍. '籠一'. '疏一之籠'《急就篇》. ②눈동자목 안정(眼睛). '懸吾一于東門'《國語》. ③눈짓목 뜻을 나타내는 눈의 움직임. '國人莫敢言, 道路以一'《國語》. ④눈짓할목 '范增數一羽擊沛公'《漢書》. ⑤눈여겨볼목 주시(注視)함. '船人疑其有金一之'《史記》. ⑥일컬을목 칭

(稱)함. '一以豪傑'. '以其一君, 知其爲弟'《穀梁傳》. ⑦조목목, 세목목 조건. 세별(細別). '科一'. '請問其一'《論語》. ⑧요목목 요점(要點). '眼一'. '悉府史之任掌要一而已'《北史》. ⑨이름목 명목. '隨其罪一, 宣示屬縣'《後漢書》. ⑩목록(目錄)목 '執四部書一日, 若讀此畢, 可言優仕矣'《南史》. ⑪우두머리목 '頭一'. ⑫품평(品評)목. '曹操微時, 常求劭爲己一'《後漢書》. ⑬성목 성(姓)의 하나.

[字源] 象形. 사람의 눈의 모양을 본뜸.

[參考] '目목'을 의부(意符)로 하여, 눈의 움직임이나 상태, 보는 일 등에 관한 문자를 이룸. 부수 이름은 '눈목변'.

目 0 〔罒〕5 目(前條)이 글자의 상부에 있을 때의 자체(字體).

[筆順] 丨 冂 罒 罒

目 1 〔⿰目乚〕6 교 [上]篠 jiǎo キョウ ふたえまぶた

[字解] 쌍꺼풀교 쌍꺼풀 눈. '一, 目重皮'《字彙》.

〔見〕〔견〕 部首(1295)를 보라.

目 2 〔⿱目匕〕7 ㊀간 [平]元 gèn コン もとる ㊁요 [平]蕭 ヨウ とおくをみる ㊂안 [上]潸 yǎn ガン め

[字解] ㊀어그러질간 艮(部首〈1118〉)의 本字. ㊁멀리볼요 먼데를 봄. '一, 望遠也'《廣韻》. ㊂눈안 眼(目부 6획〈844〉)의 古字. '眼, 說文, 目也. 古作一'《集韻》.

目 2 〔⿰目丩〕7 ㊀주 [平]尤 chōu チュウ やぶにらみ ㊁교 [上]篠 jiǎo キョウ ふたえまぶた ㊂요 [上]巧 yǎo オウ くぼんだめ

[字解] ㊀사팔뜨기주 '瞀, 眣也, …一, 瞀或从丩'《說文》. ㊁쌍꺼풀교 '一, 目重瞼也'《廣韻》. ㊂움펑눈요 '窅, 深目也. 或作一'《集韻》.

目 2 〔盯〕7 정 [平]庚 dīng トウ みつめる

[字解] 똑바로볼정 직시(直視)함. '鼻偷困淑郁, 眼剽強一矖'《城南聯句》.

目 2 〔⿹勹目〕7 ㊀현 [去]霰 xuàn ケン またたく ㊁순 [平]眞 xún シュン めがくらむ

[字解] ㊀눈짓할현 눈을 굴려 의사(意思)를 알림. 눈알을 움직여 옆눈질함. '眴(目부 6획〈844〉)과 同字. '一, 目搖也'《說文》. ㊁눈아찔할순 눈이 핑 돌아 어지러움.

[字源] 形聲. 目+旬〈省〉〔音〕.

〔具〕〔구〕 八부 6획(87)을 보라.

目 3 〔盱〕8 우 [平]虞 xū ク みはる, みあげる

[字解] ①쳐다볼우 칩떠봄. '一豫悔'《易經》. ②부릅뜰우 눈을 크게 뜸. '一衡厲色'《漢書》. ③근심할우 걱정함. '云何其一'《詩經》. ④성우 성(姓)의 하나.

[字源] 形聲. 目+于(亏)〔音〕.

目 3 〔⿰目亏〕8 盱(前條)의 本字

目 3 〔⿰目丂〕8 盱(前前條)와 同字

目 3 〔盰〕8 간 [上]旱 [去]翰 gān カン みはる

[字解] 부릅뜰간 눈을 크게 뜸. '一目陳兵'《白虎通》.

[字源] 形聲. 目+干〔音〕

目 3 〔⿰目千〕8 천 [平]先 qiān セン くらい

[字解] 어두워잘보이지않을천 '攢立叢駢, 青冥一瞑'《張衡》.

目 3 〔⿰目彡〕8 삼 [平]咸 [去]陷 shān サン みつめる

[字解] ①치어다볼삼 '一, 瞻視'《廣韻》. ②잠깐볼삼 '睒, 暫見也. 或省'《集韻》.

目 3 〔⿰目丸〕8 환 [去]翰 huàn ガン まじろぐ

[字解] ①눈동자굴릴환 눈알을 굴림. '睆一, 轉目'《集韻》. ②눈클환 큰 눈의 모양. '一, 一日, 大目皃'《集韻》.

目 3 〔盳〕8 ㊀망 [平]陽 [去]漾 máng ボウ·モウ あおぎみる wàng ㊁방 [平]陽 ボウ·モウ あおぎみる ホウ·ボウ あおぎみる

[字解] ㊀①쳐다볼망 '一洋'은 쳐다보는 모양. '一洋向若而歎'《莊子》. ②소경망 盲(目부 3획〈838〉)의 俗字. ㊁쳐다볼방, 소경방 ■과 뜻이 같음.

目 3 〔直〕8 [中] [人] ㊀직 [入]職 zhí チョク なおし ㊁치 [去]寘 zhì チ あたい

[筆順] 一 十 𠂇 冇 冇 有 直 直

[字解] [一] ①곧을직 ㉠굽지 아니함. '一線'. '蓬生麻中, 不扶自一'《史記》. ㉡바름. '正一'. '一哉史魚'《論語》. ②바로잡을직 ㉠잘못된 것을 바르게 함. '枉己者, 未有能一人者也'《孟子》. ㉡원죄(冤罪)를 바르게 다스림. '公獨爲一其冤'《韓愈》. ③곧게할직 굽은 것을 펌. '枉尺而一尋'《孟子》. ④대할직 마주 대함. '主人立于阼階下, 一東序西面'《儀禮》. ⑤맞을직 상당함. '馬各一其算'《禮記》. ⑥번들직 입직(入直)함. '入一殿中'《晉書》. ⑦번직 당직. 숙직. '宿一'. '候其上一'《晉書》. ⑧겨우직 근근히. '一不百步耳'《孟子》. ⑨바로직 ㉠곧. '一使送之'《戰國策》. ㉡중간에 매개를 두지 않고. '一接'. ⑩일부러직 고의로. '一墜其履圯下'《史記》. ⑪성직 성(姓)의 하나. [二] ①값치 가격. '一錢'. '食雞羹, 何不還他價一也'《北史》. ②삯치 임금. 품삯. '受若一, 怠若事'《柳宗元》. ③세치 임대료. '應與雇舍一'《法苑珠林》. ④당할치 닥쳐오는 때나 일에 직면함. '一夜潰圍'《史記》.
[字源] 象形. 위에 주술(呪術)의 표 '十십'을 한 눈. 《說文》에서는 十+目+ㄴ의 會意로 봄.

目 3 〔直〕8 直(前條)의 俗字·簡體字

目 3 〔盲〕8 [高·人] 맹 [平]庚 | máng モウ めくら

[筆順] 丶 亠 亡 亡 盲 盲 盲 盲

[字解] ①먼눈맹, 장님맹 눈이 멂. 소경. '一瞽'. '一者, 目形存而無能見也'《淮南子》. ②어두울맹 밝지 아니함. '一忘'. '天大風晦一'《呂氏春秋》. ③빠를맹 바람이 빠름. '一風'. '仲秋之月, 一風至'《禮記》.
[字源] 形聲. 目+亡(亾)〔音〕

目 3 〔⿰目也〕8 〔이〕
貤(貝부 3획〈1385〉)의 訛字

目 3 〔䀔〕8 인 [去]震 | rèn ジン めがくらむ

[字解] 보는모양인, 현기증날인 '一, 視皃, 一曰, 眩也, 或从辰'《集韻》.

目 3 〔⿱目寸〕8 〔애〕
㝵(寸부 5획〈288〉)의 訛字

目 4 〔⿱目巛〕9 교 [平]蕭 | jiāo キョウ さらす

[字解] 목베어달교 목을 베어 거꾸로 닮. '一, 到首也'《說文》.
[字源] 指事. '首수'를 거꾸로 하여, 목을 베어 거꾸로 달다의 뜻을 나타냄.

目 4 〔旻〕9
[一] 혈 [入]屑 | xuè ケツ めくばせする
[二] 혁 [入]職 | キョク めくばせする
[三] 헐 [入]月 | ケツ めくばせする
[四] 말 [入]月 | バツ めくばせする
[五] 척 [入]陌 | セキ めくばせする

[字解] [一] ①눈짓할혈 눈짓하여 사람을 부림. '一, 擧目使人也'《說文》. ②눈깜박일혈 '一, 目小動也'《類篇》. ③눈휘둥그레볼혈 놀라서 봄. 眏(目부 4획〈839〉)과 同字. [二] 눈짓할혁, 눈깜박일혁, 눈휘둥그레볼혁 [一]과 뜻이 같음 [三] 눈짓할헐, 눈깜박일헐, 눈휘둥그레볼헐 [一]과 뜻이 같음. [四] 눈짓할말, 눈깜박일말, 눈휘둥그레볼말 [一]과 뜻이 같음. [五] 눈짓할척, 눈깜박일척, 눈휘둥그레볼척 [一]과 뜻이 같음.
[字源] 會意. 攴+目

目 4 〔⿱目廾〕9 〔구〕
具(八부 6획〈87〉)의 本字

目 4 〔県〕9 〔현〕
縣(糸부 10획〈1008〉)의 略字

目 4 〔盷〕9 전 [平]先 | tián テン みまわす

[字解] 눈알굴릴전 눈동자를 돌리며 봄. '人產三月而徹一, 然後能有見'《大戴禮》.

目 4 〔盻〕9 혜 [去]霽 | xì ケイ にらむ

[字解] ①원한의눈길로볼혜 '一, 恨視也'《說文》. ②돌아볼혜 뒤돌아봄. '芥千金而不一'《孔稚圭》.
[字源] 形聲. 目+兮〔音〕

目 4 〔盼〕9 반 [去]諫 | pàn ハン うつくしい

[字解] ①예쁠반 눈의 검은 자위와 흰자위가 분명(分明)하며 예쁜 모양. '美目一兮'《詩經》. ②발돋움하여바라볼반 '閑立花陰一嫩晴'《魯迅》. ③곁눈질할반 '語卿且莫一'《古詩》. ④성반 성(姓)의 하나.
[字源] 形聲. 目+分〔音〕

目 4 〔眂〕9 시 [上]紙 | shì シ みる

[字解] 볼시, 보일시 視(見부 5획〈1297〉)와 同字. '王一治朝, 則贊聽政'《周禮》.
[字源] 形聲. 目+氏〔音〕

目 4 〔眄〕9 면 [去]霰 [上]銑 | miàn, miǎn ベン ながしめにみる

[字解] ①곁눈질할면 곁눈으로 봄. '一視'. '一庭柯以怡顔'《陶潛》. ②돌아볼면 돌봄. '慈一如子也'《晉書》. ③흘길면 눈동자를 옆으로 굴려 노려봄. '按劍相一'《史記》.
[字源] 形聲. 目＋丏〔音〕

目4 〔眅〕 9 판 [上]潸 | pān ハン しろめがち
[字解] 흰자위많을판 눈에 흰자위가 많은 모양.
[字源] 形聲. 目＋反〔音〕

目4 〔眇〕 9 묘 [上]篠 | miǎo ビョウ めっかち
[字解] ①애꾸눈묘 한쪽 눈이 멀거나 작은 눈. 척안(隻眼). '一目'. '一能視, 跛能履'《易經》. ②외눈질할묘 한쪽 눈을 지그시 하고 봄. 외눈으로 봄. '離婁一目於毫分'《漢書》. ③작을묘 크지 아니함. '朕以一身護保宗廟'《漢書》. ④멀묘 요원함. '藏其身也, 不厭深一而已矣'《莊子》. ⑤다할묘 빠짐없이 미침. '仁一天下'《荀子》.
[字源] 會意. 目＋少

目4 〔眈〕 9 탐 [平]覃 | dān タン にらむ
[筆順] 丨 冂 冃 目 目' 目冖 眈 眈
[字解] ①노려볼탐 범이 노려보는 모양. '虎視一一'(耽耽은 잘못임)《易經》. ②으늑할탐 심수(深邃)한 모양. '一一帝宇'《左思》.
[字源] 形聲. 目＋冘〔音〕

目4 〔眊〕 9 모 [去]號 | mào ボウ くらい
[字解] ①흐릴모 ㉠눈이 맑지 아니함. '胸中不正, 則眸子一焉'《孟子》. ㉡시력이 어두움. '年耆目一'《漢書》. ㉢정신이 흐림. '憒一不知所爲'《漢書》. ②늙은이모 耄(老부 4획〈1048〉)와 同字. '哀夫老一'《漢書》.
[字源] 形聲. 目＋毛〔音〕

目4 〔眘〕 9 〔기〕
耆(老부 4획〈1048〉)와 同字

目4 〔昒〕 9 [一]매 [去]隊 | mèi バイ よあけ
[二]물 [入]物 | wù ブツ くらい
[字解] [一]새벽매 '一昕'은 새벽. 날샐녘. '一昕寤而仰思'《班固》. [二]어두울물 밝지 아니함. '飄寂寥以荒一'《劉歆》.
[字源] 形聲. 目＋勿〔音〕

目4 〔曶〕 9 [一]홀 [入]月 | コツ はやくみる
[二]매 [去]隊 | mèi バイ みる
[字解] [一]급히볼홀 급히 보는 모양. '一, 急視貌'《篇海》. [二]볼매 봄.

目4 〔眏〕 9 [一]결 [入]屑 | jué ケツ めやみ
[二]혈 [入]屑 | xuè ケツ おどろきみる
[字解] [一]①안질결 눈병으로 눈물을 흘림. '一, 目患'《廣韻》. ②눈매고울결 눈이 아름다움. ③움펑눈결 쑥 들어간 눈. [二]①눈휘둥그레볼혈 놀란 눈으로 봄. 瞲(目부 12획〈856〉)과 同字. ②흘깃흘깃볼혈.
[字源] 形聲. 目＋夬〔音〕

目4 〔昣〕 9 진 [上]軫 | zhěn チン めをいからす
[字解] ①부릅뜰진 '一, 瞋怒目皃'《廣韻》. ②눈동자진 '無目一曰瞽'《後漢書注》.

目4 〔䀛〕 9 [一]왈 [入]曷 | wò ワツ めをえぐる
[二]완 [上]旱 | ワン めをえぐる
[三]내 [去]卦 | nài ダイ·ナイ めがわるい
[字解] [一]눈도려낼왈 '一, 捾目也'《說文》. [二]눈도려낼완 [一]과 뜻이 같음. [三]눈나쁠내 '眭一'는 눈이 좋지 않음. '一, 眭一, 目惡'《集韻》.
[字源] 會意. 目＋叉

目4 〔昉〕 9 방 [上]養 | fǎng ホウ ほのか
[字解] ①희미할방 희미하게 보임. '一, 微見也'《集韻》. ②본뜰방 倣(人부 8획〈58〉)과 同字. '非一桀歟'《袁楚客》.

目4 〔䀝〕 9 원 [上]阮 | yuǎn ゲン みる
[字解] ①볼원 '一, 視也'《集韻》. ②모양떨어질원 형상(形狀)이 비뚤어지고 열등(劣等)함. '一瞡矊而踙踆'《王延壽》.

目4 〔盹〕 9 순 [平]眞 [去]震 | dǔn シュン にぶいめ
[字解] ①둔한눈순 눈빛이 예리하지 못함. '瞕, 鈍目. 一, 上同'《廣韻》. ②눈감을순 '一, 目藏也'《篇海》. ③졸순 '一兒'는 졺.

目4 〔眎〕 9 〔시〕
視(見부 5획〈1297〉)의 古字

目4 〔明〕 9 〔명〕
明(日부 4획〈502〉)과 同字
[字源] 形聲. 目＋明〈省〉〔音〕

目4 〔相〕 9 [中·人] 상 [平]陽 [去]漾 | ①②xiāng ショウ·ソウ あい
③-⑮xiàng ショウ·ソウ みる, たすける

筆順 一 十 才 木 札 机 相 相

字解 ①서로상 같이. '一當'. '一互'. '二氣感應以一與'《易經》. ②바탕상 질(質). '金玉其一'《詩經》. ③볼상 ㉠관찰함. 시찰함. '一鼠有體'《禮記》. ㉡점(占)·상(相) 같은 것을 봄. '觀一'. '能一人'《左傳》. ④도울상 보좌함. '輔一'. '一定公'《朱熹》. ⑤다스릴상 통치함. '楚所一'《左傳》. ⑥가릴상 선택함. '上春一筮'《周禮》. ⑦용모상 사람의 상모·골격. 전(轉)하여, 널리 사물의 상태·형세. '人一'. '家一'. '地一'. '眞一'. '無如季一'《史記》. ⑧접대원상 손님을 접대하는 사람. '朝覲會同, 則爲上一'《周禮》. ⑨인도자상 안내자. '猶瞽之無一與'《禮記》. '焉用彼一矣'《論語》. ⑩가신상 주인을 도와 가사(家事)를 맡아 보는 가신(家臣). 우리나라의 청지기 같은 것. '士不名家一長妾'《禮記》. ⑪정승상 승상. '宰一'. '一國'. '命一布德和令'《禮記》. ⑫정승될상 재상이 됨. '一齊'. '惡日生而一齊'《宋書》. ⑬방아타령상 절구질할 때 공이의 소리에 맞추어 부르는 노래. '舂者不一杵'《史記》. ⑭악기이름상 음악의 가락을 맞추는 악기. '治亂以一'《禮記》. ⑮성상 성(姓)의 하나.

字源 會意. 目+木

目4 〔盾〕9 人名 ㊀순 ㊤軫 | shǔn ジュン たて ㊁돈 ㊤阮 | dùn トン じんめい

筆順 一 厂 斤 斤 斤 盾 盾 盾

字解 ㊀방패순 시석(矢石)을 막는 무기. '甲一'. '矛一'. '龍一之合'《詩經》. ㊁사람이름돈 '趙一'은 전국 시대(戰國時代)의 진(晉)나라 고관(高官). '趙一弑其君'《左傳》.

字源 象形. 방패의 모양을 본뜸.

目4 〔省〕9 中·人 ㊀성 ㊤梗 | xǐng セイ かえりみる ㊁생 ㊤梗 | shěng セイ・ショウ はぶく

筆順 丨 小 小 少 少 省 省 省

字解 ㊀①살필성 ㉠살펴봄. 주의하여 알아봄. '一察'. '一方觀民'《易經》. ㉡안부(安否)를 물어 알아봄. '歸一'. '昏定而晨一'《禮記》. ㉢위문(慰問)함. '一其疾痛'《尹文子》. ㉣자기 몸을 돌보아 살핌. '反一'. '吾日三一吾身'《論語》. ②깨달을성 회오(會悟)함. '忽大一曰'《宋史》. ③명심(明審)할성 분명하고 자세함. '實僞之辨, 如此其一也'《列子》. ④마을성 관아의 이름. '中書一'. '官司之別, 曰一, 曰臺'《唐書》. ⑤대궐성 궁전. '帝姊長公主, 共養一中'《漢書》. ⑥성성 중국의 지방 행정상의 구획. 원대(元代)에 천하(天下)를 열로 구획하여 행성(行省)을 둔 데서 비롯함. 청대(淸代)에는 본토(本土)에 십팔성(十八省), 그 밖에 사성(四省)을 두었음. '山西一'. '直一設總督'《大淸會典》. ㊁①덜생 감함. 또는, 간략히 함. '一減'. '一略'. '貶食一用'《左傳》. ②허물생, 재앙생 眚(目부 5획〈843〉)과 통용. '肆大一'《公羊傳》.

字源 形聲. 目+生〔音〕

目4 〔眉〕9 高·人 미 ㊥支 | méi ビ まゆ

筆順 ㇕ ㇕ ㇕ 尸 尸 屈 眉 眉

字解 ①눈썹미 눈두덩 위의 털. '一目'. ②가미 가장자리. '居井之一'《漢書》. ③성미 성(姓)의 하나.

字源 象形. 눈 위에 있는 털을 본뜸.

目4 〔看〕9 中·人 간 ㊥寒 | kān ㊦翰 | kàn カン みる

筆順 一 二 三 手 手 看 看 看

字解 ①볼간 ㉠바라봄. '一伺空隙'《吳志》. ㉡자세히 봄. '眼一人盡醉'《王維》. ②뵐간 귀성(歸省)함. '一父母'. '火急歸家一父'《搜神記》. ③지킬간 감시함. '一守'. '每處一監四名'《典故紀聞》. ④대접간 대우. '猶作布衣一'《高適》.

字源 會意. 手+目

目4 〔𥃩〕9 ㊀말 ㊇曷 | mò バツ やぶにらみ ㊁절 ㊇屑 | テツ やぶにらみ ㊂멸 ㊇屑 | ベツ やぶにらみ

字解 ㊀사팔뜨기말 눈의 모양이 바르지 않음. '一, 目不正也'《說文》. ㊁사팔뜨기절 ㊀과 뜻이 같음. ㊂사팔뜨기멸 ㊀과 뜻이 같음.

字源 象形. 눈썹을 괴이(怪異)하게 표현한 눈의 상형.

〔冒〕〔모〕 冂부 7획(89)을 보라.

目4 〔𥄎〕9 〔계〕 𥄎(目부 6획〈845〉)의 俗字

目4 〔𥃭〕9 〔멱〕 覔(見부 4획〈1296〉)의 訛字

目4 〔𥄳〕9 목 ㊇屋 | mù ボク つつしむ

字解 ①화목할목 화목함. '一, 同睦'《字彙》. ②삼갈목 조심함. '一, 敬也, 通作穆'《集韻》.

目 4 〔盿〕 9 민 [平]眞 | mín ビン·ミン みるさま

[字解] 보는모양민 '一, 視皃'《玉篇》.

目 4 〔旻〕 9 盿(前條)과 同字

目 4 〔睟〕 9 〔수〕
睟(目부 8획〈848〉)의 俗字

目 4 〔眃〕 9 ㊀ 운 [平]文 | yún ウン しりょくが あきらかでない
㊁ 혼 [上]阮 | hùn コン はやい

[字解] ㊀ 눈어두울운 '一, 眩一, 視不明皃'《集韻》. ㊁ 빠른모양혼 '一, 眩一, 疾皃'《集韻》.

目 4 〔盺〕 9 흔 [平]文 | xīn キン よろこぶ

[字解] ①기뻐할흔 기뻐함. '一, 喜也'《玉篇》. ②희미하게보일흔 희미하게 보이는 모양. '一, 視不明皃'《集韻》.

目 4 〔𥄫〕 9 천 [平]先 [去]霰 | tiān テン あおぎみる

[字解] ①쳐다볼천 우러러봄. '一, 仰視也'《篇海》. ②볼천 '一, 視也'《集韻》.

目 4 〔眀〕 9 체 [去]霽 | qì セイ みる

[字解] ①볼체 봄. '一, 視也'《玉篇》. ②살펴볼체 또는, 곁눈질할체.

目 4 〔肺〕 9 ㊀ 패 [去]泰 | pèi ハイ あきらかでない
㊁ 발 [入]曷 | pō ハツ めがよくみえぬ

[字解] ㊀ 밝지아니할패 밝지 아니함. '一, 不明也'《集韻》. ㊁ 어두울발 눈이 어두움. '一, 目不明也'《集韻》.

目 5 〔瞿〕 10 구 [去]遇 [平]虞 | jù ク きょろきょろみる

[字解] 좌우로볼구 놀라서 보는 모양. '一, 左右視也'《廣韻》.
[字源] 會意. 目＋目

目 5 〔眎〕 10 시 [去]寘 | shì シ みる

[字解] ①볼시 視(見부 5획〈1297〉)의 古字. '一于冥冥, 聽于無聲'《文子》. ②보일시 '以一羌虜'《漢書》.
[字源] 形聲. 目＋示〔音〕

目 5 〔眕〕 10 진 [上]軫 | zhěn シン しのぶ

[字解] 진중할진 참고 견디어 억제(抑制)하는 모양. '憾而能一者鮮矣'《左傳》.
[字源] 形聲. 目＋㐱〔音〕

目 5 〔眓〕 10 혈 [入]屑 | xuè ケツ おどろきみる

[字解] 놀라볼혈 깜짝 놀라며 봄. 눈을 휘둥그렇게 하고 봄. '仡欺猥以鵰一'《王延壽》.

目 5 〔眙〕 10 ㊀ 치 [去]寘 | chì チ みつめる
㊁ 이 [平]支 | yí イ ちめい

[字解] ㊀ ①눈여겨볼치 응시(凝視)함. '目一不禁'《史記》. ②부릅떠볼치 깜짝 놀라 눈을 휘둥그렇게 하고 봄. '猶愕一而不能階'《班固》. ㊁ 땅이름이 '盱一'는 강소성(江蘇省)에 있는 지명(地名).
[字源] 形聲. 目＋台〔音〕

目 5 〔眛〕 10 매 [去]隊 | mèi バイ·マイ くらい

[字解] 흐릴매 눈이 잘 보이지 아니함. '目不別五色之章爲一'《左傳》.
[字源] 形聲. 目＋未〔音〕

目 5 〔眜〕 10 말 [去]曷 | mò バツ くらい

[字解] 흐릴말 눈이 잘 보이지 아니함.
[字源] 形聲. 目＋末〔音〕

目 5 〔眠〕 10 [中·人] 면 [平]先 | mián ミン ねむる

[筆順] 丨 ∏ 日 目 目¬ 目コ 眀 眂 眠

[字解] ①잘면 수면을 취함. '一食'. '竟夕不一'《後漢書》. ②쉴면 누워 쉼. '一羊臥鹿'《宋史》. ③시들면 초목이 시들어 처짐. '漢苑有柳, 如人形, 一日三一三起'《三輔故事》. ④잠면 수면(睡眠). '江楓漁火對愁一'《張繼》. ⑤성면 성(姓)의 하나.
[字源] 形聲. 目＋民〔音〕

目 5 〔眣〕 10 순 [去]震 | shùn シュン またたく, めくばせする

[字解] 눈짓할순 눈을 움직여 의사를 전달함. '一晉大夫'《公羊傳》.

目 5 〔眩〕 10 [人名] ㊀ 현 [去]霰 | xuàn ゲン くらむ
㊁ 환 [去]諫 | huàn カン てじな

[筆順] 丨 ∏ 目 目' 目亠 目亡 眩 眩

[字解] ㊀ ①아찔할현 현기증이 남. '瞑一'. '目一則溺死'《博物志》. ②현혹할현 미혹(迷惑)함. '一于名實'《漢書》. ③현혹하게 할현 전항(前項)의 타동사. '慾一之也'《新

論》. ④어두울현 환하지 않음. '照物而不一'《淮南子》. ⑤돌현 선회함. '旋一滑汨'《柳宗元》. ㊁ 요술환 幻(幺부 1획〈342〉)과 同字. '善一人'《史記》.
字源 形聲. 目＋玄〔音〕

目5〔眐〕10 정 ㊥庚 | zhēng セイ みつめる

字解 ①홀로볼정 '一, 獨視皃'《玉篇》. ②홀로갈정 魂一一以寄獨兮'《嚴忌》.

目5〔眑〕10 ㊀요 ㊤巧 ㊁유 ㊤有 | ǎo オウ·ヨウ くぼんだめ yǎo ユウ ふかくとおい

字解 ㊀ 움펑눈요 깊숙이 들어간 눈. '窅, 深目也, 或作一'《集韻》. ㊁ 깊을유 심원(深遠)한 모양. '清思一一'《漢書》.

目5〔眡〕10 ㊀저 ㊥齊 ㊁시 ㊤紙 | shì テイ みる shì シ みる, なぞらう

字解 ㊀ 볼저 보는 모양. '一, 視也'《廣韻》. ㊁ ①견줄시 비교함. '食齊一春時'《周禮》. ②볼시 視(見부 5획〈1297〉)의 古字. '一優聽苦, 澄心循物'《陸機》.
字源 形聲. 目＋氏〔音〕

目5〔眒〕10 묘 ㊤巧 | mǎo ボウ ながしめ

字解 흘겨볼묘 '眗一'는 눈을 흘겨봄. '眗一, 邪視'《集韻》.

目5〔眝〕10 저 ㊤語 | zhù チョ みはる, みつめる

字解 ①부릅뜰저 눈을 크게 뜸. '一美目其何望'《陸機》. ②눈여겨볼저 오래 응시(凝視)함. '一, 長眙也'《說文》.
字源 形聲. 目＋宁〔音〕

目5〔䀡〕10 점 ㊦豔 ㊥鹽 | chān diān テン うかがう

字解 ①엿볼점 남몰래 봄. 覘(見부 5획〈1297〉)과 同字. ②내립뜬눈점 내립떠보는 눈. 내립떠봄. '一, 一曰, 目垂也'《集韻》.

目5〔眗〕10 ㊀구 ㊥虞 ㊁후 ㊥尤 | jū ク きょろきょろみる kōu コウ おちこんだめ

字解 ㊀ 휘휘둘러볼구 '眀, 左右視也. 或作一'《集韻》. ㊁ ①움펑눈후 깊은 눈. '一, 埤蒼, 目深皃'《集韻》. ②웃을후.
字源 形聲. 目＋句〔音〕

目5〔眒〕10 신 ㊦震 ㊥眞 | shēn シン みはる

字解 ①부릅뜰신 눈을 크게 뜸. '一, 張目也'《集韻》. ②빠를신 신속함. '鷹犬倏一'《左思》. ③놀랄신 새나 짐승이 놀라는 모양. '一, 鳥獸驚皃'《廣韻》.
字源 形聲. 目＋申〔音〕

目5〔眣〕10 질 ㊇質 | dié チツ やぶにらみ

字解 ①사팔뜨기질 눈동자가 비뚤어진 눈. 또, 그 사람. 사시(斜視). '一, 目不從正也'《說文》. ②퉁방울눈질 눈이 불거진 모양. '一, 目出皃'《集韻》.
字源 形聲. 目＋失〔音〕

目5〔眍〕10 ㊀말 ㊇黠 ㊁비 ㊦寘 | mà バツ にくみみる bì ヒ みつめる

字解 ㊀ 노려볼말 밉게 봄. '獷眼困逾一'《孟郊》. ㊁ ①쏘아볼비 직시(直視)함. '一, 直視也'《說文》. ②부끄러워할비 '山之東西自愧曰恧, 趙魏之閒謂之一'《揚子方言》.
字源 形聲. 目＋必〔音〕

目5〔眨〕10 잡 ㊇洽 | zhǎ ショウ またたく

字解 눈깜작일잡 눈을 깜박임. '字苑云, 一, 目數開閉也'《一切經音義》.

目5〔眏〕10 ㊀앙 ㊥陽 ㊁영 ㊦敬 | yāng オウ くらい yìng エイ みる

字解 ㊀ 어두울앙 눈이 잘 보이지 않음. '一, 目不明'《集韻》. ㊁ 볼영 봄. '瞙, 視也, 或从央'《集韻》.

目5〔眓〕10 ㊀활 ㊇曷 ㊁혈 ㊇屑 | huō カツ たかいところをみる ケツ たかいところをみる

字解 ㊀ ①높은곳을볼활 '一, 視高皃'《說文》. ②볼활 '一一'은 보는 모양. '一一, 視也'《廣雅》. ㊁ 높은곳을볼혈, 볼혈 ㊀과 뜻이 같음.
字源 形聲. 目＋戉〔音〕

目5〔昭〕10 초 ㊤篠 | chǎo ショウ めでひとをなぶる

字解 눈으로희롱할초 눈짓으로 남을 희롱함. '一, 以目玩人, 謂之一'《集韻》.

目5〔眓〕10 ㊀휼 ㊇質 ㊁율 ㊇質 | xù キツ·キチ めのくぼんださま yù イツ·イチ めのうごくこと

字解 ㊀ 눈움푹할휼 눈이 움푹 들어감. '瞲, 目深皃, 或作一'《集韻》. ㊁ 눈움직일율 눈동자를 움직여 두루 봄. '一, 目動也'

《五音集韻》.

目5〔眿〕10 〔맥〕 眽(目부 6획〈844〉)과 同字

目5〔眞〕10 [中·人] 진 [平]眞 | zhēn シン まこと

[筆順] 一 ㄷ 卜 片 旨 苜 直 眞 眞

[字解] ①참진 ㉠거짓이 아닌 것. 진짜. '一實'. '帝王自有一也'《後漢書》. ㉡옳은 일. '使一僞毋相亂'《漢書》. ㉢순수. '一者, 精誠之至也'《莊子》. ㉣도교(道教)의 오묘한 이치. 또, 이 이치를 구명한 사람. '有一人而後一知'《莊子》. ②참으로진 진실로. '嗚呼一其無馬乎'('一誠'도 같은 뜻)《韓愈》. '一誠知人矣'《韓愈》. ③화상진 초상(肖像). '必逢佳士亦寫一'《杜甫》. ④해서진 서체(書體)의 한 가지. '一書'. '筆長不過六寸, 一一, 行二, 草三'《法書攷》. ⑤성진 성(姓)의 하나.
[字源] 會意. 金文에서는 匕+鼎. 篆文에서는 匕+目+乚+二

目5〔真〕10 眞(前條)의 俗字

目5〔真〕10 眞(前前條)의 略字

目5〔眚〕10 생 [上]梗 | shěng セイ あやまち, わざわい

[字解] ①흐릴생 노쇠하거나 안질 때문에 눈이 흐림. '目一昏花燭穗垂'《范成大》. ②잘못생 과오. '不以一一掩大德'《左傳》. ③재앙생 재화. '无一'《易經》. ④덜생 省(目부 4획〈840〉)과 통용. '一禮'《周禮》.
[字源] 形聲. 目+生〔音〕

目5〔眢〕10 원 [平]元 | yuān エン めくら

[字解] ①먼눈원, 눈멀원 맹목(盲目). 또, 소경이 됨. '觀書眼未一'《朱无》. ②우물마를원 우물이 말라 물이 없음. '目於一井, 而拯之'《左傳》.
[字源] 形聲. 目+夗〔音〕

目5〔眥〕10 ㊀제 [去]霽 | zì セイ まぶち ㊁자 [平]佳 | サイ にらむ

[字解] ㊀눈초리제 눈의 귀쪽으로 째진 구석. '決一'. '裂一'. '拭一揚眉'《列子》. ㊁흘길자 노려봄. '睚一之怨必報'《史記》.
[字源] 形聲. 目+此〔音〕

目5〔眦〕10 眥(前條)와 同字

目5〔昲〕10 ㊀비 [去]未 | fèi ヒ くらい ㊁발 [入]曷 | ハツ くらい ㊂불 [入]物 | フツ みる

[字解] ㊀어두울비 눈이 잘 보이지 않음. '一, 目不明也'《說文》. ㊁어두울발 ㊀과 뜻이 같음. ㊂①볼불 보는 모양. '一, 視皃'《集韻》. ②희미하게보일불.
[字源] 形聲. 目+弗〔音〕

目5〔睇〕10 昲(前條)와 同字

目5〔眘〕10 〔신〕 愼(心부 10획〈404〉)의 古字

目5〔看〕10 〔간〕 看(目부 4획〈840〉)의 俗字

目5〔眗〕10 구 [上]麌 | jū ク みる

[字解] 볼구 봄. 눈이 휘둥그레져서 봄. '一, 視也'《玉篇》. '瞗, 驚視皃, 或作一'《集韻》.

目5〔督〕10 노 [平]虞 | nǔ ド めをいからす

[字解] 눈부릅뜰노 눈을 부릅뜸. '一, 一目也'《字彙補》.

目5〔眔〕10 답 [入]合 | dà トウ めであとをつける

[字解] 눈으로뒤쫓을답 '一, 目相及也'《說文》. '按, 以目尾其後'《說文通訓定聲》.

目5〔昞〕10 ㊀병 [上]梗 | bǐng ヘイ みる ㊁방 [上]養 | fǎng ホウ かすかにみえる

[字解] ㊀①볼병 봄. '一, 視也'《字彙》. ②눈밝을병 '一, 目明也'《類篇》. ㊁희미하게보일방 '昉, 微見也, 或作一'《集韻》.

目6〔眭〕11 ㊀휴 [平]支 | huī キ くぼんだめ ㊁혜 [去]霽 | guì ケイ よくみる

[字解] ㊀움펑눈휴 쑥 들어간 눈. '一, 目深皃'《集韻》. ㊁①볼혜 잘 보는 모양. '一然能視'《淮南子》. ②성혜 성(姓)의 하나.
[字源] 形聲. 目+圭〔音〕

目6〔眯〕11 미 ①②[上]薺 ③[去]寘 | mǐ ベイ·マイ くらむ | mì ビ·ミ うなされる

[字解] ①눈잘못뜰미 눈에 티가 들어가서 눈을 잘 못 뜸. '蒙塵而欲無一'《文子》. ②눈잘못뜨게할미 전항(前項)의 타동사. '播糠一目'《莊子》. ③가위눌릴미 악몽에 괴롭힘을 당함. '彼不得夢, 必且數一焉'《莊子》.

[字源] 形聲. 目+米〔音〕

目 6 〔眲〕11 [一] 액 [入]陌 | nè ダク あなどる
[二] 이 [去]寘 | nè ジ あなどる

[字解] [一] 업신여길액 낮잡아 봄. 얕봄. 경시(輕視)함. '莫不一之'《列子》. [二] 업신여길이 [一]과 뜻이 같음.

目 6 〔眴〕11 [一] 현 [去]霰 | xuàn ケン めくばせする
[二] 순 [去]震 | shùn シュン またたく

[字解] [一] ①눈짓할현 눈을 움직여 의사를 전달함. '項梁一籍'《史記》. ②아찔할현, 어두울현 眩(目부 5획〈841〉)과 同字. '一兮杳杳'《楚辭》. '一兮窈窕'《史記》. [二] 눈깜작할순 瞬(目부 12획〈855〉)과 同字. '吳人呼瞬目爲一目'《何承天》.
[字源] 形聲. 目+旬〔音〕

目 6 〔眵〕11 치 [平]支 | chī シ めやに

[字解] 눈곱치 눈곱. '兩目一昏頭雪白'《韓愈》.
[字源] 形聲. 目+多〔音〕

目 6 〔眶〕11 광 [平]陽 | kuàng キョウ まぶち

[字解] 눈자위광 눈알의 언저리. '眼一'. '一不睫'《列子》.
[字源] 形聲. 目+匡〔音〕

目 6 〔眸〕11 모(무[本]) [平]尤 | móu ボウ・ム ひとみ

[字解] 눈동자모 안정(眼睛). '明一'. '胸中正則一子瞭焉'《孟子》. ※本音 무.
[字源] 形聲. 目+牟〔音〕

目 6 〔眹〕11 진 [上]軫 | zhěn チン ひとみ

[字解] ①눈동자진 안정(眼睛). '無目一'《周禮 註》. ②조짐진 빌미. 전조. '吉凶形兆, 謂之兆一'《佩觿集》.
[字源] 形聲. 目+关(灷)〔音〕

目 6 〔眺〕11 조 [去]嘯 | tiào チョウ ながめる

[字解] 바라볼조 먼 데를 봄. '一覽'. '可以遠一望'《禮記》. 또, 먼 데를 바라보는 일. 조망, 또는 그 경치. '山河宜晚一'《岑參》.
[字源] 形聲. 目+兆〔音〕

目 6 〔眼〕11 [中·人] 안 [上]潸 | yǎn ガン め

[筆順] 丨 冂 月 目 目ㄱ 目ヨ 眼 眼

[字解] ①눈안 ㉠눈알. '一球'. '抉吾一, 縣吳東門之上'《史記》. ㉡눈매. 눈맵시. '一如望羊'《史記》. ㉢눈의 구멍. '纖毫入一'《司馬子》. ㉣바늘 따위의 구멍. '針一'. '砲一'. ㉤보는 일. '彫績滿一'《南史》. ②볼안 눈으로 봄. '偸一艷陽天'《杜甫》. ③고동안 요점(要點). '主一'. '日句法, 日字一'《滄浪詩話》. ④성안 성(姓)의 하나.
[字源] 形聲. 目+艮(㫐)〔音〕

目 6 〔眰〕11 질 ①[入]屑 ②[入]質 | diè テツ めのでているさま
zhì シツ みる

[字解] ①눈불거질질 눈이 쑥 나옴. 또는 눈의 모양이 바르지 못함. '眣, 目出皃, 一日, 目不正, 一日, 以目使人也, 或从至'《集韻》. ②볼질 무엇을 봄. '䏌, 視也, 或从目'《集韻》.

目 6 〔䀬〕11 전 [平]先 | quán セン またたく

[字解] ①눈깜짝일전 '一, 目瞬'《玉篇》. ②거슴츠레할전 '一, 目不明也'《集韻》. ③실눈으로볼전 눈을 가늘게 뜨고 봄. '一, 目眇視'《集韻》.

目 6 〔䀗〕11 혈 [入]屑 | xuè ケツ みてにくむさま

[字解] 보고미워할혈 '瞠一'은 보고 미워하는 모양. '一, 瞠一, 視惡皃'《集韻》.

目 6 〔䀫〕11 [一] 협 [入]洽 | jiá コウ かすんだめ
[二] 돈 [上]阮 | tǔn トン めがとろんとしてねむそうなさま

[字解] [一] ①눈흐릴협 잘 보이지 아니하는 눈. '一, 眼細暗也'《集韻》. ②애꾸눈협 '一, 眇也'《集韻》. ③눈깜작일협 '一, 一日, 睫動也'《集韻》. [二] 눈몽롱할돈 눈이 개개풀려 졸린 모양. '一, 矇朧欲睡貌'《字彙》.

目 6 〔眽〕11 [一] 맥 [入]陌 | mò バク・ミャク よこめでみる
[二] 멱 [入]錫 | mì ベキ・ミャク みる

[字解] [一] ①흘끗볼맥 몰래 봄. ②물끄러미볼맥 서로 말없이 보는 모양. '一一不得語'《古詩》. [二] 볼멱 '一隆周之太寧'《漢書》.
[字源] 形聲. 目+𠂢〔音〕
[參考] 眿(目부 5획〈843〉)은 同字.

目 6 〔𥄗〕11 〔견〕
睊(目부 7획〈846〉)의 俗字

目 6 〔眳〕11 명 [平]庚 [上]梗 | míng メイ まゆとまつげとのあいだ

[字解] 눈두덩명 눈섭과 속눈섭 사이. 미첩간(眉睫間). '一藐流眄'《張衡》.
[字源] 形聲. 目+名〔音〕

目 6 〔䀩〕11 [一]락 [入]藥|luò ラク みる
[二]략 [入]藥|リャク みる

[字解] [一]①볼락 '睎·一, 視也. 東齊曰睎, 吳揚曰一'《揚子方言》. ②곁눈질락 '一, 眄也'《說文》. ③큰눈락 '一, 大目'《廣韻》. [二]볼략, 곁눈질략, 큰눈락 [一]과 뜻이 같음.
[字源] 形聲. 目+各〔音〕

目 6 〔䀺〕11 수 [平]尤|shōu シュウ ようをただしてみる

[字解] 매무새단정히하고볼수 '矂一'는 용모를 단정히 하고 봄의 뜻. '一, 矂一, 斂容視皃'《集韻》.

目 6 〔眻〕11 양 [平]陽|yáng ヨウ めがうつくしい

[字解] ①눈아름다울양 '一, 一曰, 目美也'《集韻》. ②미간(眉間)양 '一, 眉間曰一'《集韻》.

目 6 〔䀶〕11 도 [平]豪|tāo トウ しろめがち

[字解] 눈흰자위많을도 눈에 흰자위가 많음. 또는, 눈이 밝지 아니함. '一, 目不明曰一, 一曰, 目通白'《集韻》.

目 6 〔䀮〕11 [一]황 [平]陽|huāng コウ くらい
[二]망 [平]陽|ボウ·モウ くらい

[字解] [一]눈희미할황 눈이 밝지 못함. 눈이 어두움. '目一一如無所見'《靈樞經》. [二]눈희미할망 [一]과 뜻이 같음.

目 6 〔䀬〕11 홍 [上]董|hǒng コウ めがあきらかでない

[字解] 눈희미할홍 '矇一'은 눈이 잘 보이지 않음.

目 6 〔䀰〕11 활 ①②[入]黠|huà カツ みる
③[入]曷|guā カツ めがくらい

[字解] ①볼활 눈으로 봄. '一, 視也'《集韻》. ②부릅떠볼활 성난 눈으로 보는 모양. '一, 埤倉, 一, 怒視皃'《集韻》. ③눈어두울활 눈이 밝지 않음. '一, 目暗'《集韻》.

目 6 〔眮〕11 동 [平]東|tóng トウ まぶち

[字解] ①눈자위동 눈의 언저리. '一, 目眶'《廣韻》. ②눈알굴릴동 눈을 이리저리 돌려 봄. '一, 轉目也'《揚子方言》. ③노려볼동 노려보며 둘러봄. '吳楚謂瞋目顧視曰一'《說文》.
[字源] 形聲. 目+同〔音〕

目 6 〔䀊〕11 교 [上]巧|jiǎo コウ ながしめ

[字解] 흘겨볼교 '聊一'는 곁눈질하여 봄. '聊一, 邪視'《集韻》.

目 6 〔䀭〕11 해 [平]灰|gāi カイ めのおおきいさま

[字解] ①눈클해 눈이 큰 모양. '一, 目大皃'《集韻》. ②여럿이볼해 '一矚, 衆相視貌'《字彙》.

目 6 〔䀪〕11 항 [平]陽|háng コウ とぶ

[字解] 날아내릴항 새가 날아오르는 것을 '翻', 날아내리는 것을 '一'이라 이름. '魚頡而鳥一'《揚雄》.

目 6 〔眱〕11 [一]이 [平]支|yí イ ちょっとみる
[二]제 [平]齊 [去]霽|dì テイ ちょっとみる

[字解] [一]①흘끔볼이 훔쳐봄. '一, 小視也'《集韻》. ②곁눈질할이 '一, 南楚謂眄曰一'《集韻》. ③눈여겨볼이 말없이 물끄러미 봄. '一, 熟視不言'《廣韻》. [二]흘끔볼제, 곁눈질할제, 눈여겨볼제 [一]과 뜻이 같음.

目 6 〔䀘〕11 [一]계 [平]齊 [去]霽|①②jī ケイ うかがう ③ケイ よくみる
[二]휴 [平]齊|xié ケイ よくみる

[字解] [一]①엿볼계, 뚫어지게볼계 사람을 가리고 엿봄. 또, 주시(注視)함. '一, 蔽人視也. 一曰, 直視也'《說文》. ②성급하게 볼계 '一, 躁視也'《集韻》. ③잘볼계 '一, 能視也'《廣韻》. [二]①잘볼휴 [一]③과 뜻이 같음. ②뚫어지게볼휴 '一, 直視也'《集韻》.
[字源] 形聲. 目+开〔音〕

目 6 〔𥄉〕11 䀘(前條)와 同字

目 6 〔䀼〕11 〔진〕 瞋(目부 10획〈852〉)과 同字

目 6 〔睁〕11 〔정〕 睜(目부 8획〈848〉)의 俗字·簡體字

目 6 〔眷〕11 [人名] 권 [去]霰|juàn ケン かえりみる

[筆順] ′ 丷 䒑 䒑 兰 类 关 劵 眷

[字解] ①돌아볼권 ㉠뒤를 돌아다봄. '一顧'. '乃一西顧'《詩經》. ㉡돌봄. 애호함. '一愛'. '皇天一命'《書經》. ②은혜권 은고(恩顧).

'蒙一累世'《晉書》. ③겨레붙이권 친족. '一屬'. '裴氏自晉魏以來, 世爲名族, 居燕者, 號東一'《五代史》. ④성권 성(姓)의 하나.
[字源] 形聲. 目+𢍏〔音〕

目6 〔𥃩〕11 〔성〕
省(目부 4획〈840〉)의 本字

目6 〔眾〕11 〔중〕
衆(血부 6획〈1259〉)의 本字

目7 〔鼎〕12 〔정〕
鼎(部首〈1872〉)의 略字

目7 〔睅〕12 한 [上]潸 [上]旱 | hàn カン でめ
[字解] 눈불거질한 눈이 쑥 나와 큰 모양. '一其目, 皤其腹'《左傳》.
[字源] 形聲. 目+旱〔音〕

目7 〔睆〕12 환 [上]潸 | huǎn カン みちている, あきらか
[字解] ①익을환 열매가 익는 모양. '有一其實'《詩經》. ②밝을환 별이 밝은 모양. '一彼牽牛'《詩經》. ③고울환 ㉠아름다운 모양. '華而一, 大夫之簀與'《禮記》. ㉡소리가 맑고 아름다운 모양. '睍一黃鳥'《詩經》. ④바라볼환 멀리 바라보는 모양. '一一然在纆繳之中'《莊子》.
[字源] 形聲. 目+完〔音〕

目7 〔睇〕12 제 [去]霽 | dì テイ ながしめ·わきみする
[字解] 흘끗볼제 곁눈질함. 몰래 봄. '一眄'. '在父母舅姑之所, 不敢一視'《禮記》.
[字源] 形聲. 目+弟〔音〕

目7 〔睊〕12 견 [平]先 | juàn ケン みるさま
[字解] 곁눈질할견 곁눈으로 보는 모양. 흘끗 보는 모양. '一一胥讒'《孟子》.
[字源] 形聲. 目+肙〔音〕

目7 〔睋〕12 아 [平]歌 | é ガ のぞむ
[字解] 바라볼아 멀리 봄. '一北阜'《班固》.

目7 〔睒〕12 섬 [上]琰 | shǎn セン しばらくみる
[字解] 언뜻볼섬 睒(目부 8획〈847〉)와 통용.
[參考] 睞(次條)은 別字.

目7 〔睫〕12 [一]첩 [入]葉 | jié ショウ まつげ
[二]겹 [入]洽 | jiá キョウ すがめ
[字解] [一] 속눈썹첩 눈 언저리에 난 털. '忽忽承一'《史記》. [二] 애꾸눈겹 한쪽이 먼 눈. 또, 한쪽 눈이 멂. '一其一目'《韓非子》. '瞽兩目一'《韓非子》.
[字源] 形聲. 目+夾〔音〕
[參考] 睒(前條)은 別字.

目7 〔睍〕12 현 [上]銑 | xiàn ケン めのでているさま
[字解] ①불거진눈현 쑥 나온 눈. ②흘끗볼현 몰래 보는 모양. '低首下心, 伈伈一一'《唐書》. ③고울현 소리가 맑고 아름다운 모양. '一睆黃鳥'《詩經》.
[字源] 形聲. 目+見〔音〕

目7 〔睎〕12 희 [平]微 | xī キ のぞむ
[字解] ①바라볼희 멀리 봄. '一秦嶺'《班固》. ②사모할희 존경하여 따름. '一顏之人, 亦顏之徒也'《揚子法言》.
[字源] 形聲. 目+希〔音〕

目7 〔䜘〕12 두 [平]尤 | dōu トウ めやに
[字解] 눈곱두 눈곱. '一眵, 目汁凝'《廣韻》.

目7 〔睄〕12 효 [平]肴 | xiāo コウ めくら
[字解] 소경효 장님. 목맹(目盲). '一, 眀睹也'《字彙》.

目7 〔睙〕12 [一]량 [去]漾 | liàng リョウ めをやむ
[二]량 [上]養 | lǎng ロウ めがはっきりする
[字解] [一] ①눈병날량 안질을 앓음. 또, 눈병 '一, 目病也'《說文》. ②눈비뚤량 눈이 바르지 않음. '一, 目視不正也'《說文 段注》. [二] 눈밝을량 눈이 밝음.
[字源] 形聲. 目+良〔音〕

目7 〔䀿〕12 괵 [入]陌 | guó カク めをとじる
[字解] 눈감을괵 눈을 감는 모양. '一, 閉目皃'《集韻》.

目7 〔䀪〕12 왕 [平]陽 | wāng オウ なきそうなさま
[字解] 눈물글썽글썽할왕 '一一'은 울려고 하는 모양. '一一, 目欲泣皃'《集韻》.

目7 〔睃〕12 [一]준 [去]震 | suō(jùn) シュン みる
[二]전 [平]先 | juān セン じんめい
[字解] [一] ①볼준 '一, 視也'《集韻》. ②《現》곁눈질할준. [二] 사람이름전 '一, 人名. 漢

有魯文王―'《集韻》.

目7〔晩〕12 만 [上]潸 | mǎn バン みる

[字解] ①보는모양만 '―瞖'은 보는 모양. '―, ―瞖, 目視皃'《說文》. ②겁없이볼만 '―瞖'은 두려움없이 봄. '―, ―瞖, 無畏視也'《廣韻》. ③볼만 '―, 視也'《廣雅》.
[字源] 形聲. 目＋免〔音〕

目7〔䀹〕12 晩(前條)과 同字

目7〔睏〕12 [現] 곤 | kùn コン ねむい, いねむりする

[字解] 《現》졸릴곤, 잠잘곤, 졸곤 '當家吃粮呼呼―'《中國歌謠資料》.

目7〔睄〕12 소 [去]效 | qiāo ソウ·ショウ ちょっとみる

[字解] 흘끗볼소 훔쳐봄. '―, 小視'《集韻》.

目7〔䁔〕12 〔안〕
眼(目부 6획〈844〉)의 本字

目7〔䀼〕12 〔진〕
眹(目부 6획〈844〉)의 本字

目7〔脞〕12 [一] 좌 [平]歌 [上]哿 | cuó サ·ザ めがちいさい
[二] 자 [去]卦 | zhài サイ·ザイ めがわるい

[字解] [一] ①눈작을좌 '―, 目小也'《說文》. ②잘좌 좀스러움. 脞(肉부 7획〈1075〉)와 통용. [二] 눈사나울자 '―眍'는 눈이 사나움. '―, ―眍, 目惡'《集韻》.
[字源] 形聲. 目＋㘴(坐)〔音〕

目7〔睍〕12 [一] 연 [去]霰 [平]先 | yán エン ふりかえりながらゆく
[二] 천 [去]霰 | セン ふりかえりながらゆく

[字解] [一] ①돌아보며갈연 '―, 相顧視也'《廣韻》. ②볼연 '―, 視也'《廣雅》. [二] 돌아보며갈천, 볼천 [一]과 뜻이 같음.
[字源] 形聲. 目＋延〔音〕

目7〔奞〕12 [一] 훤 [上]阮 | ケン おおいにみる
[二] 권 [平]先 | quān ケン おおいにみる
[三] 관 [去]翰 | カン おおきなめ

[字解] [一] ①크게볼훤 '―, 大視也'《說文》. ②크게보는모양훤 '―, 大視皃'《廣韻》. [二] 크게볼권, 크게보는모양권 [一]과 뜻이 같음. [三] 큰눈관 '―, 大目'《集韻》.
[字源] 會意. 大＋㚟

目7〔睺〕12 [一] 추 [平]尤 | chōu チュウ やぶにらみ
[二] 초 [平]肴 | チョウ やぶにらみ
[三] 도 [平]豪 | tāo トウ めがあきらかでない

[字解] [一] 사팔뜨기추 '―, 眣也'《說文》. [二] 사팔뜨기초 [一]과 뜻이 같음. [三] ①눈어두울도 '―, 目不明曰―'《集韻》. ②흰자위많을도 '―, 目通白也'《廣韻》. ③쌍꺼풀도 '―, 目重瞼也'《字彙補》.
[字源] 形聲. 目＋攸〔音〕

目7〔䁎〕12 〔미〕
眉(目부 4획〈840〉)의 本字

〔着〕〔착〕
羊부 6획(1035)을 보라.

目8〔睒〕13 섬 [上]琰 | shǎn セン しばらくみる

[字解] ①언뜻볼섬 별견(瞥見)함. 잠시 봄. '猨獺―瞲乎廠空'《郭璞》. ②엿볼섬 규시(窺視)함. '瞢復―天, 不覩其畛'《太玄經》. ③번갯불섬 전광(電光). '―睗'. '電炟炟, 其光―也'《元包經》.
[字源] 形聲. 目＋炎〔音〕

目8〔睔〕13 곤 [上]阮 | jùn コン めがおおきい

[字解] 큰눈곤 커다란 눈. 거안(巨眼). 또, 눈을 부릅뜸.
[字源] 形聲. 目＋侖〔音〕

目8〔䁅〕13 睔(前條)과 同字

目8〔睕〕13 완 [平]寒 | wān ワン めのくぼんださま

[字解] 눈우묵할완 눈이 움푹 들어간 모양. '卿目――, 正耐溺中'《晉書》.

目8〔睗〕13 석 [入]陌 | shì セキ いなびかり

[字解] ①번갯불석 전광(電光). '雷電生睒―'《韓愈》. ②빨리볼석 급히 봄.
[字源] 形聲. 目＋易〔音〕

目8〔睚〕13 애 [去]卦 | yá, yái ガイ まなじり

[字解] ①눈초리애 눈의 귀 쪽으로 째진 구석. ②흘길애 흘겨 봄. '―眦之怨'. '報―眦怨'《漢書》.
[字源] 會意. 目＋厓

目8〔睛〕13 정 [平]庚 | jīng セイ ひとみ

[字解] 눈알정 안구(眼球). '白―'. '黑―'.

'畫龍點一'. '橫一逆視'《吳志》.
[字源] 形聲. 目＋靑〔音〕

目 8 〔睜〕13 睛(前條)과 同字
[字源] 形聲. 目＋爭〔音〕

目 8 〔睞〕13 래 [去]隊 | lài ライ わきみをする
[字解] 곁눈질할래 곁눈으로 봄. '眄一'. '明眸善一'《曹植》.
[字源] 形聲. 目＋來〔音〕

目 8 〔⿰目京〕13 〔량〕 ⿰目良(目부 7획〈846〉)과 同字

目 8 〔⿰目弥〕13 미 [平]支 | mí ビ·ミ すがめ
[字解] 애꾸눈미 '一, 眇目也'《集韻》.

目 8 〔睓〕13 전 [上]銑 | tiǎn テン はじる
[字解] 부끄러워할전 倎(心부 8획〈397〉)과 同字. '倎, 說文, 靑徐謂慙曰倎, 或作一'《集韻》.

目 8 〔⿰目長〕13 [一] 창 [去]漾 | chàng チョウ うらむ
[二] 장 [平]陽 | zhāng チョウ めがおおきい
[字解] [一] ①실지(失志)한모양창 낙담한 모양. '一, 失志皃'《玉篇》. ②원망할창 '悵, 說文, 望恨也, 或从目'《集韻》. [二] 눈클장 눈이 유난히 큼. '一, 目大也'《集韻》.

目 8 〔⿰目表〕13 표 [平]蕭 | biāo ヒョウ しっかりみる
[字解] 눈여겨볼표 확실히 봄. '一, 著眼視也'《字彙》.

目 8 〔⿱或目〕13 [一] 혹 [入]職 | huò キョク ねむっているめのさま
[二] 혁 [入]職
[字解] [一] 잠든눈모양혹 잠자고 있는 눈의 모양. '一, 睡目皃'《集韻》. [二] 잠든눈모양혁 [一]과 뜻이 같음.

目 8 〔⿰目或〕13 ⿱或目(前條)과 同字

目 8 〔睟〕13 수 [去]寘 | suì スイ つやのあるさま
[字解] ①함치르르할수 윤택한 모양. '一然見於面'《孟子》. ②눈동자맑을수 '臨朝凝一'《沈約》. ③순수할수 조금도 잡것이 섞이지 않음. '一君道也'《太玄經》. ④볼수 '一, 視也'《玉篇》.
[字源] 形聲. 目＋卒〔音〕

目 8 〔睡〕13 [高·人] 수 [去]寘 | shuì スイ いねむる
[筆順] 目 ... 睡
[字解] ①졸수 앉거나 서서 잠. '一魔'. '時時一弗聽'《史記》. ②잘수 취침함. '一臥'. '共君今夜不須一'《賈島》. ③잠수 전항(前項)의 명사. '破一見茶功'《白居易》.
[字源] 形聲. 目＋垂(𡍮)〔音〕

目 8 〔睢〕13 [一] 수 [平]支 | suī スイ かわのな
[二] 휴 [平]支 | huī キ みはる
[字解] [一] ①물이름수 사수(泗水)로 흘러들어가는 하남성(河南省)에 있던 강. 지금은 하도(河道)가 변하여 자취도 없음. '一水'. '出舍于一上'《左傳》. ②성수 성(姓)의 하나. [二] 부릅떠볼휴 ㉠깜짝 놀라 눈을 휘둥그렇게 하고 봄. '萬衆一一'《漢書》. ㉡성을 내어 사납게 눈을 크게 뜸. '暴戾恣一'《史記》.
[字源] 形聲. 目＋隹〔音〕
[參考] 雎(隹부 5획〈1631〉)는 別字.

目 8 〔睥〕13 비 [去]霽 | pì ヘイ にらむ
[字解] ①흘겨볼비 ㉠곁눈질함. '一睨天地之閒'《後漢書》. ㉡위세를 부리며 노려봄. '一睨兩宮之閒'《後漢書》. ②엿볼비 구멍 같은 것을 통하여 들여다봄. '於其孔中一睨非常也'《釋名》. ③성가퀴비 성 위에 쌓은 낮은 담. '城上垣曰一睨'《釋名》.
[字源] 形聲. 目＋卑〔音〕

目 8 〔睤〕13 睥(前條)와 同字

目 8 〔睦〕13 [高·人] 목 [入]屋 | mù ボク むつぶ
[筆順] 目 ... 睦
[字解] ①화목할목 친목함. 화목하게 지냄. '一族'. '九族旣一'《書經》. ②화목목 '講信修一'《禮記》. ③성목 성(姓)의 하나.
[字源] 形聲. 目＋坴〔音〕

目 8 〔睩〕13 록 [入]屋 | lù ロク みるさま
[字解] 볼록 삼가 보는 모양. '哀世兮一一'《王逸》.
[字源] 形聲. 目＋彔〔音〕

目 8 〔睨〕13 예 [去]霽 | nì ゲイ よこめでみる
[字解] ①곁눈질할예 곁눈으로 봄. '魚瞰雞

一'《王褒》. ②노려볼예 쏘아봄. '持璧一柱'《史記》. ③엿볼예 구멍 같은 것을 통하여 봄. '眇一'. '睥一'. ④기울예 해가 서쪽으로 기욺. '日方中方一'《莊子》.
[字源] 形聲. 目＋兒〔音〕

目 8 〔睫〕 13 첩 [入]葉 | jié ショウ まつげ

[字解] ①속눈썹첩 눈 언저리의 털. '目一'. '陛下不交一解衣'《漢書》. ②감을첩 눈을 감음. 또, 눈을 깜짝거림. '眶不一'《列子》.
[字源] 形聲. 目＋疌〔音〕

目 8 〔睧〕 13 혼 [平]元 | hūn コン くらい

[字解] 어두울혼 눈이 어두움. '漢一於勢利'《淮南子》.
[字源] 形聲. 目＋昏〔音〕

〔鼎〕 〔정〕 部首(1872)를 보라.

目 8 〔睠〕 13 권 [去]霰 | juàn ケン かえりみる

[字解] 돌아볼권 眷(目부 6획〈845〉)과 同字. '乃一西顧'《詩經》.
[字源] 形聲. 目＋卷〔音〕

目 8 〔⿰目臽〕 13 [一] 함 [去]勘 | hàn カン [一][二] めのふかくくぼんださま
[二] 흡 [入]洽 | qià コウ

[字解] [一] 눈움푹할함 눈이 쑥 들어가 우묵한 모양. '一, 目深皃'《集韻》. [二] 눈움푹할흡 [一]과 뜻이 같음.

目 8 〔睖〕 13 릉 [平]蒸 | lèng リョウ みつめる

[字解] 노려볼릉 '一瞪'은 노려보는 모양. '一瞪, 直視皃'《集韻》.
[字源] 形聲. 目＋夌〔音〕

目 8 〔⿰目孟〕 13 맹 [上]梗 [去]敬 | ①-③měng ボウ みるさま ④mèng ボウ めのいかるさま

[字解] ①볼맹 눈으로 보는 모양. ②성낼맹 성낸 모양. '一, 一曰, 恚皃'《集韻》. ③기뻐할맹 좋아함. '一, 集韻, 喜也'《康熙字典》. ④눈부라릴맹 성낸 눈을 한 모양. '一盱, 目怒皃'《集韻》.

目 8 〔⿰目享〕 13 [一] 준 [平]眞 | zhūn シュン にぶいめ
[二] 돈 [平]元 | トン くらい
[三] 곽 [入]藥 | guō キャク・カク めのはるさま

[字解] [一] 둔한눈준 잘 보이지 않는 눈. '一, 鈍目也'《廣韻》. [二] 어두울돈 잘 보이지 않음. '一, 視不明'《集韻》. [三] 눈크게뜰곽 '矌, 目張皃 或作一'《集韻》.
[字源] 形聲. 篆文은 目＋𦎧〔音〕

目 8 〔睬〕 13 채 [上]賄 | cǎi サイ かえりみ

[字解] 돌이켜볼채 상대함. '一, 偢一, 俗言也. 詞家多用此字'《字彙補》.

目 8 〔⿱䀠大〕 13 [一] 구 [平]虞 [去]遇 | ①②ju ク よこめ ③ク きょろきょろみまわす
[二] 혁 [入]職 | xì キョク よこめにみる

[字解] [一] ①곁눈구 '一, 目衺也'《說文》. ②화살이름구 손가락 여섯개의 길이의 화살. '一一, 一曰, 矢長六指'《集韻》. ③좌우로볼구 두리번거림. '䀠, 說文, 左右視也. 或从大'《集韻》. [二] 곁눈질할혁 곁눈질로 보는 모양. '一, 邪視皃'《集韻》.
[字源] 會意. 䀠＋大

目 8 〔⿰目奄〕 13 [一] 읍 [入]葉 | yè ヨウ めをとじる
[二] 암 [上]感 | ǎn アン・オン めをとじる

[字解] [一] ①눈감을읍 눈을 감음. '一, 閉目'《集韻》. ②눈읍 '一, 目也'《玉篇》. [二] 눈감을암, 눈암 [一]과 뜻이 같음.

目 8 〔⿱宓目〕 13 [一] 밀 [入]質 | mì ビョクしばらくみる
[二] 묵 [入]職 | mò ボク・モクしばらくみる

[筆順] 宀 宀 宀 宓 宓 ⿱宓罒 ⿱宓罒 ⿱宓目

[字解] [一] ①잠깐볼밀 잠시 봄. '一, 暫視也'《集韻》. ②자세히볼밀 '一瞭目以霧披'《吳萊》. [二] 잠깐볼묵, 자세히볼묵 [一]과 뜻이 같음.

目 8 〔督〕 13 [中·人] 독 [入]沃 | dū トク よくみる, ひきいる

[筆順] ⺊ 上 卡 尗 叔 叔 ⿱叔冂 督

[字解] ①살필독 세밀히 봄. '使離婁一繩'《漢書》. ②거느릴독 통솔함. '一軍'. '弘專一江漢'《晉書》. ③감독할독 독려함. '一戰'. '嘗爲丞一事'《漢書》. ④꾸짖을독 책망함. '有意一過之'《史記》. ⑤재촉할독 빨리 하도록 죄어침. '一促'. '趣一倚辦'《唐書》. ⑥권할독 권장함. '宜有以教一'《漢書》. ⑦가운데독 중앙 '緣一以爲經'《莊子》. ⑧우두머리독 통솔하는 사람. '總一'. '擧寵而爲一'〈총(寵)은 인명(人名)〉《諸葛亮》. ⑨성독 성

(姓)의 하나.
字源 形聲. 目+叔〔音〕

目8〔䀝〕13 ㊀비 ㊥微 fēi ヒ おおきなめ
㊁빈 ㊥眞 ヒン おおきなめ
字解 ㊀큰눈비 '一, 大目也'《說文》. ㊁큰눈빈 ㊀과 뜻이 같음.
字源 形聲. 目+非〔音〕

目8〔䁈〕13 ㊀계 ㊅霽 qì ケイ かえりみる
㊁기 ㊤紙 キ かえりみる
㊂도 ㊤麌 ト じんめい
字解 ㊀①돌아볼계, 볼계 '一, 省視也'《說文》. '一, 視也'《廣雅》. ②엿볼계 '一, 窺也'《廣雅》. ㊁돌아볼기, 볼기, 엿볼기 ㊀과 뜻이 같음. ㊂사람이름도 '一, 梁公子名, 仉一'《廣韻》.
字源 形聲. 目+啓〈省〉〔音〕

目8〔䁈〕13 䁈(前條)와 同字

目8〔睯〕13 한 ㊤潸 xiàn カン おおきなめ
字解 ①큰눈한 '一, 大目也'《說文》. ②볼한 '晩一'은 보는 모양. '晩, 晩一, 目視皃'《說文》. ③두려움없이볼한 '䰢一'은 겁없이 봄. '一, 䰢一, 無畏視也'《廣韻》.
字源 形聲. 目+㕟〔音〕

目8〔睪〕13 ㊀역 ㊇陌 yì エキ うかがいみる
㊁택 ㊇陌 zé タク さわ
字解 ㊀①엿볼역 몰래 봄. ②즐길역 즐거워하는 모양. '一一'. ③성역 성(姓)의 하나. ㊁늪택 澤(水부 13획〈688〉)과 통용. '側載一芷以養鼻'《荀子》.
字源 會意. 目+幸(㚔)
參考 睾(目부 9획〈852〉)는 別字.

目8〔睘〕13 〔경〕
瞏(目부 10획〈853〉)과 同字

目9〔睮〕14 유 ㊥虞 yú ユ こびるさま
字解 아첨할유 아첨하는 눈매의 모양. '一一諂夫'《韋孟》.

目9〔瞍〕14 수 ㊤有 sǒu ソウ めくら
字解 소경수 장님. 瞍(目부 10획〈852〉)의 本字. '一賦矇誦'《國語》.
字源 形聲. 目+叜〔音〕

目9〔睹〕14 도 ㊤麌 dǔ ト みる
字解 볼도 覩(見부 9획〈1300〉)와 同字. '目一'. '以陰陽爲端. 故情可一也'《禮記》.
字源 形聲. 目+者〔音〕

目9〔睺〕14 후 ㊥尤 ㊅宥 hóu コウ かため
筆順 目 盱 盱 盺 盺 睺 睺 睺
字解 애꾸눈후 편맹(偏盲). '半盲爲一'《揚子方言》.
字源 形聲. 目+侯〔音〕

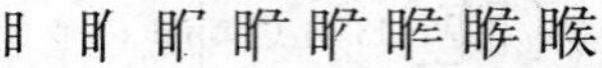

目9〔睺〕13 睺(前條)와 同字

目9〔睼〕14 제 ㊅霽 ㊥齊 tiàn テイ むかえみる
字解 볼제 맞이하여 봄. '親所一而弗識兮'《張衡》.
字源 形聲. 目+是〔音〕

目9〔睽〕14 규 ㊥齊 kuí ケイ そむく
字解 ①외면할규 서로 마주 보지 아니하고 얼굴을 돌림. '一, 外也'《易經》. ②등질규 서로 배반함. 반목(反目)함. 사이가 나쁨. '一焉而鬭'《柳宗元》. ③부릅뜰규 눈을 크게 뜨는 모양. '萬目一一'《韓愈》. ④규괘규 육십사괘(六十四卦)의 하나. 곧, ䷥〈태하(兌下), 이상(離上)〉. 작은 일에 유리(有利)한 상(象). '一, 小事吉'《易經》.
字源 形聲. 目+癸〔音〕

目9〔瞁〕14 혁 ㊇陌 xù ケキ おどろきみる
字解 볼혁 놀라서 눈이 휘둥그래져 보는 모양. '心駭神悸, 一瞯而不敢進'《周邦彥》.

目9〔腰〕14 요 ㊤篠 yǎo ヨウ とおくみる
字解 멀리볼요, 비등(飛騰)하는모양요 '朱爓綠烟, 一眇蟬蜎'《木華》.

目9〔䁋〕14 접 ㊇葉 xiè チョウ かためをとじる
字解 ①한눈감을접 한쪽 눈을 감음. '一, 閉一目'《玉篇》. ②한쪽눈지그시감고자세히볼접 '䁋, 目眇視, 或作一'《集韻》. ③사팔뜨기접 '一, 視不正皃'《集韻》.

目9〔䁍〕14 감 ㊅陷 kān カン めがくぼむ
字解 ①애꾸눈감 '一, 眸子枯陷也'《六書故》. ②빠질감 움푹 패임. '一, 陷也'《廣雅》. ③볼감 '一, 視也'《廣雅》.
字源 形聲. 目+咸〔音〕

目9 〔瞐〕14 ㊀ 모 (去)號 | mào ボウ·モウ ふしめでみる
㊁ 무 (去)宥 | mào ボウ·モ ふしめでみる

字解 ㊀ 눈내리깔고볼모 시선(視線)을 아래로 내려뜨리고 자세히 봄. '俯目細視, 謂之一'《集韻》. ㊁ 눈내리깔고볼무, 잘보이지않을무.
字源 形聲. 目＋冒〔音〕

目9 〔睷〕14 건 (平)元 | jiān ケン めでかぞえる

字解 눈으로셀건 눈으로 헤아림. '一, 目數也'《集韻》. '一異景於穹坳'《王守仁》.

目9 〔睲〕14 성 ①(上)梗 | xǐng セイ みる
②(平)庚 | xìng セイ ひとみがかがやく

字解 ①볼성 눈으로 봄. '一, 視也'《集韻》. ②눈에영채날성 눈동자가 반짝임. '一, 目睛照也'《集韻》.
字源 形聲. 目＋星〔音〕

目9 〔⿰目爰〕14 ㊀ 훤 (平)元 | xuān ケン おおきなめ
㊁ 환 (上)旱 | hàn カン おおきなまなじり

字解 ㊀ 왕눈훤 큰 눈. '一, 大目也'《說文》. ㊁ 큰눈초리환 눈의 귀쪽 언저리. '一, 大目眥也'《集韻》.
字源 形聲. 目＋爰〔音〕

目9 〔睴〕14 ㊀ 곤 (去)願 | gǔn コン ㊀-㊁ おおきくでため
㊁ 온 (去)願 | ゴン
㊂ 혼 (上)阮 | コン

字解 ㊀ ①툭불거진눈곤 '一, 大目出也'《說文》. ②눈갑자기불거질곤 '一, 目急出也'《六書故》. ③볼곤 보는 모양. '一, 視皃'《廣韻》. ㊁ 툭불거진눈온, 눈갑자기불거질온, 볼온 ㊀과 뜻이 같음. ㊂ 툭불거진눈혼, 눈갑자기불거질혼, 볼혼 ㊀과 뜻이 같음.
字源 形聲. 目＋軍〔音〕

目9 〔瞄〕14 (現) 묘 | miáo ビョウ みつめる

字解 《現》 뚫어지게볼묘 주의하여 봄.

目9 〔瞅〕14 추 | chǒu シュウ みる

字解 볼추 바라봄. '他只一着那側面的小鋪'《丁玲》.

目9 〔⿰目⿱叉目〕14 ㊀ 알 (入)曷 | wò ワツ ㊀-㊂ きれのみじかいくぼんだめ
㊁ 놜 (入)黠 | ダツ
㊂ 니 (去)寘 | ジ

字解 ㊀ ①눈초리짧게째지고오목한눈알 '一, 短窔目皃也. 〈說文 段注〉目匡短, 而目深窐圓, 一然如揞目也'《說文》. ②눈깊고검을알 '一, 目深黑皃'《廣韻》. ③막을알 '一, 塞也'《廣雅》. ㊁ 눈초리짧게째지고오목한눈놜, 눈깊고검을놜, 막을놜 ㊀과 뜻이 같음. ㊂ 눈초리짧게째지고오목한눈니, 눈깊고검을니, 막을니 ㊀과 뜻이 같음.
字源 形聲. 目＋⿰目叉〔音〕

目9 〔瞂〕14 발 (入)黠 | fá ハツ たて

字解 방패발 적(敵)의 시석(矢石) 같은 것을 막는 무기. '植鍁懸一, 用戒不虞'《張衡》.
字源 形聲. 盾＋犮〔音〕

目9 〔睧〕14 민 (平)眞 | mín ビン·ミン みるさま

字解 ①보는모양민 무엇을 보는 모양. '旼, 視皃, 或作一'《集韻》. ②굽어볼민 고개를 숙여 내려다봄. '一, 俯視也'《集韻》.

目9 〔⿰目面〕14 전 (上)銑 | miǎn テン はじる

字解 부끄러워할전 靦(面부 7획〈1657〉)과 同字. '一, 面慚貌, 與靦同'《篇海》.

目9 〔⿰目亭〕14 정 (平)庚 (平)青 | ①②chéng トウ·ジョウ くわしくみるさま ③tíng テイ めやに

字解 ①자세히볼정 '一, 審視皃'《集韻》. ②똑바로볼정 瞠(目부 11획〈854〉)과 同字. '瞠, 直視也, 或作一'《集韻》. ③눈곱정 '一, 目眵'《集韻》.

目9 〔睿〕14 人名 예 (去)霽 | ruì エイ ふかくあきらか

筆順 睿

字解 밝을예, 슬기로울예 사리에 통하여 깊고 밝음. '一智'. '思曰一, 一作聖'《書經》. 전(轉)하여, 천자(天子)에 관한 사물(事物)의 관칭(冠稱)으로 쓰임. '一覽'. '紛綸一緖'《齊書》.
字源 會意. 目＋容〈省〉

目9 〔瞀〕14 ㊀ 무 (去)宥 | mào ボウ くらい
㊁ 목 (入)屋 | ボク とりめ

字解 ㊀ ①흐릴무 ㉠눈이 어두움. '眼一精絕'《晉書》. ㉡정신이 흐림. '愚陋溝一'《荀子》. ②어지러울무 사물이 혼란함. '是非一亂'《北史》. ③성무 성(姓)의 하나. ㊁ 야맹목 밤눈이 어두움. '人有至夕昏不見物者, 謂之雀一'《埤雅》.
字源 形聲. 目＋敄〔音〕

目9 〔⿰目㚇〕14 [一] 종 [平]東 [上]董 | ①zōng ソウ みる ②zǒng ソウ ぬすみみる
[二] 계 [去]卦 | jiè カイ いかる

[字解] [一] ①볼종 무엇을 봄. '一, 眎也'《集韻》. ②훔쳐볼종 '一, 伺視也, 凡相竊視, 南楚或謂之一'《方言》. [二] 성낼종 '一, 怒也'《集韻》.

目9 〔⿰目咠〕14 즙 [入]緝 | jí シュウ まじろぐ zí シュウ なみだのでるさま

[筆順] 冂 目 … ⿰目咠

[字解] ①눈깜박일즙 눈의 움직임. '一, 眨一, 目動也'《集韻》. ②눈물나는모양즙 '瞰, 淚出皃, 或省'《集韻》.

目9 〔眗〕14 후 [平]虞 | jū ク わらうさま

[字解] 웃는모양후 眗(目부 5획〈842〉)와 同字. '一, 一瞜, 笑也, 或省'《集韻》.

目9 〔睳〕14 휴 [平]齊 | huī ケイ やせたひとがみるさま

[字解] ①여윈사람이볼휴 몸이 여윈 사람이 무엇을 보는 모양. '一, 婢倉, 瘠人視皃'《集韻》. ②몸은튼튼하지만마음에덕없을휴 '一, 一曰, 健而無德'《集韻》. ③눈침침할휴 눈이 흐려 잘 보이지 않음. '一, 一曰, 目瞢'《集韻》.

目9 〔睪〕14 고 [平]豪 | gāo コウ さわ

[字解] ①늪고 皐(白부 6획〈826〉)와 同字. '望其壙一如也'《列子》. ②죄다고 빠짐없이. '一牢天下而制之'《荀子》. ③불알고 음낭 속의 알. '一丸'. '腰脊控一而痛'《靈樞經》. ④넓을고 광대한 모양. 또, 높은 모양. '一一廣廣, 孰知其德'《荀子》.
[字源] 會意. 丿+目+幸
[參考] 睪(目부 8획〈850〉)은 別字.

目10 〔⿱䀠夰〕15 [一] 구 [去]遇 | jù ク めをあげておどろきみる
[二] 경 [上]迥 | ケイ めをあげておどきみる
[三] 광 [上]梗 | コウ おそれる

[字解] [一] ①눈을들어놀라서볼구 '一, 擧目驚一然也'《說文》. ②눈크게뜨고볼구 '一, 放目視也'《六書統》. [二] 눈들어놀라서볼경, 눈크게뜨고볼경 [一]과 뜻이 같음. [三] ①두려워할광 '一, 恐也'《玉篇》. ②놀라서눈들광 '一, 一然擧目也'《廣韻》. ③아름다운모양광 '一, 一曰, 好皃'《集韻》.
[字源] 形聲. 夰+䀠〔音〕

目10 〔瞋〕15 진 [平]眞 | chēn シン めをみはる

[字解] ①부릅뜰진 성내어 눈을 크게 뜸. '一目而叱之'《史記》. ②성낼진 화를 냄. '一怒無度'《魏略》.
[字源] 形聲. 目+眞〔音〕

目10 〔瞌〕15 갑 [入]合 | kē コウ いねむり

[字解] 졸갑 앉아서 졺. 좌수(坐睡)함. '一睡山童欲成夢'《貫休》.
[字源] 形聲. 目+盍〔音〕

目10 〔瞍〕15 수 [上]有 | sǒu ソウ めくら

[筆順] 目 … 瞍 瞍

[字解] 소경수 눈동자가 없는 장님. 睃(目부 9획〈850〉)와 同字. '瞽一'. '矇一奏公'《詩經》.
[字源] 形聲. 目+叟〔音〕

目10 〔瞎〕15 할 [入]黠 | xiā カツ かため

[字解] ①애꾸눈할 척안(隻眼). '吾聞一兒一淚, 信乎'《十六國春秋》. ②먼눈할, 눈멀할 맹목(盲目). '盲人騎一馬'《新語》.
[字源] 形聲. 目+害〔音〕

目10 〔瞑〕15 [一] 명 [平]青 | míng メイ めをつぶる
[二] 면 [平]先 [去]霰 | ①mián ベン・メン ねむる ②miàn ベン・メン めまい

[字解] [一] ①눈감을명 '一想'. '甘心一目'《後漢書》. ②어두울명 눈이 흐려 잘 보이지 않는 모양. '聾一'. '其視一一'《淮南子》. ③먼눈명, 눈멀명 맹목(盲目). '一者目無由接也'《呂氏春秋》. [二] ①잘면 眠(目부 5획〈841〉)과 同字. '據高梧而一'《莊子》. ②아찔할면 현기증이 남. '若藥不一眩'《書經》.
[字源] 形聲. 目+冥〔音〕

目10 〔瞇〕15 미 ①[上]紙 ②[去]霽 | mī ビ・ミ すがめ mì ベイ にらむ

[字解] ①애꾸눈미 한쪽 눈이 먼 눈. '一, 眇目也'《集韻》. ②흘겨볼미 곁눈질하여 봄. '一, 睥也'《集韻》.

目10 〔⿰目䍃〕15 요 [平]蕭 [上]篠 | yǎo ヨウ うつくしいめ

[字解] ①고운눈요 아름다운 눈. '一, 美目也'《集韻》. ②보는모양요 '眇一冶夷'《木華》. ③멀리볼요 멀리 바라봄.

目10〔䁙〕15 [一] 언 [上]銑 yǎn エン めでたわむれる
[二] 안 [去]諫 yǎn アン めでたわむれる

[字解] [一] ①눈으로희롱할언 '一, 目相戱也'《說文》. ②볼언 눈으로 봄. ③우러러볼언 '一, 一日, 仰視'《集韻》. [二] 눈으로희롱할안 [一]❶과 뜻이 같음.
[字源] 形聲. 目+晏〔音〕

目10〔䁨〕15 [一] 육 [入]屋 yù イク のぞむ
[二] 학 [入]藥 huò カク めをつぶす
[三] 각 [入]覺 hè カク ひとみをとる

[字解] [一] ①바라볼육 '一, 望也'《廣雅》. ②눈밝을육 '一, 一日, 目明'《集韻》. [二] 눈멀학 실명(失明)함. 矐(目부 16획〈859〉)과 同字. [三] 눈뺄각 눈알을 뺌. '一, 去目睛也'《集韻》.

目10〔䁥〕15 [一] 열 [入]屑 juè エツ めのくぼんださま
[二] 결 [入]屑 ケツ めのくぼんださま

[字解] [一] 눈옴폭할열 '一, 目深皃'《廣韻》. [二] 눈옴폭할결 [一]과 뜻이 같음.
[字源] 會意. 目+窅

目10〔𥈭〕15 〔좌〕
睉(目부 7획〈847〉)의 本字

目10〔䋈〕15 [一] 려 [去]霽 lì レイ みる
[二] 리 [去]寘 り みる

[字解] [一] ①볼려 ㉠잘 봄. '一雰祲於清旭'《郭璞》. ㉡훔쳐봄. 엿봄. '䁙·一·闚·眡·占·伺, 視也. 凡相竊視, 南楚…或謂之一. 一, 中夏語也'《揚子方言》. ②구할려 눈으로 찾아보는 모양. '覼, 說文, 求也. 一日, 索視皃. 或作一'《集韻》. [二] 볼리, 구할리 [一]과 뜻이 같음.

目10〔瞉〕15 [一] 구 [去]宥 kòu コウ おろか
[二] 계 [去]霽 jì ケイ みつめる

[字解] [一] 어리석을구 아둔함. '一霿, 鄙吝, 心不明也'《集韻》. [二] 물끄러미볼계 오래도록 봄. '一, 久視'《玉篇》.

目10〔䁐〕15 〔간〕
看(目부 4획〈840〉)과 同字

目10〔䁝〕15 [一] 형 [平]青 yíng ケイ まどう
[二] 영 [平]庚 エイ まどう
[三] 앵 [平]庚 [上]梗 ①yǐng オウ めのきれいなさま ②③オウ まどう

[字解] [一] 의혹할형 '一, 一惑也'《說文》. [二] 의혹할영 [一]과 뜻이 같음. [三] ①눈맑을앵 '一, 目淨皃'《集韻》. ②의혹할앵 [一]과 뜻이 같음. ③맑을앵 '一, 清潔'《廣韻》.
[字源] 形聲. 目+熒〈省〉〔音〕

目10〔𥉞〕15 반 [平]寒 [平]刪 [去]諫 ①②pān ハン めをてんじてみる ③pān ハン しろめがおおい ①ハン めをてんじてみる

[字解] ①눈굴려볼반 '一, 轉目視也'《說文》. ②자세히볼반 '一一, 視也'《廣雅》. ③흰자위많을반 眅(目부 4획〈839〉)과 同字. '眅, 說文, 多白眼也. 或作一'《集韻》.
[字源] 形聲. 目+般〔音〕

目10〔瞈〕15 옹 [上]董 wěng オウ めがよくみえない

[字解] 눈어두울옹 시력(視力)이 나빠져 잘 안 보임. '一, 一矇, 目不明也'《字彙》.

目10〔𥉌〕15 경 [上]梗 gěng コウ みるさま

[字解] 보는모양경 '一, 一眡, 視皃'《廣韻》.

目10〔䁯〕15 계 [平]齊 qī ケイ まじろぐ

[字解] 눈깜작일계 '一, 目動也'《集韻》.

目10〔䁤〕15 에 [去]寘 wèi イ いかる

[字解] 성낼에 눈을 가늘게 뜨며, 노하는 모양. '一, 目少怒皃'《集韻》.

目10〔瞷〕15 간 [去]諫 jiān カン みる

[字解] 볼간 무엇을 봄. '一, 視也'《字彙補》.

目10〔瞏〕15 경 [平]庚 qióng ケイ おどろいてみる

[字解] ①볼경 놀라 눈을 휘둥그렇게 하고 봄. '目一絕系'《素問》. ②외로울경 '一一'은 의지할 곳이 없어 고독한 모양. '獨行一一'《詩經》. ③근심할경 '一一'은 걱정하는 모양. '一一在疚'《詩經》.
[字源] 形聲. 目+袁〔音〕
[參考] 睘(目부 8획〈850〉)은 俗字.

〔縣〕 〔현〕
糸부 10획(1008)을 보라.

目11〔瞚〕16 순 [去]震 shùn シュン またたく

[字解] 눈깜짝거릴순 瞬(目부 12획〈855〉)과 同字. '目眩然而不一'《史記》.

字源 形聲. 目+寅〔音〕

目11〔瞝〕16 리(치本) 平支 | chī チ めぐりみる

字解 볼리, 두루볼리 다니며 봄. '一九州而相君兮'《賈誼》. ※本音 치.

目11〔瞞〕16 ㊀만 平寒 ㊁문 平元 | mán バン くらい mén ボン·モン はじるさま

字解 ㊀①흐릴만 눈이 잘 보이지 않는 모양. '酒食聲色之中, 則一一然'《荀子》. ②속일만 기만함. '一著'. '淺薄閒一, 其謀乃獲'《汲冢周書》. ③성만 성(姓)의 하나. ㊁부끄러워할문 부끄러워하는 모양. '子貢一然慙'《莊子》.

字源 形聲. 目+㒼〔音〕

目11〔瞟〕16 표 上篠 | piǎo ヒョウ よくみえないさま

字解 흐릴표 눈이 잘 보이지 않는 모양. '忽一眇以響像, 若鬼神之髣髴'《王延壽》.

字源 形聲. 目+票〔音〕

目11〔瞠〕16 당 平庚 (쟁本) 上梗 | chēng, zhèng トウ みはる, みつめる

字解 똑바로볼당 놀라서 눈을 휘둥그렇게 하고 똑바로 봄. '夫子奔逸絶塵, 而回一若乎後矣'《莊子》. ※本音 쟁.

字源 形聲. 目+堂〔音〕

目11〔瞖〕16 갱 平庚 | kēng コウ はっきりみえない

字解 흐릴갱 잘 보이지 않는 모양. '一, 一矘, 視不明'《集韻》.

目11〔䁛〕16 규 平支 | guī キ かためでみる

字解 한눈지그시감고볼규 '一一'는 한 눈을 지그시 감고 보는 모양. 일설(一說)에는, 조금 보는 모양. 또, 일설에는, 자득(自得)한 모양. '學者之嵬, 一一然'《荀子》.

目11〔䁟〕16 체 去霽 | qì セイ みる

字解 ①살펴볼체 자세히 봄. 시찰(視察)함. '有一呂梁'《左思》. ②곁눈으로볼체 흘겨봄. '一, 一曰, 邪視'《集韻》.

字源 形聲. 目+祭〔音〕

目11〔䁢〕16 선 平先 | xuán セン うつくしいさま

字解 ①아리따울선 '嫙, 說文, 好也, 或从目'《集韻》. ②눈매고울선 '陰陽和平之人, 其狀一一然. (註) 目好貌'《靈樞經》.

目11〔瞙〕16 막 入藥 | mō バク·マク めがかすんでよくみえぬ

字解 ①눈어두울막 눈이 흐리어 잘 보이지 않음. '一, 目不明'《集韻》. ②눈백태막 눈에 백태(白苔) 같은 것이 낀 것. '俗謂目瞖曰一'《字統》.

目11〔瞛〕16 종 平冬 | cōng ショウ めがひかる

字解 눈빛날종 눈에 광채가 남. '怒目電一'《張協》.

目11〔䁥〕16 어 平魚 | yú ギョ めのしろいうま

字解 고리눈말어 양쪽 눈이 흰 말.

目11〔䁮〕16 척 入錫 | tì テキ がっかりしてみる

字解 우두커니볼척 실망하여 멀거니 봄. '一, 失意視也'《說文》.

字源 形聲. 目+脩(또는 條)〔音〕

目11〔䁯〕16 䁮(前條)과 同字

目11〔瞜〕16 루 平尤 | lōu ロウ·ル みる

字解 ①볼루 눈으로 보는 모양. ②자세히볼루 '一, 一曰, 細視也'《集韻》.

目11〔瞯〕16 관 去諫 | guàn カン みつめるさま

字解 노려볼관 똑바로 보는 모양. '一, 直視貌'《字彙》.

目11〔䁱〕16 삼 平咸 | shān サン しばしみる

字解 언뜻볼삼 잠깐 봄. '一, 暫見也'《集韻》.

目11〔䁳〕16 확 入藥 | huò カク おどろいてみる

字解 놀라볼확 '一, 驚視'《廣韻》.

目11〔瞘〕16 ㊀우 平尤 ㊁후 平尤 ㊂거 上語 | オウ めがくぼむ kōu コウ めがくぼむ キョ めがうごく

字解 ㊀눈우묵해질우 '一, 目深也'《集韻》. ㊁눈우묵해질후 ㊀과 뜻이 같음. ㊂눈움직일거 '一, 目往也'《字彙》.

目11〔䁲〕16 멱 入錫 | mì ベキ ながしめ

字解 곁눈질멱 '眙睕瞜而一睗'《王延壽》.

目11〔瞸〕16 절 ㊀屑 | dié テツ まなざしのわるいさま
字解 눈매고약할절 눈의 표정이 사나움. '一, 一䀹, 惡皃'《集韻》.

目11〔瞊〕16 강 ㊥陽 | kāng コウ めのさま
字解 눈의모양강 '一, 瞙一, 目皃'《廣韻》.

目11〔䁖〕16 록 ㊀屋 | lù ロク めのあきらかなこと
筆順 目 眝 眝 眝 眝 瞜 瞜 瞜
字解 눈밝을록 또는, 눈이 맑음. '一, 䁥一, 目明'《集韻》. '一, 䁥一, 眼淨也'《廣韻》.

目11〔瞕〕16 장 ㊁漾 | zhàng ショウ かすむ
字解 눈흐릴장 눈에 예막(瞖膜)이 생겨서 잘 보이지 아니함. '一, 目生一翳'《字彙》.

目11〔瞝〕16 ㊀ 적 ㊀陌 ㊁ 휴 ㊤紙 | chè タク つやのあるめ zhé キ にらむ
字解 ㊀ ①윤이나는눈적 '一, 澤眼也'《玉篇》. ②눈초리가올라간눈적 '一, 目竪'《集韻》. ㊁ 노려볼휴 성이 나서 봄. '一, 恚視也'《廣韻》.

目11〔䁨〕16 ㊀ 조 ㊥蕭 ㊁ 두 ㊥尤 | diāo チョウ じっとみる dōu トウ とりのな
字解 ㊀ 익히볼조 숙시(熟視)함. '一, 目熟視也'《說文》. ㊁ 새이름두 '一一'는 새의 이름. '一, 一一, 鳥名. 人面鳥喙, 有翼不能飛'《集韻》.
字源 形聲. 目+鳥〔音〕

目11〔瞖〕16 예 ㊁霽 | yì エイ めにくもがかかる
字解 흐릴예 눈에 백태(白苔) 같은 것이 끼어 잘 보이지 않음. '后生而黧黑, 一一目'《宋史》.
字源 形聲. 目+殹〔音〕

目11〔瞢〕16 ㊀ 몽 ㊥東 ㊁ 맹 ㊥庚 | méng ボウ くらい máng ボウ・ミョウ めくら
字解 ㊀ ①어두울몽 ㉠눈이 흐림. '齊文宣一'《文中子》. ㉡캄캄함. '莫不一一'《太玄經》. ②부끄러워할몽 '有靦一容'《左思》. ③번민할몽 마음이 답답하여 괴로워함. '亦無一焉'《左傳》. ㊁ 먼눈맹, 장님맹 盲(目부 3획〈838〉)과 통용.
字源 會意. 苜+旬

目11〔䒐〕16 瞢(前條)의 本字

目12〔瞤〕17 순 ㊁震 | shùn シュン またたく
字解 눈깜짝거릴순 瞬(目부 12획〈855〉)과 同字. '目一得酒食'《西京雜記》.
字源 形聲. 目+閏〔音〕

目12〔瞧〕17 초 ㊥蕭 | qiáo ショウ ぬすみみる
字解 볼초 몰래 봄. '覩文籍則目一'《嵇康》.
字源 形聲. 目+焦〔音〕

目12〔瞪〕17 징 ㊁徑 | dèng チョウ みつめる
字解 눈똑바로뜨고볼징 '一眸不轉'《晉書》.
字源 形聲. 目+登〔音〕

目12〔瞫〕17 심 ㊤寢 | shěn シン みる
字解 ①자세히볼심 '一, 深視也'《說文》. ②내려다볼심 '一, 低目視'《集韻》. ③몰래볼심 '一, 竊視'《廣韻》. ④성심 성(姓)의 하나.
字源 形聲. 目+覃〔音〕

目12〔瞬〕17 高·人 순 ㊁震 | shùn シュン またたく
筆順 目 盯 盯 盯 盯 瞬 瞬 瞬
字解 눈깜짝거릴순 눈을 연달아 자꾸 감았다 떴다 함. 전(轉)하여, 단시간을 이름. 순간. '一一'. '一時'. '爾先學不一, 而後可言射矣'《列子》.
字源 形聲. 目+舜〔音〕

目12〔瞠〕17 〔당〕 瞠(目부 11획〈854〉)과 同字

目12〔瞱〕17 엽 ㊀葉 | yè ヨウ にらむ
字解 ①노려볼엽 화가 나서 바라봄. '一, 一日怒視'《字彙》. ②눈움직이는모양엽 '一, 目動皃'《字彙》.

目12〔膮〕17 ㊀ 우 ㊥尤 ㊁ 요 ㊤巧 ㊂ 교 ㊁效 | コウ 一·二 めのくぼんださま ヨウ kōu コウ
字解 ㊀ 눈움푹할우 눈이 쑥 들어간 모양. '䀼, 目深也, 或作一'《集韻》. ㊁ 눈움푹할요 ㊀과 뜻이 같음. ㊂ 눈움푹할교 ㊀과 뜻이 같음.

目12〔䁮〕17 잠 ㊥鹽 | qián セン・ゼン おもいしずむ
字解 ①생각에잠길잠 눈을 감고 골똘히 생

각함. '一, 閉目內思也'《集韻》. ②근심할잠 '一, 憂也'《廣雅》.

目12〔䁪〕17 〔전〕 瞕(目부 13획〈857〉)과 同字

目12〔瞭〕17 료 [上]篠 liǎo, liào リョウ あきらか

[字解] ①눈동자밝을료 '一, 目睛明也'《廣韻》. '胸中正, 則眸子一焉'《孟子》. ②밝을료 명백함. '一然'. ③멀리볼료 '我軍一敵遽飛砲'《黃遵憲》.

[字源] 形聲. 目+尞〔音〕

目12〔瞯〕17 ㊀간 [去]諫 jiàn カン うかがう ㊁한 [平]刪 xián カン ながしめ

[字解] ㊀ 엿볼간 覸(見부 12획〈1302〉)과 同字. '王使人一夫子'《孟子》. ㊁ ①곁눈질할한 곁눈으로 봄. '一, 眄也. 吳揚江淮之間, 或曰一'《揚子方言》. ②흰자위한 눈의 흰 부분. '眸一黑照'《張協》. ③성한 성(姓)의 하나.

[字源] 形聲. 目+閒〔音〕

目12〔瞷〕17 瞯(前條)의 俗字

目12〔瞷〕17 瞯(前前條)과 同字

目12〔䁻〕17 특 [入]職 tè トク ねむそうなめ

[字解] 졸린눈매특 자고 싶은 눈 모양. '一, 一瞀, 目欲臥皃'《集韻》.

目12〔瞰〕17 [人名] 감 [去]勘 kàn カン みる

[筆順] 目 盯 盰 盱 眍 瞅 瞰 瞰

[字解] 볼감 ㉠내려다봄. '下一'. '雲車十餘丈, 一臨城中'《後漢書》. ㉡멀리 바라봄. 조망(眺望)함. '東一目盡'《揚雄》.

[字源] 形聲. 目+敢〔音〕

目12〔瞺〕17 층 [平]蒸 céng ソウ めをほそめてしなをつくる

[字解] ①눈가늘게뜨고태낼층 '一, 目小作態, 瞢一也'《廣韻》. ②눈흐릴층 '瞢一'은 눈이 잘 보이지 않음.

目12〔瞲〕17 혈 [入]屑 xié ケツ めがあかい

[字解] 눈붉을혈 눈이 충혈되어 붉음. '一, 矆一, 目赤'《集韻》.

目12〔瞦〕17 희 [平]支 xī キ ひとみのしん, ひとみ

[字解] 눈동자의신희, 눈동자희 시신경(視神經). '一, 目童子精一也'《說文》.

[字源] 形聲. 目+喜〔音〕

目12〔瞲〕17 혈 [入]屑 xuè ケツ おどろきみる

[字解] 볼혈 깜짝 놀라며 보는 모양. '一然視之'《荀子》.

目12〔瞳〕17 [人名] 동 [平]東 tóng ドウ ひとみ

[筆順] 目 盯 盵 睶 暗 暗 瞳 瞳

[字解] ①눈동자동 안정(眼睛). '一孔'. '舜目蓋重一子, 項羽亦重一子'《史記》. ②볼동 무심히 보는 모양. '汝一焉如新生之犢'《莊子》.

[字源] 形聲. 目+童〔音〕

目12〔瞵〕17 린 [平]眞 lín リン ひとみのひか [去]震 lìn り

[字解] ①눈의정기린 '一, 目精也'《說文》. ②노려볼린 '一悍目以旁睞'《潘岳》. ③무늬모양린 '璘, 璘瑞, 文貌, 通作一'《韻會》.

[字源] 形聲. 目+粦〔音〕

目12〔瞶〕17 ㊀귀 [去]未 guì キ しりょくをつくしてみる ㊁유 [去]寘 wèi イ めやみ

[字解] ㊀ ①시력(視力)을다하여볼귀 '一, 極視'《廣韻》. ②맹인(盲人)귀 장님. '一, 一曰, 目無精也'《集韻》. '一, 瞎子'《漢語大字典》. ㊁ 눈병유 '一, 目疾'《正字通》.

目12〔䁹〕17 즙 [入]緝 jí シュウ なみだのながれるさま

[字解] ①눈물날즙 눈물이 흐르는 모양. '一, 涙出皃'《廣韻》. ②깜박일즙 눈을 깜박이는 모양. '視一睫以眏睉'《王延壽》.

目12〔䁲〕17 매 [平]佳 mái バイ ちょっとみる

[字解] ①훔쳐볼매 '師孕啱之, 哭且一'《太玄經》. ②볼매 보는 모양. '一, 視皃'《廣韻》.

[字源] 形聲. 目+買(買)〔音〕

目12〔瞴〕17 ㊀무 [平]尤 móu ボウ·ム すこしみる [平]虞 wǔ ブ·ム すこしみる ㊁모 [上]麌 ブ·ム よい ㊂미 [平]支 mí ビ·ミ うつくしいめのさま

[字解] ㊀ 조금볼무 '一瞜·一婁'는 잠깐 봄. '一, 一婁, 微視也'《說文》. ㊁ ①아름다울

모 膴(肉부 12획〈1091〉)와 통용. '一, 好也'《廣雅》. ②조금볼모 잠깐 보는 모양. '一, 微視之皃'《廣韻》. [三] 고운눈미 아름다운 눈의 모양. '一, 美目皃'《集韻》.
[字源] 形聲. 目＋無〔音〕

目12 〔⿰目然〕 17 연 [上]銑 | ruǎn ゼン·ネン もとる
[字解] 어그러질연 모양이 뒤틀어짐. '睆一瞤而踧斐'《王延壽》.

目12 〔⿰目埀〕 17 〔수〕 睡(目부 8획〈848〉)의 本字

目12 〔瞩〕 17 〔촉〕 矚(目부 21획〈861〉)의 俗字

目12 〔⿰目逮〕 17 〔태〕 曃(日부 12획〈514〉)의 訛字

目12 〔⿰目棠〕 17 〔당〕 瞠(目부 11획〈854〉)·⿰目業(目부 12획〈855〉)과 同字

目12 〔瞥〕 17 별 [入]屑 | piē ベツ ちらりとみる
[字解] 언뜻볼별 잠깐 봄. '一見'.
[字源] 形聲. 目＋敝〔音〕

目13 〔瞿〕 18 구 ①-③[去]遇 ④⑤[平]虞 | jù クびっくりするさま qú ク·グ みつまたのほこ
[字解] ①놀랄구 놀라서 눈을 휘둥그렇게 하고 보는 모양. '雀以猜一視'《禽經》. ②가슴두근거릴구 깜짝 놀라서 가슴이 뛰는 모양. '曾子聞之, 一然'《禮記》. ③두려워할구 懼(心부 18획〈419〉)와 통용. '一然失席'《禮記》. ④창구 戵(戈부 18획〈425〉)와 통용. '一人冕, 執一'《書經》. ⑤성구 성(姓)의 하나.
[字源] 會意. 瞿＋隹

目13 〔瞾〕 18 〔조〕 照(火부 9획〈720〉)와 同字
[參考] 당(唐)나라 측천 무후(則天武后)가 새로 만든 열아홉 자(字)의 하나로서, 그의 이름임.

目13 〔瞻〕 18 [人名] 첨 [平]鹽 | zhān セン みる
[筆順] 目 目⺈ 目产 目产 目詹 瞻 瞻 瞻
[字解] ①볼첨 ㉠우러러봄. 쳐다봄. '一仰'. '一彼日月'《詩經》. ㉡임(臨)하여 봄. '視一無回'《禮記》. ㉢바라봄. 망견(望見)함. '乃一衡宇, 載欣載奔'《陶潛》. ②성첨 성(姓)의 하나.
[字源] 形聲. 目＋詹〔音〕

目13 〔瞼〕 18 검 [上]琰 | jiǎn ケン まぶた
[字解] ①눈꺼풀검 눈을 감을 때 덮는 살갗. 안검(眼瞼). '一垂覆目不得視'《北史》. ②고을검 주(州)를 이름. '南蠻有十一'《唐書》.
[字源] 形聲. 目＋僉〔音〕

目13 〔⿰目黽〕 18 맹 [上]梗 [平]庚 [去]敬 | měng ボウ·ミョウ みる
[字解] ①볼맹 눈으로 봄. '一, 集韻, 視也'《康熙字典》. ②똑바로볼맹 '一盯, 直視'《集韻》. ③눈부라릴맹 瞢(目부 8획〈849〉)과 同字.

目13 〔瞹〕 18 애 [去]泰 | ài アイ かくれる
[字解] ①가릴애 어둡게 가림. '一, 一隱'《廣韻》. ②희미할애 曖(日부 13획〈515〉)의 訛字.

目13 〔⿰目愁〕 18 수 | chǒu シュウ みつめる
[字解] 노려볼수 瞅(目부 9획〈851〉)와 同字.

目13 〔⿰目睘〕 18 [一] 편 [上]銑 [二] 현 [上]銑 [三] 환 [平]刪 | biǎn ヘン [一][二] うまれたてのこのまだあかないめ ケン huán カン めのおおきいさま
[字解] [一] 갓태어난아이의아직뜨지않은눈편 '一, 蔽目. 說文曰, 兒初生蔽目者'《廣韻》. [二] 갓태어난아이의아직뜨지않은눈현 [一]과 뜻이 같음. [三] ①눈클환 눈이 큰 모양. '一, 大目皃'《集韻》. ②눈감을환 '一瞑歷而隳離'《王延壽》.
[字源] 形聲. 目＋睘〔音〕

目13 〔⿰目亶〕 18 [一] 전 [上]銑 [二] 선 [上]銑 | zhǎn センみつづける shǎn センみてかおいろがかわる
[字解] [一] 계속볼전 '一, 視而不止也'《說文》. [二] 보고낯빛변할선 '一, 視面色變也'《廣韻》.
[字源] 形聲. 目＋亶〔音〕

目13 〔⿱𦥯目〕 18 [一] 각 [入]覺 [二] 옥 [入]沃 | jué カク あきらか wù ヨク めをいからす

[字解] [一] ①눈밝을각 '一, 目明也'《集韻》. ②밝을각 '一, 明也'《廣韻》. ③覺(見부 13획〈1303〉)의 古字. '一, 古文覺'《正字通》. [二] 눈부릅뜰옥 '一, 瞋目'《集韻》.

目 13 〔⿰目敫〕18 [一] 격 [入]錫 | jī ケキ まばたきをしない
[二] 교 [上]篠 | jiǎo キョウ あきらか

[字解] [一] 눈깜빡이지않을격 '一, 目不瞬'《集韻》. [二] ①밝을교 '一, 明也'《字彙》. ②분명하게나뉘는모양교 '一, 一曰, 淸別貌'《字彙》.

目 13 〔瞚〕18 〔순〕
瞚(目부 11획〈853〉)의 本字

目 13 〔⿰目買〕18 〔매〕
⿰目買(目부 12획〈856〉)의 本字

目 13 〔⿰目蜀〕18 〔촉〕
矚(目부 21획〈861〉)의 訛字

目 13 〔⿱⿱艹罒目〕18 멸 [入]屑 | miè ベツ めやに

[字解] ①눈곱멸 '一, 一兜, 目眵也'《說文》. ②눈진무를멸 '一, 目赤'《廣韻》.
[字源] 形聲. 目+蔑〈省〉〔音〕

目 13 〔瞽〕18 고 [上]麌 | gǔ コ めくら

[字解] ①먼눈고, 소경고 맹목(盲目). 눈을 감은 장님. '一矇'. '一者無以與乎文章之觀'《莊子》. 전(轉)하여, 도리(道理)를 모르는 일. 또, 그 사람. '一說'. '一子'. '舜父有目, 不能分別善惡. 故時人謂之一'《書經傳》. ②악사고 음악을 연주하는 벼슬. 또, 그 벼슬아치. '一奏鼓'《書經》. ③학교이름고 '一宗'은 은대(殷代)의 학교.
[字源] 形聲. 目+鼓〔音〕

目 13 〔⿰目零〕18 〔령〕
⿰目霝(目부 17획〈860〉)과 同字

目 13 〔⿰目葉〕18 [一] 엽 [入]葉 | yè ヨウ まぶた
[二] 섭 [入]葉

[字解] [一] ①눈꺼풀엽 '一, 瞼也'《字彙》. ②한쪽눈을가늘게뜨고볼엽 '一, 目眇視'《集韻》. [二] 눈꺼풀섭, 한쪽눈을가늘게뜨고볼섭 [一]과 뜻이 같음.

目 13 〔⿰目微〕18 미 [平]支 | méi ビ·ミ のぞく

[字解] 엿볼미 염탐함. '覹, 博雅, 覗也, 或从目'《集韻》.

目 13 〔⿰目睪〕18 [一] 석 [入]陌 | shì セキ みるさま
[二] 역 [入]陌 | yì エキ あきらか

[字解] [一] 보는모양석 '一, 視皃'《集韻》. [二] ①잘보이는모양역 눈이 밝아 잘 보임. '一, 目明皃'《集韻》. ②밝을역 '睍一, 明也'《方言》.

目 13 〔⿰目羲〕18 〔희〕
曦(日부 16획〈516〉)와 同字

目 14 〔矇〕19 몽 [平]東 | méng モウ めくら

[字解] 먼눈몽, 소경몽 눈동자가 있으나 보이지 아니함. 또, 그 사람. 뜬소경. '瞽一'. '昭然若發一矣'《禮記》. 전(轉)하여, 사물을 분별할 능력이 없음. 또, 그 사람. '愚一'. '人未學問曰一'《論衡》.
[字源] 形聲. 目+蒙〔音〕

目 14 〔矉〕19 빈 [平]眞 | pín ヒン しかめる

[字解] 찌푸릴빈 顰(頁부 15획〈1702〉)과 同字. '西施病心, 而一其里'《莊子》.
[字源] 形聲. 目+賓〔音〕

目 14 〔⿰目㬎〕19 급(읍[俗]) [入]緝 | qì キュウ めだまにつやがない

[字解] 알제길급 눈동자에 흰 점이 생김. 눈방울이 흐릿함. '一, 目睛中枯也'《集韻》. ※俗音 읍.

目 14 〔矃〕19 녕 [上]迥 | nǐng ネイ よくみる

[字解] 볼녕 '盯一'은 잘 봄. '盯一, 視也'《字彙》.
[字源] 形聲. 目+寧〔音〕

目 14 〔⿰目監〕19 감 [平]咸 [去]陷 | jiān カン みる

[字解] 볼감 ㉠잘 봄. '一, 視也'《說文》. ㉡쳐다봄. '一, 瞻也'《廣韻》. ㉢내려다봄. 굽어봄. '一, 亦當爲臨視也'《說文 段注》.
[字源] 形聲. 目+監〔音〕

目 14 〔矆〕19 확 [入]藥 | huò カク みる

[字解] ①볼확 눈으로 봄. '一, 視也'《廣雅》. ②부릅떠볼확 눈을 크게 뜨고 보는 모양. '一睒無度'《本草》.
[字源] 形聲. 目+蒦〔音〕

目 14 〔矈〕19 면 [平]先 [上]銑 | mián ベン·メン くろいひとみ

[字解] ①검은눈동자면 '一, 瞳子黑'《廣韻》. ②얽힐면 아득히 이어지는 모양. '遺視一些'《楚辭》. ③멀리볼면 먼데를 보는 모

양. '江妃含嚬而一眇'《郭璞》.

目14 〔⿰目粦〕19 〔린〕
瞵(目부 12획〈856〉)의 本字

目14 〔⿲辛目辛〕19 ㊀ 판 (去)諫 | pàn ハン·ヘン こどもがにらむ
㊁ 반 (去)諫 | ハン·ベン すこしみる

字解 ㊀ ①아이가노려볼판 '一, 小兒白眼視也'《說文》. ②볼판 보는 모양. '一, 一曰, 視皃'《集韻》. ㊁ 잠깐볼반 '一, 小見'《廣韻》.
字源 形聲. 目＋辡〔音〕

目14 〔矈〕19 ㊀ 면 (平)先 | mián .
ベン·メン みる
㊁ 명 (平)青 | ベイ·ミョウ こまやか

字解 ㊀ ①볼면 무엇을 봄. '一, 視也'《玉篇》. ②눈가가엷고결이고울면 '矏, 說文, 目旁薄緻矏矏也, 或作一'《集韻》. ㊁ 섬세할명 자세함. '一, 密也'《集韻》.

目14 〔⿰目𦤀〕19 矏(次次條)의 本字

目14 〔⿰目爾〕19 〔미〕
瞇(目부 8획〈848〉)와 通字

目15 〔矏〕20 矈(目부 14획〈859〉)과 同字

目15 〔矍〕20 확(곽本) (入)藥 | jué カク おどろきみる
字解 ①두리번거릴확 깜짝 놀라 눈을 휘둥그렇게 하고 허둥지둥 이쪽 저쪽을 보는 모양. '一然失容'《後漢書》. ②씩씩할확 '一鑠'은 노인이 원기가 왕성하고 몸이 잰 모양. '一鑠哉是翁也'《後漢書》. ③성확 성(姓)의 하나. ※本音 곽.
字源 形聲. 又＋瞿〔音〕

目15 〔矎〕20 현 (平)先 | xuān ケン みる
字解 ①볼현 눈으로 봄. '一, 視也'《廣雅》. ②노려볼현 똑바로 봄. '一, 直視也'《玉篇》.

目15 〔矌〕20 광 (去)漾 | kuāng
コウ ひとみがない
字解 ①청맹과니광 눈동자가 없어 눈이 멂. '一, 目無眹'《玉篇》. ②눈에영채없을광 눈에 빛이 없음. '一, 目無色'《集韻》. ③볼광 '一目盡都甸'《江淹》.

目15 〔⿰目賣〕20 ㊀ 매 (去)卦 | mài バイ ながしめ
㊁ 애 (去)卦 | yá ガイ まぶち

字解 ㊀ 곁눈질할매 흘겨서 봄. '一, 邪視'《集韻》. ㊁ 눈초리애, 흘길애 睚(目부 8획〈847〉)와 同字.

目15 〔⿰目蔑〕20 멸 (入)屑 | miè ベツ ただれめ
字解 ①눈초리진무를멸 눈 가장자리가 벌겋게 짓무름. '目眥傷赤曰一'《釋名》. ②눈곱멸 눈곱. ③눈흐릴멸 눈이 밝지 않음. '目不明曰一'《正字通》.
字源 形聲. 目＋蔑〔音〕

目15 〔⿰目黎〕20 려 (平)齊 (去)霽 | lí レイ みる
字解 볼려 '一, 視也'《集韻》.

目15 〔⿰目巤〕20 렵 (入)葉 | liè リョウ みえぬ
字解 ①눈어두울렵 '一, 目暗'《玉篇》. ②눈병앓을렵 '一, 病視也'《集韻》.

目15 〔⿰目緜〕20 〔면〕
矊(目부 14획〈858〉)과 同字

目15 〔⿰目瞏〕20 〔편〕
⿰目睘(目부 13획〈857〉)의 本字

目16 〔矐〕21 ㊀ 확 (入)藥 | huò
カク めをつぶす
㊁ 학 (入)藥 | huò
カク めをつぶす
字解 ㊀ 눈뺄확 눈을 빼냄. '惜高漸離善擊筑, 重赦之, 乃一其目'《史記》. ㊁ 눈뺄학 ㊀과 뜻이 같음.
字源 形聲. 目＋霍〔音〕

目16 〔矑〕21 로 (平)虞 | lú ロ ひとみ
字解 눈동자로 안정(眼睛). 동공(瞳孔). '玉女亡所眺其清一'《揚雄》.
字源 形聲. 目＋盧〔音〕

目16 〔矒〕21 맹 (平)庚 | méng ボウ·ミョウ はっきりみえぬ
字解 눈희미할맹 분명히 보이지 않는 모양. '瞑一, 視不明皃'《集韻》.

目16 〔⿰目縣〕21 현 (上)銑 (平)先 | xuàn ケン ひとみ
字解 눈동자현, 검은눈동자현 '一, 盧童子也'《說文》.
字源 形聲. 目＋縣〔音〕

目16 〔⿰目瞢〕21 〔몽〕
瞢(目부 11획〈855〉)과 同字

目 16 〔⿱默目〕21 묵 [入]職 | mò ボク・モク ねむたげなめ

[字解] ①졸린눈매묵 잠자고 싶은 눈의 모양. '一, 聽一, 目欲臥皃'《集韻》. ②놀랄묵 무엇에 놀람. '一, 一曰, 驚也'《集韻》.

目 16 〔矋〕21 력 [入]錫 | lì レキ あきらかにみえるさま

[字解] 눈밝을력 시력이 좋아서 잘 보이는 모양. '一, 一一, 視明皃'《廣韻》. '一, 一一, 目明'《集韻》.

目 16 〔矓〕21 롱 | lóng リョウ・ロウ めがはっきりしない

[字解] 눈흐릴롱 눈이 잘 보이지 않음. '一, 俗以目不明爲朦一'《中華大字典》.

目 16 〔⿰目𩫖〕21 〔준〕 ⿰目享(目부 8획〈849〉)의 本字

目 16 〔⿰堇⿱目艮〕21 〔간〕 艱(艮부 11획〈1118〉)의 本字

目 17 〔⿰目靈〕22 령 [平]青 | líng レイ・リョウ めのひかり

[字解] 눈광채령 눈의 광채(光彩). '一, 目光, 或从零'《集韻》.

目 17 〔⿰目嬰〕22 앵 [平]庚 | yīng ヨウ めにひかりがない

[字解] 눈에광채없을앵 '一, 一瞸, 目無光'《集韻》.

目 17 〔⿰目龠〕22 [一] 요 [去]嘯 | yào ヨウ めまい
[二] 약 [入]藥 | ヤク みるさま

[字解] [一] 현기증요 '一, 眩一'《玉篇》. [二] 보는모양약 '一, 矐一, 視皃'《廣韻》.

目 18 〔矔〕23 관 [去]翰 | guàn カン にらむ

[字解] ①부릅뜰관 성내어 눈을 크게 뜸. '梁益之閒, 瞋目曰一'《揚子方言》. ②돌아볼관 뒤돌아다봄. '空下峕而一世兮'《劉歆》. ③성관 성(姓)의 하나.
[字源] 形聲. 目＋雚〔音〕

目 18 〔⿰目爵〕23 [一] 초 [去]嘯 | jiào ショウ めがくらい
[二] 작 [入]藥 | シャク めがくらい
[三] 정 [平]庚 | セイ・ショウ めがくらい

[字解] [一] ①눈어두울초 잘 보이지 않음. '一, 目瞑'《廣韻》. ②노려볼초 '一, 瞋目也'《集韻》. ③조개이름초 '一貝, 使胎消'《朱仲》. [二] 눈어두울작 [一]❶과 뜻이 같음. [三] 눈어두울정 [一]❶과 뜻이 같음.

目 18 〔⿰目⿱與火〕23 〔표〕 瞟(目부 11획〈854〉)의 本字

目 18 〔⿰目聶〕23 섭 [入]葉 | shè ショウ まじろぐ

[字解] 눈깜짝일섭 '一, 目動皃'《集韻》.

目 18 〔⿰目巂〕23 [一] 주 [平]支 | zuī スイ みる
[平]齊 | xiē ケイ にくにくしそうにみる
[二] 휴 [去]寘 | huī キ にらむ

[字解] [一] 볼주 무엇을 봄. '一, 一眭, 視也'《集韻》. [二] ①밉게볼휴 '眭, 目惡視, 或从巂'《集韻》. ②노려볼휴 '一, 恚視也'《集韻》.

目 19 〔矗〕24 촉 [入]屋 | chù チク さかんにしげる

[字解] ①우거질촉 초목이 무성함. '橚一森萃'《左思》. ②같을촉 꼭 같은 모양. '一似長雲'《鮑照》. ③곧을촉 '一然而不誣'《元包經》. ④우뚝솟을촉 높이 솟은 모양. '崇山一一'《司馬相如》.
[字源] 形聲. 直＋直＋直〔音〕

目 19 〔矖〕24 리 [平]支 | lí リ みる

[字解] 둘러볼리 찾느라고 둘러보는 모양. '一目八荒'《魏書》.
[字源] 形聲. 目＋麗〔音〕

目 19 〔矕〕24 만 [上]潸 | mǎn バン・マン みる

[筆順] 言 絲 䜌 矕 矕 矕

[字解] ①볼만 바라봄. '右一三塗'《後漢書》. ②입을만 옷 같은 것을 걸침. '一龍虎之文舊矣'《班固》.
[字源] 形聲. 目＋䜌〔音〕

目 20 〔矘〕25 당 [上]養 | tǎng トウ みつめる

[字解] ①똑바로볼당 직시(直視)함. '鳶肩豺目, 洞精一眄'《後漢書》. ②멍하니볼당 '一, 目無精直視也'《說文》. ③어두울당 눈이 밝지 아니함.
[字源] 形聲. 目＋黨〔音〕

目 20 〔矙〕25 감 [去]勘 | kàn カン うかがう

[字解] 엿볼감 틈을 엿봄. '陽貨一孔子之亡也, 而饋孔子蒸豚'《孟子》.
[字源] 形聲. 目＋闞〔音〕

目 20 〔矐〕25 확 [入]藥 | huò キャク・カク みる

字解 ①볼확 '一, 視也'《廣雅》. ②부릅뜰확 눈을 크게 뜨고 보는 모양. '一, 大視皃'《廣韻》. ③살질확 '喰於血一自肥也'《太玄經》. ④두려워할확 놀람. '一然相顧'《左思》.

目20〔矙〕25 ㊀감 ㊄勘 kàn カン みる ㊁엄 ㊤琰 yǎn ゲン おごそか

字解 ㊀ 볼감 瞰(目부 12획〈856〉)과 同字. '瞰, 視也, 或从嚴'《集韻》. ㊁ 엄숙할엄 儼(人부 20획〈80〉)과 통용. '一, 說文, 昂頭, 一曰, 好皃, 一曰, 恭也, 或作一'《集韻》.

目21〔矚〕26 촉 ㊅沃 zhǔ ショク みる

字解 볼촉 주시(注視)함. '一目'. '凝神遠一'《魏書》.
字源 形聲. 目+屬〔音〕
參考 瞩(目부 12획〈857〉)은 俗字.

目21〔矘〕26 〔심〕 瞫(目부 12획〈855〉)의 本字

目25〔矕〕30 한 ㊥刪 xiān カン·ケン おろかなさま

字解 어리석을한 어리석은 모양. '一矘晃者, 憨人也'《青箱雜記》.

矛 部
〔창 모 부〕

矛0〔矛〕5 人名 모(무㊍) ㊥尤 máo ボウ·ム ほこ

筆順 ㇇ ㇇ ㇇ 予 矛

字解 창모 병기(兵器)의 한 가지. 뾰족한 쇠를 긴 나무 자루에 박아, 적을 찔러 죽이는 데 씀. 끝이 두 가닥으로 된 것은 '戈'라고 함. '一戟'. '立爾一'《書經》. ※本音 무.
字源 象形. 긴 자루와 머리 부분에 날카로운 날을 단 무기, 창을 본뜸.
參考 '矛모'를 의부(意符)로 하여, 창에 관한 문자를 이룸. 부수 이름은 '창모변'.

矛3〔矠〕8 뉵 ㊅屋 nǜ ニク するどい

字解 날카로울뉵 '一, 利也'《字彙補》.

〔柔〕〔유〕 木부 5획(540)을 보라.

矛4〔矜〕9 人名 ㊀근 ㊥眞 qín キン ほこのえ ㊁긍 ㊥蒸 jīn キョウ あわれむ ㊂관 ㊥刪 guān カン やむ, やもお

筆順 ㇇ ㇇ ㇇ 予 矛 矛 矜 矜 矜

字解 ㊀ 창자루근 창의 자루. '起窮巷, 奮棘一'《史記》. ㊁ ①불쌍히여길긍 가엾이 여김. '一憐'. '天一于民'《書經》. ②괴로워할긍 고생함. '爰及一人'《詩經》. ③아낄긍 함부로 하지 아니함. '不一細行, 終累大德'《書經》. ④엄숙할긍 장엄함. '一而不爭'《論語》. ⑤공경할긍, 삼갈긍 경신(敬愼)함. '一厲'. '皆有所一式'《孟子》. ⑥숭상할긍 존숭함. '故人一節行'《賈誼》. ⑦자랑할긍 자만함. '一大' '汝惟不一'《書經》. ⑧위태할긍 위험스러움. '居以凶一'《詩經》. ㊂ ①앓을관 병듦. '寤寐恫一'《漢書》. ②홀아비관 鰥(魚부 10획〈1801〉)과 통용. '不侮一寡'《詩經》.
字源 形聲. 矛+今〔音〕

矛4〔矞〕9 혁 ㊅錫 xù ケキ ほこ

字解 ①긴창이름혁 기다란 창(槍)의 이름. '一, 長矛名'《玉篇》. ②창혁 창(槍)의 하나.

矛4〔矵〕9 ㊀뉴 ㊤有 niǔ ニュ·ジュウ なかご ㊁뉵 ㊅屋 ジク·ニク なかご

字解 ㊀ 슴베뉴 창날의 창자루 속에 들어가 있는 부분. '一, 刺也'《說文》. ㊁ 슴베뉵 ㊀과 뜻이 같음.
字源 形聲. 矛+丑〔音〕

矛5〔矝〕10 린 lín リン ほこのえ

字解 창자루린 '一, 矛柄也'《說文》.
字源 形聲. 矛+令〔音〕

〔務〕〔무〕 力부 9획(116)을 보라.

矛7〔矞〕12 ㊀율 ㊅質 yù イツ うがつ ㊁휼 ㊅屑 (결㊍) jué ケツ いつわる

字解 ㊀ ①송곳질할율, 뚫을율 송곳으로 구멍을 뚫음. ②구름빛율 상서로운 구름의 빛. '三色成一'《漢書》. ③자랄율 초목 같은 것이 봄바람에 성장하는 모양. '物登明堂, 一一皇皇'《太玄經》. ④놀랄율 놀라 허겁지겁하는 모양. 또, 놀라 나는 모양. '鳳以爲畜, 故鳥不一'《禮記》. ㊁ 속일휼 譎(言부

12획〈1354〉)과 同字. '一宇嵬瑣'《荀子》. ※本音 결.
字源 象形. 대좌(臺座)에 세운 창을 본뜬 것으로, '찌르다, 뚫다'의 뜻을 나타냄.

矛 7 〔矜〕 12 봉 ㊥冬 | fēng ホウ ほこ
字解 창봉 두 개의 엳날이 있는 것. 矠(矛부 11획〈862〉)과 同字. '矠, 字林, 矛有二橫曰矠猎, 或从夆'《集韻》.

矛 7 〔矞〕 12 침 ㊥侵 | qīn シン きり
字解 송곳침 '一, 錐也'《集韻》.

矛 7 〔矟〕 12 삭 ㊀覺 | shuò サク ほこ
字解 창삭 槊(木부 10획〈571〉)과 同字. '以一擬殷仲堪'《晉書》.
字源 形聲. 矛+肖〔音〕

矛 7 〔䂅〕 12 랑 ㊥陽 | láng ロウ ほこ
筆順 マ ヌ 予 矛 矛' 矛ヨ 矛白 矛自 䂅
字解 ①짧은창랑 '一, 短矛'《廣韻》. ②긴창랑 '一, 鈹也'《廣雅》.
字源 形聲. 矛+良〔音〕

矛 8 〔矠〕 13 색 ㊀陌 | zé サク ほこ, さす
字解 ①작살색 물고기 같은 것을 찔러 잡는 기구. ②작살질할색, 찌를색 작살로 찌름. '一魚鼈'《國語》.
字源 形聲. 矛+昔〔音〕

矛 9 〔䂆〕 14 영 ㊥庚 | yīng ヨウ はねをつけたほこのかざり
字解 깃으로꾸민창영 새의 깃으로 장식한 창(槍). '一, 以鳥羽飾矛'《正字通》.

矛 9 〔䂇〕 14 언 ㊤阮 | yǎn エン みっつのはのあるほこ
字解 삼인창(三刃槍)언 날이 셋 있는 창. '戟三刃者謂之一'《集韻》.

矛 10 〔𥍯〕 15 ㊀개 ㊦泰 | kài カイ ながぼこ
㊁갑 ㊀合 | コウ ながぼこ
字解 ㊀창개, 긴창개 '一, 鈹也'《廣雅》. ㊁창갑, 긴창갑 ㊀과 뜻이 같음.
字源 形聲. 矛+害〔音〕

矛 10 〔𥍰〕 15 용 ㊥冬 | rōng ジョウ ほこ
字解 양날창용 두 개의 엳날이 있는 창. '矠, 字林, 矛有二橫曰矠一'《集韻》.

矛 10 〔𥍱〕 15 〔창〕
槍(木부 10획〈569〉)과 同字

矛 11 〔矜〕 16 근 ㊥眞 | qín キン ほこのえ
㊥文 | qín
字解 ①창자루근 矜(矛부 4획〈861〉)과 同字. ②호미근 김매는 농구. '一, 鉏耰也'《玉篇》.
字源 形聲. 矛+堇〔音〕

矛 11 〔矠〕 16 〔봉〕
矜(矛부 7획〈862〉)과 同字

矛 12 〔𥍲〕 17 충 ㊥冬 | chōng ショウ みじかいほこ
字解 단창(短槍)충 짧은 창. '一, 廣雅, 短矛也'《集韻》.

矛 12 〔𥍳〕 17 〔색〕
矠(矛부 8획〈862〉)의 本字

矛 19 〔矡〕 24 찬 ㊤旱 | zuǎn サン ほこ
字解 ①창찬 작은 창. '一制如戟, 鋒兩旁微起, 下有鐏鋭'《元史》. ②창고달찬 창의 물미. '其一用鐵'《釋氏要覽》.

矛 20 〔矍〕 25 확 (곽㊍) ㊀藥 | jué キャク・カク ほこのひとつ
字解 ①창확 창의 일종(一種). '一, 矛屬'《集韻》. ②송곳확 '一, 錐也'《字彙補》. ※本音 곽.

矢 部

〔화살시부〕

矢 0 〔矢〕 5 高·人 시 ㊤紙 | shǐ シ や
筆順 ノ 𠂉 𠂉 午 矢
字解 ①살시 ㉠무기의 하나. 화살. '弓一'. '其直如一'《墨子》. ㉡투호(投壺)에 쓰는 살. '主人奉一'《禮記》. ②벌일시 벌여 놓음. 진열함. '公一魚于棠'《左傳》. ③맹세할시 서약함. '一言'. '永一勿諼'《詩經》. ④베풀시 널리 폄. '一其文德'《詩經》. ⑤바를시, 곧을시 '得黃一貞吉'《易經》. ⑥똥시 屎(尸부 6획〈298〉)와 통용. '埋之馬一之中'《左傳》. ⑦성시 성(姓)의 하나.
字源 象形. 화살의 모양을 본뜸.
參考 '矢시'를 의부(意符)로 하여, 화살에 관한 문자를 이룸. 부수 이름은 '살시변'.

矢 2 〔矣〕7 [中·人] 의 ㊤紙 | yǐ イ じょじ

[筆順] 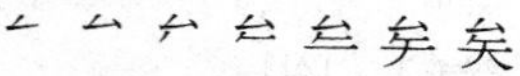

[字解] 어조사의 ㉠구(句)의 끝에 쓰이는 과거를 나타내는 조사(助辭). '今乘輿已駕—'《孟子》. ㉡구(句)의 끝에 쓰이는 미래를 나타내는 조사. '苟志於仁—, 無惡也'《論語》. ㉢구(句)의 끝에 쓰이는 단정을 나타내는 조사. '王道備—'《禮記》. ㉣구(句)의 중간에 써서, 어세(語勢)를 강조하는 조사. '習—而不察焉'《孟子》. ㉤도구법(倒句法)에 쓰이는 조사. '巧言令色鮮—仁'《論語》. ㉥딴 조사의 위에 쓰이는 조사. '仁—乎'《論語》.

[字源] 象形. 사람이 입을 벌리고 있는 모양을 본뜸. 《說文》에서는 矢+㠯〔音〕의 形聲.

矢 3 〔知〕8 [中·人] 지 ①-⑪[平]支 | zhī チ しる
⑫⑬[去]寘 | zhì チ ちえ

[筆順] 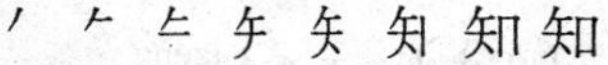

[字解] ①알지 ㉠깨달음. 감각함. '學而—之'《中庸》. '百姓日用而不—'《易經》. ㉡변별함. '思事親, 不可以不—人'《中庸》. ㉢기억함. '父母之年, 不可不—也'《論語》. ㉣서로 앎. 사귐. 친함. '—得'. '—叔孫于齊'《左傳》. ②알릴지 알게 함. '曾不報我—'《韓愈》. ③앎지 ㉠아는 일. 지식. '—行'. '其多—歟'《揚子法言》. ㉡아는 작용. '—覺'. '有生而無—'《荀子》. ㉢아는 작용이 뛰어난 일. '擇不處仁, 焉得—'《論語》. ㉣사람끼리 서로 아는 일. 교우(交友). '新相—'. '遂如故—'《左傳》. ④알림지 알게 하는 일. '昨夜新秋一葉—'《戴復古》. ⑤사귐지 교유(交遊). '絕賓客之—'《司馬遷》. ⑥대접지 대우. '—遇'. '忽受國士—'《岑參》. ⑦맡을지 주재(主宰)함. '—事'. '子產其將—政矣'《左傳》. ⑧지사지 지사(知事)의 약칭(略稱). 주현(州縣)의 장관(長官). '—博州'《宋史》. ⑨짝지 배우자. '樂子之無—'《詩經》. ⑩능히지 能(肉부 6획〈1074〉)과 뜻이 같음. '愈於進士, 粗爲—讀經書者'《韓愈》. ⑪나을지 병이 나음. '二刺則—'《素問》. ⑫슬기지 智(日부 8획〈510〉)와 同字. '—能'. '是是非非謂之—'《荀子》. ⑬성지 성(姓)의 하나.

[字源] 會意. 口+矢

矢 3 〔矤〕8 矧(次條)과 同字

矢 4 〔矧〕9 신 ㊤軫 | shěn シン いわんや

[字解] ①하물며신 황차(況次). '至誠感神, 矧茲有苗'《書經》. ②이촉신 치근(齒根). '笑不至—'(입을 벌려 이촉을 나타내도록 껄껄 웃지 아니함)《禮記》.

[字源] 形聲. 矢+引〔音〕

矢 4 〔⿰矢攵〕9 矧(前條)과 同字

矢 4 〔矦〕9 〔후〕
侯(人부 7획〈50〉)의 本字

矢 4 〔⿱𠂉矢〕9 〔족〕
族(方부 7획〈497〉)의 古字

矢 5 〔矩〕10 [人名] 구 [平]麌 | jǔ ク さしがね

[筆順] 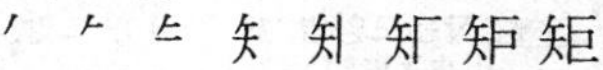

[字解] ①곱자구 방형(方形)을 그리는 데 쓰는 자. 곡척(曲尺). '—繩'. '規—準繩'《孟子》. ②네모구, 모서리구 사각(四角). 또, 모서리. '—方器械'《漢書》. ③법구 법칙. 법도(法度). 상법(常法). '不踰—'《論語》. ④대지구 땅. 옛날에, 땅은 사각형으로 되었다고 생각하였으므로 이름. '—地'. '—靜安物'《太玄經》. ⑤새길구 조각함. '必—其陰陽'《周禮》.

[字源] 形聲. 矢+巨〔音〕

矢 5 〔⿰矢出〕10 졸 (절[本]) [入]屑 | zhuō セツ つたない

[字解] ①못날졸 잘나지 못함. 拙(手부 5획〈437〉)의 古字. '拙, 說文, 不巧也, 古作—'《集韻》. ②키작을졸 '⿰叕出, 短皃, 或从矢'《集韻》.

矢 5 〔⿰矢可〕10 〔지〕
知(矢부 3획〈863〉)와 同字

矢 7 〔矬〕12 좌 [平]歌 | cuó サ・ザ こびと

[字解] 난쟁이좌 키가 작음. '形貌—陋'《北史》.

[字源] 形聲. 矢+坐〔音〕

矢 7 〔短〕12 [中·人] 단 ㊤旱 | duǎn タン みじかい

[筆順] 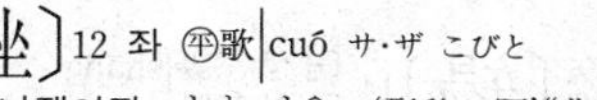

[字解] ①짧을단 ㉠키가 작음. '—小'. '帝堯長, 帝舜—'《荀子》. ㉡길지 아니함. '—劍'. '彼其髮—'《左傳》. ㉢시간이 길지 아니함. '—期'. '報劉之日—也'《李密》. ㉣모자람. 또, 천박함. '—見'. '志大才—'. '尺有所—, 寸有所長'《楚辭》. ②짧음단 전항(前項)의 명사. '長—'. '僬僥氏三尺, —之至也'《史記》. ③짧게할단 '—右袂'《論語》. ④흉볼단

결점을 지적함. 헐어 말함. '上官大夫, 一屈原於頃襄王'《史記》. ⑤흉단, 허물단 결점. 과실. '一所'. '疵一'. '愼勿談人之一'《朱熹家訓》. ⑥요사단 일찍 죽는 일. 요절(夭折). '凶一折'《書經》. ⑦성단 성(姓)의 하나.
[字源] 會意. 矢+豆

矢 7 〔規〕12 〔규〕
規(見부 4획〈1296〉)의 本字

矢 7 〔躲〕12 〔사〕
射(寸부 7획〈288〉)의 本字

矢 7 〔矨〕12 영 [上]梗|yǐng ケイ ちいさいさま
[字解] 작은모양영 '矨'은 작은 모양. '一, 矨一, 小皃'《集韻》.

矢 8 〔矮〕13 왜 [上]蟹|ǎi ワイ みじかい
[字解] ①작을왜, 짧을왜 단소(短小)함. '一小'. '足一不便'《易林》. ②짧게할왜 줄임. '不一手足'《易林》.
[字源] 形聲. 矢+委〔音〕

矢 8 〔矨〕13 행 [上]迥|xìng ケイ ちいさいさま
[字解] 작은모양행 '一, 小皃'《集韻》.

矢 8 〔𥏫〕13 별 [入]屑|biè ヘツ ゆみのたぐい
[字解] ①활의하나별 활의 일종(一種). '一, 弓類'《類篇》. ②활뒤틀릴별 '弼(弓부 8획〈362〉)과 同字. '弼, 弓戾謂之弼, 或作一'《集韻》.

〔雉〕〔치〕
隹부 5획(1631)을 보라.

矢 9 〔𥏼〕14 [一]상 [平]陽|shāng ショウ きず
[二]창 [平]陽|ショウ きず
[字解] [一]상처상 화살에 맞은 상처. [二]상처창 [一]과 뜻이 같음.
[字源] 形聲. 矢+傷〈省〉〔音〕

矢 9 〔𥏾〕14 〔지〕
智(日부 8획〈510〉)의 古字

矢 10 〔𥐂〕15 〔질〕
疾(疒부 5획〈807〉)의 籒文

矢 10 〔𥐃〕15 사 [上]紙|sì シ きたす
[字解] ①오게할사 '一, 詩曰, 不一不來'《說文》. ②기다릴사 '一, 俟同'《正字通》.
[字源] 形聲. 來+矣〔音〕

矢 10 〔𥐄〕15 〔상〕
𥏼(矢부 9획〈864〉)과 同字

矢 11 〔𥐆〕16 〔상〕
𥏼(矢부 9획〈864〉)의 本字

矢 12 〔矯〕17 [高·人] 교 [上]篠|jiǎo キョウ ためる
[筆順] 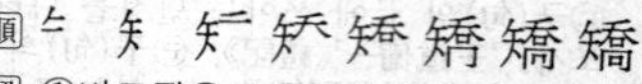
[字解] ①바로잡을교 ㉠굽은 것을 바로잡음. '一矢累弦'《史記》. ㉡사곡(邪曲)을 바로잡음. '一俗'. '民彌惰怠. 將何以一之'《漢書》. ②속일교 기만함. '一奪'. '外示長者, 內懷一詐'《魏書》. ③칭탁할교 군명(君命)이라고 사칭함. '一詔'. '一命'. '羽一殺卿子冠軍'《漢書》. ④굳셀교 강함. '強哉一'《中庸》. ⑤들교 높이 들어 올림. '時一首而遐觀'《陶潛》. ⑥날교 공중을 달림. '整輕翮而思一'《孫綽》. ⑦성교 성(姓)의 하나.
[字源] 形聲. 矢+喬〔音〕

矢 12 〔矰〕17 증 [平]蒸|zēng ソウ いぐるみのや
[字解] 주살증 활의 오늬에 줄을 매어 쏘는 화살. '一弋'. '飛者可以爲一'《史記》.
[字源] 形聲. 矢+曾〔音〕

矢 14 〔矱〕19 확 [入]藥|yuē ワク ものさし
[字解] ①자확 척도(尺度). '協準一之貞度'《後漢書》. ②법도확 법칙. '求榘一之所同'《楚辭》.
[字源] 形聲. 矢+蒦〔音〕

矢 15 〔矲〕20 패 [上]蟹|bà ヘイ みじかい
[字解] 짧을패 길지 않음. '一, 短也. 桂林之中, 謂短一'《揚子方言》.

石 部
〔돌 석 부〕

石 0 〔石〕5 [中·人] 석 [入]陌|shí セキ いし
[筆順] 一 丆 不 石 石
[字解] ①돌석 암석. '玉一'. '鉛松怪一'《書經》. ②돌악기석 돌을 재료로 하여 만든 악기. 곧, 팔음(八音)의 하나로, 경쇠 따위. '擊一拊一'《書經》. ③굳을석 견고함. '一交'. '一畫之臣'《漢書》. 또, 견고한 것을 형

용하는 말. '心如鐵一'. ④돌바늘석 돌로 만든 바늘. '孟孫之惡我, 藥一也'《左傳》. ⑤돌비석석 석비(石碑). '刻于金一'《史記》. ⑥섬석 용량의 단위로, 열 말. '歲收, 畮一一半'《漢書》. 또, 중량의 단위로, 120근. '關一和鈞'《書經》. ⑦저울석 큰 저울. '鈞衡一'《禮記》. ⑧성석 성(姓)의 하나.
字源 象形. 언덕을 본뜬, '厂한' 밑에 뒹굴고 있는 작은 돌덩이를 본뜸.
參考 '石석'을 의부(意符)로 하여, 여러 가지 종류의 돌이나 광물, 돌로 만들어진 것, 돌의 상태 등에 관한 문자를 이룸. 부수 이름은 '돌석변'.

石 1 〔石〕6 石(前條)과 同字

石 1 〔乭〕6 人名 돌 韓
筆順 一 ㄏ 不 石 石 乭
字解 《韓》돌돌 암석(巖石). 흔히 아이나 종 이름으로 많이 쓰임. '一釗'.
字源 '돌'의 훈(訓)을 가지는 '石석'에 '을'의 음을 가지는 '乙'을 붙여서, '돌'의 음(音)을 나타내게 만든 글자.

石 2 〔矴〕7 정 去徑 | dìng テイ いかり
字解 닻정 배를 머물게 하는 제구. 碇(石부 8획〈872〉)과 同字. '作一石'《唐書》.
字源 形聲. 石+丁〔音〕

石 2 〔矾〕7 〔폄〕
砭(石부 5획〈867〉)과 同字

石 3 〔矺〕8 책 入陌 | zhé タク はりつけ
字解 찢을책 磔(石부 10획〈876〉)과 同字. '十公主一死於杜'《史記》.
字源 形聲. 石+乇〔音〕

石 3 〔矻〕8 굴(골本) 入月 | kū コツ よくはたらく
字解 힘써일할굴 부지런히 일하는 모양. 또, 고달픈 모양. '勞筋苦骨, 終日一一'《漢書》. ※本音 골.
字源 形聲. 石+乞〔音〕

石 3 〔矽〕8 석 入陌 | xī セキ けいそ
字解 규소석 비금속 원소(非金屬元素)의 하나. 갈색(褐色)의 분상(粉狀), 또는 침상(針狀)·판상(板狀)의 결정(結晶)을 이루어, 널리 땅 속에 함유됨. 실리콘(silicon)의 역어(譯語).

石 3 〔矼〕8 ㊀강 平江 | gāng コウ とびいし
㊁공 去送 | kōng コウ かたい
字解 ㊀징검다리강 돌덩이를 여러 개 놓아, 그것을 디디고 건너게 된 다리. '石一飛梁'《左思》. ㊁성실할공 견실함. '德厚信一'《莊子》.
字源 形聲. 石+工〔音〕

石 3 〔矸〕8 안 去翰 | gàn カン たんさ
字解 ①주사안 단사(丹砂). '加之以丹一'《荀子》. ②깨끗할안 돌이 깨끗한 모양. '南山一, 白石爛'《漢書 注》.
字源 形聲. 石+干〔音〕

石 3 〔矿〕8 적 入錫 | dí テキ あつまったいし
字解 돌무더기적 돌덩이가 쌓여 있는 무더기.

石 3 〔砳〕8 망 平陽 | máng ボウ·モウ やまのいし
字解 산돌망 산에 있는 돌의 모양. '一, 山石皃'《集韻》.

石 3 〔矹〕8 올 入月 | wù ゴツ あぶなげ
字解 ①위태로울올 '硉一'은 위험한 모양. '硉一, 不穩皃'《廣韻》. ②산낭떠러지올 '硉一'은 산의 벼랑. '硉一, 山崖'《集韻》. ③돌우뚝솟을올 돌이 뾰족하게 솟은 모양. 兀(儿부 1획〈80〉)과 통용. '一, 石竦立貌'《正字通》.

石 3 〔矾〕8 〔반〕礬(石부 15획〈883〉)의 簡體字

〔岩〕〔암〕
山부 5획(305)을 보라.

石 4 〔砂〕9 人名 사 平麻 | shā サ すな
筆順 一 ㄏ 不 石 石 矵 砂 砂
字解 ①모래사 沙(水부 4획〈632〉)의 俗字. '一金'. ②주사(朱砂)사 '丹一可化爲黃金'《史記》.
字源 會意. 石+少

石 4 〔砆〕9 부 平虞 | fū フ うつくしいいし
字解 옥돌부 옥 비슷한 아름다운 돌의 한 가지. 玞(玉부 4획〈767〉)과 同字. '碔一'. '會稽之山, 其下多一石'《山海經》.
字源 形聲. 石+夫〔音〕

石4 〔砊〕9 [一]항 [去]漾 kàng コウ いしのおと [二]강 [平]陽 kāng コウ かみなりのおと

[字解] [一] 돌떨어지는소리항 '一硠'은 돌이 떨어지는 소리. [二] 우렛소리강 '一磕'는 뇌성. '凌驚雷之一磕兮'《張衡》.

石4 〔砑〕9 아 [去]禡 yà ガ すりくだく

[字解] 갈아 돌을 갈아 광채가 나게 함.
[字源] 形聲. 石＋牙〔音〕

石4 〔砌〕9 체 [去]霽 qì セイ みぎり

[字解] 섬돌체 석계(石階). '苔一'. '玄墀釦一, 玉階彤庭'《班固》.
[字源] 形聲. 石＋切〔音〕

石4 〔砍〕9 감 [上]感 kǎn カン きる

[字解] 쪼갤감 가름.
[字源] 形聲. 石＋欠〔音〕

石4 〔砒〕9 비 [平]齊 pī ヘイ ひそ

[字解] 비소비 원소의 하나. 또, 이것을 함유한 회백색(灰白色)의 금속 광택(金屬光澤)이 나는 유독(有毒)한 광물. '一石'. '一霜'.
[字源] 形聲. 石＋比〔音〕

石4 〔研〕9 〔연〕 硏(石부 6획〈870〉)의 俗字

石4 〔砐〕9 업 [入]合 è ゴウ たかい

[字解] 높을업 '一硪'는 산이 높은 모양. 일설(一說)에는, 요동(搖動)하는 모양. '陽侯一硪以岸起'《郭璞》.
[字源] 形聲. 石＋及〔音〕

石4 〔砏〕9 분 [平]眞 pīn ヒン かみなりのおと

[字解] 우렛소리분 '一磤'은 뇌성. 또, 돌이 구르는 소리. '鉅寶遷兮一磤'《楚辭》.

石4 〔硑〕9 방(봉[俗]) [上]講 bàng ホウ, ボウ いしのさま

[字解] ①돌방 돌의 모양. '一, 石皃'《集韻》. ②옥돌방 옥(玉) 다음 가는 돌. 玤(玉부 4획〈767〉)과 同字. '一, 同玤, 石次玉'《正字通》. ※俗音 봉.

石4 〔砋〕9 지 [上]紙 zhǐ シ きぬた

[字解] ①다듬잇돌지 다듬이질하는 데 쓰이는 돌. '一, 擣繒石'《集韻》. ②숫돌지 칼날을 가는 돌. '一, 一曰, 礪石'《集韻》.

石4 〔砎〕9 [一]개 [去]卦 jiè カイ かたい [二]갈 [入]黠 qiá カツ こいし (길[俗])

[字解] [一] 단단할개 굳음. '一如石焉'《晉書》. [二] 조약돌갈 '一礣'은 잔돌. '一礣, 小石'《集韻》. ※俗音 길.
[字源] 形聲. 石＋介〔音〕

石4 〔砅〕9 례 [去]霽 lì レイ とびいしをふんでみずをわたる

[字解] ①징검다리건널례 징검다리를 밟고 물을 건넘. '一, 履石渡水也'《說文》. ②옷걷고물건널례 '深則一'《詩經》.
[字源] 會意. 水＋石
[參考] 砯(石부 5획〈867〉)은 別字.

石4 〔砇〕9 민 [平]文 mín ビン たまにつぐうつくしいいし

[字解] 옥돌민 옥(玉) 다음 가는 아름다운 돌. 珉(玉부 5획〈768〉)과 同字. '珉, 說文, 石之美者, 或作一'《集韻》.

石4 〔砕〕9 〔쇄〕 碎(石부 8획〈872〉)의 略字

〔斫〕 〔작〕 斤부 5획(493)을 보라.

石4 〔砉〕9 획 [入]陌 huā カク ほねとかわがはなれるおと

[字解] 뼈바르는소리획 칼로 뼈를 바르는데 가죽이 뼈에서 떨어져 나갈 때 나는 소리. '一然嚮然, 奏刀騞然'《莊子》.
[字源] 形聲. 石＋丰〔音〕

石5 〔砳〕10 력 [入]陌 lè ラク いしのおと

[字解] ①돌소리력 '一, 石聲'《集韻》. ②돌부딪는소리력 두 개의 돌이 부딪쳐 소리를 냄. '一, 二石相擊成聲也'《六書略》.

石5 〔砝〕10 겁 [入]葉 jié キョウ かたい

[字解] 단단할겁 견고함.
[字源] 形聲. 石＋去〔音〕

石5 〔砠〕10 저 [平]魚 jū ショ·ソ いしやま

[字解] 돌산저 위에 돌이 깔린 토산(土山). '陟彼一矣'《詩經》.
[字源] 形聲. 石＋且〔音〕

石5 〔砢〕10 가(라本) 上哿 | luǒ ラ こいしがつみかさなっているさま

字解 ①돌쌓일가 '磊―'는 돌이 무더기로 쌓여 있는 모양. '水玉磊―'《司馬相如》. 또, 사람의 성품이 뛰어난 모양. '其人磊―而英多'《世說》. ②돌구르는소리가 돌 같은 것이 요란하게 구르는 소리. 또는, 우렛소리. '轟轟――雷車轉'《顧雲》. ※本音라.

字源 形聲. 石+可〔音〕

石5 〔砥〕10 지 上紙 | zhǐ シ といし

字解 ①숫돌지 칼 같은 것을 가는 돌. '崦嵫之山, 其中多―礪'《山海經》. ②갈지 숫돌에 갊. 전(轉)하여, 연마(硏磨)함. '―磨'. '―礪節操'《禮記》. ③평평할지 숫돌과 같이 평탄함. '―平'. '東則―原遠濕'《鮑照》. ④평정할지 토평(討平)함. '日月所照, 莫不―屬'《史記》.

字源 形聲. 石+氐〔音〕

石5 〔砧〕10 침 平侵 | zhēn チン きぬた

字解 ①다듬잇돌침 다듬이질하는 돌. '―杵'. '秋―調急節'《庚信》. 또, 짚 같은 것을 올려놓고 두드리는 돌. '藁―今何在'《古樂府》. ②모탕침 椹(木부 9획〈560〉)과 同字. '―斧'. '宜先伏於―鑕'《歐陽修》.

字源 形聲. 石+占〔音〕

石5 〔砨〕10 액 入陌 | è アク ほうぎょく

字解 옥액 옥(玉)의 한 가지. '周有砥―'《史記》.

石5 〔砈〕10 砨(前條)와 同字

石5 〔砭〕10 폄 平鹽 | biān ヘン いしばり

字解 ①돌침폄 돌로 만든 침(鍼). '―劑'. ②침놓을폄 돌침으로 찔러 병을 치료함. '法不當―灸'《史記》.

字源 形聲. 石+乏〔音〕

石5 〔砱〕10 령 平青 | líng レイ いし

字解 ①돌령 '―, 石也'《集韻》. ②돌에구멍이뚜렷이날령 '―, 石孔開明也'《正字通》. ③돌의소리령 '―, 一曰, 石聲'《正字通》.

石5 〔砶〕10 〔박〕 珀(玉부 5획〈768〉)과 同字

石5 〔砠〕10 〔선〕 墠(土부 12획〈219〉)과 同字

石5 〔砄〕10 질 入屑 | dié テツ いしのもよう

字解 돌무늬질 돌의 무늬. '―, 砲―, 石文'《集韻》.

石5 〔砰〕10 팽 平庚 | pēng ホウ いしのおちるおと

字解 ①돌구르는소리팽 돌이 굴러 떨어지는 요란한 소리. '―磅訇礚'《司馬相如》. 전(轉)하여, 소란한 음향의 뜻으로 쓰임. '―然聞之, 如雷霆之聲'《列子》. ②물결치는소리팽 '―湃動簷瓦'《胡天游》. ③성할팽 왕성한 모양. '休嘉―隱'《漢書》.

字源 形聲. 石+平〔音〕

石5 〔砲〕10 人名 포 去效 | pào ホウ いしゆみ

筆順 一 丆 石 石' 矷 矽 砂 砲

字解 ①돌쇠뇌포 돌을 퉁기어 날려서 적을 쏘는 무기. 礮(石부 16획〈884〉)와 同字. '遠―勿虛發'《劉克莊》. ②대포포 폭탄을 내쏘는 큰 화기. '銃―'.

字源 形聲. 石+包〔音〕

石5 〔破〕10 中·人 파 去箇 | pò ハ やぶる

筆順 一 丆 石 矴 矿 砂 破 破

字解 ①깨질파 ㉠물건이 깨짐. 부서짐. 파괴됨. 또, 해어짐. '―船'. '―袴'. '―屋數間而已矣'《韓愈》. '甑已―矣'《後漢書》. ㉡일이 깨짐. 일이 틀어짐. '―綻'. ㉢짐. 패배함. '敵國―, 謀臣亡'《史記》. ②깨뜨릴파 ㉠부숨. 파괴함. '旣―我斧, 又缺我斨'《詩經》. ㉡일이 틀어지게 함. '―約'. ㉢쳐부숨. 이김. 승리함. '魏有―韓之志'《戰國策》. ㉣다함. 완료함. 끝까지 해냄. '踏―'. '讀―'. '看―'. ③깨진데파 파손된 데. 해진 데. '兒寒敎補―'《黃庭堅》. ④가를파 ㉠쪼갬. '―竹之勢'. '今兵威已振, 譬如―竹'《晉書》. ㉡나눔. 분석함. '―題'. '分―'. '天下莫能―焉'《中庸》. ⑤흩뜨릴파 재물을 써 없앰. '―財'. '―產不爲家'《李白》. ⑥악곡이름파 무악(舞樂)의 곡조의 하나. '入―'. '序―急'.

字源 形聲. 石+皮〔音〕

石5 〔砯〕10 빙 平蒸 | pīng ヒョウ みずのおと

字解 물소리빙 물이 산암(山巖)에 부딪쳐 나는 소리. '―巖鼓作'《郭璞》.

字源 形聲. 石+氷〔音〕

[參考] 砅(石부 4획〈866〉)는 別字.

石5 〔硁〕10 괴 [去]卦 | guài カイ たまににたいし

[字解] 옥돌괴 옥(玉) 비슷한 돌. '一, 石似玉'《集韻》.

石5 〔砞〕10 말 [入]曷 | mò バツ くだいたいし

[字解] 부순돌말 잘게 깨뜨린 돌. '一, 碎石'《集韻》

石5 〔砟〕10 ㊀사 [去]禡 | zhà サ いしぶみ ㊁작 [入]藥 | zuò サク いし

[字解] ㊀비석사 글을 새겨 세운 비석. '一, 碑石也'《集韻》. ㊁ ①돌작 '礭磈一硌, 爾自爲神'《魏武帝》. ②돌위작 '一, 石上'《廣韻》.

石5 〔砣〕10 타 [平]歌 | tuó タ いし

[字解] ①돌타 '一, 石也'《玉篇》. ②팔매질타 벽돌〔塼〕을 던지는 유희(遊戲). 墥(土부 9획〈214〉)과 同字. ③맷돌타.

[字源] 形聲. 石＋它〔音〕

石5 〔砪〕10 모(무[本]) [上]有 | mǔ ボウ きらら

[字解] 운모(雲母)모 '雲一'는 옴이나 독창(毒瘡)을 다스리는 약명(藥名). '一, 雲母, 藥名'《集韻》. ※本音 무.

石5 〔砬〕10 립 [入]緝 | lì リュウ いしのくずれるおと

[字解] 돌무너지는소리립.

石5 〔砫〕10 주 [上]麌 | zhǔ シュ おたまやのぬしをおさめるいしびつ

[字解] 신주독주 돌로 만든 신주독. 또, 돌로 만든 신주.

石5 〔砛〕10 진 [上]軫 [平]眞 | ①zhěn シン いしでかわぎしのかどをつくる ②③zhēn シン いしのでこぼこのあるさま

[字解] ①돌쌓을진 내의 내민 부분의 둑을 돌로 쌓음. '一, 以石致川之廉也'《集韻》. ②돌울쑥불쑥할진 돌의 요철(凹凸)이 있는 모양. '一, 石不平皃'《集韻》. ③숫돌진 거친 숫돌. '一, 一曰, 礪也'《集韻》.

石5 〔砡〕10 ㊀욱 [入]屋 | yù ギク そろえる ㊁옥 [入]沃 | ギョク そろえる

[字解] ㊀가지런히할욱 ㊁와 뜻이 같음. ㊁ 가지런히할옥 머리를 가지런히 하는 모양. '簡積頵一'《馬融》.

石5 〔砸〕10 잡 [現] | zá ソウ おしつぶす

[字解] 《現》①눌러찌부러뜨릴잡 찌부러짐. ②부딪칠잡. ③잡칠잡 실수함.

石5 〔砱〕10 진 [上]軫 | zhěn シン たたむ

[字解] 돌빽빽이쌓을진 '磐石裖崖. (注)孟康曰, 裖, 一致也'《漢書》.

石5 〔础〕10 〔초〕 礎(石부 13획〈881〉)의 簡體字

石5 〔砇〕10 〔민〕 珉(玉부 5획〈768〉)과 同字

石5 〔砦〕10 채 [去]卦 | zhài サイ とりで

[字解] 진터채 적을 막기 위하여 쌓은 작은 성. 보루(堡壘). '劉亮營一'《宋書》.

[字源] 形聲. 石＋此〔音〕

石5 〔砮〕10 노 [上]麌 | nǔ [平]虞 | nú ド いしのやじり

[字解] 돌살촉노 돌로 만든 살촉. '石一其長尺有咫'《國語》.

[字源] 形聲. 石＋奴〔音〕

石5 〔砐〕10 砮(前條)와 同字

石6 〔硃〕11 주 [平]虞 | zhū シュ しゅ

[字解] 주사주 적색(赤色)의 안료(顔料)와 주묵(朱墨)의 원료로 쓰이는 광물(鑛物). 단사(丹砂). '丹砂卽今一砂也'《康熙字典》.

[字源] 形聲. 石＋朱〔音〕

石6 〔硅〕11 [現] 규 [平]齊 | guī ケイ けいそ

[字解] 《現》규소규 '一素'는 비금속 원소(非金屬元素)의 하나. 천연적으로는 유리 상태(遊離狀態)로 존재하지 아니하고, 산화물(酸化物)·규산염(硅酸鹽)과 같은 화합물이 되어 지각(地殼)에 다량으로 존재함. 실리콘.

[字源] 形聲. 石＋圭〔音〕

石6 〔硇〕11 [現] 노 [平]肴 | náo ドウ·ニョウ どうさ

[字解] 《現》요사노 '一砂'는 염화(鹽化) 암모니아의 속칭(俗稱). 암모니아와 염화 수소(鹽化水素)를 혼합한 백색의 고체(固體)임.

[字源] 形聲. 石＋囟〔音〕

石6 〔硋〕 11 애 [去]隊 | ài ガイ さまたげる

[字解] 거리낄애 礙(石부 14획〈882〉)와 同字. '雲霧不一其硋'《列子》.

石6 〔硎〕 11 형 [平]青 | xíng ケイ といし

[字解] 숫돌형 여석(礪石). '刀刃若新發於一'《莊子》.

[字源] 形聲. 石+刑(刑)〔音〕

[參考] 硎(石부 8획〈874〉)은 本字.

石6 〔[石+㐬]〕 11 〔류〕 硫(石부 7획〈870〉)의 本字

石6 〔硌〕 11 락 [入]藥 | luō ラク おおいし

[字解] ①바위락 산 위의 큰 바위. '上申之山, 上無草木而多一石'《山海經》. ②장대할락 '磥一'은 장대(壯大)한 모양. '蹉跎磥一, 美聲將興'《嵇康》.

[字源] 形聲. 石+各〔音〕

石6 〔硉〕 11 률 [入]月 | lù ロツ いしをころがしおとす

[字解] 떨어뜨릴률 돌을 굴려 내림. '上擊下一'《枚乘》.

[字源] 形聲. 石+律〈省〉〔音〕

石6 〔硊〕 11 위 [上]紙 | wěi ギ いしのさま

[字解] ①돌위 '硠一'는 돌의 모양. '硠一, 石也'《集韻》. '磈一, 石貌'《字彙》. ②다리굽을위 '磈一, 足曲也'《玉篇》.

石6 〔[石+夸]〕 11 과 [平]麻 | kuā カ おおきいいわ

[字解] 큰바위과 넓고 편편한 바위. '一, 磐石'《集韻》.

石6 〔[石+兆]〕 11 [一] 교 [上]篠 | qiǎo キョウ やせたた
[二] 조 [上]篠 | diǎo チョウ いしのな

[字解] [一] 거친밭교 황폐하여 메마른 밭. 磽(石부 12획〈880〉)와 同字. '一, 山田也'《集韻》. [二] 돌이름조 석명(石名).

石6 〔硄〕 11 광 [平]陽 | kuāng コウ いしのおと

[字解] ①돌소리광 돌의 소리. '一, 石聲'《集韻》. ②윤택한돌광 윤이 나는 돌. '一, 石色之光澤者'《正字通》.

[字源] 形聲. 石+光〔音〕

石6 〔[石+耒]〕 11 〔뢰〕 礧(石부 15획〈883〉)와 同字

石6 〔[石+屰]〕 11 액 [入]陌 | ē ギャク けもののな

[字解] 짐승이름액 서방(西方)의 짐승의 이름. '磀, 礋一, 西方獸名, 或省'《集韻》.

石6 〔硂〕 11 〔전〕 銓(金부 6획〈1558〉)과 同字

石6 〔[石+尒]〕 11 〔진〕 袗(石부 5획〈868〉)의 俗字

石6 〔硍〕 11
[一] 한 [上]潸 | xiàn カン いしのおと
[二] 간 [去]願 [平]刪 | ①kěn コン きずのあるいし ②カン かねのおとがめいりょうでない
[三] 경 [平]庚 | kēng コウ·キョウ かねのおとがめいりょうでない

[字解] [一] 돌소리한 '一, 石聲'《廣韻》. [二] ①흠있는돌간 '一, 吳俗謂石有痕曰一'《集韻》. ②종소리흐려똑똑하지않을간 ㉠위쪽이 큰 종의 소리. '一, 鐘高聲'《集韻》. ㉡깨진 종의 소리 '硍, 鐘病聲. 或作一'《集韻》. [三] 종소리흐려똑똑하지않을경 [二]❷와 뜻이 같음.

[字源] 形聲. 石+皀(艮)〔音〕

石6 〔[石+夅]〕 11 홍 [平]東 | hāng コウ いしのおちるおと

[字解] ①돌떨어지는소리홍 '一, 一磅, 石隕聲'《集韻》. ②《現》 건축(建築)할 때 땅을 다지는 공구(工具). 또, 그 공구를 써서 땅을 찧어 다짐.

石6 〔硈〕 11 할 [入]黠 | qià カツ かたい

[字解] ①견고할할 돌이 굳음. '一, 石堅也'《說文》. ②돌모양할 '一, 石狀'《廣韻》. ③찌를할 '一, …一曰, 突也'《說文》.

[字源] 形聲. 石+吉〔音〕

石6 〔[石+因]〕 11 [一] 연 [去]霰 | yàn ゲン すずり
[二] 경 [去]敬 | qìng ケイ·キョウ つや

[字解] [一] 벼루연 硯(石부 7획〈870〉)과 同字. '硯, 說文, 石滑也. 或作一'《集韻》. [二] 광경 돌의 윤기. '怪石臨淵, 一一自顛'《元結》.

石6 〔硐〕 11 동 [平]東 [上]董 | dǒng トウ みがく dòng トウ たけのふしをぬきとおす

[字解] ①갈동 '一, 磨也'《廣雅》. ②대마디뚫을동 '鎯一'은 칼로 대마디를 뚫음. '鎯一隤墜'《馬融》. ③《現》 굴동 동굴. 광갱(鑛坑).

石6〔硟〕11 〔천〕
硟(石부 7획〈870〉)의 本字

石6〔硦〕11 략 [入]藥|jüè リャク はをみがく
[字解] ①날세울략 날붙이를 갊. '一, 磨刃'《集韻》. ②잘들략 칼이 잘 듦. '一, 爾雅云, 利也'《廣韻》.

石6〔研〕11 [中·人] 연 [平]先 [去]霰|①-③yán ケン みがく ④yàn ケン すずり
[筆順] 一 ㄏ 石 石 石 矸 矸 研
[字解] ①갈연 연마함. '一刀'. '一磨墨'《梁武帝》. ②궁구할연 연구함. '一鑽'. '能一諸侯之慮'《易經》. ③성연 성(姓)의 하나. ④벼루연 硯(石부 7획〈870〉)과 同字. '一蓋'. '綠苔鬖髿乎一上'《郭璞》.
[字源] 形聲. 石+幵〔音〕
[參考] 硏(石부 4획〈866〉)은 俗字.

石6〔硔〕11 공 [上]腫|gǒng キョウ みずべのいし
[字解] ①물가돌공 수변(水邊)의 돌. '一, 水邊石也'《說文》. ②물찬섬돌공 물에 잠긴 섬의 돌.
[字源] 形聲. 石+巩(玐)〔音〕

石7〔硜〕12 갱 [平]庚|kēng コウ いしのおと
[字解] ①돌소리갱 돌이 서로 부딪는 소리. '石聲一一以立別'《史記》. ②주변없을갱 주변 없는 소인(小人)의 모양. '一一然小人哉'《論語》.
[字源] 形聲. 石+巠〔音〕

石7〔硝〕12 초(소[本]) [平]蕭|xiāo ショウ しょうせき
[字解] 초석초 무색(無色)의 결정체(結晶體)를 이룬 폭발성이 있는 광물. 화약 및 유리의 원료임. 전(轉)하여, 화약. '一石'. '一子'. '一烟'. ※本音 소.
[字源] 形聲. 石+肖〔音〕

石7〔硠〕12 랑 [平]陽|láng ロウ いしのおと
[字解] 돌부딪치는소리랑 '礧石相擊, 一一礚礚'《司馬相如》.
[字源] 形聲. 石+良〔音〕

石7〔硡〕12 굉 [平]庚|hōng コウ いしのおちるおと
[字解] 돌굴러떨어지는소리굉 '鼓鞞一隱以砰礚'《潘岳》.
[字源] 形聲. 石+宏〔音〕

石7〔硨〕12 [一]차 [平]麻|chē シャ しゃこ [二]거 [平]魚|jū
[字解] [一]①옥돌차 '一磲'는 옥 비슷한 아름다운 돌. 인도에서 남. '一磲出天竺國'《玄中記》. ②조개이름차 '一磲'는 인도에서 나는 조개로, 껍질은 백색의 광택이 나서, 갈아 장식용으로 쓰임. 칠보(七寶)의 하나. [二] 옥돌거, 조개이름거 [一]과 뜻이 같음.
[字源] 形聲. 石+車〔音〕

石7〔硫〕12 류 [平]尤|liú リュウ いおう
[字解] 유황류 화산 지방(火山地方)에서 나는 황록색의 광물. 불에 잘 타는데, 불꽃은 파랗고 극취(劇臭)가 남. 약품과 공업용의 원료로 쓰임. 석유황(石硫黃).
[字源] 形聲. 石+㐬〔音〕

石7〔硬〕12 [高·人] 경 [去]敬|yìng コウ かたい
[筆順] 一 ㄏ 石 石 石一 石冂 石百 硬 硬
[字解] ①단단할경, 강할경 '堅一'. '強一'. '書貴瘦一方通神'《杜甫》. ②익숙지않을경 세련되지 않음. '生一'.
[字源] 形聲. 石+更〔音〕

石7〔确〕12 각 [入]覺|què カク いしのおおいやせち
[字解] ①자갈땅각 돌이 많은 땅. '磽一'. '山石犖一行徑微'《韓愈》. ②정확할각 바르고 확실함. 確(石부 10획〈876〉)과 뜻이 같음. '指切時要, 言辯而一'《後漢書》. ③다툴각 승부를 겨룸. 角(部首〈1304〉)과 통용. '數與虜一'《漢書》.
[字源] 形聲. 石+角〔音〕

石7〔硯〕12 [人名] 연 [去]霰|yàn ゲン すずり
[筆順] 一 ㄏ 石 石门 石门 石月 硯 硯
[字解] ①벼루연 먹을 가는 그릇. '一滴'. '一, 研也, 研墨使和濡也'《釋名》. ②성연 성(姓)의 하나.
[字源] 形聲. 石+見〔音〕

石7〔硟〕12 천 [去]霰|chàn セン いしできぬをうつ
[字解] ①재양치는돌천 명주·모시 따위를 쳐서 펴는 돌. '一, 以石扞繒也'《說文》. ②다듬잇돌천 '一, 擣繒石'《集韻》.
[字源] 形聲. 石+延〔音〕

石7〔硪〕12 아 [平]歌 [上]哿|①②é ガ いわお ③é ガ やまのたかいさま

[字解] ①바위아 큰 돌. '一, 石巖也'《說文》. ②돌로흙다질아 '屠屠夯一. (註) 以木杵築地日夯, 以石碌壓地曰一'《六部成語》. ③산우뚝할아 '破一'는 산이 높은 모양. 峨(山부 7획〈308〉)와 同字.
[字源] 形聲. 石+我〔音〕

石 7 〔硣〕12 로 [平]豪 | láo ロウ いしのうつわ
[字解] 돌그릇로 돌로 만든 기구. 석기(石器).

石 7 〔硭〕12 망 [平]陽 | máng ボウ しょうせき
[字解] ①망초(芒硝)망 '一硝'는 변비(便祕)·적취(積聚) 등에 쓰는 약. 초석(硝石). 芒(艸부 3획〈1121〉)과 통용. ②산이름망 '一碭'은 산명(山名).

石 7 〔硥〕12 硭(前條)과 同字

石 7 〔硤〕12 협 [入]洽 | xiá コウ ちめい
[字解] 고을이름협 '一石'은 당(唐)나라 때의 현(縣) 이름. 하남성 섬현(河南省陝縣)의 동남쪽. 지금 이름은 협석진(硤石鎭).
[字源] 形聲. 石+夾〔音〕

石 7 〔硥〕12 [一] 망 [上]講 | máng ボウ·モウ いしのさま
[二] 방 [上]講 | bàng ホウ·ボウ どぶがい
[字解] [一] 돌모양망 '一, 石皃'《集韻》. [二] 씹조개방 '蚌, 說文, 蜃屬, 或作一'《集韻》.

石 7 〔硱〕12 [一] 곤 [上]阮 | kŭn コン いしのおちるさま
[二] 긍 [平]蒸 | キョウ·コウ いしのおちるさま
[字解] [一] ①돌떨어질곤 '一硱'은 돈이 떨어지는 모양. '一, 一硱, 石落皃'《廣韻》. ②돌곤 '一磳'은 돌의 모양. '一, 一磳, 石皃'《廣韻》. [二] 돌떨어질긍, 돌긍 [一]과 뜻이 같음.

石 7 〔硞〕12 [一] 각 [入]覺 | què カク いしのおと
[二] 극 [入]陌 | kè カク·キャク みずがいしにげきしてたいらでない
[三] 곡 [入]沃 | kū コク いしのさま
[字解] [一] ①돌소리각 '一, 石聲'《說文》. ②굳을각 '一, 固也'《廣韻》. [二] 물돌에부딪쳐고르지않을극 '碧一'은 물이 돌에 부딪쳐 평(平)치 않은 모양. '一, 碧一, 水激石不平皃'《集韻》. [三] 돌모양곡 '碌一'은 돌의 모양. '一, 碌一, 石狀'《廣韻》.
[字源] 形聲. 石+告〔音〕

石 7 〔硍〕12 〔한〕
硍(石부 6획〈869〉)의 本字

石 7 〔硷〕12 〔험〕 鹼(鹵부 13획〈1844〉)의 簡體字

石 7 〔硦〕12 [一] 롱 [去]送 | lòng ロウ あな
[二] 락 [入]藥 | luò ラク いしのおと
[字解] [一] 구멍롱 바위에 난 구멍. 동혈(洞穴). [二] 돌소리락 '一, 磱一, 石聲'《集韻》.

石 7 〔硧〕12 용 [上]腫 | yŏng ヨウ みがきいし
[字解] ①마석(磨石)용 물건을 반드럽게 가는 데 쓰는 돌. '一, 磨石'《集韻》. ②갈용 '一, 磨也'《集韻》.

石 7 〔硩〕12 [一] 철 [入]屑 | chè テツ なげうつ
[二] 척 [入]錫 | chè テキ なげうつ
[字解] [一] ①던질철 멀리 내던짐. '一陊山谷'《左思》. ②불철 돌 속의 불. '一, 石中火'《玉篇》. [二] 던질척, 불척 [一]과 뜻이 같음.
[字源] 形聲. 石+折〔音〕

石 7 〔硰〕12 좌 [上]哿 | cuŏ サ くだけたいし
[字解] ①깨진돌좌 '一, 碎石'《集韻》. ②좋은 자황(雌黃)좌 약석(藥石)의 이름. '一, 好雌黃也'《玉篇》.

石 7 〔硳〕12 [韓] 적
[字解] 《韓》 땅이름적 '赤城廢縣, 在郡東十五里. 赤, 一作磧, 又作一'《新增東國輿地勝覽39, 全羅, 淳昌》.

石 7 〔硰〕12 사 [平]麻 | shā サ ちめい
[字解] 땅이름사 '一石'은 지명(地名). '從擊韓信破於一石'《史記》.

石 7 〔硿〕12 〔공〕
硿(石부 6획〈870〉)의 本字

石 8 〔硼〕13 [一] 평 [平]庚 | pēng ホウ いしのおと
[二] 붕 [平]蒸 | péng ホウ ほうしゃ
[字解] [一] 돌소리평 돌이 서로 부딪쳐 나는 소리. '八音一磕奏'《張華》. [二] 《現》 ①붕사붕 '一砂'. ②붕산붕 '一酸'.

[字源] 形聲. 石+朋〔音〕

石8 〔硾〕 13 추 [去]寘 zhuì ツイ つく

[字解] ①누를추 돌 같은 것으로 누름. '一之以石'《呂氏春秋》. ②저울추추 錘(金부 8획〈1566〉)와 同字.
[字源] 形聲. 石+垂〔音〕

石8 〔硿〕 13 공 [平]東 kōng コウ いしのおちるおと

[字解] 돌굴러떨어지는소리공 '擇其一二, 扣之一一然'《蘇軾》.

石8 〔碉〕 13 도 [上]篠 diāo チョウ いしのな

[字解] 돌이름도 '磽一'는 돌의 이름. '一, 磽一, 石名, 或从兆'《集韻》.

石8 〔碖〕 13 [一] 론 [上]阮 lǔn ロン いしのおちるさま / [去]願 lùn ロン いしのさま
[二] 륜 [平]眞 lún リン いし

[字解] [一] ①돌떨어지는모양론 '一, 一硱, 石落皃'《集韻》. ②돌모양론 '一, 石皃'《集韻》. [二] 돌륜 '一, 石也'《集韻》.

石8 〔碈〕 13 〔민〕
碣(石부 9획〈874〉)과 同字

石8 〔碏〕 13 〔박〕
礴(石부 10획〈877〉)과 同字

石8 〔硯〕 13 〔연〕
研(石부 6획〈870〉)과 同字

石8 〔碵〕 13 장 [去]敬 zhèng トウ ふさぐ

[字解] ①막을장 가로막음. '一, 塞也'《廣韻》. ②갈장 매끄럽게 갊. '鋥, 磨也, 或作一'《集韻》.

石8 〔碇〕 13 정 [去]徑 dìng テイ いかり

[字解] ①닻정 배를 멈추게 하는 제구. 矴(石부 2획〈865〉)과 同字. '蕃舶泊步有下一稅'《唐書》. ②닻내릴정 닻을 내려 배를 멈추어 서게 함. '一泊'.
[字源] 形聲. 石+定〔音〕

石8 〔碌〕 13 록 [入]沃 liù ロク あおいいろ

[字解] ①푸른빛록 돌의 청색(靑色). '銀一貲布'《唐書》. ②녹록 구리에 스는 푸른 녹. '一青'. ③용렬할록 무능한 모양. '餘子一一, 不足數也'《後漢書》.
[字源] 形聲. 石+彔〔音〕

石8 〔碍〕 13 애 [去]隊 ài ガイ さまたげる

[字解] 거리낄애 礙(石부 14획〈882〉)의 俗字. '自在無一'《大般若經》.

石8 〔碎〕 13 쇄 [去]隊 suì サイ くだく

[字解] ①부술쇄 ㉠잘게 여러 조각으로 깨뜨림. '粉一'. '一氷'. '爲其一之之怒也'《列子》. ㉡적을 여지없이 꺾음. '擊一'. '一敵'. ②부서질쇄 전항(前項)의 타동사. '臣頭, 今與璧俱一於柱矣'《史記》. ③잘쇄 잔닮. '瑣一'. '煩一'. '其文一'《文中子》.
[字源] 形聲. 石+卒〔音〕

石8 〔碀〕 13 쟁 [平]庚 chēng ソウ われるおと

[字解] ①깨어지는소리쟁 '一, 破聲'《集韻》. ②돌소리쟁 '一, 與琤通, 石聲'《正字通》.

石8 〔碘〕 13 전 diǎn テン ヨード

[字解] 요오드전 비금속 원소(非金屬元素)의 하나. '讀若典'《中華大字典》.

石8 〔碊〕 13 [一] 전 [平]先 jiān セン おく
[二] 잔 [上]潸 zhǎn サン かけはし

[字解] [一] ①놓을전, 얹을전 '一, 歧也'《廣雅》. ②물뿌릴전 '一, 同濺'《字彙》. ③옮길전 '一, 移也'《玉篇》. [二] ①잔도(棧道)잔 잔교(棧橋). 棧(木부 8획〈555〉)과 통용. '一, 與木部棧通'《正字通》. ②놓을잔, 얹을잔 [一]①과 뜻이 같음.

石8 〔碟〕 13 첩 [入]葉 jié ショウ やまがつらなるさま

[字解] 산이어질첩 산이 연이어 있는 모양. '一, 礏一, 山連屬皃'《集韻》.

石8 〔碏〕 13 작 [入]藥 què シャク じんめい

[字解] 사람이름작 '石一'은 춘추 시대(春秋時代)의 위(衛)나라의 대부(大夫).
[字源] 形聲. 石+昔〔音〕

石8 〔碑〕 13 [高人] 비 [平]支 bēi ヒ たていし

[筆順] 一 ア 石 矿 砷 碑 碑 碑

[字解] ①비비 후세에 전하고자 하는 일을 새겨 세우는 돌. 비석. 주로, 모양이 네모진

것을 이름. 둥근 것은 갈(碣)이라 함. '一文'. '一, 以悲往事也, 今宮室廟屋墓隧之碣, 鐫文於石, 皆曰一'《初學記》. ②석주(石柱)비 옛날, 종묘(宗廟)의 문 안에 세워 희생(犧牲)을 매달던 주상(柱狀)의 돌. '君牽牲, 旣入廟門, 麗于一'《禮記》. 또, 옛날 귀인(貴人)의 관(棺)을 무덤에 묻을 때, 관을 얽어맨 새끼 끝에 매달던 돌. '公室視豐一'《禮記》. ③비문비 한문의 한 체(體). 비에 새기기 위하여 짓는 문장으로서, 서(序)와 명(銘)이 있는 것을 정체(正體)로 함. '其序則傳, 其文則銘, 此一之體也'《文體明辯》.
[字源] 形聲. 石＋卑〔音〕

石8〔硾〕13 硾(前條)의 俗字

石8〔碓〕13 대 [去]隊 duì タイ からうす
[字解] 방아대 디딜방아 또는 물방아. '春一'. '水一'. '村舍無人有一聲'《陸游》.
[字源] 形聲. 石＋隹〔音〕

石8〔碔〕13 무 [上]麌 wǔ ブ たまににたいし
[字解] 옥돌무 '一砆'는 옥 비슷한 아름다운 돌의 한 가지. 무부(武夫). '碝石一砆'《司馬相如》.
[字源] 形聲. 石＋武〔音〕

石8〔碕〕13 기 [平]支 ①qí キ まがっているきし [上]紙 ②qǐ キ いしのさま
[筆順] 一 丆 石 石一 石大 石夵 碕 碕
[字解] ①물가기 굽은 수애(水涯). 곡안(曲岸). '探巖排一'《漢書》. ②솟을기 돌이 높이 솟은 모양. '嶔崟一礒'《楚辭》.
[字源] 形聲. 石＋奇〔音〕

石8〔碌〕13 태(대[本]) [去]隊 dài タイ みずをせく
[字解] 물막을태, 둑태 埭(土부 8획〈209〉)와 同字. ※本音 대.

石8〔碍〕13 학 [入]藥 mùe ギャク ひきうす
[字解] ①맷돌학 곡물을 가는 기구. '一, 一曰, 磑也'《集韻》. ②큰입술학. '一, 一硸, 大脣皃'《集韻》.

石8〔碨〕13 괴 [平]佳 guāi カイ いしのさま
[字解] ①돌괴 돌의 모양. '一, 石貌'《篇海》. ②부술괴 잘게 부숨. '一, 碎也'《集韻》.

石8〔碴〕13 답 [入]合 tà トウ うすづく
[字解] 방아찧을답 ㉠쉬었다가 다시 방아를 찧음. 거듭 방아를 찧음. '舂已復擣之曰一'《說文》. ㉡디딜방아로 쌀을 찧음. '今俗設臼, 以脚踏碓舂米曰一'《正字通》.
[字源] 形聲. 石＋沓〔音〕

石8〔碉〕13 조 [平]蕭 diāo チョウ いわや
[字解] 돌집조 석실(石室). '一, 石室也'《篇海》.

石8〔碮〕13 곤 [上]阮 gǔn コン かねのおと
[字解] ①종소리곤 ㉠금이 간 종의 소리. '一, 鐘病聲'《集韻》. ㉡큰 종의 소리. 쟁쟁하지 못한 소리. '高聲一'《周禮》. ②돌구를곤 돌이 구름. '一, 石从上輥下也'《六書故》.

石8〔碒〕13 음 [平]侵 yín キン やまがけわしくつらなりのびるさま
[字解] 산험하게연할음 '嶔一'은 산이 험준하고 연이어 있는 모양. '嶔一乎數州之間'《左思》.

石8〔碅〕13 아 [平]麻 yā ア いしのな
[字解] ①돌이름아 '一, 一曰, 石名'《集韻》. ②고르지않을아 지면(地面)이나 물건의 면이 편평하지 않은 모양. '玄礪磈碨而碅一'《郭璞》.

石8〔碎〕13 ㊀삭 [入]陌 suǒ サク くだけたいしのおちるおと ㊁기 [上]紙 キ いしのおちるおと
[字解] ㊀깨진돌떨어지는소리삭 '一, 碎石磒聲'《說文》. ㊁돌떨어지는소리기 '石墮聲也'《廣韻》.
[字源] 形聲. 石＋炙〔音〕

石8〔碚〕13 배 bèi ハイ つぼみ
[字解] ①봉오리배 '一礌'는 꽃봉오리. '入林春看一礌'《簡文帝》. ②《現》 땅이름배 '北一'는 사천성(四川省) 중경시(重慶市)에 있음.

石8〔硗〕13 강 [上]養 qiǎng キョウ いしのな
[字解] 돌이름강 '一, 石名也'《集韻》.

石8〔碐〕13 릉 [平]蒸 léng リョウ·ロウ いしのさま

[字解] 돌릉 돌의 모양. '一, 石皃'《集韻》.

石8 〔碄〕13 림 [平]侵 | lín リン ふかいさま

[字解] 깊을림 '一一'은 깊은 모양. '漂通淵之一一'《張衡》.

石8 〔碙〕13 강 | gāng コウ しまのな

[字解] 섬이름강 '一洲'는 섬 이름. 지금의 요주도(碙洲島). 광동성(廣東省)의 뇌주만구(雷州灣口)에 있어, 송(宋)나라 경염 연간(景炎年間)에 단종(端宗)이 세상을 뜬 곳.

石8 〔硱〕13 [一] 균 [平]眞 [二] 긍 [平]蒸 | jūn キン いしのあぶなげなさま キョウ いしのあぶなげなさま

[字解] [一] 돌위태로울균 '一磳'은 돌이 위태로운 모양. '一磳磈硊'《楚辭》. [二] 돌위태로울긍 [一]과 뜻이 같음.

石8 〔硎〕13 〔형〕 硎(石부 6획〈869〉)의 本字

石8 〔碗〕13 〔완〕 盌(皿부 5획〈832〉)의 俗字

石8 〔碁〕13 기 [平]支 | qí キ ご

[字解] 바둑기 棊(木부 8획〈558〉)와 同字. '圍一擊劍'《揚子法言》.
[字源] 形聲. 石+其〔音〕

石8 〔硻〕13 갱 [平]庚 | kēng コウ かたい

[字解] ①굳을갱 굳은 돌의 소리. '一, 餘堅也'《說文》. ②굳셀갱 '一, 剛也'《集韻》.
[字源] 形聲. 石+堅〈省〉〔音〕

石8 〔碆〕13 파 [平]歌 | bō ハ いぐるみにつけるいし

[字解] 돌살촉파 주살에 쓰는 돌로 만든 살촉. '一新繳'《史記》.
[字源] 形聲. 石+波〔音〕

石8 〔晢〕13 〔철〕 晢(石부 7획〈871〉)과 同字

石9 〔碝〕14 연 [上]銑 | ruǎn ゼン たまにつぐびせき

[字解] 옥돌연 瑌(玉부 9획〈776〉)과 同字. '一石碔砆'《司馬相如》.
[字源] 形聲. 石+耎〔音〕

石9 〔碟〕14 접 [入]葉 | dié セツ さら

[字解] 접시접 음식을 담는 조그만 그릇. '再佐小一供飲'《生日令約》.
[字源] 形聲. 石+葉〔音〕

石9 〔碿〕14 〔개〕 砎(石부 4획〈866〉)의 俗字

石9 〔碟〕14 〔거〕 磲(石부 12획〈880〉)와 同字

石9 〔碒〕14 〔굉〕 砉(石부 11획〈879〉)과 同字

石9 〔碮〕14 제 [平]齊 | tí テイ きぬた

[字解] ①다듬잇돌제 '一, 砧也'《集韻》. ②방죽제 물을 막기 위한 둑. '一, 同隄'《正字通》.

石9 〔碢〕14 〔타〕 砣(石부 5획〈868〉)와 同字

石9 〔碡〕14 독 [入]屋 | dú トク のうぐのな

[字解] 고무래독 '碌一'은 밭의 흙을 고르는 농구. '移繫門西碌一邊'《范成大》.
[字源] 形聲. 石+毒〔音〕

石9 〔碈〕14 민 [平]眞 | mín ビン たまににたいし

[字解] 옥돌민 옥 비슷한 아름다운 돌의 한 가지. 珉(玉부 5획〈768〉)과 同字. '君子貴玉而賤一'《禮記》.

石9 〔碣〕14 갈 (④걸[本]) [入]月 [入]屑 | ①-③jié ケツ いしぶみ ④ケツ たちいし

[字解] ①비갈 비석. 네모진 것을 '碑'라 하고, 둥근 것을 '一'이라 함. '崆峒山中有堯碑禹一'《述異記》. ②문체이름갈 비문(碑文)의 한 체(體). '潘尼作潘黃門一'《文體明辯》. ③우뚝솟을갈 산이 우뚝 솟은 모양. '一以崇山'《漢書》. ④우뚝솟은돌갈 특립(特立)한 돌. '若雙一之相望'《張衡》. ※❹ 本音 걸.
[字源] 形聲. 石+曷〔音〕

石9 〔碩〕14 [人名] 석 [入]陌 | shuò セキ おおきい

[筆順] 一 丆 石 石' 石丆 碩 碩 碩

[字解] 클석 작지 아니함. '大'와 뜻이 같음. '一大'. '一學'. '莫知其苗之一'《大學》.
[字源] 形聲. 頁+石〔音〕

石9〔碬〕14 하 [平]麻|xiá カ といし
[字解] 숫돌하 여석(礪石). '如以一 投卵'《孫子》.
[字源] 形聲. 石+叚〔音〕
[參考] 碫(石부 9획〈875〉)은 別字.

石9〔碪〕14 [一] 침 [平]侵 | zhēn チン きぬた
[二] 암 [上]感 | ǎn ガン やまのかたち
[字解] [一] 다듬잇돌침 砧(石부 5획〈867〉)과 同字. '南城罷擣一'《李賀》. [二] 우뚝솟을암 '一⿰石咢'은 산이 우뚝 솟은 모양. '恆碣一⿰石咢於靑霄'《左思》.
[字源] 形聲. 石+甚〔音〕

石9〔⿰石咢〕14 악 [入]藥|è ガク やまのかたち
[字解] 우뚝솟을악 碪(前條)[二]를 보라.

石9〔碭〕14 탕 [去]漾 [平]陽|dàng トウ あやのあるいし
[字解] ①옥돌탕 옥 비슷한 문채(文采) 있는 아름다운 돌. '墉垣一基'《何晏》. ②뛸탕 도약함. '呑舟之魚, 一而失水'《莊子》. ③클탕 '玄玄至一而運照'《淮南子》.
[字源] 形聲. 石+昜〔音〕

石9〔碫〕14 단 [去]翰|duàn タン かたいいし
[字解] ①단단한돌단 굳은 돌. '一, 堅石可以爲椎段之椹質者'《說文通訓定聲》. ②숫돌단 칼 가는 돌. '一, 礪也'《廣雅》.
[字源] 形聲. 石+段〔音〕
[參考] 碬(石부 9획〈875〉)는 別字.

石9〔碤〕14 영 [平]庚|yīng エイ すいちゅうのいし
[字解] ①물속돌영 수중(水中)의 돌. '一, 水中石'《集韻》. ②화반석영 무늬가 있는 돌. '一, 石有文采者'《正字通》.
[字源] 形聲. 石+英〔音〕

石9〔碥〕14 변 [上]銑|biǎn ヘン ふみいし
[字解] ①디딤돌변 수레에 탈 때의 디딤돌. '一, 將登車履石也'《玉篇》. ②낭떠러지변 물살이 세어 허물어져 기운 언덕. '水疾厓傾曰一'《正字通》.

石9〔⿰石㒸〕14 대 [去]隊|zhuì タイ おちる
[字解] 떨어질대, 떨어뜨릴대 '星一至地, 則石也'《漢書》.
[字源] 形聲. 石+㒸〔音〕

石9〔碠〕14 정 [去]徑|dìng テイ いしのあずまや
[字解] ①돌정자정 돌로 지은 정자. '一, 石亭也'《字彙》. ②닻정 矴(石부 2획〈865〉)의 俗字.

石9〔碮〕14 녈 [入]屑|niè デツ みょうばん
[字解] 명반녈 '羽一'은 명반(明礬). '羽一, 礬石也'《集韻》.

石9〔碨〕14 [一] 외 [平]佳 | wěi ワイ いしのたいらでないさま
[二] 위 [上]尾 | wèi イ いしのたいらでないさま
[字解] [一] 돌우툴두툴할외 '一碮'는 돌의 판판하지 않은 모양. '一碮相附積'《劉子翬》. [二] 돌우툴두툴할위 [一]과 뜻이 같음.
[字源] 形聲. 石+畏〔音〕

石9〔碰〕14 팽|pèng ホウ つく
[字解] 부딪칠팽 충돌함. 만남. 掽(手부 9획〈456〉)의 俗字.

石9〔⿰石盇〕14 〔개〕
磕(石부 10획〈877〉)의 本字

石9〔碯〕14 〔노〕
瑙(玉부 9획〈776〉)와 同字

石9〔碢〕14 〔타〕
砣(石부 5획〈868〉)와 同字

石9〔碱〕14 〔험〕
鹼(鹵부 13획〈1844〉)의 俗字

石9〔磁〕14 〔자〕
磁(石부 10획〈876〉)의 略字

石9〔碧〕14 [高·人] 벽 [入]陌|bì ヘキ あおくうつくしいいし
[筆順] 二 干 王 玓 珀 珀 碧 碧
[字解] ①옥돌벽 색이 푸른 옥 비슷한 아름다운 돌. '高山, 其下多靑一'《山海經》. ②푸를벽 짙은 푸른빛. '一海'. '問余何意栖一山'《李白》. ③성벽 성(姓)의 하나.
[字源] 形聲. 王(玉)+石+白〔音〕

石9〔碞〕14 암 [平]咸|yán ガン いわお
[字解] ①바위암 巖(山부 20획〈323〉)과 同字. ②험할암 험준함. '用顧畏于民一'《書經》.
[字源] 會意. 石+品

石10〔磊〕15 뢰 ㊤賄 lěi ライ おおくのいしのさま

字解 ①돌쌓일뢰 돌이 많이 쌓인 모양. '石——兮葛蔓蔓'《楚辭》. ②뜻클뢰 뜻이 커서 소소한 일에 구애되지 않는 모양. '—落奇偉之人'《韓愈》.

字源 會意. 石+石+石. '石'을 셋 포개어, 많은 돌이 쌓이다의 뜻을 나타냄.

石10〔確〕15 高·人 확 ㊀覺 què カク かたい, たしか

筆順 一 丆 石 矿 矿 碓 確 確

字解 ①단단할확 견고함. '堅—'. '—乎其不可拔'《易經》. ②확실할확 틀림없음. '正—'. '的—'.

字源 形聲. 石+隺〔音〕

石10〔碻〕15 確(前條)과 同字

字源 形聲. 石+高〔音〕

石10〔碼〕15 마 ㊤馬 mǎ バ めのう

字解 ①마노마 瑪(玉부 10획〈779〉)와 同字. '—碯石次玉'《博雅》. ②《現》 나루터마 도선장. '—頭'. ③《現》 야드마 야드·파운드법의 길이의 단위. 한 마(碼)는 91.4 센티미터 가량.

字源 形聲. 石+馬〔音〕

石10〔碾〕15 년 ㊦霰 niǎn デン うす

筆順 石 砉 砉 砲 碾 碾 碾 碾

字解 매년 곡식 같은 것을 가는 제구. '石—'. '茶—'. '—石—'《五雜組》.

字源 形聲. 石+展〔音〕

石10〔磁〕15 人名 자 ㊥支 cí ジ じしゃく

筆順 一 丆 石 石' 石' 石艹 磁 磁

字解 ①지남석자 자철(磁鐵). '—石引鐵'《曹植》. ②사기그릇자 瓷(瓦부 6획〈788〉)의 俗字. '陶—器'. '舊—可愛, 人悉知之'《閒情偶奇》.

字源 形聲. 石+茲〔音〕

石10〔磅〕15 방 ㊥陽 páng ホウ いしのおちるおと

字解 ①돌떨어지는소리방 '砰—訇礚'《司馬相如》. ②야드·파운드법의 무게의 단위. 파운드의 약기(略記). 1 파운드는 453 그램.

字源 形聲. 石+旁〔音〕

石10〔磈〕15 외 ㊤賄 ①kuǐ カイ おおくのいしのさま ㊤尾 ②wěi イ けわしいさま

字解 ①돌외 많은 돌. 또, 돌이 많이 쌓인 모양. '縱橫詩筆見高情, 何物能澆—磊乎'《元好問》. ②험할외 험준한 모양. '崴—嵔瘣'《司馬相如》.

字源 形聲. 石+鬼〔音〕

石10〔磉〕15 상 ㊤養 sǎng ソウ いしずえ

字解 주춧돌상 초석(礎石).

字源 形聲. 石+桑〔音〕

石10〔磋〕15 차 ㊥歌 ㊦箇 cuō サ みがく

字解 갈차 연마(硏磨)함. 상아(象牙) 같은 것을 갊. '如切如—'《詩經》. 전(轉)하여, 학문이나 덕행을 닦음. '切— 琢磨'.

字源 形聲. 石+差〔音〕

石10〔磌〕15 전 ㊥先 tián テン いしのおちるおと

字解 ①돌떨어지는소리전 '賈石記聞. 聞其—然'《公羊傳》. ②주춧돌전 초석(礎石). '雕玉— 以居楹'《班固》.

字源 形聲. 石+眞〔音〕

石10〔碵〕15 磌(前條)의 俗字

石10〔磏〕15 렴 ㊥鹽 lián レン あらと

字解 ①숫돌렴 거친 숫돌. 여석(礪石). ②애쓸렴 고심하여 구함. '仁道有四, —爲下. —仁則其德不厚'《韓詩外傳》.

字源 形聲. 石+兼〔音〕

石10〔磑〕15 애 ㊦隊 ①wèi カイ いしうす ㊥灰 ②③wèi ガイ かたい ㊥灰 ④ái, wéi ガイ つむ

字解 ①맷돌애 곡식을 가는 제구. '碾—'. '茶—'. '小—落雪花'《陸游》. ②단단할애 견고한 모양. '行積冰之——兮'《張衡》. ③날카로울애 예리한 모양. '白刃——'《枚乘》. ④쌓을애 높이 쌓음. '——卽卽'《漢書》.

字源 形聲. 石+豈〔音〕

石10〔磔〕15 책 ㊀陌 zhé タク はりつけ

字解 ①찢을책 사람의 지체(肢體) 또는 희생(犧牲)을 찢음. '命國難九門, —攘以畢春氣'《禮記》. 또, 지체를 찢는 형벌. 곧, 차열(車裂) 따위. '斬·斷·枯·—'《荀子》. 또, 시체를 저자에 버려 뭇 사람에게 보이

는 형벌. 곧, 기시(棄市) 따위. '諸死刑, 皆一於市'《漢書》. ②빳빳할책 꼿꼿함. '鬚作蝟毛一'《晉書》. ③필법의하나책 오른쪽으로 삐치는 필법. '一憶昔以遲移'《崔瑗》. ④물건소리책 '爆竹鳴一一'《蘇轍》.
字源 形聲. 桀+石〔音〕

石10〔磕〕15 ㊀개 ㊍泰 ㊁갑 ㊅合 | kē カイ ■■ いしのうちあうおと kē コウ
字解 ㊀ 돌부딪치는소리개 돌이 서로 부딪쳐 나는 소리. '砰一'. '硠一'. '八音硼一奏'《張華》. ㊁ 돌부딪치는소리갑 ■과 뜻이 같음.
字源 形聲. 石+盍〔音〕

石10〔磤〕15 은 ㊤吻 | yīn イン かみなりなどのおと
筆順 石 石 矿 砑 砑 碠 磤 磤
字解 소리은 우레같이 요란히 울리는 소리의 형용. '聲訇一其若震'《何晏》.
字源 形聲. 石+殷〔音〕

石10〔磒〕15 운 ㊤軫 | yǔn イン おちる
字解 떨어질운 隕(阜부 10획〈1621〉)과 同字. '若一虛'《列子》.
字源 形聲. 石+員〔音〕

石10〔磓〕15 ㊀퇴 ㊥灰 ㊁추 ㊍寘 | duī タイ あつまっているいし zhuì ツイ うつ
字解 ㊀ ①돌무덤퇴 많이 모여 있는 돌. '一, 聚石也'《字彙》. ②떨어뜨릴퇴 돌을 던져 떨어뜨림. '一, 落也'《集韻》. '一, 以石投下也'《正字通》. ㊁ 칠추 때림. '五岳鼓舞而相一'《木華》.
字源 形聲. 石+追〔音〕

石10〔磗〕15 ㊀박 ㊅覺 ㊁착 ㊅覺 | bō ハク いし zhuó サク いわ
字解 ㊀ ①돌박 '一, 石也'《集韻》. ②언덕박 '一, 石一, 岸也'《篇海》. ㊁ 바위착 반석(磐石). '一, 一礫, 磐石'《集韻》.

石10〔磌〕15 쇄(솨㊍) ㊤哿 | suǒ サ こいし
字解 조약돌쇄 작은 돌. '一, 小石'《集韻》. ※本音 솨.

石10〔碻〕15 핵 ㊅陌 | hé カク いしじでわるいとち
字解 자갈땅핵 돌이 섞여 있는 나쁜 토지. '地貴土厚. 故以石一爲惡'《說文長箋》.
字源 形聲. 石+鬲〔音〕

石10〔磚〕15 구 ㊍宥 ㊥尤 | ①-③gōu コウ いどのしゅうへきをれんがでできずく ④gōu コウ かたい
筆順 石 砃 砪 碓 碡 磚 磚 磚
字解 ①벽돌우물구 우물의 가장자리를 벽돌로 둘러쌓은 벽. '一, 甃井也'《廣韻》. ②디딤돌구 '一, 碥也'《玉篇》. ③돌떨어뜨릴구 돌을 던져 떨어뜨림. '一, 碻也'《集韻》. ④굳을구 견고(堅固)함. '一碻, 堅也'《集韻》.

石10〔硡〕15 ㊀홍 ㊥冬 ㊁궁 ㊥東 | hóng コウ いしのおちるおと qiōng キュウ いしのおちるおと
字解 ㊀ 돌떨어지는소리홍 '一磬'은 돌이 떨어지는 소리. '投奓鬧一磬'《韓愈》. ㊁ 돌떨어지는소리궁 ■과 뜻이 같음.

石10〔磄〕15 당 ㊥陽 | táng トウ いしのな
字解 ①돌이름당 '一㡪, 石也'《廣韻》. ②괴석(怪石)이름당.

石10〔碼〕15 오 ㊤麌 | wù オ ちいさいどて
字解 ①차면담오, 작은둑오 가리기 위하여 쌓은 담이나 둑. 隖(阜부 10획〈1622〉)와 同字. ②낮은성오 높지 않은 성(城). '一, 一曰, 庳城也'《康熙字典》. ③산굽이오 산이 굽어 들어간 부분. '一, 山阿也'《洪武正韻》.

石10〔磍〕15 ㊀할 ㊅黠 ㊁알 ㊅黠 | qià カツ したをはく yà アツ いしじのたいらでないさま
字解 ㊀ ①혀빼물할 '碣一'은 눈을 움직이면서 혀를 내빼뭄. '碣一, 搖目吐舌也'《玉篇》. ②성낼할 '碣一'은 크게 노(怒)함. '建碣一之虡'《漢書》. ③벗길할 껍질을 벗김. '一, 剝也'《廣韻》. ㊁ 땅울퉁불퉁할알 자갈땅이므로 고르지 않음.

石10〔磆〕15 활 ㊅黠 | huá カツ くすりのな
字解 활석활 '一石'은 임질·외과(外科) 등에 쓰는 약 이름. 滑(水부 10획〈672〉)과 통용. '一石, 藥名'《集韻》.
字源 形聲. 石+骨〔音〕

石10〔磇〕15 〔비〕
砒(石부 4획〈866〉)와 同字
字源 形聲. 石+毘〔音〕

石10 〔磃〕15 ㊀사 [平]支 ㊁제 [平]齊 | sī シ やかたのな tí テイ かいせきのな

[字解] ㊀집이름사 '一氏'는 한(漢)나라의 상림원(上林苑) 안의 건물(建物)의 이름. '是時上求神君, 舍之上林中一氏館'《漢書》. ㊁괴석이름제 '磄一'는 괴석(怪石)의 이름. '一, 一曰, 磄一, 怪石'《集韻》.

石10 〔碽〕15 공 [平]東 | gōng コウ うつおと

[字解] ①치는소리공 돌을 두드리는 소리. '一, 擊聲'《廣韻》. ②성공 성(姓)의 하나.

石10 〔磎〕15 〔계〕 谿(谷부 10획〈1367〉)와 同字

[字源] 形聲. 石＋奚〔音〕

石10 〔磿〕15 〔력〕 礰(石부 16획〈883〉)과 同字

石10 〔嗀〕15 〔각〕 确(石부 7획〈870〉)과 同字

石10 〔礐〕15 락 [入]覺 | luò ラク いしのあいうつおと

[字解] 돌서로부딪치는소리락 흐르는 물살에 돌들이 서로 부딪치는 소리. '礐硞一确'《郭璞》.

石10 〔磐〕15 반 [平]刪 | bān バン いしのあや

[字解] ①돌무늬반 '一, 石文'《集韻》. ②돌을 깐모양반 돌을 바닥에 죽 깐 모양. '一, 石鋪貌'《字彙》.

石10 〔磐〕15 [人名] 반 [平]寒 | pán ハン いわお

[筆順] 丿 冂 舟 舟ㄴ 般 磐 磐

[字解] ①너럭바위반 크고 편평한 바위. '一石'. '鴻漸于一'《易經》. ②넓을반 광대한 모양. '荊門闕竦而一礴'《郭璞》.

[字源] 形聲. 石＋般〔音〕

石11 〔磚〕16 전 [平]先 | zhuān セン かわら

[字解] 벽돌전 甎(瓦부 11획〈790〉)은 俗字. '古者生女三日臥之牀下, 弄之瓦一而齋告焉'《後漢書》.

[字源] 形聲. 石＋專〔音〕

石11 〔磝〕16 오 [平]肴 | áo ゴウ こいしがおおい

[字解] 돌많을오 산에 돌이 많은 모양. 또, 산이 높은 모양. '嶅(山부 11획〈318〉)과 同字. '山一一而相軋'《韓愈》.

石11 〔磟〕16 륙 [入]屋 | liù リク のうぐのな

[字解] 고무래륙 '一碡'은 흙을 고르는 농구. 고무래. '移繫門西一碡邊'《范成大》.

[字源] 形聲. 石＋翏〔音〕

石11 〔磖〕16 랍 [入]合 | lā ロウ ものをわるおと

[字解] 물건깨어지는소리랍 또는, 물건을 깨뜨리는 소리. '一, 一䃰, 破物聲'《集韻》.

石11 〔磧〕16 적 [入]陌 | qì セキ かわら

[字解] ①자갈밭적 물가의 자갈이 많이 있는 곳. '石一'. '下一歷之坻'《史記》. ②모래벌판적 사막. '今君渡沙一'《杜甫》.

[字源] 形聲. 石＋責〔音〕

石11 〔碱〕16 ㊀척 [入]錫 ㊁축 [入]屋 | qì セキ たまにつぐいし zhú シュク いしずえ

[字解] ㊀옥돌척 옥 비슷한 아름다운 돌의 한 가지. '碝一綵緻'《班固》. ㊁주춧돌축 초석(礎石).

石11 〔磞〕16 팽 [平]庚 | pēng ホウ いしをうつ

[字解] 돌부딪는소리팽 돌이 서로 부딪쳐 요란하게 나는 소리. 전(轉)하여, 큰 소리. '一硠震隱'《成公綏》.

[字源] 形聲. 石＋崩〔音〕

石11 〔磢〕16 창 [上]養 | chuǎng ソウ みがく

[字解] 닦을창 기와나 돌로 물건을 닦음. '奔流之所一錯'《郭璞》.

石11 〔磪〕16 최 [平]灰 | cuí サイ やまのたかくけわしいさま

[字解] 높을최 '一嵬'는 산이 높은 모양. 또, 산이 험준한 모양. '一嵬岑嵓'《嵇康》.

[字源] 形聲. 石＋崔〔音〕

石11 〔蔟〕16 족 [入]屋 | cù ソク いし

[字解] ①돌족 '一, 一曰, 石也'《集韻》. ②땅울퉁불퉁할족 자갈 땅이므로 편평하지 않은 모양. '碌一, 石地不平皃'《集韻》. ③모래자갈많을족 모래나 돌이 많음. '碌一, 多沙石'《正字通》. ④화살촉족 鏃(金부 11획〈1577〉)과 통용.

石11 〔磦〕16 표 [平]蕭 | biāo ヒョウ みねのでているさま

[字解] 산봉우리우뚝할표 산봉우리의 솟아 있는 모양. '一, 山峯出皃'《集韻》.
[字源] 形聲. 石+票〔音〕

石 11 〔⿰石郭〕 16 곽 [入]藥 | guǒ カク うわひつぎ
[字解] 겉널곽 옛날에는 돌을 썼음.

石 11 〔⿰石康〕 16 강 [平]陽 | kāng コウ いしのおと
[字解] 돌소리강 '一, 石聲'《集韻》.

石 11 〔⿰石聊〕 16 로 | láo ロウ ふえのおとのたかいさま
[字解] 소리높을로 피리 소리 따위가 높은 모양. '訇一磕嘈'《成公綏》.

石 11 〔⿰石勘〕 16 감 [去]勘 | kàn カン がけのした
[字解] ①벼랑밑감 '一, 巖崖之下'《廣韻》. ②산바위감 산의 바위. '一, 山岩'《字彙》.

石 11 〔磜〕 16 체 [去]霽 | qì セイ きざはし
[字解] 섬돌체 계단(階段). '一, 階一也'《正字通》.

石 11 〔磣〕 16(삼[俗]) ㊀ 침 [上]寑 ㊁ 참 [入]合 | chěn シン ■■ たべものにすながまじる ソウ
[字解] ㊀ ①모래섞일침 음식에 모래가 섞임. '一, 食有沙'《玉篇》. ②모래침 '一, 砂也'《集韻》. ③《現》 보기흉할침 보기 싫음. ※俗音 삼. ㊁ 모래섞일참, 모래참, 보기흉할참 ■과 뜻이 같음.

石 11 〔磥〕 16 〔뢰〕 磊(石부 10획〈876〉)와 同字
[字源] 形聲. 石+累〔音〕

石 11 〔⿰石堅〕 16 〔갱〕 硜(石부 7획〈870〉)과 同字

石 11 〔⿰石啇〕 16 〔적〕 矵(石부 3획〈865〉)과 同字

石 11 〔磨〕 16 [高·人] 마 [平]歌 [去]箇 | ①-③mó マ みがく ④mò マ ひきうす
[筆順] 亠 广 庐 庐 麻 麻 靡 磨
[字解] ①갈마 옥·돌 같은 것을 갈아 윤을 냄. '如琢如一'《詩經》. 전(轉)하여, 학문·덕행 등을 닦음. '練一'. '琢一'. '朋友以一之'《揚子法言》. ②닳을마 갈거나 마찰하여 작아지거나 없어짐. '一滅'. '百世不一矣'《後漢書》. ③고생할마 곤란을 받음. 속어(俗語)임. '少裏兼遭病折一'《白居易》. ④맷돌마 '聲如轉一'《唐書》.
[字源] 形聲. 石+麻(靡)〔音〕

石 11 〔⿸广⿱林石〕 16 磨(前條)와 同字

石 11 〔⿱艹⿱石石〕 16 굉 [平]庚 | hōng コウ いしのおちるおと
[字解] 돌떨어지는소리굉 '一, 石落聲, 或从宏'《集韻》.

石 11 〔⿰石莫〕 16 〔막〕 漠(水부 11획〈678〉)과 通字

石 11 〔⿰石巢〕 16 ㊀ 소 [平]肴 ㊁ 쇄 [上]哿 | cháo ソウ いしをかさねてつくったいえ suǒ サ こいし
[字解] ㊀ 돌집소 돌을 쌓아서 만든 집. '一, 附國之民, 壘石爲巢而居, 曰一'《集韻》. ㊁ 자갈쇄 작은돌. '碩, 小石, 或作一'《集韻》.

石 11 〔⿰石脣〕 16 ㊀ 작 [入]藥 ㊁ 은 [上]軫 | chuò シャク ■■ くちびるのおおきいさま ギン
[字解] ㊀ 입술두터울작 입술이 두터운 모양. '一, 大脣皃'《集韻》. ㊁ 입술두터울은 '一, 碑一, 大脣皃'《集韻》.

石 11 〔磬〕 16 경 [去]徑 | qìng ケイ うちいし
[字解] ①경쇠경 옥이나 돌로 만든 악기의 한 가지. 팔음(八音)의 하나. 특경(特磬)·석경(石磬) 참조. '玉一'. '淸一'. '子擊一於衛'《論語》. ②달릴경 말을 달림. '抑一控忌'《詩經》. ③목맬경 목을 매어 죽임. '一于甸人'《禮記》. ④굽을경, 굽힐경 경쇠 모양으로 굽거나 굽힘. '倨句一折'《周禮》. ⑤다할경 罄(缶부 11획〈1024〉)과 통용. '室如縣一'《國語》.
[字源] 形聲. 石+殸〔音〕

石 11 〔⿰石虘〕 16 〔저〕 砠(石부 5획〈866〉)의 俗字

石 11 〔⿱殹石〕 16 예 [平]齊 | yī エイ くろいろのびせき
[字解] 검은돌예 흑색의 아름다운 돌. 瑿(玉부 11획〈780〉)와 同字. '一, 美石黑色'《廣韻》.

石 11 〔磛〕 16 참 ①[平]咸 ②[上]豏 | chán サン けわしいさま サン たかくてけわしい

字解 ①산험할참 산이 험(險)한 모양. '熊羆匍匐岳山一巖'《淮南子》. ②높고험할참 嶄(山부 11획〈316〉)과 同字.
字源 形聲. 石+斬〔音〕

石11〔磛〕16 暫(前條)과 同字

石11〔磫〕16 종 ㊥冬 zōng ショウ といし
字解 ①숫돌종 '一, 廣雅, 一礭, 礪也'《集韻》. ②자갈길종 돌이 많은 길. '一, 一曰, 石路'《集韻》.

石11〔磆〕16 하 ㊤禡 xià カ·ケ いしがさける
字解 돌갈라질하 돌이 금감. '一, 石裂也'《字彙》.

石12〔磯〕17 人名 기 ㊥微 jī キ いそ, かわら
筆順 一 ア 石 矿 矿 碐 磯 磯
字解 ①물가기 바다 또는 호수 등의 물이 물가의 돌에 부딪치는 곳. 또, 그 부근. '石一'. '釣一'. ②부딪칠기 물이 돌에 부딪쳐 물결이 세어짐. '親之過小而怨, 是不可一也'《孟子》.
字源 形聲. 石+幾〔音〕

石12〔磲〕17 거 ㊥魚 qú キョ しゃこ
字解 옥돌거, 조개거 硨(石부 7획〈870〉)를 보라.
字源 形聲. 石+渠〔音〕

石12〔磶〕17 훼 ㊤紙 huǐ キ やぶる
字解 헐훼 毁(殳부 9획〈613〉)와 同字. '事有破一, 而後有舞仁義者'《列子》.

石12〔磴〕17 등 ㊤徑 dèng トウ いしだん
字解 ①섬돌등 돌층계. 석계(石階). '冰雪滑一棧'《韓愈》. ②비탈길등 돌이 많은 비탈길. '一道'. '石一縈委, 若羊腸焉'《水經注》. ③돌다리등 석교(石橋). '跨穹隆之懸一'《孫綽》.
字源 形聲. 石+登〔音〕

石12〔磱〕17 〔락〕 硌(石부 10획〈878〉)와 同字

石12〔磶〕17 석 ㊧陌 xì セキ いしずえ
字解 주춧돌석 초석(礎石). '雕楹玉一'《張衡》.
字源 形聲. 石+舄〔音〕

石12〔磶〕17 磶(前條)의 本字

石12〔磷〕17 린 ①②㊤震 lìn リン うすらぐ ③㊥眞 lín リン ながれる
字解 ①닳을린 돌이 마손(磨損)됨. '磨而不一'《論語》. ②번쩍번쩍할린 옥석(玉石)이 광택이 나는 모양. '一一爛爛'《司馬相如》. ③흐를린 맑은 물이 돌 사이를 흐르는 모양. '碎石水一一'《宋之問》.
字源 形聲. 石+粦〔音〕

石12〔磻〕17 ㊀반 ㊥寒 pān ハン·バン たにがわのな ㊁파 ㊥歌 bō ハ やじり
字解 ㊀물이름반 '一溪'는 위수(渭水)로 흘러들어가는 섬서성(陝西省)에 있는 강으로서, 강태공(姜太公)이 낚시질하던 곳. ㊁돌살촉파 碆(石부 8획〈874〉)와 통용. '一不特絓'《張衡》.
字源 形聲. 石+番〔音〕

石12〔磼〕17 잡 ㊧合 zá ソウ やまのたかいさま
字解 높을잡 '一礏'은 산이 높은 모양. '嵯峨一礏'《史記》.
字源 形聲. 石+集〔音〕

石12〔磽〕17 교 ㊥肴 qiāo コウ いしじ
字解 메마를교 돌이 많고 토질이 단단하여 메마름. 또, 그 땅. '一确'. '地有肥一'《孟子》.
字源 形聲. 石+堯〔音〕

石12〔礝〕17 궐 ㊧月 jué ケツ いしをほりだす
字解 돌파낼궐 '一, 發石也, 或書作䃸'《集韻》.

石12〔䃸〕17 礝(前條)과 同字

石12〔磾〕17 제 ㊥齊 dī テイ きぬをそめるくろいいし
字解 ①비단에검은물들이는돌제 '染繒黑石, 出琅琊山'《說文》. ②사람이름제 '金日一'는 한(漢)나라 무제(武帝) 때 사람.

石12〔礁〕17 초 ㊥蕭 jiāo ショウ かくれいわ
字解 숨은바윗돌초 물 속에 있는 암석. '暗一'. '危一'. '賊船撞一渰沒'《海防纂要》.

[字源] 形聲. 石+焦〔音〕

石 12 〔⿰石朁〕 17 침 [平]侵 | jīn シン こいし
[字解] ①자갈침 작은 돌. '一, 小石'《集韻》. ②돌이름침 석명(石名). '一, 石也'《玉篇》. ③돌문침 돌로 된 문. '一, 石門'《集韻》.

石 12 〔磹〕 17 [一] 점 [去]豔 [二] 담 [去]勘 | diàn テン いしのくさび タン いしのくさび
[字解] [一] ①돌쐐기점 '一, 石楔也'《六書故》. ②번개점 전광(電光). [二] 돌쐐기담, 번개담 [一]과 뜻이 같음.

石 12 〔磺〕 17 [一] 광 [上]梗 [二] 황 [平]陽 | kuàng コウ あらがね huáng コウ いしのな
[字解] [一] 조광(粗鑛)광 캐어 낸 채 금속을 분리하지 않은 광석(鑛石). '一, 銅鐵樸石也'《說文》. [二] ①돌이름황 '一, 石名'《集韻》. ②유황황 '硫一'은 약석(藥石)의 이름.
[字源] 形聲. 石+黃〔音〕
[參考] 鑛(金부 15획〈1588〉)·礦(石부 15획〈882〉)과 同字.

石 12 〔⿰石欽〕 17 〔금〕 嶔(山부 12획〈318〉)과 同字

石 12 〔磵〕 17 〔간〕 澗(水부 12획〈683〉)과 同字
[字源] 形聲. 石+間〔音〕

石 12 〔磳〕 17 [一] 승 [平]蒸 [二] 증 [平]蒸 [三] 쟁 [平]庚 | ソウ いしのさま zēng ソウ いしのさま ソウ いしのさま
[字解] [一] 돌승 돌의 모양. '一, 磳一, 石皃'《廣韻》. [二] 돌증 [一]과 뜻이 같음. [三] 돌쟁 [一]과 뜻이 같음.

石 12 〔⿰石埀〕 17 〔추〕 硾(石부 8획〈872〉)의 本字

石 12 〔⿱隆石〕 17 륭 [平]東 | lóng リュウ いしのおちるおと
[字解] 돌떨어지는소리륭 '⿰石宮一, 石落聲'《集韻》.

石 12 〔磿〕 17 력 [入]錫 | lì レキ ひつぎのなわをひくひと
[字解] 관줄잡는사람력 장사 때 관(棺)의 줄을 잡는 사람. 또, 그 인명을 적는 장부. '遂師及窆抱一'《周禮》.
[字源] 形聲. 石+厤〔音〕

石 12 〔磵〕 17 〔간〕 澗(水부 12획〈683〉)과 通字

石 13 〔礉〕 18 핵 [入]陌 | hé カク きびしい
[字解] 각박할핵 覈(襾부 13획〈1295〉)과 同字. '其極慘一少恩'《史記》.
[字源] 形聲. 石+敫〔音〕

石 13 〔礎〕 18 [高·人] 초 [上]語 [上]爨 | chǔ ソ いしずえ
[筆順] 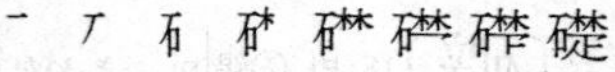
[字解] 주춧돌초 기둥 밑에 괴는 돌. '一石'. '水精爲柱一'《晉書》. 전(轉)하여, 사물의 기본. '基一'.
[字源] 形聲. 石+楚〔音〕

石 13 〔礏〕 18 급 [入]緝 | yè ギュウ たかい
[字解] 높을급 '磼一'은 산이 높은 모양.

石 13 〔⿰石亶〕 18 단 [平]寒 | tán タン まつりのにわ
[字解] 제사를지내는석단(石壇)단 壇(土부 13획〈221〉)과 통용. '一, 石壇也'《集韻》.

石 13 〔礑〕 18 당 [去]漾 | dàng トウ そこ
[字解] 밑당 밑바닥.
[字源] 形聲. 石+當〔音〕

石 13 〔礒〕 18 의 [上]紙 | yǐ ギ いしのさま
[字解] 바위의 암석.
[字源] 形聲. 石+義〔音〕

石 13 〔⿰石肅〕 18 숙 [入]屋 | sù シュク くろいといし
[字解] 검은숫돌숙 '一, 黑砥石也'《集韻》.

石 13 〔⿰石嵬〕 18 [一] 괴 [上]賄 [二] 외 [上]賄 [三] 뢰 [上]賄 | kuǐ カイ たかくけわしい wěi ガイ いしのおおいさま lěi ライ いしのあつまりかさなっているさま
[字解] [一] 높고험할괴 '礧一'는 산이 높고 험한 모양. 磈(石부 10획〈876〉)와 同字. [二] 돌많을외 '一, 衆石皃'《廣韻》. [三] 돌쌓일뢰 '一一'는 산의 돌이 모여 쌓인 모양.

石 13 〔礓〕 18 강 [平]陽 | jiāng キョウ こいし
[字解] 자갈강 잔돌. '一, 礫也'《集韻》.

石13 〔䃫〕18 담 ㊤感 | dǎn タン やくせきのな

字解 석담담 '石一'은 약석(藥石)의 이름. 약제(藥製)로 쓰는 황산동(黃酸銅). 담반(膽礬). '石一, 藥石'《集韻》.

石13 〔䃭〕18 감 ㊤感 | gǎn カン いしのはこ

字解 ①돌함감 돌로 만든 함(函). '一, 一曰, 石篋'《集韻》. ②돌로덮을감 '一, 以石蓋也'《集韻》.

石13 〔礔〕18 벽 ㊀錫 | pī ヘキ いかずち

字解 벽력벽 霹(雨부 13획〈1649〉)과 同字. '一礰激而增響'《張衡》.
字源 形聲. 石+辟〔音〕

石13 〔礇〕18 욱 ㊀屋 | yù イク たまににたいし

字解 옥돌욱 옥(玉)과 같은 돌. '一, 石似玉'《集韻》.

石13 〔礈〕18 〔추〕
墜(土부 12획〈220〉)와 同字

石13 〔礋〕18 택 ㊀陌 | zé タク のうぐのな

字解 ①써레택 '礰一'은 농기구(農器具)의 하나. '爬而後有礰一焉, 有齒以木爲之, 堅而重者良'《耒耜經》. ②짐승이름택 '一, 神異經, 西方有獸, 長短如人, 羊頭猴尾, 名一硸, 徤行'《集韻》.

石13 〔𥗿〕18 〔향〕
響(音부 13획〈1682〉)과 同字

石13 〔䃛〕18 〔렴〕
磏(石부 10획〈876〉)과 同字

石13 〔礌〕18 〔뢰〕
磊(石부 10획〈876〉)와 同字
字源 形聲. 石+雷〔音〕

石13 〔礆〕18 〔험〕
險(阜부 13획〈1626〉)과 同字

石13 〔礐〕18 ㊀각 ㊀覺 | què カク おおいしがおおい
㊁력 ㊀陌 | lè ラク みずがいしにげきするおと

字解 ㊀①돌많을각 산에 큰 돌이 많음. ②돌소리각 嶨(山부 13획〈321〉)과 통용. ㊁수석소리력 흐르는 물이 돌에 부딪치는 소리. '幽澗積岨, 一硞礐確'《郭璞》.
字源 形聲. 石+學〈省〉〔音〕

石13 〔礊〕18 격 ㊀陌 | kè カク かたい

字解 ①굳을격 '一, 堅也'《廣韻》. ②채찍소리격 '一, 鞭聲'《廣韻》.
字源 形聲. 石+毄〔音〕

石14 〔礙〕19 애 ㊁隊 | ài ガイ とどめる

字解 막을애, 거리낄애 방해함. 가림. 또, 방해가 됨. '一眼'. '一窒'. '一諸治禮樂'《揚子法言》. 또, 막거나 가리는 사물(事物). '障一'. '水避一則通于海'《揚子法言》.
字源 形聲. 石+疑〔音〕
參考 碍(石부 8획〈872〉)는 俗字.

石14 〔礚〕19 개 ㊁泰 | kē カイ いしのうちあうおと

字解 돌부딪치는소리개 磕(石부 10획〈877〉)와 同字. '礧石相擊硠硠一一'《司馬相如》.
字源 形聲. 石+蓋〔音〕

石14 〔礛〕19 감 ㊄咸 | jiān カン といし

字解 숫돌감 '一礑'는 옥(玉)을 가는 숫돌.

石14 〔礗〕19 빈 ㊄眞 | pīn ヒン いしをくだくおと

字解 돌부수는소리빈 돌을 깨뜨리는 소리. '一, 碎石聲'《集韻》.

石14 〔礞〕19 몽 ㊄東 | méng ボウ こうぶつのな

字解 광물(鑛物)이름몽 '一, 按, 李時珍本草綱目石部, 有靑一石, 云, 出宋嘉祐補注本草. 江北諸山, 往往有之'《康熙字典》.

石14 〔礜〕19 여 ㊁御 | yù ヨ ひそをふくんだどくいし

筆順 (stroke order)

字解 비상섞인돌여 비소(砒素)를 함유(含有)한 유독한 광물. '皐塗之山, 有白石焉. 其名曰一. 可以毒鼠'《山海經》.
字源 形聲. 石+與〔音〕

石14 〔𥗽〕18 〔격〕
礊(石부 13획〈882〉)의 本字

石14 〔礟〕19 〔포〕
礮(石부 16획〈884〉)와 同字

石15 〔礦〕20 광 ㊤梗 | kuàng コウ あらがね

字解 쇳돌광 鑛(金부 15획〈1588〉)과 同字. '其下則金一丹礫'《郭璞》.
字源 形聲. 石+廣〔音〕

石15〔[illegible]〕20 〔두〕
蠹(虫부16획〈1254〉)와同字

石15〔[illegible]〕20 [一] 랍 [入]合 | là ロウ いしのおちるさま
[二] 렵 [入]葉 | liè リョウ やまがつらなりつづくさま
[字解] [一] 돌떨어지는모양랍 '一, 石墮皃'《集韻》. [二] 산이연달아계속된모양렵 '一, 一[illegible], 山連屬皃'《集韻》.

石15〔礧〕20 뢰 ①[上]賄 | lěi ライ おおきいいし
②[平]灰 | léi ライ うつ
③[去]隊 | lèi ライ いしをころがしおとす
[字解] ①바위뢰 큰 돌. '一夫擧一'《後漢書》. ②칠뢰 서로 부딪침. '駭崩浪而相一'《郭璞》. ③돌내리굴릴뢰 돌을 높은 데서 굴려 떨어뜨림. '一石相擊'《司馬相如》.
[字源] 形聲. 石+畾〔音〕

石15〔礩〕20 질 [入]質 | zhì シツ いしずえ チツ ふさぐ
[字解] ①주춧돌질 초석(礎石). '以鍊銅爲柱一'《戰國策》. ②막힐질, 막을질 窒(穴부 6획〈918〉)과 同字. '宿疑一滯'《周書》.
[字源] 形聲. 石+質〔音〕

石15〔礪〕20 려 [去]霽 | lì レイ といし
[字解] ①숫돌려 칼 같은 것을 가는, 결이 거친 돌. '曰陰山. 多一石·文石'《山海經》. ②갈려 숫돌에 갊. 연마(硏磨)함. '一乃鋒刃'《書經》. 전(轉)하여, 힘씀. '一行'. '砥一'.
[字源] 形聲. 石+厲〔音〕

石15〔礫〕20 력 [入]錫 | lì レキ こいし
[字解] ①자갈력 잔돌. '沙一'. '爛若磧一'《張衡》. ②모래력 돌부스러기. '其下則金礦丹一'《郭璞》.
[字源] 形聲. 石+樂〔音〕

石15〔礥〕20 현 [平]先 | xián ケン むつかしい
[字解] 딱딱할현 단단함. '陽氣微動而一一, 物生之難也'《太玄經》.
[字源] 形聲. 石+賢〔音〕

石15〔礤〕20 찰 [入]曷 | cǎ サツ する
[字解] ①비빌찰, 문지를찰 擦(手부 14획〈473〉)과 同字. ②거친돌찰 다듬지 않은 돌. '一, 麤石'《集韻》.

石15〔[illegible]〕20 〔뢰〕
磊(石부 10획〈876〉)와 同字

石15〔[illegible]〕20 〔석〕
舄(石부 12획〈880〉)의 俗字

石15〔[illegible]〕20 〔섬〕
礛(石부 17획〈884〉)의 俗字

石15〔[illegible]〕20 〔적〕
磃(石부 11획〈879〉)과 同字

石15〔礣〕20 [一] 말 [入]黠 | mà バツ こいし
[二] 멸 [入]屑 | miè ベツ かたいいし
[字解] [一] 조약돌말 '一砎'는 잔돌. '一砎, 小石'《集韻》. [二] 단단한돌멸 '一砎'는 굳은 돌. '一砎, 堅石'《集韻》.

石15〔[illegible]〕20 작 [入]藥 | zhuó チャク ちをうがつのうぐ
[字解] ①괭이작 '一, 斫也'《說文》. ②돌깰작 '一, 一曰, 碎石'《集韻》.
[字源] 形聲. 石+箸〔音〕

石15〔礨〕20 뢰 [上]賄 | lěi ライ ちいさいあな
[字解] 구멍뢰 '一空'은 작은 구멍. '一空之大澤'《莊子》.

石15〔礬〕20 반 [平]元 | fán バン みょうばんせき
[字解] 광물이름반 황산(黃酸)을 함유(含有)한 광물. 명반(明礬)·녹반(綠礬)·백반(白礬) 등.
[字源] 形聲. 石+樊〔音〕

石16〔[illegible]〕21 제 [平]魚 | zhū ショ あらと
[字解] 숫돌제 '礛一'는 옥을 가는 숫돌.

石16〔礭〕21 각 [入]覺 | què カク むち
[字解] ①회초리각 '一, 鞭也'《字彙》. ②수석부딪뜨릴각 흐르는 물살에 돌들이 세차게 부딪치는 모양. '一, 皆水激石嶮峻不平貌'《康熙字典》. '幽澗積岨, 礐硞礯一'《郭璞》.
[字源] 形聲. 石+霍〔音〕

石16〔礰〕21 력 [入]錫 | lì レキ いしのおと
[字解] ①돌소리력 돌이 부딪쳐 나는 소리. ②벼락력, 천둥력 靂(雨부 16획〈1651〉)과 同字. '礔一激而增響'《張衡》.
[字源] 形聲. 石+歷〔音〕

石16 〔礮〕21 〔포〕
砲(石부 5획〈867〉)와 同字
[字源] 形聲. 石+駮〔音〕

石16 〔礐〕21 〔각〕
嶨(石부 13획〈882〉)과 同字

石16 〔⿰石褱〕21
[一] 회 [平]佳 | huái ワイ いしがた いらかでないさま
[二] 괴 [平]灰 | guī カイ こいし
[去]卦 | カイ たまにつぐいし
[字解] [一] 돌울툭불툭할회 碨(石부 9획〈875〉)와 同字. '碨, 碨⿰石亞, 石不平皃, 或作一'《集韻》. [二] ①자갈괴 작은 돌. '一, 小石'《集韻》. ②옥돌괴 옥 버금가는 돌. '硜, 石似玉, 古作一'《集韻》.

石16 〔礱〕21 롱 [平]東 [去]送 | lóng ロウ とぐ, すりうす
[字解] ①맷돌롱 곡식을 가는 제구. '長腰杭米出新一'《陸游》. ②갈롱 연마(硏磨)함. '一磨'. '斲其椽而一之'《國語》.
[字源] 形聲. 石+龍〔音〕

石16 〔礲〕21 礱(前條)과 同字

石17 〔礴〕22 박 [入]藥 | bó ハク ひろくおおう, みちふさがる
[字解] ①섞을박 '磅一'은 섞어 하나로 만듦. 혼합함. '將旁一萬物以爲一'《莊子》. ②찰박 '磅一'은 가득 참. 충만함. '磅一而鬱積'《韓愈》.
[字源] 形聲. 石+薄〔音〕

石17 〔礯〕22 〔굉〕
䃔(石부 11획〈879〉)과 同字

石17 〔⿰石韱〕22 섬 [去]豔 | xiàn セン いなびかり
[字解] 번갯불섬 '一磹'은 번갯불.

石18 〔礶〕23 〔관〕
罐(缶부 18획〈1025〉)과 同字

石18 〔⿰石瞿〕23 구 [平]虞 | qú ク あらと
[字解] 숫돌구 거친 숫돌. 청회색의 고운 숫돌. '一, 磫一, 靑礪'《廣韻》.

石19 〔礳〕24 〔마〕
磨(石부 11획〈879〉)와 同字

石20 〔礹〕25
[一] 암 [平]咸 | yán ガン いしやま
[二] 엄 [上]琰 | yǎn ゲン やまいし
[字解] [一] 돌산암 돌이 있는 산. '一, 石山也'《說文》. [二] 산돌엄 '磛一'은 산석(山石)의 모양. '一, 磛一, 山石皃'《集韻》.

示 (ネ) 部
〔보일시부〕

示0 〔示〕5 [中·人]
[一] 시 [去]寘 | shì シ·ジ しめす
[二] 기 [平]支 | qí キ くにつかみ
[筆順] 一 二 亍 亓 示
[字解] [一] ①보일시 ㉠보게 함. 나타냄. '一威'. '一天下弗服'《書經》. ㉡알림. '指一'. '敎告一'. '武王一之病'《戰國策》. ②볼시 視(見부 5획〈1297〉)와 통용. '其如一諸斯乎'《論語》. [二] 땅귀신기 祇(示부 4획〈885〉)와 同字. '太宗伯掌天神人鬼地一之禮'《周禮》.
[字源] 象形. 신에게 희생을 바치는 대(臺)의 상형으로, 조상신의 뜻을 나타냄.
[參考] '示시'를 의부(意符)로 하여, 신, 제사, 신이 내리는 화복 등에 관한 문자를 이룸. 부수 이름은 '보일시변'.

示0 〔ネ〕4 示(前條)가 글자의 변으로 올 때에 약(略)하여 쓰는 자체(字體).
[筆順] ' ラ ネ ネ

示1 〔礼〕6 〔례〕
禮(示부 13획〈894〉)의 古字

示1 〔⿰示乙〕6 〔례〕
禮(示부 13획〈894〉)의 古字

示1 〔礼〕5 〔례〕
禮(示부 13획〈894〉)의 略字

示2 〔礽〕7 잉 [平]蒸 | róng ジョウ さいわい
[字解] ①복잉 행복. '一, 福也'《廣韻》. ②나아갈잉 '一, 就也'《玉篇》.
[字源] 形聲. 示+乃〔音〕

示3 〔社〕8 [高·人] 사 [上]馬 | shè シャ くにつかみ, やしろ
[筆順] 一 二 丅 亍 示 示一 礻十 社
[字解] ①땅귀신사 토지의 주신(主神). '建國之神位, 右一稷, 而左宗廟'《禮記》. 또, 그 제사. '公如齊觀一'《春秋》. 또, 그를 모신 사당. '王爲群姓立一'《禮記》. ②제사지

낼사 ㉠풍년 들기를 빌어 토지의 주신(主神)에게 제사지냄. '擇元日, 命民一'《禮記》. ㉡하지(夏至)에 토지의 주신(主神)을 제사지냄. '郊一之禮'《中庸》. ③단체사 ㉠옛날에, 법으로 정한 이십오 호(二十五戶)의 자치 단체. '請致千一'《左傳》. ㉡자유 의사로 설립한 민가(民家)의 단체. '禁民私所自立一'《漢書》. ㉢동지의 결합 등 여러 가지 단체. '詩一'. '會一'. '遠公結白蓮一, 以書招淵明'《事文類聚》. ④사일사 입춘 및 입추 후의 제오(第五)의 무일(戊日). 또, 그 날 지내는 제사. '春一'. '秋一'. '隣里聞之, 爲之罷一'《顔氏家訓》.
[字源] 形聲. 示+土〔音〕

示3〔社〕7 社(前條)와 同字

示3〔礿〕8 약 [入]藥 | yuè ヤク まつり
[字解] 제사약 하(夏)나라 때와 은(殷)나라 때 천자(天子)가 행하던 봄 제사. 주(周)나라 때에는 여름의 제사. 禴(示부 17획〈895〉)과 同字. '一禘'. '四時之祭, 春曰一, 夏曰禘, 秋曰嘗, 冬曰烝'《禮記》.
[字源] 形聲. 示+勺〔音〕

示3〔祀〕8 [高·人] 사 [上]紙 | sì シ まつる
[筆順] 一 二 亍 示 示 礻 礻 祀
[字解] ①제사지낼사 신령에게 제사를 지냄. '以死勤事, 則一之'《禮記》. ②제사사 제전(祭典). '一典'. ③해사 은(殷)나라 때의 연기(年紀)의 칭호. '夏曰歲, 商曰一, 周曰年'《書經 註》. ④성사 성(姓)의 하나.
[字源] 形聲. 示+巳〔音〕

示3〔祁〕8 기 [平]支 | qí キ さかん
[字解] ①성할기 성대(盛大)함. 또, 심함. '冬一寒'《書經》. ②클기 '其一孔有'《詩經》. ③조용할기 고요한 모양. '興雨一一'《詩經》. ④많을기 사물이 많은 모양. '采蘩一一'《詩經》. ⑤성기 성(姓)의 하나.
[字源] 形聲. 阝(邑)+示〔音〕

示4〔祅〕9 요 [平]蕭 | yāo ヨウ わざわい
[字解] 재앙요 천지(天地)가 보이는 흉변(凶變). '一孼'. '迅雷風一'《漢書》.
[字源] 形聲. 篆文은 示+芺〔音〕
[參考] 祆(次條)은 別字.

示4〔祆〕9 현 [平]先 | xiān ケン てん
[字解] ①하늘현 ㉠상천(上天). 태허(太虛). '關中謂天爲一'《說文》. ㉡하느님. 천신(天神). '一本蕃俗所事天神, 後人因加示旁'《錢大昕》. ②귀신이름현 배화교(拜火敎)의 신(神). '火一'. '一敎'. '吳承伯挾一道, 聚衆攻宣城'《梁書》.
[字源] 形聲. 示+天〔音〕
[參考] 祅(前條)는 別字.

示4〔祇〕9 [一] 기 [平]支 | qí キ·ギ くにつかみ
[二] 지 [平]支 | zhī シ まさに, ただ
[字解] [一] ①땅귀신기 국토의 신. 후토(后土). '以祭地一'《周禮》. ②편안할기 안심함. '俾我一也'《詩經》. ③클기 '无一悔'《易經》. [二] 마침지, 다만지 '亦一以異'《論語》. '一攪我心'《詩經》.
[字源] 形聲. 示+氏〔音〕
[參考] 祗(示부 5획〈886〉)는 別字.

示4〔祈〕9 [高·人] 기 [平]微 | qí キ いのる
[筆順] 一 二 亍 示 示 礻 礻 祈
[字解] ①빌기 복을 빎. 기도함. '一願'. '一天永命'《書經》. ②기도기 복을 비는 일. '大祝掌六一'《周禮》. ③고할기 알림. '以一黃耇'《詩經》. ④구할기 희구(希求)함. '仙道可一'《晉書》.
[字源] 形聲. 甲骨文·金文은 㫃+單+斤〔音〕. 篆文은 示+斤〔音〕

示4〔祈〕8 祈(前條)와 同字

示4〔祉〕9 [人名] 지 [上]紙 | zhǐ チ さいわい
[筆順] 一 二 亍 示 示 礻 礻 祉
[字解] 복지 행복. '一福'. '旣受多一'《詩經》.
[字源] 形聲. 示+止〔音〕

示4〔祉〕8 祉(前條)와 同字

示4〔祊〕9 팽 [平]庚 | bēng ホウ まつりのな
[字解] 제사팽 ㉠조상을 사당(祠堂)에서 제사지내는 일. 제사. '祝祭于一'《詩經》. ㉡사당 안에서 제사지낸 다음 날에, 그 제물(祭物)을 사당 밖에 진설(陳設)하고 제사지내는 일. '爲一于外'《禮記》.
[字源] 形聲. 示+方〔音〕

示4〔祆〕9 〔화〕
禍(示부 9획〈891〉)의 俗字

示 4 〔𥘅〕9 〔두〕
頭(頁부 7획〈1689〉)의 古字

示 4 〔祋〕9 대 [去]泰 | duì タイ つえぼこ
[字解] ①몽치대 무기(武器)의 하나. 모양이 창과 같음. '何戈與一'《詩經》. ②성대 성(姓)의 하나.
[字源] 形聲. 殳+示〔音〕

示 4 〔神〕9 충 [平]東 | chōng シュウ むなしくする
[字解] 빌충, 비울충 沖(水부 4획〈632〉)과 同字. '一禪其辭'《荀子》.

示 4 〔礼〕9 비 [上]紙 [去]寘 | bǐ ヒ まつりのな
[字解] 제사지낼비 돼지를 바쳐 사명(司命)의 신(神)을 제사지냄. '一, 以豚祠司命也'《說文》.
[字源] 形聲. 示+比〔音〕

示 4 〔祟〕9 〔수〕
祟(示부 5획〈887〉)와 同字

示 5 〔祏〕10 석 [入]陌 | shí セキ いしびつ
[字解] ①돌감실석 돌로 만든 신주를 모시어 두는 장(櫝). '命我先人, 典守宗一'《左傳》. ②신주석 '一, 宗廟主也'《說文》.
[字源] 形聲. 示+石〔音〕

示 5 〔祐〕10 [人名] 우 [去]宥 | yòu ユウ たすける
[筆順] 一 二 亍 示 礻 礻 祐 祐
[字解] ①도울우 신(神)이 도와 줌. '自天一之'《易經》. ②도움우 신조(神助). '天一'. '不蒙一'《漢書》.
[字源] 形聲. 示+右〔音〕

示 5 〔祐〕9 祐(前條)와 同字

示 5 〔祓〕10 불 [入]物 | fú フツ はらう
[字解] 떨불 ㉠신(神)에게 빌어 재액을 제거함. '一禊'. '祝一社'《左傳》. 또, 그 행사. '秋一濯流, 春禊一浮醴'《謝朓》. ㉡폐해(弊害)를 제거하고 오예(汚穢)를 떨어 버림. '一飾厥文'《漢書》.
[字源] 形聲. 示+犮〔音〕

示 5 〔祔〕10 부 [去]遇 | fù フ あわせまつる
[字解] ①합사할부 삼년상(三年喪)이 끝난 뒤에 그 신주(神主)를 사당에 모셔 한 곳에서 제사지냄. '明日一於祖父'《禮記》. ②합장할부 한 곳에 함께 묻음. '一窆雙魂, 淑聲無窮'《權德輿》.
[字源] 形聲. 示+付〔音〕

示 5 〔祕〕10 [高·人] 비 [去]寘 | mì, bì ヒ ひそめかくす
[筆順] 一 二 亍 示 礻 礻 祕 祕 祕
[字解] ①숨길비 비밀히 함. '一不發喪'《十八史略》. '無一爾音'《陸雲》. ②신비할비 심오하여 알 수 없음. '深一'. '其計一, 世莫得聞'《史記》. ③오의비 알기 어려운 매우 깊은 뜻. '眞是千古聖傳之一'《傳習錄》. ④성비 성(姓)의 하나.
[字源] 形聲. 示+必〔音〕

示 5 〔祖〕10 [中·人] 조 [上]麌 | zǔ ソ おおじ
[筆順] 一 二 亍 示 示 礻 祖 祖 祖
[字解] ①할아비조, 할아버지조 부친의 부친. '一考'. '惟乃一乃父'《書經》. ②선조조 조상. '始一'. '不敢遺其一'《禮記》. ③시조조 개조(開祖). '元一'. '鼻一'. '晉以顧長康張僧繇陸微, 爲畫家三一'《因話錄》. 또, 사물에도 이름. '離騷爲詞賦之一'《楚辭》. ④사당조 조상의 신주를 모신 곳. '左一右社'《周禮》. ⑤본받을조 본뜸. 모방함. '一述'. '一張儀之故智'《史記》. ⑥행로신조 도중(道中)의 안녕(安寧)을 지키는 신(神). '公將往, 夢襄公一'《左傳》. ⑦길제사지낼조 먼 길을 떠날 때 행로신(行路神)에게 제사지내는 일. 또, 그 때 송별연을 베푸는 일. '一道'. '一宴'. '一於江陵北門'《漢書》. ⑧성조 성(姓)의 하나.
[字源] 形聲. 示+且〔音〕

示 5 〔祖〕9 祖(前條)와 同字

示 5 〔祗〕10 [人名] 지 [平]支 | zhī シ つつしむ
[筆順] 一 二 示 礻 礻 祇 祗 祗
[字解] 공경할지 경의를 표함. '一承于帝'《書經》.
[字源] 形聲. 示+氐〔音〕
[參考] 祇(示부 4획〈885〉)는 別字.

示 5 〔祚〕10 [人名] 조 [去]遇 | zuò ソ さいわい
[筆順] 一 二 亍 示 礻 礻 祚 祚
[字解] ①복조 복록. 행복. '福一'. '休一'. ②

복내릴조 복을 내려 줌. '天一明德'《左傳》. ③자리조 천자(天子)의 지위. '踐一'. '卒踐帝一'《史記》. ④해조 일 년. '初歲元一'《曹植》.
[字源] 形聲. 示+乍〔音〕

示 5 〔祛〕10 거 [平]魚 | qū キョ はらう
[字解] ①떨거 떨어 깨끗이 함. '合一於天地神祇'《漢書》. ②셀거 강한 모양. '以車一一'《詩經》.
[字源] 形聲. 示+去〔音〕

示 5 〔袜〕10 미 [去]寘 | mèi ビ·ミ おに, ばけもの
[字解] 요괴(妖怪)미 귀신, 도깨비 따위. '一, 卽鬼魅也'《玉篇》.

示 5 〔祜〕10 [人名] 호 [上]麌 | hù コ さいわい
[筆順] 一 二 亍 亓 示 礻 祜
[字解] 복호 행복. 복록. '受天之一'《詩經》.
[字源] 形聲. 示+古〔音〕

示 5 〔祝〕10 [中·人] 축 [入]屋 | zhù シュク いのる, いわう
[筆順] 一 二 亍 亓 示 礻 祝 祝
[字解] ①빌축 신에게 기원함. '一福'. ②하례할축 축하함. '慶一'. '一宴'. '請一聖人'《莊子》. 또, 하례. 경하. '犀首跪行, 爲儀千秋之一'《戰國策》. ③짤축 직물을 짬. '素絲一之'《詩經》. ④축읽을축 축문을 읽어 신에게 고함. '侯作侯一'《詩經》. ⑤끊을축 절단함. '一髮文身'《穀梁傳》. ⑥축문축 신(神)에게 고하는 말. '使東方朔枚皐作禖一'《漢書》. 또, 축문을 읽는 사람. '工一致告'《詩經》. ⑦성축 성(姓)의 하나.
[字源] 會意. 示+儿+口

示 5 〔祝〕9 祝(前條)과 同字

示 5 〔神〕10 [中·人] 신 [平]眞 | shén シン かみ
[筆順] 一 二 亍 亓 示 礻 神 神
[字解] ①귀신신 ㉠하늘의 신(神). 하느님. 상제(上帝). '攘竊一祇之犧牷牲用'《書經》. ㉡신령. '水一'. '雲陽有涇路一'《漢書》. ②신선신 선인(仙人). '方士求一者'《史記》. ③혼신 영혼. 마음. '精一'. '一飛魄散'. '費一傷魂'《呂氏春秋》. ④정기신 정수(精粹)한 기운. '天之一棲乎日, 人之一棲乎目'《皇極經世》. ⑤영묘할신 신비(神祕)스러움. 또, 변화 무쌍함. '一妙'. '聖而不可知之, 之謂一'《孟子》. ⑥성신 성(姓)의 하나.
[字源] 形聲. 示+申〔音〕

示 5 〔神〕9 神(前條)과 同字

示 5 〔祠〕10 사 [平]支 | cí シ まつる, ほこら
[字解] ①제사지낼사 신(神)에게 제사를 지냄. '各自奉一'《漢書》. 또, 소원이 성취된 보답으로 제사를 지냄. '一賽'. '上行幸河東, 一后土'《漢武帝》. ②제사사 봄의 제사. '禴一烝嘗'《詩經》. ③신사 제사지내는 신(神). '諸神一皆聚'《史記》. ④사당사 ㉠가묘(家廟). '先一'. ㉡신(神)을 제사지내는 곳. '忠烈一'.
[字源] 形聲. 示+司〔音〕

示 5 〔祘〕10 산 [去]翰 | suàn サン かぞえる
[字解] 헤아릴산 잘 살펴보고 셈함. '一, 明視以算之'《說文》.
[字源] 象形. 산가지를 늘어놓은 모양을 본뜸.

示 5 〔祢〕10 〔녜〕 禰(示부 14획〈894〉)와 同字

示 5 〔袂〕10 〔앙〕 殃(歹부 5획〈606〉)의 古字

示 5 〔祟〕10 수 [去]寘 | suì スイ たたり
[字解] ①빌미수 귀신(鬼神)이 내리는 재앙. '災一'. '神一'. '實沈臺駘爲一'《左傳》. ②빌미내릴수 귀신이 재앙을 내림. '其鬼不一'《莊子》.
[字源] 形聲. 示+出〔音〕

示 5 〔祡〕10 시 [平]佳 | chái サイ しばをたいててんをまつる
[字解] 시제사시 섶을 때어 하늘에 지내는 제사. 또, 그 제사를 지냄. 柴(木부 5획〈540〉)와 同字. '欽一宗祈'《揚雄》.
[字源] 形聲. 示+此〔音〕

示 5 〔祭〕10 〔제〕 祭(示부 6획〈888〉)의 俗字

示 5 〔祀〕10 〔사〕 祀(示부 3획〈885〉)와 同字

示 5 〔祀〕10 〔사〕 祀(示부 3획〈885〉)와 同字

示 5 〔祢〕10 〔녜〕 禰(示부 14획〈894〉)와 同字

示 5 〔祩〕10 주 ㊤麌 | zhǔ シュ いはい
字解 위패주 위패(位牌).

示 5 〔祑〕10 질 ㊇質 | zhì チツ まつりのじゅんじょ
字解 제사차례질 제사의 순서.

示 5 〔祒〕10 ㊀초 ㊥蕭 | tiáo チョウ じんめい
㊁소 ㊤篠 | ショウ じんめい
字解 ㊀ 사람이름초. ㊁ 사람이름소.

示 6 〔祥〕11 高·人 상 ㊥陽 | xiáng ショウ さいわい
筆順 一 丅 示 示' 祥 祥 祥 祥
字解 ①복상 행복. 복록. '襄于休一'《書經》. ②재앙상 재화(災禍). '妖孽自外來, 謂之一'《漢書》. ③조짐상 길흉의 전조. '一瑞'. '吉一'. '兇一'. '國家將興, 必有禎一'《中庸》. ④제사상 상중(喪中)의 제사. '小一'은 기년제(朞年祭), '大一'은 삼년상. '期而小一'《禮記》. ⑤자세할상 詳(言부 6획〈1326〉)과 통용. '陰陽之術, 大一'《史記》. ⑥성상 성(姓)의 하나.
字源 形聲. 示+羊〔音〕

示 6 〔祥〕10 祥(前條)과 同字

示 6 〔桊〕11 권 ㊦霰 | juàn ケン まつり
字解 제사(祭祀)권 餋(食부 6획〈1718〉)과 同字. '餋, 常山謂祭爲餋, 或从示'《集韻》.

示 6 〔祣〕11 려 ㊤語 | lǚ リョ まつりのな
字解 여제사려 산천(山川)에 지내는 제사. 또, 그 제사를 지냄. '國有大故, 則一上帝及四望'《周禮》.

示 6 〔祧〕11 조 ㊥蕭 | tiāo チョウ おたまや
字解 천묘(遷廟)조 원조(遠祖)를 합사(合祀)하는 사당. '以先君之一處之'《左傳》.
字源 形聲. 示+兆〔音〕

示 6 〔祫〕11 협 ㊇洽 | xiá コウ せんぞをあわせまつる
字解 합사협 조상의 신주를 천묘(遷廟)에 함께 모셔 제사지내는 일. '禘一'. '大事者何, 大一也'《公羊傳》.
字源 形聲. 示+合〔音〕

示 6 〔祪〕11 궤 ㊤紙 ㊦未 | guǐ キ せんぞ
字解 선조궤 사당(祠堂)에 함께 모시고 제사지내는 먼 선조(先祖). '一, 祔一祖也. (段注) 祔, 謂新廟, 一, 謂毁廟. 皆祖也'《說文》.
字源 形聲. 示+危〔音〕

示 6 〔祩〕11 주 ㊥虞 | zhū シュ のろう
字解 방자할주 남이 못되기를 귀신에게 빎. '一, 博雅, 詛也'《集韻》.
字源 形聲. 示+朱〔音〕

示 6 〔祦〕11 오 ㊥虞 | wú ゴ さいわい
字解 복(福)오 '一, 福也'《玉篇》.

示 6 〔䄆〕11 ㊀활 ㊇曷 | huó カツ まつる
㊁괄 ㊇黠 | カツ のっとる
㊂환 ㊦翰 | huàn カン かみにむくいるまつり
字解 ㊀ 제사지낼활 '一, 祠也'《廣韻》. ㊁ ①본받을괄 따름. '一, 廣雅, 法也'《集韻》. ②제사이름괄 재앙을 물리치는 제사의 이름. '一, 禳祠名'《廣韻》. ㊂ 신(神)에보답하는제사환 '一, 報神祭也'《集韻》.
字源 形聲. 篆文은, 示+昏〔音〕

示 6 〔袛〕11 〔지〕
祗(示부 5획〈886〉)의 古字

示 6 〔票〕11 高·人 표 ①㊥蕭 | piāo ヒョウ ひがとぶ
②③㊦嘯 | piào ヒョウ ふだ
筆順 一 冂 覀 覀 覀 覀 票 票
字解 ①불똥표, 불똥튈표 熛(火부 11획〈722〉)와 同字. '見一如累明'《太玄經》. ②훌쩍날릴표 가볍게 날리는 모양. '一然逝旗逶蛇'《漢書》. ③쪽지표 어음·수표 따위. '傳一'. '投一'. '今人以官牌曰一, 約券亦曰一'《品字箋》.
字源 會意. 火+䙴

示 6 〔祭〕11 中·人 제 ㊦霽 | jì サイ まつる
筆順 ク 夕 夕' 夕又 夕又 祭 祭 祭
字解 ①제사지낼제 신에게 제사를 지냄. '一百神'《禮記》. ②제사제 제전. '一禮'. '一器不踰竟'《禮記》. ③성제 성(姓)의 하나.
字源 象形. 甲骨文은 피가 뚝뚝 떨어지는 희생의 고기를 손으로 바치는 상형. 篆文은 示+又+夕(肉)의 會意.

示 6 〔禓〕11 〔도〕
禱(示부 14획〈894〉)와 同字

示 6 〔祇〕11 맥 [入]陌 | lŭ ミャク かみ
[字解] 신(神)맥, 신령맥.
[參考] 祢(示부 6획〈888〉)는 別字.

示 6 〔祤〕11 ㊀우 [上]麌 | yŭ ウ けんめい
㊁후 [上]麌 | ク けんめい
[字解] ㊀땅이름우. ㊁땅이름후 현 이름.

示 6 〔祵〕11 〔인〕
禋(示부 9획〈891〉)과 同字

示 7 〔祲〕12 침 ①[平]侵 ②③[去]沁 | jīn シン ひのかさ jìn シン さかんにする
[字解] ①햇무리침 해 주위의 테 모양의 빛. ②요기(妖氣)침 재앙을 초래하는 요사스러운 기운. '一沴'. '吾見赤黑之一'《左傳》. ③성하게할침 성대히 함. '天官景從, 一威盛容'《班固》.
[字源] 形聲. 示+侵〈省〉〔音〕

示 7 〔祴〕12 개 ①[平]灰 ②[平]佳 | gāi カイ いにしえのがくしょうのな カイ かわらみち
[字解] ①풍류이름개 '一夏'는 고대(古代)의 악장(樂章)의 이름. '陔夏'라고도 함. '以鐘鼓奏九夏. 有一夏'《周禮》. ②벽돌길개 벽돌을 깐 길.
[字源] 形聲. 示+戒〔音〕

示 7 〔祰〕12 고 [上]晧 | gào コウ つげまつる
[字解] ①고제(告祭)지낼고 선조에게 고(告)하여 제사지냄. 고유제(告由祭). ②빌고 기도함. '一, 禱也'《玉篇》.
[字源] 形聲. 示+告〔音〕

示 7 〔祳〕12 〔신〕
脤(肉부 7획〈1076〉)과 同字
[字源] 形聲. 示+辰〔音〕

示 7 〔禒〕12 선 [上]銑 | xiăn セン あきのかり
[字解] 가을사냥선 종묘(宗廟) 제사를 위하여 하는 가을 사냥. '獮, 秋田也. 一, 獮或从示. 宗廟之田也'《說文》.

示 7 〔祮〕12 〔활〕
䄆(示부 6획〈888〉)의 本字

示 7 〔䄉〕12 〔사〕
社(示부 3획〈884〉)의 古字

示 7 〔禂〕12 〔도〕
禱(示부 14획〈894〉)와 同字

示 7 〔禉〕12 〔유〕
槱(木부 11획〈572〉)와 同字

示 7 〔禍〕12 〔화〕
禍(示부 9획〈891〉)의 古字

〔視〕〔시〕
見부 5획(1297)을 보라.

示 7 〔祷〕11 〔도〕 禱(示부 14획〈894〉)의 俗字·簡體字

示 7 〔祋〕12 두 [去]宥 | dòu トウ まつりのそなえもの
[字解] 제사복두 제사에 바친 음식.
[參考] 裋(衣부 7획〈1274〉)는 別字.

示 7 〔䄇〕12 〔사〕
社(示부 3획〈884〉)의 古字

示 7 〔祱〕12 ㊀서 [去]寘 | shuì スイ こまつり
㊁세 [去]霽 | セイ まつり
㊂뢰 [去]泰 | lèi ライ かどのまつり
[字解] ㊀소제서 소제(小祭). ㊁제사세 제사. ㊂문제뢰 문제(門祭).

示 7 〔䄉〕12 아 [平]歌 | é ガ さかんなさま
[字解] ①성할아 성한 모양. ②제사이름아.

示 7 〔䘿〕12 〔절〕
折(手부 4획〈431〉)과 同字

示 7 〔裎〕12 정 [平]庚 | chéng テイ せい
[字解] 성정 성(姓)의 하나.

示 8 〔祺〕13 [人名] 기 [平]支 | qí キ さいわい
[筆順] 二 亍 示 示' 示卄 示甘 祺 祺
[字解] ①복기 행복. 상서(祥瑞). '壽考維一'《詩經》. ②편안할기 마음이 편안한 모양. 또, 태연한 모양. '莊然, 一然'《荀子》.
[字源] 形聲. 示+其〔音〕

示 8 〔祼〕13 관 [去]翰 | guàn カン まつりのな
[字解] 강신제지낼관 신령의 강림(降臨)을 바라 검은 기장으로 만든 울창(鬱鬯)이라는 술을 땅에 뿌리는 일. '殷士膚敏, 一將于京'《詩經》.
[字源] 形聲. 示+果〔音〕

示8 〔祿〕13 高·人 록 ㊀屋 lù ロク さいわい

筆順 ニ 礻 礻 祀 祀 祎 祿 祿

字解 ①복록 행복. '福一'. '百一是何'《詩經》. ②녹록 관리의 봉급. '俸一'. '子張學干一'《論語》. 또, '不一'·'無一'은 녹을 다 타먹지 못하고 죽는다는 뜻으로, 죽음을 이름. ③녹줄록 봉급을 줌. '位定然後一之'《禮記》. ④성록 성(姓)의 하나.
字源 象形. 우물의 도르래 언저리에 물이 넘쳐 흐르면서 물이 길어 올려지는 모양을 본뜸. 篆文은 示+彔〔音〕의 形聲.

示8 〔禄〕12 祿(前條)과 同字

示8 〔禂〕13 도 ㊤晧 dǎo トウ いのる

字解 빌도 禱(示부 14획〈894〉)와 同字. '一牲一馬, 皆掌其祝號'《周禮》.
字源 形聲. 示+周〔音〕

示8 〔綷〕13 쵀 ㊄隊 zuì サイ まつりのな

字解 삭제(朔祭)쵀 매월(每月) 지내는 제사(祭祀).

示8 〔禡〕13 사(자㊍) ㊄禡 zhà サ まつりのな

字解 납제(臘祭)사 섣달의 납일(臘日)에 백신(百神)에게 지내는 제사. 蜡(虫부 8획〈1231〉)와 통용. '一, 報祭也. 古之臘曰一'《玉篇》. ※本音 자.
字源 形聲. 示+昔〔音〕

示8 〔禆〕13 〔신〕 神(示부 5획〈887〉)의 本字

示8 〔祆〕13 〔요〕 祅(示부 4획〈885〉)와 同字

示8 〔禅〕12 〔선〕 禪(示부 12획〈893〉)의 俗字·簡體字

示8 〔裪〕13 도 ㊥豪 táo トウ さいわい

字解 ①복도 행복(幸福). '一, 福也'《玉篇》. ②신(神)도 '一, 神也'《集韻》.
字源 形聲. 示+匋〔音〕

示8 〔裰〕13 ⊟철 ㊀屑 chuò テツ まつりのな ⊟체 ㊄霽 zhuì テイ まつりのな

字解 ⊟제사이름철 제신(諸神)의 제좌(祭座)를 병설(倂設)하고 술을 땅에 부어 지내는 제사. 醊(酉부 8획〈1537〉)과 同字. ⊟제사이름체 종묘(宗廟)의 제(祭)를 지낸 다음날 지내는 제사. 역제(繹祭). '繹祭, 謂之一'《集韻》.

示8 〔禁〕13 中·人 금 ①-⑪㊄沁 jìn キン とめる ⑫㊥侵 jīn キン たえる

筆順 十 木 村 林 埜 梺 禁 禁

字解 ①금할금 하지 못하게 함. 제지함. '一止'. '一制'. '一民夜作, 以防火災'《後漢書》. ②금령금 금지하는 법령. '國一'. '法一'. '問國之大一'《孟子》. ③대궐금 궁전. '宮一'. '一中'. '述職內一'《宋書》. ④옥금 감옥. '收一'. '監一'. '開械脫於重一之中'《晉書》. ⑤울금 우리. '囿游之獸一'《周禮》. ⑥비밀금 알리지 아니함. '我有一方'《史記》. ⑦금기금 기(忌)함. 꺼리어 피하는 일. '食一'. '日一'. '牽于一忌, 泥于小數'《漢書》. ⑧삼갈금 조신함. '君子道人以言, 而一人以行'《禮記》. ⑨모을금 모아 둠. 저축함. '散一財'《張衡》. ⑩주술금 병을 고치기 위한 굿 따위. '呪一'. '一厭'. '賊中有善一者'《三國志》. ⑪성금 성(姓)의 하나. ⑫견딜금 견디어 냄. 참음. '猶弗能一'《漢書》.
字源 會意. 示+林

示8 〔禀〕13 〔름〕 稟(禾부 8획〈905〉)의 俗字

示8 〔䄠〕13 권 ㊄願 quàn ケン まつる

字解 ①제사지낼권 제사지냄. '一, 祠也'《集韻》. ②복권 행복. '一, 福也'《集韻》.

示8 〔禕〕13 기 ㊤紙 qǐ キ よいさま

字解 좋을기 좋은 모양. '一, 好皃'《玉篇》.

示8 〔祾〕13 릉 ㊥蒸 líng リョウ まつり ロウ まつり

字解 ①제사(祭祀)릉 '一, 祭也'《集韻》. ②제퇴선(祭退膳)릉 '一, 神靈之福也'《廣韻》.

示8 〔裺〕13 ⊟엄 ㊤琰 yǎn エン はらう ⊟염 ㊄豔 yàn エン けがれる

字解 ⊟빌엄 재앙이 물러나기를 빎. '一, 禳也'《集韻》. ⊟더럽혀질염 더러워짐. '黤, 汚觸也, 或作一'《集韻》.

示8 〔禌〕13 치 ㊥支 zī シ やすらか

[字解] 편안할치 편안함. '一, 安也'《字彙》.

示9 〔禊〕14 계 [去]霽 | xì ケイ みそぎ

[字解] 계제사계 물가에서 행하는 요사(妖邪)를 떨어 버리기 위한 제사. 음력 3월 상사(上巳)에 행하는 것을 '春一', 7월 14일에 행하는 것을 '秋一'라 함.
[字源] 形聲. 示+契〔音〕

示9 〔禋〕14 [一]인 [平]眞 | yīn イン まつる
[二]연 [平]先 | yān エン てんていをまつる

[字解] [一] ①제사지낼인 정결히 하고 제사를 지냄. 정성을 들여 제사를 지냄. '一于六宗'《書經》. ②공경할인 '一, 敬也'《廣韻》. ③성인 성(姓)의 하나. [二] 천제(天帝)제사할연 옥황 상제(玉皇上帝)를 제사지냄.
[字源] 形聲. 示+垔〔音〕

示9 〔禍〕14 [高·人] 화 [上]哿 | huò カ わざわい

[筆順] ニ 亍 示 礻冂 礻冋 禍 禍 禍

[字解] ①재앙화 재화. 재난. '一福'. '君子愼以避一'《禮記》. ②재화내릴화 재앙을 내림. '天道福善一淫'《書經》. ③죄화 허물. '罪一有律'《荀子》.
[字源] 形聲. 示+咼〔音〕

示9 〔禍〕13 禍(前條)와 同字

示9 〔禍〕13 禍(前前條)와 同字

示9 〔禎〕14 [人名] 정 [平]庚 | zhēn(zhēng) テイ めでたいしるし

[筆順] ニ 亍 示 礻⺊ 礻卜 禎 禎 禎

[字解] ①상서로운조짐정 길조(吉兆). '國家將興, 必有一祥'《中庸》. ②복정 행복. '一, 福也'《藝文類聚》. ③바를정 곧음. '咸有一祥'《漢書》. ④성정 성(姓)의 하나.
[字源] 形聲. 示+貞〔音〕

示9 〔福〕14 [中·人] 복 [入]屋 | fú フク さいわい

[筆順] ニ 亍 示 礻一 礻冖 福 福 福

[字解] ①복복 행복. 복조(福祚). '禍一'. '嚮用五一'《書經》. ②복내릴복 복을 내려 줌. '鬼神害盈而一謙'《易經》. ③제육복 제사에 쓰는 고기. '祭祀之致一者, 受而膳之'《周禮》. ④덕(德)복 '一, 德也'《廣韻》. ⑤찰복 가득 참. '一, 盈也'《廣雅》. ⑥갖춰질복 뜻대로 됨. '順其類者, 謂之一'《荀子》. ⑦성복 성(姓)의 하나.
[字源] 形聲. 示+畐〔音〕

示9 〔福〕13 福(前條)과 同字

示9 〔禓〕14 상 [平]陽 | shāng ショウ ついな

[字解] 추나(追儺)상 역귀(疫鬼)를 쫓는 일. '鄕人一'《禮記》.
[字源] 形聲. 示+昜〔音〕

示9 〔禔〕14 지 [平]支 | zhī, ②zhǐ シ さいわい

[字解] ①복지 행복. 복록. '遐邇一體, 中外一福'《漢書》. ②다만지 祇(示부 4획〈885〉)와 同字. '一取辱耳'《史記》.
[字源] 形聲. 示+是〔音〕

示9 〔禑〕14 [一]우 [平]虞 | wú グ さいわい
[二]오 [平]虞 | wú ゴ さいわい

[字解] [一] 복우 '一, 福也'《集韻》. [二] ①복오 [一]과 뜻이 같음. ②祦(示부 6획〈888〉)와 同字. '一, 與祦同'《字彙》.

示9 〔禕〕14 의 [平]支 | yī イ よい

[字解] ①아름다울의 '漢帝之德, 侯其一而'《張衡》. ②진귀할의 '一, 珍也'《廣韻》.
[字源] 形聲. 示+韋〔音〕

示9 〔禖〕14 매 [平]灰 | méi バイ こさずけのかみ

[字解] ①귀신이름매 천자(天子)가 아들을 낳기 위하여 제사지내는 귀신. '以太牢祠于高一'《禮記》. ②매제사매 천자가 아들을 낳기 위하여 지내는 제사. '一祭'. '使東方朔枚皐作一祝'《漢書》.
[字源] 形聲. 示+某〔音〕

示9 〔禗〕14 사 [平]支 [上]紙 | sī シ かみのこころがやすんじない

[字解] 귀신불안할사 귀신이 불안하여 가려고 하는 모양. '靈一一, 象輿轙'《漢書》.

示9 〔禘〕14 체 [去]霽 | dì テイ たいさいのな

[字解] 큰제사체 제왕(帝王)이 시조(始祖)를 하늘에 배향(配享)하는 대제(大祭). 또, 그 제사를 지냄. '禮, 不王不一'《禮記》.
[字源] 形聲. 示+帝〔音〕

示9 〔禑〕14 서 [上]語 | xǔ ショ しらげよね

[字解] 젯메쌀서 제사에 쓰는 정한 쌀. '一,

祭具也. (段注) 山海經·離騷經, 皆作糈. 王逸曰, 糈, 精米. 所以享神. 郭璞曰, 糈, 祭神之米名'《說文》.

示9 〔⿰礻肴〕14 〔시〕 柴(示부 5획〈887〉)의 古字

示9 〔⿰礻咠〕14 〔신〕 神(示부 5획〈887〉)의 篆文

示9 〔禅〕13 〔선〕 禪(示부 12획〈893〉)의 略字

示9 〔⿱亝示〕14 〔재〕 齋(齊부 3획〈1882〉)의 本字

示9 〔禑〕14 구 ㊤虞 | jǔ ク せい

[字解] 성구 성(姓)의 하나.

示9 〔⿰示巴〕14 〔권〕 ⿰示巴(示부 8획〈890〉)과 同字

示9 〔禒〕14 선 ㊤銑 | xiǎn セン ひもろぎ

[字解] 제사지낸고기선 제사지낸 고기. '一, 祭餘肉也'《字彙》.

[參考] 祿(示부 8획〈890〉)은 別字.

示9 〔⿰祟攴〕14 쇄 [去]寘 | suì シ きっきょうをとう

[字解] 무꾸리할쇄 길흉화복을 점침. '一, 楚人間吉凶也'《篇海類編》.

示9 〔禐〕14 원 [去]霰 | yuàn エン おびる

[字解] 찰원 허리에 참. '一, 佩也'《字彙》.

示9 〔⿰礻㑴〕14 〔침〕 祲(示부 7획〈889〉)과 同字

示9 〔⿰礻皇〕14 [一] 횡 [平]庚 | huáng コウ まつりのな
[二] 황 [平]陽

[字解] [一] 제사이름횡 '一, 祊一, 祭名'《玉篇》. [二] 제사이름황 [一]과 뜻이 같음.

示9 〔⿰礻侯〕14 후 [平]尤 | hóu コウ まつってさいわいをもとめる

[字解] 복빌후 제사지내어 복을 구함. '一, 祭求福也'《集韻》.

示10 〔禠〕15 사 [平]支 | sī シ さいわい

[字解] 복사 행복. '祈一禳災'《張衡》.

[字源] 形聲. 示+虒〔音〕

示10 〔禡〕15 마 [去]禡 | mà バ まつりのな

[字解] 마제마 전시(戰時)에 군대가 머무른 곳에서, 군법(軍法)을 처음으로 제정한 사람에게 지내는 제사. 또, 그 제사를 지냄. '一於所征之地'《禮記》.

[字源] 形聲. 示+馬〔音〕

示10 〔⿰礻冥〕15 명 [平]青 | míng ベイ さいわい

[字解] 복명 행복(幸福). '一, 福也'《集韻》.

示10 〔禚〕15 작 [入]藥 | zhuó シャク ちめい

[字解] ①땅이름작 춘추(春秋) 시대 제(齊)나라의 읍명(邑名). '會齊侯于一'《春秋》. ②성작 성(姓)의 하나.

示10 〔禛〕15 [人名] 진 [平]眞 | zhēn シン さいわいをうける

[筆順] 二 亍 示 示 示 礻旨 禃 禛

[字解] 복받을진 정성을 다하여 복록을 받음. '一, 以眞受福'《廣韻》.

[字源] 形聲. 示+眞〔音〕

示10 〔禝〕15 직 [入]職 | jì ショクじんめい

[字解] 사람이름직 고대(古代) 요제(堯帝)의 신하. 오곡(五穀)의 씨앗을 뿌려 잘 자라게 했음.

[字源] 形聲. 示+畟〔音〕

示10 〔⿰礻留〕15 [一] 류 [去]宥 | liù リユウ まじなう
[二] 주 [平]尤 [去]宥 | チュウ まじなう

[字解] [一] 예방할류, 방법할류. [二] 예방할주, 방법할주.

[字源] 形聲. 示+畱(留)〔音〕

示10 〔⿰示㑴〕15 〔침〕 祲(示부 7획〈889〉)의 本字

示10 〔禜〕15 영 [去]敬 [平]庚 | yǒng(yíng) エイ まつりのな

[字解] 영제사영 산천(山川)의 신(神)에게 빌어 수재·한재·여역(癘疫)을 떨어 물리치는 제사. 또, 그 제사를 지냄. '於是乎一之'《左傳》.

[字源] 形聲. 示+營〈省〉〔音〕

示10 〔禞〕15 〔고〕 祰(示부 7획〈889〉)와 同字

示10 〔福〕15 〔복〕 福(示부 9획〈891〉)의 俗字

示 10 〔禉〕15 팽 [平]庚 péng ホウ まつりのな

[字解] 제사이름팽 제사 이름. '一, 一禋, 祭名'《廣韻》.

示 10 〔禍〕15 〔화〕 禍(示부 9획〈891〉)와 同字

示 11 〔禒〕16 봉 [平]冬 féng ホウ さんしんのな

[字解] 산신(山神)봉 산신의 이름. '一, 大黃負山神, 能動天地氣, 昔孔甲會遇之'《廣韻》.

示 11 〔禆〕16 필 [入]質 bì ヒツ かまどのまつり

[字解] 조왕제(竈王祭)필 부엌신(神)에게 지내는 제사. 조제(竈祭). '一, 竈上祭'《集韻》.

示 11 〔禤〕16 현 [平]先 xuān ケン せい

[字解] 성현 성(姓)의 하나.

示 11 〔禥〕16 〔기〕 祺(示부 8획〈889〉)의 籒文

示 11 〔禮〕16 〔저〕 詛(言부 5획〈1321〉)와 同字

示 11 〔禩〕16 〔사〕 祀(示부 3획〈885〉)와 同字

示 11 〔禫〕15 〔신〕 神(示부 5획〈887〉)의 古字

示 11 〔禎〕16 〔영〕 穎(禾부 11획〈910〉)의 俗字

〔隷〕 〔례〕 隶부 8획(1628)을 보라.

示 11 〔禦〕16 어 [去]御 [上]語 yù ギョ ふせぐ

[字解] ①막을어 ㉠방어함. '守一'. '不足以一敵'《尉繚子》. ㉡정지시킴. 통과시키지 않음. '今有一人於國門之外者'《孟子》. ㉢방해함. '莫之一而不仁, 是不智也'《孟子》. ㉣못 하게 함. 금함. '兄弟鬩于牆, 外一其務'《詩經》. ㉤피함. '一寒'. '可以一火'《山海經》. ㉥방비함. '所以一災也'《國語》. ㉦맞섬. 대항함. '一人以口給'《論語》. ②방어어, 방해어, 방비어 전항의 명사. '少置屯一'《獨孤及》. ③굳셀어 '曾是彊一'《詩經》.

[字源] 形聲. 示+御〔音〕

示 11 〔褸〕16 루 [平]尤 [平]虞 lǘ ロウ いんしょくのまつりのな ル いんしょくのまつりのな

[字解] 음식제사루 음식 제사. '一, 飲食祭也'《玉篇》.

示 11 〔禣〕15 박 [入]覺 pǔ ハク ながくみつめる

[字解] 오래볼박 오래 봄. '一, 久視也'《玉篇》.

示 11 〔禓〕16 〔상〕 禓(示부 9획〈891〉)과 同字

示 11 〔禮〕16 조 [平]豪 cáo ソウ まつり

[字解] ①제사조 조상을 제사지냄. '一, 祭也'《廣雅》. ②도움조 '一, 祐也'《集韻》. ③돼지조.

示 12 〔禧〕17 [人名] 희 [平]支 xǐ, xī キ さいわい

[筆順] 二 亍 示 礻 祀 禧 禧 禧

[字解] ①복희 행복. '新一'. '同心仰福一'《范鎭》. ②길할희 '一, 吉也'《廣韻》. ③고할희 알림. '一, 告神致福也'《說文義證》.

[字源] 形聲. 示+喜〔音〕

示 12 〔禨〕17 기 ①②[平]微 ③[去]未 jī キ きざし jì キ ゆあみしてさけをのむ

[字解] ①상서기 길조(吉兆). 행복. '楚人鬼而越人一'《列子》. ②빌미기 신(神)이 내리는 재앙. 앙얼. '一祥'. '一, 祟也'《正字通》. ③술기 목욕한 뒤에 술을 마심. 또, 그 술. '進一進羞'《禮記》.

[字源] 形聲. 示+幾〔音〕

示 12 〔禪〕17 [高·人] 선 [去]霰 [平]先 ①-③shàn ゼン てんちのかみをまつる ④chán ゼン しずか, さとり

[筆順] 二 亍 示 祀 祀 禪 禪 禪

[字解] ①봉선(封禪)선 땅을 판판하게 닦고 깨끗이 하여 산천의 신(神)에게 지내는 제사. 墠(土부 12획〈219〉)과 同字. '言封一事'《漢書》. ②물려줄선 ㉠천자의 지위를 남에게 물려줌. '一讓'. '唐虞一'《孟子》. ㉡전(傳)함. 줌. '一五世'《史記》. ③바뀔선 대신함. '一, 代也'《正字通》. ④선선 불교에서 마음을 조용히 하여 진리를 직관(直觀)하는 일. 범어(梵語) dhyāna의 음역(音譯). '一有深淺階級'《傳燈錄》. 또, 이

종파. '一宗'. '一僧出郭迎'《白居易》. 또, '坐一'의 준말. '睡穩如一息息匀'《蘇軾》.
字源 形聲. 示+單〔音〕

示12 〔禫〕 17 담 ㊤感 | dàn タン まつり
字解 담제담 대상(大祥)을 지낸 그 다음 달에 지내는 탈상(脫喪)의 제사. 담사(禫祀). '又期而大祥, 中月而一'《禮記》.
字源 形聲. 示+覃〔音〕

示12 〔禬〕 17 결 ㊀屑 | jué ケツ わざわい
字解 재앙결 재화(災禍). 상서롭지 않은 일. '一, 不祥也'《玉篇》.

示12 〔禶〕 17 료 ㊁嘯 | liào リョウ しばをたいててんをまつる
字解 시제(柴祭)지낼료 '酒一'는 섶을 태워 하늘에 제사지냄. '酒一, 燔柴祭天也'《正韻》.

示12 〔禚〕 17 〔초〕 醮(酉부 12획〈1542〉)의 本字

示12 〔禩〕 17 〔사〕 禩(示부 11획〈893〉)의 本字

示12 〔禷〕 17 〔류〕 禷(示부 10획〈892〉)의 本字

示12 〔禋〕 17 〔인〕 禋(示부 9획〈891〉)의 本字

示12 〔禶〕 17 ㊀취 ㊁霽 | cuì セイ しばしばまつる
㊁찬 ㊤旱 | サン しばしばまつる
字解 ㊀①자주제사지낼취 거듭 제사지냄. '一, 數祭也'《說文》. ②고(告)할취 '一, 謝也'《廣雅》. ③찧을취 곡식을 절구에 찧음. '一, 舂也'《廣雅》. ㊁ 자주제사지낼찬, 고할찬, 찧을찬 ㊀과 뜻이 같음.
字源 形聲. 示+毳〔音〕

示12 〔鬃〕 17 〔팽〕 祊(示부 4획〈885〉)의 本字

示12 〔禙〕 17 〔번〕 膰(肉부 12획〈1090〉)과 同字

示13 〔禬〕 18 회 ㊁泰 | huì カイ わざわいをはらいのぞくまつり
字解 ①푸닥거리회 ㉠여역(癘疫)과 재앙을 피하는 굿. '女祝掌以時招梗一禳之事'《周禮》. ㉡복을 비는 굿. '一, 會福祭也'《說文》. ②재화모을회 제후(諸侯)가 재화(財貨)를 모아, 재난에 처한 자를 구휼하는 모임. '以一禮, 哀圍敗'《周禮》.
字源 形聲. 示+會〔音〕

示13 〔禮〕 18 中·人 례 ㊤薺 | lǐ レイ いや
筆順 二 亍 礻 礻 禮 禮 禮 禮
字解 ①예례 ㉠오상(五常)의 하나. 예도. 예절. '一儀'. '仁義一智信, 五常之道'《漢書》. ㉡예식. 의식. '婚一'. '吉一'. '一煩則亂'《書經》. ㉢절·인사 등 모든 경의를 표하는 일. '敬一'. '一砲'. ②예우할례 예로써 대우함. '一賢士'. '吾之一賢, 有何不可'《世說》. ③예물례 경의를 표하기 위하여 하는 선사. '無一不相見也'《禮記》. ④책이름례 경서(經書)의 이름. '周一'·'儀一'·'一記'를 '三一'라 함. ⑤성례 성(姓)의 하나.
字源 形聲. 示+豐(豊)〔音〕

示13 〔禪〕 18 선 ㊁霰 | shàn セン てんをまつる
字解 천제(天祭)지낼선 禪(示부 12획〈893〉)과 통용.

示13 〔禪〕 18 역 ㊀陌 | yì エキ あとのまつり
字解 역제(繹祭)역 본제(本祭)를 지낸 다음날에 올리는 제사. '一, 祭之明日, 又祭名'《集韻》.

示13 〔禭〕 18 수 ㊁寘 | suì スイ まつりのな
字解 ①제사이름수 '一, 祭名'《玉篇》. ②신(神)이름수 고구려(高句麗)에서 모신 신의 이름. '高句驪, 在遼東之東千里, 云云, 國東有大穴, 號一神, 亦以十月迎而祭之'《後漢書》.

示14 〔禰〕 19 녜 ㊤薺 | nǐ デイ ちちのおたまや
字解 ①아버지사당녜 아버지를 모신 사당. '受諸一廟'《儀禮》. 또, 사당에 모신 아버지. '昭祖揚一'《晉書》. ②신주녜 먼 곳으로 갈 때 가지고 가는 신주(神主). '其在軍, 則守於公一'《禮記》. ③성녜 성(姓)의 하나.
字源 形聲. 示+爾〔音〕

示14 〔禱〕 19 人名 도 ㊤晧 ㊁號 | dǎo トウ いのる
筆順 二 亍 礻 礻 禱 禱 禱 禱
字解 빌도 신불에 기도함. '一祀'. '一爾于上下神祇'《論語》.

[字源] 形聲. 示＋壽〔音〕

示14 〔⿰礻厭〕 19 염 [上]琰 [去]豔 | yǎn エン はらう

[字解] 물리칠염 신(神)을 제사지내어 재액(災厄)을 물리침. 불제(祓除)함. '皇帝親征, 牝牡麃各一, 爲一祭'《遼史》.

示14 〔⿰礻齊〕 19 〔제〕 齊(部首〈1882〉)와 同字

示15 〔⿰礻厲〕 20 려 [去]霽 | lì レイ あっき

[字解] 뜬것려 못된 귀신. 여귀(厲鬼). 악귀(惡鬼). '一, 無後鬼也, 鬼有所歸及, 不爲一'《玉篇》.

示15 〔⿰礻憂〕 20 우 [去]宥 | yǒu ユウ さいわい

[字解] 복우 복. '一, 福也'《集韻》.

示16 〔⿰礻賴〕 21 [一] 뢰 [去]泰 | lài ライ のろう [二] 란 [上]旱 | lǎn ラン おこたる

[字解] [一] ①방자할뢰 '袾一'는 남이 못되기를 빎. '袾一, 袾詛'《集韻》. ②부술뢰 파괴함. '一, 墮壞也'《玉篇》. [二] 게으를란 제사에 태만함. '一, 惰於祭也'《集韻》.

示16 〔⿰礻盧〕 21 〔려〕 祣(示부 6획〈888〉)와 同字

示17 〔禳〕 22 양 [平]陽 | ráng ジョウ はらう

[字解] 물리칠양 신(神)에게 제사지내어 재앙과 여역(癘疫)을 물리침. '却變異曰一'《周禮 注》.

[字源] 形聲. 示＋襄〔音〕

示17 〔禴〕 22 약 [入]藥 | yuè ヤク まつりのな

[字解] 봄제사(祭祀)약 礿(示부 3획〈885〉)과 同字. '利用一'《易經》.

[字源] 形聲. 示＋龠〔音〕

示17 〔⿰礻豐〕 22 〔례〕 禮(示부 13획〈894〉)의 本字

示17 〔⿰礻霝〕 22 령 [平]青 | líng レイ かみのな

[字解] 신(神)의이름령 신의 이름. '⿰礻霝, 神名, 或从霝'《集韻》.

示19 〔禷〕 24 류 [去]寘 | lèi ルイ まつりのな

[字解] 천제(天祭)지낼류 군대가 싸우러 나갈 일이 생겼을 때에, 하늘에 고(告)하고 제사지냄. '一, 師祭'《爾雅》.

[字源] 形聲. 示＋類〔音〕

示19 〔禶〕 24 찬 ①[去]翰 | zàn サン たたえる ②[上]旱 | サン まつりのな

[字解] ①칭송할찬 신(神)의 공덕(功德)을 기림. '一, 祝神也'《集韻》. ②제사이름찬 '一, 祭名'《廣韻》.

示19 〔⿰⿱出示夒〕 24 〔수〕 祟(示부 5획〈887〉)의 籀文

示19 〔⿰礻繭〕 24 견 [上]銑 | jiǎn ケン つつしむ

[字解] 공경할견 공경함. '一, 祇也'《玉篇》.

示21 〔⿰礻覃〕 26 〔담〕 禫(示부 12획〈894〉)의 本字

示22 〔⿰⿱𠷎示夒〕 27 〔도〕 禱(示부 14획〈894〉)의 籀文

示24 〔⿰礻靈〕 29 〔령〕 ⿰礻霝(示부 17획〈895〉)과 同字

禸　部
〔짐승발자국유부〕

禸0 〔禸〕 5 유 [上]有 | rǒu ジュウ けもののあしあと

[筆順] 丨 冂 冂 内 禸

[字解] 자귀유 짐승의 발자국. '其足蹯, 其跡一'《爾雅》.

[字源] 象形. 짐승의 뒷발이 땅을 밟고 있는 모양을 본뜸.

[參考] 이 부수(部首)에 속하는 문자의 대부분은 동물에 관한 象形 문자로, '禸유'는 그 뒷발과 꼬리를 나타내고 있음.

禸4 〔禹〕 9 [人名] 우 [上]麌 | yǔ ウ じんめい, むし

[筆順] 一 𠃌 𠃌 戸 禺 禹 禹 禹

[字解] ①하우씨우, 우(禹)임금우 하(夏)나라를 창업(創業)한 성왕(聖王). 왕이 되기 전에 요(堯)·순(舜) 두 임금을 섬겨 홍수(洪水)를 다스리는 데 큰 공을 세웠다 함. ②벌레우 '一, 蟲也'《說文》. ③도울우 '一者, 輔也'《風俗通》. ④성우 성(姓)의 하나.

[字源] 象形. 파충류(爬蟲類)의 일종의 모양

을 본뜸.

内 4 〔禹〕9 禹(前條)의 古字

内 4 〔禺〕9 우 ①[去]遇 yù グ おながざる
②-⑤[平]虞 yú グ わかち

[字解] ①긴꼬리원숭이우 원숭이의 일종. '一, 似獼猴而大, 赤目長尾, 山中多有之'《正字通》. ②가름우 구별. '是爲十一'《管子》. ③처음우 사단(事端)이 처음으로 나타나는 일. '將合可以一'《管子》. ④허수아비우 偶(人부 9획〈63〉)와 同字. '木一龍欒車一駟'《史記》. ⑤성우 성(姓)의 하나.
[字源] 象形. 긴꼬리원숭이 또는 나무늘보류(類)의 모양을 본뜸.

内 6 〔离〕11 [人名] 리 [平]支 lí リ やまにすむしんじゅう
[筆順] 离 离 离 离
[字解] ①도깨비리 魑(鬼부 11획〈1784〉)와 同字. ②떠날리 離(隹부 11획〈1636〉)의 俗字·簡體字. '形神已一'《晉書》.
[字源] 會意. 篆文은 山+凶+内(厹)

内 6 〔卨〕11 禼(次條)의 俗字

内 7 〔禼〕12 설 [入]屑 xiè セツ じんめい, むし
[字解] ①은나라조상이름설 은(殷)나라 탕왕(湯王)의 조상 이름. 契(大부 6획〈235〉)과 同字. '一作司徒'《漢書》. ②벌레설 '一, 蟲也'《說文》.
[字源] 象形. 어떤 짐승의 모양을 본뜸.

内 7 〔𥝀〕12 비 [去]未 fèi ヒ ひひ
[字解] 비비비 狒(犬부 5획〈749〉)와 통용. '猩猩啼而就擒, 一一笑而被格'《左思》.
[字源] 象形. 비비(狒狒)의 모양을 본뜸.

内 8 〔禽〕13 [高·人] 금 [平]侵 qín キン けもの
[筆順] 禽 禽 禽 禽 禽
[字解] ①짐승금 조수(鳥獸)의 총칭. '吾有一術, 名五一之戲, 一曰虎, 二曰鹿, 三曰熊, 四曰猿, 五曰鳥'《魏志》. ②날짐승금 새. '一獸'. '珍一奇獸'《書經》. ③사로잡을금 擒(手부 13획〈471〉)과 同字. '生一'. '一魏將芒卯'《史記》. ④사로잡힐금 생포당함. '身一于趙'《鹽鐵論》. ⑤포로금 부로(俘虜). '收一挾囚'《左傳》. ⑥성금 성(姓)의 하나.
[字源] 形聲. 金文은 畢+今〔音〕

内 8 〔禼〕13 〔설〕 禼(内부 7획〈896〉)의 古字

内 9 〔𥝀〕14 〔비〕 𥝀(内부 7획〈896〉)와 同字

内 13 〔𥝀〕18 𥝀(次條)와 同字

内 20 〔𥝀〕25 〔비〕 𥝀(内부 7획〈896〉)와 同字
[字源] 𥝀(内부 7획〈896〉)의 字源을 보라.

禾 部
〔벼 화 부〕

禾 0 〔禾〕5 [高·人] [一]화 [平]歌 hé カ いね
[二]수 [韓]
[筆順] 一 二 千 禾 禾
[字解] [一]①벼화 볏과에 딸린 일년초. 또, 그 열매. '一黍'. '大無麥一'《春秋》. ②곡식화 곡물의 총칭. '一穀'. '一稼不熟'《禮記》. ③모화, 줄기화 곡류의 모. 또, 그 줄기. '一則盡起'《書經》. ④이삭팬벼화 '粢黍稻, 其采謂之一'《廣雅》. ⑤성화 성(姓)의 하나. [二]《韓》말이수효수 말의 이〔齒〕의 수를 세는 말.
[字源] 象形. 이삭 끝이 줄기 끝에 늘어진 모양을 본뜸.
[參考] '禾화'를 의부(意符)로 하여, 벼·곡물, 그 수확(收穫)이나 조세(租稅) 등에 관한 문자를 이룸.

禾 0 〔禾〕5 [一]계 [平]齊 jī ケイ とどまる
[二]애 [去]隊 ガイ とどまる
[字解] [一]멈출계 나무 끝이 고부라져 자라기를 멈춤. '一, 木之曲頭, 止不能上也'《說文》. [二]멈출애 [一]과 뜻이 같음.
[字源] 象形. 나무의 끝이 부러져 굽어서 자라지 않는 모양을 본뜸.
[參考] 禾(前條)는 別字.

禾 2 〔禿〕7 독 [入]屋 tū トク はげ
[字解] ①대머리독 민머리. '一頭'. '齊使一者御一者'《穀梁傳》. 또, 대머리지는 일. 대머리지는 병. '病一折臂'《五代史》. ②대머리질독 독두가 됨. '王莽頭一'《北史》. ③민둥민둥할독 산에 나무가 없음. '一山'. 또,

잎이 모두 떨어진 나무를 '一樹'라 함. ④모지라질독 끝이 닳아서 없어짐. '一筆'. '筆一千枚'《東坡志林》. ⑤성독 성(姓)의 하나.
字源 會意. 禾+儿

禾2〔秀〕7 中·人 수 ㊤宥 xiù シュウ みのる, ひいでる
筆順 ㇒ 二 千 禾 禾 秀 秀
字解 ①팰수 벼 따위의 이삭이 나와 꽃이 핌. '實發實一'《詩經》. 또, 꽃이 피어 번성함. '蘭有一兮菊有芳'《漢武帝》. ②빼어날수 뛰어남. '一才'. '冬嶺一孤松'《顧愷之》. 또, 뛰어난 것. 정수(精粹). '惟人也, 得其一而最靈'《周敦頤》. 또, 뛰어난 사람. 걸사(傑士). '皆南土之一'《晉書》. ③이삭수 벼 따위의 이삭. '二苗同一一'《韓詩外傳》. ④꽃필수 '苗而不一者有矣夫'《論語》. ⑤여물수 꽃이 피지 않고 열매를 맺음. '不榮而實者, 謂之一'《爾雅》. ⑥꽃수 '方疏含一'《張協》. ⑦아름다울수 '一, 美也'《華嚴經音義》. ⑧우거질수 무성함. '一, 茂也'《廣雅》. ⑨성수 성(姓)의 하나.
字源 會意. 禾+乃

禾2〔私〕7 中·人 사 ㊥支 sī シ わたくし
筆順 ㇒ 二 千 禾 禾 私 私
字解 ①사사 ㉠사사로움. 자기에게 관계됨. '公一'. '君子不以一害公'《韓詩外傳》. ㉡불공평함. '公平無一'. '以公滅一'《書經》. ㉢간사함. '知其不爲一'《呂氏春秋》. ㉣사욕. '少一寡欲'《老子》. ㉤자기. '身者非其一有也'《呂氏春秋》. ②사사사 ㉠자기의 사물. '遂及我一'《詩經》. ㉡개인의 사사로운 비밀. '探人之一'《禮記》. ③가족사 집안 식구. '請以其一屬'《左傳》. ④사사로이할사 ㉠불공평하게 함. 사곡(邪曲)된 일을 함. '賞不一親近'《戰國策》. ㉡자기 소유로 함. '八家皆一百畝'《孟子》. ㉢자기 마음대로 함. '王雖有萬金不得一也'《戰國策》. ⑤편애할사 특히 치우치게 사랑함. '好貨財一妻子'《孟子》. 또, 그 사랑을 받는 사람. '君多一'《國語》. ⑥간통할사 사통함. '與人妻一'. ⑦오줌눌사 소변을 함. '將一焉'《左傳》. ⑧평복사 평상시 입는 옷. '薄汙我一'《詩經》. ⑨은혜사 은휼(恩恤). '有何殊功, 合降隆一'《李嶠》. ⑩가신사 배신(陪臣). '夫子之賤一'《儀禮》. ⑪자매의남편사 자매(姉妹)가 서로 그 남편을 일컫는 말. '碩人維一'《詩經》. ⑫음부사 남녀의 성기. '早有一病, 不近婦人'《飛燕外傳》. ⑬사사로이사 ㉠자기 혼자 마음 속으로. '一淑'. ㉡비밀히. 가만히. 몰래. '一語之'. '太后時時竊一通呂不韋'《史記》. ⑭성사 성(姓)의 하나.

字源 形聲. 禾+厶〔音〕

禾2〔秉〕7 〔병〕
秉(禾부 3획〈898〉)과 同字

禾2〔秕〕7 〔비〕
秕(禾부 4획〈898〉)와 同字

〔利〕〔리〕
刀부 5획(101)을 보라.

禾3〔秊〕8 人名 년 ㊥先 nián ネン とし
筆順 ㇒ 二 千 禾 禾 秊 秊 秊
字解 해년 年(干부 3획〈341〉)의 本字. '大有一'《春秋》.

〔季〕〔계〕
子부 5획(271)을 보라.

〔委〕〔위〕
女부 5획(245)을 보라.

禾3〔秅〕8 타 ㊥麻 chá タ ますめのな
字解 벼사백뭇타 벼 400뭇, 6,400석(石)의 용량. '禾三十車, 車三一'《周禮》.
字源 形聲. 禾+乇〔音〕

禾3〔秆〕8 간 ㊤旱 gǎn カン わら
字解 볏짚간 稈(禾부 7획〈902〉)과 同字. '或取一秉一'《左傳》.
字源 形聲. 禾+干〔音〕

禾3〔籼〕8 선 ㊥先 xiān セン うるち
字解 메벼선 메진 벼. '江南呼粳爲一'《揚子方言》.
字源 形聲. 禾+山〔音〕

禾3〔秄〕8 자 ㊤紙 zǐ シ つちかう
字解 북돋울자 벼의 뿌리를 북줌. 耔(耒부 3획〈1051〉)와 同字.
字源 形聲. 禾+子〔音〕

禾3〔杞〕8 기 ㊤紙 qǐ キ もちきび
字解 차조기 차진 조. 芑(艸부 3획〈1121〉)와 同字.

禾3〔秆〕8 우 ㊥虞 yú ウ いねのほがでない
字解 벼이삭패지아니할우 벼의 이삭이 나오지 않음. '一, 禾不秀'《集韻》.

禾 3 〔杓〕8 초 [上]篠 | diǎo チョウ いねのほがたれているさま

[字解] ①이삭고개숙일초 여물어 이삭이 굽은 모양. '一, 禾危采也'《說文》. '一, 禾穗垂皃'《廣韻》. ②걸초 물건을 걸침. '一, 亦懸物'《玉篇》.
[字源] 形聲. 禾+勺〔音〕

〔和〕〔화〕
口부 5획(157)을 보라.

禾 3 〔秉〕8 [人名] 병 ①-③[上]梗 ④⑤[去]敬 | bǐng ヘイ いねのたば ヘイ え

[筆順] 一 ニ ヨ ヨ ヨ 事 秉 秉

[字解] ①볏뭇병 한 움큼의 볏단. '彼有遺一'《詩經》. ②열엿섬병 용량(容量)의 단위로, 16곡(斛). '與之粟五一'《論語》. ③잡을병 ㉠손에 쥠. '一國權'. '古人一燭夜遊'《李白》. ㉡마음에 잡아 지킴. '民之一彝, 好是懿德'《詩經》. ④자루병 柄(木부 5획〈535〉)과 통용. '國子實執齊一'《左傳》. ⑤성병 성(姓)의 하나.
[字源] 會意. 又+禾

禾 3 〔秅〕8 망 [平]陽 | máng ボウ いねのもみ

[字解] 벼망 벼의 알. 까끄라기.

禾 3 〔秕〕8 〔이〕
移(禾부 6획〈901〉)와 同字

禾 3 〔秇〕8 익 [入]職 | yì ヨク むぎわら

[字解] 보릿짚익 보릿짚.

禾 3 〔秄〕8 [一] 흘 [入]月 | hé コツ かたいむぎ [二] 혈 [入]屑 | xié ケツ くずごめ

[字解] [一] 보리싸라기흘 보리 싸라기. [二] 싸라기혈 싸라기.

禾 4 〔秋〕9 [中·人] 추 [平]尤 | qiū シュウ あき

[筆順] 一 ニ 千 禾 禾 禾' 秒 秋

[字解] ①가을추 ㉠사계(四季)의 하나. '春夏一冬'. 또, 곡식이 잘 됨을 '有一'라 함. ㉡오행(五行)에서는 금(金). '金爲一'《春秋繁露》. ㉢오방(五方)에서는 서(西). '屯神虎於一方'《張衡》. ㉣오음(五音)에서는 상(商). '聽朔管之一引'《謝莊》. ②때추 ㉠세월. '千一'. ㉡중요한 때. 또, 시기(時機). '危急存亡之一'《諸葛亮》. ③여물추 오곡(五穀)이 여묾. 결실(結實)함. 또, 그 때. '一爲收成'《爾雅》. ④근심할추 '一之爲言, 愁也'《白虎通》.
[字源] 會意. 본디는 禾+火+龜. 뒤에 '龜귀'를 생략하여 '秋'가 됨.

禾 4 〔秌〕9 秋(前條)의 本字

禾 4 〔科〕9 [中·人] 과 [平]歌 | kē カ しな, おきて

[筆順] 一 ニ 千 禾 禾 禾' 私 科

[字解] ①품등과 사물의 품위·등급. '爲力不同一'《論語》. ②조목과 사물을 분류한 명목. '一目'. '文一'. '理一'. ③법과 법률. 법령. '金一玉條'. '一條旣備'《戰國策》. ④과거과 관리의 등용 시험. '登一'. '以此一第郎從官'《漢書》. ⑤죄과 죄책. '罪一'. '作奸犯一'《諸葛亮》. ⑥구멍과, 웅덩이과 움푹 들어간 곳. '盈一而後進'《孟子》. ⑦할당할과 세(稅)나 벌 따위를 정하여 과(課)함. '疑獄當奏而不奏者, 一罪'《宋史》. ⑧모일과 '一, 藂也'《廣雅》. ⑨동작과 배우가 연극에서 하는 동작. '一白'. '一諢之妙'《閒情偶寄》. ⑩성과 성(姓)의 하나.
[字源] 形聲. 斗+禾〔音〕

禾 4 〔秒〕9 [高校] [一] 묘 [上]篠 [二] 초 [上]篠 | miǎo ビョウ のぎ ビョウ じかんのたんい

[字解] [一] ①까끄라기묘 화망(禾芒). '禾有一, 秋分而一定'《說文》. ②세미할묘 사물이 극히 작음. 아주 미소(微小)함. '一忽'. '十忽爲一, 十一爲毫'《漢書》. [二] 초초 시간 또는 각도(角度)의 단위. 1분의 60분의 일.
[字源] 形聲. 禾+少〔音〕

禾 4 〔秔〕9 갱 [平]庚 | jīng (gēng) コウ うるち

[字解] 메벼갱 메진 벼. '一稌'. '禾稼稻一'《漢書》.
[字源] 形聲. 禾+亢〔音〕
[參考] 粳(禾부 7획〈903〉)은 俗字.

禾 4 〔秖〕9 지 [平]支 | zhī シ ただ, まさに

[字解] ①마침지, 다만지 祇(示부 4획〈885〉)와 同字. '一怨結而不見德'《漢書》. ②여물기시작할지 곡식이 익기 시작함. '一, 禾始熟也'《正字通》.
[字源] 形聲. 禾+氏〔音〕

禾 4 〔秕〕9 비 [上]紙 [平]支 | bǐ ヒ しいな

[字解] ①쭉정이비 결실이 안 된 벼나 보리 따위. '一穅'. '若粟之有一'《書經》. 전하여, 나쁘거나 유명 무실한 사물의 형용으로 쓰

임. '軍無一政'《國語》. ②더럽힐비 손상시킴. '一, 穢也'《字彙》. '一我王度'《後漢書》.
字源 形聲. 禾+比〔音〕

禾4〔种〕9 충 ㊥東|chōng チュウ わかい
字解 ①어릴충 沖(水부 4획〈632〉)과 同字. ②성충 성(姓)의 하나.

禾4〔秏〕9 모 ①-③㊥豪 ④㊦號|mào ボウ·モウ いね ボウ·モウ くらい
字解 ①벼모 수도(水稻)의 일종. '伊尹曰, 飯之美者, 南海之一'《說文》. ②덜모 耗(耒부 4획〈1051〉)는 俗字. '一矣哀哉'《漢書》. ③성모 성(姓)의 하나. ④어두울모 '一亂, 不明'《集韻》.
字源 形聲. 禾+毛〔音〕

禾4〔秎〕9 분 ㊥文 ㊤吻|fèn フン かる
字解 ①베어거둘분 베어서 거두어들임. '一, 穧也, 關中語'《集韻》. '有所一穫. (註)一, 亦穫也'《管子》. ②볏단분 벼의 묶음. '一, 穧禾束也'《正字通》.

禾4〔秈〕9 뉴 ㊤有|niǔ ジュウ しなやかないね
字解 모뉴 여린 벼. '一, 禾耎弱者'《集韻》.

禾4〔枒〕9 아 ㊥麻|yá ガ いなたば
字解 ①볏단아 벼 마흔 뭇의 묶음. '一, 稷也'《集韻》. ②기장아 메기장. '一, 稷也'《字彙》. ③싹아 초목(草木)의 어린 싹. '一, 與芽·牙通, 苗初苗也'《正字通》.

禾4〔秔〕9 ㊀기 ㊦未 ㊁흘 ㊇月|hé キ うすで ついて もこくもつがやぶれない コツ あらいこな
字解 ㊀대껴지지않을기 '一, 稰也'《說文》. ㊁보리싸라기흘 麧(麥부 4획〈1850〉)과 同字. '一, 麤屑也'《集韻》.
字源 形聲. 禾+气〔音〕

禾4〔秎〕9 〔리〕
利(刀부 5획〈101〉)의 古字

禾4〔秐〕9 〔운〕
耘(耒부 4획〈1051〉)과 同字

禾4〔秅〕9 〔파〕
罷(禾부 15획〈913〉)와 同字

禾4〔采〕9 수 ㊦寘|suì スイ いなほ
字解 벼이삭수 '一, 禾成秀, 人所收者也'《說文》.
字源 會意. 爪+禾

禾4〔秆〕9 견 ㊤銑|jiǎn ケン ちいさいたば
字解 ①작은단견. ②열단견 열 단.

禾4〔秔〕9 〔기〕
穊(禾부 11획〈910〉)와 同字

禾4〔秿〕9 부 ㊥虞|fū フ くろいいぬ
字解 ①검은벼부 검은 벼. ②움튼벼부 움튼 벼.

禾4〔秠〕9 〔비〕
秠(禾부 5획〈899〉)와 同字

禾4〔枘〕9 ㊀예 ㊦寘 ㊁추 ㊦寘|ruì ズイ はいる ジ よくかたる
字解 ㊀들예 들어감. ㊁수다스러울추 수다스러움.

禾4〔秓〕9 지 ①㊥支 ②㊦寘|zhī シ ほがでる チ ふたたびめがでる
字解 ①이삭팰지 이삭이 팸. ②거듭움틀지 벼를 벤 그루에서 거듭 움틈.

禾5〔秞〕10 人名 유 ㊥尤|yóu ユウ さかんにしげる
筆順 一 二 千 禾 利 秈 秞 秞
字解 벼와기장무성할유 '一, 禾黍盛也'《玉篇》.

禾5〔租〕10 高·人 ㊀조 ㊥虞 ㊁저 ㊥魚|zū ソ みつぎ jū ショ つつむ
筆順 一 二 千 禾 利 和 租 租
字解 ㊀①구실조 조세. '地一'. '軍市之一'《史記》. ②쌓을조 저축함. '予所蓄一'《詩經》. ③빌릴조, 세들조 차용함. '每年該一房錢若干'《玉堂雜字》. ④세조 차용한 요금. '俱有一房一地'《明疏鈔》. ⑤시작할조 '一, 訓始也'《詩經 疏》. ㊁쌀저 포장함. '一, 包裹也'《集韻》.
字源 形聲. 禾+且〔音〕

禾5〔秠〕10 ㊀비 ㊥支 ㊁부 ㊤有|pī ヒ くろきび pǐ フウ·フ くろきび
字解 ㊀검은기장비 껍질 하나 안에 알이 둘 들어 있는 검은 기장. '維秬維一'《詩經》. ㊁검은기장부 ㊀과 뜻이 같음.
字源 形聲. 禾+丕〔音〕

禾 5 〔秣〕 10 말 [入]曷 | mò マツ まぐさ

[字解] ①말먹이말 말을 먹이는 곡식. '芻一'. ②먹일말 말먹이를 말에게 먹임. '一馬食士'《國語》. ③성말 성(姓)의 하나.
[字源] 形聲. 禾+末〔音〕

禾 5 〔秤〕 10 [人名] 칭 [去]徑 | chèng ショウ·ビン はかり

[筆順] 一 二 千 禾 禾 秆 秤 秤

[字解] 저울칭 무게를 다는 기계(器械). '天一'. '如一之平'《古之奇》. 전(轉)하여, 공평의 뜻으로 쓰임. '一心'. '諸葛亮曰, 我心如一'《太平御覽》.

禾 5 〔䄷〕 10 [人名] 석 [入]陌 | shí セキ おもさのな

[筆順] 一 二 千 禾 禾 秆 䄷 䄷

[字解] ①섬석 열 말. '稻一一, 爲粟二十斗'《說文》. ②돌석 石(部首〈864〉)과 통용.
[字源] 形聲. 禾+石〔音〕

禾 5 〔秧〕 10 앙 ①②[平]陽 ③[上]養 | yāng ヨウ·オウ なえ ヨウ·オウ いねがしげるさま

[字解] ①모앙 벼의 모. '移一'. '新禾未抽一'《歐陽修》. ②심을앙 재배함. '一, 蒔一'《廣韻》. '一, 栽也'《集韻》. ③무성할앙 벼가 우거짐. '一穰, 禾稠也'《廣韻》.
[字源] 形聲. 禾+央〔音〕

禾 5 〔秩〕 10 [高·人] 질 [入]質 | zhì チツ ついで, つかさ

[筆順] 一 二 千 禾 禾 秆 秩 秩

[字解] ①차례질 순서. '一序'. '提衡爭一'《管子》. ②녹질 녹봉. '一祿'. '收膳夫之一'《左傳》. ③벼슬질 관직. '委之常一'《左傳》. ④항상질 평상(平常). '不知其一'《詩經》. ⑤매길질 차례·등급 등을 정함. '平一東作'《書經》. '一, 謂制其差等'《書經 疏》. ⑥정돈할질 '一, 整也'《正字通》. ⑦십년질 10년간의 일컬음. '七一'은 예순한 살부터 일흔 살까지. '九十有一'《禮記》.
[字源] 形聲. 禾+失〔音〕

禾 5 〔秫〕 10 출 [入]質 | shú, ④shù ジュツ もちあわ

[字解] ①차조출 차진 조. '朱湛丹一'《禮記》. ②찰벼출 '稻之黏者爲一'《太平御覽》. ③차수수출 '謂高粱之粘者, 爲一一'《通訓》. ④바늘출 긴 바늘. '鯷冠一縫, 大吳之國也'《戰國策》.
[字源] 形聲. 禾+朮〔音〕

禾 5 〔秬〕 10 거 [上]語 [平]魚 | jù キョ くろきび

[字解] 검은기장거 알이 검은 기장. '黑一'. '維一維秠'《詩經》.
[字源] 形聲. 禾+巨〔音〕

禾 5 〔秭〕 10 자 [上]紙 | zǐ シ ようりょうのたんい

[字解] ①용량단위자 벼 2백 뭇의 일컬음. 1병(秉)은 16곡(斛). 1자(秭)는 3천2백 곡(斛). ②만억자 억의 만 배. '萬億及一'《詩經》.
[字源] 形聲. 禾+𠂔〔音〕

禾 5 〔秜〕 10 [一]니 [平]支 [二]리 [平]支 [三]닐 [入]質 | ní ジ しぜんにはえたいね lí リ しぜんにはえたいね nì ジツ わせ

[字解] [一] ①돌벼니 자생(自生)의 벼. '稻今年落, 來年自生, 謂之一. (段注) 謂不種而自生者也'《說文》. ②밀니 소맥(小麥). '小麥謂之一'《玉篇》. [二] 돌벼리, 밀리 [一]과 뜻이 같음. [三] 올벼닐 조생종(早生種)의 벼. '一, 稻先熟者'《集韻》.
[字源] 形聲. 禾+尼〔音〕

禾 5 〔秥〕 10 점 [平]鹽 | nián デン いね

[字解] 벼점, 찰벼점 메벼, 또는 차진 벼. '一, 禾也'《玉篇》. '一, 糯禾'《字彙》.
[字源] 形聲. 禾+占〔音〕

禾 5 〔秪〕 10 지 [平]支 | zhī チ こくもつがみのりはじめる

[字解] ①여물기시작할지 곡식이 익기 시작함. '一, 穀始熟也'《廣韻》. ②거듭심을지 '一, 一曰, 再種'《集韻》. ③秖(禾부 4획〈898〉)의 俗字.

禾 5 〔秢〕 10 령 [平]青 | líng レイ みのる

[字解] ①벼처음익을령 '一, 禾始熟曰一'《集韻》. ②나이령 '一, 年也. 與齡同'《玉篇》.

禾 5 〔秨〕 10 [一]작 [入]藥 [二]조 [去]遇 | zuó サク いねがゆれる ソ いねのうえつけ

[字解] [一] ①벼흔들릴작 벼가 흔들리는 모양. '一一, 禾搖皃'《說文》. ②벼심기작 '一, 禾稼也'《集韻》. [二] 벼흔들릴조, 벼심기조 [一]과 뜻이 같음.
[字源] 形聲. 禾+乍〔音〕

禾5 〔秝〕10 력 [入]錫 | lì レキ ほどよくならぶ

[字解] ①알맞게늘어설력 벼를 심은 간격(間隔)이 알맞고 균일함. '一, 稀疏適一也'《說文》. ②성길력 '一, 疏也'《廣雅》.

[字源] 會意. 禾+禾

禾5 〔秘〕10 [人名] 〔비〕 祕(示부 5획〈886〉)의 俗字

[筆順] 二 千 禾 禾' 秒 秘 秘 秘

禾5 〔称〕10 〔칭〕 稱(禾부 9획〈906〉)의 俗字·簡體字

禾5 〔秤〕10 〔칭〕 稱(禾부 9획〈906〉)의 略字

禾5 〔积〕10 〔적〕 積(禾부 11획〈910〉)의 簡體字

禾5 〔秦〕10 [人名] 진 [平]眞 | qín シン くにのな

[筆順] 一 三 声 夫 叁 奉 奉 秦

[字解] ①진나라진 ㉠주대(周代)의 제후의 나라로, 함양(咸陽)에 도읍하고 감숙성(甘肅省)·섬서성(陝西省) 등을 영유하였으며, 시황(始皇) 때에 이르러 천하를 통일하였다가 3세(世) 15년 만에 한(漢)나라에 멸망당하였음. (B.C. 221~B.C. 207) ㉡동진 시대(東晉時代)에 부건(苻健)이 세운 왕조(王朝)를 '前一'(351~394)이라 하고, 후에 요장(姚萇)이 이 왕조를 멸하고 세운 왕조를 '後一'(384~417)이라 함. ㉢동진 시대에 걸복건귀(乞伏乾歸)가 '一王'이라 자칭하였는데, 이를 '西一'(385~431)이라 함. ②벼이름진 벼의 이름. '一, 禾名'《說文》. ③성진 성(姓)의 하나.

[字源] 會意. 禾+舂〈省〉

禾5 〔秙〕10 고 [去]遇 | kū コ いねがみのらぬ

[字解] 벼여물지아니할고 벼가 여물지 아니함. '一, 一穢, 禾不實'《玉篇》.

禾5 〔秚〕10 〔이〕 移(禾부 6획〈901〉)의 俗字

禾5 〔秺〕10 투 [去]遇 | dù ト くにのな

[字解] 나라이름투 '一, 漢侯國名'《集韻》.

禾5 〔秛〕10 피 [平]支 [去]寘 | pī ヒ みつぎ

[字解] 벼조세피 '一, 禾租'《廣韻》.

禾5 〔秭〕10 [一]필 [入]質 [二]불 [入]月 | bì ヒツ いねがかさなりはえる bó ホツ いねのほがみのらない

[字解] [一] 움벼필 '一, 一秵, 禾重生'《廣韻》. [二] 벼여물지아니할불.

禾6 〔秸〕11 [一]갈 [入]黠 [二]길 [入]質 | jiē カツ わら jí キツ かっこう

[字解] [一] ①짚갈 껍질을 벗겨 추려 낸 짚. '三百里納一服'《書經》. ②벗길갈 껍질을 벗김. '半稾去皮曰一'《書經》. [二] 뻐꾸기길 鴶(鳥부 6획〈1818〉)과 同字. '一, 一鞠, 鳴鳩也, 或作鴶'《集韻》.

[字源] 形聲. 禾+吉〔音〕

禾6 〔移〕11 [中·人] 이 [平]支 | yí イ うつる

[筆順] 一 二 千 禾 私 秒 移 移

[字解] ①옮길이 ㉠장소를 옮김. 위치를 바꿈. '一住'. '貧賤不能一'《孟子》. ㉡사물을 변경시킴. '一風易俗'《孝經》. ㉢옮겨 심음. 이식함. '初一一寸根'《蘇軾》. ㉣날을 끎. 세월을 보냄. '一日'. '一時'. ㉤문서 같은 것을 보냄. 돌림. 알림. '一書'. '一文'. '弘乃一病免歸'《漢書》. ②옮을이 전항의 자동사. '世變風一'《書經》. '守節情不一'《古詩》. ③보낼이 베풂. 줌. '一, 遺也'《廣雅》. '如有一德於我'《史記》. ④전할이 넘겨 줌. 물려줌. '以田相一, 終死不敢復爭'《漢書》. ⑤쓸이 '一名與計偕上'《後漢書》. ⑥문서의 하나이 고대의 공문서(公文書)의 한 가지. 회람용의 글. '公一'. '勒一山庭'《孔稚圭》. ⑦성이 성(姓)의 하나.

[字源] 形聲. 禾+多〔音〕

禾6 〔秱〕11 동 [平]東 | tóng トウ いねのさかんなさま

[字解] ①벼무성할동 벼가 무성한 모양. '一, 禾盛皃'《集韻》. ②볏짚마디사이동 볏짚의 마디와 마디와의 사이. '一, 禾稾節閒, 猶竹之筩, 得時則長'《正字通》.

[字源] 形聲. 禾+同〔音〕

禾6 〔秳〕11 활 [入]曷 [入]黠 | huó カツ うすでついてもつぶれない

[字解] ①곡식찧어지지않을활 '一, 舂粟不漬也'《說文》. ②벼날활 볏모가 남. '一, 一曰生也, 謂禾生'《集韻》.

[字源] 形聲. 篆文은, 禾+昏〔音〕

禾6 〔稂〕11 황 [平]陽 | huāng コウ ふさく

[字解] ①흉년(凶年)황 '一, 凶年也, 今作荒'《玉篇》. ②실과익지않을황 穢(禾부 10획

〈909〉)과 同字. '秾, 一曰, 果不熟爲秾, 或作—'《集韻》.

禾6〔秵〕11 인 ㊥眞|yīn イン いねのはな

字解 벼꽃인 벼의 꽃. '—, 禾華也'《集韻》.

禾6〔秷〕11 질 ㊀質|zhì チツ いねをかるおと

字解 벼베는소리질 挃(手부 6획〈440〉)과 同字.

禾6〔秱〕11 ㊀도 ①㊥肴 ②③㊥豪 ㊁조 ㊥蕭|tiāo トウ にどばえのいね tāo トウ いね tiāo チョウ いね

字解 ㊀①돌벼도 '—, 禾穭生'《廣韻》. ②벼도 '—, 稻也'. ③《現》고량도 섬북(陝北) 방언으로, 고량(高粱). ㊁벼조, 고량조 ㊀❷❸과 뜻이 같음.

禾6〔秺〕11 ㊀투 ㊤遇 ㊁차 ㊥麻|dù ト いなたば タ けんめい

字解 ㊀①볏단투. ②나라이름투 '秺, 漢侯國名. 通作—'《集韻》. ③고을이름투 제음(濟陰)에 있는 현(縣)의 이름. ㊁고을이름차 '—, 縣名. 在濟陰'《集韻》.

禾6〔秼〕11 ㊀렬 ㊀屑 ㊁례 ㊤霽|liè レツ きびがら レイ きびがら

字解 ㊀①새꽤기렬 '黍穰, 謂之—'《廣雅》. ②벼가지런히늘어설렬 '—, 一說, 禾行列齊也'《正字通》. ㊁새꽤기례, 벼가지런히늘어설례 ㊀과 뜻이 같음.

字源 形聲. 禾+劣(列)〔音〕

禾6〔秽〕11 〔직〕 稷(禾부 9획〈906〉)의 籀文

禾6〔案〕11 안 ㊤翰|àn アン いねにつちをおおう

字解 ①벼에흙덮을안 '—, 轢禾也'《說文》. ②벼갈안 벼를 갈아 껍질을 제거함. '—, 說文, 轢禾也. 今農家取穀法'《正字通》.

字源 形聲. 禾+安〔音〕

禾6〔粢〕11 ㊀齎(齊부 5획〈1883〉)와 同字 ㊁粢(米부 6획〈969〉)와 同字 ㊂齊(部首〈1882〉)와 同字

禾6〔秲〕11 〔치〕 穉(禾부 10획〈908〉)와 同字

禾7〔稀〕12 高·人 희 ㊥微|xī キ まれ

筆順 一 二 千 禾 禾 秆 秆 稀 稀

字解 ①드물희 希(巾부 4획〈330〉)와 同字. '人生七十古來—'《杜甫》. ②묽을희 진하지 않음. '—薄'. '羨殺田家豆粥—'《陳思濟》. ③성희 성(姓)의 하나.

字源 形聲. 禾+希〔音〕

禾7〔稂〕12 랑 ㊥陽|láng ロウ いぬあわ

字解 가라지랑 논밭에 난 강아지풀. '—莠'. '不—不莠'《詩經》.

禾7〔稃〕12 부 ㊥虞|fū フ すくも

字解 겉껍질부 벼의 겉껍질. 겉겨. '—, 穀皮也'《集韻》. '二粒同—'《楊濤》.

字源 形聲. 禾+孚〔音〕

禾7〔稅〕12 中·人 ㊀세 ㊤霽 ㊁태 ㊤泰 ㊂탈 ㊀曷 ㊃열 ㊀屑 ㊄수 ㊤寘|shuì ゼイ みつぎ tuì タイ ききいみ tuō タツ とく, ぬぐ yuè エツ よろこぶ suì スイ ししやにころもをおくる

筆順 一 二 千 禾 秆 秆 秆 秆 稅

字解 ㊀①구실세 세납. '賦—'. '納其貢—'《孟子》. ②거둘세 조세를 거둠. 징세함. '初—畝'《穀梁傳》. ③놓을세 일정한 자리에 둠. '我未知所—駕也'《史記》. ④보낼세 물건을 보냄. '不敢—人'《禮記》. ⑤성세 성(姓)의 하나. ㊁추복(追服)입을태 시일이 경과한 뒤에 죽은 것을 알고 복을 입음. '少功不—'《禮記》. ㊂풀탈 脫(肉부 7획〈1076〉)과 통용. '使—之'《左傳》. ㊃기뻐할열, 기쁨열 悅(心부 7획〈391〉)과 통용. '終乎—'《史記》. ㊄수의수, 수의입힐수 襚(衣부 13획〈1288〉)와 통용. '—衣'. '奉百金往—'《史記》.

字源 形聲. 禾+兌〔音〕

禾7〔稈〕12 간 ㊦旱|gǎn カン わら

字解 짚간 벼·보리 따위의 곡초(穀草)의 줄기. 秆(禾부 3획〈897〉)과 同字. '麥—'. '禾—'.

字源 形聲. 禾+旱〔音〕

禾7〔稊〕12 제 ㊥齊|tí テイ いぬびえ

字解 ①돌피제 피의 일종. 稊(艸부 12획〈1183〉)와 同字. '一米之在太倉'《莊子》. 전(轉)하여, 나쁜 사물의 비유. '一秕'. ②싹제, 움제 荑(艸부 6획〈1138〉)와 통용. '枯楊生一'《易經》.
字源 形聲. 禾+弟〔音〕

禾 7 〔程〕 12 高·人 정 ㊥庚 | chéng テイ ほど

筆順 ⼆ 千 禾 秊 秵 程 程 程

字解 ①한도정 일정한 분량 또는 표준. 정도. '課一'. '一度'. '按度一'《禮記》. ②법정 법칙. 규정. 표준. 본보기. '章一'. '規一'. '後世以爲法一'《呂氏春秋》. ③본받을정 기준으로 삼고 따름. '匪先民是一'《詩經》. ④계량기정 저울·되 따위. '一者物之準也'《荀子》. ⑤길정 ㉠길의 거리. 노정. '道一'. '猶是孤帆一日一'《盧綸》. ㉡다니는 길. 도로(道路). '發一'. '浦一通曲嶼'《李紳》. ⑥헤아릴정 상량(商量)함. '引重鼎, 不一其力'《禮記》. ⑦할당할정 과(課)함. '一角觝之妙戲'《張衡》. ⑧할당정 '不中一輒掠'《漢書》. ⑨보일정 呈(口부 4획〈149〉)과 同字. '致飾一蠱'《張衡》. ⑩표범정 표(豹)의 이칭(異稱). '靑寧生一'《列子》. ⑪성정 성(姓)의 하나.
字源 形聲. 禾+呈〔音〕

禾 7 〔稌〕 12 도 ㊥虞 ㊤麌 | tú ト いね

字解 ①벼도 '牛宜一, 羊宜黍'《周禮》. ②찰벼도 차진 벼. '豐年多黍多一'《詩經》.
字源 形聲. 禾+余〔音〕

禾 7 〔稍〕 12 ㊀초 ㊋效 | shāo, shào ソウ・ショウ ようやく
(소㊍) ㊤巧
㊁소 ㊥肴 | shǎo ソウ・ショウ つきる

字解 ㊀ ①점점초 차츰차츰. '一一'로 연용(連用)하기도 함. '一一蠶食之'《戰國策》. ②녹초 봉록. '廩一'. '一食'. '唯一受之'《儀禮》. ③작을초 세소(細小)함. 또, 적음. '凡王之一事'《周禮》. ④지역이름초 주대(周代)에 왕성(王城)과 거리가 3백 리 되는 땅. '距王城三百里曰一'《周禮》. ⑤끝초 말단. 볏줄기의 끝 부분. '一, 按, 此字當訓禾末'《通訓》. ⑥같을초 '一, 均也'《廣韻》. ⑦성초 성(姓)의 하나. ※本音 소. ㊁ 다할소 消(水부 7획〈647〉)와 통용. '一, 盡也'《廣雅》.
字源 形聲. 禾+肖〔音〕

禾 7 〔稉〕 12 갱 ㊥庚 | jīng(gēng) コウ うるち

字解 메벼갱 메진 벼. 秔(禾부 4획〈898〉)의 俗字. '馳騁一稻之地'《漢書》.
字源 形聲. 禾+更〔音〕

禾 7 〔稃〕 12 부 ①㊤麌 ②③㊥虞 | fǔ ホ つむ / フ いねをかる

字解 ①쌓을부 벼를 모아 쌓음. 볏가리를 쌓음. '一, 禾穳積也'《廣雅》. ②벼벨부 벼를 벰. '一, 刈禾'《集韻》. ③콩부 오곡(五穀)의 하나. 대두(大豆).

禾 7 〔稇〕 12 곤 ㊤阮 | kǔn コン うれる

字解 ①익을곤 곡식이 성숙함. 여묾. '一成熟'《字彙》. ②묶을곤 다발을 지음. '一, 一束'《字彙》.
字源 形聲. 禾+困〔音〕

禾 7 〔稍〕 12 견 ㊥先 | juān ケン むぎわら

字解 ①보릿짚견 보리 이삭을 떤 줄기. '一, 麥莖也'《說文》. ②볏짚견 벼의 줄기. '禾稻之莖, 皆曰一'《正字通》.
字源 形聲. 禾+肙〔音〕

禾 7 〔稈〕 12 정 ㊤迥 | tǐng テイ いね・むぎのぬきんでるさま

字解 이삭빼어날정 벼·보리가 우뚝 솟은 모양. '一, 稻麥傑立貌'《正字通》.

禾 7 〔秸〕 12 곡 ㊇沃 | kù コク いねがうれる

字解 벼익을곡 벼가 여묾. '一, 禾熟'《廣韻》.

禾 7 〔稄〕 12 측 ㊇職 | zè ショク いねのしげきさま

字解 벼밸측 벼가 촘촘한 모양. '一, 稫一, 禾密皃'《集韻》.

禾 7 〔稝〕 12 구 ①㊤麌 ②㊋遇 | jǔ ク のびない / ク きのな

字解 ①뻗지않을구 굽음. '一, 積一也'《說文》. ②나무이름구 '一, 一曰, 木名'《說文》.
字源 形聲. 禾+又+句〔音〕

禾 7 〔䅵〕 12 〔활〕
秳(禾부 6획〈901〉)의 本字

禾 7 〔稅〕 12 〔직〕
稷(禾부 10획〈908〉)의 古字

禾 7 〔稆〕 12 〔려〕
穭(禾부 15획〈913〉)와 同字

禾7 〔稍〕12 견 [上]銑 | jiǎn ケン ちいさいたば

[字解] 작은단견 조그마하게 묶은 단.

禾7 〔稧〕12 별 [入]屑 | biē ヘツ いねのぎょうれつがそろわぬ

[字解] 벼포기고루서지않을별 '一, 禾行列不齊也'《正字通》.

禾7 〔稡〕12 〔필〕
秘(禾부 5획〈901〉)과 同字

禾7 〔稅〕12 착 [入]覺 | zhuō サク ひずちばえ

[字解] 그루터기에서움튼벼착 '一, 今年稻死, 來年自生也'《字彙補》.

禾8 〔稑〕13 륙 [入]屋 | lù リク わせ

[字解] 올벼륙 가장 빨리 익는 벼. '而生穜一之種. (注) 後種先孰謂之一'《周禮》.
[字源] 形聲. 禾+坴〔音〕

禾8 〔稔〕13 [人名] 임(념[俗]) [上]寢 | rěn ネン みのる

[筆順] 二 千 禾 秂 秎 稔 稔 稔

[字解] ①여물임 곡식이 잘 익음. '蠻田大一'《宋書》. ②쌓일임 오래 또는 많이 쌓임. 또, 쌓음. '一惡'. '惡積釁一'《任昉》. ③해임 곡식이 한 번 익는 기간. 곧, 1년간. '不及五一'《左傳》. ※俗音 념.
[字源] 會意. 禾+念

禾8 〔稗〕13 패 [去]卦 | bài ハイ ひえ

[字解] ①피패 화본과(禾本科)에 속하는 일년초. 또, 그 열매. '苟爲不熟, 不如荑一'《孟子》. ②잘패 세소(細小)함. 작음. '算一販之緡'《唐書》. ③기다릴패 竡(立부 8획〈928〉)와 통용. '一, 待也'《廣雅》.
[字源] 形聲. 禾+卑〔音〕

禾8 〔稙〕13 [人名] 직 [入]職 | zhī チョク はやまきのいね

[筆順] 二 千 禾 禾一 禾十 稙 稙 稙

[字解] ①올벼직 일찍 심어 빨리 익는 벼. '一穉菽麥'《詩經》. ②이를직 '一, 早也'《廣雅》.
[字源] 形聲. 禾+直〔音〕

禾8 〔稘〕13 기 [平]支 | jī キ ひとまわり

[字解] ①돌기 일주년. '不逮再一'《唐書》. ②볏짚기 벼의 줄기. '一, 稈也'《玉篇》. ③콩줄기기 萁(艸부 8획〈1151〉)와 同字. '一, 豆莖也'《集韻》.
[字源] 形聲. 禾+其〔音〕

禾8 〔稚〕13 [人名] 치 [去]寘 | zhì チ わかい

[筆順] 二 千 禾 利 秨 稚 稚 稚

[字解] ①어릴치 나이가 어림. '一兒'. '一子候門'《陶潛》. ②어린애치 어린이. '一老'. '養一惟愛'《蔡邕》. ③늦될치 곡식이 늦됨. 늦게 익음. '五穀一熟'《尙書考靈曜》. ④성치 성(姓)의 하나.
[字源] 會意. 禾+隹

禾8 〔稇〕13 ㊀곤 [上]阮 | kǔn コン たばねる
㊁균 [上]軫 | キン みちる

[字解] ㊀①묶을곤 단으로 묶음. '萬物被束一'《黃庭堅》. ②익을곤 성숙(成熟)함. '一, 成熟'《廣韻》. ㊁찰균 가득함. 충만함. '一載而歸'《國語》.
[字源] 形聲. 禾+囷〔音〕

禾8 〔稜〕13 릉 [平]蒸 | léng ロウ·リョウ かど, いこう

[字解] ①서슬릉 존엄한 위세. 위광(威光). '一威'. '威一懀乎隣國'《漢書》. ②모릉 모서리. 棱(木부 8획〈555〉)과 同字. '觚一'. '上觚一而棲金爵'《班固》.
[字源] 形聲. 禾+夌〔音〕

禾8 〔稞〕13 과 [平]歌 | kē カ むぎ

[字解] 쌀보리과 나맥(裸麥). '青州謂麥曰一'《集韻》.
[字源] 形聲. 禾+果〔音〕

禾8 〔稠〕13 조(①-③주[本]) [平]尤 | ①-③chóu チュウ おおい
[去]嘯 | ④tiào チョウ うごく
[平]蕭 | ⑤tiáo チョウ ととのう

[字解] ①빽빽할조 빽빽하게 모여 많음. '一密'. '書策一濁'《戰國策》. ②진할조 농후함. '火冷餳稀杏粥一'《蘇軾》. ③성조 성(姓)의 하나. ※이상(以上) 本音 주. ④움직일조 동요하는 모양. '天地一敹'《揚雄》. ⑤고를조 조화(調和)함. '可謂一適而上遂矣'《莊子》.
[字源] 形聲. 禾+周〔音〕

禾8 〔稏〕13 아 [去]禡 | yà ア いねのな

[字解] 벼이름아 䆉(禾부 15획〈913〉)를 보라. '䆉一'.

禾8〔稑〕13 ㊀래 ㊥灰 lái ライ こむぎ ㊁리 ㊥支 り こむぎ

字解 ㊀소맥래 밀. '爾雅曰, 大麥, 麰. 小麥, 一'《農政全書》. ㊁소맥리 ㊀과 뜻이 같음.

字源 形聲. 禾+來〔音〕

禾8〔稤〕13 ㊀수 韓 ㊁숙 韓

字解 《韓》㊀창고수 '倉庫稱一'《晝永編》. ㊁궁(宮)소임숙 '一宮'은 각 궁(宮)의 사무(事務)를 맡은 사람.

禾8〔稡〕13 ㊀최 ㊤泰 ㊁졸 ㊦月 zuì サイ あつまる zú ソツ いねのほがみのらない

字解 ㊀①모일최, 모을최 '會一舊說. (疏) 一, 聚也'《爾雅 序》. ②벼익지않을최 벼 이삭이 성숙하지 않음. '一, 禾秀不實也'《集韻》. ㊁벼이삭곧을졸 벼 이삭이 익지 않아 빳빳하여 위를 향하고 있는 모양.

禾8〔稢〕13 욱 ㊦屋 yù イク しょしょくのさかんなさま

字解 서직(黍稷)무성할욱 稶(禾부 10획〈909〉)과 同字. '稢, 黍稷盛皃, 或省'《集韻》.

禾8〔稵〕13 치 ㊥支 zī シ たがやす

字解 ①밭갈치 논밭을 갊. 菑(耒부 8획〈1052〉)와 同字. '稵, 博雅, 耕也, 或作一'《集韻》. ②벼죽을치 '一, 禾死也'《玉篇》.

禾8〔稆〕13 거 ㊥魚 jū キョ もちきび

字解 차기장거 '蜀人謂黍曰穛一'《集韻》.

禾8〔稚〕13 ㊀엄 ㊤琰 ㊁암 ㊤感 ㊂업 ㊦葉 yǎn エン しいな ǎn アン たにうえる yè ヨウ いねがくさってのびない

字解 ㊀쭉정이엄 여물지 않은 벼. '一, 禾不實'《集韻》. ㊁심을암 논밭에 씨를 뿌림. '一, 種田也'《康熙字典》. ㊂주접들업 벼가 잘 자라지 못함. '一, 禾敗不生'《集韻》.

禾8〔稛〕13 혼 ㊤阮 hùn コン くさをつかねる

字解 풀묶을혼, 풀다발혼 풀을 다발지게 묶음. '一, 束艸也'《集韻》.

禾8〔稀〕13 권 ㊤霰 quǎn ケン よりそう

字解 벼밸권 벼가 배게 다가 났음. '一, 禾相迫也'《集韻》.

禾8〔稕〕13 준 ㊤震 zhùn シュン わらをつかねる

字解 짚묶을준, 짚단준 짚을 묶음. 또, 그 짚단. '一, 束稈也'《康熙字典》.

字源 形聲. 篆文은 禾+𦎫〔音〕

禾8〔稙〕13 ㊀타 ㊤哿 ㊁수 ㊥支 duǒ タ つみかさねたいね chuí スイ いねのたれたさま

字解 ㊀볏가리타 벼를 작게 쌓은 것. '一, 禾積也'《集韻》. '一, 小積也'《集韻》. ㊁벼숙일수 벼가 늘어짐. '一, 禾垂皃'《集韻》.

禾8〔稌〕13 공 ㊥東 kōng コウ いねのわら

字解 볏짚공 벼의 짚. '一, 稻稈'《廣韻》.

禾8〔稒〕13 고 ㊤遇 gù コ けんめい

字解 고을이름고 '一陽'은 현(縣)의 이름. 한(漢)나라 때에 둠. 전국(戰國) 시대의 고양읍(固陽邑). 치소(治所)는 지금의 내몽고(內蒙古) 자치구 포두시(包頭市)의 동쪽. '五原郡, 縣十六, 一陽'《漢書》.

禾8〔稟〕13 人名 ㊀름 ㊤寢 ㊁품 ㊤寢 lǐn リン こめぐら bǐng ヒン うける, もうす

筆順 亠 亣 亩 亩 亩 亶 稟 稟

字解 ㊀①녹미름 녹봉으로 주는 쌀. '既一稱事'《中庸》. ②곳집름. ㊁①받을품 상관의 명령을 받음. '臣下罔攸一令'《書經》. ②사뢸품 여쭘. 아룀. '一告'. '大事則一奏'《宋史》. ③바탕품 천부(天賦)의 성질. '天一'. '一性'. '氣質之一'《朱熹》.

字源 會意. 亩+禾

禾8〔𥡀〕13 〔렬〕 秝(禾부 6획〈902〉)의 本字

禾8〔稾〕13 관 ㊤旱 kuǎn カン いねのやまい

字解 벼병들관 '一, 禾病'《集韻》.

禾8〔稐〕13 륜 ㊤阮 lǔn ロン いねのたば

字解 볏단륜 '一, 禾束曰一'《集韻》.

禾8〔稦〕13 의 ㊥支 yī イ いねがしげる

字解 벼무성할의 벼가 무성함.

禾 8 〔稗〕 13 비 [上]尾 | fēi ヒ いねのほのさま

[字解] 벼이삭모양비 '一, 禾穗皃'《集韻》.

禾 8 〔稓〕 13 작 [入]藥 | zuó サク くにのな

[字解] ①고을이름작 '一, 鄕名, 在臨卭'《集韻》. ②성작 성(姓)의 하나.

禾 8 〔稖〕 13 창 [平]陽 | chāng ショウ ぬか

[字解] 겨창 쌀겨. '一, 穅也'《集韻》.

禾 8 〔稝〕 13 팽 [平]庚 | péng ホウ いねがみつせいする

[字解] ①벼빽빽하게날팽 벼가 배게 남. '一, 禾密也'《集韻》. ②볏줄나란할팽 '一, 禾相比成列也'《正字通》.

禾 9 〔稭〕 14 [一] 갈 [入]黠 | jiē カツ みごわら
[二] 개 [平]佳 | jiē カイ みごわら

[字解] [一] 짚갈 秸(禾부 6획〈901〉)과 同字. '席用苴一'《史記》. [二] 짚개 [一]과 같음.
[字源] 形聲. 禾+皆〔音〕

禾 9 〔種〕 14 [中·人] 종 ①-⑤[上]腫 | zhǒng シュ たね
⑥-⑧[去]宋 | zhòng シュ うえる

[筆順] 二 千 禾 禾 秂 稙 種 種

[字解] ①씨종 ㉠식물의 씨. '一子'. '誕降嘉一'《詩經》. ㉡동물의 씨. '蠶一'. '入蠶于蠶室奉一浴于川'《禮記》. ㉢혈통. '賤一'. '女不必貴一, 要之貞好'《史記》. ㉣부족(部族). '鮮卑異一'《後漢書》. ㉤근원. 소인(素因). '一切智一'《法苑珠林》. ②종류종 품목. '品一'. '七事八一'《國語》. ③작물종, 식물종 '其穀宜五一'《周禮》. ④부어오를종, 종기종 腫(肉부 9획〈1082〉)과 통용. '實一實褎'《詩經》. ⑤성종 성(姓)의 하나. ⑥심을종 식물을 심음. '一樹'. '一瓜得瓜, 一李得李'《涅槃經》. ⑦뿌릴종 씨를 뿌림. '蒔一漑灌'《唐書》. ⑧펼종 널리 폄. '邁一德'《書經》.
[字源] 形聲. 禾+重〔音〕

禾 9 〔稰〕 14 서 ①②[平]魚 | xū ショ しゅうかくしたこくもつ
③[上]語 | xǔ ショ せんまい

[字解] ①거둘서 익은 곡식을 거두어 들임. 또, 그 곡식. '一穛'《禮記》. ②떨어질서 곡식의 알이 떨어지는 모양. '一, 禾子落皃'《集韻》. ③고사쌀서 고사 지낼 때 올리는 쌀. '費椒一以要神兮'《漢書》.
[字源] 形聲. 禾+胥〔音〕

禾 9 〔稱〕 14 [高·人] 칭 [平]蒸 | ①-⑫chēng ショウ となえる
[去]徑 | ⑬chèng, chèn ショウ かなう

[筆順] 二 禾 禾 秆 稍 稱 稱 稱

[字解] ①일컬을칭 ㉠부름. '王一左畸'《國語》. ㉡말함. '一制'. '一疾'. ②이름칭 ㉠명칭. '敬一'. '子者男子之通一也'《趙岐》. ㉡명성. '少有英一'《後漢書》. ③칭찬할칭 잘 한다고 추어 줌. '一譽'. '君子一人之善'《禮記》. ④쓸칭 등용함. '禹一善人'《左傳》. ⑤일으킬칭 일을 일으킴. '一兵以害我'《左傳》. ⑥들칭 ㉠물건을 들어 올림. '一爾戈'《書經》. ㉡위를 향함. '賓一面'《儀禮》. ⑦드러낼칭 나타냄. '一丕顯之德'《書經》. ⑧저울질할칭 무게를 닮. '一絲'《禮記》. ⑨저울칭 秤(禾부 5획〈900〉)과 同字. '一錘'. '角斗一'《淮南子》. ⑩헤아릴칭 사료함. '一物平施'《易經》. ⑪취리할칭 이자를 받음. '一貸而益之'《孟子》. ⑫성칭 성(姓)의 하나. ⑬맞을칭 ㉠적합함. 상당함. '一職'. '旣稟一事'《中庸》. ㉡일치함. '一旨'. '物一人意, 亦爲好'《爾雅 註》.
[字源] 形聲. 禾+爯〔音〕

禾 9 〔稯〕 14 [一] 종 [平]東 | zōng ソウ いなたば
[二] 총 [上]董 | zǒng ソウ あつまる

[字解] [一] ①볏단종 벼 마흔 뭇을 묶은 것. '四秉曰筥, 十筥曰一'《儀禮》. ②새종 베 여든 올. [二] ①모일총 '一一'은 모이는 모양. '總(禾부 11획〈910〉)과 同字. '成玄英曰, 一一, 衆聚也'《莊子疏》. ②볏다발총 볏단. '總, 禾聚束也. 或作一'《集韻》.
[字源] 形聲. 禾+嵏〔音〕

禾 9 〔稨〕 14 변 [平]先 | biǎn ヘン いんげんまめ

[字解] 강낭콩변 穆(禾부 15획〈913〉)과 同字. '穆, 籬上豆. 亦作一'《集韻》.

禾 9 〔稧〕 14 [一] 계 [去]霽 | xì ケイ たうえ
[二] 혈 [入]屑 | qiè ケツ いなくき

[字解] [一] ①모내기계 '一, 換秧'《集韻》. '一, 插秧'《漢語大字典》. ②계제사계 禊(示부 9획〈891〉)와 통용. [二] 볏대혈 '一, 禾稈'《玉篇》.
[字源] 形聲. 禾+契〔音〕

禾 9 〔稬〕 14 나 [去]箇 | nuò ダ·ナ もちいね

[字解] 찰벼나 차진 벼. '誰勸耕黃一'《蘇軾》.
[字源] 形聲. 禾+耎〔音〕

禾 9 〔稲〕 14 옥 [入]屋 | wū オク のぎ

[字解] 까끄라기옥 벼·보리의 까끄라기. '一, 禾芒'《集韻》.

禾 9 〔稩〕14 기 ①[去]寘 | jì キ ながいほ
②[去]未 | キ いねがながい

[字解] ①긴벼이삭기 벼의 긴 이삭. '一, 禾長穗'《集韻》. ②벼길기 벼가 자라서 긺. '一, 禾長'《集韻》.

禾 9 〔⿰禾耑〕14 [一] 타 [上]哿 | タ いねのたれるさま
[二] 단 [平]寒 | duān タン いねのたれるさま

[字解] [一] 벼고개숙일타 벼가 익어 늘어진 모양. '一, 禾垂皃'《廣韻》. [二] 벼고개숙일단 [一]과 뜻이 같음.
[字源] 形聲. 禾+耑〔音〕

禾 9 〔⿰禾酋〕14 추 [去]有 | jiū シュウ みのる
[去]有 | チュウ みのる

[字解] ①벼여물추 벼가 익음. '一, 稻稔實'《廣韻》. ②구실추 세금(稅金). '一, 稅也'《集韻》.

禾 9 〔⿰禾曷〕14 [一] 알 [入]月 (갈[本]) | jié ケツ いねがめばえる
[二] 갈 [入]曷 | gé カツ いねのながいほ
[三] 걸 [入]屑 | jié ケツ いねのほがでる

[字解] [一] 벼싹날알 벼의 싹이 돋아남. '一, 禾擧出苗也'《說文》. ※本音 갈. [二] ①긴벼이삭갈 벼의 긴 이삭. '一, 禾長穗'《集韻》. ②겨갈 벼 알에서 벗겨 낸 것. '穅, 謂之一'《廣雅》. [三] 긴벼걸, 벼팰걸 '一, 長禾'《廣韻》. '一, 禾秀也'《集韻》.
[字源] 形聲. 禾+曷〔音〕

禾 9 〔稫〕14 벽 [入]職 | pì ヒョク いねのみっせいするさま

[字解] ①벼밸벽 '一稄'은 벼가 밀생(密生)하여 있는 모양. '一稄, 禾密皃'《集韻》. ②벼잎칠벽 벼 이삭을 발로 밟아 잎을 훑어 냄. '一, 蹂禾下葉'《集韻》.
[字源] 形聲. 禾+畐〔音〕

禾 9 〔⿰禾⿱支只〕14 [一] 지 ①-④[上]紙 ⑤[平]支 | zhǐ シ のびない シ りょうとうのへび
[二] 기 ①-④[上]紙 [去]寘 ⑤[平]支 | キ のびない キ りょうとうのへび

[字解] [一] ①벋지않을지 굽음. '一, 一椥, 多小意而止也'《說文》. ②나뭇가지굽을지 '一, 一曰, 木枝曲'《集韻》. ③탱자나무지 '一, 一曰, 木也'《說文》. ④구부러진가지의과일지 '一, 曲枝果也'《廣韻》. ⑤머리둘있는뱀지 '一首蛇'는 머리 둘 있는 뱀. '枳, 枳首, 蛇名. 蛇有兩首者. 或作一'《集韻》. [二] 벋지않을기, 나뭇가지굽을기, 구부러진가지의과일기, 머리둘있는뱀기 [一]과 뜻이 같음.
[字源] 形聲. 禾+支+只〔音〕

禾 9 〔⿰禾皇〕14 [一] 황 [平]陽 | huáng コウ きび
[二] 횡 [平]庚 | コウ きび

[字解] [一] 기장황 누렇고 차지지 않은 기장. '一, 穄別名'《集韻》. [二] 기장횡 [一]과 뜻이 같음.
[字源] 形聲. 禾+皇〔音〕

禾 9 〔⿰禾鬼〕14 〔직〕 稷(禾부 10획〈908〉)의 古字

禾 9 〔穀〕14 〔곡〕 穀(禾부 10획〈909〉)의 略字

禾 9 〔稲〕14 〔도〕 稻(禾부 10획〈908〉)의 俗字

禾 9 〔穆〕14 〔목〕 穆(禾부 11획〈909〉)의 俗字

禾 9 〔稳〕14 〔온〕 穩(禾부 14획〈913〉)의 俗字·簡體字

禾 9 〔禀〕14 〔름〕 廩(广부 13획〈353〉)과 同字

禾 9 〔⿰禾苗〕14 묘 [平]肴 | máo
[去]效 | ボウ いねがみのらぬ

[筆順] 禾 𥝌 ⿰禾艹 ⿰禾艹 ⿰禾苗 ⿰禾苗 ⿰禾苗 ⿰禾苗

[字解] 쭉정이묘 '一, 一穮, 禾不實'《集韻》.

禾 9 〔⿰禾星〕14 성 [平]青 | xīng セイ まばら

[字解] 벼성길성 '一, 禾稀也'《集韻》.

禾 9 〔⿰禾音〕14 [一] 염 [平]鹽 | yān エン なえがうつくしい
[二] 음 [去]沁 | yìn イン いねのなえがしげる

[字解] [一] 모아름다울염 '一, 一一, 苗美也'《廣韻》. [二] 모무성할음 '一, 禾苗茂美也'《集韻》.

禾 9 〔⿰多委〕14 [一] 와 [平]歌 | wō ワ おおい
[二] 위 [上]紙 | イ おおい

[字解] [一] 많을와 '一, 燕人謂多曰一'《集韻》. [二] 많을위 [一]과 뜻이 같음.

禾9 〔稦〕14 [의] 椅(禾부 8획〈905〉)와 同字

禾10 〔稷〕15 [人名] [一] 직 [入]職 | jì ショク きび
[二] 측 [入]職 | zè ショク ひがかたむく

[筆順] 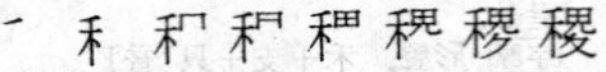

[字解] [一] ①기장직 메기장. 오곡(五穀)의 하나. '黍—'. '彼—之苗'《詩經》. ②오곡직 오곡(五穀)의 총칭. '—, 五穀之揔名'《廣韻》. ③곡신직 오곡을 맡은 신(神). 또, 그 신을 모신 사우(社宇). '右社—而左宗廟'《禮記》. ④농관직 농사를 맡은 벼슬. '汝后—, 播時百穀'《書經》. ⑤빠를직 신속함. '旣齊旣—'《詩經》. ⑥성직 성(姓)의 하나. [二] 기울측 昃(日부 4획〈501〉)과 통용. '日下—乃克葬'《穀梁傳》.
[字源] 形聲. 禾+畟〔音〕

禾10 〔稸〕15 축 [入]屋 | xù チク つむ

[字解] 쌓을축 축적함. 蓄(艸부 10획〈1167〉)과 同字. '—士馬, 以討不庭'《後漢書》.
[字源] 形聲. 禾+畜〔音〕

禾10 〔稹〕15 진 [上]軫 [平]眞 | zhěn シン こまかい

[字解] ①고울진 치밀함. 縝(糸부 10획〈1007〉)과 통용. '—理而堅'《周禮》. ②모일진 밀집함. '橉杞—薄'《郭璞》.
[字源] 形聲. 禾+眞〔音〕

禾10 〔稺〕15 치 [平]支 [去]寘 | zhì チ おさない

[字解] ①어릴치 稚(禾부 8획〈904〉)의 古字. '衆—且狂'《詩經》. ②늦벼치 늦게 익는 벼. '稙—菽麥'《詩經》.
[字源] 形聲. 禾+遲〈省〉〔音〕

禾10 〔稻〕15 [高·人] 도 [上]晧 | dào トウ いね

[筆順] 

[字解] ①벼도 화본과에 속하는 일년초. 오곡(五穀)의 하나. '早—'. '晩—'. '凡祭宗廟之禮, 一曰嘉蔬'《禮記》. 또, 까끄라기가 있는 곡식의 총칭. '—者有芒之穀總名也'《急就篇》. ②성도 성(姓)의 하나.
[字源] 形聲. 禾+舀〔音〕

禾10 〔稼〕15 [人名] 가 [去]禡 | jià カ うえる

[筆順] 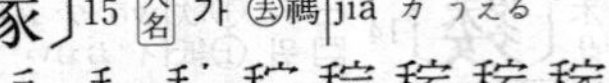

[字解] ①심을가 곡류를 심음. '—穡'. '不—不穡'《詩經》. ②농사가 농작. '請學—'《論語》. ③곡식가 화곡. '禾—'. '殖我—'《列子》.
[字源] 形聲. 禾+家〔音〕

禾10 〔稽〕15 계 [平]齊 [上]薺 | ①-⑧jī ケイ はかる, かんがえる ⑨qǐ ケイ あたまをちにつけてけいれいする

[字解] ①상고할계 사물을 고찰함. '無—'. '日若—古帝堯'《書經》. ②헤아릴계 상량(商量)함. '—其功事'《周禮》. ③머무를계 한 곳에 지체함. '—留'. 또, 머무르게 함. '何足久—天下士'《後漢書》. ④이를계 다다름. '大浸—天'《莊子》. ⑤두드릴계 '—其門'《太玄經》. ⑥견줄계 비교함. '反脣而相—'《漢書》. ⑦맞을계 일치함. '古人與—'《禮記》. ⑧성계 성(姓)의 하나. ⑨조아릴계 돈수(頓首)함. '—顙'. '禹拜—首'《書經》.
[字源] 形聲. 禾+尤+旨〔音〕

禾10 〔稿〕15 [高·人] [고] 稾(禾부 10획〈909〉)와 同字

[筆順] 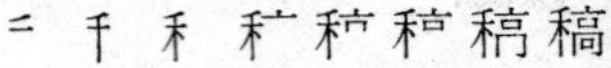

[參考] 주로 초고(草稿)의 뜻인 경우에 이 자를 씀.

禾10 〔稤〕15 률 [入]質 | lì リツ つんだいね

[字解] 볏가리률 '——'은 볏단을 쌓은 모양. '——, 積禾皃'《集韻》.

禾10 〔䅥〕15 걸 [入]屑 | jié ケツ いねのでるさま

[字解] 벼팰걸 벼 이삭이 나오는 모양. '—, 禾出皃'《集韻》.

禾10 〔䅯〕15 당 [平]陽 | táng トウ きび

[字解] ①기장당 '蜀人謂黍曰—稆'《集韻》. ②《韓》옥수수당 곡식의 일종.

禾10 〔稴〕15
[一] 렴 [平]鹽 [上]琰 [去]豔 | lián レン うるち
[二] 혐 [平]鹽 | xián ケン うるち
[三] 함 [平]咸 | カン うるち

[字解] [一] ①메벼렴 '—, 稻不黏者'《說文》. ②푸른벼의흰쌀렴 '—, 一曰, 青稻白米'《集韻》. ③벼여물지않을렴 '—穇·—穖'은 벼가 여물지 않는 모양. '—, —穖, 禾不實皃'《集韻》. [二] 메벼혐, 푸른벼의흰쌀혐, 벼여물지않을혐 [一]과 뜻이 같음. [三] 메벼함, 푸른벼의흰쌀함, 벼여물지않을함 [一]과 뜻이 같음.

字源 形聲. 禾＋兼〔音〕

禾10〔䅭〕15 방 ㊥陽 páng ㊥庚 ホウ きびのいっしゅ
字解 기장방 '一稉'은 기장의 일종. '一, 一稉, 穄名'《廣韻》.
字源 形聲. 禾＋旁〔音〕

禾10〔䅵〕15 ㊀ 작 ㊇藥 zhuō シャク こくものかわ ㊁ 곡 ㊇沃 コク こくもつのかわ ㊂ 녹 ㊇沃 ドク こくもつのかわ
字解 ㊀ ①곡식껍질작 '一, 五穀皮'《廣韻》. ②땅이름작 '一, 齊地名'《玉篇》. ㊁ 곡식껍질곡, 땅이름곡 ㊀과 뜻이 같음. ㊂ 곡식껍질녹, 땅이름녹 ㊀과 뜻이 같음.
字源 形聲. 禾＋羔〔音〕

禾10〔穔〕15 황 ㊥陽 huāng コウ ふさく
字解 흉작황 흉년(凶年). 秔(禾부 6획〈901〉)과 同字. '一, 虛無食也'《說文》.
字源 形聲. 禾＋荒〔音〕

禾10〔䅿〕15 穔(前條)과 同字

禾10〔稪〕15 〔부〕 稪(禾부 7획〈903〉)와 同字

禾10〔稶〕15 〔욱〕 稶(禾부 8획〈905〉)의 本字

禾10〔穆〕15 〔목〕 穆(禾부 11획〈909〉)의 俗字

禾10〔穂〕15 〔수〕 穗(禾부 12획〈911〉)의 略字

禾10〔穀〕15 中·人 곡 ㊇屋 gǔ コク たなつもの
筆順 一 十 士 声 壳 壳 荤 穀
字解 ①곡식곡 곡류. '五一'. '農乃登一'《禮記》. ②좋을곡 '一日'. '旣富方一'《書經》. ③복곡 복록. '俾爾戩一'《詩經》. ④녹곡 녹미(祿米). '邦有道一'《論語》. ⑤기를곡 곡식을 주어 기름. '求百姓之饑寒者, 收一之'《戰國策》. ⑥살곡 생존함. '一則異室, 死則同穴'《詩經》. ⑦종곡 계집종. '臧一猶且羞之'《荀子》. ⑧골곡 谷(部首〈1366〉)과 同字. '一風迅疾'《漢書》. ⑨고할곡 告(口부 4획〈153〉)과 同字. '齊一王姬之喪'《禮記》. ⑩젖곡 '楚人謂乳曰一'《釋文》. ⑪젖먹이곡 어린아이. '一, 乳也. 謂, 哺乳小兒也'《荀子 注》. ⑫성곡 성(姓)의 하나.
字源 形聲. 禾＋殸〔音〕

禾10〔槃〕15 穀(前條)과 同字

禾10〔稾〕15 고 ㊤晧 gǎo コウ わら
字解 ①짚고 볏짚. '一人'. '又出一稅'《漢書》. ②초고 초안. '屬草一'《史記》. '頗好屬文, 成輒棄一'《北史》. ③화살대고 '箭幹謂之一'《周禮》. ④위로할고 '一人'《周禮》.
字源 形聲. 禾＋高〔音〕
參考 稿(禾부 10획〈908〉)는 同字.

禾10〔𥢄〕15 〔진〕 秦(禾부 5획〈901〉)의 籒文

禾10〔䅴〕15 ㊀ 삭 ㊇藥 suǒ ㊁ 색 ㊇陌 サク いねのさま
字解 ㊀ 벼삭 '一, 禾皃'《集韻》. ㊁ 벼이삭색 벼의 이삭. '一, 禾穗'《集韻》.

禾10〔䅶〕15 용 ㊥冬 rōng ㊤腫 ジョウ かんばしい
字解 ①향기로울용 향기로움. '一, 穠一, 芳也'《集韻》. ②벼이삭용 벼의 이삭. '一, 一曰, 禾稍'《集韻》.

禾11〔穄〕16 제 ㊦霽 jì セイ くろきび
字解 검은기장제 빛이 검은 메기장. '其土地宜一'《後漢書》.
字源 形聲. 禾＋祭〔音〕

禾11〔穅〕16 강 ㊥陽 kāng コウ ぬか
字解 ①겨강 糠(米부 11획〈975〉)과 同字. '一秕相半'《後漢書》. ②빌강 속이 빔. '一之言, 空也. 空其中以含米也'《說文 段注》.
字源 形聲. 禾＋康〔音〕

禾11〔穆〕16 人名 목 ㊇屋 mù ボク やわらぐ
筆順 禾 秒 秒 稈 稈 穆 穆 穆
字解 ①온화할목 화평함. '雍一'. '一淸'. '一如淸風'《詩經》. ②아름다울목 '一, 美也'《廣韻》. ③공경할목 '我其爲王一'《書經》. ④화목할목 睦(目부 8획〈848〉)과 同字. '敦一'. '君臣集一'《孟子注疏》. ⑤기쁘게할목, 기뻐할목 '一君之色'《管子》. ⑥도타울목 '一, 厚也'《廣韻》. ⑦편안할목 '一, 靖也'《正字通》. ⑧맑을목 '虧淸一之風'《晉書》. ⑨조용히생각할목 정사(靜思)하는 모양. '有所一然深思'《史記》. ⑩사당차례목 사당의 차례로, 제일대의 '昭'에 대하여, 제이대의 사당. '序昭一'《中庸》. ⑪성목 성(姓)의 하나.

[字源] 象形. 곡식의 알이 풍요롭고도 아름답게 여물어, 바야흐로 흩어져 떨어지려는 모양을 본뜸.

禾 11 〔穇〕16 삼 [平]咸 | cǎn, ②shān サン いぬきび

[字解] ①피삼 '一子'는 화본과(禾本科)에 속하는 일년초. 씨는 작고 검으며 가축의 사료로 쓰임. ②쭉정이이삭삼 '穛一, 穗不實'《廣韻》.
[字源] 形聲. 禾＋參〔音〕

禾 11 〔穊〕16 기 [去]寘 [去]未 | jì キ しげし

[字解] 밸기 촘촘함. '深耕一種, 立苗欲疏'《史記》.
[字源] 形聲. 禾＋既〔音〕

禾 11 〔積〕16 [高][人] [一]적 [入]陌 [入]錫 | jī セキ つむ
[二]자 [去]寘 | zī シ たくわえ

[筆順] 禾 秆 秤 秸 積 積 積 積

[字解] [一] ①쌓을적 포개 놓음. '一載'. '一小以高大'《易經》. ②쌓일적 '一雪'. '善不一不足以成名'《易經》. ③정체할적 막힘. '天道運而無所一'《莊子》. ④많을적 '夫縣法以誘民, 使入陷阱, 孰一於此'《漢書》. ⑤주름적 옷의 주름. '襞一'. '皮弁服素一'《儀禮》. [二] ①저축할자 비축함. '乃一乃倉'《詩經》. ②저축자 비축한 것. '無私一'《左傳》. ③죽을자 주검을 잇대어 죽음. '殲者何. 殲, 一也'《公羊傳》.
[字源] 形聲. 禾＋責〔音〕

禾 11 〔䅬〕16 積(前條)과 同字

禾 11 〔樀〕16 적 [入]錫 | tì テキ はなしてうえる

[字解] 모종낼적 모종을 띄엄띄엄 심음. '離而種之曰一'《集韻》.

禾 11 〔䅾〕16 사 [平]麻 | zhā サ あかいいね

[字解] 붉은벼사 붉은빛의 벼. '一, 紅稻也'《集韻》.

禾 11 〔䅻〕16 라 [平]歌 | luó ラ こくをつむ

[字解] 노적(露積)가리라 곡식을 쌓음. 또, 쌓은 것. '羸, 穀積也, 或作一'《集韻》.

禾 11 〔穛〕16 초 [去]嘯 | jiào ショウ ちぢむ

[字解] 오그라들초 줄어져 작음. '物縮而小, 謂之一'《集韻》.

禾 11 〔穋〕16 [一]륙 [入]屋 | lù リク わせ
[二]구 ①[平]尤 ②[平]尤 | jiū キュウ やくそうのな キュウ いねのるい

[字解] [一] 올벼륙 늦게 심어서 일찍 거두는 벼. 稑(禾부 8획〈904〉)과 同字. [二] ①약초(藥草)이름구. ②벼이름구 벼의 일종. '一, 禾類, 管子, 其種一杞'《集韻》.

禾 11 〔𥢑〕16 [一]표 [平]蕭 | biāo ヒョウ ながくのびたいねのなえ
[二]묘 [上]篠 | miǎo ビョウ のぎ

[字解] [一] 긴벼모표 길게 자란 장한 벼의 모. '一, 稻苗秀出者'《集韻》. [二] 까라기묘 벼의 수염. 화망(禾芒). 秒(禾부 4획〈898〉)와 同字. '秋分而禾一定, 一定而禾熟. (註) 一, 禾穗芒也'《宋書》.
[字源] 形聲. 禾＋票〔音〕

禾 11 〔䅻〕16 리 [平]支 | lí リ ふたたばのいね

[字解] ①두다발의벼리 '一, 長沙人謂禾二把爲一'《集韻》. ②이삭늘어질리 기장 열매가 늘어짐. 離(隹부 11획〈1636〉)와 통용. '一, 與離通, 一一, 黍實垂貌'《正字通》.

禾 11 〔穌〕16 소 [上]麌 | sū ソ よみがえる

[字解] ①소생할소 피어남. 蘇(艸부 16획〈1203〉)와 同字. ②깰소 눈을 뜸. 잠에서 깸. '一, 寤也'《廣雅》. ③찰소 '一, 滿也'《廣雅》.
[字源] 形聲. 禾＋魚〔音〕

禾 11 〔𥢶〕16 〔종〕 稯(禾부 9획〈906〉)과 同字

禾 11 〔穐〕16 〔추〕 龝(禾부 16획〈914〉)의 略字

禾 11 〔𥡴〕16 〔계〕 稽(禾부 10획〈908〉)의 俗字

禾 11 〔穏〕16 〔온〕 穩(禾부 14획〈913〉)의 略字

禾 11 〔𥢒〕16 [一] 兼(入부 8획〈87〉)의 古字 [二] 謙(言부 10획〈1347〉)의 古字

禾 11 〔穎〕16 [人名] 영 [上]梗 | yǐng エイ ほ

[筆順] ⺈ ⺊ ⺋ 旱 𥝌 穎 穎 穎

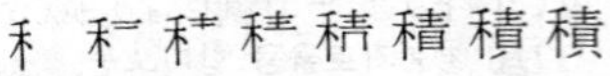

[字解] ①이삭영 벼의 이삭. '實一實栗'《詩經》. ②끝영 ㉠벼 이삭의 끝. '禾一穟穟'《詩經》. ㉡뾰족한 물건의 끝. 첨단. '蚤得處囊中, 乃一脫而出'《史記》. ㉢붓끝. '一, 筆頸也'《韻會》. ③빼어날영 재주가 뛰어남. 또, 그 사람. '一哲'. '當世秀一'《吳志》. ④고리영 쇠로 만든 고리. '卻刃授一'《禮記》. ⑤경침(警枕)영 잠을 자면 넘어져서 깨도록 만든 둥근 나무 토막의 베개. '一枕琴瑟'《禮記》. ⑥성영 성(姓)의 하나.
[字源] 形聲. 禾+頃〔音〕
[參考] 頴(頁부 7획〈1691〉)은 俗字.

禾 11 〔穈〕16 [一]문 [平]元 | mén ボン あかいこくもつのみ
[二]미 [平]支 | méi ビ くろきび
[字解] [一] 붉은기장문 '維一維芑'《詩經》. [二] 검은기장미 ⿸麻黍(麻부 12획〈1856〉)와 同字. '一, 說文, 穄也'《集韻》.
[字源] 形聲. 禾+麻〔音〕

禾 11 〔⿰禾荼〕16 [一]도 [平]虞 | tú ト いねのほ
[二]서 [去]御 | chú ショ くさのな
[字解] [一] 벼이삭도 '一, 禾穗'《集韻》. [二] ①풀이름서 '一, 草名'《玉篇》. ②마서 마. 참마.

禾 11 〔⿰禾莘〕16 [一]신 [平]眞 | shēn シン こくのな
[二]족 [入]屋 | zú ソク そうもくがむらがる
[字解] [一] 곡식이름신 '一, 穀名'《集韻》. [二] 초목떨기로날족 莘(艸부 7획〈1141〉)과 뜻이 같음. '莘, 艸木叢生, 或从禾'《集韻》.

禾 11 〔⿰禾埶〕16 〔예〕
藝(艸부 15획〈1199〉)와 同字

禾 11 〔⿰禾從〕16 종 [平]冬 | cōng ショウ いねをおさめる
[字解] 벼다스릴종 '一, 一移, 治禾也'《集韻》.

禾 11 〔⿱殸禾〕16 〔형〕
馨(香부 11획〈1734〉)과 同字

禾 12 〔⿰禾犀〕17 치 [去]寘 | zhì チ おさない
[字解] 어릴치 稚(禾부 8획〈904〉)·稺(禾부 10획〈908〉)와 同字. '子奇一齒'《後漢書》.

禾 12 〔穗〕17 [人名] 수 [去]寘 | suì スイ ほ
[筆順] 禾 利 和 秱 種 穂 穗 穗

[字解] 이삭수 벼·보리 등의 이삭. '禾一'. '麥一'. '彼稷之一'《詩經》. 전(轉)하여, 모양이 이삭 같은 것. '一一寒燈'(등불의 모양을 이름). '金芝吐一'《王勣》.
[字源] 形聲. 禾+惠〔音〕

禾 12 〔穜〕17 동 [平]東 | tóng トウ おくて
[字解] 늦벼동 늦게 되는 벼. '一稑之種'《周禮》.
[字源] 形聲. 禾+童〔音〕

禾 12 〔穖〕17 기 ①[上]尾 | jǐ キ いねのほのずい
②[去]寘 | jì キ しげし
[字解] ①벼꽃술기 벼의 꽃술. '得時之禾, 疏一而穗大'《呂氏春秋》. ②무성할기 벼 따위가 배게 나서 무성함. 穊(禾부 11획〈910〉)와 同字.
[字源] 形聲. 禾+幾〔音〕

禾 12 〔穚〕17 교 [平]蕭 | jiāo キョウ いねのほがでる
[字解] ①벼팰교 벼 이삭이 나옴. '一, 禾秀也'《集韻》. ②가라지우거질교 강아지풀이 길게 자라 무성한 모양. '一, 莠艸長茂皃'《集韻》.

禾 12 〔穛〕17 착 [入]覺 | zhuō サク こくもつをはやくかりとる
[字解] 풋바심할착 채 다 익기 전에 곡식을 거두는 일. '孰穫曰稰, 生穫曰一'《禮記註》.

禾 12 〔⿰禾黑〕17 매 [上]賄 | měi バイ くろい
[去]隊 | バイ いねがあめにいたむ
[字解] ①검을매 흑색임. '一, 一曰, 黑也'《集韻》. ②벼상할매 비를 맞아 벼가 상함. '一, 一曰, 禾傷雨'《集韻》.

禾 12 〔⿱⿰禾尤咎〕17 [一]고 [上]晧 | gǎo コウ かがまってのびない
[二]호 [去]號 | hào コウ かがまってのびない
[字解] [一] ①구부리고펴지지않을고 '一, 一椒而止也'《說文》. ②나무이름고 '賈侍中說, 稽·⿰禾卓·一三字, 皆木名'《說文》. ③그물엮을고 '一, 網綴謂之一'《集韻》. [二] 구부리고펴지지않을호, 나무이름호, 그물엮을호 [一]과 뜻이 같음.
[字源] 形聲. 稽〈省〉+咎〔音〕

禾 12 〔⿰禾卓〕17 [一]탁 [入]覺 | zhuó タク たかくぬきんでる
[二]초 [去]效 | zhào トウ たかくぬきんでる

[字解] [一] ①높이뛰어날탁 탁립(卓立). '一, 特止也'《說文》. ②나무이름탁 '賈侍中說, 稽·一·穛三字, 皆木名'《說文》. ③범할탁 '一, 一日, 冒也'《集韻》. [二] 높이뛰어날초, 나무이름초, 범할초 [一]과 뜻이 같음.
[字源] 形聲. 稽〈省〉+卓〔音〕

禾12 〔⿰禾賁〕17 분 [上]阮 | bèn ホン こくもつのまだみでおおらぬさま
[字解] 까부르지아니한곡식의모양분 '一, 隱一, 穀未簸皃'《集韻》.

禾12 〔⿰禾朁〕17 [一] 잠 [平]侵 | cēn シン いねのなえがひいでようとするさま
[二] 겸 [平]鹽 | qián ケン いねのな
[字解] [一] 모패려할잠 '一, 禾苗將秀曰一'《集韻》. [二] 벼이름겸 '一, 禾名'《集韻》.

禾12 〔穕〕17 첩 [入]葉 | qiè ショウ のうぐのな
[字解] 농기구이름첩 '一, 土一, 農具'《集韻》.

禾13 〔穟〕18 수 [去]寘 | suì スイ いねのほ
[字解] ①이삭수 화곡(禾穀)의 이삭. '嘉一'. '稻一'. '丹鳥啣一'《庾信》. ②야드르르할수 벼의 모가 잘 자라서 야드르르한 모양. 일설(一說)에는, 벼의 이삭이 패어 꽃이 피는 모양. '禾役一一'《詩經》.
[字源] 形聲. 禾+遂〔音〕

禾13 〔穠〕18 농 [平]冬 | nóng ジョウ しげる
[字解] ①꽃나무번성할농 '一, 花木盛'《玉篇》. '何彼一矣'《詩經》. ②짙을농, 깊을농 '靑山興已一'《蘇軾》.
[字源] 形聲. 禾+農〔音〕

禾13 〔穡〕18 [人名] 색 [入]職 | sè ショク とりいれ
[筆順] 禾 秆 秆 秣 稼 穡 穡 穡
[字解] ①거둘색 수확을 함. '稼一而食'《顏氏家訓》. ②추수색 화곡(禾穀)의 수확. '服田力一'《書經》. ③곡식색 화곡. '參參其一'《束晳》. ④농사색 경작. '力于農一'《左傳》. ⑤알뜰할색 검약함(儉約)함. '務一勸分'《左傳》. ⑥아낄색 嗇(口부 10획〈180〉)과 同字. '大國省一而用之'《左傳》.
[字源] 形聲. 禾+嗇〔音〕

禾13 〔穢〕18 예 [去]隊 | huì アイ あれる
[字解] ①거칠예 황무(荒蕪)함. '荒一'. '蕪一不治'《漢書》. 또, 그 땅. 황무지. '並蹈潛一'《後漢書》. ②잡초예 잡풀. '艸一旣除'《詩經 箋》. ③더럽힐예 더럽게 함. '汙一朝廷'《後漢書》. ④더러워질예 더럽게 됨. '材朽行一'《漢書》. ⑤더러울예 '一行'. 또, 더러운 일. 더러운 것. '無起一以自臭'《書經》. ⑥악할예 또, 악한 사람. '一, 惡也'《廣韻》.
[字源] 形聲. 禾+歲〔音〕

禾13 〔⿰禾資〕18 자 [平]支 | zī シ·ジ つむ
[去]寘 | シ つむ
[字解] 쌓을자 볏가리를 쌓음. 積(禾부 11획〈910〉)과 同字. '一, 積禾也'《說文》.
[字源] 形聲. 禾+資〔音〕

禾13 〔⿰禾會〕18 괴 [去]泰 | kuài カイ あらぬか
[字解] 겨괴 벼의 왕겨. '一, 穅也'《說文》.
[字源] 形聲. 禾+會〔音〕

禾13 〔⿰禾道〕18 도 [上]晧 [去]號 | dào トウ·ドウ えらぶ
[字解] ①벼가릴도 벼를 추려 냄. '一, 一米也'《說文解字注》. '一, 擇也'《史記鄭玄注》. ②상서로운벼도 이삭이 많이 달린 벼의 이름. '一, 嘉禾. 一莖六穗'《廣韻》.
[字源] 形聲. 禾+道〔音〕

禾13 〔⿰禾亶〕18 선 [上]銑 | zhăn セン いねのたば
[字解] 볏단선 벼를 다발로 묶은 것. '一, 禾束也'《字彙》.

禾13 〔⿰禾賫〕18 〔적〕
積(禾부 11획〈910〉)의 本字

禾13 〔穣〕18 〔양〕
穰(禾부 17획〈914〉)의 略字

禾13 〔⿰禾睾〕18 고 [平]豪 | gāo コウ あめ
[字解] 엿고 엿. '一, 今之餹餹曰一'《廣韻》.

禾13 〔⿳亡口⿲月禾凡〕18 라 [平]歌 | luó ラ こくをつむ
[字解] 곡식쌓을라 곡식을 쌓음. 곡식을 저장함. '一, 穀積也, 或作稞'《集韻》.

禾14 〔穨〕19 퇴 [平]灰 | tuí タイ すたれる
[字解] ①쇠할퇴 頹(頁부 7획〈1690〉)와 同字. '至於戰國, 漸至一陵'《後漢書》. ②벗어질퇴 머리가 벗어짐. '一, 禿皃'《說文》.
[字源] 形聲. 禿+貴(貴)〔音〕

禾14〔穧〕19 ㊀제 ㊄霽|jì セイ かる
㊁자 ㊄寘|zì シ いねをつむ

字解 ㊀①볏단제 베어 묶은 벼의 단. '有不斂—'《詩經》. ②벼벨제 벼를 벰. '穫禾爲—'《爾雅 注》. ㊁포개쌓을자 벤 벼를 겹쳐 쌓음. '—, 積禾也'《集韻》.
字源 形聲. 禾+斉(齊)〔音〕

禾14〔穩〕19 人名 온 ㊤阮|wěn オン おだやか

筆順 禾 禾' 秆 稃 穏 穩 穩 穩

字解 ①안온할온 평온함. 편안함. '平—'. '客枕終難—'《朱熹》. ②걷어모을온 곡식을 밟아 모음. '—, 蹂穀聚也'《說文新附》.
字源 會意. 禾+㥯

禾14〔穫〕19 高·人 ㊀확 ㊅藥|huò カク かる
㊁호 ㊄遇|hù コ ちめい

筆順 禾 禾 秆 秆 秆 穫 穫 穫

字解 ㊀①벨확 화곡을 벰. '八月其—'《詩經》. ②거둘확 곡식을 거두어들임. '收—'. '稼就而不—'《呂氏春秋》. ㊁땅이름호 '焦—'는 주(周)나라에 있던 지명. '整居焦—'《詩經》.
字源 形聲. 禾+蒦〔音〕

禾14〔薴〕19 녕 ㊥庚|níng ドウ のぎ

字解 ①벼까라기녕 벼의 까끄라기. '禾芒曰—'《集韻》. ②까끄라기길녕 벼·보리·밀 따위의 수염이 길. '—, 穀芒長也'《康熙字典》.

禾14〔穠〕19 ㊀추 ㊤有|zhòu シュウ あつまる
㊁총 ㊄送|còng ソウ いねをつむ

字解 ㊀모일추, 모을추 '—, 聚也'《集韻》. ㊁①삼단총 삼의 묶은 다발. '—, 麻束'《集韻》. ②벼쌓을총 볏단을 쌓음. 볏가리를 쌓음. '—, 一曰, 積禾'《集韻》.

禾14〔穦〕19 빈 ㊥眞|pīn ヒン かおり

字解 향기빈 '—, 香氣也'《字彙》.

禾14〔穤〕19 〔나〕
稬(禾부 9획〈906〉)의 俗字

禾14〔穪〕19 〔칭〕
稱(禾부 9획〈906〉)의 俗字

禾14〔穥〕19 여 ㊄御|yù ヨ いねをうえる

字解 ①벼심을여 벼를 심음. 모를 냄. '—, 禾稼謂之—'《集韻》. ②서직의아름다운모양여 서직(黍稷)의 아름다운 모양. '—, 一日, ——, 黍稷美皃'《集韻》.

禾14〔穊〕19 의 ㊤紙|nǐ ギ しょしょくのさかんなさま

字解 서직잘될의 '—, —然, 黍稷盛皃'《玉篇》.

禾15〔穲〕20 파 ㊄禡|bà ハ いねのな

字解 벼이름파 '—稏'는 벼의 한 가지. 또, 벼가 흔들리는 모양. '轉頭—稏秋風黃'《方岳》.

禾15〔穮〕20 표 ㊥蕭|biāo ヒョウ くさぎる

字解 김맬표 제초를 함. '譬如農夫, 是—是蔉'《左傳》.
字源 形聲. 禾+麃〔音〕

禾15〔穫〕20 우 ㊥尤|yōu ユウ いねよんじゅうたば

字解 볏다발우 벼 마흔 모숨. '把, 謂之秉, 秉四曰筥, 筥十曰—'《小爾雅》.

禾15〔穧〕20 즐 ㊅質|zhì シツ にどばえのいね

字解 움벼즐 '秭—'은 베어 낸 데서 움터 나온 벼. '秭—, 禾重生皃'《集韻》.

禾15〔穬〕20 광 ㊤梗|kuǎng コウ おおあわ

字解 ①까라기조광 까끄라기가 있는 조〔粟〕. '—, 芒粟也'《說文》. ②벼광 ㉠아직 찧지 않은 벼. '—, 一曰, 稻未舂'《集韻》. ㉡아직 익지 않은 벼. '—, 又曰, 稻不熟'《廣韻》.
字源 形聲. 禾+廣〔音〕

禾15〔穭〕20 려 ㊤語|lǚ リョ ひつじばえ

字解 돌벼려 자생(自生)한 벼. '毁臺生—穀'《劉禹錫》.
字源 形聲. 禾+魯〔音〕

禾15〔穫〕20 멸 ㊅屑|miē ベツ いねのな

字解 벼이름멸 '—, 禾也'《說文》.
字源 形聲. 禾+蔑〔音〕

禾15〔穡〕20 〔색〕
穡(禾부 13획〈912〉)의 本字

禾15〔穆〕20 변 ㊥先 ㊤銑|biǎn ヘン いんげんまめ

[字解] 강낭콩변 稨(禾부 9획〈906〉)과 同字. '一, 籬上豆, 亦作稨'《集韻》.

禾16 〔[禾+龍]〕21 롱 [平]東 | lóng ロウ かりいね

[字解] ①벤벼롱 '一, 稸也'《廣雅》. ②볏병롱 벼의 병(病). '一, 一曰, 禾病'《集韻》.

禾16 〔[禾+𦎧]〕21 〔준〕 稕(禾부 8획〈905〉)의 本字

禾16 〔龝〕21 〔추〕 秋(禾부 4획〈898〉)의 古字

禾16 〔[禾+冀]〕21 [一] 췌 [去]寘 | cuì スイ いねのねばるもの
[二] 미 [去]寘 | mèi ビ たねをまく

[字解] [一] 찰벼췌 '一, 稻禾黏也'《廣韻》. [二] 씨뿌릴미 '悉皆五六月一種'《齊民要術》.

禾17 〔穰〕22 양 [平]陽 | ráng ジョウ ゆたか
[上]養 | rǎng

[字解] ①짚양 벼·보리·밀·기장 따위의 짚. '一, 禾莖也'《廣韻》. ②벼여물양 벼농사가 잘 됨. 풍년이 듦. '六歲一, 六歲旱'《史記》. ③빌양 풍년이 들기를 기도함. '道傍有一田者'《史記》. ④넉넉할양 풍요(豐饒)한 모양. '降福一一'《詩經》. ⑤쑥양 또, 쑥으로 만든 옷. '衣一而提贄'《孔子家語》. ⑥성(盛)할양 왕성함. '長安中浩一'《漢書》. ⑦성양 성(姓)의 하나.
[字源] 形聲. 禾+襄〔音〕

禾17 〔[禾+薦]〕22 〔천〕 薦(艸부 13획〈1190〉)과 同字

〔龢〕 〔화〕 龠부 5획(1895)을 보라.

禾17 〔[禾+韱]〕22 섬 ①[平]鹽 | xiān セン くさがみのらぬ
②[去]豔

[字解] ①풀열매맺지아니할섬 풀이 열매를 맺지 아니함. '一, 穇一, 艸不實'《集韻》. ②벼쭉정이섬 벼의 쭉정이.

禾18 〔[禾+糞]〕23 [一] 비 [去]未 [上]尾 | fèi ヒ くきがむらさきでねばらないいね
[二] 분 [去]問 | fèn フン くきがむらさきでねばらないいね
[三] 쥐 [去]寘 | スイ いねがねばる

[字解] [一] 메벼비 줄기가 자색인 메벼. '一, 稻紫莖不黏者也. [二] 메벼분 [一]과 뜻이 같음. [三] 벼차질쥐 '一, 稻禾黏也'《廣韻》.
[字源] 形聲. 禾+糞〔音〕

禾18 〔穱〕23 [一] 착 [入]覺 | zhuō サク わせ
[二] 작 [入]藥 | jué シャク きび

[筆順] 禾 … 穱

[字解] [一] ①올벼착 일찍 익는 벼. 穛(禾부 12획〈911〉)과 同字. '一, 早熟也'《玉篇》. ②그루보리착 벼를 베어 내고 심는 보리. '一, 稻下種麥'《集韻》. ③가릴착 먼저 익은 보리를 가려 냄. '稻粢一麥. (註) 一, 擇也, 擇麥中先熟者也'《楚辭》. [二] 기장작 밭곡식의 하나. '一, 穄也'《集韻》.

禾18 〔[禾+毳非]〕23 〔췌〕 [禾+冀](禾부 18획〈914〉)의 本字

禾18 〔[禾+臾貝]〕23 〔퇴〕 穨(禾부 14획〈912〉)의 本字

禾19 〔穳〕24 찬 [上]旱 | cuán サン かったいねをつむ

[筆順] 禾 … 穳

[字解] 볏가리쌓을찬 볏단을 모아 쌓음. '一, 禾積也'《集韻》.

禾19 〔穲〕24 리 [平]支 | lí リ いねのなえ

[字解] ①볏모리 벼의 묘(苗). '一, 禾苗也'《康熙字典》. ②줄지어설리 '一一'는 기장이 나란히 나 있는 모양. '一一, 黍稷行列'《廣韻》.

禾20 〔[禾+矍]〕25 곽 [入]藥 | jué カク せんりょうにもちいるくさのな

[字解] 물감식물곽 물감 식물. 염료(染料)로 쓰이는 풀 이름. '一, 艸名, 可染阜'《集韻》.

禾20 〔[禾+黨]〕25 당 [上]養 | dǎng トウ きいろなこくのな

[字解] 누른곡식당 누른 곡식의 이름. '一, 頓一, 黃穀名'《集韻》.

禾21 〔[禾+𪛁]〕26 〔추〕 秋(禾부 4획〈898〉)의 古字

禾24 〔[禾+靈]〕29 령 [平]青 | líng レイ くさのくきがまばら

[字解] 풀줄기성길령 풀의 줄기가 성김. '一, 艸莖疎也, 或从零'《集韻》.

禾24 〔[禾+鹽]〕29 염 [平]鹽 | yán エン いね

[字解] 벼염 벼. '一, 禾也'《集韻》.

禾25 〔[秦+秦秦]〕30 〔국〕 國(囗부 8획〈197〉)의 古字

穴　　部
〔구멍혈부〕

穴 0 〔穴〕5 [高·人] [一]혈 [入]屑 | xué ケツ あな
[二]휼 [入]質 | キツ あな

[筆順] 丶 丷 宀 宂 穴

[字解] [一] ①움혈 토실(土室). '一居而野處'《易經》. ②구덩이혈 무덤의 굴. 묘혈(墓穴). '死則同一'《詩經》. ③굴혈 ㉠동굴. '出自一'《易經》. ㉡짐승이 숨어 있는 구멍. '蟻一'. '狡兔失一'《魏書》. ④구멍혈 뚫어지거나 파낸 자리. '鑽一隙'《孟子》. ⑤곁혈 옆. '氿泉一出'《爾雅》. ⑥성혈 성(姓)의 하나. [二] 구멍휼, 굴휼 '河潰蟻孔端, 山壞由猿一'《孔融》.
[字源] 象形. 혈거 생활(穴居生活)의 주거(住居)를 본뜬 모양.
[參考] '穴혈'을 의부(意符)로 하여, 구멍이나 구멍 모양의 기물(器物), 구멍의 상태, 또 구멍을 뚫는 일 등에 관한 문자를 이룸.

穴 1 〔穵〕6 알 [入]黠 | wā ワツ あなをさぐる
[入]黠 | yà アツ うつろ

[字解] ①더듬을알 구멍 속을 손으로 더듬어 찾음. 挖(手부 6획〈441〉)과 同字. ②빌알 텅 빔. 공허함. '一, 空也'《說文》. ③큰구멍알 '一, 空大也'《說文》. ④깊을알 '一, 深也'《廣雅》. ⑤구멍뚫을알 구멍을 냄.
[字源] 形聲. 穴+乙〔音〕

穴 2 〔究〕7 [中·人] 구 [去]宥 | jiū(jiù) キュウ きわめる

[筆順] 丶 丷 宀 宂 穵 究 究

[字解] ①궁구할구 연구함. '一明'. '以一王訩'《詩經》. ②헤아릴구 상량(商量)함. '爰一爰度'《詩經》. ③다할구 사물이 끝남. 없어짐. '害氣將一矣'《漢書》. ④궁극구 극(極). 끝. '一極'. '其一爲健'《易經》. ⑤미워할구 서로 미워하는 모양. '自我人一一'《詩經》.
[字源] 形聲. 穴+九〔音〕

穴 2 〔穷〕7 〔궁〕
窮(穴부 10획〈921〉)의 俗字

穴 2 〔穷〕7 〔궁〕 窮(穴부 10획〈921〉)의 簡體字

穴 3 〔穸〕8 석 [入]陌 | xī(xì) セキ つかあな

[字解] ①광중석 무덤의 구덩이. 묘혈(墓穴). '窀一'. '秒秋卽一'《顏延年》. ②밤석 긴 밤. 야간. '唯是春秋窀一之事'《左傳》.
[字源] 形聲. 穴+夕〔音〕

穴 3 〔穹〕8 궁 [平]東 | qióng(qiōng) キュウ そら

[字解] ①하늘궁 천공(天空). '天一'. '以念一蒼'《詩經》. ②클궁 '一, 大也'《爾雅》. ③높을궁 '鬱竝起而一崇'《司馬相如》. ④깊을궁 '幽林一谷'《班固》. ⑤활꼴궁 궁형(弓形). '一窿'. '一者三之一'《周禮》. ⑥막을궁 틈을 막음. '一窒熏鼠'《詩經》.
[字源] 形聲. 穴+弓〔音〕

穴 3 〔空〕8 [中·人] 공 [平]東 | ①-⑧kōng コウ·クウ そら
[上]董 | ⑨⑩kǒng コウ·クウ あな
[去]送 | ⑪⑫kòng コウ·クウ とぼしい, うがつ

[筆順] 丶 丷 宀 宂 穴 空 空 空

[字解] ①하늘공 대공(大空). '天一'. '終日書一'《世說》. ②빌공 ㉠아무것도 없음. '一虛'. '杼柚其一'《詩經》. ㉡속에 든 것이 없음. '一砲'. '倉廩實而囹圄一'《管子》. ㉢사실이 아님. '皆一語無事實'《史記》. ㉣실질이 없음. 유명 무실함. '有一名無實'《尉繚子》. ③비울공 속을 비게 함. '必一壁逐我'《十八史略》. ④쓸쓸할공 적적함. 고요함. '蕭條徐泗一'《李白》. ⑤헛공 쓸데없음. 보람없음. '一費'. '一言無施, 雖切何益'《韓愈》. ⑥헛되이공 보람없이. 쓸데없이. '引軍一還'《漢書》. ⑦미련할공 어리석은 모양. '一一如也'《論語》. ⑧공간공 철학에서 시간의 대(對). 무한의 연장. ⑨구멍공 뚫어진 자리. '鑿一'《史記》. ⑩통하게할공 개통(開通)함. '張騫鑿一'《史記》. ⑪없을공 가난함. '回也其庶乎, 屢一'《論語》. ⑫뚫을공 '衣又穿一'《後漢書》.
[字源] 形聲. 穴+工〔音〕

穴 3 〔宊〕8 〔돌〕
突(穴부 4획〈916〉)과 同字

穴 3 〔宄〕8 〔구〕
究(穴부 2획〈915〉)의 俗字

穴 3 〔窀〕8 〔둔〕
窀(穴부 4획〈916〉)의 訛字

穴 3 〔穻〕8 망 [上]養 | mǎng ボウ むなしい

[字解] 빌망 빔. '一, 一寶, 空也'《集韻》.

穴 3 〔⿱穴土〕8 색 [入]職 | sāi ソク つちであなをふさぐ

[字解] 흙으로구멍막을색 '一, 以土窒穴也'《正字通》. 塞(土부 10획〈216〉)의 古字.

穴 3 〔穻〕8 우 [平]虞 | yū ウ まど

[字解] ①들창우 바라지. '一, 牖也'《集韻》. ②宇(宀부 3획〈274〉)의 古字.

穴 3 〔⿱穴子〕8 〔자〕
字(子부 3획〈270〉)의 古字

穴 4 〔穽〕9 정 [去]敬 [上]梗 | jǐng セイ おとしあな

[字解] 함정정 허방다리. '一陷'. '坑一'. '杜乃擭斂乃一'《書經》.
[字源] 形聲. 穴+井〔音〕

穴 4 〔穿〕9 천 ①-④[平]先 ⑤[去]霰 | chuān セン うがつ | chuàn セン つらぬく

[字解] ①뚫을천 구멍을 뚫음. '一鑿'. ②뚫릴천 구멍이 남. '衣屨一決'《後漢書》. ③개통할천 산을 깎거나 도랑을 파서 통하게 함. '一渠溉田'《漢書》. ④구멍천 뚫린 자리. '不能運方一'《史記》. ⑤꿰뚫을천 관통함. '貫一經傳'《漢書》.
[字源] 會意. 牙+穴

穴 4 〔窀〕9 둔 ①②[平]眞 ③[平]元 | zhūn チュン はかあな | tún トン うずめる

[字解] ①광중둔 무덤의 구덩이. 또, 광중에 관을 내려 묻는 일. '一穸之事'《左傳》. ②후히장사지낼둔 '說文, 一, 葬之厚也'《正字通》. ③묻을둔 '一, 瘞也'《集韻》.
[字源] 形聲. 穴+屯〔音〕

穴 4 〔突〕9 [高·人] 돌 [入]月 | tū(tú) トツ つく

[筆順] 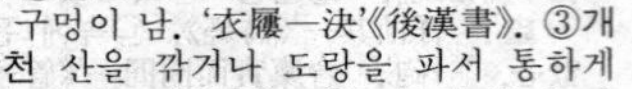

[字解] ①부딪칠돌 다닥침. '衝一'. '胸一銛鋒'《張衡》. ②내밀돌 쑥 나옴. '因震一出'《唐書》. ③뚫을돌 구멍을 파서 뚫음. '宵一陳城'《左傳》. ④대머리돌 민머리. '一禿長左'《荀子》. ⑤갑작스러울돌 '唐一'. '一然'. '一如其來如'《易經》. ⑥속일돌 기만함. 譎(言부 12획〈1354〉)과 통용. '一, 欺也'《廣雅》. ⑦굴뚝돌 '煙一'. '曲一'. '墨一不得黔'《韓愈》. ⑧사나운말돌 한마(悍馬). '御騑一'《漢書》.
[字源] 會意. 穴+犬

穴 4 〔穾〕9 요 ①-④[去]嘯 ⑤[上]篠 | yào ヨウ くらい | yǎo ヨウ とぼそのおと

[字解] ①침침할요 어둡침침함. 또, 그 곳. '巖一洞房'《司馬相如》. ②깊을요 '一, 深也'《正字通》. ③동남우(東南隅)요 방의 동남쪽 구석. '冬有一廈'《楚辭》. ④아름다울요 잘생김. '一, 好也'《廣雅》. ⑤문동개소리요 '一, 戶樞聲也'《集韻》.
[字源] 形聲. 穴+夭〔音〕

穴 4 〔⿱穴厷〕9 굉 [平]庚 | hóng コウ おおきないえ

[字解] ①큰집굉 '一, 一窨, 大屋也'《玉篇》. ②집울릴굉 집의 깊숙한 안쪽에서부터 울려 나오는 소리. '一, 屋深響也'《玉篇》.

穴 4 〔⿱穴夬〕9 [一] 열 [入]屑 | yuè エツ うがつ
[二] 결 [入]屑 | ケツ うがつ

[字解] [一] ①뚫을열 '一, 穿也'《說文》. ②구멍열. [二] 뚫을결, 구멍결 [一]과 뜻이 같음.

穴 4 〔窂〕9 〔뢰〕
牢(牛부 3획〈739〉)와 同字
[字源] 會意. 穴+牛

穴 4 〔窃〕9 〔절〕
竊(穴부 17획〈925〉)의 俗字
[字源] 形聲. 穴+切〔音〕

穴 4 〔⿱穴丩〕9 〔규〕
竅(穴부 13획〈924〉)와 同字

穴 4 〔⿱穴气〕9 〔비〕
⿱穴氣(穴부 10획〈922〉)와 同字

穴 4 〔罙〕9 삼 [平]侵 | shēn シン けむだし

[字解] ①굴뚝삼 연돌. ②깊을삼 깊음. 그윽함. '一, 幽深也'《正字通》.

穴 4 〔⿱穴豕〕9 〔수〕
邃(辵부 14획〈1509〉)와 同字

穴 4 〔⿱穴开〕9 [一] 암 [上]感 | yǎn アン とじる
[二] 엄 [上]琰 | エン とじる

[字解] [一] 닫을암 닫음. '一, 閉也'《玉篇》. [二] 닫을엄 [一]과 뜻이 같음.
[參考] 穽(穴부 4획〈916〉)은 別字. 穽(井부 6획〈356〉)의 俗字.

穴 4 〔窔〕9 요 [上]篠 [去]嘯 | yǎo yào ヨウ とぼそのおと

[字解] ①문지도리소리요 '窅, 戶樞聲也. 或作一'《說文》. ②깊을요, 방의동남쪽구석요 방의 가장 으슥한 쪽.

穴 4 〔穵〕9 〔담〕
突(穴부 5획〈917〉)과 同字

穴 4 〔⿱穴勿〕9 〔적〕
寂(宀부 8획〈281〉)과 同字

穴 4 〔⿱穴中〕9 충 [平]東 | chōng チュウ うがつ

[字解] 뚫을충 뚫음. '一, 穿也'《集韻》.

穴 5 〔⿱穴叫〕10 [一] 교 [去]嘯 | yǎo キョウ おくふかい
[二] 요 [上]篠 | yǎo ヨウ おくふかい

[字解] [一] 깊을교, 멀교, 으늑할교 깊고 멂. 일설(一說)에는, 조용함. '望一篠以徑廷'《張衡》. [二] 그윽할요, 얌전할요, 어두울요 窈(穴부 5획〈917〉)와 同字.
[字源] 形聲. 穴+叫〔音〕

穴 5 〔窄〕10 착(책[本]) [入]陌 | zhǎi(zé) サク せまい

[字解] ①좁을착 협착함. '一狹'. '地一天水寬'《蘇軾》. ②닥칠착 임박함. '命一途殫'《張說》. ※本音 책.
[字源] 形聲. 穴+乍〔音〕

穴 5 〔窅〕10 [一] 요 [上]篠 [上]巧 | yǎo ヨウ くぼんだめ
[二] 면 [平]先 | mián ベン なげきうらむさま

[字解] [一] ①움펑눈요 '目深曰一'《肯綮錄》. ②으슥할요 깊숙하고 먼 모양. '下有絕澗, 一然無底'《陶潛》. ③멀리바라볼요 '緣源殊未極, 歸徑一如迷'《謝朓》. ④한적(閑寂)할요 '一然之中, 若有聞焉'《王夫之》. [二] 한탄하고원망하는모양면 '一然喪其天下焉'《莊子》.
[字源] 會意. 穴+目

穴 5 〔窆〕10 폄 [去]豔 [上]琰 | biǎn ヘン ほうむる

[字解] ①하관할폄 관을 광중(壙中)에 내려묻음. '埋一'. '改一'. '及一執斧以涖匠師'《周禮》. ②구덩이폄 묘의 구덩이, 묘혈(墓穴). 광(壙). '作穿一宅兆'《說苑》.
[字源] 形聲. 穴+乏〔音〕

穴 5 〔窈〕10 요 [上]篠 | yǎo ヨウ ふかくとおい

[字解] ①그윽할요 깊고 고요함. 심원함. '一藹瀟湘空'《江淹》. '至道之精, 一一冥冥'《莊子》. ②얌전할요 정숙함. '一窕'. '美心爲一'《揚雄》. ③어두울요 희미함. 컴컴함. '可以明, 可以一'《淮南子》.
[字源] 形聲. 穴+幼〔音〕

穴 5 〔窊〕10 와 [平]麻 | wā ワ くぼむ

[字解] 우묵할와 우묵 들어감. '波瀾鱗淪, 一隆詭戾'《馬融》.
[字源] 形聲. 穴+瓜〔音〕

穴 5 〔窋〕10 줄 [入]質 | zhú, ②kū チュツ あなからでるさま

[字解] ①뾰족이내밀줄 구멍에서 나오려는 모양. ②굴줄 窟(穴부 8획〈920〉)과 통용. '伏甲士于一室中'《吳越春秋》.
[字源] 形聲. 穴+出〔音〕

穴 5 〔窌〕10 교 [去]效 | jiào コウ·キョウ あなぐら

[字解] 움교 窖(穴부 7획〈919〉)와 同字. '困一倉城'《周禮》.
[字源] 形聲. 穴+(卯)丣〔音〕

穴 5 〔窉〕10 병 [上]梗 | bǐng ヘイ さんがつ

[字解] ①삼월병 3월의 일컬음. '一, 爾雅, 三月爲一'《集韻》. ②구멍병 '一, 一曰, 穴也'《集韻》. ③놀랄병 놀라 마음이 전도됨. '一, 驚病也'《篇海》.
[字源] 形聲. 穴+丙〔音〕

穴 5 〔窇〕10 박 [入]覺 | báo ハク つちむろ

[字解] 움박 땅에 판 굴. 토실(土室). '一, 窟也'《廣雅》. '一, 土室'《玉篇》.

穴 5 〔突〕10 [一] 담 [上]感 | タン ふかい
[二] 음 [平]侵 | イン ふかい
[三] 삼 [平]侵 [去]沁 | ①shēn シン ふかい ②-④shēn シン ふかいさま

[字解] [一] ①깊을담 '一, 深也'《說文》. ②굴뚝담 '一, 一曰, 竈突'《說文》. [二] 깊을음, 굴뚝음 [一]과 뜻이 같음. [三] ①깊을삼, 굴뚝삼 [一]과 뜻이 같음. ②깊은모양삼 '一, 深皃'《集韻》. ③검을삼 먹빛. '一, 俗謂深黑爲窨一'《集韻》. ④묻을삼 관(棺)을 묻음. '一, 一曰, 瘞也. 關中謂瘞柩爲一'《集韻》.
[字源] 會意. 穴+火+求〈省〉

穴 5 〔⿱穴甲〕10 [一] 압 [入]洽 | yā オウ はりをつぼにうつ
[二] 잘 [入]曷 | サツ はりをつぼにうつ

[字解] [一] 맥찌를압 맥혈(脈穴)에 침을 놓음. '一, 入神脉刺穴'《廣韻》. [二] 맥찌를잘 [一]과 뜻이 같음.
[字源] 形聲. 穴+甲〔音〕

穴 5 〔⿱穴皿〕10 [一] 명 [上]梗 [二] 맹 [上]梗 | メイ·ミョウ あなぐら mǐng モウ あなぐら

[字解] [一] 움명 굴(窟). '一, 一戶, 土穴'《廣韻》. [二] 움맹 [一]과 뜻이 같음.
[字源] 形聲. 穴＋皿〔音〕

穴 5 〔⿱穴妟〕10 〔열〕 宎(穴부 4획〈916〉)의 本字

穴 5 〔⿱穴田〕10 〔수〕 岫(山부 5획〈305〉)의 籀文

穴 5 〔⿱穴巧〕10 〔규〕 竅(穴부 13획〈924〉)의 簡體字

穴 5 〔⿱穴弘〕10 굉 [平]庚 [去]敬 | hóng オウ おくふかいさま

[字解] ①아득할굉 아득한 모양. '一, 幽深貌'《類篇》. ②집울림굉 집이 울리는 소리. '一, 屋聲'《玉篇》. ③작은물굉 작은 물의 모양. '一, 小水皃'《廣韻》.

穴 5 〔⿱穴犮〕10 〔발〕 胈(肉부 5획〈1068〉)의 訛字

穴 5 〔⿱穴示〕10 비 [去]寘 | pì ヒ もれる

[字解] 샐비 기(氣)가 샘. 방귀가 나옴. '屁, 字林, 氣下泄也, 或作一'《集韻》.

穴 5 〔⿱穴且〕10 〔저〕 岨(山부 5획〈306〉)와 同字

穴 6 〔窒〕11 [一] 질 [入]質 [二] 절 [入]屑 | zhì チツ ふさぐ dié テツ びょうぜんのもん

[字解] [一] ①막을질, 막힐질 틀어막음. 통하지 아니함. '一塞'. '一息'. '勝私一慾'《呂大臨》. ②머물질, 멈출질 '有孚一'《易經》. ③질소질 원소의 한 가지. '一素'. [二] 종묘문절 '一皇'은 종묘 앞에 있는 문. '屨及於一皇'《左傳》.
[字源] 形聲. 穴＋至〔音〕

穴 6 〔窓〕11 [中·人] 창 [平]江 | chuāng ソウ まど

[筆順] · 亠 宀 穴 空 空 窓 窓

[字解] 창창 창문. '一牖'. '四旁兩夾一'《周禮》.
[字源] 形聲. 穴＋恖〔音〕
[參考] 窗(穴부 7획〈919〉)은 本字.

穴 6 〔窔〕11 요 [去]嘯 [上]篠 | yǎo ヨウ ふかい

[字解] ①으늑할요 유수(幽邃)함. 또, 그곳. '玄一'. '雷鬱律于巖一'《揚雄》. ②구석요 방의 동남(東南) 구석. '奥一之間, 簟席之上'《荀子》.
[字源] 形聲. 穴＋交〔音〕

穴 6 〔窕〕11 [人名] 조 ①-④[上]篠 ⑤-⑧[平]蕭 | tiǎo, tiāo チョウ ふかくひろい

[筆順] 一 宀 穴 穸 穸 究 窕 窕

[字解] ①썩깊을조 '一, 深肆極也'《說文》. ②틈조 꽉 차지 않음. '充盈大宇而不一'《荀子》. ③아름다울조 미색(美色). '一, 美也. 或謂之一'《方言》. ④가늘조 가볍고 작음. '小者不一'《左傳》. ⑤한가할조 '擊其倦勞, 避其閑一'《司馬法》. ⑥가벼울조 경솔함. 佻(人부 6획〈46〉)와 同字. '楚師輕一'《左傳》. ⑦도전할조 '目一心與'《枚乘》. ⑧과분할조 '一, 娃也'《廣雅》.
[字源] 形聲. 穴＋兆〔音〕

穴 6 〔窐〕11 [一] 규 [平]齊 [二] 와 [平]麻 | guī ケイ こしきのそこあな wā ワ こしきのそこあな

[字解] [一] 구멍규 시루의 구멍. '璋珪雜于甑一'《楚辭》. [二] 구멍와 [一]과 뜻이 같음.
[字源] 形聲. 穴＋圭〔音〕

穴 6 〔⿱穴吒〕11 타 [去]禡 | zhà タ あなのなかにある

[字解] 굴속에있을타 '窋一'는 물건이 구멍 속에 들어 있는 모양. '綠房紫菂, 窋一垂珠'《王延壽》.

穴 6 〔⿱穴合〕11 [一] 갑 [入]合 [二] 읍 [入]洽 | kè コウ あう āo オウ とちがひくい

[字解] [一] 합당할갑 맞음. '一, 一合, 相當也'《集韻》. [二] 땅낮을읍 토지가 움푹 패어 낮음. '一, 土墊也'《類篇》.

穴 6 〔⿱穴汙〕11 오 [平]虞 | wū オ ひくい

[字解] 낮을오 '一汝'은 낮음. 또, 축축이 젖는 모양. 질퍽질퍽한 모양. '一汝, 濕潤也'《集韻》. '一汝, 卑下也'《集韻》.
[字源] 形聲. 穴＋汙〔音〕

穴 6 〔窅〕11 요 [上]篠 [去]嘯 | yǎo ヨウ くらい

[字解] ①어두울요 '一, 冥也'《說文》. ②멀요 '一, 遠也'《廣韻》. ③숨을요 '一, 隱也'《廣韻》. ④흐릴요 희미함. '一, 遠望合也'《玉篇》. ⑤깊을요 그윽한 모양. '一, 一窱, 幽

深皃'《廣韻》.
[字源] 形聲. 穴+昆〔音〕

穴6 〔窑〕11 [一] 窯(穴부 10획〈922〉)의 俗字
[二] 窰(穴부 10획〈922〉)의 簡體字

穴6 〔宦〕11 〔환〕
宦(宀부 6획〈278〉)의 俗字

穴6 〔窔〕11 〔교〕
窌(穴부 5획〈917〉)의 訛字

穴6 〔窤〕11 궤 [上]紙 | guǐ キ あな
[字解] 구멍궤 구멍. '一, 穴也'《集韻》.

穴6 〔窌〕11 동 [平]東 [上]董 | tóng トウ ほらあな dòng トウ あなをとおす
[字解] ①동굴동 '一, 通一'《玉篇》. ②통할동 '一, 通也'《集韻》. ③구멍통하게할동.
[參考] 洞(水부 6획〈642〉)과 통용.

穴6 〔窔〕11 심 [平]侵 | shēn シン けむだし
[字解] 굴뚝심 굴뚝. 연돌. '一, 竈突, 說文, 深也'《廣韻》.

穴6 〔窅〕11 〔원〕
垣(土부 6획〈206〉)과 同字

穴6 〔窅〕11 유 [去]宥 | yòu ユウ むなしい
[字解] 빌유 속이 빔. '一, 空也'《玉篇》.

穴6 〔窐〕11 〔천〕
穿(穴부 4획〈916〉)과 同字

穴6 〔窋〕11 [一] 출 [入]質 | zhú チュツ あなのなかにすむ
[二] 혈 [入]屑 | xuè ケツ あなのむなしいさま
[字解] [一] 굴속에살출 굴 속에 삶. '一, 鑿穴居也'《集韻》. [二] 빈모양혈 빈 모양. 휑한 모양. '窩, 空皃, 或从血'《集韻》.

穴6 〔窅〕11 〔향〕
向(口부 3획〈148〉)과 同字

穴6 〔窐〕11 홍 [去]送 | hòng コウ むなしいさま
[字解] 빌홍 빔. 속이 빈 모양. '一, 一一, 空皃'《集韻》.

穴7 〔窌〕12 류 [去]宥 | liù リュウ あなぐら
[字解] ①움류 물건을 저장하는 굴. '一, 窖也'《說文》. ②땅이름류 '石一'는 제(齊)의 지명(地名). '石一, 邑名, 濟北盧縣東有地, 名石一'《左傳 註》.
[字源] 形聲. 穴+卯〔音〕
[參考] 窌(穴부 5획〈917〉)는 別字.

穴7 〔筤〕12 랑 [上]養 | láng ロウ あな
[字解] ①구멍랑 '一, 穴也'《玉篇》. ②집휑뎅그렁할랑 집이 텅 비고 조용함.

穴7 〔窖〕12 [一] 교 [去]效 | jiào コウ あなぐら
[二] 조 [去]號 | zào ソウ かまど
[字解] [一] ①움교 땅을 파서 만든 광. '置大一中'《漢書》. ②깊은마음교 속이 깊은 마음. '縵者, 一者, 密者'《莊子》. [二] 부엌조 竈(穴부 16획〈925〉)와 同字. '一, 說文, 炊竈也'《集韻》.
[字源] 形聲. 穴+告〔音〕

穴7 〔窘〕12 군 [上]軫 [去]問 | jiǒng キン くるしむ クン きわまる
[字解] ①군색할군 곤궁함. '困一織屨'《莊子》. ②괴로울군, 괴롭힐군 고생함. 고생하게 함. '一迫'. '見一'《史記》. ③어수선할군 총망함. 급함. '一, 急也'《廣雅》. ④좁아질군 '一, 急迫也'《廣雅》. '大道夷且長, 一路狹且促'《後漢書》. ⑤저릴군 '一, 痺也'《廣雅》.
[字源] 形聲. 穴+君〔音〕

穴7 〔窙〕12 효 [平]肴 | xiāo コウ·キョウ たかいき
[字解] ①넓을효 광활함. '幽谷豁以一窙'《潘岳》. ②높은기운효 '一, 高氣'《廣韻》.

穴7 〔窒〕12 경 [去]徑 [上]迥 | qìng ケイ むなしい
[字解] 빌경 속이 빔. '一, 空也'《說文》.
[字源] 形聲. 穴+巠〔音〕

穴7 〔窔〕12 열 [入]屑 | yuè エツ ふかくえぐる
[字解] ①깊이엘열 '一, 深抉也'《說文》. ②구멍열 '一, 穴皃'《玉篇》. ③빌열 '一, 空也'《玉篇》. ④뚫을열 '一, 穿也'《字彙》.
[字源] 形聲. 穴+抉〔音〕

穴7 〔窌〕12 〔교〕
窌(穴부 5획〈917〉)의 本字

穴7 〔窗〕12 〔창〕
窓(穴부 6획〈918〉)의 本字

穴 7 〔窜〕12 〔찬〕竄(穴부 13획〈924〉)의 簡體字

穴 7 〔寇〕12 구 [去]宥 kòu コウ かすめる

[字解] ①도적구 도적. ②거칠구 거칢. 난폭함. '一, 暴也'《篇海》.

穴 7 〔𥦂〕12 구 [平]宥 kòu コウ かすめる

[字解] ①빼앗을구 빼앗음. '一, 鈔也'《篇海》. ②거칠구 거칢. 난폭함. '一, 暴也'《篇海》.

穴 7 〔窛〕12 〔구〕 究(穴부 2획〈915〉)와 同字

穴 7 〔窥〕12 〔규〕 窺(穴부 13획〈924〉)와 同字

穴 7 〔窼〕12 다 [平]麻 chá タ ふかいさま

[字解] 깊을다 깊은 모양. '窊一'.

穴 7 〔窦〕12 두 [去]宥 dòu トウ おとしあな

[字解] 함정두 '一, 陷一也'《玉篇》.

[參考] 竇(穴부 15획〈925〉)의 俗字

穴 7 〔窅〕12 〔멱〕 覓(見부 4획〈1296〉)과 同字

穴 7 〔𥦖〕12 〔빈〕 賓(貝부 7획〈1392〉)과 同字

穴 7 〔𥦗〕12 삼 [平]侵 shēn シン けむだし

[字解] 굴뚝삼 연돌. '一, 突也'《集韻》.

穴 7 〔窚〕12 성 [平]庚 chéng セイ ものおき

[字解] 창고성 창고. 광. '一, 屋所容受也'《玉篇》.

穴 7 〔窚〕12 신 chén シン やかた

[字解] 대궐신 대궐. 천자의 거소. '一, 屋宇也, 天子所居也'《海篇》.

穴 7 〔窨〕12 ㊀암 [上]感 ǎn アン ふさぐ ㊁엄 [上]琰 yǎn エン おおう

[字解] ㊀막을암 막음. 막힘. '一, 窒也'《集韻》. ㊁덮을엄 덮음. 덮개. '一, 蓋也'《篇海》.

穴 8 〔窞〕13 담 [上]感 dàn タン あな

[字解] 구덩이담 구덩이의 깊숙한 데. '入于坎一'《易經》.

[字源] 形聲. 穴+臽〔音〕

穴 8 〔窟〕13 [人名] 굴 [入]月 kū クツ あな

[筆順] 宀 穴 空 穻 窟 窟 窟 窟

[字解] ①움굴 움집. '冬則居營一'《禮記》. ②굴굴 ㉠땅이나 바위가 가로 깊숙이 팬 곳. '石一'. '一穴'. '血滿長城之一'《李華》. ㉡짐승이 사는 구멍. '狡兔有三一'《戰國策》. 전(轉)하여 사람이 많이 모이는 곳. '巢一'. '冠冕之一'《杜甫》. '洛陽古稱豪傑一'《趙汸》.

[字源] 形聲. 穴+屈〔音〕

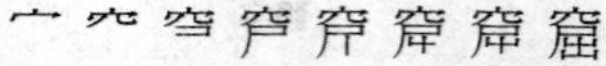

穴 8 〔窠〕13 과 [平]歌 kē カ くぼみ, す

[字解] ①구멍과 뚫어진 자리. '作一穿坎'《論衡》. ②보금자리과 ㉠새의 둥우리. '一臼'. '鵲構一'《酉陽雜俎》. ㉡짐승이 사는 구멍. 굴. '馬牛雖異域, 雞犬竟同一'《周昂》. ㉢벌레의 집. '蜂房有四件. 一名革蜂一'《本草》. ③집과 방. 암자. '一, 庵也'《廣雅》.

[字源] 形聲. 穴+果〔音〕

穴 8 〔窢〕13 획 [入]陌 [入]職 xū カク ぎゃくふうのおと

[字解] ①역풍불획 역풍(逆風)이 부는 모양. '其風一然'《莊子》. ②빠를획 '一然'은 빠른 모양. '一然, 迅速貌也'《莊子 疏》.

[字源] 形聲. 穴+或〔音〕

穴 8 〔窣〕13 솔 [入]月 sū ソツ ゆくことのゆるやかなさま

[字解] ①느릿느릿걸을솔 '勃一'은 느릿느릿 걷는 모양. 일설(一說)에는, 기어가는 모양. '媻珊勃一上金堤'《司馬相如》. ②갑작스러울솔 '灞岸垂楊一地新'《唐玄宗》.

[字源] 形聲. 穴+卒〔音〕

穴 8 〔窐〕13 괘 [上]蟹 guǎi カイ ごばんのめ

[字解] 바둑판눈괘 바둑판에 그어진 가로·세로의 눈금. '一, 博局方目也'《集韻》.

穴 8 〔窦〕13 담 [上]感 dǎn タン ふかい

[字解] ①깊을담 '一, 深也'《字彙》. ②굴뚝담 연통. '一, 竈突也'《字彙》.

穴 8 〔窡〕13 찰 [入]黠 zhuó タツ あなのなかにみえる

[字解] ①구멍으로보일찰 '一, 穴中見也'《說文》. ②구멍에서나올찰 '一, 穴中出皃'《集

韻》.
字源 形聲. 穴+叕〔音〕

穴8 〔⿱穴朋〕13 〔붕〕
堋(土부 8획〈210〉)과 同字

穴8 〔窤〕13 관 (平)寒 | guān カン ちめい
字解 땅이름관 땅 이름.

穴8 〔⿱穴冥〕13 녕 (平)青 | níng デイ おおきい
字解 ①클녕 큼. '一, 大也'《玉篇》. ②밝을녕 밝음. '一, 明也'《玉篇》. ③하늘녕 하늘. '一, 天也'《廣韻》.

穴8 〔⿱穴奄〕13 〔엄〕
掩(手부 8획〈450〉)과 同字

穴8 〔⿱穴委〕13 와 (平)歌 | wō ワ あなのなかにすむ
字解 ①굴속에살와 굴 속에 삶. '一, 穴居也'《集韻》. ②창고와 창고. 곳간. ③굴와 굴. 구멍.

穴8 〔⿱穴⿰舟刂〕13 〔유〕
窬(穴부 9획〈921〉)와 同字

穴9 〔窨〕14 음 ①②(去)沁 ③(平)侵 | yìn, yīn イン あなぐら
字解 ①움음 땅을 파서 만든 광, 또는 집. '室一'. '蠶室一室'《後漢書》. ②저장할음 술·기름 따위를 땅 속에 묻어 둠. '以酒水等埋藏地下, 曰一'《說文》. ③검을음 '一窔'은 검음. 새까맘. '一窔, 黑也'《集韻》.
字源 形聲. 穴+音〔音〕

穴9 〔窩〕14 와 (平)歌 | wō カ むろ
字解 ①굴와 굴혈(窟穴). ②움와 움집. 벌집처럼 보이는, 사람이 사는 움집을 '蜂一'라 함. '蜂一聯聯'《楊敬之》. ③집와 ㉠별장 등의 아호(雅號)로 쓰임. 소강절(邵康節)의 '安樂一' 따위. '名其居曰安樂一'《宋史》. ㉡물품 혹은 도둑을 숨겨 두는 집. '一家'.
字源 形聲. 穴+咼〔音〕

穴9 〔窪〕14 와 (平)麻 | wā ワ くぼみ
字解 ①구덩이와 땅이 움푹 팬 곳. '蹄一之內, 不生蛟龍'《新論》. ②우묵할와 우묵하게 들어감. '一則盈'《老子》. ③맑은물와 '一, 清水也'《說文》. ④깊을와 '一, 深也'《廣韻》. ⑤괸물와 소의 발자국에 괸 물. '一, 牛蹄跡水也'《玉篇》.
字源 形聲. 水+窐〔音〕

穴9 〔窬〕14 ㊀유 (平)虞 | yú ユ くぐり
㊁두 (平)尤 | dōu トウ くぐり
字解 ㊀①협문유 정문 옆의 몸을 굽히고 들어가게 된 작은 문. '蓽門圭一'《禮記》. ②뚫을유 담에 구멍을 냄. '穿一之盜'《論語》. ㊁협문두, 뚫을두 ㊀과 뜻이 같음.
字源 形聲. 穴+兪〔音〕

穴9 〔⿱穴复〕14 ㊀부 (去)宥 | fù フウ とりがたまごをあたためる
㊁복 (入)屋 | fú フク あなぐら
字解 ㊀새알안을부 어미새가 알을 깨려고 품음. 伏(人부 4획〈38〉)과 同字. '伏, 抱卵也, 或作一'《集韻》. ㊁움복 지하실. ⿱穴復(穴부 12획〈924〉)과 同字.

穴9 〔窫〕14 알 (入)黠 | yà アツ おおきいあな
字解 ①큰구멍알 穵(穴부 1획〈915〉)과 同字. '穵, 說文, 空大也. 或从契'《集韻》. ②조용할알 '一, 靜也'《類篇》.
字源 形聲. 穴+契〔音〕

穴9 〔窻〕14 〔창〕
窗(穴부 7획〈919〉)의 俗字

穴9 〔⿱穴屋〕14 〔굴〕
窟(穴부 8획〈920〉)과 同字

穴9 〔⿱穴是〕14 〔식〕
寔(宀부 9획〈282〉)과 同字

穴9 〔⿱穴俞〕14 〔유〕
窬(穴부 9획〈921〉)와 同字

穴9 〔⿱穴⿱𠂤木〕14 〔자〕
柘(木부 5획〈536〉)과 同字

穴9 〔焢〕14 홍 (平)東 | hōng コウ ひのさま
字解 ①불모양홍 불의 모양. '一, 火貌'《篇海》. ②불빛홍 불빛. '一, 光色也'《集韻》.

穴10 〔窮〕15 高人 궁 (平)東 | qióng キュウ きわめる
筆順
字解 ①궁구할궁 깊이 연구함. '一理'. '卽物而一其理'《大學章句》. ②다할궁 ㉠있는 힘을 다 들임. '一日之力'《孟子》. ㉡다 없어짐. 또는, 끝남. '永世無一'《書經》. ③궁하게할궁 괴롭힘. 난처하게 함. '白起者且復將戰, 勝必一公'《戰國策》. ④궁할궁 ㉠막힘. 처리할 도리가 없음. '遁辭知其所一'《孟子》. ㉡가난함. '一乏'. '一不失義《孟

子》. ㉢곤란함. 궁지에 빠짐. '一寇'. '獸一則齧'《韓詩外傳》. ㉣출세하지 못함. '一達'. ⑤생업(生業)없을궁 생계 수단이 없음. '分貧振一'《左傳》.
[字源] 形聲. 篆文은 穴＋躳〔音〕

穴 10 〔窯〕15 요 [平]蕭 yáo / [去]嘯 yào ヨウ かま
[字解] ①가마요 기와·그릇을 굽는 가마. '一業'. '廠烟起蒸一'《吳澄》. ②오지그릇요 도기(陶器). '吉州一'《格古要論》.
[字源] 形聲. 穴＋羔〔音〕
[參考] ①窰(次條)는 同字. ②窑(穴부 6획〈919〉)는 俗字.

穴 10 〔窰〕15 窯(前條)와 同字

穴 10 〔窱〕15 조 [上]篠 tiǎo / [去]嘯 チョウ ふかい, とおい
[字解] 깊을조, 멀조, 으늑할조 깊고 먼 모양. 심원(深遠)한 모양. '泓泓, 淵淵, 一一, 窈窈, 深也'《廣雅釋訓》.
[字源] 形聲. 穴＋條〔音〕

穴 10 〔窳〕15 [一]유 [上]麌 yǔ ユ ゆがむ / [二]와 [平]麻 wā ワ くぼむ
[字解] [一] ①이지러질유 그릇의 한쪽이 떨어짐. 또, 흠이 있음. 또, 모양이 비뚤어짐. 또, 조제남조(粗製濫造)임. '一楛'. '器皆不苦一'《史記》. ②약해질유 '手足惰一'《枚乘》. ③게으를유 나태함. '一民'. '以故呰一'《史記》. [二] 우묵할와 窪(穴부 9획〈921〉)와 同字. '平一坎而樹之'《蔡襄》.
[字源] 形聲. 穴＋㼌〔音〕

穴 10 〔⿱穴料〕15 [一]초 [平]肴 cháo ソウ かおくのおくふかいさま / [二]료 [去]嘯 リョウ かおくのおくふかいさま
[字解] [一] 으늑할초 '寥一'는 집안이 으슥한 모양. '霄寥一以峥嵘'《王延壽》. [二] 으늑할료 [一]과 뜻이 같음.

穴 10 〔窴〕15 [一]전 [平]先 tián テン ふさがる / [二]안 [上]潸 yǎn アン せまくるしい
[字解] [一] 멜전, 메일전 막음. 막힘. 塡(土부 10획〈216〉)의 古字. '一滅'. '負薪一決河'《漢書》. [二] 비좁을안 '一赧'은 비좁아 답답함. '一赧, 迫窄也'《集韻》.
[字源] 形聲. 穴＋眞〔音〕

穴 10 〔⿱穴氣〕15 비 [去]寘 pì ヒ へ
[字解] 방귀비 屁(尸부 4획〈296〉)와 同字.

穴 10 〔⿱穴冓〕15 구 [去]宥 gòu コウ あな
[字解] 구멍구 구멍. '一, 穴也'《集韻》.

穴 10 〔⿱穴秝〕15 미 [去]未 wèi ビ いわな
[字解] 곤들메기미 연어과의 민물고기.

穴 10 〔⿱穴員〕15 운 [上]吻 yǔn ウン くもがせいき てんぺんする
[字解] ①구름설렐운 구름이 설렘. '一, 雲起轉也'《字彙補》. ②우레운 천둥.

穴 11 〔窡〕16 촬 [入]黠 zhuó タツ ほおばる
[字解] 메어지게먹을촬 입 안 가득히 음식을 넣음. '一, 口滿食'《說文》.

穴 11 〔⿱窡女〕16 [一]촬 [入]黠 zhuó タツ [一]-[三] みじかいかお / [二]활 [入]黠 カツ / [三]줄 [入]質 チュツ
[字解] [一] ①짧은얼굴촬 '一, 短面也'《說文》. ②고운자태촬 아리따운 모습. '一, 嬌姿也'《篇海》. [二] 짧은얼굴활, 고운자태활 [一]과 뜻이 같음. [三] 짧은얼굴줄, 고운자태줄 [一]과 뜻이 같음.
[字源] 形聲. 女＋窡〔音〕

穴 11 〔窵〕16 조 [去]嘯 diào / [上]篠 チョウ おくふかいさま
[字解] 그윽할조 깊숙한 모양. '一, 一窅, 深皃'《集韻》.
[字源] 形聲. 穴＋鳥〔音〕

穴 11 〔窶〕16 [一]구 [上]麌 jù ク まずしい / [二]루 [平]尤 lóu ロウ ちいさいおか
[字解] [一] 가난할구 가난하여 예의를 갖추지 못함. 寠(宀부 11획〈284〉)와 同字. '終一且貧'《詩經》. [二] 좁은땅루 '甌一'는 협소하고 경사가 심한 땅. '甌一滿篝'《十八史略》.
[字源] 形聲. 穴＋婁〔音〕

穴 11 〔窸〕16 실 [入]質 xī シツ こえのやすらかでないさま
[字解] ①불안할실 ㉠'一窣'은 불안한 소리의 형용. '枝撐聲一窣'《杜甫》. ㉡'一窣'은 불안한 모양. '黑雲夜一窣'《張希復》. ②구멍에서나올실 '一, 從穴出也'《廣韻》.

穴 11 〔窺〕16 [人名] 규 ①②[平]支 kuī キ うかがう / ③[上]紙 kuǐ キ かたあしふみだす

筆順 (stroke order)

字解 ①엿볼규 남이 모르게 가만히 봄. '伺一'. '一見室家之好'《論語》. ②볼규 '一, 視也'《廣雅》. '莫得一乎'《呂氏春秋》. ③반걸음규 반보(半步). 또, 한쪽 발을 내디딤. 跬(足부 6획〈1428〉)와 통용. '能一左足'《漢書》.
字源 形聲. 穴＋規〔音〕

穴11 〔窻〕 16 용(송本) 平冬 | yōng ショウ ゆがむ
字解 일그러질용 그릇 같은 것이 뒤둥그러짐. '窳一, 器病也'《集韻》. ※本音 송.

穴11 〔窠〕 16 강 平陽 | kāng コウ がらんとしてしずか
字解 ①휑뎅그렁할강 집이 텅 빔. ②공허할강. '凡物空者皆曰一寳'《五音集韻》.

穴11 〔寥〕 16 ㊀료 平肴 ㊁력 入錫 | liáo ロウ·リョウ むなしい lì レキ おさめる
字解 ㊀①고요할료 텅 비어 쓸쓸함. '一, 空也, 寂也'《正字通》. ②아득할료 '窐一'는 심원(深遠)한 모양. '窐一, 深遠貌'《類篇》. ㊁감출력 잘 둠. '一, 博雅, 藏也'《集韻》.

穴11 〔窳〕 16 우 平虞 | yū ウ やまのほらあな
字解 ①동굴우 산의 동굴(洞窟). '一, 山穴也'《玉篇》. ②산이름우 '一, 山名'《集韻》.

穴11 〔窞〕 16 담 ①②平覃 ③去勘 | tān タン うすく おおきい タン ふかいあな
字解 ①얇고클담 '窰一'은 얇고 큼. '窰一, 薄而大也'《集韻》. ②납작하고얇을담 '窰一'은 납작하고 얇음. '窰一, 匾薄也'《集韻》. ③깊은굴담 '窰一, 深穴'《集韻》.

穴11 〔寖〕 16 침 ①上寑 ②-④去沁 | jǐn シン けんめい jìn シン ひたす
字解 ①고을이름침 현명(縣名). 하남성(河南省) 침구현(沈邱縣)의 남동(南東). 춘추(春秋) 시대 초(楚)나라 침구(寖丘)의 땅. ②담글침 물에 잠금. '一, 漬也'《廣韻》. ③못침 늪. 호소(湖沼). '一曰五湖'《漢書》. ④점차침 점점. 浸(水부 7획〈649〉)과 同字. '其後一盛'《漢書》.
字源 形聲. 穴＋浸〔音〕

穴11 〔窻〕 16 〔창〕
窗(穴부 7획〈919〉)의 俗字

穴11 〔窼〕 16 소 平肴 | zhāo ソウ ねぐら
字解 새집소 구멍 속의 새집. '一, 鳥穴中也'《集韻》.

穴11 〔窯〕 16 〔요〕
窯(穴부 10획〈922〉)와 同字

穴11 〔窩〕 16 적 入陌 | zhé タク うさぎのあな
字解 토끼굴적 토끼굴.

穴11 〔窱〕 16 조 | tiǎo チョウ ふかくとおい
字解 깊고멀조 깊고 멂. 그윽함. '一, 窈一, 深遠也'《韻海》.

穴11 〔窊〕 16 화 去禡 | huà カ ゆるやか
字解 ①느슨할화 느슨함. 느릿함. '一, 寬也'《廣雅》. ②막을화 막음. 멈추게 함. '一, 横木不入也'《玉篇》.

穴12 〔窾〕 17 ㊀관 上旱 ㊁과 平歌 | kuǎn カン むなしい カ むなしい, あな
字解 ㊀①빌관 공허함. '一言'. '實不中其聲者, 謂之一'《史記》. ②마를관 말라 죽음. 고사(枯死)함. '一枯木, 丁衝, 振其枝'《太玄經》. ③법관 법률. '襲九一'《淮南子》. ㊁빌과 속이 빔. 구멍이 뚫림. '見一木浮'《淮南子》.
字源 形聲. 穴＋款〔音〕

穴12 〔竀〕 17 정 平庚 平庚 | chēng, chēng トウ·チョウ みる, せんこうしょく
字解 ①붉을정 赬(赤부 9획〈1404〉)과 同字. '魚一尾'《左傳》. ②볼정 똑바로 봄. '一, 正視也'《說文》.
字源 形聲. 穴＋見＋正〔音〕

穴12 〔竁〕 17 ㊀취 去霽 ㊁천 去霰 | cuì セイ うがつ jiàn セン つかあな
字解 ㊀팔취 땅을 팜. '卜葬兆甫一'《周禮》. ㊁①광천 무덤의 구덩이. '及一'《周禮》. '掌喪祭奠一之俎實'《周禮》. ②굴천 동굴(洞窟). 굴혈(窟穴). '月一來賓'《顏延之》.
字源 形聲. 穴＋毳〔音〕

穴12 〔窿〕 17 륭 平東 | lóng リュウ ゆみなり
字解 활꼴륭 궁형(弓形). 하늘이 둥글게 휘어진 모양. '閣道穹一'《張衡》. 隆(阜부 9획〈1620〉)의 俗字.

字源 形聲. 穴＋隆〔音〕

穴12〔竆〕17 혈 ㊀屑 | xuè ケツ あなのさま

字解 ①구멍혈 '一, 空皃. (段注) 孔之皃也'《說文》. ②뚫을혈 '一, 穿皃'《廣韻》. ③깊을혈 '一, 深皃'《玉篇》.
字源 形聲. 穴＋矞〔音〕

穴12〔竳〕17 정 ㊥庚 | zhēng トウ えぎぬ

字解 ①화포(畫布)정 그림을 그리는 데 쓰는 생견(生絹). '東海氣如圓一'《晉書》. ②휑뎅그렁할정 '一宖'은 넓고 큰 모양. '一, 一宖, 闊大皃'《玉篇》.

穴12〔寮〕17 료 ㊥蕭 | liáo リョウ うがつ

字解 ①뚫을료 구멍을 뚫음. '一, 穿也'《說文》. ②빌료 속이 텅 빔. '一, 空也'《廣雅》. ③창(窓)료 작은 창. '交綺豁以疏一'《張衡》. ④같은벼슬료 동관(同官). 僚(人부 12획〈72〉)와 통용. '同官爲一'《六書正譌》.
字源 形聲. 穴＋尞〔音〕

穴12〔寱〕17 복 ㊀屋 | fù フク あなぐら

字解 움복 지하실(地下室). 땅광. '一, 地室也. 詩曰, 陶一陶穴'《說文》.
字源 形聲. 穴＋復〔音〕

穴12〔窩〕17 과 ㊥歌 | kē カ いわや

字解 ①동굴과 동굴. 석굴. '一, 窟也'《篇海》. ②새보금자리과 새의 보금자리. '一, 巢也'《篇海》.

穴12〔窺〕17 〔규〕 窺(穴부 11획〈922〉)와 同字

穴12〔竅〕17 〔규〕 竅(穴부 13획〈924〉)와 同字

穴12〔竲〕17 정 ㊥庚 | chéng チョウ おおや

字解 ①큰집정 큰 집. '宖一'. ②울림정 울림. ③높고깊은모양정 높고 깊은 모양. '一宖'.

穴12〔竉〕17 ㊀충 ㊥冬 ㊁통 ㊤董 | chōng ショウ うつろ tǒng トウ くらい

字解 ㊀빌충 빔. 공허함. '一, 空也'《集韻》. ㊁어두울통 어두움. '一, 一寵, 闇也'《集韻》.

穴13〔竄〕18 찬 ①-⑧㊦翰 ⑨⑩㊥寒 | cuàn サン·ザン かくれる chuān サン·ザン あなにはいる

字解 ①숨을찬 몸을 감춤. '隱一'. '自一于戎翟之閒'《國語》. ②달아날찬 도망함. '一匿'. '百家無所一'《荀子》. ③내칠찬 방축(放逐)함. 귀양 보냄. '一黜'. '一三苗于三危'《書經》. ④숨길찬 감춤. '可以一惡'《國語》. ⑤훈할찬 스며들게 함. 약 같은 것으로 뜸. '卽一以藥'《史記》. ⑥들여놓을찬 용납함. '無所一其姦矣'《呂氏春秋》. ⑦죽일찬 '一, 誅也'《廣韻》. ⑧고칠찬 시문 등을 고침. '改一'. '漬墨一舊史'《韓愈》. ⑨들어갈찬 구멍으로 들어감. '一, 入穴也'《集韻》. ⑩부추길찬 나쁜 짓을 하도록 꼬드김. '誘人爲惡曰一'《韻會小補》.
字源 會意. 鼠＋穴

穴13〔竅〕18 규(교㊍) ㊦嘯 | qiào キョウ あな

字解 ①구멍규 ㉠뚫린 자리. '孔一'. '一于山川'《禮記》. ㉡몸에 있는 구멍. 곧, 이목구비(耳目口鼻) 따위. '聖人之心有七一'《史記》. ②구멍뚫을규 '所以一窕穿鑿百事之壅遏'《淮南子》. ③통할규 '一領天地'《淮南子》. ※本音 교.
字源 形聲. 穴＋敫〔音〕

穴14〔寱〕19 예 ㊦霽 | yì ゲイ ねごと

字解 잠꼬대예 자면서 중얼거리는 헛소리. '一, 睡語'《廣韻》.

穴14〔竆〕19 궁 ㊥東 | qióng キョウ くにのな

字解 나라이름궁 고대(古代) 하(夏)의 제후(諸侯)인, 예(羿)의 봉국(封國). 유궁(有竆). 지금의 산동성 주시현(山東省州市縣)의 북쪽. '一, 夏后時諸侯夷羿國也'《說文》.
字源 形聲. 邑＋竆〈省〉〔音〕

穴14〔籃〕19 람 ①②㊥覃 ③㊦勘 | lán ラン うすくておおきい làn ラン ふかいあな

字解 ①얇고클람 '一窾'은 얇고 큼. '一窾, 薄而大'《玉篇》. ②납작하고얇을람 '一窾, 匾薄也'《集韻》. ③깊은굴람 '一窾, 深穴'《集韻》.

穴14〔竆〕19 〔궁〕 窮(穴부 10획〈921〉)의 本字

穴14〔竈〕19 〔조〕 竈(穴부 16획〈925〉)와 同字

穴 15 〔竇〕20 ㊀ 두 ㊔宥 dòu トウ あな ㊁ 독 ㊕屋 dú トク みぞ

字解 ㊀ ①움두 땅을 파서 만든 광이나 집. '穿一窖'《禮記》. ②구멍두 공혈(孔穴). 입구. '所以達天道, 順人情之大一也'《禮記》. ③규문(圭門)두 담이나 벽을 뚫어 만든 출입구. '篳門閨一之人'《左傳》. ④무너뜨릴두 물이 둑 따위를 결궤시킴. '不一澤'《國語》. ⑤성두 성(姓)의 하나. ㊁ 도랑독 瀆(水부 15획〈696〉)과 통용. '有大雨, 自其一入'《左傳》.

字源 形聲. 穴+賣〔音〕

穴 15 〔竊〕20 〔절〕 竊(穴부 17획〈925〉)의 俗字

穴 15 〔竅〕20 〔구〕 究(穴부 2획〈915〉)와 同字

穴 15 〔竊〕20 〔절〕 竊(穴부 17획〈925〉)과 同字

穴 16 〔竈〕21 조 ㊔號 zào ソウ かまど

字解 ①부엌조 취사(炊事)하는 곳. '一, 炊竈也'《說文》. ②부엌귀신조 부엌을 맡은 귀신. 조왕(竈王). '孟夏之月, …其祀一'《禮記》.

字源 會意. 金文은 '宀' 또는 穴+黽. '黽맹'은 개구리의 象形.

穴 16 〔竉〕21 롱 ㊤董 lǒng ロウ あな

字解 구멍롱 '孔一'은 구멍. '孔一, 穴也'《集韻》.

穴 16 〔竅〕21 〔국〕 竆(宀부 16획〈287〉)과 同字

穴 16 〔竂〕21 료 ㊥蕭 liáo リョウ から

字解 ①빌료 속이 텅 빔. '一, 空也'《篇海》. ②뚫을료 뚫음. '一, 穿也'《篇海》.

穴 16 〔竊〕21 竊(次條)의 訛字

穴 17 〔竊〕22 高校 절 ㊕屑 qiè セツ ぬすむ

字解 ①훔칠절 ㉠절취함. '一盜'. '一寶玉大弓'《春秋》. ㉡외람되이 …을 함. 헛되이 녹위(祿位)를 받음. '臧文仲, 其一位者與'《論語》. ㉢범함. '一仁人之號'《史記》. ②도둑질절, 도둑절 절도. 절취 행위. '草一'. '鼠一狗盜'《史記》. ③몰래절 ㉠남몰래. '一負而逃'《孟子》. ㉡공공연히 표시하지 않는다는 뜻으로, 겸손함의 뜻을 나타냄. '一比於我老彭'《論語》. ㉢마음 속으로. '熹自蚤歲卽嘗受讀, 而一疑之'《朱熹》. ④명백할절, 명백히할절 '一一然知之'《莊子》. ⑤붙일절 '一, 著也'《廣雅》.

字源 會意. 穴+米+廿+禼

參考 竊(穴부 4획〈916〉)은 俗字.

穴 18 〔竈〕23 〔조〕 竈(穴부 16획〈925〉)와 同字

穴 19 〔竇〕24 〔두〕 竇(穴부 15획〈925〉)의 本字

穴 19 〔竇〕24 동 ㊥東 tóng トウ かぜのこえ

字解 바람소리동 바람 소리. '一, 風聲也'《篇海》.

穴 20 〔竇〕25 담 ㊥覃 hān タン ころもをとかずにねる

字解 옷입은채잠잘담 옷을 입은 채 잠. '一, 寐不解衣'《集韻》.

穴 21 〔竊〕26 〔절〕 竊(穴부 17획〈925〉)의 本字

立 部

〔설 립 부〕

立 0 〔立〕5 中·人 ㊀ 립 ㊕緝 lì リュウ·リツ たつ ㊁ 위 ㊔寘 wèi イ くらい

筆順 ' 亠 亣 立 立

字解 ㊀ ①설립 ㉠정지함. 행(行)의 대. '佇一'. '一必正方'《禮記》. ㉡꼿꼿이 섬. 또, 일어남. 기립함. '直一'. '家人一而啼'《左傳》. ㉢확고히 섬. 굳게 지켜 움직이지 않음. '三十而一'《論語》. ㉣이루어짐. '成一'. '而後禮儀一'《禮記》. ㉤생존함. 존재함. '存一'. '燕·秦不兩一'《戰國策》. ㉥즉위(卽位)함. '桓公一, 乃老'《左傳》. ㉦전(傳)해짐. 스러지지 않음. '旣沒其言一'《左傳》. ㉧나타남. 드러남. '德無所一'《淮南子》. ㉨임(臨)함. '明主一政'《史記》. ②세울립 ㉠전항의 타동사. '一人之道, 曰, 仁與義'《易經》. '懦夫有一志'《孟子》. ㉡설치함. '設一'. '一其監'《周禮》. ㉢설정함. '重一賞格'《南史》. ㉣건축함. '建一'. '一商颷館於孫陵岡'《南史》. ㉤나타냄. 밝힘. '大上有一德'《左傳》. ㉥지위에 앉힘. '國人一之

曰一, 他國一之曰納'《公羊傳 注》. ③곧립 즉시로. '其末一見'《史記》. ④미터법에서 양(量)을 나타내는 단위. 리터의 약기(略記). ⑤성립 성(姓)의 하나. 曰 자리위 자리. 位(人부 5획〈41〉)와 통용.
字源 指事. 일선상(一線上)에 사람이 선 모양을 본떠, '서다'의 뜻을 나타냄.
參考 '立립'을 의부(意符)로 하여, 서는 동작에 관한 문자를 이룸. '竟경'·章장'은 본래는 '音음'의 부수(部首)에 속하는 글자이지만, 습관상 '立'의 부에 포함시키고 있음.

立1〔辛〕6 건 ㊥先 | qiān ケン つみ
字解 죄건 허물. '一, 辠也'《說文》.
字源 會意. 篆文은 干+二

立1〔产〕6 〔산〕 産(生부 6획〈792〉)의 簡體字

〔辛〕〔신〕 部首(1483)를 보라.

立2〔竎〕7 〔역〕 亦(亠부 4획〈29〉)과 同字

立3〔竌〕8 〔사〕 竢(立부 7획〈927〉)와 同字

〔妾〕〔첩〕 女부 5획(245)을 보라.

立4〔竒〕9 〔기〕 奇(大부 5획〈233〉)의 俗字

〔彦〕〔언〕 彡부 6획(366)을 보라.

〔音〕〔음〕 部首(1680)를 보라.

立4〔竑〕9 횡 ㊥庚 ㊥蒸 | hóng コウ はかる
字解 ①잴횡 자로 잼. '一其幅廣'《周禮》. ②넓을횡 광대함. '一, 廣也'《玉篇》. ③강할횡 강장(強壯)함. '一, 非量度之義. 蓋强壯之謂'《正字通》.
字源 形聲. 立+厷〔音〕

立4〔竍〕9 데카리터(decaliter)
字解 프랑스의 용량 단위(容量單位). 리터의 10 배.

立5〔竜〕10 人名 〔룡〕 龍(部首〈1892〉)의 古字
筆順 亠 立 产 音 竜

立5〔竟〕10 〔경〕 競(立부 15획〈929〉)의 簡體字

立5〔竛〕10 령 ㊥青 | líng レイ ゆくさま
筆順 ' 亠 立 立 竝 竛 竛 竛
字解 갈령 가는 모양. 비틀거리며 걸어가는 모양. '一竮, 行皃'《集韻》. '一竮, 行不正'《玉篇》.
字源 形聲. 立+令〔音〕

立5〔站〕10 참 ㊤陷 ㊥咸 | zhàn zhān タン たたずむ
字解 ①우두커니설참 오래 서 있음. '一立'. ②역마을참 역말을 갈아 타는 곳. '驛一'. '元制, 一赤者, 驛傳之譯名也'《元史》.
字源 形聲. 立+占〔音〕

立5〔竚〕10 저 ㊤語 | zhù チョ たたずむ
字解 우두커니설저 오래 서 있음. 佇(人부 5획〈41〉)와 同字. '一立'. '結桂枝兮延一'《楚辭》.
字源 形聲. 立+宁〔音〕

立5〔竝〕10 高 人 曰 병 ㊤迥 | bìng ヘイ ならぶ 曰 방 ㊤漾 | bàng ホウ つらなる
筆順 ' 亠 亣 立 立 竝 竝 竝
字解 曰 ①나란히설병, 나란히할병 가지런히 섬. 가지런히 함. '一列'. '一肩'. '道一行而不相悖'《中庸》. ②나란할병 가지런함. 같음. '一乎堯舜'《荀子》. ③나란히병 가지런히. 모두. 함께. '一育'. '一驅'. '一受罰'《易經》. ④아우를병 병합함. '一呑八荒'《史記》. ⑤성병 성(姓)의 하나. 曰 연할방 연접(連接)함. '北一渤海'《漢書》.
字源 會意. 立+立
參考 並(一부 7획〈13〉)은 同字.

立5〔竘〕10 曰 구 ㊤麌 | qǔ ク すこやか ㊤有 | コウ·ク すこやか 曰 우 ㊤麌 | ウ すこやか
字解 曰 ①건장할구 '一, 健也'《說文》. ②다듬을구, 꾸밀구 '一, 貌治也. 吳越飾貌曰一, 或謂之巧'《揚子方言》. ③높고장(壯)할구 '其始成, 一然善也'《淮南子》. 曰 건장할우, 다듬을우, 꾸밀우, 높고장할우 曰과 뜻이 같음.

字源 形聲. 立+句〔音〕

立 6 〔竟〕11 高·人 경 ㊀敬 ㊤梗 ①-⑦jìng ケイ·キョウ つきる, おわる ⑧ケイ·キョウ さかい

筆順 亠 立 音 音 音 音 竟 竟

字解 ①끝날경, 마칠경 '語未一'. '小人爲德, 不一'《漢書》. ②끝경 종말. '畢一'. '歲一, 此兩家常折券棄責'《史記》. ③다할경 궁진(窮盡)함. '故不一'《漢書》. ④널리경, 널리미칠경 '恩施下一同學'《漢書》. ⑤마침내경 결국에 가서. '一廢申公'《史記》. ⑥도리어경 그러나. '盜跖…橫行天下. 一以壽終'《史記》. ⑦성경 성(姓)의 하나. ⑧지경경 경계(境界). 境(土부 11획〈217〉)과 同字. '一內'. '國中至邊一'《詩經》.

字源 會意. 音+儿

立 6 〔章〕11 中·人 장 ㊥陽 zhāng ショウ あや, くぎり

筆順 亠 立 音 音 音 音 章 章

字解 ①문채장 ㉠문채(文彩). 문리(文理). '維其有一矣'《詩經》. ㉡색채. '目不別五色之一, 爲昧'《左傳》. ㉢아름다운 무늬. '斐然成一'《論語》. ②법장 규칙. 법률. '一程'. '約法三一'《十八史略》. ③글장 ㉠'文一'. '斷一取義'《孝經 傳》. ㉡신하가 천자(天子)에게 올리는 서류. '一奏'. '凡羣臣書通於天子者四, 曰一, 曰奏, 曰表, 曰駮議'《獨斷》. ④장장 문장·시가의 한 단락(段落). '一句'. ⑤도장장 인. '印一'. '刻曰某官之一'《漢官儀》. ⑥그루장 큰 재목이 될 나무를 세는 수사(數詞). '山居千一之材'《史記》. ⑦열아홉해장 옛날 역법(曆法)에서 19년을 이름. '積一成部'《左傳 疏》. ⑧갓장 은(殷)나라 때의 갓의 한 가지. '一甫之冠'《禮記》. ⑨밝을장, 밝힐장 명백함. 명백히 함. '品物咸一'《易經》. '平一百姓'《書經》. ⑩나타날장 현저함. '不見而一'《中庸》. ⑪나타낼장 명백하게 함. '表一'. '一后皇之爲貴'《張衡》. ⑫모양장 형상. 형태. '合而成一'《呂氏春秋》. ⑬당황할장, 두려워할장 '周一, 怔營貌. 又懼貌'《六書音義》. ⑭성장 성(姓)의 하나. ⑮악곡(樂曲)의 절(節)장 악곡의 단락. '一, 樂竟爲一一'《說文》.

字源 象形. 金文은 먹물샘이 있는 큰 문신용(文身用) 바늘을 본뜬 모양. 《說文》에서는 音+十의 會意.

〔翊〕〔익〕
羽부 5획(1042)을 보라.

立 7 〔童〕12 中·人 ㊀동 ㊥東 ㊁종 ㊥冬 tóng トウ·ドウ わらべ zhōng ショウ ちめい

筆順 亠 立 产 音 音 音 童 童

字解 ㊀①아이동 십오 세 전후의 남녀. '兒一'. '匪我求一蒙'《易經》. ②종동 노복(奴僕). 僮(人부 12획〈73〉)과 통용. '得一僕貞'《易經》. ③어리석을동 어두움. '近頑一窮固'《國語》. ④뿔없는소동 뿔이 없는 소, 또는 양. '一羖'. '一牛之牿'《易經》. ⑤민둥민둥할동 산에 나무가 없음. '山不一'《荀子》. ⑥대머리질동 머리털이 없음. '頭一齒豁'《韓愈》. ⑦눈동자동 瞳(目부 12획〈856〉)과 同字. '舜蓋重一子'《漢書》. ⑧같을동 同(口부 3획〈148〉)과 통용. '狀不必一而智一'《列子》. ⑨성동 성(姓)의 하나. ㊁땅이름종 '夫一'은 지명(地名). 鐘(金부 12획〈1582〉)과 통용. '夫一, 郕地'《集韻》.

字源 形聲. 金文은, 辛+目+重〔音〕

立 7 〔竢〕12 사 ㊤紙 sì シ まつ

字解 기다릴사 俟(人부 7획〈53〉)의 古字. '一罪長沙'《漢書》.

字源 形聲. 立+矣〔音〕

立 7 〔竣〕12 人名 ㊀준 ㊥眞 ㊁전 ㊥先 jùn シュン おわる, うずくまる quān セン おわる, うずくまる

筆順 立 立' 竝 竝 竝 竣 竣 竣

字解 ㊀①끝날준, 마칠준 일이 끝남. 일을 끝마침. '一工'. '一功'. '一, 事畢也'《正字通》. ②멈출준 '一, 止也'《廣雅》. ③고칠준 悛(心부 7획〈392〉)과 통용. '一, 一曰改也'《廣韻》. ④웅크릴준 쭈그림. '一, 居也. (段注)居, 蹲也'《說文》. ⑤물러갈준 일이 끝난 뒤에 물러감. '有司已於事而一'《國語》. ㊁끝날전, 마칠전, 멈출전, 고칠전, 웅크릴전, 물러갈전 ㊀과 뜻이 같음.

字源 形聲. 立+夋〔音〕

立 7 〔竦〕12 송 ㊤腫 sǒng ショウ つつしむ

字解 ①공경할송 경의를 표함. '一慕'. '一意而覽焉'《漢書》. ②두려워할송 공구함. '一懼'. '不戁不一'《詩經》. ③놀랄송 '故怒形則千里一'《漢書》. ④올릴송 높여 올림. '一善抑惡'《國語》. ⑤움츠릴송 외축(畏縮)함. '一余身而順止兮'《張衡》. ⑥발돋움할송 발끝을 디디고 섬. '一企'. '一而望歸'《漢書》. ⑦설송 꼿꼿이 섬. '使人毛髮一立'《宣和畫譜》. ⑧우뚝솟을송 聳(耳부 11획

〈1060〉)과 통용. '一然'. '整輿一戍'《揚雄》. '通天訬以一峙'《張衡》.
[字源] 形聲. 立+東〔音〕

立 7 〔⿱⿰亡月立〕12 〔망〕
望(月부 7획〈521〉)과 同字

立 7 〔⿰立身〕12 [一] 정 [去]敬 | jìng セイ じんめい
[二] 친(츤[本]) [上]吻 | シン みがただしい
[筆順] 亠 立 立' 立ſ 竍 竫 竫 ⿰立身
[字解] [一] 사람이름정 사람 이름. [二] 단정할친 단정함. 몸가짐이 바름. '一, 身端也'《字彙補》. ※本音 츤.

立 7 〔⿰立足〕12 촉 [入]屋 | chù シュク つつしむ
[字解] ①삼갈촉 삼감. '蹴, 齊謹也, 或作一'《集韻》. ②같을촉 같음. '一, 等也'《篇海》.

立 8 〔竫〕13 정 [上]梗 | jìng セイ えらぶ
[字解] ①가릴정 선택함. '善一言'《公羊傳》. ②조용할정 정숙(靜肅)함. '一潛思于至賾兮'《後漢書》. ③편안할정 '一, 亭安也'《說文》. ④바를정 '一立安坐而至者'《呂氏春秋》. ⑤작을정 키가 작음. '一人長九寸'《列子》.
[字源] 形聲. 立+爭〔音〕

立 8 〔⿰立卑〕13 [一] 비 [平]支 | pī ヒ よろめく
[二] 파 [上]馬 | bà ハ せたけがひくい
[字解] [一] 비틀거릴비 똑바로 가지 못함. '一, 行不正也'《玉篇》. [二] 키작을파 키가 작은 모양. 또, 키 작은 사람이 서 있는 모양. '一, 短人立一一皃. (段注) 一一, 短皃'《說文》.
[字源] 形聲. 立+卑〔音〕

立 8 〔⿰立享〕13 대 [上]賄 | duì タイ かさなりあつまる
[字解] ①포개져모일대. ②나무열매늘어질대 '一, 木實垂皃'《廣韻》.
[字源] 形聲. 篆文은 立+臺〔音〕

立 8 〔⿰立昔〕13 [一] 작 [入]藥 | què シャク おどろく
[二] 책 [入]陌 | セキ おどろく
[字解] [一] ①놀랄작 '一, 驚也'《廣韻》. ②움츠릴작 '一, 竦也'《集韻》. ③공경할작 '一, 敬也'《集韻》. [二] 놀랄책, 움츠릴책, 공경할책 [一]과 뜻이 같음.
[字源] 形聲. 立+𦣞(昔)〔音〕

立 8 〔⿰立隶〕13 [一] 리 [去]寘 | lì リ のぞむ
[二] 류 [去]寘 | ルイ のぞむ
[三] 립 [入]緝 | リュウ のぞむ
[字解] [一] ①임할리 '一, 臨也'《說文》. ②좇을리 '一, 從也'《玉篇》. ③트일리 뚫림. '一, 疏也'《玉篇》. [二] 임할류, 좇을류, 트일류 [一]과 뜻이 같음. [三] 임할립, 좇을립, 트일립 [一]과 뜻이 같음.
[字源] 形聲. 立+隶〔音〕

立 8 〔⿰立录〕13 [一] 복 [入]屋 | fú フク おにをみてすくむ
[二] 록 [入]屋 | ロク おにをみてすくむ
[三] 밀 [入]質 | ビツ おにをみてすくむ
[字解] [一] 귀신보고움츠릴복 '一, 見鬼皃'《廣韻》. [二] 귀신보고움츠릴록 [一]과 뜻이 같음. [三] 귀신보고움츠릴밀 [一]과 뜻이 같음.
[字源] 會意. 篆文은 立+彔

〔靖〕 〔정〕
青부 5획(1653)을 보라.

立 8 〔竪〕13 〔수〕
豎(豆부 8획〈1370〉)의 俗字

〔意〕 〔의〕
心부 9획(399)을 보라.

立 9 〔竭〕14 갈 [入]月 | jié ケツ つきる
[字解] ①다할갈 ㉠다 없어짐. '一盡'. '矢一兮弦絕'《李華》. ㉡다 없앰. '不一人之忠'《禮記》. ㉢있는 힘을 다함. '一忠'. '敢昧死一卷卷'《漢書》. ②질갈 패전함. '一鼓作氣, 再而衰, 三而一'《左傳》. ③올릴갈 ㉠들어 올림. '五行之動, 迭相一也'《禮記》. ㉡등에 져올림. '一, 負擧也'《說文》. ④엉길갈 응결함. '重濁者一難'《書紀》. ⑤망할갈 '脣一而齒寒'《呂氏春秋》. ⑥마를갈 물이 말라 붙음. 渴(水부 9획〈663〉)과 통용. '伊洛一而夏亡'《國語》. ⑦성갈 성(姓)의 하나.
[字源] 形聲. 立+曷〔音〕

立 9 〔端〕14 [中·人] 단 [平]寒 | duān タン まっすぐ, はし
[筆順] 立 立' 立山 竖 竗 端 端 端
[字解] ①바를단 ㉠비뚤어지거나 굽지 아니함. 곧음. '目容一'《禮記》. ㉡품행이 바름. '一正'. '一士'. '選天下之一人'《漢書》. ㉢옳음. '決訟獄, 必一平'《禮記》. ②바로잡을단 바르게 함. '一書于君前'《禮記》. ③실마리단 일의 첫머리. '一緒'. '吏道雜而多一'《漢書》. ④첫단 시초. '五行之一'《禮記》. '惻

隱之心，仁之一也'《孟子》. ⑤끝단 ㉠물건의 끝. '末一'. '叩其兩一'《論語》. ㉡종말. '運轉而無一'《淮南子》. ㉢가. 가장자리. '歸於無一'《後漢書》. ㉣포백(布帛)의 길이의 단위. 18척 또는 20척. '有練數千一'《晉書》. ⑥근본단 본원(本源). '居天下之大一'《禮記》. ⑦등급단 등차(等差). ⑧상세할단 자세함. '一，增韻，審也'《康熙字典》. ⑨찰찰할단 명찰하는 모양. '視疵一'(疵는 인명(人名))《戰國策》. ⑩성단 성(姓)의 하나.
[字源] 形聲. 立+耑〔音〕

立 9 〔竰〕14 센티리터 | センチリットル
[字解] 프랑스의 용량(容量)의 단위 센티리터의 약기(略記). 1 리터의 100 분의 1.

立 9 〔竮〕14 〔병〕
⿰立屛(立부 11획〈929〉)의 俗字

〔⿰立風〕〔삽〕
風부 5획(1705)을 보라.

立 10 〔⿰立⿱𠂉彔〕15 〔복〕
⿰立彔(立부 8획〈928〉)의 本字

立 10 〔⿰立芻〕15 〔수〕
䇓(立부 12획〈929〉)와 同字

立 10 〔⿰立眞〕15 전 [平]先 | tián テン ふさぐ
[字解] 막을전 막음. 막힘. '一，塞也'《篇海》.

立 11 〔⿱音見〕16 〔경〕
競(立부 15획〈929〉)과 同字

立 11 〔竱〕16 [一] 전 [上]銑 | zhuǎn センひとしくする
[二] 단 [去]翰 | tuán タン ひとしくする
[字解] [一] 가지런히할전 여러 끝이 한 줄로 고르게 되게 함. '一本肇末'《國語》. [二] 가지런히할단 [一]과 뜻이 같음.
[字源] 形聲. 立+專〔音〕

立 11 〔⿰立屛〕16 병 [平]青 | píng ヘイ よろめく
[字解] 비틀거릴병 똑바로 가지 못함. '竛一，行不正也'《集韻》.

立 12 〔竲〕17 [一] 증 [平]蒸 | céng ソウ·ショウ やねのないこうろう
[二] 정 [平]庚 | ソウ やねのないこうろう
[字解] [一] ①다락증 지붕이 없는 누다락. '一，北地高樓無屋者'《說文》. ②높을증 '一，高皃'《廣韻》. ③보금자리높을증 '一，巢高'《廣韻》. [二] 다락정, 높을정, 보금자리높을정 [一]과 뜻이 같음.
[字源] 形聲. 立+曾〔音〕

立 12 〔⿰立⿱㸚日〕17 〔작〕
⿰立昔(立부 8획〈928〉)의 本字

立 12 〔䇓〕17 수 [平]虞 | xū シュ まつ
[字解] 기다릴수 서서 기다림. '一，立而待也'《說文》.
[字源] 形聲. 立+須〔音〕

立 12 〔⿰立堯〕17 [一] 요 [去]嘯 | yào ギョウ たかく けわしい
[二] 교 [平]蕭 | qiáo キョウ つまだつ
[字解] [一] 높고험할요 높고 험함. '一，竫一，高危也'《集韻》. '竫一'. [二] ①발돋움할교 발돋움함. '一，企也'《正字通》. ②기다릴교 기다림. '一，俟也'《正字通》.

立 13 〔⿱亡⿲月立凡〕18 라 [去]箇 | luò ラ なえる
[字解] ①시들라 '一，瘘也'《說文》. ②약하게 설라 '竣一'는 약하게 서는 모양. '一，竣一，弱立皃'《類篇》.
[字源] 形聲. 立+𣎆〔音〕

立 13 〔竵〕18 [一] 화 [平]佳 | huā カイ ゆがむ
[二] 외 [平]佳 | wāi ワイ ゆがむ
[字解] [一] 비뚤화 [二]와 뜻이 같음. [二] 비뚤외 歪(止부 5획〈604〉)는 俗字. '一，不正也'《說文》.
[字源] 形聲. 立+𠵯〔音〕

立 14 〔⿱立重〕19 〔동〕
童(立부 7획〈927〉)의 籒文

立 14 〔⿰立需〕19 〔수〕
䇓(立부 12획〈929〉)와 同字

立 15 〔競〕20 [中·人] 경 [去]敬 | jìng ケイ·キョウ きそう
[筆順] 亠 音 音 竟 竟 競 競 競
[字解] ①다툴경 경쟁함. 겨룸. '一馬'. '師一已甚'《左傳》. ②굳셀경 강함. '心則不一'《左傳》. '秉心無一'《詩經》. ③쫓을경 뒤쫓음. '不一不絿'《詩經》. ④나아갈경 앞을 다투어 나아감. '天下皆一'《呂氏春秋》. ⑤높을경 亢(亠부 2획〈28〉)과 통용. '一，高也'《廣雅》. ⑥나란할경 '衆皆一進以貪婪兮'《楚辭》. ⑦갑작스러울경 급거(急遽)함. '使肥與有職一焉'《左傳》. ⑧성할경 왕성함. '二

惠一爽'《左傳》.
字源 會意. 兩言+兩人

立15 〔贛〕20 감 ①㊄勘 ②-⑥㊤感 | kàn カン うつ kǎn カン うた いながらまう

字解 ①북칠감 '一, 擊鼓也'《集韻》. ②노래하며춤출감 '一, 繇也. 舞也'《說文》. ③무곡(舞曲)이름감 '一, 舞曲名'《廣韻》. ④화락(和樂)하고기뻐하는소리감 '一, 和悅之響也'《玉篇》. ⑤북소리감 '一, 鼓聲'《正字通》. ⑥악기(樂器)이름감 '一, 樂器名. 漢武帝滅南粵, 祠太一后土, 令樂人侯暉, 依琴造一'《字彙補》.
字源 形聲. 夊+章+夅〔音〕

立16 〔𥪰〕21 ㊀ 竴(立부 8획〈928〉)의 本字 ㊁ 惇(心부 8획〈396〉)의 古字

立17 〔競〕22 〔경〕 競(立부 15획〈929〉)의 俗字

竹 部
〔대 죽 부〕

竹0 〔竹〕6 中·人 죽 ㊅屋 | zhú チク たけ

筆順 ノ ㇐ 𠂉 𥫗 𥫗 竹

字解 ①대죽 볏과(科)에 속하는 상록 목본(常綠木本). 대나무. '松一'. '渭川千畝一'《史記》. ②피리죽 대로 만든 관악기. 팔음(八音)의 하나. '絲一'. '播之以八音, 金·石·土·革·絲·木·匏·一'《周禮》. ③대쪽죽 옛날에 종이가 없었을 때 글씨를 쓰던 대의 조각. 전(轉)하여, 책. 간책(簡策). '一簡'. '垂功名于一帛耳'《後漢書》. ④성죽 성(姓)의 하나.
字源 象形. 대나무의 모양을 본뜸.
參考 '竹죽'을 의부(意符)로 하여, 여러 가지 종류의 대나무나 죽제(竹製)의 용구(用具)에 관한 문자를 이룸. '符부' '箋전' '籍적' '簿부' 등 문서(文書)에 관계되는 글자에 대죽 머리가 붙는 것은, 옛날에 글자를 쓰는 데 대쪽, 곧 죽간(竹簡)을 썼던 데 연유함.

竹2 〔竺〕8 ㊀ 축 ㊅屋 | zhú ジク たけ ㊁ 독 ㊅沃 | dǔ トク あつい

字解 ㊀ ①대나무축 '一, 竹也'《廣雅》. ②나라이름축 '天一'은 지금의 인도. '天一國一名身毒國'《後漢書》. ③성축 성(姓)의 하나. ㊁ 두터울독 篤(竹부 10획〈949〉)과 同字. '帝何一之'《楚辭》.
字源 形聲. 二+竹〔音〕

竹2 〔竻〕8 ㊀ 륵 ㊅職 | lè ロク たけのね ㊁ 근 ㊉文 | jīn キン すじ

字解 ㊀ 대뿌리륵 대의 뿌리. ㊁ 힘줄근 筋(竹부 6획〈936〉)의 古字. '筋, 說文, 肉之力也. 古作一'《集韻》.

竹3 〔竽〕9 우 ㊉虞 | yú ウ ふえ

字解 ①피리우 생황(笙簧) 비슷한 관악기. 옛날에는 서른여섯의 가는 대나무 관(管)으로 되었었으나, 후세에는 열아홉 개로 되었음. '掌敎歙一笙'《周禮》. ②두목우 도적의 우두머리. '盜一'.
字源 形聲. 竹+亏(于)〔音〕

竹3 〔𥫳〕9 竽(前條)의 本字

竹3 〔篪〕9 지 ㊉支 | chí チ ふえ

字解 저지 篪(竹부 10획〈949〉)와 同字. '仲夏之月, 調竽笙一簧'《禮記》.
字源 形聲. 竹+也(音)

竹3 〔竿〕9 人名 간 ①㊉寒 ②㊄翰 ③㊤旱 | gān カン さお gàn カン きものかけ gǎn カン やがら

筆順 ノ ㇐ 𠂉 𥫗 𥫗 竺 竿

字解 ①장대간 대나무의 장대. 죽정(竹梃). '釣一'. '籊籊竹一'《詩經》. ②횃대간 옷걸이. '衣一'. '一, 衣架'《集韻》. ③화살대간 '嚴秋筋一勁'《鮑照》.
字源 形聲. 竹+干〔音〕

竹3 〔笐〕9 봉 ㊉東 | péng ホウ とま

字解 뜸봉 대오리를 엮어 선박(船舶)을 덮는 데 쓰이는 거적.

竹3 〔竺〕9 〔축〕 竺(竹부 2획〈930〉)의 俗字

竹3 〔笸〕9 기 ㊤紙 | qǐ キ たかむしろ

字解 대자리기 얇게 쪼갠 대를 결어 만든 자리. '一, 簟也'《集韻》.

竹3 〔笀〕9 망 ㊉陽 | máng ボウ のぎ

[字解] 까끄라기망 벼·보리 따위의 겉껍질에 붙은 까끄라기.

竹 3 〔𥫨〕9 자 [上]紙|zǐ シ しょうのふえ

[字解] ①피리자 피리. '一, 笙也'《篇海》. ②竽(竹부 3획〈930〉)의 訛字.

竹 4 〔笆〕10 파 ①[上]馬 ②[平]麻|bā ハ いばらだけ ハ たけがき

[字解] ①가시대파 가시가 있는 대나무. '一竹筍味, 落人鬚髮'《竹譜》. ②대바자파 가시대로 엮은 바자. '溪中士女出一籬'《劉禹錫》.
[字源] 形聲. 竹+巴〔音〕

竹 4 〔笇〕10 산 [去]翰|suàn サン かぞえる

[字解] ①셀산 算(竹부 8획〈942〉)과 同字. '上方與量錯, 調兵一軍食'《史記》. ②대기구산 죽제(竹製)의 기구(器具). '一, 竹器'《集韻》. ③성산 성(姓)의 하나.
[字源] 會意. 竹+卞

竹 4 〔笈〕10 급 [入]緝|jí キュウ おい

[字解] ①책상자급 짊어지고 다니는 책 상자. '負一從師'《史記》. ②길마급 짐을 싣기 위해 당나귀 등에 얹는 것. '一, 云云. 驢上負也'《正字通》.
[字源] 形聲. 竹+及〔音〕

竹 4 〔笊〕10 조 [去]效 [上]巧|zhǎo ソウ ざる

[字解] ①조리조 쌀 같은 것을 이는 데 쓰는 제구. 대오리로 결어서 만들었음. '金銀爲笭筐一籬'《唐書》. ②둥지조 새가 깃들이는 구멍. '鳥居穴曰一'《集韻》.
[字源] 形聲. 竹+爪〔音〕

竹 4 〔笋〕10 순 [上]軫|sǔn ジュン たけのこ

[字解] 대순순 筍(竹부 6획〈935〉)과 同字. 죽아(竹牙). '竹一一錢幾莖'《朝野僉載》.

竹 4 〔笏〕10 [一]홀 [入]月 [二]문 [上]吻|hù コツ しゃく wěn ブン ふえのあなをなでる

[字解] [一]홀홀 천자(天子) 이하 공경 사대부(公卿士大夫)가 조복(朝服)을 입었을 때 띠에 끼고 다니는 것. 군명(君命)을 받았을 때는 이것에 기록해 둠. 옥(玉)·상아(象牙)·대나무 등으로 만들었음. '簪一'. '受命于君前, 則書于一'《禮記》. [二] 피리가락맞출문 피리 구멍에 손가락을 대었다 뗐다 하여 가락을 맞춤. '箟一'은 피리 구멍을 손가락으로 막았다 떼었다 하는 모양. '箟一, 手循笛皃'《集韻》.
[字源] 形聲. 竹+勿〔音〕

竹 4 〔笑〕10 [中·人] 소 [去]嘯|xiào ショウ わらう

[筆順] ⺊ ⺮ 竹 竹 竺 竺 笑 笑

[字解] ①웃을소 ㉠기뻐서 웃음. 기뻐함. '含一'. '樂然後一'《論語》. ㉡비웃음. '以五十步一百步'《孟子》. '顧我則一'《詩經》. ㉢미소지음. '夫子莞爾而一'《論語》. ㉣꽃이 핌. '花一鳥歌'. '夭桃惟是一'《李商隱》. ②웃음소 전항(前項)의 명사. '爲猿獺之一'《韓愈》.
[字源] 象形. 머리가 긴 젊은 무당의 象形.

竹 4 〔𥬇〕10 笑(前條)의 本字

竹 4 〔笐〕10 [一]강 [平]陽 [二]항 [去]絳|gāng コウ たけがならぶ hàng コウ いこう

[字解] [一]①대늘어설강 대나무가 줄지어 늘어섬. '一, 竹列也'《說文》. ②줄걸강 현(絃)을 겺. '一, 一曰, 絃加竹, 謂之一'《集韻》. ③대나무강 '一, 一曰竹名'《集韻》. [二] 횃대항 옷 거는 나무. '一, 挂衣架也'《集韻》.
[字源] 形聲. 竹+亢〔音〕

竹 4 〔笓〕10 [一]비 ①[平]齊 ②[去]寘 [二]필 [入]質|pí ヘイ うえ bì ヒ くし ヒツ ならぶ

[字解] [一]①통발비 죽제(竹製)의 새우잡이 기구. '篝笼謂之一'《廣雅》. ②참빗비 枇(木부 4획〈531〉)와 同字. '一, 櫛屬'《廣雅》. [二] 버금필 '一, 次也'《集韻》.
[字源] 形聲. 竹+比〔音〕

竹 4 〔𥬠〕10 둔 [上]阮|dùn トン べいこくをいれるちっき

[字解] ①멱둥구미둔 곡식을 담는 대그릇. '一, 謂之篅'《廣雅》. ②저둔 가로 부는 피리의 일종. '一, 一曰, 篪也'《廣韻》.
[字源] 形聲. 竹+屯〔音〕

竹 4 〔笌〕10 아 [平]麻|yá ガ たけのこ

[字解] 대순아 죽순(竹筍). '一, 筍也'《集韻》.

竹 4 〔笒〕10 [一]금 [去]沁 [二]함 [平]覃 [三]잠 [平]侵|jìn キン たけのくじ hán カン あなのないたけ cén シン たけのな

[字解] [一]점대금 점을 치는 데 쓰이는 대오리. '一, 竹籤也'《集韻》. [二]속찬대함 속이 비어 있지 않은 대나무의 일종. [三]대이름잠 대나무의 일종. '一, 竹名'《集韻》.

竹4 〔笏〕10 호 [去]遇 | hù コ・ゴ なわまき

[字解] ①줄감는도구호 '一, 可目收繩者也'《說文》. ②새끼꼬는도구호. ③참대호 고죽(苦竹). 죽순이 씀. '一荀, 味苦'《贊寧》. ④고기거는대시렁호 '一, 懸肉竹格也'《正字通》.
[字源] 形聲. 竹+互〔音〕

竹4 〔笍〕10 [一]체 [去]霽 | zhuì テイ むち
[二]녈 [入]屑 | テツ むち
[三]예 [去]霽 | ruì ゼイ たけのな

[字解] [一]①채찍체 끝에 침(鍼)이 있어, 양차(羊車)를 끄는 송아지의 궁둥이를 찔러 달리게 하는 것. '一, 羊車騶箠也'《說文》. ②작은수레에쓰는기구체 '一, 小車具也'《廣韻》. [二]채찍녈, 작은수레에쓰는기구녈 [一]과 뜻이 같음. [三]대나무이름예 '一, 竹名'《廣韻》.
[字源] 形聲. 竹+內〔音〕

竹4 〔笔〕10 〔필〕筆(竹부 6획〈935〉)과 同字·簡體字

竹4 〔笄〕10 〔계〕笄(竹부 6획〈936〉)의 俗字

竹4 〔笗〕10 종 [平]冬 | zhōng ショウ ふしのあいだのながいたけ

[字解] ①마디긴대종 마디 사이가 긴 대. '一, 長節竹也'《廣韻》. ②마디없는대종 마디 없는 대통. '一, 字林, 無節筩'《集韻》.

竹4 〔笒〕10 검 [上]琰 | qiǎn, qiàn ケン ちいさいたけ

[字解] ①조릿대검 조릿대. 작은 대나무. '一, 小竹'《集韻》. ②대이름검 대 이름. '一, 竹名'《集韻》.

竹4 〔笐〕10 항 [去]漾 | huàng キョウ うおをとるきぐ

[字解] 통발항 물고기를 잡는 기구. '一, 筧魚具'《字彙》.
[參考] 笄(竹부 4획〈932〉)는 別字.

竹4 〔笎〕10 황 [去]漾 | huàng キョウ うおをとるきぐ

[字解] 통발황 물고기 잡는 기구. '一, 筧魚具'《玉篇》.

竹4 〔筊〕10 〔교〕筊(竹부 6획〈936〉)와 同字

竹5 〔笘〕11 점 [平]鹽 | shān セン たけのふだ

[字解] ①나뭇조각점 중국 영천(穎川) 지방에서 어린애가 글씨를 배울 때 쓰던 대나무 조각. '小兒所書寫爲一'《說文》. ②회초리점 대를 꺾어 만든 매. '一, 折竹箠也'《說文》.
[字源] 形聲. 竹+占〔音〕

竹5 〔笙〕11 생 [平]庚 | shēng セイ・ショウ しょうのふえ

[字解] ①생황(笙簧)생 관악기(管樂器)의 한 가지. 열아홉 개 또는 열세 개의 가는 대나무 관(管)으로 만듦. '一簧'. '一磬同音'《詩經》. ②대자리생 대오리로 엮어 만든 자리. '桃一象簟'《左思》.
[字源] 形聲. 竹+生〔音〕

竹5 〔笛〕11 [人名] 적 [入]錫 | dí テキ ふえ

[筆順] 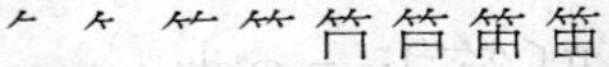

[字解] 피리적 구멍이 일곱 있고 길이가 한 자 네 치 되는 관악기. '玉一'. '蕲州一竹天下知'《韓愈》. 전(轉)하여, 널리 부는 기구의 일컬음. '汽一'.
[字源] 形聲. 竹+由〔音〕

竹5 〔笞〕11 태 [平]支 | chī チ むちうつ

[字解] ①매질할태, 볼기칠태 '一撻'. '一擊問之'《史記》. ②태형태 죽편(竹鞭)으로 죄인의 볼기를 치는 형벌. 오형(五刑)의 하나. '一者所以敎之也'《漢書》.
[字源] 形聲. 竹+台〔音〕

竹5 〔笟〕11 고 [平]虞 | gū コ たが

[字解] 테고 그릇이 어그러지지 못하게 둘러 메는 줄.
[字源] 形聲. 竹+瓜〔音〕

竹5 〔笠〕11 [人名] 립 [入]緝 | lì リュウ かさ

[筆順] 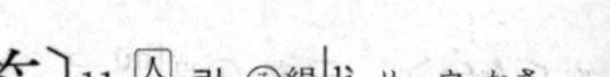

[字解] 삿갓립 비나 볕을 가리기 위하여 쓰는 대오리 따위로 만든 갓. '一子'. '何蓑何一'《詩經》.
[字源] 形聲. 竹+立〔音〕

竹5 〔笢〕11 민 [上]軫 [平]眞 | mǐn ビン たけのあおいひょうひ

字解 ①대껍질민 대의 푸른 겉질. '一, 竹膚也'《說文》. ②솔민 말의 갈기를 윤나게 하는 솔. '今之澤髮駿刷曰一'《正字通》. ③가락맞출민 '一笏'은 손가락으로 피리의 구멍을 눌러 가락을 맞추는 모양. '一笏抑隱'《馬融》.
字源 形聲. 竹+民〔音〕

竹 5 〔笤〕11 소 (平)蕭 tiáo チョウ たけぼうき
字解 비소 쓰레기를 쓸어 내는, 대로 만든 제구. '一, 一箒'《篇海》.

竹 5 〔笥〕11 사 (去)寘 (平)支 sì シ はこ
字解 상자사 옷·책·밥 같은 것을 담는 네모진 상자. '衣一'. '五經一'. '衣裳在一'《書經》.
字源 形聲. 竹+司〔音〕

竹 5 〔符〕11 高·人 부 (平)虞 fú フ わりふ
筆順
字解 ①부신부 부절(符節). '剖一'. '銅虎一'. '剖一錫壤而光祖考'《王褒》. ②증거부 징험. '一驗'. '懸琴於城門, 以爲寡人一'《說苑》. ③도장부 인장. '奉其一璽'《史記》. ④상서부 상서로운 조짐. 길조. '祥一'. '天一'. '萬物之一長'《禮記 註》. ⑤부적부 신불(神佛)이 가호(加護)한다는 호부(護符). '神一'. '護一'. '西王母以一授之'《帝王世紀》. ⑥미래기(未來記)부 예언서. '一讖'. '自關中奉赤伏一'《後漢書》. ⑦맞을부 부신(符信)의 조각을 서로 맞춘 것처럼 꼭 들어맞음. '一合'. '豈非道之所一, 而自然之驗耶'《史記》. ⑧본보기부 예(例). '天一同也'《呂氏春秋》. ⑨성부 성(姓)의 하나.
字源 形聲. 竹+付〔音〕

竹 5 〔笨〕11 분 (上)阮 bèn ホン あらい
字解 ①거칠분 조잡함. '粗一'. '一車'. '豫章太守史疇, 以人肥大, 時人目爲一伯'《晉書》. ②댓속껍질분 댓속의 박피(薄皮). '一, 竹裏也'《說文》.
字源 形聲. 竹+本〔音〕

竹 5 〔笫〕11 ㊀자 (上)紙 zǐ シ ゆか ㊁진 (上)軫 zhěn シン すのこ
字解 ㊀①평상자 '牀, 陳楚之間, 謂之一'《揚子方言》. ②대자리자 대를 엮어 만든 자리 또는 마루. '簀謂之一'《爾雅》. ㊁대자리진 ㊀❷와 뜻이 같음.
字源 形聲. 竹+𠂔〔音〕

竹 5 〔第〕11 中·人 제 (去)霽 dì テイ·ダイ いえ, ついで
筆順
字解 ①집제 주택. 저택. '一宅'. '一舍'. '爲列侯食邑者, …賜大一室'《漢書》. ②차례제 순서. 또, 순서·등급을 표시하는 말. '次一'. '治平爲天下一一'《漢書》. ③순서정할제 등차(等差)를 매김. '品而一之'《晉書》. ④과거제 관리의 등용 시험. '科一'. '登一'. '祇考及一科目人'《舊唐書》. 전(轉)하여, 널리 모든 시험에 쓰임. '及一'. '落一'. ⑤급제할제 시험에 합격함. '屢擧不一'《羅隱》. ⑥다만제 단지. '陛下一出僞遊雲夢'《史記》. ⑦성제 성(姓)의 하나.
字源 形聲. 竹+弟〈省〉〔音〕

竹 5 〔笭〕11 령 (平)青 (上)迥 líng レイ かご
字解 ①종다래끼령 작은 대바구니. '一箵'. ②대자리령 뱃바닥에 까는 대의 자리 또는 마루. '舟中牀以薦物者曰一. 言但有簀加一牀也'《釋名》.
字源 形聲. 竹+令〔音〕

竹 5 〔笮〕11 ㊀착 (入)陌 zé サク せまい ㊁자 (去)禡 zhà サ しぼる ㊂작 (入)藥 zuó サク いれずみ
字解 ㊀①좁을착 窄(穴부 5획〈917〉)과 同字. '狹一'. ②전동착 대로 만든 화살을 넣는 통. '甲冑干一'《儀禮》. ③누를착 措(手부 8획〈450〉)와 통용. ④빠를착 '一, 疾也'《篇海》. ㊁짤자 눌러 짬. '一馬糞汁而飮之'《後漢書》. ㊂①자자(刺字)작 입묵(入墨)하는 형벌. 오형(五刑)의 하나. '其次用鑽一'《國語》. ②바작 대오리로 꼰, 동아줄. 배를 끄는 동아줄. '錦一繫鳧舸'《劉逵》.
字源 形聲. 竹+乍〔音〕

竹 5 〔笯〕11 노 (平)虞 (去)遇 nú ド·ヌ とりかご
字解 새장노 새를 넣는 장. '鳳凰在一兮, 雞鶩翔舞'《史記》.
字源 形聲. 竹+奴〔音〕

竹 5 〔笱〕11 구 (上)有 gǒu コウ うえ
字解 통발구 대로 만든 물고기를 잡는 제구. '一, 曲竹捕魚一也'《說文》. '毋發我一'《詩經》.
字源 形聲. 竹+句〔音〕

竹 5 〔笲〕11 번 (平)元 (去)霰 fán ハン かご ヘン·ベン かご

[字解] 폐백상자번 대추·밤 따위의 폐백을 넣는 상자. '婦於舅姑, 執一棗栗段脩以見'《禮記》.
[字源] 形聲. 竹＋弁〔音〕

竹5 〔笳〕11 가 [平]麻 | jiā カ あしぶえ
[字解] ①호드기가 갈대 잎을 말아 만든 호드기. 갈대 피리. '胡一似觱栗而無孔'《史記》. ②비녀가 '一, 籚也'《廣雅》.
[字源] 形聲. 竹＋加〔音〕

竹5 〔笴〕11 가 [上]哿 | gě カ やがら
[字解] ①화살대가 화살의 몸이 되는 대. 시간(矢幹). '矢一'. '凡相一欲生而摶同'《周禮》. ②줄기가 간경(幹莖). '敗萧薦霜一'《歐陽修》.
[字源] 形聲. 竹＋可〔音〕

竹5 〔笵〕11 범 [上]豏 | fàn ハン のり
[字解] 법범, 골범 範(竹부 9획〈945〉)과 同字. '以土曰型, 以金曰鎔, 以竹曰一'《通俗文》.
[字源] 形聲. 竹＋氾〔音〕

竹5 〔笘〕11 고 [上]麌 | kǔ コ にがたけ
[字解] ①참대고 대나무의 일종. 고죽(苦竹). 죽순(竹筍)이 씀. ②고기잡는제구고 고기잡는 데 쓰이는 기구. ③급할고 몹시 급함. '一, 急也'《廣雅》.

竹5 〔笪〕11 [一] 단 ①②[上]旱 | dá タン うつ
③[去]翰 | dá タン はこ
[二] 달 [入]曷 | dá タツ むち
[字解] [一] ①칠단 두드림. 매질함. '一, 博雅, 擊也'《集韻》. '一, 笞也'《廣韻》. ②성단 성(姓)의 하나. ③대둥구미단 대나무로 결어 만든 둥근 상자. '一, 笥也'《集韻》. [二] ①매달 회초리. '有過愼莫一笞'《古樂府》. ②뜸달 배를 덮는 대나무 거적. '一, 一曰, 覆舟簟也'《集韻》. ③성달 성(姓)의 하나.
[字源] 形聲. 竹＋旦〔音〕

竹5 〔笜〕11 [一] 줄 [入]質 | zhú チュツ たけのこのはえるさま
[二] 돌 [入]月 | duō トツ たけのこのはえるさま
[字解] [一] 댓순나올줄 죽순(竹筍)이 나오는 모양. '一, 竹筍生皃'《集韻》. [二] 댓순나올돌 [一]과 뜻이 같음.

竹5 〔笩〕11 패 [去]泰 | pèi ハイ とびあがる
[字解] 날아오를패 비양(飛揚)함. '一一, 飛揚也'《字彙》.

竹5 〔笞〕11 거 [上]語 | jū キョ たいまつ
[字解] 횃불거 苣(艸부 5획〈1128〉)와 同字.

竹5 〔笰〕11 [一] 불 [入]物 | fú フツ くるまのうしろのと
[二] 비 [去]未 | ヒ やをけずってほそくする
[字解] [一] ①수레뒷문불, 수레덮개불 '輿革, 前謂之䩓, 後謂之一. (疏)一, 車後戶名也'《爾雅》. '簟一朱一鞹. (傳)車之蔽曰一'《詩經》. ②화살불 '一, 箭也'《廣雅》. ③비녀불 '一, 一曰, 笄謂之一'《集韻》. [二] 화살깎아 가늘게할비 '一, 削矢令漸細'《集韻》.

竹5 〔笶〕11 허 [平]魚 | qū キョ めしばち
[字解] ①대밥그릇허 반기(飯器). ②올가미허 산골짜기에서 짐승을 가로막는 도구. '一, 關也. 山谷遮獸器'《玉篇》.

竹5 〔笴〕11 감 ①[平]覃 | gān カン たけのな
②[上]感 | gǎn カン ちゅうくうでないおおだけ
[字解] ①대이름감 '一, 竹名'《集韻》. ②속찬대감 속이 찬 큰 대나무. '一, 竹名. 實中'《廣韻》.

竹5 〔笸〕11 [現] 포 | pǒ かご
[字解] 《現》소쿠리포 '一籮'는 대나 버들가지로 엮어 만든 소쿠리. 곡식을 담음.

竹5 〔笝〕11 [一] 납 [入]合 | nà ドウ·ノウ たけのともづな
[二] 닙 [入]洽 | ドウ·ニョウ かきねをつくろう
[字解] [一] 배매는밧줄납 배를 매는 대새끼. '一, 維舟竹索也'《集韻》. [二] ①배매는밧줄닙 [一]과 뜻이 같음. ②울타리엮어맬닙 '一, 一曰, 補籬也'《集韻》.

竹5 〔笨〕11 녑 [入]葉 | niè ジョウ·ニョウ たけのな
[字解] ①대이름녑 '一簹'은 대나무의 일종. '其竹則鍾龍一簹'《揚雄》. ②작은상자녑 '竹一'은 작은 상자. '一, 竹一, 小箱也'《篇海》.

竹5 〔笏〕11 건 ①[去]願 | jiàn ケン すじのもと
②[平]元 | ケン すじのつけねのにく
[字解] ①힘줄뿌리건 '一, 筋之本也'《說文》.

②힘줄끝살건, 큰힘줄건 '腱, 博雅, 脊. 腱肉也. 一曰, 筋之大者. 或作一'《集韻》.
字源 形聲. 筋〈省〉+夗〈省〉〔音〕

竹5 〔⿱竹皮〕11 〔피〕
皮(部首〈828〉)의 古字

竹5 〔笧〕11 ㊀ 册(冂부 3획〈88〉)과 同字 ㊁ 策(竹부 6획〈937〉)과 同字
字源 形聲. 竹+冊〔音〕

竹5 〔⿱竹巩〕11 〔축〕
筑(竹부 6획〈936〉)의 訛字

竹5 〔⿱竹⿰金卩〕11 〔공〕
筇(竹부 6획〈935〉)의 俗字

竹5 〔筅〕11 선 ㊤銑 | xiǎn セン ささら
字解 밥주걱선 밥주걱. '一, 飯帚'《類篇》.

竹5 〔笶〕11 〔시〕
矢(部首〈862〉)와 同字

竹5 〔笚〕11 ㊀ 압 ㊇洽 | xiá コウ たけのな
㊁ 답 ㊇合 | dā トウ たけがあいうつ
㊂ 납 ㊇合 | nà ドウ ふねをつなぐたけのなわ
字解 ㊀ 대이름압 대 이름. ㊁ 대서로부딪을답 대가 서로 부딪침. '一, 竹相擊'《集韻》. ㊂ 배매는대밧줄납 배를 붙들어매는 대로 꼰 밧줄. '笝, 維舟竹索也. 或从甲'《集韻》.

竹5 〔⿱竹冉〕11 ㊀ 염 ㊤琰 | rǎn ゼン たけのよわよわしいさま
㊁ 념 ㊤琰 | デン たけのよわよわしいさま
字解 ㊀ 대하느작거릴염 대나무가 하느작거리는 모양. '一, 竹弱皃'《集韻》. ㊁ 대하느작거릴념 ㊀과 뜻이 같음.

竹5 〔笖〕11 ㊀ 이 ㊤紙 | yǐ イ たけのこ
㊁ 추 ㊤紙 | スイ たけのこがはえる
字解 ㊀ 죽순이 죽순. '一, 筍也'《集韻》. ㊁ 죽순날추 죽순이 남. '一, 竹生筍也'《篇海》.

竹5 〔⿱竹宁〕11 저 ㊤語 | zhù チョ ひ
字解 북저 북. 베틀에 달린 도구. 피륙을 짤 때 씨올의 실꾸리를 넣는 기구.

竹5 〔⿱竹主〕11 주 ㊤麌 | zhù チュ げんのちょうしをととのえるもの
字解 조현기(調絃器)주 현악기의 줄을 조절하는 기구.

竹5 〔笡〕11 차 ㊄禡 | qiè シャ さからう
字解 ①거스릴차 거스름. 거역함. '一, 斜逆也'《廣韻》. ②버팀목차 버팀목.

竹6 〔筅〕12 선 ㊤銑 | xiǎn セン ささら
字解 솔선 대를 잘게 쪼개어 묶은 솔. 밥그릇 같은 것을 긁어 닦는 솔. '一帚'. '以松爲一得之天'《麻九疇》.

竹6 〔筆〕12 中·人 필 ㊇質 | bǐ ヒツ ふで
筆順 ⺈ ⺮ 竺 笁 笋 筀 筀 筆
字解 ①붓필 ㉠모필. '一法'. '不律謂之一'《爾雅》. ㉡붓의 자취. 필적(筆跡). '眞一'. '粗有才一'《南史》. ②쓸필 붓으로 글씨를 씀. '一削'. '一則一, 削則削'《史記》. ③성필 성(姓)의 하나.
字源 會意. 竹+聿
參考 笔(竹부 4획〈932〉)은 同字.

竹6 〔筇〕12 공 ㊥冬 | qióng キョウ たけ
字解 ①대이름공 대나무의 일종. 속이 차고 마디가 높아 지팡이를 만드는 데 쓰임. 사천성(四川省)에서 남. '竹之堪杖, 莫尙於一'《竹譜》. ②지팡이공 대 지팡이. '杖一'. '拖一入林下'《范成大》.
字源 形聲. 竹+邛〔音〕

竹6 〔筈〕12 괄 ㊇曷 | kuò, guā カツ やはず
字解 오늬괄 화살의 시위에 끼게 되어 있는 부분. '離合非有常, 譬彼弦與一'《陸機》.
字源 形聲. 竹+舌〔音〕

竹6 〔等〕12 中·人 등 ㊤迥 | děng トウ しな, ひとしい
筆順 ⺈ ⺮ 竺 笁 笁 笙 等 等
字解 ①등급등 구별한 등수. '差一'. '高一'. '親親之殺, 尊賢之一'《中庸》. ②무리등 같은 또래. '吾一'. '一輩'. '耳目殊司, 工藝異一'《何承天》. ③같을등 똑 같음. 균일함. '一埒'. '春秋分而晝夜一'《左傳 疏》. ④가지런히할등 같게 함. '一, 齊簡也'《說文》. ⑤나눌등, 구분등 '差一'. '以一其功'《禮記》. ⑥기다릴등 오는 것을 바람. '一候'. '父老年年一駕迴'《范成大》. ⑦층계

등 계단. '出降一一'《論語》. ⑧견줄등 비교함. '一量'. '一百世之王'《孟子》. ⑨무엇등 '何'의 속어(俗語). '用一稱才學, 往往見歎譽'《應璩》. '處家何一最樂'(한(漢)나라 이후로는 '何'와 연용(連用)하여 많이 쓰임)《後漢書》. ⑩따위등 들. 다수 또는 나머지를 통틀어 포함하는 말. '公一錄錄'《史記》.
[字源] 形聲. 竹+寺〔音〕

竹 6 〔筊〕12 교 [平]肴 [上]巧 | jiǎo コウ たけのなわ
[字解] ①노교 대오리로 꼰 노. '搴長一兮, 沈美玉'《史記》. ②단소(短簫)교 악기의 한 가지. 작은 퉁소. '大簫謂之言, 小者謂之一'《爾雅》.
[字源] 形聲. 竹+交〔音〕

竹 6 〔⿱竹江〕12 강 [平]江 | jiāng コウ いかだ
[字解] ①뗏목강 뗏목. ②대이름강 대 이름.

竹 6 〔筋〕12 [人名] 근 [平]文 | jīn キン すじ
[筆順] ノ 𠂉 ⺮ ⺮ 笁 笁 筋 筋
[字解] ①힘줄근 살 속에 있는 섬유. '一肉'. '以辛養一'《周禮》. ②힘근 체력. '一力'. '一, 力也. 肉中之力, 氣之元也'《說文》. ③성근 성(姓)의 하나.
[字源] 會意. 月(肉)+力+竹
[參考] 竻(竹부 2획〈930〉)은 古字.

竹 6 〔筌〕12 전 [平]先 | quán セン うえ
[字解] ①통발전 물고기를 잡는, 대오리로 만든 제구. '得魚而忘一'《莊子》. ②섶전 섶나무 따위를 물 속에 넣어 물고기를 꾀어 들여 잡는 기구. '一, 或云, 積柴水中, 使魚依而食'《韻會》.
[字源] 形聲. 竹+全〔音〕

竹 6 〔筍〕12 [人名] [一]순 [上]軫 [去]震 | ①-③sǔn シュン·ジュン たけのこ ④xùn シュン·ジュン たけせいのこし
[二]윤 [平]眞 | yún イン わかだけ
[筆順] ノ 𠂉 ⺮ ⺮ ⺮ 笋 筍 筍
[字解] [一] ①대순순 죽순(竹筍). '其蔌維何, 維一及蒲'《詩經》. ②장부순 접합하는 재목의 끝에 만든 뾰족한 돌기. '湊合處, 必有牝牡一穴'《詢芻錄》. ③악기다는틀순 簨(竹부 12획〈956〉)과 同字. ④가마순 대나무로 엮어 만든 가마. '一輿'. '一將而來也'《公羊傳》. [二] 어린대윤 '敷重一席'《書經》.
[字源] 形聲. 竹+旬〔音〕
[參考] 笋(竹부 4획〈931〉)은 同字.

竹 6 〔筏〕12 벌 [入]月 | fá バツ いかだ
[字解] ①떼벌 물 위에 띄워서 타고 다니는 긴 나무 토막이나 대 토막을 엮은 것. '舟一'. '縛一以濟'《南史》. ②큰배벌 바다의 큰 배. 橃(木부 12획〈578〉)과 同字. '一, 大曰一, 小曰桴'《廣韻》.
[字源] 形聲. 竹+伐〔音〕

竹 6 〔筐〕12 광 [平]陽 | kuāng キョウ·コウ かご
[字解] ①광주리광 대나무로 엮어 만든 네모진 그릇. '一筥'. '不盈傾一'《詩經》. ②평상광 네모진 침상(寢牀). '與王同一牀, 食芻豢'《莊子》.
[字源] 形聲. 竹+匡〔音〕

竹 6 〔筑〕12 축 [入]屋 | zhú チク がっきのいっしゅ
[字解] ①악기이름축 거문고 비슷한 현악기. '高漸離擊一'《史記》. ②주울축 叔(又부 6획〈142〉)과 통용. '一, 拾也'《爾雅》.
[字源] 形聲. 巩(玐)+竹〔音〕

竹 6 〔筒〕12 통 ①[平]東 ②[去]送 | tǒng, tóng トウ つつ còng トウ そこのないしょう
[字解] ①대통통, 통통 쪼개지 아니한 대나무의 토막. 또, 대통같이 둥글고 길며 속이 빈 물건. '水一'. '煙一'. '黃帝令伶倫作爲律, 次制十二一, 以別十二律'《呂氏春秋》. ②퉁소통 '一, 通簫也'《說文》.
[字源] 形聲. 竹+同〔音〕

竹 6 〔筓〕12 계 [平]齊 | jī ケイ こうがい
[字解] ①비녀계 ㉠여자의 머리에 꽂는 제구. '其姊泣而呼天, 摩一而自殺'《史記》. ㉡남자의 관(冠)이 벗어지지 않도록 꽂는 것. '皮弁一, 爵弁一'《儀禮》. ②비녀꽂을계 '旣一而孕'《國語》. ③성인례(成人禮)계 여자의 성인 의례(儀禮). '一, 女十有五而一'《廣韻》.
[字源] 形聲. 竹+幵〔音〕
[參考] 笄(竹부 4획〈932〉)는 俗字.

竹 6 〔答〕12 [中·人] 답 [入]合 | dá, dā トウ こたえる

筆順 ノ ㅅ 수 竹 笑 笑 答 答

字解 ①대답할답 물음에 대하여 자기의 의사를 말함. '回一'. '應一'. '蘭芝仰頭一, 理實如兄言'《古詩》. ②대답답 '批一'. '時以爲名一'《南史》. ③갚을답 보답함. '一禮'. '一拜'. '昏棄厥肆祀, 弗一'《書經》. '適不一, 玆謂不次'《漢書》. ④대(對)할답 '一陽之義也'《禮記》. ⑤맞을답 '一, 合也'《篇海》. ⑥막을답 방해함. '聽言則一'《詩經》.
字源 會意. 竹+合

竹 6 〔策〕 12 高·人 책 ㉤陌 | cè サク ふだ

筆順 ノ ㅅ 수 竹 竺 竺 笫 策

字解 ①대쪽책 종이가 없던 옛날에 글씨를 쓰던 댓조각. '簡一'. '百名以上書於一'《儀禮》. 전(轉)하여, ②책책, 문서책 문자를 기록한 것. '先生書一琴瑟在前'《禮記》. ③직첩책 사령서. 또, 사령서를 줌. '一書'. '一命晉侯, 爲侯伯'《左傳》. ④꾀책 계략. '計一'. '上一'. '以順王與儀之一'《戰國策》. ⑤과제책 과거(科擧)의 문제. '對一'. '一問'. 또, 그 답안 및 문체(文體). '一奏, 擢爲第一'《十八史略》. ⑥점대책 점을 치는 데 쓰는 대오리. '神一'. '龜一'. '迎日推一'《史記》. ⑦제비책 심지. '戱抽拂一'《柳宗元》. ⑧채찍책 말채찍. '以其一指之'《史記》. ⑨채찍질할책 채찍으로 말을 때림. '抽矢一其馬'《左傳》. ⑩지팡이책 보행(步行)할 때 짚는 막대기. '杖一'. '夸父弃其一'《淮南子》. ⑪짚을책 지팡이를 짚음. '倒杖而一'《韓非子》. ⑫가시책 풀가시. 茦(艸부 6획〈1139〉)과 뜻이 같음. '凡草木之刺人, 北燕·朝鮮之閒, 謂之一'《揚子方言》. ⑬잔가지책 나무의 작고 가는 가지. '木細枝謂之杪, 燕之北鄙, 朝鮮洌水之閒, 謂之一'《揚子方言》. ⑭성책 성(姓)의 하나.
字源 形聲. 竹+朿〔音〕

竹 6 〔笛〕 12 곡 ㉤沃 | qū キョク かいこのす

字解 잠박(蠶箔)곡 누에를 기르는 제구. 잠부(蠶簿).
字源 形聲. 竹+曲〔音〕

竹 6 〔筭〕 12 천 ㊤銑 | chuǎn セン たけのくし

字解 대꼬챙이천 '一, 竹以貫物'《集韻》.

竹 6 〔笸〕 12 기 ㊥支 | jī キ すきぐし

字解 참빗기, 서캐훑이기 이·서캐를 훑어 내는 데 쓰는 빗살이 촘촘한 빗. '一, 取蟣比也'《說文》.

字源 形聲. 竹+匠〔音〕

竹 6 〔筹〕 12 고 ㊤晧 | kǎo コウ たけをまげてつくったうつわ

字解 대그릇고 대오리를 휘어 결어서 만든 그릇. 栲(木부 6획〈542〉)와 통용. '一�, 屈竹木爲器'《集韻》.

竹 6 〔笵〕 12 요 ㊦嘯 ㊥蕭 | yào ヨウ やねじた

字解 산자발요 지붕의 기와 밑에 까는 대발. '屋上薄, 謂之一'《爾雅》.

竹 6 〔筞〕 12 ㊀추 ㊥虞 ㊁ ㊥尤 ㊂주 ㊥虞 ㊃창 ㊤講 | zhū シュ ほ / シュウ はったほ / shū チュ ほ / chuǎng ソウ はったほ

字解 ㊀①돛추 대로 엮은 돛. '一, 棒雙也'《說文》. ②돛달추 ㊂과 뜻이 같음. ㊂돛주 ㊀①과 뜻이 같음. ㊃돛달창 '一, 帆張也'《集韻》.
字源 形聲. 竹+朱〔音〕

竹 6 〔筭〕 12 ㊀공 ㊦送 ㊁항 ㊥江 | gòng コウ わんかご / xiáng コウ さけこしざる

字解 ㊀①대그릇공, 저통공 '一, 桮筌也. 或曰, 盛箸籠'《說文》. ②돛공 '一篗'은 대로 엮은 돛. '一篗, 謂之笨'《廣雅》. ㊁용수항 '一篗'은 술거르는 용수. '一, 一篗, 酒篘也'《集韻》.
字源 形聲. 竹+夅〔音〕

竹 6 〔笿〕 12 락 ㉤藥 | luò ラク わんかご

字解 ①대그릇락 술잔을 담거나, 향(香)을 피우는 데 쓰는 대바구니. '一, 桮一也'《說文》. ②묶을락 '一, 束也'《廣雅》. ③구슬릴락 구워삶음.
字源 形聲. 竹+各〔音〕

竹 6 〔筿〕 12 ㊀타 ㊤哿 ㊁차 ㊥麻 | duǒ タ たけのな / zhuā タ むち

字解 ㊀대이름타 '一, 竹名'《廣韻》. ㊁채찍차 '一, 箠也'《說文》.
字源 形聲. 竹+朵〔音〕

竹 6 〔筣〕 12 ㊀례 ㊦霽 ㊁렬 | lì レイ かずとり / liè レツ かずとり

字解 ㊀셈대례 산가지. '一, 籌也'《集韻》. ㊁셈대렬 ㊀과 뜻이 같음.

竹 6 〔筞〕 12 〔순〕 箕(竹부 12획〈956〉) ㊀과 同字

竹6〔筎〕12 여 ㊥魚 rú ジョ まきはだ
字解 대속껍질여 대의 얇은 속껍질. 배에 물이 스며드는 틈을 막는 데 쓰고, 약재로도 쓰임. '一, 刮取竹皮爲一'《集韻》. '一, 竹一以塞舟也'《字彙》.

竹6〔筃〕12 인 ㊥眞 yīn イン たけのな
字解 ①대이름인 '一, 竹名'《集韻》. ②수레 방석인 수레 안에 놓인 앉는 방석. '一, 說文, 車重席, 或作一'《集韻》.

竹6〔筀〕12 임 ㊤寢 rèn ジン·ニン ねるむしろ
字解 ①홑돗자리임 '一, 單席, 通作衽'《集韻》. ②요임 잠잘 때 까는 요. '一, 臥席也, 通作衽'《集韻》.

竹6〔筗〕12 중 ㊦送 zhòng チュウ ふえのな
字解 ①중간피리중 중간 크기의 피리를 이름. '一, 中籥也, 通作仲'《集韻》. ②대이름중 '一, 竹名'《字彙補》.

竹6〔筝〕12 증 ㊥蒸 zhēng ショウ たけのたいまつ
字解 ①대홰증 대로 만든 횃불. '一, 竹炬'《集韻》. ②얼룩무늬대증 껍질에 무늬 있는 대. '一, 一曰, 竹名, 皮有文'《集韻》.

竹6〔箒〕12 〔천〕 篇(竹부 9획〈947〉)과 同字

竹6〔笐〕12 충 ㊦送 chòng シュウ たけのさきがとがる
字解 대끝뾰족할충 '一, 竹尖也'《集韻》.

竹6〔筕〕12 행 ㊥庚 háng コウ たけむしろ
字解 대자리행 대로 만든 자리. '一, 一簹, 織竹也'《集韻》.

竹6〔筓〕12 〔병〕 筓(竹부 8획〈941〉)의 俗字

竹6〔笧〕12 ㊀ 柵(木부 5획〈538〉)과 同字 ㊁ 策(竹부 6획〈937〉)과 同字 ㊂ 冊(冂부 3획〈88〉)의 古字

竹6〔筡〕12 〔로〕 栳(木부 6획〈542〉)와 同字

竹7〔筰〕13 은 ㊥文 yìn ギン おきいふえ
字解 큰피리은 큰 저. 齗(龠부 4획〈1895〉)·筰(竹부 7획〈940〉)과 同字. '一, 大篪也'《集韻》. '齗, 或作一·筰'《集韻》.

竹7〔筠〕13 균 ㊥眞 yún イン たけ
字解 ①대균 대나무의 일종. '翠一'. '柴門空閉鎖松一'《杜甫》. ②껍질균 대나무의 푸른 껍질. '如竹箭之有一'《禮記》. ③윤기균 윤기 있는 모양. '一, 亦潤色在外者'《禮記疏》.
字源 形聲. 竹＋均〔音〕

竹7〔筤〕13 랑 ㊥陽 ㊤養 láng ロウ わかだけ, かご
字解 ①어린대랑 '蒼一'은 난 지 얼마 안 되는 작은 대나무. '震, 爲蒼一竹'《易經》. ②바구니랑 또, 수레를 덮는 대. '一, 籃也'《說文》. '一, 車籃'《廣韻》.
字源 形聲. 竹＋良〔音〕

竹7〔筥〕13 ㊀거 ㊤語 jǔ キョ はこ ㊁려 ㊤語 lǚ リョ めしびつ
字解 ㊀ ①둥구미거 대나무로 엮어 만든 둥근 그릇. '維筐及一'《詩經》. ②볏단거 벤 벼의 네 묶음. '四秉曰一'《儀禮》. ③성거 성(姓)의 하나. ㊁ 밥통려 '一, 飯器'《集韻》.
字源 形聲. 竹＋呂〔音〕

竹7〔筦〕13 관 ㊤旱 guǎn カン つかさどる
字解 ①관관, 피리관 管(竹부 8획〈943〉)과 同字. '以一窺天'《漢書》. '磬一將將'《詩經》. ②관장할관 管(竹부 8획〈943〉)과 同字. '周大夫尹氏, 一朝事'《漢書》.
字源 形聲. 竹＋完〔音〕

竹7〔筧〕13 견 ㊤銑 jiǎn ケン かけい
字解 대홈통견 대나무로 만든 홈통. '竹一'. '南有一, 放水漑田'《白居易》.
字源 形聲. 竹＋見〔音〕

竹7〔筩〕13 ㊀통 ㊥東 tǒng トウ つつ ㊁용 ㊤腫 yǒng ヨウ やづつ
字解 ㊀ 대통통 죽통(竹筒). '銗一'. '制十二一'《漢書》. ㊁ 전동용 화살을 넣는 통. '箭一蓋'《左傳 註》.
字源 形聲. 竹＋甬〔音〕

竹7〔筬〕13 성 ㊥庚 chéng セイ おさ
字解 ①바디성 베틀에 딸린 날을 고르는 제

구. '一筐, 織具'《廣韻》. ②대이름성 '一, 竹名'《康熙字典》.
字源 形聲. 竹+成〔音〕

竹 7 〔筮〕13 서 ㊀霽 | shì セイ うらなう
字解 ①점서 점대로 치는 점. '卜一'. ②점칠서 점대로 점을 침. '一于廟門'《儀禮》. ③점대서 점치는 데 쓰는 오십 개의 가는 대. '一竹'. '執韇以擊一'《儀禮》.
字源 會意. 竹+巫

竹 7 〔筯〕13 저 ㊀御 | zhù チョ はし
字解 ①젓가락저 箸(竹부 9획〈944〉)와 同字. '失匕一'《十八史略》. ②조개이름저 대합류(大蛤類)의 조개.
字源 形聲. 竹+助〔音〕

竹 7 〔筰〕13 작 ㊅藥 | zuó サク たけなわ
字解 ①노작 대오리로 꼰 노. ②오랑캐작 한대(漢代)의 서남 만족(蠻族)의 하나. '一都最大'《史記》.
字源 形聲. 竹+作〔音〕

竹 7 〔筲〕13 ㊀ 소 ㊉肴 | shāo ソウ ふご
㊁ 삭 ㊅覺 | サク ふご
字解 ㊀ 대그릇소 ㉠대나무로 엮어 만든 한 말 두 되들이 그릇. '一三, 黍·稷·麥'《儀禮》. 전(轉)하여 ㉡작은 분량. 또, 좁은 소견. 그릇이 작은 인물. '斗一之人'《論語》. ㊁ 대그릇삭 ㊀과 뜻이 같음.
字源 形聲. 竹+肖〔音〕

竹 7 〔筳〕13 정 ①㊉青 | tíng テイ わりだけ
②㊤迥 | テイ はり
字解 ①가는대정 작은 죽간(竹竿). '以蠡測海, 以一撞鐘'《漢書》. ②들보정 '一, 屋梁也'《集韻》.
字源 形聲. 竹+廷〔音〕

竹 7 〔筴〕13 ㊀ 책 ㊅陌 | cè サク めどぎ
㊁ 협 ㊅葉 | jiā キョウ はさむ
字解 ㊀ ①점대책 점을 치는 데 쓰이는 쉰 개의 가는 대. '龜爲卜, 一爲筮'《禮記》. ②대쪽책 죽간(竹簡). '挾一讀書'《莊子》. ③꾀책 策(竹부 6획〈937〉)과 同字. '不用其一'《史記》. ㊁ ①길협 夾(大부 4획〈233〉)과 同字. '一漢陽'《韓愈》. ②저협 젓가락. '一, 箸也'《廣韻》.
字源 形聲. 竹+夾〔音〕

竹 7 〔筵〕13 人名 연 ㊉先 | yán エン むしろ
筆順 ノ ㅅ ㅆ 竹 竺 筵 筵 筵
字解 자리연 대로 엮은 자리. 전(轉)하여, 널리 자리. '暑月排一久坐'《李義山雜纂》. 전(轉)하여, 좌석. '講一'. '賓之初一'《詩經》. 또, 전(轉)하여, 주연(酒宴). 연회. '五里一換馬, 十里一開一'《李商隱》.
字源 形聲. 竹+延〔音〕

竹 7 〔筷〕13 쾌 | kuài カイ はし
字解 젓가락쾌 '一子'는 속어(俗語)로서, 젓가락. '一, 箸也'《陸容》.
字源 形聲. 竹+快〔音〕

竹 7 〔筣〕13 리 ㊉支 | lí リ たけのかきね
字解 ①대울타리리 '笓一'는 대로 엮은 울타리. '笓一, 織竹爲障也'《集韻》. ②통발리 가시나무를 엮어 만든 통발. 어량(魚梁). '窪處著一笓'《皮日休》.

竹 7 〔笠〕13 두 ㊀有 | dòu トウ にくをもるうつわ
字解 제기(祭器)이름두 고대의 제사 때 고기를 담는 그릇. 豆(部首〈1368〉)와 同字.

竹 7 〔筟〕13 부 ㊉虞 | fū フ たけのなかのうすいかわ
字解 ①대청부 대나무의 얇은 속껍질. '一, 竹中衣'《正字通》. ②북통부 길쌈할 때 씨실을 감는 통. '一, 織緯者'《正字通》.
字源 形聲. 竹+孚〔音〕

竹 7 〔筩〕13 각 ㊅覺 | ①jué カク たけのたるき
㊅覺 | ②wò アク たけのな
字解 ①대서까래각 대나무의 서까래. '一, 竹榱也'《集韻》. ②대이름각 대나무의 일종. '一, 竹名'《集韻》.

竹 7 〔筝〕13 봉 ㊉東 | péng ホウ とま
字解 뜸봉 대나무 같은 것으로 엮어 선거(船車)를 덮는 것. 篷(竹부 11획〈952〉)과 同字. '一, 船連張也'《玉篇》.

竹 7 〔箟〕13 미 ㊤尾 | wěi ビ ほうき
字解 ①비미 쓰레기 같은 것을 쓰는 비. '一, 帚也'《字彙》. ②대이름미 대나무의 일종. '一, 竹名'《集韻》.

竹 7 〔筱〕13 소 ㊤篠 | xiǎo ショウ しのだけ
字解 이대소 가는 대. 화살대를 만들기에

알맞은 대임. 篠(竹부 10획〈951〉)와 통용. '一, 箭屬, 小竹也'《說文》.
[字源] 形聲. 竹+攸〔音〕

竹7〔⿱竹肑〕13 [一] 박 [入]覺 | bó ハク てあしのゆびのかんせつがなる
[二] 벽 [入]錫 | ヘキ てあしのゆびのかんせつがなる

[字解] [一] 손발가락마디소리날박 '一, 手足指節鳴也'《說文》. [二] 손발가락마디소리날벽 [一]과 뜻이 같음.
[字源] 形聲. 竹+肑〔音〕

竹7〔筡〕13 [一] 도 [平]虞 | tú ト おる
[二] 저 [平]魚 | チョ わりだけ
[三] 서 [平]魚 | ショ たけのかわ
[四] 제 [去]霽 | テイ たけのな

[字解] [一] ①꺾을도, 가를도 '一, 折也'《廣雅》. '一, 分也'《廣雅》. ②대쪽도 푸른 대껍질만을 쪼갠 것. '一, 析竹筤也'《說文》. ③대속빌도 '簢, 一中'《爾雅》. [二] ①대쪽저, 대속빌저 [一]❷❸과 뜻이 같음. ②풀이름저 '一, 草名. 簢一, 中空'《集韻》. ③대껍질이름저 '一, 竹篾名也'《廣韻》. [三] 대껍질서 '箊一'는 대껍질. '一, 箊一, 竹筤也'《集韻》. [四] ①대이름제 '一, 竹名'《集韻》. ②대껍질속제 '今江東呼篾竹裏, 爲一'《揚子方言》.
[字源] 形聲. 竹+余〔音〕

竹7〔⿱竹折〕13 [一] 제 [去]霽 | zhì セイ たかむしろ
[二] 절 [入]屑 | セツ たかむしろ

[字解] [一] 대자리제 '簟, …自關而西, 謂之簟, 或謂之一'《揚子方言》. [二] 대자리절 [一]과 뜻이 같음.

竹7〔⿱竹⿰犭斤〕13 은 [平]文 | yìn ギン おおきなふえ

[字解] 큰피리은 큰 저. ⿰龠斤(龠부 4획〈1895〉)과 同字. '⿰龠斤, 大篪, 或作一'《集韻》.

竹7〔筢〕13 파 [平]麻 | pá ハ さらえ

[筆順] ⺈ ⺮ ⺮ … 筢

[字解] 갈퀴파 발이 다섯 있는 갈퀴. 흙을 고르고 풀을 뽑는 데 씀. '一, 五齒一. 用以取草也'《字彙》.

竹7〔筨〕13 함 [平]覃 | hán カン ちゅうくうでないたけ

[字解] 대이름함 '一隋'는 속이 차 있는 대나무의 일종. '一, 一隋, 竹實中'《集韻》.

竹7〔⿱竹良〕13 〔량〕
良(艮부 1획〈1118〉)의 古字

竹7〔⿱竹尨〕13 〔롱〕
籠(竹부 16획〈962〉)의 俗字

竹7〔签〕13 〔첨〕 簽(竹부 13획〈958〉)·籤(竹부 17획〈963〉)의 簡體字

竹7〔⿱竹求〕13 구 [平]尤 | qiú キュウ ちいさいかご

[字解] 종다래끼구 작은 대바구니. '一, 小籠'《集韻》.

竹7〔⿱竹夋〕13 사 [平]歌 | suō サ ひ

[字解] 북사 북은 피륙을 짤 때에 씨올의 실꾸리를 넣는 도구. '梭, 織具, 所以行緯也, 或作一'《集韻》.

竹7〔⿱竹言〕13 언 [平]元 | yán ゲン ふえ

[字解] 큰퉁소언 퉁소의 큰 것. '一, 大簫也'《集韻》.

竹7〔⿱竹邑〕13 읍 [入]緝 | yì ユウ うおをとるちくせいのきぐ

[字解] 통발읍 통발은 물고기를 잡는 기구. '一, 捕魚竹器'《集韻》.

竹7〔筞〕13 〔책〕
策(竹부 6획〈937〉)과 同字

竹7〔⿱竹呈〕13 [一] 정 [平]庚 | chéng ジョウ たけむしろ
[二] 청 [平]青 [去]徑 | tīng ジョウ たけのきぐ テイ すのこ

[字解] ①대자리정 '一, 筵也'《玉篇》. ②대이름정 '一, 一曰, 竹名. 可爲笛'《集韻》. [二] ①대그릇청 대로 만든 그릇. '一, 筣一, 竹器'《集韻》. ②자리청 배나 수레 안에 까는 자리. '一, 筣一, 車中筵也'《集韻》.

竹7〔筫〕13 지 [去]寘 [上]紙 | ①zhì チ ちくせいのきぐ ②zhǐ シ つつしむ

[字解] ①대그릇지 대로 만든 그릇. '一, 竹器'《玉篇》. ②삼갈지 일에 삼감. 또, 바름. '一, 致謹也, 又正也, 見釋藏'《字彙》.

竹7〔⿱竹⿰占刂〕13 첨 [平]鹽 | chān テン けずる

[字解] 깎을첨 깎아서 얇게 함. '一, 剡物使薄'《集韻》.

竹7〔⿱竹別〕13 필 [入]屑 | bié ヘツ わける

[字解] ①쪼갤필 쪼갬. 또는 쪼개짐. '一, 分

一'《廣韻》. ②부신(付信)필 '一, 分契也'《集韻》.

竹7〔筭〕13 〔산〕 算(竹부 8획〈942〉)과 同字
[字源] 會意. 竹+弄

竹7〔筽〕13 ㊕ 오
[字解] 《韓》①버들고리오 '一筌'는 고리버들로 만든 옷 넣는 고리. ②조오 '一粟'은 조의 일종.

竹7〔節〕13 〔절〕 節(竹부 9획〈945〉)의 俗字

竹8〔箳〕14 병 ㊥青 píng ヘイ とびら
[字解] ①대사립문병 대나무를 엮어 만든 문. '一, 一曰一夆, 戶扇'《集韻》. ②대이름병 대나무의 일종. '一, 竹名'《集韻》.
[參考] 笄(竹부 6획〈938〉)은 俗字.

竹8〔箄〕14 ㊀비 ①㊥齊 bēi ヘイ かご ②㊤紙 bǐ ヒ ふるいのす ㊁패 ㊥佳 pái ハイ いかだ
[字解] ㊀①종다래끼비 작은 대바구니. '一, 簝也. … 秦晉之閒, 謂之一'《揚子方言》. ②쳇불비 쳇바퀴를 메우는 그물. '一, 簁一也'《說文》. ㊁떼패 대로 엮은 큰 떼. '乘枋一下江關'《後漢書》.
[字源] 形聲. 竹+卑〔音〕

竹8〔箅〕14 폐 ㊦霽 bì ヘイ す
[字解] ①시루밑폐 음식을 찔 때 시루의 밑에 까는 제구. '一, 甑一也'《廣韻》. ②가릴폐 덮어 가림. '輪一則車行不掉'《周禮》.
[字源] 形聲. 竹+畀〔音〕

竹8〔箇〕14 [人名] 개 ㊦箇 gè カ·コ ものをかぞえるにそえることば
[筆順] ノ ⺈ ⺮ 竺 笁 笛 箇 箇
[字解] ①낱개 낱으로 된 물건을 셀 때에 쓰는 말. '負矢五十一'《荀子》. ②이개 속어(俗語)로, 此(止부 2획〈603〉)와 뜻이 같음. '一小兒瞻視異常'《唐書》. 또, 속어(俗語)로, 딴 자와 연용(連用)하여 '이'·'저' 등의 뜻의 지시 대명사로 쓰임. '那一'는 '저'. '這一'·'此一'는 '이'. '古人此一學, 是終身事'《近思錄》. ③어조사개 속용(俗用)의 조자(助字). '好一'. '眞一'. ④성개 성(姓)의 하나.
[字源] 形聲. 竹+固〔音〕

竹8〔箈〕14 지 ㊥支 chí チ しのだけのたけのこ
[字解] ①대순지 조릿대의 죽순. '加豆之實, 一菹·雁醢·筍菹·魚醢'《周禮》. ②말풀지 篙(竹부 9획〈947〉)와 同字.

竹8〔箋〕14 전 ㊥先 jiān セン はりふだ
[字解] ①찌지전, 부전전 글의 뜻을 해명하거나 자기의 의견 등을 적어서 그 책에 붙이는 작은 종이 쪽지. 전(轉)하여, 주석. 주소(註疏). '毛詩鄭一'. '鄭玄作毛詩一'《後漢書》. ②전지전 글 또는 편지를 쓰는 작은 종이. '用一'. '謝安就乞一紙'《語林》. ③문서전 서류. '投一與河伯'《異苑》. ④편지전 '豈期厚眷, 特枉長一'《曾鞏》. ⑤명함전 명자(名刺). '姻友投一互拜'《熙朝樂事》. ⑥상표(上表)전 상소하는 글. '百官進一'《元史》. ⑦말할전 '一, 云也'《廣雅》.
[字源] 形聲. 竹+戔〔音〕

竹8〔箍〕14 고 ㊥虞 gū コ たが
[字解] ①테고 그릇의 조각이 어그러지지 못하게 둘러메는 줄. 또, 테를 둘러멤. '宋大慈寺一桶者精易'《二程語錄》. ②둘레고 '大村曰大一圍, 小村曰小一圍'《廣東新語》.
[字源] 會意. 竹+扌(手)+匝(帀)

竹8〔箑〕14 ㊀삽 ㊇洽 shà ソウ おうぎ ㊁첩 ㊇葉 jié ショウ ほしじし
[字解] ㊀부채삽 선자(扇子). '屛輕一釋纖絺'《潘岳》. ㊁포첩 얇게 저민 건육(乾肉). '帝堯時, 廚中自生肉, 其薄如一'《宋書》.
[字源] 形聲. 竹+疌〔音〕

竹8〔箋〕14 箑(前條)과 同字

竹8〔箏〕14 쟁 ㊥庚 zhēng ソウ·ショウ しょうのこと
[字解] ①쟁쟁 대쟁(大箏)과 비슷한 열석 줄(고대에는 다섯 줄, 진(秦)나라 때에는 열두 줄)로 된 현악기. '叩缶彈一'《史記》. ②풍경쟁 '風一'은 처마 끝에 다는 풍경(風磬). '簷下鐵馬曰風一'《正字通》.
[字源] 形聲. 竹+爭〔音〕

竹8〔箒〕14 추 ㊤有 zhǒu ソウ ほうき
[字解] ①비추 쓰레기를 쓰는 제구. 帚(巾부 5획〈331〉)의 俗字. '母取箕一立而誶語'《賈誼》. ②쓸추 비로 씀.
[字源] 甲骨文은 세워 놓은 비의 象形으로, 비의 뜻을 나타냄. 나중에, 又+冂+巾의 會意로서, 손으로 어떤 경계내(境界內)를

헝겊으로 치우다의 뜻에서, 비의 뜻을 나타내게 되었음.

竹8 〔箕〕14 人名 기 ㉰支 jī キ み

筆順 ノ ㇒ ⺮ 笧 笲 笸 箕 箕

字解 ①키기, 삼태기기 곡식을 까부는 제구. 또는, 쓰레기를 담아 버리는 농구. '良弓之子, 必學爲一'《禮記》. ②쓰레받기기 쓰레기를 받아 내는 기구. '一帚'. '必加箒於一上'《禮記》. ③별이름기 이십팔수(二十八宿)의 하나. 청룡 칠수(青龍七宿)의 맨 끝 성수(星宿)로서, 별 넷으로 구성되었음. '一宿星'. '維南有一'《詩經》. ④바람귀신기 풍백(風伯). '一伯'. ⑤다리뻗고앉을기 두 다리를 쭉 뻗고 앉음. 퍼더버림. '一坐'. '一踞'. '坐毋一'《禮記》. ⑥뿌리기 만물의 근본. '一者, 言萬物根棋'《史記》. ⑦성기 성(姓)의 하나.

字源 形聲. 竹＋其〔音〕

竹8 〔箔〕14 박 ㉯藥 bó ハク すだれ

字解 ①발박 대오리나 갈대 같은 것으로 엮어 만든 물건. '簾一'. '門不施一'《唐書》. ②금종이박 금속을 두드려서 얇은 종이같이 만든 조각. '銀一'. '以金一飾佛像'《宋史》. ③잠박박 잠상(蠶床). '蠶一'. '春蠶看滿一'《韓愈》.

字源 形聲. 竹＋泊〔音〕

竹8 〔算〕14 中·人 산 ㉴旱 ㉵翰 ①-③suàn サン かず, かぞえる ④-⑨サン さんぎ

筆順 ⺮ ⺮⺮ 竹 笞 管 笪 算 算

字解 ①수산 수효. '無一爵, 無一樂'《儀禮》. ②셀산 수를 셈. '計一'. '噫, 斗筲之人, 何足一也'《論語》. ③바구니산, 대그릇산 '其餽遺人, 不過一器食'《史記》. ④산가지산 수효를 세는 제구. '運一轉歷'《史記》. ⑤셈산 산술. '一數' '善爲一'《漢書》. ⑥꾀산 모계(謀計). 또, 꾀함. '成一'. '一無遺策'《晉書》. ⑦슬기산 지혜. '一之所亡若何'《列子》. ⑧명수(命數)산 나이. '齒一延長, 聲價隆振'《顏延之》. ⑨성산 성(姓)의 하나.

字源 會意. 竹＋具

竹8 〔箘〕14 균 ㉴軫 ㉰眞 jùn, jūn キン しのだけ

字解 ①조릿대균 대나무의 한 가지로 가늘고 작으며 화살대를 만들기에 적합함. ②대순균 죽순. '越駱之一'《呂氏春秋》.

字源 形聲. 竹＋囷〔音〕

竹8 〔箟〕14 箘(前條)의 古字

竹8 〔箙〕14 복 ㉯屋 fú フク えびら

字解 전동복 화살을 넣는 통. 가죽이나 대나무 따위로 만듦. '中秋獻矢一'《周禮》.

字源 形聲. 竹＋服〔音〕

竹8 〔箚〕14 차(잡㊍) ㉯洽 zhá トウ さす

字解 ①찌를차 바늘로 찌름. '一者刺也'《文體明辯》. ②이를차 옴. '三樹稚桑春未一'《杜牧》. ③닿을차 도착함. '一野營'《武備要略》. ④적을차 기록함. '抄一家業'《書敍指南》. ⑤차자(箚子)차 신하가 임금에게 올리는 문서의 한 체(體). 또, 상관이 하관에게 보내는 공문서. '至於疏·對·啓·狀·一子者, 又皆以奏字冠之'《文體明辯》. ※本音 잡.

字源 形聲. 刂(刀)＋荅〔音〕

竹8 〔箜〕14 공 ㉰東 kōng コウ·ク くご

字解 공후공 '一篌'는 현악기의 하나. 스물석 줄의 수공후(豎箜篌), 넷 내지 여섯 줄의 와공후(臥箜篌), 십여 줄의 봉수공후(鳳首箜篌)의 세 가지가 있음. '作二十五絃及一篌'《史記》.

字源 形聲. 竹＋空〔音〕

竹8 〔箝〕14 겸 ㉰鹽 qián ケン·カン はさむ

字解 ①끼울겸 좁은 사이에 빠지지 않게 넣음. 鉗(金부 5획〈1555〉)과 同字. '蚌合而一其啄'《戰國策》. ②항쇄(項鎖)겸 쇠사슬로 목을 맴. 또, 그 쇠사슬. ③재갈먹일겸 재갈을 물려 말을 못 하게 함. 전(轉)하여, 자유를 속박함. '一口'. '一語燒書'《漢書》.

字源 形聲. 竹＋拑〔音〕

竹8 〔箈〕14 箝(前條)과 同字

竹8 〔箊〕14 념 ㉵豔 niàn デン·ネン ふなづな

字解 바념 배를 끄는 데 쓰는 대오리로 엮은 밧줄. '苒弱竹篾一'《白居易》.

竹8 〔箠〕14 추 ㉴紙 chuí スイ むち

字解 ①채찍추 대로 만든 채찍. '鞭一'. '杖馬一, 下趙數十城'《史記》. ②채찍질할추 채찍으로 침. '榜一瘩於炮烙'《漢書》. 또, 그 형벌. '定一令'《漢書》.

字源 形聲. 竹＋垂(埀)〔音〕

竹 8 〔管〕 14 [高·人] 관 [上]旱 [平]寒 | ①-⑨guǎn カン くだ, ふでのじく ⑩guān カン やかた

[筆順] 管

[字解] ①관관 쪼개지 아니한 가늘고 긴 대의 도막. 전(轉)하여, 널리 둥글고 길며 속이 빈 물건. '鐵一'. '用一窺天'《莊子》. ②붓대관 붓자루. '彤一'. '天子筆一, 以錯寶爲跗'《西京雜記》. ③피리관 관악기. '簫一'. '鐘石一絃'《唐書》. ④열쇠관 자물쇠를 여는 대. '一鑰'. '授一鍵'《周禮》. ⑤맡을관 주관함. '一轄'. '總一'. '一事二十餘年'《史記》. ⑥고동관 추요(樞要). '聖人也者, 道之一也'《荀子》. ⑦불관 취주(吹奏)함. '乃一新宮三終'《儀禮》. ⑧단속할관 구속함. '一, 拘束也'《中華大字典》. ⑨성관 성(姓)의 하나. ⑩집관 저택. 숙사. 館(食부 8획〈1721〉)과 뜻이 통용. '一人布幕于寢門外'《儀禮》.

[字源] 形聲. 竹+官〔音〕

竹 8 〔箛〕 14 고 [平]虞 | gū コ たけのな, ふえ

[字解] ①대이름고 대나무의 일종. '篠簳一箠'《張衡》. ②피리고 본디, 채찍에 구멍을 뚫어 말 위에서 부는 것. 또, 갈대잎 따위를 말아서 만들며, 후세(後世)에는 동관(銅管)을 사용함. 호가(胡笳).

[字源] 形聲. 竹+孤〔音〕

竹 8 〔⿱竹沾〕 14 [一] 전 [平]先 | qián セン わたをさらすすのこ
[二] 점 [平]鹽 | qián セン わたをさらすすのこ

[字解] [一] 발전 솜을 바랠 때 깔고 솜을 너는 대나무발. '一, 漱絮簣也'《說文》. [二] 발점 [一]과 뜻이 같음.

[字源] 形聲. 竹+沾〔音〕

竹 8 〔箐〕 14 [一] 정 [平]庚 | jīng セイ ちいさいかご
[二] 천 [去]霰 | qìng セイ たけのゆみ

[字解] [一] 바구니정 작은 대바구니. '筡一, 小籠也'《集韻》. [二] 대활천 대나무로 만든 활. '張竹弓弩曰一'《集韻》.

[字源] 形聲. 竹+靑〔音〕

竹 8 〔箁〕 14 [一] 부 [上]有 [平]尤 | ①bù ホウ たけのは ②póu ホウ たけのこのかわ
[二] 포 [平]虞 | pú ホ たけのあみ

[字解] [一] ①댓잎부 대나무의 잎사귀. '一, 竹葉也'《集韻》. ②죽순껍질부 대순의 껍질. '一, 竹箬也'《說文》. [二] 그물포 '一篚'는 작은 대그물. 蒲(艸부 10획〈1166〉)와 同字. '蒲, 蒲篚, 小竹網. 或作一'《集韻》.

[字源] 形聲. 竹+音〔音〕

竹 8 〔箊〕 14 어 [平]魚 | yū ヨ·オ たけのな

[字解] 대이름어 '箖一'는 잎이 얇고 넓은 대의 일종. '一, 竹名. 葉薄而廣'《集韻》.

竹 8 〔箖〕 14 [一] 림 [平]侵 | lín リン たけのな
[二] 름 [上]寢 | lǐn リン かざし

[字解] [一] 대이름림 '一, 一箊, 竹名'《廣韻》. [二] 가리개름 덮개. '一, 翳也'《廣雅》.

竹 8 〔箎〕 14 [一] 호 [上]麌 | hǔ コ おおきなたけのな
[二] 지 [平]支 | chí チ がっきのな

[字解] [一] 긴대호 '一, 竹名. 高百丈'《集韻》. [二] 저이름지 篪(竹부 10획〈949〉)의 俗字.

竹 8 〔⿱竹刪〕 14 [一] 산 [平]寒 [平]刪 [去]翰 [上]潸 [上]旱 | sān サン たけせいのはこ
[二] 선 [上]銑 | セン たけせいのはこ

[字解] [一] 대상자산 '一, 竹器也'《說文》. [二] 대상자선 [一]과 뜻이 같음.

[字源] 形聲. 竹+刪〔音〕

竹 8 〔⿱竹或〕 14 [一] 확 [入]藥 | yuè ワク いとまき
[二] 역 [入]職 | ヨク たけがそうせいする

[字解] [一] 자새확 자새는 실감는 기구. '一, 收絲具也'《類篇》. [二] 대떨기로날역 '一, 竹叢生'《集韻》.

竹 8 〔⿱竹典〕 14 전 [上]銑 | diǎn テン おおきなはこ

[字解] ①큰상자전 '一, 大匧'《廣韻》. ②典(八부 6획〈87〉)의 古字.

竹 8 〔⿱竹𢍏〕 14 〔산〕 筭(竹부 7획〈941〉)의 本字

竹 8 〔⿱竹匊〕 14 국 [入]屋 | jú キク たけのね

[字解] 대뿌리국 대나무의 뿌리. '一, 竹根'《字彙》.

竹 8 〔⿱竹屈〕 14 굴 [入]物 | gǔ クツ ささら

[字解] 솔굴 대를 잘게 쪼개어 만든, 부엌에서 쓰는 솔. '一, 謂之刷'《廣雅》.

竹8 〔⿱竹戾〕14 대 [上]蟹 | dǎi タイ たけかご

[字解] 대바구니대 '一, 亦作簹, 亦竹器'《篇海》.

竹8 〔⿱竹侖〕14 륜 [平]眞 | lún リン ふねのきぐ

[字解] 상앗대륜 배의 기구(器具)의 하나. '一, 一子, 船具'《集韻》.

竹8 〔⿱竹莽〕14 망 [上]養 | mǎng ボウ ふしのおおいたけのな

[字解] 마디많은대망 마디가 많은 대의 이름. '一, 竹多其節稠'《集韻》.

竹8 〔箓〕14 〔록〕 簏(竹부 11획〈954〉)과 同字

竹8 〔箣〕14 〔책〕 策(竹부 6획〈937〉)과 同字

竹8 〔⿱竹肥〕14 [一] 비 [平]微 | féi ヒ たけのな
[二] 파 [平]麻 | bā ハ やねじた

[字解] [一] ①대이름비 '一, 竹名'《集韻》. ②대나무성할비 '一, 竹盛貌'《正字通》. [二] 대산자(欃子)파 '一, 笮也, 通作笆'《集韻》.

竹8 〔箢〕14 원 [上]阮 | wǎn エン たけのきぐ

[字解] ①죽제기구(竹製器具)원 '一, 竹器'《集韻》. ②대이름원 '一, 竹名'《字彙》.

竹8 〔⿱竹沓〕14 탑 [入]合 | tà トウ たけのな

[字解] ①대덮개탑 대로 만든 덮개. '一, 竹冒也'《集韻》. ②대이름탑 '一, 一日, 竹名'《集韻》.

竹8 〔⿱竹杭〕14 항 [去]漾 | hàng コウ たけのさお

[字解] 대장대항 대로 만든 장대. '一, 竹竿也, 或省'《集韻》.

竹8 〔箆〕14 〔비〕 篦(竹부 10획〈949〉)의 俗字

竹8 〔⿱竹卓〕14 〔조〕 罩(网부 8획〈1028〉)와 同字

竹9 〔箬〕15 약 [入]藥 | ruò ジャク たけのかわ

[字解] ①대껍질약 대나무의 겁질. '楚謂竹皮曰一'《說文》. ②대이름약 대나무의 일종. 얼룩조릿대. 잎으로 삿갓 같은 것을 만듦. '一竹'. '靑一笠綠蓑衣'《張志和》.
[字源] 形聲. 竹+若〔音〕

竹9 〔箭〕15 [人名] 전 [去]霰 | jiàn セン や

[筆順] ノ ⺈ 𥫗 竹 竺 笁 箭 箭

[字解] ①살전 화살. '弓一'. '角齒羽一幹'《禮記》. ②이대전 대나무의 일종. 화살대를 만들기에 적합함. '竹一既布'《史記》. ③살대전 화살대. '一, 字林, 一筍也'《通訓》. ④나아갈전 '一, 進也'《釋名》.
[字源] 形聲. 竹+前〔音〕

竹9 〔箯〕15 편 [平]先 | biān ヘン·ベン たけごし
[平]先 | ヘン たけごし

[字解] 가마편 대로 엮어 만든 가마. '一籃'. '持節問之. 一輿前'《史記》.
[字源] 形聲. 竹+便〔音〕

竹9 〔箱〕15 [人名] 상 [平]陽 | xiāng ソウ はこ

[筆順] ノ ⺈ 𥫗 竹 笁 笁 箱 箱

[字解] ①상자상 ㉠물건을 넣는 그릇. '一筥'. '盛之潔一'《雲笈七籤》. ㉡수레 위의 상자 모양으로 된, 사람이 타거나 짐을 싣는 곳. 차상(車箱). '不以服一'《詩經》. ②곳집상 쌀을 두는 곳간. '求萬斯一'《詩經》. ③결채상 廂(广부 9획〈349〉)과 통용. '退于一'《儀禮》.
[字源] 形聲. 竹+相〔音〕

竹9 〔箴〕15 [人名] 잠 [平]侵 | zhēn シン はり

[筆順] ノ ⺈ 𥫗 竹 笁 笁 箴 箴

[字解] ①바늘잠 바느질하는 바늘. '紉一請補綴'《禮記》. ②침잠 살을 찔러 병을 고치는 바늘. '一砭'. '一石湯火所施'《漢書》. ③경계잠 훈계. '一誡'. '規一'. '猶胥顧于一言'《書經》. ④경계할잠 '一之日'《左傳》. ⑤끼울잠 끼워 넣음. 꽂아 넣음. '一, 揷也'《廣雅》. ⑥잠잠 한문의 한 체(體). 경계하는 뜻을 서술한 글로서, 대개는 운문(韻文)임. '大寶一'. '有夏商二一'《文體明辯》. ⑦성잠 성(姓)의 하나.
[字源] 形聲. 竹+咸〔音〕

竹9 〔箶〕15 호 [平]虞 | hú コ やなぐい

[字解] 전동호 화살을 넣어 등에 지는 통. '一簏'. '饗士論功懸箭一'《吳萊》.
[字源] 形聲. 竹+胡〔音〕

竹9 〔箸〕15 [一] 저 [去]御 | ①zhù チョ はし
[去]御 | ②チョ いちじるしい
[二] 착 [入]藥 | zhuó チャク つく

[字解] ⊟ ①젓가락저 음식을 집는 제구. '匕一'. '象一'. '飯黍毋以一'《禮記》. ②나타날저, 두드러질저 또, 위의 타동사. 著(艸부 9획〈1160〉)와 同字. '形物其一'《列子》. '致忠信, 一仁義, 足以竭人矣'《荀子》. ⊟ 붙을착 著(艸부 9획〈1160〉)과 同字. '兵一晉陽三年矣'《戰國策》.
[字源] 形聲. 竹＋者〔音〕

竹 9 〔箾〕 15 ⊟소 ㊤蕭 ⊟삭 ㊅覺 | xiāo ショウ ふえ shuò サク さおでたたく

[字解] ⊟ 퉁소소 簫(竹부 13획〈958〉)과 同字. '舞韶一者'《左傳》. ⊟ ①칠삭 장대로 때림. '飛罕潚一'《張衡》. ②무곡이름삭 '桓一'은 무곡(舞曲)의 이름. '武酌桓一簡象'《荀子》.
[字源] 形聲. 竹＋削〔音〕

竹 9 〔節〕 15 [中·人] 절 ㊅屑 | jié セツ ふし

[筆順] 丿 𠂉 ⺮ ⺮白 ⺮艮 ⺮皀 ⺮即 節

[字解] ①마디절 ㉠대 또는 초목의 마디. 또, 그 모양을 한 것. '旄丘之葛兮, 何誕之一兮'《詩經》. ㉡뼈의 마디. '關一'. ㉢말이나 노래 곡조의 마디. '音一'. '曲一'. '撫掌擊一'《晉書》. ㉣사물의 한 단락(段落). '一一見, 則百一可知也'《說苑》. ②절개절 굳은 지조. '一婦'. '一操'. '守一情不移'《古詩》. ③부신절, 병부절 사신(使臣) 또는 대장이 가진 신표(信標). '符一'. '一鉞'. '上使泄公持一問之'《漢書》. ④때절 시기. '時一'. '季一'. '晩一色衰愛弛'《史記》. ⑤두공(斗栱)절 기둥 위에 댄 사각형 또는 직사각형의 나무. '山一藻梲'《禮記》. ⑥경절절 임금의 생신을 비롯한 국경일. '千秋一'. '天寶七年, 改爲天長一'《明皇實錄》. ⑦괘이름절 육십사괘(六十四卦)의 하나. 곧, ䷻〈태하(兌下), 감상(坎上)〉. 한계가 있어서 정지하는 상(象). ⑧운명절 운. '是一然也'《荀子》. ⑨알맞을절, 알맞게할절 '風雨一, 寒暑時'《禮記》. ⑩알맞은정도절 적당한 때. 알맞음. '發而皆中一, 謂之和'《中庸》. ⑪관습절 관례. 규칙. '夫祀國之大一也'《國語》. ⑫존절할절 알맞게 조절함. '一制'. '一約'. '其唯仁且一與'《呂氏春秋》. '愼言語一飮食'《易經》. ⑬높을절 산이 높은 모양. '一彼南山'《詩經》. ⑭성절 성(姓)의 하나.
[字源] 形聲. 竹＋卽〔音〕

竹 9 〔節〕 15 節(前條)의 俗字

竹 9 〔篁〕 15 황 ㊤陽 | huáng コウ たけ, たかむら

[字解] ①대이름황 대나무의 한 가지. '初一苞綠籜'《謝靈運》. ②대숲황 대나무의 숲. '一竹'. '余處幽一兮, 終不見天'《楚辭》. ③피리황 악기의 한 가지. '新音巧調一'《歐陽修》.
[字源] 形聲. 竹＋皇〔音〕

竹 9 〔範〕 15 [高·人] 범 ㊤豏 | fàn ハン のり

[筆順] 丿 𠂉 ⺮ ⺮亠 ⺮亘 ⺮車 ⺮車㇆ 範

[字解] ①법범 법식. 본보기. '一式'. '模一'. '表一模於多士'《葉采》. ②한계범 일정한 구획(區劃). '一圍'. ③거푸집범 주형(鑄型). 틀. 골. 笵(竹부 5획〈934〉)과 통용. ④만날범 逢(辵부 7획〈1497〉)과 뜻이 같음. '一一人之形而猶喜'《淮南子》. ⑤도조신제(道祖神祭)범 길 떠날 때 도조신(道祖神)에게 고(告)하여 제사함. '一軷, 祖道之祭也'《通訓》. ⑥나아갈범 '一, 前也'《廣雅》. ⑦성범 성(姓)의 하나.
[字源] 形聲. 車＋笵〈省〉〔音〕

竹 9 〔篆〕 15 전 ㊤銑 | zhuàn テン しょたいのな

[字解] ①전자전 고대 한자(漢字)의 한 체(體). 대전(大篆)과 소전(小篆)의 두 가지가 있는데, 대전은 주(周)나라의 태사주(太史籒)의 창작이므로 주문(籒文)이라고도 하며, 소전은 진(秦)나라 이사(李斯)의 창작임. '秦書有八體, 一日大一, 二日小一'《說文敍》. ②성전 성(姓)의 하나.
[字源] 形聲. 竹＋彖〔音〕

竹 9 〔篇〕 15 [中·人] 편 ㊤先 | piān ヘン ふみ

[筆順] 丿 𠂉 ⺮ ⺮𠃌 ⺮戶 ⺮扁 ⺮扁 篇

[字解] ①책편 완결한 서책. '一, 謂書於簡册可編者也'《通訓》. '著之於一'《漢書》. ②편편 ㉠서책의 부류(部類). '前一'. '作孟子七一'《史記》. ㉡완결한 사장(詞章). '一什'. '雖有短一, 亦思之速也'《文心雕龍》. ㉢시문(詩文)을 세는 단위. '詩三百一, 大氏賢聖發憤之所爲作也'《漢書》. ③널리편, 두루미칠편 '一者, 徧也'《詩經 疏》. ④나부낄편 휘날림. 翩(羽부 9획〈1045〉)과 통용. '一一不富'《易經》. ⑤성편 성(姓)의 하나.
[字源] 形聲. 竹＋扁〔音〕

竹 9 〔箬〕 15 각 ㊅藥 | kè カク かご

[字解] ①광주리각 '一, 籠也'《集韻》. ②술잔각 '一, 桮也'《正字通》.

竹9 〔⿱竹曷〕15 갈 (入)曷 | gé カツ たけのな
(入)黠 | qià ガツ がっきのな

字解 ①대이름갈 '一, 竹名'《廣雅》. ②악기이름갈 풍류를 마칠 때 쓰는 악기. '⿱竹曷, 敔也, 以止樂, 或省'《集韻》.

竹9 〔⿱竹苦〕15 〔고〕
笘(竹부 5획〈934〉)와 同字

竹9 〔箉〕15 과 (上)馬 | guǎ カ わく

字解 자새과 자새는 실을 감는 기구. '一, 箴一, 收絲具'《集韻》.

竹9 〔⿱竹㑋〕15
㊀ 궤 (去)隊 | guì カイ とま
㊁ 괴 (平)灰 | guì カイ とま
㊂ 괵 (入)陌 | guì カク きぬがさのほね

字解 ㊀ 뜸궤 뜸은 배나 수레의 덮개. '一, 博雅, 篷也'《集韻》. ㊁ 뜸괴 ㊀과 뜻이 같음. ㊂ 포장살괵 수레의 포장을 버티는 살. '車枸簍, 宋魏陳楚之間, 謂之一'《方言》.

竹9 〔⿱竹堇〕15 근 (上)軫 | jǐn キン たけのな

字解 꺼풀흰대근 겉이 흰 대의 이름. '一, 竹名'《字彙》. '一, 皮白如霜, 大者宜爲篙'《古文苑》.

竹9 〔⿱竹度〕15 도 (去)遇 | dù ト かんざし

字解 비녀도 비녀 또는 동곳. '一, 謂之簪'《廣雅》.

竹9 〔箽〕15 동 (上)董 | dǒng トウ たけのな

字解 ①대이름동, 대그릇동 '箽, 竹器, 一曰, 竹名, 或从重'《集韻》. ②성동 성(姓)의 하나. '一, 亦姓'《廣韻》.

竹9 〔⿱竹洛〕15 락 (入)藥 | luò ラク まがき

字解 ①울타리락 '格, 籬格也, 或作一'《集韻》. ②큰광주리락 '桮一, 陳楚宋衞之間, 謂之桮一. (注)盛桮器籠也'《方言》.

竹9 〔箿〕15 삽 (入)緝 | jí シュウ かごのへりをあむ

字解 ①대그릇휘갑칠삽 대그릇·멍석·돗자리 따위의 가장자리가 풀리지 않게 얽어서 꾸밈. '一, 織竹器緣'《集韻》. ②덮을삽 '一, 覆也'《集韻》.

竹9 〔⿱竹胥〕15 서 (平)魚 | xū ショ み

字解 ①키서 키는 곡식을 까불러 쭉정이 등을 골라내는 기구. ②대이름서 '一, 竹名, 一曰, 箕屬'《集韻》.

竹9 〔⿱竹傞〕15 쇄 (上)哿 | suǒ サ たけのな

字解 ①대이름쇄 '一, 一日竹名'《集韻》. ②돗자리쇄 '一, 席也'《廣雅》. ③가리쇄 가리는 통발과 비슷함. '一, 一日, 罩也'《集韻》.

竹9 〔⿱竹屋〕15 옥 (入)屋 | wū オク たけのみっせいするさま

字解 대빽빽이날옥 대나무가 밀생(密生)하는 모양. '一, 竹密皃'《玉篇》.

竹9 〔⿱竹爰〕15
㊀ 원 (去)霰 | yuàn エン たけをきる
㊁ 완 (上)旱 | huǎn カン たけふだ

字解 ㊀ 대자를원 '一, 斷竹也'《集韻》. ㊁ 대쪽완 '篇一, 簡也'《廣雅》.

竹9 〔⿱竹臾〕15 유 (平)虞 | yú ユ くろいたけ

字解 검은대유 '一, 黑竹'《集韻》.

竹9 〔⿱竹斫〕15 작 (入)藥 | zhuó シャク こめとぎざる

字解 조리(笊籬)작 조리는 쌀을 이는 데 쓰는 기구. '一, 箕也'《廣雅》.

竹9 〔⿱竹㚇〕15 종 (平)東 | zōng ソウ わりたけのむち

字解 ①대나무채찍종 대나무를 잘라서 만든 채찍. '一, 折竹箠'《集韻》. ②가는나뭇가지종 '一, 木枝細也'《字彙補》.

竹9 〔⿱竹住〕15 주 (去)遇 | zhù チュ いえにうえるたけ

字解 집에심는대주 '一, 壇纂竹也'《集韻》.

竹9 〔⿱竹沓〕15 첩 (入)葉 | chè チョウ たけのは

字解 댓잎첩 대의 잎사귀. '一, 竹葉'《集韻》.

竹9 〔⿱竹悤〕15 총 (平)東 (去)送 | cōng ソウ ちいさいかご
sōng ソウ たけのな

字解 ①종다래끼총 아가리가 작은 바구니. '檧, 俗呼小籠爲桶檧, 或作一'《集韻》. ②대이름총 '一, 竹名'《集韻》.

竹9 〔⿱竹則〕15 찰(철本) (入)屑 | cè セツ ものをたつおと

字解 물건을끊는소리찰 물건을 자르는 소리. '一, 斷聲'《篇海》. ※本音 철.

竹9 〔篊〕15 홍 ㊥東 hóng コウ やな

字解 ①통발홍 대오리로 엮어 만든 고기를 잡는 제구. '到頭江畔尋漁事, 織竹中流萬尺一'《陸龜蒙》. ②홈통홍 '一, 引水也'《廣韻》.

字源 形聲. 竹+洪〔音〕

竹9 〔篋〕15 협 ㊤葉 qiè キョウ はこ

字解 상자협 대오리로 결어 만든 직사각형의 상자. '一笥'. '綾緝錢布, 匱一充積'(匱는 櫃)《魏書》.

字源 形聲. 竹+匧〔音〕. 篆文의 '匧협'은 '匚+夾〔音〕

竹9 〔篌〕15 후 ㊥尤 hóu コウ くご

字解 공후후 악기의 한 가지. 箜(竹부 8획〈942〉)을 보라.

字源 形聲. 竹+侯〔音〕

竹9 〔箵〕15 성 ㊥青 xīng セイ かご / ㊤梗 xǐng, shěng

字解 종다래끼성 笭(竹부 5획〈933〉)을 보라.

字源 形聲. 竹+省〔音〕

竹9 〔箷〕15 ㊀이 ㊥支 yí イ ころもかけ / ㊁시 ㊥支 shī シ ころもかけ

字解 ㊀횃대이 옷걸이. 의가(衣架). '凡以竿爲衣架者, 名曰一'《爾雅 疏》. ㊁횃대시 ㊀과 뜻이 같음.

竹9 〔篃〕15 ㊀미 ㊥支 mèi ビ·ミ たけのな / ㊁매 ㊦隊 バイ·マイ たけのな

字解 ㊀대이름미 '一, 竹名. 江漢之間謂之箭竿. 一尺數節, 葉大如扇, 可以衣蓬'《集韻》. ㊁대이름매 ㊀과 뜻이 같음.

竹9 〔箈〕15 ㊀태 ㊥灰 dài タイ たけのこ / ㊁지 ㊥支 chī チ みずも

字解 ㊀죽순태 대나무의 연한 싹. '一, 竹萌也'《說文》. ㊁말풀지 수초(水草). 마름. 箈(竹부 8획〈941〉)와 同字.

字源 形聲. 竹+怠〔音〕

竹9 〔篅〕15 천 ㊥先 chuán デン たけがこいのこめぐら

字解 ①곳집천 대오리를 엮어 두른 쌀 더미. '一, 以判竹, 圜以盛穀者'《說文》. ②대그릇천 대오리를 결어 만든 그릇. '一, 一曰, 竹器'《集韻》.

字源 形聲. 竹+耑〔音〕

竹9 〔箒〕15 ㊀추 ㊥尤 qiū シュウ ふえ / ㊁초 ㊥蕭 qiū ショウ ふえ

字解 ㊀퉁소추 관악기(管樂器)의 하나. 퉁소. '籥管, 一名一'《集韻》. ㊁퉁소초 ㊀과 뜻이 같음.

字源 形聲. 篆文은, 竹+秌〔音〕

竹9 〔篍〕15 萩(前條)의 本字

竹9 〔箮〕15 훤 ㊥元 xuān ケン たけのはな

字解 대꽃훤 대나무의 꽃. '一, 竹華也'《集韻》.

竹9 〔箵〕15 성 ㊥青 xīng セイ くるまおおい

字解 수레덮개성 '篺一'은 수레를 덮는 데 쓰이는 대로 엮은 발. '篺一, 蔽篷也'《廣雅》.

字源 形聲. 竹+星〔音〕

竹9 〔篸〕15 침 ㊦沁 qìn シン すみさし

字解 ①먹자침 목수들이 먹물을 찍어 표시할 때 쓰는 대쪽. '一墨, 工人具'《廣韻》. ②붓에먹찍을침 먹물을 붓에 찍어 묻힘. '一, 墨漬筆也'《集韻》.

竹9 〔箹〕15 ㊀요 ㊦效 yào オウ ちいさいふえ / ㊁약 ㊤覺 yuē ヤク ちいさいふえ

字解 ㊀①피리요 작은 피리. '管小者, 謂之一'《集韻》. ②대마디요 대나무의 마디. '一, 一曰, 竹節'《集韻》. ㊁작은피리약 '大籥謂之產, 其中謂之仲, 小者謂之一'《爾雅》.

字源 形聲. 竹+約〔音〕

竹9 〔篕〕15 자 ㊥支 cí シ たけのな

字解 대이름자 대나무의 일종. '一, 竹名'《集韻》.

竹9 〔箟〕15 ㊀사 ㊥支 sī シ たけのな / ㊁시 ㊤紙 シ たけのな

字解 ㊀대이름사 '一, 竹名. 有毒, 傷人卽死'《廣韻》. ㊁대이름시 ㊀과 뜻이 같음.

竹9 〔篧〕15 과 ㊥歌 kē カ たけのな

字解 대이름과 '一, 竹名'《廣韻》.

竹9 〔篎〕15 묘 ㊤篠 / ㊦嘯 miǎo ビョウ·ミョウ こぶえ

字解 세피리묘 작은 피리. '一, 小管, 謂之一'《說文》.
字源 形聲. 竹+眇〔音〕

竹9〔簜〕15 탕 ㊤養 ㊦漾 | dàng トウ おおぶえ

字解 ①큰피리탕 큰 대피리. '一, 大竹筩也'《說文》. ②술그릇탕 술을 담는 대그릇. '一, 一曰, 盛酒竹器'《集韻》.
字源 形聲. 竹+昜〔音〕

竹9〔篤〕15 독 ㊀沃 | dǔ トク あつい

字解 두터울독 篤(竹부 10획〈949〉)과 同字. '一, 厚也'《說文》.
字源 形聲. 亯+竹〔音〕

竹9〔箕〕15 ㊀ 엽 ㊀葉 | yè ヨウ たけのふだ
㊁ 첩 ㊀葉 | チョウ たけのふだ

字解 ㊀ 대쪽엽 글씨를 쓰는 종이. 또, 종이를 세는 데 쓰는 말. '一, 篇簿書一'《廣韻》. ㊁ 대쪽첩 ㊀과 뜻이 같음.
字源 形聲. 竹+枼〔音〕

竹9〔箔〕15 ㊀ 박 ㊀覺 | bǎo ハク たけのな
㊁ 복 ㊀屋 | fú フク たけのな

字解 ㊀ 대이름박 '一, 竹名'《廣韻》. ㊁ ①대이름복 ㊀과 뜻이 같음. ②북복 베틀에 딸린 제구. '一, 織具'《集韻》.

竹9〔簂〕15 쾌 ㊦卦 ㊥灰 | kuǎi カイ しのだけ

字解 이대쾌 '一, 箭竹名'《廣韻》.

竹9〔篩〕15 ㊀ 시 ㊥支 | shí シ ふえのした
㊁ 이 ㊥支 | yí イ ころもかけ
㊂ 제 ㊥齊 | tí テイ·ダイ たけのな
㊃ 계 ㊥齊 | jī ケイ こうがい

字解 ㊀ 피리혀시 '一, 簧屬'《說文》. ㊁ 걸상앞의책상이, 횃대이 '椸, 方言, 榻前几, 趙魏之閒, 謂之椸. 一曰, 衣架. 或作一'《集韻》. ㊂ 대이름제, 대그릇제 '箟, 竹名. 一曰, 竹器. 或省'《集韻》. ㊃ 비녀계 '笄, 說文, 簪也. 或作一'《集韻》.
字源 形聲. 竹+是〔音〕

竹9〔箳〕15 〔병〕
箳(竹부 11획〈953〉)의 俗字

竹9〔筍〕15 〔순〕
筍(竹부 6획〈936〉)과 同字

竹9〔箰〕15 〔순〕
簨(竹부 12획〈956〉)과 同字

竹9〔箲〕15 〔선〕
筅(竹부 6획〈935〉)과 同字
字源 形聲. 竹+洗〔音〕

竹9〔築〕15 築(次條)의 訛字

竹10〔築〕16 高·人 축 ㊀屋 | zhù チク きずく, きね

筆順 ⺈ ⺮ 竺 笁 筑 筑 筑 築

字解 ①달구축 땅을 단단히 다지는 데 쓰이는 연장. '一者, 一土之杵'《左傳 疏》. ②공이축 절굿공이·방앗공이 같은 것. '擧一三下'《漢書》. ③다질축 땅을 쳐서 단단하게 함. 달구질함. '九月一場圃'《詩經》. ④쌓을축 성 같은 것을 쌓음. '一城'. '齊人將一薛'《孟子》. ⑤지을축 집을 지음. '建一'. '改一宮, 而師事之'《史記》. ⑥건축물축 쌓거나 지은 성벽·가옥 따위. '畏人爲小一'《杜甫》. ⑦날개칠축 새가 날개를 침. '逗翳翅相一'《韓愈》. ⑧찌를축 '一, 刺也'《廣雅》. ⑨주울축 '凡大木所偃, 盡起而一之. (疏) 一, 拾也'《書經》. ⑩동서축 형제의 아내끼리 서로 상대를 부르는 말. '一娌, 匹也'《揚子方言》. ⑪성축 성(姓)의 하나.
字源 形聲. 木+筑〔音〕

竹10〔篔〕16 운 ㊥文 | yún ウン たけのな

字解 왕대운 '一簹'은 대나무의 일종으로, 물가에서 나는데 키가 수십 자, 주위가 한 자 대여섯 치 되는 대나무 중에서 가장 큰 것임. '一簹湘湖間皆有之'《柳宗元》.
字源 形聲. 竹+員〔音〕

竹10〔篗〕16 확 ㊀藥 | yuè ワク いとわく

字解 얼레확 실을 감는 제구. 籰(竹부 14획〈961〉)·籰(竹부 20획〈965〉)과 同字. '一, 榬也, 兗豫河齊之閒, 謂之榬'《揚子方言》.

竹10〔篘〕16 추 ㊥尤 | chōu シュウ さけこし

字解 용수추, 술추 술을 거르는 데 쓰는, 대로 결어 만든 그릇. 전(轉)하여, 술. '公餘試新一'《蘇軾》.
字源 形聲. 竹+芻〔音〕

竹10〔篙〕16 고 ㊥豪 ㊦號 | gāo コウ さお

字解 상앗대고 배질하는 데 쓰는 장대. 舟(部首〈1110〉) 참조. '一工'. '插一葦渚繫漁艇'《庚寅》.
字源 形聲. 竹+高〔音〕

竹10〔篚〕16 비 [上]尾 | fěi ヒ はこ

[字解] ①광주리비 대로 결어 만든 둥근 그릇. '厥一織文'《書經》. ②먼지막이비 수레의 먼지를 막는 가리개. '一, 車笭也'《說文》.
[字源] 形聲. 竹＋匪〔音〕

竹10〔篛〕16 약 [入]藥 | ruò ジャク たけのな

[字解] ①대이름약 箬(竹부 9획〈944〉)과 同字. '摘一于谷'《謝靈運》. ②대순약 죽순(竹筍).

竹10〔篝〕16 구 [平]尤 | gōu コウ ふせご

[字解] ①배롱구 화로에 씌워 놓고 그 위에 젖은 옷 같은 것을 얹어 말리는 제구. '衣一'. '秦一齊縷'《楚辭》. ②부담롱구 물건을 넣어 지고 다니는 농. '甌窶滿一'《史記》. ③쇠농구 모닥불을 담는 쇠붙이로 만든 농. '漁一'. '一火餱粮'《歐陽修》.
[字源] 形聲. 竹＋冓〔音〕

竹10〔篝〕16 篝(前條)의 本字

竹10〔篡〕16 찬 [去]諫 | cuàn サン うばう

[字解] 빼앗을찬 강탈함. 또, 가져서는 안 될 것을 가짐. '一奪'. '是一也, 非天與也'《孟子》.
[字源] 形聲. 厶＋算〔音〕

竹10〔篤〕16 [高人] 독 [入]沃 | dǔ トク あつい

[筆順] 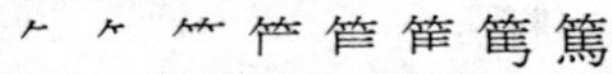

[字解] ①도타울독 ㉠인정이 많음. '敦一'. '一厚'. '君子一恭'《中庸》. ㉡전일함. 열심임. '一學'. '志不一則不能力行'《論語集註》. ㉢견실함. '劼·鞏·堅·一·掔·虔·膠, 固也'《爾雅》. ㉣성의가 있음. 성실함. '君子一於親, 則民興於仁'《論語》. ②도타이할독 '天之生物, 必因其材而一焉'《中庸》. ③중할독 병이 위중함. '危一'. '遂稱病一'《史記》. ④천천히걸을독 말이 느릿느릿 걸음. '一, 馬行頓遲也'《說文》. ⑤성독 성(姓)의 하나.
[字源] 形聲. 馬＋竹〔音〕

竹10〔篦〕16 비 [平]齊 [去]寘 | ①-④pí ヘイ けすじたて ⑤bì ヒ すきぐし

[字解] ①대칼비 대로 만든 작은 칼로, 연한 물건을 베거나 풀 같은 것을 으깨는 데 씀. '病膜似將寶一刮'《蘇舜欽》. ②빗치개비 가르마를 타는 제구. '一, 眉一'《廣韻》. ③통발비 대로 만든 고기잡이 제구. '笓, 博雅, 篝筌謂之笓. 或作一'《集韻》. ④테비 통의 둘레에 둘러 끼우는 물건. '笓, 一曰, 可以約物. 或作一'《集韻》. ⑤참빗비 '鈿頭銀一擊節碎'《白居易》.
[字源] 形聲. 竹＋㡀〔音〕
[參考] 篦(竹부 8획〈944〉)는 俗字.

竹10〔篨〕16 저 [平]魚 | chú チョ たかむしろ

[字解] ①대자리저 죽석(竹席). '一, 籧一也'《說文》. ②새가슴저 籧(竹부 17획〈964〉)를 보라.
[字源] 形聲. 竹＋除〔音〕

竹10〔篩〕16 사 [平]支 | shāi シ ふるい

[字解] ①체사 가루를 치는 제구. '一, 竹器. 有孔以下物, 去粗取細'《正字通》. ②체질할사 체로 침. '一土築阿房之宮. (註) 一, 以竹篚爲之'《漢書》.
[字源] 形聲. 竹＋師〔音〕

竹10〔篣〕16 방 ①②[平]陽 ③④[平]庚 | páng ホウ たけのな, み péng ホウ かご, むち

[字解] ①대이름방 대의 한 가지. '百葉參差, 生自南垂. 傷人則死, 醫莫能治. 亦曰一竹'《竹譜》. ②키방 곡식을 까부르는 제구. '一, 竹箕'《廣韻》. ③바구니방 '籠, 南楚江沔之閒, 謂之一'《揚子方言》. ④매방, 매질할방 搒(手부 10획〈457〉)·榜(木부 10획〈566〉)과 同字. '加一二百'《後漢書》.
[字源] 形聲. 竹＋旁〔音〕

竹10〔篪〕16 지 [平]支 | chí チ よこぶえ

[字解] 저이름지 가로 부는 관악기의 한 가지. 구멍이 여덟 있는데, 그 중 하나는 위에 있어서 이 구멍으로 불게 되었음. 길이 한 자 네 치. '伯氏吹壎, 仲氏吹一'《詩經》.
[字源] 形聲. 竹＋虒〔音〕

竹10〔篖〕16 려 [上]語 | lǚ リョ はち

[字解] 밥소쿠리려 밥을 담는 대그릇. 筥(竹부 7획〈938〉)와 同字. '一, 飯器'《集韻》.

竹10〔篣〕16 반 [平]寒 | bān ハン うえ

[字解] ①통발반 물고기를 가두어 잡는 제구. '一, 一曰捕魚笱, 入而不可出'《集韻》. ②대껍질반 대나무의 외피(外皮). '一, 篾

也'《廣韻》.

竹10 〔篸〕16 ㊀차 (平)歌 cuō サ かご ㊁자 (上)馬 zhǎ サ すみかご

字解 ㊀바구니차 대를 결어 만든 그릇. '一, 笞屬'《集韻》. ㊁숯둥구미자 숯을 담는 대그릇. '一, 炭籠, 長沙語'《集韻》.
字源 形聲. 竹＋差〔音〕

竹10 〔篏〕16 겸 (去)豔 qiàn ケン かご

字解 대그릇겸 대로 결어 만든 그릇. '一, 籠也'《集韻》.

竹10 〔篞〕16 녈 (入)屑 niè デツ ふえ

字解 피리녈 중(中)피리. 중간 크기의 피리. '大管謂之簥, 其中謂之一'《爾雅》.

竹10 〔篛〕16 답 (入)合 tà トウ まど

字解 ①창답 창문. '一, 窓也'《正字通》. ②바깥문답 손님이 드나드는 문. '客扉謂之一'《集韻》. ③창밝을답 창문이 밝음. '一, 窻明也'《康熙字典》.

竹10 〔箳〕16 부 (平)尤 fú フウ·ブ まだらのあるたけ

字解 아롱대부 얼룩덜룩한 무늬가 있는 대나무. '一, 竹有文者'《集韻》.

竹10 〔篊〕16 홍 (去)送 hòng コウ あぶりかご

字解 배롱(焙籠)홍 숯불이나 화로 위에 씌워 놓고 옷을 말리는 제구. '一, 竹器, 所以熯物者'《集韻》.

竹10 〔篇〕16 선 (去)霰 shàn セン おうぎ

字解 ①부채선 扇(戶부 6획〈426〉)과 同字. ②대나무선 '一, 竹也'《廣韻》.

竹10 〔篸〕16 ㊀잠 (平)覃 サン うまぐし ㊁담 (平)覃 tán タン うまぐし ㊂점 (平)鹽 テン うまぐし

字解 ㊀말긁는빗잠 '一, 所目搔馬也'《說文》. ㊁말긁는빗담 ㊀과 뜻이 같음. ㊂말긁는빗점 ㊀과 뜻이 같음.
字源 形聲. 竹＋剡〔音〕

竹10 〔篧〕16 ㊀착 (入)覺 zhuó サク ㊀-㊂ うおをとらえるかごコ ㊁호 (去)遇 ㊂확 (入)藥 huò カク

字解 ㊀가리착 물고기를 잡는 바구니 비슷한 기구. '一, 謂之罩'《爾雅》. ㊁가리호 ㊀과 뜻이 같음. ㊂가리확 ㊀과 뜻이 같음.

竹10 〔箾〕16 ㊀소 (平)肴 shāo ソウ·ショウ ささら ㊁삭 (入)覺 サク ささら

字解 ㊀①솔솔소 대끝을 잘게 쪼갠 솔. 솥을 닦는 데 씀. '一, 陳畱謂飯帚曰一'《說文》. ②밥통소 '一, 一曰, 飯器, 容五升'《說文》. ③수저통소 '一, 一曰, 宋魏謂箸筩爲一'《說文》. ㊁솥솔삭, 밥통삭, 수저통삭 ㊀과 뜻이 같음.
字源 形聲. 竹＋捎〔音〕

竹10 〔篛〕16 옹 (平)東 (上)董 wēng オウ たけのさかんなさま

字解 대무성할옹 '一, 竹盛皃'《廣韻》.
字源 形聲. 竹＋翁〔音〕

竹10 〔箶〕16 가 (上)哿 gě カ たけのこのつけもの

字解 죽순절임가 죽순을 소금에 절인 반찬. '一, 筍葅, 或作䈙'《集韻》.

竹10 〔篢〕16 ㊀공 (平)東 gōng コウ かさのな ㊁감 (上)感 gān カン はこ

字解 ㊀삿갓공 대삿갓의 이름. '一, 笠名'《集韻》. ㊁①상자감 匲(匚부 24획〈124〉)과 同字. '匲, 箱類, 或作一'《集韻》. ②대이름감 '籃, 竹名, 亦作一'《廣韻》.

竹10 〔篘〕16 구 (去)遇 jù ク はたおりのきぐ

字解 ①바디구 바디는 베짜는 기구. '一, 織具'《集韻》. ②대이름구 '一, 一曰, 竹名'《集韻》.

竹10 〔篪〕16 극 (入)陌 jī ケキ たけのくつ

字解 댓신극 대로 만든 신. '一, 竹屐也'《篇海》.

竹10 〔篛〕16 납 (入)合 nà ドウ たけづな

字解 대밧줄납 대오리로 꼬아 만든 동아줄. '一, 竹索'《集韻》.

竹10 〔篖〕16 당 (平)陽 tāng トウ たかむしろ

字解 대자리당 대오리로 결어 만든 자리. '一, 筕一, 竹席, 直文而粗者'《集韻》.

竹10 〔篙〕16 도 (平)豪 tāo トウ うしかいおけ

字解 소구유도 소의 구유. '一, 牛篨'《廣

韻》. '一, 飮牛器'《集韻》.

竹10 〔笿〕16 락 [入]藥 | luò ラク まがき

[字解] 울타리락 '格, 籬格也, 或作一'《集韻》.

竹10 〔篥〕16 률 [入]質 | lì リツ たけのな

[字解] ①대이름률 '一, 竹名'《康熙字典》. ②필률률 필률(觱篥)은 악기의 하나. 곧, 피리. '一, 觱一, 胡人吹葭管也'《集韻》.

竹10 〔箁〕16 〔부〕
篰(竹부 11획〈954〉)와 同字

竹10 〔䈗〕16 삭 [入]藥 [入]陌 | suǒ サク たけづな

[字解] ①대동아줄삭 대로 만든 동아줄. '一, 竹緪也'《集韻》. ②대꼬챙이삭 고기를 꿰어 굽는 꼬챙이. '一, 竹丳'《集韻》.

竹10 〔䉧〕16 소 [平]豪 | sāo ソウ たけのおと

[字解] 대소리소 '一, 一一, 竹聲'《集韻》.

竹10 〔篒〕16 식 [入]職 | xī ショク みみかき

[字解] 귀이개식 귀지를 파내는 기구. '一, 揃一子, 除耳中垢者'《正字通》.

竹10 〔䈶〕16 용 [平]冬 | róng ヨウ まだらだけ

[字解] ①자문죽(自紋竹)용 얼룩대. 반죽(斑竹). '一, 一曰, 文竹'《集韻》. ②화살용 '一, 一笴, 矢也'《集韻》.

竹10 〔䈴〕16 전 [上]銑 [去]霰 | jiàn セン たけのな / jiàn セン や

[字解] ①대이름전 '一, 竹名'《集韻》. ②화살전 箭(竹부 9획〈944〉)과 同字. '箭, 說文, 矢也, 或作一'《集韻》.

竹10 〔䈯〕16 진 [平]眞 | zhēn シン しのだけ

[字解] ①이대진 이대는 대나무의 일종. '一, 箭也'《廣雅》. ②그릇이름진 '一, 一曰, 器名'《集韻》.

竹10 〔篬〕16 창 [平]陽 | qiāng ショウ たけのな / cāng ソウ たけのいろ

[字解] ①대이름창 '一, 竹名, 或作篬'《集韻》. ②댓빛창 대의 푸른빛. '一, 竹色'《集韻》.

竹10 〔䉀〕16 천 [去]霰 | qiàn セン たけのしげるさま

[字解] ①대무성할천 '一, 竹茂皃'《集韻》. ②푸른대천 '一, 靑竹'《廣韻》.

竹10 〔䈬〕16 포 [平]虞 | pú ホ ちいさいたけのあみ

[字解] 작은대그물포 대로 만든 작은 그물. '一, 一箷, 小竹網, 或作箁'《集韻》.

竹10 〔篕〕16 [一] 합 [入]合 [二] 개 [去]泰 | hé コウ たかむしろ / カイ たかむしろ

[字解] [一] 대자리합 대로 만든 자리. '一, 一篠, 籧篨也'《集韻》. [二] 대자리개 [一]과 뜻이 같음.

竹10 〔䉋〕16 〔미〕
薇(竹부 13획〈959〉)의 籀文

竹10 〔䉳〕16 〔원〕
榬(木부 10획〈567〉)과 同字

竹10 〔篹〕16 〔산〕
簒(竹부 11획〈952〉)과 同字

竹10 〔篭〕16 〔롱〕
籠(竹부 16획〈962〉)과 同字

竹10 〔䈹〕16 〔국〕
鞠(竹부 17획〈964〉)과 同字

竹10 〔篠〕16 〔소〕
篠(竹부 11획〈951〉)의 俗字

竹10 〔簑〕16 〔사〕
蓑(艸부 10획〈1168〉)와 同字

竹11 〔篲〕17 [一] 수 [去]寘 [二] 세 [去]霽 | suì スイ ほうき / huì(suì) セイ ほうき

[字解] [一] 비수 대나무로 만든 비. '太公擁一'《史記》. [二] ①비세 [一]과 뜻이 같음. ②살별세 혜성(彗星).

[字源] 形聲. 竹＋彗〔音〕

竹11 〔篠〕17 소 [上]篠 | xiǎo ショウ しの

[字解] ①조릿대소 대나무의 일종. 줄기가 가늘어 화살대를 만들기에 적합함. '翠一'. '一簜旣敷'《書經》. ②삼태기소 대로 만든 흙 나르는 기구(器具). '遇丈人以杖荷一'《論語》.

[字源] 形聲. 竹＋條〔音〕

竹11 〔篳〕17 필 [入]質 | bì ヒツ まがき

[字解] ①사립짝필 잡목의 가지 같은 것으로

엮어 만든 문짝. '一門'. '寂寥舊一'《南史》. ②울타리필 바자울. 대나무 가지로 엉성하게 얽어 만든 울타리. '一, 藩落也. (段注) 藩落, 猶俗云籬落也'《說文》. ③악기이름필 '一篥'은 구멍이 아홉 있는 관악기.
[字源] 形聲. 竹＋畢〔音〕

竹11〔篷〕17 봉 [平]東|péng ホウ とま
[字解] ①뜸봉 대오리·띠·부들 같은 것을 엮어 배·수레 등을 덮는, 거적 비슷한 물건. '熟醉臥一窓'《陸游》. ②거룻배봉 작은 배. '釣一'. '一一衝雪返華陽'《皮日休》.
[字源] 形聲. 竹＋逢〔音〕

竹11〔篹〕17 [一] 산 [上]旱 [二] 찬 [上]潸|suǎn, zuǎn サン かたみ zhuàn サン のべる
[字解] [一] ①변산 변(籩)의 한 가지로, 제사에 쓰는 그릇. '玉豆雕一'《禮記》. ②죽기산, 목기산 대 또는 나무로 만든 장식이 없는 그릇. '食於一者盥'《禮記》. [二] ①지을찬 찬술(撰述)함. '書之所起遠矣, 至孔子一焉'《漢書》. ②찬찬 반찬. 饌(食부 12획〈1727〉)과 同字.
[字源] 形聲. 巳＋算〔音〕

竹11〔篸〕17 [一] 잠 [平]覃 [去]勘 [二] 참 [平]侵|①②zān サン かんざし ③zān サン つづる cēn シン どうしょう
[字解] [一] ①비녀잠 簪(竹부 12획〈956〉)과 同字. '江作青羅帶, 山如碧玉一'《韓愈》. ②바늘잠 '一, 所以綴衣'《廣韻》. ③꿰맬잠 撍(手부 12획〈466〉)과 同字. '一, 以針一物'《廣韻》. [二] 퉁소참 '吹一差兮誰思'《楚辭》.
[字源] 形聲. 竹＋參〔音〕

竹11〔簰〕17 패 [平]佳|pái ハイ おおいかだ
[字解] 큰떼패 큰 뗏목을 엮어 물에 띄운 것. '一謂之筏'《揚子方言》.

竹11〔篻〕17 표 [上]篠 [去]嘯|piǎo ヒョウ たけのな
[字解] 대이름표 '一簩'는 대나무의 일종. 속이 비지 않고 가늘며, 키가 대여섯 치 되는 것은 쇠뇌의 화살을 만듦. '一簩有叢'《左思》.
[字源] 形聲. 竹＋票〔音〕

竹11〔篼〕17 두 [平]尤|dōu トウ かご
[字解] ①가마두 대로 엮은 타는 가마. 죽여(竹輿). ②구유두 ㉠말에 사료(飼料)를 주는 그릇. '一, 食馬器也'《說文》. ㉡말에 물을 먹이는 대로 만든 통. '一, 按, 盛水飮馬之竹器'《通訓》.
[字源] 形聲. 竹＋兜〔音〕

竹11〔篾〕17 멸 [入]屑|miè ベツ たけのかわ
[字解] ①대껍질멸 대나무의 껍질. '敷重一席'《書經》. ②등멸 등(籐)의 일종. 도지죽(桃枝竹). '簻籠篁一'《張衡》.
[字源] 形聲. 竹＋蔑〈省〉〔音〕

竹11〔簀〕17 [一] 책 [入]陌 [二] 채 [去]卦|zé サク す zhài サイ さけこし
[字解] [一] ①마루책 댓조각으로 바닥을 깐 마루. '竹之一'《禮記》. ②대자리책 침대 위에 까는 대오리로 엮은 자리. '易一'. '卽卷以一置廁中'《史記》. ③쌓을책, 모을책 쌓아 모음. '綠竹如一'《詩經》. [二] 술주자채 醡(酉부 10획〈1539〉)와 통용. '醋, 壓酒具. 或作醡·一'《集韻》.
[字源] 形聲. 竹＋責〔音〕

竹11〔箾〕17 [一] 초 [平]肴 [二] 삭 [入]覺|shāo ソウ かじ shuò サク ささら
[字解] [一] ①키초 배의 키. '一, 船舵尾'《篇海》. ②움직일초 동요함. '其應淸風也, 纖末奮一'《馬融》. [二] 부엌솔삭 밥그릇·솥 같은 것을 긁어 닦는 대오리로 만든 솔. '一, 飯帚'《集韻》.
[字源] 形聲. 竹＋梢〔音〕

竹11〔簂〕17 [一] 궤 [去]隊 [二] 괵 [入]陌|guì カイ かずら guó カク かずら
[字解] [一] ①머리꾸미개궤 부녀자의 수식(首飾). 幗(巾부 11획〈337〉)과 뜻이 같음. '猶中國有一步搖'《後漢書》. ②대바구니궤 대상자. 대광주리. '一, 筐也'《廣韻》. [二] 머리꾸미개괵, 대바구니괵 [一]과 뜻이 같음.
[字源] 形聲. 竹＋國〔音〕

竹11〔簃〕17 [一] 이 [平]支 [二] 지 [平]支|yí イ わきべや yí チ わきべや
[字解] [一] ①누각곁채이 누각(樓閣) 옆에 있는 곁채. ②연각(連閣)이 이어진 궁실(宮室). '連謂之一'《爾雅》. [二] 누각곁채지, 연각지 [一]과 뜻이 같음.
[字源] 形聲. 竹＋移〔音〕

竹11〔簇〕17 [一] 족 [入]屋 [二] 주 [去]宥 [三] 착 [入]覺|cù ソク ささだけ còu ソウ あつまる chuò サク やのね
[字解] [一] ①조릿대족 작은 대. '一, 小竹'《廣韻》. ②모일족 떼지어 한 군데에 모임. '一出'. ③떼족 무리. '桃花一一開無主'《杜

甫》. ㊁ 모일주 떼지어 한 군데에 모임. '泰—者, 言萬物—生也'《史記》. '蜂—野花'《韋莊》. ㊂ 살촉착 鏃(金부 11획〈1577〉)과 뜻이 같음.

字源 形聲. 竹＋族〔音〕

竹11〔篺〕17 병 (平)庚 (平)青 | píng ヘイ くるまのちりよけ

字解 수레덮개병 수레에 먼지를 막기 위하여 가리는 것. '車上竹席障塵者, 前曰藩, 後曰—'《篇海》. '—篁, 車蔽篕'《集韻》.

竹11〔簉〕17 추 (去)有 | zào, chòu シュウ そえ

字解 ①버금자리추 차석(次席). 부이(副貳). '僖子使助薳氏之—'《左傳》. ②부거(副車)추 예비로 따르는 수레. '屬車之—, 載獫猲獢'《張衡》. ③가지런할추 '—, 齊飛順疾也'《字彙》. ④섞을추 '步櫩—瓊弁'《江淹》. ⑤첩추 소실. '—室'.

字源 形聲. 竹＋造〔音〕

竹11〔篕〕17 구 (平)尤 | ōu オウ えびら

字解 잠박구 잠박은 누에를 치는 데 사용하는 발. '—, 吳人謂育蠶竹器曰—'《集韻》.

竹11〔篾〕17 구 (去)宥 | kòu コウ おさ

字解 바디구 베틀에 딸린 기구. '—, 織具'《集韻》.

竹11〔篅〕17 권 (上)阮 | juǎn ケン たけのな

字解 ①소쿠리권 '—, 囥屬'《正字通》. ②대이름권 '—, 竹名'《集韻》.

竹11〔簂〕17 근 (平)文 (上)吻 | jīn キン たけのな

字解 껍질흰대근 '—竹, 堅而促節, 體圓質勁, 皮白如霜'《本草》.

竹11〔簐〕17 년 (上)銑 | niǎn デン つりばり

字解 낚시바늘년 '—, 魏人呼釣曰恭—弓'《字彙補》.

竹11〔篴〕17 ㊀ 도 (平)虞 ㊁ 저 (去)霽 | tú ト わりだけのかわ chì テイ つえ

字解 ㊀ 대껍질도 대의 푸른 껍질만 벗겨낸 것. '筡, 說文, 析竹筤也, 或作—'《集韻》. ㊁ ①지팡이저 '—, 杖也'《廣韻》. ②호죽(胡竹)이름저 '—, 胡竹名也'《廣韻》.

竹11〔簽〕17 렴 (平)鹽 | lián レン つづみ

字解 북렴 '—, 鼓也'《字彙補》.

竹11〔簈〕17 병 (平)庚 | bīng ヘイ わたかご

字解 솜바구니병 솜을 담는 바구니. '—, 盛絮籠'《集韻》.

竹11〔篸〕17 상 (上)養 | shuǎng ソウ たけのさま

字解 대모양상 대의 모양. '—, 竹皃'《集韻》.

竹11〔簏〕17 서 (去)御 | shù ショ み

字解 키서 키는 곡식 등을 까부르는 기구. '—, 箕屬'《集韻》.

竹11〔篠〕17 종 (平)東 | zhōng シュウ たけ

字解 ①대종 대나무. '—, 竹'《玉篇》. ②상자종 가늘게 결은 대광주리. '—, 戎人呼篋曰—'《集韻》.

竹11〔篬〕17 창 (平)江 | chuāng ソウ まがき

字解 울타리창 '—, 籬也'《字彙補》.

竹11〔篵〕17 총 (平)東 | cōng ソウ いたんでつかえないたけ

字解 삭은대총 병든 대. '竹, 不堪用者'《字彙》. '—, 有病變而不能用的竹子'《中華字海》.

竹11〔箄〕17 ㊀ 패 (平)佳 ㊁ 피 (平)支 | pái ハイ いかだ pí ヒ じんめい

字解 ㊀ 떼패 뗏목. '—, 同簰'《字彙》. ㊁ 사람이름피 '猈, 闞, 人名, 春秋傳, 楚有史猈, 或作—'《集韻》.

竹11〔簠〕17 포 (平)虞 | pú ホ うおをとるきぐ

字解 가리포 통발 비슷한 것으로, 물 속에 잠가 두어 고기를 잡는 기구. '—, 竹—, 沈水取魚之具'《字彙》.

竹11〔篏〕17 현 (平)先 | xián ケン やがら

字解 살대현 화살대. '—, 箭笴'《集韻》.

竹11〔簋〕17 궤 (上)紙 | guǐ キ さいきのな

字解 궤궤 서직(黍稷)을 담는 제기(祭器). 바깥 쪽은 둥글고, 안 쪽은 네모짐. '旅人爲—'《周禮》.

[字源] 會意. 金文은 㿝＋殳

竹 11 〔簌〕 17 속 [入]屋 | sù ソク ふるい

[字解] ①체속 가루를 치는 제구. '一, 篩也'《集韻》. ②무성할속 우거져 빽빽한 모양. '風動落花紅一一'《元稹》. ③소리속 '山邊竹籐裏, 一一地響'《水滸傳》.

[字源] 形聲. 竹＋敕〔音〕

竹 11 〔簍〕 17 루 [平]尤 [上]有 | lǒu ロウ たけかご

[字解] 농루 거칠게 결은 죽롱(竹籠). '一, 竹籠也'《方言》.

[字源] 形聲. 竹＋婁〔音〕

竹 11 〔簎〕 17 착 [入]覺 | cè サク さす, やす

[字解] ①작살착 물고기를 찔러 잡는 도구. ②찌를착 작살로 물고기를 찔러 잡음. '以時一魚鼈龜蜃凡貍物'《周禮》. ③우리착 희생으로 쓰일 가축을 기르는 우리. '耤, 本作一, 謂牲牢也'《列子 注》.

[字源] 形聲. 手＋籍〈省〉〔音〕

竹 11 〔簏〕 17 록 [入]屋 | lù ロク はこ

[字解] 상자록 키가 높은 대나무로 결어 만든 상자. '篋一'. '凝塵滿書一'《范成大》.

[字源] 形聲. 竹＋鹿〔音〕

竹 11 〔簝〕 17 료 [平]蕭 | liáo リョウ たけのな

[字解] 대이름료 대나무의 일종. 마디 사이가 짧고 삼과 같이 부드러워 물건을 묶을 수 있다 함. '一・簟二族亦甚相似把髮苦竹'《竹譜》.

竹 11 〔篴〕 17 ㊀적 [入]錫 | dí テキ ふえ ㊁축 [入]屋 | zhú チク たけのな

[字解] ㊀피리적 일곱 구멍이 있는 피리. 笛(竹부 5획〈932〉)과 同字. '籥・簫・篪・一・管'《周禮》. ㊁대이름축 '一, 竹名'《廣韻》.

[字源] 形聲. 竹＋逐〔音〕

竹 11 〔篻〕 17 루 [上]紙 | lěi ルイ のり

[字解] ①법루 법률(法律). '一, 法也, 一曰, 法可以一网人也'《集韻》. ②삼태기루 흙을 담아 내는 그릇. '一, 盛土籠'《字彙》.

竹 11 〔簅〕 17 산 [上]潸 | chǎn サン おおぶえ

[字解] 큰피리산 대형(大形)의 피리. '一, 大籥'《集韻》.

竹 11 〔篿〕 17 ㊀전 [平]先 ㊁단 [平]寒 | zhuān セン たけをさいてうらなう tuán タン まるいたけかご

[字解] ㊀대점대로점칠전 대오리 점대로 점을 침. '索藑茅以筳一. (註) 楚人名結草折竹以卜曰一'《楚辭》. ㊁대그릇단 둥근 대바구니. '一, 圜竹器也'《說文》.

[字源] 形聲. 竹＋專〔音〕

竹 11 〔巢竹〕 17 조 [平]肴 | cháo トウ・チョウ おおぶえ

[字解] 큰생황조 대형(大形)의 생황(笙簧). '一, 大笙, 十九簧'《篇海》.

竹 11 〔篸〕 17 담 [上]感 [去]勘 | dàn タン たけのな

[字解] 대이름담 대나무의 일종. '一, 竹名'《集韻》.

竹 11 〔斛〕 17 곡 [入]屋 | hú コク おおきいはこ

[字解] ①큰상자곡 대형(大形)의 상자. '一, 大箱也'《集韻》. ②쌀그릇곡 '箱一'은 쌀을 담는 그릇. '箱一, 盛米器'《篇海》.

竹 11 〔篘〕 17 조 [去]嘯 | diào チョウ たけ

[字解] 대조 대나무. '一, 竹也'《字彙補》.

竹 11 〔簪〕 17 ㊀세 [去]霽 | suì セイ ほうき ㊁습 [入]緝 | xí シュウ ふねをしゅうりするどうぐ

[字解] ㊀비세 篲(竹부 11획〈951〉)의 古字. '篲, 埽帚. 一, 古文'《廣韻》. ㊁①배고치는도구습 '篬一'은 배를 수리(修理)하는 도구. '一, 篬一, 修船具也'《廣韻》. ②배덮는뜸습 '一, 覆船具'《集韻》.

竹 11 〔篰〕 17 부 [上]有 | bù ホウ・ブ ふだ

[字解] 대쪽부 '一, 牘也'《廣韻》.

[字源] 形聲. 竹＋部〔音〕

竹 11 〔篱〕 17 리 [平]支 | lí リ ざる

[字解] ①조리리 '笊一'는 조리. '一, 笊一, 竹器'《集韻》. ②籬(竹부 19획〈964〉)의 簡體字.

竹 11 〔篶〕 17 언 [平]先 | yān エン くろいたけ

[字解] 검은대언 '一, 黑竹'《字彙》.

竹11〔篛〕17 [一] 장 [上]養 [平]陽 | ①②jiǎng ショウ さいてまだふしをとらないたけ ③ショウ むしろ
[二] 상 [上]養 | ショウ さいてまだふしをとらないさま
[三] 창 [去]漾 | ショウ たけ

[字解] [一] ①마디두고짜갠대장 '一, 剖竹未去節, 謂之一'《說文》. ②대쪽장 '一, 箴也'《廣雅》. ③대자리장 '一, 席也'《集韻》. [二] 마디두고짜갠대상, 대쪽상, 대자리상 [一]과 뜻이 같음. [三] 대창 '一, 竹也'《集韻》.
[字源] 形聲. 竹＋將〔音〕

竹11〔篹〕17 〔찬〕 簒(竹부 10획〈949〉)의 俗字

竹11〔篫〕17 〔축〕 築(竹부 10획〈948〉)의 本字

竹11〔篵〕17 〔편〕 箯(竹부 9획〈944〉)의 本字

竹11〔篤〕17 〔독〕 毒(毋부 4획〈615〉)의 古字

竹11〔篽〕17 〔어〕 籞(竹부 16획〈962〉)와 同字
[字源] 形聲. 竹＋御〔音〕

竹11〔簁〕17 〔사〕 籭(竹부 19획〈965〉)와 同字
[字源] 形聲. 竹＋徙〔音〕

竹11〔簷〕17 〔첨〕 簷(竹부 13획〈958〉)의 俗字

竹11〔簫〕17 〔소〕 簫(竹부 13획〈958〉)의 俗字

竹12〔簙〕18 박 [入]藥 | bó ハク すごろく
[字解] 쌍륙박 博(十부 10획〈128〉)과 통용. '簙簙象棊, 有六一些'《楚辭》.
[字源] 形聲. 竹＋博〔音〕

竹12〔簚〕18 멱 [入]錫 | mì ベキ くるまのてすりかけ
[字解] 수레덮개멱 수레 위를 덮어 가리는 물건. '鞮屨素一'《禮記》.

竹12〔簜〕18 탕 [上]養 [平]陽 | ①②dàng トウ おおきいたけ ③tāng トウ かわのな
[字解] ①왕대탕 거대한 대나무. '篠一旣敷'《書經》. ②피리탕 '一在建鼓之間'《儀禮》. ③물이름탕 지금의 하남성(河南省) 탕음현(簜陰縣)에 있는 강(江).
[字源] 形聲. 竹＋湯〔音〕

竹12〔簚〕18 미 [去]寘 | mèi ビ・ミ たけのこ
[字解] 죽순미 겨울에 나는 죽순의 이름. '英山, 多箭一'《山海經》.

竹12〔篲〕18 취 [去]霽 | zuì セイ いとまき
[字解] 실패취 실을 감는 제구. '一, 絡絲也'《字彙補》.

竹12〔簞〕18 단 [平]寒 | dān タン わりご
[字解] ①밥그릇단 밥을 담는, 대로 결어 만든 둥근 그릇. '一一食, 一瓢飮'《論語》. ②상자단 물건을 넣는 작은 상자. '實于一'《儀禮》. ③호리병박단 호로(葫蘆). '甘此瓢一'《曹植》.
[字源] 形聲. 竹＋單〔音〕

竹12〔簟〕18 점 [上]琰 [去]豔 | diàn テン・デン たかむしろ
[字解] ①대자리점 대오리로 엮어 만든 자리. '竹一'. '涼一'. '見其坐六尺一'《世說》. ②삿자리점 갈대를 엮어 만든 돗자리. '一, 細葦席也'《禮記 注》.
[字源] 形聲. 竹＋覃〔音〕

竹12〔簠〕18 보 [上]麌 [平]虞 | fǔ フ・ホ さいきのな
[字解] 보보 서직(黍稷)을 담는, 대로 만든 제기(祭器). 안이 둥글고 바깥이 네모짐. '兩一繼之'《儀禮》.
[字源] 形聲. ＋竹＋皿＋甫〔音〕

竹12〔簡〕18 [高·人] 간 [上]潸 | jiǎn カン たけふだ
[筆順] ⺊ ⺮ 竹 竹 箾 箾 簡 簡 簡
[字解] ①대쪽간 대나무의 조각. 종이가 없던 옛날에 글을 적는 데 썼음. '竹一'. '一札'. '一謂之畢'《爾雅》. ②편지간 서신. '書一'. '手一'. '有一有狀'《文體明辯》. ③문서간 서류. '一策'. ④가릴간 선발함. '一擇'. '一拔'. '一不肖以絀惡'《禮記》. 전(轉)하여, 군주의 특명으로 임관되는 것을 '特一', 또는 '一授'라 함. ⑤검열할간 조사하기 위하여 죽 살펴봄. '一閱'. '一稽鄕民'《周禮》. ⑥단출할간 간단함. '一略'. '一要'. ⑦대범할간 까다롭지 아니함. 잘게 굴지 아니함. '一率'. '臨下以一'《書經》. ⑧소홀히할간 대수롭지 않게 여김. '是一驪也'《孟子》. ⑨덜간 적게 함. '一稅防災'《後漢書》. ⑩검소할간 알뜰함. '儉一'. '謙愿

儉—, 事多循仍'《唐書》. ⑪간할간 간언(諫言)을 올림. '是用大—'《左傳》. ⑫감출간 '坤以—能'《易經》. ⑬교만할간 오만함. '—傲'. '自驕則—士'《呂氏春秋》. ⑭게을리할간 나태함. '長不—慢矣'《呂氏春秋》. ⑮일간 쌀을 읾. ⑯정성간 성의. '有旨無—不聽'《禮記》. ⑰성간 성(姓)의 하나.
[字源] 形聲. 竹+閒〔音〕

竹12 〔簡〕 18 簡(前條)의 本字

竹12 〔簣〕 18 궤 [去]寘 kuì キ もっこ / [去]卦 カイ もっこ
[字解] 죽롱궤 흙을 나르는 죽롱(竹籠). 지금의 삼태기 같은 것. '爲山九仞, 功虧——'《書經》.
[字源] 形聲. 竹+貴〔音〕

竹12 〔簦〕 18 등 [平]蒸 dēng トウ かさ
[字解] 우산등 자루가 긴 큰 삿갓 비슷한 우산. '躡蹻擔—'《史記》.
[字源] 形聲. 竹+登〔音〕

竹12 〔簧〕 18 황 [平]陽 huáng コウ ふえのした
[字解] ①혀황 피리 따위의 혀. 불면 진동하여 소리를 냄. '銀—'. '女媧之笙—'《禮記》. ②피리황 관악기의 한 가지. '左執—'《詩經》.
[字源] 形聲. 竹+黃〔音〕

竹12 〔簨〕 18 [一] 순 [上]軫 sǔn シュン かねかけ / [二] 찬 [上]潸 zhuàn サン かたみ
[字解] [一] 악기다는틀순 '—簴'는 종 또는 경쇠 등의 악기를 거는 틀. '—'은 그 틀 중의 횡목(橫木), '簴'는 그 두 기둥임. '栒簴'·'筍簴'·'簨簴'로도 씀. '夏后氏之龍—簴'《禮記》. [二] 대그릇찬 죽제(竹製)의 기구(器具). 籑(竹부 11획〈952〉)과 同字. '食于—'《禮記》.
[字源] 形聲. 竹+巽〔音〕

竹12 〔簪〕 18 잠 [平]覃 ①②zān サン かんざし / [上]感 ③zǎn サン はやい
[字解] ①비녀잠 ㉠관(冠)이 벗어지지 않도록 관의 끈을 꿰어 머리에 꽂는 물건. 笄(竹부 6획〈936〉) 참조. '金—'. '爲璹瑁—'《史記》. ㉡부인(婦人)의 머리에 꽂는 물건. '—珥'. '斜—映秋水'《沈約》. ②꽂을잠 머리에 꽂음. '—筆'. '竝—花'《宋史》. ③빠를잠 급속함. 일설(一說)에는, 모인다는 뜻이라 함. '勿疑朋盍—'《易經》.
[字源] 形聲. 竹+朁〔音〕

竹12 〔簮〕 18 簪(前條)의 俗字

竹12 〔簭〕 18 서 [去]霽 shì セイ·ゼイ めどぎ
[字解] ①점서, 점대서 筮(竹부 7획〈939〉)와 同字. '—人中士二人'《周禮》. ②깨물서 噬(口부 13획〈187〉)와 同字. '凡擭糲援—之類'《周禮》.

竹12 〔𥳑〕 18 견 [平]先 [上]銑 qiǎn ケン なふだ
[字解] 명부(名簿)견 호적부(戶籍簿). '—, —籭, 籍也'《集韻》.

竹12 〔𥳐〕 18 교 [上]巧 jiǎo コウ たけのこ
[字解] 죽순교 '—, 筍也'《集韻》.

竹12 〔簤〕 18 대 [上]蟹 dǎi タイ ちくせいのきぐ
[字解] 대그릇대 대로 만든 그릇·도구. '簤, 竹器, 或从買'《集韻》.

竹12 〔篁〕 18 〔동〕 篁(竹부 9획〈946〉)과 同字

竹12 〔𥳒〕 18 [一] 무 [平]虞 wú ム くろいたけ / [二] 모 [平]虞 モ くろいたけ
[字解] [一] 검은대무 겉껍질이 검은 대. '—, 黑皮竹也'《廣韻》. [二] 검은대모 [一]과 뜻이 같음.

竹12 〔籓〕 18 반 [去]願 fān ハン ちくせいのきぐ
[字解] ①대그릇반 '—, 竹器'《集韻》. ②대반 대나무. '—, 竹也'《康熙字典》. ③수레뜸반 수레의 뜸. '—, 竹作車上篷'《正字通》.

竹12 〔𥳍〕 18 산 [上]旱 sǎn サン とう
[字解] 도지죽(桃枝竹)산 대의 이름. '—, 博雅, 篙—, 桃枝竹也'《集韻》.

竹12 〔𥳛〕 18 수 [平]虞 xū シュ うえ
[字解] 통발수 '—, 魚笱'《集韻》.

竹12 〔𥵃〕 18 수 [去]寘 suì スイ たかむしろ
[字解] ①대자리수 '篴, 籧篨也, 或作—'《集韻》. ②대발사잇길수 대밭 사이로 난 좁은 길. '—, 竹徑'《字彙》.

竹12 〔簛〕 18 시 [平]支 shāi シ ふるい / sī シ たけのえだ

字解 ①체시 '籭, 說文, 竹器也, 可以取粗去細, 或作一'《集韻》. ②대의가지시 '一, 竹枝也'《集韻》. ③대의마디시 '一, 竹節也'《類篇》.

竹12〔蕊〕18 예 ㊤紙 ruǐ ズイ たけのこのわかめ

字解 ①어린죽순예 '一, 筍初生'《玉篇》. ②댓잎처져나올예 '一, 竹葉垂生曰一'《集韻》.

竹12〔篔〕18 〔운〕 篔(竹부 10획〈948〉)과 同字

竹12〔篙〕18 위 ㊤紙 wěi イ たけのこのかわ

字解 죽순껍질위 '一, 筍皮'《集韻》.

竹12〔篴〕18 〔적〕 笛(竹부 5획〈932〉)과 同字

竹12〔簪〕18 증 ㊥蒸 céng ソウ かさ

筆順 ⺮ 笑 笒 笒 笒 笒 簪 簪

字解 삿갓증 '一, 簦一, 笠也'《集韻》.

竹12〔篯〕18 찬 ㊥寒 cān サン くじ

字解 ①점대찬 대로 만든 점대. '一, 竹籤也'《集韻》. ②대바구니찬 '一, 笭也'《篇海》.

竹12〔簒〕18 ㊀췌 ㊦霽 ㊁취 ㊦寘 cuì セイ うすつく

字解 ㊀찧을췌 곡식을 절구에 넣어 찧음. '一, 舂也, 或作皾'《集韻》. ㊁찧을취 ㊀과 뜻이 같음.

竹12〔簸〕18 폐 ㊦霽 bì ヘイ くるまのあじろ

字解 수레의문발폐, 쌍륙의주사위폐 '一, 簞衣車戶也, 一曰, 簙簺'《集韻》.

竹12〔簩〕18 로 ㊥豪 ㊦號 láo ロウ たけのな

字解 대이름로 대나무의 일종. 독이 있어, 초목을 찌르면 고사(枯死)한다 함. '一竹有毒. 夷人以爲觚刺獸'《異物志》.

竹12〔簝〕18 ㊀료 ㊥蕭 liáo リョウ さいきのな ㊁로 ㊥豪 ㊤晧 lǎo ロウ さいきのな

字解 ㊀제기이름료 제육(祭肉)을 담는, 대로 만든 그릇. '凡祭祀, 共其牛牲之互與其盆一, 以待事'《周禮》. ㊁제기이름로 ㊀과 뜻이 같음.

字源 形聲. 竹+尞〔音〕

竹12〔篪〕18 ㊀제 ㊦霽 ㊁지 dì テイ·ダイ がっきのな

字解 ㊀악기이름제 '一鐘'은 악기(樂器)의 이름. '伯牙操一鐘'《王褒》. ㊁篪(竹부 10획〈949〉)의 俗字.

竹12〔簬〕18 로 ㊦遇 lù ロ たけのな

字解 대이름로 화살을 만드는 대나무의 일종. 껍질은 약간 검은빛을 띰. '惟箘一枯'《書經》.

字源 形聲. 竹+路〔音〕

參考 簵(竹부 13획〈958〉)는 古字.

竹12〔簠〕18 복 ㊄屋 fù フク たけのみ

字解 대열매복 죽실(竹實). '竹生花實, 其年便枯死, 一, 竹實也'《竹譜》.

竹12〔簢〕18 민 ㊤軫 mǐn ビン たけのな

字解 대이름민 대나무의 일종. '一筍, 嫩而節㮈薄'《筍譜》.

竹12〔篕〕18 공 ㊥冬 qióng キョウ くるまのかさのほね

字解 수레덮개살공 수레 덮개의 살. '車枸簍, 宋魏陳楚之閒, 云云, 或謂之一籠'《揚子方言》.

竹12〔觚〕18 고 ㊥虞 gū コ たけふだ

字解 ①대쪽고 죽간(竹簡). '一, 一曰, 竹簡, 小兒所書'《集韻》. ②모서리고 모. '一, 稜也'《集韻》. ③널조각고 판자. '一, 一曰, 方也'《集韻》.

竹12〔篙〕18 ㊀타 ㊤果 ㊦箇 ㊁대 ㊤賄 duǒ タ·ダ たけのな タイ·ダイ たけのな

筆順 ⺮ 竺 竺 笸 笸 篨 篙 篙

字解 ㊀대이름타 '簪一'는 잎에 무늬가 있는 대나무의 이름. '一, 簪一, 竹名'《集韻》. ㊁대이름대 ㊀과 뜻이 같음.

竹12〔簥〕18 교 ㊥蕭 jiāo キョウ おおぶえ

字解 ①큰저교 '大管謂之一'《爾雅》. ②농구(農具)교 전기(田器). '一, 一曰, 田器'《集韻》.

竹12 〔⿱竹稍〕 18 [一] 수 [平]虞 | shāo ス·シユ めしかご
[二] 소 [平]肴 | ソウ·ショウ めしかご

[字解] [一] 밥둥구미수 닷되들이 밥둥구미. '一, 飯筥也. 受五升'《說文》. [二] 밥둥구미소 [一]과 뜻이 같음.
[字源] 形聲. 竹+稍〔音〕

竹12 〔⿱簡心〕 18 간 [上]潸 | jiǎn カン ある

[字解] 있을간 존재(存在)함. '一, 一一, 在也'《說文》.
[字源] 形聲. 心+簡〈省〉〔音〕

竹12 〔⿱竹叕〕 18 〔추〕
篫(竹부 8획〈942〉)의 本字

竹12 〔⿱竹畢〕 18 〔필〕
篳(竹부 11획〈951〉)의 本字

竹12 〔⿱竹前〕 18 〔전〕
箭(竹부 9획〈944〉)의 本字

竹12 〔⿱竹宣〕 18 〔축〕
築(竹부 10획〈948〉)의 古字

竹13 〔簫〕 19 소 [平]蕭 | xiāo ショウ しょうのふえ

[字解] ①퉁소소 죽관(竹管)을 나란히 묶어 만든, 취주 악기의 한 가지. 큰 것은 스물세 관(管), 작은 것은 열여섯 관으로 됨. '玉一'. '一管備擧'《詩經》. ②조릿대소 대나무의 일종. 篠(竹부 11획〈951〉)와 통용. '林一蔓荊'《馬融》. ③활고자소 시위를 메는 활의 두 끝. 弰(弓부 7획〈361〉)와 통용. '右手執一, 左手承弣'《禮記》.
[字源] 形聲. 竹+肅〔音〕

竹13 〔簳〕 19 간 ①②[上]旱 | gǎn カン しのだけ
③[去]翰 | gàn カン やばね

[字解] ①조릿대간 대나무의 일종. 가늘고 작음. '其竹則篠一箛箠'《張衡》. ②화살대간 전죽(箭竹). '箭一'. '朔蓬之一'《列子》. ③살깃간 화살깃. '一, 箭羽'《集韻》.
[字源] 形聲. 竹+幹〔音〕

竹13 〔簵〕 19 로 [去]遇 | lù ロ たけのな

[字解] 대이름로 簬(竹부 12획〈957〉)의 古字.

竹13 〔簶〕 19 록 [入]屋 | lù ロク やなぐい

[字解] 전동록 '胡一'은 화살을 넣는 통. '箶一'. '胡一橫刀'《唐書》.

竹13 〔簷〕 19 첨 [平]鹽 | yán エン のき

[字解] ①처마첨 檐(木부 13획〈583〉)과 同字. '一椽'. '作深一, 以障風雨'《閒情寓奇》. ②드림첨 차양처럼 무엇이 덮여 사방으로 늘어진 것. '舊主江邊側帽一'《李商隱》.
[字源] 形聲. 竹+詹〔音〕

竹13 〔簸〕 19 파 [上]哿 | bǒ ハ ひる, あおる
[去]箇 | bò

[字解] ①까부를파 키로 곡식 같은 것을 까부름. '一颺'. '或一或蹂'《詩經》. ②까불파 몹시 아래위로 흔듦. '一揚'. '浪一船應坼'《杜甫》. ③일파 물을 부어 흔들어서 가려냄. '沙灘淨如一'《梅堯臣》.
[字源] 形聲. 箕+皮〔音〕

竹13 〔簹〕 19 당 ①[平]陽 | dāng トウ たけのな
②[去]漾 | トウ くるまのちりよけ

[字解] ①왕대당 篔(竹부 10획〈948〉)을 보라. ②수레먼지받이당 '一, 車一'《集韻》.
[字源] 形聲. 竹+當〔音〕

竹13 〔簺〕 19 새 [去]隊 | sài サイ さいころ

[字解] ①주사위새 쌍륙(雙六)에서, 던져서 승부를 다투는 물건. '塞'로도 씀. '博一'. '始作一者, 其明哲乎'《邊韶》. ②통발새 대오리로 결은 물고기를 잡는 제구. '以一捕魚'《隋書》.
[字源] 形聲. 竹+塞〔音〕

竹13 〔簻〕 19 과 ①[平]麻 | zhuā タ むち
②[平]歌 | kē カ くさのな

[字解] ①채찍과, 채찍질할과 말을 채찍질하는 채. 또, 채찍질함. '裁以當一便易持'《馬融》. ②풀이름과, 너그러울과 '一, 說文, 草也. 又寬大皃'《集韻》.
[字源] 形聲. 竹+過〔音〕. 또, 竹+檛〈省〉〔音〕

竹13 〔簽〕 19 첨 [平]鹽 | qiān セン かご, ふだ

[字解] ①농첨 죽롱(竹籠). '一, 贏籠也'《博雅》. ②찌첨, 쪽지첨 글씨를 써서 붙이는 종이 쪽지. '附一'. '必加一貼'《詩藪》. ③표제첨 책의 표제(表題). '題一'. '書表之一日檢'《康熙字典》. ④이름둘첨 기명함. 서명함. '一名'. '一押'.
[字源] 形聲. 竹+僉〔音〕

竹13 〔簾〕 19 [人名] 렴 [平]鹽 | lián レン すだれ

[筆順] ⺈ ⺮ 竺 产 笋 簷 簾 簾

[字解] 발렴 대오리·갈대 같은 것으로 엮

은, 햇빛 등을 가리는 물건. '一帷'. '垂一'. '下一而授老子'《漢書》.
字源 形聲. 竹+廉〔音〕

竹 13 〔簿〕19 高·人 ㊀부 ㊤麌 bù ボ·ブ とじぶみ ㊁박 ㊅覺 bó ハク まぶし

筆順 … 箔 簿 簿 簿

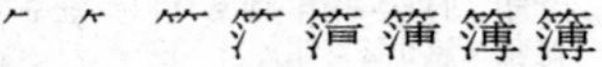

字解 ㊀ ①장부부 치부책. '名一'. '一册'. '一最詳緻'《唐書》. ②홀(笏)부 조복(朝服)을 입은 벼슬아치가 손에 쥐는 물건. '以一擊頰'《蜀志》. ③맡을부, 다스릴부 관리함. '五官一之而不知'《荀子》. ④조사할부 '然已命一錄其家'《唐書》. ⑤경력부 이력. '官一皆在方進之右'《漢書》. ⑥행렬부 천자(天子)의 행렬(行列). '鹵一'. ㊁ ①잠박박 누에를 치는 데 쓰는 채반. ②발박 箔(竹부 8획〈942〉)과 同字. '以織一曲爲生'《史記》.
字源 形聲. 竹+溥〔音〕

竹 13 〔籅〕19 욱 ㊅屋 yù イク こめあげざる
字解 조리욱 대오리를 결어 만든 쌀을 이는 그릇. '炊一謂之縮, 或謂之匧'《揚子方言》.
字源 形聲. 竹+奥〔音〕

竹 13 〔⿱⺮⿰禾曷〕19 갈 ㊅黠 qià ガツ もっこ
字解 어(敔)갈 복호(伏虎) 형상의 나무 악기(樂器). 풍류를 그칠 때 침. '一, 敔也, 以止樂'《集韻》.

竹 13 〔簙〕19 박 ㊅藥 bó ハク すごろく
字解 ①쌍륙박, 노름박 博(十부 10획〈128〉)과 同字. '一弈, 局戲也. 謂行棊也'《玉篇》. ②섶박 누에가 올라가 고치를 짓도록 마련한 짚이나 잎나무. '一, 蠶具名'《廣韻》.
字源 形聲. 竹+搏〔音〕

竹 13 〔⿱⺮隔〕19 격 ㊅陌 gé カク たけのふすま
字解 대장지격 대쪽을 대어 만든 장지문. '一, 竹障'《集韻》.

竹 13 〔⿱⺮微〕19 미 ㊥微 ㊥支 wēi ビ·ミ たけのな
字解 대이름미 '一, 竹也'《說文》.
字源 形聲. 竹+微〔音〕

竹 13 〔⿱⺮愛〕19 애 ㊤隊 ài アイ かくれる
字解 ①숨을애 가려져서 보이지 않음. '一, 蔽不見也'《說文》. ②막을애 가림. '一, 障也'《廣雅》.
字源 形聲. 竹+愛〔音〕

竹 13 〔⿱⺮亶〕19 단(담㊗)㊥寒 tān タン·ダン たけづな
字解 ①배끄는줄단 '一, 縴索'《字彙補》. ②배고칠단 '一羨'은 배의 수리비(修理費)의 남은 돈. '修船曰一, 餘剩曰羨'《六部成語 注解》. ※俗音 담.

竹 13 〔⿱⺮豦〕19 거 ㊤語 ㊥魚 jǔ キョ うしにしりょうをあたえるまるかご
字解 ①쇠먹이둥구미거 소의 먹이를 주는 둥구미. '一, 食牛匡. 方曰匡, 圜曰一'《說文》. ②잔대거 술잔 받침. '一, 桮落也'《廣雅》. ③누에시렁거 잠가(蠶架). '一, 養蠶器'《玉鏡篇海》.
字源 形聲. 竹+豦〔音〕

竹 13 〔⿱⺮殿〕19 ㊀둔 ㊥元 tún トン ためぎ ㊁전 ㊤霰 diàn テン うつ
字解 ㊀도지개둔 트집간 활을 바로 잡는 틀. '一, 榜也. (段注) 木部曰, 榜所以輔弓弩也'《說文》. ㊁칠전 '一, 擊也'《廣雅》.
字源 形聲. 竹+殿〔音〕

竹 13 〔⿱⺮⿵門肩〕19 견 ㊤銑 qiǎn ケン こせき
字解 호적견 '一, 一籍, 戶籍也'《篇海》.

竹 13 〔⿱⺮遇〕19 구 ㊤遇 jù ク たけせいのきぐ
字解 대그릇구 '一, 竹器'《玉篇》.

竹 13 〔⿱⺮嗇〕19 색 ㊅職 sè ショク ふるい
字解 체색 가루를 치거나 액체를 밭아 내는 데 쓰는 기구. '一, 篩一'《玉篇》.

竹 13 〔⿱⺮稚〕19 치 ㊤寘 zhì チ わかだけ
字解 '一, 幼竹'《集韻》.

竹 13 〔⿱⺮擭〕19 ㊀확 ㊅藥 ㊁호 ㊤遇 huò カク ㊀㊁ うおをとるたけせいのきぐ コ
字解 ㊀통발확 물고기 잡는 기구. '一, 取魚竹具'《篇海》. ㊁통발호 ㊀과 뜻이 같음.

竹 13 〔⿱⺮賨〕19 〔료〕
簝(竹부 12획〈957〉)의 本字

竹 13 〔⿱⺮搆〕19 〔구〕
篝(竹부 10획〈949〉)와 同字

竹13 〔籀〕19 〔주〕 籒(竹부 15획〈961〉)의 俗字

竹14 〔簴〕20 거 [上]語 | jù キョ かねかけ

[字解] 악기다는틀거 簴(竹부 12획〈956〉)을 보라. '設筍一陳庸器'《周禮》.

[字源] 形聲. 竹＋虡〔音〕

竹14 〔籌〕20 ㊀ 주 [平]尤 | chóu チュウ や ㊁ 도 [平]豪 | táo トウ いただく

[字解] ㊀ ①살주 투호(投壺)에 쓰는 살. '一室中五扶'《禮記》. ②산가지주 산대. '牙一'. '箭一八十'《儀禮》. ③꾀주 계책. '運一'. '運一策帷帳之中'《史記》. ④꾀할주 계책을 세움. '豫一其事'《後漢書》. '爲大王一之'《史記》. ⑤징발할주 인원을 징용하거나 물품을 공출시킴. '一兵禦賊'《史記》. ⑥제비주 대오리로 만든 심지. '令探一取之'《北史》. ⑦셀주, 셈할주 계산함. '又謂計算爲一度'《說文 段注》. ㊁ 받들도 '一, 方言, 戴也'《集韻》.

[字源] 形聲. 竹＋壽〔音〕

竹14 〔[illegible]〕20 籌(前條)의 本字

竹14 〔籃〕20 람 [平]覃 | lán ラン おおきいかご

[字解] ①바구니람 물건을 담아 가지고 다니는, 대로 결은 큰 바구니. '魚一'. '挈一桑葉間'《徐照》. ②배롱람 불 위에 씌워 놓고 옷을 걸어서 말리는 기구. '一, 大篝也'《說文》.

[字源] 形聲. 竹＋監〔音〕

竹14 〔籄〕20 궤 [去]寘 | kuì キ もっこ

[字解] 삼태기궤 簣(竹부 12획〈956〉)과 同字. '一, 土籠也, 或省'《集韻》.

竹14 〔[illegible]〕20 령 [上]迥 | lǐng レイ かご

[字解] 광주리령 '一, 箐一, 籯也, 通作笭'《集韻》.

竹14 〔[illegible]〕20 박 [入]藥 | pò ハク たけのかわ

[字解] ①대꺼풀박 '一, 籜名'《篇海》. ②대이름박 박죽. '一竹, 出溫處, 如苦竹, 長節而薄'《筍譜》.

竹14 〔[illegible]〕20 삽 [入]洽 | sà ソウ わりだけのひときれ

[字解] 댓조각삽 쪼갠 대의 한 조각. '一, 破竹偏也'《字彙補》.

竹14 〔[illegible]〕20 소 [平]肴 | cháo ソウ おおぶえ

[字解] 큰저소 큰 피리. '巢, 爾雅, 大笙謂之巢, 或从竹'《集韻》.

竹14 〔籅〕20 여 [平]魚 | yú ヨ かご

[字解] 대광주리여 대로 만든 광주리. '一, 博雅, 篆也'《集韻》.

竹14 〔[illegible]〕20 진 [上]軫 | qǐn シン しのだけ

[字解] 조릿대진 '一, 小竹'《集韻》.

竹14 〔[illegible]〕20 초 [上]巧 | shāo ソウ たけのえだがながい

[字解] 댓가지길초 대의 가지가 긺. '一, 竹枝長'《集韻》.

竹14 〔籈〕20 ㊀ 진 [平]眞 | zhēn シン ささら ㊁ 견 [平]先 | jiān ケン たけせいのきぐ

[字解] ㊀ 채진 어(敔)라는 악기(樂器)를 두드리는 채. '所以鼓敔, 謂之一'《爾雅》. ㊁ 대기구견 죽제(竹製)의 기구(器具). '一, 竹器'《廣韻》.

竹14 〔[illegible]〕20 총 [上]董 | sōng ソウ はしづつ

[字解] 수저통총 수저를 넣어 두는 통. '一, 方言, 箸筩'《集韻》.

竹14 〔籇〕20 호 [平]豪 | háo ゴウ ふなざお

[字解] 상앗대호 삿대. '一, 船竿'《字彙》.

竹14 〔籉〕20 대 [平]灰 | tái ダイ かぶりがさ

[字解] 삿갓대 비를 가리기 위하여 쓰는 갓. '一笠緇撮'《詩經》.

[字源] 形聲. 竹＋臺〔音〕

竹14 〔籊〕20 적 [入]錫 | tì, dí テキ たけのほそながいさま

[字解] 가늘고길적 '一一'은 대나무의 가지가 없이 가늘고 길며 끝이 뾰족한 모양. '一一竹竿, 以釣于淇'《詩經》.

[字源] 形聲. 竹＋翟〔音〕

竹14 〔籋〕20 ㊀ 섭 [入]葉 | niè ジョウ ふむ ㊁ 미 [平]支 | mí ビ・ミ たけのかわ

[字解] ㊀ 밟을섭 躡(足부 18획〈1454〉)과 통용. '一浮雲, 晻上馳'《漢書》. ㊁ 대껍질미 '篡, 說文, 筡也. 筡, 竹篾也. 或作一'《集韻》.

字源 形聲. 竹＋爾〔音〕

竹14 〔籍〕 20 高·人 ㊀적 ㊇陌 ㊁자 ㊄禡 | jí セキ ふみ, かきつけ jiè シャ ゆるす

筆順

字解 ㊀ ①문서적 ㉠서류 또는 책. '書一'. '典一'. '尺一伍符'《漢書》. ㉡장부·명부 등. '明習天下圖書計一'《史記》. '除其宦一'《史記》. ㉢관청의 호구·지적 등을 적은 장부. '戶一'. '地一'. '諸侯惡其害已也, 而皆去其一'《孟子》. ②대쪽적 글씨를 쓴 대의 조각. '爲父母兄弟通一'《漢書》. ③적을적 씀. '非禮也, 勿一'《左傳》. ④올릴적 호적에 등록함. '一吏民, 封府庫'《十八史略》. ⑤밟을적 발로 밟음. '一田'. '不修一於千畝'《史記》. ⑥빌릴적 藉(艸부 14획〈1194〉)과 뜻이 같음. '一者, 借也. 猶人相借力助之也'《孟子 注》. ⑦거둘적 부과하여 징수함. '實畝實一'《詩經》. ⑧성적 성(姓)의 하나. ㊁ 온화할자 藉(艸부 14획〈1194〉)와 통용. '治敢往少溫一'《漢書》.

字源 形聲. 竹＋耤〔音〕

竹14 〔篵〕 20 총 ㊅東 | cōng ソウ うおをとらえるぐ

字解 고기잡는대그릇총 '籠一'은 고기 잡는 데 쓰이는 도구. '籠一, 取魚器'《集韻》.

竹14 〔篃〕 20 〔미〕 篾(竹부 15획〈962〉)의 本字

竹14 〔篝〕 20 〔구〕 篝(竹부 10획〈949〉)와 同字

竹14 〔篗〕 20 〔확〕 籰(竹부 20획〈965〉)과 同字

字源 形聲. 竹＋蒦〔音〕

〔纂〕 〔찬〕 糸부 14획(1018)을 보라.

竹15 〔籐〕 21 등 ㊅蒸 | téng トウ とう

字解 ①등등 종려과(棕櫚科)에 속하는 덩굴 식물(植物). ②대그릇등.

字源 形聲. 竹＋滕〔音〕

竹15 〔簨〕 21 찬 ㊤潸 | zhuàn セン そなえもの

字解 ①찬찬 饌(食부 12획〈1727〉)과 同字. '陳平共一飯之一, 而將相加驩'《漢書》. ②지을찬 撰(手부 12획〈468〉)과 통용. '太史公仍父子相繼一其職'《漢書》.

竹15 〔籀〕 20 주 ㊄宥 | zhòu チュウ ちゅうぶん

字解 ①주문주 한자(漢字)의 옛 자체(字體)의 하나. 주(周)나라 선왕(宣王) 때의 태사(太史) 주(籀)가 창작한 것. 소전(小篆)의 전신(前身)으로서, 보통 대전(大篆)이라고 함. '一文'. '一書'. '一文史一所作也'《法書攷》. ②읽을주 '一, 讀書也'《說文》.

字源 形聲. 竹＋擂〔音〕

參考 籒(竹부 13획〈960〉)는 俗字.

竹15 〔籔〕 21 수 ㊤有 ㊤麌 | ①sǒu ソウ·ス こめあげざる ②shù ス·シュ ますめのな

字解 ①조리수 쌀을 이는 데 쓰는 제구. '一, 炊簞也'《說文》. ②열엿말수 용량(容量)의 단위(單位)로서, 16두(斗)의 일컬음. '車秉有五一'《儀禮》.

字源 形聲. 竹＋數〔音〕

竹15 〔篔〕 21 퇴 ㊅灰 | tuí タイ たけのふで

字解 대붓퇴 죽필(竹筆). 대나무 끝을 잘게 쪼개어 만든 붓. '一, 竹筆也'《玉篇》.

竹15 〔籓〕 21 번 ㊅元 | fān ハン おおきいみ

字解 ①큰키번 곡식을 까부르는 큰 키. '一, 大箕也'《說文》. ②덮을번, 덮개번 '一, 一日, 蔽也'《說文》.

字源 形聲. 竹＋潘〔音〕

竹15 〔籒〕 21 籓(前條)과 同字

竹15 〔籡〕 21 완 ㊤旱 | huǎn カン すだれ

字解 발완 '一, 簾也'《字彙》.

竹15 〔簃〕 21 의 ㊄未 | yì ギ たけのな

字解 ①대이름의 籈(竹부 20획〈965〉)와 同字. '籈, 竹名, 或从毅'《集韻》. ②대마디의 대의 마디. '一, 竹節'《篇海》. ③작은대의 '一, 小竹'《康熙字典》.

竹15 〔籤〕 21 천 ㊅先 | qiān セン たけのな

字解 ①대이름천 '一, 箺一, 竹名'《集韻》. ②벼훑이천 벼를 훑으는 기구. '一, 一子, 收稻具'《篇海》.

竹15 〔篮〕 21 구 ㊅尤 | ōu オウ こどもをやすませるたけせいのきぐ

[字解] 구자구 아이를 앉히는 대등우리. '一, 竹器, 以息小兒'《字彙》.

竹15 〔⿱竹劉〕 21 류 ①[平]尤 liú
[去]宥 リュウ たけのおと
②[上]有 リュウ たけのな

[字解] ①댓소리류 '一, 竹聲'《集韻》. ②대이름류 '一, 竹名'《集韻》.
[字源] 形聲. 竹＋劉〔音〕

竹15 〔⿱竹冥〕 21 미 [平]支 mí ビ・ミ たけのかわ

[字解] 대껍질미 ⿱竹冪(竹부 14획〈961〉)는 本字. 籋(竹부 14획〈960〉)와 同字.
[字源] 形聲. 竹＋冪(冥)〔音〕

竹15 〔⿱竹⿰扌畣〕 21 〔착〕
簎(竹부 11획〈954〉)의 本字

竹15 〔籖〕 21 〔첨〕
籤(竹부 17획〈963〉)의 俗字

竹15 〔⿱竹⿸广⿱兼灬〕 21 〔렴〕
簾(竹부 13획〈958〉)의 俗字

竹15 〔⿱竹魯〕 21 로 [上]麌 lǔ ロ たけのな

[字解] 대이름로 '一, 竹名'《集韻》.

竹15 〔⿱竹畾〕 21 뢰 [去]隊 lèi ライ・レ すりうす

[字解] 맷돌뢰 '一, 一稻米磑也'《篇海》.

竹16 〔籙〕 22 록 [入]沃 lù リョク ふみかご, みらいき

[字解] ①비기(祕記)록 미래기(未來記). 예언서(豫言書). '圖一'. '高祖膺一受圖'《張衡》. ②책궤록 책을 넣는 상자. '一, 簏也'《集韻》.
[字源] 形聲. 竹＋錄〔音〕

竹16 〔籛〕 22 전 [平]先 jiān セン したぐら

[字解] ①성전 성(姓)의 하나. '彭祖姓一名鏗'《神仙傳》. ②안장밑전 말안장 밑에 까는 것. '一, 楚人革馬適鞍韀'《廣韻》.

竹16 〔籜〕 22 탁 [入]藥 tuò タク たけのかわ

[字解] 대껍질탁 대나무의 껍질. '新一'. '一粉'. '新篁半解一'《元稹》.
[字源] 形聲. 竹＋擇〔音〕

竹16 〔籝〕 22 영 [平]庚 yíng エイ かご

[字解] ①광주리영 죽롱(竹籠). '一, 說文, 笭也'《廣韻》. ②젓가락통영 '箸筩謂之一'《字彙》.
[字源] 形聲. 竹＋嬴〔音〕

竹16 〔籞〕 22 어 [上]語 yù ギョ とめば

[字解] ①금지구역어 대울을 쳐 놓고 어렵(漁獵) 또는 왕래를 금하는 임야(林野). 금원(禁苑). '集林一而相鳴'《梁元帝》. ②가두리어 못 가운데에 대울을 쳐 놓고 고기를 기르는 곳. '池一'. '鴻池清一, 淥水澹澹'《張衡》. ③우리어 대울을 쳐 놓고 새를 기르는 곳. '籠一'. ④가리개어 볕을 가리는 것. '一, 翳也'《廣雅》.
[字源] 形聲. 竹＋禦〔音〕

竹16 〔籟〕 22 뢰 [去]泰 lài ライ ふえ

[字解] ①퉁소뢰 구멍이 셋 있는, 퉁소 비슷한 악기. 일설(一說)에는, 퉁소라 함. '吹鳴一'《史記》. ②소리뢰 바람으로 인하여 구멍을 통하여 나오는 모든 음향. 울림. '天一'. '松一'. '地一則衆竅是已. 人一則比竹是已. 敢問天一'《莊子》.
[字源] 形聲. 竹＋賴〔音〕

竹16 〔籠〕 22 [人名] 롱 ①-⑥[平]東 lóng ロウ かご
⑦[上]董 lǒng ロウ しめる

[筆順] 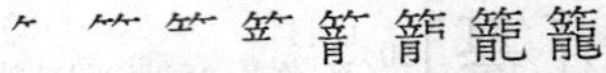

[字解] ①대그릇롱, 농롱 죽기(竹器)의 총칭. '藥一'. '香一'. '匿於茶一中'《五代史》. ②새장롱 대로 만든, 새를 가두어 기르는 장. '一中鳥'. '以天下爲之一'《莊子》. ③탈것롱 대로 만든 가마 같은 탈것. '一輿'. ④전동롱 대로 만든 화살을 넣는 통. '充一箙矢'《周禮》. ⑤쌀롱 속에 넣어 쌈. '一貨物'《漢書》. ⑥싸일롱 속에 싸임. '山頭水色薄一煙'《徐凝》. ⑦적실롱 촉촉이 축임. 瀧(水부 16획〈699〉)과 同字. '東一而退耳'《荀子》.
[字源] 形聲. 竹＋龍〔音〕

竹16 〔籚〕 22 로 [平]虞 lú ロ ほこのえ

[字解] ①창자루로 극병(戟柄). 櫨(木부 16획〈590〉)와 통용. '秦無一'《周禮》. ②광주리로 큰 광주리. '一, 筐也'《廣雅》. ③대이름로 '一西竹. 出會稽'《廣韻》. ④두공(枓拱)로 櫨(木부 16획〈590〉)와 통용.

竹16 〔⿱竹穀〕 22 곡 [入]屋 hú コク いとわく

[字解] 얼레곡 자새. '一, 吳俗謂籰爲一'《集

韻》.

竹16 〔篞〕22 니 [上]紙 | nǐ ニ はこ

[字解] 상자니 '一, 箱也'《字彙補》.

竹16 〔籙〕22 례 [去]霽 | lì レイ たけのふだ

[字解] 대쪽례 서판(書板)으로 쓰던 대쪽. '一, 簏也'《廣雅》.

竹16 〔籓〕22 린 [去]震 | lìn リン はしら

[字解] ①심을린 대나무를 심음. '一, 謂之植'《廣雅》. ②손해될린 '一, 損也'《廣韻》.

竹16 〔籌〕22 위 [去]霽 | wèi エイ しのだけ

[字解] ①조릿대위 가는 대. '一, 箭也'《廣雅》. ②대이름위 '一, 一曰, 竹名'《集韻》.

竹16 〔簤〕22 현 [去]諫 | xiàn カン たけがかれる

[字解] 대마를현 대가 말라 죽음. '一, 竹枯也'《集韻》.

竹16 〔篍〕22 효 [平]肴 | jiǎo コウ たけなわ [上]效 | xiào コウ たけのこ

[字解] ①대밧줄효, 작은퉁소효 '筊, 說文, 竹索也, 一曰, 簫之小者, 或从篍'《集韻》. ②죽순효 '一, 筍也'《集韻》.

竹16 〔籗〕22 ㊀착 [入]覺 | zhuó タク うおをとるかご ㊁곽 [入]藥 | カク うおをとるかご

[字解] ㊀가리착 통발 비슷하게 대로 만든 고기 잡는 기구. 罩(网부 8획〈1028〉)과 뜻이 같음. ㊁가리곽 ㊀과 뜻이 같음.

[字源] 形聲. 竹+霍〔音〕

竹16 〔籟〕22 국 [入]屋 | qū キク こうじ

[字解] ①누룩국 '一, 酒母也'《說文》. ②궁구할국 밝힘. '五經所詁, 不合爾雅者, 詁一爲病'《劉歆》.

[字源] 形聲. 米+籟〈省〉〔音〕

竹16 〔箅〕22 〔서〕 筮(竹부 7획〈939〉)의 本字

竹16 〔籐〕22 〔등〕 籐(竹부 15획〈961〉)과 同字

竹17 〔籅〕23 여 [平]魚 | yú ヨ かご, こし

[字解] ①대그릇여 죽기(竹器). ②가마여 輿(車부 10획〈1475〉)의 俗字.

竹17 〔籢〕23 렴 [平]鹽 | lián レン かがみばこ

[字解] ①경대렴, 거울상자렴 匳(匚부 13획〈124〉)과 同字. '置鏡一中'《列女傳》. ②향합(香盒)렴 향(香)을 담는 그릇. 匳(匚부 13획〈124〉)과 同字. '一, 盛香器也'《廣韻》.

[字源] 形聲. 竹+斂〔音〕

竹17 〔籣〕23 란 [平]寒 | lán ラン えびら

[字解] 전동란 쇠뇌의 화살을 넣어 등에 지는 제구. '抱弩負一'《漢書》.

[字源] 形聲. 竹+闌〔音〕

竹17 〔籞〕23 계 [去]霽 | jì ケイ たけのな

[字解] ①대열매계 '一, 一篗, 竹實'《集韻》. ②대이름계 바닷가에 나는 대. '一, 竹, 生海邊'《字彙》.

竹17 〔籜〕23 〔둔〕 籅(竹부 13획〈959〉)과 同字

竹17 〔籙〕23 려 [去]寘 | lì リ むち

[字解] ①대채찍려 대로 만든 채찍. '一, 竹箠也'《字彙》. ②대쪽려 '一, 札也'《字彙》.

竹17 〔籋〕23 미 [平]支 | mí ビ・ミ たけのかわ

[字解] 대껴풀미 '篡, 說文, 筡也, 筡, 竹篾也, 或作一'《集韻》.

竹17 〔籤〕23 첨 [平]鹽 | qiān セン くじ, ためす

[字解] ①제비첨 대오리 따위로 만든, 길흉을 점치거나 또는 당첨을 결정하는 심지. '抽一'. ②시험할첨 그런지 아닌지를 점침. '一, 驗也'《說文》. ③예언기(豫言記)첨 예언의 기록. '今俗謂神示占讖之文曰一'《通訓》. ④산가지첨 '必投一於階石之上, 令鎗然有聲'《陳書》. ⑤꼬챙이첨 댓조각 같은 것으로 만든 가늘고 끝이 뾰족한 물건. '每盾削竹一十六, 穿于革'《宋史》. ⑥찌첨 簽(竹부 13획〈958〉)과 同字.

[字源] 形聲. 竹+韱〔音〕

[參考] 籖(竹부 15획〈962〉)은 俗字.

竹17 〔籥〕23 약 [入]藥 | yuè ヤク ふえ

[字解] ①피리약 구멍이 셋 또는 여섯 내지 일곱 있는 피리. '管一'. '竽一'. '左手執一'

《詩經》. ②열쇠약 鑰(金부 17획〈1590〉)과 同字. '啓一見書'《書經》. ③쇠채울약 잠금. 닫음. '忠臣一口, 不得一言'《越絶書》. ④뛸약 뛰어오름. '一, 躍也. 氣躍出也'《釋名》. ⑤성약 성(姓)의 하나.
[字源] 形聲. 竹+龠〔音〕

竹17 〔籧〕23 거 [平]魚 | qú キョ たかむしろ
[字解] ①대자리거 '一篨'는 거친 대자리. ②새가슴거 '一篨'는 흉골(胸骨)이 불거져 새의 가슴처럼 생긴 가슴. '一篨不鮮'《詩經》.
[字源] 形聲. 竹+遽〔音〕

竹17 〔⿱竹鞫〕23 국 [入]屋 | jú キク しらべる
[字解] 신문할국 鞫(革부 9획〈1667〉)과 同字. '皆歸⿱竹鞫一, 而無害厥躬'《楚辭》.
[字源] 會意. 幸+人+言+竹

竹17 〔⿱竹鞫〕23 ⿱竹鞫(前條)의 本字

竹17 〔籦〕23 종 [平]冬 | zhōng ジョウ たけのな
[字解] 대이름종 '一籠'은 대나무의 일종. 피리를 만드는 데 씀. '惟一籠之奇生兮, 于終南之陰崖'《馬融》.

竹17 〔⿱竹鮮〕23 선 [上]銑 | xiǎn セン たけのな
[字解] ①대이름선 대나무의 일종. '一, 一曰, 竹名'《集韻》. ②호적선 한 가정에 속하는 사람들을 실은 문서. 호판(戶版).

竹17 〔⿱竹牒〕23 접 [入]葉 | dié チョウ ひる
[字解] 까부를접 키로 곡식을 까부르는 일. '一, 簸也'《集韻》.

竹17 〔⿱竹襄〕23 양 [平]陽 [上]養 | ráng ジョウ つつむ
[字解] ①쌀양 대그릇에 물건을 담음. '一, 褢也'《說文》. ②조리양 쌀을 이는 조리. '一, 箕也'《廣雅》.
[字源] 形聲. 竹+襄〔音〕

竹17 〔⿱竹劉〕23 〔류〕 ⿱竹劉(竹부 15획〈962〉)의 本字

竹18 〔⿱竹雙〕24 쌍 [平]江 | shuāng ソウ ほ
[字解] ①돛쌍 배의 돛. 펴지 않은 돛. '南海有盧頭木, 葉如甘蔗, 織以爲帆, 名曰一'《南越志》. ②용수쌍 술을 거르는 제구. '一, 一曰, 酒篘'《集韻》. ③배쌍 선박(船舶). '細雨滯吳一'《王世貞》.

竹18 〔⿱竹爵〕24 [一] 착 [入]覺 [二] 조 [平]肴 | zhuó サク うおをとらえるきぐ zhāo ソウ すくいあみ
[字解] [一] 가리착 물고기를 잡는 기구. '一, 罩也, 或作篧'《集韻》. [二] 반두조 물고기를 떠올리는 그물. '罺, 撩罟也, 或作一'《集韻》.

竹18 〔⿱竹黠〕24 개 [平]佳 | jiē カイ くろいたけ
[字解] 검은대개 '一, 黑竹'《集韻》.

竹18 〔⿱竹雚〕24 관 [平]寒 | guān カン ひ
[字解] 북관 베를 짜는 데 쓰는 기구의 하나. '一, 竹杼'《集韻》.

竹18 〔⿱竹聶〕24 렵 [入]葉 | liè リョウ たかむしろ
[字解] 대자리렵 '一, 竹宜也'《集韻》.

竹18 〔⿱竹雜〕24 잡 [入]合 | zá ソウ すだれ
[字解] 발잡 문에 거는 발. '䨿, 戶簾也, 或从竹'《集韻》.

竹18 〔⿱竹攕〕24 전 [平]先 | qiān セン ほそくけずったたけ
[字解] 잘게깎은대전 '一, 細削竹也'《集韻》.

竹18 〔⿱竹斷〕24 단 [去]翰 | duān タン えり
[字解] 대어살단 물 속에 대발을 쳐서 물고기를 잡는 기구. '吳人今謂之一'《陸龜蒙, 漁具詩, 滬, 注》.

竹18 〔⿱竹藉〕24 〔적〕 籍(竹부 14획〈961〉)의 本字

竹18 〔⿱竹邊〕24 籩(次條)의 本字

竹19 〔籩〕25 변 [平]先 | biān ヘン たかつき
[字解] 변변 대오리를 결어서 만든, 과실을 담는 제기(祭器). '一豆'. '竹豆謂之一. (註)一, 禮器'《爾雅》.
[字源] 形聲. 竹+邊〔音〕

竹19 〔籬〕25 리 [平]支 | lí リ まがき
[字解] 울타리리 대나무나 섶을 엮어서 친 울타리. '垣一'. '與弟子樹一'《晉書》.

[字源] 形聲. 竹＋離〔音〕

竹 19 〔籮〕 25 라 [平]歌 | luó ラ み

[字解] ①키라 까부른 쌀을 되에 옮기는 데 쓰이는 키. '一, 箕也'《廣雅》. ②소쿠리라 밑이 네모지고 위가 둥근 대그릇. 쌀을 담아 드는 데 쓰임. '一, 匾竹爲之, 上圓下方, 挈米穀器'《農政全書》.

竹 19 〔籭〕 25 사 [平]支 | shī シ ふるい / [上]紙 | shāi シ ふるい

[字解] 체사 가루 따위를 치는 제구. 篩(竹부 10획〈949〉)·簁(竹부 11획〈955〉)와 同字. '一, 竹器也, 可以取麤去細'《說文》.
[字源] 會意. 竹＋麗

竹 19 〔䉲〕 25 미 [平]支 | mí ビ·ミ たけのかわ

[字解] 대껍풀미 篾(竹부 15획〈962〉)와 同字. '篾, 說文, 筡也, 筡, 竹篾也, 或作一'《集韻》.

竹 19 〔䉤〕 25 훼 [上]紙 | huǐ キ うすづく

[字解] 방아찧을훼 '一, 舂謂之一, 或作毇, 亦省'《集韻》.

竹 19 〔籫〕 25 찬 [上]旱 | zuǎn サン たけせいのきぐ

[字解] ①대그릇찬 대로 만든 기구(器具). '一, 竹器也'《說文》. ②대통찬 '一, 筩也'《廣雅》. ③대숲찬 대나무의 숲. '一, 一曰, 叢也'《說文》.
[字源] 形聲. 竹＋贊〔音〕

竹 19 〔𥽨〕 25 〔엄〕 䉷(竹부 20획〈965〉)의 本字

竹 20 〔籯〕 26 영 [平]庚 | yíng エイ かたみ

[字解] ①바구니영 서너너덧 되들이의 죽기(竹器). '遺子黃金滿一, 不如一經'《漢書》. ②주머니영 돈을 넣는 주머니. '一金所過'《左思》.
[字源] 形聲. 竹＋嬴〔音〕

竹 20 〔籰〕 26 [一] 확 [入]藥 | yuè ワク いとわく / [二] 역 [入]職 | yù ヨク たけがそうせいする

[字解] [一] 얼레확 실을 감는 제구. '絲一絡絲具'《三才圖會》. [二] 무리져날역 대가 총생(叢生)함. '一, 竹叢生'《類篇》.

竹 20 〔籠〕 26 롱 [平]東 | lóng ロウ かご

[字解] 광주리롱 '一, 筐也'《集韻》.

竹 20 〔𥽌〕 26 〔의〕 籎(竹부 15획〈961〉)와 同字

竹 20 〔䉷〕 26 엄 [平]鹽 | yán ゲン よくしゃのかこい

[筆順] 竹 笇 篇 篇 篇 篇 篇 䉷

[字解] ①푸집개엄 병장기(兵仗器)를 은폐하기 위한 덮개. '一, 惟射所蔽者也'《說文》. ②막을엄 방어함. '一, 禦也'《篇海》.
[字源] 形聲. 竹＋嚴〔音〕

竹 21 〔籝〕 27 〔영〕 籯(竹부 20획〈965〉)의 本字

竹 21 〔𥽦〕 27 〔점〕 簟(竹부 12획〈955〉)의 本字

竹 21 〔䉶〕 27 〔관〕 觀(見부 18획〈1304〉)의 古字

竹 21 〔𥸩〕 27 변 [上]銑 | biàn ヘン·ベン たけのふた

[筆順] 竹 笇 笇 笇 笇 笇 笇 𥸩

[字解] 대쪽변 죽책(竹册). '一, 一曰, 竹簡也'《集韻》.

竹 22 〔𥽖〕 28 쇄 [上]蟹 | sǎ サイ こと

[字解] 비파(琵琶)쇄 '一, 瑟也'《集韻》.

竹 23 〔𥿀〕 29 확 [入]藥 | yuè ワク うおをとるきぐ

[字解] 고기잡는기구확 '一, 取魚具'《玉篇》.

竹 24 〔𥽤〕 30 [一] 감 [上]感 | gǎn カン たけのな / [二] 담 [上]感 | タン はこのるい

[字解] [一] ①대이름감 '一, 竹名, 亦作簳'《廣韻》. ②상자감 '一, 箱屬'《篇海》. [二] ①대이름담 [一]❶과 뜻이 같음. ②상자담 [一]❷와 뜻이 같음.

竹 24 〔籱〕 30 〔착〕 籗(竹부 16획〈963〉)과 同字
[字源] 形聲. 竹＋靃〔音〕

竹 26 〔籲〕 32 [一] 유 [去]遇 | yù ユ よぶ / [二] 약 [入]藥 | yuè ヤク よぶ

[字解] [一] 부를유 신(神)을 불러 기원(祈願)하거나 호소함. 전(轉)하여, 구(求)함. 龥(龠부 9획〈1896〉)와 同字. '一天'. '一俊尊上帝'《書經》. [二] 부를약 [一]과 뜻이 같음.
[字源] 形聲. 頁＋籥〔音〕

米　部

〔쌀 미 부〕

米 0 〔米〕6 [中·人] 미 [上]薺 mǐ ベイ·マイ こめ

[筆順] 丶 丷 亠 半 米 米

[字解] ①쌀미 ㉠벼의 열매의 껍질을 벗긴 알맹이. '一穀'. '陶侃空爭一船'《庾信》. 또, 고대(古代)에는 서(黍)·직(稷)·도(稻)·양(粱)·고(苽)·대두(大豆)를 '六一'라 하였음. '九穀六一'《周禮》. ㉡쌀의 모양을 한 것. '野客病時分竹一'《皮日休》. ②미터미 미터법의 길이의 단위. 킬로미터〔粁〕의 천분의 일. ③성미 성(姓)의 하나.

[字源] 象形. 甲骨文은 가로획과 여섯 개의 점(點)으로 이루어졌는데, 가로획은 곡식 이삭의 가지 부분, 여섯 점이 그 열매의 부분을 보이는 象形字로서, '쌀'의 뜻을 나타냄.

[參考] '米'를 의부(意符)로 하여, 여러 가지 종류의 쌀·곡물의 열매를 나타냄. 또, 그것을 가공한 식품 등에 관한 문자를 이룸.

米 1 〔釆〕7 파 [上]哿 bǒ ハ こごめ

[字解] 싸라기파 쌀의 부스러기. '一, 碎米'《篇海》.

[參考] 匊(勹부 6획〈120〉)은 別字.

米 2 〔米〕8 〔번〕 番(田부 7획〈800〉)의 古字

米 2 〔糽〕8 정 [去]徑 dìng テイ めし

[字解] 밥정 쌀밥. '一, 米食'《玉篇》.

米 2 〔米〕8 〔치〕 齒(部首〈1884〉)의 略字

米 2 〔籴〕8 ㊀ 적 [入]錫 dí テキ かいよね ㊁ 잡 [入]合 zá ソウ まぜる, まざる

[字解] ㊀ 사들인쌀적 사들여 쌓아 두는 쌀. 糴(米부 16획〈978〉)과 同字. ㊁ 섞을잡, 섞일잡 雜(隹부 10획〈1635〉)과 통용. '一, 不一也'《集韻》.

米 3 〔类〕9 〔류〕 類(頁부 10획〈1696〉)와 同字·簡體字

米 3 〔籹〕9 여 [上]語 nǚ ジョ·ニョ おこし

[字解] 중배끼여 '粔一'는 유밀과(油蜜菓)의 한 가지. '粔一作人情'《杜甫》.

[字源] 形聲. 米+女〔音〕

米 3 〔籸〕9 신 [平]眞 shēn シン こなのかす

[字解] ①가루찌꺼기신 '一, 粉滓也'《類篇》. ②범벅신 죽의 엉긴 것. '一, 粥凝也'《集韻》.

米 3 〔籺〕9 ㊀ 헐 [入]屑 hé ケツ こごめ ㊁ 흘 [入]月 xì ケツ こめのこ

[字解] ㊀ 싸라기헐 부스러기 쌀. '屑米細者曰一'《集韻》. ㊁ ①쌀가루흘 빻은 쌀의 가루. '一, 米粉'《集韻》. ②딱딱한보리흘, 보리싸라기흘 麧(麥부 3획〈1849〉)·覈(襾부 13획〈1295〉)과 同字. '麧, 堅麥也. 一曰, 俗謂麤屑爲麧. 或从米'《集韻》.

米 3 〔粠〕9 홍 [平]東 hóng コウ ふるくてくさくなったこめ

[字解] ①묵은쌀홍 묵어 냄새가 나는 쌀. '一, 陳臭米'《說文》. ②뜬쌀홍 떠서 붉게 변한 쌀. '一, 一曰, 赤米'《集韻》.

[字源] 形聲. 米+工〔音〕

米 3 〔籼〕9 선 [平]先 xiān セン うるち

[字解] 메벼선 차지지 않은 보통의 쌀. '一, 方言, 江南呼粳爲秈. 或作一'《集韻》.

米 3 〔籽〕9 자 zǐ シ たね

[字解] 씨자 식물(植物)의 종자(種子). '一, 植物之種子也'《辭海》.

米 3 〔籷〕9 탁 [入]陌 zhé タク ねばる

[字解] ①차질탁 끈기가 많음. '一, 一曰, 粘也'《集韻》. ②싸라기밥탁 '一, 屑米爲飯'《集韻》.

米 3 〔粁〕9 킬로미터 キロメートル

[字解] 미터의 길이를 나타내는 단위. 킬로미터의 약기(略記). 미터의 천 배.

[字源] 形聲. 千+米〔音〕

米 4 〔类〕10 〔류〕 類(頁부 10획〈1696〉)의 俗字

米 4 〔粃〕10 비 [上]紙 bǐ ヒ しいな

[字解] ①쭉정이비 秕(禾부 4획〈898〉)와 同

字. '一糠'. '粟之有一'《書經》. ②모를비, 아닐비 부정(否定)의 말. '一, 不知也'《揚子方言》. '一, 不也'《廣雅》.
字源 形聲. 米+比〔音〕

米4〔粉〕10 高·人 분 ㊤吻 | fěn フン こな
筆順 丶 丷 䒑 半 米 粅 粉 粉
字解 ①가루분 곡식의 분말. '糗·餌·一·餈'《周禮》. 전(轉)하여, 널리 분말. '細一'. '石一'. ②빨분 가루로 만듦. 잘게 부숨. '一骨碎身'. '一稻米黍米'《周禮 註》. ③분분 단장하는 흰 가루. '白一'. '一黛'. '傅脂一'《史記》. '燒鉛爲胡一'《博物志》. ④빻아질분 잘게 부서짐. '應聲一潰'《馬融》. ⑤분바를분 백분을 바름. '輕粧薄一'《梁簡文帝》. ⑥꾸밀분 '一其題'《太玄經》. ⑦회분 벽에 바르는 흰 가루. 석회. '一壁'. ⑧색칠분 채색(彩色). '一繪'. '禮樂治之一澤'《六韜》.
字源 形聲. 米+分〔音〕

米4〔粆〕10 ㊀사 ㊥麻 | shā サ さとう
㊁초 | chǎo ショウ ほしいいぶくろ
字解 ㊀사탕사 沙(水부 4획〈632〉)와 통용. '一, 蔗飴'《集韻》. ㊁건량(乾糧)자루초 '一袋'는 건량(乾糧)을 저장하는 자루. '團練使以上, 旗鼓·槍劍·棍棓·一袋, …各一'《宋史》.
字源 形聲. 米+少〔音〕

米4〔粈〕10 ㊀유 ㊤有 | rǒu ジュウ·ニュ まぜめし
㊁뉴 ㊦有 | ジュウ·ニュ まぜめし
字解 ㊀①비빔밥유 '一, 襍飯也'《說文》. ②섞을유, 섞일유 '一, 厠也'《廣雅》. ㊁비빔밥뉴, 섞을뉴, 섞일뉴 ㊀과 뜻이 같음.
字源 形聲. 米+丑〔音〕

米4〔粍〕10 밀리미터 | ミリメートル
字解 미터의 길이를 나타내는 단위. 밀리미터의 약기(略記). 미터의 천분의 일.

米4〔粇〕10 〔강〕
穅(禾부 11획〈909〉)과 同字

米4〔粎〕10 기 ㊥支 | qí キ あかごめ
字解 앵미기 악미(惡米). 불그스름한 나쁜 쌀.

米4〔粓〕10 秖(前條)와 同字

米4〔粌〕10 둔 ㊥元 | tún トン もち
字解 ①떡둔 '飩, 餛飩, 餌也, 或从米'《集韻》. ②만두둔 경단, 단자 등. '一, 同飩'《正字通》.

米4〔粖〕10 멸 ㊇屑 | miè ベツ こごめ
字解 싸라기멸 '一, 糏也'《集韻》.

米4〔粅〕10 물 ㊇物 | wù ブツ こなのさま
字解 가루모양물 가루〔粉〕의 상태. '一, 一一, 粉皃'《集韻》.

米4〔粄〕10 판 ㊤旱 | bǎn ハン だんご
字解 싸라기떡판 경단. '一, 屑米餅也'《集韻》.

米4〔粋〕10 〔수〕
粹(米부 8획〈971〉)와 同字

米4〔料〕10 〔료〕
料(斗부 6획〈491〉)의 俗字

〔料〕 〔료〕
斗부 6획(491)을 보라.

〔敉〕 〔미〕
攴부 6획(482)을 보라.

米4〔粊〕10 비 ㊦寘 | bì ヒ わるいこめ
字解 ①궂은쌀비 나쁜 쌀. ②쓸비 費(貝부 5획〈1388〉)와 통용. 서경(書經)에 있는 '費誓'를 '一誓'로도 씀.
字源 形聲. 米+比〔音〕

〔氣〕 〔기〕
气부 6획(623)을 보라.

米5〔粎〕11 ㊀명 ㊥青 | míng メイ かしごめ
㊁미 ㊥支 | ビ·ミ かしごめ
字解 ㊀①물에담근쌀명 '一, 漬米'《廣韻》. ②흘린쌀명 땅에 흘린 쌀. '一, 漬米也'《說文》. ③고을이름명 '一泠'은 현(縣)의 이름. '一, 交止有一泠縣'《說文》. ㊁물에담근쌀미, 흘린쌀미, 고을이름미 ㊀과 뜻이 같음.
字源 形聲. 米+尼〔音〕

米5〔粒〕11 人名 립 ⓐ緝|lì リュウ こめつぶ

筆順 丷 䒑 半 米 米' 粒 粒 粒

字解 ①쌀알립 낟알. 쌀의 낟알. '米一'. ②낟알립 쌀알같이 된 물건. '砂一'. '一子'. '靈丹一一, 點鐵爲金'《聞見後錄》. ③쌀밥먹을립 '一食'. '烝民乃一'《書經》.
字源 形聲. 米+立〔音〕

米5〔粔〕11 거 ⓤ語|jù キョ おこし

字解 중배끼거 '一籹'는 유밀과(油蜜菓)의 한 가지. '一籹作人情'《杜甫》.
字源 形聲. 米+巨〔音〕

米5〔粕〕11 박 ⓐ藥|pò ハク かす

字解 지게미박 술을 짜낸 찌꺼기. '酒一'. '名位爲糟一'《晉書》.
字源 形聲. 米+白〔音〕

米5〔粗〕11 조(추㊍) ⓟ虞 ⓤ麌|cū ソ あらい

字解 ①거칠조 정(精)하지 아니함. 조잡함. '一略'. '一製濫造'. '其聲一以厲'《禮記》. ②클조 작지 아니함. '一功'. '其器高以一'《禮記》. ③대강조 대략. '請爲大夫一陳其略'《史記》. ④암자조, 초막조 '一, 庵也'《廣雅》. ※本音 추.
字源 形聲. 米+且〔音〕

米5〔粘〕11 점 ⓟ鹽|nián, ②zhān(nián) デン·ネン ねばる

字解 ①끈끈할점, 차질점 黏(黍부 5획〈1859〉)과 同字. '一土'. '一之屋壁'《貞觀政要》. ②붙일점 들러붙게 함. ③성점 성(姓)의 하나.
字源 形聲. 米+占〔音〕

米5〔粊〕11 가 ⓟ麻|jiā カ こめ

字解 쌀가 '一, 米也'《集韻》.

米5〔粥〕11 멸 ⓐ屑|zhōu ベツ かゆ

字解 ①죽멸 '鬻, 說文, 涼州謂鬻爲一, 亦作一'《集韻》. ②가루멸 곡물의 분말. '一, 同糒'《正字通》.

米5〔粟〕11 미 ⓟ齊|ベイ ふかいりする ⓟ支|mí ビ·ミ あみ

字解 ①깊이들미 무릅씀. '罙, 深入也, 或作一'《集韻》. ②그물미, 둘미 '罜, 罟也, 置也, 一, 同罙'《玉篇》.

米5〔粄〕11 반 ⓠ願|fàn ハン こな

字解 가루반 분말(粉末). '一, 粉也'《集韻》.

米5〔粉〕11 분 |bǎn フン だんご

字解 경단(瓊團)분 단자(團子). '一, 屑米餅也'《篇海》.

米5〔粧〕11 ㊀사 ⓟ麻|zhā サ かす ㊁작 ⓐ藥|zuò サク せいまい

字解 ㊀찌꺼기사 남은 찌끼. '一, 滓也, 通作渣'《集韻》. ㊁쓿은쌀작 정미(精米). '一, 同䉶'《篇海》.

米5〔粣〕11 〔색〕 糒(米부 6획〈970〉)과 同字

米5〔粭〕11 이 ⓟ支|yí イ あめ

字解 엿이 물엿. 조청. '一, 或作饌·飴·飢·飴'《康熙字典》.

米5〔粧〕11 저 ⓤ語|zhù チョ こめをもる

字解 쌀담을저 쌀을 그릇에 담음. '一, 盛米也'《篇海》.

米5〔粙〕11 주 ⓠ宥|zhòu チュウ みのる

字解 여물주 쌀이 여묾. '一, 稻實'《集韻》.

米5〔粚〕11 타 ⓟ歌|tuō タ もち

字解 떡타 '飥, 餌也, 或从米'《集韻》.

米5〔粐〕11 호 ⓟ虞|hú コ かゆ

字解 죽쑬호, 죽호 쌀이나 밀가루를 끓여 만든 죽. '黏, 說文, 黏也, 一曰煮米及麪爲粥, 或作一'《集韻》.

米5〔粓〕11 감 ⓟ覃|gān カン こめのしる

字解 쌀뜨물감 泔(水부 5획〈637〉)과 同字.

米5〔粖〕11 말 ⓐ曷|mò バツ かゆ

字解 미음말, 죽말 푹 끓인 죽. '一, 饘也'《廣雅》.
字源 形聲. 米+末〔音〕

米5〔粄〕11 반 ⓤ旱|bǎn ハン だんご

[字解] 경단반 싸라기로 만든 떡. 餅(食부 5획〈1715〉)과 同字. '三月三日, …是日取鼠麴汁蜜和粉, 謂之龍舌一, 以厭時氣'《荊楚歲時記》.

米5 〔粖〕11 〔부〕
稃(禾부 7획〈902〉)와 同字

米5 〔粘〕11 〔호〕
黏(黍부 5획〈1859〉)과 同字

米5 〔粝〕11 〔려〕
糲(米부 15획〈978〉)의 俗字

米5 〔粊〕11 [一] 비 [去]寘|bì ヒ わるいこめ
[二] 패 [去]隊|ハイ わるいこめ
[字解] [一] 낮은쌀비 나쁜 쌀. 粃(米부 4획〈967〉)와 同字. '一, 惡米也. 周書有一誓'《說文》. [二] 낮은쌀패 [一]과 뜻이 같음.
[字源] 形聲. 米+北〔音〕

米5 〔粜〕11 〔조〕
糶(米부 19획〈979〉)와 同字

〔粛〕 〔숙〕
聿부 5획(1063)을 보라.

米6 〔粦〕12 린 [去]震 [平]眞|lín リン おにび
[字解] 도깨비불린 '一, 說文作㷠, 鬼火也'《廣韻》.
[字源] 會意. 炎+舛

米6 〔粪〕12 〔분〕 糞(米부 11획〈975〉)의 簡體字

米6 〔粞〕12 서 [平]齊|xī セイ こごめ
[字解] 싸라기서 부스러진 쌀알. '米碎曰一'《集韻》.
[字源] 形聲. 米+西〔音〕

米6 〔粧〕12 [高·人] 장 [平]陽|zhuāng ショウ よそおい
[筆順] ⺍ ⺌ 半 米 粁 粁 粧 粧
[字解] ①단장장 화장. '淡一'. '濃一'. '必爲半面一以俟'《南史》. ②단장할장 치장을 함. '新婦起嚴一'《古詩》. ③妝(女부 4획〈243〉)의 俗字.
[字源] 形聲. 本字는 糚로, 米+壯〔音〕

米6 〔粣〕12 색 [入]陌|sè サク こごめ
[字解] ①싸라기색 찧어 부수어진 쌀. ②떡 차질색 떡이 차져서 덩이짐. '一, 餅相黏也'《類篇》.

米6 〔粔〕12 환 [平]寒|huān カン しろいこめ
[字解] 흰쌀환 흰빛의 쌀. '一, 白米'《集韻》.

米6 〔粡〕12 동 [平]東|tóng トウ ちまき
[字解] ①각서(角黍)동 찹쌀가루를 식물의 잎에 싸서 찐 떡. 주악. '一, 粽也'《集韻》. ②조미(粗米)동 반쯤 찧은 쌀. '一, 粗米'《篇海》.

米6 〔粠〕12 〔홍〕
粠(米부 3획〈966〉)과 同字

米6 〔粤〕12 월 [入]月|yuè エツ じょじ
[字解] ①어조사월 발어사(發語辭). 越(走부 5획〈1407〉)과 同字. '一詹雒伊, 毋遠天室'《史記》. ②나라이름월 越(走부 5획〈1407〉)과 同字. '請纓繫南一'《魏徵》. ③땅이름월 지명(地名). 광동(廣東)·광서(廣西)를 '兩一'이라 함. ④두터울월 후함. '天爲一宛'《管子》. ⑤성월 성(姓)의 하나.
[字源] 會意. 金文에서는 雨+于

米6 〔粥〕12 [一] 죽 [入]屋|zhōu(zhū) シュク かゆ
[二] 육 [入]屋|yù イク ひさぐ
[字解] [一] ①죽죽 미음. 또, 묽은 죽을 '一', 된 죽을 '饘'이라 함. '饘一'. '厚曰饘, 稀曰一'《禮記 疏》. ②죽먹을죽 '饘於是, 一於是'《史記》. ③성죽 성(姓)의 하나. [二] ①팔육 鬻(鬲부 12획〈1779〉)과 同字. '田里不一'《禮記》. ②성육 성(姓)의 하나.
[字源] 會意. 弜+米

米6 〔粟〕12 [高·人] 속 [入]沃|sù ショク·ゾク あわ
[筆順] 一 冖 襾 襾 襾 覀 粟 粟
[字解] ①조속 벼과(科)에 속하는 재배 식물. 또, 그 열매. 오곡(五穀)의 하나임. '一豆'. '今日多種一而少種粱'《韻會小補》. 전(轉)하여, 좁쌀같이 대단히 작은 물건의 일컬음. '英水多丹一'《山海經》. ②벼속 겁질을 벗기지 아니한 쌀. '一米'. '四百里一'《書經》. ③곡식속 곡류. '許子必種一而後食乎'《孟子》. ④녹미속 녹봉(祿俸)으로 주는 쌀. '義不食周一'《史記》.
[字源] 會意. 篆文은 米+卣

米6 〔粢〕12 [一] 자 [平]支|zī シ きび
[二] 제 [去]霽|jì セイ さけ
[字解] [一] ①기장자 메기장. 또, 제사에 쓰

는 서직(黍稷). '一盛'. '稷穄一, 皆一物, 語音之輕重耳'《爾雅翼》. ②곡식자 곡류(穀類)의 총칭. '辨六一之名物'《周禮》. ③떡자 쌀떡. '食則一糲'《列子》. [二] 술제 취하는 음료. '一醍在堂'《禮記》.
[字源] 形聲. 米+次〔音〕

米6 〔⿱臼米〕 12 [一] 구 [上]有 | jiù キュウ いりこ
[二] 우 [上]有 | qiǔ ユウ いりこ
[字解] [一] ①미싯가루구 쌀을 볶아 찧은 가루. '一, 舂糗也'《說文》. ②건량부스러기구 말린 밥의 부스러기. '一, 乾飯屑也'《篇海》. ③볶은쌀구 糗(米부 10획〈974〉)와 同字. '一, 糗米'《廣韻》. [二] 미싯가루우, 건량부스러기우, 볶은쌀우 [一]과 뜻이 같음.
[字源] 形聲. 米+臼〔音〕

米6 〔⿱巩米〕 12 공 [平]冬 | qióng キョウ しらげたこめ
[字解] 흰쌀공 깨끗하게 쓿은 흰 쌀. '一, 精米也'《集韻》.

米6 〔⿰米多〕 12 담 [平]覃 | tán タン ねばる
[字解] 차질담 찹쌀 등이 차짐. '一, 黏也'《字彙補》.

米6 〔⿱⿰氵刃米〕 12 〔량〕
粱(米부 7획〈970〉)의 略字

米6 〔⿰米名〕 12 명 [平]庚 | míng ベイ よなげたこめ
[字解] 물에인쌀명 물에 일어 깨끗이 된 쌀. '一, 漬米也'《集韻》.

米6 〔粣〕 12 [一] 색 [入]陌 | cè サク ちまき
[二] 살 [入]曷 | sè サツ こながき
[字解] [一] 주악색 떡의 한 종류. 각서(角黍). '一, 粽也, 南齊虞悰作扁米一'《集韻》. [二] 쌀갈아국에풀살 '一, 糝也, 齊民要術, 時時一之'《集韻》.

米6 〔⿰米先〕 12 〔신〕
籸(米부 3획〈966〉)과 同字

米6 〔⿱如米〕 12 〔여〕
粔(米부 3획〈966〉)와 同字

米6 〔⿰米⿵几市〕 12 패 [去]隊 | pèi ハイ こながき
[字解] 가루를푼국패 쌀을 갈아 국에 풂. '一, 研米以糝羹也'《六書故》.

米6 〔⿰米向〕 12 〔향〕
餉(食부 6획〈1717〉)과 同字

米7 〔粮〕 13 량 [平]陽 | liáng リョウ·ロウ かて
[字解] 양식량 糧(米부 12획〈976〉)과 同字. '屑瑤蕋以爲一'《張衡》.
[字源] 形聲. 米+良〔音〕

米7 〔粰〕 13 부 ①-③[平]尤 ④[平]虞 | fú フウ·フ おこしごめ / fū フ かす
[字解] ①산자부 과자의 한 가지. '士卒唯給一糇'《晉書》. ②죽부 된 죽. '一, 饘也'《廣雅》. ③겨부 곡식의 겹질. ④찌끼부 '時倖盡, 食醬一'《北堂書鈔》.
[字源] 形聲. 米+孚〔音〕

米7 〔粳〕 13 갱 [平]庚 | jīng(gēng) コウ うるち
[字解] 메벼갱 稉(禾부 7획〈903〉)과 同字. '一稻'. '謝賚一米'《庾肩吾》.

米7 〔⿰米甫〕 13 포 [去]遇 | bù ホ もち
[字解] 떡포 餔(食부 7획〈1719〉)와 同字. '餔, 餹餔, 餌也, 或作一'《集韻》.

米7 〔⿰米每〕 13 매 [平]灰 | méi バイ こうじ
[字解] 술밑매 누룩을 섞어 버무린 지에밥. 주모(酒母). 酶(酉부 7획〈1535〉)와 同字. '一麴, 酒母也'《玉篇》.

米7 〔⿰米宋〕 13 삼 [上]感 | sǎn サン みつづけにしたうりのみ
[字解] 정과삼 꿀에 잰 오이. '一, 蜜漬瓜實曰一'《集韻》.

米7 〔粱〕 13 량 [平]陽 | liáng リョウ あわ
[字解] 조량 조〔粟〕의 일종. 알이 굵고 까끄라기가 억세며 향기가 남. 황량(黃粱)·백량(白粱)·청량(青粱)으로 분류함. '尤宜一'《周禮》. 중국에서 조를 귀히 여겼으므로, 전(轉)하여, 좋은 곡식 또는 좋은 쌀의 뜻으로도 쓰임. '一肉'. '膏一'.
[字源] 形聲. 米+梁〈省〉〔音〕
[參考] 梁(木부 7획〈551〉)은 別字.

米7 〔粲〕 13 [人名] 찬 [去]翰 | càn サン しらげよね
[筆順] ⺊ 夕 歺 𣦼 𣦼 ⿱𣦼一 ⿱𣦼十 粲
[字解] ①정미찬 곱게 찧은 쌀. '爲米六斗大半斗曰一'《說文》. ②쌀찧기찬 쌀을 곱게 찧는 고역(苦役). '猶當降等薪一'《梁書》. ③밥찬 찬식(餐食). '還予授子之一兮'《詩經》. ④고울찬 선명함. '一然成章'《世說》.

⑤밝을찬, 환할찬 명백함. '骨肉之親, 一而不殊'《漢書》. ⑥세미인찬 세 사람의 미녀. '見此一者'《詩經》. ⑦웃을찬 흰 이를 드러내 놓고 웃는 모양. '軍人一然皆笑'《穀梁傳》. 또, 자작의 시문(詩文)을 남에게 보이는 것을 '博一一'이라 함은 웃음거리밖에 안 되는 것을 보인다는 겸사말임. ⑧깨끗할찬 청결함. 정결함. '俄而一然有秉芻豢稻粱而至者'《荀子》. ⑨아름다울찬 '灼灼懷春一'《陸雲》. ⑩많을찬 '羣·衆·一, 皆多之名'《正字通》. ⑪성찬 성(姓)의 하나.
字源 形聲. 米+𣦼〔音〕

米7 〔康〕13 〔강〕
糠(米부 11획〈975〉)의 古字

米7 〔粯〕13 간 ㊀諫 | xiàn カン こな
字解 가루간 쌀가루. 쌀의 부스러기. '一, 米屑'《集韻》.

米7 〔⿰米完〕13 ㊀권 ㊤阮 | guǎn ケン こな
㊁환 ㊥寒 | huán カン だんご
字解 ㊀가루권 '粩, 說文, 粉也, 亦作一'《集韻》. ㊁경단환 '一, 粉餌'《集韻》.

米7 〔⿰米㐬〕13 류 ㊥尤 | liú リュウ おこし
字解 산자(饊子)류 '籽一, 糈饊也'《廣雅》.

米7 〔⿰米尾〕13 미 ㊀未 ㊀寘 | wēi ビ·ミ かゆ
字解 죽미 '一, 或作秜·餛, 亦書作粊'《集韻》.

米7 〔⿰米孛〕13 발 ㊇月 | bó ホツ こなごめ
字解 싸라기발 부스러진 쌀. '一, 屑米也'《集韻》.

米7 〔⿰米定〕13 서 ㊤語 | xǔ ショ りょうまい
字解 ①양식(糧食)쌀서 '一, 糧米也'《字彙補》. ②제사(祭祀)쌀서 '一, 祠神米也'《字彙補》.

米7 〔⿰米肖〕13 초 ㊤篠 | qiǎo ショウ こな
筆順 米 米' 米'' 米'' 米'' 米肖 米肖 米肖
字解 가루초 분말(粉末). '一, 粉也'《集韻》.

米7 〔⿰米兑〕13 태 ㊀泰 | duì タイ こな
字解 가루태 부스러기. '一, 屑也'《集韻》.

米8 〔粼〕14 린 ①②㊥眞 ③④㊤軫 | lín リン せせらぎ lǐn リン かわのかたち
字解 ①물부딪칠린 돌 사이를 흐르는 맑은 물이 돌에 부딪치는 모양. '白石一一'《詩經》. ②대이름린 속이 옹골지고 단단한 대나무의 일종. '一, 堅中. (注) 竹類也. 其中實'《爾雅》. ③물모양린 '隱一'은 강(江)의 모양. '隱一, 川形'《集韻》. ④돈점박이린 회색 바탕에 돈 무늬가 있는 말. '靑驪一, 驒'《爾雅》.
字源 形聲. 巛+粦〔音〕

米8 〔粹〕14 人名 ㊀수 ㊀寘 ㊁쇄 ㊀隊 | cuì スイ まじりけがない suì サイ くだける
筆順 丷 半 米 粋 粋 粋 粹 粹
字解 ㊀①순수할수 조금도 다른 것이 섞이지 아니함. '一白之裘'. '一而能容雜'《荀子》. ②같을수 제일(齊一)함. '昔三后之純一兮'《楚辭》. ③정밀할수 상세함. '理一而辭駁'《文心雕龍》. ④정수수 순정(純正)한 부분. '始知其道之一'《十八史略》. ⑤완전할수 부족함이 없음. '一而王'《荀子》. ⑥변치않을수 불변함. '純一精也'《易經》. ⑦영기수 신령(神靈)한 기(氣). '天精天一, 萬物作類'《揚子法言》. ㊁①부서질쇄, 빻을쇄 碎(石부 8획〈872〉)와 同字. '力少而任重也, 舍一折無適也'《荀子》. ②싸라기쇄 부서진 쌀. '一, 碎米'《集韻》.
字源 形聲. 米+卒〔音〕

米8 〔粺〕14 패 ㊀卦 | bài ハイ しらげよね
字解 ①정미패 곱게 대낀 쌀. 현미 한 말을 대껴 아홉 되로 한 정백미(精白米). '彼疏斯一'《詩經》. ②돌피패 벼과의 벼 비슷한 풀. 稗(禾부 8획〈904〉)와 통용. '是用秕一'《孔子家語》.
字源 形聲. 米+卑〔音〕

米8 〔粻〕14 창 ㊥陽 ㊀漾 | zhāng チョウ かて
字解 ①양식창 식량. '以峙其一'《詩經》. ②엿창 단 음식의 하나. 餦(食부 8획〈1721〉)과 통용. '餦, 餦餭, 餳也. 通作一'《集韻》.
字源 形聲. 米+長〔音〕

米8 〔精〕14 中·人 정 ㊥庚 ㊀敬 | ①-㉔jīng セイ しらげる ㉕jìng セイ つよい
筆順 丷 半 米 米 粁 粁 精 精

字解 ①찧을정, 대낄정 쌀을 곱게 쓿음. '一米'. '食不厭一'《論語》. ②대낀쌀정 쓿은 쌀. 정미(精米). '鼓筴播一'《莊子》. ③자세할정 세밀함. '一密'. '用志如此其一也'《呂氏春秋》. ④묘할정 오묘(奧妙)함. 미묘함. '一義入神'《易經》. '其知彌一'《呂氏春秋》. ⑤아름다울정 수미(粹美)함. '朋一粹而爲徒'《後漢書》. ⑥순일할정 순수함. 섞인 것이 없음. '惟一惟一'《書經》. '一金良玉'《名臣言行錄》. '純粹一也'《易經》. ⑦밝을정 ㉠청명(淸明)함. '一光'. '陰霧不一'《漢書》. ㉡정통(精通)함. 훤함. '無以害其天, 則知一'《呂氏春秋》. ⑧깨끗할정 결백함. '一潔'. '其心一'《國語》. ⑨갤정 하늘이 갬. '天一而見景星'《史記》. ⑩정성스러울정 성의가 있음. '一意'. '中不一者必不治'《管子》. ⑪전일할정 한 가지 일에만 오로지함. '心竟不一'《淮南子》. ⑫익숙할정 숙련(熟練)함. '一熟'. '一知略而行之'《禮記》. ⑬날랠정, 날카로울정 예리함. '一兵'. '一刀'. '欲其一也'《呂氏春秋》. ⑭심할정 우심(尤甚)함. '自蔽之一者也'《呂氏春秋》. ⑮빛정 광휘. '一彩'. '一行四時'《呂氏春秋》. ⑯일월성정 해와 달과 별. '五一帥而來摧'《張衡》. ⑰정기(精氣)정, 정액정 생식(生殖)의 원기(元氣)·원질(元質). '一蟲'. '男女構一, 萬物化生'《易經》. ⑱혼정 영혼. '一氣'. '一魂'. '一鶩八極'《陸機》. ⑲마음정 정신. 심신(心神). '各厲志竭一'《漢書》. ⑳신령정 신(神). '雲霧晦冥方降一'《杜甫》. ㉑도깨비정 요괴(妖怪). '妖一'. ㉒정화(精華)정 정수(精粹)한 것. '酒一'. '炭一'. ㉓옥정 보석(寶石). '一純二一'《國語》. ㉔눈알정 睛(目부 8획〈847〉)과 통용. '用一惑也'《荀子》. ㉕강할정 힘셈. '一, 強也'《廣韻》.

字源 形聲. 米+青〔音〕

米8 〔精〕 14 精(前條)과 同字

米8 〔粺〕 14 精(前前條)과 同字

米8 〔粶〕 14 록 入屋 | lù ロク はぜごめ

字解 볶은쌀록 튀긴 쌀. '火爆米曰一'《集韻》.

字源 形聲. 米+彔〔音〕

米8 〔粩〕 14 ㊀권 上阮 | quǎn ケン·カン こな
㊁군 上吻 | qǔn ケン かゆのこいさま

字解 ㊀①가루권 '一, 粉也'《廣韻》. ②뭉칠권 둥글게 뭉침. '一, 摶也'《廣雅》. ㊁죽되직할군 '一, 粥稠皃'《集韻》.

字源 形聲. 米+卷〔音〕

米8 〔粿〕 14 과 上哿 | guǒ カ しらげよね
上馬 | huà カ こくのよいもの

筆順 米 粁 粐 粔 粿 粿 粿 粿

字解 ①정한쌀과 곱게 쓿은 쌀. '一, 淨米'《廣韻》. ②밥과 쌀밥. '一, 米食'《正字通》. ③쌀가루과 '一, 糯也'《廣雅》. ④알곡식과 '粿, 說文, 穀之善者, 一曰, 無皮穀, 或从米'《集韻》.

米8 〔粷〕 14 국 入屋 | jú キク こな

字解 가루국 분말(粉末). '一, 粉也'《玉篇》.

米8 〔粱〕 14 리 平支 | lí リ かゆ

字解 죽리 쌀죽. '𥻦, 一饘也, 或从米'《集韻》.

米8 〔粸〕 14 비 去寘 | bì ヒ わるいこめ

字解 궂은쌀비 나쁜 쌀. '𥺈, 說文, 惡米也, 亦作一'《集韻》.

米8 〔𥻗〕 14 〔비〕 糒(米부 10획〈974〉)와 同字

米8 〔粨〕 14 석 入錫 | xí セキ こめをとぐ

字解 쌀씻을석 淅(水부 8획〈654〉)과 同字. '淅, 說文, 汰米也, 或作一'《集韻》.

米8 〔粡〕 14 주 平尤 | zhōu シュウ だんご

字解 단자(團子)주 떡의 일종(一種). '一, 粰一, 粉餌'《集韻》.

米8 〔粥〕 14 〔죽〕 粥(米부 6획〈969〉)과 同字

米8 〔粲〕 14 찬 去翰 | càn サン あきらかにさかん

字解 밝고성(盛)할찬 '一, 明盛也'《篇海》.

米8 〔粚〕 14 치 平支 | chī チ ひめのり

字解 밥으로만든풀치 밥을 질게 해서 만든 풀. '一, 煑粥米爲膠'《篇海》.

米8 〔粮〕 14 혼 平元 | hún コン もち

字解 떡혼 䐣(肉부 8획〈1079〉)과 同字. '䐣, 博雅, 䐣肫, 餅也, 亦作一'《集韻》.

米 8 〔粽〕14 〔종〕
糉(米부 9획〈973〉)의 俗字
[字源] 形聲. 米+宗〔音〕

米 9 〔糂〕15 삼 [上]感 | sǎn サン こながき
[字解] ①된국삼 국물에 쌀가루를 섞어 걸쭉하게 끓인 국. 또, 그런 국을 끓임. 糝(米부 11획〈975〉)은 古文. '藜羹不一'《荀子》. ②섞을삼 '一, 雜也'《篇海》.
[字源] 形聲. 米+甚〔音〕

米 9 〔粸〕15 유 [去]有 ①-③[上]有 ④[平]尤 | róu(rǒu) ジュウ まじる ジュウ くらう
[字解] ①섞을유, 섞일유 혼합함. '雜一'. '混一'. '同一玉石兮, 一槩而相量'《史記》. ②무침유 여러 가지를 섞어 무친 부식. '肴雜曰一'《一切經音義》. ③잡곡밥유 '一, 雜飯也'《集韻》. ④먹을유 '一, 食也'《集韻》.
[字源] 形聲. 米+柔〔音〕

米 9 〔糇〕15 후 [平]尤 | hóu コウ ほしいい
[字解] 건량후 말린 밥. 또, 양식. '一, 說文, 乾食也'《集韻》. '廼裹一糧'《詩經》. '屑瑤蘂以爲一兮'《後漢書》.
[字源] 形聲. 米+侯〔音〕

米 9 〔糈〕15 서 [平]魚 [上]語 | xǔ ショ しらげよね
[字解] ①젯메쌀서 제사에 쓰는 정한 쌀. 제반미(祭飯米). '一用稌米'《山海經》. ②양식서 식량. '爲重一也'《史記》. ③낟알서 쌀알. '一, 粒也'《莊子》. ④산자서 '一, 饊也'《廣雅》.
[字源] 形聲. 米+胥〔音〕

米 9 〔糉〕15 종 [去]送 | zòng(zhòng) ソウ ちまき
[字解] 각서(角黍)종 찹쌀 가루를 식물의 잎에 싸서 찐 떡. 주악. '食一'《荆楚歲時記》.
[字源] 形聲. 米+㚇〔音〕
[參考] 粽(米부 8획〈973〉)은 俗字.

米 9 〔糊〕15 호 [平]虞 | hú, hū, hù コ のり
[字解] ①풀호 끈끈하여 발라 붙이는 물질. ②바를호 ㉠풀을 칠함. '開窓不一紙'《白居易》. ㉡도말(塗抹)함. '雪一危棧蹇驢行'《李洞》. ③끈끈할호 끈적임. '一, 黏也'《廣韻》. ④흐릴호 똑똑하지 아니함. 애매함. '模一'. '小事一塗, 大事不一塗'《宋史》. ⑤죽호 餬(食부 9획〈1723〉)와 同字. ⑥죽먹을호 죽을 먹음. 전(轉)하여, 입에 풀칠을 함. 생계를 이어 감. 餬(食부 9획〈1723〉)와 同字. '一口'. '饘于是, 粥于是, 以一余口'《宋正考父 鼎銘》.
[字源] 形聲. 米+胡〔音〕

米 9 〔糑〕15 갈 [入]曷 | hé カツ しろいこめ
[字解] 흰쌀갈 '一, 白米'《集韻》.

米 9 〔糋〕15 건 [平]元 | zhān ケン かゆ
[字解] 죽건 '一, 亦作饘'《玉篇》.

米 9 〔糐〕15 견 [上]阮 | quǎn ケン こな
[字解] 가루견 '一, 粉也'《字彙補》.

米 9 〔糃〕15 남 [上]感 | nǎn ダン・ナン まぜめし
[字解] 나물죽남 된장과 나물을 넣어 쑨 죽. '一, 糝茹也'《集韻》.

米 9 〔糓〕15 단 [平]寒 | tuán タン だんご
[字解] 경단(瓊團)단 떡의 일종(一種). '糰, 粉餌, 或从耑'《集韻》.

米 9 〔糖〕15 당 [平]陽 | táng トウ しらげよね
[字解] 정미(精米)당 쓿은 쌀. '一, 精米'《集韻》.

米 9 〔糄〕15 란 [上]旱 [去]翰 | làn ラン めしがねばりつく
[字解] 차질란 밥이 차짐. '糷, 飯相箸也, 或从柬'《集韻》.

米 9 〔糲〕15 [一]랄 [入]曷 [二]뢰 [去]泰 | lì ラツ げんまいのめし ライ げんまい
[字解] [一] 현미(玄米)밥랄 매조미쌀로 지은 밥. '粗飯曰一飯'《玉篇》. [二] 현미뢰 매조미쌀. '糲, 說文, 粟重一秳, 爲十六斗太半斗, 舂爲米一斛曰糲, 或从剌'《集韻》.

米 9 〔粄〕15 시 [上]紙 [去]寘 | shì シ ねばる
[字解] 차질시 곡식이 차짐. '一, 黏皃'《廣韻》.

米 9 〔粊〕15 시 [上]紙 | shǐ シ くそ
[字解] 똥시 대변(大便). '一, 屎尿也'《字彙補》.

米 9 〔糤〕15 영 [平]庚 | yīng エイ しらげよね

字解 쓿은쌀영 정미(精米). '一, 精米'《字彙》.

米9 〔糈〕 15 주 ㊀有 | jiū シュウ こめ
字解 쌀주 벼의 열매. '一, 稻實也, 亦通作稰'《集韻》.

米9 〔糧〕 15 황 ㊁陽 | huáng コウ まつりのこめ
字解 ①젯메쌀황 젯메를 지을 쌀. '一, 祭米'《字彙》. ②메기장황 '糧, 說文, 穄一也, 穄別名, 或从米'《集韻》.

米9 〔糄〕 15 ㊀ 변 ㊁先 | biān ヘン こめ
㊁ 편 ㊂銑 | biǎn ヘン やきごめ
字解 ㊀ 쌀변 '一, 米也'《集韻》. ㊁ 벼볶아 쌀만들편 '一, 燒稻取米曰一'《集韻》.

米9 〔糌〕 15 잠 | zān サン しょくもつのな
字解 음식이름잠 '一粑'는 쌀보리나 콩을 볶아서 간 가루를 반죽하여 만드는 티베트 지방의 주식(主食). '一, 一粑, 食物也. 四川邊外不產米之地, 以靑稞磨粉炒熟, 拌水爲之'《中華大字典》.

米9 〔糎〕 15 센티미터 | センチメートル
字解 미터법의 길이의 단위. 센티미터의 약기(略記). 1미터의 백분의 일.

米9 〔糆〕 15 〔면〕
麪(麥부 4획〈1850〉)과 同字

米9 〔稟〕 15 〔속〕
粟(米부 6획〈969〉)의 本字

米9 〔粳〕 15 〔갱〕
粳(米부 7획〈970〉)의 本字

米9 〔糍〕 15 〔자〕
餈(食부 6획〈1718〉)의 俗字

米10 〔糒〕 16 비 ㊀寘 | bèi ヒ・ビ ほしいい
字解 건량비 말린 밥. 보통, 행군(行軍)할 때 휴대하였음. '乾一'. '載一給貳師'《史記》.
字源 形聲. 篆文은 米+葡〔音〕

米10 〔糏〕 16 ㊀ 설 ㊃屑 | xiè セツ こごめ
㊁ 솔 ㊃月 | sù ソツ こめのこ
字解 ㊀ 싸라기설 부스러진 쌀알. 또, 부스러진 보리알. '糜, 一也'《廣雅》. '一, 米麥破也'《廣韻》. ㊁ 쌀가루솔 '一, 米粉'《集韻》.
字源 形聲. 米+屑〔音〕

米10 〔糔〕 16 수 ㊂有 | xiǔ
㊁尤 | xiū シュウ こねる
字解 ①반죽할수 가루에 물을 쳐서 이김. '爲稻粉一溲之以爲酏'《禮記》. ②쌀뜨물수 묵은 쌀의 뜨물. '一, 說文, 久泔也'《集韻》.
字源 形聲. 米+蚤〔音〕

米10 〔糖〕 16 高·人 당 ㊁陽 | táng トウ あめ
筆順 丷 半 米 粁 粐 粓 糖 糖
字解 ①엿당 맛이 썩 단 음식의 한 가지. '一, 飴也'《廣韻》. '餳謂之一'《揚子方言》. ②사탕당 사탕수수 따위에서 짜낸 당분. '白一'. '製一'. '和以一酪'《摭言》.
字源 形聲. 米+唐〔音〕

米10 〔糗〕 16 구 ㊂有 | qiǔ キュウ いりごめ
字解 ①건량구 볶은 쌀. 또는, 말린 밥. '一糧'. '羞籩之實, 一·餌·粉·餈'《周禮》. ②죽구 말린 밥에 물을 넣고 끓인 죽. '玄謂, 涼, 今寒粥. 若一飯雜水也'《周禮 注》. ③성구 성(姓)의 하나.
字源 形聲. 米+臭〔音〕

米10 〔糠〕 16 ㊀ 함 ㊁咸 | xián カン あかきび
㊁ 겸 ㊁鹽 | jiān ケン あかきび
字解 ㊀ ①붉은기장함 기장의 일종. 이삭이 붉고 알은 누름. 단서(丹黍). '一, 赤黍'《玉篇》. ②메벼함 차지지 않은 벼. ㊁ 붉은기장겸, 메벼겸 ㊀과 뜻이 같음.

米10 〔糗〕 16 ㊀ 면 ㊀霰 | miàn ベン・メン こごめ
㊁ 명 ㊀徑 | メイ こごめ
字解 ㊀ 싸라기면 부스러진 쌀알. '一, 屑米'《廣韻》. ㊁ 싸라기명 ㊀과 뜻이 같음.

米10 〔糑〕 16 ㊀ 닉 ㊃陌 | nuò ダク だんご
㊁ 녁 ㊃錫 | デキ だんごをにたもの
字解 ㊀ 경단닉 '一, 粉餌'《集韻》. ㊁ 경단을익힌것녁 '一, 粉餌熟曰一'《集韻》.

米10 〔糐〕 16 부 ㊁虞 | fū フ だんご
字解 경단부 단자(團子). 糰(米부 15획〈978〉)와 同字. '糰, 粉餌, 或省'《集韻》.

米10 〔糦〕 16 쉬 ㊀隊 | chì サイ こなのかす
字解 무거리쉬 가루를 쳐낸 찌끼. '一, 粉

一也'《字彙補》.

米10〔糍〕16 ㊀퇴 ㊥灰|duī タイ だんご
㊁추 ㊥支|ツイ だんご
字解 ㊀①단자(團子)퇴 동글동글하게 만든 떡의 일종. '一, 粉餌'《玉篇》. ②떡퇴 '餽, 丸餅也, 或作一'《集韻》. ㊁단자추 '一, 粉餌'《字彙》.

米10〔糲〕16 추 ㊥尤|chōu シュウ すませて とったこな
字解 녹말(綠末)추 전분(澱粉). '一, 濾取粉也'《集韻》.

米10〔糕〕16 〔고〕
餻(食부 10획〈1724〉)와 同字
字源 形聲. 米+羔〔音〕

米10〔穀〕16 〔곡〕
穀(禾부 10획〈909〉)과 同字

米11〔糞〕17 분 ㊦問|fèn フン くそ
字解 ①똥분 대변. '一尿'. '夫斫剉養馬, 妻給水除一'《吳越春秋》. ②거름줄분 '可以一田疇'《禮記》. ③더러울분 '一壤'. '是一土也'《左傳》. ④쓸분 청소함. '一洒'. '堂上不一'《荀子》. ⑤칠분 제거(除去)함. '一除天下山川'《韓愈》.
字源 會意. 釆+華+廾

米11〔糙〕17 조 ㊦號|cāo ソウ くろごめ
字解 ①매조미쌀조 현미(玄米). '一, 米未舂'《集韻》. ②거칠조 살결이 곱지 않음. '粗一'. '玉體渾身一漆'《長生殿》.
字源 形聲. 米+造〔音〕

米11〔糝〕17 삼 ㊤感 ㊥覃|①-④sǎn サン こながき ⑤sān サン やさいいりのあつもの
字解 ①국삼 쌀가루를 섞어 끓인 국. '羞豆之實, 酏食一食'《周禮》. ②쌀알삼 낟알. 쌀의 낟알. '窮乏一粒不繼者'《晉書》. ③차질삼, 끈끈할삼 점착성이 있음. '藜羹不一'《莊子》. ④섞을삼, 섞일삼 혼합함. 혼합됨. '一, 雜也. 雜者, 豹鵠而麋飾'《周禮注》. ⑤나물죽삼 '一糂, 糜和也'《集韻》.
字源 形聲. 米+參〔音〕
參考 糂(米부 9획〈973〉)의 古文.

米11〔糟〕17 조 ㊥豪 ㊦號|zāo ソウ もろみ
字解 ①지게미조 술을 거른 찌끼. 재강. '一粕'. '何不餔其一, 而歠其釃'《楚辭》. 전(轉)하여 ②찌끼조 찌꺼기. '古人之一魄'《莊子》. ③막걸리조 탁주. '酏一'《周禮》.
字源 形聲. 米+曹〔音〕

米11〔糠〕17 강 ㊥陽|kāng コウ ぬか
字解 겨강 미곡의 껍질. '糟一'. '貧者食一'《漢書》. 전(轉)하여, 잘게 부서진 것. 또, 극히 작은 것의 비유. '塵垢粃一'《莊子》.
字源 形聲. 米+康〔音〕

米11〔糏〕17 ㊀설 ㊇屑|xiè セツ つまる
㊁슬 ㊇屑|シツ つまる
㊂솔 ㊇月|ソツ つまる
字解 ㊀말막힐설 '一, 一糳也'《說文》. ㊁말막힐슬 ㊀과 뜻이 같음. ㊂말막힐솔 ㊀과 뜻이 같음.
字源 形聲. 米+悉〔音〕

米11〔糡〕17 강 ㊦漾|jiàng キョウ こんず
字解 미음강 '一, 漿一也'《碎金》.

米11〔糨〕17 糡(前條)과 同字

米11〔糒〕17 〔비〕
糒(米부 10획〈974〉)의 本字

米11〔糢〕17 〔모〕
模(木부 11획〈575〉)의 俗字

米11〔粧〕17 〔장〕
粧(米부 6획〈969〉)과 同字
字源 形聲. 米+莊〔音〕

米11〔糰〕17 단 ㊥寒|tuán タン だんご
字解 경단단 '一, 粉餌'《集韻》.

米11〔糅〕17 률 ㊇質|lǜ リツ くろごめ
字解 매조미쌀률 쓿지 않은 쌀. 현미(玄米). '穞, 糲米, 或从米'《集韻》.

米11〔棃〕17 리 ㊥支|lí リ いしゆみのな
字解 쇠뇌이름리 '巨一'는 쇠뇌의 이름. '操巨一之勁弩. (注) 巨一, 弩名也'《黃香, 九宮賦》.

米11〔糲〕17 리 ㊥支|lì リ こめをいってこにする
字解 미숫가루리 '一, 熬米壞也'《集韻》.

米11〔饅〕17 만 ㊥寒|mán マン まんじゅう

[字解] ①만두만 '一, 一頭, 餅也'《廣韻》. ②밥의윤기(潤氣)만 '一, 一一, 飯澤'《集韻》.

米11 〔䊡〕17 [一] 만 [平]寒 mén バン・マン かたかゆ [二] 문 [平]元 ポン・モン かたかゆ

[字解] [一] ①된죽만 엉긴 죽. '一, 粥凝'《集韻》. ②무거리만 가루를 쳐낸 찌끼. '一, 一塗, 粉滓也'《玉篇》. [二] 된죽문, 무거리문 [一]과 뜻이 같음.

米11 〔䊮〕17 적 [入]陌 chē タク まるめる / zhé チャク ねばる

[字解] ①뭉칠적 둥글게 뭉침. '一, 摶也'《廣雅》. ②차질적 곡식이 메지지 않고 차짐. '䊮, 博雅, 黏也, 或从米'《集韻》.

米11 〔𥼞〕17 적 [入]陌 zé サク しろいこめ

[字解] 흰쌀적 '一, 白米也'《集韻》.

米11 〔䊪〕17 최 [平]灰 cuī サイ しらげたこめ

[字解] 정미(精米)최 쓿은 쌀. '一, 精米'《集韻》.

米11 〔𥻸〕17 축 [入]屋 zú シュク いりもち

[筆順] 米 … 𥻸

[字解] 쌀을볶아만든떡축 '一, 吳俗謂熬米爲餌曰一'《集韻》.

米11 〔糜〕17 미 [平]支 mí ビ・ミ かゆ

[字解] ①죽미 된 죽. '一沸'. '行一粥飯食'《禮記》. ②싸라기미 부서진 쌀알. '一, 糏也'《廣雅》. ③문드러질미 썩어 문드러짐. 또, 썩어 문드러지게 함. '一爛其民'《孟子》. ④소비할미 써서 없앰. 靡(非부 11획〈1656〉)와 통용. '一財'. '坐一廩粟, 而不知恥'《劉基》. ⑤멸할미 '一, 滅也'《正字通》. ⑥부서질미, 부술미 '一散而不可止些'《楚辭》.
[字源] 形聲. 米+麻〔音〕

米11 〔𥽤〕17 살 [入]曷 sà サツ まく

[字解] ①흩어버릴살 쫓아 냄. 내침. '䊝一, 散之也'《說文》. ②벼낟알살 이삭에서 떨어낸 벼. '是一, 本謂散米'《說文 段注》.

米11 〔𥽏〕17 희 [去]未 xì キ きゃくにおくる まぐさとこめ

[字解] 손에게보내는꼴과쌀희 餼(食부 10획〈1724〉)와 同字.

米11 〔𥼾〕17 〔장〕 漿(水부 11획〈675〉)과 同字

〔麋〕 〔미〕 鹿부 6획(1846)을 보라.

米12 〔糦〕18 [一] 치 [去]寘 chì シ さけさかな [二] 희 [平]支 キ さけさかな

[字解] [一] ①주식(酒食)치 술과 밥. '吉蠲爲一'《詩經》. ②기장치 서직(黍稷). '大一是承'《詩經》. [二] 주식희, 기장희 [一]과 뜻이 같음.
[字源] 形聲. 米+喜〔音〕

米12 〔糧〕18 [高·人] 량 [平]陽 liáng リョウ かて

[筆順] 米 粐 粨 粻 糧 糧 糧 糧

[字解] ①양식량 ㉠식물(食物)의 재료. 주로 곡식. '食一'. '士民倦一食'《呂氏春秋》. ㉡여행이나 행군할 때 휴대하는 식량. 주로, 건량(乾糧). '行道曰一, 謂糒也'《周禮 註》. 전(轉)하여, ㉢심신(心身)에 유익한 자료(資料). '博聞爲一'《文心雕龍》. ②구실량 조세. '逋一'. '輸一以助'《唐書》. ③급여(給與)량 '戶部支口一銀'《大明會典》.
[字源] 形聲. 米+量〔音〕
[參考] 粮(米부 7획〈970〉)은 同字.

米12 〔𥻿〕18 비 [去]寘 pì ヒ へひる

[字解] 방귀비, 방귀뀔비 '食之不一'《山海經》.

米12 〔䊚〕18 착 [入]覺 zhuō サク わせ

[字解] ①풋바심착 곡물(穀物)을 일찍 벰. '一, 早取穀也'《說文》. ②작을착 작은 곡식. '一, 一曰小, 謂穀之小者也'《說文 段注》.
[字源] 形聲. 米+焦〔音〕

米12 〔𥽯〕18 추 [平]虞 cū ソ くろごめ

[字解] 궂은쌀추 대강 찧고 쓿지 않은 쌀. 현미(玄米). 궂은 쌀. 麤(鹿부 22획〈1849〉)와 同字. '一, 米不精也'《廣韻》.

米12 〔䊤〕18 담 [平]覃 tán タン ねばる

[字解] 차질담 곡식이 메지지 않고 차짐. '一, 黏也'《字彙》.

米12 〔䊨〕18 라 [平]歌 luó ラ こくをつむ

[字解] 곡식쌓을라 '一, 穀積, 或作稞'《篇

海》.

米 12 〔⿰米菐〕 18 박 [入]屋 | pū ホク くろごめ
[字解] 매조미쌀박 슳지 않은 쌀. 현미(玄米). '一, 米一'《篇海》.

米 12 〔⿰米番〕 18 반 [平]刪 | fán ハン しろみず
[字解] 쌀뜨물반 미즙(米汁). 潘(水부 12획〈682〉)과 통용. '一, 與潘通, 米汁'《正字通》.

米 12 〔⿰米悲〕 18 〔비〕 ⿰米非(米부 8획〈972〉)와 同字

米 12 〔糤〕 18 산 [上]旱 | sǎn サン おこし
[字解] 산자(糤子)산 유과(油菓)의 일종(一種). '饊, 說文, 熬稻粻粻也, 或从米'《集韻》.

米 12 〔⿰米肅〕 18 소 [去]嘯 | xiao ショウ かゆ
[字解] 죽소 미음. '一, 糜也'《集韻》.

米 12 〔⿰米壹〕 18 일 [入]屑 | yè エツ ちまき
[字解] ①주악일 각서(角黍). ②쌀단자(糰子)일. '一, 米餌'《集韻》.

米 12 〔⿱毳米〕 18 취 [去]霽 | cuì セイ しらげる
[字解] 정미(精米)할취 두벌 찧음. '一, 穀再舂'《集韻》.

米 12 〔⿰米禽〕 18 치 [平]支 | chí チ とりもち
[字解] 끈끈이치 작은 새나 벌레를 잡는 데 쓰는 끈끈한 물질. '一, 所以黏鳥與黐同'《篇海》.

米 12 〔⿰米黃〕 18 황 [平]陽 | huáng コウ こうじのはな
[字解] 누룩곰팡이황 ⿰麥黃(麥부 12획〈1854〉)과 同字.

米 12 〔⿰米覃〕 18 담 [上]感 [平]覃 [去]勘 | tán タン やさいをいれたあつもの dàn タン おり
[字解] ①나물죽담 '一, 糝也'《廣韻》. ②찌끼담 '糝一'·'一糂'은 찌끼. '一, 糝一, 滓也'《廣韻》. ③죽담 묽은 죽. '一, 一曰, 淖糜'《集韻》.
[字源] 形聲. 米+覃〔音〕

米 12 〔糣〕 18 삼 [上]感 | sǎn サン こめいりのあつもの
[字解] ①국죽삼 쌀을 넣어 끓인 국. 糂(米부 9획〈973〉)의 籀文. ②찌끼삼 '一⿰米覃'은 찌끼. '一, 一⿰米覃, 滓也'《廣韻》.

米 12 〔⿰米𢍏〕 18 〔권〕 ⿰米卷(米부 8획〈972〉)의 本字

米 13 〔⿰米萬〕 19 〔려〕 糲(米부 15획〈978〉)와 同字
[字源] 形聲. 米+萬〔音〕

米 13 〔糫〕 19 환 [平]刪 | huán カン もち
[字解] 떡환, 중배끼환 '一, 餠也'《玉篇》. '一, 餌也. 粔籹, 吳人謂之膏一'《集韻》.

米 13 〔⿰米睪〕 19 [一] 석 [入]陌 | shì セキ よなぐ [二] 역 [入]陌 | yì エキ よなぐ
[字解] [一] 일석 쌀 따위를 물에 일. '一, 漬米也'《說文》. [二] 일역 [一]과 뜻이 같음.
[字源] 形聲. 米+睪(⿱罒㚔)〔音〕

米 13 〔⿰米⿱罒㚔〕 19 ⿰米睪(前條)의 本字

米 13 〔糪〕 19 [一] 벽 [入]陌 [二] 팔 [入]黠 | bò ハク めし, かゆ ハツ はんじゅくのもち
[字解] [一] ①밥벽, 죽벽 '炊米者謂之一'《說文》. ②선밥벽 반숙(半熟)한 밥. '米飯半腥半熟名一'《爾雅 疏》. [二] 선떡팔 덜 익은 떡. '一, 餠半熟也'《集韻》.
[字源] 形聲. 米+辟〔音〕

米 13 〔⿰米零〕 19 령 [平]青 | líng レイ こめのもち
[字解] 쌀떡령 '⿰米霝, 米餌, 或从零'《集韻》.

米 13 〔⿰米資〕 19 자 [平]支 | zī シ だんご
[字解] 경단(瓊團)자 '一, 粉餌也'《字彙補》.

米 13 〔⿰米亶〕 19 전 [平]先 | zhān セン かゆ
[字解] 죽전 된 죽. '饘, 說文, 糜也, 或作一'《集韻》.

米 13 〔⿰⿱出米隹〕 19 〔조〕 糶(米부 19획〈979〉)와 同字

米 13 〔⿰米罪〕 19 최 [上]賄 | cuǐ サイ あかごめ
[字解] 붉은쌀최 나쁜 쌀. 앵미. '一, 稻赤米曰一, 或作⿰米皋'《集韻》.

米13〔穭〕19 쾌 ㉮卦|kuài カイ ぬか
字解 겨쾌 왕겨. '穭, 說文, 糠也, 或从米'《集韻》.

米13〔糳〕19 훼 ㉮未|huǐ キ しらげる
㉮寘|huǐ キ こごめ
字解 ①쌀쓿을훼 '毇, 米一斛, 舂爲八斗, 或不省'《集韻》. ②싸라기훼 '一, 細米'《廣韻》.

米13〔糓〕19 훼 ㉯紙|huǐ キ かゆ
字解 쌀쓿을훼, 죽훼 '毇, 說文, 米一斛, 舂爲八斗, 一曰, 饘也, 或作一'《集韻》.

米14〔糯〕20 ㊀나 ㉮箇|nuò ダ·ナ もちごめ
㊁난 ㉮翰|ダン·ナン もちごめ
字解 ㊀찰벼나, 찹쌀나 차진 쌀이 나는 벼. 또, 그 쌀. '一米'. '五穀皆有之, 粱最大無秫一, 以粳米爲酒'《雞林類事》. ㊁찰벼난, 찹쌀난 ㊀과 뜻이 같음.
字源 會意. 米+需

米14〔糰〕20 단 ㉰寒|tuán ダン だんご
字解 경단단, 단자단 동글동글하게 만든 떡. '一子'. '糰, 粉餌. 或作一'《集韻》.

米14〔糱〕20 ㊀도 ㉮號|dào トウ おおう
㊁주 ㉰尤|chóu チュウ かたいかゆ
字解 ㊀①덮을도 위를 덮음. '一, 一覆也'《玉篇》. ②차질도 끈기가 있어 잘 붙음. '一, 黏也'《集韻》. ㊁범벅주 된 죽. '一, 厚鬻'《玉篇》.

米14〔糴〕20 ㊀조 ㉮嘯|dí チョウ こめ
㊁적 ㉱錫|テキ こめ
字解 ㊀쌀조, 곡식조 '一, 穀也'《說文》. ㊁쌀적, 곡식적 ㊀과 뜻이 같음.
字源 形聲. 米+翟〔音〕

米14〔糮〕20 함 ㉯豏|xiàn カン かゆ
字解 죽함 범벅. '一, 饘粥別名'《玉篇》.

米15〔糲〕21 려 ㉮霽|lì レイ くろごめ
字解 매조미쌀려 현미. '一飯'. '用爲夫人麤一之費'《史記》.
字源 形聲. 米+厲〔音〕

米15〔糵〕21 ㊀말 ㉱曷|mò バツ こな
㊁멸 ㉱屑|miē ベツ かゆ
字解 ㊀①가루말 곡식의 분말. '一, 末也'《說文》. ②가루섞일말 쌀에 가루가 섞임. '一, 米和細屑'《廣韻》. ㊁죽멸. '𥽜, 說文, 涼州謂鬻爲𥽜. 或从蔑'《集韻》.
字源 形聲. 米+蔑〔音〕

米15〔穬〕21 광 ㉯梗|kuǎng コウ のぎ
字解 까끄라기광 곡식의 까끄라기〔芒〕. '一, 正作穬, 穀芒'《篇海》.

米15〔糷〕21 력 ㉱錫|lì レキ ごもくめし
字解 나물밥력 나물과 쌀을 섞어서 지은 밥. '一, 雜拌糅食也'《玉篇》.

米15〔糐〕21 부 ㉰虞|fū フ だんご
字解 경단부 '一, 粉餌, 或省'《集韻》.

米16〔糴〕22 적 ㉱錫|dí テキ かう
字解 ①쌀살적 쌀 또는 곡식을 사들임. '糶'의 대(對). '一米'. '細民一於官舍'《元史》. ②산쌀적 사들인 미곡. 또, 미곡을 사들이는 일. '市一'. '告一于齊'《左傳》. ③성적 성(姓)의 하나.
字源 會意. 入+糴

米16〔糳〕22 착 ㉱藥|zuò サク しらげたこめ
字解 희게쓿은쌀착 희게 대낀 쌀. 정미(精米).

米16〔糶〕22 곽 ㉱藥|huò カク いりきび
字解 볶은기장곽 '一, 黍糗'《集韻》.

米16〔糬〕22 저 ㉰魚|chú チョ かて
字解 양식저 식량(食糧). '一, 糧也, 通作儲'《集韻》.

米16〔糱〕22 얼 ㉱屑|niè ゲツ こうじ
字解 ①누룩얼 국자(麴子). '麴一'. '禮之于人, 猶酒之有一也'《禮記》. ②싹틔운곡식얼 콩나물·엿기름 따위. ③싹틀얼 '一, 缺也. 漬麥覆之, 使生芽開缺也'《釋名》. ④빚을얼 일을 만들어 냄. 양성(釀成)함. '媒一其短'《漢書》.
字源 形聲. 米+辥〔音〕

米17〔糵〕23 糱(前條)과 同字

米17 〔糜〕23 미 [平]支 | mí ビ·ミ くだく
[字解] 부술미 깨뜨림. '一, 碎也'《字彙補》.

米17 〔䊲〕23 산 [去]諫 | chàn サン ついてかわをさったこめ
[字解] 매조미쌀산 현미(玄米). 한 번 찧은 쌀. '一, 米一舂'《集韻》.

米17 〔纖〕23 섬 [平]鹽 | xiān セン だんご
[字解] 경단섬 '一, 粉餌'《集韻》.

米17 〔糠〕23 양 [去]漾 | niàng ジョウ まじる
[字解] 섞을양 섞음. 섞임. '一, 糅也'《集韻》.

米18 〔糌〕24 반 [上]旱 | bǎn バン だんご
[字解] 싸라기떡반 '一, 屑米餠'《字彙補》.

米19 〔䊳〕25 [一] 미 [平]支 | mí ビ·ミ くだく
[二] 마 [平]歌 | mó バ·マ くだく
[字解] [一] ①부술미 잘게 깨뜨림. '一, 碎也'《說文》. ②등겨미 곡물을 쓿어서 껍질이 가루가 된 것. '碎糠曰一'《集韻》. ③지스러기미 찌꺼기. '一, 屑也'《玉篇》. ④쓿을미 곱게 대낌. '一, 精也'《集韻》. [二] 부술마, 등겨마, 지스러기마, 쓿을마 [一]과 뜻이 같음.
[字源] 形聲. 米＋靡〔音〕

米19 〔糶〕25 조 [去]嘯 | tiào チョウ うりよね
[字解] ①쌀팔조 쌀 또는 곡식을 판매함. '糴'의 대(對). '私一'. '一二十病農, 九十病末'《史記》. ②팔쌀조 파는 미곡. 또, 미곡을 파는 일. '一糴'. '穀一在市'《論衡》. ③성조 성(姓)의 하나.
[字源] 形聲. 出＋糴〔音〕

米19 〔䊴〕25 겸 [去]豔 | qiàn ケン こな
[字解] 가루겸 분말(粉末). '一, 粉一也'《字彙補》.

米19 〔䊵〕25 련 [去]霰 | liàn レン ねばる
[字解] 차질련 볶은 쌀이 차짐. '一, 熬餌黏也'《集韻》.

米19 〔糪〕25 벽 [入]陌 | bò ハク なまめし
[字解] 선밥벽 설익은 밥. '糪, 米飰半腥半熟曰糪, 或作一'《集韻》.

米19 〔糙〕25 조 [去]號 | cāo ソウ こくもつがいろいろまじっていること
[字解] 곡식섞일조 '一, 米穀雜也'《字彙補》.

米19 〔䊶〕25 핵 [入]陌 | hé カク もみぬか
[字解] 왕겨핵 등겨. '一, 穀糠不破者'《字彙》.

米20 〔糟〕26 〔조〕 糟(米부 11획〈975〉)의 本字

米21 〔䊷〕27 〔추〕 韝(韋부 18획〈1678〉)와 同字

米21 〔糷〕27 란 [去]翰 | làn
[上]旱 | ラン めしがねばりつく
[字解] 밥끈적거릴란 밥이 쉬어서 끈적끈적함. '摶者謂之一'《爾雅》.

米21 〔䊸〕27 〔담〕 䊤(米부 12획〈977〉)의 本字

米21 〔糳〕27 [一] 착 [入]藥 | zuò サク しらげる
[二] 족 [入]屋 | ソク しらげる
[字解] [一] 쓿을착, 쓿은쌀착 쌀을 대낌. 또, 대낀 쌀. 정미(精米). '一, 精細米也'《廣韻》. '糲米一斛, 舂爲八斗曰一'《說文》. [二] 쓿을족, 쓿은쌀족 뜻은 [一]과 같음.
[字源] 形聲. 米＋糳〔音〕

米24 〔䊹〕30 〔령〕 䉹(米부 13획〈977〉)과 同字

米27 〔䊺〕33 〔속〕 粟(米부 6획〈969〉)의 籒文

糸 部

〔실 사 부〕

糸0 〔糸〕6 [人名] [一] 멱 [入]錫 | mì ベキ いと
[二] 사 [平]支 | sī シ いと
[筆順] ㄑ 幺 幺 糸 糸 糸
[字解] [一] ①실멱 가는 실. 세사(細絲). ②다섯홀멱 극소한 분량의 일컬음. 누에가 토하는 실 한 가닥을 '忽', 다섯 홀을 '一'이라 함. [二] 실사 絲(糸부 6획〈988〉)의 俗字.
[字源] 象形. 꼰 실의 象形으로, '실'의 뜻.
[參考] '糸사'를 의부(意符)로 하여, 여러 가지 종류의 실이나 끈의 종류, 그 성질·상

태, 그것을 사용하는 동작, 또, 실을 짜는 일, 직물(織物), 그 문양(紋樣) 등에 관한 문자를 이름. 부수(部首)의 이름으로는 '실 사변'으로 이름.

糸 1 〔糺〕7 〔규〕 糾(糸부 2획〈980〉)와 同字

糸 1 〔系〕7 高·人 계 ㊀霽 xì ケイ いとすじ

筆順 一 ㄷ 玄 丕 平 乎 系

字解 ①실계 가는 실. 세사(細絲). '不斷若一'《唐書》. ②끈계 줄. '素絲爲籠一'《古詩》. ③핏줄계 혈통. '世一'. '自姬發一'《王僧孺》. ④실마리계 단서(端緖). '繼天而作一'《班固》. ⑤맬계 잡아맴. '一高項之玄胄兮'《漢書》. ⑥계보계 '一, 譜一'《正字通》. '失其先一'《唐書》. ⑦성계 성(姓)의 하나.
字源 象形. 이어져 있는 실을 손으로 거는 모양을 본떠, '걸다, 잇다, 매다'의 뜻을 나타냄.

糸 2 〔糾〕8 高校 ㊀규 ㊤有 jiū(jiǔ) キュウ あざなう, よる ㊁교 ㊤篠 jiǎo キョウ ゆるやか

字解 ㊀ ①꼴규 노 같은 것을 꼼. '一纆'. '何異一纆'《史記》. ②규명할규 죄과를 살펴 사실을 밝힘. '一察'. '一正'. '一之以政'《左傳》. ③모을규 한데 모음. '一合'. '一人完聚'《後漢書》. ④얽힐규, 감길규 '一結'. '鄰困繚一'《王褒》. ⑤들추어낼규 파헤침. 적발(摘發)함. '一彈'. '繩愆一繆'《書經》. ⑥으를규 위협함. '慢則一之以猛'《左傳》. ⑦공손할규 '一虔天刑'《國語》. ⑧알릴규 고(告)함. '一, 告也'《玉篇》. ⑨성규 성(姓)의 하나. ㊁ ①찬찬할교 '舒窈一兮'《詩經》. ②삿갓가뜬할교 '其笠伊一'《詩經》.
字源 形聲. 糸+丩〔音〕

糸 2 〔糺〕8 糾(前條)와 同字

糸 2 〔糽〕8 정 ①㊤梗 zhěng トウ·チョウ すなお ②㊥庚 zhēng トウ·チョウ ひく

字解 ①팽팽할정 노끈 따위가 팽팽하여 곧은 모양. '一, 絲繩緊直皃'《集韻》. ②당길정 잡아당김. '一, 引也'《玉篇》.

糸 2 〔紈〕8 〔구〕 絿(糸부 7획〈993〉)와 同字

糸 3 〔紀〕9 高·人 기 ㊤紙 jì, ⑪jǐ キ いとぐち, のり

筆順 ㇙ 𠃋 幺 糹 糸 紀 紀 紀

字解 ①실마리기 단서. '大曰綱, 小曰一'《禮記 註》. ②법기 법도. 도덕. 규율. '一綱'. '三綱六一'. '四時以爲一'《國語》. ③적을기 계통을 세워 적음. '一事者, 必提其要'《韓愈》. 전(轉)하여, 그러한 기록. '一年'. 특히, 역사상에 있어서 천자(天子)의 사적(事跡)을 적은 부분을 '本一'라 함. '作五帝本一'《史記》. ④해기 세월. 연대. '一元'. '以爲年一'《晉書》. 또, 열두 해를 '一一'라 함. '旣歷三一'《書經》. ⑤터기 밑바탕. 특히, 집 등의 토대. '有一有堂'《詩經》. ⑥다스릴기 '綱一四方'《詩經》. ⑦지켜야할길기 사람의 길. 인륜(人倫). '無亂人之一'《呂氏春秋》. ⑧요긴한곳기 가장 중요한 데. '中和之一'《禮記》. ⑨바뀔기 개역(改易)함. '國不過十年, 數之一也'《國語》. ⑩통할기 '經一山川'《淮南子》. ⑪성기 성(姓)의 하나.
字源 形聲. 糸+己〔音〕

糸 3 〔紂〕9 주 ㊤有 zhòu チュウ うまのしりがい

字解 ①껑거리끈주 마소의 꼬리 밑에 걸어 안장이나 길마에 매는 끈. 밀치끈. '鍬車一, 自關而西謂之一'《揚子方言》. ②주임금주 잔인 포악하여 천하를 잃은 은왕조(殷王朝) 최후의 천자. 주왕(紂王). '是爲帝辛. 天下謂之一'《史記》.
字源 形聲. 糸+肘〈省〉〔音〕

糸 3 〔紃〕9 ㊀순 ㊥眞 xún ジュン まるうちのひも ㊁천 ㊥先 chuān セン まるうちのひも

字解 ㊀ ①끈순 신에 선 두르는 둥근 끈. '織紝組一'《禮記》. ②법순 법칙. '以道爲一'《淮南子》. ③좇을순 循(彳부 9획〈373〉)과 통용. '反一察之'《荀子》. ㊁ 끈천, 법천, 좇을천 ㊀과 뜻이 같음.
字源 形聲. 糸+川〔音〕

糸 3 〔約〕9 中·人 약 ㊀藥 yuē, yāo ヤク むすぶ

筆順 ㇙ 𠃋 幺 糹 糸 糸 約 約

字解 ①묶을약 ㉠동임. '一之閣閣'《詩經》. ㉡결합함. 합침. '今君一天下之兵'《戰國策》. ㉢단속함. '一禮'. '一之以禮'《論語》. ②맺을약 언약함. '一定'. '吾與諸君一'《十八史略》. ③고생할약, 고생약 빈곤으로 시달림. 빈궁. '小人貧斯一'《禮記》. '不仁者不可以久處一'《論語》. ④검소할약, 검소약 검박하고 질소함. '節一'. '儉一'. '以一失之者, 鮮矣'《論語》. ⑤간략할약 간요(簡

要)함. '所守甚一'《淮南子》. ⑥간략히할약 간단하게 함. 생략함. '一文'. '君子一言'《禮記》. ⑦적을약 '故操彌一, 而事彌大'《荀子》. ⑧만류할약 가는 것을 말림. '燕王欲往, 蘇代一燕王曰, 楚得枳而國亡'《戰國策》. ⑨천할약 또, 천하게 함. '一辭行成'《國語》. ⑩인색할약 헤프지 않음. '一者有筐篋之藏'《荀子》. ⑪굽힐약 '土伯九一'《楚辭》. ⑫얌전할약 정숙함. '淖一微達似察'《荀子》. ⑬약속약 서약. 맹약. '密一'. '已而倍一'《史記》. ⑭부절약 부신(符信). '旄象之一'《呂氏春秋》. ⑮노약 새끼. '人尋一, 吳髮短'《左傳》. ⑯대략약 대강. '大一'. '一千里'. '家道一易'《抱朴子》. ⑰성약 성(姓)의 하나.
[字源] 形聲. 糸+勺〔音〕

糸3 〔紅〕9 [中·人] [一]홍 [平]東 hóng コウ·グ くれない
[二]공 [平]東 gōng コウ ものな
[筆順] ㄑ 幺 幺 糸 糸 糸 紅 紅
[字解] [一] ①붉을홍, 붉은빛홍 선명한 적색. '眞一'. '深一'. '一樓富家女'《白居易》. ②털여뀌홍 마디풀과에 속하는 일년초. 葒(艸부 9획〈1162〉)과 同字. '一草'. 일설(一說)에는, 개여뀌. '一, 蘢古'《爾雅》. ③연지홍 붉은 물감의 한 가지. '高樓一粉'《徐陵》. '娥娥一粉粧'《古詩》. ④붉은꽃홍 '千紫萬一'. '墮一殘蕚暗參差'《李賀》. ⑤성홍 성(姓)의 하나. [二] ①상복이름공 功(力부 3획〈112〉)과 통용. '服大一十五日'《漢書》. ②일공 주로 여자의 베짜는 일. 工(部首〈325〉)과 통용. '一女下機'《漢書》.
[字源] 形聲. 糸+工〔音〕

糸3 〔紆〕9 우 [平]虞 yū ウ かがめる
[字解] ①굽을우, 굽힐우 '一曲'. '中弱則一'《周禮》. ②얽힐우 감김. '縈一'. '一青拖紫'《晉書》. ③돌우 빙 돎. '水澹澹而盤一兮'《宋玉》. ④울적할우 우울함. '煩一'. '心鬱結而一軫'《楚辭》. ⑤성우 성(姓)의 하나.
[字源] 形聲. 糸+于(亏)〔音〕

糸3 〔糸亏〕9 紆(前條)의 本字

糸3 〔糸孑〕9 결 [入]屑 jié ケツ いとのたば
[字解] 실다발결 실묶음. '一, 絲束'《集韻》.

糸3 〔紇〕9 흘 [入]月 hé, gē コツ つかねる
[字解] ①묶을흘 동임. '一, 束也'《集韻》. ②생사(生絲)흘 질 낮은 명주실. '一, 絲下也'《說文》. ③인종이름흘 '回一'은 중국의 서북방에 있었던, 터키계(系)의 종족(種族) 이름. ④성흘 성(姓)의 하나.
[字源] 形聲. 糸+乞〔音〕

糸3 〔紈〕9 환 [平]寒 wán カン しろぎぬ
[字解] ①흰깁환 고운 명주. '一袴子弟'. '織作冰一綺繡純麗之物'《漢書》. ②맺을환 '一, 結也'《玉篇》. ③겹칠환 포개어짐. '一, 累也'《玉篇》.
[字源] 形聲. 糸+丸〔音〕

糸3 〔紉〕9 닌 [平]眞 rèn ジン はりあなにいとをとおす
[字解] ①실닌 바느질하는 실. ②실꿸닌 바늘에 실을 뀀. '衣裳綻裂, 一箴請補綴'《禮記》. ③노닌 노끈. 또, 홑겹으로 꼰 새끼. '一, 單繩也'《說文》. ④꼴닌 실을 꼬아 합침. 새끼를 꼼. '一, 合縷也'《集韻》. ⑤쪼갤닌 '擘, 楚謂之一'《方言》. ⑥맬닌 노로 물건을 묶음. '一秋蘭以爲佩'《楚辭》.
[字源] 形聲. 糸+刃〔音〕

糸3 〔糸才〕9 〔치〕 緇(糸부 8획〈999〉)와 同字

糸3 〔級〕9 〔급〕 級(糸부 4획〈983〉)과 同字

糸4 〔紋〕10 [人名] 문 [平]文 wén モン あや
[筆順] ㄑ 幺 幺 糸 糸 糸 紋 紋
[字解] ①무늬문 직물의 문채(文彩). '花一'. '波一'. '俯看秋水一'《蘇軾》. ②주름문 줄. '波一'. '疊風一兮連復連, 折回流兮曲復曲'《唐太宗》.
[字源] 形聲. 糸+文〔音〕

糸4 〔納〕10 [高·人] 납 [入]合 nà ノウ おさめる
[筆順] ㄑ 幺 幺 糸 糸 糸 納 納
[字解] ①들일납 ㉠안에 들어오게 함. '閉門不一'《後漢書》. ㉡거두어들임. 수확함. '十月一禾稼'《詩經》. ㉢받아들임. 청에 응함. '嘉一'. '一其自託'《世說》. ㉣물건을 받아들임. '郭文擧云云, 顧颺贈以韋袴褶一具, 文擧不一'《世說》. ㉤끌어들임. 이끎. '小臣一卿大夫'《儀禮》. ②바칠납 조정·관청 등에 바침. '一稅'. '一女於天子'《禮記》. ③수장할납 거두어들여 간직함. '一册於金縢之匱中'《書經》. ④되돌릴납 돌려 줌. '請一祿與車服'《國語》. ⑤옷기울납 옷 터진 데를

꿰매어 기움. '一, 衣敝補紩也'《正字通》. ⑥누눅할납 실이 촉촉이 젖은 모양. '絲溼一一也'《說文》. ⑦성납 성(姓)의 하나.
字源 形聲. 糸+內〔音〕

糸4 〔紐〕10 人名 뉴 ㊤有 niǔ ジュウ·チュウ ひも
筆順 ㄑ 幺 幺 糸 糸 紉 紐 紐
字解 ①끈뉴 물건을 매거나 묶거나 하는 노나 줄. '朱裏延一'《周禮》. '龜一之璽'《淮南子》. ②맬뉴, 묶을뉴 결속함. '情素結于一帛'《楚辭》. ③매듭뉴 묶어 맺은 부분. '解一'. '幷一約用組'《禮記》. ④근거할뉴 의거(依據)함. '禹舜之所一也'《莊子》. ⑤주름뉴 '廣雅釋言, 一, 擘也'《通訓》. ⑥맥(脈)뉴 맥박. '下有破陰之一'《史記》. ⑦성뉴 성(姓)의 하나.
字源 形聲. 糸+丑〔音〕

糸4 〔紒〕10 계 ㊮霽 ①-③jì ケイ ゆう ㊮卦 ④jiè カイ いんのひも
字解 ①상투틀계 결발(結髮)함. '將冠者采衣一'《儀禮》. ②상투계 髻(髟부 6획〈1767〉)와 同字. ③명민하지못할계 총명하지 않음. '一, 心不了也'《玉篇》. ④인끈계 '一, 緺也'《集韻》.
字源 形聲. 糸+介〔音〕

糸4 〔紓〕10 서 ㊥魚 ㊤語 shū ショ ゆるい, とく
字解 ①느슨할서, 느슨하게할서 느즈러짐. 느즈러지게 함. 舒(舌부 6획〈1108〉)와 통용. '彼交匪一'《詩經》. ②풀서 ㉠늦춤. '一禍也'《左傳》. ㉡화해함. '難必一'《左傳》.
字源 形聲. 糸+予〔音〕

糸4 〔純〕10 中·人 ㊀순 ㊥眞 chún シュン·ジュン いと ㊁준 ㊤軫 zhǔn シュン ふち ㊂돈 ㊥元 tún トン たばねる ㊃치 ㊥支 zī シ くろぎぬ
筆順 ㄑ 幺 幺 糸 糸 紅 紅 純
字解 ㊀①실순 누이지 아니한 명주실. '一, 絲也'《廣雅》. '今也一, 儉'《論語》. ②순수할순 잡것이 섞이지 아니함. '精一'. '一金'. '能帥舊德, 而守終一固'《國語》. ③천진할순 조금도 가식이 없음. '一眞'. '不剖割一樸'《淮南子》. ④클순 '一嘏爾常矣'《詩經》. ⑤좋을순 아름다움. 정호(精好)함. '織作氷紈綺繡一麗之物'《漢書》. ⑥착할순 선량함. '貴一之道也'《禮記》. ⑦도타울순 돈독(敦篤)함. '穎考叔一孝也'《左傳》. ⑧온화할순 온순하고 인자함. '從之一如也'《論語》. ⑨밝을순, 밝힐순 환함. 환하게 함. '光一天地'《漢書》. ⑩열다섯자순 일장 오척(一丈五尺)의 길이. '里閒九一'《淮南子》. ⑪모두순 다. '諸侯一九, 大夫一五'《周禮》. ⑫오로지순 순전히. '奈何一任德敎'《十八史略》. ⑬온전할순 '一也者, 謂其不虧其神也'《莊子》. ㊁①가장자리준 '一, 緣也'《廣雅》. '設莞筵紛一'《周禮》. ②선두를준 가선으로 가장자리를 꾸밈. '不一素'《禮記》. ③나비준 피륙의 폭. 淳(水부 8획〈657〉)과 통용. '淳, 布帛幅廣也. 通作一'《集韻》. ㊂①묶을돈, 묶음돈 동임. 또, 그것. '錦繡千一'《戰國策》. ②쌀돈 보자기 같은 것에 넣어 둘러 맒. '白茅一束'《詩經》. ㊃검을치 緇(糸부 8획〈999〉)와 同字. '一衣'《史記》.
字源 形聲. 糸+屯〔音〕

糸4 〔紕〕10 비 ①-⑤㊥支 ⑥㊮寘 pí ヒ くむ pī bì ヒ かざる
字解 ①합사(合絲)드릴비 '一, 所以織組也'《詩經 傳》. ②잘못비, 잘못할비 과오. 과오를 저지름. '一越'. '五者一物一繆'《禮記》. ③선두를비 흰 실로 기(旗) 또는 관(冠)에 가선을 두름. '素絲一之'《詩經》. ④가선비 의복의 가장자리를 딴 헝겊으로 가늘게 싸서 돌린 선. '縞冠素一'《禮記》. ⑤다스릴비 '一, 理也'《揚子方言》. ⑥꾸밀비 장식함. '一, 爾雅, 飾也'《集韻》.
字源 形聲. 糸+比〔音〕

糸4 〔紖〕10 ㊀진 ㊤軫 zhèn チン はなづな ㊁인 ㊤軫 yǐn イン はなづな
字解 ㊀고삐진 소의 코에 매어 끄는 줄. '牛則執一'《禮記》. ㊁고삐인 ㊀과 뜻이 같음.
字源 形聲. 糸+引〔音〕

糸4 〔紗〕10 人名 ㊀사 ㊥麻 shā サ·シャ うすぎぬ ㊁묘 ㊤篠 miǎo ビョウ かすか
筆順 ㄑ 幺 幺 糸 糸 糹 紗 紗
字解 ㊀①깁사 지극히 엷고 고와 가벼운 견직물. '一窓'. '衣一縠禪衣'《漢書》. ②무명실사 솜을 자아서 뽑은 합사(合絲)하지 않은 외올실. '一, 一曰, 紡纑也'《廣韻》. ㊁미미할묘 조금. 緲(糸부 9획〈1004〉)·眇(目부 4획〈839〉)와 통용. '一, 微也'《韻會》.
字源 會意. 糸+少〔音〕

糸 4 〔紘〕 10 굉 [平]庚 hóng コウ かんむりのひも

[字解] ①끈굉 ㉠관(冠)의 끈. 갓끈. '朱一'. '網一'. '緇組一'《儀禮》. ㉡경쇠를 매다는 끈. '倚于頌磬西一'《儀禮》. ②바굉 굵은 밧줄. 강유(綱維). '帝一'. '地一'. '八殯之外, 而有八一'《淮南子》. ③클굉, 넓을굉 宏(宀부 4획〈276〉)과 통용. '一覆'. '天地之道, 至一以大'《淮南子》. ④매달굉 바로 매어 떨어지지 않게 함. '一宇宙而彰三光'《淮南子》.

[字源] 形聲. 糸+厷〔音〕

糸 4 〔紙〕 10 [中·人] 지 [上]紙 zhǐ シ かみ

[筆順] ㄑ 幺 幺 糸 糸 紅 紅 紙

[字解] ①종이지 닥나무·뽕나무 껍질 등, 식물성 섬유로 만든 물건. 글씨를 쓰거나 그림을 그리는 데 씀. '一筆'. '至後漢蔡倫, 剉故布擣抄作一'《初學記》. ②종이장수지 종이의 매수(枚數). '雖摹千萬一, 皆不差'《元史》. ③성지 성(姓)의 하나.

[字源] 形聲. 糸+氏〔音〕

糸 4 〔級〕 10 [高·人] 급 [入]緝 jí キュウ しな, くらい

[筆順] ㄑ 幺 幺 糸 糸 糿 級 級

[字解] ①등급급 위차(位次). 품등. '官一'. '貴賤之等一'《禮記》. ②층계급 계단. '階一'. '陛一'. '拾一聚足'《禮記》. ③모가지급 전쟁 때 벤 적(敵)의 목. 진(秦)나라 때 적의 목을 벤 수에 의하여 공훈이 올라갔기 때문에 나온 말. '首一'. '俘一'. '斬首十五一'《史記》.

[字源] 形聲. 糸+及〔音〕

糸 4 〔紛〕 10 [高·人] 분 [平]文 fēn フン みだれる

[筆順] ㄑ 幺 幺 糸 糸 紒 紛 紛

[字解] ①어지러울분 ㉠흩어져 어지러움. 산란함. '落花一一'. '雪落一一那忍觸'《蘇軾》. ㉡소란함. '一亂'. '一擾'. '獄之放一'《左傳》. ②엉킬분, 한맺힐분 얽혀서 덩이가 됨. 또, 그것. '解一'. '挫其銳, 解其一'《老子》. ③번잡할분 번거롭고 혼잡함. '一劇'. '何爲一一然, 與百工交易'《孟子》. ④많을분 많은 모양. 또, 성(盛)한 모양. '威武一紜'《史記》. '用史巫一若'《易經》. '一吾旣有此內美兮'《楚辭》. ⑤어두울분 惛(心부 8획〈397〉)과 뜻이 같음. '靑雲爲一'《漢書》. ⑥섞을분, 섞일분 '一瑰麗以奢靡'《張衡》. ⑦느즈러질분 '一, 緩也'《玉篇》. ⑧행주분 그릇을 닦아 훔치는 물건. '左佩一帨'《禮記》. ⑨깃발분 기류(旗旒). '靑雲爲一'《揚雄》. ⑩기뻐할분 '一, 喜也'《廣雅》. ⑪성분 성(姓)의 하나.

[字源] 形聲. 糸+分〔音〕

糸 4 〔紜〕 10 운 [平]文 yún ウン みだれる

[字解] ①어지러울운 많아서 어지러운 모양. '萬騎紛一'《班固》. ②성할운 물건이 어지러울 정도로 많고 성(盛)한 모양. '牛驢走一一'《白居易》.

[字源] 形聲. 糸+云〔音〕

糸 4 〔紝〕 10 임 [平]侵 [去]沁 (rén), rèn ジン·ニン おる, きぬ

[字解] ①짤임 베를 짬. '組一縫製'《柳宗元》. ②명주임, 비단임 견직물. '織一組紃'《禮記》. ③실임 베짜는 실.

[字源] 形聲. 糸+壬〔音〕

糸 4 〔紞〕 10 담 [上]感 dǎn タン ひも

[字解] ①끈담 관(冠)의 귀막이옥(玉)을 매다는 끈. '衡一紘綖'《左傳》. ②가선담 이불의 가선. '紟五幅無一'《禮記》. ③북소리담 북을 치는 소리. '武昌城頭鼓一一'《謝翱》.

[字源] 形聲. 糸+冘〔音〕

糸 4 〔紟〕 10 금 [平]侵 jīn [去]沁 jìn キン つけひも

[字解] ①옷고름금 옷깃을 여미어 매는 끈. '佩一'. ②홑이불금 한 겹으로 된 이불. '布一二衾'《禮記》.

[字源] 形聲. 糸+今〔音〕

糸 4 〔紡〕 10 방 [上]養 fǎng, ③bǎng ボウ つむぐ

[字解] ①자을방 섬유로 실을 만듦. '一車'. '一績'. '託于紀鄣, 一焉'《左傳》. ②실방 자은 실. '賄用束一'《儀禮》. ③걸방 달아 맴. '一于庭之槐'《國語》.

[字源] 形聲. 糸+方〔音〕

糸 4 〔紑〕 10 부 [平]尤 [上]有 fóu フウ·フ あざやか, きよらか

[字解] 희고고울부 옷이 희고 고운 모양. 산뜻한 모양. '絲衣其一'《詩經》.

[字源] 形聲. 糸+不〔音〕

糸 4 〔紌〕 10 구 [平]尤 qiú キュウ にしきのな

[字解] 비단이름구 촉(蜀)에서 나는 비단의 이름. '一繏絓傾'《揚雄》.

糸 4 〔紇〕 10 〔흘〕
紇(糸부 3획〈981〉)의 本字

糸4 〔紞〕10 〔경〕
綆(糸부 7획〈994〉)과 同字

糸4 〔絲〕10 〔사〕
絲(糸부 6획〈988〉)와 同字

糸4 〔紊〕10 문 [去]問 [平]文 | wěn(wèn) ブン·ビン みだれる, みだす

[字解] 어지러울문, 어지럽힐문 '一亂'. '若網在綱, 有條而不一'《書經》.
[字源] 形聲. 糸+文〔音〕

糸4 〔素〕10 [中·人] 소 [去]遇 | sù ソ しろ, しろぎぬ

[筆順] 一 二 丰 圭 圭 圭 素 素

[字解] ①흴소, 흰빛소 백색. '一衣'. '一絲五紽'《詩經》. ②생명주소 생사로 짠 흰 명주. '尺一'. '純以一'《禮記》. ③무지소, 무문소 무늬가 없음. '一也者, 五色之質也'《管子》. 전(轉)하여, 질박한 뜻으로 쓰임. '質一'. '樸一'. ④바탕소 본바탕. '一質'. '一養'. '平易者道之一'《淮南子》. ⑤정성소 심중에서 우러나오는 성의. 진정. '披心腹見情一'《鄒陽》. ⑥평상소 평상시. 평소. '平一'. '斯賢達之一交'《劉峻》. ⑦본디소 원래. '陳嬰者一信謹'《史記》. '皆非其一所能也'《素問》. ⑧한갓소 헛되이. '不一餐兮'《詩經》. ⑨채식소 육식의 대(對). 疏(疋부 7획〈804〉)와 통용. '一食'. '食一'. ⑩미리할소 미리 계획함. '夫謀必一, 見成事焉'《國語》. ⑪향할소 傃(人부 10획〈65〉)와 통용. '一隱行怪'《中庸》. ⑫넓을소 '一, 廣也'《方言》. '一, 博也'《廣雅》. ⑬분수에따를소 현재 지위에 응함. '君子一其位而行'《禮記》. ⑭성소 성(姓)의 하나.
[字源] 形聲. 糸+𠔉(昔)〔音〕

糸4 〔紩〕10 [一] 괴 [去]卦 | guài カイ いと
[二] 결 [入]屑 | ケツ いとすじ

[字解] [一] 실괴 가는 실. '一, 細絲'《玉篇》. [二] 실낱결 실오리. 紒(糸부 5획〈988〉)과 통용. '紒, 縷也, 或从夬'《集韻》.

糸4 〔紏〕10 두 [上]有 | tǒu トウ つげる

[字解] ①고할두 '一, 告也'《康熙字典》. ②노랑실두 '一, 絲黃色'《集韻》.
[參考] 糾(糸부 2획〈980〉)는 別字.

糸4 〔紞〕10 모 [去]號 | mào ボウ けのおこっているきぬ

[字解] 보풀이인비단모 '一, 繒帛有毛刺者'《集韻》.

糸4 〔紼〕10 〔불〕
紱(糸부 5획〈985〉)과 同字

糸4 〔紲〕10 〔설〕
紲(糸부 5획〈985〉)의 略字

糸4 〔紙〕10 지 [平]支 | zhī シ なわ

[字解] 동아줄지 배를 끌어당기는 동아줄. '一, 字林, 縴一, 挽舟繩'《集韻》.

糸4 〔絞〕10 효 [平]肴 | yáo コウ みどりいろのころも

[字解] ①초록색옷효 시집갈 때 입는 옷. '一, 綠色也, 嫁者衣也'《玉篇》. ②황색효 '一, 黃色'《廣韻》.

糸4 〔絭〕10 紋(前條)와 同字

糸4 〔索〕10 [高·人] [一] 삭 [入]藥 | suǒ サク なわ
[二] 색 [入]陌 | suǒ サク·シャク もとめる

[筆順] 一 十 士 卉 去 壶 索 索

[字解] [一] ①노삭 바·노끈·새끼 따위. 주로 굵은 것을 이름. '大一'. '朽一'. '大者謂之一, 小者謂之繩'《小爾雅》. ②꼴삭 노·새끼 등을 꼼. '宵爾一綯'《詩經》. ③헤어질삭 흩어짐. '吾離羣而一居'《禮記》. ④다할삭 ㉠다 없어짐. 다 됨. '力一'. ㉡힘이 다하여 멸망함. '惟家之一'《書經》. ⑤고를삭 가려 선택함. '以一牛馬'《左傳》. ⑥셀삭 수효를 셈. '一一而得男'《易經》. ⑦빌삭 공허함. '一, 空也'《小爾雅》. ⑧홀로삭 혼자임. '一, 獨也'《廣雅》. ⑨법삭 법제(法制). ⑩두려워할삭 '一一, 懼貌'《集韻》. [二] ①찾을색 ㉠뒤지어 살핌. 구(求)함. '一求'. '大夫以一牛'《禮記》. '吹毛一疵'《漢書》. ㉡남의 수중에 있는 것을 돌려 옴. '謚老君一傭錢'《列仙傳》. ②바랄색 원함. '我一折一枝斷腸柳, 餞一杯送別酒'《元曲》.
[字源] 會意. 金文은 宀+糸+廾

糸4 〔紘〕10 [一] 화 [上]馬 | huà カ くつ
[去]卦 | カイ くつ
[二] 호 [平]虞 | コ くつ

[字解] [一] ①삼신화 '一, 履也'《說文》. ②끝을푸른실로꾸민신화 '一, 一曰, 青絲頭履也'《說文》. [二] 삼신호, 끝을푸른실로꾸민신호 [一]과 뜻이 같음.
[字源] 形聲. 糸+戶〔音〕

糸4 〔紮〕10 〔찰〕
紮(糸부 5획〈988〉)의 俗字

糸4 〔紧〕10 〔긴〕 緊(糸부 8획〈1001〉)의 俗字·簡體字

糸5〔紩〕11 질 入質|zhì チツ ぬう

字解 ①꿰맬질 옷을 꿰맴. 기움. '布褐而一之, 謂之藍縷'《孔叢子》. ②들일질 넣음. '一, 納也'《廣雅》. ③바질 밧줄. '一, 索也'《廣雅》.

字源 形聲. 糸+失〔音〕

糸5〔紬〕11 주 ①-④平尤 ⑤去宥|chōu, chóu チュウ つむぎ zhòu チュウ いとぐち

字解 ①명주주 지스러기 고치나 풀솜에서 뽑은 실로 짠 굵은 명주. '遺送白一'《北齊書》. ②자을주 섬유에서 실을 뽑아 냄. 抽(手부 5획〈434〉)와 통용. '一績日分'《史記》. ③모을주, 철할주 모아 철(綴)함. '一史記石室金匱之書'《史記》. ④켤주 악기(樂器)의 현(弦)을 켜 연주함. '一大絃而雅聲流'《宋玉》. ⑤실마리주 '一, 緖也'《集韻》.

字源 形聲. 糸+由〔音〕

糸5〔細〕11 中·人 세 去霽|xì サイ ほそい

筆順 纟 幺 乡 糸 糹 糿 紃 細 細

字解 ①가늘세 넓이가 좁음. '一小'. '一長'. '坐視帶長, 轉看腰一'《梁元帝》. ②작을세 조그마함. '一鱗'. '不矜一行'《書經》. ③적을세 근소함. 조금임. 또, 드묾. '些一'. '鏡之明己也功一'《呂氏春秋》. '歸來踏人影, 雲一月娟娟'《蘇軾》. ④자세할세 세밀함. '詳一'. '自麤入一'《北史》. 또, 자세히. '一見'. '一査'. '一觀化遠也'《呂氏春秋》. ⑤잘달세 너무 잘아 번거로움. '一苛'. '煩一'. '大行不顧一謹'《史記》. ⑥천할세 비천함. 또, 그러한 사람. '一人'. '奸一'. '怨由一'《國語》. '一人之愛人也以姑息'《禮記》.

字源 形聲. 篆文은 糸+囟〔音〕

糸5〔紱〕11 불 入物|fú フツ ひも

字解 ①인끈불 인수(印綬). '授單于印一'《漢書》. ②입을불 몸에 걸침. '足以纓一其心矣'《莊子 註》. ③제복(祭服)불 '朱一方來'《易經》.

字源 形聲. 糸+犮〔音〕

糸5〔紼〕11 紱(前條)의 俗字

糸5〔紲〕11 ㊀설 入屑|xiè セツ きずな ㊁예 去霽|yì エイ こえる

字解 ㊀①고삐설 마소를 매는 줄. '臣負羈一'《左傳》. ②줄설 짐승을 매는 줄. '突入斷兩一'《吳志》. ③맬설 짐승 같은 것을 맴. '係一'. '一子嬰於軹塗'《張衡》. ④도지개설 트집난 활을 바로잡는 틀. 궁경(弓檠). '譬如終一'《周禮》. ㊁ 뛰어넘을예 跇(足부 5획〈1425〉)와 同字. '亶觀夫票禽之一險, 犀兕之抵觸'《揚雄》.

字源 形聲. 糸+世〔音〕

糸5〔紳〕11 人名 신 平眞|shēn シン おおおび

筆順 纟 幺 乡 糸 糹 糿 組 紳

字解 ①큰띠신 허리에 매고 남은 부분을 늘어뜨려 장식으로 하는 고귀한 사람의 의관용(衣冠用)의 큰 띠. '搢一'. '垂一正笏'《歐陽修》. ②벼슬아치신 고귀한 사람. 지위가 있는 사람. '公議協朝一'《趙抃》. ③묶을신 다발지음. '一, 束也'《廣雅》.

字源 形聲. 糸+申〔音〕

糸5〔絉〕11 말 入月 入曷|wà mò バツ たび

字解 ①버선말 족의(足衣). '絳袴一'《後漢書》. ②띠말 허리띠. 袜(衣부 5획〈1269〉)과 同字. '一, 所以束衣也'《集韻》.

糸5〔紵〕11 저 上語|zhù チョ いちび

字解 ①모시풀저 쐐기풀과(科)에 속하는 다년초. 줄기 껍질의 섬유(纖維)로 모시·어망·밧줄을 만듦. '可以漚一'《詩經》. ②모시저 모시풀의 섬유로 짠 피륙. '一布'. '獻一衣'《左傳》.

字源 形聲. 糸+宁〔音〕

糸5〔紸〕11 주 去遇|zhù シュ つける

字解 댈주 '一纊'은 임종 때 솜을 입에 대어 아직 숨을 쉬고 있는지의 여부를 알아보는 일. '一纊聽息之時'《荀子》.

糸5〔紹〕11 人名 ㊀소 上篠 ㊁초 平蕭|shào ショウ つぐ chāo ショウ ゆるい

筆順 纟 幺 乡 糸 紉 紹 紹 紹

字解 ㊀①이을소 이어받음. 계승함. '繼一'. '一復先王之大業'《書經》. ②도울소 회견(會見)할 때 빈주(賓主)의 사이에 있어서 의식(儀式)을 보좌함. '請爲一介'《史記》. ③소개할소 중간에 들어 주선함. '介一'. 인접(引接)함. '士爲一擯'《禮記》. ㊁ 느슨할초 느즈러짐. '匪一匪遊'《詩經》.

字源 形聲. 糸+召〔音〕

糸 5 〔紺〕11 감 [去]勘 | gàn カン·コン こんいろ

[字解] 감색감 검은빛을 띤 푸른빛. 청색과 자색(紫色)의 간색(間色). '一碧'. '君子不以一緅飾'《論語》.
[字源] 形聲. 糸+甘〔音〕

糸 5 〔紼〕11 [一] 불 [入]物 | fú フツ ひきづな
[二] 비 [去]未 | fèi ヒ くずあさ

[字解] [一] ①상엿줄불 조상하는 사람이 상여·영구차를 끄는 줄. '助葬必執一'《禮記》. ②줄불 물건을 잡아매는 줄. '一纚維之'《詩經》. ③인끈불 紱(糸부 5획〈985〉)과 통용. '加一而封之'《漢書》. ④슬갑불 芾(艸부 4획〈1125〉)과 통용. '一者蔽也, 行以蔽前'《白虎通》. ⑤얽힌삼불 '一, 亂枲也. (段注) 亂枲者, 亂麻也'《說文》. [二] 지스러기삼비 '一, 緼也'《集韻》.
[字源] 形聲. 糸+弗〔音〕

糸 5 〔紽〕11 타 [平]歌 | tuó タ いとのかず

[字解] 타래타 실을 세는 수사(數詞). '素絲五一'《詩經》.
[字源] 形聲. 糸+它〔音〕

糸 5 〔紾〕11 [一] 진 [上]軫 | zhěn シン めぐる
[二] 긴 [上]軫 | jǐn キン あらい

[字解] [一] ①돌진, 돌릴진 회전함. 또, 회전시킴. '千變萬一'《淮南子》. ②비틀진 힘있게 틂. 또, 비틀림. '一兄之臂'《孟子》. ③휘감겨얽힐진 '以相繆一'《淮南子》. [二] 거칠긴 결이 거칠고 윤기가 없음. '老牛之角, 一而昔'《周禮》.
[字源] 形聲. 糸+㐱〔音〕

糸 5 〔紿〕11 태 [上]賄 | dài タイ あざむく

[字解] ①속일태 기만함, '欺一'. '惡公子之一'《穀梁傳》. ②이를태 至(部首〈1102〉)와 뜻이 같음. '出百死, 而一一生'《淮南子》. ③의심할태 남에게 의심을 품음. '疑一'. '一, 疑也'《玉篇》. ④실삭을태 실이 오래 되어 삭음. '絲勞卽一'《說文》. ⑤느슨할태 '一, 緩也'《廣雅》. ⑥게을리할태 '一之言, 怠也'《說文 段注》.
[字源] 形聲. 糸+台〔音〕

糸 5 〔絀〕11 [一] 출 [入]質 | chù チュツ ぬう
[二] 굴 [入]物 | qū クツ かがむ

[字解] [一] ①꿰맬출 실로 꿰맴. 또, 꿰맨 줄. 솔기. '却冠秫一'《史記》. ②물리칠출 黜(黑부 5획〈1862〉)과 同字. '不孝子, 君一以爵'《禮記》. ③물러설출, 굽힐출 겸손함. '恭敬繜一, 以畏事人'《荀子》. [二] 굽을굴, 굽힐굴 '緩急贏一'《荀子》. '一意適代'《史記 自序》.
[字源] 形聲. 糸+出〔音〕

糸 5 〔絁〕11 시 [平]支 | shī シ つむぎ

[字解] ①명주시 거친 견직물. '丁歲輸綾一二丈'《唐書》. ②가늘시 가느다람. '一, 細也'《廣雅》.
[字源] 形聲. 糸+㐌〔音〕

糸 5 〔終〕11 [中·人] 종 [平]東 | zhōng シュウ おわる

[筆順] 乡 幺 糸 糸 紁 紁 終 終

[字解] ①끝종 마지막. '始一'. '一末'. '原始要一, 以爲質也'《易經》. ②끝날종 ㉠마지막이 됨. '始於初問, 一於九道'《鶡冠子》. ㉡극(極)에 이름. '一, 極也'《廣雅》. '一, 窮也'《廣雅》. ㉢다함. 다 없어짐. '數將幾一'《呂氏春秋》. ㉣그침. '婦怨無一'《左傳》. ③끝낼종 끝을 맺음. '子思, 引夫子之言, 以一此章之義'《中庸章句》. ④마칠종 ㉠성취함. '百事不一'《左傳》. ㉡완료함. '未有好義, 其事不一者也'《大學》. ㉢죽음. '一焉'. '莫知其所一'《十八史略》. ⑤마침내종 ㉠마지막에. 필경. '不矜細行, 一累大德'《書經》. ㉡암만해도. 아무리 하여도. 끝끝내. '有斐君子, 一不可諠兮'《大學》. ⑥방백리종 사방 백 리의 땅. '成方十里, 成十爲一'《左傳》. ⑦열두해종 12년의 일컬음. '十二年矣, 是謂之一一'《左傳》.
[字源] 甲骨文, 金文은 象形으로, 실의 양끝을 맺은 모양을 본떠, 끝맺음, 끝을 나타냄. 篆文은 形聲으로, 糸+冬〔音〕

糸 5 〔絃〕11 [高·人] 현 ①-③[平]先 ④[去]霰 | xián ケン·ゲン いと
xuán ケン なわ

[筆順] 乡 幺 糸 糸 紅 紅 絃 絃

[字解] ①줄현 현악기의 줄. '絕一'. ②현악기현 줄풍류의 악기. 거문고·가야금 따위. '絲竹筦一'《漢書》. ③탈현 현악기를 탐. '令樂人謌一之'《史記》. ④새끼현 새끼줄. '一, 索也'《廣雅》.
[字源] 形聲. 糸+玄〔音〕

糸 5 〔組〕11 [高·人] 조 [上]麌 | zǔ ソ ひも, くむ

[筆順] 乡 幺 糸 糸 糾 組 組 組

[字解] ①끈조 ㉠갓·인장 등에 매는 끈. 끈목. '一綬'. '一纓'. '著一繫'《儀禮》. ㉡물건을 묶는 끈. '織紝一紃'《禮記》. ②짤조 ㉠

길쌈을 함. '執轡如—'《詩經》. ㉡구성함. '—成'. '—織仁義'《劉峻》. ③수놓을조 자수(刺繡)함. '素絲—之'《詩經》.
[字源] 形聲. 糸+且〔音〕

糸 5 〔絅〕 11 경 ①[平]青 jiōng ケイ ひきしめる / ②[上]迥 jiǒng ケイ ひとえもの
[字解] ①바짝죌경 단단히 당겨 죔. '—, 急引也'《說文》. ②홑옷경 한 겹으로 된 옷. '衣錦尙—'《中庸》.
[字源] 形聲. 糸+冋〔音〕

糸 5 〔⿰糸古〕 11 고 [平]虞 gū コ くさのな
[字解] 풀이름고 '—, —縷, 艸名'《集韻》.

糸 5 〔⿰糸巳〕 11 〔기〕 紀(糸부 3획〈980〉)과 同字

糸 5 〔絮〕 11 [一] 녀 [平]魚 rú ニョ くずあさ / [二] 나 [上]馬 nǎ ナ ひっつくさま
[字解] [一] ①삼거웃녀 삼북데기. 난마(亂麻). '—, 絜緼也, 从糸奴聲, 易曰, 需有衣—'《說文》. ②묵은솜녀 헌 솜. '—, 一曰, 敝絮也'《說文》. ③막을녀 틀어막음. '—, 塞也'《廣雅》. [二] 달라붙는모양나 '—, 縿—, 絲絮相著皃'《集韻》.

糸 5 〔⿰糸冊〕 11 〔륜〕 綸(糸부 8획〈998〉)의 俗字

糸 5 〔⿰糸民〕 11 민 [平]眞 mín ビン つりいと
[字解] 낚싯줄민, 토끼그물민 '罠, 說文, 釣也, 博雅, 兎罠罟, 或从糸'《集韻》.

糸 5 〔⿰糸疋〕 11 [一] 서 [平]魚 shū ショ つぐ / [二] 거 [上]語 キョ かじょうがき
[字解] [一] ①이을서 '—, 繼也'《集韻》. ②조목별로쓰기서 '—, 條陳也'《類篇》. [二] 조목별로쓰기거 疏(疋부 7획〈804〉)와 통용. '疏, 博雅, 條疏也, 或作—'《集韻》.

糸 5 〔⿰糸夗〕 11 원 [上]阮 wǎn エン あみ / [平]元 yuān エン みだれる
[字解] ①갓끈원, 붉은옷원, 그물원 綩(糸부 8획〈1001〉)과 同字. '綩, 冠絭也, 一曰, 纁色衣, 一曰, 罔也, 或省'《集韻》. ②어지러울원 '—, 繙—, 亂也'《集韻》.

糸 5 〔⿰糸本〕 11 최 zuì サイ きよい
[字解] 선명할최, 깨끗할최 '—, 鮮潔也'《篇韻》.

糸 5 〔絆〕 11 반 [去]翰 bàn ハン・バン きずな
[字解] ①줄반 ㉠말의 다리를 매어 못 가게 하는 줄. 또, 마소를 매어 끄는 줄. '縶足曰—, 絡首曰羈'《辭海》. '人有盜馬—者'《北史》. ㉡물건을 매어 두는 줄. '遷徙就新—'《王令》. '仁義之羈—'《漢書》. ②맬반 잡아매어 자유를 구속함. '不羈不—'《揚雄》.
[字源] 形聲. 糸+半〔音〕

糸 5 〔絇〕 11 구 [平]虞 / [去]遇 qú ク くつさきのかざり
[字解] 신코장식구 신의 앞쪽의 장식. '青—繶純'《儀禮》.
[字源] 形聲. 糸+句〔音〕

糸 5 〔⿰糸弁〕 11 반 [平]寒 fán ハン うまのたてがみのかざり
[字解] 말갈기꾸미개반 말갈기에 하는 장식(裝飾). 緐(糸부 7획〈995〉)과 同字.

糸 5 〔紭〕 11 횡 [平]庚 hóng コウ あみのつな
[字解] ①벼리횡 그물의 끈. '狼跋乎—中'《左思》. ②관끈횡 관(冠)을 매는 끈. ③매일횡 걸림. '—, 係也'《廣雅》.
[字源] 形聲. 糸+弘〔音〕

糸 5 〔⿰糸正〕 11 정 [平]庚 zhēng セイ うまのかざり
[字解] 말꾸미개정 승여(乘輿)의 말의 장식(裝飾). '—紻, 乘輿馬飾也'《說文》.
[字源] 形聲. 糸+正〔音〕

糸 5 〔⿰糸戉〕 11 월 [入]月 yuè エツ あや
[字解] ①천무늬월 직물(織物)에 넣은 무늬. '—, 采彰也'《說文》. ②모시월 모시 옷감. 저포(紵布). '—, 紵布'《廣韻》. ③가는베월 촘촘한 베. '—, 一曰, 細布'《集韻》.
[字源] 形聲. 糸+戉〔音〕

糸 5 〔紨〕 11 부 ①-③[平]虞 fū フ ぬののな / ④[去]遇 fù フ なわ
[字解] ①천이름부 직물(織物)의 이름. '—, 布也. (段注) 謂布名'《說文》. ②명주부 거친 명주. '—, 一曰, 粗紬'《說文》. ③굵은실부 '大絲曰—'《集韻》. ④새끼부, 끈부 '—, 縛繩也'《集韻》.
[字源] 形聲. 糸+付〔音〕

糸 5 〔紴〕 11 [一] 피 [去]寘 / [上]紙 ①②bì ヒ うちひも / ③④bì ヒ にしきのあや / [二] 파 [平]歌 bō ハ うちひも
[字解] [一] ①실띠피 실로 짠 끈 '—, 絛屬'《說

文》. ②꾸릴피 몸을 꾸리어 차린 모양. '一, 裝束皃'《集韻》. ③비단무늬피 '水一'는 비단의 무늬. '一, 水一, 錦文'《廣韻》. ④비단피 '一, 錦屬'《集韻》. [二] ①실띠파 [一]❶과 뜻이 같음. ②비단파 [一]❹와 뜻이 같음.
[字源] 形聲. 糸+皮〔音〕

糸 5 〔⿰糸穴〕11 [一] 혈 [入]屑 | xué ケツ [一]-[四] いとひとすじ
[二] 일 [入]質 | イツ
[三] 술 [入]質 | シュツ
[四] 결 [入]屑 | ケツ

[字解] [一] ①실한올혈 '一, 縷一枚也'. (段注) 一枚, 猶一箇也'《說文》. ②수의혈 '一, 襚也'《玉篇》. [二] 실한올일, 수의일 [一]과 뜻이 같음. [三] 실한올술, 수의술 [一]과 뜻이 같음. [四] 실한올결, 수의결 [一]과 뜻이 같음.
[字源] 形聲. 糸+穴〔音〕

糸 5 〔紶〕11 [一] 거 [上]語 | ①qǔ キョ いとぐち
[平]魚 | ②③qū キョ つぐ
[二] 겁

[字解] [一] ①실마리거 '一, 緒也'《集韻》. ②이을거 '一, 繼也'《玉篇》. ③묶을거 다발로 묶음. '一, 束也'《玉篇》. [二] 거북다리겁 蜐(虫부 7획〈1229〉)과 통용. '東海則有紫一魚鹽焉'《荀子》.

糸 5 〔紻〕11 앙 [上]養 [平]陽 | yǎng ヨウ·オウ かんむりのひも
[字解] 갓끈앙 '一, 纓卷也'《說文》.
[字源] 形聲. 糸+央〔音〕

糸 5 〔⿰糸氐〕11 저 [平]齊 | dī テイ いとくず
[字解] 실찌끼저 '一, 絲滓也'《說文》.
[字源] 形聲. 糸+氐〔音〕

糸 5 〔⿰糸充〕11 〔통〕
統(糸부 6획〈991〉)의 本字

糸 5 〔⿰糸旦〕11 〔탄〕
綻(糸부 8획〈998〉)과 同字
[字源] 形聲. 糸+旦〔音〕

糸 5 〔絈〕11 〔말〕
帞(巾부 6획〈332〉)과 同字

糸 5 〔経〕11 〔경〕
經(糸부 7획〈994〉)의 俗字

糸 5 〔紫〕11 [高·人] 자 [上]紙 | zǐ シ むらさき
[筆順] 丨 ⺊ 止 止ᅵ 此 些 紫 紫

[字解] ①자줏빛자 적색(赤色)과 청색(靑色)의 간색(間色). 보랏빛. 자색(紫色). '惡一之奪朱也'《論語》. ②자줏빛의관(衣冠)자 자색의 의복. 또, 자색의 인끈. '紆青拖一'(자색의 인끈을 늘어뜨려 끎)《晉書》. '懷金垂一'《後漢書》. ③제왕신선의집빛자 또, 제왕(帝王)·신선에 관한 사물 위에 붙이는 말. '一禁'. ④성자 성(姓)의 하나.
[字源] 形聲. 糸+此〔音〕

糸 5 〔累〕11 [高·人] [一] 루 [上]紙 [平]支 [去]寘 | ①-④lěi ルイ かさねる ⑤léi ルイ つなぐ ⑥-⑧lèi ルイ わずらわす
[二] 라 [上]哿 | luǒ ラ はだかにする

[筆順] 丨 ⼌ 日 田 田 罒 里 累 累

[字解] [一] ①포갤루, 포개질루 포개어 쌈. 축적함. '一積'. '增一'. '贈遺一數百金'《世說》. ②불어날루, 불릴루 늘어남. 늘림. 絫(糸부 6획〈992〉)와 同字. '絫, 說文曰, 增也. 一, 上同'《廣韻》. ③층루 단층(斷層). '四一之上也'《列子》. ④거듭루 잇따라. 여러 번. '一戰有功'. '一遷諫大夫丞相司直, 歲中三遷官'《後漢書》. ⑤묶을루 결박함. '係一其子弟'《孟子》. ⑥누끼칠루 ㉠폐·우환을 끼침. '無一後人'《左傳》. ㉡좋지 못한 영향을 끼침. '終一大德'《書經》. ⑦누루 ㉠폐. 걱정. '家一'. '除穢去一'《文子》. ㉡허물. 죄. 탈. '恐死而負一'《史記》. ㉢처자. 권속(眷屬). '北俗亡一七齋日'《釋氏要覽》. ⑧연할루 연결함. 관련함. '一坐'. '連一'. [二] 벌거벗을라 倮(人부 8획〈59〉)와 同字. '爲大夫一之'《禮記》.
[字源] 形聲. 糸+田(畾)〔音〕

糸 5 〔紮〕11 찰 [入]黠 | zhā, zā サツ まとう
[字解] ①묶을찰 얽어 동임. 감음. ②머무를찰 주재함. 주둔함. '俗謂屯駐軍隊曰一營'《中華大字典》.
[字源] 形聲. 糸+札〔音〕

糸 5 〔⿳十冖糸〕11 〔삭〕
索(糸부 4획〈984〉)의 本字

糸 6 〔絲〕12 [中·人] 사 [平]支 | sī シ いと
[筆順] 纟 幺 糸 糸 糹 絲 絲 絲

[字解] ①실사 명주실. '一, 蠶所吐也'《說文》. 전(轉)하여, 솜·삼·털 등의 실. 또,

실같이 가는 물건. '游一'. '柳一'. '其藕無一'《酉陽雜俎》 ②명주사 견직물. '妾不衣一'《漢書》. ③자을사 실을 뽑아 냄. '不蠶不一'《郭璞》. ④악기이름사 거문고 등의 현악기. 팔음(八音)의 하나. '一竹'. '宴酣之樂, 非一非竹'《歐陽修》. ⑤실홀사 소수(小數)의 한 단위(單位). 1의 만분의 일. '忽'의 10배를 '一'라 하며, '一'의 10배를 '毫'라 함. 전(轉)하여, 미세(微細)한 것. '只慚無補一毫事'《蘇軾》.
[字源] 會意. 糸+糸

糸6 〔絎〕12 행 [去]敬 háng(hèng) コウ ぬう
[字解] ①바느질할행 옷을 꿰맴. '一, 刺縫'《廣韻》. ②가장자리행 '一, 緣也'《廣雅》.
[字源] 形聲. 糸+行〔音〕

糸6 〔結〕12 [中·人] [一] 결 [入]屑 jié, jiē ケツ むすぶ / [二] 계 [去]霽 jì ケイ もとどり
[筆順] 幺 幺 糸 糸 紅 紅 結 結
[字解] [一] ①맺을결 ㉠끄나풀 따위를 얽어 매듭을 지음. '一繩之政'. '親一其縭'《詩經》. ㉡약속을 맺음. '一交'. '江東羅隱工爲詩, 紹威厚幣一之'《唐書》. ㉢조합(組合)을 맺음. 한동아리가 됨. '一社'. '一黨連群'《張衡》. ㉣초목이 열매를 맺음. '一果'. '一實如麥'《晉書》. ㉤엉김. 고체가 됨. '凝一'. '一冰'. '一晶'. '嚴霜一庭蘭'《古詩》. ㉥모임. '到則解散, 去復屯一'《後漢書》. ㉦얽음. 집 같은 것을 지음. '一構'. '一廬在人境'《陶潛》. ㉧머리를 땋음. 쪽찜. '一髮'. ㉨끝을 맺음. 마침. 종료함. '終一'. '一論'. '言之以一之'《大學 朱註》. ㉩묶음. 또, 맴. '一, 束也'《釋名》. '罝羅之所羂一'《張衡》. ㉪멈춤. 말림. 막음. '一徒爲營'《張衡》. ㉫모음. '一集'. '不一於一迹之塗'《淮南子》. ㉬가까이 사귐. 친교를 맺음. '好以義一, 友以文會'《摯虞》. ②맺힐결 ㉠마음이 울적함. '鬱一'. '心如一兮'《詩經》. ㉡눈물이나 이슬 같은 것이 방울짐. '露一爲霜'《千字文》. ③매듭결 맨 자리. 매듭진 데. '帶有一'《左傳》. ④물리칠결 '一, 詘也'《廣雅》. ⑤다질결 단단히 함. '一根彌於華岱'《孫綽》. ⑥굽힐결, 굽을결 구부림. 또, 구부러지게 함. '一軌還轅'《漢書》. ⑦성결 성(姓)의 하나. [二] 상투계 髻(髟부 6획〈1767〉)와 통용. '魁一箕踞'《漢書》.
[字源] 形聲. 糸+吉〔音〕

糸6 〔絓〕12 [一] 과 [平]佳 kuā カイ しけいと / [二] 괘 [去]卦 guà カイ かかる
[字解] [一] 풀솜실과 풀솜으로 자은 실. 전(轉)하여, 그 실로 짠 명주. [二] 걸릴괘 ㉠걸리는 것이 있어 거리끼어 멈춤. '驂一於木而止'《左傳》. ㉡그물에 걸림. '不一聖人之罔'《漢書》.
[字源] 形聲. 糸+圭〔音〕

糸6 〔絕〕12 [中·人] 절 [入]屑 jué ゼツ たつ, たえる
[筆順] 幺 幺 糸 糸 紀 紹 絕 絕
[字解] ①끊을절 ㉠두 동강이를 냄. '一斷'. '緜緜不一, 蔓蔓奈何'《戰國策》. ㉡거절함. '謝一'. '子一長者乎'《孟子》. ㉢목숨을 끊음. 죽임. 또, 멸(滅)함. '一命'. '勦一其命'《書經》. ㉣없앰. '一版'. '子一四'《論語》. ㉤그만둠. '一食'. '一筆于獲麟'《孔子家語》. ㉥격리함. '隔一'. '與諸將一席'《後漢書》. ㉦막음. 차단함. '一趙軍後'《史記》. ㉧버림. '一世于良'《左傳》. ②끊어질절 전항(前項)의 자동사. '斷一'. '腸雖欲一, 目猶爛然'《顔氏家訓》. '我命一今日'《古詩》. '秋七月大雨, 渭橋一'《漢書》. ③건널절 횡단함. '一海'. '一江'. '正一流曰亂'《爾雅》. ④지날절 통과함. '一流沙'《淮南子》. ⑤뛰어날절 남보다 월등 나음. '有力一人'《唐書》. 또, 그러한 일. '三一'(시·서·화에 뛰어난 일). ⑥떨어질절 ㉠양도(糧道)가 떨어짐. 전(轉)하여, 빈궁함. '一糧'. '求乏一'《禮記》. ㉡멀리 떨어져 있음. '一島'. '一國殊俗'《淮南子》. ⑦극(極)할절 더없이 누림. '榮寵一矣'《後漢書》. ⑧결코절 절대로. '一無而僅有'《蘇軾》. ⑨심히절 대단히. '一美'. '一愛幸之'《史記》. ⑩절구절 시(詩)의 한 체(體). 율시(律詩)를 반으로 끊은 것. '七一'. '五一'.
[字源] 會意. 篆文은, 刀+糸+卩

糸6 〔絖〕12 광 [去]漾 kuàng コウ わた
[字解] 솜광 고운 솜. 세면(細綿). '以洴澼一爲事'《莊子》.
[字源] 形聲. 糸+光〔音〕

糸6 〔絚〕12 긍 [平]蒸 gēng / [去]徑 gèng コウ おおなわ
[字解] 바긍 緪(糸부 9획〈1003〉)과 同字. '一繳上下'《晉書》.

糸6 〔絝〕12 고 [去]遇 kù コ ももひき
[字解] ①바지고 袴(衣부 6획〈1271〉)와 同字. '平生無襦, 今五一'《後漢書》. ②걸터앉을고 跨(足부 6획〈1428〉)와 同字. '一白虎'《史記》.
[字源] 形聲. 糸+夸〔音〕

糸6 〔絞〕12 [一]교 [上]巧 [二]효 [平]肴 | jiǎo コウ くびる xiáo コウ もえぎいろ

[字解] [一] ①목맬교 목을 매어 죽임. '—殺'. '—縊以戮'《左傳》. ②꼴교 새끼를 꼼. '糾—繩索'《爾雅 疏》. ③묶을교 결박함. '—縛'. '求—囚繩'《明道雜志》. ④엄할교 조금도 여유가 없음. '叔孫—而婉'《左傳》. ⑤성교 성(姓)의 하나. [二] ①초록빛효 청색과 황색의 중간색. 창황색(蒼黃色). 연둣빛. '—衣以裼之'《禮記》. ②염베효 염(斂)에 쓰는 헝겊 띠. '小斂布—'《禮記》.
[字源] 形聲. 糸+交〔音〕

糸6 〔絡〕12 [高·人] 락 [入]藥 | luò ラクめぐらす, からむ
[筆順] 幺 幺 糸 糸 紗 終 絡 絡
[字解] ①두를락 둘러쌈. 환요(環繞)함. '籠山—野'《班固》. '青絲繫馬尾, 黃金—馬頭'《古詩》. ②쌀락 포괄(包括)함. '緜—天地'《漢書》. ③묶을락 속박함. 잡아맴. '鄭綿—些'《宋玉》. ④얽힐락 이리저리 감김. '翠蔓蒙—'《柳宗元》. ⑤이을락 연함. '連—'. '—繹'. '——結雲騎'《謝朓》. ⑥줄락, 고삐락 물건 또는 말을 매는 줄. '金鑣玉—'《金史》. ⑦솜락, 실락 면(綿). 일설(一說)에는, 사(絲). '以爲絲—'《逸周書》. ⑧근(筋)락 인체(人體)의 맥락(脈絡). '經—'. '中經維—'《史記》. ⑨띠락 대(帶). '鉤—鉤帶也'《晉書》. ⑩그물락 망(網). '振天維, 衍地—'《張衡》. ⑪명주락 '—, 卽今之生纊也'《急就篇 注》. ⑫생명주락 '—, 綃也'《廣雅》. ⑬두레박줄락 '繘, 自關而東, 周洛韓魏之閒, 謂之綆, 或謂之—'《揚子方言》. ⑭생마(生麻)락 누이지 않은 삼. '—, 一曰, 麻未漚也'《說文》. ⑮성락 성(姓)의 하나.
[字源] 形聲. 糸+各〔音〕

糸6 〔絢〕12 [一]현 [去]霰 [二]순 [平]眞 | xuàn ケン あや xún シュン·ジュン まるうちのひも
[字解] [一] ①무늬현 문채(文采). '素以爲—兮'《論語》. ②고울현 문채가 있어 고움. '—爛'. ③빠를현 侚(人부 6획〈50〉)과 통용. '—練夐絕'《顏延之》. [二] 노끈순 둥글게 친 끈. 또, 여러 가닥을 한데 엮은 끈. 紃(糸부 3획〈980〉)과 同字. '紃, 說文, 圜采也. 一曰, 條也. 儀禮作—'《集韻》.
[字源] 形聲. 糸+旬〔音〕

糸6 〔絣〕12 〔병〕 絣(糸부 8획〈997〉)의 俗字

糸6 〔給〕12 [中·人] 급 [入]緝 | jǐ, gěi キュウ たりる, たまう
[筆順] 幺 幺 糸 糸 紒 給 給 給
[字解] ①넉넉할급 물건이 충분히 있음. '—足'. '秋省斂而助不—'《孟子》. ②넉넉히할급, 보탤급 넉넉하게 해 줌. 더함. '—, 相足也'《說文》. '弗能—'《漢書》. '且何地以—之'《呂氏春秋》. ③줄급 공여함. '—與'. '—錢五萬'《宋史》. ④댈급 공급함. '—水'. '仍—口糧'《金史》. '用善書, —事尙書'《漢書》. ⑤급여급 사여(賜與). 녹봉(祿俸). '仰—縣官'《史記》. ⑥미칠급 '豫而後—. (注)—, 及也'《國語》. ⑦구변좋을급 능변임. '捷—'. '禦人以口—'《論語》.
[字源] 形聲. 糸+合〔音〕

糸6 〔絨〕12 융 [平]東 | róng ジュウ じのあついけおりもの
[筆順] 幺 糸 紅 紅 紆 絨 絨 絨
[字解] ①융융 감이 두툼하고 고운 모직물. '—緞'. '播亂金牀五色—'《揚維楨》. ②발고운베융 狨(犬부 6획〈751〉)과 同字. '—, 細布'《廣韻》.
[字源] 形聲. 糸+戎〔音〕

糸6 〔絪〕12 인 [平]眞 | yīn イン しとね
[字解] 자리인 앉거나 눕도록 바닥에 까는 물건. 茵(艸부 6획〈1135〉)과 同字. '畫繡—馮'《漢書》.
[字源] 形聲. 糸+因〔音〕

糸6 〔絯〕12 해 ①[平]灰 ②[上]蟹 | gāi カイ つかねる hài カイ かける
[筆順] 糸 糸' 糸 糸 紘 紡 紡 絯
[字解] ①묶을해, 잡아맬해 '方且爲物—'《莊子》. ②걸해 '—, 挂也'《廣韻》.
[字源] 形聲. 糸+亥〔音〕

糸6 〔絰〕12 질 [入]屑 | dié テツ おび
[字解] 질질 상복(喪服)을 입을 때 머리에 쓰는 수질(首絰)과 허리에 감는 요질(腰絰). '衰—'. '凡弔事弁—服'《周禮》.
[字源] 形聲. 糸+至〔音〕

糸6 〔絳〕12 강 [去]絳 | jiàng コウ あか
[字解] ①진홍강 진한 적색. 진홍색(眞紅色). '—脣'. '綸組紫—'《左思》. ②성강 성(姓)의 하나.
[字源] 形聲. 糸+夅〔音〕

糸6 〔綘〕12 絳(前條)과 同字

糸 6 〔絧〕12 동 ①②[平]東 ③-⑤[去]送 | tóng, ②tōng トウ ぬののな dòng トウ あいつうずるさま

[字解] ①천이름동 직물(織物)의 이름. '一, 布名'《集韻》. ②더디나바로통할동 완만하나 직통(直通)하는 모양. '一, 緩而直通皃'《集韻》. ③서로통할동 상통(相通)함. '一, 相通之皃'《廣韻》. ④곧달릴동 '鴻一'은 바로 달리는 모양. '鴻一徒獵'《漢書》. ⑤잇댈동 상련(相連)하는 모양. '鴻一, 一日, 相連次皃'《集韻》.
[字源] 形聲. 糸＋同〔音〕

糸 6 〔緈〕12 이 [上]紙 | ěr ジ くつわのさかんなさま

[筆順] 幺 糸 紅 紅 紆 紆 絍 緈

[字解] 고삐이 '——'는 고삐의 모양. '——, 轡盛皃'《集韻》.

糸 6 〔絘〕12 차 [去]寘 [平]支 | cì シ あさをついでながくする

[字解] ①삼삼을차 삼을 삼아 이어서 길게 함. '一, 績所緝'《大徐本說文》. ②낳지않은실차 잣기만 하고 낳이하지 않은 실. '一, 績所未緝者'《段注本說文》. ③집세차 저자에 있는 집에 매기는 가옥세(家屋稅). '一, 一日, 一布, 稅布也'《集韻》.
[字源] 形聲. 糸＋次〔音〕

糸 6 〔絑〕12 주 [平]虞 | zhū シュ しゅ

[字解] ①붉을주 새빨간색. '一, 純赤也'《說文》. ②붉은비단주 '一, 一日, 赤色繒'《集韻》.
[字源] 形聲. 糸＋朱〔音〕

糸 6 〔絑〕12 미 [上]薺 | mǐ ベイ こめつぶのえもよう

[字解] 쌀무늬미 실로 쌀 무늬를 놓은 수. '一, 繡文如聚細米也'《說文》.
[字源] 形聲. 糸＋米〔音〕

糸 6 〔絙〕12 환 [平]寒 | huán カン くみひも

[字解] 끈환, 인(印)끈환 꼰 끈. 끈목. '一, 綬也'《玉篇》.
[字源] 形聲. 糸＋亘〔音〕

糸 6 〔絟〕12 전 [平]先 | quán セン ほそぬの

[字解] ①가는베전 고운 베. '一, 細布也'《說文》. ②갈포(葛布)전 칡의 섬유로 짠 베. '一, 葛也'《玉篇》.
[字源] 形聲. 糸＋全〔音〕

糸 6 〔綵〕12 타 [上]哿 | duǒ タ べんのまえにたれるかざり

[字解] 면류관앞드림타 면류관의 앞에 드리우는 것. '一, 冕前垂也'《集韻》.

糸 6 〔絬〕12 설 [入]屑 | xiè セツ ぬいめがかたい

[字解] ①옷솔기탄탄할설 '一, 衣堅也'《說文》. ②실질길설 실이 탄력이 있고 질김. '一, 按謂絲韌也'《通訓》. ③평상복설 褻(衣부 11획〈1286〉)과 통용. '論語曰一衣長短右袂'《說文》.
[字源] 形聲. 糸＋舌〔音〕

糸 6 〔統〕12 [中·人] 통 [去]宋 [上]董 | tǒng トウ すべる

[筆順] 纟 幺 糸 糸 紅 紅 紘 統

[字解] ①거느릴통 통솔함. '一治'. '一百官'《書經》. ②합칠통 한데 모음. 하나로 묶음. '一一'. '一計'. '前在方外, 仍一軍實'《後漢書》. ③법통 강기(綱紀). '國一備矣'《史記》. ④줄기통 계통. '血一'. '援立皇一'《後漢書》. ⑤실마리통 사업 등의 단서. '創業垂一'《孟子》. ⑥근본통 기초함. 근본을 둠. '乃一天'《易經》. ⑦모두통 전체가. 한데 합하여. '一舊國五新國三, 凡八大國'《資治通鑑》. ⑧성통 성(姓)의 하나.
[字源] 形聲. 糸＋充〔音〕

糸 6 〔絥〕12 [一] 비 [去]寘 [二] 복 [入]屋 | ヒ·ビ くるまのしょくのおおい fú フク くるまのしょくのおおい

[字解] [一] 식(軾)위가리개비 '一, 車一也'《說文》. [二] 식위가리개복 [一]과 뜻이 같음.
[字源] 形聲. 糸＋伏〔音〕

糸 6 〔絠〕12 [一] 개 [上]賄 [二] 애 [上]賄 | gǎi カイ はじけるゆはず ǎi アイ はじけるゆはず

[字解] [一] ①튀는활고자개 시위를 당기어 화살을 쏠 때, 활고자가 튀어 벗겨지는 일. '一, 彈彄也. ②갓아래띠개 '一, 一日, 冠卷'《集韻》. [二] 튀는활고자애, 갓아래띠애 [一]과 뜻이 같음.
[字源] 形聲. 糸＋有〔音〕

糸 6 〔絺〕12 [一] 지 [去]寘 [二] 식 [入]職 | zhì シ おる shì ショク·シキ おる

[字解] [一] ①짤지 베를 짬. ②베틀의날실지 아직 씨실과 섞어 짜지 않은 베틀의 날실. '一, 方言云, 趙魏間, 呼經而未緯者曰機一'《廣韻》. [二] 짤식, 베틀의날실식 [一]과 뜻이

같음.

糸6 〔絩〕12 [一] 조 ①[去]嘯 ②[上]篠 | tiào チョウ いとかず チョウ いとかず
[二] 도 [上]晧 | dào トウ ごしょくのいと

[字解] [一] ①실수효조 견직물(絹織物)의 날실의 수효. '一, 綺絲之數也'《說文》. ②명주길조 명주가 긴 모양. '一, 繒長皃'《集韻》. [二] 오색실도 '一, 五色縷'《集韻》.
[字源] 形聲. 糸+兆〔音〕

糸6 〔絖〕12 [一] 황 [平]陽 [二] 망 [平]陽 | huāng コウ いとがながくひく ボウ·モウ いとがながくひく

[字解] [一] 실길게끌황 실이 길게 이어짐. '一, 絲曼延也'《說文》. [二] 실길게끌망 [一]과 뜻이 같음.
[字源] 形聲. 糸+巟〔音〕

糸6 〔⿰糸𠂢〕12 파 [去]卦 | pài ハイ·ハ ばらばらになったいと

[字解] ①흩은실파 '一, 散絲也'《說文》. ②잣지않은삼파 '一, 未緝麻也'《廣韻》.
[字源] 形聲. 糸+𠂢〔音〕

糸6 〔絼〕12 [一] 미 [平]支 | mí ビ·ミ たづな
[二] 이 [去]寘 | yì イ かさなる
[三] 위 [去]寘 | wèi イ たれる

[字解] [一] 고삐미. [二] 겹칠이, 겹쳐질이 '一, 重也'《廣雅》. [三] 드리워질위 '一, 垂也'《集韻》.

糸6 〔絤〕12 〔세〕 細(糸부 5획〈985〉)의 本字

糸6 〔絍〕12 〔임〕 紝(糸부 4획〈983〉)과 同字

糸6 〔絏〕12 〔설〕 紲(糸부 5획〈985〉)과 同字
[字源] 形聲. 糸+曳〔音〕

糸6 〔絵〕12 〔회〕 繪(糸부 13획〈1015〉)의 俗字

糸6 〔絛〕12 〔조〕 縧(糸부 7획〈995〉)의 俗字

糸6 〔経〕12 〔경〕 經(糸부 7획〈994〉)의 俗字

糸6 〔⿰糸公〕12 〔격〕 綌(糸부 7획〈994〉)의 俗字

糸6 〔絭〕12 권 [去]願 [平]先 | juàn ケン·カン たすき, しばる ケン たすき しばる

[字解] ①팔찌권 팔의 소매를 걷어 매는 끈. ②묶을권 '一, 有㲋帣爲之者. …帣, 收衣袖也. 引申爲凡束縛之偁'《說文 段注》.
[字源] 形聲. 篆文은, 糸+𢍏〔音〕

糸6 〔絫〕12 루 [上]紙 [平]支 | lěi ルイ かさねる

[字解] ①포갤루, 쌓을루 累(糸부 5획〈988〉)와 同字. '脅肩一足'《漢書》. ②기장열알의 무게루 기장 낟알 열 개의 중량. 일수(一銖)의 십분의 일. '權輕重者, 不失黍一'《漢書》.
[字源] 形聲. 糸+厽〔音〕

糸6 〔絮〕12 [一] 서 [去]御 | xù ショ わた
[二] 처 [去]御 | chù チョ ととのえる

[字解] [一] ①솜서 헌 솜. 풀솜. 또, 거친 솜. '敗一'. '弊一'. '九十以上, 賜帛人二疋一三斤'《漢書》. ②솜옷서 솜을 둔 옷. '冬不衣一'《孝子傳》. ③막힐서 絮(糸부 5획〈987〉)와 통용. '一, 塞也'《廣雅》. ④버들개지서 버들의 꽃. '柳一'. '千絲萬一惹春風'《鄭谷》. ⑤머뭇거릴서 주저하여 결정을 내리지 못함. '富韓並相時, 偶有一事. 富公疑之久不決. 韓謂富曰, 公又一'《兩抄摘腴》. ⑥지루히얘기할서 장황함. '一煩'. '語一且泣'《錦衣志》. [二] 간맞출처 음식의 간을 맞춤. '毋一羹'《禮記》.
[字源] 形聲. 糸+如〔音〕

糸6 〔絜〕12 [一] 혈 [入]屑 | xié ケツ はかる
[二] 결 [入]屑 | jié ケツ きよい

[字解] [一] 잴혈 대소를 헤아림. '一之百圍'《莊子》. [二] 깨끗할결, 깨끗이할결 潔(水부 12획〈682〉)과 통용. '一, 粢豐盛'《左傳》. '一, 爾牛羊'《詩經》.
[字源] 形聲. 糸+㓞〔音〕

糸6 〔⿱壬糸〕12 〔임〕 紝(糸부 4획〈983〉)과 同字

〔紫〕 〔자〕 糸부 5획(988)을 보라.

糸6 〔絸〕12 〔견〕 繭(糸부 11획〈1012〉)과 同字

糸6 〔⿱⿰户又糸〕12 〔계〕 綮(糸부 8획〈1001〉)과 同字

糸6 〔⿰糸⿱亠女〕12 구 [平]尤 | gōu コウ のべる

[字解] 펼구 펌. 舒(舌부 6획〈1108〉)와 뜻이 같음. '一, 舒也'《字彙補》.

糸 6 〔⿰糸名〕12 명 [平]青 | míng ベイ ほそいいと

[字解] 가는실명 가는 실. '一, 細絲也'《集韻》.

糸 6 〔絔〕12 [一]백 [入]陌 | bǎi ハク おぎなう
[二]맥 [入]陌 | mò ミャク づきん

[字解] [一] 보충할백 보충함. '一, 補也'《字彙》. [二] 두건맥 두건. '一, 頭巾'《字彙》.

糸 6 〔絤〕12 〔선〕 綫(糸부 8획〈996〉)과 同字

糸 6 〔⿰糸亦〕12 역 | yì エキ いとをまとう

[字解] 실감을역 실을 감음. '一, 絡絲也'《篇韻》.

糸 6 〔⿰糸⿱⺍女〕12 〔영〕 纓(糸부 17획〈1020〉)과 同字

糸 6 〔⿰糸聿〕12 율 [入]質 | yù イツ ながい

[字解] 길율 긺. '一, 長也'《集韻》.

糸 6 〔⿰糸羽〕12 〔익〕 翼(羽부 11획〈1046〉)과 同字

糸 6 〔⿰糸耒〕12 〔추〕 緅(糸부 10획〈1006〉)와 同字

糸 6 〔絗〕12 [一]홀 [入]月 | hú
[二]골 [入]月 | コツ いとがめぐる

[字解] [一] 실감길홀 실이 감김. '一, 縷縈也'《集韻》. [二] 실감길골 [一]과 뜻이 같음.

糸 7 〔絹〕13 [高·人] 견 ①[去]霰 | juàn ケン きぬ
②[上]銑 | ケン からめる

[筆順] 幺 糹 糸 糽 絹 絹 絹 絹

[字解] ①명주견 견직물. '一布'. '一帛'. '令遺一二疋'《後漢書》. ②포박할견, 덫견 걸어서 잡음. 또, 그것. 罥(网부 7획〈1028〉)·羂(网부 13획〈1031〉)과 同字. '罥, 挂也. 或作羂·一'《集韻》.

[字源] 形聲. 糸+肙〔音〕

糸 7 〔絺〕13 치 ①②[平]支 | chī チ くずぬの
③[上]紙 | zhǐ チ ぬう

[字解] ①칡베치 칡의 섬유로 짠 고운 베. 고운 갈포(葛布). 세갈포(細葛布). 또, 그 옷. '一綌'. '爲一爲綌'《詩經》. '天子始一'《呂氏春秋》. ②성치 성(姓)의 하나. ③바느질할치, 수놓을치 黹(部首〈1870〉)와 통용. '黼黻一繡'《書經》.

[字源] 形聲. 糸+希〔音〕

糸 7 〔絻〕13 [一]문 [去]問 | wèn ブン·モン もふく
[二]면 [上]銑 | miǎn ベン·メン ひつぎなわ

[字解] [一] ①상복문 발상(發喪)할 때 입는 상복. '使太子一'《左傳》. ②상엿줄문 조상하는 자가 상여를 끌 때 잡는 줄. '弔所執紼曰一'《公羊傳 註》. [二] 갓면 冕(冂부 9획〈90〉)과 통용. '郊之麻一'《史記》.

[字源] 形聲. 糸+免〔音〕

糸 7 〔絼〕13 진 [上]軫 | zhèn チン うしのはなづな

[字解] 고삐진 紖(糸부 4획〈982〉)과 同字. '凡祭祀, 飾其牛牲, 設其楅衡, 置其一'《周禮》.

糸 7 〔絽〕13 려 [上]語 | lǚ リョ ぬう

[字解] ①명주려 무늬 없는 견직물. ②꿰맬려 바느질함. '一, 一縷, 紩衣也'《玉篇》.

[字源] 形聲. 糸+呂〔音〕

糸 7 〔絿〕13 구 [平]尤 | qiú キュウ きびしい

[字解] ①급할구 급박(急迫)함. '不競不一'《詩經》. ②구할구 '一, 求也'《廣雅》.

[字源] 形聲. 糸+求〔音〕

糸 7 〔綀〕13 소 [平]魚 | shū ショ くずぬの

[字解] ①칡베소 거친 갈포(葛布). '著一巾'《後漢書》. ②거친실소 자아 뽑은 거친 실. '一, 紡麤絲'《玉篇》.

[字源] 形聲. 糸+束〔音〕

糸 7 〔綃〕13 [一]초 [平]蕭 | xiāo ショウ きいと
[二]소 [平]肴 | shāo ソウ かきあげる

[字解] [一] ①생사초 삶아서 익히지 아니한 명주실. '一, 生絲也'《說文》. ②생초초 생사(生絲)로 얇게 짠 사(紗)붙이의 하나. 생견(生絹). '潛織而卷一'《左思》. [二] ①건소 머리를 동여매어 머리가 내려오지 않게 하는 것. 건·머리띠 따위. '著絳一頭'《後漢書》. ②돛대소 돛을 다는 기둥. '維長一'《木華》.

[字源] 形聲. 糸+肖〔音〕

糸 7 〔綅〕13 [一]침 [平]侵 | qīn シン いと
[二]섬 [平]鹽 | xiān セン たていとがしろくよこいとがくろいきぬ

[字解] [一] 붉은실침 적사(赤絲). '貝冑朱—'《詩經》. [二]흑백교직비단섬 '—, 白經黑緯'《廣韻》.
[字源] 形聲. 糸+侵〈省〉〔音〕

糸 7 〔綆〕13 [一] 경 [上]梗 | gěng コウ つるべなわ
[二] 병 [上]梗 | bǐng ヘイ くるまのわがかたよる

[字解] [一] 두레박줄경 두레박을 매는 줄. '—短不可汲深'《莊子》. [二] 바퀴치우칠병 수레바퀴가 한쪽으로 기욺. '眡其—, 欲其蚤之正也'《周禮》.
[字源] 形聲. 糸+更(㪅)〔音〕

糸 7 〔綈〕13 제 [平]齊 | tí テイ あつぎぬ

[字解] 명주제 올이 굵고 거친 명주. '弋—'. '—袍戀戀, 有故人之意'《史記》.
[字源] 形聲. 糸+弟〔音〕

糸 7 〔綌〕13 격 [入]陌 | xì ケキ くずぬの

[字解] 칡베격 거친 갈포(葛布). 또, 그것으로 만든 옷. '—衰'. '爲絺爲—'《詩經》.
[字源] 形聲. 糸+谷〔音〕

糸 7 〔綍〕13 발 (①불[本], ②비[本]) ①[入]物 | fú フツ ひつぎなわ
②[去]未 | fú ヒ おおづな

[字解] ①상엿줄발 紼(糸부 5획〈986〉)과 同字. '及葬帥而屬六—'《周禮》. ※本音 불. ②바발 굵은 줄. 대삭(大索). '王言如綸, 其出如—'《禮記》. ※本音 비.
[字源] 形聲. 糸+孛〔音〕

糸 7 〔綎〕13 [人名] 정 [平]青 | tīng テイ ひも

[筆順] 幺 乡 糸 糸二 糸千 糸壬 綎 綎

[字解] 인끈정 인수(印綬). '汝兒亦搢—'《王安石》.
[字源] 形聲. 糸+廷〔音〕

糸 7 〔綎〕13 綎(前條)과 同字

糸 7 〔綏〕13 [一] 수 [平]支 | suī スイ くるまのとりて
[二] 유 [平]支 | ruí ズイ はたのかざりげ
[三] 타 [上]哿 | tuǒ タ たれる

[筆順] 糸 糸 糸 糸 糸 綏 綏 綏

[字解] [一] ①끈수 수레에 오를 때, 또는 수레 위에 설 때 쥐는 끈. '壻御婦車授—'《儀禮》. ②갓끈수 갓에 달린 끈. '夏后氏之—'《禮記》. ③편안할수, 편안히할수 마음이 편함. 마음을 편케 함. '福履—之'《詩經》. ④물러갈수 퇴각함. '乃皆出戰, 交—'《左傳》. ⑤말릴수 멈추게 함. '使民以勸—謗言'《國語》. ⑥느릴수 '時恬淡以—肆'《王褒》. [二] 기장식유 기(旗)의 장식. '淑旂—章'《詩經》. [三] 드리울타 물건을 들 때 가슴 아래로 처뜨려 듦. '執天子之器則上衡, 國君則平衡, 大夫則—之'《禮記》.
[字源] 形聲. 糸+妥〔音〕

糸 7 〔綐〕13 예 [去]霽 | ruì タイ つむぎ

[字解] 명주예 견직물의 한 가지. '刑餘戮民, 不敢服—'《管子》.

糸 7 〔經〕13 [中·人] 경 [平]青 | jīng ケイ たていと
[去]徑 | jìng

[筆順] 幺 乡 糸 糸 經 經 經 經

[字解] ①날경 피륙 따위의 세로 놓인 실. 날실. '天地之—緯'《左傳》. 전(轉)하여, 평면(平面)에 대하여 상하, 동서에 대하여 남북, 좌우에 대하여 전후의 방향을 이름. '—度'. '正督—緯'《算經》. ②지경경 경계. '仁政必自—界始'《孟子》. 또, 경계를 정함. '體國—野'《周禮》. 전(轉)하여, 경계를 지음. 기율(紀律)을 세움. '先王以是—夫婦, 成孝敬'《詩經 周南 關雎 序》. ③길경 ㉠도로. '九—九緯'《周禮》. ㉡도덕. 항상 변치 않는 도리. 상법(常法). '常—'. '夫孝者, 天之—也'《孝經》. ④지날경 ㉠통과함. '—過'. '亦崎嶇而—丘'《陶潛》. ㉡세월이 감. 또, 세월을 보냄. '曠日—年'《谷永》. ⑤지낼경 겪어 옴. 지내 옴. '—歷'. '—驗'. ⑥잴경 공사의 측량을 함. '—之營之'《孟子》. 전(轉)하여, 사물을 기획(企畫)하고 영위함. 방침을 세워 일을 함. '—營'. '吾子—楚國'《國語》. ⑦구(救)할경 구제함. '君子以—綸'《易經》. ⑧다스릴경 처리함. 통치함. '—國濟世'. '—國家'《左傳》. ⑨걸경, 걸릴경 맴. 매임. '遂—其頸於樹枝'《史記》. ⑩목맬경 액사(縊死)함. '自—於溝瀆'《論語》. ⑪좇을경 순종함. '—而無絕'《周禮》. ⑫보일경 가리킴. '—, 示也'《廣雅》. ⑬책경 ㉠사물의 전거(典據)가 되는 책. '挾—秉枹'《國語》. ㉡성인(聖人)의 저서. '六—'. '四書三—'. '右—一章, 蓋孔子之言'《大學章句》. ⑭불경경 불타(佛陀)의 교훈을 쓴 책. '唯誦佛—'《晉書》. ⑮십조경 조(兆)의 10배. ⑯일찍이경 지금까지. '曾—'으로 연용(連用)하기도 함. '其語不—見'《史記》. ⑰경도경 월경. '—水'. ⑱성경 성(姓)의 하나.
[字源] 形聲. 糸+巠〔音〕

糸 7 〔綖〕13 ㊀연 ㊥先 yán エン かんむりのおおい ㊤銑 ㊁선 ㊦霰 xiàn セン いと

字解 ㊀면류관덮개연 면류관의 위를 덮는, 검은 헝겊을 바른 것. '衡紞紘一'《左傳》. ㊁실선 綫(糸부 8획〈996〉)과 同字. '綫, 說文, 縷也. 或从延'《集韻》.
字源 形聲. 糸＋延〔音〕

糸 7 〔緻〕13 치 ㊦寘 zhì シ あやぎぬ

字解 무늬옷감치 織(糸부 12획〈1013〉)와 同字.

糸 7 〔綑〕13 곤 ㊤阮 kǔn コン おる

字解 ①짤곤 베를 짬. '一, 織也'《集韻》. ②칠곤 때림. 捆(手부 7획〈444〉)과 同字.
字源 形聲. 糸＋困〔音〕

糸 7 〔綄〕13 ㊀환 ㊤旱 huán カン かざみ ㊁완 ㊦諫 wàn ワン つなぐ

字解 ㊀①바람개비환 풍향(風向)을 살피는 기구. '一, 船上候風羽, 楚謂之五兩'《集韻》. ②감을환 휘휘 감음. '一, 纏也'《廣雅》. ㊁맬완 잡아맴. 綰(糸부 8획〈997〉)과 同字. '綰, 繫也. 或作一'《集韻》.

糸 7 〔綁〕13 방 ㊤養 bǎng ホウ しばる

字解 묶을방 '胥役一鎖殆盡'《福惠全書》.
字源 形聲. 糸＋邦〔音〕

糸 7 〔綊〕13 협 ㊇葉 xié キョウ うまのかざり

字解 ①말꾸미개협 승여(乘輿)의 말의 장식(裝飾). '一, 紅一也'《說文》. ②면류관덮개협 면류관의 위를 덮는 것. '一, 綖也'《玉篇》.
字源 形聲. 糸＋夾〔音〕

糸 7 〔紗〕13 사 ㊥麻 shā サ·シャ ちいさい

字解 작을사 '一, 小也'《篇海》.

糸 7 〔絙〕13 〔환〕
絚(糸부 6획〈991〉)의 本字

糸 7 〔綷〕13 〔증〕
繒(糸부 12획〈1013〉)의 籀文

糸 7 〔絵〕13 〔서〕
紓(糸부 4획〈982〉)와 同字

糸 7 〔綉〕13 〔수〕
繡(糸부 13획〈1015〉)와 同字

糸 7 〔綂〕13 〔통〕
統(糸부 6획〈991〉)의 俗字

糸 7 〔続〕13 〔속〕
續(糸부 15획〈1018〉)의 俗字

糸 7 〔継〕13 〔계〕
繼(糸부 14획〈1017〉)의 俗字

糸 7 〔紘〕13 〔굉〕
紘(糸부 4획〈982〉)의 俗字

糸 7 〔綾〕13 〔릉〕
綾(糸부 8획〈998〉)의 俗字

糸 7 〔絸〕13 〔견〕
繭(糸부 13획〈1017〉)의 古字

糸 7 〔絅〕13 〔경〕
絅(糸부 5획〈987〉)의 訛字

糸 7 〔緐〕13 반 ㊥元 fán ㊥寒 ハン たてがみのかざり

字解 말갈기꾸미개반 繁(糸부 11획〈1012〉)과 同字. '一, 馬髦飾也'《說文》.
字源 會意. 糸＋毎. '毎매'는 '每매'의 俗字. '每'는 머리꾸미개를 한 여자 모양을 본뜸.

糸 7 〔綒〕13 후 ㊥虞 ク いんだいのかんむりのな ㊤麌 xǔ ク いんだいのかんむりのな

字解 갓이름후 은(殷)나라의 관(冠)의 이름. '一, 殷冠名'《廣韻》.

糸 7 〔絛〕13 조(도㊍) ㊥豪 tāo トウ·ジョウ ひらひも

字解 끈조 납작하게 만든 끈. '不願腰間纏綿一'《蘇軾》. ※本音 도.
字源 形聲. 糸＋攸〔音〕
參考 絛(糸부 6획〈992〉)는 俗字.

糸 7 〔綒〕13 약 ㊇藥 yuè ヤク しらぎぬ

字解 ①흰명주약. ②누인명주약 표백한 명주. '一, 練也'《廣雅》.
字源 形聲. 綤(素)＋勺〔音〕

糸 7 〔紮〕13 별 ㊇屑 biē ヘツ くみひも

字解 ①엮을줄별 '一, 編繩'《集韻》. ②맺을별 '一, 結也'《玉篇》. ③끌별 수레를 오른쪽으로 돌려끎. '一, 韻略云, 馭右廻'《廣韻》.
字源 形聲. 篆文은 糸＋𣁋〔音〕

糸 7 〔綂〕13 〔류〕 旒(方부 9획〈497〉)와 同字

糸 7 〔絺〕13 〔지〕 紙(糸부 4획〈983〉)의 俗字

糸 7 〔綔〕13 호 [去]遇 hù コ いんじゅ

[字解] 인끈호 인끈. 인수(印綬). '一, 佩印系'《集韻》.

糸 8 〔綜〕14 [人名] 종 [去]宋 zèng, zòng, ② zōng ソウ へ

[筆順] 幺 糹 糸 紵 紵 綜 綜 綜

[字解] ①잉아종 피륙을 짜는 제구의 한 가지. '機一'. '推而往, 引而來者, 一也'《列女傳》. ②모을종 ㉠실을 모아 짬. '一, 織縷'《廣韻》. ㉡한데 모아 정리함. 한데 묶음. '一合'. '一其實'《史記》. '錯一其數'《易經》.

[字源] 形聲. 糸+宗〔音〕

糸 8 〔綝〕14 ㊀침 [平]侵 chēn チン ひとのな
㊁림 [平]侵 lín リン さかん
㊂삼 [平]侵 shēn シン たれる

[字解] ㊀사람이름침 '孫一'은 삼국 시대의 오(吳)나라의 승상(丞相). ㊁성(盛)할림 성하게 장식함. '佩一纚以煇煌'《張衡》. ㊂늘어질삼 우모(羽毛) 또는 의복이 축 늘어진 모양. '舒佩兮一纚'《楚辭》.

[字源] 形聲. 糸+林〔音〕

糸 8 〔綟〕14 ㊀려 [去]霽 lì レイ もえぎ
㊁렬 [入]屑 liè レツ もえぎ

[字解] ㊀①연둣빛려 청색과 황색의 간색. '復設諸侯王金璽一綬'《東觀漢記》. ②실려 '一, 線也'《字彙》. ㊁①연둣빛렬 ㊀의 ❶과 뜻이 같음. ②인끈렬 조개풀로 물들인 인끈. '一, 綬謂之一'《集韻》.

[字源] 形聲. 糸+戾〔音〕

糸 8 〔綠〕14 [中·人] 록 [入]沃 lǜ, lù リョク·ロク みどり

[筆順] 幺 糸 糹 紵 綠 綠 綠 綠

[字解] ①초록빛록 청색과 황색의 간색. '新一'. '翠一'. 또, 검고 아름다운 빛의 형용으로 쓰임. '一髮'. '一雲擾擾, 梳曉鬟也'《杜牧》. ②조개풀록 벼과(科)에 속하는 억새 비슷한 풀. 초록빛의 물감으로 쓰임. 菉(艸부 8획〈1148〉)과 同字. '終朝采一'《詩經》.

[字源] 形聲. 糸+彔〔音〕

糸 8 〔緑〕14 綠(前條)과 同字

糸 8 〔綢〕14 ㊀주 [平]尤 chóu チュウ まとう
㊁도 [平]豪 tāo トウ つつむ

[字解] ㊀①얽을주, 얽힐주 얼기설기 감음, 또는 감김. '一繆束薪, 三星在天'《詩經》. ②동여맬주 잡아맴. 묶음. '一繆牖戶'《詩經》. ③밸주 빽빽함. 촘촘함. 稠(禾부 8획〈904〉)와 통용. '禁林一密'《謝朓》. ④명주주 紬(糸부 5획〈985〉)와 통용. '一緞'. ㊁쌀도 韜(韋부 10획〈1676〉)와 同字. '一練設旐'《禮記》.

[字源] 形聲. 糸+周〔音〕

糸 8 〔綣〕14 권 [上]阮 quǎn ケン·カン えりまき

[字解] ①목도리권 '一領'은 가죽 목도리. '有鍪而一領'《淮南子》. ②정다울권 간곡함. 곡진함.

[字源] 形聲. 糸+卷〔音〕

糸 8 〔綪〕14 ㊀천 [去]霰 qiàn セン あかねいろ
㊁청 [平]青 qíng セイ あさぎ
㊂쟁 [平]庚 zhēng ソウ かがめる

[字解] ㊀꼭두서니천 검붉은빛. 또, 그 빛의 비단. '一茷旃旌'《左傳》. ㊁옥색청 연둣빛. 담벽색(淡碧色). ㊂굽힐쟁 굽게 함. '一結佩'《禮記》.

[字源] 形聲. 糸+青〔音〕

糸 8 〔綫〕14 선 [去]霰 [平]先 xiàn セン いと

[字解] 실선 線(糸부 9획〈1002〉)과 同字. '不絶如一'《漢書》.

[字源] 形聲. 糸+戔〔音〕

糸 8 〔綬〕14 수 ①[上]有 ②[去]有 ジュ ひも shòu ジュ あやもようのいふく

[字解] ①끈수 ㉠물건을 묶기 위하여 꼰 실. '華一'. '綸一'. '掌帷幕幄帟一之事'《周禮》. ㉡인(印)의 끈. 인끈. '印一'. '解一'. '銅印黃一'《漢書》. ㉢패옥(佩玉)의 끈. '天子佩白玉而玄組一'《禮記》. ②문채옷수 무늬 있는 옷의 모양. '一, 綵衣皃'《廣韻》.

[字源] 形聲. 糸+受〔音〕

糸 8 〔維〕14 [高·人] 유 [平]支 wéi イ·ユイ つな

[筆順] 幺 糹 糸 糸 紒 紣 維 維

[字解] ①바유, 벼리유 밧줄. '渡江河亡一楫'《漢書》. 전(轉)하여, 비유적으로 도덕의 기초가 되는 것. '四一'(예·의·염·치). 또, 세계를 매달아 떨어지지 않게 하는 바.

'天柱地一'. '折天柱絕地一'《列子》. 또, 줄처럼 가늘고 긴 물건. '纖一'. ②맬유 ㉠줄을 매어 버팀. '一王之大常'《周禮》. ㉡잡아 묶음. '縶之一之'《詩經》. '弭棹獨一舟'《陳子良》. ㉢연(連)함. 맺음. '以一邦國'《周禮》. ③지탱할유 버팀. '大小相一'《逸周書》. ④귀퉁이유 천지(天地)의 끝. '土不及四一'《素問》. ⑤생각할유, 꾀할유 惟(心부 8획〈397〉)와 통용. '一萬世之安'《史記》. ⑥오직유 惟(心부 8획〈397〉)·唯(口부 8획〈166〉)와 同字. '一鳩居之'《詩經》. ⑦성유 성(姓)의 하나.
字源 形聲. 糸+隹〔音〕

糸8 〔絣〕14 ㊀병 ㊥庚 bēng ホウ きぬ ㊁팽 ㊤梗 pēng ホウ きびし くはったつな

字解 ㊀①명주병 무늬 없는 견직물. ②솜병 면(綿). 일설(一說)에는, 끈. '妻自組甲一'《戰國策》. ③이을병 계승함. 계속함. '將一萬嗣'《後漢書》. ④섞을병 '一之以象類'《漢書》. ⑤먹줄칠병 먹 묻힌 끈이나 실로 목재에 검은 줄을 곧게 침. '一, 振繩墨也'《廣韻》. ⑥시위얹을병 활시위를 팽팽하게 걺. '弸, 張弦也. 或从糸'《集韻》. ㊁켕긴줄팽 팽팽히 켕긴 줄. '一, 急絚也'《集韻》.
字源 形聲. 篆文은 糸+并〔音〕

糸8 〔綯〕14 도 ㊥豪 táo トウ なう

字解 ①꼴도 노·새끼 같은 것을 꼼. '宵爾索一'《詩經》. ②노도, 새끼도 승삭(繩索). '縻以尋一'《新論》.
字源 形聲. 糸+匋〔音〕

糸8 〔綰〕14 관(완㊍) ㊤潸 wǎn ワン すべる

字解 ①통괄할관 한데 몰아서 잡음. 또, 다스림. 통치(統治)함. '一轂其口'《史記》. '東一穢貉朝鮮眞番之利'《史記》. ②꿸관 '一, 貫也'《玉篇》. ③맬관 묶음. '絳侯一皇帝璽'《漢書》. ※本音 완.
字源 形聲. 糸+官〔音〕

糸8 〔綱〕14 高人 강 ㊥陽 gāng コウ つな

筆順 幺 糸 糸 紃 絅 網 網 綱

字解 ①벼리강 그물의 위쪽 코를 꿴 굵은 줄. '若網在一, 有條而不紊'《書經》. 전(轉)하여, 사물을 총괄하여 규제하는 것. 곧, 도덕·법칙·규율 따위. '紀一'. '一常'. '勤三一之嚴'《漢書》. ②과녁줄강 과녁을 달기 위해 치는 줄. '上一與下一, 出舌尋'《周禮》. ③줄칠강 줄을 침. '一紀四方'《詩經》. ④대강강 동류의 사물을 크게 구별한 유별. '一目'. ⑤맬강 잡아맴. '一惡馬'《周禮》. ⑥다스릴강 통치함. '此朕所以垂拱總一, 責成于良二千石'《晉書》. ⑦줄강 행렬. '離一別赴'《鮑照》. ⑧주낙강 연승(延繩). '子釣而不一'《論語》.
字源 形聲. 糸+岡〔音〕

糸8 〔網〕14 人名 망 ㊤養 wǎng モウ あみ

筆順 幺 糸 糸 紃 絅 網 網 網

字解 ①그물망 ㉠물고기·새 등을 잡는 기구. '魚一'. '若一在綱'《書經》. 전(轉)하여, 법률·형벌·제재를 이름. '法一'. '天一恢恢, 疏而不失'《老子》. ㉡거미줄. '一積窓文亂'《駱賓王》. ②그물질할망 ㉠그물을 쳐서 잡음. '漁人駢集, 以釣以一'《王十朋》. ㉡법망(法網)에 걸려들게 함. ㉢나포함. '禁止行道, 以一外奸也'《尉繚子》. ㉣그물질하듯이 사물(事物)을 남기지 않고 휘몰아들임. '一羅天下異能之士'《漢書》.
字源 形聲. 糸+罔〔音〕

糸8 〔綴〕14 人名 철 ①-⑨㊦霽 zhuì テイ つづる ⑩㊇屑 chuò テツ とめる

筆順 幺 糸 糸 糸 紭 綴 綴 綴

字解 ①이을철 연결함. '連一'. '點一'. ②꿰맬철, 맬철 바늘로 얽어맴. 또, 종이 같은 것을 겹쳐 맴. '補一'. '一甲厲兵'《戰國策》. ③지을철 어휘를 연결시켜 글을 지음. '自孔子後, 一文之士衆矣'《漢書》. ④표철 안표(眼標). '行其一兆'《禮記》. ⑤깃발철 기각(旗脚). '熊耳爲一'《揚雄》. ⑥맺을철 '爲下國一旒'《詩經》. ⑦계속할철 '一之以祀'《漢書》. ⑧자을철 실을 뽑아 냄. '一, 緝也'《玉篇》. ⑨장식철 '赤一戶也'《大戴禮》. ⑩막을철 방지함. '禮者所以一淫也'《禮記》.
字源 形聲. 糸+叕〔音〕

糸8 〔綵〕14 人名 채 ㊤賄 cǎi サイ あやぎぬ

筆順 幺 糸 糸 糸 紅 紅 絆 綵

字解 ①비단채 빛깔이 화려한 무늬 있는 비단. 또, 그 옷. '一帳'. '妻不重一'《晉書》. ②채색채 문채. '衣五一衣'《高士傳》.
字源 形聲. 糸+采〔音〕

糸8 〔綷〕14 ㊀채 ㊦隊 cuì サイ えぎぬ ㊁최 ㊦寘 cuì スイ きぬずれのおと

[字解] [一] ①오색비단채 여러 가지 빛깔이 섞인 찬란한 비단. '辭, 說文, 會五采繒也. 一, 上同'《廣韻》. ②같을채 모두. '掩·醜·捏·一, 同也'《揚子方言》. ③합칠채, 섞을채 '一雲蓋, 而樹華旗'《漢書》. [二] 와삭거릴최 비단옷이 스치어 나는 소리. '紛一縩兮紈素聲'《漢書》.
[字源] 形聲. 糸+卒〔音〕

糸 8 〔綸〕14 [人名] [一] 륜 [平]眞 | lún リン つりいと
[二] 관 [平]刪 | guān カン あおいろのおびひも

[筆順] 幺 糸 糸 紒 紒 給 綸 綸

[字解] [一] ①낚싯줄륜 낚시를 맨 줄. '垂一'. '言一之繩'《詩經》. ②거문고줄륜 거문고에 맨 줄. '以文之一'《莊子》. ③굵은실륜 '王言如絲, 其出如一'《禮記》. ④인끈륜 청사(靑絲)로 꼰 인수(印綬). '百石靑紺一'《後漢書》. ⑤솜륜 면(綿). '一組節束'《淮南子》. ⑥다스릴륜 경리(經理)함. '君子以經一'《易經》. ⑦쌀륜 휩쌈. '彌一天地之道'《易經》. ⑧따를륜 '故玄鴻一天元'《太玄經》. ⑨새끼륜 새끼줄. '貉縮, 一也. (注) 一者, 繩也'《爾雅》. ⑩길륜 도(道). 倫(人부 8획〈59〉)과 통용. '一, 道也'《廣雅》. ⑪가라앉을륜, 가라앉힐륜 '紛一葳蕤'《史記》. ⑫성륜 성(姓)의 하나. [二] ①인끈관 [一]의 ❹와 뜻이 같음. ②관건관 '一巾'은 두건(頭巾)의 한 가지. 은자(隱者)나 풍류인(風流人)이 썼음. '著白一巾'《晉書》.
[字源] 形聲. 糸+侖〔音〕

糸 8 〔綺〕14 [人名] 기 [上]紙 | qǐ キ あやぎぬ

[筆順] 幺 糸 糸 紅 紟 絃 綺 綺

[字解] ①비단기 무늬가 있는 비단. '紈一'. '賈人毋得衣錦繡一縠絺紵罽'《漢書》. ②무늬기 문채. '綵一'. '流一星連'《張協》. 전(轉)하여, 교묘하게 꾸미는 일. '一語'. ③고울기 아름다움. 화려함. '充備一室'《後漢書》. '詩緣情而一靡'《陸機》. ④성기 성(姓)의 하나.
[字源] 形聲. 糸+奇〔音〕

糸 8 〔綻〕14 탄 [去]諫 | zhàn タン ほころびる

[字解] ①솔기터질탄 꿰맨 자리의 실이 풀어짐. '斷一'. '衣裳一裂'《禮記》. ②터질탄 '肉一殷紅透'《郝經》. ③필탄 꽃봉오리가 피려고 벌어짐. '紅一'. '日點野塘梅欲一'《王禹偁》. ④꿰맬탄 기움. '補一缺壞'《崔寔》.
[字源] 形聲. 糸+定〔音〕

糸 8 〔綽〕14 작 [入]藥 | chuò シャク ゆるやか

[字解] ①너그러울작 관대한 모양. 또, 여유가 있는 모양. '寬兮一兮'《詩經》. ②얌전할작 유순하고 정숙함. '便嬛一約'《司馬相如》. '一約如處子'《莊子》. ③많을작 '滂心一態'《楚辭》.
[字源] 形聲. 素(糸)+卓〔音〕

糸 8 〔綾〕14 [人名] 릉 [平]蒸 | líng リョウ あやぎぬ

[筆順] 幺 糸 糸 紒 紶 綊 綾 綾

[字解] ①비단릉 무늬가 있는 비단. '白一二千匹'《北史》. ②평평하지않을릉 '繒一'은 평평하지 않은 모양. '前繒一而龍鱗'《王延壽》.
[字源] 形聲. 糸+夌〔音〕

糸 8 〔綿〕14 [高·人] 면 [平]先 | mián メン わた

[筆順] 幺 糸 糸 糸 約 綿 綿 綿

[字解] ①솜면 ㉠목화의 솜. '交州永昌木綿樹, 高過屋, 實大如酒杯, 中有一如絮, 色正白'《吳錄》. ㉡고치의 솜. 풀솜. '純一之麗密'《漢書》. ②솜옷면 솜을 둔 옷. '夏則衣一'《雲笈七籤》. ③명주면 '一, 紬也'《廣雅》. ④연이을면 연이어 끊이지 아니함. 연속함. '一一'. '一日月而不衰'《張衡》. ⑤뻗칠면 길게 연속함. '一三百里'《柳宗元》. ⑥얽힐면, 감길면 '纏一經穴'《淮南子》. ⑦약할면 얇음. 박약함. '且越人一力薄材, 不能陸戰'《漢書》. ⑧작을면 '一, 小也'《廣雅》. ⑨멀면 아득함. 요원(遼遠)함. '去家邈以一'《陸機》. ⑩새우는소리면 '一蠻'. ⑪성면 성(姓)의 하나.
[字源] 會意. 糸+帛

糸 8 〔緁〕14 첩 [入]葉 | qiè ショウ ぬう

[筆順] 糸 紅 紅 綅 緁 緁 緁 緁

[字解] 꿰맬첩 단을 감침. '白縠之表, 薄紈之裏, 一以偏諸'《漢書》.
[字源] 形聲. 糸+疌〔音〕

糸 8 〔緂〕14 담 ①②[平]覃 | tián タン けずる
③[上]感 | tǎn タン もえぎ

[字解] ①깎을담 깎아서 실을 이음. '一麻索縷'《淮南子》. ②선명할담 옷의 빛깔이 선명한 모양. '一, 白鮮衣皃. …謂衣采色鮮也'《說文》. ③연둣빛담 청황색(靑黃色). 유록(柳綠)빛. '一, 靑黃色'《廣韻》.
[字源] 形聲. 糸+炎〔音〕

糸8 〔緄〕14 ㊀곤 ㊤阮 ㊁곤 ㊥元 ㊂혼 ㊤阮 | ①-③gŭn コン おび, なわ, たば コン ぬう hùn コン・ゴン せいじゅうのな

字解 ㊀①띠곤 짜서 만든 허리띠. '童子佩刀・一帶各一'《後漢書》. ②노곤, 새끼곤 승삭(繩索). '竹閉一縢'《詩經》. ③묶음곤 '束組三百一'《戰國策》. ④꿰맬곤 바느질을 함. '一, 縫也'《字彙》. ㊂ 오랑캐이름혼 '一戎'은 감숙성(甘肅省)에 있던 만족(蠻族). '有綿諸一戎'《史記》.
字源 形聲. 糸+昆〔音〕

糸8 〔緅〕14 추 ㊥尤 | zōu シュウ あおとあかのかんしょく

字解 보랏빛추 적색과 청색의 간색. 또, 그 빛의 비단이나 옷. '君子不以紺一飾'《論語》.
字源 形聲. 糸+取〔音〕

糸8 〔緆〕14 석 ㊦錫 | xì セキ ほそぬの

字解 ①삼베석 고운 삼베. '冪用綌若一'《儀禮》. ②누인삼베석 '一, 治麻布也'《玉篇》. ③회장(回裝)석 치맛단에 꾸민 회장. '縓緆一'《儀禮》.
字源 形聲. 糸+易〔音〕

糸8 〔緇〕14 치 ㊥支 ㊦寘 | zī シ くろ

字解 ①검을치, 검은빛치 흑색. '一衣之宜兮'《詩經》. ②검은옷치 ㉠흑의(黑衣). '素衣, 衣一衣而反'《列子》. ㉡중의 검은 옷. '披一別家人'《高啓》. ③검은비단치 緇(糸부 9획〈1005〉)와 同字. '一, 帛黑色也'《說文》. ④중치 승려. 검은 옷을 입으므로 이름. 속인을 '素'라 함의 대(對). '一素'. '滅跡在一流'《盧綸》. ⑤검게물들치, 검게물들일치 '一涅'. '涅而不一'《論語》.
字源 形聲. 糸+甾〔音〕

糸8 〔緉〕14 량 ㊤養 ㊦漾 | liăng リョウ はきもの

字解 ①신량 신 한 켤레. '一, 雙履'《廣韻》. ②꼴량 새끼를 꼼. '繩兩股曰纆, 亦曰一'《通訓》.
字源 形聲. 糸+兩〔音〕

糸8 〔緋〕14 비 ㊥微 | fēi ヒ あか

字解 ①붉을비, 붉은빛비 홍색. 주홍빛. '一甲'. '血可染一'《酉陽雜俎》. ②비단비 붉은 비단. '一, 絳練也'《玉篇》. '五品以上一'《唐書》.
字源 形聲. 糸+非〔音〕

糸8 〔緎〕14 역 ㊦職 | yù ヨク ぬいめ

字解 ①꿰맬역 바느질함. '素絲五一'《詩經》. ②솔기역 가죽 옷의 꿰맨 줄. '一, 羔裘之縫'《爾雅》.
字源 形聲. 糸+或〔音〕

糸8 〔緌〕14 유 ㊥支 | ruí ズイ かんむりのお

字解 ①갓끈유 갓의 늘어진 끈. '素一'. '朱一'. '冠一雙止'《詩經》. ②입유 매미의 주둥이. '蟬有一'《禮記》. ③늘어질유 길게 아래로 늘어진 모양. '壯髮綠一一'《杜牧》. ④기(旗)유 깃대 끝에 쇠꼬리털을 달아 늘어뜨린 정(旌). '一, 有虞氏之旌也'《釋名》. ⑤끈유 앞치마의 끈. '一, 按婦人蔽膝之系也'《通訓》.
字源 形聲. 糸+委〔音〕

糸8 〔綹〕14 류 ㊤有 | liŭ リュウ くみひも

字解 ①끈류 꼰 끈. 끈목. '上有仙人長命一, 中看玉女迎歡繡'《沈佺期》. ②실타래류 실의 한 묶음. '俗謂絲麻一束爲一一'《王筠說文句讀》. ③실올류 실을 세는 단위. ㉠씨 열 올. '緯十縷爲一'《說文》. ㉡생사(生絲) 스무 올. '一, 一曰, 絲十爲綸, 綸倍爲一'《集韻》.
字源 形聲. 糸+咎〔音〕

糸8 〔綱〕14 아 ㊥歌 | ē ア ほそいきぬ

字解 ①가는비단아 고운 비단. '一, 細繒'《玉篇》. ②누인비단아 잿물에 담가 찐 비단. '一縞, 練也'《廣雅》.

糸8 〔綑〕14 ㊀궐 ㊦月 ㊁굴 ㊦物 | jué ケツ むすぶ jué クツ むすぶ

字解 ㊀①맺을궐 연결함. '一, 一曰, 結也'《集韻》. ②부인제복궐 꿩의 무늬가 있는 후부인(后夫人)의 제복(祭服). '一狄, 后夫人之服'《集韻》. ㊁ 맺을굴, 부인제복굴 ㊀과 뜻이 같음.

糸8 〔緁〕14 접 ㊦葉 | jiē ショウ いとをつなぐ

字解 실이을접 실을 이음. '一, 續縷也'《集韻》.

糸8 〔緈〕14 쟁 ㊥庚 | zhēng ソウ よりかけたなわ

字解 ①드리지않은새끼쟁 아직 드리지 않은 외가닥의 새끼. '一, 紆未縈繩'《說文》. ②굽힐쟁, 굽을쟁 비틀어 굽힘. 또, 구부러짐. '詘而戾之, 爲一'《小爾雅》. ③풍류줄켕길쟁 켕긴 현(絃)의 소리. '一, 一曰急

弦之聲'《說文》.
[字源] 形聲. 糸＋爭〔音〕

糸 8 〔綥〕14 기 [平]支 | qí キ もえぎ

[字解] ①연둣빛기 연둣빛, 또, 연둣빛의 비단. '詩曰, 縞衣一巾. 未嫁女所服'《說文》. ②들메끈기 䋝(网부 19획〈1033〉)와 통용.
[字源] 形聲. 糸＋畁〔音〕

糸 8 〔⿰糸畀〕14 綥(前條)의 本字

糸 8 〔緀〕14 처 [平]齊 [上]薺 | qī セイ あや

[字解] 무늬처 비단의 아름다운 무늬. '一, 帛文貌. 詩曰, 一兮斐兮'《說文》.
[字源] 形聲. 糸＋妻〔音〕

糸 8 〔⿰糸咅〕14 부 [上]麌 [去]宥 | fǔ フ ふるわたをうちかえす フウ·フ ふるわたをうちかえす

[字解] 묵은솜펼부 '一, 或从撫省'《集韻》.
[字源] 形聲. 篆文은 糸＋咅〔音〕

糸 8 〔綧〕14 준 [上]軫 | zhǔn シュン みだれる

[字解] ①어지러울준 '一, 亂也'《玉篇》. ②포백(布帛)넓이준 '淳, 布帛幅廣也. 或作一'《集韻》. ③법도준 '丈尺一一制'《管子》.

糸 8 〔⿰糸育〕14 육 [入]屋 | yù イク きぬ

[字解] ①연옥색비단육 푸른 날실과 엷은 남색의 씨실로 짠 비단. '一, 帛青經縹緯'《說文》. ②연옥색염색육 하남성(河南省) 남양시(南陽市)의 남쪽 육양현(淯陽縣)에서 생산되는 염색(染色).
[字源] 形聲. 糸＋育〔音〕

糸 8 〔緈〕14 행 [上]迥 | xìng ケイ·ギョウ なおし

[字解] ①실곧을행. ②명주행 '一, 絓一'《集韻》.
[字源] 形聲. 糸＋㚔(幸)〔音〕

糸 8 〔⿰糸金〕14 [一]검 [平]鹽 [二]금 [平]鹽 | jìn ケン ふはくのな キン

[字解] [一] 포백(布帛)이름검 '紟, 布帛名. 或作一'《集韻》. [二] 紟(糸부 4획〈983〉)의 籀文.

糸 8 〔⿰糸⿱从龰〕14 종 [平]冬 [去]宋 | zōng ショウ いろぎぬ ショウ いろぎぬ

[字解] ①물들인비단종 색실로 짠 비단. '一, 絨屬'《說文》. ②거마(車馬)장식종 '一, 一曰, 車馬飾'《集韻》.
[字源] 形聲. 糸＋從〈省〉〔音〕

糸 8 〔綼〕14 [一]벽 [入]錫 [二]필 [入]質 [三]비 [平]支 | ヘキ もすそのへりかざり bì ヒツ もすそのへりかざり ヒ もすそのへりかざり

[字解] [一] ①치마폭에수치장할벽 '縓一緆'《儀禮》. ②솜벽 '一, 紟一, 絮也'《廣韻》. [二] 치마폭에수치장할필, 솜필 [一]과 뜻이 같음. [三] 치마폭에수치장할비, 솜비 [一]과 뜻이 같음.

糸 8 〔綳〕14 〔붕〕 繃(糸부 11획〈1011〉)과 同字

糸 8 〔緍〕14 〔민〕 緡(糸부 9획〈1002〉)의 本字

糸 8 〔⿰糸申〕14 〔신〕 紳(糸부 5획〈985〉)의 本字

糸 8 〔総〕14 〔총〕 總(糸부 11획〈1010〉)과 同字

糸 8 〔縄〕14 〔승〕 繩(糸부 13획〈1015〉)의 俗字

糸 8 〔緒〕14 〔서〕 緖(糸부 9획〈1001〉)의 略字

糸 8 〔練〕14 〔련〕 鍊(糸부 9획〈1004〉)의 略字

糸 8 〔⿰糸⿱又丰〕14 〔역〕 繹(糸부 13획〈1016〉)의 略字

糸 8 〔綦〕14 기 [平]支 [去]眞 | qí キ もえぎ

[字解] ①연둣빛기 녹색(綠色). 초록빛. 옛날에, 중국에서 처녀가 입던 복색(服色)임. '縞衣一巾'《詩經》. ②무늬비단기 '一, 綵也'《廣雅》. ③들메끈기 신을 들메는 끈. '履一'. '一繫于踵'《儀禮》. ④검푸른빛기, 검붉은빛기 '四人一弁. (鄭註) 青黑曰一. (王註) 一, 赤黑色'《書經》. ⑤신자국기 신을 신고 밟은 자국. '履檍槍以爲一'《漢書》. ⑥지극할기 극진한 데까지 이름. '一大而王, 一小而亡'《荀子》. ⑦성기 성(姓)의 하나.
[字源] 形聲. 糸＋其〔音〕

糸 8 〔綨〕14 綦(前條)와 同字

糸 8 〔綮〕14 [一] 계 [上]薺 | qǐ ケイ ほこのさや
[二] 경 [去]徑 | qìng ケイ きんにくのつけね

[字解] [一] ①창집계 棨(木부 8획〈559〉)와 同字. '一, 一曰, 戟衣'《廣韻》. ②창날가지계 '一, 戟支'《廣韻》. ③발고운비단계 '一, 致繒也'《說文》. [二] 힘줄붙은곳경 '肯一'은 힘줄이 살에 붙어 있는 곳. 전(轉)하여, 사물의 가장 종요로운 곳. '技經肯一之未嘗'《莊子》.
[字源] 形聲. 糸+啓〈省〉〔音〕

糸 8 〔綮〕14 綮(前條)와 同字

糸 8 〔緊〕14 [高·人] 긴 [上]軫 | jǐn キン かたい
[筆順] 丅 丂 丏 臣 臤 豎 緊 緊
[字解] ①탄탄할긴 견고함. '戈戟之一'《管子》. ②급할긴, 긴할긴 빠름. 또, 일이 급함. 시급함. '一急'. '聲一而小'《雲仙雜記》. ③팽팽할긴 느슨하지 않고 켕김. '一張'. '弛一急之絃張兮'《傅毅》. ④줄일긴, 줄긴 축소함. 줄어듦. '一縮'. '其化一斂'《素問》. ⑤속찰긴 알참. '風物自淒一'《殷仲文》. ⑥죌긴 단단히 감음. 또, 감김. '一, 纏絲急也'《說文》.
[字源] 形聲. 糸+臤〔音〕

糸 8 〔𢧵〕14 〔직〕 織(糸부 12획〈1013〉)의 古字

糸 8 〔䋷〕14 곡 [入]沃 | jú キョク つかねる
[字解] ①묶을곡 '一, 約也'《說文》. ②얽을곡 '一, 纏也'《廣韻》. ③이을곡 '一, 連也'《玉篇》.
[字源] 形聲. 糸+具〔音〕

糸 8 〔𦂿〕14 념 [去]豔 | niàn ネン ふねをひくなわ
[字解] 밧줄념 배를 끄는 밧줄. '一, 引舟繩也'《集韻》.

糸 8 〔𦃇〕14 [一] 래 [平]灰 | lái ライ こわいけ
[二] 리 [平]支 | リ けだつ
[字解] [一] 거친털래 털이 거칢. '斄, 說文, 強曲毛, 可以箸起衣, 或作一'《集韻》. [二] 털설리 털이 섬. '氂, 毛起. 一, 上同'《廣韻》.

糸 8 〔䋩〕14 아 [平]支 | ①ér ジ まとう ②サイ きぬのうつくしいさま
[字解] ①걸칠아 걸침. '一, 纏也'《廣雅》. ②비단아름다울아 '一, 一繻, 繒美皃'《集韻》.

糸 8 〔綩〕14 원 [上]阮 | wǎn エン かんむりのお
[字解] ①갓끈원 '一, 冠系也'《集韻》. ②붉은옷원 '一, 一曰, 纁色衣'《集韻》. ③그물원 '一, 一曰, 罔也'《集韻》. ④오랑캐의피륙원 '一, 一緒, 蠻夷布名'《類篇》.

糸 8 〔𦁊〕14 [一] 전 [上]銑 | zhuàn テン しろくあざやかないろ
[二] 세 [去]霽 | セイ ほそくあらいぬの
[三] 선 [去]霰 | shuàn セン なわをたれてただしくする
[字解] [一] 새하얀빛깔전 縳(糸부 11획〈1010〉)과 同字. '縳, 說文, 白鮮色也. 或省'《集韻》. [二] 가늘고성긴베세 '一, 繐, 說文, 細疏布也. 或省'《集韻》. [三] 새끼늘어뜨려바로잡을선 '摶, 望繩取正. 或作一'《集韻》.

糸 9 〔緒〕15 [高·人] [一] 서 [上]語 | xù ショ いとぐち
[二] 사 [平]麻 | shē シャ のこり
[筆順] 幺 糸 糸 紏 紏 紏 緒 緒
[字解] [一] ①실마리서 ㉠실의 첫머리. 사단(絲端). '白鶴飛兮繭曳一'《張衡》. ㉡사물의 발단. '端一'. '論端究一'《北史》. '反覆終始, 不知其端一'《淮南子》. ②실서 사루(絲縷). '蚕繰而一, 蚕織而縷'《柳宗元》. ③줄기서 계통. '一胄'. '故宗一中圮'《張衡》. ④나머지서 잔여. '一風'. '其一餘以爲國家'《莊子》. ⑤차례서 순서. '食不敢先嘗, 必取其一'《莊子》. ⑥일서 사업. '一業'. '纘太王之一'《詩經》. ⑦마음서 '情一'. '絲中傳意一, 花裏寄春情'《王融》. ⑧타다남은것서 '捧椀以爲一'《管子》. ⑨끝서 '一, 末也'《廣雅》. ⑩앞서 '先生有一言而去'《莊子》. ⑪따를서 '一信所變'《阮瑀》. ⑫찾을서 추심(推尋)함. '一正'. '時一正律曆'《史記》. ⑬성서 성(姓)의 하나. [二] 나머지사 '一餘'는 나머지. '一餘, 殘也'《集韻》.
[字源] 形聲. 糸+者〔音〕

糸 9 〔緗〕15 상 [平]陽 | xiāng ショウ あさぎ
[字解] 담황색상 엷은 황색. 연노랑. 또, 그 옷감. '一, 帛淺黃色也'《說文》.
[字源] 形聲. 糸+相〔音〕

糸 9 〔緘〕15 함 [平]咸 | jiān カン とじる
[字解] ①봉할함 ㉠열지 못하게 붙임. '封一'. ㉡입을 틀어막음. 또, 입을 다물고 말하지 아니함. '一口'. '一默'. '有金人, 參

一其口'《孔子家語》. ②묶을함 상자 같은 것을 끈 따위로 묶음. '一制'. '葛以一之'《墨子》. ③봉한데함 봉한 자리. '必題其一'《宋史》. 또, 봉한 편지. 봉한 서통(書筒). '捧一跪發'《令狐楚》. ④새끼줄함, 줄함 '必攝一縢'《莊子》.
字源 形聲. 糸+咸〔音〕

糸9 〔線〕15 中·人 선 去霰 | xiàn セン いと
筆順 幺 糸 約 約 約 綿 線 線
字解 ①실선 섬유를 가늘고 길게 꼰 것. '鍼一'. '王宮之縫一之事'《周禮》. ②줄선 가늘고 길어 실 같은 모양을 한 것. '罫一'. '電一'. '春風柳一長'(봄바람에 가늘고 긴 버들의 가지가 흔들림)《范雲》. ③선선 수학에서, 위치 및 길이는 있으나, 넓이와 두께가 없는 것. '直一'. '垂一'.
字源 形聲. 糸+泉〔音〕

糸9 〔緝〕15 ⊟즙 入緝 ⊟집 入緝 (즙本) | jī(qì), qī シュウ つむぐ, つぐ jí シュウ あつめる
字解 ⊟①자을즙 실을 뽑아 냄. 또, 낳이함. '一績作衣服'《詩經 箋》. ②꿰맬즙 바느질함. '斬者何, 不一也'《儀禮》. ③이을즙 계속함. 계승함. '一熙'. '授几有一御'《詩經》. ④빛날즙, 밝을즙 '於一熙敬止'《詩經》. ⑤화목할즙 친목함. '一和'. '一穆'. '招懷綏一'《後漢書》. ⑥잡을즙 체포함. '一盜'. '不敎一捕闖門來'《陳造》. ⊟모일집, 모을집 집합함. '一綴'. '編一'. '衣冠未一'《褚淵》. ※本音 즙.
字源 形聲. 糸+咠〔音〕

糸9 〔緞〕15 人名 단 上旱 去翰 | duàn タン どんす
筆順 幺 糸 糸 紀 紀 絆 絆 緞
字解 ①비단단 '一子'는 비단의 한 가지로, 바탕이 곱고 광택이 있으며 두꺼움. '一, 今厚繒曰一'《正字通》. ②신뒤축에댄천조각단 '一, 履跟之帖也'《急就篇 註》.
字源 形聲. 糸+段〔音〕

糸9 〔締〕15 人名 체 去霽 | dì テイ むすぶ
筆順 幺 糸 紵 紵 紵 綷 締 締
字解 ①맺을체 얽어서 꼭 맺음. 전(轉)하여, 벗·인연·조약 따위를 맺음. '一結'. '一姻'. '合從一交'《史記》. ②맺힐체 얽히어 풀리지 아니함. 또, 울적해짐. '氣繚轉而自一'《楚辭》.
字源 形聲. 糸+帝〔音〕

糸9 〔緡〕15 ⊟민 平眞 ⊟면 平先 | mín ビン・ミン つりいと mián ベン・メン こ とりのさま
字解 ⊟①낚싯줄민 낚시를 맨 줄. '釣一'. '垂一'. '維絲伊一'《詩經》. ②돈꿰미민 엽전을 꿰는 꿰미. 또, 그 꿴 돈. '算一'. '初算一錢'《漢書》. '出告一令'《史記》. ③새끼줄민. ④입을민, 입힐민 '吳人解衣相被, 謂之一'《說文》. '言一之絲'《詩經》. ⑤합할민 맞음. '當我一乎'《莊子》. ⑥성할민 무성함. '丘陵草木之一'《莊子》. ⑦성민 성(姓)의 하나. ⊟①연이을면. ②새우는소리면 綿(糸부 8획〈998〉)과 통용. '一蠻黃鳥'《大學》.
字源 形聲. 篆文은 糸+昏〔音〕
參考 緍(糸부 8획〈1000〉)은 本字.

糸9 〔緟〕15 중 ①-③平冬 ④去宋 | chóng チョウ かさねる zhòng チョウ きぬいと
字解 ①거듭할중, 겹칠중 포갬. 重(里부 2획〈1547〉)과 同字. '一, 疊也. 復也'《玉篇》. ②늘중 '一, 增益也'《說文》. ③두꺼울중 '一, 一曰, 厚也'《集韻》. ④명주실중 '一, 繒縷'《廣韻》.
字源 形聲. 糸+重〔音〕

糸9 〔緣〕15 高·人 연 ①②去霰 ③-⑨平先 | yuàn エン ふち yuán エン よる
筆順 幺 糸 糸 紀 紀 終 緣 緣
字解 ①가선연 의복의 가장자리를 싸서 돌린 선. '純袂一'《禮記》. ②가연 가장자리. '一邊諸鎭'《唐玄宗》. ③말미암을연 인연함. '由一'. '凡一而往埋之'《荀子》. ④좇을연 따름. '攀一'. '一木而求魚'《孟子》. ⑤탈연 인연을 탐. 연줄을 잡음. '貪一'. ⑥두를연 위요(圍繞)함. '一縈'. '一之以方城'《荀子》. ⑦연줄연 인연이 맺어지는 길. '世一'. '俗一未盡'《傳燈錄》. ⑧연분연 인륜 및 남녀의 관계. '良一'. '新一貴壻起朱樓'《李商隱》. ⑨《佛教》 인연연 원인을 도와 결과를 낳게 하는 작용. '三一不斷, 故三因不生'《楞嚴經》.
字源 形聲 糸+彖〔音〕

糸9 〔縁〕15 緣(前條)의 略字

糸9 〔緦〕15 시 平支 | sī シ あさぬの
字解 ①베시 시마(緦麻)에 쓰는 올이 가늘

고 올새가 성긴 베. '四世而一, 服之窮也'《禮記》. ②시마시 '一麻'는 석 달 동안 입는상복(喪服). '一麻三月者. 傳曰, 一者, 十五升抽其半'《儀禮》. ③모을시 '一, 聚也'《廣雅》.
字源 形聲. 糸+思〔音〕

糸 9 〔緥〕15 보 ㊤晧 bǎo ホウ むつき
字解 포대기보 젖먹이를 업는 보. '曾孫雖在繈一'《漢書》.
字源 形聲. 糸+保〔音〕
參考 褓(衣부 9획〈1280〉)는 俗字.

糸 9 〔編〕15 高·人 ㊀편 ㊥先 biān ヘン あむ ㊁변 ㊤銑 biǎn ヘン うすぎぬ
筆順 ㄠ 糸 糹 紀 綿 緼 緼 編
字解 ㊀①맬편 실로 철(綴)함. '與衆篇合一'《詩經》. ②엮을편 ㉠물건을 얼기설기 맞추어 맴. '一柳'. ㉡책을 엮음. 찬술함. '一修'. '手自一輯'《南史》. ㉢순서를 매김. 순서대로 벌여 놓음. '一次'. '一, 次也'《廣韻》. ㉣짜 넣음. 한데 늘어세움. '一入'. '一之徒官'《漢書》. '一町成篁'《張衡》. ㉤(직물을) 짬. '一, 織也'《一切經音義》. ㉥맺음. '一愁苦以爲膺'《楚辭》. ③책편 서적. 篇(竹부 9획〈945〉)과 同字. '千百家之一'《韓愈》. ④편편 책의 갈래를 구분하는 말. '窮黃石之三一'《李納》. ⑤끈편 '一, 條也'《廣雅》. ⑥책끈편 책을 맨 끈. 또, 그 맨 자리. '韋一三絕'《史記》. ⑦성편 성(姓)의 하나. ㊁①얇은깁변 '一, 一綃也'《廣韻》. ②꼴변 '一, 絞也'《集韻》. ③땋을변 머리·실 같은 것을 땋음. 辮(糸부 14획〈1018〉)과 통용. '有解一髮, 削左衽, 襲冠帶, 要衣裳, 而蒙化者焉'《漢書》.
字源 形聲. 糸+扁〔音〕

糸 9 〔緩〕15 高·人 완 ㊤旱 huǎn カン ゆるい
筆順 ㄠ 糸 糸 紆 紵 綬 緩
字解 ①느릴완 더딤. 둔함. 또, 바쁘지 아니함. '一慢'. '董安于性一'《韓非子》. '農事一則貧'《墨子》. ②느슨할완, 느슨해질완 늘어나서 헐거움. 또, 늘어나서 헐거워짐. '衣帶日以一'《古詩》. ③부드러울완 ㉠딱딱하지 아니함. '地肥而土一'《呂氏春秋》. ㉡엄하지 아니함. 관대함. '寬一不苛'《史記》. ④느즈러질완 해이(解弛)함. '弛一'. '德義之一'《呂氏春秋》. ⑤늦출완 느슨하게 함. 또, 기한을 멀리 잡음. '一帶'. '民事不可一也'《孟子》. ⑥늘어질완 축 처짐. '連一耳'《後漢書》. ⑦성완 성(姓)의 하나.

字源 形聲. 素(𦃃)+爰〔音〕

糸 9 〔縆〕15 긍 ㊥蒸 gēng ㊦徑 gèng コウ おおなわ
字解 ①동아줄긍 굵은 줄. 바. '城內繫一, 數百人叫呼引之'《南史》. ②팽팽하게맬긍 줄을 바싹 켕겨 맴. '一瑟兮交鼓'《楚辭》. ③팽팽할긍 줄이 켕김. '大絃一'《淮南子》. ④빠를긍 신속함. '如日月一升'《杜牧》. ⑤걸칠긍, 미칠긍 亙(二부 4획〈27〉)과 同字. '一以年歲'《班固》. ⑥끝낼긍, 끝날긍 '一, 竟也. 秦晉或曰一'《揚子方言》.
字源 形聲. 糸+恆〔音〕
參考 絙(糸부 6획〈989〉)은 同字.

糸 9 〔緫〕15 총 ㊥東 zōng ソウ あお
字解 ①푸를총 청색. 일설(一說)에는, 얇은 비단. '重翟鍚面朱一'《周禮》. ②타래총 실을 세는 수사(數詞). '素絲五一'《詩經》.
參考 總(糸부 11획〈1010〉)의 俗字.

糸 9 〔緬〕15 면 ㊤銑 miǎn ベン·メン ほそいと
字解 ①가는실면 세사(細絲). '一, 微絲也'《說文》. ②멀면 아득히 먼 모양. '一然引領南望'《國語》. '擧下一也'《穀梁傳》. ③생각할면 생각하는 모양. '一, 思貌也'《華嚴經音義》. ④다할면 다 없어짐. '冀闕一其堙盡'《潘岳》. ⑤가벼울면 '一, 輕也'《玉篇》. ⑥나라이름면 중국 서남의 나라. 지금의 미얀마. '一甸'. '問以征一事宜'《元史》. ⑦성면 성(姓)의 하나.
字源 形聲. 糸+面〔音〕

糸 9 〔緯〕15 高·人 위 ①-⑥㊦未 ⑦㊤尾 wěi イ よこいと イ たばねる
筆順 ㄠ 糸 紀 紵 結 緯 緯 緯
字解 ①씨위 피륙의 가로 짠 실. 씨실. '經一'. '嫠不恤其一'《左傳》. 전(轉)하여, 횡선 또는 상하(上下)에 대하여 평면, 남북(南北)에 대하여 동서(東西), 전후(前後)에 대하여 좌우(左右)의 방향을 이름. '一線'. '一度'. '正督經一'《算經》. ②켕긴줄위 악기의 현(弦) 줄. '挾人箏而彈一'《楚辭》. ③짤위 직조를 함. '恃一蕭而食'《莊子》. ④참서위 미래기(未來記). 예언서. '讖一'. '儒者爭學圖一'《後漢書》. ⑤별위 성신(星辰). '五一'. '兼明星一'《漢書》. ⑥성위 성(姓)의 하나. ⑦묶을위 결속(結束)함. '農一厥未'《大戴禮》.
字源 形聲. 糸+韋〔音〕

糸 9 〔緱〕15 구 ㊥尤 gōu コウ まきづか

字解 ①칼자루감을구 노 따위로 칼자루를 감음. 또, 그 노. '馮先生甚貧, 猶有一劍耳, 又蒯一'《史記》. ②성구 성(姓)의 하나.
字源 形聲. 糸+侯〔音〕

糸9〔緲〕15 묘 ㊤篠 miǎo ビョウ·ミョウ かすか
字解 아득할묘 渺(水부 9획〈663〉)와 同字. '煙霞縹一'《宣和畫譜》.
字源 形聲. 糸+眇〔音〕

糸9〔練〕15 中·人 련 ㊀霰 liàn レン ねる
筆順 幺 糸 糹 紅 絧 絗 練 練
字解 ①누일련 무명·모시 따위를 잿물에 삶아 물에 빨아 말림. 표백함. '春曝一'《周禮》. ②익힐련 익숙하게 함. 연습함. '訓一'. '一磨'. '簡一傑俊'《禮記》. ③익을련, 익숙해질련 배워 익힘. 익숙해짐. 습숙(習熟)함. '明習文法, 一國制度'《漢書》. ④일련 일어서 가림. '漉一五藏'《枚乘》. ⑤가릴련 선택함. 정선(精選)함. '一擇'. '一時日'《漢書》. ⑥겪을련 경험함. '音靡不一'《漢書》. ⑦누인명주련 표백한 흰 명주. '被一三千'《左傳》. ⑧연복련 소상(小祥) 때 입는 상복. '一而慨然'《禮記》. ⑨성련 성(姓)의 하나.
字源 形聲. 糸+柬〔音〕

糸9〔緣〕15 자 ㊤馬 zhǎ タ いとなどがたがいにひっつくさま
字解 실서로붙을자 실이 서로 붙음. '一, 一絜, 相著皃'《玉篇》.

糸9〔緵〕15 종 ㊥東 ㊀送 zōng zòng ソウ いとかずのな
字解 ①새종 포백(布帛)의 여든 올의 일컬음. 일승(一升). '令徒隷衣七一布'《史記》. ②그물종 물고기를 잡는 그물. '一罟, 謂之九罭'《爾雅》.
字源 形聲. 糸+㚇〔音〕

糸9〔緶〕15 편 ㊥先 biàn(pián) ヘン ぬう
字解 ①꿰맬편 바느질함. '一, 縫也'《廣韻》. ②삼베실드릴편 삼베실을 꼼.
字源 形聲. 糸+便(㑺)〔音〕

糸9〔緹〕15 제 ㊥齊 ㊤薺 tí テイ あか
字解 ①붉을제, 붉은빛제 적색. '辨五齊之名, 四日, 一齊'《周禮》. ②명주제 붉은 명주. 적백(赤帛). '一緗十重'《後漢書》.
字源 形聲. 糸+是〔音〕

糸9〔緺〕15 왜(괘㊍) ㊥佳 guā カイ ひらひも
字解 인끈왜 야청빛의 인수(印綬). '佩靑一'《史記》. ※本音 괘.
字源 形聲. 糸+咼〔音〕

糸9〔緻〕15 치 ㊀寘 zhì チ こまかい
字解 ①고울치 결이 곱거나 올이 뱀. '一密'. '碔碱采一'《後漢書》. ②찬찬할치 면밀함. '用思精一'《唐書》. ③메울치 보충함. '一, 補也'《廣雅》. ④기울치 터진 데를 기움. 꿰맴. '褸, 謂之一'《揚子方言》.
字源 形聲. 糸+致〔音〕

糸9〔緸〕15 인 ㊥眞 yīn イン ゆれうごく
字解 움직일인 요동하는 모양. '一冤蜿蟺'《馬融》.

糸9〔緷〕15 ㊀혼 ㊤阮 gǔn コン たばねたはね ㊁곤 ㊤阮 gǔn コン たばねたはね ㊂운 ㊀問 yùn ウン よこいと
字解 ㊀①깃다발혼 새의 깃 백 개를 이름. '一羽謂之箴, 十羽謂之縛, 百羽謂之一'《爾雅》. ②다발혼 큰 묶음. '一, 束也'《廣雅》. ㊁깃다발곤, 다발곤 ㊀과 뜻이 같음. ㊂씨실운 '一, 緯也'《說文》.
字源 形聲. 糸+軍〔音〕

糸9〔縇〕15 韓 선
字解 《韓》가선선, 선두를선 옷·자리 따위의 가장자리 끝을 딴 헝겊으로 가늘게 싸서 두르는 일. 또, 그 선(線).

糸9〔緭〕15 위 ㊀未 wèi イ きぬ
字解 ①비단위 직물의 한 가지. '一, 繒也'《說文》. ②드린끈위 두 겹 이상으로 드린 끈. 끈목.
字源 形聲. 糸+胃〔音〕

糸9〔緒〕15 개 ㊥佳 ㊤蟹 kāi カイ ふといと
字解 굵은실개 '一, 大絲也'《說文》.
字源 形聲. 糸+皆〔音〕

糸9〔緢〕15 묘 ①㊤巧 miǎo ボウ·ミョウ ㊀效 miào ボウ·ミョウ からうしのおのいと ②㊥肴 máo ボウ·ミョウ いとがめぐる
字解 ①쇠꼬리기(旗)술묘 모우(犛牛)의

꼬리의 몹시 가는 털을 늘어뜨린 기(旗) 장식. 또, 그 털. '惟一有稽'《周禮》. ②실돌묘 실이 빙빙 돎. '絲旋曰一'《集韻》.
字源 形聲. 糸+苗〔音〕

糸 9 〔緕〕15 봉 ㊤董|běng ホウ あさぐつ
字解 ①미투리봉 생삼으로 삼은 신. ②꺽두기봉 아이들이 신는 당혜(唐鞋). '一, 一曰, 小兒皮履'《集韻》.
字源 形聲. 糸+封〔音〕

糸 9 〔緙〕15 격 ㊀陌|kè カク ぬう
字解 ①꿰맬격 '一, 紩也'《廣韻》. ②씨실격 '一, 又織緯'《廣韻》.

糸 9 〔緰〕15
㊀ 송 ㊤腫|ショウ ほだす
㊁ 수 ㊤麌|xǔ シュ ほだす
㊂ 술 ㊀質|シュツ ほだす
㊃ 혈 ㊀屑|xié ケツ にしきのな
字解 ㊀ 옭아맬송 짐승의 앞발을 맴. '一, 獸前絆謂之一'《集韻》. ㊁ 옭아맬수 ㊀과 뜻이 같음. ㊂ 옭아맬술 ㊀과 뜻이 같음. ㊃ 비단이름혈 촉(蜀) 땅에서 나는 비단의 이름. '自造奇錦, 紌緂緸一'《揚雄》.

糸 9 〔緛〕15 연 ①②㊤銑|ruǎn ゼン·ネン ひだ
③㊦霰|ゼン·ネン おる
字解 ①주름연 옷의 주름. '一, 衣縫也'《廣韻》. ②쭈그러들연 '一, 縮也'《廣雅》. ③짤연 '一, 織也'《集韻》.
字源 形聲. 糸+耎〔音〕

糸 9 〔緸〕15
㊀ 청 ㊥青|tīng テイ ゆるい
㊁ 영 ㊥庚|yíng エイ ゆるい
字解 ㊀ 느릴청 '一, 緩也'《說文》. ㊁ 느릴영 ㊀과 뜻이 같음.
字源 形聲. 糸+盈〔音〕

糸 9 〔緰〕15
㊀ 수 ㊥虞|xū シュ きぬのいろどり
㊁ 유 ㊥虞|yú ユ さけたきぬ
㊂ 요 ㊦嘯|ヨウ きぬ
㊃ 투 ㊥尤|tóu トウ めのつんだあさぬの
字解 ㊀ 비단채색수, 오색비단수 '繻, 說文, 繪采色. 或从俞'《集韻》. ㊁ 째진비단유 '輸, 裂繒曰輸. 或从糸'《集韻》. ㊂ 비단요 '一, 帛也'《集韻》. ㊃ ①삼베투 '一貲'는 고운 삼베. '一, 一貲, 布也'《說文》. ②베투 '一, 布也'《廣韻》.
字源 形聲. 糸+俞〔音〕

糸 9 〔緶〕15 〔경〕
綆(糸부 7획〈994〉)의 本字

糸 9 〔綱〕15 〔강〕
綱(糸부 8획〈997〉)의 本字

糸 9 〔緇〕15 〔치〕
緇(糸부 8획〈999〉)의 本字

糸 9 〔緅〕15 〔추〕
鞦(革부 9획〈1667〉)와 同字

糸 9 〔緧〕15 〔추〕
鞦(革부 9획〈1667〉)와 同字
字源 形聲. 糸+酋〔音〕

糸 9 〔緤〕15 〔설〕
絏(糸부 5획〈985〉)과 同字
字源 形聲. 糸+枼〔音〕

糸 9 〔緒〕15 〔저〕
紵(糸부 5획〈985〉)와 同字

糸 9 〔総〕15 〔총〕
總(糸부 11획〈1010〉)의 俗字

糸 9 〔緃〕15 〔종〕
縱(糸부 11획〈1009〉)의 俗字

糸 9 〔緼〕15 〔온〕
縕(糸부 10획〈1006〉)의 俗字

糸 9 〔緾〕15 〔전〕
纏(糸부 15획〈1019〉)의 俗字

糸 9 〔緓〕15 〔루〕
縷(糸부 11획〈1010〉)의 俗字

糸 9 〔縄〕15 〔승〕
繩(糸부 13획〈1015〉)의 俗字

糸 9 〔緜〕15 〔면〕
綿(糸부 8획〈998〉)의 本字

糸 9 〔緳〕15 혈 ㊀屑|xié ケツ おび
字解 띠혈 허리띠. '正一係履'《莊子》.

糸 9 〔緺〕15 과 ㊥歌|kē カ あや
字解 ①무늬과 무늬. '一, 紋綵'《篇海》. ②실다스릴과 실을 정리함. '一, 理絲'《玉篇》.

糸 9 〔緒〕15 낙 ㊀藥|nuò ダク ぬののな
字解 베이름낙 남쪽 오랑캐의 베 이름. '綩一, 蠻夷布名'《集韻》.

糸 9 〔緋〕15 〔배〕
褙(衣부 9획〈1280〉)와 同字

糸9 〔⿱削糸〕15 삭 [入]覺 | shuò サク とじる

[字解] 책맬삭 책을 맴. '一, 緘也'《廣雅》.

糸9 〔⿰糸削〕15 [一] 綃(糸부 7획〈993〉)와 同字 [二] ⿱削糸(前條)과 同字

糸9 〔縃〕15 〔서〕 胥(肉부 5획〈1072〉)와 同字

糸9 〔⿰糸畏〕15 외 [平]灰 | wēi ワイ ごしきのいとのかざり

[字解] 오색실술외 오색 실을 토막토막 잘라서 끈 사이에 끼운 것. '一, 五色絲飾'《玉篇》.

糸9 〔⿰糸亭〕15 〔정〕 綎(糸부 7획〈994〉)의 俗字

糸9 〔⿰糸冑〕15 주 [去]宥 | zhòu チュウ わざ

[字解] ①직업주 직업. '一, 博雅, 業也'《集韻》. ②실마리주 실마리. '一, 一曰, 緖也'《集韻》. ③명주주 명주. '一, 或作紬'《集韻》.

糸9 〔⿰糸肴〕15 〔초〕 綃(糸부 7획〈993〉)와 同字

糸9 〔緿〕15 〔태〕 紿(糸부 5획〈986〉)와 同字

糸9 〔縀〕15 〔하〕 韗(韋부 9획〈1676〉)와 同字

糸10 〔縉〕16 진 [去]震 | jìn シン うすあか

[字解] ①분홍빛진 엷게 붉은 빛깔. '一, 淺赤色也'《急就篇 註》. ②붉은비단진 '一雲氏有不才子'《史記》. ③꽂을진 搢(手부 10획〈458〉)과 同字. '一紳而無鉤帶矣'《荀子》.
[字源] 形聲. 糸＋晋(晉)〔音〕

糸10 〔⿰糸晋〕16 縉(前條)의 俗字

糸10 〔縕〕16 온 ①②[平]文 ③-⑦[上]吻 | yūn ウン もつれたあさのくず ウン あさ, おくふかい

[字解] ①삼부스러기온 뒤얽힌 삼 지스러기. 난마(亂麻). '卽束一請火於亡肉家'《漢書》. ②헌솜온 묵은 솜. '一爲袍'《禮記》. ③솜옷온 솜을 둔 옷. '不制一袍之一'《齊書》. ④삼베온 난마(亂麻)로 짠 베. 또, 그 옷. '服麻一'《南史》. ⑤그윽할온, 그윽한곳온 蘊(艸부 16획〈1203〉)과 同字. '乾坤, 其易之一耶'《易經》. ⑥어지러워질온 '齊桓之時一'《揚子法言》. ⑦주홍빛온 적색과 황색의 간색(間色). '一, 禮曰, 一命一韍'《廣韻》.
[字源] 形聲. 糸＋𥁕〔音〕

糸10 〔縊〕16 의(액[俗]) [去]寘 [去]霽 | yì イ くびれる エイ くびれる

[字解] 목맬의 목을 졸라매어 자살하거나 죽임. '一死'. '一殺'. '不伏其轅, 必一其牛'《周禮》. ※俗音 액.
[字源] 形聲. 糸＋益〔音〕

糸10 〔縋〕16 추 [去]寘 | zhuì ツイ かける, なわ

[字解] ①매달추 줄을 매닮. '夜一而出'《左傳》. ②줄추 매다는 줄. '乘一以入秦園'《晉書》.
[字源] 形聲. 糸＋追〔音〕

糸10 〔縌〕16 역 [入]陌 | nì ゲキ いんのひも

[字解] 인끈역 인수(印綬). '赤韍一'《漢書》.
[字源] 形聲. 糸＋逆〔音〕

糸10 〔縎〕16 [一] 골 [入]月 | gǔ コツ むすぼれる [二] 홀 [入]月 | hú コツ きぬ

[字解] [一] ①옭매일골 풀리지 않도록 매어짐. ②맺힐골 가슴 속에 뭉쳐 있음. '必結一兮折摧'《楚辭》. [二] 비단홀 비단의 일종. '一, 繒類'《集韻》.
[字源] 形聲. 糸＋骨〔音〕

糸10 〔縐〕16 [一] 추 [去]宥 [二] 축 [入]屋 | zhòu シュウ ちぢむ cù シュク ちぢむ

[字解] [一] 주름질추 주름이 잡힘. '襞積褰一'《史記》. 또, 바싹 꼰 실로 짜서 주름이 잡힌 포백(布帛). '蒙彼一絺'《詩經》. [二] 주름질축 [一]과 뜻이 같음.
[字源] 形聲. 糸＋芻〔音〕

糸10 〔縑〕16 겸 [平]鹽 | jiān ケン ふたこぎぬ

[字解] ①비단겸 ㉠합사로 짠 비단. '紈一'. '素一'. '數賜一帛'《列仙傳》. ㉡비단. '一, 絹也'《廣韻》. '作一單衣'《漢書》. ②생명주겸 생견(生絹). '繰謂之一'《廣雅》.
[字源] 形聲. 糸＋兼〔音〕

糸10 〔縓〕16 전 [平]先 [去]霰 | quán セン うすあかいろのきぬ

[字解] 분홍빛전 엷게 붉은 빛깔. '一染謂之一'《爾雅》. 또, 분홍빛의 비단. '黃裏一緣'《禮記》.
[字源] 形聲. 糸＋原〔音〕

糸10〔縒〕16 ㊀치 ㊥支 cī シ ふぞろい
㊁차 ㊤哿 suǒ サ いろどりのあざやかなさま
㊂착 ㊣藥 cuò サク みだれる

字解 ㊀가지런하지않을치 '參—'는 가지런하지 않은 모양. 참치(參差)한 모양. '一, 說文, 參一也. 謂絲亂皃'《集韻》. ㊁빛고운차 선명하고 깨끗한 모양. '采色鮮曰—'《廣韻》. ㊂엉클어질착 '—綜'은 엉클어짐.
字源 形聲. 糸+差(𢀩)〔音〕

糸10〔縗〕16 최 ㊥灰 cuī サイ もふく

字解 상옷이름최 상복(喪服)을 입을 때 가슴에 다는 길이 여섯 치, 폭 네 치의 헝겊. 衰(衣부 4획〈1267〉)와 同字. '晏嬰麤—斬'《左傳》.
字源 形聲. 糸+衰〔音〕

糸10〔縚〕16 도 ㊥豪 tāo トウ くみひも

筆順 糸 紅 紅 紅 紅 紅 縚 縚

字解 ①끈도 絛(糸부 7획〈995〉)와 同字. '甲士皆青—甲居左, 紅—甲居右'《北轅錄》. ②감출도, 넓을도 韜(韋부 10획〈1676〉)와 同字. '韜, 藏也. 寬也. 一, 上同'《廣韻》. ③검자루도 칼을 챙겨 넣어 두는 검대(劍袋). '韜, …說文, 劍衣也. 一, 上同'《廣韻》.
字源 形聲. 糸+舀〔音〕

糸10〔縛〕16 박 ㊣藥 fù(fú) バク しばる

字解 ①묶을박 ㉠동임. '—束'. '——如瑱'《左傳》. ㉡포박함. '生—'. '執—之'《史記》. ㉢속박함. 자유 행동을 못 하게 함. '苦被微名—'《杜甫》. ②포승박 박승(縛繩). '解其—'《史記》. ③《韓》 얽을박 얼굴에 마마 자국이 있음.
字源 形聲. 糸+尃〔音〕

糸10〔縝〕16 人名 진 ①-⑤㊤軫 zhěn シン こまか
⑥㊥眞 chēn シン あさいと

筆順 幺 糸 糸 糸 紵 縝 縝 縝

字解 ①고울진 촘촘함. '非繡非繪, 一緻柔美'《陸龜蒙》. ②찬찬할진 면밀함. '溫潤而澤, 仁也, 一密以栗, 知也'《禮記》. ③검은머리진 흑발(黑髮). '誰能一不變'《謝朓》. ④맺을진 '一, 結也'《廣韻》. ⑤홑옷진 '袗一, 單衣. 或作一'《廣韻》. ⑥삼실진 '纑, 謂之一'《揚子方言》.
字源 形聲. 糸+眞〔音〕

糸10〔縞〕16 호(고㊍) ㊤晧 ㊧號 gǎo コウ きぬ

字解 ①명주호 고운 명주. 또, 흰 명주. 일설(一說)에는, 생견(生絹). '—裙'. '厥篚玄纖—'《書經》. ②흴호, 흰빛호 백색. '—鳥'. '—衣綦巾'《詩經》. ※本音 고.
字源 形聲. 糸+高〔音〕

糸10〔縟〕16 욕 ㊣沃 rù ジョク あや, いろどり

字解 ①채색욕, 채식(采飾)욕 번다하게 장식한 채색. '鮮—'. '紛—'. '采飾纖—'《張衡》. '—組爭映'《郭璞》. ②번다할욕 번거로울 정도로 많음. 번잡함. '繁—'. '—禮'. '喪成人者, 其文—'《儀禮》. ③요욕, 자리욕 褥(衣부 10획〈1282〉)과 통용. '援綺衾兮坐芳—'《謝惠連》.
字源 形聲. 糸+辱〔音〕

糸10〔縡〕16 人名 재 ㊧隊 ㊤賄 zài サイ こと

筆順 幺 糸 糸 紵 紵 縡 縡 縡

字解 일재 事(亅부 7획〈25〉)와 뜻이 같음. '上天之—'《漢書》.
字源 形聲. 糸+宰〔音〕

糸10〔緆〕16 탑 ㊣合 tà トウ かけなわにかけてとる

字解 잡을탑 올무를 던져서 생물을 잡음. '契丹設伏橫擊之, 飛索以—玄遇·仁節, 生獲之'《資治通鑑》.

糸10〔縭〕16 ㊀리 ㊥支 lí リ わるいわた
㊁려 ㊥齊 lí レイ わるいわた

字解 ㊀①헌솜리 묵은 솜. '縡—, 惡絮'《廣韻》. ②비끄러맬리 잡아맴. '—, 繫—也'《說文》. ③줄리 바. '—, 一曰, 維也'《說文》. ㊁헌솜려, 비끄러맬려, 줄려 ㊀과 뜻이 같음.
字源 形聲. 糸+虒〔音〕

糸10〔縍〕16 방 ㊥陽 ㊧漾 bāng ホウ くつのへりをつくろう
bàng ホウ ふるわた

字解 ①신가퀘맬방 신의 가장자리를 꾸밈. '幫, 治履邊也, 或作—'《集韻》. ②묵은솜방 헌 솜. '吳俗謂緜絮曰—'《集韻》.

糸10〔緂〕16 담 ㊤感 tǎn タン あおみがかったしろぎぬ

字解 옥색비단담 파르스름한 비단. '—, 帛騅色也, 詩曰, 毳衣如—. (段注) 騅者, 蒼白色也'《說文》.
字源 形聲. 糸+剡〔音〕

糸10 〔縜〕16 균 ㊥眞 (윤㊍) | yún イン はりづなと まととをれんけつする ほそひも

字解 벼릿줄매는끈균 벼릿줄을 그물에 매는 가는 끈. '一, 綱紐也'《說文》. '上綱與下綱出舌尋, 一寸爲'《周禮》. ※本音 윤.
字源 形聲. 糸+員〔音〕

糸10 〔⿰糸毘〕16 비 ㊥支 | pí ヒ こまかいぬの

字解 가는천비 곱게 짠 직물(織物). '一, 細布'《集韻》.

糸10 〔⿰糸匪〕16 비 ㊤尾 | fěi ヒ にしきのな

字解 ①비단이름비 촉(蜀) 지방에서 나는 비단의 이름. '紩繰一縜'《揚雄》. ②상자비 장방형(長方形)의 상자. '匪, 說文, 器似竹篋. 或作一'《集韻》.

糸10 〔⿰糸恖〕16 〔시〕 緦(糸부 9획〈1002〉)의 本字

糸10 〔⿰糸㚔〕16 〔행〕 緈(糸부 8획〈1000〉)의 本字

糸10 〔⿰糸⿱夲口〕16 〔부〕 ⿰糸咅(糸부 8획〈1000〉)의 本字

糸10 〔⿰糸𠬶〕16 〔침〕 綅(糸부 7획〈993〉)의 本字

糸10 〔⿰糸⿱卜⿱日丁〕16 〔작〕 綽(糸부 8획〈998〉)과 同字

糸10 〔縧〕16 〔조〕 絛(糸부 7획〈995〉)와 同字

糸10 〔⿰糸⿱宀廾〕16 〔반〕 絆(糸부 7획〈995〉)과 同字

糸10 〔縦〕16 〔종〕 縱(糸부 11획〈1009〉)의 略字

糸10 〔縫〕16 〔봉〕 縫(糸부 11획〈1009〉)의 略字

糸10 〔緻〕16 〔치〕 緻(糸부 9획〈1004〉)의 訛字

糸10 〔縠〕16 곡 ㊇屋 | hú コク うすでのちりめん

字解 명주곡 주름이 잡힌 고운 명주. 오글비단. '細一'. '羅一'. '動霧一以徐步兮'《宋玉》.
字源 形聲. 糸+㱿〔音〕

糸10 〔縣〕16 高·人 현 ㊥先 ㊦霰 | ①②xuán ケン かける ③④xiàn ケン ぎょうせいくいきのな

筆順 目 旦 県 県 県 縣 縣 縣

字解 ①매달현 懸(心부 16획〈418〉)의 本字. '一鼓'. '一萬斤石于心上'《後漢書》. ②떨어질현 격(隔)함. '一隔千里'《漢書》. ③고을현, 현현 진시황(秦始皇) 때부터 시작한 행정상의 구획으로, 처음에는 군(郡)의 위였으나, 후에는 군(郡) 또는 부(府)에 속함. '一治'. '分天下爲郡一'《漢書》. 현재는 성(省)의 아래 구분(區分). '山東省曲阜一'. ④성현 성(姓)의 하나.
字源 會意. 金文에서는 木+糸+目으로, 나무에서 머리 또는 끈으로 목을 거꾸로 건 모양에서, '걸다'의 뜻을 나타냄.

糸10 〔縢〕16 등 ㊥蒸 | téng トウ とじる

字解 ①봉할등 열지 못하게 봉함. 묶음. 또, 봉한 데. '封一'. '金一'. '啓一剖衷'《謝靈運》. ②행전등 바지를 가든히 하려고 바지 위에 눌러 치는 물건. '行一'. '嬴一履蹻'《戰國策》. ③노등, 끈등 '朱英綠一'《詩經》. ④주머니등 幐(巾부 10획〈336〉)과 同字. '制爲一囊'《後漢書》.
字源 形聲. 糸+朕〔音〕

糸10 〔縈〕16 영 ㊥庚 | yíng エイ まつわる

字解 ①얽힐영 얼기설기 감김. '一結'. '葛藟一之'《詩經》. ②두를영 위요함. 둘러쌈. '一繞'. '河水一帶'《李華》. ③굽을영 꾸불꾸불 구부러짐. 굴곡함. '紆一'. '一河之洋洋'《張衡》.
字源 形聲. 糸+熒〈省〉〔音〕

糸10 〔縏〕16 반 ㊥寒 | pán ハン ちいさいふくろ

字解 주머니반 작은 주머니. '施一袠'《禮記》.

糸10 〔⿱㬥糸〕16 ㊀박 ㊇藥 ㊁복 ㊇屋 | bó ハク えり ホク えり

字解 ㊀깃박 옷깃. '一, 本作襮'《正字通》. ㊁깃복 ■과 뜻이 같음.
字源 形聲. 糸+暴〈省〉〔音〕

糸10 〔⿱𠔉糸〕16 〔권〕 絭(糸부 6획〈992〉)의 本字

糸10 〔⿱𡗜糸〕16 〔소〕 素(糸부 4획〈984〉)의 本字

糸 10 〔繁〕16 〔번〕
繁(糸부 11획〈1012〉)의 略字

糸 10 〔緜〕16 〔계〕
系(糸부 1획〈980〉)의 籒文

糸 10 〔縘〕16 〔계〕
繫(糸부 13획〈1017〉)와 同字

糸 10 〔縤〕16 소 [去]遇|sù ソ きぎぬ

[字解] 생명주소 생명주. 누이지 아니한 명주. '一, 生帛'《玉篇》.

糸 10 〔縨〕16 〔황〕
絖(糸부 6획〈992〉)과 同字

糸 11 〔縪〕17 ㊀필 [入]質|bì ヒツ ひざかけ
㊁별 [入]屑|biè ヘツ くくる

[字解] ㊀①슬갑필 韠(韋부 11획〈1677〉)과 同字. '韍謂之一'《廣雅》. ②혼솔필 갓의 혼솔기. '冠六升外一'《儀禮》. ③멈출필 그침. '一, 止也'《說文》. ④묶을필 '一, 一曰, 約束'《集韻》. ㊁묶을별 끈으로 규옥(圭玉)의 한가운데를 동임.
[字源] 形聲. 糸+畢〔音〕

糸 11 〔縫〕17 봉 ①②[平]冬|féng ホウ ぬう
③[去]宋|fèng ホウ ぬいめ

[字解] ①꿰맬봉 바느질함. '裁一'. '可以一裳'《詩經》. 또, 꿰맨 물건. 바느질감. '羔羊之一'《詩經》. ②기울봉 보합(補合)함. 수리(修理)함. '敢拜子之彌一敝邑'《左傳》. ③혼솔봉 관(冠)의 혼 솔기. '一, 衣會也'《集韻》. '古者冠縮一, 今也衡一'《禮記》.
[字源] 形聲. 糸+逢〔音〕

糸 11 〔縭〕17 리 [平]支 |①-④lí リ いと
(⑤치[本]) [平]支 |でくつをかざる
|⑤チ くしけずる

[字解] ①향주머니리 향낭(香囊). 옛날에 여자가 시집갈 때 어머니가 허리에 채워 주는 것. 일설(一說)에는, 여자가 차는 수건. 곧, 세(帨) 같은 것이라 함. '親結其一'《詩經》. ②신꾸밀리 실로 신을 장식함. '一, 吕絲介履也'《說文》. ③향주머니끈리 향(香)주머니를 다는 끈. '一, 婦人香纓'《廣韻》. ④맬리 잡아 묶음. '紼一維之'《詩經》. ⑤빗질할리 '風一露沐'《唐書》. ※❺本音 치.
[字源] 形聲. 糸+离〔音〕

糸 11 〔縮〕17 [高·人] 축 [入]屋|suō, sù シュク ちぢむ

[筆順] 幺 糸 紵 紵 紵 紵 縮 縮

[字解] ①줄축 ㉠작아짐. '短一'. '一小'. '孟秋始一'《淮南子》. ㉡움츠러듦. 기가 꺾임. '賊氣沮一'《唐書》. ②줄일축 ㉠움츠림. 거두어들임. '一, 斂也'《唐書》. '春秋一其和'《淮南子》. ㉡감축함. 절감(節減)함. '一于財用'《戰國策》. ③오그라들축 오그라져 작아짐. '風寒馬毛一'《劉長卿》. ④다스릴축 치리(治理)함. '一, 亂也'《爾雅》. ⑤물러날축 '一, 退也'《廣韻》. '退舍爲一'《漢書》. ⑥거를축 막걸리를 걸러 냄. '無以一酒'《左傳》. ⑦세로축 가로의 대(對). '古者冠一縫, 今也衡縫'《禮記》. ⑧묶을축 동여맴. '一版以載'《詩經》. ⑨바를축 올바름. 곧음. '自反而一'《孟子》. ⑩성축 성(姓)의 하나.
[字源] 形聲. 糸+宿〔音〕

糸 11 〔縮〕17 縮(前條)의 本字

糸 11 〔縯〕17 ㊀연 [上]銑|yǎn エン ながい
㊁인 [上]軫|yǐn イン じんめい

[字解] ㊀길연 짧지 아니함. ㊁①당길인 잡아당겨 늘임. ②사람이름인 '劉一'은 후한(後漢)의 광무제(光武帝)의 아들.
[字源] 形聲. 糸+寅〔音〕

糸 11 〔縰〕17 쇄 [上]紙|xǐ シ かみづつみ

[字解] ①머리쓰개쇄 머리를 싸는 검은 비단. 纚(糸부 19획〈1021〉)와 同字. '櫛一笄總'《禮記》. ②많을쇄 수가 많은 모양. '一一莘莘'《宋玉》.
[字源] 形聲. 糸+徙〔音〕

糸 11 〔縱〕17 [高·人] 종
[去]宋 zòng ショウ·ジュウ ゆるむ
[平]冬 (zōng) ショウ·ジュウ たて
[上]腫 zǒng ショウ·ジュウ すすめる
[上]董 zǒng ソウ·ジュウ あわただしいさま

[筆順] 幺 糸 糹 糹 糹 糹 縦 縱

[字解] ①늘어질종 팽팽하던 것이 축 처짐. '天綱一, 人紘弛'《釋誨》. ②놓아둘종 제마음대로 하도록 내버려 둠. '天一之'《論語》. '帝故一之'《後漢書》. ③놓을종 ㉠둠. '一, 置也'. ㉡석방함. '一囚'. '七一七擒'《蜀志》. ㉢방화(放火)함. '一燒'. '一火焚兵'《史記》. ④버릴종 내버림. '一, 一曰, 捨也'《說文》. ⑤내보낼종 나가게 함. '一擊'. '莫敢一兵'《漢書》. ⑥쏠종 활을 쏨. '一矢'. '抑一送忌'《詩經》. ⑦방종할종 제멋대로 굶. '一逸'. '一恣'. '一敗禮'《書經》. '一欲而不忍'《楚辭》. ⑧어지러울종, 어지럽힐종 '一, 亂也'《爾雅》. ⑨낳을종 '姚氏一華感樞'

《尙書緯帝命驗》. ⑩가령종 설사. '一令'·'一使'로 연용(連用)하기도 함. '一江東父兄憐而王我, 我何面目見之'《史記》. ⑪성종 성(姓)의 하나. ⑫세로종 평면에 대하여 상하, 동서에 대하여 남북, 좌우에 대하여 전후의 방향. '一橫'. '逡橫溝一'《詩名物疏》. ⑬발자취종 蹤(足부 11획〈1444〉)과 통용. '發一指使獸處者'《漢書》. ⑭권할종, 부추길종 종용(慫慂)함. 사주(使嗾)함. '日夜一臾王謀反'《漢書》. ⑮서두를종 급히 서두르는 모양. '喪事, 欲其一一爾'《禮記》.
[字源] 形聲. 糸+從〔音〕
[參考] 縦(糸부 9획〈1005〉)은 俗字.

糸11 〔縲〕17 [一]류 [平]支 | léi ルイ とりなわ
[二]라 [平]歌 | luó ラ おおなわ

[字解] [一]포승류, 묶을류 빛이 검은 포승(捕繩). 또, 그 포승으로 죄인을 결박함. '雖在一絏之中, 非其罪也'《論語》. [二]밧줄라 '一, 大索也'《集韻》.
[字源] 形聲. 糸+累〔音〕

糸11 〔縳〕17 전 [去]霰 [上]銑 [平]先 | ①zhuàn テン はねひゃくほんをたばねたな ②テン しろぎぬ ③chuán テン まく

[字解] ①열묶음전 새의 깃 백을 동인 묶음 열을 이름. '百羽爲摶, 十摶爲一'《周禮》. ②흴전 흼. 백색. 또, 그 명주. '一, 白鮮巵也'《說文》. ③말전 싸서 감음. '以帷一其妻而載之'《左傳》.
[字源] 形聲. 糸+專〔音〕

糸11 〔縴〕17 견 [平]先 | qiān ケン わるいわた

[字解] 헌솜견 묵은 솜. '一, 一縒, 惡絮'《集韻》.

糸11 〔縵〕17 만 ①②[去]翰 ③④[去]諫 | màn マン むじのきぬ マン ゆるい

[字解] ①명주만 무늬 없는 견직물. '一表白裏'《漢律》. 전(轉)하여, 장식이 없는 물건을 이름. '乘一'(장식이 없는 수레를 탐)《左傳》. ②골없을만 밭골이 없음. '一田謂不爲甽者也'《漢書 註》. ③늘어질만 완만한 모양. 또, 관대한 모양. '糺一一'《尙書大傳》. ④만악(縵樂)만 딴 음악에 섞어 연주하는 음악. '敎一樂'《周禮》.
[字源] 形聲. 糸+曼〔音〕

糸11 〔縷〕17 루 ①-③[上]麌 ④[平]尤 | lǚ ル いと ロウ·ル つづれ

[字解] ①실루, 올루 실의 가닥. 사조(絲條). 섬유. '絲一'. '不絕如一'《蘇軾》. 전(轉)하여, 가늘고 긴 실같은 물건. '柳一生芽香玉春'《溫庭均》. ②자세할루 상세함. '一言'. '一述而申言之'《宋史》. ③잘게썰루 작게 벰. '一肉'. '雍人一切'《潘岳》. ④누더기루 褸(衣부 11획〈1285〉)와 통용. '篳路藍一以啓山林'《左傳》.
[字源] 形聲. 糸+婁〔音〕

糸11 〔縷〕17 縷(前條)의 俗字

糸11 〔縸〕17 [一]막 [入]藥 | mò バク·マク あみをはるさま
[二]모 [去]遇 | mū ボ·モ わるいわた

[字解] [一]그물칠막 幕(巾부 11획〈337〉)과 통용. '絡一, 張羅也'《集韻》. '織羅絡一'《後漢書》. [二]헌솜모 '一, 惡絮也'《廣韻》.

糸11 〔縹〕17 표 [上]篠 | piǎo, piāo ヒョウ はなだいろ

[字解] ①옥색표 조금 파르스름한 빛. '一靑'. '賈人緗一而已'《後漢書》. ②휘날릴표 나부끼는 모양. 飄(風부 11획〈1710〉)와 통용. '鳳一一其高逝兮'《賈誼》.
[字源] 形聲. 糸+票(䙴)〔音〕

糸11 〔縺〕17 련 [平]先 | lián レン もつれる

[字解] 얽힐련 맺혀 풀리지 않음. '一縷如縈絲'《范成大》.
[字源] 形聲. 糸+連〔音〕

糸11 〔總〕17 [高·人] 총 [上]董 [平]東 | ①-⑭zǒng ソウ すべる ⑮zōng ソウ ぬう, ぬいめ

[筆順] 幺 糸 糹 紒 緫 緫 總 總
[字解] ①거느릴총 통솔함. 또, 통치함. '一督'. '一軍'. '若一其罪人以臨之'《左傳》. ②합칠총 한데 합함. '一合'. '一會'. '一乘馬'《儀禮》. ③묶을총 한데 합쳐 맴. 동임. '一括'. '一束髮也'《釋名》. '一風雨之所交'《張衡》. ④맬총 잡아맴. '一余轡乎扶桑'《楚辭》. ⑤모일총 하나로 됨. '萬物一而爲一'《淮南子》. ⑥머리끈총 머리를 묶는 데 쓰는 끈. 상투끈. '笄一'《禮記》. ⑦잡을총 손에 듦. '一干而山立'《禮記》. ⑧모두총 다. '問我來期一不知'《姚合》. ⑨갑자기총 悤(心부 7획〈390〉)과 통용. '寒氣一至, 民力不堪'《呂氏春秋》. ⑩단총 볏단. '百里賦納一'《詩經》. ⑪술총 장식으로 다는 여러 가닥의 실. '錫面赤一'《周禮》. ⑫묶은머리총 속발(束髮). '一角丱兮'《詩經》. ⑬대강총 대요(大要). '執其一'《周禮》. ⑭성총 성(姓)의 하나. ⑮꿰맬총, 솔기총 '一, 縫也'

《字彙》. '一, 縫界合處'《正字通》.
[字源] 形聲. 糸+悤〔音〕
[參考] 緫(糸부 8획〈1000〉)은 同字.

糸 11 〔績〕17 [高·人] 적 [入]錫 | jī セキ つむぐ
[筆順] 幺 糹 糸 紆 紶 綪 緕 績
[字解] ①자을적 실을 뽑음. 낳음. '紡一'. '不一其麻'《詩經》. ②이을적 '一, 繼也'《爾雅》. ③이룰적 됨. '一, 成也'《爾雅》. ④공적 이룬 업적. '成一'. '功一'. '庶一咸熙'《書經》. ⑤일적 사업. '維禹之一'《詩經》.
[字源] 形聲. 糸+責〔音〕

糸 11 〔縿〕17 [一] 삼 [平]咸 | shān サン はたあし
[二] 초 [平]蕭 | xiāo ショウ きぎぬ
[字解] [一] 깃발삼 기각(旗脚). '以縫紕旒之旒一'《詩經 箋》. [二] 생초초 綃(糸부 7획〈993〉)와 同字. '一幕, 魯也'《禮記》.
[字源] 形聲. 糸+參〔音〕

糸 11 〔繀〕17 쇄 [去]隊 | suì サイ つむぎぐるま
[字解] 물레쇄 방차(紡車).
[字源] 形聲. 糸+崔〔音〕

糸 11 〔繂〕17 률 [入]質 | lǜ リツ あさなわ, たましき
[筆順] 糸 糹 紵 紵 綊 綊 繂 繂
[字解] ①동아줄률 물건을 매어 끄는 큰 줄. ②옥받침률 옥 밑에 까는 다룬 가죽 깔개. '藻一鞶厲'《張衡》.
[字源] 形聲. 糸+率〔音〕

糸 11 〔繃〕17 [一] 붕 [平]庚
[二] 팽 [平]庚 | bēng ホウ たばねる
[字解] [一] ①묶을붕, 감을붕 '一帶'. '葛以一之'《墨子》. ②띠붕, 포대기붕 어린애를 업을 때 두르는 띠 또는 포대기. '襁, 即今之小兒一也'《漢書 註》. [二] 묶을팽, 감을팽, 띠팽, 포대기팽 [一]과 뜻이 같음.
[字源] 形聲. 糸+崩〔音〕

糸 11 〔繅〕17 [一] 소 [平]豪 | sāo ソウ くる
[二] 조 [上]晧 | zǎo ソウ たまにしくしきがわ
[字解] [一] 켤소 누에고치에서 실을 뽑음. '一絲'. '夫人蠶一'《孟子》. [二] ①옥받침조 옥 밑에 까는 무늬 있는 가죽 깔개. '加一席畫純'《周禮》. ②문채조 繰(糸부 13획〈1015〉)와 同字. '一, 文采也'《集韻》.
[字源] 形聲. 糸+巢〔音〕

糸 11 〔繆〕17 [一] 무 [平]尤 | ①móu ボウ くくる
[去]宥 | ②-⑤miù, ⑤miào ビュウ あやまる
[二] 목 [入]屋 | mù ボク ふかくおもう
[三] 규 [平]尤 | jiū キュウ くびる
[四] 료 [上]篠 | liǎo リョウ まとう
[字解] [一] ①얽을무, 동여맬무 '綢一牖戶'《詩經》. ②잘못무, 잘못할무 謬(言부 11획〈1350〉)와 뜻이 같음. '考諸三王, 而不一'《中庸》. ③틀릴무 상위(相違)함. '一戾'. '何以錯一至是'《漢書》. ④속일무 기만함. '一言'. '臨邛令一爲恭敬'《漢書》. ⑤성무 성(姓)의 하나. [二] 사당차례목 穆(禾부 11획〈909〉)과 同字. '序以昭一'《禮記》. [三] ①목맬규 목을 매어 죽음, 또는 죽임. '即自一死'《漢書》. ②꼴규 노 같은 것을 꼼. '衣衰而一経'《禮記》. [四] 두를료 繚(糸부 12획〈1013〉)와 同字. '一繞玉綏'《漢書》.
[字源] 形聲. 糸+翏〔音〕

糸 11 〔繈〕17 강 [上]養 | qiǎng キョウ むつき
[字解] ①포대기강 어린애를 업을 때 둘러 대는 보. 일설(一說)에는, 돌려 매는 띠라 함. 襁(衣부 11획〈1285〉)과 同字. '靑子在一褓中'《史記》. ②돈꿰미강 엽전을 꿰는 꿰미. '臧一千萬'《漢書》.
[字源] 形聲. 糸+強〔音〕

糸 11 〔縩〕17 채 [去]隊 | cài サイ きぬずれおと
[字解] ①와삭거릴채 '綷一'는 새 옷이 스쳐 와삭거리는 소리. '紛綷一兮紈素聲'《漢書》. ②고운옷채 '綷一'는 고운 옷. '綷一, 鮮衣'《集韻》. ③비단찢어질채 '一, 綃煞也'《淮南子 注》.
[字源] 形聲. 糸+祭〔音〕

糸 11 〔緄〕17 혼 [平]元 | hún コン ぬう
[字解] 꿰맬혼 바느질함. '擅權渠一綊'《管子》.

糸 11 〔繐〕17 세 [去]霽 | suì セイ こまかいぬの
[字解] 가는천세 촉(蜀)나라에서 나는 곱게 짠 직물(織物). '一, 蜀細布也'《說文》.
[字源] 形聲. 糸+彗〔音〕

糸 11 〔繏〕17 선 [去]霰 | xuàn セン つなぐ
[字解] 맬선 긴 고삐로 우마(牛馬)를 맴. '一, 以長繩系牛也'《說文》. '一, 係也'《廣雅》.

[字源] 形聲. 糸＋旋〔音〕

糸 11 〔縬〕 17 축 [入]屋 | cù シュク ちぢむ

[字解] ①줄어들축 오그라짐. '一, 縮也'《集韻》. ②주름살축 구김살. '一, 聚文也'《集韻》. ③비단무늬축 '一, 一曰, 繒文'《集韻》.

[字源] 形聲. 糸＋戚〔音〕

糸 11 〔⿰糸堅〕 17 견 [平]先 | jiān ケン きびしい

[字解] 긴박할견 긴장함. 다급함. '一, 緊也'《集韻》.

糸 11 〔⿰糸㪈〕 17 〔편〕 緶(糸부 9획〈1004〉)의 本字

糸 11 〔⿰糸習〕 17 〔첩〕 緁(糸부 8획〈998〉)과 同字

糸 11 〔纎〕 17 〔섬〕 纖(糸부 17획〈1020〉)의 略字

糸 11 〔䌹〕 17 [一] 경 [上]迥 [平]青 | jiōng ケイ ひとえ
[二] 현 [上]銑 | xuǎn ケン つづる

[字解] [一] 홑옷경 褧(衣부 10획〈1284〉)과 통용. '被一黼'《儀禮》. [二] ①이을현 연결함. '一, 綴也'《集韻》. ②느슨할현 '一, 緩也'《篇海》.

糸 11 〔繇〕 17 [一] 요 [平]蕭 | yáo ヨウ しげる
[二] 유 [平]尤 | yóu ユウ よる
[三] 주 [去]宥 | zhòu チュウ うらかた

[字解] [一] ①우거질요 무성함. '厥草惟一'《書經》. ②역사요 부역. 徭(彳부 10획〈374〉)와 통용. '高祖常一咸陽'《漢書》. ③노래요 謠(言부 10획〈1347〉)와 통용. '人民一俗'《漢書》. ④흔들릴요 搖(手부 10획〈458〉)와 통용. '二日而莫不盡一'《史記》. ⑤근심할요 걱정함. '一, 憂也'《爾雅》. ⑥기뻐할요 '一, 喜也. 詩云, 我歌且一'《廣韻》. ⑦사람이름요 陶(阜부 8획〈1617〉)와 통용. '咎一'는 곧 '皐陶'. ⑧성요 성(姓)의 하나. [二] ①말미암을유 由(田부 0획〈795〉)와 同字. '不知所一'《漢書》. ②지날유 통과함. '一朐汏輈'《左傳》. ③까닭유 이유. 또, 방도. '無一教訓其民'《漢書》. ④부터유 …로부터. '一膝以下'《爾雅》 ⑤꾀유 猷(犬부 9획〈755〉)와 同字. '先聖之大一'《漢書》. ⑥다닐유 '一一'는 다니는 모양. '悠悠'와 같음. '犬馬一一'《漢書》. [三] 점주 괘조(卦兆)의 점사(占辭). 점괘에 적혀 있는 말. '聞成季之一'《左傳》.

[字源] 形聲. 系＋䍃(䚻)〔音〕

糸 11 〔縶〕 17 칩 [入]緝 | zhí チュウ つなぐ

[字解] ①맬칩 잡아 묶음. 붙들어맴. '繫一'. '一之維之'《詩經》. ②잡을칩 체포함. '拘一'. '南冠而一者誰也'《左傳》. ③연할칩 이음. '冀相維一'《北史》. ④굴레칩 붙들어매는 것. 기반(羈絆). '厥執一馬前'《左傳》.

[字源] 形聲. 糸＋執〔音〕

糸 11 〔縻〕 17 미 [平]支 [去]寘 | mí ビ・ミ つなぐ, きずな

[字解] ①맬미, 묶을미 잡아맴. 묶음. '拘一'. '繫一'. '愈一於茲, 不能自引去'《韓愈》. ②끈미 잡아매는 끈이나 줄. 고삐 따위. '羈一'. ③흩어질미, 흩을미 靡(非부 11획〈1656〉)와 통용. '月費俸錢, 歲一糜粟'《韓愈》. ④나눌미 가름. '一, 分也'《集韻》. ⑤성미 성(姓)의 하나.

[字源] 形聲. 糸＋麻〔音〕

糸 11 〔⿰糸麻〕 17 縻(前條)와 同字

糸 11 〔繁〕 17 [高][人] [一] 번 [平]元 | fán ハン おおい, しげる
[二] 반 [平]寒 | pán ハン うまのはらおび

[筆順] 𠂉 𠂉 𠂉 每 每 每 敏 繁

[字解] [一] ①많을번 적지 않음. '一多'. '正月一霜'《詩經》. ②성할번 융성함. 번영함. '一昌'. '一榮'. '辭讓之節一'《禮記》. ③번거로울번 ㉠번잡함. '一碎'. '甘儀一辭不見信'《論衡》. ㉡바쁨. '一忙'. '獄一而無邪'《淮南子》. ④잦을번 자주 있음. '頻一'. '箠策一用'《淮南子》. ⑤뒤섞일번 착잡함. '一雜'. '安得不囂其一蕪'《孝經 序》. ⑥무성할번 우거짐. '一陰'. '後益一茂'《宋書》. ⑦많게할번, 번거롭게할번 '景公一于刑'《左傳》. ⑧대개번 대체로. '一, 概也'《廣韻》. [二] ①뱃대끈반 마소의 배에 걸쳐서 조르는 줄. '大路一纓一就. (疏) 一, 謂馬腹帶也'《禮記》. ②말갈기꾸미개반 '咸龍旂而一纓'《張衡》.

[字源] 形聲. 攵(攴)＋緐〔音〕

糸 11 〔繄〕 17 예 [平]齊 | yí エイ ほこぶくろ

[字解] ①창전대예 창(槍)에 씌우는 자루. '一, 戟衣也'《說文》. ②이예 是(日부 5획〈503〉)와 뜻이 같음. '惟德一物'《左傳》. ③아예 탄식하는 소리. '爾有母遺, 一我獨無'《左傳》.

[字源] 形聲. 糸＋殹〔音〕

〔徽〕〔휘〕 彳부 14획(376)을 보라.

糸12〔繐〕18 [一] 세 [去]霽 [二] 혜 [去]霽 | suì セイ ほそくあらいぬの ケイ ほそくあらいぬの

[字解] [一] 베세 올이 가늘며 설핀 베. '緆繐一裳'《禮記》. [二] 베혜 [一]과 뜻이 같음.
[字源] 形聲. 糸+惠〔音〕

糸12〔繑〕18 [一] 교 [平]蕭 [二] 각 [入]藥 | qiāo キョウ はかまのひも juē カク あしだ

[字解] [一] 끈교, 띠교 바지의 허리띠. '繑一而踵相隨'《管子》. [二] 신각 짚신. 屩(尸부 15획〈301〉)과 同字. '屩, 說文, 屐也. 或作一'《集韻》.
[字源] 形聲. 糸+喬〔音〕

糸12〔繒〕18 증 [平]蒸 | zēng ショウ きぬ ソウ きぬ

[字解] ①명주증, 비단증 견직물의 총칭. '一帛'. '睢陽販一者也'《漢書》. ②주살증 矰(矢부 12획〈864〉)과 통용. '具一繳以射雁'《三輔黃圖》.
[字源] 形聲. 糸+曾〔音〕

糸12〔織〕18 [高·人] [一] 직 [入]職 [二] 치 [去]寘 | zhī ショク·シキ おる zhì シ あやぎぬ, しるし

[筆順] 糸 紵 紵 紵 緒 織 織 織

[字解] [一] ①짤직 ㉠베를 짬. '紡一'. '十三能一素'《古詩》. ㉡조립함. '組一'. '共爲羅一'《舊唐書》. ②베틀직, 실직 베를 짜는 기계. 또, 베틀에 건 실. '何異斷斯一'《後漢書》. ③직물직 짠 옷감. '毋粥機一資給'《宋史》. [二] ①무늬있는옷감치 무늬를 놓은 직물. 또, 그 옷. '士不衣一'《禮記》. ②표치 휘장(徽章). '一文鳥章'《詩經》. ③기치치 기(旗)의 표지(標識). 幟(巾부 12획〈338〉)와 통용. '旗一加其上'《漢書》.
[字源] 形聲. 金文은 音+弋〔音〕

糸12〔繕〕18 [人名] 선 [去]霰 | shàn ゼン つくろう

[筆順] 糸 糸 糸 糸 絆 絆 繕 繕

[字解] ①기울선 수선함. 보수함. '營一'. '一甲治兵'《詩經》. '一修干戈'《漢書》. ②다스릴선 '征一以輔孺子也'《左傳》. ③모아엮을선 책을 편록(編錄)함. '供一寫上'《後漢書》. ④갖출선 음식을 갖추어 권함. '一兵不傷衆'《史記》. ⑤굳셀선, 굳세게할선 勁(力부 7획〈114〉)과 뜻이 같음. '急一其怒'《禮記》.
[字源] 形聲. 糸+善〔音〕

糸12〔繖〕18 산 [上]旱 [去]翰 | sǎn サン かさ

[字解] 우산산 ㉠비단 우산. '錦一'. '一, 蓋也'《廣韻》. ㉡지우산. '遇雨請以一入'《晉書》.
[字源] 形聲. 糸+散(散)〔音〕

糸12〔繘〕18 [一] 율 [入]質 [二] 귤 [入]質 [三] 결 [入]屑 | yù イツ つるべなわ jú キツ つるべなわ juē ケツ いとすじ

[字解] [一] 두레박줄율 두레박을 맨 줄. '關東謂之綆, 關西謂之一'《揚子方言》. [二] 두레박줄귤 [一]과 뜻이 같음. [三] 실낱결 실올. '一, 縷也'《集韻》.
[字源] 形聲. 糸+矞〔音〕

糸12〔繙〕18 번 [平]元 [平]元 | fān fán ハン ひもとく

[字解] ①풀번 맨 끈을 풂. ②펴볼번 책을 펴서 읽음. '於是一十二經, 以說老聃'《莊子》. ③휘날릴번 기가 바람에 펄렁거림. '繽一, 風吹旗皃'《廣韻》. ④어지러울번, 어지럽힐번 '一, 一冤也'《說文》.
[字源] 形聲. 糸+番〔音〕

糸12〔繚〕18 료 [平]蕭 ①-③[去]嘯 ④[上]篠 | liáo リョウ まとう, まつわる

[字解] ①얽힐료, 감길료 '再一四寸'《禮記》. ②두를료 둘러쌈. '一垣'. '一以周牆'《漢書》. ③묶을료 묶음. 잡아맴. '一之兮杜衡'《楚辭》. ④다스릴료 정리함. 撩(手부 12획〈468〉)와 통용. '一意絕體而爭'《莊子》.
[字源] 形聲. 糸+尞〔音〕

糸12〔繞〕18 요 [上]篠 | rǎo ジョウ まつわる, めぐる

[字解] ①얽힐요, 감길요 '四蛇相一'《山海經》. ②두를요, 돌요 '一樹三匝, 何枝可依'《魏武帝》. ③둘러쌀요 에워쌈. '一, 圍也'《正字通》. '圍一數重'《吳志》. ④쌀요 포장함. ⑤성요 성(姓)의 하나.
[字源] 形聲. 糸+堯〔音〕

糸12〔繢〕18 회 [去]隊 [上]賄 | huì huǐ カイ いろどり, え

[字解] ①수회, 무늬회, 그림회 자수. 문채. 또는, 회화. '蒲筵一純'《周禮》. ②수놓을회, 무늬놓을회, 그릴회 '畫一之事'《周禮》. ③무늬옷감회 무늬를 놓은 포백(布帛). 또는, 그림이 있는 포백(布帛). '以一爲皮幣'《漢書》.

[字源] 形聲. 糸＋貴(賨)〔音〕

糸 12 〔繣〕18 [一] 홰 [去]卦 | huà カイ そむく
[二] 획 [入]陌 | huà カク やぶれるおと

[字解] [一] ①어그러질홰 괴려(乖戾)함. 사리에 어그러짐. '忽緯—其難遷'《楚辭》. ②세가닥줄홰 세 가닥으로 드린 밧줄. '—, 徽也'《集韻》. ③끈홰 묶는 노나 줄. '枚如箸銜之, 有—, 結項中'《周禮》. [二] 깨지는소리획 물건이 깨지는 소리. '—瓦解而冰泮'《潘岳》.
[字源] 形聲. 糸＋畫〔音〕

糸 12 〔繝〕18 간 [去]諫 | jiàn カン にしきのあや

[字解] 무늬간 비단의 무늬. 금문(錦文). '禁大—竭鑿六破錦'《唐書》.
[字源] 形聲. 糸＋間〔音〕

糸 12 〔繏〕18 선 [去]霰 | xuàn セン なわ

[字解] ①노선 승삭(繩索). ②비단이름선 촉(蜀) 땅에서 나는 비단. '自造奇錦, 紌—緀緽'《揚雄》.

糸 12 〔繟〕18 [一] 천 [上]銑 | chǎn セン ゆるい
[二] 단 [平]寒 | tán タン ゆるい

[字解] [一] ①느슨할천 맨 띠가 느슨함. '—, 帶緩也'《說文》. ②연달아댈천 잇대어 끊이지 않음. '—, —聯, 不絕皃'《集韻》. [二] 느슨할단, 연달아댈단 [一]과 뜻이 같음.
[字源] 形聲. 糸＋單〔音〕

糸 12 〔繎〕18 연 [平]先 | rán ゼン·ネン もつれる

[字解] ①실엉킬연 실올이 서로 얽히어 엉클어짐. 또, 그것. '—, 絲勞也, 云云. (段注) 勞, 玉篇作縈. 蓋玉篇爲是. 與下文紆義近也'《說文》. ②새빨강연 심홍색(深紅色). '—, 一曰, 紅色'《集韻》.
[字源] 形聲 糸＋然〔音〕

糸 12 〔⿰糸尋〕18 심 [平]侵 | xún シン·ジン つぐ

[字解] 이을심 계속시킴. 尋(寸부 9획⟨290⟩)과 同字. '—, 續也'《玉篇》.

糸 12 〔繓〕18 촬 [入]曷 | zuǒ サツ むすぶ

[字解] ①맺을촬 맴. '—, 結也'《集韻》. ②가위밥촬 바느질하고 남은 헝겊. '—, 一曰, 縫餘也'《集韻》.

糸 12 〔⿰糸焦〕18 초 [平]蕭 | jiāo ショウ きあさ

[字解] ①생마(生麻)초 누이지 않은 삼. '—, 亦作焦, 生枲未漚'《玉篇》. ②피륙이름초 직물(織物)의 일종. ③삼뜰초 오랜 장마로 삼이 누렇게 뜸.

糸 12 〔⿰糸集〕18 [一] 첩 [入]葉 | ショウ あう
[二] 집 [入]緝 | jié シュウ あう

[字解] [一] ①합할첩 합침. '—, 合也'《集韻》. ②오랑캐화폐이름첩 '—賄紛紜, 器用萬端'《左思》. [二] 합할집, 오랑캐화폐이름집 [一]과 뜻이 같음.
[字源] 形聲. 糸＋集〔音〕

糸 12 〔⿰糸須〕18 [一] 수 [平]虞 | シュ ほだす
[上]麌 | xū シュ ほだす
[去]遇 | シュ ほだす
[上]有 | シュ ほだす
[二] 송 [上]腫 | ショウ ほだす

[字解] [一] 앞다리동일수 두 앞다리를 동임. '—, 絆前兩足也'《說文》. [二] 앞다리동일송 [一]과 뜻이 같음.
[字源] 形聲. 糸＋須〔音〕

糸 12 〔⿰糸頁〕18 ⿰糸須(前條)와 同字

糸 12 〔⿰糸黑〕18 〔묵〕
纆(糸부 15획⟨1018⟩)의 本字

糸 12 〔⿰糸㑹〕18 〔회〕
繪(糸부 13획⟨1015⟩)의 俗字

糸 12 〔繜〕18 〔준〕
撙(手부 12획⟨467⟩)과 同字
[字源] 形聲. 糸＋尊〔音〕

糸 12 〔繡〕18 〔수〕
糸부 13획(1015)을 보라.

糸 12 〔⿰素卓〕18 〔작〕
綽(糸부 8획⟨998⟩)과 同字

糸 12 〔繠〕18 예 [上]紙 | ruǐ ズイ たれる

[字解] ①늘어질예 아래로 처짐. '珮玉—兮'《左傳》. ②무성할예 우거짐. '—, 茸也'《廣韻》. ③미칠예 纍(糸부 15획⟨1020⟩)와 통용. '—, 及也'《廣雅》.
[字源] 形聲. 糸＋惢〔音〕

糸 12 〔⿱埶糸〕18 〔칩〕
縶(糸부 11획⟨1012⟩)의 本字

糸 12 〔⿱暴糸〕18 〔박〕
⿱㬥糸(糸부 10획⟨1008⟩)의 本字

糸12〔縢〕18 〔등〕
縢(糸부 10획〈1008〉)과 同字

糸12〔纀〕18 복 [入]沃 | fú ボク はちまき
[字解] 머리띠복 머리띠. '一, 帕也'《集韻》.

糸12〔繨〕18 〔자〕
縿(糸부 9획〈1004〉)와 同字

糸12〔纂〕18 〔찬〕
纂(糸부 14획〈1018〉)과 同字

糸12〔緻〕18 철 [入]屑 | zhé テツ ころもがやぶれる
[字解] 옷해어질철 옷이 해어짐. 누더기. '一, 衣破'《集韻》.
[參考] 繖(糸부 12획〈1013〉)은 別字.

糸13〔繡〕19 [人名] ㊀수 [去]宥 | xiù シュウ ぬいとり ㊁소 [平]蕭 | xiāo ショウ きぎぬ
[筆順] 糸 紀 紀 紀 紀 繡 繡 繡
[字解] ㊀①수수 자수. '五采備, 謂之一'《周禮》. ②수놓을수 '鴛鴦一了從敎看'《元好問》. ③비단수 무늬 있는 비단. 또, 그 옷. '錦一'. '衣一夜行'《史記》. ④성수 성(姓)의 하나. ㊁생초소 생명주. 綃(糸부 7획〈993〉)와 통용. '一黼丹朱中衣'《禮記》.
[字源] 形聲. 糸+肅〔音〕

糸13〔繩〕19 [人名] ㊀승 [平]蒸 | shéng ジョウ なわ ㊁잉 [去]徑 | yìng ヨウ みのる ㊂민 [上]軫 | mǐn ビン・ミン きわまりないさま
[筆順] 糸 紀 紀 紀 紀 繩 繩 繩
[字解] ㊀①노승 실 따위를 여러 겹 꼰 것. '一索'. '上古結一而治'《易經》. ②먹줄승 목수가 쓰는 직선을 그리는 줄. '準一'. '惟木從一則正'《書經》. ③법승 법도. 표준. '中程者賞, 缺一者誅'《淮南子》. ④바로잡을승 잘못을 광정(匡正)함. '一愆糾謬'《書經》. ⑤경계할승 '一其祖武'《詩經》. ⑥곧을승 바름. 정직함. '一, 直也'《廣雅》. '潔白淸廉中一'《呂氏春秋》. ⑦묶을승 '一之, 謂之縮之'《爾雅》. ⑧칭찬할승 '一息嬀以語楚子'《左傳》. ⑨헤아릴승 '省其文采, 以一德厚'《禮記》. ⑩이을승 뒤를 계속함. 계승함. '一, 繼'《集韻》. ⑪성승 성(姓)의 하나. ㊁알들잉 여묾. 결실(結實)함. 孕(子부 2획〈270〉)과 통용. '秋一而芟之'《周禮》. ㊂끝없을민 끊임없음. '一一, 無涯際皃'《集韻》.

[字源] 形聲. 糸+蠅〈省〉〔音〕

糸13〔繪〕19 [人名] 회 [去]隊 [去]泰 | huì カイ え
[筆順] 糸 紒 紒 紒 紒 繪 繪 繪
[字解] ①그림회 색칠한 그림. '一畫'. 또, 수 또는 그림이 있는 피륙. '視之則錦一'《文心雕龍》. ②그릴회 색칠하여 그림. '一事後素'《論語》.
[字源] 形聲. 糸+會〔音〕

糸13〔繮〕19 강 [平]陽 | jiāng キョウ たづな
[字解] 고삐강 말의 고삐. 韁(革부 13획〈1671〉)과 同字. '鳥出樊籠馬脫一'《陸游》.
[字源] 形聲. 糸+畺〔音〕

糸13〔繯〕19 현 [上]銑 | huán ケン つなぐ
[字解] ①맬현 잡아맴. '韋昭云, 一, 繫也'《廣韻》. ②졸라맬현 끈으로 목을 졸라맴. '一首'. ③휘감을현, 휘감길현 감아 얽음. 또, 얽힘. ④고리현 '紅蜺爲一'《漢書》. ⑤그물현 '一網罝罦, 不敢出於門'《呂氏春秋》.
[字源] 形聲. 糸+睘(瞏)〔音〕

糸13〔繰〕19 ㊀소 [平]豪 | sāo ソウ くる ㊁조 [上]晧 | zǎo ソウ こんいろのきぬ
[字解] ㊀켤소 繅(糸부 11획〈1011〉)와 同字. '六七日乃盡一訖'《女仙傳》. ㊁①야청비단조 감색 비단. 반물 비단. '一, 帛如紺色. 或曰, 深繒'《說文》. ②야청조 반물. '紺色曰一'《廣韻》. ③통견(通絹)조 얇고 질기게 짠 명주. '一, 謂之縑'《廣雅》.
[字源] 形聲. 糸+喿〔音〕

糸13〔繲〕19 해 [去]卦 | xiè カイ ふるぎ
[字解] ①헌옷해 낡은 옷. '一, 故衣也'《集解》. ②빨해 옷을 세탁함. '挫鍼治一'《莊子》.
[字源] 形聲. 糸+解〔音〕

糸13〔繳〕19 ㊀작(격[俗]) [入]藥 | zhuó シャク いぐるみ ㊁교 [上]篠 | jiǎo キョウ まつわる
[字解] ㊀①주살작 오늬에 줄을 매어 쏘는 화살. 또, 그 줄. '矰一'. '思援弓一而射之'《孟子》. ②실작 생사(生絲)의 실. '結一於矢'《易經 疏》. ※俗音 격. ㊁①얽힐교 얼기설기 감김. 전(轉)하여, 법문(法文)에 구애함. '名家苛察一繞'《漢書》. ②바칠교,

갚을교 납부함. 지불함. 交(亠부 4획〈28〉)와 통용. '一, 叚借, 爲交. 今俗用爲一納字'《通訓》. ③행전교 각반. '繳, 行縢謂之繳. 或从糸'《集韻》.
字源 形聲. 糸＋敫〔音〕

糸13〔繫〕19 繳(前條)의 本字

糸13〔繶〕19 억 入職|yì ヨク·オク くみひも
字解 ①끈억 ㉠여러 가닥으로 꼰 끈이나 줄. '一, 絛也'《廣雅》. '一, 絛繩'《廣韻》. ㉡신의 가장자리를 선두르는 오색(五色)의 끈. '赤一黃一'《周禮》. ②묶을억, 단지을억 '一, 束也'《廣雅》.
字源 形聲. 糸＋意〔音〕

糸13〔繷〕19 농 上腫|nǒng ドウ さかんでおおい
字解 ①많을농, 성(盛)할농 '紛一'은 좋지 않은 사물이 많은 모양. '紛一塞路'《後漢書》. ②좋지않을농 '紛一, 不善也'《集韻》.

糸13〔繹〕19 ㊀역 入陌|yì エキ ひく ㊁석 入陌|shì セキ とく
字解 ㊀①당길역 실마리를 뽑아 냄. '燕見紬一'《漢書》. ②찾을역 근본을 찾아 캐냄. 추구(推究)함. '一味'. '一之爲貴'《論語》. ③연달역 잇닮. 끊이지 아니하고 계속함. '絡一不絕'. '一一者, 無窮之意也'《白虎通》. ④늘어놓을역 질서 있게 벌여 놓음. '會同有一'《詩經》. ⑤길역 짧지 않음. '一, 長也'《廣雅》. ⑥끝날역 '一, 終也'《廣雅》. ⑦통할역 뜻이 통함. '一, 鄭云, 志意條達之貌'《論語 釋文》. ⑧다스릴역 '一, 理也'《揚子方言》. ⑨클역 '一, 大也'《廣韻》. ⑩풀역, 풀릴역 얽힌 것이나 뭉친 것을 풂. '有美一人兮心不一'《宋玉》. ⑪실마리역 단서(端緒). '神歆靈一'《揚雄》. ⑫기뻐할역 '亦不夷一'《詩經》. ⑬제사이름역 종묘(宗廟)의 제사 다음 날에 지내는 제사. '一祭'. '壬午猶一'《左傳》. ㊁ 풀석 釋(釆부 13획〈1546〉)과 통용.
字源 形聲. 糸＋睪(睪)〔音〕

糸13〔繹〕19 繹(前條)의 本字

糸13〔繸〕19 수 去寘|suì スイ おびだまのひも
字解 인끈수 패물(佩物)의 인(印)에 달린 끈. '一, 綬也. (註) 卽佩玉之組, 所以連繫瑞玉者, 因通謂之一'《爾雅》.
字源 形聲. 糸＋遂〔音〕

糸13〔襟〕19 금 平侵|jīn 去沁|jìn キン いと, あお
字解 ①실금 '一, 絲也'《篇海》. ②푸를금 감색(紺色). '一, 靑色, 陶隱居說, 藍染一碧所用'《篇海》.

糸13〔繵〕19 ㊀전 平先|chán テン ひとえ ㊁단 平寒 上旱|tán タン なわ, おおおび|dǎn タン たばねる
字解 ㊀①홑옷전 홑겹의 옷. '䘨一, 謂之襌'《揚子方言》. ②얽힐전, 맥(脈)얽힐전 纏(糸부 15획〈1019〉)과 同字. '動胃一緣中經維絡. (注)一緣, 謂脈纏繞胃也'《史記》. ㊁①노단 끈. 새끼. '一, 繩也'《集韻》. ②자줏빛단 자색(紫色). '一, 一曰, 紫色'《集韻》. ③허리띠단 큰 띠. '一, 束腰大帶'《廣韻》. ④묶을단 '一, 束也'《廣韻》.

糸13〔繬〕19 색 入職|sè ショク あわせる, ぬう
字解 ①합할색 합침. '一, 合也'《廣雅》. ②꿰맬색, 홀색 바느질함. 누빔. '一, 縫也'《廣雅》.

糸13〔繴〕19 벽 入陌|bì ヘキ おび|bó ハク ふるわた
字解 ①분합대(分合帶)벽 실로 짠 띠. '織絲爲帶, 謂之一'《集韻》. ②솜벽 '絡一'은 묵은 솜. 오래 되어 나쁜 솜. '絡一, 絮也'《集解》.

糸13〔繳〕19 ㊀렴 上琰|liǎn レン かいこだなのすばしらをかけるなわ ㊁섬 上琰|セン かいこだなのすばしらをかけるなわ
字解 ㊀①누에발다는줄렴 '所以縣㯄, 關西謂之一'《揚子方言》. ②노끈렴 노. '一, 索也'《廣雅》. ㊁누에발다는줄섬, 노끈섬 ㊀과 뜻이 같음.

糸13〔纀〕19 ㊀념 入葉 ㊁업 入葉|niè ジョウ·ニョウ ぬう ギョウ ぬう
字解 ㊀①꿰맬념 '一, 縫也'《廣雅》. ②기울념 옷의 해어진 데를 기움. '一, 補衣'《集韻》. ③묶을념 붙들어 맴. '蹔挐鬟以一縛'《王延壽》. ㊁ 꿰맬업, 기울업, 묶을업 ㊀과 뜻이 같음.

糸13〔繟〕19 ㊀천 上銑|chǎn セン ゆるむ ㊁선 上銑|セン ゆるむ ㊂전 去霰|テン ゆるむ ㊃연 去霰|エン まとう

[字解] [一] ①느슨해질천 한쪽이 느슨해짐. '一, 偏緩也'《說文》. ②수레휘장해어질천 幝(巾부 12획〈338〉)과 통용. [二] 느슨해질선, 수레휘장해어질선 [一]과 뜻이 같음. [三] 느슨해질전, 수레휘장해어질전 [一]과 뜻이 같음. [四] 얽을연 '一, 纏也'《篇海》.
[字源] 形聲. 糸＋羨〔音〕

糸13 〔繨〕 19 [現] 달 | da タツ なわのむすびめ
[字解] 《現》 매듭달 '紇一'은 끈이나 노의 매듭.

糸13 〔⿰糸尞〕 19 〔료〕 繚(糸부 12획〈1013〉)의 本字

糸13 〔繱〕 19 〔총〕 總(糸부 15획〈1019〉)의 俗字

糸13 〔⿰糸雋〕 19 〔수〕 纗(糸부 18획〈1021〉)과 同字

糸13 〔繭〕 19 견 [上]銑 | jiǎn ケン まゆ
[字解] ①고치견 누에고치. '蠶事旣登, 分一稱絲, 效功'《禮記》. ②실견 고치의 섬유. '輕似曳一'《何遜》. ③솜옷견 새 솜을 둔 옷. 일설(一說)에는, 명주. 비단. 또, 그 옷. 襺(衣부 19획〈1293〉)과 통용. '重一衣裘'《左傳》. ④부르틀견 趼(足부 6획〈1428〉)과 통용. '足重一, 而不休息'《戰國策》.
[字源] 會意. 糸＋虫＋芇

糸13 〔⿰素爰〕 19 〔완〕 緩(糸부 9획〈1003〉)의 古字

糸13 〔⿰⿱糸糸勺〕 19 〔약〕 約(糸부 7획〈995〉)의 本字

糸13 〔繫〕 19 [高校] 계 [去]霽 [平]齊 | jì ケイ つなぐ
[字解] ①맬계 ㉠동임. '解綬一其頸, 着馬枊'《蜀志》. ㉡잡아맴. '一留'. '不一之舟'《莊子》. ㉢체포하여 구금함. '械一'. '捕一豪強'《漢書》. ㉣연철(聯綴)함. '一邦國之名'《周禮》. ②매달계, 매달릴계 매어서 겖. 또, 걸려 있음. '一匏'. '取金印如斗大, 一肘'《晉書》. '吾豈匏瓜也哉. 焉能一而不食'《論語》. ③달릴계 관계됨. '民命一矣'《淮南子》. ④이어질계 잇닿음. 연접(連接)함. '南一于洛水, 北因于郟山'《逸周書》. ⑤죄수계 계류(繫留) 중의 죄인. '出輕一'《禮記》. ⑥끈계 매는 끈. '襪一解, 自結之'《韓非子》. ⑦계사계 주역(周易)의 괘(卦)의 설명. '一辭'.
[字源] 形聲. 糸＋毄〔音〕

糸13 〔繴〕 19 벽 [入]錫 | bì ヘキ むそうあみ
[字解] 새그물벽 새를 잡기 위하여 수레채 위에 치는 그물. '一謂之罿, 罿, 罬也, 罬謂之罦, 罦, 覆車也'《爾雅》.
[字源] 形聲. 糸＋辟〔音〕

糸13 〔⿱⿰咸欠糸〕 19 [一] 감 [平]咸 [平]覃 | jiān カン しそうがかたい [二] 겸 [平]鹽 | ケン しそうがかたい
[字解] [一] ①뜻굳게가질감 뜻을 견지(堅持)함. '一, 堅持意'《說文》. ②입다물감 '一, 口閉也'《說文》. ③인색할감 '一, 慳恪'《廣韻》. [二] 뜻굳게가질겸 [一]❶과 뜻이 같음.
[字源] 形聲. 欠＋緘〔音〕

糸13 〔⿱⿰夅夅糸〕 19 곡 [入]沃 | jú キョク·コク しろぎぬ
[字解] 흰깁곡 '一, 素屬'《說文》
[字源] 形聲. 絭＋艹〔音〕

糸13 〔⿰糸⿱日男〕 19 〔만〕 縵(糸부 11획〈1010〉)의 俗字

糸13 〔⿰糸⿱宀虫〕 19 〔밀〕 密(宀부 8획〈281〉)과 同字

糸14 〔繻〕 20 [一] 수 [平]虞 | xū シュ うつくしいきぬ [二] 유 [平]虞 | rú シュ うつくしいきぬ
[字解] [一] ①명주수 올이 가늘고 톡톡한 명주. '一有衣袽'《易經》. ②명주조각수 ㉠옷단에 대는 작은 명주 조각. ㉡관문(關門) 출입의 부신(符信)으로 쓰는 명주 조각. '關吏予軍一'《漢書》. [二] 명주유, 명주조각유 [一]과 뜻이 같음.
[字源] 形聲. 糸＋需〔音〕

糸14 〔繼〕 20 [高·人] 계 [去]霽 | jì ケイ つぐ
[筆順] 糸 糸ㄥ 糸幺 糸𢆶 糸𢆶𢆶 繼 繼 繼
[字解] ①이을계 ㉠이어 나감. '一續'. '善一人之志'《中庸》. ㉡이어받음. '一承'. '一主君'《周禮》. ㉢계통을 이음. '一絕世'《論語》. ㉣이어. 계속하여. '一而有師命'《孟子》. ②맬계 잡아맴. 겖. 繫(糸부 13획〈1017〉)와 통용. '羣下一望'《後漢書》. ③후계계 대(代)를 이을 사람. 후사(後嗣). '觀禮高禖, 祈廟嗣一'《揚雄》.
[字源] 象形. 본래, 실을 잇는 모양을 본떠, 잇다의 뜻을 나타냄. 篆文은 그것에 다시 '糸멱'을 덧붙여, 糸＋㡭〔音〕의 形聲.
[參考] 継(糸부 7획〈995〉)는 俗字.

糸14〔繽〕20 빈 ㊥眞 | bīn ヒン おおいさま

字解 많을빈, 성할빈, 어지러울빈 많이 뒤섞여 어지러운 모양. 또, 많고 성(盛)한 모양. '一紛'. '九疑一其竝迎'《楚辭》.
字源 形聲. 糸+賓〔音〕

糸14〔繾〕20 견 ㊤銑 | qiǎn ケン ねんごろ

字解 곡진할견 '一綣'은 ㉠곡진(曲盡)한 모양. 간곡하게 정성을 다 들이는 모양. '以謹一綣'《詩經》. ㉡서로 정이 깊이 들어서 떨어지지 아니하는 모양. 마음 속에 맹세하여 배반하지 않는 모양. '一綣從公'《左傳》.
字源 形聲. 糸+遣〔音〕

糸14〔纁〕20 훈 ㊥文 | xūn クン くろみがかったうすあかいいろ

字解 분홍빛훈 엷은 적색(赤色). '三入爲一'《周禮》. 또, 그 빛깔의 명주. '一裳純衣'《儀禮》.
字源 形聲. 糸+熏〔音〕

糸14〔繶〕20 은 ㊤吻 | yǐn イン·オン ぬう

字解 꿰맬은 마주 꿰맴. '一, 縫衣也'《玉篇》. '一, 一曰, 縫衣相合'《集韻》.

糸14〔纙〕20 도 ㊤號 | dáo トウ·ドウ みどりいろ

字解 초록빛도 연두색. 황록색. '一, 綠也'《集韻》.

糸14〔纀〕20 복 ①㊀屋 ②㊀沃 | pú ホク しんいのもすそ | fú ホク·ボク はらまき

字解 ①심의자락복 좁게 지은 심의(深衣)의 옷자락. '裳削幅, 謂之一'《爾雅》. ②머리띠복 幞(巾부 12획〈338〉)과 同字. '幞, 帕也. 或从糸'《集韻》.
字源 形聲. 糸+僕〔音〕

糸14〔繅〕20 〔소〕
繅(糸부 11획〈1011〉의 本字

糸14〔繿〕20 〔람〕
襤(衣부 14획〈1290〉)과 同字

糸14〔纏〕20 〔전〕
纏(糸부 15획〈1019〉)의 俗字

糸14〔辮〕20 변 ㊤銑 | biàn ベン くむ, あむ

字解 ①땋을변 머리털이나 실을 엇결어 짜 엮어 한 가닥으로 함. '交一'. '一貞亮以爲鞶兮'《張衡》. ②땋은머리변 편발(編髮). '貴者以兩股一爲鬟髻'《唐書》.
字源 形聲. 糸+辡〔音〕

糸14〔緐〕20 〔별〕
絜(糸부 7획〈995〉)의 本字

糸14〔纂〕20 人名 찬 ㊤早 | zuǎn サン あつめる

筆順 ⺮ 竹 笪 笪 算 篹 纂 纂

字解 ①모을찬 문서를 모아 엮음. 책을 편집함. 欑(木부 19획〈593〉)과 통용. '編一'. '揚雄取其有用者, 以作訓一篇'《漢書》. ②이을찬 계승함. 纘(糸부 19획〈1021〉)과 同字. '一乃祖服'《禮記》. '一堯之緒'《漢書》. ③붉은끈찬 붉은 실로 꼰 끈. '錦繡一組'《漢書》. ④무늬찬, 채색찬 '縷一以爲奉'《國語》. '富人則車輿衣一錦'《淮南子》.
字源 形聲. 糸+算〔音〕

糸14〔繢〕20 궤 ㊤眞 | huì キ おりあまり

字解 토끝궤 토끝. 베를 짠 나머지. '一, 織餘也, 或从貴'《集韻》.

糸14〔縱〕20 〔종〕
縱(糸부 11획〈1009〉)과 同字

糸14〔繻〕20 〔주〕
紬(糸부 5획〈985〉)의 俗字

糸15〔纆〕21 묵 ㊀職 | mò ボク·モク なわ

字解 노묵 두 겹 노. 또, 세 겹 노. '夫禍之與福兮, 何異糾一'《史記》.
字源 形聲. 糸+黑〔音〕

糸15〔纈〕21 힐(혈㊍) ㊀屑 | xié ケツ しぼりぞめ

字解 홀치기염색힐 옷감의 군데군데를 묶어 물들이는 염색. 또, 그 무늬. '氷作花如一'《酉陽雜俎》. 또, 그와 같이 군데군데 점재(點在)하는 무늬. '醉眼何由作一文'《蘇軾》. 또, 그 무늬의 옷감. '奴婢不得衣綾綺一'《魏書》. ※本音 혈.
字源 形聲. 糸+頡〔音〕

糸15〔纊〕21 광 ㊤漾 | kuàng コウ わた

筆順 糸 纩 纩 纩 纊 纊 纊 纊

字解 ①솜광 새 솜. 고운 솜. '絮一'. '絮之細者曰一'《小爾雅》. '屬一以俟絕氣'《儀

禮》. ②솜옷광 '冬日不衣綿—'《南史》. ③누에고치광 '小人在上位, 如寢關曝—'《淮南子》.
字源 形聲. 糸+廣〔音〕

糸15〔續〕21 中·人 속 入沃 | xù ゾク つづく

筆順 糸 紟 紼 続 績 績 續 續

字解 ①이을속 ㉠연이음. 이어짐. 계속함. '連—'. '—衽鉤邊'《禮記》. '微言之緒, 絶而復—'《晉書》. ㉡이어 댐. 이어 닮. '貂不足, 狗尾—'《晉書》. ㉢뒤를 이음. 계승함. '—襲'. '紹—昆裔'《國語》. ㉣이어 맴. '以馬羈相—'《魏志》. ②계속속 전철(前轍)을 밟는 일. 되풀이. '此亡秦之—耳'《史記》. ③공속 공적(功績). '伯尊其無—乎'《穀梁傳》. ④전(傳)해질속 '教順施—'《淮南子》. ⑤속(贖)할속 '刑者不可復—'《史記》. ⑥성속 성(姓)의 하나.
字源 形聲. 糸+賣〔音〕
參考 続(糸부 7획〈995〉)은 俗字.

糸15〔纏〕21 전 平先 去霰 | chán テン まとう, まつわる

字解 ①얽을전, 얽힐전 '—縈'. '—緜'. '舊說—於胸中'《傳習錄》. ②감을전, 감길전 '—足'. '—繞'. '腰—十萬貫'《殷芸小說》. ③묶을전 '—, 束也'《廣雅》. '—, 約也'《玉篇》. ④줄전 끈. 새끼줄. '僋—采薪'《淮南子》. ⑤끌전 견인(牽引)함. '質弱易版—'《謝靈運》. ⑥밟을전 궤도를 따라 순행함. 躔(足부 15획〈1452〉)과 통용. '歲—星紀'《漢書》. ⑦성전 성(姓)의 하나.
字源 形聲 糸+廛〔音〕

糸15〔纋〕21 우 平尤 平尤 | yōu ユウ こうがいのちゅうおうがせまい | オウ こうがいのちゅうおうがせまい

字解 ①비녀가운데가늘우 비녀〔笄〕의 가운데가 잘록함. '笄中央狹曰—'《集韻》. ②댕기우 비녀 허리에 말아 머리를 고정시키는 헝겊. '—, 笄巾'《廣韻》. ③덧머리우 비녀 허리를 감는 다리. '—, 笄之中央髮'《玉篇》.

糸15〔縩〕21 ㊀찰 入曷 ㊁채 去泰 | cā サツ ちりめん | cài サイ うちぎぬのすれあうおと

字解 ㊀①오글명주찰 오글오글한 주름이 잡히게 짠 얇은 비단. '—, 絹縠也'《玉篇》. ②얇은비단찰 '—, 綃屬'《集韻》. ㊁ 와삭거릴채 얇은 비단이 서로 스쳐 나는 소리. '綃紈綷—'《潘岳》.
字源 形聲. 糸+蔡〔音〕

糸15〔纅〕21 ㊀약 入藥 ㊁삭 入藥 ㊂력 入錫 | yào ヤク いとのいろがよい | シャク いとのいろがよい | lì レキ いとをおさめる

字解 ㊀실색고울약 실이 색깔이 고움. '—, 絲色也. (段注) 謂之絲之色, 光采灼然也'《說文》. ㊁실색고울삭 ㊀과 뜻이 같음. ㊂실다듬을력 '—, 治絲也'《集韻》.
字源 形聲. 糸+樂〔音〕

糸15〔總〕21 총 ①②平東 ③上董 | cōng ソウ あおじろいいろのきぬ | ソウ きぬ

字解 ①청백색깁총 또, 청백색. '—, 帛青色也'《說文》. '—, 青白色'《玉篇》. ②얇은비단총 '—, 又細絹也'《廣韻》. ③비단총 '緌總'은 비단.
字源 形聲. 糸+蔥〔音〕

糸15〔繯〕21 〔현〕 繯(糸부 13획〈1015〉)의 本字

糸15〔縒〕21 〔치〕 縒(糸부 10획〈1007〉)의 本字

糸15〔纉〕21 〔찬〕 纘(糸부 19획〈1021〉)의 俗字

糸15〔纎〕21 〔섬〕 纖(糸부 17획〈1020〉)의 俗字

糸15〔纇〕21 뢰 去隊 | lèi ライ ふしいと

字解 ①마디뢰 실의 두두룩하게 뭉친 부분. 또, 그 실. '絲之結—'《淮南子》. 전(轉)하여, 사물의 갈등(葛藤). '治條疏—'《唐書》. ②어그러질뢰 마음에 어그러짐. '忿—無期'《左傳》. ③꽃봉오리뢰 가지에 달린 꽃봉오리. '野杏正破—'《梅堯臣》. ④흠뢰 흠집. 흠절. '明月之珠不能無—'《淮南子》. ⑤잘못뢰 허물. 과오. '凡人之愆尤, 皆曰—'《說文 段注》. ⑥치우칠뢰 공평하지 않음. '—, 不平也'《左傳 疏》.
字源 形聲. 糸+頪〔音〕

糸15〔繂〕21 률 入質 | lǜ リツ ひきづな

字解 동아줄률 綍(糸부 11획〈1011〉)과 同字. '—, 索也'《集韻》.

糸15〔繛〕21 률 入質 | lǜ リツ つな

字解 ①동아줄률 繂(前條)·綍(糸부 11획〈1011〉)과 同字. '—, 紼也. 索也'《玉篇》. ②깁률, 흰깁률 '—, 帛也'《正字通》.

[字源] 形聲. 𦃃(素)+率〔音〕

糸15 〔纍〕21 루 [平]支 | léi ルイ つらなる

[字解] ①연이을루, 연이어질루 연속한 모양. '一, 聯絡貌'《正字通》. '一一乎端如貫珠'《禮記》. ②고달플루 피로하여 기운이 없는 모양. '一一若喪家之狗'《史記》. ③쌓일루 겹겹이 쌓인 모양. '印何一一'《漢書》. ④가둘루, 갇힐루 잡아 가둠. 구금됨. '一囚'. '一紲'. '不以一臣釁鼓'《左傳》. ⑤얽힐루 얼기설기 감김. '葛藟一之'《詩經》. ⑥매달릴루 높은 데 걸림. '甘瓠一之'《詩經》. ⑦바루 굵은 줄. '以劍斫絕一'《漢書》. ⑧갑옷그릇루 갑옷을 넣는 그릇. '不解一'《國語》. ⑨원사자루 원죄(冤罪)로 죽은 사람. '欽弔楚之湘一'《漢書》. ⑩화(禍)부를루 그것이 원인으로 화가 됨. '骨一其肉'《太玄經》. ⑪성루 성(姓)의 하나.

[字源] 形聲. 糸+畾〔音〕

糸15 〔纝〕21 〔뢰〕 儡(人부 15획〈77〉)와 同字

糸15 〔纀〕21 〔박〕 襮(衣부 15획〈1291〉)과 同字

糸16 〔纑〕22 로 [平]虞 | lú ロ ぬのいと, あさいと

[字解] ①실로 무명 또는 삼의 섬유로 만든 실. '敎女學紡一'《趙孟頫》. ②누일로 삼이나 명주실을 누임. '妻辟一'《孟子》. ③삼로 삼과(科)에 속하는 식물. 줄기 껍질의 섬유로 삼실을 만듦. '山西饒材竹穀一'《史記》. ④삼베로 마포(麻布). '吾衣任穀一'《皮日休》. ⑤설필로 곱지 않고 거칢. '巿土地之次日五一'《管子》.

[字源] 形聲. 糸+盧〔音〕

糸16 〔纇〕22 빈 [平]眞 | pín ヒン ころもをうつ

[字解] 옷방망이질할빈 옷을 방망이로 두들겨 다듬이질함. '一, 擣衣'《廣雅》.

糸16 〔纅〕22 거 [上]語 | jǔ キョ どもる

[字解] 말더듬을거, 말막힐거, 부끄러워할거 '藉靡舌一. (注)舌一, 未詳. 或曰, 莊子云, 公孫龍, 口呿而不合, 舌擧而不下, 謂辭窮. 亦恥辱也'《荀子》.

糸16 〔縉〕22 〔진〕 縉(糸부 10획〈1006〉)의 本字

糸16 〔繢〕22 〔회〕 繢(糸부 12획〈1013〉)의 本字

糸16 〔繼〕22 〔계〕 繼(糸부 14획〈1017〉)의 本字

糸16 〔繖〕22 〔산〕 繖(糸부 12획〈1013〉)의 本字

糸16 〔纜〕22 〔람〕 纜(糸부 21획〈1022〉)의 俗字

糸16 〔纏〕22 〔전〕 纏(糸부 15획〈1019〉)의 俗字

糸16 〔纕〕22 균 [平]眞 | jūn キン つかねる

[字解] 묶을균 묶음. '一, 束也, 或作[illegible]'《集韻》.

糸16 〔纑〕22 력 [入]錫 | lì レキ なわばり

[字解] 새끼줄칠력 새끼줄을 침. 세력 범위를 표시함. '一, 繩爲界埒也'《集韻》.

새

糸16 〔纕〕22 ㊀선 [去]霰 ㊁유 [上]麌 | xuàn セン なわ シュ さんぱくをかけるひも

[字解] ㊀새끼선 새끼. '繏博雅, 綸繏, 索也, 或从選'《集韻》. ㊁잠박(蠶箔)매다는 끈유 누에채반을 매다는 끈. '一, 方言, 所以縣欙, 東齊海岱之閒謂之一, 或省'《集韻》.

糸16 〔纙〕22 종 | chōng チョウ ただしい

[字解] 바를종 곧음. 바름. '一, 直也'《篇海》.

糸17 〔纓〕23 영 [平]庚 [去]敬 | yīng エイ ひも

[字解] ①갓끈영 갓에 맨 끈. '滄浪之水, 淸兮可以濯我一'《孟子》. ②노영, 새끼영 승삭(繩索). '請一繫南粵'《魏徵》. ③가슴걸이영 말 가슴에 걸어 안장에 매는 가죽끈. '馬一'. '絡一'. '薦馬一三就'《儀禮》. ④감을영 휘휘 감음. '一情於好爵'《孔稚圭》.

[字源] 形聲. 糸+嬰〔音〕

糸17 〔纖〕23 [人名] 섬 [平]鹽 | xiān セン ほそい

[筆順] 糸 糹 紆 緈 縙 纖 纖 纖

[字解] ①가늘섬, 작을섬 미세함. 잚. '一細'. '剖一入冥'《蔡邕》. ②자세할섬 정밀함. '一密'. '春秋義一'《論衡》. ③고운비단섬 곱고 얇은 비단. '被文服一'《楚辭》. ④가는베섬 올이 고운 베. 세포(細布). '一七日'《史記》. ⑤가는줄섬 가는 실. 세선(細線). '一維'. '縷積于一'《賈餗》. ⑥아낄섬

검소함. 인색함. '一嗇'. '周人旣一'《史記》. ⑦고울섬 가냘프고 예쁨. '一一玉手'. '腰一蔑楚媛'《江洪》. ⑧찌를섬 칼로 찌름. '其刑罪則一剸'《禮記》. ⑨소수(小數)이름섬 천만분의 일(一). 미(微)의 십분의 일.
字源 形聲. 糸+韱〔音〕

糸 17 〔纕〕23 양(①-③상㊍) ㊏陽 ㊤養 | ①-③xiāng ショウ おび ④rǎng ジョウ いとがみだれる

字解 ①띠양 허리띠. '旣替余以蕙一兮'《楚辭》. ②뱃대끈양 말의 배에 걸쳐서 조르는 줄. '懷挾纓一'《國語》. ③팔걷어붙일양 '一, 援臂也'《說文》. ※❶-❸ 本音 상. ④실얽힐양 '一, 絲紛也'《集韻》.
字源 形聲. 糸+襄〔音〕

糸 17 〔纔〕23 ㊀재 ㊏灰 ㊁삼 ㊏咸 | cái サイ わずか shān サン あかぐろいいろのきぬ

字解 ㊀①겨우재 근근히. 가까스로. '得一免'. '遠縣一至'《漢書》. ②조금재 약간. 잠깐. '一小怠於防嚴'《歐陽修》. ㊁①잿빛삼 회색(灰色). 또, 그 비단. ②밤색삼 밤색의 비단. '一, 帛雀頭色也'《說文》.
字源 形聲. 糸+毚〔音〕

糸 17 〔罽〕23 계 ㊌霽 | jì ケイ けおり

字解 털붙이계 모직물(毛織物). '一, 氈類, 織毛爲之'《廣韻》.
字源 形聲. 糸+罽〔音〕

糸 17 〔纅〕23 약 ㊍藥 | yào ヤク いと

字解 실약 '一, 絲也'《玉篇》.

糸 17 〔纏〕23 〔전〕
纏(糸부 15획〈1019〉)의 俗字

糸 17 〔纛〕23 〔도〕
纛(糸부 18획〈1021〉)과 同字

糸 17 〔纎〕23 〔선〕
綫(糸부 8획〈996〉)과 同字

糸 17 〔韉〕23 〔천〕
韉(革부 17획〈1673〉)의 俗字

糸 18 〔纗〕24 ㊀수 ㊏支 ㊁휴 ㊏齊 ㊂유 ㊌寘 | zuī スイ かける xī ケイ かける wèi イ つるがたちきれる

字解 ㊀①맬수 끈으로 맴. '一幽蘭之秋華兮'《張衡》. ②맬끈수 매는 끈이나 줄. ㊁맬휴, 맬끈휴 ㊀과 뜻이 같음. ㊂줄끊어질유 '一, 紘中絕也'《廣韻》.
字源 形聲. 糸+巂〔音〕

糸 18 〔纓〕24 〔표〕
縹(糸부 11획〈1010〉)의 本字

水 18 〔繘〕24 〔율〕
繘(糸부 12획〈1013〉)의 古字

糸 18 〔纔〕24 〔재〕
纔(糸부 17획〈1021〉)와 同字

糸 18 〔纛〕24 ㊀도 ㊌號 ㊁독 ㊍沃 | dào トウ はたぼこ dú トク はたぼこ

字解 ㊀기도 쇠꼬리로 장식한 큰 기(旗). 군중(軍中) 또는 천자(天子)의 거가(車駕)의 왼쪽에 세움. '黃屋左一'《漢書》. 전(轉)하여, 천자의 친정군(親征軍)을 '大一'라 함. ㊁기독 ㊀과 뜻이 같음.
字源 形聲. 縣+毒〔音〕

糸 18 〔纑〕24 녑 ㊍葉 | niè チョウ いとのつぎめ

字解 ①실이음매녑 실 이음매. '一, 絲接岐也'《六書故》. ②실다섯오리녑 '五絲爲一, 倍一爲升, 倍升爲紱, 倍紱爲紀, ……'《西京雜記》.

糸 19 〔纘〕25 人名 찬 ㊤旱 | zuǎn サン つぐ

筆順 纘 (stroke order)

字解 ①이을찬 계승함. 주로, 사업에 관하여 이름. '武王一太王・王季・文王之緖'《中庸》. ②모을찬 纂(糸부 14획〈1018〉)과 同字. '論一述之要'《容齋隨筆》.
字源 形聲. 糸+贊〔音〕
參考 纉(糸부 15획〈1019〉)은 俗字.

糸 19 〔纚〕25 ㊀사 ㊤紙 ㊁리 ㊏支 ㊂쇄 ㊤蟹 | xǐ, shǐ シ かみづつみ lí リ かんむりのたれひも shǎi サイ さであみ

字解 ㊀①머리싸개사 머리털을 싸는 헝겊. '緇一廣終幅, 長六尺'《儀禮》. ②떼지어갈사 떼를 이루어 가는 모양. '一乎淫淫'《漢書》. ③잇달사 연이음. 연속함. '輦道一屬'《漢書》. ㊁①갓끈리 갓에 맨 끈. '紼一維之'《詩經》. ②맬리 잡아맴. '一朱鳥以承旗'《後漢書》. ㊂①떨어질쇄 떨어지는 모양. '落英幡一'《史記》. ②족대쇄 반두 비슷한 어구(漁具)의 일종. '釣魴鱧, 一鰋鮋'《張衡》.
字源 形聲. 糸+麗〔音〕

糸 19 〔纙〕25 라 [去]箇 | luǒ ラ ひとしくない
[字解] ①고르지않을라. ②마디있는실라 '一, 一日, 絲有節'《集韻》. ③가늘지않을라 '一, 不細也'《廣韻》.
[字源] 形聲. 糸＋羸〔音〕

糸 19 〔纚〕25 시 [平]支 | shī シ つむぎ
[字解] ①명주시 거친 견직물. 絁(糸부 5획〈986〉)와 同字. '一, 粗緖也'《說文》. ②가늘시 '一, 博雅, 細也'《集韻》.
[字源] 形聲. 糸＋璽〔音〕

糸 19 〔纘〕25 〔속〕 續(糸부 15획〈1019〉)의 本字

糸 19 〔緩〕25 〔완〕 緩(糸부 9획〈1003〉)과 同字

糸 20 〔纙〕26 〔라〕 纙(糸부 19획〈1022〉)의 本字

糸 21 〔纍〕27 루 [平]支 | léi ルイ まとう, くろなわ
[字解] ①얽힐루 얼기설기 감김. '一纆, 絡也'《集韻》. ②검은줄루 흑색의 굵은 끈. '一, 網絡, 論語注云, 黑索也'《廣韻》.
[字源] 形聲. 糸＋纍〔音〕

糸 21 〔纜〕27 람 [去]勘 | lǎn ラン ともづな
[字解] 닻줄람 닻을 매다는 줄. 배를 매는 줄. '一, 維舟緪'《集韻》. '解一'. '遲日徐看錦一牽'《杜甫》.
[字源] 形聲. 糸＋覽〔音〕

糸 21 〔纗〕27 촉 [入]沃 | zhú ショク おび
[字解] 띠촉 '一, 一帶也'《玉篇》.

糸 21 〔纝〕27 〔작〕 綽(糸부 8획〈998〉)의 本字

糸 21 〔繂〕27 〔률〕 繂(糸부 15획〈1019〉)의 本字

糸 23 〔戀〕29 련 [去]霰 | liàn レン つづく
[字解] 이어질련 끊이지 않음. '一, 不斷也'《篇海》.
[字源] 形聲. 糸＋戀〔音〕

糸 25 〔繘〕31 〔율〕 繘(糸부 12획〈1013〉)의 籒文

缶　部
〔장군부부〕

缶 0 〔缶〕6 부 [上]有 | fǒu フ ほとぎ
[筆順] ノ 𠂉 𠂉 午 缶 缶
[字解] ①장군부, 양병부 중두리를 뉘어 놓은 것 같은 질그릇. 배가 불룩하고, 그 가운데에 목이 좁은 아가리가 있음. 술·장을 담는 데 씀. '土一'. '瓦一'. ②질장구부 진(秦)나라 사람은 장군을 장구를 치듯이 쳐서 노래의 장단을 맞추는 데 악기(樂器)로 썼음. '相如復請秦王, 擊一爲秦聲'《十八史略》. ③용량이름부 사곡(四斛)을 이름.
[字源] 象形. 술 따위를 담는 중배가 부른 뚜껑 달린 토기(土器)의 모양을 본뜸.
[參考] '缶부'를 의부(意符)로 하여, 항아리에 관한 문자를 이룸.

缶 0 〔缶〕6 缶(前條)의 俗字

缶 2 〔卸〕8 〔사〕 卸(卩부 6획〈132〉)의 俗字

缶 3 〔缸〕9 항 [平]江 | gāng コウ かめ
[字解] 항아리항 질그릇의 한 가지. 열 되가 담김. '罌一'. '醯醬千一'《史記》.
[字源] 形聲. 缶＋工〔音〕

缶 3 〔缻〕9 우 [平]虞 | yú ウ つるべ
[字解] 두레박우 두레박. 물을 긷는 기구. '一, 汲器'《集韻》.

缶 3 〔缸〕9 缻(前條)와 同字

缶 4 〔缺〕10 [高·人] 결 [入]屑 [入]屑 | quē ケツ かける
[筆順] ノ 𠂉 午 缶 缶 缶 缺 缺
[字解] ①이지러질결 한 귀퉁이가 떨어져 나감. '一月'. '甕破缶一'《易林》. ②없어질결 있어야 할 사물이 없어짐. '周室微, 而禮惡廢, 詩書一'《史記》. ③모자랄결 부족함. '一乏'. '粟一于倉'《大戴禮》. ④빌결 벼슬자리가 빔. 또, 그 자리. '開一'. '官一'. ⑤나오지않을결 나올 자리에 빠짐. '一席'.

'一勤'. ⑥궐할결 하여야 할 일을 하지 아니함. '一禮'.
[字源] 形聲. 缶+夬〔音〕

缶4 〔缼〕10 缺(前條)의 俗字

缶4 〔䍃〕10 [一]요 [平]蕭 | yóu ヨウ もたい, かま
[二]유 [上]尤 | yóu ユウ もたい, かま
[字解] [一] ①항아리요 입이 작고 배가 부른 질그릇. '甖, 淮汝之閒, 謂之一'《揚子方言》. ②가마요 숯·질그릇·벽돌 따위를 굽는 요(窯). '一, 爲瓦器之通名. 因謂燒瓦竈爲一, 後又增穴爲窰也'《說文》. [二] 항아리유, 가마유 [一]과 뜻이 같음.
[字源] 會意. 缶+肴〈省〉〔音〕

缶4 〔⿰缶不〕10 〔배〕
桮(木부 7획〈546〉)와 同字

缶4 〔⿰缶开〕10 형 [平]青 | xíng ケイ もたい
[字解] 목긴그릇형 목이 긴 그릇. 아가리가 좁고 목이 길며 종처럼 생긴 술 그릇. '一, 說文, 似鍾而頸長, 一曰, 酒器, 或作一'《集韻》.

缶5 〔䍄〕11 점 [上]琰 [去]豔 | diǎn テン かけ
[字解] 이지러질점 도자기의 이가 빠진 흠집. '一, 缺也. (段注) 刀缺謂之刮, 瓦器缺謂之一'《說文》.
[字源] 形聲. 缶+占〔音〕

缶5 〔⿰缶只〕11 재 [上]蟹 | zhǎi タイ かける, かく
[字解] ①이지러질재 '一, 缺也'《玉篇》. ②흠집재 《現》 기물(器物)·의복·과일 등의 흠집.

缶5 〔⿰缶乏〕11 [一]탑 [入]合 | tà トウ そこのたいらなほとぎ
[二]벽 [入]陌 | ヘキ そこのたいらなほとぎ
[字解] [一] ①밑납작한독탑 '一, 下平缶也'《說文》. ②항아리탑 '一, 瓶也'《廣雅》. [二] 밑납작한독벽, 항아리벽 [一]과 뜻이 같음.
[字源] 形聲. 缶+丒(之)〔音〕

缶5 〔⿰缶丒〕11 ⿰缶乏(前條)의 本字

缶5 〔⿰缶叏〕11 〔결〕
缺(缶부 4획〈1022〉)의 本字

缶5 〔缻〕11 〔부〕
缶(部首〈1022〉)와 同字

缶5 〔缽〕11 〔발〕
鉢(金부 5획〈1555〉)의 俗字

缶6 〔缿〕12 항(② ①[上]講 | xiàng コウ とうしょばこ
후[本]) ②[去]宥 | hòu コウ ぜにがめ
[字解] ①투서함항 대로 만든 벙어리 모양의 밀고용(密告用) 투서함. '投一, 購告言姦'《史記》. ②벙어리항 질그릇 저금통. 작은 구멍으로 돈을 넣게 되어, 깨뜨리기 전에는 꺼낼 수 없게 되었음. ※❷ 本音 후.
[字源] 形聲. 缶+后〔音〕

缶6 〔⿰缶并〕12 〔병〕
缾(缶부 8획〈1023〉)의 俗字

缶6 〔⿰缶交〕12 [一]교 [平]肴 | jiāo コウ つちでつくったがっき
[二]각 [入]覺 | カク うつわのな
[字解] [一] 질장구교 진흙으로 구워 만든 악기. '一, 樂器, 以土爲之'《廣韻》. [二] 그릇이름각 그릇 이름. '一, 器名'《集韻》.

缶6 〔⿱吅缶〕12 〔기〕
器(口부 12획〈183〉)와 同字

缶6 〔⿱次缶〕12 자 [平]支 | cí シ やきもの
[字解] 사기그릇자 사기그릇. '一, 陶器之緻堅者, 或从缶'《集韻》.

缶6 〔⿰缶幵〕12 〔형〕
⿰缶开(缶부 4획〈1023〉)의 本字

缶7 〔⿰缶孚〕13 부 [平]虞 | fū フ まだやかないかわら
[字解] 날기와부 㝅(缶부 10획〈1024〉)와 同字.

缶7 〔⿰缶否〕13 배 [平]灰 | bēi ハイ ほとぎ
[字解] ①장군배 장군. '一, 缶別名'《玉篇》. ②술잔배 桮(木부 7획〈546〉)와 同字. '桮, 說文, 㔶也, 蓋今飲器, 或作一'《集韻》.

缶8 〔⿰缶戔〕14 〔잔〕
琖(玉부 8획〈773〉)과 同字

缶8 〔缾〕14 병 [平]青 | píng ヘイ もたい, つるべ
[字解] ①두레박병 甁(瓦부 8획〈789〉)과 同字. '甁, 汲水器也, 一, 上同'《廣韻》. ②단지병 물단지·술단지 등. '一, 酒器, 詩小

雅, 一之罄矣, 維罍之恥'《正字通》.
字源 形聲. 缶+幷〔音〕
參考 缾(缶부 6획〈1023〉)은 俗字.

缶8〔罭〕14 역 入職 | yù ヨク·イキ すやきのうつわ
字解 질그릇역 옹기. '一, 瓦器也'《說文》.
字源 形聲. 缶+或〔音〕

缶8〔䍌〕14 부 平尤 上有 | bù フウ·ホウ·ブ ほとぎ ホウ·ブ ほとぎ
字解 항아리부 '一, 小缶也, 从缶咅聲'《說文》.
字源 形聲. 缶+咅(音)〔音〕

缶8〔䍌〕14 䍌(前條)의 本字

缶8〔䍍〕14 강 平陽 | gāng コウ かめ
字解 항아리강 '一·缸·瓨·㼚, 竝同'《正字通》.

缶8〔䍎〕14 〔수〕 罋(缶부 10획〈1024〉)와 同字

缶9〔䍏〕15 제 平齊 | dì テイ はち, ほとぎ
字解 자배기제 '一, 甂也, 方言, 陳魏宋謂之一, 或从缶'《集韻》.

缶9〔鍾〕15 종 | zhōng ショウ ますめのな
字解 말종 말. 용량의 단위로 6섬〔斛〕4말〔斗〕들이. '一, 量名, 六斛四斗曰一, 或作鈡'《集韻》.

缶10〔㲉〕16 一 구 平有 二 부 平虞 | kòu コウ·ク まだやかないがき fū フ まだやかないがき
字解 一 굽지않은그릇구 아직 굽지 않은 질그릇. 缻(缶부 7획〈1023〉)와 同字. '一, 未燒瓦器也'《說文》. 二 굽지않은그릇부 一과 뜻이 같음.
字源 形聲. 缶+𣪊〔音〕

缶10〔罃〕16 앵 平庚 | yīng オウ·ヨウ みずがめ
字解 물동이앵 방화용(防火用)의 물을 담아 두는 목이 긴 병. 또, 중배가 부른 항아리. '一, 備火長頸缾也'《說文》.
字源 形聲. 缶+熒〈省〉〔音〕

缶10〔罋〕16 一 수 平支 二 추 平支 | スイ かめ chuí ツイ かめ
字解 一 ①항아리수 아가리가 오므라진 항아리. '一, 小口罌也'《說文》. ②두레박수 물을 퍼올리는 그릇. 二 항아리추, 두레박추 一과 뜻이 같음.
字源 形聲. 缶+𠂹〔音〕

缶11〔罅〕17 하 去禡 | xià カ すきま, ひび
字解 ①틈하 벌어져 사이가 난 구멍. '一, 孔一'《集韻》. '不能傳合疏一'《史記》. ②갈라터질하 도기(陶器)에 금이 감. '一, 裂也, 从缶虖聲, 缶燒善裂也'《說文》. '㮚栗一發'《左思》. ③결함(缺陷)하 완전하지 못함. '姑且修弊補一, 休勞息固, 以與久疲之民相安'《王守仁》.
字源 形聲. 缶+虖〔音〕

缶11〔䍓〕17 罅(前條)와 同字

缶11〔罐〕17 관 | guàn カン うわえのぐつぼ
字解 그림물감단지관 도자기(陶瓷器)에 그림을 그리는 그림물감을 담는 단지.

〔繇〕〔요〕 糸부 11획(1012)을 보라.

缶11〔罄〕17 경 去徑 上迥 | qìng ケイ から, ことごとく
字解 ①빌경 속이 텅 빔. '一, 器中空也'《說文》. ②다할경 다 없어짐. 그릇 속이 비게 됨. '缾之一矣, 維罍之恥. (傳)一, 盡也'《詩經》. ③다경 모두. 빠짐없이. '一無不宜. (傳)一, 盡也'《詩經》. ④경쇠경 磬(石부 11획〈879〉)과 통용. ⑤보일경 눈에 보임. '鬼魅無形者, 不一於前'《韓非子》.
字源 形聲. 缶+殸〔音〕

缶11〔𦈼〕17 〔병〕 缾(缶부 8획〈1023〉)과 同字

缶12〔罇〕18 준 平元 | zūn ソン たる
字解 술두루미준 술그릇. 尊(寸부 9획〈290〉)·樽(木부 12획〈578〉)과 同字. '一, 說文, 酒器, 字本作尊, 後加缶, 加木, 加瓦, 加土者, 隨俗所見也'《正字通》. '合一促席'《左思》.
字源 形聲. 缶+尊〔音〕

缶12〔𦉈〕18 선 去霰 | shàn セン へり
字解 질그릇전선 질그릇의 전. '一, 瓦器緣也'《集韻》.

缶12〔罈〕18 〔담〕
壜(土부 16획〈224〉)과 同字

缶13〔罊〕19 ㊀기 ㊄寘|qì キ つきる, から
㊁계 ㊄霽|ケイ つきる, から
㊂격 ㊇陌|カク つきる, から
字解 ㊀그릇속빌기 그릇 속에 아무것도 없게 됨. '一, 器中盡也'《說文》. ㊁그릇속빌계 ㊀과 뜻이 같음. ㊂그릇속빌격 ㊀과 뜻이 같음.
字源 形聲. 缶＋㱿(㱿)〔音〕

缶13〔罋〕19 옹 ㊄送 ㊉冬|wèng
オウ すえもの, つるべ
ヨウ すえもの, つるべ
字解 ①항아리옹 오지그릇. 甕(瓦부 13획〈791〉)과 同字. '醯醢百一'《儀禮》. ②두레박옹 '一, 汲器'《廣韻》.

缶13〔罊〕19 〔울〕
鬱(鬯부 19획〈1777〉)의 古字

缶14〔罌〕20 앵 ㊉庚|yīng オウ ほとぎ
字解 항아리앵 입이 작고 배가 부른 큰 질그릇. '一, 瓦器也'《玉篇》. '以木一缶度軍'《漢書》.
字源 形聲. 缶＋賏〔音〕

缶14〔罍〕20 흔 ㊄震|xìn キン ひびがいる
字解 그릇에금갈흔 그릇이 깨져서 금이 감. '一, 器裂'《集韻》.

缶14〔䍡〕20 함 ①㊤豏 ②㊄勘|xiàn カン すえもの
カン おおきいほとぎ
字解 ①질그릇함 '一, 陶器'《集韻》. ②큰항아리함. 甊(瓦부 14획〈791〉)과 同字. '甊, 大盎, 或从缶'《集韻》.

缶15〔䍇〕21 알 ㊇黠|yà ガツ かける
字解 그릇이빠질알 그릇이 이가 빠짐. 또, 그릇이 깨어짐. '一, 器缺也'《集韻》.

缶15〔罍〕21 ㊀뢰 ㊉灰|léi ライ さかだる
㊁루 ㊉支|léi ルイ さかだる
字解 ㊀①술그릇뢰 구름 무늬를 그린 단지 비슷한 오지그릇. '我姑酌彼金一. (注)一, 酒罇也'《詩經》. ②대야뢰 세숫대야. '一, 盥器'《字彙》. ㊁술그릇루, 대야루 ㊀과 뜻이 같음.
字源 形聲 缶＋畾〔音〕

缶15〔罊〕21 〔울〕
鬱(鬯부 19획〈1777〉)의 古字

缶16〔罏〕22 로 ㊉虞|lú ロ さかだる
字解 술그릇로 술을 담는 술두루미. 술독. 술항아리. '一, 罍也'《玉篇》.
字源 形聲. 缶＋盧〔音〕

缶16〔罎〕22 〔담〕
壜(土부 16획〈224〉)과 同字
字源 形聲. 缶＋曇〔音〕

缶17〔䍅〕23 령 ㊉青|líng レイ かめ
字解 족자리달린질장군령 병 비슷한데, 족자리가 달린 질그릇. '一, 瓦器也'《說文》.
字源 形聲. 缶＋霝〔音〕

缶17〔䍆〕23 ㊀촌 ㊄願|cùn ソン つむ
㊁천 ㊄霰|セン つむ
㊂선 ㊉銑|xiǎn セン こがめ
字解 ㊀북촌 물레의 가락북 '一, 防錘'《廣韻》. ㊁북천 ㊀과 뜻이 같음. ㊂작은항아리선 '一, 小缶'《集韻》.

缶18〔罐〕24 관 ㊄翰|guàn
カン つるべ, かん
字解 ①두레박관 물을 푸는 그릇. '一, 汲器一'《類篇》. ②단지관 물 따위를 담는 항아리나 그릇. 또, 물을 끓이는 탕관. '一, 器也'《說文新附》. ③《現》통관, 깡통관 원통형의 용기(容器). '數人持水一子'《淸波雜誌》.
字源 形聲. 缶＋雚〔音〕

缶18〔罋〕24 ㊀옹 ㊄送|wèng オウ つるべ
㊁용 ㊉冬|ヨウ つるべ
字解 ㊀①두레박옹 물을 길어 올리는 그릇. '一, 汲瓶也'《說文》. ②오지그릇옹 도기(陶器). '一, 陶器'《集韻》. ㊁두레박용, 오지그릇용 ㊀과 뜻이 같음.
字源 形聲. 缶＋雝〔音〕

缶18〔䍣〕24 〔앵〕
罌(缶부 14획〈1025〉)과 同字

缶26〔罍〕32 〔뢰〕
罍(缶부 15획〈1025〉)의 古字

网(罒·⺳·⺲)部

〔그물망부〕

网0〔网〕6 망 ㊤養|wǎng ボウ·モウ あみ

筆順 丨 冂 冂 冈 网 网

字解 그물망 網(糸부 8획〈997〉)의 古字.
字源 象形. 그물을 본뜬 모양으로, '그물'의 뜻. '網망'의 原字.
參考 '网망'을 의부(意符)로 하여, 여러 가지 종류의 그물이나, 그물로 잡다 등의 뜻을 포함하는 글자를 이룸. '罒, ⺳, ⺲' 등으로 변형되기도 함.

网0 〔冈〕4 网(前條)의 俗字

网0 〔罒〕5 网(前前條)의 略字

网0 〔⺲〕4 〔망〕 网(部首〈1025〉)의 略字

网0 〔网〕6 〔망〕 网(部首〈1025〉)의 訛字

网1 〔罓〕7 〔망〕 网(部首〈1025〉)의 籒文

网3 〔罔〕8 高·人 망 ㊤養 wǎng ボウ·モウ あみ

筆順 丨 冂 冂 冂 円 冈 罔 罔

字解 ①그물망 網(糸부 8획〈997〉)과 同字. '結繩而爲一罟'《易經》. 전(轉)하여, 법률. 제재(制裁). '天之降一'《詩經》. ②그물질할망 그물로 고기를 잡음. 전(轉)하여, 법률로 처벌함. '一民而可爲也'《孟子》. ③엮을망, 얽을망 교결(交結)함. '一薜荔兮爲帷'《楚辭》. ④없을망 있지 아니함. '一有攸赦'《書經》. ⑤말망 하지 말라고 이르는 말. '一 淫于樂'《書經》. ⑥넘볼망 깔봄. '偸儒而一'《荀子》. ⑦속일망 기만함. '誣一'. '欺一'. '以爲國氏之重一已也'《列子》. ⑧어두울망 무식한 모양. '衣服在躬而不知其名爲一'《禮記》 ⑨혼란(昏亂)할망 '一芒芒之無紀'《楚辭》. ⑩멍할망 피로(疲勞)한 모양. '一然若酲, 朝疲夕倦'《張衡》. ⑪근심할망 수심에 잠긴 모양. '一兮不樂'《宋玉》. ⑫도깨비망 魍(鬼부 8획)과 同字. '一兩'.
字源 形聲. 网+亡〔音〕

网3 〔罓〕9 罔(前條)의 本字

网3 〔罒〕8 罔(前條)의 古字

网3 〔罕〕7 한 ㊤旱 hǎn カン あみ

字解 ①그물한 ㉠긴 자루가 달린 조망(鳥網). '一罔'. '一車飛揚'《揚雄》. ㉡토끼 잡는 그물. '一, 兔網'《字彙》. ②기한 정기(旌旗). '荷一旗以先驅'《史記》. ③드물한 희소함. 거의 없음. '一種'. '封禪之符一用'《史記》. 또, 드물게. 간혹. '一見'. '子一言利'《論語》. ④별이름한 성수(星宿)의 하나. 그 모양이 그물 같으므로 이름. 필(畢)이라고도 함. ⑤성한 성(姓)의 하나.
字源 形聲. 篆文은 网+干〔音〕

网3 〔罕〕9 罕(前條)과 同字

网3 〔罕〕8 罕(前前條)과 同字

网3 〔罕〕9 罕(前條)의 本字

网3 〔罗〕8 ㊀羅(网부 14획〈1032〉)의 俗字·簡體字 ㊁囉(口부 19획〈193〉)의 簡體字

网3 〔罙〕8 〔군〕 軍(車부 2획〈1460〉)의 古字

网3 〔罚〕8 적 ㊅錫 dí テキ つなぐ

字解 ①비끄러맬적 비끄러매다. '一, 繫也'《玉篇》. ②물고기그물에걸적 물고기를 그물에 걺. 魡, 繫魚也, 或作一'《集韻》.

网3 〔罙〕8 미 ㊥齊 ベイ ふかくいる ㊤紙 mí ビ おかす

字解 ①깊이들어갈미 깊이 들어감. '一, 深入也'《集韻》. ②무릅쓸미 '一, 冒也'《集韻》.

网4 〔罘〕8 무 ㊤有 mǒu ボウ あみのはりづな

字解 벼릿줄무 그물의 벼리. '一, 網綱'《篇海類編》.

网4 〔罘〕9 부 ①㊥尤 (fóu) フウ·ブ あみ ②㊥虞 fú フ きゅうもんのうちにあるへい

字解 ①그물부 ㉠토끼를 잡는 그물. '一罔彌山'《史記》. ㉡사슴 잡는 그물. '畢弋罝一'《淮南子》. ㉢덮치기. 수레 채에 장치하여 새를 잡는 그물. 罦(网부 7획〈1028〉)와 同字. '罦, 爾雅, 罦覆車也, 今曰翻車, 有兩轅, 中施罥以捕鳥, 或从不'《集韻》. ②면장(面墻)부, 그물친창부 '一罳'는 궁문(宮門) 안에 대나무 따위로 엮어 세운 담. 또, 궁문 밖에 있는 담에 낸 그물을 친 창(窓). 또, 참새·비둘기 같은 새가 앉지 못하게 하느라고 전각(殿閣)의 처마에 치는 철망.

[字源] 形聲. 罒(网)+不〔音〕

网4 〔⿱罒互〕9 호 [去]遇 | hù コ·ゴ うさぎあみ

[字解] 토끼그물호 토끼잡이의 그물. '一, 兔網'《廣韻》.

[字源] 形聲. 罒(网)+互〔音〕

网4 〔⿱罒厷〕9 횡 [平]庚 | gōng コウ あみのはりづな

[字解] 그물벼리횡 '一, 網綱'《正字通》.

网4 〔⿱罒比〕9 비 [平]支 | pí ヒ えびをとるぐ

[字解] 새우그물비 새우를 잡는 그물. '一, 取鰕具'《集韻》.

网4 〔⿱罒牙〕9 아 [平]麻 | yā ガ うさざあみ

[字解] 토끼그물아 토끼 그물. '一, 兔罟'《集韻》.

网5 〔罛〕10 고 [平]虞 | gū コ うおあみ

[字解] ①그물고 큰 어망. '魚罟謂之一'《爾雅》. '施一濊濊'《詩經》. ②나타나는모양고 '睽一庨豁'《張衡》.

[字源] 形聲. 罒(网)+瓜〔音〕

网5 〔罝〕10 [一] 저 [平]魚 | jū ショ あみ
[二] 자 [平]麻 | jiē シャ あみ

[字解] [一] 그물저 짐승 특히 토끼를 잡는 그물. '肅肅兔一'《詩經》. [二] 그물자 [一]과 뜻이 같음.

[字源] 形聲. 罒(网)+且〔音〕

网5 〔⿱冈且〕10 罝(前條)와 同字

网5 〔罟〕10 고 [上]麌 | gǔ コ あみ

[字解] ①그물고 ㉠조망·어망 등 그물의 총칭. '鳥一'. '數一不入洿池'《孟子》. '結繩而爲罔一'《易經》. ㉡형벌. 형률(刑律). 법망(法網). '豈不懷歸, 畏此罪一'《詩經》. ②그물질할고 그물을 쳐서 잡음. '掌一田獸'《周禮》.

[字源] 形聲. 罒(网)+古〔音〕

网5 〔罠〕10 민 [平]眞 | mín ビン あみ, つりいと

[字解] ①토끼그물민, 멧돼지그물민 '一, 博雅, 兔㲋罟, 或从糸'《集韻》. ②고라니그물민 '一蹏連網. (注)一, 麋網'《左思》. ③낚싯줄민 '一, 所己釣也. (注)緡, 釣魚繁也, 此曰一, 所以釣也. 然則緡一古今字'《說文》.

[字源] 形聲. 罒(网)+民〔音〕

网5 〔罡〕10 강 [平]陽 | gāng コウ ほくとせい

[字解] 북두성강 '天一'은 북두성(北斗星)의 별칭(別稱). '八月麥生, 天一據酉'《王鴻儒》.

[字源] '剛강'의 俗字인 '罰강'을 변형시켜서, 하늘에서 가장 강력한 별의 뜻을 나타냄.

网5 〔罜〕10 [一] 주 [去]遇 [上]麌 | zhǔ シュ こあみ
[二] 독 [入]屋 | dú トク こあみ

[字解] [一] 작은어망(魚網)주 고기잡이에 쓰는 작은 그물. '一, 一麗, 魚罟也. (注)一麗, 小魚罟'《說文》. '布九罭. 設一麗'《張衡》. [二] 작은어망독 [一]과 뜻이 같음.

[字源] 形聲. 罒(网)+主〔音〕

网5 〔罞〕10 [一] 몽 [平]東 | máo ボウ·ム しかあみ
[二] 모 [平]肴 | ボウ·ミョウ しかあみ

[字解] [一] 고라니그물몽 '麋罟, 謂之一'《爾雅》. [二] 고라니그물모 [一]과 뜻이 같음.

网5 〔⿱罒包〕10 〔부〕 罦(网부 7획〈1028〉)와 同字

[字源] 形聲. 罒(网)+包〔音〕

网5 〔罢〕10 〔파〕 罷(网부 10획〈1030〉)의 俗字·簡體字

网5 〔⿱罒母〕10 〔모〕 ⿱罒每(网부 7획〈1028〉)와 同字

网6 〔罣〕11 괘 [去]卦 | guà カイ·ケ かかる

[字解] 걸릴괘, 거리낄괘 걸려서 방해나 상치가 됨. '心無一礙'《般若心經》.

[字源] 形聲. 罒(网)+圭〔音〕

网6 〔罙〕11 미 [平]支 | mí ビ·ミ めぐる, ふかい

[字解] ①두루다닐미 두루 돌아다님. '一, 周行也'《大徐本說文》. ②그물미 '一, 罟也'《廣韻》. ③깊을미 '一, 一曰, 深也'《集韻》.

[字源] 形聲. 罒(网)+米〔音〕

网7 〔罥〕12 견 ①②[上]銑 ③[去]霰 | juàn ケン かける, からめとる ケン あみ, わな

[字解] ①걸견, 얽을견 '一, 謂以繩繫取鳥獸也'《一切經音義》. '一, 挂也'《廣韻》. ②걸릴견 '或挂一於岑嵒之峯'《木華》. ③그물

견, 올가미견 '設罝張一兮思我父母力耕'《蔡邕》.
字源 形聲. 罒(网)+肙〔音〕

网 7 〔罦〕12 부 ㊥虞 | fú フ むそうあみ

字解 ①그물부 수레 위에 치는 조망(鳥網). '有兔爰爰, 雉離于一'《詩經》. ②가리개부 '一罳'는 간막이. 가리개.
字源 形聲. 罒(网)+孚〔音〕
參考 罘(网부 5획〈1027〉)와 同字.

网 7 〔罠〕12 랑 ㊧漾 | làng ロウ ひろくおおきい

字解 펀할랑 '莽一'은 광대(廣大)한 모양. '相與騰躍乎莽一之野'《左思》.

网 7 〔䍙〕12 ㊀모 ㊤賿 | méi ブ·ム きじあみ ㊁매 ㊥灰 | バイ·マイ きじあみ

字解 ㊀꿩그물모 꿩 잡는 그물. '一, 雉罔'《廣韻》. ㊁꿩그물매 ㊀과 뜻이 같음.
字源 形聲. 罒(网)+每〔音〕

网 7 〔罤〕12 ㊀제 ㊥齊 | tí テイ·ダイ うさぎあみ ㊁곤 ㊥元 | kūn コン あに

字解 ㊀토끼그물제 蹄(足부 9획〈1438〉)와 통용. '一, 兔網, 通作蹄'《廣韻》. ㊁형곤 형(兄). '一, 說文云, 周人謂兄曰一也, 今作昆, 同'《玉篇》.
字源 形聲. 罒(网)+弟〔音〕

网 7 〔罘〕12 ㊀부 ㊥尤 ㊥虞 | ①②fú(fóu) フウ·ブ あみ ③fú フ·ブ むそうあみ ㊁비 ㊥支 | ヒ あみ, ついたて

字解 ㊀①그물부 토끼 잡는 그물. '一, 兔罟也'《說文》. ②간막이부 '一罳'는 간막이. 또, 집 정면에 쌓은 담. '一罳, 闕前餝'《集韻》. ③새그물부 수레의 채 위에 친 새를 잡는 그물. 罦(网부 7획〈1028〉)과 同字. '罦, 覆車罔也. 或从否'《集韻》. ㊁그물비, 간막이비 ㊀❶❷와 뜻이 같음.
字源 形聲. 罒(网)+否〔音〕

〔詈〕〔리〕 言부 5획(1323)을 보라.

〔買〕〔매〕 貝부 5획(1388)을 보라.

网 8 〔罨〕13 ㊀엄 ㊤琰 | yǎn エン あみ ㊁압 ㊇合 | yǎn オウ あみ

字解 ㊀①그물엄 위에서 씌워 잡는 그물. '一, 網從上掩'《正字通》. ㉠덮치기. 새를 잡는 그물. ㉡어망(魚網). '一, 以網魚也'《玉篇》. ②그물질할엄 그물을 씌워서 잡음. '一翡翠釣, 鰋鮋'《左思》. ③덮을엄 씌워 얹음. '一岸春濤打船尾'《張泌》. ㊁그물압, 그물질할압, 덮을압 ㊀과 뜻이 같음.
字源 形聲. 罒(网)+奄(奄)〔音〕

网 8 〔罩〕13 조 ㊧效 | zhào トウ·チョウ うおとりかご

字解 ①가리조 닭의어리나 통발 모양으로 가는 대쪽으로 엮어, 옆면에 구멍을 내고 속에 먹이를 넣어서, 물에 엎어 놓아 고기가 들어간 후에 들어내는 고기 잡는 제구. '持一入深水, 金鱗大如手'《溫庭筠》. ②잡을조 가리를 놓아 고기를 잡음. '一兩魪, 罺鰝鰕'《左思》. ③휩싸일조 연무(煙霧)가 자욱함. '荷塘烟一小齋居'《司空圖》.
字源 形聲. 罒(网)+卓〔音〕

网 8 〔罩〕12 罩(前條)의 略字

网 8 〔罪〕13 中·人 죄 ㊤賄 | zuì ザイ つみ

筆順 ㇕ 罒 罒 罒 罘 罪 罪 罪

字解 ①허물죄 ㉠범죄. '待一'. '赦過宥一'《易經》. ㉡과오. 실수. '一過'. '至相如門謝一'《史記》. ㉢재앙. 화(禍). '懷璧其一'《左傳》. ②죄줄죄 ㉠벌을 줌. 형벌을 과함. '四一而天下咸服'《書經》. ㉡책(責)함. 비난함. '夫子一我, 以羣婢故也夫'《史記》. ③대그물죄 고기를 잡는 죽망(竹網). '一, 捕魚竹网'《說文》.
字源 會意. 罒(网)+非

网 8 〔罫〕13 ㊀괘 ㊤蟹 | guǎi カイ·ケイ けい ㊁홰 ㊧卦 | huà カイ さまたげる

字解 ㊀줄괘 가로 세로 교차(交叉)하여 친 줄. '方一'. '使一中死棊皆生'《桓譚》. ㊁거리낄홰 거치적거림. 막힘. '絓, 礙也. 或从网'《集韻》.
字源 形聲. 罒(网)+卦〔音〕

网 8 〔罭〕13 역 ㊇職 | yù ヨク·イキ あみ, うおあみ

字解 그물역 잔고기를 잡는 작은 어망(魚網). 九一之魚'《詩經》.
字源 形聲. 罒(网)+或〔音〕

网 8 〔置〕13 高·人 치 ㊧寘 | zhì チ おく

筆順 ㇕ 罒 罒 罒 罒 罝 置 置

[字解] ①둘치 ㉠정한 곳에 놓음. '安一'. ㉡버림. 버려 둠. 그만둠. 폐(廢)함. '一, 捨也'《一切經音義》. '一, 棄也'《字彙》. '是以小怨一大德也'《國語》. ㉢남김. 남겨 둠. '招樊噲出, 一車官屬'《漢書》. ②놓을치 놓아 둠. 용서함. '無有所一'《史記》. ③베풀치 차리어 벌임. '設一'. '一酒大會耆老'《晉書》. ④세울치 지위에 서게 함. 자리에 앉힘. '無子則爲之一後'《禮記》. '莫如一天子'《呂氏春秋》. ⑤역마을치 역참(驛站). '速於一郵而傳命'《孟子》. ⑥역말치 역마(驛馬). '騎一以聞'《漢書》. ⑦안정시킬치 자리잡게 함. '剖胷探心, 易而一之'《列子》.
[字源] 形聲. 罒(网)+直〔音〕

网 8 〔罩〕13 조 [去]效 | zhào トウ·チョウ ふせる, こめる
[字解] ①새덮칠조 새를 덮쳐 못 날아가게 함. '一, 覆鳥令不得飛走也'《說文》. ②덮치기조 새를 덮쳐 잡는 제구. '一, 覆鳥者'《字彙》.
[字源] 會意. 罒(网)+隹〔音〕

网 8 〔罧〕13 삼 [平]侵 [上]寑 | shèn シン ふしづけ
[字解] 고기깃삼 물고기를 잡고자 물 속에 넣어 두는 나뭇가지나 풀포기. '一者, 以柴積水中以取魚. 扣, 擊也. 魚聞擊舟聲, 藏柴下. 壅而取之'《淮南子 注》.
[字源] 形聲. 罒(网)+林〔音〕

网 8 〔罬〕13 철 [入]屑 | zhuó テツ むそうあみ
[字解] 그물철 새 잡는 그물. '繴謂之罿. 罿, 一也. 一謂之罦. 罦, 覆車也'《爾雅》.
[字源] 形聲. 罒(网)+叕〔音〕

〔睪〕〔역〕 目부 8획(850)을 보라.

网 8 〔署〕13 〔서〕 署(网부 9획〈1029〉)의 略字

网 8 〔罛〕13 〔고〕 罛(网부 5획〈1027〉)와 同字

网 8 〔罪〕14 〔죄〕 罪(网부 8획〈1028〉)의 本字

网 9 〔巽〕15 〔선〕 巽(网부 12획〈1031〉)의 本字

网 9 〔網〕15 〔망〕 网(部首〈1025〉)과 同字

网 9 〔罰〕14 [高·人] 벌 [入]月 | fá バツ つみ
[筆順] 罒 罒 罒 罟 罟 詈 罰 罰
[字解] ①벌벌 형벌. '懲一'. '五刑不簡, 正于五一'《書經》. ②벌줄벌 형벌을 과함. '信賞必一'. '三讓而一之'《周禮》. ③속(贖)할벌 벌전(罰錢)을 바치고 속죄함. '一金'. '入金贖罪曰一鍰'《正字通》. ④죄벌 가벼운 죄. '刀詈爲一'《廣韻》.
[字源] 會意. 詈+刀〔音〕
[參考] 罸(网부 10획〈1030〉)은 同字.

网 9 〔罰〕15 罰(前條)의 本字

网 9 〔署〕14 [高·人] 서 [去]御 | shǔ(shù) ショ わりあて, しるす, つかさ
[筆順] 罒 罒 罒 罒 罒 罒 署 署
[字解] ①임명할서 관리에 임명함. '召一主簿'《後漢書》. ②맡을서 ㉠관할함. '總一曹事'《後漢書》. ㉡대리로 맡음. '一理'. ③나눌서 부(部)를 나누어 베풂. 부서를 정함. '選一衆神'《楚辭》. ④부서서 나뉘어 있는 사무의 부분. '部一'. '北面受一'《後漢書》. ⑤표시할서 ㉠이름을 씀. 써서 확실히 함. '一名'. '一其官爵姓名'《漢書》. ㉡써서 나타냄. '翟公大一其門. (注)一, 謂書之'《漢書》. ㉢제목·표제를 씀. 표기(表記)함. '大一榜曰'《後漢書》. ⑥표제서 제목. '魏公殿題一'《魏志》. ⑦마을서 관청. '官一'. '公一'. '久汚玉堂之一'《漢書》. ⑧성서 성(姓)의 하나.
[字源] 形聲. 罒(网)+者〔音〕

网 9 〔署〕15 署(前條)의 本字

网 9 〔罳〕14 [一] 시 [平]支 | sī シ ついたて
[二] 새 [平]灰 | サイ ついたて
[字解] [一] 면장(面墻)시 집 정면에 쌓은 담. 罘(网부 4획〈1026〉)를 보라. '罘一, 屏也'《說文》. [二] 면장새 [一]과 뜻이 같음.
[字源] 形聲. 罒(网)+思〔音〕

网 9 〔罯〕14 [一] 암 [上]感 | ǎn アン おおう
[二] 압 [入]合 | オウ おおう
[字解] [一] ①덮을암 '一, 覆蓋也'《集韻》. ②고기그물암 물고기를 잡는 그물. '一, 魚網'《廣韻》. [二] 덮을압, 고기그물압 [一]과 뜻이 같음.
[字源] 形聲. 罒(网)+音〔音〕

网 9 〔罱〕14 [一] 남 [上]感 | nǎn ダン·ナン あみびく
[二] 람 [上]感 | lǎn ラン あみびく

[字解] [一] 그물어롱(魚籠)남 잡은 물고기를 넣어 모으는 그물. '一, 一網'《廣韻》. [二] 그물어롱람 [一]과 뜻이 같음.

网 9 〔⿱罒紂〕14 〔라〕 羅(网부 14획〈1032〉)와 同字

网 9 〔䍏〕14 〔모〕 罞(网부 7획〈1028〉)와 同字

网 9 〔䍐〕14 〔선〕 羼(网부 12획〈1031〉)과 同字

网 10 〔罵〕15 매 [去]禡 | mà バ ののしる

[字解] ①욕할매 욕설을 함. '一, 詈也, 从网, 馬聲'《說文》. '輕士善一'《史記》. ②욕매 욕설. '官卑遭俗一'《宋濂》.

[字源] 形聲. 罒(网)＋馬〔音〕

网 10 〔罶〕15 류 [上]有 | liǔ リュウ うえ

[字解] 통발류 가는 댓조각으로 만든 물고기를 잡는 제구. '魚麗于一'《詩經》.

[字源] 形聲. 罒(网)＋留(畱)〔音〕

网 10 〔罷〕15 [高·人] [一] 파 [上]蟹 | bà ハイ やむ, やめる / [二] 피 [平]支 | pí ヒ つかれる

[筆順] 罒 罒 罒 罒 罒 罒 罷 罷

[字解] [一] ①파할파 ㉠쉼. 또, 쉬게 함. '一休'. '欲一不能'《論語》. ㉡그만둠. 폐지함. '一遣'. '隣里爲之一社'《世說》. ㉢끝남. 마침. 또, 끝냄. '一, 了也'《字彙》. ②그칠파 '一, 止也'《廣韻》. ㉠계속되었던 것이 멈춤. 또, 멈추게 함. '雨一葉生光'《梁元帝》. ㉡중지됨. 또, 중지함. '或鼓或一'《易經》. ③놓을파 놓아 줌. 방면함. '乃一魏勃'《史記》. ④내칠파 물리침. 파면함. '一黜'. '時欲沙汰郎官非才者一之'《晉書》. ⑤물러갈파 퇴귀(退歸)함. '皆自朝布路而一'《左傳》. [二] ①고달플피 피로함. '一倦'. '騰駕一牛'《賈誼》. ②둔할피 노둔함. '一駑'. '誅譏一只'《楚辭》.

[字源] 會意. 罒(网)＋能

网 10 〔⿱罒𦋺〕16 罷(前條)의 本字

网 10 〔⿱罒䏍〕16 罷(前前條)의 俗字

网 10 〔⿱罒㼌〕15 여 [平]魚 | yú ヨ あみ

[字解] 그물여 '一, 網也'《篇海》.

网 10 〔罸〕15 〔벌〕 罰(网부 9획〈1029〉)과 同字

网 10 〔⿱罒兼〕15 겸 [平]鹽 | jiān ケン きぬあみ

[字解] 명주그물겸 명주실로 결은 그물. 어망. '一, 絲網曰一'《集韻》.

网 10 〔⿱㓁馬〕16 〔매〕 罵(网부 10획〈1030〉)의 本字

网 11 〔⿱㓁奄〕17 〔엄〕 罨(网부 8획〈1028〉)의 本字

网 11 〔罹〕16 리 [平]支 | lí リ うれえ, かかる

[字解] ①근심할리, 근심리 걱정함. 걱정. '逢此百一'《詩經》. ②걸릴리 병·재앙 따위에 걸림. 또, 그 해를 입음. '一病'. '一災'. '一其凶害'《書經》.

[字源] 會意. 罒(网)＋隹＋忄(心)

网 11 〔罼〕16 필 [入]質 | bì ヒツ さであみ

[字解] ①족대필 긴 자루가 달린 반두 비슷한 그물. '一, 罔小而柄長也'《玉篇》. ②토끼그물필 '一, 兔罟'《廣韻》.

[字源] 形聲. 罒(网)＋畢〔音〕

网 11 〔罺〕16 조 ①[平]肴 | cháo ソウ すくいあみ / ②[去]效 | ソウ こあみ

[字解] ①산대조 반두·오구와 같이 자루가 달린 그물. '一, 謂之汕. (注)今之撩罟'《爾雅》. '一鰝鰕'《左思》. ②작은그물조 '一, 小網'《廣韻》.

[字源] 形聲. 罒(网)＋巢〔音〕

网 11 〔罻〕16 [一] 울 [入]物 | yù ウツ あみ / [二] 위 [去]未 | wèi イ あみ

[字解] [一] 그물울 새를 잡는 작은 그물. '設一羅. (注)一, 小網也'《禮記》. [二] 그물위 [一]과 뜻이 같음.

[字源] 形聲. 罒(网)＋尉(尉)〔音〕

网 11 〔⿱㓁尉〕17 罻(前條)의 本字

网 11 〔⿱罒鹿〕16 록 [入]屋 | lù ロク ざこあみ

[字解] ①잔챙이그물록 잡어(雜魚)를 잡는 작은 어망(魚網). '一, 罜一, 小罟'《篇海類編》. ②작은그물로고기잡을록 '日從溪邊一小魚, 雜野蔬爲食'《徐珂》. ③드리워질록 '一簌'은 밑으로 늘어진 모양. '按絲團金懸一簌, 神光欲截藍田玉'《李賀》.

[字源] 形聲. 罒(网)+鹿〔音〕

网 11 〔𦌾〕 17 䍡(前條)의 本字

网 11 〔䍤〕 16 속 | sù ソク たれさがる

[字解] 드리워질속 '䍡一'은 밑으로 늘어진 모양.

网 11 〔𦋷〕 16 [一] 罝(网부 5획〈1027〉)의 籀文 [二] 罳(网부 9획〈1029〉)의 籀文

网 11 〔𦌋〕 16 〔류〕 罶(网부 10획〈1030〉)와 同字

网 11 〔𦌏〕 16 〔저〕 罝(网부 5획〈1027〉)와 同字

网 11 〔𦋼〕 16 〔망〕 网(部首〈1025〉)의 古字

网 11 〔𦌨〕 16 〔삼〕 罧(网부 8획〈1029〉)과 同字

网 11 〔䍦〕 15 〔저〕 罝(网부 5획〈1027〉)의 俗字

网 12 〔𦌽〕 18 〔류〕 罶(网부 10획〈1030〉)의 本字

网 12 〔罽〕 17 계 [去]霽 | jì ケイ うおあみ

[字解] ①그물계 어망(魚網). '一, 魚网也'《說文》. ②담계 모직물의 한 가지. 모전(毛氈). '織毛曰一'《一切經音義》.
[字源] 形聲. 罒(网)+厠〔音〕

网 12 〔𦌀〕 16 罽(前條)의 俗字

网 12 〔罾〕 17 증 [平]蒸 | zēng ソウ あみ

[字解] 그물증 네 귀퉁이를 대 같은 것으로 매고, 물 속에 가라앉혔다가 급히 들어 올려서 물고기를 잡는 그물. '置人所一魚腹中. (注)師古曰, 一, 魚網也, 形如仰繖蓋, 四維而擧之'《漢書》.
[字源] 形聲. 罒(网)+曾〔音〕

网 12 〔罿〕 17 [一] 동 [平]東 | tóng トウ むそうあみ
[二] 총 [平]冬 | chōng ショウ むそうあみ

[字解] [一] 그물동 수레 위에 쳐서 새를 잡는 그물. '雉離于一'《詩經》. [二] 그물총 [一]과 뜻이 같음.
[字源] 形聲. 罒(网)+童〔音〕

网 12 〔䍢〕 17 무 ①[上]麌 ②[平]虞 | wǔ ブ まどのすかしあみ / ブ きじあみ

[字解] ①들창망무 들창에 댄 망. 𦍋(网부 14획〈1032〉)와 同字. '𦍋, 說文, 牖中网也, 或从無'《集韻》. ②꿩그물무. '一, 雉網'《廣韻》.

网 12 〔𦌓〕 17 [一] 선 [上]銑 | xuǎn セン あみ, わな
[去]霰 | セン あみ, わな
[二] 산 [去]諫 | xuǎn サン あみ, わな

[字解] [一] ①올무선 새나 짐승을 잡는 올가미. '一者, 羂獸足也'《逸周書》. ②그물선 고기 잡는 그물. 어망(魚網). '一, 取魚網也'《廣韻》. [二] 올무산, 그물산 [一]과 뜻이 같음.
[字源] 形聲. 罒(网)+巽〔音〕

网 12 〔䍡〕 17 료 [去]嘯 | liào リョウ うおあみ

[字解] 물고기그물료 고기 잡는 그물. 어망(魚網). '一, 魚罟'《集韻》.

网 12 〔𦌸〕 17 〔필〕 罼(网부 11획〈1030〉)의 本字

网 13 〔羂〕 18 견 [上]銑 | juàn ケン あみ, つなぐ

[字解] ①올무견 짐승을 꾀어 잡는 제구. 罥(网부 7획〈1027〉)과 同字. 또, 올무로 짐승을 잡음. '一騕褭. (注)一, 係取也'《司馬相如》. ②붙들어맬견 잡아맴. 묶음. '罥羅之所一結'《張衡》.
[字源] 形聲. 罒(网)+絹〔音〕

网 13 〔𦌴〕 18 〔검〕 黔(黑부 4획〈1861〉)의 古字

网 13 〔𦌵〕 18 〔록〕 䍡(网부 11획〈1030〉)과 同字

网 13 〔䍣〕 18 뢰 [平]灰 | léi ライ ざこあみ

[字解] 잡어어망뢰 잡어 어망. '一, 網百囊者, 或从雷'《集韻》.

网 13 〔䍧〕 18 벽 [入]陌 | bì ハク むそうあみ

[字解] 새그물벽 덮치기. '一, 說文, 一, 謂之罿'《集韻》.

网 13 〔羄〕18 제 [平]齊 | tí テイ あみなわ

[字解] 그물줄제 그물의 줄〔索〕. '一, 罔繩也'《玉篇》.

网 14 〔羃〕19 멱 [入]錫 | mì ベキ おおう, おおい

[字解] 덮을멱, 덮개멱 冪(冖부 14획〈92〉)과 同字. '一, 說文, 覆也, 或作冪·幂'《集韻》. '皆以靑帛一之'《春渚紀聞》.

网 14 〔羅〕19 [高·人] 라 ①-⑦[平]歌 ⑧[去]箇 | luó ラ あみ ラ めぐる

[筆順] 罒 罖 罗 罘 罦 罹 羅 羅

[字解] ①그물라 새 잡는 그물. 조망(鳥網). '鳥罟, 謂之一'《爾雅》. ②그물질할라 ㉠그물을 쳐서 잡음. '一雀'. '掌一烏鳥'《周禮》. ㉡그물을 쳐서 잡듯이 휘몰아들임. '網一天下異能之士'《漢書》. ③비단라 얇은 비단. '輕一'. '一幬張些'《楚辭》. ④늘어설라, 벌이어놓을라, 연이을라 '一列'. '一布'. '步騎一些'《楚辭》. ⑤체질할라 체로 침. '一取麩, 更重磨'《齊民要術》. ⑥가는체라 세사(細篩). '凡麥經磨之後, 幾番入一'《天工開物》. ⑦성라 성(姓)의 하나. ⑧돌라 순행함. 邏(辵부 19획〈1511〉)와 同字.

[字源] 會意. 罒(网)+維. '网망'은 그물의 象形. '維유'는 '새를 잡아매다'의 뜻.

网 14 〔羆〕19 비 [平]支 | pí ヒ ひぐま

[字解] 말곰비 곰과(科)에 속하는 짐승. 곰보다 큰데, 털빛은 갈색임. 큰곰. '維熊維一'《詩經》.

[字源] 會意. 罒(网)+熊〔音〕

网 14 〔罾〕19 제 [上]薺 | jǐ セイ したむ

[字解] 짤제, 거를제 술 따위를 짜 거름. '一, 漉也'《廣雅》.

网 14 〔羈〕19 기 [平]支 | jī キ おもがい

[字解] 말굴레기 말머리에서 볼에 걸쳐 얽어맨 끈 또는 가죽 장식. 羈(网부 19획〈1032〉)와 同字. '一, 馬落頭也'《說文》.

[字源] 會意. 罒(网)+馽

网 14 〔䍿〕19 무 ①[上]麌 [去]遇 ②[平]虞 | wǔ ブ·ム まどのすかしあみ ブ·ム まどのすかしあみ wú ブ·ム あみ

[字解] ①들창망무 창문에 대는 투명망(透明網). '一, 牖中网也'《說文》. ②그물무 '一, 罟屬'《廣韻》.

[字源] 形聲. 罒(网)+舞〔音〕

网 14 〔罩〕19 조 [去]效 | zhào トウ とりをおおってとばしめない

[字解] 새덮칠조 새를 덮침. '一, 說文, 覆鳥令不飛走也. 或作一'《集韻》.

网 15 〔羂〕20 〔견〕 羂(网부 13획〈1031〉)의 俗字

网 15 〔䍡〕20 독 [入]屋 | dú トク こあみ

[字解] 작은물고기그물독 작은 물고기의 그물. 罜(网부 5획〈1027〉)와 同字. '罜, 罜䍡, 小罟, 或作一'《集韻》.

网 15 〔罍〕20 뢰 [平]灰 | léi ライ ざこあみ

[字解] 잡어어망뢰 잡어 어망. '一, 網百囊者, 或从雷'《集韻》.

网 16 〔䍦〕20 〔롱〕 籠(竹부 16획〈962〉)과 同字

网 16 〔䍽〕21 력 [入]錫 | lì レキ ふきん, けむり

[字解] ①연기력 연기의 모양. '冪一, 煙皃'《集韻》. ②보자기력 음식을 덮는 보자기. 상보. '一, 蓋食巾'《玉篇》.

网 16 〔罨〕21 〔선〕 羅(网부 12획〈1031〉)과 同字

网 17 〔羇〕22 기 [平]支 | jī キ たびずまい

[字解] ①타관살이할기 타향에 기우(寄寓)함. '一寓'. ②나그네기 '一, 客也'《廣雅》. '爲一終世'《左傳》. ③굴레기 말의 굴레. 羈(网부 19획〈1033〉)와 통용.

[字源] 形聲. 罒(网)+革+奇〔音〕

网 18 〔䍦〕23 리 [平]支 | lí リ かぶりもの

[字解] 건(巾)리 '羃一'는 머리에 쓰는 헝겊으로 만든 물건. '其男子通服長裙, 帽或戴羃一'《晉書》.

网 19 〔羈〕24 기 [平]支 | jī キ おもがい

[字解] ①굴레기 ㉠마소의 얼굴을 얽는 줄. '一絆'. '臣負一紲'《左傳》. 전(轉)하여 ㉡계루(繫累). '絕一獨放'《傅亮》. ②맬기 잡아매어 자유를 속박함. '不一'. '使麒麟可係而一兮'《賈誼》. ③고삐기 말을 어거하기 위해 자갈에 매어다는 줄. '一, 馬絆也'《廣

韻》. '其義一縻勿絶而已'《司馬相如》. ④끌기 끌어당김. '幸也者, 審於戰期, 而有以一誘之也'《呂氏春秋》. ⑤타관살이할기 羈(网부 17획〈1032〉)와 통용. '棄親用一'《左傳》.
字源 會意. 罒(网)+革+馬

网 19 〔羉〕 24 ㊀ 란 ㊥寒 ㊁ 만 ㊥寒 | luán ラン いのこあみ バン·マン いのこあみ

字解 ㊀ 멧돼지그물란 멧돼지를 잡는 그물. '罘罝羅一'《後漢書》. ㊁ 멧돼지그물만 ㊀과 뜻이 같음.

网 19 〔羂〕 24 견 ㊤霰 ㊤銑 | juàn ケン あみ, わな ケン かける

字解 ①그물견, 올무견 '一, 网也'《說文》. ②옭을견 그물로 옭아 잡음. 罥(网부 7획)과 同字. '一, 挂也. 或作一'《集韻》
字源 形聲. 罒(网)+䍜(䍜)〔音〕

网 19 〔麗〕 24 ㊀ 소 ㊥魚 ㊁ 사 ㊤紙 | shī ショ かたみでさけをこす シ こす

字解 ㊀ 용수지를소 용수를 지름. 용수를 질러 술을 뜸. 釃(酉부 19획〈1545〉)와 同字. 釃以筐盝酒也. 或作一'《集韻》. ㊁ 거를사 거름. 밭음. 여과함. '一, 盝也'《集韻》.

网 23 〔羈〕 28 〔기〕 羈(网부 14획〈1032〉)와 同字

羊(⺶)部
〔양 양 부〕

羊 0 〔羊〕 6 中·人 양 ㊥陽 | yáng ヨウ ひつじ
筆順 丶 丷 䒑 䒑 兰 羊

字解 ①양양 가축의 하나. 성질이 순하고 털이 희며 부드러움. 착한 것, 아름다운 것 등에 비유함. 또, 오행(五行)에서는 화(火)·토(土)에 배당하며, 역(易)의 팔괘(八卦)에서는 태(兌)에 배당함. '一頭狗肉'. '食麥與一'《禮記》. ②성양 성(姓)의 하나.
字源 象形. 양의 머리 모양을 본떠서, '양'의 뜻을 나타냄.
參考 '羊양'을 의부(意符)로 하여, 여러 가지 종류의 양이나 그 상태에 관한 문자를 이룸.

羊 0 〔⺶〕 6 〔임〕 羊(干부 2획〈341〉)의 訛字

羊 0 〔⺷〕 7 羊(前前條)의 本字

羊 1 〔羋〕 8 미 ㊤紙 | miē, ②mī ビ·ミ ひつじがなく

字解 ①양울미 또, 양이 우는 소리. '一, 羊鳴也'《說文》. ②성미 초(楚)나라의 성(姓)의 하나.
字源 象形. '羋양'은 양(羊). '⺈'는 기(氣)가 위로 올라감을 본 뜻.

羊 2 〔羌〕 8 강 (⑤향㊍) ㊥陽 ㊤漾 | ①-④qiāng キョウ えびす ⑤キョウ うえくるしむ

字解 ①오랑캐강 중국 서방의 오랑캐 이름. 현재의 티베트족(族). ②아강 탄식하는 소리. '一內恕己以量人兮'《楚辭》. ③강할강 굳셈. '一, 強也'《廣雅》. ④성강 성(姓)의 하나. ⑤굶주릴강 새끼새가 배고픔에 시달리는 모양. '一量, 鳥雛飢困皃'《集韻》. ※❺ 本音 향.
字源 形聲. 儿+羊〔音〕

羊 2 〔羍〕 8 〔달〕 羍(羊부 3획〈1034〉)와 同字た

羊 3 〔美〕 9 中·人 미 ㊤紙 | měi ビ うつくしい
筆順 丷 䒑 䒑 兰 羊 羊 美 美

字解 ①아름다울미 ㉠보기 좋음. '匪女之爲一, 一人之貽'《詩經》. ㉡재주가 좋음. '是以樂記干戚之容, 雅一蹲蹲之舞'《傅毅·舞賦》. ㉢품질이 빼어남. '帝大閱軍實, 稱器甲之一'《資治通鑑》. ②맛날미 맛이 있음. '甘一'. '一味'. '膾炙與羊棗孰一'《孟子》. ③기릴미 칭찬함. '賞一'. '褒一'. '甘棠一召伯也'《詩經》. ④품덕(品德)·지취(志趣)고상(高尙)할미 '子張曰, 何謂五一? 子曰, 君子惠而不費, 勞而不怨, 欲而不貪, 泰而不驕, 威而不猛'《論語》. ⑤즐거울미 '一意延年. (注)一意, 樂意也. 無憂患則延年也'《荀子》. ⑥미국미, 미주미 북미 합중국(北美合衆國). 또, 아메리카주(洲)의 약칭(略稱).
字源 會意. 羊+大〔音〕

羊 3 〔羑〕 9 유 ㊤有 | yǒu ユウ みちびく

字解 ①권할유, 인도할유 착한 일을 하도록 권하고 이끎. '一, 進善也'《說文》. '誕受一若'《書經》. ②성유 성(姓)의 하나.
字源 形聲. 羊(⺶)+久〔音〕

羊 3 〔羑〕10 美(前條)의 本字

羊 3 〔养〕9 〔양〕 養(食부 6획〈1718〉)의 簡體字

〔姜〕〔강〕 女부 6획(249)을 보라.

羊 3 〔羍〕9 달 [入]曷 | dá タツ こひつじ

[字解] ①새끼양달 '一, 小羊也'《說文》. ②아름다울달 '一, 美也'《廣雅》. ③날달 태어남. '一, 生也'《玉篇》.
[字源] 形聲. 羊+大〔音〕

羊 3 〔幸〕9 羍(前條)과 同字

〔庠〕〔상〕 广부 6획(346)을 보라.

羊 4 〔羔〕10 고 [平]豪 | gāo コウ こひつじ

[字解] ①양새끼고 새끼양. '一, 羊子也'《說文》. '一羊之皮'《詩經》. ②검은양고 빛이 검은 양. 오양(烏羊). '緇衣一裘'《論語》.
[字源] 會意. 羊+火. 양을 불 위에 놓은 모양을 나타내며, 통구이에는 새끼양이 적합한 데서, 어린 양의 뜻을 나타냄.

羊 4 〔羙〕11 羔(前條)와 同字

羊 4 〔美〕10 羔(前前條)의 俗字

羊 4 〔羕〕10 양 [去]漾 | yàng ヨウ ながい

[字解] ①내길양 강이 깊. '一, 水長也. … 詩曰, 江之一矣'《說文》. ②길양 '一, 長也'《爾雅》.
[字源] 形聲. 永+羊〔音〕

羊 4 〔羌〕10 〔강〕 羌(羊부 2획〈1033〉)과 同字

〔恙〕〔양〕 心부 6획(386)을 보라.

羊 4 〔羒〕10 분 [平]文 | fén フン おひつじ

[字解] 흰숫양분 흰 양의 수컷. '一, 白羝羊也'《廣韻》.
[字源] 形聲. 羊+分〔音〕

羊 4 〔羓〕10 파 [平]麻 | bā ハ ほじし

[字解] 포파 말린 고기. '一, 腊屬'《集韻》.

羊 4 〔羖〕10 고 [上]麌 | gǔ コ くろいおひつじ

[字解] ①검은숫양고 빛이 검은 숫양. '一, 夏羊牡曰, 一'《說文》. '夏羊, 黑羊'《通訓定聲》. ②불깐양고 거세(去勢)한 양. '一, 亦羯也'《一切經音義》.
[字源] 形聲. 羊+殳〔音〕

羊 4 〔牂〕10 장 [平]陽 | zāng ソウ めひつじ

[字解] 암양장 '一, 牝羊'《廣韻》. 牂(爿부 6획〈735〉)과 同字. '泰山之高百仞, 而跛一牧其上'《史記》.

羊 4 〔羘〕10 ㊀장 [平]陽 ㊁양 [韓] | zāng ソウ おひつじ

[字解] ㊀숫양장 저양(羝羊). ㊁《韓》양양 소의 밥통의 고기. 膷(肉부 17획〈1098〉)의 俗字.

羊 4 〔羞〕11 羞(次條)의 本字

羊 5 〔羞〕11 수 [平]尤 | xiū シュウ すすめる

[字解] ①진헌(進獻)할수 주로 식품(食品)을 바침. '一, 進獻也'《說文》. '一以含桃'《禮記》. ②좋은음식수 '珍一'. '食飮膳一'《周禮》. ③익힌음식수 '一, 熟也. (注)熟食爲一'《方言》. ④부끄러워할수 '一惡之心'《孟子》. '一愧流汗'《後漢書》. ⑤부끄럽게할수 욕보임. '以一先帝之遺德'《漢書》 ⑥부끄럼수 수치. 치욕. '含一'. '包一忍恥是男兒'《杜牧》.
[字源] 形聲. 羊+丑〔音〕

羊 5 〔羛〕11 〔의〕 義(羊부 7획〈1036〉)와 同字

〔盖〕〔개〕 皿부 6획(833)을 보라.

羊 5 〔羚〕11 령 [平]青 | líng レイ かもしか

[字解] ①영양령 소과(科)에 속하는 짐승. 염소 비슷함. 암컷과 수컷이 모두 뿔이 있음. '一羊'. '一羊挂角, 無迹可求'《滄浪詩話》. ②새끼양령 어린 양. '一, 羊子'《廣韻》.
[字源] 形聲. 羊+令〔音〕

羊 5 〔羜〕11 저 [上]語 | zhǔ チョ こひつじ

[字解] 양새끼저 생후(生後) 5 개월 되는 양.

'旣有肥一, 以速諸父'《詩經》.
字源 形聲. 羊+宁〔音〕

羊5 〔羝〕11 저 ㊥齊 | dī テイ おひつじ
筆順 ⺷ 𦍌 ⺶ 羊 羝 羝 羝 羝
字解 숫양저 양의 수컷. '一, 牡羊也'《說文》. '一羊觸藩. 〔釋文〕 一, 羖羊也'《易經》.
字源 形聲. 羊+氐〔音〕

羊5 〔羠〕11 말 ㊀月 | wà バツ えびすのひつじ
字解 말갈말 '一羯'은 오랑캐의 양의 이름. '一羯, 胡羊名'《集韻》.

羊5 〔羘〕11 평 ㊥庚 | pēng ホウ·ヒョウ まだらげのひつじ
字解 얼룩양평 얼룩털의 양의 이름. '一, 駁羊名'《集韻》.

羊5 〔羖〕11 〔고〕
羖(羊부 4획〈1034〉)의 俗字

羊5 〔羍〕11 〔고〕
辜(辛부 5획〈1483〉)와 同字

羊5 〔羝〕11 타 ㊥歌 | tuó タ けもののな
字解 짐승이름타 짐승 이름. '一, 羵一, 獸名, 如羊, 四耳而九尾'《集韻》.

羊5 〔羜〕11 자 ㊥支 | cī シ ひつじのな
字解 양자 '一, 羊名. 蹏皮可旨割桼, 从羊此聲'《說文》.
字源 形聲. 羊+此〔音〕

羊5 〔羑〕12 〔유〕
羑(厶부 9획〈140〉)의 本字

羊5 〔羐〕12 〔극〕
茍(艸부 5획〈1132〉)의 古字

羊6 〔羡〕12 이 ㊥支 | yí イ けんめい
字解 땅이름이 '沙一'는 한대(漢代)의 현(縣) 이름. 지금의 호북성(湖北省)에 속(屬)함. '江夏郡, 縣十四, 沙一'《漢書》.
字源 形聲. 羊+次〔音〕
參考 羨(羊부 7획〈1035〉)은 別字.

羊6 〔着〕12 中·人 〔착〕 著(艸부 9획〈1160〉) ■의 俗字
筆順 ⺷ 䒑 兰 羊 羊 差 着 着

羊6 〔羕〕12 〔양〕
羕(羊부 4획〈1034〉)의 俗字

〔善〕 〔선〕
口부 9획(176)을 보라.

羊6 〔羠〕12 ㊀ 이 ㊥支 | yí イ きょせいしたひつじ
㊁ 시 ㊤紙 | yí シ きょせいしたひつじ
字解 ㊀ ①불깐양이 거세한 숫양. '夏羊牾曰羯, 吳羊牾曰一'《說文 段注》. ②들양의 암컷이 큰 뿔이 있는 야생의 암양. '四方有野羊, 大角. 牡者曰羱, 牝者曰一'《急就篇》. ㊁ 불깐양시, 들양의암컷시 ■과 뜻이 같음.
字源 形聲. 羊+夷〔音〕

羊6 〔羢〕12 융 ㊥冬 | róng ジョウ ひつじのけ
字解 양털융 양모(羊毛). '一, 羊一也'《字彙補》.
字源 形聲. 羊+戎〔音〕

羊6 〔羝〕12 ㊀ 조 ㊤篠 | zhào チョウ こひつじ
㊁ 도 ㊤晧 | トウ こひつじ
字解 ㊀ 새끼양조 난 지 1년 된 양. 또, 거세(去勢)한 양으로 무게가 100 근 전후의 것. '一, 羊未卒歲也. 或曰, 羠羊百斤左右爲一'《說文》. ㊁ 새끼양도 ■과 뜻이 같음.
字源 形聲. 羊+兆〔音〕

羊6 〔羦〕12 〔동〕
羶(羊부 12획〈1038〉)과 同字

〔翔〕 〔상〕
羽부 6획(1042)을 보라.

羊6 〔羪〕12 궤 ㊤紙 | guǐ キ ひつじのつのがそろわぬ
字解 양뿔가지런하지않을궤 양의 뿔이 가지런하지 아니함. '一, 羊角不齊也, 或从羊'《集韻》.

羊6 〔羘〕12 상 ㊥陽 | yáng ショウ おおい
字解 많을상 많음. '一, 多也'《集韻》.

羊6 〔羛〕12 〔예〕
羿(羊부 9획〈1037〉)과 同字

羊7 〔羨〕13 人名 ㊀ 선 ㊄霰 | xiàn セン うらやむ
㊁ 연 ㊥先 | yán エン はかみち
筆順 ⺷ 䒑 兰 羊 羊 羔 羨 羨

字解 ㊀ ①부러워할선 ㉠탐내어 부러워함. '一, 貪欲也'《說文》. ㉡남이 자기보다 나은 것을 부러워하거나 흠모(欽慕)하여 부러워함. '欽一'. '一望'. '昔爲人所一'《古詩》. ②지날선, 넘칠선 더함. '功一於五常'《史記》. ③나머지선 여분. 잉여. '以一補不足'《孟子》. ④바르지않을선 부정(不正)함. 사곡(邪曲)됨. '一于微. (注)一, 邪也'《太玄經》. ⑤그르칠선 잘못함. '有天下不一其和'《淮南子》. ⑥불러들일선 '乃一公侯卿士. (注)一, 延也'《張衡》. ⑦길선 치수가 긺. '璧一以起度. (注)一, 長也'《周禮》. ⑧성선 성(姓)의 하나. ㊁ 묘도(墓道)연 埏(土부 7획〈208〉)과 同字. '埏, 墓道也, 或作一'《集韻》.
字源 形聲. 羊＋次〔音〕
參考 羨(羊부 6획〈1035〉)는 別字.

羊7 〔義〕13 中·人 의 ㊄寘 yì ギ よい, のり, ㊥支 yí みち
筆順 丷 䒑 兰 𦍌 羊 義 義 義

字解 ①옳을의 이치와 도리에 맞아 옳음. ㉠정의(正義) 또는 도덕 규범에 맞음. '不一而富且貴, 於我如浮雲'《論語》. ㉡군신간의 도덕. 오륜(五倫)의 하나. '君臣有一'. ㉢옳은 길. 사람이 지켜야 할 준칙. 오상(五常)의 하나. '仁一禮智信'. '立人之道, 曰仁與一'《易經》. ㉣국가·군주 또는 공공을 위한 마음씨. 또, 그 일. '一倉'. '一擧'. ㉤은혜. 덕혜(德惠). '竊以爲君市一'《戰國策》. ㉥직분(職分). '一務'. '背恩忘一'《漢書》. ㉦혈연 관계가 없는 사람과 친족 관계를 맺는 일. '一父'. '一兄弟'. '養以爲兒, 號一兒軍'《五代史》. 전(轉)하여, 실물(實物)의 대용(代用)을 하는 것. '一足'. '一齒'. ②의리(義理)있을의 의협(義俠). '以公子之高一, 爲能急人之困'《史記》. ③사리(事理)의 도리(道理). '一, 理也'《荀子》. ④뜻의 의미. '大一'. '文一'. '詩有六一焉'《詩經》. ⑤바르지않을의 부정(不正)함. 사곡(邪曲). 俄(人부 7획〈52〉)와 통용. '雖有大一, 主無從知之. (注)一, 俄之借字'《管子》. ⑥판정할의 정도(正道)에 따라 옳게 재결(裁決)함. '分何以能行. 曰, 以一. 故一以分則和'《荀子》. ⑦성의 성(姓)의 하나.
字源 形聲. 羊＋我〔音〕
參考 羛(羊부 5획〈1034〉)와 同字

羊7 〔譱〕13 〔선〕 善(口부 9획〈176〉)의 本字

羊7 〔羦〕13 환 ㊥寒 huán カン やぎ
字解 ①산양환 뿔이 가는 산양(山羊). '莧, 說文, 山羊細角者. 或作一'《集韻》. ②짐승이름환 양 비슷한 못된 짐승. '一, 獸似羊惡也'《玉篇》.
字源 形聲. 羊＋完〔音〕

羊7 〔羥〕13 ㊀ 간 ㊥刪 qiān カン ひつじのな ㊁ 경 ㊥庚 qiāng コウ·キョウ ひつじのな
字解 ㊀ ①양간 '一, 羊名也'《說文》. ②원소이름간 '一基'는 '氫氧基'의 약칭으로, 수소(水素)의 일컬음. ㊁ 양경, 원소이름경 ■과 뜻이 같음.
字源 形聲. 羊＋巠〔音〕

羊7 〔羧〕13 최 ㊥灰 suō サイ ひつじのやまい
字解 ①양의병최 '一, 羊病也'《篇海》. ②모직물최 털로 짠 직물(織物). '冉駹夷, … 其人能作旄氈. 班罽·青頓·毞毲·羊一之屬'《後漢書》. ③화학원소이름최 '一基'는 카르복실기(基), 산성 탄혜기(酸性碳醯基)의 약칭.

羊7 〔群〕13 高·人 군 ㊥文 qún グン むれ
筆順 ㄱ ㅋ ヨ 尹 君 君' 君ᅩ 群

字解 ①무리군 ㉠여럿. 떼. '拔一'. '誰謂爾無羊, 三百維一'《詩經》. ㉡같은 부류(部類). 동류(同類). '物以一分'《易經》. ②동아리군 붕우. '離一而索居'《禮記》. ③떼질군 무리지음. 떼지어 모임. '一而不黨'《論語》. ④모을군 모이게 함. '壹統類而一, 天下之英傑. (注)一, 會合也'《荀子》. ⑤집안군 가족. 친족. '稱情而立文, 因以飾一'《禮記》. ⑥많을군 많은. 여럿의. '一雄'. '王爲一姓立社'《禮記》.
字源 形聲. 羊＋君〔音〕
參考 羣(次條)은 本字.

羊7 〔羣〕13 群(前條)의 本字

羊7 〔羭〕13 ㊀ 서 ㊥魚 xú ショ ひつじのいっぷゅ ㊁ 여 ㊥魚 ヨ のひつじ
字解 ㊀ 양서 양의 한 가지. '一, 郊羊也'《集韻》. ㊁ 들양여 들양. '一, 野羊'《集韻》.

羊8 〔羳〕14 쟁 ㊥庚 zhēng ソウ かもしか
字解 ①영양(羚羊)쟁 '一, 羚羊名'《集韻》. ②새끼양쟁 '一, 羊子也'《玉篇》.

羊8 〔羰〕14 잔 ㊤潸 zhǎn サン·ゼン ひつじごや

[字解] 양의우리잔 양을 치는 작은 집. ⿰爿戔(爿부 8획〈736〉)과 同字.

羊 8 〔⿰羊東〕14 [一] 동 [平]東 [去]送 | dōng トウ けもののな
[二] 진 [平]眞 | チン けもののな

[字解] [一] 짐승이름동 양 비슷하고, 뿔이 하나, 눈이 하나인 짐승의 이름. '一, 獸名. 似羊, 一角一目'《廣韻》. [二] 짐승이름진 [一]과 뜻이 같음.

羊 8 〔⿰羊委〕14 위 [去]寘 [上]紙 | wěi イ ひつじがむれあつまる

[字解] ①양떼지어모일위 '一, 羊相一⿰羊責'《說文》. ②양의유행병위 '一⿰羊責'은 양의 돌림병. '一, 一⿰羊責, 羊疫'《集韻》.
[字源] 形聲. 羊+委〔音〕

羊 8 〔羫〕14 [一] 강 [平]江 | qiāng コウ ひつじのあばら
[二] 공 [去]送 | kòng コウ ひつじのほじし

[字解] [一] 양갈빗대강 양의 갈빗대. '一, 羊肋'《玉篇》. [二] 양고기포공 양고기 포. '一, 羊腊, 亦从肉'《集韻》.

羊 8 〔⿰羊叕〕14 [一] 결 [入]屑 | jué ケツ ひつじのやまい
[二] 철 [入]屑 | chuò テツ ひつじがおどってしぬ

[字解] [一] 양의병결 양의 병. '一, 羊病'《集韻》. [二] 뛰다가죽을철 양이 뛰다가 죽음. '一, 羊躍而死'《集韻》.

羊 8 〔⿰羊或〕14 역 [入]職 | yù ヨク かわごろものぬいめ

[字解] 가죽옷솔기역 가죽옷 솔기. '一, 羔裘之縫也. 或作一'《集韻》.

羊 9 〔羮〕15 〔갱〕 羹(羊부 13획〈1039〉)의 俗字

羊 9 〔羭〕15 유 [平]虞 [去]遇 | yú ユ くろひつじのめす

[字解] ①어미양유 암양. '一, 夏羊牝曰一'《說文》. '牂·羖·羯·羠·⿰羊兆·羝·一. (注) 一, 夏羊之牝也'《急就篇》. ②검은털양유 '黑毛羊曰一'《本草綱目》. ③아름다울유 훌륭함. '且其繇曰, 專之渝, 攘公之一. (注) 一, 美也'《左傳》.
[字源] 形聲. 羊+兪〔音〕

羊 9 〔羯〕15 갈 [入]月 | jié カツ きょせいしたひつじ

[字解] ①불깐양갈 거세(去勢)한 양. '羖之犗者爲一'《急就篇 註》. ②오랑캐갈 오호(五胡)의 하나로, 흉노(匈奴)의 별종. 산서성(山西省)에 살았음. '擒一送之'《晉書》.
[字源] 形聲. 羊+曷〔音〕

羊 9 〔⿰羊垔〕15 [一] 예 [平]齊 | エイ [一]-[三] ひつじがむれあつまる
[二] 인 [平]眞 | イン
[三] 안 [平]刪 | yān アン

[字解] [一] ①양떼지어모일예 '一, 羣羊相積也'《說文》. ②검은양예 '一, 黑羊'《集韻》. ③검을예 '一, 黑也'《廣雅》. [二] 양떼지어모일인, 검은양인, 검을인 [一]과 뜻이 같음. [三] 양떼지어모일안, 검은양안, 검을안 [一]과 뜻이 같음.
[字源] 形聲. 羊+垔〔音〕

羊 9 〔羬〕15 [一] 검 [平]鹽 | qián ケン おおきなひつじ
[二] 암 [平]咸 | yán カン やぎ
[三] 함 [平]咸 | xián カン おおきくてつののほそいやぎ

[字解] [一] 큰양검 키가 6척(尺)의 큰 양. '羊六尺爲一'《爾雅》. [二] 염소암 또, 큰 염소. '一, 郊羊 其大者一麙'《集韻》. [三] 크고뿔가는염소함 '麙, 說文, 山羊而大者, 細角. 或从羊'《集韻》.

羊 9 〔⿱敄羊〕15 무 [去]遇 [上]有 | wù ブ·ム こひつじ ボウ·モ こひつじ

[字解] 새끼양무 생후 6개월의 양새끼. '一, 六月生羔也'《說文》
[字源] 形聲. 羊+務〔音〕

羊 9 〔⿰羊韋〕15 위 [上]尾 | wěi イ おひつじ

[字解] ①양서로쫓을위 '一, 一一, 羊相逐皃'《集韻》. ②숫양위 양의 수컷. '一, 一曰, 羝也'《集韻》.

羊 9 〔⿰羊柔〕15 유 [平]尤 | róu シュウ やわらかいかわ

[字解] 부드러운가죽유 '鞣, 說文, 耎也, 謂柔革, 或从羊'《集韻》.

羊 9 〔⿱亯羊〕15 순 [平]眞 | chún シュン·ジュン にる

[字解] 잘끓일순, 죽순 '一, 孰也. 一曰, 鬻也'《說文》.
[字源] 會意. 亯+羊. '亯팽'은 음식을 끓이기 위한 질냄비의 상형(象形). 양고기 따위를 오랜 시간 끓이기 위한 그릇의 뜻을 나타냄.
[參考] '⿱亯羊'이 한자(漢字)의 방(旁)이 될 때에는, '享'의 꼴이 됨.

羊10 〔羲〕16 [人名] 희 (平)支 | xī ギ ふっき, ほどこす

[筆順] (stroke order graphic)

[字解] ①사람이름희 사람의 성명. '一和'. ㉠복희(伏羲)씨. '基隆於一農'《班固》. ㉡왕희지(王羲之)의 약칭. '鍾張云沒, 一獻獵之'《書譜》. ②베풀희 '一, 施也'《廣雅》. ③숨희 내쉬는 숨.
[字源] 形聲. 丂(兮)+義〔音〕
[參考] 羲(次條)는 俗字.

羊10 〔羲〕16 羲(前條)의 俗字

羊10 〔⿰羊臭〕16 〔선〕 羴(羊부 12획〈1038〉)과 同字

羊10 〔⿰羊害〕16 알 (入)黠 | jiá カツ きょせいしたひつじ

[字解] ①불깐양알 거세(去勢)한 양. '一, 騬羊也'《集韻》. ②흰양알 백색(白色)의 양. '吳羊曰一'《廣雅》.

羊10 〔羱〕16 ㊀완 (平)寒 ㊁원 (平)元 | yuán ガン やぎ / グンやぎ

[字解] ㊀들양완 야생(野生)의 양의 일종. 납작하고 둥근 뿔이 있음. '一羊, 似吳羊而大角, 角橢'《爾雅 注》. ㊁들양원 ㊀과 뜻이 같음.

羊10 〔⿰羊尃〕16 ㊀박 (入)藥 ㊁부 (入)遇 | bó ハク きょせいしたしろいひつじ / フ けもののな

[字解] ㊀①불깐흰양박 거세(去勢)한 하얀 양. '吳羊⿰羊害曰一'《廣雅》. ②짐승이름박 '一羘'는 짐승의 이름. ㊁짐승이름부 ㊀②와 뜻이 같음.

羊10 〔⿰⿱士⿱冖羊殳〕16 구 (去)宥 | gòu コウ ひつじのちちをしぼる

[字解] 양젖짤구 '一, 取羊乳也'《集韻》.

羊11 〔⿰羊責〕17 지 (去)寘 | zì シ ひつじがむれあつまる

[字解] ①양떼지어모일지 '一, 羊相⿰羊委一也'《說文》. ②양의돌림병지 '⿰羊委一'는 양의 유행병. '一, ⿰羊委一, 羊疫'《集韻》.
[字源] 形聲. 羊+責〔音〕

羊11 〔⿰羊悤〕17 환 (平)刪 (去)諫 | huān カン けもののな

[字解] 짐승이름환 검은 양 비슷하며, 입이 없는 짐승. '一, 獸名. 似羊而黑色, 無口'《廣韻》.

羊11 〔⿰羊婁〕17 루 (平)尤 | lóu ロウ·ル けもののな

[字解] 짐승이름루 '土一'는 양 비슷하고 뿔이 넷 있는 짐승. '一, 土一, 似羊四角'《廣韻》.

羊11 〔⿱執羊〕17 진 (去)震 | jìn シン ひつじのな

[字解] ①양이름진 '一, 羊名'《說文》. ②정자이름진 '一, 汝南平輿有一亭'《說文》
[字源] 形聲. 羊+執〔音〕

羊11 〔⿱⿱𦍌禾兮〕18 〔희〕 羲(羊부 10획〈1038〉)의 本字

羊12 〔羴〕18 ㊀선 (平)先 ㊁한 (平)刪 | shān セン ひつじのにおい / カン ひつじのにおい

[字解] ㊀양냄새선 '一, 羊臭也'《說文》.
[字源] 會意. '羊양'을 셋 합쳐서 무리 지은 양이 발산(發散)하는 냄새의 뜻을 나타냄. ㊁양냄새한 ㊀과 뜻이 같음.

羊12 〔羳〕18 번 (平)元 | fán ハン はらがきいろなひつじ

[字解] 배누른양번 '一羊, 黃腹'《爾雅》.
[字源] 形聲. 羊+番〔音〕

羊12 〔⿰羊朁〕18 ㊀잠 (平)覃 ㊁잡 (入)合 | zān シン ひつじのにくのしおづけ / ソウ にくのしおづけ

[字解] ㊀①소금에절인양고기잠 '一, 羊鮑'《玉篇》. ②땅속에저장한고기잠 '一, 埳藏肉'《集韻》. ③짐승이름잠 '一, 一曰, 獸名, 似羊'《集韻》. ④양의노린내잠 '一, 羊臭謂之一'《集韻》. ㊁①소금에절인고기잡 '一, 羊腌也'《集韻》. ②짐승이름잡 ㊀③과 뜻이 같음.

羊12 〔⿰羊替〕18 ⿰羊朁(前條)과 同字

羊12 〔⿰羊童〕18 동 (平)東 | tóng トウ つののないひつじ

[字解] 뿔없는양동 ⿰羊同(羊부 6획〈1035〉)과 同字. '一, 無角羊也'《集韻》.

羊12 〔⿰羊賁〕18 분 (平)文 (上)吻 | fén フン つちのなかのかいぶつ

[字解] 땅속괴물분 '一羊'은 땅 속에 산다는 괴상한 양. 암수의 구별이 없다고 함. '墳羊'으로도 씀. '土之怪曰一羊'《國語》.

羊12 〔⿰羊壹〕19 〔예〕 ⿰羊垔(羊부 9획〈1037〉)의 本字

羊
13 〔羹〕19 [一] 갱 [平]庚 | gēng コウ あつもの
[二] 랑 [平]陽 | láng ロウ ちめい

[字解] [一] ①국갱 음식의 한 가지. '肉一'. '菜一'. ②국끓일갱 국을 만듦. '屠者一藿'《淮南子》. [二] 땅이름랑 '不一'은 춘추(春秋) 시대의 초(楚)나라 지명(地名).
[字源] 會意. 篆文은, 羔+美

羊
13 〔羶〕19 [一] 전 [平]先 | shān
(선[本]) | セン なまぐさい
[二] 형 [平]青 | xīn ケイ かおり

[字解] [一] ①누린내전, 누린내날전 수육(獸肉)의 냄새. 또, 그 냄새가 남. '過屠家覺一'《李義山雜纂》. ②누린고기전 '靈鳳不啄一'《白居易》. ③더러울전 오예(汚穢). '舜有一行'《莊子》. ※本音 선. [二] 향기형 향내. 馨(香부 11획〈1734〉)과 同字. '燔燎一薌'《禮記》.
[字源] 形聲. 羊+亶〔音〕

羊
13 〔⿰羊解〕19 〔해〕
獬(犬부 13획〈762〉)와 同字

羊
13 〔⿰羊睘〕19 〔환〕
⿰羊懁(羊부 11획〈1038〉)과 同字

羊
13 〔羷〕19 [一] 렴 [上]琰 | liǎn レン [一][二] つのがみまわりしたひつじ
[二] 검 [上]琰 | xiǎn ケン
(험[本])

[字解] [一] 양뿔굽을렴 뿔이 세 번 굽어 말린 모양. '角三觠, 一'《爾雅》. [二] 양뿔굽을검 [一]과 뜻이 같음. ※本音 험.

羊
13 〔羸〕19 [一] 리 [平]支 | léi ルイ やせる
[二] 련 [平]先 | lián レン けんめい

[字解] [一] ①파리할리 수척함. 여윔. '民之一餒, 日已甚矣. (注)一, 瘠也'《國語》. ②고달플리 피로함. '身病體一. (注)一, 疲也'《禮記》. ③약할리 강하지 아니함. '一, 弱也'《說文》. ④앓을리 병을 앓음. '恤民之一. (注)一, 病也'《國語》. ⑤못할리 …만 못함. …에 비하여 빠짐. '一, 劣也'《玉篇》. ⑥번거롭힐리 누를 끼침. '一, 累也. 恆累於人也'《釋名》. ⑦엎을리 뒤집어엎음. 전복시킴. '一其甁'《易經》. ⑧괴로워할리 걸려 고생을 함. 곤란을 당함. '羝羊觸藩, 一其角'《易經》. [二] 현(縣)이름련 '一𨻶'는 현명(縣名).
[字源] 形聲. 羊+㬳〔音〕

羊
14 〔⿳亡口⿲月羊凡〕20 羸(前條)의 本字

羊
14 〔羺〕20 누 [平]尤 | nóu
| ドウ·ヌ このひつじ

[字解] 되양누 오랑캐의 양. '胡羊謂之一'《集韻》.

羊
15 〔⿰羊賣〕21 매 [去]卦 | mài
| バイ けがれよごれる

[字解] 때찌들매 때가 쩌든 모양. '一⿰羊褱, 垢膩皃'《集韻》.

羊
15 〔羼〕21 찬 [去]諫 | chàn サン まじりあう

[字解] ①양모여들찬 '一, 羊相廁也. (注)釋名曰, 廁, 雜也, 相廁者, 雜廁而居'《說文》. ②앞다투어나설찬 '一, 相出前也'. (箋)'俗言相爭出前爲相一'《說文》. ③혼잡할찬 '只在都中城外和那些道士們胡一'《紅樓夢》.
[字源] 會意. 尸+羴〔音〕

羊
15 〔⿰羊孰〕21 〔숙〕
孰(子부 8획〈272〉)의 本字

羊
16 〔⿰羊歷〕22 력 [入]錫 | lì レキ くろいおひつじ

[字解] ①검은숫양력 '黑羖一'《爾雅, 夏羊注》. ②산양(山羊)력 '一, 羖一, 山羊'《集韻》.

羊
16 〔⿰羊褱〕22 회 [平]卦 | huài
| カイ あかじみよごれる

[字解] 때낄회 때가 낌. '一, ⿰羊賣一, 垢膩'《集韻》.

羊
17 〔⿰羊霝〕23 〔령〕
麢(鹿부 17획〈1849〉)과 同字

羊
24 〔⿰羊靈〕30 령 [平]青 | líng レイ つののほそいおおひつじ

[字解] 뿔가늘고큰양령 '麢, 說文, 大羊而細角, 亦作一'《集韻》.

羽　部

〔깃 우 부〕

羽
0 〔羽〕6 [高·人] [一] 우 [上]麌 [去]遇 | yǔ ウ はね
[二] 호 [上]麌 | hù コ·ゴ ゆるい

[筆順] 𠃌 𠃌 习 习 羽 羽

[字解] [一] ①깃우 ㉠새의 날개의 긴 털. '一毛'. ㉡깃의 모양을 한 것. 또는, 깃으로 만든 부분. '中石沒一'《漢書》. ㉢무적(舞翟). 춤추는 사람이 갖는 꿩의 깃으로 만든 물건. '秉一'《莊子》. ㉣살깃. 화살의

깃. '鳥須一而飛, 矢須一而前也'《釋名》. ②날개우 ㉠새의 날개. '其一可用爲儀'《易經》. ㉡벌레의 날개. '蟬一'. '螽斯一, 詵詵兮'《詩經》. ③새우 조류의 총칭. '一族'. '其蟲一'《禮記》. ④음이름우 오음(五音)의 하나. 가장 맑은 음. '宮商角徵一'《周禮》. '其音一'《禮記》. ⑤찌우 낚시 찌. '一有動靜'《呂氏春秋》. ⑥모일우 '一, 聚也'《廣韻》. ⑦성우 성(姓)의 하나. [二] 느슨할호 '一, 緩也'《集韻》. '弓而一綑'《周禮》.
[字源] 象形. 새의 양날개의 象形. '깃·날개'의 뜻.
[參考] '羽우'를 의부(意符)로 하여, 새의 날개, 날개에 특징이 있는 새의 이름, 날다의 뜻을 나타내는 문자를 이룸.

羽 0 〔羽〕 6 羽(前條)와 同字

羽 2 〔𦏲〕 8 羽(前前條)의 本字

羽 3 〔羿〕 9 예 [去]霽 | yì ゲイ じんめい
[字解] ①사람이름예 하(夏)나라 때의 제후(諸侯)로, 궁술(弓術)의 명인(名人). '盡一之道'《孟子》. ②날아오를예 날개를 펴서 바람을 타고 날아 오름. '一, 羽驀風而上也'《通訓》.
[字源] 會意. 羽+廾(幵). '幵견'은 평평하게 가지런히 함의 뜻. 평평하게 좌우로 날개를 펴고 바람을 타고 낢. '羿예'는 생략체(省略體).

羽 3 〔𦐇〕 9 우 [平]虞 [去]遇 | yú ウ とりのはねかざし
[字解] ①깃일산우 춤출 때 손에 드는 깃. '雩, 𦐇, 雩或从羽. 雩, 舞羽也'《說文》. ②나는모양우 '一, 飛皃'《玉篇》

羽 3 〔𦏼〕 9 〔무〕 舞(舛부 8획〈1110〉)의 古字

羽 3 〔羾〕 9 공 [平]東 | gòng コウ いたる
[字解] 날아이를공 '一, 飛至也'《集韻》.

羽 3 〔𦐊〕 9 치 [平]支 | chí チ つばめのとぶさま
[字解] 제비날치 제비가 나는 모양. '翄一, 燕飛皃'《集韻》.

羽 3 〔𦐃〕 9 홍 [去]送 | hōng コウ とぶおと
[字解] 나는소리홍 '一, 飛聲'《集韻》.
[字源] 形聲. 羽+工〔音〕

羽 4 〔𦐆〕 10 [一] 황 [平]陽 | huáng コウ うぶ
[二] 왕 [平]陽 | オウ うぶ
[字解] [一] 우무(羽舞)이름황 깃을 머리 위에 들고, 성신(星辰)을 제사지내는 악무(樂舞)의 이름. '一, 樂舞. 以羽翿自翳其首, 以祀星辰也'《說文》. [二] 우무이름왕 ■과 뜻이 같음.
[字源] 形聲. 羽+王〔音〕

羽 4 〔翆〕 10 〔취〕 翠(羽부 8획〈1043〉)의 俗字

〔毣〕 〔목〕 毛부 6획(618)을 보라.

羽 4 〔翀〕 10 충 [平]東 | chōng チュウ とびあがる
[字解] 높이날충 沖(水부 4획〈632〉)과 同字. '謂君已飛一'《程鉅夫》.
[字源] 形聲. 羽+中〔音〕

羽 4 〔翂〕 10 분 [平]文 | fēn フン ゆっくりとぶ
[字解] 날분 '一一'은 낮게 나는 모양. 또, 느릿느릿 나는 모양. '其爲鳥也, 一一翐翐, 而似無能'《莊子》.

羽 4 〔翁〕 10 翂(前條)과 同字

羽 4 〔𦐉〕 10 翃(次條)과 同字

羽 4 〔翃〕 10 굉(횡[本]) [平]庚 | hóng コウ むしがとぶ
[字解] 벌레풀풀날굉 벌레가 나는 모양. '一, 蟲飛也'《玉篇》. ※本音 횡.
[字源] 形聲. 羽+厷〔音〕

羽 4 〔䎃〕 10 남 [上]感 | rǎn ダン·ナン はねがよわい
[字解] ①깃약할남 새의 깃털이 약함. '一, 羽弱'《廣韻》. ②깃남 '一, 博雅, 㲏一, 羽也'《集韻》. ③날개솜털남 새의 날개 밑의 솜털. '一, 鳥翼下細毛'《集韻》.

羽 4 〔䎀〕 10 혈 [入]屑 | xuè ケツ ことりがとぶさま
[字解] 작은새날혈 작은 새가 나는 모양. '一, 小鳥飛皃, 或作決'《集韻》.

羽 4 〔𦐡〕 10 䎀(前條)과 同字

羽 4 〔𦐤〕 10 翅(次次條)와 同字

羽 4 〔翄〕10 翅(次條)와 同字

羽 4 〔翅〕10 시 [去]寘 [平]支 | chì シ つばさ

[字解] ①날개시 조류 또는 곤충류의 날개. '一, 翼也'《玉篇》. '折一傷翼'《史記》. ②지느러미시 물고기가 헤엄치는 데 소용되는 기관(器官). ③날시 공중을 나는 모양. '一, 一一, 飛皃'《集韻》. ④뿐시 啻(口부 9획〈176〉)과 통용. '奚一食重'《孟子》.
[字源] 形聲. 羽+支〔音〕

羽 4 〔𦐤〕10 항 [平]陽 [去]漾 | háng コウ とりがとびさがる

[字解] 새날아내릴항 새가 날아 내림. '鳥飛上曰翓, 下曰一'《集韻》.

羽 4 〔翁〕10 [高·人] 옹 [平]東 [上]董 | ①-⑥wēng オウ くびげ ⑦⑧wěng オウ あおじろい

[筆順] 八 公 公 翁 翁 翁 翁 翁

[字解] ①목털옹 새의 목에 난 깃털. '殊一雜, 五采文. (注)一, 鳫頸也'《漢書》. ②나는모양옹 '一, 飛皃'《玉篇》. ③아버지옹 부친(父親). '吾一卽汝一. (注)一, 爲父也'《漢書》. ④늙은이옹 남성 노인을 이름. '一, 老稱也'《廣韻》. '士師分鹿眞是夢, 塞一失馬猶爲福'《陸淤》. ⑤장인옹 아내의 아버지. '稱丈人女壻曰一壻'《類書纂要》. ⑥시아버지옹 남편의 아버지. '一姑'. ⑦성옹 성(姓)의 하나. ⑧파밑동흰색옹 '一一, 葱白色'《集韻》.
[字源] 形聲. 羽+公〔音〕

羽 4 〔𦐆〕10 지 [平]支 [去]寘 | chī シ はねのさかんなさま

[字解] ①깃성할지 깃털이 많은 모양. '一, 羽盛皃'《說文》. ②힘차게날지 '一, 說文, 飛盛皃'《集韻》.
[字源] 形聲. 羽+出〔音〕

羽 4 〔𦐔〕10 탑 [入]合 | tà トウ いきおいよくとぶ

[字解] 날탑, 힘차게높이날탑 '一, 飛盛皃'《說文》.
[字源] 會意. 羽+曰

〔扇〕〔선〕 戶부 6획(426)을 보라.

羽 5 〔翌〕11 [人名] 익 [入]職 | yì ヨク あくるひ

[筆順] ㄱ 习 习 羽 羽 翌 翌 翌

[字解] 이튿날익 다음 날. '一朝'. '一日親登嵩高'《漢書》.
[字源] 會意. 羽+立

羽 5 〔翏〕11 료 [平]蕭 | liù リョウ たかくとぶ

[字解] ①날료 높이 나는 모양. '一, 高飛皃'《廣韻》. ②바람소리료 '一一'는 바람이 먼 데서부터 세게 불어 오는 소리. 장풍(長風)의 소리. '一一, 遠遠襲來的風聲'《漢語大字典》. '作則萬竅怒呺, 而獨不聞之一一乎'《莊子》.
[字源] 象形. 앙날개와 꽁지깃을 연이은 모양을 본뜸. 전(轉)하여, 높이 날다의 뜻을 나타냄.

羽 5 〔習〕11 [中·人] 습 [入]緝 | xí シュウ ならう

[筆順] ㄱ 习 习 羽 羽 習 習 習

[字解] ①익힐습 ㉠배워 익힘. '一祖業'《李義山雜纂》. ㉡연습을 함. '與弟子, 一禮大樹下'《史記》. ㉢복습을 함. '學而時一之'《論語》. ㉣새끼새가 날개를 움직여 날기를 배움. '一, 數飛也'《說文》. ②익숙할습 ㉠숙달함. '穰侯智而一於事'《戰國策》. ㉡너무 친숙하여 버릇이 없음. '一, 狎也'《漢書》. ㉢물듦. 옮음. '人情易一'《五代史》. '遂至怠慢'《後漢書》. ③버릇습 습관. '積一'. '慣一'. '一與性成'《書經》. ④겹칠습 중첩함. '象曰, 一坎, 重險也'《易經》. ⑤성습 성(姓)의 하나.
[字源] 會意. 羽+白

羽 5 〔習〕11 習(前條)과 同字

羽 5 〔翇〕11 불 [入]物 | fú フツ かざし

[字解] 우무(羽舞)이름불 사직(社稷)의 제사 때, 꿩의 깃으로 만든 무적(舞翟)을 들고 춤추는 것. '一, 樂舞, 執全羽以祀社稷也'《說文》.
[字源] 形聲. 羽+犮〔音〕

羽 5 〔𦐿〕11 翇(前條)과 同字

羽 5 〔翍〕11 피 ①②[平]支 ③[去]寘 | pī ヒ ひらく, はる bì ヒ はね

[字解] ①열피 披(手부 5획〈434〉)의 古字. '一桂椒'《漢書》. ②펼피 날개를 편 모양. '一, 張羽皃'《集韻》. ③날개피 조류의 날개. '一, 羽也'《集韻》.

羽5〔𦐒〕11 질 ⓐ質 | zhì チツ とぶ

字解 날질 느릿느릿 나는 모양. '翂翂——'《莊子》.

羽5〔翋〕11 랍 ⓐ合 | là ロウ とぶ

字解 날랍 '—, 飛也'《廣雅》.
參考 翊(次次條)은 別字.

羽5〔翑〕11 ㊀구 ㊥虞 ㊤麌 | qú ク ㊁㊂ はねがまがる
㊁수 ㊤麌 | ス·シュ
㊂우 ㊦遇 | yù ウ やばね

字解 ㊀①깃구부정할구 ', 羽曲也'《說文》. ②깃구 새의 깃. '翑, 鳥羽. —, 同翑'《廣韻》. ③뒷발흰말구 '後足皆白, —'《爾雅》. ㊁깃구부정할수, 깃수, 뒷발흰말수 ㊀과 뜻이 같음. ㊂살깃우 흰살에 붙인 깃. '—, 箭羽'《集韻》.
字源 形聲. 羽+句〔音〕

羽5〔𦐡〕11 翑(前條)의 本字

羽5〔𦐟〕11 〔지〕
咫(口부 6획〈158〉)와 同字

羽5〔翊〕11 人名 익 ⓐ職 | yì ヨク とぶ, たすける

筆順 ' 亠 立 立 翊 翊 翊 翊

字解 ①도울익 보좌함. '—贊'. '—, 一曰, 輔也'《集韻》. ②다음날익 이튿날. '越若—辛丑, 諸生, 庶民大和會'《漢書》. ③공경할익 '—, 輔也. —與翼同, 亦敬也'《華嚴音義》. ④날익 나는 모양. '—, 飛皃'《說文》.
字源 會意. 立+羽

羽5〔翎〕11 령 ㊥青 | líng レイ はね

字解 ①깃령 새의 날개, 또는 꽁지의 긴 털. '—, 羽也'《說文》. ②곤충의날개령 '—腹淸何甚, 雙—薄更無'《陸龜蒙》. ③청조(淸朝)에서 공(功)이 있는 자에게 하사하던 관(冠)의 장식으로 쓰는 깃. '花—'. '藍—'.
字源 形聲. 羽+令〔音〕

羽5〔翈〕11 압 ⓐ洽 | xiá コウ はね

字解 새털압 쭉지 속의 짧은 새털. '—, 翮上短羽'《字彙》.

羽5〔翑〕11 염 ㊤琰 | rǎn ゼン よわいはね

字解 ①약한깃털염 '—, 一弱羽也'《廣雅》. ②날개솜털염 '—, 鳥翼下細毛也'《類篇》. ③깃모양염 '—, 羽毛'《集韻》.

羽5〔𦐧〕11 翑(前條)과 同字

羽5〔翛〕11 초 ㊥蕭 | tiáo チョウ とりのおのけ

字解 새꼬리초 새 꽁지의 긴 털.

羽5〔翐〕11 ㊀예 ㊦霽 | yì エイ とぶ
㊁설 ⓐ屑 | セツ とぶ

字解 ㊀날예 또, 나는 모양. '—, 飛皃'《集韻》. '——, 飛也'《廣雅》. ㊁날설 ㊀과 뜻이 같음.

羽6〔𦐩〕12 〔예〕
羿(羽부 3획〈1040〉)의 本字

羽6〔翍〕12 휼 ⓐ質 | xù キツ とびはしる

字解 ①나는듯이달릴휼 '—, 飛走貌'《玉篇》. ②날갯짓할휼 날개를 움직이는 모양. '鼓翅翽—. (注)翽—, 動翅皃'《郭璞》. ③당황해할휼 놀라서 당황하는 모양. 矞(矛부 7획〈861〉)과 同字. '矞, 驚遽皃. 或作—'《集韻》.

羽6〔翔〕12 人名 상 ㊥陽 | xiáng ショウ かける

筆順 ˇ ⺷ 䒑 羊 羊 翔 翔 翔

字解 ①날상 날개를 펴고 빙빙 돌며 낢. '翱—'. '鳳凰—于千仞兮'《賈誼》. ②돌아볼상 뒤를 돌아봄. '後弱則—'《周禮》. ③돌상 선회함. '過其故鄕回—焉'《禮記》. ④삼갈상 근신하는 모양. '濟濟——'《禮記》. ⑤자세할상 詳(言부 6획〈1326〉)과 통용. '王侯戶數, 道理遠近, —實矣'《漢書》. ⑥헤맬상 배회함. '—, 佯也. 言仿佯也'《釋名》.
字源 形聲. 羽+羊〔音〕

羽6〔翓〕12 힐(혈㊍) ⓐ屑 | xié ケツ とびあがる

字解 새날아오를힐 새가 날아오름. '—翃, 飛上下皃'《集韻》. ※本音 혈.

羽6〔翢〕12 주 ㊥尤 | zhōu シュウ いそぐ, よわいはね

字解 ①부등깃주 새새끼의 약한 깃털. '—, 弱羽'《集韻》. ②급할주 서두름. '—, 急也'《玉篇》.

羽6〔翖〕12 翕(次條)과 同字

羽6〔翕〕12 人名 흡 入緝 | xī キュウ あう, あわせる

筆順 ^ 亽 合 合 侴 翕 翕 翕

字解 ①합할흡 화합(和合)함. '兄弟旣一, 和樂且湛'《詩經》. ②모을흡, 모일흡 '一合'. '天下一然'《史記》. ③거둘흡 수렴(收斂)함. '其靜也一'《易經》. ④당길흡 잡아당김. '載一其舌'《詩經》. ⑤새일어날흡 새가 날아오르려고 날개를 추스름. '一从合者, 鳥將起, 必斂翼也'《說文 段注》. ⑥일어날흡 많은 것이 일제히 일어남. '樂其可知也. 始作, 一如也'《論語》. ⑦성(盛)할흡 '一, 熾也'《揚子方言》. '何晏曰, 五音始奏, 一如盛'《論語注疏》. ⑧배울흡 배워 익힘. '一, 習也'《論語義疏》. ⑨닫을흡 '一, 猶閉也'《易經 註》. ⑩따를흡 순종함. '一其志'《太玄經》. ⑪많을흡 '一, 一曰, 衆也'《集韻》.
字源 形聲. 羽+合〔音〕
參考 翖(前條)과 同字.

羽6〔翖〕12 翕(前條)과 同字

羽7〔翜〕13 ㊀ 습 入緝 ㊁ 삽 入洽 | shà シュウ はやくとぶ shà ソウ ひつぎのはねかざり

字解 ㊀ ①휙날습 빨리 낢. '一, 捷也, 飛之疾也'《說文》. ②옆구리에낄습 '一, 一曰, 俠也. (注)漢人多用俠爲夾, 此俠當爲夾, 或當爲挾'《說文》. ㊁ 불삽(黻翣)삽 翣(羽부 8획〈1044〉)과 同字.
字源 形聲. 羽+夾〔音〕

羽7〔翛〕13 소 平蕭 | xiāo ショウ はねがやぶれる

字解 ①날개찢어질소 '一, 羽翼敝皃'《玉篇》. ②깃털소 깃에 붙어 있는 새의 털. '一, 鳥羽毛也'《康熙字典》.

羽7〔𦑝〕13 〔부〕 䎅(羽부 10획〈1045〉)와 同字

羽7〔翛〕13 ㊀ 소 平蕭 | xiāo ショウ はねのやぶれいたむさま ㊁ 유 上有 | yǒu ユウ はやい

字解 ㊀ 날개찢어질소 날개가 찢어지는 모양. '一, 一一, 羽敝也, 或作一'《集韻》. ㊁ 빠를유 신속한 모양. 빨리 가는 모양. '一然而往. (注)一, 疾貌'《莊子》.
字源 形聲. 羽+攸〔音〕

羽7〔翛〕13 翛(前條)의 訛字

羽7〔𦑣〕13 촉 入屋 | chù シュク とぶさま

字解 ①나는모양촉 '一, 飛皃'《廣韻》. ②깃털이가지런할촉 '一, 羽齊皃'《集韻》.

羽7〔䎉〕13 함 平覃 | hán カン ことりのとぶさま

字解 작은새나는모양함 '一, 小鳥飛皃'《集韻》.

羽8〔翟〕14 ㊀ 적 入錫 | dí テキ きじ ㊁ 책 入陌 | zhái(zhé) ㊂ 탁 入覺 | タク けんめい タク きじ

字解 ㊀ ①꿩적 꽁지가 긴 꿩. 또, 그 꿩의 깃. '一, 山雉也'《說文》. '一, 似雉而大, 長尾'《山海經 注》. ②무적(舞翟)적 꿩의 깃을 한 개 또는 여러 개를 한데 모아 묶어, 무악(舞樂)에서 손에 쥐는 것. 羽(部首〈1040〉)❶과 뜻이 같음. '右手秉一'《詩經》. ③깃옷적 꿩의 깃으로 장식한 옷. '其之一也'《詩經》. ④수레포장적 꿩의 깃으로 장식한 차상(車箱)을 둘러 가리는 것. 茀(艸부 5획〈1130〉) 참조. '一茀以朝'《詩經》. ⑤오랑캐적 만족(蠻族). 狄(犬부 4획〈748〉)과 통용. '竄于戎一之間'《國語》. ⑥성적 성(姓)의 하나. ㊁ ①고을이름책 '陽一'은 옛 현명(縣名). 지금의 하남성(河南省) 우현(禹縣). ②성책 성(姓)의 하나. ㊂ 꿩탁 ㊀❶과 뜻이 같음.
字源 會意. 羽+隹

羽8〔翠〕14 人名 취 去寘 | cuì スイ かわせみ

筆順 � 㓁 㓁 羽 翠 翠 翠 翠

字解 ①물총새취 참새보다 크고 등의 빛은 암녹청색(暗綠青色)인 새의 암컷. 물가에서 물고기를 잘 잡아 먹음. 쇠새. '翡一火齊. (注)雄赤曰翡, 雌青曰一'《班固》. ②비취색취 물총새의 등 빛과 같은 연둣빛. 청황(青黃)의 간색. '水光懸蕩壁, 山一下添流'《庾肩吾》. ③새꽁지살취 '舒鴈一. (注)一, 美肉也'《禮記》. ④성취 성(姓)의 하나.
字源 形聲. 羽+卒〔音〕

羽8〔翣〕14 삽 入洽 | shà ソウ ひつぎかざり

字解 ①불삽(黻翣)삽 상여의 양옆에 세우고 가는 제구. 원래는 깃으로 만들었으나, 후세에 네모진 화포(畫布)에 길이 다섯 자의 자루가 있고 깃털을 장식했음. '后之喪持一'《周禮》. ②부채삽 箑(竹부 8획〈941〉)과 同字. '杖笠一'《儀禮》. ③부채질할삽 부채로 부침. '手無容, 不一也'《禮記》. ④종고(鐘鼓)걸이틀위의꾸미개삽 '周之壁一.

(注)畫繒爲一，載以璧，垂五采羽於其下，樹於箕之角上'《禮記》.
[字源] 形聲. 羽＋妾〔音〕

羽 8 〔⿰羽奄〕 14 엄 [去]豔 | yǎn エン はねをおさめる
[字解] 날개접을엄 새가 날개를 거둠. '一，斂羽'《集韻》.

羽 8 〔⿰羽戔〕 14 [一] 잔 [上]潸 | zhǎn サン はやくとぶ
[二] 전 [上]銑 | jiǎn セン はやくとぶ
[字解] [一] ①빨리날잔 새가 빨리 나는 모양. '鷹隼一一'《揚子法言》. ②덮칠잔 맹조(猛鳥)가 매우 사납게 덮치는 모양. '一，鳥鷙擊勢也'《玉篇》. [二] 빨리날전, 덮칠전 [一]과 뜻이 같음.

羽 8 〔⿰卒羽〕 14 줄 [入]質 | zú シュツ はやくとぶ
[字解] 휙날줄 빨리 나는 모양. '一，飛疾皃'《集韻》.

羽 8 〔翿〕 14 도 [平]豪 [去]號 | dào トウ はたぼこ
[字解] ①기도 검정소〔旄牛〕의 꼬리, 또는 꿩의 깃털로 장식한 기(旗). 纛(糸부 18획〈1021〉)과 同字. '一，纛也. (注)今之羽葆幢'《爾雅》. ②새이름도 '一一'는 새의 이름. '鳥有一一者 重首而屈尾'《韓非子》.

羽 8 〔⿰羽彔〕 14 록 [入]屋 | lù ロクみずうえをとぶ
[字解] ①물위를날록 푸른 물 위를 낢. '一，水上飛也'《廣韻》. ②날아오를록 '一，上飛皃'《集韻》.

羽 8 〔⿰羽靑〕 14 〔정〕
旌(方부 7획〈496〉)과 同字

羽 8 〔翡〕 14 비 [去]未 | fěi ヒ かわせみのおす
[字解] ①물총새비 '一翠'는 물가에 살며, 물고기를 잘 잡아먹는 새의 수컷. 등의 빛이 암녹청색임. 쇠새. ②비취옥비 '一翠'는 녹색(綠色)의 보석(寶石).
[字源] 形聲. 羽＋非〔音〕

羽 9 〔翨〕 15 [一] 시 [去]寘 | chì シ [一][二] つよいはね，あらとり
[二] 기 [去]寘 | chì キ
[字解] [一] ①칼깃시, 사나운새시 '一，鳥之彊羽猛者'《說文》. ②사나울시 '一，猛也'《玉篇》. ③벼슬이름시 '一氏'는 주(周)나라 때의 관명(官名)으로, 맹조(猛鳥)를 퇴치하는 일을 맡았음. [二] 칼깃기, 사나운새기, 사나울기, 벼슬이름기 [一]과 뜻이 같음.
[字源] 形聲. 羽＋是〔音〕

羽 9 〔翬〕 15 휘 [平]微 | huī キ とぶ
[字解] ①훨훨날휘 날개를 훨훨 치며 빨리 낢. '鷹隼醜，其飛也一'《爾雅》. ②꿩휘 털빛이 오색(五色)으로 영롱한 대단히 아름다운 꿩. '如一斯飛'《詩經》.
[字源] 形聲. 羽＋軍〔音〕

羽 9 〔翭〕 15 후 [平]尤 [去]宥 | hóu コウ はじめてはえたはね
[字解] ①부등깃날후 어린 날개가 남. '一，一曰，羽初生'《說文》. ②죽지후 새의 날개가 몸에 붙은 부분. '一，羽本也'《說文》. ③화살후 쇠살촉과 살깃이 달린 화살. 鍭(金부 9획〈1571〉)와 통용. '金鏃翦羽謂之鍭. 或从羽'《集韻》.
[字源] 形聲. 羽＋矦〔音〕

羽 9 〔⿰羽候〕 15 翭(前條)와 同字

羽 9 〔翪〕 15 종 [平]東 [上]董 [去]送 | zōng ソウ はばたく
[字解] 날갯짓할종 새가 양날개를 펴서 아래위로 날갯짓함. '鶠鶋醜，其飛也一. 〈注〉竦翅上下'《爾雅》.

羽 9 〔翫〕 15 완 [去]翰 | wán(wàn) ガン もてあそぶ
[字解] ①갖고놀완, 한껏반복할완, 마음껏익힐완 '一，習猒也'《說文》. 玩(玉부 4획〈767〉)과 同字. ②즐길완 재미있어함. 보고 즐김. '流目一儵魚. (注)一，猶悅也'《張華》. ③탐할완, 아낄완 忨(心부 4획〈380〉)과 同字. '一歲而愒日. (注)一·愒，皆貪也'《左傳》. ④장난감완 완구(玩具). '服一車馬，皆窮一時之驚絕'《南史》.
[字源] 形聲. 習＋元〔音〕

羽 9 〔翮〕 15 [一] 객 [入]陌 | gé カク つばさ，はね
[二] 혁 [入]職 | コク つばさ，はね
[字解] [一] 날개객 새의 날개. '一，翅也' [二] 날개혁 [一]과 뜻이 같음.
[字源] 形聲. 羽＋革〔音〕

羽 9 〔⿱毒羽〕 15 〔독〕
纛(糸부 18획〈1021〉)과 同字

羽 9 〔翾〕 15 [一] 훤 [平]元 | xuān ケン とぶ
[二] 선 [平]先 | セン かける

字解 ㊀ 날휜 '一, 飛也'《廣雅》. ㊁ 하늘높이날선 '一, 翔也'《集韻》.

羽9 〔翩〕15 편 (平)先 | piān ヘン はやくとぶ

字解 ①훌쩍날편 빨리 나는 모양. '一彼飛鴞'《詩經》. ②나부낄편 펄럭이는 모양. 또, 번드치는 모양. '一其反矣. (傳)一然而反'《詩經》. ③오락가락할편 왕래하는 모양. '締交一一. (注)一一, 往來貌'《左思》.
字源 形聲. 羽+扁〔音〕

羽9 〔翨〕15 시 (平)支 | chí シ むらがる

字解 떼지어날시 提(手부 9획〈453〉)와 同字. '提, 羣飛皃. 一, 提同'《廣韻》.

羽9 〔翥〕15 저 (去)御 | zhù ショ とぶ, あがる

字解 날저 높이 낢. 날아 올라감. '鸞鳥軒一而翔飛'《楚辭》.
字源 形聲. 羽+者〔音〕

羽9 〔翦〕15 전 ①-④(上)銑 ⑤(去)霰 | jiǎn セン きる / セン や

字解 ①자를전 ㉠절단함. '勿一勿伐'《詩經》. ㉡끝을 잘라 가지런히 함. '一, 齊斷也'《玉篇》. ㉢멸(滅)함. '一, 滅也'《左傳 會箋》. ㉣죽임. '一, 殺也'《廣韻》. ㉤잘라 없앰. 제거함. '此文王之所以止殃一妖也'《呂氏春秋》. ②깎을전 깎아 냄. '其一以賜諸侯'《左傳》. 剪(刀부 9획〈107〉)과 통용. ③엷을전 엷은 검정색으로 물듦. '用疏布緇一. (注)一, 淺也. (疏)謂染爲淺緇之色'《儀禮》. ④가위전 전도(剪刀). '便欲手把幷州一'《楊維楨》. ⑤화살전 箭(竹부 9획〈944〉)과 同字. '一, 說文, 矢也'《集韻》.
字源 形聲. 羽+前〔音〕

羽9 〔[前羽]〕15 翦(前條)과 同字

羽10 〔翯〕16 ㊀혹 (入)沃 | hè コク ㊀㊁ とりのしろくこえてつやのあるさま / ㊁학 (入)覺 | hè カク

字解 ㊀①새포동포동하고흰깃이함치르르할혹 새가 살찌고 깃이 하얗고 번지르르하게 윤이 나는 모양. '一, 鳥白肥澤皃, 从羽高聲, 詩曰, 白鳥一一'《說文》. ②날개깃힐혹 새의 날개의 희고 깨끗한 모양. '一, 鳥羽潔白貌'《字彙》. ③물번쩍일혹 물이 번쩍번쩍 희게 빛나는 모양. '一乎滈滈. (注)一, 水白光貌'《史記》. ㊁ 함치르르할학, 날개깃힐학, 물번쩍일학 ㊀과 뜻이 같음.
字源 形聲. 羽+高〔音〕

羽10 〔[羽尃]〕16 부 (平)虞 | fū フ はね, にこげ

字解 깃부, 솜털부 [羽甫](羽부 7획〈1043〉)와 同字. '一, 博雅, 羽也, 一曰, 細毛'《集韻》.

羽10 〔[羽眔]〕16 답 (入)合 | tà トウ とぶ

字解 ①날답 훨훨 낢. '一, 飛也'《廣雅》. ②함께어울려많을답 '參譚並一, 若離若合者〈注〉向曰, 參譚並一, 相隨驅逐衆多皃'《左思》.

羽10 〔翮〕16 ㊀핵 (入)陌 | hé カク はねぐき / ㊁력 (入)錫 | lì レキ かなえ

字解 ㊀①깃촉핵 우경(羽莖). '羽本謂之一. (注)鳥羽根也'《爾雅》. ②조류(鳥類)핵 '芝英擢荒蓁, 孤一起連茨'《韓愈》. ㊁ 세발솥력 '呑三一六翼, 以高世主'《史記》.
字源 形聲. 羽+鬲〔音〕

羽10 〔[𠦝羽]〕16 답 (入)合 | dá トウ とぶさま

筆順 十 古 吉 直 草 𠦝 [𠦝羽] [𠦝羽]

字解 나는모양답 '一, 飛貌'《字彙補》.

羽10 〔[差羽]〕16 치 (平)支 | cī シ つばめのとぶさま

字解 제비날치 '一[羽也]'는 제비가 나는 모양. '一, 一[羽也], 燕飛不至也, 通作差'《集韻》.

羽10 〔翶〕16 〔고〕 翱(羽부 12획〈1046〉)의 本字

羽10 〔[歬羽]〕16 〔전〕 翦(羽부 9획〈1045〉)의 本字

羽10 〔翰〕16 人名 ㊀한 (去)翰 | hàn カン はね, ふで / ㊁간 (平)寒 (한本) | hán カン みき

筆順 十 古 吉 卓 𠦝 幹 翰 翰

字解 ㊀①깃한 새의 깃. '如翬如一'《魏志》. ②붓한 옛날에는, 새의 깃으로 붓을 만들었으므로 이름. '筆一'. '投一長歎息'《劉楨》. ③글한 문서. 또, 편지. '書一'. '一林'. ④흰말한 백마(白馬). '戎事乘一'《禮記》. ⑤휠한 빛이 썩 흰 모양. '白馬一如'《易經》. ⑥날한 ㉠높이 낢. '龍一于天'《太玄經》. ㉡빨리 날아가는 모양. '如飛如一'《詩經》. ⑦높을한 '一飛戾天'《詩經》. ⑧길한 '一, 又長也'《字彙》. '雞曰一音'《禮記》. ⑨성한 성(姓)의 하나. ㊁ 줄기간 幹(干부 10획〈341〉)과 통용. '維周之一'《詩經》. ※本音 한.
字源 形聲. 羽+倝〔音〕

羽 10 〔翃〕 16 횡 ㊥庚 hōng コウ とぶ

字解 푸드득날횡 '一一'은 푸드득 낢. 또, 그 소리. '一一, 飛也'《集韻》.

羽 11 〔翼〕 17 高·人 익 ㊂職 yì ヨク つばさ, たすける

筆順 羽 羽 習 習 習 翼 翼 翼

字解 ①날개익 ㉠새의 날개. '鳥一'. '鵬一'. '明夷于飛, 垂其一'《易經》. ㉡곤충의 날개. '蟬一'. '王獨不見夫蜻蛉乎. 六足四一'《戰國策》. ㉢좌우의 부대. '左一'. '右一'. '多爲奇陣, 張左右一'《史記》. ②지느러미익 물고기의 헤엄치는 기관(器官). '振鱗奮一'《宋玉》. ③처마익 지붕의 도리 밖으로 내민 부분. '列棼橑以布一. (注)一, 屋之四阿也'《後漢書》. ④솥귀익 솥의 손잡이. '呑三翮六一, 以高世主'《史記》. ⑤도울익 보좌함. '一, 一曰, 輔也'《集韻》. '求賢良以一之. (注)一, 輔也'《國語》. ⑥삼갈익 근신함. '有嚴有一'《詩經》. ⑦천거할익 추천함. '一姦以獲封侯'《漢書》. ⑧이튿날익 翌(羽부 5획〈1041〉)과 同字. '越一日'《書經》. ⑨몰아낼익 '一, 猶驅也'《書經 註》. '廣人一五秅'《詩經》. ⑩방종할익 '一 放縱而綽寬'《宋玉》. ⑪지킬익, 덮어감쌀익 '一, 衞也'《字彙》. '子西曰, 勝如卵. 予一而長之'《左傳》. ⑫보낼익 '一, 送也'《小爾雅》. ⑬별이름익 이십팔수(二十八宿)의 하나. 남방의 성수(星宿). '昏一中'《禮記》. ⑭성익 성(姓)의 하나.

字源 形聲. 羽＋異〔音〕

羽 11 〔翲〕 17 표 ㊥蕭 ㊦嘯 piāo ヒョウ とぶ

字解 ①날표 나는 모양. '一一, 飛也'《廣雅》. ②높이날표 '一, 高飛'《廣韻》. ③극히 조금표 '一忽'은 아주 조금. 또, 극히 잠깐. 초홀(秒忽). '律曆更相治, 間不容一忽'《史記》.

字源 形聲. 羽＋票〔音〕

羽 11 〔翻〕 17 〔번〕 飜(羽부 12획〈1047〉)의 俗字

羽 11 〔翳〕 17 예 ㊦霽 ㊥齊 yì エイ おおい, かざし

字解 ①깃일산예 ㉠천자(天子)의 화개(華蓋). ㉡새의 깃으로 만든 춤출 때 쓰는 제구. 무악(舞樂)에서, 춤추는 사람이 이것을 머리 위로 들어 가림. '左手操一'《山海經》. ②그늘예 볕이나 불빛이 가려진 곳. '陽彩皆陰一'《陳子昂》. ③가릴예 덮어 가림. '蔽一'. '蒙一'. ④흐릴예 ㉠날이 흐림. '纖靄不一'《宋史》. ㉡눈이 흐림. 침침해짐. '目爲之一'《宋史》. ⑤물리칠예 배척함. 멀리함. '是去其藏而一其人也'《國語》. ⑥숨을예 자취를 감춤. '潛一海隅'《魏志》. ⑦가로막을예 '好縱過而一諫'《國語》. ⑧멸(滅)할예 '一曰, 一, 滅也'《國語 注》. ⑨말라죽을예 나무가 고사(枯死)함. 또, 그 일. '一朽'. '其菑其一'《詩經》. ⑩방패예 무기의 한 가지. '兵不解一'《國語》.

字源 形聲. 羽＋殹〔音〕

羽 11 〔翿〕 17 홍(횡㊍) ㊥庚 hōng コウ とぶはおとのけいよう

字解 푸드득날홍 푸드득 낢. 또, 그 날개 소리. 翃(羽부 10획〈1046〉)과 뜻이 같음. '營營群衆, 一一亂飛'《成公綏》. ※本音 횡.

羽 11 〔翿〕 17 〔도〕 翿(羽부 14획〈1047〉)의 本字

羽 11 〔翴〕 17 련 ㊥先 lián レン とぶ

字解 날련 '一, 博雅, 一翾, 飛也'《集韻》.

羽 12 〔翼〕 18 〔익〕 翼(羽부 11획〈1046〉의 本字

羽 12 〔䎀〕 18 翼(前條)과 同字

羽 12 〔翱〕 18 고 ㊥豪 áo コウ かける

字解 날고 날개를 펴고 위아래로 흔들면서 빙빙 돎. '一翔'. '一一飛雲開'《何景明》.

字源 形聲. 篆文은 羽＋皐(皋)〔音〕

羽 12 〔翹〕 18 교 ㊥蕭 qiáo キョウ とぶ

字解 ①비스듬히날교 '一, 仄飛曰一'《集韻》. ②높이날교 '一, 高飛也'《類篇》.

羽 12 〔䎗〕 18 翹(前條)와 同字

羽 12 〔翹〕 18 교 ㊥蕭 qiáo ギョウ お, あげる

字解 ①꽁지의긴털교 새의 긴 꽁지. '一, 尾長毛也'《說文》. '蝺蟠森衰以垂一. (注)一, 尾也'《郭璞》. ②새의꽁지교 '一, 鳥尾也'《廣韻》. ③게시(揭示)할교 '每一君與大臣危疑不自信之過'《王夫之》. ④무성한모양교 '步寒林以悽惻, 翫春一而有思. (注)一, 茂盛貌'《陸機》. ⑤들교 위로 올림. '一尾'. '一首望太平'《韓愈》. ⑥발돋움할교 '一企'. '可一足而待'《史記》. ⑦머리꾸미개교 부인(婦人)의 수식(首飾). '寶髻珊瑚一'《梁簡文帝》. ⑧빼어날교 재능이 남보다 뛰

어남. '擧善進賢, 英一是務'《韋希賢》. ⑨악기(樂器)이름교 篪(지). '篪, 大者尺四寸, 圍三寸, 曰沂, 沂音銀, 一名一'《爾雅》.
[字源] 形聲. 羽+堯〔音〕

羽 12 〔䎀〕 18 동 [去]送 | tóng トウ とぶさま
[字解] 나는모양동 '一, 飛皃'《玉篇》.

羽 12 〔翷〕 18 린 [平]眞 | lín リン とぶ
[字解] 날린 '一, 飛也'《廣雅》.

羽 12 〔翻〕 18 [人名] 번 [平]元 | fān ホン ひるがえる
[筆順] 一 ⺈ 平 釆 番 番 翻 翻
[字解] ①날번 높이 낢. '一飛'. '衆鳥翩一'《張衡》. ②나부낄번 바람에 흔들려 날림. '芝草一一'《古詩》. ③뒤집힐번, 뒤집을번 '一覆'. '一案'. ④변할번 사물·태도가 변함. 또, 마음을 돌이킴. '一志'. ⑤번역할번 '一譯'. '一梵天之語, 轉成漢土之言'《翻譯名義集》. ⑥도리어번 반대로. '宜誡一獎, 應訶一笑'《顏氏家訓》.
[字源] 形聲. 羽+番〔音〕
[參考] 飜(飛부 12획〈1712〉)과 同字이며, 문관부(文觀部)와 대법원(大法院)에서는, '飜'자를 교육 한자 및 인명(人名) 한자로 정하고 있음.

羽 12 〔䎉〕 18 율 [入]質 | yù イツ とぶ
[字解] ①날율 나는 모양. '濯䎉疏風, 鼓翅一獩. (注)一獩, 飛走之貌'《郭璞》. ②鴥(鳥부 5획〈1814〉)과 同字. '一, 詩秦風, 作鴥'《正字通》.
[參考] 獝(羽부 12획〈1047〉)과 同字.

羽 12 〔獝〕 18 䎉(前條)과 同字

羽 12 〔䎖〕 18 증 [平]蒸 | zēng ソウ あがる
[字解] 들증 '一, 擧也'《集韻》. ②날증 '一, 飛也'《廣韻》.

羽 12 〔𦒋〕 18 혜 [去]霽 | huì ケイ かざきりばね
[字解] 칼깃혜 새의 풍절우(風切羽).
[參考] 𦒢(羽부 15획〈1047〉)와 同字.

羽 13 〔翽〕 19 홰 [去]泰 | huì カイ はおと
[字解] 날개치는소리홰 퍼덕퍼덕 날개를 치는 소리. '鳳凰于飛, 一一其羽'《詩經》.
[字源] 形聲. 羽+歲〔音〕

羽 13 〔翾〕 19 현 [平]先 | xuān ケン とぶ
[字解] ①날현 조금 낢. '一飛兮翠曾. (注)一, 小飛也'《楚辭》. ②빠를현 儇(人부 13획〈75〉)과 통용. '喜則輕而一'《荀子》.
[字源] 形聲. 羽+睘(罬)〔音〕

羽 13 〔䎘〕 19 숙 [入]屋 | sù シュク とぶ
[字解] 날숙 '一, 飛也'《廣韻》.

羽 14 〔翿〕 20 도 [去]號 | dào トウ かざし
[字解] 깃일산도 새의 깃으로 만든 춤출 때 쓰는 제구. 무악(舞樂)에서, 춤추는 사람이 이것을 머리 위로 들어 가림. '君子陶陶, 左執一. (傳)一, 纛也, 翳也. (箋)翳, 舞者所持, 謂羽舞也'《詩經》.
[字源] 形聲. 篆文은 羽+壽〔音〕

羽 14 〔耀〕 20 [人名] 요 [去]嘯 | yào ヨウ かがやく
[筆順] ⺌ 业 光 光⺈ 光羽 耀 耀 耀
[字解] ①빛날요 광휘를 발함. 曜(日부 14획〈516〉)와 同字. '爛一一以成光'《司馬相如》. ②빛낼요 '以一德於廣遠也. (注)一, 明也'《國語》. ③빛남요, 빛요 '建天地之功, 增日月之一者也'《後漢書》.
[字源] 形聲. 光+翟〔音〕

羽 14 〔䎙〕 20 빈 [平]眞 | pīn ヒン とぶ
[字解] 날빈 나는 모양. '一, 一翁, 飛皃'《集韻》.

羽 14 〔䎓〕 20 〔습〕
濕(水부 14획〈692〉)의 古字

羽 15 〔𦒢〕 21 〔혜〕
𦒋(羽부 12획〈1047〉)와 同字

羽 15 〔䎣〕 21 랍 [入]合 | là ロウ とぶさま
[字解] ①처음으로날랍 처음으로 날아 일어서는 모양. '一, 一翉, 飛初起皃'《廣韻》. ②나는모양랍 鱲(鳥부 15획〈1840〉)과 同字. '一, 飛皃, 或从鳥'《集韻》.

羽 15 〔𦒹〕 21 〔현〕
翾(羽부 13획〈1047〉)의 本字

羽 16 〔䎬〕 22 〔비〕
飛(部首〈1712〉)와 同字

老 (耂) 部

〔늙을로부〕

老 0 〔老〕6 中·人 로 ㊤晧 | lǎo ロウ おいる, としより

筆順 一 十 土 耂 耂 老

字解 ①늙을로 ㉠나이를 많이 먹음. '偕一'. '一當益壯'《後漢書》. ㉡늙어서 은퇴함. '桓公立, 乃一. (注)一, 致仕也'《左傳》. ㉢시일을 오래 끌어 피로함. '楚師一矣'《國語》. ㉣시일을 오래 끌어 쇠(衰)해짐. '一大國'. '美不一'《荀子》. ②늙은이로 ㉠나이를 먹은 사람. '一弱男女'. '敬一慈幼'《孟子》. ㉡나이 먹은 자기의 겸칭(謙稱). '幸得一與足下, 並爲遺種之叟'《王朗》. ③어른로 ㉠연장자. 선배. '父一'. '長一'. 덕이 높고 나이가 많은 사람. '長一'. '鄕一'. ㉡공경(公卿)·제후(諸侯)의 우두머리. '天子之一'《禮記》. ㉢신하(臣下) 또는 가신(家臣)의 우두머리. '召其宗一而屬之. (注)家臣曰一'《國語》. ④노자의학설로 노자(老子)가 제창한 학설. '佛一'. '黃一'. '好通一易'《後漢書》. ⑤노인대접할로 경로(敬老)함. '一吾老'《孟子》. ⑥익숙할로 숙달함. '一練'. '枚乘文章一, 河間禮樂存'《杜甫》. ⑦성로 성(姓)의 하나.

字源 象形. 甲骨文(갑골문)은 허리를 구부리고 지팡이를 짚은 노인의 모습을 형상화한 것임을 잘 알 수 있는데, 篆文(전문)은 그것이 변형(變形)된 것. 늙은이의 뜻을 나타냄.

參考 '老로'를 의부(意符)로 하여, 노인에 관한 문자를 이룸. 부수(部首)로서는 생략체인 '耂'가 흔히 쓰임.

老 2 〔考〕6 中·人 고 ㊤晧 | kǎo コウ かんがえる

筆順 一 十 土 耂 耂 考

字解 ①상고할고 ㉠곰곰 생각함. '熟一'. '一察'. ㉡학생·관리 등의 성적을 조사함. '科一'. '一試'. ②칠고 두드림. '弗鼓弗一'《詩經》. ③이룰고 완성함. '一仲子之宮'《左傳》. ④마칠고 끝냄. '一終命'《書經》. ⑤수할고 오래 삶. '周王壽一'《詩經》. ⑥아버지고 죽은 아버지. '一妣'. '一無咎'《易經》. ⑦시험고 고사. '一試'. '左右五一, 送兵部試'《唐書》. ⑧흠고 하자(瑕疵). '白璧有一'《淮南子》. ⑨성고 성(姓)의 하나.

字源 形聲. 耂(老)+丂〔音〕

〔孝〕〔효〕 子부 4획(271)을 보라.

老 4 〔耄〕10 모 ㊄號 | mào モウ としより

字解 ①늙을모 일흔 살(일설에는 여든 살, 또 일설에는 아흔 살)이 되어 정신이 혼몽하여짐. '一期倦于勤'《書經》. ②늙은이모 칠팔십 세 된 늙은이. '一耋'. '悼與一, 雖有罪, 不加刑'《禮記》.

字源 形聲. 老+毛〈省〉〔音〕

老 4 〔耄〕8 耄(前條)와 同字

老 4 〔耆〕10 人名 ㊀기 ㊥支 | qí キ としより ㊁지 ㊤紙 | zhǐ シ いたす

筆順 一 十 土 耂 耂 老 者 耆

字解 ㊀①늙은이기 '乃屬其一老而告之'《孟子》. ②예순된늙은이기 '六十曰一'《釋名》. ③힘셀기 힘이 셈. '不懦不一. (注)一, 彊也'《左傳》. ④즐길기 嗜(口부 10획〈178〉)와 통용. '嗜, 亦作一'《集韻》. '節一欲'《禮記》. ⑤우두머리기 '一, 長也'《爾雅》. '一·艾, 師傅也'《後漢書》. ⑥성기 성(姓)의 하나. ㊁이를지 致(至부 3획〈1102〉)와 뜻이 같음. '一定爾功. (傳)一, 致也'《詩經》.

字源 形聲. 耂(老)+旨〔音〕

老 4 〔耈〕8 수 ㊄遇 | shù シュ ろうじんがこきざみにとぼとぼとゆく

字解 늙은이겨우따라갈수 노인이 두 다리를 겨우 옮겨 느리게 가는 모양. '一, 老人行才相逮. (段注)才, 僅也. 今字作纔. '纔相逮'者, 兩足僅能相及, 言其行遲步小也'《說文》.

字源 會意. 老+勿. '勿물'은 허리를 구부리고 슬슬 걷는 모양을 나타냄.

老 4 〔耈〕10 耈(前條)와 同字

老 4 〔者〕8 〔자〕 者(老부 5획〈1049〉)의 俗字

老 5 〔耇〕9 구 ㊤有 | gǒu コウ おいる

字解 ①검버섯구 노인의 얼굴에 나타나는 거무스름한 얼룩점. '一, 老人面凍黎若垢'《說文》. ②장수할구, 장수한노인구 고령(高齡). '一, 壽也. (注)一, 猶耆也. 皆壽考之通稱'《爾雅》.

字源 形聲. 耂(老)+句〔音〕

參考 耉(次條)는 同字.

老 5〔耈〕11 人名 耇(前條)와 同字

筆順 一 土 耂 耂 老 耂 考 耈

老 5〔者〕9 中·人 자 ㊤馬|zhě シャ もの

筆順 一 十 土 耂 耂 者 者 者

字解 ①놈자, 사람자 사람을 가리켜 이름. '仁一'. '賢一'. '行金六百斤, 予守一'《史記》. ②것자 ㉠일을 가리켜 이름. '以其小一, 信其大一'《孟子》. ㉡물건을 가리켜 이름. '彼茁一葭'《詩經》. ③곳자 장소를 가리켜 이름. '請更諸爽愷一'《左傳》. ④어조사자 ㉠어세(語勢)를 강하게 하기 위하여 쓰는 조사. '何一'. '不然一'. '不殺一爲楚國患'《史記》. ㉡둘 이상의 사물을 구별하는 조사. '仁一人也, 義一宜也'《中庸》. (어세(語勢)를 부드럽게 할 때는 '也'와 연용(連用)하여 '也一'로 씀.) ⑤이자 此(止부 2획〈603〉)와 뜻이 같음. '一箇'. '只一一箇無字'《無門關》. ⑥성자 성(姓)의 하나.

字源 象形. 金文은 받침대 위에 나무를 쌓아 놓고 불을 때는 모양을 형상화하여, '익히다'의 뜻을 나타냄. '煮자'의 原字. 假借하여, '놈'의 뜻으로 쓰임.

老 5〔耇〕9 점 ㊤琰 ㊥豔|diǎn テン しみ

字解 ①기미점 노인의 얼굴에 생기는 갈색 반점. '一, 老人面如點處'《說文》. ②늙을점 '一, 老也'《廣雅》.

字源 形聲. 老〈省〉+占〔音〕

老 5〔耉〕11 耇(前條)과 同字

老 5〔䎷〕11 도 ㊦號|dào トウ としより

字解 늙은이도 나이 일흔을 이름. '一, 七十曰一也, 今作爲悼'《玉篇》.

老 6〔耄〕12 혼 ㊥元|hūn コン おいる

字解 늙을혼 지각(知覺)이 둔해짐. '一, 耄也'《篇海》.

老 6〔耋〕12 질(절㊍) ㊅屑|dié テツ おいる, としより

字解 나이많은늙은이질 ㉠여든 살 된 노인. '一, 老也. (注)八十爲一'《爾雅》. ㉡일흔 살 된 노인. '以伯舅一老, 加勞, 賜一級, 無下拜. (注)七十曰一'《左傳》. ㉢예순 살된 노인. '使帥一二一老而綏焉. (注)六十稱一'《公羊傳》. ※本音 절.

字源 形聲. 老+至〔音〕

參考 耊(次條)은 同字.

老 6〔耊〕10 耋(前條)과 同字

老 10〔耈〕14 〔수〕 壽(士부 11획〈226〉)의 本字

而　　部

〔말이을이부〕

而 0〔而〕6 中·人 이 ㊥支|ér ジ しかして

筆順 一 丆 丆 丙 而 而

字解 ①말이을이 접속사(接續詞)로서, 그리하고. '學一時習之'《論語》. 그러나. '吾有司死者三十三人, 一民莫之死也'《孟子》. …하여도. '視一不見'《大學》. 등의 뜻으로 쓰임. ②너이 자네. '一, 汝也'《小爾雅》. '一康一色'《洪範》. ③같을이 如(女부 3획〈240〉)와 뜻이 같음. '垂帶一厲. (注)一, 亦如也'《詩經》. ④뿐이 '一已'·'一已矣'로 연용(連用)하여, …일 따름임의 뜻으로 쓰임. '九人一已'《論語》. ⑤어조사이 무의미의 조자(助字). '今之從政者殆一'《論語》.

字源 象形. 수염을 본떠, '수염'의 뜻을 나타냄. 假借하여, 접속사(接續詞)나 '그대'의 뜻으로도 쓰임.

參考 '而이'를 바탕으로 하여, '수염'을 뜻하는 문자를 이룸. 그 외에도 '而' 꼴을 가지는 문자를 포함하여, 자형(字形) 분류상 부수(部首)로 설정됨.

而 2〔耏〕8 〔이〕 耏(而부 3획〈1050〉)와 同字

而 3〔耍〕9 솨 ㊤馬|shuǎ サ たわむれる

字解 ①희롱할솨 장난함. '一, 戲也'《篇海》. ②《現》 만질솨 주무름. ③《現》 노름할솨.

參考 要(襾부 3획〈1294〉)는 別字.

而 3〔耎〕9 연 ㊤銑|ruǎn ゼン よわい

字解 ①약할연 강하지 못함. '一, 弱也'《廣雅》. '僕雖怯一欲苟活'《漢書》. ②부드러울연 연함. 유연(柔軟)함. '數以一脆之玉體, 犯勤勞之煩毒. (注)一, 柔也'《漢書》. ③굼틀거릴연 蝡(虫부 9획〈1236〉)과 통용. '惴一之蟲'《莊子》.

[字源] 會意. 而＋大

而 3 〔耏〕9 [一]이 [平]支 | ér ジ ほおひげ
[二]내 [去]隊 | nài ダイ·ナイ ひげ そりのけい

[字解] [一] ①구레나룻이 턱 밑에서 귀까지 난 수염. '一, 頰須也'《玉篇》. '冒一之類'《後漢書》. ②성이 성(姓)의 하나. [二] 구레나룻 깎을내 형벌로서 구레나룻을 깎음. 또, 그 형벌. '一, 罪不至髡也. (注)但鬍其頰毛而已'《說文》.
[字源] 形聲. 彡＋而〔音〕

而 3 〔耐〕9 [高·人] [一]내 [去]隊 | nài タイ たえる
[二]능 [平]蒸 | néng ドウ·ノウ よくする

[筆順] 一 丆 丆 丙 而 而 耐 耐

[字解] [一] ①견딜내 배겨 냄. 유지함. '一火'. ②참을내 인내함. '一, 忍也'《廣韻》. ③구레나룻깎을내 耏(前條)와 同字. [二] 능할능 能(肉부 6획〈1074〉)의 古字. '故聖人一以天下爲一家'《禮記》.
[字源] 形聲. 寸＋而(音)

而 3 〔⿰女而〕9 이 [平]支 | ér ジ こびる

[字解] ①여자의자(字)이 본이름 외에 부르는 이름. '一, 女字'《集韻》. ②아양떨이 요염함. '一, 媚也'《字彙》.

而 3 〔⿰丸而〕9 [一]이 [平]支 | ér ジ [一][二] きゅうじょうのものがよくせんてんする
[二]환 [平]寒 | カン·ガン
[三]나 [去]箇 | nuò ダ·ナ よわい

[字解] [一] ①둥근것이잘돌이 '一, 丸之孰也. (段注) 俗所謂圜熟, 言旋轉之易也'《說文》. ②둥근것이 둥근 물건. '一, 丸之屬'《廣韻》. [二] 둥근것이잘돌환, 둥근것환 [一]과 뜻이 같음. [三] ①둥근것이잘돌나 [一]❶과 뜻이 같음. ②여릴나 㥾(心부 9획〈400〉)와 同字. '㥾, 弱也. 亦作一'《集韻》.
[字源] 形聲. 丸＋而〔音〕

而 3 〔耑〕9 [一]단 [平]寒 | duān タン はし
[二]전 [平]先 | zhuān セン もっぱら

[字解] [一] 끝단 端(立부 9획〈928〉)과 同字. '已下則摩其一'《周禮》. [二] 오로지전 속(俗)에, 專(寸부 8획〈289〉)으로 쓰임. '一電'(특별 전보).
[字源] 象形. 甲骨文은 水＋止＋不로도 분석할 수 있으며, 수분을 얻어 식물이 뿌리를 뻗고 싹이 튼 모양을 형상화한 것으로 생각됨. 사물의 시초의 뜻을 나타냄. '端단'의 原字.

而 4 〔耎〕10 난 [上]旱 | ruǎn ダン ちぢまる

[字解] ①움츠러들난 '一, 縮也'《字彙補》. '一, 其心中無勇也. (注)一, 縮之性, 故無勇也'《太玄經》. ②유약(柔弱)할난 '一, 柔也, 弱也'《龍龕手鑑》.

〔恧〕〔뉵〕
心부 6획(386)을 보라.

而 4 〔⿰火而〕10 이 [平]支 | ér ジ にる

[字解] 삶을이 삶아 익힘. '一, 炱熟也'《玉篇》.

而 5 〔⿰瓦而〕11 이 [平]支 | ér ジ かわら

[字解] 기와이 '一, 瓦也'《集韻》.

而 6 〔⿱而而〕12 [一]이 [二]수 [平]支 | ér ジ つらなる

[字解] [一] 잇닿을이 줄지어 잇닿음. '一, 連繫也'《六書統》. [二] 需(雨부 6획〈1641〉)의 俗字. '需, 俗作一'《集韻》.

而 7 〔⿰而忍〕13 뉵 [入]屋 | nǜ ドク うれえるさま

[字解] 근심할뉵 근심하는 모양. '憒伊鬱而酷一. (注)蒼頡篇曰, 一, 憂貌'《王褒》.

〔需〕〔수〕
雨부 6획(1641)을 보라.

而 8 〔⿰耑犮〕14 〔불〕
黻(黹부 5획〈1870〉)과 同字

而 8 〔⿰卮耑〕14 ⿰巵耑(次條)의 本字

而 10 〔⿰巵耑〕16 [一]전 [平]銑 | zhuǎn セン さかずき
[二]추 [上]紙 | スイ こさかずき

[字解] [一] 작은잔전 작은 술잔. '一, 小巵也'《說文》. [二] 작은잔추 [一]과 뜻이 같음.
[字源] 形聲. 篆文은 巵＋耑〔音〕

耒 部

〔쟁기뢰부〕

耒 0 〔耒〕6 뢰 [去]隊 | lěi ライ すき

[筆順] 一 = 三 丰 耒 耒

[字解] 쟁기뢰, 쟁깃술뢰 농구의 한 가지. 또, 쟁기의 자루. '一, 耕曲木也'《說文》. '斲木爲耜, 揉木爲一'《易經》.
[字源] 會意. 丯＋木
[參考] '耒뢰'를 의부(意符)로 하여, 농구인 쟁기나 경작(耕作)에 관한 문자를 이룸.

耒 0 〔耒〕6 〔래〕 來(人부 6획〈45〉)의 略字

耒 2 〔耓〕8 정 [平]青 | tīng テイ すきのは
[字解] 보습정 나무로 만든 쟁기의 날. '一, 耒下木也'《集韻》.
[字源] 形聲. 耒＋丁〔音〕

耒 3 〔耔〕9 자 [上]紙 | zǐ シ つちかう
[字解] 북돋울자 북주어 가꿈. '或耘或一. (傳)一, 雝本也'《詩經》. '一, 壅禾根也'《釋文》.
[字源] 形聲. 耒＋子〔音〕

耒 3 〔耙〕9 걸 [入]物 | qǐ キツ たいらかにはかる
[字解] 평미레질할걸 평미레를 씀. '一, 平量也'《玉篇》.

耒 4 〔耕〕10 [中·人] 경 [平]庚 | gēng (jīng) コウ たがやす
[筆順] 一 三 丰 耒 耒一 耒二 耕 耕
[字解] ①갈경 ㉠농구로 논밭을 파 뒤집음. '一耘'. '一, 治田也'《正字通》. '深一易耨'《孟子》. ㉡농사에 힘씀. '三年一, 必有一年之食'《禮記》. ㉢농사 이외의 일을 하여 먹고 삶. '賈逵非力一所得, 誦經口倦, 世所謂舌一也'《拾遺記》. ㉣힘써 게을리하지 아니함. '一, 凡致力不怠, 謂之一'《正字通》. ②쟁기경 손으로 잡고 논밭을 가는 쟁기. 또, 그 자루. '犂, 一也. 人用以發土, 亦謂之一'《說文 段注》.
[字源] 形聲. 耒＋井(幷)〔音〕

耒 4 〔耗〕10 모(①-⑥호[本]) [去]號 [去]號 | ①-⑥hāo コウ へる, へらす ⑦⑧mào モウ くらい
[字解] ①벼모 秏(禾부 4획〈899〉)와 同字. '玄山之禾, 南海之一'《呂氏春秋》. ②덜모, 덜릴모 감손함. '消一'. '一, 減也'《廣韻》. ③쓸모 써 없앰. 소비함. '以一散其眞'《素問》. ④공허할모 '一, 虛也'《玉篇》. ⑤쇠패(衰敗)할모 '行春令, 榮, 行冬令, 一. (注)一, 零落也'《淮南子》. ⑥소식모 음신(音信). '不通一問'《讀書錄》. ⑦성모 성(姓)의 하나. ⑧어지러울모 불명(不明)함. 혼란(混亂)함. '一亂者, 丞相以聞, 請其罪'《漢書》. ※❶-❻ 本音 호.
[字源] 形聲. 耒＋毛〔音〕

耒 4 〔耘〕10 [人名] 운 [平]文 | yún ウン くさぎる
[筆順] 一 三 丰 耒 耒一 耒二 耘 耘
[字解] ①김맬운 제초함. '耕一'. '或一或耔'《詩經》. ②없앨운 제거함. '不戰而一'《史記》.
[字源] 形聲. 耒＋云〔音〕

耒 4 〔耙〕10 파 [去]禡 | bà, pá ハ まぐわ
[字解] 써레파 마소에 끌려, 판 흙덩이를 부수어 흙을 고르는 농구. '此方一也. 又有八字一'《農政全書》.
[字源] 形聲. 耒＋巴〔音〕

耒 4 〔耖〕10 초 [去]效 | chào ショウ まぐわ
[字解] 써레초 마소에 끌려, 갈아 놓은 논바닥을 고르거나 흙덩이를 잘게 부수는 농구. 여러 개의 발이 있고 손잡이가 있음. '一如耙, 其齒更長'《農政全書》.
[字源] 形聲. 耒＋少〔音〕

耒 5 〔耜〕11 사 [上]紙 | sì シ すきのさき
[字解] 보습사 쟁깃술 끝에 맞추는 날. 원래는 나무로 했으나, 후세에 철제(鐵製)로 함. 枱(木부 5획〈539〉)와 同字. '斲木爲一'《易經》.
[字源] 形聲. 耒＋㠯〔音〕

耒 5 〔耞〕11 가 [平]麻 | jiā カ からざお
[字解] 도리깨가 '連一'는 곡식을 두드려서 떠는 농구의 한 가지. 枷(木부 5획〈535〉)와 同字. '一, 連一, 打穀具'《字彙》.
[字源] 形聲. 耒＋加〔音〕

耒 5 〔耝〕11 [一] 처 [去]御 [二] 서 [平]魚 | qū ショ たがやす chú ショ たみがあいたすける
[字解] [一] ①밭갈아일으킬처 밭 갈아 흙을 들춤. '一, 耕而土起, 謂之一'《集韻》. ②백성이서로도울처 [二]와 뜻이 같음. [二] 백성이서로도울서 耡(耒부 7획〈1052〉)와 同字. '耡, 起民令相佐助也, 或省'《集韻》.

耒 5 〔秤〕11 칭 [平]蒸 | chēng ショウ すき
[字解] 쟁기칭 '一, 耒也'《玉篇》.

耒5〔𦓪〕11 피 ㊥支|pī ヒ たがやす

字解 ①발갈피 '一, 耕也'《廣雅》. ②높직할 피 조금 높음. '一, 小高也'《玉篇》.

耒5〔耛〕11 치 ㊥支|chí チ くさぎる

字解 김맬치 밭의 풀을 뽑음. '耘一, 除艸'《集韻》.

耒5〔耟〕11 거 ㊤語|jù キョ すき, すきのさき

筆順 三 丰 耒 耒一 耟 耟 耟 耟

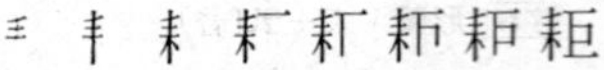

字解 보습거 쟁기의 끝, 곧, 보습. 또, 쟁기. '鼎餗代耒一, 不亦美哉'《抱朴子》.

字源 形聲. 耒+巨〔音〕

耒5〔耕〕11 〔경〕 耕(耒부 4획〈1051〉)의 本字

耒6〔𦓴〕12 ㊀규 ㊥齊|guī ケイ むぎかき ㊁와 ㊥佳|ワイ むぎかき

字解 ㊀①굽정이규 보리를 널고 고루 펴는 데 쓰는 기구. ②갈규 밭을 갊. '一, 耕也'《集韻》. ㊁굽정이와, 갈와 ㊀과 뜻이 같음.

字源 形聲. 耒+圭〔音〕

耒6〔𦓱〕12 객 ㊥陌|gè カク たがやす

字解 밭갈객 논밭을 갊. '一, 耕也'《集韻》.

耒6〔𦓯〕12 전 ㊥先|quán セン たがやす

字解 발갈전 논밭을 갊. '一, 耕也'《字彙》.

耒6〔耠〕12 합 ㊅合|huō コウ たがやす

字解 발갈합 경작함. '一, 耕也'《廣雅》.

字源 形聲. 耒+合〔音〕

耒7〔耡〕13 서 ㊋御 ㊥魚|chú ショ·ジョ こだい のぜいほうのな, すき

字解 ①호미서 鋤(金부 7획〈1562〉)와 同字. ②구실서 옛날 세법(稅法)의 하나. 정전(井田)을 경작하는 여덟 집이 공동으로 중앙의 공전(公田)을 경작하여, 그 수확을 공조(公租)로 바치는 일. '野之一粟'《周禮》. ③이재치사처(里宰治事處)서 이재, 곧 마을의 우두머리가 근무하던 곳으로, 마을 사람들이 모여 이재의 지도하에 함께 돕는 일을 시행함. '以歲時合耦于一'《周禮》. ④부조(扶助)서 백성의 상호 부조. '以興一利甿'《周禮》.

字源 形聲. 耒+助〔音〕

耒7〔𦓾〕13 국 ㊅沃|jú キョク むぎばたけを たがやす

字解 ①보리갈국 보리밭을 갊. '一, 耕麥地也'《玉篇》. ②갈국 논밭을 갊. '一, 博雅, 一耧, 耕也'《集韻》.

耒7〔稍〕13 소 ㊋效 ㊥肴|shào, shāo ソウ うえる

字解 심을소 씨를 심음. '一, 耰種也'《集韻》.

耒8〔耤〕14 ㊀적 ㊅陌|jí セキ かりる ㊁자 ㊋禡|jiè シャしきもの

字解 ㊀①빌릴적 차용(借用)함. '以軀一友報仇'《漢書》. ②천자(天子)친히밭갈적 제왕(帝王)이 민력(民力)을 빌려 밭을 친히 갊. 여기에서 나온 수확을 종묘 사직에 바침. 䅋(耒부 12획〈1054〉)과 同字. '䅋, 帝一, 千畝也, 古者使民如借, 故謂之藉'《說文》. ㊁깔개자 藉(艸부 14획〈1194〉)와 同字.

字源 形聲. 耒+昔(㫺)〔音〕

耒8〔𦔈〕14 륜 ㊤軫 ㊥眞|lún リン たがやす lǔn リン たばねたいね

字解 ①밭갈륜 논밭을 갊. '一, 耕也'《集韻》. ②볏단륜 벼 묶음. '稐, 禾束曰稐, 或从耒'《集韻》.

耒8〔䎧〕14 ㊀방 ㊤講|bàng ボウ すき ㊁부 ㊥尤|pǒu ブ たがやす

字解 ㊀보습방 밭을 가는 보습 따위. '一, 耜屬'《集韻》. ㊁밭갈부 '鏉一'는 밭을 갊. '一, 博雅, 鏉一, 耕也'《集韻》.

耒8〔𦔉〕14 역 ㊅陌|yì エキ たがやす

字解 밭갈역 논밭을 갊. '釋, 耕也, 或从易'《集韻》.

耒8〔𦔅〕14 〔운〕 耘(耒부 4획〈1051〉)의 俗字

耒8〔𦔂〕14 정 ㊥庚|zhēng ソウ からすきのえ

字解 쟁기자루정 쟁기의 자루. '一, 犁上木'《玉篇》.

耒8〔䅡〕14 치 ㊥支|zī シ たがやす

字解 밭갈치 논밭을 갊. '一, 博雅, 耕也, 或作載·戠·稲·菑'《集韻》.

耒8〔𦔆〕14 패 ㊋卦|pái ハイ うえる

[字解] ①심을패 '一, 博雅, 種也'《字彙》. ②稗(禾부 8획〈904〉)의 訛字. '一, 稗字之訛'《正字通》.

耒 8 〔⿰耒炎〕14 염 [上]琰 | yǎn エン するどいすき

[字解] ①날카로운보습염 '一, 利耜也'《集韻》. ②밭갈염 밭을 갊. '一, 耕也'《玉篇》.

耒 9 〔耦〕15 우 [上]有 | ǒu グウ ならんでたがやす

[字解] ①나란히갈우 두 사람이 나란히 서서 밭을 갊. '一而耕'《論語》. 또, 널리 사물의 쌍이 지어진 상태를 이름. 기(奇)의 대(對). ②한자넓이우 주대(周代)에 쟁기의 넓이는 다섯 치인데, 이것을 '伐'이라 하고, 두 사람이 나란히 쟁기질할 때에는 넓이가 한 자가 되므로 이름. 또, 나란히 갈아 엎은 밭두둑. '二伐爲一'《說文》. ③짝우 ㉠상대자. '喪其一'《莊子》. ㉡배우자. '人各有一'《左傳》. ④짝지을우 '吾聞姬姞一, 其子孫必蕃'《左傳》. ⑤마주설우 상대함. '一語'. '一視而先俯'《荀子》. ⑥우수우 둘로 나누이는 수. '陽卦奇, 陰卦一'《易經》. ⑦성우 성(姓)의 하나.

[字源] 形聲. 耒+禺〔音〕

耒 9 〔⿰耒英〕15 영 [平]庚 | yīng エイ くさがしげる

[字解] 풀우거질영 '一, 草茸也'《篇海》.

耒 9 〔⿰耒㚇〕15 창 [平]江 | chuàng ソウ うえる

[字解] ①심을창 '一, 種也'《玉篇》. ②갈지않고심을창 '⿰土㚇, 不耕而種, 或作一'《集韻》.

耒 10 〔耨〕16 누 [去]宥 | nòu ドウ すき, くさぎる

[筆順] 耨

[字解] ①괭이누 땅을 파는 농구의 하나. '一, 如鏟, 柄長三尺, 刃廣二寸. 以刺地除草'《廣韻》. ②갈누, 김맬누 밭을 팜. 또, 제초함. '深耕易一'《孟子》. ③성누 성(姓)의 하나.

[字源] 形聲. 耒+辱〔音〕

耒 10 〔⿰耒耆〕16 기 [平]支 | qí キ むぎのたねをおろす

[字解] 보리씨뿌릴기 보리를 파종함. '一, 麥下種也'《康熙字典》.

耒 10 〔耩〕16 강 [上]講 | jiǎng コウ たがやす, くさぎる

[字解] ①밭갈강 '一, 耕也'《集韻》. ②김맬강 '一, 穮也'《玉篇》.

耒 10 〔⿰耒員〕16 운 [平]文 [去]問 | yún ウン くさぎる

[字解] 김맬운 모 사이의 잡초를 뽑음. 耘(耒부 4획〈1051〉)과 同字. '一, 除苗間穢也'《說文》.

[字源] 形聲. 耒+員〔音〕

耒 10 〔耪〕16 [現] 방 | pǎng ホウ すく

[字解] 《現》 쟁기질할방, 김맬방.

耒 10 〔⿰耒畟〕16 〔측〕 畟(田부 5획〈797〉)과 同字

耒 10 〔⿰耒盍〕16 〔합〕 耠(耒부 6획〈1052〉)과 同字

耒 11 〔耬〕17 루 [平]尤 | lóu ロウ·ル たねまきき

[字解] ①씨뿌리는수레루 '一車'는 소에 끌려, 씨앗 상자를 장치하여 씨가 뿌려지게 된 수레. '一車, 下種器也'《農政全書》. ②두렁갈루 '耬, 耕畦謂之耬. 或从耒'《集韻》.

[字源] 形聲. 耒+婁〔音〕

耒 11 〔⿰耒曼〕17 만 [去]翰 [平]寒 | màn バン·マン あまねくたねをまく | mán

[字解] ①묵정밭만 오래 내버려 두어 거칠어진 밭. '一, 不蒔田'《玉篇》. ②널리씨뿌릴만 널리 씨를 뿌리는 모양. '一, 偏種皃'《集韻》.

耒 11 〔⿰耒責〕17 ㊀ 살 [入]黠 ㊁ 책 [入]陌 | zhá サツ のうぐ | zé サク やきたにうえる

[字解] ㊀ 농기구살 '一, 農具'《集韻》. ㊁ ①심을책 '一, 種也'《廣雅》. ②잿속에씨뿌릴책 '一, 灰中種也'《廣韻》.

耒 11 〔⿰耒啇〕17 체 [去]霽 | tì テイ うえる

[字解] 심을체 '一, 種也'《集韻》.

耒 11 〔⿰耒莫〕17 한 [去]翰 | hàn カン ふゆにたがやす

[字解] 겨울밭갈한 겨울에 밭을 갊. '一, 冬耕地'《廣韻》.

耒 12 〔耭〕18 기 [平]微 | jī キ たがやす

[字解] 밭갈기 '一, 耕也'《廣雅》.

耒 12 〔耮〕18 로 [去]號 | lào ロウ たはたをならすのうぐ

[字解] 고무래로 밭을 고르는 농구.

耒12〔䎮〕18 작 ⓐ藥|zuó サク ちめい

字解 ①땅이름작 '一, 地名在蜀'《集韻》. ②성작 성(姓)의 하나.

耒12〔䎯〕18 〔적〕
耤(耒부 8획〈1052〉)의 本字

耒12〔䎰〕18 당 ⓟ江 (장ⓑ)|chuāng トウ たねをまく

字解 씨뿌릴당 '一, 種入也'《集韻》. ※本音 장.

耒12〔䎱〕18 체 ⓓ霽|tì テイ うえる

字解 심을체 '䅡, 種也, 或从啻'《集韻》.

耒13〔䎲〕19 ㊀역 ⓐ陌|yì エキ たがやす ㊁석 ⓐ陌|shì セキ たがやすさま

字解 ㊀밭갈역 논밭을 갊. '一, 耕也, 或从易'《集韻》. ㊁밭가는모양석 '一, 耕皃'《集韻》.

耒14〔䎳〕20 확 ⓐ藥|huò カク かる

字解 곡식벨확 穫(禾부 14획〈913〉)과 同字.

耒15〔耰〕21 우 ⓟ尤|yōu ユウ·ウ つちならし

字解 ①곰방메우 논밭의 흙을 고르는 농구. 씨앗 같은 것을 덮는 데도 씀. '一, 覆種也'《集解》. ②씨앗덮을우 씨를 곰방메에 따위로 덮음. '一而不輟'《論語》. ③갈우 농구로 흙을 파 뒤집음. 櫌(木부 15획〈588〉)와 同字. '深其耕而孰一之'《莊子》.
字源 形聲. 耒+憂〔音〕

耒15〔䎴〕21 〔표〕
穮(禾부 15획〈913〉)와 同字

耒15〔䎵〕21 〔파〕
鑼(金부 15획〈1588〉)와 同字

耒18〔欋〕24 구 ⓟ虞|qú ク すき

字解 보습구 땅을 갈아서 흙덩이를 일으키는 농구. '一, 耜也'《集韻》.

耒18〔䎶〕24 칙 ⓐ職|chì ショク たがやす

字解 밭갈칙 논밭을 갊. '一, 字統云, 耕也'《廣韻》.

耒19〔䎷〕25 미 ⓓ箇|mò バ たがやす

字解 밭갈미 논밭을 갊. '一, 耕也'《玉篇》.

耳 部

〔귀 이 부〕

耳0〔耳〕6 中·人 이 ⓢ紙|ěr ジ みみ

筆順 一 丅 下 F 𠃊 耳

字解 ①귀이 ㉠오관(五官)의 하나. 청각(聽覺)을 맡음. '一目'. '一目者, 視聽之官也'《管子》. ㉡물건의 양쪽에 붙어 귀 같은 모양을 한 물건. 솥귀 따위. '其一三寸. (注)一, 在旁可擧也'《周禮》. ②뿐이 따름. '而已' 두 자의 합음(合音). '與父老約法三章一'《史記》. ③어조사이 의미 없는 조자(助字). '女得人焉一乎'《論語》. ④성이 성(姓)의 하나.
字源 象形. 金文으로도 알 수 있듯이, 귀의 象形으로, '귀'의 뜻을 나타냄.
參考 '耳이'를 의부(意符)로 하여, 귀의 기능이나 상태에 관한 문자를 이룸.

耳1〔耴〕7 을 ⓐ質|yì ギツ おおいのこえのさま

筆順 一 丅 𠃊 耳 耳 耴

字解 ①뭇소리의모양을 '聱一'은 소리가 시끄러운 모양. '魚鳥聱一, 萬物蠢生. (注) 聱一, 衆聲也'《左思》. ②물고기와새의모양을 '一, 聱一, 魚鳥狀也'《廣韻》.

耳1〔耴〕7 耴(前條)과 同字

耳1〔耴〕7 ㊀첩 ⓐ葉|zhé チョウ みみがたれさがる ㊁녑 ⓐ葉|ジョウ·ニョウ みみがたれさがる

字解 ㊀①귀처질첩 '一, 耳垂也'《說文》. ②나라이름첩 '一耳'는 나라 이름. '一, 一耳, 國名'《廣韻》. ③성첩 성(姓)의 하나. ㊁귀처질녑, 나라이름녑, 성녑 ㊀과 뜻이 같음.
字源 指事. 耳+乚

耳2〔耵〕8 정 ⓢ迥|dǐng ⓟ青|dīng テイ みみくそ

字解 귀지정 '一聹'은 귓구멍 속에 엉겨붙은 누른 때. '一, 一聹, 耳垢也'《玉篇》. '如新去一聹, 雷霆逼颶颶'《韓愈》.
字源 形聲. 耳+丁〔音〕

〔取〕〔취〕
又부 6획(142)을 보라.

〔耶〕〔이〕
刀부 6획(102)을 보라.

耳3〔耶〕9 高·人 ㊀야 ㊥麻 yé ヤ や, か
㊁사 ㊥麻 xié シャ·ジャ よこしま

筆順 一 丅 下 F E 耳 耳' 耶 耶

字解 ㊀①그런가야 의문사(疑問辭). 邪(邑부 4획〈1513〉)의 俗字. '天道是一非一'《史記》. ②아버지야 爺(父부 9획〈734〉)와 同字. '一孃妻子走相送, 塵埃不見咸陽橋'《杜甫》. ㊁간사할사 邪(邑부 4획〈1513〉)와 同字. '一枉僻回失道途'《荀子》.
字源 會意. 耳＋阝(邑). '邪야'의 俗字. 지명(地名)을 나타냄. 假借하여, 의문·반어(反語)의 조사(助辭)로 씀.

耳3〔耾〕9 요 ㊥蕭 yāo ヨウ みみがなる
字解 귀울요 '膠一'는 귀가 윪. '一, 膠一, 耳鳴'《集韻》.

耳3〔耷〕9 ㊀답 ㊇合 dā トウ おおきなみみ
㊁첩 zhé チョウ たれる
字解 ㊀큰귀답 '一, 大耳'《廣韻》. ㊁耴(耳부 1획〈1054〉)의 俗字

耳3〔耵〕9 공 ㊥東 gōng コウ そらみみ
字解 귀신소리들을공 미신(迷信)에서 이르는 말. '一, 耳聞鬼也'《五音集韻》.

耳4〔聂〕10 〔섭〕 聶(耳부 12획〈1061〉)의 簡體字

耳4〔耼〕10 담 ㊥覃 dān タン みみたぶがおおきくたれさがっている
字解 ①귓바퀴없을담 귀가 넓어 축 처져서 귓바퀴가 없음. ②사람이름담 '老一'은 주(周)나라 때 학자 노자(老子)의 자(字). ③성담 성(姓)의 하나.
字源 形聲. 耳＋冄〔音〕
參考 聃(耳부 5획〈1057〉)은 俗字.

耳4〔耽〕10 人名 탐 ㊥覃 dān タン みみがおおいにたれる, たのしむ

筆順 一 丅 E 耳 耳 耳一 耵 耽

字解 ①처질탐 귀가 커서 축 처짐. '夸父一耳, 在其北方. (注)一耳, 耳垂在肩上'《淮南子》. ②즐길탐 쾌락(快樂)함. '兄弟旣翕, 和樂且一'《詩經》. ③빠질탐 지나치게 즐김. '一溺'. '惟一樂之從. (傳)過樂謂之一'《書經》.
字源 形聲. 耳＋冘〔音〕

耳4〔耿〕10 人名 경 ㊤梗 gěng コウ ひかり, あきらか

筆順 一 丅 F E 耳 耳' 耵 耿

字解 ①귀가앞으로처져뺨에닿을경 '一, 耳箸頰也'《說文》. ②빛경 광휘. 성덕(盛德)의 비유. '以覲文王之一光'《書經》. ③밝을경 환함. '一明也'《廣雅》. ④굳을경 지조가 굳고 정직(正直)함. '一介之士寡'《韓非子》. ⑤슬플경 근심이 되고 슬픔. '一, 一一, 憂也'《增韻》. '甚以酸一'《梁書》. ⑥맑을경 청백(淸白)함. '聘丘園之一絜. (注)一, 淸也'《張衡》. ⑦성경 성(姓)의 하나.
字源 會意. 金文은 巨＋火. '巨거'는 '크다'의 뜻. 뒤에, '耳이'로 잘못 쓰인 탓으로 여러 설(說)을 낳았음. 큰 불의 뜻에서, '밝음'의 뜻을 나타냄.

耳4〔耾〕10 횡 ㊥庚 hōng コウ ささやく
字解 ①귀엣말횡 귓속말. '一, 耳語也'《玉篇》. ②귀머거리횡 '一, 博雅, 聾也'《集韻》. ③큰소리횡 대성(大聲). 대음(大音). '動鐘鼓之鏗一有殷'《左思》.
字源 形聲. 耳＋厷〔音〕

耳4〔耺〕10 ㊀운 ㊥文 yún ウン みみなり
㊁잉 ㊥蒸 yíng ヨウ こえ
字解 ㊀①귀청우는소리운 귀울음. '一, 耳中聲'《集韻》. ②종고(鐘鼓)소리운 '琴瑟不鑑, 鐘鼓不一, 吾則無以見聖人'《揚子法言》. ㊁소리잉 '一耾'은 소리의 형용. '一, 一耾, 聲也'《集韻》.
字源 形聲. 耳＋云〔音〕

耳4〔聅〕10 ㊀섭 ㊇葉 xiè ショウ つかう
㊁첩 ㊇葉 チョウ つかう
㊂엽 ㊇葉 ジョウ つかう
㊃용 ㊤腫 ジョウ つかう
字解 ㊀부릴섭 '一, 使也'《說文》. ㊁부릴첩 ㊀과 뜻이 같음. ㊂부릴엽 ㊀과 뜻이 같음. ㊃부릴용 ㊀과 뜻이 같음.
字源 形聲. 支＋耴〈省〉〔音〕

耳4〔聆〕10 ㊀금 ㊥侵 qín キン·ゴン おと
㊁검 ㊥鹽 ケン おと
字解 ㊀①땅이름금 '昔夏之興也, 融降於崇山, 其亡也, 回祿信於一隧. (注)一隧, 地名也'《國語》. ②소리금 '一, 音也'《廣

韻》. ㊁ 땅이름검, 소리검 ❶과 뜻이 같음.
字源 形聲. 耳＋今〔音〕

耳4 〔䏍〕10 ㊀ 월 (入)月 ㊁ 왈 (入)黠 | ゲツ ❶❷ みみがおちる wà ガツ

字解 ㊀ 귀떨어질월 병으로 인해, 귀가 떨어짐. '一, 墮耳也. (王筠句讀)蓋謂因病而墮也'《說文》. ㊁ 귀떨어질왈 ❶과 뜻이 같음.
字源 形聲. 耳＋月〔音〕

耳4 〔联〕10 부 (平)虞 | fú フ のぞみ

字解 바랄부 '一, 希望也'《集韻》.

耳4 〔耓〕10 체 (去)霽 | qì セイ みみがさとい

字解 귀밝을체 귀가 잘 들림. '䏚, 聽也, 或从切'《集韻》.

耳4 〔聀〕10 〔직〕 職(耳부 12획〈1061〉)의 俗字

耳4 〔耻〕10 〔치〕 恥(心부 6획〈385〉)의 俗字

〔耻〕 〔치〕 心부 6획(385)을 보라.

耳5 〔聆〕11 령 (去)青 | líng レイ きく

字解 ①들을령 귀로 소리를 느낌. '一, 聽也'《說文》. ②깨달을령 깨치어 알아 내는 모양. '所居一一'《淮南子》.
字源 形聲. 耳＋令〔音〕

耳5 〔聈〕11 유 (上)有 | yǒu ユウ しずか

字解 고요할유 조용한 모양. '淸思一一, 經緯冥冥. (注)一一, 幽靜也'《樂府詩集》.

耳5 〔聊〕11 료 (平)蕭 | liáo リョウ みみがなる

字解 ①귀울료 이명(耳鳴)이 남. '耳一啾而戃慌. (注)一啾, 耳鳴也'《劉向》. ②어조사료 무의미한 조자(助字). '椒一之實'《詩經》. ③애오라지료 마음에 부족하나마 그대로. '一與子同歸兮'《詩經》. ④힘입을료 의뢰함. '一, 叚借爲賴'《說文通訓定聲》. ⑤즐길료, 즐거움료 '與子別後, 益復無一'《李陵》. ⑥편안할료, 안심할료 '人民不一生'《史記》. ⑦두려워할료 공구함. '一兮慄兮'《枚乘》. ⑧성료 성(姓)의 하나.
字源 形聲. 耳＋卯(丣)〔音〕

耳5 〔聁〕11 ㊀ 비 (去)寘 ㊁ 밀 (入)質 | bì ヒ はじる ミチ はじる

字解 ㊀ 부끄러워할비 '山之東西, 自愧曰恧, 趙魏之間, 謂之聁'《方言》. '聁, 宋本訛作一'《箋疏》. '一, 或从目'《集韻》. ㊁ 부끄러워할밀 ❶과 뜻이 같음.

耳5 〔聄〕11 진 (上)軫 | zhěn シン つげる

字解 ①고할진 아룀. '一, 告也. 或引禮, 一于鬼神'《集韻》. ②들을진 '一, 聽也'《字彙》.
字源 形聲 耳＋㐱〔音〕

耳5 〔聅〕11 철 (入)屑 | chè テツ やでみみをつらぬく

字解 살로귀꿸철 관이전(貫耳箭)으로 귀를 뚫는 형(刑). 군법의 하나. '一, 軍法, 以矢毌耳也'《說文》.
字源 會意. 耳＋矢. 화살로 귀를 찔러 뚫다의 뜻.

耳5 〔聇〕11 정 (平)庚 | zhēng セイ ひとりゆく

字解 홀로갈정 혼자 가는 모양. '一, 博雅, 一一, 行也'《集韻》.
參考 이 글자는 아마도 眐(目부 5획〈842〉)의 잘못인 듯함.

耳5 〔聑〕11 ㊀ 점 (平)鹽 ㊁ 첩 (入)葉 | diān テン ちいさくたれたみみ チョウ ちいさくたれたみみ

字解 ㊀ 조금늘어진귀점 '一, 小垂耳也'《說文》. ㊁ 조금늘어진귀첩 ❶과 뜻이 같음.
字源 形聲. 耳＋占〔音〕

耳5 〔聏〕11 이 (去)寘 | èr ジ·ニ いけにえをそなえてかみにつげまつる

字解 ①희생바쳐빌이 '一, 以牲告神, 欲神聽之曰一'《玉篇》. ②귀피칠해제지낼이 희생(犧牲)의 귀 옆의 피를 칠해서 신(神)을 제사지냄. '祈一用魚. (注) 以血塗祭爲一也'《山海經》.

耳5 〔聉〕11 ㊀ 왈 (入)黠 ㊁ 을 (入)質 ㊂ 퇴 (上)賄 ㊃ 촬 (入)黠 | wà ガツ ❶-❹ おろか ギツ tuǐ タイ·ツイ zhuó タツ·テチ

字解 ㊀ 어리석을왈 귀가 들리지 않아 무지(無知)함. '一, 無知意也'《說文》. ㊁ 어리석을을 ❶과 뜻이 같음. '一, 一顡, 愚皃'《集韻》. ㊂ 어리석을퇴 ❶과 뜻이 같음. ㊃ 어리석을촬 ❶과 뜻이 같음.
字源 形聲. 耳＋出〔音〕

耳5〔聃〕11 〔담〕
聃(耳부 4획〈1055〉)의 俗字

耳5〔聄〕11 〔담〕
聃(耳부 4획〈1055〉)의 俗字

耳5〔聓〕11 서 ㉮霽|xù セイ むこ
字解 사위서 壻(士부 9획〈226〉)와 同字. '一, 與壻同'《字彙》.

耳6〔聒〕12 괄 ㉯曷|guō カツ かまびすしい
字解 ①떠들썩할괄 시끄러움. '一而與之語. (注)一, 讙也'《左傳》. ②어리석을괄 미련한 모양. '今汝一一, 起信儉膚. (傳)一一, 無知之貌'《書經》. ③올챙이괄 개구리의 어린것. 과두(蝌蚪). '鳴以一之, 則蝌皆出, 謂之一子'《本草集解》.
字源 形聲. 耳＋舌(𠯑)〔音〕

耳6〔聐〕12 알 ㉯黠|yà ガツ おろか
字解 멍청할알 '顡一'은 멍청하여 사람이 말하는 것을 알아듣지 못함. '一, 顡一, 癡不能聽也'《集韻》

耳6〔聑〕12 ㊀접 ㉯葉|tiē チョウ やすらか
㊁적 ㉯陌|zhé タク みみのたつさま
字解 ㊀①편안할접 안정된 모양. '一, 安也'《說文》. '瓠巴一柱, 磬襄弛懸'《馬融》. ②귀늘어질접 '一, 耳垂皃'《廣韻》. ㊁ 귀쫑긋설적 '䎶, 耳豎皃. 或从二耳'《集韻》.
字源 會意. '耳＋耳

耳6〔聏〕12 ㊀이 ㊤寘|ér ジ やわらぐ
㊁뉵 ㉯屋|nǜ ジク はじる
字解 ㊀①화할이 조화(調和)로움. '聏, 和也, 調也, 或作一'《類篇》. '以一合驩'《莊子》. ②털많을이 '一, 毛多也'《龍龕手鑑》. ㊁ 부끄러울뉵 수치(羞恥). '恧, 說文, 慙也, 或作一'《集韻》.
字源 形聲. 耳＋而〔音〕

耳6〔聎〕12 조 ㉾蕭|tiāo チョウ みみをやむ
字解 ①귀앓을조 '一, 耳病也'《集韻》. ②귀울조 귀가 욺. '一, 一曰, 耳鳴'《集韻》.

耳6〔聁〕12 ㊀주 ㉮遇|zhū シュ しろい
㊁부 ㉮遇|フ しろい
字解 ㊀①머리흴주 머리털이 흼. '一, 顡也'《集韻》. ②근원(根源)주 '一, 源也'《玉篇》. ③소리주 목소리. '一, 聲也'《玉篇》. ④부르짖을주 외침. '一, 呼也'《集韻》. ㊁ 머리흴부, 근원부, 소리부, 부르짖을부 ㊀과 뜻이 같음.

耳6〔䎫〕12 홍 ㉾東|hōng コウ みみがなる
字解 귓속쨍할홍 귀가 욺. '一, 耳有聲'《集韻》.

耳6〔联〕12 〔련〕
聯(耳부 11획〈1059〉)의 略字

耳7〔聖〕13 中·人 성 ㉮敬|shèng セイ·ショウ ひじり
筆順 丅 F 耳 耶 聖 聖 聖 聖
字解 ①성스러울성 지덕(知德)이 가장 뛰어나고 사리에 무불 통지함. '乃一乃神'《書經》. ②성인성 ㉠지덕이 가장 뛰어나고 사리에 통하지 않는 바 없는 사람. '一賢'. '先一後一, 其揆一也'《孟子》. ㉡어느 방면에 공전 절후(空前絶後)로 뛰어난 사람. '筆一'. '詩一'. ③천자성 황제의 존칭. '一上'. '一主'. '佐一扶命'《阮籍》. 또, 천자에 관한 사물의 존칭(尊稱). '一恩'. '一旨'. '俯仰于乾坤, 參象乎一躬'《班固》. 또, 존숭하는 사물의 경칭(敬稱). '韜靈藏一'《劉峻》. ④맑은술성 청주(淸酒)의 별칭(別稱). '樂一且銜杯'《李適之》. ⑤성성 성(姓)의 하나.
字源 形聲. 耳＋口＋壬〔音〕

耳7〔𦔻〕13 聖(前條)과 同字

耳7〔聘〕13 高·人 빙 ㉮敬|pìn(pìng) ヘイ とう, まねく
筆順 ┌ F 耳 耶 聃 聃 聘 聘
字解 ①찾을빙 방문하여 안부를 물음. '一問'. '諸侯使大夫問於諸侯曰一'《禮記》. ②장가들빙 예의를 갖추어 장가를 듦. '一則爲妻, 奔則爲妾'《禮記》. ③부를빙 ㉠폐백(幣帛)을 보내어 부름. 예의를 갖추어 부름. '湯使人以幣一之'《孟子》. ㉡보수를 주고 부름. '欲一倡妓'《唐書》.
字源 形聲. 耳＋甹〔音〕

耳7〔聕〕13 오 ㉮遇|wù ゴ きく
字解 들을오 '一, 聽也'《集韻》.

耳7〔聛〕13 신 ㉮震|shèn シン はやい
字解 빠를신 '儵一'은 빠른 모양. '夐儵一而奄赴'《王延壽》.

耳7 〔聻〕 13 제 [去]霽 | zhì セイ きく

[字解] 들을제 聵(耳부 8획〈1058〉)와 同字. '聵, 聞也, 或作一'《集韻》.

耳7 〔䎘〕 13 〔접〕
耴(耳부 1획〈1054〉)과 同字

耳7 〔聦〕 13 〔총〕
聽(耳부 11획〈1060〉)과 同字

耳7 〔聅〕 13 홍 [上]董 | hòng
コウ みみのなかがなる

[字解] 귀울홍 귀에서 소리가 남. '一, 一一, 耳中鳴'《集韻》.

耳7 〔聆〕 13 〔횡〕
耾(耳부 4획〈1055〉)과 同字

而7 〔聒〕 13 〔괄〕
聒(耳부 6획〈1057〉)의 本字

耳7 〔聊〕 13 〔료〕
聊(耳부 5획〈1056〉)의 本字

耳7 〔聞〕 13 〔문〕
聞(耳부 8획〈1058〉)의 古字

耳8 〔聚〕 14 [人名] 취(추[本]) [上]麌 | jù シュウ あつまる

[筆順] 丅 Ｆ 耳 取 取 取 聚 聚

[字解] ①모일취 ㉠회합함. '五星一于東井'《史記》. ㉡폭주(輻湊)함. '財散則民一'《大學》. ㉢누적함. '敬德之一也'《左傳》. ②모을취 전항의 타동사. '一徒教習'《梁簡文帝》. ③무리취 모인 사람들. 군중. '禹有百人之一'《史記》. ④마을취 촌락. '一落'. '一年而所居成一'《史記》. ※本音 추.

[字源] 形聲. 乑＋取〔音〕

耳8 〔聝〕 14 괵 [入]陌 | guó カク みみをきる

[字解] 귀벨괵 전쟁에서 적의 귀를 잘라 냄. '以爲俘一'《左傳》.

[字源] 形聲. 耳＋或〔音〕

耳8 〔聙〕 14 정 [平]庚 | jīng セイ さとくきく

[字解] 귀밝을정 '一, 善聽也'《集韻》.

耳8 〔聜〕 14 타 [上]哿 | duǒ タ みみがたれる

[字解] ①귓불처질타 '一, 耳垂也'《五音類聚》. ②귀밝을타 '一, 又耳聽也'《五音類聚》.

耳8 〔聡〕 14 〔총〕
聽(耳부 11획〈1060〉)의 俗字

耳8 〔聞〕 14 [中·人] 문 [平]文 [去]問 | ①-④wén ブン·モン きく ⑤-⑧(wèn) ブン·モン きこえる, きこえ

[筆順] 丨 𠃌 ㄕ 門 門 門 聞 聞

[字解] ①들을문 ㉠귀로 소리를 감득함. '一知'. '予一如何'《書經》. ㉡들어서 앎. '多一'. '我未一者'《戰國策》. 또, 들어서 아는 일. '百一不如一見'《漢書》. ②맡을문 냄새를 맡음. '五里一香'《魏文帝》. ③알릴문 남에게 들려 주어 알게 함. 특히, 높은 사람에게 아뢲. '臣具以表一'《李密》. '不敢以一'《禮記》. ④성운 성(姓)의 하나. ⑤들릴문 듣게 됨. '聲一于天'《詩經》. ⑥알려질문 널리 알려짐. '名一于天下'. '謀未發而一於國'《戰國策》. ⑦이름문 널리 알려진 이름. 명망. 성예(聲譽). '一達'. '舊有令一'《書經》. ⑧소문문 전(傳)하여 들리는 말. '風一'. '珍一'.

[字源] 形聲. 耳＋門〔音〕

耳8 〔䎷〕 14 [一]성 [平]庚 [二]문 | shēng セイ·ショウ かたちがなくてひびく ブン

[字解] [一] 형태없고울릴성 '一, 無形而響'《集韻》. [二] 聞(前條)의 古字·䎽(次條)과 同字. '一, 古文聞字. 與䎽同. 見, 五音集韻'《字彙補》.

[參考] 《集韻》에서는 '䎷', 《康熙字典》에서는 '䎽'으로 자형(字形)이 각각 다름.

耳8 〔䎽〕 14 聞(前前條)의 古字

耳8 〔䎺〕 14 엄 [上]琰 | yǎn エン みみ

[字解] 귀엄 '一, 耳也'《玉篇》.

耳8 〔聜〕 14 자 [去]寘 | cì シ ききちがえる

[字解] 잘못들을자 '一, 聽不相當'《集韻》.

耳8 〔聜〕 14 저 [上]薺 | dǐ テイ みみだれ

[字解] 귀앓을저 '一, 耳患膿也'《五音類聚》.

耳8 〔聵〕 14 제 [去]霽 | zhì セイ きく

[字解] ①마음에들제 뜻에 맞음. '一, 入意也'《玉篇》. ②들을제 귀에 들림. 聻(耳부 7획〈1058〉)와 同字. '一, 聞也, 或作聻'《集

韻》.

耳 8 〔聙〕14 주 [上]有 [去]宥 | zhòu シュウ みみ

[字解] ①귀주 '一, 耳也'《字彙》. ②귀밝을주 '一, 耳明也'《集韻》.

耳 8 〔聟〕14 〔서〕 壻(士부 9획〈226〉)의 俗字

耳 9 〔聤〕15 정 [平]青 | tíng テイ みみだれ

[字解] 귀에진물흐를정 앓는 귀에서 진물이 나옴. '小兒一耳'《本草》.
[字源] 形聲. 耳+亭〔音〕

耳 9 〔聥〕15 [一] 구 [上]麌 [二] 우 [上]麌 | jǔ ク [一][二] おどろく, きく ウ

[字解] [一] ①놀랄구 '一, 博雅, 驚也'《集韻》. ②귀쫑긋거릴구 귀를 기울이고 들음. 깜짝 놀라 들음. '一, 張耳有所聞也'《說文》. [二] 놀랄우, 귀쫑긋거릴우 [一]과 뜻이 같음.
[字源] 形聲. 耳+禹〔音〕

耳 9 〔聧〕15 규 [平]齊 | kuī ケイ かなつんぼ

[字解] ①귀머거리규 찰귀머거리. '一, 說文云, 耳不相聽, 方言云, 聾之甚者, 秦晉之閒, 謂之一'《廣韻》. ②몰래탄식할규 '一, 一曰, 私吁也'《集韻》.

耳 9 〔䎽〕15 〔문〕 聞(耳부 8획〈1058〉)의 古字

耳 9 〔聖〕15 성 [平]青 | xīng セイ みみがさとい

[字解] 귀밝을성 '一, 聽也'《玉篇》.

耳 9 〔䁾〕15 안 [去]諫 | yàn アン たのしむ

[字解] 즐길안 '一, 耳戲也'《玉篇》.

耳 9 〔䎶〕15 이 [去]寘 | èr ジ おとにききいる

[字解] 듣고말못할이 '一, 聽音不敢言也'《廣韻》.

耳 9 〔耿〕15 추 [平]尤 | qiū シュウ みみがなる

[字解] ①귀울추 귓속에서 소리가 남. 䎻(次條)와 同字. '一, 耳鳴, 或作䎻'《集韻》. ② 귀우는소리추 '一, 耳中聲'《廣韻》.

耳 9 〔䎻〕15 耿(前條)와 同字

耳 9 〔聵〕15 [一] 퇴 [去]泰 [二] 왈 [入]黠 | tuì タイ おろか ガツ おろか

[字解] [一] 어리석을퇴 미련함. '一, 癡也'《玉篇》. [二] 어리석을왈 [一]과 뜻이 같음.

耳 9 〔聦〕15 〔총〕 聰(耳부 11획〈1060〉)의 俗字

耳 9 〔聡〕15 〔총〕 聰(耳부 11획〈1060〉)의 簡體字

耳 9 〔聧〕15 〔외〕 聵(耳부 12획〈1061〉)와 同字

耳 9 〔聠〕15 〔련〕 聯(耳부 11획〈1059〉)의 略字

耳 10 〔聹〕16 재 [上]賄 | zǎi サイ つんぼ

[字解] 반귀머거리재 반롱(半聾). '一, 益梁之州, 謂聾爲一, 秦晉, 聽而不聰, 聞而不達, 謂之一. (注)不全聾也'《說文》.
[字源] 形聲. 耳+宰〔音〕

耳 10 〔瞑〕16 [一] 면 [平]先 [二] 명 [平]青 | mián ベン·メン きく míng ベイ·ミョウ ゆいてうえにもうしあげる

[字解] [一] ①들을면 '一, 聽也'《廣雅》. ②주의하여들을면 '一, 埤蒼云, 注意而聽也'《廣韻》. [二] 가면서윗사람에게말씀드릴명 '一, 行而上聽'《集韻》.

耳 10 〔聙〕16 전 [平]先 | tián テン こえがみみにみちる

[字解] 귀에찰전 소리가 귀에 참. '一, 聲盈耳也'《集韻》.

耳 10 〔䡅〕16 〔진〕 瑱(玉부 10획〈779〉)과 同字

耳 10 〔䐴〕16 답 [入]合 | dā トウ みみがたれたさま

[字解] 귀크게처질답 '一, 大垂耳皃'《集韻》.

耳 10 〔聬〕16 옹 [上]董 | wěng オウ みみなり

[字解] 귀울옹 귀에서 소리가 남. '一, 一一, 耳聲'《集韻》.

耳 10 〔聮〕16 聯(次條)과 同字

耳 11 〔聯〕17 [高·人] 련 [平]先 | lián レン つらなる

[筆順] 𠃊 耳 聅 聅 聨 聯 聯 聯

[字解] ①연할련 ㉠잇닿음. '爨煙猶相—'《李商隱》. ㉡연결함. '—兄弟'《周禮》. ②나란히할련 좌우로 나란히 함. '二子舊不識, 欣然肯—鞍'《蘇軾》. ③열사람련, 열집련 주대(周代) 호구(戶口) 편제상(編制上)의 단위. '五人爲伍, 十人爲—'《周禮》. '五家爲比, 十家爲—'《周禮》. ④연련 상대하는 두 구(句)를 한 짝으로 한 일컬음. '柱—'. '楹—'. '王勃作〈滕王閣序〉中, 落霞與孤鶩齊飛, 秋水共長天一色之句, 世率以爲警—'《螢雪叢說》.
[字源] 會意. 篆文은 耳+絲
[參考] 联(耳부 6획〈1057〉)·聨(耳부 9획〈1059〉)은 略字.

耳 11 〔聰〕 17 [高·人] 총 [平]東 | cōng ソウ さとい

[筆順] 𠃊 耳 耳' 聄 聦 聦 聰 聰

[字解] 밝을총 ㉠귀가 밝음. '耳徹爲—'《莊子》. '不殫傾耳, 而聽已—'《王褒》. ㉡명민함. '—, 明也, 通也'《廣韻》. '—明'. '—敏'.
[字源] 形聲. 耳+悤〔音〕
[參考] 聡(耳부 8획〈1058〉)·聦(耳부 9획〈1059〉)은 俗字.

耳 11 〔⿰耳票〕 17 표 [去]嘯 | piào ヒョウ わずかにきく

[字解] ①겨우들을표 '—, 一曰, 聽纔聞也'《集韻》. ②가면서들을표 '—, 行聽也'《集韻》.

耳 11 〔⿰耳郭〕 17 곽 [入]藥 | guō カク おおきいみみ

[字解] 큰귀곽 ⿰耳廣(耳부 15획〈1062〉)과 同字. '—, 大耳, 或从廣'《集韻》.

耳 11 〔聱〕 17 오 [平]肴 | áo ゴウ きかない

[字解] ①듣지아니할오 남의 말을 받아들이지 아니함. '—牙'. '—, 不聽也. (注)—, 廣雅云, 不入人語也'《說文新附》. ②어려울오 문장·어구 등이 평이하고 유창하지 아니하여, 해득하기 힘듦. '周誥殷盤, 佶屈—牙'《韓愈》.
[字源] 形聲. 耳+敖〔音〕

耳 11 〔聲〕 17 [中·人] 성 [平]庚 | shēng セイ こえ

[筆順] 士 声 声̀ 殸 殸 殸 殸 聲

[字解] ①소리성 ㉠음향. '風—'. ㉡음성. '笑—'. ㉢말. 언어. '以無形, 求有—'《鬼谷子》. ㉣음악. 또, 음조(音調). '—色'. '四—'. ㉤명예. '名—'. '—施千里'《淮南子》. '爲變新—'《史記》. ㉥가르침. '風—'. '—教訖于四海'《書經》. ㉦소문. '臣聞其—'《呂氏春秋》. ②소리낼성 발성함. 소리를 냄. '如三歲兒, 晝夜不—'《列仙傳》. ③소리칠성 소리를 지름. '—討'. '—罪討之'. ④울릴성 소리가 진동함. '金—而玉振之也'《孟子》. ⑤소식성 음신. '—息'. '界上亭長, 寄—謝我'《漢書》. ⑥성성 성(姓)의 하나.
[字源] 形聲. 耳+殸〔音〕

耳 11 〔聳〕 17 [一] 용 [上]腫 (송[本]) [二] 송 [上]講 | sǒng ショウ そびえる / sǒng ソウ おそれる

[字解] [一] ①솟을용 높이 솟음. '特—'. '詩思猶孤—'《韓愈》. ②솟게할용 높이 세움. '—耳'(귀를 쫑긋거림). '層巒—翠'《王勃》. ※本音 송. [二] ①두려워할송 공구함. 竦(立부 7획〈927〉)과 同字. '無不—懼'《左傳》. ②권할송 권장함. '—善而抑惡'《國語》. ③공경할송 삼가 높임. '—其德'《國語》.
[字源] 形聲. 耳+從〔音〕

耳 11 〔⿰耳翏〕 17 료 [平]蕭 [平]豪 | liáo リョウ みみがなる

[字解] 귀울료 귀에서 소리가 남. '—, —⿰耳曹, 耳鳴'《集韻》.

耳 11 〔⿰耳商〕 17 적 [入]陌 | zhé タク みみのたつさま

[字解] 귀쫑긋할적 聑(耳부 6획〈1057〉)과 同字. '—, 耳豎皃, 或从二耳'《集韻》.

耳 11 〔⿱斬耳〕 17 〔니〕 聻(耳부 14획〈1062〉)의 訛字

耳 11 〔⿰耳曹〕 17 조 [平]蕭 [平]豪 | cáo ショウ みみなり

[字解] 귀울조 귓속에서 소리가 남. '—, 耳中聲'《廣韻》.

耳 11 〔⿰耳巢〕 17 조 [平]肴 | zhāo ソウ みみなり

[字解] ①귀울조 이명(耳鳴). '—, 耳中聲'《廣韻》. ②시끄러울조 '—, ——, 聲擾耳, 或从言'《集韻》.

耳 11 〔⿰耳祭〕 17 [一] 체 [去]霽 [二] 찰 [入]黠 [三] 철 [入]屑 | qì セイ きく / サツ みみがさとい / セツ きく

[字解] [一] ①들을체 '—, 耳聽'《廣韻》. ②귀밝을체 '—, 聽也, 或从切'《集韻》. [二] 들을찰, 귀밝을찰 [一]과 뜻이 같음. [三] 들을철, 귀밝을철 [一]과 뜻이 같음.

耳 11 〔⿰耳窒〕 17 [一] 철 [入]屑 | dì テイ つんぼ
[二] 질 [入]質 | zhì チツ おろか

[字解] [一] ①귀머거리철 '一, 不聽也'《集韻》. ②귓병철 '一, 一曰, 耳病'《集韻》. ③귀울철 '一, 耳聵'《廣韻》. [二] 어리석을질 어리석어 알아듣지 못함. '一, 聽不聽也'《集韻》.

耳 11 〔⿱埶耳〕 17 〔타〕
聜(耳부 8획〈1058〉)와 同字

耳 11 〔⿸麻耳〕 17 미 [上]紙 [平]支 | mí ビ・ミ うまのたれみみ

[字解] 금으로꾸민말의늘어진귀미 천자(天子)의 수레의 금으로 장식한 말의 늘어진 귀. '一, 金飾馬耳'《廣韻》.
[字源] 形聲. 耳＋麻〔音〕

耳 11 〔聴〕 17 〔청〕
聽(耳부 16획〈1062〉)의 俗字

耳 12 〔聶〕 18 [一] 섭 [入]葉 (녑[本]) | niè ジョウ・ショウ ささやく
[二] 접 [入]葉 | zhé ショウ うすくきったにくへん

[字解] [一] ①소곤거릴섭 囁(口부 18획〈192〉)과 同字. '乃效兒女呫一耳語乎'《史記》. ②쥘섭 잡음. 攝(手부 18획〈476〉)과 통용. '兩手一其耳'《山海經》. ③성섭 성(姓)의 하나. ※本音 녑. [二] 칠접 잘게 썲. ⿰月枼(肉부 9획〈1084〉)과 통용. '一而切之爲膾'《禮記》.
[字源] 會意. 耳＋耳＋耳. 귀를 모으고 있는 모양을 나타내며, 귀를 모으다, 속삭이다의 뜻을 나타냄.

耳 12 〔聵〕 18 [一] 외 [去]卦 | kuì カイ つんぼ
[二] 회 [去]隊 | カイ つんぼ

[字解] [一] 귀머거리외 배냇귀머거리. '一, 聾也. (注)一, 謂從生卽聾也'《說文》. '聾一不可使聽'《國語》. [二] 귀머거리회 [一]과 뜻이 같음.
[字源] 形聲. 耳＋貴〔音〕

耳 12 〔職〕 18 [高][人] 직 [入]職 | zhí ショク・シキ つかさ

[筆順] 耳 耳' 耶 聍 聕 職 職 職
[字解] ①구실직 직분. 임무. '一責'. '共爲子一而已矣'《孟子》. ②벼슬직 관직. 직위. '一位'. '不署右一'《漢書》. ③일직 정업(定業). '一業'. '閒民無常一'《周禮》. ④공물직 국가에 바치는 물건. '四夷納一'《淮南子》. ⑤맡을직 주관함. '非子一之, 其誰乎'《國語》. ⑥오로지직 주로. '蓋言語漏洩, 則一女之由'《左傳》. ⑦성직 성(姓)의 하나.

[字源] 形聲. 耳＋戠〔音〕
[參考] 耺(耳부 4획〈1056〉)은 俗字.

耳 12 〔聯〕 18 련 [平]先 | lián レン つなぐ

[字解] ①걸릴련 攣(手부 19획〈477〉)과 同字. '攣, 說文, 係也. 或作一'《集韻》. ②聯(耳부 11획〈1059〉)의 本字.

耳 12 〔⿰耳黑〕 18 골 [入]月 | hú コツ みみがくろい

[字解] ①귀검을골 '一, 耳黧'《廣韻》. ②귀지골 귀에 생기는 때. '一, 濁垢'《字彙》. ③귀울골 이명(耳鳴). '一, 耳聲'《玉篇》. ④땅이름골 '一, 埤蒼云, 春秋地也'《玉篇》.

耳 12 〔⿰耳焦〕 18 〔조〕
䏧(耳부 11획〈1060〉)와 同字

耳 12 〔⿱敝耳〕 18 별 [入]屑 | piē ヘツ ちらときく

[字解] 언뜻들을별 잠깐 들음. '一, 暫聞也'《集韻》.

耳 13 〔⿰耳農〕 19 농 [平]江 (낭[本]) | nāng ドウ・ニョウ みみがなる

[字解] 귀울농 귀울음이 남. '聽雷者一'《淮南子》. ※本音 낭.

耳 13 〔聸〕 19 담 [平]覃 | dān タン たれたみみ

[字解] 귀늘어질담 늘어진 귀.
[字源] 形聲. 耳＋詹〔音〕

耳 13 〔⿰耳當〕 19 당 [平]陽 | dāng トウ みみがたれる

[字解] 귀처질당 귀가 아래로 늘어짐. 膅(肉부 13획〈1095〉)과 同字. '一, 耳下垂謂之一, 或从肉'《集韻》.

耳 14 〔聹〕 20 녕 [平]青 | níng ネイ・ニョウ みみあか

[字解] 귀지녕 귓구멍 속의 때. '耵一'. '一, 耵一, 耳垢也'《集韻》.
[字源] 形聲. 耳＋寧〔音〕

耳 14 〔⿰耳㬎〕 20 습 [入]緝 | shī シュウ うしのみみのうごくさま

[字解] 귀쫑긋거릴습 쇠귀가 쫑긋거리는 모양. '一, 牛耳動也'《廣韻》.

耳 14 〔⿰耳㒸〕 20 〔외〕
聵(耳부 12획〈1061〉)와 同字

耳 14 〔⿱銛耳〕 20 〔괄〕
懖(心부 14획〈416〉)의 古字

耳 14 〔聺〕 20 철 [入]屑 | qié セツ さとい

[字解] 귀밝을철, 총명할철 '一, 聽也'《集韻》.

耳 14 〔聼〕 20 〔청〕 聽(耳부 16획〈1062〉)과 同字

耳 14 〔聻〕 20 [一] 니 [上]紙 [二] 적 [入]陌 | nǐ ジ·ニ じょじ jí セキ おにがしんでからなるもの

[字解] [一] 어조사니 불서(佛書)에서, 어조(語調)를 돕는 말. '何故一'《無門關》. [二] 부적적 귀신을 쫓기 위하여 문 위에 써 붙이는 문자. '俗好於門上畫虎頭, 書一字. 謂陰刀鬼名, 可息疫癘也'《酉陽雜俎》.

耳 15 〔聻〕 21 〔괄〕 聻(耳부 14획〈1061〉)과 同字

耳 15 〔聵〕 21 곽 [入]藥 | guō カク おおきいみみ

[字解] 큰귀곽 聯(耳부 11획〈1060〉)과 同字. '聯, 大耳, 或从廣'《集韻》.

耳 16 〔聽〕 22 [中·人] 청 [去]徑 [平]青 | ①②(tìng) チョウ きく ③④tīng チョウ まわしもの, まんどころ

[筆順] 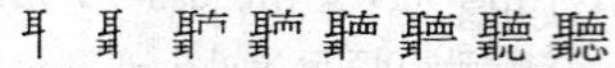

[字解] ①들을청 ㉠정신을 차리고 들음. '一政'. '一而不聞'《大學》. ㉡들어 줌. '一許'. '要盟也, 神不一'《史記》. ㉢받음. '鄭伯如晉一成'《左傳》. ㉣말을 들어서 단정함. 재판함. '一訟'. '以一獄訟'《禮記》. ㉤좇음. 따름. '寡人盡一子矣'《呂氏春秋》. ②기다릴청 '以一王命'《周禮》. ③염탐꾼청 간첩. '百里之一'《荀子》. ④마을청 廳(广부 22획〈354〉)과 同字. '所坐一事, 屋棟中折'《吳志》.

[字源] 形聲. 耳+悳+壬〔音〕

[參考] 聴(耳부 11획〈1061〉)은 俗字.

耳 16 〔聮〕 22 력 [入]錫 | lì レキ つまびらかにきく

[字解] 자세히들을력 '一, 耳審聞'《集韻》.

耳 16 〔聾〕 22 롱 [平]東 | lóng ロウ つんぼ

[字解] ①귀머거리롱 '一啞'. '瘖一跛躃'《禮記》. ②귀먹을롱 '不癡不一, 不爲姑公'《宋書》. ③어두울롱 사물에 밝지 못함. '鄭昭宋一'《左傳》.

[字源] 形聲. 耳+龍〔音〕

耳 16 〔聋〕 22 聾(前條)과 同字

耳 16 〔聵〕 22 〔외〕 聵(耳부 12획〈1061〉)의 本字

耳 17 〔聻〕 23 [一] 얼 [入]黠 [二] 외 [去]卦 | wà ガツ [一][二] かな つんぼ wài ガイ

[字解] [一] ①귀머거리얼 찰귀머거리. '一, 聾也'《廣雅》. '聾之甚者, 秦晉之間謂之一'《方言》. ②귀없는사람얼 '一, 吳楚之外, 凡無耳者謂之一'《說文》. [二] 귀머거리외, 귀없는사람외 [一]과 뜻이 같음.

[字源] 形聲. 耳+闋〔音〕

聿 部

〔붓 율 부〕

聿 0 〔聿〕 6 율 [入]質 | yù イツ ふで

[筆順] 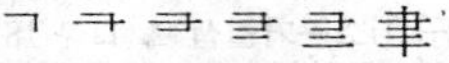

[字解] ①붓율 모필. '一, 所以書也'《說文》. '一, 秦以後皆作筆字'《說文通訓定聲》. ②마침내율 드디어. '一, 遂也'《集韻》. '一求元聖'《書經》. ③이에율 발어사(發語詞). '神保一歸'《詩經》. ④좇을율 따름. '一脩厥德'《詩經》. ⑤스스로율 자신이. 자진하여. '一來胥宇. (箋)一, 自也'《詩經》.

[字源] 象形. 손으로 필기구를 쥐는 모양을 형상화(形狀化)하여, '붓'의 뜻을 나타냄.

[參考] '聿율'을 바탕으로 하여, 붓으로 쓰는 일에 관한 문자를 이룸. 다만, '筆·書·畫' 등은 '聿'을 기본으로 하지만, '聿' 이외의 부수(部首)에 분류되고 있음.

聿 0 〔聿〕 5 녑 [入]葉 | niè ジョウ てがはやくたくみ

[字解] 날렵할녑 손이 빠르고 능숙함.

[字源] 會意. 篆文은 又+巾. '巾건'(헝겊)을 가진 손이 빠르고 능숙하다의 뜻을 나타냄.

聿 2 〔肃〕 8 〔숙〕 肅(聿부 7획〈1063〉)의 簡體字

聿 2 〔粛〕 8 〔숙〕 肅(聿부 7획〈1063〉)의 俗字

聿 2 〔聿〕 8 전 [平]先 | jiān セン しるす

[字解] ①적을전 기록함. '一, 志也'《字彙》. ②나아갈전 '一, 息進也'《字彙》.

聿3〔⿺〕9 진 ㊥眞|jīn シン かざる

字解 꾸밀진 붓으로 그리어 꾸밈. 또, 속(俗)에, 글씨를 잘 쓴 것을 이름. '一, 聿飾也. 俗語, 以書好爲一'《說文》.
字源 會意. 聿+彡

〔書〕〔서〕
曰부 6획(518)을 보라.

聿4〔肂〕10 사 ㊤寘|sì
シ ひつぎをうめるあな

字解 광(壙)사 무덤의 구덩이. '掘一見衽. (注)一, 埋棺之坎者也'《儀禮》.

聿4〔肁〕10 조 ㊤篠|zhào
チョウ はじめてひらく

字解 ①비롯할조 처음 엶. 肇(聿부 8획〈1063〉)와 同字. '一, 始開也'《說文》. ②처음조 시작. '一, 始也'《字彙》. ③꾀할조 '一, 謀也'《字彙》. ④肇(聿부 8획〈1063〉)와 통용. '一, 經史皆作肇'《正字通》. ⑤성조 성(姓)의 하나.
字源 會意. 戶+聿

聿5〔畫〕11 〔화〕
畫(田부 7획〈800〉)의 俗字

〔晝〕〔주〕
日부 7획(508)을 보라.

聿5〔粛〕11 〔숙〕
肅(聿부 7획〈1063〉)의 俗字

〔畫〕〔화〕
田부 7획(800)을 보라.

聿7〔肄〕13 이 ㊤寘|yì イ ならう

字解 ①익힐이 연습·학습함. '臣以爲, 一業及之也. (注)一, 習也'《左傳》. ②수고이 노력. 폐. 괴로움. '旣詒我一. (傳)一, 勞也'《詩經》. ③움이 나무를 베어 낸 뿌리에서 나오는 싹. '一, 嫩條也'《廣韻》. '伐其條一'《詩經》. ④검사할이 '歲餘, 關吏稅一郡國出入關者. (注)一, 閱也'《漢書》.
字源 形聲. 篆文은 矣+隶〔音〕

聿7〔肆〕13 사 ㊤寘|sì シ ほしいまま

字解 ①방자할사 멋대로 함. '放一'. '恣一'. ②펼사 ㉠널리 은혜 따위를 베풂. '一大惠'《左傳》. ㉡넓힘. '一其西封'《左傳》. ③늘어놓을사 진열함. 벌여 놓음. '一筵設席'《詩經》. ④줄사 늘어선 줄. '歌鐘二一'《左傳》. ⑤가게사 상품을 늘어놓고 파는 점포. '陳一辨物'《周禮》. ⑥마구간사 말이 자는 곳. '木在山, 馬在一'《韓愈》. ⑦버릴사 ㉠내버림. '不一險'《揚雄》. ㉡사형을 당한 시체를 여러 사람이 보도록 저자에 버림. '一諸市朝'《論語》. ⑧드디어사 마침내. '一類于上帝'《書經》. ⑨고로사 그렇기 때문에. '一予以爾衆士'《書經》. ⑩늦출사 느슨하게 함. 완화(緩和)시킴. '一大眚'《左傳》. ⑪클사 '于先王一'《書經》. ⑫곧을사 바름. '其事一而隱'《易經》. ⑬시험할사 실지로 해 봄. '使輕者一焉'《左傳》. ⑭길사 짧지 아니함. '其風一好'《詩經》. ⑮찌를사 힘껏 꽂아 넣음. '是伐是一'《詩經》. ⑯힘쓸사 노력함. '厥庸孔一'《張衡》. ⑰질사 잡음. '一筆而成書'《揚雄》. ⑱넉사 四(口부 2획〈194〉)의 대용(代用). ⑲성사 성(姓)의 하나.
字源 形聲. 金文은 又+希〔音〕

聿7〔肅〕13 高·人 숙 ㊀屋|sù シュク おごそか

筆順 ⺕ 聿 肀 肀 肃 肃 肅 肅

字解 ①엄숙할숙 장엄하고 정숙함. '一莊'. '色容厲一'《禮記》. ②삼갈숙 스스로 경계하여 태만하지 아니함. '一敬'. '恭作一'《書經》. ③공경할숙 삼가서 예를 차려 높임. '社稷宗廟罔不祗一'《書經》. ④경계할숙 타일러 주의시킴. '一戒'. '無以懲一'《晉書》. ⑤엄할숙 너그럽지 아니함. '刑一而民敝'《禮記》. ⑥맑을숙 깨끗함. 청렴함. '其政一'《素問》. ⑦찰숙 추움. '春行冬政一'《管子》. ⑧오그라들숙 오글쪼글해짐. '草木皆一'《禮記》. ⑨인도할숙 안내함. '主人一客而入'《禮記》. ⑩절할숙 머리를 숙여 배례함. '一拜'. '敢一使者'《左傳》.
字源 會意. 聿+㣊

聿8〔肇〕14 人名 조 ㊤篠|zhào
チョウ はじめる

筆順 ㇐ ⺕ 戶 戶 戽 肁 肇 肇

字解 ①비롯할조 '一十有二州. (傳)一, 始也'《書經》. ②시초조 시작. 기원(起源). '斯祠之一也, 蓋莫知其原'《王守仁》. ③바로잡을조 바르게 함. '竱本一末. (注)一, 正也'《國語》. ④잴조 재빠름. '一牽車牛'《書經》. ⑤꾀할조 '一敏戎公'《詩經》. ⑥지경조 국경(國境). '一域彼四海'《詩經》. ⑦성조 성(姓)의 하나.
字源 會意. 金文은 戶+攴

聿8〔肈〕14 肇(前條)의 本字

聿9〔書〕15 〔서〕
書(曰부 6획〈518〉)의 古字

聿 10〔䟧〕16 〔착〕
斲(斤부 10획〈494〉)과 同字

肉(月) 部
〔고기육·육달월부〕

肉 0〔肉〕6 [中·人] [一] 육 [入]屋 | ròu(rù) ニク にく
[二] 유 [去]宥 | ジュウ にく

[筆順] 丨 冂 内 内 肉 肉

[字解] [一] ①살육 ㉠몸을 구성하는 부드러운 부분. '筋一'. ㉡과실 따위의 몸피를 이룬 부드러운 부분. '果一'. '淡竹筍法, 取笋一五六寸者'《食經》. ②고기육 식용의 살. '一, 胾一, (注)胾, 大臠也, 謂鳥獸之'《說文》. '牛一'. '溫酒及炙一'《隋書》. ③몸육 신체. '一刑'. ④살붙을육 살이 생김. '生死而一骨也'《左傳》. [二] ①둘레유 돈 따위와 같이 가운데에 구멍이 있는 것의 외변(外邊). ②저울추유 저울을 다는 데 쓰는 추. 추체(錘體).
[字源] 象形. 썬 고기의 象形으로, '고기'의 뜻을 나타냄.
[參考] '肉육'을 의부(意符)로 하여, 신체 각 부(各部)의 명칭, 그 상태 등에 관한 문자를 이룸. '肉'이 변(邊)이 될 때는 '月', 다리가 될 때는 흔히 '月'의 모양을 취함.

肉 0〔月〕4 肉(前條)이 글자 옆으로 올 때의 자체(字體). 고기육변. 속칭(俗稱) 육달월변.

[筆順] 丿 刀 月 月

肉 1〔肊〕5 억 [入]職 | yì ヨク むねのほね
[字解] ①가슴뼈억 흉골(胸骨). '一, 匈骨也'《說文》. ②가슴억 臆(肉부 13획〈1093〉)과 同字. '一, 匈也'《廣雅》. ③기(氣)충만할억 '一, 氣滿'《廣韻》.
[字源] 會意. 月(肉)＋乙

肉 2〔肋〕6 륵 [入]職 | lèi(lè) ロク あばらぼね
[字解] 갈빗대륵 늑골. '一, 脅骨也'《說文》. '一膜'. '乃自食一羊一'《北齊書》.
[字源] 形聲. 月(肉)＋力〔音〕

肉 2〔肏〕8 초 | cào ソウ まじわる
[字解] ①교합(交合)할초 성교(性交)함. '瑞大叔要一我呢'《紅樓夢》. ②잡을초 '一囊'은 붙잡음. '我且一囊一個, 衆人方住了笑'《紅樓夢》.

肉 2〔肌〕6 기 [平]支 | jī キ はだ
[字解] ①고기기, 살기 '一, 肉也'《說文》. '一, 人身四支附骨者, 皆曰一'《正字通》. ②살가죽기 피부. '一, 膚也'《玉篇》. '玉一'. '雪一'. '一理'.
[字源] 形聲. 月(肉)＋几〔音〕

肉 2〔肍〕6 구 [平]尤 | qiú キュウ にたにくのしおから
[字解] ①삶은고기로담근육장(肉醬)구 '一, 孰肉醬也'《說文》. ②말린고기로담근육장구 '一, 乾肉醬也'《廣韻》.
[字源] 形聲. 月(肉)＋九〔音〕

〔刖〕〔월〕
刀부 4획(100)을 보라.

肉 2〔肸〕6 흘 [入]物 | qì キツ からだがふるう
[字解] 떨칠흘 떨쳐 일어남. '一, 振肸也'《說文》.
[字源] 形聲. 月(肉)＋八〔音〕. 또는, 八＋月(肉)의 會意.

肉 2〔肙〕6 원 [去]霰 | yuàn エン ちいさいむし
[平]先 | yuān エン うごく
[字解] ①작은벌레원 '一, 小蟲也'《玉篇》. ②빌원 텅 빔. '一, 空也'《玉篇》. ③움직일원 '一, 動也'《篇海》. ④우물속벌레원 '一, 井中蟲, 與蜎同'《篇海》.

肉 2〔肴〕8 〔효〕
肴(肉부 4획〈1068〉)와 同字

肉 2〔肝〕6 〔정〕
飣(食부 2획〈1713〉)과 同字

肉 2〔肎〕6 〔긍〕
肯(肉부 4획〈1068〉)의 古字

肉 3〔肕〕7 인 [去]震 | rèn ジン つよい
[字解] ①단단한고기인 조직이 촘촘한 고기. '一, 堅肉也'《玉篇》. ②굳셀인 강하고 탄력이 있음. '一, 堅柔也'《集韻》. '人能正靜者, 筋一而骨強'《管子》.

肉 3〔肘〕7 주 [上]有 | zhǒu チュウ ひじ
[字解] ①팔꿈치주 팔의 관절(關節). '一, 臂節也'《說文》. '一腋'. ②끌주 팔뚝을 잡아

끌어 못 가게 함. 뒤에서 잡아당겨 정지시킴. '一, 爲人捉其一而留之, 亦曰一'《正字通》. ③길이주 '一一二尺. 一曰, 一尺五寸爲一一, 四一爲一弓, 三百弓爲一里'《韻會》.
[字源] 形聲. 月(肉)+寸〔音〕

肉3 〔肚〕 7 두 [上]麌 | dǔ ト はら
[字解] 배두, 밥통두 복부(腹部). 또, 위(胃). '一, 腹一'《廣韻》. '胃, 謂之一'《廣雅》.
[字源] 形聲. 月(肉)+土〔音〕

肉3 〔肛〕 7 항 [平]江 | gāng コウ はれる
[字解] ①부풀항 배가 부풂. '一, 腫也'《廣雅》. ②똥구멍항 항문. '脫一'. '一門重十二兩'《史記 註》.
[字源] 形聲. 月(肉)+工〔音〕

肉3 〔肜〕 7 융 [平]東 | róng ユウ またのまつり
[字解] 제사이름융 제사지낸 다음 날에 또 지내는 제사. '高宗一日'《書經》.
[字源] 會意. 月(肉)+彡

肉3 〔肝〕 7 [高·人] 간 [平]寒 | gān カン きも
[筆順] 丿 冂 月 月 肝 肝 肝
[字解] ①간간 간장(肝臟). 오장(五臟)의 하나. '一膽'. ②진심(眞心)간 진심. 충정(衷情). '披一'. '一肺'. '永激壯士一'《杜甫》. ③요긴할간 긴요함. '一要'.
[字源] 形聲. 月(肉)+干〔音〕

肉3 〔肔〕 7 이 [上]紙 | yǐ イ さく
[字解] 쨀이 창자를 가름. '一, 刳腸也'《集韻》.

肉3 〔肒〕 7 환 [去]翰 | huàn カン かききずをつくる
[字解] 긁어상처날환 '一, 搔生創也'《說文》.
[字源] 形聲. 月(肉)+丸〔音〕

肉3 〔肌〕 7 [一] 풍 [平]東 | féng フウ ちち
[二] 환 | カン
[字解] [一] 젖풍 '一, 乳也'《集韻》. [二] 肒(前條)의 本字.

肉3 〔肐〕 7 [一] 흘 [入]物 | qì キツ からだがふるう
[二] 억 [入]職 | ヨク むねのほね
[三] 각 [現] | gē カク わきのした
[字解] [一] 몸흔들릴흘 '一, 身振也'《玉篇》. [二] 가슴뼈억 肊(肉부 1획〈1064〉)의 訛字. '一, 說文, 胷骨也. (校正)案, 肊譌一'《集韻》. [三]《現》 겨드랑이각 胳(肉부 6획〈1072〉)과 同字.

肉3 〔肔〕 7 도 [平]虞 [去]遇 | dū ト おおきなはら / ト おおきなはら
[字解] ①배클도, 큰망치도 '一, 胍一, 大腹皃, 一曰, 椎之大者'《集韻》. ②큰배도 '胻, 廣腹也, 或作一'《集韻》.

肉3 〔肗〕 7 여 [上]語 | rǔ ジョ さかながくさる
[字解] ①생선썩을여 '一, 魚敗也'《玉篇》. ②고기썩을여 '一, 魚敗曰鮾, 肉敗曰一'《集韻》.

肉3 〔肑〕 7 [一] 적 [入]錫 | dí テキ したはらのにく
[二] 박 [入]覺 | bō ハク てあしのゆびのかんせつがなる
[字解] [一] ①아랫배살적 '一, 腹下肉也'《廣韻》. ②옆구리적 '一, 脅也'《集韻》. [二] ①손발가락울박 손·발가락 마디가 소리남. '箹, 手足節鳴, 亦作一'《玉篇》. ②돼지살찔박 '一, 豕腴'《集韻》.

肉3 〔肕〕 7 훈 [去]問 | xūn クン ひつじのにくのあつもの
[字解] 양고깃국훈 '一, 羊羹也'《字彙》.

肉3 〔肓〕 7 황 [平]陽 | huāng コウ むなもと
[字解] 명치황 심장 밑, 횡격막(橫膈膜) 위에 있는 국부(局部). 옛날에 한의(漢醫)가 이르기를, 병이 이 곳에 침입하면 약석(藥石)으로도 고칠 수 없다고 한 곳. '病入膏一'. '居一之上, 膏之下'《左傳》.
[字源] 形聲. 月(肉)+亡〔音〕
[參考] 盲(目부 3획〈838〉)은 別字.

肉3 〔肖〕 7 [高·人] [一] 초 [去]嘯 | xiào ショウ にる
[二] 소 [平]蕭 | xiāo ショウ おとろえる
[筆順] 丨 ⺌ 小 小 肖 肖 肖
[字解] [一] ①닮을초 비슷함. '一, 骨肉相似也'《說文》. '一似'. ②닮게할초 비슷하게 함. '僭一宮省'《唐書》. ③본받을초 본보기로 함. '七十子之一仲尼'《揚子法言》. [二] ①쇠할소 쇠미함. '申呂一矣'《史記》. ②흩어질소 꺼짐. 消(水부 7획〈647〉)와 통용. '達於知者一. (注)一, 釋散也'《莊子》.

[字源] 形聲. 月(肉)＋小〔音〕

肉 3 〔肖〕7 肖(前條)와 同字

肉 3 〔肙〕7 연 [平]先 [去]霰 | yuàn エン ぼうふら

[字解] ①장구벌레연 모기의 유충. '一, 小蟲也. (段注) 蟲部蜎下曰, 一也. 云云, 按, 井中孑孑, 蟲之至小者也'《說文》. ②빌연 '一, 一曰, 空也'《說文》.
[字源] 會意. 月(肉)＋口
[參考] 肙(次條)은 別字.

肉 3 〔肙〕7 〔긍〕 肯(肉부 4획〈1068〉)의 本字

肉 3 〔育〕7 〔육〕 育(肉부 4획〈1068〉)의 本字

肉 4 〔炙〕8 자 [去]禡 | zhè セキ うすくきったにく

[字解] ①저민고기자 '萬片一肉'《韓愈》. ②炙(火부 4획〈708〉)과 同字.

肉 4 〔肥〕8 [高·人] 비 [平]微 | féi ヒ こえる

[筆順] 丿 刀 月 月 月⁷ 月⁷ 月ᄀ 肥

[字解] ①살질비 살이 풍만함. 척(瘠)의 대(對). '一, 多肉也'《說文》. '天高馬一'. ②걸비 땅이 기름짐. '一沃'. '田之高下一瘠'《書經 傳》. ③살지게할비, 기름지게할비 이상의 타동사. '恩一土域'《史記》. ④살진말비 '乘堅策一'《漢書》. ⑤살진고기비 '市肉取一'《曹植》. ⑥거름비 비료. '施一'. '澆一之法'《花鏡》. ⑦부유할비 '父子篤, 兄弟睦, 夫婦和, 家之一也'《禮記》. ⑧성비 성(姓)의 하나.
[字源] 會意. 月(肉)＋巴

肉 4 〔股〕8 고 [上]麌 | gǔ コ もも

[字解] ①넓적다리고 ㉠다리의 상부. 대퇴부(大腿部). '九體, 三爲一肱. (注)膝上爲一'《太玄經》. '一戰而栗'《史記》. ㉡넓적다리 모양을 한 것. '釵一欲分猶半疑'《韓偓》. 전(轉)하여, 사물의 일부분을 이름. '一一'(군대의 한 지대(支隊)). '一分'(자본의 일부분인 주(株)). ㉢바퀴살의 바퀴통에 가까운 부분. '車輻近轂處曰一'《辭海》. ②고고 직각 삼각형의 직각을 이룬 긴 변(邊). '句一弦'. '句一求弦之法'《晉書》.
[字源] 形聲. 月(肉)＋鼓〈省〉〔音〕

肉 4 〔肢〕8 지 [平]支 | zhī シ てあし

[字解] 팔다리지 수족. '四一'. '四一六道, 身之體也'《管子》.
[字源] 形聲. 月(肉)＋支〔音〕

肉 4 〔肦〕8 [一] 반 [平]刪 [二] 분 [平]文 | bān ハン わける fén フン おおきいくび

[字解] [一] 구실매길반 세금을 부과함. '名山大澤不以一'《禮記》. [二] 머리클분 머리가 큰 모양. '一, 大首'《廣韻》.
[字源] 形聲. 月(肉)＋分〔音〕

肉 4 〔肪〕8 방 [平]陽 | fáng ボウ こえる

[字解] ①살질방 기름지고 비대함. '一, 肥也'《說文》. ②비계방 기름기. '一, 脂肪'《玉篇》. '穿花串魚鮓, 薄紙批牛一'《黃遵憲》.
[字源] 形聲. 月(肉)＋方〔音〕

肉 4 〔肫〕8 순 [平]眞 | zhūn シュン ほおぼね

[字解] ①광대뼈순 협골(頰骨). ②포순 전신(全身)의 건육(乾肉). '一, 全腊也'《集韻》. '腊一一'《儀禮》. ③새밥주머니순 '一, 鳥胃一'《六書故》. ④정성스러울순 성의를 다하는 모양. '一, 懇誠貌'《正韻》. '一一其仁'《中庸》.
[字源] 形聲. 月(肉)＋屯〔音〕

肉 4 〔肬〕8 우 [平]尤 | yóu ユウ いぼ

[字解] ①혹우 '一, 丘也, 出皮上, 聚高如地之有丘也'《釋名》. 疣(疒부 4획〈805〉)와 同字. '一贅'. 전(轉)하여, 무용지물(無用之物). '反離羣而贅一'《楚辭》. ②부을우 '一, 腫也'《廣韻》.
[字源] 形聲. 月(肉)＋尤〔音〕

肉 4 〔肭〕8 눌 [入]月 | nà ドツ こえる

[字解] ①살질눌 '膃一'은 살짐. 살져서 보드라움. '一, 膃一, 肥貌'《廣韻》. ②물개눌 '膃一'은 강치와 비슷한 바다 짐승. 해구(海狗).
[字源] 形聲. 月(肉)＋內〔音〕

肉 4 〔肮〕8 항 [平]陽 | háng コウ のど

[字解] 목항, 목구멍항 亢(亠부 2획〈28〉)·吭(口부 4획〈150〉)과 同字. '吭, 咽也, 或作一'《集韻》.
[字源] 形聲. 月(肉)＋亢〔音〕

肉 4 〔肱〕8 굉 [平]蒸 | gōng コウ かいな

[字解] 팔뚝굉 팔꿈치로부터 손목까지의 부

분. '曲一而枕之. (集解)孔安國曰, 一, 臂也'《論語》. 手(部首〈427〉) 참조.
[字源] 形聲. 月(肉)+厷〔音〕

肉4 〔肵〕8 [一]근 [去]問 | jìn キン うやまう
[二]기 [平]微 | qí キ まつりにくもつをのせるだい

[字解] [一]공경할근 삼가 받들어 높임. '一之爲言, 敬也'《禮記》. [二]①적대기 제사지낼 때 희생(犧牲)의 심장·혀 등을 담아 올리는 적대(炙臺). '一俎'. '佐食升一俎'《儀禮》. ②공경할기 [一]과 뜻이 같음.

肉4 〔肸〕8 힐 [入]質 | xī キツ ふるいおこる

[字解] ①펼힐, 넓게퍼질힐 소리나 냄새가 퍼짐. '一蠁, 布也'《說文》. '一蠁布寫'《漢書》. ②흔들려일어날힐 '薌呹一以掍根兮, 聲駍隱而歷鍾. (注)言風之動樹, 聲響振起衆根合'《漢書》. ③웃을힐 웃는 모양. '天女笑一一'《戴表元》.
[字源] 形聲. 十+肸〔音〕
[參考] 肹(次條)은 俗字.

肉4 〔肹〕8 肸(前條)의 俗字

肉4 〔肺〕8 [高·人] [一]폐 [去]隊 | fèi ハイ はい
[二]패 [去]泰 | pèi ハイ さかんにしげる

[筆順] 丿 刀 月 月 肀 肀 肺 肺

[字解] [一]①허파폐 오장(五臟)의 하나. 부아. '一臟'. '一爲氣'《淮南子》. ②마음폐 마음 속. 충심. '一腑'. '久覽相如詩一渴'《方岳》. ③자귓밥폐 목설(木屑). '朴, 木皮也, 一, 削木札朴也. 作一者假借字耳'《說文》. [二]성(盛)할패 무성한 모양. '其葉一一'《詩經》.
[字源] 形聲. 月(肉)+市(巿)〔音〕

肉4 〔肣〕8 [一]금 [平]侵 | qín キン おさまる
[二]함 [平]覃 | hán カン した

[字解] [一]거둘금 수렴(收斂)함. [二]①혀함 설(舌). '一, 舌也'《玉篇》. ②포함 살진 소의 포(脯). '一, 肥牛脯'《集韻》.

肉4 〔肨〕8 방 [去]絳 | pàng ホウ はれる

[字解] ①부을방 '一, 一脹也'《玉篇》. ②종기냄새날방 '一, 脹臭皃'《廣韻》.

肉4 〔肘〕8 [一]주 [上]有 | zhǒu チュウ ひじ
[二]뉴 [上]有 | niǔ ジュウ しょくようにく
[三]유 [去]宥 | ròu ジュウ よいにく
[四]육 [入]屋 | nǜ ジク はなぢ

[字解] [一]팔뚝주 肘(肉부 3획〈1064〉)와 同字. '肘, 說文, 臂節也. 或作一'《集韻》. [二]먹는고기뉴 '一, 食肉也'《說文》. [三]좋은고기유 '脜, 肉善者. 脜或从丑'《集韻》. [四]코피육 '衄, 鼻出血也. 或从肉'《集韻》.
[字源] 形聲. 月(肉)+丑〔音〕

肉4 〔肚〕8 임 [上]寢 | rèn ジン にくのしる

[字解] ①곰국임 고기를 곯인 국. '一, 肉汁'《廣韻》. ②익을임, 잘익을임 飪(食부 4획〈1714〉)의 古字.

肉4 〔胝〕8 치 [平]支 | chī シ とりのはらわた

[筆順] 丿 刀 月 月 肀 肀 肹 胝

[字解] 새창자치 '膍一'는 새의 창자. '膍一, 鳥藏也'《字彙》.

肉4 〔肤〕8 [一]결 [入]屑 | jué ケツ あな
[二]계 [去]霽 | ケイ あな

[字解] [一]구멍결 몸에 있는 구멍. '一, 孔也'《集韻》. [二]구멍계 [一]과 뜻이 같음.
[字源] 形聲. 月(肉)+夬

肉4 〔肬〕8 [一]담 [上]感 | tǎn タン にくじゅうのかす
[二]잠 [去]勘 | dàn タン たけがひくくみにくい

[字解] [一]①고깃국물찌꺼기담 '一, 肉汁滓也'《說文》. ②醓(酉부 9획〈1538〉)의 古字. [二]키작고추(醜)할잠 '一脷'은 키가 작고 추한 모양. '一, 一脷, 短醜也'《集韻》.
[字源] 形聲. 月(肉)+冘〔音〕

肉4 〔肰〕8 연 [平]先 | rán ゼン いぬのにく

[字解] 개고기연 '一, 犬肉也'《說文》.
[字源] 會意. 月(肉)+犬

肉4 〔肶〕8 [一]비 [平]支 | pí
[平]齊 | ヒ うしのいぶくろ
| ヘイ うしのいぶくろ
[二]폐 [去]寘 | ①bì ヒ まつる
[上]薺 | ②ヘイ もも

[字解] [一]처녑비, 멀떠구니비 소의 셋째 위(胃). 또, 새의 소화관(消化管)의 하나. '膍, 牛百葉也. 一曰, 鳥膍胵, 鳥胃也. 一, 膍或从比'《說文》. [二]①제사지낼폐 신(神)에게 제사를 지냄. 祉(示부 4획〈886〉)와 同字. '祉, 祠也. 或作一'《集韻》. ②넓적다리폐 髀(骨부 8획〈1758〉)와 同字. '髀, 股也. 或作一'《集韻》.

肉4 〔胁〕8 묘 [上]篠 | miǎo ビョウ わきばら

[字解] 엽구리묘 '腰痛, 引少腹控一, 不可以仰'《素問》.

肉 4 〔肕〕8 [一] 인 [去]震 [上]軫 ①-③yǐn イン きず ③イン せにく
[二] 진 [上]軫 zhěn チン きず

[字解] [一] ①흠집인 '一, 瘢也'《說文》. ②갑자기인 '一, 一日, 遽也'《說文》. ③등심인 등의 살. '一, 脊肉'《廣韻》. [二] ①흠집진, 갑자기진, 등심진 [一]과 뜻이 같음. ②부기진 지팡이로 맞아 부은 상처. '一, 杖痕腫處'《集韻》.
[字源] 形聲. 月(肉)+引〔音〕

肉 4 〔胙〕8 〔조〕 胙(肉부 5획〈1069〉)의 本字

肉 4 〔肤〕8 〔부〕 膚(肉부 11획〈1089〉)의 同字·簡體字

肉 4 〔肿〕8 〔종〕 腫(肉부 9획〈1082〉)의 簡體字

肉 4 〔胁〕8 〔협〕 脇(肉부 6획〈1075〉)의 簡體字

肉 4 〔肳〕8 〔문〕 吻(口부 4획〈151〉)과 同字

肉 4 〔肧〕8 〔배〕 胚(肉부 5획〈1069〉)의 本字
[字源] 形聲. 月(肉)+不〔音〕

肉 4 〔肩〕8 [高·人] [一] 견 [平]先 jiān ケン かた
[二] 흔 [平]元 xián コン まっすぐ

[筆順] 一 ⺕ ⺕ 户 户 肩 肩 肩

[字解] [一] ①어깨견 목의 바로 아래, 팔의 윗부분. '一, 髆也'《說文》. '一, 項下'《廣韻》. ②견딜견 무거운 짐을 어깨에 얹고 견디어 냄. '一, 勝也, 一强能勝重堪任義'《韻會》. ③맡길견 임용(任用)함. 朕不一好貨. (傳) 一, 任也, 我不任貪貨之人'《書經》. ④세살먹은짐승견 '並驅從兩一兮'《詩經》. ⑤성견 성(姓)의 하나. [二] 곧을흔 똑바른 모양. 일설(一說)에는, 야위고 작은 모양. '其脰一一. (疏) 脰, 頸也, 一一, 細小貌'《莊子》.
[字源] 會意. 원래는 月(肉)+戶. '戶'는 어깨의 象形. '어깨'의 뜻.

肉 4 〔肯〕8 [高·人] 긍 [上]迥 kěn コウ がえんずる

[筆順] 丨 ト 屮 止 止 肯 肯 肯

[字解] ①즐기어할긍 수긍함. 들어 줌. '一定'. '衆莫一爲'《漢書》. ②찬동할긍 허가함. '一, 可也'《爾雅》. ③뼈에붙은살긍 '一, 着骨肉也'《字林》. '一綮'.
[字源] 金文은 會意로, 月(肉)+止

肉 4 〔肻〕8 [一] 肯(前條)과 同字
[二] 肎(肉부 2획〈1064〉)의 俗字

肉 4 〔育〕8 [中·人] 육 [入]屋 yù イク そだてる

[筆順] ' 亠 ㄊ 云 产 育 育 育

[字解] ①기를육 ㉠양육함. '一兒'. '長我一我'《詩經》. ㉡양성함. '一英'. '君子以果行一德'《易經》. ②자랄육 생장함. '發一'. '萬物一焉'《中庸》. ③어릴육 나이가 어림. 유치함. '昔一恐一鞠'《詩經》. ④낳을육 출산함. '一, 生也'《玉篇》.
[字源] 會意. 篆文은 𠫓+月(肉)

肉 4 〔肴〕8 효 [平]肴 yáo(xiáo) コウ さかな

[字解] 안주효 술안주. '一, 啖也, 从肉爻聲'《說文》. '一, 凡非穀而食, 曰一'《廣韻》.
[字源] 形聲. 月(肉)+爻〔音〕

肉 4 〔肾〕8 〔흉〕 匈(勹부 4획〈120〉)과 同字

肉 4 〔胥〕8 〔서〕 胥(肉부 5획〈1072〉)의 俗字

肉 5 〔痂〕11 가 [平]麻 jiā カ かさ

[字解] 부스럼가 부스럼딱지. '痂, 說文, 疥也, 或作一'《集韻》.

肉 5 〔胔〕11 [一] 자 [去]寘 zì シ くされにく
[二] 척 [入]陌 jí セキ やせる

[字解] [一] ①살이붙어있는금수(禽獸)의잔골(殘骨)자 '露骨曰骼, 有肉曰一'《釋文》. ②썩은살자 '掩骼埋一. (注)骨枯曰骼, 肉腐曰一'《禮記》. [二] ①야윌척 수척함. 膌(肉부 10획〈1086〉)과 同字. '膌, 瘠也, 或作一'《集韻》. ②병들척 '一, 病也'《五音集韻》. ③瘠(疒부 10획〈816〉)과 통용.
[字源] 形聲. 肉+此〔音〕

肉 5 〔胈〕9 발 [入]曷 bá ハツ にこげ

[字解] ①넓적다리에난잔털발 '一, 夏禹治水, 腓無一, 脛無毛, 韋昭云, 一, 股上小毛也'《廣韻》. ②솜털발 피부에 나는 잔털. '一, 膚毳皮'《集韻》. ③흰살발 '躬胝無一, 膚不生毛. (注)一, 白肉也'《史記》.

字源 形聲. 月(肉)＋犮〔音〕

肉5 〔胉〕9 박 ㉤藥 bó ハク わきばら

字解 ①생체(牲體)의옆구리박 '其實特豚, 四鬄, 去蹄, 兩―, 脊, 肺. (注)―, 脅也'《儀禮》. ②어깨뼈박 견갑골(肩胛骨).

肉5 〔朐〕9 구 ㉬虞 qú ク ほじし

字解 ①굽은포구 굽은 건육(乾肉). '脡'(곧은 포)의 대(對). '左―右末'《禮記》. ②멀구 가깝지 아니함. '古之祭者, 有時而―. (注)―, 遠也'《管子》. ③성구 성(姓)의 하나.
字源 形聲. 月(肉)＋句〔音〕
參考 朐(月부 5획〈521〉)는 別字.

肉5 〔胎〕9 人名 태 ㉬灰 tāi タイ はらむ

筆順 丿 刀 月 月' 肸 胎 胎 胎

字解 ①아이밸태 잉태함. '―, 婦孕三月也'《說文》. ②태아태 태중의 아이. '不殺―'《禮記》. ③태태 포의(胞衣). '如在胞―之中'《參同契》. ④시초태 근본. '胚―'. '福生有基, 禍生有―. (注)―, 始也'《漢書》.
字源 形聲. 月(肉)＋台〔音〕

肉5 〔胏〕9 자 ㉦紙 zǐ シ ほじし

字解 ①먹다남긴것자 '―, 字林云, 𦙶, 食所遺也'《周易, 釋文》. ②포자 뼈가 붙은 건육(乾肉). '―, 脯有骨'《玉篇》.
字源 形聲. 月(肉)＋𠂔〔音〕

肉5 〔𦙶〕11 胏(前條)와 同字

肉5 〔胕〕9 부 ①②㉬虞 fū フ あし / ③④㉭遇 fǔ フ はらわた

字解 ①발부 跗(足부 5획〈1425〉)와 同字. '跗, 足也, 或作―'《集韻》. ②살갗부 '尾湛―潰. (注)―, 與膚同'《戰國策》. ③장부부 腑(肉부 8획〈1079〉)와 同字. '腑, 人之六腑也, 或省'《集韻》. ④부을부 부은 살갗. '―, 腫也'《集韻》.
字源 形聲. 月(肉)＋付〔音〕

肉5 〔胖〕9 반 ①②㉭翰 pàn ハン かたみ / ③④㉬寒 pàng, pán ハン おおきい

字解 ①희생반 희생(犧牲)의 반체(半體). '―, 半體也, 从肉牛, 半亦聲'《說文》. ②안심반 갈비 곁에 붙어 있는 얇은 고기. '鵠鴞―'《禮記》. ③관대할반, 편안할반 '富潤屋, 德潤身, 心廣體―. (鄭玄注)―, 猶大也. (朱熹注)―, 安舒也'《禮記·大學》. ④클반 비대(肥大)함. '母親也―, 兒子也'《魯迅》.
字源 形聲. 月(肉)＋半〔音〕

肉5 〔胙〕9 조 ㉭遇 zuò ソ ひもろぎ

字解 ①제육조 제사지낸 뒤 분배하는 고기. '祭―'. '致―'. '使宰孔賜齊侯―. (注)―, 祭肉也'《左傳》. ②갚을조 공적에 보답함. '―之土, 而命之氏. (釋文)―, 報也'《左傳》. ③복조 행복. 또, 복을 내림. '天地所―'《國語》. ④자리조 천자의 지위. '南城於周, 反―于絳. (注)―, 位也'《國語》. ⑤성조 성(姓)의 하나.
字源 形聲. 月(肉)＋乍〔音〕

肉5 〔胚〕9 배 ㉬灰 pēi ハイ はらむ

字解 ①아이밸배 잉태함. 임신 후 1개월째를 이름. '―孕'. ②시초배 사물의 시초. 기원(起源). '―, 始也'《爾雅》.
字源 形聲. 月(肉)＋丕〔音〕

肉5 〔胛〕9 갑 ㉤洽 jiǎ コウ かいがね

字解 어깨뼈갑 견갑골. '中矛貫―. (注)―, 背上兩膊間'《後漢書》.
字源 形聲. 月(肉)＋甲〔音〕

肉5 〔胝〕9 지 ㉬支 zhī チ たこ

字解 ①못박일지, 틀지 수족의 피부가 딴딴하게 되거나 추워서 갈라짐. '―, 皮厚也, 俗作胑'《廣韻》. ②새의밥통지, 새의 오장(五臟)지 脛(肉부 6획〈1072〉)와 同字. '脛, 說文, 鳥胃, 一曰, 脛, 五藏總名, 博雅, 百葉謂之膍脛, 或从氏'《集韻》.
字源 形聲. 月(肉)＋氏〔音〕

肉5 〔胞〕9 高·人 포 ①-④㉬肴 bāo ホウ えな / ⑤㉬肴 páo ホウ くりや

筆順 丿 刀 月 月' 肑 胊 胊 胞

字解 ①태의(胎衣)포 태(胎)의 껍질. '―, 兒生裹也, 从肉包'《說文》. ②한배포 어머니의 같은 배〔胎衣〕에서 태어난 형제자매. '同―之徒'《漢書》. ③두창포 천연두(天然痘). '癰腫―疾'《戰國策》. ④세포포 생물체를 조직하는 원형질(原形質)의 미립(微粒). '細―'. ⑤부엌포 庖(广부 5획〈345〉)와 同字. '湯以―人籠伊尹'《莊子》.
字源 形聲. 月(肉)＋包〔音〕

肉5 〔胠〕9 거 [平]魚 | qū キョ ひらく

[字解] ①겨드랑이거 '兩—下滿. (注)—, 謂腋下脇也'《素問》. ②열거 닫힌 것을 엶. '—篋探囊. (釋文)從旁開爲—'《莊子》. ③가로막을거 '—於沙而思水'《荀子》. ④오른편진거 진(陣)의 우익(右翼). '—, —曰, 陳右翼曰—'《集韻》.
[字源] 形聲. 月(肉)+去〔音〕

肉5 〔肽〕9 胠(前條)의 本字

肉5 〔肞〕9 귤 [入]質 | jú キツ せい

[字解] 성(姓)귤 '—, 姓也, 出韻譜'《廣韻》.

肉5 〔胋〕9 첨 [平]鹽 | tiān テン こえる

[字解] ①살찔첨 䏹(肉부 6획〈1074〉)과 同字. '—, 肥也, 或作䏹'《集韻》. ②고깃국첨 '—, 大羹也'《玉篇》.

肉5 〔胣〕9 이 [上]紙 | yǐ イ さく

[筆順] 丿 刀 月 月' 肊 肔 肔 胣

[字解] 창자가를이 장(腸)을 가름. '—, 刳腸曰—, 或作肔'《集韻》.

肉5 〔胗〕9 진 [上]軫 | zhěn シン くちびび

[字解] ①순종진 입술에 나는 부스럼. '—, 脣瘍也'《說文》. ②종기진 '—, 腫也'《一切經音義》.
[字源] 形聲. 月(肉)+㐱〔音〕

肉5 〔胦〕9 앙 [平]陽 | yāng オウ へそ

[字解] ①배불룩하지않을앙 또, 그런 사람. '—, —肛, 不伏人'《廣韻》. ②배꼽앙 '脖—'. '—, 脖—, 臍也'《集韻》.

肉5 〔胑〕9 지 [平]支 | zhī シ てあし

[字解] 팔다리지 肢(肉부 4획〈1066〉)와 同字. '四—不動'《淮南子》.
[字源] 篆文은 形聲. 月(肉)+只〔音〕

肉5 〔胍〕9 [一]고 [平]虞 | gū
[二]과 [現] | guā コ おおきいはら

[字解] [一]배뚱뚱할고 배가 큼. '—, —肟, 大腹'《廣韻》. [二]《現》 구아니딘과 화학 약품의 이름.
[字源] 形聲. 月(肉)+瓜〔音〕

肉5 〔胂〕9 [一]신 ①[平]眞 | chēn チン のびる
②[平]眞 | shēn シン せにく
[二]이 [平]支 | yí イ せにく

[字解] [一] ①기지개켤신 기지개를 켬. '—, 伸身也'《集韻》. ②등고기신 '—, 夾脊肉也'《說文》. [二] 등고기이 胰(肉부 6획〈1072〉)와 同字.
[字源] 形聲. 月(肉)+申〔音〕

肉5 〔䏊〕9 정 [平]庚 | zhēng セイ うおまたはにくをいったもの

[字解] 저나정 물고기 또는 짐승의 고기를 지짐. '䰞魚煎肉曰—'《集韻》.

肉5 〔胜〕9 성 [平]靑 | xīng セイ なまぐさい

[字解] ①비릴성 개고기의 비린내. '—, 犬膏臭也'《說文》. ②날고기성 '—, 一曰, 不孰也'《說文》.
[字源] 形聲. 月(肉)+生〔音〕

肉5 〔䏇〕9 [一]급 [入]緝 | qì キュウ にくのあつもの
[二]랍 [入]合 | lā ロウ にくがまじる

[字解] [一] 고깃국급 고기를 끓인 국. '臇, 謂之—'《廣雅》. [二] 고기섞일랍 '—, —腟, 肉雜也'《集韻》.

肉5 〔胆〕9 저 [平]魚 | qū ショ うじ

[字解] 구더기저 蛆(虫부 5획〈1223〉)와 同字. '—, 蟲在肉中'《廣韻》.
[字源] 形聲. 月(肉)+且〔音〕

肉5 〔胆〕9 [一]단 [平]寒 | tán タン くちのあぶら
[上]旱 | tǎn タン はだぬぐ
[二]담 [上]感 | dǎn タン きも
[三]달 [入]曷 | dá タツ こえる

[字解] [一] ①입속의기름단 '—, 口脂澤也'《集韻》. ②어깨벗을단 膻(肉부 13획〈1093〉)과 同字. '—, 肉—也'《集韻》. [二] 쓸개담 膽(肉부 13획〈1093〉)의 俗字. [三] 살질달 '膢—'은 살찐 모양. '膢—, 肥皃'《集韻》.
[字源] 形聲. 月(肉)+旦〔音〕

肉5 〔胇〕9 [一]필 [入]質 | bì ヒツ おおきい
[二]폐 [去]隊 | fèi ハイ はい
[三]비 [去]未 | fěi ヒ かわく

[筆順] 丿 刀 月 月 肀 胇 胇 胇

[字解] [一] 큰필 '—肸'은 큰 모양. '—, —肸, 大皃'《廣韻》. [二] 허파폐 肺(肉부 4획〈1067〉)과 同字. '肺, 說文, 金藏也. 或作—'《集韻》. [三] 마를비 '—, 乾也'《五音集韻》.

肉 5 〔䏡〕 9 산 [平]寒 | sān サン あぶら

[字解] 기름산 양이나 산돼지의 지방(脂肪). '俗謂羊豬脂爲—'《周禮》.

肉 5 〔胘〕 9 현 [平]先 | xián ケン うしのいぶくろ

[字解] ①처녑현 소위 제3위(胃). '—, 牛百葉也'《說文》. ②밥통현 위(胃). '胃, 謂之—'《廣雅》. ③위의두꺼운살현 '—, 一曰, 胃之厚肉爲—'《集韻》.
[字源] 形聲. 月(肉)+弦〈省〉〔音〕

肉 5 〔䏟〕 9 [一] 별 [入]屑 | bié ヘツ こえたにく
[二] 필 [入]質 | bì ヒツ おおきい

[字解] [一] ①살찐고기별 '—, 肥肉也'《說文》. ②살찔별 '—𦚪'은 살찜. '—, —, 肥也'《廣韻》. [二] 큰모양필 '肺, 肺肸, 大皃, 或从必'《集韻》.
[字源] 形聲. 月(肉)+必〔音〕

肉 5 〔胐〕 9 [一] 골 [入]月 | kū コツ しり
[二] 돌 [入]月 | トツ しり
[三] 촬 [入]黠 | タツ ひざのやまい

[字解] [一] ①볼기골 '—, —臀'《廣韻》. ②오금골 무릎의 구부러진 안쪽. '—, 曲脚也'《廣雅》. ③삘골 관절(關節)이 퉁겨짐. '—, 胅出也'《集韻》. [二] 볼기돌, 오금돌, 삘돌 [一]과 뜻이 같음. [三] 무릎병촬 '—, 厀疾'《集韻》.
[參考] 朏(月부 5획〈521〉)는 別字.

肉 5 〔胅〕 9 질(절[本]) [入]屑 | dié テツ ほねがはずれる

[字解] ①삘질 뼈마디가 퉁겨짐. '—, 骨差也'《說文》. ②부을질 '—, 腫也'《廣雅》. ③볼기살질 '—, 一曰, 連脽肉'《集韻》. ④태아질 임신 2개월째의 태아(胎兒). '一月而膏, 二月而—, 三月而胎'《淮南子》. ※本音 절.
[字源] 形聲. 月(肉)+失〔音〕

肉 5 〔䏐〕 9 〔결〕
胅(肉부 4획〈1067〉)의 本字

肉 5 〔胏〕 9 〔폐〕
肺(肉부 4획〈1067〉)의 本字

肉 5 〔𦙾〕 9 〔고〕
尻(尸부 2획〈296〉)와 同字

肉 5 〔胟〕 9 〔무〕
拇(手부 5획〈435〉)와 同字

肉 5 〔脉〕 9 〔맥〕
脈(肉부 6획〈1073〉)의 俗字

肉 5 〔胡〕 9 [高·人] 호 [平]虞 | hú コ あごのたれにく

[筆順] 一 十 十 古 古 刮 胡 胡

[字解] ①턱밑살호 축 늘어진 턱 밑의 살. '狼跋其—. (注)—, 頷下懸肉也'《詩經》. ②어찌호 어찌하여서. '汝—執人於王宮'《左傳》. 또, '—爲'는 '何爲', '—如'는 '何如'와 뜻이 같음. ③수할호 오래 삶. '—考之寧. (傳)—, 壽也'《詩經》. ④늙은이호 노인. '雖及—耇'《左傳》. ⑤멀호 가깝지 아니함. '永受—福. (注)—, 猶遐也, 遠也'《儀禮》. ⑥창가지호 과극(戈戟)의 끝의 갈라진 갈래. '戟—四之'《周禮》. ⑦오랑캐호 중국의 북부에 살던 만족(蠻族). '五—'. ⑧예기(禮器)호 瑚(玉부 9획〈777〉)와 同字. '—簋之事'《左傳》. ⑨목호 '—, 頸也'《類篇》. ⑩성호 성(姓)의 하나.
[字源] 形聲. 月(肉)+古〔音〕

肉 5 〔䏲〕 9 [一] 탁 [入]藥 | tuò タク みずぶくろ
[二] 도 [平]虞 | dù ト はらのおおきいさま

[字解] [一] ①탁치(䏲膎)탁 물 담아 두는 내장. '—, —膎, 畜水腸'《集韻》. ②물방울탁 '—, 滴也'《廣韻》. ③물댈탁 '—, 澆也'《廣韻》. ④배큰모양탁 '—, 腹大皃'《集韻》. [二] 넓은배도 '—, 廣腹也'《集韻》.

肉 5 〔胤〕 9 [人名] 윤 [去]震 | yìn イン つぐ

[筆順] ' 幺 幺 糸 肖 肖 胤 胤

[字解] ①이을윤 자손이 부조(父祖)의 뒤를 이음. '予乃—保, 大相東土'《書經》. ②자손윤 혈통을 잇는 자손. '後—'. '罔非天—'《書經》. ③성윤 성(姓)의 하나.
[字源] 會意. 月(肉)+八+幺

肉 5 〔胃〕 9 [高·人] 위 [去]未 | wèi イ いぶくろ

[筆順] ㅣ 冂 日 田 田 甲 胃 胃

[字解] ①밥통위 오장(五臟)의 하나. '—者, 五藏六府之海也, 水穀皆入于—, 五藏六府皆稟氣于—'《靈樞經》. ②별이름위 이십팔수(二十八宿)의 하나. 백호(白虎)의 제삼수(第三宿). 서방(西方)에 있음. '季春之月, 日在—'《禮記》. ③성위 성(姓)의 하나.
[字源] 會意. 田(囟)+月(肉)

肉 5 〔胄〕 9 주 [去]宥 | zhòu チュウ よつぎ

[字解] ①맏아들주 장자(長子). 사자(嗣子). '敎—子. (傳)—, 長也'《書經》. ②자손주 후예. '—裔'. '四嶽之裔—'《左傳》. ③성주 성(姓)의 하나.

[字源] 形聲. 月(肉)+由〔音〕
[參考] '冑주(투구)'(冂부 7획〈89〉)와는 別字. 다만, 예로부터 혼용되고 있음.

肉5 〔背〕9 [高·人] 배 ①-③[去]隊 bèi ハイ せ ④-⑥[去]隊 bēi ハイ そむく

[筆順] 丨 ㅓ ㅋ ㅋ- 北 北 背 背

[字解] ①등배 가슴과 배의 뒤쪽. '見於面, 盎於─'《孟子》. ②뒤배 앞의 대(對). '─, 後也'《廣雅》. ③집북쪽배 남향한 집의 북쪽. '言樹之─. (傳)─, 北堂也'《詩經》. ④등질배 ㉠등의 뒤에 둠. '─水而陣'《十八史略》. ㉡배반함. 어김. '請往謂項伯, 言沛公不敢─項王也'《史記》. ⑤죽을배 세상을 버림. '生孩六月, 慈父見─. (注)─, 死也'《李密》. ⑥성배 성(姓)의 하나.
[字源] 形聲. 月(肉)+北〔音〕

肉5 〔胥〕9 서 [平]魚 xū ショ あい, ともに

[字解] ①서로서 번차례로. '無─遠矣'《詩經》. ②다서 모두. '民─然矣'《詩經》. ③기다릴서 사람·때 등이 오기를 바람. '─後令'《史記》. ④볼서 눈으로 봄. '─令而動者也. (注)─, 視也'《管子》. ⑤도울서 힘을 보탬. '─, 助也'《廣雅》. ⑥아전서 하급 관리. '某─也, 某商也, 某生某任之, 某死某誄之'《韓愈》. ⑦게장서 게젓. '蟹─'. ⑧나비서 '胡蝶─也化而爲蟲'《莊子》. ⑨어조사서 시구(詩句)의 무의미한 조자(助字). '君子樂─'《詩經》. '侯氏燕─'《詩經》. ⑩성서 성(姓)의 하나.
[字源] 形聲. 月(肉)+疋〔音〕

肉5 〔肩〕9 〔견〕 肩(肉부 4획〈1068〉)의 本字

肉6 〔胾〕12 자 [去]寘 zì シ きりみ

[字解] 고깃점자 저민 고깃덩이. '─, 大臠也. (注)切肉之大者也'《說文》. '毛炰─羹'《詩經》.
[字源] 形聲. 肉+𢦏(𢦔)〔音〕

肉6 〔脔〕12 〔련〕 臠(肉부 19획〈1098〉)의 俗字·簡體字

肉6 〔胭〕10 [一]인 [平]先 yān エン のど (연[本]) [二]연 [平]先 yān エン べに

[字解] [一] 목구멍인 咽(口부 6획〈160〉)과 同字. '─, ─喉也'《玉篇》. ※本音 연. [二] 연지연 빰에 찍는 화장품. 臙(肉부 16획〈1097〉)과 同字. '擦─抹粉'《高玉寶》.
[字源] 形聲. 月(肉)+因〔音〕

肉6 〔胯〕10 과 [去]遇 kuà コ また

[字解] 사타구니과 두 넓적다리의 사이. 샅. '─, 兩股間也'《廣韻》. '韓信受─下辱'《故事成語考》.
[字源] 形聲. 月(肉)+夸〔音〕

肉6 〔胰〕10 이 [平]支 yí イ せにく

[字解] ①등심이 등의 고기. 등심살. 胂(肉부 5획〈1070〉)과 同字. '─, 夾脊肉也'《廣韻》. ②이자이 췌장(膵臟). '─臟'.

肉6 〔胱〕10 광 [平]陽 guāng コウ ゆばりぶくろ

[字解] 오줌통광 오줌을 받아 모으는, 주머니 모양의 비뇨기(泌尿器). '膀─'.
[字源] 形聲. 月(肉)+光〔音〕

肉6 〔胳〕10 각 [入]藥 gē カク わき

[字解] ①겨드랑이각 어깨 아래의 옆구리와 팔 사이. '─, 亦下也. (注)亦·腋古今字'《說文》. '─, 謂之腋'《廣雅》. ②잡은짐승의뒷다리정강이뼈각 '─, 牲後脛骨'《集韻》.
[字源] 形聲. 月(肉)+各〔音〕

肉6 〔胴〕10 동 [去]送 dòng ドウ だいちょう

[字解] ①큰창자동 대장(大腸). '以玄─腸裹, 蒸之於赤土下'《抱朴子》. ②쭉곧은모양동 '─, 侗─, 直皃也'《集韻》. ③구간(軀幹)동 몸통.
[字源] 形聲. 月(肉)+同〔音〕

肉6 〔胵〕10 [一]치 [平]支 chī シ とりのいぶくろ [去]至 zhì チツ こえる [二]질 [入]質 zhì チツ ちめい

[字解] [一] ①새의위(胃)치 '─, 鳥胃也'《說文》. ②금수(禽獸)의오장(五臟)치 '─, 一曰, ─, 五臟總名也. (注)亦謂禽獸'《說文》. ③살찔치 腟(肉부 9획〈1084〉)와 同字. '腟, 肥也, 或省'《集韻》. [二] 땅이름질 郅(邑부 6획〈1516〉)와 同字. '郅, 郁郅, 地名, 或作─'《集韻》.
[字源] 形聲. 月(肉)+至〔音〕

肉6 〔胸〕10 [中·人] 흉 [平]冬 xiōng キョウ むね

[筆順] 丿 月 月' 肑 肑 朐 胸 胸

[字解] 가슴흉 ㉠목과 배 사이의 젖이 있는 부분. '─滿腹脹. (注)─, 膺間也'《素問》.

㉡마음. 가슴 속. '一襟'. '死生驚懼不入乎其一'《列子》. ㉢몸의 가슴에 비(比)할 만한 요처. '韓天下之咽喉, 魏天下之一腹'《戰國策》.
[字源] 形聲. 月(肉)+匈〔音〕
[參考] 胷(肉부 6획〈1073〉)은 同字.

肉 6 〔胷〕10 胸(前條)과 同字

肉 6 〔胸〕10 胸(前前條)과 同字

肉 6 〔胹〕10 이 [平]支 | ér ジ にる
[字解] 삶을이 충분히 삶음. 삶아 익힘. '一, 煑熟也'《玉篇》.
[字源] 形聲. 月(肉)+而〔音〕

肉 6 〔胻〕10 행 [平]庚 | héng コウ むかはぎ
[字解] 정강이행 정강이의 무릎 가까운 부분. '一, 脛耑也. (注)耑, 猶頭也, 脛根膝者曰一'《說文》.
[字源] 形聲. 月(肉)+行〔音〕

肉 6 〔胼〕10 〔변〕 胼(肉부 8획〈1079〉)의 俗字

肉 6 〔脂〕10 지 [平]支 | zhī シ あぶら
[字解] ①비계지 기름기. '一, 戴角者一, 無角者一, 从肉旨聲'《說文》. '一肪'. '膚如凝一'《詩經》. ②진지 나무에서 나오는 끈끈한 액체. '樹一'. '松三千歲者, 其皮中有聚一'《抱朴子》. ③기름바를지 기름을 발라 미끄럽게 함. '載一載牽'《詩經》. ④연지지 빰에 바르는 화장품. '一, 燕一, 以紅藍花汁凝脂爲之, 燕國所出, 後人爲容飾, 曰面一口一'《正字通》.
[字源] 形聲. 月(肉)+旨〔音〕

肉 6 〔脂〕10 脂(前條)의 俗字

肉 6 〔脆〕10 취 [去]霽 | cuì ゼイ もろい
[字解] ①무를취 바탕이 성글어 힘이 적음. 단단하지 아니함. '一弱'. '城一致衝'《管子》. ②연할취 무르고 부드러움. '一軟'. '草木之生也柔一'《老子》. ③가벼울취 경박함. '風俗一薄'《後漢書》.
[字源] 形聲. 月(肉)+危〈絕省〉〔音〕
[參考] 脃(肉부 6획〈1074〉)는 本字.

肉 6 〔脈〕10 [高·人] 맥 [入]陌 | mài, mò ミャク みゃく
[筆順] 丿 月 月 肞 肞 脈 脈 脈
[字解] ①맥맥 ㉠동물의 몸 속에 피가 순환하는 줄기. 衇(血부 6획〈1260〉)과 同字. '衇, 血理分衺行體中者, 一, 衇或从肉'《說文》. '血一'. '靜一'. 전(轉)하여, 연하여 줄기를 이룬 것. '山一'. '地一'. '李氷爲郡守識水一'《華陽國志》. 또, 조리(條理). '一絡貫通'《朱熹》. ㉡혈맥을 보아 병을 진찰하는 일. '一口'. '天下言一者, 由扁鵲也'《史記》. ②연달맥 끊이지 않는 모양. 계속하는 모양. '花情羞一一, 柳意悵微微'《溫庭筠》.
[字源] 會意. 月(肉)+𠂢
[參考] 脉(肉부 5획〈1071〉)은 俗字.

肉 6 〔脈〕10 脈(前條)과 同字

肉 6 〔脉〕10 脈(前前條)의 俗字

肉 6 〔胲〕10 해 ①[平]灰 | gāi カイ あしのおやゆび ②[上]賄 | gǎi カイ ほおにく
[字解] ①엄지발가락해 '一, 足大指也'《莊子釋文》. ②빰해 볼. 또, 볼의 살. '樹頰一. (注)頰肉曰一'《漢書》.
[字源] 形聲. 月(肉)+亥〔音〕

肉 6 〔脄〕10 회(매[本]) [平]灰 | méi バイ・マイ せにく
[字解] 등심회 척골(脊骨)의 곁의 살. '擣珍取牛羊麋鹿麕之肉必一. (注)一, 脊側肉也'《禮記》. ※本音 매.

肉 6 〔胮〕10 방 [平]江 | pāng ホウ ふくれる
[字解] ①불룩할방 '一, 一肛, 脹大皃'《玉篇》. ②종기날방 '一肛, 腫也'《廣韻》.
[字源] 形聲. 月(肉)+夆(夅)〔音〕

肉 6 〔朐〕10 순 [上]軫 | chǔn シュン みみず
[字解] 지렁이순 '一䏰'은 지렁이. '一䏰, 蟲名, 漢中有朐䏰縣, 地下多此蟲, 因以爲名'《說文》.
[字源] 形聲. 月(肉)+旬〔音〕

肉 6 〔胗〕10
[一] 나 [平]痳 | ná ダ・ナ こまかでない
[上]馬 | nǎ ダ・ナ あぶらぎる
[去]禡 | nà ダ・ナ あぶらぎる
[二] 치 [上]紙 | chǐ シ あぶらぎる
[三] 다 [上]哿 | タ あぶらぎる

[字解] [一] ①성길나 '膝—'는 성김. '—, 膝—, 不密也'《集韻》. ②기름질나 살찌고 고움. '—, 膩也'《廣韻》. [二] 기름질치 [一]❷와 뜻이 같음. [三] 기름질다 [一]❷와 뜻이 같음.

肉 6 〔脃〕10 [一] 脆(肉부 6획〈1073〉)의 本字 [二] 膬(肉부 12획〈1091〉)와 同字

肉 6 〔脠〕10 〔선〕 脡(肉부 7획〈1076〉)의 本字

肉 6 〔胶〕10 [一]효 [平]肴 | xiāo コウ こえ [二]교 [平]肴 | jiāo コウ まじわる

[字解] [一] ①소리효 '—, 字書云, —, 聲也'《廣韻》. ②정강이뼈효 '—, 脛骨也'《集韻》. [二] ①사귈교 交(亠부 4획〈28〉)와 同字. '—, 與日月交道之交同'《字彙補》. ②膠(肉부 11획〈1088〉)의 簡體字.

肉 6 〔胁〕10 〔협〕 脇(肉부 6획〈1075〉)의 略字

〔朒〕 〔뉵〕 月부 6획(521)을 보라.

肉 6 〔胦〕10 〔유〕 腴(肉부 9획〈1082〉)의 俗字

肉 6 〔脏〕10 〔장〕 臟(肉부 18획〈1098〉)·髒(骨부 13획〈1761〉)의 簡體字

肉 6 〔脑〕10 〔뇌〕 腦(肉부 9획〈1082〉)의 簡體字

肉 6 〔脱〕10 〔탈〕 脫(肉부 7획〈1076〉)의 俗字

肉 6 〔𦙾〕10 〔슬〕 膝(肉부 11획〈1088〉)의 略字

肉 6 〔𦚭〕10 [一]광 [去]漾 [二]강 [平]陽 | kuàng キョウ はらのなかがひろいこと kuāng キョウ うつろ

[字解] [一] 뱃속넓을광 마음이 너그러움. '—, 腹中寬'《集韻》. [二] 빌강 텅 빔. 몸속에서 장기(臟器)를 싸고 있는 공동(空洞) 부분. '—, 腔也'《集韻》.

肉 6 〔䏿〕10 이 [平]支 | yí イ ぶたのすいぞう

[筆順] 丿 月 月一 肟 肵 胣 胣 䏿

[字解] 돼지췌장이 '—, 豕脾息肉'《集韻》.

肉 6 〔脁〕10 [一]조 [去]嘯 [二]요 [平]蕭 | tiǎo チョウ まつりのな ヨウ よい

[字解] [一] ①천묘(遷廟)제사이름조 '—, 祭也, 从肉兆聲'《說文》. '爲遷廟而祭之名, 亦作祧'《通訓定聲》. ②제사고기조 '—, 祭肉'《集韻》. [二] 아름다울요 '—, 好也'《方言》. [參考] 朓(月부 6획〈521〉)는 別字.

肉 6 〔䏦〕10 [一]첨 [平]鹽 | tián テン こえる [二]괄 [入]黠 | guā カツ あぶら

[字解] [一] 살찔첨 '胋, 肥也, 或作—'《集韻》. [二] 기름괄 지방(脂肪). '—, 脂也'《五音集韻》.

肉 6 〔䏫〕10 휴 [平]尤 | xiū キュウ はらとせとのあいだ

[字解] ①배와등성마루사이휴 '—, 腹脊之間謂之—, 或作脙·䐐'《集韻》. ②여윌휴 '脙, 瘠也, 俗作, —, 䐐, 上同'《廣韻》.

〔牂〕 〔장〕 羊부 4획(1034)을 보라.

肉 6 〔能〕10 [中·人] [一]능 [平]蒸 [二]내 [去]隊 | néng ノウ くま, あたう nài ダイ·ナイ たえる

[筆順] ㄥ ム 台 育 育 能 能 能

[字解] [一] ①곰능 곰〔熊〕의 한 종류. ②재능능 일을 잘 하는 재주. '—力'. '天下莫與汝爭—'《書經》. 또, 그 사람. 재능이 있는 이. '尊賢使—'《孟子》. ③잘할능 능히 함. '唯聖者—之'《中庸》. '—, 工也, 善也'《玉篇》. ④능히능 힘에 가당하게. '已知將軍—用兵'《史記》. [二] ①견딜내 참고 버팀. 耐(而부 3획〈1050〉)와 통용. '胡貊之人, 性—寒'《漢書》. ②성내 성(姓)의 하나.
[字源] 象形. 金文은 꼬리를 들어 올리고 커다랗게 입을 벌린 곰의 모양을 본뜸.

肉 6 〔䏾〕10 能(前條)의 俗字

肉 6 〔脀〕10 증 [平]蒸 [平]蒸 | chéng ショウ おろか zhēng ショウ もる

[字解] ①바보증 어리석음. '—, 騃也'《說文》. '—, 疑也'《廣雅》. ②넣을증, 담을증 희생(犧牲)의 고기를 솥에 넣거나 적대(炙臺)에 담음. 또, 그 고기. 생육(牲肉). '宗人告祭—. (注)俎也'《儀禮》. '實鼎曰—, 實俎曰載'《周禮注》. ③익힐증 찜. '—, 叚借爲蒸'《說文通訓定聲》. '—, 熟也'《廣韻》.
[字源] 形聲. 月(肉)+丞〔音〕

肉 6 〔脥〕10 脅(前條)과 同字

肉 6 〔脇〕10 脅(次條)과 同字
[字源] 形聲. 月(肉)+劦〔音〕

肉 6 〔脅〕10 [高·人] [一]협 [入]葉 | xié キョウ わき
[二]흡 [入]緝 | xī キュウ おびやかす
[筆順] フ カ 夯 劦 劦 脅 脅 脅
[字解] [一] ①겨드랑이협 가슴의 측면(側面). 늑골(肋骨)이 있는 부분. '一, 身左右兩膀也'《玉篇》. ②곁협 옆. '滄島之一, 有白沙之墟焉'《顧況》. ③으를협 위협함. '一, 叚借劫'《說文通訓定聲》. [二] 으쓱거릴흡 어깨를 으쓱으쓱 쳐듦. '一肩諂笑. (注)一肩, 竦體也'《孟子》.
[字源] 形聲. 月(肉)+劦〔音〕

肉 6 〔䏩〕10 脅(前條)과 同字

肉 6 〔脋〕10 脅(前前條)의 俗字

肉 6 〔脊〕10 척 [入]陌 | jǐ, jí セキ せぼね
[字解] ①등골뼈척 척주(脊柱). 膂(肉부 11획〈1089〉)과 同字. '膂, 背膂, 今作一'《玉篇》. '膂, 背呂也'《說文》. '一, 積也, 積續骨節, 終上下也'《釋名》. ②등성마루척 지형(地形) 등이 등골뼈같이 된 곳. '山一岡. (注)謂山長一'《爾雅》. ③조리척 일을 이루어 갈 도리. '有倫有一'《詩經》.
[字源] 會意. 본디 月(肉)+𠦬. '𠦬수'는 겹쳐 쌓여 있는 등뼈의 象形. '肉육'을 붙여 '등뼈'의 뜻을 나타냄.

〔骨〕〔골〕
部首(1755)를 보라.

肉 7 〔脕〕11 [一]만 [去]願 | wàn バン·マン つややか
[二]문 [去]問 | wèn ブン めぐむ
[字解] [一] 흠치르르할만 윤이 나고 예쁨. '一, 色肥澤'《廣韻》. [二] 싹틀문 풀에 새싹이 남. 莬(艸부 7획〈1146〉)과 同字. '莬, 艸新生, 或作一'《集韻》.
[字源] 形聲. 月(肉)+免〔音〕

肉 7 〔脚〕11 [中·人] 각 [入]藥 | jiǎo(jué) キャク あし
[筆順] 丿 月 月 肚 肚 胠 胠 脚
[字解] ①다리각 ㉠하지(下肢). '號泣抱馬一'《漢書》. ㉡물건의 하부. '山一'. ㉢다리 비슷한 부분. '橋一'. ㉣다리가 있어 걷는 것같이 보이는 것. '雲一飛銀綿'《韓愈》. ㉤몸 둘 곳. 지위. '失一'. ②밟을각 발로 밟음. '一, 以足蹂物曰一'《正字通》.
[字源] 形聲. 月(肉)+却(卻)〔音〕
[參考] 腳(肉부 9획〈1085〉)은 正字.

肉 7 〔脛〕11 경 ㊤迥 | jìng ケイ すね
[去]徑 | kēng コウ すぐなさま
[字解] ①정강이경 다리의 무릎 아래에서 복사뼈까지의 부분. '一, 胻也. (注)一, 厀下踝上曰一'《說文》. ②정강이뼈경 정강마루를 이룬 뼈. '一, 腓腸前骨頭'《玉篇》. ③정직한모양경 事何容易, 一一者未必全也. (注)一一, 直貌'《漢書》.
[字源] 形聲. 月(肉)+巠〔音〕

肉 7 〔脘〕11 완 ㊤旱 | wǎn, guǎn カン い, いのほじし
[字解] ①밥통완 위(胃)의 내강(內腔). '一, 胃之受穀者, 曰一'《正字通》. ②밥통포완 위(胃)의 포육(脯肉). '一, 胃脯也'《說文》. ③육포완 말린 고기. '一, 脯也'《廣雅》.
[字源] 形聲. 月(肉)+完〔音〕

肉 7 〔脝〕11 형 [平]庚 | hēng コウ はらがふくれる
[字解] 배불룩할형 '一, 膨一, 腹滿也'《廣韻》.

肉 7 〔脞〕11 좌 ㊤哿 | cuǒ サ こまかい
[平]歌 | qiē サ もろい
[字解] ①잘좌 좀스러움. '一, 叢一, 小也'《集韻》. ②썬고기좌 육류(肉類)를 잘게 썬 것. '一, 一曰, 切肉爲一'《集韻》. ③취약(脆弱)할좌 '一, 脃也'《集韻》.
[字源] 形聲. 月(肉)+坐〔音〕

肉 7 〔脡〕11 정 ㊤迥 | tǐng テイ ほじし
[字解] ①포정 곧고 길쭉한 건육(乾肉). '朐'의 대(對). '高子執簞食與四一脯. (注)屈曰朐, 伸曰一'《公羊傳》. ②곧을정 똑바름. '鮮魚曰一祭. (注)一, 直也'《禮記》. ③생체(牲體)의등심살중간부분정 '一脊一. (疏)一, 以前爲正, 其次名一, 郤後名橫'《儀禮》.
[字源] 形聲. 月(肉)+廷〔音〕

肉 7 〔脢〕11 매 [平]灰 [去]隊 | méi バイ·マイ せにく
[字解] 등심매 등의 고기. 등 곁의 고기. 등심살. '一, 背肉也'《說文》.
[字源] 形聲. 月(肉)+每〔音〕

肉7 〔脤〕11 신 [上]軫 | shèn シン ひもろぎ

[字解] 제육(祭肉)신 제사에 쓰는 날고기. 제사 뒤 천자(天子)는 그 남은 고기를 동성(同姓)의 제후(諸侯)에게 나눠 줌. '以一膰之禮, 親兄弟之國, 皆社稷宗廟之肉也'《廣韻》.
[字源] 形聲. 月(肉)+辰〔音〕

肉7 〔脫〕11 [中·人] [一]탈 [入]曷 [二]태 [去]泰 | tuō(tuǒ) ダツ ぬぐ / tuì タイ よろこぶ

[筆順] 丿 月 月丷 月丷 月𠮛 月㕣 月兑 脫
[字解] [一] ①벗을탈 옷 따위를 벗음. '一衣'. ②벗길탈 허물 따위를 벗게 함. '其狀若一'《列子》. ③벗어날탈 탈출함. 또는, 어려운 일에서 헤어남. '不得一長安'《漢書》. '桓子詐之得一'《史記》. ④벗어나게할탈 면제함. '至踐更時, 一之'《史記》. ⑤풀탈 맨 것을 풂. '虎賁之士一劍'《孔子家語》. ⑥빠질탈, 빠뜨릴탈 떨어져 나감. 넣기를 잊음. '一字'. '或一去章句, 是以難知'《抱朴子》. ⑦떨어질탈 나뭇잎 같은 것이 떨어짐. '木葉盡一'《蘇軾》. ⑧소홀할탈 소략(疏略)함. '疏一'. '凡禮始乎一. (注)一, 猶疏略也'《史記》. ⑨살빠질탈 말라빠짐. '一, 消肉臞也'《說文》. [二] 기뻐할태 기뻐하는 모양. 일설(一說)에는, 천천히 가는 모양. '一然而喜矣'《淮南子》. '舒而一一兮'《詩經》.
[字源] 形聲. 月(肉)+兌〔音〕

肉7 〔脱〕11 脫(前條)과 同字

肉7 〔脬〕11 포 [平]肴 | pāo ホウ·ヒョウ ゆばりぶくろ

[字解] 오줌통포 방광(膀胱). '一, 腹中水府'《廣韻》.
[字源] 形聲, 月(肉)+孚〔音〕

肉7 〔脯〕11 포 [上]麌 | fǔ フ·ホ ほじし

[字解] 포포 얇게 저미어서 말린 고기. '一, 乾肉也'《說文》.
[字源] 形聲. 月(肉)+甫〔音〕

肉7 〔脰〕11 두 [去]宥 | dòu トウ うなじ

[字解] ①목두 모가지. '一, 頸也'《玉篇》. ②목구멍두 인후(咽喉). '咽, 青徐謂之一, 物投其中, 受而下之也'《釋名》. ③어긋날두 '一, 錯也'《廣雅》. ④고기반찬두 효찬(肴饌). '一, 饌也'《廣雅》.
[字源] 形聲. 月(肉)+豆〔音〕

肉7 〔脟〕11 [一]련 [上]銑 [二]렬 [入]屑 | luán レン まがる / liè, lè レツ あばらのにく

[字解] [一] ①굽을련 만곡함. '龍邛一圈'《楚辭》. ②고기저밀련 잼. '一割輪焠. (注)一字與臠同'《漢書》. [二] ①갈빗살렬 '一, 脅肉也'《說文》. ②창자사이의기름렬 '一, 腸間肥也. (注)肥當作脂'《說文》.
[字源] 形聲. 月(肉)+寽〔音〕

肉7 〔⿰肉寽〕13 脟(前條)과 同字

肉7 〔脗〕11 문 [上]吻 | wěn フン あわす

[字解] 꼭맞을문 상하의 입술이 잘 맞음. '一合'은 딱 맞음. '一, 合口也. 凡事相同者, 曰一合'《字彙》. '爲其一合, 置其滑涽. (注)一合, 若兩脣之相合也'《莊子》.
[字源] 形聲. 月(肉)+召〔音〕

肉7 〔脖〕11 발 [入]月 | bó ボツ へそ

[字解] ①배꼽발 '一, 一胦, 臍也'《正字通》. ②목덜미발 '金桂聽了將一項一扭'《紅樓夢》.
[字源] 形聲. 月(肉)+孛〔音〕

肉7 〔脧〕11 최 [平]灰 | zuī サイ あかごのいんぶ

[字解] 불알최 갓난아이의 생식기. 峻(血부7획〈1260〉)와 同字. '一, 赤子陰也'《說文》.
[字源] 形聲. 月(肉)+夋〔音〕
[參考] 朘(月부 7획〈521〉)은 別字.

肉7 〔⿰月忍〕11 인 [上]軫 [去]震 | rùn ジン·ニン みみず

[字解] 지렁이인 '一, 朐一, 蟲名'《集韻》.
[字源] 形聲. 月(肉)+忍〔音〕

肉7 〔脠〕11 [一]선 [平]先 [二]전 [平]先 | shān セン ししびしお / chān テン うおのしおから

[字解] [一] 날고기장선 날고기를 담근 장. '一, 生肉醬也'《說文》. [二] 물고기젓갈전 '一, 魚醢也'《廣韻》.
[字源] 形聲. 篆文은 月(肉)+延〔音〕

肉7 〔脥〕11 [一]겸 [上]琰 [二]협 [入]葉 | qiǎn ケン はらのした / qū キョウ わきのした

[字解] [一] 배아래겸 배의 아래쪽. '一, 腹下也'《集韻》. [二] ①배아래협 [一]과 뜻이 같음. ②겨드랑이밑협 '胠, 腋下也, 亦作一'《集

韻》. ②빰협 頰(頁부 7획〈1689〉)과 同字. '一, 與頰同'《字彙》.

肉7〔腰〕11 경 ㊤梗 gěng コウ ほねがのどにつかえる

字解 가시목에걸릴경 가시가 목구멍에 걸림. 骾(骨부 7획〈1758〉)과 同字. '骾, 說文, 食骨留咽中也, 或从肉'《集韻》.

肉7〔胧〕11 ㊀몽 ㊤腫 měng ボウ ゆたかにおおきい ㊁망 ㊤講 mǎng ボウ·モウ ゆたかなにく

字解 ㊀풍성하고클몽 '一, 豐大也'《集韻》. ㊁풍성한고기망 살진 고기. 朦(肉부 14획〈1095〉)과 同字. '一, 豐肉, 或作朦'《集韻》.

肉7〔脦〕11 특 ㊇職 tè トクみなりをただしくしない

字解 용모와복장(服裝)이단정치않을특 용모와 거동이 바르지 않음. '一, 肋一, 不正容止也'《集韻》.

肉7〔脙〕11 ㊀구 ㊥尤 qiú キュウ やせる ㊁휴 ㊥尤 キュウ はらとせのあいだ

字解 ㊀야윌구 파리함. '一, 齊人謂臞一也'《說文》. ㊁①배등사이휴 '脙, 腹脊之閒謂之脙, 或作一'《集韻》. ②야윌휴 ㊀과 뜻이 같음.
字源 形聲. 月(肉)＋求〔音〕

肉7〔脜〕11 유 ㊥尤 yǒu ジュウ やわらぐ

字解 낯빛부드러울유 '一, 面和也'《說文》.
字源 形聲. 百＋月(肉)〔音〕

肉7〔脪〕11 소 ㊃效 shāo ソウ·ショウ とがる

字解 ①끝빨소 날카로움. '一, 凡物之殺銳曰一'《集韻》. ②침침할소 눈이 밝지 않음. '一提明德. (注)一者, 目不明也, 提, 弃也'《太玄經》.

肉7〔脭〕11 정 ㊥庚 chéng テイ よいにく

字解 좋은고기정 '一, 肉之精者'《集韻》.

肉7〔脪〕11 ㊀흔 ㊃問 xìn キン きずぐちのにくがはじける ㊤軫 ㊤吻 ㊁치 ㊥支 chī チ うしうまのみずぶくろ

字解 ㊀①다친데서살비어져나올흔 '一, 創肉反出也'《說文》. ②부을흔 '一, 腫起'《廣韻》. ㊁①탁치(脪脪)치 물 담아 두는 내장. '一, 胝一, 畜水腸'《集韻》. ②배클치 '胝一'는 배가 큰 모양. '胝, 胝一, 一曰腹大皃'《集韻》.
字源 形聲. 月(肉)＋希〔音〕

肉7〔脷〕11 〔연〕 肰(肉부 4획〈1067〉)의 古字

肉7〔脲〕11 〔뇨〕 尿(尸부 4획〈296〉)와 同字

〔豚〕〔돈〕 豕부 4획(1372)을 보라.

肉7〔脩〕11 人名 수 ㊥尤 xiū シュウ ほじし

筆順 ノ 亻 亻 亻 仢 攸 脩 脩

字解 ①포수 건육(乾肉). '束一'. '脯一'. '凡肉一之頒賜, 皆掌之. (注)一, 脯也'《周禮》. ②닦을수 修(人부 8획〈55〉)와 통용. '老子一道德'《史記》. '心正而后身一'《大學》. ③마를수, 말릴수 건조함. '暵其一矣. (注)一, 且乾也'《詩經》. ④길수 짧지 아니함. '一短'. '一竹'. '四牡一廣'《詩經》. ⑤베풀수 '立仁義, 一禮樂. (注)一, 設也'《淮南子》. '漫其一遠兮'《楚辭》. ⑥오랠수 장구함. '及其大一也'《周禮》. ⑦성수 성(姓)의 하나.
字源 形聲. 月(肉)＋攸〔音〕

肉7〔脣〕11 高·人 순 ㊥眞 chún シン くちびる

筆順 厂 厂 戶 尸 戶 辰 脣 脣

字解 ①입술순 입의 가장자리. '一, 口耑也'《說文》. '一亡則齒寒'《穀梁傳》. ②가순 물건의 가장자리. '一, 緣也. 口之緣也'《釋名》. '薄如錢一'《夢溪筆談》.
字源 形聲. 月(肉)＋辰〔音〕
參考 唇(口부 7획〈165〉)은 別字이지만, 俗字로 쓰임.

肉7〔脀〕11 〔증〕 脅(肉부 6획〈1074〉)의 本字

肉7〔脠〕11 절 ㊇屑 zhē セツ あぶらかわ

字解 ①기름진겁질절 '一, 脟皮也'《廣韻》. ②소나양의지방절 '一, 胛一, 牛羊脂也'《集韻》.

肉7〔脨〕11 ㊀질 ㊇屑 diē テツ ほねがたがう ㊁제 ㊥齊 tī テイ はなすじがまがる

字解 ㊀①뼈마디를삘질. ②부을질 겉으로

부어오름. ③볼기살질 '朕, 說文, 骨差也, 一曰, 腫也, 一曰, 連脽肉, 古从弟'《集韻》. [二] 콧날바르지못할제 콧날이 비뚫. '一, 腷一, 鼻不正'《集韻》.

肉 7 〔脨〕11 [一] 촉 [入]沃 [二] 적 [入]陌 | cù ショク やきぐし jí セキ やせる

[字解] [一] 적꼬챙이촉 膆(肉부 11획〈1090〉)과 同字. [二] 여윌적 몸이 마름. '膌, 瘦也, 或作一'《集韻》.

肉 7 〔脮〕11 [一] 퇴 [上]賄 [二] 뇌 [上]賄 | tuǐ タイ こえる něi ネ うおがくさる

[字解] [一] 살찔퇴 '一, 腲一, 肥也'《集韻》. [二] 생선썩을뇌 鮾(魚부 8획〈1797〉)와 同字.

肉 7 〔脞〕11 폐 [上]紙 | bì ヒ もも

[字解] ①허벅다리폐 '一, 唐李廿, 齧疽剞一, 以急親病'《洪武正韻》. ②밥통폐 '一脞'. '一, 一脞, 胃脘也'《洪武正韻》.

肉 7 〔脳〕11 〔뇌〕 腦(肉부 9획〈1082〉)의 略字

肉 8 〔腐〕14 [高·人] 부 [上]麌 | fǔ フ くさる

[筆順] 广 庐 府 府 府 府 腐 腐

[字解] ①썩을부 부패함. '一爛'. '一草爲螢'《禮記》. 전(轉)하여, 쓸모 없음. '一生'. '安用一儒'《漢書》. ②썩일부 썩게 함. '甘脆肥濃, 命曰一腸之藥'《枚乘》. ③불알발라내는형벌부 궁형(宮刑). '死罪欲一者許之'《漢書》.

[字源] 形聲. 肉+府〔音〕

肉 8 〔腎〕14 신 [上]軫 | shèn シン こぶ

[字解] 혹신 궂은살. 군더더기살. '陽山有獸焉, 其狀如牛而赤尾, 其頸一, 其狀如句瞿. (注)頭上有肉, 一'《山海經》.

肉 8 〔脹〕12 창 [去]漾 | zhàng チョウ ふくれる

[字解] 부를창 ㉠배가 부름. '一滿'. '飮水徒一滿'《梅堯臣》. ㉡뚱뚱함. 불룩해짐. '膨一'.

[字源] 形聲. 月(肉)+長〔音〕

肉 8 〔脽〕12 수 [平]支 | shuí スイ しり

[字解] ①볼기수 궁둥이. '連一尻. (注)一, 臀也'《漢書》. ②엉덩뼈수 '一, 尻骨也'《正字通》.

[字源] 形聲. 月(肉)+隹〔音〕

肉 8 〔腂〕12 [一] 과 [去]箇 [二] 뢰 [上]紙 [三] 화 [上]馬 | guǒ カ あかくはれあがる lěi ルイ はれる huà カ やくそうのな

[字解] [一] 붉게부어오를과 '一, 腫赤也'《集韻》. [二] 살갗부을뢰 '一, 皮起也'《玉篇》. [三] 약초이름화 '一, 藥草名, 生山谷中, 益氣延年'《集韻》.

肉 8 〔腒〕12 굴 [入]月 | kū コツ しり

[字解] ①볼기굴 '一, 一臀也'《玉篇》. ②볼기뼈굴, 부어오를굴 朏(肉부 5획〈1071〉)과 同字.

肉 8 〔腩〕12 〔눌〕 肭(肉부 4획〈1066〉)과 同字

肉 8 〔腃〕12 방 [平]江 | pāng ホウ はらがはる

[字解] 배부를방 '一, 腹脹滿也'《五音類聚》.

肉 8 〔脗〕12 [一] 순 [平]眞 [二] 문 [上]吻 | chún シュン くちびる wěn ビン あう

[字解] [一] 입술순 '脣(肉부 7획〈1077〉)과 同字. '脣, 說文, 口耑也, 或作一'《集韻》. [二] ①꼭맞을문 윗입술과 아랫입술이 맞듯이 꼭 맞음. '一, 一合, 无波際皃'《集韻》. ②입술문 吻(口부 4획〈151〉)과 同字.

肉 8 〔腕〕12 〔완〕 脘(肉부 7획〈1075〉)과 同字

肉 8 〔䏩〕12 〔유〕 乳(乙부 7획〈22〉)와 同字

肉 8 〔脵〕12 희 [平]支 [去]寘 | xī キ しり キ うめく

[字解] ①꽁무니희 엉덩이. '一, 臀之別名'《廣韻》. '一, 脽也'《集韻》. ②신음(呻吟)할희 끙끙거림. '一, 呻也'《五音集韻》.

肉 8 〔腾〕12 잔 [去]翰 [上]濟 | cán サン きんじゅうのくいのこし zhǎn サン はらのおおきいさま

[字解] ①짐승이먹다남긴것잔 殘(歹부 4획〈606〉)과 同字. ②배〔腹〕가큰모양잔 '一, 腹大皃'《集韻》.

肉 8 〔腜〕12 〔접〕 牒(肉부 9획〈1084〉)과 同字

肉 8 〔䏵〕12 [一] 차 (平)歌 | cǎi サ はらがはる
[二] 채 (上)賄 | サイ はらがはる

[字解] [一] 배부를차 배〔腹〕가 큼. '丹熏之山, 有獸焉, 名曰耳鼠, 食之不一. (注)一, 大腹也'《山海經》. [二] 배부를채 [一]과 뜻이 같음.

肉 8 〔豚〕12 [一] 착 (入)覺 | zhuó タク しり
[二] 독 (入)屋 | dū トク こうもん

[字解] [一] ①궁둥이착 '一, 博雅, 臀也'《集韻》. ②살찔착 '一, 一曰, 肥也'《集韻》. [二] 항문(肛門) 독 '一, 尾下竅也'《廣韻》.

肉 8 〔腄〕12 [一] 추 (平)支 | chuí ツイ かかとのたこ
(去)寘 | ツイ けんめい
[二] 수 (平)支 | スイ しり
[三] 최 (平)佳 | chuái サイ みにくい

[字解] [一] ①발꿈치못추 발꿈치의 굳은살. '一, 本作腫'《正字通》. '腄, 跟胝也, 从垂聲'《說文》. ②상처자국딱지추 부스럼 딱지. '一, 說文, 瘢胝也'《集韻》. ③말과새의 정강이혹뼈추 '一, 一曰, 馬及鳥脛上結骨, 李舟說'《集韻》. ④현이름추 [二]❷와 뜻이 같음. [二] ①궁둥이수 '一, 臀也'《集韻》. ②현(縣)이름수 진(秦) 때에 둠. 산동성(山東省) 문등현(文登縣)의 서쪽. [三] 모양흉할최 膗(肉부 11획〈1090〉)와 同字.

肉 8 〔腂〕12 [一] 곤 (平)元 | kūn コン むしのそうしょう
[二] 혼 (平)元 | hún コン もち
(上)阮 | hùn コン まるくながいさま

[字解] [一] 벌레곤 벌레의 총칭(總稱). 蚰(虫부 6획〈1225〉)과 同字. '蚰, 說文, 蟲之總名也, 或作蜫 · 一'《集韻》. [二] ①경단혼 떡의 일종. '一, 博雅, 一飩, 餅也, 亦作餛 · 餫 · 棍'《集韻》. ②둥글고긴모양혼 '一, 圓長皃'《集韻》.

肉 8 〔腊〕12 석 (入)陌 | xí セキ ほじし

[字解] ①포석 잘 말린 작은 조각의 고기. 건육(乾肉). '一, 脯也'《廣雅》. '田獸之脯一'《周禮》. ②오랠석 오래 됨. '耽口爽之饌, 甘一毒之味. (注)一, 久也'《張協》. ③심할석 대단함. '味厚寔一毒. (注)一, 極也'《漢書》. ④臘(肉부 15획〈1096〉)의 簡體字.
[字源] 形聲. 月(肉)＋昔〔音〕

肉 8 〔脾〕12 비 (平)支 | pí ヒ ひぞう

[字解] ①지라비 '一臟'은 위(胃)의 뒤쪽에 있는 오장(五臟)의 하나. 암적색의 구형(球形)으로, 백혈구의 생성과 노폐한 적혈구를 파괴하는 기능이 있음. '一, 裨也, 在胃下裨助胃氣, 主化穀也'《釋名》. ②넓적다리비 髀(骨부 8획〈1758〉)와 통용. '一肉之歎'.
[字源] 形聲. 月(肉)＋卑〔音〕
[參考] 脾(次條)는 俗字.

肉 8 〔脾〕12 脾(前條)의 俗字

肉 8 〔胼〕12 변 (平)先 | pián ヘン あかぎれ

[字解] 못박일변, 틀변 '一胝'는 수족의 피부가 딴딴해지거나 갈라짐. '手足一胝'《荀子》.
[字源] 形聲. 月(肉)＋并〔音〕
[參考] 胼(肉부 6획〈1073〉)은 俗字.

肉 8 〔腆〕12 전 (上)銑 | tiǎn テン おおい, あつい

[字解] ①차린음식많을전 주식(酒食)을 많이 차림. '一, 設膳一. 一, 多也'《說文》. ②두터울전 '一, 厚也'《小爾雅》. ③좋을전, 착할전 '辭無不一. (注)一, 善也'《儀禮》. ④낯두꺼울전 뻔뻔함. '明目一顏, 曾無愧畏'《儒林外史》. ⑤아름다울전 '一, 美也'《廣雅》. ⑥오랠전 '一, 久也'《廣雅》. ⑦이를전 다달음. '殷小一. (注)一, 至也'《書經》.
[字源] 形聲. 月(肉)＋典〔音〕

肉 8 〔腋〕12 액 (入)陌 | yè エキ わき

[字解] ①겨드랑이액 어깨 밑의 팔과 옆구리 사이의 부분. '胳謂之一'《廣雅》. ②부조(扶助)할액 제휴(提携)함. 掖(手부 8획〈449〉)과 同字. '好提一士, 天下清議上之'《新唐書》.
[字源] 形聲. 月(肉)＋夜〔音〕

肉 8 〔腌〕12 [一] 업 (入)葉 | yān ヨウ・オウ つけたにく
[二] 엄 (平)鹽 | yān エン つけたにく

[字解] [一] 절인고기업 소금에 절인 어육(魚肉). 또, 소금에 절임. '一, 漬肉也'《說文》. [二] 절인고기엄 [一]과 뜻이 같음.
[字源] 形聲. 月(肉)＋奄〔音〕

肉 8 〔腑〕12 부 (上)麌 | fǔ フ はらわた

[字解] ①장부부 담 · 위 · 대장 · 소장 · 방광 · 삼초(三焦)의 여섯 가지 내장 기관(器官). '五臟六一'. '一, 人之六一, 通作府'《集韻》. ②마음부 심회(心懷). '安人在勤恤, 保大

殫襟一'《源乾曜》.
[字源] 形聲. 月(肉)+府〔音〕

肉8 〔腑〕12 腑(前條)와 同字

肉8 〔腒〕12 거 (平)魚 | jū キョ ほじし

[字解] ①날짐승포거 새, 특히 꿩의 건육(乾肉). '夏用一'《儀禮》. ②굽은포거 '一, 同朐'《正字通》. ③오랠거 '一, 久也'《廣雅》. ④한가운데거 '一, 央也'《廣雅》.
[字源] 形聲. 月(肉)+居〔音〕

肉8 〔腓〕12 비 (平)微 | féi ヒ こむら

[字解] ①장딴지비 정강이 뒤쪽의 물고기 배처럼 살이 찐 부분. '一, 脛後肉一腸也'《正字通》. ②앓을비 병듦. '秋日凄凄, 百卉具一'《詩經》. ③피할비 회피함. '君子所依, 小人所一'《詩經》. ④발자르는형벌비 '一者其臏'《白虎通》.
[字源] 形聲. 月(肉)+非〔音〕

肉8 〔腔〕12 강 (平)江 | qiāng コウ うつろ, からだ

[字解] ①빈속강 체내(體內)의 공허한 곳. '一, 內空也'《說文新附》. ②가락강 곡조. 시가(詩歌)의 가락. '一, 俗謂歌曲調曰一, 今俗从音作腔'《正字通》.
[字源] 形聲. 月(肉)+空〔音〕

肉8 〔腕〕12 완 (去)翰 | wàn ワン うで

[字解] ①팔목완 손목. '偏袒扼一'《戰國策》. ②팔뚝완 팔꿈치로부터 팔목까지의 부분. '玉一'. '發和顏攘皓一'《嵇康》. ③《韓》팔완 어깨에서 손목까지의 부분. 어깨에서 팔꿈치까지를 '上一', 팔꿈치에서 손목까지를 '前一'이라 함. ④솜씨완 기량(技倆). 수단(手段). '何功使願果, 盡力輸老一'《張雨》.
[字源] 形聲. 月(肉)+宛〔音〕

肉8 〔腏〕12 〔기〕 跽(足부 7획〈1430〉)와 同字

肉8 〔腇〕12 뇌 (上)賄 | něi ダイ よわい

[字解] ①약할뇌 '萎一'는 연약한 모양. '萎一咋舌. (注)萎一, 耎弱也'《後漢書》. ②주릴뇌 餒(食부 7획〈1719〉)과 同字. ③물고기썩을뇌 脮(肉부 7획〈1078〉)와 同字. '一, 與脮同, 魚敗也'《龍龕手鑑》.
[字源] 形聲. 月(肉)+委〔音〕

肉8 〔腍〕12 임 (上)寑 | rèn ジン·ニン にる

[字解] ①익힐임 익게 함. '一, 熟也'《玉篇》. ②맛좋을임 '一, 味好'《廣韻》. ③배불리먹을임 '一, 飫也'《集韻》.

肉8 〔腌〕12 함 (平)覃 | hán カン あご

[字解] 턱함 頷(頁부 8획〈1692〉)과 同字.

肉8 〔腏〕12 [一] 철 (入)屑 | chuò テツ えぐる
[二] 체 (去)霽 | zhuì テイ まつりにさけをそそぐ

[字解] [一] ①살도릴철 뼈 사이의 살을 발라냄. '一, 挑取骨間肉也'《說文》. ②골수철 골수(骨髓). '一, 一曰, 髓謂之一'《集韻》. [二] 제주부을체 제사에서 땅에 술을 부음. 餟(食부 8획〈1720〉)와 同字. '其下四方地爲一食'《漢書》.
[字源] 形聲. 月(肉)+叕〔音〕

肉8 〔腎〕12 신 (上)軫 | shèn ジン じんぞう

[字解] ①콩팥신 오장의 하나. '一臟'. '一者主蟄封, 藏之本, 精之處也'《素問》. ②자지신, 불알신 '一氣'. '一子'. ③단단할신 '一, 堅也'《廣雅》.
[字源] 形聲. 月(肉)+臤〔音〕

肉8 〔腎〕12 계 (上)薺 (去)霽 | qǐ ケイ こむら

[字解] 장딴지계 정강이 뒤쪽의 불룩한 부분. '一, 腓腸'《集韻》.
[字源] 形聲. 月(肉)+啓〈省〉〔音〕

肉8 〔腦〕12 치 ①(去)寘 | zì シ こえたさま
②(平)支 | シ ほじし

[字解] ①살통통할치 '一, 肥皃'《集韻》. ②포치 말린 살코기. 육포(肉脯). '一, 腊一也'《玉篇》.

肉8 〔脺〕12 [一] 졸 (入)月 | cuì ソツ もろい
[二] 수 (去)寘 | suì スイ つややか

[筆順] 丿 月 月' 月⁻ 月ᅔ 肸 脺 脺

[字解] [一] 무를졸 '膬, 說文, 耎易破也. 或作一'《集韻》. [二] ①윤택할수 얼굴에 윤기가 돎. '一, 顏面澤也'《集韻》. ②뇌수 腦(肉부 9획〈1082〉)과 뜻이 같음. '一, 一曰腦也'《集韻》.
[字源] 形聲. 月(肉)+卒〔音〕

肉8 〔腤〕12 [一] 부 (上)有 (平)尤 (去)有 | bù ホウ·ブ ぶたのひしお
[二] 배 (平)灰 | péi ハイ·バイ せい

[字解] [一] 돼지고기장부 '一, 豕肉醬也'《廣韻》. [二] 성배 성(姓)의 하나.

[字源] 形聲. 月(肉)＋音〔音〕

肉8 〔腣〕12 脑(前條)의 本字

肉8 〔腼〕12 량 [上]養 | liǎng リョウ ほじし

[字解] ①포량 건육(乾肉). '一, 肉脯'《字彙》. ②절인물고기량 소금에 절인 물고기 '集韻曰, 吳人謂腌魚腴一'《說文段注》. ③맛있을량 '一, 一曰, 多味'《集韻》. ④등심량 등의 고기. '一, 或曰, 當是夾脊肉'《正字通》.

[字源] 形聲. 月(肉)＋兩〔音〕

肉8 〔腫〕12 직 [入]職 | zhí ショク·チョク ほじし

[字解] ①포직 길이 한 자 두 치 되는 건육(乾肉). '一, 脯長尺有二寸曰一'《集韻》. ②끈끈할직 '一, 黏也'《玉篇》. ③살찔직 '一, 肥也'《集韻》. ④장딴지직 정강이 뒤쪽의 살 찐 부분. '一, 肥腸'《廣韻》.

肉8 〔腘〕12 [一] 군 [上]軫 | jùn キン はらわたのなかのしぼう
[二] 준 [平]眞 | zhūn シュン はらのなかのかたまり

[字解] [一] ①창자속기름군 '一, 腹中脂也'《廣韻》. ②짐승기름뭉칠군 짐승의 지방(脂肪)이 모이는 모양. '一, 獸脂聚皃'《集韻》. ③사태군 팔꿈치나 무릎 뒤쪽에 붙은 고깃덩이. '身熱, 脫肉破一. (注)一, 謂肘膝後肉如塊者'《素問》. [二] 괴(塊)준 융모 상피종(絨毛上皮腫). '一, 腹中績聚成形塊膜也'《正字通》.

肉8 〔腃〕12 [一] 귀 [去]寘 | kuì キ つる
[二] 권 [平]先 | quán ケン くちさき

[字解] [一] 힘줄당길귀 힘줄이 켕김. '一, 筋節急也'《集韻》. [二] ①입술권 '一, 吻也'《集韻》. ②몸굽을권 '一, 身曲皃《集韻》.

肉8 〔脂〕12 함 [去]陷 [去]勘 | ①-③xiàn カン くらう ①③hàn カン くらう, あぶる

[字解] ①고기먹어서싫지않을함 '一, 食肉不猒也'《說文》. ②발부을함 발이 부르틈. '一, 又腿一也'《廣韻》. ③구울함 불에 쬐어 익힘. '一, 炙令熟'《廣韻》.

[字源] 形聲. 月(肉)＋臽〔音〕

肉8 〔腪〕12 〔신〕 胂(肉부 5획〈1070〉)의 本字

肉8 〔脦〕12 〔방〕 膀(肉부 10획〈1085〉)의 本字

肉8 〔脿〕12 〔표〕 臕(肉부 15획〈1096〉)와 同字

肉8 〔脸〕12 〔검〕 臉(肉부 13획〈1094〉)의 俗字

肉8 〔腗〕12 〔문〕 吻(口부 4획〈151〉)과 同字

肉9 〔腜〕13 매 [平]灰 | méi バイ·マイ はらむ

[字解] ①아이밸매 여자가 처음으로 잉태함. '一, 婦孕始兆也'《說文》. ②아름다울매 아름다운 모양. '一一坰野. (注)一一, 美也'《左思》. ③살진모양매 '一一, 肥也'《廣雅》.

[字源] 形聲. 月(肉)＋某〔音〕

肉9 〔腞〕13 [一] 전 [上]銑 | zhuàn テン ちりばめる
[二] 둔 [上]阮 | dūn トン かかとをひきずってゆく
[三] 돌 [入]月 | tú トツ こえる

[字解] [一] 아로새길전 조각함. 전자(篆字)를 새겨 장식함. '一楯'. '死得於一楯之上'《莊子》. [二] 발꿈치를끌며갈둔 腯(肉부 9획〈1082〉)·豚(豕부 4획〈1372〉)과 同字. '一, 行曳踵, 或作腯·豚'《集韻》. [三] 살찔돌 腯(肉부 9획〈1082〉)과 同字. '腯, 肥也, 或作一'《集韻》.

肉9 〔腠〕13 주 [去]宥 | còu ソウ きめ

[字解] 살결주 피부. 또, 피부의 결. '病有在毫毛一理者. (注)皮膚之文理, 曰一理'《素問》.

[字源] 形聲. 月(肉)＋奏〔音〕

肉9 〔腢〕13 우 [平]尤 [上]有 | ǒu ゴウ·グ かたさき

[字解] 어깻죽지우 어깨에 팔이 붙은 부분. 또, 그 뼈. 髃(骨부 9획〈1759〉)와 同字. '當一用吉器. (注)一, 肩頭也'《儀禮》.

肉9 〔腥〕13 성 [平]青 | xīng セイ なまにく, なまぐさい

[字解] ①날고기성 생고기. '大饗一. (疏)一, 生肉也'《禮記》. ②누릴성, 비릴성 날고기의 냄새가 남. '胜(肉부 5획〈1070〉)과 통용. '一, 叚借爲胜'《說文通訓定聲》. ③더러울성 추함. '庶羣自酒, 一聞在上'《書經》. ④돼지살에생긴군살성 쌀알 또는 사마귀같이 생긴 것. '一, 星見食豕, 令肉中生小息肉也'《說文》.

[字源] 形聲. 月(肉)＋星〔音〕

肉 9 〔腦〕13 [高·人] 뇌 [上]皓 | nǎo ノウ のう

[筆順] 丿 月 月巛 月巛 腦 腦 腦 腦

[字解] ①머릿골뇌 두개골 안에 있는 회백색 물질. '一漿'. '楚子伏己, 而盬其一'《左傳》. ②머리뇌 ㉠두개(頭蓋). '市人爭開其一, 取其髓'《五代史》. ㉡판단력·기억력 등의 정신의 작용. 또, 마음. '頭一明晰'. '痛心拔一'《陸機》. ㉢주요 인물. '首一'.
[字源] 會意. 篆文은 匕+巛+囟. '巛천'은 머리털의 象形.

肉 9 〔腧〕13 수 [去]遇 | shù シュ つぼ

[字解] 혈수 '一穴'은 등의 침 놓는 자리. '一穴在脊中'《正字通》.
[字源] 形聲. 月(肉)+兪〔音〕

肉 9 〔腫〕13 종 [上]腫 | zhǒng ショウ·シュ はれもの

[字解] ①부스럼종 종기. '一, 癰也'《說文》. '一瘍'. ②부르틀종 살이 솟아오르거나, 살가죽이 들뜸. 부음. '一, 鍾也, 寒熱氣所鍾聚也'《釋名》. '一, 脹也'《字彙》.
[字源] 形聲. 月(肉)+重〔音〕

肉 9 〔腯〕13 [一]돌 [入]月 | tú トツ こえる
[二]둔 [去]願 | dùn トン かかとをひきずってゆく

[字解] [一] ①살찔돌 돼지 같은 것이 비대(肥大)하여짐. '一, 牛羊曰肥, 豕曰一'《說文》. ②왕성할돌 '一, 盛也'《廣雅》. [二] 발꿈치를 끌며갈둔 腞(肉부 9획〈1081〉)과 同字. '腞, 行曳踵, 或作一'《集韻》.
[字源] 形聲. 月(肉)+盾〔音〕

肉 9 〔腰〕13 [高·人] 요 [平]蕭 | yāo ヨウ こし

[筆順] 月 肟 肟 肟 腰 腰 腰 腰

[字解] ①허리요 ㉠복부와 둔부(臀部)의 중간. '一者, 身之大關節, 所以司屈伸'《素問》. '一帶'. ㉡요해처(要害處). '梁者, 山東之一也'《戰國策》. ㉢산기슭에 가까운 부분. '山一'. ㉣허리에 띠거나 차는 물건의 수사(數詞)로 쓰임. '帶一一'《北史》. ②찰요 허리에 참. '負琴一劍成三友'《陸游》.
[字源] 形聲 月(肉)+要〔音〕
[參考] 腰(次條)는 同字.

肉 9 〔䁘〕13 腰(前條)와 同字

肉 9 〔䙅〕13 腰(前前條)와 同字

肉 9 〔腱〕13 건 [去]願 | jiàn ケン すじのつけね
[平]元 | qián ケン すじがなる

[字解] ①힘줄건 힘줄의 밑동. '笏, 筋之本也, 一, 笏或从肉建'《說文》. ②힘줄울건.
[字源] 形聲. 月(肉)+建〔音〕

肉 9 〔腴〕13 유 [平]虞 [上]麌 | yú ユ こえる

[字解] ①살찔유 아랫배가 살짐. '一, 腹下肥者'《說文》. '桀紂之君, 垂一尺餘'《論衡》. 또, 그 고기. '冬右一. (注)一, 腹下也'《禮記》. ②고기유 살지고 기름기가 많은 고기. '膳無鮮一'《南史》. ③기름기유 고기가 섞인 기름기. '甘而多一'《論衡》. ④비옥할유 땅이 기름짐. 또, 그 땅. '九州膏一'《漢書》. '田甚肥一'《南齊書》. ⑤내포유 돼지·개의 창자. '君子不食圂一'《禮記》. ⑥풍족할유 '處一能約'《晉書》. ⑦좋을유 ㉠음식의 미미(美味). '其味最一美'《徐珂》. ㉡사물의 진미(眞味). '委命供己, 味道之一. (注)一, 道之美者也'《班固》.
[字源] 形聲. 月(肉)+臾〔音〕

肉 9 〔腶〕13 단 [去]翰 | duàn タン ほしにく

[字解] 단수(腶脩)단 약포(藥脯)의 하나. 말린 고기를 두들겨, 생강·계피 등의 가루를 묻혀 만든 포. '一脩, 捶脯施薑桂也'《集韻》. '學生謁師, 贄用一脩一束, 酒一壺衫布一裁, 色如師所服'《新唐書》.
[字源] 形聲. 月(肉)+段〔音〕

肉 9 〔腷〕13 픽 (벽[本]) [入]職 | bì ヒョク こころのむすぼれるさま

[字解] ①답답할픽 가슴이 답답함. '一, 臆, 意不泄也'《廣韻》. '一臆誰訴'《李華》. ②홰치는소리픽 또, 얼음이 깨지는 소리, 또는 문을 두드리는 소리. ※本音 벽.
[字源] 形聲. 月(肉)+畐〔音〕

肉 9 〔腸〕13 [高·人] 장 [平]陽 | cháng チョウ はらわた

[筆順] 月 肙 胆 腭 腭 腸 腸 腸

[字解] ①창자장 육부(六腑)의 하나. 위(胃)에서 항문에 이르는 가늘고 긴 소화 기관. 대장과 소장으로 나뉨. '胃一'. '一, 暢也, 通暢胃氣, 去滓穢也'《釋名》. ②마음장 내심(內心). '剛一似直'《南史》.
[字源] 形聲 月(肉)+昜〔音〕
[參考] 膓(肉부 11획〈1089〉)은 俗字

肉 9 〔腹〕13 [高·人] 복 [入]屋 | fù フク はら

[筆順] 月 月' 月ᐟ 月𠂉 肵 腹 腹 腹

[字解] ①배복 ㉠가슴 아래의 위장을 싼 부분. '—部'. '—者肚之總名, 謂之—者, 取厚爲義也'《急就篇》. ㉡음식이 들어가는 곳. 위장. '偃鼠飮河, 不過滿—'《莊子》. ㉢마음. '敢布—心'《左傳》. ㉣앞. 전면. '—背擊之'《晉書》. 물건의 배에 상당한 부분. '中—'. '水出山—'《廬山記》. ②두터울복 얇지 아니함. '水澤—堅'《禮記》. ③껴안을복 '出入—我'《詩經》.
[字源] 形聲. 月(肉)+复〔音〕

肉 9 〔腩〕 13 남 [上]感 | nǎn ダン·ナン にたにく
[字解] [一] ①삶은고기남 '—, 煮肉'《廣韻》. ②고기국남 ⿰月甚(肉부 9획〈1083〉)·⿰酉南(酉부 9획〈1539〉)과 同字. '—, 臛也, 或从酉, 亦作⿰月甚'《集韻》. ③《韓》 간납남 간(肝)저냐. ④포(脯)남 '—, 脯也'《廣韻》.
[字源] 形聲. 月(肉)+南〔音〕

肉 9 〔⿰月甚〕 13 腩(前條)과 同字

肉 9 〔⿰月叚〕 13 가 [平]麻 | jiā カ はらわたのやまい
[字解] ①창자의병가 '—, 腸病'《集韻》. ②배에응어리가생기는병가 '—, 瘕病也'《正字通》.

肉 9 〔⿰月𧮫〕 13 갹 [入]藥 | juē キャク うしのした
[字解] ①소의혀갹 '—, 牛舌'《集韻》. ②크게웃을갹 껄껄 웃음. '—, ——, 大笑也'《廣韻》.

肉 9 〔⿰月卽〕 13 즉 [入]職 | jī ショク めぐむ, つや
[字解] ①은혜즉 은택(恩澤). 고택. '—, —膩, 膏澤也'《玉篇》. ②광택즉 반들반들 윤이 남. '—, —膩, 光澤皃'《集韻》.

肉 9 〔⿰月垔〕 13 연 [平]先 | yān エン のど
[字解] ①목구멍연 咽(口부 6획〈160〉)과 같음. '咽, 說文, 嗌也, 謂咽喉也, 或作—'《集韻》. ②목연 '—, —項也'《字彙》.

肉 9 〔⿰月盈〕 13 영 [平]庚 | yíng エイ こえる
[字解] 살찔영 '—, 肥也'《集韻》.

肉 9 〔⿰月曷〕 13 예 [去]霽 | yì エイ むなもと
[字解] 가슴예 '—, 臆下也'《集韻》.

肉 9 〔⿰月軍〕 13 운 [去]問 [上]吻 | yùn ウン たなじし イン こえる
[字解] ①막(膜)운 살을 싸고 있는 얇은 가죽. '—, 膜也'《集韻》. ②살찔운 '—, —腠, 肥也'《集韻》.

肉 9 〔⿰月韋〕 13 위 [去]未 | wèi イ かわ
[字解] 가죽위 '—, 皮也'《玉篇》.

肉 9 〔⿰月頁〕 13 유 [平]尤 | róu ジュウ やわらぐ
[字解] 누그러질유 안색(顏色)이 누그러짐. 脜(肉부 7획〈1077〉)와 同字. '脜, 面和, 或从頁'《集韻》.

肉 9 〔腤〕 13 음 [去]沁 | yìn イン むねのやまい
[字解] 울화병음 癊(疒부 11획〈818〉)과 同字. '癊, 字林, 心病, 或作—'《集韻》.

肉 9 〔⿰月屎〕 13 히 [平]支 | xī キ うめく
[字解] ①신음할히 '吚, 說文, 唸吚, 呻也, 或作—'《集韻》. ②크게웃을히 '—, 大笑也'《五音集韻》.

肉 9 〔⿰月者〕 13 〔저〕 豬(豕부 9획〈1376〉)와 同字

肉 9 〔⿰月帝〕 13 제 [去]霽 | dì テイ おおきいはらのさま
[字解] 배〔腹〕큰모양제 '—, —胜, 朕腹, 或从帶'《集韻》.

肉 9 〔⿰月咠〕 13 집 [入]緝 | jí シュウ あぶら
[字解] ①비계집 '—, 肥膏'《集韻》. ②비계나올집 膱(肉부 13획〈1095〉)과 同字. ③상처가허는모양집 상처가 곪음. '—, 一曰, 創潰出皃'《集韻》. ④부드러울집 누그러짐. '—, 和也'《玉篇》.

肉 9 〔⿰月奓〕 13 [一] 차 [平]麻 | zhā タ ねばる
[二] 타 [去]禡 | タ あらい
[字解] [一] ①차질차 끈적끈적함. '—, 又黏也'《廣韻》. ②성길차 촘촘하지 않음. '—, —膨, 不密也'《集韻》. [二] 성길타 '—, ⿱如大—, 不密也'《集韻》.

肉 9 〔⿰月壴〕 13 〔추〕 膼(肉부 10획〈1086〉)와 同字

肉 9 〔⿰月⿱𠂇有〕 13 타 [上]哿 | tuǒ タ いけにえのにく
[字解] 희생(犧牲)의고기타 '—, 牲肉, 謂之

一'《集韻》.

肉 9 〔瘈〕13 혜 [去]霽 | xì ケイ のどのみゃく

[字解] ①목구멍맥(脈)혜. ②배〔腹〕혜 '一, 喉脈也, 一曰, 腹也, 或从契'《集韻》.

肉 9 〔睺〕13 〔후〕 喉(口부 9획〈173〉)와 同字

肉 9 〔牒〕13 접 [入]葉 | zhé チョウ うすぎり

[字解] ①저민고기접 '一, 薄切肉也. (段注)一者, 大片肉也'《說文》. '一, 細切肉也'《廣韻》.

[字源] 形聲. 月(肉)+枼〔音〕

肉 9 〔腛〕13 [一] 악 [入]覺 | wò アク [一][二] あぶらがおおい
[二] 옥 [入]屋 | wū オク

[字解] [一] ①기름질악 기름이 많음. 비계가 두꺼움. '欲其柔滑而一脂之'《周禮》. ②두꺼울악 '一, 厚也'《集韻》. [二] 기름질옥, 두꺼울옥 [一]과 뜻이 같음.

肉 9 〔䐢〕13 규 [平]支 | kuí キ みにくいさま

[字解] 못생길규 보기 흉함. '臞一, 醜皃'《玉篇》.

肉 9 〔腺〕13 선 [平]先 | xiàn セン せん

[字解] 샘선 생물체 내에서 분비 작용(分泌作用)을 하는 기관(器官). '淋巴一'.

[字源] 形聲. 月(肉)+泉〔音〕

[參考] 본디 日本字. '肉육'과 '泉천'의 합자(合字)로 살 속에 수분이 괴는 뜻을 취한 것. 한국(韓國)·중국에서도 쓰임.

肉 9 〔腈〕13 춘 [上]軫 | chǔn シュン こえる

[字解] 살찔춘 '一, 肥也'《集韻》.

肉 9 〔腝〕13 [一] 니 [平]齊 | ní デイ·ナイ ほねまじりのしおから
[二] 눈 [去]願 | nèn ドン·ノン やわらかい

[字解] [一] 장조림니 고기와 뼈를 난도질하여 만든 장조림. 臡(肉부 19획〈1098〉)와 同字. '一, 有骨醢也'《說文》. [二] 연할눈 고기가 부드러움. 연함. '一, 肉一'《正字通》.

[字源] 形聲. 月(肉)+耎〔音〕

肉 9 〔腨〕13 천 [上]銑 | shuàn セン こむら

[字解] 장딴지천 '一, 腓腸也'《說文》.

[字源] 形聲. 月(肉)+耑〔音〕

肉 9 〔腬〕13 유 [平]尤 | róu ジュウ よいにく

[字解] ①좋은고기유 살지고 맛있는 고기. '一, 嘉善肉也'《說文》. ②왕성할유 '一, 盛也'《廣雅》. ③낯빛부드러울유 '一, 面色和柔皃'《集韻》.

[字源] 形聲. 月(肉)+柔〔音〕

肉 9 〔腤〕13 암 [平]覃 | ān アン うおにくをにる

[字解] ①어육익힐암 어육(魚肉)을 끓여 익힘. '一, 煮魚肉也'《廣韻》. ②끓일암 '一, 烹也'《集韻》.

肉 9 〔䏡〕13 腤(前條)과 同字

肉 9 〔腡〕13 [一] 라 [平]歌 | luó ラ てのすじ
[二] 과 [平]麻 | カ てのすじ

[字解] [一] 지문(指紋)라 손가락 끝의 금. '一, 手理也'《廣韻》. '一, 手文謂之一'《集韻》. [二] 지문과 [一]과 뜻이 같음.

肉 9 〔腲〕13 외 [上]賄 | wěi ワイ こえているさま

[字解] ①살찔외 살찐 모양. '一, 一腇, 肥也'《集韻》. ②느릿느릿할외 '一腇'는 느릿느릿한 모양. '阿那一腇者已. (注)阿那一腇, 舒遲貌'《王褒》.

肉 9 〔䐈〕13 치 [去]寘 | zhì チ こえる

[字解] 살찔치 胵(肉부 6획〈1072〉)와 同字. '一, 肥也, 或省'《集韻》.

肉 9 〔腊〕13 개 [平]佳 [上]蟹 | jiē カイ やせる

[字解] 여윌개 또, 여위는 모양. '一, 瘦皃'《廣韻》.

[字源] 形聲. 月(肉)+皆〔音〕

肉 9 〔䐉〕15 腊(前條)와 同字

肉 9 〔脗〕13 문 [上]吻 | wěn ブン·モン くちのへり

[字解] ①입술문 '一, 口邊, 與吻同'《玉篇》. ②모인힘줄문 '一, 聚筋也'《集韻》.

肉 9 〔嬴〕13 라 [上]哿 [平]歌 | luǒ ラ らば

[字解] 노새라 贏(馬부 13획〈1752〉)의 古字. '一, 或曰, 嘼名. 象形'《說文》.

[字源] 形聲. 괄태충, 달팽이 등의 연체 동

물의 상형.

肉9〔膟〕13 ㊀률 ㊀入質 ㊁류 ㊂去寘 ㊂수 ㊂去寘 | lǜ リツ ㊀-㊁ ちまつりのにく ルイ スイ

字解 ㊀ ①혈제(血祭)고기률 또, 혈제(血祭). '一, 血祭肉也'《說文》. '一, 血祭'《廣韻》. ②발기름률 짐승의 창자 사이의 기름덩이. '一, 一曰, 腸脂'《集韻》. ③사제(師祭)률 무운(武運)을 비는 제사. '一, 一曰, 師祭'《集韻》. ㊁ 혈제고기류, 발기름류, 사제류 ㊀과 뜻이 같음. ㊂ 혈제고기수, 발기름수, 사제수 ㊀과 뜻이 같음.
字源 形聲. 月(肉)＋帥〔音〕

肉9〔膓〕13 〔연〕 肰(肉부 4획〈1067〉)의 古字

肉9〔胃〕13 〔위〕 胃(肉부 5획〈1071〉)의 本字

肉9〔腡〕13 〔위〕 胃(肉부 5획〈1071〉)와 同字

肉9〔膣〕13 질 入質 | chì チツ にくができる

字解 살돋아날질 '一, 肉生'《玉篇》.
字源 形聲. 月(肉)＋室〔音〕

肉9〔腭〕13 〔악〕 齶(齒부 9획〈1889〉)과 同字

肉9〔脚〕13 〔각〕 脚(肉부 7획〈1075〉)의 本字

肉9〔腮〕13 〔시〕 顋(頁부 9획〈1694〉)의 俗字

肉9〔膃〕13 〔올〕 膃(肉부 10획〈1085〉)의 俗字

〔塍〕 〔승〕 土부 10획(217)을 보라.

〔媵〕 〔잉〕 女부 10획(260)을 보라.

肉9〔臇〕15 〔귀〕 膭(肉부 8획〈1081〉)와 同字

肉10〔腿〕14 퇴 上賄 | tuǐ タイ もも

字解 ①정강이퇴 소퇴(小腿). '一, 脛也'《玉篇》. ②넓적다리퇴 대퇴(大腿). 骽(骨부 7획〈1758〉)과 同字. '骽, 股也, 或作一'《集韻》. ③다릿살퇴 넓적다리의 뒤쪽 살과 장딴지의 살. '一, 脛股後肉也, 俗謂股大一腓小一'《正字通》.
字源 形聲. 月(肉)＋退〔音〕

肉10〔膀〕14 방 平陽 | páng, ③pāng ホウ・ボウ ゆばりぶくろ

字解 ①오줌통방 오줌을 저장하는 비뇨기. 방광(膀胱). ②옆구리방 '一, 脅也'《說文》. 髈(骨부 10획〈1760〉)과 同字. ③부풀방 부음. '一, 脹也'《集韻》.
字源 形聲. 月(肉)＋旁〔音〕

肉10〔膃〕14 올 入月 | wà オツ こえてやわらかい

字解 ①살질올 '一肭'은 살져 보드라움. '一, 一肭, 肥也'《集韻》. ②물개올 '一肭'은 북해(北海)에 사는 바다 짐승. 해구(海狗).
字源 形聲. 月(肉)＋𥁕〔音〕
參考 '膃肭(올눌)'은 아이누어(Ainu 語)인 onnew 의 음역(音譯).

肉10〔膄〕14 〔수〕 瘦(疒부 10획〈816〉)와 同字

肉10〔膆〕14 소 去遇 | sù ソ とりののどぶくろ

字解 ①멀떠구니소 嗉(口부 10획〈177〉)와 同字. '裂一破觜. (注)一, 喉受食處也'《潘岳》. ②살찔소 '一, 肥也'《集韻》.
字源 形聲. 月(肉)＋素〔音〕

肉10〔膇〕14 추 去寘 | zhuì ツイ あしがはれむくむ

字解 발부을추 발이 부음. 각기(脚氣) 따위. '民愁則墊隘, 於是乎有沉溺重一之疾. (注)重一, 足腫也'《左傳》.
字源 形聲. 月(肉)＋追〔音〕

肉10〔膈〕14 격 入陌 | gé カク むねとひとのあいだ

字解 ①흉격(胷膈)격 심장과 비장과의 사이. 횡격막(橫膈膜). 또는 가슴 속. '一, 胷一, 心脾之間'《正韻》. '一, 塞也, 一塞上下, 使氣與穀不相亂也'《釋名》. ②가슴격 가슴 속. 흉중(胸中). '多病胷一痛'《後漢書註》. ③종틀격 종을 걸어 놓는, 나무로 만든 틀. '懸一鐘, 尙拊一'《史記》.
字源 形聲. 月(肉)＋鬲〔音〕

肉10〔膉〕14 익 入陌 | yì エキ くびのにく

字解 ①살찔익 '一, 一曰, 肥也'《集韻》. ②목살익 목의 살. '一, 脰肉也'《集韻》. ③돼지잠잘익 '一, 一曰, 豕伏槽'《集韻》.

肉10〔膊〕14 박 入藥 | bó ハク ほじし

[字解] ①포박 건육(乾肉). '一, 脯也'《廣雅》. ②팔박 어깨에서 팔꿈치까지를 '上一', 팔꿈치에서 손목까지를 '下一'이라 함. ③어깨박 견부(肩部). '拉一摺脅'《潛夫論》. ④책살할박 발가벗겨 책형(磔刑)에 처함. '殺而一諸城上'《左傳》. ⑤홰치는소리박 닭이 날개를 치는 소리. '一一庭樹雞初鳴'《陸游》.
[字源] 形聲. 月(肉)+尃〔音〕

肉 10 〔臛〕14 확 [入]藥 | huò カク にくのあつもの
[字解] 곰국확 고깃국. '一, 肉羹也'《說文》.
[字源] 形聲. 月(肉)+霍〔音〕

肉 10 〔膌〕14 척 [入]陌 | jí セキ やせる
[筆順] 丿 月 ⿰月八 ⿰月𠆢 ⿰月⿱八大 ⿰月⿱𠆢月 膌 膌
[字解] 파리할척 瘠(疒부 10획〈816〉)과 同字. '簡稽帥馬牛之肥一'《管子》.
[字源] 形聲. 月(肉)+脊〔音〕

肉 10 〔⿰月豈〕14 개 [平]灰 | gāi カイ こえる
[上]賄 | kǎi カイ よいにく
[字解] ①살찔개 '一, 肥也'《集韻》. ②축류(畜類)새끼밸개 가축이 새끼를 뱀. '一, 一曰, 六畜胎曰一'《集韻》. ③좋은고기개 '一, 肉美'《廣韻》.

肉 10 〔⿰月虔〕14 〔건〕
腱(肉부 9획〈1082〉)과 同字

肉 10 〔⿰⿱壳月殳〕14 [一] 곡 [入]屋 | gǔ コク あしのこう
[二] 각 [入]覺 | què カク から
[字解] [一] ①발등곡 '一, 足跗'《集韻》. ②희생(犧牲)의뒷다리곡 '一, 牲後足'《集韻》. [二] ①껍질각 껍데기. '一, 皮甲也'《五音集韻》. ②위에서아래를칠각 '一, 从上擊下也'《五音集韻》. ③흴각 백색(白色). '一, 一曰, 素也'《五音集韻》.

肉 10 〔⿰月耆〕14 〔기〕
嗜(口부 10획〈178〉)와 同字

肉 10 〔⿰月留〕14 〔류〕
瘤(疒부 10획〈816〉)와 同字

肉 10 〔⿰月栗〕14 률 [入]質 | lì リツ やまのな
[字解] 산이름률.

肉 10 〔⿱𡨄月〕14 새 [去]隊 | sài サイ からだのふるえるさま
[字解] 몸떨릴새 '⿱代月一'는 몸이 떨리는 모양. '一, ⿱代月一, 體顫動皃'《集韻》.

肉 10 〔⿰月羞〕14 〔수〕
羞(羊부 5획〈1034〉)와 同字

肉 10 〔⿰月蚤〕14 〔조〕
臊(肉부 13획〈1094〉)와 同字

肉 10 〔⿰月差〕14 [一] 차 [平]佳 | chāi サイ ほじし
[二] 자 [平]歌 | cuó サ はらがなる
[字解] [一] 포육(脯肉)차 말린 고기. '一, 一腶, 脯腊'《廣韻》. [二] 배꿇을자 배에서 꾸르륵거리는 소리가 남. '一, 腹鳴也'《集韻》.

肉 10 〔⿰月芻〕14 추 [去]宥 | zhòu シュウ ほじし
[去]遇 | zhù シュウ しわ
[字解] ①포육추 '一, 脯也'《集韻》. ②선물추 '一, 膳也'《廣韻》. ③고울추 '一, 姸也'《集韻》. ④주름추 주름이 짐. '一, 皺也'《集韻》.

肉 10 〔⿰月蚩〕14 치 [平]支 | chī シ めやに
[字解] 눈곱치 '一, 目汁凝也'《字彙補》.

肉 10 〔⿰月盍〕14 합 [入]合 | kē コウ まどろむ
[字解] 졸합 '一, 欲睡貌'《五音集韻》.

肉 10 〔⿰月高〕14 [一] ⿰食高(食부 10획〈1725〉)와 同字
[二] 臛(肉부 10획〈1086〉)의 俗字

肉 10 〔⿰月鬼〕14 회 [上]賄 | huǐ タイ・カイ はれあがるさま
[平]灰
[字解] 부어오를회 '一, 腿一, 腫大皃'《集韻》.

肉 10 〔⿰月氣〕14 희 [去]寘 | xì キ しこるやまい
[字解] ①적병(癪病)희 적취(積聚). '一, 塊病也'《篇海》. ②餼(食부 10획〈1724〉)과 同字. '一, 同餼'《正字通》.

肉 10 〔膍〕14 비 [平]支 | pí ヒ いぶくろ
[字解] ①처녑비 반추위(反芻胃)의 제삼위(第三胃). '一, 牛百葉也'《說文》. ②후(厚)할비, 후하게할비 '福祿一之'《詩經》.
[字源] 形聲. 月(肉)+⿱囟比〔音〕

肉 10 〔⿰月奚〕14 해 [平]佳 | xié カイ ほじし
[字解] ①포해 건육(乾肉). '一, 脯也. (注)古謂脯之屬爲一'《說文》. ②익힌음식해 '費我一功. (注)熟食曰一'《太玄經》. ③고기반

찬해 '一, 肉食肴也'《廣韻》. ④살갗해 피부. '一, 博雅, 肌膚者一也'《康熙字典》.
字源 形聲. 月(肉)＋奚〔音〕

肉10 〔膁〕14 함 ㊤感 hǎn カン したあご
字解 아래턱함 圅(囗부 7획〈197〉)과 同字. '一, 口上曰臄, 口下曰一, 或从肉'《集韻》.

肉10 〔臁〕14 ㊀겸 ㊤琰 qiǎn ケン おびしばり ㊁함 ㊦陷 xiàn カン あん ㊂염 ㊥鹽 yán ゲン うまい
字解 ㊀허구리겸 허리 좌우쪽 갈비 아래의 잘쏙한 부분. '一, 腰左右虛肉處'《廣韻》. ㊁소함 만두·송편 등의 속에 맛있으라고 넣는 것. 䭑(肉부 14획〈1096〉)·䭑(食부 10획〈1725〉)과 同字. '䭑, 餅中肉, 或从肉, 从食, 从監'《集韻》. ㊂맛좋을염 맛있음. '一, 美也'《集韻》.
字源 形聲 月(肉)＋兼〔音〕

肉10 〔䐜〕14 진 ㊥眞 chēn シン はれる
字解 ①부을진 살이 부음. '一, 肉張起'《廣韻》. ②클진 '肢腳一如, 維身之疾. (注)一, 大也'《太玄經》.
字源 形聲. 月(肉)＋眞〔音〕

肉10 〔膆〕14 식 ㊅職 xī ショク あまじし
字解 군살식 '膆, 一也. (注)謂息肉也'《揚子方言》.

肉10 〔䐈〕14 궁 ㊥東 gōng キユウ きゅうけい
字解 궁형(宮刑)궁 생식기를 제거하는 형벌. 宮(宀부 7획〈279〉)과 통용. '一, 腐刑也'《集韻》.

肉10 〔膂〕14 려 ㊤語 lǚ リョ せぼね
字解 ①등골뼈려 척골(脊骨). '作股肱心一. (注)一, 脊也'《書經》. ②힘려 근력. 체력. '一, 力也'《廣雅》.
字源 形聲. 月(肉)＋旅〔音〕
參考 膐(肉부 10획〈1087〉)와 同字.

肉10 〔膐〕16 膂(前條)와 同字

肉10 〔膋〕14 료 ㊥蕭 liáo リョウ あぶら
字解 기름료 창자 사이에 낀 기름. 膫(肉부 12획〈1091〉)와 同字.
字源 形聲. 月(肉)＋勞〈省〉〔音〕

肉10 〔膟〕14 ㊀신 ㊦震 xìn シン ひよめき ㊁재 ㊤紙 zǐ シ くいあまし
字解 ㊀정수리신 囟(囗부 3획〈195〉)과 同字. '一, 頭會, 𡿺蓋也, 一, 或从肉, 宰'《說文》. ㊁먹다남은찌끼재 胾(肉부 5획〈1069〉)와 통용.

肉10 〔膹〕14 솨 ㊤哿 ㊦箇 suǒ サ あぶらのたなじし
字解 기름흘떼기솨 살 사이에 있는 얇은 기름 덩이. '一, 膏膋也'《廣韻》.
字源 形聲. 月(肉)＋貨〔音〕

肉10 〔膶〕14 손 ㊤阮 sǔn ソン あつもの
字解 국손 고깃국. '一, 臛也'《廣雅》.
字源 形聲. 月(肉)＋員〔音〕

肉10 〔膪〕14 약 ㊅藥 ruò ジャク たなしし
字解 ①흘떼기약 표피(表皮)밑에서, 살을 싸고 있는 얇은 막(膜). '一, 肉表革裏也'《說文》. ②고기약 '一, 肉也'《廣雅》. ③연약할약 '一, 脆腰'《廣韻》.
字源 形聲. 月(肉)＋弱〔音〕

肉10 〔膓〕14 〔복〕 腹(肉부 9획〈1082〉)의 本字

肉10 〔膗〕14 〔둔〕 屍(尸부 5획〈297〉)과 同字

肉10 〔膏〕14 고 ㊥豪 ㊦號 ①-⑧gāo コウ あぶら ⑨⑩gào コウ うるおす
字解 ①기름고 ㉠지방(脂肪). '雉一不食'《易經》. ㉡등유(燈油). '焚一油以繼晷'《韓愈》. ②기름질고 ㉠살지고 기름기가 흐름. 또는, 땅이 비옥함. '不能爲一'《國語》. ㉡윤이 흐르고 맛이 좋음. '爰有一菽·一稻'《山海經》. ③고약고 기름으로 만든 붙이는 약. '傅以神一, 四五日創愈'《後漢書》. ④화장기름고, 연지고 '豈無一沐, 誰適爲容. (注)一, 所以澤髮者'《詩經》. ⑤살진고기고 '夫一粱之性難正也. (注)一, 肉之肥者'《國語》. ⑥기름진땅고 '爲九州一腴'《漢書》. ⑦염통밑고 심장의 아래. 명치. '一肓'. ⑧은혜고 은택. '屯其一. (疏)一, 謂一澤, 恩惠之類'《周易》. ⑨기름지게할고 적셔 윤택하게 함. '芃芃黍苗, 陰雨一之'《詩經》. ⑩기름칠고 기름을 쳐서 미끄럽게 함. '一吾車兮'《韓愈》.
字源 形聲. 月(肉)＋高〔音〕

肉10〔膜〕14 〔막〕
膜(肉부 11획〈1088〉)의 俗字

肉10〔膌〕14 〔제〕
臍(肉부 14획〈1095〉)의 本字

肉10〔胷〕14 〔윤〕
胤(肉부 5획〈1071〉)의 古字

肉10〔臍〕16 〔제〕
臍(肉부 14획〈1095〉)와 同字

肉11〔膕〕15 괵 ㊂陌 guó カク ひかがみ

字解 오금괵 무릎의 구부리는 안쪽. '詘要撓一. (注)一, 曲脚中'《荀子》.
字源 形聲. 月(肉)+國〔音〕

肉11〔膛〕15 당 ㊀陽 tāng トウ むね / ㊀陽 táng トウ こえたさま

字解 ①가슴당 '胸一'은 가슴. '肩臂胸一, 總有九條龍'《水滸傳》. ②살찔당 '一, 肥皃'《集韻》. ③속당, 빌당 물건 안의 비어 있는 부분. '器物的中空部分. 如:槍一, 爐一'《漢語大字典》.
字源 形聲. 月(肉)+堂〔音〕

肉11〔膜〕15 ㊀막 ㊂藥 mó(mò) マク まく / ㊁모 ㊀虞 mó ボ·モ ひざまずいておがむ

字解 ㊀①꺼풀막 동식물체 내부의 근육 및 모든 기관을 싸고 있는 얇은 꺼풀. '一, 肉間胲一也'《說文》. '治肉, 除其筋一, 取好處'《禮記疏》. ②모래땅막 '西一之所謂鴻鷺. (注)西一, 沙一之鄕'《穆天子傳》. ㊁무릎꿇을모 절하기 위하여 무릎을 꿇고 두 손을 듦. '一, 胡人拜稱南一'《集韻》.
字源 形聲. 月(肉)+莫〔音〕

肉11〔膝〕15 人名 슬 ㊂質 xī シツ ひざ

筆順 月 肝 肤 朕 膝 膝 膝 膝

字解 무릎슬 정강이 위와 넓적다리 아래와의 사이의 관절. '大腿與小腿相連關節的前部'《漢語大字典》. '袂屬幅長下一'《儀禮》.
字源 形聲. 篆文은 卪+桼〔音〕

肉11〔膞〕15 전 ①㊁銑 zhuǎn セン きりみ / ②㊀先 zhuān セン ろくろ

字解 ①저민고기전 저민 고깃조각. '一, 臠也'《廣雅》. ②질그릇틀전 질그릇을 만드는 틀. '一, 陶人作器具, 或作𨒂'《集韻》.
字源 形聲. 月(肉)+專〔音〕

肉11〔膟〕15 률 ㊂質 lǜ リツ はらわたのあぶら

字解 ①발기름률 창자 사이에 낀 기름. '一, 腸間脂'《廣韻》. ②제사에쓰는고기와피률 '膋, 血祭肉也. 一, 膋或从率'《說文》. '鸞刀以刲, 取一膋, 乃退. (集解)一, 血也'《禮記》.

肉11〔膠〕15 人名 교 ㊀肴 ①-⑧jiāo コウ にかわ / ㊁巧 ⑨jiǎo コウ みだれうごく

筆順 月 肜 肜 肜 膠 膠 膠 膠

字解 ①갖풀교 아교. '一, 昵也, 作之以皮'《說文》. '一, 一黏物'《廣韻》. ②갖풀칠할교 아교를 칠함. '若一柱而鼓瑟耳'《史記》. ③굳을교 견고함. '德音孔一'《詩經》. ④붙을교 달라붙음. 밀착함. '置杯焉則一'《莊子》. ⑤집착할교 사물에 마음이 너무 쏠림. '事至不一'《宋史》. ⑥어그러질교 괴려(乖戾)함. '蜿蟺一戾'《史記》. ⑦학교이름교 고대(古代)의 학교의 한 가지. '有虞氏養國老於東一, 養庶老於虞庠'《禮記》. ⑧성교 성(姓)의 하나. ⑨움직일교 움직여 혼란한 모양. '堯曰, 日然則一一擾擾乎'《莊子》.
字源 形聲. 月(肉)+翏〔音〕

肉11〔膢〕15 루 ㊀尤 lóu ロウ·ル かりしておこなうまつり

字解 ①사냥제사루 입추(立秋)날에 천자(天子)가 사냥하다가 돌아와서 종묘(宗廟)에서 지내는 제사. '一五日'《漢書》. ②음식맡은귀신제사루 '一, 楚俗以二月祭飮食也'《說文》.
字源 形聲. 月(肉)+婁〔音〕

肉11〔膣〕15 질 ㊂質 zhì チツ にくがしょうずる

字解 ①새살날질 새살이 나타남. '一, 肉生也'《篇海》. ②보지질 여자의 생식기(生殖器)의 일부. 음문(陰門)에서 자궁(子宮)으로 통하는 길. 교접(交接) 및 분만도(分娩道)의 기능을 함. '一, 女子陰道也. 上通子宮'《中華大字典》.
字源 形聲 月(肉)+窒〔音〕

肉11〔膘〕15 표 ㊁篠 piǎo ヒョウ うしのわきばら / ㊀蕭 biāo ヒョウ はれてつぶれかける

字解 ①소옆구리살표 '一, 牛脅後髀前合革肉也'《說文》. '自左一而射之, 達於右腢, 爲上殺'《詩經》. ②종기터지려할표. ③살찔표 '馬無他損, 特一梢落'《李新》.

[字源] 形聲. 月(肉)＋票(㶿)〔音〕

肉11〔膡〕15 인 [平]眞 | yín イン せじし

[字解] 등심인 소의 등골뼈에 붙은 고기. '一, 夾脊肉'《集韻》.

肉11〔䐁〕15 〔업〕
腌(肉부 8획〈1079〉)의 本字

肉11〔膽〕15 〔담〕
膽(肉부 13획〈1093〉)의 俗字

肉11〔膓〕15 〔장〕
腸(肉부 9획〈1082〉)의 俗字

〔滕〕〔등〕
水부 10획(668)을 보라.

肉11〔膚〕15 [人名] 부 [平]虞 | fū フ はだ

[筆順] 广 庐 虍 虐 虐 膚 膚 膚

[字解] ①살갗부 살가죽의 겉면. 신체의 표피(表皮). '一, 皮也'《玉篇》. '身體髮一'《孝經》. ②겉껍질부 식물의 표피. '爪其一以驗其生枯'《柳宗元》. ③길이부 네 손가락을 나란히 한 폭. '一寸而合'《公羊傳》. ④제육부 돼지고기. '一鮮魚鮮腊. (注)一, 家肉也'《儀禮》. ⑤얕을부 천박함. '末學一受. (注)一受, 謂皮膚之不經於心胸'《張衡》. ⑥아름다울부 훌륭함. '公孫碩一. (注)一, 美也'《詩經》. ⑦클부 작지아니함. '以奏一公'《詩經》.

[字源] 形聲. 月(肉)＋盧〈省〉〔音〕

肉11〔膚〕15 膚(前條)의 俗字

肉11〔膌〕15 〔척〕
脊(肉부 6획〈1075〉)의 本字

肉11〔䐗〕15 〔둔〕
遯(辵부 11획〈1505〉)과 同字

肉11〔膙〕15 강 [上]養 | jiǎng キョウ すじがつよい

[字解] ①힘줄머리강 '一, 筋頭'《廣韻》. ②힘줄셀강 '一, 筋強也'《集韻》.

肉11〔膭〕15 개 [去]隊 | guì カイ こしがにわかにいたむ

[字解] 허리아플개 허리가 갑자기 아픔. '一, 腰痛'《玉篇》.

肉11〔膢〕15 〔거〕
醵(酉부 13획〈1543〉)와 同字

肉11〔膒〕15 구(① ①[平]尤 우[本]) ②[去]有 | ōu オウ ふるいあぶら

[字解] ①찌든기름구 찌든 기름. '一, 久脂也'《集韻》. ※❶ 本音 우. ②가죽기름먹일구 가죽에 기름을 먹임. '一, 一曰, 以脂漬也'《集韻》.

肉11〔膘〕15 [一]뢰 [平]佳 | léi ライ みにくい
[二]루 [上]紙 | lěi ルイ はれる
[三]류 [平]支 | ルイ ほじし

[字解] [一] 보기흉할뢰 보기 흉함. 형상이 추악함. '一, 一膗, 形惡'《集韻》. [二] 부어오를루 부어 오름. 부풂. '一, 皮起也'《集韻》. [三] 포류 포(脯). '一, 脯也'《集韻》.

肉11〔䐡〕15 마 [平]歌 | mō バ はらがくだる

[字解] 설사할마 설사함. '一, 一痳, 漏病, 或从靡'《集韻》.

肉11〔膢〕15 밤 [上]豏 | biǎn ハン みだら

[字解] 음란할밤 음란함. '一, 今河東謂淫爲一'《篇海》.

肉11〔膪〕15 산 [上]潸 | chǎn サン はれる

[字解] ①부을산 부음. 부풂. '一, 皮起也'《玉篇》. ②나무를평형하게하는기구산 '一, 平木之器'《正韻》. ③이지러질산 이지러짐. '一, 損削也'《正韻》. ④쌀산 쌈. '一, 韜也'《正韻》. ⑤가죽산 가죽〔皮〕. '一, 皮也'《集韻》.

肉11〔膔〕15 선 [去]霰 | xuǎn セン たけがひくい

[字解] 키작을선 키가 작음. 작은 모양. '一, 短也'《方言. 十三》.

肉11〔䐹〕15 〔수〕
羞(羊부 5획〈1034〉)와 同字

肉11〔膡〕15 [一]잉 [去]徑 | yìng ヨウ うつくしいめ
[二]등 [平]蒸 | トウ うつくしいめ

[字解] [一] ①아름다운눈잉 눈이 아름다운 모양. '一, 美目也'《集韻》. ②크게볼잉 '一, 大視'《集韻》. ③한쌍잉 두 개. '一, 雙也'《廣韻》. [二] 아름다운눈등 [一]과 뜻이 같음.

肉11〔䐢〕15 자 [平]麻 | zhā サ にきび

[字解] 여드름자 여드름. 콧등 여드름. '一, 鼻上皰, 或从肉'《集韻》.

肉11〔膤〕15 접 [入]葉 | zhé チョウ なまにく

[字解] 날고기접 날고기. 설익은 고기. '一, 禮記云, 腥也'《玉篇》.

肉 11 〔膪〕 15 제 [去]霽 | dì テイ ふくれたはら zhì タイ あかなめ, しろなめ

[字解] ①배부를제 배부름. 불룩한 배. '膪, 膪脮, 肤腹, 或从帶'《集韻》. ②이질제 '瘛, 赤白痢, 亦作一'《廣韻》.

肉 11 〔䏆〕 15 조 [平]豪 | cāo ソウ やわらかい

[字解] ①연약할조 부드러움, 연함. '一, 脃也'《集韻》. '脆敗曰一'《桂馥》. ②배곯을조 배가 곯음. '一, 一曰, 腹鳴'《集韻》.

肉 11 〔膧〕 15 종 [平]冬 | cōng ショウ こえるやまい

[字解] ①살찌는병종 '一, 肥病'《廣韻》. ②살찔종 살찜. '一, 肥也'《集韻》.

肉 11 〔膡〕 15 총 [上]腫 [上]腫 | chōng チョウ ひとしい

[字解] 공평할총 균등함, 고름. '一, 均也'《玉篇》. '擘裂風雨獰, 抓挐指爪一'《孟郊》.

肉 11 〔膪〕 15 ㊀차 [上]馬 | タ ほねのあいだのにく ㊁척 [入]陌 | タク ほねのあいだのにくをえぐる ㊂채 [去]卦 | zhài タイ こえたさま

[字解] ㊀ 뼈사이살차. '一, 腏肉'《集韻》. ㊁ 뼈사이살발라낼척. '一, 挑取骨間肉'《集韻》. ㊂ 살찐모양채. '一, 脛一, 肥皃'《集韻》.

肉 11 〔䐑〕 15 책 [入]陌 | zé サク からすみ

[字解] 어란포책 어란(魚卵)으로 만든 포. '一, 魚子脯也'《集韻》.

肉 11 〔𦞦〕 15 촉 [入]沃 | cù ショク やきぐし

[字解] 적꼬챙이촉 '一, 弗一, 炙具'《廣韻》.

肉 11 〔膗〕 15 최 [平]佳 | chuái サイ みにくい

[字解] 보기흉할최 보기가 흉함. '一, 膘一, 形惡'《集韻》.

肉 11 〔臧〕 15 축 [入]合 | cù シュク つや

[字解] ①광택축 광택. 윤. '一, 脚一, 光澤也'《集韻》. ②은혜축 은택(恩澤). 고택. '脚, 脚一, 膏澤也'《玉篇》.

肉 12 〔膨〕 16 팽 [去]敬 | pèng ボウ はれる, ふくれる

[字解] 부를팽 불룩함. 또, 불룩해짐. '一, 脹也'《集韻》. '豕腹脹一脝'《韓愈》.
[字源] 形聲. 月(肉)+彭〔音〕

肉 12 〔膩〕 16 니 [去]寘 | nì ジ·ニ あぶら

[字解] ①기름니 비계. '脂一'. '渭流漲一, 棄脂水也'《杜牧》. ②기름질니 살져서 기름기가 흐름. '不食肥一'《蔡邕》. ③때니 기름기가 섞인 때. 몸의 때 같은 것. '手澤未改, 領一如初'《潘岳》. ④반드르르할니 기름기가 있어 살결이 고움. '靡顏一理. (注)一, 滑也'《楚辭》.
[字源] 形聲. 月(肉)+貳〔音〕

肉 12 〔膮〕 16 효 [平]蕭 | xiāo キョウ ぶたにくのあつもの

[字解] ①돼지고깃국효 '一, 豕肉羹也'《說文》. ②향내효 향기(香氣). '一, 一曰, 香也'《集韻》.
[字源] 形聲. 月(肉)+堯〔音〕

肉 12 〔膰〕 16 번 [平]元 [上]阮 | fán ハン ひもろぎ pán バン おおきいはら

[字解] ①제육(祭肉)번 종묘의 제사에 쓰고 끝난 뒤에 나누어 주는 익힌 고기. '一, 祭餘熟肉'《廣韻》. ②나눌번 제육을 나누어 줌. '明日東家知祀竈, 隻雞斗酒定一吾'《蘇軾》. ③간(肝)번 '一, 肝也'《玉篇》. ④큰배번 '一, 大腹也'《集韻》.
[字源] 形聲. 月(肉)+番〔音〕

肉 12 〔膱〕 16 직 [入]職 | zhí ショク ほじし

[字解] ①포직 길이 한 자 두 치 되는 건육(乾肉). '一, 脯脡也, 長尺二寸'《集韻》. ②기름썩을직 '一, 油敗也'《玉篇》. ③살코기썩을직 '一, 肉敗也'《古今韻會》. ④냄새직 '一, 臭也'《廣雅》.

肉 12 〔膲〕 16 초 [平]蕭 | jiāo ショウ みのわた

[字解] ①삼초초 인체(人體)의 내장의 상중하(上中下) 세 부분과 그 기능을 이름. 한의학 용어. 焦(火부 8획〈716〉)와 통용. '一, 人之三一'《廣韻》. '一, 三一無形之府. 通作焦'《集韻》. ②고기꽉차지않을초 '是以月虛而魚腦減, 月死而蠃蛖一. (注)一, 肉不滿'《淮南子》. ③인색할초 '今俗謂人吝嗇亦名曰一'《李調元》.
[字源] 形聲. 月(肉)+焦〔音〕

肉 12 〔膳〕 16 [人名] 선 [去]霰 | shàn ゼン そなえもの

筆順 月 月˘ 月ᅭ 朏 胖 胖 膳 膳

字解 ①찬선 요리한 음식. '損一省宰'《漢書》. ②올릴선 찬을 올림. '一於君'《禮記》. ③먹을선 '食下, 問所一. (注)問所食者'《禮記》. ④생육선 희생(犧牲)의 고기. '掌王之食飮一羞. (注)一, 牲肉也'《周禮》.
字源 形聲. 月(肉)+善〔音〕

肉12 〔膴〕16 무 ①②㊥虞 ③-⑤㊤麌 | hū ブ·ム ほじし wǔ ブ·ム うつくしい, あつい

字解 ①포무 뼈 없는 건육(乾肉). '凡祭祀共豆脯, 薦脯, 一, 胖凡腊物'《周禮》. ②크게벤고기무 '凡掌共羞脩刑一胖骨鱅'《周禮》. ③법무 법칙. 법도. '民雖靡一. (箋)一, 法也'《詩經》. ④토지비옥할무 '周原一一'《詩經》. ⑤두터울무 후함. '則無一仕. (傳)一, 厚也'《詩經》.
字源 形聲. 月(肉)+無〔音〕

肉12 〔膬〕16 취 ㊦霽 | cuì セイ もろい

字解 무를취 연약함. 脆(肉부 6획〈1073〉)와 同字. '一, 耎易破也'《說文》.
字源 形聲. 月(肉)+毳〔音〕

肉12 〔膭〕16 ㊀괴 ㊥灰 | guī カイ こえろさま ㊁회 ㊦隊 | kuì カイ こえておおきい ㊂대 ㊦隊 | duì タイ かぷのおおきいさま

字解 ㊀ 살찐모양괴 '一, 肥皃'《廣韻》. ㊁ 비대(肥大)할회 살찌고 몸 큰 모양. '一, 肥大'《廣韻》. ㊂ 아랫도리큰모양대 '一, 下大皃'《集韻》.

肉12 〔膪〕16 ㊀타 ㊦禡 | chuài タ こえる ㊁채 ㊦卦 | zhài タイ えぐりとる

字解 ㊀ 살찔타 또, 살이 찐 모양. '一, 豗一, 肥也'《集韻》. ㊁ 살바를채 뼈 사이의 살을 발라냄. '一, 癈肉也'《集韻》.

肉12 〔膳〕16 ㊀잠 ㊥覃 | zān サン にる ㊥侵 シン にる ㊁짐 ㊤寑 ㊦沁 | jǐn シン くちびるのびょうき ㊂점 ㊥鹽 | qián セン にくのかたまり

字解 ㊀ ①삶을잠 '一, 烹也'《集韻》. ②맛있을잠 맛이 좋음. '一, 美也'《廣雅》. ③더러울잠 '腌一'은 더러움. '一, 俗呼物不潔曰腌一'《正字通》. ④입술병잠 '一, 一曰, 脣病'《集韻》. ㊁ ①삶을짐, 맛있을짐, 더러울짐, 입술병짐 ㊀과 뜻이 같음. ②언청이짐 '一, 脣闕謂之一'《集韻》. ㊂ 고깃덩이점 육괴(肉塊). '一, 塩肉也'《集韻》.

GI

肉12 〔膞〕16 ㊀손 ㊤阮 ㊁찬 ㊦霰 | sǔn ソン あつもの zhuàn セン そなえる

字解 ㊀ ①수육을저미어다시삶은것손 '一, 切熟肉更羹也'《廣韻》. '一, 切肉也'《玉篇》. ②수육을선지에버무려다시끓인국손 膭, 說文, 切熟肉內於血中和也, 或作一'《集韻》. ㊁ 饌(食부 12획〈1727〉)과 同字. '匠者時晒, 不免一賓. (注)廣雅, 饌, 進食也. 饌與一同'《盧諶》.

肉12 〔膱〕16 ㊀기 ㊥微 | jī キ ほおのにく ㊁개 ㊤賄 | カイ ほおのにく

字解 ㊀ 빰살기 '一, 頰肉也'《說文》. ㊁ 빰살개 ㊀과 뜻이 같음.
字源 形聲. 月(肉)+幾〔音〕

肉12 〔膣〕16 〔추〕
腄(肉부 8획〈1079〉)의 古字

肉12 〔膫〕16 ㊀료 ㊥蕭 ㊁로 ㊦嘯 | liáo リョウ うしのはらわたのあぶら liǎo ロウ あぶる

字解 ㊀ ①발기름료 소의 내장살에 붙어 있는 기름. 膋(肉부 10획〈1087〉)와 同字 '一, 牛腸脂也'《說文》. '豹脂宜火, 牛一耐寒'《梁簡文帝》. ②수컷의생식기료 '馬死單單剩馬一'《長生殿》. ③총명할료 '一, 叚借爲憭'《說文通訓定聲》. ④한(漢)나라제후국명료 '一, 漢侯國名, 在南陽'《集韻》. ㊁ 불에구울로 '一, 炙也'《廣韻》.
字源 形聲. 月(肉)+尞〔音〕

肉12 〔膸〕16 〔수〕
肉부 13획(1093)을 보라.

〔螣〕〔등〕
虫부 10획(1241)을 보라.

〔縢〕〔등〕
糸부 10획(1008)을 보라.

肉12 〔膵〕16 ㊐ 췌 | cuì スイ すいぞう

字解 《日》이자췌 췌장이라 하며, 소화액인 췌액을 분비하는 기관. '一, 胰也. 亦謂之甜肉. 日本謂之一'《中華大字典》.
字源 形聲. 月(肉)+萃〔音〕

肉12 〔膍〕16 고 ㊥虞 | gū コ ほじし

字解 포고 포. '一, 一脯'《廣韻》.

肉12 〔膭〕16 ㊀굉 ㊥庚 gōng コウ こえたさま ㊁황 ㊥陽 huáng コウ むくむ
[字解] ㊀살찐모양굉 살찐 모양. '一, 肥皃'《玉篇》. ㊁병으로부어오를황 '一, 病腫'《集韻》.

肉12 〔膸〕16 〔뇌〕 腦(肉부 9획〈1082〉)와 同字

肉12 〔膻〕16 단 ㊥寒 dān タン はらがおおきい
[字解] 배클단 배가 큼. '一, 大腹'《廣韻》.

肉12 〔膻〕16 담 ①㊤勘 tàn タン うまい ②㊤勘 タン こえるさま ③㊥覃 タン あじがこい
[字解] ①맛좋을담 맛이 좋음. '一, 食美也'《集韻》. ②살찔담 살찜. '一, 一曰, 腤一, 肥皃'《集韻》. ③맛이진할담 맛이 진함. 醰, 厚味, 或作一'《集韻》.

肉12 〔膧〕16 ㊀동 ㊥東 tóng トウ こえたさま ㊁당 ㊥江 トウ しりぼね
[字解] ㊀살찐모양동 살찐 모양. '一, 肥皃'《集韻》. ㊁엉덩이뼈당 엉덩이뼈. '一, 一腔, 尻骨, 或从肉'《集韻》.
[參考] 朣(月부 12획〈523〉)과는 別字.

肉12 〔膯〕16 등 ㊥蒸 tēng トウ たべあきる
[字解] 배부를등 배부름. 많이 먹어 물림. '一, 吳人謂, 飽曰, 一'《集韻》.

肉12 〔膈〕16 력 ㊇錫 lì レキ つよいあぶら
[字解] 강한기름력 진한 기름. '一, 一脭, 強脂也'《集韻》.
[參考] 曆(日부 12획〈515〉)은 別字.

肉12 〔臋〕18 𦢊(前條)과 同字

肉12 〔膦〕16 련 ㊤銑 liǎn レン ちからがない
[字解] 힘없을련 힘이 없음. '一, 一膜, 無力'《集韻》.

肉12 〔膪〕16 〔치〕 黐(黍부 11획〈1860〉)와 同字

肉12 〔臂〕16 〔비〕 臂(肉부 13획〈1094〉)와 同字

肉12 〔膊〕16 심 ㊥侵 xún シン せい
[字解] 성심 성(姓)의 하나. '一, 古姓'《集韻》.

肉12 〔膒〕16 〔악〕 齶(齒부 9획〈1889〉)과 同字

肉12 〔膯〕16 예 ㊤霽 yì エイ やせる
[字解] 여윌예 여윔. 마름. '一, 瘦也'《集韻》.

肉12 〔臑〕16 이 ㊥支 ér ジ にる
[字解] 삶을이 삶음. '臑, 煑熟, 胹·㶊, 並上同'《廣韻》.

肉12 〔臍〕16 〔제〕 臍(肉부 14획〈1095〉)와 同字

肉12 〔膝〕16 〔조〕 臊(肉부 13획〈1094〉)와 同字

肉12 〔膳〕16 ㊀차 ㊥麻 chá タ きずあと ㊁타 ㊤禡 タ あらい
[字解] ㊀부스럼자국차 부스럼 자국. 瘥, 博雅, 痕瘥, 瘢也, 或作一'《集韻》. ㊁거칠타 거칢. 성김. '一, 腎一, 不密也'《類篇》.

肉12 〔臛〕16 포 ㊤號 pào ホウ からだがはれる
[字解] 몸부을포 몸이 부음. '一, 體腫也'《字彙補》.

肉12 〔膶〕16 〔간〕 瞷(目부 12획〈856〉)과 同字

肉12 〔膿〕16 획 ㊇陌 huò カク ひかがみ
[字解] 오금획 오금. 무릎을 구부리는 안쪽. '一, 曲脚中也'《廣韻》.

肉12 〔膮〕16 효 ㊥蕭 xiāo キョウ はれる
[字解] 부을효 부음. 곪아 터지려 함. '一, 腫也'《廣雅》.

肉12 〔膠〕16 ㊀힐 ㊇屑 xì ケツ たなじし ㊁계 ㊤薺 ケイ のどのみやく
[字解] ㊀얇은막힐 얇은 막. '一, 膜也'《廣雅》. ㊁목구멍맥계 목구멍 맥(脈). 또는 배〔腹〕. '一, 喉脈也, 一曰, 腹也. 或作契'《集韻》.

肉13 〔臃〕19 옹 ㊥冬 yōng ヨウ はれもの
[字解] 부스럼옹 癰(疒부 18획〈822〉)과 同

字. '一腫'.
字源 形聲. 肉＋雍〔音〕

肉13〔膷〕17 향 ㊉陽 | xiāng キョウ うしのにくのあつもの

字解 ①쇠고깃국향 '一, 牛羹'《廣韻》. '一臐膮醢'《禮記》. ②군살향 군더더기 살. '一, 今肉中生息肉也'《玉篇》. ③향기향 '一, 香也'《廣雅》.

肉13〔膸〕17 ㊀수 ㊉尤 ㊁소 ㊄嘯 | sōu シュウ ほしうお xiào ソウ にくをきざみまぜる

字解 ㊀건어수 말린 물고기. 鱐(魚부 13획〈1807〉)과 同字. '夏宜腒一. (注)腒, 乾雉. 一, 乾魚'《禮記》. ㊁①고기를저미어섞을소 '一, 切肉合糅'《廣韻》. ②고깃국소 臛(肉부 17획〈1098〉)와 同字. '臛, 臛也, 或作一'《集韻》.
字源 形聲. 月(肉)＋肅〔音〕

肉13〔膻〕17 ㊀단 ㊤旱 ㊁전 ㊉先 | dàn タン はだぬぐ shān セン なまぐさい

字解 ㊀①옷벗어살드러낼단 '一, 肉一也. (注)袒衣見肉也'《說文》. ②단중(膻中)단 인체(人體)의 가슴과 배 사이의 횡격막(橫膈膜). 한의학 용어임. '一中者, 臣使之官, 喜樂出焉'《素問》. ㊁누릴전 누린내가 남. 羶(羊부 13획〈1039〉)·羴(羊부 12획〈1038〉)과 同字. '羴, 羊臭也, 或作羶·一'《集韻》. '王之嬪御, 一惡而不可親'《列子》.
字源 形聲. 月(肉)＋亶〔音〕

肉13〔膽〕17 人名 담 ㊤感 | dǎn タン きも

筆順 月 肸 肸 胗 胗 脸 膽 膽

字解 ①쓸개담 ㉠간장(肝臟)에 달린 주머니 같은 것. 육부(六腑)의 하나. '一者, 中正之官, 決斷出焉'《素問》. ㉡기백. 용기. '一力'. '大一'. '倜儻有一氣'《五代史》. '一擲千金都是一'《高適》. ㉢마음. '肝一'. '同心一'《漢書》. ②씻을담 닦음. '桃曰一之. (疏)桃多毛, 拭治去毛'《禮記》.
字源 形聲. 月(肉)＋詹〔音〕
參考 胆(肉부 5획〈1070〉)은 俗字

肉13〔膾〕17 회 ㊄泰 | kuài カイ なます

筆順 月 肸 肸 胎 胎 胎 膾 膾

字解 ①회회 잘게 저민 날고기. '一不厭細. (義疏)細切魚皮肉, 皆曰一也'《論語》. ②회칠회 회로 만듦. '一, 割也'《廣雅》. '炰鱉一鯉'《詩經》.
字源 形聲. 月(肉)＋會〔音〕

肉13〔膿〕17 농 ㊉冬 | nóng(néng) ノウ うみ

字解 ①고름농 헌데에서 나오는 즙. 盥(血부 13획〈1260〉)의 俗字. '盥, 腫血也, 一, 俗盥'《說文》. ②국물농 진한 국물. 특히, 전국술을 이름. '一, 醲也, 汁醲厚也'《釋名》. ③썩어문드러질농 '草悉一死'《齊民要術》. ④살찐모양농 '玄熊素膚, 肥豢一肌. (注)一, 肥貌也'《曹植》.
字源 形聲. 篆文은 血＋農(䢉)〈省〉〔音〕

肉13〔臃〕17 옹 ㊉冬 ㊤腫 | yōng yǒng ヨウ はれもの

字解 부스럼옹 종기. 癰(疒부 18획〈822〉)과 同字. '癰, 說文, 腫也, 或作一'《集韻》.
字源 形聲. 月(肉)＋雍〔音〕

肉13〔臄〕17 ㊀갹 ㊅藥 ㊁거 ㊉魚 | jué キャク こうがい jū キョ とりのほじし

字解 ㊀①입천장갹 谷(谷부 0획〈1366〉)과 同字. '谷, 口上阿也. 一, 或从肉, 从豦. (注)口內上曲處, 故曰口上阿, 阿, 曲也'《說文》. ②혀갹 '嘉殽脾一, 或歌或咢. (毛傳)一, 函也. (釋文)函, 舌也'《詩經》. ③익힌내장고기갹 '一, 切肉也, 取脾, 腎, 寘腸炙之曰一'《集韻》. ④웃는모습갹 谷, 笑兒, 啣, 一'《廣韻》. ㊁새의포(脯)거 腒(肉부 8획〈1080〉)와 同字. 腒, 鳥腊, 或作一'《集韻》.

肉13〔臅〕17 촉 ㊅沃 | chù ショク おおかみのむねのあぶら

字解 이리가슴비계촉 이리의 가슴 속에 있는 기름. '一, 狼臆中膏'《禮記》.
字源 形聲. 月(肉)＋蜀〔音〕

肉13〔臆〕17 ㊀억 ㊅職 ㊁의 ㊤紙 | yì ヨク·オク むね yǐ イ のみもののな

字解 ㊀①가슴억 '一, 匈也'《廣雅》. ②가슴뼈억 肊(肉부 1획〈1064〉)과 同字. '肊, 胷骨也, 一, 肊或从意'《說文》. ③생각억 마음. 中一一以曠, 外累都若遺'《白居易》. ④막힐억 기(氣)가 충만하여 막힘. '一, 猶抑也, 抑氣所塞也'《釋名》. ⑤억측할억 '事不目見耳聞, 而一斷其有無可乎'《蘇軾》. ㊁①음료명(飮料名)의 '醫, 和醴酏爲飮也, 或作醷·一'《集韻》. ②매장(梅醬)의 '醷·醫·一, 梅醬'《五音集韻》.
字源 形聲. 月(肉)＋意〔音〕

肉13 〔臉〕 17 검 [上]琰 | liǎn ケン ほお

[字解] ①뺨검 눈 아래 뺨의 윗부분. 전(轉)하여, 안면(顏面)의 전부. '紅一桃花色'《陳後主》. ②눈꺼풀검 '帛上看未終, 一下淚如絲'《梁武帝》.
[字源] 形聲. 月(肉)+僉〔音〕

肉13 〔臊〕 17 조 [平]豪 | sāo ソウ なまぐさい

[字解] ①누릴조 짐승 고기의 냄새가 남. 또, 그 냄새. 누린내. '犯肉腥一, 何足食'《史記》. ②돼지·개기름조 지방. '膳膏一. (注)鄭司農云, 膏一, 豕膏也, 杜子春云, 膏一, 犬膏'《周禮》.
[字源] 形聲. 月(肉)+喿〔音〕

肉13 〔臇〕 17 전 [上]銑 | juǎn セン しるのすくないあつもの

[字解] 지짐이전 국보다 국물이 적게 끓인 요리. '臇江東之潛鼉, 一漢南之鳴鶉. (注)一, 少汁臛也'《曹植》.
[字源] 形聲. 月(肉)+雋〔音〕

肉13 〔膸〕 17 수 [上]紙 | suǐ スイ ほねのなかのあぶら

[字解] 뼛골수 골수(骨髓). '一, 骨中脂也'《五音集韻》.
[參考] 髓(骨부 13획〈1761〉)와 同字.

肉13 〔膹〕 17 ㊀분 [上]吻 | fèn フン にくのあつもの
㊁비 [上]尾 [平]微 | ヒ しるのおおいにくのあつもの

[字解] ㊀①고깃국분 곰국. '一, 臛也'《說文》. ②고깃점분 삶은 고기를 썬 것. '一, 切熟肉也'《集韻》. ③굵게썬생고기분 '一膾炙胾, 各有形. 〈注〉一, 麤切生肉也'《急就篇》. ④화낼분 憤(心부 12획〈412〉)과 통용. '諸氣一鬱. (注)一, 謂一滿'《素問》. ㊁고깃국비 '一, 臛多汁'《廣韻》.
[字源] 形聲. 月(肉)+賁〔音〕

肉13 〔臁〕 17 렴 [平]鹽 | lián レン あな

[字解] ①구멍렴 '一, 穴一也'《玉篇》. ②정강이렴 '一, 脛一也'《集韻》.

肉13 〔臌〕 17 [現] 고 | gǔ コ ふくれる

[字解]《現》①부어오를고 '他的臉一滿起來一些'《老舍》. ②고창(臌脹)고 배가 붓는 병. '你們兩箇都是有一脹病的麼'《李漁》

肉13 〔䐚〕 17 〔잉〕
孕(子부 2획〈270〉)의 古字

肉13 〔臘〕 17 ㊀랍 [入]合 | là ロウ いんれき じゅうにかつ
㊁갈 [入]曷 | gé カツ こえたさま

[字解] ㊀음력섣달랍 臘(肉부 15획〈1096〉)과 同字 '景公令兵摶治, 當一, 冰月之間而寒. (注)一, 當爲臘'《晏子春秋》. ㊁살찐모양갈 '一, 胆, 肥皃'《集韻》.

肉13 〔膝〕 17 〔슬〕
膝(肉부 11획〈1088〉)과 同字

肉13 〔膝〕 17 〔슬〕
膝(肉부 11획〈1088〉)과 俗字

〔賸〕 〔잉〕
貝부 10획(1398)을 보라.

〔謄〕 〔등〕
言부 10획(1348)을 보라.

肉13 〔膺〕 17 [人名] 응 [平]蒸 | yīng ヨウ·オウ むね

[筆順] 广 府 府 府 雁 雁 膺 膺

[字解] ①가슴응 흉부. '大一大背'《史記》. ②가슴뼈응 '一, 乳上骨也'《一切經音義》. ③받을응 인수함. '鹿何一之'《楚辭》. ④칠응 정벌함. '戎狄是一'《孟子》. ⑤가까이할응 친함. '執箕一揭. (注)一, 親也'《禮記》. ⑥뱃대끈응 말의 배에 걸치는 줄. '虎韔鏤一. (注)一, 馬帶也'《詩經》.
[字源] 形聲. 月(肉)+雁(鴈)〔音〕

肉13 〔臂〕 17 비 [去]寘 | bì ヒ いちのうで

[字解] ①팔비 어깨와 팔목 사이의 부분. '一, 手上也'《說文》. '肱謂之一'《廣雅》. ②팔뚝비 팔꿈치에서 팔목까지의 사이. '一, 今謂自肩至肘曰臑, 自肘至腕曰一'《正字通》. ③생체(牲體)의앞발비 잡은 짐승의 어깻죽지와 앞발. '一, 牲之肩腳亦謂一'《康熙字典》. ④쇠뇌자루비 쇠뇌〔弩〕의 자루. '弩, 弓有一者也'《說文》.
[字源] 形聲. 月(肉)+辟〔音〕

肉13 〔臀〕 17 둔 [平]元 | tún トン·デン しり

[字解] ①볼기둔 궁둥이. '屍, 說文, 髀也, 或作一'《集韻》. ②밑둔 그릇의 밑바닥. '一, 底也'《周禮》.
[字源] 形聲 月(肉)+殿〔音〕

肉13 〔臋〕 19 臀(前條)과 同字

肉13 〔譽〕 17 옥 [入]沃 [入]屋 | wù ヨク·オク こえているさま

[字解] ①비계살옥 '一, 一膏, 肥皃'《廣韻》. ②기름흘떼기옥 기름의 막(膜). '一, 膏膜'《廣韻》.
[字源] 形聲. 月(肉)+學〈省〉〔音〕

肉 13 〔䐐〕17 굴 [入]月 | kū コツ しり

[字解] 볼기굴 볼기. 엉덩이. '一, 臀也'《字彙補》.

肉 13 〔膼〕17 과 [平]麻 | zhuā タ あしがはれる

[字解] ①발부을과 발이 부음. '一, 腿也'《廣韻》. ②허벅다리과 허벅다리. '一, 腿也'《集韻》.

肉 13 〔臒〕17 나 ①[平]歌 ②[平]麻 | nuó ダ ほねつきのひしお | niē ダ かしましいなきごえ

[字解] ①뼈섞어담은육장나 '臡雜骨醬也, 或作一'《集韻》. ②우는것〔鳴物〕이시끄럽게 내는소리나 '一, 鳴物叫聒聲'《字彙》.

肉 13 〔膅〕17 당 [平]陽 | dāng トウ みみがたれさがる

[字解] 귀처질당 귀가 처짐. '一, 耳下垂, 謂之一'《集韻》.

肉 13 〔臂〕17 벽 [入]錫 | pī ヘキ へそ

[字解] ①배꼽벽 배꼽. '一, 臍也'《集韻》. ②창자벽 창자. '一, 腑也'《字彙》. ③버릇벽 고질. '一, 積病, 或从肉'《集韻》.

肉 13 〔臌〕17 삽 [入]合 | sà ソウ にくがまじる

[字解] 고기섞일삽 고기가 섞임. '一, 肚一, 肉雜也'《集韻》.

肉 13 〔䐿〕17 [一] 욱 [入]屋 [二] 오 [上]晧 | ào イク とりのいぶくろ | ǎo オウ こしぼね

[字解] [一] 멀떠구니욱 멀떠구니. 새 밥통. '一, 鳥胃也'《集韻》. [二] 허리뼈오 허리뼈. '髞, 腰骨, 或作一'《集韻》.

肉 13 〔膱〕17 집 [入]緝 | jí シュウ こえてあぶらがでる

[字解] 개기름흐를집 개기름이 흐름. '一, 肥膏出也, 或省'《集韻》.

肉 13 〔膵〕17 탁 [入]藥 | duó タク しまりがない

[字解] ①맺힌데없을탁 행동에 맺고 끊는 데가 없음. '一, 肫一, 無檢也'《集韻》. ②살찐모양탁 '一, 肥皃也'《龍龕手鑑》.

肉 14 〔臍〕18 제 [平]齊 | qí セイ へそ

[字解] ①배꼽제 ㉠배의 중앙에 있는 탯줄의 자국. '一, 胎在母腹, 一連于胞胎'《正字通》. ㉡배꼽 모양을 한 것. '如輪之轂, 如磑之一'《朱熹》. ②꼭지제 외가 달린 꼭지. '北極如瓜蒂, 南極如瓜一'《博物廣志》.
[字源] 形聲. 月(肉)+齊〔音〕

肉 14 〔臏〕18 빈 [上]軫 | bìn ヒン ひざのさら

[字解] ①종지뼈빈 무릎에 있는 그릇 모양의 뼈. 슬개골(膝蓋骨). '狙潛鉛而脫一. (注)一, 郄蓋骨也'《潘岳》. ②정강이뼈빈 하퇴(下腿) 안쪽에 있는 긴 뼈. 경골(脛骨). '擧鼎絶一. (注)一, 脛骨也'《史記》. ③빈형빈 경골을 절단하는 형벌. 일설에는 종지뼈를 없애는 형. 또, 그 형벌을 과함. '捶笞一腳. (注)一腳, 謂刖其膝骨也'《荀子》.
[字源] 形聲. 月(肉)+賓〔音〕

肉 14 〔臐〕18 훈 [平]文 | xūn クン ひつじのあつもの

[字解] ①양고깃국훈 '一, 羊羹'《廣韻》. ②향기로울훈 '一, 香也'《廣雅》.
[字源] 形聲. 月(肉)+熏〔音〕

肉 14 〔臑〕18 [一] 노 [去]號 [二] 이 [平]支 [三] 유 [平]虞 [四] 논 [去]願 [五] 난 [上]旱 | nào ドウ·ノウ ひじぼね | ér ジ·ニ にる | rú ノウ うで | nèn ノン にくびしほ | nuǎn ナン からだがあたたかい

[字解] [一] 사람상지(上肢)노, 생체(牲體)의 전지(前肢)노 '一, 臂羊矢也'《說文》. '頷腫不可顧, 肩似拔, 一似折'《靈樞經》. [二] 삶을이 불에 익힘. 胹(肉부 6획〈1073〉)와 同字. '胹, 或作一'《集韻》. [三] ①팔뼈유 '一, 肱骨也'《集韻》. ②연약할유 '一, 嫩軟皃'《廣韻》. ③옷이름유 '一, 衣名'《集韻》. [四] 뼈섞인육장(肉醬)논 腝(肉부 9획〈1084〉)와 통용. '一, 肉醢, 或从耎'《集韻》. [五] 몸따뜻할난 '一, 體煗也'《集韻》.
[字源] 形聲. 月(肉)+需〔音〕

肉 14 〔朦〕18 [一] 몽 [平]東 [二] 망 [上]講 | méng ボウ·ム ゆたか | mǎng モウ·ボウ ゆたかなにく

[字解] [一] ①풍성할몽 풍부함. '一, 豐也'《廣雅》. ②클몽 큰 모양. '自關而西, 秦晉之閒, 凡大貌謂之一'《揚子方言》. [二] 풍만한

살망 脝(肉부 7획〈1077〉)과 同字.
參考 朦(月부 14획〈523〉)과는 別字.

肉14〔臱〕18 ㊀비 ㊀去寘|pì ヒ さかん
㊁이 ㊀去寘|yì ギ あまじし
字解 ㊀왕성할비 '一, 盛也'《揚子方言》. ㊁군살이 궂은살. '一, 腮也. (注)謂息肉也'《揚子方言》.

肉14〔臒〕18 확 ㊀入藥|wò ワク よいにく
字解 ①좋은고기확 '一, 善肉'《玉篇》. ②국고기확 '一, 羹肉'《廣韻》. ③사람이름확 '五據侯劉一丘'《史記》. ④좋을확 '一, 善也'《廣韻》. ⑤클확 '一, 大也'《廣韻》.

肉14〔臎〕18 취 去寘|cuì スイ とりのおのうえのにく
上紙|スイ くるぶし
字解 ①새꽁무니살취 새의 꽁지 위의 살. '一, 鳥尾上肉也'《廣韻》. ②살찔취 '一, 肥也'《廣雅》. ③꽁무니뼈취 미저골(尾骶骨). '一, 臀也'《廣雅》. ④복사뼈취 '一, 博雅, 一, 髁骨也'《集韻》.

肉14〔臇〕18 〔선〕
膳(肉부 12획〈1090〉)의 本字

肉14〔臘〕18 〔랍〕
臘(肉부 15획〈1096〉)의 俗字

肉14〔臔〕18 견 上銑|jiǎn ケン たこ
字解 티눈견 티눈. 못. 계안창(鷄眼瘡). '一, 胝一也'《篇海類編》.

肉14〔聹〕18 녕 上迥|nǐng デイ みみくそ
字解 귀지녕 귀지. 귓밥. '一, 耳中垢也'《字彙》.

肉14〔臋〕18 〔니〕
膩(肉부 12획〈1090〉)와 同字

肉14〔膞〕18 대 去隊|duì タイ しげるさま
字解 무성한모양대 '一, 茂貌'《篇海》.

肉14〔膊〕18 ㊀박 入藥|pò ハク はりつけ
㊁보 平虞|ホ きじのにく
字解 ㊀책형(磔刑)박 '一, 殺賊去衣磔之也'《玉篇》. ㊁꿩고기보 꿩고기. '一, 雉有一肉也'《字彙》.

肉14〔臒〕18 빙 去徑|bìng ヒョウ はれふさがるさま
字解 퉁퉁부어오를빙 '一, 腫滿皃'《集韻》.

肉14〔臏〕18 〔영〕
癭(疒부 17획〈822〉)과 同字

肉14〔臑〕18 ㊀요 去嘯|yào ヨウ やせる
㊁소 去效|shào ソウ とがる
字解 ㊀여윌요 여윔. 마름. '一, 瘠也'《集韻》. ㊁뾰족할소 뾰족함. '䏚, 凡物之殺銳曰䏚, 或作一'《集韻》.

肉14〔臓〕18 〔장〕
臟(肉부 18획〈1098〉)의 略字

肉14〔臑〕18 주 ①平尤|chōu チュウ ほじし
②上有|zhǒu チュウ こばらのやまい
③上有|チュウ もものうしろ
字解 ①포주 포. '一, 脯也'《集韻》. ②하복통(下腹痛)주 아랫배의 병. '疛, 說文, 小腹病, 或从肘, 从壽从肉'《集韻》. ③넓적다리뒤쪽주 넓적다리 뒤쪽. '一, 髀後曰一'《集韻》.

肉14〔臽〕18 함 去陷|xiàn カン あん
字解 고기소함 고기 소. '䭑, 餅中肉, 或从肉, 从監'《集韻》.

肉14〔䭑〕18 臽(前條)과 同字

肉15〔臗〕19 ㊀곤 平元|kuān コン からだ
㊁관 平寒|kuān カン からだ
字解 ㊀①몸곤. '一, 體也'《廣韻》. ②볼기곤 궁둥이. '一, 博雅, 一尻也'《集韻》. ㊁몸관, 볼기관 ㊀과 뜻이 같음.
字源 形聲. 月(肉)＋寬〔音〕

肉15〔臘〕19 랍 入合|là ロウ まつりのな
字解 ①납향랍 납일(臘日)에 행하는 제사. 또, 그 제사를 지냄. '一祭'. '孟冬一先祖五祀'《禮記》. ②섣달랍 음력 12월. '正月東都雪, 多于舊一時'《梅堯臣》. ③쌍날칼랍 양옆에 다 날이 있는 칼. '一廣二寸有半寸'《周禮》. ④햇수랍 중이 득도(得度)한 이후의 햇수. '我生五十有七矣, 僧一方十二'《太平廣記》.
字源 形聲. 月(肉)＋巤〔音〕
參考 臈(肉부 13획〈1094〉)은 同字.

肉15〔臕〕19 표 平蕭|biāo ヒョウ こえふとったさま
字解 뚱뚱할표 살찜. 비만(肥滿)함. '一, 脂一, 肥皃'《廣韻》.

字源 形聲. 月(肉)+麃〔音〕

肉15〔臢〕19 〔독〕
殰(歹부 15획〈611〉)의 古字

肉15〔臕〕19 박 入覺|báo ハク·バク はれる
字解 ①부을박 살이 부어오름. '一, 肉肤起'《集韻》. ②주름박 주름이 짐. '可以已一. (注)一, 皮皺起也'《山海經》. ③가죽찢어질박 '一, 皮破'《集韻》. ④부풀어오를박 皺, 墳起也. 或从勺, 从肉, 亦省'《集韻》.

肉15〔臍〕19 〔척〕
膌(肉부 10획〈1086〉)의 本字

肉15〔膺〕19 〔응〕
膺(肉부 13획〈1094〉)의 本字

〔鵬〕〔붕〕
鳥부 8획(1823)을 보라.

肉15〔臚〕19 〔부〕
膚(肉부 11획〈1089〉)와 同字

肉15〔膄〕19 〔수〕
瘦(疒부 10획〈816〉)와 同字

肉15〔臃〕19 양 上養|yǎng ヨウ むかつく
字解 메스꺼울양 메스꺼움. 구역질이 남. '一, 一一欲吐'《集韻》.

肉15〔臆〕19 〔축〕
臓(肉부 11획〈1090〉)과 同字

肉15〔臡〕19 ⊟ 행 平庚|gēng
⊟ 경 平庚|コウ あつもの
字解 ⊟ ①수육행 '一, 熟肉也'《廣韻》. ②갱즙(羹汁)행 '一, 肉湆也'《集韻》. ③고깃국행 '一, 謂之脏'《博雅》. ⊟ 오미화갱(五味盉羹)경 '一, 五味盉羹也'《集韻》.

肉15〔臔〕19 현 上銑|xiàn
ケン にくがひきつる
字解 ①쥐날현 쥐가 남. 경련이 일. '一, 一日, 肉急'《集韻》. ②살찔현 살찜. '一一, 肥也'《廣雅》.

肉15〔臖〕19 흥 去徑|xìng
キョウ はれいたむ
字解 ①부어오를흥 부어오름. '一, 腫起'《廣韻》. ②붓고아플흥 붓고 아픔. 붓는 병. '一, 腫痛'《玉篇》.

肉16〔臙〕20 연 平先|yān エン のど
字解 ①목구멍연 '一, 一喉也'《五音類聚》. ②연지연 뺨에 찍는 화장품. '一, 一脂'《字彙》.
字源 形聲. 月(肉)+燕〔音〕

肉16〔臚〕20 려 平魚|lú リョ·ロ かわ
字解 ①가죽려, 살갗려 몸의 표피. '一, 皮也'《說文》. ②배려 배의 앞. '腹前曰一'《一切經音義》. ③벌여놓을려 진열함. '一列'. '一於郊祀. (注)一字, 訓陳也'《史記》. ④전할려 말을 전함. '風聽一言於市. (注)一, 傳也'《國語》.
字源 形聲. 月(肉)+盧〔音〕

肉16〔臛〕20 ⊟ 학 入藥|huò カク あつもの
⊟ 혹 入沃|huò コク あつもの
字解 ⊟ 고깃국학, 고깃국끓일학 '一, 羹一'《廣韻》. 脽(肉부 10획〈1086〉)과 同字. ⊟ 고깃국혹, 고깃국끓일혹 ⊟과 뜻이 같음.
字源 形聲. 月(肉)+霍〔音〕

〔騰〕〔등〕
馬부 10획(1748)을 보라.

肉16〔臊〕20 〔수〕
酥(酉부 5획〈1533〉)와 同字

肉16〔臘〕20 염 平鹽|yān セン にくをゆでる
字解 고기데칠염 고기를 데침. '一, 沈肉於湯中'《玉篇》.

肉16〔膭〕20 유 ①平支|wéi イ こえる
②去寘|wèi
イ にくがいたむ
字解 ①살찔유 살찜. '一, 肥也'《玉篇》. ②살아플유 살이 아픔. '一, 肉病'《集韻》.

肉16〔臇〕20 최 平支|スイ あつもの
字解 고깃국최 고깃국. 곰국. 臇(肉부 13획〈1094〉)과 同字. '一, 音嗺, 臛也, 或作臇'《康熙字典》.

肉16〔臕〕20 〔포〕
臕(肉부 12획〈1092〉)와 同字

肉17〔羸〕21 라 上哿|luǒ ラ はだか
字解 ①벌거벗을라 裸(衣부 8획〈1277〉)와 同字. '童子一而轉以歌'《左傳》. ②털짧은 짐승라 범·표범 따위. '其動物宜一物. (注)一物, 虎豹貔貅之屬淺毛者'《周禮》. ③나귀라 '單于遂乘六一, 壯騎可數百. (注)一者, 驢種馬子'《漢書》. ④괄루(栝樓)라

과라(果蓏). 다년생(多年生) 초본 식물(草本植物). 덩굴지어 올라가며, 흰 꽃이 핌. 열매는 타원형인데, 뿌리와 열매는 약으로 쓰임. '果一之實, 亦施於宇. (毛傳)果一, 栝樓也'《詩經》.
[字源] 形聲. 羸+果〔音〕

肉 17 〔䑋〕21 양 ㊤養 ㊥陽 | rǎng ジョウ·ニョウ こえる
[字解] ①살찔양 '一, 益州鄙言人盛, 諱其肥, 謂之一'《說文》. ②왕성할양 '一, 盛也'《揚子方言》. ③《韓》 양양 소의 밥통의 고기.
[字源] 形聲. 月(肉)+襄〔音〕

肉 17 〔⿰月肅〕21 ㊀소 ㊦嘯 ㊁수 ㊥尤 | xiào ショウ あつもの sōu シュウ ほしうおのお
[字解] ㊀고깃국소 고깃국. '一, 膗也, 或作一'《集韻》. ㊁건어꼬리수 건어(乾魚) 꼬리. '一, 乾魚尾也'《字彙》.

肉 17 〔⿰月薄〕21 〔박〕
膊(肉부 10획〈1085〉)과 同字

〔鰧〕 〔등〕
魚부 10획(1802)을 보라.

肉 18 〔臞〕22 구 ㊥虞 | qú ク·グ やせる
[字解] ①파리할구 여윔. '一, 瘠也'《爾雅》. ②줄구 적어짐. 모손(耗損)함. '赫河一. (注)一, 耗也'《太玄經》. ③가늘고작을구 '一, 是細小之義'《周禮 疏》.
[字源] 形聲. 月(肉)+瞿〔音〕

肉 18 〔臟〕22 [高·人] 장 ㊦漾 | zàng ゾウ はらわた
[筆順] 月 月艹 月广 月疒 月葥 月臧 臓 臟
[字解] 오장장 내장, 곧 가슴과 배 안에 있는 여러 기관(器官)의 총칭. '心一'·'肺一'·'肝一'·'腎一'·'脾一'을 '五一'이라 함. '一, 五一, 一者, 藏也, 精藏於腎, 神藏於心, 魂藏於肝, 魄藏於肺, 志藏於脾'《字彙》. '破積聚於腑一'《抱朴子》.
[字源] 形聲. 月(肉)+藏〔音〕

肉 18 〔⿰月雚〕22 ㊀권 ㊥先 ㊁환 ㊥寒 | quán ケン みにくい huān カン けもののな
[字解] ㊀추할권 '一, 醜也'《廣韻》. ㊁짐승이름환 '一疏'는 짐승의 이름. '帶山, …有獸焉. 其狀如馬, 一角有錯. 其名曰一疏. 可以辟火'《山海經》.

肉 18 〔⿰月㶾〕22 〔표〕
膘(肉부 11획〈1088〉)의 本字

〔黱〕 〔대〕
黑부 10획(1866)을 보라.

肉 18 〔⿰月聶〕22 ㊀엽 ㊇葉 ㊁접 ㊇葉 ㊂녑 ㊇洽 | niè ジョウ にくがうごく zhé ショウ きりにく ドウ ひじ
[字解] ㊀살떨엽 살이 떪. '一, 動一'《廣韻》. ㊁토막고기접 토막 친 고기. '牒, 切也, 或从聶'《集韻》. ㊂팔꿈치녑 '一, 臑也'《集韻》.

肉 18 〔⿰月雟〕22 ㊀유 ㊤紙 ㊁취 ㊥支 | wěi イ きずがさける スイ あつもの
[字解] ㊀①상처자국터질유 상처 자국이 터짐. 瘺, 說文, 創裂也, 或作一'《集韻》. ②부스럼유, 상처유 '一, 瘡也'《玉篇》. ㊁고깃국취 '臇, 腫也, 或作一'《集韻》.

肉 19 〔臠〕25 련 ㊤銑 | luǎn レン きりみ
[字解] ①저민고기련 잘게 저민 고기. '一, 一曰, 切肉也'《說文》. ②파리할련 수척함. '一, 臞也, 从肉䜌聲, 詩曰, 棘人一一'《說文》.
[字源] 形聲. 肉+䜌〔音〕

肉 19 〔臡〕25 니 ㊥齊 | ní デイ·ナイ たたき
[字解] 뼈섞인장조림니 고기와 뼈를 난도질하여 섞어 넣은 장조림. '昌本, 麋一. (注)一, 亦醢也……有骨曰一, 無骨曰醢'《周禮》.
[字源] 形聲. 肉+難〔音〕

肉 19 〔⿰月靡〕23 마 ㊥歌 | mó バ はらくだり
[字解] 설사할마 설사함. '一痳'. '臁, 臁痳, 漏病, 或从靡'《集韻》.

肉 19 〔臢〕23 찬 ㊥覃 | zā, zān サン きたない
[字解] ①더러울찬 臜(肉부 12획〈1091〉)과 통용. 불결(不潔)함. '不潔曰腌一'《趙叔向·肯綮錄》. ②명백하지않을찬 '自家這一場腌一病'《西廂記諸宮調》. ③열악(劣惡)할찬 '這個腌一潑才'《水滸全傳》.

肉 19 〔⿰月橆〕23 〔무〕
膴(肉부 12획〈1091〉)의 本字

肉 19 〔臡〕23 〔갱〕 羹(羊부 13획〈1039〉)과 同字

臣 部

〔신하신부〕

臣 0 〔臣〕6 中·人 신 ㊥眞 | chén シン けらい

筆順 一 丆 𠃊 𦣝 𦣞 臣

字解 ①신하신 ㉠임금을 섬겨 벼슬하는 사람. '一子'. '君一'. '今非但君擇一, 一亦擇君'《後漢書》. 전(轉)하여, ㉡널리 백성(百姓)의 뜻으로도 쓰임. '率土之濱, 莫非王一'《詩經》. '在國曰市井之一'《孟子》. ②신신 ㉠신하가 임금에게 쓰는 자칭 대명사. '一朔少失父母'《漢書》. ㉡일반인에게 쓰는 겸칭 대명사. '呂公曰, 一少好相人'《史記》. ③신하로삼을신 '而欲以力一天下之主'《戰國策》. ④신하다울신 '君不君, 臣不一'《論語》. ⑤하인(下人)신 '一妾逋逃. (傳)役人賤者, 男曰一, 女曰妾'《書經》. ⑥성신 성(姓)의 하나.

字源 象形. 甲骨文·金文으로 알 수 있는 것처럼 단단히 벌려 뜬 눈을 본뜸.

參考 '臣'이 본디 크게 뜬 눈의 象形이므로, 이것을 부수(部首)로 세워, '보다, 눈' 등의 뜻을 포함하는 문자를 이룸.

臣 0 〔𦣝〕6 ㊀이 ㊥支 | yí イ おとがい ㊁애 ㊥灰 | アイ おとがい

筆順 一 丆 𠃊 𠃊 𦣝 𦣝

字解 ㊀턱이 頤(頁부 6획〈1688〉)의 古字. '一, 顄也'《說文》. ㊁턱애 ㊀과 뜻이 같음.

臣 2 〔臥〕8 中·人 와 ㊦箇 | wò ガ ふす

筆順 一 丆 𠃊 𦣝 𦣞 臣 臣𠂉 臥

字解 ①누울와 ㉠몸을 가로 놓음. '橫一'. '一者一, 起者起'《戰國策》. ㉡잠을 잠. '熟一'. '隱几而一'《孟子》. ②누일와 눕게 함. 자게 함. '畜產皆布氈一之'《水經注》. ③쉴와 휴식함. '一名利者, 寫生危. (注)一, 猶息也'《管子》. ④침실와 자는 방. '出入一內'《後漢書》.

字源 會意. 人+臣

參考 卧(次條)는 俗字.

臣 2 〔卧〕8 臥(前條)의 俗字

臣 2 〔臤〕8 ㊀간 ㊥刪 ㊥寒 | qiān カン かたい ㊁긴 ㊦震 | キン かたい ㊂경 ㊥庚 | コウ·キョウ かたい ㊃견 ㊥先 | ケン かたい ㊄현 | ケン

字解 ㊀굳을간 손으로 잡는 것이 굳음. '一, 堅也'《說文》. ㊁굳을긴 ㊀과 뜻이 같음. ㊂굳을경 ㊀과 뜻이 같음. ㊃굳을견 ㊀과 뜻이 같음. ㊄賢(貝부 8획〈1395〉)의 古字.

字源 形聲. 又+臣〔音〕

〔宦〕〔환〕 宀부 6획(278)을 보라.

臣 4 〔𦣠〕10 〔망〕 望(月부 7획〈521〉)의 古字

臣 5 〔臦〕11 진 ㊤軫 | zhěn シン あきらか

字解 밝을진 밝음. '一, 同眹, 明也'《篇海》.

臣 6 〔𦣦〕12 ㊀광 ㊦漾 ㊤養 | guàng キョウ·コウ そむく ㊁왕 ㊤養 | オウ そむく ㊂경 ㊤梗 | jiǒng ケイ·キョウ じんめい

字解 ㊀어그러질광 '一, 乖也, 从二臣相違'《說文》. ㊁어그러질왕 ㊀과 뜻이 같음. ㊂사람이름경 '一, 人名. 周有伯一'《集韻》.

字源 會意. '臣신'이 서로 등지다의 뜻으로, 어그러지다의 뜻을 나타냄.

臣 8 〔臧〕14 장 ㊥陽 ㊦漾 | ①-⑨zāng ゾウ よい ⑩⑪zàng ゾウ たくわえ

字解 ①착할장 마음이 곱고 어짊. 또, 좋음. '一, 善也'《爾雅》. '何用不一'《詩經》. ②종장 노복. '荊淮海岱雜齊之間, 罵奴曰一, 罵婢曰獲'《揚子方言》. ③회뢰장 贓(貝부 14획〈1401〉)과 통용. '貪汙坐一'《漢書》. ④감출장, 숨을장 藏(艸부 14획〈1195〉)과 통용. '一, 匿也, 蓄也, 與藏同'《正字通》. '遠濁世而自一'《賈誼》. ⑤성공(成功)장 '師出以律, 否一凶. (疏)否謂敗破, 一謂有功'《周易》. ⑥허락할장 '陟罰一否, 不宜異同'《諸葛亮·出師表》. ⑦두터울장 '一, 厚也'《廣雅》. ⑧장물(贓物)장 '一, 贓私字, 古亦用一'《說文解字注》. ⑨성장 성(姓)의 하나. ⑩곳집장 藏(艸부 14획〈1195〉)과 통용. '御府禁一'《漢書》. ⑪오장장 臟(肉부 18획〈1098〉)과 통용. '練一'《漢書》.

字源 形聲. 臣+戕〔音〕

臣 8 〔𦣝〕14 〔고〕
孤(子부 5획〈271〉)와 同字

臣 8 〔𦣛〕14 臨(次條)의 俗字

臣 11 〔臨〕17 [高·人] 림 [平]侵 [去]沁 ①-⑤lín リン のぞむ ⑥lìn リン なく

[筆順] 一 丆 ⼸ 臣 臣' 臣⺈ 臨 臨

[字解] ①임할림 ㉠높은 곳에서 내려다봄. '瞰—'. '俯—'. '—清流而賦詩'《陶潛》. ㉡높은 곳에서 낮은 곳을 대함. '照—下土'《詩經》. ㉢높은 사람이 낮은 사람을 대함. 특히, 군주가 신하를 대함. '君—'. '屢省考績, 以—臣下'《說苑》. ㉣높은 사람이 낮은 사람에게 감. '光—'. '—諸侯'《禮記》. ㉤마주 대함. '如—父母'《易經》. ㉥어떠한 장소에 나옴. '—席'. ㉦그 때에 당함. '—別贈言'《王勃》. ㉧침. 출정함. '以—韓魏'《戰國策》. ㉨지킴. 수비함. '君—函谷'《戰國策》. ㉩다스림. 제어함. '君—之'《國語》. ②병거림 전쟁에 쓰는 수레. 전차(戰車). '與爾—衝'《詩經》. ③쓸림, 그릴림 글씨본이나 그림본을 보고 쓰거나 그림. '—寫'. ④괘이름림 육십사괘(六十四卦)의 하나. 곧, ䷒〈태하(兌下), 곤상(坤上)〉. 양기(陽氣)가 점차로 길어져서 음기(陰氣)에 육박하는 상(象). '—, 元亨利貞'《易經》. ⑤성림 성(姓)의 하나. ⑥울림 장례 때 여러 사람이 한 군데 모여서 울며 슬퍼함. '—哭'. '—于大宮'《左傳》.

[字源] 會意. 臥+品

臣 11 〔臩〕17 ㊀광 [上]養 guǎng キョウ·コウ はしる ㊁경 [上]梗 jiǒng ケイ·キョウ はしる

[字解] ㊀ ①놀라서달릴광 놀라서 달림. '—, 驚走也'《說文》. ②왕래할광 '—, 往來也'《說文》. ㊁ ①달릴경 ㊀①과 뜻이 같음. ② 囧(口부 4획〈195〉)의 古字.

[字源] 形聲. 夰+亞〔音〕

臣 12 〔𦣢〕18 〔복〕
僕(人부 12획〈71〉)의 古字

臣 15 〔𦣻〕21 환 [平]刪 huán カン かたい

[字解] 굳을환 굳음. 단단함. '—, 堅也'《集韻》.

臣 23 〔𦤀〕29 〔림〕
臨(臣부 11획〈1100〉)의 古字

自 部

〔스스로자부〕

自 0 〔自〕6 [中·人] 자 [去]寘 zì ジ みずから

[筆順] ′ ｜ 亻 冂 白 自 自

[字解] ①몸자 자기. '獨—'. '—我'. ②스스로자 ㉠몸소. 친히. '君子以—彊不息'《易經》. ㉡저절로. '—然而已'《列子》. ③부터자 …로부터. '—是'. '—初至終'. '—我致寇'《易經》. ④부터올자 어느 곳으로부터 옴. '晨門曰, 奚—, 子路曰, —孔氏'《論語》. ⑤부터할자 무엇무엇부터 시작함. '長國家務財用者, 必—小人矣'《大學》. ⑥좇을자 따름. '天視—我民視'《孟子》. ⑦인할자 의(依)함. 기인함. '法之不行, —於貴戚'《史記》. ⑧쓸자 사용함. '—我五禮'《書經》.

[字源] 象形. 코의 모양을 본뜸.

[參考] '自'를 의부(意符)로 하여, 코를 나타내는 '鼻'나 냄새를 나타내는 '臭'자 등이 이루어짐.

自 0 〔𦣹〕6 自(前條)의 本字

自 1 〔𦣻〕7 ㊀수 [上]有 shǒu シュウ·シュ かしら ㊁백 [入]陌 bǎi ハク·ヒャク もも

[字解] ㊀머리수 首(部首)와 同字. '—, 頭也. 象形'《說文》. ㊁일백백 百(白부 1획〈824〉)의 古字. '百, 十十也. —, 古文百'《說文》.

[字源] 象形. 눈과 머리털을 강조(强調)한 머리의 상형으로, 머리의 뜻을 나타냄.

自 1 〔𦣺〕7 〔백〕
白(部首〈824〉)의 古字

自 1 〔𦣼〕7 〔자〕
自(部首〈1100〉)의 古字

自 1 〔𦣽〕7 교 [上]篠 jiǎo キョウ つつしむ

[字解] 삼갈교 삼감. 자중함. '—, 自重之也'《篇海》.

自 2 〔𦤅〕8 〔혜〕
惠(心부 8획〈394〉)의 古字た

自 3 〔臭〕9 〔취〕
臭(自부 4획〈1101〉)의 略字

自3 〔⿱自京〕9 〔경〕
京(亠부 6획〈29〉)과 同字

自4 〔臬〕10 얼 [入]屑 | niè ゲツ くい，まと

[字解] ①문에세운말뚝얼 ‘闑(門부 10획〈1605〉)과 同字. ‘樴謂之杙, 在牆者謂之楎, 在地者謂之—’《爾雅》. ②과녁얼 사적(射的). ‘—, 射準的也’《說文》. ‘桃弧棘矢, 所發無—’《張衡》. ③해시계얼 ‘圭—’. ‘樹八尺之—’《周禮 註》. ④법얼 법칙. 규정. ‘準—’. ‘外事, 汝陳時—’《書經》. ⑤한얼 극한(極限). ‘其深不測, 其廣無—’《王粲》. ⑥위태로울얼 臲(自부 10획〈1102〉)과 同字. ‘—兀’.
[字源] 形聲. 木＋自〔音〕

自4 〔臭〕10 [高·人] [一]취 [去]宥 (추[本]) [二]후 [去]宥 | chòu シュウ におい xiù キュウ かぐ

[筆順] ′ 丨′ 冂 白 自 臯 臭 臭

[字解] [一]①냄새취 코로 맡을 수 있는 온갖 기운. ‘惡—’. ‘無聲無—’《詩經》. ②구린내취 나쁜 냄새. ‘十年尙猶有—’《左傳》. 전(轉)하여, 오명(汚名). ‘遺—萬載’《晉書》. ③향내취 향기. ‘其—如蘭’《易經》. ④냄새날취 악취가 남. ‘年老口—’《漢官儀》. ⑤더러울취, 더럽힐취 ‘無起穢以自—’《書經》. ⑥썩을취 부패함. ‘—厥載’《書經》. ※本音 추. [二] 맡을후 嗅(口부 10획〈177〉)와 통용. ‘三—之不食也. (注)—謂歆其氣’《荀子》.
[字源] 會意. 自＋犬
[參考] 臰(自부 6획〈1101〉)는 俗字.

自4 〔⿱自王〕10 〔황〕
皇(白부 4획〈825〉)의 本字

〔息〕 〔식〕
心부 6획(386)을 보라.

自4 〔⿰自丑〕10 〔뉵〕
衄(血부 3획〈1259〉)과 同字

自4 〔⿱自云〕10 〔운〕
雲(雨부 4획〈1639〉)과 同字

自4 〔⿱自殳〕10 주 [平]虞 | zhū シュ はっかくのつえ

[字解] 팔각지팡이주 여덟 모 난 지팡이. ‘—, 八觚杖也’《廣韻》.

自5 〔⿱自⿱口王〕11 〔황〕
皇(白부 4획〈825〉)의 古字

自6 〔臮〕12 기 [去]寘 | jì キ ともに，および

[字解] 및기 함께. 曁(日部 12획〈514〉)와 同字. ‘淮夷蠙珠—魚. (注)—, 古曁字, 與也’《史記》.
[字源] 形聲. 乑＋自〔音〕

自6 〔⿱自冬〕12 〔종〕
終(糸부 5획〈986〉)의 古字

自6 〔臯〕12 〔고〕
皐(白부 6획〈826〉)의 俗字

自6 〔臰〕12 〔취〕
臭(自부 4획〈1101〉)의 俗字

自7 〔⿱自方〕13 〔면〕
臱(自부 9획〈1101〉)과 同字

自8 〔⿰臭夬〕14 열 [入]屑 | yuè エツ くさるさま

[字解] 썩은모양열 ‘—, 殠皃’《集韻》.

自8 〔⿱自⿱冖⿰巾巾〕14 臱(次次條)의 古字

〔鼻〕 〔비〕
部首(1879)를 보라.

自9 〔臱〕15 면 [平]先 | mián ベン·メン みえない

[字解] ①보이지않을면 ‘—, 不見也’《玉篇》. ②먼곳을보는모양면 ‘—, 視遠之皃’《集韻》.
[字源] 會意. 自＋冖＋冂(金文에서는 方)

自9 〔⿰臬出〕15 [一]얼 [入]屑 [二]알 [入]黠 | ゲツ やすらかでない wà ガツ やすらかでない

[字解] [一]①편치않을얼 ‘槷—’은 편안하지 않음. ‘—, 槷—, 不安也’《說文》. ②위태할얼 ‘—卼’은 위태로운 모양. ‘—, 博雅, —卼, 危也’《集韻》. ③굽힐얼 ‘—, 屈也’《集韻》. [二] 편치않을알, 위태할알, 굽힐알 [一]과 뜻이 같음.
[字源] 形聲. 出＋臬〔音〕

自9 〔⿱亯自〕15 용 [平]冬 | yōng ヨウ あじわう

[字解] ①맛볼용 좋은 향기를 맡으며, 맛있게 먹음. ‘—, 用也. 从亯, 从自. 自知臭香所食也. 讀若庸. (注)鼻聞所食之香而食之, 是曰—, 今俗謂喫爲用是也’《說文》. ②庸(广부 8획〈348〉)의 古字.
[字源] 會意. 亯＋自

自 9 〔臭犮〕15 발 ⓐ曷 | bó ハツ くさったき

字解 ①병들발 앓음. 병(病). '一, 病氣'《類篇》. ②썩는기운발 '歿, 腐氣, 或从臭'《集韻》.

自 10 〔臲〕16 얼 ⓐ屑 | niè ゲツ あやうい

字解 위태할얼 '一卼'은 동요하여 안정하지 못한 모양. 위태로운 모양. '困于葛藟, 于一卼. (疏)一卼, 動搖不安之辭'《易經》.

字源 形聲. 危＋臬〔音〕

參考 자형(字形)을 臬危(次條)로 쓰기도 함.

自 10 〔危臬〕16 臲(前條)과 同字

自 10 〔囟臭〕16 신 ⓠ震 | xìn シン わきが

字解 암내신 암내. '一, 腋氣病'《集韻》. '一殠, 狐腋氣'《越諺》.

自 11 〔𦤎〕17 발 ⓐ月 | bó ホツ くさみ

字解 나쁜냄새발 좋지 못한 냄새. '一, 一一, 臭敗氣'《集韻》.

自 11 〔臭邑〕17 ㊀읍 ⓐ葉 | yè ヨウ くさい ㊁고 ⓟ蕭 | キョウ くさい

字解 ㊀ 나쁜냄새읍 나쁜 냄새. '郒, 郒饐, 臭也, 或从臭'《集韻》. ㊁ 나쁜냄새고 ㊀과 뜻이 같음.

自 11 〔臭侖〕17 피 ⓠ寘 | pì ヒ くさったさま

字解 ①썩은모양피 '一, 敗皃'《玉篇》. ②물고기이름피 물고기 이름. '一, 又魚名'《廣韻》.

自 13 〔臭曷〕19 ㊀할 ⓐ曷 | hè カツ いぬのにおい ㊁알 ⓐ月 | yè エツ くさったにおい

字解 ㊀ 개비린내할 '一, 犬臭也'《集韻》. ㊁ 썩은내알 썩어서 퀴퀴한 냄새. '一, 物敗气也'《集韻》.

自 13 〔臭柰〕19 재 ⓟ卦 | zhāi ダイ くさい

字解 ①구릴재 구림. '一, 臭害一, 臭也'《集韻》. ②사정(事情)드러날재 '一, 事露也'《廣韻》.

自 14 〔自畀〕20 비 ⓠ寘 | bì ヒ いぬのうい

字解 ①무녀리비 개의 맨 먼저 낳은 새끼. 또는, 첫 배. '一, 犬初生子, 一曰, 首子'《集韻》. ②첫머리비 '一, 首也'《五音集韻》.

自 14 〔臭昷〕20 올 ⓐ月 | wò オツ におい

字解 냄새올 '一, 臭氣'《類篇》.

自 14 〔臭害〕20 ㊀해 ㊁매 ⓠ卦 | hài カイ くさい

字解 ㊀ 구릴해 구림. '一, 一臭柰, 臭也'《集韻》. ㊁ 구릴매 ㊀과 뜻이 같음.

自 20 〔䑛〕26 〔불〕 佛(人부 5획〈43〉)과 同字

至 部

〔이를지부〕

至 0 〔至〕6 中·人 지 ⓠ寘 | zhì シ いたる

筆順 一 𠄌 ㄊ 즈 至 至

字解 ①이를지 ㉠옴. 도착함. '如川之方一, 以莫不增'《詩經》. ㉡도래함. '禍福將一'《中庸》. ㉢다다름. 도달함. '舟車所一, 人力所通'《中庸》. ㉣와 모임. '禽獸一'《孟子》. ②지극할지 극진한 데까지 이름. '規矩, 方員之一也. (注)一, 極也'《孟子》. 또, 지극한 일. '養之一也'《孟子》. ③심할지 더할 나위 없이. '一賢'. '充類一義之盡也. (注)一, 甚也'《孟子》. ④동지지, 하지지 한해 중 낮이 가장 짧은 날과 가장 긴 날. '先王以一日閉關'《易經》.

字源 指事. 화살이 땅바닥에 꽂힌 모양에서, '이르다, 당도하다'의 뜻을 나타냄.

至 1 〔𦤳〕7 至(前條)의 古字

〔到〕〔도〕 刀부 6획(102)을 보라.

至 2 〔𡍼〕8 〔지〕 至(部首〈1102〉)의 古字

至 3 〔致〕9 中·人 치 ⓠ寘 | zhì チ いたる

筆順 一 𠄌 ㄊ 즈 至 至 到 致

字解 ①이를치 극진(極盡)한 데까지 이름. '一知在格物'《大學》. ②부를치 오게 함. '招一'. '將成家而一汝'《韓愈》. ③보낼치 부쳐줌. '一書'. '季孫行父如宋一女'《春秋》. ④

전할치 전달함. 알림. '一言'. '一意'. '工祝一告'《詩經》. ⑤이룰치 성취함. '一富'. ⑥다할치 진력함. '人未有自一者也'《論語》. ⑦돋울치 겲. '一戰'. '以一晉師'《左傳》. ⑧맡길치 위탁함. '事君能一其身'《論語》. ⑨그만둘치 사직함. '退而一仕'《公羊傳》. ⑩풍취치 상태. '景一'. '情一'. '自然成高一'《王縉》. ⑪뜻치 의취(意趣). '其一一也'《王羲之》. '其志一遠矣'《後漢書》. ⑫고울치 치밀함. '大羹不一. (注)一, 當讀爲緻'《左傳》.
[字源] 形聲. 본디 夊+至〔音〕. '夊치'는 아래를 향한 발의 象形.
[參考] 致(次次條)는 '夊'를 '攵복'으로 잘못 쓴 속자(俗字)임.

〔郅〕 〔질〕 邑부 6획(1516)을 보라.

至4 〔致〕 10 致(前前條)의 俗字

至4 〔䟈〕 10 〔치〕 致(至부 3획〈1102〉)와 同字

至4 〔致〕 10 〔치〕 致(至부 3획〈1102〉)의 俗字

至5 〔胵〕 11 질 [入]質 | zhì チツ さからう
[字解] 거스를질 어긋남. '偺一'. '一, 偺一, 牴牾也, 一曰, 不循理'《集韻》.

至6 〔臶〕 12 천 [平]霰 | jiàn セン かさねていたる
[字解] ①거듭이를천 다시 다다름. '一, 重至'《廣韻》. ②거듭천 재차(再次). '一, 重也'《集韻》.
[字源] 形聲, 至+存〔音〕

至6 〔臷〕 12 질(절[本]) [入]屑 | dié テツ おいる
[字解] ①늙을질 늙음. 80 세의 노인. 耊(老부 6획〈1049〉)과 同字. '耊, 說文, 年八十曰耊, 亦作一'《集韻》. '犬馬齒一'《漢書》. ②바꿀질 갊. '一, 替也'《集韻》. ※本音 절.

至6 〔臸〕 12 진 [入]質 | zhī ジツ いたる
[字解] ①이를진 당도함. '一, 致也'《說文》. '醜一一, 言讕讕. (注)一, 音臻, 至也'《春秋元命苞》. ②맞을진 하나같음. '一, 如一也'《廣韻》. ③나아갈진 '一, 前往也'《正字通》.
[字源] 會意. 至+至

至6 〔臺〕 12 〔옥〕 屋(尸부 6획〈298〉)의 古字

至7 〔臹〕 13 수 [平]尤 | xiū シュウ ならう, すすむ
[字解] 익힐수, 나아갈수 '一, 習也, 進也, 出太上老君碑'《字彙》.
[字源] 會意. 至+成

至7 〔臺〕 13 臺(次條)의 俗字

至8 〔臺〕 14 [高·人] 대 [平]灰 | tái ダイ うてな
[筆順] 一 十 士 吉 吉 声 亭 亭 亭 臺 臺 臺 臺 臺
[字解] ①대대 ㉠흙을 높이 쌓아서 사방을 관망할 수 있게 만든 곳. 돈대. '登武子之一'《史記》. ㉡후세에는 조망(眺望)하기 위하여 만든 정자도 이름. '一榭'. ㉢높고 평탄한 토지. '嚴子陵釣一, 在桐城縣'《寰宇記》. ㉣물건을 올려놓는 제구. '飯一'. '堂中, 設視章一'《夢溪筆談》. ②능대 능묘(陵墓). '帝嚳堯舜各二一'《山海經》. ③성문대 성(城)의 문. '驅駕出城一'《江總》. ④마을대 중앙의 정무(政務)를 맡은 관서. 또, 그 고관(高官). 한대(漢代)에는 상서(尙書)를 중대(中臺), 어사(御史)를 헌대(憲臺), 알자(謁者)를 외대(外臺)라 하여, 이를 통틀어 '三一'라 일컬었음. ⑤하인대, 종대 심부름하는 천한 사람. '僕臣一'《左傳》. ⑥어른대 남의 존칭(尊稱). '老一'. '尊一'. ⑦사초대 식물의 이름. 薹(艸부 14획〈1194〉)와 통용. '南山有一'《詩經》. ⑧조정대 조당(朝堂). 주로, 육조 시대(六朝時代)의 용어임. '晉宋間, 爲朝廷禁省爲一'《容齋隨筆》. ⑨성대 성(姓)의 하나.
[字源] 形聲. 至+高〈省〉+㞢〔音〕

至9 〔臷〕 15 질 [入]質 | dié テツ もふくのな
[字解] 상옷질 상제가 입는 상복(喪服). '一, 縗絰也'《篇海》.

至9 〔臺〕 15 〔악〕 握(手부 9획〈454〉)의 古字

至10 〔臻〕 16 진 [平]眞 | zhēn シン いたる
[字解] ①이를진 ㉠옴. '饑饉薦一'《詩經》. ㉡미침. 도달함. '澤一四方'《後漢書》. '滥一于衛'《詩經》. ②모일진 한 군데로 모임. 폭주(輻輳)함. '商賈之所一, 萬物之所殖'《鹽鐵論》.
[字源] 形聲. 至+秦〔音〕

至
10〔𦤿〕16 [一]치 [去]寘 | chì チ いかる
[二]지 [去]寘 | シ いかる

[字解] [一] 성낼치 성내어 다툼. '一, 忿戾也'《說文》. [二] 성낼지 [一]과 뜻이 같음.
[字源] 會意. 至+孫

至
11〔𨋺〕17 지 [去]寘 | zhì シ おもい

[字解] ①수레무거울지 '一, 車重也'《集韻》. ②수레앞이무거울지 輊(車부 6획〈1466〉)와 同字. '一, 與輊同, 車前重也'《字彙》.

至
12〔𦦀〕18 질 [入]質 | zhì シツ ふさぐ, ふさがる

[字解] 막힐질 막음. 막힘. '一, 窒也'《字彙》.

至
12〔𦦁〕18 치 [去]寘 | zhì チ くつぞこをぬう

[字解] 신밑창받을치 신밑창을 받음. '一, 字林, 刺履底也'《集韻》.

臼 部

〔절구구부〕

臼
0〔臼〕6 구 [上]有 | jiù キュウ うす

[筆順] ノ 𠂆 𠂆丨 𠂆⺊ 𠂆⺊丨 臼

[字解] ①절구구, 확구 방앗공이로 곡식을 찧는 기구. '杵一'. '掘地爲一'《易經》. ②성구 성(姓)의 하나.
[字源] 象形. 옛날에는 땅바닥을, 뒤에는 나무·돌을 파서 만드는 절구의 모양을 본뜸.
[參考] '臼구'를 바탕으로 하여, '절구, 절구로 찧다'의 뜻을 포함하는 문자를 이룸. 이 부수(部首)에는 또, '𦥑국'자도 포함되어 있어, '臼'을 바탕으로 하여, 양손으로 들어 올리다의 뜻을 포함하는 문자가 이루어지고 있음.

臼
0〔𦥑〕7 국 [入]沃 | jú キョク さゆうのてをたれてゆびをくみあわせる
[入]屋 | jǔ キク さゆうのてをたれてゆびをくみあわせる

[字解] ①좌우로부터손낼국, 양손내려깍지낄국 '一, 叉手也'《說文》. ②두손으로물건받들국 '一, 兩手奉物'《廣韻》. ③손거둘국 '一, 斂手'《廣韻》.
[字源] 象形. 양손을 위로부터 뻗어 물건을 집어 올리는 모양을 본뜸.

臼
0〔𦥒〕7 〔치〕
齒(部首〈1884〉)의 古字

臼
1〔𦥓〕8 〔신〕
申(田부〈795〉)의 本字

臼
2〔𦥔〕8 〔구〕
臼(部首〈1104〉)의 本字

臼
2〔臾〕9 [一]유 [平]虞 | yú ユ しばらく
[上]麌 | yǔ ユ よわいゆみ
[二]용 [上]腫 | yǒng ヨウ すすめる
[三]궤 [去]寘 | kuì キ あじか

[字解] [一] ①잠깐유 잠시. '道也者, 不可須一離也'《中庸》. ②만류할유 억누름. '一, 束縛捽抴爲一曳, 从申从乙. (注)乙, 屈也'《說文》. ③착할유 '一, 善也'《集韻》. ④성유 성(姓)의 하나. ⑤약한활유 '往體多, 來體寡謂之夾, 一之屬, 利射侯與弋. (注)此夾, 臾謂弓之最弱者'《周禮》. [二] 권할용 慂(心부 10획〈403〉)과 통용. '一, 勸也'《集韻》. '縱一'. [三] 삼태기궤 '蕢, 艸器也, 一, 古文蕢'《說文》.
[字源] 會意. 申(𦥓)+乙. '𦥓신'은 양손으로 위로 끌다의 뜻.

〔兒〕〔아〕
儿부 6획(83)을 보라.

臼
2〔臽〕8 함 [去]陷 | xiàn カン おとしあな

[字解] ①함정함 작은 함정. '一, 小阱也. (注)阱者, 陷也'《說文》. ②함정에빠뜨릴함. ③함정에빠질함 '一, 失足入坑坎也'《同文備考》.
[字源] 象形. 사람이 허방다리에 빠진 모양을 본뜸.

臼
2〔𦥚〕9 〔예〕
曳(曰부 2획〈517〉)의 本字

臼
3〔舁〕9 [一]여 [平]魚 | yú ヨ かく, かつぐ
[二]거 [上]語 | jǔ キョ かく, かつぐ

[字解] [一] 마주들여 두 사람이 한 물건을 마주 듦. '一夫'. '一, 共擧也'《說文》. [二] 마주들거 [一]과 뜻이 같음.
[字源] 會意. 臼+廾
[參考] 舁(臼부 4획〈1105〉)는 本字.

臼
3〔𦥛〕10 폄 [上]琰 | biǎn ヘン

[字解] ①엎을폄 뒤집어엎음. '一, 傾覆也'《說文》. ②貶(貝부 5획〈1387〉)과 同字.
[字源] 會意. 臼+寸

臼
3〔臿〕9 삽 [入]洽 | chā ソウ さす, すき

[字解] ①끼울삽 꽂음. 插(手부 9획〈453〉)과 同字. '褷一其閒'《史記》. ②가래삽 鍤(金부 9획〈1571〉)과 同字. '擧一爲雲'《漢書》. ③절구질할삽 보리 등을 찧음. '一, 舂去麥皮也'《說文》. '一, 舂也'《廣雅》.
[字源] 會意. 干+臼

臼 3 〔臿〕10 臿(前條)의 訛字

臼 4 〔𦥮〕10 [一]벌 [入]月 | fèi ハツ つく
[二]폐 [去]隊 | fèi ハイ つく
[字解] [一]찧을벌 절구에 쌀을 찧음. '一, 舂也'《集韻》. '一, 舂也'《集韻》. [二] 찧을폐 [一]과 뜻이 같음.

臼 4 〔𦥯〕10 𦥮(前條)과 同字

臼 4 〔舀〕10 [一]요 [上]篠 | yǎo ヨウ くむ
[二]유 [平]虞 | ユ くむ
[字解] [一]①절구에서퍼낼요 절구에서 찧은 쌀을 퍼냄. '一, 抒臼也'《玉篇》. ②떠낼요 물 같은 것을 퍼냄. '今人凡酌彼注此, 皆曰一'《說文 段注》. ③절구요 '一, 臼也'《廣韻》. ④성요 성(姓)의 하나. [二] 절구에서퍼낼유, 떠낼유, 절구유, 성유 [一]과 뜻이 같음.
[字源] 會意. 爪+臼

臼 4 〔𦥺〕10 舀(前條)와 同字

臼 4 〔舀〕10 舀(前條)와 同字

臼 4 〔舁〕10 〔여〕 舁(臼부 3획〈1104〉)의 本字

臼 4 〔𦥹〕11 [一] 𦥷(臼부 3획〈1104〉과 同字 [二] 貶(貝부 5획〈1387〉)의 本字

臼 4 〔臽〕10 〔함〕 臽(臼부 2획〈1104〉)의 本字

臼 4 〔舁〕10 〔여〕 舁(臼부 3획〈1104〉)의 古字

臼 4 〔𦥾〕10 〔요〕 𦦁(臼부 5획〈1105〉)의 訛字

臼 4 〔𦥽〕10 〔폄〕 貶(貝부 5획〈1387〉)과 同字

臼 5 〔𦦀〕11 말 [入]曷 | mò バツ こめをつきくだく
[字解] 쌀빻을말 쌀을 절구질하여 빻음. '一, 舂米碎也'《集韻》.

臼 5 〔𦦁〕11 〔요〕 舀(臼부 4획〈1105〉)와 同字

臼 5 〔𦦂〕11 〔요〕 舀(臼부 4획〈1105〉)와 同字

臼 5 〔𦦃〕11 〔요〕 舀(臼부 4획〈1105〉)와 同字

臼 5 〔舂〕11 [一]용 [平]冬 (송[本]) | chōng ショウ うすづく
[二]창 [平]江 | chuāng ソウ はちばんのひとつ
[字解] [一]①찧을용 곡식을 절구에 넣고 찧음. '或一或揄'《詩經》. ②산이름용 전설 속에 나오는 해 떨어지는 곳에 있는 산. '隔溪遙見夕陽一'《薛能》. ③종용할용 從(彳부 8획〈372〉)과 뜻이 같음. '待其一容'《禮記》. ④찌를용 衝(行부 9획〈1263〉)과 뜻이 같음. '一其喉, 以戈殺之'《史記》. ※本音 송. [二] 오랑캐이름창 팔만(八蠻)의 하나.
[字源] 會意. 廾+杵〈省〉+臼

臼 5 〔臿〕11 〔삽〕 臿(臼부 3획〈1104〉)의 本字

臼 5 〔𦦄〕11 〔벌〕 𦥮(臼부 4획〈1105〉)과 同字

臼 5 〔𦦅〕11 〔서〕 鼠(部首〈1875〉)와 同字

臼 6 〔舄〕12 [一]작 [入]藥 | què シャク かささぎ
[二]석 [入]陌 | xì セキ くつ
[三]탁 [入]藥 | tuō タク おおきなさま
[字解] [一]①까치작 새 이름. 鵲(鳥부 8획〈1824〉)·䧿(隹부 8획〈1633〉)과 同字. '一, 䧿也'《說文》. ②성작 성(姓)의 하나. [二]①나무를덧댄신석 '一, 以木置履下, 乾腊不畏泥濕也'《崔豹, 古今注》. ②주춧돌석 '二尺一柱, 柱下傳一'《墨子》. ③빛날석 광휘(光輝)를 발(發)하는 모양. '一奕乎千載'《班固》. ④염밭석 潟(水부 12획〈683〉)과 통용. '終古一鹵兮'《漢書》. [三] 큰모양탁 '松桷有一, 路寢孔碩. (毛傳)一, 大貌'《詩經》.
[字源] 象形. 까치의 모양을 본뜸.

臼 6 〔舃〕12 舄(前條)의 俗字

臼 6 〔𦦆〕13 〔요〕 要(襾부 3획〈1294〉)의 本字

臼 6 〔䑩〕12 박 ㊇藥 | pò ハク つく, うすづく

字解 찧을박, 절구질할박 '一, 齊謂舂曰一'《說文》.

字源 形聲. 臼+屰〔音〕

臼 6 〔䑫〕12 〔요〕 舀(臼부 4획〈1105〉)의 本字

臼 6 〔𦥮〕13 〔위〕 爲(爪부 8획〈733〉)의 古字

臼 7 〔舅〕13 구 ㊤有 | jiù キュウ おじ

字解 ①외숙구 외삼촌. '一, 母之兄弟爲一'. '我送一氏'《詩經》. ②시아버지구 남편의 아버지. '婦事一姑'《禮記》. ③장인구 아내의 아버지. '一, 妻之父爲外一'《說文》. '壻親迎見於一姑'《禮記》. ④처남(妻男)구 '李園不治國, 王之一也'《戰國策》. ⑤호칭구 천자(天子) 또는 제후(諸侯)가 이성(異姓)의 제후, 또는 대부(大夫)를 부르는 데 쓰는 말. '一所病也'《國語》. ⑥성구 성(姓)의 하나.

字源 形聲. 男+臼〔音〕

臼 7 〔䑬〕13 舅(前條)와 同字

臼 7 〔與〕14 中·人 여 ㊤語 ㊦御 ㊥魚 | ①-⑮yǔ ヨ ともに ⑯yù ヨ くみする ⑰yú ヨ か

筆順 ｢ ｣ ... 與

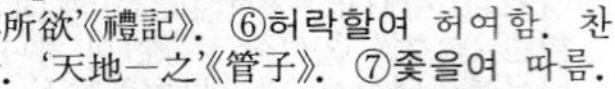

字解 ①더불여 더불어. 함께. '鄙夫可一事君也與哉'《論語》. ②및여 …과. 급(及). '仁一義'. '陰一陽'. ③더불어할여 일을 같이 함. '吾非斯人之徒一而誰一'《論語》. ④더불어갈여 함께 감. '之子歸, 不我一'《詩經》. ⑤줄여 급여함. '施一'. '一人者, 不問其所欲'《禮記》. ⑥허락할여 허여함. 찬성함. '天地一之'《管子》. ⑦좇을여 따름. '一於不仁之甚者也'《孟子》. ⑧도울여 '是一人爲善者也'《孟子》. ⑨편들여 한편이 됨. '一黨'. '是君以合齊一強楚'《戰國策》. ⑩친할여 친숙함. '諸侯以禮相一'《禮記》. ⑪셀여 수효를 셈함. '生一來日, 死一往日'《禮記》. ⑫위할여 爲(爪부 8획〈733〉)와 뜻이 같음. '一人傭耕'《十八史略》. ⑬보다는여 비교하는 말. '禮一其奢也, 寧儉'《論語》. ⑭무리여 동류(同類). '黨一'. '其應者必其人之一也'《韓愈》. ⑮성여 성(姓)의 하나. ⑯참여할여 참예함. '一其謀'. '夫婦之愚, 可以一知焉'《中庸》. ⑰그럴까여 의문사(疑問辭). 歟(欠부 14획〈601〉)와 통용. '其爲仁之本一'《論語》.

字源 形聲. 金文은 牙+口+舁〔音〕

參考 与(一부 3획〈11〉)는 俗字.

臼 7 〔兴〕14 〔흥〕 興(臼부 9획〈1106〉)의 俗字

臼 8 〔䑭〕14 추 ㊥紙 | zhuì スイ うすづく

字解 찧을추 찧음. 방아찧음. '一, 博雅, 舂也'《集韻》.

臼 8 〔䑮〕14 〔박〕 䑩(臼부 6획〈1106〉)의 本字

臼 9 〔興〕15 中·人 흥 ㊥蒸 ㊦徑 | ①-⑤xīng キョウ·コウ おこる ⑥-⑧xìng キョウ·コウ よろこぶ, おもむき

筆順 ｢ ｣ ... 興

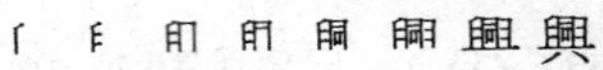

字解 ①일흥 ㉠성(盛)하여짐. '一亡'. '勃一'. '國家將一, 必有禎祥'《中庸》. ㉡생김. 나타남. '淫樂一焉'《史記》. ②일으킬흥 ㉠일이 일어나게 함. 일을 시작함. '一師'. '不可以一土功'《禮記》. ㉡거용(擧用)함. '進賢一功'《周禮》. ㉢성(盛)하게 함. '一復宋統'《後漢書》. ③일어날흥 ㉠일어섬. '君爲之一'《儀禮》. ㉡깨어 일어남. '夙一夜寐'《詩經》. ㉢행(行)하여짐. '禮樂不一'《論語》. ④느낄흥 감동함. '一於詩, 立於禮'《論語》. ⑤성흥 성(姓)의 하나. ⑥기뻐할흥 좋아함. '不一其藝, 不能樂學'《禮記》. ⑦흥흥 홍취. '一味'. '一盡悲來'《王勃》. ⑧시흥 시(詩)의 한 체로, 〈시경(詩經)〉의 '육의(六義)'의 하나. 아무 관계도 없는 딴 물건을 빌려다가 자기의 뜻을 나타내는 것. '敎六詩 曰風, 曰賦, 曰比, 曰一, 曰雅, 曰頌'《周禮》.

字源 會意. 舁+同. '舁여'는 네 손으로 물건을 들다의 뜻이고, '同동'은 '합하다'의 뜻으로, 힘을 합하여 물건을 들어 올리다의 뜻을 나타냄.

臼 9 〔䑯〕15 〔구〕 舅(臼부 7획〈1106〉)의 本字

臼 9 〔䑰〕15 탕 ㊤養 | dàng トウ うすづく

字解 찧을탕 찧음. 방아 찧음. '一, 舂也'《集韻》.

臼 10 〔䑱〕16 차 ㊥歌 | cuō サ うすづく

字解 절구질할차 '一, 舂也'《廣雅》.

臼 10 〔舉〕16 〔거〕 擧(手부 14획〈472〉)의 本字

臼 10〔𦦻〕16 〔용〕
舂(臼부 5획〈1105〉)의 本字

臼 11〔𦦼〕18
㊀공 [平]冬 gǒng キョウ さんぼんあしのささえ
[上]腫
㊁거 [上]語 キョ さんぼんあしのささえ
㊂봉 [上]腫 ホウ さんぼんあしのささえ

[字解] ㊀ ①세발받침공 솥을 받치는 세발 달린 제구. 또, 세발로 받침. '一, 所㠯枝鬲者. (注)類篇引作支, 謂有三足支出也'《說文》. ②곡식찧는기구공 '一, 舂器'《集韻》. ③성공 성(姓)의 하나. ㊁ 세발받침거, 곡식찧는기구거, 성거 ㊀과 뜻이 같음. ㊂ 세발받침봉 ㊀①과 뜻이 같음.
[字源] 會意. 爨〈省〉+鬲〈省〉

臼 11〔舉〕18 〔거〕
擧(手부 14획〈472〉)의 俗字

〔擧〕〔거〕
手부 14획(472)을 보라.

臼 12〔舊〕18 [中·人] 구 [去]有 jiù キュウ もと, むかし

[筆順] 艹 萑 萑 萑 萑 萑 舊 舊

[字解] ①예구 ㉠옛날. '按往一造說'《荀子》. ㉡옛일. '修一也'《公羊傳》. ②오랠구 장구(長久)함. '一, 久也'《小爾雅》. '惟有交游一, 臨岐意悵然'《周恩來》. ③친구구 오래 사귄 벗. '故一'. '立愛則孝, 結一則安'《左傳》. ④원래있던문물제도구 及反商政, 政由一. (孔傳)反紂惡政, 用商先王善政'《書經》. ⑤늙은이구 노인. '尙齒重一'《唐太宗》. ⑥성망(聲望)있는늙은신하구 '一, 老宿也'《古今韻會擧要》. '維今之人, 不尙有一'《詩經》. ⑦낡을구 오래 묵음. '弁冕雖一, 必加於首'《穀梁傳》. ⑧수리부엉이구 '一, 雖一, 一留也. (注)一, 鵂鶹也'《說文》. ⑨성구 성(姓)의 하나.
[字源] 形聲. 篆文은 萑+臼〔音〕
[參考] 旧(日부 1획〈499〉)는 略字.

臼 13〔𦦽〕20 〔농〕
農(辰부 6획〈1487〉)의 古字

臼 13〔舋〕20 〔흔〕
釁(酉부 18획〈1545〉)과 同字

臼 14〔𦧁〕20 〔삽〕
臿(臼부 3획〈1104〉과 同字

臼 18〔𦧄〕25 〔찬〕
爨(火부 25획〈731〉)과 同字

臼 22〔𦧅〕29 〔천〕
䙴(廾부 13획〈357〉)의 古字

舌　部
〔혀 설 부〕

舌 0〔舌〕6 [中·人] ㊀설 [入]屑 shé ゼツ した
㊁활 [入]黠 guā カツ ふさぐ

[筆順] 一 二 千 千 舌 舌

[字解] ㊀ ①혀설 오관(五官)의 하나. 입 속에 있어 맛을 감각하며 발음을 돕는 기관. '一, 在口所以言別味者也'《說文》. ②혀처럼생긴것설 물건에 딸려 혀의 모양을 하였거나, 혀의 기능을 하는 것. '維南有箕, 載翕其一'《詩經》. ③말씀설 '吐黃酓一. (注)一, 言也'《太玄經》. '一戰'·'一鋒'. ④성설 성(姓)의 하나. ㊁ 입막을활 '一, 塞口. 說文作昏'《廣韻》.
[字源] 象形. 입으로 내민 혀의 모양을 형상화하여, '혀'의 뜻을 나타냄.
[參考] '舌'을 의부(意符)로 하여, 핥다 등 혀의 기능에 관한 문자를 이룸. 또, 편의상, '舍사'의 형태를 지닌 문자도 이 부수에 분류됨.

〔乱〕〔란〕
乙부 6획(22)을 보라.

〔刮〕〔괄〕
刀부 6획(102)을 보라.

舌 2〔舍〕8 [中·人] ㊀사 [去]禡 ①-⑥shè シャ いえ
[上]馬 ⑦-⑫shě シャ おく
㊁석 [入]陌 shì セキ おく

[筆順] ノ 人 亼 亼 仐 仐 舍 舍

[字解] ㊀ ①집사 ㉠가옥. '廬一'. '屋一'. '庶人一屋, 許五架門'《宋史》. ㉡거처. '神歸其一'《鬼谷子》. ②여관사 여인숙. '旅一'. '天子賜一'《儀禮》. ③성수사 진수(辰宿). '行九州七一'《淮南子》. ④머무를사 머물러 휴식함. '亦不遑一'《詩經》. ⑤삼십리사 군대가 하루에 걷는 거리(우리 나라 거리로는 오륙십 리). '其辟君三一. (注)三一, 九十里也'《左傳》. ⑥베풀사 시행함. '施一不倦'《左傳》. ⑦둘사 머물러 있게 함. '一需於側'《戰國策》. ⑧버릴사 ㉠내버림. 방기함. '賊追至, 王欲一所攜人'《世說》. ㉡제거함. '一彼有罪'《詩經》. ⑨폐할사 그만둠. 폐지함. '一中軍'《左傳》. ⑩놓을사 석방함. 용

서함. '常刑不一'《漢書》. ⑪적중(的中)할사 화살이 목표에 제대로 맞음. '射之爲言者, 繹也, 或曰一也. (疏)一, 中也'《禮記》. ⑫쉴사 ㉠휴식함. '是月也, 耕者少一. (注)一, 止也'《禮記》. ㉡정지함. '不一晝夜'《論語》. 囙 둘석 물건을 놓음. 釋(釆부 13획〈1546〉)과 同字. '春入學, 一采, 合舞'《周禮》.
字源 形聲. 口＋余〔音〕

舌2 〔舎〕 8 舍(前條)와 同字

舌3 〔舓〕 9 〔지〕 舓(舌부 8획〈1108〉)와 同字

舌4 〔舐〕 10 지 ㊤紙 | shì シ なめる
字解 핥을지 혀끝을 물건에 대고 문지름. 舓(舌부 8획〈1108〉)·舓(舌부 3획〈1108〉)와 同字. '舓, 説文, 以舐取食也. 或从氏'《集韻》. '一痔者, 得車五乘'《莊子》.
字源 形聲. 舌＋氏〔音〕

舌4 〔舑〕 10 담 ㊥覃 ㊦勘 | tiān タン したをだす
字解 혀내밀담 혀를 입 밖으로 내놓음. '玄熊一舕以斷斷. (注)一舕, 吐舌貌'《王延壽》.

舌4 〔舲〕 10 금 ㊦沁 | jìn キン うしのしたのやまい
字解 ①쇠혓병금 소의 혓바닥의 병. ②입다물금 噤(口부 13획〈187〉)과 同字. '直辭一以薦, 巧舌千皆一'《韓愈》.

舌4 〔舕〕 10 〔연〕 吮(口부 4획〈150〉)과 同字

舌5 〔舐〕 11 〔지〕 舐(舌부 4획〈1108〉)의 俗字

舌5 〔舑〕 11 〔담〕 舑(舌부 4획〈1108〉)의 訛字

舌5 〔舓〕 11 〔지〕 舓(舌부 4획〈1108〉)와 同字

〔甜〕 〔첨〕 甘부 6획(792)을 보라.

舌6 〔舒〕 12 人名 서 ㊥魚 | shū ジョ のべる, のびる
筆順 𠆢 亼 亼 仐 舍 舒 舒 舒
字解 ①펼서 ㉠말린 것이나 개킨 것을 폄. '一卷'. '一, 伸也'《說文》. ㉡퍼뜨림. 흩음. '一之幎於六合. (注)一, 散也'《淮南子》. ②열서 닫힌 것을 엶. '其合條一. (注)一, 啓也'《素問》. ③조용할서 점잖고 조용함. '君子之容一遲'《禮記》. ④느릴서 더딤. '爲之者疾, 用之者一, 則財恆足矣'《大學》. ⑤넉넉할서 광활함. '山川險塞, 平野平一'《顧祖禹》. ⑥실마리서 단서. '陰陽辨一, 二姓相合'《易林》. ⑦성서 성(姓)의 하나.
字源 形聲. 予＋舍〔音〕

舌7 〔舔〕 13 천 ㊥先 | tiān テン ことばのただしくないさま
字解 말바르지않을천 '一譂'은 말이 바르지 않은 모양. '於我如一譂'《皮日休》.

〔辞〕 〔사〕 辛부 6획(1484)을 보라.

舌8 〔䑙〕 14 답 ㊇合 | tà トウ すする
筆順 二 千 舌 舌 舌ﾟ 舌ﾞ 舌ﾟ 䑙
字解 ①들이마실답 빨아들여 목구멍으로 넘김. '一, 歠也'《說文》. ②많이먹을답 '一, 大食也'《玉篇》. ③개가먹을답 '猹, 犬食. 一, 上同'《廣韻》.
字源 形聲. 舌＋沓〔音〕

舌8 〔䑛〕 14 䑙(前條)의 本字

舌8 〔舕〕 14 담 ㊦勘 | tàn タン したのでるさま
字解 혀내밀담 혀를 입 밖으로 내놓음. '玄熊舑一以斷斷. (注)舑一, 吐舌貌'《王延壽》.
字源 形聲. 炎＋舌〔音〕

舌8 〔䑜〕 14 舕(前條)과 同字

舌8 〔舔〕 14 첨 ㊤琰 | tiǎn テン なめる
字解 핥을첨 '一, 以舌一物'《字彙》.
字源 形聲. 舌＋忝〔音〕

舌8 〔舓〕 14 〔지〕 舐(舌부 4획〈1108〉)의 本字
字源 形聲. 舌＋易〔音〕

舌8 〔䑝〕 14 〔사〕 辭(辛부 12획〈1485〉)와 同字

舌8 〔䑞〕 14 䑞(次條)과 同字

舌 9 〔⿰舌枼〕 15 [一] 탑 [入]合 [二] 첩 [入]葉 | tà トウ おおいにくう tiè チョウ いぬがすこしなめる

[筆順] 二 千 舌 舌 舌 舌 ⿰舌枼 ⿰舌枼

[字解] [一] ①많이먹을탑 '一, 大食也'《玉篇》. ②마실탑 '一, 歠也'《集韻》. [二] 개가조금핥을첩 '一, 犬小舐'《集韻》.

舌 9 〔舖〕 15 〔포〕 鋪(金부 7획〈1562〉)의 俗字

舌 9 〔舗〕 15 〔포〕 鋪(金부 7획〈1562〉)와 同字

舌 9 〔⿰舌彖〕 15 〔지〕 舓(舌부 8획〈1108〉)와 同字

舌 9 〔⿰舌是〕 15 〔지〕 舓(舌부 8획〈1108〉)와 同字

舌 10 〔⿰舌害〕 16 괄 [入]黠 | jiá カツ したのでるさま

[字解] 혀빼물괄 혀를 내미는 모양. '一, 舌出皃'《集韻》.

舌 10 〔舘〕 16 [人名] 館(食부 8획〈1721〉)의 俗字

[筆順] 人 亼 今 舍 舍 舘 舘 舘

舌 10 〔⿰舌息〕 16 〔게〕 憩(心부 12획〈411〉)와 同字

舌 10 〔⿰舌弱〕 16 〔답〕 ⿰舌沓(舌부 8획〈1108〉)의 俗字

舌 11 〔⿰舌習〕 17 〔탑〕 ⿰舌枼(舌부 9획〈1109〉)과 同字

舌 12 〔⿱舌⿰舌舌〕 18 화 [去]禡 | huà カ たばかる

[字解] ①계교부릴화 말을 이랬다 저랬다 하며 계교를 부림. '一, 謀譜人也, 不象其往來營營, 象其反復, 故重三舌明意, 二三其言也'《六書精蘊》. ②이야기화 話(言부 6획〈1326〉)와 同字.

[字源] 會意. 舌+舌+舌. 이랬다 저랬다 혀를 놀려 남을 속임을 뜻함. '話화'의 別體로 쓰임.

舌 12 〔⿰舌話〕 18 〔화〕 話(言부 6획〈1326〉)의 古字

舌 12 〔⿰書舍〕 18 〔사〕 舍(舌부 2획〈1107〉)와 同字

舌 12 〔⿰舌單〕 18 [一] 탄 [平]寒 [二] 전 [平]先 | tān タン ことばがただしくない テン ことばがただしくない

[筆順] 二 千 舌 舌 舌 舌 ⿰舌單 ⿰舌單

[字解] [一] 말바르지아니할탄 말이 바르지 아니함. '⿰舌闌, 一⿰舌闌, 語不正'《集韻》. [二] 말바르지아니할전 [一]과 뜻이 같음. '一⿰舌闌'.

舌 13 〔舚〕 19 담 [平]覃 [去]勘 | tiàn テン したをだす

[筆順] 二 千 舌 舌 舌 舌 舌 舚

[字解] 혀내밀담 舑(舌부 4획〈1108〉)과 同字. '雜作承開聘, 交驚舌互一'《韓愈》.

舌 17 〔⿰舌毚〕 23 舚(前條)과 同字

舌 17 〔⿰舌闌〕 23 란 [平]寒 | lán ラン ことばがただしくない

[字解] 말바르지아니할란 '一, ⿰舌單一, 語不正'《集韻》.

舛(舛)部

〔어그러질천부〕

舛 0 〔舛〕 6 천 [上]銑 | chuǎn セン そむく

[筆順] ノ ク タ 夕 舛 舛

[字解] ①어그러질천, 틀릴천 상치(相馳)함. 괴려(乖戾)함. '一, 僢也'《廣雅》. ②어지러울천 착란함. 혼란함. '一, 一日, 錯亂'《集韻》.

[字源] 象形. 양발이 반대 방향으로 향하는 모양을 형상화하여, '어그러지다'의 뜻을 나타냄.

[參考] '舛'을 의부(意符)로 하여, '舞무' 등의 문자를 이룸.

舛 4 〔⿱无舛〕 10 〔무〕 舞(舛부 8획〈1110〉)의 俗字

〔桀〕 〔걸〕 木부 6획(545)을 보라.

舛 6 〔舜〕 12 [人名] 순 [去]震 | shùn シュン ひるがお

[筆順] 一 爫 爫 舜 舜 舜 舜 舜

[字解] ①메꽃순 다년생 덩굴풀로 여름에 담

홍백색(淡紅白色) 꽃이 피는데, 낮에 피었다 오후에 시듦. ②무궁화순 아욱과의 낙엽 관목. 여름·가을에 담자색·담홍색·백색 등의 꽃이 핌. 蕣(艸부 12획〈1182〉)과 同字. '顏如一華. (傳)一, 木槿也'《詩經》. ③순임금순 요(堯)임금의 선양을 받은 고대의 성군(聖君). '有鰥在下曰虞一. (注)虞, 姓, 一, 名'《書經》. ④성순 성(姓)의 하나.
字源 形聲. 匧+舛〔音〕

舛 6 〔舝〕12 〔가〕 斝(斗부 8획〈491〉)의 訛字

舛 7 〔舝〕13 할 ⓐ黠 | xiá カツ くさび
筆順 亠 二 亖 亖 亖 亖 亖 舝
字解 ①비녀장할 바퀴가 벗어나지 않게 굴대 머리에 지르는 큰 못. '一, 車軸耑鍵也'《說文》. 轄(車부 10획〈1475〉)·鎋(金부 10획〈1574〉)과 同字. ②별이름할 '房爲府, 曰天駟. 其陰, 右驂. 旁有兩星曰衿, 北一星曰一'《史記》.
字源 形聲. 舛+萬〈省〉〔音〕

舛 8 〔舞〕14 中·人 무 ⓤ麌 | wǔ ブ まう, まい
筆順 亠 亠 無 無 舞 舞 舞 舞
字解 ①춤무 무용. '一, 樂也. 用足相背. 从舛, 一聲'《說文》. ②춤출무 ㉠무용을 함. '不知足之蹈之, 手之舞之'《孟子》. ㉡놂. 선회함. '鳥一魚躍'. ③춤추게할무 춤을 추도록 함. '皆衣文衣而一康樂'《史記》. ④고무할무 '鼓之一之以盡神'《周易》. ⑤환롱할무 제멋대로 꾸며 농락함. '一文弄法. (注)一, 猶弄也'《史記》. ⑥성무 성(姓)의 하나.
字源 形聲. 舛+無〔音〕

舛 8 〔舞〕14 〔가〕 斝(斗부 8획〈491〉)의 訛字

舛 10 〔粦〕16 〔린〕 粦(米부 8획〈971〉)의 本字

舛 10 〔舜〕16 〔순〕 舜(舛부 6획〈1109〉)의 本字

舛 18 〔䍿〕24 〔황〕 䍿(生부 12획〈793〉)의 本字

舛 19 〔䍿〕25 〔무〕 舞(舛부 8획〈1110〉)의 本字

舟 部
〔배 주 부〕

舟 0 〔舟〕6 高·人 주 ⓟ尤 | zhōu シュウ ふね
筆順 ′ 丿 ⺆ 舟 舟 舟
字解 ①배주 선박. '船, 又曰一, 言周流也'《釋名》. '刳木爲一'《易經》. ②배타고건널주 행선(行船)함. 就其深矣, 方之舟之'《詩經》. ③띨주 몸에 띠를 띰. '何以一之'《詩經》. ④반주 제기(祭器)인 준(樽)을 받쳐 놓는 그릇. 차탁(茶托) 비슷함. '皆有一'《周禮》. ⑤실을주 '一, 載也'《篇海類編》. ⑥성주 성(姓)의 하나.
字源 象形. 나룻배의 모양을 본뜸.
參考 '舟'를 의부(意符)로 하여, 여러 가지 종류의 배나, 배의 부품(部品)·용구(用具), 배로 가는 일 등에 관한 문자를 이룸. 참고로, '舟'가 생략되어 '月('배주월'의 형태가 되는 문자가 있는데, '朕짐'·'服복' 등이 그것으로, 그것들은 '月월' 부(部)에 분류됨.

舟 2 〔舠〕8 도 ⓟ豪 | dāo トウ こぶね
字解 거룻배도 칼 모양을 한 작은 배. 일설(一說)에는, 3백 곡(斛)을 싣는 배. '刀'로도 씀. '一, 小船'《玉篇》. '浣花江色綠如黛, 春波灎灎浮輕一'《陸游》.
字源 形聲. 舟+刀〔音〕

舟 2 〔舡〕8 올 ⓐ月 | wù ゴツ ふねがゆきなやむ
筆順 ′ 丿 ⺆ 舟 舟 舟 舡 舡
字解 배까불올 배가 흔들림. '一, 船行不安也'《說文》.
字源 形聲. 舟+刖〈省〉〔音〕

舟 2 〔舣〕8 〔복〕 服(月부 4획〈520〉)의 古字

舟 2 〔舠〕8 료 ⓤ篠 | liǎo リョウ こぶね
字解 ①작은배료 '一, 小船'《玉篇》. ②배긴모양료 '一, 䑧一, 船長皃'《集韻》.

舟 2 〔舧〕8 〔복〕 服(月부 4획〈520〉)과 同字

舟 3 〔舡〕9 [一]강(항[本]) [平]江 | xiāng コウ ふね
[二]선 [平]先 | chuán セン ふね

[字解] [一]배강 선박. '一, 船也'《玉篇》. ※本音 항. [二]①배선 船(舟부 5획〈1112〉)의 俗字. ②성선 성(姓)의 하나.
[字源] 形聲. 舟+工〔音〕

舟 3 〔舢〕9 산 | shān サン ほうかんのな

[字解] 포함산 '一板'은 청(淸)나라 증국번(曾國藩)이 만든 포함(砲艦). 산판(舢板). '道光二十四年議准, 江南省, 內洋長江, 利用大小一板, 外洋利用大帖船'《淸會典事例》.

舟 3 〔舟彡〕9 침 [平]侵 [去]沁 | chěn チン ふねがゆく

[字解] 배떠갈침, 배잇대어갈침 '一, 吳楚謂船行曰一'《集韻》. '一, 舟行相續也'《正字通》.
[字源] 形聲. 舟+彡〔音〕

舟 3 〔舟叉〕9 〔차〕
艖(舟부 10획〈1115〉)와 同字

舟 3 〔舟兀〕9 올 [入]月 | wù ゴツ ふねをうごかす

[字解] ①배움직이게할올 '一, 播舟也'《玉篇》. ②舠(舟부 2획〈1110〉)과 同字.

舟 4 〔航〕10 [高·人] 항 [平]陽 | háng コウ ふね, わたる

[筆順] ´ 丿 ⺆ 冂 月 舟 舟' 舟亠 航

[字解] ①배항 선박. '舟, 自關而東, 或謂之一'《方言》. ②방주(方舟)항 둘을 매어서 나란히 가게 된 배. '以爲舟一. (注)舟相連爲一也'《淮南子》. ③배다리항 부교(浮橋). '渡橋曰一, 晉時有朱雀一, 楊一'《李調元》. ④건널항 배로 물을 건넘. '一, 船行也'《玉篇》. ⑤날항 비행기로 하늘을 낢. '一空'.
[字源] 形聲. 舟+亢〔音〕

舟 4 〔舫〕10 방 [去]漾 | fǎng ホウ もやいぶね

[字解] ①방주(方舟)방 둘을 매어서 나란히 가게 된 배. '艕, 竝兩船, 或从方'《集韻》. ②배방 선박. '一, 船也'《廣雅》. ③뗏목방 '一, 泭也. (注)一, 水中簰筏'《爾雅》. ④뱃사람방 사공(沙工). '一, 船師也'《說文》.
[字源] 形聲. 舟+方〔音〕

舟 4 〔般〕10 [高·人] 반 ①-③[平]寒 ④-⑨[平]刪 | bān ハン めぐる
ハン かえる

[筆順] ´ 丿 ⺆ 冂 月 舟 舟几 般

[字解] ①돌반 선회함. '一, 辟也, 象舟之旋'《說文》. '一, 旋也'《正韻》. ②옮길반 운반함. 속(俗)에, 搬(手부 10획〈459〉)으로 씀. '一, 運也'《玉篇》. ③즐길반 즐거움을 누림. '一, 樂也. (疏)一者, 遊樂也'《爾雅》. ④돌아올반, 돌아오게할반 班(玉부 6획〈770〉)과 통용. '一師罷兵. (注)一音班. 班, 還也'《漢書》. ⑤일반반 사물을 총괄하여 이르는 말. '全一'. '朝市山林隱一一'《陸龜蒙》. ⑥수사반 사물을 세는 수사(數詞). '兩一顏色一一香'《許渾》. ⑦나눌반 頒(頁부 4획〈1684〉)과 통용. '渙爵一秩'《太玄經》. ⑧얼룩반 斑(文부 8획〈490〉)과 통용. '馬黑脊而一臂螻'《周禮》. ⑨클반 '一樂怠敖. (注)一, 大也'《孟子》.
[字源] 會意. 舟+殳

舟 4 〔舟支〕10 〔반〕
般(前條)의 古字

舟 4 〔舥〕10 파 [平]麻 | pā ハ ふなばし

[字解] 배다리파 '浮梁謂之一'《集韻》.

舟 4 〔舨〕10 판 [上]潸 | bǎn ハン ふね

[字解] 배판 '艟一'은 배. '一, 艟一, 舟也'《集韻》.

舟 4 〔舟𠬝〕10 〔복〕
服(月부 4획〈520〉)의 本字

舟 4 〔舩〕10 〔선〕
船(舟부 5획〈1112〉)의 俗字

舟 4 〔舮〕10 〔로〕
艫(舟부 16획〈1117〉)의 略字

舟 4 〔舟戈〕10 가 [平]歌 | gē カ ふねのな

[字解] ①배이름가 '一, 船名'《集韻》. ②舸(舟부 5획〈1112〉)와 同字.

舟 4 〔舟勾〕10 〔구〕
舟句(舟부 5획〈1112〉)와 同字

舟 4 〔舟及〕10 압 [入]合 | è ゴウ ふねのさま

[字解] ①배모양압 배의 모양. '一, 船皃'《廣韻》. ②배움직이는모양압 배가 움직이는 모양. '船, 舟動皃, 或从及'《集韻》.

舟 4 〔舟少〕10 초 [去]效 | chāo ソウ ふねがおちつかない

[字解] 배불안할초 배가 기우뚱거림. '一,

船不安也'《廣韻》.

舟5〔舲〕11 령 ㊥青|líng レイ やかたぶね

字解 배령 ㉠지붕이 있고 창이 달린 거룻배. '乘一船余上沅兮. (注)一船, 船有牕牖者'《楚辭》. ㉡거룻배. '越一蜀艇. (注)一, 小船也'《淮南子》.

字源 形聲. 舟+令〔音〕

舟5〔舳〕11 ㊀축 ㊇屋|zhú チク とも ㊁유 ㊄宥|yòu ユウ へさき

字解 ㊀①고물축 배의 뒤쪽. 선미(船尾). '船後曰一. 一, 制水也'《揚子方言》. ②배크기의이름축 일장 사방(一丈四方)을 축로(舳艫)라 함. '一, 一艫也, 漢律, 名船方長爲一艫'《說文》. ㊁이물유 배의 앞쪽. 선수(船首). '船頭謂之一, 尾謂之艫'《小爾雅》.

字源 形聲. 舟+由〔音〕

舟5〔舴〕11 책 ㊇陌|zé サク こぶね

字解 작은배책 거룻배. '一, 一艋, 小舟'《集韻》.

字源 形聲. 舟+乍〔音〕

舟5〔舶〕11 박 ㊇陌|bó ハク おおぶね

字解 ①배박 '一, 舟也'《廣雅》. ②큰배박 바다에서 쓰는 큰 배. '一, 海中大船'《廣韻》.

字源 形聲. 舟+白〔音〕

舟5〔舷〕11 현 ㊥先|xián ゲン ふなばた

字解 뱃전현 배의 가. 선연(船緣). '一, 船邊也'《集韻》. '詠採菱以扣一'《郭璞》.

字源 形聲. 舟+玄〔音〕

舟5〔舸〕11 가 ㊤哿|gě カ おおぶね

字解 배가 큰 배. '南楚江湘, 凡船大者謂之一'《揚子方言》.

字源 形聲. 舟+可〔音〕

舟5〔船〕11 中·人 선 ㊥先|chuán セン ふね

筆順 ノ 丿 月 月 舟 舟 舡 船

字解 ①배선 선박. '一, 舟也'《說文》. 옛날, 중국의 함곡관(函谷關) 동쪽의 관동(關東)에서는 '舟', 함곡관(函谷關) 서쪽의 관서(關西)에서는 '船'이라 했음. ②배가듯가는술잔선 '醉吟不耐欹紗帽, 起舞從教落酒一'《蘇軾》. ③옷깃선 '一, 衣領曰一'《韻會》. ④성선 성(姓)의 하나.

字源 形聲. 舟+㕣〔音〕

舟5〔舵〕11 타 ㊤哿|duò ダ かじ

字解 키타 柁(木부 5획〈535〉)와 同字. '柁, 正船木, 或作一'《集韻》.

字源 形聲. 舟+它〔音〕

舟5〔舥〕11 舵(前條)와 同字

舟5〔䑦〕11 구 ㊥尤|gōu コウ ふね

字解 ①배구 '一艫, 舟也'《廣雅》. ②잡선(雜船)이름구 '一, 一艫, 一曰一舷, 雜船名也'《龍龕手鑑》.

舟5〔舠〕11 초 ㊥蕭|diāo チョウ ごのふね

字解 오(吳)나라배초 '一, 吳船'《廣韻》.

舟5〔䑭〕11 제 ㊄霽|dì テイ ふね, いくさぶね

字解 배제 '一艦'은 배. 또, 싸움하는 배. '一艦, 舟也, 一日, 水戰船'《集韻》.

舟5〔舺〕11 갑 ㊇洽|xiá コウ ふね

字解 배갑 '䑽一'은 배〔舟〕. '一, 䑽一, 舟也'《集韻》.

字源 形聲. 舟+甲〔音〕

舟5〔般〕11 〔반〕 般(舟부 4획〈1111〉)의 俗字

舟6〔舽〕12 방 ㊥江|páng ホウ ふね

字解 배방 '一艭'은 오(吳)나라 방언으로, 배. '一, 吳船名'《玉篇》.

舟6〔䑬〕12 ㊀도 ㊥豪|tāo トウ ふね ㊁요 ㊄嘯|yào ヨウ おおきいふね

字解 ㊀배도 '一, 舟也'《廣雅》. ㊁큰배요 '一, 大舟'《集韻》.

舟6〔舼〕12 ㊀공 ㊥冬|qióng キョウ こぶね ㊁홍 ㊥東|コウ ふね

字解 ㊀거룻배공 작고 바닥이 깊은 배. '一, 小船'《玉篇》. ㊁배홍 '一, 舟也'《廣雅》.

舟6〔䑳〕12 舼(前條)과 同字

舟6〔舸〕12 〔동〕
艟(舟부 12획〈1115〉)과 同字

舟6〔般〕12 〔반〕
般(舟부 4획〈1111〉)의 俗字

舟6〔舭〕12 〔벌〕
筏(竹부 6획〈936〉)과 同字

舟6〔船〕12 압 ㊅合 | è コウ ふねのうごくさま
字解 배움직이는모양압 '一, 舟動皃, 或从及'《集韻》. 舩(舟부 4획〈1111〉)과 同字.

舟6〔舷〕12 〔짐〕
朕(月부 6획〈521〉)과 同字

舟7〔艀〕13 부 ㊉尤 | fú フ こぶね
字解 거룻배부 작은 배. '一, 舟短小者'《集韻》.
字源 形聲. 舟+孚〔音〕

舟7〔艄〕13 소 ㊉肴 | shāo ソウ·ショウとも
字解 ①고물소 선미(船尾). '一, 船尾'《集韻》. ②키〔舵〕소 '掌一', '撑一' 등으로 씀. '從此, 只在來往船隻上, 替他執一度日'《初刻拍案驚奇》. ③배이름소 '一, 船名'《集韻》.
字源 形聲. 舟+肖〔音〕

舟7〔艅〕13 여 ㊉魚 | yú ヨ ふねのな
字解 배이름여 '一艎'은 오(吳)나라 배의 이름. 餘(食부 7획〈1719〉)와 통용. '一, 一艎, 舟名, 經典通用餘皇'《說文新附》.
字源 形聲. 舟+余〔音〕

舟7〔艇〕13 정 ㊤迥 | tǐng テイ こぶね
字解 거룻배정 좁고 긴 거룻배. 보트. '一, 船小而長'《增韻》. '蜀一, 一版之舟'《淮南子注》.
字源 形聲. 舟+廷〔音〕

舟7〔艕〕13 보 ㊄遇 | bù ホ ふね
字解 배보 길이가 짧고 바닥이 깊은 배. '一, 舟也, 方言, 艇短而深, 謂之一, 或从符'《集韻》.

舟7〔艆〕13 랑 ㊉陽 | láng ロウ おおぶね
字解 ①큰배랑 바다를 가는 대선(大船). '一, 舟也'《廣雅》. '一, 海中大船'《廣韻》. ②뱃전랑 桹(木부 7획〈547〉)과 同字. '一, 舟舷曰桹, 扣舷曰鳴桹. 俗作一'《正字通》.
字源 形聲. 舟+良〔音〕

舟7〔艂〕13 풍 ㊉東 | fēng フウ ふねのな
字解 ①배이름풍 '一, 一艭, 船名'《廣雅》. ②배풍 '一舡'은 배. '一舡, 舟也'《廣雅》.

舟7〔艁〕13 〔조〕
造(辵부 7획〈1497〉)의 古字

舟7〔艎〕13 형 ㊉蒸 | hēng コウ しおぶね
字解 소금배형 소금을 싣는 배. '一, 鹽一也'《字彙補》.

舟8〔艋〕14 맹 ㊤梗 | měng モウ こぶね
字解 거룻배맹 '舴一, 舟也'《廣雅》. '一, 舴一, 小船'《廣韻》.
字源 形聲. 舟+孟〔音〕

舟8〔艍〕14 ㊞ 거
字解 《韓》거룻배거 작은 배.

舟8〔艕〕14 패 ㊄卦 | bài ハイ かじ
字解 키패 배의 방향을 조정하는 기구. '一, 船後一木'《廣韻》.

舟8〔艅〕14 종 | zōng ソウ ふね
字解 ①배종 '莽莽風濤, 開一之後, 誰相司察'《徐光啓, 論說策議》. ②선대(船隊)종 '編什五舟爲一一, 哨官領之'《魏源, 城守篇》.

舟8〔艄〕14 도 ㊄效 | zhào トウ かい
字解 노도 배 젓는 막대기. 櫂(木부 14획〈587〉)와 同字. '一, 一船也'《玉篇》. '櫂, 行舟也, 或作一'《集韻》.

舟8〔舸〕14 ㊀도 ㊉豪 ㊁초 ㊉蕭 | dāo トウ こぶね diāo チョウ さんびゃくこくづみのふね
字解 ㊀거룻배도 작은 배. '一, 小船也'《說文》. ㊁①삼백곡실는배초 '三百斛曰一'《釋名》. ②배이름초 '船, 舟名. 或作一'《集韻》.
字源 形聲. 舟+周〔音〕

舟8 〔⿰舟灷〕14 〔짐〕
朕(月부 6획〈521〉)의 本字

舟8 〔艌〕14 념 [去]豔 | niàn デン ひきづな

[字解] ①배끌밧줄념 배를 끌 밧줄. '一, 挽舟索謂之艌'《正字通》. ②배념 배〔船〕. '一, 一船'《篇海》.

舟8 〔⿰舟侖〕14 륜 [平]元 [平]眞 | ロン ふねのな / lún リン ふねのぜんぶのよこぎ

[字解] ①배이름륜 배 이름. '一, 舟名'《集韻》. ②배앞가름대나무륜 배의 앞 가름대나무. '一, 船前桄也'《集韻》.

舟8 〔⿰舟隹〕14 〔진〕
津(水부 6획〈643〉)의 古字

舟9 〔艎〕15 황 [平]陽 | huáng コウ おおぶね

[字解] ①배황 '候歸一於春渚'《謝朓》. ②나룻배황 '荊人呼渡津舫爲一'《字彙補》. ③배이름황 오(吳)나라의 큰 배 이름. 艅(舟부 7획〈1113〉)를 보라. '一, 艅一, 吳大舟名'《集韻》.
[字源] 形聲. 舟＋皇〔音〕

舟9 〔艑〕15 [一]편 [平]先 [二]변 [上]銑 | ヘン おおぶね / biàn / ヘン ひらたいふね

[字解] [一]배편 큰 배. '大一所出, 皆受萬斛'《荊州記》. [二]변차배변 '一艖'는 납작한 배. '一, 一艖, 舟也'《集韻》.
[字源] 形聲. 舟＋扁〔音〕

舟9 〔艓〕15 접 [入]葉 | dié チョウ こぶね

[字解] ①거룻배접 작은 배. '一, 小舟'《字彙》. ②배이름접 '一, 舟名'《集韻》.
[字源] 形聲. 舟＋枼〔音〕

舟9 〔⿰舟星〕15 성 [平]青 | xīng セイ ふね

[字解] 배성 '一, 船也'《玉篇》.

舟9 〔艐〕15 [一]개 [去]箇 [去]卦 [二]종 [平]東 | kè カ ふねがすなちにはまってすすまない / jiè カイ いたる / zōng ソウ くにのな

[字解] [一]①배모래바닥에얹힐개 배가 모래 위에 얹혀 나아가지 못함. '一, 船着沙不行也'《說文》. ②다다를개 도착함. '一, 至也. (注)一, 古届字'《爾雅》. [二]나라이름종 '三一'은 나라 이름. '一, 一曰, 三一, 國名, 隸作艐'《集韻》.
[字源] 形聲. 舟＋㚇〔音〕

舟9 〔䑺〕15 범 [去]陷 | fān ハン ほ

[字解] 돛범 帆(巾부 3획〈329〉)과 同字. '帆, 舟上幔, 所以汎風, 或作一'《集韻》.

舟9 〔⿰舟娄〕15 〔루〕
艛(舟부 11획〈1115〉)의 俗字

舟9 〔艒〕15 [一]목 [入]屋 [二]모 [去]號 | mù ボク こぶね / mò ボウ こぶね

[字解] [一]①거룻배목 '一, 小艖'《廣韻》. ②목숙(艒⿰舟宿)목 작은 배의 일종. '南楚江湘, 凡船大者謂之舸, 小舸謂之艖, 艖謂之一⿰舟宿'《方言》. [二]낚싯거루모 '一, 一⿰舟突, 釣艇'《廣韻》.

舟9 〔⿰舟变〕15 〔소〕
艘(舟부 10획〈1115〉)와 同字

舟9 〔⿰舟突〕15 돌 [入]月 | tū トツ つりぶね

[字解] 낚싯거루돌 낚싯배. '一, 釣舟, 謂之一'《集韻》.

舟9 〔⿰舟复〕15 복 [入]屋 | fú フク ふね

[字解] ①배복 배〔船〕. '一, 舟也'《玉篇》. ②옷복 옷〔服〕. '服, 或作一'《集韻》.

舟9 〔艏〕15 수 [上]有 | shǒu シュウ ふね

[字解] ①배수 '一, 舟也'《集韻》. ②뱃머리수 뱃머리. 이물. '艗一'. '船首謂之閤閭, 或謂之艗一'《方言》. ③배이름수 배 이름. '一, 舟名'《玉篇》.

舟9 〔⿰舟胃〕15 위 [去]未 | wèi イ にぶね

[字解] 운송선위 운송선(運送船). '一, 運舟也'《集韻》.

舟9 〔⿰舟斿〕15 유 [平]尤 | yóu ユウ ふねがゆく

[字解] ①배뜰유 배가 나아감. '一, 舟行也'《集韻》. ②배의장막유 배의 장막. '一, 舟帷'《字彙》.

舟10 〔⿰舟𦐇〕16 탑 [入]合 | tà トウ おおぶね

[字解] 큰배탑 ⿰舟翕(舟부 12획〈1116〉)과 同字. '⿰舟翕, 大船曰⿰舟翕. 或作一'《集韻》. '何時乘一歸'《梁元帝》.

舟10〔艖〕16 차 ①㊥麻 ②㊥歌 | chā サ こぶね サ ひらたいふね

字解 ①거룻배차 ㉠작은 배. '一, 小船'《玉篇》. ㉡舣(舟부 3획〈1111〉)과 同字. '舣, 小船名, 一, 上同'《廣韻》. ②납작한배차 '艑一'는 납작한 배.
字源 形聲. 舟+差〔音〕

舟10〔艘〕16 소 ㊥豪 ㊥蕭 | sāo ソウ ふね ショウ ふね

字解 ①배소 선박의 총칭. '梭, 說文, 船總名, 或作一'《集韻》. ②배의수효를세는말소 '渾萬一而旣同'《左思》. ③艐(舟부 9획〈1114〉)와 同字.
字源 形聲. 舟+叟〔音〕

舟10〔艙〕16 창 | cāng ソウ ふなぐら

字解 ①선창창 배의 화물을 쌓아 두는 곳. '斜分半一月, 滿載一篷霜'《陸淤》. ②《現》배나 항공기의 내부를 칸 지은 방. '貨一'.
字源 形聲. 舟+倉〔音〕

舟10〔艗〕16 익(역㊍) ㊇錫 | yì ゲキ へさき, ふね

字解 ①배익 익(鷁)새 모양을 이물에 새긴 배. '一, 一舟. 舟頭爲鷁首'《廣韻》. ②이물익 뱃머리. '船首謂之閣閭, 或謂之一艏'《方言》. ※本音 역.
字源 形聲. 舟+益〔音〕

舟10〔艕〕16 방 ㊦漾 ㊦敬 | bàng ホウ もやいぶね

字解 ①쌍배방 두 척의 배를 나란히 함. '一, 竝兩船, 或从方'《集韻》. ②배방 '一, 船也'《集韻》.

舟10〔𦩶〕16 〔조〕
朝(月부 8획〈522〉)의 本字

舟10〔艒〕16 〔도〕
䑽(舟부 6획〈1112〉)와 同字

舟10〔䑳〕16 〔구〕
䑸(舟부 5획〈1112〉)와 同字

舟10〔艒〕16 추 ㊥尤 ㊥虞 | zhōu シュウ ふねのな ス かいせん

字解 ①배이름추 '一, 舟名'《集韻》. ②뱃전추 뱃전. '一, 舷謂之一'《集韻》. ③바다를운항하는배추 바다를 운항하는 배. '一, 艆一, 海船'《集韻》.

舟11〔艚〕17 조 ㊥豪 | cáo ソウ こぶね

字解 ①거룻배조 작은 배. '維一以梁其上'《唐書》. ②배조 '一, 舟也'《集韻》.
字源 形聲. 舟+曹〔音〕

舟11〔艛〕17 루 ㊥尤 | lóu ロウ ふね

字解 ①다락있는큰배루 '一, 舟也. (疏) 一, 卽史記所謂樓船也, 船上爲樓, 謂之樓船'《廣雅》. ②거룻배루 '一艓'은 일종의 작은 배. '使君一艓上巴東'《白居易》.

舟11〔艍〕17 록 ㊇屋 | lù ロク ふね

字解 배록 '䑸一'은 배. '一, 䑸一, 舟也'《集韻》.

舟11〔鵃〕17 조 ㊤篠 | diǎo チョウ ふねのながいさま

字解 ①배가길조 배가 긴 형용. '一, 一舤, 船長皃'《集韻》. ②작고긴배조 '一, 船小而長者曰一舤'《正字通》.
參考 鵃(鳥부 6획〈1818〉)와 자형(字形)은 같으나 뜻이 다름.

舟11〔艓〕17 습 ㊇緝 | xí シュウ こぶね

字解 ①자선(子船)습 모선(母船)에 딸린 작은 배. '一, 子船也'《玉篇》. ②배차일습 배를 덮는 뜸. '簹, 覆船具. 或作一'《集韻》. ③전선(戰船)습 '寧朔將軍高道慶乘舸一於江中迎戰, 大破賊水軍'《南齊書》.

舟11〔艀〕17 ㊀보 ㊦遇 ㊁부 ㊥虞 | ホ こぶね bū フ こぶね

字解 ㊀작은배보 작은 배. '艇之小者曰一'《小爾雅》. ㊁작은배부 ㊀과 뜻이 같음.

舟11〔艒〕17 부 ㊦宥 | fù フウ ふねのな

字解 ①배이름부 배 이름. '一, 舟名'《集韻》. ②배에짐을많이실을부 배에 짐을 많이 실음. '一, 船載多也'《類篇》.

舟11〔艒〕17 숙 ㊇屋 | sù シュク こぶね

字解 ①작은배숙 작은 배. '艒一'. '小舸謂之艖, 艖謂之艒一'《方言·九》. ②큰배숙 큰 배. '艒, 艒一, 大舟'《集韻》.

舟11〔艕〕17 〔장〕
槳(木부 11획〈577〉)과 同字

舟12〔艟〕18 동 ㊥東 | tóng トウ いくさぶね

字解 싸움배동 병선(兵船). '一, 艨一, 戰船, 所以突敵'《集韻》.
字源 形聲. 舟+童〔音〕

舟12 〔⿰舟發〕18 [一] 벌 [入]月 | fá ハツ おおぶね
[二] 발 [入]曷 | fá ハツ おおぶね

[字解] [一] 큰배벌 바다로 다니는 큰 배. '一, 海中大船'《集韻》. [二] 큰배발 [一]과 뜻이 같음.

舟12 〔艠〕18 〔등〕
縢(糸부 10획〈1008〉)의 本字

舟12 〔⿰舟厥〕18 궐 [入]月 | jué ケツ ふね

[字解] ①배궐 배〔船〕. '一, 一頭, 船也'《字彙》. ②뱃머리궐 뱃머리. '一, 船頭'《篇海》. ③말뚝궐 배를 매는 말뚝. '一, 今繫舟木曰橛'《正字通》.

舟12 〔⿰舟尞〕18 료 [平]蕭 | liáo リョウ こぶね

[字解] 작은배료 작고 긴 배. '一, 船小而長'《正字通》.

舟12 〔⿰舟番〕18 번 [平]元 | fān ヘン ふねのかざり

[字解] 배장식번 배 장식. '一, 舟飾也'《集韻》.

舟12 〔⿰舟宿〕18 〔숙〕
⿰舟宿(舟부 11획〈1115〉)과 同字

舟12 〔艞〕18 [一] 요 [去]嘯 | yào ヨウ かわをゆくおおぶね
[二] 조 | tiào チョウ あゆみ

[字解] [一] 큰배요 강을 운항하는 큰배. '一, 對一, 江中大船'《廣韻》. [二] 배발판조 배 발판. '一板'.

舟12 〔⿰舟貴〕18 위 [去]未 | wèi イ にぶね

[字解] 운송선위 운송선. '一, 運船也'《字彙》.

舟12 〔⿰舟尊〕18 준 [去]願 | zūn ソン ふねがもる

[字解] ①배가샐준 배가 샘. '一, 舟漏謂之一'《集韻》. ②뱃바닥구멍준 뱃바닥에 난 구멍. '一, 船底孔也'《廣韻》.

舟12 〔⿰舟叅〕18 참 [平]覃 | cān サン りゅうこつ

[字解] 용골참 용골(龍骨). '一, 戰艦內貫以大木, 曰底一'《字彙補》.

舟12 〔⿰舟翕〕18 〔탑〕
⿰舟𦐇(舟부 10획〈1114〉)과 同字

舟12 〔⿰舟黃〕18 [一] 황 [平]陽 | huáng コウ ごのふねのな
[二] 횡 [平]庚 | héng コウ いかだ

[字解] [一] 오나라배이름황 오나라 배 이름. '艎, 艅艎, 吳大舟名, 或从黃'《集韻》. [二] 뗏목횡 뗏목. '潢, 博雅, 筏也, 或从舟'《集韻》.

舟13 〔艤〕19 의 [上]紙 | yǐ ギ ふなじたくをする

[字解] 차릴의 배를 떠날 준비를 차리고 언덕에 갖다 댐. '一, 整舟向岸'《廣韻》. '試水客, 一輕舟'《左思》.
[字源] 形聲. 舟+義〔音〕

舟13 〔艡〕19 당 [平]陽 | dāng トウ ふね

[字解] 배당 '⿰舟氐一'은 주선(舟船).

舟13 〔⿰舟達〕19 달 [入]合 | dá トウ ふねのな

[字解] 배이름달 '舭一'은 배의 이름. '始造舭一船'《宋史》.

舟13 〔艢〕19 〔장〕
檣(木부 13획〈584〉)과 同字

舟13 〔艥〕19 〔즙〕
楫(木부 9획〈562〉)과 同字

舟13 〔⿰舟肅〕19 〔숙〕
⿰舟宿(舟부 11획〈1115〉)과 同字

舟13 〔⿰舟零〕19 〔령〕
⿰舟霝(舟부 17획〈1117〉)과 同字

舟13 〔艂〕19 봉 [平]東 | péng ホウ とま

[字解] 뜸봉 뜸. 배의 가리개. '一, 織竹編箬, 以覆船, 或作篷'《集韻》.

舟13 〔⿰舟賁〕19 비 [上]尾 | fèi ヒ ふなべり

[字解] ①뱃전비 뱃전. 橨, 舟邊也, 或作一'《集韻》. ②배에치는못비 배에 치는 못. '一, 船⿰舟習釘一'《廣韻》.

舟13 〔⿰舟歇〕19 헐 [入]月 | xiē ケツ おおぶね

[字解] 큰배헐 큰 배. '一, 一艎, 大舟, 或省'《集韻》.

舟13 〔⿰舟虜〕19 로 [上]麌 | lǔ ロ ろ, かい

[字解] 노로 艣(舟부 15획〈1117〉)와 同字. '一, 所以進船'《廣韻》.

字源 形聲. 舟+虜〔音〕

舟14〔艦〕20 人名 함 ㊤豏 | jiàn カン いくさぶね

筆順 ⺆ 舟 舟 舟⺊ 舟⺊ 舟⺊ 艦 艦

字解 싸움배함 병선(兵船). '一船'. '一, 戰船, 四方施板以禦矢, 狀如牢'《集韻》.
字源 形聲. 舟+監〔音〕

舟14〔艨〕20 몽 ㊥東 ㊦送 | méng モウ いくさぶね
字解 싸움배몽 병선(兵船). '一, 博雅, 一艟, 舟也'《集韻》.
字源 形聲. 舟+蒙〔音〕

舟14〔艧〕20 확 ㊇藥 | huò ワク ふね
字解 배확 주선(舟船). '一, 舟也'《廣雅》. '方水埋金一, 圓岸伏丹瓊'《江淹》.
字源 形聲. 舟+蒦〔音〕

舟14〔艣〕20 무 ㊥虞 | wǔ ブ ながいふね
字解 ①긴배무 긴 배. '一, 長艇船也'《廣韻》. ②배무 배〔船〕. '一, 舟謂之一'《集韻》.

舟14〔艩〕20 제 ㊥齊 | qí セイ ろべそ
字解 놋좆제 놋좆(배의 뒷전에 단 나무못). '一, 艣一, 用以承艣者'《字彙》.

舟15〔艪〕21 〔등〕
謄(言부 10획〈1348〉)의 本字

舟15〔艠〕21 〔잉〕
賸(貝부 10획〈1398〉)의 本字

舟15〔艪〕21 〔로〕
艣(舟부 13획〈1116〉)와 同字

舟15〔艬〕21 ㊀례 ㊤薺 | lǐ レイ こぶね ㊁리 ㊤紙 | lǐ リ おおぶね
字解 ㊀작은배례 작은 배. '一, 俗呼瓢曰蠡, 故小舟从蠡'《正字通》. ㊁큰배리 큰 배. '一, 大舟'《字彙》.

舟15〔艒〕21 묵 ㊇職 | mù ボク こぶね
字解 ①작은배묵 작은 배. '一, 小舟, 或作艒'《集韻》. ②낚싯배묵 낚싯배. '一, 一艐, 釣艇也'《篇海》.

舟15〔艭〕21 〔차〕
艖(舟부 10획〈1115〉)의 俗字

舟16〔艫〕22 로 ㊥虞 | lú ロ へさき, ふね
字解 ①이물로 뱃머리. '一, 船頭刺櫂處'《正韻》. ②배로 선박. '共乘一江中'《唐書》. ③배크기의이름로 일장 사방(一丈四方)을 축로(舳艫)라 함. '一, 舳一也. (注)每方丈爲一舳一'《說文》.
字源 形聲. 舟+盧〔音〕

舟16〔艟〕22 ㊀롱 ㊥冬 ㊁롱 ㊥東 | lóng リョウ·リュウ とまをかけたふね lǒng ロウ ふねのな
字解 ㊀뜨껑덮은배롱 뜸으로 뚜껑을 하여 덮은 배. '一, 扁舟蓋謂之一'《集韻》. ㊁배이름롱 '一, 舟名'《集韻》.

舟16〔艜〕22 〔등〕
騰(馬부 10획〈1748〉)의 本字

舟16〔艦〕22 력 ㊇錫 | lì レキ ふね
字解 배력 배〔船〕. '一, 船也'《集韻》.

舟16〔艥〕22 습 ㊇緝 | xí シュウ とま
字解 뜸습 배를 덮는 데 쓰는 뜸. 簹(竹부 11획〈954〉)과 同字. '簹, 覆船具, 或作一'《集韻》.

舟17〔艫〕23 령 ㊥青 | líng レイ ふね, やかたぶね
字解 배령 배. 또, 지붕이 있고 창이 달린 배. '一, 舟也, 一曰, 舟有窻者'《集韻》.

舟17〔艫〕23 艫(前條)과 同字

舟17〔艬〕23 참 ㊥咸 ㊦陷 | chán サン おおぶね
字解 큰배참 큰 배. 일설에는, 목선(木船). '一, 合木船, 一曰, 大船'《正字通》.

舟18〔艭〕24 쌍 ㊥江 | shuāng ソウ ふね
字解 배이름쌍 '一, 艂一, 舟名'《集韻》. '朧送燕門節, 春迎楚水一'《何景明》.
字源 形聲. 舟+雙〔音〕

舟19〔艭〕25 〔차〕
艖(舟부 10획〈1115〉)와 同字

舟20〔艧〕26 〔확〕
艧(舟부 14획〈1117〉)과 同字

舟21〔艬〕27 례 ㊤薺 | lǐ レイ おおぶね

[字解] 큰배례 큰 배. '一, 大舟也'《玉篇》.

舟24〔舟靈〕30 〔령〕 舟霝(舟부 17획〈1117〉)과 同字

艮 部

〔머무를간부〕

艮0〔艮〕6 [人名] 간 [去]願 gèn, gěn コン·ゴン とどまる

[筆順] ㄱ ㅋ ㅋ 艮 艮 艮

[字解] ①머무를간, 한정할간 정지함. 일설(一說)에 제한함. '一其背'《易經》. ②어려울간 쉽지 아니함. '象一有守'《太玄經》. ③간괘간 ㉠팔괘(八卦)의 하나. 곧, ☶. 정지(靜止)하는 상(象). 방위(方位)로는 동북(東北). 시각으로는 오전 2 시부터 4 시까지. '成言乎一'《易經》. ㉡육십사괘(六十四卦)의 하나. 곧, ䷳〈간하(艮下), 간상(艮上)〉. 정지하여 나아가지 않는 상(象). '兼山, 一, 君子以思不出其位'《易經》. ④성간 성(姓)의 하나.
[字源] 象形. 사람의 눈을 강조한 모양을 형상화하여, 본디 눈을 뜻했던 듯싶음.
[參考] '艮'이 의부(意符)가 되는 문자의 예는 없으며, 자형(字形) 분류상 부수(部首)로 설정됨.

艮1〔良〕7 [中·人] 량 [平]陽 liáng リョウ よい

[筆順] ' ㅋ ㅋ ㅋ 良 良 良

[字解] ①어질량 ㉠착함. '善一'. ㉡현명함. '股肱一哉'《書經》. 또, 그 사람. '任一'《左傳》. ㉢온순함. '溫一恭儉讓以得之. (注)一, 易直也'《論語》. ②곧을량 바름. '貞一之節'《後漢書》. ③좋을량 훌륭함. '優一'. '陶器必一'《禮記》. ④아름다울량 예쁨. '見此一人'《詩經》. ⑤길할량 상서로움. '日吉時一'《韓愈》. ⑥남편량 아내의 대(對). '一人'. '一席在東. (注)婦人稱夫曰一'《儀禮》. ⑦잠깐량 잠시. '一久'. ⑧유능할량 '吾身泯焉弗一及也. (注)一, 能也'《左傳》. ⑨성량 성(姓)의 하나.
[字源] 象形. 곡류(穀類) 중에서 특히 좋은 것만을 골라 내기 위한 기구의 象形으로, '좋다'의 뜻을 나타냄.

艮2〔艰〕8 艱(次次條)의 簡體字

艮3〔亡艮〕9 〔맹〕 氓(氏부 4획〈622〉)의 訛字

艮11〔艱〕17 간 [平]刪 jiān カン かたい

[字解] ①어려울간 쉽지 않음. 평이하지 않음. '或問經之一易'《揚子法言》. ②괴로울간 힘이 들고 어려움. '稼穡之一難'《書經》. ③험악(險惡)할간 '其心孔一. (注)一, 險也'《詩經》. ④어렵게여길간 '惟帝其一之'《書經》. ⑤괴로워할간 고생함. '奏庶一食鮮食. (注)一, 難也'《書經》. ⑥고생간 간고. 괴로움. '哀民生之多一'《楚辭》. ⑦당고(當故)간 부모의 상(喪). '母一'. '在一'《晉書》. '遭母童夫人一, 朝夕哭臨'《世說》.
[字源] 形聲. 英(堇)+艮(㫐)〔音〕

艮14〔艱〕20 艱(前條)과 同字

色 部

〔빛 색 부〕

色0〔色〕6 [中·人] 색 [入]職 sè, shǎi ショク·シキ いろ

[筆順] ノ ⺈ 㔾 色 色 色

[字解] ①빛색 ㉠색채. '以五采彰施于五色. (傳)采者, 青黃赤白黑也, 色者, 言施之於繒帛也'《書經》. '彩一'. ㉡안색. '一, 顔气也. (注)顔者, 兩眉之間也, 心達於气, 气達於眉間, 是之謂一'《說文》. '變一'. '察一'. ㉢윤. 광택. '體一不變'《北史》. ㉣꼴. 태. '車馬有行一'《莊子》. ㉤경치. '景一'. ㉥형상(形狀)을 띠고 있는 모든 것. '一卽是空, 空卽是一'《般若心經》. ②낯색 용모. '溪邊有二女, 一甚美'《列仙傳》. ③남녀의 정욕색 '漁一'. '寡人好一'《孟子》. ④미모의 여성색 여색(女色). '內作一荒, 外作禽荒. (傳)一, 女一. (疏)女有美一, 男子悅之, 經傳通謂女人爲一'《書經》. ⑤갈래색 종류. '六一'. '各樣各一'. '敎厚浮薄, 一一有之'《唐書》. ⑥낯변할색 ㉠안색을 변하여 화를 냄. '諺所謂'室於怒, 市於一'者, 楚之謂矣'《左傳》. ㉡온화한 안색을 함. '載一載笑'《詩經》. ㉢깜짝 놀라는 모양. '皆一然而駭'《公羊傳》. ⑦색칠할색 채색을 하여 장식함. 또, 윤이 나게 함. '東里子產潤一之'《論語》.
[字源] 會意. 人+卩
[參考] '色'을 의부(意符)로 하여, 색채, 용모에 관한 문자를 이룸.

色4 〔⿰兮色〕 10 혜 [平]齊 | xī ケイ おうだんのいろ

[字解] ①황달빛혜 황달의 빛깔. '⿰奚色, 黃病色, 或从兮'《集韻》. ②앓는소리혜 앓는 소리. '一, 痛聲'《廣韻》.

色5 〔艴〕 11 [一]발 [入]月 | bó ホツ・ボツ けしきばむ
[二]불 [入]物 | fú フツ・ボツ けしきばむ

[字解] [一] ①발끈할발 낯빛을 바꾸어 화를 내는 모양. '一然不悅'《孟子》. ②색칠할발 '一, 一日, 畫工設色'《集韻》. [二] 발끈할불, 색칠할불 [一]과 뜻이 같음.
[字源] 形聲. 色+弗〔音〕

色5 〔⿰皮色〕 11 〔포〕 皰(皮부 5획〈828〉)와 同字

色7 〔⿰孛色〕 13 艴(前前條)과 同字

〔赩〕 〔혁〕 赤부 6획(1403)을 보라.

色7 〔⿰夋色〕 13 〔준〕 皴(皮부 7획〈829〉)과 同字

色8 〔⿰并色〕 14 병 [平]青 [上]迥 | pīng ヘイ・ヒョウ はなだいろ

[字解] ①옥색(玉色)병 연한 남(藍)빛. 청백색(青白色). '一, 縹色也'《說文》. ②아름다운모습병, 노하여안색이바뀔병 '頩, 美皃, 一日, 斂容. 或从色'《集韻》.
[字源] 形聲. 色+幷〔音〕

色8 〔⿰彥色〕 14 〔안〕 顏(頁부 9획〈1694〉)과 同字

色8 〔⿰尙色〕 14 〔염〕 豔(豆부 21획〈1372〉)과 同字

色9 〔⿺色頁〕 15 〔안〕 顏(頁부 9획〈1694〉)과 同字

色9 〔⿰面色〕 15 〔포〕 靤(面부 5획〈1657〉)의 訛字

色9 〔⿰⿱⺈夫色〕 15 〔혜〕 ⿰奚色(色부 10획〈1119〉)와 同字

色10 〔⿰冥色〕 16 명 [去]徑 | mìng メイ あおぐろい

[字解] ①검푸를명 검푸른빛. '⿰冥色, 一⿰冥色, 青黑'《廣韻》. ②눈감을명 '一, 閉目也'《洪武正韻》.

色10 〔⿰旁色〕 16 방 [上]養 | pǎng ホウ むしょくのさま

[字解] ①빛없을방 빛이 없는 모양. '一, 一⿰莽色, 無色'《廣韻》. ②분명할방 모호(模糊)하지 않음. '一, 一⿰莽色, 色晴也'《集韻》.

色10 〔⿰翁色〕 16 앙 [上]講 | ǎng オウ いろがふかくてわるいさま

[字解] 빛칙칙할앙 빛이 짙고 산뜻하지 않은 모양. '一, 色深惡皃'《集韻》.

色10 〔⿰窊色〕 16 와 [去]禡 [上]馬 | wà ワ いろがあせる

[字解] 빛바랠와 빛이 바램. 퇴색함. '一, 色敗也'《集韻》.

色10 〔⿰奚色〕 16 〔혜〕 ⿰兮色(色부 4획〈1119〉)와 同字

色12 〔⿰曾色〕 18 [一]승 [平]蒸 | sēng ソウ こころがみだれる
[二]층 [去]徑 | cèng ソウ いろのわるいさま

[字解] [一] 마음어지러울승 '一, ⿰瞢色一, 神不爽也'《集韻》. [二] 빛흉할층 '一, ⿰瞢色一, 色惡'《集韻》.

色12 〔⿰莽色〕 18 망 [上]養 | mǎng ボウ いろがはれやかなさま

[字解] ①빛없을망 '⿰旁色, ⿰旁色一, 無色'《廣韻》. ②분명할망 '一, ⿰旁色一, 色晴'《集韻》.

色13 〔艶〕 19 [人名] 艷(色부 18획〈1119〉)의 俗字

[筆順] 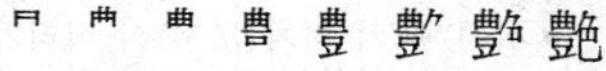

色14 〔⿰熏色〕 20 훈 [去]問 | xùn クン いぶしいろ

[字解] 불에눋을훈 불에 눋은 빛. '一, 物被熏色'《集韻》.

色14 〔⿰鼻色〕 20 〔포〕 皰(皮부 5획〈828〉)와 同字

色16 〔⿰瞢色〕 22 맹 [平]蒸 [去]徑 | méng ボウ こころがさわやかでない
mèng ボウ いろのわるいさま

[字解] ①정신어지러울맹 마음이 개운하거나 깔끔치 않음. '一⿰曾色, 神亂也'《集韻》. ②빛칙칙할맹 색깔이 산뜻하지 못함. '⿰曾色, 一⿰曾色, 色惡'《集韻》.

色18 〔艷〕 24 [人名] 염 [去]豔 | yàn エン みめよい

筆順 丨 ‡ 丰 曲 豊 豐 豔 豔

字解 ①고울염 ㉠윤이 나며 아름다움. '花一無凋落'《列仙傳》. ㉡살결이 곱고 탐스러우며 예쁨. '一美'. '美而一'《左傳》. ②미인(美人)염 '吳娃與越一, 窈窕誇鉛紅'《李白》. ③윤염 광택. '擒筆一于紈素'《晉書》. ④부러워할염 선망(羨望)함. '一, 歆羨也'《增韻》. ⑤불꽃염 '李杜文章在, 光一萬丈長'《韓愈》. ⑥비출염 조요(照耀)함. '日一臨花影, 霞翻入浪暉'《李嶠》. ⑦초(楚)나라땅의가곡염 '荊一楚舞, 吳愉越吟. (注)一, 楚歌也'《左思》.

字源 形聲. 豐＋盍〔音〕

參考 ①豔(豆부 21획〈1372〉)과 同字. ②豓(豆부 20획〈1372〉)은 本字. ③艷(色부 13획〈1119〉)은 俗字.

艸 (艹) 部

〔초 두 부〕

艹 0 〔艸〕6 人名 초 ㊤晧 cǎo ソウ くさ

筆順 丿 ㇄ 屮 屮丨 艸 艸

字解 풀초 초본 식물(草本植物)의 총칭. 草(艸부 6획〈1136〉)와 同字. '草, 說文作艸, 百卉也, 經典相承作草'《廣韻》. '在野曰一茅之臣'《儀禮》.

字源 象形. 가지런히 자란 풀의 象形으로, 풀을 뜻함.

參考 ①'艸'가 한자(漢字)의 머리가 될 때 '艹(초두)'의 꼴을 취함. ②'艸'를 의부(意符)로 하여, 풀에 관한 여러 가지 이름, 풀의 상태, 풀로 만드는 물건 등에 관한 문자를 이룸. '蔑' 등은 '艸'와는 관계가 없지만, 편의상 이 부(部)에 포함시키고 있음.

艸 0 〔艹〕4 艸(前條)가 글자의 머리로 올 때의 자체(字體). 속칭(俗稱) 초두.

筆順 丨 十 十丨 艹

艸 1 〔𠂎〕5 ㊀개 ㊤蟹 guǎi カイ ひつじのつの ㊁괴 ㊥佳 カイ ひつじのつの ㊂과 ㊤馬 カ ひつじのつの

字解 ㊀①양뿔개 '一, 羊角也'《說文》. ②양뿔벌어진모양개 '一一'는 양뿔이 벌어져 있는 모양. '一, 一一, 羊角開皃'《廣韻》. ㊁양뿔괴, 양뿔벌어진모양괴 ㊀과 뜻이 같음 ㊂양뿔과, 양뿔벌어진모양과 ㊀과 뜻이 같음.

字源 象形. 양뿔의 모양을 본뜸.

艸 1 〔艺〕4 〔예〕藝(艸부 15획〈1199〉)의 簡體字

艸 2 〔艸〕8 〔우〕 友(又부 2획〈141〉)의 古字

艸 2 〔艼〕6 정 ㊤迥 dǐng テイ よう ㊤迥 tīng テイ きんま

字解 ①술취할정 '茗一'은 술에 취함. 명정(酩酊). '茗一馬上知爲誰'《韓愈》. ②구장(蒟醬)정 남방 중국(南方中國)·인도(印度)에서 나는, 다육(多肉)의 장과(漿果)를 결실(結實)하는 덩굴나무. '一, 一熒, 朐也'《說文》. '一, 疑卽蒟之別名'《說文通訓定聲》.

字源 形聲. 艹(艸)＋丁〔音〕

艸 2 〔艽〕6 ㊀구 ㊥尤 qiú キュウ はて ㊁교 ㊥肴 jiāo コウ はかりぐさ

字解 ㊀①변방구, 두메구 국경의 황무지. 또, 벽촌(僻村). '我征徂西, 至于一野'《詩經》. ②깃자리구 짐승 소굴 속의 풀을 깔아 놓은 자리. '一, 獸蓐也'《廣韻》. ㊁풀이름교 약초(藥草)의 하나. '秦一, 出秦中, 以根作羅紋交糾者佳, 故名秦一·秦糾'《本草綱目》.

字源 形聲. 艹(艸)＋九〔音〕

艸 2 〔艾〕6 人名 ㊀애 ㊦泰 ài ガイ よもぎ ㊁예 ㊦隊 yì ガイ かる

筆順 ' 十 艹 艹 艾 艾

字解 ㊀①쑥애 국화과에 속하는 다년초. 식용함. '彼采一兮'《詩經》. ②약쑥애 뜸질에 쓰기 위하여 약쑥 잎을 말린 것. '削冰令圓, 擧以向日, 以一承其影得火'《博物志》. ③늙은이애 노인. 쉰 살. 또는 일흔 살. '五十曰一. (注)一, 老也'《禮記》. '保民耆一曰胡. (注)七十曰一'《逸周書》. ④기를애 양육함. '保一爾後'《詩經》. ⑤다할애 다 없어짐. '憂未一也'《左傳》. ⑥갚을애 보답함. '一人必豐'《國語》. ⑦예쁠애 아름다움. 또, 그 여자. 미녀. '知好色, 則慕少一'《孟子》. ⑧성애 성(姓)의 하나. ㊁①벨예 곡식 같은 것을 베어 들임. '一年不一, 而百姓飢'《穀梁傳》. ②다스릴예, 다스려질예 乂(丿부 1획〈17〉)와 통용. '天下一安'《漢書》. ③징계할예 경계함. '自怨自一'《孟子》.

字源 形聲. 艹(艸)＋乂〔音〕

艸 2 〔艿〕6 잉 ㊥蒸 réng ジョウ くさのな

字解 풀잉 묵은 뿌리에서 다시 살아 나오

는 풀. '一, 舊草不芟新草又生曰一'《說文》.
字源 形聲. 艹(艸)+乃〔音〕

艸2 〔芀〕6 조 ㊥蕭 | tiáo チョウ あしのほ
字解 갈대이삭조 갈대의 화축(花軸). 비를 만드는 데 쓰임. '葦, 醜一'《爾雅》.

艸2 〔芀〕6 芀(前條)와 同字

艸2 〔艻〕6 륵 ㊣職 | lè ロク めはじき
字解 ①나륵풀륵 '蘿一'은 향초(香草)의 하나. ②약이름륵 '牛脂一'은 약의 이름.
字源 形聲. 艹(艸)+力〔音〕

艸2 〔节〕5 〔절〕
節(竹부 9획〈945〉)의 簡體字

艸3 〔芔〕9 ㊀훼 ㊤尾 | huì キ くさ
㊁홀 ㊦未 | hū キ はやい
字解 ㊀풀훼 卉(十부 3획〈126〉)의 本字. '一, 艸之總名也'《說文》. ㊁빠를홀 '藰莅一歙, 蓋象金石之聲, 管籥之音. (注)藰莅卽流麗, 一歙卽歘吸, 古作桒, 省作一, 注以爲古卉字. 非'《司馬相如》.

艸3 〔芃〕7 봉 ㊥東 | péng ホウ くさのさかんなさま
字解 ①우거질봉 '一一'은 초목이 무성한 모양. 벼가 잘 자라는 모양. '一一其麥'《詩經》. ②작은짐승봉, 꼬리긴모양봉 '有一者狐, 率彼幽草. (傳)一, 小獸貌. (集傳)一, 尾長貌'《詩經》. ③성봉 성(姓)의 하나.
字源 形聲. 艹(艸)+凡〔音〕

艸3 〔芄〕7 환 ㊥寒 | wán カン ががいも
字解 ①박주가리환 '一蘭'은 박주가릿과에 속하는 다년생 만초(蔓草). 새박덩굴. 나마(蘿藦). 일설(一說)에는, 물억새. '一蘭之支'《詩經》. ②우거질환 '一蘭'은 무성한 모양. '陽氣親天, 萬物一蘭'《揚雄》.
字源 形聲. 艹(艸)+丸〔音〕

艸3 〔芊〕7 천 ㊥先 | qiān セン くさのさかんにしげるさま
字解 ①우거질천 초목이 무성한 모양. '遠樹曖一一'《謝朓》. ②퍼럴천 빛이 푸릇푸릇한 모양. '碧色肅其一一'《潘岳》.
字源 形聲. 艹(艸)+千〔音〕

艸3 〔芌〕7 芋(次條)의 本字

艸3 〔芋〕7 ㊀우 ㊤麌 | yù ウ さといも
㊁후 ㊥虞 | yǔ(xū) ク おおきい
字解 ㊀토란우 천남성과의 다년초. 근경(根莖)과 엽병(葉柄)을 식용함. '士卒食一菽'《史記》. ㊁클후 '君子攸一'《詩經》.
字源 形聲. 艹(艸)+于(亏)〔音〕
參考 芉(艸부 3획〈1122〉)·芊(前前條)은 別字.

艸3 〔芍〕7 人名 ㊀작 ㊣藥 | sháo(shuò) シャク しゃくやく
㊁적 ㊣錫 | dì テキ はすのみ
筆順 ' ＋ ⺿ 艹 艹 芍 芍
字解 ㊀작약작 '一, 一藥, 香草'《集韻》. '一藥'은 작약과에 속하는 다년초. 크고 아름다운 꽃이 피는데, 빛이 흰 것과 붉은 것의 두 종류가 있음. 뿌리는 약재로 씀. ㊁연밥적 菂(艸부 8획〈1147〉)과 同字.
字源 形聲. 艹(艸)+勺〔音〕

艸3 〔芎〕7 궁 ㊥東 | xiōng, qiōng キュウ おんなかずら
字解 천궁이궁, 궁궁이궁 미나릿과에 속하는 다년초. 어린잎은 식용, 뿌리는 약재로 씀. '一, 一藭, 藥名'《正字通》. '川一'. '發蘭蕙與一藭'《揚雄》.
字源 形聲. 艹(艸)+弓〔音〕

艸3 〔芑〕7 기 ㊤紙 | qǐ キ もちあわ
字解 ①차조기 차진 조. '維糜維一'《詩經》. ②상추기 국화과에 속하는 일년 또는 월년초(越年草). 야채(野菜)의 한 가지. 와거(萵苣). '薄言采一'《詩經》. ③풀기 초본(草本). '豐水有一'《詩經》.
字源 形聲. 艹(艸)+己〔音〕

艸3 〔芒〕7 ㊀망 ㊥陽 | máng ボウ のぎ
㊁황 ㊥陽 | huāng コウ こうこつ
字解 ㊀①까끄라기망 벼·보리 따위의 수염. '一種'. ②가시망 식물의 줄기나 잎에 돋은 가늘고 뾰족한 물건. '有一刺在背'《漢書》. ③빛망 빛의 첨단. '七有彗星長十數丈, 一角燭天'《十八史略》. ④어두울망 분명하지 않은 모양. '人之生也, 固若是一乎'《莊子》. ⑤억새망 볏과에 속하는 다년초. '茅一'. ⑥봉망(鋒芒)망 鋩(金부 7획〈1562〉)과 통용. '洩針一'.《後漢書》. ⑦성망 성(姓)의 하나. ㊁황홀할황 恍(心부 5획〈385〉)과 통용. '一乎芴乎'《莊子》.
字源 形聲. 艹(艸)+亡(亾)〔音〕

艸3 〔𦬸〕7 芒(前條)의 本字

艸 3 〔芐〕7 [一] 호 [上]麌 | hù コ じおう
[二] 하 [去]禡 | xià カ じおう

[字解] [一] 지황호 '一, 地黃也'《說文》. 현삼과(玄蔘科)에 속하는 다년초. 뿌리는 약재로 씀. [二] 지황하 [一]과 뜻이 같음.
[字源] 形聲. 艹(艸)＋下〔音〕

艸 3 〔芓〕7 자 [去]寘 | zì シ からむし
[上]紙 | zǐ シ つちかう
[平]支 | zī シ くさのな

[字解] ①삼자 일설(一說)에는, 모시. '一, 麻母也'《說文》. ②제방(堤防)자 '一, 隄也'《廣雅》. ③북돋울자 볏모에 북줌. '一, 假借爲秄'《說文通訓定聲》. ④풀이름자 '一, 艸名, 若也'《類篇》.
[字源] 形聲. 艹(艸)＋子〔音〕
[參考] 荸(艸부 6획〈1133〉)는 同字.

艸 3 〔芉〕7 간 [平]寒 | gān カン くさのな
[上]旱 | gǎn カン はとむぎのみ

[字解] ①풀이름간 '一, 蔽一, 草名'《集韻》. ②율무씨간 '一, 一曰, 薏苡子也'《廣韻》.
[字源] 形聲. 艹(艸)＋干〔音〕
[參考] 芋(艸부 3획〈1121〉)·芊(艸부 3획〈1121〉)은 別字.

艸 3 〔芅〕7 익 [入]職 | yì ヨク·イキ いらくさ

[筆順] 丨 十 廾 卄 芅 芅 芅

[字解] 쐐기풀익 양도(羊桃). 장초(萇楚). '長楚, 銚一'《爾雅》.

艸 3 〔芏〕7 [一] 토 [上]麌 | dǔ ト くさのな
[二] 도 [去]遇 | dù ト くさのな

[字解] [一] 갯벌왕골토 바닷가에 나며, 거적을 엮는 데 씀. '一, 一草, 生海邊, 似莞蘭. 今南越人, 采以爲席'《爾雅 注》. [二] 풀이름도 '一, 艸名, 海莧也'《集韻》.

艸 3 〔芇〕7 [一] 면 [平]先 | mián
[上]銑 | ベン·メン あたる
[二] 만 [平]寒 | バン·マン あたる

[字解] [一] ①당할면 맞섬. '一, 相當也'《說文》. ②밑질면 내기를 하여 손해를 봄. '一, 今人賭物相折謂之一'《廣韻》. ③비길면 바둑을 두어 승부(勝負)가 나지 않음. '圍棋兩無勝敗曰一'《通玄集》. [二] 당할만, 밑질만, 비길만 [一]과 뜻이 같음.
[字源] 形聲. 丫＋㒼〈省〉〔音〕

艸 3 〔𦬆〕7 〔걸〕
芞(艸부 4획〈1126〉)과 同字

艸 3 〔𦬊〕7 〔개〕
芥(艸부 4획〈1123〉)와 同字

艸 3 〔𦬁〕7 소 ㊤篠 | xiǎo ショウ くさきのさかんなさま

[字解] ①초목무성할소 '一, 艸木盛皃'《正字通》. ②풀이름소 풀 이름. 원지(遠志). '一, 一草, 遠志也'《玉篇》.

艸 3 〔𦬂〕7 신 [去]震 | xìn シン やくそうのな

[字解] 다북쑥신 다북쑥. 약초 이름. '一, 藥艸蒿類'《集韻》.

艸 3 〔芆〕7 차 [平]麻 | chā サ くさのめ
[平]佳 | chāi サイ くさのな

[字解] ①풀이름차 풀 이름. 도깨비바늘. 귀침초(鬼針草). '一, 艸名'《集韻》. ②풀의싹차 풀의 싹. '一, 草芽'《玉篇》.

艸 4 〔芻〕10 추 [平]虞 | chú スウ かりくさ

[字解] ①꼴추 마소의 먹이로 베어 말린 풀. '一, 刈艸也, 象包束艸之形'《說文》. ②꼴꾼추 꼴을 베는 사람. '詢于一蕘'《詩經》. ③풀먹는짐승추 소·말·양 등의 초식 동물. '猶一豢之悅我口'《孟子》. ④기를추 꼴을 주어 기름. '一之三月'《周禮》. ⑤짚추 벼·보리 등의 이삭을 떨어 낸 줄기. '士執一'《禮記》. ⑥성추 성(姓)의 하나.
[字源] 象形. 손으로 풀을 모아 잡아 뜯는 모양을 형상화하여, '풀을 베다, 꼴' 등을 뜻함.

艸 4 〔芘〕8 비 [去]寘 | pí ヒ くさのな

[字解] ①풀이름비 '一, 艸也. 一曰, 一朩木'《說文》. ②당아욱비 '一芣'은 당아욱. ③덮을비, 가릴비 庇(广부 4획〈344〉)와 同字. '隱將一其所藾'《莊子》.
[字源] 形聲. 艹(艸)＋比〔音〕

艸 4 〔芙〕8 [人名] 부 [平]虞 | fú フ はす

[筆順] 丨 十 廾 卄 芏 芏 芙 芙

[字解] 부용부 '一蓉'은 ㉠연(蓮)의 이칭(異稱). '荷, 一蕖. (注)別名一蓉, 江東呼荷'《爾雅》. '外發一蓉菱華'《史記》. ㉡목부용(木芙蓉). 낙엽 관목 또는 소교목(小喬木)의 관상(觀賞) 식물로, 약으로도 쓰임. '千葉一蓉詎相似'《江總》.
[字源] 形聲. 艹(艸)＋夫〔音〕

艸 4 〔芚〕8 둔 ①[平]元 | tún トン はじめてしょうずる
②[平]眞 | chūn チュン おろか

[字解] ①싹나올둔 나무의 싹이 처음으로 나오는 모양. '一, 木始生皃'《集韻》. '春木之

一兮'《揚子法言》. ②어리석을둔 무식한 모양. '一, 无知皃'《集韻》.
[字源] 形聲. 艹(艸)+屯〔音〕

艸4 〔芝〕8 [人名] 지 [平]支 | zhī シ れいし
[筆順] ' + ++ 艹 艹 苎 芝 芝
[字解] ①영지지 모균류(帽菌類)에 속하는 버섯의 한 가지. 고래로부터 상서로운 풀로 여김. 지초(芝草). '靈一'. '瑞一'. '一生於土, 土氣和, 故一草生'《論衡》. ②버섯지 균류(菌類). '一栭蔆椇'《禮記》. ③일산지 별을 가리기 위한 큰 양산. '登夫鳳凰兮翳華一'《揚雄》. ④성지 성(姓)의 하나.
[字源] 形聲. 艹(艸)+之〔音〕

艸4 〔芟〕8 삼 [平]咸 | shān サン かる
[字解] ①벨삼 잡초를 베어 버림. '載一載柞. (傳)除草曰一'《詩經》. 전(轉)하여, 제거함. '煩事如掃一'《鄭俠》. ②낫삼 풀을 베는 연장. '耒耜枷一'《國語》.
[字源] 會意. 艹(艸)+殳

艸4 〔芡〕8 감(검[本]) [上]琰 | qiàn ケン おにばす
[字解] 가시연감 수련과(睡蓮科)에 속하는 일년생의 수초(水草). 못이나 늪에 남. 지하경(地下莖)은 식용하며, 열매는 가시연밥, 씨는 '一仁'이라 하여 식용·약용함. '被以松杉, 藷以一菱'《袁桷》. ※本音 검.
[字源] 形聲. 艹(艸)+欠〔音〕

艸4 〔芣〕8 부 [平]尤 | fóu, fú フ はなのさかんなさま
[字解] ①꽃성할부 꽃이 한창인 모양. '一, 華盛'《說文》. ②질경이부 '一苢'는 질경잇과에 속하는 다년초. 길가 등에 저절로 남. 식용으로 하며, 씨는 차전자(車前子)라 하여 약용하는데, 먹으면 애를 낳는다 함. 차전초(車前草). 부이(芣苡). '采采一苢'《詩經》.
[字源] 形聲. 艹(艸)+不〔音〕

艸4 〔芥〕8 개 [去]卦 | jiè カイ からし
[字解] ①겨자개 겨잣과에 속하는 일년 또는 이년초. 또, 그 씨. 갓 비슷하며, 씨는 맵고 향기로운 맛이 있어서 양념과 약용으로 하며, 잎과 줄기는 먹는데 맛이 씀. '一, 辛菜'《一切經音義》. '膾, 春用葱, 秋用一'《禮記》. '一醬魚膾'《儀禮》. ②작은풀개 전(轉)하여, 티끌, 쓰레기, 먼지. '以民爲土一. (注)一, 草也'《左傳》. '視天下之間, 猶飛羽浮芥也'《淮南子》. ③작을개 잚. '一, 纖一, 細微也'《字彙》.
[字源] 形聲. 艹(艸)+介〔音〕

艸4 〔芧〕8 ㊀저 [上]語 | zhǔ チョ かやつりぐさ
㊁서 [上]語 | xǔ ショ くぬぎ
[字解] ㊀①매자기저 방동사닛과에 속하는 다년초. 줄기는 세모짐. 잎은 노끈의 원료가 됨. 뿌리는 약재. 형삼릉(荊三稜). 삼릉초. '蔣一青薠'《漢書》. ②모시풀저 苧(艸부 5획〈1129〉)와 同字. ㊁①상수리나무서 참나뭇과에 속하는 낙엽 교목(落葉喬木). ②상수리서 상수리나무의 열매. '狙公賦一. (注)一, 橡子也'《莊子》.
[字源] 形聲. 艹(艸)+予〔音〕

艸4 〔芨〕8 급 [入]緝 | jī キュウ しらん
[字解] ①대왐풀급 난초과에 속하는 다년초. 인경(鱗莖)은 백급(白芨)이라 하여, 약재로 씀. 자란(紫蘭). ②삭조(蒴藋)급 인동과에 속하는 다년초. 흰 꽃이 여름에 핌. 잎은 약용. ③나무이름급 나무의 하나. 수피(樹皮)는 종이를 만듦. '剝一巖椒. (注)一, 採以爲紙'《謝靈運》.
[字源] 形聲. 艹(艸)+及〔音〕

艸4 〔芩〕8 ㊀금 [平]侵 | qín キン じはしり
㊁음 [平]侵 | yín ギン くさのな
[字解] ㊀①풀이름금 만초(蔓草)의 하나. 잎은 나뭇잎 같으며, 소나 말이 잘 먹음. 소금기 있는 습지에 남. '呦呦鹿鳴, 食野之一'《詩經》. ②황금(黃芩)금 약초의 이름. ㊁나물이름음 莻(艸부 7획〈1143〉)의 古字. '莻, 菜名, 似蒜, 生水中, 古作一'《集韻》.
[字源] 形聲. 艹(艸)+今〔音〕

艸4 〔芫〕8 원 [平]元 | yuán ゲン ふじもどき
[字解] 팥꽃나무원 팥꽃나뭇과에 속하는 낙엽 관목(落葉灌木). 담자색(淡紫色)의 작은 꽃은 독(毒)이 있음. '一, 魚毒也'《說文》.
[字源] 形聲. 艹(艸)+元〔音〕

艸4 〔芬〕8 [人名] 분 [平]文 | fēn フン かおる
[筆順] ' + ++ 艹 芢 芬 芬 芬
[字解] ①향내날분 풀 따위의 향기가 발산함. '苾一孝祀'《詩經》. ②향내분 향기. '蘭蕙含一'《傅咸》. 전(轉)하여, 명예. 이름. '揚一千載之上'《晉書》. ③융기(隆起)할분 '一然若灰. (注)一然, 壤起貌'《管子》. ④많을분 紛(糸부 4획〈983〉)과 통용. '羽旄殷

盛, 一哉芒芒. (注)一亦謂衆多'《漢書》. ⑤화합할분 싸우지 않고 잘 어울림. '一, 和也. (注)一香和調'《廣雅》. ⑥성분 성(姓)의 하나.
[字源] 形聲. 艹(艸)+分〔音〕

艸 4 〔芭〕8 [人名] 파 [平]麻 | bā バ ばしょう
[筆順] 丨 十 卄 艹 艹 芑 芭
[字解] ①풀이름파 향초(香草)의 일종. '傳一兮代舞. (注)一, 巫所持香草名也'《楚辭》. ②꽃파 葩(艸부 9획〈1160〉)와 통용. '桐一始生, 貌拂拂然也'《大戴禮》. ③파초파 '一蕉'는 파초과에 속하는 열대산(熱帶産)의 다년초. 잎은 크고 긴 타원형이며, 꽃은 황백색임. '一, 一蕉'《廣韻》.
[字源] 形聲. 艹(艸)+巴〔音〕

艸 4 〔芮〕8 [人名] 예 [去]霽 | ruì ゼイ めばえのちいさくてやわらかなさま
[筆順] 丨 十 卄 艹 芀 芮 芮 芮
[字解] ①풀싹이작고연할예 '一, 一一, 艸生皃'《說文》. ②물가예 수애(水涯). '一, 叚借爲汭'《說文通訓定聲》. ③방패끈예 방패의 뒤쪽에 다는 끈. '一, 叚借爲繘'《說文通訓定聲》. ④작은모양예 '蕞一於城隅者, 百不處一. (注)一, 小貌'《潘岳》. ⑤성예 성(姓)의 하나.
[字源] 形聲. 艹(艸)+內〔音〕

艸 4 〔芯〕8 심 [平]侵 | xīn シン ほそい
[字解] ①골풀심 골풀과에 속하는 다년초. 줄기는 자리·바구니 등을 만들며, 심(心)은 등잔의 심지로 씀. 등심초(燈芯草). ②심심 물건의 중심. 중앙. 心(部首〈376〉)과 同字. '一, 凡函蓄于中者, 皆謂之心. 艸木華葉之心, 是也. 別作芯'《六書故》.
[字源] 形聲. 艹(艸)+心〔音〕

艸 4 〔芰〕8 기 [去]寘 | jì キ ひし
[字解] 마름기 바늘꽃과에 속하는 일년생의 수초(水草). 능각(稜角)이 있는 딱딱한 껍질에 싸인 열매를 맺음. '一, 蔆也'《說文》. '蔆, 時珍曰, 其葉支散, 故字从支, 其角稜峭, 故謂之蔆, 而俗呼爲蔆角也'《本草綱目》.
[字源] 形聲. 艹(艸)+支〔音〕

艸 4 〔花〕8 [中·人] 화 [平]麻 | huā カ はな
[筆順] 丨 十 卄 艹 艹 艹 花 花
[字解] ①꽃화 ㉠초목의 꽃. '一月'. '每一朝月夕, 與賓佐賦咏'《舊唐書》. ㉡꽃이 피는 초목(草木). '澆一亦自有時'《歐陽修》. ㉢모란(牡丹)·해당(海棠)과 같이 썩 고운 꽃이 피는 초목. '洛陽人謂牡丹爲一, 成都人謂海棠爲一'《鶴林玉露》. ㉣꽃 같은 모양을 한 것. '燈一'. ㉤무늬 따위의 꽃과 같이 아름다운 것. '競添一樣綾紗'《國史補》. ②꽃필화 꽃이 핌. '溫庭橘未一'《宋之問》. ③얽은자국화 두흔(痘痕). '天一'. '種一'. ④소비할화 써 없앰. '一費'. ⑤창기화 기생. '一街柳巷'. '尋一問柳'. ⑥눈침침할화 늙거나 피로하여 눈이 잘 보이지 않음. '西窗日過中, 飢坐生眼一'《陸淤》. ⑦성화 성(姓)의 하나.
[字源] 形聲. 艹(艸)+化〔音〕
[參考] 苍(次條)는 俗字.

艸 4 〔苍〕8 花(前條)의 俗字

艸 4 〔芳〕8 [高·人] 방 [平]陽 | fāng ホウ かんばしい
[筆順] 丨 十 卄 艹 艹 芒 芳 芳
[字解] ①향초(香草)방 향기로운 꽃. '一, 香艸也'《說文》. ②향내날방 향기를 발산함. '香艸, 當作艸香'《說文段注》. ③꽃다울방 명성이 좋음. 명예가 꽃같이 아름다움. '雖沒不朽, 名字一兮'《蔡邕》. 전(轉)하여, 타인의 사물에 관(冠)하여 경칭(敬稱)으로 쓰임. '一名'. '一志'. '遲還一札'《梁書》. ④현자(賢者)방 능사(能士). '固衆一之所在. (注)衆一, 諭羣賢'《楚辭》. ⑤꽃방 향기가 좋은 꽃. '百一'. '是異乎衆一'《益部方物略記》. ⑥성방 성(姓)의 하나.
[字源] 形聲. 艹(艸)+方〔音〕

艸 4 〔芴〕8 [一] 물 [入]物 | wù ブツ そさいのな
[二] 홀 [入]月 | hū コツ ほのか
[字解] [一] ①채소이름물 순무와 비슷함. '菲, 幽州人謂之一'《詩經 疏》. ②고울물 치밀(緻密)함. '繽紛緻一'《司馬相如》. [二] 어두울홀 어리석은 모양. 분명하지 아니한 모양. 惚(心부 8획〈397〉)과 同字. '愚者之言, 一然而粗'《荀子》.
[字源] 形聲. 艹(艸)+勿〔音〕

艸 4 〔芷〕8 지 [上]紙 | zhǐ シ よろいぐさ
[字解] ①어수리지 미나릿과에 속하는 다년초. 뿌리는 백지(白芷)라 하여, 약용으로 함. '雜杜衡與芳一'《楚辭》. '一, 香艸'《集韻》. ②향초(香草)뿌리지 '蘭槐之根, 是爲一'《荀子》. ③芝(艸부 4획〈1123〉)와 통용.
[字源] 形聲. 艹(艸)+止〔音〕

艸4 〔芸〕8 [一]운 [平]文 yún ウン くさのこう
[二]예 [去]霽 yì ゲイ わざ

[字解] [一]①운향운 운향과(科)에 속하는 다년초. 잎은 향기가 나며, 이것을 책 속에 넣으면 좀이 먹지 아니함. 약용 식물임. '一香'. '一始生. (注)一, 香草也'《禮記》. ②많을운 많이 있는 모양. '夫物一一, 各復歸其根. (注)一一者, 華葉盛'《老子》. ③김맬운 耘(耒부 4획〈1051〉)과 통용. '植其杖而一'《論語》. ④성운 성(姓)의 하나. [二]재주예 藝(艸부 15획〈1199〉)의 略字.
[字源] 形聲. 艹(艸)+云〔音〕

艸4 〔芹〕8 근 [平]文 qín キン せり

[字解] 미나리근 미나릿과에 속하는 다년생의 수초(水草). 향기가 있으며 식용함. '一菜'. '薄采其一. (箋)一, 水菜也'《詩經》.
[字源] 形聲. 艹(艸)+斤〔音〕

艸4 〔芼〕8 모 ①②[去]號 mào ボウ·モウ ぬく
③④[平]豪 máo ボウ·モウ くさ

[字解] ①풀우거져땅덮을모 '一, 草覆蔓也. (注)覆地蔓延'《說文》. ②뽑을모, 솎을모 야채를 가려 뽑아냄. '參差荇菜, 左右一之. (傳)一, 擇也'《詩經》. ③고깃국속에 들어간채소모 '一羹菽麥. (注)一, 菜也. (疏)一者用菜, 雜肉爲羹'《禮記》. ④풀모 초본(草本). '頗雜池沼一'《柳宗元》.
[字源] 形聲. 艹(艸)+毛〔音〕

艸4 〔芽〕8 [高·人] 아 [平]麻 yá ガ め

[筆順] 丨 十 廾 艹 艹 芒 芽 芽

[字解] ①싹아 ㉠땅속에서 처음으로 나오는 어린잎과 줄기. '一, 萌也'《說文》. '一, 蘖也'《廣雅》. '此月也, 安萌一'《禮記》. ㉡사물의 시작. '一, 始也'《廣雅》. ②싹틀아 새싹이 나옴. '徒蒙蔭覆, 莫自根一'《薛逢》.
[字源] 形聲. 艹(艸)+牙〔音〕

艸4 〔芾〕8 [一]비 [去]未 fèi ヒ ちいさい
[二]불 [入]物 fú フツ おいしげる

[字解] [一]①작은모양비 조그마한 모양. '蔽一甘棠. (傳)蔽一, 小貌'《詩經》. ②성비 성(姓)의 하나. [二]①우거질불 초목이 무성한 모양. '一, 艸木盛也'《集韻》. ②슬갑불 韍(韋부 5획〈1674〉)과 통용. '一, 與韍同'《韻會》.
[字源] 形聲. 艹(艸)+市〔音〕

艸4 〔芠〕8 문 [平]文 wén ブン ゆきのした

[字解] ①풀이름문 풀의 하나. 범의귀. '一, 草也'《玉篇》. ②흐릴문 분명하지 아니한 모양. '芒一漠閔. (注)芒一, 未成形的氣也'《淮南子》.
[字源] 形聲. 艹(艸)+文〔音〕

艸4 〔芿〕8 잉 [去]徑 rèng ジョウ わかくさ

[字解] ①움돋아난풀잉 베어 낸 그루에서 움돋은 풀. '一, 艸芟故生新日一'《集韻》. ②베지않은풀잉 베지 않아 묵은 잡초. '藉一燔林. (注)一, 草不剪也'《列子》.
[字源] 形聲. 艹(艸)+仍〔音〕

艸4 〔茚〕8 앙 [平]陽 áng ゴウ しょうぶ

[字解] 창포(菖蒲)앙 창포. '一, 一茀, 菖蒲也'《說文》.
[字源] 形聲. 艹(艸)+卬〔音〕

艸4 〔芪〕8 기 ①②[平]支 qí キ はなすげ
(③지[本])③[平]支 チ くさのな

[字解] ①지모기 지모(知母)과의 관상용 다년초. '一, 一母也'《說文》. ②단너삼기 '黃一'는 약초의 이름. 황기(黃耆). '釋名, 黃一, 集解, 頌曰, 根長二三尺以來, 獨莖, 或作叢生. 枝幹, 去地二三寸, 其葉扶疎, 作羊齒狀'《本草》. ③남오미자기 풀 이름. 茋(艸부 6획〈1140〉)와 同字. '茋, 說文, 茋藸, 艸也, 或从氏'《集韻》. ※❸本音 지.
[字源] 形聲. 艹(艸)+氏〔音〕

艸4 〔芤〕8 규 [平]尤 kōu コウ ねぎ

[字解] ①파규 파. '釋名, 一. 時珍曰, 外直中空, 有葱通之象也. 一者, 草中有孔也'《本草》. ②병든맥가운데허할규 경화(硬化)된 혈관으로서, 가운데가 허한 것. '一, 病脈, 徐氏說, 按之即無, 擧之來至, 傍實中空者曰一'《集韻》.
[字源] 形聲. 艹(艸)+孔〔音〕

艸4 〔𦬕〕8 우 [平]尤 niú ギュウ くさのな

[字解] ①풀이름우 '一, 艸名'《集韻》. ②약초이름우 '一膝'은 약초의 이름. '一, 一曰, 一膝, 藥艸'《集韻》.

艸4 〔芵〕8 결 [入]屑 jué ケツ えびすぐさ

[字解] 초결명결 콩과의 일년초. 씨앗을 결명차로서 음용(飮用). '一茪, 艸名. 芵明也. (疏)藥草一明也, 一名一光, 一名決明'《爾雅》.

艸 4 〔苀〕8 [一]항 [平]陽 háng コウ くさのな
[二]강 [平]陽 コウ くさのな

[字解] [一]풀이름항 '一, 艸名. 葉似蒲, 叢生'《集韻》. [二]풀이름강 [一]과 뜻이 같음.

艸 4 〔苂〕8 [一]담 [上]感 タン くさのな
[二]침 [平]侵 [去]沁 chén チン くさのな
[三]음 [平]侵 yín イン くさのな

[字解] [一]①풀이름담 '一, 艸也'《說文》. ②지모(知母)담 '一藩'은 지모(知母). 茺(艸부 7획〈1146〉)과 同字. [二]풀이름침, 지모침 [一]과 뜻이 같음. [三]①풀이름음 [一]❶과 뜻이 같음. ②뜨거울음 '一, 熱也'《廣韻》.
[字源] 形聲. ++(艸)+尢〔音〕

艸 4 〔𦬕〕8 [一]중 [平]東 zhōng チュウ くさのな
[二]충 [平]東 チュウ くさのな

[字解] [一]풀이름중 '一, 艸也'《說文》. [二]풀이름충 [一]과 뜻이 같음.
[字源] 形聲. ++(艸)+中〔音〕

艸 4 〔𦬒〕8 망 [上]養 wǎng ボウ・モウ くさのな

[字解] 개피망 볏과(科)의 2년초. 논에 나며 잎은 수면에 뜸. 열매는 식용(食用). '一, 艸名'《篇海》.

艸 4 〔芞〕8 걸 [入]物 [入]質 qì キツ かおりぐさのな

[字解] 향초이름걸 '一輿'는 향초(香草)의 이름. '一, 一輿也'《說文》.
[字源] 形聲. ++(艸)+气〔音〕

艸 4 〔芺〕8 [一]오 [上]晧 [去]號 ǎo オウ くさのな
[二]요 [上]篠 ヨウ くさのな

[字解] [一]풀이름오 엉겅퀴의 일종. '一, 艸也. 味苦. 江南食以下氣'《說文》. '凡物穉曰一, 此物嫩時可食, 故以名之'《本草綱目》. [二]풀이름요 [一]과 뜻이 같음.
[字源] 形聲. ++(艸)+夭〔音〕

艸 4 〔芶〕8 구 [平]尤 gōu コウ・ク やさいのな

[字解] 야채이름구 '一, 菜名'《字彙》.

艸 4 〔芛〕8 [一]의 [上]紙 wěi ユイ はな
[二]율 [入]質 イツ はな
[三]순 [上]軫 シュン はな
[四]술 [入]質 シュツ はな

[字解] [一]꽃의 풀이나 나무의 꽃. 처음 피는 꽃. '一, 艸之皇榮也'《說文》. [二]꽃율 [一]과 뜻이 같음. [三]꽃순 [一]과 뜻이 같음. [四]꽃술 [一]과 뜻이 같음.
[字源] 形聲. ++(艸)+尹〔音〕

艸 4 〔芦〕8 [一]芐(艸부 3획〈1122〉)와 同字
[二]蘆(艸부 16획〈1203〉)의 俗字

艸 4 〔苅〕8 〔예〕
刈(刀부 2획〈99〉)의 俗字

艸 4 〔䒭〕8 〔등〕
等(竹부 6획〈935〉)의 俗字

艸 4 〔𦬇〕8 '菩提'의 두 字의 合體. '一, 菩提二字'《直音篇》

艸 4 〔𦬁〕8 〔췌〕
萃(艸부 8획〈1151〉)의 略字

艸 4 〔苿〕8 〔약〕
藥(艸부 15획〈1199〉)의 略字

艸 4 〔苏〕7 〔소〕 蘇(艸부 16획〈1203〉)의 簡體字

艸 4 〔𦬼〕8 [一]공 [平]東 gōng ショウ くさのな
[二]숭 [平]東 sōng シュウ なのな

[字解] [一]풀이름공 풀 이름. '一, 艸名'《集韻》. [二]나물이름숭 나물 이름. '菘, 菜名, 或作一'《集韻》.

艸 4 〔𦬣〕8 구 [平]尤 qiú キュウ かおりぐさのな

[字解] ①대암풀구 대암풀. 자란(紫蘭). '一, 一蒼, 艸名'《集韻》. ②구릿대구 구릿대. '一, 白芷'《廣韻》.

艸 4 〔𦬿〕8 복 [入]屋 pū ホク くさのしょうずるさま

[字解] ①풀이나는모양복 풀이 나는 모양. '一, 一一, 艸生皃'《玉篇》. ②조금씩두드릴복 조금씩 두드림. '攴, 說文, 小擊也, 或作一'《集韻》.

艸 4 〔𦬙〕8 [一]봉 [平]冬 fēng ホウ くさのさかんなさま
[二]할 [入]黠 xiá カツ くさのな

[字解] [一]풀성한모양봉 풀이 성한 모양. '丯, 說文, 艸盛丯丯也, 或作一・丰'《集韻》. [二]풀이름할 풀 이름. '蓄, 艸名, 方言, …或省'《集韻》.

艸 4 〔𦬓〕8 〔염〕
苒(艸부 5획〈1127〉)과 同字

艸 4 〔𦬹〕8 윤 [上]軫 yǐn イン くさのな

[字解] ①풀이름윤 풀 이름. '一, 艸名'《玉

篇》. ②풀퍼진모양윤 풀이 퍼지는 모양. '一, 艸蔓延貌'《正字通》.

艸 4 〔苣〕 8 호 [去]遇 | hù コ こくさぎ

[字解] 조팝나무호 조팝나무. '一, 艸名, 可爲繩'《集韻》.

艸 5 〔苐〕 9 〔재〕 䔂(艸부 10획〈1170〉)와 同字

艸 5 〔苑〕 9 [人名] 一 원 [上]阮 [平]元 | ①②yuàn エン その ③yuān エン せい
二 울 [入]物 | yù ウツ とどこおる

[筆順] 丨 十 卄 艹 芍 芍 苑 苑

[字解] 一 ①동산원 ㉠울을 치고 금수를 기르는 곳. 옛날에는 '囿', 한(漢)나라 이후에는 '一'이라 함. '一, 所以養禽獸, 从艸夗聲'《說文》. ㉡울을 치고 식물을 심는 곳. '花一'. '禁一'. '遭藪爲圃, 植林爲一'《左思》. ㉢사물이 모이는 곳. 연총(淵叢). '藝一'. '晉世文一, 足儷鄴都'《文心雕龍》. ②꽃무늬원 문채(文采)가 있는 모양. '蒙伐有一, 虎韔鏤膺. (注)一, 文貌'《詩經》. ③성원 성(姓)의 하나. 二 막힐울 鬱(鬯부 19획〈1777〉)과 同字. '我不見兮, 我心一結'《詩經》.
[字源] 形聲. 艹(艸)＋夗〔音〕

艸 5 〔苒〕 9 염 [上]琰 | rǎn ゼン さかん

[字解] ①풀성할염 풀이 무성한 모양. '一, 艸盛皃'《集韻》. ②초목의가지와잎이가볍고연한모양염 '梃一一之柔莖'《王粲》. ③굴러갈염, 차례로뻗어갈염 '時去一荏, 歲行復半'《陸雲》. ④향기·연기가바람에움직이는모양염 '有木香一一'《白居易》. '木末北山烟一一'《王安石》. ⑤점점(漸漸)염 '一一幾盈虛, 澄澄變古今'《王昌齡》. ⑥성염 성(姓)의 하나.
[字源] 形聲. 艹(艸)＋冉〔音〕

艸 5 〔苓〕 9 령 [平]青 | líng レイ みみなぐさ

[字解] ①도꼬마리령 '一耳'는 국화과에 속하는 일년초. 열매는 창이자(蒼耳子)라 하여 약재로 씀. 권이(卷耳). ②감초령 콩과(科)에 속하는 다년생의 약초(藥草). 뿌리가 단맛이 있어 약용함. '山有榛, 隰有一'《詩經》. ③버섯령 균류(菌類). '豬一'. '茯一'. '劊一春霧重'《虞集》. ④향초(香草)이름령 '颺熚熚之芳一. (注)一, 香草名, 音零'《揚雄》.
[字源] 形聲. 艹(艸)＋令〔音〕

艸 5 〔苔〕 9 태 [平]灰 | tái タイ こけ

[字解] 이끼태 은화식물(隱花植物)에 속하는 선류(蘚類)·태류(苔類)·지의류(地衣類)의 총칭. '蘚一'. '窮谷之汙, 生以青一'《淮南子》.
[字源] 形聲. 艹(艸)＋台〔音〕

艸 5 〔苕〕 9 초 [平]蕭 | tiáo チョウ えんどう

[字解] ①완두초 콩과에 속하는 이년생의 만초(蔓草). '邛有旨一'《詩經》. ②능소화초 능소화과(凌霄花科)에 속하는 낙엽 만목(落葉蔓木). 잎이 우상 복엽(羽狀複葉)이고, 황적색 꽃이 핌. 자위(紫葳). '一之華, 芸其黃矣'《詩經》. ③이삭초 억새·갈대 등의 이삭. '繫之葦一'《荀子》. ④우뚝할초 '一一'는 높은 모양. '虎牢臨河一一孤上'《水經注》. ⑤먼모양초 '一一歷千載, 遙遙播清塵'《謝靈運》. ⑥성초 성(姓)의 하나.
[字源] 形聲. 艹(艸)＋召〔音〕

艸 5 〔苗〕 9 [高·人] 묘 [平]蕭 | miáo ビョウ なえ

[筆順] 丨 十 卄 艹 艿 芇 苗 苗

[字解] ①모묘 곡초(穀草) 등의 싹. '禾一'. '新一'. '宋人有閔其一之不長而揠之者'《孟子》. ②곡식묘 곡물. '無食我一'《詩經》. ③백성묘 뭇 백성. 중서(衆庶). '以贍黎一'《後漢書》. ④핏줄묘 혈통. 자손. '一胤'. '帝高陽之一裔兮'《楚辭》. ⑤사냥묘 여름철의 사냥. '之子于一. (傳)夏獵爲一'《詩經》. ⑥오랑캐이름묘 중국의 운남(雲南) 및 귀주(貴州) 지방에 사는 만족(蠻族). '一族'. '一, 一人, 古三一之裔, 自長沙沅辰以南, 盡夜郎之境, 皆有之, 與氐夷混雜, 通曰南蠻'《正字通》. ⑦성묘 성(姓)의 하나.
[字源] 會意. 艹(艸)＋田
[參考] 苖(艸부 5획〈1132〉)은 別字.

艸 5 〔苙〕 9 一 립 [入]緝 | lì リュウ しらん, おり
二 급 [入]緝 | jí キュウ よろいぐさ

[字解] 一 ①우리립 돼지우리. '一, 畜欄也'《集韻》. ②구릿대립 뿌리는 백지(白芷)라 하여 약재(藥材)로 쓰임. 백급(白芨). '一, 白芷, 艸名, 茪蓍也, 或从及'《集韻》. 二 구릿대급 一❷와 뜻이 같음.
[字源] 形聲. 艹(艸)＋立〔音〕

艸 5 〔苛〕 9 가 [平]歌 | kē(hé) カ きびしい, しいたげる

[字解] ①풀가 잔풀. '一, 小艸也'《說文》. ②독할가 엄혹함. 준엄함. '一酷'. '一政猛於虎'《禮記》. ③까다로울가 잔다랗고 번거로

웅. '煩一'. '細一'. '好一禮'《史記》. ④무거울가 위태로움. '筋肉拘一. (注)一, 重也'《素問》. ⑤가려울가 긁고 싶은 감각이 남. '問衣燠寒疾痛一癢'《禮記》. ⑥꾸짖을가 책망함. 訶(言부 5획〈1319〉)와 同字. '一, 叚借爲訶'《說文通訓定聲》. ⑦어지럽힐가 혼란케 함. '朝夕一我邊鄙'《國語》. ⑧성가 성(姓)의 하나.

字源 形聲. ⺾(艸)+可〔音〕

艸5 〔苜〕9 목 ㊅屋 | mù ボク·モク うまごやし

字解 거여목목 '一蓿'은 콩과(科)에 속하는 일년초. 우마(牛馬)의 사료 또는 비료로 쓰임. '一, 一蓿, 艸名, 或从牧, 从冒'《集韻》. '馬嗜一蓿'《史記》.

字源 形聲. ⺾(艸)+目〔音〕

艸5 〔苞〕9 포 ㊥肴 ㊤篠 | bāo ホウ あぶらがや / páo ヒョウ のまめ

字解 ①그령포 볏과에 속하는 다년초. 신·자리를 만드는 원료로 쓰임. '一, 艸也, 南陽以爲麤履'《說文》. ②더부룩이날포 총생(叢生)함. '草木漸一'《書經》. ③덤불포 총생한 초목. '集于一栩. (注)一, 稹也'《詩經》. ④밑포 물건의 아래쪽. 근본. '一有三櫱. (傳)一, 本也'《詩經》. '一桑'은 뽕나무의 뿌리. ⑤쌀포 包(勹부 3획〈119〉)와 同字. '白茅一之. (傳)一, 裹也'《詩經》. 또, 짚 같은 데 싼 물품. 꾸러미. '一二'《儀禮》. ⑥꽃봉오리포 '方一方體. (集傳)一, 甲而未拆也'《詩經》. ⑦성포 성(姓)의 하나. ⑧쥐눈이콩포 콩나물을 기르는 데 씀. '藨, 艸名, 說文, 鹿藿也, 一曰, 蔽屬, 或作一'《集韻》.

字源 形聲. ⺾(艸)+包〔音〕

艸5 〔苟〕9 高·人 구 ㊤有 | gǒu コウ·ク かりそめ, いやしくも

筆順 ' ⺾ 艹 艹 艿 芍 苟 苟

字解 ①구차할구 일시를 미봉함. 눈앞의 안전만 도모함. '賓爲一敬. (注)一, 且也, 假也'《儀禮》. ②진실로구 참으로. '一志於仁矣'《論語》. ③겨우구 조금. 간신히. '一美矣'《論語》. ④단지구 다만. '非一知之'《揚子法言》. ⑤성구 성(姓)의 하나.

字源 形聲. ⺾(艸)+句〔音〕

參考 茍(艸부 5획〈1132〉)은 別字.

艸5 〔苡〕9 이 ㊤紙 | yǐ イ おおばこ

字解 ①질경이이 芣(艸부 4획〈1123〉)를 보라. ②율무이 薏(艸부 13획〈1188〉)를 보라.

字源 形聲. ⺾(艸)+以(㠯)〔音〕

參考 莒(次條)는 本字.

艸5 〔莒〕9 苡(前條)의 本字

艸5 〔苣〕9 거 ㊤語 | jù キョ たいまつ

字解 ①횃거 횃불을 켜는 물건. 炬(火부 5획〈709〉)와 同字. '一, 束葦燒也'《說文》. ②참깨거 '一藤'은 호마(胡麻)의 별칭. 거승(巨勝). ③상추거 채소의 하나. '一, 叚借爲蓮, 今俗以爲萵一字, 菜名'《說文通訓定聲》.

字源 形聲. ⺾(艸)+巨〔音〕

艸5 〔若〕9 中·人 ㊀약 ㊅藥 ㊁야 ㊤馬 | ruò ジャク したがう, ごとし / rě ジャ·ニャ はんにゃ

筆順 ' ⺾ 艹 艹 ナ 芊 若 若

字解 ㊀ ①좇을약 따름. '天子是一. (傳)一, 順也'《詩經》. ②너약 이인칭 대명사. '一等'. '一輩'. '一, 則有常. (注)一, 汝也'《史記》. ③같을약 如(女부 3획〈240〉)와 뜻이 같음. '一網在綱, 有條不紊'《書經》. ④이같을약 이와 같은. '一者必死'《史記》. '一而'도 뜻이 같음. '夫婦所生, 一而人'《左傳》. ⑤만일약 가정하여 하는 말. '一有會同. (疏)一, 爲不定之辭也'《周禮》. ⑥및약 그 밖에. 또. '子一孫'《漢書》. ⑦이에약 乃(丿부 1획〈17〉)와 뜻이 같음. '一能有濟也'《國語》. ⑧바닷귀신약 해신(海神). '望洋向一而嘆曰. (注)一, 海神'《莊子》. ⑨어릴약 弱(弓부 7획〈361〉)과 통용. '匈奴一子'《賈誼新書》. ⑩어조사약 형용사에 붙이는 조사(助辭). '自一'. '瞠一乎其後矣'《莊子》. ⑪성약 성(姓)의 하나. ㊁ ①반야야 '般一'는 분별·망상을 떠난 지혜. ②난야야 '蘭一'는 절. 사찰(寺刹). ③성야 성(姓)의 하나.

字源 象形. 甲骨文은 머리를 흐트러뜨리고 정신없이 신의(神意)를 받아 듣는 무녀(巫女)의 모양을 형상화하여, 신의에 따르다의 뜻을 나타냄.

艸5 〔苦〕9 中·人 고 ㊤麌 ㊋遇 | ①-⑨kǔ ク にがな, にがい, くるしい / ⑩-⑫kǔ ク ふなよい

筆順 ' ⺾ 艹 艹 芏 芏 苦 苦

字解 ①씀바귀고, 방가지똥고 국화과에 속하는 다년초. 뿌리는 맛이 쓴데 나물로 먹음. '采一采一. (傳)一, 一菜也'《詩經》. ②쓸고 맛이 씀. '誰謂荼一, 其甘如薺'《詩經》. ③괴로워할고 ㉠근심함. 걱정함. '愁一'. '貪暴爲虐, 民一之'《新唐書》. ㉡힘을

들임. '劾一'. '勞一而功高如此'《史記》. ㉢간난을 겪음. '民一則不仁'《說苑》. ㉣아파함. '自一而居海上'《呂氏春秋》. ④괴롭힐고 '不一一民'《戰國策》. ⑤괴로움고 고난. '無勞倦之一'《戰國策》. ⑥마음상쾌할고 '一, 快也'《廣雅》. ⑦급할고 '一, 急也'《說文》. ⑧거칠고, 무릇고 조악(粗惡)함. 견고하지 아니함. '器皆不一窳'《史記》. '辨其功一. (注) 一, 脆也'《國語》. ⑨간절할고 친절함. 절실함. '一諫'. '一言藥也, 甘言疾也'《戰國策》. ⑩심히고 과도히. '一加撻辱'《侍兒小名錄》. ⑪멀미고 뱃멀미. 차멀미. '一車'. '今人不善乘船, 謂之一船'《西谿叢語》. ⑫성고 성(姓)의 하나.

[字源] 形聲. ⺿(艸)+古〔音〕

艸 5 〔苧〕9 [人名] 저 [上]語 | zhù チョ からむし

[筆順] 丨 十 卄 艹 艹 苎 苧 苧

[字解] 모시풀저 쐐기풀과에 속하는 다년생 귀화(歸化) 식물. 줄기의 섬유는 실을 뽑아 모시를 짬. '紵(糸부 5획〈985〉)와 同字. '一麻作紵, 可以績紵, 故謂之紵'《本草綱目》.

[字源] 形聲. ⺿(艸)+宁〔音〕

艸 5 〔苨〕9 니 [上]薺 | nǐ デイ·ナイ つりがねそう

[字解] ①모싯대니 '薺一'는 모싯대. 또는 도라지. '今俗呼薺一爲甜桔梗也'《本草》. ②우거질니 무성한 모양. '一, 一一, 茂也'《廣雅》.

[字源] 形聲. ⺿(艸)+尼〔音〕

艸 5 〔苫〕9 [一] 점 [平]鹽 | shān セン とま
[二] 섬 [韓]

[字解] [一] ①거적점 띠·짚 따위를 엮어 자리처럼 만든 물건. '居倚廬, 寢一, 枕塊. (注)一, 編藁也'《儀禮》. ②이엉점 초가집의 지붕을 덮는 것. '一, 草覆屋'《廣韻》. ③덮을점 덮어 가림. '倚木於樹, 一覆而居'《世說》. ④성점 성(姓)의 하나. [二]《韓》①섬섬 곡식을 담기 위해 짚으로 엮은 멱서리. ②섬섬 도서(島嶼).

[字源] 形聲. ⺿(艸)+占〔音〕

艸 5 〔苯〕9 분 [上]阮 | běn ホン むらがりはえる

[字解] 풀떨기로날분 '一蓴'은 풀이 떨기로 난 모양. '一, 一蓴, 艸叢生'《集韻》. '禾卉一蓴以垂穎'《晉書》.

[字源] 形聲. ⺿(艸)+本〔音〕

艸 5 〔英〕9 [中·人] 영 [平]庚 | yīng エイ はな, ひいでる

[筆順] 丨 十 卄 艹 芇 苎 英 英

[字解] ①꽃영 초목의 꽃. 핀 뒤에 열매가 여는 것을 '華', 열매가 열지 않는 것을 '一'이라 함. '有女同行, 顏如舜一. (傳)一, 猶華也'《詩經》. ②꽃부리영 '夕餐秋菊之落一'《楚辭》. ③싹영 초목의 싹. '毋夭一'《管子》. ④꽃다울영 꽃과 같이 아름다움. 또, 그러한 사물. '一華'. '五金之一'《吳越春秋》. ⑤빼어날영 뛰어남. 또, 그러한 사람. '一雄'. '堯舜者, 天下之一也'《荀子》. ⑥아름다울영 '一, 美也'《廣雅》. ⑦영국영 영국의 약칭(略稱). '美一'. ⑧성영 성(姓)의 하나.

[字源] 形聲. ⺿(艸)+央〔音〕

艸 5 〔苴〕9 [一] 저 [平]魚 | jū ショ しく
[二] 차 [平]麻 | chá サ かれくさ
[三] 자 [上]馬 | zhǎ サ つみごえ
[四] 조 [平]虞 | zū ソ こも

[字解] [一] ①깔저 ㉠신 속에 짚을 깖. 또, 그 물건. '冠雖蔽, 不以一履'《漢書》. ㉡자리 같은 것을 깖. '一以白茅于江淮. (注)一, 作席也'《漢書》. ②꾸러미저 짚 같은 것으로 싼 것. '苞一簞笥'《禮記》. ③삼씨저 삼의 씨. '九月叔一. (傳)叔, 拾也. 一, 麻子'《詩經》. ④삼저 열매가 여는 삼. '一麻'. '一布之衣'《莊子》. ⑤검을저 '一杖. (疏)一者, 黯也'《禮記》. ⑥거칠저 粗(米부 5획〈968〉)와 同字. '齊衰一杖. (注)一杖, 謂以一惡色竹爲之杖'《荀子》. ⑦성저 성(姓)의 하나. [二] ①물위에뜬풀차 말라 죽어 물위에 뜬 풀이나 나무. '如彼棲一'《詩經》. ②마른풀차 말라 죽은 풀. '草一比而不芳. (注)枯曰一'《楚辭》. [三] 두엄풀자 거름에 섞은 풀. '其土一以治天下'《莊子》. [四] 절인채소조 소금 또는 식초에 절인 채소. '葅, 說文, 酢菜也. 或作一'《集韻》.

[字源] 形聲. ⺿(艸)+且〔音〕

艸 5 〔苶〕9 날(녈[本]) [入]屑 | niè デツ つかれる

[字解] ①고달플날 피로한 모양. '一, 疲皃'《集韻》. ②그친모양날 진행되던 일이 그침. '一, 一曰, 止皃'《集韻》. ③잊을날 '一, 一曰, 忘也'《集韻》. ※本音 녈.

[字源] 形聲 ⺿(艸)+尒〔音〕

艸 5 〔苹〕9 [一] 평 [平]庚 | píng ヘイ うきくさ, よもぎ
[二] 병 [平]庚 | ビョウ いくさぐるま

[字解] [一] ①쑥평 국화과에 속하는 풀. 쑥〔艾〕의 일종. '呦呦鹿鳴, 食野之一'《詩經》. ②사과평 과실의 한 가지. '一果'. ③돌평 선회함. '爭湍一縈'《馬融》. ④개구리밥평 부평초(浮萍草). 萍(艸부 8획〈1153〉)과 同

字. '湟潦生一'《大戴禮》. ⑤물넘쳐흐르는 모양평 '澎, 澎濞, 水皃, 或作一, 滂'《集韻》. ⑥부릴평 사역(使役)함. '拼, 使也, 古作一'《集韻》. ㊁전차(戰車)이름병 엄폐하는 전차. '車僕, 掌戎路之萃, …一車之萃…(注)一, 猶屛也, 所用對敵自蔽隱之車也'《周禮》.
字源 形聲. 艹(艸)+平〔音〕

艸5 〔苺〕9 매 (上)賄 | méi バイ·マイ いちご

字解 ①딸기매 나무딸기·양딸기 등의 총칭. '一, 馬一也'《說文》. '一, 一子, 卽覆盆'《廣韻》. ②莓(艸부 7획〈1141〉)와 同字.
字源 形聲. 艹(艸)+母〔音〕

艸5 〔苻〕9 ㊀부 (平)虞 | fú フ くさのな
㊁포 (平)虞 | pú ホ さわのな

字解 ㊀①귀목초(鬼目草)부 백영(白英). 가짓과에 속한 다년생(多年生) 덩굴풀. 줄기와 엽병(葉柄)에 흰털이 빽빽이 남. 취산(聚繖) 꽃차례임. 장과(漿果)가 익을 때는 붉은색이 됨. 지엽(枝葉)을 약재로 씀. 해열(解熱)·해독(害毒)의 약효가 있음. '一, 鬼目'《爾雅》. ②갈대속의흰껍질부 '蘆一之厚. (注)一, 蘆之中白'《淮南子》. ③풀씨껍질부 식물(植物)의 종자의 외피(外皮). '一, 艸之孚甲. 通作孚'《集韻》. ④성부 성(姓)의 하나(舊讀 pú). ㊁못〔澤〕이름포 '鄭國多盜, 取人于萑一之澤. (注)萑一, 澤名'《左傳》.
字源 形聲. 艹(艸)+付〔音〕

艸5 〔苽〕9 고 (平)虞 | gū コ まこも

字解 줄고 菰(艸부 8획〈1150〉)와 同字. '一食雉羹'《禮記》.
字源 形聲. 艹(艸)+瓜〔音〕

艸5 〔苾〕9 人名 ㊀필 (入)質 | bì ヒツ かおり
㊁별 (入)屑 | bié ヘツ なのな
㊂밀 (入)質 | mì ミツ れんこん

筆順 丨 十 廾 艹 艺 芯 苾 苾

字解 ㊀①향내필 향기. '一, 香也'. '一芬孝祀'《詩經》. ②풀이름필, 비구승(比丘僧)필 '一, 一芻, 西天艸名, …, 香氣遠騰, 引蔓旁布, 故比丘曰一芻'《正字通》. ㊁채소이름별 '一, 菜名'《集韻》. ㊂연근(蓮根)밀 '一, 同蔤'《玉篇》.
字源 形聲. 艹(艸)+必〔音〕

艸5 〔⿱艹禾〕9 화 (平)歌 | hé クワ くさのな

字解 풀이름화 풀의 이름. '一, 草名也'《玉篇》.

艸5 〔茀〕9 ㊀불 (入)物 | fú フツ しげる, おさめる
㊁발 (入)月 | bō ホツ いきのつまるさま
㊂패 (去)隊 | bèi ハイ ほうきぼし

字解 ㊀①제초할불 풀을 베어 가지런히 함. '一厥豐草'《詩經》. ②풀로막힐불 풀이 길을 덮어 가지 못함. '道一不可行也'《國語》. ③무성할불 초목이 많은 모양. '一, 草木衆多皃'《集韻》. ④머리꾸미개불 수식(首飾). '婦喪其一'《易經》. ⑤수레포장불 부인용 수레의 앞뒤에 가리어 치는 것. '翟一以朝'《詩經》. ⑥복불 행복. '一祿爾康矣'《詩經》. ⑦상엿줄불 紼(糸부 5획〈986〉)과 통용. '用葛一'《左傳》. ㊁숨찬모양발 숨을 몰아쉬는 모양. '獸死不擇音, 氣息一然'《莊子》. ㊂혜성(彗星)패 혜성의 일종. '星一于河戍. (注)一, 卽孛星也'《史記》.
字源 形聲. 艹(艸)+弗〔音〕

艸5 〔茁〕9 人名 ㊀절 (入)屑 | zhú セツ めばえ
㊁촬 (入)黠 | サツ めをだす
㊂줄 (入)質 | zhuó
(굴(本)) | キツ めばえ

筆順 丨 十 廾 艹 艹 芇 茁 茁

字解 ㊀싹절 초목의 싹. 맹아(萌芽). '一, 草芽也'《廣韻》. ㊁①싹틀촬 풀이 뾰족뾰족 나는 모양. '彼一者葭'《詩經》. ②자랄촬 동물이 성장하는 모양. '牛羊一壯長而已矣'《孟子》. ㊂①싹줄 초목의 싹. ②성줄 성(姓)의 하나. ※本音 굴.
字源 形聲. 艹(艸)+出〔音〕

艸5 〔⿱艹玄〕9 〔견〕
⿱艹肙(艸부 7획〈1142〉)과 同字

艸5 〔苿〕9 〔미〕
味(口부 5획〈154〉)와 同字

艸5 〔⿱艹弁〕9 변 (去)霰 | biàn ヘン くさのな

字解 풀이름변 '一, 雀一, 艸名'《集韻》.

艸5 〔苼〕9 ㊀생 (平)庚 | shēng ソウ ちめい
㊁유 (平)支 | ruí ズイ はなのたれるさま

字解 ㊀땅이름생 '一, 地名, 在魯'《集韻》. ㊁꽃드리워질유 꽃이 늘어진 모양. '蕤, 說文, 艸木花垂皃, 或省'《集韻》.

艸5 〔苭〕9 요 (上)篠 | yǎo ヨウ くさのちょうずるさま

字解 풀자라는모양요 '一, 一笨, 艸長皃'《集韻》.

艸5 〔茷〕9 패 ㊀隊 bèi ハイ やまにら

字解 산부추패 '一, 艸名, 山韰也'《集韻》.

艸5 〔苰〕9 홍 ㊥蒸 hóng コウ ごま

字解 참깨홍 '一, 一藤, 艸名, 胡麻也'《集韻》.

艸5 〔茂〕9 中·人 무 ㊀有 mào モ しげる

筆順 ' ⺿ 艹 苎 芦 茂 茂 茂

字解 ①우거질무 무성함. '一, 艸木盛皃'《說文》. '春華至秋, 不得久一'《列仙傳》. ②성(盛)할무 '一, 盛也'《廣雅》. ③빼어날무 준수(俊秀)함. '與三代之英. (注)倍人曰一, 十人曰選, 倍選曰俊, 千人曰英'《禮記》. ④힘쓸무 懋(心부 13획〈414〉)와 통용. '一正其德, 而厚其性'《國語》. ⑤아름다울무 '一, 美也'《集韻》. ⑥성무 성(姓)의 하나.

字源 形聲. 艹(艸)+戊〔音〕

艸5 〔范〕9 人名 범 ㊤豏 fàn ハン くさのな

筆順 ' ⺿ 艹 艹 芀 芀 范 范

字解 ①풀이름범 '一, 艸也'《說文》. ②벌범 막시류(膜翅類)에 딸린 날벌레. '一則冠而蟬有緌. (疏)一, 蜂也'《禮記》. ③거푸집범 주형(鑄型). '一金合土. (注)一, 鑄作器用'《禮記》. ④법범 範(竹부 9획〈945〉)과 통용. '範, 字或作一'《爾雅》. ⑤성범 성(姓)의 하나.

字源 形聲. 艹(艸)+氾〔音〕

艸5 〔茄〕9 ㊀가 ㊥歌 qié カ なす ㊁하 ㊥麻 jiā カ はす

字解 ㊀①가지가 가짓과(科)에 속하는 일년생의 재배초. 과채(果菜)의 하나. '一子'. '一, 菜名, 子可食'《集韻》. ②연줄기가 연(蓮)의 줄기. '一, 扶渠莖'《說文》. ㊁연(蓮)하 荷(艸부 7획〈1140〉)와 통용. '衿芰一之綠衣兮. (注)一, 亦荷字也'《漢書》.

字源 形聲. 艹(艸)+加〔音〕

艸5 〔茅〕9 모 ㊥肴 máo ボウ·ミョウ かや

字解 ①띠모 볏과의 다년초. 근경(根莖)은 약용, 잎은 지붕을 임. '一, 菅也'《說文》. ②띠벨모 띠를 낫 같은 것으로 벰. '晝爾于一. (箋)晝日往取一歸'《詩經》. ③띳집모 띠로 지붕을 인 집. '聊結一間一'《方岳》. ④옛나라이름모 산동성(山東省) 금향현(金鄉縣)의 서남쪽에 옛 성이 있음. '凡, 蔣, 刑, 一, 胙, 祭, 周公之胤也'《左傳》. ⑤성모 성(姓)의 하나.

字源 形聲. 艹(艸)+矛〔音〕

艸5 〔茆〕9 ㊀묘 ㊤巧 máo, mǎo ボウ·ミョウ じゅんさい ㊁모 ㊥晧 ボウ·モウ かや, くさむら ㊂류 ㊤有 リュウ

字解 ㊀순채(蓴菜)묘 수련과(睡蓮科)에 속하는 다년생의 수초(水草). 어린잎은 먹음. '薄采其一'《詩經》. ㊁①띠모 茅(前條)와 통용. '山房幾度換一茨'《陸游》. ②풀섶모 '一, 艸叢生也'《集韻》. ㊂갯버들류 포류(蒲柳).

字源 形聲. 艹(艸)+卯〔音〕

艸5 〔茇〕9 ㊀발 ㊇曷 bá ハツ ね ㊁패 ㊀泰 pèi ハイ のうぜんかづら ㊂불 ㊇物 fèi フツ たけづな

字解 ㊀①뿌리발 초목의 뿌리. '一, 草根也'《說文》. ②한뎃잠발 옥외(屋外)에서 잠. 노숙함. '勿剪勿伐, 召伯所一'《詩經》. ③넘을발 跋(足부 5획〈1424〉)과 통용. '一涉至此'《通鑑綱目》. ④성발 성(姓)의 하나. ㊁흰색능소화(凌霄花)패 '茗, 陵苕, 黃華蔈, 白華一'《爾雅》. ㊂댓줄불 대나무나 갈대로 만든 거친 줄. '一, 竹葦絚也'《集韻》.

字源 形聲. 艹(艸)+犮〔音〕

艸5 〔茉〕9 人名 말 ㊇曷 mò マツ まつり

筆順 ' ⺿ 艹 艹 芒 芏 芊 茉

字解 말리(茉莉)말 '一莉'는 물푸레나뭇과(科)에 속하는 상록 관목(常綠灌木). 관상용 또는 향유(香油) 원료를 채취하기 위하여 재배함. 소형(素馨). '南越五穀無味, 百花不香, 獨一莉不隨水土而變也'《陸賈》.

字源 形聲. 艹(艸)+末〔音〕

艸5 〔茈〕9 ㊀자 ㊤紙 zǐ シ のうぜんかずら ㊥支 cí シ くろぐわい ㊁치 ㊤紙 cǐ シ そろわぬさま ㊂시 ㊥佳 chái サイ のぜり, あまあかな

字解 ㊀①지치자 보라색을 물들이는 풀. '勞山多一草. (注)中染紫色'《山海經》. ②능소화나무자 '一葳'는 능소화과에 속하는 낙엽 만목(落葉蔓木). 정원에 심어 가꾸며, 여름철에 빨간 꽃이 핌. 능소화(凌霄花). ③보라색자 '一, 莀, 一草也. (疏證)一, 與紫同'《廣雅》. ④생강자 '一, 薑類'《集韻》. ⑤고비자 '一, 蕨屬'《集韻》. ⑥올매자

발제(荸薺). 올방개라고도 하며, 덩이뿌리는 오우(烏芋)라 일러 약재(藥材)로 쓰임. '芍, 皃一'《說文》. [二] 가지런하지않을치 '一, 一庣, 不齊也'《集韻》. [三] 시호시 '柴胡'와 같음. '一, 一胡, 藥'《廣韻》.
[字源] 形聲. 艹(艸)+此〔音〕

艸5 〔苮〕9 선 [平]先 | xiān セン くさのな
[字解] 풀이름선 골풀 비슷한 풀. '南郊神座, 皆用一席'《隋書》.

艸5 〔苘〕9 경 [上]迥 | qǐng ケイ いちび
[字解] 어저귀경 아욱과에 속하는 일년초. 경마(苘麻). '一, 枲屬'《集韻》.

艸5 〔苷〕9 감 [平]覃 | gān カン かんぞう
[字解] 감초(甘草)감 콩과의 다년생 약용 식물. '一, 甘艸也'《說文》.
[字源] 形聲. 艹(艸)+甘〔音〕

艸5 〔苵〕9 절 [入]屑 | dié テツ くろびえ
[字解] 돌피절 볏과의 일년초. 가축 사료로 씀. '蕛, 一名一. 似稗之穢草也. 布生於地'《爾雅 疏》.
[字源] 形聲. 艹(艸)+失〔音〕

艸5 〔苖〕9 적 [入]錫 | dí テキ ぎしぎし
[字解] 소루쟁이적 마디풀과의 다년초. 잎은 식용함. 양제초(羊蹄草). '一, 蓨也'《說文》.
[字源] 形聲. 艹(艸)+由〔音〕
[參考] 苗(艸부 5획〈1127〉)는 別字.

艸5 〔苠〕9 민 [平]眞 | mín ビン·ミン おおい, おくて
[字解] ①대껍질민 대나무 줄기의 겉쪽. '一, 竹膚也'《集韻》. ②많을민 많은 모양. '人一一而處乎中'《太玄經》. ③《現》늦될민 만생(晩生). 작물의 성숙이 늦음. '一麥打完纔上囷, 稙穀秀齊已墜圈'《蒲松齡》.
[字源] 形聲. 艹(艸)+民〔音〕

艸5 〔苩〕9 [一] 백 [入]陌 | bó ハク せい
[二] 파 [平]麻 | pā ハ はな
[字解] [一] 성백 성(姓)의 하나. '一, 姓也, 百濟有一氏'《集韻》. [二] 꽃파 葩(艸부 9획〈1160〉)와 同字.

艸5 〔苿〕9 출 [入]質 | zhú チュツ おけら
[字解] 삽주출 국화과의 다년초. 어린잎은 식용(食用), 뿌리는 건위제(健胃劑), 모기약 등으로 씀. '一, 山薊也'《說文》.
[字源] 形聲. 艹(艸)+朮〔音〕

艸5 〔茍〕9 극 [入]職 | jì キョク つつしむ
[字解] 삼갈극 '一, 自急敕也'《說文》.
[字源] 象形. 머리를 묶고 고개를 숙인 사람의 모양을 형상화하여, 자책(自責)하는 모습에서, 자신을 타이르는 뜻을 나타냄.
[參考] 苟(艸부 5획〈1128〉)는 別字.

艸5 〔苲〕9 [一] 자 [上]馬 [去]禡 | ①②zhǎ サ くさのな ③サ さけこし
[二] 작 [入]藥 [入]陌 | ①サク けんめい ②③サク くさのな
[字解] [一] ①풀이름자 '一, 草名'《玉篇》. ②두엄자, 찌끼자, 지게미자 '苴, 土苴, 和糞艸也. 一曰, 糟魄. 或作一'《集韻》. ③술주자자 술을 거르는 기구. '醡, 酒篕也. 或作一'《集韻》. [二] ①고을이름작 '莋, 說文, 越嶲縣名. 或从乍'《集韻》. ②풀이름작 '一, 艸名'《集韻》. ③산이름작 '一領'은 산 이름. '桂陽郡, 湞陽有一領山'《後漢書》.

艸5 〔茌〕9 치 [平]支 | chí シ くさのさま
[字解] ①풀모양치 '茬, 說文, 艸皃. 或从仕'《集韻》. ②고을이름치 '一平'은 현(縣)의 이름. 산동성(山東省) 서부에 있음.

艸5 〔苳〕9 동 [平]冬 | dōng トウ くさのな
[字解] 풀이름동 '一, 艸也'《說文》.
[字源] 形聲. 艹(艸)+冬〔音〕

艸5 〔苤〕9 비 [平]支 | piě ヒ さかん
[字解] ①꽃성할비 풀이나 나무의 꽃이 성한 모양. '一, 艸木花盛皃'《集韻》. ②순무비 '一藍'은 순무. 무청(蕪菁).

艸5 〔茪〕9 [一] 형 [上]梗 | xiòng ケイ·キョウ くさのな
[二] 황 [上]養 | huǎng キョウ うっとりする
[字解] [一] ①풀이름형 '一, 艸名'《集韻》. ②산들바람형 '一, 小風'《集韻》. [二] 멍할황 실망(失望)하는 모양. '凄淫敞一, 寂兮無音'《漢書》.

艸5 〔苬〕9 [一] 수 [平]尤 | xiū シュウ れいし
[二] 유 [平]尤 | ユウ れいし
[字解] [一] 목영지(木靈芝)수 '一, 芝. (注) 芝, 一歲三華. 瑞草'《爾雅》. [二] 목영지유

■과 뜻이 같음.

艸5 〔苵〕9 시 ㊤紙 shǐ シ やさいのな

字解 ①야채이름시 '一, 菜名'《說文》. ②쑥시 '一, 蒿也'《廣韻》.

艸5 〔𦬼〕9 범 ㊥咸 ㊦陷 fàn ハン・ホン くさのみ ずにうかぶさま

字解 풀물에뜰범 풀이 물에 뜨는 모양. '一, 艸浮出水皃'《玉篇》.

字源 形聲. 艹(艸)+乏〔音〕

艸5 〔𦬒〕9 𦬼(前條)의 本字

艸5 〔𦬒〕9 〔지〕 芝(艸부 4획〈1123〉)의 本字

艸5 〔𦬾〕9 〔괴〕 乖(丿부 7획〈19〉)의 本字

艸5 〔苐〕9 ㊀ 荑(艸부 6획〈1138〉)와 同字 ㊁ 第(竹부 5획〈933〉)의 俗字

艸5 〔茎〕9 〔경〕 莖(艸부 7획〈1141〉)의 俗字

艸5 〔䓁〕9 〔등〕 等(竹부 6획〈935〉)의 俗字

艸6 〔茻〕12 ㊀ 망 ㊤養 mǎng ボウ・モウ しげる ㊁ 모 ㊤麌 ボ・モ たねんそう ㊂ 무 ㊤有 mǔ ボウ・モ しげる

字解 ㊀ ①잡풀우거질망 풀이 우거짐. 또, 우거져 어지러운 풀. '一, 衆艸也'《說文》. ②고사리망 '一, 蕨類. 繁薈而叢生'《通志》. ㊁ 다년초모 숙근초(宿根草). '一, 宿艸'《集韻》. ㊂ 우거질무 ■❶과 뜻이 같음.

字源 會意. 4개의 '屮철'(풀이 돋아남)을 합쳐서, 풀이 우거지다의 뜻을 나타냄.

艸6 〔茗〕10 명 ㊤迥 míng(mǐng) メイ・ミョウ め, ちゃ

字解 ①차싹명 차나무의 싹. '一, 茶芽也'《說文新附》. ②늦게딴차명 '早取曰茶, 晚取曰一'《茶經》. ③차명 차(茶)의 별명. '一, 茶別名'《正字通》. ④높은모양명 '一, 邈茗嶢'《張協》. ⑤酩(酉부 6획〈1534〉)과 통용. '一, 通酩'《康熙字典》. ⑥성명 성(姓)의 하나.

字源 形聲. 艹(艸)+名〔音〕

艸6 〔茘〕10 려 ㊦霽 lì レイ ねじあやめ

字解 ①염교려 백합과에 속하는 다년초. 인경(鱗莖)은 식용함. '一挺'. ②여지려 '一枝'는 ㉠무환자과(無患子科)에 속하는 상록 교목(常綠喬木). 우상(羽狀) 복엽(複葉)이고, 열매는 용안(龍眼)의 열매 비슷하며 식용함. 남방 원산(原産)임. ㉡박과(科)에 속하는 만초(蔓草). 여주. 고과(苦瓜). ③성려 성(姓)의 하나.

字源 形聲. 艹(艸)+劦(劦)〔音〕

參考 荔(次條)는 本字.

艸6 〔荔〕10 茘(前條)의 本字

艸6 〔茙〕10 융 ㊥東 róng ジュウ からあおい

字解 ①접시꽃융 아욱과에 속하는 다년초. 접시 모양의 백색·적색·자색 꽃이 핌. 관상용으로 심음. 촉규(蜀葵). '一葵, 本胡中葵, 似葵而大者'《述異記》. ②두터운모양융 '一一, 厚貌'《類篇》. ③완두(豌豆)융 '一, 菽, 卽大豆也'《列子釋文》. ④성융 성(姓)의 하나.

艸6 〔茛〕10 간 ㊦願 gèn コン きんぽうげ

字解 미나리아재비간 '毛一'은 미나리아재빗과에 속하는 다년초. 들에 자생(自生)하는 독초(毒草)임.

字源 形聲. 艹(艸)+艮〔音〕

參考 莨(艸부 7획〈1143〉)은 別字.

艸6 〔茜〕10 천 ㊦霰 qiàn セン あかね

字解 ①꼭두서니천 꼭두서닛과에 속하는 다년생 만초(蔓草). 뿌리는 꼭두서니빛의 염료(染料) 또는 진통제로 쓰고, 어린잎은 식용함. '千畝巵一. (注)一名紅藍, 其花染繒赤黃也'《史記》. ②빨강천 꼭두서니를 원료로 하여 만든 빨간 물감이나, 또 그 빛. '綠野含曙光, 東北雲如一'《于濆》.

字源 形聲. 艹(艸)+西〔音〕

艸6 〔茝〕10 채 ㊤賄 chǎi サイ よろいぐさ

字解 어수리채 미나릿과에 속하는 다년초. 뿌리는 약재로 씀. '一蘭芳. (注)一, 卽今白芷'《漢書》.

字源 形聲. 艹(艸)+𦣞〔音〕

艸6 〔茞〕10 신 ㊥眞 chén シン くさのな

字解 풀이름신 '一, 艸也'《說文》.

字源 形聲. 艹(艸)+臣〔音〕

艸6 〔茡〕10 〔자〕 芓(艸부 3획〈1122〉)와 同字

艸6 〔茢〕10 렬 ㊀屑 | liè レツ あしのほ

字解 갈대이삭렬 갈대의 화수(花穗). 사기(邪氣)를 쓸어 버리는 비를 만듦. '君臨臣喪, 以巫祝桃一執戈, 惡之也. (注)一, 萑苕, 可埽不詳'《禮記》.
字源 形聲. 艹(艸)+列〔音〕

艸6 〔茨〕10 자 ㊥支 | cí シ いばら

字解 ①지붕일자 풀 또는 띠로 지붕을 임. '一, 以茅葦蓋屋'《說文》. '環堵之室, 一以生草'《莊子》. ②초가지붕자 띠나 갈대로 인 지붕. '生於窮巷之中, 長於蓬一之下'《王褒》. ③가시나무자 가시가 있는 작은 관목(灌木)의 총칭. 형극(荆棘). '楚楚者一'《詩經》. ④남가새자 남가샛과에 속하는 일년초. 가시가 있고, 노란 꽃이 핌. 뿌리와 씨는 약재로 씀. 질려(蒺藜). '牆有一, 不可埽也'《詩經》. ⑤쌓을자 축적함. '一, 積也'《廣雅》. ⑥성자 성(姓)의 하나.
字源 形聲. 艹(艸)+次〔音〕

艸6 〔茭〕10 ㊀교 ㊥肴 | jiāo コウ まぐさ / qiāo コウ ぎまんのことば; ㊁효 ㊤巧 | xiāo コウ そうこんのしょくようとなるもの

字解 ㊀①꼴교 마소의 먹이로 하는 건초(乾草). '峙乃芻一'《書經》. ②줄교 줄풀의 별명. '江南人呼菰爲一, 以其根交結也'《本草綱目》. ③승검초교 미나릿과에 속하는 다년초. 좋은 향기가 나며, 뿌리는 말려 약재로 씀. 당귀(當歸). '一, 牛蘄'《爾雅》. ④노교 대오리 또는 갈대로 꼰 노. '搴長一兮湛美玉'《後漢書》. ⑤속임말교 '一媞, 欺謾之語也'《方言》. ㊁①먹는풀뿌리효 '葋, 一. (疏)一, 謂草根可食者也, 亦筍類也'《爾雅》. ②죽순효 '蔙, 竹筍也, 或作一'《廣韻》.
字源 形聲. 艹(艸)+交〔音〕

艸6 〔茫〕10 高·人 ㊀망 ㊥陽 | máng ボウ·モウ ひろくはてしない; ㊁황 ㊤養 | huǎng ボウ·モウ あわただしい

筆順 丨 十 卄 艹 艹 茫 茫 茫

字解 ㊀①아득할망, 망망할망 한량없이 넓은 모양. '渺一'. '一乎不知其畔岸'《蘇軾》. ②멍할망 어리둥절한 모양. '一然自失'《列子》. '一然增愧赧'《韓愈》. ③총망(悤忙)할망 '一, 遽也'《方言》. '一, 速也'《玉篇》. ㊁황망할황 慌(心부 10획〈405〉)과 同字. '一惚使人愁. (注)古慌與一通'《韓愈》.
字源 形聲. 艹(艸)+汒〔音〕

艸6 〔茯〕10 복 ㊀屋 | fú フク まつほど

字解 복령(茯苓)복 '一苓'은 담자균류(擔子菌類)에 속하는 버섯의 한 가지. 소나무의 땅속뿌리에 기생(寄生)하며, 겉은 흑갈색이고 주름이 많음. 말리면 희게 됨. 수종(水腫)·임질 등의 약재로 씀. '千年之松, 下有一苓'《淮南子》.
字源 形聲. 艹(艸)+伏〔音〕

艸6 〔苦〕10 괄 ㊀曷 | guā カツ きからすうり

字解 하늘타리괄 '一蔞'는 박과에 속하는 다년생의 만초(蔓草). 뿌리에서 전분(澱粉)이 나는데, 이를 천화분(天花粉)이라 하여 약재로 씀. '一, 一蔞, 果蓏也'《說文》.
字源 形聲. 艹(艸)+昏〔音〕

艸6 〔茱〕10 수 ㊥虞 | zhū シュ かわはじかみ

字解 수유나무수 '一萸'는 운향과(芸香科)에 속하는 낙엽 교목(落葉喬木). 열매의 기름을 짜서 머릿기름으로 쓰며, 또 9월 9일에 높은 산에 올라가서, 이 열매를 머리에 꽂으면 사기(邪氣)를 물리친다 함. '吳一萸'. '山一萸'. '九月九日, 佩一萸, 食蓬餌, 飮菊花酒, 令人長壽'《西京雜記》.
字源 形聲. 艹(艸)+朱〔音〕

艸6 〔玆〕10 中·人 자 ㊥支 ①-⑤zī ジ ます, むしろ; ㊥支 ⑥cí ジ くにのな

筆順 丨 十 卄 艹 艹 玆 玆 玆

字解 ①불을자 滋(水부 10획〈672〉)와 통용. '天不之一'《太玄經》. ②더욱자 일층 많이. 滋(水부 10획〈672〉)와 통용. '賦斂一重'《漢書》. ③자리자 앉거나 눕도록 바닥에 까는 물건. '衞康叔封布一'《史記》. ④이자, 이곳자, 이때자 가까운 곳을 가리키는 관형사. '一, 叚借爲此'《說文通訓定聲》. '受一介福'《易經》. ⑤성자 성(姓)의 하나. ⑥나라이름자 '龜一'는 서역(西域)의 나라 이름. 지금의 신강(新疆) 위구르 자치구(自治區) 고차현(庫車縣) 일대.
字源 形聲. 艹(艸)+絲〈省〉〔音〕
參考 玆(玄부 5획〈765〉)는 別字이나, 그릇 혼동(混同)하는 일이 있음.

艸6 〔茳〕10 강 ㊥江 | jiāng コウ せんきゅう

字解 ①강리강 궁궁(芎藭)의 별칭. '芎藭, 一名一蘺'《山海經 注》. ②궁궁의모종강 '芎

蘱, 苗曰一蘺, 根曰芎藭'《張華, 博物志》. ③강토(茳芏)강 속칭(俗稱)은 석초(席草). 여러해살이 초본 식물. 줄기는 삼릉형(三棱形). 높이 4~5 척(尺), 잎은 가늘고 길며, 꽃은 녹갈색(綠褐色), 줄기는 돗자리를 만듦.
字源 形聲. 艹(艸)+江〔音〕

艸6 〔茴〕10 회 ㊥灰 | huí カイ·ウイ ういきょう
字解 회향풀회 '一香'은 미나릿과에 속하는 이년초. 향기가 남. 열매는 건위 구풍(健胃驅風)의 약재로 씀. '一香生蒙楚之閒'《嵇康》.
字源 形聲. 艹(艸)+回〔音〕

艸6 〔茵〕10 인 ㊥眞 | yīn イン しとね
字解 ①깔개인 주로 수레 안에 까는 자리. '文一'. '乘一步輦'《班固》. ②사철쑥인 '一蔯'은 국화과에 속하는 다년초. 떡잎은 식용하고, 또 인진호(茵蔯蒿)라 하여, 약용(藥用)으로 함. 더위지기.
字源 形聲. 艹(艸)+因〔音〕

艸6 〔茶〕10 高·人 다(차㊗) ㊥麻 | chá チャ ちゃ
筆順 ' 十 艹 艹 犬 芩 苓 茶
字解 ①차나무다 후피향나뭇과에 속하는 상록 관목(常綠灌木). 어린잎을 따서 차를 만듦. '拔一而植桑'《宋史》. ②차다 ㉠차의 재료. '貢一'《唐書》. ㉡일찍 딴 차. '早取曰一, 晩取曰茗'《茶經》. ㉢차를 넣은 음료. '好飮一'《世說》. ③성다 성(姓)의 하나. ※俗音 차.
字源 形聲. 艹(艸)+余〈省〉〔音〕

艸6 〔茷〕10 패 ①㊋隊 | fá, fèi ハイ しげる ②㊋泰 | pèi ハイ はたあし
字解 ①우거질패 풀이 무성함. 또, 그 곳. '斫榛莽, 焚茅一'《柳宗元》. ②깃발패 旆(方부 6획〈496〉)와 통용. '綪一旃旌'《左傳》.
字源 形聲. 艹(艸)+伐〔音〕

艸6 〔茸〕10 人名 용 ㊥冬 ㊤腫 | ①-③róng ジョウ しげる ④-⑩rǒng ジョウ にこげ, きのこ
筆順 ' 十 艹 艹 芷 芹 茸 茸
字解 ①우거질용 풀잎이 무성한 모양. '尨一'. '阿那蓊一'《張衡》. ②어지러울용 헝클어진 모양. 흩어진 모양. '狐裘蒙一'《史記》. ③녹용용 사슴의 새로 돋은 연한 뿔. '槲葉風微鹿養一'《黃庭堅》. ④잔털용 가는 털. '微霜結裘一'《陸游》. ⑤싹용 풀의 싹. 맹아(萌芽). '蓼一蒿笋試春盤'《蘇軾》. ⑥버섯용 고등 균류(菌類). 균심(菌蕈). '掇野之一'《王鏊》. ⑦미련쟁이용 미련한 사람. 또, 천한 사람. '闒一'. ⑧밀용 떼밂. '僕又一以蠶室'《漢書》. ⑨풀이처음날때가늘고연할용 '初篁苞綠擇, 新蒲含紫一'《謝靈運》. ⑩자수의실용 '繡一慵理怯餘寒'《岑安卿》.
字源 會意. 艹(艸)+耳

艸6 〔茹〕10 여 ㊥魚 ㊋御 ㊤語 | rú ジョ·ニョ やわらかい, くう
字解 ①연할여 초목의 뿌리가 서로 연결된 모양. 또, 그 뿌리. '拔茅連一'《易經》. ②먹을여 주로 야채를 먹음을 이름. '飯糗一草'《孟子》. ③받을여 주는 것을 받음. '柔亦不一'《詩經》. ④채소여 야채. '白露之一'《枚乘》. ⑤데삶을여, 데칠여 살짝 삶아 부드럽게 함. '蒸爲一'《爾雅翼》. 또, 데쳐서 조미(調味)한 채소. '廚人進藿一'《傅玄》. ⑥부드러울여 유연함. '攬一蕙以掩涕兮'《楚辭》. ⑦썩을여 부패함. '以一魚去蠅'《呂氏春秋》. ⑧말라죽을여 고사(枯死)함. '神藁形一'《左思》. ⑨헤아릴여 촌탁(忖度)함. '不可以一'《詩經》. ⑩꼭두서니여 꼭두서닛과에 속하는 다년생 만초(蔓草). '一藘在阪'《詩經》. ⑪성여 성(姓)의 하나.
字源 形聲. 艹(艸)+如〔音〕

艸6 〔茺〕10 충 ㊥東 | chōng ジュウ めはじき
字解 익모초(益母草)충 꿀풀과의 월년초. 암눈비앗. 충울(茺蔚). '一, 一蔚, 艸名, 益母也'《集韻》.
字源 形聲. 艹(艸)+充〔音〕

艸6 〔茼〕10 동 ㊥東 | tóng トウ しゅんぎく
字解 쑥갓동 '一蒿'는 국화과에 속하는 일년초. 채소(菜蔬)의 하나. '一蒿香可茹'《物性志》.
字源 形聲. 艹(艸)+同〔音〕

艸6 〔荀〕10 人名 순 ㊥眞 | xún ジュン くさのな
筆順 ' 十 艹 艹 芍 芍 荀 荀
字解 ①풀이름순 꽃은 노랗고 열매는 붉은 풀. '名曰一草. 服之美人色'《山海經》. ②나라이름순 희성(姬姓). 춘추(春秋) 때에 진(晉)에게 멸망됨. 지금, 산서성(山西省) 신강현(新絳縣) 동북쪽에 있었음. ③성순 성(姓)의 하나.

字源 形聲. 艹(艸)+旬〔音〕

艸6 〔荁〕10 환 ㊊寒|huán カン すみれ

字解 오랑캐꽃환 오랑캐꽃〔堇〕의 일종. '堇—枌楡'《禮記》.

艸6 〔荃〕10 人名 전 (③절㊍) ㊊先 ㊋屑 |①②quán センかおり ぐさ ③セツ ほそぬの

筆順 ' ⺾ 䒑 芢 芣 荃 荃 荃

字解 ①향초전 향기로운 풀. '—不揆余之中情兮'《楚辭》. ②통발전 筌(竹부 6획〈936〉)과 통용. '—蹄'. '得魚而忘—'《莊子》. ③가는베전 絟(糸부 6획〈991〉)과 통용. '繇王閩侯遺建—葛'《漢書》. ※❸本音 절.

字源 形聲. 艹(艸)+全〔音〕

艸6 〔荄〕10 해 ㊊灰|gāi カイ ね

字解 풀뿌리해 초근(草根). '靑陽開動, 根—以遂. (注)草根曰—'《漢書》.

字源 形聲. 艹(艸)+亥〔音〕

艸6 〔荅〕10 답 ㊋合|dá トウ こたえる, あずき

字解 ①대답할답 答(竹부 6획〈936〉)과 통용. '奉—天命'《書經》. ②팥답 소두(小豆). '菽—麻麥'《晉書》. ③홉답 용량의 단위. 한 홉(合). '鹽豉千—'《史記》. ④성답 성(姓)의 하나.

字源 形聲. 艹(艸)+合〔音〕

艸6 〔荆〕10 형 ㊊庚|jīng ケイ にんじんぼく

字解 ①모형형 마편초과에 속하는 낙엽 관목(落葉灌木). 줄기는 연하고 질기어 광주리 같은 것을 엮고, 열매는 약재로 씀. '—, 楚. 木也'《說文》. ②가시나무형 가시가 있는 작은 관목(灌木)의 총칭. '—棘'. '攀—榛陟堆埼, 臨絶壁俯請溪'《吳敝》. ③곤장형 태형(笞刑)에 쓰는 모형(牡荆)으로 만든 막대기. 형장(刑杖). '肉袒負—'《史記》. ④아내형 자기 아내의 겸칭. 후한(後漢)의 양홍(梁鴻)의 아내 맹광(孟光)이 가시나무의 비녀를 꽂은 고사(故事)에서 나온 말. '—妻'. '—釵布裙'《列女傳》. ⑤땅이름형 우공 구주(禹貢九州)의 하나. 지금의 호남(湖南)·호북·광서(廣西) 및 귀주(貴州)의 땅. 전(轉)하여, 초(楚)나라의 땅. 초나라. '晉伐鄭, —救之'《國語》. ⑥성형 성(姓)의 하나.

字源 形聲. 艹(艸)+刑〔音〕

參考 荊(次條)은 俗字.

艸6 〔荊〕10 荆(前條)의 俗字

艸6 〔荆〕10 荆(前前條)의 古字

艸6 〔荇〕10 행 ㊤梗|xìng コウ はなじゅんさい

字解 ①노랑어리연꽃행 '—菜'는 조름나물과에 속하는 다년생 수초(水草). 연한 잎은 먹음. '參差—菜, 左右流之'《詩經》. ②성행 성(姓)의 하나.

字源 形聲. 篆文은 艹(艸)+杏〔音〕

參考 莕(艸부 7획〈1147〉)은 同字.

艸6 〔荈〕10 천 ㊤銑|chuǎn センちゃのふるは

字解 ①차천 차나무의 노엽(老葉)으로 만든 차(茶). '密賜茶—以當酒'《吳志》. ②풀이름천 '—, 艸名'《集韻》.

艸6 〔草〕10 中·人 초 ㊤晧|cǎo ソウ くさ

筆順 ' ⺾ 䒑 艹 芇 苜 荁 草

字解 ①풀초 ㉠초본(草本) 식물의 총칭. '雜—'. '—木'. ㉡풀이 우거진 곳. 풀숲. '軍無橫—之功'《漢書》. ②풀벨초 풀을 벰. '民弗敢—也'《禮記》. ③거칠초 조잡함. '以惡—具進楚使'《史記》. ④야비할초 천덕스러움. 촌스러움. '—野'. 전(轉)하여, 재야(在野)의 일컬음. '—茅'. '—莽之臣'. ⑤시작할초 창시(創始)함. '—創天下'《後漢書》. ⑥처음초 창시. '—, 造也'《廣雅》. '天造—昧'《易經》. ⑦초할초 초를 잡음. '蕭何—律'《後漢書》. ⑧초초 초고(草稿). '視—廼遣. (注)—, 謂爲文之藁—'《漢書》. ⑨초서초 가장 자획을 간략히 한 서체. '好古字, 鳥篆隸—, 無所不善'《魏志》. ⑩성초 성(姓)의 하나.

字源 形聲. 艹(艸)+早〔音〕

艸6 〔荍〕10 교 ㊊蕭|qiáo キョウ ぜにあおい

字解 ①당아욱교 아욱과에 속하는 이년초. 담홍색 또는 백색의 꽃이 핌. 금규(錦葵). '—, 蚍衃. (注)今荆葵也'《爾雅》. '視爾如—'《詩經》. ②메밀교 '—, —麥'《字彙》. '—, 俗謂作蕎'《正字通》.

字源 形聲. 艹(艸)+收〔音〕

艸6 〔菲〕10 과 ㊊佳|guāi カイ もとる kuā ケ よこしま

字解 ①어긋날과 '芣, 說文, 戾也, 睽也,

或作一・乖'《集韻》. ②사곡(邪曲)될과 바르지 못함. '一, 不正也, 或作華・佤・𡘋'《集韻》.

艸 6 〔𦯬〕10 [一]교 ㊤篠 | jiǎo キョウ よれあう
[二]구 [平]尤 | キュウ よれあう

[字解] [一] 꼬일교 풀이 얽히는 모양. '一, 艸相糾皃'《集韻》. [二] 꼬일구 [一]과 뜻이 같음.

艸 6 〔𦱊〕10 광 [平]陽 | kuāng キョウ くさのな

[字解] ①풀이름광 '一, 一曰, 艸名'《集韻》. ②따를광 뒤따름. '一, 隨也'《方言》.

艸 6 〔𦬁〕10 구 ㊤有 | jiù キュウ かさぐさ

[字解] ①말뱅이나물구 '一, 藥名, 按本草, 鬼臼, 生深山巖谷, 一年生一莖, 云云, 本作臼, 俗作一'《正字通》. ②잔대구 초롱꽃과에 딸린 여러해살이풀. 어린잎과 뿌리는 식용함.

艸 6 〔荕〕10 근 | jīn キン ほね

[字解] 뼈근 '一, 骨也'《篇海》.

艸 6 〔𦯓〕10 〔근〕 菫(艸부 8획〈1150〉)의 古字

艸 6 〔𦱧〕10 루 ㊤麌 | ル くさよもぎ
[平]虞 | lǚ ル しろよもぎ
[平]尤 | lóu ロウ からすうり

[字解] ①산쑥루 애호(艾蒿). '一, 小蒿草'《玉篇》. ②물쑥루 흰쑥. 누호(蔞蒿). '一, 說文, 艸也, 可以烹魚, 或作一'《集韻》. ③하눌타리루 '瓡, 鉤瓡, 王瓜, 亦作一'《集韻》.

艸 6 〔𦲃〕10 망 ㊤養 | wǎng ボウ くさのな

[字解] ①풀이름망 '一, 艸名'《集韻》. ②개피망 볏과에 속한 한해살이풀. 망초(莔草). ③붓순나무망 상록 활엽의 작은 교목. 망초(莽草).

艸 6 〔𦰡〕10 〔맹〕 莔(艸부 7획〈1146〉)과 同字

艸 6 〔𦯃〕10 [一]배 | ハイ きんま
[二]로 | lǎo ロウ きんま

[字解] [一] 필발(蓽茇)배 후춧과에 속한 풀. 이란 원산으로, 잎은 식용하며, 열매는 약재로 쓰임. '閩, 廣人食檳榔, 每切作片, 蘸蠣灰, 以一葉裹嚼之'《西溪叢語》. [二] 필발로 [一]과 뜻이 같음.

艸 6 〔莩〕10 [一]비 ㊤紙 | bì ヒ くさきがかれる
[二]표 ㊤篠 | piǎo ホウ うえじにのしたい
[三]부 [去]有 | ブ おちる

[字解] [一] 초목(草木)마를비 '一, 艸木枯落'《集韻》. [二] ①굶어죽은시체표 '殍, 餓死曰殍, 或作一'《集韻》. ②떨어질표 '蔈, 落也, 或作一'《集韻》. [三] 떨어질부 초목 따위가 말라 떨어짐. '一, 落也, 或从歺'《集韻》.

艸 6 〔𦰏〕10 [一]야 [平]麻 | yē ヤ あさ
[二]사 [平]麻 | シャ あさ

[字解] [一] 삼야 모시. '一, 葉屬, 皮中索, 亦从木'《集韻》. [二] 삼사 [一]과 뜻이 같음.

艸 6 〔𦬡〕10 양 [平]陽 | yáng ヨウ ひよどりじょうご

[字解] 배풍등양 양천(芊蒐). 가짓과에 속한 여러해살이 덩굴풀. 열매는 약재로 씀. '一, 一蒐, 藥艸'《集韻》.

艸 6 〔茚〕10 인 [去]震 | yìn イン くさのな

[字解] 풀이름인 '一, 艸名'《集韻》.

艸 6 〔𦮼〕10 족 [入]屋 | zhuó ソク くさきがむらがりはえる

[字解] 초목떨기로날족 '一, 艸木叢生也'《篇海》.

艸 6 〔𦬢〕10 〔천〕 天(大부 1획〈231〉)의 古字

艸 6 〔𦯙〕10 타 [去]禡 | chà タ こがねばな

[字解] ①부조초(不凋草)타 뿌리는 파극(巴戟)이라 하여 강장제(強壯劑)로 씀. ②황금(黃芩)타 약재명(藥材名). '一菹, 黃芩也'《廣雅》.

艸 6 〔𦰦〕10 〔타〕 朶(木부 2획〈526〉)와 同字

艸 6 〔莌〕10 〔탈〕 莌(艸부 7획〈1145〉)과 同字

艸 6 〔𦯖〕10 〔평〕 萍(艸부 8획〈1153〉)과 同字

艸 6 〔𦰤〕10 회 [平]灰 | huī カイ あおあかざ

[字解] 명아주회 들에 절로 나서 자라는 풀의 한 종류. '一, 本作灰, 卽灰藋'《正字通》.

艸 6 〔𦱀〕10 〔병〕 𦱀(艸부 8획〈1149〉)의 俗字

艸6 〔荏〕 10 임 ㊤寢 | rěn ジン えごま

[字解] ①들깨임 꿀풀과에 속하는 일년생초. 열매에서 들기름을 짬. ②부드러울임 유순함. '色厲而內一'《論語》. ③왕콩임 콩과에 속하는 다년생 재배초. '蓺之一菽'《詩經》. ④천연할임 '一苒'은 시간을 자꾸 끄는 모양.

[字源] 形聲. 艹(艸)+任〔音〕

艸6 〔荐〕 10 천 [去]霰 | jiàn セン かさねて, しきむしろ

[字解] ①거듭천 중첩해서. 연이어. '晉一饑'《左傳》. ②풀천 초본(草本). '戎狄一居'《左傳》. ③깔개천 '一, 薦席也'《說文》. ④모일천 '戎狄一居'《左傳》. ⑤천거할천 薦(艸부 13획〈1190〉)과 통용.

[字源] 形聲. 艹(艸)+存〔音〕

艸6 〔荑〕 10 [一] 제 [平]齊 | tí テイ いぬびえ, め
[二] 이 [平]支 | yí イ かる

[字解] [一] ①띠싹제 갓 나온 띠. '手如柔一'《詩經》. ②싹제 초목의 싹. '蘭一爭翹'《晉書》. ③돌피제 稊(禾부 7획〈902〉)와 同字. '苟爲不熟, 不如一稗'《孟子》. [二] 벨이, 깎을이 풀을 깎음. '以水殄草而芟一之'《周禮》.

[字源] 形聲. 艹(艸)+夷〔音〕

[參考] 苐(艸부 5획〈1133〉)는 同字.

艸6 〔荒〕 10 [高·人] 황 [平]陽 | huāng コウ あらい

[筆順] ' 十 艹 艹 芒 芒 芹 荒

[字解] ①거칠황 ㉠황무함. '一地'. '田疇一蕪'《國語》. 또, 거친 땅. 황무지. '開一五千餘頃'《晉書》. '吾家耄遜于一'《書經》. ㉡사물이 난잡하여 정돈되지 아니함. '內作色一, 外作禽一. (傳)迷亂曰一'《書經》. ②흉년들황 곡식이 잘 여물지 아니함. '凶一'. '一歲'. '四穀不升, 謂之一'《韓詩外傳》. ③변방황 변경(邊境). '八一'. '五百里一服'《書經》. ④버릴황 폐지함. 폐기함. '無一失朕命'《書經》. ⑤빠질황 탐닉함. '一亡'. '好樂無一'《詩經》. ⑥클황, 크게할황 '大王一之'《詩經》. ⑦빌황 공허함. '一成不盟'《國語》. ⑧덮을황 가림. '葛藟一之'《詩經》. ⑨황망할황 慌(心부 10획〈405〉)과 同字. '一忽其焉極'《楚辭》. ⑩패망할황 '內不克婦, 一家及國. (注)一, 亡也'《太玄經》. ⑪성황 성(姓)의 하나.

[字源] 形聲. 艹(艸)+巟〔音〕

艸6 〔茾〕 10 공 [平]冬 | qióng キョウ めいきょうのみ

[字解] 명협(蓂莢)의열매공 '一, 蓂莢實也'《廣韻》.

艸6 〔荂〕 10 [一] 과 [平]麻 | huā カ はな
[二] 부 [平]虞 | fū フ はな
[三] 후 [平]虞 | ク はな

[字解] [一] 꽃과 초목에 피는 꽃. '華, 一也'《爾雅》. [二] ①꽃부 '一, 華榮也'《集韻》. ②엉겅퀴열매부 '芺薊, 其實一. (注)芺與薊'《爾雅》. ③꽃모양부 '一, 一榮之皃'《廣韻》. [三] ①꽃후 [一]과 뜻이 같음. ②가곡이름후 황후(皇荂). '折楊皇一, 則嗑然而笑. (釋文)一, 況于反, 本又作華, 折楊皇華, 皆古歌曲也'《莊子》.

[字源] 形聲. 艹(艸)+夸〔音〕

艸6 〔茠〕 10 [一] 호 [平]豪 | hāo コウ くさぎる
[二] 휴 [平]尤 | xiū キュウ かげ
[三] 후 [去]宥 | kòu コウ まめ

[字解] [一] 김맬호 밭의 잡초를 뽑아 없앰. '身操畚鍤, 一刺無休時. (注)一, 除田草'《唐書》. [二] ①쉴휴 '一, 說文, 息止也'《集韻》. ②나무그늘휴 庥(广부 6획〈346〉)와 통용. '得一越下, 則脫然喜矣. (注)一, 蔭也'《淮南子》. [三] 콩후 '蔻, 豆蔻, 艸實生交趾. 或作一'《集韻》.

艸6 〔茪〕 10 광 [平]陽 | juōng コウ えびすぐさ

[字解] ①결명차광 '茯一'은 약초(藥草)인 결명차. 결명초(決明草). '薢茩, 茯一. (疏)藥草, 茯明也. 一名茯一, 一名決明'《爾雅》. ②마름광 '一, 一曰, 蔆也'《集韻》.

艸6 〔茮〕 10 [一] 초 [平]蕭 | jiāo ショウ なるはじかみ
[二] 뇨 ㊤篠 | niǎo ジョウ·ニョウ くさがちょうずる

[字解] [一] ①나무이름초 산초나무의 일종. 보통의 산초나무보다 가시는 적지만, 잎·열매가 크고, 향기가 강함. '一, 一菉也'《說文》. ②산초열매송이질초 산초 열매가 다닥다닥 송이진 모양. '一, 一曰, 菉·萸子聚生成房皃'《集韻》. [二] 풀자랄뇨 '茐一'는 풀이 자람. '一, 茐一, 艸長'《集韻》.

[字源] 形聲. 艹(艸)+尗〔音〕

艸6 〔茝〕 10 기 ㊤紙 | qǐ キ やくそうのな

[字解] 약초이름기 벤 상처에 효험이 있는 약초(藥草). '一, 藥草. 可治金瘍'《集韻》.

艸6 〔茷〕 10 식 [入]職 | shū ショク やくそうのな

[字解] 약초이름식 '莪一'은 약초(藥草)의 이름. '一, 莪一, 藥名'《字彙補》.

艸 6 〔莱〕10 [一] 래 [去]隊 [二] 루 [平]支 | lèi ライ くさがおおい ルイ かじつのたれさがるさま

[字解] [一] ①풀많을래 논밭을 가는 데 풀이 많음. '一, 耕多艸'《說文》. ②풀래 '一, 草也'《廣雅》. [二] 과실주렁주렁달릴루 '一, 果實垂皃'《集韻》.
[字源] 形聲. 艹(艸)+耒〔音〕

艸 6 〔荄〕10 [一] 기 [去]寘 [二] 다 [平]歌 | jì キ ひし duō タ いみんぞくのな

[字解] [一] 마름기 '芰, 蔆也. 一, 杜林說, 芰从多'《說文》. [二] 이민족이름다 '鹿一'는 한(漢)나라 때, 남쪽 이민족(異民族)의 이름. '南下江漢, 擊附塞夷鹿一'《後漢書》.

艸 6 〔荦〕10 모(무[本]) [平]尤 | mǒu ボウ·ム くさのな

[字解] ①풀이름모 '一, 艸名'《集韻》. ②보리모, 굵은보리모 '麰, 大麥. 又短粒麥. 一, 上同'《廣韻》. ※本音 무.

艸 6 〔茟〕10 [一] 율 [入]質 [二] 외 [上]賄 [三] 필 | yù イツ あかざ wěi ワイ つぼみ ヒツ ふで

[字解] [一] 명아주율 '一, 藜也'《廣雅》. [二] 봉오리외, 꽃망울외 초목(草木)의 꽃의 봉오리. '一者, 草木花始生也'《字彙》. [三] 筆(竹부 6획〈935〉)의 訛字.

艸 6 〔苖〕10 곡 [入]沃 | qū キョク まぶし

[字解] 잠박곡 누에를 치는 잠구(蠶具). '一, 一植也, 養蠶器也'《玉篇》.
[字源] 形聲. 艹(艸)+曲〔音〕

艸 6 〔茖〕10 격 [入]藥 | gè カク ぎょうじゃにんにく

[字解] 골파격 산에서 나는 파. '葱生山中者名一'《爾雅 疏》.
[字源] 形聲. 艹(艸)+各〔音〕

艸 6 〔茦〕10 책 [入]陌 | cè サク くさのとげ

[字解] ①풀가시책 풀에 돋는 가시. '木芒曰刺, 草芒曰 一'《說文 段注》. ②침책 '一, 箴也'《廣雅》.
[字源] 形聲. 艹(艸)+朿〔音〕

艸 6 〔茴〕10 혈 [入]屑 | xuè ケツ あかね

[字解] ①꼭두서니혈 꼭두서닛과의 다년생 만초. 뿌리를 염료·진통제로 씀. 천초(茜草). '一, 地一蒨也'《集韻》. ②풀모양혈 '一, 草皃'《廣韻》.
[字源] 形聲. 艹(艸)+血〔音〕

艸 6 〔茩〕10 구 [上]有 | gǒu コウ えびすぐさ

[字解] 초결명(草決明)구 '薢一'는 초결명. '一, 薢一也'《說文》. '薢一, 英茪'《爾雅》.
[字源] 形聲. 艹(艸)+后〔音〕

艸 6 〔茧〕10 충 [平]東 | chōng チュウ くさのな

[字解] ①풀충 '一, 草也'《集韻》. ②시들충 풀이 시듦. '一, 艸衰也'《玉篇》.

艸 6 〔茜〕10 [一] 체 [去]霽 [二] 애 [去]霽 [三] 륵 | zhì テイ [一]-[二] つくろう, つづる エイ リク

[字解] [一] ①기울체 풀로 기움. '一, 以艸補闕'《說文》. ②빈곳에채울체 '一, 一曰, 約空也. (注)約空者, 今俗語有空處以物塡塞之曰一, 聲如霽'《說文》. [二] 기울애, 빈곳에 채울애 [一]과 뜻이 같음. [三] 기울륵, 빈곳에채울륵 [一]과 뜻이 같음.
[字源] 形聲. 艹(艸)+西〔音〕

艸 6 〔荌〕10 안 [去]翰 [去]諫 | àn アン くさのな

[字解] 풀이름안 '一, 艸也'《說文》.
[字源] 形聲. 艹(艸)+安〔音〕

艸 6 〔茥〕10 [一] 규 [平]齊 [二] 계 [去]霽 | guī ケイ くさいちご ケイ くさのな

[字解] [一] 장딸기규 복분자(覆盆子). '一, 蒛葐'《爾雅》. [二] 풀이름계 '茥, 艸名. 或省'《集韻》.
[字源] 形聲. 艹(艸)+圭〔音〕

艸 6 〔茿〕10 축 [入]屋 | zhú チク にわやなぎ

[字解] 마디풀축 편죽(扁竹). '一, 萹一也. 似藜, 赤莖. 生道傍, 可食'《廣韻》.

艸 6 〔茬〕10 [一] 치 [平]支 [二] 사 [平]麻 | chí シ·ジ くさのしげるさま chá サ きりかぶ

[字解] [一] ①풀우거질치 '一, 艸皃'《說文》. ②고을이름치 ㉠'一平'은 현명(縣名). '一, 濟北有一平縣'《說文》. ㉡태산군(泰山郡)에 있는 현(縣)이름. '一, 丘名. 案, 漢書地理志, 泰山郡有一縣'《廣韻》. ③산이름치 '一, 山名. 漢泰山郡有一山'《集韻》. ④성치 성(姓)의 하나. [二] 그루터기사 '一, 邪斫木也. 漢書, 山不一櫱'《集韻》.
[字源] 形聲. 艹(艸)+在〔音〕

艸6 〔荋〕10 ㊀이 ㊥支 ㊁내 ㊥灰 | ér ジ はのおおいさま ザイ·ナイ はのおおいさま

字解 ㊀①잎많을이 풀에 잎이 많은 모양. '一, 艸多葉皃'《說文》. ②풀많을이 풀이 많은 모양. '一, 艸多皃'《集韻》. ③버섯이 '芝一菫苣'《馬融》. ㊁잎많을내, 풀많을내, 버섯내 ㊀과 뜻이 같음.
字源 形聲. 艹(艸)+而〔音〕

艸6 〔荎〕10 ㊀치 ㊥支 ㊁질 ㊧質 ㊂절 ㊧屑 | chí チ くさのな チツ くさのな テツ あさにれ

字解 ㊀①풀이름치 ㉠'一藸'는 남오미자. '一, 一藸, 艸也. (段注)五味也. 蔓生'《說文》. ㉡'牛一'는 쇠무릎지기. '一, 博雅, 牛一, 牛膝也'《康熙字典》. ㉢시초 '一, 艸名. 蓍也'《集韻》. ②나무이름치 느릅나무의 일종. '蘦, 一. (注)今之刺榆'《爾雅》. ㊁풀이름질, 나무이름질 ㊀과 뜻이 같음. ㊂나무이름절 ㊀②와 뜻이 같음.
字源 形聲. 艹(艸)+至〔音〕

艸6 〔𦯬〕10 〔규〕 葵(艸부 9획〈1161〉)의 本字

艸6 〔荨〕10 〔등〕 等(竹부 6획〈935〉)의 俗字

艸6 〔荘〕10 〔장〕 莊(艸부 7획〈1141〉)의 俗字

艸6 〔萸〕10 〔유〕 萸(艸부 9획〈1157〉)의 俗字

艸6 〔萸〕10 〔유〕 萸(艸부 9획〈1157〉)의 俗字

艸6 〔莽〕10 〔망〕 莽(艸부 8획〈1147〉)의 俗字

艸6 〔荿〕10 〔증〕 蒸(艸부 10획〈1166〉)과 同字

艸7 〔荰〕11 두 ㊤麌 | dù ト かんあおい

字解 두형두 '一蘅'은 쥐방울과에 속하는 상록 다년초. 초겨울에 암자색의 작은 꽃이 핌. 뿌리는 약재로 씀. 두형(杜衡). '一, 杜衡, 香草, 似葵'《廣韻》.
字源 形聲. 艹(艸)+杜〔音〕

艸7 〔荳〕11 두 ㊦宥 | dòu トウ まめ

字解 ①콩두 豆(部首〈1368〉)의 俗字. '一, 俗豆字'《正字通》. ②두구(荳蔻)두 '豆蔻'로도 씀. 여러해살이 늘푸른 초본(草本) 식물로, 씨앗은 향미(香味)가 있고, 약재로 씀. '一, 一蔻'《玉篇》.
字源 形聲. 艹(艸)+豆〔音〕

艸7 〔荷〕11 高·人 하 ㊥歌 ㊤哿 | ①hé カ はす ②③hè カ になう, に

筆順 ' ⺈ ⺾ 艹 芢 芢 荷 荷

字解 ①연하 연꽃과에 속하는 다년생 수초(水草). 蓮(艸부 11획〈1172〉)과 뜻이 같음. '一葉'. '有蒲與一'《詩經》. ②멜하 ㉠물건을 어깨에 멤. '有一蕢而過孔氏之門者'《論語》. ㉡떠맡음. '負一'. ㉢남에게서 은혜를 받음. '感一'. '拜一'. '世一朝恩'《晉書》. ③짐하 하물(荷物). '擔一'. '至有重一趨肆而徒返者'《唐書》.
字源 形聲. 艹(艸)+何〔音〕

艸7 〔荻〕11 적 ㊧錫 | dí テキ おぎ

字解 ①물억새적 볏과에 속하는 다년초. 물가에 나는데, 억새 비슷함. '枯一'. '一花'. '家貧, 至以一畫地學書'《宋史》. ②갈피리적 '一, 篅也'《風俗通》. ③성적 성(姓)의 하나.
字源 形聲. 艹(艸)+狄〔音〕

艸7 〔荼〕11 ㊀도 ㊥虞 ㊁서 ㊥魚 ㊂다 ㊥麻 ㊃야 ㊥麻 | tú ト にがな shū ショ たまのな chá タ ちゃ yé ヤ せい

字解 ㊀①씀바귀도, 방가지똥도 국화과에 속하는 초본(草本). 꽃이 국화와 비슷함. 잎·뿌리는 모두 맛이 쓴데, 나물로 먹음. 고채(苦菜). '誰謂一苦'《詩經》. ②띠풀·물억새의흰꽃도 물억새의 화수(花穗). '予所捋一'《詩經》. ③잡초도 '其鎛斯趙, 以薅一蓼. (注)一, 亦穢草'《詩經》. ④해독도 사물에 해를 끼치는 것. '弗忍一毒'《書經》. ㊁옥이름서 제후가 지니는 홀(笏). 위끝이 둥글고 아래끝이 모짊. '天子搢珽…諸侯一'《禮記》. ㊂차다 특히 싹을 일찍 따 만든 것을 '一'라 하고 늦게 따 만든 것을 '茗'이라 이름. 茶(艸부 6획〈1135〉)와 통용. '茶之始, 其字爲荼. 如〈春秋〉齊荼'《魏了翁》. ㊃성야 성(姓)의 하나.
字源 形聲. 艹(艸)+余〔音〕

艸7 〔荽〕11 유(수㊍) ㊥支 | suī スイ こえんどろ

字解 고수풀유 미나릿과에 속하는 일년초. 열매는 향료(香料)·식용으로 함. '胡一'. '蓼一芬芳'《潘岳》. ※本音 수.
字源 形聲. 艹(艸)+妥〔音〕

艸 7 〔荾〕11 荽(前條)와 同字

艸 7 〔莅〕11 리 ㊀寘|lì リ のぞむ

字解 임할리 ㉠그 자리에 나감. '臨一'. '一, 臨也'《周禮》. ㉡군림(君臨)함. '一中國而撫四夷也'《孟子》.
字源 會意. 艹(艸)+位
參考 蒞(艸부 10획〈1170〉)는 俗字.

艸 7 〔莆〕11 ㊀부 ㊤麌|fǔ フ めでたいくさ ㊁포 ㊥虞|pú ホ がま

字解 ㊀섭부(萐莆)부 요(堯)임금 때에 난 서초(瑞草)의 이름. '一, 萐一, 堯之瑞草'《廣韻》. ㊁①부들포 蒲(艸부 10획〈1166〉)와 同字. '咸播秬黍, 一雚是營'《楚辭》. ②성포 성(姓)의 하나.
字源 形聲. 艹(艸)+甫〔音〕

艸 7 〔莉〕11 人名 리 ㊥支|lì リ まつり

筆順 ' 艹 艹 艹 苎 苹 莉 莉

字解 말리리 茉(艸부 5획〈1131〉)을 보라. '茉一'.
字源 形聲. 艹(艸)+利〔音〕

艸 7 〔莊〕11 高·人 장 ㊥陽|zhuāng ソウ おごそか

筆順 ' 艹 艹 艹 艹 茳 荘 莊

字解 ①풀무성할장 '一, 草盛皃'《玉篇》. ②엄할장 예의범절이 엄정함. '季孫好士, 終身一, 居處衣服, 常如朝廷'《韓非子》. ③공경할장 '一, 敬也'《玉篇》. ④꾸밀장 성장(盛粧)함. '貌豐盈以一姝兮'《宋玉》. ⑤한길장 여섯 갈래의 큰 거리. '康一'. '得慶氏之木百車于一'《左傳》. ⑥별장장 별저(別邸). '得裴度午橋一'《宋史》. ⑦시골집장 전사(田舍). '村一'. '山下有小一'《列仙傳》. ⑧장전장 귀척(貴戚)·고관 등의 사유지. '明時爲民厲者, 皇一外, 莫如諸王勳戚中官一田爲甚'《續文獻通考》. ⑨가게장 큰 점포. '衣一'. '錢一'. ⑩장자장 장자(莊子)의 약칭(略稱). '老一'. '下逮一騷太史所錄'《韓愈》. ⑪성장 성(姓)의 하나.
字源 形聲. 艹(艸)+壯〔音〕

艸 7 〔莎〕11 ㊀사 ①㊥歌|suō サ はますげ ②㊥麻|shā サ こおろぎ ㊁수 ㊥支|suī スイ てでもむ

字解 ㊀①사초사 방동사니과에 속하는 다년초. 바닷가의 모래땅에 나는데, 그 괴근(塊根)을 향부자(香附子)라 하여 약재로 씀. '一, 莖葉似三稜, 根周匝多毛, 謂之香附子'《爾雅翼》. ②베짱이사 '六月一雞振羽'《詩經》. ㊁비빌수 손으로 문지름. '一, 挼一, 以手切磨也'《集韻》.
字源 形聲. 艹(艸)+沙〔音〕

艸 7 〔莏〕11 莎(前條)와 同字

艸 7 〔莒〕11 거 ㊤語|jǔ キョ いも

字解 ①감자거 '一, 齊謂芋爲一'《說文》. ②나라이름거 주대(周代)의 국명(國名). 지금의 산동성(山東省) 거현(莒縣)에 있었음. '一人入向'《春秋》. ③성거 성(姓)의 하나.
字源 形聲. 艹(艸)+呂〔音〕

艸 7 〔莓〕11 매 ㊥灰|méi バイ·マイ こけ, いちご

字解 ①이끼매 담자균류(擔子菌類)에 속하는 은화식물(隱花植物). '隨意坐一苔'《杜甫》. ②딸기매 장미과에 속하는 소관목(小灌木) 또는 초본(草本). 열매를 먹음. '一草實可食'《齊民要術》.
字源 形聲. 艹(艸)+每〔音〕
參考 苺(艸부 5획〈1130〉)의 俗字.

艸 7 〔莖〕11 人名 경 ㊥庚|jīng ケイ くき

筆順 ' 艹 艹 艹 艹 茳 莁 莖

字解 ①줄기경 ㉠식물의 줄기. '細一'. '根一'. '綠葉兮紫一'《楚辭》. ㉡줄기 모양을 한 물건. 또, 그 물건을 세는 말. '數一白髮那拋得'《杜甫》. ②버팀목경 버티어 세우는 나무. '擢雙立之金一. (注)金一, 銅柱也'《班固》. ③대경 가늘고 긴 막대기. '旌旗躍一'《左思》. ④칼자루경 칼의 손잡이. '爲之一圍'《周禮》.
字源 形聲. 艹(艸)+巠〔音〕

艸 7 〔莘〕11 人名 신 ㊥眞|shēn シン みらのねぐさ

筆順 ' 艹 艹 艹 芏 苹 莘 莘

字解 ①족두리풀신 세신과(細莘科)에 속하는 다년초. 뿌리는 약용으로 함. 세신(細莘). '一草, 生山澤'《正字通》. ②나라이름신 주대(周代)의 국명(國名). 하남성(河南省)에 있었음. '纘女維一. (傳)一, 大姒國也'《詩經》. ③많을신 '俎豆一一'《班固》. ④길신 긴 모양. '魚在在藻, 有一其尾'《詩經》. ⑤성신 성(姓)의 하나.
字源 形聲. 艹(艸)+辛〔音〕

艸 7 〔莙〕11 군 ㊤軫|jūn キン やなぎも

[字解] ①버들말즘군 가랫과에 속하는 다년생 수초(水草). 식용함. 말. 마조(馬藻). 우조(牛藻). '一, 牛藻也'《說文》. ②모을군 '一, 凝天地'《淮南子》.
[字源] 形聲. 艹(艸)＋君〔音〕

艸 7 〔莛〕 11 정 [平]青 | tíng テイ くき

[字解] ①풀줄기정 풀의 줄거리. '以一撞鐘'《漢書》. ②들보정 칸과 칸 사이의 두 기둥을 건너지르는 나무. '擧一與楹. (注)屋梁也'《莊子》.
[字源] 形聲. 艹(艸)＋廷〔音〕

艸 7 〔莚〕 11 연 [去]霰 | yán エン のびる

[字解] ①뻗을연 멀리 뻗어 끊이지 아니함. '風連一蔓於蘭皐'《左思》. ②풀이름연 '一, 草名'《集韻》.
[字源] 形聲. 艹(艸)＋延〔音〕

艸 7 〔莝〕 11 좌 [去]箇 | cuò ザ まぐさ

[字解] ①여물좌 마소를 먹이는 썬 짚. '一, 斬芻'《說文》. ②작을좌 경소(輕小)함. 약소(弱小)함. '合一脆以爲強'《柳宗元》.
[字源] 形聲. 艹(艸)＋坐〔音〕

艸 7 〔莞〕 11 [人名] 완(①-④관[本], ⑤환[本]) [平]寒 [上]潸 | guān カン い, まるがま wǎn カン わらう

[筆順] ' 十 卄 艹 艹 芒 芸 莞

[字解] ①골풀완 골풀과에 속하는 다년초. 습지에 자생(自生)함. 줄기는 자리를 만드는 데 쓰임. 등심초(燈心草). '一, 苻蘺. (注)今西方人呼蒲爲一蒲…今江東謂之苻蘺'《爾雅》. ②왕골완 방동사닛과에 속하는 일년초. 논이나 수택(水澤)에 재배함. 줄기는 자리를 만드는 데 쓰임. '一筵'. ③왕골기직완 왕골 자리. '下一上簟'《詩經》. ④성완 성(姓)의 하나. ※❶-❹ 本音 관. ⑤웃을완 빙그레 웃는 모양. '夫子一爾而笑'《論語》. ※❺ 本音 환.
[字源] 形聲. 艹(艸)＋完〔音〕

艸 7 〔莧〕 11 莞(前條)과 同字

艸 7 〔莟〕 11 함 [去]勘 | hàn カン しべ

[字解] ①꽃술함 화예(花蕊). '紅芳紫一處處有'《歐陽修》. ②꽃봉오리함 얼마 안 되어 필 꽃봉오리. '櫻桃開通隔牆一'《楊萬里》.
[字源] 形聲. 艹(艸)＋含〔音〕

艸 7 〔莠〕 11 [一] 유 [上]有 | yǒu ユウ はぐさ [二] 수 [去]宥 | xiù シュウ にがな

[字解] [一] ①가라지유 강아지풀. 구미초(狗尾草). 볏과에 딸린 한해살이풀. '惡一恐其亂苗也'《孟子》. ②몸쓸유 추악함. '一言自口. (注)一, 醜也'《詩經》. [二] 씀바귀수 국화과의 여러해살이풀. 산과 들에 나며 식용함. '一, 荼也'《集韻》.
[字源] 形聲. 艹(艸)＋秀〔音〕

艸 7 〔莢〕 11 협(겹[本]) [入]葉 | jiá キョウ さや

[筆順] ' 十 卄 艹 苎 苂 莢 莢

[字解] ①꼬투리협 콩과 식물의 열매가 들어 있는 깍지. 또, 그러한 열매가 열리는 식물. '一, 艸實'《說文》. ②명협협 蓂(艸부 10획〈1167〉)을 보라. '蓂一'. ③조협협 '皁一'은 쥐엄나무. ④풀처음날협 '一, 艸初生'《集韻》. ⑤성협 성(姓)의 하나. ※本音 겹.
[字源] 形聲. 艹(艸)＋夾〔音〕

艸 7 〔莧〕 11 [一] 현 ①[去]諫 ②[去]霰 [二] 완 [上]潸 | xiàn カン ひゆ ケン やまごぼう wàn カン にっこりわらうさま

[字解] [一] ①비름현 비름과에 속하는 일년초. 밭이나 길가에 나는데, 어린잎은 식용함. '一, 莧菜也'《說文》. ②자리공현 '一陸'은 자리공과에 속하는 다년초. 뿌리는 유독(有毒)하며 약재로 씀. 자리공. 상륙(商陸). '一陸夬夬'《易經》. [二] 빙그레웃을완 미소(微笑)하는 모양. 莞(艸부 7획〈1142〉)과 同字. '一, 一爾, 笑皃, 或作莞'《集韻》.
[字源] 形聲. 艹(艸)＋見〔音〕

艸 7 〔莒〕 11 견 [平]先 | juān ケン ちがや

[字解] 띠견 제사 때 깔개로 쓰이는 풀. '一, 一明, 艸名. 祭以爲藉, 或从玄'《集韻》.

艸 7 〔莐〕 11 기 [平]微 | qí キ せり

[字解] 미나리기 芹(艸부 4획〈1125〉)과 뜻이 같음. '芹, 水艸, 或作一'《集韻》.

艸 7 〔莮〕 11 남 [平]覃 | nán ダン わすれぐさ

[字解] 원추리남 '一, 玉篇, 萱一也, 本作萱男'《康熙字典》.

艸 7 〔莇〕 11 문 [平]吻 | wěn ブン なべわり

[字解] 파부초문 구문(鉤莇)은 약초(藥草)의 이름. '一, 鉤一, 艸名'《集韻》.

艸 7 〔荱〕 11 미 [上]尾 [去]未 | wěi ビ くさのな / wèi ビ くさのたれるさま

[字解] ①풀이름미 '一, 艸名'《集韻》. ②풀늘어질미 풀이 늘어진 모양. '一, 艸垂皃'《集韻》.

艸 7 〔荸〕 11 발 [入]月 | bí ホツ くろぐわい

[字解] 올방개발 발제(荸薺), 곧 올방개는 방동사닛과에 속한 여러해살이풀. 연못 등에 나는데, 덩이뿌리는 오우(烏芋)라 하여 약재로 쓰이며, 식용으로도 함. '一, 碎金云, 一薺, 古之萈茈也, 苗似龍鬚, 根黑色, 可食'《篇海》.

艸 7 〔⿱艹否〕 11 〔부〕 芣(艸부 4획〈1123〉)와 同字

艸 7 〔莾〕 11 〔맘〕 莽(艸부 8획〈1152〉)과 同字

艸 7 〔⿱艹夜〕 11 역 [入]陌 | yì エキ おにばす

[字解] 가시연역 '一, 艸名, 方言, 芡, 北燕謂之一'《集韻》.

艸 7 〔莀〕 11 ㊀신 [平]眞 ㊁농 [平]冬 | chén シン くさのおおいさま / nóng ノウ

[字解] ㊀풀무성할신 '一, 艸多皃'《集韻》. ㊁農(辰부 6획〈1487〉)의 古字. '農, 古作莀'《集韻》.

艸 7 〔⿱艹枽〕 11 〔엽〕 葉(艸부 9획〈1157〉)과 同字

艸 7 〔荶〕 11 음 [平]侵 | yín ギン くさのな

[字解] 풀이름음 물속에서 자라며, 마늘 비슷함. '一, 菜名, 似蒜, 生水中, 古作蘟·芩'《集韻》.

艸 7 〔⿱艹邑〕 11 읍 [入]緝 | yì ユウ くさがいたむ

[字解] ①풀상할읍 '一, 艸傷壞也'《集韻》. ②삶을읍 데침. '一, 一菸, 茹熟'《廣韻》.

艸 7 〔⿱艹矣〕 11 ㊀의 [上]紙 | yǐ イ くさよもぎ ㊁시 [上]紙 | シ くさよもぎ

[字解] ㊀개사철쑥의 '一, 蒿也'《廣韻》. ㊁개사철쑥시 '⿱艹矢, 艸名, 蒿也, 或从矣'《集韻》.

艸 7 〔葯〕 11 〔작〕 芍(艸부 3획〈1121〉)과 同字

艸 7 〔⿱艹徂〕 11 저 [平]魚 | cú ショ つけな

[字解] 풋김치저 김치. '一, 草一也'《篇海類編》.

艸 7 〔⿱艹折〕 11 절 [入]屑 | zhé セツ くさをきる

[字解] 풀벨절 '一, 斷艸'《集韻》.

艸 7 〔⿱艹泫〕 11 지 [平]支 | zhī シ つけもの

[字解] 채소절임지 김치. '一, 菹也'《字彙補》.

艸 7 〔莗〕 11 차 [平]麻 | chē シャ おおばこ

[字解] 질경이차 씨는 차전자(車前子)라 하여, 한방에서 약재로 씀. '一, 一葥, 艸名'《集韻》.

艸 7 〔⿱艹⿰夕亏〕 11 〔천〕 荈(艸부 6획〈1136〉)과 同字

艸 7 〔草〕 11 〔초〕 草(艸부 6획〈1136〉)와 同字

艸 7 〔⿱艹囱〕 11 〔종〕 蔥(艸부 11획〈1178〉)의 本字

艸 7 〔⿱艹⿱亠兄〕 11 〔충〕 茺(艸부 6획〈1135〉)과 同字

艸 7 〔⿱艹启〕 11 팽 [平]庚 | pēng ヘイ みずがでる

[字解] 물날팽 물이 나옴. 물이 넘침. 물이 솟아남. '一, 出水也'《字彙補》.

艸 7 〔⿱艹洴〕 11 〔평〕 萍(艸부 8획〈1153〉)과 同字

艸 7 〔⿱艹⿱卑廾〕 11 〔피〕 萞(艸부 10획〈1166〉)와 同字

艸 7 〔⿱艹𠦝〕 11 〔화〕 華(艸부 8획〈1150〉)의 俗字

艸 7 〔莃〕 11 희 [平]微 | xī キ くさのな

[字解] 너도바람꽃희 미나리아재빗과에 딸린 여러해살이풀. 습지의 늪에 남. '一, 菟葵'《爾雅》.

艸 7 〔莨〕 11 랑 ①[平]陽 ②[去]漾 | láng ロウ ちからぐさ / làng ロウ はしりどころ

[字解] ①수크령랑 '藏一'은 마소에게 먹이는

풀의 한 가지. '其埤濕則生藏—蒹葭'《司馬相如》. ②미치광이랑 '—菪'은 가짓과에 속하는 일년 또는 이년초. 잎은 긴 타원형이고, 황갈색의 꽃이 핌. 잎과 씨에는 맹독(猛毒)이 있어 마취(痲醉) 약재로 쓰임. 일설에는, 사리풀. '—菪, 一作蒗蔼, 其子服之, 令人狂浪放宕, 故名'《本草綱目》.
[字源] 形聲. 艹(艸)+良〔音〕

艸 7 **〔莩〕** 11 [一] 부 [平]虞 | fú フ おにめぐさ
[二] 표 [上]篠 | piǎo ヒョウ うえじに
[字解] [一] ①독말풀부 귀목초(鬼目草). '—, —艸也. 字亦作苻. 爾雅釋草. 苻, 鬼目'《通訓》. ②갈대청부 갈대 줄기 속에 있는 아주 얇은 막(膜). 전(轉)하여, 극히 얇은 것의 비유로 쓰임. '非有葭—之親, 鴻毛之重'《漢書》. [二] 굶어죽을표 殍(歹부 7획〈608〉)와 同字. '野有餓—'《孟子》.
[字源] 形聲. 艹(艸)+孚〔音〕

艸 7 **〔莪〕** 11 아 [平]歌 | é ガ つのよもぎ
[字解] 쑥아 쑥〔蒿〕의 일종. 연한 잎은 식용함. '—, 蘿—, 蒿屬'《說文》.
[字源] 形聲. 艹(艸)+我〔音〕

艸 7 **〔⿱艹⿰犭斤〕** 11 [一] 은 [平]文 [平]眞 | yín ギン くさのお おいさま
[二] 의 [平]支 | ギ くさのな
[字解] [一] ①풀많을은 풀이 많은 모양. '—, 艸多皃'《說文》. ②정자이름은 '—, 江夏平春有—亭'《說文》. [二] ①풀이름의 '—, 艸名'《集韻》. ②풀많을의 [一]❶과 뜻이 같음.
[字源] 形聲. 艹(艸)+⿰犭斤〔音〕

艸 7 **〔莥〕** 11 [一] 유 [上]有 | ròu ジュウ·ニュ いぬがなれる
[二] 뉴 [上]有 | niǔ ジュウ·ニュ たんきりまめ
[三] 추 [上]有 | チュウ たんきりまめ
[四] 구 [上]有 | キュウ たんきりまめ
[五] 뉵 [入]屋 | ジク·ニク たんきりまめ
[字解] [一] ①개익을유 개와 친해짐. '—, 犬狎也'《集韻》. ②익을유, 익힐유 '—, 一曰, 習也'《集韻》. [二] 여우콩뉴 녹곽(鹿藿)의 열매. 또는 완두콩 비슷하여 덩굴이 있고, 길고 큼. 식용이 됨. '—, 鹿藿之實名也'《說文》. [三] 여우콩추 [二]와 뜻이 같음. [四] 여우콩구 [二]와 뜻이 같음. [五] 여우콩뉵 [二]와 뜻이 같음.
[字源] 形聲. 艹(艸)+狃〔音〕

艸 7 **〔莑〕** 11 봉 [平]東 | péng ホウ よもぎ
[平]冬 | fēng ホウ めざす
[字解] ①쑥봉 蓬(艸부 11획〈1172〉)의 同字. '—, 籀文蓬省'《說文》. ②싹틀봉 풀의 싹이 처음으로 돋음. '—, 草牙始生'《廣韻》.

艸 7 **〔荾〕** 11 수 [平]支 | suī スイ はなのずい
[字解] ①꽃술수 '—, 六書故曰, —, 華中須也'《正字通》. ②고수풀수 향초(香草)의 이름. 荽(艸부 7획〈1140〉)와 同字. '—, 胡—, 香菜'《廣韻》. ③생강수 '葰, 薑屬, 或作—'《集韻》.

艸 7 **〔⿱艹⿱彐⿱冖又〕** 11 침 [上]寢 | qǐn シン おおう
[字解] 덮을침 덮어 가림. '—, 覆也'《說文》.
[字源] 形聲. 艹(艸)+侵〈省〉〔音〕

艸 7 **〔⿱艹忌〕** 11 기 [去]寘 | jì キ くさのな
[字解] ①풀이름기 '—, 艸名'《集韻》. ②콩깍지기 마소의 먹이로 하는 콩깍지. '—秆一石, 當吾二十石. (注)—, 豆稭也, 今作萁'《孫子》.

艸 7 **〔⿱艹⿱巳心〕** 11 ⿱艹忌(前條)와 同字

艸 7 **〔荵〕** 11 인 [去]震 [上]軫 | rěn ジン·ニン すいかずら
[字解] ①인동덩굴인 '—冬'은 약초(藥草)의 이름. 인동(忍冬). '—, —冬, 艸'《說文》. ②우엉인 우방(牛蒡). 국화과의 두해살이 풀. 살진 뿌리는 식용(食用). 열매는 우방자(牛蒡子)라 하며 한약재로 씀. '蒡, 隱—. (注)似蘇, 有毛, 今江東呼爲隱—, 藏以爲菹, 亦可淪食'《爾雅》.
[字源] 形聲. 艹(艸)+忍〔音〕

艸 7 **〔莫〕** 11 [中·人] [一] 막 [入]藥 | mò バク·マク ない
[二] 모 [去]遇 | mù ボ·モ くれる
[筆順] 丨 ⺊ ⺾ 艹 芇 苩 荁 莫
[字解] [一] ①없을막 無(火부 8획〈716〉)와 뜻이 같음. '—, 無也'《集韻》. ②말막 하지 말라는 금지의 말. '—多飮酒'《魏志》. ③빌막 허무(虛無)함. '是謂合—. (注)—, 虛無也'《禮記》. ④아득할막 한없이 넓은 모양. '廣—之野'《莊子》. ⑤어두울막 밝지 않음. '悖亂昏—, 不終極'《荀子》. ⑥정할막 정해짐. 안정됨. '民之—矣. (傳)—, 定也'《詩經》. ⑦앓을막, 앓게할막 瘼(疒부 11획〈818〉)과 통용. '求民之—'《詩經》. ⑧장막막 幕(巾부 11획〈337〉)과 통용. '上功—府. (注)—, 當爲幕'《史記》. ⑨깎을막 잘라 냄. '屠牛坦, 朝解九牛, 而刀可以—鐵. (注)—, 猶削也'

《管子》. ⑩막막 膜(肉부 11획〈1088〉)과 통용. ⑪조용할막 조용한 모양. '君婦——'《詩經》. ⑫꾀할막 謨(言부 11획〈1349〉)와 통용. '聖人一之'《詩經》. ⑬성막 성(姓)의 하나. [二] ①저물모 暮(日부 11획〈513〉)와 통용. '一夜有戎'《易經》. ②나물모 야채의 한 가지. '言采其一'《詩經》.
[字源] 會意. '茻'+日. '茻망'은 '풀덤불'의 뜻. 태양이 초원(草原)에 진 모양에서, '해질 무렵'을 뜻하며, 假借하여, '없다'의 뜻으로 씀.

艸7 〔莁〕 11 무 [平]虞 | wú ブ·ム くさのな
[字解] 흰비름무 '一荑'는 비름과의 일년초. '一荑, 一名蕿蘠, 郭云, 一名白蕢, 此草也'《爾雅疏》.

艸7 〔荹〕 11 보 ①②[去]遇 ③[平]虞 | bù ホ かいば / pú ホ みだれたくさをあつめあさめること
[字解] ①꼴보 마소를 먹이는 풀. 또는, 흐트러진 짚. '一, 牛馬艸, 亂槀也'《玉篇》. ②흐트러진풀보 '一, 亂艸'《說文》. ③흩어진풀모아거둘보 '一, 一攎, 收亂艸, 或从手'《集韻》.
[字源] 形聲. 艹(艸)+步〔音〕

艸7 〔莜〕 11 조 [去]嘯 | diào チョウ ざっそうをのぞきさるき
[字解] ①김매는연장조 밭의 김을 매는 연장. '一, 耘田器'《說文》. ②삼태기조 짚·대 등으로 만들어, 곡식이나 풀을 나르는 도구. '蓧, 盛種於器謂之蓧或省'《集韻》. ③염교조 '薤, 江南呼爲一子'《本草綱目》.
[字源] 形聲. 艹(艸)+攸〔音〕

艸7 〔莣〕 11 망 [平]陽 [去]漾 | wáng ボウ·モウ すすき / ボウ·モウ わすれぐさ
[字解] ①억새망 볏과의 다년초. 망초(芒草). 두영(杜榮). '今一草, 似茅, 皮可以爲繩索履屩也'《爾雅 注》. ②망우초(忘憂草)망 백합과의 다년초. 원추리. '一憂, 萱也'《集韻》.
[字源] 形聲. 艹(艸)+忘〔音〕

艸7 〔莋〕 11 [一] 적 [入]陌 | jí セキ くさをくう / [二] 작 [入]藥 | zuó サク けんめい
[字解] [一] 풀먹을적 '一, 茹草也'《集韻》. [二] 고을이름작 사천성(四川省) 염원현(塩源縣)의 땅. '一, 越嶲縣名. 見史記'《說文》.
[字源] 形聲. 艹(艸)+作〔音〕

艸7 〔莱〕 11 〔래〕 萊(艸부 8획〈1152〉)의 略字

艸7 〔⿱艹邪〕 11 [一] 야 [平]麻 / [二] 사 [平]麻 | yé ヤ しょうぶ / シャ·ジャ やさいのな
[字解] [一] 창포야 '芇一'는 창포(菖蒲). '一, 芇一也'《說文》. [二] 야채이름사 '一, 菜名'《類篇》.
[字源] 形聲. 艹(艸)+邪〔音〕

艸7 〔莦〕 11 소 [平]肴 [平]蕭 | ①shāo ソウ·ショウ わるいくさ / ②③xiāo ショウ くさのな
[字解] ①모진풀소 잡초(雜草)의 모양. '一, 惡艸皃'《說文》. ②풀뿌리소 '一, 草根也'《集韻》. ③풀이름소 '一, 草名'《廣韻》.
[字源] 形聲. 艹(艸)+肖〔音〕

艸7 〔⿱艹旱〕 11 한 [上]旱 | hǎn カン いぬがらし
[字解] 개갓냉이한 겨잣과(科)의 다년초(多年草). 논둑 따위에 자생(自生)하며, 뿌리와 잎은 식용함. '一, 草名'《廣韻》.

艸7 〔⿱艹圼〕 11 [一] 녈 [入]屑 / [二] 달 [入]曷 | niè デツ やさいのな / ダツ くさのな
[字解] [一] 야채이름녈 마늘 비슷하고, 물가에 남. '一, 菜名. 似蒜, , 生水邊'《集韻》. [二] 풀이름달 '蕈一'은 풀의 이름. '一, 蕈一, 草'《字彙補》.

艸7 〔⿱艹里〕 11 [一] 리 [平]支 / [二] 휵 [入]屋 / [三] 축 [入]屋 / [四] 척 [入]職 | lí リ [一]-[四] ぎしぎし / キク / チク / チョク
[字解] [一] 소루쟁이리 마디풀과(科)의 다년초(多年草). 잎·줄기는 산미(酸味)가 강하지만, 산(酸)을 뽑으면 식용(食用)이 됨. 뿌리는 완하제(緩下劑)로 씀. '一, 羊蹏也'《廣雅》. [二] 소루쟁이휵 [一]과 뜻이 같음. [三] 소루쟁이축 [一]과 뜻이 같음. [四] ①소루쟁이척 [一]과 뜻이 같음. ②풀이름척 삭조(蒴藋)의 별명(別名). '蒴藋, 一名一'《廣雅》.
[字源] 形聲. 艹(艸)+里〔音〕

艸7 〔莌〕 11 탈 [入]曷 | tuō タツ つるくさのな
[字解] 활탈초탈 '活一'은 덩굴풀의 이름. 통탈목(通脫木). '一, 活一, 草名, 生江南, 高丈許, 大葉, 莖中有瓤, 正白, 或作莸'《廣韻》.

艸7 〔⿱艹⿰耒厶〕 11 사 [平]支 | sī シ つばな
[字解] 띠꽃사 띠의 이삭. '一, 茅秀也'《說文》.

[字源] 形聲. 艹(艸)＋私〔音〕

艸7 〔莤〕11 [一] 숙 [入]屋 | sù シュク したむ
[二] 유 [上]有 | yǒu ユウ かりがねそう

[字解] [一] ①거를숙 다발 지은 띠로 술을 거름. '禮, 祭束茅加于裸圭, 而灌鬯酒, 是爲一'《說文》. ②마개숙 술통의 마개. '一, 榼上塞也. (注)榼, 酒器也'《說文》. [二] 누린내풀유 수초(水草)의 하나. '一, 蔓于. (注)草, 多生水中, 一名軒于, 江東呼一'《爾雅》.
[字源] 形聲. 艹(艸)＋酉〔音〕

艸7 〔莄〕11 경 [上]梗 | gěng コウ くさのな

[字解] ①풀이름경 '一, 草名'《玉篇》. ②풀줄기경 '一, 艸莖'《集韻》.

艸7 〔莋〕11 백 [入]陌 | bó ハク あい

[字解] 쪽백 마디풀과의 일년초. '一, 藍之別名'《廣韻》.

艸7 〔莑〕11 분 [去]願 | bèn ホン くさできょうかいをつくること

[字解] 풀로갈피지을분 풀로써 경계(境界)를 지음. '一, 以艸爲界'《集韻》.

艸7 〔莔〕11 [一] 맹 [平]庚 | méng モウ ばいも
[二] 경 [上]迥 | qǐng ケイ・キョウ いちび

[字解] [一] 패모(貝母)맹 백합과의 다년초. 관상용. '一, 貝母. (注)根如小貝, 圓而白華, 葉似韭'《張衡》. [二] 어저귀경 苘(艸부 5획〈1132〉)과 同字.
[字源] 形聲. 艹(艸)＋囧〈省〉〔音〕

艸7 〔莂〕11 별 [入]屑 | bié ヘツ うつしうえる

[字解] ①모종낼별 '一, 移蒔也'《集韻》. '一, 種概移蒔也'《玉篇》. ②중의글별 불가에서 만든 글을 말함. '佛家作詩曰偈, 作文曰一'《康熙字典》. ③부절(符節)별 나무나 종잇조각의 중앙에 표시를 해 놓고, 둘로 나눈 것. 나중에, 맞춰 보아 증거로 삼음. '一, 別也, 大書中央, 中破別之也'《釋名》.
[字源] 形聲. 艹(艸)＋別〔音〕

艸7 〔莬〕11 [一] 문 [去]問 | wèn ブン・モン くさきのあたらしくはえたもの
[二] 만 [上]阮 | wǎn バン マン くさのな
[三] 면 [上]銑 | miǎn ベン・ソン じんめい

[字解] [一] 새로날문 초목이 새로 돋은 것. '一, 艸新生'《集韻》. [二] 풀이름만 '一, 艸名'《集韻》. [三] 사람이름면 葂(艸부 9획〈1163〉)과 同字.
[字源] 形聲. 艹(艸)＋免〔音〕

艸7 〔莻〕11 [韓] 늦

[字解] 《韓》늦을늦 늦음. '一, 늦. 晩也. 느즐. 兒名奴各多用之. 見俗書'《新字典》.

艸7 〔莣〕11 지 [去]寘 | zhì シ ひめはぎ

[字解] 원지지 '蕿一'는 약초. '一, 遠一, 藥艸'《集韻》.

艸7 〔莩〕11 부 [平]虞 | fū フ しく

[字解] 깔부 널리 펴서 깖. 널리 퍼짐. '函菱一以俟風兮'《漢書》.

艸7 〔莇〕11 저 [去]御 | zhù チョ くこ

[字解] ①구기자저 '一, 艸名. 苟芑也'《集韻》. ②구실저 조세(租稅)의 한 방법으로, 공전(公田)의 수확을 공조(公租)로 하는 일. 耡(耒부 7획〈1052〉)・鉏(金부 5획〈1554〉)와 同字. '耡, 說文, 商人七十而耡. 或作鉏・一'《集韻》.
[字源] 形聲. 艹(艸)＋助〔音〕

艸7 〔莐〕11 [一] 침 [平]侵 | chén チン くさのな
[二] 짐 [去]沁 | チン くさのな
[三] 탐 [上]感 | タン くさのな

[字解] [一] ①풀이름침 '一, 說文, 艸也'《集韻》. ②지모침 '一藩'은 지모(知母). '蕁, 一藩. (疏)藥草, 知母也'《爾雅》. [二] 풀이름짐, 지모짐 [一]과 뜻이 같음. [三] 풀이름탐, 지모탐 [一]과 뜻이 같음.

艸7 〔苐〕11 제 [平]齊 | tí テイ・ダイ くさのな

[字解] ①풀이름제 '一, 艸也'《說文》. ②띠꽃제, 싹틀제 띠의 이삭. 또, 싹이 틈. 荑(艸부 6획〈1138〉)와 同字. '一, 一曰, 卉木初生葉皃. 或作一'《集韻》.
[字源] 形聲. 艹(艸)＋弟〔音〕

艸7 〔莍〕11 [一] 구 [平]尤 | qiú キュウ ないぶがいくつかのしつにわかれているみ
[二] 국 [入]屋 | キク さんしょうのみなどのふさをなすさま

[字解] [一] 안이몇개의방으로나뉜씨구 외피(外皮)에 이어진 막(膜)으로 안이 몇 개의

방(房)으로 나뉘어져 있는 열매. 산초(山椒)따위. '一, 椴茱實, 裹如裘也'《說文》. [二] 씨가방을이룬모양국 '一莄'는 산초(山椒)등의 열매가 방(房)을 이루고 있는 모양. '一, 一莄, 子聚生成房皃'《集韻》.
[字源] 形聲. 艹(艸)+求〔音〕

艸 7 〔萙〕 11 첩 [入]葉 | zhé チョウ くさのな
[字解] 풀이름첩 '一, 艸名. 小葉'《集韻》.

艸 7 〔筠〕 11 [一] 운 [上]軫 | yǔn イン [一]-[三] くさのねのしょくようとなるもの
[二] 윤 [平]眞 | イン
[三] 균 [平]眞 | キン
[字解] [一] ①먹는풀뿌리운 작은 연근(蓮根)이나 죽순(竹筍)따위. '一, 茭也. (疏)一, 一名茭, 謂草根可食者也'《爾雅》. ②새의뿌리운 '一, 茅根也'《說文》. [二] 먹는풀뿌리윤, 새의뿌리윤 [一]과 뜻이 같음. [三] 먹는풀뿌리균, 새의뿌리균 [一]과 뜻이 같음.
[字源] 形聲. 艹(艸)+均〔音〕

艸 7 〔菩〕 11 [一] 오 [平]虞 | wú ゴ くさのな
[二] 어 [平]魚 | yú ギョ·ゴ えごま
[字解] [一] 풀이름오 쑥 비슷한 풀의 이름. '一, 草名, 似艾'《廣韻》. [二] 들깨어 '今江東人, 呼荏爲一'《揚子方言 注》.
[字源] 形聲. 艹(艸)+吾〔音〕

艸 7 〔莫〕 11 菩(前條)와 同字

艸 7 〔莫〕 11 莫(前條)의 俗字

艸 7 〔茆〕 11 〔묘〕 茆(艸부 5획〈1131〉)의 本字

艸 7 〔莕〕 11 〔행〕 荇(艸부 6획〈1136〉)과 同字

艸 7 〔茿〕 11 〔축〕 茿(艸부 6획〈1139〉)의 本字

艸 7 〔葀〕 11 〔괄〕 苦(艸부 6획〈1134〉)의 本字

艸 7 〔[illegible]〕 11 〔결〕 芵(艸부 4획〈1125〉)과 同字

艸 7 〔華〕 11 〔화〕 華(艸부 8획〈1150〉)와 同字

艸 7 〔获〕 11 〔획〕 獲(犬부 14획〈763〉)·穫(禾부 14획〈913〉)의 簡體字

艸 7 〔菱〕 11 〔릉〕 菱(艸부 8획〈1150〉)의 略字

艸 7 〔莭〕 11 〔절〕 節(竹부 9획〈945〉)의 俗字

艸 7 〔莽〕 11 莽(次條)의 俗字

艸 8 〔莽〕 12 망 [上]養 | mǎng ボウ·モウ くさ
[字解] ①풀망 잡초. '草一'. '夕攬中洲之宿一'《楚辭》. ②숲망 풀의 숲. 또, 초원(草原). '伏戎于一'《易經》. ③멀망, 광활할망 '相望無所成, 乾坤一回互'《杜甫》. ④개가토끼를쫓아수풀로들어갈망 '一, 南昌謂犬善逐兔艸中爲一, 从犬茻, 茻亦聲'《說文》. ⑤거칠망 조략(粗略)함. '君爲政焉, 勿鹵一'《莊子》. ⑥성망 성(姓)의 하나.
[字源] 形聲. 犬+茻〔音〕
[參考] 莽(前條)·莾(次條)은 俗字.

艸 8 〔莾〕 12 莽(前條)의 俗字

艸 8 〔菀〕 12 [一] 완 [上]阮 | wǎn エン しおん
[二] 울 [入]物 | yù ウツ しげる
[三] 운 [上]吻 | yùn ウ つむ
[字解] [一] ①자완(紫菀)완 개미취. 탱알. 국화과에 딸린 여러해살이 풀. 뿌리는 약재로 쓰임. '一, 紫一, 藥名'《玉篇》. ②동산완 苑(艸부 5획〈1127〉)과 통용. [二] 무성(茂盛)할울 鬱(鬯부 19획〈1777〉)·蔚(艸부 11획〈1174〉)과 통용. '一, 茂也. 詩曰, 有一者柳. 通作鬱·蔚'《集韻》. [三] 쌓을운 蘊(艸부 16획〈1203〉)과 통용. '惡氣不發, 風雨不節, 白露不下, 則一稾不榮. (注)一謂蘊積也'《素問》.
[字源] 形聲. 艹(艸)+宛〔音〕

艸 8 〔菁〕 12 [一] 정 (①②청[俗]) [平]庚 | jīng セイ にらのはな
[二] 청 [平]青 | jīng セイ さかんにしげる
[字解] [一] ①부추꽃정 부추의 꽃. '秋韭冬一'《張衡》. ②순무정 겨잣과에 속하는 일이년초. 무와 비슷한 채소임. '一菹'《周禮》. ※ ❶❷ 俗音 청. ③화려할정 화미(華美)함. '麗服颺一'《張衡》. [二] 우거질청 무성한 모양. '一一者莪, 樂育材也'《詩經 序》.
[字源] 形聲. 艹(艸)+青〔音〕

艸 8 〔菂〕 12 적 [入]錫 | dì テキ はすのみ
[字解] 연밥적 연꽃의 열매. 연실(蓮實). '綠房紫一'《王延壽》.
[字源] 形聲. 艹(艸)+的〔音〕

艸 8 〔菅〕 12 [一]간 [平]刪 jiān カン すが
[二]관 [平]寒 guān カン ちめい

[字解] [一] ①솔새간 볏과에 속하는 다년초. 삿갓 또는 도롱이를 만들고 지붕을 임. '一, 茅也'《說文》. ②거적간 사초로 엮은 거적. '取一編一焉. (注)編一, 苫也'《左傳》. ③사사로울간, 부정할간 '野蕪曠則民乃一, 上無量則民乃妄. (注)一當爲姦'《管子》. ④난초간 蕑(艸부 12획〈1181〉)과 통용. '一, 叚借爲蕑, 卽蘭'《說文通訓定聲》. [二] 땅이름관 춘추(春秋) 시대 송(宋)나라 지명. 지금 산동성(山東省) 단현(單縣) 이북. '公敗宋師于一. (注)一, 宋地'《春秋》.
[字源] 形聲. 艹(艸)+官〔音〕

艸 8 〔菆〕 12 [一]추 [平]尤 zōu シュウ むらがる
[二]찬 [平]寒 cuán サン そうぎのひとかてい
[三]총 [平]東 cóng ソウ むらがる

[字解] [一] ①더부룩이날추 풀이 총생(叢生)함. '一, 草也. 叢生也'《玉篇》. ②삼줄기추 삼껍질을 벗긴 줄기. '一, 麻蒸也'《說文》. ③화살추 좋은 화살. '左射以一'《左傳》. ④깔개추 요·자리 같이 까는 물건. '蓐謂之一'《廣雅》. ⑤새둥지추 '藂, 鳥巢也, 或省'《集韻》. [二] 초빈(草殯)할찬 장사 지내기 전에 주검을 관에 넣어 일정한 곳에 안치하는 일. '一, 積木以殯. 或作樷, 通作欑'《集韻》. [三] 떨기총 叢(又부 16획〈144〉)과 同字.
[字源] 形聲. 艹(艸)+取〔音〕

艸 8 〔菉〕 12 록 [入]沃 lù リョク·ロク こぶなぐさ

[字解] ①조개풀록 볏과에 속하는 다년초. 억새 비슷하며, 줄기·잎을 말려 황색(黃色) 염료로 씀. 신초(藎草). '一, 王芻也'《說文》. ②적을록 錄(金부 8획〈1565〉)과 통용. '一, 叚借爲錄'《說文通訓定聲》. ③푸를록 綠(糸부 8획〈996〉)과 통용. '一竹'.
[字源] 形聲. 艹(艸)+彔〔音〕

艸 8 〔菈〕 12 랍 [入]合 lā ロウ だいこん

[字解] ①무랍 뿌리 채소인 무. '一, 菜名, 蘆菔, 東魯謂之一蓫'《集韻》. ②무너지는소리랍 '一, 擸雷硠. (注)崩弛之聲'《左思》.

艸 8 〔菊〕 12 [高·人] 국 [入]屋 jú キク きく

[筆順] ' ⺊ 艹 芍 芍 芶 菊 菊

[字解] ①국화국 국화과에 속하는 여러해살이 초본(草本) 식물. 가을에 꽃이 피는데, 중국 원산으로, 옛날부터 재배되어 온 이름 높은 관상(觀賞)식물임. 황국(黃菊)과 백국은 약재로 쓰임. '採一東籬下, 悠然見南山'《陶潛》. ②구맥(瞿麥)국 석죽화(石竹花). 석죽과(石竹科)과에 딸린 여러해살이 초본 식물. 줄기가 총생(叢生)하며, 잎은 좁은 피침형(披針形)임. 여름에 담홍색과 백색의 꽃이 피며, 열매는 귀리와 같음. 대국(大菊). 패랭이꽃. 관상식물이며, 전초(全草)가 약재로 쓰임. '大菊, 蘧麥. (注)一名, 瞿麥'《爾雅》. ③성국 성(姓)의 하나.
[字源] 形聲. 艹(艸)+匊〔音〕

艸 8 〔菌〕 12 [高·人] 균 [上]軫 jùn, jūn キン たけ

[筆順] ' ⺊ 艹 芇 芦 苚 菌 菌

[字解] ①버섯균 담자균류(擔子菌類)에 속하는 고등 균류의 총칭. 모양이 대개 삿갓 같으며, 포자(胞子)로 번식함. '松一'. '采一'. ②균균 세균. '病一'. '黴一'. ③죽순균 箘(竹부 8획〈942〉)과 同字. '越駱之一. (注)一, 竹筍也'《呂氏春秋》.
[字源] 形聲. 艹(艸)+囷〔音〕

艸 8 〔菎〕 12 곤 [平]元 kūn コン かおりぐさ

[字解] ①향초이름곤 향초(香草)의 하나. '蕢, 香艸, 一, 同蕢'《玉篇》. ②옥이름곤 '一蔽象棊. (注)一, 玉也'《楚辭》. ③풀이름곤 '一, 蓄也'《廣雅》.
[字源] 形聲. 艹(艸)+昆〔音〕

艸 8 〔菑〕 12 [一]치 [平]支 ①-④zī シ あれた
[去]寘 ⑤zì シ きりさく
[二]재 [平]灰 zāi サイ わざわい

[字解] [一] ①묵정밭치 묵어서 잡초가 우거진 밭. ②경작한지한해된밭치 '田一歲一'《爾雅》. ③일굴치 황무지를 기경(起耕)함. '不一畬'《易經》. ④선채로있는고목치 서서 말라 죽은 나무. 또, 말라 죽는 일. '其一其翳'《詩經》. ⑤수레바퀴살이바퀴통에박히는곳치 '輻端之枘建轂中者謂之一'《戴震》. ⑥쪼갤치 가름. '一栗不迆'《周禮》. ⑦성치 성(姓)의 하나. [二] 재앙재 災(火부 3획〈707〉)와 同字. '無一無害'《詩經》.
[字源] 形聲. 艹(艸)+田+巛〔音〕

艸 8 〔菓〕 12 [人名] 과 [上]哿 guǒ カ このみ

[筆順] ' ⺊ 艹 芇 苜 荁 草 菓

[字解] ①실과과 果(木부 4획〈533〉)와 同字. '果, 說文, 木實也, 或作一'《集韻》. '杭有賣一者, 善藏柑'《劉基》. ②《韓》과자과 밀가루·설탕 등으로 만들어 끼니 외에 먹

는 음식. 옛날에는, 과일을 이용하였음. '一子'.

字源 形聲. 艹(艸)+果〔音〕

艸8 〔菔〕 12 복 入屋 fú フク だいこん

字解 무복 야채의 한 가지. 蘿(艸부 19획〈1209〉)를 보라. '蘿一'.

字源 形聲. 艹(艸)+服〔音〕

艸8 〔菖〕 12 人名 창 平陽 chāng ショウ しょうぶ

筆順 ' 十 艹 芇 芇 菖 菖 菖

字解 창포창 '一, 一蒲, 艸名, 蓀也'《集韻》.

字源 形聲. 艹(艸)+昌〔音〕

艸8 〔菘〕 12 숭 平東 sōng シュウ·スウ とうな

字解 배추숭 겨잣과에 속하는 채소의 한 가지. 잎이 여러 겹으로 포개져 자라고 긴 타원형임. '一卽今人呼爲白菜'《本草綱目》.

字源 形聲. 艹(艸)+松〔音〕

艸8 〔菙〕 12 수 上紙 chuí スイ にんじんぼく

字解 ①모형(牡荊)수 마편초과(馬鞭草科)에 속하는 낙엽 관목(落葉灌木). 인삼목(人蔘木). 예전에, 귀복(龜卜)할 때 땔감으로 썼음. '燋焌用荊, 一之類'《周禮 註》. ②채찍수, 채찍질할수 箠(竹부 8획〈942〉)와 同字. '一, 所以捶笞人馬'《周禮 疏》.

艸8 〔菜〕 12 中·人 채 去隊 cài サイ な

筆順 ' 十 艹 艹 芔 苂 芢 菜

字解 ①나물채 채소. '一, 艸之可食者'《說文》. ②수레바퀴살이바퀴통에박히는곳채 '三月五日爲幬一, 敝而不反其常'《荀子》. ③반찬채, 안주채 반찬. 술 안주. '飯一精潔'《北史》. ④주린빛채 곡식이 부족하여 푸성귀만 먹어서 누르스름하게 된 얼굴빛. '民無一色'《禮記》. ⑤캘채 采(釆부 1획〈1546〉)와 통용. '釋一'.

字源 形聲. 艹(艸)+采〔音〕

艸8 〔菟〕 12 ㊀토 去遇 tù ト ねなしかずら ㊁도 平虞 tú ト ちめい

字解 ㊀①새삼토 새삼과(科)에 속하는 일년생 기생(寄生) 만초(蔓草). '一, 一絲, 藥草'《集韻》. ②토끼토 兔(儿부 6획〈83〉)와 통용. '一, 又作兔'《詩經釋文》. ㊁①범도 어도(於一)는 초(楚)나라 사람이 범을 일컫던 말. '楚人謂乳穀, 謂虎於一, 故命之曰鬬穀於一'《左傳》. ②고을이름도 ㉠'玄一'는 한사군(漢四郡)의 하나. ㉡'一裘'는 노(魯)나라 은공(隱公)이 은거(隱居)한 곳. 지금의 산동성(山東省) 태안현(泰安縣)의 동남(東南)에 있음. 전(轉)하여, 은거함. 또, 은거지(隱居地). ③성도 성(姓)의 하나.

字源 形聲. 艹(艸)+兔〔音〕

艸8 〔萎〕 12 ㊀접 入葉 jiē ショウ あさざ ㊁삽 入洽 shà ソウ ひつぎかざり

字解 ㊀노랑어리연꽃접 '一餘'는 조름나물과(科)에 속하는 다년생 수초. 연못에 남. '一, 一餘也'《說文》. ㊁운불삽삽 翣(羽부 8획〈1043〉)과 同字.

字源 形聲. 艹(艸)+妾〔音〕

艸8 〔菠〕 12 파 平歌 bō(bó) ハ ほうれんそう

字解 시금치파 '一薐'은 명아줏과(科)에 속하는 일이년초. 재배, 식용함. '一, 一薐, 菜名'《集韻》.

字源 形聲. 艹(艸)+波〔音〕

艸8 〔荓〕 12 병 平青 pēng ヘイ·ビョウ しめる

字解 ①하여금병 …으로 하여금 …하게 함. '民有肅心, 一云不逮. (傳)一, 使也'《詩經》. ②끌병 예인(曳引)함. '莫予一蜂, 自求辛螫'《詩經》. ③꽃창포병 마린(馬藺). '一, 馬帚也'《說文》.

字源 形聲. 艹(艸)+幷〔音〕

參考 荓(艸부 6획〈1137〉)은 俗字.

艸8 〔菡〕 12 함 上感 hàn カン はすのはな, はすのつぼみ

字解 ①연꽃함, 연꽃봉오리함 연의 꽃. 또, 그 봉오리. '一萏'. '折一巫山下'《吳均》. ②풍성한모양함 '一, 萏, 豐盛之貌也'《華嚴經音義》.

字源 形聲. 艹(艸)+函〔音〕

艸8 〔菩〕 12 人名 ㊀배 上賄 bèi ハイ·ベイ くさのな ㊁보 平虞 pú ボ ぼさつ, ぼだい

筆順 ' 十 艹 艹 芏 芏 菩 菩

字解 ㊀향초(香草)이름배 옛날, 들판에서 제사 지낼 때, 신주(神主)를 만들던 풀. 蓓(艸부 10획〈1168〉)와 同字. '以一芻棘柏爲神主'《周禮 註》. ㊁①보리보, 보살보 '一提'는 범어(梵語) Bodhi의 음역(音譯). 불도(佛道)의 정각(正覺). 불지(佛智)·불도(佛道)·정각(正覺)이라 번역함. '一

薩'은 보리살타(菩提薩埵)의 준말. 각유정(覺有情)이라 번역함. 대용 맹심(大勇猛心)으로 보리를 구하고 대자비(大慈悲)를 펴서 중생(衆生)을 제도(濟度)하는 부처의 다음가는 성인. ②보리수보 '娑婆樹一名一提, 葉似白楊, 摩伽陀那國所獻也'《封演》.
字源 形聲. 艹(艸)+咅〔音〕

艸8 〔菪〕 12 탕 去漾 dàng トウ はしりどころ
字解 ①미치광이탕 莨(艸부 7획〈1143〉)을 보라. '莨一'. ②풀이름탕 자리를 매는 데 쓰는 풀. '一, 艸名. 可席也'《玉篇》.
字源 形聲. 艹(艸)+宕〔音〕

艸8 〔菫〕 12 근 ①上吻 jǐn キン すみれ ②去震 jìn キン とりかぶと
字解 ①제비꽃근 산야(山野)에 저절로 나는 다년초. 자줏빛의 아름다운 꽃이 핌. 오랑캐꽃. '其土毛則…芝莕, 一, 荁. (注) 一, 栥, 花紫, 葉可食而滑'《後漢書》. ②바곳근 성탄꽃과에 속하는 다년초. 독초(毒草)이며, 약재(藥材)임. 오두(烏頭). '夫高帝之視呂后, 猶醫者之視一也'《蘇洵》.
字源 形聲. 艹(艸)+堇〔音〕

艸8 〔菭〕 12 ㊀태 平灰 tái タイ みずごけ ㊁지 平支 zhī シ にれのさや ㊂치 平支 chí チ きくのいめい
字解 ㊀①물이끼태 '一, 水青衣也'《說文》. ②이끼태 苔(艸부 5획〈1127〉)와 同字. '華殿塵兮玉階一'《漢書》. ㊁ 느릅나무열매꼬투리지 '蕜, 楡莢也. 或作一'《集韻》. ㊂ 국화치 국화의 별명. '一, 一蘠, 艸名, 通作治'《集韻》.
字源 形聲. 艹(艸)+治〔音〕

艸8 〔華〕 12 中·人 화 ①-⑪平麻 huā カ はな ⑫-⑮去禡 huà カ やまのな
筆順 ' 艹 艹 芔 芔 莁 菙 華
字解 ①꽃화, 꽃필화 초목의 꽃의 총칭. 특히, 나무의 꽃을 '一'라 하고, 풀의 꽃은 '榮'이라 함. '一, 荂也, 一荂, 榮也, 木謂之一, 草謂之榮'《廣雅》. '桃之夭夭, 灼灼其一'《詩經》. ②빛화 ㉠광휘. '日月光一, 旦復旦兮'《尙書大傳》. ㉡광택. 윤. '大夫玄一'《禮記》. ③번성할화 창성함. '榮一'. '不以繁一時樹本'《史記》. ④좋을화 맛 같은 것이 좋음. '一食而脂肥'《素問》. ⑤고울화 아름다움. '一麗'. '一采衣兮若英'《楚辭》. ⑥풍채화 풍도(風度). '謝琨風一, 爲江左第一'《南史》. ⑦이름화 명망. '聲一'. '清一所不爲'《南史》. ⑧분화 화장하는 가루. '鉛一不御'《曹植》. ⑨흰머리화 백발. '一首彌固'《後漢書》. ⑩겉치레화 허식. '背實趨一'《潛夫論》. ⑪중화화 중국 사람이 자국(自國)을 부르는 이름. '中一'. '一夏'. '混一戎一'《隋書》. ⑫땅이름화 '堯觀乎一. (注) 一, 地名也'《莊子》. ⑬산이름화 오악(五嶽)의 하나. '一山'. '一嶽'. '至于太一'《書經》. ⑭과실(果實)화 '天子樹瓜一. (注) 一, 果蓏也'《禮記》. ⑮성화 성(姓)의 하나.
字源 形聲. 篆文은 艹(艸)+雩〔音〕

艸8 〔菰〕 12 고 平虞 gū コ まこも
字解 ①줄고 볏과에 속하는 다년생의 수초(水草). 잎은 자리를 만드는 데 쓰이고, 열매와 어린 싹은 식용함. '苽, 說文, 雕苽, 一名蔣, 或作一'《集韻》. ②버섯고 '菌, 江南呼爲一'《正字通》.
字源 形聲. 艹(艸)+孤〔音〕

艸8 〔菱〕 12 人名 릉 平蒸 líng リョウ ひし
筆順 ' 艹 艹 芔 苃 荖 菱 菱
字解 마름릉 바늘꽃과에 속하는 일년생의 수초(水草). 열매는 식용함. 蔆(艸부 11획〈1173〉)과 同字. '蔆, 說文, 芰也, 或作一'《集韻》.
字源 形聲. 艹(艸)+夌〔音〕

艸8 〔菲〕 12 비 上尾 去未 平微 ①②fěi ヒ やさいのな ③fèi ヒ ぞうり ④⑤fēi ヒ かんばしい, しげる
字解 ①채소이름비 순무 비슷한 야채. 습지에 자라며 자적색(紫赤色)의 꽃이 핌. '采葑采一'《詩經》. ②엷을비, 엷게할비 박함. 박하게 함. '一薄'. '一飮食'《論語》. ③짚신비 扉(尸부 8획〈299〉)와 통용. '不杖不一'《禮記》. ④향초비 향기로운 풀. 또, 아름다운 꽃. 미화(美花). '春日生芳一'《庾肩吾》. ⑤우거질비 풀이 무성한 모양. 또, 향기로운 모양. '芳一一兮滿堂'《楚辭》.
字源 形聲. 艹(艸)+非〔音〕

艸8 〔菴〕 12 人名 암 ①去勘 yǎn アン しげる ②平覃 ān アン いおり
筆順 ' 艹 艹 芔 苂 荐 萫 菴
字解 ①우거질암 무성한 모양. '豐蔚所盛, 茂八區而一藹焉'《左思》. ②암자암 庵(广부 8획〈348〉)과 同字, '爲一舍于墓下'《齊書》.
字源 形聲. 艹(艸)+奄〔音〕
參考 菶(艸부 9획〈1165〉)은 古字.

艸 8 〔**菶**〕12 봉 [上]董 | běng ホウ おいしげる

[字解] 우거질봉 '――'은 초목이 우거진 모양. 또, 열매가 많이 달린 모양. '――萋萋'《詩經》.

[字源] 形聲. ⺾(艸)＋奉〔音〕

艸 8 〔**菸**〕12 어 [平]魚 | yū ヨ·オ しおれる

[字解] 시들어 잎 같은 것이 말라서 생기가 없어짐. '葉一邑而無色兮'《楚辭》.

[字源] 形聲. ⺾(艸)＋於〔音〕

艸 8 〔**菹**〕12 [一] 저 [平]魚 / [二] 자 [平]麻 | zū ショ·ソ つけもの / jù シャ さわ

[字解] [一] ①김치저 절여서 저장한 채소. '水草之一'《禮記》. ②절일저 염분에 절게 함. '一其骨肉於市'《漢書》. [二] 늪자 풀이 무성한 소택(沼澤). '驅蛇龍而放之一'《孟子》.

[字源] 形聲. ⺾(艸)＋沮〔音〕

艸 8 〔**菼**〕12 담 [上]感 | fǎn タン おぎ

[字解] 물억새담 볏과에 속하는 다년초. 강·연못가에 남. '毳衣如一'《詩經》.

[字源] 形聲. 篆文은 ⺾(艸)＋剡〔音〕

艸 8 〔**菽**〕12 숙 [入]屋 | shū シュク まめ

[字解] ①콩숙 콩과 식물 및 그 열매의 총칭. '一粟'. '一麥'. '含一飲水'《世說》. ②대두숙 흰 콩. '采一采一'《詩經》.

[字源] 形聲. ⺾(艸)＋叔〔音〕

艸 8 〔**萁**〕12 기 [平]支 | qí キ まめがら

[字解] ①콩대기 콩을 떨고 남은 줄기와 가지. '種一頃豆, 落而爲一'《漢書》. ②풀이름기 물억새 비슷한 풀로서, 예전에 호인(胡人)이 전동(箭筒)을 만드는 재료로 썼음. '檿弧一服'《漢書》. ③어조사기 其(八부 6획〈87〉)와 同字. '梁曰薌一'《禮記》.

[字源] 形聲. ⺾(艸)＋其〔音〕

艸 8 〔**萃**〕12 [人名] [一] 췌 [去]寘 (취[本]) / [二] 채 [去]隊 | cuì スイ あつまる, あつめる / cuì サイ すれる

[筆順] 丨 十 艹 艹 苎 茨 茨 萃

[字解] [一] ①모을췌, 모일췌 '拔一'. '叢一'. '良朋一止'《仲長統》. ②야윌췌 顇(頁부 8획〈1692〉)와 통용. '勞苦煩一而愈無功'《荀子》. ③췌괘췌 육십사괘(六十四卦)의 하나. 곤, ䷬〈곤하(坤下), 태상(兌上)〉. 만물이 한데 모이는 상(象). ※本音 취. [二] 스칠채 '一蔡'는 옷이 스치는 소리. '翕呷一蔡'《司馬相如》.

[字源] 形聲. ⺾(艸)＋卒〔音〕

艸 8 〔**萄**〕12 도 [平]豪 | táo トウ·ドウ ぶどう

[字解] 포도나무도 '葡一'. '一, 葡一'《廣韻》.

[字源] 形聲. ⺾(艸)＋匋〔音〕

艸 8 〔**萆**〕12 [一] 비 [平]支 / [二] 폐 [去]霽 | bēi ヒ おにどころ / bì ヘイ おおう

[筆順] 丨 十 艹 艹 苩 萆 萆 萆

[字解] [一] 도코로마비 '一薢'는 맛과에 속하는 다년생 만초(蔓草). 괴경(塊莖)은 식용으로 함. [二] 가릴폐 蔽(艸부 12획〈1180〉)와 통용. '從閒道一山而望趙軍'《漢書》.

[字源] 形聲. ⺾(艸)＋卑〔音〕

艸 8 〔**萇**〕12 장 [平]陽 | cháng チョウ いらくさ

[字解] ①양도(羊桃)장 괭이밥과에 속하는 다년생 만초(蔓草). 꽃과 열매가 모두 복숭아 비슷하나, 맛이 씀. 오릉자(五稜子). 일설(一說)에는, 협죽도(夾竹桃). '一楚'. '薇蕪蓀一'《張衡》. ②성장 성(姓)의 하나.

[字源] 形聲. ⺾(艸)＋長〔音〕

艸 8 〔**菰**〕12 고 [平]虞 | gū コ くさがおおいさま

[字解] 풀무성할고 풀이 많은 모양. '一, 艸多皃, 从艸狐聲, 江夏平春有一亭'《大徐本說文》.

艸 8 〔**萂**〕12 〔극〕 茍(艸부 5획〈1132〉)과 同字

艸 8 〔**菣**〕12 〔극〕 亟(二부 6획〈27〉)과 同字

艸 8 〔**萮**〕12 〔유〕 萸(艸부 7획〈1144〉)과 同字

艸 8 〔**菄**〕12 동 [平]東 / [去]送 | dōng トウ しらやまぎく

[字解] 참취동 참취는 국화과의 여러해살이 풀. 가을에 백색 두상화가 피며, 어린잎은 식용함. '一, 東風菜'《玉篇》.

艸 8 〔**䓷**〕12 랄 [入]曷 | là ラツ むしのな

[字解] ①벌레이름랄 풀벌레. '一, 艸蟲, 䖈一'《篇海》. ②풀벌레가풀속을지나가는울림랄 '䖈一'. '一, 蛇行於艸中響也'《篇海》. '䖈, 草蟲䖈一行于草也'《篇海》.

艸8 〔菻〕12 〔마〕
麻(部首〈1854〉)와 同字

艸8 〔菥〕12 〔황〕
穢(禾부 10획〈909〉)과 同字

艸8 〔莓〕12 매 ⊕賄 去隊 | méi バイ くさのな バイ いちご

字解 ①풀이름매 열매는 오디 비슷함. '一, 艸名, 實如桑椹'《集韻》. ②딸기매, 나무이름매. 혹은 苺(艸부 5획〈1130〉)로 씀. '一, 艸名, 博雅, 葥·薹·蘳·英, 一也, 一曰, 木名, 子似葚, 或省'《集韻》.

艸8 〔葐〕12 ㊀맹 去敬 ㊁망 去漾 | mèng ボウ ちからぐさ

字解 ㊀강아지풀맹 낭미초(狼尾草). 孟(子부 5획〈271〉)과 통용. '孟, 狼尾'《爾雅》. '一, 艸名, 狼尾也'《集韻》. ㊁강아지풀망 ㊀과 뜻이 같음.

艸8 〔莜〕12 〔목〕
苜(艸부 5획〈1128〉)과 同字

艸8 〔蒖〕12 〔몽〕
瞢(目부 11획〈855〉)과 同字

艸8 〔菱〕12 ㊀맘 去陷 ㊁삼 平咸 | wàn バン あれる サン あれる

字解 ㊀잡초가만연할맘 황폐함. '一, 博雅, 薉也, 艸木蕪蔓也'《集韻》. ㊁잡초가만연할삼 ㊀과 뜻이 같음.

艸8 〔菛〕12 문 平元 | mén モン ばら

字解 문동문 문동(菛冬)은 약초의 이름. '一, 一冬, 艸名'《集韻》. '一, 今省作門'《康熙字典》.

艸8 〔菋〕12 ㊀미 去未 ㊁매 去卦 ㊂에 去卦 | wèi ヒ·ミ ㊀-㊁ さねかずら バイ·マイ アイ

字解 ㊀남오미자(南五味子)미 오미자. '一, 荎藸. (注)五味也'《爾雅》. ㊁남오미자매 ㊀과 뜻이 같음. ㊂남오미자에 ㊀과 뜻이 같음.

艸8 〔蒡〕12 〔방〕
蒡(艸부 10획〈1165〉)과 同字

艸8 〔蒹〕12 〔병〕
秉(禾부 3획〈898〉)과 同字

艸8 〔菐〕12 복 入屋 入沃 | pú ホク わずらわしい

字解 번거로울복 '一, 瀆一也. 从丵从廾, 廾亦聲. (段注)瀆, 煩瀆也. 一, 如孟子書之僕僕, 趙云, 煩猥皃'《說文》.

艸8 〔蔀〕12 부 去遇 | fù フ やくそうのな

字解 약초(藥草)이름부 '附(阜부 5획〈1612〉)와 통용. '一, 藥名, 本作附'《正字通》.

艸8 〔䘮〕12 〔상〕
喪(口부 9획〈172〉)과 同字

艸8 〔菹〕12 ㊀서 平魚 ㊁조 平虞 | qū ショ にらににたなのな cú ソ くわい

字解 ㊀서개(菹蓋)서 부추 비슷한 채소. '一, 一蓋, 菜名, 似韭'《集韻》. ㊁조고(菹菇)조 쇠귀나물. '一, 一菇, 艸名, 生下田, 可食或作葄'《集韻》.

艸8 〔䅞〕12 〔선〕
秈(禾부 3획〈897〉)과 同字

艸8 〔萊〕12 人名 래 平灰 去隊 | lái ライ あかざ

筆順 ' ⺾ 艹 芏 芠 萊 萊 萊

字解 ①명아주래 명아줏과에 속하는 일년초. 어린잎은 식용함. '北山有一'《詩經》. ②거칠래 잡초가 우거져 거칢. '草一'. '田卒汙一'《詩經》. ③묵정밭래 잡초가 무성한 밭. '辨其夫家人民田一之數'《周禮》. ④잡초래 무성한 잡풀. '燔一而播粟'《鹽鐵論》. ⑤깎을래 잡초를 깎아 없앰. '一山田之野'《周禮》. ⑥성래 성(姓)의 하나.
字源 形聲. 艹(艸)+來〔音〕
參考 莱(艸부 7획〈1145〉)는 약자(略字).

艸8 〔萋〕12 처 平齊 | qī セイ しげる

字解 ①우거질처 초목이 무성한 모양. '維葉一一'《詩經》. '卉木一止'《詩經》. ②아름다울처 문채가 화려한 모양. '一兮斐兮'《詩經》. ③공손할처 공경하고 삼가는 모양. '有一有苴'《詩經》.
字源 形聲. 艹(艸)+妻〔音〕

艸8 〔萌〕12 人名 맹 平庚 | méng ホウ·モウ· ミョウ め, もえる

筆順 ' 艹 艹 芇 芇 苜 萌 萌

字解 ①싹틀맹 ㉠초목의 싹이 나옴. '草木一動'《禮記》. ㉡일이 생김. '莫知其所一'《莊子》. ②싹맹 ㉠씨앗에서 터져 나오는 어린 잎. '一芽'. ㉡사물의 시작. 발단. '以

銷衆邪之—'《漢書》. ③갈맹 경작함. '春始生而—之'《周禮》. ④꼼짝아니할맹 움직이지 아니하는 모양. '—乎不震不正'《莊子》. ⑤백성맹 氓(氏부 4획〈622〉)과 통용. '施及—隷'《戰國策》. ⑥성맹 성(姓)의 하나.
[字源] 形聲. ⺾(艸)＋明(朙)〔音〕

艸8 〔萠〕12 萌(前條)의 俗字

艸8 〔萍〕12 평 [平]青 | píng ヘイ·ビョウ うきくさ
[字解] 개구리밥평 개구리밥과에 속하는 다년생 수초(水草). 수면에 부생(浮生)하며, 담홍색(淡紅色)의 작은 꽃이 핌. 부초(浮草). 부평초(浮萍草). '流—'. '—始生'《禮記》.
[字源] 形聲. 氵(水)＋苹〔音〕

艸8 〔萎〕12 위 ①-③[平]支 ④[去]紙 | wēi イ しおれる / イ あまどころ
[字解] ①시들위 말라서 축 늘어짐. '凋—'. '無木不—'《詩經》. ②앓을위 병듦. '哲人其—乎'《禮記》. ③쇠미할위 쇠약함. '—靡不振'. ④둥굴레위 '—蕤'는 백합과(百合科)에 속하는 다년초. 위유(葳蕤).
[字源] 形聲. ⺾(艸)＋委〔音〕

艸8 〔萏〕12 담 [上]感 | dàn タン はすのはな
[筆順] ' 卄 艹 芀 苎 苕 萏 萏
[字解] 연꽃담, 연꽃봉오리담 '荷, 其華, 菡—'《爾雅》.
[字源] 形聲. ⺾(艸)＋臽(閻)〔音〕

艸8 〔菦〕12 근 [平]文 [上]吻 [去]問 | qín キン せり
[字解] 미나리근 芹(艸부 4획〈1125〉)과 同字. '—, 菜. 類蒿'《說文》.
[字源] 形聲. ⺾(艸)＋近〔音〕

艸8 〔菺〕12 견 [平]先 | jiān ケン たちあおい
[字解] 접시꽃견 촉규(蜀葵). '—, 戎葵'《爾雅》.

艸8 〔⿱艹戾〕12 [一] 려 [去]霽 | lí レイ くさのな / [二] 렬 [入]屑 | レツ むらさき
[字解] [一] ①조개풀려 볏과의 1년초. 진초(藎草). '—, 艸也. 可以染留黃'《說文》. ②지치려 자초(紫草). '—, 紫草'《廣韻》. [二] 지치렬 [一]❷와 뜻이 같음.
[字源] 形聲. ⺾(艸)＋戾〔音〕

艸8 〔萉〕12 [一] 비 [去]未 | fèi ヒ あさのみ / [平]微 | féi ヒさける / [二] 분 [平]文 | フン あさのみ / [三] 복 [入]職 | fú ホク だいこん
[字解] [一] ①삼씨비 '—, 枲實也'《說文》. ②피할비 '—, 避也'《集韻》. [二] 삼씨분 [一]❶과 뜻이 같음. [三] 무복 菔(艸부 8획〈1149〉)과 통용. '葖, 蘆—. (注)—, 宜爲菔. 蘆菔, 蕪菁屬'《爾雅》.
[字源] 形聲. ⺾(艸)＋肥〔音〕

艸8 〔⿱艹屈〕12 [一] 골 [入]月 | qū コツ はく / [二] 굴 [入]物 | クツ はく
[字解] [一] ①쓸골 쓸어냄. '—, 㕞也'《說文》. ②풀이름골 '—, 神農本經, 有屈草. 生漢中川澤閒'《正字通》. [二] 쓸굴, 풀이름굴 [一]과 뜻이 같음.
[字源] 形聲. ⺾(艸)＋屈〔音〕

艸8 〔⿱艹沓〕12 답 [入]合 | tà トウ なのな
[字解] ①택사(澤瀉)답 약초인 택사의 별명(別名). 어린잎은 데쳐서 먹음. '澤瀉, 本經, 上品. 救荒本草謂之水—菜, 葉可煠食'《植物名實圖考》. ②연잎물덮을답 연잎이 물을 덮음. '—, 荷覆水'《廣韻》.

艸8 〔⿱艹弦〕12 현 [平]先 | xián ゲン くさのな
[字解] 풀이름현 '—, 艸也'《說文》.
[字源] 形聲. ⺾(艸)＋弦〔音〕

艸8 〔菥〕12 석 [入]錫 | xī セキ おおなずな
[字解] 큰냉이석 '—蓂'은 냉잇과(科)에 속하는 월년초(越年草). 전주(全株)에 거친 털이 있음. 대제(大薺). '—蓂芋瓜'《張衡》.

艸8 〔菤〕12 권 [上]銑 | juǎn ケン みみなぐさ
[字解] 도꼬마리권 '—耳'는 국화과에 속하는 일년초. 열매는 창이자(蒼耳子)라 하여 약재로 씀. 권이(卷耳). 창이(蒼耳).

艸8 〔菕〕12 론 [平]元 | lún ロン ちゃんちん
[字解] 참죽나무론 멀구슬나뭇과에 속하는 낙엽 교목(落葉喬木). 지엽(枝葉)에 향기가 있음. 향춘(香椿). '其木宜蚖—與杜松'《管子》.

艸8 〔萑〕12 [一] 환 [平]寒 | huán カン おぎ / [二] 추 [平]支 | zhuī スイ めはじき
[字解] [一] 물억새환 '—葦'는 충분히 자란 물억새. [二] 익모초추 꿀풀과에 속하는 월년초. 씨와 잎은 약용함. 암눈비앗. 충울(茺

蔚).
[字源] 形聲. 艹(艸)+隹〔音〕

艸 8 〔⿱艹泥〕 12 니 ①[平]齊 ②[上]薺 | nǐ デイ·ナイ ねをあらわす デイ·ナイ つゆのこいさま

[字解] ①풀뿌리드러낼니 '一, 草露根'《玉篇》. ②이슬많을니 이슬이 진한 모양. '零露一一'《詩經》.

艸 8 〔菣〕 12 [一] 긴 [去]震 [二] 견 [去]霰 | qìn キン くさよもぎ ケン くさよもぎ

[字解] [一] 제비쑥긴 국화과의 다년초. 어린 잎은 식용함. '蒿, 一. (注) 今人呼青蒿香中炙啖者爲一. (疏) 荆楚之間, 謂蒿爲一'《爾雅》. [二] 제비쑥견 [一]과 뜻이 같음.
[字源] 形聲. 艹(艸)+臤〔音〕

艸 8 〔菢〕 12 포 [去]號 | bào ホウ すおう, たまごをだく

[字解] ①새알품을포 새가 알을 품음. '鶴翎不天生, 變化在啄一'《韓愈》. ②덮을포 덮어 가림. '一, 覆也'《韻會》.

艸 8 〔⿱艹侍〕 12 〔시〕 蒔(艸부 10획〈1165〉)와 同字

艸 8 〔⿱艹畀〕 12 시 [上]紙 | xǐ シ おなもみ

[字解] 도꼬마리시 '一, 胡一, 艸名, 枲耳也, 或作葈'《集韻》.

艸 8 〔⿱艹⿰耒牙〕 12 〔야〕 ⿱艹伢(艸부 6획〈1137〉)와 同字

艸 8 〔⿱艹或〕 12 역 [入]職 | yù ヨク くさきがむらがりはえる

[字解] 초목이무더기로날역 '一, 艸木叢生, 通作棫'《集韻》.

艸 8 〔⿱艹兖〕 12 [一] 연 [上]銑 [二] 권 [上]銑 | yǎn エン くさのな juàn ケン やわらかい

[字解] [一] 풀이름연 '一, 艸名, 雀弁也'《集韻》. [二] 가냘플권 '一, 耎也'《廣韻》.

艸 8 〔⿱艹𠫶〕 12 〔운〕 ⿱艹𠫶(艸부 4획〈1125〉)과 同字

艸 8 〔菍〕 12 [一] 임 [上]寑 [二] 녈 [入]屑 | rěn ジン きのな niè デツ くさのな

[字解] [一] 나무이름임 '棯, 木名, 或从艸'《集韻》. [二] 풀이름녈 '一, 艸名'《集韻》.

艸 8 〔⿱艹⿰禾勺〕 12 〔작〕 芍(艸부 3획〈1121〉)과 同字

艸 8 〔⿱艹阻〕 12 〔저〕 葅(艸부 9획〈1165〉)과 同字

艸 8 〔⿱艹典〕 12 〔전〕 典(八부 6획〈87〉)과 同字

艸 8 〔⿱艹周〕 12 [一] 주 [平]尤 [二] 렬 [入]屑 | zhōu シュウ くさのな liè レツ あしのほ

[字解] [一] 풀이름주 '一, 艸名, 似葵, 五色'《集韻》. [二] 갈대이삭렬 茢(艸부 6획〈1134〉)과 同字. '茢, 艸名, 萑苕也, 一, 同茢'《玉篇》.

艸 8 〔菗〕 12 주 [平]尤 | chōu チュウ えびすね

[字解] 오이풀주 외나물. '一, 艸名, 博雅, 一蒢, 地榆也, 或从搯'《集韻》.

艸 8 〔䓡〕 12 지 [平]支 | zhī チ はなすげ

[字解] 지모(䓡母)지 지모(知母). 약초 이름. '一, 一母, 藥草, 本作知'《類篇》.

艸 8 〔⿱艹咠〕 12 〔즙〕 葺(艸부 9획〈1161〉)과 同字

艸 8 〔⿱艹招〕 12 〔초〕 苕(艸부 5획〈1127〉)와 同字

艸 8 〔⿱艹⿱豕灬〕 12 〔추〕 芻(艸부 4획〈1122〉)와 同字

艸 8 〔菷〕 12 〔추〕 帚(巾부 5획〈331〉)의 俗字

艸 8 〔⿱艹⿱囟比〕 12 〔피〕 蓖(艸부 10획〈1166〉)의 略字

艸 8 〔⿱艹和〕 12 〔화〕 苿(艸부 5획〈1130〉)와 同字

艸 8 〔⿱艹盱〕 12 후 [平]虞 | xū ク はまぜり

[字解] 뱀도랏후 약초 이름. '一, 藥艸, 蛇牀也'《集韻》.

艸 8 〔⿱艹姁〕 12 후 [平]虞 | xū ク いも

[字解] 감자후 '一, 芋也'《玉篇》.

艸 8 〔菏〕 12 하 [平]歌 | hé カ くさのな

[字解] ①풀이름하 '一菔'은 풀의 이름. '一, 艸也'《玉篇》. ②늪이름하, 강이름하 '一, 澤名'《字彙》.
[字源] 形聲. 艹(艸)+河〔音〕

艸 8 〔莿〕 12 [一] 자 [去]寘 | cì シ のぎ
[二] 척 [入]陌 | セキ くさのな

[字解] [一] ①까끄라기자, 가시자 초목(草木)의 가시. '一, 茦也'《說文》. ②헐뜯을자 '非過材之一'《鶡冠子》. [二] 풀이름척 '一, 艸名. 策也'《集韻》.
[字源] 形聲. 艹(艸)+刺〔音〕

艸 8 〔萘〕 12 [現] 내 | nài ダイ·ナイ ナフタリン

[字解] 《現》나프탈린내 약품(藥品)의 이름. 공업용 원료(工業用原料)로서, 또 방충(防蟲)·방취제(防臭劑)로 쓰임.

艸 8 〔菿〕 12 [一] 도 [去]號 [上]晧 | ①-③dào トウ くさのおおきいさま ④dǎo トウ くさのな
[二] 초 [去]效 | トウ·チョウ くさのな
[三] 착 [入]覺 | タク くさのおおきいさま

[字解] [一] ①풀클도 풀이 큰 모양. '一, 艸大也'《說文》. ②클도 '一, 大也'《爾雅》. ③쓰러질도 풀이나 나무가 쓰러짐. '一, 艸木倒'《說文》. ④풀이름도 '一, 艸名'《集韻》. [二] 풀이름초 [一]❹와 뜻이 같음. [三] 풀클착 [一]❶과 뜻이 같음.
[字源] 形聲. 艹(艸)+到〔音〕

艸 8 〔菵〕 12 망 [上]養 | wǎng ボウ·モウ みのごめ

[字解] ①개피망 볏과(科)의 2년초. 무논·늪의 얕은 물에 자생(自生)하여, 잎이 수면(水面)에 뜸. 열매는 식용(食用). '一, 一草'《廣韻》. ②풀이름망 망초(莽草). '一, 本草有莽草. 陶弘景曰, 莽, 本作一'《正字通》.

艸 8 〔⿱艹固〕 12 고 [去]遇 | gù コ くさのな

[字解] 풀이름고 '一, 艸也'《說文》.
[字源] 形聲. 艹(艸)+固〔音〕

艸 8 〔萈〕 12 환 [平]寒 | huán カン やぎ

[字解] 산양환 뿔이 가늘고, 몸이 큰 산양(山羊). '一, 山羊細角者'《說文》.
[字源] 形聲. ⺈(토끼의 발)+苜〔音〕

艸 8 〔菳〕 12 금 [平]侵 | qín キン こがねやなぎ

[字解] 풀이름금 ㉠'黃一'은 풀이름. 황금(黃芩). '一, 黃一也'《說文》. ㉡쑥 비슷한 풀의 이름. '一, 艸名, 似蒿'《廣韻》. ㉢'一荃'은 풀의 이름. '一, 一荃, 艸名'《集韻》. ㉣'一蒰'은 풀의 이름. '一, 一蒰, 艸名'《集韻》.
[字源] 形聲. 艹(艸)+金〔音〕

艸 8 〔萐〕 12 삽 [入]洽 | shà ソウ·ショウ しょうぶ

[字解] ①삽보풀삽 '一莆'는 서초(瑞草)의 이름. 요(堯) 임금 때에 부엌에 나서 스스로 움직여 서늘한 바람을 일으켜 음식이 상하는 것을 막았다 함. '一莆, 瑞艸也, 堯時生於庖廚, 扇暑而涼'《說文》. ②부채삽 箑(竹부 8획〈941〉)과 통용. '薄如一形'《論衡》.
[字源] 形聲. 艹(艸)+疌〔音〕

艸 8 〔⿱艹肶〕 12 비 [平]齊 | bì ヘイ かわらにんじん

[字解] 아주까리비 비마(蓖麻). 蓖(艸부 10획〈1166〉)와 同字.

艸 8 〔菇〕 12 고 [平]虞 | gū コ からすうり

[字解] ①쥐참외고 '一, 爾雅, 本作姑, 俗作一'《正字通》. ②《現》 버섯고〔菌〕. '香一'. '草一'.

艸 8 〔菒〕 12 고 [上]晧 | gǎo コウ わら

[字解] ①짚고 稾(禾부 10획〈909〉)와 同字. '稾, 說文, 稈也, 或作一'《集韻》. ②마른풀고 '擊一除田, 以待時耕. (注)一, 枯草也'《國語》.

艸 8 〔菝〕 12 발 [入]黠 [入]曷 | bá ハツ さるとりいばら

[字解] ①청미래덩굴발 '一葜·一𦺇'은 청미래덩굴. 백합과(科)의 낙엽 관목(落葉灌木). 줄기는 가늘고, 가시가 있음. '一葜, 狗脊也'《廣雅》. ②풀이름발 서초(瑞草)로 침. '一, 一𦺇, 瑞草'《廣韻》.

艸 8 〔⿱艹泜〕 12 지 [平]支 | zhī シ·チ つけもの

[字解] 김치지 야채 등을 통째로 담근 김치. '一, 菹也'《說文》.
[字源] 形聲. 艹(艸)+泜〔音〕

艸 8 〔菬〕 12 [一] 초 [平]蕭 | qiáo ショウ くさのな
[二] 소 [上]篠 | zhǎo ショウ やくそうのな

[字解] [一] ①풀이름초 '一, 艸也'《說文》. ②수초(水草)이름초 '一, 或曰, 水艸也'《說文通訓》. [二] ①약초이름소 '一子'는 약초(藥草)의 이름. '一, 一子, 藥名也'《玉篇》. ②풀이름소 '一, 草名. 仙若也'《集韻》.
[字源] 形聲. 艹(艸)+沼〔音〕

艸8 〔菧〕 12 저 [上]薺 | dǐ テイ そばな

[字解] 모싯대저 산토끼꽃과(科)의 다년초(多年草). 가을에 보랏빛 꽃을 늘어뜨림. 제니(薺苨). '苨, 一苨. (注)薺苨'《爾雅》.

艸8 〔⿱艹育〕 12 육 [入]屋 | yù イク くさのな

[字解] 풀이름육 '一, 艸也'《說文》.
[字源] 形聲. 艹(艸)＋育〔音〕

艸8 〔菻〕 12 림 [上]寑 [去]沁 | lǐn リン きつねあざみ / リン くにのな

[字解] ①지칭개림 쑥의 일종. '一, 蒿屬'《說文》. ②나라이름림 동(東)로마 제국(帝國)의 일컬음. '拂一, 古大秦也'《唐書》.
[字源] 形聲. 艹(艸)＋林〔音〕

艸8 〔⿱艹𥝢〕 12 [一] 리 [平]支 | lí リ おおい
[二] 려 [平]齊 | lí レイ おおい

[字解] [一] ①많을리, 뭇리, 늙을리, 구두풀리 구두를 만드는 데 쓰는 풀. 黎(黍부 3획〈1858〉)의 古字. '黎, 說文, 履黏也. 作履所用. 一曰, 衆也. 老也. 或作一'《集韻》. ②땅이름리 '一, 地名'《集韻》. ③성리 성(姓)의 하나. [二] 많을려, 뭇려, 늙을려, 구두풀려, 땅이름려, 성려 [一]과 뜻이 같음.

艸8 〔菾〕 12 첨 ①[平]鹽 ②[去]艷 | tián テン とうぢさ / テン ながくしげる

[字解] ①근대첨 어린 잎을 식용함. 군달(莙薘). '一, 菜名'《集韻》. ②길게우거질첨 풀이나 나무가 길게 우거지는 모양. '一, 艸木長茂皃'《集韻》.

艸8 〔⿱艹爭〕 12 쟁 [平]庚 | zhēng ソウ くさのみだれるさま

[字解] 풀어지러울쟁 '一薴'은 풀이 어지러운 모양. '一, 一薴, 艸亂也'《說文》.
[字源] 形聲. 艹(艸)＋爭〔音〕

艸8 〔茻〕 14 〔공〕
共(八부 4획〈86〉)의 古字

艸8 〔⿺茻丩〕 14 규 [平]尤 | jiū キュウ まつわりあう

[字解] 얽힐규 풀이 서로 얽히는 모양. '一, 艸之相丩者'《說文》.
[字源] 形聲. 茻＋丩〔音〕

艸8 〔⿱艹忩〕 12 〔총〕
蔥(艸부 9획〈1161〉)과 同字

艸8 〔⿱艹牧〕 12 〔목〕
苜(艸부 5획〈1128〉)과 同字

艸8 〔⿱艹斉〕 12 〔제〕
薺(艸부 14획〈1194〉)의 俗字

艸8 〔萶〕 12 〔춘〕
春(日부 5획〈505〉)의 本字

艸8 〔⿱艹⿱日廾〕 12 〔막〕
莫(艸부 7획〈1144〉)의 本字

艸8 〔莝〕 12 〔장〕
葬(艸부 9획〈1160〉)과 同字

艸8 〔著〕 12 〔저〕
著(艸부 9획〈1160〉)의 俗字

艸8 〔营〕 12 〔영〕 營(火부 13획〈727〉)의 簡體字

艸8 〔荆〕 12 〔형〕
荊(艸부 6획〈1136〉)의 本字

艸8 〔⿱艹⿰歺刂〕 12 〔렬〕
茢(艸부 6획〈1134〉)의 本字

艸9 〔萩〕 13 추 [平]尤 | qiū シュウ よもぎ

[字解] ①쑥추 국화과에 속하는 다년초. 어린 잎은 식용함. 봉애(蓬艾). '秦周伐雍門之一'《左傳》. ②개오동나무추 楸(木부 9획〈563〉)와 同字. '山居千章之一'《漢書》.
[字源] 形聲. 艹(艸)＋秋〔音〕

艸9 〔⿱艹秌〕 13 萩(前條)의 本字

艸9 〔萬〕 13 [中·人] 만 [去]願 | wàn マン よろず

[筆順] 丨 艹 艹 苜 萬 萬 萬 萬

[字解] ①일만만 천의 열 배. '長于百, 大于千, 衍于一'《漢書》. 전(轉)하여, 다수(多數)를 이름. '千態一狀'. '一國咸寧'《易經》. 또 전(轉)하여, 만에 하나도의 뜻으로 쓰임. '一不失一'. '且一無母子俱往理'《韓愈》. ②춤이름만 간척(干戚)을 가지고 추는 춤. 은(殷)나라 탕왕(湯王) 때 생겼음. '方將一舞'《詩經》. ③성만 성(姓)의 하나.
[字源] 象形. 독충(毒蟲)인 전갈의 象形. 假借하여, 수사(數詞)로 쓰임.

艸9 〔蒄〕 13 관 [平]寒 | guān カン くさのな

[字解] 풀이름관 풀 이름. '一, 艸名'《集韻》.

艸9 〔萱〕 13 [人名] 훤 [平]元 | xuān ケン わすれぐさ

[筆順] 丶 艹 艹 芒 苎 苎 萓 萱

[字解] ①원추리훤 백합과에 속하는 다년초. 어린 잎과 꽃은 식용함. 망우초(忘憂草). '一草忘憂'《嵇康》. ②성훤 성(姓)의 하나.
[字源] 形聲. 艹(艸)+宣〔音〕

艸 9 〔萵〕 13 와 [平]歌 wō カ ちしゃ
[字解] 상추와 '一苣'는 국화과에 속하는 일년 또는 월년초(越年草). 잎은 쌈으로 먹음. '一苣向二句矣'《杜甫》.
[字源] 形聲. 艹(艸)+咼〔音〕

艸 9 〔萹〕 13 변 [上]銑 [平]先 biān ヘン にわやなぎ
[字解] 마디풀변 '一蓄'·'一竹'은 마디풀과(科)에 속하는 일년초.
[字源] 形聲. 艹(艸)+扁〔音〕

艸 9 〔萸〕 13 유 [平]虞 yú ユ かわはじかみ
[字解] 수유나무유 '茱一'. '一, 茱一也'《說文》.
[字源] 形聲. 艹(艸)+臾〔音〕

艸 9 〔萸〕 13 萸(前條)의 俗字

艸 9 〔萼〕 13 악 [入]藥 è ガク うてな
[字解] 꽃받침악 꽃잎을 받치고 있는 엽질(葉質)의 조각. '素一'. '紅一'. '春華發一'《晉書》.
[字源] 形聲. 艹(艸)+咢〔音〕
[參考] 蕚(艸부 12획〈1185〉)은 俗字.

艸 9 〔落〕 13 [中·人] 락 [入]藥 luò, là, lào(lè) ラク おちる
[筆順] 丶 艹 艹 艹 茫 落 落 落 落

[字解] ①떨어질락 ㉠꽃이나 잎이 말라 떨어짐. '凋一'. '草木零一'《禮記》. ㉡떨어져 내려옴. '一下'. '墜一'. '向有煤, 一甑中'《孔子家語》. ㉢적어짐. 감소함. '家貧客一'. '水一石出'《蘇軾》. ㉣손에 들어감. '中原之鹿, 未識一誰手'《晉書》. ㉤해이함. 퇴폐함. '弛一'. '因多難治綱一'《梁武帝》. ㉥이산함. 흩어짐. '民人離一'《國語》. ㉦낙탁(落魄)함. 유리(流離)함. '零一'. '流一變遷'《唐書》. ㉧뒤떨어짐. '一後'. '風流豈肯一人後'《李白》. ㉨모략 등에 빠짐. '不一賊計'. ㉩죽음. '一年'. '帝乃殂一'《書經》. ㉪함락함. '城一'. ㉫이·털 등이 빠짐. '動搖者或脫而一'《韓愈》. ㉬해나 달이 짐. '日一西山'. ②떨어뜨릴락 전항(前項)의 타동사. '無一吾事'《莊子》. ③낙엽락 떨어진 잎. '振一'《淮南子》. ④이룰락 준공함. '一成'. 또, 낙성식. 또는, 낙성식을 행함. '楚子成章華之臺, 願與諸侯一之'《左傳》. ⑤빗방울락 '矗不知其幾千萬一'《杜牧》. ⑥울타리락 '籬一'. '揩枳一'《張衡》. ⑦마을락 촌락. '部一'. '聚一'. '躡冒頓之區一'《後漢書》. ⑧두를락 絡(糸부 6획〈990〉)과 통용. '一以隨珠和璧'《漢書》. ⑨성락 성(姓)의 하나.
[字源] 形聲. 艹(艸)+洛〔音〕

艸 9 〔葆〕 13 보 [上]晧 bǎo ホウ・ホ くさのさかんなさま
[字解] ①더부룩이날보 초목이 총생한 모양. 또, 무성한 모양. '頭如蓬一'《漢書》. ②깃장식보 수레 뚜껑의 가장자리나 깃대의 꼭대기에 다는 새깃의 장식. '羽一'. '垂翟一'《張衡》. ③움보 초목의 움. '莖一長稠'《亢倉子》. ④푸성귀보 채소. '主一旅事'《史記》. ⑤감출보 보이지 않게 함. '此之謂一光'《莊子》. ⑥칭찬할보 '不樂一大'《禮記》. ⑦보전할보 保(人부 7획〈53〉)와 통용. '一之會稽'《墨子》. ⑧포대기보 褓(衣부 9획〈1280〉)와 통용. '在襁一之中'《史記》. ⑨보배보 寶(宀부 17획〈287〉)와 통용. '見穀城山下黃石, 取而一祠之'《史記》. ⑩성채보 堡(土부 9획〈214〉)와 통용. '侵盜上郡一塞蠻夷'《史記》.
[字源] 形聲. 艹(艸)+保〔音〕

艸 9 〔葉〕 13 [中·人] ㊀ 엽 [入]葉 yè ヨウ は ㊁ 섭 [入]葉 shè ショウ ちめい, せい
[筆順] 丶 艹 芔 芔 苷 苹 華 葉

[字解] ㊀ ①잎엽 ㉠초목의 잎. '綠一'. '落一'. '匏有苦一'《詩經》. ㉡잎의 모양을 한 것. 또는, 잎과 같이 얇은 것. '鐵一'. '加柶, 覆之面一'《儀禮》. ②대엽 세대(世代). '末一'. '奕世累一'. '昔在中一'《詩經》. ③갈래엽 본줄기에서 벗어난 갈래. '枝一'. '神一靈條, 爰自帝堯'《謝莊》. ④후손엽 자손. '孔穿, 孔子之一也'《公孫龍子》. ⑤장엽 종이를 세는 말. '一一'. '三一'. '必指卷第册一所在'《宋史》. ⑥미늘엽 갑옷의 미늘. '造甲一'《文獻通考》. ⑦성엽 성(姓)의 하나. ㊁ ①성섭 성(姓)의 하나. '一適'은 송(宋)나라 때의 학자. ②고을이름섭 초(楚)나라의 읍명(邑名). 지금의 하남성(河南省) 남양부(南陽府) 섭현(葉縣).
[字源] 形聲. 艹(艸)+葉〔音〕

艸 9 〔葍〕 13 복 [入]屋 fú フク ひるがお

字解 ①메복 메꽃과의 다년생 만초. 꽃은 나팔꽃 모양이며 담홍색임. 뿌리는 메라 하여 식용함. 고자화(鼓子花). '一, 葍. (注) 大葉白華. 根如指, 正白可啖'《爾雅》. ②무복 겨잣과에 속하는 일이년생의 채소. 나복(蘿菖). '言采其一'《詩經》.
字源 形聲. 艹(艸)+畐〔音〕

艸 9 〔葎〕 13 률 入質 | lǜ リツ むぐら

字解 한삼덩굴률 삼과에 속하는 일년생 만초(蔓草). 줄기에는 가는 가시가 밀생(密生)하며, 가을에 담녹색(淡綠色)의 작은 꽃이 핌. 열매는 건위제(健胃劑)로 쓰임. '此草, 莖有細刺, 善勒人膚. 故名勒草, 訛爲一草'《本草》.
字源 形聲. 艹(艸)+律〔音〕

艸 9 〔葑〕 13 봉 ①平冬 ②去宋 | fēng ホウ かぶら | fèng ホウ まこものね

字解 ①순무봉 겨잣과에 속하는 일이년생의 채소. 만청(蔓菁). 무청(蕪菁). '采一采菲'《詩經》. ②줄뿌리봉 줄의 뿌리. '一, 菰根也'《廣韻》.
字源 形聲. 艹(艸)+封〔音〕

艸 9 〔葜〕 13 〔갈〕 菝(艸부 11획〈1178〉)과 同字

艸 9 〔葪〕 13 葜(前條)과 同字

艸 9 〔蓄〕 13 〔구〕 苟(艸부 5획〈1128〉)와 同字

艸 9 〔葻〕 13 남 上感 平覃 | nǎn ダン・ナン くさがながくてよわいさま | nán ダン・ナン くさのな

字解 ①풀이길고약할남 '一, 艸長弱皃'《集韻》. ②풀이름남 '一, 艸名'《集韻》.

艸 9 〔葿〕 13 도 去遇 | dù ト かおりぐさのな

字解 향초(香草)이름도 '一, 香艸'《集韻》.

艸 9 〔毒〕 13 〔독〕 藩(艸부 12획〈1180〉)과 同字

艸 9 〔葿〕 13 〔목〕 苜(艸부 5획〈1128〉)과 同字

艸 9 〔萝〕 13 〔몽〕 夢(夕부 11획〈230〉)과 同字

艸 9 〔葂〕 13 묘 上篠 去嘯 | miǎo ビョウ ほそいくきのくさ

字解 가는줄기의풀묘 '一, 艸細莖者'《集韻》.

艸 9 〔葿〕 13 미 平支 | méi ビ・ミ こがねやなぎ

字解 황금(黃芩)미 속서근풀. 타미(菇葿). 蘪(艸부 13획〈1193〉)와 同字. '菇一, 黃芩也'《廣雅》. '一, 艸名, 或作蘪'《集韻》.

艸 9 〔葉〕 13 〔미〕 蘼(艸부 19획〈1209〉)와 同字

艸 9 〔葿〕 13 〔민〕 苠(艸부 5획〈1132〉)과 同字

艸 9 〔葰〕 13 〔발〕 茇(艸부 5획〈1131〉)과 同字

艸 9 〔葬〕 13 배 去卦 | bài ハイ くさのな

字解 풀이름배 명아주풀의 하나. '一, 艸名'《集韻》.

艸 9 〔葿〕 13 〔변〕 苹(艸부 5획〈1130〉)과 同字

艸 9 〔葍〕 13 부 平虞 | fū フ はなのさま

字解 꽃모양부 부유(葍蕍). 藘(艸부 11획〈1176〉)와 통용. '藘, 藘蕍, 華皃, 或省'《集韻》.

艸 9 〔葸〕 13 〔사〕 蒒(艸부 11획〈1179〉)와 同字

艸 9 〔葠〕 13 〔신〕 藎(艸부 14획〈1195〉)과 同字

艸 9 〔葹〕 13 악 入覺 | wò アク がまのめ

字解 부들의싹악 '一, 艸名, 蒻也'《集韻》. '一, 同蒻'《類篇》.

艸 9 〔葕〕 13 〔연〕 莚(艸부 7획〈1142〉)과 同字

艸 9 〔葧〕 13 〔설〕 爇(火부 15획〈729〉)과 同字

艸 9 〔葐〕 13 〔영〕 蘊(艸부 16획〈1205〉)과 同字

艸 9 〔葨〕 13 외 平灰 | wēi ワイ くさのな

字解 풀이름외 '一, 艸名'《集韻》.

艸9 〔蒬〕13 원 [平]元 | yuān エン しぼむ

[字解] 시들원 병듦. '一, 博雅, 殘一, 敗也'《集韻》.

艸9 〔蒘〕13 유 [上]虞 | rú ジュ くわのかわ

[字解] 뽕나무껍질유 '一, 桑皮也'《篇海》.

艸9 〔蓄〕13 〔숙〕 莤(艸부 7획〈1146〉)과 同字

艸9 〔蓨〕13 〔의〕 蓨(艸부 12획〈1183〉)의 俗字

艸9 〔蕛〕13 〔이〕 洟(水부 6획〈642〉)와 同字

艸9 〔蒑〕13 〔인〕 茵(艸부 6획〈1135〉)과 同字

艸9 〔蒫〕13 〔자〕 茈(艸부 5획〈1131〉)와 同字

艸9 〔䔂〕13 재 [平]灰 | zāi サイ うまれる

[字解] ①태어날재 나서 불어남. 栽(木부 6획〈545〉)와 同字. '栽, 生殖也, 或作一'《集韻》. ②심을재 '一, 一蒔'《廣韻》. ③풀이름재 '一, 草名'《字彙》.

艸9 〔蒩〕13 〔저〕 苴(艸부 5획〈1129〉)와 同字

艸9 〔𦽏〕13 [一] 전 [平]先 [二] 정 [平]庚 [三] 진 [平]眞 | jīng セン [一]-[三] くさのしげるさま セイ シン

[字解] [一] 풀무성(茂盛)한모양전 '一, 艸茂皃'《集韻》. [二] 풀무성한모양정 [一]과 뜻이 같음. [三] 풀무성한모양진 [一]과 뜻이 같음.

艸9 〔𦻐〕13 절 [入]屑 | jié セツ ふし

[字解] 마디절 풀 줄기의 마디. '一, 草約也'《集韻》.

艸9 〔𦽈〕13 주 [上]有 | zhòu チュウ つつむ

[字解] ①쌀주 보자기나 종이로 물건을 쌈. '一, 裹也'《廣韻》. ②짚꾸러미주 짚으로 싼 것. 𦼮(艸부 14획〈1196〉)와 同字. '一, 艸苞物也, 或从壽《集韻》. ③풀이름주 '一, 草名'《玉篇》.

艸9 〔蒩〕13 〔차〕 蘆(艸부 11획〈1176〉)와 同字

艸9 〔葲〕13 천 [平]先 | quán セン やくそうのな

[字解] 배풍등(排風藤)천 약초 이름. 그 꽃 모양이 국화와 비슷하며 보라색임. '一, 羊一, 艸名'《集韻》.

艸9 〔𦿔〕13 〔초〕 草(艸부 6획〈1136〉)와 同字

艸9 〔蕺〕13 [一] 칩 [入]緝 [二] 급 [入]緝 | jī チュウ そくず キュウ そくず

[字解] [一] 말오줌대칩 말오줌대. 접골초(接骨草). '一, 艸名, 蒴藋也'《集韻》. '一, 艸名, 堇也'《集韻》. [二] 말오줌대급 [一]과 뜻이 같음.

艸9 〔萫〕13 향 [去]漾 | xiàng キョウ やさいをまぜたにくのあつもの

[字解] 나물국향 나물을 곁들인 고깃국. '一, 芼羹'《集韻》.

艸9 〔萻〕13 〔향〕 享(亠부 6획〈29〉)과 同字

艸9 〔䔛〕13 〔형〕 葵(艸부 14획1196〉)과 同字

艸9 〔耗〕13 [一] 호 [去]號 [二] 모 [去]號 | hāo コウ くさきのはをたのこやしにする mào ボウ くさがおおいはびこる

[字解] [一] 풀거름할호 초목의 잎을 밭거름으로 함. '一, 吳俗以艸木葉糞田, 曰一'《集韻》. [二] 풀이덮어뻗을모 芼(艸부 4획〈1125〉)와 同字. '芼, 說文, 艸覆蔓, 引詩左右芼之, 或从禾'《集韻》.

艸9 〔𦺓〕13 호 [平]虞 | hú コ くさのおおいさま

[字解] ①풀우거질호 '一, 艸多貌'《字彙》. ②菰(艸부 8획〈1151〉)의 訛字. '一, 菰字之訛'《正字通》.

艸9 〔葀〕13 활 [入]曷 | ①kuò, ②huó カツ くさのな, うど

[字解] ①풀이름활 미설초(麋舌草). '一, 麋舌. (注)今麋舌草, 春生藥, 有似於舌'《爾雅》. ②독활(獨活)활 땅두릅나물. '一, 獨一, 藥艸'《集韻》.

艸9 〔葔〕13 후 [平]尤 | hóu コウ はますげ

[字解] 향부자(香附子)후 후사(葔莎). 侯(人부 7획〈50〉)와 통용. '一, 艸名, 蒚, 一莎, 通作侯'《集韻》.

艸 9 〔蕮〕13 〔휘〕 彙(彐부 10획〈365〉)와 同字

艸 9 〔著〕13 [中·人] [一] 저 [去]御 [上]語 ①-⑥zhù チョ あらわれる ⑦-⑧ チョ たくわえる [二] 착 [入]藥 zhuó, zhāo チャク つく

[筆順] ' ⺾ ⺾ 艹 芏 芙 茎 著

[字解] [一] ①나타날저 ㉠환히 또는 널리 알려짐. 명료해짐. '顯—'. '彰—'. '楊墨之道不息, 孔子之道不—'《孟子》. ㉡유달리 눈에 뜨임. '惡其文之—也'《中庸》. ②나타낼저 ㉠밝힘. 널리 알림. '—其善'《禮記》. ㉡겉에 내놓아 보임. '揜其不善, 而—其善'《大學》. ③지을저 글을 지음. 편찬함. '—書'. '—述'. '更議—令'《漢書》. ④적을저 문서·금석 등에 기록하여 나타냄. '—錄'. '刻—于石'《司馬光》. ⑤생각할저 사유함. '致慤則—'《禮記》. ⑥자리저 조정의 석차. '若不廢君命則固有—矣'《左傳》. ⑦쌓을저, 저축저 貯(貝부 5획〈1387〉)와 통용. '子貢廢—'《孔子家語》. ⑧뜰저 대문과 문병(門屛)과의 사이. '俟我於—乎而'《詩經》. [二] ①입을착 옷을 입음. '—衣'. '不宜—裘'《禮記》. ②신을착 신을 신음. '步行—窄鞋'《蘇子瞻雜纂》. ③붙을착 달라붙음. '黏—'. '附—'. ④살착 정주(定住)함. 대대로 삶. '定—'. '其俗土—'《漢書》. ⑤필착 꽃이 핌. '—花'. ⑥손댈착 일을 시작함. '—手'. ⑦다다를착 도달함. '到—'. ⑧끝날착 결말이 남. '落—'. ⑨둘착 ㉠바둑을 둠. '讓老夫下——'《世說補》. ㉡솜을 넣음. '—綿'. ⑩옷착 의복. '褐衣縕—'《韓詩外傳》. ⑪어조사착 동작을 나타내는 말에 붙여 쓰는 조자(助字). '逢—仙人莫下棋'《許用晦》. '不曾共說—文章'《嘉話錄》.

[字源] 形聲. 艹(艸)+者〔音〕

[參考] 着(羊부 6획〈1035〉)은 [二]의 俗字.

艸 9 〔葚〕13 심 [上]寢 shèn シン·ジン くわのみ

[字解] 오디심 뽕나무의 열매. 상실(桑實). '桑—甜甘'《晉書》.

[字源] 形聲. 艹(艸)+甚〔音〕

艸 9 〔葛〕13 [人名] 갈 [入]曷 gé, ⑤gě カツ くず

[筆順] ' ⺾ 艹 芇 苩 莒 葛 葛

[字解] ①칡갈 콩과에 속하는 낙엽 만목(落葉蔓木). 산야에 저절로 남. 줄기의 섬유는 갈포(葛布) 또는 노의 원료가 되며, 뿌리의 전분은 갈분이라 하여 식용함. '—之覃兮'《詩經》. ②갈포갈 칡의 섬유로 짠 베. 또, 그 베로 만든 옷. '—裘'. '夏日—衣, 冬日鹿裘'《史記》. ③갈등갈 일신상에 따라붙는 곤란의 비유. '困于—藟于臲卼'《易經》. ④나라이름갈 주대(周代)의 나라 이름. 하남성(河南省)에 있었음. ⑤성갈 성(姓)의 하나.

[字源] 形聲. 艹(艸)+曷〔音〕

艸 9 〔葡〕13 [人名] 포 [平]虞 pú ホ·ブ ぶどう

[筆順] ' ⺾ 芍 芍 苟 荀 葡 葡

[字解] 포도나무포 '—萄'. '有—萄酒'《史記》.

[字源] 形聲. 艹(艸)+匍〔音〕

艸 9 〔董〕13 [人名] 동 [上]董 dǒng トウ ただす

[筆順] ' ⺾ 芏 苪 菅 菫 董 董

[字解] ①바로잡을동 ㉠감독하여 바로잡음. '—督'. '—正'. '—之用威'《書經》. ㉡절 안에서 대중(大衆) 또는 법무(法務)를 감독함. '前—'(전임의 주지). '後—'(주지의 후임자). ②물을동 문의함. 상의함. '商—'. ③감출동 간직하여 둠. '氣當大—'《史記》. ④연뿌리동 연근(蓮根). ⑤성동 성(姓)의 하나.

[字源] 形聲. 艹(艸)+重〔音〕

艸 9 〔葦〕13 위 [上]尾 wěi イ あし

[字解] ①갈대위 볏과에 속하는 다년초. 물가에서 나며, 자줏빛의 꽃이 핌. 줄기는 발·삿자리 등의 재료로 쓰임. '蘆—'. '葭—'. ②거룻배위 작은 배. '——航之'《詩經》. '縱——之所如'《蘇軾》.

[字源] 形聲. 艹(艸)+韋〔音〕

艸 9 〔葩〕13 파 [平]麻 pā ハ はな

[字解] ①꽃파 '披紅—之狎獵'《張衡》. ②화려할파 '—之訓華者, 艸木花也. 亦華麗也'《說文 段注》.

[字源] 形聲. 艹(艸)+皅〔音〕

艸 9 〔葫〕13 호 [平]虞 hú コ にんにく

[字解] ①마늘호 백합과에 속하는 다년생 재배초(栽培草). 잎·지하경(地下莖)을 조미료로 씀. '—爲大蒜'《本草》. ②호리병박호 조롱박. '—蘆'.

[字源] 形聲. 艹(艸)+胡〔音〕

艸 9 〔葬〕13 [高·人] 장 [去]漾 zàng ソウ ほうむる

筆順 ' ⺿ 苎 苑 菀 菀 葬 葬

字解 ①장사지낼장 ㉠시체를 땅에 묻음. '一之中野'《易經》. ㉡시체를 넣음. '一於江魚腹中'《楚辭》. ②장사장 전항(前項)의 명사. '助一必執紼'《禮記》.

字源 會意. 死＋茻＋一. '死사'는 '시체'의 뜻.

艸 9 〔葬〕 13 葬(前條)의 俗字

艸 9 〔葬〕 13 葬(前前條)과 同字

艸 9 〔葭〕 13 가 ㊥麻 | jiā カ あし

字解 ①갈대가 볏과에 속하는 다년초. 물가에 남. '一葦'. '彼茁者一'《詩經》. ②갈대피리가 갈대 잎을 말아 만든 피리. '鳴一戾朱宮'《謝靈運》.

字源 形聲. 艹(艸)＋叚〔音〕

艸 9 〔葯〕 13 ㊀약 ㊁入藥 | yuè, ③yào ヤク よろいぐさ
㊁적 ㊁入錫 | テキ まとう

字解 ㊀①어수리약, 어수리잎약 백지(白芷), 또, 그 잎. 약재로 씀. '辛夷楣兮一房'《楚辭》. ②약약 수꽃술의 끝에 붙은 주머니. 약포(葯胞). ③《現》약(藥)약. ㊁ 동일적 동여맴. '首一綠素'《潘岳》.

字源 形聲. 艹(艸)＋約〔音〕

艸 9 〔葰〕 13 ㊀수 ㊥支 | suī スイ しょうが
㊁준 ㊦震 | jùn シュン おおきい

字解 ㊀생강수 생강(生薑)의 일종. 새앙. '廉薑一也'《博雅》. ㊁ 클준 초목이 무성하여 큰 모양. '實葉一楙'《司馬相如》.

字源 形聲. 艹(艸)＋俊〔音〕

艸 9 〔葱〕 13 ㊀총 ㊥東 | cōng ソウ ねぎ
㊁창 ㊥江 | chuāng ソウ まど

字解 ㊀①파총 백합과에 속하는 숙근초(宿根草). 식용함. '指如削一根'《古詩》. ②푸를총 초목이 무성하여 푸릇푸릇한 모양. '鬱鬱一一'《後漢書》. ㊁짐수레창 짐을 싣는 수레. '載一靈'《左傳》.

字源 形聲. 艹(艸)＋怱〔音〕

參考 蔥(艸부 11획〈1178〉)은 本字.

艸 9 〔葳〕 13 위 ㊥微 | wēi イ あまどころ

字解 ①둥굴레위 '一蕤'는 백합과에 속하는 다년초. 지하경(地下莖)과 잎은 약용, 식용으로 함. 위유(萎蕤). ②우거질위 초목이 무성한 모양. '宿林葳之一蓁'《曹植》.

字源 形聲. 艹(艸)＋威〔音〕

艸 9 〔葵〕 13 人名 규 ㊥支 | kuí キ ふゆあおい

筆順 ' ⺿ 艹 苎 癶 葵 葵 葵

字解 ①아욱규 아욱과(科)에 속하는 일년초. 식용함. 동규(冬葵). '錦一'. ②해바라기규 엉거시과의 일년생 관상용(觀賞用) 식물. 향일화(向日花). '七月亨一及菽'《詩經》. ③헤아릴규 揆(手부 9획〈452〉)와 통용. '天子一之'《詩經》. ④성규 성(姓)의 하나.

字源 形聲. 艹(艸)＋癸〔音〕

艸 9 〔葷〕 13 훈 ㊥文 | hūn クン くさいな

字解 ①훈채훈 ㉠생강과 같이 매운 채소. '問夜膳一'《儀禮》. ㉡파와 같이 냄새가 나는 채소. '不在於食一'《荀子》. ②매울훈, 냄새날훈 '連一菜'《後漢書》. ③공훈 勳(力부 14획〈118〉)과 통용. '所獲一允之士'《漢書》.

字源 形聲. 艹(艸)＋軍〔音〕

艸 9 〔葸〕 13 사 ㊤紙 | xǐ シ つつしむ

字解 ①삼갈사 '一, 愼也'《廣雅》. ②두려워할사 외구(畏懼)함. 猥(犬부 9획〈756〉)와 뜻이 같음. '愼而無禮則一'《論語》.

字源 形聲. 艹(艸)＋思〔音〕

艸 9 〔葹〕 13 시 ㊥支 | shī シ おなもみ

字解 도꼬마리시 국화과에 속하는 일년초. 열매는 약용함. 권이(卷耳). '薋菉一以盈室兮'《楚辭》.

字源 形聲. 艹(艸)＋施〔音〕

艸 9 〔葺〕 13 즙 ①㊁入緝 | qì シュウ ふく
②③㊁入緝 | シュウ つくろう

字解 ①일즙 지붕을 임. '闢而一之, 庶斯樓之不朽也'《王禹偁》. ②기울즙 수선함. '一繕'. '繕完一牆'《左傳》. ③겹칠즙 포개어 짐. '一鱗鏤甲'《左思》.

字源 形聲. 艹(艸)＋咠〔音〕

艸 9 〔葽〕 13 요 ㊥蕭 | yāo ヨウ ひめはぎ
㊥蕭 | yāo

字解 ①애기풀요 원지과(遠志科)에 속하는 다년초. 뿌리는 보정 장양제(補精壯陽劑)로 쓰임. 원지. 영신초(靈神草). '四月秀一'《詩經》. ②우거질요 풀이 무성한 모양. '豐草一, 女蘿施'《漢書》.

字源 形聲. 艹(艸)＋要〔音〕

艸 9 〔萷〕 13 소 (平)肴 | xiāo ソウ·ショウ そぎたつ

字解 ①낙엽질소, 쓸쓸할소 잎이 떨어져 보기에 쓸쓸한 모양. '一櫹椮之可哀兮'《楚辭》. ②우뚝할소 나뭇가지가 삐죽이 솟은 모양.

艸 9 〔葧〕 13 발 (入)月 | bó ボツ しろよもぎ

字解 ①흰산쑥발 국화과의 다년초. 전체에 흰 솜털이 밀생(密生)함. '繁母, 蒡一也'《廣雅》. ②성할발 '蓊一'은 향기가 대단히 풍기는 모양. '路蓊一以揚氛'《柳宗元》.
字源 形聲. 艹(艸)+勃〔音〕

艸 9 〔萯〕 13 부 (去)遇 | fù フウ·ブ からすうり

字解 쥐참외부 '王一'는 박과(科)에 속하는 다년생 만초(蔓草). 왕과(王瓜). '一, 王一也'《說文》.
字源 形聲. 艹(艸)+負〔音〕

艸 9 〔葙〕 13 상 (平)陽 | xiāng ショウ のげいとう

字解 개맨드라미상 '青一'은 비름과에 속하는 일년초. 잎과 줄기가 모두 붉은빛을 띠며, 열매는 청상자(青葙子)라 하여 약재로 씀.
字源 形聲. 艹(艸)+相〔音〕

艸 9 〔葓〕 13 홍 (平)東 | hóng コウ おおけたで

字解 풀이름홍 수초(水草)의 하나. '造荻一竟數里, 以塞船路'《北史》. 葒(次條)과 同字.

艸 9 〔葒〕 13 홍 (平)東 | hóng コウ おおけたで

字解 털여뀌홍 '一草'는 마디풀과에 속하는 일년초. 담홍색의 꽃이 피며, 어린 잎은 식용함. '一, 馬蓼也'《廣韻》.
字源 形聲. 艹(艸)+紅〔音〕

艸 9 〔萴〕 13 즉 (入)職 | zè ショク とりかぶと

字解 부자(附子)즉 약초(藥草)의 한 가지. '一, 艸名. 說文, 烏喙也, 曰附子一歲者, 博雅, 附子, 一歲爲一子'《集韻》.
字源 形聲. 艹(艸)+則〔音〕

艸 9 〔萪〕 13 과 (平)歌 | kē カ くさのな

字解 ①풀이름과 '一, 艸名. 海蔥也'《集韻》. ②등나무과 등(藤)나무의 일종. '一, 一藤. 生海邊'《廣韻》.

艸 9 〔⿱艹侻〕 13 ㊀예 (去)霽 ㊁열 (入)屑 | ruì エイ くさがめざす / エツ くさがめざす

字解 ㊀①풀돋아날예 '鬱兮一茂'《左思》. ②작을예 '一, 小也'《廣雅》. ㊁풀돋아날열, 작을열 ㊀과 뜻이 같음.

艸 9 〔葟〕 13 황 (平)陽 | huáng コウ はな

字解 ①꽃황 '一, 華榮'《爾雅》. ②우거질황 '一一'은 초목이 우거진 모양. '一一, 茂也'《廣雅》. ③나물황 '一菜'는 야채의 이름. 달래 비슷한데, 물가에 남.

艸 9 〔萲〕 13 ㊀훤 ①(上)阮 ②③(平)元 ㊁원 (平)元 | xuān ケン いつわる / ケン わすれる / エン わすれる

字解 ㊀①속일훤 諼(言부 9획〈1343〉)과 同字. ②잊을훤 '一, 忘也'《爾雅》. ③원추리훤 萱(艸부 9획〈1156〉)과 同字. ㊁잊을원, 원추리원 ㊀❷❸과 뜻이 같음.

艸 9 〔葄〕 13 조 (去)遇 (平)虞 | zuǒ ソ くろくわい / ソ しく

字解 ①올방개조 '一, 艸名. 水芋也'《集韻》. ②깔조 '一, 籍也'《韻會》.

艸 9 〔葋〕 13 구 (平)虞 | qú ク きんま

字解 풀이름구 '一, 芏熒'《爾雅》.

艸 9 〔蓩〕 13 ㊀무 (去)宥 (上)有 ㊁모 (上)晧 | mào ボウ·モ こまかいくさがむらがりはえる / mào ボウ·モウ こまかいくさがむらがりはえる

字解 ㊀잔풀떨기질무 '一, 細艸叢生也'《說文》. ㊁잔풀떨기질모 ㊀과 뜻이 같음.
字源 形聲. 艹(艸)+敄〔音〕

艸 9 〔葞〕 13 미 (上)紙 | mī ビ·ミ ふなばらそう

字解 백미꽃미 '一, 春草'《爾雅》.

艸 9 〔葌〕 13 간 (平)刪 | jiān カン ふじばかま

字解 ①등골나무간 '一, 香艸也'《說文》. ②새간 菅(艸부 8획〈1148〉)과 통용.
字源 形聲. 艹(艸)+姦〔音〕

艸 9 〔葼〕 13 종 (平)東 | zōng ソウ こえだ

字解 ①가는나뭇가지종 '慈母之怒子也, 雖折一笞之, 其惠存焉'《揚子方言》. ②작을종 '一, 小也'《廣雅》. ③물들이는풀종 '一園供

染綠紋綬'《漢官儀》.
字源 形聲. 艹(艸)+夎〔音〕

艸9 〔蒯〕 13 괴 (去)卦 | kuǎi カイ あぶらがや
字解 기름사초(莎草)괴 蒯(艸부 10획〈1166〉)와 同字. '—, —艸也'《說文》.
字源 形聲. 艹(艸)+𠭥〔音〕

艸9 〔葐〕 13 분 (平)文 (平)元 | ①②fén フン·ブン きのさかんなさま ③pén ホン·ボン なついちご
字解 ①기운왕성할분 '—蒀'은 기운이 왕성한 모양. '鬱—蒀以翠微'《左思》. ②향기로울분 향기로움. ③고무딸기분 '覆—子'. 盆(皿부 4획〈831〉)과 통용. '—, 覆盆子. 本作盆'《正字通》.
字源 形聲. 艹(艸)+盆〔音〕

艸9 〔䓴〕 13 연 (上)銑 | ruǎn ゼン·ネン きくらげ
字解 목이버섯연 뽕나무나 말오줌나무 등의 죽은 나무에서 나는 식용 버섯. '—, 木耳也'《說文》.
字源 形聲. 艹(艸)+耎〔音〕

艸9 〔葂〕 13 면 (上)銑 | miǎn ベン じんめい
字解 사람이름면 莬(艸부 7획〈1146〉)과 통용. '蔣閭—見季徹'《莊子》.

艸9 〔葶〕 13 정 (平)青 (上)迥 | tíng テイ いぬなずな dǐng
字解 ①두루미냉이정 '—藶'은 꿀풀과의 다년초. 근경(根莖)은 감자 모양으로 식용함. ②취어초(醉魚草)정 '—薴'은 취어초과의 독초. '熊耳之山有草焉. 其狀如蘇而赤華. 名曰—薴. 可以毒魚'《山海經》.
字源 形聲. 艹(艸)+亭〔音〕

艸9 〔蓡〕 13 [一]삼 (平)侵 [二]점 (平)鹽 | shēn シン ちょうせんにんじん shān セン こも
字解 [一] 인삼(人蔘)삼 蔘(艸부 13획〈1189〉)과 同字. [二] 거적자리점 상사(喪事)에 쓰는 거적자리. 苫(艸부 5획〈1129〉)·蔘(艸부 13획〈1189〉)과 同字. '—, 猶苫也, 艸自藉也'《玉篇》.
字源 形聲. 艹(艸)+侵(㑴)〔音〕

艸9 〔葀〕 13 괄 (入)曷 | kuò カツ くさのな
字解 ①상서로운풀괄 '莪—'은 서초(瑞草)의 이름. '—, 莪—, 瑞艸'《集韻》. ②박하괄 '莪—'은 박하(薄荷)의 별명.

艸9 〔蕩〕 13 [一]창 (平)陽 [二]양 (平)陽 [三]탕 (平)陽 (上)養 | チョウ やまごぼう ヨウ やまごぼう tāng トウ やまごぼう dàng トウ しまりがない
字解 [一] 자리공창 상륙(商陸). 薚(艸부 13획〈1191〉)과 同字. '薚, 蓫薚, 馬尾. —, 上同'《廣韻》. [二] 자리공양 ■一과 뜻이 같음. [三] ①자리공탕 ■一과 뜻이 같음. ②방종할탕 '儻—'은 방종(放縱)함. '陳湯儻—, 不自收斂'《漢書》.
字源 形聲. 艹(艸)+昜〔音〕

艸9 〔萺〕 13 [一]목 (入)沃 (入)屋 [二]모 (去)號 | mào ボク·モク くさのな ボク·モク やさいのな mù ボウ くさのな
字解 [一] ①풀이름목 '—, 艸也'《說文》. ②풀이땅덮을목 '—, 艸覆地貌'《正字通》. ③나물이름목 '—蓿'은 야채(野菜)의 이름. '—, —蓿, 菜'《廣韻》. ④거여목목 '—蓿'은 거여목. 苜(艸부 5획〈1129〉)과 同字. '苜, 苜蓿, 艸名, 或从冒'《集韻》. [二] 풀이름모, 풀이땅덮을모 ■一❶❷와 뜻이 같음.
字源 形聲. 艹(艸)+冒〔音〕

艸9 〔蓖〕 13 비 (平)支 (平)齊 | pí ヒ かわらよもぎ bì ヘイ かわらよもぎ
字解 ①사철쑥비 '—, 蒿也'《說文》. ②아주까리비 '—, 一曰, —麻'《集韻》.
字源 形聲. 艹(艸)+毗〔音〕

艸9 〔菡〕 13 시 (上)紙 | shǐ シ くそ
字解 똥시 대변. 屎(尸부 6획〈298〉)와 同字. '—, 糞也'《說文》.
字源 會意. 艹(艸)+胃〈省〉

艸9 〔蒏〕 13 [一]유 (去)宥 [二]욱 (入)屋 | yòu ユウ くさのな イク くさのな
字解 [一] ①풀이름유 䕛(艸부 21획〈1212〉)와 同字. '䕛, 說文, 艸也. 或作—'《集韻》. ②동산유 뜰. '—, 一說, 與囿通'《正字通》. [二]풀이름욱, 동산욱 ■一과 뜻이 같음.
字源 形聲. 篆文은 艹(艸)+䕛〔音〕

艸9 〔萮〕 13 [一]유 ①(上)麌 ②(平)虞 ③(去)遇 [二]투 (平)尤 | yǔ ユ きくらげ yú ユ はな yù ユ くさのな トウ くさのな
字解 [一] ①목이버섯유 '—茈'는 목이(木耳) 버섯. '—, —茈, 木耳'《集韻》. ②꽃유 '蒀—'는 꽃의 모양. '—, 蒀—, 花皃'《廣韻》. ③풀이름유 '—, 艸名'《集韻》. [二] 풀이름투 ■一❸과 뜻이 같음.

艸 9 〔葇〕13 유 ㊣尤 | róu ジュウ なぎなたこうじゅ
字解 노야기유 '香―'는 노야기. 채소 이름. '香―, 菜名'《集韻》.
字源 形聲. ++(艸)+柔〔音〕

艸 9 〔葈〕13 사 ㊤紙 | xǐ シ おなもみ
字解 ①도꼬마리사 '―耳'는 도꼬마리. 과실은 창이자(蒼耳子)라 하여 약재로 씀. '位賤尙―. (注)―者, ―耳, 菜名也, 幽冀謂之檀菜, 雒下謂之胡―'《淮南子》. ②모시풀사 枲(木부 5획〈539〉)의 俗字.
字源 形聲. ++(艸)+枲〔音〕

艸 9 〔葴〕13 ㊀침 ㊣侵 ㊁함 ㊣咸 ㊂겸 ㊣鹽 | zhēn シン りゅうきゅうあい xián カン りゅうきゅうあい qián ケン じんめい
字解 ㊀①쪽풀침 산쪽풀. 마람(馬藍). '―, 馬藍也'《說文》. ②꽈리침 산장(酸漿). '今酸將草. 江東呼曰苦―'《爾雅 注》. ㊁쪽풀함, 꽈리함 ㊀과 뜻이 같음. ㊂사람이름겸 鍼(金부 9획〈1572〉)과 同字. '鍼, 人名. 春秋傳, 秦有鍼虎. 或作―'《集韻》.
字源 形聲. ++(艸)+咸〔音〕

艸 9 〔萭〕13 ㊀우 ㊤麌 ㊁구 ㊣虞 | yǔ ウ くさのな jǔ ク しゃりんのゆがみをただすどうぐ
字解 ㊀풀이름우 '―, 艸也'《說文》. ㊁수레바퀴바로잡는연장구 또, 이 연장에 바퀴를 걸어서 바로잡음. 禹(内부 4획〈895〉)·矩(矢부 5획〈863〉)과 同字. '―, 所以正車輪者'《集韻》.
字源 形聲. ++(艸)+禹〔音〕

艸 9 〔葖〕13 돌 ㊀月 | tū トツ だいこん
字解 무돌 뿌리를 먹는 채소의 일종. '―, 蘆葩'《爾雅》.
字源 形聲. ++(艸)+突〔音〕

艸 9 〔葮〕13 단 ㊦翰 | duàn タン·ダン むくげ
字解 무궁화단 목근(木槿). 椴(木부 9획〈563〉)과 同字.
字源 形聲. ++(艸)+段〔音〕

艸 9 〔葻〕13 람 ㊣覃 | lán ラン くさがかぜになびく
字解 풀이바람에쓸릴람 '―, 艸得風皃'《說文》.
字源 形聲. ++(艸)+風〔音〕

艸 9 〔葥〕13 전 ①②㊦霰 ③㊣先 | jiàn セン ながばもみじいちご セン おおばこ
字解 ①수리딸기전 '―, 山莓'《爾雅》. ②애싸리전 줄기로 비를 만들고, 열매는 약용(藥用)으로 함. '―, 王蔧'《爾雅》. ③질경이전 '車―'은 질경이. '―, 車―, 藥艸'《集韻》.
字源 形聲. ++(艸)+歬(前)〔音〕

艸 9 〔蒁〕13 ㊀술 ㊀質 ㊁율 ㊀質 ㊂률 ㊀質 | shù シュツ がじゅつ イツ がじゅつ リツ がじゅつ
字解 ㊀봉아술술 생강과의 다년초. 근경(根莖)은 건위약(健胃藥)이 됨. '―, 艸也'《說文》. ㊁봉아술율 ㊀과 뜻이 같음. ㊂봉아술률 ㊀과 뜻이 같음.
字源 形聲. ++(艸)+述〔音〕

艸 9 〔葪〕13 ㊀랄 ㊀曷 ㊁뢰 ㊦泰 | ラツ かわらよもぎ lài ライ かわらよもぎ
字解 ㊀사철쑥랄 '―, ―蒿'《廣韻》. ㊁다북쑥뢰 藾(艸부 16획〈1202〉)와 同字. '藾, 藾蒿. ―, 上同'《廣韻》.

艸 9 〔蘞〕13 련 ㊦霰 | liàn レン かがみぐさ
字解 ①가위톱련 '―, 白蘞也'《玉篇》. ②퍼렁게우거질련 '芊―'은 퍼렇게 우거진 모양. '涯灌芊―'《郭璞》.

艸 9 〔菿〕13 ㊀치 ㊦寘 ㊁도 ㊦號 | チ くさがおおきい dào
字解 ㊀풀클치 '―, 艸大也'《說文》. ㊁菿(艸부 8획〈1155〉)의 譌字.
字源 形聲. ++(艸)+致〔音〕

艸 9 〔葝〕13 경 ㊣庚 ㊦敬 | qíng ケイ やまにら ケイ あきのたむらそう
字解 ①산부추경 '―, 山䪥'《爾雅》. ②둥근뱀차조기경 '―, 鼠尾'《爾雅》.

艸 9 〔葝〕13 葝(前條)과 同字

艸 9 〔葃〕13 ㊀작 ㊀藥 ㊁적 ㊀陌 | zuǒ サク くわい zé セキ くさをくう
字解 ㊀①쇠귀나물작 '―菇, 鳥芋也'《廣雅》. ②풀먹을작 '―, 茹草'《廣韻》. ㊁①풀먹을적 ㊀②와 뜻이 같음. ②나물이름적 '―, 菜名'《集韻》.

艸 9 〔葚〕13 시 ㊣支 | chí シ ちも

[字解] 지모시 '一母'는 풀이름. 지모(知母). '一, 一母, 卽知母也'《廣韻》.
[字源] 形聲. 艹(艸)＋是〔音〕

艸 9 〔葅〕13 〔저〕
菹(艸부 8획〈1151〉)와 同字

艸 9 〔葊〕13 〔암〕
菴(艸부 8획〈1150〉)의 古字

艸 9 〔葘〕13 〔치〕
菑(艸부 8획〈1148〉)의 本字

艸 9 〔[illegible]〕13 〔천〕
茜(艸부 6획〈1133〉)의 本字

艸 9 〔葢〕13 〔개〕
蓋(艸부 10획〈1167〉)의 本字

艸 9 〔蒂〕13 〔체〕
蔕(艸부 11획〈1174〉)와 同字

艸 9 〔[illegible]〕13 〔행〕
荇(艸부 6획〈1136〉)과 同字

艸 9 〔葪〕13
[一] 薊(艸부 13획〈1188〉)의 俗字
[二] 芥(艸부 4획〈1123〉)와 同字

艸 9 〔蒀〕13 〔온〕
蒕(艸부 10획〈1168〉)과 同字

艸 9 〔蒃〕13 〔전〕
篆(竹부 9획〈945〉)과 同字

艸 9 〔蓱〕13 〔평〕
[illegible](艸부 11획〈1173〉)의 俗字

艸 9 〔营〕13 〔영〕
營(火부 13획〈727〉)의 俗字

〔韮〕 〔구〕
韭부 4획(1679)을 보라.

艸 10 〔蒐〕14 수 [平]尤 | sōu シュウ あつめる

[字解] ①모을수 모아들임. '一集'. '一, 聚也'《爾雅》. ②사냥수 봄의 수렵. '春一夏苗'《左傳》. ③숨길수 은닉함. '服讒一慝'《左傳》. ④꼭두서니수 꼭두서닛과에 속하는 다년생 만초(蔓草). '釐山, 其陰多一. 〈注〉茅一, 今之蒨也'《山海經》.
[字源] 會意. 艹(艸)＋鬼〔音〕

艸 10 〔蒔〕14 시 ①[去]寘 ②[平]支 | shì シ うえる / shí シ ひめういきょう

[字解] ①모종할시 이식(移植)함. '一植'. '一樹一根, 以旌戰功'《晉書》. ②소회향(小茴香)시 '一蘿'는 회향(茴香)의 한 가지. 한약재(漢藥材)로 씀.
[字源] 形聲. 艹(艸)＋時〔音〕

艸 10 〔蒙〕14 [高·人] 몽 [平]東 | méng, měng モウ さるおがせ, こうむる

[筆順] 丶 艹 芦 苎 苧 蒙 蒙 蒙

[字解] ①소나무겨우살이몽 사상(絲狀) 지의류(地衣類)의 일종. 줄기가 분명하고 길게 늘어짐. 여라(女蘿). 송라(松蘿). '一伐有苑'《詩經》. ②입을몽 ㉠옷을 입음. '閒一甲胄'《國語》. ㉡은혜를 입음. '一惠'. '一國恩'《李密》. ③받을몽 주는 것을 가짐. '一利'. '今日所一, 稽古之力也'《後漢書》. ④쓸몽 머리 위에 얹음. '一塵'. '一世俗之塵埃乎'《楚辭》. ⑤덮을몽, 쌀몽 덮어 가림. '以幕一之'《左傳》. 또, 덮어 가린 것. '發一'《漢書》. ⑥속일몽 기만함. '上下相一'《左傳》. ⑦무릅쓸몽 어려운 일을 견디어 냄. '一死而存之'《漢書》. ⑧어두울몽 ㉠밝지 아니함. '冥一'. '一以養正, 聖功也'《易經》. ㉡우매함. '愚一'. '一昧'. ⑨어릴몽 나이가 어림. 또, 어린이. '童一'. ⑩저몽 자기의 겸칭(謙稱). '一竊惑焉'《張衡》. ⑪괘이름몽 육십사괘(六十四卦)의 하나. 곧, ䷃〈감하(坎下), 간상(艮上)〉. 사물의 최초이어서 아직 환하지 아니한 상(象). ⑫몽고몽 몽고(蒙古)의 약칭. '滿一'. ⑬성몽 성(姓)의 하나.
[字源] 形聲. 艹(艸)＋冡〔音〕

艸 10 〔蒜〕14 산 (선[俗]) [去]翰 | suàn サン のびる

[字解] 달래산, 마늘산 소산(小蒜). 또, 대산(大蒜). 백합과에 속하는 냄새가 강한 재배 식물. 식용함. '遺以生一'《高士傳》. ※俗音 선.
[字源] 形聲. 艹(艸)＋祘〔音〕

艸 10 〔蒟〕14 구 [上]麌 | jǔ ク こんにゃく

[字解] 구약나물구 '一蒻'은 천남성과(天南星科)에 속하는 다년초. 여름에 자줏빛을 띤 갈색의 꽃이 핌. 구경(球莖)으로 곤약(菎蒻)을 만듦. '出白一蒻, 亦曰鬼芋'《本草》.
[字源] 形聲. 艹(艸)＋竘〔音〕

艸 10 〔蒡〕14 방 [上]養 | bàng ホウ ごぼう

[字解] 우엉방 '牛一'은 국화과에 속하는 이년초. 뿌리는 식용함.

[字源] 形聲. 艹(艸)＋旁〔音〕

艸 10 〔蒨〕 14 천 [去]霰 | qiàn セン あかね

[字解] ①꼭두서니천 茜(艸부 6획〈1133〉)과 同字. ②우거질천 풀이 무성한 모양. '夏曄冬一'《左思》. ③선명할천 '一, 鮮明貌'《正字通》. ④성천 성(姓)의 하나.

[字源] 形聲. 艹(艸)＋倩〔音〕

艸 10 〔蒩〕 14 조 [平]魚 | zū ソ·ショ こも

[字解] ①거적조 제사 때 까는 거친 자리. '一, 茅藉也'《說文》. ②김치조 '共茅一'《周禮》.

[字源] 形聲. 艹(艸)＋租〔音〕

艸 10 〔蒯〕 14 괴 [去]卦 | kuǎi, kuài カイ あぶらがや

[字解] 기름사초괴 사초과(科)에 속하는 큰 다년초. 줄기의 섬유로 자리 따위를 만듦. '一席'. '雖有絲麻, 無棄菅一'《左傳》.

[字源] 會意. 刂(刀)＋萠

艸 10 〔蒱〕 14 포 [平]虞 | pú ホ ばくち

[字解] ①노름포 재물을 태워 놓고 승부를 다투는 장난. '樗一者, 牧豬奴戲耳'《晉書》. ②부들포 蒲(次條)와 통용. '柔從若一葦'《荀子》.

[字源] 形聲. 艹(艸)＋捕〔音〕

艸 10 〔蒲〕 14 포 [平]虞 | pú ホ·ブ·フ がま

[字解] ①부들포 부들과에 속하는 다년초. 못·늪 같은 데 저절로 남. 줄기와 잎으로 자리를 만듦. '菰一'. '維筍及一'《詩經》. ②부들자리포 부들 잎으로 엮은 자리. '妾織一'《孔子家語》. ③냇버들포 버드나뭇과에 속하는 낙엽 관목(落葉灌木). '一柳'. '揚之水不流束一'《詩經》. ④초가포 풀로 지붕을 인 둥근 집. '草圓屋曰一'《釋名》. ⑤노름포 蒱(前條)와 통용. '好此樗一'《馬融》. ⑥길포 匍(勹부 7획〈120〉)와 통용. '俛出袴下一伏'《史記》. ⑦성포 성(姓)의 하나.

[字源] 形聲. 艹(艸)＋浦〔音〕

艸 10 〔葵〕 14 ㊀ 계(혜[本]) [去]霽 | xì ケイ くつのひも
㊁ 해(혜[本]) [平]齊 | xī ケイ ふき

[筆順] 丶 艹 艹 艹 芉 荾 葵 葵

[字解] ㊀①들메끈계 신을 들메는 끈. '一斷以芒接之'《南史》. ②깔창계 신 속에 까는 창. '一, 屧一'《廣韻》. ※本音 혜. ㊁머위해 '蘩, 菟一'《爾雅》. ※本音 혜.

艸 10 〔蒸〕 14 [高·人] 증 [平]蒸 | zhēng ジョウ おおい, むす

[筆順] 丶 艹 艹 艺 芛 荥 菉 蒸

[字解] ①많을증 중다(衆多)함. '天生一民'《孟子》. ②백성증 국민. '覺悟黎一'《司馬相如》. ③찔증 ㉠수증기 따위의 김이 올라감. '一發'. '氣觸石而結一'《潘尼》. ㉡김을 쐬어서 익힘. '一溜'. '穀未舂一日粟'《論衡》. ④삼대증 껍질을 벗겨 낸 삼 줄기. ⑤섶나무증 가는 섶나무. '以薪以一'《詩經》. ⑥제사이름증 烝(火부 6획〈712〉)과 통용. '冬祭曰一'《爾雅》.

[字源] 形聲. 艹(艸)＋烝〔音〕

艸 10 〔蒹〕 14 겸 [平]鹽 | jiān ケン おぎ

[字解] 물억새겸 볏과에 속하는 다년초. 이삭이 팬 것을 '萑', 아직 이삭이 패지 않은 것을 '蒹'이라 함. '一葭蒼蒼'《詩經》.

[字源] 形聲. 艹(艸)＋兼〔音〕

艸 10 〔蒺〕 14 질 [入]質 | jí シツ はまびし

[字解] ①남가새질 '一藜'은 남가샛과에 속하는 일이년초. 열매는 단단하고 억센 가시가 있음. 뿌리와 씨는 약재로 씀. 남가새. '據于一藜'《易經》. ②마름쇠질 '一藜'는 적(敵)을 막기 위하여 흩어 두는 마름 모양의 무쇠 덩이. 마름쇠. 철질려(鐵蒺藜). '愴愴履霜, 中多一藜'《古詩》.

[字源] 形聲. 艹(艸)＋疾〔音〕

艸 10 〔蒻〕 14 약 [入]藥 | ruò ジャク こんにゃく

[字解] 구약나물약 그 구경(球莖)으로 식품을 만듦. 蒟(艸부 10획〈1165〉)를 보라.

[字源] 形聲. 艹(艸)＋弱〔音〕

艸 10 〔蓖〕 14 피(비[本]) [平]齊 | bì ヒ とうごま

[字解] 아주까리피 대극과에 속하는 일년초. 씨로는 기름을 짬. 피마자. '一麻'. ※本音 비.

[字源] 形聲. 艹(艸)＋皀(毗)〔音〕

艸 10 〔蒼〕 14 [高·人] 창 [平]陽 [上]養 | ①-⑥cāng ソウ あおい
⑦⑧cǎng ソウ くさきのあおあおとしているさま

[筆順] 丶 艹 艹 芢 苍 荅 蒼 蒼

[字解] ①푸를창, 푸른빛창 짙은 푸른빛. '一色'. '悠悠一天'《詩經》. ②우거질창 무성

하게 자람. '至于海隅一生'《書經》. ③허둥지둥할창 어찌할 겨를이 없을 만큼 매우 급함. '一惶'. '一卒犇逼'《唐書》. ④늙을창 연로함. '老一'. '一顔白髮'《歐陽修》. ⑤어슴푸레할창 어둑어둑한 모양. '一然暮色'《柳宗元》. ⑥성창 성(姓)의 하나. ⑦초목푸를창 교외(郊外)의 빛깔. '莽一'. '一, 莽一'《廣韻》. '一, 一曰, 近郊之色'《集韻》. ⑧아득할창 넓고 멂. '一莽'.
[字源] 形聲. 艹(艸)＋倉〔音〕

艸10 〔蒿〕 14 호 [平]豪 | hāo コウ よもぎ
[字解] ①쑥호 국화과에 속하는 다년초. 어린 잎은 식용함. '食野之一'《詩經》. ②김오를호 수증기가 올라가는 모양. '焄一悽愴'《禮記》. ③고달플호 피로함. '使民一焉'《國語》. ④성호 성(姓)의 하나.
[字源] 形聲. 艹(艸)＋高〔音〕

艸10 〔蓀〕 14 손 [平]元 | sūn ソン かおりぐさ
[字解] ①향초손 '數惟一之多怒兮'《楚辭》. ②창포손 창포과에 속하는 다년초. 못가나 습지에 나며, 향기가 좋음. '溪一'. '蘭茝一蕙之芳'《曹植》.
[字源] 形聲. 艹(艸)＋孫〔音〕

艸10 〔蓁〕 14 진 [平]眞 | zhēn, qīn シン むらがりはえる
[字解] ①숲진 초목이 더부룩이 우거진 곳. '傲世逃深一'《晁補之》. ②우거질진 무성한 모양. '其葉一一'《詩經》.
[字源] 形聲. 艹(艸)＋秦〔音〕

艸10 〔蓂〕 14 명 [平]青 | míng メイ めいきょう
[字解] 명협명 '一莢'은 요(堯)임금 때 조정의 뜰에 난 서초(瑞草)의 이름. '一莢朱草'《漢書》.
[字源] 形聲. 艹(艸)＋冥〔音〕

艸10 〔蓄〕 14 [高·人] 축 [入]屋 | xù チク つむ, つもる
[筆順] 丨 十 艹 苎 芸 蓄 蓄 蓄
[字解] ①쌓을축, 쌓일축 쌓아 모음. '一財'. '公來始購一'《蘇軾》. ②모을축 모이게 함. '君子以容民一衆'《易經》. ③감출축 간직함. '一怨'. '心一之'《柳宗元》. ④기를축 양성함. 자라게 함. '一髮'. '一力一紀'《國語》. ⑤둘축 첩·하인 등을 집에 둠. '一妾'. '妻悍不得一媵妾'《後漢書》. ⑥저축축 쌓아 모은 것. '無私貨, 無私一'《禮記》. ⑦성축 성(姓)의 하나.
[字源] 形聲. 艹(艸)＋畜〔音〕

艸10 〔蓆〕 14 석 [入]陌 | xí セキ おおきい
[字解] ①클석 광대함. '緇衣之一兮'《詩經》. ②자리석 席(巾부 7획〈333〉)과 통용. '坐以文綺之一'《六韜》.
[字源] 形聲. 艹(艸)＋席〔音〕

艸10 〔蓉〕 14 [人名] 용 [平]冬 | róng ヨウ ふよう
[筆順] 丨 十 艹 艹 芢 荧 荧 蓉
[字解] 부용용 芙(艸부 4획〈1122〉)를 보라. '芙一'은 연꽃.
[字源] 形聲. 艹(艸)＋容〔音〕

艸10 〔蓊〕 14 옹 ①[平]東 | wěng オウ とう
②[上]董 | オウ しげる
[字解] ①장다리옹 잔잎이 총생(叢生)하는 꽃줄기. '一, 薹也'《廣雅》. ②우거질옹 초목이 무성한 모양. '鬱一薆薱'《張衡》.
[字源] 形聲. 艹(艸)＋翁〔音〕

艸10 〔蓋〕 14 [高·人] [一] 개 [去]泰 | gài ガイ おおう
[二] 합 [入]合 | hé コウ なんぞ
[筆順] 丨 十 艹 芏 荳 蕫 蓋 蓋
[字解] [一] ①덮을개 ㉠덮어씌움. '一世'. '其高無一'《關尹子》. ㉡가림. 숨김. '爾尙一前人之愆'《書經》. ②숭상할개 존숭함. '一威以好勝'《國語》. ③뚜껑개, 덮개개 '器則執一'《禮記》. '發一'《禮記》. ④일산개 수레 위에 세우는 일산(日傘). '車一'. '傾一'. '爲一以象天'《周禮》. ⑤하늘개 상천(上天). '一壤'. ⑥대개개 ㉠추측·상상하는 말. '一上世嘗有不葬其親者'《孟子》. ㉡완곡하게 하는 말. '屈平之作離騷, 一自怨生也'《史記》. ㉢발어사(發語詞). '一自天降生民'《朱熹》. ⑦어찌개 어찌하여서. '一可忽乎哉'《戰國策》. ⑧성개 성(姓)의 하나. [二] 어찌아니할합 어찌 …하지 않느냐. 盍(皿부 5획〈832〉)과 통용. '子一言子之志于公乎'《禮記》.
[字源] 形聲. 艹(艸)＋盇(盍)〔音〕
[參考] 葢(艸부 9획〈1165〉)는 本字.

艸10 〔蓌〕 14 좌 [去]箇 | cuò サ いつわる
[字解] ①속일좌 기만함. 속임. 거짓 예배함. 夎(夊부 7획〈228〉)와 同字. '一, 詐拜也'《集韻》. ②웅크릴좌 '介者不拜, 爲其拜而一拜'《禮記》.

艸10 〔蓍〕 14 시 [平]支 | shī シ めどぎ
[字解] 톱풀시 '一草'는 국화과에 속하는 다년초. 식용·약용함. 줄기는 점치는 데 씀.

가새풀. '浸彼苞一'《詩經》.
[字源] 形聲. 艹(艸)+耆〔音〕

艸 10 〔蓏〕 14 라 [上]哿 | luǒ ラ うり
[字解] 풀열매라 초본(草本) 식물에서 여는 열매. 나무의 열매는 '果'라 함. '果一'. '木實曰果, 艸實曰一'《急就篇》.
[字源] 會意. 艹(艸)+㼌

艸 10 〔蓐〕 14 욕 [入]沃 | rù ジョク しとね
[字解] ①깔개욕 요·자리 등 까는 물건의 총칭. 褥(衣부 10획〈1282〉)과 同字. '茵一'. '臥一'. '食器席一'《漢書》. ②깃욕 외양간·마구간 등에 깔아 주는 짚이나 풀. '除一釁廄'《周禮》. ③섶욕 잠족(蠶蔟). '艸部曰, 蔟, 行蠶一也'《說文 段注》. ④성욕 성(姓)의 하나.
[字源] 形聲. 艹(艸)+辱〔音〕

艸 10 〔蓑〕 14 [一]사 [平]歌 | suō サ みの
[二]쇠 [平]灰 | suī サイ はがかれしおれる
[字解] [一]①도롱이사 띠·짚 따위로 엮어 만든 우장. '一笠'. '何一何笠'《詩經》. ②덮을사 덮어 가림. '不一城也'《公羊傳》. [二]①잎시들쇠 '一, 艸木葉萎皃'《集韻》. ②꽃술늘어질쇠 꽃술이 늘어진 모양. '華蘂之一'《張衡》.
[字源] 形聲. 艹(艸)+衰〔音〕

艸 10 〔蒴〕 14 삭 [入]覺 | shuò サク そくず
[字解] 삭조(蒴藋)삭 '一藋'는 인동과(忍冬科)의 다년초. 잎은 음건(陰乾)하여 약재로 씀. '陸英一藋'《宋史》.
[字源] 形聲. 艹(艸)+朔〔音〕

艸 10 〔蓓〕 14 배 [上]賄 | bèi バイ くさのな
[字解] ①풀이름배 '一, 黃一, 草'《廣韻》. ②꽃봉오리배 '一蕾'. '細一繁英次第開'《韓愈》.
[字源] 形聲. 艹(艸)+倍〔音〕

艸 10 〔蒒〕 14 사 [平]支 | shī シ こうぼうむぎ
[字解] ①보리사초사 해변의 모래땅에 나는 다년초. '一, 艸名. 一曰自然穀'《集韻》. ②성사 성(姓)의 하나.

艸 10 〔蒠〕 14식 [入]職 | xīショク·ソク やさいのな
[字解] 나물식 순무의 한 종류로, 습한 땅에 나며, 꽃은 자적색(紫赤色), 뿌리·잎은 식용(食用)함. '菲, 一菜'《爾雅》.

艸 10 〔蒢〕 14 제 [平]魚 | chú チョ·ジョ いぬほおずき
[字解] ①까마종이제 '一, 黃一, 職也'《說文》. ②오이풀제 지유(地楡). '抽一, 地楡也'《廣雅》. ③풀이름제 '一, 草名. 可染'《廣韻》. ④알랑거릴제 '蘧一'는 말주변이 좋음, 알랑거림. '舅氏蘧一. 〈注〉師古曰, 蘧一, 口柔'《漢書》. ⑤땅이름제 '渠一'는 땅 이름. 춘추시대(春秋時代)에 송(宋)나라의 땅. '齊侯 衞侯, 次于渠一'《春秋》.
[字源] 形聲. 艹(艸)+除〔音〕

艸 10 〔蒘〕 14 [一]여 [平]魚 | rú ジョ やぶじらみ
[二]나 [平]麻 | ダ·ナ やぶじらみ
[字解] [一]①사상자여 '蔛一'는 사상자(蛇床子). 미나릿과(科)의 2년초. '蔛一, 竊衣'《爾雅》. ②풀이름여 '蒣一'는 풀이름. '一, 蒣一, 草名'《廣韻》. [二]사상자나, 풀이름나 [一]과 뜻이 같음.

艸 10 〔⿰女⿱艹尨〕 14 [一]망 [平]江 | máng ボウ·モウ くさのな
[二]학 [入]覺 | hè カク なく
[字解] [一] 풀이름망 '一, 艸名'《集韻》. [二] 울학, 돼지우는소리학 '封豨一'《左思》.

艸 10 〔蒶〕 14 분 [平]文 | fén フン つもる
[字解] 쌓일분 '一藴'은 쌓이는 모양. '一藴兮黴黧'《王褒》.

艸 10 〔蒮〕 14 육 [入]屋 | yù イク やまにら
[字解] ①산부추육. ②앵두나무육 薁(艸부 13획〈1188〉)과 통용. '食鬱及一'《詩經》.
[字源] 形聲. 艹(艸)+隺〔音〕

艸 10 〔蒤〕 14 도 [平]虞 | tú ト いたどり
[字解] ①감제풀도 마디풀과에 속하는 다년초. 뿌리는 약재. 고장(苦杖). 호장(虎杖). ②잡초도 '一, 委草'《爾雅》.

艸 10 〔蒑〕 14 은 [平]文 | yīn イン あおい
[字解] ①풀빛푸를은 '採英懷中, 飄飄其一'《徐孚遠》. ②채소이름은 '一, 菜名'《集韻》.

艸 10 〔蒀〕 14 온 [平]文 | yūn ウン きのさかんなさま
[字解] ①기운왕성할온 기운이 왕성한 모양. '蒕一'. '鬱蒕一以翠微'《左思》. ②향기로울온 향기로운 모양.

艸10 〔蓈〕14 랑 ㊥陽 | láng ロウ いぬあわ

字解 쭉정이랑 '童—'·'董—'은 벼나 조알이 여물지 않은 것. 또, 강아지풀. '禾粟之莠, 生而不成者, 謂之童—'《說文》.
字源 形聲. ++(艸)+郎〔音〕

艸10 〔蒗〕14 랑 ㊦漾 | làng ロウ うんがのな

字解 도랑이름랑 '—蕩'은 수로(水路)의 이름. '東過滎陽縣北, —蕩渠出焉'《水經 注》.

艸10 〔蒧〕14 점 ㊤琰 | diǎn テン くさのな

字解 ①풀이름점 '—, 艸名'《字彙》. ②사람이름점 '—, 闕. 人名. 夫子弟子曾—'《集韻》.
字源 形聲. ++(艸)+戊+占〔音〕

艸10 〔蒳〕14 납 ㊣合 | nà ドウ·ノウ かおりのな

字解 ①향이름납 '艾—'은 향의 이름. 또, 소나무 껍질에 돋는 이끼. ②나무이름납 열매가 빈랑(檳榔) 비슷한 나무. '草則藿—豆蔻'《左思》.
字源 形聲. ++(艸)+納〔音〕

艸10 〔蒫〕14 차 ㊥歌 ㊥麻 | cuō サ なずなのみ | シャ なずなのみ

字解 냉이씨차 제채(薺菜)의 씨. '—, 薺實'《爾雅》.

艸10 〔蒩〕14 ㊀주 ㊥尤 ㊁조 ㊥豪 | qiú シュウ さけのかす | zāo ソウ さけのかす

字解 ㊀지게미주 술을 거르고 난 찌끼. '—, 酒滓也, 鄭司農曰, 稻醴清—'《集韻》. ㊁지게미조 糟(米부 11획〈975〉)와 同字.

艸10 〔蒚〕14 ㊀력 ㊣錫 ㊁핵 ㊣陌 | lì レキ がまのくき | カク がまのくき

字解 ㊀①부들꽃력, 부들줄기력 '—, 蒲臺頭名'《廣韻》. ②달래력 '—, 山蒜'《爾雅》. ㊁부들꽃핵, 부들줄기핵, 달래핵 ㊀과 뜻이 같음.
字源 形聲. ++(艸)+鬲〔音〕

艸10 〔蕕〕14 유 ㊥尤 ㊤有 | yóu ユウ かりがねそう

字解 누린내풀유 '—, 艸名'《集韻》.
字源 形聲. ++(艸)+卣〔音〕

艸10 〔蒝〕14 ㊀원 ㊥元 ㊁천 ㊦霰 ㊂환 ㊥寒 | yuán ゲン しく | セン くさきのさま | huán カン くさのな

字解 ㊀①초목모양원 '—, 艸木形'《說文》. ②줄기잎퍼질원 '—, 莖葉布也'《廣韻》. ㊁①초목모양천 '—, 艸木皃'《集韻》. ②풀이름천 '—, 艸名'《集韻》. ㊂풀이름환 ㊁②와 뜻이 같음.
字源 形聲. ++(艸)+原〔音〕

艸10 〔蒈〕14 ㊀기 ㊤尾 ㊁개 ㊦隊 ㊂애 ㊥灰 | qǐ キ やさいのな | カイ やさいのな | ガイ ほしな

字解 ㊀①상추기 '—, 菜之美者, 雲蒙之—'《說文》. ②미나리기. ㊁상추개, 미나리개 ㊀과 뜻이 같음. ㊂건채애 말린 나물 '—, 乾菜'《集韻》.
字源 形聲. ++(艸)+豈〔音〕

艸10 〔蓇〕14 골 ㊣月 | gū コツ くさのな

字解 풀이름골 '—蓉'은 파총(嶓冢)의 산에 난다는 풀. 꽃이 검고 열매가 맺지 않는데, 먹으면 아이를 낳지 못한다고 함. '—, 不實草'《廣韻》.

艸10 〔蒛〕14 결 ㊣屑 | quē ケツ とっくりいちご

字解 고무딸기결 복분자(覆盆子) 딸기. '—, —盆, 卽覆盆子'《正字通》.

艸10 〔蒚〕14 력 ㊣錫 | lì レキ まばら

字解 성길력 초목(草木) 등이 듬성듬성 성긴 모양. '恆有—髮'《北史》.

艸10 〔蒦〕14 ㊀약 ㊣藥 ㊁획 ㊣陌 ㊂곽 ㊣藥 | huò ワク はかる | カク はかる | wò ワク くさのな | カク にぎる

字解 ㊀①잴약 손가락으로 길이를 잼. '—, 規—, 商也'《說文》. ②자약 길이를 재는 제구. '尺者, —也'《漢書》. ③두리번거릴약 '—, —曰視遽皃'《說文》. ㊁①잴획, 자획, 두리번거릴획 ㊀과 뜻이 같음. ②풀이름획 '—, 艸名'《集韻》. ㊂잡을곽 쥠. '—, 持也'《廣雅》.

艸10 〔蒍〕14 오 ㊥虞 | wū オ おぎ

字解 물억새오 '—薗, 艸名, 荻也'《集韻》.

艸10 〔蒪〕14 ㊀박 ㊣藥 ㊁포 ㊣沃 | pò ハク みょうが | ホク ばしょう

字解 ㊀①양하박 양하(蘘荷)의 딴 이름. '蘘荷, —苴也'《廣雅》. ②파초박 '—, 芭蕉'《正字通》. ㊁양하포, 파초포 ㊀과 뜻이 같음.

艸10 〔蔋〕14 적 [入]錫 | dí テキ ひでりでかれる

[字解] 가뭄에풀마를적 가뭄으로 풀이 시듦. '一, 艸旱盡也'《說文》.

[字源] 形聲. 艹(艸)+俶〔音〕

艸10 〔蓘〕14 곤 [上]阮 | gǔn コン つちかう

[筆順] 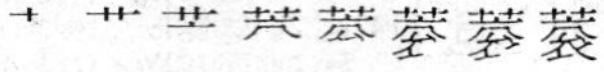

[字解] 북돋울곤 모 뿌리에 북을 돋움. '一, 壅苗也'《集韻》.

艸10 〔蒩〕14 조 [上]麌 | zǔ ソ どくだみ

[字解] 삼백초조 '一, 菜也'《說文》.

[字源] 形聲. 艹(艸)+祖〔音〕

艸10 〔蓛〕14 책 [入]陌 | cè サク うまのかいば

[字解] ①꼴책 썬 짚에 곡물을 섞은 말의 먹이. '一, 㠯穀萎馬, 置莝中'《說文》. ②소곤거릴책 '一, 又小言皃'《玉篇》.

[字源] 形聲. 艹(艸)+敕〔音〕

艸10 〔营〕14 궁 [平]東 | gōng キュウ せんきゅう

[字解] ①궁궁이궁 '一藭'은 약초의 이름. '一, 一藭, 香艸也'《說文》. ②꽃다지궁 '一, 艸名. 葶藶也'《集韻》.

[字源] 形聲. 艹(艸)+宮〔音〕

艸10 〔䔂〕14 재 [上]紙 | zǐ シ あつもののやさい / [上]賄 | zǎi サイ やさいのな

[字解] ①국거리나물재 국을 끓이는 나물. 또, 야채(野菜)로 국을 끓임. '一, 羹菜也'《說文》. ②매운나물재 매운 맛이 있는 야채. ③나물이름재 '一, 菜名'《集韻》.

[字源] 形聲. 艹(艸)+宰〔音〕

艸10 〔蓎〕14 당 [平]陽 | táng トウ さるおがせ

[字解] 소나무겨우살이당 '一蒙'은 소나무겨우살이. 여라(女蘿). '一蒙, 女蘿《爾雅》.

艸10 〔蒬〕14 원 [平]元 [上]阮 | yuān エン いとひめはぎ

[字解] 원지원 '棘一'은 원지(遠志). 애기풀의 일종. '一, 棘一也'《說文》.

[字源] 形聲. 艹(艸)+宛〔音〕

艸10 〔𦶘〕14 〔함〕 菡(艸부 8획〈1149〉)의 本字

艸10 〔𦾔〕14 〔전〕 葥(艸부 9획〈1164〉)의 本字

艸10 〔葶〕14 〔초〕 草(艸부 6획〈1136〉)의 本字

艸10 〔䔌〕14 〔고〕 藁(艸부 12획〈1184〉)의 本字

艸10 〔蔓〕14 〔침〕 蔓(艸부 7획〈1144〉)의 本字

艸10 〔蔽〕14 〔미〕 薇(艸부 13획〈1188〉)의 籒文

艸10 〔䕆〕14 〔호〕 薅(艸부 13획〈1189〉)의 籒文

艸10 〔蒅〕14 〔녈〕 苼(艸부 7획〈1145〉)과 同字

艸10 〔𦶦〕14 〔담〕 菼(艸부 8획〈1151〉)과 同字

艸10 〔蓻〕14 〔국〕 蘜(艸부 16획〈1204〉)과 同字

艸10 〔䓘〕14 〔운〕 䎣(耒부 10획〈1053〉)과 同字

艸10 〔蒓〕14 〔순〕 蓴(艸부 11획〈1173〉)과 同字

艸10 〔蔚〕14 〔위〕 蔚(艸부 11획〈1174〉)와 同字

艸10 〔蒭〕14 〔추〕 芻(艸부 4획〈1122〉)와 同字

艸10 〔䔮〕14 蒭(前條)과 同字

艸10 〔䕓〕14 〔채〕 蔡(艸부 11획〈1175〉)의 俗字

艸10 〔蒞〕14 〔리〕 莅(艸부 7획〈1141〉)의 俗字

艸10 〔蓺〕14 〔예〕 藝(艸부 15획〈1199〉)의 俗字

艸10 〔䔋〕14 〔사〕 莎(艸부 7획〈1141〉)의 訛字

〔墓〕 〔묘〕 土부 11획(219)을 보라.

〔幕〕 〔막〕 巾부 11획(337)을 보라.

艸10 〔蔃〕14 〔강〕 薑(艸부 13획〈1189〉)과 同字

艸 10 〔䕅〕 14 경 [上]梗 | gěng コウ ずいき

[字解] 곤대경 토란의 줄거리. '一, 芋莖也'《玉篇》.

艸 10 〔䔫〕 14 공 [去]送 | gòng コウ くさきのそうせいするさま

[字解] 씨더부룩이날공 초목의 씨가 더부룩이 나는 모양. '一, 艸木子聚生'《集韻》.

艸 10 〔蒄〕 14 〔관〕 蒄(艸부 9획〈1156〉)의 訛字

艸 10 〔蒟〕 14 구 [去]宥 | gòu コウ つんであるくさ

[字解] 풀쌓을구 풀을 쌓음. 쌓은 풀. '一, 積艸, 或作蘳'《集韻》.

艸 10 〔蒟〕 14 〔구〕 蒟(艸부 9획〈1162〉)와 同字

艸 10 〔蓻〕 14 〔국〕 蘜(艸부 16획〈1204〉)과 同字

艸 10 〔蒚〕 14 군 [去]問 | jùn クン きのこ

[字解] 버섯군 버섯. 菌(艸부 8획〈1148〉)의 俗字. '一, 俗菌字'《正字通》.

艸 10 〔蓏〕 14 급 [入]緝 | jí キュウ とうがん

[字解] 동아급 동과(冬果). 박과에 딸린 한해살이 덩굴풀. '冬瓜一也'《廣雅, 釋草》.

艸 10 〔蒏〕 14 〔유〕 茹(艸부 7획〈1144〉)와 同字

艸 10 〔蒳〕 14 [一] 담 [平]覃 タン ねぎ | nán [二] 남 [平]覃 ダン しゅろそう

[字解] [一] 파담 파〔葱〕 '一, 艸名, 葱也'《集韻》. [二] 여로(藜蘆)남 박새. 백합과에 딸린 여러해살이 풀. '一, 艸名'《集韻》.

艸 10 〔䓞〕 14 〔답〕 荅(艸부 8획〈1153〉)과 同字

艸 10 〔蓈〕 14 랑 [平]陽 | láng ロウ くすりくさのな

[字解] ①낭독(蓈毒)랑 오독도기의 뿌리. '大騩之山, 有草焉, 其狀如蓍而毛, 青華而白實, 其名曰一'《山海經》. ②운하이름랑 운하 이름. '蒗과 同字.

艸 10 〔蓾〕 14 〔로〕 蓾(艸부 11획〈1178〉)와 同字

艸 10 〔蓅〕 14 〔류〕 藥(艸부 19획〈1210〉)와 同字

艸 10 〔蒥〕 14 류 [平]尤 | liú リュウ こうそうのな

[字解] ①향풀〔香草〕류 향풀의 이름. '一, 香草'《集韻》. ②약초이름류 약초 이름. '一黃'. '一, 一曰, 一黃藥艸'《集韻》.

艸 10 〔蓶〕 14 리 [平]支 | lí リ まめのな

[字解] ①콩이름리 콩 이름. '一, 豆名, 可食'《集韻》. ②藿(艸부 14획〈1195〉)의 俗字. '一, 俗一字'《正字通》.

艸 10 〔蒶〕 14 〔분〕 蕡(艸부 12획〈1182〉)의 古字

艸 10 〔蒯〕 14 〔붕〕 倗(人부 11획〈70〉)과 同字

艸 10 〔蓑〕 14 사 [平]歌 | suō サ くさのね

[字解] ①풀뿌리사 풀뿌리. '蓑一'. '一, 蓑一, 艸根'《集韻》. ②초목우거진모양사 초목의 우거진 모양. '蓑一'. '一, 一一. 草木盛皃'《廣韻》.

艸 10 〔蒣〕 14 서 [平]魚 | xū ショ くさのな

[字解] ①풀이름서 풀의 이름. '一, 艸名'《集韻》. ②마서 서여(薯蕷). '一, 與藷同'《正字通》. ③감자서 감자. 藷(艸부 16획〈1202〉)와 同字.

艸 10 〔蒒〕 14 〔설〕 薛(艸부 13획〈1189〉)과 同字

艸 10 〔蓨〕 14 〔소〕 莦(艸부 7획〈1145〉)와 同字

艸 10 〔蒊〕 14 [一] 연 [上]阮 | ruǎn ゼン みずごけ [二] 용 [上]腫 | rǒng ジョウ くさのみだれたさま

[字解] [一] 물이끼연 물이끼. '一, 卽水苔也'《武夷幔亭記》. [二] 풀흐트러질용 풀이 흐트러진 모양. '茸一'.

[參考] 茸(艸부 6획〈1135〉)의 俗字.

艸 10 〔葉〕 14 〔엽〕 葉(艸부 9획〈1157〉)과 同字

艸10 〔䔄〕 14 요 ㊊蘺 yáo ヨウ くさのな ㊋嘯 yào ヨウ ねなしかずら

字解 ①황부초요 풀 이름. 황부초(荒夫草). ②새삼요 새삼. 토사자(菟絲子). '一, 藥艸, 兔絲也, 一曰玉女'《集韻》.

艸10 〔蒷〕 14 ㊀蕓(艸부 12획〈1181〉)과 同字 ㊁芸(艸부 4획〈1125〉)과 同字

艸10 〔蓌〕 14 유 ㊊支 suī ズイ なんばんはじかみ

字解 생강유 향채(香菜)의 이름. 생강의 한 가지. 荽(次條)와 同字. '一, 薑一也'《玉篇》.

艸10 〔荾〕 14 蓌(前條)와 同字

艸10 〔蒠〕 14 읍 ㊍緝 yì ユウ くさのみっせいするさま

字解 ①풀빽빽할읍 풀이 빽빽하게 나는 모양. '一, 一苪, 艸密皃'《集韻》. ②풀이름읍 풀 이름. '一苪'. '一, 一苪草名'《正字通》.

艸10 〔蒲〕 14 조 ㊊蕭 diāo チョウ まこものみ

字解 줄씨조 줄풀의 씨. '一葫'. '一, 一葫, 茭實'《玉篇》.

艸10 〔蒸〕 14 증 ㊊蒸 zhēng ショウ にくのつけもの

字解 고기젓갈증 고기로 담근 젓갈. '謂以肉爲菹也'《疏證》.

艸10 〔䕎〕 14 〔증〕 證(言부 12획〈1353〉)과 同字

艸10 〔蒖〕 14 진 ㊊眞 zhēn シン はなじゅんさい

字解 ①순채진 물 속에서 나는 나물. '一, 艸名, 鳧葵也'《集韻》. ②책력풀열매진 명협(蓂莢)풀의 열매. '一, 一曰, 蓂莢實'《集韻》.

艸10 〔蒨〕 14 〔천〕 茜(艸부 6획〈1133〉)과 同字

艸10 〔蓫〕 14 〔축〕 苋(艸부 6획〈1139〉)과 同字

艸10 〔菑〕 14 〔치〕 葘(艸부 9획〈1165〉)의 訛字

艸10 〔蒪〕 14 〔평〕 蓱(艸부 11획〈1173〉)의 俗字

艸10 〔蒿〕 14 〔하〕 菏(艸부 8획〈1154〉)와 同字

艸10 〔䓍〕 14 할 ㊍黠 xiá カツ しそ

字解 차조기할 차조기. 자소(紫蘇), 임소(荏蘇). '一, 荏蘇也'《廣雅, 釋草》.

艸10 〔蒆〕 14 〔홍〕 葒(艸부 13획〈1191〉)과 同字

艸10 〔蕐〕 14 ㊀화 ㊊佳 huā カイ たがいにまじるさま ㊁과 ㊊麻 カ ゆがむ

字解 ㊀①들쭉날쭉섞일화 들쭉날쭉 섞임. '一, 舛雜皃'《集韻》. ②삐뚤어질화 삐뚤어짐. '一, 不正也'《康熙字典》. ㊁아주떠날과 아주 떠남.

艸11 〔蓧〕 15 조 ㊋嘯 diào チョウ あじか

字解 삼태기조, 둥구미조 짚 또는 대오리로 엮은, 곡식 따위를 담는 농구. '以杖荷一'《論語》.

字源 形聲. 艹(艸)+條〔音〕

艸11 〔蓫〕 15 축 ㊍屋 zhú チク やまごぼう

字解 ①산우엉축 '一薚, 馬尾'《爾雅》. ②참소리쟁이축 마디풀과에 속하는 다년초. 줄기와 잎은 산미(酸味)가 강한데, 산을 빼면 식용이 됨. 양제초(羊蹄草). '言采其一'《詩經》.

字源 形聲. 艹(艸)+逐〔音〕

艸11 〔蓬〕 15 人名 봉 ㊊東 ①-⑤péng ホウ よもぎ ㊋送 ⑥pèng ホウ くさきのさかんなさま

筆順 ' 艹 芍 芳 夆 莑 蓬 蓬

字解 ①쑥봉 국화과의 개망초·실망초류(類)에 속하는 다년초. 담홍자색 꽃이 여름에 피며, 가을에는 줄기가 말라 바람에 날림. '飛一'. '一生麻中, 不扶而直'《荀子》. ②흐트러질봉 흐트러져 산란한 모양. '一髮'. '一頭垢面'《魏書》. ③떠돌아다닐봉 방랑함. '飄飄客子一'《杜甫》. ④봉래봉 봉래(蓬萊)의 준말. '經一瀛而踰碧海'《拾遺記》. ⑤성봉 성(姓)의 하나. ⑥초목무성할봉 '樬, 艸木盛皃, 或作一'《集韻》.

字源 形聲. 艹(艸)+逢〔音〕

艸11 〔蓮〕 15 高·人 련 ㊊先 lián レン はす

筆順 ' 艹 艹 苩 苴 堇 蓮 蓮

[字解] ①연련 연꽃과에 속하는 다년생 수초. 연못에 나며 분홍 또는 흰빛의 고운 꽃이 핌. 지하경(地下莖)은 먹음. 부용(芙蓉). 부거(芙蕖). '紅榴白一'《舊唐書》. ②연밥련 연꽃의 열매. 연실(蓮實). '華林池雙一同幹'《宋書》.
[字源] 形聲. 艹(艸)＋連〔音〕

艸11 〔蓯〕15 [一]총 [上]董 [二]종 [平]冬 | zǒng ソウ·ショウ たがいにいりあう cōng ショウ きのこのな
[字解] [一]우거질총 초목이 무성한 모양. '繽紛蘢一'《淮南子》. [二]육종용종 '肉一蓉'은 열당과(列當科)에 속하는 기생(寄生) 식물. 모양이 버섯 같으며 깊은 산속에 남. 민간에서 폐병의 특효약이라 함.
[字源] 形聲. 艹(艸)＋從〔音〕

艸11 〔蓰〕15 사 [上]紙 [平]支 | xǐ シ ごばい
[字解] 다섯곱사, 다섯곱할사 5배. 5배를 함. '或相倍一'《孟子》.
[字源] 形聲. 艹(艸)＋徙〔音〕

艸11 〔蓱〕15 평 [平]青 | píng ヘイ·ビョウ うきくさ
[字解] ①부평초평 萍(艸부 8획〈1153〉)과 同字. '萍一'《爾雅》. ②비의신평 비를 맡은 신(神). 우사(雨師). '一翳'라고도 함. '一號起雨'《楚辭》.
[字源] 形聲. 艹(艸)＋水＋幷〔音〕
[參考] 荓(艸부 9획〈1165〉)은 俗字.

艸11 〔蓴〕15 순 [平]眞 | chún シュン·ジュン じゅんさい
[字解] ①순채순 수련과(睡蓮科)에 속하는 다년생 수초(水草). 줄기와 어린잎은 식용함. '一羹鱸膾', '千里一羹'《世說》. ②부들이삭순 '蒲穗, 謂之一'《廣雅》.
[字源] 形聲. 艹(艸)＋專〔音〕
[參考] 蒪(艸부 10획〈1169〉)은 別字.

艸11 〔蓷〕15 퇴 [平]灰 | tuī タイ めはじき
[字解] 익모초퇴 꿀풀과의 월년초. 약재로 씀. 암눈비앗. 충위(茺蔚). '中谷有一'《詩經》.
[字源] 形聲. 艹(艸)＋推〔音〕

艸11 〔蔻〕15 구 [去]宥 | kòu コウ ずく
[字解] 육두구구 육두구과의 열대산 상록 교목(常綠喬木). 열매껍질은 약용 및 조미료용임. '草則藿蒳荳一'《左思》.
[字源] 形聲. 艹(艸)＋寇〔音〕

艸11 〔蔲〕15 蔻(前條)와 同字

艸11 〔蓺〕15 예 [去]霽 | yì ゲイ うえる
[字解] ①심을예 藝(艸부 15획〈1199〉)와 同字. '一之荏菽'《詩經》. ②재주예 藝(艸부 15획〈1199〉)와 同字. '有六一略'《漢書》. ③벨예 자름. '殺人如一'《唐書》. ④과녁예 '用人無一'《國語》.
[字源] 形聲. 艹(艸)＋埶〔音〕

艸11 〔蓼〕15 [一]료 [上]篠 [二]륙 [入]屋 | liǎo リョウ たで lù リク くさがながくおおきい
[字解] [一]①여뀌료 마디풀과에 속하는 일년초. 습지에 나며, 흰 꽃이 핌. 잎은 맛이 매우므로 조미료로 쓰임. '一蟲不知苦'《鶴林玉露》. ②성료 성(姓)의 하나. [二]클륙 풀이 장대한 모양. '一一者莪'《詩經》.
[字源] 形聲. 艹(艸)＋翏〔音〕

艸11 〔蓽〕15 필 [入]質 | bì ヒツ まめ
[字解] ①콩필 '一, 豆也'《集韻》. ②가시나무필 가시 있는 교목(喬木). '一, 荊也'《集韻》. ③사립짝필 篳(竹부 11획〈951〉)과 同字. '一門圭窬'《左傳》. ④풀이름필 '一茇'은 후춧과(科)에 속하는 초본(草本). 흰 꽃이 봄에 핌.
[字源] 形聲. 艹(艸)＋畢〔音〕

艸11 〔蓽〕15 蓽(前條)의 古字

艸11 〔蓿〕15 숙 [入]屋 | xù(sù) シュク うまごやし
[字解] 거여목숙 苜(艸부 5획〈1128〉)을 보라. '苜一'.
[字源] 形聲. 艹(艸)＋宿〔音〕

艸11 〔蔀〕15 부 [上]有 | bù, pǒu ホウ·ブ しとみ
[字解] ①차양부 방에 빛이 안 들어오도록 가리는 물건. '豐其一'《易經》. ②덮개부, 덮일부 '日蔽雲中稱一'《易經》. ③작을부 '一, 小也'《集韻》. ④일흔여섯해부 고대 역법(曆法)에서 76년을 '一一'라 함. '以閏餘一之歲爲一首'《漢書》.
[字源] 形聲. 艹(艸)＋部〔音〕

艸11 〔蔆〕15 릉 [平]蒸 | líng リョウ ひし
[字解] 마름릉 菱(艸부 8획〈1150〉)과 同字. '夏食一'《呂氏春秋》.
[字源] 形聲. 艹(艸)＋淩〔音〕

艸 11 〔蔆〕 15 淩(前條)과 同字

艸 11 〔蔂〕 15 [一] 류 [平]支 | léi ルイ ふご
[二] 라 [平]歌 | léi ラ ふご
[三] 뢰 [平]灰 | ライ つる

[字解] [一] 삼태기류 흙을 담는 농(籠) 같이 만든 그릇. '劓鼻盈—'《鹽鐵論》. [二] 삼태기라 [一]과 뜻이 같음. [三] 덩굴뢰 '—, 蔓也'《字彙》.
[字源] 形聲. 艹(艸)+累〔音〕

艸 11 〔蔇〕 15 기 [去]寘 | jì, ②xì キ いたる

[字解] ①풀많을기 '—, 艸多皃'《說文》. ②이를기 옴. '獝懼不—'《左傳》.
[字源] 形聲. 艹(艸)+旣〔音〕

艸 11 〔蔑〕 15 멸 [入]屑 | miè ベツ ないがしろにする

[字解] ①어두울멸 눈에 정기가 없음. 시력이 부족함. '—然無言'《晉書》. ②잘멸 ㉠정미(精微)함. '玆迪彝教文王—德'《書經》. ㉡미세함. 작음. '視日月而知衆星之—也'《揚子法言》. ③없을멸 있지 아니함. '—以加於此矣'《左傳》. ④업신여길멸 경모함. '—視'. '侮—'. '傲百世, —王侯'《孔稚圭》. ⑤멸할멸 滅(水부 10획〈671〉)과 同字. '—殺其民人'《國語》. ⑥버릴멸 내버림. '不—民功'《國語》. ⑦깎을멸 깎아 냄. 삭제함. '—貞凶'《易經》. ⑧속일멸 기만함. '是—先王之官也'《國語》.
[字源] 形聲. 伐+苜〔音〕

艸 11 〔蔑〕 15 蔑(前條)과 同字

艸 11 〔蓘〕 15 곤 [上]阮 | gǔn コン つちかう

[字解] 북돋울곤 배토(培土)함. '是穮是—'《左傳》.

艸 11 〔蔋〕 15 적 [入]錫 | dí テキ ひでりでかれつきる

[字解] 말라죽을적 가뭄이 대단하여 초목이 말라 죽은 모양. '旱旣太甚, ——山川'《詩經》.

艸 11 〔蔌〕 15 속 [入]屋 | sù ソク な

[字解] ①푸성귀속 채소의 총칭. '山殽野—'. '其—維何'《詩經》. ②나물속 푸성귀로 만든 반찬. '具肴—'《荊楚歲時記》. ③성속 성(姓)의 하나.
[字源] 形聲. 艹(艸)+敕〔音〕

艸 11 〔蔎〕 15 설 [入]屑 | shè セツ かんばしい

[字解] 향기로울설 좋은 향기가 나는 모양. '懷椒聊之——'《楚辭》.
[字源] 形聲. 艹(艸)+設〔音〕

艸 11 〔蔓〕 15 [人名] 만 ①-⑥[去]願 ⑦[平]寒 | wàn バン・マン つる mán バン・マン かぶ

[筆順] ' 艹 艹 莫 莫 莫 莫 蔓

[字解] ①덩굴만 번어 나가는 식물의 줄기. '野有—草'《詩經》. ②덩굴풀만 만초. '附苔絡—'《酉陽雜俎》. ③덩굴질만 덩굴이 되어서 뻗음. '中通外直, 不—不枝'《周敦頤》. ④감을만 덩굴이 딴 물건을 감음. '葛也藟也, 得纍而—之'《詩經》. ⑤퍼질만, 뻗을만 널리 퍼져 나감. '—延'. '無使滋—'《左傳》. ⑥성만 성(姓)의 하나. ⑦순무만 '—菁'은 채소의 한 가지. 순무. 무청(蕪菁). '令兵士種—菁'《嘉話錄》.
[字源] 形聲. 艹(艸)+曼〔音〕

艸 11 〔蔕〕 15 [一] 체 [去]霽 | dì テイ・タイ へた
[二] 대 ①[去]泰 ②[去]卦 | dài タイ ね, とげ

[字解] [一] ①꼭지체 과실이 달린 줄기. '橘——三十子'《述異記》. ②꽃받침체 악(蕚). '扤白—'《左思》. ③성체 성(姓)의 하나. [二] ①밑대 근본. '深根固—'《晉書》. ②가시대 작은 가시. 전(轉)하여, 사소한 지장. '細故—芥, 何足以疑'《賈誼》.
[字源] 形聲. 艹(艸)+帶〔音〕

艸 11 〔蔗〕 15 자 [去]禡 | zhè ショ さとうきび

[字解] ①사탕수수자 볏과에 속하는 다년초. 줄기는 설탕의 원료임. '甘—'. '—糖'. ②맛날자, 좋을자, 재미날자 '—境'.
[字源] 形聲. 艹(艸)+庶〔音〕

艸 11 〔蔚〕 15 [人名] [一] 위 [去]未 | wèi イ おとこよもぎ
[二] 울 [入]物 | yù ウツ くさきのさかんなさま

[筆順] ' 艹 芦 芦 芦 蔚 蔚 蔚

[字解] [一] ①제비쑥위 국화과에 속하는 다년초. 청호(靑蒿). '匪莪伊—'《詩經》. ②성할위 ㉠초목이 무성한 모양. '薈兮—兮'《詩經》. ㉡문교(文敎)가 널리 행해지는 모양. '儒風載—'《魏書》. ③아름다울위 문채가 아름다운 모양. '其文—也'《易經》. ④숲위 풀숲. '設—施伏'《淮南子》. ⑤무늬위 문채. '鱗—鳳采'《許孟容》. [二] ①고을이름울 '—州'는 직례성(直隸省)에 있던 땅. ②빽빽

할울 鬱(鬯부 19획〈1777〉)과 통용. '上有一藍天'《杜甫》. ③성울 성(姓)의 하나.
字源 形聲. 艹(艸)+尉〔音〕

艸11 〔斛〕 15 곡 入屋 | hú コク せっこく

字解 석골풀곡 '石—'은 난초과의 다년초. 보통, 관상용으로 재배하며, 한방에서 건위 강장제(健胃強壯劑)로 씀. '—, 石—, 藥艸'《集韻》.

艸11 〔蔞〕 15 루 平尤 | lóu ロウ よもぎ / 平虞 | ル よもぎ

字解 ①산쑥루 '—蒿'는 국화과에 속하는 다년초. 연한 줄기는 먹음. 사재발쑥. '言刈其—'《詩經》. ②성루 성(姓)의 하나.
字源 形聲. 艹(艸)+婁〔音〕

艸11 〔蔟〕 15 日 족 入屋 | cù ソク まぶし / 曰 주 去宥 | còu ソウ たいそう

字解 日 ①섶족 익은 누에를 올리는 짚이나 잎나무 따위. '修成蠶—分繭理絲'《晉書》. ②보금자리족 새의 둥우리. '鵕鸃棲兮柴—'《王逸》. ③모일족 簇(竹부 11획〈952〉)과 同字. '陽氣大—'《禮記》. 曰 ①태주주 '太—'는 음악의 십이율(十二律)의 하나. 대주(大蔟). '孟春之月, 其音角, 律中太—'《禮記》. ②정월주 음력 정월의 별칭(別稱).
字源 形聲. 艹(艸)+族〔音〕

艸11 〔蔡〕 15 人名 日 채 去泰 | cài サイ くさむら / 曰 살 入曷 | sà サツ はなつ

筆順 ' ⺿ 芕 茓 茲 蔡 蔡 蔡

字解 日 ①풀채 초본(草本). '—莽螫刺'《左思》. ②먼지채 티끌. '纖以兮微—'《王褒》. ③거북채 점치는 데 쓰는 큰 거북. '臧文仲居—'《論語》. ④법채 법칙. 또 본받음. '二百里—'《書經》. ⑤나라이름채 주대(周代)의 국명. 지금의 하남성(河南省)에 있었음. ⑥성채 성(姓)의 하나. 曰 내칠살 방축함. '周公殺管叔, 而——叔'《左傳》.
字源 形聲. 艹(艸)+祭〔音〕

艸11 〔蔣〕 15 人名 장 平陽 / 去養 | ①jiāng ショウ まこも ②③jiǎng ショウ こくめい

筆順 ' ⺿ 艹 芇 莳 蒋 蔣 蔣

字解 ①줄장 볏과에 속하는 다년생 수초(水草). 잎은 자리를 만드는 데 쓰고, 어린 싹은 식용함. '—茅青蘋'《漢書》. ②나라이름장 주대(周代)의 국명. 지금의 하남성(河南省)에 있었음. ③성장 성(姓)의 하나.
字源 形聲. 艹(艸)+將〔音〕

艸11 〔蔦〕 15 조 上篠 / 去嘯 | niǎo チョウ つた

字解 누홍초(縷紅草)조 메꽃과에 속하는 일년생 만초. '—與女蘿, 施于松柏'《詩經》.
字源 形聲. 艹(艸)+鳥〔音〕

艸11 〔蔪〕 15 日 점 平鹽 | jiān セン つつむ / 曰 삼 平咸 | shān サン かる

字解 日 우거질점 무성한 모양. '麥秀——'《箕子》. 曰 벨삼 베어 없앰. 芟(艸부 4획〈1123〉)과 同字. '—去不義諸侯'《漢書》.
字源 形聲. 艹(艸)+斬〔音〕

艸11 〔蔫〕 15 언 平先 | yān, niān エン しぼむ

字解 ①시들언 꽃이나 풀이 시듦. '深紅任早—'《蘇軾》. ②낡을언 낡아 부서짐. '翠鈿—'《黃機》.
字源 形聲. 艹(艸)+焉〔音〕

艸11 〔蔬〕 15 高·人 소 ①②平魚 / ③上語 | shū ソ な / ソ こめつぶ

筆順 ' ⺿ 芓 茈 莡 菈 蔬 蔬

字解 ①푸성귀소 채소의 총칭. '園—'. '野—'. '稻曰嘉—'《禮記》. ②성길소 疏(疋부 7획〈804〉)와 통용. '—糲'. ③낟소 곡식의 알. '鼠壤有餘—'《莊子》.
字源 形聲. 艹(艸)+疏〔音〕

艸11 〔蔭〕 15 음 去沁 | yìn イン かげ

字解 ①그늘음 ㉠가려져서 해가 비치지 않는 곳. '綠—'. '樹成—而衆鳥息焉'《荀子》. ㉡도움. 힘. '庇—'. '慈—'. '魏民覆—'《易經 註》. ㉢부조(父祖)의 유훈(遺勳) 또는 문벌의 여영(餘榮)에 의하여 특별 대우를 받는 일. '—補'. '以父—爲太子親衞'《隋書》. ②해그림자음 일영(日影). '趙孟視—'《左傳》. ③가릴음 ㉠가리어 그늘을 이룸. '松柏成而塗之人已—'《呂氏春秋》. ㉡무성하여 아래를 가림. '芳條遠—'《陸雲》.
字源 形聲. 艹(艸)+陰〔音〕

艸11 〔蔘〕 15 人名 삼 平侵 / 平覃 | ①②shēn シン そばだつ, ちょうせんにんじん ③sān サン たれさがる

筆順 ' ⺿ 艹 苂 苂 茿 茿 蔘

字解 ①우뚝할삼, 쓸쓸할삼 잎이 지고 가

지만 높이 서 있음. 소삼(蕭蔘)함. '紛溶箾一, 支棘擢也'《漢書》. ②인삼삼 '人一'은 두릅나뭇과에 속하는 다년초. 뿌리는 강장제로 가장 유명함. 參(厶부 9획〈140〉)과 同字. ③늘어질삼 아래로 처짐. '白一于下, 明起于上'《鶡冠子 註》.
[字源] 形聲. 艹(艸)+參〔音〕

艸11 〔蔈〕 15 표 [上]篠 | piǎo ヒョウ のぎ
[字解] 까끄라기표 벼·보리 등의 수염. '秋分一定. 一定而禾熟'《淮南子》.
[字源] 形聲. 艹(艸)+票(㶾)

艸11 〔蔏〕 15 상 [平]陽 | shāng ショウ やまごぼう
[字解] 자리공상 '一蓙'은 자리공과에 속하는 다년초. 뿌리는 유독하며 약재로 씀. 상륙(商陸).

艸11 〔蔙〕 15 선 [去]霰 | xuàn セン おぐるまそう
[字解] 하국선 '一蕧'은 국화과에 속하는 다년초. 여름에 국화꽃 비슷한 황색의 꽃이 핌. 하국(夏菊). 금불초(金佛草).

艸11 〔蔤〕 15 밀 [入]質 | mì ミツ はすのね
[字解] ①연뿌리밀 연근(蓮根). '茹一倒植'《何晏》. ②부들뿌리밀 '一, 蒲本亦稱一'《通訓》.
[字源] 形聲. 艹(艸)+密〔音〕

艸11 〔蓩〕 15
[一] 모 [上]晧 | mǎo ボウ·モウ うおころし
[二] 목 [入]屋 | mǎo ボク·モク うおころし
[三] 무 [去]遇 | mù ブ·ム うおころし
[字解] [一] ①취어초(醉魚草)모 독초(毒草)의 이름. '一, 毒艸也'《說文》. ②우거질모 무성한 모양. '乘雲駕龍, 鬱何一一'《魏武帝》. [二] 취어초목 [一]①과 뜻이 같음. [三] 취어초무 '一, 毒草'《廣韻》.
[字源] 形聲. 艹(艸)+務〔音〕

艸11 〔蔔〕 15 복 [入]職 | bó フク だいこん
[字解] 무복 菔(艸부 8획〈1149〉)과 同字. '一匏'.
[字源] 形聲. 艹(艸)+匐〔音〕

艸11 〔蓪〕 15 통 [平]東 | tōng トウ あけび
[字解] 으름덩굴통 으름덩굴과의 만목(蔓木). 목통(木通). 통초(通草). '一, 一草, 藥名. 中有小孔通氣'《廣韻》.
[字源] 形聲. 艹(艸)+通〔音〕

艸11 〔蔯〕 15 진 [平]眞 | chén チン かわらよもぎ
[字解] 사철쑥진 국화과의 다년초. 입추(立秋) 때 베어 말려 인진호(茵蔯蒿)라 하여 약재로 씀.
[字源] 形聲. 艹(艸)+陳〔音〕

艸11 〔艹+造〕 15 추 [去]宥 | chòu シュウ くさのねがまじわる
[字解] ①풀뿌리얽힐추 '一, 艸根雜也'《玉篇》. ②풀이서로잇닿을추 풀이 서로 잇닿은 모양. '一, 艸皃. (繫傳) 艸相次也'《說文》. ③풀뿌리추 '一, 又草根'《廣韻》. ④찰추 가득 참. '一, 盈也'《廣雅》.
[字源] 形聲. 艹(艸)+造〔音〕

艸11 〔蔖〕 15
[一] 차 [平]歌 | cuó サ あぶらがや
[二] 자 [平]麻 | zhā サ·シャ せり
[字解] [一] 기름사초차 방동사닛과의 다년초. 사초(莎草)의 일종. 신 안창을 만드는 데 씀. [二] 미나리자 근채(芹菜). '一, 艸名. 楚葵也'《集韻》.

艸11 〔艹+淡〕 15 담 [平]覃 | tān タン うりのつけもの
[字解] 오이김치담 '一藍'은 오이로 담근 김치. '一藍, 瓜菹'《集韻》.

艸11 〔蓲〕 15 구
[平]尤 | qiū キュウ·ク おぎ
[平]虞 | xū ク おぎ
[字解] ①달구 '烏一, 艸也'《說文》. ②새알품을구 새가 몸을 웅크리어 알을 따뜻하게 품음.
[字源] 形聲. 艹(艸)+區〔音〕

艸11 〔蔜〕 15 오 [平]豪 [去]號 | áo ゴウ はこべ
[字解] 별꽃오, 광대나물오 '一, 蕿蔞. (注) 今蘩蔞也. 或曰, 雞腸草'《爾雅》.
[字源] 形聲. 艹(艸)+敖〔音〕

艸11 〔蔩〕 15 인 [平]眞 | yín イン からすうり
[字解] 쥐참외인 달걀만한 주홍색 열매가 달리며 과육(果肉)은 화장품 원료로 씀. 토과(土瓜). '一, 兎瓜也'《說文》.
[字源] 形聲. 艹(艸)+寅〔音〕

艸11 〔蔮〕 15 궤 [去]隊 | guó カイ かみつつみ
[字解] 잠(簪)없는치포관(緇布冠)궤 뒤통수에서 머리를 싸는 헝겊관(冠). '一, 儀禮注云, 滕·薛名一爲頍'《廣韻》.

艸 11 〔蔝〕15 미 ㊤薺 | mǐ ベイ·マイ はこべ

字解 별꽃미 '一, 蔜'《爾雅》.

艸 11 〔蔨〕15 [一] 군 ㊤軫 | jǔn キン たんきりまめ
[二] 균 ㊤銑 | キン きのこ
[三] 권 ㊦霰 | ケン たんきりまめ

字解 [一] 여우콩군 녹두(鹿豆). '一, 鹿藿'《爾雅》. [二] 버섯균 菌(艸부 8획〈1148〉)과 同字. '菌, 艸名. 說文, 地蕈. 或作一'《集韻》. [三] 여우콩권 ■과 뜻이 같음.

艸 11 〔蔱〕15 [一] 살 ㊇黠 | shā サツ くさのな
[二] 세 ㊦霽 | セイ くさのな

字解 [一] ①흰비름살 '一蘠'은 흰비름. 백귀(白蕢). '莁荑, 一蘠. (注)一名白蕢'《爾雅》. ②수유살 오수유(吳茱萸). '蘇一紫薑'《張衡》. [二] 흰비름세, 수유세 ■과 뜻이 같음.

艸 11 〔蓙〕15 좌 ㊥歌 | cuō サ もろい

字解 무릎좌 '稟質一脆'《左思》.

艸 11 〔蔸〕15 두 | dōu トウ·ト むら

字解 ①떨기두, 가지두 양사(量詞)로, '一樹·一一白菜·一一草' 등으로 쓰임. ② 몇 가지 식물의 줄기의 기부(基部)와 뿌리를 일컫는 말. 예를 들면, '禾一·麥一' 등으로 쓰임.

艸 11 〔蓨〕15 [一] 조 ㊥蕭 | tiāo チョウ ぎしぎし
[二] 척 ㊇錫 | テキ ぎしぎし
[三] 수 ㊥尤 | xiū シュウ よろこぶ

字解 [一] ①참소루쟁이조 '一, 苗也'《說文》. ②나라이름조 한(漢)나라의 후국(侯國). 지금의 하북성(河北省) 경현(景縣)의 남쪽. [二] 참소루쟁이척, 나라이름척 ■과 뜻이 같음. [三] ①기뻐할수 '一, 說也'《集韻》. ②수산수 '一酸'은 유기산(有機酸)의 하나. '一, 一酸, 爲有機酸之一種'《中華大字典》.
字源 形聲. 艹(艸)+脩〔音〕

艸 11 〔[艹+陸]〕15 [一] 륙 ㊇屋 | lù リク·ロク やまごぼう
[二] 류 ㊤有 | リュウ·ル やまごぼう

字解 [一] 자리공륙 '蔏一'은 자리공. 상륙(商陸). '一, 蔏一'《廣韻》. [二] 자리공류 ■과 뜻이 같음.

艸 11 〔蔠〕15 종 ㊥東 | zhōng シュウ つるむらさき

字解 머루덩굴종 '一葵'는 머루덩굴. '一葵, 繁露'《爾雅》.

艸 11 〔葴〕15 침 ㊥侵 | zhēn シン ほおずき

字解 꽈리침 꽈리. 산장(酸漿). 홍낭자(紅娘子). 등롱초(燈籠草). '一, 水艸名, 酸漿也'《集韻》.

艸 11 〔蓡〕15 심 ㊥侵 | shēn シン がまのめ

字解 부들싹심 어린 부들. '一, 一蒲, 蒻之類也'《說文》.
字源 形聲. 艹(艸)+深〔音〕

艸 11 〔[艹+移]〕15 이 ㊥支 | yí イ あまどころ

字解 둥굴레이 '萎一'. '一, 艸, 萎一也'《說文》.
字源 形聲. 艹(艸)+移〔音〕

艸 11 〔蔁〕15 장 ㊥陽 | zhāng ショウ やまごぼう

字解 ①풀이름장 '一, 艸也'《說文》. ②산우엉장 '一柳'는 산우엉. '一, 一柳, 當陸別名'《廣韻》.
字源 形聲. 艹(艸)+章〔音〕

艸 11 〔[艹+庳]〕15 [一] 비 ㊤紙 ㊦寘 | bì ヒ ほそい
[二] 폐 ㊤薺 | ヘイ ほそい

字解 [一] 가는왕골비 '一, 鼠莞'《爾雅》. [二] 가는왕골폐 ■과 뜻이 같음.

艸 11 〔蔧〕15 [一] 수 ㊦寘 | huì(suì) スイ ほうきぐさ
[二] 혜 ㊦霽 | セイ ほうきぐさ

字解 [一] 댑싸리수 '葥, 王一'《爾雅》. [二] 댑싸리혜 ■과 뜻이 같음.

艸 11 〔蓻〕15 [一] 집 ㊇緝 | zhí シュウ くさきのめばえはじめたさま
[二] 녑 ㊇葉 | ジョウ·ニョウ ちがやのめ
[三] 국 ㊇屋 | jú キク きく

字解 [一] ①싹트기시작할집 초목이 싹트기 시작한 모양. 또 초목이 많이 나는 모양. '一, 又草木生皃'《玉篇》. '一, 草生多皃'《廣韻》. ②띠뿌리집 '一, 一曰, 茅根'《說文》. ③띠싹집 '一, 茅芽也'《玉篇》. [二] 싹트기시작할녑, 띠싹녑 ■❶❸과 뜻이 같음. [三] 국화(菊花)국 '蘜, 艸名. 說文, 治牆也. 或作一'《集韻》.
字源 形聲. 艹(艸)+執〔音〕

艸 11 〔蓸〕15 조 ㊥豪 | cāo ソウ くさのな

字解 풀이름조. '一, 艸也, 从艸曹聲'《說文》.

字源 形聲. ⺾(艸)+曹〔音〕

艸11 〔蓾〕15 로 ㊤麌 | lŭ ロ くさのな

筆順

字解 ①그령로 지풍초(知風草). '一, 蘆'《爾雅》. ②족두리풀로 '一, 杜衡別名'《廣韻》.

艸11 〔蓶〕15 유 ㊤紙 ㊥支 | wĕi イ·ユイ やさいのな

字解 ①채소이름유 '一, 菜也'《說文》. ②갓핀꽃유 또, 빛깔이 고운 모양. '一扈蘣熒'《後漢書》.

字源 形聲. ⺾(艸)+唯〔音〕

艸11 〔蓳〕15 〔근〕 堇(艸부 8획〈1150〉)의 本字

艸11 〔蓫〕15 〔독〕 毒(毋부 4획〈615〉)의 古字

艸11 〔蓐〕15 〔욕〕 蓐(艸부 10획〈1168〉)의 籒文

艸11 〔蔜〕15 〔긴〕 菣(艸부 8획〈1154〉)과 同字

艸11 〔蔁〕15 〔경〕 苘(艸부 5획〈1132〉)과 同字

艸11 〔蔒〕15 〔훈〕 葷(艸부 9획〈1161〉)과 同字

艸11 〔蔙〕15 〔완〕 莞(艸부 7획〈1142〉)과 同字

艸11 〔蔋〕15 〔적〕 荻(艸부 7획〈1140〉)과 同字

艸11 〔蔥〕15 〔총〕 葱(艸부 9획〈1161〉)의 古字

艸11 〔蔴〕15 〔마〕 麻(部首〈1854〉)의 俗字

艸11 〔蕭〕15 〔소〕 蕭(艸부 13획〈1187〉)의 俗字

艸11 〔蔵〕15 〔장〕 藏(艸부 14획〈1195〉)의 俗字

艸11 〔蔽〕15 〔폐〕 艸부 12획(1180)을 보라.

〔慕〕〔모〕 心부 11획(408)을 보라.

〔暮〕〔모〕 日부 11획(513)을 보라.

〔摹〕〔모〕 手부 11획(461)을 보라.

艸11 〔蓏〕15 갈 ㊇黠 | qià カツ くさのな

字解 청미래덩굴갈 청미래덩굴. '菝一'. '一, 菝一, 艸名'《集韻》.

艸11 〔蔃〕15 강 ㊥陽 ㊤養 | qiáng ゴウ ゆり

字解 ①백합강 백합(百合). 나리. '一菉'. '一, 一菉, 艸名, 百合也'《集韻》. ②풀이름강 풀의 이름. '一, 艸名. 儉歲人食其根'《集韻》.

艸11 〔蔖〕15 〔거〕 蘧(艸부 13획〈1190〉)와 同字

艸11 〔蔮〕15 〔계〕 薊(艸부 12획〈1184〉)와 同字

艸11 〔蔉〕15 〔곤〕 菎(艸부 8획〈1148〉)과 同字

艸11 〔蔛〕15 〔괄〕 苦(艸부 6획〈1134〉)과 同字

艸11 〔蔲〕15 〔구〕 芄(艸부 2획〈1120〉)와 同字

艸11 〔蔇〕15 〔기〕 蘄(艸부 14획〈1196〉)와 同字

艸11 〔蔪〕15 〔담〕 蕁(艸부 10획〈1171〉과 同字

艸11 〔蔾〕15 려 ㊥齊 | lí レイ くにのな

字解 나라이름려 나라 이름. 흉노(匈奴)의 북쪽에 있는 나라. '新一'. '一, 新一, 國名, 在匈奴北'《篇海》.

艸11 〔蔍〕15 ㊀록 ㊇屋 | lù ロク いちやくそう ㊁추 ㊥虞 | cū ソ あらい

字解 ㊀①노루발풀록 노루발풀. 녹제초(鹿蹄草). '一蹄'. '一, 艸名, 鹿蹄也'《集韻》. ②원추리록 원추리. '一蔥'. ㊁거칠추 거칢. 성김. '一, 與麤同'《字彙補》.

艸11 〔蔞〕15 루 ㊋宥 | lòu ロウ やはずあざみ

字解 절굿대뿌리루 절굿대의 뿌리. 누로(漏蘆). 약초의 이름. '一蘆'. '一, 一蘆,

藥艸'《集韻》.

艸11〔蓫〕15 률 ㊀質 | lù リツ はじめ, でる

字解 ①아귀틀률 아귀틈. 싹이 트기 시작함. '一, 始也'《廣雅, 釋詁一》. ②날률 풀이 싹틈. 씨앗이 싹틈. '一, 出也'《廣雅, 釋詁一》.

艸11〔蓩〕15 〔모〕
耄(老부 4획〈1048〉)와 同字

艸11〔蔤〕15 〔밀〕
蜜(虫부 8획〈1234〉)과 同字

艸11〔蔱〕15 〔발〕
葧(艸부 9획〈1162〉)과 同字

艸11〔蓓〕15 배 ㊤賄 | bù ハイ つぼみ

字解 ①꽃봉오리배 꽃봉오리. 꽃망울. '一, 一蕾, 始華也, 一說, 本作蓓蕾'《正字通》. ②풀이름배 풀 이름. '黃一'. '一, 黃一, 艸名'《集韻》.

艸11〔蒣〕15 ㊀ 사 ㊥麻 | xié シャ ちがやのほつばな
㊁ 야 ㊥麻 | yě ヤ たくわえる
㊂ 도 ㊥虞 | tú ト いねのほ

字解 ㊀ ①띠꽃사 띠의 꽃. 띠의 이삭. '一一'. '一, 一菽, 茅穗, 亦作蒣, 古作荼'《集韻》. ②쑥사 쑥. 잎무늬가 옆으로 된 쑥. '一蒿. ㊁ ①쌓을야 쌓음. 저축함. '一, 一曰, 蓄積也'《集韻》. ②띠이삭야 띠의 이삭. ㊂ 벼이삭도 벼의 이삭. 稌(禾부 11획〈911〉)와 同字. '稌, 禾穗, 曰稌, 或从斜'《集韻》.
字解 수세미외사 수세미외. 사과(絲瓜). 박과에 달린 한해살이 덩굴풀.

艸11〔蕆〕15 산 ㊤潸 | chǎn サン がっきのな

字解 악기이름산 악기의 이름. 피리와 비슷하며 두 구멍임. '一, 大籥, 似笛, 二孔而短, 通作產'《韻會》.

艸11〔蒁〕15 사 ㊥支 | sī シ へちま

字解 수세미외사 수세미외. 사과(絲瓜). 박과에 딸린 한해살이 덩굴풀. '一, 俗呼一瓜'《字彙補》.

艸11〔蘚〕15 선 ㊥先 | xiān セン くさきのゆらぐさま

字解 초목흔들릴선 초목이 흔들리는 모양. '蘚一'. '一, 蘚一, 艸木動皃'《集韻》.

艸11〔蓴〕15 순 ㊥眞 | chún シン くさのな

字解 쇠뜨기순 쇠뜨기. 필두채(筆頭菜). '牛一'. '一, 牛一, 艸名'《集韻》.

艸11〔蒔〕15 〔시〕
蒔(艸부 10획〈1165〉)와 同字

艸11〔蓁〕15 〔신〕
莘(艸부 7획〈1141〉)과 同字

艸11〔蒁〕15 〔슬〕
藤(艸부 15획〈1200〉)과 同字

艸11〔蓭〕15 〔암〕
庵(广부 8획〈348〉)과 同字

艸11〔蔗〕15 어 ㊥魚 | yú ギョ えごま

字解 들깨어 들깨. 菩(艸부 7획〈1147〉)와 同字. '一, 艸名'《集韻》.

艸11〔蒟〕15 〔우〕
藕(艸부 12획〈1184〉)와 同字

艸11〔蓨〕15 ㊀ 稦(禾부 9획〈908〉)와 同字
㊁ 猗(犬부 8획〈754〉)의 通字

艸11〔葬〕15 〔장〕
葬(艸부 9획〈1160〉)과 同字

艸11〔蔻〕15 전 ㊥先 | jiān セン いろでかざったかみ

字解 색종이전 색종이. 색채로 꾸민 종이. '一, 以色飾帋, 通作牋'《集韻》.

艸11〔蔏〕15 조 ㊥蕭 | diāo チョウ まこも

字解 줄풀조 줄풀. 진고(眞菰). 蔦(艸부 10획〈1172〉)와 同字. '一, 艸名, 菰蔣也'《集韻》.

艸11〔蘢〕17 〔파〕
葩(艸부 9획〈1160〉)와 同字

艸11〔蓮〕15 〔조〕
造(辵부 7획〈1497〉)와 同字

艸11〔蒸〕15 〔증〕
證(言부 12획〈1353〉)과 同字

艸11〔蔵〕15 〔시〕
茦(艸부 5획〈1133〉)와 同字

艸 11 〔⿱艹⿱白早〕 15 [一] 찰 [入]黠 [二] 굴 [入]物 | サツ [一][二] むしがくさのなかをゆくさま qū クツ

[字解] [一] 풀벌레찰 벌레가 풀 속을 지나가는 모양. '一窣'. '一, 草蟲一窣行于草也'《篇海》. [二] 풀벌레굴 [一]과 뜻이 같음.

艸 11 〔⿱艹清〕 15 〔천〕 蒨(艸부 10획〈1166〉)과 同字

艸 11 〔⿱艹猜〕 15 〔천〕 蒨(艸부 10획〈1166〉)과 同字

艸 11 〔⿱艹捷〕 15 첩 [入]葉 | jié ショウ くさであんだすだれ

[字解] ①풀거적첩 풀거적. '一, 編艸障戶'《集韻》. ②문가리개첩 문 가리개.

艸 11 〔⿱艹稍〕 15 [一] 초 [上]巧 [二] 삭 [入]覺 | shǎo ソウ ほそいれんこん shāo サク えだのないきのながくてさきのそげたもの

[字解] [一] 가는연뿌리초 가는 연뿌리. '一, 藕根細者'《集韻》. [二] ①끝모지라진나무삭 가지 없는 나무의 끝이 모지라진 우듬지. '梢, 梢櫂, 木無枝柯長而殺者, 或作一'《集韻》. ②긴창삭 긴 창.

艸 11 〔⿱艹冣〕 15 〔최〕 蕞(艸부 12획〈1182〉)의 俗字

艸 11 〔⿱艹隺〕 15 〔사〕 蓑(艸부 10획〈1168〉)와 同字

艸 11 〔⿱艹⿰禾奏〕 15 추 [去]宥 | còu ソウ からすのす

[字解] 까마귀집추 까마귀의 집. 까마귀의 둥우리. '一, 鳥巢也'《字彙補》.

艸 11 〔⿱艹⿱屯貝〕 15 〔춘〕 春(日부 5획〈505〉)의 古字

艸 11 〔⿱艹術〕 15 〔출〕 茁(艸부 5획〈1132〉)과 同字

艸 11 〔⿱艹⿱亠畐〕 15 〔치〕 菑(艸부 8획〈1148〉)와 同字

艸 11 〔⿱艹⿰缶刂〕 15 쾌 | kuǎi カイ せい

[字解] ①풀이름쾌. ②성쾌 성(姓)의 하나. '一, 音快, 見直音'《萬姓統譜》.

艸 11 〔⿱艹婆〕 15 파 [平]歌 [去]箇 | pō バ くさきのさかんなさま bò ハ くさのね

[字解] ①우거질파 초목이 무성한 모양. '一蔢. '一, 一蔢, 草木盛皃'《廣韻》. ②풀뿌리파 풀의 뿌리. ③박하파 박하(薄荷). 약초 이름 '一蔄'.

艸 11 〔⿱艹脯〕 15 포 [平]虞 | pú ホ ほしうお

[字解] 말린물고기포, 꿩가슴살코기포 '一, 膊魚也, 一曰, 雉臛肉'《集韻》.

艸 11 〔⿱艹殍〕 15 〔표〕 殍(歹부 7획〈608〉)와 同字

艸 11 〔⿱艹焊〕 15 한 [上]旱 | hǎn カン からみのはなはだしいな

[字解] 매운나물한 맛이 매운 나물. '一, 菜名, 味辛, 或作⿱艹⿰酉早'《集韻》.

艸 11 〔⿱艹⿰酉早〕 15 ⿱艹焊(前條)과 同字

艸 11 〔⿱艹許〕 15 허 [上]語 | xǔ キョ やくそうのな

[字解] 속단허 속단(續斷). 약초 이름. '虎一'. '一, 虎一, 藥艸, 續斷也'《集韻》.

艸 11 〔⿱艹⿸虍壴〕 15 호 [上]麌 | hù コ さいしきのさま

[字解] 채색호 채색의 모양. 아름다운 모양. '青葱苓蘢, 萑一炫煌. (注)萑一炫煌, 采色貌也'《淮南子》.

艸 11 〔⿱艹⿱夸亏〕 15 〔화〕 華(艸부 8획〈1150〉)의 古字

艸 11 〔⿱艹⿱歲木〕 15 휴 [平]支 | zuī スイ くさびら

[字解] 땅목이버섯휴 목이버섯의 일종. '一, 地蕈'《廣韻》. '一, 地木耳'《漢語大字典》.

艸 12 〔⿱艹⿰氵毒〕 16 독 [入]沃 | dú ドク にわやなぎ

[字解] 변죽(萹竹)독 '一, 水萹茿也'《說文》.
[字源] 形聲. 艹(艸)+氵(水)+毒〔音〕

艸 12 〔蔽〕 16 [高·人] [一] 폐 [去]霽 [二] 별 [入]屑 | bì ヘイ おおう piē ヘツ はらう

[筆順] 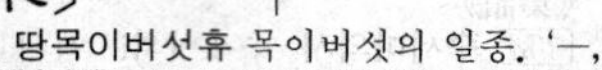

[字解] [一] ①가릴폐 ㉠보이지 않도록 사이에 가로막음. '一遮'. '雲能一日'《傳習錄》. ㉡숨김. 비밀로 함. '一匿'. '罪無有掩一'《禮記》. ㉢남의 견문을 방해하여 진상을 모르게 함. '一晦'. '欺上一主'《說苑》. 전(轉)하여, 사리에 통하지 않는 일. 이치에 어두운 일. '六言六一'《論語》. ㉣가로막아 보호

함. '一護'. '常以身翼一沛公'《史記》. 전(轉)하여, 가리어 막는 것. '藩一'. '障一'. '韓魏, 趙之南一也'《史記》. ②덮을폐 ㉠덮어서 쌈. 충색(充塞)함. 가득 참. '功名一天地'《呂氏春秋》. ㉡포괄(包括)함. '一言以一之'《論語》. ③희미할폐 '一, 微也'《爾雅》. ④정할폐 단정함. '一獄'. '叔魚一罪邢侯'《左傳》. ⑤주사위폐 쌍륙(雙陸)에서 던지는 정육면체의 물건. '箟一象碁'《楚辭》. ㊂ 떨별 撆(手부 12획〈465〉)과 통용.
字源 形聲. 艹(艸)+敝〔音〕

艸12 〔蔾〕 16 ㊀려 ㊥齊 lí リ はまびし / ㊁리 ㊥支 lí レイ はまびし
字解 ㊀남가새려 蒺(艸부 10획〈1166〉)을 보라. '蒺一'. ㊁남가새리 ㊀과 뜻이 같음.
字源 形聲. 艹(艸)+梨〔音〕

艸12 〔蔿〕 16 위 ㊤紙 wěi イ ひめはぎ
字解 ①애기풀위 원지(遠志). 薳(艸부 14획〈1194〉)과 同字. '一, 艸也'《說文》. ②고을이름위 초(楚)나라의 읍명(邑名). '復治兵於一'《左傳》. ③성위 성(姓)의 하나.
字源 形聲. 艹(艸)+爲〔音〕

艸12 〔蕁〕 16 ㊀담 ㊥覃 tán タン はなすげ / ㊁심 ㊥侵 qián(xún) シン いらくさ
字解 ㊀①지모담 지모과(知母科)의 다년초. 관상용으로 심음. 근경(根莖)은 해소·담(痰) 등의 약재로 씀. '一, 莸藩'《爾雅》. ②청각채담 해라(海蘿). ③찔담 화기(火氣)가 세차게 올라감. '火上一, 水下流'《淮南子》. ㊁ 쐐기풀심 '一麻'.
字源 形聲. 艹(艸)+尋〔音〕

艸12 〔蕃〕 16 人名 번 ㊥元 fān ハン·バン ふえる
筆順 丨 卄 艹 艹 苹 蕃 蕃 蕃
字解 ①불을번 늚. '一息'. '孳一'. '夏餘鳥獸一'《宋之問》. ②우거질번 무성함. '一茂'. '庶草一廡'《書經》. ③많을번 중다(衆多)함. '水陸草木之花, 可愛者甚一'《周敦頤》. ④오랑캐번 화외(化外)의 백성. '生一'. '以封一國'《周禮》. ⑤울타리번 藩(艸부 15획〈1199〉)과 통용. '以一爲軍'《國語》.
字源 形聲. 艹(艸)+番〔音〕

艸12 〔蕆〕 16 천 ㊤銑 chǎn テン いましめる
字解 ①신칙할천 바로잡음. '一, 敕也'《廣雅》. ②갖출천, 갖추어질천 준비함. 차림. '以一陳事'《左傳》.

艸12 〔蕈〕 16 심 ㊤寑 ㊥侵 xùn(xìn) シン くわたけ
筆順 十 艹 芒 苎 萆 蕈 蕈 蕈
字解 버섯심 은화식물(隱花植物)의 일종. 산형(傘形)의 균류(菌類). '松一'.
字源 形聲. 艹(艸)+覃〔音〕

艸12 〔蕉〕 16 人名 초 ㊥蕭 jiāo ショウ きあさ
筆順 丶 艹 艹 芢 芢 萑 萑 蕉
字解 ①생마초 바래지 않은 마(麻). '一, 謂麻未漚治者'《通訓》. ②파초초 芭(艸부 4획〈1124〉)를 보라. '芭一'. '怯教一葉戰'《白居易》. ③쓰레기초 진개(塵芥). '澤若一'《莊子》. ④섶초 땔나무. '覆之以一'《列子》. ⑤야윌초 顦(頁부 12획〈1699〉)와 통용. '無棄一萃'《左傳》.
字源 形聲. 艹(艸)+焦〔音〕

艸12 〔蕊〕 16 ㊀예 ㊤紙 ruǐ ズイ しべ / ㊁전 ㊤銑 juǎn セン あつまる
字解 ㊀①꽃술예 암꽃술과 수꽃술의 총칭. 화예(花蕊). 蘂(艸부 16획〈1203〉)와 同字. '雄一'. '雌一'. '貫薜荔之落一'《楚辭》. ②꽃예 '翹莖瀵一'《郭璞》. ㊁ 모일전 꽃이 모인 모양. '瓊鈒入一'《潘岳》.
字源 形聲. 艹(艸)+惢〔音〕
參考 蕋(次條)는 俗字.

艸12 〔蕋〕 16 蕊(前條)의 俗字

艸12 〔蕎〕 16 교 ㊥蕭 qiáo キョウ そば
字解 ①메밀교 '一麥'은 마디풀과에 속하는 일년생의 재배 식물. 메밀. '月明一麥花如雪'《白居易》. ②대극(大戟)교 대극과의 다년생 식물. '一, 藥名. 一名, 大戟'《廣韻》.
字源 形聲. 艹(艸)+喬〔音〕

艸12 〔蕑〕 16 간 ㊥刪 jiān カン ふじばかま
字解 ①등골나물간 국화과에 속하는 다년초. '士與女, 方秉一兮'《詩經》. ②연간, 연실간 연(蓮). 또는, 연밥. '一, 韓詩云, 蓮也'《詩經》. ③성간 성(姓)의 하나.
字源 形聲. 艹(艸)+閒〔音〕

艸12 〔蕓〕 16 운 ㊥文 yún ウン あぶらな
字解 평지운 '一薹'는 겨잣과의 월년초. 씨는 기름을 짜고, 잎과 줄기는 식용함. 유채(油菜). '一薹足霜乃收'《齊民要術》.
字源 形聲. 艹(艸)+雲〔音〕

艸12 〔蕕〕 16 유 [平]尤 | yóu ユウ かりがねそう

[字解] 누린내풀유 마편초과(科)에 속하는 다년초. 불쾌한 악취(惡臭)가 남. 전(轉)하여, 악취. 악취가 나는 물건 또는 악인 등의 비유로 쓰임. '一薰一一, 十年尙猶有臭'《左傳》.
[字源] 形聲. 艹(艸)＋猶〔音〕

艸12 〔蕖〕 16 거 [平]魚 | qú キョ はす

[字解] 부거거 '芙一'는 연(蓮)의 별칭(別稱). 또, 특히 연꽃.
[字源] 形聲. 艹(艸)＋渠〔音〕

艸12 〔蕗〕 16 로 [去]遇 | lù ロ ふき

[字解] ①머위로 국화과의 다년초. 나물로 먹음. ②감초로 콩과에 속하는 다년생 약용 식물. '甘草, 一名一'《急就篇》.
[字源] 形聲. 艹(艸)＋路〔音〕

艸12 〔蕘〕 16 요 [平]蕭 | ráo ジョウ かりくさ, しば

[字解] ①땔나무요 섶나무. '芻一分棄捐'《元稹》. ②나무꾼요 땔나무를 하는 사람. 또, 그 일. '洷芻一者'《左傳》.
[字源] 形聲. 艹(艸)＋堯〔音〕

艸12 〔蕙〕 16 [人名] 혜 [去]霽 | huì ケイ かおりぐさ

[筆順] ' 艹 苩 莗 董 董 蕙 蕙

[字解] ①훈초(薰草)혜 콩과(科)에 속하는 초본(草本). 여름에 꽃이 피고 향기가 강함. 전(轉)하여, 성정(性情)의 아름다움의 비유로 쓰임. '一心紈質'《鮑照》. ②향기로울혜 '一質'. '一心'.
[字源] 形聲. 艹(艸)＋惠〔音〕

艸12 〔蕝〕 16 [一] 체 [去]霽 | zuì セイ かやをたばねたもの
[二] 절 [入]屑 | jué セツ かやをたばねたもの

[字解] [一] 표체 띠를 묶어서 존비(尊卑)의 석차를 표시하여 세운 것. '綿一'. '置茅一表坐'《國語》. 전(轉)하여, 지위의 표지. '髣髴見石一'《蘇軾》. [二] 표절 [一]과 뜻이 같음.
[字源] 形聲. 艹(艸)＋絕〔音〕

艸12 〔蕞〕 16 [一] 최 [去]泰 | zuì サイ ちいさいさま
[二] 절 [入]屑 | jué セツ くさのあつまるさま

[字解] [一] 작을최 작은 모양. '一爾國, 而三世執其政柄'《左傳》. [二] ①모이는모양절 '一芮於城隅者, 百不處一'《潘岳》. ②풀모일절 '一, 艸聚皃'《集韻》. ③표절 蕝(前條)과 同字. '爲綿一, 野外習之'《史記》.
[字源] 形聲. 艹(艸)＋最〔音〕

艸12 〔蕠〕 16 [一] 녀 [平]魚 | ジョ·ニョ ねばりつく
[二] 여 [平]魚 | rú ジョ あかねぐさ

[字解] [一] 달라붙을녀 끈끈함. '一, 黏箸也'《集韻》. [二] 꼭두서니여 '一, 一藘, 艸名, 蒨也, 可以染絳, 通作茹'《集韻》.
[字源] 形聲. 艹(艸)＋絮〔音〕

艸12 〔蕡〕 16 분 [平]文 | fén フン みのおおいさま

[字解] ①열매많을분 초목이 열매를 많이 맺은 모양. '桃之夭夭, 有一其實'《詩經》. ②삼씨분 삼의 씨. '麻之有一者也'《儀禮傳》. ③잡초의향기분 '一, 雜香艸也'《說文》. ④성분 성(姓)의 하나.
[字源] 形聲. 艹(艸)＋賁〔音〕

艸12 〔蕢〕 16 [一] 궤 [去]寘 | kuì キ あじか
[二] 괴 [去]卦 | kuài カイ つちくれ

[字解] [一] 삼태기궤 풀을 담아 나르는 농구. '有荷一而過孔氏之門者'《論語》. [二] 흙덩이괴 凷(凵부 3획〈97〉)와 통용. '一桴而土鼓'《禮記》.
[字源] 形聲. 艹(艸)＋貴〔音〕

艸12 〔蕣〕 16 순 [去]震 | shùn シュン むくげ

[字解] 무궁화나무순 목근(木槿). '朝一'. '菫一朝采'《王僧孺》.
[字源] 形聲. 艹(艸)＋舜〔音〕

艸12 〔蕤〕 16 유 [平]支 | ruí ズイ はな

[字解] ①꽃유 '播芳一之馥馥'《陸機》. ②꽃축늘어질유 '一, 草木華垂貌'《說文》. ③장식유 ㉠관(冠)의 늘어진 장식. '緇布之冠皆不一'《禮記》. ㉡기(旗)의 늘어진 장식. '羽旄揚一'《左思》.
[字源] 形聲. 艹(艸)＋甤〔音〕

艸12 〔蕨〕 16 궐 [入]月 | jué ケツ わらび

[字解] 고사리궐 양치류(羊齒類) 참고사릿과에 속하는 다년생의 풀. 산야에 자생(自生)함. 어린잎은 먹음. '言采其一'《詩經》.
[字源] 形聲. 艹(艸)＋厥〔音〕

艸12 〔蕩〕 16 탕 [上]養 | dàng トウ あらいのぞく

[字解] ①쓸탕 쓸어 없앰. 배제함. '掃一'.

'一天下之陰事'《禮記》. ②움직일탕 동요함. 동요시킴. '振一'. '天下不能一'《荀子》. ③동요하며뿔뿔이헤어질탕 '今我民用一析離居, 罔有定極'《書經》. ④흐르게할탕 '以溝一水'《周禮》. ⑤클탕, 넓을탕 광대한 모양. '浩一'. '一一'. '美哉一乎'《左傳》. ⑥평평할탕 평탄함. '魯道有一'《詩經》. ⑦방자할탕 제멋대로 굶. '一逸'. '放一'. '今之狂也一'《論語》.
[字源] 形聲. ++(艸)+湯〔音〕

艸 12 〔蓴〕16 준 [上]阮 | zǔn ソン むらがりはえているさま
[字解] 더부룩이날준 초목이 빽빽하게 난 모양. '苯一'. '森一一而刺天'《張衡》.
[字源] 形聲. ++(艸)+尊〔音〕

艸 12 〔蕪〕16 무 ①-④[平]虞 ⑤⑥[上]麌 | wú ブ あれる ブ みだれ
[字解] ①거칠무 잡초가 무성함. '田園將一胡不歸'《陶潛》. 또, 떨기로 난 풀. '白露生庭一'《顏延之》. 또, 잡초가 우거진 땅. 황무지. '鳥下綠一'《許渾》. ②달아날무 도망하여 숨음. '孰兩東門之可一'《楚辭》. ③순무무 채소의 한 가지. '一菁'. ④성무 성(姓)의 하나. ⑤번잡할무 '擧要刪一'《唐書》. ⑥풍성할무 '一, 豐也'《爾雅》.
[字源] 形聲. ++(艸)+無〔音〕

艸 12 〔蕒〕16 매 [上]蟹 | mǎi バイ·マイ やくしそう
[字解] 시화매 시홧과의 월년초. 잎은 담뱃잎 비슷하며 담자색 꽃이 핌. 어린잎은 식용하며, 민간에서 위장약으로 씀. 고거(苦苣). '有一菜, 生工吳平家'《晉書》.
[字源] 形聲. ++(艸)+買〔音〕

艸 12 〔蕌〕16 부 [去]宥 | fù フウ·フ ひるがお
[字解] 메부 메꽃. 葍(艸부 9획〈1157〉)과 同字. '葍, 一名一'《詩經 註》.
[字源] 形聲. ++(艸)+富〔音〕

艸 12 〔藤〕16 승 [去]徑 | shèng ショウ ごま
[字解] 깨승 호마(胡麻). '一, 胡麻也'《集韻》.

艸 12 〔蔢〕16 [一] 소 [上]晧 [二] 수 [平]尤 | sǎo ソウ はこべ sǎo シュウ たびらこ
[字解] [一] 별꽃소 '一蔞'·'蔜一'는 별꽃. '一, 艸也'《說文》. [二] 광대나물수 꿀풀과의 일년초 혹은 이년초. '一, 雞腸草也'《廣韻》.
[字源] 形聲. ++(艸)+嫂〔音〕

艸 12 〔蕧〕16 복 [入]屋 | fù フク おぐるま
[字解] ①금불초복 선복화(旋覆花). 금전화(金錢花). 국화과의 다년초. 꽃은 약용. '一, 盜庚. (注) 旋一, 似菊'《爾雅》. ②메꽃복 葍(艸부 9획〈1157〉)과 同字. '葍, 說文, 葍也. 或作一'《廣韻》.
[字源] 形聲. ++(艸)+復〔音〕

艸 12 〔蕫〕16 동 [上]董 [平]東 | dǒng トウ あぶらがや
[字解] ①기름사초동 '蒲一'은 사초(莎草)의 하나. '蒲一. (注) 似蒲而細'《爾雅》. ②연뿌리동 연근(蓮根). '一, 杜林曰, 藕根'《說文》.
[字源] 形聲. ++(艸)+童〔音〕

艸 12 〔蕛〕16 제 [平]齊 | tí テイ いぬびえ
[字解] 돌피제 볏과에 속한 한해살이풀. 稊(禾부 7획〈902〉)와 통용. '一, 英. (注) 一, 似稗, 布地生. 穢草'《爾雅》.
[字源] 形聲. ++(艸)+稊〔音〕

艸 12 〔蕬〕16 사 [平]支 | sī シ ねなしかずら
[字解] ①새삼사 '菟一'는 새삼. 토사자(菟絲子). '菟一, 藥艸'《集韻》. ②물풀이름사 사초(蕬草). '一草, 江南水草, 葉如薤, 隨水淺深而生'《玉堂閒話》.
[字源]

艸 12 〔蓨〕16 의 ①[上]紙 ②[平]支 | wěi ユイ あいのほ wéi イ はますげ
[字解] ①쪽이삭의 '一, 藍蓼秀'《說文》. ②향부자(香附子)의 사초(莎草)의 일종. '一, 一曰, 地毛莎一也'《集韻》.
[字源] 形聲. ++(艸)+隋〔音〕

艸 12 〔蔌〕16 [一] 최 [去]泰 [二] 측 [入]職 [三] 체 [平]霽 | cuì サイ くさのな cè ショク くさのな セイ くさのもえでるさま
[字解] [一] 풀이름최 '一, 艸也'《說文》. [二] 풀이름측 [一]과 뜻이 같음. [三] 풀돋을체 풀이 돋아나는 모양. '一, 艸出皃'《集韻》.
[字源] 形聲. ++(艸)+歖〔音〕

艸 12 〔蒵〕16 석 [入]陌 | xī セキ おおばこ
[字解] ①질경이석 '馬一'은 질경이. 차전초(車前草). '一, 馬一, 艸名. 車前也'《集韻》. ②벗풀석 택사(澤瀉). '蕍, 一. (注) 今澤一'《爾雅》.

艸 12 〔蔦〕16 蒵(前條)과 同字

艸12 〔蒪〕16 부 ①[平]虞 | fū フ はな
[去]遇 | フ しく
②[上]有 | フウ·フ しく

[字解] ①꽃부 '蘛, 華之通名……或作—'《集韻》. ②펼부 꽃이나 잎이 온통 뻗어 퍼짐. '—, 華葉布也'《說文》.
[字源] 形聲. 艹(艸)+傅〔音〕

艸12 〔䓘〕16 고 [平]豪 | gāo コウ つるくさのな

[字解] 쥐고 '—蘇, 白蒿也'《廣雅》.
[字源] 形聲. 艹(艸)+皋〔音〕

艸12 〔䔲〕16 등 [平]蒸 | ①②dēng トウ くさのな
(③증[本] [平]庚 | ③chéng トウ·ジョウ だいだい

[字解] ①풀이름등 '金—'은 풀의 이름. '—, 金—, 草'《廣韻》. ②등차등 '苦—'은 나무 이름. 등차(䔲茶). 잎은 차(茶) 비슷하되 크고, 음료(飮料)로 쓰이나, 차보다 씀. ③등자나무등 橙(木부 12획〈580〉)과 同字. '橙, 說文, 橘屬. 或从艸'《集韻》. ※❸은 本音 증.

艸12 〔蓩〕16 무 [去]宥 | mòu ボウ·モ どくそうのな

[字解] 독초이름무 '—, 毒艸也'《說文》.
[字源] 形聲. 艹(艸)+婺〔音〕

艸12 〔蕅〕16 우 [上]有 | ǒu ゴウ·グ はすのね

[字解] 연뿌리우 연근(蓮根). 藕(艸부 15획〈1198〉)와 同字. '—, 扶渠根'《說文》.
[字源] 形聲. 艹(艸)+水+禺〔音〕

艸12 〔蔾〕16 려 [平]齊 | lí レイ くにのな

[字解] 나라이름려 흉노(匈奴)의 북쪽의 국명(國名). 犂(牛부 8획〈743〉)와 同字. '—, 新—, 國名. 在匈奴北'《集韻》.
[字源] 形聲. 艹(艸)+梨〔音〕

艸12 〔蕜〕16 비 [上]尾 | fěi ヒ いたむ

[字解] 슬퍼할비 '—, 悵也'《廣雅》.
[字源] 形聲. 艹(艸)+悲〔音〕

艸12 〔藹〕16 [一] 애 [去]泰 | ài アイ おおう
[二] 예 [去]霽 | エイ きよい

[字解] [一] ①덮을애 '—, 蓋也'《說文》. ②맑을애 '—, 淸也'《廣韻》. ③미미할애 조금임. '—, 微也'《廣韻》. [二] 맑을예 [一]❷와 뜻이 같음.
[字源] 形聲. 艹(艸)+渴〔音〕

艸12 〔葥〕16 전 [上]銑 | jiǎn セン ほうきぐさ
[平]先
[去]霰

[字解] 댑싸리전 줄기로 비를 만들며, 열매는 강장제(強壯劑)·이뇨제(利尿劑)로 쓰임. '—, 王彗也'《說文》.
[字源] 形聲. 艹(艸)+湔〔音〕

艸12 〔蕍〕16 유 [平]虞 | yǔ ユ おもだか

[字解] ①벗풀유 택사(澤瀉). '—, 蕮. (注) 今澤蕮'《爾雅》. ②꽃모양유 꽃의 모양. '蕍, 蘳蕍, 華皃. 通作—'《集韻》.

艸12 〔䕀〕16 관 [上]旱 | kuǎn カン ふき

[字解] 머위관 '—苳'은 머위. 국화과에 속하는 다년초. '—, —苳'《玉篇》.

艸12 〔蕀〕16 극 [入]職 | jǐ キョク くさすぎかずら

[字解] ①천문동극 '顚—'은 천문동(天門冬). '髦, 顚—'《爾雅》. ②애기풀극 '—蒬. —苑'은 애기풀. 원지(遠志). '—苑, 遠志也'《廣雅》.

艸12 〔䔯〕16 고 [去]遇 | kù コ にらのもやし

[字解] ①그늘에서키운부추고 '—, 韭鬱也'《說文》. ②초김치고 초로 담근 김치. '—, 醋菹'《廣韻》.
[字源] 形聲. 艹(艸)+酤〔音〕

艸12 〔蘮〕16 [一] 계 [去]霽 | jì ケイ ちいさなくさ
[二] 예 [去]霽 | ゼイ ちいさなくさ

[字解] [一] 잔풀계 갓 돋아난 풀. '—, 艸之小者'《說文》. [二] 잔풀예 [一]과 뜻이 같음.
[字源] 形聲. 艹(艸)+㓻〔音〕

艸12 〔蕇〕16 전 [上]銑 | diǎn テン いぬなずな

[字解] 꽃다지전 '—, 亭歷也'《說文》.
[字源] 形聲. 艹(艸)+單〔音〕

艸12 〔䔬〕16 이 [去]寘 | yì イ めあさ

[字解] ①암삼이 암꽃이 피는 삼. '—, 芓也'《說文》. ②개나리이 '—, 連翹. 草名'《廣韻》.
[字源] 形聲. 艹(艸)+異〔音〕

艸12 〔𦽏〕16 〔전〕
葏(艸부 9획〈1159〉)의 本字

艸12 〔蔐〕16 〔억〕
薏(艸부 13획〈1188〉)의 本字

艸 12 〔𦿆〕 16 〔환〕
萑(艸부 8획〈1153〉)의 本字

艸 12 〔𦽚〕 16 〔완〕
莞(艸부 7획〈1142〉)과 同字

艸 12 〔蓡〕 16 〔삼〕
葠(艸부 9획〈1163〉)과 同字

艸 12 〔蕐〕 16 〔화〕
華(艸부 8획〈1150〉)와 同字

艸 12 〔蘁〕 16 〔악〕
蕚(艸부 9획〈1157〉)의 俗字

艸 12 〔𦿋〕 16 〔녕〕
薴(艸부 14획〈1196〉)과 同字

艸 12 〔䕃〕 16 〔음〕
蔭(艸부 11획〈1175〉)의 俗字

艸 12 〔蕰〕 16 〔온〕
薀(艸부 13획〈1187〉)의 俗字

艸 12 〔𦾹〕 16 〔장〕
藏(艸부 14획〈1195〉)의 俗字

艸 12 〔蕭〕 16 〔소〕
艸부 13획(1187)을 보라.

艸 12 〔𦿊〕 16 〔막〕
莫(艸부 7획〈1144〉)의 本字

艸 12 〔𦼮〕 16 〔망〕
莽(艸부 8획〈1147〉)의 本字

艸 12 〔蕑〕 16 〔간〕
葌(艸부 9획〈1162〉)과 同字

艸 12 〔䕭〕 16 감 [上]蹇 | jiǎn カン ほおずき

[字解] 꽈리감 꽈리. 한장(蘘蔣). '一, 艸名, 蘘蔣也'《集韻》.

艸 12 〔𦿀〕 16 〔고〕
苽(艸부 5획〈1130〉)의 俗字

艸 12 〔𦽷〕 16 〔교〕
茭(艸부 6획〈1134〉)와 同字

艸 12 〔䕫〕 16 〔귀〕
蘬(艸부 17획〈1207〉)의 古字

艸 12 〔䔮〕 16 귤 [入]質 | jú キツ やまぜり

[字解] ①산미나리귤 '一, 一日, 馬芹'《集韻》. ②향채(香菜)이름귤 종자로 향료를 만듦. '一, 草可染, 子可食'《廣韻》.

艸 12 〔𦽕〕 16 극 [入]陌 | jí ケキ たかとうだい

[字解] 버들옷극 대극(大戟). 약초의 이름. '一, 大一·巴一, 皆藥艸'《集韻》.

艸 12 〔䔷〕 16 [一] 금 [平]侵 | qín キン みくり
[二] 긍 [平]蒸 | キョウ みくり

[字解] [一] 매자기금 삼릉초(三稜草). 줄기로는 죽기(竹器)의 전을 만듦. 蘻(艸부 16획〈1204〉)과 同字. '一, 艸名, 根可緣器, 或从金'《集韻》. [二] 매자기긍 [一]과 뜻이 같음.

艸 12 〔𦾋〕 16 〔기〕
藄(艸부 14획〈1196〉)와 同字

艸 12 〔𦿋〕 16 녕 [上]迥 | nìng デイ えごま

[字解] ①들깨녕 들깨. 백소(白蘇). '一, 蘇也'《廣雅, 釋草》. ②취어초녕 취어초(醉魚草).

艸 12 〔䕻〕 18 〔혜〕
惠(心부 8획〈394〉)의 古字

艸 12 〔𦾄〕 16 〔담〕
蘫(艸부 16획〈1204〉)과 同字

艸 12 〔𦿍〕 16 [一] 돈 [平]元 | dūn トン くさのな
[二] 퇴 [平]灰 | duī タイ くさのさかんなさま

[字解] [一] 풀이름돈 풀 이름. [二] 풀우거질퇴 풀이 우거진 모양.

艸 12 〔𦾑〕 16 〔랑〕
䕞(艸부 15획〈1201〉)과 同字

艸 12 〔䕲〕 16 〔렵〕
蘵(艸부 15획〈1201〉)과 同字

艸 12 〔䕩〕 16 로 [平]豪 | láo ロウ のまめ
[去]號 | lào ロウ くさぎる

[字解] ①돌콩로 돌콩. '豋, 野豆謂之豋豆, 或作一'《集韻》. ②김맬로 김맴. 제초함. '一, 薅也'《集韻》.

艸 12 〔𦾒〕 16 륭 [平]冬 | lóng リュウ じんめい

[字解] ①사람이름륭 사람 이름. '一, 人名'《字彙補》. ②남편이아내를이르는말륭 금(金)나라의 말임. '金志, 夫謂妻爲一一'《稱謂錄》.

艸 12 〔薐〕 16 릉 [平]蒸 | léng ロウ ほうれんそう

[字解] 시금치릉 시금치. 적근채(赤根菜). '菠一'. '一, 菠一, 菜名'《集韻》.

艸 12 〔⿱艹粦〕16 린 [去]震 [平]眞 [上]軫 | lìn リン おにび | lín リン くさのな

[字解] ①도깨비불린 도깨비불. '一, 鬼火, 或作燐, ⿱艹粦, 同一'《玉篇》. ②풀이름린 풀 이름. '一, 草名'《廣韻》.

艸 12 〔⿱艹䖵〕16 〔맹〕
莔(艸부 7획〈1146〉)과 同字

艸 12 〔⿱艹悶〕16 〔맹〕
懜(心부 12획〈413〉)의 俗字

艸 12 〔⿱艹⿰氵更〕16 〔박〕
薄(艸부 13획〈1188〉)과 同字

艸 12 〔蕟〕16 [一] 발 [入]月 | fà ハツ くさのな
[二] 폐 [去]隊 | fèi ハイ むしろ

[字解] [一] 풀이름발 풀 이름. '一, 艸名'《集韻》. [二] 거적폐 거적. 멍석. 蘞, 或作一'《集韻》.

艸 12 〔⿱艹報〕16 보 [平]豪 | bāo ホウ くさのな

[字解] ①풀이름보 풀 이름. '一, 草'《玉篇》. ②거칠어질보 황폐해짐. '一, 荒也'《集韻》.

艸 12 〔⿱艹⿰舟𠬝〕16 〔복〕
菔(艸부 8획〈1149〉)의 本字

艸 12 〔⿱艹⿰月咅〕16 부 [平]尤 | pōu ホウ つけもの

[字解] 김치부 김치. 채소 절임. '一, 草葅也'《玉篇》.

艸 12 〔⿱艹⿱非長〕16 비 [上]尾 | fěi ヒ にわか

[字解] ①갑작스러울비 '一, 猝也'《廣雅》. ②갑자기만나볼비 '猝相見, 謂之一'《方言》. ③풀이름비 '一, 草也'《廣韻》.

艸 12 〔⿱艹⿱夂絲〕16 〔삼〕
蔘(艸부 11획〈1175〉)과 同字

艸 12 〔⿱艹⿰豕斤〕16 설 [入]屑 | shé セツ きれかかる

[字解] 끊어지려할설 끊어지려 함. '一, 斷而猶連也'《篇海》.

艸 12 〔⿱艹巽〕16 〔손〕
蓀(艸부 10획〈1167〉)과 同字

艸 12 〔⿱艹⿰氵食〕16 〔손〕
蕵(艸부 13획〈1191〉)과 同字

艸 12 〔⿱艹隊〕16 [一] 수 [去]寘 | suì スイ くさのな
[二] 대 [去]隊 | タイ まこもたけ

[字解] [一] ①풀이름수 풀 이름. '一, 艸名, 似菌'《集韻》. ②거친대자리수 거친 대자리. '一, 亦作⿱艹隧'《玉篇》. [二] 줄버섯대 줄버섯. 줄(菰)풀에 나는 버섯. 거소(蘧蔬). '出一'. '一, 出一, 蘧蔬也, 謂菰上菌'《集韻》.

艸 12 〔蕦〕16 수 [平]虞 | xū シュ すいば

[字解] ①수영수 산모(酸模). 마디풀과에 딸린 여러해살이 풀. '一, 蕵蕪別名'《廣韻》. ②삿갓골풀수 사초(莎草). '夫一'. '一, 艸名, 爾雅, 臺, 夫一'《集韻》.

艸 12 〔⿱艹⿰禾秀〕16 〔유〕
莠(艸부 7획〈1142〉)와 同字

艸 12 〔⿱艹⿰禾宿〕16 〔숙〕
蓿(艸부 11획〈1173〉)과 同字

艸 12 〔⿱艹⿰禾隹〕16 아 [上]馬 | yǎ ガ しいな

[字解] 쭉정이아 쭉정이. 여물지 않은 곡식. '一, 子穀不秀'《字彙》.

艸 12 〔⿱艹晻〕16 암 [上]感 | ǎn アン しげる

[字解] 우거질암 우거짐. 무성함. '一, 繁茂也'《集韻》.

艸 12 〔藒〕16 [一] 알 [入]曷 | è アツ みずなのな
[二] 갈 | ケツ みずなのな
[三] 게 [去]霽 | qì ケイ かおりぐさ

[字解] [一] 물나물알 수채(水菜)의 이름. '一, 菜, 似蕨, 生水中'《集韻》. [二] 물나물갈 [一]과 뜻이 같음. [三] 향풀게 향풀. '一車'. '一, 一車, 香艸'《集韻》.

艸 12 〔⿱艹渜〕16 연 [上]銑 | ruǎn ゼン べにばな

[字解] 잇꽃연 잇꽃. 홍화(紅花). 홍남화(紅藍花). '一, 艸名, 紅藍也'《集韻》.

艸 12 〔⿱艹然〕16 연 [平]先 | rán ゼン やせいのまめ

[字解] 돌콩연 돌콩. 들에 나는 콩. '一, 野豆'《集韻》.

艸 12 〔薁〕16 욱 [入]屋 | yù イク まめがら

[字解] 콩깍지욱 타작하고 난 뒤에 남은 콩깍지. '一, 萁也'《字彙補》.

艸 12 〔⿱艹揉〕16 〔유〕
葇(艸부 9획〈1164〉)와 同字

艸 12 〔蕍〕 16 〔유〕 萸(艸부 9획〈1157〉)와 同字

艸 12 〔䕃〕 16 〔음〕 蔭(艸부 11획〈1175〉)과 同字

艸 12 〔䔯〕 16 자 [平]支 | zī シ かぶら

[字解] 순무자 순무. 무청(蕪菁). '一, 菜名, 蕪菁也'《集韻》.

艸 12 〔䕭〕 16 〔장〕 莊(艸부 7획〈1141〉)의 古字

艸 12 〔藸〕 16 〔저〕 蕏(艸부 16획〈1204〉)와 同字

艸 12 〔䔢〕 16 〔저〕 藷(艸부 16획〈1202〉)와 同字

艸 12 〔䕒〕 16 전 [去]霰 | chuàn テン はしる

[字解] 달릴전 달림. 짐승이 풀 속을 달림. '一, 走也'《集韻》.

艸 12 〔䕌〕 16 조 [平]蕭 | zhāo チョウ せい

[字解] 성조 성(姓)의 하나.

艸 12 〔䕯〕 16 〔조〕 蓧(艸부 11획〈1172〉)와 同字

艸 12 〔䔼〕 16 [一] 즙 [入]緝 | zé シュウ かおりのよいやさいのな
[二] 삽 [入]緝 | sè シュウ くさのおと

[字解] [一] 향내나물즙 향채(香菜). '一, 香菜'《集韻》. [二] 풀소리삽 풀의 소리. '一一'. '一, 一一, 艸聲'《集韻》.

艸 12 〔䓬〕 16 지 ㊤紙 | cǐ シ おなもみ

[字解] 도꼬마리지 도꼬마리. 시이(枲耳). '一, 枲耳'《字彙補》.

艸 12 〔䔮〕 16 〔직〕 蘵(艸부 18획〈1208〉)과 同字

艸 12 〔䕣〕 16 〔첩〕 蘶(艸부 13획〈1193〉)과 同字

艸 12 〔䕮〕 16 〔추〕 萩(艸부 8획〈1148〉)와 同字

艸 12 〔䔾〕 16 한 [平]寒 | hán カン ほおずき

[字解] 꽈리한 꽈리. 산장(酸漿). '一漿'. '一, 一漿, 草也'《廣韻》.

艸 12 〔䓴〕 16 효 [平]肴 | xiáo コウ あぶらがや

[字解] 황모효 황모(黃茅). 또, 그 뿌리. '一, 黃茅也'《集韻》.

艸 13 〔䕼〕 19 〔곡〕 苗(艸부 6획〈1139〉)의 本字

艸 13 〔蕷〕 17 여 [去]御 | yù ヨ やまのいも

[字解] 마여 薯(艸부 14획〈1193〉)를 보라. '薯一'. 蕷(艸부 14획〈1194〉)와 同字. '一, 薯一. 俗'《廣韻》.

[字源] 形聲. 艹(艸)+預〔音〕

艸 13 〔蕭〕 17 소 [平]蕭 | xiāo ショウ かわらよもぎ

[字解] ①쑥소 국화과에 속하는 다년초. 약용·식용함. '彼采一兮'《詩經》. ②시끄러울소, 바쁠소 여러 사람이 분주히 노동하는 모양. '一然煩費'《漢書》. ③쓸쓸할소 아주 고요한 모양. '一條'. '一瑟兮草木搖落'《楚辭》. ④불소 바람이 부는 소리. '風一一兮易水寒'《史記》. ⑤떨어질소 나뭇잎이 떨어지는 소리. '風颯颯兮, 木一一'《楚辭》. ⑥울소 말이 우는 소리. '一一馬鳴'《詩經》. ⑦물건소리소 물체의 소리. '幽泉落澗夜一一'《黃庭堅》. ⑧많을소 물건이 많은 모양. '樽俎一一'《杜甫》. ⑨성소 성(姓)의 하나.

[字源] 形聲. 艹(艸)+肅〔音〕

艸 13 〔蕺〕 17 즙 [入]緝 | jí シュウ どくだみ

[字解] 삼백초즙 삼백초과에 속하는 다년초. 산야(山野)의 음습(陰濕)한 땅에 저절로 나며, 잎과 줄기는 약용함. 멸. 즙채(蕺菜). '若其園圃則, 有蓼一蘘荷'《張衡》.

[字源] 形聲. 艹(艸)+戢〔音〕

艸 13 〔蕼〕 17 사 [去]寘 | sì シ ゆるやか

[字解] 너그러울사 관서(寬舒)한 모양. 肆(聿부 7획〈1063〉)와 同字. '祺然一然'《荀子》.

[字源] 形聲. 艹(艸)+肆〔音〕

艸 13 〔蕾〕 17 뢰 ㊤賄 | lěi ライ つぼみ

[字解] 꽃봉오리뢰 '花一'. '一西風開瘦一'《楊萬里》.

[字源] 形聲. 艹(艸)+雷〔音〕

艸 13 〔蕰〕 17 온 ①[平]元 ②㊤吻 | wēn ウン きんぎょも | yùn ウン つむ

字解 ①붕어마름온 붕어마름과(科)에 속하는 수초(水草). 여름에 홍색 꽃이 핌. 금어조(金魚藻). '蘋蘩一藻之菜'《左傳》. ②쌓일온, 쌓을온 蘊(艸부 16획〈1203〉)과 同字. '芟夷一崇之'《左傳》.
字源 形聲. 艹(艸)+溫〔音〕
參考 薀(艸부 12획〈1185〉)은 俗字.

艸13 〔薁〕 17 욱 ㊀屋 | yù イク えびづる

字解 ①까마귀머루욱 포도과의 덩굴나무. 흑자색 열매는 달며, 식용. '一, 蘡一也'《說文》. ②산앵두나무욱 장미과에 속하는 낙엽 관목(落葉灌木). 또, 그 열매. 앵두. 앵도(櫻桃). '六月食鬱及一'《詩經》.
字源 形聲. 艹(艸)+奧〔音〕

艸13 〔薄〕 17 高·人 박 ㊀藥 | báo, bó, ㉒bò ハク うすい, やぶ

筆順 ' ⺾ 䒑 菏 蒲 蒲 薄 薄

字解 ①숲박 초목이 빽빽이 우거진 곳. '林一'. '隱於榛一之中'《淮南子》. ②발박 가리기 위하여 치는 물건. '帷一之外不趨'《禮記》. ③대그릇박 대 또는 갈대로 만든 기명. '一器不成用'《荀子》. ④잠박박 누에를 올려 기르는 물건. '以織一曲爲生'《史記》. ⑤얇을박 두껍지 아니함. '一板'. '如履一冰'《詩經》. ⑥적을박 많지 아니함. '一利'. '德一而位尊'《易經》. ⑦가벼울박 ㉠경함. '二曰, 一征'《周禮》. ㉡경박함. '一俗'. '輕一'. '器樞不浮一'《唐書》. ⑧낮을박 천함. 얕음. '年少官一'《史記》. ⑨좁을박 협착함. '此地狹一'《史記》. ⑩싱거울박 맛이 없음. 담박함. '一酒'. '魯酒一而邯鄲圍'《莊子》. ⑪메마를박 땅이 척박함. '磽一'. '土一水淺'《左傳》. ⑫박할박 인정이 없음. '刻一'. '貴賤情何一'《古詩》. ⑬박하게 할박 적게 함. '厚往而一來'《中庸》. '一滋味'《呂氏春秋》. ⑭가벼이여길박 경시함. '骨肉還相一'《左思》. ⑮가까이할박 접근함. '一而觀之'《左傳》. ⑯붙을박 부착함. '心搖搖如懸旌, 而無所終一'《史記》. ⑰침로할박 침범함. '寒暑未一而疾'《荀子》. ⑱이를박 도달함. '外一四海'《書經 禹貢》. ⑲덮을박 덮어 가림. '外一四海'《書經 益稷》. ⑳모일박 '掩一水渚'《司馬相如》. ㉑잠깐박 ㉠잠시. '一澣我衣'《詩經》. ㉡조금. '一言采之'《詩經》. ㉒박하박 '一荷'. ㉓넓을박 博(十부 10획〈128〉)과 통용. '一一之地'《荀子》. ㉔성박 성(姓)의 하나.
字源 形聲. 艹(艸)+溥〔音〕

艸13 〔薄〕 17 薄(前條)과 同字

艸13 〔薇〕 17 人名 미 ㊥微 | wēi(wéi) ビ·ミ わらび

筆順 ' ⺾ 䒑 䔲 䕘 薇 薇 薇

字解 ①고비미 고빗과에 속하는 양치류(羊齒類)의 다년초. 산야(山野)에 저절로 나며, 어린잎은 식용함. '一蕨'. '言采其一'《詩經》. ②백일홍나무미 '紫一'는 부처꽃과에 속하는 낙엽 교목(落葉喬木). 관상용으로 심음. 배롱나무. 백일홍(百日紅). '紫一花對紫一郞'《白居易》. ③장미미 薔(艸부 13획〈1189〉)을 보라. '薔一'.
字源 形聲. 艹(艸)+微〔音〕

艸13 〔薈〕 17 회 ㊦泰 | huì ワイ しげる

字解 ①우거질회 초목이 무성한 모양. '林木翳一'《孫子》. ②일회 구름이나 안개 같은 것이 이는 모양. '一兮蔚兮'《詩經》. ③숲회 풀숲. '近浮游於園一'《郭璞》.
字源 形聲. 艹(艸)+會〔音〕

艸13 〔薆〕 17 애 ㊦隊 | ài アイ くさきのさかんなさま

字解 ①우거질애 초목이 무성한 모양. '鬱蓊一薱'《張衡》. ②숨을애, 숨길애, 가릴애 은폐함. '一障卽隱蔽也'《爾雅》. ③향기로울애 향내가 남. '晻一咇茀'《司馬相如》.
字源 形聲. 艹(艸)+愛〔音〕

艸13 〔薊〕 17 계 ㊦霽 | jì ケイ あざみ

字解 ①엉겅퀴계 국화과의 다년초. '朮, 山一. (疏)生平地者, 卽名一. 生山中者, 一名朮'《爾雅》. ②현이름계 천진시(天津市) 북부에 있는 현(縣)으로 1913년에 정해짐. ③성계 성(姓)의 하나.
字源 形聲. 艹(艸)+魝〔音〕

艸13 〔薌〕 17 향 ㊥陽 | xiāng キョウ かおり

字解 ①곡식향내향 '一, 穀氣, 亦作香'《玉篇》. ②소내장의지방(脂肪)향 '燔燎羶一'《禮記》. '羊膏羶, 牛膏一'《禮記 集解》.
字源 形聲. 艹(艸)+鄉〔音〕

艸13 〔薏〕 17 ㊀억 ㊀職 ㊁의 ㊦寘 | yì ヨク はすのはいが イ はとむぎ

字解 ㊀연밥알억 연실(蓮實) 속의 알맹이. '荷, 芙蕖, 其實蓮, 其根藕, 其中的. 的中一'《爾雅》. ㊁율무의 '一苡'는 볏과에 속하는 일년초. 열매는 먹거나 약재로 씀. '初遊唐安飯一米, 炊成不減雕胡美'《陸游》.
字源 形聲. 篆文은 艹(艸)+意〔音〕

艸13〔薐〕17 릉 [平]蒸 | léng ロウ ほうれんそう

[字解] 시금치릉 '菠一'. '一, 菠一, 菜名'《字彙》.

[字源] 形聲. 艹(艸)＋稜〔音〕

艸13〔薑〕17 강 [平]陽 | jiāng キョウ しょうが

[字解] 생강강 생강과에 속하는 다년초. 근경(根莖)은 맵고 향기가 있어, 식용 및 약용으로 함. '生一'. '不撤一食'《論語》.

[字源] 形聲. 篆文은 艹(艸)＋彊〔音〕

艸13〔蓡〕17 삼 [平]侵 | shēn シン ちょうせん にんじん

[字解] 인삼삼 蔘(艸부 11획〈1175〉)·參(厶부 9획〈140〉)의 本字. '太原府土貢人一'《唐書》.

[字源] 形聲. 艹(艸)＋㴆〔音〕

艸13〔薔〕17 [人名] [一] 색 [入]職 | sè ショク みずたで
[二] 장 [平]陽 | qiáng ショウ ばら

[筆順] 薔

[字解] [一] 물여뀌색 마디풀과에 속하는 다년초. 물가에 남. 수료(水蓼). 택료(澤蓼). '一, 虞蓼'《爾雅》. [二] 장미장 '一薇'는 장미과에 속하는 낙엽 관목(落葉灌木). 관상용(觀賞用)임.

[字源] 形聲. 艹(艸)＋嗇〔音〕

艸13〔薖〕17 과 [平]歌 | kē カ ひろくゆるやか

[字解] ①너그러운모양과 관대한 모양. '碩人之一'《詩經》. ②헛헛할과 주린 모양. '一, 一日, 飢意'《集韻》.

[字源] 形聲. 艹(艸)＋過〔音〕

艸13〔薘〕17 달 [入]曷 | dá タツ おおばこ

[字解] 질경이달 질경잇과에 속하는 다년초. 들이나 길가에 나며, 종자는 약용, 어린잎은 식용함. 차전초(車前草). '風振蕉一裂'《謝朓》.

[字源] 形聲. 艹(艸)＋達〔音〕

艸13〔薙〕17 [一] 체 [去]霽 | tì テイ·タイ なぐ
[二] 치 [上]紙 | zhì チ こぶし

[字解] [一] 깎을체 ㉠풀을 깎음. '芟一'. '一草得斷碑'《蘇軾》. ㉡머리를 바싹 깎음. '李贊奪一髮刀自勁'《列朝詩集》. [二] 목련치 '辛一'는 목련과(木蓮科)에 속하는 낙엽 교목. 신이(辛夷)의 별명.

[字源] 形聲. 艹(艸)＋雉〔音〕

艸13〔薅〕17 호 [平]豪 | hāo コウ くさぎる

[字解] 김맬호 밭의 풀을 뽑음. '以一荼蓼'《詩經》.

[字源] 形聲. 蓐＋好〈省〉〔音〕

艸13〔⿱艹搞〕17 薅(前條)와 同字

艸13〔薛〕17 [人名] 설 [入]屑 | xuē セツ よもぎ

[筆順] 薛

[字解] ①쑥설 국화과에 속하는 다년초. '一莎青薠'《司馬相如》. ②나라이름설 주대(周代)의 국명(國名). 전국 시대(戰國時代)에 제(齊)나라에게 멸망당하였음. 지금의 산동성(山東省)에 있었음. ③성설 성(姓)의 하나.

[字源] 形聲. 篆文은 艹(艸)＋辥〔音〕

[參考] 薜(次條)은 別字.

艸13〔薜〕17 [一] 폐 [去]霽 | bì ヘイ おおいたび
[二] 벽 [入]陌 | bò ハク とうき

[字解] [一] 왕모람폐 '一荔'는 뽕나뭇과(科)에 속하는 상록 관목. 기근(氣根)으로 딴 물건에 부착함. 모람보다 큼. '被一荔兮帶女蘿'《楚辭》. [二] ①당귀(當歸)벽 '一, 山蘄'《爾雅》. ②줄사철나무벽 '一荔'는 노박덩굴과에 속하는 상록 만목(常綠蔓木). 산과 들에 저절로 나는데, 관상용으로 심기도 함.

[字源] 形聲. 艹(艸)＋辟〔音〕

艸13〔薝〕17 담 [上]感 | dǎn タン くちなしのはな

[字解] 치자나무꽃담 '一蔔'은 치자나무. 또, 그 꽃. 빛이 희고 향내가 매우 좋음. '一蔔冠諸香'《陸龜蒙》.

[字源] 形聲. 艹(艸)＋詹〔音〕

艸13〔薟〕17 렴(②험[本]) [平]鹽 | liǎn レン やぶがらし

[字解] ①거지덩굴렴 포도과에 속하는 다년생 만초(蔓草). 각지에 저절로 나며 뿌리는 약재로 씀. 오렴매(烏蘞苺). 蘞(艸부 17획〈1206〉)과 同字. ②털진득찰렴 '豨一'은 국화과(科)에 속하는 다년초. 노란 꽃이 가을에 핌. ※❷本音 험.

[字源] 形聲. 艹(艸)＋僉〔音〕

艸13〔薢〕17 해 [上]蟹 | xiè カイ ところ

[字解] 도코로마해 萆(艸부 8획〈1151〉)를 보라. '萆一'.

[字源] 形聲. 艹(艸)＋解〔音〕

艸13 〔薤〕 17 해 [去]卦 | xiè カイ らっきょう

[字解] 염교해 백합과에 속하는 다년초. 파 비슷한 훈채(葷菜)임. 인경(鱗莖)은 식용함. 해채(薤菜). '脂用蔥, 膏用一'《禮記》.
[字源] 形聲. 艹(艸)+韰〈省〉〔音〕

艸13 〔薦〕 17 [高·人] [一] 천 [去]霰 [二] 진 [去]震 | jiàn セン すすめる jìn シン はさむ

[筆順] ' 艹 产 芦 芦 芦 蔫 薦

[字解] [一] ①드릴천 물건을 바침. 진상함. '殷一之上帝'《易經》. ②올릴천 제수(祭需)를 올림. '一新'. '一其時食'《中庸》. 또, 제수. '薄一'. ③천거할천 인재를 소개하여 쓰게 함. '推一'. '馬援並一之'《後漢書》. ④깔천 자리로 삼음. '白茅以一'《法苑珠林》. ⑤자리천 밑에 까는 자리. '席一'. '薜荔飾而陸離一兮'《楚辭》. ⑥풀천, 꼴천 짐승이 먹는 잡초. '麋鹿食一'《莊子》. ⑦우거질천 무성함. '一草多衍'《管子》. ⑧거듭천 연거푸. '饑饉一臻'《詩經》. ⑨성천 성(姓)의 하나. [二] 꽂을진 縉(糸부 10획〈1006〉)과 통용. '一紳先生難言之'《史記》.
[字源] 會意. 艹(艸)+廌

艸13 〔薧〕 17 [一] 고 [上]晧 [二] 호 [平]豪 | kǎo コウ かわく hāo コウ はかば

[字解] [一] 마를고, 건어고 말린 물고기. '辨魚物爲鱻一'《周禮》. [二] 무덤호, 저승호 묘지(墓地). '一, 死人里也'《說文》.
[字源] 形聲. 《說文》에서는 死+蒿〈省〉〔音〕

艸13 〔薨〕 17 [一] 훙 [平]蒸 [二] 횡 [平]庚 | hōng コウ しぬ hōng コウ おおい

[字解] [一] 훙서할훙 제후(諸侯)·왕공(王公)·귀인(貴人)이 죽음. '公一于齊'《春秋》. [二] ①많을횡 많이 모인 모양. '螽斯羽, 一一兮'《詩經》. ②빠를횡 급속한 모양. '度之一一'《詩經》.
[字源] 形聲. 死+瞢〈省〉〔音〕

艸13 〔薪〕 17 [人名] 신 [平]眞 | xīn シン たきぎ

[筆順] ' 艹 芏 芏 苹 莘 薪 薪

[字解] ①땔나무신 섶나무. 연료로 하는 초목. '析一如之何'《詩經》. ②나무할신 땔나무나 풀을 벰. '一於野'《列子》. ③땔나무로 할신 '芃芃棫樸, 一之槱之'《詩經》.
[字源] 形聲. 艹(艸)+新〔音〕

艸13 〔⿱艹賊〕 17 적 [入]職 | zéi ソク·ゾク とくさ

[字解] 속새적 '木一'은 속샛과에 속하는 다년생의 상록 숙근초(常綠宿根草). 줄기는 딱딱한 기구(器具)를 닦는 데 씀. 속새. 목적(木賊). '一, 木一, 艸名'《集韻》.

艸13 〔薍〕 17 [一] 란 [去]翰 [二] 완 [去]諫 | luàn ラン のびるのね wàn ガン おぎ

[字解] [一] 달래뿌리란 달래의 뿌리. '一, 小蒜根曰一子'《集韻》. [二] 물억새완 볏과에 속하는 다년초. 억새 비슷함. '葭一阻奧'《唐書》.
[字源] 形聲. 艹(艸)+亂〔音〕

艸13 〔⿱艹⿰𠦝元〕 17 薍(前條)과 同字

艸13 〔藘〕 17 거 [平]魚 [上]語 | qú キョ やくしそう

[字解] 이고들빼기거 국화과에 속하는 2년초. 산과 들에 자생(自生)하며, 줄기·잎에 흰 즙이 있음. 고매채(苦蕒菜). '一, 苦一. 江東呼爲苦蕒'《廣韻》.
[字源] 形聲. 艹(艸)+豦〔音〕

艸13 〔薂〕 17 [一] 격 [入]錫 (혁[本]) [二] 효 [上]篠 | xí ゲキ はすのみ xiào キョウ くろくわい

[字解] [一] 연밥격 '的, 一. (注)卽蓮實'《爾雅》. ※本音 혁. [二] 올방개효 '芍, 艸名……或从敫'《集韻》.

艸13 〔薋〕 17 자 [平]支 | cí シ はまびし

[字解] ①남가새자 해변의 모래땅에 나는 일년초. 질려(蒺藜). '一菉葹以盈室兮. (注)一, 蒺藜也'《楚辭》. ②대암풀자 난초과의 다년초. 뿌리는 백급(白及)이라 하여 약재로 씀. '白芷, 茋一'《廣雅》. ③풀더부룩할자 풀이 많은 모양. '一, 艸多皃'《說文》.
[字源] 形聲. 艹(艸)+資〔音〕

艸13 〔薠〕 17 번 [平]元 | fán ハン くさのな

[字解] 사초(莎草)번 '青一'은 향부자(香附子) 비슷하되 더 큰 사초의 일종. '路無莎一'《淮南子》.
[字源] 形聲. 艹(艸)+煩〔音〕

艸13 〔蕸〕 17 하 [平]麻 | xiá カ はすのは

[字解] ①연(蓮)잎하 하엽(荷葉). '荷, 芙渠. 其莖, 茄. 其葉, 一'《爾雅》. ②이삭안 팬갈대하 '一, 葦未秀者'《康熙字典》.

艸13 〔蘦〕 17 령 [平]青 | líng レイ おちる

字解 풀이울령 풀잎이 말라서 떨어짐. '一, 艸零落也'《集韻》.

艸13〔薭〕17 칭 ㊄徑 ㊀蒸 | chēng ショウ ごま

字解 검은깨칭 호마(胡麻). 藤(艸부 12획〈1183〉)과 뜻이 같음. '胡麻, 一名一, 卽, 黑芝麻'《素問 註》.

艸13〔葶〕17 정 ㊤迥 | dǐng テイ あぶらがや

字解 기름사초(莎草)정 '一董'은 방동사닛과의 다년초. '一董, 艸名, 似蒲而細'《集韻》.

艸13〔蜀〕17 촉 ㊅沃 | shǔ ショク たちあおい

字解 ①접시꽃촉 '一葵'는 촉규화(蜀葵花). '一, 俗字, 一葵, 艸名, 誤蜀葵, 本作蜀'《正字通》. ②철쭉나무촉 躅(艸부 19획〈1210〉)과 同字.

艸13〔蒿〕17 호 ㊤皓 | hǎo コウ はますげ

字解 향부자호 '一侯'는 향부자(香附子). '一侯, 莎'《爾雅》.

艸13〔藫〕17 단 ㊀寒 | tán タン・ダン くさのな

字解 ①풀이름단 '一, 艸名'《集韻》. ②덩굴땅에퍼질단 '一, 艸蔓布地'《正字通》.

艸13〔蘬〕17 ㊀ 회 ㊤賄 ㊁ 괴 ㊀灰 | huǐ カイ よろいぐさ カイ やさいのな

字解 ㊀ 향초이름회 회양(懷羊). '一, 艸名. 懷羊也'《集韻》. ㊁ ①향초이름괴 ㊀과 뜻이 같음. ②야채이름괴 '一, 菜名'《廣韻》.

艸13〔蘞〕17 렴 ㊀鹽 | lán レン おぎ

字解 ①물억새렴 아직 이삭이 패지 않은 물억새. '一, 一蒹, 未秀荻草'《廣韻》. ②생강렴 '一, 薑也'《廣韻》. ③개나리렴 '一, 一曰, 三一. 味酸, 可食'《集韻》.
字源 形聲. 艹(艸)+廉〔音〕

艸13〔蕹〕17 옹 ㊀冬 | wèng ヨウ あつまる

字解 ①모을옹, 모일옹 '一, 萃也'《集韻》. ②옹채(蕹菜)옹 메꽃과(科)의 1년초. 습지에 재배하며, 줄기와 잎이 식용이 됨.

艸13〔蕪〕17 무 ㊄宥 ㊤有 | mào ボウ・モ くさのな

字解 풀이름무 '一, 艸也'《說文》
字源 形聲. 艹(艸)+楙〔音〕

艸13〔藪〕17 격 ㊅錫 | jī ケキ くさのな

字解 풀이름격 풀 이름. '一, 艸也'《說文》.
字源 形聲. 艹(艸)+毄(毄)〔音〕

艸13〔蕵〕17 손 ㊀元 | sūn ソン すいば

字解 수영손 '一蕪'는 수영. 마디풀과의 다년초로, 산과 들에 자생(自生)하며, 줄기·잎이 심. '須, 一蕪《爾雅》.

艸13〔蕩〕17 ㊀ 탕 ㊀陽 ㊁ 장 ㊀陽 | tāng トウ やまごぼう チョウ やまごぼう

字解 ㊀ 자리공탕 상륙(商陸). '蓫一, 馬尾. 〈注〉馬尾, 蔏陸'《爾雅》. ㊁ 자리공장 ㊀과 뜻이 같음.

艸13〔蕻〕17 홍 ㊄送 | hóng(hòng) コウ くさのしんがながい

字解 ①장다리길홍 풀의 장다리가 길. '一, 草萊心長'《廣韻》. ②우거질홍 '一, 茂也'《集韻》. ③싹틀홍 초목(草木)의 싹이 나옴. '一, 吳俗謂草木萌曰一'《類篇》. ④갓홍 '雪裏一'은 갓. 개채(芥菜). '四明有菜, 名雪裏一. 雪深, 諸菜凍損, 此菜獨存'《廣羣芳譜》.

艸13〔䕅〕17 합 ㊅洽 | xiá コウ はなのかさなりならんでいるさま

字解 꽃겹칠합 '一韘'은 꽃이 겹쳐서 피어 있는 모양. '紅葩一韘'《何晏》.

艸13〔舊〕17 〔구〕
舊(臼부 12획〈1107〉)의 俗字

艸13〔蘤〕17 〔화〕
華(艸부 8획〈1150〉)의 本字

艸13〔藎〕17 〔신〕
藎(艸부 14획〈1195〉)의 本字

艸13〔藍〕17 〔람〕
藍(艸부 14획〈1195〉)의 本字

艸13〔蕍〕17 〔화〕
驊(馬부 12획〈1750〉)의 古字

艸13〔蔓〕17 〔만〕
蔓(艸부 11획〈1174〉)과 同字

艸13〔蘾〕17 〔아〕
莪(艸부 7획〈1144〉)와 同字

艸13〔薬〕16 〔약〕 藥(艸부 15획〈1199〉)의 俗字

艸13〔藥〕17 〔약〕 藥(艸부 15획〈1199〉)의 俗字

艸13〔蘖〕17 〔얼〕 孼(子부 16획〈273〉)과 同字

艸13〔蕺〕17 〔절〕 芖(艸부 5획〈1132〉)과 同字

艸13〔薉〕17 〔예〕 穢(禾부 13획〈912〉)와 同字

艸13〔薎〕17 ㊀蠛(虫부 15획〈1253〉)과 同字 ㊁蔑(艸부 11획〈1174〉)과 同字

艸13〔薗〕17 〔원〕 園(口부 10획〈198〉)과 同字

艸13〔蕿〕17 〔훤〕 蘐(艸부 16획〈1204〉)의 本字

艸13〔䕯〕17 〔모〕 耄(老부 4획〈1048〉)와 同字

艸13〔䔹〕17 〔수〕 穟(禾부 13획〈912〉)와 同字

艸13〔臈〕17 〔랍〕 臘(肉부 13획〈1094〉)의 俗字

艸13〔薫〕17 〔훈〕 薰(艸부 14획〈1194〉)의 略字

〔蟇〕 〔마〕 虫부 11획(1244)을 보라.

艸13〔蕳〕17 가 [去]箇 | hè カ はっか

[字解] 박하가 박하. '蔢一'. '一, 蔢一, 艸名'《集韻》.

艸13〔䕸〕17 간 [上]旱 | gǎn カン くさのくき [去]翰 | gàn カン くさのな

[字解] ①풀줄기간 풀 줄기. '一, 衆草莖也'《廣韻》. ②풀이름간 풀 이름. '一, 說文, 艸也, 或从榦'《集韻》.

艸13〔藒〕17 ㊀갈 [入]屑 | hé ケツ かおりぐさのな ㊁할 [入]曷 | カツ しょくようとなるみずくさ

[字解] ㊀향초갈 향초(香草). '一車'. '一, 一車, 香草'《玉篇》. ㊁수초할 수초(水草). 고비를 닮았으며 식용함. '一, 水艸, 似蕨可啖. 或从歇, 从褐'《集韻》.

艸13〔髭〕17 藒(前條)과 同字

艸13〔藑〕17 경 [平]庚 | qióng ケイ くさのめぐらまつわるさま

[字解] 풀휘감길경 풀이 휘감김. '一, 艸旋皃, 或作蘔'《集韻》.

艸13〔薣〕17 고 [上]麌 | gǔ コ おおけたで

[字解] 큰여뀌고 큰 여뀌. 여뀌의 하나. '一, 艸名, 爾雅, 葒, 蘢一'《集韻》.

艸13〔䕧〕17 〔교〕 茭(艸부 6획〈1134〉)와 同字

艸13〔蔲〕17 〔구〕 蔻(艸부 11획〈1173〉)와 同字

艸13〔䕘〕17 구 [平]尤 | gōu コウ·ク ひめあざみ

[字解] 지칭개구 국화과의 두해살이풀. '一芺'. '一, 一芺, 艸名'《集韻》.

艸13〔蕽〕17 농 [平]冬 | nóng ノウ あしのはな

[字解] 갈대꽃농 갈대꽃. '蓬一'. '一, 蓬一, 蘆華'《集韻》.

艸13〔薝〕17 〔담〕 蘫(艸부 16획〈1204〉)과 同字

艸13〔䕭〕17 〔담〕 菼(艸부 8획〈1151〉)의 俗字

艸13〔蒧〕17 담 | dǎn タン はこ

[字解] 궤짝담 궤짝, 상자 따위. '一, 箱屬, 與匴同'《海篇》.

艸13〔薹〕17 〔체〕 蔕(艸부 11획〈1174〉)와 同字

艸13〔蘋〕17 〔돈〕 蕇(艸부 12획〈1185〉)과 同字

艸13〔䕱〕17 두 [上]有 | dòu トウ くさのな, しとね

[字解] ①풀이름두 풀 이름. '一, 艸名'《集韻》. ②깔것두 깔것. 풀로 엮은 둥근 방석. '一, 圓草褥也'《廣韻》.

艸13〔蘱〕17 〔라〕 蓏(艸부 10획〈1168〉)와 同字

艸13 〔𦾷〕17 〔륙〕
䕡(艸부 11획〈1177〉)과 同字

艸13 〔藢〕17 〔미〕
葿(艸부 9획〈1158〉)와 同字

艸13 〔蔤〕17 〔밀〕
𧄏(艸부 14획〈1197〉)의 俗字

艸13 〔蔔〕17 〔복〕
葍(艸부 9획〈1157〉)과 同字

艸13 〔蔢〕17 복 [入]屋 | bó ホク くすりのな
[字解] ①약이름복 약 이름. ②박하복 박하. '一蕳'. '一, 藥名'《字彙補》.

艸13 〔䔰〕17 부 [平]虞 | fú フ くろくわい
[字解] 올방개부 올방개. 凫(鳥부 2획〈1809〉)의 俗字. '一, 一芘, 艸名, 生下田, 根可食'《集韻》.

艸13 〔蔽〕17 불 [入]物 | bì フツ きじのはね
[字解] 꿩깃불 꿩깃. 황후의 수레에 장식으로 꽂던 꿩의 깃. '一, 后車以翟羽爲裝飾也, 通作茀'《集韻》.

艸13 〔蕯〕17 삽 [入]合 | sà ソウ くさのおと
[字解] 풀소리삽 풀 소리. '一, 艸聲'《集韻》.

艸13 〔蕿〕17 소 [平]豪 [上]晧 | sǎo ソウ くさのな
[字解] ①별꽃소 석죽과에 딸린 두해살이풀. 蕿(艸부 12획〈1183〉)와 同字. '蕿, 說文, 艸也, 或作一'《集韻》. ②풀이름소. '一, 艸名'《集韻》.

艸13 〔稕〕17 〔준〕
稕(禾부 8획〈905〉)과 同字

艸13 〔䕊〕17 〔어〕
篽(竹부 11획〈955〉)와 同字

艸13 〔藹〕17 예 [去]霽 | yì エイ くさのな
[字解] 풀이름예 풀 이름. 자소(紫蘇) 비슷한데 붉음. '一, 艸名, 似蘇而赤, 或作蘙'《集韻》.

艸13 〔䕑〕17 오 [上]晧 | ǎo ゴウ うりのつる
[字解] ①오이덩굴오 오이 덩굴. '一, 瓜蔓'《集韻》. ②오이덩굴끝오 오이 덩굴의 뻗어 나가는 끝. '一, 瓜蔓苗頭'《廣韻》.

艸13 〔𦾱〕17 〔유〕
揉(手부 9획〈452〉)와 同字

艸13 〔藡〕17 〔유〕
蕕(艸부 12획〈1182〉)와 同字

艸13 〔𧂒〕17 〔저〕
菹(艸부 8획〈1151〉)와 同字

艸13 〔𧃀〕17 〔지〕
菧(艸부 8획〈1155〉)와 同字

艸13 〔𧀑〕17 전 [去]霰 | diàn デン
[字解] 느릅나무전 느릅나무. '一薽. '一, 一薽, 艸名, 蕪荑也'《集韻》.

艸13 〔擂〕17 〔주〕
葅(艸부 8획〈1154〉)와 同字

艸13 〔搸〕17 〔진〕
蓁(艸부 14획〈1198〉)과 同字

艸13 〔蘖〕17 [一]첩 [入]葉 [二]섭 [入]葉 | チョウ くさのな xiè ショウ くつのなかにしくくさ
[字解] [一]풀이름첩 풀 이름. '一, 艸名'《集韻》. [二]신에까는풀섭 신에 까는 풀. '屟, 履中薦也, 或作一'《集韻》.

艸13 〔蘗〕17 蘖(前條)과 同字

艸13 〔蕛〕17 〔치〕
穉(禾부 12획〈911〉)의 俗字

艸13 〔𧂇〕17 〔변〕
萹(艸부 9획〈1157〉)과 同字

艸13 〔蘽〕17 품 [上]寢 | bǐng ヒン ふじ
[字解] 등나무품 등나무〔藤〕. '一, 艸名, 藤也'《集韻》.

艸13 〔𧁸〕17 〔협〕
蕀(艸부 14획〈1198〉)과 同字

艸14 〔薩〕18 [人名] 살 [入]曷 | sà サツ すくう
[筆順] ' 艹 阝 萨 萨 薩 薩 薩
[字解] ①보살살 구함〔濟〕. 범어(梵語) sat 의 음역자(音譯字). ②성살 성(姓)의 하나.
[字源] 形聲. 본디 土+薛〔音〕

艸14 〔薯〕18 서 [去]御 | shǔ ショ いも
[字解] ①마서 '一蕷'는 맛과(科)에 속하는

다년생 만초(蔓草). 엽액(葉腋)에서 나는 육아(肉芽)는 먹으며, 괴근(塊根)은 강장제의 약재료임. 일설(一說)에는, 참마. 藷(艸부 16획〈1202〉)와 뜻이 같음. ②감자서 널리 감자류의 총칭. '馬鈴一'.
[字源] 形聲. 艹(艸)+署〔音〕

艸 14 〔薰〕 18 [人名] 훈 [平]文 | xūn クン かおりぐさ
[筆順] ' 艹 芊 菅 菅 蕫 董 薰
[字解] ①훈초(薰草)훈 콩과(科)에 속하는 향기로운 풀. '一以香自燒, 膏以明自銷'《漢書》. ②향내훈 향기. '一一一蕕'《左傳》. ③향기로울훈 '陌上草一'《江淹》. ④태울훈 열에 타게 함. '厲一心'《易經》. ⑤솔솔불훈 바람이 부드럽게 붊. '南風之一兮'《孔子家語》. ⑥훈자할훈 남에게 감화(感化)를 줌. '名聲足以一炙之'《韓詩外傳》. '一陶'. '一其德'《韓愈》. ⑦훈할훈 熏(火부 10획〈722〉)과 통용. '與世嘗一赫'《張九齡》. ⑧오랑캐이름훈 獯(犬부 14획〈762〉)과 통용. '一育戎狄攻之'《史記》. ⑨공훈 勳(力부 14획〈118〉)과 통용. ⑩성훈 성(姓)의 하나.
[字源] 形聲. 艹(艸)+熏〔音〕

艸 14 〔薲〕 18 빈 [平]眞 | pín ヒン うきくさ
[字解] 개구리밥빈 蘋(艸부 16획〈1203〉)과 同字. '瓜州飼馬以一草'《酉陽雜俎》.

艸 14 〔薳〕 18 원 [上]阮 | yuǎn エン いとひめはぎ
[字解] 원지원 '一志'는 원지과에 속하는 다년초. 산야(山野)에 저절로 남. 뿌리는 보정 강장제(補精強壯劑)로 씀. 원지(遠志). 영신초(靈神草).
[字源] 形聲. 艹(艸)+遠〔音〕

艸 14 〔藨〕 18 표 [平]蕭 | piāo ヒョウ うきくさ
[字解] 개구리밥표 부평초(浮萍草). '江東謂浮萍爲一'《揚子方言》.
[字源] 形聲. 艹(艸)+漂〔音〕

艸 14 〔薹〕 18 대 [平]灰 | tái タイ かさすげ
[字解] ①삿갓사초대 방동사닛과에 속하는 다년초. 잎을 말려 삿갓 따위를 만듦. '一笠聚東菑'《謝脁》. ②장다리대 무·배추 등의 꽃줄기. '此菜易起一'《本草》. ③평지대 蕓(艸부 12획〈1181〉)을 보라. '蕓一'.
[字源] 形聲. 艹(艸)+臺〔音〕

艸 14 〔薺〕 18 제 [上]薺 | jì セイ なずな
[字解] 냉이제 겨잣과에 속하는 월년초. 길가나 밭에 저절로 많이 남. 어릴 때 캐서 국을 끓여 먹는데, 맛이 달콤함. 제채(薺菜). '誰謂荼苦, 其甘如一'《詩經》.
[字源] 形聲. 艹(艸)+齊(斉)〔音〕
[參考] 斊(艸부 8획〈1156〉)는 俗字.

艸 14 〔蔡〕 18 찰 [入]黠 | chá サツ あくた
[字解] 지푸라기찰, 쓰레기찰 초개(草芥). '蕭養均草一'《韓愈》.

艸 14 〔薿〕 18 [一] 의 [上]紙 | nǐ ギ しげる
[二] 억 [入]職 | nǐ ギョク しげる
[字解] [一] 우거질의 곡초가 무성한 모양. '或耘或耔, 黍稷一一'《詩經》 [二] 우거질억 [一]과 뜻이 같음.
[字源] 形聲. 艹(艸)+疑〔音〕

艸 14 〔藁〕 18 고 [上]晧 | gǎo コウ わら
[字解] ①짚고 볏짚. 稾(禾부 10획〈909〉)의 俗字. '席一請罪'《史記》. ②초고고 문서의 원안(原案). '原一'. '屬草一'《史記》. ③마를고 ㉠건조함. '一魚'. ㉡말라 죽음. '中昊不雨, 傷風病'《易林》.
[字源] 形聲. 艹(艸)+稾〔音〕

艸 14 〔藇〕 18 [一] 서 [上]語 | xǔ ショ うつくしい
[二] 여 [去]御 | yù ヨ やまいも
[筆順] 十 艹 芇 芇 莔 莔 蕄 藇
[字解] [一] ①아름다울서 아름다운 모양. '釃酒有一'《詩經》. ②성서 성(姓)의 하나. [二] 마여 蕷(艸부 13획〈1187〉)와 同字. '藷一桑椒'《水經注》.
[字源] 形聲. 艹(艸)+與〔音〕

艸 14 〔藈〕 18 규 [平]齊 | kuí ケイ からすうり
[字解] 쥐참외규 '一菇, 王瓜也'《廣雅》.

艸 14 〔藉〕 18 [人名] [一] 자 [去]禡 | jiè シャ しきもの
[二] 적 [入]陌 | jí セキ ふむ
[筆順] ' 艹 芏 芈 耤 耤 藉 藉
[字解] [一] ①깔개자, 자리자 밑에 까는 물건. 또, 실 같은 것을 떠서 옥(玉) 같은 것의 밑에 까는 물건. 받침. '執玉, 其有一者'《禮記》. ②깔자 자리 같은 것을 깖. '一用白茅'《易經》. ③빌릴자 ㉠남의 도움을 입음. '一兵乞食於西周'《戰國策》. ㉡차용함. '一外論之'《莊子》. ㉢'一口'는 입을 빌린다는 뜻으로, 핑계함을 이름. '苟有以一口而復於寡君'《左傳》. ④빌려줄자 대여함. '一

寇兵而齎盜糧也'《十八史略》. ⑤의뢰할자 의지함. '可一與謀'《管子》. '民一以安'《十八史略》. ⑥도울자 도와 권함. '一之以樂'《左傳》. ⑦이바지할자 공물(貢物) 같은 것을 바침. '其一于成周'《穀梁傳》. ⑧갈자 천자 또는 제후가 민력(民力)을 빌려 경작함. '不一千畝'《國語》. ⑨온화할자 성품이 부드럽고 화락한 모양. '爲人溫雅有醞一'《漢書》. ⑩위로할자 위안함. '慰一之'《後漢書》. ⑪가령자 가정하는 말. '一令'. '一使子嬰有庸主之材'《賈誼》. [二] ①왁자할적 떠들썩함. '名聲一甚'《漢書》. ②밟을적 발로 밟음. 유린함. '鄰民大怨, 欲一吏起'《呂氏春秋》. ③업신여길적 대단히 경멸함. 능멸(凌蔑)함. '人皆一吾弟'《史記》. ④범할적 침범함. '一夫子者無禁'《莊子》. ⑤노적 실로 꼰 노. '狗來一'《莊子》. ⑥적전적 '一田'은 천자(天子)가 친히 경작하는 전지(田地). ⑦성적 성(姓)의 하나.
[字源] 形聲. 艹(艸)+耤〔音〕

艸 14 〔藋〕 18 조 [去]嘯 | diào チョウ あおあかざ

[字解] 명아주조 명아주〔藜〕의 일종. 전야(田野)에 저절로 남. 잎은 먹으며, 줄기는 지팡이를 만듦. '藜一柱乎鼪鼬之徑'《莊子》.
[字源] 形聲. 艹(艸)+翟〔音〕

艸 14 〔藍〕 18 [人名] 람 [平]覃 | lán ラン あい

[筆順] ' 艹 艹 苎 蒈 蒈 藍 藍

[字解] ①쪽람 마디풀과에 속하는 일년초. 잎은 남빛 물감의 원료임. '終朝采一'《詩經》. ②남빛람 진한 푸른 빛. '鬼貌一色'《唐書》. ③누더기람 襤(衣부 14획〈1290〉)과 통용. '篳路一縷, 以啓山林'《左傳》. ④절람 불사(佛寺). '伽一'. '創建精一, 號平田禪院'《傳燈錄》. ⑤함부로람 濫(水부 14획〈694〉)과 통용. '一之以樂, 以觀其不寧'《大戴禮》. ⑥성람 성(姓)의 하나.
[字源] 形聲. 艹(艸)+監〔音〕

艸 14 〔藎〕 18 신 [去]震 | jìn シン·ジン こぶなぐさ

[筆順] 艹 艹 荖 葦 葦 蕫 藎 藎

[字解] ①조개풀신 벼과에 속하는 월년초. 줄기와 잎은 말려서 황색의 물감을 제조함. 황초(黃草). '一草, 一名黃草'《本草》. ②나아갈신 충성심이 두터워 나아가 힘쓰는 모양. '王之一臣, 無念爾祖'《詩經》. ③나머지신 잔여. '一滯抗絶'《馬融》. ④탄나머지신 여신(餘燼). '具禍以一'《詩經》.
[字源] 形聲. 艹(艸)+盡〔音〕

艸 14 〔藏〕 18 [高·人] 장 ①-③[平]陽 ④-⑥[去]漾 | cáng ゾウ かくす zàng ゾウ くら

[筆順] ' 艹 芦 芦 葬 藏 藏 藏

[字解] ①감출장 ㉠속에 넣어 둠. '韞匵而一諸'《論語》. ㉡간직함. 저장함. '一書'. '我有斗酒, 一之久矣'《蘇軾》. 또, 저장한 것. '厚積餘一'《史記》. ㉢숨김. '一匿'. '伏生壁一之'《漢書》. ㉣마음속에 품음. '一怒以待之'《國語》. ②숨을장 자취를 감춤. '公子聞趙有處士毛公, 一于博徒'《史記》. ③성장 성(姓)의 하나. ④곳집장 창고. '庫一'. '府一'. '謹蓋一'《禮記》. ⑤오장장 臟(肉부 18획〈1098〉)과 통용. '未至二三里, 摧一馬悲哀'《古詩》. ⑥서장장 서장(西藏)의 약칭(略稱). '一文'.
[字源] 形聲. 艹(艸)+臧〔音〕

艸 14 〔藐〕 18 [一] 묘 [上]篠 [二] 막 [入]覺 | miǎo ビョウ·ミョウ ちいさい mò バク はるか

[字解] [一] ①작을묘 형체가 작음. '以是一諸孤, 辱在大夫'《左傳》. ②약할묘 '一, 弱也'《字彙》. ③업신여길묘 경시함. '一視'. '說大人則一之, 勿視其巍巍然'《孟子》. [二] 멀막 邈(辵부 14획〈1509〉)과 同字. '一一昊天'《詩經》.
[字源] 形聲. 艹(艸)+貌(貇)〔音〕

艸 14 〔藑〕 18 경 [平]庚 | qióng ケイ れいそうのな

[字解] ①풀이름경 '一茅'는 향초(香草)의 하나. '索一茅以筳篿兮'《楚辭》. ②무경 겨잣과(科)의 재배 식물.
[字源] 形聲. 艹(艸)+夐(敻)〔音〕

艸 14 〔薶〕 18 [一] 매 [平]佳 [二] 외 [平]歌 | mái バイ·マイ うずめる wō カ·ワ けがす

[字解] [一] ①묻을매 埋(土부 7획〈207〉)와 同字. '掩骼一骴'《淮南子》. ②막을매 '一, 塞也'《爾雅》. [二] 더러울외, 더럽힐외 '塵垢不能一'《淮南子》.
[字源] 形聲. 艹(艸)+貍〔音〕

艸 14 〔薱〕 18 대 [去]隊 | duì タイ しげる

[字解] 우거질대 초목이 무성한 모양. '鬱蓊薆一'《張衡》.

艸 14 〔薾〕 18 이 [上]紙 | ěr ジ·ニ はなのさかんにさいているさま

[字解] ①성할이 꽃이 한창 많이 핀 모양. '彼一維何'《詩經》. ②지칠이 지쳐서 괴로워함.

[字源] 形聲. 艹(艸)＋爾〔音〕

艸14〔藃〕18 [一]효 [平]肴 | xiāo コウ くさのさま
[二]고 [去]號 | hào コウ きゅうにおこる

[字解] [一] ①풀모양효 풀의 모양. '一, 艸皃'《集韻》. ②벼상할효 땅이 너무 걸어서 벼가 상함. '一, 禾傷肥'《廣韻》. [二] 튈고 갑자기 튀어 일어남. '一, 暴起也'《集韻》.
[字源] 形聲. 艹(艸)＋歊〔音〕

艸14〔薷〕18 유 [平]虞 | rú ジュ なぎなたこうじゅ

[字解] ①노야기유 '香一'는 노야기. 葇(艸부 9획〈1164〉)와 同字. ②목이(木耳)버섯유 '一, 木耳'《集韻》.
[字源] 形聲. 艹(艸)＋需〔音〕

艸14〔藉〕18 정 [平]庚 | jíng セイ なるこゆり

[字解] ①죽대정 은방울꽃과의 다년초. 근경은 황정(黃精)이라 하여 약용하며, 어린 잎과 줄기는 먹음. ②순무정 '蕪一'은 순무. 菁(艸부 8획〈1147〉)과 통용. ③장다리정 무·배추 등의 꽃줄기. '今人呼蔬菜中心所抽之莖通曰一'《中華大字典》.

艸14〔藊〕18 변 [上]銑 | biǎn ヘン ふじまめ

[筆順] 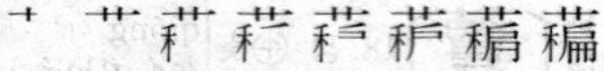

[字解] 변두변 콩과의 만초. 씨와 어린 꼬투리까지 먹음. '一, 豆名'《正字通》.
[字源] 形聲. 艹(艸)＋禾＋扁〔音〕

艸14〔薴〕18 녕 [平]庚 | níng ノウ·ニョウ みだれる

[字解] ①흐트러질녕 ㉠풀이 흐트러짐. '一, 苧一'《廣韻》. ㉡머리가 흐트러짐. '鬢髮一頓兮顥鬢白'《楚辭》. (注) '一, 亂也' ②뱀차조기녕.
[字源] 形聲. 艹(艸)＋寧〔音〕

艸14〔藑〕18 영 [平]庚 | qióng エイ めぐる

[字解] ①얽힐영 풀이 돌아서 얽힘. 縈(糸부 10획〈1008〉)과 同字. '一, 艸旋皃也'《說文》. ②둥굴레영 위유(萎蕤). '一, 萎蕤也'《玉篇》.
[字源] 形聲. 艹(艸)＋熒〔音〕

艸14〔藀〕18 형 [平]青 [上]迥 | yíng ケイ えみぐさ

[字解] 둥굴레형 '一, 艸名'《集韻》.

艸14〔藸〕18 주 ①②[平]尤 ③[上]有 | dào チュウ おおう
zhòu チュウ つと

[字解] ①덮을주 '一, 蒙, 覆也'《揚子方言》. ②파주 '一, 一藸, 葱名'《廣韻》. ③꾸러미주 짚 따위를 묶어서 물건을 싸는 것. '葤, 艸苞物也. 或从壽'《集韻》.

艸14〔藳〕18 간 ①[上]旱 | gǎn カン わら
②[去]翰 | gàn カン くさのな

[字解] ①짚간 벼의 줄기. '稈, 說文, 禾莖也. 或作一'《集韻》. ②풀이름간 '一, 艸也'《說文》.
[字源] 形聲. 艹(艸)＋榦〔音〕

艸14〔藄〕18 기 [平]支 | qí キ わらび

[字解] 고사리기 빛이 보랏빛인 고사리의 일종. '一, 土夫也'《說文》.
[字源] 形聲. 艹(艸)＋綦〔音〕

艸14〔蘵〕18 [一]진 [平]眞 | zhēn シン やぶたばこ
[二]견 [平]先 | ケン やぶたばこ

[字解] [一] 담배풀진 천명정(天名精). '一, 豕首也'《說文》. [二] 담배풀견 [—]과 뜻이 같음.
[字源] 形聲. 艹(艸)＋甄〔音〕

艸14〔薨〕18 몽 ①②[平]東 ③[去]送 | méng ボウ·ム あしのめばえ
mèng ボウ·ム さわのな

[字解] ①갈대싹몽 '一, 灌渝'《說文》. ②움돋은싹몽 '一, 孽也'《廣雅》. ③진펄몽 '一, 楚謂艸澤曰一'《集韻》.
[字源] 形聲. 艹(艸)＋夢〔音〕

艸14〔藒〕18 창 [去]漾 | chàng チョウ しげる

[字解] 초목우거질창 초목이 무성함. '一, 艸茂也'《說文》.
[字源] 形聲. 艹(艸)＋暘〔音〕

艸14〔蘠〕18 藒(前條)과 同字

艸14〔藅〕18 벌 [入]月 | fá ハツ くさのな

[字解] 풀이름벌 '一, 草名'《集韻》.

艸14〔藒〕18 [一]걸 [入]屑 | qiè ケツ かおりぐさ
[二]갈 ①[入]月 ②[入]曷 | ケツ かおりぐさ カツ いねのながいさま
[三]계 [去]霽 | ケイ かおりぐさ

[字解] [一] 향초이름걸 '一車'는 향초(香草)의

이름. '一車, 芞輿. (注)一車, 香草'《爾雅》. [二] ①향초이름갈 [一]과 뜻이 같음. ②벼길갈 벼가 긴 모양. '一, 禾長皃'《集韻》. [三] 향초이름계 [一]과 뜻이 같음.
[字源] 形聲. ++(艸)+稿〔音〕

艸14〔藪〕18 〔격〕 蔽(艸부 13획〈1191〉)의 本字

艸14〔蘩〕18 〔번〕 蘩(艸부 17획〈1207〉)의 本字

艸14〔蕢〕18 〔궤〕 蕢(艸부 12획〈1182〉)와 同字

艸14〔藻〕18 〔조〕 藻(艸부 16획〈1202〉)와 同字

艸14〔藂〕18 〔총〕 叢(又부 16획〈144〉)의 俗字

艸14〔藒〕18 [一] 藒(艸부 14획〈1196〉)과 同字 [二] 藹(艸부 12획〈1186〉)의 俗字

艸14〔蘔〕18 경 gěng コウ いものくき
[字解] 토란대경 토란대. 토란 줄기. '一, 芋莖也'《篇海》.

艸14〔蘧〕18 [一] 蕣(艸부 10획〈1171〉)와 同字 [二] 冓(冂부 8획〈90〉)의 俗字

艸14〔藯〕18 렵 [入]葉 liē リョウ はのまばらなさま
[字解] 잎성길렵 잎이 많지 않은 모양. '一, 艸葉疏皃'《集韻》.

艸14〔薲〕18 령 [上]梗 lǐng レイ くさのな / [平]青 líng レイ みみなぐさ
[字解] ①풀이름령 풀 이름. '一, 草名'《廣韻》. ②도꼬마리령 도꼬마리. 권이(卷耳). '一, 鼠耳草也, 本亦作苓'《廣韻》.

艸14〔蘆〕18 로 [平]虞 lú ロ とうろくわい
[字解] 알로에로 알로에. 노회(蘆薈). 백합과에 속하는 여러해살이 풀. '一薈'. '一, 一薈, 藥艸, 通作盧'《集韻》.

艸14〔蔂〕18 [一] 로 [平]蕭 リョウ ふご / [二] 라 [平]歌 luó ラ ふご
[字解] [一] 짚소쿠리로 짚 소쿠리. 짚·풀 따위로 결어 만든 흙을 담아 나르는 그릇. '一, 盛土艸器'《廣韻》. [二] 짚소쿠리라 [一]과 뜻이 같음.

艸14〔藘〕18 록 [入]屋 lù ロク くさびら, きのこ
[字解] 땅목이(木耳)버섯록 버섯의 일종. '一菌'. '一, 一菌, 艸名, 地蕈也'《集韻》.

艸14〔薐〕18 〔록〕 菉(艸부 8획〈1148〉)과 同字

艸14〔蓼〕18 〔료〕 蓼(艸부 11획〈1173〉)와 同字

艸14〔藺〕18 름 [上]寢 lǐn リン つのよもぎ
[字解] 맑은대쑥름 맑은대쑥. '今莪蒿也, 亦曰一蒿'《爾雅, 釋草, 莪蘿, 注》.

艸14〔蔓〕18 만 [去]翰 màn バン·マン くさのな
[字解] ①풀이름만 풀 이름. '一, 艸也'《集韻》. ②蔓(艸부 11획〈1174〉)의 訛字.

艸14〔藐〕18 〔모〕 耄(老부 4획〈1048〉)의 古字

艸14〔蜜〕18 〔밀〕 蔤(艸부 11획〈1176〉)과 同字

艸14〔薄〕18 박 [入]陌 bó ハク かべのあいだのはしら
[字解] 중깃박 중깃. 외를 얽기 위하여 벽 속에 세우는 가는 기둥. '一薀'. '一, 一薀, 壁柱, 或作薄欂'《集韻》.

艸14〔蘑〕18 〔방〕 蒡(艸부 10획〈1165〉)과 同字

艸14〔蘗〕18 [一] 복 [入]屋 pò ホク おちば / [二] 박 [入]藥 ハク おちる
[字解] [一] 낙엽복 말라 떨어진 잎. '一, 蘀也'《集韻》. [二] 떨어질박 떨어짐. 빠져서 떨어짐. '一, 落也'《廣雅》.

艸14〔蘸〕18 빙 [去]徑 bìng ヒョウ くさのさかんなさま
[字解] 풀우거질빙 풀이 우거진 모양. '一, 艸盛皃'《集韻》.

艸14〔蓀〕18 〔손〕 蓀(艸부 10획〈1167〉)의 俗字

艸14〔蘥〕18 〔약〕 蘥(艸부 17획〈1207〉)의 俗字

艸 14 〔蘖〕 18 〔얼〕
蘗(子부 17획〈273〉)과 同字

艸 14 〔蒬〕 18 연 [平]先 | yuān エン いちはつ
[字解] 범부채연 범부채. 사간(射干). 붓꽃과에 딸린 여러해살이 풀. '一尾'. '一, 一尾, 射干也'《玉篇》.

艸 14 〔蓺〕 18 요 [平]蕭 [去]嘯 | yáo ヨウ いららぐさ
[字解] 양도요 양도(羊桃). 장초(萇楚). '一芅'. '一, 艸名, 一芅, 羊桃, 葉似桃, 子如小麥, 通作銚'《集韻》.

艸 14 〔蓬〕 18 〔요〕
蓥(艸부 10획〈1172〉)의 俗字

艸 14 〔蒕〕 18 〔저〕
菹(艸부 9획〈1165〉)와 同字

艸 14 〔蔵〕 18 절 [入]屑 | jié セツ おさめる
[字解] ①다스릴절 정제(整齋). '一, 治也'《廣雅, 釋詁》. ②풀이름절 풀 이름. '一, 一曰, 艸名'《集韻》.

艸 14 〔蔵〕 18 蔵(前條)과 同字

艸 14 〔蔪〕 18 [一]점 [上]琰 [二]첨 [平]鹽 | jiàn セン [一][二] むぎのひいでるさま セン
[字解] [一]보리팰점 보리가 패는 모양. '一, 麥秀皃'《集韻》. [二]보리팰첨 [一]과 뜻이 같음.

艸 14 〔藸〕 18 제 [平]魚 | chú チョ ねぎ
[字解] 파제 파. '蕎一'. '一, 蕎一, 菜名, 葱也'《集韻》.

艸 14 〔蓑〕 18
[一] 餕(食부 7획〈1719〉)과 同字
[二] 饌(食부 12획〈1727〉)과 同字

艸 14 〔蘲〕 18 〔진〕
蔯(艸부 11획〈1176〉)과 同字

艸 14 〔蓁〕 18 〔진〕
榛(木부 10획〈566〉)과 同字

艸 14 〔藻〕 18 초 [平]肴 | chāo ソウ
[字解] ①잡을초 물고기를 잡음. ②마름초 마름.

艸 14 〔蓲〕 18 초 [上]巧 | shǎo ソウ くさののびたさま
[字解] 풀자란모양초 풀이 자란 모양. '一, 艸長皃'《集韻》.

艸 14 〔藪〕 18 촬 [入]黠 | chuà サツ くさをのぞく
[字解] 김맬촬 김을 맴. 풀을 뽑음. '一, 除草也'《集韻》.

艸 14 〔藡〕 18 〔치〕
菑(艸부 8획〈1148〉)와 同字

艸 14 〔蘀〕 18 〔탁〕
蘀(艸부 16획〈1202〉)과 同字

艸 14 〔蘯〕 18 탕 [去]漾 | dàng トウ はしりどころ
[字解] 미치광이탕 미치광이. 낭탕(莨菪). 독초의 이름. '蔄一'. '一, 蔄一, 毒藥'《廣韻》.

艸 14 〔蔽〕 18 〔폐〕
蔽(艸부 12획〈1180〉)와 同字

艸 14 〔薦〕 18 〔피〕
蘢(艸부 15획〈1202〉)와 同字

艸 14 〔蒜〕 18 협 [入]洽 | jiá コウ くさのな
[字解] 풀이름협 풀 이름. '一, 艸名'《集韻》.

艸 15 〔藕〕 19 우 [上]有 | ǒu グウ はすのね
[字解] ①연뿌리우 연의 지하경(地下莖). 연근(蓮根). '下有並根一'《古樂府》. ②연우 부용(芙蓉). '丹一凌波而的皪'《左思》.
[字源] 形聲. 艹(艸)+耦〔音〕

艸 15 〔藘〕 19 려 [平]魚 | lǘ リョ あかね
[字解] ①꼭두서니려 '茹一'는 꼭두서닛과에 속하는 다년생 만초(蔓草). 뿌리는 염료 또는 진통제(鎮痛劑)로 씀. 꼭두서니. '茹一在阪'《詩經》. ②성려 성(姓)의 하나.
[字源] 形聲. 艹(艸)+慮〔音〕

艸 15 〔藙〕 19 의 [去]未 | yì ギ おおだら
[字解] 머귀나무의 운향과(芸香科)의 낙엽교목(落葉喬木). 가지에 가시가 많으며, 열매는 매움. 식수유(食茱萸). 일설(一說)에는, 산초나무의 일종. '三牲用一'《禮記》.
[字源] 形聲. 艹(艸)+毅〔音〕

艸 15 〔藚〕 19 속 [入]沃 | xù ショク おもだか

字解 질경이택사속 택사과에 속하는 다년초. 늪이나 논에 저절로 나는데, 뿌리는 약용하며, 관상용으로 심음. '言采其一'《詩經》.
字源 形聲. 艹(艸)+賣〔音〕

艸15 〔藜〕 19 려 ㊥齊 | lí レイ あかざ

字解 ①명아주려 명아줏과에 속하는 일년초. 각처의 전야(田野)에 나는데, 잎은 먹으며, 줄기로는 지팡이를 만듦. '一杖'. '一莠蓬蒿竝興'《禮記》. ②성려 성(姓)의 하나.
字源 形聲. 艹(艸)+黎〔音〕

艸15 〔藝〕 19 中·人 예 ㊤霽 | yì ゲイ わざ

筆順 ' ⺿ 芏 埶 藝 藝 藝 藝

字解 ①재주예 ㉠재능. '材一'. '故功有一也'《禮記》. ㉡학문. 또는, 기술. '六一'. '能通一一以上'《史記》. ②재주있을예 재능 또는 학예에 뛰어남. '求也一'《論語》. ③법예 법도. 준칙. '貢之無一'《左傳》. ④끝예 극한(極限). '貪欲無一'《國語》. ⑤나눌예 분배함. 분별함. '合諸侯而一貢事禮也'《孔子家語》. ⑥심을예 땅에 심음. '辛勤一宿麥, 所望明年熟'《陸游》. ⑦성예 성(姓)의 하나.
字源 形聲. 芸+執〔音〕
參考 芸(艸부 4획〈1125〉)는 略字.

艸15 〔藟〕 19 류 ㊤紙 | lěi ルイ ふじ, かずら

字解 덩굴풀류 딴 것에 감기는 만초(蔓草)의 총칭. 일설(一說)에는, 등나무(藤). '葛一纍之'《詩經》.
字源 形聲. 艹(艸)+畾〔音〕

艸15 〔藤〕 19 人名 등 ㊥蒸 | téng トウ ふじ

筆順 ' ⺿ 艿 萨 藤 藤 藤 藤

字解 ①등나무등 콩과에 속하는 낙엽 만목(落葉蔓木). 산과 들에 나는데 줄기로는 의자·가구(家具) 등을 만들며, 어린 씨와 잎은 식용(食用)함. 관상용으로 심음. '一架'. '唯將數人攀一而上'《北史》. ②성등 성(姓)의 하나.
字源 形聲. 艹(艸)+滕〔音〕

艸15 〔藥〕 19 中·人 약 ㊇藥 | yào(yuè) ヤク くすり

筆順 ' ⺿ 苩 茲 藥 藥 藥 藥

字解 ①약약 ㉠병을 고치는 데 효력이 있는 물질. '醫一'. '服一'. '君有疾飮一'《禮記》. ㉡신체를 해치는 물질. 독(毒). '仰一'. '臣願請一賜死'《戰國策》. ㉢폭발 작용을 하는 물질. '火一'. '裝一'. ②약초약 약으로 쓰는 초목. '一園'. '執衽采一'《司馬光》. ③약쓸약 약을 사용하여 병을 고침. '不可救一'《詩經》. ④성약 성(姓)의 하나.
字源 形聲. 艹(艸)+樂〔音〕

艸15 〔藦〕 19 마 ㊦箇 | mó バ·マ ががいも

字解 박주가리마 '蘿一'는 박주가릿과에 속하는 다년생 만초(蔓草). 새박덩굴.

艸15 〔藨〕 19 표 ①②㊤篠 ③㊥蕭 | biāo ヒョウ たん きりまめ ヒョウ いちご

字解 ①쥐눈이콩표 콩과(科)에 속하는 다년생 만초(蔓草). 녹곽(鹿藿). ②기름사초표 사초과에 속하는 다년초. 물가 습지에 나는데, 기름 냄새가 남. '其草則一苧蘋莞'《張衡》. ③뱀딸기표 장미과에 속하는 다년초. 산과 들에 저절로 남. 사매(蛇莓).
字源 形聲. 艹(艸)+麃〔音〕

艸15 〔藩〕 19 번 ㊥元 | fān ハン まがき

字解 ①울번 울타리. '一籬'. '羝羊觸一'《易經》. 전(轉)하여, 가려 막는 물건. '价人維一'《詩經》. 또, 한 지방(地方)을 진정(鎭定)하여 왕실(王室)을 수호하는 제후(諸侯)의 나라. 또는, 지방 정부를 이름. '一屛'. '重一'. '爲陛下守一'《漢書》. ②지경번 구획을 한 경계. '遊于其一'《莊子》. ③지킬번 수호함. '一衞侯之舍'《左傳》. ④휘장번 수레의 가리개. 수레 양편에 달아 바람·먼지를 막는 것. '一, 謂車兩邊禦風爲一蔽'《儀禮 疏》. ⑤성번 성(姓)의 하나.
字源 形聲. 艹(艸)+潘〔音〕

艸15 〔藪〕 19 수 ㊤有 | sǒu ソウ やぶ

字解 ①수풀수 '林一'. '山林麓一, 非人所處'《易林》. 전(轉)하여, 사물이 많이 모이는 곳. '淵一'. '遂爲逋逃之一'《北史》. 또, 처사(處士)가 은거하는 시골. '辭朝歸一'《湛方生》. ②늪수 어류(魚類)·조수(鳥獸) 등이 많이 모이며 초목이 빽빽이 우거진 습지. '一牧養蕃鳥獸'《周禮》.
字源 形聲. 艹(艸)+數〔音〕

艸15 〔藭〕 19 궁 ㊥東 | qióng キュウ せんきゅう

字解 천궁이궁, 궁궁이궁 芎(艸부 3획〈1121〉)을 보라. '芎一'《廣韻》.
字源 形聲. 艹(艸)+窮〔音〕

艸15 〔藘〕19 려 [平]魚 | lǘ リョ いぬよもぎ

[字解] ①다북쑥려 '菴一'는 다북쑥. '一, 菴一, 艸名. 狀如艾蒿. 近道處處有之'《集韻》. ②풀이름려 '一茹'는 일년생의 들풀. 뿌리는 약용함.

艸15 〔藖〕19 간(한[本]) [平]刪 | xián カン まぐさののこり

[字解] ①여물찌꺼기간 마소의 여물의 찌끼. '豈欲皁櫪中, 爭食麸與一'《元結》. ②굳을간 단단함. '一, 堅也'《廣雅》. ③풀이름간 '一, 艸名'《集韻》. ※本音 한.

艸15 〔藫〕19 담 [平]覃 | tán タン みずごけ

[字解] ①수태(水苔)담 녹조류(綠藻類)의 담수조(淡水藻). 못·늪 같은 데 남. 석의(石衣). 수면(水棉). '一, 石衣. (注) 水苔也. 一名石髮. 江東食之'《爾雅》. ②풀가사리담 홍조류(紅藻類)의 하나. 끈끈하며 광택이 남. 해라(海蘿). '一, 海藻也. 又名海蘿. 如亂髮, 生海水中'《玉篇》.

艸15 〔藗〕19 속 [入]屋 | sù ソク ちがや

[字解] 띠속 열매를 맺지 않는 백모(白茅)의 일종. '一, 牡茅. (注) 白茅屬. (疏) 茅之不實者也'《爾雅》.
[字源] 形聲. ++(艸)+遬〔音〕

艸15 〔⿱艹膝〕19 슬 [入]質 | xī シツ いのこずち

[字解] 쇠무릎지기슬 '牛一'은 쇠무릎지기. 膝(肉부 11획〈1088〉)과 통용. '牛一, 藥名, 按, 本草綱目作膝'《正字通》.

艸15 〔⿱艹膚〕19 부 [平]虞 | fū フ ははきぐさ

[字解] 댑싸리부 '地一'는 댑싸리. 膚(肉부 11획〈1089〉)와 통용. '一, 地膚, 嫩苗, 可作蔬, 一科數十枝, 團蔟直上, 子最繁, 一名地麥, 因其子形似也, 一名地葵, 因其苗形似也'《正字通》.

艸15 〔藛〕19 사 [上]馬 | xiě シャ おもだか

[字解] 택사사 택사(澤藛). '澤一, 藥草'《集韻》.

艸15 〔⿱艹槧〕19 [一]삼 [上]豏 | shǎn サン かる
[二]점 [上]琰 | jiàn セン つつむ

[字解] [一]벨삼 풀이나 나무를 베어냄. '一, 芟林木也'《廣韻》. [二]풀서로싸안을점 풀이 서로 둘러쌈. '蔪, 艸相蔪苞也. 一, 蔪或从槧'《說文》.

艸15 〔藞〕19 라 [上]馬 | lǎ ラ あたらないさま

[字解] ①맞지않은모양라 빗맞은 모양. '一, 一⿱艹磋, 不中皃'《集韻》. ②진흙흐슬부슬할라 '一苴'는 진흙이 차지지 못한 모양. '一, 一苴, 泥不熟'《集韻》.

艸15 〔⿱艹賜〕19 사 [去]寘 | sì シ くさのな

[字解] 풀이름사 '一, 艸也'《說文》.
[字源] 形聲. ++(艸)+賜〔音〕

艸15 〔藠〕19 효 [上]篠 | jiào キョウ くさのな

[字解] ①풀이름효 '一, 艸名'《集韻》. ②염교효 '一子'는 염교의 별명(別名). '一, 俗呼薤曰一子. 以薤根白如藠也'《正字通》.

艸15 〔蓾〕19 로 [上]麌 | lǔ ロ くさのな

[字解] ①풀이름로 그령의 일종. 신안창으로 쓰는 풀. '一, 艸也, 可目束'《說文》. ②족두리풀로 두형(杜衡). 薗(艸부 11획〈1178〉)와 同字. '薗, 杜衡別名. 一, 上同'《廣韻》.
[字源] 形聲. ++(艸)+魯〔音〕

艸15 〔藰〕19 류 ①②[平]尤 | liú リュウ くさのな
③[上]有 | liǔ リュウ やまごぼう

[字解] ①풀이름류 '一, 艸名. 一弋也'《集韻》. ②나무바람에쓸리는소리류 '一莅'는 숲의 나무가 바람에 쓸려 내는 소리. '一莅芔歙'《漢書》. ③자리공류 '一, 艸名. 葦蓙也'《集韻》.

艸15 〔藬〕19 퇴 [平]灰 | tuí タイ·ツイ しのねぐさ

[字解] 소루쟁이퇴 '一, 牛一, 艸名'《集韻》.

艸15 〔藳〕19 〔고〕 稾(禾부 10획〈909〉)와 同字

艸15 〔⿱艹𨽿〕19 〔사〕 蕼(艸부 13획〈1187〉)의 本字

艸15 〔⿱艹辥〕19 〔설〕 薛(艸부 13획〈1189〉)의 本字

艸15 〔⿱艹疐〕19 〔치〕 疐(疋부 11획〈804〉)와 同字

艸15 〔藴〕19 〔온〕 蘊(艸부 16획〈1203〉)의 俗字

艸15 〔⿱艹潦〕19 〔로〕 ⿱艹橑(艸부 16획〈1202〉)와 同字

艸15〔蘇〕19 〔소〕
蘇(艸부 16획〈1203〉)의 俗字

艸15〔蘷〕19 〔경〕
藑(艸부 14획〈1195〉)의 本字

艸15〔藒〕19 〔걸〕
藒(艸부 14획〈1196〉)과 同字

艸15〔蘄〕19 〔기·근〕
蘄(艸부 16획〈1203〉)와 同字

艸15〔薾〕19 〔니〕
苨(艸부 5획〈1129〉)와 同字

艸15〔蘟〕19 〔체〕
蔕(艸부 11획〈1174〉)와 同字

艸15〔䕞〕19 〔랑〕
莨(艸부 7획〈1143〉)과 同字

艸15〔䕲〕19 렵 ㊇葉｜liè リョウ くさがうごくさま

筆順 十 卄 艹巛 …

字解 풀흔들리는모양렵 풀이 흔들리는 모양. ‘一, 草動貌’《字彙》.

艸15〔䕎〕19 명 ㊥庚｜méng ボウ おくじょうのかわら

字解 용마루기와명 용마루의 기와. ‘一, 屋上瓦也’《字彙補》.

艸15〔蘉〕19 〔몽〕
夢(夕부 11획〈230〉)과 同字

艸15〔䕯〕19 〔복〕
僕(人부 12획〈71〉)과 同字

艸15〔蘛〕19 〔부〕
蒪(艸부 12획〈1184〉)와 同字

艸15〔藫〕19 〔석〕
蕮(艸부 12획〈1183〉)과 同字

艸15〔蘪〕19 〔체〕
屟(尸부 9획〈300〉)와 同字

艸15〔蘳〕19 수 ㊥支｜shuí スイ くさでつくったうつわ

字解 풀로결은그릇수 풀로 결은 그릇. ‘一, 艸器’《集韻》.

艸15〔蘫〕19 〔담〕
蘫(艸부 16획〈1204〉)과 同字

艸15〔蘖〕19 얼 ㊇屑｜niè ゲツ ひこばえ

字解 ①움얼 움. 나무 그루터기에 돋는 새싹. ‘一, 餘枿也’《字彙補》. ②성얼 성(姓)의 하나. ‘一, 又姓’《字彙補》.

艸15〔蔚〕19 위 ㊄未｜wèi イ やくもそう

字解 익모초위 익모초. ‘茺一’. ‘一, 茺一, 艸名, 益母也, 通作蔚’《集韻》.

艸15〔蘧〕19 〔자〕
蔗(艸부 11획〈1174〉)와 同字

艸15〔蘸〕19 〔잠〕
蘸(艸부 19획〈1209〉)의 俗字

艸15〔蘒〕19 〔저〕
菹(艸부 8획〈1151〉)와 同字

艸15〔蘓〕19 〔적〕
荻(艸부 7획〈1140〉)과 同字

艸15〔蘜〕19 〔척〕
蘜(艸부 17획〈1206〉)과 同字

艸15〔蘮〕19 〔전〕
萴(艸부 9획〈1164〉)과 同字

艸15〔䖄〕19 제 ㊥齊｜tí テイ はますげ

字解 향부자제 향부자의 씨. ‘一, 艸名, 藹侯莎, 其子一’《集韻》.

艸15〔蘚〕19 〔제〕
蕛(艸부 12획〈1183〉)와 同字

艸15〔蹏〕19 제 ㊥齊｜tí テイ ぎしぎし

字解 참소리쟁이제 참소리쟁이. ‘羊一’. ‘蹄, 羊一, 艸名’《集韻》.

艸15〔蘛〕19 〔조〕
藻(艸부 14획〈1197〉)와 同字

艸15〔蘸〕19 〔초〕
樵(木부 12획〈578〉)와 同字

艸15〔蓄〕19 〔축〕
蓄(艸부 10획〈1167〉)과 同字

艸15〔蘣〕19 치 ㊤紙｜zhǐ チ とうのいも

字解 자줏빛토란치 토란의 한 가지. ‘一, 艸名, 紫芋也’《集韻》.

艸15〔蘦〕19 치 ㊤紙｜chǐ シ すべりひゆ

[字解] ①쇠비름치 마치현(馬齒莧). 오행초(五行草). 장명채(長命菜). '一, 馬一, 艸名'《集韻》. ②개구리발톱치 개구리발톱.

艸15 〔薚〕19 〔탕〕
蘯(艸부 13획〈1191〉)의 俗字

艸15 〔蘎〕19 폐 [去]隊 | fèi ハイ むしろ

[字解] 멍석폐 멍석. 거적. 왕골·짚·대·부들 따위로 짠 자리. '蘎, 籧篨也, 或作一·癈·蕟'《集韻》.

艸15 〔藣〕19 피 [去]寘 [平]支 | bēi ヒ くさのな

[字解] ①풀이름피 풀 이름. '一, 艸也, 从艸罷聲'《說文》. ②춤출때손에쥐는쇠꼬리피 춤출 때 손에 쥐는 소의 꼬리. 旄謂之一. (注)旄, 牛尾也'《爾雅, 釋器》. ③현가장식피 징·북의 현가(懸架)의 장식. '一, 筍虡飾'《集韻》.

艸15 〔蘔〕19 혈 [入]屑 | xié ケツ いぬたで

[字解] 개여뀌혈 개여뀌. 말여뀌. '一, 蘢一, 草也'《廣韻》.

艸15 〔藧〕19 환 [上]旱 | huàn カン たんきりまめ

[字解] 쥐눈이콩환 쥐눈이콩. 서목태. '一, 藨也'《集韻》.

艸15 〔䕟〕19 흥 [平]蒸 | xīng キョウ あぶらな

[字解] ①평지흥 평지. 유채. '一蕖'. '一, 一蕖, 菜名, 一曰芸薹'《集韻》. ②아위흥 아위(阿魏).

艸16 〔藶〕20 력 [入]錫 | lì レキ いぬなずな

[字解] 꽃다지력 葶(艸부 9획〈1163〉)을 보라. '葶一'.
[字源] 形聲. 艹(艸)+歷〔音〕

艸16 〔藷〕20 저 ①②[去]御 ③[平]魚 | shǔ ショ やまいも / zhū ショ さとうきび

[字解] ①마저 맛과에 속하는 다년초. 일설(一說)에는, 참마. '芋羹一糜'《蘇軾》. ②고구마저 '甘一'는 고구마. ③사탕수수저 '一, 一蔗也'《說文》.
[字源] 形聲. 艹(艸)+諸〔音〕

艸16 〔藹〕20 애 [去]泰 | ǎi アイ しげる

[字解] ① 우거질애 수목이 무성한 모양. '晻一'. '鬱蕭條其幽一'《揚雄》. ②온화할애 성품이 온화한 모양. 화기가 있는 모양. '一然'. ③성애 성(姓)의 하나.
[字源] 形聲. 艹(艸)+謁〔音〕

艸16 〔藺〕20 린 [去]震 | lìn リン い

[字解] ①골풀린 골풀과에 속하는 다년초. 못과 늪에 나는데, 줄기로는 자리를 만듦. 등심초(燈心草). '馬一草株'《北史》. ②성린 성(姓)의 하나.
[字源] 形聲. 艹(艸)+閵〔音〕

艸16 〔藻〕20 조 [上]晧 | zǎo ソウ も

[字解] ①조류조 은화식물(隱花植物)인 수초(水草)의 총칭. '于以采一'《詩經》. ②무늬조, 꾸밈조 문채. 문식(文飾). 전(轉)하여, 시가·문장 따위의 미사여구(美辭麗句). '詞一'. '文一'. '鋪鴻一'《班固》. '故作文賦, 以述先士之盛一'《陸機》. ③꾸밀조 수식(修飾)함. 장식함. '劉繇一厲名行, 好尙臧否'《吳志》. ④그릴조 무늬를 그림. '山節一梲'《論語》. ⑤깔개조, 옥받침조 옥(玉) 밑을 받쳐 까는 물건. '玉一'. '執玉其有一者則裼'《禮記》. ⑥성조 성(姓)의 하나.
[字源] 形聲. 艹(艸)+澡〔音〕

艸16 〔藔〕20 로 [上]晧 | lǎo ロウ ほしうめ

[字解] 마른매실로 건조시킨 매화나무의 열매. '乾一榛實'《周禮》.
[字源] 形聲. 艹(艸)+橑〔音〕

艸16 〔藔〕20 藔(前條)와 同字

艸16 〔藾〕20 뢰 [去]泰 | lài ライ よもぎ

[字解] ①쑥뢰 쑥〔蒿〕의 일종. '苹, 一蕭'《爾雅》. ②덮을뢰 덮어 가림. '隱將芘其所一'《莊子》. ('芘'는 '庇')
[字源] 形聲. 艹(艸)+賴〔音〕

艸16 〔藿〕20 곽 [入]藥 | huò カク まめのは

[字解] ①콩곽 풋콩. '椒一'. '食我場一'《詩經》. ②콩잎곽 콩의 잎. '牛一'《儀禮》. ③풀이름곽 향초(香草)의 하나. '草則一蒳豆蔻'《左思》. ④《韓》 미역곽 '甘一'.
[字源] 形聲. 艹(艸)+霍〔音〕

艸16 〔蘀〕20 [一] 탁 [入]藥 | tuò タク おちば
[二] 택 [入]陌 | zé タク おもだか

[字解] [一] ①낙엽탁 떨어진 잎. '秋—'. '—兮—兮, 風其吹女'《詩經》. ②대껍질탁 籜(竹부 16획〈962〉)과 통용. '初篁苞綠—'《謝靈運》. ③갈대잎탁 갈대의 잎. '太液池邊, 皆是彫胡紫—綠節之類'《西京雜記》. ④떨어질탁 잎이 짐. '—, 落也'《廣雅》. [二] 택사택 벗풀. '藫, 藫蕮, 藥艸. 或作—'《集韻》.
[字源] 形聲. 艹(艸)+擇〔音〕

艸16 〔蘁〕 20 [一] 오 [去]遇 wù ゴ さからう / [二] 악 [入]藥 è ガク おどろく

[字解] [一] 거스를오 이치에 거스름. 忤(心부 4획〈379〉)와 통용. '不敢—立'《莊子》. [二] ①놀랄악 愕(心부 9획〈401〉)과 통용. '—夢'《列子》. ②꽃받침악 萼(艸부 9획〈1157〉)과 同字.
[字源] 形聲. 艹(艸)+噩〔音〕

艸16 〔蘂〕 20 예 [上]紙 ruǐ ズイ しべ

[字解] 꽃술예 蕊(艸부 12획〈1181〉)의 俗字. '華—之蓑蓑'《張衡》.

艸16 〔蘃〕 20 蘂(前條)의 訛字

艸16 〔蘄〕 20 [一] 기 [平]支 qí キ くつわ / [二] 근 [平]文 qín キン とうき

[字解] [一] ①재갈기 마함(馬銜). '結駟方—'《張衡》. ②바랄기 기원함. 祈(示부 4획〈885〉)와 통용. '—生'《莊子》. ③성기 성(姓)의 하나. [二] 왜당귀(倭當歸)근 '山—'은 미나릿과(科)에 속하는 다년초. 뿌리는 약재로 씀. '山—, 當歸'《康熙字典》.
[字源] 形聲. 艹(艸)+蘄〔音〕

艸16 〔蘅〕 20 형 [平]庚 héng コウ かんあおい

[字解] 두형형 '杜—'은 세신과(細辛科)에 속하는 상록 다년초. '雜杜—與芳芷'《楚辭》.
[字源] 形聲. 艹(艸)+衡〔音〕

艸16 〔蘆〕 20 로 [平]虞 lú ロ あし

[字解] ①갈대로 볏과(科)에 속하는 다년초. 아직 이삭이 패지 않은 갈대로, 줄기는 발·자리의 재료, 뿌리는 약재로 씀. '葭—'. '—荻無花秋水長'《王士禎》. ②호리병박로 박의 일종. '瓠—'. '胡—'. ③성로 성(姓)의 하나.
[字源] 形聲. 艹(艸)+盧〔音〕

艸16 〔蘇〕 20 [高·人] 소 [平]虞 sū ソ しそ

[筆順] ' 艹 苘 蔄 蕉 蘚 蘇 蘇

[字解] ①차조기소 차조깃과의 일년생 재배초(栽培草). 엽경(葉莖)은 약용, 어린잎과 씨는 식용함. '紫—'. ②술소 장식으로 늘이는 여러 가닥의 실 또는 깃. '流—'. '金—翠幄'《梁簡文帝》. ③쉴소 휴식함. '后來其—'《書經》. ④깨날소 회생함. '—六'. '大日而—'《左傳》. ⑤깰소 잠에서 깸. '—世獨立'《楚辭》. ⑥구할소 희구(希求)함. '—援世事'《淮南子》. ⑦쥘소 손에 잡음. '—糞壤'《楚辭》. ⑧깎을소 풀을 깎음. '樵—後爨'《史記》. ⑨풀소 초본(草本). '累塊積—'《列子》. ⑩《現》 소련소 옛 소련(蘇聯)의 약칭(略稱). ⑪성소 성(姓)의 하나.
[字源] 形聲. 艹(艸)+穌〔音〕

艸16 〔蘓〕 20 蘇(前條)의 訛字

艸16 〔蘉〕 20 망 [平]陽 máng ボウ·モウ つとめる

[字解] 힘쓸망 힘써 함. '汝乃是不—'《書經》.

艸16 〔蘊〕 20 온 [去]問 [上]吻 hūn ウン つむ

[字解] ①쌓을온, 쌓일온 ㉠축적함. '我心—結兮'《詩經》. ㉡축적. '善發其—'《文中子》. ②모을온, 모일온 한데 모음. 한데 모임. '雜以—藻'《左思》. ③속내온 사물의 가장 깊은 속내. 심오(深奧)한 데. '底—'. '精—'. '其易之—耶'《易經》. ④마름온 수조(水藻). 해조(海藻). '蘋蘩—藻之菜'《左傳》. ⑤온화할온 醞(酉부 10획〈1539〉)과 同字. '—藉'. '崔琯有器—'《唐書》.
[字源] 形聲. 艹(艸)+縕〔音〕
[參考] ①薀(艸부 13획〈1187〉)과 同字. ②蕰(艸부 15획〈1200〉)은 俗字.

艸16 〔蘋〕 20 빈 [平]眞 pín, ③píng ヒン でんじそう, りんご

[字解] ①네가래빈 네가랫과에 속하는 다년생 수초(水草). 깊은 산의 습지 또는 물가에 남. 초장조(酢漿藻). '—藻'. '于以采—'《詩經》. ②개구리밥빈 부평초(浮萍草). '青—'. '綠—'. ③《現》 사과빈 '—果'는 사과.
[字源] 形聲. 본디, 艹(艸)+賓〔音〕

艸16 〔蘢〕 20 롱 [平]東 lóng ロウ おおけたで

[筆順] 艹 䒑 芷 苩 蒒 蔃 蘢 蘢

[字解] ①말여뀌롱 '—古'는 마디풀과에 속하는 일년초. 개여뀌. 마료(馬蓼). '有—與斥'《管子》. ②우거질롱 초목이 우거져 덮은 모양. '草木蒙—'《漢書》.
[字源] 形聲. 艹(艸)+龍〔音〕

艸16 〔[illegible]〕 20 섬 [平]鹽 | qiān セン やまにら

[字解] ①산부추섬 '一, 山韭也'《字彙》. ②쐐기풀섬 쐐기풀과에 속하는 다년초. 임야(林野)에 나며, 풀 전체에 독기 있는 털이 있어서, 쏘이면 몹시 아픔. '一草四時青'《白居易》.

艸16 〔藽〕 20 츤 [去]震 | qìn シン むくげ

[字解] 무궁화츤 櫬(木부 16획〈590〉)과 통용.

艸16 〔藬〕 20 퇴 [平]灰 | tuí タイ しのねぐさ

[字解] 소루쟁이퇴 마디풀과의 다년초. 줄기와 잎은 맛이 심. 어린잎은 먹음. 양제초(羊蹄草). '牛一'. '今江東呼爲牛一草者, 高尺餘許, 方莖, 葉長而銳, 有穗, 穗間有華, 華紫縹色, 可淋以爲飮'《爾雅 注》.

艸16 〔[illegible]〕 20 택 [入]陌 | zé タク おもだか

[字解] 벗풀택 택사([illegible]蕮).

艸16 〔蘑〕 20 마 | mó マ ひらたけ

[字解] 느타리마 '一菰·一菇'는 버섯의 일종.

艸16 〔蘜〕 20 국 [入]屋 | jú キク きく
[入]職 | キョク きく

[字解] 국화국 '一, 日精也. 㠯秋華'《說文》.
[字源] 形聲. ++(艸)＋鞠〈省〉〔音〕

艸16 〔藸〕 20 [一] 저 [平]魚 | chú チョ くさのな
[二] 차 [平]麻 | タ みだれたくさ

[字解] [一] ①풀이름저 ㉠'一, 艸也'《說文》. ㉡'一蘴'는 풀의 이름. '一, 一蘴, 草也'《玉篇》. ㉢'一菝'는 풀의 이름. '菝, 一菝, 艸名'《集韻》. ②오미자저 오미자. [二] 풀이름차, 오미자차 [一]과 뜻이 같음.

艸16 〔[illegible]〕 20 [一] 낭 [平]陽 | ノウ くさのな
níng ドウ·ニョウ
[二] 녕 [平]庚 | くさのな

[字解] [一] 풀이름낭 '牂一'은 풀의 이름. 소의 재갈이나 우물의 두레박줄을 만드는 데 쓰임. '一, 牂一, 可㠯作縻·綆'《說文》. [二] 풀이름녕 [一]과 뜻이 같음.
[字源] 形聲. ++(艸)＋[illegible]〔音〕

艸16 〔[illegible]〕 20 [一] 담 [平]覃 | tán タン はなすげ
[二] 심 [平]侵 | xún シン ふくろふのり

[字解] [一] 지모(知母)담 '一, 芜藩也'《說文》. [二] ①따름심 해라(海蘿). '一, 海藻'《爾雅》. ②쐐기풀심 '一麻'는 쐐기풀.

艸16 〔蘌〕 20 어 [上]語 | yǔ ギョ おおう

[字解] ①가릴어 '一, 翳也'《集韻》. ②새잡는 새집어 못 위에 만든 새집. 새가 들어오면 잡음. '於東則洪池清一'《張衡》. ③땅이름어 '一兒'는 춘추(春秋)시대에 오(吳)나라와 월(越)나라의 경계에 있던 땅이름.

艸16 〔[illegible]〕 20 〔설〕 薛(艸부 13획〈1189〉)과 同字

艸16 〔[illegible]〕 20 〔설〕 爇(火부 15획〈729〉)의 本字

艸16 〔[illegible]〕 20 〔순〕 蕣(艸부 12획〈1182〉)의 本字

艸16 〔[illegible]〕 20 〔궤〕 蕢(艸부 12획〈1182〉)의 本字

艸16 〔[illegible]〕 20 〔강〕 薑(艸부 13획〈1189〉)의 本字

艸16 〔蘐〕 20 〔훤〕 蕿(艸부 13획〈1192〉)의 俗字

艸16 〔 〕 20 〔훤〕 萱(艸부 9획〈1156〉)과 同字

艸16 〔蘜〕 20 〔국〕 菊(艸부 8획〈1148〉)과 同字

艸16 〔[illegible]〕 20 〔담〕 萏(艸부 8획〈1153〉)과 同字

艸16 〔[illegible]〕 20 〔묘〕 藐(艸부 14획〈1195〉)와 同字

艸16 〔蘷〕 20 〔기〕 夔(夊부 20획〈228〉)의 訛字

艸16 〔[illegible]〕 20 〔유〕 蕤(艸부 12획〈1182〉)의 訛字

艸16 〔[illegible]〕 20 〔장〕 葬(艸부 9획〈1160〉)의 古字

艸16 〔[illegible]〕 20 〔경〕 絅(糸부 5획〈987〉)과 同字

艸16 〔[illegible]〕 20 〔고〕 藁(艸부 13획〈1190〉)와 同字

艸16 〔[illegible]〕 20 〔금〕 [illegible](艸부 12획〈1185〉)과 同字

艸16 〔蘦〕 20 〔기〕 驥(馬부 17획〈1754〉)의 古字

艸16 〔蕁〕 20 〔담〕 蕁(艸부 16획〈1204〉)과 同字

艸16 〔藋〕 20 ㊀독 [入]屋 dú トク ししうど ㊁촉 [入]沃 shǔ ショク なのな

[字解] ㊀ 땅두릅독 땅두릅나물. 독활(獨活). '一落'. '一, 一落, 藥艸'《集韻》. ㊁ 나물이름촉 나물 이름. '一, 菜名'《集韻》.

艸16 〔藤〕 20 〔등〕 藤(艸부 15획〈1199〉)과 同字

艸16 〔蘭〕 20 〔란〕 蘭(艸부 17획〈1207〉)의 略字

艸16 〔藔〕 20 료 [平]蕭 liáo リョウ くさきのくきとはがまばらなこと

[字解] 줄기와잎성길료 초목의 줄기와 잎이 성김. '一, 艸稀曰一'《集韻》.

艸16 〔蔞〕 20 루 [上]麌 (구[本]) jù ク くさのな, きくらげ

[字解] 풀이름루 풀 이름. 또는 목이버섯. '一, 艸名, 一曰, 木耳, 或省'《集韻》. ※本音 구.

艸16 〔藘〕 20 〔름〕 藘(艸부 14획〈1197〉)과 同字

艸16 〔蓤〕 20 〔릉〕 蔆(艸부 11획〈1173〉)과 同字

艸16 〔蕣〕 20 ㊀ 粦(米부 6획〈969〉)과 同字 ㊁ 蕣(艸부 12획〈1186〉)과 同字

艸16 〔蔓〕 20 〔만〕 蔓(艸부 14획〈1197〉)과 同字

艸16 〔蘉〕 20 맹 [平]庚 méng ボウ むながわら

[字解] 용마루기와맹 용마루 기와. 옥상의 기와. '一, 屋上瓦一也'《直音》.

艸16 〔蘉〕 20 맹 [平]庚 méng ボウ ははきぐさ

[字解] 댑싸리맹 댑싸리. 줄기째 잘라서 마당비를 매어 씀. '一, 艸名, 似茗, 可爲帚'《集韻》.

艸16 〔蔑〕 20 멸 [入]屑 miè ベツ めしい

[字解] ①소경멸 소경. 장님. 눈에 동자가 없음. '一, 目無精也'《五音篇海》. ②瞞(目부 15획〈859〉)의 訛字.

艸16 〔薹〕 20 〔모〕 耄(老부 4획〈1048〉)와 同字

艸16 〔憑〕 20 빙 [平]蒸 píng ヒョウ くさきのさかんなさま

[字解] 초목우거질빙 초목이 우거진 모양. '一一'. '一, 一一, 艸木盛'《集韻》.

艸16 〔穇〕 20 삼 [平]侵 sēn シン いねのながいさま

[字解] 벼자란모양삼 벼가 자란 모양. '一, 禾長皃'《集韻》.

艸16 〔薩〕 20 〔의〕 蓜(艸부 12획〈1183〉)의 俗字

艸16 〔蕿〕 20 〔수〕 蕿(艸부 12획〈1186〉)와 同字

艸16 〔藎〕 20 〔신〕 藎(艸부 14획〈1195〉)과 同字

艸16 〔藏〕 20 영 [平]庚 yíng エイ きくのはな

[字解] 국화영 국화꽃. '一, 菊花, 一名, 帝女花'《廣韻》.

艸16 〔積〕 20 자 [去]寘 zì シ くさのな

[字解] ①풀이름자 풀 이름. '一, 艸名'《集韻》. ②풀쌓을자 풀을 쌓음. '一, 一曰, 艸積'《集韻》.

艸16 〔蘊〕 20 〔저〕 菹(艸부 8획〈1151〉)와 同字

艸16 〔藻〕 20 조 [上]篠 jiǎo ショウ やまなずな

[字解] 산냉이조 산냉이. 산제(山薺). '一, 艸名, 山薺也'《集韻》.

艸16 〔蕉〕 20 착 [入]覺 zhuó サク とりかぶと

[字解] 바곳착 바곳. 부자(附子). '一, 菜毒, 附子也'《廣雅, 釋草》.

艸16 〔蘧〕 20 ㊀찬 [上]銑 zhuàn セン くさのな ㊁손 [上]阮 sūn ソン かおりぐさのな

[字解] ㊀ 풀이름찬 풀 이름. '一, 艸名'《集韻》. ㊁ 향풀이름손 향초(香草)의 이름. '蓀, 說文, 香艸, 亦作一'《集韻》.

艸 16 〔⿱艹⿸厂⿱廌子〕20 〔천〕
薦(艸부 13획〈1190〉)과 同字

艸 16 〔藮〕20 〔초〕
樵(木부 12획〈578〉)와 同字

艸 16 〔蘛〕20 파 [平]歌 | ハ しろよもぎ
[字解] 흰쑥파 흰쑥. 백호(白蒿). '一, 白蒿也'《集韻》.

艸 16 〔蘎〕20 〔표〕
藨(艸부 14획〈1194〉)와 同字

艸 16 〔⿱艹頷〕20 〔함〕
菡(艸부 7획〈1142〉)과 同字

艸 16 〔⿱艹韰〕20 〔해〕
薤(艸부 13획〈1190〉)와 同字

艸 16 〔⿱艹骹〕20 [一] 효 [平]肴 | xiào コウ くさのね
[二] 교 [上]巧 | jiǎo コウ くさのね
[字解] [一] 풀뿌리효 풀의 뿌리. '一, 艸根'《集韻》. [二] 풀뿌리교 [一]과 뜻이 같음.

艸 16 〔蘍〕20 〔훈〕
薰(艸부 14획〈1194〉)과 同字

艸 17 〔蘖〕21 얼 [入]屑 | niè ゲツ かぶ
[字解] ①그루터기얼 초목을 베어 내고 남은 부분. '苞有三一'《詩經》. ②움얼 그루터기에서 나는 싹. '芽一'. '非無萌一之生焉'《孟子》. ③성얼 성(姓)의 하나.
[字源] 形聲. ++(艸)+櫱〔音〕

艸 17 〔蘘〕21 양 [平]陽 | ráng ジョウ みょうが
[字解] 양하양 '一荷'는 생강과에 속하는 숙근초(宿根草). 지하경은 향미료로 쓰임. '茈薑一荷'《漢書》.
[字源] 形聲. ++(艸)+襄〔音〕

艸 17 〔蘙〕21 예 [去]霽 | yì エイ しげるさま
[字解] 우거질예, 가릴예 초목이 무성하여 아래를 덮어 가림. '一薈茸茸'《潘岳》.
[字源] 形聲. ++(艸)+翳〔音〕

艸 17 〔蘚〕21 선 [上]銑 | xiǎn セン こけ
[字解] 이끼선 경엽(莖葉)의 구별이 분명치 아니한 은화식물(隱花植物). '苔一'. '綠一'. '風雨斷一埋殘碑'《高啓》.
[字源] 形聲. ++(艸)+鮮〔音〕

艸 17 〔⿱艹蹢〕21 척 [入]陌 | zhí テキ れんげつつじ
[字解] 연꽃진달래척 철쭉과에 속하는 낙엽 활엽 관목. '一, 艸名, 博雅, 羊一蠋, 芙光也'《集韻》.

艸 17 〔蘜〕21 국 [入]屋 | jú キク きく
[字解] 국화국 菊(艸부 8획〈1148〉)과 同字. '一有黃華'《禮記》.
[字源] 形聲. ++(艸)+鞠〔音〕

艸 17 〔蘞〕21 렴 [平]鹽 | liàn レン やぶがらし
[字解] ①거지덩굴렴 포도과에 속하는 다년생 만초(蔓草). 뿌리는 약재로 쓰임. 오렴매(烏蘞苺). '一蔓于野'《詩經》. ②덩굴렴 '一, 一曰蔓也'《集韻》.
[字源] 形聲. ++(艸)+斂〔音〕

艸 17 〔蘡〕21 영 [平]庚 | yīng エイ えびづる
[字解] 까마귀머루영 '一薁'은 포도과에 속하는 만초(蔓草). 열매는 식용 및 양조(釀造)에 쓰임. 까마귀머루. '一, 一薁, 藤也'《廣韻》.
[字源] 形聲. ++(艸)+嬰〔音〕

艸 17 〔蘤〕21 위 [上]紙 | wěi イ はな, はなさく
[筆順] 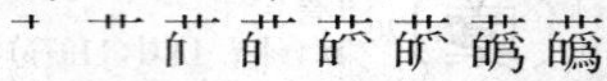
[字解] 꽃위, 꽃필위 현화식물(顯花植物)의 생식 기관. '西王母進洞淵紅一'《拾遺記》.
[字源] 形聲. ++(艸)+白+爲〔音〕

艸 17 〔蘦〕21 령 [平]青 | líng レイ かんぞう
[字解] ①감초령 콩과에 속하는 다년생 약초(藥草). 뿌리는 속이 누렇고 맛이 달아 식용과 약용으로 많이 쓰임. 일설(一說)에는, 도꼬마리라고도 함. ②떨어질령 零(雨부 5획〈1640〉)과 통용. '悼芳草之先一'《楚辭》.
[字源] 形聲. ++(艸)+霝〔音〕

艸 17 〔蘧〕21 거 [平]魚 | qú キョ かわらなでしこ
[字解] ①패랭이꽃거 '一麥'은 석죽과(石竹科)에 속하는 다년초. 패랭이꽃. 구맥(瞿麥). ②주막거 '一廬'는 주막. 여관. 객사(客舍). ③놀랄거 경악(驚愕)한 모양. 일설(一說)에는, 자득(自得)한 모양. '俄然覺, 則一一然周也'《莊子》.
[字源] 形聲. ++(艸)+遽〔音〕

艸 17 〔蘩〕21 번 [平]元 | fán ハン しろよもぎ

[字解] ①산흰쑥번 국화과에 속하는 다년초. 모양이 국화와 비슷함. 백호(白蒿). '于以采一'《詩經》. ②별꽃번 '一蔞'는 석죽과(石竹科)에 속하는 일년초. 잎은 광란형(廣卵形)이며, 흰빛의 잔 오판화(五瓣花)가 핌. 별꽃.
[字源] 形聲. 艹(艸)＋繁〔音〕

艸 17 〔蘪〕21 미 [平]支 | mí ビ·ミ くさがはえる

[字解] ①풀날미 ㉠잡초가 무성하게 남. ㉡물속에 풀이 남. 또, 그 곳. '一, 從水生, 生於水中'《爾雅》. ②천궁이미, 궁궁이미 '一蕪'는 미나릿과에 속하는 다년초. 또, 그 모. 뿌리는 한약재로 쓰임. 천궁(川藭). 궁궁(芎藭). '一蕪布濩于中阿'《左思》.
[字源] 形聲. 艹(艸)＋麋〔音〕

艸 17 〔蘼〕21 蘪(前條)와 同字

艸 17 〔蘭〕21 [高·人] 란 [平]寒 | lán ラン らん

[筆順] 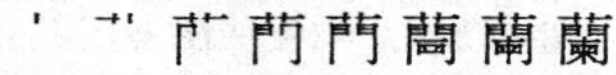

[字解] ①난초란 난초과에 속하는 다년초. 향기가 좋은 화초(花草)임. '芝一'. '紉秋一以爲佩'《楚辭》. ②목련란 목련과(木蓮科)에 속하는 낙엽 교목(落葉喬木). 관상용으로 심음. 목란(木蘭). '桂櫂兮一枻'《楚辭》. ③풀이름란 국화과에 속하는 다년초. 등골나물 비슷함. ④난간란 欄(木부 17획〈591〉)과 통용. '徙於馬一'《後漢書》. ⑤화란란 화란(和蘭)의 약칭(略稱). ⑥성란 성(姓)의 하나.
[字源] 形聲. 艹(艸)＋闌〔音〕

艸 17 〔蘬〕21 귀 [平]支 | kuī キ なずなのみ

[字解] ①냉이씨귀 '一, 薺實也'《說文》. ②털여뀌귀 마디풀과에 속하는 일년초. 대농고(大蘢古). '一, 蘢古大者曰一'《廣韻》.
[字源] 形聲. 艹(艸)＋歸〔音〕

艸 17 〔蘠〕21 장 [平]陽 | qiáng ショウ ばら

[字解] ①장미장 '一蘼'는 장미(薔薇). 薔(艸부 13획〈1189〉)과 同字. ②국화장 '治一'은 국화. '蘜, 治一. (注)今之秋華菊'《爾雅》. ③울타리장 牆(爿부 13획〈736〉)과 통용. '一, 段借, 爲牆'《通訓》.
[字源] 形聲. 艹(艸)＋牆〔音〕

艸 17 〔蘨〕21 〔요〕
蘨(艸부 18획〈1209〉)의 古字

艸 17 〔蘥〕21 약 [入]藥 | yuè ヤク からすむぎ

[字解] ①귀리약 연맥(燕麥). '一, 雀麥. (注)一, 卽燕麥也'《爾雅》. ②털여뀌약 '天一'은 털여뀌.
[字源] 形聲. 艹(艸)＋龠〔音〕

艸 17 〔蔞〕21 루 [上]麌 | lǚ ル はこべ

[字解] 닭의장풀루 '蔆一'는 계장초(雞腸草). '一, 一曰, 雞腸'《集韻》.

艸 17 〔蘗〕21 [一] 폐 [去]霽 | bì ヘイ おおいたび
[二] 벽 [入]陌 | bò ハク きはだ

[字解] [一] 승검초폐 薜(艸부 13획〈1189〉)와 同字. '一, 艸名. 說文, 牡贊也. 或作一'《集韻》. [二] ①황경나무벽 檗(木부 13획〈585〉)과 同字. '檗, 說文, 黃木也. 或从薜'《集韻》. ②쓸벽 맛이 씀. '一苦'.
[字源] 形聲. 艹(艸)＋檗〔音〕

艸 17 〔蘛〕21 [一] 육 [入]屋 | yú イク はなのひら くさま
[二] 유 [平]虞 | ユ はなのさま

[字解] [一] ①꽃필육 '蓲一'은 꽃이 피는 모양. '異荂蓲一'《左思》. ②무성할육 '一, 茂也'《廣韻》. [二] 꽃유 '蓲一'는 꽃의 모양. '蕍, 蓲蕍, 華皃. 或作一'《集韻》.

艸 17 〔蘣〕21 [一] 통 [去]送 | tǒu トウ よい
[二] 투 [上]有 [去]宥 | トウ よい

[字解] [一] ①아름다울통 '一, 好也'《廣雅》. ②나무모종틀통 '一, 又木苗出'《廣韻》. [二] 아름다울투, 나무모종틀투 [一]과 뜻이 같음.

艸 17 〔蘻〕21 계 [去]霽 | jì ケイ やぶじらみ

[字解] ①사상자계 '一蘽'는 사상자(蛇床子). '一蘽兮靑葱'《王逸》. ②성계 성(姓)의 하나.

艸 17 〔蘟〕21 은 [上]吻 | yǐn イン·オン やさいのな

[字解] 나물이름은 '一葱'은 고사리 비슷한 나물의 이름. '一, 一葱, 菜名. 似蕨'《集韻》.

艸 17 〔蘫〕21 [一] 람 [平]覃 | làn ラン つけもの
[二] 함 [去]勘 | hàn カン つけもの

[字解] [一] 오이김치람 오이를 초에 절인 김치. '一, 瓜葅也'《說文》. [二] 오이김치함 [一]과 뜻이 같음.
[字源] 形聲. 艹(艸)＋濫〔音〕

艸17〔蘓〕21 〔로〕
蕗(艸부 16획〈1202〉)의 本字

艸17〔藭〕21 〔곤〕
菎(艸부 8획〈1148〉)의 本字

艸17〔蘷〕21 〔기〕
夔(夊부 17획〈228〉)의 古字

艸17〔蘧〕21 거 ㊤語|qú キョ けしあざみ
字解 방가지똥거 풀 이름. 매거(蕒蘧). '一, 蕒一, 艸名, 或作蘪'《集韻》.

艸17〔蘬〕21 결 ㊀屑|xie ケツ おおけたで
字解 개여뀌결 풀 이름. 홍결(鴻蘬). '一, 鳫一, 艸名, 葒也'《集韻》. '釋名, 鴻一, 蘢古, 天蓼, 大蓼, 時珍曰, 此蓼甚大, 而花亦繁紅, 故曰葒曰鴻, 鴻亦大也'《本草, 葒草》.

艸17〔蘦〕21 〔고〕
蓝(艸부 12획〈1184〉)와 同字

艸17〔蘿〕21 〔관〕
藿(隹부 10획〈1635〉)과 同字

艸17〔韱〕21섬 ㊥鹽|xiān セン やまにら
字解 산부추섬 풀 이름. '韱, 艸名, 說文, 山韭也, 或作一'《集韻》.

艸17〔蘱〕21 〔의〕
蓨(艸부 12획〈1183〉)의 俗字

艸17〔蘛〕21 〔유〕
蕕(艸부 9획〈1163〉)와 同字

艸17〔蘒〕21 〔이〕
萁(艸부 12획〈1184〉)와 同字

艸17〔蘿〕21 작 ㊀覺|zhuó タク そくず
字解 넓은잎딱총나무작 말오줌나무. 약초임. 삭작(蒴藋). 藋(艸부 14획〈1195〉)와 통용. '一, 蒴一, 藥草, 或作藋'《集韻》.

艸17〔蘗〕21 〔조〕
藻(艸부 16획〈1202〉)와 同字

艸17〔蘐〕21 〔신〕
藎(艸부 14획〈1195〉)과 同字

艸17〔蘓〕21 〔착〕
蘸(艸부 16획〈1205〉)과 同字

艸17〔蘸〕21 〔잠〕
歜(欠부 13획〈601〉)과 同字

艸17〔蘯〕21 〔탕〕
蕩(艸부 12획〈1182〉)과 同字

艸17〔蘬〕21 한 ㊦翰|hǎn カン くさのな
字解 풀이름한 '一, 白一, 艸名'《集韻》.

〔驀〕 〔맥〕
馬부 11획(1750)을 보라.

艸18〔蘧〕22 구 ㊥虞|qú ク かわらなでしこ
字解 패랭이꽃구 '一麥'은 석죽과(石竹科)에 속하는 다년초. 산과 들에 남. 꽃은 약재로 씀. 蘧(艸부 17획〈1206〉)와 同字.

艸18〔叢〕22 총 ㊥東|cōng ソウ くさがむらがりはえる
字解 ①풀우거질총 풀이 총총하게 우거진 모양. '一, 艸叢生皃'《說文》. ②줄기총 '一, 株也'《韻會》.
字源 形聲. 艹(艸)＋叢〔音〕

艸18〔豐〕22 풍 ㊥東|fēng フウ かぶら
字解 순무풍 무청(蕪菁). 葑(艸부 9획〈1158〉)과 同字. '一, 蕪菁也, 陳楚之郊, 謂之一'《揚子方言》.

艸18〔鼕〕22 동 ㊤董|dǒng トウ つづみのおと
字解 북소리동 '一一'은 북이 울리는 소리. '一一, 鼓聲'《集韻》.

艸18〔黠〕22 ㊀갈 ㊀黠|xià カツ おがら
㊁개 ㊥佳|jiē カイ おがら
字解 ㊀①삼대갈 껍질을 벗긴 삼대. 마경(麻莖). '一, 麻莖'《廣韻》. ②짚대갈 껍질을 벗겨 낸 짚. 秸(禾부 9획〈906〉)와 同字. '一, 禾稾去皮穎'《集韻》. ㊁삼대개, 짚대개 ㊀과 뜻이 같음.

艸18〔職〕22 직 ㊀職|zhí ショク いぬほおずき
字解 까마종이직 가짓과의 일년초. 용규(龍葵). '江南別有苦菜, 葉似酸漿, 其花或紫或白, 子大如珠, 或赤或黑, 案, 郭璞注爾雅, 此乃一黃蒢也, 今河北謂之龍葵'《顏氏家訓》.

艸18〔織〕24 藏(前條)과 同字

艸 18 〔蘶〕 22 위 [去]未 | wèi ギ ひこばえ
[字解] 움위 초목의 움 돋은 싹.
[字源] 形聲. 艹(艸)+魏〔音〕

艸 18 〔⿰亻藷〕 22 [一] 저 [平]魚 | shǔ チョ やまいも
[二] 서 [去]御 | shǔ ショ やまいも
[字解] [一] 참마저 藷(艸부 16획〈1202〉)와 同字. '一薁, 署預也'《廣雅》. [二] 참마서 [一]과 뜻이 같음.

艸 18 〔蘨〕 22 요 [平]蕭 | yáo ヨウ くさのしげるさま
[字解] 풀무성할요 '一, 艸盛皃'《說文》.
[字源] 形聲. 艹(艸)+繇〔音〕

艸 18 〔蘳〕 22 [一] 화 [上]馬 | カ きいろいはな
[二] 휴 [平]支 | huī キ このみ
[字解] [一] ①노란꽃화 '一, 黃華'《說文》. ②잎꽃아름다울화 '蓷扈一熒. (注)一, 花葉貌'《後漢書》. [二] ①나무열매휴 과실(果實). 또, 과실이 나타나는 모양. '一, 又果實也'《廣韻》. '一, 果實見皃'《集韻》. ②노란꽃휴 [一]❶과 뜻이 같음.
[字源] 形聲. 艹(艸)+黊〔音〕

艸 18 〔蘒〕 22 교 [平]蕭 | qiáo キョウ れんぎょう
[字解] 개나리교 연교(連蘒). 翹(羽부 12획〈1046〉)와 통용. '一, 艸名, 連一'《集韻》. '一, 爾雅, 本作翹'《正字通》.

艸 18 〔蘜〕 22 국 [入]屋 | jú キク くさのな
[字解] 등골나물국 '一, 艸名, 大蘭也, 葉細, 華紅紫色'《集韻》.

艸 18 〔⿱艹蠡〕 22 리 [平]支 | lí リ はますげ
[字解] 향부자리 萊(艸부 8획〈1152〉)와 통용. '一, 艸名, 夫須也, 或作萊'《集韻》.

艸 18 〔⿱艹覆〕 22 복 [入]屋 | fù フク あけび
[字解] 으름덩굴복 '一, 艸名, 通艸也, 一名烏一'《集韻》.

艸 18 〔⿱艹燒〕 22 〔소〕
燒(火부 12획〈725〉)와 同字

艸 18 〔⿱艹雜〕 22 [一] 잡 [入]合 | zá ソウ とのすだれ
[二] 접 [入]葉 | ショウ くさのすだれ
[字解] [一] 문발잡 문에 치는 발〔簾〕. 籍(竹부 18획〈964〉)과 통용. '一, 戶簾也, 或从竹'《集韻》. [二] 풀발접 풀로 짠 발. 萑(艸부 11획〈1180〉)과 통용. '一, 艸簾, 或从捷'《集韻》.

艸 18 〔⿱艹⿰禾亶〕 22 〔저〕
菹(艸부 8획〈1151〉)와 同字

艸 18 〔⿱艹薦〕 22 〔천〕
薦(艸부 13획〈1190〉)과 同字

艸 18 〔⿱艹⿰車枼〕 22 첩 [入]洽 | zhá トウ はながたちまちひらく
[字解] 꽃갑자기필첩 '一, 花突開'《直音》.

艸 18 〔⿱艹穛〕 22 〔착〕
蕉(艸부 16획〈1205〉)과 同字

艸 18 〔⿱艹⿱覀火〕 22 〔표〕
蔈(艸부 11획〈1176〉)의 本字

艸 18 〔蘲〕 22 〔류〕
藟(艸부 11획〈1174〉)와 同字

艸 18 〔⿱艹繠〕 22 〔예〕
蘂(艸부 16획〈1203〉)와 同字

艸 18 〔⿱艹遴〕 22 〔릉〕
蔆(艸부 11획〈1173〉)과 同字

艸 19 〔蘸〕 23 잠 [去]陷 | zhàn サン ひたす
[字解] 담글잠 물건을 물속에 담금. '黛一油檀'《庾信》.
[字源] 會意. 艹(艸)+酉+焦

艸 19 〔蘺〕 23 리 [平]支 | lí リ くさびえ
[字解] ①돌피리 볏과에 속하는 일년초. 피〔稗〕와 비슷하나 좀 작음. '一先稻熟'《淮南子》. ②천궁이리 '江一'는 천궁이의 다 자란 것. ③울리 籬(竹부 19획〈964〉)와 同字. '築長城而守藩一'《漢書》.
[字源] 形聲. 艹(艸)+離〔音〕

艸 19 〔蘼〕 23 미 [平]支 | mí ビ·ミ ばら
[字解] ①장미미 장미(薔薇). 薇(艸부 13획〈959〉)와 통용. '蘠一'. '說文云, 蘠一, 虋冬也. 卽今薔薇. 又虋冬·天門冬, 二名相亂'《釋文 義疏》. ②천궁이미 '一蕪'는 어린 천궁(川藭)이. 향초(香草)의 한 가지. '秋蘭兮一蕪'《楚辭》.
[字源] 形聲. 艹(艸)+靡〔音〕

艸 19 〔蘿〕 23 라 [平]歌 | luó ラ ひめあざみ
[字解] ①쑥라 '莪一'는 쑥〔艾〕의 일종. 아호(莪蒿). ②여라라 '女一'는 선태류(蘚苔類)에 속하는 이끼. '女一託松而生'《玉篇》. ③

풀가사리라 '海—'는 홍조류(紅藻類)의 일종. ④무라 '—蔔'은 겨잣과에 속하는 채소의 한 가지. ⑤울라 울타리. 籬(竹부 19획〈964〉)와 통용. ⑥소나무겨우살이라 '松—'. ⑦담쟁이덩굴라, 댕댕이덩굴라 덩굴 식물의 총칭. '—徑'. '—徑轉連綿'《南齊詩》.
字源 形聲. 艹(艸)+羅〔音〕

艸19 〔虀〕 23 제 ㊥齊|jī セイ あえもの
字解 ①나물제, 나물무침제 식물성 부식물(副食物). '—鹽'. ②김치제 소금에 절인 채소. '—, 葅也'《廣雅》.
字源 形聲. 艹(艸)+韲〔音〕

艸19 〔虆〕 23 류 ㊤紙|lěi ルイ ふじかずら
字解 등나무덩굴류, 덩굴류 藟(艸부 15획〈1199〉)·虆(艸부 21획〈1211〉)와 同字.
字源 形聲. 木+藟〔音〕

艸19 〔蠾〕 23 촉 ㊀沃|zhú チョク れんげつつじ
字解 철쭉나무촉 '躑—'.

艸19 〔蘱〕 23 ㊀류 ㊦寘|lèi ルイ あぶらがや ㊁귀 ㊦寘|キ ちめい
字解 ㊀풀이름류 물고랭이의 하나. '—, 蘵蓳'《爾雅》. ㊁땅이름귀 '公孫歸父帥師伐邾婁取—'《公羊傳》.

艸19 〔蘼〕 23 ㊀리 ㊥支|lì リ つく ㊁려 ㊦霽|lì レイ つく
字解 ㊀붙을리 초목이 땅에 붙어 남. '—, 艸木生着土'《說文》. ㊁붙을려 ㊀과 뜻이 같음.
字源 形聲. 艹(艸)+麗〔音〕

艸19 〔蘹〕 23 회 ㊥佳|huái カイ ういきょう
字解 회향풀회 '—香'은 회향풀. '—, 艸名'《集韻》.

艸19 〔蘾〕 23 회 ㊦卦|huài カイ すいそうのな
字解 풀이름회 '—, 烏蘾'《爾雅》.

艸19 〔蘸〕 23 연 ㊥先|rán ゼン·ネン くさのな
字解 ①풀이름연 '—, 艸也'《說文》. ②태울연 然(火부 8획〈716〉)과 同字. '然, 燒也. …—, 或从艸難'《說文》.
字源 形聲. 艹(艸)+難〔音〕

艸19 〔蘻〕 23 계 ㊦霽|jì ケイ まちん
字解 독초(毒草)이름계 '—, 狗毒'《爾雅》.
字源 形聲. 艹(艸)+繫〔音〕

艸19 〔虈〕 23 〔강〕 薑(艸부 13획〈1189〉)과 同字

艸19 〔蘸〕 23 〔견〕 繭(糸부 13획〈1017〉)과 同字

艸19 〔蘽〕 23 견 ㊤銑|jiǎn ケン くさのな
字解 풀이름견 고사리의 일종. 자기(茈萁). '—, 艸名, 紫綦也'《集韻》.

艸19 〔蘬〕 23 〔궁〕 藭(艸부 15획〈1199〉)과 同字

艸19 〔蘿〕 23 〔조〕 藋(艸부 14획〈1195〉)와 同字

艸19 〔虅〕 23 등 ①㊦徑|dèng トウ ねむりのさめきらないさま ②㊥蒸|téng トウ めのくらいさま
字解 ①잠깨어어리둥절할등 맹등(瞢虅). '—, 瞢—, 臥初起皃'《集韻》. ②눈어두운모양등 '—, —瞢, 目暗'《集韻》.

艸19 〔蘵〕 23 식 ㊀職|shí ショク くらら
字解 쓴너삼식 너삼. 고삼(苦蔘). '—, 苦—, 艸名, 卽苦參'《集韻》.

艸19 〔虉〕 23 〔역〕 虉(艸부 20획〈1211〉)과 同字

艸19 〔蘏〕 23 영|yíng エイ きくのはな
字解 국화영 '—, 菊花'《字彙補》.

艸19 〔虇〕 23 〔의〕 薾(艸부 12획〈1183〉)와 同字

艸19 〔蘸〕 23 전 ㊥先|diān テン くさのはずえ
字解 풀잎의끝전 '—, 艸末'《集韻》.

艸19 〔蘻〕 23 〔조〕 藻(艸부 16획〈1202〉)와 同字

艸19 〔虃〕 23 참 ㊥寒|cān サン きせわた
字解 송장풀참 개방아. '—, —茱生陰地, 方莖對節, 白花, 本草, 李時珍曰, 益母之白花者'《正字通》.

艸19 〔蘢〕 23 〔피〕
蘢(艸부 15획〈1202〉)와 同字

艸19 〔蘤〕 23 〔화〕
華(艸부 8획〈1150〉)와 同字

艸19 〔𧆎〕 23 ㊀ 찬 [去]翰 | zàn サン おおいたび
㊁ 찰 [入]曷 | サツ むらがりはえる
[字解] ㊀ 왕모람찬 '牡—'은 왕모람. 폐려(薜荔). '薜, 牡—'《爾雅》. ㊁ 초목모도록하게날찰 '—, 艸木叢生也'《集韻》.

艸19 〔𧆥〕 23 ㊀ 문 [平]元 | mén ボン·モン もちあわ
㊁ 미 [上]尾 | wěi ビ·ミ くさのな
[字解] ㊀ 붉은차조문 虋(艸부 25획〈1212〉)과 同字. '虋, 赤粱粟也. 俗作—'《廣韻》. ㊁ ①풀이름미 '—, 艸名'《集韻》. ②붉은차조미 [一]과 뜻이 같음.

〔糵〕 〔얼〕
米부 17획(978)을 보라.

艸19 〔𧆛〕 23 〔궁〕
藭(艸부 15획〈1199〉)의 本字

艸20 〔虃〕 24 첨 [平]鹽 | jiān セン やまにら
[字解] 풀이름첨 지오공초(地蜈蚣草). 백족(百足). '—, 百足'《爾雅》.

艸20 〔𧅯〕 24 [韓] 살
[字解] 《韓》 화살살 '—, 箭也'《新字典》.

艸20 〔𧆼〕 24 역 [入]錫 | yì ゲキ もじずり
[字解] 수초(綬草)역 虉(艸부 21획〈1211〉)과 同字. '—, 綬艸也. 詩曰, 邛有旨—, 是'《說文》.
[字源] 形聲. 艹(艸)+鶂〔音〕

艸20 〔蠢〕 24 〔준〕
蠢(虫부 15획〈1253〉)의 本字

艸20 〔蘐〕 24 ㊀ 엄 [平]鹽 | yǎn ゲン くさのな
㊁ 음 [平]侵 | yín ギン なのな
[字解] ㊀ 풀이름엄 '—, 艸名'《集韻》. ㊁ 나물이름음 달래 비슷하며 물속에서 남. 荶(艸부 7획〈1143〉)과 同字. '荶, 菜名, 似蒜, 生水中, 古作—'《集韻》.

艸20 〔蘤〕 24 유 [上]紙 | wěi イ くさきのはながほころびそめる
[字解] 꽃봉오리벌어지기시작할유 '—, 草木花初出也, 見篇海大成, 與蘤同'《字彙補》.

艸20 〔𧅺〕 24 〔의〕
藙(艸부 15획〈1198〉)와 同字

艸20 〔𧅹〕 24 〔츤〕
藽(艸부 16획〈1204〉)과 同字

艸20 〔𧅼〕 24 〔조〕
藋(艸부 14획〈1195〉)와 同字

〔躠〕 〔설〕
足부 17획(1453)을 보라.

艸21 〔虆〕 25 ㊀ 라 [平]歌 | luó ラ ふご
㊁ 류 [平]支 | léi ルイ つるくさ
[字解] ㊀ 들것라 흙을 나르는 제구. '—梩'. '盛之以—'《詩經 箋》. ㊁ 덩굴류 덩굴풀의 총칭. '—, 蔓草'《廣韻》.
[字源] 形聲. 艹(艸)+纍〔音〕

艸21 〔虈〕 25 효 [平]蕭 | xiāo キョウ よろいぐさ
[字解] 어수리효 미나릿과에 속하는 다년초. 뿌리는 백지(白芷)라 하여 약재로 씀. '芳—兮挫枯'《楚辭》.
[字源] 形聲. 艹(艸)+囂〔音〕

艸21 〔𧆸〕 25 虈(前條)와 同字

艸21 〔虉〕 25 역 ①[入]錫 | yì ゲキ もじずり
②[入]陌 | è ガク とりのな
[字解] ①수초(綬草)역 오색의 무늬가 있어 수(綬)와 같은 풀 이름. '—, 綬. (注)小草, 有雜色, 似綬'《爾雅》. ②새이름역 '—, 一曰鳥名'《集韻》.

艸21 〔虀〕 25 〔제〕
䕯(艸부 19획〈1210〉)와 同字

艸21 〔𧆖〕 25 척 [入]陌 | zhí テキ れんげつつじ
[字解] 철쭉나무척 '—蠋'은 철쭉과에 속하는 낙엽 관목(落葉灌木). 두견화(杜鵑花). '—蠋成山開不算'《韓愈》.

艸21 〔虂〕 25 로 [去]遇 | lù ロ つるむらさき
[字解] 덩굴지치로 '蘩—'는 덩굴지치.
[字源] 形聲. 艹(艸)+露〔音〕

艸21 〔虇〕 25 권 [上]阮 [去]願 [平]先 | quǎn ケン あしのめ
[字解] ①갈순권 갈대의 순. '—, 蘆筍'《廣韻》. ②죽순권 '—, 萌筍'《廣韻》.

艸21〔𧆓〕25 려 [平]薺 | lǐ レイ あかいくさ
[字解] 붉은풀려 '一, 赤艸也'《集韻》.

艸21〔𧆛〕25 〔리〕
蘺(艸부 19획〈1209〉)와 同字

艸21〔䕶〕25 호 [去]遇 | hù コ くさのな
[字解] 풀이름호 신호(神䕶). '一, 草名, 神一也'《篇海》.

艸21〔𧆸〕25 〔심〕
蕈(艸부 12획〈1181〉)의 本字

艸21〔𧅭〕25 〔유〕
菌(艸부 9획〈1163〉)의 本字

艸22〔𧆼〕26 [一] 한 [去]翰 [上]旱 [二] 연 [平]先 | hàn カン くさのな
[字解] [一] 풀이름한 '一, 艸也'《說文》. [二] 蘺(艸부 19획〈1210〉)과 同字.
[字源] 形聲. ⺿(艸)＋鷬〔音〕

艸22〔𧇂〕26 〔해〕
醢(酉부 10획〈1539〉)의 籒文

艸22〔𧆕〕26 〔양〕
蘸(艸부 24획〈1212〉)과 同字

艸22〔𧇎〕26 〔억〕
億(人부 13획〈75〉)과 通字

艸22〔𧇊〕26 〔연〕
蘺(艸부 19획〈1210〉)과 同字

艸22〔𧆺〕26 〔작〕
酢(酉부 5획〈1533〉)과 同字

艸23〔虊〕27 [一] 란 [平]寒 [平]先 [二] 련 [去]霰 [上]銑 | luán ラン あさざ レン あさざ
[字解] [一] 노랑어리연꽃란 '一, 鳧葵也'《說文》. [二] 노랑어리연꽃련 ■과 뜻이 같음.
[字源] 形聲. ⺿(艸)＋攣〔音〕

艸23〔𧇋〕27 약 [入]藥 | yuè ヤク みずのうえをかぜがふきわたる
[字解] 물위바람불약 물 위로 바람이 불어침. '風吹水, 謂之一'《集韻》.

艸23〔𧇃〕27 〔의〕
藙(艸부 15획〈1198〉)의 本字

艸23〔𧇁〕27 〔견〕
稍(禾부 7획〈903〉)과 同字

艸23〔𧇐〕27 〔란〕
虊(艸부 23획〈1212〉)과 同字

艸23〔𧇈〕27 〔별〕
虌(艸부 25획〈1212〉)과 同字

艸24〔𧇘〕28 양 ①[上]養 ②[平]陽 | niàng ジョウ なぎなたこうじゅ ジョウ つける
[字解] ①노야기양 '一葇'는 꿀풀과의 일년초. 산・들에 나며 약재임. 향유(香薷). '案, 一葇卽香葇也'《廣雅 疏證》. ②채소담글양 채소로 김치를 담금. '一, 漬菜爲菹也'《正字通》.
[字源] 形聲. ⺿(艸)＋釀〔音〕

艸24〔𧇖〕28 [一] 감 [上]感 [去]勘 [二] 공 [平]送 | gàn カン はとむぎ コウ はとむぎ
[字解] [一] 율무감 열매는 의이인(薏苡仁). '一, 薏苡'《集韻》. [二] 율무공 ■과 뜻이 같음.
[字源] 形聲. ⺿(艸)＋贛〔音〕

艸24〔𧇔〕28 [一] 수 [上]紙 [二] 곽 [入]藥 (확[本]) | suǐ スイ はなのちりしいているさま huǒ カク
[字解] [一] 꽃깔릴수 초목(草木)의 꽃이 흩어져 깔려 있는 모양. '一, 艸木花敷皃'《集韻》. [二] 藿(艸부 16획〈1202〉)의 本字. ※本音 확.

艸24〔𧇗〕28 〔령〕
蘦(艸부 17획〈1206〉)과 同字

艸25〔虋〕29 문 [平]元 | mén ボン・モン もちあわ
[字解] ①붉은조문 붉은 차조의 일종. '一, 赤苗. (注) 今之赤粱粟'《爾雅》. ②장미문 '一冬'은 장미(薔薇). '蘠蘼, 一冬'《爾雅》.
[字源] 形聲. ⺿(艸)＋釁〔音〕

艸25〔虌〕29 별 [入]屑 | biē ヘツ わらび
[字解] 고사리별 '蕨, 一. (注)初生無葉可食, 江西謂之一'《爾雅》.

艸33〔𧈐〕37 추 [平]虞 | cū ソ わらぐつ
[字解] 짚신추 기름사초 따위로 삼은 신. '一, 艸履也'《說文》.
[字源] 形聲. ⺿(艸)＋麤〔音〕

虍 部
〔범호밑부〕

虍 0 〔虍〕6 호 ㊥虞 | hū コ とらのかわのもよう

筆順 ' ⺊ ⺦ 广 卢 虍

字解 범의문채호 범 가죽의 무늬. 호문(虎文). '一, 虎文也. 象形'《說文》.

字源 象形. 호랑이의 온 형태의 象形字가 '虎호', 거기에서 몸통과 발을 떼내고 머리 부분만을 형상화한 것. 부수(部首)로 쓰임.

參考 '虍호'·'虎호'를 의부(意符)로 하여, 호랑이에 관한 문자를 이룸.

虍 2 〔虎〕8 中·人 호 ㊤麌 | hǔ コ とら

筆順 ' ⺊ ⺦ 广 卢 虍 虎 虎

字解 ①범호 고양잇과에 속하는 맹수(猛獸)의 하나. 호랑이. '一狼'. '匪兕匪一, 率彼曠野'《詩經》. 전(轉)하여, 용맹(勇猛) 또는 포학(暴虐)의 비유로 쓰임. '矯矯一臣'《詩經》. '秦一狼之國也'《史記》. 또, '羊'과 호용(互用)하여, 강약(強弱)의 대조(對照)로 삼음. '夫一之與羊, 不格明矣'《戰國策》. ②성호 성(姓)의 하나.

字源 象形. 범의 象形. 음형상(音形上)으로는 범의 포효 소리의 의성어로 이루어진 것인 듯.

虍 2 〔虏〕8 〔로〕 虜(虍부 6획〈1214〉)의 簡體字

虍 3 〔虐〕9 학 ㊇藥 | nüè ギャク しいたげる

字解 ①해롭게할학 잔해(殘害)함. '方命一民'《孟子》. ②몹시굴학 학대함. '繼親一則兄弟爲讎'《顔氏家訓》. ③사나울학 가혹함. 잔인함. '一政'. '暴一'. '不教而殺, 謂之一'《論語》. ④재앙학 재화. '殷降大一'《書經》.

字源 會意. 篆文은 虍+爪+人. 범이 사람을 붙잡는 모양에서, '잔인하다'의 뜻을 나타냄.

虍 4 〔虔〕10 人名 건 ㊥先 | qián ケン つつしむ

筆順 ⺊ ⺦ 广 卢 虍 虍 虔 虔

字解 ①삼갈건 공경하는 마음으로 삼가 조심함. '敬一'. '糾一天刑'《國語》. ②베풀건 은혜를 베풂. '上一郊祀'《張華》. ③죽일건 인명을 빼앗음. '芟夷我農功, 一劉我邊陲'《左傳》. ④빼앗을건 강탈함. '撟一吏'《漢書》. ⑤굳을건 견고함. '一共爾位'《詩經》. ⑥모탕건 도끼 받침. '方斲是一'《詩經》.

字源 會意. 虎〈省〉+文. '虎호'는 '범'의 뜻. '文문'은 '문신(文身)'의 뜻. 범 가죽 따위에 문신을 놓는 의식(儀式)의 모양에서, '삼가다'의 뜻을 나타냄.

虍 4 〔虓〕10 효 ㊥肴 | xiāo コウ うそぶく

字解 ①범울부짖을효 범이 성내어 욺. '虎一振豦'《太玄經》. ②범성낼효 범이 성을 냄. '闞如一虎'《廣韻》.

字源 形聲. 虎+九〔音〕

虍 4 〔虤〕10 虓(前條)와 同字

虍 4 〔虒〕10 ㊀치 ㊤紙 | zhì チ けもののな
㊁사 ㊥支 | sī シ きゅうでんのな

字解 ㊀①짐승치 '委一'는 범 비슷하며 뿔이 있는 짐승. '一, 委一, 虎之有角者也'《說文》. ②가지런하지않을치 '茈一'는 가지런하지 아니한 모양. '偨池茈一'《司馬相如》. ㊁대궐이름사 '一祁'는 궁전의 이름. '築一祁之宮'《左傳》.

字源 形聲. 虎+厂〔音〕

虍 4 〔虓〕10 예 ㊦隊 | yì ガイ とらのさま
㊦霽 | ゲイ とらのいき

字解 ①범의모양예 '一, 虎皃'《說文》. ②범의숨예 '一, 一曰, 虎息也'《字彙》.

字源 形聲. 虎+乂〔音〕

虍 5 〔處〕11 中·人 처 ①㊦御 | chù ショ ところ
②-⑧㊤語 | chǔ ショ おる

筆順 ⺊ ⺦ 广 卢 虍 虍 虏 處 處

字解 ①곳처 ㉠장소 또는 지위. '安其一'《管子》. ㉡거실(居室). 주거. '爰居爰一'《詩經》. ②머무를처 ㉠정지함. '其後也一'《詩經》. ㉡머물러 삶. '一江湖之遠'《范仲淹》. ㉢머물러 쉼. '莫或遑一'《詩經》. ㉣머물러 있음. '去者半, 一者半'《禮記》. ㉤그 위치·장소 등을 차지함. '在所自一耳'《史記》. ㉥그 경우에 있음. '一仁遷義'《孟子》. ㉦관직에 있음. '一人一南臺, 一人一北省'《北齊書》. ㉧벼슬하지 않고 야(野)에 머물러 있음. '出一進退'. '一士橫議'《孟子》. ㉨

시집가지 않고 집에 머물러 있음. '綽約若一子'《莊子》. ③둘처 머물러 있게 함. '魏立永明寺以一沙門'《通鑑》. ④정할처 결정함. '蚤一之'《國語》. ⑤돌아갈처 편히 머물러 있을 곳으로 돌아감. '各有攸一'《左傳》. ⑥나눌처 분별함. '一分旣定'《晉書》. ⑦처할처 제재함. '一刑'. '竊人之財, 刑辟之所一'《顏氏家訓》. ⑧성처 성(姓)의 하나.
[字源] 形聲. 処+虍〔音〕
[參考] ①処(几부 3획〈96〉)는 同字. ②䖏(次條)는 俗字.

虍 5 〔䖏〕 11 處(前條)의 俗字

虍 5 〔䖀〕 11 로 [平]虞 | lú ロ かめ
[字解] ①독로 아가리가 작은 독. '一, 䍜也'《說文》. ②주발로 마실 것을 담는 그릇. '一, 飮器'《字彙》. ③범가죽무늬로 '一, 虎文也'《字彙補》
[字源] 形聲. 甶+虎〔音〕

虍 5 〔虘〕 11 [一] 차 [平]歌 | cuó サ とらがたけく じゅうじゅんでない
[二] 조 [平]虞 | ソ とらがたけく じゅうじゅんでない
[字解] [一] 범사납고순하지않을차 '一, 虎不柔不信也'《說文》. [二] 범사납고순하지않을조 [一]과 뜻이 같음.
[字源] 形聲. 虍+且〔音〕

虍 5 〔䖅〕 11 [一] 을 [入]物 | yì ギツ とらのさま
[二] 의 [去]未 | ギ とらのさま
[字解] [一] 범의모양을 '一, 本作䖈'《中華大字典》. [二] 범의모양의 [一]과 뜻이 같음.

虍 5 〔虖〕 11 호 ①-③[平]虞 | hū コ うそぶく
④[平]虞 | hú コ や, か
[字解] ①울부짖을호, 짖을호 '虖, 哮一也'《說文》. ②아호 탄식하는 말. 呼(口부 5획〈155〉)와 통용. '嗚一, 何施而臻此與'《漢書》. ③성호 성(姓)의 하나. ④그런가호 의문사(疑問辭). 乎(丿부 4획〈18〉)와 통용. '書不云一'《漢書》.
[字源] 形聲. 虍+乎〔音〕

虍 5 〔虙〕 11 복 [入]屋 | fú フク とら
[字解] ①범복 범의 형용. '一, 虎皃'《說文》. ②복희씨복 伏(人부 4획〈38〉)·宓(宀부 5획〈276〉)과 통용. '一犧'. '靑琴一妃之徒'《漢書》. ③성복 성(姓)의 하나.
[字源] 形聲. 虍+必〔音〕

虍 5 〔𧆨〕 11 虖(前前條)의 本字

〔彪〕 〔표〕
彡부 8획(366)을 보라.

虍 5 〔虗〕 11 虛(次次條)와 同字

虍 5 〔虚〕 11 虛(次條)의 俗字

虍 6 〔虛〕 12 [中人] 허 [平]魚 | xū キョ むなしい
[筆順] ⺊ 广 虍 虍 虗 虗 虗 虛
[字解] ①빌허 ㉠아무것도 없음. '空一'. ㉡방비가 없음. '衡其方一'《史記》. ㉢능력이 없음. 쓸모가 없음. '抱一求進'《漢書》. ㉣욕심이 없음. '恆一而易足'《淮南子》. ㉤실질이 없음. 진실이 아님. '一言'. '一名'. '名冠諸侯, 不一耳'《史記》. ㉥약함. 쇠함. '一弱'. '齊國以一也'《呂氏春秋》. ②비울허 ㉠장소를 비게 함. '公子從車騎, 一左, 自迎夷門侯生'《史記》. ㉡공허하게 함. '一心'. ③공허허 텅 빔. 아무것도 없음. '執一如執盈, 入一若有人'《禮記》. ④하늘허 '一空'. '凌一'. '馮一御風'《蘇軾》. ⑤구멍허, 틈허 '若循一而出入'《淮南子》. ⑥헛될허 헛되게. '不一發'《司馬相如》. ⑦별이름허 이십팔수(二十八宿)의 하나. '一星'. '里一'《書經》. ⑧터허 墟(土부 12획〈219〉)와 同字. '升彼一矣'《詩經》. ⑨성허 성(姓)의 하나.
[字源] 形聲. 篆文은 丘+虍〔音〕
[參考] ①虗(前前條)는 同字. ②虚(前條)는 俗字.

虍 6 〔虜〕 12 로 [上]麌 | lǔ リョ とりこにする
[筆順] ⺊ ⺊ 广 虍 虍 虏 虜 虜
[字解] ①사로잡을로 적(敵)의 군사를 생포함. '其將固可襲而一也'《漢書》. ②포로로 사로잡은 적의 군사. '俘一'. '生得曰一, 斬首曰獲'《連文釋義》. ③종로 노복(奴僕). '嚴家無格一者'《史記》. ④오랑캐로 ㉠화외(化外)의 백성. 야만인. '羌一及疏勒龜玆'《後漢書》. ㉡적(敵) 또는 남을 욕하여 이르는 말. '胡一'. '一在我目中矣'《後漢書》.
[字源] 形聲. 力+虘〔音〕

虍 6 〔𧇖〕 12 虛(前前條)의 本字

虍 6 〔䖑〕 12 〔학〕
虐(虍부 3획〈1213〉)의 古字

虍 6 〔䖑〕 12 멱 [入]錫 | mì ベキ・ミャク しろいとら

[字解] 백호멱 '一, 白虎也'《說文》.
[字源] 形聲. 虎＋昔(昔)〈省〉〔音〕

虍 6 〔虝〕 12 〔호〕 虎(虍부 2획〈1213〉)의 古字

虍 6 〔䖐〕 12 은 [平]文 | yín ギン とらのこえ

[字解] 범소리은 '一, 虎聲也'《說文》.
[字源] 形聲. 虎＋斤〔音〕

虍 7 〔䖒〕 13 희 [平]支 | xī キ むかしのとうき

[字解] 옛오지그릇희 '一, 古陶器也'《說文》
[字源] 形聲. 豆＋虍〔音〕

虍 7 〔虞〕 13 우 [平]虞 | yú グ はかる

[字解] ①생각할우 미리 마음 속에 생각하여 둠. '有不一之譽'《孟子》. ②근심할우 염려함. '悔吝者憂一之象也'《易經》. ③걱정우 ㉠쳐들어올 걱정. 또, 이에 대한 방비. '有邢翟之一'《國語》. ㉡사변. 소란. 난리. '封域寡一'《陸機》. ④잘못우 과오. '無貳無一'《詩經》. ⑤편안할우 안심함. 걱정이 없음. '一于湛樂'《國語》. ⑥즐길우 즐거워함. '許由一乎潁陽'《呂氏春秋》. ⑦우제우 부모의 장례(葬禮)를 지낸 날에 행하는 제사. '一祭'. '一主用桑'《公羊傳》. ⑧순임금성우 고대의 성천자(聖天子)인 순(舜)임금의 성(姓). '一舜'. '唐一稽古'《書經》. ⑨벼슬이름우 산택(山澤)을 맡은 벼슬. '一人'. '汝作朕一'《書經》. ⑩성우 성(姓)의 하나.
[字源] 形聲. 虍＋吳〔音〕

虍 7 〔䖠〕 13 虞(前條)와 同字

虍 7 〔䖣〕 13 〔거〕 虡(虍부 12획〈1216〉)의 籀文

虍 7 〔䖓〕 13 〔용〕 庸(广부 8획〈348〉)의 訛字

虍 7 〔虘〕 13 [一] 차 [平]歌 | zǔ サ とらがたけく じゅうじゅんでない [二] 조 [上]麌 | zǔ ソ とらをうむ

[字解] [一] 범사나울차 虘(虍부 5획〈1214〉)의 俗字. '一, 俗虘字'《正字通》. [二] 범낳을조 '一, 生虎'《玉篇》.

虍 7 〔號〕 13 [中·人] 호 ①②[平]豪 | háo コウ・ゴウ さけぶ ③-⑫[去]號 | hào コウ・ゴウ よぶ

[筆順] 口 口 号 号' 號 號 號

[字解] ①부르짖을호 큰 소리로 부름. '叫一'. '下民一而上訴'《後漢書》. ②울호 ㉠큰 소리를 내어 욺. 통곡함. '夜一'. '至伏屍而一'《說苑》. ㉡닭이 욺. '雞始三一'《晉書》. ③부를호 ㉠일컬음. '自一隱君'《北史》. '一曰張侯論'《何晏》. ㉡오라고 함. '一召天下之賢士'《國語》. ㉢양언(揚言)함. 선전함. '羽兵四十萬, 一百萬'《十八史略》. ④고할호 명령을 알림. '一令於三軍'《國語》. ⑤이름호 ㉠명칭. '名一'. '掌辨六一'《周禮》. '竊仁人之一'《史記》. ㉡명성(名聲). '嘉一布於外'《說苑》. ⑥호호 통칭(通稱) 외(外)의 칭호. '雅一'. '別一'. '賜一爲馬服君'《史記》. ⑦시호호 죽은 뒤에 내리는 이름. '詔其一'《周禮》. ⑧신호호 '墩軍一火'《皇明世法錄》. ⑨영호 명령. '渙汗其大一'《易經》. ⑩표호 표지(標識). '記一'. '符一'. '殊徽一'《禮記》. ⑪상호호 상점의 일컬음. '銀一'. '票一'. 또, 선박의 일컬음. '高陞一'. ⑫차례호 수사(數詞) 밑에 붙여 순번·등급을 나타내는 말. '第二十一'. '五一活字'. '編立字一'《王守仁》.
[字源] 形聲. 虎＋号〔音〕
[參考] 号(口부 2획〈144〉)는 略字.

虍 7 〔𧆻〕 13 〔로〕 虜(虍부 6획〈1214〉)의 俗字

虍 8 〔虡〕 14 거 [上]語 | jù キョ かねかけだいの たてばしら

[字解] ①쇠북거는틀거 종경(鐘磬)을 걸어 놓는 나무로 만든 틀. 또는, 그 기둥. 簴(竹부 14획〈960〉)와 同字. '一業維樅'《詩經》. ②책상거 '一, 几也'《廣雅》.
[字源] 形聲. 본디, 畁＋丌＋虍〔音〕. '虡거'는 그 약체(略體).

虍 8 〔䖮〕 14 〔로〕 罏(缶부 16획〈1025〉)와 同字

虍 8 〔䖯〕 14 조 ①[上]麌 ②[去]遇 | zǔ ソ おおきい ソ しばらくゆく

[字解] ①클조 '一, 大也'《字彙補》. ②잠깐갈조 '一, 且往也'《字彙補》.

〔膚〕 〔부〕 肉부 11획(1089)을 보라.

〔慮〕 〔려〕 心부 11획(407)을 보라.

虍 9 〔䖃〕 15 열 [入]屑 | yuè エツ とらがねむる

[字解] 범졸열 호랑이가 죪. '一, 虎睡'《直

音》.

虍9 〔虢〕 15 괵 [入]陌 | guó カク とらのつめあと

[字解] ①발톱자국괵 범이 할퀸 자국. ②나라이름괵 주대(周代)의 국명(國名). 동서로 나뉘었는데, '東—'은 하남성(河南省) 형택현(滎澤縣)의 땅. '西—'은 섬서성(陝西省) 보계현(寶雞縣)의 땅에 있었음.
[字源] 會意. 虎+寽. 범이 발톱〔爪〕을 세워 물건을 거머잡다의 뜻.

虍9 〔虤〕 15 암 [平]咸 | yán ガン ちからのすぐれたおすのとら

[字解] 힘센수범암 힘센 범의 수컷. '—, 雄虎絕有力者'《集韻》.

虍9 〔䖑〕 15 〔로〕 虜(虍부 5획〈1214〉)의 俗字

虍9 〔虣〕 15 포 [去]號 | bào ホウ しいたげる, きびしい

[字解] ①사나울포 暴(日부 11획〈513〉)와 통용. ②범할포 폭력을 가함. '以刑罰禁—而去盜'《周禮》.
[字源] 會意. '虎호'와 '武무'('武'의 本字. '사납다'의 뜻)를 합하여, '사납다, 거칠다, 학대하다'의 뜻을 나타냄.

虍9 〔𧆸〕 15 虣(前條)의 本字

虍10 〔虤〕 16 현 [上]銑 | yán ケン・ゲン とらがいかる

[字解] 범성낼현 호랑이가 성을 냄. '求閑未得閑, 衆誚瞋——'《孟郊》.
[字源] 會意. '虎호'를 둘 합하여, 범이 성내는 뜻을 나타냄.

〔盧〕 〔로〕 皿부 11획(835)을 보라.

〔鬳〕 〔권〕 鬲부 6획(1778)을 보라.

虍10 〔虥〕 16 잔 [平]刪 [去]諫 [上]潸 | zhān サン・ゼン とらのいっしゅ

[字解] 범잔 '—貓'는 털이 짧은 범. 일설(一說)에는, 살쾡이. '虎竊毛, 謂之—貓'《爾雅》.
[字源] 形聲. 虎+戔〔音〕

虍10 〔虦〕 16 虥(前條)의 本字

虍10 〔䖒〕 16 조 [平]遇 | zū ソ ゆく

[字解] 갈조 '—, 往也'《字彙補》.

虍10 〔䖘〕 16 도 [平]虞 | tú ト とら

[字解] 범도 호랑이. '於—'. '烏—'. '虎, … 或謂於—. (注)今江南山夷呼虎爲—'《揚子方言》.
[字源] 形聲. 虎+兔〔音〕

虍10 〔𧇖〕 16 요 [去]嘯 | yāo ギョウ おちつかない

[字解] 뒤뚝거릴요 '—甈'는 쓰러질 듯함. '我亦平行踏—甈'《韓愈》.

虍11 〔虨〕 17 반 [平]刪 | bīn ハン とらのかわのもよう

[字解] 범무늬반 범 가죽의 얼룩얼룩한 무늬. '—, 虎文也'《廣韻》.
[字源] 形聲. 虍+彬〔音〕

虍11 〔虧〕 17 휴(규[本]) [平]支 | kuī キ かける

[字解] ①이지러질휴 한 귀퉁이가 떨어짐. '盈—'. '—損'. '月滿則—'《史記》. ②덜휴, 덜릴휴 줄임. 감함. '服罪者爲—除, 免之而已'《漢書》. ③덕분에휴 다행히. 덕택에. '況兼你的田產, —我們照管, 依然俱在'《醒世恆言》. ※本音 규.
[字源] 形聲. 亏+雐〔音〕

虍12 〔𧇾〕 18 虧(前條)와 同字

虍12 〔虩〕 18 혁 [入]陌 | xì ゲキ はえとりぐも

[字解] ①승호(蠅虎)혁 거미의 일종. 파리를 잘 잡아먹음. ②두려워할혁 공구하는 모양. '震來——'《易經》.
[字源] 形聲. 虎+㡭〔音〕

虍12 〔䖯〕 18 조 ①[上]麌 ②[去]遇 | zū ソ あらい / ソ あわてる

[字解] ①거칠조 粗(米부 5획〈968〉)와 同字. '粗, 說文, 疏也. 或作—'《集韻》. ②당황할조 '—, 且往也'《說文》.
[字源] 形聲. 且+豦〔音〕

虍12 〔䖂〕 18 호 [去]號 [上]皓 | コウ・ゴウ どがま hào コウ・ゴウ どがま

[字解] 질냄비호, 질솥호 '—, 土釜'《廣韻》.
[字源] 形聲. 豆+号〔音〕

虍12 〔䖣〕 18 〔거〕 虡(虍부 8획〈1215〉)와 同字

虍12 〔⿸虍靈〕18 〔령〕
靈(雨부 16획〈1652〉)과 同字

虍13 〔⿰虎巢〕19 ㊀색 ㊁陌 | sè サク とらのおどろくさま
㊁혈 ㊁屑 | xì ケツ とらのこえ

筆順 ⺊ 虍 虎 虎巛 虎𡿺 虎⿱巛田 虎巢 ⿰虎巢

字解 ㊀범놀랄색 범이 놀라는 모양. '一, 虎驚貌'《字彙補》. ㊁범소리혈 범의 소리. '一, 虎聲也'《字彙補》.

虍13 〔⿰虎彬〕19 〔반〕
虨(虍부 11획〈1216〉)의 俗字

虍13 〔⿸虍霸〕19 〔패〕
霸(雨부 13획〈1649〉)와 同字

虍13 〔⿰彳虎〕19 〔혁〕
虩(虍부 12〈1216〉)의 訛字

虍14 〔⿱虤曰〕20 은 ㊥眞 | yín ギン にひきのとらのあらそうこえ

字解 범싸우는소리은 두 마리 범이 싸우는 소리. '一, 兩虎爭聲'《說文》.
字源 會意. 虤+曰. '虤현'은 두 호랑이가 성내는 뜻. '曰왈'은 입김이 나오다의 뜻으로, 두 호랑이가 노하여 싸우는 소리를 이름.

虍15 〔⿰虎毄〕21 격 ㊁陌 | gé カク とらのこえ

字解 ①범소리격. ②범골낼격 범이 물건을 치며 성을 내는 모양. '一, 虎搏物怒貌'《六書統》.
字源 形聲. 虎+毄〔音〕

虍15 〔⿰毄虎〕21 ⿰虎毄(前條)의 本字

虍15 〔⿱毄虎〕21 ⿰虎毄(前前條)과 同字

虍15 〔⿸虍⿱壴肉〕21 려 ㊤語 | lǚ リョ ほそくさいたにく

字解 저민살코기려 '一, 細切肉也'《集韻》.

虍20 〔虪〕26 숙 ㊁屋 | shū シュク くろいとら

字解 검은범숙 '一, 黑虎也'《說文》.
字源 形聲. 虎+儵〔音〕

虍22 〔⿰虎騰〕28 등 ㊥蒸 | téng トウ くろいとら

字解 검은범등 '一, 黑虎也'《說文》.
字源 形聲. 虎+騰〔音〕

虫 部

〔벌레충·벌레훼부〕

虫0 〔虫〕6 ㊀훼 ㊤尾 | huǐ キ むし
㊁충 ㊥東 | chóng チュウ むし

筆順 丨 冂 口 中 虫 虫

字解 ㊀벌레훼 사람·짐승·새·물고기 이외의 동물의 일컬음. ㊁벌레충 속(俗)에 蟲(虫부 12획〈1246〉)의 略字로 쓰임.
字源 象形. 머리가 큰 살무사의 象形으로, '살무사'를 이름.
參考 ①'虫'은 蟲(虫부 12획〈1246〉)의 俗字. ②'虫'을 의부(意符)로 하여, 곤충 등 작은 동물의 이름 외에, '蚌·蛙·蛇·蛟' 등 각종 동물의 이름이나 상태를 나타내는 문자를 이룸.

虫1 〔虬〕7 虯(次次條)의 俗字

虫1 〔⿻虫乀〕7 〔충〕
蟲(虫부 12획〈1246〉)의 俗字

虫2 〔虯〕8 규 ㊥尤 | qiú キュウ みずち

字解 ①규룡규 용의 새끼로 뿔이 둘 있다는 상상의 동물. 뿔이 없는 것은 '螭'라 함. '蛛一'. '焉有一龍, 負熊以遊'《楚辭》. ②뿔없는용규 '一, 龍無角者'《說文》.
字源 形聲. 虫+丩〔音〕

虫2 〔虭〕8 조 ㊥蕭 | diāo チョウ りゅうのいっしゅ

筆順 丨 冂 口 中 虫 虫 虫㇆ 虭

字解 ①용조 '一蟉'은 용(龍)의 일종. '一, 菽園雜記, 一蟉, 龍屬. 性好立險'《字彙補》. ②애매미조 蛁(虫부 5획〈1222〉)와 同字. '蛁, …一曰, 蛁蟧, 小蟬. 或省'《集韻》.

虫2 〔虰〕8 ㊀증 ㊥庚 | chēng トウ ありのいっしゅ
㊁정 ①㊥庚 ㊥青 | dīng テイ ありのいっしゅ テイ かまきり

字解 ㊀개미증 '一, 螘也'《廣韻》. ㊁①개미정 ㊀과 뜻이 같음. ②버마재비정 사마귀. 당랑(螳螂). '螳螂或謂之一'《揚子方言》. ③잠자리정 '一蛵'은 잠자리의 일종. '一蛵, 負勞. (注)或曰, 卽蜻蛉也'《爾雅》.

虫 2 〔虱〕8 〔슬〕
蝨(虫부 9획〈1235〉)과 同字

虫 2 〔虽〕8 〔수〕
雖(隹부 9획〈1634〉)의 俗字

虫 2 〔虮〕8 기 [平]支 | jī キ むしのな

[字解] 벌레이름기 '一, 蟲名, 爾雅, 蜜一, 繼英'《集韻》.

虫 2 〔虬〕8 닉 [入]職 | nì ニキ むしのな

[字解] ①벌레이름닉 蠶(虫부 17획〈1256〉)과 同字. '蠶, 蟲名, 博雅, 蠶鑑, 蝱也, 或作一·蟨'《集韻》. ②벌레먹는병닉 벌레가 장(腸)을 파먹는 병. '一, 蟲食病'《廣韻》.

虫 3 〔虷〕9 간(① [平]寒 | ①hán カン ぼうふら
한[本]) [平]寒 | ②③gān カン おかす

[字解] ①장구벌레간 모기의 유충(幼蟲). '還一蟹與科斗'《莊子》. ※本音 한. ②범할간 침범함. 干(部首〈340〉)과 통용. '白虹一日'《漢書》. ③벌레먹을간 '一, 蟲侵物'《洪武正韻》.
[字源] 形聲. 虫+干〔音〕

虫 3 〔虸〕9 자 [上]紙 | zǐ シ まりうじ

[字解] 며루자 '一蚄'은 각다귀의 유충(幼蟲). 벼·보리·조 따위의 뿌리와 싹을 잘라 먹는 해충. 며루. '以馬踐過爲種, 無一蚄蟲也'《齊民要術》.

虫 3 〔虹〕9 [人名] [一]홍 [平]東 | hóng コウ にじ
[二]항 [平]江 | コウ みだす, みだれる

[筆順] 口 口 中 虫 虫 虹 虹 虹

[字解] [一] ①무지개홍 강우(降雨) 전후에 해의 반대 방향에 일곱 가지 색이 반원형으로 뻗친 줄. 천궁(天弓). 체동(螮蝀). '一蜺'(옛날에 이것을 용(龍)의 일종으로 생각하여 '一'을 수컷, '蜺'를 암컷으로 구별하였음). '一銷雨霽'《王勃》. 햇빛이 공중의 수증기에 비치어 생기는 흰 기운. '白一貫日'《戰國策》. ②다리홍 무지개 모양으로 된 다리. '一橋'. '獨吹長笛過垂一'《陸游》. [二] 어지럽힐항, 어지러울항 訌(言부 3획〈1313〉)과 통용. '實一小字'《詩經》.
[字源] 形聲. 虫+工〔音〕

虫 3 〔虫工〕9 虹(前條)과 同字

虫 3 〔虼〕9 [現] 걸 | gè コツ のみ

[字解] 《現》 벼룩걸 '一蚤'는 벼룩.

虫 3 〔虴〕9 [一]책 [入]陌 | zhā タク きりぎりす
[二]착 [入]陌 | サク きりぎりす

[字解] [一] 베짱이책 '一, 一蜢, 艸上蟲也'《說文》. [二] 베짱이착 '一, 一蚱, 蟲名. 蚣蝑也'《集韻》.
[字源] 形聲. 虫+乇〔音〕

虍 3 〔蚁〕9 〔의〕 蟻(虫부 13획〈1250〉)의 俗字·簡體字

虍 3 〔虾〕9 〔하〕
蝦(虫부 9획〈1236〉)의 簡體字

虫 3 〔虵〕9 〔사〕
蛇(虫부 5획〈1223〉)의 俗字

虫 3 〔虻〕9 〔맹〕
蝱(虫부 9획〈1235〉)과 同字

虫 3 〔虺〕9 [一]훼 [上]尾 | huǐ キ まむし
[二]회 [平]灰 | huī カイ やむ

[字解] [一] ①살무사훼 독사의 일종. '維一維蛇, 女子之祥'《詩經》. ②작은뱀훼 어린 뱀. '爲一弗摧, 爲蛇將若何'《國語》. ③우렛소리훼 우레가 울리는 소리의 형용. '一一其雷'《詩經》. ④성훼 성(姓)의 하나. [二] 고달플회 '一隤'는 말이 병들어 고달픈 모양. '陟彼崔嵬, 我馬一隤'《詩經》.
[字源] 形聲. 兀+虫〔音〕

〔独〕 〔독〕
犬부 6획(751)을 보라.

虫 3 〔虿〕9 천 [上]銑 | chǎn テン のびゆく

[字解] 길천 벌레가 꿈틀거리며 기어 감. '指禿腐骨, 不簡一儜'《晉書》.
[字源] 形聲. 虫+屮〔音〕
[參考] 蚩(虫부 4획〈1221〉)는 別字인데 혼동됨.

虫 3 〔虹〕9 [一]홍 [平]東 | hóng コウ にじ
[二]강 [上]講 | コウ にじ

[字解] [一] ①무지개홍 虹(虫부 3획〈1218〉)과 同字. '虹, 說文, 螮蝀也, 或書作一'《集韻》. ②신의이름홍 '一一'은 신(神)의 이름. '一, 一一, 海外神名. 有兩首'《字彙補》. [二] 무지개강 [一]❶과 뜻이 같음.

虫 3 〔虳〕9 [一]굴 [入]物 | クツ ねずみ
[二]적 [入]錫 | jué テキ ねずみ

[字解] [一] 쥐굴 '一, 鼠也'《玉篇》. [二] 쥐적 [一]

과 뜻이 같음.

虫3 〔虮〕 9 올 ㊀月 | wù ゴツ かに

字解 ①게〔蟹〕올 '一, 蛤蟹'《廣韻》. ②조개올 '一, 蛤屬'《集韻》.

虫3 〔虶〕 9 우 ㊥虞 | yū ウ げじげじ

字解 그리마우 蚹(次條)와 同字. '蚰蜒, 趙魏之間, 或謂之蚨一'《方言》. '一, 集韻作蚹'《康熙字典》.

虫3 〔蚹〕 9 虶(前條)와 同字

虫3 〔虮〕 9 〔원〕 蚖(虫부 4획〈1220〉)과 同字

虫3 〔蚏〕 9 〔원〕 蚖(虫부 4획〈1220〉)의 譌字

虫3 〔虷〕 9 주 ㊤有 | zhǒu チュウ うみむしのな

字解 바다벌레이름주 '一, 海蟲名, 似肘形'《集韻》.

虫3 〔蚮〕 9 특 ㊀職 | tè トク なえのはをくうむし

字解 며루특 '一, 說文, 蟲食苗葉者'《集韻》.

虫3 〔虫虫〕 9 〔충〕 虫(部首〈1217〉)과 同字

虫3 〔虻〕 9 〔맹〕 蝱(虫부 9획〈1235〉)과 同字

虫3 〔虽〕 9 〔수〕 雖(隹부 9획〈1634〉)의 俗字·簡體字

〔風〕 〔풍〕 部首(1703)를 보라.

虫4 〔蚄〕 10 방 ㊥陽 | fāng ホウ なえをくうむし

字解 며루방 虶(虫부 3획〈1218〉)를 보라. '虶一'.

虫4 〔蚌〕 10 방 ㊤講 | bàng ボウ どぶがい

字解 ①씹조개방 마합과(馬蛤科)에 속하는 민물조개. '寒山之北有黑一飛翔來去'《拾遺記》. ②방합방 대합조개. '一蛤'은 방합과(蚌蛤科)에 속하는 민물조개. '一蛤珠胎, 與月虧全'《左思》.

字源 形聲. 虫+丰〔音〕

虫4 〔蚍〕 10 비 ㊥支 | pí ヒ おおあり

字解 왕개미비 '一蜉'는 개밋과에 속하는 벌레. 보통의 개미보다 큼. 마의(馬蟻). 왕(王)개미. 말개미. '一蜉撼大樹, 可笑不自量'《韓愈》.

字源 形聲. 篆文은 蟲+𣬉〔音〕

虫4 〔蚑〕 10 기 ㊥支 | qí キ はう

字解 ①길기 벌레가 천천히 기어감. '一行'. '一一脈脈善緣壁, 是非守宮卽蜥蜴'《漢書》. ②갈거미기 '長一, 蠨蛸也'《古今注》.

字源 形聲. 虫+支〔音〕

虫4 〔蚓〕 10 인 ㊤軫 | yǐn イン みみず

字解 지렁이인 빈모류(貧毛類)에 속하는 환형동물(環形動物). 진 땅이나 물속에서 사는 자웅 동체(雌雄同體)의 둥글며 가늘고 긴 벌레. '蚯一'. '夫一, 上食槁壤, 下飮黃泉'《孟子》.

字源 形聲. 虫+引〔音〕

虫4 〔蚜〕 10 아 ㊥麻 | yá カ あぶらむし

字解 진디아 아주 작은 날벌레로서, 초목의 잎이나 가지에 떼 지어 붙어서 진을 빨아먹는 해충. 비렴(蜚蠊). '紅螺一光'《黃庭堅》.

字源 形聲. 虫+牙〔音〕

虫4 〔蚡〕 10 분 ㊥文 ㊤吻 | fén フン もぐらもち

字解 두더지분 식충류(食蟲類)에 속하는 쥐 비슷한 동물. 땅속에서 삶. 전서(田鼠). '鼢, 田中鼠. 一, 上同'《廣韻》.

字源 形聲. 虫+分〔音〕

虫4 〔蚣〕 10 ㊀공 ㊥東 ㊁송 ㊥冬 | gōng コウ むかで zhōng ショウ きりぎりす

字解 ㊀지네공 '蜈一'. '一, 蜈一, 蟲'《廣韻》. ㊁베짱이송 蜙(虫부 8획〈1232〉)과 同字

字源 形聲. 虫+公〔音〕

虫4 〔蚺〕 10 염 ㊥鹽 | rán ゼン にしきへび

字解 ①비단뱀염 길이 10미터에 이르며, 껍질은 곱게 빛나는 뱀. 쓸개는 약용(藥用). '一, 大它可食'《說文》. ②이무기염 용(龍)이 되려다 못 되고 물속에 산다는 여러 해 묵은 큰 구렁이. '一蛇珍於越土'《嵇康》.

字源 形聲. 虫+冄〔音〕

虫4 〔蚧〕10 개 [去]卦 | jiè カイ かいのな

[字解] ①조개개 패류(貝類). '燕雀入于海, 化而爲一'《大戴禮》. ②옴개 疥(疒부 4획〈806〉)와 통용. '手足之一瘙'《後漢書》.
[字源] 形聲. 虫+介〔音〕

虫4 〔蚨〕10 부 [平]虞 | fú フ みずむしのな

[字解] 청부부 '青一'는 매미 비슷한 벌레. 중국 남해(南海)에서 남. 그 어미와 새끼의 피를 따로따로 돈에 바르고, 하나를 곁에 두고 다른 하나를 쓰면, 그 돈이 곧 도로 날아 돌아온다 함. '南方有蟲, 名青一, 大如蠶子, 取其子, 則母飛來, 以母血, 塗錢八十一文, 每市物, 或先用母錢, 或先用子錢, 皆復飛歸, 輪環無已'《搜神記》. 전(轉)하여, 돈〔錢〕의 별칭(別稱).
[字源] 形聲. 虫+夫〔音〕

虫4 〔蚘〕10 [一]우 [平]尤 | yóu ユウ しょこうのごう
[二]회 [平]灰 | huí カイ かいちゅう

[字解] [一]치우우 '蚩一'는 옛날의 제후(諸侯)의 호(號). 尤(尢부 1획〈293〉)와 통용. [二]거위회 蛔(虫부 6획〈1225〉)와 同字.
[字源] 形聲. 虫+尤〔音〕

虫4 〔蚝〕10 자 [去]寘 | cì シ いらむし

[字解] 쐐기자 쐐기나방의 유충. 풀쐐기. 蛓(虫부 6획〈1227〉)와 同字. '痒肌遭一刺'《韓愈》.

虫4 〔蚪〕10 두 [上]有 | dǒu ト おたまじゃくし

[字解] 올챙이두 '蝌一'. '一, 蝌一, 蟲也'《廣韻》.
[字源] 形聲. 虫+斗〔音〕

虫4 〔蚊〕10 문 [平]文 | wén ブン か

[字解] 모기문 장구벌레가 우화(羽化)한 곤충. 암컷은 사람이나 짐승의 피를 빨아먹음. '一蚋'. '一虻噆膚, 則通昔不寐矣'《莊子》.
[字源] 形聲. 篆文은 蚰+民〔音〕
[參考] 蟁(虫부 11획〈1243〉)은 本字.

虫4 〔蚉〕10 蚊(前條)과 同字

虫4 〔蚖〕10 [一]원 [平]元 | yuán ゲン とかげ
[二]완 [平]寒 | wán ガン まむし

[字解] [一]도마뱀원, 영원(蠑螈)원 '龍蟠於泥, 一其肆矣'《揚子法言》. '一, 今蘇俗謂之四脚蛇者, 是也. 形似壁虎而大'《通訓》. [二]살무사완 '不畏一蛇'《郭璞》.
[字源] 形聲. 虫+元〔音〕

虫4 〔蚎〕10 월 [入]月 | yuè エツ やどかり

[字解] 방게월 '蟚一'은 방게. 방기(蟛蜞). '蟚一, 水蟲, 似蟹而小'《集韻》.

虫4 〔蚏〕10 蚎(前條)과 同字

虫4 〔蚇〕10 척 [入]陌 | chǐ セキ しゃくとりむし

[字解] 자벌레척 '一蠖, 蟲名. 今蝍蝛'《集韻》.

虫4 〔蚗〕10 결 [入]屑 | jué ケツ にいにいぜみ

[字解] ①애매미결 매미의 일종. 조료(蛁蟟). ②교룡결 '一蠪'은 교룡(蛟龍). '一蠪伏之'《史記》.
[字源] 形聲. 虫+夬〔音〕

虫4 〔蚥〕10 보 [上]麌 | fǔ フ おおきいせみ

[字解] ①말매미보 '王一'는 쓰르라미〔蜩〕의 큰 것. '不蜩, 王一'《爾雅》. ②사마귀보 버마재미. '一, 蜛一, 螳螂別名'《廣韻》. ③두꺼비보 '一, 蝦蟆也'《廣雅》.

虫4 〔蚢〕10 [一]항 [平]陽 | háng コウ かいこのいっしゅ
[二]강 [上]養 | コウ かいのな
[去]漾 | コウ かいのな

[字解] [一]①누에항 사철쑥의 잎을 먹는 누에의 일종. '一, 蕭繭. (注)食桑葉者, 蠶類'《爾雅》. ②조개이름항 거거(車渠) 비슷한 큰 조개. '紫一如渠'《郭璞》. [二]누에강, 조개이름강 [一]과 뜻이 같음.

虫4 〔蚞〕10 목 [入]屋 | mù ボク·モク にいにいぜみ

[字解] 씽씽매미목 '蜓一'은 씽씽매미. '蜓一, 螇螰'《爾雅》.

虫4 〔蚽〕10 [一]부 [平]尤 | fóu フウ·ブ みずむし
[二]류 [平]尤 | リュウ みずむし

[字解] [一]물벌레부 게 비슷한 물벌레. '三蝬一江'《郭璞》. [二]물벌레류 [一]과 뜻이 같음.

虫4 〔蚅〕10 액 [入]陌 | è アク·ヤク いもむし

[字解] 콩망아지액 '一, 一鳥蠋, 大如指似蠶'

《廣韻》.

虫4 〔⿰虫止〕10 치 [上]紙 | chǐ チ はう

[字解] 벌레길치 '一, 蟲伸行'《集韻》.

虫4 〔蚛〕10 [一] 중 [去]送 | zhòng チュウ むしばむ
[二] 충 | チュウ むしばむ

[字解] [一] 벌레먹을중 벌레가 물건을 먹음. '無風一葉彫'《陸龜蒙》. [二] 벌레먹을충 [一]과 뜻이 같음.

虫4 〔蚙〕10 [一] 건 [平]眞 | qín キン むしのな
[二] 금 [平]鹽 | qián ケン おおきいつめ

[字解] [一] 벌레이름건 '一, 蟲名'《字彙》. [二] 집게발톱금 새우나 게의 집게발톱. '一, 蝦蟹距也'《集韻》.

虫4 〔蚚〕10 [一] 기 [平]微 | qí キ こくぞうむし
[二] 회 [平]灰 | カイ こくぞうむし
[三] 해 [去]隊 | カイ こくぞうむし

[字解] [一] ①쌀바구미기 '一, 强也'《說文》. ②버마재비기 '一父'는 버마재비. 사마귀. '螳蜋, 一名一父'《說文》. [二] 쌀바구미회, 버마재비회 [一]과 뜻이 같음. [三] 쌀바구미해, 버마재비해 [一]과 뜻이 같음.
[字源] 形聲. 虫+斤〔音〕

虫4 〔蚔〕10 [一] 기 [平]支 | qí キ あおがえる
[二] 치 [上]紙 | zhǐ チ あしたかぐも
[三] 지 | チ ありのたまご

[字解] [一] ①청개구리기 '一, 畫也'《說文》. ②등에기 '一, 土蝱也'《玉篇》. ③전갈기 '一, 蠍也'《廣雅》. [二] 갈거미치 '一, 蟲名. 蚑也'《集韻》. [三] 개미알지 蚳(虫부 5획〈1222〉)와 통용.
[字源] 形聲. 虫+氏〔音〕

虫4 〔蚆〕10 파 [平]麻 | bā ハ かい

[字解] 조개파 '一, 貝也'《廣韻》.

虫4 〔蚋〕10 〔예〕
蜹(虫부 8획〈1231〉)와 同字

虫4 〔⿸几虫〕10 〔훼〕
虺(虫부 3획〈1218〉)와 同字

虫4 〔蚈〕10 〔견〕
蚈(虫부 6획〈1226〉)의 俗字

虫4 〔蚤〕10 조 ①②[上]晧 | zǎo ソウ のみ
③[上]巧 | zhǎo ソウ つめ

[字解] ①벼룩조 잘 뛰며 인축의 피를 빨아 먹는 곤충. '鵂鶹夜撮一察毫末'《莊子》. ②일찍조 早(日부 2획〈499〉)와 통용. '一死'. '今僕不幸一失二親, 無兄弟之親'《漢書》. ③손톱조 爪(部首〈731〉)와 통용. '一甲'. '差論一牙之士'《墨子》.
[字源] 形聲. 篆文은 䖵+叉〔音〕

虫4 〔蚩〕10 치 [平]支 | chī シ あなどる

[字解] ①얕볼치 업신여김. 모멸함. '一眩邊鄙'《張衡》. ②어리석을치, 못생길치 우둔함. 또, 보기 흉함. '姸一好惡, 可得以言'《陸機》. ③비웃을치 '一, 笑也'《一絕經音義》. ④성치 성(姓)의 하나.
[字源] 形聲. 虫+㞢〔音〕

虫4 〔⿱之虫〕10 蚩(前條)와 同字

虫4 〔蚥〕10 보 [上]麌 | fǔ フ うりばえ

[字解] 노랑등에보 외잎을 먹는 벌레. 수과(守瓜). '一, 蟲名, 食瓜者'《集韻》.

虫4 〔⿰虫丏〕10 면 [平]先 | mián ベン くまぜみ

[字解] 말매미면 '蝒, 一蚨, 蟬屬'《說文》.
[字源] 形聲. 虫+丏〔音〕

虫4 〔蚠〕10 분 [平]文 | fén フン じんめい

[字解] 사람이름분 '一, 闕. 人名'《集韻》.
[字源] 形聲. 虫+分〔音〕

虫4 〔蚕〕10 〔잠〕
蠶(虫부 18획〈1256〉)의 俗字

虫4 〔⿱虫人〕10 권 [平]先 | quān ケン むしがひにはいるさま

[字解] 벌레불에뛰어들권 '一, 入火皃'《集韻》.

虫4 〔蚐〕10 균 [平]眞 | jūn キン やすで

[字解] 노래기균 '一, 蟲名, 馬蚿也'《集韻》.

虫4 〔⿰虫丑〕10 뉵 [入]屋 | nǜ ニク げじげじ

[字解] 그리마뉵 '一蜓'는 그리마. 유연(蚰蜒). '蚰蜒, 北燕謂之一蜓'《方言》.

虫4 〔⿱龶虫〕10 〔독〕
毒(毋부 4획〈615〉)의 古字

虫4 〔⿰虫冈〕10 〔망〕
蝄(虫부 6획〈1225〉)의 俗字

虫 4 〔蚪〕 10 묘 [平]蕭 | miáo ミョウ かいこのうまれたばかりのもの

[字解] 개미누에묘 알에서 갓 깨어 나온 누에. '一, 蠶初生者'《集韻》.

虫 4 〔蚟〕 10 왕 [平]陽 | wáng オウ こおろぎ

[字解] 귀뚜라미왕 '一, 蟋蟀也'《正字通》.

虫 4 〔蚘〕 10 윤 [上]軫 | yǔn イン むしのな

[字解] ①봄누에윤 '一, 續博物志, 蠶四月續者名一'《字彙補》. ②벌레이름윤 '一, 蟲名'《集韻》.

虫 4 〔蜎〕 10 현 [平]先 | xuán ケン ちいさなむし

[字解] 작은벌레현, 공허할현 '一, 小蟲也, 一曰空也'《韻學集成》.

虫 5 〔蚯〕 11 구 [平]尤 | qiū キュウ みみず

[字解] 지렁이구 빈모류(貧毛類)에 속하는 환형동물(環形動物). 진 땅이나 물속에서 사는 자웅 동체의 둥글며 가늘고 긴 벌레. '孟夏之月, 一蚓出'《禮記》.

[字源] 形聲. 虫+丘〔音〕

虫 5 〔蚰〕 11 유 [平]尤 | yóu ユウ げじげじ

[字解] 그리마유 '一蜒'은 그리마과에 속하는 절지동물(節肢動物). 마루 틈이나 방구석에서 삶. 그리마. '巷有兮一蜒'《王逸》.

[字源] 形聲. 虫+由〔音〕

虫 5 〔蚱〕 11 책 [入]陌 | zhà サク しょうりょうばった

[字解] ①벼메뚜기책 '一蜢'은 메뚜깃과에 속하는 곤충. 뒷다리가 발달되어 뛰기를 잘하며, 날개가 몹시 길. 볏잎을 갉아먹음. 부종(蟲螽). ②말매미책 '一蟬'은 매미 가운데 가장 큰 곤충. 몸빛은 흑색에 광택이 나고, 여름에 크게 욺. 마조(馬蜩).

[字源] 形聲. 虫+乍〔音〕

虫 5 〔蚳〕 11 지 [平]支 | chí チ ありのたまご

[字解] ①개미알지 개미의 알. '腵脩一醢'《禮記》. ②전갈지 '一, 蠍也'《一切經音義》. ③성지 성(姓)의 하나.

[字源] 形聲. 虫+氏〔音〕

虫 5 〔蚴〕 11 유 [上]有 | yǒu ユウ うねりくねる

[字解] ①굼틀거릴유 '一蟉'는 용이나 뱀이 굼틀거리며 가는 모양. '一蟉於東廂'《司馬相如》. ②나나니벌유 '一蜺'. '一, 蟲名. 博雅, 一蜺, 土蜂'《集韻》.

[字源] 形聲. 虫+幼〔音〕

虫 5 〔蚶〕 11 감 [平]覃 | hān カン あかがい

[字解] ①새꼬막감 돌조갯과에 속하는 바닷조개. 껍질의 모양은 기와 지붕과 비슷하고, 살빛은 붉으며, 맛이 좋음. 피안다미조개. '洪一專車'《郭璞》. ②다슬기감 '螺라'의 작은 것. 蝛(虫부 8획〈1233〉)과 同字. '蝛, 蠃之小者. 或作一'《集韻》.

虫 5 〔蚷〕 11 거 [上]語 jù [平]魚 qú | キョ やすで

[字解] 노래기거 '商一'는 배각류(倍脚類)에 속하는 절지동물(節肢動物)의 하나. 모양은 지네 비슷하나 그보다 작고, 고약한 노린내가 남. 노래기. 마륙(馬陸). '商一馳河'《莊子》.

[字源] 形聲. 虫+巨〔音〕

虫 5 〔蚿〕 11 현 [平]先 | xián ケン・ゲン やすで

[字解] 노래기현 배각류(倍脚類)에 속하는 절지동물(節肢動物)의 하나. 모양이 지네 비슷하나 그보다 작고 고약한 노린내가 남. '馬一'. '一憐蛇'《莊子》.

[字源] 形聲. 虫+玄〔音〕

虫 5 〔蚹〕 11 부 [去]遇 | fù フ へびのうろこ

[字解] 비늘부 뱀의 아랫배에 있는 비늘. '蛇一蜩翼'《莊子》.

虫 5 〔蛀〕 11 주 [去]遇 | zhù シュ きくいむし

[字解] ①나무굼벵이주 목두충(木蠹蟲). ②벌레먹을주 벌레가 파먹음. '一牙'는 충치(蟲齒). '一, 凡物被蠹皆曰一'《中華大字典》.

[字源] 形聲. 虫+主〔音〕

虫 5 〔蛁〕 11 조 [平]蕭 | diāo チョウ みんみんぜみ

[字解] 애매미조 '一蟟'는 몸은 검고 갈쭉하며, 두흉부(頭胸部)에 황록색 점이 있는 작은 매미. 애매미. 기생매미. '一, 一日, 一蟧, 小蟬'《集韻》.

[字源] 形聲. 虫+召〔音〕

虫 5 〔蛅〕 11 점 [平]鹽 | zhān セン いらむし

[字解] 쐐기점 '一斯'·'一蟖'는 쐐기나방의 유충(幼蟲). 풀쐐기. 쐐기.

[字源] 形聲. 虫+占〔音〕

虫
5 〔蛄〕11 고 [平]虞 | gū コ けら

[字解] ①땅강아지고 螻(虫부 11획〈1243〉)를 보라. '螻―'. '螻蛄, 謂之螻―'《揚子方言》. ②씽씽매미고 털매미. '蟪―'.
[字源] 形聲. 虫＋古〔音〕

虫
5 〔蛆〕11 저 [平]魚 | qū, jū ショ うじ

[字解] 구더기저 파리의 유충(幼蟲). '何處放―來'《北史》.
[字源] 形聲. 虫＋且〔音〕

虫
5 〔蚾〕11 [一] 파 [上]哿 | bǒ ハ ひきがえる
[二] 피 [平]支 | pí ヒ むしのな

[字解] [一] ①두꺼비파 黿(黽부 5획〈1871〉)와 同字. '黿, 蟲名, 蟾蜍也. 或从虫'《集韻》. ②쥐며느리파. [二] 벌레이름피.

虫
5 〔蛇〕11 [高·人] [一] 사 [平]麻 | shé ジャ へび
[二] 이 [平]支 | yí イ うねりゆくさま

[筆順] 口 中 虫 虫 虫' 虻 蛇 蛇
[字解] [一] ①뱀사 파충(爬蟲)의 하나. '―蠍'. '內―與外―鬪'《左傳》. ②별이름사 북방의 성수(星宿)의 이름. '―乘龍'《左傳》. ③성사 성(姓)의 하나. [二] 구불구불갈이 '委―'는 뱀이 굼틀거리며 가는 모양. '委―蒲伏'《史記》.
[字源] 形聲. 虫＋它〔音〕

虫
5 〔虵〕11 蛇(前條)의 俗字

虫
5 〔蛉〕11 령 [平]青 | líng レイ とんぼ

[字解] ①잠자리령 '―, 蜻―也'《說文》. ②명령령 '螟―'은 접아류(蝶蛾類)의 유충(幼蟲)으로서 빛이 푸른 것. 배추벌레.
[字源] 形聲. 虫＋令〔音〕

虫
5 〔蚸〕11 력 [入]錫 | lì レキ しょうりょうばった

[字解] 방아깨비력 '蟿―'은 메뚜깃과의 벌레. 방아깨비. '蟿螽, 蟿―'《爾雅》.
[字源] 形聲. 虫＋斥〔音〕

虫
5 〔蛃〕11 병 [上]梗 | bǐng ヘイ しみ

[字解] 반대좀병 '―魚'는 책·의류를 해치는 벌레. '衣書中蟲, 一名―魚'《爾雅 注》.
[字源] 形聲. 虫＋丙〔音〕

虫
5 〔蛣〕11 [一] 겁 [入]葉 | jié キョウ かめのて
[二] 거 [上]語 | qǔ キョ ひきがえる

[字解] [一] 거북다리겁 '石―'은 갑각류 만각목(蔓脚目)의 절지동물. 바닷가의 바위에 붙어 삶. '―, 南越志, 石―, 形如龜脚'《韻會》. [二] 두꺼비거 '―蚥'는 두꺼비. '―, ―蚥也'《康熙字典》.

虫
5 〔蚵〕11 [一] 하 [平]歌 | hé カ とかげ
[二] 가 [去]箇 | kè カ とかげ

[字解] [一] ①도마뱀하 '―蠪'은 도마뱀. '―, 蟲名. 博雅, ―蠪, 蜥蜴也'《集韻》. ②쥐며느리하 '―蛂는 집신벌레. ③두꺼비하 '―蛂'는 두꺼비. ④여우오줌풀하 습지(濕地)에 나는 풀, 천명정(天名精)의 별명(別名). [二] 도마뱀가, 쥐며느리가, 두꺼비가, 여우오줌풀가 [一]과 뜻이 같음.

虫
5 〔蚲〕11 평 [平]庚 | píng ヘイ あぶ

[字解] 등에평 '―, 蚌―'《廣韻》.

虫
5 〔蛂〕11 [一] 별 [入]屑 | bié ヘツ [一]-[四] こがねむし
[二] 불 [入]物 | フツ
[三] 비 [入]齊 [去]未 | ヘイ ヒ
[四] 제 [去]霽 | テイ

[字解] [一] 풍뎅이별 '―, ―蟥蛢, 甲蟲也'《廣韻》. [二] 풍뎅이불 [一]과 뜻이 같음. [三] 풍뎅이비 [一]과 뜻이 같음. [四] 풍뎅이제 [一]과 뜻이 같음.

虫
5 〔蚴〕11 괴 | guǎi カイ かえるのいっしゅ

[字解] 개구리괴 개구리의 일종. '―, 蛙屬'《續辭源》.

虫
5 〔蛆〕11 [一] 날 [入]曷 | nà ダツ さす
[二] 철 [入]屑 | テツ さす

[字解] [一] ①쏠날 벌레가 쏨. '―, ―日, 螫也'《集韻》. ②아플날 '―, 痛也'《廣雅》. [二] 쏠철, 쏘일철 벌레가 쏨. 전갈에 쏘임. '蠍毒傷人曰―'《左傳疏》.

虫
5 〔蚍〕11 [一] 졸 [入]屑 | zhuō セツ くも
[二] 굴 [入]物 | qū クツ きくいむし
[三] 올 [入]月 | ゴツ きくいむし

[字解] [一] 거미졸 '―, 蟲名. 蜘蛛也. 或从出'《集韻》. [二] 나무굼벵이굴 '蛣―'은 나무굼벵이. '―, 蛣―也'《說文》. [三] 나무굼벵이올 [二]와 뜻이 같음.
[字源] 形聲. 虫＋出〔音〕

虫
5 〔蛈〕11 [一] 철 [入]屑 | tiě テツ つちぐも
[二] 체 [去]霽 | テイ つちぐも

[字解] [一] 땅거미철 '―蝪'은 땅거미. '若―母之從其子也'《鬼谷子》. [二] 땅거미체 [一]과 뜻

이 같음.

虫5 〔蚼〕11 [一] 후 [上]有 xǔ コウ·ク いぬのいっしゅ
[平]虞 qú ク おおあり
[二] 구 [平]尤 gǒu コウ·ク いぬのいっしゅ
[去]遇 ク おおあり

[字解] [一] ①개후 사람을 잡아먹는다는 개의 일종. '一, 北方有一犬食人'《說文》. ②큰개미후 현후(玄蚼). '玄一, 蠪也'《廣雅》. [二] 개구, 큰개미구 [一]과 뜻이 같음.

虫5 〔蛎〕11 〔려〕 蠣(虫부 15획〈1254〉)의 俗字

虫5 〔蚺〕11 〔염〕 蚦(虫부 4획〈1219〉)의 俗字

虫5 〔蚺〕11 〔염〕 蚦(虫부 4획〈1219〉)의 俗字

虫5 〔蛋〕11 단 [去]翰 dàn タン なんぽうのしゅぞく

[字解] ①오랑캐이름단 蜑(虫부 7획〈1230〉)과 同字. 중국 남방의 종족. 수상(水上) 생활을 함. '胡夷一蠻'《柳宗元》. ②새알단 조란(鳥卵). '一白'. '呼鳥卵爲一'《字彙補》.
[字源] 形聲. 虫＋疋(延)〔音〕

虫5 〔蚻〕11 찰 [入]黠 zhá サツ ちいさいせみ

[字解] 씽씽매미찰 매미의 한 가지로서, 모양이 작음. 털매미. '始去杏飛蜂, 及歸柳嘶一'《孟郊》.
[字源] 形聲. 虫＋札〔音〕

虫5 〔⿱夗虫〕11 [一] 원 [平]元 wān, wǎn
[上]阮 エン [一][二] うねりくねるさま
[二] 완 [平]寒 wān ワン

[字解] [一] ①꿈틀거릴원 용(龍)이 기어가는 모양. 蜿(虫부 8획〈1232〉)과 同字. '蜿, 蜿蜿, 龍皃. 亦作一'《集韻》. ②지렁이원 '一蟺'·'一蟮'은 지렁이. 蜿(虫부 8획〈1232〉)과 同字. '蜿, 一蟺, 蚯蚓也. 亦作一'《廣韻》. [二] 꿈틀거릴완 蜿(虫부 8획〈1232〉)과 同字. '蜿, 博雅, 蜿蜿·蝹蝹, 動也. 亦作一'《集韻》.

虫5 〔⿱此虫〕11 [一] 자 [平]支 zī シ むしのな
[平]支 cī シ むしのな
[二] 재 [上]蟹 サイ むしのな

[字解] [一] ①벌레이름자 매미 비슷한 벌레. '一, 蟲, 似蟬'《廣韻》. ②나무굼벵이자 나무굼벵이의 성충(成蟲). '一, 蟲名, 蝎化也'《集韻》. [二] 벌레이름재 [一]❶과 뜻이 같음.

虫5 〔蛊〕11 〔고〕 蠱(虫부 17획〈1255〉)와 同字

虫5 〔蛍〕11 〔형〕 螢(虫부 10획〈1242〉)의 俗字

虫5 〔萤〕11 〔형〕 螢(虫부 10획〈1242〉)의 俗字·簡體字

虫5 〔蛩〕11 〔공〕 蛩(虫부 6획〈1227〉)의 俗字

虫5 〔⿱加虫〕11 가 [平]麻 jiā カ こくぞうむし

[字解] 바구미가 '一, 米中黑蟲'《集韻》.

虫5 〔蚭〕11 니 [平]支 ní ジ·ニ げじげじ

[字解] 그리마니 '蚰一, 蚰蜒也'《廣雅》.

虫5 〔⿱矛虫〕11 〔모〕 蟊(虫부 11획〈1243〉)와 同字

虫5 〔⿰虫民〕11 〔문〕 蟁(虫부 11획〈1243〉)과 同字

虫5 〔⿱宓虫〕11 〔밀〕 蜜(虫부 8획〈1234〉)과 同字

虫5 〔蚸〕11 석 [入]陌 shí セキ かまきり

[字解] 사마귀석 버마재비. 당랑(螳蜋). '一, 蟲名, 螳蜋也, 一名一蜋'《集韻》.

虫5 〔⿰虫冗〕11 용 [上]腫 rǒng ジョウ はう

[字解] 작은벌레기어갈용 '一, 小蟲行'《集韻》.

虫5 〔⿰虫司〕11 〔자〕 蛓(虫부 6획〈1227〉)와 同字

虫5 〔⿰虫必〕11 [一] 필 [入]質 bì ヒツ くろばち
[二] 비 [去]寘 ヒ·ビ おおばち

[字解] [一] 검은벌필 '一, 黑蜂'《玉篇》. [二] 큰벌비 '一, 蟲名, 大蜂也'《集韻》.

虫6 〔蛑〕12 모 [平]尤 móu ボウ·ム ねきりむし

[字解] ①뿌리잘라먹는벌레모 농작물 또는 묘목의 뿌리를 잘라 먹는 해충의 총칭. 蝥(虫부 9획〈1238〉)과 同字. ②당랑모 버마재비, 곧 당랑(螳螂)의 별칭(別稱). 사마귀. '一, 蟷蜋也'《集韻》. ③꽃게모 蝤(虫부

9획〈1236〉)를 보라.
[字源] 形聲. 虫+牟〔音〕

虫 6 〔蛔〕12 회 [平]灰 | huí カイ かいちゅう
[字解] 거위회 사람에게 가장 흔한 기생충(寄生蟲)의 하나. 회. 蛕(次條)와 同字. '蛕, 說文, 腹中長蟲. 或作一'《集韻》. 고충(蠱蟲).
[字源] 形聲. 虫+回〔音〕

虫 6 〔蛕〕12 회 [平]灰 | huí カイ かいちゅう
[字解] 거위회 회충(蛔蟲). 蛔(前條)와 同字. '俗一恙心, 短蟯穴胃'《柳宗元》.
[字源] 形聲. 虫+有〔音〕

虫 6 〔蛙〕12 [一] 와 [平]麻 | wā ア·ワ かえる
[二] 왜 [平]佳 | wā ワイ かえる
[字解] [一] ①개구리와 올챙이의 성충(成蟲). '井底一'. '一與蝦蟆群鬪'《漢書》. ②음란할와 음탕하고 난잡함. '紫色一聲'《漢書》. [二] 개구리왜, 음란할왜 [一]과 뜻이 같음.
[字源] 形聲. 虫+圭〔音〕

虫 6 〔蛛〕12 주 [平]虞 | zhū チュ·シュ くも
[字解] 거미주 거미줄을 쳐서 벌레를 잡아먹는 곤충. '蜘一'. '一絲'.
[字源] 形聲. 虫+朱〔音〕

虫 6 〔蛜〕12 이 [平]支 | yī イ わらじむし
[字解] 쥐며느리이 '一威'·'一蝛'는 쥐며느릿과의 곤충. 썩은 나무나 마루 밑 같은 음습한 곳에 남. 쥐며느리.
[字源] 形聲. 虫+伊〔音〕

虫 6 〔蛞〕12 활 [入]曷 | kuò カツ おたまじゃくし
[字解] ①올챙이활 '一, 蟲名, 科斗也'《集韻》. ②새끼두꺼비활 '一, 蝦蟆子名'《廣韻》. ③괄태충활 '一蝓'는 연체동물(軟體動物) 복족류(腹足類)에 속하는 동물. 달팽이같이 생겼으나 껍데기가 없음. 괄태충(括胎蟲). '一蝓無殼'《本草》. ④땅강아지활 '一螻'는 몸은 황갈 또는 암갈색을 띤 흙빛으로서, 연한 털이 배에 난 작은 곤충. 땅강아지. 누고(螻蛄).
[字源] 形聲. 虫+舌〔音〕

虫 6 〔蛟〕12 교 [平]肴 | jiāo コウ みずち
[字解] ①교룡교 '一龍'은 용(龍)의 일종. '命漁師伐一'《禮記》. ②뿔없는용교 악어의 무리. '一, 龍屬. 無角曰蛟'《說文》.
[字源] 形聲. 虫+交〔音〕

虫 6 〔蛣〕12 길(① [入]屑 | ①qiè ケツ ぼうふら
결[本]) [入]質 | ②jié キツ くそむし
[字解] ①장구벌레길 '一, 一蚍, 蝎也'《說文》. ※本音 결. ②쇠똥구리길 '一蜣'은 풍뎅잇과의 곤충. 말똥구리. '一蜣之智, 在乎轉丸'《莊子》.
[字源] 形聲. 虫+吉〔音〕

虫 6 〔蛤〕12 합 [入]合 | gé, há コウ はまぐり
[字解] ①대합조개합 바다에서 나는 조개의 한 가지. 무명조개. '蜃一'. '爵入大水爲一'《禮記》. ②기생개구리합, 개구리합 올챙이가 자란 것. '何處多啼一'《高啓》. ③두꺼비합 '一即是蝦蟇'《韓愈》.
[字源] 形聲. 虫+合〔音〕

虫 6 〔䖳〕12 蛤(前條)의 本字

虫 6 〔蛧〕12 망 [上]養 | wǎng ボウ·モウ すだま
[字解] 도깨비망 '一蜽'은 산령(山靈). 산·내·나무·돌의 정(精). 즐겨 사람의 목소리를 흉내 내어 사람을 홀린다 함. 망량(魍魎). 망량(罔兩). 방량(方良). 산정(山精). '追水豹兮鞭一蜽'《張衡》.
[字源] 形聲. 虫+网〔音〕

虫 6 〔蛫〕12 궤 [上]紙 | guǐ キ かに
[字解] ①게궤 다리가 여섯 있는 게의 일종. 독이 있어 먹지 못한다고 함. '一, 說文, 蟹也. 一曰, 蟹六足者'《集韻》. ②쥐며느리궤 '一, 一曰, 鼠負也'《集韻》. ③원숭이궤 '一, 一曰, 猿類'《集韻》. ④짐승이름궤 '一, 一曰, 獸名, 似龜, 善禦火'《集韻》.
[字源] 形聲. 虫+危〔音〕

虫 6 〔蛝〕12 [一] 한 [平]刪 | xián カン やすで
[二] 은 [平]眞 | ギン やすで
[字解] [一] ①노래기한 '一, 馬蚿'《爾雅》. ②살무사한 '一, 一曰, 蝮蝠也'《集韻》. ③큰개미알한 '一, 一曰, 蚍蜉子'《集韻》. [二] 노래기은, 살무사은, 큰개미알은 [一]과 뜻이 같음.

虫 6 〔䖵〕12 곤 [平]元 | kūn コン むし
[字解] 벌레곤 곤충(昆蟲). '一, 蟲之總名也'《說文》.
[字源] 會意. 虫+虫

虫6 〔蛭〕 12 질 [入]質 | zhì シツ ひる

[字解] ①거머리질 환형동물(環形動物) 거머리목(目)에 속하는 동물의 총칭. 논과 못 같은 데 살며, 동물의 살에 달라붙어 피를 빨아먹음. '水一'. '食寒菹而得一'《劉向》. ②개밋둑질 '人莫躓於山, 而躓於一'《淮南子》. ③그리마질 '一, 蚰蜒也'《中華大字典》. ④성질 성(姓)의 하나.

[字源] 形聲. 虫+至〔音〕

虫6 〔蛇〕 12 차 [去]禡 | zhà タ くらげ

[字解] 해파리차 해파릿과에 속하는 강장동물(腔腸動物)의 하나. 산형(傘形) 또는 종형(鐘形)으로 생겼고, 투명한 한천(寒天) 같은 물질로 이루어졌으며, 바다 위에 떠다님. 수모(水母). 해월(海月). 해철(海蜇). '一, 水母也. 一名蛸'《廣韻》.

虫6 〔蛐〕 12 곡 [入]沃 | qū(qú) キョク みみず

[字解] ①지렁이곡 '一, 蟲名, 引也'《集韻》. ②《現》 귀뚜라미곡 '一一兒'는 귀뚜라미.

虫6 〔蛘〕 12 양 [平]陽 | yáng ヨウ むしがうごめく

[字解] ①벌레꿈틀거릴양 벌레가 살갗 위에서 굼틀거림. ②옴벌레양 개선충(疥癬蟲). ③가려울양 癢(疒부 15획〈821〉)과 통용. ④개미양 '蚍蜉, …燕謂之蛾一'《揚子方言》. ⑤바구미양 '強一'은 바구미. 곡상(穀象).

[字源] 形聲. 虫+羊〔音〕

虫6 〔蛚〕 12 렬 [入]屑 | liè レツ こおろぎ

[字解] 귀뚜라미렬 '蜻一'은 귀뚜라미의 일종. '蜻一, 蟋蟀'《廣韻》.

[字源] 形聲. 虫+列〔音〕

虫6 〔蚈〕 12 견 [平]先 | qiān ケン ほたる

[字解] ①반딧불이견 물가의 풀떨기에 살며, 배 끝에 발광 기관(發光器官)이 있는 곤충. 그 반짝이는 불빛을 반딧불이라 함. 개똥벌레. '腐草化爲一'《淮南子》. ②노래기견 배각류(倍脚類)에 속하는 절지동물(節肢動物)의 하나. 모양은 지네 비슷하며, 고약한 노린내가 남. 상거(商距).

[字源] 形聲. 虫+幵〔音〕

虫6 〔蝱〕 12 망 | méng モウ みそさざい

[字解] 굴뚝새망 '一鳩'는 굴뚝새. '南方有鳥, 名曰一鳩'《大戴禮》.

虫6 〔蚲〕 12 [一] 악 [入]藥 | è ガク わに
[二] 박 [入]藥 | ハク わに

[字解] [一] 악어악 鰐(魚부 9획〈1800〉)과 同字. '一, 似蜥易. 長一丈, 水潛, 呑人卽浮. 出日南也'《說文》. [二] 악어박 [一]과 뜻이 같음.

[字源] 形聲. 虫+屰〔音〕

虫6 〔蛦〕 12 [一] 이 [平]支 | yí イ やまどり
[二] 제 [平]齊 | テイ やまどり

[字解] [一] ①산계이 '鷩一'는 산계(山鷄). 꿩의 일종. '鷩一山棲'《左思》. ②매미이 '螗一, 蟬類'《字彙》. ③벌레이름이 '蛭一'는 벌레의 이름. '一, 蛭一, 蟲名'《廣韻》. [二] 산계제, 매미제, 벌레이름제 [一]과 뜻이 같음.

虫6 〔蛺〕 12 [一] 유 [平]虞 | yú ユ くも
[二] 수 [平]虞 | shū シュ はさみむし

[字解] [一] 거미유 '蠾一'는 거미. 蝓(虫부 9획〈1235〉)와 同字. '蝓, 方言, 趙魏謂鼅鼄爲蠾蝓. 或作一'《集韻》. [二] 집게벌레수 '蠷一'는 집게벌레. '一, 蠷一, 多足蟲'《集韻》.

虫6 〔蛑〕 12 요 [平]蕭 | yáo ヨウ むしのな

[字解] ①벌레이름요 '一, 蟲名'《集韻》. ②귀조개요 珧(王부 6획〈770〉)의 俗字.

虫6 〔蚼〕 12 향 [上]養 | xiǎng キョウ にしどち

[字解] 번데기향 풍뎅이 따위가 땅속에서 번데기가 된 것. '蠁, 知聲蟲也. 一, 司馬相如說, 从向'《說文》.

虫6 〔蛒〕 12 [一] 격 [入]陌 | gé カク すくもむし
[二] 락 [入]藥 | luò ラク はたおり

[字解] [一] ①풍뎅이애벌레격 '一, 蠐螬別名'《廣韻》. ②노래기격 '蛭一'은 노래기. '一, 博雅, 蛭一, 蝕蜒也'《康熙字典》. ③땅강아지격 '杜一'은 땅강아지. '蛄詣, 謂之杜一'《揚子方言》. ④벌격 벌의 일종. '一, 蜂類而大'《元稹》. [二] 여치락 '一蟑'는 여치. '蟑, 一蟑, 鳴蟲'《集韻》.

虫6 〔衍〕 12 연 [上]銑 | yǎn エン げじげじ

[字解] 그리마연 蚰(虫부 9획〈1239〉)과 同字. 蚰, 蠖蚰, 蟲. 一, 上同'《廣韻》.

虫6 〔蛥〕 12 타 [上]哿 | duǒ タ えんちのな

[字解] 염지이름타 '蛤一'는 염지(鹽池)의 이름. '棣州有蛤一鹽池'《唐書》.

虫 6 〔蛕〕12 〔조〕
蜩(虫부 8획〈1231〉)와 同字

虫 6 〔蛢〕12 〔병〕
蛢(虫부 8획〈1233〉)의 俗字

虫 6 〔蛩〕12 공 ㊥冬 | qióng キョウ こおろぎ
字解 ①메뚜기공 황충(蝗蟲). '飛―滿野'《淮南子》. ②귀뚜라미공 蛬(次次條)과 통용. '―聲'. '陰壁夜多―'《許渾》. ③매미허물공.

虫 6 〔蛩〕12 蛩(前條)과 同字

虫 6 〔蛬〕12 공 ㊤腫 ㊥冬 | gǒng キョウ こおろぎ qióng
字解 귀뚜라미공 실솔(蟋蟀). '吟―'. '―近陰依於土'《蠡海集》.
字源 形聲. 虫+共〔音〕

虫 6 〔蛓〕12 자 ㊧寘 | cì シ けむし
字解 쐐기자 쐐기나방의 유충(幼蟲). 점사(蛅蟖). '―緣兮我裳'《王逸》.
字源 形聲. 虫+𢦏(𢦏)〔音〕

虫 6 〔蛗〕12 부 ㊤有 | fù フウ いなご
字解 메뚜기부 '―螽'은 메뚜기. '―螽, 蠜'《爾雅》.
字源 形聲. 虫+阜〈省〉〔音〕

虫 6 〔蛙〕12 ㊀왜 ㊥佳 | wā ワイ さそり ㊁규 ㊥齊 | kuí ケイ さそり
字解 ㊀①전갈왜 '―, 蟲名. 說文, 蠆也'《集韻》. ②개구리왜 蛙(虫부 6획〈1225〉)의 本字. ㊁①전갈규 '―, 蠆也'《說文》. ②별이름규 奎(大부 6획〈235〉)와 통용.
字源 形聲. 虫+圭〔音〕

虫 6 〔蛬〕12 ㊀학 ㊧藥 ㊁착 ㊧藥 | hē カク さす チャク むしのさす どく
字解 ㊀①쏠학 벌레가 쏨. '―, 螫也'《說文》. ②아플학 '―, 痛也'《廣雅》. ㊁독착, 아플착 벌레가 쏘는 독(毒). 또, 아픔. 蠚(虫부 15획〈1253〉)과 同字. '蠚, 蟲毒. 一日, 痛也. 或省'《集韻》.
字源 形聲. 虫+若〈省〉〔音〕

虫 6 〔蛪〕12 ㊀결 ㊧屑 | qiè ケツ はえ ㊁열 ㊧屑 | ní エツ・ゲツ はえ, にじ
字解 ㊀①파리결 '―, 一蠅蟲'《廣韻》. ② 애매미결 '―蛚'는 애매미. '―, 又―蛚, 似蟬而小'《廣韻》. ㊁무지개열 '其―者類闕旗'《史記》.

虫 6 〔蛮〕12 〔만〕
蠻(虫부 19획〈1257〉)의 俗字

虫 6 〔蛭〕12 광 ㊥陽 | kuāng キョウ おおきなえび
字解 큰새우광 '―, 大蝦'《集韻》.

虫 6 〔蛫〕12 〔구〕
蚼(虫부 5획〈1224〉)와 同字

虫 6 〔蛔〕12 동 ㊥東 | tóng トウ むしのな
字解 벌레동 벌레 이름. '―, 蟲也'《玉篇》.

虫 6 〔蛥〕12 설 ㊧屑 | shé セツ にいにいぜみ
字解 씽씽매미설 털매미. '―, 一蚗, 蟲名, 蟪蛄也, 或作蛞'《集韻》.

虫 6 〔蛪〕12 이 ㊧寘 | ěr ジ・ニ え
字解 미끼이 낚싯밥 '―, 釣魚食也'《集韻》.

虫 6 〔蛡〕12 ㊀익 ㊧職 | yì ヨク はちのす ㊁후 ㊤麌 | xǔ ク むしのな
字解 ㊀①벌집익 봉방(蜂房). '―, 蜂房也'《類篇》. ②벌레길익 벌레가 기는 모양. '―, ――, 蟲行皃'《廣韻》. ㊁①벌레이름후 '―, 蟲名'《玉篇》. ②벌레날후 '―, 蟲飛'《類篇》.

虫 6 〔蛛〕12 〔척〕
蝪(虫부 8획〈1231〉)의 俗字

虫 6 〔蛬〕12 ㊀학 ㊧藥 | hé カク どくをさす ㊁석 ㊧陌 | セキ どくをさす
字解 ㊀독(毒)쏠학 독충이 쏨. '―, 毒螫也'《六書正譌》. ㊁독쏠석 ㊀과 뜻이 같음.

虫 7 〔蛼〕13 차 ㊥麻 | chē シャ しゃごう
字解 차오차 '―螯'는 대합(大蛤) 비슷한 바닷조개의 하나.
字源 形聲. 虫+車〔音〕

虫 7 〔蛸〕13 초 (소㊥) ①㊥肴 ②㊥蕭 | shāo ソウ・ショウ あしたかぐも xiāo ショウ たこ
字解 ①갈거미초 蠨(虫부 17획〈1255〉)를 보라. '蠨―'. ②오징어초 螵(虫부 11획

〈1243〉)를 보라. '螵—'. ※本音 소.
[字源] 形聲. 虫+肖〔音〕

虫7 〔蛹〕 13 용 [上]腫 | yǒng ヨウ さなぎ

[字解] 번데기용 유충이 성충으로 변하기 이전의 곤충의 한 변태. '繭中—兮蠶蠕須'《蔡邕》.
[字源] 形聲. 虫+甬〔音〕

虫7 〔蛺〕 13 [一] 협 [入]洽 [二] 겹 [入]葉 | jiá ギョウ·コウ [一] [二] ひおどしちょう jiá キョウ

[字解] [一] 호랑나비협 '—蝶輕薄, 夾翅而飛'《本草》. [二] 호랑나비겹 [一]과 뜻이 같음.
[字源] 形聲. 虫+夾〔音〕

虫7 〔蛻〕 13 [一] 세 [去]霽 [二] 태 [去]泰 | (shuì) ゼイ ぬけがら tuì タイ ぬけがら

[字解] [一] ①허물세 매미 또는 뱀 등이 벗은 껍질. '蟬—'. '予蜩甲也. 蛇—也'《莊子》. ②허물벗을세 매미·뱀 등이 허물을 벗음. '蟬—于濁穢'《史記》. [二] 허물태, 허물벗을태 [一]과 뜻이 같음.
[字源] 形聲. 虫+兌〔音〕

虫7 〔蛾〕 13 [一] 아 [平]歌 [二] 의 [上]紙 | é ガ が yǐ ギ あり

[字解] [一] ①나방아 누에·송충이·쐐기 같은 것이 우화(羽化)하여 된 성충. 특히, 누에나방을 이름. '蠶—'. '飛—'. '食桑者有絲而—'《大戴禮》. ②눈썹아 누에나방의 촉수(觸鬚)처럼 털이 짧고, 초승달 모양으로 길게 굽은 눈썹. 미인의 눈썹을 이름. '—眉'. '揚— 微眺'《魏文帝》. ③초승달아 나방의 촉각에 견주어 이름. '今夕千餘里, 雙— 映水生'《何遜》. ④목이버섯아 목이(木耳). '釋名, 木—. 時珍曰, 木耳'《本草》. ⑤갑자기아 俄(人부 7획〈52〉)와 통용. '選入後宮, 始爲小使, —而大幸'《漢書》. [二] 개미의 蟻(虫부 13획〈1250〉)와 통용. '—子時術之'('術'은 '習')《禮記》.
[字源] 形聲. 虫+我〔音〕

虫7 〔蜂〕 13 [高·人] 봉 [平]冬 | fēng ホウ はち

[筆順] 口 中 虫 虫 虫' 蚁 蜂 蜂

[字解] ①벌봉 막시류(膜翅類) 중 개미류(類)를 제외한 곤충의 총칭. 꿀벌·호박벌 등. '蜜—'. '—房不容鵠卵'《淮南子》. ②거스를봉 거역함. '夆, 說文, 牾也. …或作—'《集韻》. ③칼끝봉, 봉망봉 鋒(金부 7획〈1562〉)과 통용. '突厥—銳, 所向無完'《唐書》.

[字源] 形聲. 篆文은 䖵+逢〔音〕
[參考] 蠭(虫부 17획〈1255〉)은 同字.

虫7 〔蜄〕 13 신 ①②[去]震 ③[上]軫 | zhèn シン うごく shèn シン おおはまぐり

[字解] ①움직일신 '辰者曰萬物之—也'《史記》. ②교룡신 교룡(蛟龍)의 일종. 蜃(虫부 7획〈1230〉)과 통용. '—, 蛟屬. 通作蜃'《集韻》. ③대합신 蜃(虫부 7획〈1230〉)과 同字.
[字源] 形聲. 虫+辰〔音〕

虫7 〔蜆〕 13 현 ①[上]銑 ②[上]銑 | xiǎn ケン みのむし xiǎn ケン しじみ

[字解] ①도롱이벌레현 '—, 縊女也'《說文》. ②바지라기현 바지라깃과에 속하는 조개의 총칭. 가막조개. 흑합(黑蛤). '—蛤'. '好啖—'《隋書》.
[字源] 形聲. 虫+見〔音〕

虫7 〔蜈〕 13 오 [平]虞 | wú ゴ むかで

[字解] 지네오 '—蚣生大吳川谷及江南'《本草別錄》.
[字源] 形聲. 虫+吳〔音〕

虫7 〔蜉〕 13 부 [平]尤 | fú フ おおあり

[字解] ①왕개미부 蚍(虫부 4획〈1219〉)를 보라. '蚍—'. ②하루살이부 '—蝣'. '—蝣之羽'《詩經》.
[字源] 形聲. 虫+孚〔音〕

虫7 〔蜊〕 13 리 [平]支 | lí リ しおふきがい

[字解] 바지락개량조개리 개량조갯과(科)에 속하는 조개. '蛤—'. '且食蛤—'《南史》.
[字源] 形聲. 虫+利〔音〕

虫7 〔蛪〕 13 蜊(前條)와 同字

虫7 〔蜋〕 13 [一] 랑 [平]陽 [二] 량 [平]陽 | láng ロウ かまきり liáng リョウ くそむし

[字解] [一] 사마귀랑 버마재비. '螳—'. [二] 쇠똥구리랑 蜣(虫부 8획〈1231〉)을 보라. '蜣—'.
[字源] 形聲. 虫+良〔音〕

虫7 〔蜍〕 13 여 (①② [平]魚 저[本]) [平]魚 | ①②chú ショ ひきがえる ③yú ヨ くも

[字解] ①두꺼비여 '蟾—'. '—, 蟾—也'《廣韻》. ②달여 蟾(虫부 13획〈1250〉)을 보라.

'蟾一'. ※❶❷ 本音 저. ③거미여 '蜍一'는 거미의 딴 이름. '一, 蜘蛛'《廣韻》.
[字源] 形聲. 虫+余〔音〕

虫 7 〔蜎〕13 [一] 연 [平]先 | yuān エン ぼうふら
[二] 견 [上]銑 | ケン ぼうふら
[字解] [一] ①장구벌레연 모기의 유충(幼蟲). '一, 蠉'《爾雅》. ②휠연 굽음. '刺兵欲無一'《周禮》. ③길연 누에·쐐기 같은 것이 기는 모양. '一一者蠋'《詩經》. ④성연 성(姓)의 하나. [二] 장구벌레견 [一]❶과 뜻이 같음.
[字源] 形聲. 虫+肙〔音〕

虫 7 〔蜐〕13 겁 [入]葉 | jié キョウ かめのて
[字解] 거북다리겁 '石一'은 절지동물(節肢動物) 갑각류(甲殼類)에 속하는 해충(海蟲). 거북의 다리와 같이 생겼으며, 바닷가의 바위틈에 떼를 지어 삶. 귀각(龜脚). '海人有食石一'《江淹》.
[字源] 形聲. 虫+劫〔音〕

虫 7 〔蜓〕13 [一] 전 [上]銑 | diān テン やもり
[二] 정 [平]青 | tíng テイ とんぼ
[字解] [一] 수궁전 도마뱀 비슷한 동물. '蝘一'. '一, 蝘一, 一名守宮'《廣韻》. [二] 잠자리정 '蜻一'.
[字源] 形聲. 虫+廷〔音〕

虫 7 〔蜒〕13 연 [平]先 | yán エン げじげじ
[字解] ①그리마연 蚰(虫부 5획〈1222〉)를 보라. '蚰一'. ②구불구불길연 구불구불하며 긴 모양. '蜿一'. '一, 一曰蜿一, 龍皃'《集韻》.
[字源] 形聲. 虫+延〔音〕
[參考] 蜑(虫부 7획〈1230〉)과는 別字.

虫 7 〔蛷〕13 구 [平]尤 | qiú キュウ はさみむし
[字解] 집게벌레구 집게벌렛과에 속하는 곤충. 빛은 적갈색이고, 미단(尾端)이 집게 모양으로 돌출(突出)하였음. '蜿垣亂一蛆'《韓愈》.
[字源] 形聲. 篆文은 蚰+求〔音〕

虫 7 〔蜣〕13 제 [平]齊 | tì テイ にいにいぜみ
[字解] 씽씽매미제 매미의 일종. 털매미. 蝭(虫부 9획〈1237〉)와 同字.

虫 7 〔蜌〕13 폐 [上]薺 | bì ヘイ まてがい
[字解] ①긴맛폐 맛과의 조개. 마도패(馬刀貝). '一, 蚌長者'《玉篇》. ②홍합폐 '海一'는 홍합. '釋名, 殼菜, 海一. 東海夫人'《本草》.

虫 7 〔蜁〕13 선 [平]先 | xuán セン にな
[筆順] 虫 虫 虫' 虫' 虫' 虫' 蜁 蜁
[字解] 다슬기선 '一蝸'는 다슬깃과의 고둥. 대사리. 와라(蝸螺). '鸚螺一蝸'《郭璞》.

虫 7 〔蛼〕13 동 [平]東 | tóng キュウ あかむし
[字解] ①붉은벌레동 '一, 赤蟲也. 同蚢'《正字通》. ②웅황동 '一黃'은 웅황(雄黃). 유황(硫黃)의 일종. '一黃疑金'《太玄經》.

虫 7 〔蜥〕13 [一] 설 [入]屑 | xué セツ かに
[二] 제 [去]霽 | dì テイ にじ
[字解] [一] 게설 '江一'은 꽃게 비슷한 바닷게. '一, 江一, 似蝤蛑, 生海中'《廣韻》. [二] 무지개제 '一蝀'은 무지개. '蠕, 蠕蝀, 虹也, 或作一'《集韻》.

虫 7 〔蜈〕13 오 [平]虞 | wú ゴ むささび
[字解] ①하늘다람쥐오 '一, 似鼠'《玉篇》. ②지네오 '一蚣'은 지네. '一, 蜈蚣'《廣韻》.

虫 7 〔蛃〕13 경 [上]梗 | gěng コウ むしのな
[字解] 벌레이름경 '一, 蟲名'《廣韻》.

虫 7 〔蚌〕13 [一] 방 [平]江 | máng ボウ けら
[上]講 | bàng ホウ·ボウ どぶがい
[二] 봉 [平]東 | ボウ けら
[字解] [一] ①땅강아지방 '一螻'는 땅강아지의 일종. '蛬, 一螻'《爾雅》. ②씹조개방 '蚌, 說文, 蜃屬. 或作一'《集韻》. [二] 땅강아지봉 [一]❶과 뜻이 같음.

虫 7 〔蛵〕13 형 [平]青 | xīng ケイ·キョウ しおからとんぼ
[字解] 밀잠자리형 '一, 虰一'은 밀잠자리. '一, 丁一, 負勞也'《說文》.
[字源] 形聲. 虫+巠〔音〕

虫 7 〔蜥〕13 희 [平]微 | xī キ どくむしのな
[字解] 독충(毒蟲)희 '一, 蟲名'《集韻》.

虫 7 〔蛶〕13 [一] 렬 [入]屑 | jiè レツ とかげ
[二] 랄 [入]曷 | ラツ とかげ
[字解] [一] 도마뱀렬 '一, 商何也'《說文》. [二] 도마뱀랄 [一]과 뜻이 같음.
[字源] 形聲. 虫+寽〔音〕

虫7 〔蜔〕 13 전 [去]霰 diàn テン らでん

[字解] 자개전 '螺—'은 자개. '方信用之堆漆螺—'《帝京景物略》.

虫7 〔蛘〕 13 〔양〕
蛘(虫부 6획〈1226〉)의 本字
[參考] 蛘(虫부 8획〈1232〉)는 別字.

虫7 〔蝨〕 13 〔슬〕
蝨(虫부 9획〈1235〉)과 同字

虫7 〔蜘〕 13 〔각〕
蜘(虫부 9획〈1238〉)과 同字

虫7 〔蜑〕 13 단 [上]旱 dàn タン なんぼうのしゅぞく

[字解] ①오랑캐단 광동(廣東)·복건(福建) 지방에 살던 만족. 배 안에서 생활하고, 물속에 들어가 해산물·진주조개 등을 채취함. '—人'. '林蠻洞—'《韓愈》. 전(轉)하여 ②해인단 물속에 들어가 어로(漁撈)하는 것을 업(業)으로 하는 사람. '—戶'. '試問池邊—'《秦觀》.
[字源] 形聲. 虫+延〔音〕
[參考] 蜒(虫부 7획〈1229〉)은 別字.

虫7 〔蜤〕 13 계 [平]齊 qī ケイ じがばち

[字解] 나나니벌계 螇(虫부 10획〈1239〉)와 같음. '螇, 蟲名, 土蠭也, 亦省'《集韻》.

虫7 〔蛍〕 13 사 ①[平]麻 ②[平]歌 shā サ くだまきだまし shuō サ やまいのな

[字解] ①베짱이사 사계(蛍雞). '—, 同莎, 莎雞, 蟲名'《篇海》. ②병이름사 '呼—'는 병명. '呼—, 病名'《巢氏病源》.

虫7 〔蜺〕 13 섭 [入]葉 niè ジョウ はう

[字解] 기어갈섭 벌레가 기어가는 모양. '—, 蟲行皃'《集韻》.

虫7 〔蜨〕 13 〔접〕
蝶(虫부 9획〈1236〉)과 同字

虫7 〔蚳〕 13 지 [平]支 chí チ あり

[字解] 개미지 '—, 蟻也'《字彙》.

虫7 〔蛽〕 13 〔패〕
貝(部首〈1384〉)의 俗字

虫7 〔蛫〕 13 회 [平]灰 huī カイ いのこがつちをほる

[字解] ①돼지땅뒤질회 '—, 豕發土也, 或作豗·豗'《集韻》. ②고슴도치회 '刺端分兩歧者蝟, 如棘鍼者—'《炙轂子》.

虫7 〔蜏〕 13 유 [去]宥 yǒu ユウ かげろう

[字解] 하루살이유 '—, 朝生暮死蟲也, 生水上, 狀如蠶蛾, 一名孳母'《玉篇》.

虫7 〔蜀〕 13 촉 [入]沃 shǔ ショク あおむし

[字解] ①나비애벌레촉 나비의 유충. 蠋(虫부 13획〈1250〉)과 同字. '蠶之與—, 狀相類, 而愛憎異'《淮南子》. ②제기촉 제사에 쓰는 기명. '抱—不言, 而廟堂旣修'《管子》. ③하나촉, 혼자촉 '獨者—. (注)—亦孤獨'《爾雅》. ④촉계(蜀鷄)촉 몸집이 큰 닭. '鷄大者—'《爾雅》. ⑤고을이름촉 사천성(四川省) 성도(成都)의 고칭(古稱). '司馬錯定—'《史記》. ⑥나라이름촉 ㉠삼국(三國)의 하나. 한고조(漢高祖)의 말예(末裔) 유비(劉備)가 세운 왕조(王朝). 영토는 지금의 사천성(四川省) 지방이며, 서울은 성도(成都)에 정하였는데, 사가(史家)들이 이를 촉한(蜀漢)이라 함. 2주(主) 44년에 위(魏)나라에게 망함. (221~265) ㉡전촉(前蜀)은 오대십국(五代十國)의 하나로, 왕건(王建)이 창립(創立). 후당(後唐)에게 망함. (891~925) ㉢후촉(後蜀)은 둘이 있어, 하나는 진(晉)나라 때 이웅(李雄)이 창건(創建)한 나라로, 성한(成漢)이라고도 하며, 동진(東晉)에게 망함. (302~347) 또, 하나는 오대십국(五代十國)의 하나로, 맹지상(孟知祥)이 창건, 송(宋)나라에게 망함. (930~965) ⑦성촉 성(姓)의 하나.
[字源] 象形. 큰 눈을 가졌고, 뽕나무에 붙어서 떼 지어 움직이는 징그러운 벌레, 나비·나방의 애벌레의 모양을 형상화한 것.

虫7 〔蜃〕 13 신 [上]軫 shèn シン おおはまぐり

[字解] ①대합조개신 조개의 한 가지. 큰 것을 '—', 작은 것을 '蛤'이라 함. 무명조개. '文—'. '魚鹽—蛤'《左傳》. ②이무기신 교룡(蛟龍)의 일종. 기운을 토(吐)하면 신기루를 일으킨다 함. '—氣樓'. '海旁—氣象樓臺'《史記》. ③상여신 관(棺)을 싣는 수레. '—車'《儀禮》. ④제기신 제사에 쓰는 고기를 담는 제기. '以— 盛溺'《莊子》.
[字源] 形聲. 虫+辰〔音〕

虫7 〔蜇〕 13 철 [入]屑 zhé, ①zhē テツ さす

[字解] ①쏠철 벌레가 살로 찌름. '—吻裂鼻'《柳宗元》. ②아플철 '—於口'《列子》. ③해

파리철 강장동물(腔腸動物)의 하나. 수모(水母). 해월(海月).

虫7 〔蚩〕13 〔구〕
蝨(虫부 13획〈1249〉)와 同字

虫7 〔蜜〕13 〔밀〕
蜜(虫부 8획〈1234〉)의 俗字

虫7 〔蛩〕13 〔공〕
蛩(虫부 6획〈1227〉)의 本字

虫7 〔蛩〕13 〔아〕
蝨(虫부 13획〈1249〉)와 同字

虫7 〔蜑〕13 조 ㊥蕭 | tiáo チョウ みずむしのな

字解 물벌레조 '一蟰拂翼而掣耀'《郭璞》.

虫8 〔蜘〕14 지 ㊥支 | zhī チ くも

字解 거미지 '聖人師一蛛立網罟'《關尹子》.
字源 形聲. 虫＋知〔音〕

虫8 〔蜡〕14 ㊀저 ㊦御 | qū ショ うじ ㊁사 ㊦禡 (자㊍) | zhà, chà サ まつりのな

字解 ㊀ 구더기저 파리의 애벌레. 蛆(虫부 5획〈1223〉)·胆(肉부 5획〈1070〉)와 同字. '一, 蠅胆也'《說文》. ㊁ 납제사 세말에 지내는 군신(群神)의 합사(合祀). '一也者, 索也, 歲十二月合聚萬物而索饗之也, 一之祭也, 主先嗇而祭司嗇也'《禮記》. ※本音 자.
字源 形聲. 虫＋昔〔音〕

虫8 〔蜢〕14 맹 ①㊤梗 ②㊦敬 | měng モウ はねながいなご | mèng モウ がま

字解 ①벼메뚜기맹 '蚱一'은 날개가 긴 메뚜기. 蟒(虫부 12획〈1246〉)과 同字. '一, 蚱一, 蝗類'《集韻》. ②두꺼비맹 '胡一'. '胡一, 蝦蟆也'《廣雅》.
字源 形聲. 虫＋孟〔音〕

虫8 〔蜣〕14 강 ㊥陽 | qiāng キョウ くそむし

字解 쇠똥구리강 '一蜋'은 쇠똥구리. 말똥구리. 길강(蛣蜣). '一蜋轉丸丸, 成而精思之'《關尹子》.
字源 形聲. 虫＋羌〔音〕

虫8 〔蜥〕14 석 ㊣錫 | xī セキ とかげ

字解 도마뱀석 '是非守宮, 卽一蜴'《漢書》.
字源 形聲. 虫＋析〔音〕

參考 蜑(虫부 8획〈1235〉)은 同字.

虫8 〔蜩〕14 조 ㊥蕭 | tiáo チョウ せみ

字解 쓰르라미조 매밋과에 속하는 곤충. 쓰르람쓰르람하고 욺. 또, 널리 매미의 뜻으로 쓰임. '一, 蟬也'《說文》.
字源 形聲. 虫＋周〔音〕

虫8 〔蜮〕14 역 ㊣職 | yù ヨク いさごむし

字解 ①물여우역 날도래의 유충. 물속에 살며, 주둥이에 한 개의 긴 뿔이 앞으로 뻗치었는데, 독기(毒氣)로써 사람의 그림자를 쏘면 종기가 생긴다는 옛말이 있음. 단호(短弧). 사공(射工). 사영(射影). 전(轉)하여, 사람을 해치는 것. '爲鬼爲一'《詩經》. ②헷갈리게할역 '秋有蜚 (注) 一之猶言惑也'《公羊傳》. ③잎벌레역 모의 잎을 먹는 벌레. '又無螟一'《呂氏春秋》. ④두꺼비역, 개구리역 '一, 一日, 蝦蟇也'
字源 形聲. 虫＋或〔音〕

虫8 〔蜴〕14 척(역㊍) ㊣陌 | yì エキ とかげ

字解 도마뱀척 '蜥一'. ※本音 역.
字源 形聲. 虫＋易〔音〕

虫8 〔蜷〕14 권 ㊥先 | quán ケン かがまりゆく

字解 굽을권 벌레가 구부리고 가는 모양. '蛟龍連一 於東厓兮'《漢書》.
字源 形聲. 虫＋卷〔音〕

虫8 〔蜹〕14 예 ㊦霽 | ruì ゼイ ぶよ

字解 파리매예 파리매의 유충. 蚋(虫부 4획〈1221〉)와 同字. 또, 모기. 모깃과에 속하는 곤충. 암컷은 사람의 피를 빨아먹음. '秦晉謂之一, 楚謂之蟁'《說文》.
字源 形聲. 虫＋芮〔音〕

虫8 〔蜺〕14 예 ㊥齊 | nì ゲイ つくつくぼうし

字解 ①애매미예 매밋과에 속하는 곤충. 몸빛은 암황록색이고, 두흉부(頭胸部)에 황록색 점이 있음. 기생매미. 조료(蛁蟟). '一, 寒蜩'《爾雅》. ②무지개예 霓(雨부 8획〈1643〉)와 同字. 옛날에 무지개를 용의 일종으로 생각, 수컷을 '虹홍', 암컷을 '蜺'라고 했음. '虹一'. '妖一'.
字源 形聲. 虫＋兒〔音〕

虫8 〔蜻〕14 청 ①㊥青 ②㊥庚 | qīng セイ とんぼ | jīng セイ こおろぎ

字解 ①잠자리청 잠자릿과에 속하는 곤충.

해충(害蟲)을 잡아먹는 익충(益蟲)임. 청낭자(青娘子). '一蛉'. '一蜓'. '每居海上從一游'《呂氏春秋》. ②귀뚜라미청 '一蛚'은 귀뚜라밋과에 속하는 곤충. 수놈은 몸이 검으며, 촉각은 몸보다 긺. 귀뚜라미. 실솔(蟋蟀). '俯聞一蛚吟'《張載》.
[字源] 形聲. 虫+青〔音〕

虫 8 〔蜱〕 14 비 [平]支 | pí ヒ おおじがふぐり
[字解] 사마귀알비 '一蛸'는 사마귀의 알. 약재(藥材)로 씀. 표초(螵蛸). '螵蛸所在有之以桑上者, 爲佳本草, 謂之桑一蛸'《爾雅》.
[字源] 形聲. 篆文은 蚰+卑〔音〕

虫 8 〔蜼〕 14 유 [去]有 | wěi ユウ・ユ くもざる
[字解] 거미원숭이유, 긴꼬리원숭이유 원숭이 비슷한데, 코가 위로 향하고 꼬리가 매우 긺. 나무 위에서 생활함. '一獲飛猵'《司馬相如》.
[字源] 形聲. 虫+隹〔音〕

虫 8 〔蜾〕 14 과 [上]哿 | guǒ カ じがばち
[字解] 나나니벌과 '螟蛉有子, 一蠃負之'《詩經》.
[字源] 形聲. 虫+果〔音〕

虫 8 〔蜿〕 14 [一] 원 [平]元 | wān エン うねりうごく
[二] 완 [上]阮 | wǎn エン みみず
[字解] [一] ①굼틀거릴원 용이나 뱀이 굼틀굼틀 가는 모양. '蛇行一蜒'《易林》. ②어슬렁어슬렁갈원 범이 어슬렁어슬렁 가는 모양. '虎豹一只'《楚辭》. [二] 지렁이완 '一蟺'은 ㉠구인(蚯蚓)의 별칭(別稱). 지렁이. ㉡산세(山勢) 같은 것이 굴곡(屈曲)한 모양.
[字源] 形聲. 虫+宛〔音〕

虫 8 〔蜙〕 14 송 [平]冬 [平]東 | sōng ショウ きりぎりす / ソウ きりぎりす
[字解] 베짱이송 '一蝑'는 여칫과의 곤충. 베짱이. 종사(螽斯). '蜇螽, 一蝑'《爾雅》.
[字源] 形聲. 虫+松〔音〕

虫 8 〔蝀〕 14 동 [平]東 | dōng トウ にじ
[字解] 무지개동 蝃(次條)를 보라. '蝃一'. '一, 螮一也'《說文》.
[字源] 形聲. 虫+東〔音〕

虫 8 〔蝃〕 14 체 [去]霽 | dì テイ にじ
[字解] 무지개체 '一蝀'은 무지개〔虹〕의 이칭(異稱). 홍예(虹蜺). '一蝀在東'《詩經》.
[字源] 形聲. 虫+叕〔音〕

虫 8 〔蜲〕 14 위 [上]紙 | wěi イ わらじむし
[字解] 쥐며느리위 '一蟍'는 쥐며느릿과에 속하는 절지동물(節肢動物). 썩은 나무나 마루 밑 등 음습한 곳에 서식함. 서부(鼠婦). '一, 蟲名, 黍負也'《集韻》.
[字源] 形聲. 虫+委〔音〕

虫 8 〔蜳〕 14 돈 [平]元 | dūn トン おそれてきがさだまらない
[字解] 설렐돈 '一蟨'은 두려워 마음이 설레는 모양. '一, 一蟨, 氣不安定也'《集韻》.
[字源] 形聲. 虫+享(𦎫)〔音〕

虫 8 〔蝂〕 14 판 [上]潸 | bǎn ハン こむしのな
[字解] 벌레이름판 '蝜一'은 작은 벌레. 물건을 잘 지며, 괴로워도 멈추지 않는다 함. '一, 一蝜, 蟲'《廣韻》.

虫 8 〔蜫〕 14 곤 [平]元 | kūn コン むし
[字解] 벌레곤 벌레의 총칭(總稱). '蛟蟯之類, 一蠕之類'《論衡》.

虫 8 〔蜯〕 14 륙 [入]屋 | lù リク あかがい
[字解] 안다미조개륙 '魁一'은 안다미조갯과의 바닷물조개. 살조개. '一, 魁一也'《玉篇》. '一, 海蛤, 貝厚而有文'《集韻》.

虫 8 〔蝹〕 14 굴 [入]物 | qū クツ きくいむし
[字解] 나무굼벵이굴 '蛣一'은 하늘솟과의 유충. 목두충(木蠹蟲).

虫 8 〔蝆〕 14 미 [上]紙 | mǐ ビ・ミ こくぞうむし
[字解] ①바구미미 '強一'는 바구미. 곡상(穀象). '蛄蟹, 強一'《爾雅》. ②버마재비미 '一一'는 버마재비. 사마귀. '螳螂, 或謂之一一'《揚子方言》.
[參考] 蛘(虫부 7획〈1230〉)은 別字.

虫 8 〔蝜〕 14 부 [上]有 | fù フウ・ブ わらじむし
[字解] 쥐며느리부 '鼠一'는 쥐며느리. '一, 鼠一'《玉篇》.

虫 8 〔蜦〕 14 륜 [上]軫 | lǔn リン うねりゆくさま
[字解] 꿈틀꿈틀기어갈륜 '蝹一'은 꿈틀꿈틀 기어가는 모양. '神蝘蝹一以沈遊'《郭璞》.

[字源] 形聲. 虫＋侖〔音〕

虫 8 〔⿰虫虎〕14 호 [上]麌|hǔ コ はえとりぐも

[字解] 파리잡이거미호 '蠅—'는 거미의 일종. '—, 蟲名, 善捕蠅'《集韻》.

虫 8 〔蜧〕14 려 [去]霽|lì レイ へび

[字解] ①신사(神蛇)려 신천(神泉)에 살며 비를 잘 내린다는 신령한 검은 뱀. '黑—躍重淵'《張協》. ②두꺼비려 '—, 大蝦蟆也'《廣韻》.

虫 8 〔⿰虫阜〕14 부 [上]有|fù フウ·フ いなご

[字解] 메뚜기부 '—, 螽也'《玉篇》.

虫 8 〔⿰虫奇〕14 기 ①[平]支|qí キ あしだかぐも ②[上]紙|jì キ せみ

[字解] ①갈거미기 납거밋과의 거미. 소초(蠨蛸). '—, 蜘蛛長足者'《集韻》. ②매미기 '—, 蟬也'《廣韻》.

虫 8 〔蜨〕14 접 [入]葉|dié チョウ ちょう

[字解] 나비접 속(俗)에 蝶(虫부 9획〈1236〉)과 통용. '—, 蛺—也'《說文》.

[字源] 形聲. 虫＋疌〔音〕

虫 8 〔蜬〕14 [一]함 [平]覃 [二]감 [平]覃|hán カン にな

[字解] [一] ①다슬기함, 고둥함 '嬴小者, —'《爾雅》. ②물속조개함 '貝, …在水者—'《爾雅》. [二] 다슬기감, 고둥감, 물속조개감 ■과 뜻이 같음.

虫 8 〔⿰虫夜〕14 사 [去]禡|xiè シャ かにのしおから

[字解] 게젓사 蝑(虫부 9획〈1237〉)와 同字.

虫 8 〔蜟〕14 육 [入]屋|yù イク にしどち

[字解] ①허물벗지않은매미육 '—, 復—, 蟬未蛻者'《廣韻》. ②매미허물육 '伏—'은 매미의 허물. '—, 伏—, 蟬蛻'《說文》.

虫 8 〔⿰虫炎〕14 담 [去]勘|tàn タン けものがしたをだすさま

[字解] 혀내놓을담 짐승이 혀를 내미는 모양. '—, 蚦—, 獸吐舌皃'《集韻》.

虫 8 〔⿰虫戔〕14 [一]잔 [上]潸 [平]諫 [二]전 [平]先|zhàn サン やすで サン やすで セン くろくておおきなせみ

[字解] [一] 노래기잔 '馬—'은 노래기. '—, 馬—, 蟲名'《廣韻》. [二] 매미전 검고 큰 매미. 蟬(虫부 12획〈1247〉)·蠽(虫부 16획〈1255〉)과 통용. '蟬, …大而黑者, 謂之—'《揚子方言》.

虫 8 〔⿰虫㡀〕14 별 [入]屑|biē ヘツ とりのな

[字解] 새이름별 '—蛦'는 새 이름. '—蛦山樓'《左思》.

虫 8 〔蜠〕14 [一]균 [上]軫|jùn キン かい [二]균 [平]眞|キン かい

[字解] [一] 조개균 껍질이 크고 얇은 조개. '—, 大貝'《廣韻》. [二] 조개균 ■과 뜻이 같음.

虫 8 〔蛢〕14 병 [平]青 [去]敬|píng ヘイ こがねむし ホウ·ヒョウ けもののせにつくむし

[字解] ①풍뎅이병 '蟥—'은 풍뎅이. '—, 以翼鳴蟲'《廣韻》. ②벌레병 짐승의 등에 붙는 벌레. '—, 獸脊蟲出也'《集韻》.

[字源] 形聲. 虫＋幷〔音〕

虫 8 〔⿰虫匊〕14 국 [入]屋|jú キク かえる, がま, みみず

[字解] ①개구리국, 두꺼비국 '—鼁'은 개구리, 두꺼비. '—, —鼁, 詹諸'《說文》. ②지렁이국 '—, 蟲名, 廣雅, 蚯蟺也'《集韻》.

[字源] 形聲. 虫＋匊〔音〕

虫 8 〔蜭〕14 함 [上]感 [去]勘|hàn カン けむし

[字解] 풀쐐기함 독충(毒蟲)의 이름. '—, 毒蟲'《集韻》.

[字源] 形聲. 虫＋臽〔音〕

虫 8 〔蜪〕14 도 [平]豪|táo トウ むしのな

[字解] 메뚜기새끼도 '蝮—'는 아직 날개가 나지 않은 메뚜기. '—, 蝗子'《廣韻》.

虫 8 〔蜛〕14 거 [平]魚|jū キョ むしのな

[字解] 벌레이름거 '—蠩'는 벌레 이름. '—蠩森衰以垂翹'《郭璞》.

虫 8 〔蜽〕14 량 [上]養|liǎng リョウ こだま

[字解] 도깨비량 魎(鬼부 8획〈1783〉)과 同字. '追水約兮鞭蝄—'《張衡》.

[字源] 形聲. 虫＋兩〔音〕

虫 8 〔⿰虫𠛱〕14 〔렬〕 蛚(虫부 6획〈1226〉)의 本字

虫 8 〔蝄〕14 〔망〕
蛧(虫부 6획〈1225〉)과 同字
[字源] 形聲. 虫+罔〔音〕

虫 8 〔蜯〕14 〔방〕
蚌(虫부 4획〈1219〉)과 同字
[字源] 形聲. 虫+奉〔音〕

虫 8 〔蝋〕14 〔랍〕
蠟(虫부 15획〈1253〉)의 俗字

虫 8 〔蝿〕14 〔승〕
蠅(虫부 13획〈1250〉)의 俗字

虫 8 〔蜵〕14 〔연〕
虫부 9획(1235)을 보라.

虫 8 〔蜚〕14 비 ①②[去]尾 ③[平]微 | fěi ヒ あぶらむし / fēi ヒ とぶ
[字解] ①바퀴비 바큇과에 속하는 곤충. 몸빛은 갈색이고 악취가 남. 종류가 많음. 향랑자(香娘子). '有一有蜚'《漢書》. ②썩쌔기비 볏잎을 갉아먹는 해충. 일설(一說)에는, 메뚜기. '有一, 不爲災'《左傳》. ③날비 飛(部首〈1712〉)와 同字. '一禽'. '三年不一不鳴'《史記》.
[字源] 形聲. 虫+非〔音〕

虫 8 〔蜜〕14 [高·人] 밀 [入]質 | mì ミツ みつ
[筆順] 宀 宀 宓 宓 宻 宻 蜜 蜜
[字解] ①꿀밀 꿀벌이 겨울에 먹으려고 준비하여 두는 먹이. 벌꿀. '一蜂'. '一爲蜂液'《論衡》. ②명충알밀 마디충의 알.
[字源] 形聲. 虫+宓〔音〕

虫 8 〔蜝〕14 기 [平]支 | qí キ どろがに
[字解] 방게기 蟦(虫부 12획〈1246〉)을 보라. '蟦一'.
[參考] 蜞(次條)와 同字.

虫 8 〔蜞〕14 蜝(前條)와 同字
[字源] 形聲. 虫+其〔音〕

虫 8 〔蜰〕14 비 [上]尾 | féi ヒ あぶらむし
[字解] ①바퀴비 음식물과 의복에 해를 끼치고 병을 전염시키는 실내 해충. 비렴(蜚蠊). 蜚(虫부 8획〈1234〉)와 同字. '一, 卽負盤臭蟲'《爾雅 注》. ②빈대비 '俗呼齧人壁蟲曰臭蟲, 亦曰一'《中華大字典》.
[字源] 形聲. 虫+肥〔音〕

虫 8 〔⿰虫空〕14 공 [平]東 | kōng コウ せみのぬけがら
[字解] 매미허물공 '一, 蟬蛻, 一皮也'《玉篇》.

虫 8 〔⿰虫祁〕14 기 | qí キ さそり
[字解] 전갈(全蠍)기 '釋名, 蚚一'《本草, 蠍》.

虫 8 〔⿰虫沓〕14 답 [入]合 | tà トウ よねむし
[字解] 바구미답 '蛣一, 蛘也'《廣雅》.

虫 8 〔赨〕14 동 [平]冬 | tóng トウ あかいろ
[字解] 붉을동 빨강. '一, 赤色也, 从赤蟲省聲'《說文》.

虫 8 〔⿰虫盲〕14 〔맹〕
蝱(虫부 9획〈1235〉)의 俗字

虫 8 〔⿱肬虫〕14 우 [平]尤 | xiū ウ くも
[字解] 거미우 '一, 蜘蛛也'《字彙》.

虫 8 〔⿱朁虫〕14 〔잠〕
蠶(虫부 18획〈1256〉)과 同字

虫 8 〔⿰虫妾〕14 잡 [入]合 | zā ソウ むしのおおいさま
[字解] 벌레많은모양잡 '一, 蟲多皃'《集韻》.

虫 8 〔⿰虫長〕14 장 [平]陽 | cháng チョウ げじげじ
[字解] 그리마장 유연(蚰蜒). '一蠼, 蚰蜒也'《廣雅》.

虫 8 〔⿰爿⿱夂虫〕14 〔장〕
螿(虫부 11획〈1245〉)과 同字

虫 8 〔⿰虫典〕14 전 [上]銑 | tiǎn テン むし
[字解] 벌레전 '一, 蟲也'《玉篇》.

虫 8 〔蝁〕14 악 [入]藥 | è アク まむし
[字解] 악뱀악, 살무사악 살무사의 일종. '蝮屬, 大眼, 最有毒, 今淮南人呼一子'《爾雅 注》.
[字源] 形聲. 虫+亞〔音〕

虫 8 〔⿱𥝢虫〕14 [一] 리 [平]支 | lí リ こおろぎ / [二] 려 [平]齊 | レイ こおろぎ
[字解] [一] ①귀뚜라미리 '蛈一'는 귀뚜라미. '蛈一, 蟲名. 似蝗, 大腹長角, 食蛇腦'《集

韻》. ②바지락개량조개리 '合一'는 바지락 개량조개. 蜊(虫부 7획〈1228〉)와 同字. '若土者, 食合一之肉'《論衡》. [二] 귀뚜라미려, 바지락개량조개려 [一]과 뜻이 같음.

虫 8 〔[illegible]〕14 [一] 蜱(虫부 8획〈1232〉)와 同字 [二] 螵(虫부 11획〈1243〉)와 同字

虫 8 〔蜸〕14 견 [上]銑 | qiǎn ケン みみず

[字解] 지렁이견 '一蚕'은 지렁이. '一, 一蚕, 蚯蚓'《廣韻》.

虫 8 〔蝅〕14 〔잠〕 蠶(虫부 18획〈1256〉)과 同字

虫 8 〔蜤〕14 [一] 사 [平]支 | sī シ きりぎりす [二] 석 [入]錫 | xī セキ とかげ

[字解] [一] 여치사 '一螽, 蜙蝑'《爾雅》. [二] 도마뱀석 蜥(虫부 8획〈1231〉)을 보라.

[字源] 形聲. 虫+析〔音〕

虫 9 〔蝨〕15 슬 [入]質 | shī シツ しらみ

[字解] ①이슬 포유동물(哺乳動物)의 외부에 기생(寄生)하여 피를 빨아먹는 작은 곤충. '捫一談當世之務'《十八史略》. ②섞일슬 잡거(雜居)함. '得無一其間'《韓愈》.

[字源] 形聲. 蚰+卂〔音〕

[參考] 虱(虫부 2획〈1218〉)과 同字.

虫 9 〔蝱〕15 맹 [平]庚 | méng ボウ あぶ

[字解] ①등에맹 등엣과에 속하는 곤충. 파리같이 생겼으며, 마소에 붙어 피를 빨아먹는 것도 있고, 화밀(花蜜)을 먹는 것도 있음. 노랑등에·쇠등에·꽃등에 따위가 있음. '蚊一宵見'《漢書》. ②패모(貝母)맹 백합과에 속하는 다년초. 관상용 또는 약용으로 심음. 莔(艸부 7획〈1146〉)과 통용. '言采其一'《詩經》. ③새이름맹 일족 일익 일목(一足一翼一目)으로, 두 마리가 서로 도와 난다고 함.

[字源] 形聲. 蚰+亡〔音〕

[參考] 虻(虫부 3획〈1218〉)·茧(虫부 3획〈1219〉)은 同字.

虫 9 〔蜵〕15 연 [平]先 | yuān エン ぼうふら

[字解] ①장구벌레연 모기의 유충. 蜎(虫부 7획〈1229〉)과 同字. '蜎, 井中小蟲. 或作一'《集韻》. ②넓을연 '一蜎'은 대궐(大闕)이 깊고 넓은 모양. '一蜎蠖濩之中'《漢書》.

[字源] 形聲. 虫+𣶒〔音〕

虫 9 〔蝌〕15 과 [平]歌 | kē カ おたまじゃくし

[字解] 올챙이과 개구리의 유생(幼生). 과두(科斗). '一蚪'. '一, 一斗, 蟲名'《集韻》.

[字源] 形聲. 虫+科〔音〕

虫 9 〔[illegible]〕15 蝌(前條)와 同字

虫 9 〔蝍〕15 즉 [入]職 | jí ショク·ソク むかで

[筆順] 中 虫 虫' 虫白 虫自 蝍 蝍 蝍

[字解] ①지네즉 마디와 발이 많은 절지(節肢)동물의 하나. 오공(蜈蚣). '一蛆甘帶'《莊子》. ②귀뚜라미즉 '蒺蔾, 一蛆'《爾雅》. ③자벌레즉 '一一, 尺蠖也'《廣雅》.

[字源] 形聲. 虫+即〔音〕

虫 9 〔蝎〕15 [一] 할 [入]曷 | hé カツ きくいむし [二] 갈 [入]月 (헐[本]) | xiē カツ やもり, さそり

[字解] [一] 나무굼벵이할 하늘소 종류의 유충(幼蟲)의 총칭. 나무 속에 기생(寄生)함. 목두충(木蠹蟲). 추제(蝤蠐). '一盛則木朽'《嵇康》. [二] ①수궁갈 '一虎'는 도마뱀 비슷한 파충. 도마뱀붙이. ②전갈갈 蠍(虫부 13획〈1250〉)의 本字. '一, 本作一, 俗作蠍'《正字通》. ※本音 헐.

[字源] 形聲. 虫+曷〔音〕

虫 9 〔蝓〕15 유 [平]虞 | yú ユ なめくじ

[字解] ①괄태충유 '蛞一'. ②달팽이유 와우(蝸牛).

[字源] 形聲. 虫+俞〔音〕

虫 9 〔蝗〕15 황 [平]陽 | huáng コウ いなご, ばった

[字解] 누리황 메뚜깃과(科)에 속하는 곤충. 큰 떼를 지어 날아다니면서 곡식에 큰 해를 끼침. '一蟲爲災'《禮記》. 전(轉)하여, 누리의 피해. '大旱一'《漢書》.

[字源] 形聲. 虫+皇〔音〕

虫 9 〔蝘〕15 언 [上]阮 | yǎn エン やもり

[字解] 수궁언 '一蜓'은 도마뱀붙잇과에 속하는 파충. 수궁(守宮). '執一蜓而朝龜龍'《揚雄》.

[字源] 形聲. 虫+匽〔音〕

虫 9 〔蝙〕15 편 [平]先 | biān ヘン こうもり

[字解] 박쥐편 '一蝠夜藏, 不敢晝行'《易林》.

[字源] 形聲. 虫+扁〔音〕

虫 9 〔蝛〕 15 위 [平]微 | wēi イ わらじむし

[字解] 쥐며느리위 蛜(虫부 6획〈1225〉)를 보라. '蛜一'.

[字源] 形聲. 虫+威〔音〕

虫 9 〔蝜〕 15 부 [上]有 | fù フウ わらじむし

[字解] ①쥐며느리부 '蟠一'는 쥐며느리. '一, 蟠一'《廣韻》. ②벌레이름부 '一蝂'은 작은 벌레의 한 가지. 몸은 작으나 물건을 잘 짊어지고 그 무게를 잘 견디어 낸다 함. 부판(負版). '一蝂者善負小蟲也, 行遇物, 輒取卬其首負之, 雖困劇不止也'《柳宗元》.

[字源] 形聲. 虫+負〔音〕

虫 9 〔蝠〕 15 복 [入]屋 | fú フク こうもり

[字解] ①박쥐복 '蝙一'. ②살무사복 蝮(虫부 9획〈1236〉)과 통용. '一蛇其心, 縱毒不辜'《後漢書》.

[字源] 形聲. 虫+畐〔音〕

虫 9 〔蝝〕 15 연 [平]先 | yuán エン いなごのこ

[字解] ①새끼누리연 아직 날개가 나지 아니한 누리의 유충(幼蟲). '一, 蝗子'《爾雅》. ②새끼왕개미연 비부(蚍蜉)의 새끼. '蠹一仆柱梁'《說苑》.

[字源] 形聲. 虫+彖〔音〕

虫 9 〔蝟〕 15 위 [去]未 | wèi イ はりねずみ

[字解] ①고슴도치위 고슴도칫과에 속하는 동물. 쥐 비슷하며, 꼬리 이외의 등덜미와 몸의 양편으로 바늘 같은 털이 온통 덮여 있음. '反者如一毛而起'《漢書》. ②떼지어 모일위, 번잡할위 '一集'.

[字源] 形聲. 虫+胃〔音〕

虫 9 〔蝡〕 15 [一]연 [上]銑 [二]윤 [上]軫 | ruǎn ゼン·ネン [一] [二] うごめく ruǎn ジュン

[字解] [一]굼틀거릴연 벌레가 움직임. 준동함. '跂行喙息, 一動之類'《漢書》. [二]굼실거릴윤 '一動'.

[字源] 形聲. 虫+耎〔音〕

虫 9 〔蝣〕 15 유 [平]尤 | yóu ユウ かげろう

[筆順] 中 虫 虫' 虫方 蚄 蛴 蝣 蝣

[字解] 하루살이유 '蜉一'. '蜉一, 渠略'《爾雅》.

[字源] 形聲. 虫+斿〔音〕

虫 9 〔蝤〕 15 [一]추 [平]尤 [二]유 [平]尤 | qiú, ②jiū シュウ きくいむし yóu ユウ かげろう

[字解] [一]①나무굼벵이추 '一蠐'는 몸이 흰 나무굼벵이. 전(轉)하여, 미인(美人)의 목이 아름다움을 형용하는 데 쓰임. '領如一蠐'《詩經》. ②꽃게추 '一蛑'는 꽃겟과에 속하는 바닷게. '一蛑大有力'《續博物志》. [二]①하루살이유 '蜉一'. ②꽃게유 [一]❷와 뜻이 같음.

[字源] 形聲. 虫+酋〔音〕

虫 9 〔蝦〕 15 하 [平]麻 | xiā, ①há カ がま, えび

[字解] ①두꺼비하 '見食于一蟆'《史記》. ②새우하 鰕(魚부 9획〈1800〉)와 통용. '蛟一委蛇'《張衡》.

[字源] 形聲. 虫+叚〔音〕

虫 9 〔蝮〕 15 복 [入]屋 | fù フク まむし

[字解] ①살무사복 살무삿과에 속하는 뱀. 독사(毒蛇)의 일종임. '一蛇'. '一蠚手則斬手'《漢書》. ②큰뱀복 '一, 大蛇也, 非虺之類'《爾雅》. ③성복 성(姓)의 하나.

[字源] 形聲. 虫+复〔音〕

虫 9 〔蝳〕 15 [一]독 [入]沃 [二]대 [去]隊 | dú トク くも dài タイ たいまい

[字解] [一]거미독 '一蜍'는 거미. '鼅鼄, 北燕朝鮮洌水之間, 謂之一蜍'《揚子方言》. [二]대모대 瑇(玉부 9획〈777〉)와 同字. '摸一蝐, 捫觜蠵'《左思》.

[字源] 形聲. 虫+毒〔音〕

虫 9 〔蝴〕 15 호 [平]虞 | hú コ ちょう

[字解] 나비호 '一蝶'은 인시류(鱗翅類) 중 나방을 제외한 곤충의 총칭. 胡(肉부 5획〈1071〉)의 俗字. '莊周夢爲一蝶'《莊子》.

[字源] 形聲. 虫+胡〔音〕

虫 9 〔蝶〕 15 [高人] 접 [入]葉 | dié チョウ ちょう

[筆順] 口 中 虫 虫 虫一 虫卄 蛐 蝶

[字解] 나비접 인시류(鱗翅類) 중 나방을 제외한 곤충의 총칭. '蝴一'. 蜨(虫부 8획〈1233〉)의 俗字. '蜨, 蟲名. 或作一'《集韻》.

[字源] 形聲. 虫+枼〔音〕

虫 9 〔蝸〕 15 와 (과[本]) [平]麻 | wō (guā, wā) カ かたつむり

[字解] 달팽이와 '一牛'는 달팽잇과(科)에 속하는 연체동물(軟體動物)의 하나. '一牛

角上爭何事'《白居易》. ※本音 과.
字源 形聲. 虫＋咼〔音〕

虫9〔蝚〕15 ㊀유 ㊥尤 | róu ジュウ ひる, けら
㊁노 ㊥豪 | náo ドウ おおざる

字解 ㊀ ①땅강아지유 하늘밥도둑. 누고(螻蛄). ②거머리유 '蛭—'는 거머리의 한 가지. ㊁ 원숭이노 猱(犬부 9획〈756〉)와 同字. '蛭蜩蠼—'《司馬相如》.
字源 形聲. 虫＋柔〔音〕

虫9〔蚴〕15 유 ㊥尤 | yōu ユウ うねる

筆順 ロ 中 虫 虫' 虫纟 虫丝 蚴蚴 蚴

字解 굼틀거릴유 '—蟉'는 용(龍)이나 뱀이 굼틀거리며 가는 모양. '驂赤螭靑虯之—蟉蜿蜒'《司馬相如》.
字源 形聲. 虫＋幽〔音〕

虫9〔蝺〕15 ㊀구 ㊤麌 | qǔ ク よいさま
㊁우 ㊤麌 | yǔ ウ せくぐまる

字解 ㊀ 아름다울구 좋음. '惠子之言—焉, 美無所用'《呂氏春秋》. ㊁ 곱사등이우 '旁行—僂'《宋玉》.

虫9〔蝯〕15 원 ㊥元 | yuán エン てながざる

字解 긴팔원숭이원 팔이 매우 긴 원숭이의 하나. 나무 위에서 군서(群棲)함. '猱—, 善援'《爾雅》.
字源 形聲. 虫＋爰〔音〕

虫9〔蝑〕15 서 ㊥魚 ㊤語 | xū xiè ショ きりぎりす

字解 베짱이서 '蜙—'. '—, 蜙—也'《說文》.
字源 形聲. 虫＋胥〔音〕

虫9〔蝬〕15 종 ㊥東 | zōng ソウ はまぐり

字解 대합종 대합(大蛤)의 일종. '三—蚞江'《郭璞》.

虫9〔蝞〕15 미 ㊦寘 | mèi ビ・ミ えびににたこむし

字解 새우미 거북 껍데기 속에 기생(寄生)하는 새우 비슷한 작은 벌레. 사람이 이를 먹으면 얼굴이 예쁘고 사랑스러워진다고 함. '蜦蟫鱉—'《郭璞》.

虫9〔蝍〕15 총 ㊥東 | cōng ソウ とんぼ

字解 잠자리총 청령(蜻蛉). '水蠆爲—'《淮南子》.

虫9〔蝩〕15 ㊀중 ㊥冬 | chóng チョウ なつご
㊁종 ㊥冬 | zhōng ショウ いなご

字解 ㊀ 여름누에중 여름에 치는 누에. '—, 夏蠶'《集韻》. ㊁ 메뚜기종 작은 메뚜기. '小曰—, 大曰蝗'《一切經音義》.

虫9〔蝺〕15 우 ㊥虞 | yú グ しぼせんむし

字解 파랑강충이우 '蠍—'는 빛이 푸른 강충이. 청부(靑蚨). 자모전충(子母錢蟲). '蠍—, 形如蟬, 其子如蝦, 著草葉. 得其子則母飛來就之, 煎食, 辛而美'《酉陽雜俎》.

虫9〔蝡〕15 ㊀천 ㊤銑 | chuǎn セン うごめくむし
㊁취 ㊤紙 | chuǎi スイ うごめくさま

字解 ㊀ 굼틀거리는벌레천 '蠉—'은 굼틀거리는 벌레. 또, 발이 없는 벌레. '蠉—, 動蟲, 一曰, 無足蟲'《集韻》. ㊁ 벌레굼실거릴취 벌레가 굼실거리는 모양. '—, 蟲動皃'《集韻》.

虫9〔蝭〕15 제 ㊥齊 | tí テイ にいにいぜみ

字解 씽씽매미제 '—蟧'는 씽씽매미. 털매미. 蛥(虫부 7획〈1229〉)와 同字. '—蟧春鳴而秋止'《傳占衡》.

虫9〔螋〕15 수 ㊥尤 | sōu シュウ はさみむし

字解 집게벌레수 '蛷—'는 집게벌레. '古蠼—短狐踏影蟲, 皆中人影爲害'《酉陽雜俎》.

虫9〔蝫〕15 천 ㊥先 | quán セン かいのな

字解 자개천 '餘—'은 자개. '貝白質黃文曰餘—'《集韻》.

虫9〔蝪〕15 탕 ㊥陽 | tāng トウ つちぐも

字解 땅거미탕 담·나무 줄기 밑 등에 긴 주머니 모양의 집을 짓고 사는 거미. '—, 蛈—, 蟲名'《廣韻》.

虫9〔蝐〕15 모 ㊦隊 | mèi バイ・マイ たいまい

字解 대모모 거북속(屬)의 바다 짐승. 瑁(玉부 9획〈776〉)와 同字. '瑁, 瑇瑁, 龜屬. 或从虫'《集韻》.
字源 形聲. 虫＋冒〔音〕

虫9〔蝏〕15 정 ㊥靑 | tíng テイ まてがい

[字解] 긴맛정 조개의 일종. 마도(馬刀). '一, 一蛢, 水蟲名'《集韻》.

虫 9 〔蝖〕15 [一] 훤 [平]元 | xuān ケン じむし
[二] 선 [平]先 | セン じむし

[字解] [一] ①풍뎅이애벌레훤 지잠(地蠶). '一, 蠐螬'《廣韻》. ②길훤 벌레가 기어가는 모양. '一飛垂蠕動'《韓詩外傳》. [二] 풍뎅이애벌레선, 길선 [一]과 뜻이 같음.

虫 9 〔蝷〕15 [一] 력 [入]錫 | lì レキ しょうりょうばった
[二] 척 [入]陌 | セキ しょうりょうばった
[三] 석 [入]錫 | xí セキ とかげ

[字解] [一] 송장메뚜기력 [二]와 뜻이 같음. [二] 송장메뚜기척 '螇一'은 송장메뚜기. 蚸(虫부 5획〈1223〉)과 同字. '螇蚸. (注)今俗呼似蜙蜙而細長, 飛翅作聲者爲螇一'《爾雅》. [三] 도마뱀석 '一易'은 도마뱀. 蜥(虫부 8획〈1231〉)과 同字. '蜥, 說文, 蜥易也. 或从席'《集韻》.

虫 9 〔蛢〕15 병 [上]梗 | bìng ホウ·ビョウ まてがい

[字解] 긴맛병 '蜯一'은 긴맛. '一, 水蟲名, 似蛤'《集韻》.

虫 9 〔蝻〕15 남 | mǎn(nán) ナン いなごのこ

[字解] 메뚜기새끼남 태어나서 아직 날지 못하는 메뚜기새끼. '一, 蝗子也'《中華大字典》.

虫 9 〔蝲〕15 랄 [入]曷 | là ラツ さそり

[字解] ①전갈랄 '一, 蝎也'《一切經音義》. ②벌레이름랄 '一, 一蛙'《廣韻》.

虫 9 〔蝰〕15 규 [平]齊 | kuí ケイ さなぎ

[字解] ①번데기규 누에의 번데기. '一, 蛹也'《廣韻》. ②독사이름규 살무사의 종류. '集解, 又有青一, 卽竹根蛇'《本草》.

虫 9 〔蝒〕15 면 [平]先 | mián ベン·メン うまぜみ

[字解] 말매미면 매미의 일종. 마조(馬蜩). '一, 馬蜩, 蟬中最大者'《廣韻》.
[字源] 形聲. 虫＋面〔音〕

虫 9 〔蝔〕15 성 [上]梗 [去]敬 | shěng セイ·ショウ むしのな

[字解] 벌레이름성 '一, 蟲也'《說文》.
[字源] 形聲. 虫＋省〔音〕

虫 9 〔⿰虫卻〕15 [一] 각 [入]藥 | jué キャク [一]-[三] くそむし
[二] 극 [入]陌 | カク
[三] 향 [平]陽 | キョウ

[字解] [一] ①쇠똥구리각 '渠一'은 말똥구리. '一, 渠一, 一曰, 天社'《說文》. ②바퀴각 '一, 蟲名, 天甲也'《類篇》. [二] 쇠똥구리극, 바퀴극 [一]과 뜻이 같음. [三] 쇠똥구리향, 바퀴향 [一]과 뜻이 같음.

虫 9 〔⿰虫冒〕15 〔홍〕 虹(虫부 3획〈1218〉)의 籒文

虫 9 〔蝹〕15 〔윤〕 蝹(虫부 10획〈1239〉)의 俗字

虫 9 〔蝇〕15 〔승〕 蠅(虫부 13획〈1250〉)의 俗字

虫 9 〔蝼〕15 〔루〕 螻(虫부 11획〈1243〉)의 俗字·簡體字

虫 9 〔蝕〕15 식 [入]職 | shí ショク むしばむ

[字解] 먹을식 벌레가 갉아먹어 들어감. '蠹一'. 전(轉)하여, 조금씩 조금씩 개먹어 들어감. 또는, 그 형적. '侵一'. '浸一'. 또, 달이 해를 가리거나 지구의 그림자가 달을 가리는 현상. '月一'. '日一'. '日月虧曰一, 稍稍侵虧, 如蟲食草木之葉也'《釋名》.
[字源] 形聲. 篆文은 虫＋人＋食〔音〕

虫 9 〔⿱范虫〕15 범 [上]豏 | fàn ハン はち

[字解] 벌범 '一, 蜂也'《廣雅》.

虫 9 〔⿱施虫〕15 시 [平]支 | shī シ よねむし

[筆順] 亠 方 方 㫃 㫃 施 ⿱施中 ⿱施虫

[字解] 바구미시 '姑一'는 쌀·보리 등의 해충. '一, 說文, 姑一, 強羊也, 謂米穀中蠹小黑蟲'《集韻》.
[字源] 形聲. 虫＋施〔音〕

虫 9 〔蝥〕15 모(무[本]) [平]尤 | móu ボウ·ム ねきりむし

[字解] ①뿌리잘라먹는벌레모 '一賊'은 농작물 또는 묘목의 뿌리를 잘라 먹는 해충의 총칭. '去其螟螣, 及其一賊. (傳)食根曰一, 食節曰賊'《詩經》. 전(轉)하여, 양민을 해치는 악인. '帥我一賊, 以來, 蕩搖我邊疆'《左傳》. ②기이름모 '一弧'는 옛날에 제후(諸侯)의 기(旗)의 이름. '穎考叔取鄭伯之旗一弧以先登'《左傳》. ※本音 무.
[字源] 形聲. 虫＋敄〔音〕

虫9〔䗡〕15 연 ㊤銑㊥先 | yǎn エン げじげじ
字解 ①그리마연 '蠙—·蚰—'은 그리마. '—, 蠙—, 蟲'《廣韻》. ②길연 벌레가 기어가는 모양. '—, 蟲行皃'《集韻》.

虫9〔蝷〕15 䗡(前條)과 同字

虫9〔蜾〕15 〔개〕 蚧(虫부 4획〈1220〉)와 同字

虫9〔蝨〕15 〔려〕 蠡(虫부 15획〈1253〉)와 同字

虫9〔蝗〕15 성 ㊥青 | xīng セイ とんぼ
字解 잠자리성 '蜻蛉, 俗讀星廷, 因譌作—'《正字通》.

虫9〔蝧〕15 영 ㊥庚 | yīng エイ はちのいっしゅ
字解 벌영 벌의 한 종류. '—, 蜂屬'《集韻》.

虫9〔蝺〕15 〔용〕 蛹(虫부 7획〈1228〉)의 俗字

虫9〔蝟〕15 위 ㊧未 | wèi イ はたおりむし
字解 베짱이위 '蛒—'는 베짱이. '—, 蛒—, 蟲名'《集韻》.

虫9〔蝵〕15 추 ㊥尤 | qiū シュ くも
字解 거미추 '—, 蝵—, 蜘蛛也'《篇海》.

虫9〔蝒〕15 풍 ㊥東 | féng フウ むしのあな
字解 벌레소굴풍 벌레의 집. '—, 蟲窟'《玉篇》.

虫9〔蝩〕15 〔채〕 蠆(虫부 13획〈1251〉)의 本字

虫9〔蝕〕15 〔솔〕 蟀(虫부 11획〈1243〉)과 同字

虫10〔蟁〕16 〔문〕 蚊(虫부 4획〈1220〉)과 同字

虫10〔蠹〕16 〔두〕 蠹(虫부 18획〈1256〉)와 同字

虫10〔蚤〕16 〔조〕 蚤(虫부 4획〈1221〉)와 同字

虫10〔螾〕16 윤 ㊥眞 | yūn イン はいあるくさま
字解 굼틀거릴윤 용이나 뱀이 굼틀거리며 기어가는 모양. '山磨電奕奕, 水淬龍——'《韓愈》.
字源 形聲. 虫+昷〔音〕
參考 蝹(虫부 9획〈1238〉)은 俗字.

虫10〔螂〕16 〔랑〕 蜋(虫부 7획〈1228〉)과 同字

虫10〔螃〕16 방 ㊥陽 | páng ホウ かに
字解 방게방 게의 하나. 바다 가까운 단물의 모래 속에 구멍을 뚫고 생활함. '—蜞'. '—蟹'.
字源 形聲. 虫+旁〔音〕

虫10〔螇〕16 혜 ㊥齊 | xī ケイ にいにいぜみ
字解 ①씽씽매미혜 '—蚭'은 매밋과에 속하는 씽씽매미. 털매미. '諸生獨不見季夏之—乎'《鹽鐵論》. ②방아깨비혜 메뚜기의 일종. '—蚸'.
字源 形聲. 虫+奚〔音〕

虫10〔螄〕16 사 ㊥支 | sī シ にな
字解 고둥사 우렁이·소라같이 생긴 복족류(腹足類)의 권패(卷貝)의 총칭. '—, 蟲名. 螺也'《集韻》.
字源 形聲. 虫+師〔音〕

虫10〔蝒〕16 螄(前條)와 同字

虫10〔螈〕16 원 ㊥元 | yuán ゲン いもり
字解 ①영원원 蠑(虫부 14획〈1252〉)을 보라. '蠑—'. ②하잠원 여름에 치는 누에. '—蠶一歲再收'《淮南子》.
字源 形聲. 虫+原〔音〕

虫10〔螉〕16 옹 ㊥東 | wēng オウ うしあぶのようちゅう
字解 ①등에옹 '—蠑'은 쇠등에의 애벌레. 마소의 피부에 붙어 피를 빪. '—, —蠑, 蟲在牛馬皮者'《說文》. ②나나니벌옹 '蠮—'.
字源 形聲. 虫+翁〔音〕

虫10〔螑〕16 후 ㊧宥 | xiū キュウ くびをのべてゆくさま
字解 고개들고갈후 '赹—'는 용(龍)이 고개를 들고 가는 모양. '沛艾赹—'《史記》.

虫10 〔螓〕 16 진 (平)眞 | qín シン なつぜみ

字解 씽씽매미진 매미의 일종. 털매미. '一, 一蜻, 似蟬而小'《廣韻》. 이마가 넓고 아름다우므로 미인의 이마의 형용으로 쓰임. '一首蛾眉'《詩經》.
字源 形聲. 虫+秦〔音〕

虫10 〔螕〕 16 비 ①(平)齊 | bī ヘイ だに ②(平)支 | pí ヒ おおあり

字解 ①진드기비 지주류(蜘蛛類)에 속하는 동물의 하나. 소·말·개 따위에 기생(寄生)하여 피를 빨아먹음. 우슬(牛蝨). '牛蝨一名牛一'《本草》. ②왕개미비 蚍(虫부 4획〈1219〉)와 통용.
字源 形聲. 虫+毘〔音〕

虫10 〔螔〕 16 이 (平)支 | yí イ かたつむり

字解 달팽이이 와우(蝸牛). '一蝓'.
字源 形聲. 虫+虒〔音〕

虫10 〔螞〕 16 마 (上)馬 | mǎ, ②mà バ むしのな

字解 ①말거머리마 '一蟥'은 대형(大形)의 거머리의 일종. ②《現》 메뚜기마 '一蚱'은 메뚜기.
字源 形聲. 虫+馬〔音〕

虫10 〔螖〕 16 활 (入)黠 | huá カツ やどかり

字解 방게활 바위겟과에 속하는 게의 일종. 바다 근처 단물의 모래 속에 서식함. '水漉雜鱣一'《韓愈》.

虫10 〔螊〕 16 렴 (平)鹽 | lián レン まてがい

字解 조개렴 '一蜐'은 조개의 하나. 바다 가까운 단물의 모래 속에서 삶. '或至海邊, 拘一蜐以資養'《晉書》.
字源 形聲. 虫+兼〔音〕

虫10 〔螗〕 16 당 (平)陽 | táng トウ なつぜみ

字解 씽씽매미당 매미의 일종. 털매미. '如蜩如一'《詩經》.
字源 形聲. 虫+唐〔音〕

虫10 〔螘〕 16 의 (上)紙 | yǐ ギ あり

字解 개미의 蟻(虫부 13획〈1250〉)와 同字. '蚍蜉大一'《爾雅》.
字源 形聲. 虫+豈〔音〕

虫10 〔螟〕 16 명 (平)青 | míng メイ ずいむし

字解 ①마디충명 명충나방의 유충. 벼·조·피 따위의 줄기의 속을 파먹어 말라 죽게 함. '一蟲'. '去其一螣'《詩經》. 전(轉)하여, 마디충의 피해. '元光五年八月一'《漢書》. ②모기명 '山多蟲一. (注) 一卽蚉'《管子》.
字源 形聲. 虫+冥〔音〕

虫10 〔螠〕 16 의 (去)寘 | yì イ みのむし

字解 도롱이벌레의 '一女'는 도롱이벌레. '一, 一女, 蟲, 案, 爾雅曰, 蜆, 縊女'《廣韻》.
字源 形聲. 虫+益〔音〕

虫10 〔螝〕 16 ㊀회 (去)隊 | guī カイ さなぎ ㊁훼 (上)賄 | huǐ カイ まむし

字解 ㊀번데기회 누에의 번데기. 잠용(蠶蛹). '一, 蛹也'《說文》. ㊁살무사훼 虺(虫부 3획〈1218〉)와 통용. '一蠶己毒, 不以外肆'《柳宗元》.
字源 形聲. 虫+鬼〔音〕

虫10 〔螛〕 16 할 ①(入)曷 | hé カツ めをうごかししたをだすさま ②(入)黠 | xiá カツ けら

字解 ①눈뒤룩거리고혀널름거릴할 '蝹一'은 용이 눈을 뒤룩거리고 혀를 널름거리는 모양. '跮踱蝹一, 容以骫麗兮'《漢書》. ②땅강아지할 벌레의 이름. '一, 蟲名, 仙姑也'《集韻》.

虫10 〔螣〕 16 특 (入)職 | tè トク なえのはをくうむし

字解 벌레특 묘엽(苗葉)을 먹는 벌레. '一, 蟲食苗葉者, 吏气貣則生一'《說文》.
字源 形聲. 虫+貣〔音〕

虫10 〔�〕 16 궁 (平)東 | gōng キュウ やもり

字解 도마뱀붙이궁 '守一'은 도마뱀붙이. '守一, 蟲名, 通作宮'《集韻》.

虫10 〔螦〕 16 ㊥ 소

字解 《韓》 배좀소 배〔舟〕의 나무를 쏠아 먹는 좀의 일종.

虫10 〔螐〕 16 오 (平)虞 | wū オ·ウ いもむし

字解 배추벌레오 '一蠋'은 배추벌레. '一, 一蠋, 蟲名, 似蠶. 通作烏'《集韻》.

虫10 〔螦〕 16 선 (去)霰 | shān セン はねをゆるがす

字解 날개흔들선 파리 따위가 날개를 흔

름. '一, 蠅動翅也'《廣韻》.
[字源] 形聲. 虫+扇〔音〕

虫10 〔[虫+京]〕16 〔략〕
蟟(虫부 11획〈1244〉)의 本字

虫10 〔[虫+靣]〕16 〔면〕
蝒(虫부 9획〈1238〉)의 本字

虫10 〔螆〕16 〔자〕
蛓(虫부 6획〈1227〉)와 同字

虫10 〔螋〕16 〔수〕
蝬(虫부 9획〈1237〉)와 同字

虫10 〔螅〕16
[一] 蛓(虫부 6획〈1227〉)와 同字
[二] 蟋(虫부 11획〈1243〉)과 同字

虫10 〔融〕16 [人名] 융 [平]東 | róng ユウ とける, とかす
[筆順] 亠 鬲 鬲 鬲 鬲 融 融 融
[字解] ①녹을융, 녹일융 고체가 액체로 됨. 또, 그 타동사. '一解'. '一而爲川瀆'《孫綽》. '東風一雪汁'《蘇軾》. ②통할융 유통(流通)함. '一通'. '品物咸一'《何晏》. ③화합할융, 화락할융 '一和'. '其樂也一一'《左傳》. ④밝을융 썩 환한 모양. '明而未一'《左傳》. ⑤길융 짧지 않음. '昭明有一'《詩經》. ⑥성융 성(姓)의 하나.
[字源] 形聲. 鬲+蟲〈省〉〔音〕

虫10 〔螎〕16 融(前條)과 同字

虫10 〔[角+臾]〕16 유 [上]麌 | yú ユ りょうのな
[字解] 예순너말유 '一斛'은 용량(容量)의 단위. 예순너말. '一斛不敢入于四竟'《莊子》.

虫10 〔螣〕16 [一] 등 [平]蒸 | téng トウ しんじゃのな
[二] 특 [入]職 | tè トク はくいむし
[字解] [一] 등사등 '一蛇'는 용(龍) 비슷한 신사(神蛇). 운무(雲霧)를 일으키어 몸을 감추고 난다 함. '一蛇無足而飛'《荀子》. [二] 박각시나방애벌레특 박각시나방의 유충(幼蟲). 모양은 원통형이고, 몸에 아름다운 무늬가 있음. 재배 식물의 잎을 갉아먹음. '去其螟一'《詩經》.
[字源] 形聲. 虫+朕〔音〕

虫10 〔螒〕16 한 [去]翰 | hàn カン きりぎりす
[字解] 여치한 천계(天鷄). 사계(莎鷄). '一, 天鷄'《爾雅》.

虫10 〔螌〕16 반 ①[平]刪 | bān ハン はんみょう
②[平]寒 | pán ハン あぶらむし
[字解] ①가뢰반 '一蝥'는 가뢰. 반묘(斑猫). '一蝥, 毒蟲也'《說文》. ②바퀴반 '負一'은 바퀴. '負一, 臭蟲'《說文》.
[字源] 形聲. 虫+般〔音〕

虫10 〔[虫+勘]〕16 감 [去]勘 | カン うりのむし
[字解] 노린재감 오이의 벌레. '一, 瓜蟲'《韻學集成》.

虫10 〔[虫+桀]〕16 [一] 걸 [入]屑 | ケツ [一][二] つちいなご
[二] 책 [入]陌 | zhé タク
[字解] [一] 송장메뚜기걸 '似蝗而小, 今謂之土一'《爾雅》. [二] 송장메뚜기책 [一]과 뜻이 같음.

虫10 〔[虫+幷]〕16 견 [平]齊 | qiān ケン ほたる
[字解] ①반딧불이견 '一, 一曰, 螢火'《集韻》. ②나방견 '一, 蛾也'《廣雅》.

虫10 〔螜〕16 곡 [入]屋 | hú コク けら
[字解] ①땅강아지곡 누고(螻蛄). 천루(天螻). '一, 天螻'《爾雅》. ②풍뎅이유충(幼蟲)곡 螬, 或謂之蝗一'《方言》.

虫10 〔[虫+恐]〕16 공 [平]冬 | qióng キョウ こおろぎ
[字解] 귀뚜라미공 '一, 蟋蟀也'《篇海》.

虫10 〔[巩+䖵]〕16 〔공〕
蛬(虫부 6획〈1227〉)과 同字

虫10 〔[虫+高]〕16 교 [上]篠 | jiǎo キョウ むしのな
[字解] 벌레이름교 '一, 蟲名'《字彙》.

虫10 〔[氏+䖵]〕16 〔기〕
蚔(虫부 4획〈1221〉)와 同字

虫10 〔[豆+䖵]〕16 두 | dǒu トウ おたまじゃくし
[字解] 올챙이두 '一, 蝌斗蟲'《篇海》.

虫10 〔[敄+䖵]〕16 〔모〕
蟊(虫부 11획〈1243〉)의 俗字

虫10 〔[虫+尃]〕16 박 [入]藥 | bó ハク かに
[字解] ①게〔蟹〕박 '一, 玉篇, 蟹也'《康熙字

典》. ②사마귀(버마재비)의알박 '一, 一蜨, 螳蜋卵也'《集韻》.

虫10〔蝷〕16 〔병〕
蛢(虫부 9획〈1238〉)과 同字

虫10〔蜤〕16 〔석〕
蜥(虫부 8획〈1231〉)의 俗字

虫10〔螇〕16 손 ㊥元|sūn ソン こおろぎ
字解 귀뚜라미손 왕손(虹螇). '一, 方言, 蜻蛚, 南楚謂之虹一'《集韻》.

虫10〔螈〕16 〔연〕
蝡(虫부 9획〈1236〉)과 同字

虫10〔螐〕16 〔요〕
珧(玉부 6획〈770〉)와 同字

虫10〔蝅〕16 〔잠〕
蠶(虫부 18획〈1256〉)과 同字

虫10〔蚕〕16 〔잠〕
蠶(虫부 18획〈1256〉)의 俗字

虫10〔蟄〕16 제 ㊧霽|zhí セイ いなごのこ
字解 메뚜기새끼제 '蜥, 蟲名, 蝗子也, 或从虫'《集韻》.

虫10〔螭〕16 지 ㊥支|chí チ ひる
字解 거머리지 '一, 蟲名, 蛭也, 逸詩, 佞人如一'《集韻》.

虫10〔蝾〕16 질 ㊤質|jí シツ こおろぎ
字解 귀뚜라미질 질리(蝾蟍). '一藜, 蝍蛆. (注)似蝗太腹長角, 能食蛇腦'《爾雅》.

虫10〔蝾〕16 蝾(前條)과 同字

虫10〔蟗〕16 추 ㊥尤|qiū シュウ くも
字解 거미추 차추(次蟗). 지주(蜘蛛). '一, 次一, 鼅鼄'《韻學集成》.

虫10〔蝩〕16 〔치〕
嗤(口부 10획〈179〉)와 同字

虫10〔螠〕16 합 ㊤合|gé コウ こめむし
字解 바구미합 '一蝤, 蛘也'《廣雅》.

虫10〔螢〕16 高人 형 ㊥青|yíng ケイ ほたる
筆順 ⺌ 火 炏 𤇾 𤇾 𤇾 螢 螢
字解 반딧불이형 반딧불잇과의 갑충. 물가의 풀떨기에 살며, 배 끝에 발광 기관이 있음. 그 반짝이는 불빛을 반딧불이라 함. 개똥벌레. '一光'. '腐草爲一'《禮記》.
字源 形聲. 虫+熒〈省〉〔音〕
參考 蛍(虫부 5획〈1224〉)·萤(虫부 5획〈1224〉)은 俗字.

虫10〔螚〕16
㊀ 내 ㊦隊 nài ダイ·ナイ あぶ
㊥灰 nái ダイ·ナイ すっぽん
㊁ 늑 ㊤職 ドク·ノク あぶ
㊂ 능 ㊤迥 něng ドウ·ノウ あぶ
㊃ 나 ㊦號 ダ·ナ すっぽん
字解 ㊀ ①등에내, 벌내 '一, 小虻蟲也'《廣韻》. '䖴, 蜂類, 或从虫'《集韻》. ②자라내 能(肉부 6획〈1074〉)의 俗字. '一, 俗能字. 鼈屬'《玉篇》. ㊁ 등에늑, 벌늑 ㊀❶과 뜻이 같음. ㊂ 등에능, 벌능 ㊀❶과 뜻이 같음. ㊃ 자라나 ㊀❷와 뜻이 같음.

虫10〔蟨〕16 전 ㊤銑|zhǎn テン むしのな
字解 벌레이름전 '一, 蟲名'《廣韻》.
字源 形聲. 蚰+展(展)省〔音〕

虫11〔螽〕17 종 ㊥東|zhōng シュウ いなご
字解 ①누리종 황충(蝗蟲). 메뚜깃과(科)의 곤충. '春一之股'《列子》. 벼에 큰 피해를 입히는 해충이므로, 전(轉)하여, 누리의 피해. '大雩一'《春秋》. ②베짱이종 '一斯'는 베짱이. ③방아깨비종 '蟿一'은 방아깨비. '蟿一蜙蝑'《爾雅》. ④마디충종 명충(螟蟲).
字源 形聲. 虫(蚰)+終〈省〉〔音〕

虫11〔蟚〕17 감 ㊥覃 ㊦勘|hàn カン うりやくわをくうがいちゅう
字解 외벌레감 외 또는 뽕잎을 갉아먹는 벌레. '一, 蟲名, 食桑食瓜者'《集韻》.

虫11〔蟝〕17 거 ①㊥魚 ②㊤語|qú キョ かげろう jù キョ けもののな
字解 ①하루살이거 '一, 蟲名, 說文, 一蟟也. 朝生暮死. 著豬好啖之'《集韻》. ②짐승이름거 '一, 獸名'《集韻》.
字源 形聲. 蚰+巨〔音〕

虫11〔蟁〕17 〔지〕
蚳(虫부 5획〈1222〉)의 籒文

虫 11 〔蟁〕17 〔문〕
蚊(虫부 4획〈1220〉)과 同字

虫 11 〔蟊〕17 〔모〕
蝥(虫부 9획〈1238〉)와 同字

虫 11 〔螬〕17 조 [平]豪 | cáo ソウ じむし
[字解] 굼벵이조 매미의 유충(幼蟲). '蠐—'. '—食實者過半矣'《孟子》.
[字源] 形聲. 虫(䖵)+曹〔音〕

虫 11 〔螭〕17 리(치[本]) [平]支 | chī チ みずち
[筆順] 中 虫 虫亠 虫㐅 虫凶 螭 螭 螭
[字解] ①용리 빛이 누른 용. 혹은, 뿔 없는 용. 혹은, 용(龍)의 암컷이라고도 함. '蛟龍赤—'《漢書》. ②산신리 魑(鬼부 11획〈1784〉)와 통용. '禦—魅'《左傳》. ※本音 치.
[字源] 形聲. 虫+离〔音〕

虫 11 〔螮〕17 체 [去]霽 | dì テイ にじ
[字解] 무지개체 蝃(虫부 8획〈1232〉)와 同字. '—蝀'.
[字源] 形聲. 虫+帶〔音〕

虫 11 〔螳〕17 당 [平]陽 | táng トウ かまきり
[字解] 사마귀당 '—螂'은 사마귀. 버마재비. '仲夏之月—螂生'《禮記》.
[字源] 形聲. 虫+堂〔音〕

虫 11 〔螵〕17 표 [平]蕭 | piāo ヒョウ おおじがふぐり
[字解] ①사마귀알표 '—蛸'는 사마귀의 알. ②오징어표 '—蛸(표초)'는 두족류(頭足類)의 일종. 오징어.
[字源] 形聲. 虫+票〔音〕

虫 11 〔螺〕17 [人名] 라 [平]歌 | luó ラ にな
[筆順] ㅁ 中 虫 虫 虫冂 虫罒 螺 螺
[字解] ①고둥라 껍데기가 왼쪽으로 말린 소용돌이꼴을 한 패류(貝類), 곧 복족류(腹足類)에 속하는 권패(卷貝)의 총칭. '田—'(우렁이)·'蝸—'(다슬기)·'法—'(소라고둥)·'榮—'(소라) 등이 이에 속함. ②소라라 ㉠소라고둥의 껍데기로 만든 악기. '吹—擊鼓'《南史》. ㉡지문(指紋)이 나선형(螺旋形)으로 된 것을 이름. '其文如指上—'《蘇軾》.
[字源] 形聲. 虫+累〔音〕

虫 11 〔螻〕17 루 [平]尤 | lóu ロウ けら
[字解] ①땅강아지루 '—蛄'는 땅강아지. 메뚜기 비슷한 곤충. '將制於—蟻'《賈誼》. ②청개구리루 '—蟈'은 개구리. 청개구리. '孟夏之月, —蟈鳴, 蚯蚓出'《禮記》. ③구린내날루, 악취루 '馬黑脊, 而般臂, —'《周禮》.
[字源] 形聲. 虫+婁〔音〕
[參考] 蝼(虫부 9획〈1238〉)는 俗字.

虫 11 〔螲〕17 질 [入]質 | zhì チツ けら
[字解] 땅강아지질 '螻—'.

虫 11 〔螾〕17 인 ①②[平]眞 ③[去]震 | yīn イン つくつくぼうし
[字解] ①애매미인 한선(寒蟬). '—, 蟲名, 寒螿也'《集韻》. ②지렁이인 蚓(虫부 4획〈1219〉)과 同字. '蝦與蛭—'《賈誼》. ③그리마인 '—蜇'.
[字源] 形聲. 虫+寅〔音〕

虫 11 〔蟀〕17 솔 [入]質 | shuài(shuò) シュツ こおろぎ
[字解] 귀뚜라미솔 蟋(虫부 11획〈1243〉)을 보라. '蟋—'.
[字源] 形聲. 篆文은 虫+帥〔音〕

虫 11 〔蟈〕17 괵 [入]陌 | guō カク あおがえる
[字解] ①청개구리괵 螻(虫부 11획〈1243〉)를 보라. '螻—'은 개구리, 청개구리. '—, 螻—, 蛙別名'《廣韻》. ②베짱이괵 '——'은 베짱이. 또, 철써기.
[字源] 形聲. 虫+國〔音〕

虫 11 〔蟉〕17
[一] 류 [平]尤 | liú リュウ まがりうねるさま
[二] 규 [平]尤 | qiú キュウ まがりうねるさま
[三] 료 [去]嘯 | liào リョウ りゅうのくびがうごくさま
[字解] [一] 굼틀거릴류 '—叫·蟉—·蚴—'는 용이나 뱀 같은 것이 굼틀거리며 가는 모양. '騰蛇—虯而遶榱'《王延壽》. [二] 굼틀거릴규 [一]과 뜻이 같음. [三] 머리흔들료 '蜩—'는 용이 머리를 흔드는 모양. '蜩—偃蹇'《漢書》.
[字源] 形聲. 虫+翏〔音〕

虫 11 〔蟋〕17 실 [入]質 | xī シツ こおろぎ
[字解] 귀뚜라미실 '—蟀'은 귀뚜라미. '—蟀在堂, 歲聿其莫'《詩經》.
[字源] 形聲. 虫+悉〔音〕

虫11 〔蟌〕17 총 [平]東 | cōng ソウ とんぼ

[字解] 잠자리총 청령(蜻蛉). '水蠆爲—'《淮南子》.

虫11 〔蟆〕17 마 [平]歌 | má バ·マ がま

[字解] 두꺼비마 蟇(虫부 11획〈1244〉)와 同字. '蝦—'. '—, 蝦—也'《說文》.

[字源] 形聲. 虫+莫〔音〕

虫11 〔蟇〕17 蟆(前條)와 同字

虫11 〔蟂〕17 교 [平]蕭 | xiāo キョウ いもり

[字解] ①영원교 영원(蠑螈)의 일종. '—, 水蟲, 似蛇四足, 能害人也'《廣韻》. ②씽씽매미교 '—蟧'는 매미의 일종. 털매미.

虫11 〔螐〕17 蟂(前條)와 同字

虫11 〔蛶〕17 략 [入]藥 | lüè リャク かげろう

[字解] 하루살이략 부유(蜉蝣). '蝨—'은 하루살이.

[字源] 形聲. 篆文은 虫+亰〔音〕

虫11 〔虫畧〕17 蛶(前條)과 同字

虫11 〔蟃〕17 만 [去]願 | wàn バン·マン くわむし

[字解] ①뽕나무벌레만 명령(螟蛉)의 유충. '—, 蟲名, 螟蛉也'《集韻》. ②산짐승이름만 '—蜒'은 너구리 비슷한 큰 짐승. '其下則有白虎玄豹—蜒貙犴'《司馬相如》.

[字源] 形聲. 虫+曼〔音〕

虫11 〔虫連〕17 련 [平]先 | lián レン むしのわだかまるさま

[字解] ①벌레서릴련 '蜷—'은 벌레가 서리는 모양. '蜷—, 蟲盤曲貌'《正字通》. ②율모기련 '赤—'은 뱀의 일종. '赤—, 蛇名'《集韻》.

虫11 〔蜼〕17 위 [去]未 | wèi イ しろあり

[字解] 흰개미위, 나는개미위 '—, 飛螘'《爾雅》.

[字源] 形聲. 篆文은 蚰+尉〔音〕

虫11 〔螱〕17 蜼(前條)와 同字

虫11 〔螪〕17 상 [平]陽 | shāng ショウ とかげ

[字解] 도마뱀상 '—, —羊, 蟲'《廣韻》.

虫11 〔蟅〕17 [一]자 [去]禡 | zhè シャ いなご
[二]척 [入]陌 | セキ わらじむし

[字解] [一] ①메뚜기자 '—, 螽也'《說文》. ②쥐며느리자 '—, 鼠婦, 負蠜也'《玉篇》. [二] 메뚜기척, 쥐며느리척 [一]과 뜻이 같음.

[字源] 形聲. 虫+庶〔音〕

虫11 〔䗪〕17 蟅(前條)와 同字

虫11 〔蟰〕17 용 [平]冬 | yóng ヨウ どくむしのな

[字解] 독충이름용 '䗛—'은 독충(毒蟲)의 이름. '䗛—拂翼而掣耀'《郭璞》.

虫11 〔螰〕17 록 [入]屋 | lù ロク にいにいぜみ

[字解] 씽씽매미록 '螇—'은 씽씽매미. 털매미. 혜고(蟪蛄). 제로(蝭蟧. '—, —蟲, 蟪蛄也'《廣雅》.

虫11 〔蟦〕17 [一]책 [入]陌 | zé サク ちいさくてほそながいかい
[二]적 ①[入]陌 ②[入]錫 | jī セキ ちいさくてほそながいかい セキ むしのな

[字解] [一] 작은조개책 작고 갸름한 조개. '—, 小而橢'《爾雅》. [二] ①작은조개적 [一]과 뜻이 같음. ②벌레이름적 '—, 蟲名'《集韻》.

虫11 〔螼〕17 근 [上]軫 [去]震 [上]吻 | qǐn キン みみず

[字解] 지렁이근 '—, 螾也'《說文》.

虫11 〔螹〕17 [一]점 [上]琰 [平]鹽 | jiàn セン·ゼン [一][二] つののないりゅう
[二]잠 [平]咸 | chán セン·ゼン つののないりゅう

[字解] [一] ①뿔없는용점 '—離'는 뿔이 없는 용(龍). 일설에는, 벌레의 이름. '—, —離 龍無角. 一曰, 蟲名'《類篇》. ②짐승이름점 '—胡'는 원숭이 비슷한 짐승. '—, 胡縠蛫'《史記》. [二] 뿔없는용잠 [一]❶과 뜻이 같음.

[字源] 形聲. 虫+斬〔音〕

虫11 〔蠑〕17 [一]종 [平]冬 [平]東 | zōng ショウ うしあぶのようちゅう ソウ うしあぶのようちゅう
[二]저 [上]語 | ショ きりぎりす

[字解] [一] ①쇠등에애벌레종 소나 말의 피부에 붙어 피를 빪. '—, 螉—, 小蜂, 生牛馬皮中也'《廣韻》. ②나나니벌종 벌의 일

종. '一, 蟲名, 蠮螉也'《集韻》. ③여치종 '春黍謂之一蝑'《揚子方言》. [三] 여치저 [一]❸과 뜻이 같음.
[字源] 形聲. 虫＋從〔音〕

虫 11 〔蟒〕 17 〔망〕
蟒(虫부 12획〈1246〉)의 俗字

虫 11 〔䗪〕 17 〔지〕
蚔(虫부 5획〈1222〉)의 古字

虫 11 〔䘌〕 17 〔식〕
蝕(虫부 9획〈1238〉)과 同字

虫 11 〔螫〕 17 석 [入]陌 | shì, zhē セキ さす
[字解] ①쏠석 벌레가 쏨. '毒蟲不一'《老子》. ②성낼석 화를 냄. '一將軍'《史記》. ③해독석 해와 독. '招殃來一'《易林》.
[字源] 形聲. 虫＋赦〔音〕

虫 11 〔螯〕 17 螫(前條)과 同字

虫 11 〔螴〕 17 진 [平]眞 | chén チン おちつかないさま
[字解] 설렐진 '一蜳'은 가슴이 설레는 모양. 마음이 공연히 안정되지 못한 모양. '一蜳不得成'《莊子》.

虫 11 〔螯〕 17 오 [平]豪 | áo ゴウ かに, うみがい
[字解] ①집게발오 게의 큰 발. 끝이 집게 비슷이 되었음. '左手持酒杯, 右手持蟹一'《晉書》. ②차오오 '蜱一'는 대합조개 비슷한 바닷조개의 일종. '車一'.
[字源] 形聲. 虫＋敖〔音〕

虫 11 〔螿〕 17 장 [平]陽 | jiāng ショウ つくつくぼうし
[筆順] 丨 丬 爿 爿 將 螿 螿 螿
[字解] 애매미장 매미의 하나. 기생매미. '寒一'. '蛩一'. '一鳴百草根'《李商隱》.
[字源] 形聲. 虫＋將〔音〕

虫 11 〔蟄〕 17 [人名] 칩 [入]緝 | zhé, zhí チツ かくれる
[筆順] 土 圭 幸 執 執 蟄 蟄 蟄
[字解] ①숨을칩 벌레가 땅 속에 숨음. '方冬不寒, 一蟲復出'《呂氏春秋》. 전(轉)하여, 조용한 곳. 또는, 집에 틀어박혀 나오지 아니함. '一居'. '龍蛇之一, 以存身也'《易經》. ②모일칩 즐거이 모이는 모양. '宜爾子孫, 一一兮'《詩經》.
[字源] 形聲. 虫＋執〔音〕

虫 11 〔螷〕 17 [一] 비 [平]支 | pí ヒ [一]-[三] までがい
[二] 패 [平]佳 | ハイ
[三] 병 [上]梗 | ホウ·ビョウ
[字解] [一] 긴맛비 '一, 爾雅曰, 螷一, 卽蚌屬'《廣韻》. [二] 긴맛패 [一]과 뜻이 같음. [三] 긴맛병 [一]과 뜻이 같음.
[字源] 形聲. 虫＋庳〔音〕

虫 11 〔螸〕 17 [一] 유 [平]虞 | yú ユ [一][二] したはらがふくらんでいる
[二] 욕 [入]沃 | ヨク
[字解] [一] 아랫배불룩할유 메뚜기나 벌 등의 아랫배가 불룩함. '一, 螽醜一, 巠腴也. 〈段注〉腴者, 腹下肥也'《說文》. [二] 아랫배불룩할욕 [一]과 뜻이 같음.
[字源] 形聲. 虫＋欲〔音〕

虫 11 〔䵹〕 17 〔지〕
鼅(黽부 11획〈1872〉)와 同字

虫 11 〔螷〕 17 〔래〕
蠣(虫부 15획〈1254〉)와 同字

虫 11 〔螗〕 17 강 [平]陽 | kāng コウ とんぼ
[字解] 잠자리강 강이(螗蛜). 청령(蜻蛉). '一, 一蛜, 蟲名, 蜻蛉也'《集韻》.

虫 11 〔蝠〕 17 구 [去]遇 | xù ク かいこのさなぎ
[字解] 누에의번데기구 蚼(虫부 5획〈1224〉)로도 씀. '一, 蟲名, 幺蠶也, 或作蚼'《集韻》.

虫 11 〔蚪〕 17 〔두〕
蚪(虫부 4획〈1220〉)와 同字

虫 11 〔蟍〕 17 리 [平]支 | lí リ むかで
[字解] 지네리 지네. 오송(蜈蚣). '一, 蛛一, 蝍蛆, 蜈蚣'《篇海》.

虫 11 〔蟊〕 17 무 [平]尤 | máo ボウ とんぼ
[字解] 잠자리무 잠자리. 청령(蜻蛉). '一, 一蔻, 青蛉也'《字彙補》.

虫 11 〔逢〕 17 〔봉〕
蠭(虫부 17획〈1255〉)과 同字

虫 11 〔蠭〕 17 逢(前條)과 同字

虫 11 〔蜍〕 17 어 [平]魚 | yú ギョ しみ
[字解] 반대좀어 좀. 두어(蠹魚). '一, 蠹魚

也'《集韻》.

虫11〔蝔〕17 ㊀ 습 (入)緝 | xí シュウ むしのさま
㊁ 읍 (入)緝 | yì ユウ ほたる

字解 ㊀ 벌레모양습 '一, 一一, 蟲皃'《集韻》. ㊁ 개똥벌레읍 반딧불. 읍약(蝔蝓). '一, 一蝓, 蟲名, 螢火也'《集韻》.

虫11〔蠦〕17 〔저〕
蛆(虫부 5획〈1223〉)와 同字

虫11〔螮〕17 〔전〕
鱄(魚부 11획〈1803〉)과 同字

虫11〔蟜〕17 〔조〕
蚤(虫부 4획〈1221〉)와 同字

虫11〔蟀〕17 족 (入)屋 | zú ソク むしのあつまるさま

字解 벌레모이는모양족 '一, 蟲集貌'《五音篇海》.

虫11〔蜇〕17 〔지〕
蜘(虫부 8획〈1231〉)와 同字

虫11〔蠍〕17 ㊀ 척 (入)錫 | qī セキ ひきがえる
㊁ 축 (入)屋 | シュク ひきがえる

字解 ㊀ 두꺼비척 '一, 蟾蠩別名'《篇海》. ㊁ 두꺼비축 ㊀과 뜻이 같음.

虫11〔蝷〕17 축 (入)屋 | zhú チク やすで

字解 노래기축 마현(馬蚿). '馬一, 馬蚿也'《廣雅》.

虫11〔蝑〕17 축 (숙本) (入)屋 | sū シュク しゃくとりむし

字解 자벌레축 '一, 蟦一, 蟲名, 尺蠖也, 或作蟙'《集韻》.

虫12〔蟲〕18 中·人 충 (平)東 | chóng チュウ むし

筆順 口 中 虫 虫 虫 虫 虫 蟲

字解 ①벌레충 ㉠동물의 총칭. '毛一'(짐승)·'羽一'(새)·'甲一'(거북)·'鱗一'(물고기)·'裸一'(사람)으로 구분함. ㉡인수조어패(人獸鳥魚貝)를 제외한 딴 동물. '禽獸一魚'. '蟄一始振'《禮記》. ㉢곤충(昆蟲). 절지(節肢)동물의 한 부류. 발이 여섯 개 있음. 파리·매미·나비 따위. ㉣발이 있는 동물. '有足爲之一, 無足謂之豸'《爾雅》. ㉤벌레의 피해. 충해(蟲害). '旱及霜一, 百姓饑乏'《舊唐書》. ②성충 성(姓)의 하나.

字源 會意. 虫+虫+虫. '虫'은 뱀을 본뜬 모양. 많은 발이 없는 벌레의 뜻을 나타냄.

虫12〔蝜〕18 부 ㊤有 | fù フウ いなご

字解 메뚜기부 '一, 一蠜也'《中華大字典》.

虫12〔蝮〕18 蝜(前條)의 訛字

虫12〔螽〕18 〔종〕
螽(虫부 11획〈1242〉)의 本字

虫12〔蟒〕18 ㊀ 망 ㊤養 | mǎng ボウ·モウ おろち
㊁ 맹 ㊤梗 | měng ボウ·ミョウ いなご

字解 ㊀ 이무기망 거대한 뱀. 왕뱀. '一, 王蛇'《爾雅》. ㊁ 누리맹 메뚜기류(類). 황충(蝗蟲). 蜢(虫부 8획〈1231〉)과 同字. '一, …南楚之外, 謂之蚱一'《揚子方言》.

虫12〔蟛〕18 월 (入)月 | yuè エツ あしはらがに

字解 방게월 '蟛一'은 바위겟과에 속하는 게의 일종. 바다에 가까운 단물의 모래 속에 삶. 방게. '或至海邊, 拘蟛一以資養'《晉書》.

虫12〔蠵〕18 주 (平)支 | zhī スイ うみがめ

字解 바다거북주 몸빛은 암녹색임. 푸른거북. '一蠵'. '一, 一蠵, 龜屬'《集韻》.

虫12〔蟴〕18 사 (平)支 | sī シ けむし

字解 쐐기사 쐐기나방의 애벌레. '螺, 蛄一. (注)蛓屬也'《爾雅》.

參考 蜇(虫부 12획〈1246〉)와 同字.

虫12〔蜇〕18 蟴(前條)와 同字

虫12〔蟛〕18 팽 (平)庚 | péng ホウ どろがに

字解 방게팽 바위겟과에 속하는 게. '一蜞, 小蟹也, 生海邊泥中'《古今注》.

虫12〔蟚〕18 蟛(前條)과 同字

虫12〔蟜〕18 교 ①-④㊤篠 ⑤(平)蕭 | jiǎo キョウ どくむしのな
qiáo キョウ あり

字解 ①벌레이름교 '蚑一蟆蟻'《枚乘》. ②사람이름교 '一牛'는 순(舜)임금의 조부. ③서릴교 '夭一'는 용(龍)이 서린 모양. ④

성교 성(姓)의 하나. ⑤개미교 '一, 蟹一, 蟻名'《集韻》.
[字源] 形聲. 虫＋喬〔音〕

虫 12 〔蟟〕 18 료 [平]蕭 liáo リョウ みんみんぜみ
[字解] 참매미료 매미의 일종. '蛁一'. '蟧蟧, 蛁一也'《廣雅》.

虫 12 〔蟧〕 18 蟟(前條)와 同字

虫 12 〔蟠〕 18 반 [平]寒 pán ハン わだかまる
[字解] ①서릴반 몸을 휘감고 엎드림. '龍一于泥'《太玄經》. ②쌓을반, 쌓일반 축적함. 축적됨. '極乎天而一于地'《禮記》. ③돌반, 두를반 '圍軫七一'《春秋文耀鉤》.
[字源] 形聲. 虫＋番〔音〕

虫 12 〔蟠〕 18 蟠(前條)과 同字

虫 12 〔蟢〕 18 희 [上]紙 xǐ キ あしたかぐも
[字解] 갈거미희 납거밋과(科)에 속하는 거미. '一子'. '野人晝見一子者, 以爲有喜樂之瑞'《劉勰 新論》.

虫 12 〔蟣〕 18 기 [上]尾 jǐ [平]微 qí キ しらみ, ひる
[字解] ①서캐기, 이기 이의 알. '介胄生一蝨'《漢書》. ②거머리기 수질(水蛭). '齊謂蛭曰一'《說文》.
[字源] 形聲. 虫＋幾〔音〕

虫 12 〔蟪〕 18 혜 [去]霽 huì ケイ なつぜみ
[字解] 씽씽매미혜 매미의 일종. 털매미. '一蛄不知春秋'(생명이 극히 짧음)《莊子》.
[字源] 形聲. 虫＋惠〔音〕

虫 12 〔蟫〕 18 [一] 음 [平]侵 yín イン しみ [二] 담 [平]覃 tán タン しみ [三] 심 [平]侵 xún シン うごくさま
[字解] [一] 반대좀음 반대좀과에 속하는 곤충. 몸빛이 은백색(銀白色), 날개는 퇴화되고, 세 개의 긴 꼬리가 있음. 옷이나 종이 등을 잘 쏢. 지어(紙魚). '一魚'. [二] 반대좀담 [一]과 뜻이 같음. [三] 움직일심 벌레가 움직이는 모양. '蟫蟫一一'《漢書》.
[字源] 形聲. 虫＋覃〔音〕

虫 12 〔蟬〕 18 선 [平]先 chán [上]銑 shàn セン せみ
[字解] ①매미선 반시류(半翅類) 매밋과에 속하는 곤충의 총칭. 굼벵이가 우화(羽化)한 성충(成蟲)임. 수컷은 늦봄부터 초가을까지 나무에서 욺. '秋一'. '一飮而不食'《大戴禮》. ②이을선 연속한 모양. '一聯'. '有周氏之一嫣兮'《漢書》. ③뻗을선 '索隱曰, 一, 猶伸也'《史記 注》. ④두려워할선, 두려워떨선 '一, 懼也'《廣雅》. ⑤아름다울선 嬋(女부 12획〈264〉)과 통용. '蔭脩竹之一娟'《成公綏》.
[字源] 形聲. 虫＋單〔音〕

虫 12 〔蟯〕 18 요 [平]蕭 náo(ráo) ジョウ ぎょうちゅう
[字解] ①요충요 선충류(線蟲類) 요충과의 기생충. 모양은 선형(線形). 빛은 희며, 사람의 창자 속에 기생함. '一瘕爲病'《史記》. ②작은벌레요 '澤及跂 一'《淮南子》.
[字源] 形聲. 虫＋堯〔音〕

虫 12 〔蟯〕 18 蟯(前條)와 同字

虫 12 〔蟥〕 18 황 [平]陽 huáng コウ おおきいひる
[字解] ①말거머리황 螞(虫부 10획〈1240〉)를 보라. '馬一, 水蛭'《篇海》. ②풍뎅이황 '蚑, 一蚌'《爾雅》.
[字源] 形聲. 虫＋黃〔音〕

虫 12 〔蟤〕 18 전 [平]先 [上]銑 ①②zhuān セン わだかまるさま ③セン むしののびないさま
[字解] ①서릴전 '蜿一'은 용(龍)이 서리는 모양. '龍屈兮蜿一'《楚辭》. ②뱀이름전 '蜿一'은 뱀의 이름. '一, 蜿一, 蛇名'《廣韻》. ③벌레자라지않을전 '一, 蜿一, 蟲不申皃'《集韻》.

虫 12 〔蟠〕 18 [一] 율 [入]質 yù イツ こがねむし [二] 술 [入]質 シュツ いなご
[字解] [一] 풍뎅이율 '一蟥'은 풍뎅이. '一, 一蟥, 蚌也'《說文》. [二] 메뚜기술 '一, 蝗也'《集韻》.
[字源] 形聲. 虫＋矞〔音〕

虫 12 〔蟳〕 18 심 [平]侵 xún ジン かざみ
[字解] 꽃게심 '靑一'은 게의 일종. 몸빛이 암녹색(暗綠色)임. 식용으로 함. 꽃게. '一, 靑一也'《六書故》.

虫 12 〔蟒〕 18 린 [去]震 lìn リン ほたる
[字解] 반딧불린 '一, 螢火'《集韻》.

虫12〔蟓〕18 상 ㊤養 ㊤漾 | xiàng ショウ かいこ

字解 ①누에상 '一, 蟲名, 食桑葉作繭者'《集韻》. ②땅강아지상 '一蛉'은 땅강아지. ③개미상 '一, 螘也'《廣雅》.

虫12〔蟞〕18 돈 ㊥元 | tūn トン しばせんむし

字解 파랑강충이돈 '一蝺'는 파랑강충이. 모양이 매미 비슷한데 길고, 그 새끼는 풀잎에서 자라며, 사람이 그 새끼를 잡으면 어미벌레가 반드시 날아온다는 데서, 옛 사람은 그 어미의 피와 새끼 피를 각각 다른 돈에 발라, 그 하나를 갖고 있으면 다른 하나가 멀리 떨어져 있다가도 같은 곳으로 돌아오게 할 수 있다고 하였음. 자모전충(子母錢蟲). '一蝺子如蠶, 著草葉, 得其子, 母自飛來就之'《異物志》.

虫12〔蟭〕18 ㊀초 ㊥蕭 ㊁추 ㊥尤 | jiāo ショウ ■■ おおじがふぐり jiū シュウ

字解 ㊀사마귀알초 '一, 螵一, 螗蜋卵也'《廣韻》. ㊁사마귀알추 ■과 뜻이 같음.

虫12〔蹴〕18 축 ㊇屋 | zú シュクしゃくとりむし

字解 자벌레축 잎을 갉아먹는 해충. 척확(尺蠖). '蟦一, 蟲名, 尺蠖也'《集韻》.

虫12〔蟨〕18 궐 ㊇月 | jué ケツ ぼうふら

字解 장구벌레궐 모기 새끼. '羽族翔林, 一蛁赴濕'《晉書》.

虫12〔蟍〕18 서 ㊤語 | shǔ ショ わらじむし

字解 ①쥐며느리서 '蛜一'는 쥐며느리. 서부(鼠婦). '蛜, 一也'《玉篇》. ②베짱이서 여칫과의 곤충. 낙위(絡緯).

虫12〔蟼〕18 종 ㊥冬 | zhōng ショウ いなご

字解 메뚜기종 '一, 蝗也'《集韻》.

虫12〔蟙〕18 직 ㊇職 | zhí ショク こうもり

字解 ①박쥐직 '蝙蝠, …北燕謂之一蠌'《揚子方言》 ②게직 게딱지가 넓고, 노란 살이 많은 게. '集解, 頌曰, 解殼闊而多黃者名一'《本草》. ③벌레이름직 '一蚭'은 벌레의 이름. '一蚭, 蟲名'《類篇》.

虫12〔蟮〕18 선 ㊤銑 | shàn セン·ゼン みみず

字解 ①지렁이선 '一, 曲一'《玉篇》. ②나나니벌선 '一, 土蠭'《中華大字典》.

虫12〔蟦〕18 ㊀비 ①② ㊥微 ㊤未 ② ㊤尾 ㊁분 ㊥元 | féi ヒ くらげ ヒ くらげ ヒ すくもむし bēn ホン かき

字解 ㊀①해파리비 '一, 蟲名. 出北海水上. 狀如凝脂. 一曰, 水母也'《集韻》. ②굼벵이비 풍뎅이의 애벌레. '一, 蠐螬'《爾雅》. ㊁굴분 '一, 蠣也. 南方人燔以羞'《集韻》.

虫12〔蟔〕18 묵 ㊇職 | mò ボク·モク けむし

字解 풀쐐기묵 '一, 蛅蟴'《爾雅》.

虫12〔蟘〕18 특 ㊇職 | tè トク はくいむし

字解 벌레특 묘엽(苗葉)을 먹는 해충(害蟲). '食葉, 一'《爾雅》.

虫12〔蟌〕18 ㊀종 ㊥東 ㊁중 ㊤送 | zhōng シュウ いなご シュウ けら

字解 ㊀메뚜기종 '一, 蝗也'《玉篇》. ㊁땅강아지중 '一蛉'은 땅강아지. '一, 方言, 螻蛄, 謂之一蛉'《集韻》.

虫12〔蟡〕18 ㊀궤 ㊤紙 ㊁의 ㊥支 | guǐ キ かわのせい イ かわのせい

字解 ㊀물마른내의정(精)궤 '涸川之精者生于一. 一者, 一頭而兩身. 其形若蛇, 其長八尺'《管子》. ㊁물마른내의정의 ■과 뜻이 같음.

虫12〔蟝〕18 거 ㊥魚 | qú キョ かげろう

字解 하루살이거 渠(水부 9획〈661〉)·蟝(虫부 11획〈1242〉)와 同字. '蟝, 蟲名, 說文, 蟝, 蟟也, 朝生暮死, 豬好啖之, 或作一'《集韻》.

虫12〔蟤〕18 관 ㊤翰 | guàn カン にな

字解 다슬기관 와라(蝸螺). '一, 蟲名, 螺也'《集韻》.

虫12〔龜〕18 〔귀〕 龜(部首〈1894〉와 同字

虫12〔蟄〕18 〔등〕 螣(虫부 10획〈1241〉)과 同字

虫12〔蟱〕18 모 ①㊥尤 ②㊥虞 | móu ボウ·ム くも wú ブ·ム しばせんむし

字解 ①거미모 굴모(蛐蝥). '一, 蛐一, 蟲名, 蜘蛛也'《集韻》. ②파랑강충이모 모우(蝥蝺). '一蝺, 魚伯, 青蚨也'《廣雅》.

虫12 〔⿱羊䖵〕 18 〔양〕
蛘(虫부 6획〈1226〉)과 同字

虫12 〔⿰虫惡〕 18 오 (平)虞 | wū オ·ウ こがねむし
字解 풍뎅이오 '一, 甲蟲'《集韻》.

虫12 〔⿱朿䖵〕 18 자 (去)寘 | cì シ さそり
字解 전갈(全蠍)자 '一, 蠆蠍也'《廣雅》.

虫12 〔⿱兟虫〕 18 〔잠〕
蠶(虫부 18획〈1256〉)과 同字

虫12 〔蟰〕 18 조 | sào ソウ ひぜんがさ
字解 옴조 개선(疥癬). '一, 疥也'《直音》.

虫12 〔⿱掾虫〕 18 천 (去)霰 | chuàn テン うさぎあみ
字解 토끼그물천 '一, 兔罝'《集韻》.

虫12 〔⿰虫属〕 18 〔촉〕
蠾(虫부 21획〈1258〉)의 俗字

虫12 〔⿰虫華〕 18 화 (平)麻 | huá カ おろちのな
字解 큰뱀화 대사(大蛇). 이무기. '一, 大蛇名, 善啖小蛇'《集韻》.

虫12 〔蠕〕 18 〔연〕
蝡(虫부 9획〈1236〉)과 同字

虫12 〔⿰月⿱龹䖵〕 18 〔등〕
螣(虫부 10획〈1241〉)의 本字

虫12 〔⿱叡䖵〕 18 ㊀최 (去)泰 | cuì サイ むしのな
㊁취 (去)霽 | セイ·サイ むしのな
字解 ㊀벌레이름최 '一, 蟲也'《說文》. ㊁벌레이름취 ㊀과 뜻이 같음.
字源 形聲. 虫+叡〔音〕

虫12 〔蟞〕 18 별 (入)屑 | bié ヘツ あり
字解 ①개미별 '一蜉'는 개미. '一蜉, 螘也'《廣雅》. ②나비별 '一蛈'은 나비. '蛈蝶, 一蛈也'《廣雅》. ③오랑캐이름별 서강(西羌)의 일종(一種). '羌岸尾摩一等, 脅同種'《後漢書》.

虫12 〔蟨〕 18 ㊀궐 (入)月 | jué ケツ けもののな
㊁귀 (去)霽 | guì ケイ ねずみ
字解 ㊀①짐승이름궐 앞발이 짧고 스스로 뛰지 못하며, 늘 공공거허(邛邛岠虛)와 공거(共居)하여 그를 위하여 먹이를 취하며, 위난에 부닥치면 그 등에 업혀서 내뺀다는 짐승의 이름. '邛邛岠虛'는 짐승의 이름. '一, 卽爾雅之比肩獸也, 釋地, 西方有比肩獸焉, 與邛邛岠虛比, 爲邛邛岠虛齧甘草, 卽有難, 邛邛岠虛負而走, 其名謂之一'《說文通訓定聲》. ②장구벌레궐 모기의 유충. 蟩(虫부 12획〈1248〉)과 同字. ㊁쥐귀 '一, 鼠也'《字彙補》.
字源 形聲. 虫+厥〔音〕

虫12 〔蠤〕 18 추 (平)尤 | qiū シュウ くも
字解 거미추 '次一'는 거미. '次一, 鼅鼄'《爾雅》.

虫13 〔⿱延䖵〕 19 ㊀연 (上)銑 | yǎn エン むしのうねるさま
㊁단 (上)旱 | dàn タン ばんぞくのな
字解 ㊀벌레꿈틀거리는 모양연 '一, 蜒一, 蟲形'《集韻》. ㊁오랑캐단 蜑(虫부 7획〈1230〉)과 同字.

虫13 〔蠭〕 19 〔봉〕
蜂(虫부 7획〈1228〉)의 古字

虫13 〔⿱求䖵〕 19 〔구〕
蛷(虫부 7획〈1229〉)와 同字

虫13 〔⿱我䖵〕 19 〔아〕
蛾(虫부 7획〈1228〉)와 同字

虫13 〔⿸厂⿱辰䖵〕 19 〔전〕
蜄(虫부 10획〈1242〉)의 訛字

虫13 〔蟶〕 19 정 (平)庚 | chēng テイ まてがい
字解 긴맛정 맛과에 속하는 조개. 직사각형(直四角形)에, 각질(殼質)은 얇고 무름. 살은 식용함. 마도패(馬刀貝). 죽정(竹蟶). '一, 蚌也'《集韻》.

虫13 〔蟺〕 19 선 ①-④(上)銑 | shàn セン うねる
⑤(平)先 | chán セン せみ
字解 ①서릴선 '蜿一'은 용이나 뱀이 서린 모양. '蜿一相糾'《嵇康》. ②변할선 '形氣轉續兮, 變化而一'《賈誼》. ③지렁이선 '蜸一, 蚯蚓'《廣韻》. ④드렁허리선 鱓(魚부 12획〈1805〉)과 통용. '蟹六蛫而二螯, 非蛇一之穴無可寄託者, 用心躁也'《荀子》. ⑤매미선 蟬(虫부 12획〈1247〉)과 同字.
字源 形聲. 虫+亶〔音〕

虫13 〔蟻〕 19 의 (上)紙 | yǐ ギ あり

[字解] ①개미의 막시류(膜翅類) 개밋과에 속하는 곤충. 떼 지어 땅속이나 썩은 나무 속에 집을 짓고 서식하는데, 암컷을 여왕개미로 삼고, 수캐미·일개미·병정개미가 질서 있는 사회생활을 함. '一穴'. '千丈之堤, 以螻一之穴潰'《韓非子》. ②검을의 흑색. '麻冕一裳'《書經》. ③성의 성(姓)의 하나.

虫13 〔蟾〕 19 [人名] 섬 (平)鹽 | chán センひきがえる

[筆順] 口 中 虫 虻 蚧 蚧 蟾 蟾

[字解] ①두꺼비섬 양서류(兩棲類) 두꺼빗과에 속하는 동물. 개구리 비슷하나 크고 온몸이 우툴두툴하며, 살가죽에서 유독한 산액(酸液)을 분비함. '一蜍'. '聚一爲戲'《抱朴子》. ②달섬 달 속에 두꺼비가 있다는 전설에서, 달〔月〕의 별칭. '一宮'. '殘霞弄影, 孤一浮天'《宋史》. ③연적섬 벼루에 물을 따르는 그릇. '水冷硯一初薄凍'《陸游》.

虫13 〔蠅〕 19 승(응(本)) (平)蒸 | yíng ヨウ はえ

[字解] ①파리승 쌍시류(雙翅類)에 속하는 집파리·쉬파리·금파리·쇠파리 등의 총칭. 구더기가 우화(羽化)한 성충(成蟲)임. '營營靑一'《詩經》. ②깡충거미승 파리를 잡아먹는 거미의 일종. 승호(蠅虎). ※本音 응.

[字源] 會意. 黽＋虫

[參考] 蝿(虫부 8획〈1234〉)·蝇(虫부 9획〈1238〉)은 俗字.

虫13 〔蠉〕 19 현 (平)先 | xuān ケン ぼうふら

[字解] ①장구벌레현 모기의 유충(幼蟲). '蜎, 一'《爾雅》. ②길현 벌레가 기어가는 모양. '一飛蝡動'《淮南子》.

[字源] 形聲. 虫＋睘〔音〕

虫13 〔蠋〕 19 촉 (入)沃 | zhú チョク あおむし (入)沃 | ショク あおむし

[字解] 나비애벌레촉 나비의 유충으로서, 모양이 누에 비슷함. 보통, 빛이 푸르며 배추 등 식물의 잎을 갉아먹음. 蜀(虫부 7획〈1230〉)과 同字. '蜎蜎者一'《詩經》.

[字源] 形聲. 虫＋蜀〔音〕

虫13 〔蠍〕 19 갈 (入)月 | xiē ケツ·カツ さそり

[字解] 전갈갈 지주류(蜘蛛類) 전갈과에 속하는 동물. 꼬리 끝에 독침(毒針)이 있어서, 쏘이면 생명이 위험함. '好取一'《北史》. 전(轉)하여, 해독 또는 남이 꺼리고 싫어하는 자의 비유로 쓰임. '蛇一'.

[字源] 形聲. 虫＋歇〔音〕

虫13 〔蟷〕 19 당 (平)陽 | dāng トウ かまきり

[字解] 사마귀당 '一蠰·一蜋'은 사마귀. 버마재비. 螳(虫부 11획〈1243〉)과 同字.

[字源] 形聲. 虫＋當〔音〕

虫13 〔蟗〕 19 蟷(前條)의 本字

虫13 〔蟐〕 19 蟷(前前條)의 訛字

虫13 〔蠨〕 19 소 (平)蕭 | xiāo ショウ あしたかぐも

[字解] 갈거미소 납거밋과에 딸린 거미. '一, 一蛸, 長股者'《說文》.

[字源] 形聲. 虫＋肅〔音〕

虫13 〔蠊〕 19 렴 (平)鹽 | lián レン あぶらむし

[字解] 바퀴렴 비렴(蜚蠊). 일명(一名), 석강(石薑). '一, 蜚一, 蟲名'《廣韻》.

[字源] 形聲. 虫＋廉〔音〕

虫13 〔蠹〕 19 강 (平)陽 | jiāng キョウ かいこがしんではっかする

[字解] 백강잠(白殭蠶)강 누에가 경화병에 걸려 흰빛의 균사(菌絲)로 덮여서 죽음. '一, 蠶白死'《集韻》.

虫13 〔蠕〕 19 〔과〕 蜾(虫부 8획〈1232〉)와 同字

虫13 〔蠇〕 19 〔려〕 蠣(虫부 15획〈1254〉)와 同字

虫13 〔蠀〕 19 ㊀자 (平)支 | cī シ きくいむし ㊁즉 (入)職 | jí ショク こおろぎ

[字解] ㊀①나무좀자 '一, 蝎化也'《廣韻》. ②굼벵이자 '一螬'는 굼벵이. 풍뎅이의 애벌레. '一螬, 謂之蟦, 自關而東, 謂之蝤一'《揚子方言》. ③바다거북자 '一蠵'는 바다거북. ㊁귀뚜라미즉 '蝍, 蟲名. 爾雅, 蒺蔾蝍蛆, 似蝗, 食蛇腦, 或作一'《集韻》.

虫13 〔蠌〕 19 ㊀택 (入)陌 | zé タク やどかり ㊁탁 (入)藥 | タク やどかり

[字解] ㊀소라게택, 방게택 '蝟一, 小者蟧'《爾雅》. ㊁소라게탁, 방게탁 ㊀과 뜻이 같음.

虫 13 〔⿰虫葛〕19 〔랍〕 蠟(虫부 15획〈1253〉)의 俗字

虫 13 〔⿰虫莾〕19 〔망〕 蟒(虫부 12획〈1246〉)의 訛字

虫 13 〔⿰壴蚤〕19 〔척〕 鼜(鼓부 10획〈1875〉)의 本字

虫 13 〔蟹〕19 해 [上]蟹 | xiè(xiě) カイ かに

[字解] 게해 갑각류(甲殼類) 중 단미류(短尾類)에 속하는 동물의 총칭. 몸은 납작하며, 등과 배는 딱딱한 딱지로 덮임. 다섯 쌍의 발이 있는데, 한 쌍은 집게 비슷이 생겼으며, 물 속에서 삶. 꽃게·방게·도적게 등이 있음. '仄行一屬'《周禮》.

[字源] 形聲. 虫＋解〔音〕

虫 13 〔蠏〕19 蟹(前條)의 本字

虫 13 〔蟿〕19 계 [去]霽 | jì ケイ しょうりょうばった

[字解] 방아깨비계 '一螽'. '一螽, 螇蚸'《爾雅》.

[字源] 形聲. 虫＋毄〔音〕

虫 13 〔⿰虫毄〕19 蟿(前條)와 同字

虫 13 〔蠁〕19 향 [上]養 [去]漾 | xiǎng キョウ にしどち

[字解] ①퍼질향 '肸一'은 소리가 울리거나 기체(氣體)가 퍼짐의 뜻. '肸一布寫'《司馬相如》. ②번데기향 완전 변태를 하는 곤충의 유충에서 성충으로 변하는 과정의 중간 형태의 몸. '土蛹, 一蟲'《廣雅》. ③가시향 지게미 같은 데 꾀는 작은 구더기. '一子'.

[字源] 形聲. 虫＋鄉〔音〕

虫 13 〔蠆〕19 채 [去]卦 | chài タイ さそり

[字解] ①전갈채 지주류(蜘蛛類) 전갈과에 속하는 동물. 꼬리 끝에 독침(毒針)이 있어서, 쏘면 극독(劇毒)을 일으킴. '彼君子女, 卷髮如一'《詩經》. ②가시채 蔕(艸부 11획〈1174〉)와 뜻이 같음. '睚眦一芥'《張衡》.

[字源] 形聲. 虫＋萬〔音〕

虫 13 〔蠈〕19 적 [入]職 | zéi ソク·ゾク いねのふしをくうむし

[字解] 마디충적 벼의 줄기 속을 파먹는 곤충. 賊(貝부 6획〈1390〉)과 同字. '一, 食禾節蟲'《廣韻》.

虫 13 〔⿰虫賊〕19 蠈(前條)과 同字

虫 13 〔蟼〕19 경 [上]梗 [平]庚 | jǐng ケイ がま

[字解] 두꺼비경 개구리의 일종. '蝦蟆, 一名一, 大腹而短脚'《急就篇 註》.

虫 13 〔蠃〕19 라 ①[平]歌 ②[上]哿 | luó ラ にな luǒ ラ じがばち

[字解] ①고둥라 螺(虫부 11획〈1243〉)와 同字. '爲一爲蚌'《易經》. ②나나니벌라 '蜾一'.

[字源] 形聲. 虫＋𣎆〔音〕

虫 13 〔⿰虫過〕19 과 [去]箇 | guò カ かまきり

[字解] 사마귀과 당랑(螳蜋). 불과(不⿰虫過). '一, 不一, 蟲名, 一曰, 蟷蠰, 通作過'《集韻》.

虫 13 〔⿱彖䖵〕19 〔려〕 蠡(虫부 15획〈1253〉)와 同字

虫 13 〔⿰虫圓〕19 〔면〕 蝒(虫부 9획〈1238〉)의 訛字

虫 13 〔⿱宓䖵〕19 〔밀〕 蜜(虫부 8획〈1234〉)과 同字

虫 13 〔蠂〕19 섭 [入]葉 | shè ショウ いなご

[字解] 누리섭 황충이. '一, 蟲名, 蝗也'《集韻》.

虫 13 〔⿰虫瑟〕19 슬 [入]質 | sè シツ こおろぎ

[字解] 귀뚜라미슬 '一, 一蟀, 蟲名, 促織也, 或从悉'《集韻》.

虫 13 〔⿰虫意〕19 억 [入]職 | yì ヨク こばち

[字解] 작은벌억 벌의 일종. '一, 小蜂'《玉篇》.

虫 13 〔⿰虫慈〕19 〔자〕 蚝(虫부 6획〈1227〉)와 同字

虫 13 〔⿱⿰出方虫〕19 〔오〕 螯(虫부 11획〈1245〉)과 同字

虫 13 〔⿱邕虫〕19 옹 [上]腫 | yōng ヨウ ひぜんむし

[字解] 누에옹, 개선충(疥癬蟲)옹 '⿰虫邕, 蟲名, 廣雅, 蠶也, 一曰, 蛘也, 或作一'《集韻》.

虫 14 〔⿱薛虫〕 20 〔얼〕
蠥(虫부 16획〈1254〉)과 同字

虫 14 〔⿱阜䖵〕 20 부 [上]有 | fù フウ·ブ いなご
[字解] 메뚜기부 '一, 一螽'《廣韻》.

虫 14 〔⿱鬼䖵〕 20 [一] 蛗(虫부 8획〈1235〉)와 同字
[二] 螝(虫 부 10획〈1240〉)와 同字

虫 14 〔⿱昏䖵〕 20 〔문〕
蚊(虫부 4획〈1220〉)과 同字

虫 14 〔蠐〕 20 제 [平]齊 | qí セイ すくもむし
[字解] ①굼벵이제 '一螬'는 풍뎅이의 유충. 땅속에서 서식함. '烏足之根, 爲一螬'《莊子》. ②나무굼벵이제 '蝤一'는 하늘소의 유충. 몸이 희어서, 미인(美人)의 목이 아름다움을 비유함.
[字源] 形聲 虫+齊(脅)〔音〕

虫 14 〔⿱齊虫〕 20 蠐(前條)의 本字

虫 14 〔蠑〕 20 영 [平]庚 | róng エイ いもり
[字解] 영원영 '一螈'은 도롱뇽과에 속하는 양서류.
[字源] 形聲. 虫+榮〔音〕

虫 14 〔蠙〕 20 빈 [平]眞 [上]軫 | bīn ヒン どぶがい
[字解] ①펄조개빈, 방합(蚌蛤)조개빈. '一, 蚌也'《說文通訓定聲》. ②빈주(蠙珠)빈 방합조개에서 생긴 진주. ③물이끼빈 청태(靑苔). '得水土之際, 則爲蛙一之衣'《莊子》.
[字源] 形聲. 虫+賓〔音〕

虫 14 〔蠓〕 20 몽 [上]董 [平]東 | měng ボウ ぬかが
[字解] 진디등에몽 '一蚋'는 쌍시류(雙翅類) 진디등엣과에 속하는 작은 곤충. 풀숲에서 서식하며, 여름에 사람의 눈앞에 어지럽게 떼 지어 날며 뱅뱅 돌기도 하고 아래위로 까불거리기도 함. 멸몽(蠛蠓). '春夏之月, 有一蚋者. 因雨而生, 見陽而死'《列子》.
[字源] 形聲. 虫+蒙〔音〕

虫 14 〔蠕〕 20 연 [平]先 [上]銑 | (ruǎn) ゼン うごめく
[字解] 꿈틀거릴연 벌레가 꿈틀꿈틀 움직임. '一動'. '端而言, 一而動'《荀子》.
[字源] 形聲. 虫+需〔音〕

虫 14 〔蠖〕 20 확 [入]藥 | huō ワク·カク しゃく とりむし
[字解] 자벌레확 '尺一'은 자벌레나방의 유충. 모양이 누에 비슷함. 몸을 움츠렸다 폈다 하면서 기어가는 모양이 흡사 자로 무엇을 재는 듯함에서 이 이름을 얻음. '尺一之屈, 以求信也'('信'은 '伸')《易經》.
[字源] 形聲. 虫+蒦〔音〕

虫 14 〔蠔〕 20 호 [平]豪 | háo コウ·ゴウ かき
[字解] ①굴조개호 굴과에 속하는 조개의 한 가지. 살은 굴이라 하여 식용으로 함. 모려(牡蠣). '釋名, 牡蛤, 蠣蛤, 一'《本草綱目》. '一相黏爲山, 百十各自生'《韓愈》. ②해녀호 '一蜑'은, 바다에서 물질하여 조개를 잡는 해녀(海女). '二爲一蜑, 善沒海'《南海記》.

虫 14 〔蠘〕 20 절 [入]屑 | jié セツ かにのいっしゅ
[字解] 게절 게의 일종. '一, 蟹類'《字彙補》.

虫 14 〔⿰虫寧〕 20 녕 ①[上]迥 | nǐng ネイ かえる ②[平]靑 | níng ネイ けら
[字解] ①개구리녕 '一, 似蛙'《廣韻》. ②땅강아지녕 '⿰寧黽, 說文, 蟲也. 一曰, 螻蛙. 或作一'《集韻》.

虫 14 〔蠗〕 20 탁 [入]覺 | zhuó タク さる
[字解] ①원숭이탁 '一, 禺屬'《說文》. ②조개이름탁 '一, 小蚤名'《廣韻》.
[字源] 形聲. 虫+翟〔音〕

虫 14 〔䗶〕 20 〔랍〕
蠟(虫부 15획〈1253〉)의 俗字

虫 14 〔⿱維虫〕 20 유 [去]寘 | wèi イ あぶ
[字解] ①등에유 등에의 작은 것. '蝱一之既多, 而不能掉其尾. (註) 大曰蝱, 小曰一'《國語》. ②바구미유 '蛘一, 蟲名'《廣韻》.

虫 14 〔蠒〕 20 〔견〕
繭(糸부 13획〈1017〉)의 俗字

虫 14 〔⿳雨氏虫〕 20 〔기〕
蚔(虫부 4획〈1221〉)와 同字

虫 14 〔⿰虫團〕 20 단 [平]寒 | tuán タン すっぽん
[字解] 자라단 단어(⿰虫團魚). '一, 一魚, 鼈也'《篇海》.

虫14 〔⿱東䖵〕 20 동 (平)東 | dōng トウ おたまじゃくし

字解 올챙이동 '一，蛞一，科斗，通作東'《集韻》.

虫14 〔⿱甄䖵〕 20 렵 (入)葉 | liě りょウ はう

字解 기어갈렵 벌레가 움직이는 모양. '一，蟲行貌'《集韻》.

虫15 〔蠡〕 21
㊀ 려 (上)薺 (平)齊 | ①②lǐ レイ きくいむし ③④り ひさご
㊁ 라 (上)哿 (平)歌 | ①luō ラ ひぜんがさ ②③luǒ ラ にな

字解 ㊀ ①나무좀려 나무를 좀먹는 벌레. 나무굼벵이 · 자치 · 가루좀 따위. ②좀먹을려 벌레가 쏢. '一，蟲齧木中也'《說文》. ③표주박려 조롱박이나 둥근 박을 반으로 쪼개어 만든 바가지. '以管闚天，以一測海'《東方朔》. ④사람이름려 '范一'는 춘추 시대 초(楚)나라 사람. ㊁ ①옴라 개선(疥癬). '謂其不疾瘯一也'《左傳》. ②고둥라 螺(虫부 11획〈1243〉)와 통용. '法一蚌'《文子》. ③연이을라 연속한 모양. '登長陵而四望兮，覽芷圃之一一'《楚辭》.
字源 形聲. 虫＋彖〔音〕

虫15 〔蠢〕 21 준 (上)軫 | chǔn シュン うごめく

字解 ①꿈틀거릴준 벌레가 움직임. '一動'. '一一庶類'《東皙》. ②어리석을준 무지함. '一愚'. '一玆有苗，昏迷不恭'《書經》. ③일어날준, 일으킬준 동작이 일어남. 또, 동작을 일으킴. '一，作也. (注) 謂動作也'《揚子方言》. ④따르지않을준 불손(不遜)함. '一動爲惡. 不謙遜也'《集韻》.
字源 形聲. 蚰＋春〔音〕

虫15 〔蠚〕 21
㊀ 학 (入)藥 | hē カク さす
㊁ 석 (入)陌 | shì セキ さす

字解 ㊀ ①쏠학 벌레가 독침(毒針)으로 쏢. '一木則枯'《山海經》. '蝮一手則斬手，一足則斬足'《漢書》. ②아플학 '一，痛也'《廣雅》. ③독학 벌레가 쏘는 독(毒). '蝮蛇一生'《漢書》. '故猛虎之猶與，不如蠭蠆之致一'《漢書》. ㊁ 쏠석, 아플석, 독석 ❶과 뜻이 같음.

虫15 〔⿱矛䖵〕 21
㊀ 모 (平)肴 | máo ミョウ くも
㊁ 무 (平)尤 | ボウ·ム ねきりむし

字解 ㊀ ①거미모 '一，蟲名，說文，蠿一也'《集韻》. ②쓰르라미모 '蜩蟧，謂之一蜩'《揚子方言》. ㊁ 뿌리를먹는벌레무 '蝥，說文，蟲食艸根者. 亦作一'《集韻》.

虫15 〔蠠〕 21
㊀ 밀 (入)質 | ビツ つとめる
㊁ 민 (上)軫 | mǐn ミン つとめる

字解 ㊀ 힘쓸밀 '一沒'은 힘씀. '一沒，勉也'《爾雅》. ㊁ 힘쓸민 ❶과 뜻이 같음.

虫15 〔⿱者䖵〕 21
㊀ 저 (去)御 | zhū ショ どくむし
㊁ 서 (上)語 | ショ どくむし
㊂ 지 (平)紙 | シ どくむし

字解 ㊀ 독충저 '一，毒蟲'《集韻》. ㊁ 독충서 ❶과 뜻이 같음. ㊂ 독충지 ❶과 뜻이 같음.

虫15 〔⿱匽䖵〕 21 〔언〕 蝘(虫부 9획〈1235〉)과 同字

虫15 〔⿱萬䖵〕 21 〔채〕 蠆(虫부 13획〈1251〉)와 同字

虫15 〔⿰虫墨〕 21 묵 (入)職 | mò ボク こうもり

字解 박쥐묵 직묵(蟙⿰虫墨). 편복(蝙蝠). '一，蟲名，齊人呼蝙蝠爲蟙一'《集韻》.

虫15 〔⿱昏䖵〕 21 〔문〕 蟁(虫부 11획〈1243〉)과 同字

虫15 〔⿱此䖵〕 21 〔비〕 蚍(虫부 4획〈1219〉)와 同字

虫15 〔⿰虫養〕 21 양 (上)養 | yǎng ヨウ むしのな

字解 벌레이름양 蛘(虫부 6획〈1226〉)의 俗字. '蛘，蟲名，或从養'《集韻》. '一，俗蛘字'《正字通》.

虫15 〔⿰虫霆〕 21정 (平)青 | tíng テイ かいこがなかごろやすむこと

字解 누에두잠잘정 '一，蠶中息也'《集韻》.

虫15 〔⿰虫夒〕 21 〔휴〕 蠵(虫부 18획〈1257〉)의 俗字

虫15 〔蠛〕 21 멸 (入)屑 | miè ベツ ぬかが

字解 진디등에멸 '一蠓'은 진디등에. 쌍시류(雙翅類) 진디등엣과에 속하는 작은 곤충. 몽예(蠓蚋). '浮一蠓而蔽天'《揚雄》.
字源 形聲. 虫＋蔑〔音〕

虫15 〔蠟〕 21 랍 (入)合 | là ロウ みつろう

字解 ①밀랍 벌똥, 곧 꿀찌끼를 끓여서 짜낸 기름. '茶一芒硝'《唐書》. ②밀바를랍 밀을 바름. '正見自一屐'《晉書》. ③밀초랍 밀로 만든 초. '一燭'. '紅一'. '已嫌刻一春宵

短'《韓偓》.

虫15 〔蠣〕 21 려 (去)霽 | lì レイ かき

字解 굴조개려 굴과에 속하는 조개의 일종. 살은 굴이라 하여 식용으로 함. '牡—'. '疑食蚶—'《南史》.
字源 形聲. 虫+厲〔音〕

虫15 〔蠝〕 21 뢰 (平)灰 | léi ルイ むささび

字解 박쥐뢰 편복(蝙蝠). 일설(一說)에는, 하늘다람쥐. '蜼玃飛—'《漢書》.

虫15 〔蟰〕 21 로 | ロ みから

字解 벌레이름로 우물 속에 있는 작은 벌레.

虫15 〔蠉〕 21 〔현〕
蝖(虫부 13획〈1250〉)의 本字

虫15 〔蠖〕 21 〔휴〕
蠵(虫부 18획〈1257〉)와 同字

虫15 〔蠜〕 21 번 (平)元 | fán ハン はねながいなご

字解 ①누리번 날개가 긴 메뚜기의 일종. 또, 그 유충. '趯趯阜螽. (傳) 阜螽, —也'《詩經》. ②방귀벌레번 '氣—'은 방귀벌레. '氣—, 蟲, 好夜行, 狀似蜚蠊, 人觸之卽氣出'《正字通》.
字源 形聲. 虫+樊〔音〕

虫15 〔蠇〕 21 ㊀래 (去)泰 | lài ライ さそり ㊁려 (去)霽 | lì レイ といし

字解 ㊀전갈래 채미충(蠆尾蟲). '蠆, 說文, 毒蟲也, 亦作—'《集韻》. ㊁숫돌려 厲(厂부 13획〈137〉)와 同字.

虫16 〔蠭〕 22 방 (平)江 | páng ホウ せい

字解 성방 성(姓)의 하나. '羿—門'《荀子》. 일설(一說)에는, 蠭(虫부 17획〈1255〉)의 訛字.

虫16 〔蠡〕 22 리 (去)寘 | lì り わる, さく

字解 쪼갤리 가름. '—盤盂刎牛馬'《荀子》.

虫16 〔螈〕 22 원 (平)元 | yuán ゲン なつご

字解 여름누에원 여름에 치는 누에. '今呼重蠶爲—'《爾雅 注》.

虫16 〔蟊〕 22 무 (平)尤 | máo ボウ·ム ねきりむし

字解 뿌리를먹는벌레무 묘(苗)의 뿌리를 먹는 벌레. '—, 蟲食艸根者'《說文》. 蝥(虫부 9획〈1238〉)와 同字.
字源 會意. 蟲+弔

虫16 〔蠹〕 22 〔두〕
蠹(虫부 18획〈1256〉)의 俗字

虫16 〔蠩〕 22 저 (平)魚 | zhū ショ がま

字解 두꺼비저 '蟾—'는 두꺼비. '—, 一曰, 蝦蟆'《集韻》.

虫16 〔蠣〕 22 력 (入)錫 | lì レキ やままゆ

字解 산누에력 산누에. '—, 野蠶'《集韻》.

虫16 〔蠪〕 22 롱 | lóng リョウ むしのな

字解 벌레이름롱 '—蜂'은 벌레 이름. '—蜂, 蟲名. 蓄之能知蠱毒'《廣東新語》.

虫16 〔蠦〕 22 로 (平)虞 | lú ロ あぶらむし

字解 ①바퀴로 '—蜰·蜚—'는 바퀴. '蜚, —蜰'《爾雅》. ②도마뱀로, 도마뱀붙이로 '守宮, 秦晉西夏謂之守宮, 或謂之—蠼, 或謂之蜥易'《揚子方言》.

虫16 〔蠥〕 22 얼 (入)屑 | niè ゲツ うれい

字解 ①근심얼 우수(憂愁). '卒然離—'《楚辭》. ②요괴얼, 재앙얼 조수(鳥獸) 및 벌레의 요괴(妖怪). '禽獸蟲蝗之怪, 謂之—'《說文》.
字源 形聲. 虫+辥〔音〕

虫16 〔蠬〕 22 롱 (平)東 | lóng ロウ おおあかあり

字解 ①신이름롱 '鮭—'은 신(神)의 이름. ②개미롱 붉은 반점이 있는 왕개미. '—丁, 螘也'《說文》. ③도마뱀롱 '蚵—'은 도마뱀. '蚵—, 蜥蜴也'《廣雅》. ④두꺼비롱 '苦—, 蝦蟆也'《廣雅》.
字源 形聲. 虫+龍〔音〕

虫16 〔蠆〕 22 〔채〕
蠆(虫부 13획〈1251〉)의 本字

虫16 〔蠯〕 22 ㊀늑 (入)職 | nài ドク むしのな ㊁능 (上)迥 | něng ドウ はち

字解 ㊀벌레이름늑 등에. '—, 似蝱而小'《玉篇》. ㊁벌능 벌. '—, 蜂類, 或从虫'《集韻》.

虫 16 〔⿰虫騰〕22 등 [平]蒸 | téng トウ はくいむし

[字解] 해충이름등 해충 이름. 볏잎을 갉아 먹는 해충. '一, 蟲食禾葉'《玉篇》.

虫 16 〔⿱冥䖵〕22 〔명〕 螟(虫부 10획〈1240〉)과 同字

虫 16 〔⿱文䖵〕22 〔문〕 蚊(虫부 4획〈1220〉)과 同字

虫 16 〔⿰虫遺〕22 유 [平]支 [去]寘 | wèi イ しんじゃのな

[字解] 뱀이름유 뱀 이름. 머리 하나에 몸이 둘이라는 뱀. '太華之山, 有蛇焉, 名曰肥一'《山海經》.

虫 16 〔⿱豈䖵〕22 〔의〕 螘(虫부 10획〈1240〉)와 同字

虫 16 〔⿱朁䖵〕22 〔잠〕 蠶(虫부 18획〈1256〉)과 同字

虫 16 〔⿸展䖵〕22 전 [上]銑 | zhǎn テン むしのな

[字解] 벌레이름전 벌레 이름. '**⿸展虫**, 說文, 蟲也, 或省'《集韻》.

虫 16 〔⿰虫錢〕22 〔잔〕 ⿰虫戔(虫부 8획〈1233〉)과 同字

虫 16 〔⿱錢虫〕22 전 [平]先 | zhàn セン せみ

[字解] 매미전 매미. '⿰虫戔, 蟲名, 或从錢, 亦作蟬'《集韻》.

虫 16 〔⿰虫憲〕22 흔 [上]吻 | xiǎn キン みみず

[字解] 지렁이흔 지렁이. 구인(蚯蚓). '一, 蟲名, 蚯蚓也'《集韻》.

虫 17 〔蠱〕23 고 [上]麌 | gǔ コ むし

[字解] ①배속벌레고 배 속에 있는 기생충. '腹有一'《唐書》. ②곡식벌레고 곡식 속에 있는 벌레. '穀之飛亦爲一'《左傳》. ③굿에 쓰는벌레고 남을 해치려는 푸닥거리에 쓰는 벌레. 또, 그 술법. '巫一'. '妖一'. '造一之法, 以百蟲寘皿中, 俾相啖食, 其存者爲一'《通志》. ④해독고 사람에게 해를 끼치는 것. '掌除毒一'《周禮》. ⑤악기(惡氣)고 나쁜 기운. '以狗禦一'《史記》. ⑥굿고 남을 해치려는 푸닥거리. '典治巫一'《漢書》. ⑦의심할고 의혹함. '有一疾'《左傳》. ⑧미혹게할고, 미혹할고 호림. 또, 홀림. '欲一文夫人'《左傳》. ⑨어지럽힐고, 어지러울고 '用止狂一'《太玄經》. ⑩경계할고 신칙(申飭)함. '一, 則飭也'《易經》. ⑪일고 故(攴부 5획〈481〉)와 통용. '幹父止一'《易經》. ⑫고괘고 육십사괘(六十四卦)의 하나. 곧, ䷑〈손하(巽下), 간상(艮上)〉. 괴란(壞亂)이 극진한 뒤에 사물이 새로 일어나는 상(象).

[字源] 會意. 蟲＋皿

虫 17 〔蠭〕23 봉 [平]冬 | fēng ホウ はち

[字解] ①벌봉 蜂(虫부 7획〈1228〉)과 同字. '一蠆有毒'《左傳》. ②기이름봉 기(旗)의 한 가지. '獲其一旗'《左傳》. ③칼끝봉, 봉망봉 鋒(金부 7획〈1562〉)과 통용. '反其一東向, 可以爭天下'《漢書》.

虫 17 〔蠯〕23 [一] 패 [平]佳 | ハイ まてがい
[二] 비 [平]支 | pí ヒ まてがい

[字解] [一] 긴맛패 맛의 일종. 마도패(馬刀貝). '供蝸一與麦芡'《張衡》. [二] 긴맛비 [一]과 뜻이 같음.

虫 17 〔⿱尉䖵〕23 위 [去]未 | wèi イ しろあり

[字解] 흰개미위, 날개개미위 날개가 있어 나는 개미. '一, 飛螘'《爾雅》.

虫 17 〔蠨〕23 소 [平]蕭 | xiāo ショウ あしたかぐも

[字解] 갈거미소 '一蛸'는 납거밋과에 속하는 거미의 일종. '一蛸在戶'《詩經》.

[字源] 形聲. 虫＋蕭〔音〕

虫 17 〔蠮〕23 열 [入]屑 | yē エツ じがばち

[字解] 나나니벌열 벌의 일종. 세요봉(細腰蜂). '一螉'.

[字源] 形聲. 虫＋翳〔音〕

虫 17 〔蠳〕23 영 [平]庚 | yīng エイ かめのな

[字解] 거북이름영 거북〔龜〕의 일종. '其水蟲則有一龜鳴蛇'《張衡》.

虫 17 〔⿰虫霝〕23 령 [平]青 | líng レイ あおむし

[字解] 뽕나무벌레령 '螟一'은 명령(螟蛉)나방의 유충. 뽕나무벌레. '螟一, 桑蟲也'《說文》.

[字源] 形聲. 虫＋霝〔音〕

虫 17 〔⿰虫應〕23 응 [平]蒸 | yīng ヨウ·オウ つくつくぼうし

[字解] 애매미응 기생매미. '一, 謂之寒蜩. (注) 爾雅以蜺爲寒蜩, 寒蜩, 蝅也'《揚子方

言》.

虫17 〔蠰〕23 ㊀ 상 [去]漾 | shāng ショウ くわかみきり
㊁ 양 [上]養 | rǎng ジョウ はねながいなご
㊂ 낭 [平]陽 | náng, ráng ノウ かまきり

[字解] ㊀ 뽕나무하늘소상 하늘소의 일종. 상우(桑牛). '一, 齧桑. (注) 似天牛角長, 體有白點, 喜齧桑樹, 作孔入其中'《爾雅》. ㊁ 벼메뚜기양 '一谿'는 벼메뚜기. ㊂ 버마재비낭 '蟷一'은 버마재비. 사마귀.
[字源] 形聲. 虫＋襄〔音〕

虫17 〔⿰虫龠〕23 약 [入]藥 | yuè ヤク ほたる
[字解] 반딧불이약 반디. 개똥벌레. '蠼一, 蟲名, 螢也'《集韻》.

虫17 〔蠲〕23 견 [平]先 | juān ケン きよい
[字解] ①조촐할견 깨끗함. '一潔'. '除其不一'《周禮》. ②밝을견, 밝힐견 명백함. 명백히 함. '惠公一其大德'《左傳》. ③덜견 제거함. 떨어 버림. '一除'. '應時而一'《揚雄》. ④나을견 '一, 瘉也'《廣雅》. ⑤빠를견 '一, 疾也'《玉篇》. ⑥노래기견, 그리마견 '一, 馬一也. …明堂月令曰, 腐艸爲一'《說文》.
[字源] 會意. 蜀＋益

虫17 〔⿰虫谿〕23 계 [平]齊 | qī ケイ じがばち
[字解] 나나니벌계 나나니벌. 땅벌. '螇, 蟲名, 土蠭也, 或作一'《集韻》.

虫17 〔⿱匿䖵〕23 닉 [入]職 | nì ジョク あぶ
[字解] ①등에닉 등에. '一, 蟲名, 博雅, 一, 鼅蝱也'《集韻》. ②벌레먹는병닉 벌레 먹는 병. '一, 一曰, 蟲食病'《集韻》.

虫17 〔⿰虫篾〕23 〔멸〕
蠛(虫부 15획〈1253〉)과 同字

虫17 〔⿱非蟲〕23 〔비〕
蜚(虫부 8획〈1234〉)와 同字

虫17 〔⿰虫鮮〕23 선 [上]銑 | xiǎn セン へびのいっしゅ
[字解] 뱀선 뱀. 뱀의 한 가지. '一, 蛇屬'《集韻》.

虫17 〔⿰虫燮〕23 〔접〕
蜨(虫부 8획〈1233〉)과 同字

虫17 〔蠥〕23 〔얼〕
蠥(虫부 16획〈1254〉)과 同字

虫17 〔⿰虫毚〕23 참 [平]咸 | chán サン かにのいっしゅ
[字解] 게참 게〔蟹〕의 한 가지. '一, 蠏屬'《集韻》.

虫17 〔蠘〕23 희 [平]支 | xī キ あり
[字解] 개미희 개미. '蟻, 蟻也, 或作一·蟻·蟻·蟻'《集韻》.

虫18 〔蠹〕24 두 [去]遇 | dù ト きくいむし
[字解] ①나무굼벵이두 나무 속에 기생(寄生)하는 굼벵이. 목두충(目蠹蟲). 추제(蝤蠐). '一魚'. '樹鬱則爲一'《呂氏春秋》. ②좀두 ㉠반대좀. 의어(衣魚). '辟惡生香, 聊防羽陵之一'《徐陵》. ㉡사물을 좀먹어 해독을 끼치는 사람이나 사물. '國民之一也'《左傳》. '法開二門, 爲政之一'《任昉》. ③좀먹을두 좀이 쏢. '腐一'. '一蝕'. '以爲柱則一'《莊子》. ④해칠두 잔해(殘害)함. '一害'. '攘韓一魏'《戰國策》. ⑤쬘두 좀이 안 먹도록 햇볕에 쬠. 포쇄(曝曬)함. '一書'. '一書于羽林'《穆天子傳》.
[字源] 形聲. 䖵＋槖〔音〕

虫18 〔⿱寍䖵〕24 녕 [平]青 [去]敬 | níng ネイ·ニョウ けら
[字解] 땅강아지녕 누고(螻蛄). '一, 一蟲也'《說文》.
[字源] 形聲. 䖵＋寍〔音〕

虫18 〔⿱橐䖵〕24 타 [平]歌 | tuó タ けもののな
[字解] 짐승이름타 '一, 獸, 狀如人, 羊角虎爪'《正字通》.

虫18 〔蠶〕24 [人名] 잠 [平]覃 | cán サン かいこ
[筆順] 二 天 旡 旡 兓 朁 朁 蠶
[字解] ①누에잠 누에나방의 유충. 자벌레 비슷하며 네 번 허물을 벗고, 다 커서 실을 토하여 고치를 지음. '養一'. '三月一始生, 纖細如牛毛'《趙孟頫》. ②누에칠잠 누에를 사육함. 또, 그 일. '一婦'. '一桑'. '就公桑一室而一'《禮記》.
[字源] 形聲. 䖵＋朁〔音〕
[參考] 蚕(虫부 4획〈1221〉)은 俗字.

虫18 〔蠺〕24 蠶(前條)과 同字

虫 18 〔蠵〕24 휴 [平]齊 | xī, xí ケイ うみがめ

[字解] 바다거북휴 암황색 반점이 있는 거북. '蠵—'. '—, 觜—, 大龜也'《說文》.
[字源] 形聲. 虫＋巂〔音〕

虫 18 〔蠸〕24 권 [平]先 | quán ケン うりばえ

[字解] 노린재권 노린재아과(亞科)에 속하는 갑충(甲蟲)의 총칭. 넓적노린재·별점박이노린재·실노린재 등이 있음. 몸은 납작하고 고약한 노린내가 남. 오이·참외·박·호박 따위의 잎을 갉아먹음. '瞀芮生乎腐—'《列子》.
[字源] 形聲. 虫＋雚〔音〕

虫 18 〔蠷〕24 구 [平]虞 | qú ク はさみむし

[字解] 집게벌레구 '—螋'는 집게벌레. '—螋蟲, 溺人影, 隨所著處生瘡'《博物志》.

虫 18 〔⿱渠䖵〕24 〔거〕
⿱巨䖵(虫부 11획〈1242〉)와 同字

虫 18 〔⿱貘虫〕24 막 [入]藥 | mò バク かまきり

[字解] 사마귀막 사마귀. 당랑(螳蜋). '—, —貑, 蟲名, 螗蜋也. 通作莫'《集韻》.

虫 18 〔蟆〕24 맥 [入]陌 | mò バク ぶと, ぶゆ

[字解] 작은모기맥 작은 모기. 모기와 비슷한 파리맷과의 곤충. '—, 小蚊蟲'《玉篇》.

虫 18 〔蝮〕24 복 [入]職 | fù ホク いなご

[字解] 메뚜기복 메뚜기. '—, 蟲名, 蝗也'《集韻》.

虫 18 〔⿱魏虫〕24 위 [平]未 | wèi ギ なつご

[字解] 여름누에위 여름누에. 두벌 누에. '—, 再蠶也'《集韻》.

虫 18 〔蠍〕24 장 [平]陽 | zàng ソウ いしたかく けわしいさま

[字解] 돌높고험한모양장 돌이 높고 험한 모양. '—, 石高險貌'《字彙補》.

虫 18 〔⿱衆䖵〕24 〔종〕
螽(虫부 11획〈1242〉)과 同字

虫 19 〔[illegible]〕25 할 [入]黠 [入]曷 | xiá カツ けら

[字解] 땅강아지할 누고(螻蛄). '—, 螻蛄也'《說文》.

[字源] 形聲. 蚰＋蓳〔音〕

虫 19 〔⿱萬䖵〕25 〔채〕
蠆(虫부 13획〈1251〉)와 同字

虫 19 〔⿰虫蠃〕25 〔라〕
蠃(虫부 13획〈1251〉)의 訛字

虫 19 〔蠻〕25 [人名] 만 [平]刪 | mán バン えびす

[筆順] 言 言 結 結 䜌 䜌 蠻 蠻

[字解] ①오랑캐만 남방의 미개 민족. '南方曰—, 雕題交趾'《禮記》. 전(轉)하여, 미개 민족의 통칭. '內撫諸夏, 外綏百—'《班固》. ②얕볼만 깔봄. '—, 傷也'《廣雅》. ③성만 성(姓)의 하나.
[字源] 形聲. 虫＋變〈省〉〔音〕
[參考] 蛮(虫부 6획〈1227〉)은 俗字.

虫 19 〔⿱雋䖵〕25 전 [上]銑 | juǎn セン むしばむ

[字解] 벌레먹을전 또, 벌레가 먹은 상처. '—, 蟲食也'《說文》.
[字源] 形聲. 蚰＋雋〔音〕

虫 19 〔⿰虫麗〕25 [一] 리 [平]支 | lí りげじげじ
[二] 려 [去]霽 | レイ げじげじ

[字解] [一] 그리마리 그리마. 유연(蚰蜒). '蜧—'. [二] 그리마려 [一]과 뜻이 같음.

虫 19 〔⿰虫離〕25 리 [平]支 | lí リ つののないりゅう

[字解] 뿔없는용리 뿔 없는 용. 또는 벌레 이름. '—, 螹—, 龍無角, 一曰, 蟲名'《集韻》.

虫 19 〔⿱冒䖵〕25 〔밀〕
蜜(虫부 8획〈1234〉)과 同字

虫 19 〔⿱義䖵〕25 [一] 螘(虫부 10획〈1240〉)와 同字
[二] 蟻(虫부 13획〈1250〉)와 同字

虫 19 〔⿱萅䖵〕25 〔준〕
蠢(虫부 15획〈1253〉)과 同字

虫 20 〔蠼〕26 [一] 각 [入]藥 | jué キャク おおざる
[二] 구 [平]虞 | qú ク はさみむし

[字解] [一] 큰원숭이각 모후(母猴). '蛭蜩—猱'《司馬相如》. [二] 집게벌레구 蠷(虫부 18획〈1257〉)와 통용.
[字源] 形聲. 虫＋矍〔音〕

虫 20 〔⿱蜚䖵〕26 비 [上]尾 [去]未 | fěi ヒ あぶらむし

字解 ①바퀴비 '一, 臭蟲負蠜也'《說文》. ②짐승이름비.

虫20 〔蠶〕26 〔잠〕
蠶(虫부 18획〈1256〉)의 俗字

虫20 〔蠽〕26 〔첨〕
蠽(虫부 22획〈1258〉)의 訛字

虫21 〔蠽〕27 절 入屑 | jié セツ ひぐらし
字解 쓰르라미절 매미의 하나. '一, 小蟬蜩也'《說文》.
字源 形聲. 蚰+截〔音〕

虫21 〔蠹〕27 〔전〕
蠹(虫부 10획〈1242〉)의 本字

虫21 〔蠠〕27
㊀ 蜜(虫부 8획〈1234〉)과 同字
㊁ 蠠(虫부 15획〈1253〉)과 同字

虫21 〔蠾〕27 촉 入沃 | zhú ショク のみ
字解 ①벼룩촉 기생 곤충(寄生昆蟲)의 일종. '一, 蚤也'《廣韻》. ②나비애벌레촉 蜀(虫부 7획〈1230〉)·蠋(虫부 13획〈1250〉)과 同字.

虫21 〔蟫〕27 〔음〕
蟫(虫부 12획〈1247〉)의 本字

虫21 〔蠇〕27 〔려〕
蠇(虫부 15획〈1254〉)와 同字

虫21 〔蠬〕27 옹 上腫 | yǒng ヨウ かいこ
字解 누에옹 누에 또는 옴벌레. 개선충(疥癬蟲). '一, 蟲名, 廣雅, 蠶也'《集韻》.

虫22 〔蠡〕28
㊀린 去震 | lìn リン か
㊁민 平眞 | ビン·ミン か
字解 ㊀ 모기린 '一, 蝨也'《說文》. ㊁ 모기민 ㊀과 뜻이 같음.

虫22 〔蠿〕28
㊀철 入屑 | zhuō セツ くも
㊁찰 入黠 | サツ くも
字解 ㊀ 거미철 거미줄을 치는 거미. '一, 一蟊, 作网鼄蟊也'《說文》. ㊁ 거미찰 ㊀과 뜻이 같음.
字源 形聲. 蚰+𢇍〔音〕

虫22 〔蠹〕28 〔두〕
蠹(虫부 18획〈1256〉)의 本字

虫22 〔蠹〕28 〔강〕
強(弓부 8획〈362〉)의 籀文

虫22 〔蠹〕28 〔비〕
蚍(虫부 4획〈1219〉)와 同字

虫22 〔蠹〕28 〔융〕
融(虫부 10획〈1241〉)의 籀文

虫22 〔蠻〕28 만 平刪 | wān ワン むしのまがりいこうさま
字解 ①벌레이름만 벌레 이름. '一, 蟜一, 蟲曲息皃'《集韻》. ②벌레쉬는모양만 벌레가 움츠려 쉬는 모양. '一, 蟲名'《玉篇》.

虫22 〔蠰〕28 〔상〕
蠰(虫부 17획〈1256〉)과 同字

虫23 〔蠹〕29 〔부〕
蜉(虫부 7획〈1228〉)와 同字

虫23 〔蠶〕29 현 上銑 | xiǎn ケン しじみ
字解 가막조개현 가막조개. 바지라기. '蜆, 小蛤也, 或从顯'《集韻》.

虫24 〔蠹〕30 령 平青 | líng レイ ほたる
字解 반딧불이령 반딧불이. 개똥벌레. '一, 蟲名, 丹良也'《集韻》.

虫24 〔蠹〕30 〔초〕
蟭(虫부 12획〈1248〉)와 同字

虫26 〔蠹〕32 〔조〕
螬(虫부 11획〈1243〉)의 本字

血 部
〔피 혈 부〕

血0 〔血〕6 中·人 혈 入屑 | xuè, xiě ケツ ち
筆順 ′ 𠂉 𦉪 𠕁 𠕁 血
字解 ①피혈 ㉠혈액(血液). '一球'. '一流漂杵'《書經》. ㉡골육의 관계. '一嗣'. '一屬在焉'《昨夢錄》. ②피칠할혈 피를 바름. '兵不一刃'《荀子》. '叩其鼻 以一社也'《公羊傳》. ③물들일혈 염색하여 광채를 냄. '可以一玉'《山海經》. ④상처혈 '渙其一去'《易經》. ⑤눈물혈 몹시 슬플 때 나오는 눈물. '戰士爲陵飮一'《李陵》. ⑥근심할혈, 근심혈 恤(心부 6획〈388〉)과 통용. '一去惕出'

《易經》.
[字源] 象形. 제사 때 신(神)에게 바치는 희생의 피를 그릇에 담은 모양을 본뜸.
[參考] '血'을 의부(意符)로 하여, 혈액에 관한 문자를 이룸.

血 2 〔甹〕8 [一] 정 [平]青 [二] 형 [平]青 | tíng テイ いきをととのえる ケイ いきをととのえる
[字解] [一] 숨쉴정 '一, 定息'《廣韻》. [二] 숨쉴형 [一]과 뜻이 같음.
[字源] 甲骨文은 會意로, 皿+示

血 2 〔甹〕8 甹(前條)의 本字

〔衂〕〔휼〕
卩부 6획(132)을 보라.

血 2 〔劮〕8 〔뉵〕
衄(血부 4획〈1259〉)과 同字

血 3 〔衃〕9 衂(前前條)의 訛字

血 3 〔衂〕9 〔뉵〕
衄(血부 4획〈1259〉)의 俗字

血 3 〔衁〕9 황 [平]陽 | huāng コウ ち
[字解] ①피황 혈액. '士刲羊亦無一也'《左傳》. ②게장황 게의 누런 알집. '一, 蟹黃, 俗曰一'《正字通》.
[字源] 形聲. 血+亡〔音〕

血 3 〔甹〕9 경 [平]青 | qíng ケイ かんがえがさだまる
[字解] 생각정해질경 생각이 정해짐. 의견이 잡히어짐. '一, 見定也'《字彙補》.

血 4 〔衄〕10 뉵 [入]屋 | nǜ(niǜ) ジク はなぢ
[字解] ①코피뉵 코에서 나오는 피. '一, 鼻出血也'《說文》. '脾移熱于肝, 則爲驚一'《素問》. ②질뉵, 꺾일뉵 패배함. 좌절함. 기력이 쇠함. '折一'. '未嘗敗一'《五代史》. '臣兵累見折一'《後漢書》. ③움츠러들뉵 굴(屈)함. '師徒小一'《曹植》.
[字源] 形聲. 血+丑〔音〕

血 4 〔衂〕10 衄(前條)의 俗字

血 4 〔衃〕10 배 [平]灰 | pēi ハイ こりち
[字解] 어혈배 썩은 피. 검붉어진 응혈(凝血). '赤如一血者死'《素問》.

[字源] 形聲. 血+不〔音〕

血 4 〔缺〕10 〔결〕
缺(缶부 4획〈1022〉)과 同字

血 4 〔衁〕10 황 [平]陽 | huāng コウ ちがむねにのぼる
[字解] 피가슴에치밀황 피가 가슴에 치밂. '一, 血上心也'《字彙補》.

血 4 〔衁〕10 〔황〕
衁(血부 3획〈1259〉)과 同字

血 5 〔衅〕11 흔 [去]震 | xìn キン ちぬる
[字解] 피칠할흔 釁(酉부 18획〈1545〉)과 同字. '車甲一而藏之府庫'《禮記》.
[字源] 會意. 血+半

血 5 〔衇〕11 〔맥〕
脈(肉부 5획〈1071〉)과 同字

血 6 〔衆〕12 [中·人] 중 [去]送 [平]東 | zhòng シュウ おおい, もろもろ zhōng

[筆順] 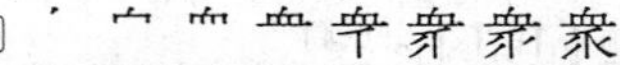

[字解] ①무리중 ㉠많은 사람. '一庶'. '一惡之必察焉'《論語》. ㉡많은 사람의 마음. 민심(民心). '失一則失國'《大學》. ②많을중 수가 많음. '一寡'. '生之者一, 食之者寡'《大學》. ③군신(群臣)중 백관(百官). '一者, 爲人下者也'《後漢書》. ④장마중 사흘 이상 계속되는 비. '雨三日以上爲霖. 今月令曰一雨'《禮記》. ⑤차조중 차진 조. '一, 秫'《爾雅》. ⑥성중 성(姓)의 하나.
[字源] 會意. 甲骨文은, 日+㐺

血 6 〔衉〕12 객 [入]陌 | kè カク はく
[字解] 토할객 피를 토함. '鄭人擊我, 吾伏弢一血'《國語》.
[字源] 形聲. 血+各〔音〕

血 6 〔衈〕12 이 [去]寘 | ěr ジ にわとりのちをぬるまつり
[字解] ①닭피제사이 닭을 죽여 지내는 혈제(血祭). ②귀피제사이 희생의 귀에서 나오는 피를 바치는 제사. '其一皆於屋下'《禮記》. ③피칠할이 피를 바름. '叩其鼻以一社也'《穀梁傳》.
[字源] 形聲. 血+耳〔音〕

血 6 〔衇〕12 〔맥〕
脈(肉부 6획〈1073〉)의 籒文

血 6 〔衇〕12 〔맥〕 脈(肉부 6획〈1073〉)과 同字

血 6 〔䘓〕12 〔도〕 圖(口부 11획〈198〉)와 同字

血 7 〔𧖴〕13 최 ㊉灰 zuī サイ あかごのいんぶ

字解 자지최 갓난아기의 음경(陰莖). '未知牝牡之合而一作, 精之至也'《老子》.

字源 形聲. 血＋夋〔音〕

血 7 〔衄〕13 익 ㊇錫 nì デキ うれえるさま

字解 걱정하는모양익 걱정하는 모양. 근심하는 모양. '惄, 說文, 憂皃, 或作一'《集韻》.

血 7 〔盜〕13 〔담〕 監(血부 8획〈1260〉)과 同字

血 7 〔䘕〕13 만 ㊤旱 mǎn バン ちぬる

字解 피칠할만 피를 칠함. 피를 바름. '一, 以血塗也'《集韻》.

血 7 〔衁〕13 〔맹〕 盟(皿부 8획〈834〉)의 本字

〔睾〕 〔고〕 目부 9획(852)을 보라.

血 8 〔衉〕14 ㊀감 ㊋勘 kàn カン ひつじのこりち ㊁담 ㊋勘 タン ひつじのこりち

字解 ㊀①선지감 양(羊)의 선지. '一, 羊凝血也'《說文》. ②선짓국감 혈갱(血羹). '宋時大官作一'《本草註》. ㊁ 선짓국담 ㊀❷와 뜻이 같음.

字源 形聲. 血＋臽〔音〕

血 8 〔䘙〕14 괵 ㊇陌 guó カク いぬのち

字解 개피괵 개의 피. '一, 犬血'《集韻》.

血 8 〔監〕14 담 ㊤感 dǎn タン ちのしおから

字解 피조림담 피로 담근 육장. '一, 血醢也'《說文》.

字源 形聲. 血＋肬〔音〕

血 8 〔盟〕14 〔맹〕 盟(皿부 8획〈834〉)과 同字

血 8 〔𧖷〕14 〔구〕 歐(欠부 11획〈600〉)와 同字

血 9 〔𧗁〕15 〔객〕 䘓(血부 6획〈1259〉)의 俗字

血 9 〔𧖻〕15 진 ㊉眞 jīn シン つば

字解 침진 '一, 气液也'《說文》.

字源 形聲. 血＋𦘔〔音〕

血 9 〔𧗂〕15 〔녁〕 惄(心부 8획〈393〉)의 古字

血 10 〔𧗃〕16 기 ㊉微 jī キ きる

字解 ①자를기 베어서 동강을 냄. 刉(刀부 4획〈100〉)와 同字. '一, 斷也, 刲也'《類篇》. ②피칠할기 희생의 피를 칠해 제사함. 또, 그 제사. '一, 以血有所刉涂祭也'《說文》.

字源 形聲. 血＋幾〔音〕

血 10 〔衂〕16 뉵 ㊇屋 nǜ ドク けがす

字解 더럽힐뉵 더럽힘. 더럽혀짐. '一, 汙也'《篇海》.

血 10 〔𧗊〕16 증 ㊉蒸 zhēng ショウ つけもの

字解 ①육장증 '一謂之醢'《爾雅》. ②김치증 채소 절임. '一, 菹也'《篇海》.

血 10 〔𧗉〕16 〔포〕 餔(食부 7획〈1719〉)의 籒文

血 11 〔𧗝〕17 호 ㊋遇 hù コ ちでけがれる

字解 피로더럽힐호 '一, 血汙也'《集韻》.

血 12 〔𧗤〕18 저 ㊉魚 zū ショ つけもの

字解 젓담글저 '一, 醢也'《說文》.

血 12 〔𧗥〕18 〔주〕 盩(皿부 12획〈835〉)의 本字

血 12 〔𧗦〕18 〔기〕 𧗃(血부 10획〈1260〉)의 本字

血 12 〔𧗡〕18 〔감〕 衉(血부 8획〈1260〉)과 同字

血 13 〔𧗪〕19 〔농〕 膿(肉부 13획〈1093〉)과 同字

血 13 〔𧗫〕19 〔최〕 𧖴(血부 7획〈1260〉)와 同字

血14 〔衊〕20 〔뉵〕 衄(血부 4획〈1259〉)과 同字

血14 〔䘑〕20 엽 ⓐ葉|yè ヨウ ち

字解 피엽 피. 혈액. '一, 血也'《篇海》.

血15 〔衊〕21 멸 ⓐ屑|miè ベツ けがす

字解 ①더럽힐멸 ㉠피 또는 더러운 물건을 발라 더럽힘. '糞穢一面'《列女傳》. ㉡신성을 모독함. 치욕을 줌. '汚一宗室'《漢書》. ②더러운피멸 '一, 汚血也'《說文》. ③코피날멸 코에서 피가 나옴. 또, 그 피. '一, 鼻出血也'《篇海》. '衄一瞑目'《素問》.

字源 形聲. 血+蔑〔音〕

血15 〔䖶〕21 〔저〕 菹(艸부 8획〈1151〉). 葅(血부 12획〈1260〉)와 同字

血18 〔衋〕24 혁 ⓐ職|xì キョク いたむ

字解 애통할혁 몹시 서러워함. 마음 아파함. '民罔不一傷心'《書經》.

字源 會意. 血+聿+皕

血24 〔䘓〕30 〔감〕 䘓(血부 8획〈1260〉)과 同字

行　部
〔다닐행부〕

行0 〔行〕6 中·人 ㊀행 ㊥庚 ①-⑮xíng コウ ゆく ㊤敬 ⑯(xìng) コウ おこない ㊁항 ㊤漾 ①②hàng コウ ならび ㊥陽 ③④háng コウ たいご

筆順 ノ ク 彳 亍 行 行

字解 ㊀①다닐행, 걸을행 ㉠보행을 함. '臣少多疾病, 九歲不一'《李密》. ㉡걸어감. '男女一者別於塗'《史記》. ㉢거닐면서. '一吟澤畔'《楚辭》. ②갈행 ㉠'膝一蒲伏'《史記》. 떠남. '告之使一'《左傳》. '與子偕一'《詩經》. ㉡나아감. 전진함. '日吾老矣, 不能用也, 孔子一'《論語》. ③돌행 ㉠한 바퀴 돎. '酒三一'《韓愈》. ㉡순환(循環)함. '日月運一'. ㉢순행함. 순시함. '入山一木, 毋有斬伐'《禮記》. ④흐를행 물이 흐름. '水逆一'《孟子》. ⑤지날행 거침. '一年七十'《莊子》. ⑥가게할행, 보낼행 '一軍'. '激而一之, 可使在山'《孟子》. ⑦행할행 ㉠함. '力一'. '實一'. '先一其言'. (皇疏)一, 猶爲也'《論語》. ㉡베풂. 줌. '論功一賞'. '一糜粥飮食'《禮記》. ㉢씀. 사용함. '及其於銅則不一也'《淮南子》. ⑧행해질행 시행됨. 쓰임. '書十上而說不一'《戰國策》. ⑨길행 ㉠통로. 도로. '一有死人'《詩經》. ㉡이정(里程). '千里之一, 始於足下'《老子》. 전(轉)하여, 여정(旅程). 여행. '聊以吾子之一卜之也'《韓愈》. 또, 여행의 차림. 행장. '治一'. ㉢사람이 행하여야 할 길. 도의(道義). '下有直言, 臣之一也'《國語》. ⑩길귀신행 길을 맡은 신(神). '孟冬其祀一'《禮記》. ⑪행서행 서체(書體)의 하나. '眞一草'. '尤能隸一'《法書要錄》. ⑫시이름행 한시(漢詩)의 한 체(體). '短歌一'. '琵琶一'. ⑬행행 관계(官階)가 높고 관직이 낮은 경우에 벼슬 이름 위에 붙여 일컫는 말. '輔國大將軍一左神策軍將軍'《柳公權》. ⑭가게행 상점. '銀一'. '大小貨一'《東京夢華錄》. ⑮성행 성(姓)의 하나. ⑯행실행 ㉠행위. '言顧一, 一顧言'《中庸》. ㉡품행. '操一'. '觀其一'《論語》. ㉢바른 행위. '劉子翼峭直有一'《世說》. ㊁①항렬항 서열. 서차. '配一'. '漢天子我丈人一'《史記》. ②같은또래항 등배(等輩). '其游知交, 皆其大夫一'《史記》. ③줄항 대열. '一伍'. '一出犬雞'《左傳》. ④성항 성(姓)의 하나.

字源 象形. 잘 정리된 네거리의 모양.

參考 '行'을 의부(意符)로 하여, 도로나 거리에 관한 문자를 이룸.

行2 〔衎〕8 〔궤〕 軌(車부 2획〈1459〉)의 古字

行2 〔衜〕8 〔도〕 道(辵부 9획〈1502〉)의 籒文

行3 〔衍〕9 人名 연 ㊤銑|yǎn エン あふれる

筆順 ノ ク 彳 彳 𧗟 衍 衍 衍

字解 ①넘칠연 넘쳐 흐름. '一溢'. '至今一於四海'《書經 傳》. ②퍼질연 널리 뻗어서 퍼짐. '蔓一'. '篠簜敷一'《張衡》. ③펼연 널리 폄. '布一'. '廣一'. '大一之數五十'《易經》. ④넉넉할연 풍요로움. '饒一'. '豐一'. '仁人詘約, 暴人一也'《荀子》. ⑤지날연 초과함. '功一於太祖'《杜篤》. ⑥남을연 ㉠한도 밖에 더 있음. '餘一之財'《韓詩外傳》. ㉡군것이 더 있음. '一文'. '一字'. ⑦흐를연 흘러감. '一在中也'《易經》. ⑧흩어질연 '一, 散也'《小爾雅》. ⑨끌연 끌어들임. '博

一幽隱'《後漢書》. ⑩즐길연 '一, 樂也'《集韻》. ⑪넓을연 끝없음. '陵高一之嵱嵸兮'《漢書》. ⑫많을연 '國富人一'《杜篤》. ⑬클연 '列聖相承丕一無疆之祚'《元史》. ⑭평지연 평탄한 땅. 또, 비옥한 땅. '井一沃'《左傳》. ⑮성연 성(姓)의 하나.

字源 會意. 水+行

行3 〔衎〕9 간 去翰 上旱 | kàn カン よろこぶ, たのしむ kǎn

字解 ①즐길간 즐거워함. '嘉賓式燕以一'《詩經》. ②기뻐할간 기뻐하는 모양. '一, 行喜皃'《說文》. ③곧을간 강직한 모양. '張歆一一, 履忠進言'《漢書》. ④성간 성(姓)의 하나.

字源 形聲. 行+干〔音〕

行4 〔䘖〕10 랍 入合 | là ロウ あゆめない

字解 걷지못할랍 걷지 못함. 발을 올릴 수 없음. '一, 不能擧足也'《字彙補》.

行4 〔䘙〕10 어 去御 | yù ギョ はべる

字解 모실어 모심. 곁에서 모심. '一, 侍也'《字彙補》.

行4 〔衏〕10 원 | yuàn エン ひとをたのしませる

字解 남즐겁게할원 남을 즐겁게 함. '䘕一'. '一, 呼䘕一, 樂人也'《篇海》.

行4 〔䘕〕10 항 | háng ユウ ひとをたのしませる

字解 남즐겁게할항 남을 즐겁게 함. '一衏'. '一, 一衏, 樂人也'《篇海》.

行4 〔䘐〕10 형 平青 | xíng ケイ ゆくさま

字解 가는모양형 가는 모양. '一, 行貌'《玉篇》.

行5 〔衒〕11 현 去霰 | xuàn ゲン てらう

字解 ①자랑할현 자기가 자기 자랑을 함. 자기 선전을 함. '一學'. '矜一'. '將一外以惑愚瞽也'《劉基》. ②팔현 다니면서 팖. '一, 賣也'《廣雅》.

字源 形聲. 行+玄〔音〕

行5 〔術〕11 高人 日 술 入質 曰 수 去寘 | shū ジュツ みち suì スイ むらざとのな

筆順 ノ ノ 彳 行 術 術 術 術

字解 日 ①길술 ㉠마을 안의 통로. '園囿一路'《漢書》. ㉡방법. 수단. '致君堯舜終無一'《十八史略》. '是乃仁一也'《孟子》. ②꾀술 계략. '權謀一數'. '一策'. '用兵有一矣'《淮南子》. '思通造化, 策略奇妙, 是爲一家'《人物志》. ③업술 ㉠일. 사업. '營道同一'《禮記》. ㉡학문. 기예. 기술. '藝一'. '學一'. '易之爲一, 幽明遠矣'《史記》. ④술수술 음양가·복서가 등의 술법. '一家'. '余知隱地一'《陸龜蒙》. ⑤지을술, 서술할술 述(辵부 5획〈1491〉)과 통용. '一省之'《禮記》. '一追厥功'《漢書》. ⑥성술 성(姓)의 하나. 曰 일만이천오백호수 주대(周代)의 자치 단체로서, 1만2천5백 호(戶)의 일컬음. 遂(辵부 9획〈1500〉)와 통용. '一有序, 國有學'《禮記》.

字源 形聲. 行+朮〔音〕

行5 〔術〕11 術(前條)과 同字

行5 〔衑〕11 령 平青 | líng レイ みち

字解 길령 길. 도로. '一, 道也'《玉篇》.

行6 〔衕〕12 동 平東 去送 | tóng dòng トウ ちまた

字解 ①거리동 길거리. '衖一'. ②설사할동 '梁渠之山, …有鳥焉, 名曰囂, 食之已腹痛, 可以止一'《山海經》.

字源 形聲. 行+同〔音〕

行6 〔街〕12 中人 가 平佳 平佳 | jiē ガイ よつまた, まち

筆順 ノ ノ 彳 行 往 往 街 街

字解 ①거리가 ㉠네거리 또는 한길. '一頭'. '十字一'. '對一爲宅'《後漢書》. ㉡큰거리. 시가(市街). '入一下馬, 擁經而前'《後漢書》. ②길가 '一, 道也'《廣雅》. '此胃之一也'《素問》. ③성가 성(姓)의 하나.

字源 形聲. 行+圭〔音〕

行6 〔衖〕12 〔항〕 巷(己부 6획〈328〉)과 同字

行6 〔䘘〕12 〔미〕 微(彳부 10획〈374〉)와 同字

行6 〔衘〕12 〔함〕 銜(金부 6획〈1559〉)의 俗字

行6 〔䘚〕12 각 入藥 | jué キャク うむ

字解 싫증날각 싫증남. 지침. '一, 倦也'《篇海》.

行6 〔衕〕12 〔술〕
術(行부 5획〈1262〉)과 同字

行7 〔衙〕13 人名 ㊀아 ㊥麻 | yá ガ つかさ
㊁어 ①②㊥魚 ③㊦御 | yú ギョ ゆくさま | yù ギョ とどめる

筆順 ノ 彳 彳 衎 衎 衙 衙 衙

字解 ㊀①마을아 관청. '官一'. '一門'. '入一入閣'《舊唐書》. ②대궐아 궁전. '天子居曰一'《唐書》. ③모일아 참집(參集)함. '早晩一集'《篇海》. ④성아 성(姓)의 하나. ㊁①갈어 걸어가는 모양. '導飛廉之一一'《宋玉》. ②성어 성(姓)의 하나. ③막을어 禦(示부 11획〈893〉)와 통용. '逆一'.
字源 形聲. 行+吾〔音〕

行7 〔衒〕13 〔현〕
衒(行부 5획〈1262〉)과 同字

行8 〔後〕14 전 ㊤銑 ㊦霰 | jiàn セン あと

字解 ①자취전 발자국. '一, 跡也'《說文》. ②밟을전 '一, 蹈也'《廣韻》.
字源 形聲. 行+戔〔音〕

〔銜〕 〔함〕
金부 6획(1559)을 보라.

行9 〔衚〕15 호 ㊥虞 | hú コ まち

字解 거리호 큰 거리. 한길. '衚, 衚一, 街也, 今京師巷道曰一衕'《正字通》.
字源 形聲. 行+胡〔音〕

行9 〔衝〕15 高·人 충 ㊥冬 ㊦宋 | ①-⑧chōng, chòng ショウ みち, つく ⑨ショウ かなめ

筆順 ノ 彳 彳 衎 衎 衝 衝 衝

字解 ①거리충 큰 거리. 사통 오달하는 길. '陳留天下之一, 四通五達之郊也'《史記》. ②찌를충 ㉠직진(直進)함. '逆流而上, 直一浮橋'《後漢書》. ㉡침. 공격함. '所一無不陷'《呂氏春秋》. '趙一吾北, 齊臨吾東'《吳子》. ㉢들이밀어 뚫음. 쳐부숨. '光武與敢死者三千人, 一其中堅'《後漢書》. ㉣위로 치솟음. '怒髮上一冠'《史記》. ③부딪칠충 '一突'. '白頭巨浪自一撞'《薩都剌》. ④향할충 '一, 向也'《廣韻》. '臺, 四方, 隅有一蛇, 虎色. 首一南方'《山海經》. ⑤움직일충 '一, 動也'《揚子方言》. ⑥돌충 회오리침. '一風起兮橫波'《楚辭》. ⑦병거충 적진에 쳐들어가도록 만든 수레. '與爾臨一'《詩經》. ⑧병선충 적함(敵艦)에 돌격하도록 만든 병선(兵船). '蒙一'. ⑨목충 요긴한 곳. 요소. '神王守要一'《元稹》.
字源 形聲. 篆文은 行+童〔音〕

行9 〔衜〕15 〔도〕
衟(行부 10획〈1264〉)와 同字

行9 〔衞〕15 〔위〕
衛(行부 10획〈1263〉)의 俗字

行9 〔衛〕15 高·人 〔위〕 衞(行부 10획〈1263〉)의 俗字

筆順 彳 彳 徣 徣 徫 徫 徫 衛

行9 〔衡〕15 휘 ㊥微 | huī キ うつくしい

字解 아름다울휘 아름다움, 예쁨. '一, 美也'《字彙補》.

行9 〔衔〕15 ㊀흠 ㊦沁 ㊁함 ㊥咸 | xìn キン せんこうのさま | xiān カン ひらくさま

字解 ㊀몰래갈흠 몰래 감. 암행하는 모양. '一一'. '一, 一一, 暗行皃'《集韻》. ㊁열함 엶. 여는 모양. '一, 開貌'《篇海》.

行10 〔衞〕16 高·人 위 ㊦霽 | wèi エイ まもり

筆順 彳 彳 徣 徣 徫 衞 衞 衞

字解 ①지킬위 숙위(宿衞). '禁一嚴警'《晉書》. '文公之入也无一'《左傳》. ②지킬위 '一, 護也'《廣韻》. '閑輿一'《易經》. '朋友相一'《公羊傳》. ③막을위 방어함. 방비(防備). '防一'. '爪牙不足以自守一'《呂氏春秋》. ④덮을위 '以一諸夏之地'《國語》. ⑤아름다울위, 좋을위 褘(衣부 9획〈1280〉)와 통용. ⑥의심할위 '爾雅釋詁, 一, 嘉也. 鄭樵注曰, 時俗訝其物則曰一'《通俗編》. ⑦위복(衞服)위 구복(九服)의 하나. 기내(畿內)로부터 다섯째의 지경. '侯·甸·男·采·一'《書經》. ⑧경영할위 영위(營爲)함. '有貨以一身也'《國語》. ⑨경영위 영위. '恭儉爲一, 終無禍尤'《易林》. ⑩나라이름위 주대(周代)의 국명(國名). 지금의 직례성(直隸省)과 하남성(河南省)이었음. '一莊公娶于齊'《左傳》. ⑪성위 성(姓)의 하나.
字源 形聲. 行+韋〔音〕
參考 衛(前條)는 俗字.

行10 〔衡〕16 高·人 ㊀형 ㊥庚 | héng コウ よこぎ
㊁횡 ㊥庚 | hēng コウ よこ

[筆順] 彳 … 衡

[字解] [一] ①저울대형 저울의 추를 단 대. '權—'. '—誠懸矣, 則不可欺以輕重'《荀子》. 전(轉)하여, ②저울형 '度量—'. ③달형 무게를 닮. '—之於左右, 無私輕重'《淮南子》. ④가로나무형 ㉠마차(馬車)의 채끝에 댄 횡목(橫木). 또, 멍에. '倚於—'《論語》. ㉡혼천의(渾天儀)의 횡목. '在璿璣玉—'《書經》. ⑤뿔나무형 소의 두 뿔에 가로 매어서 받는 것을 막는 나무. '設其楅—'《周禮》. ⑥비녀형 관이 벗겨지지 않게 머리에 지르는 물건. 관계(冠笄). '—紞紘綖'《左傳》. ⑦패옥형 몸에 차는 옥(玉). '赤韍幽—'《禮記》. ⑧난간형 층계나 다리 등의 가장자리를 막은 물건. '百金之子不騎—'《漢書》. ⑨눈두덩형 눈썹과 속눈썹 사이. '揚—含笑'《蔡邕》. ⑩치우치지않을형, 평형이룰형 '均—'. '惟嗣王不惠乎阿—'《書經》. ⑪바를형 '朝有定度—儀, 以尊王位'《管子》. ⑫벼슬이름형 산림(山林)을 맡은 벼슬. '虞—作山澤之材'《周禮》. ⑬산이름형 오악(五嶽)의 하나. '江南—'《爾雅》. ⑭별이름형 북두칠성의 다섯째 별. '玉—'. '—般南斗'《漢書》. ⑮성형 성(姓)의 하나. [二] 가로횡 橫(木부 12획〈581〉)과 同字. '—行'. '合縱連—'《漢書》.
[字源] 形聲. 角+大+行〔音〕

行 10 〔衠〕16 순(준[本]) [平]眞 | zhūn シュン まこと
[字解] ①참순 '—, 眞也'《篇海》. ②바를순 '—, 正也'《篇海》. ③순전할순 순수함. '—, 不雜也'《篇海》. ※本音 준.

行 10 〔衜〕16 〔도〕 道(辵부 9획〈1502〉)의 古字

行 10 〔⿴行隶〕16 [一] 어 [上]語 | yù ギョ とどめる
[二] 소 | sù ソ きよい
[字解] [一] 막을어 막음. 제어함. '—, 止也'《集韻》. [二] 깨끗할소 깨끗함. 정결함. '—, 淨也'《直音》.

行 11 〔⿴行率〕17 솔 [入]質 | shuài シュツ ひきいる
[字解] ①거느릴솔 '—, 將—也'《說文》. ②이끌솔 '—, 導也'《玉篇》. ③복속시킬솔 붙좇게 함. '—, 循也'《廣韻》.
[字源] 形聲. 行+率〔音〕

行 11 〔⿴行魚〕17 〔형〕 衡(行부 10획〈1263〉)의 俗字

〔鴴〕 〔행〕 鳥부 6획(1817)을 보라.

行 12 〔⿴行童〕18 〔충〕 衝(行부 9획〈1263〉)의 本字

行 13 〔衞〕19 〔위〕 衛(行부 10획〈1263〉)의 本字

行 16 〔⿴行瞿〕22 衢(次條)와 同字

行 18 〔衢〕24 구 [平]虞 | qú ク ちまた
[字解] ①거리구 네거리. '街—'. '通—'. '尸諸周氏之—'《左傳》. ②갈림길구 기로(岐路). '行—道者不至'《荀子》. ③성구 성(姓)의 하나.
[字源] 形聲. 行+瞿〔音〕

衣(衤)部
〔옷 의 부〕

衣 0 〔衣〕6 [中人] 의 ①②[平]微 | yī イ ころも
③-⑥[去]未 | yì イ きる
[筆順] ' 亠 ナ 𠫔 衣 衣
[字解] ①옷의 ㉠의복. '白—'. ㉡중의 법복(法服). 가사(袈裟). '不傳—鉢'《傳燈錄》. ㉢물건의 표면에 나서 덮은 곰팡이·이끼 같은 것. '垣—'. '地—'. ②윗도리옷의 윗도리에 입는 옷. 저고리 따위. 상의(上衣). '裳'의 대(對). '綠—黃裳'《詩經》. ③입을의 옷을 입음. '—敝縕袍'《論語》. ④입힐의 옷을 입힘. '—之尨服'《左傳》. ⑤덮을의 '古之葬者, 厚—之以薪'《易經》. ⑥행할의 복응(服膺)함. '—德言'《書經》.
[字源] 象形. 몸에 걸친 의복의 깃 언저리의 象形으로, '옷'의 뜻을 나타냄.
[參考] '衣'가 변(邊)이 될 때에는 '衤'의 꼴을 취하며, '옷의변'이라 부름. '衣·衤'를 의부(意符)로 하여, 의류나 그 상태, 그에 관한 동작 등을 나타내는 문자를 이룸.

衣 0 〔衤〕5 衣(前條)가 글자의 변(邊)으로 올 때에 쓰는 자체(字體). '옷의변'이라 부름.

衣 2 〔⿻衣十〕8 〔졸〕 卒(十부 6획〈127〉)의 本字

衣 2 〔⿻衣儿〕8 〔예〕 裔(衣부 7획〈1273〉)의 古字

衣 2 〔⿻衣冂〕8 〔예〕 裔(衣부 7획〈1273〉)의 古字

衣 2 〔⿰衤了〕7 료 [上]篠 | liǎo リョウ こももひき

[字解] 잠방이료 가랑이가 짧은 홑고의. '大袴謂之倒頓, 小袴謂之校一'《方言, 四》.

衣 2 〔⿰衤八〕7 〔반〕 襻(衣부 19획〈1293〉)과 同字

衣 2 〔补〕7 〔보〕 補(衣부 7획〈1274〉)의 簡體字

〔初〕〔초〕 刀부 5획(101)을 보라.

衣 3 〔衫〕8 삼 [平]咸 | shān サン はだぎ

[字解] ①적삼삼 윗도리에 입는 작고 짧은 옷. 또, 소매가 없는 옷. '一子'. '脅汗一以當熱'《束皙》. ②옷삼 의복의 통칭(通稱). '青一'. '以枲苧襴一爲上服'《唐書》.

[字源] 形聲. 衤(衣)+彡〔音〕

衣 3 〔衩〕8 차 [去]禡 | chà, ③chǎ サ もすそ

[字解] ①옷깃차. ②옷자락차 '裙一芙蓉小'《李商隱》. ③잠방이차 무릎까지 닿는 홑고의.

[字源] 形聲. 衤(衣)+叉〔音〕

衣 3 〔衪〕8 이 [平]支 [上]紙 | yí イ ころものへり

[字解] ①옷선이 옷자락 가장자리에 딴 천으로 둘러 꾸민 선. '纁裳緇一'《廣韻》. ②소매이 '一, 衣袖'《廣韻》.

衣 3 〔衦〕8 간 [上]旱 [去]翰 | gǎn カン のす

[字解] 옷펼간 옷을 만져 폄. '一, 摩展衣也'《說文》.

[字源] 形聲. 衤(衣)+干〔音〕

衣 3 〔衧〕8 우 [平]虞 | yú ウ わきをおおきくつくったうわぎ

[字解] 저고리우 '諸一'는 겨드랑이를 크게 지은 저고리.

[字源] 形聲. 衤(衣)+亐(于)〔音〕

衣 3 〔⿴衣亏〕9 衧(前條)의 本字

衣 3 〔⿰衤亏〕8 衧(前條)와 同字

衣 3 〔衬〕8 〔츤〕 襯(衣부 16획〈1291〉)의 簡體字

衣 3 〔表〕8 [中·人] 표 [上]篠 | biǎo ヒョウ おもて

[筆順] 一 二 キ 丰 声 耒 耒 表

[字解] ①웃옷표 겉에 입는 옷. '袍必有一'《禮記》. ②입을표 웃옷을 입음. '必一而出'《論語》. ③겉표 ㉠거죽. 겉면. '一面'. '至于海一'《書經》. '人見其一, 莫測其裏'《潘岳》. ㉡밖〔外〕. '忽在世一'《陸機》. ㉢위〔上〕. '色昭昭于衆象之一'《盧景亮》. ④나타낼표 ㉠표창함. '旌一'. '一厥宅里'《書經》. ㉡명백히 함. '發一'. '君子一微'《禮記》. ㉢표시함. '水行者一深, 使人無陷'《荀子》. ⑤나타날표 사람에게 알려짐. 뚜렷하게 됨. '文采不一於後'《漢書》. ⑥표(標)표 안표. 표지(標識). '一札'. '設望一'《國語》. ⑦법표 본보기. 의범(儀範). '一式'. '抱一懷繩'《淮南子》. ⑧모습표 용모. 태도. '儀一'. '姿一瓌麗'《南史》. ⑨표(表)표 ㉠군주에게 올리는 서장(書狀). '賀一'. '出師一'. '陳事曰一'《文選註》. ㉡사물을 분류·배열하여 개요(概要)를 보기에 편리하도록 만든 것. '年一'. '統計一'. ⑩외가붙이표 모친의 겨레붙이. '一兄弟'. '有中一親'《晉書》. ⑪뛰어날표 특이한 모양. 빼난 모양. '一一'. '一獨立兮山之上'《楚辭》. ⑫성표 성(姓)의 하나.

[字源] 會意. 衣+毛

衣 3 〔衷〕9 〔충〕 衷(衣부 4획〈1267〉)의 略字

〔哀〕〔애〕 口부 6획(161)을 보라.

衣 4 〔衱〕9 겁 [入]葉 | jié キョウ すそ, えり

[字解] ①옷자락겁 '一謂之裾'《爾雅》. ②옷깃겁 '襋一謂之褗'《博雅》.

[字源] 形聲. 衤(衣)+及〔音〕

衣 4 〔衲〕9 납 [入]合 | nà ドウ·ノウ つくろう

[字解] ①기울납 옷을 기움. '一被蒙頭睡'《戴復古》. ②승복납 중의 옷. '應著一衣'《智度論》. ③중납 승려. '老一供茶盌'《戴叔倫》.

[字源] 形聲. 衤(衣)+內〔音〕

衣 4 〔衵〕9 일 [入]質 | yì ジツ じゅばん

[字解] 속속곳일 여자의 맨 속에 입는 옷. '皆衷其一服, 以戲于朝'《左傳》.

[字源] 形聲. 衤(衣)+日〔音〕

衣 4 〔衻〕9 염 [平]鹽 | rán ゼン·ネン うわぎ

字解 ①저고리염 특히, 시집갈 때 입는 저고리. 곧, 활옷 같은 것. '婦人復不以一'《禮記》. ②옷끝동염 옷의 가장자리를 딴 헝겊으로 가늘게 싸서 돌린 선. '純衣纁一'《儀禮》. ③폐슬(蔽膝)염 옷 앞에 무릎까지 늘이는 헝겊. '蔽厀…齊・魯之郊謂之一'《方言》.
字源 形聲. 衤(衣)+冄〔音〕

衣4 〔衽〕9 임 ㊀沁 ㊤寢 | rèn ジン・ニン えり

字解 ①옷섶임 '被髮左一'《論語》. ②솔기임 치마의 솔기. '攝一'《管子》. ③자락임 치맛자락. '執一采藥'《司馬光》. ④요임 누울 때에 방바닥에 까는 것. '臥一'. '王之燕衣服一席'《周禮》. ⑤나비은살대임 나비은장이음에 쓰는 나비 모양의 은살대. '一, 每束一'《禮記》. ⑥깔임 요 같은 것을 밑에 깖. '一金革'《中庸》. ⑦여밀임 옷깃을 바로잡음. '一襟而肘見'《新序》.
字源 形聲. 衤(衣)+壬〔音〕

衣4 〔袀〕9 균 ㊥眞 | jūn キン いくさごろも

字解 ①군복균 '一服'은 군인의 제복. '六軍一服, 四騏龍驤'《左思》. ②같을균 다르지 않음. ③검은옷균 '一服振振'《漢書》. ④오로지균 순수함.
字源 形聲. 衤(衣)+匀〔音〕

衣4 〔衿〕9 금 ①㊥侵 ②③㊀沁 | jīn キン えり キン むすぶ

字解 ①옷깃금 襟(衣부 13획〈1289〉)과 同字. '青青子一'《詩經》. ②맬금 잡아맴. '一纓綦屨'《禮記》. ③띨금 띠를 두름. '一芰茄之綠衣兮'《漢書》.
字源 形聲. 衤(衣)+今〔音〕

衣4 〔袂〕9 몌 ㊀霽 | mèi ベイ・メイ そで

字解 소매몌 원은 소매 밑의 주머니같이 늘어진 부분을 말하는 것이나, 전(轉)하여, 소매의 뜻으로도 쓰임. '分一'. '一聳筵上'《孔稚珪》.
字源 形聲. 衤(衣)+夬〔音〕

衣4 〔衯〕9 분 ㊥文 | fēn フン ながいころものさま

字解 치렁거릴분 옷이 길어 치렁치렁한 모양. 또, 옷이 큰 모양. '一一裶裶'《司馬相如》.
字源 形聲. 衤(衣)+分〔音〕

衣4 〔衮〕10 衯(前條)과 同字

衣4 〔扶〕9 부 ㊥虞 | fū フ かさねる

字解 ①껴입을부 옷을 겹쳐 입음. '一, 襲一也'《說文》. ②앞섶부 '一, 一曰, 衣前襟'《集韻》. ③바지부 아랫도리에 입는 옷. '一, 襲袴也'《玉篇》. ④칼전대부 칼을 넣어 두는 전대. 부요(扶襓).
字源 形聲. 衤(衣)+夫〔音〕

衣4 〔衸〕9 개 ㊀卦 | jiè カイ したばかま

字解 ①바지개 앞에 터진 데가 있는 바지. '一, 褋膝, 裙也'《廣韻》. ②옷자락개 '一, 衣裾也'《玉篇》. ③옷폭개 '一, 布衣幅也'《廣韻》. ④옷길개 옷이 긴 모양. '一, 衣長皃'《玉篇》.
字源 形聲. 衤(衣)+介〔音〕

衣4 〔衹〕9 ㊀기 ㊥支 | qí キ ころも ㊁지 ㊥支 | zhī シ まさに ㊂제 ㊤薺 | テイ あかきいろのきぬ

字解 ㊀옷기 '一枝'는 옷. 가사(袈裟). 스님의 법복(法服). '一, 一枝, 尼法衣'《廣韻》. ㊁마침지 '一, 適也'《集韻》. ㊂명주제 적황색(赤黃色)의 명주. '緹, 帛丹黃色也. 一, 緹 或作一'《說文》.

衣4 〔袇〕9 조 ㊥蕭 | diāo チョウ かんのうちのはりぎぬ

字解 ①관안쪽비단조 관(棺)의 안쪽에 붙인 비단. '一, 棺中縑裹也'《說文》. ②수의조 시체에 입히는 옷. ③오랑캐옷조.
字源 形聲. 衤(衣)+弔〔音〕

衣4 〔裹〕10 袇(前條)와 同字

衣4 〔袧〕9 〔구〕 袧(衣부 5획〈1269〉)의 俗字

衣4 〔衼〕9 기 | qì キ そで

字解 소매기 옷소매. '一, 袖也'《字彙補》.

衣4 〔紐〕9 뉴 ㊤有 | niǔ ジュウ ころもがやわらかい

筆順 ' ㇇ 礻 衤 衵 衵 衵 袓

字解 ①옷부드러울뉴 옷의 부드러운 모양. '一, 衣耎也'《集韻》. ②매듭뉴 매듭으로 맨 짬. '一, 一曰, 衣紐叩'《正字通》.

衣4 〔衴〕9 담 ㊤感 | dǎn タン ふち

字解 가장자리담 가장자리. 이불깃. '一, 緣也'《集韻》.

衣4 〔衴〕9 두 (上)有 | dǒu トウ ころものそで

字解 소매두 소매. '一, 衫袖'《玉篇》.

衣4 〔⿰衤市〕9 ㊀발 (入)曷 | pō ハツ そで ㊁비 (去)未 | bō ヒ えびすのころものな

字解 ㊀옷소매발 옷소매. 소매. '一, 袂也'《廣雅》. ㊁오랑캐옷이름비 오랑캐의 옷 이름. 남방 오랑캐의 옷 이름. '祓, 蠻夷衣也, 或作一'《集韻》.

衣4 〔衳〕9 ㊀송 (上)腫 ㊁종 (平)冬 | zhōng ショウ ふんどし ショウ ふんどし

字解 ㊀①속바지송 잠방이. '一, 小褌也'《廣韻》. ②책싸개송 책싸개. '一, 一曰, 帙也'《集韻》. ㊁①쇠코잠방이종 쇠코잠방이. '一, 褌也'《廣雅》. ②어린아이옷종 어린아이의 옷. '袵一'. '袵一, 小兒衣'《字林》.

衣4 〔袄〕9 〔오〕 襖(衣부 13획〈1289〉)의 俗字

衣4 〔⿰衤殳〕9 〔주〕 袾(衣부 6획〈1272〉)와 同字

衣4 〔衶〕9 중 (上)腫 | zhǒng チュウ はかま

字解 바지중 바지. '一, 袴也'《玉篇》.

衣4 〔衼〕9 지 (平)支 | zhī シ けごろも

字解 ①가사지 가사(袈裟). 중의 법복. '衹一'. '一, 一曰, 髼裟謂之衹一'《集韻》. ②털옷지 털옷. 털가죽으로 지은 옷. '一, 毛衣也'《集韻》.

衣4 〔⿰衤少〕9 〔표〕 褾(衣부 11획〈1285〉)와 同字

衣4 〔⿰衤互〕9 호 (去)遇 | hù コ みじかいころも

字解 짧은옷호 짧은 옷. 단의(短衣). '一, 短衣'《集韻》.

衣4 〔衮〕10 곤 (上)阮 | gǔn コン てんしのれいふく

字解 ①곤룡포곤 고대의 천자(天子) 또는 상공(上公)의 예복. 용의 무늬가 있음. '一龍'. '王之吉服, 享先王則一冕'《周禮》. ②삼공(三公) 곤 '位居上一'《北史》. ③띠곤 緄(糸부 8획〈999〉)과 통용. '一, 帶也'《廣雅》. ④클곤 公(八부 2획〈85〉)과 통용. '一, 大也'《廣雅》.

字源 形聲. 衣+公(㕣)〔音〕

衣4 〔衰〕10 高·人 ㊀쇠 (平)支 | shuāi スイ おとろえる ㊁최 (平)支 (平)灰 | ①cuī シ そぐ ②サイ もふくのな ㊂사 (平)歌 | suō サ みの

筆順 衰

字解 ㊀쇠할쇠 ㉠약하여짐. 기운이 없어짐. '及其老也, 血氣旣一'《論語》. ㉡늙음. 나이먹음. '年一志慨'《淮南子》. ㉢세력이 없어짐. 기울어짐. '周室旣一'《史記》. ㉣감퇴함. 미약하여짐. '陽氣日一'《呂氏春秋》. ㉤미(美)가 감소함. 퇴색하여짐. '華落色一'《詩經》. ㊁①줄최, 줄일최 일정한 비율로 줄거나 줄임. 감쇄(減殺)함. 체감함. '等一'. '相地而一征'《國語》. ②상옷최 縗(糸부 10획〈1007〉)와 同字. '齊一'. '斬一括髮以麻'《禮記》. ㊂도롱이사 蓑(艸부 10획〈1168〉)·簑(竹부 10획〈951〉)와 同字. '何一何笠'《詩經》.

字源 象形. 풀로 엮어 만든 도롱이의 모양을 본뜸.

衣4 〔衷〕10 人名 충 ①-⑧(平)東 ⑨(去)送 | zhōng チュウ はだぎ zhòng チュウ ほどよい

筆順 衷

字解 ①속옷충 속에 입는 옷. '一其衵服, 以戲于朝'《左傳》. ②마음충 생각. 심중. '莫不總制淸一'《任昉》. ③참마음충 성심. 진심. '惟皇上帝, 降一于下民'《書經》. ④가운데충 중앙. 중정(中正). '折一'. '必度于本末, 而後立一焉'《左傳》. ⑤정성스러울충 성실함. '發命之不一'《左傳》. ⑥입을충 속에 입음. '楚人一甲'《左傳》. ⑦바를충 옳음. '楚辟我一'《左傳》. ⑧성충 성(姓)의 하나. ⑨알맞을충 적당함. 적합함. '服之不一'《左傳》.

字源 形聲. 衣+中〔音〕

衣4 〔衺〕10 사 (平)麻 | xié シャ よこしま

字解 ①사특할사 바르지 않음. 못됨. 邪(邑부 4획〈1513〉)와 同字. ②비낄사 비스듬함. '一, 㚜也'《說文》.

字源 形聲. 衣+牙〔音〕

衣4 〔⿰衤牙〕9 衺(前條)와 同字

衣4 〔袁〕10 人名 원 (平)元 | yuán エン ながいころものさま

筆順 一 十 土 吉 声 声 袁 袁

字解 ①옷길원 옷이 긴 모양. '一, 長衣皃'《說文》. ②성원 성(姓)의 하나.
字源 會意. 止+口+衣〈省〉

衣4 〔衾〕 10 人名 금 ㊥侵 | qīn キン ふすま

筆順 ノ 𠆢 今 今 含 含 衾 衾

字解 ①이불금 잘 때 몸에 덮는 물건. '一枕'. '抱一與裯'《詩經》. ②수의(壽衣)금 시신(屍身) 위에 걸치는 옷. '幠用一'《儀禮》.
字源 形聲. 衣+今〔音〕

衣4 〔衾〕 10 衾(前條)의 本字

衣4 〔表〕 10 〔표〕 表(衣부 3획〈1265〉)의 本字

〔扆〕 〔의〕 戶부 6획(426)을 보라.

衣4 〔裒〕 10 〔력〕 褮(衣부 12획〈1288〉)과 同字

衣4 〔衷〕 10 조 | diāo チョウ ひつぎかけ

字解 관덮는베조 관(棺)을 덮는 베. 관의(棺衣). '一, 棺衣也'《五音篇海》.

衣4 〔裝〕 10 피 ㊥支 | bǐ ヒ そで

字解 옷소매피 옷소매. 소매. '一, 衣袖也'《字彙》.

衣4 〔衰〕 10 흉 | xiōng キョウ ながいころも

字解 긴옷흉 긴 옷. '一, 孝長衣也'《直音》.

衣5 〔袍〕 10 포 ①-③㊥豪 ④㊤號 | páo ホウ わたいれ / bào ホウ まええり

字解 ①솜옷포 솜을 둔 옷. '緼一'. '取一綈一贈之'《史記》. ②웃옷포 겉에 입는 옷. 도포 따위. '望見后一衣疏麤, 反以爲綺穀'《後漢書》. ③속옷포 내의같이 속에 입는 옷. '一必有表'《禮記》. ④앞깃포 옷깃의 앞부분. '反袂拭面, 涕沾一'《公羊傳》.
字源 形聲. 衤(衣)+包〔音〕

衣5 〔袞〕 11 袍(前條)와 同字

衣5 〔袑〕 10 소 ㊤篠 | shào ショウ はかま

字解 ①바지소 아랫도리에 입는 옷. 또, 바지의 허리에 닿는 부분. '褒衣大一'《漢書》. ②옷깃소 '一, 一曰, 衣襟'《集韻》.
字源 形聲. 衤(衣)+召〔音〕

衣5 〔袒〕 10 ㊀단 ㊤旱 ㊁탄 ㊤諫 | tǎn タン はだぬぐ / zhàn タン ほころびる

字解 ㊀ ①웃통벗을단 ㉠웃통을 벗어 어깨를 드러냄. '一裼裸裎'. ㉡윗옷의 한쪽만을 벗음. '勞毋一'《禮記》. ㉢예법(禮法)의 하나로, 윗옷의 왼쪽 소매를 벗음. '一免'. '司射適堂, 一決遂'《儀禮》. 또, 사죄(謝罪)하기 위하여 벗는 것을 '肉一'이라 함. ㉣의사를 나타내기 위하여 윗옷의 한쪽을 벗음. '爲呂氏者右一, 爲劉氏者左一'《十八史略》. ②팔걷어붙일단 사람을 감싸고 도움. '士獲厥心, 大一高驤'《柳宗元》. ㊁ 솔기터질탄 綻(糸부 8획〈998〉)과 同字. '一, 衣縫解也'《說文》.
字源 形聲. 衤(衣)+旦〔音〕

衣5 〔袖〕 10 수 ㊤有 | xiù シュウ そで

字解 ①소매수 옷의 소매. '長一'. '左手把其一, 右手揕其胸'《史記》. ②소매에넣을수 소매 속에 감춤. '一手'. '一刃妬名娼'《劉禹錫》. ③성수 성(姓)의 하나.
字源 篆文은 會意로서, 衣+采. '采수'는 벼의 이삭의 뜻. 옷 중에서 벼이삭처럼 되어 있는 부분, '소맷자락'의 뜻을 나타냄. '袖수'는 본디 俗體로서, 形聲, 衤(衣)+由〔音〕. '由유'는 구멍이 깊이 통하다의 뜻. 사람이 팔을 꿰는 옷의 부분, 곧, '소매'의 뜻을 나타냄.

衣5 〔袗〕 10 진 ㊤軫 ㊤震 | zhěn シン ひとえ

字解 ①홑옷진 홑겹으로 된 옷. '當暑一絺綌'《論語》. ②수놓은옷진 자수를 한 옷. '被一衣'《孟子》. ③검은옷진 '一, 玄服'《大徐本說文》. ④가장자리진 '一, 緣也'《玉篇》. ⑤아름다울진 珍(玉부 5획〈769〉)과 통용. '一, 衣之美者'《孟子音義》.
字源 形聲. 衤(衣)+㐱〔音〕

衣5 〔袘〕 10 이 ①㊤寘 ②㊤紙 ③㊥支 | yì イ ふち, へり / イ そで / yí イ みごろ

字解 ①가선이 치맛자락의 가선. '纁裳緇一'《儀禮》. ②소매이 옷소매. '揚一戍削'《司馬相如》. ③길이 옷의 섶과 무 사이의 넓고 큰 폭. '衣中謂之一'《集韻》.
字源 形聲. 衤(衣)+㐌〔音〕

衣5 **〔袙〕** 10 말 (入)黠 | mò バツ はちまき

字解 머리띠말 帕(巾부 5획〈330〉)과 同字. '爲絳一, 以表貴賤'《後漢書》.
字源 形聲. 衤(衣)+白〔音〕

衣5 **〔衹〕** 10 저 (平)齊 | dī テイ はだぎ

字解 속적삼저 '一裯'는 땀이 겉에 배지 않게 입는 속적삼. '布衾敝一裯'《後漢書》.
字源 形聲. 衤(衣)+氐〔音〕

衣5 **〔袜〕** 10 말 ①(入)曷 ②(入)月 | mò バツ おび / wà バツ たび

字解 ①허리띠말 허리에 매는 띠. '寶一楚宮腰'《隋煬帝》. ②버선말 襪(衣부 15획〈1291〉)과 同字. '約縑迫一'《漢雜事祕辛》.
字源 形聲. 衤(衣)+末〔音〕

衣5 **〔袢〕** 10 ㊀번 (平)元 ㊁반 (去)翰 | fán ハン はだぎ / pàn ハン はれぎのさま

字解 ㊀속옷번 속에 입는 짧은 땀받이. '是紲一也'《詩經》. ㊁차려입을반 '一迅'은 차려 입은 모양. '一迅, 盛服皃'《集韻》.
字源 形聲. 衤(衣)+半〔音〕

衣5 **〔袣〕** 10 ㊀이 (去)寘 ㊁예 (去)霽 | yì イ そで / エイ ながいころも

字解 ㊀소매이 옷소매. '曳獨繭之褕一'《司馬相如》. ㊁긴옷예 옷의 긴 모양.

衣5 **〔袧〕** 10 구 ①(去)有 ②(上)有 | gōu コウ・ク ひだ / gòu コウ・ク まつりのふく

字解 ①주름구 치마의 주름. '幅二一'《儀禮》. ②제복구 '一, 祭服也'《龍龕手鑑》.

衣5 **〔袨〕** 10 현 (去)霰 | xuàn ケン・ゲン はれぎ

字解 ①고운옷현 '一服'은 성장(盛裝)할 때 입는 잘 꾸민 검은 옷. '一服叢臺之下者, 一旦成市. (註) 一服, 大盛玄黃服也'《鄒陽》. ②좋은옷현 '一, 好衣'《廣韻》.
字源 形聲. 衤(衣)+玄〔音〕

衣5 **〔袪〕** 10 거 (平)魚 (去)御 | qū キョ そで

字解 ①소매거 옷소매. '摻執子之一兮'《詩經》. ②소매통거 소매의 손이 드나드는 데. 소맷부리. '一尺二寸'《儀禮》. ③올릴거, 걸거 옷을 걺. '一黼帷'《後漢書》. ④벌릴거, 흩을거 '合一於天地神祇'《漢書》. ⑤떠날거 사라짐. '惑一吝亦泯'《殷仲文》.
字源 形聲. 衤(衣)+去〔音〕

衣5 **〔被〕** 10 高·人 피 ①②(上)紙 ③-⑭(去)寘 | bèi ヒ ふすま / ヒ かぶりもの, こうむる

筆順 丶 ㇇ 礻 衤 衤 衤 衤 被

字解 ①이불피 덮는 침구. '布一'. '一綿'. '一雖溫, 無忘人之寒'《傅玄》. ②성피 성(姓)의 하나. ③머리꾸미개피 여자의 수식(首飾). '一之僮僮'《詩經》. ④겉피 거죽. 표면. '緇一纁裏'《儀禮》. ⑤덮을피 덮어 가림. '皐蘭一徑兮'《宋玉》. ⑥입을피 ㉠옷을 입음. '一衣'. '夫子一之矣'《國語》. ㉡받음. 은혜 등을 입음. '一恩'. '一慈母三遷之教'《趙岐》. ㉢피해·부상 등을 당함. '一害'. '陟險一創'《諸葛亮》. ⑦씌울피 입게 함. '天一爾祿'《詩經》. ⑧질피 등에 짐. '一羽先登'《後漢書》. ⑨미칠피 널리 미침. '光一'. '西一于流沙'《書經》. ⑩당할피 피동적임을 나타내는 말. '以萬乘之國一圍'《史記》. '信而見疑, 忠而一謗'《史記》. ⑪흐트러뜨릴피 풀어뜨림. 披(手부 5획〈434〉)와 同字. '一髮而浮游'《淮南子》. ⑫더할피 '一, 加也'《玉篇》. '高祖一酒'《史記》. ⑬쓸피 '一髮衣皮'《禮記》. ⑭벨피 자름. '於是民人一髮文身'《淮南子》.
字源 形聲. 衤(衣)+皮〔音〕

衣5 **〔袟〕** 10 질 (入)質 | zhì チツ さやぶくろ

字解 ①칼전대질 칼집에 꽂은 칼을 넣어 두는 전대. ②책갑질 帙(巾부 5획〈331〉)과 同字. ③녹질 秩(禾부 5획〈900〉)과 통용. '官一益輕'《唐書》. ④품계질 차서(次序). '一, 程也'《廣雅》.
字源 形聲. 衤(衣)+失〔音〕

衣5 **〔袎〕** 10 요 (去)效 | yào オウ・ヨウ くつたびのまえかざり

字解 버선목요 '馬嵬店媼收得楊妃錦一一隻'《唐國史補》.

衣5 **〔袉〕** 10 타 (平)歌 (上)哿 | tuó / tuǒ タ すそ

字解 ①옷자락타 '一, 裾也'《說文》. ②끌타 끌어당김. 拖(手부 5획〈436〉)와 통용. '朝服一紳'《說文》. ③아름다울타 '一一'는 아름다운 모양. '一一, 美也'《玉篇》.
字源 形聲. 衤(衣)+它〔音〕

衣5 **〔袊〕** 10 령 (上)梗 | lǐng レイ えり

字解 ①깃령 '一, 衣一也'《玉篇》. ②활옷령 '直一'은 시집갈 때 입는 윗예복. '一, 方言, 袒飾謂之直一, 婦人初嫁上服'《集韻》. ③옷자락령, 치마령 '繞一謂之帬. (注)俗人呼接下, 江東通言下裳'《揚子方言》.

衣5〔袥〕10 탁 ㊀藥|tuō タク ひらく

字解 ①옷깃헤칠탁 '一, 開衣領也'《廣韻》. ②가운데튼치마탁 정면을 터 놓은 치마. '一, 衣衸'《說文》. ③넓고클탁 광대함. '天地開闢, 宇宙一祖'《太玄經》.
字源 形聲. 衤(衣)+石〔音〕
參考 祏(示부 5획〈886〉)은 別字.

衣5〔𧙗〕10 자 ㊤紙|zǐ シ きがえ

字解 ①갈아입을옷자 여벌의 옷. ②솔기자 꿰매어 맞춘 부분.

衣5〔袾〕10 출 ㊀質|shù チュツ さやぶくろ

字解 칼전대출 칼집에 꽂은 칼을 넣어 두는 자루. 검의(劍衣).

衣5〔袕〕10 ㊀ 술 ㊀質 ㊁ 혈 ㊀屑|xuè シュツ ㊀㊁ ぬいめのあらいころも ケツ

字解 ㊀ 바느질이성긴수의술 '一謂之褮'《爾雅》. ㊁ ①바느질이성긴수의혈 ㊀과 뜻이 같음. ②긴옷혈 '一, 又長衣也'《廣韻》.

衣5〔袏〕10 좌 ㊄箇|zuò サ そとえり

字解 ①동정좌 '一, 衣包囊'《玉篇》. ②홑옷좌 '一, 襌衣'《廣韻》.

衣5〔袚〕10 ㊀ 발 ㊀曷 ㊁ 비 ㊄未 ㊂ 불 ㊀物 ㊃ 폐 ㊄泰|bō ハツ えびすのいふく ヒ えびすのいふく fú フツ えびすのころも ハイ はらう

字解 ㊀ ①오랑캐옷발 '一, 蠻夷衣'《說文》. ②슬갑(膝甲)발 '一, 一曰, 蔽厀'《說文》. ㊁ 오랑캐옷비, 슬갑비 ㊀과 뜻이 같음. ㊂ ①오랑캐옷불 '一, 蠻夷衣'《集韻》. ②깔개불 '一, 襦也'《廣雅》. ③떨불 신(神)에게 빌어 재액을 제거함. 또, 그 행사. '一, 說文, 除惡, 祭也'《集韻》. ㊃ ①떨폐 ㊂❸과 뜻이 같음. ②고을이름폐 한(漢)나라 때, 지금의 산동성(山東省) 교현(膠縣)의 남서쪽에 둔 현(縣)의 이름.
字源 形聲. 衤(衣)+犮〔音〕

衣5〔袯〕10 袚(前條)과 同字

衣5〔袓〕10 ㊀ 저 ㊤語 ㊁ 자 ㊥麻|jù ショ よい jiē シャ よい

字解 ㊀ ①좋을저 '一, 事好也'《說文》. ②얼굴예쁠저 '一, 嫿也'《廣韻》. ③고을이름저 '一厲'는 현(縣)의 이름. '一, 一曰, 一厲, 縣名'《集韻》. ㊁ 좋을자, 얼굴예쁠자, 고을이름자 ㊀과 뜻이 같음.
字源 形聲. 衤(衣)+且〔音〕

衣5〔袷〕10 갑 ㊀洽|jiá コウ みじかいころも

字解 ①짧은옷갑 짧은 옷. 웃옷. '一, 廣雅, 襦也'《集韻》. ②옷깃갑 옷깃. '一, 衿也'《集韻》.

衣5〔袦〕10 ㊀ 날 ㊀黠 ㊁ 굴 ㊀物|nà ダツ みじかいころも jué クツ つづれ

筆順 ㇇ 礻 衤 衤 衤 衤 衶 袦

字解 ㊀ 짧은옷날 짧은 옷. 단의(短衣). 미천한 사람이 입는 옷. '一, 帶襦也'《集韻》. ㊁ 누더기굴 누더기. '一㮓'.

衣5〔袮〕10 니 ㊥齊 ㊤紙|ní デイ かみかざり nǐ ジ ころものよいさま

字解 ①머리치장니 머리치장. 상(喪)에 머리에 붙이는 것. '一, 喪禮首服'《集韻》. ②옷의좋은모양니 옷의 좋은 모양. 좋은 옷의 모양. '一, 禕一, 衣好皃'《集韻》.

衣5〔袪〕10 랍 ㊀合|là ロウ ころもがやぶれる

字解 옷해질랍 옷이 해어짐. 옷이 찢어짐. '一, 一襍, 衣敝'《集韻》.

衣5〔袝〕10 부 ㊄遇|fù フ はれぎ

字解 나들이옷부 나들이할 때에 입는 깨끗한 옷. '一, 盛服'《集韻》.

衣5〔袡〕10 〔염〕 衻(衣부 4획〈1265〉)과 同字

衣5〔袸〕10 저 ㊤語|zhǔ チョ やぶれごろも

字解 ①해진옷저 해진 옷. '一襏'. '襏, 一襏, 敝衣'《集韻》. ②솜옷저 솜옷. 핫옷. '裝衣曰一'《一切經音義》.

衣5〔袵〕10 정 ㊥庚|zhēng セイ こどものころも

字解 어린아이옷정 어린아이의 옷. 소아복. '一松'. '一, 一松, 小兒衣也'《集韻》.

衣5〔袐〕10 필 ㊀質|bì ヒツ さす

字解 찌를필 찌름. '一, 同撶, 方言, 刺也'《篇海》.

衣 5 〔袔〕10 [一]하 [去]箇 | hè カ そで
[二]과 [上]馬 | kuǎ カ ちいさいそでなし
[三]가 [去]箇 | kè カ あわせ

[筆順] 丶 ㇇ 礻 衤 衤 衦 袔 袔

[字解] [一]소매하 소매. '一, 袖也'《廣雅》. [二] 속옷과 속옷. 작은 속옷. 소매 없는 속옷. '袴, 小衫曰袴, 或作一'《集韻》. [三] 겹옷가 겹옷. '一, 夾衣'《集韻》.

衣 5 〔⿴衣可〕11 아 [上]哿 | ě ア しなやかなさま

[字解] ①간드러질아 간드러지고 날씬한 모양. ②옷치렁치렁할아 '一袲'는 옷이 길어 치렁치렁한 모양. ③유약할아 '一袲'는 부드럽고 약한 모양.

衣 5 〔⿱可衣〕11 ⿴衣可(前條)와 同字

衣 5 〔⿱此衣〕11 [一]지 [去]寘 | zhì シ ころものひだ
[二]피 [去]寘 | pī ヒ おびをしめない
[三]제 [去]霽 | jì セイ えり

[字解] [一] 옷주름지 옷에 접은 주름. '一, 襦襹'《玉篇》. [二] 띠안맬피 띠를 매지 않음. '一, 衣不帶'《集韻》. [三] 깃제 옷깃. '一, 衣交衿'《集韻》.

衣 5 〔袠〕11 질 [入]質 | zhì チツ ほんづつみ

[字解] ①책갑질 袟(衣부 5획〈1269〉)과 同字. '吾綈一中'《後漢書》. ②의낭(衣囊)질 옷에 붙은 주머니. '施囊一'《禮記》. ③십년질 열 해의 일컬음. 秩(禾부 5획〈900〉)과 同字. '以十年爲一一'《野客叢書》. ④성질 성(姓)의 하나.
[字源] 形聲. 衣+失〔音〕

衣 5 〔⿱失衣〕11 袠(前條)과 同字

衣 5 〔袤〕11 무 [去]宥 | mào ボウ·モ ながさ

[字解] 길이무 남북 또는 세로의 연장. 동서(東西)는 '廣'이라 함. '延一萬餘里'《史記》. '量徑輪考廣一'《張衡》.
[字源] 形聲. 衣+矛〔音〕

衣 5 〔袈〕11 가 [平]麻 | jiā カ けさ

[字解] 가사가 '一裟'는 범어(梵語) Kasāya의 음역(音譯). 장삼 위에 왼쪽 어깨에서 오른쪽 겨드랑이 밑으로 걸쳐 입는 중의 옷. '武后賜僧法朗等紫一裟'《通鑑》.
[字源] 形聲. 衣+加〔音〕

衣 5 〔袋〕11 [人名] 대 [去]隊 | dài タイ ふくろ

[筆順] 亻 仁 代 代 岱 垈 袋 袋

[字解] 부대대, 자루대 '布一'. '作五一'《南史》.
[字源] 形聲. 衣+代〔音〕

衣 5 〔⿱奴衣〕11 나 [平]麻 | ná ダ·ナ やぶれごろも

[字解] 해진옷나 '一, 敝衣'《說文》.
[字源] 形聲. 衣+奴〔音〕

衣 5 〔袌〕11 포 [上]晧 | ホウ いだく
[去]號 | bāo ホウ ふところ
[去]效 | pào ホウ ころものゆるいさま
[平]豪 | páo ホウ ながいしたぎ

[字解] ①안을포 '一, 褱也'《說文》. ②품포 또, 옷의 앞섶. 袍(衣부 5획〈1268〉)와 同字. ③예복앞자락포 '一, 又云, 今朝服垂衣'《廣韻》. ④옷낙낙할포 '一襜'은 옷이 낙낙한 모양. '一, 一襜, 衣緩皃'《集韻》. ⑤긴속옷포 袍(衣부 5획〈1268〉)와 同字. '袍, 長襦也. 一, 上同'《廣韻》.
[字源] 形聲. 衣+包〔音〕

衣 5 〔⿴衣台〕11 〔곤〕
衮(衣부 4획〈1267〉)의 本字

衣 5 〔⿴衣申〕11 〔충〕
衷(衣부 4획〈1267〉)의 俗字

衣 6 〔袱〕11 복 [入]屋 | fú フク ふろしき

[字解] 보복, 보자기복 '包一'. '就樓角尋得一小一, 封記如故'《摭青雜記》.
[字源] 形聲. 衤(衣)+伏〔音〕

衣 6 〔袴〕11 [一]고 [去]遇 | kù コ ももひき
[二]과 [去]禡 | kuà コ また

[字解] [一]바지고 가랑이가 있는 아랫도리옷. '衣不帛襦一'《禮記》. [二] 사타구니과 샅. 胯(肉부 6획〈1072〉)와 同字. '出我一下'《史記》.
[字源] 形聲. 衤(衣)+夸〔音〕

衣 6 〔袽〕11 여 [平]魚 | rú ジョ やぶれごろも

[字解] ①해진옷여 폐의(敝衣). '袾一'는 해어진 옷. '繻有衣一'《易經》. ②해진헝겊여, 걸레여 '一者, 殘幣帛, 可拂拭器物也'《易經注》. ③실보무라지여 '一, 絲一也'《易經 釋文》. ④뱃밥여 배에 물이 새어들지 못하게 틀어막는 것.
[字源] 形聲. 衤(衣)+如〔音〕

衣 6 〔袈〕12 袽(前條)와 同字

衣 6 〔袷〕11 ㊀겹 (入)洽 | jiá コウ あわせ
㊁겁 (入)葉 | jié キョウ えり

字解 ㊀ ①겹옷겹 두 겹으로 된 옷. '一衣'. '衣裳施裏曰一'《急就篇》. '御一衣'《潘岳》. ②겹칠겹 '一, 重也'《廣雅》. ㊁ 옷깃겁 '天子視不上于一, 不下于帶'《禮記》.
字源 形聲. 衤(衣)+合〔音〕

衣 6 〔袳〕11 ㊀치 (上)紙 | chǐ シ ころもがはり ひろがる
㊁계 (上)薺 | qǐ ケイ ころもをひらく
㊂타 (上)哿 | duǒ タ ころものし なやかなさま

字解 ㊀ ①옷펼쳐질치 '一, 衣張也'《說文》. ②긴옷치 옷이 긴 모양. '一, 長衣貌'《玉篇》. ㊁ 옷헤칠계 옷을 벌림. '一, 開衣也'《集韻》. ㊂ 옷보드라울타 '一, 衣弱皃'《集韻》.
字源 形聲. 衤(衣)+多〔音〕

衣 6 〔袺〕11 결 (入)屑 | jié ケツ つまどる

字解 옷섶잡을결 옷섶의 위쪽을 잡음. '薄言一之'《詩經》.
字源 形聲. 衤(衣)+吉〔音〕

衣 6 〔袼〕11 ㊀각 (入)藥 | gè カク そで
㊁락 (入)藥 | luò ラク よだれかけ

字解 ㊀ 소매각 소매의 겨드랑이 밑의 부분. '一之高下, 可以運肘'《禮記》. ㊁ 턱받이락 '繄一謂之褔'《揚子方言》.
字源 形聲. 衤(衣)+各〔音〕

衣 6 〔袿〕11 규 (平)齊 | guī ケイ うちかけ

字解 ①여자웃옷규 '一裳鮮明'《後漢書》. ②자락규 옷자락. 옷의 뒷자락. 일설(一說)에는, 소매통. '微風動一'《嵇康》.
字源 形聲. 衤(衣)+圭〔音〕

衣 6 〔裀〕11 인 (平)眞 | yīn イン しとね

字解 요인, 자리인 茵(艸부 6획〈1135〉)·絪(糸부 6획〈990〉)과 통용. '絳蚊帳一褥'《晉書》.
字源 形聲. 衤(衣)+因〔音〕

衣 6 〔裗〕11 〔류〕
裗(衣부 7획〈1274〉)의 俗字

衣 6 〔袾〕11 주 (平)虞 | zhū チュ あかいころも

字解 ①붉은옷주 주의(朱衣). '朱衣曰一'《廣韻》. ②길주 웃옷의 섶과 무 사이에 있어, 옷의 주체가 되는 넓고 큰 폭. '一, 襛也'《廣雅》.
字源 形聲. 衤(衣)+朱〔音〕

衣 6 〔袹〕11 ㊀맥 (入)陌 | bó バク·ハク はらまき
㊁말 (入)黠 | mò バツ はちまき

字解 ㊀ 배띠맥 배를 감는 헝겊. '着布一腹'《晉書》. ㊁ 머리띠말 초상 때 머리를 싸는 것. '一, 邪巾一頭, 始喪之服'《集韻》.
字源 形聲. 衤(衣)+百〔音〕

衣 6 〔袎〕11 교 (上)篠 | jiǎo キョウ こばかま
(平)巧 | コウ こばかま
(去)嘯 | キョウ こばかま

字解 ①잠방이교 '小袴謂之一衫. 楚通語也'《揚子方言》. ②고기잡이옷교 '一衫'는 어부가 입는 옷. '一衫漁人服'《皮日休》.

衣 6 〔袸〕11 ㊀존 (平)元 | ソン こおび
(去)願 | zùn ソン こおび
㊁전 (去)霰 | jiàn セン こおび

字解 ㊀ ①돌띠존 작은 띠. '衿謂之一. (注)衣小帶'《爾雅》. ②아랫도리띠존 '一, 褰脬衣'《玉篇》. ㊁ 돌띠전, 아랫도리띠전 ㊀과 뜻이 같음.

衣 6 〔袵〕11 〔임〕
衽(衣부 4획〈1266〉)과 同字

衣 6 〔袘〕11 〔이〕
衪(衣부 5획〈1269〉)와 同字

衣 6 〔袝〕11 간 (去)諫 | jiàn ケン ころも

字解 ①옷간 옷. '一, 衣也'《玉篇》. ②헌옷간 헌 옷. '一, 古衣'《廣韻》.

衣 6 〔袒〕11 간 | jiàn カン ふるぎ

字解 헌옷간 헌 옷. 고의(古衣). '一, 古衣'《直音》.

衣 6 〔裥〕11 ㊀농 (平)東 | lóng ロウ ももひきのつつ
㊁동 (上)董 | tǒng トウ みじかいそでのころも

字解 ㊀ 바지통농 바지통. '襱, 袴襱也. 踦袴也, 一, 同上'《玉篇》. ㊁ 소매짧은옷동 소매가 짧은 옷. '一, 衣短袖'《集韻》.

衣 6 〔袧〕11 〔현〕
袨(衣부 5획〈1269〉)과 同字

衣6 〔袯〕11 식 ㊅職 | shì ショク よそおう

字解 치장할식 치장함. 옷을 차려 입음. '一, 裝也'《字彙》.

衣6 〔袮〕11 역 ㊅陌 | yì エキ ころものながいさま

字解 긴옷역 옷의 장대한 모양. '一, 長衣也'《集韻》.

衣6 〔䘨〕11 융 ㊥冬 | róng ジョウ いくさぎ

字解 전투복융 수자리군이 입는 옷. '一, 一衣也'《篇海類編》.

衣6 〔袻〕11 ㊀이 ㊥支 | ěr シ ひだ
㊁연 ㊥先 | ゼン いせる

字解 ㊀옷주름이 옷주름. 오그라듦. '一, 裝也'《集韻》. ㊁호아줄일연 호아 줄임. 버선코 따위를 둥글리기 위해 호아 줄임. 또는 가장자리. 테두리. '一, 衣縫襦也'《集韻》.

衣6 〔䘫〕11 작 ㊅陌 | qì セキ しょうめんにさけめのあるはかま

字解 앞터진치마작 앞 터진 치마. 군개(裙衸). '一, 一膝, 裙衸也'《集韻》.

衣6 〔䘪〕11 충 ㊥東 | chōng シュウ つづれ

字解 누더기옷충 누더기 옷. 기운 옷. 또는 짧은 옷. 단의(短衣).

衣6 〔袳〕11 타 ㊤哿 ㊥歌 | duǒ タ そで

字解 소매타 옷소매. '裺一, 袖也'《廣雅, 釋器》.

衣6 〔裀〕11 〔화〕 禍(示부 9획〈891〉)와 同字

衣6 〔袲〕12 ㊀이 ㊥支 | yí イ ちめい
㊁치 ㊤紙 | chǐ シ ころもがながい
㊂나 ㊤哿 | nuǒ ダ·ナ ころものながくよいさま

字解 ㊀땅이름이 춘추 전국 시대(春秋戰國時代)의 송(宋)나라에 있던 지명. '公會宋公衛侯陳侯于一, 伐鄭'《春秋》. ㊁옷길치 옷이 긴 모양. ㊂옷치렁치렁할나 '裏一'는 옷이 길어 보기 좋은 모양. '裏一, 衣長好貌'《字彙》.

衣6 〔裁〕12 高·人 재 ㊥灰 | cái サイ たつ, さばく

筆順 十 土 丰 丰 表 表 裁 裁 裁

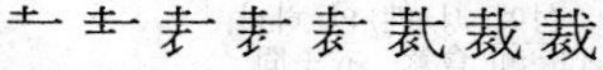

字解 ①마를재 옷감을 마름질함. '十四學一衣'《古詩》. ②자를재 절단함. 끊음. '刪一繁蕪'《後漢書》. '觖望難一'《後漢書》. ③결단할재, 판가름할재 결정함. 처단함. '一決'. '大王一其罪'《戰國策》. ④헤아릴재 재량함. '取民則不一其力'《淮南子》. ⑤분별할재 감식안(鑑識眼)이 있어 잘 분간함. '明智者一之'《孔叢子》. ⑥존절할재 사물을 알맞게 줄임. 절감함. '救其不足, 一其有餘'《國語》. ⑦누를재 제압함. '爲螻蟻之所一'《楚辭》. ⑧헝겊재 피륙의 조각. '衫布一一'《唐書》. ⑨겨우재 才(手부 0획〈427〉)와 통용. '戶口可得而數者, 一什二三'《漢書》.

字源 形聲. 衣+𢦏〔音〕

衣6 〔裂〕12 高·人 렬 ㊅屑 | liè レツ さく

筆順 一 万 歹 列 列 裂 裂 裂

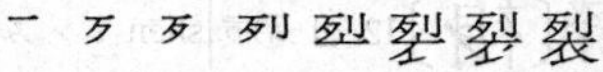

字解 ①찢을렬, 찢어질렬 '破一'. '一裳帛而與之'《左傳》. '衣裳綻一'《禮記》. ②자투리렬 재단하고 남은 포백(布帛). '一, 繒餘也'《說文》.

字源 形聲. 衣+列(𠛱)〔音〕

衣6 〔裂〕11 裂(前條)과 同字

衣6 〔䘿〕12 裂(前前條)의 古字

衣6 〔装〕12 〔장〕 裝(衣부 7획〈1276〉)의 俗字

衣6 〔亵〕12 〔설〕 褻(衣부 11획〈1286〉)의 簡體字

衣6 〔䙴〕12 견 ㊤阮 | gǔn ケン たび

字解 버선견 버선. '一, 襪也'《字彙補》.

衣6 〔裏〕12 력 ㊅錫 | lì レキ きびしくまとう

字解 동여맬력 동여맴. 견고하게 동여맴. '一, 急纏也, 或作䙰'《集韻》.

衣7 〔裔〕13 예 ㊄霽 | yì ユイ すそ

字解 ①자락예 옷자락. '一, 衣裾也'《說文》. ②가예, 끝예 변애(邊涯). '水一'. '江潯海一'《淮南子》. ③변경예 변방. '四一'. '一夷之俘'《左傳》. ④후예예 후손. '苗一'. '德垂後一'《書經》. ⑤남을예 '其中一'《太玄經》. ⑥배울예 익힘. '一, 習也'《廣雅》. ⑦

성예 성(姓)의 하나.
[字源] 會意. 衣+冏

衣7 〔裋〕12 수 [上]麌 [去]遇 | shù シュ やぶれごろも
[字解] ①해진옷수 남루한 옷. '一褐風霜入'《杜甫》. '寒者, 利一褐'《史記》. ②겹바지수 '一, 複襦也'《釋文》.
[字源] 形聲. 衤(衣)+豆〔音〕

衣7 〔裎〕12 정 ①②[上]梗 ③[平]庚 | chěng テイ はだか / chéng テイ ひも
[字解] ①벌거숭이정 나체. '裸一'. '秦人捐甲, 徒一以趨敵'《戰國策》. ②홑옷정 '一, 禪衣也'《集韻》. ③끈정 패물을 차는 끈. '佩紟謂之一'《廣雅》.
[字源] 形聲. 衤(衣)+呈〔音〕

衣7 〔裑〕12 신 [平]眞 | shēn シン みごろ
[字解] 길신 옷의 주체(主體)가 되는 크고 넓은 폭. 의신(衣身). '一, 謂衣中也'《疏證》.
[字源] 形聲. 衤(衣)+身〔音〕

衣7 〔裕〕12 [高·人] 유 [去]遇 | yù ユウ ゆたか
[筆順] ' ク ネ 衤 衤' 衤ハ 裕 裕
[字解] ①넉넉할유 유족함. '餘一'. '富一'. '一无咎'《易經》. ②넉넉하게할유 풍요롭게 함. '一其衆庶'《國語》. ③너그러울유 관대함. '寬一'. '一則乃以民寧'《書經》. ④늘어질유 서완(舒緩)함. '布施優一也'《國語》.
[字源] 形聲. 衤(衣)+谷〔音〕

衣7 〔袞〕13 裕(前條)와 同字

衣7 〔裙〕12 군 [平]文 | qún クン ふじんのも
[字解] ①치마군 여자의 아랫도리에 입는 겉옷. '紅一'. '羅一飄飄昭儀光'《張華》. 또, 치마같이 생긴 중의 아랫도리 옷. '一子'. '四部之殊, 以着一表異'《寄歸傳》. ②속옷군 속에 입는 옷. '取親中一廁牏, 身自浣滌'《史記》.
[字源] 形聲. 衤(衣)+君〔音〕

衣7 〔裠〕13 裙(前條)과 同字

衣7 〔補〕12 [高·人] 보 [上]麌 | bǔ ホ おぎなう
[筆順] ' ク ネ 衤 袹 補 補 補
[字解] ①기울보 ㉠옷을 기움. '一綴'. '修破謂之一, 縫解謂之綻'《急就篇》. ㉡광구(匡救)함. '衮職有闕, 惟仲山甫一之'《詩經》. ②고칠보 ㉠수선함. 수리함. '修一'. '修宮室, 一牆垣'《呂氏春秋》. ㉡잘못을 고침. '疾其過而不一也'《大戴禮》. ③도울보 보조함. '毗一'. '令賻一之'《周禮》. ④보탤보 ㉠보충함. '一完'. '春省耕而一不足, 秋省斂而助不給'《孟子》. ㉡유익하게 함. '只慚無一絲亭事'《蘇軾》. ⑤맡길보 관직에 임명함. '一任'. '選一衆職'《後漢書》. ⑥보탬보 보조. 보충. 유익. '竟無絲毫一'《蘇軾》. ⑦성보 성(姓)의 하나.
[字源] 形聲. 衤(衣)+甫〔音〕

衣7 〔裞〕12 세 [去]霽 | shuì ゼイ ししゃにおくるいふく
[字解] ①수의세 죽은 사람에게 입히는 옷. '廼奉百金一'《漢書》. ②추복세 상(喪)을 당한 것을 늦게 알고 그 때부터 거상옷을 입는 일. '日月已過, 乃聞喪而追服, 謂之曰一'《禮記 註》.
[字源] 形聲. 衤(衣)+兌〔音〕

衣7 〔裖〕12 진 [上]軫 | zhěn シン ひとえ
[字解] ①홑옷진 한 겹으로만 된 옷. 袗(衣부 5획〈1268〉)과 同字. ②검은옷진 '一, 說文云, 玄服也'《廣韻》.

衣7 〔裍〕12 곤 [上]阮 | kǔn コン からげる
[字解] ①옷잡아맬곤 옷을 걷어올려 잡아맴. '一, 縛衣也'《字彙》. ②이룰곤 성취함. '一, 成就'《廣韻》.
[字源] 形聲. 衤(衣)+困〔音〕

衣7 〔裗〕12 류 [平]尤 | liú リュウ いとすじ
[字解] 옷해질류 '衣一謂之裞'《爾雅》.

衣7 〔裓〕12 [一]극 [入]職 | gé コク すそ / [二]계 [平]佳 | jiē カイ いしだたみ
[字解] [一] 옷자락극 '一, 衣裾也'《集韻》. [二] 바닥벽돌계 땅바닥에 까는 벽돌. '一則塼道者也'《周禮 疏》.
[字源] 形聲. 衤(衣)+戒〔音〕

衣7 〔裌〕12 겹 ①[入]洽 ②③[入]葉 | jiá コウ·キョウ あわせ / xié キョウ おさめる, えり
[字解] ①겹옷겹 袷(衣부 6획〈1272〉)과 同字. '子起尋一衣, 感歎執我手'《蘇軾》. ②깃겹 옷깃. '一, 衽也'《集韻》. ③넣을겹 '懷一'은 품속·주머니에 넣음. '懷一, 藏也'

《集韻》.
字源 形聲. 衤(衣)+夾〔音〕

衣7 〔裺〕12 ㊀선 ㊥先 shān セン ほろ ㊁연 ㊥先 エン ほろ

字解 ㊀ ①포장선 수레를 덮는 포장. '一, 車溫也'《說文》. ②헝겊선 '一, 一曰, 巾也'《集韻》. ③쇠목천선 '袾一, 牛領上衣'《廣韻》. ㊁ 포장연, 헝겊연, 쇠목천연 ■과 뜻이 같음.
字源 形成. 衤(衣)+延〔音〕

衣7 〔裓〕12 격 ㊇陌 gé カク ころものまええり

字解 앞깃격 앞깃. 옷의 앞깃. '一, 衣前襟也'《字彙補》.

衣7 〔裐〕12 견 ㊥先 juān ケン せまい

字解 좁을견 좁음. '一, 褊也'《玉篇》.

衣7 〔裮〕12 〔기〕 幞(巾부 8획〈333〉)와 同字

衣7 〔裞〕12 랑 ㊤養 lǎng ロウ ころもがやぶれる

字解 옷해어질랑 옷이 해어짐. '一褬'. '一, 一褬, 衣敝'《集韻》.

衣7 〔裲〕12 롱 ㊦送 lòng ロウ ころものひとかさね

字解 옷한벌롱 옷의 한 벌. 옷의 일습. '一, 衣一襲'《集韻》.

衣7 〔裷〕12 ㊀만 ㊤阮 wǎn バン きもの ㊁문 ㊦問 wèn ブン もふく

字解 ㊀ 옷만 옷. 의복. '一, 服也'《集韻》. ㊁ 상복문 상복(喪服). 오복(五服) 가운데서 가장 가벼운 것. '一, 喪服'《字彙》.

衣7 〔裵〕12 목 ㊇屋 mù モク ころものぬいめ

字解 옷솔기목 옷의 솔기. 꿰메어 맞춘 부분. '一, 衣縫'《集韻》.

衣7 〔裶〕12 비 ㊦未 fèi ヒ そで

字解 옷소매비 옷소매. 소매. '一, 衣袖'《集韻》.

衣7 〔裓〕12 아 ㊥歌 é ガ いふくのさかんなかざり

字解 옷모양낼아 옷 모양을 냄. 옷을 찬란하게 꾸밈. 또, 그 꾸민 옷. '一, 衣盛飾'《集韻》.

衣7 〔裣〕12 준 ㊥眞 cūn シュン ももひきのつつ

字解 바지통준 바지통. 바짓가랑이. '一, 袴裲曰一'《集韻》.

衣7 〔裰〕12 착 ㊇覺 cuò サク みじかいころも

字解 짧은옷착 짧은 옷. 단의(短衣). '一, 短衣也'《直音》.

衣7 〔裲〕12 〔첩〕 帪(巾부 7획〈332〉)과 同字

衣7 〔褃〕12 초 ㊥蕭 shāo ショウ えり

字解 옷깃초 옷깃. '一, 衽也, 襵也'《集韻》.

衣7 〔裿〕12 〔혜〕 褉(衣부 10획〈1284〉)와 同字

衣7 〔裧〕12 환 ㊤潸 huàn カン よだれかけ

字解 턱받이환 턱받이. 갓난애의 턱받이. '一, 衣褔'《集韻》.

衣7 〔裡〕12 人名 裏(次條)와 同字

筆順 ' ㇇ 礻 衤 衵 袒 裡 裡

衣7 〔裏〕13 高人 리 ㊤紙 ㊦寘 lǐ リ うら

筆順 亠 亩 亩 亩 重 裏 裏 裏

字解 ①안리 ㉠의복의 안쪽. '綠衣黃一'《詩經》. '抱時無衣, 襦復無一'《古詩》. ㉡모든 사물의 겉의 반대쪽. '一面'. '蒸嵐相澒洞, 表一忽通透'《韓愈》. ②속리 ㉠깊숙한 속. 내부. '只有向一存心窮理'《朱熹》. '不知明鏡一, 何處得秋霜'《李白》. ㉡뱃속. 가슴속. '一急暴痛'《素問》. ㉢마음. 충심(衷心). '一言, 心腹之言也'《中華大字典》. ③다스려질리 理(玉부 7획〈772〉)와 통용. '宇宙一矣'《荀子》.
字源 形聲. 衣+里〔音〕

衣7 〔裒〕13 ㊀부 ㊥尤 póu ホウ あつまる ㊁보 ㊥豪 bāo ホウ すそのおおきいころも

字解 ㊀ ①모을부, 모일부 많이 모으거나 모임. '一集'. '原隰一兮, 兄弟求矣'《詩經》. ②줄부, 덜부 감소시킴. 감소함. '君子以一多益寡'《易經》. ③포로부, 사로잡을부 '一荆之旅'《詩經》. ④많을부 '一時之對'《詩經》. ㊁ 자락큰옷보 '一, 說文, 衣博裾也'

《集韻》.
[字源] 會意. 衣＋臼

衣7 〔裛〕13 [一] 업 [入]葉 | ヨウ ふみぶくろ
[二] 읍 [入]緝 | yì ユウ まとう
[字解] [一] 책주머니업 서낭(書囊). '一, 書囊也'《說文》. [二] ①두를읍 전요(纏繞)함. '一以藻繡'《班固》. ②향내밸읍 옷에 좋은 향기가 뱀. '衫一翠微潤'《杜甫》.
[字源] 形聲. 衣＋邑〔音〕

衣7 〔㐮〕13 〔양〕
襄(衣부 11획〈1286〉)의 略字

衣7 〔裊〕13 뇨 [上]篠 | niǎo ジョウ·ニョウ しなやか
[字解] ①간드러질뇨 嫋(女부 10획〈260〉)와 同字. '一娜'. ②끈목맬뇨 말의 배에 끈목을 걸쳐 맴. '褭, 說文曰, 以組帶馬也. 又作一'《六書故》.
[字源] 形聲. 衣＋鳥〈省〉〔音〕

衣7 〔裘〕13 구 [平]尤 | qiú キュウ かわごろも
[字解] ①갖옷구 가죽옷. '狐一'. 전(轉)하여, 겨울옷. '一葛'. '狐一'. '中秋獻良一'《周禮》. ②갖옷입을구 가죽 옷 또는 겨울옷을 입음. '天子始一'《呂氏春秋》. ③성구 성(姓)의 하나.
[字源] 形聲. 衣＋求〔音〕

衣7 〔[illegible]〕13 裘(前條)의 本字

衣7 〔裝〕13 [高·人] 장 [平]陽 | zhuāng ソウ よそおう
[筆順] 丬 爿 爿一 壯 壯 裝 裝 裝
[字解] ①차릴장 ㉠옷을 차려 입음. '一甲'. '夜分嚴一衣冠待明'《後漢書》. ㉡길 떠날 준비를 차림. '速一, 妻子可全'《後漢書》. ②꾸밀장 ㉠화장을 함. '脂澤一具'《後漢書》. ㉡수식함. 정돈함. '一飾'. '密一船艦二百餘艘'《北史》. ③넣을장 속에 넣음. 포장(包藏)함. '牒訴倥偬, 一其懷'《孔稚珪》. ④차림장 옷차림. 길을 떠날 차림. '行一'. '約車治一'《戰國策》. ⑤옷장 의복. '爲鷩衣一'《後漢書》.
[字源] 形聲. 衣＋壯〔音〕

衣7 〔[illegible]〕13 裝(前條)과 同字

衣7 〔裟〕13 사 [平]麻 | shā サ けさ
[字解] 가사사 '袈一'는 왼쪽 어깨에서 오른쪽 겨드랑이 밑으로 걸쳐 입는 중의 옷. '一, 毛衣謂之袈一'《集韻》.
[字源] 形聲. 衣＋沙〔音〕

衣7 〔裚〕13 제 [去]霽 | jì セイ たつ
[字解] 끊을제 절단함. 자름. '一領而刎頸'《管子》.

衣8 〔裧〕13 [一] 첨 [平]鹽 | chān セン くるまのたれぎぬ
[二] 담 [上]感 | tǎn タン けごろも
[字解] [一] ①휘장첨 襜(衣부 13획〈1289〉)과 同字. '婦車亦如之, 有一'《儀禮》. ②가첨, 가장자리첨 변연(邊緣). '其輤有一'《禮記》. [二] 털옷담 '毳衣謂之一'《集韻》.
[字源] 形聲. 衤(衣)＋炎〔音〕

衣8 〔裨〕13 비 [平]支 | ①-④bì ヒ たすける
⑤-⑦pí ヒ ひめがき
[字解] ①도울비 보좌함. '一補'. '一將'. '竟死何一'《韓愈》. ②더할비, 보탤비 '一益'. '若以同一同'《國語》. ③붙을비 '一, 附也'《廣韻》. ④줄비 '一, 與也'《廣韻》. ⑤성가퀴비 여장(女牆). 陴(阜부 8획〈1617〉)와 통용. '反其一'《國語》. ⑥작을비 稗(禾부 8획〈904〉)와 통용. '一王'. '於是有一海環之'《史記》. ⑦천할비 '一之言, 卑也'《荀子注》.
[字源] 形聲. 衤(衣)＋卑〔音〕

衣8 〔裯〕13 [一] 주 [平]尤 | chóu チュウ ひとえのよぎ
[二] 도 [平]豪 | dāo トウ はだぎ
[字解] [一] 홑이불주 홑겹의 이불. 일설(一說)에는, 잠자리에 두르는 휘장. '抱衾與一'《詩經》. [二] 속적삼도 '祇一'는 땀이 겉에 배지 않도록 윗도리 속에 받쳐 입는 적삼. '說文曰, 祇一, 短衣'《廣韻》.
[字源] 形聲. 衤(衣)＋周〔音〕

衣8 〔裰〕13 철 [入]曷 | duō タツ つくろう
[字解] 기울철 해진 옷을 기움. '一, 補一破衣也'《廣韻》.
[字源] 形聲. 衤(衣)＋叕〔音〕

衣8 〔[illegible]〕14 裰(前條)과 同字

衣8 〔裱〕13 표 ①[去]嘯 | biǎo ヒョウ ひれ
②③[上]篠 | ヒョウ そでぐち
[字解] ①목도리표 여자의 목도리. ②소맷부리표 소매끝. 褾(衣부 11획〈1285〉)와 同字. '一, 袖端'《集韻》. ③장황표 표구(表具). '此一匠之事'《閒情偶寄》.

[字源] 形聲. 衤(衣)＋表〔音〕

衣 8 〔裲〕 13 량 [上]養 | liǎng リョウ うちかけ

[字解] 배자량 '一襠'은 저고리 위에 덧입는 소매가 없는 옷. 배자. '單衫繡一襠'《沈約》.

[字源] 形聲. 衤(衣)＋兩〔音〕

衣 8 〔裷〕 13 [一] 원 [平]元 | yuān エン ずきん
[二] 권 [上]阮 | gǔn ケン たび

[字解] [一] 복두원, 건원 두건(頭巾). '以其一麾之'《韓非子》. [二] 버선권 '一, 幭也'《廣韻》.

[字源] 形聲. 衤(衣)＋卷〔音〕

衣 8 〔裸〕 13 라 [上]哿 | luǒ ラ はだか

[字解] ①벌거숭이라 나체. '赤一一'. '曹共公聞其駢脅, 欲觀其一'《左傳》. ②벌거벗을라 옷을 모두 벗음. '一裎'.

[字源] 形聲. 篆文은 衣＋𦬢〔音〕

衣 8 〔裼〕 13 [一] 석 [入]錫 | xī セキ かたぬぐ
[二] 체 [去]霽 | tì テイ むつき

[字解] [一] ①웃통벗을석 웃통을 벗어 어깨를 드러냄. '袒一裸裎'《孟子》. ②팔드러낼석 소매를 걷어붙임. '一, 露臂也'《字彙》. ③웃옷석 예복으로 쓰이는 일종의 웃옷. '裘之一也見美也'《禮記》. [二] 포대기체 강보(襁褓). '載衣之一'《詩經》.

[字源] 形聲. 衤(衣)＋易〔音〕

衣 8 〔裾〕 13 거 ①[平]魚 | jū キョ すそ
②-⑤[去]御 | キョ おごる

[字解] ①자락거 ㉠옷자락. '攬一脫絲履'《古詩》. ㉡드리운 것의 끝. '傘一直至地'《正字通》. ②거만할거 倨(人부 8획〈59〉)와 통용. '禹爲人廉一'《漢書》. ③목빳빳이할거 '低卬夭蟜, 一以驕驁兮'《漢書》. ④곧을거 바르고 곧음. '其流也埤下一拘, 必循其理'《荀子》. ⑤의거할거 據(手부 13획〈471〉)와 통용. '由重山之東阢, 因長川之一勢'《左思》.

[字源] 形聲. 衤(衣)＋居〔音〕

衣 8 〔褂〕 13 괘 [去]卦 | guà カイ うちかけ

[字解] 웃옷괘 청조(淸朝) 시대의 예복의 일종으로, '外一', '馬一'의 두 가지가 있음. '服有袍有一'《淸會典》.

[字源] 形聲. 衤(衣)＋卦〔音〕

衣 8 〔裞〕 13 예 [平]齊 | ní ゲイ いとすじ

[字解] 옷해질예 '衣疏謂之一'《爾雅》.

衣 8 〔裶〕 13 비 [平]微 | fēi ヒ ころもをひくさま

[字解] ①옷끌릴비 '一一'는 옷이 긴 모양. '衯衯一一'《司馬相如》. ②옷끌비 옷을 끄는 모양. '一, 曳衣貌'《韻會》.

衣 8 〔裺〕 13 [一] 엄 ①②[上]琰 ③[去]豔 | yǎn エン えり, おおう
[二] 암 [平]覃 | ān アン かいばぶくろ

[字解] [一] ①깃엄 옷깃. ②덮을엄 덮어서 가림. '一, 被也'《玉篇》. ③옷풍신할엄 옷이 몸에 끼이지 않고 풍신한 모양. '一, 一曰, 衣寬皃'《集韻》. [二] 꼴주머니암 '一篼'는 말먹이를 넣는 주머니. '飮馬橐, 自關而西, 謂之一囊, 或謂之一篼'《揚子方言》.

[字源] 形聲. 衤(衣)＋奄〔音〕

衣 8 〔裾〕 13 굴 [入]物 | jué クツ つづれ

[字解] 등거리굴 소매가 없는 짧은 옷. 반비의(半臂衣). '一, 衣短'《廣韻》.

衣 8 〔裛〕 12 집 [入]陌 | セキ ふくろ

[字解] 자루집 자루. 헝겊 따위로 만든 큰 주머니. '一, 囊也'《字辨》.

[參考] 裹(衣부 8획〈1279〉)는 別字.

衣 8 〔裓〕 13 액 [入]陌 | yì エキ そで

[字解] ①소매액 '一, 袖也'《集韻》. ②솔기액 겨드랑이 솔기. '一, 一縫'《廣韻》.

衣 8 〔裮〕 13 창 [平]陽 | chāng ショウ おびをつけない

[字解] 띠아니띨창 옷을 풀어 헤치고 띠를 띠지 않음. 猖(犬부 8획〈754〉)과 통용. '一被, 不帶也'《廣雅》.

衣 8 〔褄〕 13 [一] 즙 [入]緝 | qì シュウ えりのへり
[二] 첩 [入]葉 | qiè ショウ ぬう
[三] 삽 [入]洽 | shà ソウ ころもがやぶれる

[字解] [一] ①깃단즙 '一, 襟緣'《廣韻》. ②옷자락단즙 '一, 裙緣上也'《玉篇》. [二] 꿰맬첩 옷을 꿰맴. '褄, 說文, 緶衣也. 或作一'《集韻》. [三] 해어질삽 '衱一'은 옷이 해어짐. '一, 衱一, 衣敝'《集韻》.

[字源] 形成. 衤(衣)＋疌〔音〕

衣 8 〔裉〕 13 [現] 건 | kèn ケン わきのぬいめ

字解 《現》겨드랑솔기건 옷의 겨드랑이의 솔기.

衣8 〔裣〕13 금 ㊥侵 ㊤沁 | jīn キン えり / キン つけひも

字解 ①옷깃금 '襟, 袍襦前袂, 一, 上同'《廣韻》. ②옷고름금 '衿, 衣系. 或从金'《集韻》.

字源 形成. 衤(衣)＋金〔音〕

衣8 〔裿〕13 〔강〕 襁(衣부 11획〈1285〉)과 同字

衣8 〔裢〕13 〔탄〕 綻(糸부 8획〈998〉)과 同字

衣8 〔裫〕13 〔붕〕 繃(糸부 8획〈1000〉)과 同字

衣8 〔裩〕13 〔곤〕 褌(衣부 9획〈1280〉)과 同字

衣8 〔裪〕13 〔갑〕 帢(巾부 6획〈331〉)과 同字

衣8 〔裭〕13 공 ㊥東 | kōng コウ たもと

字解 소맷자락공 소맷자락. 소매. '一, 衣袂'《字彙》.

衣8 〔裰〕13 관 ①㊤旱 ②㊦翰 | guǎn カン はかまのあし / guàn カン かわばかま

字解 ①바짓가랑이통관 바짓가랑이의 통. '一, 袴襱也'《玉篇》. ②가죽바지관 가죽 바지. '一, 韋袴'《集韻》.

衣8 〔裿〕13 ㊀기 ㊤紙 ㊁의 ㊤紙 | qǐ キ よい / yǐ イ ころものさま

字解 ㊀ ①좋을기 좋음. 볼품이 좋음. '一, 好也'《玉篇》. ②홑속옷기 홑속옷. ㊁ 옷모양의 옷의 모양. '一, 一裮, 衣皃'《集韻》.

衣8 〔祺〕13 〔기〕 帺(巾부 8획〈333〉)와 同字

衣8 〔裪〕13 도 ㊥豪 | táo トウ そでさき

字解 소맷부리도 소매의 끝. '一, 一橘, 袖襟也'《集韻》.

衣8 〔禄〕13 록 ㊣屋 | lū ロク きぬずれのおと

字解 옷스치는소리록 옷 스치는 소리. '一褳'. '一, 一褳, 衣聲'《集韻》.

衣8 〔裬〕13 릉 ㊥蒸 | líng リョウ うまのはらおび

字解 말뱃대끈릉 말의 뱃대끈. '一, 馬腹帶'《集韻》.

衣8 〔褊〕13 별 ㊣屑 | biē ヘツ たもと

字解 ①소맷자락별 소맷자락. 소매. '一, 袂也'《廣雅》. ②해어진옷별 해어진 옷. '一, 敝衣'《玉篇》.

衣8 〔裞〕13 수 ㊦隊 | zuì サイ ひとえ

字解 ①홑옷수 홑옷. 단의(單衣). '一, 褌衣也'《玉篇》. ②갈아입을옷수 갈아 입을 옷. 여벌의 옷. '一, 副衣也'《集韻》.

衣8 〔裮〕13 외 ㊥灰 | wēi ワイ あかじみたころも

字解 때묻은옷외 때묻은 옷. 구의(垢衣). '一, 垢衣'《字彙補》.

衣8 〔裷〕13 원 ㊤阮 | wǎn エン そでのはしのまがり

字解 ①소매도련원 소매도련. 소매 아래쪽 구부정하게 된 부분. '一, 一曰, 袖耑屈'《集韻》. ②버선원 버선. '一, 襪也'《集韻》.

衣8 〔裫〕13 잔 ㊥寒 | cán サン こどものしきもの

字解 어린아이요잔 어린아이의 요. 어린아이의 깔개. '一, 襦也'《廣雅》.

衣8 〔裯〕13 〔조〕 褟(衣부 11획〈1286〉)와 同字

衣8 〔裷〕13 종 | zhǒng ショウ こどものころも

字解 ①어린아이옷종 어린아이의 옷. '一, 袵也'《篇海》. ②쇠코잠방이종 쇠코잠방이. '一, 小褌也'《字彙補》. ③松(衣부 4획〈1267〉)의 俗字.

衣8 〔褙〕13 천 ㊦霰 | qiàn セン ちぢむ

字解 ①오글오글할천 오글오글함. 옷이 주름짐. '一, 縐也'《集韻》. ②아름다운옷천 아름다운 옷. '一, 一曰, 美衣'《集韻》.

衣8 〔褄〕13 첩 ㊣葉 | qiè ショウ えり

字解 깃첩 옷깃. '一, 衣衿'《集韻》.

衣8 〔裷〕13 총 ㊤腫 | zhōng ショウ ももひき

字解 고의총 고의(袴衣). 남자의 홑바지.

중의(中衣). '一, 小袴也'《玉篇》.

衣 8 〔䘶〕 13 함 ①[平]覃 ②[上]感 | hān カン そで / hàn カン みみをおおうきれ

[字解] ①소매함 옷소매. '一褋, 袖也'《廣雅, 釋器》. ②귀막이베함 귀를 덮는 베. '幍, 巾擁耳也, 或从衣'《集韻》.

衣 8 〔裹〕 14 과 [上]哿 | guǒ カ つつむ

[字解] ①쌀과 포장함. '乃一餱糧'《詩經》. 또, 싼 물건. 꾸러미. '松屑二一'《仙苑編珠》. ②꽃송이과 여러 꽃이 한 꼭지에 크게 달린 덩이. '綠葉紫一'《宋玉》. ③풀열매과 초실(草實). '濯穎散一'《郭璞》. ④보배과 재화. '富之以國一'《管子》.
[字源] 形聲. 衣＋果〔音〕

衣 8 〔褁〕 14 裹(前條)와 同字. 《朝鮮本, 龍龕手鑑》.

衣 8 〔䙆〕 14 계 [上]薺 | qǐ ケイ·ゲイ ころもをひらく

[字解] 옷헤칠계 '一, 開衣也'《字彙》.

衣 8 〔裵〕 14 [人名] 裴(次條)의 本字

[筆順] 亠 亣 ⺕ 丰 非 裵 裵 裵

衣 8 〔裴〕 14 [人名] [一] 배 [平]灰 [二] 비 [平]微 | péi ハイ いふくのながいさま / féi ヒ くにのな

[筆順] 丿 ㇇ 刲 非 韭 裴 裴 裴

[字解] [一] ①옷치렁치렁할배 긴 옷의 모양. '一一'. '一, 長衣皃'《說文》. ②서성거릴배 徘(彳부 8획〈372〉)와 통용. '彌節一回, 翶翔往來'《史記》. ③성배 성(姓)의 하나. [二] 나라이름비 '郋一'는 한(漢)나라의 후국(侯國).
[字源] 形聲. 衣＋非〔音〕
[參考] 裵(前條)는 本字.

衣 8 〔裳〕 14 [高·人] 상 [平]陽 | cháng, ②shāng ショウ も

[筆順] ' ⺌ 尚 尚 堂 堂 裳 裳

[字解] ①아랫도리상, 치마상 아랫도리에 입는 치마·바지 따위. '衣'의 대(對). '繡一'. '綠衣黃一. (傳)上曰衣, 下曰一'《詩經》. ②《現》 옷상 '衣一'은 옷.
[字源] 形聲. 衣＋尚〔音〕

衣 8 〔製〕 14 [中·人] 제 [去]霽 | zhì セイ つくる

[筆順] 𠂉 与 缶 伟 制 製 製 製

[字解] ①지을제 ㉠옷을 지음. '子有美錦, 不使人學一焉'《左傳》. 전(轉)하여, 의복. 가죽옷. '衣狸一'《左傳》. ㉡의복 등의 체재·양식. '變其服, 服短衣楚一'《漢書》. ㉢시문 등을 지음. '嘗一千字詩, 當時以爲盛作'《舊唐書》. 전(轉)하여, 지은 시문. '御一'. '聖一'. '灑落富淸一'《杜甫》. ㉣약(藥)을 지음. '醫書有雷公炮一'《中華大字典》. ②만들제 물건을 만듦. '一作'. '一造'. '百官備而不一'《後漢書》. ③모습제 용자(容姿). '頎晳美姿一'《唐書》. ④비옷제 우의(雨衣). 우장. '成子衣一杖戈'《左傳》.
[字源] 形聲. 衣＋制〔音〕

衣 8 〔裚〕 13 製(前條)와 同字

衣 8 〔裻〕 14 [一] 독 [入]沃 [二] 속 [入]沃 | dú トク せぬい / ソク きぬずれのおと

[字解] [一] 등솔기독 의복의 등의 꿰맨 줄. '衣一'. '衣之偏一之衣'《國語》. '顧見其一'《史記》. [二] 새옷스치는소리속 새 옷이 스치는 소리. '一, 新衣聲'《集韻》.
[字源] 形聲. 衣＋叔〔音〕

衣 8 〔𧛔〕 13 裻(前條)과 同字

衣 8 〔𧙤〕 14 〔렬〕 裂(衣부 6획〈1273〉)의 本字

衣 9 〔複〕 14 [高·人] [一] 복 [入]屋 [二] 부 [去]宥 | fù フク あわせ / fù フウ かさなる

[筆順] 𠂊 ネ 衤 衤 衤 衤 複 複

[字解] [一] ①겹옷복 안을 댄 옷. '隨時單一'《魏志》. ②겹칠복 ㉠있는 위에 또 있음. '重一'. '魏晉以來所著諸子, 理重事一, 遞相模斅'《顔氏家訓》. ㉡겹임. 이중임. '紅羅一斗帳'《古詩》. ㉢하나가 아님. 둘 이상임. '一數'. ③겹복 둘 이상의 것. 포개어진 것. '以單攻一'《魏文帝》. [二] 거듭부 '一, 重一'《廣韻》.
[字源] 形聲. 衤(衣)＋复(夏)〔音〕

衣 9 〔褊〕 14 [一] 편 (①②변[本]) [上]銑 [二] 변 [平]先 | ①②biǎn ヘン せまい / piān ヘン こころものひるがえるさま

[字解] [一] ①좁을편 ㉠폭이 좁음. '齊國雖一小, 吾何愛一牛'《孟子》. ㉡도량이 좁음. '一狹'. '維是一心'《詩經》. ②성급할편 '一, 急也'《爾雅》. ※❶❷本音 변. [二] 휘날릴변 '一褼'은 옷이 펄럭이는 모양. '一褼, 衣揚

貌'《韻會》.
字源 形聲. 衤(衣)+扁〔音〕

衣9 〔褋〕 14 접 ⓐ葉 | dié チョウ ひとえ

字解 ①홑옷접 홑겹의 옷. '禪衣, 江淮南楚之間, 謂之一'《揚子方言》. ②제복접 신(神)을 제사할 때 입는 제복(祭服)의 하나. '遺余一兮醴浦'《楚辭》.
字源 形聲. 衤(衣)+葉〔音〕

衣9 〔褌〕 14 곤 ⓟ元 | kūn コン さるまた

字解 ①잠방이곤 가랑이가 짧은 고의. '犢鼻一'. '華下曝一'《李義山雜纂》. ②속옷곤 가랑이가 짧은 내의(內衣). '合襠謂之一, 最親身者也'《急就篇 注》.
字源 形聲. 衤(衣)+軍〔音〕

衣9 〔褐〕 14 갈(할本) ⓐ曷 | hè カツ けおり のころも

字解 ①털옷갈 거친 털로 짠 천한 사람들이 입는 옷. '無衣無一, 何以卒歲'《詩經》. ②베옷갈 굵은 베로 만든 옷. '被一振裾'《潘岳》. ③솜옷갈 솜을 둔 옷. '一, 袍也'《玉篇》. ④천인갈 미천한 사람. '旨酒一盛兮, 余與一之父睨之'《左傳》. ⑤다색갈 갈색. 다갈색. '一色'. '色蒼一'《爾雅翼》. ⑥성갈 성(姓)의 하나. ※本音 할.
字源 形聲. 衤(衣)+曷〔音〕

衣9 〔褕〕 14 ㊀유 ⓟ虞 | yú ユ うつくしい ㊁요 ⓟ蕭 | yú ヨウ こうごうの さいふく ㊂두 ⓟ尤 | tóu トウ はだぎ

字解 ㊀고울유 옷이 화려함. '一衣甘食'《史記》. ㊁황후옷요 '一翟'는 꿩의 깃으로 장식한 황후의 옷. '一狄'. '佇輦一於紫氛'《張說》. ㊂속옷두 내의(內衣). '一, 一曰, 近身衣'《集韻》.
字源 形聲. 衤(衣)+兪〔音〕

衣9 〔褖〕 14 단 ⓠ翰 | tuàn タン こうごうのふく

字解 단의단 '一衣'는 황후(皇后)의 평상복. 또, 붉은 가선을 두른 색이 검은 선비의 아내의 예복(禮服). '一衣纚帶'《儀禮》.
字源 形聲. 衤(衣)+彖〔音〕

衣9 〔褘〕 14 ㊀휘 ⓟ微 | huī キ ひざかけ ㊁위 ⓟ微 | yī イ うつくしい

字解 ㊀①폐슬휘 무릎 위에 늘이는 헝겊. '蔽厀, 江淮之間, 謂之一'《揚子方言》. '天子大服冕一'《穆天子傳》. ②황후제복휘 제사 때 입는 꿩을 그린 황후의 옷. '王后一衣'《禮記》. ㊁①아름다울위 고움. '漢帝之德, 侯其一而'《張衡》. ②향낭위 부인(婦人)이 향을 넣어서 차는 주머니. '婦人之一, 謂之縭'《爾雅》.
字源 形聲. 衤(衣)+韋〔音〕

衣9 〔褚〕 14 저 ①-⑤ⓢ語 ⑥ⓢ語 | zhǔ チョ わたいれ | chǔ チョ せい

字解 ①솜옷저 솜을 둔 옷. 핫옷. '上一五十衣'《漢書》. ②솜둘저 옷에 솜을 둠. '以緜裝衣曰一'《漢書 註》. ③둘저, 쌓을저 일정한 곳에 둠. '取我衣冠而一之'《左傳》. ④구의(柩衣)저 '一幕'은 관 위를 덮는 홑이불 같은 보자기. '一幕丹質'《禮記》. ⑤주머니저 돈 같은 것을 넣는 것. '傾一以濟'《唐書》. ⑥성저 성(姓)의 하나.
字源 形聲. 衤(衣)+者〔音〕

衣9 〔褓〕 14 보 ⓢ晧 | bǎo ホウ むつき

字解 포대기보 어린애를 업을 때 둘러 대는 보. 처네. '襁一'. '欲慰泉下魂, 但視一中兒'《劉績》.
字源 形聲. 衤(衣)+保〔音〕

衣9 〔褄〕 14 요 ①ⓟ蕭 | yāo ヨウ こしおび ②ⓠ嘯 | yào ヨウ つけひも

字解 ①허리띠요 허리를 매는 띠. '一, 腰襻也'《玉篇》. ②옷고름요 '一, 衣褋'《集韻》.
字源 形聲. 衤(衣)+要〔音〕

衣9 〔褆〕 14 제 ⓟ齊 | tí テイ いふくのあつい さま

字解 ①옷두툼할제 '一, 衣厚皃'《集韻》. ②옷좋을제 '一, 一曰, 衣好'《集韻》.
字源 形聲. 衤(衣)+是〔音〕
參考 禔(示부 9획〈891〉)는 別字.

衣9 〔褍〕 14 단 ⓟ寒 | duān タン みごろ

字解 ①길단 옷의 넓고 큰 폭. '一, 衣正幅'《集韻》. ②풍신할단 옷이 너르고 낙낙함. '一, 衣寬也'《集韻》.
字源 形聲. 衤(衣)+耑〔音〕

衣9 〔褗〕 14 외 ⓟ灰 | wēi ワイ よごれたころも

字解 때묻은옷외 '一, 垢衣也'《玉篇》.

衣9 〔褙〕 14 배 ⓠ隊 | bèi ハイ はだぎ

字解 ①배자배 여자의 겉옷의 하나. ②속옷배 '一, 襦也'《集韻》. ③배접할배 종이·헝겊 따위를 포개어 붙임.

衣 9 〔褔〕 14 부 [去]宥 | fù フウ ころものひとかさね
[字解] ①옷한벌부 옷 일습(一襲). '今俗呼一襲爲一一衣'《匡謬正俗》. ②부응할부 '以一海內欣戴之望'《魏大饗碑》. ③간직할부 '邦一重寶'《史記》. ④같을부 '仰一帝居'《張衡》. ⑤찰부 그득 참. '一, 盈也'《廣雅》.

衣 9 〔褗〕 14 언 [上]阮 | yǎn エン えり [去]願 | エン えり
[字解] ①옷깃언 '一, 一領也'《說文》. ②숨겨덮을언 '一, 隱被也'《玉篇》.
[字源] 形聲. 衤(衣)+匽〔音〕

衣 9 〔褙〕 14 타 [去]箇 | duǒ タ·ダ そでなし
[字解] ①소매없는옷타 '無袂之衣謂之一'《揚子方言》. ②군사옷타 군복(軍服)의 이름.
[字源] 形聲. 衤(衣)+惰〈省〉〔音〕

衣 9 〔褑〕 14 원 ①[去]願 | yuàn エン ひも [去]霰 | エン ひも ②[平]元 | yuán エン ころも
[字解] ①패옥끈원, 패옥띠원 패금(佩衿). '佩衿謂之一'《爾雅》. ②옷원 '一, 衣也'《集韻》.

衣 9 〔褛〕 14 〔루〕 褸(衣부 11획〈1285〉)의 俗字·簡體字

衣 9 〔禋〕 14 〔인〕 裀(衣부 6획〈1272〉)과 同字

衣 9 〔褷〕 14 〔이〕 袘(衣부 5획〈1268〉)와 同字

衣 9 〔褞〕 14 〔온〕 褞(衣부 10획〈1282〉)의 俗字

衣 9 〔褰〕 14 〔건〕 褰(衣부 10획〈1284〉)과 同字

衣 9 〔褠〕 14 구 [上]有 | gōu コウ まつりのふく
[字解] 제복구 제복(祭服). 제향 때 입는 예복. '一, 祭服也'《字彙補》.

衣 9 〔褠〕 14 〔구〕 褠(衣부 10획〈1282〉)와 同字

衣 9 〔褛〕 14 규 [去]霽 | kuì ケイ すそがわかれる
[字解] ①가운데를가른옷규 가운데를 가른 옷. '一, 衣裾分也'《集韻》. ②가운데를가른승마복규 가운데를 가른 승마복.

衣 9 〔裲〕 14 〔극〕 襋(衣부 12획〈1287〉)과 同字

衣 9 〔衿〕 14 금 [平]侵 | jīn キン そで
[字解] ①옷소매금 옷소매. 소매. '一, 袍襦前袂也'《篇海》. ②옷깃금 옷깃. 깃. '衿, 說文, 交衽也, 或作一'《集韻》.

衣 9 〔褙〕 14 〔모〕 帽(巾부 9획〈334〉)와 同字

衣 9 〔禠〕 14 삼 [平]咸 | shān サン はたあし
[筆順] 礻 衤 衤 衦 衦 衦 禠 禠
[字解] 깃발삼 깃발. 기각(旗脚). '襂, 說文, 旌旗之游也, 或作一'《集韻》.

衣 9 〔褔〕 14 〔송〕 松(衣부 4획〈1267〉)과 同字

衣 9 〔循〕 14 순 [平]眞 | xún シュン ころも
[字解] ①옷순 옷. 의복. '一, 衣也'《字彙》. ②옷의등솔기순 옷의 등솔기를 꿰맴. 또는 그 등솔기. '一, 衣褧脊也, 方言作紃'《正字通》.

衣 9 〔褔〕 14 〔악〕 幄(巾부 9획〈335〉)과 同字

衣 9 〔褞〕 14 연 [上]銑 | ruán ゼン ころもがちぢむ
[字解] ①옷구길연 옷을 구김. 옷에 구김살이 생김. '緛, 說文, 衣織也, 或从衣'《集韻》. ②솔기연 솔기. 옷을 지을 때, 두 폭을 맞대고 꿰맨 줄. '一, 一曰, 緣也'《集韻》. ③속옷연 속옷. 핫옷. '一, 褐也'《玉篇》.

衣 9 〔褨〕 14 자 [平]支 | zī シ そで
[字解] 소매자 소매. 옷소매. '一, 衣袂也'《篇海》.

衣 9 〔褔〕 14 잡 [入]洽 | zhǎ ソウ ころものふたえべり
[字解] ①겹가장자리잡 겹가장자리. 옷의 겹가장자리. '一, 衣重緣'《集韻》. ②겹진모양잡 겹진 모양. '一, 一略, 絜束貌'《字彙》.

衣 9 〔褑〕 14 종 [平]東 | zōng ソウ ひとえ
[字解] 홑옷종 홑옷. 단의(單衣). '褑, 博雅, 襩褋, 禪衣也, 或作一'《集韻》.

衣9 〔褈〕14 [一] 중 [平]冬 | chóng チョウ かさなる
[二] 종 [去]宋 | zhòng チョウ きぬいと
[三] 송 [平]冬 | chōng ショウ ひとえぎぬ

[字解] [一] 겹칠중 겹침. 많아짐. 불어남. 또는 두꺼움. 후함. [二] 견사종 견사. 명주실. [三] 홑옷송 홑옷.

衣9 〔裰〕14 철 [入]月 | tú トツ したばかま

[字解] 속고의철 속고의. 바지 속에 입는 고의. 곤당(褌襠). '褌無襠者, 謂之一'《廣雅》.

衣9 〔褅〕14 체 [去]霽 | tì テイ おぎなう

[字解] 보충할체 보충함. 부족한 것을 채움. '一, 補也'《集韻》.

衣9 〔襒〕14 치 [上]紙 | zhǐ チ やぶれごろも

[字解] ①해어진옷치 해어진 옷. 찢어진 옷. '一, 衦一, 敝衣'《集韻》. ②옷꿰맬치 옷을 꿰맴. '䘳, 說文, 紩衣也, 或作一'《集韻》.

衣9 〔褑〕14 [一] 현 [去]霰 | yuàn エン そでのまがったところ
[二] 연 [平]先 | エン ころものまがったところ

[字解] [一] 배래현 배래. 배래기. '一, 袂曲'《集韻》. [二] 배래연 [一]과 뜻이 같음.

衣9 〔𧛽〕14 호 [平]虞 | hú コ ころものわき

[字解] 옷겨드랑이호 옷의 겨드랑이. '一, 衣裓也, 或書作𧝐'《集韻》.

衣9 〔𧝐〕15 𧛽(前條)와 同字

衣9 〔𧜀〕14 후 [平]尤 | hóu コウ ちいさいかたびら

[字解] 적삼후 적삼. 짧은 적삼. 단삼(單衫). '一, 一褕, 短衫'《集韻》.

衣9 〔褒〕15 [人名] [一] 포 [平]豪 | bāo ホウ ほめる
[二] 부 [平]尤 | póu ホウ あつまる

[筆順] 亠 疒 疒 疒 袖 褒 褒 褒

[字解] [一] ①기릴포 칭찬함. '一美'. '得升屋招用一衣也'《禮記 注》. ②자락포 넓고 큰 옷자락. '一衣博帶'《漢書》. ③클포, 넓을포 '一人被之不一'《淮南子》. ④성포 성(姓)의 하나. [二] 모을부, 모일부 裒(衣부 7획〈1275〉)와 통용.

[字源] 形聲. 衣+保〈省〉〔音〕

[參考] ①襃(衣부 11획〈1286〉)는 本字. ②褎(次條)는 別字.

衣9 〔褎〕15 [一] 수 [去]宥 | xiù シュウ そで
[二] 유 [去]宥 | yòu ユウ りっぱにきかざるさま

[字解] [一] 소매수 袖(衣부 5획〈1268〉)는 俗字. '羔裘豹一'《詩經》. [二] ①옷잘입을유 복식(服飾)이 화려한 모양. 일설(一說)에는, 웃는 모양. '叔兮伯兮, 一如充耳'《詩經》. ②우거질유 곡초(穀草)가 무성한 모양. '實種實一'《詩經》.

[字源] 會意. 衣+采

[參考] ①褏(次條)는 同字. ②褒(前條)는 別字.

衣9 〔褏〕15 褎(前條)와 同字

衣9 〔𧝓〕15 〔가〕 袈(衣부 5획〈1271〉)와 同字

衣9 〔𧝒〕15 봉 [上]董 | běng ホウ あさぐつ

[字解] 미투리봉 미투리. 삼신. 또, 어린아이의 가죽신. '紺, 說文, 枲履也, 一日, 小兒皮履也, 或作一'《集韻》.

衣9 〔𧜵〕15 〔예〕 裔(衣부 7획〈1273〉)와 同字

衣10 〔褞〕15 [一] 온 [平]元 | wēn オン ぬのこ
[二] 운 [上]吻 | yǔn ウン ころも

[字解] [一] 무명핫옷온 솜을 둔 거친 무명옷. '布獘一袍, 不足以避寒'《新語》. [二] ①옷운 '一, 衣也'《集韻》. ②겉옷운 겉에 걸쳐 입는 옷. '一, 一袿'《廣韻》.

[字源] 形聲. 衤(衣)+昷〔音〕

[參考] 𧛱(衣부 9획〈1281〉)은 俗字.

衣10 〔褥〕15 욕 [入]沃 | rù ジョク しとね

[字解] 요욕 누울 때 방바닥에 까는 것. '茵一'. '牀一'. '布衣皮一'《後漢書》.

[字源] 形聲. 衤(衣)+辱〔音〕

衣10 〔褠〕15 구 [平]尤 | gōu コウ ひとえのつつそで

[字解] ①홑소창옷구 소매가 좁고 무가 없는 홑옷. '釋一着袴褶'《吳志 註》. ②팔찌구, 토시구 소매 끝을 묶어 일하기에 편하게 하는 것. 비의(臂衣). '蒼頭衣綠一'《後漢書》. ③통소매구 소맷자락이 없는 홑소매. '一, 褌衣之無袖者也, 言袖夾直形如溝也'

《釋名》.
[字源] 形聲. 衤(衣)+冓〔音〕

衣10 〔褦〕15 내 [去]隊 nài ダイ·ナイ ひがさ
[字解] ①패랭이내 '一襶'는 볕을 가리기 위하여 쓰는 폐양자(蔽陽子). ②어리석을내 사리에 어두움. '今世一襶子, 觸熱到人家'《程曉》.
[字源] 形聲. 衤(衣)+能〔音〕

衣10 〔褪〕15 퇴(톤[本]) [去]願 tùn トン·タイ ぬぐ
[字解] ①벗을퇴 옷을 벗음. '頓覺春衫一'《趙鼎》. ②물러설퇴 나가려고 하다가 도리어 뒤로 물러섬. '十篙八九一'《沈與求》. ③바랠퇴 퇴색함. '花一殘紅青苔小'《蘇軾》. ※本音 톤.
[字源] 形聲. 衤(衣)+退〔音〕

衣10 〔⿰衤盍〕15 합 [入]洽 kè コウ うちかけ
[字解] 계집저고리합 '一襠'은 여자의 상의(上衣). '一襠, 婦人袍'《集韻》.

衣10 〔褫〕15 치 [上]紙 [去]寘 chǐ チ はぐ, ぬぐ
[字解] ①옷벗길치 옷을 벗겨 빼앗음. '終朝三一之'《易經》. 전(轉)하여, 널리 빼앗는 뜻으로 쓰임. '一奪'. '試人一縷立一魄'《晁補之》. ②벗을치 옷을 벗음. '極禮而一'《荀子》.
[字源] 形聲. 衤(衣)+虒〔音〕

衣10 〔⿰衤邕〕15 용 [平]冬 yōng ヨウ たび
[字解] 버선용 '⿰衤雍, 襪鞦, 或从邕'《集韻》.

衣10 〔⿰衤芻〕15 추 [去]宥 zhòu シュウ ころものしわ
[字解] 옷구길추 옷이 구겨진 주름. '一, 衣不伸也'《集韻》.

衣10 〔褡〕15 답 [入]合 dā トウ·タ そでなし
[字解] ①소매없는옷답 '背一'은 소매가 없는 옷. '背一, 蘇俗半臂之稱'《中華大字典》. ②옷해어질답 '一, 一曰, 衣敝'《集韻》. ③이불답 '襀一'은 이불. '襀一, 小被'《廣韻》.
[字源] 形聲. 衤(衣)+荅〔音〕

衣10 〔褯〕15 [一]자 [去]禡 jiè シャ ようじのきもの [二]석 [入]陌 セキ しきもの
[字解] [一] 어린아이옷자 '一, 小兒衣'《集韻》. [二] 깔개석 '一, 袚棧, 一也'《集韻》.

衣10 〔⿰衤鬲〕15 격 [入]陌 kè カク かわごろものうら
[字解] ①갖옷안격 '𩎟, 說文曰, 裘裏也. 一, 上同'《廣韻》. ②얇을격 '一, 薄也'《廣雅》. ③찧을격 절구에 찧음. '一, 擣也'《字彙》.

衣10 〔褟〕15 탑 [入]合 tā トウ ころも
[字解] ①옷탑 '一, 衣也'《玉篇》. ②《現》옷가에레이스붙일탑 옷가에 레이스를 꿰매어 붙임. '一一道絛子'. ③《現》속옷탑 '汗一児'는 속옷.

衣10 〔⿰衤冥〕15 〔멱〕 幦(巾부 13획〈339〉)과 同字

衣10 〔褲〕15 〔고〕 絝(糸부 6획〈989〉)의 俗字

衣10 〔⿰衤害〕15 개 [去]卦 jiè カイ うわぎ
[字解] 웃옷개 상의(上衣). '一, 衣上羅'《玉篇》.

衣10 〔⿰衤尃〕15 박 [去]藥 bó ハク たもとのみじかいたびら
[字解] ①적삼박 적삼. 소매가 짧은 적삼. '一, 衫短袂, 謂之一'《集韻》. ②엷을박 薄(艸부 13획〈1188〉)의 古字. ③검소할박 검소함. 사치하지 아니함. '一, 約也, 儉也'《玉篇》. ④클박 큼. '一, 大也'《玉篇》. ⑤홑옷박 홑옷. '一, 襌衣也'《玉篇》. ⑥엷은돌박 엷은 돌. '一, 礴也'《玉篇》.

衣10 〔⿰衤師〕15 사 [平]支 shī シ ころもがやぶれる
[字解] 옷해어질사 옷이 해어짐. '一, 袈一, 衣破'《集韻》.

衣10 〔⿰衤射〕15 사 [去]禡 xiè シャ ころも
[字解] 옷사 옷. 의복. 오(吳)나라 사람들의 일컬음. '一, 吳人謂衣曰一'《集韻》.

衣10 〔⿰衤索〕15 삭 [入]藥 suǒ サク きぬずれのおと
[字解] 옷스치는소리삭 옷 스치는 소리. '一一'. '一, 一一, 衣聲'《集韻》.

衣10 〔⿰衤桑〕15 상 [上]養 sǎng ソウ ころもがやぶれる
[字解] 옷해어질상 옷이 해어짐. '一, 被一, 衣敝'《集韻》.

衣10 〔褷〕 15 [一] 쇄 [去]卦 shài サイ ころものはばをそぐ [二] 사 [上]蟹 shǎi サイ ころもがやぶれる [三] 살 [入]黠 shā サツ ころものぬいあまり

[字解] [一] 옷의폭벨쇄 옷의 폭을 벰. 옷을 엇비슷하게 꿰맴. '一, 衣削幅也'《集韻》. [二] 옷해어질사 옷이 해어짐. [三] 옷꿰맨나머지살 옷의 꿰맨 나머지. '一, 衣絳餘'《集韻》.

衣10 〔褅〕 15 〔지〕 褆(衣부 11획〈1286〉)와 同字

衣10 〔褨〕 15 차 [上]哿 suǒ サ ころもがながい

[字解] 옷길차 옷이 긺. 또, 그 모양. '一, 衣長也'《集韻》.

衣10 〔褫〕 15 〔최〕 縗(糸부 10획〈1007〉)와 同字

衣10 〔褯〕 15 축 [入]屋 xù チク たくわえる

[字解] ①쌓을축 쌓음. 갈무리함. '取我衣冠而一'《左傳》. ②빼앗을축 빼앗음. '一, 褫也'《篇海》. ③감출축 감춤. '一, 藏也'《篇海》.

衣10 〔褬〕 15 [一] 혜 [平]佳 xié カイ そで [二] 계 [去]霽 xì ケイ おび

[字解] [一] 소매혜 소매. 옷소매. '一, 埤蒼, 衣袖也'《集韻》. [二] 띠계 띠. 허리띠. '一, 帶也, 或作褉紲'《集韻》.

衣10 〔褭〕 16 뇨 [上]篠 niǎo ジョウ·ニョウ しなやか

[字解] ①낭창거릴뇨 嫋(女부 10획〈260〉)·裊(衣부 7획〈1276〉)와 同字. '風一兮弱柳'《盧肇》. ②꾸밀뇨 장식함. '脩箭一金餌'《孟郊》. ③말뱃대끈뇨 말의 배에 졸라매는 띠. '秦封爵, 三日簪一'《說文》. ④말이름뇨 '騕一'는 양마명(良馬名).

[字源] 會意. 衣＋馬

衣10 〔褢〕 16 회 [平]佳 huái カイ つつむ, そで

[字解] ①품을회 懷(心부 16획〈418〉)와 同字. '一誠秉忠, 維義是從'《漢書》. ②소매회, 소맷자락회 '一, 褎也'《說文》. ③쌀회 싸서 간직함. '一, 苞也. 在衣曰一, 在手曰握'《玉篇》.

[字源] 形聲. 衣＋鬼〔音〕

衣10 〔褱〕 16 회 [平]佳 huái カイ いだく

[字解] ①따를회 사모하여 붙좇음. 懷(心부 16획〈418〉)의 古字. '鳥獸猶知一德'《楚辭》. ②품을회 품안이나 손에 넣어 가짐. '一, 盜竊一物也. 在衣曰一, 在手曰握'《說文》. ③쌀회 '一, 苞也'《廣韻》. '一山襄陵'《漢書》. ④생각할회, 생각회 '心之所思念藏貯, 亦曰一'《字彙》.

[字源] 會意. 衣＋眔

衣10 〔褧〕 16 경 [上]迥 jiǒng ケイ ひとえ

[字解] 홑옷경 絅(糸부 5획〈987〉)과 同字. '衣錦一衣'《詩經》.

[字源] 形聲. 衣＋耿〔音〕

衣10 〔褰〕 16 건 [平]先 [上]阮 qiān ケン かかげる

[字解] ①걷을건 ㉠소매나 치맛자락 같은 것을 걷어올림. '一裳涉溱'《詩經》. ㉡발을 걷어올림. '珠簾亦高一'《李商隱》. ②올릴건 '一虹旗於玉門'《楚辭》. ③열건 '一微罟以長眺'《潘岳》. ④접을건, 주름잡힐건 주름을 잡음. 또, 주름살이 잡힘. '襞積一縐'《史記》. ⑤바지건 아랫도리에 입는 옷. '徵一與襦'《左傳》.

[字源] 形聲. 衣＋寒〈省〉〔音〕

衣10 〔褮〕 16 [一] 영 [平]庚 yíng エイ ししゃのきもの [去]經 エイ ひだ [二] 형 [平]青 ケイ ぬいめのあらいころも

[字解] [一] ①수의영 시체에 입히는 옷. '一, 鬼衣也'《說文》. ②주름영 옷의 주름 '一, 衣襵'《集韻》. [二] ①바느질성긴옷형 '袳謂之一'《爾雅》. ②수의형 [一]❶과 뜻이 같음.

[字源] 形聲. 衣＋熒〈省〉〔音〕

衣10 〔褻〕 16 〔쇠〕 衰(衣부 4획〈1267〉)의 本字

衣10 〔褒〕 16 〔포〕 褒(衣부 11획〈1286〉)의 本字

衣10 〔褎〕 16 〔용〕 甇(瓦부 16획〈791〉)과 同字

衣10 〔褽〕 16 〔위〕 褽(衣부 11획〈1286〉)와 同字

衣10 〔褵〕 16 력 [入]錫 lì レキ きびしくまとう

[字解] 꽁꽁묶을력 꽁꽁 묶음. '一, 急纏'《玉篇》.

衣10 〔褩〕 16 반 [平]寒 bān ハン ころものおもて

[字解] 옷의겉반 옷의 겉. 오(吳)나라 말.

'一, 衣表也吳俗語'《集韻》.

衣11 〔褵〕 16 리 (平)支 | lí リ においぶくろ

字解 ①향낭리 縭(糸부 11획〈1009〉)와 同字. '親結其一'《詩經》. ②띠리 의대(衣帶). '一, 衣帶也'《玉篇》.

字源 形聲. 衤(衣)+离〔音〕

衣11 〔褶〕 16 ㊀첩 (入)葉 ㊁습 (入)緝 | dié チョウ あわせ xí, ②zhě シュウ うまのりばかま

字解 ㊀①겹옷첩 '帛爲一'《禮記》. ②덧옷첩 위에 덧입는 옷. '襚者以一'《儀禮》. ㊁①사마치습 말탈 때 입는 바지. '袴一'. ②주름습 옷의 주름. 벽적(襞積).

字源 形聲. 衤(衣)+習〔音〕

衣11 〔樞〕 16 구 (平)尤 (우本) (上)有 | ōu オウ よだれかけ

字解 ①턱받이구 흘리는 침이 옷에 떨어지지 않게 어린이의 턱에 대어 주는 물건. '繄格謂之一'《揚子方言》. ②삼베옷구 삼베로 짠 천한 사람의 옷. '一, 編枲衣'《說文》. ※本音 우.

字源 形聲. 衤(衣)+區〔音〕

衣11 〔褷〕 16 시 (平)支 | shī シ けのはじめてしょうずるさま

字解 털날시 털이 처음으로 나는 모양. 또, 털이 나 있는 모양. '鳧雛離一'《木華》.

字源 形聲. 衤(衣)+徙〔音〕

衣11 〔褸〕 16 루 (上)麌 | lǚ ル つづれ

字解 ①헌누더기루, 해진옷루 옷이 해짐. 또, 그 남루한 옷. '襤一'. ②기울루 옷의 해진 데를 기움. '紩衣, 謂之一'《揚子方言》.

字源 形聲. 衤(衣)+婁〔音〕

參考 褛(衣부 9획〈1281〉)는 俗字.

衣11 〔褾〕 16 표 (上)篠 | biǎo ヒョウ そでぐち

字解 ①소맷부리표 옷 소매의 말단. '一, 袖端'《廣韻》. ②장황할표, 배접할표 표구(表具)를 함. '一工'.

字源 形聲. 衤(衣)+票〔音〕

衣11 〔襀〕 16 적 (入)陌 | jì セキ ひだ

字解 주름적 옷의 주름. '襞一褰縐'《史記》.

字源 形聲. 衤(衣)+責〔音〕

衣11 〔襁〕 16 강 (上)養 | qiǎng キョウ むつき, せおいおび

字解 ①포대기강 어린애를 업을 때 두르는 보. '曾孫雖在一褓'《漢書》. ②띠강 어린애를 업는 띠. '一負其子而至矣'《論語》. ③업을강 사람을 등에 짐. '老者一之'《新書》.

字源 形聲. 衤(衣)+強〔音〕

衣11 〔襂〕 16 삼 ①(平)侵 ②(平)咸 | shēn シン たれるさま shān サン はたあし

字解 ①늘어질삼 '一纚'는 옷이나 우모(羽毛)가 늘어진 모양. '襳褷一纚'《揚雄》. ②깃발삼 기각(旗脚). '重旬始以爲一'《司馬相如》.

字源 形聲. 衤(衣)+參〔音〕

衣11 〔䘹〕 16 솔 (入)質 | shuài シュツ ぬのこ

字解 솜옷솔 '裾一'은 솜둔 무명 옷. '一, 衣也, 褐謂之一'《集韻》.

衣11 〔褼〕 16 선 (平)先 | xiān セン ころものひらひらするさま

字解 옷너푼거릴선 옷이 너푼거리는 모양. '褊一, 衣揚貌'《正字通》.

衣11 〔䙖〕 16 합 (入)合 | kè コウ うちかけ

字解 더그레합 '一襠'은 앞뒤 두 가닥으로 된 옷. 호의(號衣). [illegible](衣부 10획〈1283〉)과 同字. '鼓吹披工, 加白練一襠'《唐書》.

衣11 〔複〕 16 〔복〕 複(衣부 9획〈1279〉)의 本字

衣11 〔褹〕 16 ㊀예 (去)霽 ㊁내 (去)卦 ㊂날 (入)黠 | yì ゲイ ぬのこ niè ダイ·ナイ ぬのこ ダツ ぬのこ

字解 ㊀핫옷예 소매가 긴 짧은 핫옷. '一, 字林云, 複襦也'《廣韻》. ㊁핫옷내 ㊀과 뜻이 같음. ㊂핫옷날 ㊀과 뜻이 같음.

衣11 〔褿〕 16 ㊀조 (平)豪 ㊁초 (平)蕭 | cáo ソウ ひとはばのきれ ショウ はだぬぐ

字解 ㊀①한폭(幅)의천조. ②깔개조 '一, 襦也'《廣雅》. ③치마조 '一, 帬也'《廣韻》. ④옷찌들조 '一, 一曰, 衣失浣'《集韻》. ⑤옷깃조 '一, 袒也'《集韻》. ㊁①웃통벗을초 '一, 袒也'《集韻》. ②옷정제(整齊)되어좋을초 '一, 一曰, 衣齊好'《集韻》.

字源 形聲. 衤(衣)+曹〔音〕

衣11 〔褳〕 16 (現) 련 | lián レン ふくろ

字解 《現》돈지갑련 '褡一'은 중앙에 세로 아가리가 있고, 둘로 접어서 양 끝으로 돈을 집어넣는 직사각형의 작은 주머니. 보

통, 허리띠에 걸어 맴.

衣11 〔⿰衤鳥〕16 조 [上]篠 [平]蕭 | diǎo チョウ みじかいいふく

[字解] 짧은옷조 '一, 短衣也'《說文》.
[字源] 形聲. 衤(衣)+鳥〔音〕

衣11 〔⿰衤逢〕16 봉 [平]冬 | féng ホウ ぬう

[字解] ①꿰맬봉 바늘로 옷을 꿰맴. ②신(神)이름봉 부산(萯山)의 신의 이름. '一, 大黃負山神, 能動天地氣'《廣韻》.

衣11 〔⿰衤奄〕16 〔엄〕
裺(衣부 8획〈1277〉)의 本字

衣11 〔褻〕17 설 [入]屑 | xiè セツ·ケ はだぎ

[字解] ①속옷설 내의같이 속에 입는 옷. '一衣'. '思有短褐之一'《漢書》. ②평복설 평상복. 사복(私服). '紅紫不以爲一服'《論語》. ③더러울설, 더럽힐설 '猥一'. '凡一器'《周禮》. ④무람없을설 너무 가까이하여 버릇 없음. '君之一臣也'《禮記》. ⑤업신여길설 경멸함. '一瀆'. '不欲人一之也'《禮記 注》.
[字源] 形聲. 衣+執〔音〕

衣11 〔襄〕17 [人名] 양 (상[本]) [平]陽 | xiāng ジョウ あがる, はらう

[筆順] 亠 ⋯ 襄

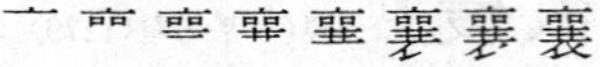

[字解] ①오를양 높은 곳에 올라감. '懷山一陵'《書經》. ②올릴양 ㉠우러름. 고개를 듦. '交龍一首奮翼'《漢書》. ㉡목소리를 높임. '思日贊贊一哉'《書經》. ③치울양 제거함. '牆有茨, 不可一也'《詩經》. ④이룰양 성취함. '不克一事'《左傳》. ⑤도울양 조력함. '一同'. '一, 助也'《正字通》. ⑥탈것양 타고 다니는 물건. '兩服上一'《詩經》. ⑦옮길양 장소를 옮김. 이동함. '跂彼織女, 終日七一'《詩經》. ⑧높을양 '一岸夷塗'《張衡》. ⑨성양 성(姓)의 하나. ※本音 상.
[字源] 形聲. 衣+㲽〔音〕. '㲽'은 '襄'의 原字.

衣11 〔襃〕17 〔포〕
褒(衣부 9획〈1282〉)의 本字

衣11 〔⿴衣冏〕17 〔예〕
裔(衣부 7획〈1273〉)의 訛字

衣11 〔褽〕17 위 [去]未 | wèi イ しく

[字解] ①깔위 밑에 깖. '一之以玄纁'《左傳》. ②옷깃위 '一, 衣袵也'《廣韻》.
[字源] 形聲. 衣+尉(叞)〔音〕

衣11 〔褺〕17 접 [入]葉 | diē チョウ かさねごろも

[字解] 겹옷접 '一, 重衣也'《說文》.
[字源] 形聲. 衣+執〔音〕

衣11 〔⿴衣冏〕17 〔예〕
裔(衣부 7획〈1273〉)와 同字

衣11 〔⿰衤曼〕16 만 [平]寒 | mán バン·マン えびすのころも

[字解] 오랑캐옷만 '一, 胡衣'《集韻》.

衣11 〔⿰衤崩〕16 〔붕〕
繃(糸부 11획〈1011〉)과 同字

衣11 〔⿰衤速〕16 속 [入]屋 | sù ソク きぬずれのおと

[字解] 옷스치는소리속 '一, 䘸一, 衣聲'《篇海》.

衣11 〔⿰衤從〕16 [一] 종 [平]東 [二] 송 [上]腫 | zǒng ソウ ひとえぎぬ ショウ ひとえぎぬ

[字解] [一] 홑옷종 단의(禪衣). '一, 博雅, 一褋, 禪衣'《集韻》. [二] 홑옷송 [一]과 뜻이 같음.

衣11 〔⿰衤屖〕16 지 [平]支 | chí チ·ジ ころも

[字解] 옷지 의복(衣服). '一, 衣也'《字彙》.

衣11 〔⿰衤舂〕16 창 [平]江 | chuāng トウ みじかいころも

[字解] 짧고해진옷창 '一, 短敝衣'《集韻》.

衣11 〔⿰衤庶〕16 척 [入]陌 | yì セキ そで

[字解] 옷소매척 '袨, 袖也, 或作一'《集韻》.

衣11 〔⿰衤戚〕16 [一] 초 [上]語 [二] 축 [入]屋 | zǔ ショ ころものあざやかなさま chǔ シュク うつくしいさま

[字解] [一] 옷깨끗할초 옷이 산뜻하고 깨끗함. '一, 衣鮮明皃'《集韻》. [二] 아름다운모양축 '一, 美皃'《類篇》.

衣11 〔⿰衤属〕16 〔촉〕
⿰衤屬(衣부 21획〈1293〉)의 略字

衣11 〔⿴衣鳥〕17 〔뇨〕
褭(衣부 10획〈1284〉)와 同字

衣11 〔⿱殹衣〕17 예 [平]齊 | yī エイ よだれかけ

[字解] 턱받이예 어린애 침받이. '一, 一袼, 次衣'《集韻》.

衣 12 〔襋〕17 극 [入]職 | jí キョク えり

[字解] 깃극 옷깃. '要之一之'《詩經》.
[字源] 形聲. 衤(衣)+棘〔音〕

衣 12 〔襌〕17 단 [平]寒 | dān タン ひとえ

[字解] ①홑옷단 홑겹의 옷. '一爲絅'《禮記》. ②속옷단 내의와 같은, 속에 입는 땀받이. '衣紗縠一衣'《漢書》. ③겹옷단 '一襦, 如襦而無絮也'《釋名》.
[字源] 形聲. 衤(衣)+單〔音〕

衣 12 〔襏〕17 발 [入]曷 | bó ハツ みの, えびすのいふく

[字解] ①일복발 허술하게 짠 작업복. '烝徒讙呼, 奪一而舞'《劉禹錫》. ②도롱이발 '一襫'은 도롱이 비옷. 우의(雨衣). '身服一襫'《管子》. ③오랑캐옷발, 폐슬(蔽膝)발 '一, 蠻夷衣也. 一曰, 蔽厀'《集韻》.
[字源] 形聲. 衤(衣)+發〔音〕

衣 12 〔襓〕17 요 [平]蕭 | ráo ジョウ·ニョウ つるぎぶくろ

[字解] 칼전대요 '夫一'는 칼집에 꽂은 칼을 넣어 두는 전대. 검의(劍衣). '加夫一與劍焉'('夫'는 '袂'로도 씀)《禮記》.

衣 12 〔襒〕17 별 [入]屑 | bié ヘツ はらう

[字解] ①털별 옷을 턺. 또, 옷으로 털거나 훔침. '側行一席'《史記》. ②옷별 의복. '一衣'.
[字源] 形聲. 衤(衣)+敝〔音〕

衣 12 〔⿱敝衣〕18 襒(前條)과 同字

衣 12 〔襐〕17 상 [上]養 | xiàng ショウ くびかざり

[筆順] 衤 衤⺈ 衤⺈ 衤⺈ 衤⺈ 襐 襐 襐

[字解] ①머리꾸미개상 미성년자의 귀 뒤에 늘어뜨리는 수식(首飾). '皆珠翠一飾'《唐書》. ②꾸미개상, 꾸밀상장식(裝飾). '一飾刻畫無等雙'《急就篇》.
[字源] 形聲. 衤(衣)+象〔音〕

衣 12 〔⿰衤啻〕17 체 [去]霽 | tì テイ むつき

[字解] 포대기체 裼(衣부 8획〈1277〉)과 同字. '一, 緥也'《說文》.
[字源] 形聲. 衤(衣)+啻〔音〕

衣 12 〔襇〕17 간 [去]諫 [上]潸 | jiǎn カン すそのひだ

[字解] ①치마주름간 '一, 帬幅相襵也'《集韻》. ②간색옷간 두 색 이상이 혼색(混色)되어 있는 옷. '凡一色衣不, 過十二破, 渾色衣不過六破'《唐書》. ③터질간 옷의 솔기가 터져 찢어짐. '一, ⿰衤殺縫也'《正字通》.
[字源] 形聲. 衤(衣)+間〔音〕

衣 12 〔⿰衤賀〕17 하 [去]箇 | hè カ·ガ そで

[字解] 소매하 '袔, 裓袖也, 或从一'《博雅》.

衣 12 〔襑〕17 [一]심 [平]侵 [二]탐 [上]感 | xín シン·ジン ころもがひろくおおきい tǎn タン

[字解] [一] 옷클심 옷이 크고 넓음. '一, 衣博大也'《說文》. [二] 옷클탐 [一]과 뜻이 같음.
[字源] 形聲. 衤(衣)+尋〔音〕

衣 12 〔襊〕17 [一]최 [去]泰 [二]촬 [入]曷 | cuì サイ ぬいめ cuō サツ くろいきれのかんむり

[字解] [一] 시침질할최, 옷솔기최 옷을 꿰맴. 또, 꿰맨 자리. '一, 衣縫'《集韻》. [二] ①치포관(緇布冠)촬 검은 베의 관(冠). '一, 緇布冠'《廣韻》. ②옷주름촬 '裲襠雙心共一袜, 袒腹兩邊作八一'《劉孝標》. ③깃촬 옷깃. '一, 衣領也'《玉篇》.

衣 12 〔⿰衤貴〕17 [一]궤 [去]寘 [去]未 [二]회 [去]泰 | kuì キ ひも huì カイ ぬいとり

[字解] [一] 옷고름궤 '一, 增韻, 衣系也'《康熙字典》. [二] 수회 오색(五色)실로 놓은 수(繡). '一, 同繢'《康熙字典》.

衣 12 〔⿰衤圍〕17 위 [平]微 [平]泰 | wéi イ ころもをかさねるさま

[字解] ①옷포갤위 '一, 重衣皃'《說文》. ②쌀위 '一, 裹也'《類篇》.
[字源] 形聲. 衤(衣)+圍〔音〕

衣 12 〔襆〕17 〔복〕 幞(巾부 12획〈338〉)과 同字

[字源] 形聲. 衤(衣)+菐〔音〕

衣 12 〔襍〕17 〔잡〕 雜(隹부 10획〈1635〉)과 同字

衣 12 〔⿰衤焉〕17 〔유〕 襦(衣부 14획〈1290〉)와 同字

衣 12 〔⿴衣㠭〕18 전 [上]銑 | zhàn テン あかいちりめんのころも

[字解] 붉은저사(紵紗)옷전 '一, 丹縠衣也'

《說文》.
字源 形聲. 衣＋珏〔音〕

衣12〔襷〕17 거 ㊥魚|qú キョ ひも
字解 끈거 잡아매는 끈. '一, 繫也'《集韻》.

衣12〔襭〕17 결 ㊀屑|jué ケツ そで
字解 소매결 옷소매. '一, 博雅, 袧一, 袖也. 或从夬'《集韻》.

衣12〔襈〕17 ㊀ 전 ㊧霰|zhuàn セン ふち ㊁ 권 ㊧霰|juàn ケン きぬをかさねる
字解 ㊀ 가장자리전 옷의 깃. '一, 衣緣'《集韻》. ㊁ 비단을포갤권 '一, 重繒'《廣韻》.

衣12〔橛〕17 궐 ㊀月|jué ケツ ころもをかかげてわたる
字解 ①옷걷어올리고물건널궐 '一, 揭衣渡也'《集韻》. ②짧은옷궐 '一, 短衣'《集韻》.

衣12〔襏〕17 등 ㊥蒸|dēng トウ けおりのおび
字解 모직(毛織)의띠등 '一, 毛帶也'《篇海》.

衣12〔襩〕17 비 ㊧未|fèi ヒ きもの
字解 옷비 의복(衣服). '一, 服也'《玉篇》.

衣12〔襫〕17 〔식〕
裓(衣부 6획〈1273〉)과 同字

衣12〔襨〕17 저 ㊤語|zhǔ チョ よそおう
字解 옷치장할저 '一, 裝衣也'《字彙補》.

衣12〔襩〕17 〔중〕
褈(衣부 9획〈1282〉)과 同字

衣12〔襸〕17 증 ㊧徑|zèng ショウ はだぎ
字解 ①속옷증 내의(內衣). '汗襦, 江淮南楚之間謂之一'《方言》. ②겹옷증 '一, 複也'《集韻》.

衣12〔襻〕17 체 ㊧霽|tì テイ つづる
字解 꿰맬체 '一, 補一也'《字彙》.

衣12〔襱〕17 〔타〕
褙(衣부 9획〈1281〉)와 同字

衣12〔襶〕17 퇴 ㊥灰|tuí タイ ひつぎのおおい
字解 관(棺)덮개퇴 '一, 棺覆也'《集韻》.

衣12〔襎〕17 ㊀ 번 ㊥元|fán ハン ずきん ㊁ 파 ㊧箇|bò ハ ながいそで
字解 ㊀ 두건번 머리띠. '一裷謂之幭.〔注〕謂幡帊也'《方言》. ㊁ 긴소매파 '一, 長袂'《集韻》.

衣12〔襃〕17 포 ㊧號|bào ホウ まええり
字解 ①앞깃포, 품포 입은 옷의 가슴 부분의 안쪽. 袍(衣부 5획〈1268〉)와 同字. '袍, 衣前襟, 一曰, 裹也, 或从袌'《集韻》. ②조복(朝服)에내려뜨린천포 '一, 朝服垂衣也'《篇海》.

衣12〔橫〕17 횡 ㊥庚|héng コウ ちいさいよぎ
字解 처네횡 포대기. '一, 字林, 一褡, 小被也'《集韻》.

衣12〔褢〕18 〔괴〕
傀(人부 10획〈65〉)와 同字

衣12〔襪〕18 력 ㊀錫|lì レキ きびしくまとう
字解 ①꽁꽁묶을력 '裹, 急纏也, 或作一'《集韻》. ②둘러쌀력 '一, 纏裹也'《篇海》.

衣13〔襗〕18 탁 ㊀藥|duó タク したぎ
字解 속고의탁 아랫도리에 입는 속옷. '與子同一'《詩經》.
字源 形聲. 衤(衣)＋睪〔音〕

衣13〔襘〕18 ㊀ 괴 ㊧泰|guì カイ おびのむすびめ ㊁ 회 ㊧泰|huì カイ おびをゆるくしめる
字解 ㊀ 띠매듭괴 띠의 매는 자리. 일설(一說)에는, 옷깃이 합치는 데. '衣有一, 帶有結'《左傳》. ㊁ 띠느슨히맬회 또, 그 띠. '一, 衣緩帶'《集韻》.
字源 形聲. 衤(衣)＋會〔音〕

衣13〔襚〕18 수 ㊧寘|suì スイ ししゃにころもをおくる
字解 ①수의수 죽은 사람에게 입히는 옷. 또, 그 옷을 보내는 일. '一者以衣送死人之稱'《禮記 疏》. ②옷수 생존한 사람에게 의복을 보내는 일. 또, 그 옷. '謹上一三十五條'《西京雜記》.
字源 形聲. 衤(衣)＋遂〔音〕

衣13〔襛〕18 농 ㊥冬|nóng ジョウ あつい

[字解] ①두툼할농 옷이 두툼한 모양. 일설(一說)에는, 얼굴이 예쁜모양. '何彼一矣, 唐棣之華'《詩經》. ②한창일농, 성할농 꽃이 한창 아름답게 핀 모양. '何彼一矣, 唐棣之華'《詩經》.
[字源] 形聲. 衤(衣)+農〔音〕

衣13〔襜〕18 첨 [平]鹽 | chān セン まえかけ
[字解] ①행주치마첨 치마 위에 입는 앞만 가리는 치마. '終朝采藍, 不盈一一'《詩經》. ②홑옷첨 짧은 홑겹의 옷. '一男子衣黃一褕'《漢書》. ③휘장첨 수레에 치는 휘장. 또는, 방의 입구(入口)에 치는 휘장. '赤屛泥絳一絡'《後漢書》. ④옷겨드랑이밑첨 '一, 謂之袩'《揚子方言》.
[字源] 形聲. 衤(衣)+詹〔音〕

衣13〔襟〕18 [人名] 금 [平]侵 | jīn キン えり
[筆順] ㇇ 衤 衤 衤 襟 襟 襟 襟
[字解] ①깃금 옷깃. '正一'. '霑余一之浪浪'《楚辭》. ②가슴금, 마음금 '胸一'. '虛一善誘'《北史》. '欵一或遼, 音問其先'《陶潛》. ③합수머리금 강물의 합류(合流)하는 곳. '水交會處亦曰一'《中華大字典》.
[字源] 形聲. 衤(衣)+禁〔音〕

衣13〔襠〕18 당 [平]陽 | dāng トウ うちかけ
[字解] ①배자당 등거리. 裲(衣부8획〈1277〉)을 보라. '一, 裲一也. 其一當背, 其一當胷'《玉篇》. ②잠방이당 짧은 홑고의·독비곤(犢鼻褌) 따위. '動不敢出褌一'《阮籍》.
[字源] 形聲. 衤(衣)+當〔音〕

衣13〔襡〕18 ㊀촉 [入]沃 ㊁독 [入]屋 | shǔ ショク ながじゅばん dú トク つつむ
[字解] ㊀통치마촉 통으로 된 긴 속치마. '服袿一, 炫金翠'《晉書》. ㊁쌀독 포장(包藏)함. '斂簟而一之'《禮記》.
[字源] 形聲. 衤(衣)+蜀〔音〕

衣13〔襢〕18 ㊀단 [上]旱 ㊁전 [去]霰 | tǎn タン·ダン はだぬぐ zhàn テン しろむく
[字解] ㊀①웃통벗을단 袒(衣부 5획〈1268〉)과 同字. '一裼暴虎'《詩經》. ②드러낼단 노출함. '設牀一第'《禮記》. ㊁①소복전 무늬없는 흰 옷. '一命一衣'《禮記》. ②오글비단옷전 바탕이 오글오글한 붉은 비단의 옷. 襄(衣부 12획〈1287〉)과 同字. '襄, 說文, 丹縠衣也. 或作一'《集韻》.
[字源] 形聲. 衤(衣)+亶〔音〕

衣13〔襖〕18 오 [上]晧 | ǎo オウ うわぎ
[字解] ①웃옷오 거죽에 입는 옷. 긴 것을 '袍', 짧은 것을 '一'라 함. '破一請來綻'《韓愈》. ②갖옷오 '一, 裘屬'《說文新附》. ③겹옷오 '今以夾衣爲一'《六書故》.
[字源] 形聲. 衤(衣)+奧〔音〕

衣13〔𧞤〕18 〔갈〕 褐(衣부 9획〈1280〉)과 同字

衣13〔襁〕18 〔강〕 繈(衣부 11획〈1285〉)과 同字

衣13〔襐〕18 거 [去]御 | jù キョ ころも
[字解] 옷거 의복(衣服). '一, 衣也'《字彙》.

衣13〔𧞬〕18 〔독〕 裻(衣부 8획〈1279〉)과 同字

衣13〔𧞰〕18 〔령〕 襦(衣부 24획〈1293〉)과 同字

衣13〔𧞮〕18 〔수〕 裋(衣부 7획〈1274〉)와 同字

衣13〔𧞻〕18 옹 [平]冬 | yōng ヨウ くつたび
[字解] 버선옹 襛(衣부 10획〈1283〉)과 同字. '一, 襪靿, 或从邕'《集韻》.

衣13〔𧞥〕18 〔접〕 褋(衣부 9획〈1280〉)과 同字

衣13〔襝〕18 첨 [平]鹽 | chān セン まえだれ
[字解] 행주치마첨, 폐슬(蔽膝)첨 '一, 說文, 衣蔽前. 亦作一'《集韻》.

衣13〔襗〕18 타 [上]哿 | duǒ タ よい
[字解] ①좋을타 '一, 好也'《玉篇》. ②큰옷타 품이 큰 옷. '一, 大衣也'《集韻》.

衣13〔襒〕18 핵 [入]陌 | hé カク えりしん
[字解] 깃심핵 옷깃을 팽팽하게 하기 위하여 속에 넣는 헝겊. 繳(糸부 13획〈1015〉)과 同字. '繳, 衣領中骨, 或从衣'《集韻》.

衣13〔𧞫〕18 치 [上]紙 | zhǐ チ ぬう
[字解] 바느질할치 옷을 꿰맴. '一, 紩衣也'《說文》.
[字源] 形聲. 衤(衣)+黹〔音〕

衣13〔襞〕19 벽 ㊀陌|bì ヘキ ひだ

字解 ①주름벽 옷의 주름. '一積褰縐'《史記》. ②접을벽 옷을 차곡차곡 개킴. '不如一而幽之離房'《漢書》.

字源 形聲. 衣＋辟〔音〕

衣13〔羸〕19 라 ㊤哿|luǒ ラ はだか

字解 벌거숭이라 裸(衣부 8획〈1277〉)와 同字. '白晝使一伏'《漢書》.

衣13〔褻〕19 〔무〕 袤(衣부 5획〈1271〉)의 籒文

衣14〔襤〕19 람 ㊥覃|lán ラン やぶれぎぬ

字解 ①헌누더기람, 해진옷람 옷이 해짐. 또, 그 옷. '南楚, 凡人貧, 衣被醜敝, 或謂之一褸'《揚子方言》. ②가선대지않은옷람 '無緣之衣, 謂之一'《揚子方言》.

字源 形聲. 衤(衣)＋監〔音〕

衣14〔襦〕19 유 ㊥虞|rú ジュ どうぎ

字解 ①속옷유 짧은 속옷. 속에 입는 짧은 옷. '平生無一, 今五袴'《後漢書》. ②턱받이유 어린아이 턱 밑에 대는 침받이. '俺謂之一'《揚子方言》. ③고운비단유 올이 촘촘한 얇은 비단. '蜡則作羅一'《周禮》. ④《韓》싸개갓장이유 갓싸개하는 장색. '一匠'. ⑤《韓》동옷유 종이를 넣어 지은 옷. 수자리하는 사람들이 입었음. '一衣'.

字源 形聲. 衤(衣)＋需〔音〕

衣14〔襣〕19 비 ㊦寘|bí ヒ·ビ したばかま

字解 쇠코잠방이비 잠방이의 한 가지. '犢一褌'.

字源 形聲. 衤(衣)＋鼻〔音〕

衣14〔襤〕19 개 ㊦卦|jiè カイ うわぎ

字解 웃옷개 부인(婦人)의 웃도리. '武舞緋絲帶大褏白練一襠'《唐書》.

衣14〔襷〕19 과 ㊦箇|guǒ ク つつむ

字解 쌀과 포장(包裝)함. '一, 包也'《字彙補》.

衣14〔襟〕19 닐 ㊀黠|niè ダツ ぬひのころも

字解 노비(奴婢)의옷닐 '一, 人奴衣'《集韻》.

衣14〔襛〕19 몽 ㊥東|méng ボウ ころも

字解 ①옷몽 의복(衣服). '一, 衣也'《字彙》. ②幪(巾부 14획〈339〉)의 俗字. '一, 俗幪字'《正字通》.

衣14〔䙦〕19 몽 ㊥東|méng ボウ うちかけ

字解 ①배자(褙子)몽 '一, 襤襠衣'《集韻》. ②옷이름몽 '褕, 一褕, 衣名'《集韻》.

衣14〔襖〕19 여 ㊥魚|yú ヨ ころものひるがえるさま

字解 옷위로날릴여 옷이 펄럭거리며 날리는 모양. '一, 衣揚擧皃'《集韻》.

衣14〔襱〕19 웅 ㊥東|xiōng コウ つよい

字解 굳셀웅 힘이 셈. '一, 強也'《字彙補》.

衣14〔襸〕19 은 ㊦問|yìn キン つつむ

字解 쌀은 포장함. 幓(巾부 14획〈339〉)과 同字. '幓, 裹也, 或从衣'《集韻》.

衣14〔襦〕19 자 ㊦禡|jiē シャ しょうにのころものつけひも

字解 돌띠자 어린아이의 두루마기나 저고리의 옷고름. 등뒤로 돌려 매게 되었음. '一, 小兒衣帶'《字彙補》.

衣14〔襜〕19 〔첨〕 襜(衣부 13획〈1289〉)과 同字

衣14〔襯〕19 축 ㊀屋|chū シュク よいころものさま

字解 좋은옷모양축 '一, 好衣貌'《字彙補》.

衣14〔纁〕19 〔훈〕 纁(糸부 14획〈1018〉)과 同字

衣14〔襆〕19 〔복〕 襆(衣부 12획〈1287〉)과 同字

衣14〔襨〕19 ㊗ 대

字解 《韓》옷감대 '衣一'는 임금의 옷. 또, 무당이 굿할 때 입는 옷.

衣14〔裂〕20 렵 ㊀葉|liè リョウ ころもがつきあう

字解 옷달라붙을렵 옷이 착 달라붙음. '一, 衣相箸'《集韻》.

衣14〔齎〕20 자 ㊥支|zí シ ぬう

[字解] ①옷단홀자 옷단을 홈. '一, 緶也, 裳下緝'《說文》. ②치마자 겉옷 속에 받쳐서 아랫도리에 입는 옷. '攝一登堂'《漢書》.
[字源] 形聲. 衣＋齊〔音〕

衣14 〔⿰衤齊〕 19 𧞤(前條)와 同字

衣14 〔⿱斲衣〕 20 탁 [入]覺 [入]屋 | zhuó タク いふくがちにつく
[字解] ①옷끌릴탁 '一, 衣至地也'《說文》. ②긴옷탁 '一, 一曰, 長衣'《集韻》. ③기울탁 '一, 補也'《廣雅》.
[字源] 形聲. 衣＋斲〔音〕

衣14 〔⿱覀⿱斲衣〕 20 ⿱斲衣(前條)과 同字

衣14 〔⿰衤蒦〕 20 [韓] 호
[字解] 《韓》 답호(褡⿰衤蒦)호 '답호'는 조선 시대에 주로 입었던 소매 없는 세 자락의 옷 《한국민족문화대백과사전》.

衣15 〔襪〕 20 말 [入]月 | wà バツ たび
[字解] 버선말 족의(足衣). '凌波微步, 羅一生塵'《曹植》.
[字源] 形聲. 衤(衣)＋蔑〔音〕

衣15 〔襫〕 20 석 [入]陌 | shì セキ あまぎ
[字解] 비옷석 '襏一'은 우의(雨衣). 비옷.
[字源] 形聲. 衤(衣)＋奭〔音〕

衣15 〔襭〕 20 힐(혈[本]) [入]屑 | xié ケツ つまばさむ
[字解] 옷자락걷을힐 옷자락을 걷어 띠에 끼움. '薄言一之'《詩經》. ※本音 혈.
[字源] 形聲. 衤(衣)＋頡〔音〕

衣15 〔襬〕 20 피 [平]支 [去]寘 | bēi ヒ も
[字解] 치마피 帔(巾부 5획〈330〉)와 同字. '帬, 卽裳也, 一名帔, 一曰一'《急就篇 注》.
[字源] 形聲. 衤(衣)＋罷〔音〕

衣15 〔襮〕 20 박 [入]藥 | bó ハク ぬいとりしたえり
[字解] ①깃박 수를 놓은 옷깃. '黼領謂之一'《爾雅》. '素衣朱一'《詩經》. ②겉박 표면. '修一而內逼'《班固》. ③드러낼박 겉에 나타냄. 명백하게 함. '將務持重, 豈宜自表一爲賊餌哉'《唐書》. ④옷장식박 '一, 衣外飾也'《正字通》.
[字源] 形聲. 衤(衣)＋暴(㬥)〔音〕

衣15 〔襩〕 20 [一] 촉 [入]沃 | shǔ ショク ながじゅばん
[二] 독 [入]屋 | dú トク つつむ
[三] 롱 [上]重 | ロウ ももひきのつつ
[字解] [一] 긴속옷촉 '襡, 玉篇云, 長襦也. 一, 上同'《廣韻》. [二] 쌀독 '襡, 韜也. 或作一'《集韻》. [三] 바짓가랑이롱 '襱, 絝踦也. 一, 襱或从賣'《說文》.

衣15 〔⿰衤麃〕 20 〔표〕 表(衣부 3획〈1265〉)의 古字

衣15 〔⿰衤歐〕 20 〔구〕 褔(衣부 11획〈1285〉)와 同字

衣15 〔⿰衤巤〕 20 [一] 랍 [入]合 [二] 렵 [入]葉 | là ロウ ころもがやぶれる liè リョウ ころものさま
[字解] [一] 옷해질랍 옷이 해어짐. '一, 一襹, 衣敝'《集韻》. [二] 옷모양렵 '一, 衣皃'《集韻》.

衣15 〔⿰衤畾〕 20 뢰 [平]灰 | léi ライ つるぎのかざり
[字解] 칼장식뢰 양날칼의 장식. '一, 劍飾'《集韻》.

衣15 〔⿰衤韱〕 20 〔섬〕 襳(衣부 17획〈1292〉)과 同字

衣15 〔⿰衤豎〕 20 〔수〕 裋(衣부 7획〈1274〉)와 同字

衣15 〔⿰衤截〕 20 절 [入]屑 | jié セツ ちいさいころも
[字解] 작은옷절 '一, 小衣'《廣韻》.

衣15 〔⿰衤慼〕 20 축 [入]屋 | zú シュク ころものあざやかなこと
[字解] 옷선명할축 좋은 옷이 선명함을 이름. '一, 好衣鮮明也'《篇海》.

衣15 〔⿴衣麃〕 21 〔포〕 袍(衣부 5획〈1268〉)와 同字

衣16 〔襯〕 21 츤 [去]震 | chèn シン はだぎ
[字解] ①속옷츤 내의같이 속에 입는 옷. '取名于一, 一近尸也'《禮記 註》. ②가까이할츤 접근함. '天一樓臺籠苑外'《韓偓》. ③베풀츤 시여(施與)함. '布一'. '以一衆僧'《續齊諧記》. ④나타낼츤 밖으로 드러냄. '一, 在內者使之外顯也'《中華大字典》. ⑤도울츤 '一, 從旁襄助也'《中華大字典》.
[字源] 形聲. 衤(衣)＋親〔音〕

衣16〔襱〕21 ㊀롱 ㊥東 ㊁롱 ㊤董 ㊂롱 ㊦宋 | lóng ロウ はかまのつつ lǒng リョウ ころものゆるやかなさま

字解 ㊀ ①바짓가랑이롱 '袴之兩股曰—'《急就篇 注》. ②치마롱 '—, 一曰, 裙也'《集韻》. ㊁ 낙낙할롱 '—緟'은 옷의 낙낙한 모양. '—緟, 衣寬皃'《集韻》.
字源 形聲. 衤(衣)+龍〔音〕

衣16〔襩〕21 ㊀유 ㊥支 ㊁수 ㊦寘 | wéi イ ころも suì スイ ししゃにおくるころも

字解 ㊀ 옷유 의상(衣裳). '—, 衣也'《集韻》. ㊁ 수의수 죽은 사람에게 보내는 옷. 襚(衣부 13획〈1288〉)와 同字.

衣16〔襲〕22 高·人 습 ㊧緝 | xí シュウ おそう

筆順 亠 音 音' 龍 龍 龍 襲 襲

字解 ①엄습할습 불의에 덮침. '—擊'. '率費人—魯'《史記》. '楚令尹子木欲—晉軍'《國語》. ②물려받을습 계승함. '承—'. '世—'. '—爵'. '—天祿'《左傳》. '—琁室與傾宮兮'《漢書》. ③인할습 종전대로 따름. '因—'. '卜筮不相—也'《禮記》. ④입을습 옷을 입음. '—朝服'《司馬相如》. ⑤들어갈습 안으로 들어감. '使晉—於爾門'《國語》. ⑥맞을습 합치함. '—于休祥'《國語》. ⑦껴입을습 옷을 두 가지 이상 입음. '寒不敢—'《禮記》. ⑧되풀이할습 한 번 한 일을 다시 거듭함. '始終相—, 無窮極也'《尹文子》. ⑨벌습 옷 한 벌. '衣被——'《漢書》. ⑩성습 성(姓)의 하나.
字源 形聲. 본디, 衣+龖〔音〕

衣16〔襄〕22 〔양〕 襄(衣부 11획〈1286〉)의 本字

衣16〔襁〕21 〔강〕 襁(衣부 11획〈1285〉)과 同字

衣16〔襡〕21 〔독〕 裻(衣부 8획〈1279〉)과 同字

衣16〔襰〕21 뢰 ㊤蟹 ㊦泰 | lài ライ ころもがやぶれる ライ おちる, やぶれる

字解 ①옷해어질뢰 '襰襏'는 옷이 해짐의 뜻. 幱(巾부 16획〈340〉)와 同字. '幱, 幱襏, 衣破, 或从衣'《集韻》. ②떨어질뢰 '—, 墮也'《廣雅》. ③부서질뢰 '—, 墮壞也'《篇海》.

衣16〔襹〕21 〔지〕 褷(衣부 11획〈1286〉)와 同字

衣16〔襛〕21 〔회〕 褱(衣부 10획〈1284〉)와 同字

衣16〔𧟌〕22 독 ㊧屋 | dū トク あたらしいころものさま

字解 ①새옷의모양독 '—, —𧟌, 新衣貌'《集韻》. ②옷의소리독 '—, —𧟌, 衣聲'《類篇》.

衣16〔𧟌〕22 속 ㊧屋 | sù ソク あたらしいころものさま

字解 새옷의모양속 독속(𧟌𧟌). '𧟌, 𧟌—, 新衣皃'《集韻》.

衣17〔襳〕22 ㊀섬 ㊥鹽 ㊁삼 ㊥咸 | xiān セン ころものさま, おび shān サン はたあし

字解 ㊀ ①깃옷휘날릴섬 '—襹'는 우의(羽衣)가 휘날리는 모양. '被毛羽之—襹'《張衡》. ②띠섬 허리띠. '蜚—垂髾'《漢書》. ③홑속옷섬 '—, 襌襦也'《玉篇》. ㊁ 깃발삼 縿(糸부 11획〈1011〉)과 同字. '縿, 說文, 旌旗之游也. 一曰, 正幅. 或作—'《集韻》.
字源 形聲. 衤(衣)+韱〔音〕

衣17〔襴〕22 란 ㊥寒 | lán ラン うわぎともすそがつらなったひとえもの

字解 내리닫이옷란 치마와 저고리가 연한 옷. 원피스. '—衫'. '着—及裾'《綱目集覽》.
字源 形聲. 衤(衣)+闌〔音〕

衣17〔襶〕22 영 ㊦敬 | yìng オウ いろどりがうつりあう

字解 ①무늬영 여러 색상이 어우러져 아름다운 무늬를 이룸. '—以蘭紅'《郭璞》. ②치마주름영 '—, 裠襇也'《玉篇》.

衣17〔襪〕22 건 ㊥先 ㊤銑 | qiān ケン はかま

字解 바지건 褰(衣부 10획〈1284〉)과 同字. '袴, 齊魯之閒, 謂之—'《揚子方言》.

衣18〔襶〕23 대 ㊦隊 | dài タイ おろか

字解 어리석을대 '褦—'는 어리석음. '—, 褦—, 不曉事'《集韻》. 褦(衣부 10획〈1283〉)을 보라.
字源 形聲. 衤(衣)+戴〔音〕

衣18〔襵〕23 ㊀접 ㊧葉 ㊁첩 ㊧葉 | zhě ショウ ひだ zhé チョウ えりのはし

字解 ㊀ ①주름접 옷의 주름. 또, 접음. '—, 謂衣襞積'《集韻》. '—, 韋衣'《一切經音義》. '熨斗成裙—'《梁簡文帝》. ②장막접

'一, 幕也'《玉篇》. 曰 깃끝첩 옷깃의 끝. 帎(巾부 7획〈332〉)과 同字. '帎, 說文, 領耑也, 或作一'《集韻》.
字源 形聲. 衤(衣)＋聶〔音〕

衣18 〔襮〕23 〔박〕 襮(衣부 15획〈1291〉)의 本字

衣18 〔襉〕23 간 ㊤潸 jiǎn カン すそのひだ
字解 주름간 치맛자락의 주름. '一, 帬幅相攝也, 或省'《集韻》. 襇(衣부 12획〈1287〉)과 同字.

衣18 〔襩〕23 축 ㊀屋 cù シュク よい
字解 ①좋을축 '一, 好也'《玉篇》. ②산뜻할축 '一, 鮮明也'《玉篇》.

衣18 〔襭〕23 휴 ㊥齊 xié ケイ ひとはばぎれ
字解 한폭의베휴 한 조각의 헝겊. '一, 一幅巾'《集韻》.

衣19 〔襹〕24 리 ㊥支 lí リ けのでるさま
字解 털날리 '一襹'는 털이 처음으로 나는 모양. '毿毲一褷'《木華》.

衣19 〔襹〕24 시 ㊥支 ㊤紙 shī シ けごろものさま
字解 ①깃옷휘날릴시 襳(衣부 17획〈1292〉)을 보라. '襳一'. ②털날시 襹(前條)를 보라. '襹一'.

衣19 〔襼〕24 예 ㊧霽 yì ゲイ そで
字解 소매예 옷소매. '掎裳連一'《潘岳》.
字源 形聲. 衤(衣)＋藝〔音〕

衣19 〔襬〕24 라 ㊧箇 luǒ ラ ふじんのうわぎ
字解 부인(婦人)의웃옷라 '一, 女上衣也'《集韻》.

衣19 〔襻〕24 반 ㊧諫 pàn ハン つけひも
字解 옷고름반 옷을 여미어 매는 끈. '一, 衣一'《廣韻》. '裘斜假一'《庾信》.

衣19 〔襺〕24 견 ㊤銑 jiǎn ケン わたいれ
字解 ①솜옷견 솜을 둔 옷. '纊爲一'《禮記》. ②고치견 누에고치. 繭(糸부 13획〈1017〉)과 통용.
字源 形聲. 衤(衣)＋繭〔音〕

衣19 〔襸〕24 찬 ㊧翰 zǎn サン よい
字解 ①고울찬 고움. '一, 姸也'《玉篇》. ②좋을찬 '一, 好也'《玉篇》. ③고운옷찬 '鮮衣謂之一'《集韻》.

衣19 〔襷〕25 〔곤〕 衮(衣부 5획〈1271〉)과 同字

衣20 〔襽〕25 건 ㊥先 qiān ケン はかま
字解 바지건 '一, 袴也'《篇海》.

衣20 〔襺〕25 〔견〕 襺(衣부 19획〈1293〉)과 同字

衣20 〔襼〕25 〔조〕 襙(衣부 11획〈1285〉)의 本字

衣20 〔襛〕25 〔농〕 襛(衣부 13획〈1288〉)의 本字

衣21 〔襡〕26 촉 ㊀沃 shǔ ショク ながいしたぎ
字解 통치마촉 襡(衣부 13획〈1289〉)과 同字.

衣21 〔襷〕26 〔곤〕 衮(衣부 4획〈1267〉)의 俗字

衣21 〔襳〕26 〔삼〕 衫(衣부 3획〈1265〉)과 同字

衣22 〔囊〕27 낭 ㊧漾 nàng ドウ ゆるい
字解 느슨할낭 헐거움. 儴(人부 22획〈80〉)과 同字. '儴, 寬緩也, 或从衣'《集韻》.

衣24 〔靈〕29 령 ㊥青 líng レイ ころものつや
字解 옷의광택령 옷의 윤. '一, 衣光也'《集韻》.

衣32 〔襲〕38 〔습〕 襲(衣부 16획〈1292〉)의 籒文

襾　部
〔덮을아부〕

襾0 〔襾〕6 아 ㊧禡 yà ア おおう
筆順 一 丨 冂 币 襾 襾

字解 덮을아 덮어 가림. 엄폐(掩蔽)함. '一, 覆也'《說文》.
字源 象形. 그릇의 뚜껑을 본뜬 모양으로, '덮다'의 뜻을 나타냄.
參考 '襾'를 의부(意符)로 하여, '덮다'의 뜻을 지닌 문자를 이루는데, 독립해서 사용하는 일은 없고, 부수(部首)로 쓰임.

襾0 〔西〕 6 中·人 서 ㊥齊 | xī セイ·サイ にし

筆順 一 丆 万 丙 襾 西

字解 ①서녘서 서쪽. 해가 지는 방위. 사시(四時)로는 가을, 십이지(十二支)로는 유(酉), 오행(五行)에서는 금(金), 팔괘(八卦)로는 태(兌)에 배당함. '東一'. '東漸于海, 一被于流沙'《書經》. ②서녘으로향할서 ㉠서쪽으로 향하여 감. '濟河而一'《史記》. '且布聞之, 鼓行一耳'《漢書》. ㉡서쪽으로 향하여. '一出陽關無故人'《王維》. ③깃들일서 새가 보금자리에 깃들임. 棲(木부 8획〈555〉)·栖(木부 6획〈540〉)와 통용. '一, 鳥在巢上也'《說文》. '一遲衡門'《漢嚴發碑》. ④서양서 서양(西洋)의 약칭(略稱). '一曆'. '一諺'. ⑤성서 성(姓)의 하나.
字源 象形. 甲骨文. 金文은 술 따위를 거르기 위한 용구의 모양을 본뜸. 假借하여, 방위의 서(西)의 뜻을 나타냄.

襾0 〔覀〕 6 西(前條)의 俗字

襾3 〔䙳〕 9 〔선〕
䙴(襾부 5획〈1294〉)과 同字

襾3 〔要〕 9 中·人 요 ㊥蕭 ㊦嘯 | ①-⑯yāo ヨウ もとめる ⑰-⑳yào ヨウ かなめ

筆順 一 丅 丙 襾 覀 要 要 要

字解 ①구할요 요구함. '一請'. '脩其天爵, 以一人爵'《孟子》. ②요할요 필수(必須)로 함. '必一'. '劉君亮一在山中靜坐'《傳習錄》. ③기다릴요 도중에서 기다려 막음. '一擊'. '將一而殺之'《孟子》. ④으를요 협박함. '雖曰不一君, 吾不信也'《論語》. ⑤막을요 억지로 못 하게 함. '皇太后固一'《漢書》. '一淫佚'《管子》. ⑥언약할요 약속함. 맹세함. '一約'. '一結'. '使季路一我, 吾無盟矣'《左傳》. ⑦규찰할요 문초하여 규명함. '異其死刑之罪而一之'《周禮》. ⑧모을요 한데 합침. '一其節奏'《禮記》. ⑨반드시요 꼭. '一須'. '男兒一當死於邊野, 以馬革裹屍還葬'《後漢書》. ⑩요컨대요 대체(大體)는. 요약하여 말하면. '一自胸中無滯礙'《韓愈》. ⑪허리요 腰(肉부 9획〈1082〉)와 同字. '自一以下, 不及禹三寸'《史記》. ⑫허리띠요 褄(衣부 9획〈1280〉)와 통용. '一之襋之'《詩經》. ⑬허리에찰요 '解玉佩以一之'《曹植》. ⑭굽힐요 夭(大부 1획〈231〉)와 통용. '微行一屈'《張衡》. ⑮요복요 오복(五服)의 하나. 왕기(王畿)에서 500리마다 구역을 정하고 일컫던 이름의 하나. '一服'《書經》. ⑯성요 성(姓)의 하나. ⑰종요로울요 긴요함. '一路'. '先王有至德一道'《孝經》. ⑱대요요 종요로운 줄거리. '第五章乃明善之一'《大學章句》. ⑲목요 중요한 곳. '一害之處'《史記》. ⑳회계요 금전의 계산. '一會'. '則受邦國之比一'《周禮》.
字源 象形. 篆文은, 인체(人體)의 한 가운데에 양손을 댄 모양을 본떠, '허리'의 뜻을 나타냄. 古文은 囟+臼+女. 이 古文의 변형(變形)이 '要요'인데, 古文에서부터, '女녀'를 덧붙이게 된 것은, 허리가 발달한 여성이란 뜻에서임. 허리는 몸의 요처(要處)란 데서, 전(轉)하여, 종요로운 곳의 뜻도 나타냄. 또 '徼요'와 통하여, '요구하다'의 뜻도 나타냄.

襾3 〔要〕 9 要(前條)와 同字

〔栗〕 〔률〕
木부 6획(545)을 보라.

襾4 〔覄〕 10 압 ㊇合 | è オウ おおう
字解 덮을압 '一, 蓋也'《字彙》.

襾5 〔覂〕 11 봉 ㊤腫 ㊦宋 | fěng ホウ くつがえる
字解 ①엎을봉, 엎어질봉 泛(水부 5획〈638〉)과 同字. '一駕之軼'《顏延之》. ②다할봉 다하여 없어짐. '公私一竭'《唐書》.
字源 形聲. 襾+乏〔音〕

襾5 〔䙴〕 11 선 ㊥先 | qiān セン のぼる
字解 오를선 높은 곳으로 오름. '䙳, 升高也. 或从卩'《集韻》.

〔票〕 〔표〕
示부 6획(888)을 보라.

〔粟〕 〔속〕
米부 6획(969)을 보라.

襾6 〔覃〕 12 人名 ㊀담 ㊥覃 ㊁염 ㊥鹽 | tán タン のびる yǎn エン するどい

筆順 一 丅 丙 襾 覀 覀 覃 覃

字解 ㊀ ①벋을담, 퍼질담 벋어 널리 퍼짐.

'葛之一兮'《詩經》. ②미칠담 번어 미침. 널리 퍼져 미침. '一及鬼方'《詩經》. ③깊을담, 넓을담 깊고 넓음. '一恩'. '揚雄一思于太玄'《晉書》. '硏精一思'《孔安國》. ④길담 '一, 長也'《廣雅》. '實一實訏'《詩經》. ⑤성담 성(姓)의 하나. 㕚 날설염 예리함. 잘 베어짐. '以我一耜'《詩經》.
字源 會意. 본디, 鹵+㫗. '鹵로'는 '소금'의 뜻.

襾6〔覀圭〕12 휴(규俗) ㊥齊 | xī ケイ いやしい
字解 ①천할휴 '一, 鄙也'《玉篇》. ②성휴 성(姓)의 하나. ※俗音 규.
字源 形聲. 西+圭〔音〕

襾6〔覀伏〕12 〔복〕 覆(襾부 12획〈1295〉)의 俗字

襾7〔覅〕13 표 | fiào キ ふよう
字解 필요없을표 불요(不要).

襾8〔覀服〕14 복 ㊀職 | bó ホク のうふをいやしいものとしょうするご
字解 농부를천하게이르는말복 '儓, 一, 農夫之醜稱也, 南楚凡罵庸賤, 謂之田儓, 或謂之一'《方言》.

襾10〔覀炷〕16 〔계〕 烓(火부 6획〈711〉)와 同字

襾10〔覀能〕16 〔파〕 罷(网부 10획〈1030〉)와 同字

襾11〔覀風〕17 〔표〕 飄(風부 11획〈1710〉)의 俗字

襾11〔覀聖〕17 〔성〕 聖(耳부 7획〈1057〉)과 同字

襾12〔覆〕18 㔾 복 ㊀屋 | fù フク くつがえる
㕚 부 ㊋有 | fù フウ おおう
字解 㔾 ①엎어질복, 넘어질복 '顚一'. '舟遂一'《十八史略》. '不勝任則屋一'《管子》. ②뒤집을복, 엎을복, 넘어뜨릴복 ㉠전복시킴. '命舟牧一舟'《禮記》. ㉡무너뜨림. 멸망시킴. '惡利口之一邦家者'《論語》. ㉢전쟁에 이김. '常一三軍'《李華》. ③배반할복 신의를 저버림. '夸詐多變反一之國'《漢書》. ④되풀이할복 한 일을 거듭함. '欲反一之'《史記》. ⑤사뢸복, 알릴복 '申一'. '一函'. '官府吏文之申請于上者, 曰申, 曰一'《正字通》. ⑥살필복 '一之而角至'《周禮》. '檢一私隱'《唐書》. ⑦구할복 찾음. '一, 索也'《廣雅》. ⑧도리어복 반대로. '不懲其心, 一怨是正'《詩經》. ⑨복병복 伏(人부 4획〈38〉)과 통용. '君爲三一'《左傳》. 㕚 ①덮을부 ㉠씌워 얹음. '瓦屋, 以瓦一屋也'《急就篇》. ㉡덮어 쌈. '天之所一'《禮記》. ㉢가리워 감춤. '微瑕細故, 當掩一之'《魏志》. ㉣비호(庇護)함. '以一救之'《荀子》. ㉤널리 퍼짐. 널리 미침. '仁一天下'《孟子》. ②덮개부 덮는 물건. 또, 덮는 일. '射一'.
字源 形聲. 襾+復〔音〕

襾12〔覆〕18 高校 覆(前條)와 同字

襾13〔覈〕19 㔾 핵 ㊀陌 | hé カク しらべる
㕚 흘 ㊀月 | ケツ かたむぎ
字解 㔾 ①핵실할핵 사실을 조사하여 밝힘. '考一'. '一論'. '何以一諸'《張衡》. ②엄할핵 준엄함. '深一'. '峭一爲方'《後漢書》. ③씨핵 核(木부 6획〈542〉)과 同字. '其植物宜一物'《周禮》. 㕚 보리싸라기흘 麧(麥부 3획〈1849〉)과 통용. '食糠一'《漢書》.
字源 形聲. 襾+敫〔音〕

襾13〔覀覈〕19 覈(前條)과 同字

襾13〔覇〕19 人名 〔패〕 霸(雨부 13획〈1649〉)의 俗字
筆順 一 襾 覀 覀 覀 覀 覇 覇

襾13〔覀嚳〕19 곡 ㊀沃 | kū コク あわれんではっするこえ
字解 애통(哀痛)하여나오는소리곡 '一, 哭哀聲發'《篇海》.

襾17〔覊〕23 〔기〕 羈(网부 17획〈1032〉)의 俗字

襾19〔覊〕25 〔기〕 羈(网부 19획〈1032〉)의 俗字

見　部
〔볼 견 부〕

見0〔見〕7 中·人 㔾 견 ㊋霰 | jiàn ケン みる
㕚 현 ㊋霰 | xiàn ケン·ゲン みる

筆順 丨 冂 冃 月 目 貝 見

字解 ㊀①볼견 ㉠눈으로 봄. 목격함. '行其庭, 不—其人'《易經》. ㉡발견함. '—賢不能擧'《大學》. ㉢대면함. 만나 봄. '君欲—之召之, 則不往—之'《孟子》. ㉣생각함. '以余所—'. ㉤되돌아봄. 돌아다봄. '未得省—'《漢書》. ②보일견 ㉠눈에 띔. '視而不—, 聽而不聞'《大學》. ㉡마음에 해득함. '讀書百遍, 義自—'《魏略》. ③당할견 수동적임을 나타내는 말. '所—'. '爲—'. '—受'로 연용(連用)하기도 함. '信而—疑, 忠而被謗'《史記》. '所—推許'《韓愈》. '爲—忌嫉者, 橫致脣吻'《柳宗元》. '本來求解脫, 卻—受驅馳'《拾得詩》. ④견해견 보는 바. 소견. 견식. '—聞'. '識—'. '偏—'. '敢陳愚—'《晉書》. ⑤성견 성(姓)의 하나. ㊁①볼현 불러서 봄. '延—群臣'《漢書》. ②뵐현 웃어른을 만나봄. '謁—'. '某也願—'《儀禮》. ③보일현 대면시킴. 소개함. '從者—之'《論語》. ④나타날현 ㉠드러남. '露—'. '情—勢屈'《漢書》. ㉡나아가 섬김. '天下有道則—'《論語》. ⑤나타낼현 드러냄. '不—而章'《中庸》. ⑥현재현 지금. 또는 지금 있음. '—錢'. '軍無—糧'《史記》.

字源 會意. 目+儿. 사람 위에 큰 눈을 얹어, 무엇을 명확히 보다의 뜻을 나타냄.

參考 '見'을 의부(意符)로 하여, 보는 행위에 관한 뜻을 나타내는 문자를 이룸.

見 2 〔观〕9 〔관〕 觀(見부 18획〈1304〉)의 俗字

見 3 〔覌〕10 〔관〕 觀(見부 18획〈1304〉)의 俗字

見 3 〔冐〕10 ㊀몽 ㊥東 ボウ·ム つきすすむ ㊁묵 ㊇職 ボク つきすすむ ㊂목 ㊇沃 ボク つきすすむ ㊃모 ㊅號 mào ボウ ふれる

字解 ㊀나갈몽 앞으로 밀고 나감. '—, 突前也'《說文》. ㊁나갈묵 ㊀과 뜻이 같음. ㊂나갈목 ㊀과 뜻이 같음. ㊃닿을모 접촉함. '—, 觸也'《集韻》.

字源 會意. 冖+見. '冖'는 위에서 덮어씌우다의 뜻. 그것을 밀어내고 보다의 뜻에서, 범(犯)하다, 밀고 나가다의 뜻으로 쓰임.

見 3 〔㝵〕10 〔득〕 得(彳부 8획〈372〉)의 古字

見 3 〔覗〕10 〔시〕 𥅆(見부 5획〈1297〉)와 同字

見 4 〔𧠣〕11 〔각〕 覺(見부 13획〈1303〉)의 古字

見 4 〔規〕11 高·人 규 ㊥支 guī キ ぶんまわし

筆順 二 扌 夫 矩 矩 規 規 規

字解 ①그림쇠규 원형을 그리는 제구. '圓者中—, 方者中矩'《莊子》. ②동그라미규 원형. '半—'. '天道成—'《太玄經》. '一成—, 一成矩'《莊子》. ③그릴규 둥글게 그림. '其母夢神—其臂以墨'《國語》. ④법규 법칙. '—則'. '—約'. '創業垂統, 爲萬世—'《司馬相如》. ⑤경계할규, 경계규 바른 길로 나가도록 신칙함. 또, 그 일. 그 말. '—誡'. '不以頌而以—'《韓愈》. ⑥간할규 잘못한 일을 고치도록 아룀. '—諫'. '近臣盡—'《呂氏春秋》. ⑦꾀할규, 꾀규 책략. 계략. '無天下之—'《戰國策》. ⑧바로잡을규 바른 길로 나가도록 함. '官師—正'《書經》. ⑨한정할규 구획함. '—方千里, 以爲甸服'《國語》. ⑩보유할규 영유(領有)함. '不—東夏'《國語》. ⑪구할규 탐내어 청함. '—求無度'《左傳》. ⑫본뜰규 모범으로 삼음. '—遵王度'《張衡》. ⑬문체이름규 한문의 한 체(體). 과실을 경계하는 글. '—之爲文, 則漢以前, 絕無作者, 至唐元結, 始作五—'《文體明辯》. ⑭성규 성(姓)의 하나.

字源 會意. 夫+見.

見 4 〔覒〕11 모 ㊥豪 ㊅號 mào ボウ·モウ えらぶ

字解 ①가릴모 가려냄. '—, 擇也'《說文》. ②곁눈질할모 '—, 邪視也'《廣韻》.

字源 形聲. 見+毛〔音〕

見 4 〔𧢁〕11 覒(前條)와 同字

見 4 〔視〕11 〔시〕 視(見부 5획〈1297〉)의 俗字

〔現〕 〔현〕 玉부 7획(771)을 보라.

見 4 〔覓〕11 멱 ㊇錫 mì ベキ もとめる

字解 구할멱 '—得'. '—索餘光'《魏志》. '是猶欲登山者涉舟航而—路'《晉書》.

字源 形聲. 見+爫(𠂢)〔音〕

參考 覔(次條)은 俗字.

見 4 〔覔〕11 覓(前條)의 俗字

見4 〔⿰火見〕11 〔령〕
覙(見부 7획〈1299〉)의 訛字

見4 〔覔〕11 막 (平)藥|mò バク もとめる
字解 구할막 찾음. '一, 覓也'《字彙補》.

見4 〔覎〕11 액 (入)陌|è ヤク おどろきやすい
字解 잘놀랄액, 보는모양액 ⿰戹見(見부 5획〈1298〉)과 同字. '一, 善驚也. 一曰, 視皃, 或作⿰戹見'《集韻》.

見4 〔⿰幵見〕11 ㊀이 (平)支 ㊁현 (去)霰|ジ ■■ しょうにがちちをはく xiān ケン
字解 ㊀어린아이젖토할이 '一, 小兒嘔乳'《正字通》. ㊁어린아이젖토할현 ㊀과 뜻이 같음.

見4 〔覑〕11 편 (上)銑|piǎn ヘン みるさま
字解 보는모양편 '一, 視皃'《集韻》.

見4 〔⿰王見〕11 현 (上)銑|xiàn ケン おおいた
字解 큰널빤지현 '一, 大板也'《字彙補》.

見5 〔覕〕12 별 (入)屑|piē ヘツ ちらりとみる
字解 ①언뜻볼별 瞥(目부 12획〈857〉)과 통용. '一, 暫見貌'《莊子 釋文》. ②가를별 쪼갬. '一, 叚借爲切'《說文通訓定聲》.
字源 形聲. 見＋必〔音〕

見5 〔⿰必見〕12 覕(前條)의 訛字

見5 〔視〕12 中·人 시 (去)寘 (上)紙|shì シ みる
筆順 二 亍 礻 礼 祀 視 視 視
字解 ①볼시 ㉠정신을 차려 봄. 자세히 봄. '熟一'. '一之而弗見'《中庸》. ㉡몰래 봄. 훔쳐봄. 또, 엿봄. '莫不竊一'《漢書》. ㉢자세히 보아 살핌. '一察'. '一遠惟明'《書經》. ㉣맡아 봄. 주관함. '一政'. '一事'. '四方羣后, 我監我一'《漢書》. ㉤대우함. 취급함. '善一之'《左傳》. '君之一臣, 如手足'《孟子》. ㉥돌봄. 보살핌. '避黃巾之難, 歸虞者百餘萬口, 皆收一溫䘏'《晉書》. ㉦삶. '莫不欲長生久一'《呂氏春秋》. ㉧보는 일. 보는 바. 시야(視野). '山原曠其盈一'《王勃》. ②견줄시 비교함. '必比類, 量大小, 一長短'《禮記》. ③본받을시 본보기로 함. '一乃厥祖'《書經》. ④보일시 示(部首)와 통용. '一項羽無東意'《漢書》. ⑤성시 성(姓)의 하나.
字源 形聲. 見＋示〔音〕

見5 〔覗〕12 사 (平)支 (去)寘|sì シ うかがう
字解 엿볼사 몰래 봄. 훔쳐봄. '凡相竊視, 自江而北謂之貼, 或謂之一'《揚子方言》.

見5 〔覘〕12 점 (平)鹽 (去)豔|chān テン うかがう
字解 ①엿볼점 몰래 가만히 봄. '一望'. '公使一之'《左傳》. 전(轉)하여, 몰래 형편을 알아봄. 정탐함. '一候' ②볼점 '使人一之'《孔子家語》.
字源 形聲. 見＋占〔音〕

見5 〔⿰它見〕12 시 (平)支|shī シ うかがう
字解 ①찾아뵐시 문안드림. '一, 司人也. (注) 司者令之伺字'《說文》. ②어질시 순함. '一, 一曰, 覙一, 面柔'《集韻》.
字源 形聲. 見＋它〔音〕

見5 〔⿰朿見〕12 자 (去)寘 (平)支|cì シ うかがう
字解 엿볼자 몰래 보는 모양. '一, 盜視皃'《玉篇》.
字源 形聲. 見＋朿〔音〕

見5 〔⿰民見〕12 미 (平)齊|mí ベイ·マイ びょうにんがみる
字解 병자가볼미 병자(病者)가 보는 모양. '一, 病人視皃'《廣韻》.
字源 形聲. 見＋民〔音〕

見5 〔⿰氐見〕12 ⿰民見(前條)와 同字

見5 〔⿰夫見〕12 〔규〕
規(見부 4획〈1296〉)의 本字

見5 〔⿰未見〕12 미 (去)未|wèi ビ·ミ みる
字解 볼미 눈으로 봄. '一, 見也'《玉篇》.

見5 〔⿰召見〕12 ㊀소 (上)篠 ㊁교 (平)蕭|shào ショウ みる jiāo キョウ とおい
字解 ㊀①볼소 눈으로 봄. '一, 見也'《集韻》. ②부를소 불러들임. '一, 召也'《集韻》. ㊁①볼교 뵘. 만남. '一, 覲也'《字彙補》. ②멀교 거리가 가깝지 않음. '一, 遠也'《字彙補》.

見5 〔⿰台見〕12 시 (平)支|shī シ いざなう

字解 ①꾈시 꾐. 유혹함. '一, 誘一'《廣韻》. ②어질시 䙾(見부 5획〈1297〉)와 同字.

見 5 〔覛〕12 〔액〕
覛(見부 4획〈1297〉)과 同字

見 5 〔𧠇〕12 ㊀절 ㊁屑 | テツ ㊀㊁ みる
㊁혈 ㊁屑 | xiē ケツ

字解 ㊀볼절 눈으로 봄. '一, 見也'《玉篇》. ㊁볼혈 ㊀과 뜻이 같음.

見 5 〔𧠈〕12 진 ㊤軫 | zhěn シン みる

字解 볼진 눈으로 봄. '一, 視也'《五音篇海》.

〔硯〕 〔연〕
石부 7획(870)을 보라.

見 5 〔覚〕12 〔각〕
覺(見부 13획〈1303〉)의 俗字

見 6 〔覛〕13 ㊀맥 ㊁陌 | mò バク ㊀㊁ なが
㊁멱 ㊁錫 | しめにみる
| mì ベキ

字解 ㊀①볼맥 ㉠스쳐봄. 곁눈질하여 봄. '一, 衺視也'《說文》. '一往昔之遺館'《張衡》. ㉡가만히 살펴봄. '一, 密察也'《六書故》. ㉢잘 봄. 주의하여 봄. '古者, 太史順時一土'《國語》. ②구(求)할맥 구하여 찾음. 覓(見부 4획〈1296〉)과 통용. ㊁볼멱, 구할멱 ㊀과 뜻이 같음.

字源 會意. 𠂢+見. '𠂢맥'은 물이 모로 흐르다의 뜻. 곁눈질로 보다의 뜻을 나타냄.

見 6 〔𧢊〕13 覛(前條)의 籀文

見 6 〔覓〕13 覛(前前條)과 同字

見 6 〔覜〕13 조 ㊄嘯 | ①②tiào
㊥蕭 | チョウ まみえる
㊤篠 | ③チョウ みる
| ④チョウ ながめる

字解 ①뵐조 알현함. '以一聘'《周禮》. ②조회조 주대(周代)에 3년마다 제후(諸侯)가 모여 천자(天子)에게 알현하던 의식(儀式). '諸侯三年大相聘曰一'《說文》. ③볼조 회견함. '享一有璋'《左傳》. ④바라볼조 眺(目부 6획〈844〉)와 통용. '流目一夫衡阿兮'《張衡》.

字源 形聲. 見+兆〔音〕

見 6 〔覡〕13 척 ㊁錫 | qī セキ おとなしい

字解 어질척 '一䙾'는 마음이 순함. '一, 一䙾, 面柔也'《玉篇》.

見 6 〔䙺〕13 침 ㊄沁 | chēn チン みる

字解 볼침 '一, 視也'《玉篇》.

見 6 〔䙻〕13 䙺(前條)과 同字

見 6 〔覐〕13 〔각〕
覺(見부 13획〈1303〉)의 古字

見 6 〔䙼〕13 ㊀질 ㊁質 | zhì シツ みる
㊁적 ㊁錫 | dí テキ みる

字解 ㊀볼질 눈으로 봄. 眰(目부 6획〈844〉)과 통함. '一, 視也, 或从目'《集韻》. ㊁볼적 覿(見부 15획〈1303〉)과 同字. '覿, 爾雅, 見也, 或作一'《集韻》.

見 6 〔䙽〕13 황 ㊥陽 | huāng コウ みる

字解 볼황 눈으로 봄. '一, 視也'《集韻》.

見 7 〔覡〕14 격(혁㊍) ㊁錫 | xí ゲキ みこ

字解 박수격 남자 무당. '男一女巫'《隋書》. ※本音 혁.

字源 會意. 巫+見. 신(神)을 섬겨, 신(神)의 뜻을 여쭤 보다, 무당의 뜻을 나타냄. '巫무'를 여자 무당이라고 함에 대하여, '覡격'은 '박수'의 뜻으로 쓰임.

見 7 〔覞〕14 고 ㊄號 | gào
| コウ ひさしくみるさま

字解 오래도록보는모양고 '一, 久視皃'《玉篇》.

見 7 〔䙾〕14 균 ㊥眞 | jūn キン みる

字解 볼균 눈으로 봄. '一, 視也'《玉篇》.

見 7 〔覔〕14 부 ㊥尤 | pōu フウ みる

字解 볼부 눈으로 봄. '一, 視也'《玉篇》.

見 7 〔䙿〕14 요 ㊤篠 | yǎo
| ヨウ ふかくみるさま

字解 뚫어지게볼요 '一, 深視皃'《集韻》.

見 7 〔覦〕14 유 ㊥尤 | yōu ユウ ふかくみる

字解 유심히볼유 '一, 深視'《集韻》.

見 7 〔覟〕14 지 ㊄寘 | zhì
| シ つまびらかにみる

字解 자세히살펴볼지 '一, 審視也'《集韻》.

見7 〔覤〕14 혁 入陌 | hè カク みる
字解 볼혁 눈으로 봄. '一, 見也'《玉篇》.

見7 〔覝〕14 렴 平鹽 | lián レン みる
字解 살펴볼렴 '廉, 察也, 字本作一'《漢書注》.
字源 形聲. 見+㶊〔音〕

見7 〔覞〕14 曰 요 去嘯 | yào ヨウ あわせみる
曰 초 去嘯 | ショウ あまねくみる
曰 석 入陌 | セキ·シャク あまねくみる
字解 曰 아울러볼요, 두루볼요 '一, 竝視也'《說文》. 曰 두루볼초 '一, 普視也'《集韻》. 曰 두루볼석 曰와 뜻이 같음.
字源 會意. '見견'을 둘 합쳐서, 아울러 보다의 뜻을 나타냄.

見7 〔覠〕14 침 平侵 去沁 | chēn チン うかがう
字解 엿볼침 몰래 머리를 내밀고 봄.
字源 形聲. 見+彤〔音〕

見7 〔覗〕14 覠(前條)의 訛字

見8 〔覤〕15 혁 入陌 | xì ケキ おどろきおそれる
字解 놀라두려워하는모양혁 '一一然驚. (注) 驚懼之皃'《莊子》.

見8 〔覢〕15 섬 上琰 | shǎn セン ちらりとみる
字解 언뜻볼섬 '一, 暫見也'《說文》.
字源 形聲. 見+炎〔音〕

見8 〔覣〕15 래 ①去隊 | lài ライ かえりみる
②平灰 | lái ライ みる
字解 ①돌아볼래 반성(反省)함. '一, 內視也'《說文》. ②볼래 '一, 視也'《集韻》.
字源 形聲. 見+來〔音〕

見8 〔賚〕15 覣(前條)와 同字

見8 〔覣〕15 曰 위 平支 | wēi イ うれしげにみる
曰 와 平歌 | カ·ワ みるさま
字解 曰 ①기쁘게볼위 '一, 好視也'《說文》. ②성낼위 '一, 怒也'《廣雅》. 曰 볼와 보는 모양. '一, 視皃'《集韻》.

見8 〔覞〕15 예 去霽 | nì ゲイ にらむ
字解 노려볼예 또는 흘겨봄. '一, 旁視也'《說文》.
字源 形聲. 見+兒〔音〕

見8 〔覛〕15 록 入沃 入屋 | lù リョク·ロク わらってみる
ロク わらってみる
字解 ①웃으며볼록 '一, 笑視也'《說文》. ②함께볼록 '一, 共視也'《玉篇》. ③곁눈질할록 '一, 眼曲一也'《廣韻》.
字源 形聲. 見+彔〔音〕

見8 〔覩〕15 구 去宥 | jiù キュウ おおぜいでみる
字解 여럿이볼구 '一, 衆視也'《集韻》.

見8 〔覫〕15 동 去送 | dòng トウ みるさま
字解 보는모양동 '一, 視皃'《玉篇》.

見8 〔覢〕15 세 去霽 | suì セイ やぶれくだける
字解 부스러뜨릴세 '一, 破碎也'《集韻》.

見8 〔覭〕15 애 上蟹 | ǎi ガイ わらってみる
字解 ①웃으며볼애 '一, 笑視'《廣韻》. ②睚(目부 8획〈847〉)와 同字. '一, 同睚'《正字通》.

見8 〔覞〕15 〔적〕
覿(見부 12획〈1302〉)과 同字

見8 〔覥〕15 전 上銑 | tiǎn テン おもてをあからめてはじる
字解 부끄러워할전 낯을 붉히며 부끄러워함. 원래, 靦(面부 7획〈1657〉)으로 썼음. '一, 面慙'《字彙》. '一, 說文, 本作靦'《康熙字典》.

見8 〔䩄〕15 覥(前條)와 同字

見8 〔親〕15 〔친〕
親(見부 9획〈1300〉)과 同字

〔靚〕〔정〕
靑부 7획(1654)을 보라.

〔寬〕〔관〕
宀부 12획(286)을 보라.

見9 〔覦〕16 유 平虞 | yú ユ のぞむ
字解 넘겨다볼유 자기 신분에 맞지 않는 일

을 바람. 분수 밖의 욕망을 가짐. '覬一'. '能官人則民無一心'《左傳》.
[字源] 形聲. 見＋兪〔音〕

見9 〔覩〕16 도 [上]麌 dǔ ト みる
[字解] ①볼도 睹(目부 9획〈850〉)와 同字. '聖人作而萬物一'《易經》. ②성도 성(姓)의 하나.
[字源] 形聲. 見＋者〔音〕

見9 〔親〕16 [中·人] 친 [平]眞 [去]震 qīn, qìng シン したしむ
[筆順] 亠 立 立 辛 亲 亲 親 親
[字解] ①친할친 ㉠사이가 가까움. 우정이 두터움. '一友'. '交一而不比'《荀子》. ㉡가까이 사귐. '愛人不一, 反其仁'《孟子》. ㉢가까이함. '燈火稍可一'《韓愈》. ㉣가까움. '本乎天者一上, 本乎地者一下'《易經》. ㉤화목하게 함. '不能相一'《呂氏春秋》. ②사랑할친 귀애함. '人之一其兄之子, 爲若一其隣之赤子乎'《孟子》. ③어버이친 부모. '兩一'. '不順乎一'《中庸》. ④겨레친 일가. '一戚'. '六一'. '姻一'. '祿勳合一'《左傳》. ⑤혼인친 결혼. '以陰禮敎一, 則民不怨'《周禮》. ⑥친애친 친한 관계. 우호(友好). '親其一'《大學》. '連六國從一'《史記》. ⑦친한이친 친한 사람. 자기 편의 사람. '輕則失一'《左傳》. ⑧몸소친 친히. 손수. 자신이 직접. '一展'. '吾豈若於吾身一見之哉'《孟子》. 특히, 천자(天子)에 관하여 많이 쓰임. '一征'. '一耕'. '不能一國事也'《戰國策》. ⑨성친 성(姓)의 하나.
[字源] 形聲. 見＋亲〔音〕

見9 〔⿰垔見〕16 견 [平]先 juān ケン みるさま [去]霰 ケン みる
[字解] ①보는모양견 '一, 視貌'《玉篇》. ②볼견 '一, 視也'《集韻》.

見9 〔⿰契見〕16 계 [去]霽 qì ケイ みる
[字解] ①볼계 '一, 見也'《字彙》. ②찾아뵐계 문후(問候)함. '一, 伺人也'《正字通》. ③두려워할계 '一, 恐也'《正字通》.

見9 〔⿰癸見〕16 계 [去]寘 guì, kuì キ みる
[字解] 볼계 '一, 視也, 亦作瞡'《集韻》. 瞡(目부 11획〈854〉)와 同字.

見9 〔⿰朕見〕16 계 [去]霽 jì ケイ みる
[字解] 볼계 '一, 視也'《字彙補》.

見9 〔⿰⿱自廾見〕16 규 [平]支 kuí キ みだりがわしげにみる
[字解] 음란하게볼규 '一, 淫視也'《字彙》.

見9 〔⿰咢見〕16 악 [入]藥 è ガク みつめる
[字解] 오래볼악 주시(注視)함. '一, 久視也'《集韻》.

見9 〔⿰⿱木目見〕16 상 [上]養 shǎng ショウ まこと
[字解] 믿을상 진실함. '一, 信也'《字彙補》.

見9 〔⿰省見〕16 생 [上]梗 shěng セイ あしがあらわれる
[字解] ①종아리드러낼생 '一, 腳露也'《廣韻》. ②자세히볼생 소상(昭詳)히 봄. '一, 審視'《廣韻》.

見9 〔⿰亘見〕16 선 [上]銑 xuǎn セン みる
[字解] 볼선 '一, 見也'《集韻》.

見9 〔⿰英見〕16 영 [上]梗 yǐng エイ みる
[字解] ①볼영 '一, 見也'《字彙》. ②보는모양영 '一, 視皃'《集韻》.

見9 〔⿰軍見〕16 [一]운 [去]問 yùn ウン みまわす [二]훈 [平]元 コン みる
[字解] [一] 둘러볼운 넓게 많은 것을 봄. ⿰員見(見부 10획〈1301〉)과 同字. '⿰員見, 說文, 外博衆多視也, 或作一'《集韻》. [二] 볼훈 '一, 一視'《廣韻》.

見9 〔⿱秋見〕16 추 [去]宥 [平]尤 cóu シュウ もだえみる
[字解] 민망스럽게볼추 언짢은 마음으로 봄. '一, 悶視'《字彙》.

見9 〔⿰巷見〕16 〔탕〕 ⿱尚見(見부 11획〈1302〉)과 同字

見9 〔⿰扁見〕16 편 [平]先 piān ヘン ながしめにみる
[字解] 흘겨볼편 '一, 斜視'《集韻》.

見9 〔⿰甚見〕16 [一]탐 [平]覃 dān タン かえりみる [二]담 [上]感 dǎn タン おもむろにみる [三]침 [平]侵 シン かえりみる
[字解] [一] 돌아볼탐 반성함. '一, 內視也'《說文》. '一一虎視, 不折其節'《張壽碑》. [二] 천천히볼담 '一, 徐視謂之一'《集韻》. [三] 돌아볼침 [一]❶과 뜻이 같음.

[字源] 形聲. 見+甚〔音〕

見 9 〔𧡟〕16 제 [平]齊 | tí テイ・ダイ あらわす
[去]霽 | テイ・ダイ あらわす

[字解] ①나타낼제 밝힘. '一, 顯也'《說文》. ②볼제 '一, 視也'《廣雅》. ③표(標)제 '一, 標識也'《正字通》.
[字源] 形聲. 見+是〔音〕

見 9 〔覨〕16 [一] 훤 [上]阮 | huǎn カン・ガン
[一]-[三] おおいにみる
[二] 완 [上]旱 | カン
[三] 권 [平]先 | ケン

[字解] [一] 크게볼훤 '一, 大視也'《說文》. [二] 크게볼완 [一]과 뜻이 같음. [三] 크게볼권 [一]과 뜻이 같음.
[字源] 形聲. 見+爰〔音〕

見 9 〔𧡬〕16 〔렴〕 覝(見부 7획〈1299〉)의 本字

見 9 〔𧡳〕16 〔침〕 覙(見부 7획〈1299〉)의 本字

〔靦〕〔전〕 面부 7획(1657)을 보라.

見 9 〔覧〕16 〔람〕 覽(見부 14획〈1303〉)의 俗字

見 10 〔覬〕17 기 [去]寘 | jì キ のぞむ

[字解] ①넘겨다볼기 분수에 넘치는 일을 바람. '下無一覦'《左傳》. ②늘어질기 처짐. '一, 垂也'《韻會小補》.
[字源] 形聲. 見+豈〔音〕

見 10 〔覯〕17 구 [去]宥 | gòu コウ あう

[字解] ①만날구 우연히 만남. '固非觀者之所一也'《史記》. '亦旣一止'《詩經》. ②이룰구 이루어짐. 구성함. '其惡易一'《左傳》. ③볼구 '覯一于京'《詩經》. ④합칠구 '男女一精, 萬物化生'《詩經 箋》. ⑤피동사(被動詞)구 수동(受動)을 나타내는 말. …지다. …을 당하다. …게 되다. '一閔旣多'《詩經》.
[字源] 形聲. 見+冓〔音〕

見 10 〔覭〕17 [一] 명 [平]青 | míng メイ ちらりとみる
[二] 맥 [入]陌 | mò バク くさきのむらがるさま

[字解] [一] ①볼명 조금 봄. '一, 小見也'《廣韻》. ②몰래엿볼명 어두운 곳에서 가만히 엿봄. '暗處密窺曰一'《正字通》. [二] 더부룩이날맥 초목이 총생(叢生)한 모양. '一髳, 茀離也'《爾雅》.
[字源] 形聲. 見+冥〔音〕

見 10 〔𧢌〕17 유 [平]尤 | yóu ユウ みおろす

[字解] 내려다볼유 깊은 곳을 내려다봄. '一, 下視深也'《廣韻》.
[字源] 形聲. 見+卣〔音〕

見 10 〔䚋〕17 운 [去]問 | yùn ウン みまわす

[字解] ①둘러볼운 널리 많은 것을 봄. '一, 外博衆視也'《說文》. ②땅이름운 오(吳)의 땅이름. '一, 與鄖同. 國名記, 鄖, 一作一, 吳也'《字彙補》. ③성운 성(姓)의 하나.
[字源] 形聲. 見+員〔音〕

見 10 〔䚊〕17 견 [平]先 | jiān ケン のぞむ

[字解] 멀리볼견 조망(眺望)함. '一, 遠視'《字彙》.

見 10 〔䚉〕17 기 [平]支 | qí キ みる

[字解] 볼기 '一, 視也'《廣雅》.

見 10 〔𧢄〕17 〔뢰〕 賴(貝부 9획〈1396〉)와 同字

見 10 〔䚫〕17 방 [上]養 | pǎng ホウ みる

[字解] ①볼방 '一, 視也'《玉篇》. ②엿볼방 살핌. '一, 側視物貌'《康熙字典》.

見 10 〔𧢈〕17 〔요〕 覞(見부 7획〈1299〉)과 同字

見 10 〔𧢉〕17 〔요〕 覞(見부 7획〈1299〉)과 同字

見 10 〔𧢊〕17 두 [平]尤 | dōu トウ めやに

[字解] 눈곱두 '一, 目蔽垢也'《說文》.
[字源] 形聲. 見+兜〔音〕

見 10 〔親〕17 〔친〕 親(見부 9획〈1300〉)의 本字

見 11 〔覷〕18 처 [去]御 | qù ショ うかがう

[字解] ①엿볼처 기회를 엿봄. 노림. 狙(犬부 5획〈749〉)와 통용. '北寇一邊'《唐書》. ②볼처 '一, 視也'《廣雅》. ③거칠처 치밀(緻密)하지 않음. '拘一, 未致密也'《說文》.
[字源] 形聲. 見+虛〔音〕

見11〔覲〕18 근 (去)震 | jìn(jǐn) キン まみえる

字解 ①뵐근 알현(謁見)함. '朝―'. '諸侯北面而見天子曰―'《禮記》. ②만날근, 볼근 군신(群臣)과 회견함. '日―四岳羣牧'《書經》. ③겨우근 僅(人부 11획〈69〉)과 통용. '至於―存'《呂氏春秋》.

字源 形聲. 見+堇〔音〕

見11〔覼〕18 루 (平)尤 | lóu ロウ しばしばみる

字解 ①자꾸볼루 내버려 두지 않고 자꾸 봄. '―, 屢視不置也'《正字通》. ②애꾸눈루 瞜(目부 11획〈854〉)와 同字. '瞜, 瞜睺, 偏盲, 或作―'《集韻》.

見11〔⿱殹見〕18 예 (去)霽 | yì エイ みるさま

字解 보는모양예 '―, 視皃'《集韻》.

見11〔⿰責見〕18 적 (入)陌 | qì セキ みる

字解 볼적 '―, 觀也'《集韻》.

見11〔⿱斬見〕18 참 (去)陷 (平)咸 | zhàn サン たくましいさま / zhān サン さける

字解 ①굳셀참 늠름한 모양. '―, 逞皃'《玉篇》. ②높고위험한모양참 '―, 一儳, 高危皃'《集韻》. ③피할참 '―, 避也'《集韻》.

見11〔⿰舂見〕18 ⿱舂見(次條)과 同字

見11〔⿱舂見〕18 탕 (平)江 (去)絳 | chuāng トウ くらい

字解 어두울탕, 똑똑히보이지않을탕, 바로볼탕 '―, 視不明也. 一曰, 直視'《說文》.

字源 形聲. 見+春〔音〕

見11〔⿱票見〕18 표 (上)篠 (去)蕭 | piāo ヒョウ みる

字解 볼표, 자세히볼표 '―, 字林云, 目有所察'《廣韻》.

字源 形聲. 見+㶾(票)〔音〕

見11〔観〕18 〔관〕 觀(見부 18획〈1304〉)의 俗字

見12〔覵〕19 ㊀간 (去)諫 ㊁한 (平)刪 | jiàn カン うかがう / xián カン うかがう

字解 ㊀엿볼간 瞯(目부 12획〈856〉)과 同字. '―, 視也'《廣雅》. ㊁엿볼한 ❶과 뜻이 같음.

字源 形聲. 見+閒〔音〕

見12〔覶〕19 ㊀라 (平)歌 ㊁란 (去)翰 | luó ラ くわしい / luàn ラン くわしい

字解 ㊀①자세할라 '―縷'는 자세히 말하는 모양. 말이 곡진한 모양. 일설(一說)에는, 차례. 차서(次序). '嗟難得而―縷'《左思》. ②기쁘게볼라 '―, 好視也'《說文》. ㊁자세할란, 기쁘게볼란 ❶과 뜻이 같음.

字源 形聲. 見+𤔔〔音〕

見12〔⿰智見〕19 ㊀적 (入)錫 ㊁척 (入)錫 | jí セキ ❶❷ めがあかい / テキ

字解 ㊀①눈붉을적 '―, 目赤也'《說文》. ②멀리바라볼적 멀리 바라보는 모양. '―, 一曰, 遙視皃'《集韻》. ㊁눈붉을척, 멀리바라볼척 ❶과 뜻이 같음.

字源 形聲. 見+智〈省〉〔音〕

見12〔⿰皋見〕19 고 (平)豪 | gāo コウ みる

字解 볼고 '―, 見也'《廣雅》.

見12〔⿰童見〕19 당 (平)江 (去)絳 | chuáng トウ くらい / zhuàng トウ みつめる

字解 ①어두울당 보기에 밝지 않음. '―, 視不明也'《集韻》. ②똑바로볼당 '―, 覘―, 直視'《集韻》.

見12〔覴〕19 ㊀등 (平)蒸 ㊁층 (去)徑 | dēng オウ ひさしくみる / チョウ みつめるさま

字解 ㊀①오래볼등 '―, 久視也'《集韻》. ②瞪(目부 12획〈855〉)과 통용. '―, 與瞪通'《正字通》. ㊁똑바로볼층 응시(凝視)함. 眙(目부 5획〈841〉)로도 씀. '―, 直視皃, 或作眙'《集韻》.

見12〔⿰粦見〕19 린 (去)震 | lìn リン したしむ

字解 ①친할린 '―, 親也'《玉篇》. ②볼린 '―, 視也'《正字通》.

見12〔⿰買見〕19 매 (平)佳 | mái バイ すこしくみる

字解 조금볼매 䁲(目부 12획〈856〉)와 同字. '䁲, 說文, 小視也, 或作―'《集韻》.

見12〔⿰覃見〕19 심 (上)寑 | shěn シン みおろす

字解 내려다볼심, 엿볼심, 깊이살펴볼심 '―, 說文, 深視也, 一曰, 下視也, 一曰竊視也, 或从見'《集韻》.

見12〔⿰雚見〕19 〔관〕 觀(見부 18획〈1304〉)의 俗字

見12 〔覰〕19 〔처〕
覷(見부 11획〈1301〉)의 俗字

見12 〔[敝+見]〕19 〔별〕
瞥(目부 12획〈857〉)과 同字

見13 〔覺〕20 高·人 ㊀각 (入)覺 ㊁교 (去)效 | jué, jiào カク さとる jiào コウ さめる

筆順 … 覺

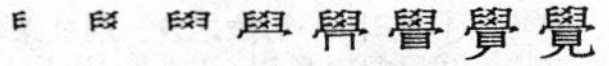

字解 ㊀①깨달을각 ㉠사리(事理)를 생각하던 끝에 혜두(慧竇)가 트이어 환하게 앎. '—悟'. '知來本無知, —來本無—'《傳習錄》. ㉡알아차림. '—今是而昨非'《陶潛》. ㉢느낌. 느끼어 앎. '—秋冷'. '晚涼徐—喜詩成'《朱熹》. ②깨우칠각 가르침. 알림. '予將以斯道—斯民'《孟子》. ③깨달음각 사리에 통달함. 도(道)를 터득함. '妙—'. '且有大—, 而後知此大夢'《莊子》. 또, 도를 터득한 사람. '淨—'. '未寤于前—'《左思》. ④나타날각 드러남. '發—'. '事—被誅'. ⑤나타낼각 명백하게 함. '以—報宴'《左傳》. ⑥높을각, 클각 높고 큰 모양. '有—其楹'《詩經》. ⑦곧을각 정직함. '夫子—者也'《左傳》. '有—德行'《詩經》. ⑧비교할각 '彼此相—, 有善惡耳'《孟子注疏》. ⑨성각 성(姓)의 하나. ㊁①깰교 잠이 깸. '—醒'. '俄然—, 則蘧蘧然周也'《莊子》. ②깨울교 잠을 깨게 함. '中夜聞荒雞鳴, 蹴琨—曰, 此非惡聲也'《晉書》.

字源 形聲. 見+學〈省〉〔音〕

見13 〔覹〕20 미 (平)微 (平)支 | wēi ビ·ミ うかがう

字解 엿볼미 '—, 覗也'《廣雅》.

字源 形聲. 見+微〔音〕

見13 〔[微/見]〕20 覹(前條)와 同字

見13 〔[微省+見]〕20 미 (平)微 | wěi ビ みしたがう wēi ビ うかがう

字解 ①따를미 진심으로 따름. '—, 身隨也'《字彙》. ②엿볼미 살핌. 覹(前前條)와 同字. '覹, 或作—'《說文長箋》.

見13 〔覻〕20 〔처〕
覷(見부 11획〈1301〉)와 同字

見14 〔覾〕21 빈 (去)震 (平)眞 (上)軫 | bīn ヒン しばらくみる

字解 잠깐볼빈, 언뜻볼빈 '—, —[樊+見], 暫見也'《說文》.

字源 形聲. 見+賓〔音〕

見14 〔[堇+見]〕21 〔근〕
覲(見부 11획〈1302〉)의 本字

見14 〔[覶 俗字]〕21 〔라〕
覶(見부 12획〈1302〉)의 俗字

見14 〔覽〕21 高·人 람 (上)感 (去)勘 | lǎn ラン みる

筆順 … 覽

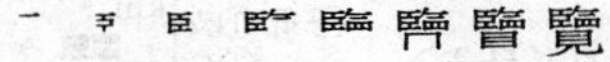

字解 ①볼람 ㉠두루 봄. 또, 멀리 바라다봄. '博—'. '登兹泰山, 周—東極'《史記》. ㉡생각하여 봄. 비교하여 봄. 살펴봄. '每—昔人興感之由'《王羲之》. '又—纍之昌辭'《漢書》. ②전망할람 또, 그 경관. '富—山無盡, 幽尋力不堪'《王惲》. ③받을람 받아들임. '大王—其說'《戰國策》. ④성람 성(姓)의 하나.

字源 形聲. 見+監〔音〕

參考 覧(見부 9획〈1301〉)은 俗字.

見15 〔覿〕22 적 ①(入)錫 ②(入)錫 | dí テキ みる jí セキ めがあかい

字解 ①볼적 만나 봄. 면회함. 알현함. 예물(禮物)을 가지고 가서 만남. '私—愉愉如也'《論語》. ②눈붉을적, 멀리바라볼적 '—, 說文, 目赤也. 一曰, 遙視皃'《集韻》.

字源 形聲. 見+賣〔音〕

見15 〔[樊+見]〕22 번 (平)元 (上)阮 (去)願 | fán ハン しばらくみる

字解 잠깐볼번 '覾—'은 잠깐봄. 조금봄. '—, 覾—, 暫見'《集韻》.

字源 形聲. 見+樊〔音〕

見15 〔[肩+見]〕22 ㊀간 (平)刪 ㊁건 (上)銑 | qiān カン ■■ れいぎにもとって ケン

字解 ㊀①패려궂게볼간 '— 很視也'《說文》. ②사람이름간 '—, 人名, 出孟子'《廣韻》. ㊁ 패려궂게볼건, 사람이름건 ■과 뜻이 같음.

見15 〔[麗+見]〕22 례 (去)霽 | lì レイ みる

字解 ①밉게볼례 '—, 疾視'《玉篇》. ②볼례 '—, 視也'《集韻》.

見15 〔[覼 略字]〕22 〔리〕
覼(見부 19획〈1304〉)의 略字

見15 〔[審+見]〕22 심 (上)寢 | shěn シン よくみる

字解 자세히볼심 '—, 審見也'《字彙》.

見17〔⿰龠見〕24 ㊀요 ㊄嘯 | yào ヨウ みあやまる
㊁약 ㊇藥 | ヤク めくるめく

字解 ㊀잘못볼요 '一, 視誤也'《說文》. ㊁눈이돌약, 어지러워질약 '一, 視不定'《廣韻》.
字源 形聲. 見+龠〔音〕

見17〔覾〕24 ㊀규 ㊥支 | kuī キ ㊀㊁ みつめる
㊁귀 ㊥微 ㊄未 | kuí キ
㊂괴 ㊥灰 | guì カイ ながしめにみる

字解 ㊀①눈여겨볼규 '一, 注目視也'《說文》. ②곁눈질할규 '一, 淫視'《廣韻》. ㊁눈여겨볼귀, 곁눈질할귀 ㊀과 뜻이 같음. ㊂곁눈질할괴 ㊀②와 뜻이 같음.
字源 形聲. 見+歸〔音〕

見17〔⿰歸見〕24 覾(前條)와 同字

見18〔觀〕25 中·人 관 ①-②㊥寒 | guān カン みる
③-⑩㊄翰 | guàn カン あらわす

筆順 艹 卝 雈 雈 雚 雚冂 雚目 觀

字解 ①볼관 ㉠사물을 잘 주의하여 봄. '一察'. '諦一'. '視其所爲, 一其所由'《論語》. ㉡경치 같은 것을 봄. '一花'. '一月'. '諸將皆從壁上一之'《史記》. 또, 구경 또는 그 대상. '壯一'. '美一'. '吾何修而可以比於先王一也'《孟子》. ㉢생각하여 봄. '由是一之'. ㉣멀리 바라봄. '一望'. '眺一'. ㉤엿봄. 추이를 관망함. '釋趙養民, 以一諸侯之變'《戰國策》. ㉥천문을 봄. '一測'. '一天地變化, 陰陽消長'《十八史略》. ②점칠관 점(占)을 침. '一成潰'《史記》. ③나타낼관 밝힘. 명백하게 함. '以一欲天下'《漢書》. ④보일관 보게 함. '一古人之象'《書經》. '東一兵至於盟津'《十八史略》. ⑤모양관 ㉠용모. '儀一'. '容一'. '上用目則下飾一'《韓非子》. ㉡상태. '外一'. '海內改一'《後漢書》. ⑥생각관 의견. 견해. '主一'. '達一'. ⑦누각관, 망루관 높이 지은 집. '宮一'. '繕修樓一'《後漢書》. 또, 도사(道士)의 절. 도궁(道宮). '作益延壽一'《史記》. ⑧황새관 鸛(鳥부 18획〈1841〉)과 통용. '一雀蚊虻'《莊子》. ⑨괘이름관 육십사괘(六十四卦)의 하나. 곧, ䷓〈곤하(坤下), 손상(巽上)〉. 아래가 위를 믿고 우러러보는 상(象). ⑩성관 성(姓)의 하나.
字源 形聲. 見+雚〔音〕
參考 覌(見부 2획〈1296〉)·观(見부 3획〈1296〉)은 俗字.

見18〔⿱𤐫見〕25 〔표〕
⿰票見(見부 11획〈1302〉)의 本字

見18〔⿰巂見〕25 유 ㊥齊 | wéi ゲイ みる
字解 볼유 '一, 視也'《集韻》.

見19〔⿰麗見〕26 리 ①②㊄寘 ③㊥支 | lì リ もとめみる リ くわしくみる

字解 ①볼리 '一海陵之倉, 則紅粟流衍'《左思》. ②구하여볼리 구하여서 봄. '一, 求視也'《集韻》. ③살펴볼리 '一, 察視也'《集韻》.
字源 形聲. 見+麗〔音〕

角 部

〔뿔 각 부〕

角0〔角〕7 中·人 ㊀각 ㊇覺 | jiǎo, jué カク つの
㊁록 ㊇屋 | lù ロク ひとのな

筆順 ノ ⺈ ⺈ 角 角 角 角

字解 ㊀①뿔각 ㉠동물의 뿔. '牛一'. '羊一'. '傅翼戴一'《列子》. ㉡달팽이 같은 것의 머리 위에 난 뿔 모양을 한 돌기물. '有國于蝸之左一者'《莊子》. ㉢사람의 액골(額骨). '隆準日一'《後漢書》. ②뿔잡을각 동물의 뿔을 잡아 이를 생포함. 전(轉)하여, 전면(前面)에서 적(敵)을 제어함. '譬如捕鹿, 晉人一之, 諸戎掎之'《左傳》. ③모각, 귀각 모진 데. '隅一'. '稜一'. '屋一'. ④구석각 한쪽으로 치우친 곳. 한모퉁이. '冒頓開圍一一'《史記》. '不存其一一, 而野戰不足用也'《戰國策》. ⑤쌍상투각, 총각각 사내아이가 머리를 좌우로 갈라 뿔처럼 하여 묶은 것. '總一'. '男一女羈'《禮記》. ⑥견줄각 ㉠비교함. '非親一材而臣之'《漢書》. ㉡마주 대하여 겨룸. '一力'. '一無用之虛文'《漢書》. ⑦오음의하나각 음악의 다섯 가지 소리 중의 하나. '宮商一徵羽'. ⑧뿔피리각 군대에서 부는 악기. 모양이 나팔 비슷함. '銅一'. '帝乃命吹一爲龍鳴禦之'《演繁露》. ⑨술그릇각 넉 되들이의 술그릇. '卑者擧一'《禮記》. ⑩되각 용량을 되는 데 쓰는 그릇. '正鈞石, 齊升一'《呂氏春秋》. ⑪깍지각 콩이나 팥 따위의 꼬투리의 껍질. '結細一, 一內有細子'《本草》. ⑫닿을각 접촉함. '物觸地而出, 戴芒一也'《漢書》. ⑬뛸각 '一者, 躍也. 陽氣動躍一'《白虎通》. ⑭짐승각 금수(禽獸). '山無一'《太玄經》. ⑮시도할각 해 봄. '肄射御一力'《呂氏春秋》. ⑯평평하

게할각 '一斗甬'《禮記》. ⑰별이름각 이십팔수(二十八宿)의 하나. 동방(東方)에 있는 청룡(青龍)의 수성(首星)임. '一宿未旦'《楚辭》. ⑱각각 두 직선이 만나 이룬 도형. '銳一'. ⑲성각 성(姓)의 하나. [二] 사람이름록 '一里'는 상산 사호(商山四皓)의 한 사람. 角(用부 1획〈793〉)은 訛字. '一里先生'《十八史略》.
[字源] 象形. 속이 빈 딱딱한 뿔의 모양을 본떠서, '뿔·모'의 뜻을 나타냄.
[參考] '角'을 의부(意符)로 하여, 뿔로 만들어진 물건, 주로 술잔이나, 뿔의 상태·동작 등을 나타내는 문자를 이룸.

角1 〔⿱⺈⿵冂乂〕8 角(前條)의 本字

〔甪〕 〔록〕 用부 1획(793)을 보라.

角2 〔觔〕9 근 [平]文 jīn キン すじ
[字解] ①힘줄근 筋(竹부 6획〈936〉)과 同字. '良馬者, 可以形容一骨相也'《淮南子》. ②열엿냥쭝근 斤(部首〈492〉)과 同字. '得鹽一十二一兩'《舊唐書》.
[字源] 會意. 角＋力

角2 〔觓〕9 구 [平]尤 [上]有 qiú キュウ つののあがりまがったさま
[字解] 굽을구 뿔의 끝이 굽은 모양. '展一角而知傷'《穀梁傳》.
[字源] 形聲. 角＋丩〔音〕

角2 〔⿰角丂〕9 다 [平]歌 duō タ つののみじかいさま
[字解] 뿔짧을다 '一, 角短貌'《字彙》.

角2 〔⿰角丁〕9 〔형〕 衡(角부 6획〈1307〉)의 俗字

角3 〔⿰角叉〕10 차 [平]麻 chā サ こうがい
[字解] 띠장식차 허리띠에 꿰는 장식. '觻, 謂之一'《廣雅》.

角3 〔⿰角工〕10 〔강〕 觵(角부 4획〈1305〉)과 同字

角3 〔⿰角申〕10 [一] 신 [平]眞 shēn シン ■ こうがいにじゅうまいのしょう [二] 건 [平]眞 jīn キン・コン
[字解] [一] 대구(帶鉤)스무개의일컬음신 '一, 觷也, 二十枚曰一'《集韻》. [二] 대구스무개의일컬음건 ■과 뜻이 같음.

角4 〔⿱角牛〕11 〔촉〕 觸(角부 13획〈1311〉)의 古字

角4 〔觖〕11 [一] 결 [入]屑 jué ケツ うらむ [二] 기 [上]紙 qǐ キ のぞむ
[字解] [一] ①서운해할결 불만족하게 여김. '獨此尙一望'《史記》. ②들추어낼결 적발함. '欲摘一以揚我惡'《漢書》. [二] 바랄기 희망함. '以一一切之功哉'《後漢書》. '爲羣臣一望'《史記》.
[字源] 形聲. 角＋夬〔音〕

角4 〔⿰角少〕11 초 [去]效 [平]肴 chāo ソウ・ショウ つのさじ
[字解] ①뿔숟가락초 '一, 角匕也'《廣韻》. ②뿔오를초 뿔이 위로 올라간 모양. '一, 角上皃'《集韻》.

角4 〔⿰角公〕11 [一] 강 [平]江 [二] 종 [平]冬 gāng コウ つのをあげる ショウ つのをあげる
[字解] [一] ①뿔들강 '一, 擧角也'《說文》. ②들강 '一鼎緣橦'《魏大饗碑》. [二] 뿔들종, 들종 ■과 뜻이 같음.
[字源] 形聲. 角＋公〔音〕

角4 〔觗〕11 지 [去]寘 zhì シ さかずき
[字解] ①술잔지 향음주례(鄕飮酒禮)에 쓰는 뿔술잔. '觶, 說文, 鄕飮酒角也. 或从氏'《說文》. ②맞을지 '外一亢貞'《太玄經》.

〔斛〕 〔곡〕 斗부 7획(491)을 보라.

角4 〔觕〕11 추 ①[平]虞 ②[上]麌 cū ソ あらい ソ ほぼ
[字解] ①거칠추 麤(鹿부 22획〈1849〉)와 同字. '其器高以一'《呂氏春秋》. ②대강추 대략. '一擧僚職'《漢書》.

角4 〔⿰爿角〕11 [一] 착 [入]覺 [二] 추 [上]麌 zhuō サク ■ つののながいさま ソ
[字解] [一] 뿔길착 뿔이 긴 모양. 觕(前條)의 本字. [二] 뿔길추 ■과 뜻이 같음.
[字源] 形聲. 角＋爿〔音〕

角4 〔⿰角旡〕11 기 [去]寘 jì キ つの
[字解] 뿔기 '一, 角也, 誤作觧'《字彙》.

角4 〔⿰角化〕11 와 [平]歌 ē カ つの
[字解] 뿔와 '一, 角也'《字彙》.

角 4 〔觗〕 11 〔치〕
觶(角부 12획〈1310〉)의 古字

角 4 〔觛〕 11 탐 [平]覃 | tān タン くらべる
[字解] ①견줄탐 비교함. '一, 角也'《玉篇》. ②시험할탐 하여 봄. '一, 試也'《字彙》.

角 4 〔觤〕 11 觛(前條)과 同字

角 4 〔觟〕 11 파 [平]麻 | pā ハ うしのつのがはる
[字解] 쇠뿔뻗칠파 소의 뿔이 뻗침. '一, 牛角張'《集韻》.

角 5 〔觚〕 12 고 [平]虞 | gū コ さかずき
[字解] ①술잔고 두 되(우리 나라의 1홉 8작(勺) 가량)들이 술잔. '一不一'《論語》. ②네모고 사각형. '漢興破一而爲圜'《漢書》. ③모고 모서리각(角). '成六一'《漢書》. '其一而不堅也'《莊子》. ④법고 규칙. 법칙. '占之以其一'《太玄經》. ⑤대쪽고 간찰(簡札). '或操一以率爾'《陸機》. ⑥칼자루고 검파(劍把). '提劍鋒而掉劍一'《新論》. ⑦홀로고 혼자. '王云, 一, 特立不群《莊子 釋文》. ⑧줄고 菰(艸부 8획〈1150〉)와 통용. '蓮藕一盧'《漢書》.
[字源] 形聲. 角＋瓜〔音〕

角 5 〔觝〕 12 觚(前條)의 俗字

角 5 〔觝〕 12 [一] 저 [上]薺 | dǐ テイ ふれる
[二] 지 [上]紙 | zhǐ シ うつ
[字解] [一] ①닥뜨릴저 抵(手부 5획〈434〉)·牴(牛부 5획〈740〉)와 同字. '一排異端'《韓愈》. ②이를저 도달함. '觸巖一隈'《嵇康》. [二] 칠지 '抵, 說文, 側擊也. 或作一'《集韻》.
[字源] 形聲. 角＋氐〔音〕

角 5 〔觛〕 12 단 [上]旱 | dǎn タン さかずき
[去]翰 | ダン さかずき
[字解] 술잔단 작은 술잔. '一, 卮也'《說文》.
[字源] 形聲. 角＋旦〔音〕

角 5 〔觗〕 12 사 [去]寘 | sì シ つの
[字解] ①뿔사 '一, 角'《玉篇》. ②술잔사 '一, 器名'《字彙》.

角 5 〔觮〕 12 [一] 악 [入]覺 | nuò アク ゆみをととのえる
[二] 약 [入]覺 | ダク·ニャク ゆみをととのえる
[字解] [一] ①활고를악 '一, 調弓也'《集韻》. ②활닦을악 활을 문질러 닦음. '一, 摩弓也'《玉篇》. ③지붕모퉁이악 '一, 屋角'《廣韻》. [二] 활고를약, 활닦을약, 지붕모퉁이약 [一]과 뜻이 같음.
[字源] 形聲. 角＋弱〈省〉〔音〕

角 5 〔觜〕 12 [一] 자 [平]支 | zī スイ とろき
[二] 주 [平]支 | シ うみがめ
[三] 취 [上]紙 | zuǐ シ くちばし
[字解] [一] 별이름자 이십팔수(二十八宿)의 하나. 서방(西方)에 있는 백호(白虎)의 제육성(第六星). '一觿'. '奎婁胃昴畢一參'. [二] 바다거북주 蠵(虫부 12획〈1246〉)와 통용. '戕一觿'《後漢書》. [三] ①부리취 새의 주둥이. '利一'. '裂膝破一'《潘岳》. ②끝취 단각(端角). '鵾鴂飛達青山一'《皇甫松》.
[字源] 形聲. 角＋此〔音〕

角 5 〔觩〕 12 〔학〕
觷(角부 13획〈1311〉)의 俗字

角 5 〔觠〕 12 거 [上]語 | jù キョ けづめ
[字解] ①며느리발톱거 距(足부 5획〈1425〉)와 同字. '距, 說文, 雞距也, 或作一'《集韻》. ②짐승이름거 觬(角부 8획〈1308〉)와 同字. '觬, 獸名, 角似雞距, 或作一'《集韻》.

角 5 〔觜〕 12 겸 [平]鹽 | qián ケン くちばし
[字解] 부리겸 새의 주둥이. '一, 觜也'《玉篇》.

角 5 〔觤〕 12 〔곤〕
髁(骨부 7획〈1758〉)과 同字

角 5 〔觓〕 12 수 [平]尤 | qiú シュウ つの
[字解] 뿔수 '一, 角也'《玉篇》.

角 5 〔觰〕 12 〔타〕
牠(牛부 5획〈740〉)와 同字

角 6 〔解〕 13 [中·人] 해 (개[本]) [上]蟹 | ①-⑫jiě カイ とく
[去]卦 | ⑬-⑰jiè カイ おこたる
[筆順] ⺈ ⺈ 角 角 角 角 解 解
[字解] ①풀해 ㉠맨 것·얽힌 것 등을 풂. '一網'. '衣不一帶'《小學》. 전(轉)하여, 얽힌 일을 풀어 무사히 처리함. '一決'. '患可一也'《孫子》. ㉡원한·화 등을 씻어 버림. '和一'. '一怒'. '羽意旣一'《漢書》. ㉢의심나는 것을 밝혀 알게 함. 또는, 설명함. '一釋'. '師者所以傳道授業一惑也'《韓愈》.

'一經'《小學》. ㉣변명함. '辯一'. '急於自一而謝'《韓愈》. ㉤이해함. 납득이 감. '此臣之未一一也'《諸葛亮》. ㉥자유롭게 함. '一禁'. ㉦파면함. '一職'. '一雇'. ②가를해 쪼개어 나눔. '一剖'. '庖丁一牛'《莊子》. ③흩을해, 흩어질해 헤어지게 함. 또, 헤어짐. '一散'. '民一落'《呂氏春秋》. '恐天下一也'《漢書》. ④벗을해 신 따위를 벗음. '一履'. '一其冠溺其中'《漢書》. ⑤열해 닫은 것을 엶. '一扉'. ⑥떨어질해 탈락함. '鹿角一'《禮記》. ⑦통할해, 통하게할해 통달(通達)함. '無南無北, 爽然四一'《莊子》. ⑧깨달음해 오득(悟得). '空一淵深, 至理高妙'《江總》. ⑨보낼해 지방의 학문·덕행이 뛰어난 자를 서울에 보내어 과거를 보게 함을 '發一'·'一送'이라 함. 전(轉)하여, 널리 보내는 뜻으로 씀. '一發'(임명하여 보냄). '一犯'(범죄자를 호송함). '一餉'(군량을 보냄). ⑩능히해 能(肉부 6획〈1074〉)과 뜻이 같음. 주로, 시(詩)에 씀. '一放胡鷹逐塞鳥'《唐詩》. ⑪괘이름해 육십사괘(六十四卦)의 하나. 곧, ䷧〈감하(坎下), 진상(震上)〉으로서, 곤란에서 벗어나는 상(象). ⑫성해 성(姓)의 하나. ⑬게을리할해, 게으를해 懈(心부 13획〈415〉)와 同字. '不一于位'《詩經》. '三日不一'《禮記》. ⑭없앨해 토산물을 바쳐 재앙을 물리침. '故一之以牛之白顙者'《莊子》. ⑮사과할해 '雖有一除'《後漢書》. ⑯속일해, 거짓해 '一垢, 詭曲之辭'《集韻》. ⑰마을해 관청. 廨(广부 13획〈353〉)와 同字. '高其一舍'《商子》. ※本音 개.

[字源] 會意. 刀+牛+角. 칼로 소를 찢어 가르다의 뜻에서, '해체하다, 풀다'의 뜻을 나타냄. 甲骨文은 쇠뿔에 두 손을 걸치는 모양으로 만듦.

角6 〔⿰角⿱刀丰〕13 解(前條)의 訛字

角6 〔觧〕13 解(前前條)의 俗字

角6 〔觥〕13 굉 (平)庚 | gōng コウ さかずき

[字解] ①뿔잔굉 시우(兕牛)의 뿔로 만든 큰 술잔. '我姑酌彼兕一'《詩經》. ②클굉 '一羊之穀'《太玄經》. ③꿋꿋할굉 강직한 모양. '關東一一郭子橫'《後漢書》.
[字源] 形聲. 角+光〔音〕

角6 〔觡〕13 격 (入)陌 | gé カク えだのあるしかのつの

[字解] 뿔격 사슴 뿔처럼 가지가 있는 뿔. 또, 윤이 나지 않는 딱딱한 뿔. '角一生'《禮記》.
[字源] 形聲. 角+各〔音〕

角6 〔觟〕13 화 (上)馬 | huà カ やのな

[字解] ①화살이름화 화살의 한 가지. '以一矢射雉, 日數百數'《西京雜記》. ②성화 성(姓)의 하나.
[字源] 形聲. 角+圭〔音〕

角6 〔⿰角亘〕13 ㊀훤 (平)元 | xuān ケン つのさじ
㊁희 (平)支 | xī キ つのさじ

[字解] ㊀①뿔숟가락훤 '一, 角匕'《廣韻》. ②억박뿔훤 소의 뿔이 하나는 위로, 하나는 아래로 벋은 뿔. '一, 一曰, 牛角一頫一仰'《集韻》. ㊁ 뿔숟가락희, 억박뿔희 ㊀과 뜻이 같음.
[字源] 形聲. 角+亘〔音〕

角6 〔觤〕13 궤 (上)紙 | guǐ キ ひつじのつのがそろわない

[字解] 양뿔좌우같지않을궤 양뿔이 하나는 길고 하나는 짧음. '一, 羊角不齊也'《說文》.
[字源] 形聲. 角+危〔音〕

角6 〔⿰角多〕13 파 (平)麻 | pá ハ つのがまがる

[字解] 뿔꼬부라질파 '一, 角曲也'《玉篇》.

角6 〔⿴行角〕13 형 (平)庚 | chéng コウ うしのつのがながくたつ

[字解] 쇠뿔길형 소의 뿔이 긴 모양. '一, 牛角長豎'《玉篇》.

角6 〔触〕13 〔촉〕 觸(角부 13획〈1311〉)의 俗字

角6 〔觠〕13 권 (平)先 (去)霰 | quán ケン まがったつの

[字解] 뿔권 굽은 뿔. 또, 뿔이 굽음. '羊角三一, 羷'《爾雅》.
[字源] 形聲. 角+𠔉〔音〕

角6 〔觢〕13 체 (去)霽 | chì セイ うしのつのがあおぐ

[字解] 꿋꿋할체 뿔이 곧음. '其牛一'《易經》.
[字源] 形聲. 角+㓞〔音〕

角7 〔觩〕14 구 (平)尤 | qiú キュウ つのがまがったさま

[字解] ①굽을구 뿔이 꼬부장한 모양. '兕觥其一'《詩經》. ②셀구 활이 센 모양. '一, 弓健貌'《詩經集傳》. ③느슨할구 느즈러짐. '角弓其一'《詩經》.
[字源] 形聲. 角+求〔音〕

角 7 〔觫〕 14 속 [入]屋 | sù ソク しをおそれるさま

[字解] 곱송그릴속 죽음을 두려워하는 모양. 觳(角부 10획〈1310〉)을 보라. '吾不忍其觳一若無罪而就死地'《孟子》.
[字源] 形聲. 角＋束〔音〕

角 7 〔觪〕 14 성 [平]庚 | xīng セイ ゆみがてなれる

[字解] 활손익을성 활이 손에 익숙해짐. '一, 用弓便也'《玉篇》.

角 7 〔觛〕 14 〔훤〕 觛(角부 6획〈1307〉)의 本字

角 7 〔觗〕 14 〔치〕 觶(角부 12획〈1310〉)와 同字

角 7 〔觷〕 14 곡 [入]沃 | hú コク つのをおさめる

[字解] ①뿔다듬을곡 '一, 治角也'《集韻》. ②상아(象牙)다듬을곡 '一, 治象牙'《玉篇》.

角 7 〔觬〕 14 의 [平]支 | yí ギ けもののつの

[字解] 짐승뿔의 '一, 獸角曰一'《集韻》.

角 7 〔觩〕 14 초 [上]巧 | shǎo ソウ うしのつののひらくさま

[字解] ①쇠뿔이좌우로갈라선모양초 '一, 牛角開皃'《集韻》. ②뿔뾰족히날초 '一, 鋭角上'《集韻》.

角 7 〔觟〕 14 [一] 태 [上]蟹 | タイ けもののな
[二] 치 [上]紙 | zhī チ つのがただしくない

[字解] [一] ①해태(解觟)태 廌(广부 10획〈350〉)와 同字. 시비 선악을 안다는 상상의 동물. '廌, 說文, 解廌, 獸也, 似山牛, 一角, 古者決訟, 令觸不直, 象形, 或作一'《集韻》. ②짐승이름태 '一, 獸名'《玉篇》. [二] 뿔이바르지못할치 觽(角부 10획〈1310〉)와 同字. '觽, 角不端, 或从豸'《集韻》.

角 7 〔觽〕 14 희 [上]紙 [平]微 | xǐ キ よいつの

[字解] 좋은뿔희 '一, 好角'《字彙》.

角 8 〔觭〕 15 기 [平]支 | jī キ かたむく

[字解] ①천지각기 하나는 위로 하나는 아래로 향한 소의 뿔. 또, 그런 뿔이 난 소. '角一俯一仰, 一'《爾雅》. ②짝기 둘 있는 것 중의 한 짝. '一偶'. '匹馬一輪, 無反者'《漢書》. ③기이할기 이상함. 奇(大부 5획〈233〉)와 통용. '二曰, 一夢'《周禮》. ④얻을기 꿈에서 얻음. '一, … 言夢之所得'《周禮 注》. ⑤홀수기 기수(奇數). 奇(大부 5획〈233〉)와 통용. '以一偶不作之辭相應'《莊子》.
[字源] 形聲. 角＋奇〔音〕

角 8 〔觬〕 15 예 [平]齊 [上]薺 | ní ゲイ つのがまがる

[字解] ①뿔굽을예 '一, 角一曲也'《說文》. ②고을이름예 '一氏'는 한(漢) 나라 때 고을이 름. 지금의 섬서성(陝西省)의 서북경(西北境). '西河郡, 一是'《漢書》.
[字源] 形聲. 角＋兒〔音〕

角 8 〔觸〕 15 〔거〕 觸(角부 5획〈1306〉)와 同字

角 8 〔觨〕 15 곡 [入]屋 | hú コク うしのつの

[字解] 쇠뿔곡 소의 뿔. '一, 牛角'《字彙》.

角 8 〔觼〕 15 궐 [入]月 | jué ケツ ふれる

[字解] 부딪칠궐 닿음. 스침. '一, 抵觸也'《集韻》.

角 8 〔觰〕 15 [一] 낙 [入]覺 | nuò ニョク にぎる
[二] 탁 [入]覺 | chuò タク かわのな

[字解] [一] 잡을낙 잡아쥠. '一, 握也'《集韻》. [二] 내이름탁 '一, 水名'《集韻》.

角 8 〔觫〕 15 대 [上]賄 | dǎi タイ つののしん

[字解] 뿔심대 뿔 속의 육질(肉質)의 부분. '一, 角心也'《玉篇》.

角 8 〔觮〕 15 론 [去]願 | lùn ロン たまをうってあそぶ

[字解] 공을치는놀이론 '一, 擊丸爲戲'《集韻》.

角 8 〔觶〕 15 비 ①[平]齊 | bēi ヘイ うしのつのがよこにでる
②[平]支 | bēi ヒ よこつの

[字解] ①쇠뿔가로날비 '一, 牛角橫'《集韻》. ②가로난뿔비 '一, 橫角謂之一'《集韻》.

角 8 〔觲〕 15 〔잔〕 琖(玉부 8획〈773〉)과 同字

角 8 〔觯〕 15 졸 [入]月 | zú ソツ つのがはじめてはえる

[字解] ①뿔비로소날졸 '一, 角始生也'《集韻》. ②낄졸 끼움. '一, 挾也'《廣雅》.

角 8 〔⿰角周〕 15 주 [平]尤 zhōu シュウ たつのつの

[字解] 용(龍)뿔주 '一, 龍角也'《玉篇》.

角 8 〔⿰角昆〕 15 혼 [上]阮 hùn コン つののまるいさま [平]元 hún コン つのがまっとい

[字解] ①뿔둥글혼 뿔이 둥근 모양. '一, 角圓皃'《集韻》. ②짐승뿔혼 '一, 一曰, 獸角謂之一'《集韻》. ③통나무혼 棞(木부 10획〈570〉)과 同字. '棞, 木未破也, 一, 角圓皃, 亦上同'《廣韻》. ④뿔온전할혼 '一, 角全也'《集韻》.

角 9 〔⿰角枼〕 16 철 [入]屑 chè テツ こうがい

[字解] ①대구철 혁대의 두 끝을 서로 끼워 맞추게 하는 자물 단추. '天子, 革帶玉鉤一, 皇太子, 革帶金鉤一'《隋書》. ②뿔철 '一, 角也'《玉篇》.

角 9 〔觰〕 16 다 [平]麻 [上]馬 zhā, dǎ タ つののねもと

[字解] ①뿔뿌리다 뿔 밑뿌리 부분의 굵은 곳. '謂角之下大者曰一'《說文 段注》. ②가로난쇠뿔다 소의 뿔이 가로 뻗은 것. '一, 牛角橫'《廣韻》. ③뿔위넓을다 뿔이 위로 갈수록 넓어짐. '一, 角上廣也'《廣韻》. ④클다 '一, 大也'《廣雅》. ⑤근거다 '一拏'는 근거. '今俗謂根據爲一拏'《六書故》.

[字源] 形聲. 角+者〔音〕

角 9 〔䚡〕 16 새 [平]灰 [去]隊 sāi サイ つののしん

[字解] ①뿔속새 뿔 속의 육질(肉質). '一, 角中骨也'《說文》. ②겉반드러운뿔새 뿔의 외피(外皮)가 매끄러운 것. '無一曰觡'《禮記 注》.

[字源] 形聲. 角+思〔音〕

角 9 〔⿰角耑〕 16 단 [平]寒 duān タン けもののな

[字解] 각단(角⿰角耑)단 '角一'은 돼지를 닮은 짐승의 이름. '角一, 獸也, 狀似豕, 角善爲弓. 出胡尸國'《說文》.

[字源] 形聲. 角+耑〔音〕

角 9 〔⿰角咠〕 16 즙 [入]緝 jí シュウ つののかたいさま

[字解] ①뿔단단할즙 뿔이 단단한 모양. '一, 角堅皃'《玉篇》. ②뿔많을즙 뿔이 많은 모양. '一, 多角皃'《集韻》.

角 9 〔⿰角畏〕 16 외 [上]賄 [平]灰 wēi ワイ つののなかごろのまがったところ

[字解] 뿔가운데굽을외 '一, 角曲中也'《說文》.

[字源] 形聲. 角+畏〔音〕

角 9 〔⿰角酋〕 16 추 [平]尤 qiú シュウ いとまき

[字解] 실패추 주살의 줄을 감는 실패. '一, 惟射收繁具'《說文》.

[字源] 形聲. 角+酋〔音〕

角 9 〔觨〕 16 과 [上]馬 guǎ カ うしのつのがひらく

[筆順] ⺈ 角 角 角 角冂 角冋 觨 觨

[字解] 쇠뿔벌어질과 '一, 觰一, 牛角開'《廣韻》.

角 9 〔⿱髟角〕 16 국 [入]沃 jú キョク まがったつの

[字解] 굽은뿔국 '一, 曲角'《集韻》.

角 9 〔⿰角帝〕 16 체 [去]霽 tī テイ ふれる [去]寘 chì チ つの

[字解] ①뿔로받을체 '一, 觸也'《字彙》. ②살쩍밀이체 뿔이나 상아로 만듦. 揥(手부 9획〈454〉)와 同字. '一, 一說, 與揥通, 所以摘髮, 用象骨爲之'《正字通》. ③뿔체 '一, 角也'《字彙》.

角 9 〔⿰角是〕 16 제 [平]齊 tí テイ こうがい

[字解] ①뿔비녀제 '一, 一曰, 鑳也'. ②짐승뿔바르지못할제 '一, 獸角不正'《集韻》. ③⿰角帝(角부 9획〈1309〉)와 통용.

角 9 〔⿰角宣〕 16 훤 xuān ケン つのをふるう

[字解] 뿔휘두를훤 '一, 揮角也'《玉篇》.

角 9 〔觱〕 16 필 [入]質 bì ヒツ ひちりき

[字解] ①악기이름필 '一篥'은 피리. '一篥本龜茲國樂'《明皇雜錄》. ②쌀쌀할필 '一發'은 바람이 쌀쌀한 모양. '一之日一發'《詩經》. ③용솟음칠필 '一沸'은 샘물이 용솟음치는 모양. '一沸檻泉'《詩經》.

[字源] 形聲. 角+咸(或)〔音〕

角 10 〔觲〕 17 성 [平]庚 xīng セイ つのをたくみにつかう

[字解] 뿔잘쓸성 소나 양이 뿔을 아래위로 잘 씀. '一, 用角低仰便也'《說文》.

[字源] 會意. 羊+牛+角

角 10 〔⿰角留〕 17 〔구〕 觓(角부 2획〈1305〉)의 俗字

角10 〔⿰角弱〕17 〔악〕
⿰角⿰弓亏(角부 5획〈1306〉)과 同字

角10 〔⿰角旁〕17 〔방〕
⿰酉旁(酉부 10획〈1540〉)과 同字

角10 〔⿰角枼〕17 설 [入]屑 | zhé セツ かわをなめす
[字解] 가죽다룰설 가죽을 무두질함. 鞢(革부 9획〈1667〉)과 同字. '鞢, 治皮也, 或作一'《集韻》.

角10 〔⿰角秦〕17 진 [上]軫 | zhěn シン つのがそろう
[字解] 양쪽뿔가지런할진 '一, 角齊謂之一'《集韻》.

角10 〔⿰角致〕17 치 [去]寘 | zhì チ くつのそこをさす
[字解] 신바닥찌를치 ⿰至致(至부 12획〈1104〉)와 同字. '⿰至致, 字林, 刺履底也, 或从角'《集韻》.

角10 〔⿰角氣〕17 희 [去]寘 | xī キ よいつの
[字解] 좋은뿔희 '一, 好角也'《玉篇》.

角10 〔⿰角虒〕17 [一] 치 [上]紙 [二] 비 [上]紙 | zhì チ [一][二] つのがかたむく ヒ
[字解] [一] 뿔기울치 뿔이 곧지 않음. '一, 角傾也'《說文》. [二] 뿔기울비 [一]과 뜻이 같음.
[字源] 形聲. 角＋虒〔音〕

角10 〔觳〕17 [一] 곡 [入]屋 (혹[本]) [二] 각 [入]覺 | hú コク さかずき què, ①jué カク くらべる
[字解] [一] ①뿔잔곡 뿔로 만든 큰 잔. ②다할곡 끝이 됨. '雖監門之養, 不一於此'《史記》. ③말곡 斛(斗부 7획〈491〉)과 통용. '庾實二一'《周禮》. ④곱송그릴곡 '一觫'은 죽는 것을 두려워하는 모양. '吾不忍其一觫若無罪而就死地'《孟子》. ※本音 혹. [二] ①견줄각 角(部首〈1304〉)과 同字. '彊弱不一力'《韓非子》. ②마를각 건조함. 윤기가 없음. '其道大一使人憂'《莊子》. ③뒷다리각 짐승의 후족(後足). '主婦俎一折'《儀禮》. ④검소할각 검박(儉朴)함. '其奉君親, 皆以儉一爲無窮計'《唐書》. ⑤발등각 '長及一'《儀禮》. ⑥척박할각 땅이 메마름. '剛而不一'《管子》.
[字源] 形聲. 角＋㱿〔音〕

角10 〔⿱𢍏角〕17 〔권〕
觠(角부 6획〈1307〉)의 本字

角11 〔觴〕18 상 [平]陽 | shāng ショウ さかずき
[字解] ①잔상 술잔. '羽一'. '奉一加璧以進'《左傳》. ②잔낼상 술잔을 남에게 주고 술을 따름. '一曲沃人'《左傳》.
[字源] 形聲. 角＋煬〈省〉〔音〕

角11 〔⿰角國〕18 〔괵〕
摑(手부 11획〈462〉)과 同字

角11 〔⿰角翏〕18 류 [平]尤 | liú リュウ つのがただしくない
[字解] 뿔바르지못할류 '一, 角不正也'《玉篇》.

角11 〔⿰角彖〕18 저 [上]薺 | dǐ テイ ふれる
[字解] 닿을저 접촉함. '一, 觸也'《字彙補》.

角12 〔觶〕19 치 [去]寘 [平]支 | zhì, zhī シ さかずき
[筆順] ⺈ ⺆ 角 角 ⿰角吅 ⿰角𠱠 ⿰角⿱吅甲 觶
[字解] 잔치 향음주(鄕飮酒)의 예(禮)에 쓰는 뿔잔. 일설(一說)에는, 벌주로 마시게 하는 술잔. 또, 일설에는, 빈 술잔. 또 일설에는, 중국 되로 석 되들이 술잔. '尊者擧一'《禮記》.
[字源] 形聲. 角＋單〔音〕

角12 〔⿰角喬〕19 교 [平]蕭 | qiáo キョウ つのがただしくない
[字解] 비뚤교 뿔이 곧지 않고 비뚦. 또, 뿔이 곪. 또, 일설(一說)에는 뿔이 높음. '一其角'《太玄經》.

角12 〔⿰角厥〕19 궐 [入]月 | jué ケツ あばく
[字解] 뿔로받아드러낼궐 '一, 以角發物'《廣韻》.
[字源] 形聲. 角＋厥〔音〕

角12 〔⿰角閒〕19 [一] 약 [入]藥 [二] 간 [去]諫 | yuè ワク いとまき jiàn カン いとまき
[字解] [一] 실패약 '籆, 所以收絲者也…一, 籆或从角閒'《說文》. [二] 나란한뿔간, 실패간 '一, 角雙者爲一. 一曰, 籆也'《集韻》.

角12 〔⿰角發〕19 [一] 폐 [去]隊 [二] 발 [入]曷 [入]月 | fèi ハイ いとまき ハツ いとまき ハツ いとまき
[字解] [一] 실패폐 주살의 줄을 감아 두는 실패. '一, 惟射收繁具也'《說文》. [二] 실패발 [一]과 뜻이 같음.
[字源] 形聲. 角＋發〔音〕

角12 〔觵〕19 〔굉〕
觥(角부 6획〈1307〉)의 本字

角12〔觽〕19 〔결〕
觼(角부 15획〈1311〉)과 同字

角12〔觻〕19 〔살〕
殺(殳부 7획〈612〉)의 古字

角12〔觲〕19 헌 ㊥先 | xīng ケン つのがふしたりあおいだりしてひとしくない

字解 천지각(天地角)헌 하나는 위로 향하고 하나는 아래로 향하여 난 뿔.

角13〔觸〕20 高人 촉 ㊀沃 | chù ショク ふれる

筆順 ⺈ ⺈ 角 角 觓 觔 觸 觸

字解 ①닿을촉 서로 접함. '接—'. ②부딪칠촉 부딪침. '羝羊—藩'《易經》. '睡頭—屛風'《漢書》. ③받을촉 뿔로 받음. '—突'. '—槐而死'《左傳》. ④범할촉 저촉됨. 침범하여 걸려듦. '抵—'. '去禮義, —刑法'《漢書》. ⑤느낄촉 감각함. 감동함. '—目'. '—類而長之'《易經》. ⑥더럽힐촉, 더럽혀질촉 더럽게 함. 더러워짐. 또, 더러운 것. '塵—'. '不受塵事—'《韓愈》. '燋鰥在躬, 輒復塵—'《江淹》. ⑦의거할촉 '—, 據也'《玉篇》. ⑧성촉 성(姓)의 하나.
字源 形聲. 角+蜀〔音〕
參考 触(角부 6획〈1307〉)은 俗字.

角13〔觵〕20 〔즙〕
觵(角부 9획〈1309〉)과 同字

角13〔觼〕20 환 ㊥删 | guān カン つののさま

字解 뿔의모양환 '—, 角皃'《玉篇》.

角13〔觹〕20 〔휴〕
觿(角부 18획〈1312〉)와 同字

角13〔觷〕20 ㊀ 학 ㊀覺 ㊁ 악 ㊀覺 ㊂ 옥 ㊀沃 ㊃ 곡 ㊀屋 | xué カク·ガク ㊀ ㊂ つのをみがく / カク / ヨク / hù コク つののうちあうおと

字解 ㊀ 뿔다듬을학 '—, 治角也'《廣韻》. ㊁ 뿔다듬을악 ㊀과 뜻이 같음. ㊂ 뿔다듬을옥 ㊀과 뜻이 같음. ㊃ 뿔소리곡 뿔이 부딪치는 소리. '—, 角聲'《集韻》.
字源 形聲. 角+學〈省〉〔音〕

角13〔觺〕20 ㊀ 격 ㊀錫 ㊁ 각 ㊀覺 ㊂ 오 ㊥肴 | xí ケキ かざりづの / カク かざりづの / áo ゴウ·ギョウ うつ

字解 ㊀ ①지팡이뿔장식격 지팡이 손잡이의 뿔장식 '—, 杖耑角也'《說文》. ②채찍뿔장식격 채찍손잡이와 끝의 뿔장식. '—, 以角飾莢本末也'《玉篇》. ㊁ 지팡이뿔장식각, 채찍뿔장식각 ㊀과 뜻이 같음. ㊂ 칠오 '—, 擊也'《集韻》.
字源 形聲. 角+敫〔音〕

角14〔觺〕21 ㊀ 의 ㊥支 ㊁ 억 ㊀職 | yí ギ ㊀㊁ つののするどいさま / yí ギョク

字解 ㊀ 뾰족할의 뿔이 뾰족한 모양. '其角——'《楚辭》. ㊁ 뾰족할억 ㊀과 뜻이 같음.

角14〔觻〕21 감 ㊥咸 | jiān カン つの

字解 뿔감 '—, 角也'《字彙》.

角15〔觼〕22 결 ㊀屑 | jué ケツ したのあるわ

字解 쇠고리결 물건과 물건을 끼워 연결시키는 금속제의 고리. '鋈以—軜'《詩經》.
字源 形聲. 角+夐〔音〕
參考 觽(角부 12획〈1311〉)은 同字.

角15〔觵〕22 광 ㊥庚 | kuàng コウ つのでさす

字解 뿔로찌를광 '—, 角刺'《玉篇》.

角15〔觲〕22 표 ㊥蕭 | páo ヒョウ つののな

字解 ①뿔이름표 '—, 角名'《集韻》. ②재갈표 '鑣, 馬銜也. …—, 鑣或从角'《說文》.

角15〔觻〕22 ㊀ 록 ㊀屋 ㊁ 력 ㊀錫 | lù ロク つの / レキ つのさき

字解 ㊀ ①뿔록 '—, 角也'《說文》. ②고을이름록 '—得'은 한(漢)나라의 현(縣)의 이름. 감숙성(甘肅省) 장액현(張掖縣)의 서북쪽. '—, —得, 縣名. 在張掖'《廣韻》. ㊁ 뿔끝력 뿔의 뾰족한 끝. '—, 角鋒'《廣韻》.
字源 形聲. 角+樂〔音〕

角16〔觽〕23 〔휴〕
觿(角부 18획〈1312〉)와 同字

角16〔觾〕23 연 ㊧霰 | yàn エン とりのな

字解 ①새이름연 '雋—'은 새의 이름. 고기가 맛있다고 함. '肉之美者, 雋—之翠'《呂氏春秋》. ②燕(火부 12획〈726〉)의 訛字.

角16〔觱〕23 〔필〕
觱(角부 9획〈1309〉)의 本字

角17〔觸〕24 참 ㊥咸 | chān サン つののさま

字解 뿔의모양참 '—, 角皃'《玉篇》.

角18 〔觿〕25 ㊀훤 ㊥元 xuān ケン·カン ㊀㊁ つのをふるうさま
㊁세 ㊤霽 セイ

字解 ㊀①뿔두를훤 뿔을 흔드는 모양. '一, 揮角皃'《說文》. ②정자이름훤 '一, 梁隅縣有一亭'《說文》. ㊁ 뿔두를세, 정자이름세 ㊀과 뜻이 같음.
字源 形聲. 角＋雚〔音〕

角18 〔觽〕25 자 ㊥支 zī シ かめのいっしゅ
字解 바다거북자 蠵(虫부 12획〈1246〉)와 同字. '蠵, 蠵蠵, 龜屬, 或作一'《集韻》.

角18 〔觿〕25 휴 ㊥齊 xī ケイ つのぎり
字解 뿔송곳휴 뿔 또는 뼈로 만든 매듭을 푸는 송곳같이 생긴 물건. 성인(成人)이 늘 허리에 차고 다녔음. '童子佩一'. (集傳) 一, 錐也. 以象骨爲之. 所以解結. 成人之佩, 非童子之飾也'《詩經》.
字源 形聲. 角＋巂〔音〕

角19 〔觻〕26 ㊀려 ㊥齊 lí レイ つの
㊁사 ㊤紙 shǐ シ わける
字解 ㊀뿔려 '一, 角也'《玉篇》. ㊁나눌사 '一, 分也'《集韻》.

言　部

〔말씀언부〕

言0 〔言〕7 中·人 ㊀언 ㊥元 ①-⑧yán ゲン いう, ことば
㊤願 ⑨yàn ゲン うったえる
㊁은 ㊥眞 yín キン やわらぎつつしむ

筆順 一 二 三 亖 亖 言 言

字解 ㊀①말언, 말씀언 ㉠언어. '以其一正也'《漢書》. ㉡글자. 문자. '獨說四十餘萬一'《揚雄》. ㉢시문 등의 한 구(句). '一一以蔽之'《論語》. ㉣문장. '士載一'《禮記》. ㉤분부. 명령. 가르침. '受一藏之'《詩經》. ②말할언 ㉠발언함. '一志'. '多一'. '對而不一'《禮記》. ㉡말로 나타냄. 표현함. '曰, 難一也'《孟子》. ㉢진술하여 말함. '一, 宣也. 宣彼此之意也'《釋名》. ㉣물어 봄. '及葬一鸞車象人'《周禮》. ㉤논의(論議)함. '使天下之士不敢一'《戰國策》. ③여쭐언 말씀을 올림. '謹再拜一相公閣下'《韓愈》. ④나언 자기. 주로, 시에 씀. '一告師氏'《詩經》. ⑤어조사언 무의미의 조사. 주로, 시에 씀. '永一配命'《詩經》. ⑥높을언 고대(高大)한 모양. '崇墉一一'《詩經》. ⑦꾀언 일을 꾸밈. 모의(謀議). '初旣與余成一兮'《楚辭》. ⑧성언 성(姓)의 하나. ⑨호소할언 고소(告訴)함. 소송을 함. '一, 訟也'《集韻》. ㊁화기애애할은 誾(言부 8획〈1339〉)과 통용. '二爵而一一斯'《禮記》.
字源 會意. 辛＋口. '辛신'은 절손이 있는 날붙이의 象形. '口구'는 맹세의 문서(文書)의 뜻. 불신(不信)이 있을 때에는 죄(罪)를 받을 것을 전제로 한 맹세, 삼가 말하다의 뜻을 나타냄.
參考 '言'을 의부(意符)로 하여, 말이나, 말에 따르는 갖가지 행위에 관한 문자를 이룸.

言1 〔言〕8 〔사〕 詞(言부 5획〈1322〉)의 古字

言2 〔訂〕9 高·人 정 ①②㊤徑 dìng テイ ただす
③④㊥青 tīng テイ はかる

筆順 ≡ 亖 言 言 訁 訂

字解 ①바로잡을정 ㉠사실을 바로잡아 정(定)함. '足有所一正'《晉書》. ㉡문자·문장 등의 틀린 것을 고침. '校一'. '宜酊一一書'《康熙帝》. ②맺을정 약속을 맺음. '一交'. ③평의(評議)할정 공평하게 평의함. '一, 平議也'《說文》. ④평평하게고를정 비교하여 균평(均平)하게 함. '以此一大王文王之道'《詩經 箋》.
字源 形聲. 言＋丁〔音〕

言2 〔訃〕9 부 ㊤遇 fù フ つげる
字解 ①통부(通訃)할부 사람의 죽음을 알림. '內憂遠一'《張說》. ②부고부 사람의 죽은 것을 알리는 통지. '捧一哀號'《柳宗元》. ③이를부 '一, 又至也'《廣韻》.
字源 形聲. 言＋卜〔音〕

言2 〔計〕9 中·人 계 ㊤霽 jì ケイ かぞえる

筆順 ≡ 亖 言 言 訁 計

字解 ①셀계 수를 셈. '一算'. '可一日而待也'《諸葛亮》. 전(轉)하여, 수학. 산술. '學書一'《禮記》. ②수(數)계 ㉠수효. 숫자. '使領郡錢穀一'《漢書》. ㉡총계. 총수(總數). '合一'. '一八百餘字'《侍兒小名錄》. ③헤아릴계 비교하여 조사함. 관리를 사찰함. '以聽官府之六一, 弊群吏之治'《周禮》. ④꾀할계 책략. 계획을 세움. '一謀'. '會薛一事'《史記》. ⑤꾀계 ㉠책략. 계략. '妙一'. '奇一'. '一者事之機也'《史記》. ㉡계

획. 경영. 생계. '身一'. '子孫一'. '一年之一, 莫如樹穀'《管子》. '爲妾門戶一耳'《晉書》. ⑥셈계 회계. '月一'. '一簿'. 또, 그 장부. '受一于甘泉'《漢書》. ⑦성계 성(姓)의 하나.
字源 會意. 言+十

言2〔訒〕9 ㊀잉 ㊥蒸 réng ジョウ あつい ㊁이 ㊥支 ジ あつい
字解 ㊀①후할잉 '一, 厚也'《說文》. ②나아갈잉 '一, 就也'《玉篇》. ③무거울잉 '一, 重也'《玉篇》. ㊁ 후할이, 나아갈이, 무거울이 ㊀과 뜻이 같음.
字源 形聲. 言+乃〔音〕

言2〔訛〕9 〔비〕 訛(言부 4획〈1317〉)와 同字

言2〔訂〕9 현 ㊥先 xuān ケン こえ
字解 ①소리현 '一, 聲也'《字彙》. ②訃(次條)의 訛字. '一, 訃字之譌'《正字通》.

言2〔訃〕9 〔규〕 叫(口부 2획〈145〉)와 同字
字源 形聲. 言+丩〔音〕

言2〔訄〕9 ㊀구 ㊥尤 ㊥豪 ①-③qiú キュウ ㊀㊁ せまる ④kāo コウ ㊁노 ㊥豪 ドウ·ノウ たわむれる
字解 ㊀①급할구 '一, 迫也'《說文》. ②편안할구 '一, 一曰, 安也'《集韻》. ③꾀할구 계획을 세움. '一, 一曰, 謀也'. ④희학질할구 또, 그 말. '一, 戲言'《廣韻》. ㊁ 희학질할노 '一, 戲也'《集韻》.
字源 形聲. 言+九〔音〕

言2〔訅〕9 訄(前條)와 同字

言2〔訇〕9 ㊀굉 ㊥庚 hōng (횡㊍) コウ おおきなおと ㊁균 ㊦震 jùn キン あざむく
字解 ㊀①큰소리굉 여러 가지 큰 소리의 형용. '一然震動, 如雷霆'《韓愈》. ②성굉 성(姓)의 하나. ※本音 횡. ㊁ 속일균 기만함. '訇, 博雅, 欺也. 或作一'《集韻》.
字源 形聲. 言+勻〈省〉〔音〕

言3〔訊〕10 人名 신 ㊦震 xùn ジン とう
筆順 亠 言 訁 訁 訁 訊 訊 訊
字解 ①물을신 ㉠질문함. '君嘗一臣矣'《公羊傳》. ㉡죄상을 물어 조사함. '一問'. '鞫一'. '一群吏'《周禮》. 또, 그 조사. 신문. '從吏一'《漢書》. ㉢방문하여 안부를 물음. '帝朝夕問一, 進膳藥'《後漢書》. 또, 안부. 음신(音信). '不可託一者與'《荀子》. ②알릴신 고(告)함. '一, 告也'《廣韻》. ③간할신 잘못을 고치도록 아룀. '歌以一之'《詩經》. ④말할신 '用情一之'《周禮》. ⑤말신 '執一獲醜'《詩經》. ⑥움직일신, 떨칠신 '猋駭雲一'《漢書》. ⑦나무랄신 책망함. '乃一申胥'《國語》. ⑧다스릴신 병 같은 것을 다스림. '一疾以雅'《禮記》. ⑨빠를신 迅(辵부 3획〈1488〉)과 同字.
字源 金文은 會意. 口+糸+女+厶의 형태로, 잡힌 사람이 구두(口頭)로 질문을 받고 추궁을 당하는 모양에서, '묻다'의 뜻을 나타냄. '訊신'은 形聲으로서, 言+卂〔音〕. '卂신'은 칼로 잽싸게 치다의 뜻. 잇따라 추궁하다의 뜻을 나타냄.

言3〔訙〕10 訊(前條)의 古字

言3〔訉〕10 訊(前前條)의 俗字

言3〔訌〕10 홍 ㊥東 ㊦送 (hóng), hòng コウ みだれる
字解 ①어지러울홍 내부에서 저희끼리 분쟁을 일으켜 무너짐. '蟊賊內一'《詩經》. ②내홍홍 내부의 분쟁. '兵一'. '外阻內一'《唐書》.
字源 形聲. 言+工〔音〕

言3〔討〕10 高·人 토 ㊤晧 tǎo トウ うつ
筆順 亠 言 訁 訁 言 言一 討 討
字解 ①칠토 ㉠공격함. '莒人來一'《左傳》. ㉡죄 있는 자를 정벌하거나 제거함. '一伐'. '天一有罪'《書經》. ㉢윗사람이 아랫사람을 침. '是故天子一而不伐'《孟子》. ㉣꾸짖음. '一, 訶也'《洪武正韻》. ②다스릴토 치죄(治罪)함. '一治有罪, 使之絶惡'《書經 疏》. ③찾을토, 더듬을토 탐구함. '一論'. '探一'. '尋一禍源'《魏志》. ④없앨토 제거함. '其稱人何. 一賊之辭也'《公羊傳》. ⑤어지러울토 뒤섞임. '據鄭所言, 則一者亂也'《說文 段注》. ⑥구(求)할토 '一, 一曰, 求也'《集韻》.
字源 形聲. 言+肘〈省〉〔音〕

言3〔訏〕10 ㊀우 ㊤麌 (후㊍) ㊥虞 ①xǔ ク おおきい ②③xū ク いつわる ㊁호 ㊥虞 hū コ さけぶ
字解 ㊀①클우 큰 모양. '川澤一一'《詩

經》. '洵—且樂'《詩經》. ②거짓우 '—, 詭譌也'《說文》. ③과장할우 과장해 말함. 흰소리침. '—, 大言也'《正字通》. ※本音 후. ㊁ 시끄러울호 소리침. 떠들썩함. '實覃實—'《詩經》.
字源 形聲. 言+于(亐)〔音〕
參考 訐(次次條)은 別字.

言3 〔訏〕10 訏(前條)의 本字

言3 〔訐〕10 ㊀ 알 入月 (갈本) ㊁ 계 去隊 | jié ケツ あばく | jì カイ はばかることなくいう
字解 ㊀ ①들추어낼알 적발(摘發)함. '惡—以爲直者'《論語》. ②비방할알 남의 단처(短處)를 헐뜯어 말함. '—, 持人短'《廣韻》. ※本音 갈. ㊁ 거리낌없이말할계 직언(直言)함. '—, 直言'《集韻》.
字源 形聲. 言+干〔音〕
參考 訏(前前條)는 別字.

言3 〔訑〕10 ㊀ 이 平支 | yí イ とくいなさま
㊁ 타 平歌 | tuó タ いつわる
㊂ 탄 上旱 | dàn タン ほしいまま
字解 ㊀ 으쓱거릴이 '——'는 사람이 경박하고 자존심이 강해 남의 말을 듣지 않는 모양. '——之聲音顔色, 距人於千里之外'《孟子》. ㊁ 속일타 기만함. '或—謾而不疑'《楚辭》. '寡人甚不喜—者言也'《戰國策》. ㊂ 방종할탄 誕(言부 7획〈1330〉)과 同字. '僻陋慢—'《莊子》.
字源 形聲. 言+也〔音〕

言3 〔訒〕10 인 去震 上軫 | rèn ジン·ニン しのぶ
字解 말적을인 과묵하여 함부로 말하지 아니함. '仁者, 其言也—'《論語》.
字源 形聲. 言+刃〔音〕

言3 〔訓〕10 中·人 ㊀ 훈 去問 | xùn クン おしえる
㊁ 순 平眞 | xún シュン みち
筆順 [stroke order sequence] 訓
字解 ㊀ ①가르칠훈 교회(教誨)함. '—諭'. '—誡'. '聽伊尹之—己也, 復歸于亳'《孟子》. ②가르침훈 ㉠교회. '教—正俗'《禮記》. ㉡훈계. 잠언(箴言). '論集往世酒之敗德, 以爲酒—'《魏書》. ③이끌훈 가르쳐 이끎. '四方其—之'《詩經》. ④새길훈 자구(字句)의 뜻을 해석함. '順其義以—之也'《字彙》. ⑤새김훈, 훈훈 자구(字句)의 의의(意義)의 해석. '—詁'. '—義'. '爾雅者所以通詁—之指歸'《郭璞》. ⑥따를훈 순종함. '皇天用—厥道'《書經》. ㊁ 길순 '—, 道也'《集韻》.
字源 形聲. 言+川〔音〕

言3 〔訕〕10 산 去諫 平刪 | shàn サン そしる
字解 헐뜯을산 비방함. '有諫而無—'《禮記》. 또, 헐뜯는 말. 비방. '興誹造—'《韓愈》.
字源 形聲. 言+山〔音〕

言3 〔⿰言彡〕10 訕(前條)의 俗字

言3 〔訖〕10 ㊀ 글 入物 | qì キツ おわる
㊁ 흘 入物 | xì キツ いたる
字解 ㊀ ①마칠글 끝냄. 끝남. '語未—'《漢書》. ②다할글 다 없어짐. '典獄非—于威'《書經》. ③그만둘글 중지함. 멈춤. '毋—糴'《穀梁傳》. ④마침내글 필경. '劉歆—不告'《漢書》. '莽以錢幣—不行'《漢書》. ⑤모두글 모조리. '民—自若是盤'《書經》. ⑥이미글 '—亦有孚'《逸周書》. ㊁ 이를흘 이르기까지. 迄(辵부 3획〈1488〉)과 통용. '—今不改'《漢書》.
字源 形聲. 篆文은 言+气〔音〕

言3 〔託〕10 人名 탁 入藥 | tuō タク よる, よせる
筆順 [stroke order sequence] 託
字解 ①부탁할탁 ㉠청탁함. '請—'. '士之不—諸侯, 何也'《孟子》. ㉡맡김. '委—'. '可以—六尺之孤'《論語》. ②의탁할탁 몸을 남에게 의뢰함. '—食'. '遠—異國, 昔人所悲'《李陵》. 또, 의탁할 데. '上無許史之屬, 下無金張之—'《漢書》. ③핑계할탁 칭탁함. 말막음으로 내세움. '假—'. '—疾辭官'《劉基》. ④우의(寓義)할탁 사물에 뜻을 붙임. '—寄'. '—以他辭'《後漢書》.
字源 形聲. 言+乇〔音〕

言3 〔記〕10 中·人 기 去寘 | jì キ しるす
筆順 [stroke order sequence] 記
字解 ①적을기 씀. '筆—'. '—錄'. '門人—之也'《大學》. ②적은것기 ㉠기록. 문서. '著災異之—'《史記》. '—曰, 脣亡則齒寒'《公羊傳》. ㉡하달문(下達文). 명령서. '出—問墾田頃畝'《漢書》. ㉢상주문(上奏文). '前後十餘通—'《後漢書》. ③기억할기, 욀기 잊지 아니함. '闇—'. '—誦'. '常—在懷'《傳習錄》. ④표기 표지(標識). '—號'. '封還—'《後漢書》. ⑤인기 인장. '鑄銅—給之'《宋史》. ⑥문체이름기 한문의 한 체(體). 사실을 그대로 적은 것.

'一者紀事之文也, 禹貢顧命乃一之祖'《文體明辯》.
字源 形聲. 言+己〔音〕

言3 〔⿰言口〕 10 구 (上)有 | kǒu コウ たたく
字解 ①두드릴구, 애걸할구 연해 동정을 구함. ②웃을구 '一一, 笑也'《廣雅》.
字源 形聲. 言+口〔音〕

言3 〔訉〕 10 범 (去)陷 | fàn ハン ことばがおおい
字解 말많을범 '一, 多言'《集韻》.

言3 〔訫〕 10 신 (去)震 | xìn シン まこと
字解 ①진실신, 진심신 信(人부 7획〈54〉)의 古字. ②사람이름신 '必一·一夫'《宋史, 宗室世系表》.

言3 〔訋〕 10 조 (去)嘯 | diào チョウ つかむ
字解 ①잡을조 '一, 拏也'《廣雅》. ②소리조 '一, 一曰, 聲也'《集韻》. ③성조 성(姓)의 하나.

言3 〔訍〕 10 차 (去)禡 (平)麻 (去)卦 | ①chài シ·シャ あやしいことば ②③chā サ·シャ あばく, つかむ ④⑤chā サイ·シャ うたがい
字解 ①이상한말차 '詍, 異言. 或作一'《集韻》. ②바르집을차 '一, 訐也'《集韻》. ③잡을차 움켜잡음. '一, 拏也'《廣雅》. ④의심차, 의심할차 '一, 又疑心名也'《集韻》. ⑤헐뜯을차 남의 단점을 나쁘게 말함. '一, 一持短'《廣韻》.

言3 〔訧〕 10 〔우〕 訧(言부 4획〈1316〉)의 本字

言3 〔⿰言义〕 10 〔의〕 議(言부 13획〈1357〉)의 俗字

言3 〔⿺廴言〕 10 〔탄〕 誕(言부 7획〈1330〉)의 籀文

言3 〔⿱川言〕 10 훈 (去)問 | xùn クン おしえ
字解 ①가르침훈 訓(言부 3획〈1314〉)의 古字. ②사람이름훈 '伯一·希一'《宋史》.

言3 〔訔〕 10 은 (平)眞 | yín ギン かたる
字解 ①언쟁할은 '一一'은 말하는 모양. 논쟁하는 모양. '一一, 爭辯貌'《字彙》. ②누그러질은, 온화하게논쟁할은 誾(言부 8획〈1339〉)과 同字. '一, 說文, 和悅而諍也'《集韻》.
字源 形聲. 山+言〔音〕

言3 〔⿱夸言〕 10 〔과〕 誇(言부 6획〈1327〉)의 古字

言3 〔⿰言尸〕 10 ㊀희 (平)支 | xī キ わらうこえ ㊁해 (平)佳 | xiē カイ わらう
字解 ㊀①웃는소리희 '一, 笑聲'《集韻》. ②신음(呻吟)할희 '吚, 說文, 唸吚, 呻也, 或作一'《集韻》. ㊁웃을해 '謑, 廣雅, 笑也, 或作一'《集韻》.

言4 〔訛〕 11 와 (平)歌 | é カ あやまる
字解 ①잘못될와, 그릇될와 ㉠문자·언어가 잘못됨. '一傳'. '一字'. '借吏抄書字半一'《林尙仁》. ㉡발음이 변하여 그릇됨. '轉一'. '諸部因呼之爲步搖, 其後音一, 遂爲慕容焉'《晉書》. ②잘못와, 사투리와 '音一'. '校正一謬'《舊唐書》. '自是後人, 語一相承不改耳'《唐國史補》. ③속일와 거짓말을 함. '欺一'. '民之一言'《詩經》. ④거짓와 '叔代澆一'《晉書》. 또, 요괴한 말. 요언(妖言). '民人一謠'《漢書》. ⑤변할와 변화함. '平秩南一'《書經》. ⑥깰와, 움직일와 잠이 깸. '或寢或一'《詩經》. ⑦어긋날와 일치하지 않음. '毫髮盡備無差一'《韓愈》.
字源 形聲. 言+化〔音〕

言4 〔訝〕 11 아 (去)禡 | yà ガ むかえる
字解 ①맞을아 영접하여 위로함. 迓(辵부 4획〈1489〉)와 통용. '一賓于館'《儀禮》. ②의아할아 괴이하게 여김. '怪一'. '驚一'. '高祖一無表'《唐書》. ③놀랄아 '今用一爲相驚之辭'《通訓》.
字源 形聲. 言+牙〔音〕

言4 〔訞〕 11 요 (平)蕭 | yāo ヨウ わざわい
字解 ①요사할요 요망함. 괴이함. '除一言之辠'《漢書》. ②요괴요 妖(女부 4획〈241〉)와 통용. '一孽數起'《大戴禮》. ③재앙요 흉사(凶事). 祆(示부 4획〈885〉)와 통용. '一, 災也'《玉篇》.
字源 形聲. 言+夭〔音〕

言4 〔訟〕 11 高·人 송 (去)宋 | sòng ショウ うったえる
筆順 亠 亖 言 言 言 訁 訟 訟
字解 ①송사할송 법정에 고소하여 시비 곡직의 재판을 원함. 소송. '乃詣闕令, 一老

君素傭錢'《列仙傳》. ②송사송 '必也使無—乎'《論語》. ③시비할송 시비 곡직(是非曲直)이 정하여지지 않아 서로 언쟁함. '會禮之家, 名爲聚—'《後漢書》. ④자책할송 스스로 반성하여 가책을 느낌. '吾未見能見其過而內自—者也'《論語》. ⑤드러낼송 여럿 앞에 공개함. '未敢—言誅之'《史記》. ⑥다스려바로잡을송 '使尹氏與聃啓—周公于晉'《左傳》. ⑦떠들어주장할송 '—謂閭娵爲醜惡'《楚辭》. ⑧송괘송 육십사괘(六十四卦)의 하나. 곧, ䷅〈감하(坎下), 건상(乾上)〉. 다투어 송사하는 상(象). '—有孚窒'《易經》.
[字源] 形聲. 言+公〔音〕

言 4 〔訢〕11 [一]흔 [平]文 xīn キン よろこぶ
[二]은 [平]眞 yín キン やわらぎ つつしむ
[三]희 [平]支 xī キ むす

[字解] [一]①기뻐할흔 欣(欠부 4획〈595〉)과 同字. '終身—然, 樂而忘天下'《孟子》. ②성흔 성(姓)의 하나. [二]화평할은 誾(言부 8획〈1339〉)과 同字. '僮僕——如也'《漢書》. [三]찔희 천지(天地)의 기(氣)가 교합(交合)함. '—, 烝也'《集韻》. '天地—合, 陰陽相得'《禮記》.
[字源] 形聲. 言+斤〔音〕

言 4 〔訣〕11 [人名] 결 [入]屑 jué ケツ わかれる

[筆順] 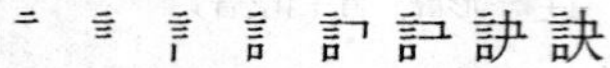

[字解] ①헤어질결 ㉠이별함. 또, 이별. '—別'. '生—'. '與其母—'《史記》. ㉡사별(死別)함. '飮二斗酒, 然後臨—'《晉書》. ②끊을결 절단함. '—厲悄切'《王褒》. ③비결결 비방(祕方). '—要'. '聞長生之—'《魏書》. ④꾸짖을결 노하여 책망함. '—, 怒訶也'《韻會小補》.
[字源] 形聲. 言+決〈省〉〔音〕

言 4 〔訥〕11 눌 [入]月 nè(nà) トツ どもる

[字解] ①말더듬을눌 吶(口부 4획〈150〉)과 同字. '木—'. '—辯'. '拔去—舌'《柳宗元》. ②말적을눌 입이 무거워 말을 잘 하지 아니함. '君子欲—於言, 而敏於行'《論語》.
[字源] 形聲. 言+內〔音〕

言 4 〔訧〕11 우 [平]尤 yóu ユウ とが

[字解] 허물우 ㉠잘못. 尤(尢부 1획〈293〉)와 同字. '俾無—兮'《詩經》. ㉡죄(罪). '—, 罪也. 周書曰, 報以庶—'《說文》.
[字源] 形聲. 言+尤〔音〕

言 4 〔訩〕11 흉 [平]冬 xiōng キョウ いいさわぐ

[字解] ①떠들썩할흉 소란한 모양. '天下——, 只爭品位'《晉書》. ②재화흉 재난. 화란(禍亂). '降此鞠—'《詩經》. ③송사(訟事)할흉 다툼. '不告于—'《詩經》. ④울흉 새 따위가 욺. '—, 鳴也'《廣雅》.
[字源] 形聲. 言+凶〔音〕

言 4 〔訪〕11 [中·人] 방 [去]漾 fǎng ホウ たずねる

[筆順] 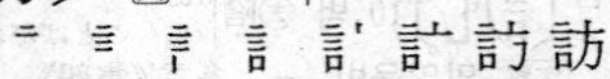

[字解] ①물을방 상의함. 문의함. 질문함. '詢—'. '咨—'. '—以世務'《十八史略》. '王—于箕子'《書經》. ②찾을방 ㉠심방함. '—問'. '來—'. '門人有相—者, 氣象皆好'《朱熹》. ㉡사물을 두루 찾음. 구함. '—採'. '博—遺書'《晉書》. ㉢장소를 찾음. '—古'. '探—'. '—風景於崇阿'《王勃》. ③상의할방 널리 상의하여 물음. '使—物官'《國語》. ④미칠방 '—, 增韻, 及也'《康熙字典》. ⑤바야흐로방 方(部首〈 〉)과 통용. '—以呂氏故, 幾亂天下'《漢書》. ⑥성방 성(姓)의 하나.
[字源] 形聲. 言+方〔音〕

言 4 〔訬〕11 [一]초 [平]肴 ①-③chāo ソウ すばやい
[去]效 ④chǎo ソウ かるい
[二]묘 [上]篠 miǎo ビョウ ほそくてしなやか

[字解] [一]①재빠를초 민첩함. '越人有重遲者, 而人謂之—'《淮南子》. ②어지러울초 시끄러움. '—, —擾也'《說文》. ③교활할초 '—, —日, —獪'《說文》. ④가벼울초 경박함. '輕—褊急'《南史》. [二]①가날플묘 가날프고 예쁜 모양. '—婧之纖腰兮'《張衡》. ②높을묘 숭고한 모양. '—以竦峙'《張衡》.
[字源] 形聲. 言+少〔音〕

言 4 〔設〕11 [中·人] 설 [入]屑 shè セツ もうける

[筆順] 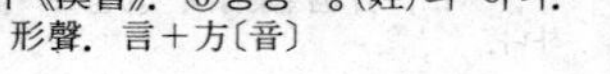

[字解] ①베풀설 ㉠늘어놓음. 진열함. '陳—'. '布—'. '—其裳衣'《中庸》. ㉡세움. '—立'. '建—'. '故高帝—之, 以撫海內'《漢書》. ㉢만듦. 제작함. '門雖—常關'《陶潛》. ㉣둠. 갖추어 둠. '—置'. '—九賓于廷'《史記》. '日令家共具—酒食'《漢書》. ㉤설비함. 시설함. '權之所—'《公羊傳》. ②설령설 가령. 가정하는 말. '假—'·'—使'·'—令'·'—爲'로 연용(連用)하기도 함. '—未得其當, 雖十易之不爲病'《柳宗元》. '—百歲後'《史記》. ③클설, 크게할설 '中其莖, —其後'《周禮》. ④합칠설 '—, 合也'《廣雅》. ⑤

탐할설 욕심을 냄. '一策於前'《戰國策》. ⑥성설 성(姓)의 하나.
[字源] 會意. 言＋殳. '言언'은 기도의 말의 뜻. '殳수'는, 몽둥이를 손에 들고 때리다의 뜻. 완력(腕力)이나 염력(念力)을 끊임없이 가(加)하여 베푸는 모양에서, '베풀다, 늘어놓다'의 뜻을 나타냄.

言 4 〔許〕 11 [中·人] [一]허 [上]語 | xǔ キョ ゆるす
[二]호 [上]虞 | hǔ コ かけごえ
[筆順] 二 亖 言 言 言 言' 言' 許 許
[字解] [一]①허락할허 ㉠승인함. 인가함. '一諾'. '告訴不一'《李密》. ㉡들어 줌. '聽一'. '唯上幸一'《史記》. ㉢맡김. '老母在, 政身未敢以一人也'('政'은 聶政)《史記》. ㉣믿음. '明足以察秋毫之末, 而不見輿薪, 則王一之乎'《孟子》. ②편들허 한편이 됨. '爾之一我'《書經》. ③바랄허 기대함. '管仲晏子之功, 可復一乎'《孟子》. ④나아갈허 앞으로 나아감. '昭玆來一, 繩其祖武'《詩經》. ⑤허락허 '宜蒙亮一'《宋書》. ⑥곳허 장소. '山公出何一'《晉書》. ⑦쯤허 정도. '小一'. '赴河死者, 五萬一人'《漢書》. '山下有石, 高二丈一'《列仙傳》. ⑧얼마허 어느만큼. 얼마만큼. '幾一'. ⑨이허 '如一'로 연용(連用)하여, '如此'의 뜻으로 씀. '面皮厚如一'《南史》. ⑩무엇허 何(人부 5획〈42〉)와 뜻이 같음. '不知一事'《南史》. ⑪나라이름허 주대(周代)의 국명(國名). 하남성(河南省)에 있었음. ⑫성허 성(姓)의 하나. [二]이영차호 여러 사람이 힘을 한목 모아서 쓸 때 신명이 나게 부르는 소리. '邪一'. '伐木一一'《詩經》.
[字源] 形聲. 言＋午〔音〕

言 4 〔⿱言具〕 11 결 [入]屑 | jié ケツ たかくおおきなさま
[字解] ①높고큰모양결, 용장(勇壯)한모양결 '一, 佶佶也'《字彙補》. ②⿱士具(士부 7획〈225〉)의 訛字. '一, ⿱士具字之譌'《康熙字典》.

言 4 〔⿰言日〕 11 과 [去]箇 | guò カ おそい
[字解] 더딜과 느림. 늦음. '一, 遲也'《字彙》.

言 4 〔⿰言王〕 11 〔광〕 謊(言부 10획〈1348〉)의 本字

言 4 〔⿰言匀〕 11 [一]균 [去]震 | jùn キン あざむく
[二]운 [去]震 | yùn イン やわらぐ
[字解] [一]속일균 '一, 欺也'《廣雅》. [二]①화할운 '一, 和也'《六書統》. ②韵(音부 4획〈1680〉)·韻(音부 10획〈1681〉)과 同字. '一, 韵·韻竝同'《正字通》.

言 4 〔⿰言⿱⺈又〕 11 나 [平]麻 | ná ナ ことばがただしくないさま
[字解] 말바르지아니할나 '一, 語不正貌'《字彙補》.

言 4 〔⿰言丑〕 11 뉵 [入]屋 | nǜ ジク はじる
[字解] 부끄러워할뉵 '一, 慙也'《字彙》.

言 4 〔⿰言网〕 11 〔망〕 誷(言부 8획〈1335〉)과 同字

言 4 〔⿰言反〕 11 반 [上]阮 [去]願 [去]翰 | ①fǎn ハン けんどうらしくみえてじつはみちにがっすることば ②fàn ハン かまびすしい ③bàn ハン みずからほこる
[字解] ①도(道)에맞는말반 권도(權道)처럼 보이나 실은 도에 합당한 말씀. '一, 權言合道'《集韻》. ②시끄러울반 '一, 詨也'《集韻》. ③스스로자랑할반 '一, 一諺, 自矜'《集韻》.

言 4 〔⿰言夫〕 11 부 [平]虞 | fú フ はつごのじょじ
[字解] 어조사부 발어(發語)의 조사(助辭). 夫(大부 1획〈231〉)와 同字. '夫, 語端辭, 或从言'《集韻》. '一, 詞也'《玉篇》.

言 4 〔訜〕 11 분 [平]文 | ①fēn フン ことばがさだまらない ②bīn フン ひとがしらない
[字解] ①하는말이일정치않을분 '一, 一⿰言云, 語不定也'《集韻》. ②남이알지못할분 '一, 人不知'《玉篇》.

言 4 〔⿰言比〕 11 비 [上]紙 | pǐ ヒ そなわる
[字解] 갖추어질비 언어(言語)가 갖추어짐. 庀(广부 2획〈343〉)·⿰言匕(言부 2획〈1313〉)와 同字. '一, 具也, 今作庀'《玉篇》. '一, 言具也, 或省'《集韻》.

言 4 〔⿰言戈〕 11 〔식〕 識(言부 12획〈1354〉)과 同字

言 4 〔⿰言引〕 11 〔신〕 矧(矢부 4획〈863〉)과 同字

言 4 〔⿰言卬〕 11 앙 [去]漾 | yàng ギョウ とめる
[字解] 멈출앙 그침. '一, 止也'《玉篇》.

言4 〔䚻〕11 [一] 예 [平]齊 yì エイ しかり
[去]霽 yǐ エイ こたえる
[二] 혜 [上]薺 xì ケイ からかう

[字解] [一] ①그럴예 '그렇다'·'옳거니' 등의 시인(是認)하는 말. 訿(言부 11획〈1352〉)와 同字. '訿, 方言, 欸. 訿, 然也, 或作一'《集韻》. ②대답할예 '一, 譍也'《廣雅》. [二] ①야유할혜 '一, 謷也. (疏證)謂調戲也'《廣雅》. ②성심껏말할혜 '一, 誠言也'《集韻》. ③대답할혜 '一, 譍也'《集韻》.

言4 〔䛃〕11 완 [去]翰 wàn ガン じんめい

[字解] 사람이름완 '一, 人名, 與一見宋史宗室表'《字彙補》.

言4 〔䚺〕11 [一] 왈 [入]黠 wà ガツ いかる
[二] 월 [入]月 ゲツ いかる

[字解] [一] ①성낼왈 노함. 화냄. '一, 怒也'《廣雅》. ②꾸짖을왈 나무람. '一, 一曰, 訶也'《集韻》. [二] 성낼월, 꾸짖을월 [一]과 뜻이 같음.

言4 〔訞〕11 〔요〕 謠(言부 10획〈1347〉)와 同字

言4 〔䚵〕11 운 [平]文 yún ウン ことばがさだまらぬ

[字解] 횡설수설할운 말이 일정(一定)하지 않음. '一, 訜一, 語不定'《集韻》.

言4 〔䚷〕11 [一] 음 [去]沁 yìn イン なきやまぬ
[二] 희 [平]支 xī キ あくびしてものいう

[字解] [一] 울음그치지않을음 '一, 啼不止也'《玉篇》. ②성내어말할음 䚼(次條)과 同字. '一, 同䚼'《玉篇》. [二] ①하품하고말할희 '一, 欠而言也'《六書通》. ②신음할희 '一, 呻也'《六書通》.

言4 〔䚼〕11 음 [去]沁 yìn イン いかってものいう

[字解] 성내어말할음 '一, 譩一, 怒言'《集韻》.

言4 〔䚾〕11 임 [平]侵 rén ジン おもう

[字解] 생각할임 '一, 念也'《集韻》.

言4 〔䛂〕11 〔잉〕 䚮(言부 2획〈1313〉)과 同字

言4 〔䛈〕11 〔저〕 詆(言부 5획〈1320〉)와 同字

言4 〔訨〕11 지 [上]紙 zhǐ シ あばく

[字解] ①들추어낼지 폭로(暴露)함. '一, 訐也'《集韻》. ②속일지 거짓말함. '一, 詐也, 見玉篇'《中華大字典》.

言4 〔䛗〕11 치 [平]寘 zhì シ しらない

[字解] ①알지못할치 '一, 不知也'《集韻》. ②상쾌할치 기분이 좋음. '一, 快也'《廣韻》.

言4 〔䚯〕11 〔치〕 誃(言부 6획〈1327〉)와 同字

言4 〔䛁〕11 두 [上]有 tǒu トウ いざなう

[字解] 꾈두 유혹함. '一, 誘也'《集韻》.

言4 〔䚯〕11 〔현〕 訮(言부 6획〈1328〉)의 俗字

言4 〔䚽〕11 호 [去]號 hào コウ まこと

[字解] 미쁠호 믿음직함. '一, 信也'《集韻》.

言4 〔䚿〕11 호 [去]遇 hù コ しるす

[字解] ①기록할호 '一, 誌也'《廣韻》. ②인정(認定)할호 '一, 認也'《廣韻》.

言4 〔訝〕11 䚿(前條)와 同字

言4 〔訤〕11 [一] 請(言부 8획〈1340〉)와 同字
[二] 詉(言부 5획〈1322〉)와 同字

言4 〔訔〕11 〔훈〕 訓(言부 3획〈1315〉)과 同字

言4 〔䛅〕11 〔희〕 呬(口부 5획〈154〉)와 同字

言4 〔䛆〕11 애 [去]卦 ài アイ こえがたいらかでない

[字解] 볼멘소리애 목소리가 순탄치 않음. 呃(口부 4획〈152〉)와 同字.

言4 〔訰〕11 준 [去]震 [平]眞 zhùn シュン みだれる

[字解] ①어지러울준 어지러워짐. '一一, 亂也'《爾雅》. ②난언(亂言)할준 어지러이 말하는 모양. '一, 亂言之皃'《廣韻》. ③마음산란할준 심란(心亂)함. '一, 心亂皃'《集韻》. ④난잡할준 '肫, 與一肫同. 雜亂之貌'《荀子 注》.

言 4 〔詉〕 11 사 [上]馬 | sa サ しゃべる

[字解] 지껄일사 군이 지껄임. '一, 強事言語也'《字彙》.

言 4 〔訦〕 11 심 [平]侵 [上]寢 | chén シン まこと

[字解] 참심 진실하고 거짓이 없음. '一, 信也'《廣韻》.
[字源] 形聲. 言+冘〔音〕

言 4 〔訲〕 11 [一] 염 [平]鹽 | ゼン しゃべるさま / [二] 남 [平]覃 | nán ダン かたる

[字解] [一] ①수다할염 '一一'은 수다스럽게 지껄이는 모양. '一, 一一, 多語也'《說文》. ②고을이름염 '一邯'은 고을 이름. '一, 樂浪有一邯縣'《說文》. [二] 재재거릴남 '一, 博雅, 一一, 語也. 或作諵·喃'《集韻》.
[字源] 形聲. 言+冄〔音〕

言 4 〔䛃〕 11 억 [入]職 | yì ヨク こころよい

[字解] ①쾌(快)할억 말한 대로 되어 기분이 좋음. ②사람이름억 '崇一'《宋史》.
[字源] 會意. 言+中

言 4 〔𧥢〕 11 〔글〕 訖(言부 3획〈1314〉)의 本字

言 4 〔訫〕 11 〔신〕 信(人부 7획〈54〉)의 古字

言 4 〔䛈〕 11 〔시〕 詩(言부 6획〈1325〉)의 古字

言 4 〔訡〕 11 〔음〕 吟(口부 4획〈150〉)과 同字

言 4 〔𧦅〕 11 〔구〕 謳(言부 11획〈1350〉)의 略字

言 4 〔訳〕 11 〔역〕 譯(言부 13획〈1357〉)의 俗字

言 4 〔䚻〕 11 [一] 요 [平]蕭 | yáo ヨウ すうたい / [二] 유 [平]尤 | ユウ すうたい

[字解] [一] 노래할요 반주(伴奏) 없이 노래함. 謠(言부 10획〈1347〉)와 同字. '一, 徒歌'《說文》. [二] ①노래할유 [一]과 뜻이 같음. ②좇을유 '一, 從也'《廣韻》.
[字源] 會意. 肉+言

言 4 〔𦙍〕 11 䚻(前條)와 同字

言 4 〔𧥣〕 11 〔굉〕 訇(言부 2획〈1313〉)의 籀文

言 5 〔訴〕 12 [高·人] [一] 소 [去]遇 | sù ソ うったえる / [二] 척 [入]陌 | chì セキ そしる

[筆順] 亠 亠 言 言 訂 訢 訢 訴

[字解] [一] ①아뢸소 위에 신고(申告)함. '上有德義, 故敢告一'《史記》. ②하소연할소 원통한 일을 호소함. '一願'. '擧頭若欲自一'《後漢書》. ③송사할소 관청에 호소하여 곡직의 판결을 받기를 청함. '告一'. '一訟'. ④참소할소 윗사람에게 누구를 헐뜯어 고해 바침. '讒一'. '一公於晉侯'《左傳》. ⑤호소소, 참소소 '子輿困臧倉之一'《劉峻》. [二] 헐뜯을척 참소함. 비방함. '一, 毁也'《集韻》.
[字源] 形聲. 言+斥(㡿)〔音〕

言 5 〔𧦝〕 12 訴(前條)의 本字

言 5 〔訶〕 12 가 [平]歌 | hē カ しかる

[字解] ①꾸짖을가 큰 소리로 견책함. '一詰'. '乃一之'《後漢書》. ②꾸지람가 '應一反笑'《顔氏家訓》. ③노할가 성남. 성냄. '一, 怒也'《廣韻》. ④책망할가 견책함. '一, 責也'《廣韻》.
[字源] 形聲. 言+可〔音〕

言 5 〔訹〕 12 술 [入]質 | xù シュツ いざなう

[字解] 꾈술 유혹함. '一飛'《宋史 岳飛傳》. 또, 유혹을 당함. '一邪臣浮說'《漢書》.
[字源] 形聲. 言+朮〔音〕

言 5 〔診〕 12 [人名] 진 [上]軫 [去]震 | zhěn シン みる

[筆順] 亠 亠 言 言 訡 診 診 診

[字解] ①볼진 ㉠눈으로 봄. '上方一視'《後漢書》. '乃自一兮在玆'《楚辭》. ㉡맥을 봄. 병상을 살핌. '一察'. '一脈'. '一切其脈'《史記》. 또, 맥에 나타난 증상. '病名多同而一異, 或死或不死何也'《史記》. ㉢엿봄. '羣臣怪而一之'《後漢書》. ②증거진 증상. '願聞其一'《素問》. ③점칠진 점에 의하여 길흉을 판단함. 일설(一說)에는, 알림. 고(告)함. 畛(田부 5획〈797〉)과 통용. '匠石覺而一其夢'《莊子》.
[字源] 形聲. 言+㐱〔音〕

言 5 〔𧦞〕 12 診(前條)과 同字

言 5 〔𧦟〕 12 診(前前條)의 俗字

言5 〔註〕12 [人名] 주 [去]遇 zhù シュ・チュウ とく

[筆順] 二 亖 亖 言 言 訁 註 註 註

[字解] ①주낼주 본문(本文) 사이나 위 같은 데 뜻을 풀어 밝힘. 주해를 함. '一解'. '欲一莊子'《晉書》. ②주(註)주 주해(註解). '旁一'. '此書詎須一'《晉書》. ③적을주 기술(記述)함. '記一'. '一事一乎志, 所以惡楚子也'《穀梁傳》.

[字源] 形聲. 言+主〔音〕

言5 〔証〕12 [一]정 [去]敬 zhèng セイ・ショウ いさめる [二]증 [去]徑 zhèng セイ・ショウ あかし

[字解] [一] 간할정 윗사람에게 잘못을 고치도록 고함. '士尉以一靖郭君'《戰國策》. [二] 증거증 속(俗)에 證(言부 12획〈1353〉)의 略字로 씀. '范甯據經傳奏上, 皆有典一'《晉書》.

[字源] 形聲. 言+正〔音〕

言5 〔訽〕12 [一]후 [去]有 hòu コウ ののしる [二]구 [去]有 gòu コウ ののしる

[字解] [一] 꾸짖을후 詬(言부 6획〈1325〉)와 同字. '余不忍其一'《左傳》. [二] 꾸짖을구 [一]과 뜻이 같음.

言5 〔詀〕12 [一]잠 [平]咸 zhān タン たわむれる [二]점 [平]鹽 diān テン ことばたくみにいう [三]첩 [入]葉 chè ショウ ささやく

[字解] [一] 희학질할잠 희롱을 함. 교묘하게 말하는 모양. '擧世徒一一'《王安石》. [二] 교묘히말할점 '一, 諞, 巧言'《集韻》. [三] 속삭일첩 '一喃'은 오래도록 소곤소곤 이야기하는 모양. 속삭거리는 모양. '鵲報語一喃'《元稹》.

[字源] 形聲. 言+占〔音〕

言5 〔詄〕12 질 [入]屑 dié テツ わすれる

[字解] ①잊을질 망각(忘却)함. '一, 忘念'《廣韻》. ②단단할질 견고하고 맑은 모양. '天門開, 一蕩蕩'《漢書》. ③널리퍼질질, 넓을질 泆(水부 5획〈636〉)과 통용.

[字源] 形聲. 言+失〔音〕

言5 〔詁〕12 고 [上]麌 [去]遇 gǔ コ ふるいことば, よみ

[字解] 훈고고 문자의 뜻 및 고어(古語)의 해석. '訓一'. '一訓以紀六經讖候'《舊唐書》.

[字源] 形聲. 言+古〔音〕

言5 〔詅〕12 령 [平]青 [去]敬 líng レイ てらう

[字解] 자랑하며팔령 물건을 자랑하며 팖. '無才思自謂清華, (中略) 江南號爲一癡符'《顏氏家訓》.

[字源] 形聲. 言+令〔音〕

言5 〔詆〕12 저 [上]薺 [平]齊 dǐ テイ しかる

[字解] ①꾸짖을저 나무람. '深一'. '痛一'. '作書一佛譏君王'《蘇軾》. ②흉볼저 결점을 들어 말함. '面一'. '醜一'. '排擯一辱'《宋史》. ③들추어낼저 적발함. '一訐'. '一訿孔子之徒'《史記》. ④속일저 기만함. '一欺'.

[字源] 形聲. 言+氐〔音〕

言5 〔詌〕12 감 [去]勘 gàn カン だまる

[字解] 다물감 입을 다묾. '無取一, 一亂也'《荀子》.

言5 〔詍〕12 예 [上]霽 yì エイ おおくいう

[字解] 수다스러울예 말이 많음. '辨利非以言, 是則謂之一'《荀子》.

[字源] 形聲. 言+世〔音〕

言5 〔詎〕12 거 [上]語 jù キョ あに

[字解] ①어찌거 반어(反語)로 쓰이는 말. 豈(豆부 3획〈1369〉)와 뜻이 같음. '寧一'·'庸一'로 연용(連用)하기도 함. '天下一可知而閉長者乎'《後漢書》. '庸一知吾所謂知之非知耶'《莊子》. ②몇거 '一幾'는 확실하지 않은 수효를 이르는 말. 몇. 얼마(쯤). '樂爲之者, 一幾人也'《北史》. ③멈출거, 머물거 '一, 止也'《玉篇》. ④이를거 '一, 至也. 格也'《玉篇》. ⑤적어도거 '一非聖人, 不有外患, 必有內憂'《經傳釋詞》. ⑥부터거 …에서. …부터는. '一非聖人, 必偏而後可'《國語》.

[字源] 形聲. 言+巨〔音〕

言5 〔詐〕12 [高人] 사 [去]禡 zhà サ あざむく

[筆順] 二 亖 亖 言 言 訁 訁 詐 詐

[字解] ①속일사 교묘한 꾀를 써서 기만함. '一取'. '一之得脫'《史記》. ②거짓사 속임. 사기. 거짓말. '一僞'. '民苦則不仁, 勞則一生'《說苑》. '無伐功而求榮富, 一也'《呂氏春秋》. ③말꾸밀사, 교묘한말사 '巧言爲一'《淮南子 注》. ④함정에빠뜨릴사 수단을 써서 속임. '繁戰之君, 不足於一'《呂氏春秋》. ⑤갑자기사 갑작스러움. 乍(丿부 4획〈18〉)

와 통용. '—戰不日'《公羊傳》.
[字源] 形聲. 言+乍〔音〕

言 5 〔詒〕12 [一]태 [上]賄 [去]隊 dài タイ あざむく
[二]이 [平]支 [去]寘 yí イ おくる

[字解] [一] ①속일태 기만함. 紿(糸부 5획〈986〉)와 同字. '骨肉相—'《徐幹》. ②게으를태 나태한 모양. '誒—爲病, 數日不出'《莊子》. [二] ①줄이, 보낼이 증여함. 貽(貝부 5획〈1387〉)와 통용. '叔向使人—子產書'《左傳》. ②끼칠이 물려줌. 전함. 貽(貝부 5획〈1387〉)와 통용. '—厥孫謀'《詩經》. ③부칠이 '夫請者非可—託而往也'《穀梁傳》.
[字源] 形聲. 言+台〔音〕

言 5 〔訑〕12 詒(前條)와 同字

言 5 〔詔〕12 [人名] [一]조 [去]嘯 zhào ショウ つげる
[二]소 [平]蕭 zhāo

[筆順] 二 三 言 言 訂 訒 訒 詔 詔

[字解] ①조서조 천자(天子)의 명령. '聖—'. '命爲制, 令爲—'《史記》. ②알릴조 ㉠위에서 밑으로 알림. '—, 按, 上告下之義'《通訓》. ㉡신(神)에게 고(告)함. '司勳—之'《周禮》. ㉢고하여 알림. 보고함. '出入有—於國'《禮記》. ㉣말함. '若唯無—'《莊子》. ③가르칠조 가르쳐 알림. 가르쳐 인도함. '—告'. '爲人父者, 必能—其子'《莊子》. ④도울조 보필(輔弼)함. '以八柄—王馭群臣'《周禮》. ⑤부를조 초빙함. '—伊尹於亳郊兮'《後漢書》. ⑥왕호조 남방 야만인의 왕(王)의 호(號). '南—'. '自號六—'《唐書》. [二] 소개소 紹(糸부 5획〈985〉)와 통용. '—禮有擯—'《禮記》.
[字源] 形聲. 言+召〔音〕

言 5 〔評〕12 [高·人] 평 [平]庚 [去]敬 píng ヒョウ しなさだめ

[筆順] 二 三 言 言 訁 訐 訮 評

[字解] ①품평평 사물의 시비·우열에 관한 논평. '批—'. '論—'. '著詩—'《南史》. '品古今詩爲—'《南史》. ②품평할평 비평함. [illegible]음. '互相譏—'《舊唐書》. '強—價色'《李義山雜纂》. ③바로잡을평 '—, 訂也'《一切經音義》. ④성평 성(姓)의 하나.
[字源] 形聲. 言+平〔音〕

言 5 〔詖〕12 피 [去]寘 [平]支 bì ヒ かたよる
[字解] ①치우칠피 편파적임. '—辭知其所蔽'《孟子》. ②교활할피 간사하고 꾀가 많음. '趙敬險—'《漢書》. ③판별해논할피 분석해서 사리를 밝혀 말함. '—, 辯辟'《廣韻》. ④비뚤어질피 공정하지 않음. '而無險—私謁之心'《詩經》. ⑤기울피 '不從俗而—行兮'《楚辭》. ⑥아첨할피 아부함. '險—陰賊'《漢書》.
[字源] 形聲. 言+皮〔音〕

言 5 〔詗〕12 형 [去]敬 [上]迥 xiòng ケイ うかがう
[字解] ①염탐할형 남몰래 사정을 탐지함. 염찰함. '覘—'. '窺—時事'《唐書》. ②염탐꾼형 염탐하는 자. 간첩. '爲中—長安'《史記》. ③구(求)할형 찾음. '—, 求也'《廣雅》. ④깨달을형 환히 깨달아 앎. '—, 明悟了知也'《廣韻》.
[字源] 形聲. 言+冋〔音〕

言 5 〔詘〕12 [一]굴 [入]物 qū クツ かがむ
[二]출 [入]質 chù チュツ しりぞける
[三]눌 [入]月 nè トツ どもる

[字解] [一] ①굽을굴, 굽힐굴 屈(尸부 5획〈297〉)과 同字. ㉠물건을 굽힘. '—五指'《荀子》. ㉡뜻을 굽힘. '能以富貴下貧賤, 賢能—於不肖'《史記》. ㉢몸을 굽혀 복종함. '—敵國'《戰國策》. ②말막힐굴, 궁할굴 대꾸할 말이 없어 입을 다묾. '於是魏王聞其言也甚—'《戰國策》. 또, 대꾸할 말이 없어 입을 다물도록 함. '莫能—其辭'《劉向》. ③다할굴 다 없어짐. '徼呪受—'《漢書》. ④기뻐할굴 기뻐하는 빛이 겉에 나타나는 모양. '敬以—'《禮記》. ⑤짧을굴 '往者—也, 來者信也'《周髀算經》. ⑥줄굴, 줄게할굴 적어짐. 적게 함. '皆—其勞'《史記》. ⑦접을굴 '凡陳衣不—'《禮記》. ⑧두려워할굴 '無所—'《漢書》. ⑨도리어굴 '—令韓魏歸帝重於齊'《戰國策》. ⑩성굴 성(姓)의 하나. [二] 떨어뜨릴출, 물리칠출 黜(黑부 5획〈1862〉)과 同字. '秦勢能—之'《戰國策》. [三] 말더듬을눌 訥(言부 4획〈1316〉)과 同字. '訥, 說文, 言難也. 亦作—'《集韻》.
[字源] 形聲. 言+屈〈省〉〔音〕

言 5 〔詛〕12 저 (조[本]) ①-④[去]御 ⑤[上]語 zǔ ショ のろう
[字解] ①저주할저 원한을 품은 사람에게 화가 내리기를 신에게 빎. '否則厥口—祝'《書經》. ②저주저 '呪—'. '幸免兆人—'《白居易》. ③헐뜯을저 비방함. '謗—'. '皆匈詈腹—'《後漢書》. ④맹세할저 서약함. 또, 맹세. '掌盟—'《周禮》. '出此三物, 以—爾斯'《詩經》. ⑤막을저 저지함. '使人行事—限於言也'《釋名》. ※本音 조.
[字源] 形聲. 言+且〔音〕

言5〔詞〕12 高·人 사 (平)支 | cí シ いう, ことば

筆順 ⺀ 三 言 訂 訂 詞 詞 詞

字解 ①고할사 알림. '其一于賓曰'《禮記》. ②말사 언어 또는 문장. 辭(辛부 12획〈1485〉)와 혼용(混用)함. '文一'. '祝一'. '春秋之信史也, 其一則丘有罪焉爾'《公羊傳》. ③설(說)할사 말함. '一, 說也'《廣韻》. ④청할사 '一, 請也'《廣韻》. ⑤호소할사 소송(訴訟)함. 고소함. '一, 訟也'《字彙》. ⑥계승할사 이음. 상속함. '一, 嗣也'《釋名》. ⑦시문사, 문체이름사 원래는 시문(詩文)의 범칭(汎稱)이었으나, 후에 운문(韻文)의 한 가지인 시여(詩餘)의 특칭(特稱)으로 되었음. '一曲'(당대(唐代)에 시작된 악부(樂府)의 한 체(體), 곡(曲)은 노래 가락). '是時天子方好文一'《史記》.

字源 形聲. 言+司〔音〕

言5〔䛐〕12 詞(前條)의 本字

言5〔詠〕12 高·人 영 (去)敬 | yǒng エイ うたう

筆順 ⺀ 三 言 言' 訁 詠 詠 詠

字解 ①읊을영 ㉠소리를 길게 빼어 시가(詩歌)를 노래함. '吟一'. '朗一'. '船上有一詩聲, 甚有情致'《世說》. ㉡시가를 지어 읊음. '君臣之際良可一矣'《袁宏》. ㉢새가 재잘거림. 지저귐. '耳悲一時禽'《陸機》. ②시가영 읊는 시가(詩歌) 또는 사장(詞章). '歌一'. '詩一'. '雅頌歌一, 以思其德'《劉向》.

字源 形聲. 言+永〔音〕

言5〔詇〕12 앙 (去)漾 ㊤養 | yàng ヨウ·オウ さとい

字解 ①슬기로울앙 '一, 早知也'《說文》. ②물을앙 '一, 問也'《廣雅》. ③고할앙 아룀. 알림. '一, 告也'《廣雅》. ④강제할앙 강청(強請)함. '人所不願而強請之爲一求'《新方言》.

字源 形聲. 言+央〔音〕

言5〔袍〕12 ㊀포 (平)豪 ㊁도 (平)豪 | páo ホウ でたらめなことば tāo トウ でたらめなことば

字解 ㊀난잡한말포 '一, 一譆, 亂語'《集韻》. ㊁난잡한말도, 어린아이의서툰말도 謟(言부 8획〈1338〉)와 同字. '謟, 詨謟, 言不節. 說文曰, 往來言也. 一曰, 小兒未能正言也. 一, 上同'《廣韻》.

言5〔誀〕12 ㊀혜 (平)齊 ㊁지 (平)支 ㊤紙 | xī ケイ よろこびわらってやまぬさま zhī シ ととのえる

字解 ㊀빙글빙글할혜 기뻐서 웃음을 참지 못하는 모양. '一, 喜笑不止皃'《集韻》. ㊁①고를지 '一, 博雅, 調也'《集韻》. ②이를지 '一, 謂也'《廣雅》.

言5〔詋〕12 주 (去)有 | zhòu チュウ のろう

字解 ①저주할주 '一, 詶也'《說文》. ②빌주 '一, 祝也'《玉篇》.

字源 形聲. 言+由〔音〕

言5〔評〕12 호 ①-③(平)虞 ④(去)號 | hū コ·ク めす コウ あざむく

筆順 ⺀ 三 言 訂 訐 評 評 評

字解 ①부를호 불러 오게 함. '召, 一也. 後人以呼代之. 呼行而一廢矣'《說文段注》. ②아호 嘑(口부 11획〈181〉)와 통용. '一, 鳴也'《廣雅》. ③부르짖을호, 외칠호 '一, 喚也'《玉篇》. ④속일호 '一, 欺也'《康熙字典》.

字源 形聲. 言+乎〔音〕

言5〔謼〕12 評(前條)의 本字

言5〔詍〕12 원 (去)願 ㊤阮 | yuǎn エン なぐさめる

字解 ①위로할원 '一, 慰也'《廣韻》. ②좇을원 따름. '一, 從也'《廣韻》. ③원망할원 '一, 一日, 懟也'《集韻》.

字源 形聲. 言+夗〔音〕

言5〔詈〕12 詍(前條)과 同字

言5〔詉〕12 ㊀노 (平)肴 ㊁나 (平)麻 (去)禡 ㊂노 (去)遇 | náo ドウ·ニョウ かまびすしい ダ·ナ かたるさま ダ·ナ いつわる ド·ヌ わるくいう

字解 ㊀떠들썩할노 시끄러움. 呶(口부 5획〈155〉)와 同字. '以號一爲令德'《舊唐書》. ㊁①말할나 말하는 모양. '一, 諸一, 語皃'《廣韻》. ②말이해되지않을나 '一, 諸一, 一日, 言不可解'《集韻》. ③속일나 '諸一'는 속임. '一, 諸一, 詐也'《集韻》. ㊂나쁘게말할노 '一, 惡言'《集韻》.

言5〔詄〕12 〔결〕 訣(言부 4획〈1316〉)의 本字

言5〔詑〕12 〔이〕 訑(言부 3획〈1314〉)와 同字

言 5 〔詑〕12 詑(前條)와 同字

言 5 〔詋〕12 〔주〕 呪(口부 5획〈154〉)와 同字

言 5 〔設〕12 〔설〕 設(言부 4획〈1316〉)의 俗字

言 5 〔訿〕12 訾(次條)와 同字

言 5 〔訾〕12 자 ①-③[上]紙 ④-⑨[平]支 | zǐ シ そしる zī シ やまい, きず

[字解] ①헐뜯을자 헐어 말함. '不苟—'《禮記》. ②싫어할자 좋아하지 아니함. '—食者, 不肥體'《管子》. ③방자할자 제멋대로 굶. '以不俗爲俗, 離蹤而跂—者也'《荀子》. ④되질할자 곡식을 되로 됨. '—粟而稅'《商子》. 또, '不—'는 수(數)의 큼을 나타내는 말. ⑤흠자 병통. 결점. '非禮之—'《禮記》. ⑥생각할자 '不—重器'《禮記》. ⑦한정할자 제한하여 정함. '有—程事律'《管子》. ⑧아자, 탄식할자 탄식하는 말. 차탄함. 呰(口부 6획〈161〉)와 同字. '—黃其何不徠下'《漢書》. ⑨재보자 보배로운 재물. 貲(貝부 5획〈1388〉)와 통용. '以—爲郎'《漢書》.

[字源] 形聲. 言+此〔音〕

言 5 〔詈〕12 리 [去]寘 | lì リ ののしる

[字解] ①꾸짖을리 욕하며 꾸짖음. '罵—'. '小人怨汝—汝'《書經》. ②빗대어욕할리 '—, 正斥曰罵, 旁及曰—'《韻會》.

[字源] 會意. 罒(网)+言

言 5 〔謈〕12 〔모〕 謀(言부 9획〈1343〉)의 古字

言 5 〔辯〕12 〔변〕 辯(辛부 14획〈1486〉)의 俗字

言 5 〔詓〕12 거 [上]語 | qǔ キョ やすらかなねいき

[字解] 숨소리거 숨소리. 편안하게 잠자는 숨소리. '古之民人, 臥之—, 起之吁吁'《白虎通》.

言 5 〔誸〕12 견 [上]銑 | jiǎn ケン いざなう

[字解] ①꾈견 꾐. 유혹함. '—, 誘也'《集韻》. ②속일견 속임. 기만함. '—, 詐也'《集韻》.

言 5 〔詉〕12 나 [平]麻 | ná ナ ことばがわからない

[字解] 말알아듣지못할나 말을 알아듣지 못함. '—, 絲—, 語不解也'《廣韻》.

言 5 〔詜〕12 〔녕〕 佞(人부 5획〈44〉)과 同字

言 5 〔詎〕12 니 [平]齊 [上]紙 [去]霽 | デイ ひとをよぶ nǐ ジ いいしめす デイ ことばがつうじない

[字解] ①사람부를니 사람을 부름. 사람을 오게 함. '—, 呼人也'《玉篇》. ②말해줄니 말해 줌. 가르쳐 줌. '—, 言以示人, 或从口'《集韻》. ③말안통할니 말이 통하지 아니함. '—, 言不通也'《集韻》.

言 5 〔詚〕12 달 [入]曷 | dá タツ しずかでない

[字解] 조용하지않을달 조용하지 않음. '—, 兜—, 不靜也'《字彙》.

言 5 〔詨〕12 도 [平]豪 | tāo トウ ことばにせつどがない

[字解] ①말절도없을도 말에 절도가 없음. 수선스러움. '—, —詾, 言不節也'《玉篇》. ②정확하지못한말도 정확하지 못한 말. 어린애의 말 따위. '—, 一曰, 小兒語不正'《集韻》.

言 5 〔詎〕12 민 [去]霰 | miàn ベン くどく

[字解] 꾀는말민 꾀는 말. 검질기게 설득함. '—, 誘言也'《集韻》.

言 5 〔詸〕12 〔밀〕 謐(言부 10획〈1346〉)과 同字

言 5 〔詊〕12 반 [去]翰 | pàn ハン たくみにいう

[字解] 말교묘하게할반 말을 교묘하게 함. '—, 巧言'《集韻》.

言 5 〔詙〕12 발 [入]黠 | bá ハツ むかしのふじんのな

[筆順] 二 三 言 言 言一 訃 訪 詙 詙

[字解] 신농씨부인이름발 신농씨(神農氏) 부인 이름. '神農納奔水氏之女曰聽—爲妃'《史記》.

言 5 〔訉〕12 범 [平]咸 | fān ハン くちばやにいう

[字解] 빠르게말할범 빠르게 말함. '—, 言急'《集韻》.

言 5 〔辯〕12 〔변〕 辯(辛부 14획〈1486〉)의 俗字

言5 〔[illegible]〕 12 〔변〕
辯(辛부 14획〈1486〉)의 俗字

言5 〔詂〕 12 부 [去]遇 | fù フ かこつける
[字解] 구실삼을부 구실삼음. 핑계삼음. 빙자해서 말함. '一, 言有所依也, 或从附'《集韻》.

言5 〔⿰言弗〕 12 비 [平]未 | fèi ヒ ことばがはやい
[字解] ①말빠를비 말이 빠름. '一, 言急也'《正字通》. ②말많을비 말이 많음. '一, 多言也'《集韻》.

言5 〔詄〕 12 시 [去]寘 | shì シ かきしるす
[字解] 기록할시 기록함. 씀. 적어 둠. '一, 一志'《廣韻》.

言5 〔訷〕 12 신 [平]眞 | shēn シン とく
[字解] ①설명할신 설명함. 설득함. '一, 說也'《集韻》. ②말할신 말함. 진술함.
[參考] 伸(人부 5획〈40〉)의 俗字.

言5 〔⿰言厄〕 12 〔액〕
呃(口부 5획〈156〉)와 同字

言5 〔⿰言㕣〕 12 연 [上]銑 | yuǎn エン わらうさま
[字解] ①웃는모양연 웃는 모양. '一, 笑皃'《集韻》. ②좋게말할연 좋게 말함. 좋은 말. '一, 善言'《玉篇》.

言5 〔⿰言冄〕 12 〔염〕
誹(言부 4획〈1319〉)과 同字

言5 〔詏〕 12 요 [去]效 | yào ヨウ いいさからう
[字解] 거스를요 거스름. 말대답을 함. '一, 言逆也'《集韻》.

言5 〔⿰言他〕 12 〔이〕
訑(言부 3획〈1314〉)의 俗字

言5 〔⿰言匜〕 12 〔이〕
訑(言부 3획〈1314〉)의 俗字

言5 〔⿰言仍〕 12 잉 [平]青 | réng ゼイ よる
[字解] ①말미암을잉 말미암음. 기인함. '一, 因也, 重也'《字彙補》. ②겹칠잉 겹침.

言5 〔⿰言戎〕 12 자 [去]寘 | jì シ はかる
[字解] ①꾀할자 꾀함. '一, 謀也'《集韻》. ②사람이름자 사람 이름.

言5 〔詝〕 12 저 [上]語 | zhǔ チョ さとい
[字解] 슬기로울저 슬기로움. 총명함. 선견지명이 있음. '一, 有所知也'《廣韻》.

言5 〔訵〕 12 치 [去]寘 | chī チ ひそかにうかがいしる
[字解] ①은근히알치 은근히 앎. '一, 陰知伺察也'《集韻》. ②모를치 모름.

言5 〔⿰言布〕 12 포 [去]遇 | pù ホ いさめる
[字解] ①간할포 간함. 윗사람의 잘못을 지적하여 고치도록 함. '一, 諫也'《集韻》. ②베풀어펼포 베풀어 폄. 펴서 깖. '一, 與布通, 敷陳也'《正字通》.

言5 〔⿰言甲〕 12 합 [入]合 | xiá コウ おおくものいう
[字解] 수다할합 ㉠수다스러움. 말이 많음. '一, 多言, 或作嗑'《玉篇》. ㉡빠른 말로 지껄이는 소리. '一, 譅一, 語聲也'《集韻》.

言5 〔⿰言穴〕 12 혈 [入]屑 | xuè ケツ いかる
[字解] ①성낼혈 성냄. 노함. '一, 怒也'《廣雅》. ②꾸짖을혈 꾸짖음. 책망함. '一, 怒訶也'《玉篇》.

言5 〔訸〕 12 화 [平]歌 | hé カ たいら
[字解] 화평할화 화평함. 평탄함. '一, 平也'《玉篇》.

言5 〔⿰言号〕 12 [一] 효 [平]蕭 | xiāo キョウ うつろ
[二] 호 [去]號 | háo コウ かぜのおと
[字解] [一] 헛배부를효 헛배가 부름. [二] 바람소리호 바람 소리. 부르짖는 소리. 嗃(口부 5획〈156〉)와 同字. '嗃, 或作一'《集韻》.

言6 〔詡〕 13 후 [上]麌 | xǔ ク ほこる
[字解] ①자랑할후 자찬함. 또, 큰소리를 함. 호언 장담함. '誇一衆庶'《漢書》. ②두루미칠후 널리 고루 미침. '德發揚, 一萬物'《禮記》. ③클후 '尙泰奢, 麗誇一'《漢書》. ④날랠후 민첩하고 용감함. '會同主一'《禮記》. ⑤아리따울후 예쁨. 요염함. 嫵(女부 12획〈263〉)와 통용. '北方人謂媚好爲一畜'《漢書 注》. ⑥말후 ㉠사람의 언어. '一, 人語也'《玉篇》. ㉡분명하고 세련된 말. '一者, 辭氣明盛之貌'《禮記 集說》.

字源 形聲. 言+羽〔音〕

言6〔詢〕13 순 ㊤眞|xún シュン とう

字解 ①물을순 상의함. 문의함. '一咨'. '周爰咨一'《詩經》. '先民有言, 一于芻蕘'《詩經》. ②같을순 '一十有二變'《尙書大傳》.

字源 形聲. 言+旬〔音〕

言6〔詣〕13 예 ㊦霽|yì ケイ いたる

字解 ①이를예 ㉠장소에 가 닿음. 또, 와 닿음. 도달함. '代王乘傳, 一長安'《史記》. ㉡계절이나 절후(節候)가 옴. '一, 候至也'《說文》. ㉢방문함. '陳太邱一荀朗陵'《世說》. ㉣관청에 출두함. '乃一關令訟老君'《列仙傳》. ㉤불사에 가서 참배함. '元日一佛寺'《世說》. ㉥학문·기예 따위가 깊은 경지에 이름. '學業深入曰造一'《正字通》. ②갈예 '一, 往也'《玉篇》. ③나아갈예 '一, 進也'《小爾雅》.

字源 形聲. 言+旨〔音〕

言6〔謊〕13 황 ㊤陽 ㊤養|huǎng コウ ねごと

字解 ①잠꼬대황 섬어(譫語). ②속일황 기만함. '無由接而見一'《呂氏春秋》. ③망령된말황 망언(妄言). '一, 妄語也'《正字通》.

字源 形聲. 言+巟〔音〕

言6〔謊〕13 謊(前條)의 本字

言6〔試〕13 中·人 시 ㊦寘|shì シ ためす

筆順 ⼆ ⼆ 言 言 言 訁 訁 試 試

字解 ①시험할시 시험하여 봄. '一驗'. '一射'. 또, 시험적으로의 뜻으로 쓰이는데, '嘗一'로 연용(連用)하기도 함. '王一爲之, 有驗'《列仙傳》. '嘗一言之'《莊子》. ②시험시 '擧子就一偶疏脫'《蘇子瞻雜纂》. ③조사할시, 살펴볼시 '一其弓弩'《周禮》. '臣請一之'《戰國策》. ④견줄시 비교함. '一, 增韻, 較也'《康熙字典》. ⑤쓸시 사용함. '刑不一而民咸服'《禮記》. ⑥성시 성(姓)의 하나.

字源 形聲. 言+式〔音〕

言6〔詩〕13 中·人 시 ㊤支|shī シ からうた

筆順 ⼆ ⼆ 言 言 言 計 詩 詩 詩

字解 ①시시 운문(韻文)의 한 체(體). 고시(古詩)와 금시(今詩)의 두 가지가 있음. '唐一'. '近體一'. '一言志'《書經》. ②시경시 오경(五經)의 하나. 공자(孔子)가 취사·선정하였다고 하는 고대(古代)의 시 311 편(篇)을 수록하였음. 모시(毛詩). '一曰衣錦尙絅'《中庸》. ③받들시 받들어 가짐. '寢門外一負之'《禮記》. ④노래할시 읊음. '一以道之'《國語》. ⑤말시 '一, 辭也'《毛詩指說》. ⑥성시 성(姓)의 하나.

字源 形聲. 言+寺〔音〕

言6〔詫〕13 ㊀타(차㊍) ㊦禡|chà タ あざむく ㊁하 ㊦禡|xià カ つげる

字解 ㊀①속일타 기만함. '甘言一語'《晉書》. ②자랑할타 자만함. '自誇一'《宋史》. ※本音 차. ㊁고할하 알림. '踵門而一子扁慶子'《莊子》.

字源 形聲. 言+宅〔音〕

言6〔詬〕13 ㊀후 ㊦有|hòu コウ ののしる ㊁구 ㊤有|gōu コウ ののしる

字解 ㊀①꾸짖을후 욕설을 하며 꾸짖음. 一罵'. '曹人一之'《左傳》. ②망신줄후 욕을 보임. 수치를 당하게 함. '常以儒相一病'《禮記》. ③부끄럼후 치욕. 수치. '忍尤而攘一'《楚辭》. '一莫大於卑賤'《史記》. ㊁꾸짖을구, 망신줄구, 부끄럼구 ㊀과 뜻이 같음.

字源 形聲. 言+后〔音〕

言6〔詭〕13 궤 ㊤紙|guǐ キ せめる

字解 ①책할궤 책망함. '今臣得出守郡, 自一效功'《漢書》. ②속일궤 기만함. '一辭而出'《穀梁傳》. ③괴이할궤 기이함. '豈不一哉'《張衡》. ④어그러질궤 이치에 맞지 아니함. '有所一於天之理與'《漢書》. ⑤헐뜯을궤 비방함. '若固之序事, 不激一'《後漢書》. ⑥다를궤, 달리할궤 같지 않음. '一色殊音'《木華》.

字源 形聲. 言+危〔音〕

言6〔詮〕13 人名 전 ㊤先|quán セン つぶさにとく

筆順 ⼆ ⼆ 言 言 訁 訡 詮 詮 詮

字解 ①설명할전 상세히 사리(事理)를 설명함. '一論'. '惟夫子一斯義也'《吳越春秋》. 또, 사리를 설명한 말. '言一'. '衣褐向眞一'《杜甫》. ②깨우칠전 '一言者, 譬類人事相解喩也'《一切經音義》. ③갖춰질전, 갖출전 '一, 具也'《廣雅》. ④법전, 길전 법칙 또는 도리. '發必中一, 言必合數'《淮南子》. ⑤골라말할전 '一, 一曰, 擇言'《集韻》.

字源 形聲. 言+全〔音〕

言 6 〔詰〕 13 [人名] 힐 [入]質 | jié キツ せめる, なじる

[筆順] 亠 亖 言 言一 計 詁 詰 詰

[字解] ①꾸짖을힐 잘못을 따져 책망함. 힐책함. '一責'. '窮一'. '一弘'《史記》. '一姦慝'《左傳》. ②물을힐 대답을 구함. '不可致一'《老子》. ③다스릴힐 처리함. '子盍一盜'《左傳》. ④경계할힐 계고(戒告)함. 또, 삼가서 조심케 함. '一四方'《周禮》. ⑤죄줄힐 벌함. '取之不一'《呂氏春秋》. ⑥조사할힐 '一誅暴慢'《禮記》. ⑦못하게할힐 금지함. '五曰, 刑典. 以一邦國'《易經》. ⑧채울힐 '其克一爾戎兵'《書經》. ⑨굽을힐 굴곡(屈曲)함. '不能數其一屈'《晉書》. ⑩새벽힐 날샐녘. 일설(一說)에는, '喆'의 오용(誤用)이라 함. '一旦'. '一朝將相見'《左傳》.

[字源] 形聲. 言+吉〔音〕

言 6 〔話〕 13 [中·人] 화 [去]卦 | huà カイ·ワ はなし
[去]禡 | カ·ワ はなし

[筆順] 亠 亖 言 言 言一 訢 話 話

[字解] ①이야기화 담화. 말. '悅親戚之情一'《陶潛》. '愼爾出一'《詩經》. ②이야기할화 말함. 고(告)함. '乃一民之弗率'《書經》. ③착한말화 좋은 말. '著之一言'《左傳》. ④다스릴화 '一, 治也'《小爾雅》.

[字源] 形聲. 篆文은, 言+𠯑〔音〕

言 6 〔該〕 13 [高·人] 해 [平]灰 | gāi ガイ そなわる

[筆順] 亠 亖 言 訁 訁 訪 該 該

[字解] ①갖출해, 갖춰질해 충분히 갖춤. 두루 가짐. '淹一'. '體用兼一, 本末殫擧'《葉釆》. '齊桓聞以一輔'《楚辭》. ②겸할해 '旁一終始'《太玄經》 ③모두해 다. '萬物一兼'《太玄經》. ④맞을해 일치함. '一當'. ⑤그해 지정(指定)하는 말. 其(八부 6획〈87〉)와 뜻이 같음. '一事'. '一案'. '某處一如何備設'《王畿》. ⑥마땅히해 당연히. 속문(俗文)에서 宜(宀부 5획〈277〉)와 같은 뜻으로 씀. '一當'. '應一'. '合一'로 연용(連用)하기도 함. '此一句不一與, 求之文字之中云云, 混作一例看'《傳習錄》. ⑦성해 성(姓)의 하나.

[字源] 形聲. 言+亥〔音〕

言 6 〔詇〕 13 該(前條)의 俗字

言 6 〔詳〕 13 [高·人] [一] 상 [平]陽 | xiáng ショウ つまびらか
[二] 양 [平]陽 | yáng ヨウ いつわる

[筆順] 亠 亖 言 訁 訁 詳 詳 詳

[字解] [一] ①자세할상 세밀함. '一細'. '其說之也一'《朱熹》. 또, 자세한 일. 상세한 내용. '其一不可得聞也'《孟子》. ②자세히할상 ㉠명백히 함. 명확히 밝힘. '不能退不能遂, 不一也'《易經》. ㉡상세히 심의(審議)함. '一, 審議也'《說文》. ㉢자세히 봄. '非先王一刑之意也'《後漢書》. ③자세히알상 잘 앎. '不一其姓字'《陶潛》. ④갖춰질상 두루 갖춤. '略則擧大, 一則擧小'《荀子》. ⑤다상 모두. 빠짐없이. '一延天下方聞之士'《漢書》. ⑥상서로울상 祥(示부 6획〈888〉)과 통용. '一以事神'《左傳》. [二] 거짓양 佯(人부 6획〈45〉)과 통용. '一醉'. '箕子一狂爲奴'《史記》.

[字源] 形聲. 言+羊〔音〕

言 6 〔詵〕 13 [一] 선 [去]霰 | xiàn セン おおい
[二] 신 [平]眞 | shēn シン おおい

[字解] [一] ①많을선 수가 많은 모양. '螽斯羽, 一一兮'《詩經》. ②모일선 함께 모여 화목한 모양. 앙모하여 모여드는 모양. '後進一一'《陳書》. [二] 많을신, 모일신 [一]과 뜻이 같음.

[字源] 形聲. 言+先〔音〕

言 6 〔詶〕 13 수 [平]尤 | chōu シュウ こたえる

[字解] ①대답할수 酬(酉부 6획〈1534〉)와 同字. '號咷以一咨'《後漢書》. ②저주할수 '一, 詛也'《說文》. ③갚을수 보답함. 酬(酉부 6획〈1534〉)와 同字. '一, 報也'《一切經音義》. ④누구수 疇(田부 14획〈803〉)와 통용. '一咨羣寮'《魏元丕碑》.

[字源] 形聲. 言+州〔音〕

言 6 〔詷〕 13 동 [平]東 | tóng, dòng
[去]送 | トウ あわてていう, とも

[字解] ①바쁠동 '謥一'은 분망한 모양. 또, 급히 말하는 모양. '輕薄謥一'《後漢書》. ②함께동, 같을동 공동. '一, 共也'《說文》. ③자랑할동 과장해 말함. '言過謂之謥一'《說文 段注》.

[字源] 形聲. 言+同〔音〕

言 6 〔詻〕 13 액 [入]陌 | è ガク いいあらそう

[字解] ①다툴액 말다툼하는 모양. '分議者延延, 而支苟者一一'《墨子》. ②엄할액 사기(辭氣)가 엄한 모양. 또, 교령(敎令)이 준엄한 모양. '言容一一'《禮記》.

[字源] 形聲. 言+各〔音〕

言 6 〔詼〕 13 회 [平]灰 | huī カイ たわむれる

字解 ①기롱(譏弄)할회, 농할회 희학(戲謔)을 함. 또, 비웃음. '一嘲'. '見人一諢'《黃允文雜纂》. '一笑類俳倡'《漢書》. ②농지거리회, 농회 '頗復一諧'《漢書》.
字源 形聲. 言+灰〔音〕

言6〔詾〕13 흉 ①-③㊥冬 ④㊤腫 | xiōng キョウ さわぐ キョウ おどす

字解 ①다툴흉, 떠들썩할흉 말다툼하여 시끄러운 모양. 또, 소란한 모양. '聚而謀者一一'《五代史》. ②송사할흉 고소(告訴)함. 訩(言부 4획〈1316〉)과 同字. '一, 訟也'《說文》. ③찰흉 그득 참. '一, 一曰, 盈也'《集韻》. ④으를흉 협박함. '一, 一嚇也'《廣韻》.
字源 形聲. 言+匈〔音〕

言6〔誽〕13 詾(前條)과 同字

言6〔詿〕13 괘 ㊦卦 | guà カイ あやまる

字解 ①그르칠괘, 속일괘 남을 속여 그릇된 방면으로 인도함. '一誤'. '一上誤朝'《漢書》. ②방해할괘 거리낌. 罣(网부 6획〈1027〉)와 同字. '一, 礙也'《廣韻》.
字源 形聲. 言+圭〔音〕

言6〔誂〕13 조 ①②㊤篠 ③㊦嘯 | tiǎo チョウ いどむ diào チョウ にわかに

字解 ①꾈조 유혹함. '使中大夫應高一膠西王'《史記》. ②희롱할조 실없이 놀림. '人一其長者'《戰國策》. ③별안간조 갑자기. '一合刃于天下'《淮南子》.
字源 形聲. 言+兆〔音〕

言6〔誃〕13 ㊀치 ㊤紙 ㊁타 ㊤哿 | chǐ シ わかれる duò タ あざむく

字解 ㊀①헤어질치, 가를치 이별함. 또, 분리시킴. '一, 離別也'《說文》. '一, 別也'《廣韻》. ②곁채치 전당(殿堂)의 곁에 있는 작은 집. '出一門'《戰國策》. ㊁ 속일타 詑(言부 3획〈1314〉)와 同字.
字源 形聲. 言+多〔音〕

言6〔誆〕13 광 ①㊤養 ②㊦漾 | kuāng キョウ あざむく キョウ いつわりのことば

字解 ①속일광 誑(言부 7획〈1330〉)과 同字. '晉使解揚一楚'《史記》. ②속이는말광 '一, 謬言'《廣韻》.
字源 形聲. 言+匡〔音〕

言6〔誄〕13 뢰 ㊤紙 | lěi ルイ とむらいのぶん

字解 ①뇌사뢰 죽은 사람의 생전의 공덕을 칭송하는 말. '一辭'. '哀一'. '一者道死人之志也'《墨子》. 또, 그 말을 진술함. '孔丘卒, 公一之'《左傳》. ②제문뢰 죽은 이의 명복(冥福)을 신(神)에게 비는 글. '一曰, 禱爾於上下神祇'《論語》. ③빌뢰 신(神)에게 행복을 기원(祈願)함. 또, 그 말.
字源 形聲. 言+耒〔音〕

言6〔誅〕13 주 ㊥虞 | zhū チュ·チュウ ころす, うつ

字解 ①벨주 ㉠죄인을 죽임. '一戮'. '詰一暴慢'《禮記》. ㉡풀 같은 것을 베어 없앰. 삼제(芟除)함. '寧一鋤草茅以力耕乎'《楚辭》. ②칠주 죄인을 토벌함. '一伐'. '商罪貫盈, 天命一之'《書經》. ③멸할주 죄(罪)를 그 가족에까지 연루시켜 모두 죽임. 주멸(誅滅)함. '明夷一也'《易經》. ④책할주 책망함. '一責'. '一求無時'《左傳》. '一以馭其過'《周禮》. ⑤덜주 제거함. 없앰. '以惠一怨'《國語》. ⑥죄줄주, 형벌주 '一賞'. '以足蹙馬芻有一'《禮記》. '不敢辟一'《禮記》. ⑦다스릴주 죄를 다스림. '阿上亂法者一'《淮南子》.
字源 形聲. 言+朱〔音〕

言6〔誇〕13 高·人 ㊀과 ㊥麻 ㊁구 ㊦遇 | kuā カ·コ ほこる qū ク·コ うたう

筆順 〔stroke order〕

字解 ㊀①자랑할과 자만함. '一大'. '一妻妾端正'《王君玉雜纂》. ②자랑과 자만. 자부. '青紫今爲里巷一'《蘇軾》. ③거칠과 굵고 성김. 곱지 아니함. '妾一布服, 糲食'《漢書》. ㊁ 노래할구 '一, 歌也'《集韻》.
字源 形聲. 言+夸〔音〕

言6〔譁〕13 誇(前條)와 同字

言6〔詨〕13 효 ㊥肴 | xiào コウ さけぶ

字解 부르짖을효 외침. '忽聞局上一然有聲'《北史》.

言6〔詯〕13 회 ㊦隊 | huì カイ いさむ

字解 ①분발할회 기운을 떨쳐 일으킴. '一, 膽气滿, 聲在人上'《說文》. ②장사쉴회 '一, 休市'《廣韻》. ③오랑캐저자회 '一, 胡市'《廣雅》. ④뉘우칠회 후회(後悔)함. '一, 一曰, 決後悔也'《集韻》. ⑤콧김회.
字源 形聲. 言+自〔音〕

言6〔詗〕13 詯(前條)와 同字

言6〔詪〕13 ㊀흔 ㊤阮 hěn コン もとる
㊁간 ㊤阮 コン かたりがたいさま
㊂현 ㊤銑 ㊇ コン かたる

字解 ㊀①어그러질흔 '諆—'은 어그러지는 모양. '—, 諆—, 很皃'《集韻》. ②말하기어려울흔 '—, 難語皃'《玉篇》. ③듣지않을흔 '—, 不聽從也'《正字通》. ㊁①말하기어려울간 ㊀②와 뜻이 같음. ②말할간 '——'은 말하는 모양. '——, 語也'《廣雅》. ③어그러질간 '—, 很戾也'《集韻》. ㊂말다툼할현 '—, 爭語'《廣韻》.
字源 形聲. 言+𥃩(艮)〔音〕

言6〔誎〕13 자 ㊦寘 cì シ せめる
字解 ①책(責)하여나무랄자 刺(刀부 6획〈103〉)와 통용. '—, 數諫也'《說文》. ②원망할자 '—, 怨也'《廣雅》. ③쓸자 글씨를 씀. '—, 書也'《廣雅》.
字源 形聲. 言+朿〔音〕

言6〔詺〕13 치 ㊦寘 zì シ·ジ なづける
字解 이름지을치 '—, 詺也'《集韻》.

言6〔詺〕13 명 ㊦敬 mìng ベイ なづける
字解 이름지을명 명목(名目)을 붙임. '昔陶弘景, 以神農經合雜家別錄, 注—之'《唐書》.
字源 形聲. 言+名〔音〕

言6〔詥〕13 합 ㊇合 hé コウ·ゴウ やわらぐ
字解 ①화할합 '—, 諧也'《廣韻》. ②모여말할합 여러 사람의 언론(言論). '—, 會言也'《集韻》.
字源 形聲. 言+合〔音〕

言6〔詽〕13 ㊀현 ㊥先 ケン かまびすしいさま
㊁안 ㊥刪 yán ガン あらそう
㊂천 ㊥先 テン しかるさま

字解 ㊀①시끄러울현 '——'은 다투는 말소리가 시끄러운 모양. '—, 諍語——也'《說文》. ②꾸짖을현 '—, 訶也'《廣韻》. ㊁①다툴안 '—, 爭也'《廣韻》. ②말다툼할안 '—, 諍語'《集韻》. ③호소할안 '—, 訟也'《字彙》. ㊂꾸짖을천 꾸짖는 모양. '—, —訶皃'《廣韻》.
字源 形聲. 言+幵〔音〕

言6〔詸〕13 〔미〕
謎(言부 10획〈1346〉)와 同字

言6〔詠〕13 〔적〕
寂(宀부 8획〈281〉)과 同字

言6〔誠〕13 〔성〕
誠(言부 7획〈1331〉)과 同字

言6〔詍〕13 〔예〕
詍(言부 5획〈1320〉)와 同字

言6〔詠〕13 〔영〕
詠(言부 5획〈1322〉)과 同字

言6〔諛〕13 〔유〕
諛(言부 9획〈1341〉)의 俗字

言6〔諛〕13 〔유〕
諛(言부 9획〈1341〉)의 俗字

言6〔説〕13 〔설〕
說(言부 7획〈1332〉)의 俗字

言6〔設〕13 〔설〕
設(言부 4획〈1316〉)의 俗字

言6〔誀〕13 지 ㊤紙 zhǐ シ あばく
字解 적발할지 남의 허물을 적발함. '—, 訐發人之惡'《廣韻》.
字源 形聲. 言+臣〔音〕

言6〔詁〕13 〔고〕
誥(言부 7획〈1332〉)의 古字

言6〔詹〕13 ㊀첨 ㊥鹽 zhān セン いたる
㊁담 ㊦勘 dān タン たりる
字解 ㊀①이를첨 다다름. 도달함. '魯邦所—'《詩經》. ②수다스러울첨 말이 많은 모양. 연해 지껄이는 모양. '大言炎炎, 小言——'《莊子》. ③볼첨 瞻(目부 13획〈857〉)과 통용. '顧—有河'《史記》. 벼슬 이름의 '—事'는 이 뜻을 땄음. '長信—事爲長信少府'《史記》. ④두꺼비첨 蟾(虫부 13획〈1250〉)과 뜻이 같음. '—諸'. '四五—兔缺'《古詩》. ⑤점첨, 점칠첨 占(卜부 3획〈129〉)과 뜻이 같음. '往見太卜鄭—尹'《楚辭》. ⑥성첨 성(姓)의 하나. ㊁넉넉할담 贍(貝부 13획〈1400〉)과 뜻이 같음. '不充則不—'《呂氏春秋》.
字源 會意. 产+八+言

言6〔詈〕13 〔리〕
詈(言부 5획〈1323〉)의 本字

言6〔詧〕13 〔찰〕
察(宀부 11획〈284〉)의 古字

[字源] 形聲. 言＋祭〈省〉〔音〕.

言 6 〔誉〕 13 〔예〕 譽(言부 14획〈1360〉)의 俗字

言 6 〔誊〕 13 〔등〕 謄(言부 10획〈1348〉)의 簡體字

言 6 〔詯〕 13 구 [上]有 | jiù キュウ そしる

[字解] 헐뜯을구 헐뜯음. 비방함. '一, 毁也'《字彙》.

言 6 〔䛍〕 13 기 [去]寘 | zhǐ キ あばく

[字解] ①폭로할기 폭로함. 들추어 냄. 남의 나쁜 점을 들추어 냄. '一, 訐也'《集韻》. ②사람이름기 사람 이름. '朝奉郎不一'《宋史》.

言 6 〔詎〕 13 䛍(前條)와 同字

言 6 〔䛊〕 13 기 [去]寘 | jì キ はかる

[字解] 꾀할기 꾀함. 도모함. '一, 謀也'《字彙補》.

言 6 〔詉〕 13 나 [平]麻 | ná ナ ひく

[字解] 끌어당길나 끌어당김. 잡아당김. '一, 拏也'《廣雅》.

言 6 〔䛚〕 13 략 [入]藥 | lüè リャク ほめる

[字解] 칭찬할략 칭찬함. 기림. '一, 約一, 歎美也'《集韻》.

言 6 〔䛃〕 13 망 [去]漾 | wàng ボウ あざむく

[字解] 속일망 속임. '一, 誑也, 通作妄'《集韻》.

言 6 〔誈〕 13 〔무〕 誣(言부 7획〈1331〉)와 同字

言 6 〔誁〕 13 병 [上]梗 | bìng ヒョウ たすけいう

[字解] ①조언할병 조언함. '一, 助言也'《正字通》. ②설명할병 설명함. '一, 說也'《字彙》.

言 6 〔誎〕 13 [一] 사 [去]寘 | shì シ わすれる
[二] 간 [去]諫 | jiàn カン いさめる

[字解] [一] 잊을사 잊음. '一, 忘也'《集韻》. [二] 간할간 간함. 충고함. '一, 古諫字'《六書統》.

[參考] 諫(言부 9획〈1342〉)의 本字

言 6 〔𧦧〕 13 술 [入]質 | xù シュツ しずか

[字解] 고요할술 고요함. 조용함. '一, 靜也'《集韻》.

言 6 〔𧦝〕 13 〔신〕 訊(言부 3획〈1313〉)의 古字

言 6 〔𧧝〕 13 [一] 諺(言부 9획〈1343〉)의 古字
[二] 喭(口부 9획〈174〉)의 古字

言 6 〔䛂〕 13 〔야〕 喏(口부 9획〈173〉)와 同字

言 6 〔䛔〕 13 와 [平]佳 | wā ガイ おこたる

[字解] 게으를와 게으름. 게을리함. 태만히 함. '一, 諣一, 惰也'《集韻》.

言 6 〔䛌〕 13 [一] 외 [平]灰 | wēi ワイ よぶ
[二] 회 [上]賄 | カイ よぶ

[字解] [一] 부를외 부름. 사람을 부름. 또, 부르는 소리. '一, 呼也'《集韻》. [二] 부를회 [一]과 뜻이 같음.

言 6 〔誀〕 13 [一] 이 [去]寘 | èr ジ さそう
[二] 치 [上]紙 | チ はじ

[字解] [一] 꾈이 꾐. 유인함. '一, 誘也'《廣雅》. [二] 부끄러울치 부끄러움. '恥, 說文, 辱也, 或作一'《集韻》.

言 6 〔䚾〕 13 임 [上]侵 | rén ジン・ニン まこと

[字解] ①믿을임 믿음. 또, 진실. '一, 信也'《廣韻》. ②생각할임 생각함. '一, 念也'《廣韻》. ③수다스러울임 수다스러움. '一, 多言也'《玉篇》. ④목소리임 목소리. '一, 一諏, 喉聲'《廣韻》.

言 6 〔䛆〕 13 주 [平]尤 | zhōu チュウ おおくものいう

[字解] 말많을주 말이 많음. 수다스러움. '多言也'《集韻》.

言 6 〔訬〕 13 초 [上]巧 | chǎo ソウ からかう

[字解] 조롱할초 조롱함. 놀림. 사람을 놀림. '一, 弄人也'《字彙補》.

言 6 〔𧩘〕 13 축 [入]屋 | xù キク こうをきくさま

[字解] 향내맡을축 향내를 맡음. 향기를 맡는 모양. '一, 讓一, 聞香皃'《集韻》.

言6 〔䛕〕13 타 [去]箇 | duò タ ことばでほこりあう

[字解] 말로자랑할타 말로 서로 자랑함. '一, 言相誇'《集韻》.

言6 〔詑〕13 탁 [入]藥 | tuó タク そしる

[字解] 헐뜯을탁 헐뜯음. 비방함. '一, 毁也'《集韻》.

言6 〔詯〕13 퇴 [平]灰 | duī タイ せめる

[字解] 꾸짖을퇴 꾸짖음. 책망함. '一, 謫也, 或作譈·諄'《集韻》.

言7 〔誩〕14 [一] 경 [去]敬 | jìng ケイ きそう
[二] 탐 [去]勘 | dàn タン きそう

[字解] [一] 다투어말할경 '一, 競言也'《說文》. [二] 다투어말할탐 [一]과 뜻이 같음.
[字源] 會意. 言+言

言7 〔誋〕14 기 [去]寘 | jì キ いましめる

[字解] ①경계할기 하지 못하게 훈계함. '不可以昭一'《淮南子》. ②알릴기 고(告)함. '一, 告也'《廣雅》. ③못하게할기 금(禁)함. '一, 禁也'《玉篇》.
[字源] 形聲. 言+忌〔音〕

言7 〔誌〕14 [高·人] 지 [去]寘 | zhì シ しるす

[筆順] 二 三 言 言一 計 誌 誌 誌

[字解] ①적을지 기록함. '太古之事滅矣, 孰一之哉'《列子》. ②욀지 기억함. '博見圖史一經目, 輒一于心'《唐書》. ③표지 표지(標識). '種桑樹于界上, 爲一'《齊書》. ④기록지 사실을 적은 문장. 또는, 문서. '地一'. '鄕土一'. '朝堂榜一'《齊書》. ⑤문체이름지 문장의 한 체(體). 사실을 그대로 적은 것. '碑一'. '墓一'. (이상 ❶부터 ❺까지) 志(心부 3획〈377〉)와 同字. ⑥사마귀지 痣(疒부 7획〈810〉)와 통용. '高宗胛上有赤一'《齊書》.
[字源] 形聲. 言+志〔音〕

言7 〔認〕14 [中·人] [一] 인 [去]震 | rèn ジン·ニン みとめる
[二] 잉 [去]徑 | rèng ジョウ·ニョウ しるす

[筆順] 二 三 言 訁 訒 訒 認 認

[字解] [一] ①알인 ㉠발견하여 앎. '靑帘一酒家'《鄭谷》. ㉡스스로 그러한 줄로 앎. '一定'. '一他高貴爲親'《李義山雜纂》. ㉢분별하여 앎. 확실히 앎. '一識'. '時嘗出行, 有人一其馬'《後漢書》. ㉣확인함. '細一苔間字'《劉克莊》. ②허가할인 허락함. 승인함. '一可'. '承一'. ③행할인 진실을 행함. 진지하게 행함. '臨事不一眞, 豈盡忠之道乎'《元史》. [二] 적을잉 기록함. '一, 誌也'《集韻》.
[字源] 形聲. 言+忍〔音〕

言7 〔認〕14 認(前條)과 同字

言7 〔䛟〕14 겁 [入]葉 | jiá キョウ しゃべる

[字解] 지껄일겁 자꾸 지껄임. 말을 많이 함. 또, 망언(妄言)을 함. '讘一, 多誦先古之書, 以亂當世之治'《韓非子》.

言7 〔誑〕14 광 [去]漾 | kuáng(kuàng) キョウ あざむく

[字解] 속일광 기만하여 의혹을 일으키게 함. '紀信乘王駕, 詐爲漢王一楚'《史記》.
[字源] 形聲. 言+狂〔音〕

言7 〔䛠〕14 투 [去]有 | dòu トウ いうことのできないさま

[字解] 말머뭇거릴투 '一譳'는 말을 머뭇거리는 모양. '後鈍嗔一譳'《韓愈》.

言7 〔誒〕14 희 [平]支 | xī キ しいて

[字解] ①억지로할희 마음에 없는 것을 함. 일설(一說)에는 즐거워하여 웃음. 기뻐하여 웃음. '一笑狂只'《楚辭》. ②느른할희 '一詒'는 느른한 모양. 일설(一說)에는, 정신을 잃어 어리둥절한 모양. '一詒爲病, 數日不出'《莊子》. ③아희 탄식하는 소리. 또, 염오(厭惡)하는 소리. '勤一厥生'《漢書》.
[字源] 形聲. 言+矣〔音〕

言7 〔誕〕14 [高·人] 탄 [上]旱 | dàn タン いつわる

[筆順] 二 三 言 言一 言下 証 誕 誕

[字解] ①거짓탄, 거짓말탄 허언(虛言). 남을 속이는 큰소리. '多一而寡信'《說苑》. ②속일탄 거짓말을 함. '欺一'. '先生得無一之乎'《史記》. ③방종할탄 제멋대로 굶. '一放'. '縱一'. '子姑憂子晳之欲背一'《左傳》. ④날탄 출생함. '一生'. '降一'. '上一日, 不納中外之貢'《舊唐書》. ⑤클탄 '國之一章'《漢書》. 또, 크게. 대단히. '一敷文德'《書經》. ⑥넓을탄 광활함. '何一之節兮'《詩經》. ⑦바르지않을탄 '弦高一而存鄭'

《淮南子》. ⑧기를탄 '昔文王一妻一致十子'《後漢書》. ⑨이에탄 발어사(發語辭). '一寘之隘巷'《詩經》.
字源 形聲. 言+延〔音〕

言7 〔誖〕 14 패 ㊀隊 | bèi ハイ みだれる
字解 ①어지러울패, 어지럽힐패 마음이 산란하여 의혹이 생김. 또, 그렇게 함. '或一其心'《史記》. ②어그러질패 悖(心부 7획〈392〉)와 통용. '誣罔一大臣節'《漢書》. ③혹할패 미혹(迷惑)함. '愍學者不達其意而師一'《漢書》. ④어리석을패 어두움. '一, 癡也'《廣雅》. '一, 惛也'《集韻》.
字源 形聲. 言+孛〔音〕

言7 〔誘〕 14 高·人 유 ㊤有 | yòu ユウ さそう
筆順 ﹦ ≡ 言 言 訁 訐 訐 訴 誘
字解 ①꾈유 ㉠유혹함. '以女樂一之'《淮南子》. ㉡유인함. 꾀어 냄. '一致'. '一拐'. '其將愚而信人, 可詐而一'《吳子》. ㉢불러 냄. 데리고 나옴. '有女懷春, 吉士一之'《詩經》. ㉣마음을 움직임. 감동시킴. '好憎成形, 而知一於外'《淮南子》. ㉤이끎. 안내함. 인도함. '一導'. '天一其衷'《孔子家語》. ②달랠유, 권할유 옳은 말로 잘 이끎. '勸一'. '一民孔易'《禮記》. ③가르칠유 교육하여 지도함. '訓一'. '循循然善一人'《論語》. ④꾈유 '去夫外一之私'《中庸章句》. ⑤속일유 '彼一其名'《荀子》.
字源 形聲. 篆文은 본디 '羑'으로 썼는데, 羊+厶+久〔音〕

言7 〔誙〕 14 경 ㊥庚 | kēng コウ·キョウ しにおもむくさま
字解 죽음으로다다를경 '一一然'은 자기도 모르게 죽음으로 다다르는 모양. '一一然如將不得已'《莊子》.
字源 形聲. 言+巠〔音〕

言7 〔誚〕 14 초 ㊀嘯 | qiào ショウ せめる
字解 꾸짖을초 譙(言부 12획〈1355〉)의 古字. '王亦未敢一公'《書經》.
字源 形聲. 言+肖〔音〕

言7 〔語〕 14 中·人 어 ㊤語 ㊀御 | yǔ, yù ゴ かたる
筆順 ﹦ ≡ 言 言 訁 訂 語 語 語
字解 ①말할어 ㉠말함. 이야기함. 설(說)함. '笑一'. '耳一'. '三年之喪, 言而不一'《禮記》. '故君子一大'《禮記》. '樂年反而一功'《戰國策》. ㉡남과 의론을 함. 논쟁함. 논란함. '食不一, 寢不言'《論語》. ㉢의사를 발표함. '或默或一'《易經》. ②말어 ㉠언어. '飛一'. '欲其子之齊一也'《孟子》. ㉡어구. 성구(成句). '古一'. '諺一'. '一佳一'《陸游》. ㉢속담(俗談). '俚一'. '一曰脣亡則齒寒'《穀梁傳》. ③소리어 새·벌레 등의 우는 소리. '鶯燕一'. '關關鶯一花底滑'《白居易》. ④깨달을어 悟(心부 7획〈392〉)와 통용. '甚矣子之難一也'《莊子》. ⑤알릴어 ㉠고함. '居吾一汝'《論語》. ㉡가르침. '主亦有以一肥也'《國語》.
字源 形聲. 言+吾〔音〕

言7 〔誠〕 14 中·人 성 ㊥庚 | chéng セイ まこと
筆順 ﹦ ≡ 言 訁 訂 訪 誠 誠
字解 ①정성성 적심(赤心). 진심. '開心見一'《後漢書》. ②참성 ㉠언어·행위에 거짓이 없음. '以嫗爲不一'《史記》. ㉡공평 무사하고 순일(純一)함. '一者天之道也'《中庸》. ③참되게할성 공평 무사하고 순일하게 함. '一之者, 人之道也'《中庸》. ④참으로성 ㉠진실로. '子一齊人也'《孟子》. ㉡만일. 과연. '今王一聽之, 彼必以國事楚王'《戰國策》. ⑤상세히성 자세히. '繩墨一陳'《禮記》.
字源 形聲. 言+成〔音〕

言7 〔誡〕 14 人名 계 ㊀卦 | jiè カイ いましめる
筆順 ﹦ ≡ 言 訁 訁 訴 誡 誡
字解 ①경계할계 ㉠조심하고 삼감. '必不一'《左傳》. ㉡조심하도록 훈계함. '訓一'. '邑人不一'《易經》. '小懲而大一, 此小人之福也'《易經》. ②경계계 훈계. '發一布令而敵退'《荀子》. ③명(命)할계 명령함. '一, 命也'《玉篇》.
字源 形聲. 言+戒〔音〕

言7 〔誣〕 14 무 ㊥虞 | wū(wú) ブ·フ しいる
字解 ①꾸밀무 ㉠없는 것을 있는 것처럼 말하거나 있는 것을 없는 것처럼 말함. 유무를 전도하여 사실을 왜곡함. '一告'. '一善之人'《易經》. 죄 없는 사람을 죄가 있는 것처럼 꾸밈. '其刑矯一'《國語》. ㉡악(惡)을 선(善)으로 가장함. '且夫欒氏一晉國也久矣'《國語》. ②속일무 기만함. '一欺'. '是邪說一民'《孟子》. ③더럽힐무 더럽게 함. '不能而居之一也'《荀子》. ④강제할무 남의 의사를 누르고 억지로 시킴. '欲他人己從, 一人也'《張載》. ⑤아첨할무 '一, 諂與也'《揚子方言》.
字源 形聲. 言+巫〔音〕

言 7 〔誤〕 14 [中·人] 오 [去]遇 | wù ゴ あやまる

[筆順] 亠 亖 言 訁 訁ㅁ 詚 誤 誤

[字解] ①그릇할오, 잘못할오 ㉠잘못을 저지름. '過一'. '君何言之一'《漢書》. '使者聘而一, 主君弗親饗食也'《禮記》. ㉡잘못되게 함. 속임. '是特姦人之一於亂說, 以欺愚者'《荀子》. ②그릇오, 잘못오 과오. '一謬'. '曲有一'《吳志》. '再尋畏迷一'《王維》. ③의혹할오, 의혹케할오 悞(心부 7획〈392〉)와 통용. '一天下蒼生者'《十八史略》.
[字源] 形聲. 言+吳〔音〕

言 7 〔誤〕 14 誤(前條)와 同字

言 7 〔誤〕 14 誤(前前條)의 俗字

言 7 〔誥〕 14 고 [去]號 | gào コウ つげる

[字解] ①고할고 위에서 아래에 고시하거나 유시함. '一示'. '后以施命一四方'《易經》. 또, 그 말이나 문서. 서경(書經) 중의 '大一'·'康一' 등. ②가르침고, 경계고 훈계. 교령(敎令). '一誓不及五帝'《穀梁傳》. ③직첩고, 고신고 '一命'은 명청(明淸) 시대에 오품관(五品官) 이상을 임명할 때에 수여하는 사령. 직첩(職牒). 고신(告身).
[字源] 形聲. 言+告〔音〕

言 7 〔誦〕 14 [高·人] 송 [去]宋 | sòng ショウ となえる

[筆順] 亠 亖 言 訁 訁 訁 誦 誦 誦

[字解] ①읽을송 글을 읽음. '一經'. '一習之'《史記》. ②읊을송 ㉠가락을 붙여 읽음. '一明月之詩'《蘇軾》. ㉡가락을 붙여 부름. 노래함. '春一夏絃'《禮記》. 또, 읊는 글. 곧, 시가(詩歌). '家父作一'《詩經》. ③말할송 이야기함. '進講一志'《王融》. ④욀송 보지 않고 읽음. '背一'. '諳一'. '皆一讀之'《漢書》. ⑤헐뜯을송, 원망할송 원망하여 비방함. '國人一之'《左傳》. ⑥송사할송 고소(告訴)함. 訟(言부 4획〈1315〉)과 통용. '公言曰訟, 告訴曰一'《正字通》.
[字源] 形聲. 言+甬〔音〕

言 7 〔誨〕 14 [人名] 회 [去]隊 | huì (huǐ) カイ おしえる

[筆順] 亠 亖 言 訁 訁 誨 誨 誨

[字解] ①가르칠회 ㉠교훈함. '訓一'. '敎一爾子'《詩經》. ㉡알려 줌. '輓父之母, 一孔子之墓'《史記》. ②가르침회 '昔在齠齔, 便蒙一誘'《顔氏家訓》. '朝夕納一, 以輔台德'《書經》. ③보일회 가리킴. '一, 示也'《華嚴經音義》.
[字源] 形聲. 言+每〔音〕

言 7 〔說〕 14 [中·人] [一] 설 [入]屑 | shuō セツ とく, いけん
[二] 세 [去]霽 | shuì セイ ときすすめる
[三] 열 [入]屑 | yuè エツ よろこぶ
[四] 탈 [入]曷 | tuō タツ とく, ゆるす

[筆順] 亠 亖 言 言 訁 訁 說 說

[字解] [一] ①말씀설, 말설 언론 또는 의견. '異一'. '邪一'. '學百家之一'《史記》. ②말할설 ㉠밝히어 말함. 해석함. '一明'. '解一'. '博學而詳一之'《孟子》. ㉡서술함. 진술함. '演一'. '通習能一'《漢書》. ㉢알림. 고함. '使人一于子胥'《國語》. ㉣타이름. 깨우침. '一諭'. '女之耽兮, 不可一兮'《詩經》. ㉤이야기함. 담화를 함. '談一'. '口吃不能道一'《史記》. ③문체이름설 한문의 한 체(體). 사물에 대한 의견을 진술한 것. '師一'. '愛蓮一'. '一之名, 起於一卦'《文體明辯》. [二] ①달랠세 남에게 귀에 솔깃하도록 말하여 자기 의견에 따르게 함. '游一'. '誘一'. '一大人則藐之'《孟子》. ②머무를세 정지함. '一駕'. '召伯所一'《詩經》. [三] ①기뻐할열 悅(心부 7획〈391〉)과 통용. '一喜'. '民莫不一'《中庸》. '不亦一乎'《論語》. '女爲一己者容'《史記》. ②셈열 동렬(同列)의 수(數). '與子成一'《詩經》. ③성열 성(姓)의 하나. [四] ①벗을탈 脫(肉부 7획〈1076〉)과 통용. '用一桎梏'《易經》. ②놓아줄탈 사면함. '女覆一之'《詩經》.
[字源] 形聲. 言+兌〔音〕

言 7 〔説〕 14 說(前條)과 同字

言 7 〔誐〕 14 아 ①②[平]歌 | é ガ よい
③[上]哿 | ě ガ くちずさむ

[筆順] 言 言 訁 訁 訐 誐 誐 誐

[字解] ①좋을아 아름답고 훌륭함. '一以謐我'《說文》. ②좋은말아 아름답고 훌륭한 말. '一, 嘉言也'《字彙》. ③흥얼거릴아 읊조림. 哦(口부 7획〈162〉)와 同字. '一, 吟也'《集韻》.
[字源] 形聲. 言+我〔音〕

言 7 〔誹〕 14 비 [平]支 | pī ヒ あやまる

[字解] 그르칠비 잘못함. 紕(糸부 4획〈982〉)와 통용. '一, 誤也'《廣雅》.

言 7 〔誧〕14 보 [平]虞 bū ホ おおきい

[字解] ①클보 큰 소리를 침. '一, 大言也'《玉篇》. ②간(諫)할보 '一, 諫也'《廣雅》. ③도울보 서로 도움. 상부 상조함. '一, 人相助也'《集韻》. ④꾀할보 '一, 謀也'《集韻》.
[字源] 形聲. 言+甫〔音〕

言 7 〔⿰言作〕14 [一] 자 [去]禡 [二] 작 [入]藥 zhà サ はじてかたる サク はじてかたる

[字解] [一] 부끄러운말할자 '一, 慙語也'《說文》. [二] 부끄러운말할작 [一]과 뜻이 같음.
[字源] 形聲. 言+作〔音〕

言 7 〔⿰言禿〕14 독 [入]屋 tū トク わるがしこい

[字解] 교활할독, 속일독 '詆一'은 교묘하게 남을 속임. 또, 서로 속임. '一, 詆一, 狡猾也, 一曰, 相欺詆'《集韻》.

言 7 〔誎〕14 촉 [入]沃 cù ショク·ソク うながす

[字解] ①재촉할촉 '一, 促也'《廣雅》. ②말급할촉 '一, 言之促也'《說文通訓》. ③꾸밀촉 '一, 飾也'《廣韻》. ④자랑할촉 '一, 衒也'《佩觿集》. ⑤따를촉 '一, 從也'《玉篇》.
[字源] 形聲. 言+束〔音〕

言 7 〔䛡〕14 〔화〕 話(言부 6획〈1326〉)의 本字

言 7 〔⿰言𥃩〕14 〔흔〕 詪(言부 6획〈1328〉)의 本字

言 7 〔⿰言宐〕14 〔의〕 誼(言부 8획〈1335〉)의 本字

言 7 〔⿰言谷〕14 〔송〕 訟(言부 4획〈1315〉)의 古字

言 7 〔⿰言念〕14 〔감〕 譀(言부 12획〈1355〉)의 俗字

言 7 〔読〕14 〔독〕 讀(言부 15획〈1361〉)의 俗字

言 7 〔⿰𡥈言〕14 〔교〕 教(攴부 7획〈482〉)의 古字

言 7 〔⿱伿言〕14 혜 [上]薺 xī ケイ まつ

[字解] 기다릴혜 '一, 待也'《說文》.
[字源] 形聲. 言+伿〔音〕

言 7 〔誓〕14 [高·人] 서 [去]霽 shì セイ ちかう

[筆順] 扌 扌 扌 扩 扩 折 誓 誓

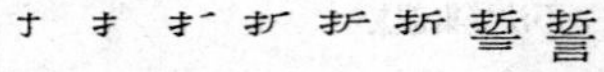

[字解] ①맹세서 약속. '一文'. '約信曰一'《禮記》. ②맹세할서 '信一旦旦'《詩經》. '一天不相負'《古詩》. ③경계서 훈계. '泰一'. ④경계할서 ㉠삼가 조심함. '曲藝皆一之'《禮記》. ㉡조심하도록 주의를 줌. '禹乃會羣后, 一于師'《書經》. ⑤알릴서 고(告)함. '司射西面一之'《儀禮》. ⑥맹세코서 틀림없이. 반드시. '一不相隔卿'《古詩》.
[字源] 形聲. 言+折〔音〕

言 7 〔⿰言求〕14 구 [去]宥 [平]尤 jiù キュウ とめる

[字解] ①금할구 금함. 금지함. '一, 禁也'《玉篇》. ②도울구 도움. 거듦. '一, 助也'《玉篇》.

言 7 〔⿰言⿱日土〕14 녈 [入]屑 niè デツ いかる

[字解] ①성낼녈 성냄. 노함. '一, 博雅, 怒也'《集韻》. ②꾸짖을녈 꾸짖음. 나무람.

言 7 〔⿰言⿱旦土〕14 ⿰言⿱日土(前條)의 訛字

言 7 〔⿰言⿱丑山〕14 노 [平]豪 náo ドウ なぞ

[字解] ①수수께끼노 수수께끼. '一, 謎也'《玉篇》. ②기뻐할노 기뻐함. '一, 喜也'《玉篇》.

言 7 〔⿰言余〕14 도 [平]虞 tú ト ことばがあきらかでない

[字解] 말분명하지않을도 말이 분명하지 않음. '一, 諭一, 語不了'《集韻》.

言 7 〔誏〕14 랑 [上]養 lǎng ロウ ことばがあきらかなこと

[字解] ①말명랑할랑 말이 명랑함. '一, 言之明也'《集韻》. ②한가롭게말할랑 한가롭게 말함. '一, 閑言'《玉篇》. ③널리말할랑 널리 말함. '一, 一曰, 泛言'《集韻》. ④희롱할랑 희롱함. '一, 謔也'《集韻》.

言 7 〔⿰言別〕14 별 [入]屑 bié ヘツ もののどうりをいいひらく

[字解] ①변론(辯論)할별 사물의 도리를 판단하여 말함. '一, 言析理也, 或作辯'《集韻》. ②가를별 가름. 부절(符節)을 쪼갬. '⿱⺮別, 分⿱⺮別, 一云, 分契一'《廣韻》.

言 7 〔⿰言甹〕14 [一] 빙 [平]青 [二] 추 [平]尤 pīng ヘイ ものいう チュウ きまらない

[字解] [一] 말할빙 말함. '一, 言也'《集韻》. [二] 결정하지못할추 결정하지 못함. '一, 一譠,

不決'《集韻》.

言7〔誜〕14 사 ㉰禡|shuà サ すぐれたことば

字解 ①훌륭한말사 옳은 말. 잘한 말. '一, 俊言也'《集韻》. ②망언사 망령된 말. '一, 一曰, 妄言'《集韻》.

言7〔譱〕14 〔선〕善(口부 9획〈176〉)과 同字

言7〔諚〕14 〔소〕謏(言부 9획〈1344〉)와 同字

言7〔誝〕14 〔암〕讝(言부 11획〈1352〉)과 同字

言7〔諤〕14 와 ㉮歌|yuē ワ こばみこたえる

字解 거역해서대답할와 거역해서 대답함. '一, 拒䛦也'《集韻》.

言7〔誱〕14 자 ㉯馬|zhà サ ことばがもとる

字解 말어긋날자 말이 어긋남. 말이 위배됨. '一, 一謣, 言戾, 或从虘'《集韻》.

言7〔誗〕14 점 ㉮鹽|chán テン ことばがうるわしい

字解 말아름다울점 말이 아름다움. 말이 고움. '一, 言利美也'《集韻》.

言7〔誔〕14 정 ㉯迥|tǐng テイ あざむく

字解 ①속일정 속임. '一, 詑也'《廣雅》. ②거짓말정 거짓말. '一, 詭言也'《玉篇》. ③업신여길정 업신여겨 농락함. '一, 一曰, 欺慢'《集韻》.

言7〔䜊〕14 좌 ㉰箇|zuǒ サ いいくじく

字解 핀잔줄좌 핀잔을 줌. '一, 以言折人'《集韻》.

言7〔誫〕14 진 ㉰震|zhèn シン うごく

字解 움직일진 '一, 音震, 動也'《字彙補》. '罪乎不一不止'《列子》.

言7〔諔〕14 촉 ㉱沃|cū ショク ことばがせきこむ

字解 말급할촉 말이 급함. 조급하게 말함. '一, 言急促'《字彙》.

言7〔誺〕14 〔래〕誺(言부 8획〈1338〉)와 同字

言7〔諠〕14 침 ㉮侵|qīn シン ささやく

字解 ①속삭일침 속삭임. 소곤거림. '一, 私語'《集韻》. ②헐뜯어말할침 서로 헐뜯어 말함. 말로써 서로 침범함. '一, 以言相侵犯'《正字通》.

言7〔訶〕14 하 ㉮歌|hē カ もろもろのこえのさま

字解 시끄러울하 시끄러움. 여러 소리의 모양. '一, 一一, 眾聲'《集韻》.

言7〔䛞〕14 한 ㉯旱|hàn カン おおげさにいう

字解 ①수다할한 수다함. 말이 많음. '一, 多言也'《集韻》. ②풍을칠한 풍을 침. 큰소리침. '一, 大言也'《集韻》. ③말거세게할한 말을 거세게 함. '一, 厲言也'《正字通》.

言7〔詠〕14 〔혁〕鬩(鬥부 8획〈1776〉)과 同字

言7〔誢〕14 현 ㉯銑|xiàn ケン あらそいかたる

字解 말다툼할현 말다툼함. 다투며 말함. '一, 諍語'《集韻》.

言7〔詗〕14 〔형〕詗(言부 5획〈1321〉)과 同字

言7〔諣〕14 활 ㉱黠|huá カツ かたくな

字解 완고할활 완고함. 옹고집스러움. '一, 頑也'《字彙補》.

言7〔䛛〕14 회 ㉰隊|huì カイ まちうた

字解 ①유행가회 유행가. 시정(市井)의 노래. '一, 市一'《字彙》. ②말을길게끌회 말을 길게 끎. '一, 言長'《字彙》.

言7〔誟〕14 〔효〕詨(言부 6획〈1327〉)와 同字

言7〔諦〕14 ㊀흘 ㉱物|キツ かたるさま ㊁희 ㉰寘|xī キ かたりごえ

字解 ㊀①말할흘 말함. 말하는 모양. '一一, 語也'《廣雅》. ②성내어말다툼하는소리흘 성내어 말다툼함. '一, 語瞋聲'《廣韻》. ㊁말소리희 말소리. 말하는 목소리. 말의 기세. 말하는 모양. '一, 語聲'《集韻》.

言8〔誰〕15 中·人 수 ㉮支|shuí, shéi スイ だれ

筆順 ⼆ 亖 言 訁 訐 詐 誰 誰

字解 ①누구수 어떤 사람. '吾不知一之子'《老子》. '夫執輿者爲一'《論語》. ②물을수 '漢帝宜一差天下, 求索賢人'《漢書》. ③예수, 접때수 이전(以前). 일설(一說)에는, 발어(發語)의 조사(助辭)라 함. 疇(田부 14획〈803〉)와 뜻이 같음. '一昔然矣'《詩經》. ④성수 성(姓)의 하나.
字源 形聲. 言+隹〔音〕

言8 〔課〕15 中·人 과 ㊀箇 kè カ こころみる

筆順 ⼆ 亖 言 訁 誀 誀 評 課 課

字解 ①시험할과 증험해 봄. '試一'. '何不一而行之'《楚辭》. ②살필과 조사함. '一校人畜計'《史記》. ③매길과 ㉠할당함. '一稅'. '房奏考功一吏法'《漢書》. ㉡등수를 정함. '論一殿最'《後漢書》. ④차례과 성적의 등급. '常綢繆於結一'《孔稚珪》. ⑤몫과 세금 또는 업무 등의 할당. '徵一'. '學一'. ⑥일과 일상의 일. '日一'. '藁史殘一'《唐書》. ⑦부서과 사무 분담의 한 단위. 국(局)의 아래. '初等教育一'.
字源 形聲. 言+果〔音〕

言8 〔詘〕15 굴 ㊀物 qū クツ まがる

字解 ①굽을굴, 굽힐굴 屈(尸부 5획〈297〉)과 同字. '一寸而伸尺, 聖人爲之'《淮南子》. ②괴이할굴 괴상함. 이상야릇함. '一詭之殊事'《左思》.
字源 形聲. 言+屈〔音〕

言8 〔誼〕15 人名 의 ㊀寘 yì ギ よい

筆順 ⼆ 亖 言 言' 訁 訁 誼 誼

字解 ①옳을의 義(羊부 7획〈1036〉)와 통용. '仁一'. '一士'. '摩民以一'《漢書》. ②의논할의 議(言부 13획〈1357〉)와 통용. '論一考問'《漢書》. ③의의 정의(情誼). 정분. '反一'. '交一'.
字源 形聲. 言+宜(宐)〔音〕
參考 誼(言부 7획〈1333〉)는 本字.

言8 〔誶〕15 ㊀ 수 ㊀寘 suì スイ せめる ㊁ 쇄 ㊀隊 suì サイ つげる ㊂ 신 ㊀震 xùn シュン とう

字解 ㊀①꾸짖을수 힐책함. 욕함. '吳王還自伐齊, 一申胥'《國語》. ②간할수 웃어른이나 임금에게 잘못을 고치도록 충고함. '謇朝一而夕替'《楚辭》. ㊁①고할쇄 노래의 끝에 난(亂) 곧, 졸장(卒章)을 부언(附言)함. 또, 그 말. '一曰云云'《賈誼》. ②말더듬을쇄 '一, 訥澁辯給之貌'《釋文》. ㊂물을신 訊(言부 3획〈1313〉)과 同字. '虞人逐而一之'《莊子》.
字源 形聲. 言+卒〔音〕

言8 〔誷〕15 망 ㊤養 wǎng ボウ しいる

字解 속일망 罔(网부 3획〈1026〉)과 同字. '朋黨則誣一'《晉書》.
字源 形聲. 言+罔〔音〕

言8 〔誹〕15 비 ㊤尾 ㊥微 fěi ヒ そしる

字解 헐뜯을비 헐어 말함. 비방함. 또, 비방. '一謗者族'《史記》.
字源 形聲. 言+非〔音〕

言8 〔誻〕15 답 ㊀合 tà トウ しゃべる

字解 ①수다스러울답 沓(水부 4획〈628〉)과 同字. '愚者之言, 一一然而沸'《荀子》. ②헐뜯을답, 욕설할답 '一, 言相惡也'《洪武正韻》.
字源 形聲. 言+沓〔音〕

言8 〔調〕15 中·人 ㊀ 조 ㊥蕭 ①-⑦tiáo チョウ ととのう ㊀嘯 ⑧-⑬diào チョウ えらぶ ㊁ 주 ㊥尤 zhōu チュウ あさ

筆順 ⼆ 亖 言 訁 訂 訶 評 調 調

字解 ㊀①고를조 ㉠잘 어울림. '一和'. '琴瑟不一'《十八史略》. ㉡균형이 잡힘. 적당함. '弓矢旣一'《詩經》. '陰陽一而風雨時'《漢書》. ㉢평균함. 고르게 함. '以一盈虛'《漢書》. ②맞을조 ㉠적합함. '不同味而皆一於口'《淮南子》. ㉡음률의 가락이 맞음. '一竽笙篪簧'《禮記》. ③길들일조 조수(鳥獸)를 길들게 함. '一馴鳥獸'《史記》. ④조롱할조, 조소할조 놀림. 비웃음. '嘲一'. '戲一'. '王丞相每一之'《世說》. ⑤보호할조 보육(保育)함. '幸卒一護太子'《史記》. ⑥속일조 기만함. '一, 欺也'《廣雅》. ⑦성조 성(姓)의 하나. ⑧뽑힐조, 뽑을조 관리가 발탁되어 승진함. '十年不得一'《漢書》. ⑨거둘조 징발(徵發)함. '下一郡縣'《史記》. ⑩살필조, 헤아릴조 '一査'. '一立城邑'《漢書》. ⑪구실조 당대(唐代)의 세법(稅法)으로서 공물(貢物)로 바치는 포백(布帛) 같은 토산물(土產物)의 부과(賦課). '租庸一'. ⑫가락조 운율(韻律). '曲一'. '音一'. '笛有定一'《晉書》. ⑬운치조 품위 있는 기상. '神一'. '雅一'. '才一秀出'《晉書》. ㊁아침주 朝(月부 8획〈522〉)와 뜻이 같음. '惄如一飢'《詩經》.

字源 形聲. 言＋周〔音〕

言8 〔諂〕15 첨 ㊤琰 chǎn テン へつらう

字解 ①아첨할첨 알랑거림. '一諛'. '阿一'. '君子上交不一'《易經》. ②아양떨첨 교태지음. '稱其讎不爲一'《左傳》.
字源 形聲. 篆文은 言＋閻〔音〕
參考 諂(言부 10획〈1347〉)는 別字.

言8 〔諄〕15 人名 순 ㊥眞 zhūn ジュン たすける

筆順 ⺀ ⺕ 言 訁 訁 諄 諄 諄 諄

字解 ①도울순 조력함. '以一趙鞅之故'《國語》. ②지성스러울순 성품이 아주 정성스러운 모양. 또, 지성으로 타이르는 모양. '趙孟年未盈五十, 而一一焉如八九十者'《左傳》. ③도타울순 惇(心부 8획〈396〉)과 통용. ④거짓순 啍(口부 8획〈167〉)과 同字. '無取口一'《荀子》.
字源 形聲. 篆文은 言＋𦎫〔音〕

言8 〔諆〕15 기 ㊥支 qī, jī キ はかる

字解 ①상의할기 모의함. 또, 모의. '一, 謀也'《廣韻》. ②속일기 '一, 欺也'《說文》.
字源 形聲. 言＋其〔音〕

言8 〔談〕15 中·人 담 ㊥覃 tán ダン かたる

筆順 ⺀ ⺕ 言 訁 訁 談 談 談

字解 ①이야기담 담화. 설화. '淸一'. '魯人至今以爲美一'《公羊傳》. ②이야기할담 '一笑'. '三日不一'《莊子》. ③농할담 희학질함. '不敢戲一'《詩經》. ④성담 성(姓)의 하나.
字源 形聲. 言＋炎〔音〕

言8 〔諈〕15 추 ㊦寘 zhuì スイ わずらわせる

字解 ①번거로울추, 번거롭힐추 귀찮음. 귀찮게 함. '一諉, 絫也'《說文》. ②둔할추, 정체될추 '眠娗·一諉·勇敢·怯疑, 四人相與遊於世'《列子》. ③핑계댈추 칭탁함. '一, 託也'《玉篇》.
字源 形聲. 言＋垂(坐)〔音〕

言8 〔諉〕15 위 ㊦寘 wěi ズイ わずらわせる ㊥支 イ わずらわせる

字解 ①번거롭게할위 귀찮게 함. 폐를 끼침. '執事不一上'《漢書》. ②핑계댈위 칭탁함. '尙有可一者'《漢書》. ③맡길위 위탁함. 委(女부 5획〈245〉)와 통용. '一, 猶委也'《洪武正韻 㦰》.
字源 形聲. 言＋委〔音〕

言8 〔請〕15 中·人 청 ㊤梗 qǐng セイ こう

筆順 ⺕ 言 訁 訁 請 請 請 請

字解 ①청할청 ㉠물건을 구함. '一求'. '一纓繫南粤'《魏徵》. ㉡바람. 원함. '一願'. '上書自一擊吳'《漢書》. ㉢빎. 기원(祈願)함. '余得一於帝'《左傳》. '租稅者所慮而一也'《管子》. ㉣부름. 초대함. '招一'. '一貴客不來, 惡客不一自來'《李義山雜纂》. '賀聞許嗇夫有女, 迺置酒一之'《漢書》. ②물을청 문의함. '一問'. '客一之王子光'《呂氏春秋》. '一業則起, 一益則起'《禮記》. ③뵐청 웃어른을 찾음. '造一諸公'《漢書》. 또, 한대(漢代)의 제도(制度)로서, 제후(諸侯)가 가을에 상경하여 천자(天子)를 알현(謁見)하는 일. 봄의 조회(朝會)는 '朝'라 함. '使人爲秋一'《史記》. ④알릴청 아룀. 고(告)함. '申一'. '一賓曰'《禮記》. '舞文巧一下戶之猾, 以動大豪'《漢書》. ⑤청청 초청. 청탁. '顧榮在洛陽, 嘗應人一'(남의 초대를 받음)《世說》. ⑥청컨대청 바라건대. 바라노니. '王一勿疑'《孟子》.
字源 形聲. 言＋靑〔音〕

言8 〔請〕15 請(前條)과 同字

言8 〔諍〕15 쟁 ㊦敬 ①-③zhèng ソウ いさめる ㊥庚 ④⑤zhēng ソウ うったえる

字解 ①간할쟁 임금이나 웃어른에게 충고함. '一臣'. '諫一卽見聽'《漢書》. ②간하는 말쟁 '有能盡言於君, 用則可生, 不用則死, 謂之一'《說苑》. ③멈출쟁 과실(過失)을 멈춰 막음. '一, 謂止其失'《韻會》. ④송사할쟁 시비 곡직의 판단을 관청에 청함. '平理一訟'《後漢書》. ⑤다툴쟁 爭(爪부 4획〈732〉)과 同字. '紛一'. '有一氣者, 勿與論'《韓詩外傳》.
字源 形聲. 言＋爭〔音〕

言8 〔諏〕15 추 ㊥虞 zōu シュ はかる, とう ㊥尤 ソウ はかる, とう

字解 물을추 뭇 사람에게 문의하거나 정사(政事)에 관하여 문의함. 또, 상의함. '諮一'. '一, 聚謀也'《說文》. '周爰咨一'《詩經》.
字源 形聲. 言＋取〔音〕

言8 〔誩〕15 諏(前條)와 同字

言 8 〔諑〕15 착 [入]覺 zhuó タク うったえる

[字解] ①참소할착 하리놂. 헐뜯음. '謠一謂余以善淫'《楚辭》. ②호소할착 고소(告訴)함. 소송(訴訟)함. '一, 訴也'《廣雅》.
[字源] 形聲. 言+豖〔音〕

言 8 〔諒〕15 [高·人] 량 [去]漾 [平]陽 ①-⑥liàng リョウ まこと ⑦liáng リョウ よい

[筆順] 亠 亖 言 言 訁 訁 諒 諒 諒

[字解] ①참량 신실(信實)함. '忠一'. '簡一'. '友直友一'《論語》. 전(轉)하여, 하찮은 의리(義理)를 묵수(墨守)하는 일. '豈若匹夫匹婦之爲一也'《論語》. ②믿을량 신실하다고 생각하여 의심치 않음. '不一人只'《詩經》. ③살펴알량 사정을 잘 살펴 앎. '一察'. '諸君一之'. ④도울량 亮(亠부 7획〈30〉)과 同字. '一彼武王'《詩經》. ⑤참으로량 진실로. 의심할 것 없이. '一不我知'《詩經》. ⑥성량 성(姓)의 하나. ⑦어질량 良(艮부 1획〈1118〉)과 통용. '易直子一之心'《禮記》.
[字源] 形聲. 言+京〔音〕

言 8 〔諓〕15 전 ①-④[上]銑 ⑤[去]霰 jiàn セン うまくものをいう セン つげぐちするさま

[字解] ①말잘할전 변설이 교묘한 모양. 또, 그 말. '又安知是一一者乎'《國語》. ②착할전 작은 착한 일. 좋은 일. '昔秦穆公, 說一一之言'《漢書》. ③아첨할전 알랑거리는 모양. '習一一之辭'《後漢書》. ④얕을전 말이 천박한 모양. '惟一一善竫言'《公羊傳》. ⑤참소할전 교묘하게 참소하는 모양. '讒人一一'《劉向》.
[字源] 形聲. 言+戔〔音〕

言 8 〔諔〕15 [一] 숙 [入]屋 chù シュク あざむく [二] 적 [入]錫 jí セキ しずか

[字解] [一] 속일숙 기만함. '一詭幻怪之名'《莊子》. [二] ①조용할적 고요함. 宋(宀부 6획〈278〉)과 同字. '一, 無人聲'《集韻》. ②편안할적 '一, 安也'《字彙》.
[字源] 形聲. 言+叔〔音〕

言 8 〔論〕15 [中·人] [一] 론 [平]元 [去]願 lún, lùn ロン あげつらう [二] 륜 [平]眞 lún リン すじみち

[筆順] 亠 亖 言 言 訁 訡 訡 論 論

[字解] [一] ①말할론 ㉠서술함. 진술함. '立一'. '請悉一先人所次舊聞'《史記》. ㉡이야기함. 담화를 함. '珍怪奇偉, 不可稱一'《宋玉》. ②논할론 ㉠사물의 이치를 말함. '一道經邦'《書經》. ㉡자기의 의견을 말함. '議一'. '考一'. ㉢우열·선악을 비평함. '評一'. '願足下之一臣之計也'《戰國策》. ㉣이러니저러니 말함. 왈가왈부함. '功名誰復一'《魏徵》. ㉤판결함. '一罪'. '一死'. '乃捕一之'《史記》. ㉥의결(議決)함. '一功行賞'. ③헤아릴론 ㉠생각함. '於一鐘鼓'《詩經》. ㉡계교(計較)함. 비교함. '凡官民材, 必先一之'《禮記》. ㉢추측함. '此賢主之所一人也'《呂氏春秋》. ④관장할론 맡음. 綸(糸부 8획〈998〉)과 통용. '經一天下之大經'《禮記》. ⑤고를론 가림. '勞於一人'《呂氏春秋》. ⑥견해론 의견·학설 등. '公一'. '觀覽乎孔老之一'《後漢書》. ⑦문체이름론 한문의 한 체(體). 자기의 의견을 주장하여 서술한 것. '爭臣一'. '春秋一'. [二] 조리륜 倫(人부 8획〈59〉)과 同字. '必卽天一'《禮記》.
[字源] 形聲. 言+侖〔音〕

言 8 〔諗〕15 심 [上]寑 shěn シン いさめる

[字解] ①간할심 임금이나 웃어른에게 충고함. '昔辛伯一周桓公'《左傳》. 일설(一說)에는, 고(告)함. '將母來一'《詩經》. ②숨을심 몸을 감춤. '魚鮪不一'《孔子家語》. ③생각할심 '一, 字林, 念也'《集韻》.
[字源] 形聲. 言+心+今〔音〕

言 8 〔誇〕15 궁 [去]送 qióng キュウ ことばがおおい

[字解] ①말많을궁 말이 많아 시끄러움. '一, 多言'《集韻》. ②물을궁 '一, 詾問也'《廣韻》.

言 8 〔諀〕15 비 ①[上]紙 ②[平]支 pǐ ヒ そしる bēi ヒ このんでそしったりほめたりする

[字解] ①헐어말할비 악담하여 헐뜯음. '一, 博雅, 一訾, 毁也'《集韻》. ②남의말좋아할비 즐겨 칭찬했다 헐뜯었다 함. '一訾, 好毁譽也'《集韻》.

言 8 〔諢〕15 諀(前條)와 同字

言 8 〔諕〕15 [一] 호 [平]豪 háo コウ さけぶ [二] 하 [去]禡 xià カ たぶらかす [三] 획 [入]陌 huò カク すみやか

[字解] [一] 외칠호 부르짖음. 謼(言부 14획〈1360〉)와 同字. '宮人婦女一謼曰當奈何'《漢書》. [二] 속일하 '一, 誑也'《集韻》. [三] 재빠를획 謋(言부 10획〈1346〉)과 同字. '謋,

諜然. 一, 上同'《廣韻》.
[字源] 形聲. 言+虎〔音〕

言 8 〔諕〕 15 諕(前條)와 同字

言 8 〔⿰言咎〕 15 구 [上]有 | jiù キュウ そしる
[筆順] 言 言' 訁 訁 訁 訁 訁 ⿰言咎
[字解] 헐어말할구 남을 헐뜯음. '一, 毁也'《說文》.

言 8 〔⿰言受〕 15 수 [去]有 | shòu シュウ·ジュ くちずからつたえる
[字解] 말전할수 입으로 말을 전함. 구수(口授). '得其密號一諸軍'《唐書》.

言 8 〔諃〕 15 침 [平]侵 | chēn チン よくいう
[字解] 착한말할침 '一, 善言'《集韻》.
[字源] 形聲. 言+綝〈省〉〔音〕

言 8 〔誺〕 15 [一] 치 [平]支 | chī チ しらない
[二] 래 [去]隊 | lài ライ あやまる
[字解] [一] ①모를치 물음을 받고 답을 모름. '一, 不知也. 沅澧之間, 凡相問而不知, 答曰一'《揚子方言》. ②꾸밀치 거짓을 사실처럼 꾸며서 말함. '以言相欺曰讃, 以言相誣曰一'《正字通》. ③울림소리치 메아리. '空谷傳聲曰赤謾白一'《梵書》. [二] 잘못할래 그르침. '一, 誤也'《廣雅》.

言 8 〔諎〕 15 [一] 책 [入]陌 | zé サク おおごえ
[二] 차 [上]馬 | zhǎ サ いざないいう
[去]禡 | jiè シャ なく
[字解] [一] 큰소리칠책 큰 소리로 외침. 唶(口부 8획〈167〉)과 同字. '一, 大聲也'《說文》. [二] ①꾈차 꾐. 또, 그 말. '一, 誘言'《集韻》. ②울차, 탄식하는소리차 唶(口부 8획〈167〉)와 同字. '一, 廣雅, 鳴也. 一曰, 歎聲'《集韻》.
[字源] 形聲. 言+昔(笞)〔音〕

言 8 〔⿰言弦〕 15 현 [平]先 | xián ゲン きびしい
[字解] ①말급할현 생각해 말할 겨를이 없음. 일이 급박함. '一, 急也'《集韻》. '謀稽乎一'《莊子》. ②굳고바를현 '一, 一曰, 堅正'《集韻》.

言 8 〔⿰言疌〕 15 첩 [入]葉 | jié ショウ ことばがおおい
[字解] 말많을첩 수다스러움. '一, 多言'《集韻》.

言 8 〔誽〕 15 [一] 나 ①[平]麻 ②[平]佳 | ná ダ·ナ ひく ダイ·ナイ ことば がただしくない
[二] 예 [去]霽 | ゲイ うかがう
[字解] [一] ①뜨개질할나 말로 남의 마음을 떠봄. '一, 言相一司也'《說文》. ②말바르지않을나 '一, 言不正也'《廣韻》. [二] 엿볼예 '一, 伺也'《集韻》.
[字源] 形聲. 言+兒〔音〕

言 8 〔⿰言匋〕 15 도 [去]豪 | tāo トウ ことばがみだれる
[字解] ①말어지러울도 '一, 詨一, 言不節也'《玉篇》. ②어린아이의서툰말도 '一, 一曰, 小兒未能正言也'《說文》. ③빌도 기도함. '一, 一日, 祝也'《說文》.
[字源] 形聲. 言+匋〔音〕

言 8 〔⿰言亞〕 15 [一] 오 [上]麌 [去]遇 | wū オ そしりあう オ はじる
[二] 악 [入]藥 | アク そしる
[三] 가 [去]禡 | qià カ ことばがただしくない
[四] 액 [入]陌 | アク わらう
[字解] [一] ①서로헐뜯을오 '一, 相毁也'《說文》. ②두려워할오 '一, 一日, 畏一'《說文》. ③부끄러워할오, 미워할오 '惡, 恥也. 憎也. 或作一'《集韻》. [二] 헐뜯을악 '謌, 誼也. 或省'《集韻》. [三] 말바르지않을가 '一, 一訝, 言不正'《集韻》. [四] 웃을액 '啞, 說文, 笑也. 或从言'《集韻》.
[字源] 形聲. 言+亞〔音〕

言 8 〔諚〕 15 범 | piàn ヘン いみふめい
[字解] 범 뜻은 불명(不明).

言 8 〔⿰言㫄〕 15 〔방〕
謗(言부 10획〈1346〉)의 本字

言 8 〔⿰言⿰羽羽〕 15 〔후〕
詡(言부 6획〈1324〉)의 本字

言 8 〔⿰言囟〕 15 〔신〕
訊(言부 3획〈1313〉)의 古字

言 8 〔⿰言⿱亼皿〕 15 [一] 謚(言부 10획〈1347〉)과 同字
[二] 諡(言부 9획〈1341〉)와 同字

言 8 〔⿰言⿱夾木〕 15 〔첩〕
諜(言부 9획〈1341〉)과 同字

言 8 〔⿰言⿱廿木〕 15 〔첩〕
諜(言부 9획〈1341〉)과 同字

言8 〔読〕15 〔독〕
讀(言부 15획〈1361〉)의 俗字

言8 〔諸〕15 〔제〕
諸(言부 9획〈1343〉)의 略字

言8 〔謁〕15 〔알〕
謁(言부 9획〈1343〉)의 略字

言8 〔諅〕15 기 ①②去寘 jì キ いむ ③平支 jī キ はかる
字解 ①꺼릴기 싫어함. '一富貴之在其上'《新論》. ②뜻할기 마음먹음. '一, 志也'《廣韻》. ③꾀할기 '一, 謀也'《廣韻》.
字源 形聲. 言＋其〔音〕

言8 〔誾〕15 人名 은 平眞 yín ギン やわらぐさま
筆順 丨 ｢ ｢ 門 門 門 誾 誾
字解 ①화기애애할은 화기 애애한 모양. 일설(一說)에는, 온건하게 시비를 논의하는 모양. '朝與上大夫言, 一一如也'《論語》. ②이야기할은 '一, 一曰, 語也'《集韻》. ③향기짙을은 향기가 대단히 나는 모양. 향기가 강렬한 모양. '芳酷烈之一一'《司馬相如》. ④치우침없을은 '一一'은 중정(中正)한 모양. 또, 공경하고 삼가는 모양. ⑤성은 성(姓)의 하나.
字源 形聲. 言＋門〔音〕

言8 〔諐〕15 건 平先 qiān ケン あやまち
字解 허물건 잘못. 과오(過誤). 愆(心부 9획〈399〉)의 古字. '元首無失道之一'《漢書》.
字源 形聲. 言＋侃〔音〕

言8 〔䛐〕15 〔감〕
監(皿부 9획〈834〉)의 古字

言8 〔諕〕15 갑 入合 kē コウ わらいかたる
字解 웃으며말할갑 웃으며 말함. 속삭임. '一, 一謳, 笑話'《集韻》.

言8 〔諊〕15 거 去御 jù キョ げんにほうそくがあること
字解 말법도있을거 말에 법도가 있음. 또는 그 일. '一, 言有則也'《集韻》.

言8 〔諊〕15 국 入屋 jū キク つみをしらべる
字解 국문할국 국문함. 추궁함. '一窮'. '鞫, 說文, 窮理罪人也, 亦作一'《集韻》.

言8 〔諆〕15 기 平支 qī キ かたってたわむれあう
字解 ①농담할기 농담함. 서로 말장난을 함. '一, 語相戲'《集韻》. ②거짓말기 거짓말. 망어(妄語). '一, 妄語'《字彙》.

言8 〔諾〕15 〔낙〕
諾(言부 9획〈1343〉)과 同字

言8 〔諌〕15 동 上董 dǒng トウ ことばがおおい
字解 말많을동 말이 많음. 수다스러움. '一, 多言'《字彙》.
參考 諫(言부 9획〈1342〉)은 別字.

言8 〔諑〕15 록 入沃 lù リョク たわむれる
字解 시시덕거릴록 시시덕거림. 희롱함. '一, 謔也'《集韻》.

言8 〔誷〕15 망 去漾 wàng ボウ せめる
字解 ①꾸짖을망 꾸짖음. '一, 責也'《字彙補》. ②望(月부 7획〈521〉)의 古字. '范本望作一, 陳曰, 一, 古望字'《太玄經 注》.

言8 〔謗〕15 면 平先 mán メン わるがしこい
字解 교활할면 교활함. 속임. '謾, 慧黠也, 一曰, 欺也, 或作一'《集韻》.

言8 〔誣〕15 무 wū ブ あざむく
字解 ①속일무 속임. 거짓말함. '一, 欺妄也'《海篇》. ②무고할무 무고함. 모함함.

言8 〔謐〕15 〔밀〕
謐(言부 10획〈1346〉)의 訛字

言8 〔諒〕15 〔부〕
訃(言부 5획〈1324〉)와 同字

言8 〔諳〕15 삽 入緝 sè シュウ おおくものいう
字解 말많을삽 말이 많음. 수다스러움. '一, 多言'《字彙》.

言8 〔諔〕15 섬 平鹽 shán セン ことばがまことでない
字解 거짓말섬 거짓말. 말이 진실하지 못함. '一, 言不實'《集韻》.

言8 〔䛊〕15 〔식〕
識(言부 12획〈1354〉)의 古字

言8 〔諂〕15 엄 去豔 平鹽 yān エン そしる

[字解] ①비방할엄 비방함. 욕함. ②숨길엄 숨김. 숨음. ③맞을엄 맞음. 들어맞음. 또는 강요함.

言8 〔謷〕15 오 [平]豪 āo オウ からすがなく
[字解] 까마귀울오 까마귀가 욺. '一, 鴉鳴'《字彙》.

言8 〔諀〕15 〔요〕
訞(言부 4획〈1315〉)와 同字

言8 〔諉〕15 원 [上]阮 wǎn エン なぐさめる
[字解] ①위로할원 위로함. 달램. '一, 慰也'《集韻》. ②따를원 따름. 좇음. '一, 從也'《集韻》.

言8 〔誃〕15 〔이〕
誃(言부 11획〈1350〉)와 同字

言8 〔諫〕15 자 [去]寘 zì シ ことばがひとにたっする
[字解] 말들일자 말을 들임. 말이 남에게 도달됨. '一, 言入也'《集韻》.

言8 〔諹〕15 ㊀장 [平]陽 ㊁창 [去]敬 zhāng チョウ たぶらかす トウ かるがるしい
[字解] ㊀어루꾈장 어루꾐. 속임. 홀림. '一, 譸一, 誑也'《集韻》. ㊁①경박할창 경박함. 경솔함. '倀, 倀傺, 疏率, 或从言'《集韻》. ②엉성할창 엉성함. 성김.

言8 〔諑〕15 전 [上]銑 tiǎn テン ことばがさだまらない
[字解] 말일정하지않을전 말이 일정하지 않음. 말이 분명하지 않음. '一, 一譀, 言不定'《集韻》.

言8 〔諟〕15 제 [平]支 tí チ よくはなすこと
[字解] 말부지런히할제 말을 부지런히 함. 말을 게을리하지 아니함. '一, 言不懈'《字彙》.

言8 〔諭〕15 제 [去]霽 zhì セイ ことばがただしくない
[字解] 말바르지아니할제 말이 바르지 아니함. '一, 語不正'《集韻》.

言8 〔諒〕15 〔종〕
悰(心부 8획〈397〉)과 同字

言8 〔諄〕15 착 [入]覺 zhuō タク じんめい
[字解] 사람이름착 사람 이름. '韓一等固勸攻滑臺'《晉書》.

言8 〔諙〕15 〔창〕
唱(口부 8획〈166〉)과 同字

言8 〔諦〕15 척 [入]錫 tì テキ かたよる
[字解] ①편벽될척 편벽됨. 한쪽으로 치우침. '一, 僻也'《集韻》. ②교활할척 교활함. 간교함. '一, 一日, 狡獪'《集韻》.

言8 〔諁〕15 철 [入]屑 zhuó テツ しゃべりつづける
[字解] 지껄거릴철 지껄거림. 노상 지껄임. '一, 多言不止, 謂之一, 或从口'《集韻》.

言8 〔諗〕15 〔총〕
謥(言부 9획〈1345〉)과 同字

言8 〔諚〕15 충 chōng ショウ むさぼる
[字解] 탐할충 탐함. 한없이 욕심부림. '一, 貪也'《篇海》.

言8 〔諸〕15 타 [平]歌 tuō タ かげぐち
[字解] 험담할타 험담. 흠구덕. '一, 退言'《字彙》.

言8 〔誕〕15 〔탄〕
誕(言부 7획〈1330〉)과 同字

言8 〔諄〕15 〔퇴〕
誳(言부 6획〈1330〉)와 同字

言8 〔諘〕15 표 [上]篠 biǎo ヒョウ ほめる
[字解] 칭찬할표 칭찬함. 찬양함. '一, 讚也'《集韻》.

言8 〔諷〕15 〔풍〕
諷(言부 9획〈1343〉)의 俗字

言8 〔諱〕15 행 [去]敬 xìng コウ いう
[字解] ①성낼행 성냄. 성내어 말함. '一, 一日, 瞋語'《集韻》. ②말할행 말함. '一, 言也'《廣雅》. ③바를행 바름. 말이 정직함. '一, 一直也'《字彙》.

言8 〔諱〕15 諱(前條)과 同字

言8 〔諸〕15 효 [平]肴 xiáo コウ ほしいまま
[字解] 방자하게굴효 방자하게 굶. 제멋대로 함. 말이 음전하지 아니함. '一, 言不恭謹,

或从爻'《集韻》.

言 8 〔諢〕 15 혼 [上]阮 | hùn コン ことばがよく わからぬ

[字解] ①말분명하지못할혼 말이 분명하지 못함. '一, 語不明'《正字通》. ②꾀할혼 꾀함. '一, 謀也'《集韻》.

言 8 〔譮〕 15 회 [平]灰 | suì カイ そしる

[字解] 비방할회 비방함. 헐뜯음. 비난함. '一, 毁謗也'《集韻》.

言 8 〔諙〕 15 회 [去]卦 | huà カイ あやまる

[字解] 실수할회 실수함. 잘못함. '一, 誤也'《字彙補》.

言 9 〔諛〕 16 유 [平]虞 [去]遇 | yú ユ へつらう

[字解] ①아첨할유 아당(阿黨)함. '阿一'. '先生何言之一也'《史記》. '惟以貪一事'《逸周書》. ②아첨유 아첨의 말. '唯一是信'《漢書》. ③기꺼이따를유 기꺼이 순종함. '一然告民有事'《管子》.

[字源] 形聲. 言+臾〔音〕

言 9 〔諜〕 16 [一] 첩 [入]葉 [二] 섭 [入]葉 | dié チョウ うかがう xiè ショウ いいたてる

[字解] [一] ①염탐할첩 적지(敵地)에 들어가 몰래 사정을 조사함. '一知'. '一報'. '使伯嘉一之'《左傳》. ②염탐꾼첩 간첩. 세작(細作). '間一'. '偵一'. '晉人獲秦一'《左傳》. ③편안히할첩 '大多政法而不一'《莊子》. ④문서첩 牒(片부 9획〈737〉)과 통용. '余讀一記, 黃帝以來, 皆有年數'《史記》. ⑤재재거릴첩 喋(口부 9획〈173〉)과 同字. '一一利口'《史記》. [二] 말잇달섭 연달아 말함. '一, 言相次也'《集韻》.

[字源] 形聲. 言+枼〔音〕

言 9 〔諝〕 16 서 [平]魚 [上]語 | xǔ ショ さとい

[字解] ①슬기로울서 총명함. 재지(才智). 또, 재지 있는 사람. '謀無遺一'《陸機》. ②속일서, 거짓서 허위. 기만. '比周朋黨, 設詐一'《淮南子》.

[字源] 形聲. 言+胥〔音〕

言 9 〔諞〕 16 편 [平]先 [上]銑 | piǎn ヘン ことばたくみにいう

[字解] 말잘할편 교묘하게 말을 잘 둘러맞춤. '惟截截善一言'《書經》.

[字源] 形聲. 言+扁〔音〕

言 9 〔諟〕 16 시 [上]紙 | shì シ この, ただす

[字解] ①이시 是(日부 5획〈503〉)와 통용. '顧一天之明命'《書經》. ②바를시, 바로잡을시 틀림이 없음. 틀린 것을 고침. 시정함. '一正文字'《陳書》. ③자세히할시 '一, 說文, 審也'《集韻》.

[字源] 形聲. 言+是〔音〕

言 9 〔諠〕 16 훤 [平]元 | xuān ケン わすれる

[字解] ①잊을훤 諼(言부 9획〈1343〉)과 同字. '有斐君子, 終不可一兮'《大學》. ②들렐훤, 떠들훤 喧(口부 9획〈174〉)과 통용. '一傳'. '諸侯皆一譁, 疾鼂錯'《史記》. ③속일훤 諼(言부 9획〈1343〉)과 同字. '諼, 說文, 詐也. 亦作一'《集韻》.

[字源] 形聲. 言+宣〔音〕

言 9 〔謚〕 16 시 [去]寘 | shì シ おくりな

[字解] ①시호시 생전의 공덕을 칭송하여 추증(追贈)하는 칭호. '美一'. '賜一之制, 實始於周也'《周禮 疏》. ②시호내릴시 시호를 추증(追贈)함. '詔贈新建侯, 一文成'《王文成公年譜節略》.

[字源] 形聲. 言+益〔音〕

言 9 〔諢〕 16 원 [去]願 | hùn コン じょうだん

[字解] ①농원 농담. 또, 농을 함. '打一'. '科一'. '雜以談笑一語'《明道雜志》. ②별명원 '一名'은 별명. 작호(綽號). '起他一箇一名'《水滸傳》.

[字源] 形聲. 言+軍〔音〕

言 9 〔諤〕 16 악 [入]藥 | è ガク ちょくげんする

[字解] 곧은말할악 기탄없이 바른 말을 함. 직언(直言)함. '侃一'. '謇一之節'《後漢書》.

[字源] 形聲. 言+咢〔音〕

言 9 〔諦〕 16 [人名] [一] 체 [去]霽 [二] 제 [平]齊 | dì テイ つまびらかにする tí テイ なく

[筆順] 言 言 言 訁 訁 訁 諦 諦 諦 諦

[字解] [一] ①살필체 자세히 조사함. '審一'. '一毫末者, 不見天地之大'《關尹子》. ②자세히알체 상실(詳悉)함. '不一於心'《新論》. ③이치체 불교(佛敎)에서 진실 무망(眞實無妄)한 도리. 또, 오도(悟道). '眞一'. '俗一'. '若見一則驚悟'《法華經科 註》. [二] 울제 소리쳐 욺. '哭泣一號'《荀子》.

[字源] 形聲. 言+帝〔音〕

言9 〔諧〕16 人名 해 (平)佳 | xié カイ かなう

筆順

字解 ①고를해, 어울릴해 잘 조화함. '調一'. '八音克一'《書經》. ②화동할해 화합(和合)함. '克一以孝'《書經》. ③이룰해 일이 성취됨. '事不一矣'《後漢書》. ④고르게할해 물건의 값을 싸지도 비싸지도 않게 정함. '一價, 然後得去'《後漢書》. ⑤농지거리해, 농해 희학. '詼一'. '好一謔'《晉書》.

字源 形聲. 言+皆〔音〕

言9 〔諫〕16 人名 ㊀간 (去)諫 | jiàn カン いさめる ㊁란 (去)翰 | làn ラン そしりあう

筆順

字解 ㊀①간할간 ㉠임금 또는 웃어른에게 충고함. '諷一'. '直一'. '三一而不聽, 則逃之'《禮記》. ㉡자기의 전비(前非)를 뉘우쳐 탓함. '悟已往之不一, 知來者之可追'《陶潛》. ②간하는말간 '從一若轉圜'《漢書》. ㊁헐뜯을란 서로 비방함. 讕(言부 17획〈1364〉)과 同字. '讕, 詆讕, 誣言相被也. 或从柬'《集韻》.

字源 形聲. 言+柬〔音〕

言9 〔諭〕16 ㊀유 (去)遇 | yù ユ さとす ㊁투 ㊤有 | tǒu トウ いざなう

字解 ㊀①깨우칠유 깨단도록 일러 줌. '一示'. '說一'. '曉一'. '修敎明一'《穀梁傳》. ②깨달을유 말을 듣고 깨달아 앎. '其言多當矣, 而未一也'《荀子》. ③깨우침유 깨우치는 말. 가르침. '持節宣一'《北史》. '未敢聞子之高一'《東晳》. ④간할유 '一, 諫也'《廣韻》. ⑤비유할유, 비유유 喩(口부 9획〈174〉)와 同字. '誼追傷之, 因以自一'《漢書》. '引一失義'《諸葛亮》. ⑥비유하여간할유 풍간(諷諫)함. '一, 譬諫也'《一切經音義》. ⑦행하여질유 널리 미침. '而威已一矣'《呂氏春秋》. ⑧성유 성(姓)의 하나. ㊁꾈투 '一, 誘也'《玉篇》.

字源 形聲. 言+兪〔音〕

言9 〔諭〕16 諭(前條)의 俗字

言9 〔諮〕16 자 (平)支 | zī シ はかる, とう

字解 물을자, 상의할자 높은 이가 낮은 이에게 문의함. '一詢'. '一問'. 咨(口부 6획〈161〉)와 同字. '一臣以當世之事'《諸葛亮》.

字源 形聲. 言+咨〔音〕

言9 〔諰〕16 시 ㊤紙 | xǐ シ おそれる

字解 ①두려워할시 공구(恐懼)함. '則甚有其一也'《荀子》. '一一然常恐天下之一合而軋己也'《荀子》. ②생각할시 얘기하면서 생각함. '一, 言且思之也'《廣韻》. ③직언할시 곧은 말을 함. '一, 一曰, 直言'《廣韻》.

字源 形聲. 言+思〔音〕

言9 〔諱〕16 휘 (去)未 | huì キ いむ

字解 ①꺼릴휘 ㉠말하기를 싫어함. '一言'. ㉡싫어함. '其所一者不足不具'《晉書》. ㉢두려워함. '一忌'. '擊斷無一'《史記》. ㉣피함. 회피함. '罰不一強大'《戰國策》. ②숨길휘 은폐함. '隱一'. '大惡一, 小惡書'《公羊傳》. ③휘할휘 높은 이의 이름을 부르기를 피함. '漢一武帝名徹爲通'《韓愈》. ④휘휘 죽은 이의 살았을 때의 이름. '以一事神'《左傳》.

字源 形聲. 言+韋〔音〕

言9 〔諳〕16 암 (平)覃 | ān アン そらんずる

字解 ①알암 익숙히 앎. '一練舊事'《晉書》. ②기억할암 잊지 아니함. '一記'. '皆一其數'《後漢書》. ③욀암 암송함. '一誦'. '一識內典'《陳書》. ④큰소리암 '一, 大聲也'《玉篇》.

字源 形聲. 言+音〔音〕

言9 〔[言+弇]〕16 諳(前條)과 同字

言9 〔諴〕16 함 (平)咸 | xián カン やわらぐ

字解 ①화동할함 화합함. '其丕能一于小民'《書經》. ②정성함 지성. '至一感神'《書經》. ③희롱거릴함 까붊. 농함.

字源 形聲. 言+咸〔音〕

言9 〔諵〕16 남 (平)覃 | nán ダン·ナン やかましいことば

字解 ①수다스러울남 喃(口부 9획〈172〉)과 同字. '論詩說賦相一一'《韓愈》. ②말소리남 '一, 語聲也'《玉篇》. ③몰래욕할남 '一, 一諛, 私詈'《集韻》.

字源 形聲. 言+南〔音〕

言9 〔諶〕16 심 (平)侵 | chén シン·ジン まこと

字解 ①참심 진실하고 거짓이 없음. '其命匪一'《詩經》. ②믿을심 신뢰함. '天難一, 命靡常'《書經》. ③참으로심 진실로. '一荏弱而難持'《楚辭》. ④성심 성(姓)의 하나.

字源 形聲. 言+甚〔音〕

言 9 〔諷〕16 풍 [去]送 [平]東 | fěng(fèng) フウ そらんずる

[字解] ①욀풍 암송함. '能一書九千字以上'《漢書》. ②변죽울릴풍 넌지시 비춤. 다른 사물에 가탁하여 말함. '一刺'. '以談笑一諫'《史記》. ③간할풍 '一, 一曰, 諫刺'《集韻》.

[字源] 形聲. 言+風〔音〕

言 9 〔諸〕16 [中·人] [一]제 [平]魚 (저[本]) [二]저 [平]魚 | zhū ショ もろもろ | chú ショ ひたしもの

[筆順] … 諸

[字解] [一] ①모든제, 여러제 '一君'. '一事'. '歷試一艱'《書經》. ②어조사제 ㉠'之於'와 뜻이 같음. '君子求一己, 小人求一人'《論語》. ㉡'之乎'와 뜻이 같아 의문사(疑問辭)로 쓰임. '湯放桀, 武王伐紂, 有一'《孟子》. ㉢또, 특히 '乎'를 첨가한 것도 있음. '信有一乎'《史記》. ㉣무의미의 조사(助辭). '日居月一'('居'도 조사)《詩經》. ③무릇제 凡(几부 1획〈95〉)과 뜻이 같음. '一去大軍, 爲前禦之備'《尉繚子》. ④성제 성(姓)의 하나. ※이상(以上) 本音 저. [二] ①김치저, 장아찌저 '桃一梅一'《禮記》. ②두꺼비저 '詹一'는 두꺼비. '詹一, 蝦蟆也'《字彙》.

[字源] 形聲. 言+者〔音〕

言 9 〔諺〕16 [人名] [一]언 [去]霰 [二]안 [去]翰 | yàn ゲン ことわざ | àn ガン ほこる

[筆順] … 諺

[字解] [一] ①상말언 이언(俚諺). '俗一'. '一, 所謂老將至, 而耄及之'《左傳》. ②조문(弔問)할언 조상(弔喪)함. '子游揚裘而一, 曾參指揮而哂'《新論》. [二] 자랑할안 스스로 자랑함. '一, 誸一, 自矜'《集韻》.

[字源] 形聲. 言+彦〔音〕

言 9 〔諺〕16 諺(前條)의 俗字

言 9 〔諼〕16 훤 [平]元 [上]阮 | xuān ケン いつわる | カン いつわる

[字解] ①속일훤 기만함. '虛造詐一之策'《漢書》. ②잊을훤 망각함. 諠(言부 9획〈1341〉)과 同字. '有斐君子, 終不可一兮'《詩經》. ③시끄러울훤 讙(言부 18획〈1364〉)과 통용.

[字源] 形聲. 言+爰〔音〕

言 9 〔諾〕16 [高·人] 낙 [入]藥 | nuò ダク こたえる

[筆順] … 諾

[字解] ①대답할낙 ㉠예하고 대답함. '史起答一'《呂氏春秋》. ㉡천천히 대답함. 공손하지 않은 대답. '父命呼, 唯而不一'《禮記》. ②승낙할낙 승인함. '輕一必寡信'《老子》. ③승낙낙 청하는 것을 들어 줌. 또, 승낙한 일. '不如得季布一一'《史記》. ④허용할낙 '許一'. '子路無宿一'《荀子》. ⑤따를낙 '劑貌辨答曰, 敬一'《呂氏春秋》. ⑥성낙 성(姓)의 하나.

[字源] 形聲. 言+若〔音〕

言 9 〔謀〕16 [高·人] 모(무[本]) [平]尤 | móu ボウ・ム はかる

[筆順] … 謀

[字解] ①꾀할모 ㉠책략을 세움. 계획함. '一議'. '圖一'. '公何不爲王一伐魏'《戰國策》. ㉡생각함. 마음을 씀. '作事一始'《易經》. '君子一道不一食'《論語》. ②물을모 상의함. '不卽我一, 徹我牆屋'《詩經》. '二人對議, 謂之一'《晉書》. ③속일모 계략으로 속임. '貪必一人, 一人人亦一己'《左傳》. ④꾀모 계략. 술책. '嘉一'. '君之一過矣'《戰國策》. ⑤성모 성(姓)의 하나. ※本音 무.

[字源] 形聲. 言+某〔音〕

言 9 〔謁〕16 [高·人] 알 [入]月 | yè エツ なふだ

[筆順] … 謁

[字解] ①명함알 면회를 청할 때 내놓는 성명을 적은 쪽지. 명자(名刺). '一刺'. '高祖乃紿爲一'《史記》. ②뵐알 ㉠높은 이에게 면회함. '面一'. '拜一'. '仗策一天子'《魏徵》. ㉡참배(參拜)함. '一廟'. '先拜而後一佛'《世說》. ③아뢸알 사룀. '臣請一其故'《戰國策》. ④고할알 알림. '乃一關人'《儀禮》. '事至而戰, 又何一焉'《左傳》. ⑤찾을알 방문함. '一, 增韻, 訪也'《康熙字典》. ⑥청할알 구함. '宣子一諸鄭伯'《左傳》. ⑦성알 성(姓)의 하나.

[字源] 形聲. 言+曷〔音〕

言 9 〔謂〕16 [高·人] 위 [去]未 | wèi イ いう

[筆順] … 謂

[字解] ①이를위 ㉠이야기함. 고(告)함. '周公一魯公曰'《論語》. ㉡평론함. 비평함. '子一子賤'《論語》. ㉢일컬음. 말함. '此之一大丈夫'《孟子》. ㉣설명함. '一天蓋高'《詩經》. ㉤이르기를. 생각하기를. '人皆一, 卿但知經術, 不曉時務'《宋史》. ②이름위 ㉠이르는 바. 이르는 일. '其斯之一與'《論語》. ㉡뜻. 의미. '非謂有喬木之一也'《孟子》. ③까

닭위 이유. '甚無—也'《漢書》. ④생각할위 '嗚呼, 曾—泰山不如林放乎'《論語》. ⑤힘쓸위 근면함. '遐不—矣'《詩經》. '迨其—之'《詩經》. ⑥이른바위 소위. '諺所—輔車相依, 脣亡齒寒者'《左傳》. ⑦성위 성(姓)의 하나.
[字源] 形聲. 言+胃(冑)〔音〕

言 9 〔謔〕16 학 [入]藥 | xuè(nüè) ギャク たわむれる
[字解] ①농할학 희학질함. 농지거리함. '諧—'. '調—'. '善笑—兮'《詩經》. ②농학 희학(戲謔). '是謂君臣爲—'《禮記》.
[字源] 形聲. 言+虐〔音〕

言 9 〔諲〕16 인 [平]眞 | yīn イン つつしむ
[字解] 공경할인 삼감. '—, 敬也'《爾雅》.

言 9 〔謏〕16 [一]소 [上]篠 [二]수 [去]宥 | xiǎo ショウ すこし, いざなう sǒu ソウ かげごと
[字解] [一] 작을소, 꾈소 '—, 小也, 誘也'《說文新附》. [二] 뒤로욕할수 못 듣는 데서 험담함. '—, 私詈也'《類篇》.
[字源] 形聲. 言+叜〔音〕

言 9 〔諻〕16 황 [平]庚 | huáng コウ おおきなこえ
[字解] ①큰소리황 喤(口부 9획〈174〉)과 통용. '喧嘩—呷'《左思》. ②소리황 '—, 音也'《揚子方言》. ③말소리황 '—, 語聲'《廣韻》.

言 9 〔𧪚〕16 극 [入]職 | jí キョク どもる
[字解] 말더듬거릴극 말을 더듬음. '—, 訥言也'《集韻》.

言 9 〔諿〕16 [一]집 [入]緝 [二]서 [上]語 | qī シュウ やわらぐ xǔ ショ はかりごと
[字解] [一] 의좋을집 화목함. '—, 和也'《集韻》. [二] 꾀서 계책. 재지(才智). '次七, 女不女, 其心予, 覆夫—'《太玄經》.
[字源] 形聲. 言+咠〔音〕

言 9 〔諽〕16 격 [入]陌 | gé カク いましめる
[字解] ①경계할격 계칙(戒飭)함. '—, 飭也'《說文》. ②고칠격 革(部首〈1659〉)과 뜻이 같음. '—, 一曰, 更也'《說文》. ③삼갈격 '—, 一曰, 謹也'《集韻》.
[字源] 形聲. 言+革〔音〕

言 9 〔𧩯〕16 훼 [上]紙 | huǐ キ そしる
[字解] 헐뜯을훼 비방함. 毀(殳부 9획〈613〉)와 통용. '—, 謗也'《集韻》.

言 9 〔諕〕16 가 [去]禡 | qià カ たくみにいう
[字解] ①교묘한말가 '—詬'는 교묘하게 말함. '—, —詬, 巧言'《集韻》. ②교묘한말재주가 '—, —詬, 巧言才也'《廣韻》.

言 9 〔諣〕16 [一]회 [去]卦 [二]화 [去]禡 [三]괘 [平]佳 | カイ はやくいう huà カ はやくいう guā カイ おこたる
[字解] [一] 급히말할회 '—, 疾言也'《說文》. [二] 급히말할화 [一]과 뜻이 같음. [三] ①게으를괘 '—, 惰也'《集韻》. ②약을괘 '—, 黠也'《集韻》.
[字源] 形聲. 言+咼〔音〕

言 9 〔諯〕16 [一]전 [平]先 [去]霰 [二]천 [平]先 [三]현 [去]霰 | zhuān セン せめる テン・デン せめる セン せめる ケン せめる
[字解] [一] ①나무랄전 잘못을 들어 나무람. '—, 數也'《說文》. ②서로나무랄전 '—, 相責也'《集韻》. [二] 나무랄천, 서로나무랄천 [一]과 뜻이 같음. [三] 나무랄현, 서로나무랄현 [一]과 뜻이 같음.
[字源] 形聲. 言+耑〔音〕

言 9 〔𧪐〕16 〔척〕 訴(言부 5획〈1319〉)의 本字

言 9 〔𧩸〕16 〔선〕 譔(言부 12획〈1354〉)의 本字

言 9 〔𧩼〕16 〔보〕 譜(言부 13획〈1357〉)와 同字

言 9 〔𧪝〕16 〔혜〕 謑(言부 10획〈1346〉)와 同字

言 9 〔𧩷〕16 〔유〕 誘(言부 7획〈1331〉)·羑(厶부 9획〈140〉)와 同字

言 9 〔謡〕16 〔요〕 謠(言부 10획〈1347〉)의 俗字

言 9 〔𧩗〕16 〔순〕 諄(言부 8획〈1336〉)의 俗字

言 9 〔𧪿〕16 〔가〕 訶(言부 5획〈1319〉)와 同字

言 9 〔𧩵〕16 〔감〕 監(皿부 9획〈834〉)의 古字

言 9 〔諬〕16 〔계〕 啓(口부 8획〈171〉)와 同字

言 9 〔諘〕16 〔기〕
記(言부 3획〈1314〉)와 同字

言 9 〔譊〕16 노 [上]晧 | nǎo ドウ かたってあなどりあう
[字解] 서로욕할노 서로 욕함. 말로 서로 능멸함. '一, 語相侮也'《集韻》.

言 9 〔謥〕16 노 [去]遇 | nāo ド そしる
[字解] 비방할노 비방함. 욕함. 욕설을 함. '一, 惡言也'《字彙補》.

言 9 〔謊〕16 〔효〕
譊(言부 12획〈1354〉)의 略字

言 9 〔諂〕16 〔도〕
謟(言부 10획〈1347〉)의 略字

言 9 〔諫〕16 랄 [入]曷 | là ラツ かたるこえ
[字解] 말소리랄 말소리. 말하는 소리. '一, 謗一, 語聲'《集韻》.

言 9 〔詈〕16 〔리〕
詈(言부 5획〈1323〉)의 俗字

言 9 〔諺〕16 방 [去]漾 | fǎng ホウ とう
[字解] ①물을방 물음. '一, 問也'《篇海》. ②자문(諮問)할방 '一, 詢也'《篇海》.

言 9 〔諞〕16 〔변〕
辯(辛부 14획〈1486〉)과 同字

言 9 〔誁〕16 병 [去]敬 | bèng ホウ たすけ
[字解] ①도울병 도움. 거듦. '一, 助也'《集韻》. ②도움말병 도움말. 조언. '一, 助言'《字彙》. ③誁(言부 6획〈1329〉)의 俗字.

言 9 〔諨〕16 복 [入]屋 | fú フク ことばがそなわる
[字解] 말갖추어질복 말이 갖추어짐. '一, 言備'《集韻》.

言 9 〔諄〕16 〔순〕
詢(言부 6획〈1325〉)과 同字

言 9 〔謻〕16 [一] 시 [平]支 | shī シ おおくものいう
[二] 이 [上]紙 | yǐ イ じとくのご
[字解] [一] 말수다할시 말이 수다스러움. 말이 많은 모양. '一, 多言也'《集韻》. [二] 자만하는말이 자만하는 말. 스스로 만족해하는 말. 또, 그 모양. '一詑'. '一, 自得之語'《集韻》.

言 9 〔諹〕16 양 [平]陽 [去]漾 | yáng ヨウ ほめる
[字解] ①칭찬할양 칭찬함. '一, 譽也'《集韻》. ②시끄러울양 '一, 讙也'《集韻》. ③삼갈양 삼감. '一, 謹也'《廣韻》.

言 9 〔謜〕16 〔원〕
謜(言부 5획〈1322〉)과 同字

言 9 〔諲〕16 은 [平]眞 | yín ギン かたくな
[字解] 완고할은 완고함. 편벽됨. '一, 頑也'《玉篇》.

言 9 〔謻〕16 〔이〕
詑(言부 5획〈1322〉)와 同字

言 9 〔諿〕16 [一] 잡 [入]洽 | chā ソウ おおくものいう
[二] 삽 [入]洽 | sà ソウ ことばがさだまらない
[字解] [一] ①수다스러울잡 수다스러움. 말이 많음. '一, 譗一, 多言'《集韻》. ②쓸데없는 말참견잡 주제넘은 말. '一, 僋言'《集韻》. ③비방할잡 비방함. 또, 비방하는 말이 일정하지 아니함. '一, 讒言'《字彙》. [二] 말일정하지않을삽 말이 일정하지 아니함. '一, 一諜, 言不定'《集韻》.

言 9 〔諪〕16 정 [平]青 | tíng テイ ととのう
[字解] 조정할정 조절함. '一, 調一, 亦作調停'《字彙》.

言 9 〔諸〕16 제 [去]霽 | jì セイ おおい
[字解] 많을제 많음. '一, 多也'《字彙補》.

言 9 〔諥〕16 종 [去]宋 | zhòng チョウ ことばがふれあう
[字解] ①말서로맞설종 말이 서로 맞섬. '一, 言相觸'《集韻》. ②조심하여말할종 조심하여 말을 함. '一, 言謹重也'《正字通》.

言 9 〔諺〕16 〔차〕
譇(言부 12획〈1355〉)와 同字

言 9 〔謥〕16 〔총〕
謥(言부 11획〈1350〉)의 俗字

言 9 〔諏〕16 〔추〕
諏(言부 8획〈1336〉)와 同字

言 9 〔諟〕16 치 [平]支 [去]寘 | chī チ しらない
[字解] ①모를치 모름. 물음에 답을 모름. '諫, 方言, 沅澧之間, 凡相問而不知答曰

誎, 或作一'《集韻》. ②말느릴치 말이 느림. 또, 그 모양. '一, 言緩皃'《集韻》.

言9 〔諡〕16 치 [去]寘 [上]紙 | chì, chǐ チ わらう

[字解] ①웃을치 웃음. '一, 笑也'《集韻》. ② 말할치 말함. '一, 言也'《集韻》.

言9 〔諳〕16 〔타〕 譜(言부 12획〈1356〉)와 同字

言9 〔諾〕16 탁 [入]藥 | duó タク あざむく

[字解] 속일탁 속임. 거짓말함. '一, 欺也'《廣雅》.

言9 〔諑〕16 현 [去]霰 | xuàn ケン せめる

[字解] 꾸짖을현 서로 책망함. 또는, 잘못을 하나하나 들어 가면서 꾸짖음. '諯, 相責也, 一曰, 數也, 或从彖'《集韻》.

言9 〔諨〕16 〔회〕 詯(言부 6획〈1327〉)와 同字

言9 〔諔〕16 후 [去]宥 | hòu コウ いうさま

[字解] 말하는모양후 말하는 모양. '一, 言皃'《玉篇》.

言9 〔諕〕16 諔(前條)와 同字

言10 〔謅〕17 ㊀ 초 [上]巧 ㊁ 추 [平]尤 | chǎo ソウ ふざける zhōu シュウ みみうちする

[字解] ㊀ ①농초 농담함. 희롱거림. '胡一'. '一, 弄言'《集韻》. ②빠를초 재빠름. 경첩(輕捷)함. '輕一趬悍'《馬融》. ③친압(親狎)할초 서로 친해짐. '一, 相擾也'《字彙》. ㊁ 속삭일추 가만히 속삭임. 귀엣말함. '一謏, 陰私小言'《廣韻》.
[字源] 形聲. 言+芻〔音〕

言10 〔謆〕17 선 [去]霰 | shàn セン まどわす

[字解] 미혹하게할선 말로 남을 미혹(迷惑)함. '一, 以言惑人'《集韻》.
[字源] 形聲. 言+扇〔音〕

言10 〔謋〕17 획 [入]陌 | huò カク すみやかなさま

[字解] ①빠를획 '一然'은 빠른 모양. 諕(言부 8획〈1337〉)과 同字. '一然, 速也'《集韻》. ②뼈발라내는소리획 백정의 칼 놀리는 소리. '動刀甚微, 一然已解'《莊子》.

[字源] 會意. 言+桀

言10 〔謎〕17 미 ①[去]霽 ②[平]齊 | mèi ベイ·メイ なぞ mí ベイ·メイ いい まどわす

[字解] ①수수께끼미 은어(隱語). '君子嘲隱, 化而爲一語. 一也者, 廻互其辭, 使昏迷也'《文心雕龍》. ②미혹시킬미 말로 현혹하게 함. '一, 言惑也'《集韻》.
[字源] 形聲. 言+迷〔音〕

言10 〔謏〕17 ㊀ 소 [上]篠 ㊁ 수 [上]有 | xiǎo ショウ すくない sǒu ソウ いかりいう

[字解] ㊀ 적을소, 작을소 많지 않음. 또, 작음. '足以一聞'《禮記》. ㊁ 성내어말할수 꾸짖음. '譊一, 怒言也'《廣韻》.
[字源] 形聲. 言+叟〔音〕

言10 〔謐〕17 밀 [入]質 | mì ヒツ しずか

[筆順] 言 訁 訁 訟 訟 諡 謐 謐

[字解] ①조용할밀 고요하고 평온함. '靜一'. '內外寂一'《漢武帝內傳》. '海表一然'《魏志》. ②상세할밀 자세함. '一, 猶密也'《說文繫傳》. ③삼갈밀 조심함. '一, 愼也'《廣韻》. ④편안할밀, 편안히할밀 宓(宀부 5획〈276〉)과 통용.
[字源] 形聲. 言+监〔音〕

言10 〔謑〕17 혜 [上]薺 [平]齊 | xǐ ケイ はずかしめる xí ケイ ただしくない

[字解] ①꾸짖을혜, 욕보일혜 후욕(詬辱)함. '一, 怒言'《廣韻》. '無廉恥而任一訽'《荀子》. ②바르지않은모양혜 '一, 一髁, 不正皃'《集韻》. '一髁無任'《莊子》.
[字源] 形聲. 言+奚〔音〕

言10 〔謖〕17 속 [入]屋 | sù ショク たつ

[字解] ①일어날속 일어섬. '神醉而尸一'《詩經》. '未嘗見舟, 而一操之者也'《列子》. ② 여밀속 옷깃을 여밈. '公子一爾斂袂而興'《後漢書》. ③뛰어날속 '一一'은 훨씬 나은 모양. 일설(一說)에는, 소나무에 부는 바람 소리. '一一如勁松下風'《世說》.
[字源] 形聲. 言+畟〔音〕

言10 〔謗〕17 방 [去]漾 [平]陽 | bàng ホウ そしる

[字解] ①헐뜯을방 비방함. 또, 그 말. '誹一'. '讒一'. '以速官一'《左傳》. '反離一而見攘'《楚辭》. ②저주할방 원한(怨恨). '進胙者莫不一令尹'《左傳》.
[字源] 形聲. 言+旁〔音〕

言 10 〔謘〕 17 지 [平]支 [去]寘 | chí チ おそくにぶい

[字解] ①느릴지 말이 느림. '衆積意——'《荀子》. ②말바르지않을지 '諄—, 語不正'《集韻》.
[字源] 形聲. 言+屖〔音〕

言 10 〔謙〕 17 [高·人] [一] 겸 [平]鹽 [二] 혐 [平]鹽 | qiān ケン へりくだる xián ケン うたがい

[筆順] 言 訁 訁 訁 謙 謙 謙 謙

[字解] [一] ①겸손할겸, 사양할겸 제 몸을 낮춤. 또, 남에게 양보함. '—讓'. '人道惡盈而好—'《易經》. ②공경할겸 삼감. '—敬博愛'《後漢書》. ③덜겸 가볍게 함. '—, 輕也'《玉篇》. ④겸괘겸 육십사괘(六十四卦)의 하나. 곧, ䷎〈간하(艮下) 곤상(坤上)〉. 남에게 겸양(謙讓)하는 상(象). [二] 혐의혐 嫌(女부 10획〈260〉)과 통용. '信而不處—'《荀子》.
[字源] 形聲. 言+兼〔音〕

言 10 〔謙〕 17 謙(前條)의 俗字

言 10 〔謚〕 17 [人名] [一] 익 [入]陌 [二] 시 [去]寘 | yì エキ わらうさま shì シ おくりな

[筆順] 言 訁 訁 訁 訡 謚 謚 謚

[字解] [一] 웃을익 웃는 모양. '—, 笑皃'《廣韻》. [二] 시호시 속(俗)에 諡(言부 9획〈1341〉)로 오용(誤用)함.
[字源] 形聲. 言+益〔音〕

言 10 〔講〕 17 [中·人] [一] 강 [上]講 [二] 구 [去]宥 | jiǎng コウ とく kòu コウ なかなおりする

[筆順] 言 訁 訁 訁 請 講 講 講

[字解] [一] ①풀이할강 설명함. 의미를 밝힘. '—釋'. '—義'. '—於仁'《禮記》. '村學堂—書'《王君玉雜纂》. ②이야기할강 담론(談論)함. '—談'. '—信脩睦'《禮記》. ③익힐강 연습함. 공부함. '—學'. '—習'. '德之不修, 學之不—'《論語》. '乃命將帥—武, 習射御'《禮記》. ④꾀할강 모의(謀議)함. '—事不令'《左傳》. ⑤토구(討究)할강 검토 연구함. '—究'. '物一不—'《國語》. ⑥화해할강 화의함. '—和'. '而秦未與魏—也'《戰國策》. ⑦강의강 경사(經史)의 해석. '于鍾山聽—'《梁書》. ⑧논할강 논의함. '仁者—功'《國語》. ⑨알릴강 '—, 告也'《廣韻》. ⑩조사할강 '擇臣取諫工, 而—以多物'《國語》. [二] 화해할구 媾(女부 10획〈259〉)와 통용. '與魏—罷兵'《史記》.
[字源] 形聲. 言+冓〔音〕

言 10 〔謝〕 17 [中·人] 사 [去]禡 | xiè シャ たつ, あやまる

[筆順] 言 訁 訂 訃 謝 謝 謝 謝

[字解] ①끊을사 거절함. '—絕'. '—絕賓客'《史記》. ②사양할사 사퇴함. '—不受'《史記》. ③떠날사 ㉠물러남. 사직함. '—政'. '大夫七十而致事. 若不得—, 則必賜之几杖'《禮記》. ㉡죽음. '形存則神存, 形—則神滅'《南史》. ④물러갈사 ㉠퇴거(退去)함. '新陳代—'. '若春秋有代—'《淮南子》. ㉡작별하고 떠남. 사퇴(辭退)함. '願歲幷—與長友兮'《楚辭》. ⑤시들사 이욺. 조락(凋落)함. '剌桷花—芳草歇'《李郢》. ⑥사죄할사 과실에 대하여 용서를 빎. '陳—'. '若—我當釋罪'《世說》. ⑦사례할사 고마운 뜻을 나타냄. '—恩'. '深—'. '阿母—媒人'《古詩》. '嘗有所薦, 其人來—'《漢書》. ⑧제거(除去)할사 '獨朗—垢氛'《李白》. ⑨갚을사 보상함. '臣私報諸羌, —其錢貨'《後漢書》. ⑩부끄러워할사 '屬美—繁翰'《顏延之》. ⑪성사 성(姓)의 하나.
[字源] 形聲. 篆文은 言+躲〔音〕

言 10 〔謞〕 17 [一] 학 [入]覺 [二] 효 [去]效 | hè カク よこしま xiào コウ さけぶ

[字解] [一] 간특할학 남을 헐뜯기를 즐기고 잔학한 것을 돕는 모양. '——崇讒慝也'《爾雅》. [二] 부를효 소리침. 대호(大呼)함. '若—之靜'《管子》.
[字源] 形聲. 言+高〔音〕

言 10 〔謟〕 17 도 [平]豪 [去]號 | tāo トウ うたがう

[字解] ①의심할도 믿지 아니함. '天道不—, 不貳其命'《左傳》. ②어그러질도 어긋남. '帝令不—'《逸周書》.
[字源] 形聲. 言+舀〔音〕
[參考] 諂(言부 8획〈1336〉)은 別字.

言 10 〔謠〕 17 [高·人] 요 [平]蕭 | yáo ヨウ うたう

[筆順] 言 訁 訁 訁 訁 謠 謠 謠

[字解] ①노래할요 악기의 반주(伴奏) 없이 노래함. '我歌且—'《詩經》. ②노래요 악기의 반주 없이 하는 노래. 유행가. '俗—'. '童—'. '辨祅祥於—'《國語》. ③소문요 유언(流言). 풍설. '—言'. '—傳'. '聽民庶之—吟'《後漢書》. ④헐뜯을요 욕함. 비방함. '—諑謂余以善淫'《楚辭》.
[字源] 形聲. 言+䍃〔音〕

言10〔謓〕17 진 ①[平]眞 chēn シン いかる ②[去]震 zhèn シン わらう

[字解] ①성낼진 嗔(口부 10획〈177〉)과 통용. '或以主君寢食一怒, 拒客未通'《顔氏家訓》. ②웃을진, 비웃을진 '一, 按, 猶蘇俗所謂冷笑也, 内怒而外笑'《說文通訓定聲》.
[字源] 形聲. 言+眞〔音〕

言10〔謜〕17 원 [去]願 [平]元 yuàn, yuán ゲン ゆっくりかたる

[字解] ①천천히말할원 천천히 하는 말이 끊어지지 않고 술술 나옴. '一, 徐語也'《說文》. ②끊임없을원 끊이지 않는 모양. '一, 孟子曰, 故一一而來'《說文》.
[字源] 形聲. 言+原〔音〕

言10〔謉〕17
[一] 괴 [去]寘 kuì キ はじる
[二] 궤 [上]紙 guǐ キ せめる
[三] 회 [上]賄 カイ たわむれごと ①duì
[四] 퇴 [上]賄 タイ たわむれごと [平]灰 ②tuí タイ へりくだる

[字解] [一] 부끄러워할괴 '媿, 慙媿. 愧·聭·一, 並上同'《廣韻》. [二] 나무랄궤, 속일궤 '詭, 說文, 責也, 一曰, 詐也. 或从鬼'《集韻》. [三] 농지거리회 농담. '一, 一諢, 譃言'《廣韻》. [四] ①농지거리퇴 [三]과 뜻이 같음. ②겸손할퇴 '一, 謙也'《集韻》.

言10〔謕〕17
[一] 제 [平]齊 tí テイ ことばがもつれる
[二] 사 [平]支 sī シ まこと

[字解] [一] ①말꼬일제 '一, 轉語'《廣韻》. ②울제 '孤子一號'《漢書》. ③말로꾈제 '一, 轉相誘語'《廣韻》. [二] ①참사 신실(信實)함. '一, 諒也'《廣韻》. ②종종간(諫)할사 '一, 數諫也'《廣韻》.

言10〔⿰言㞷〕17 〔광〕
誑(言부 7획〈1330〉)의 本字

言10〔⿰⿹𠃊言斤〕17 〔서〕
誓(言부 12획〈1355〉)의 本字

言10〔⿰言⿱耂亏〕17
[一] 譸(言부 11획〈1351〉)과 同字
[二] 譁(言부 12획〈1353〉)와 同字

言10〔⿰言朔〕17 〔소〕
訴(言부 5획〈1319〉)와 同字

言10〔謌〕17 〔가〕
歌(欠부 10획〈599〉)와 同字

言10〔謊〕17 〔황〕
詤(言부 6획〈1325〉)의 俗字

言10〔謹〕17 〔근〕
謹(言부 11획〈1350〉)의 略字

言10〔謄〕17 [人名] 등 [平]蒸 téng トウ うつす

[筆順] 丿 月 月' 胪 胖 朕 謄 謄
[字解] 베낄등 등초(謄草)함. '一寫'. '一錄試卷'《元史》.
[字源] 形聲. 言+朕〔音〕

言10〔謄〕17 謄(前條)과 同字

言10〔謇〕17 건 [上]銑 jiǎn ケン どもる

[字解] ①떠듬거릴건 말을 더듬음. '因一而徐言'《北史》. ②곧을건 말이 곧음. 직언을 함. '一諤'. '忠一'. 전(轉)하여, 충직(忠直). '殘忠害一'《晉書》. ③어려울건 곤란함. '一吾法夫前修兮'《楚辭》. ④아건 탄식하는 말. '一不可釋也'《楚辭》. ⑤성건 성(姓)의 하나.
[字源] 形聲. 言+寒〈省〉〔音〕

言10〔謈〕17 포 [上]皓 [平]豪 páo ホウ・ボウ おおごえでむじつのつみをうったえる

[字解] ①호소할포 큰 소리로 원죄(冤罪)를 하소연함. '一, 大嘑自冤也'《說文》. ②아야포 아플 때 내는 '아야' 소리. '郭舍人榜, 不勝痛呼一'《漢書》.

言10〔謍〕17 영 [平]庚 yíng エイ ちいさなこえ

[字解] ①작은소리영 '一一'은 작은 목소리의 형용. ②큰소리영 큰 목소리의 형용. '聲激越, 一厲天'《班固》. ③피리소리영 '一嚍'는 피리 소리의 형용. '錚鐄一嚍'《馬融》.
[字源] 形聲. 言+熒〈省〉〔音〕

言10〔⿱差言〕17 차 [平]麻 jiē シャ なげく

[字解] 한탄할차, 슬퍼할차 嗟(口부 10획〈178〉)와 同字.
[字源] 形聲. 言+𢀩(差)〔音〕

言10〔⿰言虔〕17 〔건〕
⿰言搴(言부 13획〈1359〉)과 同字

言10〔⿰言鬲〕17 격 [入]陌 gé カク さとい

[字解] ①슬기로울격 '一, 慧也'《廣雅》. ②말어긋날격 말이 엇갈려 맞지 않음. '一, 語

不相入也, 故从鬲'《正字通》.

言10〔諐〕17 견 ㊤銑|qiǎn ケン すこしいこう

字解 조금쉴견 '一, 小息也'《集韻》.

言10〔譏〕17 기 ㊥微|guì キ いう

字解 말할기 '一, 言也'《字彙補》.

言10〔誻〕17 〔답〕 譗(言부 8획〈1335〉)과 同字

言10〔傌〕17 마 ㊦禡|mà バ おしゃべり

字解 수다스러울마 '一, 多言也'《集韻》.

言10〔誖〕17 발 ㊅月|bèi ホツ ことばがみだれる

字解 말어지러울발 '一, 言亂也'《字彙補》.

言10〔諀〕17 비 ㊥支|pī ヒ しかるこえ

字解 꾸짖는소리비 '一, 叱聲'《集韻》.

言10〔謃〕17 〔서〕 諝(言부 9획〈1341〉)와 同字

言10〔諿〕17 〔섭〕 讘(言부 18획〈1365〉)의 略字

言10〔謏〕17 소 ㊦遇|sù ソ そらんずる

字解 욀소 글을 욈. '一, 諳也'《集韻》.

言10〔謙〕17 승 ㊦徑|shèng ショウ せまりいう

字解 다그쳐말할승 '一, 促言'《集韻》.

言10〔謥〕17 〔식〕 息(心부 6획〈386〉)의 古字

言10〔豈〕17 애 ㊥灰|ái ガイ つつしむ

字解 삼갈애 조심함. '一, 謹也'《集韻》.

言10〔謁〕17 〔오〕 誣(言부 8획〈1338〉)의 俗字

言10〔謒〕17 장 ㊥陽|qiāng ショウ ことばがかるい

字解 ①말가벼울장 말하는 것이 경솔함. '一, 語輕也'《集韻》. ②《現》 ㉠말대답할장. ㉡나무랄장 꾸짖음.

言10〔謚〕17 증 ㊥蒸|zhēng ショウ ことばがうるさい

字解 말번거로울증 '一, 一仍, 語煩'《集韻》.

言10〔謑〕17 질 ㊅質|jí シツ くるしむ

字解 ①괴로울질 '一, 苦也'《廣雅》. ②해칠질 상하게 함. '一, 一曰, 毒也'《集韻》. ③말빠를질 말을 빨리 함. '一, 語急'《廣韻》.

言10〔謎〕17 ㊀차 ㊥麻|jiē シャ いたみおしむ ㊁채 ㊦卦|chài サイ かわったものいい

字解 ㊀한탄할차 애석해함. '謩, 痛惜也, 亦書作一'《集韻》. ㊁이상한말채 다른 말. '一, 異言'《廣韻》.

言10〔諸〕17 ㊀치 ㊥支|chī シ しかる ㊁기 ㊥支|chī キ いかる

字解 ㊀꾸짖을치 나무람. '一, 訶怒也'《集韻》. ㊁성낼기 '一, 廣雅, 怒也'《集韻》.

言10〔謆〕17 탑 ㊅合|tā トウ おおくものいう

字解 말많을탑 讕(言부 18획〈1365〉)과 同字. '一, 一謎, 多言, 或作讕'《集韻》.

言10〔諕〕17 하 ㊦禡|xià カ たぶらかす

字解 속일하 어루꾐. '一, 誑也'《字彙補》.

言10〔謚〕17 합 ㊅合|hé コウ しずか

字解 ①고요할합 조용함. '一, 靜也'《廣韻》. ②수다스러울합 말이 많음. 嗑(口부 10획〈177〉)과 同字. '一, 說文, 多言也, 或从言'《集韻》.

言10〔謈〕17 희 ㊦未|xì キ ことばつき

字解 말투희 어세(語勢). 어기(語氣). '一, 語氣也'《字彙》.

言11〔謨〕18 人名 모 ㊥虞|mó ボ·モ はかりごと

筆順 言 言 言' 言' 言'' 訁 謨 謨

字解 ①꾀모 주로 천자(天子) 또는 정사상(政事上)의 대계(大計)를 이름. '聖一'. '陳天下之一'《周禮》. ②꾀할모 대계(大計)를 정함. 또는, 널리 모책(謀策)을 의논함. '訏一定命'《詩經》. '一蓋都君咸我績'《孟子》. ③없을모 無(火부 8획〈716〉)와 뜻이 같음. '越人一信, 未可速進'《南唐書》. ④속일모 '一, 僞也'《爾雅》.

字源 形聲. 言+莫〔音〕

言11 〔䜁〕18 譅(前條)와 同字

言11 〔謫〕18 적 ㊀陌 | zhé タク せめる

字解 ①꾸짖을적 견책함. '國子一我'《左傳》. ②죄줄적 죄를 씌워 처벌함. '一戍之衆'《賈誼》. ③귀양갈적, 귀양보낼적 원지에 좌천당함. '流一'. '貶一'. '一守巴陵郡'《范仲淹》. ④운기적 괴상한 운기(雲氣). '日始有一'《左傳》.
字源 形聲. 篆文은 言+啇〔音〕

言11 〔謬〕18 류 (무㊍) ㊀有 | miù(niù) ビュウ あやまる

字解 ①그릇될류 잘못됨. '比之於春秋一矣'《史記》. ②잘못류 과오. '誤一'. '繩愆糾一, 格其非心'《書經》. ③어긋날류 상위(相違)함. '差以豪釐, 一以千里'《漢書》. ④속일류 기만함. '或先貞後黷, 何其一哉'《孔稚珪》. ⑤미친소리류 미치광이의 종잡을 수 없는 말. '一, 狂者之妄言也'《說文》. ⑥성류 성(姓)의 하나. ※本音 무.
字源 形聲. 言+翏〔音〕

言11 〔謯〕18 조 ㊀御 | zǔ ショ のろう

字解 저주할조 詛(言부 5획〈1321〉)와 同字. '祝一後宮有身者王美人及鳳等'《漢書》.
字源 形聲. 言+虘〔音〕

言11 〔謳〕18 ㊀구 ㊊尤 | ōu オウ うたう
㊁후 ㊊虞 | xū ク よろこぶ

字解 ㊀①노래할구 ㉠노래를 부름. 창가(唱歌)를 함. '河西善一'《孟子》. ㉡여러 사람이 제창(齊唱)함. '皆歌一思東歸'《漢書》. ㉢읊음. '一, 吟也'《廣韻》. ②노래구 '學一於秦青'《列子》. ㊁①기뻐할후 '一, 喜也'《廣雅》. ②따뜻해질후.
字源 形聲. 言+區〔音〕

言11 〔謹〕18 高·人 근 ㊤吻 ㊊文 | ①-⑥jǐn キン つつしむ ⑦キン ねばつち

筆順 言 訁 計 訲 諎 諽 謹 謹

字解 ①삼갈근 ㉠사물에 조심함. '一愼'. '一權量審法度'《論語》. ㉡자성(自省)함. 스스로 경계함. '丞相醇一而已'《史記》. 또, 삼가는 일. '大行不顧細一'《史記》. ②존중할근 소중히 함. '一, 增韻, 重也'《康熙字典》. ③엄하게할근 '一其時禁'《荀子》. ④금할근 엄금(嚴禁)함. '一盜賊'《荀子》. ⑤삼가근 삼가는 마음으로. 정중히. '一募選閱材伎之士'《荀子》. ⑥성근 성(姓)의 하나. ⑦찰흙근 '塗之以一塗'《禮記》.
字源 形聲. 言+堇〔音〕

言11 〔謻〕18 ㊀이 ㊊支 | yí イ もんのな
㊁치 ㊤紙 | chí シ わかれる

字解 ㊀①협문이 '一門'은 정문(正門) 옆에 있는 작은 문. '一門且空'《晉書》. ②빙실이 '一門'은 얼음을 저장하여 두는 곳. '一門曲榭, 邪阻城洫'《張衡》. ㊁이별할치 誃(言부 6획〈1327〉)와 同字. '一, 說文, 離別也'《集韻》.
字源 形聲. 言+移〔音〕

言11 〔謥〕18 총 ㊀送 | còng ソウ あわただしい

字解 바쁠총 '一詷'은 바쁜 모양. 분망한 모양. 또, 급히 말하는 모양. '輕薄一詷'《後漢書》.

言11 〔謼〕18 ㊀호 ㊀遇 ㊊虞 | コ よぶ hū コ さけぶ
㊁효 ㊊肴 | xiāo コウ なく

字解 ㊀①부를호 嘑(口부 11획〈181〉)와 同字. '一, 評也'《說文》. ②외칠호 소리침. 부르짖음. '一大夫一'《漢書》. '仰天大一'《漢書》. ③성호 성(姓)의 하나. ㊁울효 '一服謝罪'《漢書》.
字源 形聲. 言+虖〔音〕

言11 〔謾〕18 ㊀만 ㊊寒 ㊀諫 | ①-④mán バン・マン あざむく ⑤-⑥màn バン・マン あなどる
㊁면 ㊊先 | mián ベン・メン あざむく

字解 ㊀①속일만 기만함. '一語'. '懾伏一欺以取容'《史記》. ②게으를만 느림. 게으름을 피움. '一, 慢也'《廣韻》. '譠一, 緩也'《廣雅》. '嫞一亡狀'《漢書》. ③넓을만, 아득할만 漫(水부 11획〈679〉)과 통용. '大一, 願聞其要'《莊子》. ④헐뜯을만 비방함. '鄕則不若, 偝則一之'《荀子》. ⑤업신여길만 慢(心부 11획〈408〉)과 통용. '一易'. '一人語'《李義山雜纂》. '輕一宰相'《漢書》. ⑥설만(褻慢)할만 친하여 무람없음. '淳于長書有詩一'《漢書》. ㊁①속일면 '一, 欺也'《廣韻》. ②교활할면 '一, 慧黠也'《集韻》.
字源 形聲. 言+曼〔音〕

言11 〔謪〕18 謾(前條)과 同字

言11 〔謵〕18 ㊀습 ㊀緝 | xí シュウ ならう
㊁첩 ㊀葉 | chè ショウ ささやく

字解 ㊀①익힐습 習(羽부 5획〈1041〉)과 同字. '復一不餽而忘人'《莊子》. ②두려워

말할습, 떨리는목소리습 '一, 言一讋也'《說文》. [三] 속삭일첩 '一, 小語'《廣韻》.
[字源] 形聲. 言+習〔音〕

言 11 〔謣〕 18 [一] 우 [平]虞 | yú ウ いつわり
[二] 후 [平]虞 | xū ク きやりうた
[字解] [一] 망령될우 '一言敗俗'《揚子法言》. [二] 어영차후 '一輿'는 무거운 것을 들어 올릴 때 내는 소리. '一輿, 擧重勸力歌也'《集韻》.
[字源] 形聲. 言+雩〔音〕

言 11 〔譒〕 18 로 [上]麌 | lǔ ロ ことばのさだまらぬこと
[字解] 말종잡지못할로 말이 종작없음. 또, 말이 구차스러움. '譪一, 言不定'《集韻》.

言 11 〔譟〕 18 초 [平]肴 | chāo ソウ かわってとく
[字解] ①대신말할초 남을 대신하여 말함. '一, 代人說也'《集韻》. ②시끄러울초 '一一'는 귀찮음.

言 11 〔諕〕 18 하 [去]禡 | xià カ あざむく
[字解] 속일하 謑(言부 8획〈1337〉)와 同字.

言 11 〔謰〕 18 련 [平]先 [上]銑 | lián レン ことばがもつれつづく
[字解] ①말엉킬련 말이 엉키어 이어지는 모양. '媒女詘兮一謱'《楚辭》. ②쌍성첩운의 말련 '一語'는 쌍성 첩운(雙聲疊韻)의 말. 음성(音聲)에 의해서 물건의 상태를 형용하는 말.
[字源] 形聲. 言+連〔音〕

言 11 〔謱〕 18 루 ①②[平]尤 ③[上]麌 | lóu ロウ·ル ことばがもつれつづく
lǚ ル ことこまか
[字解] ①말엉킬루 말이 엉키어서 잇닮. '一, 謰一也'《說文》. ②삼갈루 '一, 一曰, 謹也'《集韻》. ③자세할루 '覶一'는 자세함. 縷(糸부 11획〈1010〉)와 통용.
[字源] 形聲. 言+婁〔音〕

言 11 〔謮〕 18 책 [入]陌 | zé サク いかる
[字解] ①성낼책 '一, 怒也'《集韻》. ②꾸짖을책 責(貝부 4획〈1386〉)과 통용. '一, 讓也'《廣雅》. ③부르짖을책 '一, 大呼也'《說文》.

言 11 〔謧〕 18 [一] 리 [平]支 | lí リ [一]-[三] おおくものいう
[二] 려 [平]齊 | レイ
[三] 료 [平]肴 | リョウ
[字解] [一] ①말수다할리 '一訑'는 말이 많음. ②속이고업신여기는말리 '一, 欺謾之言也'《玉篇》. ③농지거리리 '一, 弄言'《廣韻》. [二] 말수다할려, 속이고업신여기는말려, 농지거리려 [一]과 뜻이 같음. [三] 말수다할료, 속이고업신여기는말료, 농지거리료 [一]과 뜻이 같음.
[字源] 形聲. 言+离〔音〕

言 11 〔謥〕 18 망 [去]漾 | wàng ボウ·モウ のぞむ
[筆順] 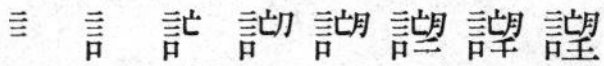
[字解] ①바랄망 '一, 責望也'《說文》. ②속일망 '一, 欺也'《類篇》. ③책망할망 '一, 責也'《廣韻》.
[字源] 形聲. 言+望〔音〕

言 11 〔譀〕 18 〔감〕
譀(言부 12획〈1355〉)의 本字

言 11 〔謪〕 18 〔상〕
商(口부 8획〈170〉)과 同字

言 11 〔謭〕 18 〔전〕
譾(言부 15획〈1361〉)과 同字

言 11 〔譑〕 18 〔경〕
競(立부 15획〈929〉)의 本字

言 11 〔譏〕 18 競(前條)과 同字

言 11 〔謸〕 18 謷(次條)와 同字

言 11 〔謷〕 18 오 ①-③[平]豪 | áo ゴウ そしる
④⑤[去]號 | ào ゴウ おごる
[字解] ①헐뜯을오 비방함. '一醜先王, 排訾舊典'《呂氏春秋》. ②남의말듣지않을오 자기의 주장만 세우고 남의 말에 귀를 기울이지 않음. '一, 不省人言也'《說文》. ③클오 큰 모양. '一乎大哉, 獨成其天'《莊子》. ④오만할오 傲(人부 11획〈68〉)와 同字. '宿將暴一不循令者'《唐書》. ⑤고원(高遠)할오 뜻이 고매한 모양. '一乎其未可制也'《莊子》.
[字源] 形聲. 言+敖〔音〕

言 11 〔謦〕 18 경 [上]迥 | qǐng ケイ せきばらい
[字解] ①기침경 인기척을 하기 위하여 내는 소리. '一欬'. '一, 欬聲也'《玉篇》. ②속삭일경 웃으며 속삭임. '一欬, 言笑也'《集韻》.
[字源] 形聲. 言+殸〔音〕

言 11 〔謺〕 18 [一] 접 [入]葉 | zhé ショウ ささやく チョウ おおくいう
[二] 집 [入]緝 | シュウ おおくいう

[字解] [一] ①속삭일접. ②남의말주울접 '一, 拾人語也'《廣韻》. ③수다할접 '一, 多言'《集韻》. [二] 수다할집 [一]③과 뜻이 같음.
[字源] 形聲. 言＋執〔音〕

言 11 〔⿱敕言〕 18 [一] 速(辵부 7획〈1496〉)의 古字
[二] 諫(言부 7획〈1333〉)의 古字

言 11 〔⿰⿱夂言系〕 18 [一] 요 [平]蕭 | yáo ヨウ したがう
[二] 유 [平]尤 | yóu ユウ したがう

[字解] [一] ①따를요 '一, 隨從也'《說文》. ②부역요 멀리로 떠나는 부역(賦役). '一, 遠屬役也'《字彙》. ③말미암아요 由(田부 0획〈795〉)와 통용. [二] 따를유, 부역유, 말미암아유 [一]과 뜻이 같음.
[字源] 形聲. 系＋⿱夂言〔音〕

言 11 〔謽〕 18 강 [上]養 | jiàng キョウ きょうべんする

[字解] 강변(強辯)할강 말을 굽히지 아니함. '一, 詞不屈也'《集韻》.

言 11 〔⿰言衮〕 18 곤 [上]阮 | gǔn コン ことばがあきらかでない
[去]願 | gùn コン からかう

[字解] ①말분명치않을곤 '一, 語不明'《集韻》. ②조롱할곤 남을 놀림. 諢(言부 13획〈1359〉)과 같음. '諢, 戱人也, 或从衮'《集韻》.

言 11 〔謴〕 18 〔곤〕 諢(言부 13획〈1359〉)과 同字

言 11 〔⿱旣言〕 18 기 [去]寘 | jì キ ことばにしだいがない

[字解] 말에차례없을기 '一, 言無次也'《集韻》.

言 11 〔⿰言基〕 18 〔기〕 諆(言부 8획〈1336〉)와 同字

言 11 〔⿰言累〕 18 〔뢰〕 讄(言부 15획〈1362〉)와 同字

言 11 〔⿰言屚〕 18 루 [去]宥 | lòu ロウ あれいかる

[字解] 성낼루 불끈 성을 냄. '一, 一詬, 暴怒'《集韻》.

言 11 〔⿱𠩺言〕 18 리 [平]支 | lí リ ののしる

[字解] 욕할리 욕설을 함. '一, 罵也'《集韻》.

言 11 〔⿰言⿱非些〕 18 〔비〕 誹(言부 7획〈1332〉)와 同字

言 11 〔⿰言⿱囪女〕 18 사 [上]馬 | shǎ サ しいていう

[字解] 억지로말할사 '一, 強語'《集韻》.

言 11 〔⿰言庵〕 18 암 [平]覃 | ān アン ことばがきまらない

[字解] 말결정하지못할암 諳(言부 7획〈1334〉)과 同字. '⿱敢言, ⿱敢言阿, 語不決, 或作諳, 通作媕'《集韻》.

言 11 〔⿰言酓〕 18 〔암〕 諳(言부 9획〈1342〉)과 同字

言 11 〔⿰言羕〕 18 양 [去]漾 | yàng ヨウ こえがかわる

[字解] 소리변할양 '一, 聲變也'《集韻》.

言 11 〔⿱殹言〕 18 예 [平]齊 | yī エイ しかりとする

[字解] ①응답하는소리예 '그렇다'·'옳다' 등의 시인(是認)하는 말. 詍(言부 4획〈1318〉)와 同字. '一, 相言應辭'《廣韻》. '一, 或作詍'《集韻》. ②이예, 이것예 是(日부 5획〈503〉)와 뜻이 같음. 발어(發語)의 조사(助辭)임. '一, 是也, 發聲也'《字彙》.

言 11 〔謶〕 18 [一] 작 [入]藥 | zhuó シャク あざむく
[二] 서 [去]御 | shù ショ こいねがう
[三] 자 [平]麻 | zhē シャ おおくものいう

[字解] [一] ①속일작 기만함. '一, 一曰, 欺也'《集韻》. ②꾸짖을작 책망함. '一, 謫也'《廣雅》. [二] 바랄서 희망함. 庶(广부 8획〈348〉)와 통함. '一, 冀也, 通作庶'《集韻》. [三] 말많을자 수다스러움. 嗻(口부 11획〈182〉)와 同字. '嗻, 嚗嗻, 多言, 或从言'《集韻》.

言 11 〔⿰言⿸广矢〕 18 謶(前條)과 同字

言 11 〔⿰言祭〕 18 절 [入]屑 | qiè セツ ただしくいう

[字解] ①바른말할절 '一, 正言也'《集韻》. ②속삭일절 소곤거림. '一, 小語'《字彙》.

言 11 〔⿰言曹〕 18 〔조〕 嘈(口부 11획〈181〉)와 同字

言 11 〔⿰言犀〕 18 〔지〕 謘(言부 10획〈1347〉)와 同字

言11 〔譵〕 18 질 ㊀質 | zhì チツ ことばにすじみちがないこと

字解 말종작없을질 말에 조리(條理)가 없음. '一, 謑一, 言無倫脊也'《集韻》.

言11 〔謺〕 18 차 ㊂禡 | chà サ あやしいことば

筆順 言 訁 訁 訁 謺 謺 謺 謺

字解 이상한말차 訍(言부 3획〈1315〉)와 同字. '一, 異言, 或作訍'《集韻》.

言11 〔謲〕 18 ㊀ 참 ㊂勘 | càn サン どなりあう
㊁ 침 ㊤寢 | chěn シン ひそかにそしる

字解 ㊀ ①서로고함칠참 성내어 마주 소리지름. '一, 相怒使也, 从言參聲'《說文》. ②엿볼참 몰래 살핌. '一, 一曰, 伺也'《集韻》. ㊁ 비방할침 '一, 陰言譏之也'《集韻》.

言11 〔諦〕 18 〔체〕
諦(言부 9획〈1341〉)의 俗字

言11 〔讙〕 18 ㊀ 유 ㊥支 | wéi イ つく
㊁ 추 ㊥支 | chuī スイ せめる

字解 ㊀ 나아갈유 '一, 就也'《集韻》. ㊁ ①꾸짖을추 나무람. '一, 責也'《集韻》. ②나아갈추 ㊀과 뜻이 같음.

言11 〔謧〕 18 ㊀ 치 ㊥支 | chī チ しらない
㊁ 칠 ㊀質 | シツ ささやく

字解 ㊀ 모를치 알지 못함. '一, 不知也'《集韻》. ㊁ 속삭일칠 소곤거림. '一, 謅一, 私言'《集韻》.

言11 〔謉〕 18 ㊀ 퇴 ㊥灰 | duī タイ おとす
㊁ 최 ㊥灰 | サイ とがめる

字解 ㊀ 떨어뜨릴퇴 塠(土부 10획〈216〉)와 同字. '塠, 落也, 或从誰'《集韻》. ㊁ 힐책할최 책망함. '一, 讁也'《集韻》.

言11 〔謤〕 18 표 ㊥蕭 | piāo ヒョウ くちがる

字解 ①말경솔할표 입이 가벼움. '一, 言輕也'《集韻》. ②말그칠표 말이 중지됨. '一, 言有所止'《集韻》.

言11 〔譁〕 18 필 ㊀質 | bì ヒツ つつしむ

字解 ①삼갈필 조심함. '一, 敬也'《集韻》. ②멈출필 걸음을 멈춤. 趩(走부 11획〈1416〉)·蹕(足부 11획〈1443〉)과 同字. '一, 行止也, 本作趩·蹕'《玉篇》. ③끝낼필 말을 그침. 畢(田부 6획〈798〉)과 통용. '一, 言止也, 與畢通'《正字通》.

言12 〔譁〕 19 ㊀ 화 ㊥麻 | huá カ かまびすしい
㊁ 와 ㊥麻 | wá ガ かわる

字解 ㊀ 들렐화, 떠뜰썩할화 '諠一'. '嗟人無一聽命'《書經》. ㊁ 바뀔와 譌(言부 12획〈1356〉)와 통용. '蔿·譌·一·涅, 化也'《揚子方言》.

字源 形聲. 言+華(蕚)〔音〕

言12 〔譅〕 19 삽(십㊍) ㊀緝 | sè シュウ どもる

字解 ①더듬을삽 말을 더듬음. 어눌(語訥)함. '言語訥一兮'《楚辭》. ②말멈추지않을삽 '一譶'은 말이 끊이지 않음. 줄곧 지껄여 댐. '一譶, 言不止也'《集韻》. ※本音 십.

字源 形聲. 言+歰〔音〕

言12 〔譅〕 19 譅(前條)과 同字

言12 〔譆〕 19 희 ㊥支 | xī キ ああ

字解 어이구희, 아아희 두려워하여 내는 소리. 또, 아파하거나 감탄하여, 또는 한탄하거나 원통하여 부르짖는 소리. '一吾有所見'《史記》.

字源 形聲. 言+喜〔音〕

言12 〔譓〕 19 회 ㊂隊 ㊤賄 | huì カイ とどまる

字解 ①머물회 멈춤. '司馬法曰, 師多則民一'《說文》. ②깨달을회 '一, 覺悟'《廣韻》. ③불러모을회 '一, 呼聚也'《洪武正韻》.

字源 形聲. 言+貴〔音〕

言12 〔譈〕 19 대 ㊂隊 | duì タイ うらむ

字解 ①원망할대, 미워할대 憝(心부 12획〈410〉)와 同字. '憝, 怨也. 惡也. 周書曰, 元惡大憝. 一, 亦同'《廣韻》. ②죽일대 '凡民罔不一'《孟子》.

字源 形聲. 言+敦〔音〕

言12 〔證〕 19 中·人 증 ㊂徑 | zhèng ショウ あかし

筆順 言 訁 訁 訁 訂 證 證 證

字解 ①증명할증 확실함을 표명함. '所以一之不遠'《楚辭》. ②증거증 틀림이 없다는 표적. 증험할 만한 사물. '明一'. '一明'. '采前世成事, 以爲一驗'《後漢書》. ③알릴증 고발함. '其父攘羊, 而子一之'《論語》. ④밝혀낼증 물어서 밝힘. 따짐. '一, 增韻, 質也'《康熙字典》. ⑤깨달을증, 깨달음증 불교에서 오도(悟道)에 들어가는 일. '無得無一, 謂之解脫'《傳燈錄》. ⑥간할증 충고

함. '不可一移'《呂氏春秋》. ⑦법칙증, 규칙증 '人不攻之, 自然一也'《太玄經》. ⑧용태증, 증후증 '一狀'. '過陳遇老冊, 因告其子之一'《列子》.
[字源] 形聲. 言+登〔音〕

言12 〔譊〕 19 [一] 뇨 [平]肴 [二] 효 [平]蕭 | náo ドウ·ニョウ どなる xiāo キョウ おそれる
[字解] [一] ①부를뇨, 떠들뇨 성내어 부름. 또, 큰 소리로 지껄임. '臨時喧一'《晉書》. ②다툴뇨 '一, 爭也'《廣韻》. [二] 두려워할효 嘵(口부 12획〈183〉)와 同字. '嘵, 說文, 懼也. 或从言'《集韻》.
[字源] 形聲. 言+堯〔音〕

言12 〔譎〕 19 휼(결[本]) [入]屑 | jué ケツ いつわる
[字解] ①속일휼 기만함. 권모 술수를 씀. '一主便私'《韓非子》. ②거짓휼, 속임수휼 권모 술수. '權一自在'《漢書》. ③넌지시비출휼 완곡하게 말함. '主文而一諫'《詩經序》. ④굽을휼 굴곡함. '超紆一之清澄'《漢書》. ⑤진기할휼 보통과 다름. '怪一'. '彫飾一怪'《後漢書》. ⑥변할휼 변화함. 바뀜. '瑰異一詭'《張衡》. ⑦어긋날휼 어그러짐. '恢詭一怪'《易經 注》. ※本音 결.
[字源] 形聲. 言+矞〔音〕

言12 〔譏〕 19 [人名] 기 [平]微 | jī キ せめる
[筆順] 言 言 訁 譏
[字解] ①나무랄기 비난함. '稱鄭伯一失教也'《左傳》. 또, 비난. '無伯夷之一'《論衡》. ②책할기 책망함. '何以書. 一'《公羊傳》. ③간(諫)할기 충고함. 또, 간언(諫言). '殷有惑婦, 何所一'《楚辭》. ④기찰(譏察)할기 조사함. '關市一而不征'《孟子》.
[字源] 形聲. 言+幾〔音〕

言12 〔譑〕 19 교 ①-③[上]篠 ④[去]嘯 | jiǎo キョウ あばく qiào キョウ たわむれる
[字解] ①들추어낼교 죄를 적발함. '必有貪利糾一之名'《荀子》. ②말많을교 수다스러움. '一, 多言也'《玉篇》. ③규명할교 조사하여 밝힘. '一, 糾也'《集韻》. ④희롱할교 조롱함. 놀림. '一, 弄言'《集韻》.

言12 〔譓〕 19 혜 [去]霽 | huì ケイ さとい
[字解] ①슬기로울혜 총명함. '今陽子之情一'《晉書》. ②좇을혜 명령을 지킴. '義征不一'《漢書》.
[字源] 形聲. 言+惠〔音〕

言12 〔譔〕 19 [一] 선 (전[本]) [平]先 [二] 찬 [上]潸 | quán セン おしえる zhuàn セン のべる
[筆順] 言 訁 譔
[字解] [一] ①가르칠선 오로지 가르침에 전념함. '一, 專教也'《說文》. ②다를선 달리함. '一, 殊也'《廣雅》. ③기릴선 칭송함. '論一其先祖之美'《禮記》. ※이상(以上) 本音 전. [二] ①지을찬 찬술(撰述)함. 撰(手부 12획)과 同字. '一孝行'《揚子法言》. ②갖춰질찬 '聽歌一只'《楚辭》.
[字源] 形聲. 言+巽(䛐)〔音〕

言12 〔譕〕 19 [一] 모 [平]虞 [二] 무 [平]虞 | mó ボ·モ はかる wú ブ·ム いざなう ことば
[字解] [一] 꾀할모 謨(言부 11획〈1349〉)의 古字. '一臣者可以遠擧'《管子》. [二] 꾀는말무 '一, 誘詞也'《集韻》.

言12 〔譖〕 19 참(③ [去]沁 점[本]) [去]豔 | ①②zèn シン うったえる ③jiàn セン いつわる
[字解] ①하리놀참 남을 헐뜯어 윗사람에게 일러 바침. 참언함. '一訴'. '夫人一公於齊侯'《公羊傳》. '膚受之一'《論語》. ②하소연할참 거짓말을 하여 호소함. '一, 愬也'《說文》. ③거짓참, 속일참 僭(人부 12획〈73〉)과 통용. '一始竟背'《詩經》. ※❸은 本音 점.
[字源] 形聲. 言+朁〔音〕

言12 〔識〕 19 [中·人] [一] 식 [入]職 [二] 지 [去]寘 [三] 치 [去]寘 | shí(shì) ショク·シキ しる zhì シ しるす zhì シ はたじるし
[筆順] 言 言 訁 識 識
[字解] [一] ①알식 ㉠깨달음. 인지함. '博一'. '不一時務'《後漢書》. '不一不知, 順帝之則'《詩經》. ㉡분별함. '辨一'. '一別'. '君子是一'《詩經》. ㉢기억함. '意一'. '新婦一馬聲, 躡履相逢迎'《古詩》. ㉣인정함. 알아봄. '使形狀不可知, 行乞於市, 其妻不一也'《史記》. ㉤사귐. 아는 사이임. '交一'. '相一'. '二子舊不一, 欣然肯聯鞍'《蘇軾》. ②알려질식 '但願一一韓荊州'《李白》. ③지식식 아는 바. '有一'. '鄙夫寡一'《張衡》. ④식견식 사려. 분별. '見一'. '一者'. '史有三長, 才學一, 世罕兼之'《唐書》. ⑤지혜식 사람이 갖고 있는 시비 선악(是非善惡)을 판별하

는 마음. '一密鑒亦洞'《顔延之》. ⑥친분식 친한 정분. 또, 친지. '舊一'. '嘗謂親一曰'《梁書》. ⑦타고난성질식 천성(天性). '一能匡欲者鮮矣'《後漢書》. ⑧성식 성(姓)의 하나. ㊁①적을지 기록함. '子曰, 小子一之'《孔子家語》. ②표할지 표시함. '不可不一'《漢書》. ③표지 안표. 기호. '標一'. '進止皆有表一'《後漢書》. ④양각문자지 금석(金石) 등에 양각한 글자. '款一'('款'은 음각 문자). 또, 기물·서적 등의 제자(題字)에도 이름. ㊂깃발치 幟(巾부 12획〈338〉)와 同字. '旌旗表一'《漢書》.
字源 形聲. 金文은 音 또는 言+弋〔音〕

言12 〔⿰言莽〕19 모 ㊤麌 | mŭ ボ·モ ことばがたりない
字解 말모자랄모 '一謧, 言不足'《集韻》.

言12 〔譙〕19 초 ①㊦嘯 ②-④㊥蕭 | qiào ショウ しかる qiáo ショウ ものみやぐら
字解 ①꾸짖을초 책망함. 誚(言부 7획〈1331〉)와 통용. '子孫有過失, 不一讓'《史記》. ②문루초 성문(城門) 위의 망루(望樓). '井幹麗一'《王禹偁》. '與戰一門中'《漢書》. ③깃모지라질초 새의 깃이 째어지고 무지러진 모양. '予羽一一'《詩經》. ④성초 성(姓)의 하나.
字源 形聲. 言+焦〔音〕

言12 〔譚〕19 人名 담 ㊥覃 | tán タン ゆるやか
筆順 言 言 訂 譚 譚 譚 譚 譚
字解 ①편안할담 하는 일 없이 편안히 지냄. '修業居久而一'《大戴禮》. ②붙을담 부착함. '參一雲屬'《成公綏》. ③이야기담, 이야기할담 談(言부 8획〈1336〉)과 同字. '此老生之常一'《魏志》. '夫子何不一我于王'《莊子》. ④깊을담, 클담 覃(襾부 6획〈1294〉)과 통용. '一思'. '一, 大也'《廣韻》. ⑤나라이름담 주대(周代)의 국명(國名). 지금의 산동성(山東省)에 있었음. ⑥성담 성(姓)의 하나.
字源 形聲. 言+覃〔音〕

言12 〔⿰言惡〕19 오 ①㊤麌 ②㊦遇 | wù オ そしりあう オ はじる
字解 ①헐어말할오 서로 헐뜯어 말함. ②부끄러워할오, 미워할오 '惡, 恥也, 憎也, 或作一'《集韻》.

言12 〔譒〕19 파 ㊦箇 ㊥歌 | bò ハ しく
字解 ①펼파 널리 말을 퍼뜨림. '一, 敷也, 商書曰, 王一告之. (注) 布言之也'《說文》. ②노래할파 '一, 謠也'《玉篇》.
字源 形聲. 言+番〔音〕

言12 〔⿱斯言〕19 ㊀서 ㊥齊 ㊁시 ㊥支 | xì セイ·サイ かなしむこえ sí シ しわがれごえ
字解 ㊀①슬퍼하는소리서 '一, 悲聲'《廣韻》. ②소리떨서 목소리가 떨림. '一, 聲振也'《玉篇》. ③신음할서 '一, 呻也'《玉篇》. ㊁목쉰소리시 '一, 聲散也'《集韻》.
字源 形聲. 言+斯〔音〕

言12 〔⿰言斯〕19 ⿱斯言(前條)와 同字

言12 〔譀〕19 ㊀감 ㊦勘 ㊁함 ①㊥咸 ②㊦陷 ㊂합 ㊇洽 | hàn カン ほこる hán カン ほこる xiàn カン ほこる コウ ほこる
字解 ㊀①자랑할감 '一, 誇誕'《廣韻》. ②희롱할감 '一, 調也'《廣雅》. ㊁①자랑할함, 희롱할함 ㊀과 뜻이 같음. ②성낼함 성내어 떠듦. '一, 叫怒'《字彙》. ㊂자랑할합 ㊀❶과 뜻이 같음.
字源 形聲. 言+敢〔音〕

言12 〔譇〕19 ㊀차 ㊥麻 ㊁사 ㊥麻 | zhā タ ことばがもつれる シャ りかいしない
字解 ㊀①말엉킬차 '一拏'는 말이 엉킴. '一, 一拏, 羞窮也'《說文》. ②조급히말할차 '一, 語競也'《六書故》. ③성낼차 '一, 怒也'《字彙》. ④속일차 '一, 詐譎也'《蒼頡篇》. ⑤발뺌차 '一拏'는 핑계. '一, 一拏, 遁辭也'《說文通訓》. ㊁이해하지않을사 '一, 一詉, 不解'《集韻》.
字源 形聲. 言+奢〔音〕

言12 〔譄〕19 증 ㊥蒸 | zēng ソウ くわえる
字解 더할증 말을 덧붙임. '一, 加言也'《廣韻》.
字源 形聲. 言+曾〔音〕

言12 〔⿱隋言〕19 ㊀수 ㊦寘 ㊁휴 ㊥支 | スイ そしりあう huī キ そしりあう
字解 ㊀①서로헐뜯을수 '一, 相毁之言'《廣韻》. ②번거롭게할수 '一, 一曰, 諉也'《集韻》. ㊁서로헐뜯을휴, 번거롭게할휴 ㊀과 뜻이 같음.
字源 形聲. 言+隋〔音〕

言12 〔⿰言虐〕19 〔학〕
謔(言부 9획〈1344〉)의 本字

言12〔譎〕19 〔적〕
謫(言부 11획〈1350〉)의 本字

言12〔譖〕19 〔책〕
譛(言부 8획〈1338〉)의 本字

言12〔譅〕19 〔추〕
諈(言부 8획〈1336〉)의 本字

言12〔譈〕19 〔사〕
謝(言부 10획〈1347〉)의 本字

言12〔譋〕19 〔란〕
讕(言부 17획〈1364〉)과 同字

言12〔譋〕19 〔조〕
嘲(口부 12획〈183〉)와 同字

言12〔譺〕19 〔고〕
辜(辛부 5획〈1483〉)와 同字

言12〔譌〕19 〔와〕
訛(言부 4획〈1315〉)와 同字

言12〔譐〕19 〔준〕
噂(口부 12획〈184〉)과 同字

言12〔譜〕19 〔보〕
譜(言부 13획〈1357〉)와 同字

言12〔䜌〕19 ㊀ 련 [平]先 | レン みだれる
[去]霰 | レン ことばがたえない
㊁ 란 [平]寒 | luán ラン みだれる

[字解] ㊀ ①어지러울련 '一, 亂也'《說文》. ②이을련 '一, 繫也'《六書正譌》. ③다스릴련 '一, 一日, 治也'《說文》. ④끊어지지않을련 '一, 一日, 不絕也'《說文》. ⑤말끊어지지않을련 '一, 言不絕'《集韻》. ⑥성련 성(姓)의 하나. ㊁ ①어지러울란, 다스릴란 ㊀❶❸과 뜻이 같음. ②방울이름란 '一, 同鑾, 鈴名'《六書統》.
[字源] 會意. 言+絲

言12〔譽〕19 〔포〕
譽(言부 10획〈1348〉)의 本字

言12〔讋〕19 〔접〕
讋(言부 11획〈1352〉)의 本字

言12〔警〕19 〔경〕
警(言부 13획〈1358〉)의 略字

言12〔譳〕19 〔누〕
譳(言부 14획〈1360〉)의 俗字

言12〔譒〕19 〔력〕
讈(言부 16획〈1363〉)과 同字

言12〔譊〕19 로 [平]豪 | láo ロウ こえ
[去]號 | lào ロウ こえがおおい

[字解] ①소리로 嘮(口부 12획〈185〉)와 同字. '一, 聲也, 尙書大傳, 一然作大唐之歌, 或从口'《集韻》. ②말하는소리로 '譋, 一譋, 語聲'《集韻》. ③빛날로 '一, 尙書大傳, 一然作大唐之歌, 鄭氏日, 一, 猶灼也'《正字通》. ④소리많을로 소리가 많은 모양. '一, 聲多也'《集韻》.

言12〔譑〕19 료 [平]蕭 | liáo リョウ たくみにものをいう

[字解] 말꾸며댈료 교언(巧言). '一, 一讈, 巧言'《集韻》.

言12〔譈〕19 발 [入]月 | fā ハツ いいだす

[字解] 말꺼낼발 '一, 出言也'《集韻》.

言12〔譱〕19 선 [上]銑 | zhǎn セン ひとのことばをただす

[字解] ①남의말바로잡을선 '一, 格人言'《字彙》. ②善(口부 9획〈176〉)의 訛字. '一, 善字之譌'《正字通》.

言12〔譖〕19 암 [平]咸 | yǎn ガン たわむれいう

[字解] ①실없는말할암 시시덕거림. 농담. '一, 戲言'《集韻》. ②누그러질암 화(和)함. '一, 一日, 和也'《集韻》.

言12〔譆〕19 의 [去]霽 | yì エイ つまびらか

[字解] 상세(詳細)할의 분명함. '一譆, 諟也, 吳越日一譆'《方言》.

言12〔譗〕19 잡 [入]洽 | zhā トウ ことばにすじみちがない

[字解] ①말종작없을잡 말에 조리가 없음. '一譐, 言無倫脊也'《集韻》. ②答(竹부 6획〈936〉)의 俗字. '一, 俗答字'《正字通》.

言12〔譂〕19 천 [平]銑 | chǎn セン でたらめ

[字解] 망령된말천 주책없는 말. '一, 妄言'《集韻》.

言12〔譈〕19 추 [去]宥 | jiū シュウ へつらう

[字解] 아첨할추 보비위함. '一, 諛也'《集韻》.

言12〔譃〕19 타 [平]歌 | tuo タ さとい

[字解] ①총명할타 '虔儇, 慧也, 楚或謂之一'《方言》. ②물러나말할타 '一, 退言'《廣韻》.

言 12 〔譚〕 19 탐 [上]感 | tǎn タン ことばがきまらない

[字解] 말일정하지않을탐 '一, 一譀, 言不定'《集韻》.

言 12 〔譃〕 19 후 [平]虞 | xū ク いつわる, うそ

[字解] 거짓말할후, 거짓말후 謣(言부 10획〈1348〉)와 同字. '謣, 妄言, 或作一'《集韻》.

言 12 〔譈〕 19 흡 [入]緝 | xì キュウ はやくち

[字解] ①말빨리할흡, 빠른말흡 '一, 疾言也'《集韻》. ②말하는소리흡 언성(言聲). '一, 一曰, 一評, 語聲'《集韻》.

言 12 〔譋〕 19 〔란〕 讕(言부 17획〈1364〉)과 同字

言 13 〔譱〕 20 선 [上]銑 | shàn ゼン よい

[字解] 착할선 善(口부 9획〈176〉)의 古字. '安上治民, 莫一於禮'《漢書》.

言 13 〔譜〕 20 [高·人] 보 [上]麌 | pǔ フ しるす

[筆順] 言 訁丷 訁䒑 訁並 訁普 訁普 譜 譜

[字解] ①적을보 순서·계통을 따라 열기(列記)함. 표(表)를 만듦. '自殷以前, 諸侯不可得而一'《史記》. ②계도보 순서·계통을 따라 열기한 도면, 또는 문서. '家一'. '年一'. ③악보보 음악의 곡절(曲節)을 부호로 하여 기재한 표. '音一'. '樂一'. '長官不用求琴一'《蘇軾》.

[字源] 形聲. 言+普〔音〕

言 13 〔譝〕 20 승 [平]蒸 | shéng ショウ ほめる

[字解] ①무식할승 무지(無知)한 모양. '一一兮如將孩'《子華子》. ②기릴승 칭찬함. 繩(糸부 13획〈1015〉)과 同字. '一息嫣以語楚子'《左傳》.

言 13 〔譟〕 20 조(소[本]) [去]號 | zào ソウ さわぐ

[字解] ①떠들조 여러 사람이 모여서 큰 소리로 지껄임. 들렘. '魏人一而還'《左傳》. '王使婦人不幃而一之'《國語》. ②떠들썩할조 시끄러움. '喧一'. ③기뻐할조 '車徒皆一'《周禮》. ④북칠조 북을 쳐 울림. '齊使萊人以兵鼓一, 劫定公'《孔子家語》. ※本音 소.

[字源] 形聲. 言+喿〔音〕

言 13 〔譪〕 20 애 [去]泰 | ǎi アイ さかんなさま

[字解] ①많을애 '一一'는 많은 모양. 또, 성(盛)한 모양. 일설(一說)에는, 마음과 힘을 다하는 모양. '一一王多吉士'《詩經》. ②온화할애 말이 부드러움. '仁義之人, 其言一如'《通訓》.

[字源] 形聲. 言+葛〔音〕

言 13 〔譫〕 20 섬(첨[本]) [平]鹽 | zhān セン たわごと

[字解] ①헛소리섬 병중(病中)에 정신을 잃고 중얼거리는 말. '心病一妄煩亂'《本草綱目》. ②말많을섬 噡(口부 13획〈186〉)과 同字. '一, 多言也'《廣韻》. ※本音 첨.

[字源] 形聲. 言+詹〔音〕

言 13 〔譯〕 20 [高·人] 역 [入]陌 | yì ヤク つたえる

[筆順] 言 訁罒 訁罒 訁罒 訁睪 訁睪 譯 譯

[字解] ①통변할역, 번역할역 딴 나라의 말이나 글을 제나라의 말이나 글로 옮김. 또, 그 말이나 글. '通一'. '重一請朝'《史記》. ②풀이할역 서사(書史)의 의리(義理)나 의미를 해석함. '評一'. '傳一'. '賢者爲聖一'《潛夫論》. ③나타낼역 '一, 見也'《揚子方言》.

[字源] 形聲. 言+睪(睪)〔音〕

言 13 〔譯〕 20 譯(前條)의 本字

言 13 〔譨〕 20 누 [平]尤 | nóng ドウ おおくものいう

[字解] 말많을누 많이 말함. 다투어 말하거나 아첨함. '群司兮一一'《楚辭》.

言 13 〔議〕 20 [中·人] 의 [去]寘 | yì ギ はかる

[筆順] 言 訁丷 訁䒑 訁羊 訁美 訁義 議 議

[字解] ①의논할의 상의함. '諮一'. '謀一'. '一事以制'《書經》. ②논할의 ㉠논지함. 따져 말함. '評一'. '論一'. '非天子不一禮'《中庸》. ㉡비평함. 이러니저러니함. '天下有道, 則庶人不一'《論語》. ③책잡을의 비난함. '誹一'. '軾一時事'《十八史略》. '入則心非, 出則巷一'《史記》. ④가릴의 선택함. '乃一侑于賓'《儀禮》. ⑤의론의 의견(意見). 소설(所說). '始皇下其一丞相'《史記》. ⑥간(諫)할의 '子胥力於戰伐, 死於諫一'《吳越春秋》. ⑦문체이름의 한문의 한 체(體). 일을 논하여 그 가부를 비판하는 문장. '奏一'. '昔管仲稱軒轅, 有明臺之一, 則一之來遠矣'《文體明辯》. ⑧감형의 주대(周代)의 제도로서, 죄과(罪科)의 특별 감경

(減輕). '八一'. '一一親, 二一故'《周禮》.
字源 形聲. 言+義〔音〕

言13 〔譭〕20 훼 ㊤紙 huǐ キ けなす
字解 헐어말할훼 비방함. 毁(殳부 9획〈613〉)와 통용.

言13 〔譮〕20 홰 ㊦泰 huì カイ おおぜいのこえ
字解 ①들렐홰 많은 사람이 떠드는 소리. '一, 衆聲'《廣韻》. ②소리홰 목소리. '有一其聲'《詩經》.
字源 形聲. 言+歲〔音〕

言13 〔譮〕20 홰 ㊦卦 xiè カイ いかるこえ, きのたかいさま
字解 ①성낼홰 성내는 소리. '一, 怒聲'《集韻》. ②기운높을홰 '一, 氣高皃'《集韻》.

言13 〔譞〕20 현 ㊥先 xuān ケン さかしい
字解 ①지혜로울현, 지혜현 儇(人부 13획〈75〉)과 통용. '一, 慧也'《集韻》. ②말많을현 '一, 多言也'《集韻》.
字源 形聲. 言+睘〔音〕

言13 〔譣〕20 ㊀험 ㊤琰 xiǎn ケン さかしい ㊁섬 ㊥鹽 セン とう
字解 ㊀간사한말험, 간사할험 '詖一, 姦言也'《增韻》. ㊁물을섬 캐어 물음. '勿以一人'《周書》.
字源 形聲. 言+僉〔音〕

言13 〔譧〕20 ㊀잠 ㊦陷 zhàn タン·デン たぶらかされる ㊁렴 ㊥鹽 lián レン ことばがただしくない
字解 ㊀속을잠 '一, 被誑誣也'《集韻》. ㊁말바르지못할렴 '一讲, 言不正'《集韻》.

言13 〔譠〕20 탄 ㊥寒 ㊥刪 tān タン あざむく
字解 ①속일탄 '一, 欺也'《廣雅》. ②업신여길탄 '一謾'은 업신여기어 속임. '一謾, 欺謾之語也'《揚子方言》. ③돌아보지않을탄 '冷一'은 돌아보지 않음. '冷一, 不顧'《字彙》.

言13 〔譪〕20 ㊀매 ㊦卦 mài バイ·マイ ほこる ㊁홰 ㊦卦 hài カイ ほこる
字解 ㊀자랑할매 '一, 譀也'《說文》. ㊁①자랑할홰 ㊀과 뜻이 같음. ②성낼홰 다투고 성을 냄. '一, 一譀, 爭怒'《集韻》.

字源 形聲. 言+萬〔音〕

言13 〔譺〕20 ㊀과 ㊦禡 guà カ あやまる ㊁차 ㊦禡 タ あやまる
字解 ㊀①그르칠과 '一, 相誤也'《說文》. ②속일과 '一, 欺也'《字彙》. ㊁그르칠차, 속일차 ㊀과 뜻이 같음.
字源 會意. 言+哭

言13 〔謬〕20 〔류〕 謬(言부 11획〈1350〉)의 本字

言13 〔譎〕20 〔굴〕 詘(言부 8획〈1335〉)의 本字

言13 〔謂〕20 〔위〕 謂(言부 9획〈1343〉)의 本字

言13 〔謾〕20 〔만〕 謾(言부 11획〈1350〉)과 同字

言13 〔譩〕20 〔희〕 噫(口부 13획〈187〉)와 同字

言13 〔譲〕20 〔양〕 讓(言부 17획〈1364〉)의 俗字

言13 〔譡〕20 〔당〕 讜(言부 20획〈1365〉)의 俗字

言13 〔警〕20 高·人 경 ㊤庚 jǐng ケイ いましめる
筆順 一 艹 芍 苟 苟 敬 警 警
字解 ①경계할경 ㉠주의함. 조심함. '嚴一'. '一戒羣吏'《周禮》. ㉡신칙(申飭)함. '一告'. '所以一衆也'《禮記》. ㉢방비함. '謹一, 敵人旦暮且至'《韓非子》. ㉣경계하라고 알림. '三日一鼓'《唐書》. ②경계경 조심. 신칙. '幽獨怵爾抱深一'《王守仁》. ③경비경 사변의 방비. '罷關徼之一'《後漢書》. ④사변경 변고. 난리. '頗有騷一'《遜孫》. '河北有一, 藉卿鎮撫之'《宋史》. ⑤경보경 사변의 통보. '邊一'. '明烽燧之一'《後漢書》. ⑥놀랄경, 놀랠경 驚(馬부 13획〈1752〉)과 통용. '節循虛而一立'《陸機》. ⑦두려워할경 두려워서 불안해함. '王以一于夷'《左傳》. ⑧갈도(喝道)경 지위 높은 이가 다닐 때 행인을 금하는 일. '一蹕'. '出稱一, 入言蹕'《漢書》. ⑨총민할경 총기가 있고 민첩함. '一敏'. '奇一'. '性甚一悟'《南史》. ⑩깰경, 깨울경 잠이 깸. 잠을 깨움. '目欲瞑而復一'《歐陽修》.
字源 形聲. 言+敬〔音〕

言13 〔譤〕20 警(前條)과 同字

言13〔譬〕20 비 人名 ㊤寘 | pì ヒ たとえる

筆順 尸 启 启 辟 辟 辟 譬 譬

字解 ①비유할비 비슷한 딴 사물을 끌어대어 말함. '一諸小人'《論語》. ②비유비 '取一不遠'《詩經》. ③비유컨대비 비유를 들어 말하면. 예컨대. '一如北辰'《論語》. ④깨달을비 모르던 것을 환하게 앎. '聞之者未一'《後漢書》. ⑤깨우칠비 깨닫도록 함. '請往一降之'《後漢書》.

字源 形聲. 言+辟〔音〕

言13〔警〕20 교 ㊤嘯 | jiào キョウ さけぶ

字解 ①소리지를교 아파 큰 소리를 침. 크게 소리 지름. '一, 痛嘑也'《說文》. '一, 大呼也'《玉篇》. ②아파하는소리교 '一, 叉痛聲'《廣韻》. ③들추어낼교 적발함. '一者爲之'《漢書》.

字源 形聲. 言+敫〔音〕

言13〔譍〕20 응 ㊤徑 ㊥蒸 | yìng, yīng ヨウ こたえる

字解 대답할응 應(心부 13획〈414〉)과 同字. '車馬敲門定不一'《蘇軾》.

字源 形聲. 言+癃〔音〕

言13〔譽〕20 〔건〕 謇(言부 10획〈1348〉)과 同字

言13〔譤〕20 격 ㊤錫 | jī ケキ あばく

字解 ①들추어낼격 적발함. '一, 訐也'《集韻》. ②속일격 '一, 詐也'《字彙》.

言13〔諢〕20 곤 ㊤願 | gùn コン あざける

字解 놀릴곤 조롱함. '一, 翫人也'《集韻》.

言13〔譺〕20 급 ㊤洽 | yá ゴウ かたりわらうさま

字解 말하며웃을급 말하며 웃는 모양. '一, 話一, 語笑皃'《集韻》.

言13〔譚〕20 〔담〕 譚(言부 12획〈1355〉)의 訛字

言13〔譾〕20 〔별〕 譤(言부 7획〈1333〉)과 同字

言13〔譫〕20 섭 ㊤葉 | shē ショウ いいあやまる

字解 잘못말할섭 실언(失言)함. '一, 讋一, 言失也'《集韻》.

言13〔譢〕20 수 ㊤寘 | suì スイ せめる

筆順 言 言 言八 言亠 訡 訡 諑 譢

字解 ①사양할수 양보함. '一, 讓也'《廣韻》. ②간할수 충고함. '一, 諫也'《廣韻》. ③알릴수 '一, 告也'《廣韻》. ④따져물을수 '一, 問也'.

言13〔譴〕20 수 ㊥支 | suí スイ ことばがしたがう

字解 말따를수 말이 뒤따름. '一, 言从也'《集韻》.

言13〔讞〕20 〔언〕 讞(言부 20획〈1365〉)과 同字

言13〔譳〕20 오 ㊤號 | ào オウ かたる

字解 ①말할오 '一, 語也'《廣雅》. ②고할오 알림. '一, 告也'《廣雅》. ③은어오 곁말. '一, 隱語也'《正字通》.

言13〔譗〕20 잡 ㊤合 | zá ソウ こえのけいよう

字解 소리형용(形容)잡 '一, 一一, 聲也'《字彙》.

言13〔譾〕20 전 ㊤銑 | jiǎn セン ことばがわずらわしい

字解 ①말번거로울전 '一, 語煩'《集韻》. ②謭(言부 15획〈1361〉)의 俗字.

言13〔響〕20 향 ㊤漾 ㊤養 | xiàng キョウ ひさしくない / xiǎng キョウ ひびき

字解 ①오래지아니할향 '一, 不久也'《正韻》. ②대답할향 '一, 答也'《集韻》. ③아름답지못한말향 '一, 非美言也'《廣韻》. ④울림향 響(音부 13획〈1682〉)과 同字. '響, 說文, 聲也, 或从言'《集韻》.

言13〔譋〕20 하 ㊤箇 | hè カ いかるさま

字解 성낸모양하 '一, 譀一, 怒皃'《集韻》.

言13〔護〕20 〔호〕 護(言부 14획〈1360〉)와 同字

言13〔譀〕20 ㊀흠 ㊤沁 ㊁함 ㊤勘 | xìn キン いかりいう / hàn カン ことばがきまらない

字解 ㊀ 성내어말할흠 '一, 一訡, 怒言'《集韻》. ㊁ 말일정하지않을함 '一, 譇一, 言不定'《字彙》.

言14〔譶〕21 ㊀답 (入)合 | tà トウ はやくち
㊁집 (入)緝 | zhí チュウ しゃべりたてる

字解 ㊀ 재재거릴답 재잘거림. 말이 빠름. '一, 疾言也'《說文》. ㊁ 지껄거릴집 자꾸 지껄여 그치지 않음. '灑一槩猤, 交貿相競'《左思》.
字源 會意. 言＋言＋言

言14〔譴〕21 견 (去)霰 | qiǎn ケン とがめる

字解 ①꾸짖을견 과실을 책망함. '一責'. '太卜一之曰'《戰國策》. ②허물견, 책망견 '允叶人心, 用消天一'《北史》. ③재앙견 재난. 화(禍). '何以和穆陰陽, 消伏災一'《後漢書》. ④노할견 성냄. '一, 怒也'《廣韻》. '畏此一怒'《詩經》. ⑤성견 성(姓)의 하나.
字源 形聲. 言＋遣〔音〕

言14〔護〕21 高·人 호 (去)遇 | hù ゴ たすける, まもる

筆順 言 言' 言'' 言' 言' 言蒦 護 護

字解 ①도울호 구(救)함. 도와 줌. '救一'. '數以吏事一高祖'《史記》. ②지킬호 막음. 수호함. '保一'. '辯一'. '一衞'. '眈眈九虎一秦關'《元好問》. 또, 수호하는 일. 수호하는 설비. '重此藩籬一'《柳宗元》. ③통솔할호 온통 거느림. '幷一趙楚韓魏燕之兵以伐齊'《史記》.
字源 形聲. 言＋蒦〔音〕

言14〔譸〕21 주 (平)尤 | zhōu チュウ あざむく

字解 ①속일주 기만함. '一張爲幻'《書經》. ②꾀할주 籌(竹부 14획〈960〉)와 통용. '以詡一之'《後漢書》. ③저주할주 '詶, 詛也. 則一亦詛也'《說文 段注》.
字源 形聲. 言＋壽〔音〕

言14〔譹〕21 호 (平)豪 | háo コウ さけぶ

字解 부르짖을호, 외칠호 '叫者一者'《莊子》.

言14〔譺〕21 ㊀의 (去)寘 | ①ài ギ あざむく
(上)紙 | ②yǐ ギ からかう
㊁역 (入)職 | yì ギョウ つつしむ

字解 ㊀ ①속일의 '一, 欺也'《廣韻》. ②희롱할의 놀림. '一, 調也'《廣雅》. ㊁ 삼갈역 근신하는 모양. '齋戒以待一然'《史記》.
字源 形聲. 言＋疑〔音〕

言14〔譻〕21 譺(前條)와 同字

言14〔譸〕21 녕 ①(平)庚 | níng ドウ こごえ
②(去)徑 | nìng デイ へつらう

字解 ①작은소리녕 '詟一, 小聲'《集韻》. ②아첨할녕 '一, 謟也'《廣雅》.

言14〔譳〕21 누 (去)有 | nòu ドウ いうことができない

字解 ①말머뭇거릴누 '詎一'는 말을 하지 못함. '詎一, 不能言也'《集韻》. ②말바르지 아니할누.

言14〔譢〕21 답 (入)合 | tà トウ たたみかけていう

字解 ①말잇달답 말을 계속함. '一譗, 語相及也'《說文》. ②망령된말답 '一, 妄言'《廣韻》. ③떠볼답 말로 남을 떠 봄. '方俗以言探人曰一'《正字通》.
字源 形聲. 言＋遝〔音〕

言14〔譍〕21 영 (平)庚 | yíng エイ こえ

字解 ①소리영 '一, 聲也'《字彙補》. ②빛날영 '一然乃作大唐之歌'《尚書大傳》.

言14〔讒〕21 〔참〕
讒(言부 17획〈1364〉)의 俗字

〔辯〕 〔변〕
辛부 14획(1486)을 보라.

言14〔譽〕21 高·人 예(여本) (去)御 | yù
(平)魚 | ヨ ほまれ

筆順 ⺊ 𦥑 𦥑 與 與 與 譽 譽

字解 ①명예예 좋은 평판. 명성. '聲一'. '毁一'. '以永終一'《詩經》. '有不虞之一'《孟子》. ②기릴예 칭찬함. '無毁無一'《王禹偁》. ③바로잡을예 '君子不以口一人, 則民作忠'《禮記》. ④즐길예 豫(豕부 9획〈1376〉)와 통용. '是以有一處兮'《詩經》. ⑤성예 성(姓)의 하나. ※ 本音 여.
字源 形聲. 言＋與〔音〕

言14〔譻〕21 앵 (平)庚 | yīng ヨウ こえ

字解 소리앵 ㉠방울의 달랑거리는 소리. '鳴玉鸞之一一'《後漢書》. ㉡작은 목소리. '一譸, 小聲'《廣雅》. ㉢새 따위의 울음소리. '一一, 鳴也'《廣雅》.
字源 形聲. 言＋賏〔音〕

言14〔譼〕21 〔감〕
監(皿부 9획〈834〉)의 古字

言14〔諕〕21 격 (入)陌 | guó カク おおくものいうさま

[字解] 말많은모양격 '一, 多言貌'《字彙補》.

言14 〔⿰言𢇍〕21단 [上]旱 | tuǎn タン いいまどう
[字解] ①말망설일단 명쾌하게 말하지 못함. '一, 誺一, 言惑'《集韻》. ②땅이름단 '波一羅川, 春夏雨雪'《唐書》.

言14 〔⿲言言言〕21 〔답〕
⿱言⿰言言(言부 14획〈1360〉)과 同字

言14 〔譵〕21 [一] 對(寸부 11획〈290〉)의 俗字
[二] 懟(心부 14획〈416〉)와 同字

言14 〔⿸朕言〕21 등 [平]蒸 | téng トウ おおくものいう
[字解] 말많을등 '一, 多言也'《字彙補》.

言14 〔⿰言望〕21 〔망〕
⿰言望(言부 11획〈1351〉)과 同字

言14 〔⿰言臱〕21 면 [平]先 | mián ベン わるがしこい
[字解] 약을면 교활함. '一, 慧黠也'《集韻》.

言14 〔譢〕21 몽 [平]東 | méng ボウ ことばがふめいなこと
[字解] 말분명하지않을몽 '一, 言不明'《集韻》.

言14 〔⿰言僕〕21 복 [入]屋 | pū ボク いいかくす
[字解] 말하지않고숨길복 '一, 以言蔽也'《集韻》.

言14 〔⿰言㬎〕21 [一] 암 [平]覃 | án ガン おろか
[二] 갑 [入]合 | è ゴウ たわむれる
[字解] [一] ①농담할암 '一, 譃弄言'《廣韻》. ②어리석을암 미련함. '一, 不慧也'《集韻》. [二] 웃으며말할갑 '一, 謕一, 笑話'《集韻》.

言14 〔⿰言睿〕21 예 [去]霽 | wèi エイ うらみいう
[字解] 원망할예 원망하여 말함. '一, 一曰, 恨言'《集韻》.

言14 〔⿰言龠〕21 〔요〕
⿰言龠(言부 17획〈1364〉)의 俗字

言14 〔議〕21 〔의〕
議(言부 13획〈1357〉)의 本字

言14 〔⿰言察〕21 〔절〕
⿰言祭(言부 11획〈1352〉)과 同字

言14 〔⿰言齊〕21 제 [去]霽 | jì セイ おおくものいう
[字解] ①말많을제 '譄, 一譄, 多言'《集韻》. ②칼제 '一, 刀也'《字彙補》.

言14 〔⿰言遲〕21 〔지〕
⿰言遲(言부 15획〈1362〉)와 同字

言14 〔⿰言爾〕21 〔진〕
診(言부 5획〈1319〉)과 同字

言14 〔⿰言聚〕21 추 [去]宥 | zhòu ショウ ののしる
[筆順] 言 言 訂 訂 言耳 言取 言聚 ⿰言聚
[字解] ①욕할추 악담함. '㥮, 傷㥮, 詈也, 或作一'《集韻》. ②여럿이모여지껄일추 '一, 衆言會集也'《正字通》.

言14 〔⿰言臺〕21 태 [平]灰 | tāi タイ つまびらか
[字解] 자세할태 소상(昭詳)함. '一, 諟也'《集韻》.

言15 〔讀〕22 [中][人] [一] 독 [入]屋 | dú ドク·トク よむ
[二] 두 [去]宥 | dòu トウ よみきり
[筆順] 言 言一 言士 言士 言声 言賣 讀 讀
[字解] [一] ①읽을독 ㉠소리를 내어 책 같은 것을 봄. '朗一'. '冬一書'《禮記》. ㉡해독(解讀)함. '吳王伐石, 得紫文金簡之書不能一'《抱朴子》. ②읽기독 읽는 일. 읽는 법. '習其一'《公羊傳》. ③셀독 수량을 계산함. '以數之多者, 號而一之也'《莊子》. [二] ①구두두 읽기 편하게 하기 위하여 구절에 점을 찍는 일. '句一'. '語未絕而點, 分之以便誦詠, 謂之一'《增韻》. ②《韓》 이두(吏讀)두 삼국 시대부터 한자의 음과 뜻을 따서 우리 나라 말을 표기하는 데 쓰이던 문자. '吏一'.
[字源] 形聲. 言+賣〔音〕

言15 〔⿰言翦〕22 전 [上]銑 | jiǎn セン あさい
[字解] 얕을전 깊지 아니함. 천박함. '能薄而材一'《史記》.
[字源] 形聲. 言+翦〔音〕

言15 〔⿰言慧〕22 [人名] 혜 [去]霽 | huì ケイ·エ さとい
[筆順] 言 言丰 言丰 言丰丰 言彗 言彗 言慧 ⿰言慧
[字解] ①슬기로울혜 총명하게 살핌. '今陽子之情, 一矣'《國語》. ②재지(才智)혜 재주와 슬기. '一, 材智也'《玉篇》.

言15〔譞〕22 현 ①②[去]霰 ③[平]先 juān ケン もとめる xuān ケン おおくいう

[字解] ①구할현 추구함. '一, 求也'《廣雅》. ②말퍼뜨릴현 풍설을 퍼뜨림. 또, 뜬소문. '一, 流言也'. ③말많을현 말을 많이 함. 譞(言부 13획〈1358〉)과 同字.

言15〔讁〕22 적 [入]陌 zhé タク せめる

[字解] 꾸짖을적 謫(言부 11획〈1350〉)과 同字. '室人交徧一我'《詩經》.

言15〔讄〕22 뢰 [上]紙 lěi ルイ いのる

[字解] ①빌뢰 공덕(功德)을 들어, 복(福)을 구함. '一, 禱也. 絫功德以求福也'《說文》. ②뇌사뢰 誄(言부 6획〈1327〉)와 통용.
[字源] 形聲. 言+畾〔音〕

言15〔譞〕22 〔현〕 譞(言부 13획〈1358〉)의 本字

言15〔諣〕22 〔괘〕 詿(言부 6획〈1327〉)와 同字

言15〔讅〕22 〔심〕 審(宀부 12획〈285〉)과 同字
[字源] 形聲. 言+審〔音〕

言15〔讖〕22 〔참〕 讖(言부 17획〈1364〉)의 俗字

言15〔讚〕22 [人名] 〔찬〕 讚(言부 19획〈1365〉)의 俗字
[筆順] 言 言 訁 訁 諎 誁 譛 讚

言15〔譇〕22 〔차〕 譇(言부 10획〈1348〉)의 本字

言15〔譍〕22 〔응〕 譍(言부 13획〈1359〉)의 本字

言15〔謋〕22 괵 [入]陌 guó カク おおくものいう

[字解] 말많을괵 '一, 一一, 多言'《集韻》.

言15〔讜〕22 〔당〕 讜(言부 20획〈1365〉)과 同字

言15〔讅〕22 락 [入]藥 luò ラク くるいいう

[字解] 미친말락 미친 소리. '一, 一謊, 狂言'《集韻》.

言15〔讀〕22 려 [去]御 lù リョ いつわる

[字解] 속일려 거짓말함. '一, 詐也'《集韻》.

言15〔譤〕22 렵 [入]葉 liè リョウ おしゃべりする

[字解] 지껄일렵 말이 많음. '一, 一一, 多言'《集韻》.

言15〔講〕22 〔매〕 講(言부 13획〈1358〉)와 同字

言15〔變〕22 〔변〕 變(言부 16획〈1363〉)의 俗字

言15〔譌〕22 사 [上]馬 [去]禡 xiě シャ かたる

[字解] 말할사 알림. '一, 話一'《玉篇》. '一, 言以寫志'《集韻》.

言15〔譞〕22 살 [入]曷 sà サツ きままにいう

[字解] 허튼말살 허튼소리. 제멋대로 지껄인 말. '一, 散言也'《集韻》.

言15〔譺〕22 액 [入]陌 è ヤク こえ

[字解] 소리액 흐느끼는 소리. '一, 聲也, 或从欠'《集韻》.

言15〔讀〕22 욱 [入]屋 yù イク かおりをきくさま

[字解] 향내맡을욱 향기를 맡는 모양. '一, 一誅, 聞香皃'《集韻》.

言15〔諸〕22 〔제〕 諸(言부 9획〈1343〉)와 同字

言15〔謘〕22 지 [平]支 chí チ くちばしる

[字解] 무심결에지껄일지실언(失言)함. '一, 謻'《字彙》.

言15〔讀〕22 〔질〕 嚌(口부 15획〈190〉)과 同字

言15〔謈〕22 〔포〕 謈(言부 10획〈1348〉)와 同字

言16〔讇〕23 ㊀첨 [上]琰 ㊁염 [平]鹽 chǎn テン へつらう yán エン へつらう

[字解] ㊀아첨할첨, 아첨첨 諂(言부 8획〈1336〉)과 同字. '頌而無一'《禮記》. ㊁과공(過恭)할염 지나치게 겸손함. '立容辨卑毋一'《禮記》.

言16 〔讌〕 23 연 [去]霰 | yàn エン かたりあう

[字解] ①이야기할연 여럿이 모여 좌담을 함. '孟嘗君一坐'《戰國策》. ②술잔치연 주연(酒宴). 醼(酉부 16획〈1544〉)·宴(宀부 7획〈279〉)과 同字. '一會'. '預飮一'《顏氏家訓》. '欲與親知, 時坐歡一'《晉書》.

[字源] 形聲. 言+燕〔音〕

言16 〔讌〕 23 讌(前條)과 同字

言16 〔諄〕 23 〔순〕 諄(言부 8획〈1336〉)의 本字

言16 〔讃〕 23 〔회〕 讀(言부 12획〈1353〉)의 本字

言16 〔讍〕 23 〔악〕 諤(言부 9획〈1341〉)과 同字

言16 〔變〕 23 [中·人] 변 [去]霰 | biàn ヘン かわる

[筆順] 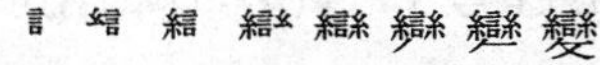

[字解] ①변할변 변화함. '一遷'. '動則一'《中庸》. ②움직일변 이동함. '夫子之病革矣, 不可以一'《禮記》. ③고칠변 변개함. '一法'. '國無道至死不一'《中庸》. ④변화변 전화(轉化). '達萬物之一, 精於物數'《十八史略》. ⑤변고변 ㉠사변. 예사에 어그러진 큰 일. '卒然有非常之一'《漢書》. ㉡모반. 반란. '舍人弟上一'《史記》. ⑥재앙변 재난. '一死'. '天一地異'. '災一數見'《漢書》. ⑦상사변 사람의 죽음. '有一以聞'《穀梁傳》. ⑧꾀변 임시변통의 수단. '權一'. '非君子, 不可與語一'《文中子》. ⑨성변 성(姓)의 하나.

[字源] 形聲. 䜌〔音〕+攴

言16 〔讎〕 23 수 [平]尤 | chóu シュウ あだ

[字解] ①원수수 ㉠구적(仇敵). '仇一'. '反以我爲一'《詩經》. ㉡원수로 돌림. '又衆兆之所一'《楚辭》. ②동류수 동배. 제배. '王之一民'《書經》. ③대답할수 응답함. '無言不一'《詩經》. ④갚을수 ㉠보상함. 값을 치름. '一數倍'《史記》. '子許買物, 隨價一直'《魏志》. ㉡대갚음함. 보복함. '難相與爲仇一'《周禮》. ㉢대접함. 酬(酉부 6획〈1534〉)와 통용. '屬之一柞'《戰國策》. ⑤맞을수, 당할수 합당함. '其方盡多不一'《史記》. ⑥같을수 동등함. 또, 동등하게. '皆一有功'《漢書》. ⑦바로잡을수 원본과 대조하여 교정함. '校一'. '一校篆籒'《左思》. ⑧자주수 빈번히. '用乂一斂'《書經》. ⑨팔수, 팔릴수 售(口부 8획〈170〉)와 통용. '每買餅, 所從買家輒大一'《漢書》.

[字源] 形聲. 言+雔〔音〕

言16 〔讐〕 23 讎(前條)와 同字

言16 〔讋〕 23 섭 [入]葉 | zhé ショウ おそれる

[字解] ①두려워할섭 무서워하여 기가 꺾임. '一伏'. '諸將一服'《漢書》. ②꺼릴섭 질투하여 싫어함. '因其資以一之'《淮南子》.

[字源] 形聲. 篆文은 言+龖〈省〉〔音〕

言16 〔讆〕 23 위 [去]霽 | wèi エイ いつわる

[字解] ①거짓위, 속일위 허위. '是一言也'《左傳》. ②잠꼬대위 懲(心부 16획〈418〉)와 同字. 잠잘 때 하는 헛소리. '一, 夢言不慧也'《玉篇》. ③어리석을위 '訾一之人'《管子》.

[字源] 形聲. 言+衞〔音〕

言16 〔䜭〕 23 빈 [平]眞 | pín ヒン たぐい

[字解] ①무리빈 '一, 匹也'《說文》. ②수다할빈, 지껄일빈 '一, 多言'《廣韻》.

[字源] 形聲. 言+頻〔音〕

言16 〔讈〕 23 력 [入]錫 | lì レキ ことばがあきらかでない

[字解] 말분명치않을력 䚕(言부 12획〈1356〉)과 同字. '一, 譲一, 言不明, 或省'《集韻》.

言16 〔譱〕 23 선 [去]霰 | shàn セン ただす

[字解] 바로잡을선 잘못된 것을 바로 고침. '一, 正也'《字彙補》.

言16 〔讉〕 23 [一]유 [平]支 | yí イ いかる
[二]퇴 [平]灰 | tuī タイ あざむく

[字解] [一] ①성낼유 '一, 怒也'《廣雅》. ②욕설을풀이하여전할유 '一, 譯惡言也'《字彙》. [二] 속일퇴 '一, 江南, 呼欺曰一'《集韻》.

言16 〔讖〕 23 친 (츤[本]) [去]震 | chèn シン のろいいう

[字解] 저주(詛呪)할친 '一, 詌言也'《集韻》. ※本音 츤.

言16 〔讇〕 23 함 [平]覃 | hān カン めでる

[字解] 사랑할함 귀여워함. '一, 愛也'《集韻》.

言16〔⿰言韰〕23 해 ㊍卦 | xiè カイ いましめる

字解 훈계할해 경고함. '一, 誡也'《集韻》.

言16〔⿰言憲〕23 헌 ㊤阮 | xiǎn ケン もとる

字解 어긋날헌 사리에 벗어남. '一, 很戾也'《集韻》.

言16〔讗〕23 〔획〕 讗(言부 18획〈1365〉)과 同字

言17〔讒〕24 참 ㊥咸 ㊍陷 | chán ザン そしる

字解 ①헐뜯을참, 하리놀참 헐어 말함. 또, 참소함. '一說殄行'《書經》. ②헐뜯는말참, 참소참 '去一遠色'《中庸》. ③손상할참 해침. '傷良曰一'《荀子》. ④속일참, 거짓말할참 '一, 誕也'《韓詩外傳》. ⑤아첨할참 아부함. '一, 佞也'《玉篇》. ⑥사특할참 마음이 비뚤어짐. '一慝勝良'《呂氏春秋》.

字源 形聲. 言+毚〔音〕

言17〔讓〕24 中·人 양 ㊍漾 | ràng ジョウ ゆずる, へりくだる

筆順 言 訁 譮 譱 譲 讓 讓 讓

字解 ①겸손할양 제 몸을 낮춤. '謙一'. '遜一'. '允恭克一'《書經》. ②사양할양 사퇴함. '知死不可一兮'《楚辭》. '治斧鉞者, 不敢一刑'《管子》. ③넘겨줄양 이양(移讓)함. '一渡'. '一位'. '堯以天下一舜'《呂氏春秋》. ④겸손양 '一禮之主也'《左傳》. '溫良恭儉一'《論語》. ⑤꾸짖을양 책망함. '誚一'. '一不貢'《國語》. '公使一之'《左傳》.

字源 形聲. 言+襄〔音〕

言17〔讔〕24 은 ㊤吻 | yǐn イン なぞ

字解 ①수수께끼은 미어(謎語). '荊莊王立三年, 不聽而好一'《呂氏春秋》. ②저주해말할은 '一, 訓言也'《字彙》.

字源 形聲. 言+隱〔音〕

言17〔⿱隱言〕24 讔(前條)과 同字

言17〔讕〕24 란 ㊥寒 ㊤旱 | lán ラン しいる

字解 ①헐뜯을란 허구의 사실을 꾸며 해치려고 헐뜯음. 모함함. '是非之情, 不可以相一已'《春秋繁露》. ②실언할란 잘못 말함. 실언(失言)을 함. '張亮一辭曰, 四等畏死見誣耳'《唐書》. ③속일란, 거짓말할란 '滿一誣天'《漢書》. ④터무니없는말란 허무맹랑한 말. '一言兼存'《文心雕龍》. ⑤간할란 諫(言부 9획〈1342〉)과 통용. '一言十篇'《漢書》.

字源 形聲. 言+闌〔音〕

言17〔⿰言蹇〕24 건 ㊤銑 | jiǎn ケン どもる

字解 ①말더듬을건 말을 더듬거림. 譾(言부 13획〈1359〉)과 同字. '一極淩誶'《列子》. ②어려울건 곤란함. '一吾法夫前修兮'《楚辭》. ③곧은말할건 직언(直言)하는 모양. 바른 말을 하는 모양. '一, 其有意些'《楚辭》.

言17〔讖〕24 참 ①②㊍沁 ③㊍陷 | chèn シン しるし サン くいる

字解 ①조짐참 미래의 길흉 화복의 전조(前兆). 또, 그 예언. '光武善一'《後漢書》. ②참서참 예언의 기록. 미래기. 비결. '一緯'. '臣不讀一'《後漢書》. ③뉘우칠참 참회함. 懺(心부 17획〈419〉)과 同字.

字源 形聲. 言+韱〔音〕

言17〔⿰言蕚〕24 〔화〕 譁(言부 12획〈1353〉)의 本字

言17〔⿰言騫〕24 〔건〕 謇(言부 10획〈1348〉)과 同字

言17〔⿰言邁〕24 〔매〕 譪(言부 13획〈1358〉)와 同字

言17〔⿰言嬰〕24 앵 ㊥庚 | yīng ヨウ いかる

字解 성낼앵 謍(言부 10획〈1348〉)과 同字. '一, 怒也, 或作謍'《集韻》.

言17〔⿰言龠〕24 요 ㊍嘯 | yào ヨウ あやまる

字解 ①잘못할요 일을 그르침. '一, 誤也'《廣雅》. ②잘못말할요 '一, 誤言也'《玉篇》. ③시끄러울요 '一, 讙也'《集韻》.

言18〔⿰言醫〕25 희 ㊥支 | yī イ ああ

字解 아희 탄식하는 소리. 噫(口부 13획〈187〉)와 同字. '一吾與若玩其文也久矣'《列子》.

言18〔讙〕25 ㊀훤 ㊥元 | xuān ケン かまびすしい ㊁환 ㊥寒 | huān カン かまびすしい

字解 ㊀시끄러울훤 떠들썩함. '一譁'. '天下應之如一'《荀子》. ㊁①시끄러울환 ㊀과 뜻이 같음. ②기뻐할환 '三年不言, 言乃一'《禮記》. ③성환 성(姓)의 하나.

字源 形聲. 言+雚〔音〕

言18 〔讘〕 25 섭 入葉 | zhé ショウ ささやく

字解 ①속살거릴섭 소곤소곤 이야기함. '詀—, 細語'《集韻》. ②말많이할섭 '—, 多言也'《說文》.

字源 形聲. 言+聶〔音〕

言18 〔讗〕 25 획 入陌 | xié カク ことばのさかんなさま

字解 ①장담할획 '—, 言壯皃'《說文》. ②성발끈낼획, 나무랄획 '—, 一曰, 數相怒也'《說文》. ③말빠를획 말을 빨리 하는 모양. '—, 疾言皃'《玉篇》.

字源 形聲. 言+巂〔音〕

言18 〔讇〕 25 탑 入合 | tà トウ おおくものいう

字解 ①수다할탑 지껄임. '譶, 譶誻, 多言. 或作—'《集韻》. ②함부로말할탑 '—, —誻, 妄語也'《廣韻》.

字源 形聲. 言+闒〔音〕

言18 〔讙〕 25 ㊀ 퇴 平灰 | tuí タイ さわぐ ㊁ 회 平灰 | カイ さわぐ

字解 ㊀ 떠들퇴 '—, 譟也'《說文》. ㊁ 떠들회 ㊀과 뜻이 같음.

字源 形聲. 言+魋〔音〕

言18 〔讒〕 25 〔참〕 讒(言부 17획〈1364〉)과 同字

言19 〔讚〕 26 高·人 찬 去翰 | zàn サン ほめる

筆順 言 言 訁 詁 誁 誁 譛 讚

字解 ①기릴찬 칭찬함. '禮—'. '—辭'. '進不黨以—已'《後漢書》. 또, 기리는 말. 찬사. '圖—'. '子婦丁氏作大家—'《後漢書》. ②도울찬 贊(貝부 12획〈1400〉)과 통용. '光—納言'《潘岳》. ③인도할찬 안내함. '內史—之'《國語》. ④고할찬 알림. '偏—賓客'《史記》. ⑤밝힐찬 풀어서 밝힘. 해석하여 명확히 함. '—, 明也'《小爾雅》. '—, 解也'《揚子方言》. ⑥적을찬 씀. '—, 錄也'《釋名》. ⑦문체이름찬 한문의 한 체(體). 사람의 공덕을 칭송하는 말. '—之爲體, 促而不曠, 結言於四字之句'《文體明辯》. 또, 불경(佛經) 중의 불덕(佛德)을 찬탄하는 가송(歌頌)의 말. '明—未畢, 滿地現舍利'《寺塔記》.

字源 形聲. 言+贊〔音〕

參考 讃(言부 15획)은 俗字.

言19 〔讀〕 26 〔독〕 讀(言부 15획〈1361〉)의 本字

言19 〔讟〕 26 〔매〕 譪(言부 13획〈1358〉)와 同字

言19 〔譼〕 26 빈 平眞 | pín ヒン たぐい

字解 무리빈 동류(同類). '—, 匹也'《說文長箋》.

言19 〔讛〕 26 〔예〕 囈(口부 19획〈193〉)와 同字

言20 〔讜〕 27 당 ①上養 ②去漾 | dǎng トウ ただしいことば dàng トウ りにあたる

字解 ①곧은말당 직언(直言). 바른 말. 옳은 말. '忠—'. '吾久不見班生, 今日復聞—言'《漢書》. ②맞을당 말이 이치에 맞음. '—, 言中理'《廣韻》.

字源 形聲. 言+黨〔音〕

言20 〔讞〕 27 ㊀ 언 上銑 去霰 | yàn ゲン さばく ㊁ 얼 入屑 | ゲツ さばく

字解 ㊀ ①평의할언 일단 결정한 재판을 재심리하여 그 죄의 경중을 평의(評議)함. '於人心不厭者, 輒—之'《漢書》. ②물을언 의옥(疑獄)을 자문(諮問)함. '欲避請—之煩'《後漢書》. ③아뢸언 '獄成, 有司—于公'《禮記》. ④정직할언 마음이 바르고 곧은 모양. '立朝—'《石介》. ㊁ 평의할얼, 물을얼, 아뢸얼, 정직할얼 ㊀과 뜻이 같음.

字源 形聲. 言+獻〔音〕

言20 〔讝〕 27 첨 平鹽 | zhān セン うわごと

字解 헛소리할첨 병자의 헛소리. '—, 疾而寐語也'《集韻》.

言20 〔譱〕 27 〔선〕 善(口부 9획〈176〉)의 古字

言20 〔鑿〕 27 착 入藥 | zuó サク ののしる

字解 꾸짖을착 욕설을 하며 꾸짖음. '—, 詈也'《集韻》.

言20 〔矍〕 27 확 入藥 | xuè カク みだりにいう

字解 함부로말할확 거짓말을 함. 망언(妄言). '—, 妄言'《集韻》.

言21 〔讄〕 28 〔뢰〕 讄(言부 15획〈1362〉)와 同字

言22 〔讟〕 29 독 入屋 | dú トク いたみうらむ

字解 ①원망할독, 헐뜯을독 원망하여 비방함. '怨一'. '民無謗一'《左傳》. 또, 그 말. '怨一動於民'《漢書》. ②미워할독 '一, 惡也'《廣雅》.
字源 形聲. 誩+賣〔音〕

言 32 〔讋〕39 〔섭〕 讋(言부 16획〈1363〉)의 籀文

谷 部
〔골 곡 부〕

谷 0 〔谷〕7 中·人 ㊀곡 ㊅屋 gǔ コク たに ㊁욕 ㊅沃 yù ヨク くにのな ㊂록 ㊅屋 lù ロク きょうどのはんおうのほうごう

筆順 ノ ハ ㇒ 𠆢 仌 谷 谷

字解 ㊀①골곡 ㉠산 사이의 우묵 들어간 곳. 골짜기. '曠兮其若一'《老子》. ㉡산 사이의 흐르는 물. 또, 산 사이의 물이 흐르는 길. 시내. '江海所以能爲百一之王'《老子》. ②막힐곡 궁지에 빠짐. '進退維一'《詩經》. ③기를곡 키움. '一神不死'《老子》. ④동풍곡 동쪽에서 부는 바람. '習習一風'《詩經》. ⑤길곡 경로. 통로. '橫飛一以南征'《楚辭》. ⑥성곡 성(姓)의 하나. ㊁나라이름욕 '吐一渾'은 청해 지방(青海地方) 선비족(鮮卑族)의 국명. ㊂벼슬이름록 흉노(匈奴)의 관명(官名). '置左右一蠡王'《史記》.
字源 形聲. 仌+口〔音〕
參考 '谷'을 의부(意符)로 하여, 골짜기나 그 상태를 나타내는 문자를 이룸.

谷 0 〔谷〕7 각 jué キャク わらう

字解 ①입안위쪽굽은데각 '一, 口上阿也'《說文》. ②웃을각 또, 웃는 모양. '一, 笑也'《廣雅》.
字源 象形. 입안 위쪽의 굽어 있는 곳. '仌'은 그 금을 나타냄. 웃으면, 그 부분이 보이므로, 웃다의 뜻을 나타냄.

〔郤〕〔각〕 卩부 7획(133)을 보라.

谷 2 〔谷九〕9 구 ㊥尤 qiú キュウ あずまやのな

字解 정자이름구 '谷曼, 谷曼一, 亭名, 在上艾'《廣韻》.

〔郤〕〔극〕 邑부 7획(1518)을 보라.

谷 3 〔谸〕10 천 ㊥先 qiān セン あおいさま

字解 ①푸를천 산골짜기가 푸른 모양. '一, 望山谷千千青也'《說文》. ②길천 '一, 道也'《廣雅》.
字源 形聲. 谷+千〔音〕

谷 3 〔谷工〕10 ㊀강 ㊥江 jiāng コウ たにのな ㊁홍 ㊥東 hóng コウ おおきなたに

字解 ㊀골짜기이름강 '一, 谷名, 在南郡'《集韻》. ㊁큰골짜기홍 '一, 大壑也'《正韻》.

谷 3 〔谷凡〕10 〔갹〕 谷丮(谷부 4획〈1366〉)의 訛字

谷 3 〔谷千〕10 천 ㊥先 qiān セン やまのな

字解 산이름천 '一, 山名'《字彙補》.

谷 4 〔谹〕11 횡 ㊥庚 hóng コウ ふかい

字解 ①울릴횡 골짜기 안에서 울리는 소리의 형용. '非雷非霆, 隱隱一一'《揚子法言》. ②깊을횡, 넓을횡 閎(門부 4획〈1595〉)과 통용. '崇論一議'《漢書》.
字源 形聲. 谷+厷〔音〕

谷 4 〔谷丮〕11 ㊀갹 ㊅藥 jué キャク·カク ちんばをひく ㊁극 ㊅陌 jí ケキ つかれる

字解 ㊀다리절갹 '一, 相踦一也'《說文》. ㊁다리절극, 지칠극 몹시 피곤함. '傲一受詘'《漢書》.
字源 形聲. 丮+谷〔音〕

谷 4 〔谺〕11 하 ㊥麻 xiā カ たにまのおおきくうつろなさま

字解 휑뎅그렁할하, 깊을하 谽(谷부 7획〈1367〉)을 보라. '通谷豁兮谽一'《漢書》.
字源 形聲. 谷+牙〔音〕

谷 4 〔厷谷〕11 횡 ㊥庚 hóng コウ こだま

字解 ①메아리횡 골짜기 안에서 울리는 소리. '一, 谷中響也'《說文》. ②골짜기이름횡 '一, 一曰, 谷名'《廣韻》. ③휑뎅그렁할횡 골짜기가 공허(空虛)함. '一, 谷空也'《玉篇》.
字源 形聲. 谷+厷〔音〕

谷 4 〔㕡〕11 〔연〕
谷(口부 2획〈147〉)의 古字

谷 4 〔谽〕11 〔함〕
谽(谷부 7획〈1367〉)과 同字

〔欲〕〔욕〕
欠부 7획(596)을 보라.

谷 5 〔谺〕12 함 ㊥覃 | hān カン たにのさま
字解 골짜기함 골짜기나 언덕의 모양. '佐神光而一閜'《杜甫》.

谷 5 〔睿〕12 ㊀준 ㊤震 | jùn シュン さらう
㊁예 ㊤霽 | ruì エイ さとい
字解 ㊀쳐낼준 강이나 골짜기를 준설(浚渫)함. '虞書曰, 一畎澮距川'《說文》. ㊁총명할예 叡(又부 14획〈143〉)의 古字. '叡, 說文, 深明也. 通也. 古作一'《集韻》.
字源 會意. 𣦵+谷

谷 6 〔谼〕13 홍 ㊥東 | hóng
コウ おおきいたに
字解 골짜기홍 큰 골짜기.

谷 6 〔谻〕13 〔각〕
谻(谷부 4획〈1366〉)의 本字

谷 6 〔谹〕13 합 ㊁合 | hé コウ やまとやまとがいりあう
字解 산과산이서로만날합 산이 서로 이어짐. '一, 兩山相合'《字彙》.

谷 7 〔谽〕14 함 ㊥覃 ㊥咸 | hān カン たにのふかくうつろなさま
字解 휑뎅그렁할함, 깊을함 '一谺'는 골짜기가 크고 넓어 공허(空虛)한 모양. 또, 골짜기가 깊은 모양. '越一嘲之洞穴兮'《張衡》.
字源 形聲. 谷+含〔音〕

谷 7 〔㕡〕14 〔학〕
壑(土부 14획〈223〉)의 本字

谷 7 〔䜫〕14 로 ㊥豪 | láo
ロウ たにのふかいさま
字解 골짜기가깊은모양로 '一, 谷皋一, 深谷皃'《廣韻》.

谷 8 〔䜪〕15 ㊀홍 ㊥東 ㊁롱 ㊥東 | hōng コウ たにのくうきょなさま
lóng ロウ たにのふかいさま
字解 ㊀휑뎅그렁할홍 골짜기가 공허(空虛)한 모양. '一壑奧竇'《吳儆》. ㊁골깊을롱 '一一'은 산이 깊숙한 모양. 또, 산골짜기가 깊이 통한 모양. '深山之一一兮'《史記》.
字源 形聲. 谷+空〔音〕

谷 8 〔䜬〕15 ㊀주 ㊥尤 ㊁효 ㊥蕭 | chōu チュウ たにのな
xiāo キョウ たにのおおきいさま
字解 ㊀골짜기이름주 '一, 谷名'《集韻》. ㊁골클효 골짜기가 큼. '一, 谷大皃'《集韻》.

谷 8 〔𧮫〕15 제 ㊥齊 | tài セイ じんめい
字解 사람이름제 '一𧮫'는 말을 잘 다뤄, 주(周)나라 목왕(穆王)의 거우(車右)가 된 사람. '造父爲御, 一𧮫爲右'《列子》.

谷 10 〔谷皋〕17 ㊀교 ㊥蕭 ㊁호 ㊥豪 | キョウ くうこくのさま
hāo コウ ふかい
字解 ㊀빈골짜기교 '鼓一䜫而悲咤颭飀'《張志和》. ㊁깊을호, 깊은골짜기호 '一, 一䜫, 深也'《集韻》. '一, 一䜫, 深谷皃'《集韻》.

谷 10 〔谿〕17 혜 ㊥齊 | xí(xí)
ケイ あらそう
字解 ①됩들혜 '勃一'는 서로 덤벼들어 말다툼하는 모양. '室無空虛, 則婦姑勃一'《莊子》. ②공허할혜 '一, 空也'《莊子 注》.

谷 10 〔谿〕17 계 ㊥齊 | xī(jī)
ケイ たにがわ, うつろ
字解 ①시내계 산골짜기에서 흐르는 작은 물. 溪(水부 10획〈670〉)와 同字. '一谷'. '一壑'. '澗一沼沚之毛'《左傳》. ②텅빌계 공허함. '則耳一極'《呂氏春秋》. ③메뚜기계 '蠰一'는 송장메뚜기. 토종(土螽). ④성계 성(姓)의 하나.
字源 形聲. 谷+奚〔音〕

谷 10 〔豁〕17 활 ㊁曷 | huò カツ たに
字解 ①골짜기활 넓고 내뚫린 골짜기. '一, 通谷也'《說文》. ②빌활 공허하여 통한 모양. '空一'. '頭童齒一'《韓愈》. ③넓을활, 클활 ㉠광활한 모양. '開一'. ㉡마음·도량이 넓은 모양. '一達'. '意一如也'《十八史略》. ④확트일활, 소통할활 땅·경치·마음이 탁 트임. 막히지 않고 통함. '一若天開'《郭璞》. '灑沈菑於一瀆兮'《漢書》. ⑤깨달을활 깨닫는 모양. 환히 아는 모양. '一旦一然貫通焉'《大學章句》. ⑥깊을활 '一險呑若巨防'《左思》. ⑦용서할활 면제(免除)함. '一, 猶捐除也'《中華大字典》.

[字源] 形聲. 谷＋害〔音〕

谷 10 〔䜪〕17 豁(前條)의 本字

谷 11 〔䜫〕18 [一] 만 [平]寒 [二] 문 [平]元 | mǎn バン・マン [一] [二] あずまやのな バン・マン

[字解] [一] 정자이름만 '一谻'은 정자(亭子)의 이름. '一, 一谻, 亭名. 在上艾'《廣韻》. [二] 정자이름문 [一]과 뜻이 같음.

谷 11 〔䜬〕18 료 [平]蕭 | liáo リョウ くうきょなたに

[字解] ①휑뎅그렁한골짜기료 '一, 空谷也'《說文》. ②깊을료 '一, 深也'《廣雅》. ③빌료 '一, 空也'《廣雅》.
[字源] 形聲. 谷＋翏〔音〕

谷 11 〔𧮰〕18 〔극〕 隙(阜부 10획〈1622〉)과 同字

谷 12 〔䜮〕19 함 ①②[上]豏 ③[上]感 | hǎn カン たにのふかいさま カン けいこくのさま

[字解] ①깊숙할함 골짜기가 깊숙한 모양. '一, 谷深貌'《字彙》. ②트일함, 트이고험할함 '一如地裂, 豁若天開'《郭璞》. ③골짜기함 계곡(溪谷)의 모양. '一, 谽谷皃'《集韻》.

谷 12 〔𧮱〕19 〔교〕 𧮭(谷부 10획〈1367〉)의 俗字

谷 12 〔䜰〕19 로 [去]號 | lào ロウ たにのからっぽのさま

[字解] 골휑뎅그렁할로 골짜기가 텅 빈 모양. '一, 谷空皃'《集韻》.

谷 12 〔𧮲〕19 〔만〕 䜫(谷부 11획〈1368〉)의 俗字

谷 12 〔𧮳〕19 〔하〕 谺(谷부 4획〈1366〉)와 同字

谷 12 〔𧮴〕19 〔학〕 壑(土부 14획〈223〉)과 同字

谷 12 〔𧮵〕19 〔간〕 澗(水부 12획〈683〉)과 同字

谷 13 〔𧮶〕20 〔하〕 谺(谷부 4획〈1366〉)와 同字

谷 14 〔䜱〕21 준 [去]震 | jùn シュン ふかいたに

[字解] 깊은골짜기준 '一, 深谷'《集韻》.

谷 15 〔𧮸〕22 〔독〕 隮(阜부 15획〈1627〉)의 古字

谷 16 〔豅〕23 롱 [平]東 | lóng ロウ おおきくながいたに

[字解] ①큰골짜기롱 크고 긴 골짜기. '一, 大長谷也'《說文》. ②깊을롱 산이 깊은 모양. '一, 山深貌'《正字通》. ③공허할롱 '一谾'은 골짜기의 휑뎅그렁한 모양. '一谾 谷中虛也'《六書故》.
[字源] 形聲. 谷＋龍〔音〕

谷 20 〔𧯄〕27 함 [上]豏 | hǎn カン ひらけけわしいさま

[字解] 가파를함 골짜기가 크게 열리고 험악한 모양. '一, 開險貌, 與谽通'《篇海》.

豆 部

〔콩 두 부〕

豆 0 〔豆〕7 [中·人] 두 ①-④[去]有 ⑤[上]有 | dòu トウ まめ トウ ますめのな

[筆順] 一 丅 冂 𠮛 𠮛 豆 豆

[字解] ①콩두 콩과에 딸린 식물, 또는 그 열매. 특히, 대두(大豆). 荳(艸부 7획〈1140〉)와 同字. '壺中實小一'《禮記》. 전(轉)하여, 콩 같은 작은 물건의 형용으로 쓰임. '一蟹'. '丈山尺樹, 寸馬一人'《荆浩》. ②제기(祭器)이름두 목제(木製)의 식기. 제사 또는 예식(禮式) 때 음식을 담는 데 쓰임. '俎一'. '籩一'. '豚肩不掩一'《十八史略》. ③제물(祭物)두 제기(祭器)에 담은 음식. '爲一孔庶'《詩經》. ④성두 성(姓)의 하나. ⑤말두 斗(部首〈490〉)와 통용. '食一一肉, 飮一一酒, 中人之食也'《周禮》.
[字源] 象形. 두부(頭部)가 불룩하고 다리가 긴 식기(食器), 제기(祭器)의 象形. 소금에 절인 육채류(肉菜類)를 담았음.
[參考] '豆'를 의부(意符)로 하여, '豆'의 원래의 뜻인 제기(祭器)를 나타내는 문자와 콩이나 그 가공품에 관한 문자를 이룸.

豆 2 〔𧯛〕9 豆(前條)와 同字

豆 3 〔豇〕10 강 [平]江 | jiāng コウささげ

[字解] 광저기강 콩과에 속하는 일년생 만초(蔓草). 깍지가 매우 길. 열매는 먹음. 대각두(大角豆). '一豆蔓生'《本草》.
[字源] 形聲. 豆＋工〔音〕

豆 3 〔豈〕10 高·人 ㊀기 ㊤尾 | qǐ キ あに ㊁개 ㊤賄 | kǎi カイ かちどき

筆順 ' ㅛ ㅛ 山 쁘 豈 豈 豈 豈

字解 ㊀ ①어찌기 어찌하여서, 왜, 설마 등의 뜻을 나타내는 반어(反語). '一不憚艱險'《魏徵》. '一非士之願與'《史記》. ②그기 其(八부 6획〈87〉)와 뜻이 같음. '將軍一有意乎'《戰國策》. ③바랄기, 바라건대기 원함. 원컨대. 覬(見부 10획〈1301〉)와 뜻이 같음. '君不垂眷, 一云其誠'《曹植》. ④일찍이기 '一, 曾也'《廣韻》. ㊁ ①개가(凱歌)개 凱(几부 10획〈96〉)와 통용. '一樂飮酒'《詩經》. ②화락할개 愷(心부 10획〈404〉)와 통용. '一弟君子'《詩經》.
字源 象形. 위에 장식이 붙은 북을 본뜬 모양으로, 전승(戰勝)의 기쁨의 음악의 뜻에서, 파생(派生)하여, '즐기다'의 뜻을 나타냄.

豆 3 〔豈〕10 〔주〕 壴(士부 6획〈225〉)의 本字

豆 4 〔豉〕11 시 ㊄寘 | chǐ(shì) シ みそ

字解 메주시, 된장시 콩을 쑨 것으로, 간장을 담그는 원료. 또, 간장을 떠내고 남은 건더기. '豆一'.
字源 形聲. 豆+支〔音〕

豆 5 〔豌〕12 ㊀완 ㊥寒 | wān ワン ㊀-㊀ まめのあめ ㊁울 ㊇物 | yuè ウツ ㊂월 ㊇月 | エツ

字解 ㊀ ①콩엿완 콩으로 만든 엿. '一, 豆飴也'《說文》. ②완두완 '一, 一曰, 蹓豆'《集韻》. ㊁ 콩엿울 ㊀①과 뜻이 같음. ㊂ 콩엿월 ㊀①과 뜻이 같음.
字源 形聲. 豆+夗〔音〕

豆 5 〔豞〕12 두 ㊥尤 | dōu トウ ちいさくさける

字解 ①잘게찢어질두 '一, 小裂'《玉篇》. ②작은구멍두, 나눌두 '剅, 小穿也, 一曰, 劃也, 或作一'《集韻》.

豆 5 〔豉〕12 〔시〕 豉(豆부 4획〈1369〉)와 同字

〔短〕 〔단〕 矢부 7획(863)을 보라.

〔登〕 〔등〕 癶부 7획(823)을 보라.

〔壹〕 〔일〕 士부 9획(226)을 보라.

豆 6 〔豋〕13 등 ㊥蒸 | dēng トウ すやきのたかつき

字解 제기이름등 도제(陶製)의 제기(祭器). '于豆于一'《詩經》.
字源 會意. 又(廾)+豆+肉

豆 6 〔豊〕13 中·人 〔례〕 禮(示부 13획〈894〉)의 古字

筆順 冂 巾 曲 曲 曲 豊 豊 豊

字源 象形. 감주(甘酒)를 담는 굽 달린 그릇의 象形으로, 예(禮)를 집전(執典)할 때의 제기의 뜻을 나타냄.
參考 속(俗)에 豐(豆부 11획〈1371〉)의 略字로 쓰임.

豆 6 〔豢〕13 권 ㊄霰 ㊤銑 ㊤阮 | juàn ケン しろまめ

字解 흰콩권 '一, 黃豆'《廣韻》.
字源 形聲. 豆+兲〔音〕

豆 6 〔豇〕13 강 ㊥江 | xiáng コウ ささげ

字解 동부강 광저기. '一, 博雅, 胡豆, 一𧯥'《集韻》.

豆 7 〔豗〕14 매 ㊤賄 | měi バイ くだけたまめがら ㊥灰 | méi バイ まめがらのしたば

字解 ①부서진콩깍지매 '一, 碎萁也'《集韻》. ②콩대의밑줄기에난잎매 '一, 豆萁下葉也'《集韻》.

豆 7 〔豍〕14 〔비〕 豍(豆부 8획〈1370〉)와 同字

豆 7 〔豉〕14 촉 ㊇屋 | chù シュク あずき

字解 팥촉 소두(小豆). '一, 小豆'《集韻》.

豆 7 〔豋〕14 정 ㊥庚 | zhēng トウ まくをはる

字解 막(幕)칠정 '一, 一設幕, 出字林'《廣韻》.

豆 7 〔豊〕14 침 ㊥侵 ㊄沁 | qīn シン まめをねかす

字解 ①콩띄울침 콩을 발효시킴. '一, 幽豆也'《集韻》. ②콩을띄워만든식품침 메주·된장 따위. '一謂之醅'《廣雅》. '此謂豆豉也'《王念孫疏證》. ③돌콩침 들판에서 저

절로 난 콩. '一, 一曰, 野豆'《集韻》.

豆7 〔㪷〕14 〔수〕
酥(酉부 5획〈1533〉)와 同字

豆8 〔豌〕15 완 ㊥寒 | wān ワン·エン えんどう
字解 ①완두완 '一豆'는 콩과에 속하는 일년생 만초(蔓草). 또, 그 열매. '一豆種出西胡'《本草》. ②콩엿완 콩으로 만든 엿. '一, 說文, 豆飴也'《集韻》.
字源 形聲. 豆＋宛〔音〕

豆8 〔䜺〕15 책 ㊀陌 | chăi(cè) サク·シャク ひきまめ
字解 콩가루책 볶은 콩을 매 같은 데 간 가루. 또, 갈아 짜갠 콩. '日膳裁豆一而已'《新唐書》.

豆8 〔䜶〕15 비 ㊥齊 | bī ヘイ えんどう
字解 완두(豌豆)비 '一豆'는 완두콩.

豆8 〔㔁〕15 〔등〕
登(豆부 6획〈1369〉)의 本字

豆8 〔豎〕15 수 ㊤麌 | shù シュ·ジュ たつ
字解 ①설수 직립(直立)함. '一毛'. '槐樹自拔倒一'《後漢書》. ②세울수 서게 함. '野一旌旗'《李華》. ③세로수 두 끝이 위아래로 놓인 상태. '橫說一說'. '人天本一, 畜生本橫'《楞嚴經》. ④곧을수 바름. '直一不斜'《晉書》. ⑤아이수 아직 관례(冠禮)를 치르지 않은 아이. 또, 심부름하는 아이. '童一'. '隣人亡羊, 請楊子之一追之'《列子》. 전(轉)하여, 남을 경멸하여 부르는 말. '一子'. ⑥내시수 궁중(宮中)에서 심부름하는 얕은 관원. '內一'. '閹一'. '遂使爲一'《左傳》. ⑦짧을수 단소(短小)함. '衣則一褐不完'《荀子》. ⑧천할수 비천(卑賤)함. '一儒幾敗乃公事'《史記》. ⑨성수 성(姓)의 하나.
字源 形聲. 臤＋豆〔音〕

豆8 〔䜻〕15 감 ㊦勘 | kàn カン みそのあじがこい
字解 된장맛좋을감 '一, 豉味厚'《集韻》.

豆8 〔䜷〕15 〔기〕
萁(艸부 8획〈1151〉)와 同字

豆8 〔𧯷〕15 〔완〕
豌(豆부 8획〈1370〉)과 同字

豆8 〔䜼〕15 욱 ㊀屋 | yù イク まめ
字解 콩욱 '一, 豆也'《字彙》.

豆8 〔豊〕15 〔풍〕
豐(豆부 11획〈1371〉)의 古字

豆9 〔𧯸〕16 근 ㊤吻 | jĭn キン さかずき
字解 술잔근, 표주박근 혼례식 때 쓰는 술 담는 그릇. '一, 瓢也'《廣雅》. '卺, 以瓢爲酒器, 婚禮用之也. 一, 上同'《廣韻》.
字源 會意. 豆＋蒸〈省〉

豆9 〔𧯹〕16 목 ㊀屋 | mŏu ボク まめがら
字解 콩깍지목 '一, 豆萁'《集韻》.

豆9 〔𧯺〕16 𧯹(前條)과 同字

豆9 〔豉〕16 〔시〕
豉(豆부 4획〈1369〉)와 同字

豆9 〔𧯻〕16 유 ㊥虞 | yú ユ いろのかわったまめ
字解 색깔변한콩유 '一, 豆變色曰一'《集韻》.

豆9 〔䜾〕16 음 ㊥侵 | yīn イン みそ·なっとうのたぐい
字解 콩을띄워만든식품음 메주·된장 따위. '豉, 謂之一'《廣雅》.

〔頭〕 〔두〕
頁부 7획(1689)을 보라.

豆10 〔𧰀〕17 함 ㊤豏 | xiàn カン まめがなかばめばえる
字解 콩반익을함 콩이 반쯤 성숙(成熟)함. '秋種南山一'《李東陽》.
字源 形聲. 豆＋兼〔音〕

豆10 〔䝁〕17 로 ㊥豪 | láo ロウ やぶまめ
字解 새콩로 콩과에 속하는 일년생 만초(蔓草). 구황용(救荒用) 재배 식물임. '擷一豆以食'《唐書》.

豆10 〔豐〕17 〔풍〕
豐(豆부 11획〈1371〉)의 本字

豆10 〔𧯽〕17 〔수〕
豎(豆부 8획〈1370〉)의 籀文

豆10 〔䝂〕17 동 ㊥東 | dōng トウ つづみのおと
字解 북소리동 북 칠 때 나는 소리. '一, 一一, 鼓聲'《集韻》.

豆10 〔⿰申豋〕 17 등 [平]蒸 | tēng トウ のばす

[字解] 늘일등 펴서 길게 함. '一, 伸之長也'《字彙補》.

豆10 〔⿰豆留〕 17 류 [平]尤 | liú リュウ えんどう

[字解] 완두류 '一, 豌豆也'《廣雅》.

豆10 〔豍〕 17 비 [平]齊 | pí ヘイ きへいのもちいるたいこ

[字解] 기병(騎兵)이쓰는북비 鼙(鼓부 8획〈1874〉)와 同字. '鼙, 說文, 騎鼓也, 或作一'《集韻》.

豆11 〔豐〕 18 [中·人] 풍 [平]東 | fēng ホウ さかずきのだい, ゆたか

[筆順] 豐

[字解] ①잔대풍 치(觶) 같은 술잔을 받는 그릇. 두(豆) 보다는 얕고 큼. 제기(祭器). '設一'《儀禮》. ②풍년들풍 곡식이 잘 여묾. '一年'. '三年歲一政平'《說苑》. ③우거질풍 무성함. '在彼一草'《詩經》. ④성할풍 성대함. '不爲一約擧'《國語》. ⑤넉넉할풍 많음. '一饒'. '無一于昵'《書經》. ⑥클풍 '羽一則遲'《周禮》. ⑦두터울풍 얇지 아니함. '不量齊德之一否'《國語》. ⑧살질풍 비대함. '一頰'. '貌一盈以莊姝兮'《宋玉》. ⑨넉넉히 할풍 풍성하게 함. '一兄弟之國'《國語》. ⑩풍괘풍 육십사괘(六十四卦)의 하나. 곧, ䷶〈이하(離下), 진상(震上)〉. 성대(盛大)한 상(象). ⑪성풍 성(姓)의 하나.

[字源] 形聲. 장식이 있는 豆+丰丰〔音〕

豆11 〔⿱𢍏豆〕 18 〔권〕 ⿱龹豆(豆부 6획〈1369〉)의 本字

豆11 〔⿰享豈〕 18 단 [平]寒 | tuān タン きいろ

[字解] 황색단 '一, 黃色'《字彙》.

豆11 〔⿰豆婁〕 18 루 [平]尤 | lóu ロウ まめのな

[字解] 콩이름루 '一, 一豆'《字彙》.

豆11 〔⿰豆臾〕 18 여 [平]魚 | yú ヨ はかる

[字解] 헤아릴여 '一, 量也'《字彙補》.

豆11 〔⿰豆咨〕 18 〔의〕 懿(心부 18획〈419〉)와 同字

豆11 〔⿰豆畢〕 18 〔필〕 畢(田부 6획〈798〉)과 同字

豆12 〔⿰豆尞〕 19 로 [平]豪 | láo ロウ やぶまめ

[字解] 새콩로 ⿱𤇾豆(豆부 10획〈1370〉)와 同字.

豆12 〔⿰豆眞〕 19 전 [平]先 | tián テン つづみのおと

[字解] 북소리전 '一一, 鼓聲'《集韻》.

豆12 〔⿰豆登〕 19 등 | dēng トウ れいしきにもちいるうつわ

[字解] 제기(祭器)등 제사(祭祀)에 쓰이는 그릇. '一, 禮器'《篇海類編》.

豆13 〔⿰豆盍〕 20 각 [入]藥 | què カク つつしむ

[字解] ①삼갈각 조심함. '一, 謹也'《字彙補》. ②좋을각 잘 함. '一, 善也'《字彙補》.

豆13 〔⿰豆國〕 20 국 [入]陌 | guó カク つづみのおと

[字解] 북소리국 '一, 一⿰豆歷, 鼓聲'《集韻》.

豆13 〔⿱巤豆〕 20 렵 [入]葉 | liě リョウ つづみのおと

[字解] 북소리렵 '一, 鼓聲'《類篇》.

豆13 〔⿱號豆〕 20 호 [上]晧 | hào コウ どがま

[字解] 오지솥호 흙으로 구워 만든 솥. ⿰号⿸虍⿱土皿(虍부 12획〈1216〉)과 同字. '⿰号⿸虍⿱土皿, 說文, 土鍪也, 或不省'《集韻》.

豆13 〔豑〕 20 질 [入]質 | zhì チツ しゃくのじゅんじょ

[字解] 차례질, 작(爵)의차례질 '一, 爵之次第也'《說文》.

[字源] 會意. 豐+弟

豆14 〔⿰豆覃〕 21 담 [平]覃 | tán タン つづみのおと

[字解] 북소리담 '一, 一一, 鼓聲'《字彙補》.

豆14 〔⿰豆聶〕 21 접 [入]葉 | zhé チョウ まめ

[字解] 콩접 대두(大豆). '一, 豆也'《集韻》.

豆15 〔⿰豈幾〕 21
[一] 기 [平]微 | qí キ [一],[三] ことをおえるときにそうするおんがく
[二] 애 [平]灰 | ガイ ちかい
[三] 개 ①[平]灰 | カイ
②[去]隊 | カイ ちかい
[四] 의 [平]微 | ギ ちかい

[字解] [一] ①일마칠때아뢰는음악기 '一, ⿰幾气也. 訖事之樂也'《說文》. ②끝날기 '一, 汔也'《說文》. ③바랄기 '一, 欲也'《玉篇》.

④위태로울기 '一, 危也'《玉篇》. ⑤잠시기 '一, 且也'《玉篇》. [二] 가까울애 '一, 汔也. (注) 謂相摩近'《爾雅》. [三] ①일마칠때아뢰는음악개 [一]❶과 뜻이 같음. ②가까울개 [二]와 뜻이 같음. [四] ①가까울의 [二]와 뜻이 같음. ②위태로울의 [一]❹와 뜻이 같음.
[字源] 形聲. 幾+豈〔音〕

豆16 〔⿱覀亞豆〕 23 〔렵〕
⿱覀亞豆(豆부 13획〈1371〉)의 訛字

豆18 〔⿰豆歷〕 25 력 [入]錫 | lì レキ つづみのおと
[字解] 북소리력 '一, ⿰豆國一, 鼓聲'《集韻》.

豆18 〔⿰豆雙〕 25 쌍 [平]江 | shuāng ソウ ささげ
[字解] 동부쌍 광저기. '胡豆, 䏶一也'《廣雅》.

豆20 〔⿰豆熏〕 27 훈 [平]文 | xūn クン つづみのなること
[字解] 북울릴훈 북이 울림. '一, 鼓鳴謂之一'《集韻》.

豆20 〔⿰豐⿱大皿〕 27 豔(次條)의 本字

豆21 〔豔〕 28 〔염〕
艷(色부 18획〈1119〉)의 本字

豆22 〔⿱⿰皀壴登〕 29 등 [平]蒸 | tēng トウ ます
[字解] 불어날등 적은 물들이 서로 보태어져 불어나는 모양. '澄, 小水相添益皃, 一, 上同'《集韻》.

豕 部
〔돼지시부〕

豕0 〔豕〕 7 시 [上]紙 | shǐ シ いのこ
[筆順] 一 丆 丂 豖 豖 豕 豕
[字解] 돼지시 집돼지·멧돼지 등 돼지류(類)의 총칭. '一宜稷'《周禮》.
[字源] 象形. 주둥이가 튀어나온 멧돼지를 본뜬 모양.

豕0 〔⿱一豕〕 6 豕(前條)의 古字

豕1 〔豖〕 8 [一] 축 [入]屋 [二] 촉 [入]沃 | chù チク ゆきなやむさま チョク ゆきなやむさま
[字解] [一] 발얽은돼지의걸음축 '一, 豕絆足, 行一一也'《說文》. [二] 발얽은돼지의걸음촉 [一]과 뜻이 같음.
[字源] 指事. '豕시'는 돼지. 점을 덧붙여, 거세하다의 뜻. 거세하기 위해 두 발이 묶인 돼지의 걷는 모양을 나타낸 의태어.

〔彖〕 〔단〕
크부 6획(365)을 보라.

豕2 〔⿰豕丁〕 9 청 [平]青 | tīng テイ ぶたのさま
[字解] 돼지의모양청 '一, 豕皃'《集韻》.

豕3 〔豗〕 10 회 [平]灰 | huī カイ うつ
[字解] ①칠회 맞부딪침. 서로 싸움. '磊匒匒而相一'《木華》. ②떠들썩할회 시끄러움. '囂一'. '飛湍瀑流爭喧一'《李白》. ③땅팔회 돼지가 땅을 파헤쳐 뒤짐. '一, 豕堀地也'《正字通》.

豕3 〔⿰豕欠〕 10 촉 [入]沃 | chù チョク ぶたがあゆむ
[字解] 돼지걸어갈촉 '一, 豕行也'《字彙》.

豕3 〔⿰豕干〕 10 한 [上]旱 | hàn カン ぶたのはしるさま
[字解] 돼지달아나는모양한 '一, 豕奔貌'《字彙》.

豕3 〔⿰豕土〕 10 회 [平]灰 | huī カイ ぶた
[字解] ①돼지회 '一, 豕'《玉篇》. ②돼지가흙을뒤질회 蛼(虫부 7획〈1230〉)와 同字. '蛼, 豕發土也, 或作一'《集韻》.

豕4 〔豝〕 11 파 [平]麻 | bā ハ めすのいのこ
[字解] ①암돼지파 돼지의 암컷. 일설(一說)에는, 두 살 난 돼지. '壹發五一'《詩經》. ②큰돼지파 '漁陽以大豬爲一'《何承天》. ③포파 말린 고기. '一, 腊屬'《韻會》.
[字源] 形聲. 豕+巴〔音〕

豕4 〔豣〕 11 〔견〕
豣(豕부 6획〈1374〉)의 俗字

豕4 〔豚〕 11 [高·人] 돈 [平]元 [上]阮 | ①-③tún トン ぶた ④dùn トン あしひく
[筆順] 丿 刀 月 月 肜 肜 肜 豚 豚

字解 ①돼지돈 가축(家畜)의 하나. 또, 작은 돼지〔豕〕를 이름. '一犬'. '方言, 豬, 其子或謂之一'《說文 段注》. ②복돈 복어. 魨(魚부 4획〈1787〉)과 同字. '河一, 魚名'《康熙字典》. ③성돈 성(姓)의 하나. ④지척거릴돈 발뒤꿈치를 질질 끌고 감. '圈一行不擧足'《禮記》.
字源 會意. 豕+月(肉)

豕4 〔豘〕11 豚(前條)과 同字

豕4 〔豛〕11 역 ㊀陌 | yì エキ いのこ
字解 ①돼지역 '一, 上谷名豬一'《說文》. ②달려들어무는돼지역 '一, 齧豕也'《玉篇》.
字源 形聲. 豕+役〈省〉〔音〕

豕4 〔豙〕11 의 ㊁未 ㊁寘 | yì ギ いのこがおこって けがさかだつ
字解 돼지성나털일어날의 '一, 豕怒毛豎也'《說文》.
字源 會意. 金文은 豕+辛

豕4 〔豞〕11 〔시〕 兕(儿부 5획〈83〉)와 同字

豕4 〔豛〕11 몰 ㊀月 | mò ボツ ぶた, いのこ
字解 돼지몰 '一, 豬別名'《字彙》.

豕4 〔豝〕11 〔액〕 豟(豕부 5획〈1373〉)과 同字

豕4 〔豣〕11 우 ㊉尤 | yóu ユウ ぶたのな
字解 돼지이름우 '一, 豕名'《集韻》.

豕4 〔豽〕11 〔웅〕 熊(火부 10획〈722〉)과 同字

豕4 〔豖〕11 촉 ㊀沃 | chù チョク ぶたがあしをくくられてゆきなやむ
字解 ①발묶인돼지가걷지못해애쓰는모양촉 '一, 豕絆足行'《集韻》. ②돼지걷는모양촉 '一, 豕行皃'《廣韻》.

豕4 〔豝〕11 〔투〕 豨(豕부 7획〈1375〉)와 同字

豕4 〔彖〕11 시 ㊤紙 | chǐ シ いのこ
字解 돼지시 '一, 豕也'《說文》.
字源 會意. 彑+豕

豕4 〔豗〕11 〔회〕 豗(豕부 3획〈1372〉)의 本字

豕5 〔豛〕12 ㊀탁 ㊀覺 | zhuō タク うつ
㊁독 ㊀屋 | dū トク うつおと
字解 ㊀①칠탁 두드림. 방망이로 때림. '一, 椎毄物也'《說文》. ②던질탁. ㊁치는소리독 '一, 擊聲'《集韻》.
字源 形聲. 殳+豖〔音〕

豕5 〔豠〕12 ㊀조 ㊉虞 | chú
㊁서 ㊉魚 | ソ いのこのるい
ショ いのこのるい
字解 ㊀돼지무리조 '一, 豕屬'《說文》. ㊁돼지무리서 ㊀과 뜻이 같음.
字源 形聲. 豕+且〔音〕

豕5 〔豟〕12 액 ㊀陌 | è アク ちからのつよいいのこ
字解 ①힘센돼지액 '豕絕有力, 一'《爾雅》. ②큰돼지액 키가 5자인 돼지. '彘五尺爲一'《爾雅》.

豕5 〔豞〕12 ㊀후 ㊁有 | hòu コウ·ク ㊀㊂
㊁학 ㊀覺 | いのこのなきごえ
カク
㊂구 ㊉虞 ㊤麌 | ク あとあしのしろいうま
字解 ㊀ 돼지우는소리후 '一, 豕聲'《廣韻》. ㊁ 돼지우는소리학 ㊀과 뜻이 같음. ㊂ 뒷발흰말구 '一, 爾雅, 馬後足皆白曰一'《集韻》.

豕5 〔象〕12 高·人 상 ㊤養 | xiàng ショウ·ゾウ ぞう
筆順 ⺈ 缶 缶 缶 身 豸 象 象
字解 ①코끼리상 기제류(奇蹄類) 코끼리과에 속하는 거대한 짐승. 인도·아프리카의 열대에 나는데 코가 유달리 긺. '巨一'. '一牙'. '一有齒以焚其身'《左傳》. ②상아상 코끼리의 입 밖으로 길게 나온 엄니. '一箸'. '笏, 諸侯以一'《禮記》. ③꼴상, 모양상 像(人부 12획〈71〉)과 同字. '形一'. '不可爲一'《傅毅》. '嘗圖裴楷一'《晉書》. ④법상 법도. '法一'. '設一以爲民紀'《國語》. ⑤길상 도(道). 도리. '執大一'《老子》. ⑥본뜰상 본떠 모양을 그림. '一形'. ⑦본받을상 본보기로 함. '一以典刑'《書經》. '繼世以立諸侯一賢也'《儀禮》. ⑧징후상, 조짐상 외면에 나타난 현상. 전조. '氣一'. '星一'. '易一'. '見乃謂之一'《易經》. ⑨통변할상, 통변상 통역함. 또, 통역. '一胥'. '通夷狄之言者曰一'《周禮 注》. ⑩비길상 비교함. 견줌. '火如一之, 不火何爲'《左傳》. ⑪무악(舞樂)이름상 주(周)나라 무왕(武王)이 지은 무곡(舞曲) 이름. '維淸奏一舞也'

《詩經 周頌維淸小序》. ⑫성상 성(姓)의 하나.
字源 象形. 긴 코의 코끼리 모양을 본떠, '코끼리'의 뜻을 나타냄. 또, '相상'과 통하여, '자태·모습'의 뜻도 나타냄.

豕5 〔象〕 12 象(前條)의 俗字

豕5 〔羚〕 12 령 ㊥靑 | líng レイ くすりのな
字解 저령령 저령(豬羚)은 돼지 똥 모양으로 생긴 버섯인데, 이뇨제(利尿劑)로 씀. 豨(豕부 8획〈1376〉)과 同字. '豨, 豬豨, 藥名, 或从令'《集韻》.

豕5 〔豣〕 12 무 ㊤有 | mǔ ボウ めすのぶた
字解 ①암퇘지무 '一, 或曰, 今人呼牝豕爲一'《正字通》. ②돼지이름무 '一, 豕名'《集韻》.

豕5 〔豪〕 12 〔시〕 豙(豕부 4획〈1373〉)의 訛字

豕5 〔豥〕 12 애 ㊤賄 | ài ガイ ぶた
字解 돼지애 '一, 一豭, 豕也'《字彙》.

豕6 〔豤〕 13 간 ㊤阮 | kěn コン ねんごろ
字解 ①간절할간 懇(心부 13획〈413〉)과 통용. '一一數奸死亡之誅'《漢書》. ②깨물간 ㉠돼지가 깨묾. 씹음. '一, 豕齧也'《說文》. ㉡돼지가 먹는 모양. '一, 豕食皃'《廣韻》. ㉢물어서 이빨이 깊이 파고듦. '一, 齒深入物也'《正字通》. ㉣돼지가 땅을 헤집어 어적어적 깨물어 씹는 모양. '一, 豕齧地'《玉篇》.
字源 形聲. 豕+艮(㫐)〔音〕

豕6 〔豥〕 13 해 ㊥灰 ㊤蟹 | gāi カイ よっつのひづめがしろいいのこ
字解 네굽흰돼지해 '豕四蹢皆白, 一. (注) 蹢, 蹄也'《爾雅》.

豕6 〔豗〕 13 회 ㊥灰 | huí カイ うつ
字解 칠회 맞부딪침. 서로 싸움. '莫受俗物相塡一'《李賀》.

豕6 〔豲〕 13 〔원〕 豲(豕부 10획〈1377〉)과 同字

豕6 〔豢〕 13 환 ㊦諫 | huàn カン やしなう
字解 ①칠환, 기를환 곡식을 먹여 동물을 기름. '掌一祭祀之犬'《周禮》. ②가축환 곡식을 먹여 기르는 가축. 개·돼지 따위. 초식하는 가축은 '芻'라 함. '仲秋案芻一'《禮記》. ③꾈환 이익으로 남을 유인함. '子胥懼曰, 是一吳也夫'《左傳》.
字源 形聲. 篆文은, 豕+𠔉〔音〕

豕6 〔豦〕 13 거 ㊥魚 ㊤語 ㊦御 | jù キョ とっくみあってはなれない キョ おおいのこ キョ けもののな
字解 ①맞붙어떨어지지않을거 일설(一說)에는, 사나움. '一, 鬭相丮不解也'《說文》. ②큰돼지거 '一, 封豕之屬'《說文》. ③범앙발들고일어설거 '一, 一曰, 虎兩足擧'《說文》. ④짐승이름거 '一, 獸名'《廣韻》.
字源 會意. 虍〈省〉+豕

豕6 〔豣〕 13 견 ㊥先 ㊤銑 | jiān ケン いのこ
字解 ①돼지견 큰 돼지. '一, 大豕也'《廣韻》. 일설(一說)에는, 세 살 난 돼지. '獻一于公'《詩經》. ②노루견 뛰어나게 힘이 센 노루. '麕之絶有力, 一'《爾雅》.
字源 形聲. 豕+幵〔音〕
參考 豜(豕부 4획)은 俗字.

豕6 〔豤〕 13 간 ㊤旱 | kǎn カン ぶた
字解 돼지간 '一, 豕也'《字彙》.

豕6 〔狪〕 13 동 ㊥東 | tóng トウ いのしし
字解 ①멧돼지동 '一, 野彘'《集韻》. ②동동(狪狪)이동 짐승 이름. '泰山有獸焉, 其狀如豚而有珠, 名曰一一'《山海經》.

豕6 〔豨〕 13 〔사〕 貄(豸부 6획〈1380〉)와 同字

豕6 〔珊〕 13 산 ㊥寒 | sān サン ぶたのな
字解 돼지이름산 '一, 豕名'《集韻》.

豕6 〔豨〕 13 선 ㊥先 | xiān セン ぶたのたぐい
字解 돼지와같은무리선 '一, 豕類'《集韻》.

豕6 〔豴〕 13 시 ㊤紙 | sì シ きょせいしたぶた
字解 불깐돼지시 거세(去勢)한 돼지. '一, 豶豕'《集韻》.

豕6 〔豥〕 13 애 ㊦泰 | ài ガイ おすのぶた

字解 ①수돼지애 돼지의 수컷. '一, 豭也'《廣雅》. ②한모공(毛孔)에털세개씩나있는 돼지애 '一, 字林, 豕三毛聚居者'《集韻》. ③늙은돼지애 艾(艸부 2획〈1120〉)와 통용. '一, 一日, 豕老謂之豕, 通作艾'《集韻》.

豕7 〔豩〕14 [一] 빈 (平)眞 | bīn ヒン **一二** にひきのいのこ
[二] 환 (平)刪 | huān カン

字解 [一] 쌍돼지빈 돼지 두 마리. [二] ①고집셀환 완고함. '杯前膽不一'《劉禹錫》. ②쌍돼지환 **一**과 뜻이 같음.
字源 會意. 돼지〔豕〕두 마리를 나란히 세워, 두 마리의 돼지의 뜻을 나타냄.

豕7 〔豨〕14 희 (上)尾 (平)微 | xí キ いのこ

字解 ①돼지희 큰 돼지. '監市履一'《莊子》. ②돼지달릴희 돼지 또는 멧돼지가 달리는 모양. '一, 豕走 一一也'《說文》.
字源 形聲. 豕+希〔音〕

豕7 〔⿰豕尨〕14 투 (去)宥 | dòu トウ ほしのな

字解 별이름투 이십팔수(二十八宿)의 하나. 동쪽에 있는 별의 이름. 용미(龍尾). '日月會於龍一'《國語》.

豕7 〔豧〕14
[一] 부 ①(平)虞 (去)宥 | fū フ いのこのいきづかい / ホウ・フウ・フ いのこのいきづかい
②(去)遇 | fù フ いのこのこえ
[二] 보 ①(平)虞 | ホ・フ いのこのいきづかい
②(去)遇 | ホ いのこ

字解 [一] ①돼지숨결부 '一, 豕息也'《說文》. ②돼지소리부 '一, 豕聲'《廣韻》. [二] ①돼지숨결보 **一**❶과 뜻이 같음. ②돼지보 '一, 豕謂之一'《集韻》.
字源 形聲. 豕+甫〔音〕

豕7 〔⿰豕㫐〕14 〔간〕
豤(豕부 6획〈1374〉)의 本字

豕7 〔豪〕14 高·人 호 (平)豪 | háo ゴウ やまあらし

筆順 一 亠 亩 亭 亭 豪 豪 豪

字解 ①호저호 호저과에 속하는 짐승. 몸에 가시털이 밀생함. 위협이 닥치면 고슴도치 모양으로 밤송이처럼 몸을 동그랗게 웅숭그림. '其獸多白一'《山海經》. ②뛰어날호 걸출함. 또, 그 사람. '一雄'. '文一'. '一傑之士'《孟子》. ③호협할호 기개가 좋고 의협심이 있음. '一爽'. '平原君之遊, 徒一舉耳'《史記》. ④굳셀호 강맹(強猛)함. 또, 그 사람. '一強'. '一勇'. '一, 彊也. 健也'《韻會》. ⑤호화스러울호 사치함. '一奢'. '性奢一, 務在華侈'《晉書》. ⑥거느릴호 통솔함. 또, 그 장(長). '雁門馬邑一聶翁壹'《史記》. ⑦터럭호 毫(毛부 7획〈618〉)와 통용. '若一之末'《墨子》. 전(轉)하여, 근소. 약간. '差若一釐'《禮記》. ⑧업신여길호, 얕볼호 깔봄. 또, 강제로. 억지로. '不得一奪吾民矣'《漢書》. ⑨성호 성(姓)의 하나.
字源 形聲. 豕+高〔音〕

豕7 〔⿱亠豙〕14 〔의〕
豙(豕부 4획〈1373〉)와 同字

豕7 〔⿰豕役〕14 〔역〕
豛(豕부 4획〈1373〉)과 同字

豕7 〔⿰豕矞〕14 율 (入)質 | yì イツ いのこのな

字解 돼지이름율 '一, 豬名'《字彙補》.

豕7 〔⿰豕助〕14 〔조〕
豠(豕부 5획〈1373〉)와 同字

豕7 〔⿰豕宋〕14 〔종〕
⿰豕宗(豕부 8획〈1375〉)의 訛字

豕7 〔⿰豕卮〕14 [一] 지 (平)支 | zhī シ たけがごしゃくあるいのこ
[二] 착 (入)覺 | zhuō タク やま

字解 [一] 돼지오척(五尺)될지 돼지의 키가 5척이 되게 크게 자람. '一, 豕高五尺爲一'《集韻》. [二] 산착 '一, 山也'《玉篇》.

豕7 〔⿰豕孝〕14 효 (去)效 | xiào コウ いのこのはしるさま
(平)肴 | xiāo コウ いのこのおどろくこえ

字解 ①돼지달리는모양효 '一, 豕走皃, 或从犬'《集韻》. ②돼지놀라지르는소리효 '哮, 說文, 豕驚聲也, 或从豕'《集韻》.

豕8 〔⿰豕宗〕15 종 ①(去)送 ②(去)宋 | zòng ソウ おすのいのこ / ソウ いのこのこ

字解 ①수퇘지종 '一, 牡豕'《集韻》. ②돼지새끼종 나서 여섯 달 된 새끼돼지. '豕子生六月曰一'《林氏小說》.

豕8 〔⿰豕昆〕15 〔간〕
豤(豕부 6획〈1374〉)과 同字

豕8 〔⿰豕空〕15 강 (平)江 | qiāng コウ いのこのにくがうつろなこと

字解 돼지고기속빌강 살이 단단하지 못함.

'一, 豕肉渾中空者'《六書統》.

豕8〔䝐〕15 〔견〕
豜(豕부 6획〈1374〉)과 同字

豕8〔㹠〕15 ㊀궐 ㊀入屑 jué ケツ いのこ
㊁굴 ㊀入物 jué クツ いのこが つちをほる
㊂군 ㊀去問 jùn クン いのこが めしをもとめる

字解 ㊀돼지궐 '一, 豕也'《玉篇》. ㊁돼지땅뒤질굴 '一, 豕掘地也'《集韻》. ㊂돼지가먹이를구할군 '一, 一曰, 豕求食'《集韻》.

豕8〔豰〕15 豩(前條)과 同字

豕8〔豨〕15 〔령〕
豨(豕부 5획〈1374〉)과 同字

豕8〔豺〕15 매 ㊀去卦 mài バイ かたくなでわるい

字解 완악(頑惡)할매 고집이 세고 모짊. '一, 一話, 頑惡'《集韻》.

豕8〔豰〕15 몰 ㊀入月 mò ボツ いのこのべつめい

字解 돼지의딴이름몰 '一, 豬別名'《字彙補》.

豕9〔豬〕16 ㊀저 ㊀平魚 zhū チョ いのこ
㊁자 ㊀平麻 zhē シャ めすのいのこ

字解 ㊀①돼지저 한 구멍에 세 가닥의 털이 난 돼지. 또, 돼지〔豕〕의 새끼. 일설(一說)에는 멧돼지. '野一'. '一突豨勇'. ②방죽저 瀦(水부 16획〈699〉)과 통용. '大野旣一'《書經》. ㊁암돼지자 암내가 난 암돼지. '旣定爾婁一'《左傳》.
字源 形聲. 豕+者〔音〕

豕9〔豭〕16 가 ㊀平麻 jiā カ おすのいのこ

字解 수퇘지가 돼지의 수컷. '卒出一'《左傳》.
字源 形聲. 豕+叚〔音〕

豕9〔豱〕16 단 ㊀平寒 tuān タン いのしし

字解 ①멧돼지단 야생의 돼지. 산돼지. '拳封一'《李白》. ②오소리단 貒(豸부 9획〈1382〉)과 同字.

豕9〔貐〕16 유 ㊀上語 yǔ ヨ けもののな

字解 ①짐승이름유 사람 눈에 띄면 큰물이 진다는 상상의 짐승. '一, 獸也, 聲如小兒, 見則天下大水'《字彙》. ②호저유 '貆一'는 호저(豪豬)의 별칭. 뾰족한 가시털이 밀생함. '釋名, 貆一, 時珍曰, 星禽云, 璧水一, 豪豬也'《本草》.

豕9〔豫〕16 高·人 예 ㊀去御 yù ヨ よろこぶ, あらかじめ

筆順 マ 予 予' 予ᐟ 予ᐟᐟ 豫 豫 豫

字解 ①기뻐할예 희열함. '一附'. '夫子若有不一色然'《孟子》. ②놀예, 즐길예 즐겁게 놂. '逸一'. '一遊一一, 爲諸侯度'《孟子》. ③싫어할예 '行婞直而不一兮'《楚辭》. ④미리예 사전에. '一告'. '君子思患而一防之'《易經》. ⑤미리할예 미리 대비함. 사전에 함. '凡事一則立'《中庸》. ⑥참여할예 참가하여 관계함. '亦來一盟'《後漢書》. ⑦땅이름예 우공(禹貢)의 구주(九州)의 하나. 호북성(湖北省)·산동성(山東省)의 일부와 하남성(河南省) 전부에 걸친 지역. '荆河是一州'《書經》. 전(轉)하여, 하남성의 별칭(別稱). ⑧예괘예 육십사괘(六十四卦)의 하나. 곧, ☳☷〈곤하(坤下), 진상(震上)〉. 인심(人心)이 화락(和樂)한 상(象). '一利建侯行師'《易經》.
字源 形聲. 象+予〔音〕

豕9〔豤〕16 견 ㊀上銑 kěn ケン かむ

字解 물견 입에 묾. 씹음. '一, 齧也'《字彙》.

豕9〔䵍〕16 군 ㊀去問 jùn クン ちいさいいのしし

字解 작은멧돼지군 '一, 野豕小者曰一'《集韻》.

豕9〔豯〕16 변 ㊀平先 pián ヘン いのこ

字解 돼지변 '一, 猪也'《集韻》.

豕9〔豢〕16 주 ㊀去宥 còu ソウ いのこ

字解 돼지주 '一, 豕也'《集韻》.

豕9〔豵〕16 탁 ㊀入覺 zhuō タク ゆく

字解 갈탁 향하여 감. '一, 行也'《字彙補》.

豕9〔豥〕16 〔해〕
豥(豕부 6획〈1374〉)와 同字

豕10〔豳〕17 ㊀빈 ㊀平眞 bīn ヒン くにのな
㊁반 ㊀平刪 bān ハン まだら

字解 ㊀①나라이름빈 주(周)나라 문왕(文王)의 조상 공류(公劉)가 다스린 나라. 지

금의 섬서성(陝西省) 빈주(邠州). 邠(邑부 4획〈1512〉)과 同字. '于一斯館'《詩經》. ② 성빈 성(姓)의 하나. ㊁ 얼룩반 얼룩얼룩함. 斒(文부 9획〈490〉)과 同字. '斒, 斒斕, 色不純也. 亦作一'《集韻》.
字源 形聲. 山+豩〔音〕

豕10 〔豯〕 17 혜 ㊥齊 | xī ケイ うまれてみつきをへたいのこ
字解 석달된돼지혜, 돼지새끼혜 '一, 生三月豚'《說文》. '豬, 其子或謂之一'《揚子方言》.
字源 形聲. 豕+奚〔音〕

豕10 〔豲〕 17 ㊀ 원 ㊥元 | yuán ゲン ぶた, やまあらし
㊁ 환 ㊥寒 | huán カン ぶた, やまあらし
字解 ㊀ ①돼지원 '一, 豕屬也'《說文》. ② 호저(豪豬)원 뾰족한 가시털이 밀생한 짐승. '一, 豪豬別名'《正字通》. ③뛰어달아날원 돼지가 뛰어 달아남. '一, 逸也'《大徐本說文》. ㊁ 돼지환, 호저환, 뛰어달아날환 ㊀과 뜻이 같음.
字源 形聲. 豕+原〔音〕

豕10 〔豱〕 17 명 ㊥青 ㊦徑 | míng ベイ ちいさいいのこ
字解 작은돼지명 '一, 小豕也'《集韻》.

豕10 〔豱〕 17 온 ㊥元 | wēn オン いのこのな
字解 돼지이름온 '一, 豕名'《廣韻》.

豕10 〔豰〕 17 ㊀ 혹 ㊇屋 | hù コク けもののな
㊁ 박 ㊇覺 | bó ハク こぶた
字解 ㊀ 짐승이름혹 범·표범 비슷한 짐승이라 함. 집이(執夷) 또는 황요(黃腰)라고도 함. '一玃猱挺戲其巔'《張衡》. ㊁ 작은돼지박 '一, 小豚也'《說文》.
字源 形聲. 豕+㱿〔音〕

豕10 〔豢〕 17 〔환〕
豢(豕부 6획〈1374〉)의 本字

豕10 〔䝧〕 17 〔봉〕
鳳(鳥부 3획〈1811〉)의 古字

豕10 〔豁〕 17 쾌 ㊦卦 | huāi カイ かたくなでねじける
(회㊍)
字解 완악할쾌 완만(頑慢)하고 모짊. '一, 豿一'《廣韻》. '一, 豿一, 頑惡也'《集韻》. ※本音 회.

豕10 〔豨〕 17 희 ㊦未 | xì キ いのこのいき
字解 돼지의호흡희 '一, 豕息也'《集韻》.

豕11 〔豵〕 18 종 ㊥東 ㊥冬 | zōng ソウ いのこ ショウ いのこ
字解 돼지새끼종 생후 6개월 되는 돼지. 일설(一說)에는 작은 돼지. '壹發五一'《詩經》.
字源 形聲. 豕+從〔音〕

豕11 〔貗〕 18 루 ㊥尤 | lóu ロウ·ル こをもとめるいのこ
字解 암돼지루 발정한 암돼지. '旣定爾一豬'《左傳》.

豕11 〔䝏〕 18 괘 ㊥佳 | guāi カイ いぬ
(괴㊍) ㊦寘
字解 ①개괘 '一, 犬'《玉篇》. ②개쫓을괘 '一, 犬逐也'《字學三正》. ※本音 괴.

豕11 〔豲〕 18 만 ㊥寒 | mán バン いのこのぞく
字解 돼지붙이만 '一, 豕屬'《字彙》.

豕11 〔貘〕 18 멱 ㊇錫 | mì ベキ あたまがくろくからだのしろいいのこ
字解 머리검고몸흰돼지멱 '一, 白豕黑頭'《玉篇》.

豕11 〔豴〕 18 적 ㊇錫 | dí テキ いのこのひづめ
字解 돼지발굽적 '一, 蹄也, 或从豕'《集韻》.

豕12 〔豵〕 19 충 ㊥冬 | chōng チョウ ぶたににたつちのせい
字解 땅돼지충 돼지를 닮은 땅의 정(精). '一, 土豬'《玉篇》.

豕12 〔豶〕 19 증 ㊥蒸 | céng ショウ おり
字解 ①돼지우리증 '橧, 爾雅, 豕所寢橧, 或从豕'《集韻》. ②우리증 '橧, 博雅, 圈也, 或从豕'《集韻》.

豕12 〔豨〕 19 린 ㊥眞 | lín リン けもののな
字解 짐승이름린 문린(聞豨). '一, 獸名'《集韻》. '几山有獸焉, 其狀如彘, 黃身, 白頭, 白尾, 名曰聞一, 見則天下大風'《山海經》.

豕12 〔豷〕 19 ㊀ 희 ㊦寘 | xì キ いのこのいき
㊁ 예 ㊦霽 | yì エイ いのこのいき
字解 ㊀ ①돼지숨희 돼지가 쉬는 숨. ②사람이름희 한착(寒浞)의 아들. '浞因羿室,

生澆及一'《左傳》. 三 돼지숨예, 사람이름 예 一과 뜻이 같음.
字源 形聲. 豕+壹〔音〕

豕 12 〔豬〕19 一 수 上紙 平支 wěi イ きょせいしたいのこ 二 타 去箇 タ いのこのな 三 지 上紙 チ めすのこぶた
字解 一 불깐돼지수 '一, 豶也'《說文》. 二 돼지이름타 '一, 豕名'《集韻》. 三 암돼지새끼지 '豴, 牸豘也. 或从豕'《集韻》.
字源 形聲. 豕+隋〔音〕

豕 13 〔豶〕20 분 平文 fén フン きょせいしたいのこ
字解 ①불깐돼지분 거세(去勢)한 돼지. 獖(犭부 13획〈761〉)과 同字. '一, 羠豕也, 从豕賁聲'《說文》. ②없앨분 제거함. '一豕之牙'《易經》.
字源 形聲. 豕+賁〔音〕

豕 13 〔豦〕20 거 去御 jù キョ いのこのな
字解 돼지이름거 '一, 豕名'《字彙補》.

豕 13 〔豧〕20 수 平支 suí スイ めすのいのこ
字解 암돼지수 '一, 豕牝謂之一'《集韻》.

豕 13 〔豰〕20 혹 入屋 hù コク いのこのこえ
字解 돼지소리혹 '一, 豕聲'《集韻》.

豕 14 〔豬〕21 몽 平東 méng ボウ いのこににたけもの
字解 돼지비슷한짐승몽 豨(次條)과 同字. '一, 似豕也'《玉篇》. '一, 獸名, 似豕, 目出於耳'《集韻》.

豕 14 〔豲〕21 豨(前條)과 同字

豕 14 〔豳〕21 〔빈〕 豩(豕부 7획〈1375〉)과 同字

豕 14 〔豴〕21 삽 入洽 shà ソウ めすのいのこ
字解 ①암돼지삽 '一, 豕牝也'《廣雅》. ②늙은암돼지삽 '一, 老母豕'《玉篇》.

豕 14 〔豵〕21 추 上麌 zhù ス めすのいのこ
字解 ①암돼지추 '一, 豕牝也'《廣雅》. ②작은암돼지추 '一, 小母豬也'《玉篇》. ③작은돼지추 '齊徐以小豬爲一'《何承天纂文》.

豕 15 〔豶〕22 렵 入葉 liè リョウ いのこのながいけ
字解 돼지의긴털렵 '一, 豕長毛謂之一'《集韻》.

豕 15 〔豰〕22 박 入覺 bō ハク ちいさいぶた
字解 작은돼지박 𧰹(豕부 10획〈1377〉)과 同字. '𧰹, 說文, 小豚也, 或作一'《集韻》.

豕 18 〔豷〕25 접 入葉 zhé ショウ いのこのぞく
字解 돼지붙이접 '一, 豕屬'《廣雅》.

豕 18 〔貛〕25 환 平寒 huān カン いのしし
字解 ①멧돼지환 산돼지. 貛(豸부 18획〈1384〉)과 同字. '貛, 說文, 野豬也'《集韻》. ②이리의수컷환 '貛, 爾雅, 狼牡, 貛, 亦作一'《集韻》.

豕 20 〔豷〕27 위 去霽 wèi エイ ぶたのいっしゅ
字解 돼지위 돼지의 일종(一種). '一, 豚屬'《廣韻》.

豕 21 〔豷〕28 豷(前條)의 本字

豸 部
〔발없는벌레치·갖은돼지시부〕

豸 0 〔豸〕7 一 치 上紙 zhì チ ながむし 二 채 上蟹 zhài タイ しんじゅうのな
筆順 ノ ⺈ ⺈ 乎 豸 豸 豸
字解 一 ①벌레치 발 없는 벌레. '有足謂之蟲, 無足謂之一'《爾雅》. ②풀치, 풀릴치 느슨하게 함. 느슨해짐. '庶有一乎'《左傳》. ③웅크리고노려볼치 짐승이 먹이를 덮치려고 몸을 잔뜩 웅크리는 모양. '一, 獸長脊行一一然, 欲有所司殺形'《說文》. 二 해태채 '獬一'는 전설상의 짐승으로 신수(神獸)의 하나. 해태.
字源 象形. 고양이 따위의 짐승이 몸을 웅크리고 등을 굽혀 먹이에 덮쳐들려고 노리는 모양.
參考 '豸'를 의부(意符)로 하여, 여러 가지 종류의 짐승의 이름을 나타내는 문자를 이름. '豕시'와 비슷하되, 보다 복잡한 자형이므로 '갖은돼지시(豕)'로 이름.

豸 2 〔⿰豸力〕9 력 [入]職 | lì リョク いぬのな

[字解] 개이름력 요동(遼東)에서 나는 개의 이름. '一, 犬名, 出遼東'《集韻》.

豸 3 〔豹〕10 [人名] 표 [去]效 | bào ヒョウ ひょう

[筆順] ノ ⺈ 乡 豸 豸 豸 豹 豹

[字解] ①표범표 고양이과에 속하는 맹수(猛獸). 범 비슷한데, 온몸에 점무늬가 있어 아름다움. '一死留皮'《五代史》. '君子一變'《易經》. ②성표 성(姓)의 하나.

[字源] 會意. 豸+勺

豸 3 〔豺〕10 시 [平]佳 | chái サイ やまいぬ

[字解] 승냥이시 개과에 속하는 이리 비슷한 산짐승. 성질이 잔인하고 흉포함. '一狼'.

[字源] 形聲. 豸+才

豸 3 〔豻〕10 ㊀안 ①[平]寒 ②[去]翰 | àn ガン のいぬ / ガン ひとや; ㊁한 [去]翰 | hàn ガン ひとや

[字解] ㊀①들개안 여우 비슷한 야생(野生)의 개. 일설(一說)에는 너구리 비슷한 짐승. 犴(犬부 3획〈747〉)과 同字. '麛裘青一'《禮記》. ②옥안 향정(鄕亭)의 죄수를 가두는 곳. '獄一不平之所致也'《漢書》. ㊁옥한 ㊀❷와 뜻이 같음.

[字源] 形聲. 豸+干〔音〕

豸 3 〔⿰豸乇〕10 탁 [入]陌 | zhé タク ろばとめすうしのあいのこ

[字解] 튀기탁 수탕나귀와 암소와의 사이에서 난 잡종(雜種). 馲(馬부 3획〈1735〉)과 同字. '馲, 馲駋, 獸名, 驢父牛母, 或作一'《集韻》.

豸 4 〔豽〕11 놜 [入]黠 | nà ダツ けもののな, さる

[字解] 원숭이놜 뿔이 있고 앞발이 없다는 원숭이의 일종. '一, 獸名. 似狸蒼黑, 無前足, 善捕鼠'《廣韻》.

豸 4 〔豼〕11 〔비〕 貔(豸부 10획〈1383〉)와 同字

豸 4 〔⿰豸木〕11 〔휴〕 貅(豸부 6획〈1380〉)와 同字

豸 4 〔⿰豸殳〕11 〔의〕 毅(殳부 11획〈614〉)의 訛字

豸 4 〔⿰豸开〕11 〔견〕 ⿰豸幵(豸부 6획〈1381〉)과 同字

豸 4 〔⿰豸牛〕11 옹 [平]冬 | yǒng ギョウ いのこににたけもののな

[字解] 돼지비슷한짐승옹 '一, 獸似豕'《玉篇》.

豸 4 〔⿰豸元〕11 ㊀완 [平]寒 | wán ガン むじなのぞく; ㊁학 [入]藥 | hé カク きつねににたけもののな

[字解] ㊀오소리붙이완 족제비과의 담비속. '一, 貉屬'《集韻》. ㊁담비학 족제비과의 동물. 貈(豸부 6획〈1380〉)과 同字. '貈, 說文, 似狐, 善睡獸, 說文从舟誤, 當从元聲'《集韻》.

豸 4 〔⿰豸巴〕11 파 [平]麻 | bā ハ けもののみにくいかたち

[字解] 짐승의흉한형상파 '一, 獸醜狀'《集韻》.

豸 4 〔⿰豸亢〕11 〔학〕 貈(豸부 6획〈1380〉)과 同字

豸 5 〔貁〕12 유 [去]宥 | yòu ユウ おながざる

[字解] ①긴꼬리원숭이유 원숭이의 일종. 꼬리가 긺. 일설(一說)에는 검은 원숭이. 狖(犬부 5획〈749〉)와 통용. '蝯一擬而不敢下'《漢書》. ②족제비유 고양이 비슷한 족제비류(類). '一, 似猫搏鼠'《一切經音義》.

[字源] 會意. 豸+穴〔音〕

豸 5 〔貂〕12 초 [平]蕭 | diāo チョウ てん

[字解] ①담비초 족제비과에 속하는 동물. 모양은 족제비 비슷하고, 털빛은 황갈색임. 가죽이 귀하여, 옛날에 그 꼬리로 시중(侍中) 등의 관(冠)에 달아 장식으로 하였음. '一尾爲飾'《後漢書》. ②성초 성(姓)의 하나.

[字源] 形聲. 豸+召〔音〕

豸 5 〔豾〕12 비 [平]支 | pī ヒ たぬきのこ

[字解] ①너구리새끼비 狉(犬부 5획〈749〉)와 同字. '狸子曰一'《集韻》. ②맹수이름비 貊(豸부 7획〈1381〉)와 同字. '貊, 貔也, 方言, 北燕朝鮮謂之貊, 或作一'《集韻》.

[字源] 形聲. 豸+丕〔音〕

豸 5 〔貀〕12 ㊀놜 [入]黠 | nà ダツ けもののな; ㊁돌 [入]月 | トツ けもののな; ㊂눌 [入]質 | ジュツ けもののな

[字解] ㊀짐승이름놜 앞발이 없다는 원숭이의 일종. '一, 一獸. 無前足'《說文》. ㊁짐승이름돌 ㊀과 뜻이 같음. ㊂짐승이름눌

[一]과 뜻이 같음.
[字源] 形聲. 豸+出〔音〕

豸 5 〔貎〕 12 니 [平]支 ní ジ・ニ けもののな
[字解] 짐승이름니 '一, 獸名'《廣韻》.

豸 5 〔貑〕 12 〔호〕
狐(犬부 5획〈749〉)와 同字

豸 5 〔貊〕 12 〔맥〕
貊(豸부 6획〈1380〉)과 同字

豸 5 〔貄〕 12 거 qú キョ たけしい
[字解] 굳세고사나울거 '一, 猛也'《篇海》.

豸 5 〔豿〕 12 [一] 구 [上]有 gǒu コウ くまととらのこのしょう
[二] 학 [入]覺 カク いのこのこえ
[字解] [一] 튀기구 곰과 범 사이에서 난 새끼. 狗(犬부 5획〈749〉)와 통용. '狗, 本或作一'《爾雅》. '一, 熊虎子也'《集韻》. [二] 돼지소리학 '一, 豕聲'《廣韻》.

豸 5 〔貗〕 12 동 [平]冬 dōng トウ けもののな
[字解] 짐승이름동 표범 비슷하고 뿔이 있음. '一, 獸如豹有角'《集韻》.

豸 5 〔貘〕 12 〔복〕
貘(豸부 6획〈1381〉)과 同字

豸 5 〔貔〕 12 비 [去]未 bō ヒ はいむし
[字解] 발없는벌레비 '一, 豸也'《玉篇》.

豸 5 〔貗〕 12 〔사〕
貗(豸부 6획〈1381〉)와 同字

豸 5 〔貘〕 12 앙 [平]陽 yāng オウ むじな
[字解] 오소리앙 살쾡이 비슷한 짐승. '今江東呼貉爲一貗. (疏)一, 貍類'《爾雅》.

豸 5 〔豣〕 12 잔 [上]潸 zhǎn サン はいむし
[字解] 발없는벌레잔 '一, 豸也'《字彙》.

豸 5 〔貗〕 12 좌 [上]哿 zuǒ サ けもののな
[字解] 짐승이름좌 '一, 獸也'《玉篇》.

豸 5 〔貅〕 12 〔휴〕
貅(豸부 4획〈1379〉)와 同字

豸 6 〔貅〕 13 휴 [平]尤 xiū キュウ もうじゅうのな
[字解] 맹수이름휴 貔(豸부 10획〈1383〉)를 보라. '貔一'.
[字源] 形聲. 豸+休〔音〕

豸 6 〔貆〕 13 [一] 훤 [平]元 xuān ケン むじな
[二] 환 [平]寒 huán カン むじな
[字解] [一] 오소리훤 오소리의 일종(一種). 일설(一說)에는 오소리의 새끼. 또 일설에는 너구리의 일종. 곧, 단(貒)이라 함. '有縣一兮'《詩經》. [二] ①오소리환 [一]과 뜻이 같음. ②호저(豪豬)환 고슴도치 비슷한 동물. '譙明之山. …有獸焉. 其狀如一而赤豪'《山海經》.
[字源] 形聲. 豸+亘〔音〕

豸 6 〔貉〕 13 [一] 학 [入]藥 hé(háo) カク むじな
[二] 맥 [入]陌 mò バク えびす
[字解] [一] 오소리학 너구리 비슷한 짐승. 모피(毛皮)는 방한구로 씀. 狢(犬부 6획〈751〉)과 同字. '狐一之厚以居'《論語》. [二] ①오랑캐맥 貊(豸부 6획〈1380〉)과 同字. '子之道, 一道也'《孟子》. ②고요할맥 조용함. '一, 一日, 靜也'《集韻》. ③정할맥 '一, 定也'《集韻》. ④나쁠맥 '一一, 惡皃'《說文》.
[字源] 形聲. 豸+各〔音〕

豸 6 〔貈〕 13 貉(前條)의 訛字

豸 6 〔貊〕 13 맥 [入]陌 mò バク えびす
[字解] ①오랑캐맥 요동반도(遼東半島)에서 한반도(韓半島) 북부에 걸쳐 살던 부족. '濊一'. '華夏蠻一'《書經》. ②조용할맥, 조용히할맥 '一其德音'《詩經》. ③맹수이름맥 '出銅鐵鉛錫, …猩猩一獸'《後漢書》.
[字源] 形聲. 豸+百〔音〕

豸 6 〔貈〕 13 학 [入]藥 hé(háo) カク むじな
[字解] 오소리학 貉(前前前條)과 同字. '一, 似狐, 善睡獸也'《說文》.
[字源] 形聲. 豸+舟〔音〕

豸 6 〔貄〕 13 [一] 사 [去]寘 sì シ けもののな
[二] 이 [去]寘 イ たぬきのこ
[字解] [一] 짐승이름사 몸에 긴 털이 있는 짐승의 이름. '一, 脩毫'《爾雅》. [二] 너구리새끼이 貄(豸부 8획〈1382〉)와 同字. '貄, 爾雅, 貍子. 貄, 或作一'《集韻》.

豸 6 〔貇〕 13 〔간〕
豤(豕부 6획〈1374〉)과 同字

豸 6 〔⿰豸幵〕 13 〔견〕
豣(豕부 6획〈1374〉)과 同字

豸 6 〔⿰豸后〕 13 〔구〕
狗(犬부 5획〈749〉)와 同字

豸 6 〔⿰豸同〕 13 동 [平]東 | tōng トウ けもののな

[字解] ①짐승이름동 ⿰豕同(豕부 6획〈1374〉)과 同字. '⿰豸同, 獸名, 山海經, 泰山有獸, 狀如豚而有珠, 其名自呼, 或从豸'《集韻》. ②멧돼지동 ⿰豕同(豕부 6획〈1374〉)과 同字. '⿰豸同, 野彘, 或从豸'《集韻》.

豸 6 〔⿰豸伏〕 13 복 [入]屋 | fú フク きつね

[字解] 여우복 갯과에 딸린 짐승. '一, 狐也'《篇海》.

豸 6 〔⿰豸吏〕 13 사 [去]寘 [上]紙 | shì シ いたちのぞく shǐ シ いぬににたけもののな

[字解] ①족제비붙이사 '一, ⿰豸穴也'《廣雅》. ②오소리사 '一, 江東呼貉爲一, 或作⿱吏鼠'《集韻》. ③개와비슷한짐승사 '狭, 獸名, 似犬, 或从豸'《集韻》.

豸 6 〔⿰豸冊〕 13 산 [平]刪 | shān サン わるづよい

[字解] ①사나울산 '一, 惡健也'《字彙》. ②사나운개산 '一, 說文, 狦, 惡健犬也'《康熙字典》.

豸 6 〔⿰豸囟〕 13 신 [去]震 | xìn シン けもののな

[字解] 짐승이름신 '一, 獸名'《集韻》.

豸 6 〔⿰豸多〕 13 이 [平]支 | yí イ けもののな

[字解] 짐승이름이 개와 비슷함.

豸 6 〔⿰豸虫〕 13 〔치〕
豸(部首〈1378〉)와 同字

豸 6 〔⿰豸⿱巛山〕 13 표 [上]篠 | biāo ヒョウ けもののな

[字解] 짐승이름표 양(羊)과 비슷하며 잠을 잘 잠. '一, 似羊, 善睡'《玉篇》.

豸 7 〔貌〕 14 [高·人] [一] 모 [去]效 [二] 막 [入]覺 | mào ボウ かたち mò バク かたどる

[筆順] 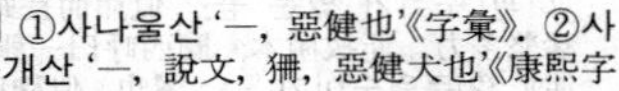

[字解] [一] ①모양모 皃(白부 2획〈824〉)의 籀文. ㉠자태. 모습. '姿一'. '堂堂有天人之一'《列仙傳》. ㉡외모. 행동거지. '一思恭'《論語》. ㉢외관. 겉보기. '外一'. 전(轉)하여, 표면. 겉. '一愛'. '禮節者, 仁之一也'《禮記》. ㉣형상. 상태. '千態萬一'《李漢》. '人肖天地之一'《漢書》. ②얼굴모 용모. 안색. '面一'. '情與一其不變'《楚辭》. ③예모모 삼가는 태도. '雖褻必以一'《論語》. ④다스릴모 '一, 治也'《廣雅》. ⑤성모 성(姓)의 하나. [二] ①모사할막 인물을 형체 그대로 그림. '命工一妃於別殿'《唐書》. ②멀막, 아득할막 邈(辵부 14획〈1509〉)과 통용. '一一上天東'《韓愈》.

[字源] 篆文은 象形. '白백'은 사람의 두부(頭部), '儿인'은 사람의 모양을 본뜨며, 이미 정신적 활동이 없는 사람의 겉모양의 뜻을 나타냄. '貌모'는 豸+皃〔音〕의 籀文에 따름. '豸치'는 또렷한 무늬가 있는 표범의 象形으로, 모양의 뜻을 분명히 했음. 또, 別體는 豸+頁의 會意.

豸 7 〔⿰豸貞〕 14 貌(前條)와 同字

豸 7 〔⿰豸貝〕 14 貌(前前條)의 古字

豸 7 〔貍〕 14 [一] 리 [平]支 [二] 매 [平]佳 | lí リ たぬき mái バイ·マイ うずめる

[字解] [一] ①너구리리 狸(犬부 7획〈752〉)와 同字. '熊羆狐一織皮'《書經》. ②살쾡이리 삵. '一, 似猫'《玉篇》. '捕鼠不如一'《莊子》. ③죽일리 '徐衍負石, 伐子自一'《文選 注》. ④성리 성(姓)의 하나. [二] 묻을매 埋(土부 7획〈207〉)와 통용. '凡一物'《周禮》.

[字源] 形聲. 豸+里〔音〕

豸 7 〔⿰豸否〕 14 비 [平]支 [上]紙 | péi ヒ たぬき

[字解] 너구리비 너구리의 이명(異名). 豾(豸부 5획〈1379〉)·狉(犬부 5획〈749〉)와 同字. '豾, 北燕朝鮮之間謂之一, 關西謂之狸'《揚子方言》.

豸 7 〔⿰豸⿱一⿱回一〕 14 〔훤〕
貆(豸부 6획〈1380〉)의 本字

豸 7 〔⿰豸夋〕 14 〔산〕
狻(犬부 7획〈752〉)과 同字

豸 7 〔⿰豸肖〕 14 소 [平]蕭 | xiāo ショウ こだま

[字解] 산울림소 메아리. '一, 見史記, 山精, 妖精'《篇海》.

豸 7 〔⿰豸彡〕 14 〔투〕
⿰豕彡(豕부 7획〈1375〉)와 同字

豸 7 〔貋〕14 한 [平]寒 | àn カン のらいぬ

[字解] 들개한 '豻, 或作一'《集韻》.

豸 7 〔⿰豸角〕14 〔해〕 獬(犬부 13획〈762〉)와 同字

豸 8 〔貏〕15 피 [上]紙 | bǐ ヒ たいらか

[字解] 평평할피 '一豸'는 점점 평평하여진 모양. '陂池一豸'《司馬相如》.

豸 8 〔貄〕15 [一]사 [去]寘 | sì シ たぬきのこ
[二]기 [去]寘 | キ たぬきのこ
[三]이 [去]寘 | イ たぬきのこ
[四]예 [去]霽 | エイ たぬきのこ

[字解] [一] 너구리새끼사 '貍子, 一'《爾雅》. [二] 너구리새끼기 [一]과 뜻이 같음. [三] 너구리새끼이 [一]과 뜻이 같음. [四] 너구리새끼예 [一]과 뜻이 같음.

豸 8 〔貎〕15 [一] 猊(犬부 8획〈753〉)와 同字 [二] 麑(鹿부 8획〈1846〉)와 同字

豸 8 〔⿰豸來〕15 래 [平]灰 | lái ライ たぬき

[字解] 살쾡이래 삵. '一, 貍別名'《玉篇》.

豸 8 〔⿰豸采〕15 ⿰豸來(前條)의 訛字

豸 8 〔⿰豸使〕15 〔사〕 ⿰豸吏(豸부 6획〈1381〉)와 同字

豸 8 〔⿰豸奇〕15 〔의〕 猗(犬부 8획〈754〉)와 同字

豸 8 〔⿰豸卓〕15 조 [去]效 | zhào トウ はいむし

[字解] 발없는벌레조 '一, 豸也'《玉篇》.

豸 8 〔⿰豸虎〕15 〔호〕 號(虍부 7획〈1215〉)와 同字

豸 9 〔貒〕16 단 [平]寒 | tuān / [去]翰 | tuàn タン まみ

[字解] 오소리단 족제비과에 속하는 짐승. 족제비보다 크고 숲 속에 서식함. 토웅(土熊). '一貉兮蟫蟫'《王逸》.
[字源] 形聲. 豸+耑〔音〕

豸 9 〔⿰豸彖〕16 貒(前條)과 同字

豸 9 〔貓〕16 묘 [平]蕭 / [平]肴 | māo ビョウ ねこ

[字解] ①고양이묘 猫(犬부 9획〈756〉)의 本字. '迎一, 爲其食田鼠也'《禮記》. ②닻묘 錨(金부 9획〈1570〉)와 통용. '鐵一一箇'《大明會典》.
[字源] 形聲. 豸+苗〔音〕

豸 9 〔貐〕16 유 [上]麌 | yǔ ユ けもののな

[字解] 짐승이름유 '猰一'는 짐승의 이름. '猰一, 从貙, 虎爪. 食人, 迅走'《說文》.
[字源] 形聲. 豸+俞〔音〕

豸 9 〔⿰豸契〕16 알(설[俗]) [入]黠 | yà アツ けもののな

[字解] 짐승이름알 '一貐'는 짐승 이름. 猰(犬부 9획〈757〉)과 同字. '一貐, 獸中最大者, 龍頭馬尾, 虎爪, 長四尺, 善走, 以人爲食, 遇有道君, 隱藏, 無道君, 出食人矣'《物類相感志》. ※俗音 설.

豸 9 〔⿰豸頁〕16 〔모〕 皃(白부 2획〈824〉)·貌(豸부 7획〈1381〉)와 同字

豸 9 〔貑〕16 가 [平]麻 | jiā カ しぐま

[字解] ①큰곰가 머리와 다리가 길며, 누르고 흰 무늬가 있는 곰. '似熊而長頭高脚, 猛憨多力, 能拔樹木, 關西呼曰一羆'《爾雅注》. ②큰원숭이가 '一, 玃也, 似獼猴而大'《爾雅》.

豸 9 〔⿰豸𡿺〕16 노 [上]皓 | nǎo ドウ めむじな

[字解] 암담비노 담비의 암컷. '⿰豸𡿺, 獸名, 雌豽也, 或作一'《集韻》.

豸 9 〔⿰豸柔〕16 요 [上]篠 | rǎo ジョウ くもざる

[字解] 원숭이이름요 원숭이의 일종. '一, 獸名, 如獼猴, 健捕鼠'《集韻》.

豸 9 〔⿰豸爰〕16 〔원〕 蝯(虫부 9획〈1237〉)과 同字

豸 9 〔⿰豸胃〕16 위 [去]未 | wèi イ はりねずみ

[字解] 고슴도치위 彙(彐부 10획〈365〉)와 뜻이 같음. '彙, 說文, 蟲似豪豬者, 或作一'《集韻》.

豸 9 〔⿰豸酋〕16 [一]유 [去]宥 | yòu ユウ くもざる
[二]주 [平]尤 | qiú シュウ よいいぬ

[字解] [一] 긴꼬리원숭이유 '蜼, 字林, 獸名,

如鼻長尾, 或作一'《集韻》. [二]좋은개주 '一, 良犬也'《集韻》.

豸9 〔⿰豸者〕 16 〔저〕
豬(豕부 9획〈1376〉)와 同字

豸9 〔⿰豸重〕 16 중 [去]宋 | zhǒng チョウ ちち
[字解] 젖중 '一, 乳也'《篇海》.

豸10 〔貔〕 17 비 [平]支 | pí ヒ もうじゅうのな
[字解] ①맹수이름비 범 비슷한 맹수(猛獸)로, 수컷을 '一', 암컷을 '貅'라 함. 옛날에, 길들여 전쟁에 썼다고 하므로, 용맹한 장수 또는 군대의 뜻으로 쓰임. '一貅'. '如虎如一'《書經》. ②너구리비 너구리의 딴 이름. '一, …北燕朝鮮之間, 謂之⿰豸舌, 關西謂之狸'《方言》.
[字源] 形聲. 豸+毘〔音〕

豸10 〔貕〕 17 혜 [平]齊 | xī ケイ こぶた
[字解] 돼지새끼혜 '豬子, 或謂之豚, 或謂之一'《揚子方言》.

豸10 〔⿰豸益〕 17 액 [入]陌 | yì アク·ヤク ねずみのいっしゅ
[字解] 쥐액 쥐의 일종(一種). '鼶, 鼠屬. …一或从豸作'《說文》.

豸10 〔⿰豸員〕 17 〔견〕
狷(犬부 7획〈752〉)과 同字

豸10 〔貏〕 17 비 | pí ヒ たけしい
[字解] 사나울비 '一, 猛也'《篇海》.

豸10 〔⿰豸原〕 17 〔원〕
獂(犬부 10획〈758〉)과 同字

豸11 〔貘〕 18 맥 [入]陌 | mò バク ばく
[字解] ①맹수이름맥 곰 비슷한 맹수. 코가 돌출하여 아랫입술보다 길며, 코끼리의 코처럼 자유로 굴신(屈伸)을 한다 함. 일설(一說)에는, 일종의 영수(靈獸)로, 이가 단단하여 구리·쇠를 먹으며, 또 사람의 꿈을 먹고 사기(邪氣)를 없애 버린다 함. '一, 白豹'《爾雅》. ②표범맥 표범의 딴 이름. '程, 中國謂之豹, 越人謂之一'《列子 注》.
[字源] 形聲. 豸+莫〔音〕

豸11 〔貙〕 18 추 [平]虞 | chū チュ けもののな
[字解] ①맹수이름추 모양이 범 비슷하며, 크기가 개만한 맹수. 옛날에, 전쟁에 사용하였다 함. '一虎'라고도 함. '一畏虎, 虎畏羆'《柳宗元》. 전(轉)하여, 용감한 군대의 뜻으로 쓰임. ②오랑캐추 옛날에, 양자강(揚子江)과 한수(漢水) 사이에 살던 만민(蠻民).
[字源] 形聲. 豸+區〔音〕

豸11 〔貗〕 18 루 [平]虞 | jù ル まみのこ
[字解] 오소리새끼루 '貒子, 一'《爾雅》.

豸11 〔⿰豸离〕 18 치 [平]支 | chī チ もうじゅうのな
[字解] 맹수이름치 离(内부 6획〈896〉)의 俗字. '一, 鷙獸'《字彙》.

豸11 〔⿰豸庸〕 18 용 [平]冬 | yōng ヨウ のうし
[字解] 들소용 봉우(犎牛). '其獸則一旄貘犛'《司馬相如》.
[字源] 形聲. 豸+庸〔音〕

豸11 〔⿰豸曼〕 18 〔만〕
獌(犬부 11획〈759〉)과 同字

豸11 〔⿰豸㒼〕 18 〔만〕
獌(犬부 11획〈759〉)과 同字

豸11 〔⿰豸爽〕 18 상 [上]養 | shuǎng ソウ けもののな
[字解] 짐승이름상 '鴻一貚乳, 獨竹孤鶬'《揚雄》.

豸12 〔⿰豸尞〕 19 [一]로 [上]皓 [二]료 [平]蕭 | lǎo ロウ えびすのな liáo リョウ よいのかり
[字解] [一]오랑캐이름로 중국 서남쪽의 오랑캐. 獠(犬부 12획〈760〉)와 同字. '西南夷謂之一'《集韻》. [二]밤사냥료 밤에 하는 사냥. 獠(犬부 12획〈760〉)와 同字.

豸12 〔貚〕 19 [一]단 [平]寒 [二]전 [平]先 [三]탄 [去]翰 | tān タン [一]-[三]けもののな テン タン
[字解] [一]짐승이름단 '貙구'의 일종. '一, 貙屬也'《說文》. [二]짐승이름전 [一]과 뜻이 같음. [三]짐승이름탄 [一]과 뜻이 같음.
[字源] 形聲. 豸+單〔音〕

豸12 〔⿰豸黑〕 19 〔리〕
貍(豸부 7획〈1381〉)와 同字

豸12 〔⿰豸業〕 19 복 [入]屋 | fú フク けもののな
[字解] 짐승이름복 '一, 獸也'《篇海》.

豸 12 〔⿰豸賁〕19 〔분〕
豶(豕부 13획〈1378〉)과 同字

豸 12 〔⿰豸宗〕19 종 [平]東 | zhōng シュウ けもののな
[字解] 짐승이름종 표범 비슷한데 뿔이 있음. '一, 獸名, 似豹而角'《集韻》.

豸 12 〔⿰豸皐〕19 〔호〕
嘷(口부 12획〈184〉)와 同字

豸 13 〔⿰豸歲〕20 예 [去]隊 | wèi ワイ えびす
[字解] 오랑캐예 고대 중국 동부 지방에 살던 부족(部族). 한대(漢代)에는 요동 지방(遼東地方)에 살았음. 濊(水부 13획〈691〉)·穢(禾부 13획〈912〉)와 통용. '一貊'.

豸 13 〔⿰豸會〕20 괴 [去]卦 | guài カイ けもののな
[字解] 짐승이름괴 '一, 獸也'《篇海》.

豸 13 〔⿰豸雍〕20 옹 [平]冬 | yōng ヨウ けもののな
[字解] 짐승이름옹 원숭이붙이. '一, 猿屬'《集韻》.

豸 13 〔⿰豸禽〕20 〔치〕
⿰豸离(豸부 11획〈1383〉)의 訛字

豸 13 〔⿰豸豦〕20 〔학〕
貉(豸부 6획〈1380〉)과 同字

豸 14 〔⿰豸滿〕21 만 [平]寒 | màn バン けもののな
[字解] 짐승이름만 '一, 獸名'《字彙補》. '窮奇猯一'《李白》.

豸 16 〔⿰豸賴〕23 달 [入]曷 | tǎ タツ かわうそ
[字解] 수달달 물가에 사는 족제비 비슷한 동물. 獺(犬부 16획〈764〉)과 同字. '一, 水狗也'《篇海》.

豸 18 〔貛〕25 환 [平]寒 | huān カン おおかみ
[字解] ①이리환 이리의 수컷. 암컷은 '狼'이라 함. '狼, 牡一, 牝狼'《爾雅》. ②오소리환 족제비과에 속하는 짐승. 토웅(土熊). 환돈(貛独). '豬一'.
[字源] 形聲. 豸＋雚〔音〕

豸 20 〔貜〕27 확(곽[本]) [入]藥 | jué キャク おおざる
[字解] 원숭이이름확 원숭이의 일종. 체구가 거대하고 빛이 검푸르며, 사람처럼 달림. '一父善顧'《爾雅》. ※本音 곽.
[字源] 形聲. 豸＋矍〔音〕

貝　部

〔조개패부〕

貝 0 〔貝〕7 [中·人] 패 [去]泰 | bèi ハイ かい
[筆順] 丨 冂 冃 月 目 貝 貝
[字解] ①조개패 연체 동물(軟體動物)의 하나. 개각(介殼)이 있으며, 물 속에서 삶. ②조가비패 패각(貝殼). '一冑朱綅'《詩經》. '婦人則多貫蠡一, 以爲耳及頸飾'《周禮》. ③돈패 고대에 화폐로 쓰던 조개. '龜一'. '具乃一玉'《書經》. ④소라패 패각(貝殼)으로 만든 악기. '擊鼓吹角一'《法華經》. ⑤비단이름패 비단의 한 가지로, 무늬가 있고 고움. '厥篚織一'《書經》. ⑥무늬패 조개무늬 비슷한 문양(紋樣). '成是一錦'《詩經》. ⑦성패 성(姓)의 하나.
[字源] 象形. 자패(紫貝)를 본뜬 모양으로, '조개'의 뜻을 나타냄.
[參考] '貝'를 의부(意符)로 하여, 금전·재화(財貨) 및 그것들에 관한 행위·상태 등에 관한 문자를 이룸.

〔則〕 〔즉〕
刀부 7획(104)을 보라.

貝 2 〔貞〕9 [中·人] 정 [平]庚 | zhēn(zhēng) テイ ただしい
[筆順] ⺊ 丨⺊ 卢 卢 貞 貞 貞 貞
[字解] ①곧을정 ㉠바름. 正(止부 1획〈602〉)과 통용. '君子一而不諒'《論語》. ㉡마음을 굳게 지켜 변치 않음. '言行抱一, 謂之一'《新書》. ㉢여자가 절개를 지켜 동하지 아니함. '一操'. '女子一不字'《易經》. '一婉有志節'《晉書》. ②성심정 진실된 마음. '一信'. '文言曰, 一固足以幹事'《易經》. '慕古人之一節'《張衡》. ③점칠정 점을 쳐서 알아봄. '一來歲之嬍惡'《周禮》. ④내괘정 역(易)의 내괘(內卦). 외괘(外卦)의 회(悔)의 대(對)로, 괘의 아래의 삼효(三爻)를 이름. '曰一, 曰悔'《書經》. ⑤사덕의하나정 천지(天地)의 사덕(四德)의 하나로, 만물성숙(成熟)의 덕임. 사시(四時)로는 겨울에, 도덕으로는 슬기(智)에 배당함. '元亨利一'《易經》. ⑥성정 성(姓)의 하나.
[字源] 形聲. 金文은 卜＋鼎〔音〕

貝2〔負〕9 高·人 부 ㊤有 | fù フ おう, まける

筆順 ノ ⺈ ⺈ 㔾 負 負 負 負

字解 ①질부 ㉠등에 짐. '一戴'. '某有一薪之憂'《禮記》. ㉡책임을 짐. 떠맡음. '一擔'. ㉢빚을 짐. '一債'. '一責數鉅萬'《漢書》. ②질부 전쟁 등에 짐. '一勝一一'《孫子》. 또, 지는 일. '勝一'. ③입을부 상처 같은 것을 입음. '一傷'. ④업을부 사람이나 동물을 등에 붙어 있게 함. '襁一其子而至矣'《論語》. ⑤등질부 배후에 둠. '虎一嵎'《孟子》. '天子一斧依南鄕而立'《禮記》. ⑥짐부 ㉠등에 진 물건. '如就重一'《沈約》. ㉡책임. 부담. '苟在於免一'《魏志》. ⑦빚부 채무. '典一者'《後漢書》. ⑧저버릴부 ㉠은혜를 잊고 덕에 보답하지 않음. '陵雖孤恩, 漢亦一德'《李陵》. ㉡약속을 지키지 아니함. '盟可一耶'《史記》. ⑨힘입을부, 믿을부 의뢰함. 또, 자신함. '一勇'. '一貴而好權'《史記》. '一固不服'《周禮》. '一其衆庶'《左傳》. ⑩근심할부 우려함. '刺史二千石不爲一'《後漢書》. ⑪부끄러워할부 '一角'. '一一無可言者'《後漢書》. ⑫할머니부 노모(老母). '常從王媼·武一貰酒'《史記》. ⑬부부 수학·물리학에서 소극성(消極性)의 수량이나 성질.

字源 會意. 人+貝

貝2〔頁〕9 負(前條)의 俗字

貝2〔貟〕9 〔원〕 員(口부 7획〈162〉)과 同字

貝2〔負〕9 배 ㊥灰 | péi ハイ かわのかみ

字解 ①하백(河伯)의이름배 하신(河神). '一, 河神名'《字彙》. ②산(山)이름배 '一, 與倍同, 倍尾, 山名, 亦作一尾'《集韻》.

貝2〔貞〕9 복 ㊀屋 | pò ホク たからをむさぼる

字解 재물탐할복 재물을 욕심냄. '一, 羨財也'《集韻》.

貝2〔貨〕9 〔화〕 貨(貝부 4획〈1386〉)의 本字

〔頁〕 〔혈〕 部首(1682)를 보라.

貝3〔財〕10 中·人 재 ㊥灰 | cái ザイ たから

筆順 丨 冂 月 目 貝 貝一 財 財

字解 ①재물재, 재화재 물자 또는 금전. '一寶'. '此輕一而重禮之義也'《禮記》. '貪夫徇一, 烈士徇名'《史記》. ②재능재, 재주재 才(手부 0획〈427〉)·材(木부 3획〈527〉)와 통용. '有達一者'《孟子》. ③재료재, 자재재 材(木부 3획〈527〉)와 통용. '設於地一'《禮記》. ④마를재, 재단할재 裁(衣부 6획〈1273〉)와 통용. '一擇'. '一成天地之道'《易經》. ⑤녹봉재 녹미(祿米). '率部校長官佐各各一足'《管子》. ⑥겨우재 纔(糸부 17획〈1021〉)·才(手부 0획〈427〉)와 통용. '太僕見馬遺一足'《史記》. ⑦성재 성(姓)의 하나.

字源 形聲. 貝+才〔音〕

貝3〔貤〕10 이 ①②㊦寘 ③㊥支 | yì イ かさねる | yí イ うつす

字解 ①겹칠이, 더할이 차차로 겹쳐서 늚. '一, 重次弟物也'《說文》. '一, 益也'《廣雅》. ②뻗을이 길게 뻗음. '一丘陵'《史記》. ③옮을이, 옮길이 '受爵而移賣者, 無所流一'《漢書》.

字源 形聲. 貝+也〔音〕

貝3〔貣〕10 특 ㊀職 | tè トク かりる

字解 ①빌릴특 물건을 남에게서 빌림. '旦莫乞一蠻夷'《漢書》. ②틀릴특 어긋남. 忒(心부 3획〈377〉)과 통용. '二衍一'《史記》. ③구(求)할특 '今有人於此, 屑然藏千溢之寶. 雖行一而食, 人謂之富矣'《荀子》.

字源 形聲. 貝+弋〔音〕

貝3〔貢〕10 高·人 공 ㊦送 | gòng コウ みつぎ

筆順 一 二 干 干 吾 首 貢 貢

字解 ①공물공 나라에 바치는 지방의 산물·수공품 등. '進一'. '五官致一'《禮記》. 또, 그것을 바치는 일. '朝一'. ②바칠공 공물을 바침. '來一'. '肅愼一楛矢'《史記》. 전(轉)하여, 널리 아무것이나 바치는 뜻으로 쓰임. '君使臣自一其能'《說苑》. ③천거할공 어진 사람을 조정에 천거함. '一士'. '一生'. '爾無以釗冒一于非幾'《書經》. ④고할공 알림. '六爻之義, 易以一'《易經》. ⑤구실공 하(夏)나라 때의 세법(稅法). '夏后氏五十而一'《孟子》. ⑥성공 성(姓)의 하나.

字源 形聲. 貝+工〔音〕

貝3〔貝寸〕10 〔득〕 得(彳부 8획〈372〉)의 俗字

貝3〔貟〕10 섬 ㊤琰 | shǎn セン せい

字解 성(姓)섬 북쪽 오랑캐의 성. '一, 狄姓'《集韻》.

貝3 〔䝴〕 10 인 [去]震 | rèn シン かたい

[字解] 단단할인 견고함. '一, 牢也'《玉篇》.

貝3 〔貨〕 10 쇄 [上]哿 | suǒ サ かいのふれあうおと

[字解] ①자갯소리쇄 작은 조개가 서로 부딪쳐 나는 소리. '一, 貝聲也'《說文》. ②잘쇄 세소(細小)함. 瑣(玉부 10획〈778〉)와 同字. '引申爲細碎之稱. 瑣行而一廢矣'《說文段注》.

[字源] 會意. 小+貝

貝3 〔貨〕 10 貨(前條)와 同字

貝4 〔販〕 11 [高·人] 판 [去]願 | fàn ハン ひさぐ

[筆順] 丨 冂 目 貝 貝 貝 貝 販

[字解] ①팔판, 살판, 장사할판 물품을 매매하여 이를 봄. '一, 買賤賣貴者'《說文》(삼). '睢陽一繒者也'《史記》(팖). '市井勿得一賣'《漢書》(헐하게 사서 비싸게 팖). ②장사판 상업. '子貢好一, 與時轉貨'《孔子家語》.

[字源] 形聲. 貝+反〔音〕

貝4 〔貯〕 11 구 | gòu コウ おさめる

[字解] 다스릴구 '一, 治也'《篇海類編》.

貝4 〔貦〕 11 〔완〕 玩(玉부 4획〈767〉)과 同字

〔敗〕 〔패〕 攴부 7획(483)을 보라

貝4 〔貧〕 11 [中·人] 빈 [平]眞 | pín ヒン まずしい

[筆順] ノ 八 分 分 分 貧 貧 貧

[字解] ①가난할빈 빈한함. '一困'. '家一, 爲友壻富人所辱'《漢書》. ②모자랄빈 학문·재덕 등이 부족함. '才富而學一'《文心雕龍》. ③가난빈 빈곤. '韓宣子憂一'《國語》. 또, 가난한 사람. '壻財役一'《漢書》.

[字源] 形聲. 貝+分〔音〕

[參考] 貪(貝부 4획〈1386〉)은 別字.

貝4 〔貨〕 11 [中·人] 화 [去]箇 | huò カ たから

[筆順] イ 亻 化 货 貨 貨 貨 貨

[字解] ①재화화 ㉠재물. 물품. 상품. '奇一'. '聚天之下一, 交易而退'《易經》. ㉡돈. 화폐. '銀一'. '一幣'. '一謂布帛可衣及金刀龜貝, 所以分財布利通有無者也'《漢書》. ②재물로여길화 사람을 물건 취급함. 돈으로 사람을 자유로이 부림. '無處而餽之, 是一之也'《孟子》. ③뇌물줄화 뇌물로 재화를 줌. '妻妾遂共一刺客, 伺醉而殺之'《顏氏家訓》. ④팔화 물건을 매도함. '今遂有一者'《輟耕錄》.

[字源] 形聲. 貝+化〔音〕

貝4 〔貪〕 11 [高·人] 탐 [平]覃 [去]勘 | tān タン むさぼる

[筆順] 人 亼 今 含 含 貪 貪 貪

[字解] ①탐할탐 과도히 욕심을 냄. 탐냄. '一食'. '一人敗類'《詩經》. ②탐탐 탐욕. '去其一'《禮記》. 또, 탐내는 사람. '激一立懦'《謝朓》. ③탐구할탐 탐색함. 찾음. 探(手부 8획〈449〉)과 통용. '捨狀以一情'《後漢書》.

[字源] 會意. 貝+今

貝4 〔貫〕 11 [高·人] [一]관 [去]翰 [二]만 [平]刪 | guān カン ぜにさし, つらぬく wān ワン ひく

[筆順] ㄴ 口 毌 毌 冊 貫 貫 貫

[字解] [一] ①돈꿰미관 엽전을 꿰는 꿰미. '京師之錢, 累百鉅萬, 一朽而不可校'《漢書》. ②조리관 일의 막히지 않고 통한 경로. '同條共一'《漢書》. '經之條一, 必出於傳'《左傳序》. ③꿸관 ㉠뚫음. '一通'. '矢一余手及肘'《左傳》. ㉡맞음. 맞힘. 적중함. '射則一兮'《詩經》. '搭矢一之'《史記》. ㉢통과함. '一流'. '白虹一日'《史記》. ㉣통하게 함. '吾道一以一之'《論語》. ㉤연이음. 계속함. '以次一行'《漢書》. ㉥일관함. 변치 않음. '峻節一秋霜'《顏延之》. ㉦거침. 지남. '一四時, 而不改柯易葉'《禮記》. ㉧이룸. 달성함. '一徹'. '一目的'. ㉨옷 같은 것을 입음. '一鉀跨馬于庭中'《晉書》. ④섬길관 모시어 받듦. '三歲一女'《詩經》. ⑤거듭할관 겹침. '一薜荔之落蕊'《楚辭》. ⑥명적관 이름을 열기(列記)한 문서. '鄕一'. '其實官正職者, 亦列名一'《魏志》. ⑦익숙할관 慣(心부 11획〈408〉)과 통용. '一瀆'. '我不一與小人乘'《孟子》. ⑧성관 성(姓)의 하나. [二] 당길만 彎(弓부 19획〈364〉)과 통용. '一弓執矢'《史記》.

[字源] 形聲. 貝+毌〔音〕

貝4 〔責〕 11 [中·人] [一]책 [入]陌 [二]채 [平]卦 | zé セキ せめる zhài サイ おいめ

[筆順] 一 二 キ 主 青 青 青 責

[字解] [一] ①꾸짖을책 ㉠책망함. '叱一'. '詔

書切峻, 一臣逋慢'《李密》. ㉡죄를 추궁하여 따짐. '察其罪, 一之以刑罰也'《史記注》. ②구할책 요구함. '宋多一賂于鄭'《左傳》. ③권할책 당연히 하여야 할 일을 하라고 권유함. '一善'. '一難於君, 謂之恭'《孟子》. ④재촉할책 독촉함. '督一之'《史記》. ⑤헐뜯을책 헐어 말함. '西隣一言'《左傳》. ⑥책임책 당연히 하여야 할 임무. '重一'. '塞一'. '任其事而自當其一'《莊子 註》. ⑦책망책 힐책. '不受當時之一'《仲長統》. ⑧취할책 가짐. '歸其劍而一之金'《戰國策》. ㊁빚채 債(人부 11획〈68〉)와 통용. '一主'. '施舍已一'《左傳》.
字源 形聲. 원래 貝＋朿〔音〕

貝4 〔賢〕 11 〔현〕 賢(貝부 8획〈1395〉)의 俗字

貝4 〔质〕 11 〔질〕 質(貝부 8획〈1395〉)의 俗字

貝4 〔貟〕 11 문 | mén ボン ざいさんがふえる
字解 재산늘문 재산이 붊음. '一, 財長也'《篇海》.

貝4 〔貯〕 11 민 ㊥眞 | mín ビン もと
字解 ①밑천민 본전(本錢). 鍲(金부 9획〈1572〉)과 同字. '一, 本也'《廣雅》. ②수(數)민 수량. '一, 一曰, 筭也'《集韻》. ③구실민 부세(賦稅). '一, 稅也'《集韻》.

貝4 〔貢〕 11 〔사〕 賒(貝부 7획〈1392〉)와 同字

貝4 〔貰〕 11 〔세〕 貰(貝부 5획〈1388〉)와 同字

貝4 〔貯〕 11 〔재〕 財(貝부 3획〈1385〉)와 同字

貝4 〔貥〕 11 〔탐〕 躭(身부 4획〈1456〉)과 同字

貝4 〔貥〕 11 항 ㊥陽 | háng コウ おおきなかい
字解 큰조개항 '一, 大貝也'《篇海》.

貝5 〔貯〕 12 中·人 저 ㊤語 | zhù チョ たくわえる
筆順 丨 冂 目 貝 貝' 貯 貯 貯
字解 ①쌓을저 ㉠쌓아 둠. 또, 모아 둠. 축적해 둠. '一藏'. 또, 그렇게 해 둔 것. '發一'《漢書》. ㉡넣어 둠. 간수하거나 챙겨 둠. '一水'. '我有衣冠, 而子產一之'《呂氏春秋》. ②둘저 집에서 데리고 있음. '一妓女, 藏歌舞'《王禹偁》. ③복저 행복. '一, 福也'《玉篇》. ④멈춰설저 우두커니 섬. '飾新宮以延一兮'《漢書》.
字源 形聲. 貝＋宁〔音〕

貝5 〔貶〕 12 폄 ㊤琰 | biǎn ヘン おとす
字解 ①덜폄 감함. '損一'. '不可一也'《司馬相如》. ②떨어뜨릴폄 관직을 낮춤. '一降'. '何以不氏, 一也'《公羊傳》. ③물리칠폄 배척함. '一退'. ④폄할폄 깎아 말함. '春秋采善一惡'《史記》. 또, 폄하는 일. '以一字爲褒一'《杜預》. ⑤떨어질폄 관직 같은 것이 떨어짐. '又例一永州司馬'《韓愈》.
字源 形聲. 貝＋乏〔音〕

貝5 〔貺〕 12 황 ㊦漾 | kuàng キョウ たまう
字解 줄황, 하사할황 남이 주거나 웃어른이 하사하는 물건. '君辱一之'《左傳》. '不敢求一'《左傳》.
字源 形聲. 貝＋兄〔音〕

貝5 〔貼〕 12 첩 ㊀葉 | tiē チョウ はる
字解 ①붙을첩 ㉠의지하여 닿음. 의부(依附)함. '低茅水上一'《徐渭》. ㉡달라붙음. ②붙일첩 달라붙게 함. '一付'. '書之屛風, 以時揭一'《宋史》. ③전당잡힐첩 저당(抵當)함. '身自販一與隣里'《南史》. ④메울첩 부족을 보충함. '補一'. '一, 增韻, 裨也'《康熙字典》. ⑤편안할첩 안정함. '妥一'.
字源 形聲. 貝＋占〔音〕

貝5 〔貽〕 12 이 ㊥支 | yí イ おくる
字解 ①줄이 증여함. '作師說以一之'《韓愈》. ②끼칠이 후세에 물려줌. 전함. '一禍'. '一謀寶訓明'《蔡襄》.
字源 形聲. 貝＋台〔音〕

貝5 〔貾〕 12 지 ㊥支 | chí チ きいろのかい
字解 누른조개지 '餘一'는 누른 바탕에 흰 얼룩이 진 조개. '餘一, 黃白文. (注)以黃爲質, 白文爲點'《爾雅》.

貝5 〔貶〕 12 소 ㊤語 | shǔ ショ·ソ うらなう
字解 복채놓고점칠소 '齎財卜問爲一'《說文》.
字源 形聲. 貝＋疋〔音〕

貝5 〔賉〕 12 현 ㊦霰 | xuàn ゲン うる

[字解] 팔현 걸어서 이리저리 다니며 물건을 팖.

貝5 〔貱〕 12 피 [去]寘 bì ヒ うつしあたえる

[字解] ①줄피 '一, 迻予也'《說文》. ②더할피 '一, 益也'《廣雅》. ③차례피 '一貤'는 차례. '一, 一曰, 一貤, 次第也'《集韻》.

[字源] 形聲. 貝＋皮〔音〕

貝5 〔[illegible]〕 12 〔이〕 貤(貝부 3획〈1385〉)와 同字

貝5 〔[illegible]〕 12 〔진〕 賑(貝부 7획〈1392〉)과 同字

貝5 〔貳〕 12 [人名] 이 [去]寘 èr ジ に

[筆順]

[字解] ①두이 둘. 二(部首〈25〉)와 同字. '其爲物不一'《中庸》. 지금은 주로 금전(金錢)의 숫자에 쓰임. ②두마음이 두 가지 마음. 이심. 또, 두 가지 마음을 품음. '一心'. '從君而一'《國語》. ③거듭할이 재차 함. 중복함. '不一過'《論語》. ④의심할이 의혹을 품음. '攜一任'. '賢勿一'《書經》. ⑤어길이 위반함. '修道而不一'《荀子》. ⑥변할이 ㉠변심함. '殀壽不一'《孟子》. ㉡변화함. '事成不一'《國語》. ⑦대신할이 대리함. '其卜一圉也'《左傳》. ⑧내응할이 내통함. '一於己'《左傳》. ⑨떨어질이 따로 됨. '子盍蚤自一焉'《國語》. ⑩도울이 옆에서 보좌함. '副一'. '一公弘化'《書經》. ⑪짝이 필적(匹敵). '君之一也'《左傳》. ⑫성이 성(姓)의 하나.

[字源] 形聲. 弋＋貝＋二〔音〕

貝5 〔貰〕 12 세 [去]霽 shí セイ かりる, かす

[字解] ①외상으로살세, 외상으로팔세 현금을 내지 않고 사거나 팖. '常從王媼·武負一酒'《史記》. 지금은 세주고 세내는 뜻으로도 쓰임. ②외상세 '未作一貸'《漢書》. ③용서할세, 놓아줄세 죄를 용서함. 또, 석방함. '得見一赦'《漢書》. '不一不忍'《國語》. '良久迺一之'《漢書》.

[字源] 形聲. 貝＋世〔音〕

貝5 〔貲〕 12 자 [平]支 zī シ たから

[字解] ①재물자 재화(財貨). '家一'. '轉貨一'《史記》. ②값자 '之龜爲無一'《管子》. ③셀자 계산함. '不一'(셀 수 없이 많음). '不可一計'《後漢書》. ④속(贖)할자 재화(財貨)로써 죄를 속(贖)함. '一, 小罰以財自贖也'《說文》.

[字源] 形聲. 貝＋此〔音〕

貝5 〔貴〕 12 [中·人] 귀 [去]未 guì キ とうとい

[筆順]

[字解] ①귀할귀 ㉠지위·신분이 높음. '高一'. '富一'. '吾乃今日知爲皇帝之一也'《史記》. ㉡값이 비쌈. '一貨'. '一金屬'. '器苦惡賈一'《漢書》. 또, 귀한 사물. 높은 지위. 높은 사람. '安窮乎, 安一乎'《戰國策》. '以一下人'《史記》. '饋遺朝一以營譽'《世說》. ㉢귀중함. 중요함. '禮之用, 和爲一'《論語》. 전(轉)하여, 존칭의 접두어(接頭語)로 쓰임. '一國'. '一意'. '一宅何所'《錢塘縣志》. ②귀히여길귀 ㉠존숭함. '一德而尙齒'《禮記》. '一貨易土'《國語》. ㉡바람. 욕구함. '一合於秦以伐齊'《戰國策》. ③뽐낼귀 '爲府卿一驕'《後漢書》. ④두려워할귀 '一大患若身'《老子》. ⑤사랑할귀 '下安則一上'《荀子》. ⑥성귀 성(姓)의 하나.

[字源] 形聲. 篆文은 臾＋貝

貝5 〔買〕 12 [中·人] 매 [上]蟹 mǎi バイ かう

[筆順]

[字解] ①살매 ㉠금전을 주고 물건을 구함. '購一'. '請一其方百金'《莊子》. ㉡돈을 써서 쾌락 같은 것을 구함. '猶自經營一笑金'《劉禹錫》. ㉢구하여 얻음. '一名'. '所謂市怨而一禍者也'《戰國策》. 또, 사는 일. '聽賣一'《周禮》. ②세낼매 '一舟乘興過滄浪'《薩都剌》. ③성매 성(姓)의 하나.

[字源] 會意. 网＋貝

貝5 〔貸〕 12 [高·人] [一]대 [去]隊 dài タイ かす
[二]특 [入]職 tè トク かりる

[筆順]

[字解] [一] ①빌려줄대 금품을 대여함. 꾸어줌. '一假'. '盡其家一於公'《左傳》. 또, 빌리는 일. '未作貰一'《史記》. ②줄대 시여함. '一贍'. '賑一幷州四郡之貧民'《後漢書》. ③용서할대 관대히 보아 줌. '寬一'. '恩一'. '然亦縱舍, 時有大一'《漢書》. [二] ①빌릴특 차용함. 빌려 받음. '凡民之一者'《周禮》. ②틀릴특 忒(心부 3획〈377〉)과 통용. '司天日月星辰之行, 宿離不一'《禮記》.

[字源] 形聲. 貝＋代〔音〕

貝5 〔費〕 12 [高·人] 비 ①-⑤[去]未 fèi ヒ ついやす
⑥[去]未 ヒ せい

[筆順] 一 ㄱ 弓 弗 弗 费 費 費

[字解] ①쓸비 ㉠금품을 써서 없앰. '消一'. '浪一'. '君子惠而不一'《論語》. ㉡사용함. '一辭'. '無乃傷于德一于辭乎'《韓愈》. ㉢녹(祿)을 타 먹음. '月一俸錢歲糜廩粟'《韓愈》. ㉣과도히 소모함. '一力'. '一神傷魂'《呂氏春秋》. ㉤세월을 보냄. 경과함. '一白日些'《楚辭》. ②소모할비 써서 없어짐. 결핍함. '中國虛一'《後漢書》. ③비용(費用)비 '經一'. '國一'. '宂一'. '爲飮食一'《史記》. ④넓을비 공용(功用)이 넓고 큼. '君子之道一而隱'《中庸》. ⑤재화(財貨)비 '非愛其一也'《呂氏春秋》. ⑥성비 성(姓)의 하나.

[字源] 形聲. 貝＋弗〔音〕

貝5 〔貿〕 12 [高·人] 무 ①-⑤[去]有 ⑥[平]尤 | mào ボウ あきなうボウ めのくらいさま

[筆順] 𠂉 𠂊 ⺈ 卯 卯 留 貿 貿

[字解] ①무역할무 교역함. '一易'. '一, 易財也'《說文》. '一, 市賣也'《廣韻》. ②살무 물건을 삼. '抱布一絲'《詩經》. '杭有賣菓者, 善藏柑云云, 予一得其一'《劉基》. ③바꿀무 교환함. '男女一功'《呂氏春秋》. ④갈마들무 번갈아 나옴. '一亂'. '是非相一, 眞僞舛雜'《裴駰》. ⑤성무 성(姓)의 하나. ⑥눈어두울무 '一一'는 눈이 어두운 모양.

[字源] 形聲. 貝＋卯〔音〕

[參考] 貿(貝부 7획〈1393〉)는 本字.

貝5 〔貿〕 12 貿(前條)의 俗字

貝5 〔賀〕 12 [中·人] 하 [去]箇 | hè ガ いわう

[筆順] ㄱ 力 力 加 加 賀 賀 賀

[字解] ①하례할하 ㉠예물(禮物)을 보내어 경사를 축하함. '一, 以禮物相奉慶也'《說文》. ㉡축사(祝辭)를 말하여 경사를 축하함. '羣臣聞見者畢一'《戰國策》. 또, 하례하는 일. 하례할 만한 일. 경축(慶祝). '年一'. '一慶之禮'《周禮》. ②위로할하 노고(勞苦)에 대하여 치하함. '景公迎而一之'《晏子春秋》. ③가상(嘉尙)할하 가상히 여김. '一, 嘉也'《廣雅》. ④질하 등에 짐. '羣臣皆一戟侍'《唐書》. ⑤보탤하 가(加)함. '一之結于後'《儀禮》. ⑥주석하 고대의 방술가(方術家)가 주석(朱錫)을 하(賀)라고 불렀음. '方術家謂之一, 蓋錫以臨一出者爲美也'《本草綱目》. ⑦성하 성(姓)의 하나.

[字源] 形聲. 貝＋加〔音〕

貝5 〔賁〕 12 〔분〕 賁(貝부 6획〈1390〉)의 俗字

貝5 〔貹〕 12 감(함[本]) [去]勘 | hàn カン げいとうをえんじてひとにものをこう

[字解] ①구걸할감 어떤 재주를 부리고 돈이나 곡식을 달라고 함. 歛(欠부 13획〈601〉)과 통용. '一, 戱乞人物'《廣韻》. '一, 戱乞也, 通作歛'《集韻》. ②재물탐낼감 '一, 贉一, 貪財也'《集韻》. ※本音 함.

貝5 〔眗〕 12 구 [去]宥 | gòu コウ あたえる

[字解] ①베풀구 남에게 줌. '一, 稟給也'《集韻》. ②다스릴구 '一, 治也'《篇海》.

貝5 〔貹〕 12 생 [去]敬 | shèng セイ たから

[字解] ①재물생 '一, 財也'《玉篇》. ②재산많을생 가멺. '一, 富也'《集韻》.

貝5 〔貾〕 12 시 [去]寘 | shì シ しめす

[字解] 보일시 나타내 보임. '一, 呈也'《篇海》.

貝5 〔貺〕 12 양 [上]養 | yǎng ヨウ かぎりがない

[字解] 한량(限量)없을양 '一, 無訾量, 謂無限極也'《篇海》.

貝5 〔貶〕 12 작 [入]藥 | zuó サク たから

[字解] 재물작 '一, 財也, 貨也'《篇海》.

貝5 〔貞〕 12 〔정〕 頂(頁부 2획〈1682〉)과 同字

貝5 〔貹〕 12 주 | zhù チュ たから

[字解] 재물주 재산. '一, 財一也'《玉篇》.

貝5 〔貹〕 12 〔진〕 賑(貝부 7획〈1392〉)과 同字

貝5 〔貹〕 12 편 [上]銑 | piǎn ヘン ざいかがふえる

[字解] 재물늘편 재산이 불음. '一, 財長也'《篇海》.

貝6 〔賂〕 13 뢰 [去]遇 | lù ロ まいなう

[字解] ①줄뢰 ㉠재화(財貨)를 증여(贈與)함. 물건을 남에게 줌. '一, 遺也'《說文》. ㉡뇌물을 줌. '貪而忽名, 可貨而一'《吳子》. ②뇌물뢰 '賄一'. '吏爭納一, 以求美職'《十

八史略》. ③재물뢰 '其琛—則琨瑤之阜. (注)—, 貨也'《左思》.
[字源] 形聲. 貝＋各〔音〕

貝 6 〔賄〕13 회 [上]賄 | huì カイ·ワイ たから

[字解] ①재물회 재화(財貨). '財—'. '以爾車來, 以我—遷'《詩經》. ②뇌물회 이익을 얻기 위하여 몰래 보내는 금품. '—賂'. '收—'. '論者謂吏之以—敗者, 是過邪? 不知邪?'《王令》. ③예물회 폐백. 선사. '先事後—禮也'《左傳》. ④선사할회, 뇌물줄회 '—用束紡'《儀禮》. ⑤재산탐낼회 '吾主以不—聞於諸侯, 今以梗陽之—殃之, 不可. (注)不—, 不貪財'《國語》.
[字源] 形聲. 貝＋有〔音〕

貝 6 〔賅〕13 해(개[本]) [平]灰 | gāi カイ そなわる

[字解] ①갖출해, 겸할해 該(言부 6획〈1326〉)와 통용. '百骸九竅六藏, —而存焉'《莊子》. ②족할해 '—, 又贍也'《廣韻》. ③재화해 재물. '—, 貨也'《集韻》. ④이상할해 侅(人부 6획〈47〉)와 同字. '侅, 奇侅, 非常, 或从貝'《集韻》. ※本音 개.
[字源] 形聲. 貝＋亥〔音〕

貝 6 〔賊〕13 [高人] 적 [入]職 | zéi(zé) ゾク ぬすびと, そこなう

[筆順] 目 貝 貝一 貝＝ 財 賊 賊 賊

[字解] ①도둑적 남의 물건을 훔치는 사람. '盜—'. '天下寧有白頭—乎'《晉書》. ②도둑질할적 '潛服—器不入宮'《周禮》. ③해칠적 상처를 입힘. '—, 傷害人也'《玉篇》. ④파괴할적 '—, 敗也. (注)敗者, 毁也, 毁者, 缺也'《說文》. '毁則爲—. (注)毁則壞法也'《左傳》. ⑤학대할적 몹시 굶. '—賢害民, 則伐之'《周禮》. ⑥죽일적 살해함. '使鉏麑—之. (注)—, 殺也'《國語》. ⑦으를적 협박함. '—, 劫人也'《玉篇》. ⑧마디충적 식물의 마디를 갉아먹는 해충. 명충. '去其螟螣, 及其蟊—'《詩經》. ⑨역적적 반란을 일으키는 자. 불충 불효한 자. '國—'. '誅—臣辟陽侯'《史記》. 또, 외구(外寇)에도 이름. '寇—'. '放殺其主, 天下之—也'《漢書》.
[字源] 形聲. 戈＋則〔音〕

貝 6 〔賊〕13 賊(前條)의 本字

貝 6 〔賉〕13 〔휼〕 卹(卩부 6획〈132〉)과 同字

貝 6 〔賎〕13 〔천〕 賤(貝부 8획〈1393〉)의 俗字

貝 6 〔賍〕13 〔장〕 贓(貝부 14획〈1401〉)의 俗字

貝 6 〔賌〕13 개 [平]灰 | gāi カイ ひじょうでひみつのじゅつ

[字解] 비술(祕術)개 '奇—'는 음양기비(陰陽奇祕)의 비상지술(非常之術). '刑德奇—之數. (注)奇—, 陰陽奇祕之要'《淮南子》.

貝 6 〔賃〕13 [高人] 임 [去]沁 | lìn(rèn) チン やとう

[筆順] 亻 仁 任 任 賃 賃 賃 賃

[字解] ①품살임 삯을 주고 사람을 부림. '—僦'. '借—公田者, 畝—斗'《通典》. ②품팔임 삯을 받고 일을 함. '—作'. '徒行負—'《揚雄》. ③품삯임 품의 보수. '—錢'. '芻米僕—之資是急'《韓愈》. ④품팔이임, 품팔이꾼임 '爲人僕—'《史記》. ⑤빌릴임 사용료를 내고 차용(借用)함. 임차(賃借)함. '—, 借也'《廣雅》.
[字源] 形聲. 貝＋任〔音〕

貝 6 〔賁〕13 [人名]
㊀비 [去]寘 [平]微 | ①-④bì ヒ かざる ⑤féi ヒ せい
㊁분 [平]文 [平]元 [上]吻 [去]問 | ①-③fén フン かざる ④⑤bēn ホン はしる, いさむ ⑥⑦fèn フン いきどおる ⑧fèn フン やぶる
㊂륙 [入]屋 | lù リク ちめい

[字解] ㊀①꾸밀비 장식함. 또, 장식. '—者, 飾也'《易經》. ②바뀔비 변함. '—, 變也'《易經 注》. ③섞일비 색(色)이 순일(純一)하지 않음. '孔子卜得—'《呂氏春秋》. ④비괘비 육십사괘(六十四卦)의 하나. 곧, ䷕〈이하(離下), 간상(艮上)〉. 강(剛)과 유(柔)가 왕래 교착(交錯)하여 무늬를 이룬 상(象). '山下有火, —'《易經》. ⑤성비 성(姓)의 하나. ㊁①꾸밀분 장식함. '—, 飾也'《集韻》. ②클분 '用宏茲—'《書經》. ③큰북분 '—鼓維鏞'《詩經》. ④날랠분, 용감할분 용기 있고 날램. 또, 그 용사. '虎—'. '虎—三千人'《孟子》. ⑤성분 성(姓)의 하나. ⑥결낼분 憤(心부 12획〈412〉)과 통용. '忿, 怒也. 或作—'《集韻》. ⑦끓어오를분 '覆酒於地而地—. (注)—, 沸起也'《穀梁傳》. ⑧무찌를분, 패할분 격파함. 패함. 僨(人부 12획〈72〉)과 同字. '—軍之將'《禮記》. ㊂땅이름륙 '—渾'은 지명(地名). '楚子伐—渾之戎'《公羊傳》.

字源 會意. 貝＋卉〔音〕

貝6 〔資〕13 高·人 자 ①-⑮㊥支 ⑯⑰㊦寘 | zī シ たから zì シ ほしい まま

筆順 ㇀ 冫 次 次 咨 沓 資 資 資

字解 ①재물자 재화. '一財'. '一産'. '賦稅之取於民, 所以爲辦民事之一也'《譚嗣同》. ②비발자 비용. '問歲月之一'《儀禮》. ③노비자 노자. '一糧'. '黃公亡歿, 孺子往會葬, 無一以自致'《世說》. ④밑천자 자본. '軍一'. '本一少而末用多'《管子》. ⑤의뢰자 의지할 곳. '以水爲一'《淮南子》. ⑥도움자 자조(藉助). '師一'. '不善人者善人之一'《老子》. ⑦도울자 '堯何以一汝'《莊子》. ⑧바탕자 재질(材質). '天一'. '又有能致之一'《漢書》. ⑨자리자 지위. 신분. '一格'. '不得任淸一要官'《舊唐書》. ⑩밑천으로삼을자 자본으로 삼음. '一章甫, 適諸越'《莊子》. ⑪취(取)할자, 쓸자 취하여 씀. '大哉乾元, 萬物一始'《易經》. ⑫보낼자, 줄자, 가져올자 '若一東陽之盜, 使殺之其可乎'《國語》. '今乃棄黔首, 以一敵國'《史記》. ⑬물을자 咨(口부 6획〈161〉)와 통용. '事君先一其言'《禮記》. ⑭줄자, 줄일자 '一黍於羊俎兩端'《儀禮》. ⑮쌓을자 저축함. '一, 一者, 積也'《說文解字注》. '身以積精爲德, 家以一財爲德'《韓非子》. ⑯방자할자 멋대로 굶. '恣, 說文, 縱也, 秦刻石文作一'《集韻》. ⑰성자 성(姓)의 하나.

字源 形聲. 貝＋次〔音〕

貝6 〔㰤〕13 資(前條)와 同字

貝6 〔賈〕13 人名 ㊀고 ㊤麌 ㊁가 ㊦禡 ㊤馬 | gǔ コ あきなう jià, jiǎ カ あたい

筆順 一 冂 襾 襾 覀 覀 賈 賈

字解 ㊀ ①저자고 '一, 市也'《爾雅》. ②살고 값을 치르고 물건을 받음. '多錢善一'《韓非子》. ③팔고 물건을 주고 값을 받음. '極賞則一其上. (注)一, 賣'《逸周書》. ④꾀를써얻을고 '謀於眾, 不以一好. (注)一, 求也'《國語》. ⑤장사고 상업. '遠服一'《書經》. ⑥장수고 상인. 협의(狹義)로는 좌상(坐商)을 '一', 행상을 '商'이라 함. '商一'. '富商大一'《史記》. ⑦상품고 팔 물건. '一用不售'《詩經》. ㊁ ①값가 價(人부 13획〈74〉)와 同字. '求善一而沽諸'《論語》. ②성가 성(姓)의 하나. ③나라이름가 '一, 國名'《集韻》.

字源 形聲. 貝＋西〔音〕

貝6 〔買〕13 〔매〕 買(貝부 5획〈1388〉)의 本字

貝6 〔賚〕13 〔책〕 責(貝부 4획〈1386〉)의 本字

貝6 〔貲〕13 〔자〕 貝부 5획(1388)을 보라.

貝6 〔賨〕13 〔과〕 寡(宀부 11획〈284〉)와 同字

貝6 〔賋〕13 교 | jiǎo コウ あきらか

字解 밝을교 皎(白부 6획〈826〉)와 同字. '一, 一然也'《篇韻》.

貝6 〔賉〕13 〔궤〕 賮(貝부 12획〈1400〉)와 同字

貝6 〔賌〕13 래 ㊤賄 | lǎi ライ つみあつめる

字解 모아쌓을래 '一, 聚積也'《篇海》.

貝6 〔賃〕13 름 ㊤軫 | lǐn リン むさぼりくらう

字解 탐내어먹을름 걸신(乞神)들린 듯이 먹음. '一, 貪食也'《篇海》.

貝6 〔賉〕13 ㊀형 ㊥庚 ㊁민 ㊥眞 | xiōng ケイ たから mín ビン·ミン もと

字解 ㊀ 재물형 '一, 貨也'《集韻》. ㊁ 밑천민 본전(本錢). '賉, 博雅, 本也, 或作一'《集韻》.

貝6 〔賆〕13 변 ㊥先 | pián ヘン ます

字解 늘변 불어남. 많아짐. '一, 博雅, 益也'《集韻》.

貝6 〔賫〕13 〔세〕 貰(貝부 5획〈1388〉)와 同字

貝6 〔賑〕13 신 | shèn シン もと, たち

字解 바탕신 본질(本質). 근본. '一, 質也'《篇海》.

貝6 〔賅〕13 애 ㊦卦 | ài ワイ たくわえる

字解 저축할애 모아 둠. '一, 貯一也'《玉篇》.

貝6 〔賏〕13 원 ㊦願 | yí ゲン おくる, あたえる

字解 ①보낼원 베풀어 줌. '一, 遺也, 貺

也'《字彙補》. ②줄원 베풂.

貝6〔貯〕13 〔재〕
財(貝부 3획〈1385〉)와 同字

貝6〔貹〕13 치 [上]紙 | zhì チ つむ
[字解] 축재할치 재물을 늘임. 䝪(貝부 9획〈1397〉)와 同字. '一, 畜財也, 或作䝪'《集韻》.

貝6〔賌〕13 협 [入]葉 | xié キョウ たから
[字解] 재물협 '一, 財也'《玉篇》.

貝6〔貨〕13 〔화〕
貨(貝부 4획〈1386〉)와 同字

貝6〔貺〕13 〔황〕
貺(貝부 5획〈1387〉)과 同字

貝6〔貺〕13 〔황〕
貺(貝부 5획〈1387〉)의 古字

貝6〔賁〕13 효 [平]蕭 | xiāo キョウ わずらわしい
[字解] 번거로울효, 괴로울효 '一, 煩也'《篇海》.

貝7〔賑〕14 [人名] 진 ①[上]軫 ②[去]震 | シン にぎわう zhěn シン ほどこす
[筆順] 目 貝 貝一 貝厂 貝戸 賑 賑 賑
[字解] ①넉넉할진 재화가 충족함. 또, 넉넉하게 또는 푸짐하게 함. '鄉邑殷一. (注)殷一, 謂富饒也'《張衡》. ②구휼할진 물품을 베풀어 구조함. '一給'. '一恤'. '虛郡國倉廥, 以一貧民'《史記》.
[字源] 形聲. 貝+辰〔音〕

貝7〔賒〕14 사 [平]麻 | shē(shā) シャ おぎのる
[字解] ①외상거래할사 ㉠외상으로 삼. '一, 貰買也. (注)貰買者, 在彼爲貰, 在我則爲一也'《說文》. ㉡외상으로 팖. '同貨而斂一'《周禮》. ②멀사 아득함. '一遙'. '爲農去國一'《杜甫》. '寸心懷是夜, 寂寂漏方一'《何遜》. ③더딜사, 느즈러질사 지완(遲緩)함. '珠簾久漏一'《梁簡文帝》. ④호사할사 奢(大부 9획〈237〉)와 同字. '楚楚衣服, 戒在窮一'《後漢書》.
[字源] 形聲. 貝+余〔音〕

貝7〔賖〕14 賒(前條)의 俗字

貝7〔賕〕14 구 [平]尤 | qiú キュウ まいなう
[字解] ①뇌물구, 뇌물줄구 부정한 이득을 얻기 위하여 금품을 주는 일. 또, 그 금품. '一賂'. '恐受一枉法'《史記》. '數聞其語, 一客楊明'《漢書》. ②구할구 담보를 내고 구함. '一, 謂載質而往, 求人俑貣也'《說文 段注》. ③청할구 '一, 請也'《玉篇》.
[字源] 形聲. 貝+求〔音〕

貝7〔賻〕14 포 [去]遇 | bù ホ たからをおくりあう
[字解] 갚을포, 재물서로주고받을포 답례함. '一, 以財相酬'《集韻》.

貝7〔賏〕14 [一] 영 [去]敬 [平]庚 | yīng エイ·ヨウ くびかざり
[二] 앵 [平]庚 | yīng オウ·ヨウ くびかざり
[字解] [一] 목치장영 조개를 이어 만든 목치장. '一, 頸飾也'《說文》. [二] 목치장앵 [一]과 뜻이 같음.
[字源] 會意. 貝+貝

貝7〔賄〕14 〔회〕
賄(貝부 6획〈1390〉)와 同字

貝7〔賍〕14 〔속〕
贖(貝부 15획〈1401〉)의 略字

貝7〔䝨〕14 [一] 개 [去]隊 [二] 해 [去]卦 | gāi カイ ふかくかたい カイ わずかなさま
[字解] [一] ①깊고굳을개 '一, 深堅意也'《廣韻》. ②짝개 둘이 한 짝. '一, 耦也'《廣雅》. '一, 偶也'《玉篇》. [二] 조금해 겨우. '一, 纔然'《廣韻》.
[字源] 會意. 㕡+貝

貝7〔貟〕14 운 [平]文 [去]問 | yún ウン みだれる
[字解] 어지러울운 사물(事物)이 많아 어지러움. '一, 物數紛一亂也'《說文》.
[字源] 形聲. 貝+云〔音〕

貝7〔賓〕14 [高·人] 빈 ①-⑦[平]眞 ⑧[去]震 | bīn ヒン まろうど bìn ヒン しりぞける
[筆順] ' 宀 宀 宀 宀 宀 賓 賓
[字解] ①손빈 귀빈. '來一'. '貴一'. '主人戒一'《儀禮》. '主人就先生而謀一介'《儀禮》. ②묵을빈 손님으로서 묵음. '鴻雁來一'《禮記》. ③대접할빈 손님으로서 환대함. '以一寡人久矣'《莊子》. ④공경할빈 '以禮禮一之. (注)一, 敬也'《周禮》. ⑤복종할빈 귀

순(歸順). '一, 服也. (注)謂喜而服從'《爾雅》. '故遣中郞將往一之'《史記》. ⑥인도할빈 안내함. '一于四門'《書經》. ⑦성빈 성(姓)의 하나. ⑧물리칠빈, 버릴빈 擯(手부 14획〈473〉)과 통용. '予惟四方罔攸一'《書經》.
字源 會意. 甲骨文은 宀+人. 또, 宀+人+止

貝7〔賓〕14 賓(前條)의 本字

貝7〔賔〕14 賓(前前條)의 俗字

貝7〔賓〕14 〔빈〕 賓(貝부 7획〈1392〉)의 古字

貝7〔貿〕14 〔무〕 貿(貝부 5획〈1389〉)의 本字

貝7〔賫〕14 〔재〕 齎(齊부 7획〈1883〉)■과 同字

貝7〔賗〕14 관 chuàn セン ぜにさし
字解 꿰미관 돈꿰미. '一, 俗字, 貫錢之索也'《中華大字典》.

貝7〔賃〕14 린 ㊀震 lìn リン たからをむさぼる
字解 ①재물탐할린 '一, 貪財'《集韻》. ②어려울린 '一, 難也'《玉篇》.

貝7〔賉〕14 수 xū シュ たからがふえる
字解 재물늘수 재물이 많아짐. '一, 財長'《字彙補》.

貝7〔賛〕14 잔 ㊥寒 cán サン ものをそこないたからをむさぼる
字解 물건을해치고재물을탐낼잔 '一, 害物貪財也'《集韻》.

貝7〔賐〕14 준 ㊀震 xùn シュン ます
字解 늘준 붇어남. '贐, 博雅, 益也, 或作一'《集韻》.

貝7〔賍〕14 찰 ㊁黠 zhá タツ たから
字解 재물찰 재화(財貨). '一, 貨也'《集韻》.

貝8〔賙〕15 주 ㊥尤 zhōu シュウ あたえる
字解 ①진휼(賑恤)할주 구휼함. '欲令一饁之'《詩經》. ②줄주 베풂. '一, 給也'《玉篇》. ③보탤주 금품(金品)을 보태어 채움. '一, 振贍也'《集韻》. '五黨爲州, 使之相一'《周禮》. ④거둘주 '一, 收也'《玉篇》.
字源 形聲. 貝+周〔音〕

貝8〔賜〕15 高·人 사 ㊀寘 cì(sì) シ たまう
筆順 ⺆ 目 貝 貝⺆ 貝⺆ 貝旦 賜 賜
字解 ①줄사 내리어 줌. 하사함. '一, 予也'《說文》. '凡一君子與小人, 不同日'《禮記》. ②베풀사 '一, 施也'《玉篇》. ③명할사 '一, 卿大夫士爵. (注)一, 猶命也'《周禮》. ④사물사 하사받은 것. '賞一'. '報一以力'《國語》. ⑤은혜사 은택. '君若有一焉, 則視斂. (注)一, 恩惠也'《儀禮》. ⑥다할사 '若循環之無一. (注)一, 盡也'《潘岳》. ⑦성사 성(姓)의 하나.
字源 形聲. 貝+易〔音〕

貝8〔賠〕15 배 ㊥灰 péi バイ つぐなう
字解 물어줄배 보상(補償)함. 변상(辨償)함. '一償'. '一, 補償人財物曰一'《正字通》.
字源 形聲. 貝+咅〔音〕

貝8〔賤〕15 高·人 천 ㊀霰 jiàn セン いやしい
筆順 ⺆ 目 貝 貝一 貝ㇷ 賤 賤 賤
字解 ①천할천 ㉠지위·신분이 낮음. '貧一'. '人一物亦鄙'《古詩》. ㉡등급 또는 계급이 아래임. '下一'. '不使一者'《儀禮》. '大夫於其臣, 雖一必答拜之'《禮記》. ㉢값이 헐함. '穀一傷農'《漢書》. ㉣하등임. 저급함. '一業'. '不習一劣事'《李義山雜纂》. 전(轉)하여, 자기의 겸칭(謙稱)의 접두어(接頭語)로 쓰임. '一妾'. '一子歌一言'《鮑照》. 또, 천한 지위. 천한 사람. 천한 것. '貴一'. '以貴下一'《易經》. '貧與一, 是人之所惡也'《論語》. ②천히여길천 ㉠천하다고 경멸함. '一易'. '恃才矜貴, 一侮朝臣'《北史》. ㉡경시(輕視)함. 귀하게 여기지 아니함. '不貴異物一用物'《書經》. ③미워할천 증오함. '下危則一上'《荀子》. ④쓰이지않게될천 버림. '已用則一. (注)一, 謂廢也'《太玄經》.
字源 形聲. 貝+戔〔音〕

貝8〔賎〕15 賤(前條)의 古字

貝8〔賦〕15 高·人 부 ㊀遇 fù フ とりたて

[筆順] 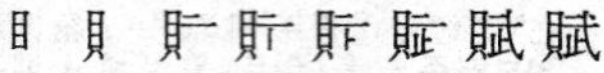

[字解] ①구실부 ㉠조세. '田一'. '貢一'. '收水泉池澤之一. (注)一, 稅也'《呂氏春秋》. ㉡요역(徭役). '以任地事, 而令貢一'《周禮》. ㉢병역(兵役). '可使治其一也. (注)一, 兵一也'《論語》. ②군사부 징발한 병사. '天子之老, 請帥王一'《左傳》. ③공사(貢士)부 공거(貢擧)의 인사(人士). '一, 貢士曰一'《字彙》. ④군비부 군대에서 쓰는 양식 또는 금전. '可使治其一也'《論語》. ⑤매길부 할당하여 징수함. '一課'. '一於民, 食人二雞子'《十八史略》. ⑥줄부 수여함. '一與'. '一職任功'《國語》. ⑦받을부 주는 것을 받음. 또, 타고남. '天一'. '一稟'. '一, 稟受也'《字彙》. '夫兄弟雖曰同胞, 一性各異'《耶律阿没爾》. ⑧펼부 널리 미치게 함. 반포(頒布)함. '明命使一'《詩經》. '一藉藏龜'《管子》. ⑨나눌부 나누어 줌. '一醫藥'《漢書》. ⑩읊을부, 지을부 시(詩)를 음영(吟詠)하거나 지음. '臨淸流而一詩'《陶潛》. ⑪시체이름부 고대의 시(詩)의 한 체(體). 육의(六義)의 하나. 소감(所感)을 솔직히 진술하는 것. '一比興'. '一者, 敷陳其事而直言之也'《文體明辯》. ⑫문체이름부 운문(韻文)의 한 체(體). 사구(辭句)를 구사(驅使)하여 감상을 진술하는 미문(美文). '阿房宮一'. '赤壁一'. '一者, 古詩之流'《班固》.
[字源] 形聲. 貝+武〔音〕

貝 8 〔賔〕15 賦(前條)와 同字

貝 8 〔睟〕15 수 [去]寘 | suì スイ たから

[字解] ①재물수 재화. '一, 貨也'《廣韻》. '破家殘一'《韓非子》. ②순수할수 粹(米부 8획〈971〉)와 同字. '一, 亦作粹'《玉篇》.

貝 8 〔賙〕15 청 ①[去]敬 ②[平]庚 | jìng セイ たまう / qíng セイ たまものをうける

[字解] ①내릴청 줌. 하사(下賜)함. '一, 賜也'《集韻》. ②받을청 하사한 것을 받음. '一, 受賜也'《集韻》.

貝 8 〔賧〕15 탐 [去]勘 [上]感 | tàn, dǎn タン つぐなう

[字解] 속(贖)바칠탐 재물을 가지고 죄를 대속(代贖)함. '一, 蠻夷人以財贖罪'《集韻》.

貝 8 〔賝〕15 침 [平]侵 | chēn チン たから

[字解] ①보배침 공물(貢物)로 바치는 보배. 琛(玉부 8획〈774〉)과 同字. '一, 一費也'《廣韻》. ②보배의색깔침 '一, 寶色'《玉篇》.
[字源] 形聲. 貝+罙〔音〕

貝 8 〔賬〕15 장 | zhàng チョウ たいしゃくんじょう

[字解] ①《現》㉠대차계정(貸借計定)장. ㉡치부책장 금전 재화(金錢財貨)의 출입(出入)을 기재하는 장부. '今俗有一字, 謂一切計數之簿也'《王鳴盛》. ㉢채무(債務)장 빚. '我不放一, 也没有我的事'《紅樓夢》. ②帳(巾부 8획〈333〉)의 俗字.

貝 8 〔腆〕15 전 [上]銑 | tiǎn テン ゆたか

[字解] 넉넉할전 '一, 富也'《玉篇》.

貝 8 〔賥〕15 거 [平]魚 | jū キョ うる

[字解] ①팔거 '一, 賣也'《廣雅》. ②쌓을거 저장(貯藏)함. '一, 一曰, 貯也'《集韻》. '可以一酒'《元結》.

貝 8 〔賫〕15 상 [平]陽 | shāng ショウ あきなう

[字解] 장사할상 행상(行商). 商(口부 8획〈170〉)과 同字. '一, 行賈也'《說文》.
[字源] 形聲. 貝+商〈省〉〔音〕

貝 8 〔賚〕15 [一]뢰 [去]隊 | lài ライ たまう / [二]래 [平]灰 | lái ライ たまう

[字解] [一]①줄뢰 또는, 하사함. '一與'. '予其大一汝. (注)一, 賜也'《書經》. '一, 與也'《集韻》. ②사물(賜物)뢰 하사한 물건. '周有大一, 善人是富'《論語》. ③선물보낼뢰 '今差人一到白乳茶三十觔'《陳鴻墀》. ④위로할뢰 '一, 勞一, 爲勅字, 今作一'《玉篇》.
[二] 줄래, 사물래, 선물보낼래, 위로할래 [一]과 뜻이 같음.
[字源] 形聲. 貝+來〔音〕

貝 8 〔睞〕15 賚(前條)와 同字

貝 8 〔賞〕15 [中·人] 상 [上]養 | shǎng ショウ ほめる

[筆順] 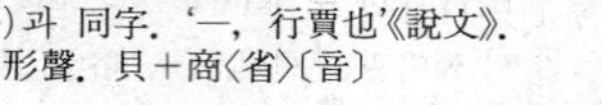

[字解] ①칭찬할상 아름답거나 좋은 것을 기림. '一美'. '嘉一'. '善則一之. (注)一, 謂宣揚'《左傳》. ②상줄상 칭찬하여 물품을 줌. '一, 賜有功也'《左傳》. ③숭상할상 존중함. 尙(小부 5획〈292〉)과 통용. '一賢使能以次之'《荀子》. ④완상할상, 즐길상 아름다운 것을 보고 즐김. '一, 玩也'《集韻》. '奇文共欣一'《陶潛》. ⑤줄상 물품을 증여함. '於其往也, 故一以酒肉而重之以辭'《柳宗元》.

⑥칭찬상 칭찬하는 일. '一當則賢人勸'《說苑》. ⑦상상 칭찬하여 주는 물건. '一延于世'《書經》. ⑧성상 성(姓)의 하나.
字源 形聲. 貝+尙〔音〕

貝 8 〔賡〕15 갱 (平)庚 (去)敬 | gēng コウ つぐ

字解 ①이을갱 계속함. '續, 連也, 一, 古文續'《說文》. '乃一載歌. (注)一, 續'《書經》. ②갚을갱 보상함. '愚者有不一本之事. (注)一, 猶償也'《管子》.
字源 形聲. 貝+庚〔音〕

貝 8 〔賢〕15 [中·人] 현 (平)先 | xián ケン かしこい

筆順 一 ㄱ ㅋ 臣 臤 腎 賢 賢

字解 ①어질현 덕행이 있고 재능(才能)이 많음. 또, 그런 사람. '興一者能者. (注)一者, 有德行者'《周禮》. '一, 能也'《玉篇》. ②재물많을현 '一, 多財也'《說文》. '一, 貨貝多於人也'《六書故》. ③착할현 '一, 一曰, 善也'《集韻》. ④남에대한경칭(敬稱)현 '一, 士之美稱也'《一切經音義》. ⑤숭상할현 어진 이를 받듦. '一一易色. (注)上一謂好尙之也'《論語》. ⑥이길현 '若右勝則曰, 右一於左. (注)一, 猶勝也'《儀禮》. ⑦지칠현, 애쓸현 '我從事獨一. (注)一, 勞也'《詩經》. ⑧많을현 '一, 多也'《玉篇》. '一, 本多財之稱, 引申之, 凡多皆曰一'《說文解字注》. ⑨클현 '一, 大也'《廣韻》. ⑩성현 성(姓)의 하나.
字源 形聲. 貝+臤〔音〕

貝 8 〔賣〕15 [中·人] 매 (去)卦 | mài バイ うる

筆順 一 士 声 声 壺 賣 賣 賣

字解 팔매 ㉠값을 받고 물건을 내줌. '一藥'. '貴卽一之, 賤卽買之'《漢書》. 또, 파는 일. '聽一買'《周禮》. ㉡속임. 기만함. '自知見一'《史記》. ㉢자기 이익을 위하여 조국이나 친구를 팖. 곧, 배반함. '一國'. '欲秦趙之相一乎. (注)此一猶欺'《戰國策》. ㉣뽐냄. 자랑함. '盛修第舍, 一弄威福'《後漢書》.
字源 形聲. 出+買(買)〔音〕
參考 賣(貝부 8획〈1395〉)은 別字.

貝 8 〔賨〕15 종 (平)冬 | cóng ソウ みつぎ

字解 ①공물종 남만(南蠻)에서 바치는 공부(貢賦). '歲令大人輸布一疋, 小口二丈, 謂之一布'《後漢書》. ②파이(巴夷)종 진(秦)·한(漢) 때 사천(四川)·호남(湖南) 땅에 살던 소수 민족. '巴人呼賦爲一, 因爲之一人焉'《晉書》.
字源 形聲. 貝+宗〔音〕

貝 8 〔賩〕15 賨(前條)과 同字

貝 8 〔質〕15 [中·人] ㊀질 (入)質 (去)寘 | ①-⑬zhí シツ もの, たち ⑭⑮zhì チ しち
㊁지 (去)寘 | zhì シ にえ

筆順 一 厂 斤 斤 斦 斦 質 質

字解 ㊀①모양질 물건의 형체. '一, 形也'《玉篇》. ②바탕질 ㉠물건을 이룬 재료, 또는 그 품질. '一, 地也'《廣雅》. '大圭不磨, 美其一也'《禮記》. 전(轉)하여, 기초·근본의 뜻으로 쓰임. '君子義以爲一. (注)一, 本也'《論語》. ㉡타고난 성질이나 재질·체질. '性一'. '禮釋回增美一. (注)一, 猶性也'《禮記》. '恐情一之不信兮. (注)一, 性也'《楚辭》. ㉢있는 그대로 꾸밈이 없음. '文一'. '一樸'. '一素'. '遺華反一'《陸雲》. 전(轉)하여, 참·진실·사실 등의 뜻으로 쓰임. '君子有過, 則謝以一, 小人有過, 則謝以文'《史記》. ③맹세질 맹약. 약속. '與吳王有一'《左傳》. ④어음질 증권. '大市曰一, 小市曰劑'《周禮》. ⑤과녁질 표적(標的). '是故一的張, 而弓矢至焉'《荀子》. ⑥정곡질 과녁의 한가운데 되는 점. '公射出一'《說苑》. ⑦모탕질 나무를 패는 데 받치는 나무 토막. 또, 죄인의 목을 베는 데 받치는 나무 토막. '不足以當椹一'《史記》. ⑧바를질 올바름. '莫不一良'《禮記》. ⑨이룰질 성취함. '一, 成也'《爾雅》. '虞芮一厥成'《詩經》. ⑩대답할질 윗사람의 물음에 대답함. '雖一君之前. (注)一, 猶對也'《禮記》. ⑪정할질 결정함. '不擧人以一士'《孔子家語》. ⑫물을질 의문되는 점을 물음. '一問'. '爰一所疑. (注)一, 問也'《太玄經》. ⑬성질 성(姓)의 하나. ⑭저당물질, 볼모질 전당잡힌 물건. 또, 인질(人質). '典一'. '爲一於鄭'《左傳》. ⑮저당잡힐질, 볼모잡힐질 '莊襄王爲秦一子於趙'《史記》. ㊁폐백지 예물(禮物). 贄(貝부 11획〈1398〉)와 同字. '出疆必載一'《孟子》.
字源 會意. 所+貝

貝 8 〔賣〕15 육 (入)屋 | yù イク うりあるく

字解 행상할육 팔면서 다님. '一, 衙也. (段注)衙, 行且賣也'《說文》.
字源 會意. 金文은 貝+直
參考 賣(貝부 8획〈1395〉)는 別字.

貝 8 〔賔〕15 〔빈〕 賓(貝부 7획〈1392〉)과 同字

貝 8 〔賫〕 15 〔재〕 齎(齊부 7획〈1883〉)의 俗字

貝 8 〔賛〕 15 人名 〔찬〕 贊(貝부 12획〈1400〉)의 俗字

筆順 ⺀ 夫 夫⺀ 夫夫 㚘 賛 賛 賛

貝 8 〔賹〕 15 애 ㊄卦 ài ガイ ひとのな

字解 사람이름애 '一, 人名, 明寧河王新一'《字彙補》.

貝 8 〔賛〕 15 〔관〕 貫(貝부 4획〈1386〉)과 同字

貝 8 〔賐〕 15 군 ㊀眞 jùn キン かいのな

字解 조개이름군 蜠(虫부 8획〈1233〉)과 同字. '蜠, 貝也, 爾雅, 蜠, 大而險, 或作一'《集韻》.

貝 8 〔賷〕 15 〔귀〕 貴(貝부 5획〈1388〉)와 同字

貝 8 〔賚〕 15 기 ㊄寘 jì キ かいのな

字解 ①조개이름기 '一, 貝名'《集韻》. ②그릇기 '一, 一曰, 器用'《集韻》.

貝 8 〔賬〕 15 량 ㊀陽 liáng リョウ みつぎもの

字解 공물(貢物)량 조공(朝貢)하는 물건. '一, 賦斂也'《集韻》.

貝 8 〔賮〕 15 비 fèi ヒ とりたて

字解 거두어들일비 징수함. '一, 賦斂也'《篇海》.

貝 8 〔賒〕 15 사 ㊀麻 shē シャ まじわらぬ

字解 사귀지아니할사 '一, 不交也'《字彙》.

貝 8 〔賧〕 15 완 ㊤旱 wǎn ワン かざいのすくないさま

字解 재물이적은모양완 '一, 一賭, 小財皃'《玉篇》.

貝 8 〔賯〕 15 지 ㊀支 zhī チ かた

字解 저당지 저당물(抵當物). '一, 以財質也'《集韻》.

貝 9 〔賭〕 16 도 ㊤麌 dǔ ト かける

字解 ①걸도 노름판에서 돈·물품 등을 서로 대어 놓음. '方輿玄圜棊, 一別墅'《晉書》. ②노름도 내기. 도박. '一博'. '設宴一射'《魏書》.

字源 形聲. 貝+者〔音〕

貝 9 〔賵〕 16 봉 ㊄送 fèng ボウ おくる

字解 보낼봉 죽은 사람을 장사지내는 데 필요한 거마(車馬)를 보냄. 또, 그 거마(車馬). '公一玄纁束馬兩. (注)一, 所以助主人送葬也'《儀禮》.

字源 會意. 貝+冒

貝 9 〔賰〕 16 人名 춘 ㊤軫 chǔn シュン とみ

筆順 丨 ⺆ 目 貝 貝⺀ 貝夫 賰 賰

字解 넉넉할춘 재산이 많음. '一, 賱一, 富也'《集韻》.

字源 形聲. 貝+春〔音〕

貝 9 〔賝〕 16 賝(貝부 8획〈1394〉)의 本字

貝 9 〔賴〕 16 高人 뢰 ㊄泰 lài ライ たよる

筆順 ㇐ 申 朿 朿⺈ 朿⺈ 賴 賴 賴

字解 ①의뢰할뢰, 힘입을뢰 ㉠믿고 의지함. '依一'. '萬世永一'《書經》. ㉡말미암음. 인(因)함. '於今可見古人爲學次第者獨一此篇之存'《大學章句》. ②의뢰뢰 의뢰할 데. '百姓嗷然, 無生一矣'《晉書》. ③얻을뢰 손에 넣음. 이익을 봄. '已一氣地'《國語》. ④이득뢰 이익. '爲秦則無一矣. (注)一, 利也'《戰國策》. ⑤게으를뢰 '一, 叚借爲嬾'《說文通訓定聲》. '富歲子弟多一'《孟子》. ⑥다행(多幸)할뢰 때마침 운이 좋아서. '一其徒相與守之, 卒有立於天下'《韓愈》. ⑦남을뢰 '一, 贏也'《說文》. ⑧취할뢰 획취(獲取)함. '數年之間, 大一其利, 衣履溫煖'《齊民要術》. ⑨성뢰 성(姓)의 하나.

字源 形聲. 貝+剌〔音〕

貝 9 〔頼〕 16 賴(前條)의 俗字

貝 9 〔賮〕 16 〔신〕 贐(貝부 14획〈1401〉)과 同字

字源 形聲. 貝+盡〈省〉〔音〕

貝 9 〔賫〕 16 賫(前條)의 本字

貝 9 〔賷〕 16 〔귀〕 貴(貝부 5획〈1388〉)의 本字

貝9 〔賲〕16 보 ㊤晧 | bǎo ホウ たもつ

字解 ①가질보 보유(保有)함. '一, 有也'《玉篇》. ②한데섞어서물건파는사람보 '一, 和價物者'《集韻》. ③쌀광보 쌀창고. '一, 亦作宲, 粟藏'《玉篇》.

貝9 〔賾〕16 〔색〕 賾(貝부 10획〈1398〉)과 同字

貝9 〔䝴〕16 〔소〕 䝪(貝부 5획〈1387〉)와 同字

貝9 〔䝰〕16 〔앵〕 甖(瓦부 14획〈791〉)과 同字

貝9 〔䞁〕16 언 ㊤阮 ㊦願 | yàn エン ものがつりあう

字解 ①물건어울릴언 균형이 잡힘. 조화됨. '一, 物相當也'《集韻》. ②물건견줄언 물건을 비교함. '按, 今以兩物較其長短曰一'《通俗編》.

貝9 〔䞂〕16 연 ㊤銑 | ruǎn ネン すこしたからがある

字解 재물조금있을연 '一, 小有財'《集韻》.

貝9 〔䞃〕16 ㊀완 ㊤旱 ㊁단 ㊤旱 | カン ㊀㊁ すこしたからがある duǎn タン

字解 ㊀재물조금있을완 '一, 䝹一, 小有財'《集韻》. ㊁재물조금있을단 ㊀과 뜻이 같음.

貝9 〔賱〕16 운 ㊤吻 ㊦問 | yǔn ウンとみ

字解 부유(富裕)할운 '一, 一賰, 富也'《集韻》.

貝9 〔䝼〕16 잔 ㊥寒 | cán サン ものをそこないざいをむさぼる

字解 물건해치고재물탐할잔 '一, 害物貪財也'《餘文》.

貝9 〔䞈〕16 잡 ㊇洽 | chà トウ ばくちのな

字解 도박(賭博)이름잡 '一, 博戲名'《集韻》.

貝9 〔賳〕16 재 ㊥灰 | zāi サイ たから

字解 재물재 '一, 貨也, 財也'《字彙》.

貝9 〔䞍〕16 정 ㊥青 | tíng テイ やどかり

字解 소라게정 게고둥. '南海一種似蜘蛛, 入螺殼中, 負殼而走, 觸之郎如螺, 火炙乃出, 一名一'《本草綱目》.

貝9 〔䞅〕16 치 ㊦寘 | zhì チ にぎわす

字解 ①부유할치 '一, 賑也'《集韻》. ②구휼할치 '一, 賑也'《集韻》. ③조개이름치 '一, 貝也'《集韻》.

貝9 〔䞋〕16 〔치〕 貹(貝부 6획〈1392〉)와 同字

貝9 〔䞎〕16 정 ㊦敬 | chèng テイ そん

字解 ①밑질정 팔아서 이득을 보지 못함. '一, 賣不得也'《字彙》. ②팔정 매각(賣却)함. '一, 售也'《集韻》.

貝9 〔賆〕16 표 ㊦嘯 | biào ヒョウ ねぎらう

字解 노고(勞苦)를위로할표 포백(布帛)을 병사에게 나누어 줌. 俵(人부 8획〈55〉)와 통용. '一, 散匹帛與三軍, 或俵字'《玉篇》.

貝9 〔䞀〕16 후 ㊦宥 | hòu コウ かいのな

字解 ①조개이름후 '一, 龍貝也, 出南海'《字彙》. ②재물탐낼후 '一, 一曰, 一瞜, 貪財皃'《集韻》. ③밑천후 본전(本錢). '一, 博雅, 眗一, 本也'《集韻》.

貝10 〔賺〕17 ㊀잠 ㊦陷 ㊁렴 ㊥鹽 | zuàn, zhuàn タン あざむく lián レン うる

字解 ㊀①비싸게팔잠 '一, 重賣也'《正字通》. ②속일잠 기만함. '俗謂相欺誑曰一'《正字通》. ③팔잠 '一, 賣也'《集韻》. ④이익얻을잠 '色藝雙絕, 一得人山人海價看'《水滸全傳》. ⑤송(宋)나라때설창(說唱)예술잠 '秦樓楚館所歌之詞, 多是教坊樂工及市井做一人所作'《樂府指迷》. ㊁팔렴 賺(貝부 13획〈1400〉)은 本字. '賺, 賣也, 或省'《集韻》.

字源 形聲. 貝+廉〔音〕

貝10 〔賻〕17 부 ㊦遇 | fù フ おくりもの

字解 부의(賻儀)부 상사(喪事)에 내는 부조. '一, 贈死也, 助也'《廣韻》.

字源 形聲. 貝+尃〔音〕

貝10 〔購〕17 人名 구 ㊦宥 ㊥尤 | gòu コウ あがなう

筆順 貝 貝⁼ 貝⁼⁼ 貝⁼⁼⁼ 購 購 購 購

[字解] ①살구 구매함. '一, 以財有所求也'《說文》. ②걸구 현상을 걸어 구함. '以金一稀將. (注)一, 說賞募也'《漢書》. ③화해할구 화친함. '北一於單于. (注)戰國策, 一作講, 講和也'《史記》. ④보상(補償)할구 물어 줌. '一, 償也'《廣雅》. ⑤물쑥구 '一, 蒿蔞'《爾雅》.
[字源] 形聲. 貝+冓〔音〕

貝10 〔賶〕 17 창 [去]漾 | càng ソウ たからをたくわえる
[字解] 재물모을창 '一, 積貨也'《字彙》.

貝10 〔賸〕 17 [一] 잉 [去]徑 [二] 싱 [去]徑 | yìng ヨウ [一二] あまる, ます shèng ショウ
[字解] [一] ①남을잉 한도 밖에 더 있음. 剩(刀부 10획〈108〉)과 同字. '一, 用餘也'《六書故》. ②더할잉 불어남. 증가함. ③버금잉 '一, 一曰, 副也'《說文》. '一, 物相增加也'《說文》. [二] 남을싱, 더할싱, 버금싱 [一]과 뜻이 같음.
[字源] 形聲. 貝+朕〔音〕

貝10 〔賾〕 17 색 [入]陌 | zé サク おくぶかい
[字解] ①깊을색 유심(幽深)함. 유심하여 잘 보이지 않음. '聖人有以見天下之一. (注)一謂幽深難見'《易經》. ②탐구(探求)할색 '至如探造化之本, 一其深之慮, 以窮乎天下之至精'《歐陽修》. ③복잡할색 '秘探吾國致亂之源, 因果復一'《李大釗》.
[字源] 形聲. 𦣞+責〔音〕

貝10 〔賽〕 17 새 [去]隊 | sài サイ れいまつり
[字解] ①굿새, 굿할새 신불에 올리는 감사의 제사. 또, 그 제사를 지냄. '冬塞禱祠. (注)塞與一同. 一, 今報神福也'《史記》. ②겨룰새 승부·우열(優劣)을 겨룸. '一, 相誇勝曰一'《正字通》. ③성새 성(姓)의 하나.
[字源] 形聲. 貝+塞〈省〉〔音〕

貝10 〔賫〕 17 〔재〕 齎(齊부 7획〈1883〉) [一]과 同字

貝10 〔賚〕 17 〔래〕 賚(貝부 8획〈1394〉)와 同字

貝10 〔賣〕 17 〔매〕 賣(貝부 8획〈1395〉)의 本字

貝10 〔𩕄〕 17 분 | fén フン おおきいあたま
[字解] 큰머리분 '一, 大頭'《編韻》.

貝10 〔䝡〕 17 소 [去]箇 | suǒ サ ほね
[字解] 뼈소 '一, 骨也'《玉篇》.

貝10 〔賹〕 17 애 [去]卦 | ài アイ ひと·ものをしるす
[字解] ①기억할애 사물을 인식함. '一, 一記人物'《廣韻》. '一, 記物也'《集韻》. ②스무냥애, 스물넉냥애 鎰(金부 10획〈1575〉)과 뜻이 같음. '益加具爲一, 予意當轉釋爲鎰'《秦寶瓚》.

貝10 〔賣〕 17 육 [入]屋 | yù イク うる
[字解] 팔육 물건을 팖. '一, 音育, 賣也'《字彙》. '鬻(鬲부 12획〈1779〉)과 통용. '一, 通鬻'《字彙》.

貝10 〔賣〕 17 賣(前條)과 同字

貝10 〔賹〕 17 이 [平]支 | yí イ おくる
[字解] ①보낼이 물건을 보냄. '一, 遺也'《篇海》. ②하사(下賜)할이 '一, 況也'《篇海》.

貝10 〔贅〕 17 〔자〕 資(貝부 6획〈1391〉)와 同字

貝10 〔賵〕 17 정 | chèng テイ うる
[字解] 팔정 매각함. '一, 賣也'《篇韻》.

貝10 〔贅〕 17 폐 [去]霽 | bì ヘイ くるしみなやむ
[字解] 괴로워할폐 고민함. '一, 困惡也'《篇海》.

貝10 〔賯〕 17 협 | xié キョウ たから
[字解] 재물협 '一, 財也'《篇韻》.

貝11 〔賝〕 18 삼 [上]寑 | chěn シン かける
[字解] 내기할삼, 걸삼 승부(勝負)에 금품(金品)을 대어 놓음. '一, 賭也'《字彙》.
[字源] 形聲. 貝+參〔音〕

貝11 〔贓〕 18 〔장〕 贓(貝부 14획〈1401〉)의 本字

貝11 〔贈〕 18 〔증〕 贈(貝부 12획〈1399〉)의 俗字

貝11 〔贄〕 18 [一] 지 [去]寘 [二] 얼 [入]屑 | zhì シ にえ niè ゲツ うごかないさま

字解 ㊀ 폐백지 윗사람을 처음 찾아뵐 때 신분(身分)에 따라 가지고 가는 예물(禮物). 또, 구직(求職)하거나 가르침을 받고자 할 때 가지고 가는 예물. '委―'. '嘉―'. '男―, 大者玉帛, 小者禽鳥'《左傳》. ㊁ 움직이지아니할얼 慹(心부 11획〈407〉)과 통용. '―, 不動皃'《集韻》.
字源 形聲. 貝+執〔音〕

貝 11 〔贅〕18 췌 ㊃霽 | zhuì ゼイ むだ, しちにいれる

字解 ①군더더기췌 쓸데없음. '―言'. '其在道也, 曰餘食―行'《老子》. ②저당잡힐췌 '―, 以物質錢. (注)若今人之抵押也'《說文》. ③혹췌 불룩 나온 군살. '疣―'. '―瘤'. '附―縣疣'《莊子》. ④이을췌 연속함. 연함. '―路在阼階面'《書經》. ⑤데릴사위췌 초서(招壻). 또, 데릴사위가 됨. '―壻'. '家貧, 子壯則出―'《漢書》. ⑥모을췌, 모일췌 '―, 聚也'《廣雅》. ⑦회유할췌 물건을 주어 붙좇게 함. '大臣之―下而射人心者必多矣'《管子》. ⑧얻을췌 '―, 得也'《廣雅》. ⑨책망할췌, 미워할췌 '反離羣而―肬'《楚辭》. ⑩붙을췌 속(屬)함. '―, 屬也'《小爾雅》. '具―卒荒'《詩經》. ⑪갖춰질췌 구비함. '―, 具也'《廣雅》.
字源 會意. 貝+敖

貝 11 〔賾〕18 〔색〕 賾(貝부 10획〈1398〉)의 俗字

貝 11 〔賣〕18 〔매〕 賣(貝부 8획〈1395〉)의 本字

貝 11 〔購〕18 구 ㊃宥 | gòu コウ あがなう

字解 속죄할구 죄값음을 함. '―, 贖也'《龍龕手鑑》.

貝 11 〔賿〕18 료 ㊀肴 | liáo リョウ ぜに

字解 돈료 돈. 곧, 금전(金錢)의 은어(隱語). '―, 廋語謂錢曰―'《集韻》.

貝 11 〔瞜〕18 루 ㊃宥 | lòu ロウ たからをむさぼる

字解 재물탐낼루 '賬, ―賬, 貪財'《集韻》.

貝 11 〔賯〕18 밀 | mì ビツ みずのながれるさま

字解 물흐르는모양밀 '―, 水流貌'《篇韻》.

貝 11 〔穦〕18 빈 ㊀眞 | bīn ヒン みだれとぶ

字解 어지러이날빈 난비(亂飛). '―, ―飛也'《篇海》.

貝 11 〔賫〕18 〔상〕 商(口부 8획〈170〉)과 同字

貝 11 〔贃〕18 완 ㊃諫 | wàn ワン ざいかをささえる

字解 ①재화(財貨)유지할완 재물을 써버리지 않고 잘 지님. '―, 支財貨, 出文字指歸'《廣韻》. ②《現》어루꾈완 속임. '所以世人說―巴掌就―得數十萬, 就是這個原故'《黃小配》.

貝 11 〔賢〕18 위 ㊃寘 | yì イ ます

字解 ①불어날위 늘어남. '―, 益也'《廣雅》. ②당길위 끌어당김. 잡아당김. '―, 挐也'《廣雅》.

貝 11 〔賢〕18 해 | xiè カイ わずか

字解 겨우해 약간. 조금. '―, 纔然也, 亦作贒'《篇韻》.

貝 11 〔賢〕18 〔현〕 贒(貝부 16획〈1402〉)과 同字

貝 12 〔贈〕19 高·人 증 ㊃徑 | zèng ゾウ おくる

筆順 貝 貝˘ 貝˘ 貝˘ 贈 贈 贈 贈

字解 ①줄증 ㉠물건을 줌. '―送'. '―以韋袴褶―具'《世說》. ㉡송별 또는 이별할 때 교훈 또는 시문 같은 것을 줌. '―詩'. '子路去魯. 謂顏淵曰, 何以―我'《禮記》. ㉢사후(死後)에 조정에서 벼슬을 내림. '―位'. '追―'. 또, 그 벼슬. '薄葬不受爵―'《後漢書》. ②선물증 남에게 선사로 주는 물건. '受―'. '踰華袞之―'《穀梁傳》. ③보내버릴증 '以―惡夢. (疏)舊歲將盡, 新年方至, 故於此時―去惡夢'《周禮》. ④더할증 물건을 주어 불림. '以―申伯'《詩經》.
字源 形聲. 貝+曾〔音〕

貝 12 〔䞍〕19 贈(前條)과 同字

貝 12 〔賧〕19 담 ㊤感 ㊃勘 | dàn タン てつけ

字解 ①선금담 선돈. '―, 買物預付錢也'《廣韻》. ②권수비단담 책의 권수(卷首)에 붙이는 비단 헝겊. 옥지(玉池). '隋唐藏書, 皆金題錦―. (注)―, 卷首帖綾, 又謂之玉池'《米芾》.
字源 形聲. 貝+覃〔音〕

貝 12 〔賥〕19 표 ㊀蕭 | biāo ヒョウ りくにすむかい

字解 민물조개표 '貝居陸, —'《爾雅》.

貝 12 〔⿰貝粦〕 19 ⿰貝粦(前條)와 同字

貝 12 〔⿰貝爲〕 19 ㊀궤 ㊅寘 | guì キ たから
㊁와 ㊤馬 | ガ たから

筆順 ⿰貝爲

字解 ㊀①재물궤 '—, 資也'《說文》. ②걸궤 내기를 함. '—, 賭也'《廣雅》. ㊁재물와, 걸와 ㊀과 뜻이 같음.
字源 形聲. 貝+爲〔音〕

貝 12 〔贊〕 19 高·人 찬 ㊅翰 | zàn サン たすける

筆順 贊

字解 ①도울찬 조력함. 보좌함. '—助'. '可以—天地之化育'《中庸》. ②고할찬 알림. 또, 고백함. '徧—賓客'《史記》. '伊陟—于巫咸. (傳)—, 告也'《書經》. ③기릴찬 칭찬함. 讚(言부 19획〈1365〉)과 同字. '賞—'. '夫子誦此詩而—之曰'《中庸章句》. ④찬사찬 칭찬하는 말. '帝思楮忠孝, 下詔褒—'《三國志》. ⑤이끌찬 인도함. '陳百僚而—羣后'《後漢書》. ⑥뵐찬 만나 뵘. '—, 見也'《說文》. ⑦밝힐찬 '不可勝—'《宋玉》. ⑧전달할찬 '宰自主人之左—命'《儀禮》. ⑨추천할찬 선발함. '朔自—. (注)—, 進也'《漢書》. ⑩참여할참 참가함. '我大抵任地自言自語, 不——辭'《魯迅》. ⑪문체의하나찬 ㉠인물을 칭송하고 논평하는 글. '伯夷—'. '孔子—'. ㉡서화의 옆에 쓰는 말. 찬(讚). '自圖宣尼像, 爲之—而書之'《南史》. ㉢역사의 기사(記事)에 첨가하는 의론. '史記論—'. ⑫성찬 성(姓)의 하나.
字源 形聲. 貝+兟〔音〕
參考 賛(貝부 8획〈1396〉)은 俗字.

貝 12 〔贇〕 19 ㊀윤 ㊥眞 | yūn イン うつくしいさま
㊁빈 | bīn ビン ひとのな

字解 ㊀①예쁠윤 아름다운 모양. '—, 美好也'《廣韻》. ②클윤 '—, 大也'《五音集韻》. ③문(文)에통달하고무(武)를이해할윤 '—, 通文解武也'《搜眞玉鏡》. ㊁인명용자(人名用字)빈 '乙巳, 黃巾殺濟南王—'《資治通鑑》.
字源 會意. 貝+斌

貝 12 〔⿰貝斌〕 19 贇(前條)과 同字

貝 12 〔⿱𡗗賣〕 19 〔육〕
賣(貝부 8획〈1395〉)의 本字

貝 12 〔贋〕 19 〔안〕
贗(貝부 15획〈1402〉)의 俗字

貝 12 〔⿰貝黄〕 19 〔구〕
購(貝부 10획〈1397〉)와 同字

貝 12 〔⿰貝矞〕 19 귤 ㊇質 | jū キツ かいのな

字解 조개이름귤 '—, 貝也'《字彙》.

貝 12 〔⿰貝都〕 19 도 ㊥虞 | dū ト かけにかつ

字解 내기에이길도 '—, 賭勝曰—'《集韻》.

貝 12 〔⿰火賓〕 19 빈 ㊅震 | bìn ヒン おおわれてたがいにみえない

字解 가려서서로보이지않을빈 '覕, 不見謂之覕, 或作—'《集韻》.

貝 12 〔⿰貝需〕 19 연 ㊥銑 | ruǎn ゼン すこししざいがある

字解 재물조금있을연 '—, 小有財也'《篇海》.

貝 12 〔⿰貝貴〕 19 〔유〕
遺(辵부 12획〈1507〉)의 俗字

貝 12 〔⿰貝戠〕 19 〔재〕
財(貝부 3획〈1385〉)와 同字

貝 12 〔⿰貝㒼〕 19 징 | zhǐ チョウ しち

字解 담보물(擔保物)징 전당물(典當物). '—, 質也'《川篇》.

貝 12 〔⿱敝貝〕 19 〔폐〕
弊(廾부 12획〈357〉)와 同字

貝 12 〔⿰貝敢〕 19 함 ㊥咸 | xiān カン まいない

字解 뇌물(賂物)함 '—, 有賄也'《玉篇》.

貝 13 〔贍〕 20 섬 ㊅豔 | shàn セン たりる

字解 ①넉넉할섬 '—, 足也'《小爾雅》. ②공급할섬 부족한 것을 메꿔 줌. '—, 給也'《說文新附》. ③진휼할섬 구휼함. '—, 賙也'《廣韻》. ④가멸섬 '李鄧豪—. (注)家富爲—'《後漢書》. ⑤많을섬 '英儒—聞池士. (疏)—, 多也'《郭璞》. ⑥성섬 성(姓)의 하나.
字源 形聲. 貝+詹〔音〕

貝 13 〔⿰貝廉〕 20 렴 ㊥鹽 | lián レン うる

字解 팔렴 賺(貝부 10획〈1397〉)의 本字. '—, 賣也'《集韻》.
字源 形聲. 貝+廉〔音〕

貝 13 〔贎〕 20 [一] 만 [去]願 | wàn バン·マン たから
[二] 뢰 [去]泰 | lì ライ たから
[三] 례 [去]霽 | レイ たから

[字解] [一] 재물만 '一, 貨也'《說文》. [二] 재물뢰 [一]과 뜻이 같음. [三] 재물례 [一]과 뜻이 같음.

[字源] 形聲. 貝＋萬〔音〕

貝 13 〔贍〕 20 [一] 렴 [去]豔 | liàn レン てつけ
[二] 담 [去]勘 | タン てつけ

[字解] [一] 선금(先金)렴 선돈. 선금을 줌. '一, 市先入直, 若今賗錢'《集韻》. [二] 선금담 [一]과 뜻이 같음.

貝 13 〔贌〕 20 설 [入]屑 | xuě セツ ぼたん

[字解] 모란(牡丹)설 모란의 딴 이름. '一, 艸名, 鼠姑也'《集韻》.

貝 13 〔賥〕 20 수 | suì スイ おくりもの

[字解] 부의(賻儀)수 초상난 집에 보내는 돈이나 물건. '一, 賻一也'《篇韻》.

貝 13 〔贏〕 20 영 [平]庚 | yíng エイ あまる

[字解] ①남을영 한도 밖에 더 있음. '量入計出, 分所一'《唐書》. ②나머지영 잔여. '尙有五升之一'《東坡酒經》. ③돈벌영, 이영 이익. 이득. '一利'. '賈而欲一, 而惡囂乎'《左傳》. ④지나칠영 한도를 지남. 과도함. '撟幹欲孰於火而無一'《周禮》. ⑤풀릴영 해이(解弛)함. '天地始肅, 不可以一'《禮記》. ⑥펴질영 늘어남. '縮'의 대(對). '孟春始一'《淮南子》. ⑦받을영 수용함. '以隸人之垣, 以一諸侯'《左傳》. ⑧쌀영 포장(包裝)함. '一糧而趣之'《莊子》. ⑨질영 등에 짊어짐. '一三日之糧'《荀子》. ⑩이길영 전쟁 또는 도박 등에서의 승리. '輸一'. '爭言鬬草一'《陸游》. ⑪넘칠영 '一, 溢也'《玉篇》. ⑫나아갈영 '一縮轉化. (注)一縮, 進退也'《國語》.

[字源] 會意. 貝＋𣎆

貝 14 〔贔〕 21 비 [去]寘 | bì ヒ つとめるさま

[字解] ①힘쓸비 '一屭'는 대단히 힘을 쓰는 모양. '巨靈一屭'《張衡》. ②큰거북비 '一屭'는 거대한 거북으로, 붉은 거북 따위. '一屭大龜'《本草》. ③성낼비 노함. '奸回內一'《左思》.

[字源] 會意. 貝＋貝＋貝

貝 14 〔贐〕 21 신 [去]震 | jìn シン·ジン はなむけ

[字解] ①전별할신 여행하는 사람에게 노자 또는 물품을 줌. 또, 그 금품. '行者必以一'《孟子》. ②예물신 회동(會同)할 때 주는 재화(財貨). '賮, 說文, 會禮也. 或从盡'《集韻》.

[字源] 形聲. 貝＋盡〔音〕

貝 14 〔贓〕 21 장 [平]陽 | zāng ソウ·ゾウ ぬすんだしなもの

[字解] ①장물장 부정한 방법으로 물품을 취득함. 또, 그 물품. '一品'. ②뇌물받을장 '一吏'. '一濫官打罵公人'《李商隱雜纂》. ③감출장 '一, 藏也'《玉篇》.

[字源] 形聲. 貝＋臧〔音〕

[參考] 賍(貝부 11획〈1398〉)은 本字.

貝 14 〔贛〕 21 〔감〕
灨(水부 24획〈705〉)과 同字

貝 14 〔贏〕 21 〔영〕
贏(貝부 13획〈1401〉)의 本字

貝 14 〔贒〕 21 〔현〕
賢(貝부 8획〈1395〉)의 古字

貝 14 〔贙〕 21 거 [去]御 | jù キョ しちいれ

[字解] 전당(典當)잡힐거 '一, 質錢也'《集韻》.

貝 14 〔賰〕 21 곤 [去]願 | gùn コン まるい

[字解] 둥글곤 '一, 圓也'《字彙補》.

貝 14 〔贉〕 21 람 [去]勘 | làn ラン たからをむさぼる

[字解] 재물탐낼람 '一, 一賘, 貪財也'《集韻》.

貝 14 〔賯〕 21 면 | mián ベン あたる

[字解] 알맞을면 '一, 賏也'《玉篇》.

貝 14 〔贀〕 21 〔유〕
遺(辵부 12획〈1507〉)와 同字

貝 14 〔贉〕 21 전 [上]銑 | zhǎn テン かたる

[字解] 사취(詐取)할전 남의 재물을 사기(詐欺)하여 빼앗음. '一, 謀人財物, 謂之一'《篇海》.

貝 15 〔贖〕 22 속 [入]沃 | shú ショク あがなう

[字解] ①바꿀속 물물 교환을 함. '解左驂一之'《史記》. ②속바칠속 속전을 냄. 금품

을 내고 죄를 면함. '一罪'. '金作一刑. (傳)誤而入刑, 出金以一罪'《書經》. ③떠날속 '一蟄蟲卵菱'《管子》. ④이을속 續(糸부 15획〈1019〉)과 통용. '昔原大夫一桑下絕氣'《後漢書》.
[字源] 形聲. 貝+𧶠〔音〕

貝 15 〔⿰卵賣〕22 독 [入]屋 dú トク たまごがくさる
[字解] ①곯을독 알이 곯아 부화하지 아니함. ②죽을독 짐승이 태내(胎內)에서 죽음. '獸胎不一. (注)胎不成獸曰一'《淮南子》.

貝 15 〔贗〕22 안 [去]諫 yàn ガン にせ
[字解] ①거짓안 위조. 또, 위조한 물건. 가짜. '一天子'. '居然見眞一'《韓愈》. ②바르지않을안 옳지 않음. '一, 不直也'《玉篇》.
[字源] 形聲. 貝+鴈〔音〕
[參考] 贋(貝부 12획〈1400〉)은 俗字.

貝 15 〔⿰貝厲〕22 례 [平]霽 lì レイ たから
[字解] 재물례 贎(貝부 13획〈1401〉)와 同字. '一, 貨也, 或省'《集韻》.

貝 15 〔⿰貝譫〕22 〔섬〕
贍(貝부 13획〈1400〉)과 同字

貝 16 〔䞋〕23 친 [去]震 chēn シン ぜにをやる
[字解] ①돈줄친 남에게 돈을 줌. '一, 一錢'《玉篇》. ②줄친 내림. '一, 貺也'《集韻》. ③베풀친 '嚫, 嚫施, 一, 上同'《廣韻》.

貝 16 〔贙〕23 현 [去]霰 xuàn ケン わける
[字解] ①나눌현, 나뉠현 서로 다투어 나눔. '兼葭一, 雚蒻森'《左思》. ②맞붙어싸울현 '一, 對爭也'《字彙》.
[字源] 會意. 虤+貝

貝 16 〔⿰貝寫〕23 돈 dǔn トン おくる
[字解] 보낼돈 기이(奇異)한 물건을 보냄. '一, 別寄異物也'《篇韻》.

貝 16 〔贚〕23 롱 [去]宋 lòng リョウ まずしい
[字解] ①가난할롱 '一, 財貧也'《集韻》. ②용의모양롱 '一, 龍皃'《玉篇》.

貝 16 〔⿰貝遺〕23 〔유〕
遺(辵부 12획〈1507〉)와 同字

貝 17 〔⿳貝貝大〕24 잉 [平]蒸 réng ジョウ しらぬ
[字解] 알지못할잉 모름. '一, 不知也'《篇海》.

貝 17 〔贛〕24 ㊀공 [去]送 gòng コウ たまう
㊁감 [上]感 gàn カン かわのな
㊂장 [去]絳 zhuàng チョウ おろか
[字解] ㊀①줄공 내림. 하사(下賜)함. 또, 내려 준 것. '一朝用三千鍾一. (注)鍾, 十斛也. 一, 賜也'《淮南子》. ②성공 성(姓)의 하나. ㊁①강이름감 강서성(江西省)을 흘러 파양호(鄱陽湖)에 들어가는 강(江). ②현(縣)이름감 강서성(江西省) 남부로, 감강(贛江) 상류에 있음. '一, 縣名'《玉篇》. ㊂미련할장 어리석음. 戇(心부 24획〈420〉)과 통용. '戇, 悻戇, 愚也. 或省'《集韻》.
[字源] 形聲. 貝+竷〈省〉〔音〕

貝 17 〔贑〕24 贛(前條)의 本字

貝 17 〔⿰章⿱𠆢貝〕24 贛(前前條)의 籒文

貝 18 〔贜〕25 〔장〕
贓(貝부 14획〈1401〉)의 俗字

貝 19 〔⿰貝𧶠〕26 〔속〕
贖(貝부 15획〈1401〉)의 本字

赤 部

〔붉을적부〕

赤 0 〔赤〕7 [中·人] 적 [入]陌 chì セキ あか
[筆順] 一 十 土 ナ 赤 赤 赤
[字解] ①붉은빛적 적색. '周人尙一'《禮記》. ②붉을적 ㉠붉은빛임. '一衣'. '持一一幟'《史記》. ㉡진심을 가지고 있음. 숨김이 없음. '一誠'. '一心'. '以玆報主寸心一'《杜甫》. ㉢공산주의·공산주의자의 속칭. ③빌적 아무것도 없음. '一貧'. '蝗蟲大起, 一地數千里'《漢書》. ④벌거벗을적 알몸임. '一, 裸裎曰一體, 見肉色也'《韻會》. ⑤벨적, 멸할적 주멸(誅滅)함. '不知一跌將一吾之族'《揚雄》. ⑥염탐할적 정탐꾼. 척후병. '虜秦將一'《史記》. ⑦덜적 제거(除去)함. 捇(手부 7획〈445〉)과 同字. '一, 除撥也'《集韻》. ⑧경기(京畿)적 기내(畿

內). '畿一十九邑'《宋史》. ⑨나무에지엽(枝葉)없을적 '山木一立無春容'《元好問》. ⑩가물적 '殺不辜則國一地. (注)一地, 旱也'《淮南子》. ⑪성적 성(姓)의 하나.
字源 會意. 大+火
參考 '赤'을 의부(意符)로 하여, 붉은빛이나 물건, 붉어지는 일 등의 뜻을 나타내는 문자를 이룸.

赤 2 〔赩〕9 〔정〕
經(赤부 7획〈1403〉)과 同字

赤 3 〔赨〕10 홍 ㊥東 | hóng コウ ひにくがあかくはれる
字解 피부가붉게부어오를홍 '一, 皮肉腫赤'《集韻》.

赤 4 〔赦〕11 지 ㊥支 | zhī シ べに
字解 연지(臙脂)지 '一, 䞓一, 面飾'《集韻》.

赤 4 〔赦〕11 ㊀사 ㊦禡 | shè シャ ゆるす
㊁책 ㊇陌 | cè サク うまをうつ
字解 ㊀①놓을사, 용서할사 죄를 용서함. 놓아 줌. '一, 舍也. (注)舍, 放置'《爾雅》. '君子以一過宥罪'《易經》. ②용서사, 사사 사면(赦免). '宜因郊祀作一, 以蕩滌瑕穢'《晉書》. ③성사 성(姓)의 하나. ㊁ 채찍질할책 '赦, 說文, 擊馬也, 或作一'《集韻》.
字源 形聲. 攴+赤〔音〕

赤 4 〔赥〕11 혁 ㊇錫 | xī ケキ あかい
字解 ①붉을혁 '一, 赤也'《玉篇》. ②웃는소리혁 謚(言부 10획〈1347〉)과 뜻이 같음. '言侃侃, 笑一一'《元包經》.
字源 形聲. 欠+赤〔音〕

赤 5 〔赧〕12 난 ㊤潸 | nǎn ダン·タン あからめる
字解 ①붉힐난 부끄러워 얼굴이 붉어짐. '一, 面慙赤也'《玉篇》. ②두려워할난 '自進則敬, 不則一. (注)一, 懼也'《國語》.
字源 形聲. 赤+𠬪〔音〕

赤 5 〔赧〕12 ㊀난 ㊤潸 | nǎn ダン はじてかおをあからめる
㊁년 ㊤銑 | niǎn デン ふえのおとのゆるやかなさま
字解 ㊀부끄러워낯붉힐난 赧(前條)과 同字. ㊁피리늘어지게불년 '寘一'은 피리 소리가 늘어진 모양. '寘一, 笛聲緩也'《集韻》.

赤 5 〔赨〕12 〔동〕
赨(赤부 6획〈1403〉)과 同字

赤 6 〔赩〕13 혁 ㊇職 | キョク あか
㊇陌 | xì カク あか
字解 ①새빨갈혁 ㉠아주 빨감. '丹沙一熾出其坂'《左思》. ㉡산 같은 데 초목이 없어 벌겋게 흙이 드러나 있는 모양. '北有寒山, 逴龍一只'《楚辭》. ②검푸른빛혁 '青黑曰一'《一切經音義》. ③노할혁 성내는 모양. '一, 怒皃'《玉篇》.
字源 形聲. 赤+色〔音〕

赤 6 〔赨〕13 동 ㊤董 | dòng トウ あかいいろ
字解 붉을동 붉은색. '一, 赤色'《集韻》.

赤 6 〔赨〕13 ㊀동 ㊥冬 | tóng トウ あかいいろ
㊁웅 ㊥東 | xióng ユウ おす
字解 ㊀①붉을동 붉은빛. '一, 赤色也'《說文》. '其種, 大苗·細苗, 一莖, 黑秀, 箭長'《管子》. ②붉은벌레이름동 '一, 赤蟲'《集韻》. ㊁수컷웅 雄(隹부 4획〈1630〉)과 同字. '一, 古雄字. 孟蜀本草, 雄黃作, 一黃'《字彙補》.
字源 形聲. 赤+蟲〈省〉〔音〕

赤 7 〔赫〕14 人名 ㊀혁 ㊇陌 | hè カク あかい
㊁하 ㊦禡 | xià カ しかる
筆順 一 + 土 𡯁 赤 赤 赫 赫
字解 ㊀①붉을혁 빛이 빨간 모양. '一如渥赭'《詩經》. ②빛날혁 광휘를 발하는 모양. '一一之光'《韓愈》. ③성할혁 성대한 모양. 또는, 기세가 대단한 모양. '一, 盛貌'《廣韻》. ④대로할혁 크게 성을 내는 모양. '王一斯怒, 爰整其旅'《詩經》. ⑤나타날혁, 나타낼혁 드러남. 드러냄. '以一厥靈'《詩經》. ⑥두려워할혁 겁냄. 무서워함. '一一在上'《詩經》. ⑦뿔뿔이떨어져나갈혁 수족이 잘리어 뿔뿔이 됨. '則一然死人也'《公羊傳》. ⑧가물혁 '一, 旱也'《玉篇》. ⑨성혁 성(姓)의 하나. ㊁꾸짖을하 嚇(口부 14획〈189〉)와 통용. '嚇, 以口距人謂之嚇, 或作一'《集韻》.
字源 會意. 赤+赤

赤 7 〔經〕14 정 ㊥庚 | chēng テイ あか
字解 붉을정, 붉은빛정 적색(赤色). 또, 붉게 함. '一裏著組繫. (注)一, 赤也'《儀禮》.
字源 形聲. 赤+巠〔音〕

赤 9 〔赮〕16 하 ㊥麻 | xiá カ あか
字解 ①붉은빛하 적색. '一, 赤色也'《說文

新附》. ②놀하 특히 아침놀. 霞(雨부 9획〈1645〉)와 통용. '絕岸萬丈, 壁立一駿.(注)一駿, 如一之駿也. 一, 古霞字'《郭璞》.
[字源] 形聲. 赤＋叚〔音〕

赤 9 〔赬〕16 정 [平]庚 | chēng テイ あか
[字解] 붉을정, 붉은빛정 두 번 물들인 적색. '魴魚一尾'《詩經》.
[字源] 形聲. 赤＋貞〔音〕

赤 9 〔赭〕16 자 [上]馬 | zhě シャ あかつち
[字解] ①붉은흙자 적토(赤土). '其土則丹青一堊. (注)一, 今之赤土也'《漢書》. ②붉은빛자, 붉을자 적색. '赫如渥一'《詩經》. ③벌거벗길자 민둥산으로 만듦. '伐湘山樹一其山'《史記》. ④다할자 바닥남. '羣飮源槁, 廻食野一'《柳宗元》.
[字源] 形聲. 赤＋者〔音〕

赤 9 〔𧹞〕16 〔련〕 煉(火부 9획〈717〉)과 同字

赤 9 〔䞓〕16 연 [平]先 | yān エン べに
[字解] 연지연 연지(臙脂). '一䞓'. '一, 一䞓, 婦人面飾'《集韻》.

赤 9 〔赩〕16 혁 [入]職 | xù キョク あかつちいろ
[字解] 적토색혁 적토색(赤土色). 대자색(代赭色). '一, 赭也'《集韻》.

赤 10 〔赯〕17 당 [平]陽 | táng トウ あか
[字解] ①붉을당 붉은빛. '一, 赤色'《廣韻》. ②얼굴검붉을당 '人面色紫曰一'《肯綮錄》.

赤 10 〔䝅〕17 혹 [入]屋 | hū コク あさやけ
[字解] 아침놀혹 해뜰 때의 불그레한 모양. '一, 日出之赤也'《說文》.
[字源] 形聲. 赤＋㱿〔音〕

赤 10 〔䞈〕17 ㊀환 [上]旱 カン あか ㊁ [去]翰 カン ㊂간 [去]翰 | gàn カン にごる
[字解] ㊀ ①붉을환 붉은빛. '一, 赤色也'《說文》. ②흐릴환 탁(濁)함. '一, 一曰, 濁也'《集韻》. ㊁ ①흐릴간 ㊀❷와 뜻이 같음. ②붉은빛간 짙은 붉은빛. '一, 大赤也'《集韻》.
[字源] 形聲. 赤＋倝〔音〕

赤 10 〔䞑〕17 확 [入]屋 | huō キク あか
[字解] 빨강확 빨강. 적색. '一, 絳也'《篇海》.

走 部
〔달아날주부〕

走 0 〔走〕7 [中·人] 주 [去]有 [去]有 | zǒu ソウ はしる
[筆順] 一 + 土 丰 丰 走 走
[字解] ①달릴주 ㉠빨리 달려감. '疾一'. '飛廉善一'《史記》. ㉡바삐 다님. '一名利'. '駿奔一'《書經》. ㉢빨리 가게 함. '一筆'. '一馬章臺街'《漢書》. ㉣…을 향해 감. '若蟬之一明火也'《呂氏春秋》. '從君而一患'《國語》. ②달아날주 도망함. 또, 패주함. '逃一'. '棄甲曳兵而一'《孟子》. ③달아나게할주 쫓음. '死諸葛一生仲達'《十八史略》. ④향할주 '西一蜀漢中'《史記》. ⑤이를주 '高門縣薄無不一也'《莊子》. ⑥떠날주 '三國疾攻楚, 楚必一'《戰國策》. '域內乏食, 百姓咸有一情'《南史》. ⑦짐승주 지상(地上)을 달리는 것, 곧, 수류(獸類). '飛一'. ⑧종주 노비. 하인. '太史公牛馬一'《司馬遷》. 또, 자기의 겸칭(謙稱)으로 쓰임. '下一'(주로 편지에 씀). '一亦不任廁技於彼列'《班固》.
[字源] 會意. 夭＋止
[參考] '走'를 의부(意符)로 하여, '걷다, 달리다, 가다' 등의 동작에 관한 문자를 이룸.

走 0 〔赱〕6 走(前條)의 略字

走 1 〔赱〕8 走(前前條)의 本字

走 1 〔赴〕8 赳(次條)와 同字

走 2 〔赳〕9 규 [上]有 [平]尤 | jiū キュウ たけし
[字解] 헌걸찰규, 굳셀규 무예가 있고 용감한 모양. '一一武夫, 公侯干城'《詩經》.
[字源] 形聲. 走＋丩〔音〕

走 2 〔赳〕9 赳(前條)의 訛字

走 2 〔赴〕9 [高·人] 부 [去]遇 | fù フ おもむく

筆順 一 十 土 キ 丰 走 赴 赴

字解 ①나아갈부 성큼성큼 목적지를 향하여 감. '一, 趨也. (繫傳)一心趨向之地'《說文》. ②뛰어들부 몸을 던짐. '寧一湘流, 葬於江魚之腹中'《楚辭》. ③다다를부 …에 이름. '一, 至也, 自此至彼謂之一'《爾雅》. ④달려갈부 빨리 감. '一, 猶急疾也'《禮記》. ⑤알릴부 ㉠가서 알림. '一日, 君之臣某死'《儀禮》. ㉡부고(訃告)함. 訃(言부 2획〈1312〉)와 통용. '一告'. '一以庚戌'《左傳》. ⑥넘어질부 엎드러짐. 仆(人부 2획〈32〉)와 통용. '若不虔恪, 輒一蹟'《帝堯碑》. ⑦분주할부 바삐 다님. '故人之能自曲直以一禮者, 謂之成人'《左傳》.
字源 形聲. 走+卜〔音〕

走2 〔赵〕9 〔조〕
趙(走부7획〈1410〉)의 簡體字

走2 〔赳〕9 력 ㉧職 | lì リョク ゆくさま
字解 가는모양력 가는〔行〕 모양. '一, 一趗, 行皃'《集韻》.

走3 〔起〕10 中·人 기 ㉤紙 | qǐ キ たつ, おこる
筆順 十 土 キ 未 走 起 起 起

字解 ①일어설기 ㉠앉았다가 섬. '一坐'. '見代宗來一立'《指月錄》. ㉡우뚝 솟음. '孤峯秀一'《陳舜兪》. ②일어날기 ㉠발생함. '一因'. '秋風一兮白雲飛'《漢武帝》. 전(轉)하여, 사물의 시초. '一首'. '一原'. ㉡잠을 깸. '晏一'. '早一'. '鷄鳴而一'《孟子》. ㉢흥(興)함. 성(盛)해짐. '物之興衰, 情之一伏, 理有固然矣'《後漢書》. ㉣분발(奮發)함. '奮一'. '莫不興一'《鹽鐵論》. ㉤입신 출세함. '蕭何·曹參, 皆一秦刀筆吏'《漢書》. ㉥살아 활동함. '復不一'(죽음). ③일으킬기 ㉠세움. '泝然一毫毛'《素問》. '趨而扶一'《舊唐書》. ㉡일을 시작함. '一算'. '一稿'. ㉢건축함. 축조함. '背山一樓'《李義山雜纂》. '武帝一建章宮'《漢書》. ㉣흥성(興盛)하게 함. '一業'. ㉤사람을 등용함. '一用'. '一樗里子于國'《戰國策》. ㉥깨우침. 계발함. '一予者商也'《論語》. ㉦파견(派遣)함. 보냄. '王一師於滑'《左傳》. ㉧되살아나게 함. 소생시킴. '緊一死人而肉白骨也'《國語》. ④병고칠기 치유(治癒)함. '一癈疾'《後漢書》. ⑤다시기 거듭. '諫若不入, 一敬一孝'《禮記》. ⑥성기 성(姓)의 하나.
字源 形聲. 走+己〔音〕

走3 〔赸〕10 산 ㉥諫 | shàn サン おどりはねる
字解 ①뛸산 도약함. '一, 跳躍也'《篇韻》. ②헤어져갈산 떠남. '俪也一, 我也一'《西廂記》.

走3 〔赶〕10 〔간〕
趕(走부 7획〈1410〉)과 同字
字源 形聲. 走+干〔音〕

走3 〔赽〕10 재 ①㉠灰 ②㉠佳 | cāi サイ うたがいためらってはしりさる chāi サイ たつ
字解 ①의심하여머뭇거리며갈재 의심하여 망설이며 감. '一, 疑之, 等一而去也'《說文》. ②일어날재 '一, 起也'《集韻》. ③종재 하인. '一, 僕也'《玉篇》. ④달릴재 빨리 감. '一, 走也'《玉篇》.
字源 形聲. 走+才〔音〕

走3 〔赾〕10 글 ㉧物 ㉧質 | jí キツ ただちにゆく
字解 ①곧갈글 망설이지 않고 감. ②갈글 가는 모양. '一, 行皃'《廣韻》.
字源 形聲. 篆文은 走+气〔音〕

走3 〔赹〕10 경 ㉠青 | qióng ケイ ひとりゆくさま
字解 홀로가는모양경 혼자 걸어가는 모양. '一, 獨行貌'《篇韻》.

走3 〔赶〕10 굴 ㉧物 | jué クツ はしるさま
字解 달리는모양굴 달려가는 모양. '趉, 走皃, 或作一'《集韻》.

走3 〔赴〕10 〔도〕
徒(彳부 7획〈371〉)와 同字

走3 〔赳〕10 속 ㉧沃 | shū ショク しんのしこうしのな
字解 진사공자이름속 진(晉)의 사공자(四公子)의 이름. '一, 晉時四公子名'《玉篇》.

走3 〔赿〕10 ㊀졸 ㉧月 ㊁줄 ㉧質 | ソツ ■■ おしてはしらせる zú シュツ
字解 ㊀굳이달리게할졸 억지로 달리게 함. '一, 正作捽, 摧走也'《篇韻》. ㊁굳이 달리게할줄 ■과 뜻이 같음.

走3 〔赿〕10 지 ㉠支 | chí チ はしる
字解 달릴지 달리는 모양. '一, 走也'《玉篇》.

走4 〔赳〕11 투 ㉥宥 | tòu トウ はしる

[字解] ①달릴투 '一, 走也'《玉篇》. ②몸던질투 '一, 自投也'《集韻》.

走4 〔䞙〕11 잡 [入]合 | zá ソウ はしることのきゅうなさま

[字解] 달음박질할잡 빨리 달리는 모양. '趇一, 走急皃'《集韻》.

走4 〔赽〕11 결 [入]屑 | jué ケツ ふむ

[字解] ①밟을결 '一, 踶也'《說文》. ②달릴결 '一, 走也'《玉篇》. ③빠를결 '一, 疾也'《廣雅》. ④말빨리갈결 '一, 馬疾行也'《廣韻》.
[字源] 形聲. 走+夬〔音〕

走4 〔䞕〕11 기 [平]支 [上]紙 [去]寘 | ①③⑥qí キ たいぼくにのぼる ②⑤キ ゆくさま ④kuí キ はしるさま

[筆順] 十 土 キ 扌 扌 走 走 䞕

[字解] ①큰나무에오를기 '一, 緣大木也'《說文》. ②갈기 가는 모양. '一, 一曰, 行皃'《說文》. ③사슴달릴기 '一一'는 사슴이 달림. '一, 一一, 鹿走也'. ④원숭이나무에오를기 원숭이가 나무에 오르는 모양. '一, 猨升木皃'《類篇》. ⑤갈기 '一一'는 감. '一, 博雅, 一一, 行也'《集韻》. ⑥나무에오를기 이 나무에서 저 나무로 옮겨감. '一, 一曰, 緣木行'《集韻》.
[字源] 形聲. 走+支〔音〕

走4 〔赾〕11 근 [上]吻 | qǐn キン·コン ゆきなやむ

[字解] ①가기어려울근 '一, 行難也'《說文》. ②절룩거릴근 절룩거리는 모양. '一, 跛行皃'《廣韻》. ③삼갈근 삼가는 모양. '一, 行謹皃'《玉篇》.
[字源] 形聲. 走+斤〔音〕

走4 〔赹〕11 경 [平]庚 | qióng ケイ ひとりでゆく

[字解] 혼자갈경 또, 혼자 가는 모양. '一, 獨行也'《說文》. '一, 獨行皃'《廣韻》.
[字源] 形聲. 走+匀〔音〕

走4 〔䞘〕11 〔글〕
赺(走부 3획〈1405〉)의 本字

走4 〔𧺚〕11 〔기〕
起(走부 3획〈1405〉)의 俗字

走4 〔𧺟〕11 구 [平]尤 | qiú キュウ あしがかがむ

[字解] 발굽을구 발이 굽음. 발이 펴지지 아니함. '一, 足不伸也'《集韻》.

走4 〔赿〕11 〔저〕
趆(走부 5획〈1408〉)와 同字

走4 〔𧺸〕11 리 [上]紙 | リ あさせ

[字解] ①나루터리 나루터. 바다나 냇물의 흐름이 얕은 곳. '一, 淺渡也'《龍龕手鑑》. ②趀(走부 5획〈1407〉)의 訛字.

走4 〔𧺢〕11 사 | xǐ シ うつる

[字解] 옮길사 옮김. 이동함. '一, 移也'《篇韻》.

走4 〔赻〕11 선 | xiǎn セン はしったけとおよばない

[字解] ①달려가나미치지못할선 '一, 走不及也'《字彙》. ②鮮(魚부 6획〈1792〉)과 同字.

走4 〔䞛〕11 [一]오 [平]虞 [二]언 | ū オ とういぞくのまい yān エン とういぞくのまい

[字解] [一] 동이족의춤오 동방에 사는 종족이 추는 춤. '一, 東夷舞也'《字彙》. [二] 동이족의춤언 '一, 東夷舞'《龍龕手鑑》.

走4 〔𧺡〕11 율 [入]質 | yì イツ はしる

[字解] 달릴율 달림. '一, 走也'《玉篇》.

走4 〔趛〕11 [一]음 [上]寢 [二]금 [上]寢 | yǐn ギン [一][二] くびそたれてはやくはしる qǐn キン

[字解] [一] 고개숙이고빨리달릴음 고개를 숙이고 빨리 달림. '一, 低首疾趨'《集韻》. [二] 고개숙이고빨리달릴금 [一]과 뜻이 같음.

走4 〔赼〕11 〔자〕
趑(走부 6획〈1409〉)의 俗字

走4 〔𧺤〕11 제 [去]霽 | dī テイ はしる, きわまる

[字解] ①달릴제 달림. '一, 走也'《龍龕手鑑》. ②궁지에빠질제 궁지에 빠짐. '一, 一曰, 窮也'《龍龕手鑑》.

走4 〔䞒〕11 종 [平]冬 | zōng ショウ いそぎゆくさま

[字解] 급히가는모양종 급히 가는 모양. '一, 急行皃'《集韻》.

走4 〔𧺠〕11 척 [入]陌 | chì テキ こえる

[字解] ①넘을척 넘음. '一, 超也'《玉篇》. ②

갈척 감. '一, 行也'《字彙》.

走4 〔赻〕11 탐 ㊤感 | tǎn タン ゆきなやむ

字解 머뭇거릴탐 떠나지 못하고 망설임. '一, 一踔, 行進退也'《集韻》.

走4 〔赿〕11 치 | chì テイ こえる

字解 넘을치 넘음. 초월함. '一, 超也'《篇韻》.

走4 〔⿺走予〕11 〔취〕 趣(走부 8획〈1412〉)와 同字

走5 〔趁〕12 진 ①-④(去)震 ⑤-⑦(平)眞 | chèn チン おう zhēn チン さわぐ

字解 ①쫓을진 좇아감. '一, 謂一逐也'《一切經音義》. ②따를진 '一, 隨及也'《六書故》. ③갈진 향하여 감. '綠荷包飯一虛人'《柳宗元》. ④틈탈진 편승(便乘)함. '一勢'. ⑤잘나아가지못할진 '一, 一䞴, 行不進皃'《集韻》. ⑥이용할진 시간이나 기회를 이용함. '君要花滿縣, 桃李一時栽'《辛棄疾》. ⑦성급할진 '一, 躁也'《玉篇》.

字源 形聲. 走+㐱〔音〕

走5 〔趂〕12 趁(前條)의 俗字

走5 〔趄〕12 저 (平)魚 | jū, qiè ショ たちもとおる

字解 ①머뭇거릴저 앞으로 나아가지 못함. '一, 趑一也'《說文》. ②몸기울저 '一, 身斜也'《篇海類編》.

字源 形聲. 走+且〔音〕

走5 〔超〕12 高·人 초 (平)蕭 | chāo チョウ こえる

筆順 土 丰 卡 走 起 起 超 超

字解 ①뛰어넘을초 ㉠몸을 솟구쳐 위로 넘음. '挾太山以一北海'《孟子》. ㉡순서에 의하지 아니하고 나아감. '一拜'. '一升此位'《後漢書》. ②넘을초 ㉠정한 데서 지나침. '一過'. ㉡지남. '一略陽而不反'《後漢書》. ㉢밟아 넘음. '一五嶺兮嵯峨'《楚辭》. ㉣건넘. '一, 渡也'《廣雅》. ③뛰어날초 탁월함. '一凡'. '一然高擧'《楚辭》. ④빠를초 신속함. '一旣離虖皇波'《漢書》. ⑤나아갈초 '一, 出前也'《玉篇》. ⑥멀초 아득함. '一, 遠也, 東齊曰一'《揚子方言》. ⑦높을초 '一, 高也'《華嚴經音義》. ⑧근심할초 '武侯一然不對'《莊子》. ⑨가볍게달리는모양초 '一, 輕走皃'《集韻》. ⑩성초 성(姓)의 하나.

字源 形聲. 走+召〔音〕

走5 〔越〕12 高·人 ㊀월 (入)月 ㊁활 (入)曷 | yuè エツ こえる huó カツ くくる, あな

筆順 土 丰 走 赱 走 越 越 越

字解 ㊀①넘을월 ㉠높은 곳을 통과함. '一牆'. '關山難一'《王勃》. ㉡건넘. '一, 渡也'《廣雅》. ㉢한정에서 벗어남. 지남. '一俗'. '吾道之所寄, 不一乎言語文字之間'《朱熹》. ㉣앞지름. '油然若將可一而不可及者'《孔子家語》. ㉤경과함. 겪음. '一十七阸'《呂氏春秋》. ㉥뛰어남. '劉孝標目劉訏, 超然一俗, 如半天朱霞'《世說》. ㉦순서를 밟지 않고 나감. '一階'. ㉧도를 넘침. 분수를 넘음. '僭一'. '一躋天祿'《後漢書》. ②지날월 세월을 경과함. '跨唐一漢'《葉采》. ③떨어질월 추락함. '恐隕一於下'《左傳》. ④떨어뜨릴월 잃음. '無一厥命'《書經》. ⑤흩어질월, 흩뜨릴월 산일(散逸)함. '風不一而殺'《左傳》. ⑥이에월 발어사(發語辭). 粵(米부 6획〈969〉)·曰(部首〈517〉)과 통용. '一有雊雉'《書經》. ⑦떨칠월 발양(發揚)함. '使一于諸侯'《國語》. ⑧멀월, 멀어질월 '一在他境'《左傳》. ⑨멀리할월 가까이하지 아니함. '予曷敢有一厥志'《書經》. ⑩달아날월 '天子播一'《後漢書》. ⑪떠날월 '精一裂而衰耄'《楚辭》. ⑫어긋날월 '率禮不一'《後漢書》. ⑬잃을월 '而處義不一'《呂氏春秋》. ⑭와월, 및월 나란히 보이는 조사(助辭). 與(臼부 7획〈1106〉)와 통용. '大誥爾多邦一爾御事'《書經》. ⑮미칠월, 이를월 '言自旣望一乙未六日也'《經傳釋詞》. ⑯점점월 '俗謂愈曰一'《中華大字典》. ⑰월나라월 춘추 전국 시대(春秋戰國時代)의 국명. 절강성(浙江省)에 있었음. '盟吳一而還'《左傳》. ⑱성월 성(姓)의 하나. ㊁①부들자리활 '一席'은 부들로 만든 자리. '大路一席'《左傳》. ②실구멍활 큰 거문고의 하면(下面)의 구멍. '朱絃而疏一'《左傳》.

字源 形聲. 走+戉〔音〕

走5 〔⿺走戉〕12 越(前條)의 古字

走5 〔趀〕12 ㊀추 (平)虞 ㊁차 ㊤紙 | ソ あさせのわたり cǐ シ あさせのわたり

字解 ㊀얕은여울건널추 '一, 淺渡也'《說文》. ㊁얕은여울건널차 ㊀과 뜻이 같음.

字源 形聲. 走+此〔音〕

走5 〔⿺走斥〕12 ㊀차 ㊤馬 (去)禡 ㊁책 (入)陌 | ①シャ とどめる ②-⑤シャ いかる chě タク·チャク いかる

字解 ㊀①머무를차. ②성낼차 '一, 怒也'

《廣韻》. ③끌차 '一, 一日, 牽也'《廣韻》. ④다리설차 '一, 腳立也'《廣韻》. ⑤간사할차 '一, 衺逆也'《集韻》. [二] ①성낼책 [一]❷와 뜻이 같음. ②머무를책 [一]❶과 뜻이 같음. ③반걸음책 '一, 半步也'《玉篇》.
[字源] 形聲. 走+㡿〔音〕

走5〔⿺走斥〕12 ⿺走㡿(前條)의 俗字

走5〔趉〕12 [一] 굴 [入]物 | jué クツ はしる
[二] 귤 [入]質 | jú キツ はしるさま
[三] 출 [入]質 | チュツ はしるさま
[四] 궐 [入]月 | ケツ すすんでこえる
[字解] [一] ①달릴굴 '一, 走也'《說文》. ②찌를굴 '一, 衝也'《廣雅》. ③별안간일어나달릴굴 '一, 卒起走也'《字彙》. [二] 달릴귤 달리는 모양. '⿺走矞, 走皃. 或从出'《集韻》. [三] 달릴출 [二]와 뜻이 같음. [四] 나아가넘을궐 '⿺走屈, 行越⿺走屈也. 或省'《集韻》.
[字源] 形聲. 走+出〔音〕

走5〔趆〕12 [一] 저 [平]齊 [上]薺 | dī テイ はしる
[二] 제 [去]霽 | テイ はしる
[字解] [一] ①달릴저, 향하여갈저 '一, 趨也'《說文》. ②달리는모양저 '一, 走皃'《玉篇》. [二] 달릴제, 향하여갈제, 달리는모양제 [一]과 뜻이 같음.
[字源] 形聲. 走+氐〔音〕

走5〔⿺走民〕12 趆(前條)의 訛字

走5〔⿺走白〕12 박 [入]陌 | pò ハク せまる
[字解] ①닥칠박 '一, 逼也'《集韻》. ②넘을박, 지날박 '鼓帆迅越, 一漲截洞. (注)善曰, 一, 猶越也. 良曰, 一, 過也'《郭璞》. ③절뚝거리며달릴박 '一, ⿺走斤走也'《川篇》.

走5〔趋〕12 〔추〕 趨(走부 10획〈1415〉)의 略字·簡體字

走5〔趄〕12 거 [上]語 | jū キョ ゆくさま
[字解] 가는모양거 가는 모양. '一, 行皃'《集韻》.

走5〔⿺走丘〕12 구 [去]宥 | qiū キュウ ちんばをひく
[字解] 절뚝거릴구 절뚝절뚝 절며 걸음. '一, 跛行也'《類篇》.

走5〔⿺走句〕12 구 [上]麌 | qū ク はしりかえりみるさま
[字解] 달아나며돌아볼구 달아나며 돌아보는 모양. '一, 說文, 走顧皃'《集韻》.

走5〔⿺走半〕12 반 [上]旱 | pǎn ハン はしるさま
[字解] 달리는모양반 달리는 모양. '一, 走皃'《集韻》.

走5〔⿺走旦〕12 단 [上]旱 | tān タン ゆく
[字解] 갈단 감. 걸어감. '一, 行也'《玉篇》.

走5〔⿺走犮〕12 발 [入]曷 | bá ハツ ゆくさま
[字解] ①바삐갈발 바삐 감. 또, 가는 모양. '一, 行皃'《廣韻》. ②가뭄발 가뭄의 신(神). '一, 同魃'《字彙》.

走5〔⿺走弗〕12 [一] 불 [入]物 | fú フツ はしるさま
[二] 비 [去]未 | ヒ はしるさま
[字解] [一] 뛸불 뜀. 뛰어오름. '一, 跳也'《集韻》. [二] 달릴비 달림. 달리는 모양. '一, 走皃'《玉篇》.

走5〔⿺走去〕12 [一] 소 [平]虞 | sū ソ はしるさま
[二] 솰 [入]曷 | サツ はしるさま
[字解] [一] 달아날소 달리는 모양. '一, 走皃'《玉篇》. [二] 달아날솰 [一]과 뜻이 같음.

走5〔⿺走立〕12 십 [入]緝 | xì シュウ はしるさま
[字解] 달리는모양십 달리는 모양. '一, 走皃'《玉篇》.

走5〔⿺走玉〕12 옥 [入]屋 | yù ギョク あしなえ
[字解] 절뚝발이옥 절뚝발이. 절뚝거리며 걷는 사람. '一, 跛也'《玉篇》.

走5〔⿺走冋〕12 옹 | yóng ヨウ きゅうにはしる
[字解] 급히달릴옹 급히 달림. '一, 急走也'《篇海》.

走5〔趑〕12 자 [平]支 | cī シ にわか
[字解] 갑작스러울자 갑작스러움. 별안간. '一, 倉卒也'《說文》.

走5〔⿺走乍〕12 작 [入]藥 | zuó サク はしるさま
[字解] 달리는모양작 달리는 모양. '一, 走皃'《玉篇》.

走5〔趃〕12 절 [入]屑 | dié テツ おおいにはしる

[字解] ①달릴절 달림. 매우 빨리 달림. '一, 大趨也'《集韻》. ②달리는모양절 달리는 모양. '一, 走皃'《集韻》.

走 5 〔趧〕12 제 [去]霽 | dì テイ はしる

[字解] 달릴제 달림. 달아남. '一, 趍走也'《篇海》.

走 5 〔⿺走石〕12 척 [入]陌 | zhī セキ ゆく

[字解] 갈척 감. 걸어감. '一, 行也'《集韻》.

走 5 〔⿺走世〕12 〔체〕 ⿺走契(走부 9획〈1414〉)와 同字

走 5 〔趉〕12 출 [入]質 | chù チュツ はしる

[字解] ①달릴출 달림. '一, 走也'《玉篇》. ②달려나올출 달려나옴. '一, 走出也'《集韻》.

走 5 〔趄〕12 〔취〕 趣(走부 8획〈1412〉)와 同字

走 5 〔⿺走玄〕12 현 [平]先 | xián ケン きゅうにはしる

[字解] 바삐달릴현 바삐 달림. 급하게 달림. '一, 說文, 急走也'《集韻》.

走 6 〔趑〕13 자 [平]支 | zī シ たちもとおる

[字解] 머뭇거릴자 앞으로 선뜻 나아가지 못하는 모양. 가기 힘드는 모양. '一人荷戟, 萬夫一趄'《張載》.

[字源] 形聲. 走+次〔音〕

走 6 〔趎〕13 추 [平]虞 | chú チュ じんめい

[字解] 사람이름추 '南榮一贏糧, 七月七夜至老子之所'《莊子》.

走 6 〔趒〕13 ㊀ 조 [平]蕭 | tiáo チョウ とぶ
㊁ 초 [去]嘯 | tiào チョウ こえる

[字解] ㊀ 뛸조 깡충깡충 뜀. '一, 雀行也'《說文》. ㊁ 넘을초 趠(走부 8획〈1412〉)과 同字. '趠, 越也. 或从兆'《集韻》.

[字源] 形聲. 走+兆〔音〕

走 6 〔趌〕13 길 [入]質 | jí キツ いかりはしる, まっすぐにゆく

[字解] ①성내어달릴길 '一, 一趨, 怒走也'《說文》. ②곧장갈길 똑바로 감. '一, 直行'《廣韻》.

[字源] 形聲. 走+吉〔音〕

走 6 〔⿺走圭〕13 기 [上]紙 | kuǐ キ ひとあし

[字解] 반걸음기 한 발 나아감. 또, 그 거리. 두 발 나아감을 '步'라 함. '一, 半步也'《說文》.

[字源] 形聲. 走+圭〔音〕

走 6 〔趚〕13 척 [入]陌 | qì セキ ぬきあし

[字解] 모걸음질할척 모걸음함. 발 소리를 죽여 가만가만 걸음. 어려워서 조심조심 발을 떼는 모양. '一, 側行也. (注)側行者, 謹畏也'《說文》.

[字源] 形聲. 走+束〔音〕

走 6 〔趍〕13 ㊀ 치 [平]支 | chí チ ゆくことのおそいさま
㊁ 추 [平]虞 | qū シュ はしる

[字解] ㊀ ①느릴치 걸음걸이가 느린 모양. '一, 一趙, 夂也. (注)夂, 行遲曳夂夂也'《說文》. ②달릴치 분주히 뜀. '蓋謂馬之奔曰馳, 人之奔曰一'《佩觿集》. ③많을치 '一, 多也'《廣雅》. ㊁ ①바르지못할추 치우침. '表正者影得, 表一者景邪'《梁啓超》. ②趨(走부 10획〈1415〉)의 俗字.

[字源] 形聲. 走+多〔音〕

走 6 〔⿺走亘〕13 원 [平]元 | yuán エン こうちをかえてたがやす

[字解] 경지(耕地)바꾸어갈원 또, 그 경지(耕地). '一, 一田, 易居也. (注)古者, 每歲易其所耕, 則田盧皆易'《說文》.

[字源] 形聲. 走+亘〔音〕

走 6 〔⿺走匠〕13 장 [去]漾 [上]養 | jiàng ショウ ゆくさま

[字解] 갈장 가는 모양. '一, 行皃'《說文》.

[字源] 形聲. 走+匠〔音〕

走 6 〔趔〕13 렬 [入]屑 | liè レツ あしがすすまない

[字解] 머뭇거릴렬 '一趄'는 발이 앞으로 나아가지 않음. '一, 一趄, 足不進也'《字彙補》.

走 6 〔⿺走有〕13 유 [去]宥 | yòu ユウ はしる

[字解] ①달릴유 '一, 走也'《說文》. ②달리는 모양유 '一, 走皃'《廣韻》.

[字源] 形聲. 走+有〔音〕

走 6 〔趓〕13 타 [上]哿 | duǒ タ なげうつ

[字解] ①던질타 '抛一'는 던짐. '坐成抛一'《元人曲》. ②달아나숨을타 '一藏'은 달아나 숨음. '無處一藏'《宣和遺事》. ③숨을타 '一

—'는 숨는 모양. '潛潛——, 暫時偸現影'《長生殿》.

走6 〔⿺走并〕13 〔병〕
⿺走并(走부 8획〈1413〉)의 俗字

走6 〔⿺走各〕13 격 ㊇陌 | hé カク くるいはしる
字解 ①넘어질격 넘어짐. 자빠짐. '—, 又—䞦, 僵仆'《玉篇》. ②미친듯이달아날격 미친듯이 달아남. '—, 狂走也'《玉篇》.

走6 〔⿺走㓞〕13 결 ㊇屑 | qiè ケツ おどるさま
字解 뛰어오를결 뛰어오름. 또, 그 모양. '—, 跳皃, 或从足'《集韻》.

走6 〔⿺走危〕13 〔궤〕
跪(足부 6획〈1428〉)와 同字

走6 〔⿺走百〕13 맥 ㊇陌 | mò バク はしるさま
字解 ①넘을맥 넘음. '—, —越'《廣韻》. ②달리는모양맥 달리는 모양. '—, 走皃'《玉篇》.

走6 〔⿺走舟〕13 주 ㊥尤 | zhōu チュウ たちもとおる
字解 나아가지아니할주 나아가지 아니함. 머뭇거림. '—, —�, 行不進也'《集韻》.

走6 〔⿺走劦〕13 험 ㊦豔 | xiàn ケン はしるさま
字解 달리는모양험 달리는 모양. '—, 走皃'《集韻》.

走6 〔⿺走羽〕13 혈 ㊇屑 | xuè ケツ すすむ
字解 ①나아갈혈 나아감. 앞으로 감. '—, 進也'《字彙》. ②새가떼지어날혈 새가 떼지어 낢. '—, 飛也, 眾鳥叢飛也'《字彙》.

走6 〔趏〕13 ㊀활 ㊇曷 | huó カツ くさのな
㊁괄 ㊇黠 | guā カツ はしるさま
字解 ㊀①부들활 부들. ②거문고구멍활 거문고의 하면에 있는 구멍. '越, 艸也, 春秋傳, 大路越席, 一曰, 瑟虛, 或从舌'《集韻》. ㊁달릴괄 달림. 달리는 모양. '—, 走皃'《廣韻》.

走6 〔⿺走后〕13 후 ㊦宥 | hòu コウ あしなえ
字解 절후 젊. 절뚝거리며 걸음. 또, 절뚝발이. '—, 蹇也'《集韻》.

走6 〔⿺走隻〕13 휴 | zuī ケイ はしる
字解 달릴휴 달림. 달아남. '—, 走也'《篇海》.

走6 〔⿺走戌〕13 휼 ㊇質 | jú キツ はしる
字解 달릴휼 달림. '—, 走也'《玉篇》.

走6 〔⿺走合〕13 ㊀압 ㊇合 | è オウ あしなえ
㊁흡 ㊇洽 | xiá コウ はしるさま
字解 ㊀절압 절름발이. '—, 跛也'《玉篇》. ㊁달리는모양흡 달리는 모양. '—, 走皃'《集韻》.

走6 〔⿺走夷〕13 희 ㊥微 | xī キ はしるさま
字解 달릴희 달림. 달리는 모양. '—, 走皃'《集韻》.

走7 〔⿺走旱〕14 간 ㊤旱 | gǎn カン おう
字解 ①쫓을간 뒤쫓아감. '—, 追逐也. 今作赶'《正字通》. ②탑승(搭乘)할간 '馬老師, 你快走吧！可能耽誤了你—火車'《茹志鵑》. ③뒤따를간 동행(同行)함. '曹操笑曰, —我復回'《三國志平話》. ④도착할간 '今街市有樂人三五爲隊, 專—春場'《都城紀勝》. ⑤다그칠간 '二先生幫着—造文書, 連夜詳了出去'《儒林外史》.
字源 形聲. 走+旱〔音〕
參考 赶(走부 3획〈1405〉)과 同字.

走7 〔趙〕14 人名 조 ㊤篠 | zhào チョウ さす
筆順 土 丰 キ 走 走 赴 趙 趙
字解 ①찌를조 날카로운 것으로 들이밂. '其鎛斯—'《詩經》. ②미칠조 '—, 及也'《廣雅》. ③날쌜조 잼. 민첩함. '—, 輕捷也'《六書故》. ④작을조 '—, 小也'《揚子方言》. ⑤적을조 '—, 少也'《廣韻》. ⑥넘을조 '天子北征—行'《穆天子傳》. ⑦오랠조 '—, 久也'《廣韻》. ⑧조나라조 ㉠춘추 전국 시대(春秋戰國時代)에 진(晉)나라의 경(卿) 한(韓)·위(魏)·조(趙)의 세 집이 진나라를 삼분하여 세운 나라의 하나. 영역(領域)은 하북성(河北省)의 남부 및 산서성(山西省)의 북부. ㉡동진(東晉) 때 오호 십육국(五胡十六國)의 하나. 유연(劉淵)이 세운 한(漢)나라의 제오대(第五代) 황제 유요(劉曜)가 고친 국호(國號). 역사상, '前—'로 일컬어짐. ㉢오호 십육국의 하나. 석륵(石勒)이 전조(前趙)를 멸(滅)하고 세운 나라. 역사상, '後—'로 일컬어짐. ⑨성(姓)

조 오대(五代)의 다음에 일어난 송(宋)나라 천자(天子)의 성. '一匡胤'.
字源 形聲. 走+肖〔音〕

走7 〔趗〕14 촉 (入)沃 | cù ショク せまくちいさい
字解 ①속좁을촉 도량이 크지 못함. '一, 趢一, 局小皃'《廣韻》. ②재촉할촉 '一, 迫也, 速也'《玉篇》. ③멈칫거릴촉 앞으로 선뜻 나아가지 못함. '一, 行步局促也'《字彙》. ④종종걸음칠촉 '一, 趢一, 小步'《集韻》. ⑤귀뚜라미촉 '一織'은 귀뚜라미의 별명. '促織'으로도 씀.

走7 〔⿺走夋〕14 준 (平)眞 | cūn シュン すみやかにゆくさま
字解 ①빨리걸을준 '一, 行速一一也'《說文》. ②나아갈준 '一, 進也'《廣韻》.
字源 形聲. 走+夋〔音〕

走7 〔⿺走里〕14
㊀ 해 (平)灰 | hāi カイ とどまる
㊁ 애 (平)灰 | ガイ とどまる
㊂ 괴 (平)灰 | kuī カイ あしをななめにする
字解 ㊀ 머무를해 '一, 一曰, 將走有意留'《類篇》. ㊁ 머무를애 ㊀과 뜻이 같음. ㊂ 발비낄괴 발을 비스듬히 놓음. '一, 邪足'《集韻》.
字源 形聲. 走+里〔音〕

走7 〔趖〕14 사 (平)歌 | suō サ はしる
字解 ①달릴사 '一, 走意'《說文》. ②달리는모양사 '一, 走皃'《玉篇》. ③빨리달릴사 '一, 一疾'.
字源 形聲. 走+坐〔音〕

走7 〔⿺走甬〕14 용 (上)腫 | yǒng ヨウ おどる
字解 ①뛸용 상(喪)을 당하여 애통이 극에 달해 가슴을 치고 뛰어오름. '一, 喪辟一'《說文》. ②가는모양용 '一, 正趙, 今, 行皃'《龍龕手鑑》.
字源 形聲. 走+甬〔音〕. '踊용'과 동일어 이체자(同一語異體字)로, 뛰다의 뜻.

走7 〔⿺走亘〕14 〔원〕
⿺走亘(走부 6획〈1409〉)의 本字

走7 〔⿺走狂〕14 광 (平)陽 | guāng キョウ あわててゆく
字解 황급히갈광 황급히 감. 허둥지둥 감. '一, 行征伀也'《集韻》.

走7 〔⿺走尾〕14 교 (入)錫 | xí ケキ はしる
字解 달릴교 달림. '一, 走也'《篇海》.

走7 〔⿺走求〕14 구 (平)尤 | qiú キュウ たがう
字解 어긋날구 어긋남. 틀림. '一, 違也'《廣韻》.

走7 〔⿺走呈〕14 녈 | niè デツ ゆく
字解 갈녈 감. 걸어감. '一, 行也'《篇韻》.

走7 〔⿺走余〕14 도 (平)虞 | tū ト ちにはらばう
字解 포복할도 포복함. 땅에 배를 대고 김. '一, 一⿺走甫, 伏也'《集韻》.

走7 〔⿺走否〕14 〔부〕
仆(人부 2획〈32〉)와 同字

走7 〔⿺走孚〕14 부 (去)遇 | fù フ すみやか
字解 ①빠를부 빠름. '一, 疾也'《玉篇》. ②실기(失期)함이없이제때에댈부 '一, 及期也'《玉篇》. ③갈부 감. '一, 行也'《廣雅, 釋詁一》.

走7 〔⿺走夾〕14 삽 (入)洽 | shà ソウ はやくゆくさま
字解 빨리갈삽 빨리 가는 모양. '一, 一一, 行疾皃'《集韻》.

走7 〔⿺走折〕14 세 (去)霽 | shì セイ こえる
字解 넘을세 넘음. 뛰어넘음. '一, 超踰也'《集韻》.

走7 〔趚〕14 속 (入)屋 | sù ソク はしるおと
字解 달리는소리속 달리는 소리. '趢一'. '一, 趢一, 走聲'《集韻》.
參考 趀(走부 6획〈1409〉)은 別字.

走7 〔⿺走君〕14 운 (上)吻 | yǔn グン はしるさま
字解 달리는모양운 달리는 모양. '一, 走皃'《集韻》.

走7 〔⿺走具〕14 〔저〕
趄(走부 5획〈1407〉)의 訛字

走7 〔⿺走赤〕14 철 (入)陌 | zuó サク いそぎはしる
字解 급히달릴철 급히 달림. '一, 急走也'《集韻》.

走7 〔⿱⿰日走?〕14 촉 (入)屋 | cù ショク いそぐ

字解 ①서두를촉 서두름. 바삐 함. '一, 急也. (注)一, 與促同'《廣雅》. ②종종걸음으로걸을촉 '趗, 趚趗, 小步, 或書作一'《集韻》. ③促(人부 7획〈52〉)과 同字.

走7 〔赻〕14 〔취〕
趣(走부 8획〈1412〉)와 同字

走7 〔趃〕14 〔투〕
透(辵부 7획〈1495〉)와 同字

走7 〔趙〕14 포 ㊥虞 bū ホ はらばう

字解 엎드릴포 엎드림. 김. 포복함. '一, 匍匐也'《玉篇》.

走7 〔趚〕14 혹 ㊀屋 hú コク たおれる

字解 넘어질혹 넘어짐. 거꾸러짐. '一, 倒也'《字彙》.

走7 〔趠〕14 ㊀ 혹 ㊀屋 hú コク はしる
㊁ 조 ㊤晧 zào ソウ つくる

字解 ㊀ 달릴혹 달림. '一, 走也'《玉篇》. ㊁ 만들조 만듦. 造(辵부 7획〈1497〉)의 古字. '一, 作也'《集韻》.

走7 〔趜〕14 후 hǒu コウ ゆきなやむさま

字解 머뭇거릴후 머뭇거림. 나아가는 데 곤란을 느끼는 모양. '一, 趨行不進貌'《篇韻》.

走7 〔趘〕14 희 ㊥微 xī キ はしるさま

字解 달릴희 달리는 모양. '一, 走皃'《集韻》.

走8 〔趠〕15 ㊀ 탁 ㊀覺 chuō タク とおい
㊁ 조 ㊦嘯 tiào チョウ こえる

字解 ㊀ ①멀탁 가깝지 아니함. '一, 遠也'《說文》. ②달릴탁 ㉠멀리 달림. '游不踐綽約之室, 一不希騄駬之蹤'《晉書》. ㉡놀라 달림. '一, 一曰, 驚走'《廣韻》. ③뛸탁 '一, 跳也'《一切經音義》. '騰一飛超'《左思》. ㊁ ①넘을초 超(走부 5획〈1407〉)·越(走부 6획〈1409〉)·踔(足부 8획〈1433〉)와 同字. '一, 越也'《集韻》. ②가는모양초 '一, 行皃'《玉篇》.

字源 形聲. 走+卓〔音〕

走8 〔趢〕15 록 ㊀屋 lù ロク せまくちいさい
㊀沃 リョク せまくちいさい

字解 ①좁을록 국량(局量)이 좁은 모양. '狹三王之一趗. (注)一趗, 局小貌也'《張衡》. ②웅크리고달릴록 예의에 맞도록 허리를 굽혀 종종걸음으로 나감. '一, 趚一也'《說文》. ③어린아이가는모양록 '一, 一趚, 兒行'《廣韻》.

字源 形聲. 走+彔〔音〕

走8 〔趣〕15 高·人 ㊀ 취 ㊦遇 qù シュ おもむく
(추㊍) ㊁ 촉 ㊀沃 cù ショク うながす

筆順 土 丰 走 走 赳 趄 趣 趣

字解 ㊀ ①빨리갈취 빨리 달려감. '一, 疾也'《說文》. ②향할취 목적을 정하고 향하여 감. '一走往還'《列子》. '一途遠有斯. (注)一, 向也'《謝惠連》. ③뜻취 ㉠마음이 향하는 바. 뜻하는 바. 행하는 바. '志一'. '汝先觀吾一'《列子》. ㉡의미. 의의. '覽其旨一. (注)一, 意也'《嵇康》. ④풍치취 멋. 경치. '詩一'. '野一'. '識琴中一'《晉書》. ※本音 추. ㊁ ①재촉할촉 促(人부 7획〈52〉)과 同字. '一織'. '一獄刑, 無留有罪'《呂氏春秋》. ②빨리촉, 빠를촉 促(人부 7획〈52〉)과 同字. '令一銷印'《十八史略》. ③서두를촉 '一使使下令'《史記》.

字源 形聲. 走+取〔音〕

走8 〔趣〕15 ㊀ 근 ㊤軫 qǐn キン ゆくさま
㊁ 균 ㊥眞 キン ゆくさま
㊂ 긴 ㊦震 キン ゆっくりとゆくさま

字解 ㊀ 가는모양근 '一, 行皃'《說文》. ㊁ 가는모양균 ㊀과 뜻이 같음. ㊂ 가는모양긴, 천천히가는모양긴 '一, 行皃'《廣韻》. '一, 行緩皃'《集韻》.

字源 形聲. 走+臤〔音〕

走8 〔趦〕15 ㊀ 복 ㊀職 bó ホク たおれる
㊁ 부 ㊦宥 ホウ·フ たおれる
㊦遇 フ つまずく

字解 ㊀ ①넘어질복 '一, 僵也'《說文》. ②곱드러질복 '一, 頓也'《類篇》. ㊁ 넘어질부, 곱드러질부 ㊀과 뜻이 같음.

字源 形聲. 走+咅〔音〕

走8 〔趞〕15 ㊀ 작 ㊀藥 què シャク あしどりかるくあるく
㊁ 척 ㊀陌 qì セキ·シャク あしをそばだててゆく
㊂ 적 ㊀陌 jí セキ·ジャク ふむ

字解 ㊀ ①발걸음가볍게걸을작 '趞一, 行輕皃'《說文段注》. ②가는모양작 '一, 行皃'《廣韻》. ③달리는모양작 '一, 走貌'《字彙》. ㊁ 발꿈치들고갈척 '趚, 側行也. 或作一'《集韻》. ㊂ 밟을적 '踖, 踐也. 或从走'《集韻》.

字源 形聲. 走+昔〔音〕

走 8 〔⿺走茀〕 15 불 [入]物 | fú フツ はしる

[字解] 달릴불 '一, 走也'《說文》.
[字源] 形聲. 走＋茀〔音〕

走 8 〔⿺走困〕 15
[一] 균 [上]吻 | qūn クン はしる
[二] 군 [去]問 | クン はしる
[三] 굴 [入]質 | キツ はしる
[四] 운 [上]吻 | yǔn グン はしる

[字解] [一] ①달릴균 '一, 走意'《說文》. ②달리는모양균 '一, 走皃'《廣韻》. [二] 달릴군, 달리는모양군 [一]과 뜻이 같음. [三] 달릴굴, 달리는모양굴 [一]과 뜻이 같음. [四] 달릴운, 달리는모양운 [一]과 뜻이 같음.
[字源] 形聲. 走＋困〔音〕

走 8 〔趛〕 15 금 [上]寢 | yǐn ギン あたまをたれてはやくゆく

[字解] 머리숙이고빨리갈금 '一, 低頭疾行也'《說文》.
[字源] 形聲. 走＋金〔音〕

走 8 〔⿺走弦〕 15 현 [平]先 | xián ケン・ゲン いそぎはしる

[字解] 급히달릴현, 빨리달릴현 '一, 急走也'《說文》. '一, 疾走'《廣韻》.
[字源] 形聲. 走＋弦〔音〕

走 8 〔趜〕 15
[一] 국 [入]屋 | jú キク きわまる, つつしむ
[二] 구 [平]尤 | qiú キュウ あしがのびない

[字解] [一] ①궁할국 괴로운 처지에 빠짐. '一, 躹也'《說文》. ②궁하게할국 남을 괴롭힘. '一, 困人'《廣韻》. ③웅크릴국 몸을 펴지 못함. '體不申, 謂之一'《一切經音義》. ④꼽추국 '一⿺走夋'은 꼽추. '一, 一⿺走夋, 傴僂也'《集韻》. ⑤발뻗어지지않을국 '一⿺走夋'은 발이 뻗어지지 않음. '一, 一⿺走夋, 足不伸'《類篇》. ⑥삼갈국 '躹, 博雅, 躹躹, 謹敬也. 或作一'《集韻》. [二] 발뻗어지지않을구 '⿺走九, 足不伸也. 或作一'《集韻》.
[字源] 形聲. 走＋匊〔音〕

走 8 〔趡〕 15
[一] 추 [上]紙 | cuǐ スイ うごく
[二] 유 [上]紙 | wěi イ はしる

[字解] [一] ①움직일추 '一, 動也'《說文》. ②달릴추 또는 날뜀. '一, 走也'《廣韻》. '騰而狂一'《史記》. [二] 달릴유 달리는 모양. '踓, 走皃, 或从走'《集韻》.
[字源] 形聲. 走＋隹〔音〕

走 8 〔趟〕 15
[一] 쟁 [平]庚 | chēng, zhēng チョウ おどる
[二] 탕 | tāng トウ かいすう

[字解] [一] ①뛸쟁 '⿺走周一'은 도약(跳躍)함. ②뛰는모양쟁 '一, 雀躍狀也'《六書故》. '相殘雀豹一'《韓愈》. ③가는길순탄치않을쟁 '一, ⿺走周一, 踉蹚也'《玉篇》. ④가는모양쟁 '一, ⿺走周一, 行皃'《廣韻》. ⑤놀라달아나는모양쟁 '一, ⿺走周一, 驚走皃'《集韻》. [二] 양사(量詞)탕 ㉠달려가거나 차의 주행(走行)의 횟수(回數)를 세는 데 씀. '沿地雲遊數十遭, 到處閑行百餘一'《西遊記》. ㉡기다란 것을 세는 양사. '地上的兩一脚印, 頓時使劍波臉上浮出微笑'《曲波 '林海雪原'》.
[字源] 形聲. 走＋尙〔音〕

走 8 〔⿺走幷〕 15 병 [去]敬 | bèng ヒョウ・ホウ はしる

[字解] 달릴병 '一, 走也'《集韻》.
[參考] ⿺走并(走부 6획〈1410〉)은 俗字.

走 8 〔⿺走念〕 15 겸 [去]豔 | jiàn ケン うつむいてとくゆく

[字解] ①머리숙이고빨리갈겸 머리를 숙이고 빨리 감. '一, 俯首疾行'《集韻》. ②재빨리갈겸 재빨리 가는 모양. '一, 疾行皃'《廣韻》.

走 8 〔⿺走屈〕 15 〔굴〕
趉(走부 5획〈1408〉)과 同字

走 8 〔⿺走奇〕 15 〔기〕
⿺走支(走부 4획〈1406〉)와 同字

走 8 〔⿺走東〕 15 동 [平]東 | dōng トウ くるいはしる

[字解] 미친듯이달릴동 미친듯이 마구 달림. '一, 狂走'《字彙》.

走 8 〔⿱林走〕 15 람 [平]覃 | lán ラン はしるさま

[字解] 달리는모양람 달리는 모양. '一, 一⿺走今, 走貌'《篇海》.

走 8 〔⿺走來〕 15 래 [平]灰 | lái ライ くる

[字解] 올래 옴. '來, 或从走'《集韻》.

走 8 〔⿺走夌〕 15 릉 [平]蒸 | léng ロウ こえる

[字解] 넘을릉 넘음. 넘어감. '一, 越也'《玉篇》.

走 8 〔⿺走卑〕 15 비 | bēi ヒ こまたにあるく

[字解] 종종걸음비 종종걸음으로 걸음. 보폭이 좁게 걸음. '一, 小行也'《篇韻》.

走 8 〔⿺走奄〕 15 압 [入]合 | è オウ はしりいそぐさま

字解 달릴압 빨리 달리는 모양. 급히 서두르는 모양. '一趀'. '一, 一趀, 走急皃'《集韻》.

走8 〔趯〕 15 적 入錫 | tì テキ くるいはしる

字解 미쳐달릴적 미친듯이 달림. '一, 趯一, 狂走'《集韻》.

走8 〔趙〕 15 조 平肴 去效 | zhāo チョウ おどるさま

字解 ①뛸조 뛰는 모양. '一趟'. '一, 一趟, 跳躍皃'《集韻》. ②밟아가는모양조 밟아 가는 모양. '一, 一趟, 踉趟也'《玉篇》. ③비틀거릴조 비틀거림. 걸음걸이가 바르지 못함. '一, 行不正也'《集韻》.

走8 〔趚〕 15 〔척〕 趚(走부 6획〈1409〉)과 同字

走8 〔趤〕 15 총 上腫 | chǒng チョウ しょうにがゆく

字解 어린애걷는모양총 아장아장 걷는 모양. '趤一'. '一, 小兒行'《玉篇》.

走8 〔趨〕 15 〔추〕 趨(走부 10획〈1415〉)와 同字

走8 〔趤〕 15 탕 去漾 | dàng トウ たのしみあそぶ

字解 노닐탕 노님. 놀며 즐김. '一, 趨一, 逸遊'《集韻》.

走8 〔趆〕 15 혁 入職 | xù キョク ぬすみはしる

字解 몰래달아날혁 몰래 달아남. '一, 盜走'《集韻》.

走8 〔趬〕 15 효 平微 | xī コウ はしるさま

字解 달리는모양효 달리는 모양. '一, 走貌'《篇海》.

走9 〔趨〕 16 갈 入曷 入月 | jié カツ いかりはしる / jué ケツ いかりはしる

字解 성내어달릴갈 '一, 趌一也'《說文》. '趌一, 怒走也'《說文通訓定聲》.

字源 形聲. 走＋曷〔音〕

走9 〔趥〕 16 추 平尤 | qiū シュウ ゆく

字解 ①갈추, 걸을추 '一, 行皃'《說文》. '一, 徒行'《集韻》. ②찰추 발로 참. '一, 蹴也'《字彙》.

字源 形聲. 走＋酋〔音〕

走9 〔趤〕 16 탁(책本) 入陌 | chè タク·チャク ひとあし

字解 ①반걸음탁 한 발의 거리(距離). '一, 半步'《廣韻》. ②머무를탁 '一, 一日, 距也'《類篇》. ※本音 책.

走9 〔趧〕 16 제 平齊 | tí テイ·ダイ しいのぶがく

字解 ①오랑캐춤제 '一婁'는 오랑캐의 무악(舞樂). '一, 一婁, 四夷之舞, 各自有曲'《說文》. ②달릴제 '一趆'은 달리는 모양. '趆, 一趆, 走皃'《集韻》.

字源 形聲. 走＋是〔音〕

走9 〔趩〕 16 체 去霽 | chì テイ こえる

字解 ①넘을체, 뛰어날체 '一, 超特也'《說文》. ②건널체 '一, 渡也'《玉篇》. ③뛸체, 뛰어오를체 '跐, 跳也. 踰也. 一, 上同'《廣韻》.

字源 形聲. 走＋契〔音〕

走9 〔趦〕 16 〔자〕 趑(走부 6획〈1409〉)의 俗字

走9 〔趙〕 16 〔병〕 趙(走부 6획〈1410〉)과 同字

走9 〔趧〕 16 복 入屋 | fú フク しょうにがてではいすすむ

字解 어린애길복 어린애가 김. '一, 趙一, 小兒手據地行也'《集韻》. '一, 俗匍字. 趙一…匍匐'《正字通》.

走9 〔趪〕 16 ㊀불 ㊁질 | fó フツ はしるさま / zhì シツ ゆっくりゆくさま

字解 ㊀①달리는모양불 달리는 모양. '一, 走貌'《篇韻》. ②도망칠불 도주(逃走)함. '因此上老先生一了'《張南溟》. ㊁천천히가는모양질 '一, 韻寶, 趍一, 走貌, 不速也'《字彙補》.

走9 〔趏〕 16 삽 入洽 | zhá ソウ とくゆく

字解 빨리갈삽 빨리 감. '循, 行疾, 或作一'《集韻》.

走9 〔趤〕 16 ㊀숙 入屋 | sù シュク からたがのびない / ㊁수 平尤 上有 | sōu シュウ すすまぬ / sǒu シュウ はしるさま

字解 ㊀①몸펴지못할숙 '一, 趜一, 體不申'《唐韻殘本》. ②발펴지못할숙 '趜, 趜一, 足不伸'《類篇》. ③곱사등이숙 구루(傴僂).

'一, 趨一, 傴僂也'《集韻》. [二] ①나아가지않을수 나아가지 아니함. '一, 趙一, 不進'《集韻》. ②달릴수 달림. '趡一'. '趍, 博雅, 趡趍, 犇也, 或从妥'《集韻》. ③달리는모양수 달리는 모양. '一, 走皃'《集韻》.

走 9 〔趙〕 16 용 [上]腫 | yǒng ヨウ ゆく

[字解] 갈용 감. '一, 行也'《玉篇》.

走 9 〔趧〕 16 울 [入]物 | yù ウツ あわただしくゆくさま

[字解] 급히갈울 급히 감. 허둥지둥 서둘러 가는 모양. '一, 行遽皃'《集韻》.

走 9 〔踰〕 16 유 [去]遇 | yú シュ うまがこえすすむ

[字解] ①넘을유 넘음. 말이 뛰어 넘어감. '一, 馬踰前也'《廣韻》. ②말이뛸유 말이 뜀. '一, 馬跳'《玉篇》. ③말이짐질유 말이 등 앞쪽에 짐을 짐. '一, 馬前負謂之一'《集韻》.

走 9 〔趡〕 16 최 [平]灰 | cuī サイ すすむさま

[字解] 나아가는모양최 나아가는 모양. '一, 進皃'《玉篇》.

走 9 〔趚〕 16 춘 [平]眞 | chūn チュン はしるさま

[字解] 달리는모양춘 달리는 모양. '一, 走皃'《集韻》.

走 9 〔趠〕 16 충 [平]陽 | chòng ショウ ななめにゆく

[字解] 비스듬히갈충 비스듬히 걸어감. '一, 揺一, 邪行'《集韻》.

走 9 〔趤〕 16 탕 [平]陽 | tāng トウ すすむ

[字解] ①나아갈탕 나아감. 앞으로 달려감. '一, 前走也'《玉篇》. ②달리는모양탕 달리는 모양. '一, 走皃'《集韻》.

走 9 〔趪〕 16 황 [平]陽 | huáng コウ はしるさま

[字解] 달리는모양황 달리는 모양. '一, 走貌'《篇海》.

走 9 〔趢〕 16 후 | hóu コウ ちんばをひいてゆく

[字解] 절뚝거리며갈후 절름발을 끌고 감. '一, 蹇行也'《篇韻》.

走 10 〔趨〕 17 [一] 추 [平]虞 [二] 촉 [入]沃 | qū シュ・スウ はしる cù ショク うながす

[字解] [一] ①추창(趨蹌)할추 종종걸음으로 빨리 걸음. '一拜'. '過之必一'《論語》. '鯉一而過庭'《論語》. 빨리 감. '一走'. '疾一'. '帷薄之外不一'《禮記》. '一而救之'《公羊傳》. ②향할추 ㉠마음이 쏠려 향하여 따름. '一利'. '秦人皆一令'《史記》. ㉡감. '一, 行也'《廣雅》. '一, 一有疾徐二義'《說文解字義證》. [二] ①재촉할촉 促(人부 7획〈52〉)과 통용. '一民收斂'《禮記》. ②빠를촉 '一, 疾也'《廣雅》. ③하게할촉 '勸敎化, 一孝弟'《荀子》.

[字源] 形聲. 走+芻〔音〕

走 10 〔趭〕 17 [一] 건 [平]先 [二] 간 [平]刪 | qiān ケン ちんばのゆくさま カン ちんばのゆくさま

[字解] [一] ①절름발이가는모양건 '一, 蹇行一一也'《說文》. ②절뚝발이발꿈치건 '一, 蹇足跟也'《廣韻》. [二] 절름발이가는모양간, 절뚝발이발꿈치간 [一]과 뜻이 같음.

[字源] 形聲. 走+虔〔音〕

走 10 〔趫〕 17 오 [上]麌 [平]虞 | wǔ オ・ウ みがるにはしる

[字解] 가볍게달릴오 '一, 走輕也'《說文》.

[字源] 形聲. 走+烏〔音〕

走 10 〔趬〕 17 흉 [去]送 | xiòng キュウ ゆく

[字解] ①갈흉 '一, 行也'《說文》. ②피곤히갈흉 '趧一'은 피곤하게 가는 모양. '趧, 趧一, 疲行皃'《廣韻》.

[字源] 形聲. 走+臭〔音〕

走 10 〔趭〕 17 [一] 치 [平]支 [二] 제 [上]霽 | chí チ うわついている dì テイ・ダイ かるい

[字解] [一] 경박할치 '一驚'은 경박함. '一, 一驚, 輕薄也'《說文》. [二] 가벼울제 '一, 輕也'《集韻》.

[字源] 形聲. 走+虒〔音〕

走 10 〔趲〕 17 전 ①-③[平]先 ②[去]霰 | diān テン はしりつまずく diān テン・デン はしる

[字解] ①달리다넘어질전 '一, 走頓也'《說文》. ②달리는모양전 '一, 走皃也'《龍龕手鑑》. ③가볍게갈전 '一, 走輕也'《音同義異辨》. ④달린전 '一, 走也'《廣韻》.

[字源] 形聲. 走+眞〔音〕

走 10 〔蹇〕 17 건 [平]元 [平]先 | qiān ケン はしるさま

[字解] ①달리는모양건 '一, 走皃, 从走寒省

聲'《說文》. ②절뚝발이가는모양건 '越, 說文, 蹇行越越也, 或作一'《集韻》.

走10 〔趌〕17 걸 [入]物 | qì キツ はしるさま
[字解] 달리는모양걸 달리는 모양. '一, 走貌'《篇海》.

走10 〔⿺走索〕17 색 [入]陌 | suǒ サク たおれる
[字解] 넘어질색 넘어짐. '一, 趦一, 僵也'《集韻》.

走10 〔⿺走晏〕17 언 [上]阮 | yǎn エン けむりがあがる
[字解] 연기오를언 연기가 오름. '一, 煙上升也'《篇海》.

走10 〔⿺走䍃〕17 요 [平]蕭 | yáo ヨウ はしるさま
[字解] ①달리는모양요 달리는 모양. '一, 走皃'《玉篇》. ②가는모양요 가는 모양. 걸어가는 모양. '一一, 行也'《廣雅, 釋訓》.

走10 〔⿺走秦〕17 〔진〕
臻(至부 10획〈1103〉)과 同字

走10 〔⿺走疾〕17 질 [入]質 | jí シツ あわてはしる
[字解] 황급히갈질 황급히 감. 허둥지둥 감. '一, 走遽也'《集韻》.

走10 〔⿺走差〕17 치 [平]支 | cāi シ はしる
[字解] 달릴치 달림. '一, 走也'《玉篇》.

走10 〔⿺走豈〕17 해 [平]灰 | hái カイ はしる
[字解] 달릴해 달림. '一, 走也'《玉篇》.

走10 〔⿺走留〕17 해 | hái カイ こころをとめる
[字解] 유의할해 유의함. 마음에 둠. '留意也'《篇韻》.

走10 〔⿺走骨〕17 활 [入]黠 | huá カツ はしる
[字解] 달릴활 달림. '一, 走也'《集韻》.

走11 〔⿺走參〕18 참 [平]覃 | cān サン はしる
[字解] 달릴참 '一⿺走覃'은 달리는 모양. 질주하는 모양. '一⿺走覃⿰犭立⿰犭罙. (注)相隨驅逐衆多皃'《左思》.
[字源] 形聲. 走+參〔音〕

走11 〔⿺走票〕18 표 [平]蕭 | piāo ヒョウ みがるにゆく
[字解] 사뿐사뿐걸을표 가볍게 걸음. '一, 輕行也'《說文》.
[字源] 形聲. 走+票〔音〕

走11 〔⿺走曼〕18 [一]문 [平]元 | ボン·モン おそくゆく
[平]元 | mán
[二]만 [平]刪 | バン·マン おそくゆく
[平]寒
[字解] [一] 더디걸을문 천천히 감. '一, 行遲也'《說文》. [二] 더디걸을만 [一]과 뜻이 같음.
[字源] 形聲. 走+曼〔音〕

走11 〔⿺走畢〕18 〔필〕
蹕(足부 11획〈1443〉)과 同字
[字源] 形聲. 走+畢〔音〕

走11 〔⿺走斬〕18 蹔(次條)과 同字

走11 〔⿱斬走〕18 [一]잠 [去]勘 | zàn サン·ザン すすむ
[二]점 [上]琰 | jiàn セン·ゼン すすむ
[字解] [一] ①나아갈잠 달려 나아감. '一, 走進也'《集韻》. ②잠깐잠 오래지 않음. '一, 不久也'《玉篇》. ③뛰어넘어오를잠 '一, 超忽而騰疾也'《玉篇》. [二] 나아갈점, 잠깐점, 뛰어넘어오를점 [一]과 뜻이 같음.
[字源] 形聲. 走+斬〔音〕

走11 〔⿺走專〕18 〔단〕
摶(手부 11획〈464〉)과 同字

走11 〔⿺走鹿〕18 록 [入]屋 | lù ロク はしるこえ
[字解] 달리는소리록 달리는 소리. '一, 一趚, 走聲'《集韻》.

走11 〔⿺走覓〕18 멱 [入]錫 | mì ベキ くるいはしるさま
[字解] 미친듯이달리는모양멱 미친듯이 달리는 모양. '一, 一趨, 狂走皃'《集韻》.

走11 〔⿺走責〕18 [一]책 [入]陌 | qì サク たてであるく
[二]색 [入]陌 | zuó サク わるかしこい
[三]석 [入]陌 | zè シャク はしるさま
[字解] [一] ①서서걸을책 '一, 立步也'《玉篇》. ②갑작스러울책 '一, 倉卒'《廣韻》. '一, 忽遽也'《類篇》. [二] ①교활한모양색 교활한 모양. '一, 一黠皃'《廣韻》. ②바삐달릴색 '趚, 急走也, 或从責'《集韻》. [三] 달리는모양석 '一, 走皃'《集韻》.

走11 〔⿺走焉〕 18 언 [上]阮 | yǎn エン はしるさま

[字解] 달리는모양언 달리는 모양. '一, 走皃'《集韻》.

走11 〔⿺走章〕 18 장 [平]陽 | zhāng ショウ はしる

[字解] 달릴장 달림. '一, 走也'《玉篇》.

走11 〔⿺走將〕 18 〔장〕
蹡(足부 11획〈1443〉)의 俗字

走11 〔⿺走啇〕 18 적 [入]陌 | zhī セキ はしるさま

[字解] 달리는모양적 달리는 모양. '一, 走皃'《集韻》.

走11 〔⿺走巢〕 18 초 [平]肴 | chāo ソウ きそいはしる

[字解] ①경주할초 경주함. 서로 다투어 달림. '一, 競走'《集韻》. ②일어날초 섬. 일어섬. '一, 起也'《玉篇》.

走11 〔趡〕 18 최 [平]灰 | cuī サイ せまる

[字解] ①재촉할최 죄어침. 심하게 재촉함. '一, 逼也'《集韻》. ②나귀뒤에붙이는기구최 나귀 뒤에 붙이는 기구. '一, 摧步, 驢後具'《篇海》.

走11 〔⿺走肅〕 18 축 [入]屋 | chù シュク まっすぐなさま

[字解] ①곧은모양축 바른 모양. '一, 直皃'《集韻》. ②곧게달릴축 직선으로 달림. '一, 直走皃'《餘文》.

走12 〔趪〕 19 [一] 황 [平]陽 | huáng コウ たけし
[二] 광 [平]陽 | guāng コウ はしるさま

[字解] [一] ①헌걸찰황, 굳셀황 무용(武勇)이 있는 모양. '亞相烈烈, 尹京一一'《顏眞卿》. ②무거운것을잘다루는모양황 '洪鐘萬鈞, 猛虡一一'《張衡》. ③옆에가질황 왼손이나 바른손에 무엇을 듦. '雄戟一而躍厲兮'《曹丕》. [二] 달릴광 '一, 走皃'《廣韻》.

走12 〔趫〕 19 교 [平]蕭 | qiáo キョウ すばやい

[字解] ①재빠를교 ㉠몸이 재어 잘 달림. '往往跳一騎不得'《元稹》. ㉡몸이 재어 나무를 잘 탐. '非都盧之輕一, 孰能超而究升'(도로국(都盧國) 사람들은 나무를 잘 탐)《張衡》. ②굳셀교 건장함. '捷一夫之敏手'《顏延之》. ③들교 발을 듦. '亡可一足而待也'(빠름의 비유)《漢書》.
[字源] 形聲. 走+喬〔音〕

走12 〔趭〕 19 초 [去]嘯 | jiào ショウ はしる

[字解] ①달릴초 뛰어감. '騰而狂一'《漢書》. ②떠들며움직일초 '一, 今謂躁動亦曰一'《通俗編》.

走12 〔⿺走覃〕 19 담 [平]覃 | tán タン はしる

[字解] 달리는모양담 '一, 趻一, 走皃'《集韻》.

走12 〔⿺走尞〕 19 료 [平]蕭 | liáo リョウ おおまたにあるく

[字解] 성큼성큼걸을료 활보(闊步)하는 모양. '一, 腳長行皃'《玉篇》.

走12 〔趬〕 19 교 [平]蕭 | qiāo キョウ みがるくゆく

[字解] ①사뿐사뿐걸을교 가볍게 걷는 모양. '或輕訬一悍'《後漢書》. ②발들교 '一曰, 一, 擧足也'《說文》. ③일어설교 '一, 起也'《玉篇》. ④높을교 '一, 高也'《玉篇》.
[字源] 形聲. 走+堯〔音〕

走12 〔⿺走散〕 19 산 [平]寒 | sān サン あそぶさま

[字解] 노는모양산 물 속에 고기가 유동(游動)하는 모양. '漫漫有鯊, 其游一一'《古史紀年》.

走12 〔⿺走厥〕 19 [一] 궐 [入]月 | jué ケツ おどる
[二] 귀 [去]霽 | guì ケイ たおれる

[字解] [一] ①뛸궐, 뛰어일어날궐 '一, 謂跳起皃也'《一切經音義》. ②말앞발헛디딜궐 '一, 馬失前足'《增補五方元音》. [二] 넘어질귀, 뛸귀 '蹶, 僵也. 一曰, 跳也. 或从走'《集韻》.
[字源] 形聲. 走+厥〔音〕

走12 〔趩〕 19 칙 [入]職 | chì チョク ゆくこえ

[字解] ①가는소리칙 '一, 行聲也'《說文》. ②가지않는모양칙 '一, 一曰, 不行皃'《說文》. ③달리는모양칙 '一, 走皃'《玉篇》. ④가는모양칙 '趀一'은 가는 모양. '趀, 趀一, 行皃'《集韻》.
[字源] 形聲. 走+異〔音〕

走12 〔⿺走矞〕 19 [一] 귤 [入]質 | jú キツ くるいはしる
[二] 율 [入]質 | イツ くるいはしる

[字解] [一] ①미쳐뛰어나갈귤 '一, 狂走也'《說文》. ②달릴귤 '趨, 走意. 一, 同趨'《廣韻》. ③通(辵부 12획〈1507〉)과 同字. [二] ①미쳐뛰어나갈율 [一]❶과 뜻이 같음. ②달릴율 [一]❷와 뜻이 같음.

[字源] 形聲. 走＋喬〔音〕

走12 〔⿺走幾〕19 [一]기 [平]微 jī キ はしる / [二]희 [去]寘 xī キ はしる

[字解] [一] ①달릴기 '一, 走也'《說文》. ②달리는모양기 '趚, 走皃. 或从幾'《集韻》. [二] 달릴희, 달리는모양희 [一]과 뜻이 같음.
[字源] 形聲. 走＋幾〔音〕

走12 〔⿺走⿱𥫗昔〕19 〔작〕
趞(走부 8획〈1412〉)의 本字

走12 〔⿺走童〕19 동 [上]董 dòng トウ はしる

[字解] 달릴동 달림. '一, 走也'《玉篇》.

走12 〔⿺走厤〕19 력 [入]錫 lì レキ ゆくさま

[字解] 가는모양력 趯(走부 16획〈1420〉)과 同字. '一, 行皃'《集韻》.

走12 〔⿺走曼〕19 〔만〕
趨(走부 11획〈1416〉)과 同字

走12 〔⿺走萠〕19 선 [去]霰 xuàn センはじめてはしる

[字解] 처음으로달릴선 처음으로 달림. 비로소 달림. '一, 始走意也'《集韻》.

走12 〔⿺走肅〕19 숙 [入]屋 sù シュク はしる

[字解] 달릴숙 달림. '一, 走也'《玉篇》.

走12 〔⿺走爲〕19 와 [平]歌 é ガ つまずきゆく

[字解] 비틀거리며갈와 헛디디거나 걸려서 비틀거리며 감. '一, 蹉行也'《玉篇》.

走12 〔⿺走⿱⺈非〕19 잡 [入]合 zá ソウ はやくはしるさま

[字解] 빨리달리는모양잡 빨리 달리는 모양. '一, 疾走皃'《集韻》.

走12 〔⿺走戠〕19 집 zhí シツ はしるさま

[字解] 달리는모양집 '一, 走貌'《篇韻》.

走12 〔⿺走⿱厽糸〕19 〔참〕
趻(走부 11획〈1416〉)과 同字

走13 〔趮〕20 조 [去]號 zào ソウ はやい

[字解] ①빠를조 '一, 疾也'《說文》. ②움직여 옆으로나올조 '羽豐則遲, 羽殺則一. (注) 一, 旁掉也'《周禮》. ③움직일조 '一, 今字作躁'《說文解字注》. '搖者不定, 一者不靜' 《管子》.
[字源] 形聲. 走＋喿〔音〕

走13 〔⿺走亶〕20 전 [平]先 [上]銑 ①-⑤zhān テン おもむく / ⑥zhàn テン したがう

[字解] ①향해갈전 '一, 趣也'《玉篇》. ②옮길전 '一, 移也'《玉篇》. ③구를전 '一, 轉也'《集韻》. ④머뭇거릴전 邅(辵부 13획〈1509〉)과 同字. '邅, 一, 上同, 行難也'《廣韻》. ⑤쫓을전 '一, 趁也'《說文》. ⑥따를전 '一, 一曰, 循也'《集韻》.
[字源] 形聲. 走＋亶〔音〕

走13 〔⿺走臷〕20 질 [入]質 zhí チツ はしる

[字解] 달릴질 '一, 走也'《說文》.
[字源] 形聲. 走＋臷(戜)〔音〕

走13 〔⿺走睘〕20 [一]훤 [平]元 xuān ケン·カン すばやいさま / [二]현 [平]先 ケン すばやいさま / [三]선 [平]先 セン すばやいさま

[字解] [一] ①재빠를훤 '一, 疾也'《說文》. ②빨리갈훤, 빨리달릴훤 '一, 疾行'《玉篇》. '一, 疾走皃'《廣韻》. [二] 재빠를현, 빨리갈현, 빨리달릴현 [一]과 뜻이 같음. [三] 재빠를선, 빨리갈선, 빨리달릴선 [一]과 뜻이 같음.
[字源] 形聲. 走＋睘〔音〕

走13 〔⿺走蜀〕20 촉 [入]沃 zhú ショク ゆくさま, おどる

[字解] ①갈촉 가는 모양. '一, 行皃'《說文》. ②어린아이가는모양촉 '一, 小兒行皃'《廣韻》. ③뛸촉 '一, 跳也'《集韻》.
[字源] 形聲. 走＋蜀〔音〕

走13 〔⿺走豦〕20 거 [平]魚 qú キョ こまたにあゆむ

[字解] ①범할거 범함. '一, 犯也'《集韻》. ②종종걸음으로걸을거 종종걸음으로 걸음. '一, 小步也'《玉篇》. ③작게뛸거 작게 뜀. '一, 小跳'《集韻》.

走13 〔⿺走敫〕20 교 [去]嘯 jiào キョウ ふす

[字解] ①순찰(巡察)할교 또, 경계(境界). '一, 循也, 一曰, 境也, 或从走'《集韻》. ②오솔길교 오솔길. 지름길. '一, 小道也'《字彙》. ③누울교 누움. '一, 偃也'《字彙》.

走13 〔⿺走僉〕20 금 [上]寢 qǐn キン くびをたれてとくはしる

[字解] 고개숙이고빨리달릴금 고개를 숙이고 빨리 달림. '一, 低首疾趨'《集韻》.

走13 〔⿺走辟〕20 벽 ㊅陌 | pì ヘキ はしるさま

字解 달리는모양벽 달리는 모양. '一, 走貌'《篇海》.

走13 〔⿺走詹〕20 점 ㊤琰 | zhǎn セン すすむさま

字解 ①빨리나아갈점 앞으로 빨리 나아가는 모양. '一, 前趨皃'《集韻》. ②빨리달리는모양점 '一, 一一, 疾趨'《集韻》.

走13 〔⿺走感〕20 함 ㊤感 | hǎn カン はしるさま

字解 달리는모양함 달리는 모양. '一, 走皃'《集韻》.

走14 〔⿺走與〕21 여 ㊥魚 ㊦御 | yú ヨ おだやかにゆく

字解 편안히걸을여 또, 편안히 걷는 모양. '一, 安行也'《說文》. '一, 一一, 安行皃'《廣韻》.

字源 形聲. 走+與〔音〕

走14 〔趯〕21 ㊀ 약 ㊅藥 | yuè ヤク おどる
㊁ 적 ㊅錫 | tì テキ おどる

字解 ㊀ 뛸약 躍(足부 14획〈1451〉)과 同字. '南一朱垠'《後漢書》. ㊁ ①뛸적 '一一阜螽'《詩經》. ②놀랄적 '一, 驚也'《廣雅》.

字源 形聲. 走+翟〔音〕

走14 〔⿺走雚〕21 趯(前條)과 同字

走14 〔⿺走㕡〕21 ㊀ 순 ㊥眞 | xún シュン はしるさま
㊁ 균 ㊥眞 | キン はしるさま

字解 ㊀ 달리는모양순 '一, 走皃'《說文》. ㊁ 달리는모양균 ㊀과 뜻이 같음.

走14 〔⿺走蒦〕21 괵 ㊅陌 | guó カク あしのながいさま

字解 발긴모양괵 발이 긴 모양. '一, 一趚, 足長皃'《集韻》.

走14 〔⿺走截〕21 〔절〕 ⿺走截(走부 15획〈1419〉)과 同字

走14 〔⿺走棥〕21 〔분〕 奔(大부 6획〈236〉)과 同字

走14 〔⿺走齊〕21 〔제〕 躋(足부 14획〈1451〉)와 同字

走15 〔⿺走臱〕22 ㊀ 변 ㊥先 | biān ヘン はしる
㊁ 언 ㊤銑 | エン はしる

字解 ㊀ ①달릴변. ②달리다넘어질변 '一, 走頓也'《類篇》. ㊁ 달릴언 ㊀❶과 뜻이 같음.

字源 形聲. 走+臱〔音〕

走15 〔⿺走鼻〕22 ⿺走臱(前條)의 本字

走15 〔⿺走樂〕22 ㊀ 력 ㊅錫 | lì レキ うごく
㊁ 약 ㊅藥 | ヤク うごく
㊂ 삭 ㊅藥 | シャク はしる

字解 ㊀ ①움직일력 '一, 動也'《說文》. ②밟을력 '一, 踐也'《字彙》. ㊁ ①뛸약 '騏驥一一, 不能千步. (注)一與躍同義'《荀子》. ②밟을약 '一, 踐也'《篇海類編》. ㊂ ①달릴삭 '多庶一一'《石鼓文》. ②움직일삭 ㊀❶과 뜻이 같음.

字源 形聲. 走+樂〔音〕

走15 〔⿺走賛〕22 〔찬〕 趲(走부 19획〈1420〉)의 俗字

走15 〔⿺走敻〕22 ㊀ 귤 ㊅質 | jú キツ はしる
㊁ 현 ①㊤銑 | ケン はしる
②㊦霰 | ケン はしるさま
㊂ 훼 ㊦隊 | カイ はしるさま

字解 ㊀ ①달릴귤 '一, 走意也'《廣韻》. ②달리는모양귤 趉(走부 5획〈1408〉)과 同字. '一, 走皃'《集韻》. ㊁ 달릴현, 달리는모양현 ㊀과 뜻이 같음. ㊂ 달리는모양훼 '一, 行走之皃'《廣韻》.

字源 形聲. 走+敻〔音〕

走15 〔⿺走截〕22 ㊀ 길 ㊅質 | jí キツ はしる
㊁ 절 ㊅屑 | jié セツ ななめにすすみでる

字解 ㊀ ①달릴길 달림. '一, 走意'《廣韻》. ②달리는모양길 달리는 모양. ㊁ 비스듬히나갈절 비스듬히 나아감. '一, 邪出前也'《集韻》.

走15 〔⿺走賣〕22 독 ㊅屋 | dú トク ゆくさま

字解 갈독 가는 모양. '其來一一'《石鼓文》.

走15 〔⿺走㬮〕22 엄 | yǎn エン はしる

字解 달릴엄 달림. '一, 走也'《篇韻》.

走15 〔⿺走廛〕22 전 ㊥先 | chán テン うつる

字解 옮길전 옮김. 이동함. '一, 移也'《玉篇》.

走16 〔⿺走憲〕23 ㊀ 헌 ㊦願 | xiàn ケン・コン はしる
㊤阮 | xiǎn
㊁ 원 ㊤阮 | ゲン・ガン はしる

字解 ㊀달릴헌 또, 달리는 모양. '一, 走意'《說文》. '一, 走皃'《集韻》. ㊁달릴원 ㊀과 뜻이 같음.
字源 形聲. 走+憲〔音〕

走16 〔⿺走叡〕23 ㊀선 (去)霰 ㊁순 (平)眞 | xuàn セン はしる xún シュン はしるさま
字解 ㊀①달릴선 '一, 走也'《廣韻》. ②큰선 '一, 大也'《集韻》. ㊁달리는모양순 '一, 走皃'《說文》.
字源 形聲. 走+叡〔音〕

走16 〔⿺走歷〕23 력 (入)錫 | lì レキ ゆくさま
字解 ①가는모양력 가는 모양. '一, 行皃'《集韻》. ②몰래갈력 몰래 감. 살금살금 감. '一, 一速盜行'《集韻》.

走17 〔⿺走薊〕24 결 (入)屑 | jié ケツ はしる
字解 달릴결 달리는 모양. '一, 走意'《說文》.
字源 形聲. 走+薊〔音〕

走17 〔⿺走龠〕24 약 (入)藥 | yuè ヤク ゆくさま
字解 ①가는모양약 '趠一'은 가는 모양. '一, 趠一, 行皃'《廣韻》. ②빨리달릴약 '一, 說文, 趠一也. 謂疾走'《集韻》. ③뛸약 '一, 猶躍也'《說文繫傳》.
字源 形聲. 走+龠〔音〕

走17 〔⿺走霝〕24 령 (平)青 | líng レイ いぬのおいはしるさま
字解 개쫓아갈령 개가 쫓아가는 모양. '一, 犬逐走皃'《集韻》.

走18 〔⿺走雚〕25 ㊀권 (平)先 ㊁관 (平)刪 (去)諫 | quán ケン つつしみゆくさま カン せをまげてゆく
字解 ㊀조심조심가는모양권, 구부리고가는모양권 '一, 行一趑也, 一日, 行曲脊皃'《說文》. ㊁①구부리고갈관 '一, 行傴也'《集韻》. ②구불구불갈관 곧게 가지 않음. '一, 行曲也'《集韻》.
字源 形聲. 走+雚〔音〕

走18 〔⿺走瞿〕25 구 (平)虞 | qú ク はしりかえりみるさま
字解 달리며돌아보는모양구 '一, 走顧皃'《說文》.
字源 形聲. 走+瞿〔音〕

走18 〔⿺走翼〕25 익 | yì ヨク·イキ てをはってはしりすすむさま
字解 손벌리고달려나가는모양익 '一, 趨進一如也'《說文》.
字源 形聲. 走+翼〔音〕

走18 〔⿺走⿱興火〕25 〔표〕
⿺走票(走부 11획〈1416〉)의 本字

走19 〔趲〕26 찬 ㊤旱 | zǎn サン おどろきちる
字解 ①놀라흩어질찬 '一, 虘也. (疏證)驚散之貌也'《廣雅》. ②흩어져달릴찬 흩어져 달아남. '一, 散走也'《玉篇》. ③내닫게할찬 쫓아 달아나게 함. '一, 逼使走'《集韻》.
字源 形聲. 走+贊〔音〕

走20 〔⿺走矍〕27 곽(각本) (入)藥 | jué カク おおまたにあるく
字解 성큼성큼걸을곽 '一, 大步也'《說文》. ※本音 각.
字源 形聲. 走+矍〔音〕

走21 〔⿺走⿱雨䖵〕28 추 | qū シュ すすむさま
字解 나아갈추 나아가는 모양. 전진하는 모양. '一, 進貌'《篇韻》.

足 部

〔발 족 부〕

足0 〔足〕7 中·人 ㊀족 (入)沃 ㊁주 (去)遇 | zú ソク あし, たりる jù シュ·スウ すぎる, たす

筆順 丨 冂 口 口 口 𧾷 足

字解 ㊀①발족 ㉠하지(下肢). '手一'. ㉡복사뼈부터 아래쪽. '漢王傷胸, 乃捫一'《史記》. 전(轉)하여, 보행(步行). '高材疾一者先得之'《十八史略》. ㉢기물(器物)의 발같이 생긴 것. '鼎一'. '鼎折一'《易經》. ㉣근본. '木以根爲一'《釋名》. ②산기슭족 '吾得歸骨山一'《南史》. ③족할족 ㉠충분함. '學然後知不一'《禮記》. ㉡분수에 안주함. 만족함. '知一不辱'《老子》. ㉢넉넉히 있음. '財恆一矣'《大學》. ㉣감당함. '恐不一任使'《戰國策》. ㉤그 일이 가(可)하다는 뜻을 나타내는 말. '不一論'. '不吾一也'《國語》. ④족하게할족 충분하게 함. 모자람을 채움. '一食一兵'《論語》. ⑤이룰족 '言以一志, 文以一言'《左傳》. ⑥밟을족 '一壄羊'《司馬相如》. ⑦머무를족, 멈출족 '法禮一禮, 謂之有方之士'《荀子》. ⑧성족 성(姓)의 하나.

[三] ①지날주 정도에 지나침. ‘巧言令色一恭’《論語》. ②보탤주 더함. ‘逃於後庭, 以晝一夜. (注)一, 益也’《列子》. ③돋을주 배토(培土)함. ‘苗一本’《管子》.
[字源] 指事. ‘口구’는 사람의 몸통의 象形. ‘止지’는 발을 본뜬 모양. 몸통 아래에 달린 발의 뜻을 나타냄. 음형상(音形上)으로도 붙다, 딸리다, 이어지다의 뜻인 ‘屬속’과 통하여, 몸통에 붙은 부분, 발의 뜻을 나타냄. 본체(本體)에 곁들이다의 뜻에서, 보태어 더하다, 채우다의 뜻도 나타냄.
[參考] ‘足’을 의부(意符)로 하여, 발의 각 부위의 이름, 발에 관한 동작·상태 등을 나타내는 문자를 이룸.

足 0 〔𧾷〕 6 足(前條)의 俗字

足 1 〔⿰𧾷乚〕 8 〔규〕 ⿰𧾷丩(足부 2획〈1421〉)와 同字

足 1 〔⿱一龰〕 8 〔정〕 正(止부 1획〈602〉)의 古字

足 2 〔⿰𧾷卜〕 9 [一] 부 [去]遇 | fù フ おもむく
[二] 복 [入]職 | bó ホク たおれる
[字解] [一] 빨리달릴부 빨리 달리는 모양. ‘一, 趨赴. 亦作赴’《玉篇》. [二] 넘어질복 ‘踣, 說文, 僵也. 亦作一’《集韻》.
[字源] 形聲. 足＋卜〔音〕

足 2 〔趴〕 9 [現] 팔 | pā ハツ じめんにふせる
[字解] 《現》①엎드릴팔 배와 가슴을 밑바닥에 대고 엎드림. ‘她笑着說, 有病是小事, 一一會就好了, 翻身才是大事’《孫犁》. ②기댈팔 彩雲一在張夫人椅子背上’《孽海花》. ③기어오를팔 ‘濕地里一着’《楊朔》.

足 2 〔⿰𧾷丩〕 9 규 [去]宥 | jiū キュウ ななめにゆく
[字解] 비스듬히갈규 비스듬히 감. 가는 것이 바르지 아니함. ‘一, 一蹊, 行不正’《集韻》.

足 2 〔⿱人足〕 9 〔기〕 企(人부 4획〈36〉)의 訛字

足 2 〔⿰𧾷丁〕 9 정 [平]青 | dīng テイ トウ ひとりゆく
[字解] ①혼자갈정 혼자 감. 홀로 감. ‘一, 跉一, 獨行’《集韻》. ②다리가늘고길정 다리가 가늘고 긺. ‘一, 跉一, 脚細長也’《廣韻》. ③걸음걸이느릴정 걸음걸이가 느린 모양. ‘一, 跉一, 行遲皃’《集韻》. ④가는것이바르지못할정 ‘一, 跉一, 行不正’《刊謬補缺》.

足 3 〔趵〕 10 [一] 표 [去]效 | bào ホウ·ヒョウ おどる
[二] 박 [入]覺 | bō ハク うつ
[三] 작 [入]覺 | chuò サク あしがそろうさま
[字解] [一] 뛸표 도약(跳躍)함. 물이 용솟음치는 모양. ‘其旁之人名之曰, 一突之泉’《曾鞏》. [二] 발로차는소리박 ‘旱塊敲牛蹄一一’《元稹》. [三] 발가지런할작 발이 가지런한 모양. ‘一, 足齊皃’《集韻》.
[字源] 形聲. 足＋豹〈省〉〔音〕

足 3 〔⿰𧾷叉〕 10 차 [去]禡 | chà サ えだみち
[字解] ①갈림길차 ‘一, 歧道也’《集韻》. ②밟을차 ‘一, 一踏也’《玉篇》.

足 3 〔⿰𧾷于〕 10 [一] 고 [去]遇 | kū コ·ク また
[二] 우 [去]遇 | wū オ·ウ うずくまる
[字解] [一] 샅고 두 다리 사이. 胯(肉부 6획〈1072〉)와 同字. [二] 쪼그리고앉을우 웅크림. ‘一, 踞也’《集韻》.

足 3 〔趶〕 10 ⿰𧾷于(前條)와 同字

足 3 〔⿰𧾷兀〕 10 〔월〕 跀(足부 4획〈1422〉)과 同字

足 3 〔⿰𧾷干〕 10 간 [去]翰 | gàn カン はぎのほね
[字解] 정강이뼈간 정강이뼈. ‘一, 脛骨也’《玉篇》.

足 3 〔⿸尸足〕 10 〔거〕 居(尸부 5획〈297〉)와 同字

足 3 〔⿱亼足〕 10 〔기〕 ⿱人足(足부 2획〈1421〉)와 同字

足 3 〔趽〕 10 방 [平]陽 | pāng ホウ ふむ
[字解] 밟을방 밟음. 디딤. ‘一, 一跋’《篇海》.

足 3 〔趿〕 10 삽 [入]緝 | xí シュウ かしこまる
[字解] 정좌할삽 정좌함. 삼가 꿇어앉음. ‘一, 斂膝坐也’《集韻》.

足 3 〔⿰𧾷山〕 10 〔지〕 趾(足부 4획〈1422〉)와 同字

足 4 〔趹〕 11 [一] 결 [入]屑 | jué ケツ はやい
[二] 계 [去]霽 | guì ケイ ふむ
[字解] [一] ①말이빨리가는모양결 ‘探前一後,

蹄閒三尋'《史記》. ②달릴결 빨리 걸음. '一, 步疾也'《集韻》. ③다리아플결 '一, 足痛'《龍龕手鑑》. [二] 밟을계 발로 땅을 디딤. '有蹶者一'《淮南子》.
[字源] 形聲. 足＋夬〔音〕

足 4 〔趺〕 11 부 [平]虞 | fū フ あしだい

[字解] ①받침부 물건의 밑바닥을 반치어 괴는 물건. '螭首龜一'《劉禹錫》. ②발뒤꿈치부 '歲久雙一隱然'《宋史》. ③발등부 跗(足부 5획〈1425〉)와 同字. '一, 足上也'《廣韻》. ④책상다리할부 한쪽 다리를 다른 쪽 다리에 포개어 놓고 앉음. '結跏一坐'《法華經》.
[字源] 形聲. 足＋夫〔音〕

足 4 〔趻〕 11 침 [上]寢 | chěn チン かたあしでゆく

[字解] 앙감질할침 '一踔'은 앙감질하는 모양. 일설(一說)에는, 절룩거리며 가는 모양. '吾以一足, 一踔而行'《莊子》.

足 4 〔趾〕 11 [人名] 지 [上]紙 | zhǐ シ あし, あと

[筆順] 口 口 口 𧾷 𧾷 𧾷卜 𧾷⺊ 趾

[字解] ①발지 복사뼈 이하의 부분. '足一'. '麟之一'《詩經》. ②터지 址(土부 4획〈201〉)과 同字. '城一'. '略其一'《左傳》. ③발자국지, 발자취지 '仰頌逸民, 庶追芳一'《高士傳》. ④예절지 법도. 도덕. '姜本支乎三一'《班固》. ⑤끝지 '凡有首有一'《莊子》.
[字源] 形聲. 足＋止〔音〕

足 4 〔跂〕 11 [一] 기 [平]支 [上]紙 | ①②qí キ むつゆび ③-⑨qǐ キ つまだつ
[二] 지 [平]支 | zhī シ しんりょくをもちいるさま

[字解] [一] ①육발기 발가락이 여섯 개 있는 일. '一, 足多指也'《說文》. '故合者不爲騈, 而枝者不爲一'《莊子》. ②길기 벌레가 기어감. 蚑(虫부 4획〈1219〉)와 통용. '一行喙息'《淮南子》. ③발돋움할기 企(人부 4획〈36〉)와 통용. '一望'. '一予望之'《詩經》. ④오를기, 밟을기 '一, 登也'《揚子方言》. '一, 履也'《廣雅》. ⑤나아갈기 '一者不立'《老子》. ⑥어긋날기 '夫挾依於一躍之術'《淮南子》. ⑦천천히달릴기 '一, 緩走也'《集韻》. ⑧발드리우고앉을기 '一, 垂足坐'《廣韻》. ⑨나막신기 '一, 與屐同'《字彙補》. [二] 힘쓸지 인의(仁義)에 맞도록 힘씀. 踶(足부 9획〈1438〉)를 보라. '踶一'.
[字源] 形聲. 足＋支〔音〕

足 4 〔跁〕 11 파 [上]馬 | bà ハ ためらうさま

[字解] ①머뭇거릴파 망설임. '一, 一跒, 不肯前'《玉篇》. ②가는모양파 '一, 一珂, 行皃'《廣雅》. ③웅크릴파 '一, 一跒, 蹲也'《集韻》. ④작은사람파 '一, 一踦, 短人'《廣韻》. ⑤어린애길파 '一, 今俗謂小兒匍匐曰一'《正字通》. ⑥키작은모양파 '㰭, 㰭矮, 短皃, 或作一'《集韻》.

足 4 〔跀〕 11 월 [入]月 | yuè ゲツ あしきる

[字解] ①발벨월 죄인의 발·발가락을 베어 끊음. 刖(刀부 4획〈100〉)과 同字. '爲獄吏一人足'《韓非子》. ②일그러질월, 찌그러질월 '一, 謂器物不正, 敧邪者也'《周禮 疏》.
[字源] 形聲. 足＋月〔音〕

足 4 〔趿〕 11 [一] 삽 [入]合 [二] 칩 [入]緝 | tā, sà ソウ あしゆびでつまみとる qì シュウ ゆく

[字解] [一] 발로당겨집을삽 발을 뻗어 발가락으로 집음. '一, 進足有所擷取也'《說文》. [二] 갈칩 '一一, 行也'《廣雅》.
[字源] 形聲. 足＋及〔音〕

足 4 〔趽〕 11 방 [去]漾 [平]陽 [平]庚 | ①fàng ホウ すねのまがったうま ②-⑥fāng ホウ まがったすね páng ホウ·ビョウ すねのまがったうま

[字解] ①정강이굽은말방 '一, 曲脛馬也'《說文》. ②굽은정강이방 '一, 曲脛也'《集韻》. ③쥐엄발이방 굽은 발. '一, 足曲謂之一'《集韻》. ④올바르지않을방 '表理不辟謂之端, 反端爲一'《新書》. ⑤곱드라질방 발이 무엇에 걸려 넘어짐. '一, 踤也'《廣雅》. ⑥발돋음할방 '一, 趼也'《廣韻》.
[字源] 形聲. 足＋方〔音〕

足 4 〔趻〕 11 침 [平]寢 | chěn チン あるきかたのしっかりしないさま

[字解] 절름거리며갈침 걷는 모양이 정상적(正常的)이 아님. '踸, 說文, 踸踔, 行無常皃, 或作一'《集韻》

足 4 〔跋〕 11 [一] 발 [入]曷 | bō ハツ いそいでゆくさま
[二] 비 [去]未 | fèi ヒ いそいでゆくさま
[三] 패 [去]泰 | bèi ハイ あゆみふむ
[四] 불 [入]物 | フツ おどる

[字解] [一] ①급히가는모양발 '一, 急行皃'《玉篇》. ②가는모양발 '一, 行皃'《廣韻》. ③별

안간발 '一, 猝也'《類篇》. [二] 급히가는모양비, 가는모양비, 별안간비 [一]과 뜻이 같음. [三] 밟을패 밟고 걸어감. '跟, 說文, 步行躐跋也. 或作一'《集韻》. [四] 뛸불 '蹄, 跳也. 或作一'《類篇》.

足4 〔䟗〕11 시 [上]紙 | shì シ たつ, たちどまる
[字解] ①설시 직립(直立)함. '一, 一尌也. 謂立也'《廣韻》. ②쌓아모을시 '一, 積聚也'《廣韻》.
[字源] 形聲. 足＋氏〔音〕

足4 〔趼〕11 〔견〕 趼(足부 6획〈1428〉)과 同字

足4 〔跃〕11 〔약〕 躍(足부 14획〈1451〉)의 簡體字

足4 〔䟘〕11 〔기〕 踑(足부 8획〈1433〉)의 古字

足4 〔䟜〕11 눌 [入]月 | nà ドツ あしがきずつく
[字解] 발상할눌 발에 상처를 입음. '一, 足傷'《集韻》.

足4 〔䟟〕11 뉵 [入]屋 | nù ジク ゆく
[字解] 갈뉵 감. 걸어감. '一, 行也'《集韻》.

足4 〔䟚〕11 분 [平]文 | fēn フン つまずく
[字解] 챌분 챔. 채어서 비틀거림. '一, 蹩也'《集韻》.

足4 〔𧿒〕11 〔분〕 奔(大부 6획〈236〉)과 同字

足4 〔𧿒冉〕11 〔섭〕 躡(足부 18획〈1454〉)과 同字

足4 〔䟓〕11 승 [平]蒸 | shēng ショウ のぼる
[字解] 오를승 오름. 높은 곳에 오름. '一, 登也'《集韻》.

足4 〔䟣〕11 와 [平]歌 | é ガ ひどいあしなえ
[字解] 심한절름발이와 심한 절름발이. 절름발이·앉은뱅이 따위의 다리 병신. '一, 大跛'《篇海》.

足4 〔䟢〕11 완 [平]寒 | wán ガン うずくまる
[字解] 웅크릴완 웅크림. 웅크리고 앉음. '一, 蹪一, 蹲也'《集韻》.

足4 〔跐〕11 자 [平]支 | zī シ しりぞく
[字解] 물러날자 물러남. 물러감. '一, 郤行也'《字彙補》.

足4 〔䟙〕11 절 [入]屑 | qiè セツ つまずく
[字解] 발삘절 발을 삠. '一, 一跌'《廣韻》.

足4 〔䟞〕11 〔종〕 蹤(足부 8획〈1436〉)의 本字

足4 〔䟤〕11 〔주〕 蹰(足부 15획〈1452〉)와 同字

足4 〔䟥〕11 〔제〕 踶(足부 5획〈1427〉)와 同字

足4 〔䟝〕11 투 [去]宥 | tòu トウ みずからとうずる
[字解] 투신할투 투신(投身)함. 스스로 몸을 던짐. '一, 自投也'《集韻》.

足4 〔䟘〕11 항 [上]養 | hàng コウ あしをのばす
[字解] ①정강이펼항 정강이를 뻗음. '一, 伸脛也'《玉篇》. ②다리뻗을항 다리를 뻗음. '一, 伸足也'《集韻》. ③복사뼈두들길항 '一, 一曰擊髁'《集韻》.

足4 〔䟛〕11 䟘(前條)과 同字

足4 〔䟦〕11 혜 | xī ケイ あしあと
[字解] 발자취혜 발자취. 종적(蹤跡). '一, 跡也'《篇韻》.

足4 〔䟧〕11 호 [去]遇 | hù コ ひざまずく
[字解] 무릎꿇을호 무릎을 꿇음. '一跪'. '一, 一跪, 雙膝著地'《字彙》.

足4 〔𧿳〕11 호 [去]遇 | hù コ ひざまずく
[字解] 무릎꿇을호 무릎을 꿇음. '一, 一跪, 雙膝著地'《龍龕手鑑》.

足4 〔䟨〕11 흉 [平]冬 | xiōng キョウ あしおと
[字解] 발소리흉 사람이 가는 소리. '跫, 人行聲, 或从凶'《集韻》.

足5 〔跅〕12 [一] 탁 [入]藥 [二] 척 [入]陌 | tuǒ タク ゆるむ, しりぞける chì セキ はだし
[字解] [一] 해이할탁 마음이 풀리어 느즈러

짐. 또는, 방종함. '泛駕之馬, 一弛之士'《漢書》. 曰 ①맨발척 아무것도 신지 않은 발. '一, 一曰, 跣也'《集韻》. ②물리칠척 '一, 斥也'《集韻》.
字源 形聲. 足＋斥〔音〕

足5〔跆〕12 태 平灰 tái タイ ふむ
字解 ①밟을태 짓밟음. 유린함. '兵相一藉, 秦遂以亡'《漢書》. ②노래할태 손에 손을 잡고 노래함. '蹋一, 連手唱歌'《集韻》.
字源 形聲. 足＋台〔音〕

足5〔跋〕12 발 入曷 bá バツ ふむ
字解 ①밟을발 짓밟음. 癹(癶부 4획〈823〉)과 통용(通用). '狼一其胡, 載疐其尾'《詩經》. ②갈발, 넘을발 산야(山野)를 지나가는 것을 '一'이라 하고, 물을 건너가는 것을 '涉'이라 함. '大夫一涉'《詩經》. ③자빠질발, 넘어질발 발부리가 무엇에 차이거나 하여 넘어지거나 비틀거림. '一, 蹎一也'《說文》. ④밑동발 물건의 맨 밑의 동아리. 또는, 물건의 손잡이. '一, 本也'《小爾雅》. '燭不見一. (注)一, 本也. (疏)本, 把處也'《禮記》. ⑤거칠발 사나움. 난폭함. 暴(日부 11획〈513〉)와 통용. '一, 叚借爲暴, 後漢書朱浮傳注, 一扈, 猶暴橫也'《說文通訓定聲》. ⑥되돌릴발 '一犀犛. (注)一, 反戾也'《漢書》. ⑦발뒤꿈치발 '足後爲一'《篇海》. ⑧발문발 문장의 한 체(體). 책의 끝에 그 내용과 그에 관계되는 사항을 간단하게 적은 글. '序一'. '題一者, 簡編之後語也'《文體明辯》.
字源 形聲. 足＋犮〔音〕

足5〔跊〕12 跋(前條)의 俗字

足5〔跌〕12 질(절本) 入屑 diē(dié) チツ つまずく
字解 ①넘어질질 발을 헛디디거나 물건에 걸려 넘어짐. '一倒'. '一而不振'《漢書》. ②지나칠질 정도에 지남. '肆者何. 一也'《公羊傳》. ③잘못할질, 틀릴질 '無有差一'《後漢書》. ④달릴질 질주함. '墨子一蹶而趁千里'《淮南子》. ⑤방종할질 제멋대로 행동함. '一蕩放言'《後漢書》. ※本音 절.
字源 形聲. 足＋失〔音〕

足5〔跎〕12 타 平歌 tuó タ·ダ あしをふみはずす
字解 ①헛디딜타 '驥垂兩耳兮, 中坂蹉一. (注)蹉一, 失足'《楚辭》. ②때놓칠타 시기(時機)를 놓침. '欲自修而年已蹉一'《晉書》.
字源 形聲. 足＋它〔音〕

足5〔跇〕12 跎(前條)와 同字

足5〔跏〕12 가 平麻 jiā カ あぐらをかく
字解 책상다리할가 한 다리를 오그리고 다른 한 다리를 그 위에 포개어 놓고 앉는 자세. 불교도는 오른 발을 위로 가게 함. '結一趺坐'《法華經》. '一, 一趺坐也'《廣韻》.
字源 形聲. 足＋加〔音〕

足5〔跑〕12 포 平肴 páo, pǎo ホウ あがく
字解 ①허비적거릴포 발톱으로 땅을 긁어 팜. '二虎一地作穴'《臨安新志》. ②찰포 발로 걷어참. '一, 蹴也'《集韻》. ③달릴포 뛰어감. '俗謂趨走曰一'《中華大字典》. ④뛸포 '一, 跳躍也'《正字通》. ⑤도망칠포 '一不了一頓飽打, 總說他得罪了客'《老殘遊記》.
字源 形聲. 足＋包〔音〕

足5〔跔〕12 구 ①②平虞 jū ク かがむ ③上麌 qǔ ク ゆくさま
字解 ①곱을구 기온이 몹시 차서 수족의 관절이 잘 움직이지 않음. '一, 寒凍, 手足一不伸也'《玉篇》. ②뛸구 '跬一'는 뜀. 도약함. 또, 한쪽 발을 듦. '跬一科頭. (注)跬一, 跳躍也, 又云, 偏擧一足曰跬一'《史記》. ③갈구 가는 모양. '一, 行皃'《集韻》.
字源 形聲. 足＋句〔音〕

足5〔跗〕12 무 上有 mǔ ボウ·モ おやゆび
字解 ①엄지발가락무 '一, 足將指'《集韻》. ②가는모양무 가는 모양. '一, 行皃'《廣韻》.

足5〔跕〕12 접 ①②入葉 tiē チョウ ふむ ③入葉 diē チョウ おちる
字解 ①밟을접 발로 밟음. '曳屣聯我一'《王安石》. ②천천히갈접 '一, 一曰, 徐行'《集韻》. ③떨어질접 아래로 낙하함. '鳶一方知瘴'《元稹》.
字源 形聲. 足＋占〔音〕

足5〔跖〕12 척 入陌 zhí セキ あしのうら
字解 ①발바닥척 蹠(足부 11획〈1443〉)과 同字. '善學者, 若齊王之食雞, 必食其一數十而後足'《淮南子》. ②밟을척, 뛸척 蹠(足부 11획〈1443〉)과 同字. '蹠, 足履踐也. 楚人謂跳躍曰蹠. 一, 上同'《廣韻》. ③사람이름척 '盜一'은 노(魯)나라의 큰 도둑으로,

장자(莊子)에는 유하혜(柳下惠)의 아우라 하였음. '一蹻'.
字源 形聲. 足+石〔音〕

足5 〔跗〕12 부 ㊥虞 | fū フ あしのこう
字解 ①발등부 발의 위쪽. '結于一連絇. (注)一, 足上也'《儀禮》. ②발부 '一, 足也'《集韻》. ③물체(物體)의족부(足部)부 '鐘鼓之一, 以猛獸爲飾'《秦倂六國平話》. ④긴막대같은물건의끝부 '天子筆管以錯寶爲一, 毛皆以秋兔之毫'《西京雜記》. ⑤꽃받침부 柎(木부 5획〈536〉)와 同字. '一, 花下萼曰一, 正韻, 或作柎'《正字通》. ⑥껍질부 열매의 껍질. '家童掃栗一'《庾信》.

足5 〔跙〕12 저 ㊤語 ㊥魚 | jù, qū ショ ゆきなやむ
字解 ①가기힘들저 앞으로 잘 가지 아니하는 모양. '四馬一一'《揚雄》. ②걷는법이바르지못할저 '一, 行不正也'《集韻》. ③말굽에병날저 '一, 一曰, 馬蹄痛病'《集韻》.
字源 形聲. 足+且〔音〕

足5 〔跓〕12 주 ㊤麌 | zhù チュ とどめる
字解 ①머무를주 발을 멈춤. 정지함. '一, 停足'《廣韻》. ②굳센발주 '一, 勇足'《玉篇》.

足5 〔跈〕12
㊀ 년 ㊤銑 | niǎn ネン ふむ
㊁ 전 ㊤銑 | jiàn セン ただしい
㊂ 진 ㊥眞 | chén チン すすまない
㊃ 천 ㊤銑 | tiǎn テン とどまる
字解 ㊀ 밟을년 '趁, 踐也, 或作一'《集韻》. ㊁ 밟을전 '一, 履也'《廣雅》. '一, 同踐, 蹋也'《篇海類編》. ㊂ 머뭇거릴진 떠났지만 나아가지 않는 모양. '趁, 趲也, 或从足'《集韻》. ㊃ 그칠천 '一, 止也'《集韻》.
字源 形聲. 足+㐱〔音〕

足5 〔跡〕12 跈(前條)의 俗字

足5 〔跇〕12
㊀ 예 ㊦霽 | yì エイ こえる
㊁ 체 ㊦霽 | テイ こえる
字解 ㊀ 뛰어넘을예 또는, 걸어 넘음. '騁容與兮一萬里'《史記》. '一巒阬, 超唐陂'《漢書》. ㊁ 뛰어넘을체, 건널체 ㊀과 뜻이 같음.
字源 形聲. 足+世〔音〕

足5 〔跚〕12 산 ㊥寒 | shān サン ゆきなやむ
字解 머뭇거릴산, 절룩거릴산, 비틀거릴산 나아가지 못하는 모양. 蹣(足부 11획〈1444〉)을 보라. '蹣一'.
字源 形聲. 足+冊〔音〕

足5 〔䟚〕12 跚(前條)와 同字

足5 〔跛〕12
㊀ 파 ㊤哿 | bǒ ハ あしなえ
㊁ 피 ㊦寘 | bì ヒ かたよる
字解 ㊀ ①절뚝발이파 다리 하나가 짧거나 탈이 나서 기우뚱거림. 또, 그 사람. '一蹇'. '眇能視, 一能履'《易經》. ②절룩거릴파 절며 걸음. '孫良夫一'《穀梁傳》. ㊁ 기우듬히설피 한쪽 발로 기우듬히 서서 물체에 의지함. '一, 偏任'《廣韻》. '立而偏任一足曰一'《禮器集解》.
字源 形聲. 足+皮〔音〕

足5 〔距〕12 中·人 거 ㊤語 | jù キョ けづめ
筆順 口 ⻊ ⻊ 𧾷 𧾷 跖 距 距
字解 ①며느리발톱거 닭 같은 것의 뒷발톱. '如一之斯脫'(저항력이 없음의 비유)《宋史》. ②떨어질거 ㉠서로 공간적으로 떨어져 있음. 또, 그 정도. '一離'. '相一千里'. ㉡서로 시간적으로 떨어져 있음. '一今九日'《國語》. ③이를거 도달함. '予決九川, 一四海'《書經》. ④멈출거 歫(止부 5획〈604〉)와 통용. '一, 叚借爲歫'《說文通訓定聲》. ⑤어길거 따르지 아니함. '不一朕行'《書經》. ⑥뛸거 도약함. '一躍三百'《左傳》. ⑦항거할거 대항함. '敢一大邦'《詩經》. ⑧괴로울거 힘이 듦. '一, 困也'《廣雅》. ⑨닫을거 '尤善爲鉤一, 以得事情'《漢書》. ⑩클거 '蹠一者擧遠. (注)一, 大也'《淮南子》. ⑪반문(反問)을나타내는부사(副詞)거 어찌 …리요. '一, 廣韻曰, 詎, 豈也. 字或作一'《經傳釋詞》. '衞奚一然哉? 則侏儒之未可見也'《韓非子》.
字源 形聲. 足+巨〔音〕

足5 〔跒〕12 가 ㊤馬 | qiǎ カ たけのひくいひと
字解 ①키작은사람가 '一, 跁一, 短人也'《龍龕手鑑》. ②가기힘들가 '一, 跦一, 行不進'《集韻》. ③웅크릴가 '一, 跁一, 蹲也'《集韻》.

足5 〔跜〕12 니 ㊥支 | ní ジ·ニ けものやりゅうのうごくさま
字解 꿈틀거릴니, 움직일니 '蹊一'는 짐승이나 용이 꿈틀거리는 모양. '虯龍騰驤以蜿蟺, 頷若動而蹊一'《王延壽》.

足5 〔跐〕12 자 ㊤紙 | cǐ, zǐ シ ふむ

[字解] ①밟을자 '將抗足而一之. (注)一, 躡也'《左思》. ②가는모양자 '一, 行貌'《廣韻》. ③쌍자, 짝자 두 개. '必有菅屩一踦'《淮南子》. ④잴자 측량함. '彼方一黃泉, 而登大皇'《莊子》.
[字源] 形聲. 足+此〔音〕

足5 〔⿱此𧾷〕12 跐(前條)와 同字

足5 〔⿰⻊弗〕12 불 [入]物 | fú フツ いそいでゆくさま
[字解] ①급히달릴불 급히 가는 모양. '一, 急疾皃'《集韻》. ②뛸불 도약함. '一, 跳也'《說文》.
[字源] 形聲. 足+弗〔音〕

足5 〔⿰⻊戉〕12 [一] 월 [入]月 | yuè エツ はやい
[二] 헐 [入]月 | ケツ はやい
[字解] [一] ①빨리달리는모양월 '一, 疾走貌'《直音篇》. ②越(走부 5획〈1407〉)과 同字. [二] 빨리달리는모양헐 [一]❶과 뜻이 같음.
[字源] 形聲. 足+戉〔音〕

足5 〔⿰⻊必〕12 [一] 폐 [去]霽 | bì ヘイ ける
[二] 별 [入]屑 | bié ヘツ あしでうつ
[字解] [一] 찰폐 발로 참. '一, 蹴也'《集韻》. [二] 발길질할별 '一, 足擊也'《集韻》.

足5 〔跘〕12 [一] 반 [平]寒 | bàn ハン よろめきゆくさま
[二] 판 [上]旱 [去]諫 | bié ハン あしをくんですわる
[字解] [一] 비틀거리며갈반 '一跚'은 비틀거리며 가는 모양. '蹣, 蹣跚, 跛行也. 亦作一'《集韻》. [二] 도사리고앉을판 '一, 交足坐'《集韻》.

足5 〔⿰⻊吉〕12 〔결〕
趹(足부 4획〈1421〉)의 本字

足5 〔⿱尚止〕12 쟁 [平]庚 | chēng トウ ただす
[字解] ①바로잡을쟁 바르게 함. '維角一之. (疏)一, 正也'《周禮》. ②막을쟁, 그칠쟁 撐(手부 12획〈466〉)과 통용. '一, 歫也'《說文》. ③밟을쟁 '一, 蹋也'《集韻》.
[字源] 形聲. 止+尙〔音〕

足5 〔⿰⻊甲〕12 갑 [入]洽 | jiá コウ ゆくおと
[字解] 가는소리갑 가는 소리. 걸어가는 소리. '一, 行聲'《集韻》.

足5 〔跍〕12 고 [平]虞 | kū コ うずくまるさま
[字解] 웅크린모양고 쭈그리고 앉은 모양. '一, 蹲皃'《集韻》.

足5 〔⿰⻊瓜〕12 과 [平]麻 | guā カ あしのすじ
[字解] 족문과 족문(足紋). 발바닥의 살갗에 난 잔무늬의 금. '一, 足理文'《集韻》.

足5 〔⿰⻊本〕12 〔과〕
跨(足부 6획〈1428〉)와 同字

足5 〔⿰⻊丘〕12 구 [去]宥 | qiū キュウ ゆくさま
[字解] 가는모양구 가는 모양. '一, 一一, 行皃'《集韻》.

足5 〔跜〕12 국 [入]屋 | jū キク あし
[字解] 발국 발. 다리. '一, 足謂之一'《集韻》.

足5 〔⿰⻊出〕12 굴 [入]物 | jué クツ はしるさま
[字解] 달릴굴 달리는 모양. '一, 走皃'《集韻》.

足5 〔⿰⻊尔〕12 [一] 니 [平]齊 | nǐ ナイ あしがやぶれる
[二] 년 [上]銑 | niǎn ネン ふむ
[字解] [一] 다리부러질니 다리가 부러짐. '一, 脚破也'《篇海》. [二] 밟을년 밟음. '一, 同跈'《篇海》.

足5 〔⿰⻊去〕12 [一] 라 [上]馬 | liě ラ みのちゅうにうくさま
[二] 각 [入]藥 | què キャク ゆきなやむ
[字解] [一] 몸매이지않을라 하는 일이 없는 모양. '一, 身不就皃'《集韻》. [二] 가기어려울각 나아가지 못해 애먹음. '一, 行不進'《集韻》.

足5 〔跉〕12 령 [平]庚 | líng レイ ゆくさま
[字解] ①가는모양령 '一, 一跰, 行皃'《玉篇》. ②절뚝거리며갈령 절뚝거리며 감. '一, 一跰, 偏行'《集韻》. ③다리가늘고길령 '跰, 一跰, 細長皃'《龍龕手鑑》. '脚細曰一跰'《肯綮錄》. ④홀로가는모양령 '一, 一踂, 獨行貌, 別作一跰, 彾行'《正字通》. '一, 一跰, 行皃'《集韻》.

足5 〔跊〕12 말 [入]曷 | mò バツ ゆきすぎる
[字解] 지나칠말 지나침. 지나쳐 감. '一, 行過也'《集韻》.

足 5 〔跊〕12 매 [去]泰 mèi バイ ふむ

[字解] 밟을매 밟음. 디딤. '一, 踐也'《集韻》.

足 5 〔𧿳〕12 〔무〕 髳(髟부 5획〈1766〉)와 同字

足 5 〔𧿽〕12 민 [上]軫 [平]眞 mǐn, mín ビン けもののひづめ

[字解] ①짐승굽민 동물의 발굽. '一, 獸蹄甲也'《集韻》. ②갈민 감. 걸음걸이가 흐트러져 비치적거리며 가는 모양. 절면서 가는 모양. '一, 行跈跛也'《玉篇》.

足 5 〔䟦〕12 ㊀봉 [上]腫 ㊁범 [上]豏 fěng ホウ くつがえる fǎn ハン まつ

[字解] ㊀뒤집힐봉 뒤집힘. 번복됨. '一, 說文, 反覆也'《集韻》. ㊁①기다릴범 기다림. '一, 候也'《集韻》. ②빠를범 '一, 疾也'《餘文》.

足 5 〔䟵〕12 옥 [入]沃 yù ギョク あるきかたがしっかりしていないさま

[字解] 비틀거리는모양옥 걷는 것이 바르지 못함. '一, 行不正'《集韻》.

足 5 〔𨀕〕12 전 [平]先 tián テン ちをふむおと

[字解] 땅밟는소리전 땅을 밟는 소리. '一, 蹋地聲'《集韻》.

足 5 〔䟴〕12 〔전〕 躔(足부 10획〈1441〉)의 本字

足 5 〔𨀈〕12 〔조〕 阼(阜부 5획〈1612〉)와 同字

足 5 〔𧿻〕12 ㊀제 [去]霽 dì テイ ふむ ㊁지 [平]支 zhī チ たこ

[字解] ㊀밟을제 '一, 蹋也'《集韻》. ㊁①못지 손발에 생긴 굳은살. 胝(肉부 5획〈1069〉)와 同字. '胝, 說文, 腄也, 一曰, 繭也, 或作一'《集韻》. ②헛디뎌비틀거릴지 헛디디거나 걸려서 비틀거리거나 넘어짐. '一, 跆也, 或作蹢'《類篇》.

足 5 〔𨀳〕12 촉 [入]沃 cù ショク せまる

[字解] 재촉할촉 '一, 迫也'《玉篇》.

足 5 〔䟣〕12 출 [入]質 cù チュツ けもののあしあと

[字解] ①짐승발자국출 짐승의 발자국. '一, 獸迹'《廣韻》. ②짐승이름출 짐승의 이름. '一踢'. 머리 두 개를 가졌다는 전설상의 동물. '流沙之東, 有獸, 左右有首, 名曰一踢'《山海經》.

足 5 〔𨀗〕12 파 [上]哿 pǒ ハ あしなえ

[字解] 절름발이파 절름발이. '一蹛'. '一, 一蹛, 跛足也'《篇韻》.

足 6 〔跟〕13 근 [平]元 gēn コン きびす, かかと

[字解] ①발꿈치근 발의 뒤쪽의, 땅에 닿는 부분. '足後曰一, 在下方着地, 一體任之, 象木根也'《釋名》. ②뒤따를근 수행함. '一隨僕隸, 隨主足踵行'《品字箋》. ③섬길근 주인을 섬김. '僕屬事主, 亦曰一'《中華大字典》.

[字源] 形聲. 足＋艮(皀)〔音〕

足 6 〔跡〕13 [高人] 적 [入]陌 jī セキ あと

[筆順] 口 ⻊ ⻊ 𧾷 𧾷 𧾷 跅 跡

[字解] ①자취적 ㉠발자국. 또, 발자취. '鳥一'. '人一'. '古一'. '將皆必有車轍馬一焉'《左傳》. 迹(辵부 6획〈1493〉)과 同字. ㉡흔적. '筆一'. '畫空而尋一'《新論》. ②밟을적 '一, 蹈也'《小爾雅》. ③뒤밟을적 뒤를 캐어 찾음. 추적함. 미행함. '一衰敝之所由致. (注)一, 猶尋也'《後漢書》.

[字源] 形聲. 足＋亦〔音〕

足 6 〔跣〕13 선 ①②[上]銑 ③[平]先 xiǎn セン すあし xiān センめぐりゆく

[字解] ①맨발선 아무것도 신지 않은 발. '一, 赤足'《篇海類編》. '一脚著靴, 一脚一足'《列仙傳》. ②맨발로다닐선 '一, 裸足行也'《集韻》. ③돌아다닐선 여기저기 떠돎. 또, 춤추는 모양. '一, 蹁一, 旋行皃. 一曰, 舞容'《集韻》.

[字源] 形聲. 足＋先〔音〕

足 6 〔跦〕13 주 [平]虞 zhū チュ おどりゆくさま

[字解] ①새뛰면서가는모양주 '一, 鳥跳行皃'《集韻》. '鸜鵒一一'《左傳》. ②갈주 가는 모양. '一, 行皃'《廣韻》. ③멈칫거릴주 선뜻 나아가지 못함. '蹰, 踟蹰, 行不進也, 亦作一'《集韻》.

[字源] 形聲. 足＋朱〔音〕

足 6 〔跧〕13 전 [平]先 quán セン ふす サン ふす

[字解] ①땅에엎드리어갈전 김. '一, 匍匐也'

《廣雅》. ②발로찰전 '一, 蹴也'《說文》. ③낮을전 '一, 一曰, 卑也'《說文》. ④밟을전 '一, 蹋也'《一切經音義》. ⑤굽힐전 웅크림. '一, 一曰, 絭也. (注)絭, 當爲拳曲之拳'《說文》. ⑥굽어갈전 직선으로 곧게 가지 않음. '一, 行曲'《集韻》. ⑦굴복할전 '一, 屈伏也'《集韻》.
[字源] 形聲. 足+全〔音〕

足 6 〔跨〕 13 [一] 과 [去]禡 | kuà カ またぐ, こえる
[二] 고 [去]遇 | kù コ うずくまる

[字解] [一] ①넘을과 ㉠넘어감. 건넘. '一谷彌皐'《張衡》. ㉡사타구니를 벌려 넘음. '康王一之'《左傳》. ②사타구니과 두 넓적다리의 사이. 샅. '能死刺我, 不能出一下'《漢書》. ③점거할과 '不一其國'《國語》. ④걸터앉을과 ㉠사타구니를 벌리고 탐. 말을 탐. '一野馬'《史記》. ㉡발 밑에 밟고 제어함. 점유함. '一海內, 制諸侯'《李斯》. ⑤걸칠과 두 곳을 겸유(兼有)함. '若一有荆楚, 保其巖阻'《三國志》. [二] ①웅크릴고 쭈그림. '一, 踞也'《廣韻》. ②샅고 사타구니. '胯, 說文, 股也, 或从足'《集韻》.
[字源] 形聲. 足+夸〔音〕

足 6 〔跉〕 13 跨(前條)와 同字

足 6 〔跪〕 13 궤 [上]紙 | guì キ ひざまずく

[字解] ①꿇어앉을궤 무릎을 꿇고 앉음. '一坐'. '授立不一'《禮記》. ②무릎꿇고절할궤 '噲一拜送迎'《史記》. ③발궤 '一, 足也'《篇海類編》. ④게발궤 '一, 又蟹足曰一'《正字通》. '蟹六一而二螯'《荀子》.
[字源] 形聲. 足+危〔音〕

足 6 〔跬〕 13 [一] 규 [上]紙 | kuǐ キ ひとあし
[二] 설 [入]屑 | xiè セツ つかれる

[字解] [一] ①반걸음규 한 걸음의 반. 반보(半步). '故君子一步而不忘孝也'《禮記》. ②가까울규 '遊心於堅白同異之間, 而敝一譽無用之言'《莊子》. ③조금규 얼마 안 됨. '故一步不休, 跛鼈千里'《淮南子》. [二] 지칠설 '敝一, 疲也'《集韻》.
[字源] 形聲. 足+圭〔音〕

足 6 〔跮〕 13 [一] 희 [去]寘 | chì チ たちもとおる
(치[本])
[二] 질 [入]質 | dié チツ たちもとおる

[字解] [一] 일진일퇴할희 머뭇거림. '一, 一蹉, 乍前乍卻'《廣韻》. '一蹉轕轄, 容以委麗兮'《史記》. ②분개하여거역할희 '一, 忿戾'《集韻》. ③발자국희 '一, 蹩也'《廣韻》. ※本音 치. [二] 일진일퇴하는모양질 머뭇거리는 모양. '一, 前却皃'《集韻》.
[字源] 形聲. 足+至〔音〕

足 6 〔路〕 13 [中·人] [一] 로 [去]遇 | lù ロ みち
[二] 락 [入]藥 | luò ラク まがき

[筆順] 口 口 口 卩 𧾷 趵 跤 路

[字解] [一] ①길로 ㉠사람이나 수레가 다니는 길. '大一'. '掌達天下之道一'《周禮》. ㉡사람이 마땅히 행하여야 할 길. 도의. 도덕. '義, 人之正一也'《孟子》. ㉢사물의 조리. '有筆力有筆一'《玉海》. ㉣중요한 자리. 요처. '要一'. '夫子當一於齊'《孟子》. ㉤방도. 방법. '無一請纓'《王勃》. '欲陳之而未有一'《司馬遷》. ㉥방면. '荆湖北一'《宋史》. ㉦거치는 도중. '崎嶇官一多危機'《陸游》. ②클로 주로 군주(君主)에 관한 사물에 쓰임. '一, 大也'《爾雅》. '厥聲載一'《詩經》. ③바를로 '雖有義臺一寢. (注)一, 正也'《莊子》. ④고달플로, 패망할로 '一, 叚借爲羸'《說文通訓定聲》. '是率天下而一也'《孟子》. '國家乃一. (注)一與露同, 露, 敗也'《管子》. ⑤드러낼로, 드러날로 '一亶者也'《荀子》. ⑥길손로, 나그네길로, 길갈로 客(宀부 6획〈277〉)과 통용. '一室女之方桑兮. (注)一室, 客舍也'《楚辭》. ⑦수레로 왕자(王者)의 수레. 輅(車부 6획〈1466〉)와 통용. '鸞一'. '殊異乎公一'《詩經》. ⑧행정구획이름로 송대(宋代)의 행정 구역의 이름. 지금의 성(省)에 해당함. ⑦성로 성(姓)의 하나. [二] 울락 죽멸(竹蔑)로 둘러친 울. '一, 纍也, 通作落'《集韻》. '爾廼虎一三嵏, 以爲司馬'《揚雄》.
[字源] 形聲. 足+各〔音〕

足 6 〔趼〕 13 견 [平]先 | jiǎn ケン たこ

[字解] ①못견 발에 생기는 딱딱한 군살. 또, 발가락이 트거나 부르트는 일. '百舍重一而不敢息. (注)一, 胝也, 通作繭'《莊子》. ②자귀견 짐승의 발자국. '一, 獸跡'《廣韻》.
[字源] 形聲. 足+幵〔音〕
[參考] 趼(足부 4획〈1423〉)은 同字.

足 6 〔跱〕 13 치 [上]紙 | zhì チ とまる

[字解] ①그칠치 멈춤. '一, 止也'《廣雅》. ②설치 '一, 立也'《字彙補》. ③머뭇거릴치 주저하여 앞으로 잘 가지 아니함. '一行不進'《類篇》. ④갖출치 준비함. 저축함. '詔所經道上, 郡縣無得設儲一'《後漢書》. ⑤둘치 놓아 둠. '一遊極於浮柱'《張衡》. ⑥설〔立〕치 '松喬高一孰能離'《後漢書》.
[字源] 形聲. 足+寺〔音〕

足 6 〔跲〕13 겁 [入]葉 | jiá キョウ つまずく

[字解] ①넘어질겁 헛딛거나 무엇에 걸려 넘어짐. '一, 躓也'《說文》. ②장애(障礙)될겁 '言前定則不一'《中庸》. ③번갈아겁 번갈아 듦. 迨(辵부 6획〈1494〉)과 통용. ④물러날겁 '一, 却行也'《龍龕手鑑》. ⑤대신할겁 '一, 代也'《廣雅》.
[字源] 形聲. 足+合〔音〕

足 6 〔跳〕13 [高·人] 도(①-③조[本]) [平]蕭 [平]豪 | ①-③tiào チョウ おどる, とぶ ④⑤táo トウ にげる

[筆順] 口 𧾷 𧾷 𧾷 跀 跗 跳 跳

[字解] ①뛸도 뛰어오름. 도약함. 또, 튐. '高一'. '飛一'. '一, 一曰, 躍也'《說文》. '萬丸一猛雨'《杜牧》. ②덤빌도 싸움을 걺. '一, 挑戰也'《五音集韻》. ③넘어질도 헛디디거나 발부리가 무엇에 걸려 넘어짐. '今謂失足傾墮爲一'《新方言》. ※이상(以上) 本音 조. ④위로치솟을도 초목의 가지가 위로 자라 오르는 모양. '一, 條也. 如草木枝條務上行也'《釋名》. ⑤달아날도 逃(辵부 6획〈1493〉)와 통용. '漢王一'《漢書》.
[字源] 形聲. 足+兆〔音〕

足 6 〔跺〕13 타 [上]哿 | duǒ タ ゆくさま

[字解] ①가는모양타 '一, 行皃'《集韻》. ②머뭇거릴타 '一跟'은 머뭇거리고 나아가지 아니하는 모양. ③밟을타 다리로 힘써 땅을 밟음. '黛玉急得一脚'《紅樓夢》. ④발구를타 감정에 복받치어 발을 동동 구름. '一脚道, 這小猴子, 又鬧這個玩意兒子!'《孽海花》.
[字源] 形聲. 足+朵〔音〕

足 6 〔跧〕13 광 [平]陽 | kuāng キョウ あわてて ゆく

[字解] 서둘러갈광 '一躟'은 허둥지둥 가는 모양. '一, 一躟, 行遽也'《玉篇》.

足 6 〔跠〕13 이 [平]支 | yí イ うずくまる

[字解] 웅크리고앉을이 쭈그리고 앉음. 夷(大부 3획〈232〉)와 통용. '一, 踞也'《廣雅》.

足 6 〔跤〕13 교 [平]肴 | jiāo コウ すね

[字解] ①정강이교, 발회목교 骹(骨부 6획〈1757〉)와 同字. '脛也, 或作一'《說文》. '一, 脛骨近足細處'《廣韻》. ②공중제비칠교 곤두박질함. '彩雲忙喊道, 你們快些來, 老爺跌了一'《孽海花》.
[字源] 形聲. 足+交〔音〕

足 6 〔跩〕13 세 [去]霽 | shì セイ こえる

[字解] 넘을세 '趣, 超踰也. 或作一·跇'《集韻》.

足 6 〔跗〕13 복 [入]屋 [入]職 | fú フク ゆくさま bó ホク くずれる

[字解] ①갈복 가는 모양. '一, 一曰, 行皃'《集韻》. ②손발구부려땅에엎드릴복 '一, 屈手足伏地'《集韻》. ③무너질복 '魂褫氣懾而自踣一者'《左思》. ④엎드릴복 '匐, 說文, 伏地也. 或作一'《集韻》.

足 6 〔跢〕13 [一] 대 [去]泰 [去]箇 [二] 다 [平]歌 [三] 치 [平]支 [四] 질 [入]質 | dài タイ たおれる タ ようじのゆくさま duō タ ようじをつれてゆく chí チ たちもとおる チツ たちもとおる

[字解] [一] ①넘어질대 '一, 倒也'《玉篇》. ②발이걸려넘어질대 '跌, 蹶也. (注)江東謂一'《揚子方言》. ③어린애가는모양대 '一, 小兒行皃'《集韻》. [二] ①어린애가는모양다 [一]❸과 뜻이 같음. ②어린애데리고갈다 '一, 攜幼行也'《集韻》. [三] 머뭇거릴치 선뜻 나아가지 못함. '一, 博雅, 蹢躅, 一跦也'《集韻》. [四] 머뭇거릴질 [三]과 뜻이 같음.

足 6 〔跚〕13 〔산〕 跚(足부 5획〈1425〉)과 同字

足 6 〔践〕13 〔천〕 踐(足부 8획〈1433〉)의 俗字

足 6 〔跰〕13 〔변〕 跰(足부 8획〈1434〉)과 同字

足 6 〔跫〕13 공 [平]冬 | qióng キョウ あしおと

[字解] 발자국소리공 발을 디디는 음향(音響). 또, 인기척이 나는 모양. '空谷一音'. '聞人足音一然而喜矣'《莊子》.
[字源] 形聲. 足+巩〔音〕

足 6 〔跏〕13 〔결〕 趣(走부 6획〈1410〉)과 同字

足 6 〔跨〕13 과 [上]馬 | guǎ カ ゆきまたぐさま

[字解] 가다타넘을과 가다가 타넘음. '一踏'. '一, 一踏, 行跨皃'《集韻》.

足 6 〔跍〕13 괄 [入]曷 | kuò カツ ける

字解 찰괄 참. 발로 참. 차냄. '一, 蹵也'《集韻》.

足6 〔𧿹〕13 〔기〕
旡(部首〈499〉)와 同字

足6 〔𨀁〕13 〔기〕
企(人부 4획〈36〉)와 同字

足6 〔𨀆〕13 〔려〕
踙(足부 8획〈1436〉)와 同字

足6 〔𧿿〕13 〔반〕
跘(足부 5획〈1426〉)과 同字

足6 〔𨀓〕13 〔배〕
拜(手부 5획〈433〉)의 俗字

足6 〔𨀕〕13 상 ㊉陽 | xiáng ショウ はしってゆく
字解 달려갈상 달려감. '一, 趨行'《廣韻》.

足6 〔𨁏〕13 약 ㊇藥 | ruò ジャク あしのうらのすじ
字解 발금약 발금. 발바닥 살결이 줄무늬를 이룬 금. '一, 足下文'《集韻》.

足6 〔𨀊〕13 ㊀연 | yuān エン つまずく
㊁현 | zuān ケン はやい
字解 ㊀채어서비틀거릴연 발끝이 채어 중심을 잃음. '一, 蹎也'《篇海》. ㊁빠를현 '一, 急疾也'《字彙補》.

足6 〔𧿳〕13 〔자〕
趦(走부 9획〈1414〉)와 同字

足6 〔𨀇〕13 재 | zài サイ あし
字解 발재 발〔足〕. '一, 足也'《篇韻》.

足6 〔𨀒〕13 〔준〕
蹲(足부 12획〈1446〉)과 同字

足6 〔𨀔〕13 증 ㊤迥 | zhěng セイ あし
字解 발증 발〔足〕. '一, 足也'《篇海》.

足6 〔𨀋〕13 차 ㊔禡 | chè シャ えだみち
字解 갈림길차 갈림길. 기로(岐路). '一, 岐道'《集韻》.

足6 〔跈〕13 찰 ㊇曷 | zuǒ サツ ゆくさま
字解 가는모양찰 가는 모양. '一, 躄一, 行皃'《集韻》.

足6 〔跊〕13 〔척〕
踧(足부 8획〈1435〉)과 同字

足6 〔𧿩〕13 〔탁〕
踱(足부 9획〈1439〉)과 同字

足6 〔𨁆〕13 통 ㊉冬 | tōng トウ はしるさま
字解 달리는모양통 달리는 모양. '一, 走皃'《集韻》.

足6 〔𨁍〕13 함 | jiān カン ゆくさま
字解 가는모양함 가는 모양. '一, 行貌'《篇韻》.

足6 〔跭〕13 항 ㊉江 | xiáng コウ そばたつ
字解 ①우뚝설항 우뚝 섬. '一, 一躞, 竦立也'《集韻》. ②가기어려울항 가려 해도 나아가지지 않아 안타까움. '一, 一曰, 行不進'《集韻》.

足6 〔𨀖〕13 해 ㊔隊 | hài カイ いそいでゆく
字解 급히갈해 급히 감. '一, 行急'《集韻》.

足6 〔𧿫〕13 힐 ㊇質 | xī キツ ゆく
字解 갈힐 감. 걸어감. '一, 行'《玉篇》.

足7 〔跼〕14 국 ㊇沃 | jú キョク かがむ
字解 ①구부릴국 몸을 구부림. '一高天蹐厚地. (注)一, 曲也'《後漢書》. ②구부러질국 구부러져 펴지지 않음. '一, 跪一, 不伸也'《集韻》.
字源 形聲. 足＋局〔音〕

足7 〔跽〕14 기 ㊤紙 | jì キ ひざまずく
字解 ①꿇어앉을기 무릎을 꿇고 앉되, 궁둥이를 발에 닿지 않게 몸을 폄. 이를 '長跪'라고도 함. 단순한 '跪'와는 자세가 다름. '項王按劍而一'《史記》. ②굽을기 구부림. '一, 擊一, 曲拳也'《玉篇》.
字源 形聲. 甲骨文은 止＋己〔音〕

足7 〔踆〕14 준 ①㊉眞 | qūn シュン おわる
②㊉元 | cūn ソン ふみにじる
③㊉元 | zūn ソン うずくまる
字解 ①마칠준, 물러날준 竣(立부 7획〈927〉)과 同字. '一, 退也, 止也, 伏也. 亦作竣'《篇海類編》. '千品萬官, 已事而一'《張衡》. ②짓밟을준, 찰준 발로 차 넘어뜨림. '一, 以足逆蹴曰一'《集韻》. '逆而一之'

《公羊傳》. ③쭈그리고앉을준 무릎을 세우고 앉음. 蹲(足부 12획〈1446〉)의 古字. '帥弟子而一於窾水'《莊子》.
[字源] 形聲. 足＋夋〔音〕

足 7 〔踉〕14 [一] 량 [平]陽 ①liáng リョウ おどる / [去]漾 ②-④liàng リョウ ほこうのただしくないさま / [二] 랑 [去]漾 làng ロウ あわててゆくさま

[字解] [一] ①뛸량 도약함. '跳一乎井幹之上'《莊子》. ②가려고하는모양량 '一, 一蹡, 欲行皃'《集韻》. '一蹡越門限'《韓愈》. ③서행할량 천천히 감. '一, 一蹡, 行不迅也'《廣韻》. '已一蹡而徐來'《潘岳》. ④가는모양바르지않을량 걷는 모습이 불안함. '一, 一蹡, 行不正皃'《廣韻》. [二] 허둥지둥가는모양랑 '一, 一蹡, 行遽皃'《集韻》.
[字源] 形聲. 足＋良〔音〕

足 7 〔踊〕14 [人名] 용 [上]腫 yǒng ヨウ おどる
[筆順] 口 早 𧾷 𧾷 跖 踊 踊 踊
[字解] ①뛸용 도약함. '一躍用兵'《詩經》. 또, 죽음을 슬퍼하여 행하는 도약의 의식(儀式). '哭君成一'《公羊傳》. ②춤출용 무용을 함. '千人一, 萬人賀'《楊炎》. '霓裳一于河上'《劉禹錫》. ③오를용 위로 올라감. 湧(水부 9획〈666〉)과 통용. ㉠물건 위에 오름. '一于棓而窺客'《公羊傳》. ㉡물가가 오름. '物貨翔一'《唐書》. ④신용 월형(刖刑)을 당한 사람이 신는 신. '屨賤一貴'《左傳》. ⑤심히용 대단히. '物一騰躍. (注) 一, 甚也'《史記》. ⑥미리용 사전에. 豫(豕부 9획〈1376〉)와 통용. '晉之不言出入者, 一爲文公諱也'《公羊傳》.
[字源] 形聲. 足＋甬〔音〕

足 7 〔跿〕14 도 [平]虞 tú ト すあし
[字解] ①맨발도 아무것도 신지 않은 발. '一, 一跔, 跣也, 或从徒'《集韻》. ②뛸도 도약함. '虎賁之士, 一跔科頭'《史記》.
[字源] 形聲. 足＋徒〈省〉〔音〕

足 7 〔䟺〕14 패 [去]泰 ①pèi ハイ あわてる / [去]泰 ②-③bèi ハイ つまずきたおれる
[字解] ①허둥지둥갈패 급히 가는 모양. '一, 急行皃'《集韻》. ②넘어질패 헛디디거나 발부리에 무엇이 걸려 넘어짐. '狼一, 顚一也'《一切經音義》. ③밟을패 밟고 걸어감. '一, 步行獵跋也'《說文》. ④바르게가지않을패 '一, 蹎一, 行不正'《集韻》.
[字源] 形聲. 足＋貝〔音〕

足 7 〔踂〕14 섭 (녑[本]) [入]葉 niè ジョウ·ニョウ りょうあしがもつれる
[字解] 두다리꼬일섭 두 다리가 꼬여 떨어지지 않음. 또, 그 발. '兩足不能相過, 齊謂之綦, 楚謂之一'《穀梁傳》. ※本音 녑.

足 7 〔踃〕14 [一] 소 [平]蕭 xiāo ショウ おどる / [二] 초 [去]嘯 qiào ショウ あしのすじのひきつるびょう
[字解] [一] ①뛸소 도약함. '簡惰跳一, 般紛挐兮'《傅毅》. ②움직일소 '一, 跳一, 動也'《集韻》. [二] 발병초 발의 근육이 땅기는 병. '一, 足筋急病'《集韻》.

足 7 〔跭〕14 규 [平]支 guī, kuí キ おどる, はぎのにく
[字解] ①뛸규 도약(跳躍)함. '鯪鯥一躍於垠隒'《郭璞》. ②종아리살규 종아리의 근육, '一, 脛肉也'《說文》. ③굽은종아리규 또, 왼쪽 종아리가 굽음. '一, 一曰, 曲脛也'《說文》. '一, 左脛曲也'《廣韻》. ④넘어질규 발을 헛딛거나 무엇이 발부리에 걸려 넘어짐. '一, 踤也'《廣雅》. ⑤다리규 기물(器物)을 받치는 것. '一, 柎也'《廣雅》.
[字源] 形聲. 足＋夅〔音〕

足 7 〔䟵〕14 [一] 항 [平]陽 háng コウ けもののあしあと / [二] 경 [平]更 gēng コウ うさぎのとおるみち
[字解] [一] 짐승발자귀항 迒(辵부 4획〈1489〉)과 同字. '迒, 獸迹也, 一, 迒或从足更'《說文》. [二] 토끼다니는길경 '䟵, 兔逕. 或从足'《集韻》.

足 7 〔䟴〕14 진 [去]震 [平]眞 zhěn シン うごく
[字解] 움직일진 '一, 動也'《說文》.
[字源] 形聲. 足＋辰〔音〕

足 7 〔踄〕14 [一] 박 [入]藥 bù ハク ふむ / [二] 보 [去]遇 ホ·ブ ふむ
[字解] [一] 밟을박 '一, 蹈也'《說文》. [二] 밟을보 [一]과 뜻이 같음.
[字源] 形聲. 足＋步〔音〕

足 7 〔𨁈〕14 〔근〕
跟(足부 6획〈1427〉)의 本字

足 7 〔䟽〕14 〔소〕
疏(疋부 7획〈804〉)와 同字

足 7 〔踈〕 14 〔소〕
疎(疋부 7획〈804〉)의 訛字

足 7 〔踁〕 14 [一] 형 [去]徑 | jìng ケイ はぎ
[二] 경 [平]庚 | kēng コウ しょうじんのさま
[字解] [一] 종아리형 脛(肉부 7획〈1075〉)과 뜻이 같음. '一, 脚一, 與脛同'《玉篇》. [二] 도량좁은사람경 '硜, 硜硜, 小人皃, 或作一'《集韻》.
[字源] 形聲. 足＋巠〔音〕

足 7 〔跮〕 14 [一] 체 [去]霽 | chì テイ かたあしでゆく
[二] 설 [入]屑 | セツ めぐりたおれる
[字解] [一] 한발로갈체 앙감질함. '一, 一足行也'《集韻》. [二] 돌아넘어질설 '一, 旋倒也'《集韻》.

足 7 〔跾〕 14 [一] 숙 [入]屋 | shū シュク はやい
[二] 추 [平]尤 | chōu チュウ あしがやむ
[字解] [一] 빠를숙, 길숙 '一, 疾也・長也'《說文》. [二] 발앓을추 '一, 足病'《集韻》.
[字源] 形聲. 足＋攸〔音〕

足 7 〔踋〕 14 〔각〕
脚(肉부 7획〈1075〉)과 同字

足 7 〔䠅〕 14 〔곤〕
䠅(足부 8획〈1435〉)의 訛字

足 7 〔䟗〕 14 〔과〕
跨(足부 6획〈1428〉)와 同字

足 7 〔𨁧〕 14 구 [平]尤 | qiú キュウ ふむ
[字解] 밟을구 밟음. 디딤. '一, 蹋也'《集韻》.

足 7 〔𨂃〕 14 기 | qì キ ふむ
[字解] 밟을기 밟음. 디딤. '一, 蹀也'《篇韻》.

足 7 〔𨁝〕 14 나 [平]歌 | nuó ダ・ナ つまずく
[字解] 채어서비틀거릴나 발끝이 채어서 비틀거림. '一, 足跌'《集韻》.

足 7 〔𨂂〕 14 〔단〕
躖(足부 14획〈1451〉)의 略字

足 7 〔䟻〕 14 [一] 도 [去]遇 | dù ト すあし
[二] 타 [上]馬 | zhà タ ゆきなやむ
[字解] [一] 맨발도 맨발. '一, 行不履也'《玉篇》. [二] 머뭇거릴타 가기 어려움. '一跒'. '一, 一跒, 行不進'《集韻》.

足 7 〔𨁏〕 14 〔도〕
跳(足부 6획〈1429〉)와 同字

足 7 〔䟜〕 14 두 [平]尤 | dōu トウ つまずく
[字解] 채어서비틀거릴두 채어서 비틀거림. 넘어짐. '一, 跌也'《集韻》.

足 7 〔䟩〕 14 렬 [入]屑 | liè レツ おどるさま
[字解] ①넘을렬 넘음. '一, 踰也'《玉篇》. ② 뛰는모양렬 뛰는 모양. '一, 蹶一, 跳跟皃'《集韻》.

足 7 〔踇〕 14 무 [上]有 | mǔ ボウ・モ ゆくさま
[字解] 가는모양무 가는 모양. 걸어가는 모양. '一, 行皃'《集韻》.

足 7 〔䟼〕 14 무 [上]麌 | wǔ ブ・ム あしあと
[字解] 발자국무 발자국. 밟은 흔적. '一, 博雅, 跡也'《集韻》.

足 7 〔𨀸〕 14 〔부〕
趺(足부 4획〈1422〉)와 同字

足 7 〔𨁶〕 14 선 [去]霰 | xuàn セン ゆるやかにゆく
[字解] 천천히걸을선 천천히 걸음. 천천히 걸어감. '一, 徐行也'《集韻》.

足 7 〔䟽〕 14 선 [平]先 | xiān セン ゆく
[字解] 갈선 감. 걸어감. '一, 行也'《字彙》.

足 7 〔䟫〕 14 선 [平]先 | shān セン ゆく
[字解] 갈선 감. 걸어감. '一, 行也'《集韻》.

足 7 〔𨁴〕 14 연 [去]霰 | yàn ゲン あるきかたがただしくない
[字解] 걸음바르지않을연 걸음걸이가 바르지 아니함. '一, 行不正'《集韻》.

足 7 〔䟾〕 14 열 | yuè エツ ほこうのさまがただしいこと
[字解] 보행정연할열 걸음걸이가 정연(整然)함. 또는 그 일. '一, 步楚也'《篇海類編》.

足 7 〔𨂃〕 14 잠 [平]侵 | cēn シン たまりみず
[字解] 괸물잠 괸 물. 일설에는, 짐승의 발

자국에 괸 물. '一, 蹏一, 停水也'《集韻》.

足7 〔⿰⻊朮〕14 〔척〕 踧(足부 8획〈1435〉)과 同字

足7 〔⿰⻊呈〕14 [一] 정 [平]庚 | chéng テイ みちのり
[二] 형 [去]徑 | jìng テイ はぎ

[字解] [一] 이수정 길의 이수(里數). 이정(里程). '一, 行期也'《集韻》. [二] 종아리형 脛(肉부 7획〈1075〉)과 뜻이 같음. '脛, 說文, 胻也, 亦作一'《集韻》.

足7 〔⿰⻊弟〕14 제 [平]齊 | tī テイ ふむ

[字解] 밟을제 밟음. '一, 一蹋, 踐也'《玉篇》.

足7 〔⿰⻊折〕14 [一] 제 [去]霽 | chì テイ おどる
[二] 계 [去]霽 | qì ケイ あしなえ

[字解] [一] ①뛸제 뜀. '踏·踰·跳, 跳也. 楚曰一'《方言》. ②넘을제 넘음. '一, 踰也'《玉篇》. [二] 절름발이계 '一, 跛也'《集韻》.

足7 〔⿰⻊作〕14 조 [平]蕭 | tiào チョウ おどる, あがる

[字解] ①뛸조 뜀. ②오를조 오름. '一, 躍也, 上也'《字彙補》.

足7 〔⿰⻊坐〕14 좌 [去]箇 | zuò サ いつわりはいする

[筆順] 口 ⺊ ⻊ ⻊人 ⻊从 ⻊从 ⻊坐 ⿰⻊坐

[字解] ①거짓절할좌 거짓으로 절함. '一, 詐拜也'《集韻》. ②헛디딜좌 헛디딤. 비틀거리는 모양. 층등(蹭蹬). '躧一'. '躧, 躧一. 猶蹭蹬也'《集韻》.

足7 〔⿰⻊告〕14 질 | diē テツ あし

[字解] 발질 발〔足〕. '一, 足也'《字彙補》.

足7 〔⿰⻊足〕14 촉 [入]屋 | chù シュク つつしむ

[字解] 삼갈촉 삼감. 조심함. '一, 齊謹也'《集韻》.

足7 〔⿰⻊吞〕14 탄 [去]願 | tūn トン ふむ

[字解] 밟을탄 밟음. 디딤. '一, 蹋也'《集韻》.

足7 〔⿰⻊甫〕14 포 [平]虞 | pū ホ うまのあしあと

[字解] 말발자국포 말의 발자국. '一, 馬蹀跡'《集韻》.

足7 〔⿰⻊旱〕14 한 [上]旱 | hàn カン かたよりたつ

[字解] 비스듬히설한 비스듬히 섬. '一, 偏立'《集韻》.

足8 〔踏〕15 [高·人] 답 [入]合 | tà トウ ふむ

[筆順] 口 ⺊ ⻊ ⻊ 跀 跀 跊 踏

[字解] ①밟을답 ㉠발로 땅을 디딤. '握臂連一'《誠齋雜記》. ㉡밟고 누름. '以足一其頭'《氿池筆記》. ㉢보행함. 걸음. '一青拾翠'《畫繼》. '忍觸瓏璁縱健一'《何中》. ②발판답 밟고 올라서는 받침대. '以水晶飾腳一'《宋史》. ③신발답 '瑤一動芳塵'《溫庭筠》. ④확인할답 확실히 함. '一, 勘驗也'《中華大字典》.

[字源] 形聲. 足+沓〔音〕

足8 〔踐〕15 [高·人] 천 [去]霰 [上]銑 | jiàn セン ふむ

[筆順] 口 ⺊ ⻊ ⻊戈 ⻊戈 ⻊戋 踐 踐

[字解] ①밟을천 ㉠이행함. '實一'. '修身一言'《禮記》. ㉡발로 디딤. 또, 발로 누름. '蹂一'. '毋一屨'《禮記》. ㉢따름. 좇음. '不一迹'《論語》. ㉣걸음. 보행함. 감. '深一戎馬之地'《漢書》. '經宜陽而東一'《江淹》. ㉤오름. 자리에 나아감. '一祚'. '一其位, 行其禮'《中庸》. ②누를천 진압함. 물리침. '晉之妖夢是一'《左傳》. ③차려놓을천 진열·진설한 모양. '籩豆有一'《詩經》. ④해칠천, 다칠천 殘(歹부 8획〈608〉)과 통용. ⑤벨천, 죽일천 翦(羽부 9획〈1045〉)과 통용. '成王東伐淮夷, 遂一奄'《古文尚書》. ⑥맨발천, 맨발될천 跣(足부 6획〈1427〉)과 통용. '皆無一'《漢書》. ⑦얕을천 淺(水부 8획〈657〉)과 통용. '有一家室'《詩經》.

[字源] 形聲. 足+戔〔音〕

足8 〔踑〕15 기 ①[上]紙 | jì キ あぐら
②[平]支 | qí キ あしあと

[字解] ①다리뻗고앉을기 '一踞'는 두 다리를 쭉 뻗고 기대어 앉음. 기거(箕踞). '奮髯一踞, 枕麴藉糟'《劉伶》. ②발자국기 또, 발자국을 따름. '一, 跡也'《集韻》. '一, 䠡跡也'《廣韻》.

[字源] 形聲. 足+其〔音〕

足8 〔踔〕15 [一] 초 [去]效 [去]嘯 | ①②chuō トウ はしる ③tiào チョウ こえる
[二] 탁 [入]覺 (착[本]) | chuò タク はるか, すぐれる

[字解] [一] ①달릴초 빨리 감. 질주함. '趫一'.

'一天蹻'《漢書》. ②뛸초 껑충 뜀. 도약함. '一㨷枝'《後漢書》. ③넘을초 뛰어넘음. '一宇宙, 而遺俗兮'《後漢書》. ㊁ ①멀탁 멀리 떨어짐. '上谷至遼東, 地一遠'《史記》. ②뛰어날탁 卓(十부 6획〈128〉)과 同字. '非有一絶之能, 不相踰越'《漢書》. ③절름거릴탁 踸(足부 9획〈1438〉)을 보라. '踸一'. ※本音 착.
字源 形聲. 足+卓〔音〕

足8 〔踖〕 15 ㊀ 적 (入)陌 | jí セキ ふむ
㊁ 착 (入)藥 | què シャク おか

字解 ㊀ ①밟을적 밟고 지나감. '毋一席'《禮記》. ②삼갈적 공손한 모양. 조심하는 모양. '一, 一曰, 踧一'《說文》. ③재빠를적 민첩한 모양. '一一, 敏也'《爾雅》. ④부끄러워할적 양심에 가책을 느끼는 모양. '勞一一. (注)一一, 慙媿貌也'《太玄經》. ㊁ ①언덕착 '一, 陵也'《廣雅》. ②말빨리갈착 '一, 駇也'《廣韻》. ③발로찰착 '一, 蹴也'《篇海類編》. ④가는모양착 '一, 行皃'《集韻》.
字源 形聲. 足+昔〔音〕

足8 〔踫〕 15 ㊀ 변 (平)先 | piān ヘン・ベン たこ
㊁ 병 (去)徑 | bèng ヘイ・ヒョウ にげはしる

字解 ㊀ ①비틀비틀할변 '一蹁'은 비틀비틀하며 이리저리 쓰러질 듯이 걷는 모양. '一蹁, 行步欹危之貌'《六書故》. ②못박일변 살갗에 박이는 못. 또, 손발의 틈. 胼(肉부 8획〈1079〉)과 同字. '胼胝, 皮上堅也. 一, 上同'《廣韻》. ㊁ 내달릴병 흩어져 달아남. 迸(辵부 8획〈1498〉)과 同字. '迸, 說文, 散走也. 或从足'《集韻》.
字源 形聲. 足+幷〔音〕
參考 跰(足부 6획〈1429〉)은 俗字.

足8 〔踝〕 15 과 (화本) (上)馬 | huái(huà) カ くるぶし

字解 ①복사뼈과 거골(距骨). '一, 足一也'《說文》. ②발뒤꿈치과 '負繩及一以應直. (注)一, 跟也'《禮記》. ③단단한모양과 '一, 确然也, 居足兩旁, 磽确然也, 亦因其形一一然也'《釋名》. ④단하나과 '一一, 單獨之言也'《釋名》. ※本音 화.
字源 形聲. 足+果〔音〕

足8 〔踞〕 15 거 (去)御 | jù キョ うずくまる

字解 ①웅크릴거 무릎을 세우고 앉음. '一, 蹲也'《說文》. ②걸어앉을거 걸터앉음. '沛公方一牀'《漢書》. ③발뻗고앉을거 퍼더버림. '高祖箕一罵詈, 甚慢之'《漢書》. ④오만할거 '威不信長城, 反賂遺而尙一敖'《鹽鐵論》.
字源 形聲. 足+居〔音〕

足8 〔踚〕 15 비 (去)未 (上)尾 | fèi ヒ あしきる

字解 발꿈치자르는형벌비 중국 고대 형벌의 하나. '一, 刖足也'《玉篇》.
字源 形聲. 足+非〔音〕

足8 〔踟〕 15 지 (平)支 | chí チ たちもとおる

字解 머뭇거릴지 망설이고 떠나지 못함. 떠나기를 주저함. '搔首一蹰'《詩經》. '每逢絶勝即一躇'《范成大》.
字源 形聲. 足+知〔音〕

足8 〔踠〕 15 ㊀ 원 (上)阮 | wǎn エン・オン かがむ
㊁ 와 (去)箇 | wò カ つまずく

字解 ㊀ 굽을원, 굽힐원 발·몸이 구부러짐. 발·몸을 구부림. '馬一餘足'《後漢書》. ㊁ 넘어질와 헛디디거나 발부리가 무엇에 걸려 넘어짐. 踒(足부 8획〈1435〉)와 同字. '踒, 說文, 足跌也. 或作一'《集韻》.
字源 形聲. 足+宛〔音〕

足8 〔踡〕 15 권 (平)先 | quán ケン せぐくまる

字解 구부릴권, 굽을권 웅크림. 오그라져 펴지지 않음. 또, 마음이 위축(萎縮)되는 모양. '一, 一跼, 不伸也'《集韻》. '一局顧而不行. (注)一跼, 詰屈不行貌'《楚辭》.
字源 形聲. 足+卷〔音〕

足8 〔踢〕 15 ㊀ 척 (入)錫 | tī テキ ける
㊁ 착 (入)藥 | chuò チャク あわてるさま
㊂ 절 (入)屑 | dié テツ かわる

字解 ㊀ 찰척 발로 물건을 참. '一, 以足蹵物'《正字通》. ㊁ 허둥지둥할착 '矍一'은 갑작스러운 모양. 당황하여 허둥거리는 모양. '河靈矍一'《漢書》. ㊂ 경질할절 '迭, 說文, 更迭也, 一曰, 迭, 或作一'《集韻》.
字源 形聲. 足+易〔音〕
參考 踼(足부 9획〈1438〉)은 別字.

足8 〔踣〕 15 ㊀ 복 (入)職 | bó ホク たおれる
㊁ 부 (去)宥 (去)遇 | pōu ホウ・フ たおれる フ たおれる

字解 ㊀ ①넘어질복, 넘어뜨릴복 '一, 僵也. (注)一與仆音義皆同'《說文》. ②효수(梟首)할복 '凡殺人者, 一諸市, 肆之三日'《周禮》. ㊁ ①넘어질부, 넘어뜨릴부 仆(人부 2획〈32〉)와 同字. ②패망할부 '故設用無度, 國家一'《管子》.
字源 形聲. 足+咅〔音〕

足 8 〔踤〕15 ㊀졸 [入]月 | zú ソツ ける, ふむ
㊁취 [去]寘 | cuì スイ あつまる

[字解] ㊀①찰졸, 밟을졸 발로 참. '帥軍一陸'《漢書》. ②닿을졸 부딛혀 닿음. '衝一而斷筋骨'《左思》. ③놀랄졸 경악함. 啐(口부 8획〈167〉)과 통용. '一, 一日, 駭也'《說文》. ④허둥거릴졸, 급작스러울졸 猝(犬부 8획〈754〉)과 통용. '倉一'. ㊁모일취 모여듦. '驚一于林'《太玄經》.
[字源] 形聲. 足+卒〔音〕

足 8 〔踥〕15 첩 [入]葉 | qiè ショウ ゆくさま

[字解] 오가는모양첩 '一, 一一, 往來貌'《廣韻》. '衆一蹀而日進兮'《楚辭》.

足 8 〔踦〕15 ㊀기 ①-⑥[平]支 | qī キ ちんば
⑦⑧[上]紙 | yǐ ギ ふれる
㊁의 [去]寘 | yì イ よる

[字解] ㊀①절름발이기 한쪽 발의 병신. '一跂畢行'《國語》. '兔跛鹿一'《易林》. ②한짝기 짝이 있는 물건의 한쪽. '亦足以復雁門之一'《漢書》. ③발기 또, 다리. '男女切一'《淮南子》. ④정강이기 '一, 脛也'《廣雅》. ⑤모자랄기 부족함. 畸(田부 8획〈800〉)와 통용. '或贏或一'《太玄經》. ⑥험준할기 崎(山부 8획〈311〉)와 同字. '山阜猥積而一嶇'《左思》. ⑦닿을기 접촉함. '膝之所一'《莊子》. ⑧왼쪽앞발이흰말기 '左白, 一. (注)前左脚白'《爾雅》. ㊁의지할의 倚(人부 8획〈57〉)와 통용. '強弱相一'《韓非子》.
[字源] 形聲. 足+奇〔音〕

足 8 〔踧〕15 ㊀척 [入]錫 | dí テキ·ジャク たいらでゆきやすい
㊁축 [入]屋 | cù シュク つつしむさま

[字解] ㊀평평하여가기쉬울척 길이 평탄한 모양. '一, 行平易也'《說文》. '一一周道'《詩經》. ㊁①받들고삼가는모양축 '一, 一踖, 恭謹不安貌'《正字通》. ②가기어려울축 '一, 踖, 不進也'《字林》. ③놀라는모양축 '或人一爾曰'《法言》. ④쪼들릴축 곤궁에 허덕임. '一, 困迫也'《正字通》.
[字源] 形聲. 足+叔〔音〕

足 8 〔踪〕15 종 [平]冬 | zōng ショウ·ソウ あしあと

[字解] 발자취종 蹤(足부 11획〈1444〉)과 同字. '一跡深藏'《宋史》.
[字源] 形聲. 足+宗〔音〕

足 8 〔踓〕15 ㊀유 [上]紙 | wěi イ·ユイ くるいはしる
㊁축 [入]屋 | cù シュク ふむ

[字解] ①미쳐서달릴유 '一, 狂走也'《類篇》. ②밟을유 '一, 蹩也'《玉篇》. ③달리는모양유 '一, 走皃'《集韻》. ㊁밟을축 '蹴, 說文, 躡也, 或作一'《集韻》.

足 8 〔踒〕15 와 [平]歌 [去]箇 | wō カ つまずく

[字解] ①실족할와 발을 헛딛어 엎드러짐. '一, 足跌也'《說文》. ②부러질와 '一, 一曰, 折也'《集韻》. '猿墮高木, 不一手足'《易林》.
[字源] 形聲. 足+委〔音〕

足 8 〔踕〕15 첩 [入]葉 | jié ショウ あしがはやい

[字解] ①발잴첩 걷는 발이 빠름. '一, 足疾'《集韻》. ②가는모양첩 걷는 모양. '一, 行皃'《集韻》.

足 8 〔踛〕15 륙 [入]屋 | lù リク·ロク おどる

[字解] ①뛰어갈륙 발을 번쩍번쩍 들어 올리며 뛰어 달리는 모양. '一, 翹一, 行也'《玉篇》. '一, 翹一, 行貌'《直音篇》. '蔆㮁翹一於夕陽'《郭璞》. ②기어오를륙 '像猢猻一樹一般'《平妖傳》.

足 8 〔踚〕15 ㊀창 [上]養 | chǎng ショウ うずくまる
㊁당 [現] | tāng トウ じょそうする

[字解] ㊀웅크릴창 '一, 踞也'《集韻》. ㊁《現》김맬창 쟁기·괭이 따위로 땅을 파헤쳐서 제초(除草)함.

足 8 〔踞〕15 곤 [上]阮 | kǔn コン しもやけのあし

[筆順] ㅁ ㅁ 𧾷 𧾷 𧿹 𨀁 𨀁 踞

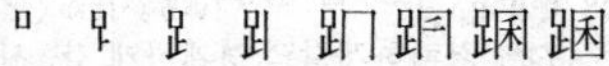

[字解] ①얼어터진발곤 동상(疼傷) 걸린 발. '一, 瘃足也'《說文》. ②자취곤 발자국. '一, 一曰, 迹也'《集韻》.
[字源] 形聲. 足+困〔音〕

足 8 〔踱〕15 ㊀비 [上]紙 [平]支 | ①②bì ヒ もも ③bǐ ヒ したがひろい
㊁배 [平]佳 | bāi ハイ ゆきつもどりつする
㊂변 [平]先 | ヘン したがひろい

[字解] ㊀①넓적다리비 髀(骨부 8획〈1758〉)의 古字. ②아랫부분클비 물건의 아랫부분이 큼. '一, 形下大也'《集韻》. ③밑넓을비 ㊂과 뜻이 같음. ㊁왔다갔다할배 '一, 躋一, 行繚戾也'《集韻》. ㊂밑넓을변 종(鐘)의 아랫부분이 넓음. '一, 鐘形下廣也'《集韻》.

足 8 〔踩〕15 [一] 규 | kuí キ おどる
[二] 렬 | レツ おどる
[三] 채 | cǎi サイ ふむ

[字解] [一] 뛸규 '一, 跳也'《篇韻》. [二] 뛸렬 [一]과 뜻이 같음. [三]《現》 ①밟을채, 짓밟을채. '不防脚底下果一滑了'《紅樓夢》. ②캘채 채취(採取)함.

足 8 〔踘〕15 〔국〕
鞠(革부 8획〈1665〉)과 同字

足 8 〔踾〕15 〔부〕
跗(足부 5획〈1425〉)의 俗字

足 8 〔踨〕15 〔종〕
蹤(足부 11획〈1444〉)의 俗字

足 8 〔踢〕15 〔척〕
蹠(足부 11획〈1443〉)의 古字

足 8 〔踘〕15 〔도〕
蹈(足부 10획〈1441〉)의 古字

足 8 〔踁〕15 〔경〕
脛(肉부 7획〈1075〉)와 同字

足 8 〔踞〕15 구 [平]虞 | jū ク あしがひえかがむ

[字解] 발곱을구 추위에 발이 곱음. 추위로 발의 감각이 둔함. '一, 足寒曲也'《集韻》.

足 8 〔踞〕15 굴 [入]物 | jué クツ ちから

[字解] 힘굴 힘〔力〕. 힘이 셈. 발의 힘이 셈. '一, 足多力也'《玉篇》.

足 8 〔踗〕15 녑 [入]葉 | niè ジョウ·ニョウ けいかいにゆくこと

[字解] 경쾌하게갈녑 경쾌하게 감. 사뿐사뿐 걸음. '一, 行輕也'《集韻》.

足 8 〔踺〕15 돌 [入]月 | tú トツ ふむ

[字解] ①밟을돌 밟음. 디딤. '一, 一日, 蹂也'《集韻》. ②앞으로나아가지못할돌 앞으로 나아가지 못함. 가는 데 불편함. '一踜'. '一, 一踜, 前不進也'《集韻》.

足 8 〔踣〕15 득 [入]職 | dé トク ゆくさま

[字解] 가는모양득 가는 모양. '一, 一一, 行皃'《集韻》.

足 8 〔踉〕15 량 [上]養 | liǎng リョウ うずくまる

[字解] 발웅크릴량 발을 쭈그리고 앉음. '一, 足踞也'《篇海》.

足 8 〔踜〕15 [一] 롤 [入]月 | lù ロツ ゆきなやむ
[二] 려 [去]霽 | lì レイ ちんば

[字解] [一] 못나아갈롤 못 나아감. 앞으로 나아가지 못해 애먹음. '踺一'. '一, 踺一, 不進'《集韻》. [二] 저는발려 절룩거리며 걷는 발. '一, 跛足'《集韻》.

足 8 〔踛〕15 록 [入]沃 | lù ロク ゆくさま

[字解] ①가는모양록 가는 모양. 걸어가는 모양. '一, 行皃'《集韻》. ②삼갈록 삼감. 공손함. '一, 一日, 恭也'《集韻》.

足 8 〔踚〕15 [一] 륜 [平]眞 | リン ゆく
[二] 론 [平]元 | lún ロン ゆくさま

[字解] [一] 갈륜 감. 걸어감. '一, 行也'《廣雅》. [二] 가는모양론 가는 모양. 걸어가는 모양. '一, 行皃'《集韻》.

足 8 〔踜〕15 [一] 릉 [去]徑 | lèng ロウ うまのやまい
[平]蒸 | léng ロウ つまずく
[二] 증 [上]迥 | chěng チョウ とどまる

[字解] [一] ①말병릉 말〔馬〕의 병. '一, 一蹬, 馬病'《集韻》. ②가는모양릉 가는 모양. '一, 一日, 一騰, 行皃'《集韻》. ③채어서비틀거릴릉 채어서 비틀거림. 발끝이 채어서 넘어짐. '一, 蹶也'《集韻》. [二] 머무를증 머무름. 멈춤. '一, 止也'《集韻》.

足 8 〔踄〕15 별 [入]屑 | biē ヘツ おどる

[字解] 뛸별 뜀. 뛰어오름. '一, 跳也'《集韻》.

足 8 〔踾〕15 〔부〕
跗(足부 5획〈1425〉)의 俗字

足 8 〔踦〕15 〔분〕
奔(大부 6획〈236〉)과 同字

足 8 〔踫〕15 붕 [平]蒸 | péng ホウ はしる

[字解] 달릴붕 달림. '一, 走也'《集韻》.

足 8 〔踋〕15 〔사〕
蹝(足부 11획〈1444〉)와 同字

足 8 〔踙〕15 〔섭〕
踂(足부 7획〈1431〉)의 訛字

足 8 〔踁〕15 아 [上]馬 | yǎ ア ただしくゆかないさま
[平]麻 | yā ア えだみち

[字解] ①비틀거릴아 비틀거림. 바르게 걷지

못하는 모양. '一, 行不正皃'《集韻》. ②갈림길아 갈림길. 기로(岐路). '一, 歧道'《集韻》.

足8 〔踚〕15 압 ㊀合 | è オウ ちんば
字解 절름발이압 절름발이. '一, 跛疾'《集韻》.

足8 〔踐〕15 염 ㊤琰 | yǎn エン はしる
字解 빨리갈염 달림. 빨리 걸어감. '一, 一一, 疾行也'《集韻》.

足8 〔踞〕15 장 ㊥陽 | chàng チョウ ひざまずく
字解 꿇어앉을장 꿇어앉음. 예용(禮容)의 한 가지. '一, 東郡謂跪曰一, 一跧, 拜也'《玉篇》.

足8 〔踬〕15 저 | dǐ テイ ゆく
字解 갈저 감. 걸어감. '一, 行也'《篇海》.

足8 〔踺〕15 전 ㊤銑 | tiǎn テン あと
字解 ①자국전 자국. 지나간 발자취. '一, 行迹'《廣韻》. ②가는모양전 가는 모양. '一, 行皃'《集韻》.

足8 〔踩〕15 〔접〕
蹀(足부 9획〈1438〉)과 同字

足8 〔踤〕15 〔제〕
躋(足부 14획〈1451〉)의 古字

足8 〔踷〕15 조 ㊤語 | zǔ ショ うまのあしのやまい
字解 말발병조 말의 발병. 말의 상처난 발병. '一, 馬傷足病'《集韻》.

足8 〔踱〕15 ㊀ 철 ㊀屑 | zhuó テツ おどる
㊁ 궐 ㊀屑 | juě ケツ こおどりする
字解 ㊀ 뛸철 뜀. 뛰어오름. '一, 跳也'《集韻》. ㊁ 팔짝팔짝뛸궐 팔짝팔짝 뜀. 약간 뛰어오름. '一, 小跳也'《集韻》.

足8 〔踀〕15 〔초〕
楚(木부 9획〈559〉)와 同字

足8 〔踧〕15 ㊀ 촉 ㊀沃 | chù チョク はしる
㊁ 탁 ㊀覺 | zhuó タク おどる
字解 ㊀ 달릴촉 달림. '一, 走也'《集韻》. ㊁ 뛸탁 뜀. 뛰어오름. '一, 跳也'《集韻》.

足8 〔踙〕15 〔추〕
躅(足부 10획〈1443〉)와 同字

足8 〔踶〕15 치 ㊦寘 | zhì チ たつ
字解 설치 섬. '一, 立也'《集韻》.

足8 〔踌〕15 치 ㊤紙 | zhì チ すすみにくい
字解 나아가기어려울치 나아가기 어려움. '一, 行難進'《篇海》.

足8 〔踤〕15 탈 ㊀曷 | dá タツ つまずくさま
字解 채어비틀거릴탈 채어 비틀거리는 모양. 실족한 모양. '一, 足跌貌'《篇海》.

足8 〔踋〕15 호 | háo ゴウ くすりのな
字解 약이름호 약 이름. 약명. '一, 藥名'《龍龕手鑑》.

足8 〔踹〕15 환 ㊦翰 | huàn カン かわる
字解 ①도망칠환 도망침. 달아나 숨음. '一, 說文, 跳也'《集韻》. ②바뀔환 바뀜. 갈아듦. '一, 迭也'《字彙》. ③구를환 구름. '一, 轉也'《字彙》. 옮음. ④돌환 돎. 또, 걸음. '一, 周也'《字彙》.

足9 〔踰〕16 ㊀ 유 ㊥虞 | yú ユ こえる
㊁ 요 ㊥蕭 | yáo ヨウ はるか, とおい
字解 ㊀ ①넘을유 ㉠한정에서 벗어나 지남. '一越'. '吾年一七十'《世說》. '無一我里'《詩經》. ㉡어느 장소를 위로 통과함. 건넘. '一嶺'. '終不能一河而北'《主父偃》. ㉢뛰어넘음. '一獄'. '一垣上屋'《素問》. ㉣초월함. 걸출함. '一於等類'《急就篇》. ㉤경과함. 양쪽에 걸침. '一限'. '一月則其善也'《禮記》. ㉥나아감. 감. '固難一也'《呂氏春秋》. ②이길유, 나을유 '子發攻蔡一之'《淮南子》. ③뛸유 도약함. '超一跳躍'《張衡》. ④더욱유 한층 더. '亂乃一甚'《淮南子》. ㊁ 멀요, 아득할요 遙(辵부 10획〈1503〉)와 同字. '毋一言'《禮記》.
字源 形聲. 足＋俞〔音〕

足9 〔踳〕16 준 ㊤軫 | chǔn シュン そむく, たがう
字解 ①어긋날준, 어그러질준, 그르칠준 어그러져 어지러운 모양. '一駁, 相乖舛也'《廣韻》. '其道一駁'《莊子》. ②뒤섞일준 舛(部首〈1109〉)·僢(人부 12획〈73〉)과 同字. '一, 雜也'《集韻》. ③밟을준 '一, 蹋也'《集韻》. ④실의할준 뜻을 잃은 모양. 실망한

모양. '容色——'《盧照鄰》.
[字源] 形聲. 足＋春〔音〕

足9 〔踵〕16 종 [上]腫 | zhǒng ショウ·シュ かかと, おう

[字解] ①발꿈치종 발의 뒤꿈치. ②뒤밟을종 가만히 뒤따름. 뒤쫓음. '追—'. '吳—楚'《左傳》. ③이를종 도달함. '—門而告文公曰'《孟子》. ④이을종 ㉠계속함. '—軍後數十萬人'《漢書》. ㉡이어받음. 계승함. '—二皇之遐武'《張衡》. ⑤찾을종 심방함. '—介旅. (注)—, 猶尋也'《後漢書》. ⑥인할종 '—秦而置材官於郡國. (注)—, 因也'《漢書》. ⑦자주종 누차. 거듭. '—見仲尼'《莊子》.
[字源] 形聲. 足＋重〔音〕

足9 〔踶〕16
[一] 제 [去]霽 [平]齊 | ①dì テイ·ダイ ふむ ②tí テイ·ダイ ひづめ
[二] 지 [上]紙 | zhì チ しんりょくをもちいるさま
[三] 시 [上]紙 | shì シ うしがあしをのべる

[字解] [一] ①밟을제 가볍게 밟음. '怒則分背相—'《莊子》. ②굽제 蹏(足부 10획〈1441〉)와 同字. [二] ①힘쓸지 '—跂'는 심력(心力)을 경주(傾注)하는 모양. '—跂爲義'《莊子》. ②머뭇거릴지 알짱알짱하고 앞으로 나아가지 못함. '跱, 說文, 躍也, 或作踟·—'《集韻》. [三] 소발뻗을시 소가 발을 폄. '—, 牛展足, 謂之—'《集韻》.
[字源] 形聲. 足＋是〔音〕

足9 〔踸〕16 침 [上]寢 [平]侵 | chěn チン あしなえのゆくさま

[字解] ①절룩거릴침 '—, —踔, 行無常皃'《說文新附》. ②쑥쑥자라는모양침 갑자기 자라는 모양. '馬蘭—踔而日加. (注)—踔, 暴長貌也'《楚辭》. ③이상해질침 평상(平常)의 모양을 잃음. '—, —踔, 無常也'《集韻》. ④바쁘게될침 '天馬忽騰空, —踔不可縶'《康有爲》.
[字源] 形聲. 足＋甚〔音〕

足9 〔踼〕16 탕 [平]陽 [平]陽 | táng トウ つまずく

[字解] ①넘어질탕 미끄러지거나 걸려 넘어짐. '魂褫氣懾, 而自—跌者'《左思》. ②종적놓칠탕 '—, 失跡也'《一切經音義》. ③막을탕 저지함. 堂(止부 8획〈604〉)과 통용.
[字源] 形聲. 足＋昜〔音〕
[參考] 踢(足부 8획〈1434〉)은 別字.

足9 〔踽〕16 우(구[本]) [上]麌 | jǔ ク ひとりゆくさま

[字解] ①외로울우 고독한 모양. 혼자 가는 모양. 친한 사람이 없는 모양. '獨行——'《詩經》. ②홀로갈우 외롭게 혼자 가는 모양. '—, 疏行皃'《說文》. '—, 獨行皃'《玉篇》. ③곱사등이우 '旁行—僂'《宋玉》. ※本音 구.
[字源] 形聲. 足＋禹〔音〕

足9 〔蹀〕16 접(첩[本]) [入]葉 | dié チョウ ふむ

[字解] ①밟을접 땅을 밟고 감. 또는, 밟아 누름. '足—陽阿之舞'《淮南子》. ②잔걸음할접 '躡—而容與'《張衡》. ※本音 첩.
[字源] 形聲. 足＋枼〔音〕

足9 〔蹁〕16 편 [平]先 [平]先 | pián ヘン よろめく

[字解] ①비틀거릴편 '—, 足不正也'《說文》. '—, 行不正皃'《廣韻》. ②뒷발끄는말편 '—, 拖後足馬'《說文》. ③무릎편 슬두(膝頭).
[字源] 形聲. 足＋扁〔音〕

足9 〔蹂〕16 유 [去]宥 [平]尤 | rǒu ジュウ ふむ / róu ジュウ いねふむ

[字解] ①밟을유 짐승이 발로 땅을 밟음. '—躪'. '餘騎相—踐'《史記》. ②짐승발자국유 '厹, 獸跡. 或作—'《集韻》. ③빨리갈유 '—, 疾也'《廣雅》. ④벼를짓밟아곡식떨유 '或簸或—'《詩經》.
[字源] 形聲. 足＋柔〔音〕

足9 〔踹〕16
[一] 천 [上]銑 | shuàn セン·ゼン かかと
[二] 단 [去]翰 | duàn タン かかと

[字解] [一] ①발꿈치천 '—, 踵也'《集韻》. ②발구를천 대단히 화가 나서 발을 구름. '—足而怒'《淮南子》. [二] ①발단 '—, 足也'《集韻》. ②발꿈치단, 발구를단 [一]과 뜻이 같음.
[字源] 形聲. 足＋耑〔音〕

足9 〔蹄〕16 제 ①-③[平]齊 ④[去]霽 | tí テイ ひづめ / dì テイ ふむ

[字解] ①굽제 마소 따위의 짐승의 발톱. '馬—'. '四鬣去—'《儀禮》. ②발제 짐승의 발. '獸—鳥迹之道, 交於中國'《孟子》. 전(轉)하여, 말을 세는 수사(數詞)로 쓰이는데, 네 발을 한 마리로 계산함. '陸地牧馬二百—'(오십 마리)《史記》. ③올무제 토끼 같은 것을 잡는 올가미. '得兔而忘—'《莊子》. ④찰제, 밟을제 발로 차거나 짓밟음. '怒相—齧者'《韓愈》.
[字源] 形聲. 足＋帝〔音〕

足 9 〔蹏〕16 蹄(前條)와 同字

足 9 〔踱〕16 [一] 탁 [入]藥 | duó タク はだし
[二] 착 [入]藥 | chuò チャク こえる

[字解] [一] ①맨발탁, 맨발로밟을탁 맨발. 또, 맨발로 땅을 밟음. '一, 跣足蹋地'《廣韻》. ②오락가락할탁, 머뭇거릴탁 멈칫거리며 선뜻 가지 못함. '跬一, 乍前乍卻'《玉篇》. ③천천히걸을탁 느릿느릿 크게 발을 떼어 걸음. '一出山門外'《水滸傳》. [二] 건너뛸착 허둥지둥 건너뜀. 踖(足부 13획〈1449〉)과 同字.
[字源] 形聲. 足+度〔音〕

足 9 〔蹓〕16 추 [平]尤 | qiū シュウ ゆくさま

[字解] ①갈추 가는 모양. 趥(走부 9획〈1414〉)와 同字. '一, 說文, 行皃'《集韻》. ②밟을추 鰌(魚부 9획〈1799〉)와 통용. '鰌, 藉也. 本又作一'《莊子 注》.

足 9 〔踾〕16 [一] 복 [入]屋 | fú フク あつまるさま
[二] 벽 [入]職 | bì ヒョク つちをふむおと

[字解] [一] 모일복 '一踧'은 모이는 모양. '一, 一踧, 聚皃'《廣韻》. [二] ①땅밟는소리벽 '一, 蹋地聲'《廣韻》. ②밟을벽 '一, 踏也'《集韻》. ③닥칠벽 '一踧'은 닥치는 모양. '一踧攢仄'《馬融》.

足 9 〔踰〕16 [一] 규 [上]紙 [平]齊 | kuí キ あしをひらくさま ケイ ものをうつさま
[二] 위 [上]紙 | wěi ギ よろめきゆくさま

[字解] [一] ①발벌릴규 '一踵'은 발을 벌리는 모양. '一, 一踵, 開足之皃'《廣韻》. ②칠규 '一踽, 搏物皃'《集韻》. [二] 비틀거릴위 발을 벌리고 비틀거리며 걷는 모양. '一踽盤桓'《張衡》.

足 9 〔蝦〕16 하 [平]麻 | xiā カ あしあと

[字解] ①발자국하 '一, 足所履也'《說文》. ②발밑하 발 아래. '一, 腳下'《廣韻》.
[字源] 形聲. 足+叚〔音〕

足 9 〔踴〕16 〔용〕
踊(足부 7획〈1431〉)과 同字

足 9 〔踴〕16 踴(前條)의 俗字

足 9 〔踏〕16 〔가〕
骼(骨부 9획〈1759〉)의 俗字

足 9 〔踺〕16 건 [去]願 | jiàn ケン ゆくさま

[字解] 가는모양건 가는 모양. '一, 行皃'《集韻》.

足 9 〔踢〕16 격 [入]錫 [入]陌 | qū ケキ うずくまる

[字解] ①웅크릴격 쭈그리고 앉음. '一, 踞也'《集韻》. ②굴신할격 굴신(屈伸)하는 모양. '一, 踧一, 屈伸皃'《集韻》.

足 9 〔蹊〕16 [一] 계 [去]寘 | jì キ あし
[二] 규 [平]支 | kuí キ はぎのにく

[字解] [一] 발계 발〔足〕. '一, 足也'《集韻》. [二] 정강이살규 정강이의 살. 또는 굽은 정강이. '一, 說文, 脛肉也'《集韻》.

足 9 〔踻〕16 과 [平]麻 | guā カ あしのすじ

[字解] 발금과 발금. 발의 살갗에 나 있는 금. '一, 足理文'《集韻》.

足 9 〔踳〕16 [一] 낙 [入]藥 | nuò ジャク ふむ
[二] 나 [去]禡 | nā ダ ようじがはじめてあるくさま
[三] 야 [上]馬 | rè ジャ ふみつける

[字解] [一] 밟을낙 밟음. '一, 踐也'《集韻》. [二] 아장거릴나 아장거림. 어린애가 처음으로 걷기 시작하는 모양. '踧一'. '一, 踧一, 小兒始行皃'《集韻》. [三] 뻗디딜야 뻗디딤. 발에 힘을 주고 버티어 디딤. '一, 踧一, 距地用力也'《集韻》.

足 9 〔踺〕16 〔달〕
躂(足부 13획〈1450〉)과 同字

足 9 〔踤〕16 踺(前條)과 同字

足 9 〔蹂〕16 독 [入]沃 | dú トク ただしくいかない

[字解] 바르게가지않을독 바르게 가지 아니함. '一, 行不正'《集韻》.

足 9 〔踲〕16 〔둔〕
遯(辵부 11획〈1505〉)과 同字

足 9 〔蹞〕16 〔리〕
履(尸부 12획〈300〉)의 古字

足 9 〔跮〕16 무 [去]遇 | wù ブ ひざまずく

[字解] ①설무 일어섬. '一, 方言, 立也'《集韻》. ②무릎꿇을무 무릎을 꿇고 넓적다리와 허리를 꼿꼿이 세워 하는 절. 궤배(跪拜). '一, 長跪'《玉篇》. '一, 一曰, 踞一,

跪拜'《集韻》. ③절할무 '一, 拜也'《集韻》.

足9 〔蹳〕 16 발 ㊀曷 | pō ハツ あしでくさをふみにじる

字解 ①풀밟는소리발 발로 풀〔草〕을 밟는 소리. '一, 蹋草聲'《廣韻》. ②발로풀밟아평평하게할발 '一, 以足蹋夷艸'《類篇》.

足9 〔踬〕 16 변 ㊥先 | pián ヘン ゆくさま

字解 가는모양변 가는 모양. '一, 行皃'《集韻》.

足9 〔踫〕 16 병 ㊥青 | pīng ヘイ ゆくさま

字解 가는모양병 가는 모양. '一, 跉一, 行貌'《篇海》.

足9 〔䟃〕 16 밤 ㊥咸 | pán ハン かちわたる

字解 걸어건널밤 걸어서 물을 건넘. '一, 步渡水'《廣韻》.

足9 〔踷〕 16 사 ㊤馬 | zhǎ タ ななめにゆくさま

字解 비스듬히가는모양사 비스듬히 가는 모양. '一, 衺行皃'《集韻》.

足9 〔踷〕 16 삽 ㊀洽 | zhǎ ソウ あしのうごくさま

字解 발움직일삽 발의 움직이는 모양. '一, 足動皃'《集韻》.

足9 〔踸〕 16 〔선〕 蹼(足부 12획〈1448〉)과 同字

足9 〔蹆〕 16 수 | shì スイ ふかい

字解 깊을수 깊음. '一, 深也'《篇海》.

足9 〔踀〕 16 〔악〕 齷(齒부 9획〈1889〉)과 同字

足9 〔蹃〕 16 안 ㊤潸 | yǎn ガン あと

字解 자취안 자취. 자국. 흔적. '一, 跡也'《集韻》.

足9 〔躔〕 16 전 ㊦霰 | chán テン あと

字解 ①자취전 자취. 종적. '一, 跡也'《集韻》. ②躔(足부 15획〈1452〉)과 同字.

足9 〔踿〕 16 족 ㊀屋 | zú シュク せまる

字解 ①급박할족 사정이 다급하게 됨. '一, 迫急也'《篇海》. ②가까울족 가까움. 멀지 않음. '一, 近也'《篇海》.

足9 〔蹍〕 16 주 ㊦宥 | zòu ソウ ふむ

字解 밟을주 밟음. 디딤. '一, 蹋也'《集韻》.

足9 〔踖〕 16 즉 ㊀職 | jí ショク せまる

字解 핍박할즉 핍박함. 심하게 재촉함. '一, 蹙也'《集韻》.

足9 〔跐〕 16 채 ㊥灰 | cāi サイ いそいでゆくさま

字解 급히가는모양채 급히 가는 모양. '一, 急行貌'《字彙》.

足9 〔踹〕 16 천 ㊦霰 | chuàn テン ゆく

字解 갈천 감. 걸어감. '一, 行也'《集韻》.

足9 〔踶〕 16 체 ㊦霽 | chì テイ わたる

字解 ①건널체 '一, 渡也'《玉篇》. ②뛰어날체 우수(優秀)함이 보통을 넘음. '趆, 說文, 超特也, 或从足'《集韻》.

足9 〔蹤〕 16 총 ㊥東 | cōng ソウ あわててゆく

字解 황급히갈총 황급히 감. 허둥지둥 감. '一, 蹵一, 行遽'《集韻》.

足9 〔踧〕 16 치 ㊦寘 | zhì チ ふむ

字解 ①밟을치 밟음. 디딤. '一, 蹋也'《篇海》. ②비틀거리거나넘어질치 헛디디거나 걸려서 비틀거리거나 넘어짐. '一, 亦作躓'《篇海》.

足9 〔踱〕 16 탁 ㊀藥 | tuò タク ゆるむ

字解 해이할탁 해이함. 조심성이 없고 예의에 벗어남. 방종함. '一弛'. '一, 一弛, 亦作跅'《玉篇》.

足9 〔踱〕 16 탁 | duó タク かちわたる

字解 도보로건널탁 도보로 건넘. 도보로 물을 건넘. '一, 行涉也'《篇海》.

足9 〔䠉〕 16 탄 | tān タン あるけない

字解 걷지못할탄 가지 못함. '䟃, 䟃一, 不能行也'《篇海》.

足 9 〔𨇭〕 16 〔하〕
夏(夊부 7획〈228〉)의 古字

足 9 〔𨆉〕 16 호 ㊥虞 | hú コ かがむ

字解 구부릴호 구부림. 무릎을 꿇고 행하는 배례(拜禮). '一, 一跪, 夷人屈𨈄禮'《集韻》.

足 9 〔䡣〕 16 혼 ㊤願 | hùn コン ゆく

字解 갈혼 감. 걸어감. '一, 行也'《字彙》.

足 10 〔蹈〕 17 人名 도 ㊤號 | dǎo(dào) トウ ふむ

筆順 𧾷 𧿹 𨀀 𨀁 𨀂 𨀃 蹈 蹈

字解 ①밟을도 ㉠발을 구르며 땅을 밟음. '不知手之舞之, 足之一之'《禮記》. ㉡짓밟음. '蹂一文錦于泥塗之中'《論衡》. ㉢걸음. 보행함. '使我高一'《左傳》. ㉣이행함. 실천함. '一道則未也'《穀梁傳》. ㉤이어받음. 따름. 옛것대로 함. '不務襲一'《韓詩外傳》. ㉥점유(占有)함. 점거함. '跨一漢南'《魏志》. ㉦발로 땅을 디딤. '一, 踐也'《說文》. ②슬퍼할도 悼(心부 8획〈395〉)와 통용. '上帝甚一'《詩經》.
字源 形聲. 足+舀〔音〕

足 10 〔蹉〕 17 차 ㊥歌 | cuō サ つまずく

字解 ①넘어질차 발을 헛디디거나 물건에 걸려 넘어짐. 전(轉)하여, 실패함. '不敢一跌'《漢書》. ②지날차 통과함. '賓客不得一'《張華》. ③어긋날차, 틀릴차 '宗周罔職, 日月爽一'《揚雄》. ④때놓칠차 '一, 一跎, 失時也'《說文新附》.
字源 形聲. 足+差〔音〕

足 10 〔蹊〕 17 혜 ①②㊥齊 ③㊤薺 | xī(xí), qī ケイ ちかみち ケイ まつ

字解 ①지름길혜, 좁은길혜 소로(小路). '桃李不言, 下自成一'《史記》. ②질러갈혜 가로지름. '牽牛以一人之田, 奪之牛'《左傳》. ③기다릴혜 徯(彳부 10획〈374〉)와 同字. '一, 待也'《說文》.
字源 形聲. 足+奚〔音〕

足 10 〔蹋〕 17 답 ㉧合 | tà トウ ふむ

字解 ①밟을답 '一, 踐也'《說文》. 踏(足부 8획〈1433〉)은 俗字. ②찰답 공 같은 것을 참. '一, 一鞠, 蹋毬也'《篇海類編》. '六博一鞠者'《史記》.
字源 形聲. 足+㒸〔音〕

足 10 〔蹌〕 17 창 ㊥陽 | qiāng ショウ·ソウ うごく, よろめく

字解 ①추창할창 예의에 맞도록 걷는 모양. '추창(趨蹌)'. '一一濟濟, 俾筵俾几'《詩經》. ②움직일창 '一, 動也'《說文》. ③춤출창 춤을 추는 모양. '鳥獸一一'《書經》. '一, 舞皃'《集韻》.
字源 形聲. 足+倉〔音〕

足 10 〔蹍〕 17 전 ㊤銑 | zhǎn テン ふむ

字解 ①밟을전 디딤. '一, 履也'《廣雅》. '一市人之足'《莊子》. ②넘어질전 헛디디거나 발부리가 무엇에 걸려 넘어짐. '一, 蹎也'《集韻》.
字源 形聲. 足+展〔音〕

足 10 〔𤴼〕 17 蹍(前條)과 同字

足 10 〔蹎〕 17 전 ㊥先 | diān テン つまずく

字解 넘어질전 걸리거나 헛디디어 넘어짐. '塼塗而塞江海, 僬僥而戴太山, 一跌碎折, 不待頃矣'《荀子》.
字源 形聲. 足+眞〔音〕

足 10 〔蹏〕 17 제 ㊥齊 | tí テイ ひづめ

字解 ①굽제, 발제 蹄(足부 9획〈1438〉)와 同字. '牧馬二百一'《漢書》. ②올무제 토끼 잡는 그물, 또는 올가미. 蹄(足부 9획〈1438〉)와 同字. '罠一連綱'《左思》. ③밟을제 '一, 一曰, 蹋也'《集韻》. ④종이제 '赫一'는 얇고 작은 종이쪽. '中有裹藥二枚赫一書'《漢書》.
字源 形聲. 足+虒〔音〕

足 10 〔蹐〕 17 척 ㉧陌 | jí セキ ぬきあし

字解 살살걸을척 살금살금 걸음. 발 소리를 죽여서 가만가만 걸음. '跼一'. '謂地蓋厚, 不敢不一'《詩經》.
字源 形聲. 足+脊〔音〕

足 10 〔蹺〕 17 방 ㊥陽 | páng ホウ あわててゆくさま

字解 ①허둥지둥갈방 허둥지둥 뛰어가는 모양. '一, 踉一, 行遽皃'《集韻》. ②가고자할방 '一, 踉一, 欲行皃'《集韻》.

足 10 〔䠀〕 17 탕 ㊥陽 | táng トウ ただしくゆかない

字解 ①바로가지않을탕 비틀거림. '一, 行失正也'《字彙》. ②넘어져엎드릴탕 '一, 跌'은 넘어져서 엎드리는 모양. '一, 一跌, 頓

伏貌'《字彙》.

足10 〔䠸〕17 과 ㊥禡 | kuà カ うずくまる

字解 웅크릴과 '一, 踞也'. 〈段注〉按, 此恐又跨字之異體'《說文》.
字源 形聲. 足+夸〔音〕

足10 〔踏〕17 답 ㊀合 | tà トウ ふむ

字解 ①밟을답 '一, 跛也'《說文》. ②뛸답 '一, 跳也'《廣雅》.
字源 形聲. 足+荅〔音〕

足10 〔䠛〕17 요 ㊥蕭 ㊦嘯 | yáo ヨウ おどる

字解 ①뛸요 '一, 跳也'《說文》. ②걷는모양요 '跳一'는 걷는 모양. '一, 跳一, 行步皃'《廣韻》.
字源 形聲. 足+䍃

足10 〔蹣〕17 〔만〕 蹣(足부 11획〈1444〉)과 同字

足10 〔蹑〕17 〔섭〕 躡(足부 18획〈1454〉)의 俗字·簡體字

足10 〔槃〕17 반 ㊥寒 | pán ハン あしをかがめる

字解 발굽힐반 '一, 屈足也'《集韻》.

足10 〔蹇〕17 건 ㊤銑 ㊤阮 | jiǎn ケン ちんば

字解 ①절뚝발건 한 발의 병신. '跛一'. '騰駕罷牛, 驂一驢兮'《賈誼》. ②굼뜰건, 느릴건 지둔함. '遲一者被退'《孔文仲》. ③고생할건 어려운 경우를 당하여 애씀. '屯一'. '一步'. '王臣一一'《易經》. ④괘이름건 육십사괘(六十四卦)의 하나. 곧, ䷦〈간하(艮下), 감상(坎上)〉. 험준한 데서 고생하는 상(象). ⑤뽑을건 뽑아냄. '毋一華絶芋'《管子》. ⑥걷을건 옷을 걷어올림. 褰(衣부 10획〈1284〉)과 통용. '一裳'《莊子》. ⑦노둔한 말건 굼뜬 말. '策一赴前程'《孟浩然》. ⑧교만할건 오만함. '驕一數不奉法. (注)一, 謂不順也'《漢書》. ⑨멈출건 멈춰 섬. 정지함. '凝一而爲人'《管子》. ⑩강할건 단단함. '合兩淖則爲一'《呂氏春秋》. ⑪굽을건 굴절함. '一產溝瀆'《史記》. ⑫온전할건 완전함. '與道大一'《莊子》. ⑬아건 탄식하는 말. '一獨懷此異路'《楚辭》. ⑭성건 성(姓)의 하나.
字源 形聲. 足+寒〈省〉〔音〕

足10 〔蹻〕17 ㊀교 ㊥肴 ㊁호 ㊦號 | qiāo コウ はぎ kāo コウ あしがすすまない

字解 ㊀정강이교 정강이. '一, 說文, 脛也'《集韻》. ㊁발나가지않을호 발이 나아가지 아니함. '一, 足不前'《集韻》.

足10 〔蹻〕17 〔교〕 蹻(足부 12획〈1447〉)와 同字

足10 〔蹩〕17 ㊀규 ㊦有 ㊁흉 ㊦送 | qiǔ キュウ ゆくさま xiòng キュウ ゆく

字解 ㊀①가는모양규 가는 모양. '跙一'. '跙, 跙一, 行皃'《玉篇》. ②바르게가지아니할규 바르게 가지 아니함. '一, 跙一, 行不正也'《集韻》. ③절름거릴규 절름거림. '一, 跛行'《集韻》. ㊁갈흉, 피로에지쳐갈흉 피로에 지쳐 감. '一, 說文, 行也, 一曰, 蹇趍, 或从足'《集韻》.

足10 〔踉〕17 〔기〕 跽(足부 7획〈1430〉)의 訛字

足10 〔蹝〕17 〔도〕 踛(足부 7획〈1431〉)와 同字

足10 〔䠮〕17 등 ㊥蒸 | téng トウ ゆくさま

字解 가는모양등 가는 모양. 걸어가는 모양. '一, 踜一, 行皃'《集韻》.

足10 〔踝〕17 률 ㊀質 | lì リツ ふむ

字解 밟을률 밟음. 디딤. '一, 踐也'《篇海》.

足10 〔蹕〕17 비 ㊦霰 ㊥齊 | pì ヘイ ちんば

字解 ①절름발이비 절름발이. '一, 踦也'《廣雅, 釋言》. ②짝맞출비 짝 맞춤. '一, 偶也'《玉篇》.

足10 〔躃〕17 살 ㊀曷 | sà サツ ただしくいかない

字解 비뚜로갈살 비뚜로 감. 바르게 가지 아니함. '跋一'. '一, 跋一, 行不正'《集韻》.

足10 〔蹔〕17 소 ㊦號 | sào ソウ おどる

字解 뛸소 뜀. 뛰어오름. '一, 跳也'《集韻》.

足10 〔踠〕17 와 ㊦禡 ㊤馬 | wà ワ ふみつける wǎ ワ ただしくいかない

字解 ①짓밟을와 짓밟음. 밟아 누름. '一, 一踞, 踏地用力'《廣韻》. ②걸음바르지않을와 가는 것이 바르지 아니함. '一跨'. '一,

一跨, 行不正'《集韻》.

足10〔䠜〕17 용 ㊥冬 ㊤腫 | róng ジョウ ゆくさま

字解 ①가는모양용 가는 모양. '一, 行皃'《集韻》. ②갈용 감. 걸어감. '一, 行也'《集韻》.

足10〔蹞〕17 〔규〕 蹞(足부 10획〈1442〉)의 訛字

足10〔蹀〕17 〔접〕 蹀(足부 9획〈1438〉)과 同字

足10〔𨅝〕17 〔착〕 娕(女부 7획〈251〉)과 同字

足10〔磔〕17 책 ㊇陌 | zhé タク はりつけ

字解 책형책 磔(石부 10획〈876〉)과 同字. '一, 正作磔, 開張也'《篇海》.

足10〔䟩〕17 磔(前條)과 同字

足10〔蹃〕17 추 ㊥尤 | zōu シュウ けもののあし

字解 발추 발. 짐승의 발. '一, 獸足也'《集韻》.

足10〔蓄〕17 축 ㊇屋 | chù チク あし

字解 발축 발〔足〕. '一, 足也'《集韻》.

足10〔𨇆〕17 〔퇴〕 腿(肉부 10획〈1085〉)와 同字

足10〔踲〕17 훈 | xūn ケン たつ

字解 일어설훈 일어섬. 일어남. '一, 立也'《篇海》.

足11〔蹕〕18 ㊀필 ㊇質 | bì ヒツ さきばらい ㊁비 ㊈寘 | ヒ かたよる

字解 ㊀①벽제(辟除)할필, 길치울필 존귀한 사람이 행차할 때 도로를 경비하여 통행을 금하는 일. '掌一宮中之事. (注)一, 謂止行者'《周禮》. ②거둥필 천자(天子)의 행행(行幸). 또, 그 수레. '駐一'. '此人犯一'《史記》. ㊁외발로설비, 기댈비 한쪽 발은 들고 한쪽 발만으로 섬. '一, 足偏任也'《篇海》. '立不一'《列女傳》.

字源 形聲. 足+畢〔音〕

足11〔蹛〕18 ㊀대 ㊈泰 | dài タイ てんをまつるところ ㊁체 ㊈霽 | zhì テイ つむ

字解 ㊀①제사터대 '一林'은 흉노(匈奴) 땅에서, 임목(林木)을 둘러싸고 모여서 하늘에 제사지내는 곳. 일설에는, 지명(地名). '秋馬肥, 大會一林'《史記》. ②밟을대 '一, 蹑也'《說文》. ㊁정체(停滯)할체 '留一無所食. (注)一, 今滯字'《史記》.

字源 形聲. 足+帶〔音〕

足11〔蹜〕18 축(숙㊍) ㊇屋 | sù シュク こまたにあゆむ

字解 ①종종걸음칠축 종종걸음으로 걸음. '一, 足迫也'《集韻》. '足一一, 如有循'《論語》. ②오그라들축 수축(收縮)함. '卷一短黃鬚髮, 凹兜黑墨容顏'《水滸全傳》. ※本音 숙.

字源 形聲. 足+宿〔音〕

足11〔蹞〕18 규 ㊤紙 | kuǐ キ ひとあし

字解 한발규, 반걸음규 한 발의 길이를 반걸음으로 본 것임. 跬(足부 6획〈1428〉)와 同字. '跬, 擧一足, 一, 同跬'《玉篇》. '趌, 說文, 半步也, 或作一'《集韻》.

字源 形聲. 足+頃〔音〕

足11〔蹟〕18 人名 적 ㊇陌 | jī セキ あと

筆順 𧾷 𧾷一 𧾷𠂉 𧾷丰 𧾷主 𧾷青 𧾷責 蹟

字解 ①자취적 迹(辵부 6획〈1493〉)·跡(足부 6획〈1427〉)과 同字. '偉一'. '史一'. '見潡筆一未工'《北齊書》. ②좇을적 따름. '念彼不一'《詩經》. ③멈출적 '一, 止也'《廣雅》.

字源 形聲. 足+責〔音〕

足11〔蹠〕18 ㊀척 ㊇陌 | zhí セキ ふむ ㊁저 ㊈御 | zhù ショ おどる

字解 ㊀①밟을척 밟아 누름. '被堅甲, 一彊弩'《史記》. ②뛸척 도약함. '楚人謂跳躍曰一'《說文》. ③발바닥척 발의 이면. 跖(足부 5획〈1424〉)과 同字. '一骨'. '一穿膝暴'《戰國策》. ④갈적, 이를척 나감. 다다름. '自無一有'《淮南子》. '致其所一'《淮南子》. ㊁뛸저 도약함. '一, 跳也'《集韻》.

字源 形聲. 足+庶〔音〕

足11〔蹡〕18 장 ①㊥陽 ②③㊈漾 | qiāng ショウ ゆくさま qiàng ショウ よろめくさま

字解 ①절도있게걷는모양장 '一一濟濟'《五經大義始終論》. ②비틀거릴장 '踉一'은 비틀비틀하며 걷는 모양. '踉一越門限'《韓愈》. ③추창할장 蹌(足부 10획〈1441〉)과 同字. '一, 走也'《集韻》.

[字源] 形聲. 足＋將〔音〕

足11 〔蹢〕18 [一] 적 [入]錫 | dí テキ ひづめ
[二] 척 [入]陌 | zhí テキ たたずむ

[字解] [一] ①굽적 마소 따위의 동물의 발톱. '有豕白一'《詩經》. ②던질적 투척함. 내던짐. '一, 亦作擲'《集韻》. ③발때적 발에 생긴 때. '一, 賈侍中說, 足垢也'《說文》. [二] 머뭇거릴척 '一, 一躅, 住足也'《說文》.
[字源] 形聲. 篆文은 足＋啻〔音〕

足11 〔蹣〕18 [一] 반 [平]寒 | pán ハン·バン よろめくさま
[二] 만 [平]寒 | mán バン·マン こえる

[字解] [一] ①절룩거리며가는모양반 비틀거리는 모양. 또, 절룩거리는 모양. '一, 一跚, 跛行皃'《廣韻》. ②빙돌아가는모양반 선행(旋行)하는 모양. '一, 一跚, 旋行皃'《玉篇》. [二] 넘을만 가랑이를 벌려 넘음. '一, 踰牆'《廣韻》. '一, 踰也'《集韻》.
[字源] 形聲. 足＋㒼〔音〕

足11 〔蹤〕18 종 [平]冬 | zōng ショウ あと

[字解] ①발자취종 족적. 전(轉)하여, 행방. 또, 고인의 행적. 사적. '一迹'. '躡三皇之高一'《漢書》. ②좇을종 뒤를 따름. 추수(追隨)함. '質非薄而難一, 心恬愉而去惑'《隋書》. ③놓을종 縱(糸부 11획〈1009〉)과 통용. '發一, 指示獸處者人也'《史記》.
[字源] 形聲. 足＋從〔音〕

足11 〔蹝〕18 사 [上]紙 | xǐ シ わらぐつ

[字解] ①짚신사 躧(足부 19획〈1454〉)와 同字. '猶棄敝一也'《孟子》. ②밟을사 '一履起而彷徨'《司馬相如》.
[字源] 形聲. 足＋徙〔音〕

足11 〔蹗〕18 〔조〕
蹂(足부 12획〈1448〉)와 同字

足11 〔踳〕18 용(송[本]) [平]冬 | chōng ショウ ふむ

[字解] 밟을용 '每勞一地之心'《白居易》. ※本音 송.

足11 〔躅〕18 촉 [入]沃 | zhú チョク ゆきなやむ

[字解] 머뭇거릴촉 躅(足부 13획〈1449〉)과 同字.

足11 〔蹥〕18 련 | lián レン くびす

[字解] ①발꿈치련 '一, 跟也'《篇韻》. ②길이 험난하여나아가지못할련 '一蹇不比者, 爲負'《論衡》.

足11 〔蹚〕18 [一] 탕 [平]陽 | tāng トウ よろめくさま
[二] 정 [平]庚 | トウ とどめる
[三] 쟁 [平]庚 | トウ とどめる

[字解] [一] ①비틀거릴탕 '趺一'은 비틀거리는 모양. '踢, 趺踢, 行不正皃. 或从堂'《集韻》. ②《現》 ㉠걸어건널탕 물이나 진흙땅을 걸어서 건넘. '一着水不管高低深淺的跑起來'《老舍》. ㉡김맬탕 쟁기·괭이 등으로 흙을 파헤쳐 김맴. '八月末尾, 鏟一才完'《周立波》. [二] 멈출정 멈춤. '一, 距也'《集韻》. [三] 멈출쟁 [二]와 뜻이 같음.

足11 〔蹧〕18 [現] 조 | zāo ソウ ふみにじる

[字解] 《現》 ①유린(蹂躪)할조 모욕을 줌. '凡暴殄器物陵踐善人皆謂之一蹋'《章炳麟》. ②망칠조 손괴(損壞)함. '貨物之一蹋, 詳悉開導'《林則徐》.

足11 〔蹦〕18 [現] 붕 | bèng ホウ おどる

[字解] 《現》 뛸붕. '你二哥一听這句話, 一步一在路當中'《秧歌劇選》.

足11 〔蹴〕18 蹙(次條)과 同字

足11 〔蹙〕18 [一] 축 [入]屋 | cù シュク せまる, ちぢまる
[二] 척 [入]錫 | qī セキ ちぢこまるさま

[字解] [一] ①줄축, 줄일축 축소함. '今也日一國百里'《詩經》. ②닥칠축 가까이 옴. '兩軍一兮生死決'《李華》. ③고생할축 '窘一'. '困一'. '國一賦更重'《李商隱》. ④쫓을축 '步騎驅一'《後漢書》. ⑤재촉할축 독촉함. '待人督責迫一'《柳宗元》. ⑥삼갈축 근신하는 모양. '容彌一'《儀禮》. ⑦찡그릴축 '擧疾首一頞而相告'《孟子》. ⑧오므릴축 '嘯, 一口而出聲'《詩經 箋》. ⑨찰축 蹴(足부 12획〈1447〉)과 통용. '以足一路馬芻有誅'《禮記》. [二] 줄어들척 줄어 작아지는 모양. '一一靡所騁'《詩經》.
[字源] 形聲. 足＋戚〔音〕

足11 〔蹔〕18 잠 [去]勘 | zàn(zhàn) サン·ザン しばらく, はやくすすむ

[字解] ①잠깐잠 暫(日부 11획〈513〉)과 통용. '其法可一行於一國'《列子》. ②빨리나아갈잠 '一, 疾進也'《集韻》. ③갑자기잠 '一, 猶卒也'《廣韻》.
[字源] 形聲. 足＋斬〔音〕

足 11 〔⿱將足〕 18 장 ①-②[平]陽 ③[去]漾 | qiāng ショウ ゆくさま ショウ はしる

[字解] ①가는모양장 가는 모양. 蹡(足부 11획〈1443〉)과 同字. '管磬一一'《詩經》. ②공경할장 '一, 敬也'《一切經音義》. ③달릴장 蹡(足부 11획〈1443〉)·蹌(足부 10획〈1441〉)과 同字. '蹡, 走也. 亦書作一'《集韻》.
[字源] 形聲. 足＋將〔音〕

足 11 〔⿱執足〕 18 접 [入]葉 | dié チョウ ふむ

[字解] ①밟을접 '一, 一足也'《說文》. ②잔걸음할접 발걸음을 짧게 걸음. '一, 一曰, 小步'《集韻》.
[字源] 形聲. 足＋執〔音〕

足 11 〔⿱帶足〕 18 ㊀ 제 [去]霽 | テイ·タイ せい
㊁ 대 [去]泰 | dài タイ せい
㊂ 체 [去]霽 | chì テイ さる

[字解] ㊀ 성제 성(姓)의 하나. '一, 姓也'《集韻》. ㊁ 성대 성(姓)의 하나. ㊂ ①갈체 떠나감. '一, 去也'《春秋 注》. ②막힐체, 머무를체 滯(水부 11획〈675〉)과 통용. ③앙감질할체 '⿱折足, 一足而行也. 或从帶'《集韻》.

足 11 〔⿰足康〕 18 강 | kāng コウ はしりにげる

[字解] 달아날강 달아남. 뛰어 달아남. '一, 跰也'《篇韻》.

足 11 〔⿰足區〕 18 구 [平]虞 | qū ク ちんばをひく

[字解] 다리절구 다리를 젊. 절름거림. '一, 跛也'《集韻》.

足 11 〔⿰足鳥〕 18 〔국〕 踘(足부 7획〈1430〉)과 同字

足 11 〔⿸麻足〕 18 〔궐〕 蹷(足부 12획〈1447〉)과 同字

足 11 〔⿰足基〕 18 기 [平]支 | jī キ もと

[字解] 근원기 근원. 바탕. '一, 本也'《篇海》.

足 11 〔⿰足滕〕 18 등 [上]迥 | téng トウ ゆくさま

[字解] 가는모양등 가는 모양. 걸어가는 모양. '一, 一一, 行皃'《集韻》.

足 11 〔⿰足梁〕 18 량 [平]陽 | liáng リョウ はしる

[字解] 달릴량 달림. '一, 跳一. 走也'《集韻》.

足 11 〔⿰足𠪚〕 18 려 | lí レイ いそぎゆくさま

[字解] 급히가는모양려 급히 가는 모양. 빨리 가는 모양. '一, 疾行貌'《篇韻》.

足 11 〔蹗〕 18 록 [入]屋 | lù ロク ゆくさま

[字解] ①갈록 감. 가는 모양. '一, 行皃'《集韻》. ②공손할록 공손함. 정중함. '一, 恭也'《篇海》.

足 11 〔蹘〕 18 료 [平]肴 | liáo ロウ はしる

[字解] ①달릴료 달림. '一, 走也'《集韻》. ②발엇갈릴료 발이 엇갈림. 얽힘. '一, 一曰, 足相交'《集韻》.

足 11 〔⿰足屚〕 18 루 [去]宥 | lòu ロウ ふむ

[字解] 밟을루 밟음. 디딤. '一, 蹋也'《集韻》.

足 11 〔踛〕 18 륙 | lù リク あしをあげる

[字解] 발들륙 발을 듦. 발을 올림. '一, 翹足也'《篇韻》.

足 11 〔⿱夢足〕 18 몽 [去]送 | mèng ボウ つかれゆく

[字解] 지쳐서갈몽 지쳐서 감. '一趨'. '一, 一趨, 極行也, 一曰, 疲也'《集韻》.

足 11 〔⿰足匐〕 18 〔복〕 匐(勹부 9획〈120〉)의 俗字

足 11 〔⿰足副〕 18 ⿰足匐(前條)과 同字

足 11 〔⿰足巢〕 18 소 [平]肴 | cháo ソウ はやくゆく

[字解] 빨리갈소 빨리 감. 속행. '一, 行捷也'《集韻》.

足 11 〔⿱敖足〕 18 오 [平]豪 | áo ゴウ かにのはさみのあるまえあし

[字解] ①집게발오 집게발. 게의 두 앞발. '一, 蟹二大足居前'《正字通》. ②발큰게오 발이 큰 게. '螯, 蟹大足者, 或从足'《集韻》.

足 11 〔⿰足敖〕 18 ⿱敖足(前條)와 同字

足 11 〔⿰足萎〕 18 〔와〕 踒(足부 8획〈1435〉)와 同字

足11 〔蹏〕 18 〔제〕
蹄(足부 9획〈1438〉)와 同字

足11 〔⿰足條〕 18 〔도〕
跳(足부 6획〈1429〉)와 同字

足11 〔⿰足族〕 18 족 [入]屋 | zú ソク まがったあしのさま
[字解] 구부러진발모양족 구부러진 발의 모양. '一, 一一, 曲足皃'《集韻》.

足11 〔⿰足虘〕 18 [一] 차 [平]歌 | cuó サ あしおと
[二] 사 [平]麻 | chá サ ついでをみだしてゆく
[字解] [一] ①발자국소리차 밟는 소리. '一, 蹋聲'《玉篇》. ②밟을차 밟음. '一, 踏也'《集韻》. [二] 순서없이갈사 '一, 行失序'《集韻》.

足11 〔⿰足專〕 18 〔천〕
腨(肉부 9획〈1084〉)과 同字

足11 〔⿰足祭〕 18 철 [入]屑 | ciè セツ ゆく
[字解] 갈철 감. '一, 行也'《字彙》.

足11 〔⿰足習〕 18 [一] 첩 [入]葉 | dié チョウ ふむ
[二] 섭 [入]葉 | xiè ショウ ゆくさま
[字解] [一] 밟을첩 밟음. 또, 종종걸음침. '一, 說文, 足也'《集韻》. [二] 갈섭 가는 모양. '一蹀'. '一, 一蹀, 行皃'《集韻》.

足11 〔⿰足崔〕 18 최 [平]灰 | cuī サイ いたくきびしい
[字解] 몹시심할최 몹시 심함. 몹시 혹독함. '一, 躟一, 急甚也'《集韻》.

足11 〔⿰足最〕 18 최 [去]泰 | cuì サイ ゆくさま
[字解] 가는모양최 '一, 行貌'《字彙》.

足11 〔⿰足昜〕 18 〔탕〕
踼(足부 9획〈1438〉)의 俗字

足11 〔⿰足票〕 18 표 [平]蕭 | piāo ヒョウ みがるにゆく
[字解] 사뿐사뿐갈표 사뿐사뿐 감. 발걸음을 가볍게 가는 모양. '一, 說文, 輕行也'《集韻》.

足12 〔⿰足⿰育攵〕 19 철 [入]屑 | chè テツ わだち
[字解] ①바퀴자국철 수레바퀴가 지나간 자국. 轍(車부 12획〈1478〉)과 同字. ②통할철 통철함. 徹(彳부 12획〈375〉)과 同字.
[字源] 形聲. 足+⿰育攵〔音〕

足12 〔蹬〕 19 등 ①[去]徑 | dèng トウ よろめく、
②[去]徑 | トウ ふむ
③[平]蒸 | dēng トウ のぼる
[字解] ①비틀거릴등 蹭(次條)을 보라. '一, 蹭一'《廣韻》. ②밟을등 '一, 履也'《集韻》. ③오를등 수레에 오름. 登(癶부 7획〈823〉)과 同字. '登, 說文, 上車也. 或从足'《集韻》.
[字源] 形聲. 足+登〔音〕

足12 〔蹭〕 19 층 [去]徑 | cèng ソウ よろめく
[字解] ①헛디딜층, 비틀거릴층 '一蹬'은 헛디디는 모양. 실족하는 모양. '一, 一蹬, 失道也'《說文新附》. ②세력잃는모양층 세력을 잃는 모양. '或乃一蹬窮波, 陸死鹽田. (注)一蹬, 失勢貌'《木華》. ③실망할층 실의(失意)함. '一蹬遭讒毁'《李白》. ④무능할층 '一, 一蹬, 無能也'《玉篇》.
[字源] 形聲. 足+曾〔音〕

足12 〔⿰足䙴〕 19 〔선〕
躚(足부 16획〈1452〉)과 同字
[字源] 形聲. 足+䙴〔音〕

足12 〔蹯〕 19 [一] 번 [平]元 | fán ハン あしのうら
[二] 분 [平]文 | フン あしのうら
[字解] [一] ①발바닥번 짐승의 발바닥. 또, 그 고기. 蹞(足부 13획〈1450〉)과 同字. '食熊一'《左傳》. ②자귀번 짐승의 발자국. '一, 獸迹'《集韻》. [二] 발바닥분, 자귀분 [一]과 뜻이 같음.
[字源] 形聲. 足+番〔音〕

足12 〔⿱番足〕 19 蹯(前條)과 同字

足12 〔蹲〕 19 준 [平]元 | ①②dūn(cún) シュン うずくまる
[平]眞 | ③-⑤cún シュン まう
[字解] ①쭈그릴준 쭈그리고 앉음. 무릎을 세우고 웅크림. '一夷踞肆'《後漢書》. ②모을준 한데 모음. '一, 聚也'《集韻》. '一甲而射之'《左傳》. ③춤출준 춤을 추는 모양. '一一舞我'《詩經》. ④절도있을준 절도(節度)가 있게 걷는 모양. '穆穆肅肅, 一一如也'《漢書》. ⑤토란의딴이름준 준치(蹲鴟).
[字源] 形聲. 足+尊〔音〕

足12 〔蹳〕 19 발 [入]曷 | bō
[入]曷 | ハツ ふむ, つまずく
[字解] ①밟을발 밟아 누름. '常一兩兒棄之'《漢書》. ②뛸발 물고기가 뛰어오름. '一剌銀盤欲飛去. (注)一剌, 魚躍聲'《李白》. ③넘어질발 실족(失足)하여 넘어지거나 비틀

거림. '一, 足跋物'《集韻》.

足 12 〔⿰𧾷茇〕19 蹳(前條)과 同字

足 12 〔蹴〕19 축 [入]屋 | cù シュク·シュウ ける

[字解] ①찰축 ㉠발로 차서 뜨게 함. '新鞋袴一踘'《王君玉雜纂》. ㉡발로 차서 내던짐. '一爾而與之'《孟子》. ②밟을축 '以迫一民'《董仲舒》. ③삼갈축, 공경할축 '孔子一然辟席而對曰'《禮記》. ④얼굴빛변할축 '諸大夫一然曰'《莊子》. ⑤내쫓을축 '一, 逐也'《集韻》. ⑥재촉할축 '一, 促也'《直音篇》. ⑦불안할축 '一, 不自安也'《篇海類編》.

[字源] 形聲. 足＋就〔音〕

足 12 〔蹵〕19 蹴(前條)과 同字

足 12 〔蹻〕19 [一] 교 [平]蕭 | qiāo キョウ つまだつ
[二] 갹 [入]藥 | jué キャク わらぐつ

[字解] [一] ①발돋움할교 발뒤꿈치를 높이 듦. '蹺, 擧趾謂之蹺, 或作一'《集韻》. '可一足待也'《漢書》. ②교만할교 '一, 驕也. 慢也'《廣韻》. ③날쌜교 날래고 민첩함. '爲人一勇'《五代史》. ④강성할교 힘차고 왕성한 모양. '其馬一一'《詩經》. ⑤달리는모습교 '一, 走皃'《篇海類編》. [二] ①짚신갹 초리(草履). '躡一擔簦'《史記》. ②썰매갹 설마(雪馬). '乘一'《抱朴子》. ③빠를갹 가는 것이 빠른 모양. '一然不固'《呂氏春秋》. ④교만할갹 소인이 득세하여 교만한 모양. '小子一一'《詩經》.

[字源] 形聲. 足＋喬〔音〕

足 12 〔蹺〕19 蹻(前條)와 同字

[字源] 形聲. 足＋堯〔音〕

足 12 〔蹼〕19 복 [入]屋 | pǔ ホク·ボク みずかき

[字解] 물갈퀴복 기러기·오리 따위의 발가락 사이의 얇은 막(膜). 헤엄을 치는 데 편리함. 오리발. '鳧鴈醜, 其足一'《爾雅》.

[字源] 形聲. 足＋菐〔音〕

足 12 〔蹶〕19 [一] 궐 [入]月 | jué ケツ たおれる
[二] 궤 [去]霽 | guì ケイ たつ, うごく

[字解] [一] ①넘어질궐 ㉠헛디디거나 걸려 넘어짐. '一者趨者'《孟子》. ㉡기진 맥진하여 쓰러짐. '形勞而不休, 則一'《淮南子》. ②엎어질궐 전복함. 뒤집힘. '國乃一'《荀子》. ③거꾸러뜨릴궐 죽임. '一上將'《史記》. ④기울궐 다함. '天下財產, 何得不一'《漢書》. ⑤밟을궐 발에 힘을 주어 누름. '高一而出於廷'《呂氏春秋》. ⑥찰궐 발에 힘을 주어 참. '使舒手而擊, 擧足以一'《論衡》. ⑦달릴궐 질주함. '一而趨之'《國語》. ⑧뺄궐 빼어가짐. 탈취함. '一六國, 兼天下'《賈誼》. ⑨뛸궐 껑충 뛰어오름. 도약함. '一, 跳也'《廣雅》. ⑩놀라일어날궐 놀라 벌떡 일어남. '廣成子一然而起'《莊子》. ⑪패할궐 '一, 敗也'《廣雅》. ⑫꺾을궐 좌절(挫折)시킴. '一, 猶挫也'《史記 注》. ⑬잽쌀궐 날쌤. '師曠一然起'《逸周書》. [二] ①뛰어일어날궤 깜짝 놀라 벌떡 뛰어 일어나는 모양. '子夏一然而起'《禮記》. ②움직일궤 ㉠동(動)함. '天之方一'《詩經》. ㉡감동시킴. '文王一厥生'《詩經》. ③허둥지둥가는모양궤 당황하여 급히 가는 모양. '足毋一. (注)一, 行遽貌'《禮記》. ④교활할궤 '一, 獪也'《方言》. ⑤짧을궤 '侈口一頞. (注)一, 短也'《漢書》. ⑥좋을궤 '一, 嘉也'《爾雅》.

[字源] 形聲. 足＋厥〔音〕

足 12 〔蹷〕19 蹶(前條)과 同字

足 12 〔蹸〕19 린 [去]震 | lìn リン ふみにじる

[字解] ①짓밟을린 '一, 此蹂躪字'《說文解字斠詮》. '蹂一其十二三'《後漢書》. ②수레자국린 '一, 轢也'. (段注) 轢, 車所踐也'《說文》.

[字源] 形聲. 足＋粦(粦)〔音〕

足 12 〔⿰𧾷間〕19 담 [上]豏 | tǎn タン ちをふみならしてうたう

[筆順] ⿰𧾷間

[字解] 땅을밟아고르면서노래할담 '一, 凄秋發陽春'《揚雄》. '一, 以足踏地而歌'《古文苑注》.

足 12 〔⿰𧾷屠〕19 [一] 저 [平]魚 | chú チョ ためらう
[二] 지 [平]支 | チ ためらう
[三] 다 [平]麻 | タ ためらう

[字解] [一] 머뭇거릴저 앞으로 나아가지 않음. '一, 峙一, 不前也'《說文》. [二] 머뭇거릴지 [一]과 뜻이 같음. [三] 머뭇거릴다 [一]과 뜻이 같음.

[字源] 形聲. 足＋屠〔音〕

足 12 〔⿰𧾷萅〕19 〔준〕
踳(足부 9획〈1437〉)의 本字

足 12 〔⿰𧾷啻〕19 〔적〕
蹢(足부 11획〈1444〉)의 古字

足12 〔⿰足昝〕 19 〔적〕 踖(足부 8획〈1434〉)의 古字

足12 〔蹪〕 19 퇴 [平]灰 | tuí タイ つまずく, たおれる
[字解] 엎드러질퇴 실족하여 엎드러짐. '人莫一於山, 而一於垤'《淮南子》.

足12 〔⿰足翕〕 19 〔답〕 蹋(足부 10획〈1441〉)과 同字

足12 〔蹰〕 19 〔주〕 躕(足부 15획〈1452〉)의 俗字

足12 〔⿰足巽〕 19 〔선〕 ⿱罒巽(网부 12획〈1031〉)과 同字

足12 〔⿰足絫〕 19 〔조〕 躁(足부 13획〈1449〉)과 同字

足12 〔蹩〕 19 별 [入]屑 | bié ヘツ ちんば
[字解] ①절름발이별 발 하나의 불구. 또, 그 사람. '一, 一躠, 跛也'《玉篇》. ②빙돌아갈별 '一, 一躠, 旋行皃'《玉篇》. ③애쓸별 심력(心力)을 기울이는 모양. '及至聖人, 一躠爲仁, 踶跂爲義'《莊子》. ④발로찰별 '一, 踶也'《說文》. ⑤절며갈별 가는 것이 정상적이 못됨. '參差一躠而行'《聊齋志異》.
[字源] 形聲. 足＋敝〔音〕

足12 〔⿰足敝〕 19 蹩(前條)과 同字

足12 〔⿰足㱿〕 19 [一] 각 | què キャク あゆむ
[二] 오 | ゴウ あゆむ
[字解] [一] 걸을각 걸음. '一, 步也'《篇韻》. [二] 걸을오 [一]과 뜻이 같음.

足12 〔蹺〕 19 교 [上]篠 | qiāo キョウ ゆく
[字解] 갈교 감. '一, 行'《玉篇》.

足12 〔⿱金足〕 19 〔궤〕 跪(足부 6획〈1428〉)와 同字

足12 〔蹫〕 19 귤 [入]質 | jú キツ ちんばのさま
[字解] ①미쳐달릴귤 미쳐서 달림. '⿺走矞, 狂走, 或从足'《集韻》. ②절뚝거릴귤 절뚝거림. 저는 모양. '一, 跛皃'《玉篇》.

足12 〔⿰足耎〕 19 〔난〕 耎(而부 4획〈1050〉)과 同字

足12 〔蹋〕 19 〔답〕 踏(足부 8획〈1433〉)과 同字

足12 〔⿰足棠〕 19 〔탕〕 蹚(足부 11획〈1444〉)과 同字

足12 〔⿰足嵐〕 19 람 [平]覃 | lán ラン いそいでゆく
[字解] 바삐갈람 급히 감. '一, 急行'《集韻》.

足12 〔⿰足⿱告日〕 19 륙 | lù リク あがる
[字解] 들륙 들어 올림. '一, 翹也'《篇韻》.

足12 〔⿱無足〕 19 〔무〕 ⿰足武(足부 7획〈1432〉)와 同字

足12 〔⿰足悲〕 19 〔비〕 ⿰足非(足부 8획〈1434〉)와 同字

足12 〔⿰足散〕 19 [一] 설 [入]屑 | セツ ゆくさま
[二] 산 | shān サン ゆくさま
[字解] [一] 가는모양설 가는 모양. '一, 行貌'《篇海》. [二] 가는모양산 [一]과 뜻이 같음.
[參考] ⿰足敞(足부 12획〈1446〉)은 別字.

足12 〔⿰足須〕 19 수 | xū シュ はしる
[字解] 달릴수 달림. 달아남. '一, 走也'《篇海》.

足12 〔⿰足尌〕 19 [一] 수 [去]遇 | shù シュ たてる
[二] 주 [平]虞 | chú チュ たちもとおる
[字解] [一] 세울수 세움. 또, 섬. '一, 立也'《集韻》. [二] 머뭇거릴주 머뭇거림. 주저함. '踟一'. '一, 踟一, 行不進也'《集韻》.

足12 〔蹨〕 19 연 [上]銑 | niǎn デン ふむ
[上]銑 | ゼン つぐ
[字解] ①밟을연 밟음. '一, 一蹀, 跡也'《玉篇》. ②쫓을연 쫓아냄. '一, 逐也'《集韻》. ③이을연 이음. '一, 續也'《廣韻》. ④잡을연 잡음. '一, 執也'《廣韻》. ⑤조를연 졸라맴. '一, 緊也'《廣韻》. ⑥밟을연 밟음. '一, 踐也'《集韻》.

足12 〔⿰足爲〕 19 〔와〕 吪(口부 4획〈150〉)와 同字

足12 〔⿰足朁〕 19 [一] 잡 [入]合 | ソウ とどまる
[二] 잠 [平]覃 | cán サン とどまる
[字解] [一] 머무를잡 머무름. 그침. '一, 止也'《廣雅》. [二] 머무를잠 [一]과 뜻이 같음.

足12 〔⿰足⿱替日〕 19 ⿰足朁(前條)과 同字

足12 〔⿰足掌〕 19 〔장〕 踉(足부 8획〈1437〉)의 俗字

足12 〔[illegible]〕 19 적 | zhāi テキ つつしむ

字解 삼갈적 삼감. '一, 謹也'《篇韻》.

足12 〔蹱〕 19 종 (平)冬 | zhōng ショウ たちもとおるさま

字解 머뭇거릴종 머뭇거리는 모양. 또, 어린애의 걷는 모양. '蹡一'. '一, 埤倉, 蹡一, 行不進皃, 一曰, 小兒行'《集韻》.

足12 〔[illegible]〕 19 〔주〕
躊(足부 14획〈1451〉)와 同字

足12 〔[illegible]〕 19 지 (去)寘 | zhì チ ふむ

字解 ①밟을지 밟음. '一, 蹋也'《篇海》. ②넘어질지 발끝이 채어 넘어짐. '一, 頓也'《篇海》.

足12 〔[illegible]〕 19 〔첨〕
[illegible](足부 13획〈1450〉)과 同字

足12 〔[illegible]〕 19 〔촉〕
躅(足부 21획〈1455〉)의 略字

足12 〔[illegible]〕 19 최 (去)泰 | cuì サイ ゆくさま

字解 가는모양최 가는 모양. '一, 行皃'《集韻》.

足12 〔[illegible]〕 19 칙 (入)職 | chì チョク ゆくこえ

字解 발걸음소리칙 발걸음 소리. 걷는 소리. 또, 가지 않는 모양. '一, 說文, 行聲, 一曰, 不行皃, 或从足'《集韻》.

足12 〔[illegible]〕 19 타 (上)哿 | duǒ タ ようじのゆくさま タ たおれる

字解 ①아장아장걸을타 아장아장 걸음. 어린애의 걷는 모양. '一, 一一, 小兒行態'《集韻》. ②넘어질타 넘어짐. 가다가 넘어짐. '一, 踣也'《集韻》.

足12 〔[illegible]〕 19 〔답〕
[illegible](足부 10획〈1442〉)과 同字

足12 〔[illegible]〕 19 〔표〕
[illegible](足부 11획〈1446〉)와 同字

足12 〔蹕〕 19 필 (入)質 | bǐ ヒツ はしる

字解 달릴필 달림. 달리는 모양. '一, 走也'《集韻》.

足13 〔躁〕 20 조 (去)號 | zào ソウ さわぐ, はやい

字解 ①성미급할조 냉정(冷靜)하지 못하고 덤벙댐. '一, 急性也'《一切經音義》. '一, 不安靜也'《篇海類編》. ②급박할조 급급(汲汲)함. '然俗之所患者, 病乎一於進趨, 不務行業耳'《抱朴子》. ③움직일조 동요함. '人主靜漠而不一'《淮南子》. ④교활할조 '一者皆化而慤. (注)一, 謂狡猾也'《荀子》. ⑤건조할조 '一, 燥也'《釋名》. ⑥빠를조 한의학에서, 맥(脈)이 성하고 빠른 것을 이름. '一, 疾也'《廣雅》. '人迎一盛, 喘息氣逆. (注)一, 速也'《素問》. ⑦시끄러울조, 어지러울조 '一, 叚借爲譟'《說文通訓定聲》. '一, 擾也'《廣雅》.

字源 形聲. 足+喿〔音〕

足13 〔躅〕 20 ㊀촉 (入)沃 | zhú チョク ゆきなやむ
㊁탁 (入)覺 | zhuó タク あと

字解 ㊀①머뭇거릴촉 망설이고 앞으로 나아가지 아니함. 또, 제자리걸음을 함. '躑一'. '騏驥之跼一'《史記》. ②밟을촉 '師曠東一其足. (注)一, 踏也'《逸周書》. ㊁자취탁 ㉠발자국. '牛一'. ㉡고인의 행적. 사적(事蹟). '遺一'. '伏孔周之軌一'《漢書》.

字源 形聲. 足+蜀〔音〕

足13 〔躆〕 20 거 (去)御 | jù キョ ふんばる

字解 ①벋디딜거 양발을 벌려 버팀. 據(手부 13획〈471〉)와 同字. '超忽荒而一昊蒼也'《漢書》. ②손으로버틸거 손으로 땅을 의지하여 버팀. '一, 手據地也'《集韻》. ③움직일거 '倚一'는 움직임. 동작함. '倚一, 猶動作也'《集韻》.

足13 〔躇〕 20 ㊀저 (平)魚 | chú チョ たちもとおる
㊁착 (入)藥 | chuò チャク わたる, こえる

字解 ㊀①머뭇거릴저 가거나 떠나기를 망설임. 전(轉)하여, 널리 망설이는 뜻으로 쓰임. '躊一'. '優游一跱'《嵇康》. '每逢絕勝卽踟一'《范成大》. ②밟을저 '若一步跐踏'《列子》. ㊁건널착, 넘을착 '一階而走'《公羊傳》.

字源 形聲. 足+著〔音〕

足13 〔[illegible]〕 20 렵 (入)藥 | liè リョウ ふむ, こえる

字解 밟을렵, 넘을렵 躐(足부 15획〈1451〉)과 同字. '涉一寥廓'《左思》.

足13 〔躃〕 20 벽 ①(入)陌 | bì ヘキ いざり
②(入)陌 | ヘキ たおれる

字解 ①앉은뱅이벽 일어나 앉기는 하여도 서지 못하는 병신. '一, 兩足不能行也'《釋

文》. '瘖聾跛一'《禮記》. ②넘어질벽 쓰러짐. '一, 仆也'《集韻》.
[字源] 形聲. 足+辟〔音〕

足 13 〔躄〕 20 躃(前條)과 同字

足 13 〔躈〕 20 효 [去]嘯 | qiào キョウ うまのしりぼね
[字解] 말엉덩이뼈효 말의 엉덩이뼈. 일설에는, 항문(肛門). '一, 馬八髎也'《集韻》. '馬蹄一千'《史記》.
[字源] 形聲. 足+敫〔音〕

足 13 〔⿰足詹〕 20 첨 [去]豔 [平]鹽 | chàn セン うまがはしる
[字解] 말달려갈첨 '一, 馬急行也'《集韻》.

足 13 〔⿰足煩〕 20 蹯(足부 12획〈1446〉)과 同字

足 13 〔⿱煩足〕 20 ⿰足煩(前條)과 同字

足 13 〔躉〕 20 돈 [上]阮 | dǔn トン はしけ
[字解] ①거룻배돈 작은 배. '一, 俗謂艤舟'《中華大字典》. ②정수(整數)돈 '貨有成數曰一'《蜀方言》. '一, 整數也, 俗稱零一'《中華大字典》.
[字源] 會意. 足+萬〔音〕

足 13 〔⿰足睘〕 20 〔견〕 獧(犬부 13획〈762〉)과 同字

足 13 〔⿰足歲〕 20 궤 [去]隊 | guì カイ すこしおぼれる
[字解] ①조금빠질궤 조금 빠짐. 좀 탐닉함. '一, 小溺也'《集韻》. ②싫증날궤 싫증남. 물림. '一, 一曰, 倦也'《集韻》.

足 13 〔⿰足禁〕 20 금 [平]侵 [去]沁 | jīn キン すわる
[字解] 앉을금 앉음. '一, 坐也'《集韻》.

足 13 〔⿰足頍〕 20 기 [上]紙 | kuǐ キ あしをあげる
[字解] 발들기 발을 듦. '一, 擧足也'《篇海類編》.

足 13 〔躂〕 20 달 [入]曷 | dá タツ つまずく
[字解] 발끝챌달 발끝이 챔. 발끝 채어 넘어질 뻔함. '一, 足跌'《集韻》.

足 13 〔⿰足⿱冒羽〕 20 〔답〕 蹋(足부 10획〈1441〉)과 同字

足 13 〔⿰足遁〕 20 〔둔〕 鈍(金부 4획〈1551〉)과 同字

足 13 〔⿰足⿺辶夌〕 20 등 [平]蒸 | téng トウ ゆくさま
[字解] 가는모양등 가는 모양. '一, 踜一, 行貌'《篇海類編》.

足 13 〔⿰足⿺辶奎〕 20 삽 [入]合 | sà ソウ ゆくさま
[字解] 가는모양삽 가는 모양. '一, 一一, 行皃'《集韻》.

足 13 〔⿰足肅〕 20 소 [去]嘯 | xiào ショウ ゆくさま
[字解] 가는모양소 가는 모양. '一, 行皃'《集韻》.

足 13 〔⿰足遂〕 20 수 | suì スイ ふかい
[字解] 깊을수 깊음. '一, 深也'《篇海》.

足 13 〔⿰足楚〕 20 〔저〕 跙(足부 5획〈1425〉)와 同字

足 13 〔⿰足賊〕 20 적 [入]職 | zéi ゾク ふみにじる
[字解] 짓밟을적 짓밟음. '一, 踐害之也'《集韻》.

足 13 〔⿰足亶〕 20 ㊀ 전 [上]銑 | tiǎn テン ゆくさま ㊁ 언 [上]銑 | yǎn エン あと
[字解] ㊀ 가는모양전 가는 모양. '一, 行皃'《集韻》. ㊁ 발자취언 발자취. '一, 行跡'《集韻》.

足 13 〔⿰足⿱𥫗疋〕 20 〔지〕 躓(足부 15획〈1452〉)와 同字

足 13 〔⿰足閘〕 20 ㊀ 첨 [上]豏 | タン つまだつ ㊁ 찹 [入]洽 | chà ソウ つまだつ
[字解] ㊀ 발돋움할첨 '一, 跂足'《玉篇》. ㊁ 발돋움할찹 ㊀과 뜻이 같음.

足 13 〔⿰足義〕 20 〔치〕 巵(己부 4획〈328〉)와 同字

足 13 〔⿰足睪〕 20 탁 [入]藥 | duǒ タク すあしのさま
[字解] 맨발탁 맨발. 맨발의 모양. '一, 跣足貌'《篇海》.

足 13 〔⿱彭足〕 20 평 [去]敬 | bèng ホウ ちをふむおと
[字解] 땅밟는소리평 땅을 밟는 소리. '蹦一'. '一, 蹦一, 蹦地聲'《集韻》.

足 14 〔躊〕 21 주 [平]尤 | chóu チュウ ためらう

[字解] 머뭇거릴주 가거나 떠나기를 망설임. 전(轉)하여, 널리 망설이는 뜻으로 쓰임. '一, 一躇, 猶豫也'《廣雅》. '哀裴回以一躇'《漢書》.

[字源] 形聲. 足＋壽〔音〕

足 14 〔躋〕 21 제 [平]齊 [去]霽 | jī セイ のぼる

[字解] ①오를제 ㉠높은 곳에 올라감. '一, 登也'《說文》. '道阻且一'《詩經》. ㉡자꾸 진보함. '聖敬日一'《詩經》. ②올릴제 '大事于大廟, 一僖公'《春秋》. ③떨어질제 '一, 一曰, 墜也'《集韻》.

[字源] 形聲. 足＋齊〔音〕

足 14 〔躍〕 21 [高·人] [一] 약 [入]藥 [二] 적 [入]錫 | yuè ヤク おどる tì テキ はやくはねる

[筆順] 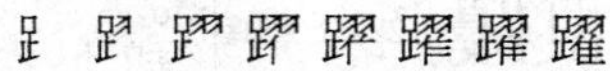

[字解] [一] ①뛸약 ㉠뛰어오름. '跳一'. '魚一于淵'《詩經》. ㉡뛰어넘음. '距一三百'《左傳》. ㉢뛰며 좋아함. '雀一'. '喜一'. ㉣가슴이 뜀. 격앙(激昂)함. '微心竦一'《梁簡文帝》. ㉤물가가 뜀. '以稽市物, 痛騰一'《漢書》. ②뛰게할약 '搏而一之'《孟子》. ③나아갈약 '一, 進也'《廣雅》. [二] 빨리뛰는모양적 '一一毚兔, 遇犬獲之. (注)一一, 跳疾貌'《詩經》.

[字源] 形聲. 足＋翟〔音〕

足 14 〔躍〕 21 躍(前條)의 略字

足 14 〔⿰足㡭〕 21 단 [上]旱 | duàn タン ふむところ

[字解] ①발자국단 금수(禽獸)의 족적(足跡). '一, 踐處也. (注)一與疃同義'《說文》. ②빨리갈단 '一, 行速'《廣韻》. ③멀리갈단 '一, 行遠也'《篇海類編》.

[字源] 形聲. 足＋斷〈省〉〔音〕

足 14 〔⿰足⿱炎舛〕 21 〔린〕 蹸(足부 12획〈1447〉)의 本字

足 14 〔⿱輕足〕 21 경 [平]庚 [去]徑 | qīng ケイ かたあしでゆく

[字解] 앙감질할경, 절룩거릴경 한 발로 걸음. 또, 절룩거리며 걸음. '夔猶一足一'《陸龜蒙》.

足 14 〔躎〕 21 년 [上]銑 | niǎn デン·ネン ふむ

[字解] 밟을년 밟음. '一, 踏也'《篇海》.

足 14 〔躌〕 21 무 [上]麌 | wǔ ブ ふむ

[字解] 밟을무 밟음. '一, 踐也'《篇海》.

足 14 〔⿰足僕〕 21 〔복〕 蹼(足부 12획〈1447〉)과 同字

足 14 〔⿰足臱〕 21 변 [平]先 | pián ヘン ただしくいかない

[字解] 바르게가지못할변 걸음이 바르지 못함. '一, 人行不正'《字彙》.

足 14 〔⿰足馮〕 21 빙 [去]徑 | bìng ヒョウ ちをふむおと

[字解] 땅밟는소리빙 땅을 밟는 소리. '一, 一躄, 蹋地聲'《集韻》.

足 14 〔躠〕 21 〔설〕 躠(足부 17획〈1453〉)과 同字

足 14 〔⿰足⿱艹昔〕 21 〔적〕 躤(足부 18획〈1454〉)과 同字

足 14 〔⿰足聚〕 21 주 [去]宥 | zòu ソウ よろめく

[字解] 비틀거릴주 비틀거림. 갈짓자 걸음. 술취하여 걷는 모양. '一, 醉行皃'《集韻》.

足 14 〔⿱足⿰足足〕 21 착 [入]覺 | chuò サク ゆく

[字解] ①갈착 감. '一, 行也'《集韻》. ②빨리갈착 빨리 감. '一, 行疾也'《同文擧要》.

足 14 〔⿰足頗〕 21 파 [上]哿 | pǒ ハ あしなえ

[字解] 절파 젊. 절름발이. '一, 跛足不正'《篇韻》.

足 15 〔躐〕 22 렵 [入]葉 | liè リョウ ふむ

[字解] ①밟을렵 발로 디딤. '一, 踐也'《玉篇》. '天下之人各安其分而不相一也'《蘇軾》. ②넘을렵 초월(超越)함. '一, 超級也'《六書故》. '幼者聽而無問, 學不一等也'《禮記》. ③쥘렵 손으로 잡아 쥠. '一纓整襟'《後漢書》.

[字源] 形聲. 足＋巤〔音〕

足 15 〔躑〕 22 척 [入]陌 | zhí テキ たちもとおる

[字解] ①머뭇거릴척 망설이고 앞으로 나가지 아니함. 또, 배회함. 또, 제자리걸음을 함. '一, 一躅, 擧足而不進也'《一切經音義》. ②땅밟고설척 '奮長袖以正衽兮, 立一躅而不安'《宋玉》. ③철쭉꽃척 '庭暗娑羅, 山明一躅'《徐珂》. ④찰척 짐승이 발로

참. '喜則齊鼻, 怒則奮一'《柳宗元》. ⑤발에 묻은때척 蹢(足부 11획〈1444〉)과 同字.
字源 形聲. 足+鄭〔音〕

足15 〔躒〕22 ㊀력 ㊅錫 | lì レキ うごく
㊁락 ㊅覺 | luò ラク こえる
㊂약 ㊅藥 | yuè ヤク はやい
筆順 ⼝ ⻊ 𧾷 𧿹 𨂜 躒 躒 躒
字解 ㊀움직일력 '騏驥一一, 不能千里'《大戴禮》. ㊁①넘을락 뛰어남. 탁월함. '卓一'. '逴一諸夏'《班固》. ②움직일락 '一, 動也'《集韻》. ㊂빠를약 '躍, 說文, 迅也, 或从樂'《集韻》.
字源 形聲. 足+樂〔音〕

足15 〔躓〕22 ㊀지 ㊄寘 | zhì チ つまずく
㊁질 ㊅質 | zhí シツ つまずく
字解 ㊀①넘어질지 ㉠발에 무엇이 걸려 넘어짐. '顚一'. '足一株陷'《列子》. ㉡실패함. '杜牧困一不振'《唐書》. ②차질(蹉跌)지 전도(顚倒). 실패. '中年遭一'《南史》. ㊁넘어질질, 차질질 ㊀과 뜻이 같음.
字源 形聲. 足+質〔音〕

足15 〔躔〕22 전 ①-⑦㊥先 ⑧⑨㊤銑 | chán テン やどる zhǎn テン おおじかのあしあと
字解 ①궤도전 해·달·별이 운행하는 길. '一度'. '日運爲一'《揚子方言》. ②자취전 행적. '蓋以其跡一焉'《路史》. ③밟을전 ㉠디딤. '一, 踐也'《說文》. ㉡거침. 이행함. '英雄之所一'《左思》. ④돌전 궤도를 따라 돎. '一, 逡循也'《揚子方言》. '月一二十八宿'《呂氏春秋》. ⑤갈전 '一, 行也'《廣雅》. ⑥있을전 있음. 처(處)함. '北陸南一'《謝莊》. ⑦쉴전 휴식함. '一建木於廣都兮'《張衡》. ⑧자귀전 큰사슴의 발자국. '麇, 其跡一'《爾雅》. ⑨따를전 좇음. '一, 循也'《揚子方言》.
字源 形聲. 足+廛〔音〕

足15 〔躕〕22 주 ㊥虞 | chú チュウ たちもとおる
字解 머뭇거릴주 '踟一'는 멈칫거림. 망설임. 선뜻 가지 못하는 모양. '踟一, 行不進皃'《廣韻》.
字源 形聲. 足+廚〔音〕

足15 〔⿰𧾷厲〕22 뢰 ㊄泰 | lài ライ ちんばをひく
字解 절뚝거릴뢰 '一, 跛行皃'《直音篇》.

足15 〔⿰𧾷𢀩〕22 〔차〕 蹉(足부 10획〈1441〉)의 本字

足15 〔⿰𧾷𦟝〕22 〔척〕 蹐(足부 10획〈1441〉)의 本字

足15 〔⿰𧾷𢇍〕22 〔단〕 躖(足부 14획〈1451〉)의 本字

足15 〔⿰𧾷疐〕22 〔치〕 疐(疋부 9획〈804〉)와 同字

足15 〔⿰𧾷廣〕22 광 ㊄漾 | kuàng コウ はるか
字解 멀광 멂. 길이 멂. '一, 路曠遠也'《集韻》.

足15 〔⿰𧾷鄧〕22 등 ㊄徑 | dèng トウ ふす
字解 ①엎어질등 넘어짐. '一, 失臥也'《篇海》. ②다할등 다함. 지침. '一, 極也'《篇海》.

足15 〔⿰𧾷憂〕22 요 ㊤篠 | rǎo ジョウ あしがうごく
字解 발움직일요 발이 움직임. '一躟'. '一, 一躟, 足動'《集韻》.

足15 〔⿰𧾷賛〕22 차 ㊥歌 | cuó サ ふむ
字解 밟을차 밟음. '一, 蹈也'《字彙補》.

足15 〔⿰𧾷賛〕22 〔찬〕 躦(足부 19획〈1455〉)과 同字

足15 〔⿰𧾷徹〕22 〔철〕 ⿰𧾷敝(足부 12획〈1446〉)과 同字

足15 〔⿰𧾷暴〕22 포 ㊄號 | bào ホウ ゆくさま
字解 가는모양포 가는 모양. '一, 行皃'《集韻》.

足16 〔⿰𧾷閵〕23 린 ㊄震 | lìn リン ふみにじる
字解 ①짓밟을린 짓밟음. 유린함. 躪(足부 20획〈1455〉)과 同字. '一, 蹂一'《廣韻》. ②수레바퀴자국린 蹸(足부 12획〈1447〉)과 同字.
字源 形聲. 足+閵〔音〕

足16 〔⿰𧾷辥〕23 〔설〕 躠(足부 17획〈1453〉)과 同字

足16 〔⿰𧾷騰〕23 〔등〕 騰(馬부 10획〈1748〉)과 同字

足16 〔躚〕23 선 ㊥先 | xiān セン めぐりゆく
字解 ①빙돌선 빙 돌아서 가는 모양. 선행

(旋行)하는 모양. 일설(一說)에는, 비틀거리는 모양. '一, 蹁一, 旋行皃'《廣韻》. '一, 跰一, 猶蹣跚也'《集韻》. ②춤출선 춤을 추는 모양. '紆長袖而屢舞, 翩一一以裔裔'《左思》.
字源 形聲. 足+遷〔音〕

足16 〔躗〕23 ㊀위 ㊂霽 wèi エイ ふむ
㊁홰 ㊂卦 wèi カイ あやまる
字解 ㊀①밟을위 '一, 蹋也'《辭海》. ②잘못할위, 속일위, 거짓위 '一, 過也'《廣韻》. '是一言也'《左傳》. ㊁잘못할홰, 속일홰, 거짓홰 ㊀❷와 뜻이 같음.
字源 形聲. 足+衛〔音〕

足16 〔⿱辥足〕23 ㊀설 ㊃屑 xiè セツ めぐりゆく
㊁살 ㊃曷 sǎ サツ めぐりゆく
字解 ㊀돌아서갈설 빙 돌아서 가는 모양. '蹩一爲仁'《莊子》. ㊁돌아서갈살 ㊀과 뜻이 같음.

足16 〔躛〕23 궤 ㊂霽 guì ケイ たおれる
字解 ①쓰러질궤 쓰러짐. 넘어짐. '蹶, 僵也, 或从衛'《集韻》. ②뛸궤 '蹶, 跳也, 或从衛'《集韻》. ③밟을궤 '一, 踐也'《龍龕手鑑》. ④서둘러갈궤 '一, 行急皃'《直音篇》. ⑤쓴대추궤 쓴 대추. '一, 爾雅云, 一洩苦棗, 亦作蹶'《廣韻》.

足16 〔⿰足盧〕23 려 ㊥魚 lú リョ つたえる
字解 전갈할려 전갈함. 아랫사람에게 전하여 알림. '一, 傳也'《集韻》.

足16 〔⿰足歷〕23 력 ㊃錫 lì レキ あと
字解 자취력 자취. 지나온 자취. '一, 足所經踐'《集韻》.

足16 〔⿱龍足〕23 롱 ㊥東 lóng ロウ ゆくさま
字解 가는모양롱 가는 모양. '一, 一蹤, 行皃'《集韻》.

足16 〔⿰足賴〕23 뢰 ㊂泰 lài ライ あしなえ
字解 ①절름발이뢰 절름발이. '一, 跛也'《集韻》. ②모로갈뢰 비스듬히 서서 감. '一, 一曰, 一踑, 邪行'《集韻》.

足16 〔躘〕23 롱 ㊥冬 ㊂宋 lóng リョウ ようじのゆくさま
字解 ①어린애걸음롱 어린애의 걷는 모양. '一踵'. '一, 一踵, 小兒行皃'《玉篇》. ②나아가지못할롱 나아가지 못하는 모양. '一, 一踵, 不能行皃'《集韻》. ③힘쓰지아니할롱 힘쓰지 아니함. '一, 一踵, 一曰, 不強擧'《集韻》. ④바르게갈롱 '一, 行正也'《集韻》.

足16 〔⿰足閻〕23 첨 ㊤豏 chǎn タン つまだちしてのぞむ
字解 발돋움하여바랄첨 발돋움하여 바람. 올 사람을 간절히 바람. '一, 跕足望'《集韻》.

足16 〔⿰足⿱臾貝〕23 〔퇴〕
蹪(足부 12획〈1448〉)의 本字

足17 〔⿰足鮮〕24 선 ㊥先 xiān セン よろめく
字解 비틀비틀할선 躚(足부 16획〈1452〉)과 同字. 跰(足부 8획〈1434〉)을 보라. '跰一'.

足17 〔躞〕24 섭 ㊃葉 xiè ショウ じくのしん
字解 ①축심섭 권축(卷軸)의 심(心). '隋唐藏書, 皆金題玉一'《米芾》. ②걸을섭 '一蹀'은 걷는 모양. '一蹀御溝上, 溝水東西流'《卓文君》.
字源 形聲. 足+燮〔音〕

足17 〔躟〕24 양 ㊥陽 ㊤養 ráng ジョウ はやくゆく
字解 빨리걸을양 '一一'은 바삐 감. 질행(疾行)함. '跙一'. '擾一就駕'《傅毅》.

足17 〔躝〕24 란 ㊥寒 lán ラン こえる
字解 넘을란 '一踰也'《集韻》.
字源 形聲. 足+闌〔音〕

足17 〔⿰足⿸厂墨〕24 〔전〕
躔(足부 15획〈1452〉)의 訛字

足17 〔⿰足辥〕24 躄(次條)과 同字

足17 〔躠〕24 ㊀설 ㊃屑 xiè セツ めぐりゆく
㊁살 ㊃曷 sǎ サツ めぐりゆく
字解 ㊀빙돌설 蹩(足부 12획〈1448〉)을 보라. '蹩一'. ㊁빙돌살 ㊀과 뜻이 같음.

足17 〔⿰足蹇〕24 〔건〕
蹇(足부 10획〈1442〉)의 俗字

足17 〔⿸广⿱欮足〕24 〔궐〕
蹷(足부 12획〈1447〉)과 同字

足 17 〔⿰足顚〕 24 [一] 跬(足부 6획〈1428〉)와 同字 [二] 趌(走부 6획〈1409〉)와 同字

足 17 〔⿰足䙴〕 24 〔선〕 躚(足부 12획〈1446〉)과 同字

足 17 〔⿰足龠〕 24 약 [入]藥 | yuè ヤク のぼる

[字解] ①오를약 오름. 뛰어오름. '一, 登也'《方言》. ②밟을약 밟음. 디딤. '一, 履也'《廣雅》. ③갈약 감. '一, 一曰, 行也'《集韻》. ④뺄약 뺌. 뽑음. '一, 拔也'《廣雅》.

足 17 〔⿰足毚〕 24 참 [去]陷 | zhàn サン ゆくさま

[字解] 가는모양참 가는 모양. '一, 行皃'《集韻》.

足 17 〔⿰足韱〕 24 참 [去]陷 | chàn サン ゆくさま

[字解] 가는모양참 가는 모양. '一, 行皃'《集韻》.

足 17 〔⿰足閻〕 24 첨 [上]豏 | chǎn タン つまだちのぞむ

[字解] 발돋움할첨 발돋움함. '一, 跧足望'《廣韻》.

足 18 〔躡〕 25 섭 [入]葉 | niè チョウ ふむ

[筆順] 口 𧾷 𧾷一 𧾷Ⅱ 𧾷耳 𧾷耳 𧾷聑 躡

[字解] ①밟을섭 발로 디디어 누름. '張良, 陳平一漢王足, 因附耳語'(한왕의 발을 밟고 귓속말을 함)《史記》. ②이를섭 다다름. '徑一都廣'《淮南子》. ③연속(連續)할섭 '帝擇上醫護治, 中人日勞問相一'《唐書》. ④오를섭 올라감. '一, 登也. 自關以西, 秦晉之間曰一'《方言》. ⑤뒤쫓을섭, 따를섭 '姜維引退還, 楊欣等追一於彊川口'《魏志》. ⑥신을섭 신을 신음. '足下一絲履'《古詩》. ⑦빠를섭 급속함. '忽一景而輕騖, 逸奔驥而超遺風'《曹植》.

[字源] 形聲. 足＋聶〔音〕

足 18 〔躤〕 25 적 [入]陌 | jí セキ ふむ

[字解] 밟을적 디딤. '人民之所蹈一'《史記》.

足 18 〔躢〕 25 답 [入]合 | tà トウ ふむ

[字解] 찰답, 밟을답 蹋(足부 10획〈1441〉)과 同字. '尙穿域一鞠也'《漢書》.

[字源] 形聲. 足＋闒〔音〕

足 18 〔⿰足雙〕 25 쌍 [平]江 | shuāng ソウ そびえたつ

[字解] 우뚝솟을쌍 우뚝하게 솟음. '一, 跭一, 竦立'《集韻》.

足 18 〔躣〕 25 구 [平]虞 | qú ク ゆくさま

[字解] 갈구 가는 모양. '右蒼龍之一一'《楚辭》.

足 18 〔躥〕 25 [現] 찬 | cuān サン とびあがる

[字解] 《現》 ①뛰어오를찬, 앞으로뛸찬 '只聽房門響處, 早一出一個人來'《兒女英雄傳》. ②냅다달릴찬 '一地裏快一輕跕, 亂走胡奔'《劉時中》. ③밖으로뿜어낼찬 '碰得順鼻子, 嘴往外一血'《劉白羽》.

足 18 〔⿰足𨺅〕 25 〔선〕 躚(足부 12획〈1446〉)의 本字

足 18 〔⿰足䙴〕 25 〔선〕 躚(足부 12획〈1446〉)과 同字

足 18 〔⿰足闕〕 25 〔궐〕 蹶(足부 12획〈1447〉)과 同字

足 18 〔⿰足雚〕 25 〔권〕 踡(足부 8획〈1434〉)과 同字

足 18 〔躖〕 25 〔단〕 躕(足부 15획〈1452〉)의 訛字

足 18 〔⿰足閻〕 25 〔첨〕 ⿰足閻(足부 17획〈1454〉)과 同字

足 18 〔⿰足獻〕 25 〔축〕 蹴(足부 12획〈1447〉)과 同字

足 19 〔躧〕 26 사 [上]紙 | xǐ シ おもむろにゆく

[字解] ①느리게갈사 천천히 걸음. '一, 徐行貌'《直音篇》. ②짚신사 蹝(足부 11획〈1444〉)와 同字. '吾視去妻子如脫一耳'《史記》. ③춤신사 춤을 출 때 신는 신. 무리(舞履). '輕浮耽挾彈, 跕一拈抹弦'《寒山子詩》. ④질질끌사 급하여 신을 잘 신을 겨를이 없어 발가락에만 걸치고 질질 끌고 나감. '一履起迎'《漢書》.

[字源] 形聲. 足＋麗〔音〕

足 19 〔⿰足羅〕 26 라 [去]箇 | luò ラ よろめく

[字解] 비틀거릴라 비틀거림. '一, 一䠞, 猶蹭蹬也'《集韻》.

足 19 〔蹔〕26 ㊀찬 [平]寒 zuān サン あしをあつめる ㊁차 [平]歌 cuó サ ふむ

[字解] ㊀발모을찬 '一, 一跜, 聚足'《集韻》. ㊁밟을차 蹉(足부 11획〈1446〉)와 同字.

足 19 〔蠻〕26 련 [平]先 luán レン あしのやまい

[字解] 발병련 발병. 발에 난 탈. '一, 一踡, 足病'《集韻》.

足 19 〔躎〕26 미 [上]紙 mǐ ビ ゆくさま

[字解] 가는모양미 가는 모양. '一, 行皃'《集韻》.

足 20 〔躩〕27 각 [入]藥 jué キャク·カク おどる

[字解] ①뛸각 도약함. '凫浴, 蝯一, 鴟視, 虎顧'《淮南子》. ②빠를각 속함. '蹇裳一步'《莊子》. ③피할각 '一如'는 경의(敬意)를 표하느라고 옆으로 피하여 천천히 걷는 모양. '足一如也'《論語》. ④빙도는모양각 '一, 盤辟皃'《廣韻》.
[字源] 形聲. 足＋矍〔音〕

足 20 〔躪〕27 린 [去]震 lìn リン ふみにじる

[字解] 짓밟을린 躙(足부 16획〈1452〉)과 同字. '百姓奔走相蹂一'《漢書》.

足 20 〔躨〕27 기 [平]支 kuí キ うごくさま

[字解] 꿈틀거릴기 '一跜'는 규룡(虬龍)이 꿈틀거리는 모양. '虬龍騰以蜿蟺, 頷若動而一跜'《王延壽》.

足 20 〔蹎〕27 〔전〕 顚(頁부 10획〈1696〉)과 同字

足 21 〔躅〕28 〔촉〕 躅(足부 13획〈1449〉)과 同字

足 21 〔躪〕28 〔약〕 踚(足부 17획〈1454〉)과 同字

足 21 〔蹙〕28 축 [入]屋 cù シュク せまる

[字解] ①다그칠축 다그침. 독촉함. '一, 迫也'《字彙》. ②서두를축 서두름. '一, 急也'《字彙》. ③다가올축 다가옴. '一, 近也'《字彙》.

足 22 〔躨〕29 〔기〕 躨(足부 20획〈1455〉)와 同字

足 22 〔蹀〕29 첩 [入]葉 dié チョウ はしるおと

[字解] 달리는소리첩 달리는 소리. '一, 走聲'《集韻》.

足 23 〔躪〕30 〔약〕 踚(足부 17획〈1454〉)과 同字

身　部
〔몸 신 부〕

身 0 〔身〕7 [中·人] ㊀신 [平]眞 shēn シン み ㊁견 [平]先 juān ケン くにのな

[筆順] ′ 丨 㓁 户 自 自 身

[字解] ㊀①몸신 ㉠신체. 체구. '心一'. '一體髮膚'《孝經》. ㉡자기. 자기 몸. '檢一若不及'《書經》. ②몸소신 친히. 자신이. '一自浣滌'《史記》. ③줄기신 나무의 줄기. '樅, 松葉柏一'《爾雅》. ④애밸신 임신함. '大任有一, 生此文王'《詩經》. ⑤해신, 나이신 연세. '文王受命, 惟中一'〈중년(中年)〉《書經》. ⑥부피신 체적. 용적. '一, 體積也, 如俗云, 河一, 般一之類'《中華大字典》. ㊁나라이름견 '一毒'은 천축(天竺). 지금의 인도(印度). '邛西可二千里, 有一毒國'《史記》.
[字源] 象形. 사람이 애를 밴 모양을 본떠 '임신하다'의 뜻을 나타내며, 전(轉)하여, '몸'의 뜻을 나타냄.
[參考] '身'을 의부(意符)로 하여, '신체'를 뜻하는 문자를 이룸.

身 3 〔躬〕10 [人名] 궁 [平]東 gōng キュウ み

[筆順] ′ 丨 㓁 自 身 身 身ㄱ 躬

[字解] ①몸궁 ㉠신체. '聖一'. '王一是保'《詩經》. ㉡자기. 나. '不能反一. (注)一, 猶己也'《禮記》. ②몸소궁 친히. 손수. 자신이. '一行'. '己一命之'《儀禮》. ③몸소할궁 자기가 직접 함. '弗一弗親, 庶民弗信'《詩經》. ④몸에지닐궁 '聖人旣一明悊之性'《漢書》. ⑤과녁양옆의쑥나온부분궁 '古代箭靶'侯'兩旁伸出的部分'《漢語大字典》. ⑥성궁 성(姓)의 하나.
[字源] 會意. 篆文은 呂＋身

〔射〕〔사〕 寸부 7획(288)을 보라.

身 3 〔躭〕10 〔담〕 躭(身부 13획〈1458〉)과 同字

身 3 〔⿰身小〕 10 릉 [平]蒸 | lāng ロウ み
[字解] 몸릉 몸. 신체. '一, 一身也'《玉篇》.

身 4 〔⿰身比〕 11 비 [平]支 | pí ヒ しなやか
[字解] 간들어질비 '一, ⿰身夸一, 以體柔人也'《玉篇》.

身 4 〔躭〕 11 〔탐〕 耽(耳부 4획〈1055〉)의 俗字

身 4 〔⿰身亢〕 11 〔강〕 躿(身부 11획〈1458〉)과 同字

身 4 〔⿰身冄〕 11 〔담〕 聃(耳부 4획〈1055〉)과 同字

身 4 〔⿰身爻〕 11 〔담〕 膽(肉부 13획〈1093〉)과 同字

身 4 〔⿰身丹〕 11 〔로〕 爐(火부 16획〈730〉)와 同字

身 4 〔⿰身𠬝〕 11 〔복〕 服(月부 4획〈520〉)과 同字

身 4 〔⿰身攴〕 11 〔사〕 ⿰身矢(矢부 7획〈864〉)와 同字

身 4 〔⿰身支〕 11 섭 [入]葉 | xiè ショウ つかう
[字解] 부릴섭 부림. 남을 시킴. '一, 使也'《字彙》.

身 4 〔⿰身少〕 11 소 [上]巧 | shǎo ソウ からだのながいさま
[字解] 몸긴모양소 키가 작지 않고 큰 모양. '一, 一一, 體長皃'《集韻》.

身 4 〔⿰身戈〕 11 〔아〕 我(戈부 3획〈421〉)와 同字

身 4 〔⿰身支〕 11 〔지〕 胑(肉부 5획〈1070〉)와 同字

身 5 〔⿰身矢〕 12 사 [去]禡 | shè シャうつ
[字解] 쏠사 射(寸부 7획〈288〉)의 古字.

身 5 〔躰〕 12 〔체〕 體(骨부 13획〈1762〉)의 俗字

身 5 〔躯〕 12 〔구〕 軀(身부 11획〈1458〉)의 俗字

身 5 〔躳〕 12 〔궁〕 ⿰身宮(身부 7획〈1457〉)과 同字

身 5 〔⿰身冉〕 12 〔담〕 ⿰身冄(身부 4획〈1456〉)의 俗字

身 5 〔⿰身令〕 12 〔령〕 聆(耳부 5획〈1056〉)의 訛字

身 5 〔⿰身犮〕 12 발 [入]曷 | bō ハツ いそいでゆく
[筆順] 丿 亻 身 身 身一 身ナ 身友 ⿰身犮
[字解] 급히갈발 급히 감. 바쁘게 감. '一, 行急也'《字彙》.

身 5 〔⿰身付〕 12 부 [去]遇 | fū フ ころもをつける
[字解] 옷입을부 옷을 입음. 또, 옷이 몸에 맞음. '一褕'. '一, 一褕, 著衣也'《廣韻》.

身 5 〔⿰身主〕 12 주 [上]麌 | zhù チュ みのまっすぐなさま
[字解] 몸꼿꼿할주 몸이 꼿꼿함. 몸이 똑바른 모양. '一, 身直皃'《集韻》.

身 5 〔⿰身只〕 12 〔지〕 胑(肉부 5획〈1070〉)와 同字

身 5 〔⿰身申〕 12 총 [平]冬 | chōng チョウ まっすぐなこと
[字解] 곧을총 쭉 펴서 곧음. '一, 一直也'《玉篇》. '一, 伸直'《漢語大字典》.

身 5 〔⿰身立〕 12 친 [上]吻 | zhěn シン みがただしい
[字解] 몸단정할친 몸이 단정함. 몸가짐이 바름. '一, 身端也'《篇海》.

身 5 〔⿰身出〕 12 친 [平]眞 | chēn チン はしるさま
[字解] 달리는모양친 달리는 모양. '一, 走皃'《集韻》.

身 6 〔躱〕 13 타 [上]哿 | duǒ タ み, みずから
[字解] ①감출타, 몸감출타 '一, 一身也'《玉篇》. '兵火之際, 東逃西一'《馮玉梅團圓》. ②피할타 몸을 피함. '躱, 躱避也. 一, 同上'《字彙》. '一雨', '一車'.
[字源] 形聲. 身+朶〔音〕

身 6 〔躲〕 13 躱(前條)와 同字

身 6 〔⿰身夸〕 13 과 [平]麻 | kuā カ しなやか
[字解] 숙부드러울과 품행이 얌전하고 마음씨가 부드러움. 우아(優雅)함. '一⿰身比'. '一, 一⿰身比, 體柔'《集韻》.

身6〔⿰身夅〕13 ⿰身夸(前條)와 同字

身6〔⿰身舌〕13 〔괄〕 聒(耳부 6획〈1057〉)과 同字

身6〔⿰身同〕13 동 [上]董 | tǒng トウ みがくずれる

[字解] 단정하지않을동 단정하지 않음. 몸가짐이 바르지 못함. '⿰身龍—'. '—, ⿰身龍—, 身不端'《集韻》.

身6〔⿰身老〕13 야 | yé ヤ ちち

[字解] 아비야 아비. 아버지. '—, 父也'《字彙》.

身6〔⿱壬身〕13 〔임〕 姙(女부 6획〈246〉)과 同字

身6〔⿰身祭〕13 〔잉〕 孕(子부 2획〈270〉)과 同字

身6〔⿰身自〕13 〔자〕 自(部首〈1100〉)와 同字

身6〔⿰身兆〕13 조 [上]篠 [去]嘯 | tiǎo チョウ みのながいさま

[字解] 몸긴모양조 신장이 긴 모양. 키가 큰 모양. '—, 身長皃'《集韻》.

身6〔⿰身亥〕13 〔해〕 骸(骨부 6획〈1757〉)의 俗字

身7〔躳〕14 〔궁〕 躬(身부 3획〈1455〉)의 本字

身7〔躴〕14 랑 [平]陽 | láng ロウ たけがたかい

[字解] 키클랑 키가 큼. '⿰身兼—·—⿰身兼'. '—, 身長也'《集韻》.

身7〔⿰身貝〕14 〔맥〕 貊(豸부 6획〈1380〉)과 同字

身7〔⿰身关〕14 〔비〕 ⿰身比(身부 4획〈1456〉)와 同字

身7〔⿰身坒〕14 〔비〕 ⿰身比(身부 4획〈1456〉)와 同字

身7〔⿰身廷〕14 정 [上]迥 | tǐng テイ みがまっすぐでたかい

[字解] 키크고곧을정 키가 크고 몸집이 꿋꿋함. '—, 正作侹, 身長直也'《篇海》.

身7〔⿰身足〕14 〔축〕 蹴(足부 12획〈1447〉)과 同字

身7〔⿰身兌〕14 탈 | tuō タツ ちめい

[字解] 땅이름탈 '—, 地名'《篇海》.

身8〔躶〕15 라 [上]哿 | luǒ ラ はだか

[字解] 발가벗을라 裸(衣부 8획〈1277〉)와 同字. '—, 赤體也, 亦作裸'《玉篇》. '臣—身來, 不受金無以爲資'《史記》.

身8〔⿰身穹〕15 궁 [去]送 | qióng キュウ かがむ

[字解] ①몸구부릴궁 '—, 曲躬也'《集韻》. ②부릴궁 일을 시킴. '—, 一曰, 使役'《集韻》.

身8〔⿰身奇〕15 기 [平]支 | jī キ み

[字解] ①몸기 '—, 身也'《類篇》. ②외짝기 혼자. '—, 字林, 隻也, 謂一身'《集韻》.

身8〔躺〕15 당 | tǎng トウ ふす

[字解] ①누울당 잠깐 눈을 붙임. '—, 假臥以舒體也'《中華大字典》. ②죽음을에둘러이를당 '他們含笑的—在路上'《殷夫》.

身8〔躹〕15 국 [入]屋 | jú キク かがむ

[字解] 몸구부릴국 '—, —躬也'《集韻》.

身8〔⿰身卓〕15 〔도〕 軇(身부 14획〈1459〉)와 同字

身8〔⿰身委〕15 〔왜〕 矮(矢부 8획〈864〉)와 同字

身8〔⿰身吴〕15 〔사〕 射(寸부 7획〈288〉)와 同字

身8〔⿰身宝〕15 〔옥〕 ⿰身賣(身부 20획〈1459〉)와 同字

身9〔躽〕16 언 ①②[上]銑 | yǎn エン かがむ
①②[去]願 | エン かがむ
③[上]阮 | yàn エン せむし
①④[去]霰 | yàn エン かがむ

[字解] ①몸구부릴언 '—, 身向前也'《廣韻》. '—, 曲身也'《集韻》. ②배불룩하게할언 '—, —體, 怒腹也'《玉篇》. ③곱사등이언 '—, 傴也'《集韻》. ④성낸눈으로볼언 '—, 怒瞋'《集韻》.

身9〔⿰身叚〕16 하 [平]麻 | hā カ みのかがむさま

[字解] 몸구부러지는모양하 '—, 身傴皃'《集韻》.

身 9 〔⿰身面〕 16 〔면〕 面(部首〈1656〉)과 同字

身 9 〔⿰身兪〕 16 수 [去]遇 | shù シュ ころもをつける
[字解] 옷입을수 옷을 입음. '躿, 躿一, 著衣也'《廣韻》.

身 9 〔⿰身重〕 16 종 [去]宋 | zhòng チョウ みごもる
[字解] 애가질종 애를 가짐. 아이를 뱀. '一, 娠也'《集韻》.

身 9 〔⿰身皇〕 16 황 [平]陽 | huáng コウ かねのおと
[字解] 풍류종소리황 음악 속에서 나는 소리. '一, 樂鐘聲'《改倂四聲篇海》.

身 10 〔⿰身郎〕 17 〔랑〕 躴(身부 7획〈1457〉)과 同字

身 10 〔⿰身毘〕 17 〔비〕 䠘(身부 4획〈1456〉)와 同字

身 10 〔⿰身甹〕 17 〔빙〕 聘(耳부 7획〈1057〉)과 同字

身 10 〔⿰身閃〕 17 섬 [上]琰 | shǎn セン にげかくれる
[字解] 숨을섬 숨음. 도피함. 또, 책임을 회피함. '一, 躲閃也'《字彙補》.

身 10 〔⿰身骨〕 17 〔체〕 體(骨부 13획〈1762〉)와 同字

身 10 〔⿰身弱〕 17 탕 [平]陽 | tàng トウ よわい
[字解] 약할탕 약함. 몸이 건강하지 못함. '一, 弱也'《篇海》.

身 10 〔⿰身豈〕 17 해 [平]灰 | hāi カイ からだのながいさま
[字解] 키클해 키가 큼. 키가 큰 모양. '躴一'. '一, 躴一, 體長皃'《集韻》.

身 11 〔軀〕 18 [人名] 구 [平]虞 | qū クみ
[筆順] 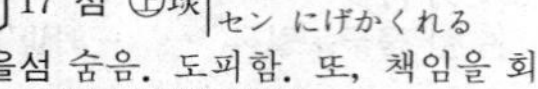
[字解] 몸구 신체. '一, 體也'《說文》. '曷足以美七尺之一哉'《荀子》.
[字源] 形聲. 身+區〔音〕

身 11 〔躿〕 18 강 [平]陽 | kāng コウ たけがたかい
[字解] 키클강 키가 큼. '一, 長身謂之一躴'《集韻》.

身 11 〔⿰身國〕 18 괵 [入]陌 | guó カク はだか
[字解] 알몸괵 발가숭이. '一, 一軆, 倮也'《集韻》.

身 11 〔軁〕 18 루 [平]尤 | lǚ ル せむし
[字解] 곱사등이루 僂(人부 11획〈69〉)와 同字. '僂, 痀僂, 身曲病, 或从身'《集韻》.

身 11 〔⿰身貧〕 18 〔궁〕 窮(穴부 10획〈921〉)과 同字

身 12 〔⿰身害〕 19 〔락〕 樂(木부 11획〈577〉)과 同字

身 12 〔軂〕 19 로 [去]號 | lào ロウ たけがたかい
[字解] 키클로 키가 큼. '一, 一軇, 身長'《集韻》.

身 12 〔⿰身甹〕 19 〔빙〕 聘(耳부 7획〈1057〉)과 同字

身 12 〔⿰身需〕 19 〔연〕 軟(車부 4획〈1461〉)의 俗字

身 12 〔⿰身貴〕 19 외 [去]泰 | wài カイ ひとのなまえ
[字解] 사람이름외 '一, 人名'《玉篇》.

身 12 〔⿰身耋〕 19 〔질〕 耋(老부 6획〈1049〉)과 同字

身 12 〔軃〕 19 타 [上]哿 | tuǒ タ たれる
[字解] ①늘어질타 밑으로 늘어짐. '一, 垂也'《字彙補》. '竹喧交砌葉, 柳一拂窓條'《岑參》. ②피할타 躲(身부 6획〈1456〉)와 同字. '奪門忽聞變, 投獄無少一'《康有爲》.

身 12 〔軄〕 19 〔직〕 職(耳부 12획〈1061〉)의 俗字

身 13 〔軆〕 20 〔체〕 體(骨부 13획〈1762〉)의 俗字

身 13 〔⿰身寧〕 20 〔녕〕 䑿(身부 14획〈1459〉)과 同字

身 13 〔⿰身詹〕 20 담 [平]覃 | dān タン このむ
[字解] ①즐길담 좋아함. '一, 好也'《篇海》. ②가지고놀담 완상(翫賞)함. '一, 翫也'《篇海》.

身 13〔軀〕20 〔독〕
獨(犬부 13획〈761〉)과 同字

身 13〔軇〕20 전 ①㊤銑|zhǎn セン はだか ②㊦霰|zhàn セン ふるえる
字解 ①알몸전 벌거숭이. '一, 倮也'《集韻》. ②떨릴전 몸이 흔들림. 顫(頁부 13획〈1701〉)과 통용. '一, 體搖也, 通作顫'《集韻》.

身 14〔軈〕21 녕 ㊤迥|níng デイ あか
字解 때녕 피부에 낀 더러운 것. 聹(耳부 14획〈1061〉)과 同字. '一, 正作聹, 垢也'《篇海》.

身 14〔軃〕21 〔담〕
軃(身부 13획〈1458〉)과 同字

身 14〔軇〕21 도 ㊦號|dào トウ たけがたかい
字解 키클도 키가 큼. 䠠(身부 8획〈1457〉)와 同字. '一, 軂一, 身長, 或从卓'《集韻》.

身 14〔軈〕21 람 ㊥覃|lán ラン たけがたかいさま
字解 키클람 키가 큼. '一, 一軇, 身長皃'《集韻》.

身 14〔軉〕21 〔빈〕
嬪(女부 14획〈266〉)과 同字

身 15〔軀〕22 〔구〕
軀(身부 11획〈1458〉)와 同字

身 16〔軆〕23 력 ㊇錫|lì レキ はだか
字解 알몸력 벌거숭이. '一, 軇一, 倮也'《集韻》.

身 16〔軈〕23 롱 ㊤董|lǒng ロウ みがたんぜいでない
字解 몸단정치못할롱 '一, 一軀, 身不端'《集韻》.

身 18〔軈〕25 참 ㊥咸|chàn サン たけがたかい
字解 키클참 키가 큼. '一, 軈一, 身長'《集韻》.

身 20〔軉〕27 옥 ㊇沃|yù ギョク たから
字解 보배옥 '一, 古者貨貝爲寶, 家有珍貝爲寶, 又人身精氣不散亂爲寶, 太上作亳州碑上有之'《篇海》.

車　部
〔수레거부〕

車 0〔車〕7 中·人 ㊀차 ㊥麻|chē シャ くるま ㊁거 ㊥魚|jū キョ くるま
筆順 一 冂 冃 冃 亘 亘 車
字解 ㊀①수레차 바퀴를 달아, 타기도 하고 짐도 싣기도 하는 제구. 사람이 타는 것을 '小一', 짐 싣는 것을 '大一'라 함. '下一'. '一馬'. 전(轉)하여, 바퀴를 장치하여 동력(動力)을 일으키는 기계를 이름. '滑一'. '荒村終日水一鳴'《陳與義》. ②수레바퀴차 차륜(車輪). '一, 輿輪之總名也'《說文》. ③잇몸차 치은(齒齦). '輔一相依, 脣亡齒寒. (注)輔, 頰輔. 車, 牙車'《左傳》. ④성차 성(姓)의 하나. ㊁수레거 ㊀❶과 뜻이 같음. '一同軌'《中庸》.
字源 象形. 수레를 본뜬 모양.
參考 '車'를 의부(意符)로 하여, 여러 가지 종류의 수레, 수레의 각 부위의 이름, 수레를 움직이는 일 등에 관한 문자를 이룸.

車 1〔軋〕8 알 ㊇黠|yà アツ きしる
字解 ①삐걱거릴알 수레바퀴가 닿아 쓸려서 소리를 냄. 또, 그 소리. '一, 輾也. (注)本謂車之輾於路'《說文》. ②서로배척할알 알력을 일으킴. '一轢'. '名也者, 相一也'《莊子》. ③형벌이름알 흉노(匈奴)의 형벌의 하나로서, 칼로 죄인의 얼굴을 새기는 일. 일설(一說)에는, 죄인의 골절(骨節)을 수레바퀴로써 가는 일. '有罪, 小者一, 大者死'《漢書》. ④압도(壓倒)할알 또, 초과함. '隨鄉擧累上, 爲權勢所一'《王禹偁》. ⑤상세할알 위곡(委曲)함. '取邾田自漷水, 一辭也'《穀梁傳》. ⑥말더듬을알 '謇極, 吃也, 楚語也, 或謂之一'《方言》. ⑦성알 성(姓)의 하나.
字源 形聲. 車+乙〔音〕

車 2〔軌〕9 高·人 궤 ㊤紙|guǐ キ くるまのわとわとのきょり
筆順 一 冂 冃 冃 亘 車 軋 軌
字解 ①바퀴사이궤 수레의 왼쪽 바퀴와 오른쪽 바퀴와의 사이. 고대(古代)에, 그 나비〔輻〕는 8척(尺)이 표준이었음. '今天下, 車同一'(천하가 통일됨을 이름)《中庸》. '車不得方一'(도로가 좁음)《十八史略》. ②바퀴자국궤 수레바퀴가 지나간 자국. 차철

(車轍). '城門之一'《孟子》. ③바퀴굴대궤 차축(車軸). '車不濡一'《詩經》. ④법궤 법도. 본보기. '一範'. '兩不失雍熙之一焉'《世說》. ⑤좇을궤 준수함. '諸侯一道'《漢書》. ⑥간사할궤 宄(宀부 2획〈274〉)와 통용. '亂在外爲姦, 在內爲一'《左傳》. ⑦성궤 성(姓)의 하나.

字源 形聲. 車+九〔音〕

車2〔軓〕9 〔범〕 軌(車부 3획〈1461〉)과 同字

車2〔軍〕9 中·人 군 ㊥文 | jūn グン いくさ

筆順 ' 冖 冖 冃 冒 冒 宣 軍

字解 ①군사군 ㉠군사(軍士). 군인. 군대. '水一'. '全一'. '水上一, 皆殊死戰'《史記》. ㉡군사(軍事). 병사. 전투. '一器'. '無一功'《史記》. ㉢고대의 병제(兵制)로서 군사 12,500명을 이름. '三一'. '五師爲一'《周禮》. ②진칠군 주둔(駐屯)함. '一於瑕以待之'《左傳》. ③행정구획이름군 송대(宋代)의 행정상의 구획. 노(路)의 관할(管轄)에 속하였음. ④성군 성(姓)의 하나.

字源 會意. 車+包〈省〉

車2〔𠣍〕9 軍(前條)의 本字

車2〔軋〕9 구 ①㊥尤 ②㊧宥 | jiū キュウ くるまのうしろのながいよこぎ jiù キュウ よこぎのうえのみき

字解 ①수레뒤의긴횡목(橫木)구 '一, 車長軫也'《集韻》. ②뒷가로대의위의기둥구 차상(車箱)의 뒤쪽에 세운 기둥. '一, 車軫上榦'《集韻》.

車2〔軌〕9 률 ㊇質 | lì リツ いろどる

字解 ①채색(彩色)할률 '一, 彩也'《字彙補》. ②삼실〔麻絲〕가지런히하는연장률 '一, 刷纑具'《集韻》.

車2〔軒〕9 정 ㊥青 | tíng テイ くるまがとまる

字解 수레멈출정 '一, 車停也'《字彙》.

車2〔叀〕9 害(次條)와 同字

車3〔軎〕10 예 ㊧霽 | wèi エイ ちくかしら

字解 ①굴대끝예 또는 굴대머리라고도 함. '一, 車軸耑也'《說文》. '一, 轂末軸頭也'《篇海類編》. ②轊(車부 11획〈1477〉)와 同字.

字源 象形. 수레의 굴대머리의 모양으로, '口'는 그 구멍의 모양. 일설에는 指事.

車3〔𨊻〕10 〔춘〕 軘(車부 3획〈1461〉)과 同字

車3〔轩〕10 〔여〕 輿(車부 10획〈1475〉)와 同字

辵3〔軵〕10 〔용〕 軵(車부 5획〈1463〉)과 同字

車3〔軑〕10 대 ㊧霽 | dài テイ そとかりも

字解 줏대대 수레바퀴통 끝의 휘갑쇠. '一, 車輨也'《說文》. '齊玉一而竝馳'《楚辭》.

字源 形聲. 車+大〔音〕

車3〔軒〕10 高·人 ㊀헌 ㊥元 ㊁한 ㊤旱 | xuān ケン くるま xiàn カン せい

筆順 一 冂 旦 亘 車 車 軒 軒

字解 ㊀①초헌헌 대부(大夫) 이상이 타는 수레. '鶴有乘一者'《左傳》. 전(轉)하여, ②수레헌 차량. '戎一'. '朱一駢馬'《後漢書》. ③처마헌 지붕의 도리 밖으로 내민 부분. '高一'. '周一中天'《左思》. 전(轉)하여, ④집헌 가옥. '我亦一一容膝住'《蘇轍》. ⑤난간헌 층계나 다리 같은 데의 가장자리를 막은 물건. '天子自臨一檻'《漢書》. ⑥높을헌 수레의 앞부분이 가볍고 높음. 낮은 것을 '輊'라 함. '如輊如一'《詩經》. 전(轉)하여, 우수하다는 뜻으로 쓰임. '居前不能令人輊, 居後不能令人一'《漢書》. ⑦오를헌 높이 올라감. '一擧'. '翔霧連一'《木華》. ⑧웃을헌 웃는 모양. '一然仰笑'《天祿外史》. ⑨크게저민고기헌 '皆有一'《禮記》. ㊁성한 성(姓)의 하나.

字源 形聲. 車+干〔音〕

車3〔軔〕10 인 ㊧震 | rèn ジン·ニン とめぎ

字解 ①바퀴굄목인 바퀴가 구르지 않게 괴는 나무. '一, 礙車輪木'《玉篇》. '動一則泥陷'《詩經 箋》. 전(轉)하여, 출발하는 것을 '發一'이라 함. '發一於蒼梧兮'《楚辭》. ②정지시킬인 못 가게 막음. '遂以頭一乘輿輪'《後漢書》. ③길인 8척(尺). 仞(人부 3획〈35〉)과 통용. '掘井九一'《孟子》. ④견고할인 '攻堅則一. (注)一, 牢固之名也'《管子》. ⑤유약(柔弱)할인, 게으를인 '其於禮義節奏也, 芒一僈楛, 是辱國已. (注)一, 柔也, 亦怠惰之義'《荀子》. ⑥수레바퀴인 '轍含冰以滅軌, 水漸一以凝冱'《潘岳》.

字源 形聲. 車+刃〔音〕

車3〔軓〕10 범 [上]豏 fàn ハン とこぎ

[字解] 수레앞턱나무범 수레 앞의 가로나무로서, 진(軫)과 대(對)하며, 식(軾)의 아래에 있음. '一, 車軾前'《說文》.
[字源] 形聲. 車+凡〔音〕

車3〔軐〕10 춘 [平]眞 chūn チュン こしきしばり

[字解] ①바퀴통치레춘 바퀴통에 베푸는 장식. '一, 車約一也'《說文》. ②하관차춘 관(棺)을 무덤 구덩이에 내릴 때에 싣는 수레. '一, 一曰, 下棺車曰一'《說文》.
[字源] 形聲. 車+川〔音〕

車3〔杠〕10 〔강〕
釭(金부 3획〈1550〉)과 同字

車3〔軞〕10 〔돈〕
軘(車부 4획〈1461〉)과 同字

車3〔軐〕10 ㊀선 [去]霰 xiàn セン わだち ㊁신 [去]震 xìn シン くるま

[字解] ㊀바퀴자국선 수레의 지나간 흔적. '一, 轉一, 車迹'《集韻》. ㊁수레신 '一, 車也'《集韻》.

車3〔軏〕10 월 [入]月 yuè ゲツ よこがみ

[字解] ①끌채끝월 끌채 끝의 멍에를 메는 부분. '大車無輗, 小車無一. (集解)一者, 轅上曲鉤衡'《論語》. ②수레의맨끝의가로나무를고정(固定)하는쐐기월 軏(車부 4획〈1462〉)과 同字. '転, 車轅耑持衡者, 从車元聲'《說文》.

車4〔軘〕11 돈 [平]元 tún トン へいしゃのな

[字解] 병거돈 전차(戰車)의 일종으로, 수비하는 데 씀. '使一車逆之'《左傳》.
[字源] 形聲. 車+屯〔音〕

車4〔軛〕11 액 [入]陌 è アク·ヤク くびき

[字解] 멍에액 수레를 끌때, 마소의 목에 얹는 가로나무. '兩一之間'《周禮 註》.
[字源] 形聲. 車+戹〔音〕

車4〔軟〕11 [高·人] 연 [上]銑 ruǎn ゼン·ナン やわらかい

[筆順] 一 万 戸 百 亘 車 軟 軟

[字解] ①부드러울연 ㉠물질이 무름. 연함. '柔一'. '有時婉一無筋骨, 有時頓挫生稜節'《白居易》. ㉡표현이 딱딱하지 아니함. '一文學'. ②약할연 ㉠몸이 약함. '妻子一弱'《史記》. ㉡지조 같은 것이 굳지 아니함. '一化'.
[字源] 形聲. 車+耎〔音〕

車4〔軜〕11 납 [入]合 nà ドウ·ノウ そえうまのうちたづな

[字解] 고삐납 말 셋이 끄는 수레에서, 바깥쪽 말의 안 쪽 고삐. '一, 驂馬內轡, 繫軾前者. 从車, 內聲. 詩曰, 洪以觼一'《說文》.
[字源] 形聲. 車+內〔音〕

車4〔軝〕11 기 [平]支 qí キ こしきにかわをまきうるしをぬっておおったもの

[字解] 바퀴통끝기 수레바퀴통 끝의 가죽으로 싼 부분. '約一錯衡'《詩經》.
[字源] 形聲. 車+氏〔音〕
[參考] 軧(車부 5획〈1464〉)는 別字.

車4〔軓〕11 반 [平]元 fǎn ハン くるまのおおい

[字解] ①수레귀반 차상(車箱) 양옆에 내민 귀처럼 생긴 부분. '一, 車耳反出也. (注)車耳則較也. 其反出者謂之一'《說文》. ②수레덮개반 수레를 덮어 가리는 판대기. '轓謂之一'《廣雅》.
[字源] 形聲. 車+反〔音〕

車4〔軖〕11 광 [平]陽 kuáng キョウ つむぎぐるま

[字解] ①물레광 실을 자아내는 틀. 방차(紡車). ②외바퀴수레광 '一, 一曰, 一輪車'《說文》. ③수레되돌아갈광 제대로 구르지 못함. '軖, 說文, 車戾也, 或省'《集韻》.
[字源] 形聲. 篆文은 車+㞷〔音〕

車4〔軦〕11 굉 [平]蒸 kōng コウ くるまのよこぎ

[字解] 수레앞가로나무굉 수레의 횡목(橫木). 軦(車부 5획〈1465〉)과 同字.

車4〔軞〕11 모 [平]豪 máo ボウ·モウ へいしゃのな

[字解] 수레이름모 천자나 제후(諸侯)의 병거(兵車)로서, 부거(副車)의 일컬음. 정거(正車)는 원융(元戎). '公路, 主君之一車'《詩經 箋》.

車4〔較〕11 ㊀각 [入]覺 jué カク くるまのりょうがわのよこぎ ㊁교 [去]效 jiào コウ まっすぐ

[字解] ㊀수레양쪽가로나무각 수레에 서서 탈 때 붙잡는 양쪽의 가로나무. '一, 車輢上曲鉤也'《說文》. ㊁곧을교, 같지않을교 곧음. 또는, 고르지 못함. '一, 直也, 一曰, 不等'《集韻》.

字源 形聲. 車＋爻〔音〕
參考 較(車부 6획〈1466〉)와 同字.

車4〔軿〕11 계 ㊥齊|jī ケイ じくさき
字解 굴대끝계 차축(車軸)의 양끝. '一, 車兩轄'《集韻》.

車4〔軿〕11 현 ㊤銑|xuàn ケン くるまのかさばね
字解 수레덮개살현 수레 위를 덮는 차일산(遮日傘) 모양의 덮개를 받치는 우산살 같은 것. '一, 車弓也'《集韻》.

車4〔蚖〕11 〔월〕 軏(車부 3획〈1461〉)와 同字

車4〔軲〕11 〔로〕 轤(車부 16획〈1482〉)의 俗字

車4〔転〕11 〔전〕 轉(車부 11획〈1477〉)의 略字

〔斬〕 〔참〕 斤부 7획(493)을 보라.

車4〔軒〕11 강 ㊤養|kǎng コウ あげごし
字解 ①가마강 앞뒤로 사람이 메는 가마. '一, 一一, 軮也'《廣韻》. ②바퀴자국강 수레의 지나간 흔적. '一, 車軌也'《集韻》.

車4〔軎〕11 〔굉〕 轟(車부 14획〈1480〉)의 俗字

車4〔軥〕11 〔구〕 軥(車부 5획〈1462〉)와 同字

車4〔軡〕11 금 ㊥侵|qián キン ちめい
字解 땅이름금 '一, 地名, 在江南, 通作黔'《集韻》.

車4〔軠〕11 뉴 ㊥有|niǔ ジュウ くるまのしんぎ
字解 굴대뉴 수레의 굴대. '一, 車一也'《字彙補》.

車4〔軚〕11 〔대〕 軑(車부 3획〈1460〉)의 訛字

車4〔軙〕11 〔보〕 輔(車부 7획〈1468〉)와 同字

車4〔軼〕11 부 ㊥虞|fú フ じくのはしにさすくさび
字解 비녀장부 굴대머리 끝에 박아 바퀴가 굴대에서 빠져 나오지 않게 하는 쐐기. '一, 車轄'《字彙補》.

車4〔軗〕11 수 ㊥虞|shū シュ くるまのさお
字解 수레의장대수 '一, 車竿'《字彙》.

車4〔軕〕11 심 ㊥侵|xīn シン くるまのしんぎ
字解 수레심대심 굴대를 제동(制動)하는 나무. '一, 車軥心制軸者, 通作杺'《集韻》.

車4〔軮〕11 앙 ㊦漾|yàng ギョウ かご
字解 가마앙 손으로 맞들거나 어깨로 맞메는 교자(轎子). '一, 字林, 轎也'《集韻》.

車4〔軬〕11 용 ㊥冬|rǒng ヨウ くるまのゆくさま
字解 수레가는모양용 輍(車부 10획〈1476〉)과 同字. '一, 車行皃, 或从容'《集韻》.

車4〔軏〕11 〔용〕 軵(車부 5획〈1463〉)과 同字

車4〔軐〕11 월 ㊇月|yuè ゲツ かりも
字解 바퀴통쇠월 바퀴통 속에 있는 가운데가 빈 철구(鐵具). '一, 車釭'《集韻》.

車4〔軧〕11 〔저〕 軝(車부 5획〈1464〉)와 同字

車4〔軖〕11 〔저〕 軝(車부 5획〈1464〉)와 同字

車4〔軙〕11 〔진〕 陳(阜부 8획〈1617〉)의 古字

車4〔軷〕11 〔진〕 陳(阜부 8획〈1617〉)의 古字

車4〔軠〕11 〔태〕 軩(車부 5획〈1465〉)와 同字

車4〔軷〕11 파 ㊥麻|bā ハ へいしゃ
字解 병거파 군용(軍用) 수레. '一, 兵車也'《集韻》.

車4〔軥〕11 〔횡〕 輷(車부 9획〈1473〉)의 訛字

車5〔軥〕12 구 ㊥虞|qú, gōu ク くびき

字解 ①멍에구 아래쪽으로 굽은 멍에. '射兩一而還. (注)一, 車軛卷者'《左傳》. ②끌구 잡아당김. '一, 引也'《廣雅》. ③포획(捕獲)기구구 '一, 輗皆罥名, 所以引取鳥獸者也'《王念孫疏證》. ④궁대구 차축(車軸). '一, 車一心木'《廣韻》. ⑤영구차구 '一, 一槅, 挽車也'《廣韻》. ⑥수고로울구 노고(勞苦). 근로(勤勞). '孝弟原慤, 一錄疾力'《荀子》.

字源 形聲. 車+句〔音〕

車5 〔軨〕12 령 ㊥青 | líng レイ りょうしゃ

字解 ①사냥수레령 수렵에 쓰는 수레. 엽차(獵車). '以一獵車, 奉迎曾孫'《漢書》. ②굴대빗장가죽령 굴대의 빗장에 싼 가죽. '展一效駕'《禮記》. ③차창격자령 수레에 있는 창(窓)의 격자(格子). '擴一軒而周流兮'《揚雄》. ④차란(車闌)령 차상(車箱)의 전면(前面)과 좌우 양면(兩面)에 쓰인 목조(木條)의 구성이 격자형(格子形)을 이룬 것. '倚結一兮長太息, 涕潺湲兮下霑軾. (注)一, 車轖間橫木也'《楚辭》. ⑤작을령 영세함. '一, 假借爲零'《說文通訓定聲》.

字源 形聲. 車+令〔音〕

車5 〔軫〕12 人名 진 ㊤軫 | zhěn シン とこぎ

筆順 一 冂 亘 亘 車 軟 軫 軫

字解 ①수레뒤턱나무진 수레의 뒤에 있는 가로나무. '一, 車後橫木也'《說文》. '車一, 四尺'《周禮》. ②수레진 차량의 통칭(通稱). '往車雖折, 而來一方遒'《後漢書》. ③돌진 회전함. '一轉其道'《太玄經》. ④굽을진 곧지 아니함. '路紆一而多艱'《後漢書》. ⑤슬퍼할진, 마음아파할진 '昔聞白鶴弄, 已自一離情'《何遜》. ⑥두둑진, 길진 '以翱虛無之一'《淮南子》. ⑦별이름진 이십팔수(二十八宿)의 하나. '一, 宿名, 南方星, 居二十八宿之末'《史記》. ⑧거문고줄받침진 거문고의 하면(下面)에 있어 줄을 굴리는 데 쓰이는 장치(裝置). '以一調聲'《魏書》. '拂一弄瑤琴'《李白》. ⑨거상(車箱)진 거여(車輿). '加一與轐焉, 四尺也'《周禮》. ⑩네모꼴진 방형(方形). '一石崴嵬. (注)一, 方也'《楚辭》. ⑪차많고성한모양진 '畜積給足, 士卒殷一. (注)一, 乘輪多盛貌'《淮南子》. ⑫차열(車裂)진 옛날의 혹형(酷刑)의 하나. '謂之亂天下, 其一令尹以狗. (注)一, 車裂也'《鶡冠子》. ⑬성진 성(姓)의 하나.

字源 形聲. 車+㐱〔音〕

車5 〔軙〕12 軫(前條)의 俗字

車5 〔軨〕12 軫(前前條)과 同字

車5 〔鞅〕12 ㊀앙 ㊤養 ㊁복 ㊅屋 | yǎng オウ おとのけいよう fú フク けんめい

字解 ㊀①소리앙 '一軋'은 소리의 한 형용임. '一, 一軋, 聲也'《廣韻》. '一軋渾憂地軸摧'《元稹》. ②광대(廣大)하여끝이없는모양앙 '擴軨軒而周流兮, 忽一軋而亡垠. (注)一軋, 廣大貌也'《揚雄》. ③멀리서로비추는모양앙 '一, 一軋, 遠相映皃'《集韻》. ㊁고을이름복 현(縣)의 이름. '封浚儀公主, 適一侯'《後漢書》.

字源 形聲. 車+央〔音〕

車5 〔軯〕12 팽 ㊥庚 | pēng ホウ・ヒョウ くるまのすすむおと

字解 ①수레소리팽 수레가 가는 소리. '一, 車行聲'《玉篇》. ②종고(鐘鼓)의소리팽 '一, 鐘鼓聲'《康熙字典》. '一磕隱訇'《張衡》. ③우렛소리팽 뇌성. '豐隆一其震霆兮'《張衡》.

字源 形聲. 車+平〔音〕

車5 〔軱〕12 고 ㊥虞 | gū コ おおぼね

字解 큰뼈고 거대한 뼈. '技經肯綮之未嘗, 而況大一乎. (注)一, 大骨也'《莊子》.

字源 形聲. 車+瓜〔音〕

車5 〔軵〕12 ㊀용 ㊤腫 ㊁부 ㊤麌 | rǒng ジョウ かるいくるま fǔ ホ・フ おす

字解 ㊀가벼운수레용 빨리 달리는 수레. 경차(輕車). '一, 一曰, 輕車'《集韻》. ㊁①밀부 힘을 주어 앞으로 나가게 함. '一車奉饟'《淮南子》. ②도울부 '坤大一, 上發乃應. (注)一者, 輔也'《易緯乾坤鑿度》.

字源 會意. 車+付

車5 〔軷〕12 발 ㊅曷 | bá ハツ とうそじんのまつり

字解 길제사발 도신(道神)에 지내는 제사. 길을 떠날 때, 도중에 무사하기를 빌며 지내는 제사. '取羝以一'《詩經》.

字源 形聲. 車+犮〔音〕

車5 〔軸〕12 人名 축 ㊅屋 | zhóu ジク しんぼう

筆順 一 亘 亘 車 軒 軸 軸 軸

字解 ①굴대축 수레바퀴의 한가운데의 구멍에 끼는 긴 나무 또는 쇠. '車一折'《史記》. ②바디축 베틀에 딸린 제구의 하나. '杼一其空'《詩經》. ③두루마리축 권축(卷

軸)을 박고 표장(表裝)하여 말아 놓은 서화. '見卷一未必多僕'《南史》. ④두루마리로할축 표장하여 두루마리를 만듦. '一而藏之'《歐陽修》. ⑤축축 ㉠두루마리를 세는 단위. '插架三萬一'《韓愈》. ㉡돌돌 말게 된 물건의 속에 박게 된 방망이. '卷一'. '竝廻乾一'《袁宏》. ⑥자리축 중요한 지위. '樞一'. '當一處中'《漢書》. ⑦앓을축 병을 앓음. '碩人之一. (注)一, 病也'《詩經》.

[字源] 形聲. 車+由〔音〕

車 5 〔軹〕12 지 ㊤紙 | zhǐ シ じくがしら

[字解] ①굴대끝지 차축(車軸)의 말단. 예두(轊頭). ②두갈래지 분기(分岐). '北方中有一首蛇焉'《爾雅》. ③어조사지 무의미의 어조사. 只(口부 2획〈144〉)와 同字. '許由曰, 而奚來爲一'《莊子》.

[字源] 形聲. 車+只〔音〕

車 5 〔軺〕12 [一] 초 [平]蕭 | diāo チョウ くるまのな
[二] 요 [平]蕭 | yáo ヨウ ちいさいかるいくるま

[字解] [一] 수레이름초 '輅, 一, 輂, 輜…軥, 柳, 車也. (注)自輅至柳, 皆是車名'《廣雅》. [二] ①경편(輕便)한작은수레요 '一, 小車也'《說文》. '服牛一馬, 以周四方'《國語》. ②군용차요 '一車, 古之時軍車也. 一馬曰一車, 二馬曰一傳'《晉書》. ③사자(使者)의 작은수레요 '一, 使者小車'《直音篇》. ④대부(大夫)의수레요 '一, 大夫之車也'《玉篇》.

[字源] 形聲. 車+召〔音〕

車 5 〔軻〕12 가 [平]歌 | kē カ ものごとがはこばない

[字解] ①굴대가이어져있어위험한수레가 '一, 椄軸車也'《說文》. '轗一'는 수레가 전진하기 힘드는 모양. 전(轉)하여, 때를 못 만나 뜻을 얻지 못한 모양. 불우한 모양. '轗一, 不遇也'《廣韻》. ②높이솟을가 '一峨大艑望如豆, 駭視未定已至前'《陸游》. ③맹자(孟子)이름가 '孟一, 騶人也'《史記》. ④성가 성(姓)의 하나.

[字源] 形聲. 車+可〔音〕

車 5 〔軼〕12 [一] 일 [入]質 | yì イツ すぎる
[二] 질 [入]屑 (절[本]) | dié テツ かわるがわる
[三] 철 [入]屑 | zhé テツ わだち

[字解] [一] ①앞지를일 뒤에서 빨리 가서 앞을 차지함. '一, 車相出也. (注)一, 車之後者突出於前也'《說文》. ②지날일 수레를 타고 달려 통과함. '一范蠡之絕迹'《後漢書》. ③범할일 침범함. '懼其侵一我也'《左傳》. ④잃을일 망실하여 전하지 아니함. 逸(辵부 8획〈1499〉)과 同字. '一事'. '睹一詩可異焉'《史記》. ⑤뛰어날일 탁월함. 逸(辵부 8획〈1499〉)과 同字. '一材'. '因奏褒有一材'《漢書》. [二] 번갈아들질 갈마들어서. 迭(辵부 5획〈1491〉)과 同字. '一興一衰'《史記》. ※本音 절. [三] 수레바퀴철 轍(車부 12획〈1478〉)과 통용. '伏式結一'《史記》.

[字源] 形聲. 車+失〔音〕

車 5 〔軴〕12 주 [去]遇 | zhù チュ くるまがとまる

[字解] 수레머무를주 수레가 멈춤. '一, 車止也'《集韻》.

車 5 〔軧〕12 저 ㊤薺 | dǐ テイ たいしゃのうしろのぼう

[字解] 수레뒤채저 큰 수레 뒤에 내민 몽둥이로서, 언덕 같은 데를 내려갈 때 속력을 억누르는 것. '一, 大車後也'《說文》.

[字源] 形聲. 車+氐〔音〕

[參考] 軝(車부 4획〈1461〉)는 別字.

車 5 〔𨊾〕12 류 ㊤有 | liǔ リュウ ひつぎぐるま

[字解] ①상여차류 '一, 載柩車也'《玉篇》. ②상여차장식류 蔞(艸부 11획〈1175〉)와 同字.

車 5 〔軲〕12 고 [平]虞 | gū コ·ク くるま

[字解] ①수레고 '一, 車也'《廣韻》. ②산이름고 '依一'는 산이름. '一, 依一, 山名'《集韻》. '又東南三十里曰依一之山'《山海經》. ③성고 성(姓)의 하나.

車 5 〔軦〕12 [一] 항 [去]漾 | kuàng キョウ·コウ むしのな
[二] 황 ㊤養 | キョウ·コウ むしのな

[字解] [一] 벌레이름항 '黃一'은 벌레의 이름. '黃一生乎九猷'《莊子》. [二] 벌레이름황 [一]과 뜻이 같음.

車 5 〔軤〕12 호 [平]虞 | hū コ せい

[字解] 성호 성(姓)의 하나. '一, 姓也'《集韻》.

車 5 〔䡀〕12 사 [去]禡 | zhà サ くるまざきのけい

[字解] 차열형(車裂刑)사 '一, 車裂'《集韻》.

車 5 〔𨊻〕12 [一] 년 ㊤銑 | niǎn ネン ひく
[二] 연 ㊤銑 | rǔan ネン やわらかい

字解 ㊀칠년 수레바퀴가 물건을 치어 깔아 부숨. '一, 車轢物'《廣韻》. ㊁부드러울연 연함. '一, 柔也'《集韻》.
字源 形聲. 車+反〔音〕

車5〔軛〕12 〔액〕 軛(車부 4획〈1461〉)의 本字

車5〔軽〕12 〔경〕 輕(車부 7획〈1468〉)의 俗字

車5〔軬〕12 ㊀반 ㊤阮 | fàn ハン くるまのおおい
㊁본 ㊤阮 | bèn ホン しゃじょうのとま
字解 ㊀수레덮개반 비를 막기 위해 수레 위를 덮는 물건. ㊁수레뜸본 輽(車부 10획〈1475〉)와 同字. '一, 車蓬, 或作輽'《集韻》.

車5〔軿〕12 軬(前條)과 同字

車5〔軰〕12 〔배〕 輩(車부 8획〈1471〉)의 俗字

車5〔軭〕12 〔경〕 轚(車부 11획〈1477〉)과 同字

車5〔軰〕12 공 ㊤腫 | gǒng キョウ しゃりんのそとがこい
字解 ①바퀴테공 '一, 車輞'《集韻》. ②수레바퀴에치일공 '一, 一曰, 轢也'《集韻》. ③굽은끌채공 '一, 曲轅'《集韻》.

車5〔軯〕12 굉 ㊥蒸 | hōng コウ くるまのよこぎ
字解 수레가로나무굉 鞃(革부 5획〈1661〉)과 同字. '鞃, 說文, 車軾也, 或作一'《集韻》.

車5〔軶〕12 니 ㊥支 | ní ジ くるまのまえのよこぎ
筆順 一 亘 車 車' 軒 軺 軶 軶
字解 수레앞턱나무니 차 앞의 횡목(橫木). '一, 軾也'《玉篇》.

車5〔軙〕12 민 ㊥眞 | mín ビン じくしばり
字解 ①복토(伏兔)민 차여(車輿)와 차축(車軸)을 고정하는 장치. '一, 車伏兔也'《玉篇》. ②바퀴테민 '輞或曰一, 一, 緜也, 緜連其外也'《釋名》.

車5〔艴〕12 〔불〕 拂(手부 5획〈435〉)과 同字

車5〔軪〕12 요 ㊥肴 | āo ヨウ くるまのおと
㊦效 | ào ヨウ からくりのあるくるま
字解 ①수레소리요 '一, 車聲'《集韻》. ②이상한모양요 '一, 一曰, 一軋, 奇皃'《集韻》. ③기계장치가있는차요 '一, 車有機也'《集韻》.

車5〔軥〕12 전 ㊥先 | tián テン おおくのくるまのおと
字解 수레많이지나가는소리전 輷(車부 7획〈1468〉)과 同字. '輷, 輷輷, 車衆聲, 或从田'《集韻》.

車5〔軳〕12 〔차〕 硨(石부 7획〈870〉)와 同字

車5〔軬〕12 타 ㊥歌 | tuó タ くるまがはやくはしる
字解 수레빨리달릴타 '一, 車疾馳'《集韻》.

車5〔軩〕12 태 ㊤賄 | dài タイ くるまがかたむく
字解 수레기울태 수레가 반듯이 있지 못하고 한쪽으로 기욺. '一, 博雅, 輆一, 車不平也'《集韻》.

車5〔軷〕12 팔 ㊇黠 | pā ハツ くるまのやぶれるおと
字解 수레부서지는소리팔 '一, 車破聲'《集韻》.

車5〔軳〕12 포 ㊥肴 | páo ホウ もどる
字解 ①되돌아갈포 먼저대로 되돌림. '一, 一曰, 戾也'《集韻》. ②수레뒤턱나무포 '一, 車軫'《集韻》.

車5〔軸〕12 포 ㊦效 ㊥肴 | pào ホウ いしをとばすくるま
字解 돌을쏘는수레포 돌을 쏘아 날리는 장치를 한 수레. 礮(石부 16획〈884〉)와 통용. '一, 飛石車'《集韻》.

車6〔軾〕13 人名 식 ㊇職 | shì ショク·シキ くるまのぜんぶのよこぎ
筆順 一 亘 亘 車 車 軒 軾 軾
字解 수레앞턱가로나무식 수레 안에서 절을 할 때에 손으로 쥐는 앞턱의 가로나무. 범(軓)의 위에 있음. '一者, 兩較之間有橫木可憑者也'《孔穎達》. 또, 그 나무를 쥐고 몸을 의지하여 절을 함. '一, 式也, 所伏以式敬者也'《釋名》.
字源 形聲. 車+式〔音〕

車 6 〔輁〕13 공 [上]冬 | gǒng キョウ ひつぎだいのしたにつけるころがし

[字解] 관굄공 상여에 실은 관(棺)을 움직이지 않도록 괴어 버티는 물건. '夷牀一軸'《儀禮》.

車 6 〔輆〕13 해 [上]賄 | kǎi カイ たいらかでない

[筆順] 一 百 亘 車 軒 軒 輆 輆

[字解] ①수레기울어질해 '一軩, 不平也'《廣雅, 釋訓》. ②거리낄해 '一, 一曰, 礙也'《集韻》.

車 6 〔較〕13 [高·人] [一]각 [入]覺 | jué カク くるまのはこのりょうがわのよこぎ [二]교 [去]效 | jiào(jiǎo) コウ くらべる

[筆順] 一 亓 百 亘 車 軒 軡 較

[字解] [一] ①차이(車耳)각 차체(車體) 좌우의 널빤지 위에 댄 가로나무의 앞으로 고부라져 나온 부분. 수레 안에서, 서 있을 때 잡는 곳임. '輿' 참조. '倚重一兮'《詩經》. ②차체각 수레 위의 상자처럼 된 부분. 차상(車箱). '爲輿倚一'《後漢書》. ③겨룰각 경쟁함. 角(部首)과 통용. '魯人獵一'《孟子》. ④곧을각 '一, 直也'《爾雅》. ⑤오로지각 '一, 專也'《一切經音義》. [二] ①견줄교 校(木부 6획〈541〉)와 통용. '比一'. '琴瑟不一'《史記》. ②대강교 대략. '斯其大一也'《嵇康》. ③조금교 좀. '春寒花一遲'《杜甫》. ④환할교 분명한 모양. '一炳'. '一然甚明'《漢書》.

[字源] 形聲. 較(車부 4획〈1461〉)의 동일어(同一語) 이체자(異體字). 篆文은 車+爻〔音〕

車 6 〔輅〕13 [一]로 [去]遇 | lù ロ くるま [二]락 [入]藥 | luò ラク くるま [三]아 [去]禡 | yà ガ むかえる [四]핵 [入]陌 | カク しょくのしたにくくりつけるよこぎ

[字解] [一] ①수레로 ㉠천자(天子)가 타는 수레. '乘戎一'《禮記》. ㉡은나라 수레. '乘殷之一'《論語》. ②클로 '禮下公門軾一馬. (注)一, 大也'《後漢書》. [二] ①작은수레락 인력(人力)으로 끄는 작은 수레. 또, 수레를 끌기 위하여 수레 앞에 댄 가로나무. '脫輓一'《史記》. ②끌락 수레·말 같은 것을 끎. '輓一'. '服牛一馬'《管子》. [三] 맞이할아 봉영(奉迎)함. '一秦伯'《左傳》. [四] 수레앞가로나무핵 사람이 수레를 끌 때 가슴에 대는 것. '一, 車軨前橫木也'《說文》.

[字源] 形聲. 車+各〔音〕

車 6 〔輈〕13 주 [平]尤 | zhōu チュウ ながえ

[字解] ①끌채주 하나로 된 굽은 수레채. 주로, 소차(小車), 곧 사람을 태우는 수레의 중앙에 닮. '梁一'. '文一'. '挾一以走'《左傳》. ②굳셀주 '一張'은 힘이 센 모양. '汝今一張, 怙汝兄耶'《後漢書》.

[字源] 形聲. 車+舟〔音〕

車 6 〔輇〕13 전 [平]先 | quán セン くるま

[字解] ①살없는수레바퀴전 살이 없이 나무토막으로 된 수레바퀴. '一, 有輻曰輪, 無輻曰一'《說文》. ②영구차전 '輲, 載柩車也, 或作一'《集韻》. ③저울질할전 銓(金부 6획〈1558〉)과 통용. '一, 量度也'《集韻》. ④작을전 '而一才小慧之徒'《魯迅》.

[字源] 形聲. 車+全〔音〕

車 6 〔輊〕13 지 [去]寘 | zhì チ くるまのまえがさがる

[字解] 낮을지 수레의 앞이 무거워 숙어서 낮음. '軒'의 대(對). '軒一'. '如一如軒'《詩經》.

[字源] 形聲. 車+至〔音〕

車 6 〔輀〕13 〔이〕 轜(車부 14획〈1480〉)와 同字

[字源] 形聲. 車+而〔音〕

車 6 〔輄〕13 광 [平]陽 | kuāng キョウ くるまがもとる

[字解] 수레바퀴뒤틀릴광 '一, 車戾也. (注)一者, 曲也'《說文》.

[字源] 形聲. 車+匡〔音〕

車 6 〔軫〕13 계 [平]薺 | qǐ ケイ とどこおる

[字解] ①거리낄계 방애(妨碍)가 됨. '一, 礙也'《說文》. ②이를계 도달함. '一, 至也'《廣雅》.

[字源] 形聲. 車+多〔音〕

車 6 〔衝〕13 견 [去]霰 | juàn ケン くるまがゆれる

[字解] 수레흔들릴견 '一, 車搖'《廣韻》.

[字源] 會意. 車+行

車 6 〔輧〕13 〔병〕 輧(車부 8획〈1470〉)의 俗字

車 6 〔輂〕13 증 [上]迥 | zhěng ショウ うしろからのるくるま

[字解] ①뒤로타는수레증 뒤쪽으로 타게 된 수레. '一, 軺車後登也'《說文》. ②부거(副車)증 輂(車부 8획〈1472〉)과 同字. '輂, 副

車也, 或从丞'《集韻》.
[字源] 形聲. 車＋丞〔音〕

車6〔輮〕13 輂(前條)과 同字

車6〔載〕13 [高·人] [一] 재 [去]隊 [上]賄 | ①-⑮zài サイ のせる ⑯zǎi サイ とし
[二] 대 [去]隊 | dài タイ いただく

[筆順] 一 十 圭 壴 車 載 載 載

[字解] [一] ①실을재 ㉠수레에 적재함. '滿一'. '一與俱歸'《十八史略》. ㉡물건 위에 올려놓음. '今天地云云, 一華嶽而不重'《中庸》. ㉢기록함. '記一'. '一在盟府'《左傳》. ②탈재 수레에 오름. '卽與同一'《史記》. ③오를재 높은 곳 또는 높은 자리에 오름. '身寵而一高位'《漢書》. ④이을재 계속함. '乃賡一歌'《書經》. ⑤행할재 실행함. '一采采'《書經》. ⑥가득할재 가득히 됨. '厥聲一路'《詩經》. ⑦꾸밀재 장식함. '一以銀錫'《淮南子》. ⑧알재 잘 앎. 지혜가 있음. '文王初一'《詩經》. ⑨비로소재 처음으로. '春日一陽'《詩經》. ⑩비롯할재 맨 먼저 시작함. '湯始征, 自葛一'《孟子》. ⑪어조사재 조사(助辭). '一戢干戈'《詩經》. ⑫일재 事(亅부 7획〈25〉)와 뜻이 같음. '上天之一'《中庸》. ⑬책재 전적(典籍). 서책. '一籍極博'《史記》. ⑭문서재 맹약의 문서. '景伯負一'《左傳》. ⑮성재 성(姓)의 하나. ⑯해재 연세. '朕在位七十一'《書經》. [二] 일대 戴(戈부 13획〈424〉)와 同字. '一弁俅俅'《詩經》.
[字源] 形聲. 車＋𢦏(𢦏)〔音〕

車6〔輂〕13 국 [入]沃 | jú キョク たいしゃ

[筆順] 一 卄 丗 共 共 叅 叅 輂

[字解] ①수레국 말에 끌리는 큰 수레. '正治其徒役, 與其一輂'《周禮》. ②삼태기국 흙을 나르는 제구. '陳畚一'《漢書》. ③손수레국 '從後推之曰一, 從前挽之曰輂'《江永》.
[字源] 形聲. 車＋共〔音〕

車6〔輡〕13 〔간〕
斡(斗부 10획〈492〉)과 同字

車6〔輡〕13 간 [平]寒 | kàn カン みる
[字解] 볼간 무엇을 봄. '一, 視也'《龍龕手鑑》.

車6〔輕〕13 갱 [去]敬 | qìng コウ いしがうごく
[字解] 돌움직일갱 '一, 石動也'《川篇》.

車6〔輄〕13 〔광〕
軖(車부 12획〈1479〉)과 同字

車6〔輷〕13 [一] 굉 [平]庚 ([本]횡) | hōng コウ おおくのくるまのこえ
[二] 춘 [平]眞 | chūn チュン こしきしばり

[字解] [一] 수레소리굉 많은 수레의 요란하게 울리는 소리. 轟(車부 14획〈1480〉)과 同字. '轟, 說文, 羣車聲也, 或作一'《集韻》. ※本音 횡. [二] 바퀴통머리춘 수레의 바퀴통의 바깥쪽으로 튀어나온 부분에 가죽을 입히고 채색으로 장식한 것. 軸(車부 3획〈1461〉)과 같음. '軸, 說文, 車約軸也, 或从旬'《集韻》.

車6〔軟〕13 〔복〕
輹(車부 9획〈1473〉)의 俗字

車6〔輣〕13 빙 [去]徑 | bìng ヒョウ くるまのおと
[字解] 수레소리빙 '一, 軯一, 車聲'《集韻》.

車6〔輥〕13 鞄(車부 5획〈1465〉)의 訛字

車6〔輗〕13 예 [去]霽 | yì エイ そうれいにしゃばをおくる
[字解] 초상집에거마(車馬)보낼예 상가(喪家)에 부의(賻儀)로, 거마(車馬)를 보내어 돕는 일. '輗, 車馬贈亡謂之輗, 或从車'《集韻》.

車6〔輖〕13 조 [平]蕭 | tiāo チョウ うすい
[字解] 경박할조 방종함. 소홀히 함. 佻(人부 6획〈46〉)와 同字. '佻, 說文, 愉也, 引詩'視民不佻', 或作一'《集韻》.

車6〔軟〕13 차 [去]寘 | cì シ うるしぬり
[字解] 수레옻칠할차 옻칠하여 수레를 꾸밈. '一, 以髹飾車也'《集韻》.

車6〔輢〕13 〔퇴〕
輴(車부 8획〈1472〉)와 同字

車6〔輪〕13 항 [平]江 | xiāng コウ うつ
[字解] 칠항 공격(攻擊)함. '𨍏, 擊也, 或作一'《集韻》.

車6〔輥〕13 혼 [平]元 | hún コン くるまのしょくをかわでおおう

[字解] 수레앞턱가로나무〔軾〕를가죽으로덮을혼 '䩵, 車革前也, 或作—'《集韻》.

車 6 〔輡〕13 〔흘〕 吃(口부 3획〈147〉)과 同字

車 7 〔輷〕14 전 [平]先 | tián テン おおくのくるまのおと

[字解] 수레많이지나가는소리전 '振旅——'《左思》.

車 7 〔軥〕14 전 [平]先 | tián テン よろこびうごくさま

[字解] 기뻐할전 기뻐서 움직이는 모양. '—, —, 喜動皃'《集韻》. '天子——'《呂氏春秋》.

車 7 〔輐〕14 완 [去]翰 | wàn ガン まるい, まるくする

[字解] 둥글완, 규각을깎아둥글게할완 '—, 圓也, 形截之所用'《集韻》. '—, 刓圭角也'《韻會》. '椎柏—斷'《莊子》.

[字源] 形聲. 車+完〔音〕

車 7 〔輒〕14 첩 [入]葉 | zhé チョウ たちまち, すなわち

[字解] ①문득첩 곧. 갑자기. 홀연(忽然). '—, 忽然也'《增韻》. ②번번이첩 무슨 일이 있을 때마다. '張負女五嫁而夫—死'《漢書》. ③차상(車箱)좌우의양판(兩板)첩 '—, 車兩輢也'《說文》. ④오로지첩 오로지함. '—, 專也'《篇海類編》. '小姑曰, 家姊本無意—慕君子'《孫光憲》. ⑤두발벌려설수없는병첩 '兩足不能相過, 齊謂之綦, 楚謂之踂, 衞謂之—'《穀梁傳》. ⑥움직이지않는모양첩 꼼짝 않는 모양. '—然忘吾有四肢形體也'《莊子》. ⑦성첩 성(姓)의 하나.

[字源] 形聲. 車+耴〔音〕

車 7 〔輓〕14 만 [上]阮 [去]願 | wǎn バン·マン ひく

[字解] ①끌만 ㉠수레를 앞에서 끎. 또, 배를 앞에서 끎. '—輅'. '或—之, 或推之'《左傳》. ㉡사람을 끌어 씀. 또, 추천함. 천거함. '推—'. ②만사만, 만가만 사람의 죽음을 애도(哀悼)하는 말, 또는 노래. '—章'. '—歌'《正字通》. '哀—辭秦塞, 悲笳出帝畿'《岑參》. ③晚(日부 7획〈507〉)과 통용. '求之—近, 不易得也'《王士禎》.

[字源] 形聲. 車+免〔音〕

車 7 〔輔〕14 [人名] 보 [上]麌 | fǔ フ·ホ ほおぼね, たすける

[筆順] 一 亘 車 車 軒 輔 輔 輔

[字解] ①광대뼈보 협골(頰骨). '牙—'. '咸其—頰舌'《易經》. ②바퀴덧방나무보 수레에 무거운 짐을 실을 때, 바퀴에 묶어 바퀴를 튼튼하게 하는 나무. '其車旣載, 乃棄爾—'《詩經》. ③도울보 거듦. 보좌함. '—弼'. '—翼'. '魯以君子之道—其君'《史記》. ④도움보 조력. 보좌. 또, 돕는 사람. '下以義—佐者, 明君之道也'《管子》. ⑤재상보 천자를 돕는 대신. '宰—'. '四—'. '稱爲良—'《後漢書》. ⑥아전보 속리(屬吏). '置其—'《周禮》. ⑦경기보 서울에 가까운 땅. '畿—'. '有唐都長安三百年, 商於爲近—'《王禹偁》. ⑧성보 성(姓)의 하나.

[字源] 形聲. 車+甫〔音〕

車 7 〔輕〕14 [中·人] 경 [平]庚 [去]敬 | ①-④qīng ケイ かるい ⑤qìng ケイ かるがるしく

[筆順] 一 亘 亘 車 車 輕 輕 輕

[字解] ①가벼울경 ㉠무게가 적음. '鴻毛—'. '蟬翼爲重, 千鈞爲—'《楚辭》. ㉡정도가 대단하지 않음. '—罪'. '—寒'. '君權—, 臣勢重'《尹文子》. ㉢가치가 적음. '恩深命轉—'《裴度》. ㉣미천함. '恨君資—'《南史》. ㉤손쉬움. 간편함. 또, 홀가분함. '—便'. '出入—單'《南齊書》. ㉥빠름. '—捷'. '—車'. ㉦적음. '—少'. ㉧얇음. 모자람. '才—任重'. ㉨침착성이 없음. 천박함. '—率'. '秦師—而無禮'《左傳》. ②가벼이여길경 ㉠경시함. 경멸함. '—侮'. '陽虎由此益—季氏'《史記》. ㉡낮게 봄. 천하게 여김. '宣父猶能畏後生, 丈夫未可—年少'《李白》. ③가벼이할경 경하게 함. 적게 함. '—刑'. ④성경 성(姓)의 하나. ⑤가벼이경 손쉽게. 경솔하게. '—諾必寡信'《老子》.

[字源] 形聲. 車+巠〔音〕

車 7 〔輑〕14 [一] 윤 [上]軫 | yǐn キン くるまのしたをたてよこにくむさい [二] 균 [平]眞 | qūn キン くるまのじく

[字解] [一] 수레앞횡목(橫木)윤 '—, 軺車前橫木也'《說文》. '凡車前橫木皆謂之—, 不專言小車'《嚴章福校議》. [二] ①차축(車軸)균 '—, 車軸也'《集韻》. ②연할균 연속함. '隄塍相—'《張衡》.

[字源] 形聲. 車+君〔音〕

車 7 〔輄〕14 〔광〕 軖(車부 4획〈1461〉)의 本字

車 7 〔軖〕14 輊(前條)의 訛字

車 7 〔⿰車⿱宀儿〕14 〔예〕
輗(車부 8획〈1469〉)와 同字

車 7 〔⿸𦍌車〕14 [一] 재 [平]佳 | chái サイ [一]-[三] くるまをあとずさりさせてとうぜんにつける
[二] 채 [平]支 | シ
[三] 자 [平]支 | シ

[字解] [一] ①수레섬돌에댈재, 수레잇댈재 수레를 역행(逆行)시켜 섬돌에 댐. 또, 수레가 일정한 거리를 유지(維持)하고 나아감. '一, 連車也. 一曰, 郤車抵堂爲一'《說文》. ②막을재 '一, 塞也'《廣雅》. [二] 수레섬돌에 댈채, 수레잇댈채, 막을채 [一]과 뜻이 같음. [三] 수레섬돌에댈자, 수레잇댈자, 막을자 [一]과 뜻이 같음.
[字源] 形聲. 車+差〈省〉〔音〕

車 7 〔⿹𢦏車〕14 〔재〕
載(車부 6획〈1467〉)의 本字

車 7 〔⿰車启〕14 〔계〕
輆(車부 6획〈1466〉)와 同字

車 7 〔⿰車良〕14 [一] 랑 [平]陽 | lāng ロウ いくさぐるま
[二] 량 [平]陽 | リョウ ねぐるま

[字解] [一] 병거(兵車)랑 '一, 輔一, 兵車'《集韻》. [二] 와거(臥車)량 輬(車부 8획〈1471〉)의 俗字. '一, 俗輬字'《正字通》.

車 7 〔⿰車丣〕14 〔류〕
⿰車卯(車부 5획〈1464〉)와 同字

車 7 〔⿰車皃〕14 모 [去]效 | mào ボウ くるまをひく

[字解] ①수레끌모 수레를 잡아 끎. '一, 博雅, 引車也'《集韻》. ②멍에심목(心木)모 '一, 一曰, 車鉤心'《集韻》.
[參考] 輗(車부 8획〈1469〉)와는 別字.

車 7 〔⿰車余〕14 서 [平]魚 | xú ショ くるまのはこのあいだのよこぎ

[字解] 차상(車箱)사이의횡목(横木)서 '一, 車軨也'《集韻》.

車 7 〔⿰車辛〕14 성 [平]庚 | xīng セイ くるま

[字解] 수레성 '一, 車也'《玉篇》.

車 7 〔輎〕14 소 [平]肴 | shāo ソウ しかのかわでかざったへいしゃ

[字解] 사슴가죽으로장식한병거(兵車)소 '一, 兵車以鹿皮爲飾'《集韻》.

車 7 〔⿰車谷〕14 욕 [入]沃 | yù ヨク くるまのまくら

[字解] 수레앞괼것욕 수레를 세울 때 구르지 않도록 수레 앞에 괴는 것. 輍(車부 8획〈1472〉)과 同字. '一, 車枕謂之一, 或从育'《集韻》.

車 7 〔⿰車酉〕14 〔유〕
輶(車부 9획〈1473〉)와 同字

車 7 〔⿰丬車〕14 장 [去]漾 | zàng ソウ くるまをかざる

[字解] 수레꾸밀장 수레를 장식함. '一, 修車也'《集韻》.

車 7 〔⿰車⿱亼月〕14 〔집〕
輯(車부 9획〈1472〉)과 同字

車 7 〔⿰車豖〕14 〔축〕
軸(車부 5획〈1463〉)의 俗字

車 7 〔⿰車巵〕14 치 [平]支 | zhī シ くるまのきぐ

[字解] ①수레의연장치 수레에 쓰이는 기구(器具). '一, 車器也'《集韻》. ②軛(車부 4획〈1461〉)의 訛字. '一, 軛字之譌'《正字通》.

車 7 〔⿰車肙〕14 〔현〕
軐(車부 4획〈1462〉)과 同字

車 8 〔輖〕15 [一] 주 [平]尤 | zhōu シュウ ひくい
[二] 조 [去]嘯 | zhāo チョウ あさ

[字解] [一] ①수레무거울주 '一, 重也. (注)謂車重也…軒言車輕, 一言車重'《說文》. ②낮을주 수레의 앞이 숙어서 낮음. '一, 一曰, 低也'《集韻》. ③무거울주 대개, 화살은 앞이 무겁고 뒤가 가벼움. '志矢一乘, 軒一中'《儀禮》. [二] 아침조 또는, 새벽. 朝(月부 8획〈522〉)와 통용. '惄如調飢. (注)毛詩作一, 或作調, 其義訓朝, 謂卽朝之假借字'《詩經》.
[字源] 形聲. 車+周〔音〕

車 8 〔輗〕15 예 [平]齊 | ní ゲイ ながえとくびきとをつなぐくさび

[字解] 끌채끝쐐기예 짐 싣는 수레, 곧 대차(大車)의 끌채 끝과 멍에를 고정시키는 쐐기. '一, 大車轅耑持衡者也'《說文》.
[字源] 形聲. 車+兒〔音〕

車 8 〔輘〕15 릉 [平]蒸 | léng ロウ きしる, すれあう

[字解] ①수레바퀴가물건을깔아뭉갤릉 '一, 車轢也'《集韻》. ②밟을릉 짓밟음. '一轢宗室. (注)一轢, 謂蹈踐之也'《漢書》. ③수레소리릉 '一轁'은 수레가 지나갈 때 나는 소리. '一, 一轁, 車聲'《集韻》. ④수레굴대릉

'一, 軸也'《集韻》.
字源 形聲. 車+㚒〔音〕

車 8 〔輚〕15 잔 上潸 去諫 | zhàn サン ねぐるま

字解 ①와거(臥車)잔 편히 누워서 갈 수 있는 수레. '一, 臥車也'《集韻》. ②병거잔 군용차. '一, 一曰, 兵車'《集韻》. ③수레잔 轏(車부 12획〈1478〉)과 同字. '乘一輅'《後漢書》.

車 8 〔輛〕15 량 去漾 | liàng リョウ くるま

字解 ①수레량 수레바퀴 둘이란 뜻으로, 수레를 뜻함. '一, 車輛'《字彙》. ②수레세는수사(數詞)량 '一, 通作兩, 漢書注, 車一乘曰一兩'《正字通》. '一, 乘也'《韻會》. ③짝량 둘이 서로 어울려 한 쌍을 이루는 것. '一, 匹也'《韻會》.
字源 形聲. 車+兩〔音〕

車 8 〔輜〕15 치 ①平支 ②去寘 | zī シ にぐるま / zì シ しゃりんのやがおおわのなかにはいるぶぶん

字解 ①짐수레치 하물(荷物) 또는 군량 등을 싣는 수레. 짐차. '一車'. 또, 덮개가 있는 수레. '乘安車一軿'《列女傳》. ②바퀴살끝치 바퀴살이 바퀴통에 들어가는 부분. '車輻入牙曰一'《集韻》.
字源 形聲. 車+甾(甾)〔音〕

車 8 〔輞〕15 망 上養 | wǎng ボウ·モウ しゃりんのたが

字解 바퀴테망 수레바퀴 가의 테. 輪(車부 8획〈1470〉) 참조(參照). '一, 罔也, 罔羅周輪之外也'《釋名》. '天子獵車, 重一縵輪'《後漢書》.
字源 形聲. 車+罔〔音〕

車 8 〔輟〕15 철 入屑 | chuò テツ やめる

字解 ①그칠철 하던 일을 잠시 중지함. '一朝'. '耰而不一'《論語》. ②버릴철 돌보지 아니함. 방치함. '吾不以一日一汝而就也'《韓愈》. ③수레의행렬(行列)이끊어졌다가다시이어질철 '一, 車小缺復合者. (箋)言行斷而復續也'《說文》.
字源 形聲. 車+叕〔音〕

車 8 〔𨌵〕15 輟(前條)의 古字

車 8 〔輠〕15 ㊀ 과 上哿 | guǒ カ あぶらつぼ / ㊁ 화 上馬 | huà カ あぶらつぼ / ㊂ 회 上賄 | huì カイ めぐらす

字解 ㊀기름통과 차축(車軸)에 바르는 기름을 담는 통. '一, 筩也, 車盛膏器'《集韻》. ㊁ ①바퀴통도는모양화 '一, 車轂轉皃'《集韻》. ②기름통화 輵(車부 9획〈1474〉)와 同字. ㊂ 굴릴회 바퀴를 회전시킴. '一, 車轉也'《集韻》.

車 8 〔輤〕15 천 去霰 | qiàn セン ひつぎぐるまのかざり

字解 상여뚜껑천 상여(喪輿)에 덮는 것을 이름. 제후(諸侯)는 적포(赤布), 대부(大夫)는 백포, 사(士)는 위석(葦席)을 썼음. '一, 喪車飾, 通作蒨'《集韻》.
字源 形聲. 車+靑〔音〕

車 8 〔輣〕15 팽 平庚 | pēng ホウ いくさぐるま

字解 ①병거팽 싸움에 쓰는 수레. '作一車鏃矢. (注)一車, 戰車也'《史記》. ②물결소리팽 격랑(激浪)의 소리. '流湍投濈, 砏汃一軋'《張衡》.
字源 形聲. 車+朋〔音〕

車 8 〔輥〕15 곤 上阮 | gǔn コン しゃりんがはやくまわる

字解 ①수레의통이가지런할곤 '一, 轂齊等皃也'《說文》. ②빠를곤 수레바퀴의 회전이 빠름. '一, 轉之速也'《六書故》.
字源 形聲. 車+昆〔音〕

車 8 〔輧〕15 人名 ㊀ 병 平青 | píng ヘイ·ヒョウ おおいをかけたくるま / ㊁ 변 平先 | pián ヘン おおいをかけたくるま

筆順 一 亘 亘 車 軠 軿 軿 輧

字解 ㊀ 수레병 ㉠앞쪽에 덮개를 씌운 수레. '一, 輜一也. (注)輜, 一皆衣車'《說文》. ㉡덮개가 있는, 소가 끄는 부인용 수레. '一, 四面屏蔽婦人車'《廣韻》. ㊁ 수레변 ㊀과 뜻이 같음.
字源 形聲. 車+并〔音〕
參考 軿(車부 6획〈1466〉)은 俗字.

車 8 〔輨〕15 관 上旱 | guǎn カン こしきのきせがね

字解 ①바퀴통끝휘갑쇠관 수레바퀴통 끝의 휘갑쇠. '一, 轂端沓也'《說文》. ②錧(金부 8획〈1567〉)과 통용. '錧, 方言作一'《音義》.
字源 形聲. 車+官〔音〕

車 8 〔輪〕15 高人 륜 平眞 | lún リン わ

[筆順] 一 百 亘 車 軡 輪 輪 輪

[字解] ①바퀴륜 수레바퀴. '車—'. '蒲—'. '察車自—始'《周禮》. 전(轉)하여, 원형의 물건. '日—'. '圓—旣照水'《梁簡文帝》. ②수레륜 바퀴를 장치한 차량. '副以瑤華之—十乘'《拾遺記》. 또, 수레를 세는 수사(數詞). '車至二十—'《南史》. 또, 수레를 만드는 사람. '梓匠—輿'《孟子》. ③둘레륜 외주(外周). 외곽. '三重—廓欲彌天'《隨園詩話》. ④세로륜 남북의 길이. '周知九州之地域, 廣—之數'《周禮》. ⑤높을륜 고대(高大)한 모양. '美哉—焉'《禮記》. ⑥돌륜 회전함. '—轉'. '—運而輻集'《柳宗元》. ⑦성륜 성(姓)의 하나.
[字源] 形聲. 車＋侖〔音〕

車 8 〔輬〕 15 량 [平]陽 | liáng リョウ ねぐるま
[字解] 와거(臥車)량 누워서 쉴 수 있게 만든 수레. '—, 臥車也'《說文》. 轀(車부 10획〈1475〉)을 보라. '轀—'.
[字源] 形聲. 車＋京〔音〕

車 8 〔輐〕 15 [一] 원 [平]元 [二] 운 [上]吻 | yuān ウン おおくるまのあとのおさえ yǔn ウン へいしゃ
[字解] [一] 큰수레뒷굄목원 '—, 大車後壓也'《說文》. [二] ①수레이름운 '—, 轒—, 車名'《廣韻》. ②병거운 '—, 兵車'《集韻》.
[字源] 形聲. 車＋宛〔音〕

車 8 〔輢〕 15 [一] 의 [上]紙 [二] 기 [去]寘 | yǐ イ くるまのはこのりょうわきのもたれかかるいた キ よる
[字解] [一] 수레양옆판자의 수레의 양옆에 의지하게 만든 판자. '—, 車旁也. (段注) 謂車兩旁, 式之後, 較之下也, 注家謂之—, 按, —者, 言人所倚也'《說文》. [二] 의지할기 '枕—交趾. (注)—, 寄也'《左思》.
[字源] 形聲. 車＋奇〔音〕

車 8 〔輡〕 15 감 [去]勘 | kǎn カン くるまがいきなやむ
[字解] ①가기힘들가 길이 험하여 수레가 앞으로 나아가지 못하는 모양. '—, —轗, 車行不平'《玉篇》. ②때를만나지못하여불우한모양가 '年旣已過去太半兮, 然埳軻而留滯. (注)—軻, 不遇也. 埳亦作—'《楚辭》. ③坎(土부 4획〈201〉)과 同字. ④轗(車부 13획〈1480〉)과 同字.
[字源] 形聲. 車＋臽〔音〕

車 8 〔䡨〕 15 〔종〕 𨎮(車부 11획〈1477〉)과 同字

車 8 〔輙〕 15 〔첩〕 輒(車부 7획〈1468〉)의 俗字

車 8 〔𨍥〕 15 복 [入]屋 | fú フク くるまのはこのよこぎにつけるかわぶくろ
[字解] 수레주머니복 수레 상자 좌우의 가로나무에 비치하여 사자(使者)의 옥을 넣어두는 가죽 주머니. '—, 車笭間之皮匧也, 古者使奉玉, 所以盛之'《說文》.
[字源] 會意. 車＋玨〔音〕

車 8 〔輝〕 15 [高·人] 휘 [平]微 | huī キ ひかり, かがやく
[筆順] 丨 丷 光 光 光 煇 煇 輝
[字解] ①빛휘 찬란한 빛. '光—'. '虹蜺揚—'《後漢書》. ②빛날휘 광휘를 발함. '昭昭素明月, —光燭我牀'《古詩》.
[字源] 形聲. 光＋軍〔音〕

車 8 〔輦〕 15 련 [上]銑 | niǎn レン てぐるま
[字解] ①손수레련 손으로 끄는 수레. '—, 輓車也'《說文》. '我任我—'《詩經》. 특히, 천자(天子)가 타는 수레. '玉—'. '帝悟, 方下—禮謝'《列仙傳》. ②끌련 손수레를 끎. '以乘車, —其母'《左傳》. ③성련 성(姓)의 하나.
[字源] 會意. 車＋㚘〔音〕

車 8 〔輂〕 15 국 [入]沃 | jú キョク ながえのまっすぐなたいしゃ
[字解] ①끌채곧은수레국 끌채가 곧은 대차(大車). '—, 直轅車轒也'《說文》. ②들것국 흙을 나르는 기구. '—, 土轝也'《韻會》.
[字源] 形聲. 車＋具〔音〕

車 8 〔輩〕 15 [高·人] 배 [去]隊 | bèi ハイ たぐい, やから
[筆順] 丿 ⺕ ⺕ 非 非 背 輩 輩
[字解] ①무리배 ㉠동등한 사람. '儕—'. '使者十—來'《史記》. ㉡배항(輩行). '後—'. '前—後—'《論語 註》. ㉢동아리. 패(낮추어 이르는 말). '或出倖臣—, 或由帝戚恩'《李商隱》. ②짝배 상대자. 비류(比類). '當今無—'《吳志》. ③견줄배 비교하여 동등하다고 여김. '時人以—前世趙張'《後漢書》. ④줄배 수레의 행렬. '車以列分爲—'《六書故》.
[字源] 形聲. 車＋非〔音〕

車 8 〔䡩〕 15 갱 [平]庚 | kēng コウ くるまのむち
[字解] 수레의채찍갱 '—, 車鞭'《玉篇》.

車8 〔輷〕 15 갱 [平]庚 kēng コウ くるまのおと
[字解] 수레소리갱 '一, 一輘, 車聲'《集韻》.

車8 〔輨〕 15 권 [上]阮 juǎn ケン くるまをひく
[字解] 수레끌권 수레를 끎. '一, 牽車也'《等韻》.

車8 〔輌〕 15 〔납〕 軜(車부 4획〈1461〉)의 譌字

車8 〔輖〕 15 당 [平]陽 táng トウ てつのじく
[字解] ①쇠굴대당 '一, 鐵軸'《玉篇》. ②병거당 轄(車부 10획〈1476〉)과 同字. '轄, 兵車也, 或从堂, 亦省'《集韻》.

車8 〔輘〕 15 〔록〕 轆(車부 11획〈1477〉)과 同字

車8 〔輚〕 15 륙 [入]屋 lù リク くるまのじく
[字解] ①수레굴대륙 차축(車軸). '一, 軸也'《玉篇》. ②삼상차(三箱車)륙 차상(車箱)이 셋인 수레. '一, 轓一, 三箱車'《集韻》.

車8 〔輛〕 15 ㊀ 軝(車부 5획〈1465〉)과 同字 ㊁ 輡(車부 9획〈1474〉)과 同字

車8 〔輫〕 15 배 [平]佳 pái ハイ くるまのものをのせるところ
[字解] 차의짐싣는곳배 차상(車箱). '一, 方言, 車箱, 楚衞之間, 謂之一'《集韻》.

車8 〔輢〕 15 승 ①[平]蒸 ②[去]徑 chéng ショウ いちじょうのくるま chèng ショウ そえぐるま
[字解] ①한대(臺)의수레승 輮(車부 10획〈1476〉)과 同字. '一, 車一乘, 或作輮'《集韻》. ②부거(副車)승 임금의 행차에 여벌로 따라가는 수레. 輂(車부 6획〈1466〉)과 同字. '一, 副車也, 或从丞'《集韻》.

車8 〔輪〕 15 압 [入]合 è オウ くるまのどうぐ
[字解] 수레도구(道具)압 수레에 쓰이는 제구(諸具). 鞈(革부 8획〈1469〉)과 同字. '鞈, 說文, 車具也, 或从車'《集韻》.

車8 〔輍〕 15 〔욕〕 輍(車부 7획〈1469〉)과 同字

車8 〔輼〕 15 운 [平]文 yūn ウン へいしゃ
[字解] 병거운 군(軍)에서 쓰는 수레. '一, 兵車也'《五音篇海》.

車8 〔輫〕 15 쟁 [平]庚 zhēng ソウ くるまのおと
[字解] 수레소리쟁 수레가 구르는 소리. '一, 車聲'《集韻》.

車8 〔軧〕 15 〔저〕 軧(車부 5획〈1464〉)와 同字

車8 〔䡫〕 15 〔증〕 輂(車부 6획〈1466〉)과 同字

車8 〔輊〕 15 〔지〕 輊(車부 6획〈1466〉)과 同字

車8 〔輟〕 15 초 [去]效 chāo トウ くるまのかさぼね
[字解] 수레의뼈대초 수레 덮개의 살대. '一, 車弓也'《玉篇》.

車8 〔輽〕 15 〔총〕 轗(車부 11획〈1478〉)과 同字

車8 〔輫〕 15 탑 [入]合 tà トウ かりも
[字解] 바퀴통쇠탑 바퀴통 속에 넣어 마멸을 방지하는 철관(鐵管). '一, 車釭'《集韻》.

車8 〔輫〕 15 퇴 [平]灰 tuī タイ くるまのさかんなさま
[字解] 수레많을퇴 輴(車부 6획〈1467〉)과 同字. '一, 車盛皃, 或作輴'《集韻》.

車8 〔輷〕 15 〔횡〕 轟(車부 9획〈1473〉)의 譌字

車8 〔䡾〕 15 〔휘〕 揮(手부 9획〈455〉)와 同字

車9 〔輮〕 16 유 [上]有 rǒu ジュウ くるまのおおわ
[字解] ①덧바퀴유 수레바퀴의 외주(外周)를 싸는 것. '一, 車輞'《集韻》. ②짓밟을유 蹂(足부 9획〈1438〉)와 통용. '一轢沙漠, 南面稱王'《晉書》. ③잡을유 곧게 함. 揉(手부 9획〈452〉)와 통용. '坎爲矯一'《易經》.
[字源] 形聲. 車+柔〔音〕

車9 〔輯〕 16 [人名] 집 (즙[本]) [入]緝 jí シュウ あつめる, やわらぐ
[筆順] 一 亘 車 軻 軻 軻 輯 輯

[字解] ①모을집, 모일집 ㉠한데 모음. '一萬國'《漢書》. ㉡거둠. '望于山川, 徧于羣神, 一五瑞'《書經》. ㉢저술의 재료를 모음. '編一'. '門人相與一而論纂'《漢書》. ②화목할집 친목함. '和一'. '一寧爾邦家'《書經》. ③화기돌집 얼굴에 온화한 기색이 돎. '一柔爾顔'《詩經》. ④상냥할집 말이 부드럽고 애교가 있음. '辭之一矣'《詩經》. ⑤거여집 차상(車箱). '推於御也, 齊一乎轡銜之際. (注)一, 車輿也'《列子》. ※本音 즙.
[字源] 形聲. 車+咠〔音〕

車 9 〔⿰車首〕 16 輯(前條)과 同字

車 9 〔輲〕 16 천 ㊤銑 | chuán セン ひつぎぐるま
[字解] ①상여천 관을 싣는 수레. 영구차. '一, 載柩車也'《集韻》. '載以一車'《禮記》. ②살없는수레바퀴천 輇(車부 6획〈1466〉)과 뜻이 같음. '輇, 無輻曰輇, 或从耑'《集韻》.

車 9 〔輳〕 16 주 [去]宥 | còu ソウ しゃりんのやがあつまる
[字解] 모일주 수레바퀴의 살이 바퀴통에 모임. '一, 輻共轂也'《集韻》. 전(轉)하여, 사물이 한군데에 모임. '四通輻一'《史記》.
[字源] 形聲. 車+奏〔音〕

車 9 〔輵〕 16 [一]갈 [入]曷 [二]알 [入]曷 | gé カツ くるまのおと è アツ ころがりゆれるさま
[字解] [一] 수레소리갈 수레가 달릴 때 나는 소리. '皇車幽一. (注)幽一, 車聲'《揚雄》. [二] 구를알 '一轄'은 수레가 구르며 흔들리는 모양. '跮踱一轄容以委麗兮'《史記》.
[字源] 形聲. 車+曷〔音〕

車 9 〔輴〕 16 순 [平]眞 | chūn チュン ひつぎぐるま
[字解] ①상여순 관을 싣는 수레. 영구차. '龍一'(용을 그린 영구차). '天子之殯也, 菆塗龍一以椁'《禮記》. ②썰매순 진흙 위를 다니는 데 쓰는 키 모양의 썰매. '予乘四載. (傳)所載者四, 謂水乘舟, 陸乘車, 泥乘一, 山乘樏'《書經》.
[字源] 形聲. 車+盾〔音〕.

車 9 〔輶〕 16 유 [平]尤 | yóu ユウ かるい
[字解] ①가벼울유 무겁지 아니함. '一, 輕也'《爾雅》. '德一如毛'《詩經》. ②수레유 가뿐한 수레. 경차(輕車) '一車鸞鑣'《詩經》.
[字源] 形聲. 車+酋〔音〕

車 9 〔輷〕 16 횡 [平]庚 | hōng コウ くるまのとどろくおと
[字解] 수레소리횡 수레가 지나갈 때 쿵쿵 울리는 소리. '一一殷殷'《史記》.
[字源] 形聲. 車+訇〔音〕

車 9 〔輸〕 16 [高·人] 수 [平]虞 [去]遇 | ①-⑥shū シュ·ユ いたす ⑦⑨shù シュ·ユ おくりもの, つぼ
[筆順] 一 亘 車 軡 軡 輸 輸 輸
[字解] ①보낼수 화물을 운송함. '一送', '一粟於晉'《左傳》. ②알릴수 사정을 통보(通報)함. '常以國情一楚'《戰國策》. ③다할수 정성을 다함. '直求一赤誠'《李商隱》. 또, 물품을 다 내놓는 데도 이름. '一積聚以貸'《左傳》. ④깰수, 부술수 파손함. '載一爾載'(아래의 '載'는 짐·하물)《詩經》. ⑤질수 '勝'의 대(對). '一贏'. 전(轉)하여, 승부(勝負). 주로, 내기를 함을 이름. '家無儋石一百萬'《杜甫》. ⑥성수 성(姓)의 하나. ⑦짐수 보내는 물품. 화물. '漢有三輔委一官'《韻會》. ⑧경혈(經穴)수 경맥(經脈)의 구멍. '五藏之一'《史記》. ⑨보낼수 '一, 送也'《廣韻》.
[字源] 形聲. 車+兪〔音〕

車 9 〔輸〕 16 輸(前條)와 同字

車 9 〔輹〕 16 복 [入]屋 | fù フク とこしばり
[字解] 당토(當兔)복 굴대의 중앙에 있어서 차체(車體), 곧 차상(車箱)과 굴대를 연결하는 물건. 좌우에 있는 것은 '轐'으로서, 복토(伏兔)라고도 함. '輿脫一'《易經》.
[字源] 形聲. 車+复〔音〕

車 9 〔輻〕 16 [一]복 [入]屋 (폭[俗]) [二]부 [去]宥 | fú フク くるまのや fú フウ·フ きそいあつまる
[字解] [一] ①바퀴살복 바퀴통에서 테를 향하여 방사선 모양으로 뻗은 나무. '一, 輪轑也'《說文》. '輪一蓋軫'《蘇洵》. ②다투어모일복 바퀴살이 바퀴통으로 모여들듯 많은 것이 한 곳으로 집중함. '一輳'. ※俗音 폭. [二] 몰려들부 한곳으로 몰려듦.
[字源] 形聲. 車+畐〔音〕

車 9 〔⿰車㚇〕 16 종 ㊤董 | zǒng ソウ くるまのわ
[筆順] 一 亘 車 車ˣ 車凶 ⿰車兇 ⿰車㚇 ⿰車㚇
[字解] 바퀴종 수레의 바퀴. '輪, 關西謂之一'《揚子方言》.

車 9 〔轗〕16 輚(前條)과 同字

車 9 〔輅〕16 핵 ㊀陌 | hé カク ひきぐるまのよこぎ

字解 수레채앞마구리핵 사람이 끌 때 가슴이 닿는 손수레 앞의 가로나무. 輅(車부 6획〈1466〉)과 同字. '一, 車前橫木'《集韻》.

車 9 〔輠〕16 화 ㊤哿 | huǒ カ あぶらつぼ

字解 기름통화 수레에 치는 기름을 담는 그릇. 輠(車부 8획〈1470〉)와 同字.

車 9 〔輥〕16 ㊀혼 ㊥元 ㊁헌 ㊥元 | hūn コン·ゴン くびきのまがり xuān ケン·コン まえがかるいくるま

字解 ㊀ ①멍에의굽이혼 멍에의 양끝이 구부러져서 우마(牛馬)의 목에 닿는 부분. '一, 軶軥也'《說文》. ②수레서로피할혼 '一, 還也. 車相避也'《廣韻》. ③가마혼 탈것의 한 가지. '一, 輀也'《廣雅》. ㊁ 앞이 가벼운수레헌 '一, 車前輕也'《廣韻》.

字源 形聲. 車+軍〔音〕

車 9 〔輻〕16 민 ①㊤軫 ②㊥眞 | mǐn ビン·ミン くるまのとこしばりのしたのかわ ビン·ミン くびき

字解 ①복토(伏兎)밑의가죽민 수레의 굴대의 좌우에 있는 복토(伏兎) 밑에 댄 가죽. ②멍에민 '一, 車軛也'《集韻》.

車 9 〔輜〕16 〔치〕 輜(車부 8획〈1470〉)의 本字

車 9 〔輞〕16 〔광〕 軖(車부 6획〈1466〉)의 本字

車 9 〔輭〕16 〔연〕 軟(車부 4획〈1461〉)의 本字

車 9 〔輧〕16 〔병〕 軿(車부 8획〈1470〉)과 同字

車 9 〔輼〕16 〔온〕 轀(車부 10획〈1475〉)의 俗字

車 9 〔輱〕16 감 ①㊤豏 ②㊦勘 | kǎn カン くるまのおと カン

字解 ①수레소리감 '一, 車聲'《集韻》. ②轗(車부 13획〈1480〉)과 同字. '轗, 轗軻, 車行不平, 一曰, 不得志, 或省'《集韻》.

車 9 〔輯〕16 〔경〕 轚(車부 11획〈1477〉)과 同字

車 9 〔鞪〕16 목 ㊀屋 | mù ボク ながえ

字解 ①끌채목 수레를 끄는 채. '一, 轅也'《玉篇》. 楘(木부 9획〈565〉)의 俗字. '一, 俗楘字'《正字通》. ②굴대를가죽이나실로 감을목 튼튼하게 하는 것임. 鞪(革부 9획〈1668〉)과 同字. '鞪, 說文, 車軸束也, 或从車'《集韻》.

車 9 〔輲〕16 변 ㊤銑 | biǎn ヘン ちいさいくるま

字解 ①작은수레변 '一, 小車也'《字彙》. ②나라이름변 중변(中輲). '西北海外流沙之東有國, 曰中一'《山海經》.

車 9 〔輍〕16 서 ㊤語 | xǔ ショ くるまのした

字解 수레밑서 '一, 車下'《集韻》.

車 9 〔轃〕16 수 | suì スイ のびる

字解 펼수 '一, 暢也'《龍龕手鑑》.

車 9 〔輰〕16 양 ㊥陽 | yǎng ヨウ くるま

字解 ①수레양 '一轞, 車也'《廣雅》. ②상여(喪輿)양 '一, 博雅, 一轞, 柳車也'《集韻》.

車 9 〔輂〕16 저 ㊥魚 | zhū ショ くるま

字解 ①수레저 '一, 車也'《玉篇》. ②나무이름저 櫧(木부 16획〈589〉)와 同字. '櫧, 木名, 似柃, 葉冬不落, 或作一'《集韻》.

車 9 〔輶〕16 추 ㊥尤 | qiū シュウ くるまのや

字解 바퀴살추 '一, 輻'《玉篇》.

車 9 〔輺〕16 〔치〕 輜(車부 8획〈1470〉)와 同字

車 9 〔輳〕16 탁 ㊀藥 | duō タク めぐる

字解 구를탁 돎. '一, 一輅, 轉也'《集韻》.

車 9 〔轆〕16 〔포〕 軳(車부 5획〈1465〉)의 訛字

車 9 〔轞〕16 〔함〕 轞(車부 14획〈1481〉)과 同字

車 9 〔諧〕16 해 ㊥佳 | xié カイ くるまにのる

字解 수레탈해 수레에 오름. '一, 登車也'《玉篇》.

車 9 〔輱〕16 〔헌〕
軒(車부 3획〈1460〉)과 同字

車 9 〔轋〕16 황 | huáng コウ ひく
[字解] 끌황 잡아당김. '一, 引也'《龍龕手鑑》.

車 10 〔輿〕17 [高·人] 여 ①-⑨[平]魚 ⑩[去]御 | yú ヨ こし yù ヨ てごし
[筆順] 「 𦥑 ... 輿
[字解] ①차상(車箱)여 수레 위의 사람이 타거나 물건을 싣는 곳. 차체. '一, 車中受物之處, 廣六尺六寸, 深四尺四寸, 大車謂之箱'《說文通訓定聲》. 전(轉)하여, 사물의 기본(基本)의 뜻으로도 쓰임. '敬, 禮之一也'《左傳》. ②수레여 차량. '車一'. '乘一'. '一脫輹'《易經》. 또, 수레를 만드는 사람. '梓匠輪一'《孟子》. ③실을여 수레에 실음. '扶傷一死履腸涉血'《呂氏春秋》. ④질여 등에 짐. '百人一瓢而趨'《戰國策》. ⑤마주들여 두 사람 이상이 들거나 멤. '一轎而隃嶺'《漢書》. ⑥종여 노복. '一臺'. '廝一之卒'《漢書》. ⑦땅여 대지(大地). '堪一'. '一地'. '一圖'. '坤爲地, 爲大一'《易經》. ⑧많을여 수가 많음. 사람이 여럿임. '一望'. '無令一師淹於君地'《左傳》. ⑨성여 성(姓)의 하나. ⑩가마여 두 사람이 메는 탈것. '肩一'. '乘籃一'《晉書》.
[字源] 形聲. 車＋舁〔音〕

車 10 〔輾〕17 [一] 전 [上]銑 [二] 년 [上]銑 [去]霰 | zhǎn テン めぐる ①niǎn デン・ネン きしる ②デン・ネン すりうす
[字解] [一] ①돌전, 구를전 반 바퀴 돎. 반전(半轉)함. 또, 돌아누움. '一轉反側'. '一轉伏枕'《詩經》. ②성전 성(姓)의 하나. ③《韓》타작전 곡식을 떨어서 거둠. [二] ①삐걱거릴년 수레바퀴가 쓸림. ②연자매년 碾(石부 10획〈876〉)과 同字.
[字源] 形聲. 車＋展〔音〕

車 10 〔轀〕17 온 [平]元 | wēn オン くるまのな
[字解] 수레온 '一輬'은 누워 쉴 수 있는 수레. 창이 있어서, 닫으면 따뜻해지고 열면 시원해지므로, '溫涼'의 뜻으로 이름지은 것임. 와거(臥車). 안거(安車). 후세에는, 시체를 싣는 수레, 곧, 상여·영구차로 쓰이게 되었음. '始皇居一輬車中'《史記》.
[字源] 形聲. 車＋昷〔音〕
[參考] 轀(車부 9획〈1474〉)은 俗字.

車 10 〔轄〕17 [人名] 할 [入]黠 | xiá カツ くさび
[筆順] 日 旦 車 軒 軫 軫 轄 轄
[字解] ①비녀장할 바퀴를 굴대에 끼고 벗어지지 않게 하느라고 굴대머리에 내리지르는 큰 못. '巾車脂一'《左傳》. ②단속(團束)할할 주관(主管)의 뜻으로 쓰임. '管一'. '統一'. '糺軍名一者, 管束之義'《遼史》.
[字源] 形聲. 車＋害〔音〕

車 10 〔轄〕17 轄(前條)과 同字

車 10 〔轅〕17 [人名] 원 [平]元 | yuán エン ながえ
[筆順] 日 旦 車 軠 軠 輏 轅 轅
[字解] ①끌채원 수레의 앞 양쪽에 대는 긴 채. '一下駒'. '軍行右一'《左傳》. ②성원 성(姓)의 하나.
[字源] 形聲. 車＋袁〔音〕

車 10 〔轃〕17 [一] 진 [平]眞 [二] 전 [平]先 | zhēn シン たいしゃのゆかのしきもの zhēn セン たいしゃのゆかのしきもの
[字解] [一] ①큰수레대자리진 큰 수레에 까는 대자리. '一, 大車簀也'《說文》. ②이를진 닿음. 이름. 臻(至부 10획〈1103〉)과 同字. '福祿其一'《漢書》. [二] 큰수레대자리전, 이를전 [一]과 뜻이 같음.
[字源] 形聲. 車＋秦〔音〕

車 10 〔轋〕17 轃(前條)의 俗字

車 10 〔輽〕17 본 [上]阮 | bèn ホン とま
[字解] 수레뜸본 부들 같은 것으로 거적처럼 엮어, 수레를 가리는 데 쓰는 덮개. 軬(車부 5획〈1465〉)과 同字.

車 10 〔轁〕17 요 [平]蕭 | yáo ヨウ しょうしゃ
[字解] 작은수레요 軺(車부 5획〈1464〉)와 同字.

車 10 〔轃〕17 [一] 경 [平]庚 [二] 간 [平]刪 [三] 진 [上]軫 | kēng コウ・キョウ くるまのひびき カン くるまのひびき zhěn シン くるまのとこぎ
[字解] [一] 수레소리경 '一, 車聲'《廣韻》. [二] 수레소리간 [一]과 뜻이 같음. [三] 수레뒤턱나무진 '軫, 說文, 車後橫木. 或作一'《集韻》.
[字源] 形聲. 車＋眞〔音〕

車10〔轂〕17 곡 [入]屋 | gǔ コク こしき
[字解] ①바퀴통곡 바퀴의 중앙에 있어서, 굴대가 그 가운데를 관통하고 있으며, 바퀴살이 그 주위에 모여 박힌 부분. '輪之中爲一, 空其中, 軸所貫也, 輻湊其外'《六書故》. '一以利轉'《周禮》. 전(轉)하여, ②수레곡 차량. '轉一百數'《漢書》. ③밀곡 천거(薦擧)함. '其推一士'《史記》. ④묶을곡 꼭 묶음. 바퀴통이 바퀴살을 한군데로 모은 데서 나온 뜻임. '縮一其口'《史記》.
[字源] 形聲. 車+㱿〔音〕

車10〔䡝〕17 경 [平]庚 | qióng ケイ·ギョウ いちりんしゃ
[字解] 외바퀴수레경, 수레바퀴테를휘어둥글게만드는기구경 '一, 車輮規也. 一曰, 一輪車'《說文》.
[字源] 形聲. 車+熒〈省〉〔音〕

車10〔䡥〕17 〔재〕
䡨(車부 7획〈1469〉)와 同字

車10〔䡷〕17 갑 [入]合 | kē コウ くるま
[字解] ①수레갑 '一, 車也'《玉篇》. ②수레소리갑 '一, 車聲'《集韻》.

車10〔輵〕17 경 [平]庚 | kēng コウ くるまがかたい
[字解] 수레튼튼할경 䡩(車부 11획〈1477〉)과 同字. '䡩, 說文, 車堅也, 或从冥'《集韻》.

車10〔轎〕17 〔교〕
轎(車부 12획〈1478〉)와 同字

車10〔䡱〕17 국 [入]沃 | jú キョク ながえしばり
[字解] 멍에끈국 수레의 두 끌채의 끝과 멍에를 붙들어매는 가죽끈. 䡱(車부 8획〈1471〉)과 同字. '一, 直轅䡱縛也'《玉篇》.

車10〔轚〕17 극 [入]陌 | jī ケキ しゃよとじくとをつらねるざい
[字解] 복토(伏兔)극 차여(車輿)와 차축(車軸)을 연결 고정하는 나무. '一, 車軸伏兔'《集韻》.

車10〔轄〕17 당 [平]陽 | táng トウ せんしゃ
[字解] 병거당 전차(戰車). 轄(車부 11획〈1478〉)·輖(車부 8획〈1472〉)과 同字. '一, 一輹, 軘軨'《廣韻》. '一, 兵車也, 或从堂, 亦省'《集韻》.

車10〔轁〕17 〔도〕
韜(韋부 10획〈1676〉)의 訛字

車10〔輬〕17 〔량〕
輬(車부 8획〈1471〉)과 同字

車10〔轣〕17 〔력〕
轢(車부 15획〈1481〉)과 同字

車10〔轇〕17 류 [上]有 | liǔ リュウ ひつぎぐるまのかざり
[字解] 상여장식류 '蔞, 喪車飾也, 或作一'《集韻》.

車10〔䡂〕17 률 [入]質 | lì リツ くるまのおと
[字解] ①수레소리률 '一, 車聲'《廣韻》. ②수레이름률 '一, 車名'《集韻》.

車10〔轉〕17 박 [入]藥 | bó ハク くるまのしたのなわ
[字解] 수레밑밧줄박 '轉, 說文, 車下索也, 或从車'《集韻》.

車10〔轑〕17 상 [上]養 | sǎng ソウ くるまのおおわ
[字解] 수레덧바퀴상 '一, 車輞'《集韻》.

車10〔輾〕17 선 [去]霰 | shàn セン しゃせん
[字解] 차선(車扇)선 '一, 車扇也'《集韻》.

車10〔䡕〕17
[一] 䡕(車부 8획〈1472〉)과 同字
[二] 乘(丿부 9획〈19〉)의 俗字

車10〔轀〕17 오 ①[平]虞 | wū オ·ウ ひつぎぐるま ②[上]麌 | wǔ オ·ウ くるまのくび
[字解] ①상여(喪輿)오 '一頭, 柳車也'《廣雅》. ②수레머리오 수레의 앞부분. '一, 一曰, 車首'《集韻》.

車10〔輯〕17 용 [上]腫 | rǒng ジョウ くるまをおしかえす
[字解] 수레밀용 수레를 밀어 앞으로 가게 함. 軵(車부 5획〈1463〉)과 同字.

車10〔轁〕17 〔용〕
軬(車부 4획〈1462〉)과 同字

車10〔轗〕17 〔은〕
轗(車부 14획〈1480〉)과 同字

車10〔轋〕17 치 [去]寘 | zhì チ ちいさいくるま

[字解] 작은수레치 '一, 小車也'《川篇》.

車 10 〔輣〕 17 팽 [平]庚 péng ホウ くるまのひびき

[字解] 수레소리팽 軿(車부 12획〈1479〉)·磅(阜부 10획〈1622〉)과 통용. '一, 車聲也, 或作軿·磅'《集韻》.

車 10 〔輥〕 17 홀 [入]月 hú コツ ころがし

[字解] 산륜(散輪)홀 무거운 물건을 옮길 때, 그 밑에 놓고 굴려 힘을 덜게 하는 둥근 나무 토막. '一, 轉物軸也'《集韻》.

車 10 〔轉〕 17 회 [上]賄 huì カイ めぐる

[字解] 수레구를회 수레가 굴러감. 輠(車부 8획〈1470〉)와 同字. '輠, 車轉也, 或作一'《集韻》.

車 10 〔輷〕 17 횡 [平]庚 hōng コウ おおくのくるまのおと

[字解] 많은수레소리횡 '一, 眾車聲也'《龍龕手鑑》.

車 11 〔轆〕 18 록 [入]屋 lù ロク くるまがすすむおと

[字解] ①수레소리록 '白沙漫漫車一一'《元好問》. ②고패록 활차(滑車). '橫架一轤牽素綆'《張籍》.

[字源] 形聲. 車+鹿〔音〕

車 11 〔轇〕 18 교 [平]肴 jiāo コウ·キョウ しゃばがやかましいさま

[字解] 수레소리교, 아득할교, 달릴교 '一輵'은 ㉠거마(車馬)의 시끄러운 소리. '轕, 一轕, 車馬喧雜皃'《集韻》. ㉡칼과 창이 뒤섞여 혼란한 모양. ㉢광대한 모양. 아득한 모양. '一, 一轕, 長遠皃'《集韻》. ㉣치구(馳驅)하는 모양. 달리는 모양.

[字源] 形聲. 車+翏〔音〕

車 11 〔轈〕 18 소 [平]肴 cháo ソウ やぐらぐるま

[字解] 수레소 망루(望樓)를 설치하여 적(敵)을 망보는 수레. 소차(巢車). '一兵車, 高如巢, 以望敵也'《說文》.

[字源] 形聲. 車+巢〔音〕

車 11 〔轉〕 18 [高·人] 전 [上]銑 ①-④zhuǎn テン まわる [去]霰 ⑤-⑧zhuàn テン うつす

[筆順] 亘 車 車 軒 軻 輔 轉 轉

[字解] ①구를전 ㉠회전함. '運一'. '轂者以爲利一也'《周禮》. ㉡뒹굶. '輾一'. '輾一反側'《詩經》. ②넘어질전 '一倒'. '將一於溝壑'《國語》. ③나부낄전 펄럭임. '四角龍子幡, 婀娜隨風一'《古詩》. ④더욱전 한층 더. '一寂寥'. '老來事業一荒唐'《蘇軾》. ⑤옮길전 장소나 방향을 바꿈. '一居'. '移一'. '一粟輓輸, 以爲之備'《漢書》. ⑥굴릴전 굴러가게 함. '我心匪石, 不可一也'《詩經》. ⑦바꿀전 변하게 함. '一化'. '一禍爲福'《史記》. ⑧자루전 수레 위에서 의복을 넣는 자루. '踞一而鼓琴'《左傳》.

[字源] 形聲. 車+專〔音〕

[參考] 転(車부 4획〈1462〉)은 略字.

車 11 〔轊〕 18 예 [去]霽 wèi エイ じくさき

[字解] 굴대끝예 차축(車軸)의 말단. '當昔全盛之時, 車挂一, 人駕肩'《鮑照》.

[字源] 形聲. 車+彗〔音〕

[參考] 軎(車부 3획〈1460〉)와 同字.

車 11 〔轓〕 18 만 [去]願 [去]翰 [去]諫 màn バン·マン いしゃのじょうほうのおおい

[字解] ①수레덮개만 덮개가 있는 수레, 곧 의거(衣車)의 위쪽의 덮개. '一, 衣車蓋也'《說文》. ②병거포장만 화살을 막는 병거(兵車)의 장막. '一, 戰車以遮矢也'《廣韻》.

[字源] 形聲. 車+曼〔音〕

車 11 〔蹤〕 18 종 [平]冬 zōng ショウ わだち

[字解] 바퀴자국종 수레바퀴의 자국. '一, 迹也'《廣雅》.

[字源] 形聲. 篆文은 車+從〔音〕

車 11 〔轉〕 18 〔복〕 輹(車부 9획〈1473〉)의 本字

車 11 〔轚〕 18 [一] 경 [平]庚 kēng コウ·キョウ くるまがけんごなこと [二] 항 [上]梗 kěng コウ·キョウ くるまのおと

[字解] [一] 수레견고할경 '一, 車堅也'《說文》. [二] 수레소리항 '一, 車聲'《集韻》.

[字源] 形聲. 車+殸〔音〕

車 11 〔輊〕 18 지 [去]寘 zhì チ まえがおもくてひくいくるま

[字解] ①앞무겁고낮은수레지 '一, 車前重也'《廣韻》. ②수레나아가지않을지 수레가 방해를 받아 나아가지 않음. '抵者, 擠也. 擠者, 排也. 車抵於是而不過, 是曰一'《說文 段注》.

[字源] 形聲. 車+執〔音〕

車 11 〔輱〕18 〔감〕
轗(車부 13획〈1480〉)과 同字

車 11 〔䡖〕18 강 [平]陽 | kāng コウ はりかご
[字解] 종이바른바구니강 죽은 사람을 보내는 종이를 바른 채롱. '一, 一車, 送亡者之紙簍也'《正字通》.

車 11 〔⿰車袞〕18 곤 [上]阮 | gǔn コンくるまがめぐりすすむ
[字解] ①수레굴러갈곤 '一, 車轉'《集韻》. ② 輥(車부 8획〈1470〉)의 俗字. '一, 俗輥字'《正字通》.

車 11 〔⿰車展〕18 내 | nǎi ダイ くるまのじくさき
[字解] 수레의굴대끝내 '一, 輗也'《龍龕手鑑》.

車 11 〔⿰車堂〕18 〔당〕
轄(車부 10획〈1476〉)과 同字

車 11 〔⿰車逢〕18 봉 [平]東 | péng ホウ くるまのおと
[字解] 수레소리봉 '一, 車聲'《集韻》.

車 11 〔⿰車羞〕18 수 [平]尤 | xiū シュウ むぎをのせるくるま
[字解] 보리싣는수레수 일설(一說)에는, 상여(喪輿)수 '一, 一⿰車差, 載麥三箱車, 河南穫麥用之, 或說, 載喪車, 非是'《集韻》.

車 11 〔⿰車眞〕18 〔지〕
輊(車부 6획〈1466〉)와 同字

車 11 〔⿰車悤〕18 총 [平]東 | cōng ソウ おりぐるま
[字解] ①함거(轞車)총 죄수를 호송하는 수레. '一, 載囚轞車'《集韻》. ②바퀴살이바퀴에박히는부분총 輚(車부 9획〈1473〉)과 통용. '一, 言輻總入轂中也. (疏證)一, 當與輚通'《釋名》.

車 11 〔⿰車怱〕18 총 | zǒng ソウ わ
[字解] 바퀴총 '一, 輪也'《龍龕手鑑》.

車 11 〔轄〕18 〔치〕
輜(車부 8획〈1470〉)와 同字

車 11 〔⿰車連〕18 [一] 헌 [二] 혼 | xuān コン くびき / hún ケン くるまのまえがあがる
[字解] [一] 멍에헌 '一, 車軛也'《龍龕手鑑》. [二] 수레의앞이들릴혼 수레의 앞이 올라감. '一, 車前擧也'《龍龕手鑑》.

車 12 〔轍〕19 [人名] 철 [入]屑 | zhé(chè) テツ わだち
[筆順] 亘 車 軒 軲 輔 輔 轍 轍
[字解] 바퀴자국철 수레바퀴가 지나간 자국. '車一中有鮒魚焉'《莊子》. 전(轉)하여, 흔적·행적 등의 뜻으로 쓰임. '百行異一'《陸機》. '善行無一迹'《老子》.
[字源] 形聲. 車＋徹〈省〉〔音〕

車 12 〔轎〕19 교 [平]蕭 | jiào キョウ あげごし
[字解] 가마교 탈것의 한 가지. 작은 가마. '一夫'. '輿一而險嶺'《漢書》.
[字源] 形聲. 車＋喬〔音〕

車 12 〔轒〕19 〔분〕
轒(車부 13획〈1479〉)의 俗字

車 12 〔轏〕19 잔 [上]潸 | zhàn サン くるまのな
[字解] 수레잔 싸움에 쓰는 수레. 병거(兵車). 또, 누워 다닐 수 있는 수레. 와거(臥車). 輚(車부 8획〈1470〉)과 同字. '逢丑父寢于一中'《左傳》.
[字源] 形聲. 車＋孱〔音〕

車 12 〔轐〕19 복 [入]屋 | bú ホク とこしばり
[字解] 복토(伏兔)복 굴대의 좌우 양끝에 있어서, 차상(車箱)과 굴대를 연결하는 물건. '加軫與一焉'《周禮》.
[字源] 形聲. 車＋業〔音〕

車 12 〔轑〕19 [一] 로 [平]豪 [上]晧 | ①lāo ロウ きしらす ②lǎo ロウ たるき
[二] 료 [上]篠 | liǎo リョウ もやす, たく
[字解] [一] ①긁을로 솥의 밑바닥 같은 것을 긁음. '陽爲羹盡一釜'《漢書》. ②서까래로 橑(木부 12획〈579〉)와 통용. '得之殿屋重一中'《漢書》. [二] 불놓을료 방화함. 燎(火부 12획〈725〉)와 통용. '熏一天下'《漢書》.
[字源] 形聲. 車＋尞〔音〕

車 12 〔轓〕19 번 [平]元 | fān ハン くるまのおおい
[字解] 흙받기번 수레에 흙이 튀어오르거나 먼지가 앉는 것을 막기 위하여 가리는 것. '一, 小車兩耳, 所以爲藩屏, 翳塵泥, 以簟爲之, 或用革'《篇海類編》.
[字源] 形聲. 車＋番〔音〕

車12 〔轔〕 19 린 ①②[平]眞 lín リン くるまのひびき ③④[去]震 lìn リン さかんなさま

[字解] ①수레소리린 수레들이 지나가는 요란한 소리. '一, 一一, 衆車聲'《集韻》. ②문지방린 문 밑을 받친 하방의 부분. '牛車絕一. (注)楚人謂門切爲一'《淮南子》. ③성할린 은성(殷盛)한 모양. '振殷一而軍裝'《揚雄》. ④칠린 수레에 깔리게 함. '摔兔一鹿'《司馬相如》.
[字源] 形聲. 車+粦〔音〕

車12 〔⿰車童〕 19 충 [平]冬 chōng ショウ てきじんをつきやぶるせんしゃ

[字解] 진뚫는수레충 적진을 돌파하는 전차(戰車). 衝(行부 9획〈1263〉)과 통용. '一, 衝城戰車'《廣韻》.
[字源] 形聲. 車+童〔音〕

車12 〔⿰車黃〕 19 광 [平]陽 guāng コウ くるまのしたのよこぎ

[字解] 수레밑가로나무광 수레 밑에 댄 가로나무. '一, 車下橫木'《集韻》.

車12 〔⿰車菆〕 19 [一] 조 [上]晧 [平]豪 zǎo ソウ くるまのかざり [二] 종 [上]董 ソウ くるまのかざり

[字解] [一] 수레화려하게꾸밀조 수레의 꽃 모양의 장식. 또, 수레를 청색으로 칠하고, 청색 천으로 덮는 일. '一, 車飾有華藻也'《集韻》. '一, 蒼色飾車'《集韻》. [二] 수레화려하게꾸밀종 [一]과 뜻이 같음.

車12 〔⿲糸車系〕 19 〔비〕 轡(車부 15획〈1481〉)와 同字

車12 〔[illegible]〕 19 〔재〕 [illegible](車부 7획〈1469〉)의 本字

車12 〔⿰車閒〕 19 간 [去]諫 jiàn カン へだて

[字解] 바퀴통쇠와굴대사이의공간(空間)간 마찰을 방지하는 공간임. '一, 釋名, 一, 間也, 間釭軸之間, 使不相摩也'《正字通》.

車12 〔⿰車皐〕 19 교 [平]蕭 jiāo コウ くるまのみだれるさま

[字解] ①수레어지러울교 수레의 정돈되지 않은 모양. '一, 一轇, 車亂皃'《集韻》. ②轇(車부 11획〈1477〉)의 俗字. '一, 俗轇字'《正字通》.

車12 〔⿰車堯〕 19 교 [去]嘯 jiào キョウ くるまのじくさき

[字解] 수레굴대끝교 수레의 굴대 끝. '車轊, 齊謂之⿰車龍, (注)又名一'《方言》. '一, 車轊'《集韻》.

車12 〔⿰車衮〕 19 [一] 나 [上]哿 [二] 내 [去]箇 nuó ダ·ナ [一][二] くるまのじくさき ダ·ナ

[字解] [一] 수레의굴대끝나 '一, 轎也'《集韻》. [二] 수레의굴대끝내 [一]과 뜻이 같음.

車12 〔⿰車登〕 19 등 [去]徑 dèng トウ くるまのはねかざり

[字解] 수레치장등 수레에 깃 따위로 장식한 것. '一, 車羽'《集韻》.

車12 〔⿰車貴〕 19 〔분〕 轒(車부 13획〈1479〉)의 訛字

車12 〔⿰車單〕 19 산 [平]刪 chān サン くるまのおおわ

[字解] 바퀴테산 수레바퀴의 바깥 둘레에 끼운 테. '一, 輞也'《集韻》.

車12 〔⿰車斯〕 19 시 [平]支 sī シ くるま

[字解] ①수레시 '一, 車也'《玉篇》. ②바퀴따위시 '一, 輪之類'《集韻》.

車12 〔⿰車惠〕 19 〔예〕 軎(車부 3획〈1460〉)와 同字

車12 〔轜〕 19 〔이〕 輀(車부 6획〈1466〉)와 同字

車12 〔⿰車彭〕 19 팽 [平]庚 péng ホウ くるまのおと

[字解] 수레소리팽 '軿, 車聲也, 或作一'《集韻》.

車13 〔轒〕 20 분 [平]文 fén フン へいしゃ

[字解] ①병거분 공성(攻城)에 쓰는 전차(戰車). 또는, 흉노(匈奴)의 수레. '一, 一轀, 兵車'《玉篇》. '一, 一轀, 匈奴車'《集韻》. '一轀臨衝'《六韜》. ②수레덮개살분 우산의 살대와 같은 것. '淮陽名車穹隆一. (注)淮陽, 今開封府陳州以南是其地, 車穹隆, 卽車蓋弓也'《說文》.
[字源] 形聲. 車+賁〔音〕
[參考] ⿰車貴(車부 12획〈1478〉)은 俗字.

車13 〔轖〕 20 색 [入]職 sè ショク·シキ くるまのはこのこうし

[字解] ①수레의격자창색 일설에는, 그 격자창을 가리는 가죽. '一, 車箱交革也'《說文》. ②기운맺힐색 기(氣)가 울결(鬱結)함. '邪氣襲逆, 中若結一'《枚乘》.

[字源] 形聲. 車＋嗇〔音〕

車13 〔轗〕 20 감 [平]咸 [去]勘 | kǎn カン くるまのゆきなやむさま

[字解] 가기힘들감 길이 험하여 수레가 가기 힘드는 모양. 전(轉)하여, 때를 만나지 못하여 불우한 모양. '一軻不遇'. '誠一軻而艱難'《韓愈》.
[字源] 形聲. 車＋感〔音〕

車13 〔⿰車稟〕 20 람 [上]感 | lǎn ラン くるまがゆきなやむ

[字解] 수레가기힘들람 轗(前條)과 뜻이 같음. '一, 轁一, 車不進'《集韻》. '轗一'.

車13 〔轘〕 20 환 [去]諫 [平]刪 | huàn, huán カン くるまざきにする

[字解] 차열(車裂)할환 양쪽에서 수레로 당기어 인체를 찢어 죽임. 또, 그 형벌. '車裂曰一, 一, 散也, 肢體分散也'《釋名》.
[字源] 形聲. 車＋睘(瞏)

車13 〔轙〕 20 의 [上]紙 | yǐ ギ くるまのでるしたくをする

[字解] ①수레의고삐고리의 수레 앞쪽에 고정해 놓고 두 마리 복마(服馬)의 고삐와 두 마리 참마(驂馬)의 바깥 고삐를 아울러 마부가 쥐기 편하게 꿴 고리. '一, 車衡載轡者'《說文》. ②채비차릴의 종복(從僕)이 거마(車馬)의 떠날 준비를 함. '一, 僕人嚴駕待發之意'《篇海類編》.
[字源] 形聲. 車＋義〔音〕

車13 〔⿰車遂〕 20 수 [平]寘 | suì スイ しょうしゃ

[字解] ①작은우차수 '輰一'는 소가 끄는 소차(小車). 사방에 창문을 낸 조망용(眺望用)의 수레. '輰一, 四望總牕皁輪小形車, 駕牛'《晉書》. ②상여차수 '輰一, 柳車也'《廣雅》.

車13 〔轕〕 20 〔갈〕 輵(車부 9획〈1473〉)과 同字
[字源] 形聲. 車＋葛〔音〕

車13 〔轚〕 20 [一]격 [入]錫 | jí ケキ くるまのくさびがうちあう; [二]계 [去]霽 | jì ケイ かかる

[字解] [一]부딪칠격 비녀장끼리 서로 부딪침. '一, 車轄相擊也'《說文》. [二]걸릴계 거리낌. 방해가 됨. '流旁握, 御一者不得入'《穀梁傳》.
[字源] 形聲. 車＋毄〔音〕

車13 〔⿰車豦〕 20 거 [平]魚 | qū キョ しゃりんのおおわ

[字解] 바퀴테거 수레바퀴의 바깥 둘레에 끼우는 테. '一, 博雅, 一·輮, 輞也'《集韻》.

車13 〔⿰車當〕 20 당 [平]陽 | dāng トウ くるまのゆか

[字解] 수레마루당 수레의 바닥에 깐 마루. 檔(木부 13획〈584〉)과 통용. '一, 車一, 通作檔'《集韻》.

車13 〔⿰車廉〕 20 렴 [平]鹽 | lián レン しゃりんのおおわ

[字解] 바퀴테렴 수레바퀴의 바깥 테. '一, 車輞'《集韻》.

車13 〔⿰車楘〕 20 〔목〕 楘(木부 9획〈565〉)의 訛字

車13 〔⿰車逢〕 20 봉 [平]東 | péng ホウ くるまのとま

[字解] 수레뜸봉 대를 엮어 수레를 덮는 것. 篷(竹부 11획〈952〉)과 同字. '篷, 方言, 車簍, 南楚之外謂之篷, 亦作一'《集韻》.

車13 〔⿰車戢〕 20 〔집〕 輯(車부 9획〈1472〉)의 俗字

車13 〔⿺辶⿰車耑〕 20 천 | chuán セン ひつぎをのせるしゃだい

[字解] 공축(輁軸)천 널〔柩〕을 싣는 차대(車臺). 수레바퀴가 없음. '一, 死車無輪也'《川篇》.

車14 〔轟〕 21 굉 (횡[本]) [平]庚 | hōng コウ·ゴウ とどろく

[字解] ①울릴굉 ㉠여러 수레의 가는 소리가 덜거덕덜거덕하고 요란하게 울림. '一, 羣車聲也'《說文》. '車馬雷駭, 一一闐闐'《左思》. ㉡큰 소리가 울림. '駭浪幾一山石裂'《元好問》. ②벼락칠굉, 포격(砲擊)굉 '一夕雷一薦福碑'《彭乘》. '夷犯定海公守城, 手一巨炮燒夷兵'《張維屏》. ③진동할굉 '笑激屋瓦飛怒一庭柱裂'《黃遵憲》. ④으름장놓아쫓을굉 '只怕你一我不動'《兒女英雄傳》. ⑤미친듯이웃고떠들굉 '舊遊彷彿記三年, 一飲題詩夜滿山'《范成大》. ※本音 횡.
[字源] 會意. 車＋車＋車

車14 〔轜〕 21 이 [平]支 | ér ジ·ニ ひつぎぐるま

[字解] 상여이 관을 싣는 수레. 영구차. '以一車挽歌, 爲葬送之法'《資治通鑑》.
[字源] 形聲. 車＋需〔音〕
[參考] 輀(車부 6획〈1466〉)의 俗字.

車14 〔⿰車㥯〕 21 은 [上]吻 | yǐn イン くるまのひびき

[字解] ①수레소리은 '一, 車聲'《集韻》. ②울리는소리은 '一一'은 울려 퍼지는 소리. '一一, 聲也. (疏證) 車聲·雷聲·崩聲·羣行聲, 皆謂之一一'《廣雅》.

車 14 〔轛〕21 대 [去]隊 | duì タイ くるまのまえごうし

[字解] ①수레앞격자대 식(軾)의 아래에, 석자 세 치 사이를 가로 세로로 격자 모양으로 짠 것. '軾間衡植材, 總名爲一'《周禮》. ②수레대 '一, 一曰, 車也'《集韻》.
[字源] 形聲. 車+對〔音〕

車 14 〔轞〕21 함 [上]豏 | jiàn カン くるまのな

[字解] ①함거함 사방을 널빤지로 막은, 죄수나 짐승을 태우는 수레. '一車膠致, 與王詣長安'《史記》. ②수레소리함 수레가 가는 소리. '出車一一'《左思》.
[字源] 形聲. 車+監〔音〕

車 14 〔⿱監車〕21 轞(前條)과 同字

車 14 〔⿰車㷠〕21 〔린〕 轔(車부 12획〈1479〉)의 本字

車 14 〔⿱算車〕21 전 [去]霰 [平]先 | shuàn センまるくけずってしゃじくをつくる

[字解] 굴대만들전 둥글게 깎아서 굴대를 만듦. '一, 治車軸也'《說文》.
[字源] 形聲. 車+算〔音〕

車 14 〔轝〕21 여 [去]御 | yú ヨ こし

[字解] ①가마여 ㉠손가마. 손으로 드는 가마. 어깨에 메는 것은 견여(肩一)라 함. '一, 兩手對擧之車, 又轎謂肩一'《字彙》. ㉡관(棺)을 싣는 가마. '靈柩降車, 就一'《遼史》. '一制, 下爲方牀, 上編竹格爲蓋'《徐珂》. ㉢흙을 나르는 가마. '一, 舁土器'《正字通》. ②먹을것나르는기구여 '轝, 舁食者, 或作一'《廣韻》. ③수레여 輿(車부 10획〈1475〉)와 同字.
[字源] 形聲. 車+與〔音〕

車 14 〔⿰車蓋〕21 [一] 개[去]泰 [二] 갈[入]曷 | kài カイ くるまのおと kě カツ くるまのおと

[字解] [一] 수레소리개 수레가 지날 때 울리는 소리. ⿰車盍(車부 10획〈1475〉)과 同字. '⿰車盍, 車聲, 或从蓋'《集韻》. [二] 수레소리갈 輵(車부 9획〈1473〉)과 同字. '一, 輵一, 車聲, 或从曷'《集韻》.

車 14 〔⿰車衡〕21 〔형〕 衡(行부 10획〈1263〉)과 同字

車 15 〔轡〕22 비 [去]寘 | pèi ヒ たづな

[字解] 고삐비 마소의 재갈에 잡아매어 끄는 줄. '一, 馬一也'《說文》. '有力如虎, 執一如組'《詩經》.
[字源] 會意. 絲+軎

車 15 〔轢〕22 력 [入]錫 | lì レキ ひく

[字解] ①삐걱거릴력 수레바퀴가 쓸려 소리를 냄. 전(轉)하여, 서로 반목함. '軋一'. '凌一同列'《後漢書》. ②칠력 수레바퀴 밑에 깔리게 함. '一死'. '徒車之所轔一, 乘騎之所蹂若'《史記》. ③짓밟을력, 업신여길력 '刻一宗室, 侵辱功臣. (注) 一, 謂陵踐也'《漢書》. '以智欺愚, 以富一貧'《康有爲》. ④넘을초 초과(超過)함. '川廣可踰, 山高可一'《司空圖》.
[字源] 形聲. 車+樂〔音〕

車 15 〔轠〕22 뢰 [平]灰 | léi ライ うちつづくさま

[字解] ①잇닿을뢰 '一轤'는 왕래가 연락 부절한 모양. '繽紛往來, 一轤不絕'《揚雄》. ②칠뢰 깨뜨림. '一, 擊也'《字彙》. ③수레뢰 '一, 一轤, 車屬'《廣韻》. ④수레바퀴에 치일뢰 '一, 車輪輾一也'《六書故》.

車 15 〔⿰車⿱罒袁〕22 〔환〕 轘(車부 13획〈1480〉)의 本字

車 15 〔⿰車賣〕22 〔록〕 轆(車부 11획〈1477〉)과 同字

車 15 〔⿱⿰車戈⿰車戈〕22 〔차〕 車(部首〈1459〉)의 籀文

車 15 〔⿰車磊〕22 [一] 락 [入]藥 [二] 뢰 | luò ラク くるまのおと léi ライ

[字解] [一] 수레소리락 '一, 車聲'《集韻》. [二] 轠(車부 15획〈1481〉)의 俗字. '一, 俗轠字'《正字通》.

車 15 〔⿰車蓬〕22 〔봉〕 ⿰車逢(車부 11획〈1478〉)의 俗字

車 15 〔⿰車戢〕22 〔삼〕 ⿰車韱(車부 17획〈1482〉)의 俗字

車 15 〔⿰車慧〕22 〔예〕 轊(車부 11획〈1477〉)의 俗字

車 15 〔轋〕22 〔지〕 輊(車부 6획〈1466〉)의 俗字

車 15 〔轒〕22 〔찬〕 轒(車부 19획〈1483〉)과 同字

車 16 〔轣〕23 력 [入]錫 lì レキ いとくりぐるま
[字解] ①물레력 '繅車, 趙魏之間謂之一轆車'《方言》. ②삐걱거릴력 수레바퀴가 쓸려 소리를 냄. 또, 그 소리. '松下縱橫餘屐齒, 門前一轆想君車'《蘇軾》. ③속일력 '博雅, 車軌道謂之一轆, 借軌道爲詭道'《名義考》. ④차에치일력 轢(車부 15획〈1481〉)과 同字.
[字源] 形聲. 車+歷〔音〕

車 16 〔轤〕23 로 [平]虞 lú ロ ろくろ
[字解] 고패로 활차. 우물에서 물을 길어 올리는 기중 기구(起重器具). '一, 轆一, 井上汲水木'《集韻》. '井深用轆一, 井淺用桔槹'《齊民要術 注》.
[字源] 形聲. 車+盧〔音〕

車 16 〔轙〕23 〔의〕 轙(車부 13획〈1480〉)와 同字

車 16 〔轜〕23 령 lín レイ うまやのな
[字解] 마구간이름령 '一, 輅廐名也'《川篇》.

車 16 〔轥〕23 롱 [平]東 lóng ロウ くるまのじくさき
[字解] ①굴대머리롱 축두(軸頭). '一, 方言, 車轄, 齊謂之一'《集韻》. ②위로굽은끌채롱 곡주(曲輈). '車轅上者, 謂之一'《小爾雅》.

車 16 〔轐〕23 〔복〕 轐(車부 8획〈1471〉)과 同字

車 16 〔轓〕23 〔빈〕 顰(頁부 15획〈1702〉)의 訛字

車 16 〔轋〕23 〔지〕 輊(車부 6획〈1466〉)와 同字

車 16 〔轜〕23 〔진〕 軫(車부 5획〈1463〉)과 同字

車 16 〔轍〕23 〔철〕 轍(車부 12획〈1478〉)과 同字

車 17 〔轜〕24 〔령〕 軨(車부 5획〈1463〉)과 同字

車 17 〔轢〕24 락 [入]藥 luò ラク くるまのてんずるおと
[字解] 수레굴러가는소리락 '一, 車轉聲'《篇海類編》.

車 17 〔轣〕24 력 [入]錫 lì レキ めぐる
[字解] ①구를력 돎. '一, 轉也'《玉篇》. ②수레에칠력 수레 밑에 깔아 부숨. 轢(車부 15획〈1481〉)과 同字. '轢, 說文, 車所踐也, 或作一'《集韻》.

車 17 〔贏〕24 련 [平]先 レン けんのな
[字解] 현이름련 '一陵'는 한(漢)나라 때, 옛 안남(安南)의 동경(東京) 부근에 설치한 현(縣)임. '羸, 羸陵, 縣名, 在交趾, 或从連'《集韻》.

車 17 〔轉〕24 박 [入]陌 bó ハク くるまのかざり
[字解] 수레치장박 수레를 장식한 것. '一, 車飾'《玉篇》.

車 17 〔轡〕24 〔비〕 轡(車부 15획〈1481〉)와 同字

車 17 〔轞〕24 삼 [平]咸 shān サン くるまのおと
[字解] 수레소리삼 '一, 車聲'《集韻》.

車 17 〔轜〕24 은 yǐn イン くるまのおと
[字解] 수레소리은 '一, 車聲也'《川篇》.

車 18 〔轞〕25 격 [入]陌 gé カク かさなる
[字解] 겹칠격 중복됨. '一, 複也, 重複非一之言也'《釋名》.

車 18 〔轜〕25 휴 [平]齊 xié ケイ ひとまわり
[字解] 한바퀴돌휴 차륜(車輪)의 한 회전(回轉). 巂(隹부 10획〈1635〉)와 통용. '一, 車輪轉一周爲一, 通作巂'《集韻》.

車 18 〔轗〕25 민 [上]軫 mǐn ビン·ミン とこしばりのしたのかわ
[字解] 복토(伏兎)밑가죽민 이것을 사용하여 복토(伏兎)를 굴대에 맴. '一, 車伏兎下革也'《說文》.
[字源] 形聲. 車+憂〔音〕

車 19 〔輦〕26 련 [平]先 lián レン つづる
[字解] 맬련 철(綴)함. '一, 一綴也'《字彙》.

車 19 〔轒〕26 찬 [平]寒 | zuān サン くるまのまっすぐなながえ

[字解] ①끌채찬 ㉠곧은 끌채. '一, 直轅也'《玉篇》. ㉡굽은 끌채. '一, 車曲轅也'《龍龕手鑑》. ②끌채동이는끈찬 轢(革부 29획〈1673〉)과 同字. '轢, 說文, 車衡三束也, 曲轅轢縛, 直轅曡縛, 或作一'《集韻》.

車 20 〔轥〕27 린 [去]震 | lìn リン くるまのおと

[字解] ①수레소리린 '一, 車聲'《玉篇》. ②짓밟을린 轔(車부 12획〈1479〉)과 同字. '徒車之所一轢'《司馬相如》. ③짓밟을린 업신여김. '其所以齕我一我者'《梁啓超》. ④지나갈린 '夫安驅徐行, 一中庸之庭'《王安石》. ⑤초과(超過)할린 '是以宋齊方駕, 一其餘軌'《隋書》.

[字源] 形聲. 車＋藺〔音〕

車 20 〔轍〕27 ㊀얼 [入]屑 ㊁알 [入]曷 | niè ゲツ たかくそばだつさま ガツ くるまにものをたかくのせてゆくさま

[字解] ㊀우뚝할얼 높이 솟은 모양. '四門一一, 隆廈重起'《左思》. ㊁수레에높이실을알 수레에 물건을 높이 싣고 가는 모양. '一一, 車載高貌'《說文 段注》.

[字源] 形聲. 車＋獻〔音〕

車 20 〔䡴〕27 轍(前條)과 同字

車 20 〔轉〕27 각 [入]藥 | jué キャク くるまのおおわ

[字解] 수레덧바퀴각 '一, 輯一, 車輞也'《集韻》.

車 21 〔轟〕28 〔주〕 輈(車부 6획〈1466〉)의 籒文

車 21 〔轣〕28 〔력〕 轣(車부 16획〈1482〉)과 同字

車 22 〔轋〕29 첩 [入]葉 | dié チョウ くるまのおと

[字解] 수레소리첩 '一, 車聲'《集韻》.

車 23 〔轗〕30 〔민〕 轗(車부 9획〈1474〉)과 同字

車 24 〔轜〕31 령 [平]青 | líng レイ うまやのな

[字解] ①마구간이름령 '一, 一軨, 廐名'《集韻》. ②轜(車부 17획〈1482〉)의 俗字. '一, 俗轜字'《正字通》.

辛　　部

〔매울신부〕

辛 0 〔辛〕7 [中·人] 신 [平]眞 | xīn シン からい, つらい

[筆順] 丶 亠 亡 立 立 辛 辛

[字解] ①매울신 혀가 알알한 맛을 가짐. 오미(五味)의 하나. '一, 江南曰辣, 中國曰一'《韻會》. ②독할신, 괴로울신, 슬플신 '一辣'. '一苦'. '悲一'. '以匡一苦'《逸周書》. ③새신 新(斤부 9획〈493〉)과 통용. '言萬物之一生, 故曰一'《史記》. ④천간이름신 십간(十干)의 제팔위(第八位). '一酉'. ⑤큰죄신 '一, 大辠也'《說文通訓定聲》. ⑥성신 성(姓)의 하나.

[字源] 象形. 문신을 하기 위한 바늘을 본뜬 것으로, '괴롭다, 죄'의 뜻을 나타냄.

[參考] '辛신'을 의부(意符)로 하여, 죄를 나타내는 문자, 또 맛이 매움을 나타내는 문자를 이룸. 부수 이름은 '매울신'.

辛 0 〔辛〕7 〔건〕 愆(心부 9획〈399〉)과 同字

辛 1 〔幸〕8 辛(前前條)의 訛字

辛 3 〔辝〕10 〔신〕 莘(艸부 7획〈1141〉)과 同字

辛 4 〔辛介〕11 개 | jiè カイ まじる

[字解] 섞일개 '一, 雜也'《川篇》.

辛 4 〔辛斤〕11 〔신〕 新(斤부 9획〈493〉)과 同字

辛 4 〔辛乚〕11 윤 [上]軫 | yǐn イン すすむ

[字解] 나아갈윤 '一, 進也'《字彙補》.

辛 5 〔辝〕12 〔사〕 辭(辛부 8획〈1484〉)의 籒文

辛 5 〔辜〕12 고 [平]虞 | gū コ つみ

[字解] ①허물고 죄. '無一'. '與其殺不一, 寧失不經'《書經》. ②반드시고 꼭. '言陽氣洗物, 一絜之也'《漢書》. ③저버릴고 孤(子부 5획〈271〉)와 통용. '猶有一投一負事'《白居易》. ④막을고 방해함. '豪右一榷'《後漢

書》. ⑤찢어발길고 희생(犧牲)을 죽여 사지를 찢는 일. '凡沈一侯禳, 飾其牲'《周禮》. ⑥재난고 화(禍)를 입음. '害徧生民, 一及朽骨'《漢書》. ⑦성고 성(姓)의 하나.
字源 形聲. 辛+古〔音〕

辛 6 〔辟〕13 ㊀ 벽 ㊅陌 ①-⑨bì へキ きみ, のり ⑩-⑰pì へキ よこしま
㊁ 피 ㊄寘 pì ヒ さける
㊂ 비 ㊄寘 ①pì ヒ たとえる ㊄霽 ②へイ にらむ

字解 ㊀ ①임금벽 ㉠천자(天子) 또는 제후(諸侯). '一, 君也'《爾雅》. '惟一作福'《書經》. ㉡하늘의 존칭. '蕩蕩上帝, 下民之一'《詩經》. ②임벽 죽은 남편의 호칭. '妻祭夫曰皇一'《禮記》. ③법벽 법칙. 법률. '一, 法也'《爾雅》. ④밝힐벽 명확하게 함. '對揚以一之'《禮記》. ⑤부를벽 군주가 재야(在野)의 현자를 불러 오게 함. '徵一'. '卽日一之'《晉書》. ⑥다스릴벽 죄를 다스림. '一刑獄'《左傳》. ⑦길쌈할벽 繴(糸부 13획〈1016〉)과 同字. '妻一纑'《孟子》. ⑧절름발이벽 躄(足부 13획〈1450〉)과 통용. '又類一'《賈誼》. ⑨성벽 성(姓)의 하나. ⑩편벽될벽 僻(人부 13획〈74〉)과 同字. ㉠마음이 한쪽으로 치우쳐 공정하지 아니함. '人之其所親愛而一焉'《大學》. ㉡땅이 궁벽한 곳에 있음. '國小處一'《史記》. ⑪허물벽 죄. '刑一'. '宮一'. ⑫죄줄벽 형에 처함. '一以止一, 乃一'《書經》. ⑬열벽 闢(門부 13획〈1608〉)과 同字. 개간함. '一土地'《孟子》. ⑭물리칠벽 물러나게 함. '行一人可也'《孟子》. ⑮물러날벽 놀라서 피함. '人馬俱驚一易數里'《史記》. ⑯가슴칠벽 擗(手부 13획〈471〉)과 통용. '一踊'《禮記》. '寤一有摽'《詩經》. ⑰천둥벽, 벼락소리벽 霹(雨부 13획〈1649〉)과 통용. '一歷'. ㊁ 피할피 避(辵부 13획〈1508〉)와 통용. '退三舍一之, 所以報也'《左傳》. ㊂ ①비유할비, 비유컨대비 譬(言부 13획〈1359〉)와 통용. '一如行遠, 必自邇'《中庸》. ②눈흘길비 睥(目부 8획〈848〉)와 통용. '一睨兩宮間'《史記》.
字源 會意. 辛+卩+口

辛 6 〔辝〕13 〔사〕
辭(辛부 12획〈1485〉)의 俗字

辛 6 〔辠〕13 죄 ㊤賄 zuī サイ·ザイ つみ

字解 허물죄 罪(网부 8획〈1028〉)의 古字. 진(秦)나라 시황제(始皇帝)가 이 글자가 황자(皇字)와 비슷하다 하여, '罪'로 고치었음. '秦以一似皇字, 改爲罪'《說文》.
字源 會意. 辛+自

辛 6 〔辢〕13 살 ㊅曷 sǎ サツ からみ

字解 매운맛살 '一, 辛味'《集韻》.

辛 6 〔辡〕13 신 ㊥眞 shēn シン おおい

字解 ①많을신 莘(艸부 7획〈1141〉)과 통용. '一, 博雅, 一姺, 多也, 通作莘'《集韻》. ②성신 성(姓)의 하나. '一, 姓也'《玉篇》.

辛 6 〔䛐〕13 〔신〕
莘(艸부 7획〈1141〉)과 同字

辛 7 〔辡〕14 ㊀ 변 ㊤銑 biǎn へン·べン うったえる
㊁ 편 ㊤銑 へン うったえる

字解 ㊀ 죄인서로송사할변 '一, 辠人相與訟也'《說文》. ㊁ 죄인서로송사할편 ■과 뜻이 같음.
字源 會意. 辛+辛

辛 7 〔辣〕14 랄 ㊅曷 là ラツ からい

字解 매울랄 ㉠맛이 몹시 매움. '薑辛桂一'《齊民要術》. ㉡언행이 몹시 매움. '辛一'. '一手'.
字源 形聲. 辛+束(剌)〔音〕

辛 7 〔辢〕14 辣(前條)과 同字

辛 8 〔辤〕15 사 ㊥支 cí シ ことわる

字解 ①받지않을사 사양함. '一, 不受也, 从受辛. (注)經傳凡一讓, 改作辭說字'《說文》. ②말씀사 辭(辛부 12획〈1485〉)와 통용. '一, 叚借爲辭'《說文通訓定聲》.
字源 會意. 辛+受
參考 '辤'는 본디, '사절하다'의 뜻으로, '辭'와는 別字이지만, 뒤에 혼용하게 되었음.

辛 8 〔辥〕15 ㊀ 예 ㊄霽 yì ゲイ おさめる
㊁ 애 ㊄隊 ガイ さいじんのな

字解 ㊀ ①다스릴예 '一, 治也'《說文》. ②편안할예 '一, 安也'《洪武正韻》. ㊁ 재인(才人)이름애 '一, 才人名'《廣韻》.
字源 形聲. 辟+乂〔音〕

辛 8 〔辜〕15 고 kù コ からい

字解 매울고 맛이 매움. '一, 味辛也'《五音篇海》.

辛8 〔辢〕15 〔랄〕 辣(辛부 7획〈1484〉)과 同字

辛8 〔辟〕15 벽 [入]陌 | bì ヘキ きみ

[字解] 임금벽, 없앨벽 辟(辛부 6획〈1484〉)과 同字. '辟, 君也, 一曰, 除也, 或作一'《集韻》.

辛9 〔辦〕16 판 [去]諫 | bàn ハン·ベン さばく

[字解] ①처리할판 일을 힘써 주선함. '總一'. '項梁嘗爲主一'《史記》. ②갖출판 물건을 갖춤. '已一靑錢防雇直, 當令美味入吾脣'《杜甫》. ③처벌할판 '君信可人, 必能一賊者也'《三國志》.
[字源] 形聲. 力＋辡〔音〕

辛9 〔辨〕16 [高·人] [一] 변 [上]銑 | biàn ヘン·ベン わける
[二] 판 [去]諫 | bàn ハン·ベン そなえる
[三] 편 [去]霰 | piàn ヘン あまねし

[筆順] 亠 立 辛 辛 剌 新 辨 辨

[字解] [一] ①나눌변 구별함. '一析'. '序爵所以一貴賤也'《中庸》. ②나누일변 구별됨. '男女以一'《左傳》. ③분별할변 판별함. 식별함. '一識'. '有弗一, 一之弗明弗措也'《中庸》. ④구별변, 분별변 '效門室之一'《荀子》. ⑤밝힐변 분명하게 함. '一吉凶者'《易經》. ⑥변화변 고쳐져 달리 되는 일. '御六氣之一'《莊子》. ⑦쟁론할변 말다툼함. 辯(辛부 14획〈1486〉)과 통용. ⑧다스릴변 '必將曲一. (注)一, 理也'《荀子》. ⑨성변 성(姓)의 하나. [二] 갖출판 辦(前條)과 통용. '以一民器'《周禮》. [三] 두루편 徧(彳부 9획〈373〉)과 통용. '瑞應一至'《史記》.
[字源] 會意. 刀＋辡

辛9 〔辧〕16 辨(前條)의 本字

辛9 〔辥〕16 설 [入]屑 | xuē セツ つみ

[字解] ①허물설 죄(罪). '一, 辠也'《說文》. ②사형설 '一, 死刑也'《玉篇》. ③나라이름설 薛(艸부 13획〈1189〉)과 통용. ④성설 성(姓)의 하나.
[字源] 形聲. 辛＋𡰪〔音〕

辛9 〔辝〕16 〔사〕 枱(木부 5획〈539〉)의 籒文

辛9 〔𨐳〕16 𨐳(次次條)과 同字

辛9 〔𨐮〕16 고 [去]遇 | kù コ しゅゆをつきくだいたこうしんりょう

[字解] 수유(茱萸)를빻아가루를낸향신료(香辛料)고 '一, 擣茱萸爲之, 味辛而苦'《集韻》.

辛10 〔𨐳〕17 벽 [入]陌 | bì ヘキ のり

[字解] ①법벽 '一, 法也'《說文》. ②다스릴벽 '一, 治也'《廣韻》. ③辟(辛부 6획〈1484〉)의 古字. '辟, 說文, 法也, 古作一'《集韻》.
[字源] 會意. 辟＋廾

辛10 〔𨐹〕17 겸 [平]鹽 | qiān ケン なやむ

[字解] 어려울겸 힘듦. '一, 一苦, 艱也'《集韻》.

辛10 〔𨐸〕17 벽 [入]錫 | bì ヘキ わける

[字解] 나눌벽 '一, 分也'《字彙補》.

辛11 〔辬〕18 반 [平]刪 | bān ハン まだら

[字解] ①얼룩무늬반 '一, 駁文也, 从文辡聲'《說文》. ②무늬반 '一, 文也'《廣雅》.

辛11 〔𨐼〕18 변 [去]諫 | bàn ハン うちもも

[字解] 허벅지변 샅. '一, 股間也'《集韻》.

辛11 〔𨐻〕18 빈 [平]眞 | bīn ヒン まだら

[字解] 얼룩빈 얼룩짐. '一, 駁也'《集韻》.

辛11 〔辭〕18 辭(次條)의 俗字

辛12 〔辭〕19 [高·人] 사 [平]支 | cí ジ ことば

[筆順] ⺈ 𠬪 𤔔 𤔔 𤔔 𤔔 辭 辭

[字解] ①말사, 말씀사 ㉠언어. '言一'. '仲尼應答弟子及時人之一'《何晏》. ㉡문장. 사장(詞章). '文一'. '吉人之一寡'《易經》. ②핑계사 구실. '因以爲一攻之'《戰國策》. ③알릴사 고함. '使人一於狐突'《禮記》. ④청할사 요청함. '大夫一而復之'《國語》. ⑤사양할사 겸손하여 양보함. '溫顏遜一'《漢書》. ⑥사퇴할사 ㉠응하지 아니함. '孺悲欲見孔子, 孔子一以疾'《論語》. ㉡받지 아니함. '爵祿可一也'《中庸》. ㉢그만둠. '一職'. '一意俱悽姸'《韋應物》. ㉣작별하고 떠남. '一家'. '賈生旣一往'《史記》. ⑦송사말씀사 '一, 訟也'《說文》. '聽其獄訟, 察其一'《周禮》. ⑧해설할사 변해(辯解)함. '一,

分爭辯訟謂之一'《說文通訓定聲》. '故仁者之過易一也. (注)一, 猶解說也'《禮記》. ⑨고별(告別)할사 헤어짐. '朝一白帝彩雲間, 千里江陵一日還'《李白》. ⑩문체의하나사 한문(漢文)의 한 체(體). 감상(感想)을 문장(文章)에 탁(託)한 것으로, 대개 운(韻)을 닮. '秋風一'. '詩變而爲騷, 騷變而爲一. 皆可歌'《古文眞寶 註》. ⑪성사 성(姓)의 하나.

字源 會意. 𤔔＋辛

參考 辞(辛부 6획〈1484〉)는 俗字.

辛12 〔辦〕19 〔변〕 辮(心부 14획〈416〉)의 訛字

辛12 〔䵽〕19 획 ㊀陌 | huò カク からい

字解 매울획 맛이 매움. '一, 味辛也'《集韻》.

辛13 〔䛭〕20 〔경〕 競(立부 17획〈930〉)과 同字

辛13 〔𨐨〕20 〔시〕 枲(木부 5획〈539〉)의 籀文

辛14 〔辯〕21 高·人 ㊀ 변 ㊤銑 | biàn ヘン·ベン たくみにものいう ㊁ 평 ㊥庚 | píng ヘイ ひとしい ㊂ 편 ㊦霰 | biàn ヘン あまねし

筆順 亠 立 辛 辛 䇂 辯 辯 辯

字解 ㊀ ①말잘할변 말을 교묘히 함. '善者不一, 一者不善. (注)一, 謂巧言也'《老子》. ②다스릴변 '主齊盟者, 誰能一焉. (注)一, 治也'《左傳》. ③다툴변 말다툼함. 또, 논쟁함. '遠鬪一矣'《禮記》. '一難攻擊之文'《文章軌範 小序》. ④효유할변 가르쳐 깨닫도록 함. '其過失可微一, 而不可面數也'《禮記》. ⑤나눌변, 나누일변 辨(辛부 9획〈1485〉)과 통용. '君子以一上下, 定民志'《易經》. ⑥바로잡을변 바르게 함. '有司弗一也'《禮記》. ⑦말변 잘하는 말. 웅변. '一舌'. '予豈好一哉'《孟子》. ⑧문체변 한문의 한 체(體). 언행의 시비·진위(眞僞)를 판단하여 설명하는 글. '諱一'. '桐葉封弟一'. '一, 判別也, (中略) 至唐韓柳乃始作焉, 然其原實出於孟莊'《文體明辯》. ㊁ 고를평 平(干부 2획〈340〉)과 통용. '一秩東作'《史記》. ㊂ 두루미칠편 徧(彳부 9획〈373〉)과 통용. '大夫一受酬'《儀禮》.

字源 會意. 言＋辡

辛15 〔辮〕22 〔변〕 辨(辛부 9획〈1485〉)과 同字

辛17 〔𨐵〕24 〔고〕 辜(辛부 5획〈1483〉)과 同字

辛21 〔𨑀〕28 〔흥〕 興(臼부 9획〈1106〉)과 同字

辰 部

〔별 진 부〕

辰0 〔辰〕7 中·人 ㊀ 진 ㊥眞 (신㊍) | chén シン たつ ㊁ 신 ㊥眞 | chén シン ほし

筆順 一 厂 尸 尸 尼 辰 辰

字解 ㊀ ①다섯째지지진 십이지(十二支)의 제오위(第五位). 방위로는 동남, 시각으로는 오전 7시부터 9시까지의 사이, 달로는 음력 3월, 띠로는 용(龍)에 배당함. ②지지진 십이지의 총칭. '十有二一之號'《周禮》. 또, 자(子)의 날부터 해(亥)의 날까지의 열이틀간. '浹一之間'《左傳》. ③별이름진 '北一'(북극성). '大一'〈대화성(大火星)〉. ※本音 신. ㊁ ①별신 해와 달과 별의 총칭. '三一'. 또, 그 교회(交會)하는 곳. '日月星一'《書經》. ②날신 하루. '吉一'《左傳》. ③때신 시각. 시절. '時一'. '良一'. '我生不一'《詩經》.

字源 象形. 조개가 껍데기에서 발을 내밀고 있는 모양을 본뜸. 본디 '蜃신'의 原字. 假借하여, 지지의 다섯째, '용'의 뜻으로 쓰임.

參考 '辰진'은 조가비를 나타내며, 옛날에 농구로 쓰였던 데서, '辰'을 바탕으로하여, 농사에 관한 문자가 이루어짐. 부수 이름은 '별진'.

辰0 〔𠨘〕6 辰(前條)의 古字

辰0 〔𠩷〕7 辰(前前條)의 本字

辰0 〔𨑃〕8 〔진〕 辰(部首〈1486〉)의 古字

辰3 〔辱〕10 高·人 욕 ㊀沃 | rǔ ジョク はずかしめる

筆順 厂 尸 尸 尼 辰 辰 辱 辱

字解 ①욕보일욕 수치를 당하게 함. '懼一親'《禮記》. ②욕볼욕 수치를 당함. '事君數斯一矣'《論語》. ③욕되게할욕 남에게 분

수에 넘치는 호의(好意)를 받아서 이를 욕되게 하였다는 뜻으로, 대단히 죄송한 동시에 영광스럽다는 겸사말. '一知'. '再一手書'《蘇軾》. 또, 이상의 명사. '拜君言之一'《禮記》. ④욕욕 ㉠수치. '恥一'. ㉡불명예. '屈一'. ㉢모멸. '侮一'. ⑤성욕 성(姓)의 하나.
字源 會意. 寸＋辰

〔唇〕 〔진〕 口부 7획(165)을 보라.

〔脣〕 〔순〕 肉부 7획(1077)을 보라.

辰 6 〔農〕 13 中·人 농 平冬 | nóng ノウ たづくり
筆順 ㄇ 冂 曲 曲 𠁣 𠁣 農 農
字解 ①농사농 농업. '一耕'. '其庶人力於一穡'《左傳》. ②농부농 '老一'. '是月也, 一有不收藏積聚者'《呂氏春秋》. 또, 농사를 맡은 벼슬아치. '饗一'《禮記》. ③힘쓸농 노력을 함. '一, 勉也'《廣雅》. '小人一力, 以事其上'《左傳》. ④성농 성(姓)의 하나.
字源 會意. 甲骨文은 林＋辰. '林림'은 '숲'의 뜻.

辰 6 〔䢉〕 13 農(前條)의 古字

辰 6 〔㽎〕 13 農(前前條)의 古字

辰 7 〔晨〕 14 신 平眞 | chén シン あさまだき
字解 새벽신 이른 아침. 晨(日부 7획〈507〉)의 古字. '一, 早昧爽也'《說文》.
字源 形聲. 臼＋辰〔音〕

辰 8 〔𫐘〕 15 용 上腫 | rǒng ジョウ おろか
字解 ①못생길용 어리석음. '一, 不肖也'《集韻》. ②용렬할용 '一, 一曰, 傝一, 劣也'《集韻》.

辰 8 〔䢆〕 15 〔농〕 農(辰부 6획〈1487〉)의 古字

辰 12 〔辴〕 19 진 上軫 | zhěn シン わらうさま
字解 웃을진 웃는 모양. '桓公一然而笑'《莊子》.

辰 12 〔䵜〕 19 농 平冬 | nóng ジョウ おおい
字解 많을농 '一, 多也'《廣雅》.

辰 13 〔𨑃〕 20 ㊀신 平眞 | chén シン にちげつのやどり ㊁회 去泰 | huì カイ・エ にちげつのやどり
字解 ㊀해달의자리신 해나 달이 그 때에 있는 장소. '一, 日月合宿爲一'《說文》. ㊁해달의자리회 ㊀과 뜻이 같음.
字源 形聲. 辰＋會〔音〕

辰 13 〔𨑄〕 20 〔농〕 農(辰부 6획〈1487〉)의 本字

辰 14 〔𨑅〕 21 〔농〕 農(辰부 6획〈1487〉)의 籒文

辵(辶) 部

〔갖은책받침 · 책받침부〕

辵 0 〔辵〕 7 착 入藥 | chuò チャク ゆきつとまりつする
筆順 ㇀ ⺀ 彡 千 彳 彳 辵
字解 ①쉬엄쉬엄갈착 잠시 가고 잠시 머무름. '一, 乍行乍止也'《說文》. ②달릴착 질주함. '一, 走也'《玉篇》. '一階而走'《公羊傳》.
字源 會意. 行〈省〉＋止
參考 '辵착'을 의부(意符)로 하여, 가는 일이나 원근(遠近) 등에 관한 문자를 이룸. 받침으로 쓰일 때에는 '辶'로 생략되고, 또 '辶'로도 생략됨. 부수 이름은 속칭 '갖은 책받침'.

辵 0 〔辶〕 4 辵(前條)이 글자의 받침으로 올 때의 자체(字體). 속칭(俗稱) 책받침.

辵 2 〔边〕 5 〔변〕 邊(辵부 15획〈1510〉)의 簡體字

辵 2 〔辺〕 6 〔변〕 邊(辵부 15획〈1510〉)의 略字

辵 2 〔边〕 6 〔변〕 邊(辵부 15획〈1510〉)의 俗字

辵 2 〔𨑒〕 6 〔궤〕 軌(車부 2획〈1459〉)의 古字

辵 2 〔迈〕 6 잉 平蒸 | réng ジョウ ゆく
字解 ①갈잉 '一, 往也'《集韻》. ②미칠잉 다다름. '一, 及也'《集韻》.

辵3 〔辿〕7 천 [平]先 | chān テン ゆっくりあるく

[字解] 천천히걸을천 '一, 緩步'《篇海》.
[字源] 會意. 辶(辵)+山

辵3 〔迂〕7 [人名] 우 (오[俗]) [平]虞 | yū ウ まがる, まげる

[筆順] 一 二 于 于 汙 迂 迂

[字解] ①굽을우, 굽힐우 굴곡함. '一, 避也. (注)一曲, 回避, 其義一也'《說文》. ②멀우 '一, 遠也'《廣雅》. ㉠길이 빙 돌아 멂. '一路'. '北渡一兮浚流難'《史記》. ㉡실지와 거리가 멂. 현실에 맞지 아니함. 사정에 어두움. '一闊'. '一遠而闊于事情'《史記》. ③광대(廣大)할우 '況于其身以善其君乎. (注)于讀爲一. 一, 猶廣也, 大也'《禮記》. ④과장하여믿을수없을우 '今卻伯之語犯, 叔一, 季伐. (注)一, 夸誕也'《漢書》. ⑤잠시우 잠깐. 良(艮부 1획〈1118〉)과 뜻이 같음. '一久, 大醉而還'《後漢書》. ※俗音 오.
[字源] 形聲. 辶(辵)+于〔音〕

辵3 〔迃〕7 迂(前條)와 同字

辵3 〔䢓〕10 迂(前前條)의 本字

辵3 〔迄〕7 흘 [入]物 | qì キツ いたる

[字解] ①이를흘 도달함. '以一于今'《詩經》. ②까지흘 …에 이르기까지. '所編百有八十餘家矣一至魏晉, 作者間出'《文心雕龍》. ③마침내흘 필경. '才疏意廣, 一無成功'《後漢書》.
[字源] 形聲. 篆文은 辶(辵)+气〔音〕

辵3 〔迉〕7 〔기〕 起(走부 3획〈1405〉)의 古字

辵3 〔辻〕7 〔도〕 徒(彳부 7획〈371〉)의 本字

辵3 〔辸〕7 〔유〕 遊(辵부 9획〈1501〉)와 同字

辵3 〔迅〕7 [人名] 신 [去]震 | xùn シン・ジン はやい

[筆順] ㇈ ⺄ 卂 卂 卂 汛 迅

[字解] ①빠를신 신속함. '一急'. '一雷風烈必變. (疏)一, 急疾也'《論語》. ②짐승이름신 힘이 대단한 이리를 이름. '狼, 牡名貛, 牝名狼, 其子名獥, 絕有力者一'《爾雅 疏》.
[字源] 形聲. 辶(辵)+卂〔音〕

辵3 〔迆〕7 이 [上]紙 | yǐ イ ななめにゆく

[字解] ①비스듬히갈이 비스듬히 감. 지세(地勢)가 구불구불 이어진 것을 이름. '東一北會于匯'《書經》. ②연할이 잇닿은 모양. '衆山之邐一'《吳質》. ③비스듬히기대어놓을이 비스듬히 기대어 놓음. '戈柲六尺有六寸, 既建而一'《周禮》.
[字源] 形聲. 辶(辵)+也〔音〕
[參考] 迤(辵부 5획〈1491〉)는 同字.

辵3 〔迲〕7 무 [平]虞 | fǔ フ やすんずる, なでる

[字解] ①어루만질무, 위안할무 撫(手부 12획〈468〉)의 古字. '撫, 安也. …一, 古文撫'《說文》. ②좇을무 '撫, 一曰, 循也. 或作一'《集韻》. ③쫓을무 뒤쫓음. '一, 追也'《篇海》. ④달아날무 도망침. '一, 逃去也'《字彙》.

辵3 〔迀〕7 간 [平]寒 | gān カン もとめる

[字解] ①구할간, 나아갈간 요구함. '一, 進也. (段注)干求之字, 當作一'《說文》. ②막을간 가로막음. '一, 一曰, 遮也'《集韻》.
[字源] 形聲. 辶(辵)+干〔音〕

辵3 〔达〕7 [一] 체 [去]霽 | tì テイ・タイ なめらか
[二] 달 [入]曷 | tà タツ のがれる

[字解] [一] ①매끄러울체 통소 소리의 형용. '順敍卑一'《王褒》. ②미끄러질체 발이 미끄러짐. '一, 足滑也'《廣韻》. ③통달할체 '一, 達也'《玉篇》. ④갈마들체 바뀜. '一, 迭也'《玉篇》. [二] 달아날달, 엇갈릴달 '達, 博雅, 逃也. 一曰, 行不相遇. 或作一'《集韻》.

辵3 〔迈〕7 기 [去]寘 | jì キ しをさいしゅしてうえにすすめる

[字解] ①바칠기 옛날에, 시(詩)를 채취(採取)하여 위에 바침. '一, 古之遒人, 㠯木鐸記詩言'《說文》. ②갈기 '一, 又行也'《字彙》. ③적을기 '一, 誌也'《字彙》. ④어조사기 어세(語勢)를 고르게 하기 위한 어조사(語助辭). 其(八부 6획〈87〉)와 통용.
[字源] 形聲. 辶(辵)+丌〔音〕

辵3 〔迁〕7 〔천〕 遷(辵부 12획〈1507〉)의 俗字

辵3 〔迈〕7 〔매〕 邁(辵부 13획〈1508〉)의 俗字

辵3 〔过〕7 〔과〕 過(辵부 9획〈1501〉)의 俗字

〔巡〕〔순〕
巛부 4획(325)을 보라.

辵3〔迉〕10 〔기〕
起(走부 3획〈1405〉)의 古字

辵3〔辻〕10 〔도〕
徒(彳부 7획〈371〉)의 本字

辵4〔迋〕8 ㊀왕 ㊦漾 wàng オウ ゆく
㊁광 ㊤養 guàng キョウ·コウ あざむく

字解 ㊀갈왕 往(彳부 5획〈369〉)과 同字. '一勞於東門之外'《左傳》. ㊁ ①속일광 기만함. '人實一女'《詩經》. ②두려워할광 공구(恐懼)함. '子無我一'《左傳》.
字源 形聲. 辶(辵)+王〔音〕

辵4〔迍〕8 둔 (준㊍) ㊥眞 zhūn チュン たちもとおる

字解 ①머뭇거릴둔 길이 험하여 잘 가지 못함. '一, 一邅, 難行不進皃'. ②몹시고달플둔 곤돈(困頓)함. '英雄有一邅, 由來自古昔'《左思》. ※本音 준.
字源 形聲. 辶(辵)+屯〔音〕

辵4〔迒〕8항 ①-⑤㊥陽 ⑥㊥江 háng コウ あと, あしあと xiáng コウ くるまのあと

字解 ①자귀항 짐승의 발자국. 또, 토끼의 발자국. '一, 獸跡也'《說文》. '兔子嬔, 其跡一'《爾雅》. ②길항 '一, 道也'《廣雅》. ③긴길항 '一, 長道也'《玉篇》. ④짐승다니는 샛길항 '結罝百里, 一杜蹊塞. (注)一, 蹊, 皆獸徑也'《張衡》. ⑤길이항 긴 정도. '一, 長也. (注)謂長短也'《方言》. ⑥수레바퀴자국항 '一, 車迹也'《集韻》.
字源 形聲. 辶(辵)+亢〔音〕

辵4〔迎〕8 中·人 영 ㊥庚 yíng ゲイ むかえる

筆順 ′ ㇄ 卬 卬 卬 卬 迎 迎

字解 ①맞이할영 ㉠오는 이를 맞아들임. '送往一來'《中庸》. ㉡미래를 기다려 맞이함. '一春'. ②추산(推算)할영 예측함. '一日推策'《史記》. ③맞출영 남의 뜻을 잘 맞추어 줌. '一合'. '群臣一阿'《唐書》. ④마중할영 출영함. 마중나감. '親一于渭'《詩經》. ⑤마중영 출영(出迎). '送一不出門'《晉書》. ⑥천거할영 뽑아 씀. '洪一門下書佐何祇, 有才策功幹'《三國志》. ⑦맞받아칠영 영격(迎擊)함. '客絕水而來, 勿一之于水內, 令半濟而擊之, 利'《孫子》.
字源 形聲. 辶(辵)+卬〔音〕

辵4〔近〕8 中·人 ㊀근 ㊤吻 ㊦問 ①-⑥jìn キン ちかい ⑦jìn キン ちかづく
㊁기 ㊦寘 jì キ じょし

筆順 ′ 厂 斤 斤 斤 沂 沂 近

字解 ㊀ ①가까울근 ㉠시간 또는 거리가 멀지 아니함. '一世'. '一郊'. '爲其一于道也'《禮記》. ㉡통속적임. 천박함. '淺一'. '卑一'. '言語俚一'《唐書》. ㉢알기 쉬움. '言一而旨遠者'《孟子》. ㉣비슷함. 닮음. '好學一乎知'《中庸》. ㉤적절함. 절실함. '撥亂世反諸正, 莫一諸春秋'《公羊傳》. ㉥친함. '親一'. '姻一人懼其威'《唐書》. ②근처근 가까운 곳. '取側一三十戶'《舊唐書》. ③요사이근 근시(近時). '一者'. '獻一所爲復志賦已下十首'《韓愈》. ④근친근 가까운 일가. '外無朞功強一之親'《李密》. ⑤가까이근 가까운 데서. '一取諸身'《易經》. '能一取譬'《論語》. ⑥성근 성(姓)의 하나. ⑦가까이할근 ㉠가까이 감. 또는, 가까이 당김. '一之則不厭'《中庸》. ㉡친히 지냄. '一小人'. '民可一'《書經》. ㊁ 어조사기 무의미한 조사. '往一王舅'《詩經》.
字源 形聲. 辶(辵)+斤〔音〕

辵4〔迓〕8 아 ㊦禡 yà ガ むかえる

字解 마중할아 서로 마중 나가 맞음. '郊一'. '予一續乃命于天'《書經》.
字源 形聲. 辶(辵)+牙〔音〕

辵4〔返〕8 高·人 반 ㊤阮 fǎn ヘン·ハン かえる

筆順 ′ 厂 万 反 反 反 返 返

字解 ①돌아올반 갔다가 옴. 복귀함. '往一'. '往而不一'《莊子》. ②돌려보낼반 도로 돌려 줌. 복귀시킴. '一還'. '一之於天'《漢書》. ③바꿀반 '孔子烈然一瑟而弦, 子路抗然執干而舞. (注)一, 更也, 更取瑟而弦歌'《呂氏春秋》. ④회전할반 또는, 절회(折回)함. '一景入深林, 復照青苔上'《王維》. ⑤위반할반 위배(違背)함. '言多怪, 頗與孔子'不語怪力'相違一也'《論衡》. ⑥반대로반 거꾸로. '服金石, 毒發而莫之救, 求長生而一速斃乎'《謝肇淛》. ⑦갚을반 빚 같은 것을 청산함. '一金'《春渚紀聞》.
字源 形聲. 辶(辵)+反〔音〕

辵4〔迕〕8 오 ㊦遇 ㊤麌 wù wǔ ゴ あう

字解 ①만날오 상봉함. '王甫時出, 與蕃相

一'《後漢書》. ②거스를오 어그러짐. '旁一'. '莫敢復一'《漢書》. ③섞일오 뒤섞임. '廻穴錯一'《宋玉》. ④성오 성(姓)의 하나.
[字源] 形聲. 辶(辵)+午〔音〕

辵 4 〔运〕8 운 [上]吻 | yǔn ウン はしるさま
[字解] 달리는모양운 '一, 走皃'《集韻》.

辵 4 〔⿺辶巿〕8 발 [入]曷 | bó ハツ つまずく
[字解] ①곱드러질발 발에 무엇이 걸려 넘어짐. '一, 前頓也'《說文》. ②갈발 가는 모양. ③급히달릴발 '一, 急走'《廣韻》. ④갑자기발 '一, 廣雅, 猝也'《集韻》.
[字源] 形聲. 辶(辵)+米(또는, 巿)〔音〕

辵 4 〔⿺辶弔〕8 [一] 적 [入]錫 | dì テキ いたる
[二] 조 [去]嘯 | チョウ いたる
[字解] [一] 이를적 미침. '一, 至也'《說文》. [二] 이를조 [一]과 뜻이 같음.
[字源] 形聲. 辶(辵)+弔〔音〕

辵 4 〔⿺辶斗〕8 [韓] 두
[字解] 《韓》무지두, 마투리두 완전히 한 섬이 못 되는 곡식의 양(量). '我國用字, 以水典爲畓, 米穀未滿石者爲一'《芝峯類說》.

辵 4 〔⿺辶止〕8 〔사〕
徙(彳부 8획〈372〉)와 同字

辵 4 〔迊〕8 〔잡〕
帀(巾부 1획〈329〉)과 同字

辵 4 〔这〕8 〔저〕
這(辵부 7획〈1496〉)의 俗字

辵 4 〔远〕8 〔원〕
遠(辵부 10획〈1504〉)의 俗字

辵 4 〔还〕8 〔환〕
還(辵부 13획〈1508〉)의 俗字

辵 4 〔⿺辶开〕8 기 [上]紙 | jì キ ごせいをととのえるじょじ
[字解] 어조사(語助辭)기 어세(語勢)를 고르는 조사임. '詩, 往近王舅, 楊愼作⿺辶开, 一作一'《九經考異》.

辵 4 〔⿺辶支〕8 기 [去]寘 | qì キ さける
[字解] 피할기 '一, 避也'《廣雅》.

辵 4 〔迌〕8 돌 [入]月 | tū トツ わるがしこい
[字解] 교활(狡猾)할돌 '一, 詆誘皃'《玉篇》.

辵 4 〔⿺辶廿〕8 〔체〕
迣(辵부 5획〈1490〉)의 訛字

辵 4 〔⿺辶方〕8 방 [上]養 | fǎng ホウ いそいでゆく
[字解] 바삐갈방 '一, 急行也'《玉篇》.

辵 4 〔⿺辶予〕8 〔서〕
徐(彳부 7획〈371〉)와 同字

辵 4 〔⿺辶尤〕8 우 [平]尤 | yóu ユウ すぎる
[字解] 지날우 지냄. '一, 經過也'《集韻》.

辵 4 〔⿺辶厶〕8 제 | dì テイ すすまない
[字解] 나아가지아니할제 '一, 不進也'《川篇》.

辵 4 〔⿺辶公〕8 종 [平]冬 | cōng ショウ うつる
[字解] 옮길종 옮겨 감. '一, 音樅, 遷也'《廣韻》.

辵 4 〔⿺辶且〕8 질 [入]質 | zhì チツ ちかい
[字解] 가까울질 '一, 近也'《玉篇》.

辵 4 〔⿺辶太〕8 〔체〕
达(辵부 3획〈1488〉)의 訛字

辵 4 〔⿺辶内〕8 〔퇴〕
退(辵부 6획〈1493〉)의 古字

辵 4 〔⿺辶夬〕8 혈 [入]屑 | xuè ケツ はしる
[字解] 달릴혈 달려감. '一, 走也'《玉篇》.

辵 4 〔⿺辶从〕11 〔종〕
從(彳부 8획〈372〉)과 同字

辵 5 〔迢〕9 초 [平]蕭 | tiáo チョウ はるか
[字解] ①멀초 먼 모양. 아득한 모양. '一一萬里帆, 茫茫終何之'《謝靈運》. ②높을초 높은 모양. '一一百尺樓'《陶潛》.
[字源] 形聲. 辶(辵)+召〔音〕

辵 5 〔迣〕9 [一] 체 [去]霽 | chì テイ こえる
[二] 렬 [入]屑 | liè レイ さえぎる
[字解] [一] 넘을체 뛰어넘음. '一, 超踰也'《玉篇》. '體容與, 一萬里'《漢書》. [二] 막을렬 迾(辵부 6획〈1493〉)의 古字. '部落鼓鳴, 男女遮一'《漢書》.

[字源] 形聲. 辶(辵)+世〔音〕

辵 5 〔迤〕9 [一] 이 [上]紙 | yǐ イ ながながとつづく
[二] 타 [平]歌 | tuó タ·ダ ななめにゆくさま

[字解] [一] ①연할이 迆(辵부 3획〈1488〉)와 同字. '一, 同迆'《正字通》. ②경사질이 '立戈一戛, 農輿輅木'《張衡》. [二] 가는모양타 '逶一'는 비스듬히 가는 모양. '路逶一而脩迴兮'《王粲》.
[字源] 形聲. 篆文은 辶(辵)+也〔音〕
[參考] 迆(辵부 3획〈1488〉)와 同字.

辵 5 〔迱〕9 迤(前條)와 同字
[字源] 形聲. 辶(辵)+它〔音〕

辵 5 〔迥〕9 형 [上]迥 | jiǒng ケイ とおい
[字解] ①멀형 요원함. '一, 遠也'《說文》. '星漢一, 浮天闊'《金濂》. ②홀로형 '一, 獨也'《一切經音義》. '哀鳴思戰鬪, 一立向蒼蒼'《杜甫》. ③성형 성(姓)의 하나.
[字源] 形聲. 辶(辵)+同〔音〕

辵 5 〔迦〕9 [一] 가 [平]麻 | jiā カ ぶつだのな
[二] 해 [上]蟹 | xiè カイ あう
[字解] [一] ①부처이름가 '釋一'는 석가모니. 범어(梵語)의 'ka' 음을 표기하는 데 이 자를 씀. '一葉'. '一陵頻伽'. ②막을가 차단함. '一, 說文, 一互, 令不得行也'《集韻》. [二] ①해후할해 우연히 만남. '一與邂同. 邂逅, 不期而會也'《司馬光》. ②해탈하는모양해 '邂, 邂逅, 解說〔脫〕皃, 或作一'《集韻》.
[字源] 形聲. 辶(辵)+加〔音〕

辵 5 〔迨〕9 태 [上]賄 | dài タイ およぶ
[字解] 미칠태 이름. '一, 及也'《爾雅》. '求我庶士, 一其吉兮'《詩經》.
[字源] 形聲. 辶(辵)+台〔音〕

辵 5 〔迪〕9 [人名] 적 [入]錫 | dí テキ すすむ
[筆順] ㅣ 冂 日 由 由 ⻌由 迪 迪
[字解] ①길적 '一, 道也'《說文》. ②도덕(道德)적 '惠一吉, 從逆凶. (傳)一, 道也, 順道吉, 從逆凶'《書經》. ③나아갈적 앞으로 나아감. '弗求弗一'《詩經》. ④밟을적 이행함. 실천 궁행함. '允一厥德'《書經》. ⑤이끌적 교도(教導)함. '啓一後人'《書經》. ⑥이를적 미침. 도달함. '漢一于秦, 有革有因'《漢書》.
[字源] 形聲. 辶(辵)+由〔音〕

辵 5 〔迫〕9 [高·人] 박 [入]陌 | pò ハク せまる
[筆順] ′ ｜ 冂 白 白 ⻌白 迫 迫
[字解] ①닥칠박 가까이 다다름. '急一'. ②가까이할박 접근함. '一近'. '望崦嵫而勿一'《楚辭》. ③궁할박 곤궁함. 고생함. '窮一'. '窘一'. '悲時俗之一阨兮'《楚辭》. ④핍박할박 몹시 괴롭게 굶. '脅一'. '一害'. ⑤줄어들박 작아짐. '蹙一'. '陰一而不能蒸'《史記》. ⑥좁을박, 좁아질박 협착함. '一脅'. '地勢局一'《後漢書》. ⑦몰릴박 일이 밀려 여유가 없음. '外一公事'《漢書》.
[字源] 形聲. 辶(辵)+白〔音〕

辵 5 〔迭〕9 [一] 질(절[本]) [入]屑 | dié テツ かわる
[二] 일 [入]質 | yì イツ おかす
[字解] [一] ①갈마들질 교대함. '更一'. '日居月諸, 胡一而微'《詩經》. ②번갈아질 교대로. 갈마들어서. '一用柔剛'《易經》. ③성질 성(姓)의 하나. ※本音 절. [二] ①범할일 침범함. 침로함. 軼(車부 5획〈1464〉)과 통용. '一我殺地'《左傳》. ②달아날일 逸(辵부 8획〈1499〉)과 통용. '其馬將一'《孔子家語》.
[字源] 形聲. 辶(辵)+失〔音〕

辵 5 〔迮〕9 책 [入]陌 | zé サク せまる
[字解] ①닥칠책 窄(穴부 5획〈917〉)과 同字. '隣舍比里, 共相壓一'《後漢書》. ②성책 성(姓)의 하나.
[字源] 形聲. 辶(辵)+乍〔音〕

辵 5 〔述〕9 [高·人] 술 [入]質 | shù ジュツ のべる
[筆順] 一 十 才 木 朮 ⻌朮 述 述
[字解] ①말할술 ㉠이야기함. '煥然可一'《漢書》. ㉡설명함. '一而不作'《論語》. ㉢의견을 말함. '陳一'. ②이을술, 좇을술 이전의 일을 이어받아 따름. '一遵'. '父作之, 子一之'《中庸》. ③지을술 저작함. '著一'. ④언설술, 저술술 이상의 명사. '前人之一備矣'《范仲淹》. ⑤성술 성(姓)의 하나.
[字源] 形聲. 辶(辵)+朮〔音〕

辵 5 〔迡〕9 [一] 니 [去]霽 | nì デイ·ナイ ちかい
[二] 지 [平]支 | chí チ·ジ おそい
[字解] [一] 가까울니 '一, 近也'《玉篇》. [二] 늦을지 遲(辵부 12획〈1506〉)와 同字.

辵 5 〔逑〕9 [一] 월 [入]月 | yuè エツ こえる
[二] 휠 [入]月 | ケツ こえる
[字解] [一] ①넘을월 '一, 踰也'《說文》. ②달

아날월 '一, 散走也'《玉篇》. 曰 넘을훨, 달아날훨 ■과 뜻이 같음.
字源 形聲. 辶(辵)+戉〔音〕

辵5 〔迠〕9 첩 入葉 chè ショウ·チョウ ゆく
字解 갈첩 걸어감. '一, 行也'《字彙》.

辵5 〔迟〕9 격 入陌 qì ケキ まがってゆく
字解 ①굽게갈격 '一, 曲行也'《說文》. ②굽을격 '一, 曲也'《廣雅》.
字源 形聲. 辶(辵)+只〔音〕

辵5 〔迡〕9 제 ①②上薺 dǐ テイ いかってすすまない ③-⑤去霽 dì テイ おどろく
字解 ①성내어나아가지않을제 '一, 怒不進也'《說文》. ②말질길제 말이 말을 안 들음. '一, 一曰, 驚也'《說文》. ③놀랄제 '一, 驚也. 駭也'《玉篇》. ④놀라나아가지않을제 '一, 驚不進也'《集韻》. ⑤미치지않을제 '一, 向不及也'《玉篇》.
字源 形聲. 辶(辵)+氐〔音〕

辵5 〔迩〕9 〔이〕 邇(辵부 14획〈1509〉)의 古字

辵5 〔迟〕9 〔지〕 遲(辵부 12획〈1506〉)와 同字

辵5 〔迠〕9 〔조〕 徂(彳부 5획〈369〉)와 同字

辵5 〔迠〕9 迠(前條)와 同字

辵5 〔迩〕9 〔이〕 邇(辵부 14획〈1509〉)의 俗字

辵5 〔迯〕9 〔도〕 逃(辵부 6획〈1493〉)의 俗字

辵5 〔近〕9 〔장〕 匠(匚부 4획〈122〉)의 訛字

辵5 〔迷〕9 반 去翰 pàn ハン さる
字解 떠날반 떠남. '一, 去也'《集韻》.

辵5 〔迣〕9 세 去霽 shì セイ あそびあるく
字解 놀며걸을세 놀며 거닒. '一, 遊步也'《字彙》.

辵5 〔迺〕9 수 平尤 qiú シュウ とらえとどめる
字解 잡아가둘수 '一, 拘留也'《集韻》.

辵5 〔述〕9 曰 수 去寘 suì スイ 曰 치 去寘 zhuì ツイ あしがすすまぬ 去寘 zhì チ つまずく
字解 曰 드디어수 遂(辵부 9획〈1500〉)의 古字. '一, 說文, 亡也, 一曰, 因也, 達也. 古作一'《集韻》. 曰 ①발이나아가지아니할치 '一, 足不前也'《集韻》. ②곱드러질치 '一, 前頓也'《集韻》.

辵5 〔沿〕9 연 上銑 yǎn エン ゆく
字解 갈연 다님. '一, 行也'《字彙》.

辵5 〔迬〕9 〔왕〕 往(彳부 5획〈369〉)의 古字

辵5 〔迒〕9 용 上腫 rǒng ジョウ ゆく
字解 갈용 다님. 踊(足부 10획〈1443〉)과 同字. '一, 行也, 或作踊'《集韻》.

辵5 〔迶〕9 유 yǒu ユウ ゆく
字解 갈유 다님. '一, 行也'《五音篇海》.

辵5 〔迧〕9 〔진〕 陳(阜부 8획〈1617〉)과 同字

辵5 〔迯〕9 〔추〕 趀(走부 5획〈1407〉)와 同字

辵6 〔迴〕10 회 平灰 huí カイ めぐる
字解 돌회, 돌릴회 回(口부 3획〈194〉)·廻(廴부 6획〈355〉)와 同字. '圖一天下於掌上'《荀子》.

辵6 〔迵〕10 동 去送 平東 dòng トウ とおる
字解 ①지날동 통과함. '診其脈曰, 一風'〈풍(風)이 오장(五臟)을 통철(洞徹)함〉《史記》. ②통할동 통달함. '中冥獨達, 一不屈'《太玄經》.
字源 形聲. 辶(辵)+同〔音〕

辵6 〔迷〕10 高·人 미 平齊 mí メイ まよう
筆順 丶 丷 丬 半 米 米 迷 迷
字解 ①헤맬미 ㉠길을 잃어 헤맴. '奔逃山谷, 一路夜入深林'《列仙傳》. ㉡바른 길에 들어서지 못하고 방황함. 좇아 할 바를 몰라 괴로워함. '俾民不一'《詩經》. '實一途其

未遠, 覺今是而昨非'《陶潛》. 또, 그러한 일. '劣奴解識字, 則作—'《李義山》. ㉢정신이 혼란함. '—惑'. '昏—不恭'《書經》. 또, 그러한 일. '—身之—'《列子》. ②헤매게할미 미혹하게 함. '巧聲—耳'《易林》. '嫣然一笑, 惑陽城, —下蔡'《宋玉》. ③《現》미칠미 열중함. 또, 그러한 사람. '電影—'.
[字源] 形聲. 辶(辵)+米〔音〕

辵6 〔迸〕10 〔병〕 迸(辵부 8획〈1498〉)의 俗字

辵6 〔迹〕10 적 [入]陌 | jī セキ·ジャク あと
[字解] ①자취적 ㉠발자국. '足—'. '茫茫禹—'《左傳》. ㉡왕래. 내왕. '人—所絕'《漢書》. ㉢행위 또는 사건의 자취. 사적(事蹟). '明乎得失之—'《詩經 序》. ㉣공덕의 자취. 공적(功績). '有治—'《後漢書》. ㉤흔적. '筆—未工'《北齊書》. ㉥선례(先例). 구관(舊慣). '不踐—'《論語》. ②좇을적 뒤를 따름. '深—其道, 而務修其本'《漢書》. ③상고할적 나중에 그 사적에 의하여 상고함. '—漢功臣, 亦皆割符世爵'《漢書》.
[字源] 形聲. 辶(辵)+亦〔音〕

辵6 〔𨒪〕10 迹(前條)의 籀文

辵6 〔迺〕10 내 [上]賄 | nǎi ダイ·ナイ おどろきのこえ
[字解] ①이에내 乃(丿부 1획〈17〉)와 同字. '—立皋門'《詩經》. ②너내 乃(丿부 1획〈17〉)와 同字. '欲烹—翁'《漢書》. ③비로소내 '太子—生'《賈誼》. ④성내 성(姓)의 하나.
[字源] 形聲. 卤+乃〔音〕

辵6 〔追〕10 [中·人] [一]추 [平]支 | zhuī ツイ おう
[二]퇴 [平]灰 | duī タイ える, きざむ
[筆順] ′ 亻 𠂆 户 自 自 ′自 追
[字解] [一] ①쫓을추 ㉠급히 뒤따라감. '國人—之, 敗諸姑蔑'《史記》. ㉡몲. '—兎走, 百人—之'《愼子》. ㉢내쫓음. '—放'. '—戎于濟西'《左傳》. ㉣쫓아가 미침. 아직 늦지 아니함. '來者猶可—'《論語》. ㉤기왕의 일을 거슬러 올라감. 지난 일을 포착함. '—遠'. '—念前勳'《左傳》. ②좇을추 ㉠따름. 수종(隨從)함. '心慕手—'《晉書》. ㉡전송함. '薄言—之'《詩經》. ③뒤따라추 뒤를 바로 이어. '—尉遲氏入宮'《周書》. '—趙陳越代滕五王入朝'《周書》. ④성추 성(姓)의 하나. [二] ①갈퇴 옥 같은 것을 탁마함. '—琢其章'《詩經》. ②종(鐘)거는끈퇴 '以—蠡'(종을 매단 끈을 벌레가 좀먹는 일)《孟子》.
[字源] 會意. 辶(辵)+自

辵6 〔迾〕10 [一]렬 [入]屑 | liè レツ さえぎる
[二]례 [去]霽 | lì レイ さえぎる
[字解] [一] ①막을렬 막아 못 가게 함. '張弓帶鞬, 遮—出入'《後漢書》. ②벽제할렬 존귀한 사람이 길을 나설 때 통행을 금하여 길을 치움. '—卒淸候'《張衡》. [二] 막을례, 벽제할례 [一]과 뜻이 같음.
[字源] 形聲. 辶(辵)+列〔音〕

辵6 〔退〕10 [中·人] 퇴(④ 톤[本]) [去]隊 [去]願 | ①-③tuì タイ しりぞく ④トン あせる
[筆順] ㄱ ㅋ ㅋ 𠂤 𠂤 艮 ⻌艮 退
[字解] ①물러날퇴 ㉠물러감. '—却'. '—出'. '有進無—'《禮記》. ㉡되돌아감. '臨淵羨魚, 不如—而結網'《漢書》. ㉢퇴근함. '—食'. '公—之暇'《王禹偁》. ㉣관직을 떠남. '引—'. '功成名遂身—'《老子》. ㉤감소함. 줆. '減—'. ㉥떨어짐. 낮아짐. '是時, 元豐大臣—於散地, 皆銜怨入骨'《十八史略》. ㉦겸손함. 사양함. '謙—'. '恭敬撙節—讓'《禮記》. ㉧마음이 약함. '求也—, 故進之'《論語》. ②물리칠퇴 ㉠멀리함. 거절함. '辭—'. '見不善而不能—'《大學》. ㉡관직 등을 떨어뜨림. '—人以禮'《禮記》. ③성퇴 성(姓)의 하나. ④바랠퇴 褪(衣부 10획〈1283〉)와 同字. '肉色—紅嬌'《王建》. ※❹ 本音 톤.
[字源] 會意. 篆文은 彳+夂+食〈省〉

辵6 〔送〕10 [中·人] 송 [去]送 | sòng ソウ おくる
[筆順] ノ 八 亼 亼 关 关 ⻌关 送
[字解] ①보낼송 ㉠물건을 부쳐 줌. 증여함. '富貴者—人以財'《史記》. ㉡이별함. 전송함. '—別'. '—往迎來'《中庸》. ㉢가게 함. '—舊迎新'. '—夕陽迎新月'《王禹偁》. ②전송송 송별하는 일. '師友之—'《漢書》.
[字源] 會意. 篆文은 辶(辵)+关

辵6 〔送〕9 送(前條)과 同字

辵6 〔适〕10 괄 [入]曷 | guā カツ はやい
[字解] ①빠를괄 신속함. ②성괄 성(姓)의 하나.
[字源] 形聲. 辶(辵)+舌(𠯑)〔音〕

辵6 〔逃〕10 [高·人] 도 [平]豪 | táo トウ にげる

[筆順] 丿 丿 丬 兆 兆 兆 ⻌兆 逃

[字解] ①달아날도 ㉠도망함. '一走'. '齊王一遁走莒'《戰國策》. ㉡벗어남. 탈출함. '項羽圍成皐, 漢王一'《史記》. ②피할도 회피함. '一禪'. '季札讓一去'《史記》. ③떠날도 버리고 감. '一嫁'. '一墨必歸於楊'《孟子》. '良才抱璞而一'《後漢書》. ④깜작일도 눈을 잠깐 감았다가 뜸. 또, 눈동자를 굴림. '不目一'(눈을 끔쩍하지 아니함)《孟子》.
[字源] 形聲. ⻌(辵)+兆〔音〕

辵 6 〔迯〕 10 逃(前條)의 古字

辵 6 〔逄〕 10 방 [平]江 | páng ホウ ふさぐ
[字解] ①막을방 '一, 塞也'《集韻》. ②성방 성(姓)의 하나. '一蒙學射於羿'《孟子》.
[字源] 形聲. ⻌(辵)+夆(夅)〔音〕

辵 6 〔逅〕 10 [人名] 후 [去]有 | hòu コウ あう
[筆順] 一 厂 斤 斤 后 后 ⻌后 逅
[字解] 만날후 우연히 만남. '邂一相遇'《詩經》.
[字源] 形聲. ⻌(辵)+后〔音〕

辵 6 〔逆〕 10 [中·人] 역 [入]陌 | nì ギャク さからう
[筆順] 丶 丷 䒑 屰 屰 屰 ⻌屰 逆
[字解] ①거스를역 ㉠순조롭지 아니함. '一運'. '一境'. ㉡순종하지 아니함. '順天者存, 一天者亡'《孟子》. ㉢반대함. 대항함. '順人之嗜好而不敢一'《尹文子》. ㉣배반함. '反一'. '一臣'. '未退而一之'《國語》. ㉤도리·이치에 벗어남. '一理'. '言辯而一'《荀子》. ㉥사물에 반대되는 길을 잡음. '一轉'. '水一行氾濫於中國'《孟子》. ㉦기운이 거꾸로 올라옴. 상기함. '大飮則氣一'《素問》. ②허물역 큰 죄악. 반역·불효 따위. '大一無道'. '從一凶'《書經》. ③거꾸로역 전도하여. '一數'. '倒行而一施'《史記》. ④맞을역 ㉠불러 오게 함. '一天命'《書經》. ㉡맞이하여 받음. '一命不辭'《儀禮》. ㉢오는 것을 대기하여 막음. '專兵一志, 以一秦'《戰國策》. ㉣미리 헤아림. 추측함. '不一詐'《論語》. ⑤미리역 사전에. '一睹'. '凡事如是, 難可一見'《諸葛亮》.
[字源] 形聲. ⻌(辵)+屰〔音〕

辵 6 〔迻〕 10 이 [平]支 | yí イ うつる
[字解] 옮길이 移(禾부 6획〈901〉)와 통용. '屢懲艾而不一'《楚辭》.
[字源] 形聲. ⻌(辵)+多〔音〕

辵 6 〔洵〕 10 순 [去]震 | xùn ジュン さきんずる
[字解] 선손쓸순 먼저 싸움을 걺. 선수를 씀. '朋友相衛而不相一'《公羊傳》.

辵 6 〔迨〕 10 합 [入]合 | hé コウ おいつく
[字解] ①뒤따라미칠합 '一, 一遝, 行相及'《玉篇》. ②뒤섞일합 '一, 遝也'《說文》.
[字源] 形聲. ⻌(辵)+合〔音〕

辵 6 〔迣〕 10 교 [平]肴 | jiāo コウ·キョウ あう
[字解] 만날교 '一, 會也'《說文》.
[字源] 形聲. ⻌(辵)+交〔音〕

辵 6 〔逰〕 10 〔유〕 游(水부 9획〈663〉)의 古字

辵 6 〔逡〕 10 〔후〕 後(彳부 6획〈370〉)의 古字

辵 6 〔迹〕 10 〔회〕 恢(心부 6획〈388〉)와 同字

辵 6 〔逈〕 10 〔형〕 迥(辵부 5획〈1491〉)의 俗字

辵 6 〔逓〕 10 〔체〕 遞(辵부 10획〈1504〉)의 俗字

辵 6 〔适〕 10 결 [入]屑 | jié ケツ おどる
[字解] 뛸결 뛰어오름. '一, 跳'《玉篇》.

辵 6 〔洩〕 10 〔체〕 迣(辵부 5획〈1490〉)와 同字

辵 6 〔迣〕 10 〔체〕 迣(辵부 5획〈1490〉)와 同字

辵 6 〔逘〕 10 양 [平]陽 | yáng ヨウ たちもとおるさま
[字解] 머뭇거릴양 나아갔다 물러서는 모양. '一, 進退皃'《玉篇》.

辵 6 〔逦〕 10 연 [上]銑 | ruǎn ゼン ゆくことがおそい
[字解] 가기가더딜연 나아가는 데 더딤. '一, 行遲也'《字彙》.

辵 6 〔迂〕 10 우 [平]虞 | yú ウ ゆか
[字解] ①마루우, 평상(平牀)우 '一, 窗一,

牀也'《廣韻》. ②창(窓)우 '一, 窗也'《集韻》.

辵 6 〔⿺辶有〕 10 우 [去]有 | yòu ユウ ゆく

[字解] 갈우 다님. '一, 行'《玉篇》.

辵 6 〔逳〕 10 율 [入]質 | yù イツ しく

[字解] ①흩어져퍼질율 '一, 分布也'《玉篇》. ②가는모양율 '一, 行皃'《玉篇》.

辵 6 〔⿺辶印〕 10 인 [上]軫 | yǐn イン はしる

[字解] 달릴인 달려감. '一, 一遜, 走也'《玉篇》.

辵 6 〔⿺辶次〕 10 〔자〕 趑(走부 6획〈1409〉)과 同字

辵 6 〔⿺辶⿸广壬〕 10 〔정〕 庭(广부 7획〈347〉)과 同字

辵 6 〔⿺辶卒〕 10 〔졸〕 卒(十부 6획〈127〉)과 同字

辵 6 〔⿺辶至〕 10 치 [平]支 | chī シ はしるさま

[字解] 달릴치 달려감. '一, 走皃'《集韻》.

辵 6 〔⿺辶亥〕 10 해 [去]隊 | hài カイ はしる

[字解] 달릴해 달려감. '一, 走也'《玉篇》.

辵 6 〔⿺辶戌〕 10 휼 [入]質 | xù キツ しゅうじんのはしるさま

[字解] 여럿이달리는모양휼 '一, 衆走貌'《等韻》.

辵 7 〔逋〕 11 포 [平]虞 | bū ホ にげる

[字解] ①달아날포 도망하여 숨음. '一逃'. '歸而一'《易經》. ②포탈할포 구실을 바치지 아니함. '一更賦'《漢書》. 또, 미납한 구실. '積一'. '洗雪百年之一負'《後漢書》.

[字源] 形聲. 辶(辵)+甫〔音〕

辵 7 〔逌〕 11 유 [平]尤 | yóu ユウ やわらぎわらう

[字解] ①웃을유 빙그레 웃는 모양. 卣(卜부 5획〈129〉)와 同字. '主人一爾而笑'《班固》. ②말미암을유 由(田부 0획〈795〉)의 古字. '栗取弔於一吉兮'《班固》. ③바유 장소. 攸(攴부 3획〈479〉)의 古字. '彝倫一敍'《漢書》.

[字源] 象形. 접시 위에 놓인 술그릇 호리병을 본뜬 것. 술 기운이 감도는 모양에서, 기분이 편안한 모양을 나타냄. 일설에는, 辶(辵)+卣〔音〕의 形聲. '辵착'은 안정된 접시의 象形의 변형. '卣유'는 술통의 象形.

辵 7 〔⿺辶曲〕 11 逌(前條)와 同字

辵 7 〔逍〕 11 소 [平]蕭 | xiāo ショウ さまよう

[字解] 거닐소 '一遙'는 이리저리 거닒. '河上乎一遙'《詩經》.

[字源] 形聲. 辶(辵)+肖〔音〕

辵 7 〔⿺辶酉〕 11 [人名] 〔주〕 遒(辵부 9획〈1502〉)의 古字

[筆順] 一 丆 冂 丙 西 酉 酉 ⿺辶酉

辵 7 〔透〕 11 [高·人] 투 [去]有 | tòu トウ おどる, とおる

[筆順] 一 二 千 禾 禾 秀 秀 透

[字解] ①뛸투 도약함. '飛泳騁一'《謝靈運》. ②환할투 환히 비침. '一明'. '表裏忽通一'《韓愈》. ③사무칠투 통철(通徹)함. 투철함. 꿰뚫음. '此知如何捉摸得, 見得一時便是聖人'《傳習錄》. ④놀랄투 경악함. '驚一沸亂'《左思》. ⑤던질투 투신(投身)함. '乃一井死'《南史》.

[字源] 形聲. 辶(辵)+秀〔音〕

辵 7 〔逐〕 11 [高·人] 축 [入]屋 | zhú チク おう

[筆順] 一 丆 丁 豕 豕 豕 豕 逐

[字解] ①쫓을축 ㉠뒤쫓아감. '追一'. '子都拔棘以一之'《左傳》. ㉡추방함. '一出'. '請一切一客'《史記》. ㉢물리침. 배척함. '三仕三見一於君'《史記》. ㉣몸. '殘片一風廻'《楊發》. ㉤구함. '厭邇一遠'《國語》. ②쫓길축 '斥乎齊, 一乎宋衞'《史記》. ③달릴축 질주함. '良馬一'《易經》. ④다툴축 경쟁함. '角一'. '諸侯一進'《左傳》. ⑤좇을축 뒤따름. '一隊而趨'《韓愈》. '乘白黿兮一文魚'《楚辭》. ⑥하나하나축 사물을 하나하나 세는 데 이름. '一一'. '一條'.

[字源] 會意. 甲骨文은 豕+止〔音〕

辵 7 〔逑〕 11 구 [平]尤 | qiú キュウ たぐい, あつめる

[字解] ①짝구 배우자. '窈窕淑女, 君子好一'《詩經》. ②모을구 한데 모이게 함. 또, 일치시킴. '以爲民一'《詩經》.

[字源] 形聲. 辶(辵)+求〔音〕

辵 7 〔途〕 11 [高·人] 도 [平]虞 | tú ト みち

[筆順] ノ 𠆢 亼 亽 今 余 涂 途

[字解] 길도 도로. 塗(土부 10획〈217〉)와 同字. '一上'. '遇諸一'《論語》.
[字源] 形聲. 辶(辵)+余〔音〕

辵 7 〔逕〕 11 [人名] 경 [去]徑 | jìng ケイ こみち

[筆順] 一 𡿨 巛 巠 巠 巠 '巠 逕

[字解] ①좁은길경 소로(小路). 또, 지름길. '門一'. '禪一閑淸'《王融》. ②지날경 소로를 통과함. '一路'. '東一馬邑縣故城南'《水經注》. ③가까울경 비근(卑近)함. 또, 곧음. '事略而意一'《文心雕龍》. ④자취경 발자취. '䟢䠙之一'《莊子》.
[字源] 形聲. 辶(辵)+巠〔音〕

辵 7 〔逖〕 11 적 [入]錫 | tì テキ とおい

[字解] ①멀적 요원함. '一矣, 西土之人'《書經》. ②멀리할적 '糾一王慝'《左傳》. ③두려워할적 惕(心부 8획〈396〉)과 통용. '渙, 其血, 去一出'《易經》.
[字源] 形聲. 辶(辵)+狄〔音〕

辵 7 〔逗〕 11 두 ①②[去]有 ③[去]遇 | dòu トウ とどまる | zhù チュ さけてゆく

[字解] ①머무를두 임시로 체류함. '一留'. '一華陰之湍渚'《後漢書》. ②피할두 회피함. '一撓當斬'《漢書》. ③성두 성(姓)의 하나.
[字源] 形聲. 辶(辵)+豆〔音〕

辵 7 〔這〕 11 저 (자[本]) [上]馬 | zhè シャ これ,この

[字解] 이저 此(止부 2획〈603〉)와 뜻이 같음. '一般'. '一賊誤我'《唐書》. ※本音 자.
[字源] 形聲. 辶(辵)+言〔音〕

辵 7 〔通〕 11 [中·人] 통 [平]東 | tōng ツウ とおる

[筆順] 乛 マ 𠃓 丙 甬 甬 '甬 通

[字解] ①통할통 ㉠꿰뚫음. '貫一'. '亨一'. '一神明之德'《易經》. ㉡두루 미침. '流一'. '偏一'. '知類一達'《禮記》. ㉢지남. '一過'. ㉣왕래함. '舟楫所一'《新書》. ㉤왕래하게 함. '剖符一使'《漢書》. ㉥환히 앎. '一曉'. '博一'. '不一乎兵者之論'《呂氏春秋》. ㉦의사가 상통함. '五方之民, 言語不一'《禮記》. ㉧의사를 전하여 알림. '一譯'. '不能一其意'《韓愈》. ㉨지장 없이 행하여짐. '不出戶庭知一塞'《易經》. ㉩입신 출세함. '一則觀其所禮'《呂氏春秋》. 또, 명예·권력의 지위에 있는 일. '窮一'. ㉪사귐. 교제함. '非長者, 勿與一'《漢書》. ㉫간음함. '姦一'. '竊私一呂不韋'《史記》. ②말할통 진술함. '先生一正言'《漢書》. ③온통통 전체. '一國'. '一常'. '夫三年之喪, 天下之一喪也'《論語》. ④통통 편지 또는 서류를 세는 수사(數詞). '書面一一'. 또, 수미(首尾)가 완결한 편장(篇章). '政論一一'《後漢書》. ⑤말똥통 말의 대변. '以馬一薰之'《後漢書》. ⑥사방십리통 토지 구획의 명목(名目). 곧, 십 리 사방. '井十爲一'《漢書》. ⑦성통 성(姓)의 하나.
[字源] 形聲. 辶(辵)+甬〔音〕

辵 7 〔逋〕 11 通(前條)과 同字

辵 7 〔逝〕 11 [高校] 서 [去]霽 | shì セイ ゆく

[字解] ①갈서 ㉠세월이 감. '日月一矣, 歲不我與'《論語》. ㉡앞으로 감. 전진함. '騅不一兮可奈何'《史記》. ㉢떠남. 가 버림. '一川'. '今將返神還乎無名, 吾今一矣'《列仙傳》. ㉣죽음. '一長'. '瞑目而一'《王文成公年譜》. ②이에서 발어사(發語辭). 시경(詩經)에 많이 쓰임. '一不古處'《詩經》.
[字源] 形聲. 辶(辵)+折〔音〕

辵 7 〔逞〕 11 령 (정[本]) [上]梗 | chěng テイ たくましい

[筆順] 口 口 旦 早 呈 呈 '呈 逞

[字解] ①왕성할령 세력이 성대함. 또, 용감함. '其意驕一而不可摧'《蘇軾》. ②쾌할령 만족을 느껴 상쾌함. '不一于許君'《左傳》. ③쾌하게할령 마음대로 하여 만족을 얻음. '一意'. '殺人以一'《左傳》. ④다할령 극진(極盡)함. '不可億一'《左傳》. ⑤풀령 근심을 풂. '可以一'《左傳》. ⑥늦출령 부드럽게 함. '一顏色'《論語》. ⑦검속할령 몸을 단속함. '不一之徒'《宋書》. ※本音 정.
[字源] 形聲. 辶(辵)+呈〔音〕

辵 7 〔速〕 11 [中·人] 속 [入]屋 | sù ソク すみやか, はやい

[筆順] 一 𠃍 𠮛 𠮛 申 束 '束 速

[字解] ①빠를속 신속함. '急一'. '欲一則不達'《論語》. ②빨리할속 '弟子曰, 可以一矣'《史記》. ③빨리속 급속히. '王一出令'《孟子》. ④부를속 ㉠초청함. '不一之客'《易經》. '以一諸父'《詩經》. ㉡초래함. '一禍'. ⑤성속 성(姓)의 하나.
[字源] 形聲. 辶(辵)+束〔音〕

辵7 〔造〕11 中·人 조 ㊤晧 ①-⑤zào ゾウ·ソウ つくる ㊡號 ⑥-⑩cào ゾウ·ソウ いたる

筆順 ノ 𠂉 𠂊 牛 牛 告 浩 造

字解 ①지을조 ㉠제작함. '製—'. '創—'. '不得—車馬'《禮記》. ㉡조작함. '—言之刑'《周禮》. ②시작할조 처음으로 함. '文王—之而未遂'《呂氏春秋》. ③처음조 맨 먼저. '—攻自鳴條'《書經》. ④때조 시대. '夏之末—也'《禮記》. ⑤성조 성(姓)의 하나. ⑥이룰조 사물을 성취함. '小子有—'《詩經》. ⑦이를조 ㉠옴. '其有衆咸—'《書經》. ㉡감. '先生王斗, —門欲見齊宣王'《戰國策》. ㉢깊은 경지에 도달함. '—詣'. '深—之以道'《孟子》. ⑧넣을조 속에 들어가게 함. '設大盤, —冰'《禮記》. ⑨벌여놓을조 나란히 늘어놓음. '—舟爲梁'《詩經》. ⑩갑자기조 졸지에. '—然失容'《大戴禮》.
字源 形聲. 金文은, 宀+舟+告〔音〕

辵7 〔逡〕11 준 ①-③㊥眞 qūn シュン しりごむ ④㊡震 xùn シュン はやい

字解 ①뒷걸음질칠준 조금씩 뒤로 물러남. '群臣—'《漢書》. ②머뭇거릴준 앞으로 나아가기를 주저함. '—遁有恥'《漢書》. ③토끼준 날쌘 토끼. 㕙(厶부 13획〈140〉)과 통용. '東郭—者, 海內之狡兎也'《戰國策》. ④빠를준 駿(馬부 7획〈1742〉)과 통용. '—奔走'《禮記》.
字源 形聲. 辶(辵)+夋〔音〕

辵7 〔逢〕11 中·人 봉 ㊥冬 ①-④féng ホウ あう ㊥東 ⑤péng ホウ せい

筆順 ノ ク 夂 夂 夆 夆 逢 逢

字解 ①만날봉 ㉠사람과 만남. '—遇'. '飯顆山頭—杜甫'《李白》. ㉡우연히 만남. '—時不祥'《賈誼》. ㉢…을 당함. '—誅'(주륙을 당함)《後漢書》. ②맞을봉 영합함. '—君之惡, 其罪大'《孟子》. ③클봉 '衣—掖之衣'《禮記》. ④꿰맬봉 縫(糸부 11획〈1009〉)과 통용. '深衣—齊倍要'《禮記》. ⑤성봉 성(姓)의 하나.
字源 形聲. 辶(辵)+夆〔音〕

辵7 〔連〕11 中·人 련 ㊥先 ①-④lián レン つらなる ㊤銑 ⑤liǎn レン おそい

筆順 一 厂 冂 旨 亘 車 連 連

字解 ①이을련, 이어질련 ㉠연속함. 계속함 '—續'. '淚落—珠子'《古詩》. 또, 연하여. 계속하여. '—戰—勝'. '—徵不至'《後漢書》. ㉡열을 지어 늘어섬. '—嶁列埒之門'《淮南子》. ㉢붙음. 잇닿음. '雲—徒州'《國語》. ㉣합침. '—合'. '—諸侯者次之'《孟子》. ②살붙이련 친척. '及蒼梧秦王有—'《史記》. ③열나라련 주대(周代)의 제도(制度)로 십국(十國)을 한 구역으로 한 일컬음. '十國以爲—, —有帥'《禮記》. ④성련 성(姓)의 하나. ⑤더딜련 길이 험하여 가는 데 시간이 걸림. '往蹇來—'《易經》.
字源 會意. 辶(辵)+車

辵7 〔逜〕11 오 ①㊡遇 wù ゴ さます ②㊤麌 wǔ ゴ すぎる

字解 ①깨우칠오 깨움. '—, 寤也'《爾雅》. ②지날오 '—, 過也'《集韻》.

辵7 〔逤〕11 사 ㊡箇 shā サ ちめい

字解 땅이름사 '—, 邏—, 吐蕃地名'《字彙補》.

辵7 〔退〕11 패 ㊡卦 bài ハイ やぶれる

字解 ①무너질패 '—, 壞也'《玉篇》. ②흩어질패 뿔뿔이 흩어져 달아남. '—, 散走'《廣韻》.
字源 形聲. 辶(辵)+貝〔音〕

辵7 〔逛〕11 광 ㊤養 ①-③guàng キョウ はしる ㊡漾 ④kuàng キョウ あざむく

字解 ①달릴광 또, 달리는 모양. '—, 走也'《字彙》. '—, 走皃'《廣韻》. ②놀광 빈둥빈둥 놂. '逛, 按, 今北方語, 謂閒遊曰—'《中華大字典》. ③성광 성(姓)의 하나. ④속일광 '迋, 欺也. 或从狂'《集韻》.

辵7 〔逩〕11 〔괄〕 适(辵부 6획〈1493〉)의 本字

辵7 〔逷〕11 〔퇴〕 退(辵부 6획〈1493〉)의 古字

辵7 〔逓〕11 〔체〕 遞(辵부 10획〈1504〉)의 俗字

辵7 〔递〕11 〔체〕 遞(辵부 10획〈1504〉)와 同字·簡體字

辵7 〔�〕11 ㊀갱 ㊥庚 gēng コウ うさぎみち ㊁항 ㊥陽 háng コウ とびさがる

字解 ㊀토끼다니는길갱 '—, 兔徑'《集韻》.

曰 ①날아내릴항 '一, 亦作頏. 飛而上曰頡, 飛而下曰一'《篇海類編》. ②자취항, 긴길〔長道〕항 迒(辵부 4획〈1489〉)과 同字. '迒, 迹也, 長道也, 一, 同迒'《玉篇》.

辵7 〔迹〕11 〔기〕
棄(木부 8획〈559〉)의 古字

辵7 〔邉〕11 〔변〕
邊(辵부 15획〈1510〉)의 俗字

辵7 〔逷〕11 邉(前條)과 同字

辵7 〔逄〕11 〔요〕
遙(辵부 10획〈1503〉)와 同字

辵7 〔逞〕11 정 ㊤青 tíng テイ くさのこみち

字解 풀이무성한소로(小路)정 '一, 草逕也'《字彙補》.

辵7 〔迭〕11 첩 ㊇葉 dié チョウ はしるさま

字解 달리는모양첩 '一, 一逯, 走皃'《集韻》.

辵7 〔逈〕11 〔형〕
迥(辵부 5획〈1491〉)의 俗字

辵7 〔逤〕11 흔 ㊤軫 xǐn キン はしる

字解 달릴흔 달려감. '一, 迎一'《玉篇》.

辵8 〔迸〕12 병 ㊋敬 bèng ホウ・ヒョウ ほとばしる

字解 ①솟아나올병 세차게 겉으로 나와 흐름. '一泉'. '涙橫一而霑衣'《潘岳》. ②흩어질병, 달아날병 흩어져 달아남. 궤주함. '一散'. '人庶流一'《後漢書》. 또, 흩어져 달아나게 함. '擊而一之'《五代史》. ③물리칠병 屛(尸부 8획〈299〉)과 同字. '一諸四夷'《大學》.

字源 形聲. 辶(辵)+并〔音〕

參考 迸(辵부 6획〈1493〉)은 俗字.

辵8 〔逭〕12 환 ㊋翰 huàn カン のがれる

字解 달아날환 도망함. '自作孽, 不可一'《書經》.

字源 形聲. 辶(辵)+官〔音〕

辵8 〔逮〕12 高校 曰 태 ㊋隊 dài, dǎi タイ およぶ 曰 체 ㊋霽 dì テイ おう, とらえる

字解 曰 ①미칠태 ㉠이름. 닥쳐옴. '菑必一夫身'《大學》. ㉡따라감. 도달함. '恥躬之不一也'《論語》. ㉢때가 옴. 어느 때에 이름. '一淳熙之初, 元有朱熹之繼作'《葉釆》. ②미치게할태 이르게 함. '旅酬下爲上, 所以一賤也'《中庸》. 曰 ①쫓을체, 잡을체 쫓아가 잡음. 추포(追捕)함. '一捕'. '一繫長安'《漢書》. ②단아할체 단정한 모양. '威儀一一'《禮記》.

字源 形聲. 辶(辵)+隶〔音〕

辵8 〔週〕12 人名 주 ㊤尤 zhōu シュウ めぐる, しゅう

筆順 丿 冂 冃 円 用 周 凋 週

字解 ①두를주, 둘레주 周(口부 5획〈157〉)와 同字. '一遊八極'《列仙傳》. ②일주주 칠일, 특히, 칠요일(七曜日)을 '一一'라 함.

字源 形聲. 辶(辵)+周〔音〕

辵8 〔進〕12 中·人 진 ㊋震 jìn シン すすむ

筆順 ノ 亻 亻' 仹 佯 隹 進 進

字解 ①나아갈진 ㉠앞으로 나아감. '前一'. '趨而一'《禮記》. ㉡벼슬살이함. 출사함. '仕一'. '君子一則能益上之譽'《荀子》. ㉢선(善)으로 나아감. 차차 좋은 데로 향하여 감. 나아감. '一步'. '漸一也'《公羊傳》. ㉣임금을 뵈러 나아감. '毋或一'《禮記》. ②다가올진 가까이 옴. 또, 다가오게 함. '引而一之'《禮記》. '古之君子, 一人以禮, 退人以禮'《禮記》. ③오를진 ㉠위로 올라감. '三揖而一'《禮記》. ㉡지위 같은 것이 올라감. '一級'. ④올릴진 ㉠끌어올림. 추천함. '一君子退小人'. '推賢而一達之'《禮記》. ㉡윗사람에게 올림. 드림. '一上'. '奉銅盤, 而一之楚王'《史記》. ⑤더할진 보탬. '一退之'《禮記》. ⑥힘쓸진 노력함. '一德修業'《易經》. ⑦선물진 선사. 贐(貝부 14획〈1401〉)과 통용. '蕭何爲主吏主一'《史記》. ⑧성진 성(姓)의 하나.

字源 會意. 辶(辵)+隹

辵8 〔逴〕12 탁 ㊇覺 chuō タク とおい (착㊍) ㊇藥 チャク とおい

字解 ①멀탁 요원함. '一行殊遠'《史記》. ②넘을탁 초월함. 초과함. '一躒諸夏'《班固》. ※本音 착.

字源 形聲. 辶(辵)+卓〔音〕

辵8 〔逵〕12 人名 규 ㊤支 kuí キ おおどおり

筆順 一 十 土 夫 坴 坴 逵 逵

字解 ①한길규 아홉 군데로 통하는 길. 대로(大路). '九一'. '康一'. '入及大一'《左

傳》. ②성규 성(姓)의 하나.
[字源] 會意. 辶(辵)+奎

辵 8 〔逶〕12 위 [平]支 | wēi イ ななめにゆく
[字解] 구불구불갈위 사행(蛇行)하는 모양. '一迤而北'《史記》.
[字源] 形聲. 辶(辵)+委〔音〕

辵 8 〔逸〕12 [高·人] 일 [入]質 | yì イツ なくなる, はしる
[筆順] ノ ク 缶 角 免 兔 逸 逸
[字解] ①잃을일 망실함. '亡一'. '一詩'. '多闕載, 多一文'《皇甫湜》. ②달릴일, 달아날일 질주함. 또, 도망함. '奔一'. '一逃'. '馬一不能止'《左傳》. ③즐길일 안락하게 지냄. '安一'. '君一於上, 臣勞於下'《王禹偁》. ④편안일 안락. '以一待勞'. '欲一而惡勞'《呂氏春秋》. ⑤놓을일 놓아 줌. 석방함. '乃一楚囚'《左傳》. ⑥뛰어날일 우수함. '一品'. '言行超一'《南史》. ⑦숨을일 은거함. '擧一民'《論語》. ⑧은사일 은거하는 어진 사람. 은군자. '搜賢採一'《北史》. ⑨그르칠일 잘못함. '天吏一德'《書經》. ⑩음탕할일 음란함. '耳不樂一聲'《國語》. ⑪빠를일 신속함. '良駿一足'《傅毅》. ⑫격할일 격앙함. '氣雄而一'《高適》.
[字源] 會意. 篆文은 辶(辵)+兔

辵 8 〔逯〕12 록 [入]沃 | lù リョク・ロクすることのないさま
[字解] ①하는일없을록 아무 하는 일이 없는 모양. '渾然而來, 一然而往'《淮南子》. ②성록 성(姓)의 하나.
[字源] 形聲. 辶(辵)+彔〔音〕

辵 8 〔逷〕12 적 [入]錫 | tì テキ とおい
[字解] 멀적 逖(辵부 7획〈1496〉)의 古字. '用一蠻方'《詩經》.
[字源] 形聲. 辶(辵)+易〔音〕
[參考] 逿(辵부 9획〈1500〉)은 別字.

辵 8 〔叕辶〕12 [一]결 [入]屑 | jué ケツ とおい
[二]출 [入]質 | zhú チュツ はしる
[字解] [一] 멀결 '一, 遠也'《玉篇》. [二] 달릴출 달리는 모양. 또, 달려서 감. '一, 走皃'《廣韻》.
[字源] 形聲. 辶(辵)+叕〔音〕

辵 8 〔逕〕12 아 [去]禡 | yà ア つぐ, つづく
[字解] ①차례로갈아 '一, 次第行也'《集韻》. ②버금아 亞(二부 6획〈27〉)와 同字. '一, 次也, 或作亞'《玉篇》.

辵 8 〔逪〕12 착 [入]藥 | cuò サク まじる
[字解] ①섞일착 뒤섞임. ②어지러울착 '一, 亂也'《玉篇》. ③등질착 '一, 偝也'《廣雅》.
[字源] 形聲. 辶(辵)+昔〔音〕

辵 8 〔逩〕12 분 [去]願 | hèn ホン はしる
[字解] 달릴분 '一, 奔走也'《字彙》.

辵 8 〔遃〕12 [一]간 [平]刪 | カン すぎる
[二]건 [平]先 | qiān ケン あやまち
[字解] [一] 지날간 '一, 過也'《說文》. [二] 허물건 '愆, 說文, 過也. 亦作一'《集韻》.
[字源] 形聲. 辶(辵)+侃〔音〕

辵 8 〔逊〕12 〔렬〕
迾(辵부 6획〈1493〉)의 本字

辵 8 〔逘〕12 〔송〕
送(辵부 6획〈1493〉)의 本字

辵 8 〔逎〕12 〔수〕
遂(辵부 9획〈1500〉)의 古字

辵 8 〔逞〕12 〔왕〕
往(彳부 5획〈369〉)의 古字

辵 8 〔逰〕12 〔유〕
遊(辵부 9획〈1501〉)의 俗字

辵 8 〔逺〕12 〔원〕
遠(辵부 10획〈1504〉)의 俗字

辵 8 〔遣〕12 〔견〕
遣(辵부 10획〈1504〉)의 俗字

辵 8 〔逃〕12 〔도〕
逃(辵부 6획〈1493〉)의 俗字

辵 8 〔逕〕12 〔경〕
輕(車부 7획〈1468〉)의 古字

辵 8 〔過〕12 〔과〕
過(辵부 9획〈1501〉)의 俗字

辵 8 〔逮〕12 〔귀〕
歸(止부 14획〈605〉)와 同字

辵 8 〔遝〕12 답 [入]合 | tá トウ ゆくさま
[字解] ①가는모양답 '一, 一一, 行貌'《字彙》. ②遝(辵부 10획〈1504〉)의 俗字. '一, 俗遝字'《正字通》.

辵 8 〔逪〕12 〔사〕
延(辵부 4획〈1490〉)와 同字

走8 〔逳〕 12 육 ㊄屋 | yù イク めぐる

字解 ①구를육 '一, 轉也'《集韻》. ②갈육 다님. '一, 行也'《集韻》. ③걸을육 '一, 步也'《廣韻》.

走8 〔淫〕 12 음 ㊊侵 | yín イン すぎる

字解 지날음 지나감. '一, 過也'《集韻》.

走8 〔逮〕 12 첩 ㊄葉 | jié ショウ はやくはしる

字解 빨리달릴첩 '一, 疾走'《玉篇》.

走9 〔逼〕 13 핍(벽㊍) ㊄職 | bī ヒョク・ヒツ せまる

字解 ①닥칠핍 가까이 다다름. '勢危事一'《梁武帝》. ②가까이할핍 가까이 감. '不敢一'《南史》. ③핍박할핍 ㉠침노함. '漸相攻一'《後漢書》. ㉡억지로 시키려고 괴롭게 굶. '自誓不嫁, 其家一之'《古詩》. ④쪼그라들핍 위축함. '鬷畏一以潛身兮'《阮籍》. ⑤몰핍 구축함. '不得輒有驅一'《隋書》. ⑥좁을핍, 좁아질핍 협착함. '岸狹勢一'《山川攷》. ※本音 벽.

字源 形聲. 辶(辵)+畐〔音〕

走9 〔逾〕 13 유 ㊊虞 | yú ユ こえる

字解 ①넘을유, 지날유 ㉠넘어감. 건너감. '一于洛'《書經》. ㉡한도를 넘음. '一越'. ㉢지나감. 경과함. '日月一邁'《書經》. ②더욱유 한층 더. '亂乃一甚'《淮南子》.

字源 形聲. 辶(辵)+俞〔音〕

走9 〔逿〕 13 ㊀탕 ㊍漾 / ㊁당 ㊊陽 | dàng トウ たおれる / táng トウ つく

字解 ㊀ ①넘어질탕 쓰러짐. '陽醉一墜'《漢書》. ②움직일탕 동요하게 함. '重陽者一心主'《史記》. ㊁ 찌를당 충돌함. '蘶以迭一'《張衡》.

字源 形聲. 辶(辵)+易〔音〕

參考 逷(辵부 8획〈1499〉)은 別字.

走9 〔遁〕 13 人名 ㊀둔 ㊍願 (돈㊍) ㊤阮 ㊁준 ㊊眞 | dùn トン のがれる / qūn シュン あとじさりする

筆順 一 厂 𠂆 𠂊 盾 盾 㡜 遁

字解 ㊀ ①달아날둔 도망함. '一逃'. '曳柴而僞一'《左傳》. ②숨을둔 ㉠도피하여 숨음. '冉一身于梁沛之間, 徒行敝衣, 賣卜于市'《後漢書 范冉傳》. ㉡속세를 피하여 삶. '隱一'. '一世不見知而不悔'《中庸》. ③피할둔 몸을 피함. 또는, 책임을 회피함. '一辭'. '上下相一'《後漢書》. ※本音 돈. ㊁ 뒷걸음질칠준 逡(辵부 7획〈1497〉)과 同字. '一巡而不敢進'《賈誼》.

字源 形聲. 辶(辵)+盾〔音〕

走9 〔遂〕 13 高·人 수 ㊍寘 | suì スイ とげる

筆順 八 亼 㒸 㒸 㒸 家 㒸 遂

字解 ①이룰수 ㉠성취함. '功成名一'. '百事乃一'《禮記》. ㉡자람. 성장함. 또, 천명대로 삶. '痛萬姓之罹罪, 憂衆生之不一也'《說苑》. ㉢끝냄. 마침. '吾聞, 先生事魏不一'《漢書》. ②나갈수 전진함. '不能退, 不能一'《易經》. ③올릴수 끌어올림. 등용함. '顯忠一良'《書經》. ④따를수 순응함. '以一八風'《國語》. ⑤오로지할수 전단(專斷)하여 행함. '大夫無一事'《公羊傳》. ⑥망설일수 주저함. 머뭇거림. '小事殆乎一'《荀子》. ⑦드디어수 마침내. 그 결과로서. '侵蔡, 蔡潰. 一伐楚'《春秋》. ⑧도랑수 밭 사이의 작은 수로(水路). '夫間有一, 一上有徑'《周禮》. ⑨행정구획이름수 주대(周代)의 행정 구획의 하나. 왕성(王城)으로부터 1리에서 3백 리까지의 사이의 땅. 먼 교외(郊外)의 땅. '六鄕六一'. '五縣爲一'《周禮》. ⑩성수 성(姓)의 하나.

字源 形聲. 辶(辵)+㒸〔音〕

走9 〔遄〕 13 천 ㊊先 | chuán セン すみやか

字解 빠를천 내왕(來往)이 잦고, 빠른 모양. '一臻于衞'《詩經》.

字源 形聲. 辶(辵)+耑〔音〕

走9 〔遇〕 13 中·人 우 ㊍遇 | yù グウ あう

筆順 丨 冂 日 月 禺 禺 禺 遇

字解 ①만날우 ㉠길에서 만남. '宋公衞公一于垂'《春秋》. ㉡우연히 만남. '遊於匡山, 一處士張孝秀'《南史》. ㉢일을 만남. '今又一難於此'《史記》. ㉣때를 만남. 등용됨. '無所一'《史記》. ㉤…을 당함. '一奪釜鬲於塗'《史記》. '躍躍毚兔, 一犬獲之'《詩經》. ②대접할우 접대함. '待一'. '厚一'. '一我厚'《漢書》. ③때우 기회. 계제. '千載一一, 賢智之嘉會'《袁宏》. ④마침우 그 경우에 걸맞게. '一有以夢得事白上者'《韓愈》. ⑤뜻밖에우 우연히. '一見讐家'《李義山雜纂》. ⑥조현우 제후가 겨울에 천자(天子)에게 하는 알현(謁見). '冬見曰一'《周禮》. ⑦성우 성(姓)의 하나.

字源 形聲. 辶(辵)+禺〔音〕

辵 9 〔**遊**〕 13 [中·人] 유 [平]尤 | yóu ユウ あそぶ

[筆順] 亠 方 方 扩 斿 斿 游 遊

[字解] ①놀유 ㉠즐겁게 지냄. '逸一'. '一樂'. '盤一無度'《書經》. ㉡일없이 세월을 보냄. '一民'. '息焉一焉'《禮記》. ㉢자적(自適)하고 있음. '一乎塵垢之外'《莊子》. ㉣벼슬을 하지 아니함. '國子存一倅'《禮記》. ㉤흩어짐. 소속한 데가 없음. '一軍'. '一魂爲變'《易經》. ㉥취학함. 배움. '一學'. '一於聖人之門'《孟子》. ㉦사귐. '交一'. '與君子一'《大戴禮》. ㉧밖으로 나감. '出一'. '夜一'. ㉨여행함. 나그네가 됨. '客一'. '王資臣萬金而一'《戰國策》. ②놀게할유 전항의 타동사. '所以一目騁懷'《王羲之》. ③놀이유 '爲周道一'《史記》. ④벗유 사귀는 사람. '交一稱其信也'《禮記》. ⑤여행유 幷奔千里一'《謝靈運》. ⑥틈유 한산(閑散). '貴一子弟'《周禮》. ⑦유세(遊說)할유 여러 곳에 돌아다니면서 자기 뜻을 말하는 일. '子好一乎'《孟子》.

[字源] 形聲. 辶(辵)+斿〔音〕

辵 9 〔**運**〕 13 [中·人] 운 [去]問 | yùn ウン めぐる, はこぶ

[筆順] ' 冖 冖 冐 冝 軍 渾 運

[字解] ①돌운 회전함. '一行'. '日月一行'《易經》. ②돌릴운 회전시킴. '一轉'. '君子欠伸一笏'《禮記》. ③움직일운 ㉠위치가 변함. '海一則將徙南溟'《莊子》. ㉡부리어 씀. '一筆'. '一用'. ④궁리할운 궁구함. '一籌策帷幄之中'《史記》. ⑤옮길운 운반함. '一輸'. '一百甓於齋外'《十八史略》. ⑥운운 운수. '一命'. '世一'. '漢承堯一'《史記》. ⑦세로운 토지의 남북을 이름. 동서는 '廣'이라 함. '廣一百里'《國語》. ⑧십이대(十二代)운 360년의 일컬음. ⑨성운 성(姓)의 하나.

[字源] 形聲. 辶(辵)+軍〔音〕

辵 9 〔**運**〕 13 運(前條)의 本字

辵 9 〔**遌**〕 13 악 [入]藥 | è ガク あう

[字解] 만날악 상봉함. 遻(辵부 12획〈1507〉)과 同字. '重華不可一兮'《楚辭》.

辵 9 〔**遍**〕 13 [高·人] 편 [去]霰 | biàn(piàn) ヘン あまねし

[筆順] 一 ㅋ 戶 肩 肩 扁 遍 遍

[字解] ①두루편, 두루미칠편 徧(彳부 9획〈373〉)과 同字. '十二街中春雪一'《張籍》. ②번편 횟수. '月常一一'《魏志 註》.

[字源] 形聲. 辶(辵)+扁〔音〕

辵 9 〔**過**〕 13 [中·人] 과 [平]歌 ①-⑥guō カ すぎる / [去]箇 ⑦-⑩guō カ あやまる

[筆順] 冂 冂 冂 冎 冎 咼 渦 過

[字解] ①지날과 ㉠한도를 넘음. 남음. '超一'. '一不足'. '一之者, 俯而就之'《禮記》. ㉡나음. 우월함. '無一人智識'《韓愈》. ㉢건너감. 넘어감. '東一洛汭, 北一洚水'《書經》. ㉣거치어 감. '通一'. '三一門而不入'. ㉤때가 감. '時一後學, 則勤苦而難成'《禮記》. ②지낼과 세월을 보냄. '饋餉多一時'《李商隱》. ③지나칠과 한도를 벗어남. '一當'. '範圍天地之化而不一'《易經》. 또, 지나친 일. '一猶不及'《論語》. ④들를과 지나는 길에 잠깐 거침. '一訪'. '不得復一'《戰國策》. ⑤예전과 지나간 세월. '一現未'. ⑥성과 성(姓)의 하나. ⑦잘못할과 ㉠과오를 범함. '一則勿憚改'《論語》. ㉡부주의로 죄를 범함. '一而殺傷人'《呂氏春秋》. ⑧허물과 ㉠실수. '一誤'. '聖人且有一與'《孟子》. ㉡죄. '諸禁錮及有一者, 得免減罪'《漢書》. ㉢고의가 아닌 범죄. '有一無大'《書經》. ⑨나무랄과 견책함. '一不識'《呂氏春秋》. ⑩과괘과 육십사괘(六十四卦)의 하나. '大一'는 ䷛〈손하(巽下), 태상(兌上)〉으로서, 지나치게 성대(盛大)한 상(象). '小一'는 ䷽〈간하(艮下), 진상(震上)〉으로서, 소사(小事)에 가(可)한 상(象).

[字源] 形聲. 辶(辵)+咼〔音〕

辵 9 〔**過**〕 13 過(前條)의 俗字

辵 9 〔**遏**〕 13 알 [入]曷 | è アツ とどめる

[字解] ①막을알 ㉠저지함. 못 가게 함. '爰整其旅, 以一徂莒'《孟子》. ㉡금함. 못 하게 함. '君子以一惡揚善'《易經》. ②머무를알 정지함. '纖歌凝而白雲一'《王勃》.

[字源] 形聲. 辶(辵)+曷〔音〕

辵 9 〔**遐**〕 13 하 [平]麻 | xiá カ はるか, とおい

[字解] ①멀하 요원함. 또, 먼 데. '若陟一, 必自邇'《書經》. ②어찌하 何(人부 5획〈42〉)와 통용. '心平愛矣, 一不謂矣'('謂'는 勤)《詩經》.

[字源] 形聲. 辶(辵)+叚〔音〕

辵 9 〔**遑**〕 13 황 [平]陽 | huáng コウ いとま, ひま

[字解] ①한가할황 마음에 여유가 있는 모양. '莫敢或—'《詩經》. '不—啓處'《詩經》. ②허둥지둥할황 몹시 급하게 서두는 모양. '墨子——'《後漢書》.
[字源] 形聲. 辶(辵)+皇〔音〕

辵 9 〔遒〕 13 주 [平]尤 | qiú シュウ せまる

[字解] ①닥칠주 바싹 가까이 감. '—相迫些'《楚辭》. ②다할주 없어짐. '歲忽忽而—盡兮'《楚辭》. ③굳을주 견고함. '四國是—'《詩經》. ④모일주 집합함. 한데 모여듦. '百祿是—'《詩經》. ⑤끝날주 종결함. '似先公之—兮'《詩經》. ⑥셀주 강함. 힘이 있음. '—勁'. '獵獵晚風—'《鮑照》.
[字源] 形聲. 辶(辵)+酋〔音〕

辵 9 〔道〕 13 [中·人] 도 [上]晧 [去]號 | ①-④dào ドウ·トウ みち | ⑤-⑨dǎo ドウ·トウ いう

[筆順] 丷 䒑 产 首 首 首 首 道 道

[字解] ①길도 ㉠통행하는 곳. '—路'. '通—'. ㉡준수하여야 할 덕(德). '—德'. '人—'. '率性之謂—'《中庸》. ㉢시행의 방법. '此危—也'《史記》. '獲乎上有—, 不信乎朋友, 不獲乎上矣'《中庸》. ㉣경로. '假—于虞, 以伐虢'《左傳》. ㉤방향. 방면. '北—諸國'《漢書》. ㉥노정(路程). '倍—赴援'《南史》. ㉦줄. '折爲二—'《宋史》. ②도도 예악·형정·학문·기예·정치 따위. '王—'. '斯—'. '仙—'. ③순할도 자연에 따름. '九河既—'《書經》. ④구역이름도 행정상의 구획. 당대(唐代)에는 천하를 '十—'로 나누었고, 명청(明淸) 시대에는 한 성(省)을 여러 '—'로 나누었음. 우리 나라도 '十四—'로 나누었음. ⑤말할도 이야기함. '如切如磋者, —學也'《大學》. ⑥말미암을도 좇음. 따름. '—問學'《中庸》. ⑦다스릴도 정치를 함. '—千乘之國'《論語》. ⑧인도할도 導(寸부 13획〈291〉)와 同字. '—之以政'《論語》. ⑨부터도 …로부터. 自(部首〈1100〉)와 뜻이 같음. '玄鶴二八, —南方來'《韓非子》.
[字源] 形聲. 金文은 行+首〔音〕

辵 9 〔𨖍〕 13 道(前條)와 同字

辵 9 〔達〕 13 [中·人] 달 [入]曷 | dá [入]曷 | tà タツ とおる

[筆順] 一 十 土 圥 坴 幸 達 達

[字解] ①통할달 ㉠꿰뚫음. '蹠—膝'《淮南子》. ㉡두루 미침. '通—'. '天下之—道五'《中庸》. ㉢길이 통함. '四通八—'. ㉣깨달음. 앎. '通—'. '俗儒不—時宜'《漢書》. ②달할달 ㉠영화를 누림. 세상에 알려짐. '窮—'. '榮—'. '—不離道'《孟子》. ㉡목적을 이룸. '—目的'. ③이를달 ㉠도착함. '到—'. '—于河'《書經》. ㉡그 때에 이름. '夜夜—五更'《古詩》. ④보낼달 전하여 줌. '配—'. '傳—'. '送—'. '—之以旌節'《周禮》. ⑤올릴달 끌어올려 씀. '推賢而進—之'《禮記》. ⑥방자할달 방종함. '放—'. '挑兮—兮'《詩經》. ⑦두루달 빠짐없이. '—觀'. ⑧새끼양달 작은 양(羊). '先生如—'《詩經》. ⑨어진이달 군자. 뛰어난 사람. '先—宿德'《晉書》. ⑩성달 성(姓)의 하나.
[字源] 形聲. 篆文은 辶(辵)+羍〔音〕

辵 9 〔逹〕 13 達(前條)의 本字

辵 9 〔違〕 13 [高·人] 위 [平]微 | wéi イ たがう, そむく

[筆順] ′ 夬 缶 卋 韋 韋 違 違

[字解] ①어길위 법령·약속 등을 위반함. '—約'. '—憲'. '愼勿—吾語'《古詩》. ②어그러질위 맞지 아니함. '—例'. '各—戾不和'《魏志》. ③다를위 틀림. '相—'. ④떨어질위 서로 거리를 둠. '天威不—顏咫尺'《國語》. '忠恕—道不遠'《中庸》. ⑤피할위 회피함. '—齊難也'《左傳》. ⑥달아날위 도망함. '遁—'. '凡諸侯之大夫—'《左傳》. ⑦멀리할위 가까이하지 아니함. 소원하게 함. '棄而—之'《論語》. ⑧원망할위 원한을 품음. '厥心—怨'《書經》. ⑨간사위 사악(邪惡). '昭德塞—'《左傳》. ⑩허물위 과실. '有—失, 則劾奏'《後漢書》.
[字源] 形聲. 辶(辵)+韋〔音〕

辵 9 〔𨗨〕 13 違(前條)의 俗字

辵 9 〔遉〕 13 정 [去]敬 | zhēn(zhēng) テイ うかがう

[字解] 엿볼정, 정탐할정 偵(人부 9획〈63〉)과 同字.

辵 9 〔逯〕 13 ㊀ 둔(돈[本]) [去]願 | dùn トン うつる
㊁ 돈 [平]元 | tún トン こぶた

[字解] ㊀ 옮길둔, 달아날둔 遯(辵부 11획〈1505〉)과 同字. ※本音 돈. ㊁ 새끼돼지돈 돼지의 새끼. '豚, 說文, 小豕也, 或作—'《集韻》.

辵 9 〔𨔶〕 13 ㊀ 전 [平]先 | jiān セン すすむ
㊁ 진 [平]眞 | jīn シン わたし

[字解] 曰 ①나아갈전 끝까지 나아감. '一, 自進極也'《說文》. ②이를전 '一, 埤蒼云, 至也'《廣韻》. 曰 나루진 津(水부 6획〈643〉)의 古字. '津, 說文, 渡也. 古作一'《集韻》.
[字源] 形聲. 辶(辵)+𦘔〔音〕

辵 9 〔渫〕13 曰 업 入葉 | yè ヨウ つまずく
曰 섭 入葉 | xiè ショウ はしるさま

[字解] 曰 곱드러질업 발이 무엇에 걸려 넘어짐. '一, 前頓也'《說文》. 曰 달릴섭 '迾一'은 달리는 모양. '一, 迾一, 走皃'《集韻》.
[字源] 形聲. 辶(辵)+枼〔音〕

辵 9 〔迦〕13 가 ①平歌 | jiā カ さえぎる
平麻 | カ さえぎる
②去禡 | jià カ さかもぎ

[字解] ①가지못하게할가 '一牙'는 통행을 방해함. '一, 一牙, 令不得行也'《說文》. ②가시나무울타리가 '一迓'는 가시나무를 엮어 친 방해물. '一, 一迓, 木如蒺藜, 上下相距'《集韻》.
[字源] 形聲. 辶(辵)+枷〔音〕

辵 9 〔淵〕13 연 平先 | yuān エン ゆくさま

[字解] 갈연 가는 모양. '一, 行皃'《說文》.
[字源] 形聲. 辶(辵)+㴊〔音〕

辵 9 〔選〕13 〔선〕
選(辵부 12획〈1507〉)의 本字

辵 9 〔𨒃〕13 〔동〕
動(力부 9획〈115〉)의 古字

辵 9 〔遅〕13 〔지〕
遲(辵부 12획〈1506〉)의 俗字

辵 9 〔逽〕13 낙 入藥 | nuò ジャク はしる

[字解] ①달릴낙 '一, 走也'《類篇》. ②나아갈낙 앞섬. '一, 先也'《集韻》.

辵 9 〔遝〕13 답 入合 | tà トウ ゆきたつ

[字解] 가다가설답 가다가 멈추어 섬. '一, 行立也'《字彙補》.

辵 9 〔遫〕13 〔병〕
迸(辵부 8획〈1498〉)과 同字

辵 9 〔遖〕13 삽 入洽 | shà ソウ ゆくさま

[字解] 가는모양삽 徆(彳부 9획〈373〉)과 同字. '徆, 行皃, 或从辵'《集韻》.

辵 9 〔遀〕13 〔수〕
隨(阜부 13획〈1625〉)의 古字

辵 9 〔湜〕13 식 入職 | shí ショク ながれゆくさま

[字解] ①갈식 '一, 行也'《集韻》. ②흘러가는 모양식 '一, 流行貌'《字彙》.

辵 9 〔逌〕13 〔유〕
逌(辵부 7획〈1495〉)의 古字

辵 9 〔遃〕13 전 上銑 | chǎn テン ゆく

[字解] ①갈전 '一, 行也'《玉篇》. ②편안히걸을전 延(廴부 3획〈354〉)과 同字. 延, 安步也, 或作一'《集韻》.

辵 9 〔遆〕13 제 平齊 | tí テイ せい

[字解] ①성(姓)제 성의 하나. '一, 姓也'《集韻》. ②遞(辵부 10획〈1504〉)의 俗字.

辵 10 〔遘〕14 구 去宥 | gòu コウ·ク あう

[字解] 만날구 조우(遭遇)함. '一此雲雷屯'《李商隱》.
[字源] 形聲. 辶(辵)+冓〔音〕

辵 10 〔遙〕14 [高·人] 요 平蕭 | yáo ヨウ はるか

[筆順] ⺈ 夕 夂 㚊 䍃 䍃 遙 遙

[字解] ①멀요, 아득할요 요원함. '千里而一'《禮記》. ②멀리요 멀리 떨어져서. 먼 데서. '一青'. '悵然一相望'《古詩》. ③거닐요 逍(辵부 7획〈1495〉)를 보라. '逍一'.
[字源] 形聲. 辶(辵)+䍃〔音〕

辵 10 〔遛〕14 류 平尤 | liù, liú リュウ とどまる

[字解] 머무를류 '逗一'는 머무름. 정지함. '追虜料敵不拘以逗一法'《後漢書》.
[字源] 形聲. 辶(辵)+留〔音〕

辵 10 〔遜〕14 [人名] 손 去願 | xùn ソン のがれる

[筆順] 了 子 孑 孖 孫 孫 遜 遜

[字解] ①달아날손 도망함. '一于荒'《書經》. ②순할손 순종함. '五品不一'《書經》. ③겸손할손 자기 몸을 낮춤. '惟學一志'《書經》. ④사양할손 남에게 양보함. '一讓'. '將一于位'《書經 序》. ⑤못할손 딴 것보다 떨어짐. '一色'. ⑥성손 성(姓)의 하나.
[字源] 形聲. 辶(辵)+孫〔音〕

辵10 〔遝〕 14 답 ⓘ合 tà, dài トウ いりまじる

字解 뒤섞일답, 모일답 한데 모여 혼잡함. '紛一'. '衆靈雜一'《曹植》.

字源 形聲. 辶(辵)+眔〔音〕

辵10 〔遞〕 14 高·人 ㊀체 ㊤薺 dì テイ かわる ㊁대 ㊦霽 dài ダイ かこむ

筆順 厂 𠂆 𠨎 𠩄 虒 虒 遞 遞

字解 ㊀ ①갈마들체 번갈아 듦. '一三世, 可至萬世而爲君'《杜牧》. ②번갈아체 교대로. '一興一廢'. '詐術一用'《呂氏春秋》. ③역말체 역참(驛站). '定賦租立站一'《元史》. 또, 역참에서 발송하는 인마(人馬). '發馬一上之'《宋史》. 전(轉)하여, 문서 또는 물건을 차례차례로 여러 곳을 거쳐서 전하여 보내는 뜻으로 쓰임. '傳一'. '若隣境官司, 囚到稽留, 不卽一送者, 罪亦如之'《明律》. ㊁ 두를대 둘러쌈. 위요함. '依諸將之一, 據相扶之埶'《漢書》.

字源 形聲. 辶(辵)+虒〔音〕

辵10 〔遠〕 14 中·人 원 ㊤阮 ①②yuǎn エン とおい ㊦願 ③④yuàn エン とおざける

筆順 土 吉 吉 吉 幸 袁 遠 遠

字解 ①멀원 ㉠시간 또는 거리가 길거나 멂. '遼一'. '遙一'. '日暮塗一'《史記》. '音樂之所由來者一矣'《呂氏春秋》. ㉡깊음. 고상함. 알기 어려움 '深一'. '言近而指一者'('指'는 旨)《孟子》. ㉢관계가 가깝지 아니함. 또, 친하지 아니함. '疏一'. '一兄弟終無服也'《禮記》. ㉣큰 차이가 있음. '雖不中不一矣'《大學》. ②먼데원 먼 곳. '行一必自邇'《中庸》. ③멀리할원 ㉠가까이하지 아니함. '敬一'. '敬鬼神一之'《論語》. ㉡물리침. 먼 곳으로 쫓음. '一佞人'《論語》. ㉢벗어남. 격리함. '一恥辱也'《論語》. ④멀어질원 멀리 떨어지게 됨. '女子有行, 一兄弟父母'《詩經》.

字源 形聲. 辶(辵)+袁〔音〕

辵10 〔遡〕 14 人名 소 ㊦遇 sù ソ さかのぼる

筆順 丷 䒑 屰 屰 朔 朔 遡 遡

字解 ①거슬러올라갈소 흐르는 물을 위로 향하여 감. '一洄從之'《詩經》. 전(轉)하여, 과거를 거슬러 올라감. ②따라내려갈소 흐르는 물을 따라 내려감. '一游從之'《詩經》. ③향할소 향하여 감. '一其過澗'《詩經》. ④거스를소 반대되는 길을 취함. '如彼一風'《詩經》. ⑤하소연할소 愬(心부 10획〈403〉)와 통용. '衛君跣行, 告一于魏'《戰國策》.

字源 形聲. 辶(辵)+朔〔音〕

辵10 〔遣〕 14 高·人 견 ㊤銑 qiǎn ケン やる, おくる

筆順 口 中 冉 冉 冉 書 書 遣

字解 ①보낼견 ㉠용무를 띄워 보냄. '派一'. '一使'. ㉡부쳐 줌. '書一于策'《儀禮》. ㉢용서하여 보냄. '平一囚徒'《後漢書》. ㉣쫓아 보냄. '醉而一之'《左傳》. ②시집보낼견 '謝知其貧潔一女必當率薄'《世說》. ③버릴견 아내를 버림. 이혼함. '焦仲卿妻劉氏, 爲仲卿母所一'《古詩》. ④풀견 원한·분노 같은 것을 풀어 없앰. '一悶'. '一憤'. '消一世慮'《王禹偁》. ⑤하여금견 …으로 하여금 …하게 함. 使(人부 6획〈47〉)와 뜻이 같음. '乃一張良往立信爲齊王'《史記》.

字源 形聲. 辶(辵)+𠳋〔音〕

辵10 〔遢〕 14 탑 ⓘ合 tà トウ おだやかにゆく

筆順 冂 日 旦 昇 昜 昜 遢 遢

字解 ①천천히걸을탑 '一, 穩行皃'《玉篇》. ②급히갈탑 '一, 急行貌'《正字通》.

字源 形聲. 辶(辵)+㬰〔音〕

辵10 〔遲〕 14 ㊀지 ㊥支 chí チ おそい ㊁치 ㊥寘 zhì チ まつ ㊂서 ㊥齊 セイ おそい

字解 ㊀ 더딜지 遲(辵부 12획〈1506〉)의 籒文. ㊁ 기다릴치 '一, 待也'《廣韻》. ㊂ 더딜서 '犀, 說文, 犀, 一也. 或从辵'《集韻》.

辵10 〔遘〕 14 〔급〕 及(又부 2획〈141〉)의 古字

辵10 〔逋〕 14 〔포〕 逋(辵부 7획〈1495〉)의 籒文

辵10 〔述〕 14 〔술〕 述(辵부 5획〈1491〉)의 籒文

辵10 〔送〕 14 〔송〕 送(辵부 6획〈1493〉)의 籒文

辵10 〔選〕 14 〔선〕 選(辵부 12획〈1507〉)의 俗字

辵10 〔道〕 14 〔도〕 道(辵부 9획〈1502〉)의 本字

辵10 〔遚〕 14 수 ㊦宥 chòu (추㊍) シュウ すすまない

字解 나아가지않을수 '一, 不進也'《集韻》. ※本音 추.

辵10〔遑〕14 창 ㊄漾 | càng ソウ すぎる

字解 지날창 지나감. '一, 過也'《集韻》.

辵10〔遷〕14 〔천〕
遷(辵부 12획〈1507〉)의 俗字

辵10〔道〕17 〔도〕
道(辵부 9획〈1502〉)의 本字

辵11〔遨〕15 오 ㊥豪 | áo ゴウ あそぶ

字解 놀오 즐겁게 놂. '從牧兒一'《後漢書》.
字源 形聲. 辶(辵)＋敖〔音〕

辵11〔適〕15 中·人 적 ㊀陌 ①-⑦shì セキ·テキ ゆく ㊀錫 ⑧-⑪dí テキ よつぎ ㊀陌 ⑫zhé タク せめる

筆順 亠 立 产 产 啇 商 滴 適

字解 ①갈적 ㉠찾아감. '一子之館兮'《詩經》. ㉡돌아갈 데로 감. 마땅히 가야 할 데로 감. '一歸'. '民知所一'《左傳》. ②시집갈적 출가(出嫁)함. '少喪父母, 一人而所天又殞'《潘岳》. ③고를적 과부족이 없음. '風雨則不一'《呂氏春秋》. ④맞을적 ㉠수가 서로 같음. '軍馬不一士'《漢書》. ㉡사리에 알맞음. '一當'. '惟變所一'《傳習錄》. ㉢마음에 듦. '悠悠自一'. '吾與子之所共一'《蘇軾》. ㉣합치함. 일치함. '一我願兮'《詩經》. ⑤마침적 우연히. '高祖一從旁舍來'《史記》. ⑥다만적 겨우. '口腹豈一爲尺寸之膚哉'《孟子》. ⑦성적 성(姓)의 하나. ⑧맏아들적 嫡(女부 11획〈261〉)과 통용. '天位殷一'《詩經》. ⑨큰마누라적 본처. '一妾'. ⑩전일할적 한 일에 열중함. '無一也, 無莫也, 義之與比'(군자의 마음의 공평함을 이름)《論語》. ⑪적적 敵(攴부 11획〈486〉)과 통용. '後如脫兔, 一不敢拒'《史記》. ⑫꾸짖을적 讁(言부 11획〈1350〉)과 통용. '室人交徧一我'《詩經》.
字源 形聲. 篆文은 辶(辵)＋啇〔音〕

辵11〔遬〕15 속 ㊀屋 | sù ソク ちぢむ

字解 ①움츠릴속 공경하는 뜻으로 몸을 오그림. '見所尊者齊一'《禮記》. ②빠를속 速(辵부 7획〈1496〉)과 통용. '疾以一'《淮南子》. ③못날속 '僕一'은 용렬한 모양. '僕一不足數'《漢書》.
字源 形聲. 辶(辵)＋欶〔音〕

辵11〔遭〕15 人名 조 ㊥豪 | zāo ソウ あう

筆順 一 冂 冃 曲 曲 曹 漕 遭

字解 ①만날조 ㉠우연히 만남. '一逢'. '一先生於道'《禮記》. ㉡일을 당함. '一難'. '王安豐一艱'('艱'은 '喪')《世說》. ㉢…을 당함. '一漁者得之'《史記》. ②두를조 위요함. '山圍故國周一在'《劉禹錫》. ③번조 횟수를 나타내는 수사(數詞). '一一'.
字源 形聲. 辶(辵)＋曹〔音〕

辵11〔遮〕15 ㊀차 ㊥麻 zhē シャ さえぎる ㊁자 ㊄禡 zhè シャ この, これ

字解 ㊀①막을차 ㉠가로막음. '一斷'. '一道拜伏'《明史》. ㉡못 하게 함. '子不一乎親'《呂氏春秋》. ②가릴차 ㉠덮음. 엄폐(掩蔽)함. '一蔽'. '一迾出入'《後漢書》. ㉡잘 보이지 않게 막음. '樹陰一景'《李義山雜纂》. ③수다스러울차 '周一'는 말이 많은 모양. '周一說話長'《白居易》. ㊁이자 這(辵부 7획〈1496〉)와 뜻이 같음. '一箇在油鐺'《蘇軾》.
字源 形聲. 辶(辵)＋庶〔音〕

辵11〔遮〕15 遮(前條)의 俗字

辵11〔遯〕15 둔(돈㊍) ㊄願 ㊤阮 | dùn トン のがれる

筆順 月 月 肝 肟 肟 豚 豚 遯

字解 ①달아날둔 遁(辵부 9획〈1500〉)과 同字. '隱一'. '我不顧行一'《書經》. ②속일둔 기만함. '審于刑者, 不可一以狀'《淮南子》. ③둔괘둔 육십사괘(六十四卦)의 하나. 곧, ䷠〈간하(艮下), 건상(乾上)〉으로서, 군자는 은퇴하여 형통(亨通)하고, 소인은 정(正)을 지켜 이(利)를 보는 상(象). '一, 亨, 小利貞'《易經》. ※本音 돈.
字源 形聲. 辶(辵)＋豚〔音〕

辵11〔遰〕15 ㊀체 ㊄霽 dì テイ さる ㊁서 ㊄霽 shì セイ ゆく

字解 ㊀①떠날체 가 버림. '九月一鴻雁'《大戴禮》. ②멀체 '迢一'는 멀리 떨어져 있는 모양. '迢一白雲天'《揚炯》. ㊁①갈서 逝(辵부 7획〈1496〉)와 통용. '鳳漂漂其高一兮'《史記》. ②칼집서 칼을 꽂는 집. '右佩玦捍管一'《禮記》.
字源 形聲. 辶(辵)＋帶〔音〕

辵11〔遧〕15 장 ㊥陽 | zhāng ショウ あきらか

字解 드러낼장 드러내어 밝힘. '斯庶嬪一. 一則事上靜'《大戴禮》.
字源 形聲. 辶(辵)＋章〔音〕

辵 11 〔遳〕 15 솔 [入]質 | shuài シュツ みちびく, ひきいる
[字解] ①거느릴솔 '一, 先導'《廣韻》. ②끌솔 '一, 引也'《玉篇》.
[字源] 形聲. ⻌(辵)+率〔音〕

辵 11 〔遳〕 15 좌 [平]歌 | cuō サ ゆくさま
[字解] ①가는모양좌 '一, 行貌'《字彙補》. ②무릎좌 '稟質一脆'《左思》.

辵 11 〔遡〕 15 구 [去]宥 | jiù キュウ つつしんでゆく
[字解] 공손히갈구 '一, 恭謹行也'《說文》.
[字源] 形聲. 篆文은 辵+段〔音〕

辵 11 〔遱〕 15 루 [平]尤 | lóu ロウ·ル つづくさま
[字解] 연할루, 쉬지않고걸어갈루 '一, 連一也'《說文》.
[字源] 形聲. ⻌(辵)+婁〔音〕

辵 11 〔遦〕 15 관 ①[去]翰 ②[去]諫 | guàn カン ゆく カン なれる
[字解] ①갈관 '一, 行也'《廣韻》. ②익숙할관, 익힐관 '一, 習也'《說文》.
[字源] 形聲. 辵+貫〔音〕

辵 11 〔遭〕 15 〔조〕
徂(彳부 5획〈369〉)의 籒文

辵 11 〔還〕 15 〔환〕
還(辵부 13획〈1508〉)의 俗字

辵 11 〔遲〕 15 〔지〕
遲(辵부 12획〈1506〉)의 訛字

辵 11 〔遡〕 15 〔각〕
觳(殳부 8획〈613〉)과 同字

辵 11 〔遪〕 15 삽 [入]合 | cà ソウ にじみでる
[字解] ①스며나올삽 '一, 裹一'《廣韻》. ②갈삽, 달릴삽 '一, 走也, 行也'《字彙》.

辵 11 〔遻〕 15 〔아〕
我(戈부 3획〈421〉)와 同字

辵 11 〔遾〕 15 양 [去]漾 | yàng ヨウ はしる
[字解] 달려갈양 '一, 走也'《字彙》.

辵 11 〔遡〕 15 〔어〕
御(彳부 8획〈372〉)와 同字

辵 11 〔遥〕 15 〔요〕
遙(辵부 10획〈1503〉)와 同字

辵 11 〔遺〕 15 〔적〕
迹(辵부 6획〈1493〉)과 同字

辵 11 〔遳〕 15 종 [平]冬 | cōng ショウ ゆるくあるく
[字解] 천천히걸을종 '一, 步緩也'《集韻》.

辵 11 〔遪〕 15 치 [上]紙 | chǐ シ ちかい
[字解] 가까울치 '一, 近也'《字彙》.

辵 11 〔遫〕 15 칙 [入]職 | chì チョク はる
[字解] ①펼칙 '一, 博雅, 張也'《集韻》. ②열칙 '一, 一曰, 開也'《集韻》.

辵 12 〔遴〕 16 린 ①②[去]震 ③④[平]眞 | lìn リン かたんずる lín リン えらぶ
[字解] ①어려워할린 어렵게 여겨 주저함. '誠難以忽, 不可以一'《漢書》. ②탐할린 탐함. 吝(口부 4획〈153〉)과 통용. '晚節一, 惟恐不足于財'《漢書》. ③가릴린 선택함. '一選學術該博, 通曉世務, 骨鯁敢言者'《金史》. ④성린 성(姓)의 하나.
[字源] 形聲. ⻌(辵)+粦〔音〕

辵 12 〔遲〕 16 [高·人] 지 ①-④[平]支 ⑤-⑦[去]寘 | chí チ おそい zhì チ ころ
[筆順] 尸 尸 尸 尸 尸 犀 遲 遲
[字解] ①더딜지 빠르지 아니함. '舒一'. '行道一一'《詩經》. ②굼뜰지 느림. '一鈍'. ③늦을지 뒤짐. '一刻'. '稽一不進'《南史》. ④성지 성(姓)의 하나. ⑤무렵지 그 때쯤. '一帝還, 趙王死'《漢書》. ⑥기다릴지 오기를 바람. '一明'. '朕思一直士'《後漢書》. ⑦이에지 이리하여. '一令韓魏歸帝重于齊'《史記》.
[字源] 金文은 會意. ⻌(辵)+尸+辛
[參考] ①遅(辵부 9획〈1503〉)는 俗字. ②遟(辵부 11획〈1506〉)는 訛字.

辵 12 〔遵〕 16 [高·人] 준 [平]眞 | zūn シュン·ジュン したがう
[筆順] 八 亼 佥 酋 酋 尊 遵 遵
[字解] ①따라갈준 …을 따라서 감. '一彼汝墳'《詩經》. ②좇을준 따라감. 좇아감. '一守'. '一奉'. '君子一道而行'《中庸》. '墨者儉而難一'《史記》. ③성준 성(姓)의 하나.
[字源] 形聲. ⻌(辵)+尊〔音〕

辵 12 〔遶〕 16 요 [上]篠 | rǎo ジョウ めぐる

[字解] 두를요 繞(糸부 12획〈1013〉)와 同字. '一樹三匝'《魏武帝》.
[字源] 形聲. 辶(辵)+堯〔音〕

辵 12 〔遷〕16 [高·人] 천 [平]先 | qiān セン うつる

[筆順] 襾 覀 覀 䙴 䙴 䙴 䙴 遷

[字解] ①옮길천 ㉠장소를 바꿈. '一移'. '一于喬木'《詩經》. ㉡관직이 바뀜. '左一'. '累一'. '理學人一美官'《黃允文雜纂》. ㉢이것을 버리고 저리로 감. '改過一善'. '見善則一'《易經》. ㉣고침. 변경함. '吾子爲國政, 未改禮而又一之'《左傳》. ㉤교역(交易)함. '一有無'《書經》. ㉥내쫓음. '何一乎有苗'《書經》. ②천도천 국도(國都)의 이전. '季文子如晉, 賀一也'《左傳》. ③성천 성(姓)의 하나.
[字源] 形聲. 辶(辵)+䙴〔音〕

辵 12 〔選〕16 [中·人]
[一] 선 [上]銑 [去]霰 | ①-④xuǎn セン えらぶ ⑤セン まう
[二] 산 [上]旱 | suàn サン かぞえる
[三] 손 [去]願 | xùn ソン したがう

[筆順] 巳 巳巳 巺 巺 巽 巽 巽 選

[字解] [一] ①가릴선 ㉠여럿 가운데서 뽑음. '一擇'. '一賢與能'《禮記》. ㉡선택하여 등용함. '詮一'. '命鄕論秀士, 升之司徒, 曰一士'《禮記》. '擧不失一'《左傳》. ②선선, 선택선 전항의 명사. '入一'. '古文一'. ③잠깐선 잠시. '少一'. '一間食熟'《呂氏春秋》. ④성선 성(姓)의 하나. ⑤춤출선 환무(環舞)하는 모양. '舞則一兮'《詩經》. [二] 셀산 算(竹부 8획〈942〉)과 통용(通用). '斗筲之人, 何足一'《漢書》. [三] 유순할손 巽(己부 9획〈328〉)과 통용. '一懦之思'《後漢書》.
[字源] 形聲. 辶(辵)+巽(巺)〔音〕

辵 12 〔遹〕16 휼(①-③율 [入]質 [本], ④술[本]) [入]質 | ①-③yù イツ したがう ④shù シュツ よこしま

[筆順] マ 乛 予 矛 矞 矞 矞 遹

[字解] ①좇을휼 따름. '祗一乃父考'《書經》. ②이에휼 발어사(發語辭). '一駿有聲'《詩經》. ③성휼 성(姓)의 하나. ※이상(以上) 本音 율. ④간사할휼 간휼함. '謀猶回一'《詩經》. ※本音 술.
[字源] 形聲. 辶(辵)+矞〔音〕

辵 12 〔遺〕16 [中·人]
[一] 유 [平]支 [去]寘 | ①-⑩yí イ・ユイ のこる ⑪(wèi) イ・ユイ おくる
[二] 수 [平]支 | suí スイ したがう

[筆順] 口 中 虫 𠀐 貴 貴 潰 遺

[字解] [一] ①남을유 뒤에 처져 있음. '孑一'. '有一音者矣'《禮記》. ②빠질유 누락함. '一漏'. '無一字一落'《武帝內傳》. 또, 누락한 것. '拾一補過'《史記》. ③남길유 남아 있게 함. '不一尺寸'《說苑》. ④끼칠유 후세에 남겨 줌. '一業'. '先帝簡拔, 以一陛下'《諸葛亮》. ⑤버릴유 ㉠내버림. '一棄'. '不遐一'《易經》. ㉡돌보지 아니함. '今天不一斯民'《蘇軾》. ⑥물릴유 시들해짐. '歡樂不一'《呂氏春秋》. ⑦잊을유 망각함. '一忘'. '棄予如一'《詩經》. ⑧잃을유 떨어뜨림. '一失'. '楚王一弓, 楚人得之'《公孫龍子》. 또, 떨어뜨린 것. '塗不拾一'《史記》. ⑨오줌유 소변. '小一殿上'《漢書》. ⑩성유 성(姓)의 하나. ⑪보낼유 물건을 보냄. '丈馬三十駟, 一魯君'《史記》. [二] 따를수 隨(阜부 13획〈1625〉)와 통용. '莫肯下一'《詩經》.
[字源] 形聲. 辶(辵)+貴〔音〕

辵 12 〔遻〕16 遺(前條)와 同字

辵 12 〔𨗹〕16 遺(前前條)의 古字

辵 12 〔遻〕16
[一] 오 [去]遇 | wù ゴ あう
[二] 악 [入]藥 | è ガク おどろく

[字解] [一] ①만날오 우연히 만남. '是故一物而不慴'《列子》. ②어길오 거역함. [二] ①놀랄악 愕(心부 9획〈401〉)과 同字. ②만날악 만나고 싶지 않은데 만남.
[字源] 形聲. 辶(辵)+咢〔音〕
[參考] 遌(辵부 9획〈1501〉)과 同字

辵 12 〔遼〕16 료 [平]蕭 | liáo リョウ はるか

[字解] ①멀료 ㉠거리가 멂. '山修遠其一一兮'《楚辭》. ㉡시간이 길. '前途一遠'. ②강이름료 만주를 관류(貫流)하여 발해(渤海)로 들어가는 강. '一河'. '度一驟城陷陣'《唐書》. ③땅이름료 요하의 동서 요양(遼陽) 일대의 지방. '建征一之策'《舊唐書》. ④요나라료 거란(契丹)의 태종(太宗)이 내외 몽고 및 만주의 땅에 세운 나라. 건국한 지 210년 만에 금(金)나라에게 멸망되었음. (916~1125) ⑤성료 성(姓)의 하나.
[字源] 形聲. 辶(辵)+尞〔音〕

辵 12 〔遴〕16 변 [平]先 | biān ヘン すみなわをうつ

[字解] ①먹줄칠변 '一, 振繩墨也'《字彙》. ②연이어갈변 '一, 一日, 行不絶也'《字彙》.

辵 12 〔遷〕16 [一] 질 [入]質 | zhì チツ ちかい
[二] 일 [入]質 | ジツ ちかい
[三] 이 [上]紙 | ジ·ニ ちかい

[字解] [一] ①가까울질 '一, 近也'《說文》. ②무거울질 '一, 重也'《玉篇》. ③이를질 '一, 至也'《玉篇》. [二] 가까울일 [一]❶과 뜻이 같음. [三] 가까울이 邇(辵부 14획〈1509〉)의 古字.

[字源] 形聲. 辶(辵)+臸〔音〕

辵 12 〔遳〕16 〔착〕 遣(辵부 8획〈1499〉)의 本字

辵 12 〔遭〕16 〔적〕 適(辵부 11획〈1505〉)의 本字

辵 12 〔遻〕16 〔구〕 遨(辵부 11획〈1506〉)의 本字

辵 12 〔遛〕16 〔류〕 遛(辵부 10획〈1503〉)의 本字

辵 12 〔遠〕16 〔원〕 遠(辵부 10획〈1504〉)의 古字

〔暹〕 〔섬〕 日부 12획(514)을 보라.

辵 12 〔遳〕16 삽 [入]洽 | shà ソウ ぎょうしょのさま

[字解] 행서(行書)의모양삽 '一, 行書皃'《玉篇》.

辵 12 〔遹〕16 〔위〕 逶(辵부 8획〈1499〉)와 同字

辵 13 〔遽〕17 [人名] 거 [去]御 | jù キョ はやおい

[筆順] 广 卢 虍 虏 豦 豦 澽 遽

[字解] ①역말거 역참(驛站)의 말. '且使一告于鄭'《左傳》. ②급히거 ㉠급작스럽게. '公一見之'《左傳》. ㉡당황하여. 창졸히. '一數之'《禮記》. ③갑자기거 뜻밖에. 빨리. '嗚呼誰謂汝一去吾而歿乎'《韓愈》. ④당황할거 허둥지둥함. '未嘗疾言一色'《後漢書》. ⑤놀랄거, 두려워할거 경악하여 당황함. '怖一'. '豈不一止'《左傳》.

[字源] 形聲. 辶(辵)+豦〔音〕

辵 13 〔避〕17 [高·人] 피 [去]寘 | bì(bèi) ヒ さける

[筆順] 尸 吊 启 辟 辟 辟 澼 避

[字解] 피할피 ㉠자리를 옮기어 숨음. '逃一'. '望見廉頗, 相如引車一匿'《史記》. ㉡면함. '一暑'. '一雷針'. ㉢벗어남. 빠져 감. '一亂'. '去親戚家一罪'《蘇子瞻》. ㉣싫어하여 멀리함. '忌一'. '不一風雨'《漢書》. ㉤꺼림. '憚一'. '匈奴號曰飛將軍, 一之'《漢書》. ㉥물러남. '一席再拜'《呂氏春秋》.

[字源] 形聲. 辶(辵)+辟〔音〕

辵 13 〔邀〕17 요 [平]蕭 | yāo ヨウ むかえる

[字解] ①맞이할요 ㉠중도에서 오기를 기다림. '一擊'. '王弘命潛故人齎酒於半道一之'《晉書 陶潛傳》. ㉡부름. 초치(招致)함. '擧杯一明月'《李白》. ㉢부름. 초대(招待)함. '請一'. '酒食相一爲別歲'《蘇軾》. ㉣불러들임. '具朝服出迎, 跪伏一之'《列仙傳》. ②구할요 부당한 것을 요구하여 받음. '一賞'. '重一之'《舊唐書》.

[字源] 形聲. 辶(辵)+敫〔音〕

辵 13 〔邁〕17 매 [去]卦 | mài バイ·マイ ゆく

[字解] ①갈매 ㉠멀리 감. '行一靡靡'《詩經》. ㉡떠남. '從公于一'《詩經》. ②돌매 순행함. '時一其邦'《詩經》. ③지날매 ㉠통과함. '後予一焉'《詩經》. ㉡세월이 감. '日月逾一'《書經》. ㉢넘음. 초월함. 전(轉)하여, 뛰어남. 걸출함. '英一'. '高一'. '三王可一, 五帝可越'《魏志》. ④늙을매 연로함. 노쇠함. '老一無能之輩'《三國志演義》. '年齒之不一'《後漢書》. ⑤힘쓸매 역행함. 勱(力부 13획〈117〉)와 同字. '皐陶一種德'《書經》. ⑥성매 성(姓)의 하나.

[字源] 形聲. 辶(辵)+萬〔音〕

辵 13 〔邂〕17 해 [去]卦 | xiè カイ あう

[字解] 만날해 우연히 만남. '一逅相遇, 適我願兮'《詩經》.

[字源] 形聲. 辶(辵)+解〔音〕

辵 13 〔還〕17 [高·人] [一] 환 [平]刪 | huán カン かえる
[二] 선 [平]先 | xuán セン めぐる

[筆順] 罒 罒 罒 睘 睘 睘 澴 還

[字解] [一] ①돌아올환, 돌아갈환 ㉠도로 옴. 도로 감. '生一'. '一家'. '一于舊都'《諸葛亮》. ㉡빙 돌아서 옴. '河水之所南一'《穆天子傳》. ②돌아볼환 뒤로 돌리어 봄. 또, 반성함. '無所一忌'《左傳》. ③물러날환 뒤로 물러감. '主人答拜一'《儀禮》. ④돌려보낼

환 ㉠도로 가게 함. '帝以中國初定, 未遑外事迺一其侍子'《後漢書》. ㉡도로 보냄. '一返'. '一圭'《周禮》. ⑤갚을환 빚 같은 것을 도로 돌려 줌. '償一'. '一債'《雜纂新續》. ⑥굴릴환 눈동자를 움직임. '視無一'《國語》. ⑦다시환 재차. '王業一起'《荀子》. ⑧도리어환 정반대로. '盡忠竭節, 一被患禍'《魏志》. ⑨두를환 위요함. 環(玉부 13획〈783〉)과 同字. '一廬樹桑'《漢書》. ⑩이후환 '以一'. '而一'으로 연용(連用)하여, 이후(以後)의 뜻으로 쓰임. '秦漢而一, 多事四夷'《李華》. ⑪성환 성(姓)의 하나. [二] ①돌선 旋(方부 7획〈496〉)과 同字. '周一'. '般一'. '五行四時十二月, 一相爲本也'《禮記》. ②재빠를선 동작이 빠른 모양. '子之一兮'《詩經》. ③곧선 바로. '可使一至而立有效者也'《漢書》. ④또선 또다시. '中原一逐鹿'《魏徵》.
[字源] 形聲. 辶(辵)+睘〔音〕

辵 13 〔邅〕 17 전 ①[平]先 zhān テン ゆきなやむ ②[去]霰 zhàn テン うねりゆく
[字解] ①머뭇거릴전 길이 험하여 잘 가지 못하는 모양. '迍一'. '屯如一如'《易經》. ②떠돌아다닐전 쫓겨서 정처 없이 돌아다니는 모양. '一彼南道兮, 征夫宵行'《劉向》.
[字源] 形聲. 辶(辵)+亶〔音〕

辵 13 〔遾〕 17 서 [去]霽 shì セイ およぶ
[字解] ①미칠서 '一, 及也'《正韻》. ②멀서 '一, 遠也'《廣雅》.

辵 13 〔遳〕 17 착 [入]藥 záo サク うがつ
[字解] 뚫을착 鑿(金부 20획〈1591〉)과 同字.

辵 13 〔䢾〕 17 [一] 연 [平]先 [去]霰 yàn エン さえぎる [二] 선 [去]霰 xiàn セン さえぎる
[字解] [一] ①막을연 '一, 一曰, 遮遏'《集韻》. ②옮길연, 옮을연 '一, 移也'《廣韻》. ③가는모양연 '一, 行皃'《廣韻》. [二] 막을선, 옮길선, 옮을선, 가는모양선 [一]과 뜻이 같음.
[字源] 形聲. 辶(辵)+羨〔音〕

辵 13 〔𨘥〕 17 등 [平]蒸 [去]徑 téng トウ なんばんのおう
[字解] 오랑캐왕등 '一睒'은 당(唐)나라 시대의 남만(南蠻)의 육조(六詔)의 하나. 오랑캐말로 왕(王)을 조(詔)라 이름. 운남성(雲南省) 이원현(洱源縣)의 땅.

辵 13 〔邉〕 17 〔변〕 邊(辵부 15획〈1510〉)의 俗字

辵 13 〔邊〕 17 〔변〕 邊(辵부 15획〈1510〉)의 俗字

辵 13 〔𨗴〕 17 회 [去]泰 huì カイ めぐる
[字解] 두를회, 돌회 돎. '一, 迴也'《玉篇》.

辵 14 〔邃〕 18 수 [去]寘 suì スイ ふかい
[字解] ①깊을수 ㉠깊숙함. 겉에서 속까지 멂. '幽一'. '高堂一宇'《楚辭》. ㉡이치가 오묘하여 알기 어려움. 현묘함. '深一'. '舊學商量加一密'《朱熹》. ㉢학문이 많음. '少一於學'《唐書》. ②멀수 시간이 길. '仰一古'《蔡邕》.
[字源] 形聲. 穴+遂〔音〕

辵 14 〔邇〕 18 이 [上]紙 ěr ジ·ニ ちかい
[字解] ①가까울이 ㉠거리가 짧음. '遐一'. '四聽甚一'《王禹偁》. ㉡관계가 밀접함. '父母孔一'《詩經》. ㉢통속적임. '好察一言'《中庸》. 또, 가까운 데. '行遠必自一'《中庸》. 또, 근처의 사람. '柔遠能一'《書經》. ②가까이할이 '不一聲色'《書經》. '火之燎于原, 不可嚮一'《書經》.
[字源] 形聲. 辶(辵)+爾〔音〕

辵 14 〔邈〕 18 막 [入]覺 miǎo バク·マク とおい
[字解] ①멀막, 아득할막 멀리 떨어져 있음. '一一'. '一而不可慕'《楚辭》. ②업신여길막 경멸함. '顧一同列'《陸機》. ③근심할막 수심에 잠긴 모양. '表安困積雪, 一然不可干'《古詩》.
[字源] 形聲. 篆文은 辶(辵)+貇〔音〕

辵 14 〔𨙀〕 18 [一] 회 [去]泰 huì カイ たがわない [二] 현 [去]霰 ケン たがわない [三] 해 [去]泰 カイ·ガイ たがわない
[字解] [一] 틀림없을회 '一, 無違也'《說文》. [二] 틀림없을현 [一]과 뜻이 같음. [三] 틀림없을해 [一]과 뜻이 같음.
[字源] 形聲. 辶(辵)+韋〔音〕

辵 14 〔𨘰〕 18 〔린〕 遴(辵부 12획〈1506〉)의 本字

辵 14 〔達〕 18 〔달〕 撻(手부 13획〈470〉)의 古字

辵 14 〔𨘻〕 18 삽 [入]洽 shà ソウ はやくゆく

[字解] ①빨리갈삽 '一, 疾行也'《字彙》. ②[illegible](辵부 8획〈1500〉)과 同字. '一, 同[illegible]'《正字通》.

辵14 〔𨗿〕 18 〔약〕
趯(走부 14획〈1419〉)과 同字

辵14 〔邉〕 18 邊(次條)의 訛字

辵15 〔邊〕 19 [高·人] 변 [平]先 | biān ヘン ほとり

[筆順] 自 㠯 臱 邊

[字解] ①가변 가장자리. 변두리. '緣一'. '雜色綴其一'《釋名》. ②변방변 국경 지대. '一備'. '重兵多在一'《李商隱》. 또, 국경의 방비. '願輸家財半, 助一'《漢書》. 또, 국경의 소요. '不能生一'《潛夫論》. ③두메변 벽지. '其在一邑'《禮記》. ④곁변 옆. 근처. '不以一坐'《禮記》. ⑤끝변 종말. 제한(際限). '無始無一'《齊書》. ⑥물가변 수애(水涯). '一沙'. '長安水一多麗人'《杜甫》. ⑦이웃할변 이웃에 있음. '齊一楚'《漢書》. ⑧변변 ㉠문자(文字)의 좌문(左文). ㉡다각형을 둘러싼 선(線). '等一三角形'. ⑨성변 성(姓)의 하나.

[字源] 形聲. ⻌(辵)+臱〔音〕

[參考] 辺(辵부 2획〈1487〉)·邉(辵부 13획〈1509〉)은 俗字.

辵15 〔邊〕 19 邊(前條)의 本字

辵15 〔邋〕 19 랍 [入]葉 | liè リョウ はたのゆれうごくさま

[字解] 나부낄랍 기(旗)가 펄렁거리는 모양. '一一員斿'《石鼓文》.

[字源] 形聲. ⻌(辵)+巤〔音〕

辵15 〔邌〕 19 려 [平]齊 | lí レイ おもむろ

[字解] 천천히걸을려 '一, 徐行皃'《廣韻》.

[字源] 形聲. ⻌(辵)+黎〔音〕

辵15 〔𨘥〕 19 독 [入]屋 | dú トク なれる

[字解] ①더럽힐독 친압(親狎)하여 더럽힘. ②익힐독 '一, 遺也'《玉篇》. ③흔하게여길독 '一, 易也'《玉篇》. ④자주독 '一, 數也'《玉篇》.

[字源] 形聲. ⻌(辵)+賣〔音〕

辵15 〔還〕 19 〔환〕
還(辵부 13획〈1508〉)의 本字

辵16 〔邍〕 20 원 [平]元 | yuán ゲン·ガン はら

[字解] 들원 높고 편편한 땅. 原(厂부 8획〈135〉)과 통용. '一隰之名物'《周禮》.

[字源] 會意. ⻌(辵)+备+彔

辵16 〔𨘢〕 20 〔막〕
邈(辵부 14획〈1509〉)의 本字

辵16 〔𨗨〕 20 력 [入]錫 | lì レキ ちかい

[字解] 가까울력 '一, 近也'《集韻》.

辵17 〔𨙍〕 21 약 [入]藥 | yuè ヤク はるか

[字解] 아득히멀약 '一, 遠也'《玉篇》.

辵17 〔邎〕 21 邎(次條)의 俗字

辵17 〔邎〕 21 ㊀유 [平]尤 ㊁요 [平]蕭 | yóu ユウ ちかみちをゆく ヨウ はやくゆく

[字解] ㊀①지름길을갈유. ②빨리갈유 서둘러 감. '一, 疾行也'《玉篇》. ③갈유 '一, 行也'《廣韻》. ㊁①빨리갈요 ㊀②와 뜻이 같음. ②나아갈요 '一, 進也'《集韻》. ③함께갈요 따라감. '一, 一曰, 相隨行'《集韻》.

[字源] 形聲. 篆文은 ⻌(辵)+䌛〔音〕

辵17 〔𨙅〕 21 〔수〕
隨(阜부 13획〈1625〉)의 本字

辵17 〔𨙇〕 21 〔원〕
邍(辵부 16획〈1510〉)의 本字

辵18 〔𨙬〕 22 ㊀주 [去]遇 ㊁종 [平]冬 ㊂준 [平]眞 | zhù チュ すすまない チョウ すすまない チュン すすまない

[字解] ㊀①나아가지않을주. ②말나아가지않을주 '一, 馬不行也'《廣韻》. ㊁나아가지않을종, 말나아가지않을종 ㊀과 뜻이 같음. ㊂나아가지않을준, 말나아가지않을준 ㊀과 뜻이 같음.

[字源] 形聲. ⻌(辵)+䮼〔音〕

辵18 〔𨙫〕 22 〔유〕
邎(辵부 17획〈1510〉)의 本字

辵18 〔𨙎〕 22 익 [入]職 | yì ヨク はやくゆく

[字解] ①빨리달릴익 '一, 疾趨'《廣韻》. ②趩(走부 18획〈1420〉)과 同字. '趩, 說文, 趨進趩如也, 或从辵'《集韻》.

辵19〔邏〕23 라 ㊀箇 luó ラ めぐる

字解 ①돌라 순찰함. '巡一'. '宜遠偵一'《晉書》. 또, 순찰하는 사람. '偵一'. '戍一減半分'《晉書》. ②두를라 위요함. '春山紫一長'《杜甫》.

字源 形聲. 辶(辵)+羅〔音〕

辵19〔邐〕23 리 ㊤紙 lǐ リ つづく

字解 연할리 연속함. '迤一覩鵝翼'《梁簡文帝》.

字源 形聲. 辶(辵)+麗〔音〕

辵19〔邍〕23 〔독〕 遭(辵부 15획〈1510〉)의 本字

辵19〔遷〕23 〔천〕 遷(辵부 12획〈1507〉)의 本字

辵19〔邁〕23 〔매〕 邁(辵부 13획〈1508〉)와 同字

辵20〔躩〕24 왁 ㊁藥 yuè ワク ゆいてとどまらぬ

字解 ①가기만하고머물지않을왁 '一, 行不住, 一一天下'《廣韻》. ②돌왁 돌아다님. '一, 一一, 周旋也'《集韻》.

辵20〔遭〕24 〔조〕 遭(辵부 11획〈1505〉)의 本字

辵22〔邅〕26 〔주〕 邅(辵부 18획〈1510〉)의 本字

辵23〔鷸〕30 〔휼〕 鷸(鳥부 12획〈1835〉)과 同字

邑(阝)部

〔고을읍·우부방부〕

邑0〔邑〕7 中·人 ㊀읍 ㊁緝 yì ユウ みやこ ㊁압 ㊁合 è オウ おもねる

筆順 丨 ㄇ 口 吕 吊 邑 邑

字解 ㊀①고을읍 많은 사람이 모여 사는 곳. 큰 마을. '二年成一, 三年成都'《史記》. ②영지읍 ㉠천자(天子)가 직할(直轄)하는 영지(領地). 기내(畿內). '商一翼翼'《詩經》. ㉡제후(諸侯)의 영지. 봉토(封土). '作一于豐'《詩經》. ㉢대부(大夫)의 영지. '以家一之田任稍地'《周禮》. ③영유할읍 영지를 가짐. '武王旣崩, 叔虞一唐'《史記》. ④근심할읍 悒(心부 7획〈392〉)과 同字. '一憐'. '安能一一待數十百年'《史記》. ㊁아첨할압 아유함. 영합함. '阿一人主'《漢書》.

字源 會意. 口+卩

參考 '邑읍'을 의부(意符)로 하여, 사람이 사는 지역, 땅 이름을 나타내는 문자를 이룸. 방(旁)으로 쓰일 때에는, 자형이 '阝'이 됨. 부수 이름은 '고을읍'.

邑0〔阝〕3 邑(前條)의 글자의 오른편〔旁〕으로 올 때의 자체(字體). 속칭 '우부방(右阜旁)'.

筆順 ㇇ 了 阝

邑0〔邑〕6 원 ㊤阮 yuàn エン くに

字解 ①고을원 다른 사람 소유의 읍(邑). ②동산원 '反邑爲苑'《六書略》.

字源 指事. '邑읍'을 반대로 한 모양. 영지(領地)의 뜻을 원뜻으로 하는 '邑읍'의 반대, 곧 남의 영지(領地)의 뜻을 나타냄.

參考 '邑'이 한자(漢字)를 구성(構成)할 때에는, '乡'의 모양이 됨.

邑2〔邔〕5 기 ㊤紙 jǐ キ ちめい

字解 땅이름기 '一, 地名'《說文》.

字源 形聲. 阝(邑)+几〔音〕

邑2〔邖〕5 산 shān サン ちめい

字解 땅이름산 '一, 地名'《搜眞玉鏡》.

邑3〔邕〕10 옹 ①㊤腫 yǒng ヨウ ふさぐ ②㊥冬 yōng ヨウ やわらぐ ③㊀宋 ヨウ せい

字解 ①막을옹 壅(土부 13획〈222〉)과 同字. '一河水不流'《漢書》. ②화락할옹 雍(隹부 5획〈1631〉)과 同字. '闔門一穆'《晉書》. ③성옹 성(姓)의 하나.

字源 會意. 巛+邑

邑3〔邔〕6 기 ㊤紙 qǐ キ けんめい

字解 고을이름기 한(漢)나라의 현(縣)의 이름. 지금의 호북성(湖北省) 의성현(宜城縣). '一縣, 屬南郡'《後漢書 註》.

字源 形聲. 阝(邑)+己〔音〕

邑3〔邗〕6 한 ㊥寒 hán カン ちめい, うんがのな

字解 땅이름한, 운하이름한 '一江'은 지금의 강소성(江蘇省) 양주(揚州)의 옛 이름. 또, '一溝'는 옛날의 운하(運河)의 이름. 지금의 강소성의 강도현(江都縣)에서 시작하

여 회안현(淮安縣)에 이르렀음. '吳城一, 溝通江淮'《左傳》.
[字源] 形聲. 阝(邑)+干〔音〕
[參考] 邘(次條)와는 別字.

邑 3 〔邘〕6 우 (平)虞 | yú ウ ちめい
[字解] ①나라이름우 주(周)나라 무왕(武王)의 아들을 봉(封)한 나라. '明年伐一'《史記》. ②땅이름우 지금의 하남성(河南省) 하남현(河南縣) 안에 있던 지명(地名). '王取鄔劉蔿一之田于鄭'《左傳》. ③성우 성(姓)의 하나.
[字源] 形聲. 阝(邑)+于(亏)〔音〕
[參考] 邗(前條)과는 別字.

邑 3 〔亐阝〕6 邘(前條)의 本字

邑 3 〔邙〕6 망 (平)陽 | máng ボウ·モウ やまのな
[字解] 산이름망 하남성(河南省) 낙양(洛陽)의 북쪽에 있는 산. 귀인·명사(名士)의 무덤이 많음. '千秋萬古北一塵'《劉廷芝》.
[字源] 形聲. 阝(邑)+亡〔音〕

邑 3 〔邛〕6 공 (平)冬 | qióng キョウ いみんぞくのこくめい
[字解] ①오랑캐공 한대(漢代)에 사천성(四川省) 서창현(西昌縣) 지방에 살던 서남이(西南夷). '一筰之君長'《史記》. ②언덕공 구릉(丘陵). '一有旨苕'《詩經》. ③고달플공, 앓을공 피로함. 병듦. '維王之一'《詩經》. ④성공 성(姓)의 하나.
[字源] 形聲. 阝(邑)+工〔音〕

邑 3 〔口阝〕6 구 (平)有 | kǒu コウ·ク さとのな
[字解] 마을이름구 섬서성(陝西省) 남전현(藍田縣)의 서쪽. '一, 京兆藍田鄉'《說文》.
[字源] 形聲. 阝(邑)+口〔音〕

邑 3 〔邖〕6 ㊀산 (平)刪 | shān サン ちめい (平)寒 | サン ちめい ㊁선 (平)先 | セン ちめい
[字解] ㊀ ①땅이름산 '一, 地名'《說文》. ②성산 성(姓)의 하나. ㊁ 땅이름선 '一, 地名'《集韻》.
[字源] 形聲. 阝(邑)+山〔音〕

邑 3 〔乡阝〕6 항 (去)絳 | xiàng コウ ちまた
[字解] ①마을안작은길항. ②巷(己부 6획〈328〉)의 本字.
[字源] 會意. '邑읍'을 둘 합쳐서, 마을 안의 작은 길의 뜻을 나타냄.

邑 3 〔才阝〕6 재 (平)灰 | cái サイ さとのな
[字解] 마을이름재 '一, 鄕名'《集韻》.

邑 4 〔邠〕7 빈 (平)眞 | bīn ヒン こくめい
[字解] ①땅이름빈 주대(周代)의 서울로서, 지금의 섬서성(陝西省) 빈현(邠縣). 豳(豕부 10획〈1376〉)과 同字. '大王居一'《孟子》. ②빛날빈 彬(彡부 8획〈367〉)과 同字. '斐如一如'《太玄經》. ③성빈 성(姓)의 하나.
[字源] 形聲. 阝(邑)+分〔音〕

邑 4 〔邡〕7 방 (平)陽 fāng (去)漾 fàng | ホウ ちめい
[字解] ①땅이름방 사천성(四川省)에 있는 지명(地名). ②찾을방 방문함. 訪(言부 4획〈1316〉)과 통용. '一公也'《穀梁傳》.
[字源] 形聲. 阝(邑)+方〔音〕

邑 4 〔邢〕7 [人名] 형 (平)青 | xíng ケイ こくめい
[筆順] 一 二 于 开 开' 开阝 邢
[字解] ①나라이름형 주공(周公)의 아들을 봉(封)한 나라. 지금의 하북성(河北省) 형대현(邢臺縣)의 서남(西南) 지방. '以鄭人一人伐翼'《左傳》. ②성형 성(姓)의 하나.
[字源] 形聲. 阝(邑)+幵〔音〕

邑 4 〔那〕7 [高·人] ㊀나 (平)歌 (上)哿 | ①-⑤nā, nuó ナ いかんぞ ⑥⑦nǎ ナ なに, あれ
㊁내 (去)箇 | nuò ナ じょじ
[筆順] ㇆ 刀 冃 冄 冄' 冄阝 那
[字解] ㊀ ①어찌나 어찌하여. 何(人부 5획〈42〉)와 뜻이 같은데, 시(詩)에 많이 쓰임. '處分適兄意, 一得自任專'《古詩》. ②내하(奈何)오나 어떠하냐. 여하(如何). '棄甲則一'《左傳》. ③어찌하리오나 어찌하면 좋으랴. '強欲從君, 無一老'《王維》. ④많을나 '受福不一'《詩經》. ⑤편안할나 편안한 모양. '有一其居'《詩經》. ⑥어느나 어떤. '一事'. '一裏'(어느 곳). '君家阿一邊'《李白》. ⑦저나 彼(彳부 5획〈369〉)와 뜻이 같은데, 시(詩)에 많이 쓰임. '大作家在一邊'《盧氏雜記》. '所以一老人'《禪月》. ㊁ 어조사내 무의미한 조사(助辭). '公是韓伯休一'《後漢書》.
[字源] 會意. 篆文은 阝(邑)+尹(冄)

邑 4 〔冄阝〕7 那(前條)의 本字

邑4〔䢵〕7 운 ㊥文 yún ウン こくめい

字解 나라이름운 鄖(邑부 10획〈1524〉)과 同字. '若敖娶於一'《左傳》.

邑4〔邥〕7 심 ㊤寢 shěn シン ちめい

字解 땅이름심 '一垂'는 지금의 하남성(河南省) 낙양현(洛陽縣) 남쪽에 있던 옛날의 지명(地名). '敗戎于一垂'《左傳》.
字源 形聲. 阝(邑)+冘〔音〕

邑4〔邦〕7 高·人 방 ㊥江 bāng ホウ くに

筆順 一 = 三 丰 丰' 丰阝 邦

字解 ①나라방 국가. 국토. '掌一之六典'《周禮》. ②봉할방 제후를 봉함. 영지(領地)를 줌. '乃命諸王, 一之蔡'《書經》. ③성방 성(姓)의 하나.
字源 形聲. 阝(邑)+丰〔音〕

邑4〔邗〕7 邦(前條)과 同字

邑4〔邧〕7 원 ㊥元 yuán ゲン むらのな

字解 고을이름원 지금의 섬서성(陝西省) 징성현(澄城縣) 안에 있던 진(秦)나라의 읍(邑). '晉侯伐秦, 圍一新城'《左傳》.
字源 形聲. 阝(邑)+元〔音〕

邑4〔邪〕7 高·人
㊀ 사 ㊥麻 xié シャ·ジャ よこしま
㊁ 야 ㊥麻 yé ヤ じょじ
㊂ 여 ㊥魚 yú ヨ あまり
㊃ 서 ㊥魚 xú ショ ゆるやか

筆順 一 ㄷ 于 牙 牙' 牙阝 邪

字解 ㊀ ①간사할사 ㉠바르지 못함. 정직(正直)하지 못함. 부정(不正). '一道'. '思無一'《論語》. ㉡성질이 간교하고, 행동이 바르지 못함. '妖一'. '佞一'. 또, 그 사람. '誅暴禁一'《史記》. ②기우듬할사 한쪽으로 기울어짐. '其文皷一'《釋名》. ③열병사 오열(惡熱)이 나는 병. '有病一者'《南史》. ④사기(邪氣)사 몸에서 오열을 나게 하는 외기(外氣). '以驅百一'《齊民要術》. ㊁ 그런가야 의문사(疑問辭). 耶(耳부 3획〈1055〉)와 同字. '天道是一非一'《史記》. ㊂ 나머지여 餘(食부 7획〈1719〉)와 同字. '歸一於終'《史記》. ㊃ ①느릴서 언행이 조용하고 느린 모양. '其虛其一'《詩經》. ②성서 성(姓)의 하나.
字源 形聲. 阝(邑)+牙〔音〕

邑4〔郊〕7
㊀ 기 ㊥支 qí キ ちめい
㊁ 지 ㊥支 zhī シ むらのな

字解 ㊀ 땅이름기 주(周)나라의 고을 이름. 지금의 섬서성(陝西省) 기산현(岐山縣)의 동북쪽. 岐(山부 4획〈304〉)과 同字. ㊁ 고을이름지 하남성(河南省) 신야현(新野縣)의 고을 이름.
字源 形聲. 阝(邑)+支〔音〕

邑4〔邟〕7
㊀ 항 ㊦漾 ㊥陽 ㉠háng ㉡コウ けんめい ㉡コウ·キョウ けんめい
㊁ 경 ㊥庚
㊂ 강 ㊥陽 kāng コウ けんめい

字解 ㊀ 고을이름항 ㉠하남성(河南省) 임여현(臨汝縣). '一, 潁川縣'《說文》. ㉡'餘一'은 한(漢)나라 때 두었던 현(縣)으로, 지금의 절강성(浙江省) 여항현(餘杭縣). '一, 餘一, 縣名. 在吳興'《廣韻》. ㊁ 고을이름경 ㊀㉠과 뜻이 같음. ㊂ ①고을이름강 ㊀㉠과 뜻이 같음. ②성(城)이름강 하남성(河南省) 우현(禹縣)에 있는 성(城)의 이름. '一, 一城, 在陽翟'《廣韻》.
字源 形聲. 阝(邑)+亢〔音〕

邑4〔邩〕7 화 ㊤哿 huǒ カ ちめい

字解 땅이름화 '一, 地名'《說文》.
字源 形聲. 阝(邑)+火〔音〕

邑4〔井阝〕7 정 ㊥梗 jǐng セイ ちめい

字解 땅이름정 하북성(河北省) 정형현(井陘縣). 정형(井阝邢). 또, 정자(亭子)의 이름. '一, 一邢, 地名'《廣韻》.
字源 形聲. 阝(邑)+井〔音〕

邑4〔邞〕7 부 ㊥虞 fū フ けんめい

字解 고을이름부 산동성(山東省) 교현(膠縣)의 서남쪽의 현(縣)이름. '一, 琅邪縣也. 一名, 純德'《說文》.
字源 形聲. 阝(邑)+夫〔音〕

邑4〔邥〕7 패 ㊦泰 pèi ハイ ぐんめい

字解 ①고을이름패 군(郡)의 이름. '一, 沛國也'《說文》. ②성패 성(姓)의 하나.
字源 形聲. 篆文은 阝(邑)+米〔音〕

邑4〔邵〕7 소 ㊤篠 ㊦嘯 shǎo ショウ ちめい

字解 땅이름소 노(魯)의 지명(地名). '一, 魯地'《廣韻》.
字源 形聲. 阝(邑)+少〔音〕

邑 4 〔丑阝〕 7 뉴 ㊤有 niŭ ジュウ·ニュ ちめい

字解 ①땅이름뉴 '一, 地名'《說文》. ②구리뉴 '一陽珍'은 구리의 별명(別名). '是稱一陽之珍'《梁簡文帝》.
字源 形聲. ⻏(邑)+丑〔音〕

邑 4 〔斤阝〕 7 흔 ㊥文 xīn キン となり

字解 ①이웃흔 '一, 鄰也'《集韻》. ②땅이름흔 '一, 地名'《集韻》.

邑 4 〔丘阝〕 7 〔구〕 邱(邑부 5획〈1514〉)의 本字

邑 4 〔壬阝〕 7 〔영〕 郢(邑부 7획〈1518〉)과 同字

邑 4 〔邨〕 7 〔촌〕 村(木부 3획〈528〉)과 同字
字源 形聲. ⻏(邑)+屯〔音〕

邑 5 〔邯〕 8 ㊀한 ㊥寒 hán カン ちめい ㊁함 ㊥覃 hàn カン じんめい

字解 ㊀조나라서울한 '一鄲'은 전국 시대(戰國時代)의 조(趙)나라 서울. 지금은 하북성(河北省)의 한 현(縣)임. '一鄲之郊'《戰國策》. ㊁사람이름함 '章一'은 진(秦)나라 이세 황제(二世皇帝)의 장수.
字源 形聲. ⻏(邑)+甘〔音〕

邑 5 〔甘邑〕 12 邯(前條)과 同字

邑 5 〔邰〕 8 人名 태 ㊥灰 tái タイ こくめい

筆順 ㄥ ㅿ 亼 台 台 台⻏ 台阝 邰

字解 ①나라이름태 주(周)나라의 선조(先祖) 후직(后稷)이 처음으로 봉(封)함을 받은 나라. '有一'('有'는 발성(發聲)의 말)라고도 함. 지금의 섬서성(陝西省) 무공현내(武功縣內). '卽有一家室'《詩經》. ②성태 성(姓)의 하나.
字源 形聲. ⻏(邑)+台〔音〕

邑 5 〔邱〕 8 人名 구 ㊥尤 qiū キュウ おか

筆順 ˊ ㄏ 𠂆 斤 丘 丘⻏ 丘阝 邱

字解 언덕구 丘(一부 4획〈12〉)와 同字. '一陵隄防'《孫子》.
字源 形聲. ⻏(邑)+丘(北)〔音〕

邑 5 〔邲〕 8 필 ㊇質 bì ヒツ ちめい

字解 ①땅이름필 춘추 전국 시대(春秋戰國時代)의 정(鄭)나라의 땅. 지금의 하남성(河南省) 정현(鄭縣)의 동쪽. '戰于一'(진초(晉楚)의 싸움으로, 춘추(春秋)의 오대전(五大戰)의 하나)《左傳》. ②성필 성(姓)의 하나.
字源 形聲. ⻏(邑)+必〔音〕

邑 5 〔邳〕 8 비 ㊥支 pī, péi ヒ ちめい, おおきい

字解 ①땅이름비 지명(地名). 지금의 산동성(山東省) 등현내(滕縣內). '奚仲遷于一'《左傳》. 또, '下一'는 장양(張良)이 황석공(黃石公)을 만난 곳으로서, 지금의 강소성(江蘇省) 비현내(邳縣內). '彭越渡睢水, 戰於下一'《史記》. ②클비 丕(一부 4획〈12〉)와 통용. '櫺檻一張'《何晏》. ③성비 성(姓)의 하나.
字源 形聲. ⻏(邑)+丕〔音〕

邑 5 〔邴〕 8 병 ㊤梗 ㊧敬 bǐng, bǐng ヘイ·ヒョウ ちめい

字解 ①땅이름병 춘추 시대(春秋時代)의 정(鄭)나라의 땅. '使宛來歸一'《穀梁傳》. ②기뻐할병 기뻐하는 모양. '一一乎其似喜乎'《莊子》. ③성병 성(姓)의 하나.
字源 形聲. ⻏(邑)+丙〔音〕

邑 5 〔邵〕 8 人名 소 ㊧嘯 shào ショウ ゆうのな

筆順 ㄱ ㄲ 刀 召 召 召⻏ 召阝 邵

字解 ①고을이름소 '郫一'는 하남성(河南省)에 있던 진(晉)나라의 읍(邑). ②성소 성(姓)의 하나. '召公'을 '一公'으로도 씀. '周一呂望之功'《史記》.
字源 形聲. ⻏(邑)+召〔音〕

邑 5 〔邶〕 8 패 ㊧隊 bèi ハイ ちめい

字解 땅이름패 은(殷)나라 조가(朝歌)의 북반(北半)으로서, 주(周)나라 무왕(武王)이 은(殷)나라 주왕(紂王)의 아들 무경(武庚)을 봉(封)한 땅. 지금의 하남성(河南省) 위휘부(衛輝府) 지방. '分朝歌而北謂之一'《詩經 序》.
字源 形聲. ⻏(邑)+北〔音〕

邑 5 〔邸〕 8 人名 저 ㊤薺 dǐ テイ やしき

筆順 ˉ ㄏ 𠂆 氏 氐 氐⻏ 氐阝 邸

字解 ①사처저 내조(來朝)한 제후(諸侯)가 서울에서 머무르는 숙사. '至一而議之'《漢書》. 전(轉)하여, 널리 ②주막저 숙사. 여관. '因留客一'《宋史》. ③집저 주택. 주

로, 고귀한 이의 집. '一宅'. '官一'. '以北一爲建章宮'《南史》. ④종친저 황족(皇族). '晉一稱爲二張'《北史》. ⑤밑저 ㉠밑바닥. '一謂之柢'《爾雅》. ㉡밑동. '四圭有一, 以祀天旅上帝'《周禮》. ⑥병풍저 방 안 같은 데 둘러치는 제구. '張氈案, 設皇一'《周禮》. ⑦다다를저, 이를저 抵(手부 5획〈434〉)와 통용. '自中山西一瓠口'《史記》. ⑧댈저 닿게 함. '一華葉而振氣'《宋玉》. ⑨성저 성(姓)의 하나.
[字源] 形聲. 阝(邑)+氐〔音〕

邑5 〔郚〕8 ㊀호 [平]豪 | háo コウ·ゴウ ごうのな
㊁요 [平]蕭 | ヨウ ごうのな

[字解] ㊀고을이름호 하남성(河南省) 남양시(南陽市)의 동쪽에 있는 향(鄕)의 이름. '一, 南陽淯陽縣'《說文》. ㊁고을이름요 [一]과 뜻이 같음.
[字源] 形聲. 阝(邑)+号〔音〕

邑5 〔郋〕8 저 [平]魚 | jū ショ ごうのな

[字解] 고을이름저 섬서성(陝西省) 호현(鄠縣)에 있는 향(鄕)의 이름. '一, 右扶風鄠鄕'《說文》.
[字源] 形聲. 阝(邑)+且〔音〕

邑5 〔郵〕8 ㊀유 [平]尤 | yóu ユウ·ユ あずまやのな
㊁적 [入]錫 | テキ あずまやのな
㊂독 [入]沃 | トク あずまやのな
㊃우

[字解] ㊀정자이름유, 고을이름유 섬서성(陝西省) 고릉현(高陵縣)의 서남쪽에 있는 정자(亭子)의 이름. 또, 향(鄕)의 이름. '一, 左馮翊高陵亭'《說文》. '一, 鄕名, 在高陵'《廣韻》. ㊁정자이름적, 고을이름적 [一]과 뜻이 같음. ㊂정자이름독, 고을이름독 [一]과 뜻이 같음. ㊃郵(邑부 8획〈1520〉)의 簡體字.

邑5 〔郇〕8 구 [去]遇 [平]虞 | jù ク ちめい

[字解] 땅이름구 '一, 地名'《說文》.
[字源] 形聲. 阝(邑)+句〔音〕

邑5 〔郇〕8 포 [平]肴 [平]豪 | bāo ホウ ちめい

[字解] ①땅이름포 서남방(西南方)의 이민족(異民族)의 땅의 이름. '一, 地名'《說文》. ②성포 성(姓)의 하나.
[字源] 形聲. 阝(邑)+包〔音〕

〔祁〕〔기〕
示부 3획(885)을 보라.

邑5 〔郍〕8 〔나〕
那(邑부 4획〈1512〉)의 訛字

邑5 〔郝〕8 ㊀비 [去]寘 | bì ヒ ゆうのな
㊁비 [去]未 | fèi ヒ ちめい
㊂불 [入]物 | フツ せい

[字解] ㊀①고을이름비 고을 이름. 지금의 산동성(山東省) 비현(費縣). ②땅이름비 지금의 하남성(河南省) 언사현(偃師縣). ㊂성불 성(姓)의 하나.

邑5 〔邪〕8 〔사〕
邪(邑부 4획〈1513〉)와 同字

邑5 〔邦〕8 〔정〕
邦(邑부 4획〈1513〉)의 本字

邑5 〔邹〕8 〔추〕鄒(邑부 10획〈1523〉)의 俗字·簡體字

邑5 〔邻〕8 〔린〕鄰(邑부 12획〈1527〉)의 簡體字

邑6 〔邽〕9 규 [平]齊 | guī ケイ けんめい

[字解] ①고을이름규 한대(漢代)의 한 현(縣)으로서, '上一'는 지금의 감숙성(甘肅省) 천수현내(天水縣內), '下一'는 섬서성(陝西省) 위남현내(渭南縣內). ②성규 성(姓)의 하나.
[字源] 形聲. 阝(邑)+圭〔音〕

邑6 〔邾〕9 주 ①[平]虞 | zhū チュ こくめい
②[平]虞 | シュ せい

[字解] ①나라이름주 춘추 시대(春秋時代)의 노(魯)나라의 부용국(附庸國). 후에, 추(鄒)라 개칭하였음. 지금의 산동성(山東省) 추현(鄒縣) 지방. '公及一儀父盟于蔑'《春秋》. ②성주 성(姓)의 하나.
[字源] 形聲. 阝(邑)+朱〔音〕

邑6 〔邿〕9 시 [平]支 | shī シ こくめい

[字解] ①나라이름시 춘추 시대(春秋時代)의 노(魯)나라의 부용국(附庸國). 지금의 산동성(山東省) 제령현(濟寧縣)의 남부 지방. '一亂分爲三, 師救一, 遂取之'《左傳》. ②산이름시 산동성 평음현(平陰縣)의 서쪽에 있는 산 이름. '以下軍克一'《左傳》.
[字源] 形聲. 阝(邑)+寺〔音〕

邑6 〔郁〕9 [人名] 욱 [入]屋 | yù イク ちめい

[筆順] ノ ナ 才 冇 有 有' 有³ 郁

[字解] ①땅이름욱 '一夷'는 지금의 섬서성

(陝西省)에 있는 지명. ②성할욱 ㉠문물(文物)이 융성한 모양. '一一乎文哉'《論語》. ㉡향기가 대단히 나는 모양. '踐椒塗之一烈'《曹植》. ③성욱 성(姓)의 하나.
[字源] 形聲. ⻏(邑)+有〔音〕

邑6 〔郃〕9 합 [入]合|hé コウ·ゴウ けんめい
[字解] ①고을이름합 '一陽'은 섬서성(陝西省)의 현명(縣名). ②물이름합 섬서성(陝西省)에 있던 강. 원은 '洽'이라 하였음. '在一之陽'《詩經》. ③성합 성(姓)의 하나.
[字源] 形聲. ⻏(邑)+合〔音〕

邑6 〔郅〕9 ㊀질 [入]質|zhì シツ けんめい ㊁길 [入]質|jí キツ はたざお
[字解] ㊀①고을이름질 '郁一'은 지금의 감숙성(甘肅省)에 있던 현(縣). ②이를질 至(部首〈1102〉)와 뜻이 같음. 일설(一說)에는, 융성하여짐. '文王改制, 爰周一隆'《史記》. ③성질 성(姓)의 하나. ㊁깃대길 '一偈'는 깃대. 기간(旗竿). '夫何旟旐一偈之旖旎也'《揚雄》.
[字源] 形聲. ⻏(邑)+至〔音〕

邑6 〔郇〕9 ㊀순 [平]眞|xún シュン ちめい ㊁환 [平]刪|huán カン せい
[字解] ㊀①땅이름순 춘추 시대(春秋時代)의 진(晉)나라의 땅. 지금의 산서성(山西省)의 의씨현(猗氏縣)의 지방. '退軍于一'《左傳》. ②성순 성(姓)의 하나. ㊁성환 성(姓)의 하나.
[字源] 形聲. ⻏(邑)+旬〔音〕

邑6 〔郈〕9 후 [上]有|hòu コウ ちめい
[字解] ①고을이름후 춘추 시대(春秋時代)의 노(魯)나라의 읍(邑). 지금의 산동성(山東省) 동평현내(東平縣內). '叔孫氏墮一'《左傳》. ②성후 성(姓)의 하나.
[字源] 形聲. ⻏(邑)+后〔音〕

邑6 〔郆〕9 년 [平]先|nián ネン ごうのな
[字解] 고을이름년 중국 섬서성(陝西省) 예천현(醴泉縣) 동북쪽에 있음.

邑6 〔䣍〕13 郆(前條)과 同字

邑6 〔郊〕9 [高·人] 교 [平]肴|jiāo コウ みやこはずれ
[筆順] ' 亠 六 亣 交 交' 交阝 郊
[字解] ①성밖교 주대(周代)의 제도(制度)에서는 국도(國都)에서 거리가 50리 이내의 곳을 '近一', 백 리 이내를 '遠一'라 함. '邯鄲之一'《戰國策》. 전(轉)하여, 도회의 부근을 이름. '一外'. ②들교, 시골교 인가는 드물고 전야(田野)가 많은 땅. '農一'. '當春一而徑平'《謝朓》. ③교사(郊祀)교 천지(天地)의 제사. '一祭'. '冬至祀天于南一, 夏至祀地于北一, 故謂祀天地爲一'《康熙字典》. ④제사지낼교 교사(郊祀)를 지냄. '魯今且一'《史記》.
[字源] 形聲. ⻏(邑)+交〔音〕

邑6 〔郄〕9 극 [入]陌|xì ケキ ひま, すきま
[字解] ①고을이름극 춘추 시대(春秋時代)의 진(晉)나라의 대부(大夫) 극헌자(郄獻子)의 봉읍(封邑). ②틈극 郤(邑부 7획〈1518〉)의 俗字. 隙(阜부 10획〈1622〉)과 同字. '過一'《莊子》. ③성극 성(姓)의 하나.

邑6 〔郂〕9 해 [平]灰|hāi カイ ごうのな
[字解] 고을이름해 ㉠하남성(河南省) 개봉시(開封市)의 동남쪽에 있는 향(鄕)의 이름. '一, 陳留鄕'《說文》. ㉡읍(邑)의 이름. '一, 邑名'《集韻》.
[字源] 形聲. ⻏(邑)+亥〔音〕

邑6 〔郌〕9 광 [平]陽|kuāng キョウ ごうのな
[字解] 고을이름광 향(鄕)의 이름.
[字源] 形聲. ⻏(邑)+匡(匡)〔音〕

邑6 〔耒阝〕9 뢰 [去]隊 [上]賄|lěi ライ けんめい
[字解] 고을이름뢰 '一陽'은 현(縣)의 이름. 호남성(湖南省) 뇌양현(耒陽縣)의 동쪽. '一, 一陽縣. 漢書作耒'《廣韻》.
[字源] 形聲. ⻏(邑)+耒〔音〕

邑6 〔郋〕9 혜 [平]齊|xí ケイ りのな
[字解] 마을이름혜 하남성(河南省) 언성현(郾城縣)의 동쪽의 소릉(召陵)의 고성(故城). '一, 汝南召陵里'《說文》.
[字源] 形聲. ⻏(邑)+自〔音〕

邑6 〔郍〕9 여 [平]魚|rú ジョ·ニョ ちめい
[字解] 땅이름여 '一, 地名'《說文》.
[字源] 形聲. ⻏(邑)+如〔音〕

邑6 〔郚〕9 우 [上]麌|yǔ ウ あずまやのな
[字解] 정자이름우 하남성(河南省) 심양현(沁陽縣)의 북쪽의 무음성(舞陰城). '一,

南陽舞陰亭'《說文》.
[字源] 形聲. 阝(邑)+羽〔音〕

邑 6 〔邸〕 9 [一]신 [平]眞 | シン ちめい
[二]진 [去]震 | chén シン ちめい
[字解] [一] 땅이름신 '一, 地名'《說文》. [二] 땅이름진 [一]과 뜻이 같음.
[字源] 形聲. 阝(邑)+臣〔音〕

邑 6 〔邢〕 9 〔형〕
邢(邑부 4획〈1512〉)의 本字

邑 6 〔郱〕 9 〔병〕
邦(邑부 8획〈1520〉)의 俗字

邑 6 〔郎〕 9 〔랑〕
郞(邑부 7획〈1518〉)의 俗字

邑 6 〔郑〕 9 〔정〕 鄭(邑부 12획〈1527〉)의 簡體字

〔耶〕 〔야〕
耳부 3획(1055)을 보라.

邑 6 〔郋〕 9 〔사〕
卸(卩부 6획〈132〉)의 俗字

邑 6 〔郌〕 9 〔구〕
邱(邑부 5획〈1514〉)와 同字

邑 6 〔郈〕 9 궤 [上]紙 | guǐ キ やまのな
[字解] 산이름궤 산 이름. '陸一之山'《山海經》.

邑 6 〔郆〕 9 길 [入]質 | jí キツ ちめい
[字解] ①산이름길 산 이름. '一成'. '一, 一成山'《玉篇》. ②땅이름길 땅 이름. '一, 地名'《集韻》.

邑 6 〔郉〕 9 〔방〕
邦(邑부 4획〈1513〉)과 同字

邑 6 〔郁〕 9 존 [平]元 | cún ソン けんめい
[字解] 고을이름존 고을 이름. 지금의 사천성(四川省) 의빈현(宜賓縣) 동남쪽의 땅. 한대(漢代)에 둔 현. '一鄢'. '一, 一鄢, 縣名, 在犍爲, 或从水'《集韻》.

邑 6 〔鄒〕 9 〔추〕
鄒(邑부 10획〈1523〉)와 同字

邑 6 〔巷〕 13 항 [去]絳 | hàng コウ ちまた
[字解] 골목항 골목. 동넷길. '一, 里中道也'《說文》.

邑 7 〔郔〕 10 연 [平]先 | yán エン ちめい
[字解] 땅이름연 ㉠춘추 시대(春秋時代)에, 지금의 하남성(河南省) 정현(鄭縣)에 있던 정(鄭)나라의 지명(地名). '晉侯伐鄭及一'《左傳》. ㉡춘추 시대(春秋時代)에, 지금의 하남성(河南省) 항성현(項城縣)에 있던 초(楚)나라의 지명(地名). '王待諸一'《左傳》.
[字源] 形聲. 阝(邑)+延〔音〕

邑 7 〔郕〕 10 성 [平]庚 | chéng セイ ちめい, こくめい
[字解] ①나라이름성 춘추 시대(春秋時代)에, 주(周)나라 무왕(武王)이 그의 아우 숙무(叔武)를 봉한 나라. 지금의 산동성(山東省) 영양현내(寧陽縣內). '衞師入一'《左傳》. ②땅이름성 정(鄭)나라에 있던 지명(地名). 지금의 하남성(河南省) 무척현(武陟縣)의 서남(西南). '與鄭人蘇忿生之田, 溫原絺樊隰一, 云云'《左傳》. ③성성 성(姓)의 하나.
[字源] 形聲. 阝(邑)+成〔音〕

邑 7 〔郗〕 10 치 [平]支 | chī キ ゆうのな
[字解] ①고을이름치 주(周)나라의 읍명(邑名). 지금의 하남성(河南省) 하남현내(河南縣內). '一, 周邑也'《說文》. ②성치 성(姓)의 하나.
[字源] 形聲. 阝(邑)+希〔音〕

邑 7 〔郚〕 10 오 [平]虞 | wú ゴ ゆうのな
[字解] 고을이름오 ㉠춘추 시대(春秋時代)에, 지금의 산동성(山東省) 안구현(安丘縣)에 있던 기(紀)나라의 읍명(邑名). '齊師遷紀郱鄑一'《春秋》. ㉡춘추 시대에, 지금의 산동성 사수현(泗水縣)에 있던 노(魯)나라의 읍명(邑名). '城一'《左傳》.
[字源] 形聲. 阝(邑)+吾〔音〕

邑 7 〔郛〕 10 부 [平]虞 | fú フ くるわ
[字解] 발재부 외성(外城). 곽(郭). '伐宋入其一'《左傳》.
[字源] 形聲. 阝(邑)+孚〔音〕

邑 7 〔郜〕 10 고 [去]號 | gāo コウ こくめい
[字解] ①나라이름고 주(周)나라 문왕(文王)이 아들을 봉(封)한 나라. 지금의 산동성(山東省) 무현내(武縣內). '一雍曹滕'《左傳》. ②땅이름고 동상(同上)의 땅이 춘추 시대(春秋時代)에는 송(宋)나라의 영지

(領地)가 되었음. ③성고 성(姓)의 하나.
字源 形聲. 阝(邑)+告〔音〕

邑7 〔郝〕10 학 入藥 hǎo カク ちめい
字解 ①땅이름학 한대(漢代)의 향명(鄕名). 지금의 섬서성(陝西省)의 호현(鄠縣)과 주질현(盩厔縣) 사이의 땅. ②성학 성(姓)의 하나.
字源 形聲. 阝(邑)+赤〔音〕

邑7 〔郎〕10 中·人 랑 平陽 láng ロウ ちめい, おとこ
筆順 ' ㅋ 㠯 良 良 良' 良阝郎
字解 ①땅이름랑 노(魯)나라의 지명(地名). 지금의 산동성(山東省) 비현(費縣)의 서북의 땅. '費伯帥師城—'《左傳》. ②벼슬이름랑 진한(秦漢) 때, 숙위(宿衛)를 맡은 벼슬. 후세에는, 상서(尙書), 곧 장관(長官)을 보좌하는 차관격(次官格)인 벼슬을 '侍—'이라 하였고, 또 각사(各司)에 '—中'을 두었으며, 그 부관(副官)을 '員外—'이라 하였음. '爲子求—'《後漢書》. ③사내랑 남자. '僕閱人多矣, 無如此—者'《唐書》. ④아들랑 자식. '令—'. '命太—次—率衆取'《創業起居 註》. ⑤낭군랑 아내가 남편을 부르는 호칭. '天壤之中, 乃有王—'《晉書》. ⑥주인랑 하인이 주인을 부르는 말. '君非其家奴, 何—之云'《唐書》. ⑦행랑랑 廊(广부 10획〈350〉)과 통용. '築—臺'《史記》. ⑧성랑 성(姓)의 하나.
字源 形聲. 阝(邑)+良〔音〕

邑7 〔郟〕10 겹 入洽 jiá コウ ちめい
字解 ①땅이름겹 '—鄏'은 주(周)나라 성왕(成王)이 보정(寶鼎)을 이 곳에 정(定)하여, 장래(將來)를 점(占)친 곳. 지금의 하남성(河南省) 낙양현(洛陽縣)의 서쪽 땅. '成王定鼎于—鄏'《左傳》. ②방겹 문의 양쪽 옆에 있는 방. '雍人割雞屋下, 當門—室'《大戴禮》. ③성겹 성(姓)의 하나.
字源 形聲. 阝(邑)+夾〔音〕

邑7 〔郠〕10 경 上梗 gěng コウ ゆうのな
字解 땅이름경 춘추 시대(春秋時代)에, 하남성(河南省) 기수현(沂水縣)에 있던 거(莒)나라의 지명(地名). '季平子伐莒取—'《左傳》.
字源 形聲. 阝(邑)+更(叓)〔音〕

邑7 〔郡〕10 中·人 군 去問 jùn グン こおり
筆順 ㄱ ㅋ ㅋ 尹 君 君' 君阝郡
字解 ①고을군 행정 구획의 하나. 주(周)나라에서는 현(縣)의 아래에 속(屬)하였다가, 진(秦)나라에 이르러 천하(天下)를 36군(郡)으로 나누었을 때 현(縣)은 그 아래에 속하게 하였고, 한(漢)나라 무제(武帝)에 이르러서는 천하를 13주(州)로 나누어 군(郡)은 주(州)에 속하였으며, 당(唐)나라 때에는 주(州)를 폐하여 도(道)를 설치하고 군(郡)을 주(州)로 개칭한 이래, 송원(宋元)을 거쳐 군(郡)의 칭호는 마침내 없어졌음. '夸州兼—'《漢書》. ②성군 성(姓)의 하나.
字源 形聲. 阝(邑)+君〔音〕

邑7 〔郘〕10 려 上語 lǚ リョ・ロ あずまやのな
字解 정자이름려 '—, 亭名'《廣韻》.

邑7 〔郚〕10 ㊀도 平虞 tú ト ちめい ㊁사 平麻 シャ ちめい ㊂서 平魚 ショ ちめい
字解 ㊀땅이름도 추(鄒)의 하읍(下邑). '—, 邾下邑地. 魯東有—城'《說文》. ㊁땅이름사 ㊀과 뜻이 같음. ㊂땅이름서 ㊀과 뜻이 같음.
字源 形聲. 阝(邑)+余〔音〕

邑7 〔郢〕10 영 去敬 yǐng エイ ちめい
字解 초나라서울영 춘추 시대(春秋時代)의 초(楚)나라의 서울. 지금의 호북성(湖北省) 강릉현내(江陵縣內). 역사상 음탕한 곳으로 유명함.
字源 形聲. 阝(邑)+呈〔音〕

邑7 〔郤〕10 극 入陌 xì ケキ・ゲキ すき
字解 ①틈극 隙(阜부 10획〈1622〉)과 同字. '諸侯相見於—地曰會'《禮記》. '令將軍與臣有—'《史記》. ②성극 성(姓)의 하나.
字源 形聲. 阝(邑)+谷〔音〕
參考 郄(邑부 6획〈1516〉)은 俗字.

邑7 〔郢〕10 리 上紙 lǐ リ あずまやのな
字解 ①정자이름리 하남성(河南省) 남양시(南陽市)의 북쪽 서악(西鄂)의 고성(故城). '—, 南陽西鄂亭'《說文》. ②고을이름리 읍(邑)의 이름. '—, 一曰, 邑名'《廣韻》.
字源 形聲. 阝(邑)+里〔音〕

邑7 〔郣〕10 발 入月 bó ホツ ちめい
字解 ①땅이름발 춘추 시대(春秋時代) 제

(齊)나라의 땅. '一海'는 한(漢)나라 때의 군(郡)의 이름. 지금의 하북성(河北省) 창현(滄縣)의 동남쪽. '一, 一地'《說文》. ② 붕긋한땅발 '一, 一日, 地之起者日一'《說文》. ③가루발 고운 가루. '今俗謂粉之細者日勃. 皆卽一字'《說文 段注》.
字源 形聲. 阝(邑)+孛〔音〕

邑7〔郕〕10 구 ㊥尤|qiú キュウ ちめい
字解 ①땅이름구 '一, 地名'《說文》. ②고을이름구 향(鄉)의 이름. '一, 一日, 鄉名. 在陳留'《說文》.
字源 形聲. 阝(邑)+求〔音〕

邑7〔郖〕10 두 ㊥尤 ㊟有|dòu トウ わたしばのな
字解 나루터이름두 황하(黃河)의 나루터로, 하남성(河南省) 영보현(靈寶縣)의 서쪽. '遂詭道從一津渡'《魏志》.
字源 形聲. 阝(邑)+豆〔音〕

邑7〔郙〕10 ㊀보 ㊤麌|fū フ あずまやのな ㊁부 ㊥虞|フ あずまやのな
字解 ㊀①정자이름보 하남성(河南省) 상채현(上蔡縣)의 서남쪽 상채(上蔡)의 고성(故城). '一, 汝南上蔡亭'《說文》. ②고을이름보 향(鄉)의 이름. '一, 鄉名'《廣韻》. ㊁정자이름부 ㊀❶과 뜻이 같음.
字源 形聲. 阝(邑)+甫〔音〕

邑7〔郚〕10 부 ㊤有|fǒu フウ・フ ちめい
字解 ①땅이름부 '一, 地名'《集韻》. ②部(邑부 8획〈1519〉)의 訛字.

邑7〔郐〕10 괴 ㊟卦|kuài カイ ごうのな
字解 ①고을이름괴 하남성(河南省) 정양현(正陽縣)의 안양(安陽)의 고성(故城). '一, 汝南安陽郡'《說文》. ②성괴 성(姓)의 하나.
字源 形聲. 阝(邑)+馭〈省〉〔音〕

邑7〔郩〕10 ㊀소 ㊟效|shào ソウ たいふのちぎょうち ㊁초 ㊟嘯|ショウ ちめい
字解 ㊀대부식읍소 대부(大夫)의 채읍(采邑)으로서 왕기(王畿)안에 있는 것. '一, 大夫食邑'《玉篇》. ㊁땅이름초 '一, 地名'《集韻》.
字源 形聲. 阝(邑)+肖〔音〕

邑7〔郲〕10 〔뢰〕
邾(邑부 6획〈1516〉)의 本字

邑7〔郑〕10 〔정〕
鄭(邑부 12획〈1527〉)의 略字

邑7〔郧〕10 신 ㊥眞|chén シン くにのな
字解 나라이름신 나라 이름. 지금의 하남성(河南省) 진녕현(進寧縣) 서쪽의 땅. '宛丘西南四十里有一亭'《路史》.

邑7〔郥〕10 패 ㊟泰|bèi ハイ ちめい
字解 땅이름패 땅 이름. 지금의 산동성(山東省)에 있었던 춘추 시대의 땅. '一, 地名'《字彙補》.

邑7〔邑邑〕14 〔항〕
巷(己부 6획〈328〉)과 同字

邑8〔部〕11 中·人 부 ㊤麌 ㊤有|bù pǒu ブ すべる, ぶ
筆順 ' 亠 亣 立 音 音' 音阝 部
字解 ①거느릴부 통솔함. 지배함. 관할함. '一十三州'《漢書》. 또, 통솔하는 일. 관할하는 곳. '行一乘傳'《漢書》. ②마을부 관청. '吏一'. '內務一'. '還一白府君'《古詩》. ③떼부 사람의 한 떼. '行無一曲'《漢書》. ④분류부 구분. '一類'. '分其天一'《史記》. ⑤부부 분류한 것을 세는 수사(數詞). '譯出新經十四一'《魏志》. ⑥언덕부 '一婁'는 구릉(丘陵). '一婁無松柏'《左傳》. ⑦성부 성(姓)의 하나.
字源 形聲. 阝(邑)+音〔音〕

邑8〔䣊〕15 部(前條)와 同字

邑8〔郪〕11 처 ㊥齊|qī セイ ちめい
字解 땅이름처 ㉠'一丘'는 지금의 산동성(山東省) 동아현(東阿縣)에 있던 제(齊)나라의 땅. '公子遂及齊侯盟于一丘'《春秋》. ㉡'新一'는 지금의 안휘성(安徽省)에 있던 위(魏)나라의 땅. '大王之地, 南有新一'《史記》.
字源 形聲. 阝(邑)+妻〔音〕

邑8〔郫〕11 비 ㊥支|pí ヒ けんめい
字解 ①고을이름비 ㉠지금의 사천성(四川省)에 있던 촉군(蜀郡)의 한 현(縣). '遡江上處, 嶓山之陽, 日一'《漢書》. ㉡'一邵'는 춘추 시대(春秋時代)에, 지금의 하남성(河南省) 원곡현(垣曲縣)의 동쪽에 있던 진(晉)나라의 읍(邑). '齊伐晉, 戍一邵'《左傳》. ②성비 성(姓)의 하나.

字源 形聲. 阝(邑)＋卑〔音〕

邑8〔郭〕11 高·人 곽 ㊀藥 guō カク くるわ

筆順 亠 古 亨 亨 享 享' 享阝 郭

字解 ①밭재곽 도읍을 둘러싼 성(城). 외성(外城). '城一'. '三里之城, 七里之一'《孟子》. ②둘레곽 외위(外圍). '外一'. '輪一'. '天地之爲萬物一'《揚子法言》. ③벌릴곽 개장(開張)함. 廓(广부 11획〈351〉)과 同字. '堅嶠之後, 達夫一之'《韓愈》. ④성곽 성(姓)의 하나.

字源 形聲. 阝(邑)＋享(亯)〔音〕

邑8〔郯〕11 담 ㊥覃 tán タン こくめい

字解 ①나라이름담 춘추 시대(春秋時代)에, 지금의 산동성(山東省) 담성현(郯城縣)에 있던 나라. '平莒及一'《春秋》. ②성담 성(姓)의 하나.

字源 形聲. 阝(邑)＋炎〔音〕

邑8〔郰〕11 추 ㊥尤 zōu シュウ ゆうのな

字解 고을이름추 노(魯)나라의 읍(邑)으로서, 공자(孔子)의 출생지. 지금의 산동성(山東省) 추현(鄒縣)의 서북. '一人紇抉之, 以出門者'《左傳》.

字源 形聲. 阝(邑)＋取〔音〕

邑8〔郱〕11 병 ㊥青 píng ヘイ ちめい

字解 땅이름병 춘추 시대(春秋時代)의 지명(地名). 지금의 산동성(山東省) 임구현 내(臨朐縣內).

字源 形聲. 阝(邑)＋幷〔音〕

邑8〔郲〕11 래 ㊥灰 lái ライ ちめい

字解 ①땅이름래 지금의 하남성(河南省) 형택현(滎澤縣)에 있던 정(鄭)나라의 땅. ②성래 성(姓)의 하나.

字源 形聲. 阝(邑)＋來〔音〕

邑8〔郳〕11 예 ㊥齊 ní ゲイ こくめい

字解 ①나라이름예 지금의 산동성(山東省) 등현(滕縣)에 있던 노(魯)나라의 부용국(附庸國). '秋, 一犂來來朝'《春秋》. ②성예 성(姓)의 하나.

字源 形聲. 阝(邑)＋兒〔音〕

邑8〔郴〕11 침 ㊥侵 chēn チン けんめい

字解 ①고을이름침 한(漢)나라의 계양군(桂陽郡)의 한 현(縣). 지금은 호남성(湖南省)의 한 현. 항우(項羽)가 의제(義帝)를 옮겨 놓은 곳. '追殺之一縣'《史記》. ②성침 성(姓)의 하나.

字源 形聲. 阝(邑)＋林〔音〕

邑8〔郵〕11 高·人 우 ㊥尤 yóu ユウ つぎば

筆順 二 千 丘 垂 垂 垂' 垂阝 郵

字解 ①역말우 문서·명령을 전달하는 인마(人馬)를 번갈아 발송(發送)하기 위하여 적당한 거리를 두고 베푼 시설. 역참(驛站). 또, 말로 전달하는 것을 '置', 보행으로 전달하는 것을 '一'라 함. '一驛'. '速於置一而傳命'《孟子》. ②오두막집우 농사를 감독하기 위해 밭 사이에 지은 작은 집. '一表畷'《禮記》. ③탓할우, 허물우 尤(尢부 1획〈293〉)와 통용. '罪人不一其上'《荀子》. '以顯朕一'《漢書》. ④성우 성(姓)의 하나.

字源 會意. 阝(邑)＋垂(𠂹)

邑8〔郾〕11 엄 ㊤琰 yǎn エン こくめい

字解 나라이름엄 산동성 곡부현(曲阜縣) 동쪽의 옛 나라 이름. '周公所誅一國, 在魯'《說文》.

字源 形聲. 阝(邑)＋奄〔音〕

邑8〔郤〕11 ㊀당 ㊤養 dǎng トウ ちめい
㊁창 ㊤養 ショウ ちめい

字解 ㊀ ①땅이름당 '一, 地名'《說文》. ②마을당 5백호(戶)의 마을. '一, 一曰, 五百家爲一'《玉篇》. ③머물당 '一, 居也'《廣雅》. ㊁ 땅이름창 '一, 地名'《集韻》.

字源 形聲. 阝(邑)＋尙〔音〕

邑8〔𨛫〕15 郤(前條)의 古字

邑8〔郃〕11 ㊀서 ㊥魚 shū ショ ちめい
㊁사 ㊦禡 shè シャ ゆうのな

字解 ㊀ 땅이름서 '一, 地名. 在廬江'《廣韻》. ㊁ 고을이름사 '一, 邑名'《集韻》.

字源 形聲. 阝(邑)＋舍〔音〕

邑8〔郵〕11 〔년〕 邾(邑부 6획〈1516〉)의 本字

邑8〔都〕11 〔도〕 都(邑부 9획〈1521〉)의 略字

邑8〔郷〕11 〔향〕 鄉(邑부 10획〈1523〉)의 略字

邑8 〔郜〕 11 〔고〕
郜(邑부 7획〈1517〉)와 同字

邑8 〔郩〕 11 〔기〕
攲(支부 8획〈484〉)와 同字

邑8 〔郆〕 11 석 入陌 xī セキ ごうのな
字解 고을이름석 고을 이름. '一, 鄕名'《集韻》.

邑8 〔郕〕 11 〔저〕
邸(邑부 5획〈1514〉)의 俗字

邑8 〔郬〕 11 청 平青 qīng セイ ちめい
字解 땅이름청 땅 이름. '一, 地名'《等韻》.

邑8 〔郌〕 11 〔호〕
鄠(邑부 11획〈1525〉)와 同字

邑8 〔郩〕 11 ㊀효 平肴 xiáo コウ ちめい
㊁오 上晧 ǎo オウ ゆうのな
字解 ㊀①땅이름효 땅 이름. '一, 地名'《玉篇》. ②산이름효 산 이름. ㊁고을이름오 고을 이름. '一, 邑名'《廣韻》.

邑8 〔𨜒〕 15 려 平齊 lí レイ こくめい
字解 나라이름려 나라 이름. 은(殷)의 제후국. 무왕(武王)이 제요(帝堯)의 후손을 이 곳에 봉하였음. 지금의 산서성(山西省) 장야현(長治縣)의 서남쪽.

邑8 〔𨜮〕 15 ㊀배 平灰 péi ハイ ごうのな
㊁비 平微 ビ ごうのな
字解 ㊀①고을이름배 고을 이름. 지금의 산서성(山西省) 문희현(聞喜縣)의 동쪽. ②성배 성(姓)의 하나. ㊁고을이름비 ㊀❶과 뜻이 같음.

邑8 〔𨝃〕 15 〔취〕
聚(耳부 8획〈1058〉)와 同字

邑8 〔𨜰〕 15 〔호〕
鄠(邑부 11획〈1525〉)와 同字

邑9 〔郹〕 12 격 入錫 jú ケキ ちめい
字解 땅이름격 춘추 시대(春秋時代)에, 지금의 하남성(河南省) 신채현(新蔡縣)에 있던 채(蔡)나라의 지명. '一陽封人之女奔之'《左傳》.
字源 形聲. 阝(邑)+狊〔音〕

邑9 〔都〕 12 中·人 도 平虞 dū ト みやこ

筆順 一 十 土 耂 者 者 者 都

字解 ①도읍도 서울. '遷一'. 주대(周代)에는, 제후(諸侯) 및 경대부(卿大夫)의 봉읍(封邑)에도 이름. '大一' '一城不過百雉'《禮記》. 또, 큰 고을. '一會'. '一市'. '不如因而賂一名一'《戰國策》. ②도읍할도 서울을 정함. '一南鄭'《史記》. ③있을도, 거할도 점유함. 그 지위에 있음. '身一卿相之位'《漢書》. ④모일도 군집함. '蟲鳥之所一聚'《釋名》. ⑤모을도 ㉠모이게 함. '大一授時'《漢書》. ㉡한데 합침. '頃撰遺文, 一爲一集'《魏文帝》. ⑥거느릴도 통령(統領)함. 총리함. '一督中外諸軍事'《晉書》. ⑦모두도 모조리. '一是'. '使人名利之心一盡'《世說》. ⑧아름다울도, 우아할도 모습이나 거동이 고아(高雅)함. '一雅'. '洵美且一'《詩經》. ⑨아도 탄미(歎美)하는 소리. '皐陶曰, 一'《書經》. ⑩성도 성(姓)의 하나.
字源 形聲. 阝(邑)+者〔音〕

邑9 〔郾〕 12 언 去願 yǎn エン ちめい
字解 땅이름언 한대(漢代)에 지금의 하남성(河南省) 언성현(郾城縣)에 있던 지명(地名). '次于一'《柳宗元》.
字源 形聲. 阝(邑)+匽〔音〕

邑9 〔郿〕 12 미 平支 méi ビ ちめい
字解 고을이름미 ㉠섬서성(陝西省) 미현(郿縣)의 고칭(古稱). 동탁(董卓)이 이 곳에 쌓은 작은 성(城)을 '一塢'라 함. '王餞于一'《詩經》. ㉡노(魯)나라의 읍(邑). 지금의 산동성(山東省) 수장현(壽張縣)의 서북(西北). '築一'《左傳》.
字源 形聲. 阝(邑)+眉(䁋)〔音〕

邑9 〔鄀〕 12 약 入藥 ruò ジャク こくめい
字解 나라이름약 ㉠춘추 시대(春秋時代)에, 지금의 하남성(河南省) 내향현(內鄕縣)에 있던 작은 나라. '秦晉伐一'《左傳》. ㉡춘추 시대에, 호북성(湖北省) 의성현(宜城縣)에 있던 초(楚)나라의 읍(邑). '楚恐而去郢徙一'《史記》.
字源 形聲. 阝(邑)+若〔音〕

邑9 〔鄂〕 12 악 入藥 è ガク こくめい, ちめい
字解 ①나라이름악 은대(殷代)에 있던 나라. '鬼侯一侯文王, 紂之三公也'《戰國策》. ②고을이름악 춘추 시대(春秋時代)에, 지금의 호북성(湖北省) 무창현(武昌縣)에 있던 초(楚)나라의 읍(邑). '中子紅爲一王'

《史記》. ③나타날악 밖에 나타나는 모양. '—不韡韡'《詩經》. ④한계악 일정한 범위. '亡—'《揚雄》. ⑤놀랄악 愕(心부 9획〈401〉)과 통용. '群臣皆驚—失色'《漢書》. ⑥곧은 말할악 직언(直言)을 하는 모양. 諤(言부 9획〈1341〉)과 통용. '諸大夫朝, 徒聞唯唯, 不聞周舍之——'《史記》.

字源 形聲. 阝(邑)+咢(䚯)〔音〕

邑 9 〔鄃〕 12 유 ㊤虞 | shū ユ けんめい

字解 고을이름유 한대(漢代)에, 지금의 산동성(山東省) 평원현(平原縣)에 있던 현(縣). '田蚡爲丞相, 其奉邑食—'《史記》.

字源 形聲. 阝(邑)+俞〔音〕

邑 9 〔鄄〕 12 견 ㊥先 | juàn ケン ちめい

字解 땅이름견 춘추 시대(春秋時代)에, 지금의 산동성(山東省) 복현(濮縣)에 있던 위(衛)나라의 지명(地名). '單伯會齊侯宋公衛侯鄭伯于—'《春秋》.

字源 形聲. 阝(邑)+垔(㒼)〔音〕

邑 9 〔鄅〕 12 우 ㊤麌 | yǔ ウ こくめい

字解 ①나라이름우 춘추 시대(春秋時代)에 지금의 산동성(山東省) 난산현(蘭山縣)에 있던 나라. '邾人入—'《春秋》. ②성우 성(姓)의 하나.

字源 形聲. 阝(邑)+禹〔音〕

邑 9 〔鄆〕 12 운 ㊦問 | yùn ウン ゆうのな

字解 ①고을이름운 ㉠춘추 시대(春秋時代)의 거(莒)나라의 읍(邑). 지금의 산동성(山東省) 제성현내(諸城縣內). '遂入—'《左傳》. ㉡춘추 시대의 노(魯)나라의 읍(邑). 지금의 산동성 운성현(鄆城縣)의 동쪽. '待于—'《左傳》. ②성운 성(姓)의 하나.

字源 形聲. 阝(邑)+軍〔音〕

邑 9 〔郈〕 12 후 ㊦有 ㊥尤 | hòu コウ ちめい

字解 땅이름후 춘추 시대(春秋時代)에 지금의 하남성(河南省) 무척현(武陟縣)에 있던 진(晉)나라의 지명(地名). '晉郤至與周爭—田'《左傳》.

字源 形聲. 阝(邑)+侯〔音〕

邑 9 〔鄈〕 12 계 ㊦霽 | jì ケイ こくめい

字解 나라이름계 주(周)나라가 황제(黃帝)의 후손을 봉한 나라. 지금의 북경(北京)임. 薊(艸부 13획〈1188〉)와 통용. '周封黃帝之後於—也'《說文》.

字源 形聲. 阝(邑)+契〔音〕

邑 9 〔鄈〕 12 규 ㊥支 | kuí キ ちめい

字解 땅이름규 지금의 산서성(山西省) 분성현(汾城縣) 남쪽의 임분(臨汾). '—, 河東臨汾地'《說文》.

字源 形聲. 阝(邑)+癸〔音〕

邑 9 〔鄽〕 12 전 ㊥先 | chán テン みせ

筆順 厂 戶 戸 厓 厘 厘' 厘阝 鄽

字解 가게전 鄽(邑부 15획〈1529〉)의 俗字

邑 9 〔鄣〕 12 의 ㊥微 | yī イ こくめい

字解 ①나라이름의 은(殷)나라 시대의 나라 이름. '—, 殷國名也'《廣韻》. ②은나라의 은(殷)나라를 일컫는 말. '夏民親—如夏'《呂氏春秋》.

邑 9 〔郠〕 12 〔경〕 郠(邑부 7획〈1518〉)의 本字

邑 9 〔郃〕 12 〔갑〕 郃(邑부 10획〈1524〉)의 本字

邑 9 〔郻〕 12 〔광〕 邼(邑부 6획〈1516〉)의 本字

邑 9 〔郰〕 12 〔수〕 鄒(邑부 10획〈1523〉)와 同字

邑 9 〔鄅〕 12 〔우〕 郵(邑부 8획〈1520〉)와 同字

邑 9 〔卿〕 12 〔경〕 卿(卩부 10획〈133〉)과 同字

邑 9 〔鄙〕 12 〔려〕 酈(邑부 19획〈1530〉)와 同字

邑 9 〔郢〕 12 영 ㊥庚 | yíng エイ せい

字解 성영 성(姓)의 하나. '—, 姓也'《集韻》.

邑 9 〔郥〕 12 〔패〕 邶(邑부 5획〈1514〉)와 同字

邑 9 〔郷〕 12 〔항〕 巷(己부 6획〈328〉)과 同字

邑 9 〔郷〕 12 〔향〕 鄉(邑부 10획〈1523〉)의 俗字

邑 9 〔郿〕12 〔휼〕 䘏(血부 3획〈1259〉)과 同字

邑 9 〔䣑〕16 옹 [上]董 yōng オウ おおい
[字解] 많을옹 많음. '一, 一鐻, 多也'《集韻》.

邑 9 〔鄅〕16 〔우〕 鄅(邑부 8획〈1520〉)의 俗字

邑 10 〔鄉〕13 [中·人] 향 [平]陽 ①-⑥xiāng キョウ·ゴウ くに, ふるさと [上]養 ⑦⑧xiǎng キョウ·ゴウ ひびき, うける [去]漾 ⑨⑩xiàng キョウ·ゴウ さき, むかう
[筆順] 乡 乡' 乡ʼ 乡ʼ 乡阝 乡阝 鄉 鄉
[字解] ①마을향 행정 구획의 하나. 주한(周漢) 때에는 12,500 호(戶), 수당(隋唐) 때에는 500 호가 사는 구역. '五家爲隣, 五隣爲里, 四里爲族, 五族爲黨, 五黨爲州, 五州爲一'《漢書》. ②시골향 촌의 마을. '一邑'. '一稱善人'《陳師道》. ③고향향 제가 나서 자란 곳. '同一'. '去國懷一'《范仲淹》. ④곳향 장소. '遊無何有之一'《莊子》. ⑤구역이름향 주대(周代)에, 왕성(王城)으로부터 백 리까지의 땅. '一遂'. ⑥성향 성(姓)의 하나. ⑦음향향 響(音부 13획〈1682〉)과 통용. '如影一之應形聲'《漢書》. ⑧대접할향 饗(食부 13획〈1729〉)과 통용. '專一獨美其福'《漢書》. ⑨접때향 嚮(口부 16획〈191〉)과 통용. '一也吾見於夫子而問知'《論語》. ⑩향할향 向(口부 3획〈148〉)과 통용. '宗屬唯嬰, 賢而喜士, 士一之'《史記》.
[字源] 象形. 甲骨文은 '卿경'과 같은 꼴로, '향하다'의 뜻을 나타냄.

邑 10 〔鄕〕13 鄉(前條)의 俗字

邑 10 〔鄊〕13 鄉(前前條)의 訛字

邑 10 〔鄋〕13 수 [平]尤 sōu シュウ こくめい
[字解] 오랑캐수 '一瞞'은 춘추 시대(春秋時代)의 북적(北狄)의 하나. '一瞞侵齊'《左傳》.
[字源] 形聲. 阝(邑)＋叟(変)〔音〕

邑 10 〔鄍〕13 명 [平]青 míng メイ ゆうのな
[字解] 고을이름명 춘추 시대(春秋時代)의 우(虞)나라의 읍(邑). 지금의 산동성(山東省) 평륙현(平陸縣) 내의 땅. '伐一三門'《左傳》.
[字源] 形聲. 阝(邑)＋冥〔音〕

邑 10 〔鄎〕13 식 [入]職 xì ショク·ソク こくめい
[字解] ①나라이름식 주대(周代)에, 지금의 하남성(河南省)에 있던 나라. ②땅이름식 주대(周代)에, 지금의 하남성(河南省)에 있던 제(齊)나라의 땅. '師于一'《春秋》.
[字源] 形聲. 阝(邑)＋息〔音〕

邑 10 〔鄏〕13 욕 [入]沃 rǔ ジョク ちめい
[字解] 땅이름욕 郟(邑부 7획〈1518〉)을 보라. '郟一'.
[字源] 形聲. 阝(邑)＋辱〔音〕

邑 10 〔鄐〕13 축 [入]屋 chù チク ゆうのな
[字解] ①고을이름축 춘추 시대(春秋時代)의 진(晉)나라의 형후(邢侯)의 읍(邑). '雍子奔晉, 晉人與之一'《左傳》. ②성축 성(姓)의 하나.
[字源] 形聲. 阝(邑)＋畜〔音〕

邑 10 〔鄑〕13 ㊀자 [平]支 zī シ ちめい ㊁진 [去]震 jìn シン ちめい
[字解] ㊀고을이름자 춘추 시대(春秋時代)에, 지금의 산동성(山東省) 창읍현(昌邑縣)에 있던 기(紀)나라의 읍(邑). '齊師遷紀郱一郚'《說文》. ㊁땅이름진 지금의 산동성(山東省)에 있던, 춘추 시대(春秋時代)의 송(宋)나라와 노(魯)나라 사이의 땅. '敗宋師于一'《春秋》.
[字源] 形聲. 阝(邑)＋晉(晉)〔音〕

邑 10 〔鄒〕13 [人名] 추 [平]尤 zōu シュウ·スウ こくめい
[筆順] ㄅ 勹 匀 刍 芻 芻ʼ 芻阝 鄒
[字解] ①나라이름추 邾(邑부 6획〈1515〉)를 보라. '孟子居一'《孟子》. ②성추 성(姓)의 하나.
[字源] 形聲. 阝(邑)＋芻〔音〕

邑 10 〔鄔〕13 오 [上]麌 wū オ ちめい
[字解] ①땅이름오 ㉠춘추 시대(春秋時代)에, 지금의 하남성(河南省) 언사현(偃師縣)에 있었던 정(鄭)나라의 지명(地名). '王取一劉蔿邘之田于鄭'《左傳》. ㉡춘추시대에, 지금의 산서성(山西省) 개휴현(介休縣) 내에 있었던 진(晉)나라의 지명(地名). '司馬彌牟爲一大夫'《左傳》. ②성오 성

(姓)의 하나.
[字源] 形聲. 阝(邑)+烏〔音〕

邑
10 〔鄖〕13 운 [平]文 yún ウン こくめい

[字解] ①나라이름운 춘추 시대(春秋時代)의 한 나라. 지금의 호북성(湖北省) 안륙현(安陸縣)의 땅. '一人軍於蒲騷'《左傳》. ②땅이름운 춘추 시대의 위(衞)나라의 지명(地名). 지금의 강소성(江蘇省) 여고현(如皐縣)의 땅. '殯於一'《左傳》. ③성운 성(姓)의 하나.
[字源] 形聲. 阝(邑)+員〔音〕

邑
10 〔鄗〕13 [一]호 [上]晧 hào コウ ちめい
[二]효 [平]肴 qiāo コウ·キョウ やまのな

[字解] [一]①고을이름호 춘추 시대(春秋時代)에, 지금의 하북성(河北省) 백향현(柏鄉縣)에 있던 진(晉)나라의 읍(邑). 전국시대(戰國時代)에는 조(趙)나라에 속하였고, 후한(後漢)의 광무제(光武帝)는 이 곳에서 즉위(卽位)한 후, 고읍(高邑)이라고 고친 곳임. '伐晉, 取邢任欒一'《左傳》. ②호경호 주(周)나라의 서울. 鎬(金부 10획〈1575〉)와 통용. '西顧酆一'《後漢書》. [二]산이름효 하남성(河南省) 형양현(滎陽縣)에 있는 산. '晉師在敖一之閒'《左傳》.
[字源] 形聲. 阝(邑)+高〔音〕

邑
10 〔⿰旁阝〕13 방 [平]陽 páng ホウ·ボウ あずまやのな

[字解] 정자이름방, 고을이름방 하남성(河南省) 신채현(新蔡縣)의 북쪽. 주양(鮦陽)의 고성(故城). '一, 亭名. 在汝南'《廣韻》. '一, 鄕名. 在鮦陽'《集韻》.
[字源] 形聲. 阝(邑)+旁〔音〕

邑
10 〔⿰盍阝〕13 [一]갑 [入]合 コウ ちめい
[二]합 [入]合 hé コウ ちめい
[三]개 [去]泰 カイ ちめい

[字解] [一] 땅이름갑 전국 시대(戰國時代)에 제(齊)나라의 읍(邑). 한(漢)나라의 개현(蓋縣). 산동성(山東省) 기수현(沂水縣)의 서북쪽. '一, 地名'《廣韻》. [二] 땅이름합 [一]과 뜻이 같음. [三] 땅이름개 [一]과 뜻이 같음.
[字源] 形聲. 阝(邑)+盇(盍)〔音〕

邑
10 〔⿰馬阝〕13 마 [去]禡 [上]馬 mǎ バ·メ けんめい

[字解] 고을이름마 '存一'는 한(漢)나라의 현(縣)의 이름. 사천성(四川省) 의빈현(宜賓縣)의 동남쪽의 땅. '一, 存一, 犍爲縣'《說文》.
[字源] 形聲. 阝(邑)+馬〔音〕

邑
10 〔⿰虔阝〕13 건 [平]先 qián [上]銑 ケン そんらくのな

[字解] 마을이름건 산서성(山西省) 문희현(聞喜縣)의 촌락(村落)의 이름. '一, 河東聞喜縣'《說文》.
[字源] 形聲. 阝(邑)+虔〔音〕

邑
10 〔鄓〕13 〔격〕
鄓(邑부 9획〈1521〉)의 訛字

邑
10 〔⿰豆阝〕13 〔두〕
郖(邑부 7획〈1519〉)와 同字

邑
10 〔⿰祟阝〕13 술 [入]質 xù シュツ くずれる

[字解] 무너질술 무너짐. 허물어짐. '一, 穎下'《廣韻》.

邑
10 〔⿰鬼阝〕13 외 [上]賄 wěi ワイ たいらでないさま

[字解] 평탄치아니할외 평탄하지 아니한 모양. '一, 一郲, 不平'《廣韻》.

邑
11 〔鄘〕14 용 [平]冬 yōng ヨウ こくめい

[字解] ①땅이름용 원은 은(殷)나라 주왕(紂王)의 도성(都城)의 일부인데, 주(周)나라 무왕(武王)이 은나라를 멸한 후, 도성을 이분하여 남쪽 반을 '一'(북쪽은 '邶')이라 고치고, 관숙(管叔)을 그 곳의 윤(尹)으로 봉(封)하였음. 지금의 하남성(河南省) 급현(汲縣)의 동북쪽. ②담용 성의 담. 성벽. 墉(土부 11획〈218〉)과 同字. '宋城舊一'《左傳》.
[字源] 形聲. 阝(邑)+庸〔音〕

邑
11 〔鄙〕14 비 [上]紙 bǐ ヒ ほうち, いやしい

[字解] ①마을비 주대(周代)의 행정 구획의 하나. 500 호가 사는 소읍(小邑). '縣一'. ②식읍비 공경 대부(公卿大夫)의 식읍(食邑). 채지(采地). '以八則治都一'《周禮》. ③두메비 서울에서 멀리 떨어진 궁벽한 곳. '邊一'. ④촌스러울비 촌뜨기 같음. '野一'. 전(轉)하여, 자기의 사물에 관(冠)하는 겸칭(謙稱)으로 쓰임. '一見'. '妾願以一軀, 易父之死'《列女傳》. ⑤더러울비 마음이 비루함. '一劣'. '在位貪一'《詩經 序》. ⑥고집셀비 완고함. '或仁或一'《漢書》. ⑦천할비 신분이 낮음. '魯之一家也'《呂氏春秋》. ⑧천하게여길비 ㉠얕봄. 천대함. '過我而不假我, 一我也'《左傳》. ㉡비천(卑賤)하다고 생각함. '巫醫百工之人, 君子一之'《韓愈》. ㉢수치로 여김. '君子所一'《史記》. ⑨천한이비 천한 사람. '賞一以招賢'《潛夫論》.
[字源] 形聲. 阝(邑)+啚〔音〕

邑 11 〔鄙〕 14 鄙(前條)의 俗字

邑 11 〔鄚〕 14 막 [入]藥 | mào バク·マク ちめい

[字解] ①땅이름막 하북성(河北省)에 있던 지명(地名). '與燕一易'《史記》. ②성막 성(姓)의 하나.

[字源] 形聲. ⻏(邑)＋莫〔音〕

邑 11 〔鄛〕 14 소 [平]肴 | cháo ソウ·ジョウ ちめい

[字解] 땅이름소 지금의 하남성(河南省) 신야현(新野縣)에 있던 지명. 한(漢)나라 화제(和帝)가 환관(宦官) 정중(鄭衆)을 봉(封)한 땅. '念衆功美, 封爲一鄉侯'《後漢書》.

[字源] 形聲. ⻏(邑)＋巢〔音〕

邑 11 〔鄜〕 14 부 [平]虞 | fū フ ちめい

[字解] 땅이름부 진대(秦代)의 지명(地名). 문공(文公)이 백제(白帝)를 제사지낸 곳. 지금의 섬서성(陝西省) 서안부(西安府)의 북쪽. '初爲一時'《史記》.

[字源] 形聲. 篆文은 ⻏(邑)＋麃〔音〕

邑 11 〔鄝〕 14 료 [上]篠 | liǎo リョウ こくめい

[字解] 나라이름료 춘추 시대(春秋時代)에 지금의 안휘성(安徽省) 서성현(舒城縣)에 있던 나라. '楚人滅舒一'《穀梁傳》.

[字源] 形聲. ⻏(邑)＋翏〔音〕

邑 11 〔鄞〕 14 은 [平]眞 | yín ギン ちめい

[字解] 고을이름은 한대(漢代)의 회계군(會稽郡)의 한 현(縣). 지금의 절강성(浙江省) 은현(鄞縣). '一章安故治'《後漢書》.

[字源] 形聲. ⻏(邑)＋堇〔音〕

邑 11 〔鄟〕 14 전 [平]先 | zhuān セン ちめい

[字解] ①고을이름전 춘추 시대(春秋時代)에, 산동성(山東省)의 주(邾)나라에 있던 읍(邑). '取一'《春秋》. ②성전 성(姓)의 하나.

邑 11 〔鄠〕 14 호 [上]麌 | hù コ ちめい

[字解] ①고을이름호 한대(漢代)에, 우부풍(右扶風)에 속한 한 현(縣). 지금은 섬서성(陝西省)의 한 현. ②성호 성(姓)의 하나.

[字源] 形聲. ⻏(邑)＋雩〔音〕

邑 11 〔鄡〕 14 교 [平]蕭 | qiāo キョウ けんめい

[字解] ①고을이름교 한대(漢代)의 한 현(縣). 지금의 하북성(河北省) 동록현(東鹿縣). '繫銅馬於一'《後漢書》. ②성교 성(姓)의 하나.

[字源] 形聲. ⻏(邑)＋梟〔音〕

邑 11 〔鄥〕 14 鄡(前條)와 同字

邑 11 〔鄢〕 14 언 [上]阮 [去]願 | yān エン ちめい

[字解] ①땅이름언 ㉠춘추 시대(春秋時代) 정(鄭)나라의 땅. 지금의 하남성(河南省) 언릉현(鄢陵縣)의 일부. '一陵'은 춘추(春秋)의 오대전(五大戰)의 하나인 언릉(鄢陵)의 싸움이 있었던 곳으로, 이 곳에서 진(晉)나라의 여공(厲公)이 초(楚)나라를 격파하였음. '克段于一'《左傳》. ㉡춘추 시대 초(楚)나라의 땅. 지금의 호북성(湖北省) 의성현(宜城縣)의 일부. ②성언 성(姓)의 하나.

[字源] 形聲. ⻏(邑)＋焉〔音〕

邑 11 〔鄣〕 14 장 ①[平]陽 ②[去]漾 | zhāng ショウ ゆうのな zhàng ショウ ふさぐ

[字解] ①고을이름장 ㉠춘추 시대(春秋時代)의 거(莒)나라의 읍(邑). 지금의 강소성(江蘇省) 공유현(贛榆縣)의 일부. ㉡춘추 시대의 기(紀)나라의 읍(邑). 지금의 산동성(山東省) 동평현(東平縣)의 일부. ②막을장 障(阜부 11획〈1623〉)과 통용. '鯀一鴻水而殛死'《禮記》.

[字源] 形聲. ⻏(邑)＋章〔音〕

邑 11 〔鄤〕 14 만 [去]翰 [平]寒 | mān バン·マン ちめい

[字解] 땅이름만 춘추 시대(春秋時代)에, 지금의 하남성(河南省) 범수현(氾水縣)에 있던 정(鄭)나라 땅. '使東鄙覆諸一'《左傳》.

邑 11 〔鄌〕 14 차 [平]歌 | cuó サ けんめい

[字解] 땅이름차 한(漢)나라에서 지금의 하남성 영성현(永城縣)에 둔 현(縣) 이름. '一, 沛國縣, 今酇縣'《說文》.

[字源] 形聲. ⻏(邑)＋虘〔音〕

邑 11 〔鄁〕 14 배 [平]灰 | péi ハイ こくめい

[字解] 나라이름배 한(漢)나라 후국(侯國)의 이름. '一, 在今陝西西安府鄠縣'《說文通訓定聲》.

字源 形聲. 阝(邑)＋崩〔音〕

邑11〔鄿〕14 간 平寒|gān カン ちめい

字解 땅이름간 춘추 시대(春秋時代) 진(晉)나라의 읍(邑). 하북성(河北省) 성안현(成安縣)의 동남쪽. '一, 地名'《說文》.

字源 形聲. 阝(邑)＋乾〔音〕

邑11〔鄿〕14 鄿(前條)과 同字

邑11〔郪〕14 칠 入質|qī シツ ちめい

字解 땅이름칠 제(齊)나라의 지명(地名). '一, 齊地也'《說文》.

字源 形聲. 阝(邑)＋桼〔音〕

邑11〔鄴〕14 천 平先|qiān セン ちめい

字解 땅이름천 지명(地名).

字源 形聲. 篆文은 阝(邑)＋䙴〔音〕

邑11〔鄌〕14 당 平陽|táng トウ·ドウ ちめい

字解 땅이름당 지명(地名).

字源 形聲. 篆文은 邑＋臺〔音〕

邑11〔鄗〕14 호 上麌 平虞|hǔ コ·ク ちめい

字解 땅이름호 노(魯)의 지명(地名). '一, 魯地名'《玉篇》.

字源 形聲. 阝(邑)＋虖〔音〕

邑11〔鄿〕14 루 平虞 平尤|lóu ル ごうのな ロウ·ル ごうのな

字解 고을이름루 지금의 하남성(河南省) 등현(鄧縣)의 동남쪽에 있던 양현(穰縣)의 고성(故城). '一, 南陽穰鄉'《說文》.

字源 形聲. 阝(邑)＋婁〔音〕

邑11〔鄒〕14 제 去卦 去霽|zhài サイ ゆうのな セイ·サイ ゆうのな

字解 고을이름제 주(周)시대의 읍(邑)의 이름. 하남성(河南省) 장원현(長垣縣). '一, 周邑也'《說文》.

字源 形聲. 阝(邑)＋祭〔音〕

邑11〔鄓〕14 〔랑〕 郎(邑부 7획〈1518〉)과 同字

邑11〔鄗〕14 〔상〕 商(口부 8획〈170〉)과 同字

邑11〔巙〕18 래 平齊|lí ライ やまのけわしいさま

字解 산험준할래 산이 험준한 모양. '巙嵸巍一'《枚乘·賦》.

邑11〔蠡〕18 〔려〕 黎(黍부 3획〈1858〉)와 同字

邑12〔鄦〕15 허 上語|xǔ キョ こくめい

字解 허나라허 춘추 시대에, 지금의 하남성(河南省) 허창현(許昌縣)에 있던 나라. 정(鄭)나라에게 멸망당함. 許(言부 4획〈1317〉)와 同字. '一公惡鄭於楚'《史記》.

字源 形聲. 阝(邑)＋無(𣞤)〔音〕

邑12〔鄦〕19 鄦(前條)의 本字

邑12〔鄧〕15 人名 등 去徑|dèng トウ こくめい

筆順 ヌ 𠀆 癶 登 登 登' 登阝 鄧

字解 ①나라이름등 춘추 시대(春秋時代)에, 지금의 호북성(湖北省) 양양현(襄陽縣)에 있던 나라. '一侯吾離來朝'《春秋》. ②성등 성(姓)의 하나.

字源 形聲. 阝(邑)＋登〔音〕

邑12〔鄩〕15 심 平侵|xún シン·ジン ゆうのな

字解 ①고을이름심 지금의 하남성(河南省) 공현(鞏縣)에 있던 주(周)나라의 읍(邑). '郊一潰'《左傳》. ②성심 성(姓)의 하나.

字源 形聲. 阝(邑)＋尋〔音〕

邑12〔鄪〕15 비 去寘|bì ヒ ゆうのな

字解 고을이름비 지금의 산동성(山東省) 비현(費縣)에 있던 노(魯)나라의 읍(邑). '以汶縣一封季友'《史記》.

字源 形聲. 阝(邑)＋費〔音〕

邑12〔鄫〕15 증 平蒸|zēng(céng) ショウ·ゾウ こくめい

字解 ①나라이름증 춘추 시대(春秋時代)에, 지금의 산동성(山東省) 역현(嶧縣)에 있던 소국(小國). 거(莒)나라에 멸망당함. '一子來朝'《春秋》. ②땅이름증 춘추 시대에, 지금의 하남성(河南省)에 있던 정(鄭)나라의 땅. '次于一'《說文》. ③성증 성(姓)의 하나.

字源 形聲. 阝(邑)＋曾〔音〕

邑12〔鄬〕15 위 平支 上紙|wěi イ ちめい

字解 땅이름위 춘추 시대(春秋時代)에, 지금의 하남성(河南省) 노산현(魯山縣)에 있

던 정(鄭)나라의 지명(地名). '會于一'《春秋》.
字源 形聲. 阝(邑)＋爲〔音〕

邑12 〔鄭〕 15 人名 정 ㊄敬 | zhèng テイ こくめい
筆順 ㇒ ⺈ 㒰 㒰 酋 奠 奠阝 鄭
字解 ①정나라정 ㉠춘추 전국 시대(春秋戰國時代)의 한 나라. 선왕(宣王)의 서제(庶弟) 환공(桓公) 우(友)를 봉(封)한 곳으로서, 지금의 하남성(河南省) 신정현(新鄭縣)의 일부. 전국 시대에, 한(韓)나라에게 멸망당함. '一伯克段于鄢'《春秋》. ㉡수(隋)나라 말년(末年)에, 왕세충(王世充)이 지금의 하남성(河南省) 낙양현(洛陽縣)에 세운 나라. 당(唐)나라에게 병합당함. ②정나라풍류정 정나라에서 부르는 음악. 정나라에는 음탕한 음악이 많이 유행하였으므로, 전(轉)하여, 음탕한 음악의 뜻으로 쓰임. '雅一異音聲'《曹植》. ③정중할정 '一重'. '一, 一重, 慇懃'《廣韻》. ④성정 성(姓)의 하나.
字源 形聲. 阝(邑)＋奠〔音〕
參考 속(俗)에, 글자의 왼쪽 윗부분이 당나귀의 귀와 같다 하여, '당나귀정'이라 이름.

邑12 〔鄭〕 19 鄭(前條)과 同字

邑12 〔鄮〕 15 무 ㊄宥 | mào ボウ·モ けんめい
字解 ①고을이름무 한대(漢代)의 현. 지금의 절강성(浙江省) 은현(鄞縣) 땅. '一縣屬會稽郡'《漢書》. ②성무 성(姓)의 하나.
字源 形聲. 阝(邑)＋貿〔音〕

邑12 〔鄯〕 15 선 ㊄霰 | shàn セン·ゼン こくめい
字解 나라이름선 '一善'의 약칭. '一善'. '留湟而棄一'《甲申雜記》. '一善國名, 本名樓蘭, 元鳳四年改名'《漢書》.
字源 形聲. 阝(邑)＋善〔音〕

邑12 〔鄱〕 15 파 ㊥歌 | pó ハ けんめい
字解 ①고을이름파 '一陽'은 예장군(豫章郡)의 한 현(縣). 지금은 강서성(江西省)의 한 현(縣). ②호수이름파 '一陽'은 강서성(江西省)에 있는 호수(湖水). 고대(古代)의 팽려(彭蠡).
字源 形聲. 阝(邑)＋番〔音〕

邑12 〔鄲〕 15 단 ㊥寒 | dān タン ちめい
字解 조(趙)나라서울단 邯(邑부 5획〈1514〉)을 보라. '邯一'.
字源 形聲. 阝(邑)＋單〔音〕

邑12 〔鄡〕 15 교 ㊤篠 | jiǎo キョウ こくめい
字解 나라이름교 '一, 黃帝後, 姬姓之國'《字彙補》.

邑12 〔鄷〕 15 풍 ㊥東 | fēng フウ こくめい
字解 나라이름풍 주대(周代)의 나라 이름. '一, 姬姓之國'《說文》.
字源 形聲. 阝(邑)＋馮〔音〕

邑12 〔鄿〕 15 담 ㊥覃 | tán タン こくめい
字解 나라이름담 주대(周代)의 나라 이름. 영성(嬴姓). 자작(子爵). 춘추 시대(春秋時代)에 제(齊)나라에 망함. 산동성(山東省) 역성현(歷城縣)의 동남쪽.
字源 形聲. 阝(邑)＋覃(覃)〔音〕

邑12 〔鄬〕 15 ㊀흡 ㊁緝 | shè キュウ ちめい
㊁삽 ㊁緝 | xì シュウ ゆうのな
字解 ㊀ 땅이름흡 '一, 地名'《說文》. ㊁ 고을이름삽 '一, 邑名'《集韻》.
字源 形聲. 阝(邑)＋翕〔音〕

邑12 〔鄐〕 15 ㊀도 ㊥虞 | tú ト あずまやのな
㊁다 ㊥麻 | タ あずまやのな
字解 ㊀ 정자이름도, 고을이름도 섬서성(陝西省) 합양현(郃陽縣)의 땅. '一, 左馮翊郃陽亭'《說文》. '一, 鄉名'《廣韻》. ㊁ 정자이름다, 고을이름다 ㊀과 뜻이 같음.
字源 形聲. 阝(邑)＋屠〔音〕

邑12 〔鄂〕 15 〔악〕
鄂(邑부 9획〈1521〉)의 本字

邑12 〔鄙〕 15 〔미〕
郿(邑부 9획〈1521〉)의 本字

邑12 〔郵〕 15 〔우〕
郵(邑부 8획〈1520〉)의 本字

邑12 〔鄄〕 15 〔견〕
鄄(邑부 9획〈1522〉)의 本字

邑12 〔鄰〕 15 〔린〕
隣(阜부 12획〈1624〉)의 本字

邑12 〔鄰〕 15 鄰(前條)과 同字

邑 12 〔⿰炏阝〕 15 〔담〕
郯(邑부 8획〈1520〉)의 訛字

邑 12 〔⿰黎阝〕 15 〔려〕
黎(黍부 3획〈1858〉)와 同字

邑 12 〔⿰罾阝〕 15 〔자〕
鄫(邑부 10획〈1523〉)의 俗字

邑 12 〔鄹〕 15 〔추〕
郰(邑부 8획〈1520〉)와 同字

邑 12 〔鄨〕 19 [一] 폐 [去]霽 | bì へイ けんめい
[二] 별 [入]屑 | ヘツ かわのな

[字解] [一] 고을이름폐 고을 이름. 한(漢)나라의 고을. 귀주성(貴州省) 주의현(遵義縣)의 서쪽. [二] 내이름별 내〔川〕 이름. '溫水南至一'《漢書 注》.

邑 13 〔鄳〕 16 맹 [平]庚 | méng モウ·ミョウ ちめい

[字解] 고을이름맹 한대(漢代)에, 지금의 하남성(河南省) 나산현(羅山縣) 지방에 있던 현(縣). 고래(古來)로 험준한 요해처로서 유명함. '江夏郡有一縣'《漢書》.
[字源] 形聲. 阝(邑)+黽〔音〕

邑 13 〔鄴〕 16 업 [入]葉 | yè ギョウ ちめい

[字解] ①위나라서울업 한대(漢代)에, 지금의 하남성(河南省) 임장현(臨漳縣)에 있던 한 현(縣)인데, 후한말(後漢末)에는 문학(文學)의 연수(淵藪)이었고, 삼국 시대(三國時代)에는 위(魏)나라 서울이 되었음. '公之圍一也'《魏志》. ②성업 성(姓)의 하나.
[字源] 形聲. 阝(邑)+業〔音〕

邑 13 〔鄵〕 16 조 [去]號 | cào ソウ ちめい

[字解] 땅이름조 춘추 시대(春秋時代)에, 지금의 하남성(河南省)에 있던 정(鄭)나라의 지명(地名). '鄭伯髡頑, …卒于一'《春秋》.

邑 13 〔鄶〕 16 회(괴[本]) [去]泰 | kuài カイ こくめい

[字解] ①나라이름회 주대(周代)에, 지금의 하남성(河南省) 밀현(密縣)에 있던 나라. 정(鄭)나라에게 망하였음. '莽之一城之下'《左傳》. ②성회 성(姓)의 하나. ※本音 괴.
[字源] 形聲. 阝(邑)+會〔音〕

邑 13 〔⿰會邑〕 20 鄶(前條)와 同字

邑 13 〔䣡〕 16 의 [平]支 [上]紙 | yí ギ ちめい

[字解] 땅이름의 옛 서(徐)나라의 땅. 안휘성(安徽省) 사현(泗縣)의 서성(徐城)의 폐현(廢縣). '一, 臨淮徐地'《說文》.
[字源] 形聲. 阝(邑)+義〔音〕

邑 13 〔⿰葛阝〕 16 갈 [入]曷 | gé カツ ごうのな

[字解] 고을이름갈 하남성(河南省) 남양시(南陽市)의 땅. '一, 南陽陰鄉'《說文》.
[字源] 形聲. 阝(邑)+葛〔音〕

邑 13 〔鄷〕 16 〔풍〕
酆(邑부 18획〈1530〉)의 俗字

邑 13 〔⿰臾阝〕 16 〔구〕
斞(斗부 13획〈492〉)의 訛字

邑 13 〔⿰零阝〕 16 〔령〕
酃(邑부 17획〈1530〉)의 俗字

邑 13 〔⿰盟阝〕 16 [一] 맹 [平]庚 | méng ボウ けんめい
[二] 명 [平]庚 | ベイ けんめい

[字解] [一] 고을이름맹 고을 이름. 의창(義昌)에 있던 현. '一, 縣名, 在義昌'《集韻》. [二] 고을이름명 [一]과 뜻이 같음.

邑 13 〔⿰邑臭〕 20 옹 [去]送 | wèng オウ くさいにおい

[字解] 썩은냄새옹 썩은 냄새. '一, 臭气'《集韻》.

邑 13 〔⿰邑巷〕 20 항 [去]絳 | hàng コウ ちまた

[字解] 번화한거리항 번화한 거리. '一, 里中道也'《說文》.

邑 14 〔⿰耤阝〕 17 [一] 적 [入]陌 | jí セキ ちめい
[二] 작 [入]藥 | サク ちめい

[字解] [一] 땅이름적 사천성(四川省) 공래현(邛崍縣)의 땅. '一, 蜀地也'《說文》. [二] 땅이름작 [一]과 뜻이 같음.
[字源] 形聲. 阝(邑)+耤〔音〕

邑 14 〔鄸〕 17 몽 [平]東 [去]送 | méng ボウ ゆうのな

[字解] 고을이름몽 춘추 시대(春秋時代)에, 지금의 산동성(山東省) 하택현(荷澤縣)에 있던 조(曹)나라의 읍(邑). '曹公孫會自一出奔宋'《春秋》.

邑 14 〔⿱夢邑〕 21 鄸(前條)과 同字

邑 14 〔⿰⿱炎舛阝〕 17 〔린〕
鄰(邑부 12획〈1527〉)의 本字

邑 14 〔鄮〕 17 〔무〕
鄮(邑부 12획〈1527〉)의 本字

邑 14 〔鄯〕 17 ㊀ 수 ㊥尤 シュウ ちめい shōu ㊤有 シュウ かわのな ㊁ 주 ㊥尤 chōu チュウ ちめい

字解 ㊀ ①땅이름수 사천성(四川省) 환현(灌縣)의 땅. '一, 蜀江原地'《說文》. ②강이름수 '一, 水名. 在蜀'《廣韻》. ㊁ 땅이름주 ㊀❶과 뜻이 같음.
字源 形聲. 阝(邑)+壽〔音〕

邑 14 〔郰〕 17 ㊀ 추 ㊥尤 ㊤糵 ㊁ 산 ㊤旱 ㊂ 취 ㊦遇 (추㊍) ①②zōu シュウ こくめい ③④シュウ むら サン あずまやのな シュ あつまる

字解 ㊀ ①나라이름추, 현이름추 '鄒, 魯縣也. 古扶風附庸國. 顓現之後所封. 一, 同鄒'《玉篇》. ②고을이름추 춘추 시대 노(魯)나라의 읍(邑)으로, 공자(孔子)의 고향. 지금의 산동성(山東省曲阜縣)의 동남쪽. 郰(邑부 8획〈1520〉)와 同字. '郰, 說文云, 孔子之鄉也. 論語作一'《廣韻》. ③마을추 '一, 民所聚居'《集韻》. ④정자이름추 '一, 亭名. 在新豐'《廣韻》. ㊁ 정자이름산 ㊀❹와 뜻이 같음. ㊂ 모일취, 마을취 '聚, 說文, 會也. 邑落云聚. 或从邑'《集韻》. ※㊂ 本音 추.
字源 形聲. 阝(邑)+聚〔音〕

邑 14 〔鄓〕 17 〔의〕
劓(刀부 14획〈111〉)와 同字

邑 15 〔鄺〕 18 광 ㊤養 kuàng コウ せい
字解 성광 성(姓)의 하나. '一露'는 명대(明代)의 사람.
字源 形聲. 阝(邑)+廣〔音〕

邑 15 〔鄽〕 18 전 ㊥先 chán テン たな, みせ
字解 가게전 廛(广부 12획〈351〉)과 同字. '隘一亦隘衢'《元稹》.
字源 形聲. 阝(邑)+廛〔音〕

邑 15 〔鄾〕 18 우 ㊥尤 yōu ユウ ちめい
字解 ①땅이름우 춘추 시대(春秋時代)에, 지금의 호북성(湖北省) 양양현(襄陽縣) 지방에 있던 등(鄧)나라의 지명(地名). '鄧南鄙一人, 攻而奪之幣'《左傳》. ②성우 성(姓)의 하나.
字源 形聲. 阝(邑)+憂〔音〕

邑 15 〔鄻〕 18 련 ㊤銑 liǎn レン ゆうのな
筆順 ⺘ 㚘 㚘 輦 輦 輦 輦 鄻
字解 고을이름련 주(周)나라의 한 읍(邑). '王子趙車入于一以叛'《左傳》.
字源 形聲. 阝(邑)+輦〔音〕

邑 15 〔鄍〕 18 랑 ㊥陽 láng ロウ ゆうのな
字解 고을이름랑, 정자이름랑 '不一'은 읍(邑)의 이름. 또, 정자(亭子)의 이름. '一, 不一, 邑名'《集韻》.

邑 15 〔鄤〕 18 ㊀ 만 ㊦願 wàn バン·マン ごうのな ㊁ 문 ㊤吻 ブン·モン ごうのな
字解 ㊀ 고을이름만 향(鄉)의 이름. '一, 蜀漢鄉也'《說文》. ㊁ 고을이름문 ㊀과 뜻이 같음.
字源 形聲. 阝(邑)+蔓〔音〕

邑 15 〔鄜〕 18 〔부〕
鄜(邑부 11획〈1525〉)의 本字

邑 15 〔鄼〕 18 〔찬〕
酇(邑부 19획〈1530〉)의 俗字

〔嚮〕 〔향〕
口부 16획(191)을 보라.

邑 15 〔鄱〕 22 번 ㊥元 fán ハン ごうのな
字解 고을이름번 지금의 섬서성(陝西省) 장안현(長安縣)의 남쪽에 있던 현(縣).

邑 16 〔鄿〕 19 기 ㊥微 jī キ ちめい
字解 땅이름기 패군(沛郡)의 지명(地名). 일설(一說)에는, 초(楚)나라의 지명. 蘄(艸부 16획〈1203〉)와 同字.

邑 16 〔鄮〕 19 마 ㊥歌 mó バ·マ こくめい
字解 ①나라이름마 은대(殷代)의 나라 이름. '一, 路史國名記, 商時國也'《字彙補》. ②갈마 옥·돌 같은 것을 갈아 윤을 냄. '一, 與磨同'《字彙補》.

邑 16 〔鄱〕 19 ㊀ 음 ㊥侵 yín イン ちめい ㊁ 임 ㊥侵 ジン·ニン ちめい ㊂ 름 ㊤寢 リン ちめい
字解 ㊀ 땅이름음 '一, 地名'《說文》. ㊁ 땅이름임 ㊀과 뜻이 같음. ㊂ 땅이름름 ㊀과 뜻이 같음.
字源 形聲. 阝(邑)+畬〔音〕

邑16 〔酀〕 19 [一] 연 [去]霰 [平]先 | yàn エン ちめい
[二] 언 [上]銑 | yǎn エン じんめい

[字解] [一] 땅이름연 '一, 地名'《說文》. [二] 사람이름언 '齊人立敬仲之曾孫一'《左傳》.
[字源] 形聲. 阝(邑)+燕〔音〕

邑16 〔䣜〕 19 흥 [平]蒸 [去]徑 | xīng キョウ·コウ ちめい

[字解] 땅이름흥 '一, 地名'《說文》.
[字源] 形聲. 阝(邑)+興〔音〕

邑16 〔𨞹〕 19 〔자〕
鄑(邑부 10획〈1523〉)의 本字

邑16 〔𨞽〕 19 〔곽〕
郭(邑부 8획〈1520〉)의 本字

邑16 〔𨟂〕 19 〔당〕
鄌(邑부 11획〈1526〉)의 本字

邑16 〔𨟀〕 19 〔만〕
鄤(邑부 15획〈1529〉)과 同字

邑16 〔𨟐〕 19 〔휴〕
酅(邑부 18획〈1530〉)의 俗字

邑17 〔酁〕 20 참 [平]咸 | chán サン ちめい

[字解] 땅이름참 춘추 시대(春秋時代)의 송(宋)나라의 지명(地名). '宋皇麋奪其兄一般邑以與之'《左傳》.
[字源] 形聲. 阝(邑)+毚〔音〕

邑17 〔酃〕 20 령 [平]青 | líng レイ けんめい

[字解] 고을이름령 한대(漢代)에, 지금의 호남성(湖南省) 형양현(衡陽縣)에 있던 현(縣). '長沙國有一縣'《漢書》.
[字源] 形聲. 阝(邑)+霝〔音〕

邑17 〔𨟰〕 20 양 [平]陽 | ráng ジョウ ちめい

[字解] 땅이름양 하남성(河南省) 등현(鄧縣)의 동남쪽 경계(境界)의 지명(地名). '一, 今南陽穰縣'《說文》.
[字源] 形聲. 阝(邑)+襄〔音〕

邑17 〔𨟶〕 20 영 [平]庚 [上]梗 | yīng エイ·ヨウ ちめい

[字解] 땅이름영 '一, 地名'《說文》.
[字源] 形聲. 阝(邑)+嬰〔音〕

邑18 〔酅〕 21 휴 [平]齊 | xī ケイ ちめい

[字解] ①고을이름휴 춘추 시대(春秋時代)에, 산동성(山東省) 임치현(臨淄縣)에 있던 기(紀)나라의 읍(邑). '紀季以一入于齊'《春秋》. ②땅이름휴 춘추 시대에, 지금의 산동성(山東省) 동아현(東阿縣)에 있던 제(齊)나라의 지명. '公追齊師至一, 不及'《春秋》.
[字源] 形聲. 阝(邑)+巂〔音〕

邑18 〔酆〕 21 풍 [平]東 | fēng フウ·ホウ ちめい

[字解] ①주나라서울풍 주(周)나라 문왕(文王)이 도읍한 곳. 지금의 섬서성(陝西省) 호현(鄠縣)의 땅. '康有一宮之朝'《左傳》. ②나라이름풍 주대(周代)의 한 나라. 주(周)나라와 동성(同姓). 문왕(文王)이 도읍한 고지(故地). '畢原一郇, 文之昭也'《左傳》. ③성풍 성(姓)의 하나.
[字源] 形聲. 阝(邑)+豐〔音〕

邑18 〔酄〕 21 [一] 환 [平]寒 | huān カン ゆうのな
[二] 권 [平]光 | quān ケン ごうのな

[字解] [一] 고을이름환 춘추(春秋) 시대 노(魯)나라의 하읍(下邑). 산동성(山東省) 비성현(肥城縣)의 서쪽. '一, 魯下邑'《說文》. [二] 고을이름권 산서성(山西省) 문희현(聞喜縣)의 향(鄉)의 이름. '一, 鄉名. 在聞喜縣'《集韻》.
[字源] 形聲. 阝(邑)+雚〔音〕

邑18 〔𨟠〕 21 각 [入]藥 | què キャク ごうのな

[字解] 고을이름각 고을 이름. 지금의 산서성(山西省) 문희현(聞喜縣)에 있던 고을. '𨟠, 鄉名, 在河東聞喜縣, 或省'《集韻》.

邑19 〔鄼〕 22 찬 ①②[上]旱 ③[去]翰 | zàn サン あつまる サン ちめい

[字解] ①마을찬 주대(周代)의 행정 구획의 하나. 백 집이 사는 구역. '四里爲一'《周禮》. ②모일찬 한 군데에 모여듦. '位有一列之處'《禮記 註》. ③땅이름찬 한(漢)나라 소하(蕭何)를 봉(封)한 땅. 지금의 호북성(湖北省) 광화현(光化縣)의 북쪽. '封爲一侯'《漢書》.
[字源] 形聲. 阝(邑)+贊〔音〕

邑19 〔酈〕 22 [一] 려 [平]支 | lí リ ちめい
[二] 력 [入]錫 | lì レキ ちめい

[字解] [一] 땅이름려 춘추 시대(春秋時代)의 노(魯)나라의 지명(地名). 지금의 산동성(山東省) 연주부(兗州府) 부근. '敗莒師于一'《春秋》. [二] ①땅이름력 한대(漢代)에, 지금의 하남성(河南省) 내향현(內鄉縣)에 있던 지명. '與偕攻析一, 皆降'《漢書》. ②성력 성(姓)의 하나. '一食其'는 한(漢)나

라 고조(高祖)의 공신(功臣).
[字源] 形聲. 阝(邑)+麗〔音〕

邑19〔酇〕22 〔천〕
酇(邑부 11획〈1526〉)의 本字

邑19〔鄜〕22 〔부〕
鄜(邑부 11획〈1525〉)과 同字

邑20〔鄳〕23 각 ㊅藥|jué キャク ごうのな
[字解] 고을이름각 고을 이름. 산서성(山西省) 문희현(聞喜縣)에 있던 고을. '一, 鄉名, 在河東聞喜縣, 或省'《集韻》.

邑20〔鄺〕23 〔당〕
鄌(邑부 8획〈1520〉)과 同字

邑21〔鄯〕24 〔선〕
鄯(邑부 12획〈1527〉)의 本字

邑21〔鄲〕24 〔담〕
鄲(邑부 12획〈1527〉)의 本字

邑24〔酃〕27 〔령〕
酃(邑부 17획〈1530〉)과 同字

酉　部
〔닭 유 부〕

酉0〔酉〕7 [中·人] 유 ㊤有|yǒu ユウ とり
[筆順] 一 丆 亓 两 西 酉 酉
[字解] ①열째지지유 십이지(十二支)의 열째 자리. 달로는 8월, 방위로는 서쪽, 시각으로는 오후 5시부터 7시 사이, 띠로는 닭에 해당함. ②익을유 성숙함. ③성유 성(姓)의 하나.
[字源] 象形. 술 그릇을 본뜬 것으로, '술'의 뜻을 나타냄. '酒주'의 原字. 假借하여, 지지의 열째, '닭'의 뜻으로 쓰임.
[參考] '酉유'를 의부(意符)로 하여, 술 종류나 그 밖에 발효시켜서 만드는 식품, 술을 빚는 일, 마시는 일 등에 관한 문자를 이룸. 부수 이름은 '닭유변'.

酉2〔酊〕9 정 ㊤迥|dǐng テイ よう
[字解] 술취할정 술에 대단히 취함. '酩一無所知'《晉書》.
[字源] 形聲. 酉+丁〔音〕

酉2〔酋〕9 추 ㊥尤|qiú シュウ ふるざけ
[字解] ①오래될추 오래 경과함. 구원(久遠)함. '昔酒, 今之一久白酒'《周禮 註》. ②술추 오래 된 술. 또, 술을 맡은 벼슬아치. '仲秋之月, 乃命大一'《禮記》. ③끝날추 종료(終了)함. '似先公一矣'《詩經》. ④뛰어날추 남보다 우월함. '說難旣一'《漢書》. ⑤우두머리추 야만인 등의 부락의 수령. '一長'. '蠻一'. '儋耳黑齒之一'《左思》. ⑥창추 자루의 길이가 스무 자 되는 창. '一矛'《周禮》.
[字源] 象形. 술 그릇 속의 술이 향기를 내뿜어 주둥이에서 넘쳐 나오는 모양을 본뜸.

酉3〔酌〕10 [高·人] 작 ㊅藥|zhuó シャク くむ
[筆順] 一 丆 亓 两 酉 酉' 酌 酌
[字解] ①따를작 술을 따름. 전(轉)하여, 술을 마심. '獨一'. '對一'. '引壺觴以自一'《陶潛》. ②퍼낼작 액체를 떠냄. '一焉而不竭'《淮南子》. ③가릴작 선택함. 분간하여 채택함. '上一民言, 則下天上施'《禮記》. ④참작할작 참조함. 이것저것 대보아 취사(取捨)함. '斟一'. '子爲大政, 將一於民者也'《左傳》. ⑤잔작 술잔. '華一旣陳'《宋玉》. ⑥잔치작 주연. '別酒寒一'《李白》. ⑦술작 '酒曰清一'《禮記》.
[字源] 形聲. 酉+勺〔音〕

酉3〔配〕10 [高·人] 배 ㊄隊|pèi ハイ そわせる, つま, くばる
[筆順] 一 丆 亓 两 酉 酉¬ 酉ᄀ 配
[字解] ①짝지을배 ㉠짝을 이룸. 필적함. '廣大一天地, 變通一四時'《易經》. ㉡부부가 됨. '婦者一已而成德者也'《易經 註》. ②짝지울배 짝이 되게 함. '關雎樂得淑女, 以一君子'《詩經 周南 關雎 序》. ③짝배 ㉠필적(匹敵). '匹一'. '推光武以爲一'《張衡》. ㉡부부. '一偶'. '天立厥一'《詩經》. ④종사할배 부제(祔祭)함. '一享'. '一食縣社'《晉書》. ⑤나눌배 분배함. '一當'. '散一鄉村'《舊唐書》. ⑥귀양보낼배 유형에 처함. '一所'. '刺面一華州'《王溥》. ⑦딸릴배 예속함. 또, 예속시킴. '一隷'. '一支'. '均爲差一'《金史》.
[字源] 會意. 酉+己. '己기'는 사람의 象形의 변형. 사람이 술단지를 늘어놓는 모양에서, '늘어놓다'의 뜻을 나타냄.

酉3〔酏〕10 익 ㊅職|yì ヨク・イキ さけのいろ
[字解] ①술빛익 술의 빛깔. '一, 酒色也'《說文》. ②달익 맛이 닮. '一, 甘也'《玉篇》.

字源 形聲. 酉＋弋〔音〕

酉3 〔酎〕10 주 ㊀宥 zhòu チュウ こいさけ

字解 ①전국술주 세 번 빚은 순주(醇酒). '孟夏之月, 天子飮一'《禮記》. ②주금주 '一金'은 한대(漢代)의 제도(制度)로서, 천자(天子)가 햇곡식으로 빚은 순주(醇酒)를 종묘(宗廟)에 올릴 때, 제후(諸侯)가 모두 자격에 따라 금(金)을 바치고 그 술을 마시던 일. 바친 금의 분량이 적거나 질이 나쁘면 영토(領土)를 깎이었음. '高廟一'《史記》.

字源 形聲. 酉＋肘〈省〉〔音〕

酉3 〔酏〕10 이 ㊥支 yí イ すんださけ

字解 ①맑은술이 쌀로 빚은 청주(淸酒). 일설(一說)에는, 차기장으로 쑨 맑은 죽. 주대(周代)의 사음(四飮)의 하나. '辨四飮之物, 四曰一'《周禮》. ②떡이 쌀 또는 차기장으로 만든 떡. '羞豆之實, 一食糝食'《周禮》.

字源 形聲. 酉＋也〔音〕

酉3 〔酒〕10 中人 주 ㊤有 jiǔ シュ さけ

筆順 丶 氵 氵 汀 沂 洒 洒 酒

字解 ①술주 누룩과 곡식을 넣어 빚어 만든 음료. '濁一'. '銷憂者莫若一'《漢書》. ②잔치주 주연(酒宴). '一酣起前'《戰國策》. ③성주 성(姓)의 하나.

字源 象形. 甲骨文·金文은 '酉유'와 동일한 글자로, 술그릇을 본뜬 것. '술'의 뜻을 나타냄. 뒤에, '水수'를 덧붙여, 氵(水)＋酉〔音〕의 形聲이 됨.

酉3 〔酐〕10 우 ㊥虞 yú ウ のむ

字解 마실우 마심. 물·술 따위를 마심. '一, 飮也'《五音集韻》.

酉3 〔酐〕10 항 ㊤養 hàng コウ にがいさけ

字解 ①쓴술항 쓴 술. 고주(苦酒). ②무수산항 무수산(無水酸). 화학 용어 무수산을 이름. '酸一'. '一, 苦酒'《集韻》.

酉4 〔酖〕11 ㊀탐 ㊥覃 dān タン ふける / ㊁짐 ㊀沁 zhèn チン どくちょうのな

字解 ㊀즐길탐, 빠질탐 술을 대단히 즐겨 함. 술에 탐닉함. '荒一于酒'《漢書》. ㊁짐새짐 鴆(鳥부 4획〈1811〉)과 통용. '宴安一毒, 不可懷也'《左傳》.

字源 形聲. 酉＋冘〔音〕

酉4 〔酖〕11 酖(前條)과 同字

酉4 〔酗〕11 후 ㊀遇 xù ク よいくるう

字解 주정할후 주사(酒邪)를 피움. '我用沈一于酒'《書經》.

字源 形聲. 酉＋凶〔音〕

酉4 〔酘〕11 두 ㊥尤 ㊀宥 tóu トウ さけをかもしなおす

字解 거듭빚을두 두 번 빚음. 중양(重釀)함. '猶一一之酒, 不可以方九醞之醇耳'《抱朴子》.

字源 形聲. 酉＋殳〔音〕

酉4 〔酕〕11 모 ㊥豪 máo ボウ·モウ よっぱらう

字解 곤드레만드레할모 '一醄'는 몹시 취한 모양. 곤드레만드레가 된 모양. '遇酒一醄飮'《姚合》.

酉4 〔酦〕11 발 ㊈曷 pō ハツ さけをのんだときのかおいろ

字解 술마신낯빛발 '一, 酒色. 〈段注〉謂酒之顔色也'《說文》.

字源 形聲. 篆文은 酉＋犮〔音〕

酉4 〔酳〕11 인 ㊀震 yìn イン すする

字解 마실인 조금씩 마심. '一, 少少歃也'《說文》.

字源 形聲. 酉＋匀〔音〕

酉4 〔醇〕11 ㊀순 ㊥眞 chún シュン·ジュン うまい / ㊁준 ㊥眞 チュン·ジュン うまさけ

字解 ㊀①맛있을순 '一, 美也'《廣韻》. ②진할순 술맛이 농후함. '一, 酒厚也'《集韻》. ③전국술순 진하고 맛있는 술. '一, 醲美酒也'《字彙》. ㊁미주준 전국술. 좋은 술. '一, 純美酒也'《廣韻》.

酉4 〔酼〕11 〔강〕 鹼(鹵부 4획〈1842〉)과 同字

酉4 〔酔〕11 〔취〕 醉(酉부 8획〈1536〉)의 俗字

酉4 〔酝〕11 〔온〕 醞(酉부 10획〈1539〉)의 簡體字

酉4 〔酱〕11 〔장〕 醬(酉부 11획〈1541〉)의 古字

酉 4 〔酓〕11 염 [上]琰 | yǎn エン やまぐわ, にがい

[字解] ①산뽕나무염 檿(木부 14획〈588〉)과 同字. '厥篚—絲'《史記》. ②쓸염 술맛이 씀.

[字源] 形聲. 酉+今〔音〕

酉 4 〔䣼〕11 리 [平]支 | lí リ ちちがくさる

[字解] 젖썩을리 젖이 썩음. 또, 썩인 젖. '—, 乳腐'《五音集韻》.

酉 4 〔䣥〕11 [一] 湎(水부 9획〈664〉)과 同字 [二] 靦(酉부 9획〈1538〉)과 同字

酉 4 〔䣦〕11 배 [平]灰 | pēi ハイ よいあく

[字解] 취하여만족할배 취하여 만족함. 또는 아직 거르지 않은 술. '—, 說文, 醉飽也'《集韻》.

酉 4 〔䣧〕11 수 [平]尤 | qiú シュウ さけのいろ

[字解] 술빛깔수 술의 빛깔. '—, 酒色也'《玉篇》.

酉 4 〔䤁〕11 [一] 염 [上]琰 | yǎn エン さけ
[二] 음 [平]侵 | イン さけ
[三] 함 [平]覃 | カン さけがにがい

[字解] [一] 술염 술. '—, 酒也'《玉篇》. [二] 술음 ■과 뜻이 같음. [三] 술쓸함 술이 씀. '酓, 說文, 酒味苦也, 或書作—'《集韻》.

酉 4 〔𨠎〕11 〔주〕 酒(酉부 3획〈1532〉)와 同字

酉 4 〔䣨〕11 지 [平]支 | zhī シ くさらせたちちのな

[字解] 부패한젖지 부패한 젖. '—, 乳腐名'《五音集韻》.

酉 4 〔䣩〕11 〔짐〕 斟(斗부 9획〈491〉)과 同字

酉 4 〔酙〕11 〔짐〕 斟(斗부 9획〈491〉)과 同字

酉 4 〔䣭〕11 〔호〕 醐(酉부 9획〈1538〉)와 同字

酉 4 〔䣬〕11 〔효〕 𨡊(酉부 6획〈1535〉)와 同字

酉 5 〔酗〕12 후 [去]遇 | xù ク よいくるう

[字解] 주정할후 酗(酉부 4획〈1532〉)와 同字. '數醉—羌人'《漢書》.

[字源] 形聲. 酉+句〔音〕

酉 5 〔酡〕12 타 [平]歌 | tuó タ あからむ

[字解] 발개질타 술에 취하여 얼굴이 홍조가 됨. '醉—'. '美人既醉, 朱顏—些'〈'些'는 조사(助辭)〉《楚辭》.

[字源] 形聲. 酉+它〔音〕

酉 5 〔䣢〕12 酡(前條)와 同字

酉 5 〔䣪〕12 포 [去]效 | bào ホウ·ビョウ あからむ

[字解] 발개질포 주기가 얼굴에 나타남. '美人醉—, 則面著赤色而鮮好也'《楚辭 註》.

酉 5 〔酢〕12 [一] 작 [入]藥 | zuō サク むくいる
[二] 초 [去]遇 | cù ソ す

[字解] [一] 잔돌릴작 손이 주인한테서 받은 술잔을 도로 돌림. 주인이 손에게 술잔을 돌리는 것은 '酬'라 함. '酬—'. '君子有酒, 酌言—之'《詩經》. [二] ①초초 신 조미료(調味料). '寧飮三升—, 不見崔弘度'《隋書》. ②실초, 신맛초 산미(酸味)가 있음. 또, 그 맛. '—梨酸棗'《馬第伯》.

[字源] 形聲. 酉+乍〔音〕

酉 5 〔酣〕12 감 [平]覃 | hān カン たのしむ

[字解] ①즐길감 술을 마시며 즐김. '—飮'. '相與飮酒—'《呂氏春秋》. ②한창감 ㉠술을 거나하게 마셔 주흥이 한창 일어남. 또, 그 때. '酒—起前'《史記》. ㉡사물의 힘이 가장 힘차게 되어 올라 아직 쇠하지 아니함. 또 그 때. '戰—日暮'《淮南子》.

[字源] 形聲. 酉+甘〔音〕

酉 5 〔酤〕12 고 ①②[平]虞 | gū コ ひとよざけ
③[去]遇 | コ うる

[字解] ①단술고 감주(甘酒). '旣載淸—'《詩經》. ②살고 술을 삼. '高祖每—留飮酒'《史記》. ③팔고 술을 팖. '—酒無行'《史記》.

[字源] 形聲. 酉+古〔音〕

酉 5 〔酥〕12 수 [平]虞 | sū ソ ちちをせいれんしたいんりょう

[字解] 연유수 우유 또는 양유로 만든 식료품. '酪成—'《本草別錄》.

[字源] 形聲. 酉+蘇〈省〉〔音〕

酉 5 〔酟〕12 첨 [平]鹽 | tiān テン やわらげる

[字解] ①고를첨 고르게 함. 조화(調和)시

킴. '一, 和也'《集韻》. ②적실첨 '一以春梅'《張協》.

酉 5 〔⿰酉且〕12 초 [平]虞 | cú ソ うまいのみもの

[字解] 맛있는음료초 '一醶'는 맛이 있는 음료(飮料). '沃不酪, 住一醶'《王褒》.

酉 5 〔⿰酉氐〕12 〔제〕
醍(酉부 9획〈1537〉)와 同字

酉 5 〔⿰酉央〕12 〔앙〕
醘(酉부 10획〈1540〉)과 同字

酉 5 〔⿰酉巨〕12 〔거〕
醵(酉부 13획〈1543〉)와 同字

酉 5 〔⿱弁酉〕12 [一] 반 [去]願 [二] 번 [上]阮 | fàn ハン さけがはやくじゅくする ハン·ホン こめをえらばないでかもす

[字解] [一] ①술빨리익을반 하룻밤 사이에 발효(醱酵)함. 또, 그 술. '一, 酒疾孰也'《說文》. '一, 一宿酒'《廣韻》. ②쌀가리지않고빚을반 '一, 一曰, 不擇米而釀'《集韻》. [二] 쌀가리지않고빚을번 [一]❷와 뜻이 같음.
[字源] 形聲. 酉+弁〔音〕

酉 5 〔⿰酉弁〕12 ⿱弁酉(前條)과 同字

酉 5 〔⿰酉可〕12 가 [上]馬 | qiǎ カ にがいさけ

[字解] 쓴술가 쓴 술. '一, 苦酒也'《五音集韻》.

酉 5 〔⿰酉瓜〕12 〔고〕
觚(角부 5획〈1306〉)와 同字

酉 5 〔⿰酉冬〕12 동 [平]冬 | tóng トウ さけ·すのるいがくさる

[字解] 부패할동 술·식초 따위가 부패함. '一, 酒醋壞'《集韻》.

酉 5 〔⿰酉令〕12 〔령〕
醽(酉부 17획〈1545〉)과 同字

酉 5 〔⿰酉白〕12 〔박〕
粕(米부 5획〈968〉)과 同字

酉 5 〔酦〕12 발 [入]曷 | pò ハツ さけのき

[字解] 술기운발 술 기운. 주기(酒氣). '一, 字林, 酒氣也'《集韻》.

酉 5 〔⿰酉朮〕12 〔발〕
⿰酉巿(酉부 4획〈1532〉)의 訛字

酉 5 〔⿰酉此〕12 자 [平]支 | cí シ かす

[字解] 술지게미자 술지게미. '一, 糟也'《五音集韻》.

酉 5 〔⿰酉必〕12 필 [入]質 | bì ヒツ さけをのみつくす

[筆順] 冂 丙 酉 酉丶 酉丿 酉乚 酉必 ⿰酉必

[字解] 술다마실필 술을 다 마심. 술을 단숨에 들이켬. '一, 飮酒俱盡'《廣韻》.

酉 6 〔酩〕13 명 [上]迥 | mǐng メイ よう

[字解] ①술취할명 술에 대단히 취함. '一酊無所知'《晉書》. ②단술명 감주(甘酒). '食肉而飮一'《漢書》.
[字源] 形聲. 酉+名〔音〕

酉 6 〔酪〕13 [人名] 락 [入]藥 | lào ラク ちちしる

[筆順] 一 冂 丙 酉 酌 酘 酪 酪

[字解] ①타락락 우유 또는 양유를 끓여 만든 음료. '羊一'. '乳一'. '氈肉一漿'《李陵》. ②죽락 흰죽. '無鹽一不能食'《禮記》. ③과즙락 과실을 익혀 짜낸 물. '杏一'. '敎民煮木爲一'《漢書》.
[字源] 形聲. 酉+各〔音〕

酉 6 〔酬〕13 수 [平]尤 | chóu シュウ むくいる

[字解] ①잔돌릴수 酢(酉부 5획〈1533〉)을 보라. '一酢'. '主人實觶一賓'《儀禮》. ②보낼수 손을 대접하고 또 재화(財貨)를 보내 줌. '主人一賓, 束帛儷皮'《儀禮》. ③갚을수 보답함. 사례함. '一恩'. '一勞'. '可與一酢'《易經》. ④갚음수 보답. '終期國士一'《周曇》.
[字源] 形聲. 酉+州(䚄)〔音〕

酉 6 〔酧〕13 酬(前條)의 俗字

酉 6 〔酭〕13 유 [去]宥 | yòu ユウ むくいる

[字解] 권할유 술을 권함. 잔을 돌림. '惟用贊報一'《韓愈》.
[字源] 形聲. 酉+有〔音〕

酉 6 〔酮〕13 동 ①②[平]東 ③[平]冬 | tóng トウ うまのちち chóng チョウ さけがくさる

[字解] ①말젖동 '一, 埤倉, 馬酪也'《集韻》. ②초동 '一, 酢也'《廣雅》. ③신술동 술이 시어짐. '一, 酒欲酢'《集韻》.

酉 6 〔⿰酉耳〕13 [一]이 [去]寘 | èr ジ・ニ にどかさねてかもしたさけ
[二]니 [去]寘 | ジ・ニ にどかさねてかもしたさけ

[字解] [一] 두번빚은술이 '一, 重釀酒也'《說文》. [二] 두번빚은술니 [一]과 뜻이 같음.
[字源] 形聲. 酉+耳〔音〕

酉 6 〔酨〕13 재 [去]隊 | zāi サイ おもゆ

[字解] 뜨물재 미음(米汁). '醴一灰炭'《漢書》.
[字源] 形聲. 酉+𢦏(𢦏)〔音〕

酉 6 〔⿱任酉〕13 [一]염 [上]琰 | rǎn ゼン・ネン うすい
[二]남 ①[上]感 ②[去]勘 | nǎn ダン・ナン あきる

[字解] [一] ①싱거울염 맛이 싱거움. '一, 醰一, 味薄'《廣韻》. ②된장염 '一, 一曰, 醬也'《集韻》. [二] ①된장남 [一]②와 뜻이 같음. ②물릴남 많이 먹어 먹기 싫음. '一, 餶也'《集韻》.
[字源] 形聲. 酉+任〔音〕

酉 6 〔酱〕13 〔장〕醬(酉부 11획〈1541〉)의 簡體字

酉 6 〔⿰酉舌〕13 활 [入]曷 | huó カツ もろみざけ

[字解] ①거르지않은술활 거르지 않은 술. 전(全)내기. '一, 未泲酒'《集韻》. ②달활 닮.

酉 6 〔⿰酉危〕13 외 [平]灰 | wéi ガイ ようさま

[字解] 취하는모양외 취하는 모양. '一, 醉皃'《集韻》.

酉 6 〔⿰酉朱〕13 저 [平]魚 | zhū ショ くむ

[字解] ①잔질할저 잔질함. 술을 따름. '一, 酌也'《字彙》. ②흡족하게취할저 흡족하게 취함. 또는 거르지 않은 술. 전(全)내기. '一, 醅也'《字彙》.

酉 6 〔⿰酉全〕13 철 [入]屑 | chuò セツ しおづけ

[字解] 소금절임철 소금에 절임. 소금에 절인 것. '一, 鹹葅也'《字彙》.

酉 6 〔⿰酉交〕13 효 [平]肴 | xiáo コウ うる

[字解] 술팔효 술을 팖. '一, 沽也'《集韻》.

酉 6 〔⿰酉兇〕13 〔후〕酗(酉부 4획〈1532〉)의 俗字

酉 6 〔⿰酉匈〕13 [一] 酗(酉부 4획〈1532〉)와 同字
[二] ⿰酉句(酉부 5획〈1533〉)와 同字

酉 6 〔⿰酉凶〕13 〔후〕酗(酉부 4획〈1532〉)와 同字

酉 7 〔酲〕14 정 [平]庚 | chéng テイ ふつかよい

[字解] 숙취정 이튿날까지 깨지 아니한 술의 취기. '帶一'. '酒一'. '憂心如一'《詩經》.
[字源] 形聲. 酉+呈〔音〕

酉 7 〔酳〕14 윤 [去]震 | yìn イン すすぐ

[字解] ①가실윤 술로 입 안을 가심. '執爵而一'《禮記》. ②드릴윤 술을 바침. '主人洗角, 升酌一尸'《儀禮》.
[字源] 形聲. 酉+胤〈省〉〔音〕

酉 7 〔酴〕14 도 [平]虞 | tú ト さけのもと

[字解] ①술밑도 주모(酒母). ②막걸리도 탁주. '寒食賜宰臣以下一醾酒'《輦下歲時記》.
[字源] 形聲. 酉+余〔音〕

酉 7 〔酵〕14 효 (교[本]) [去]效 | jiào(xiào) コウ さけのもと

[字解] ①술밑효 주모(酒母). '一母'. ②지게미효 술찌끼. '遂以酒一作湯'《癸辛雜識》. ③술괼효 발효함. '發一'. ※本音 교.
[字源] 形聲. 酉+孝〔音〕

酉 7 〔酶〕14 매 [平]灰 | méi バイ・マイ もと

[字解] 술밑매 주모(酒母).

酉 7 〔酷〕14 혹 [入]沃 | kù コク つよい・ひどい

[字解] ①독할혹 ㉠술맛 같은 것이 지나치게 진함. '一烈淑郁'《司馬相如》. ㉡성질이 잔인함. '殘一'. '暴一'. '離秦之一'《史記》. ②괴로울혹 신고. '幼丁艱一'《晉書》. ③한혹 원통한 일. '銜一茹恨, 徹於心髓'《顏氏家訓》. ④심할혹 대단함. 극심함. '是故德不稱, 其禍必一'《潛夫論》. ⑤심히혹 ㉠대단히. 지극히. '年來一愛香山老'《張養浩》. ㉡매우. 아주. '一似其舅'《晉書》.
[字源] 形聲. 酉+告〔音〕

酉 7 〔⿰酉吿〕14 酷(前條)과 同字

酉 7 〔酸〕14 [人名] 산 [平]寒 | suān サン す・つらい, さん

[筆順] 一 冂 两 酉 酢 酢 酸 酸

[字解] ①초산 신 조미료. '糅以芳—'《曹植》. ②실산 산미가 있음. '其味—, 其臭羶'《禮記》. ③신맛산 산미. '甘—'. ④괴로울산, 고될산 힘에 부치어 참기 어려움. '自致力所難, 臨文情辛—'《嵇康》. ⑤가슴아플산, 슬플산 비통함. '寒心—鼻'《宋玉》. ⑥가난할산 빈한함. '寒—'. '豪氣一洗儒生—'《蘇軾》. ⑦《現》산산 ㉠산소(酸素)의 생략. ㉡산성 반응을 하는 수소(水素) 화합물의 기체로서, 맛이 시며 물에 잘 녹음. '窒—'. '黃—'.
[字源] 會意. 酉+夋

酉7 〔酹〕 14 뢰 [去]泰 | lèi ライ そそぐ
[字解] 부을뢰, 강신할뢰 술을 땅에 붓고 신(神)에게 제사를 지냄. '不以斗酒隻雞過相沃—'《後漢書》.
[字源] 形聲. 酉+寽〔音〕

酉7 〔酺〕 14 포 [平]虞 | pú ホ さかもり
[字解] ①회음할포 국가의 경사를 축하하기 위하여, 신민(臣民)이 모여 술을 마시며 즐김. '天下大—'《史記》. ②사찬포 조정에서 백성에게 주식(酒食)을 하사하는 일. 또, 그 주식. '—宴'. '—五日'《漢書》. ③귀신이름포 재해를 내리는 귀신. '春秋祭—亦如之'《周禮》.
[字源] 形聲. 酉+甫〔音〕

酉7 〔酨〕 14 〔재〕 截(酉부 6획〈1535〉)의 本字

酉7 〔䣓〕 14 견 [去]霰 [平]先 | juān ケン したむ
[字解] 술거를견 술을 구멍으로 떨어뜨려서 거름. '—, 以孔下酒也'《玉篇》.
[字源] 形聲. 酉+肙〔音〕

酉7 〔酿〕 14 〔양〕 釀(酉부 17획〈1545〉)의 簡體字

酉7 〔醒〕 14 영 [上]迥 | yǐng ギョウ さめる
[字解] 깰영 깸. 취기가 깸. '—, 醒也'《玉篇》.

酉7 〔䤃〕 14 함 [平]覃 | hān カン あからむ
[字解] 불그레해질함 불그레해짐. 술 기운으로 얼굴이 불그레해짐. '—, 酒色也'《玉篇》.

酉7 〔酼〕 14 〔해〕 醢(酉부 10획〈1539〉)의 訛字

酉8 〔醁〕 15 록 [入]沃 | lù リョク·ロク うまざけ
[字解] 미주록 맛 좋은 술. '寒泉旨於醽—'《抱朴子》.
[字源] 形聲. 酉+彔〔音〕

酉8 〔醂〕 15 림(람[本]) [上]感 | lǎn ラン·リン たるがき
[字解] ①곶감림 건시. ②우릴림 떫은 감을 우려 냄. 또, 땡감을 저장하여 연감이 되게 함. 장시(藏柹). '藏果實謂之—, 今—柹是也'《楊彥遠》. ※本音 람.
[字源] 形聲. 酉+林〔音〕

酉8 〔醃〕 15 엄 [平]鹽 | yān エン つけな
[字解] ①절일엄 소금에 절임. 또, 절인 생선이나 채소류. ②김치엄 침채(沈菜).
[字源] 形聲. 酉+奄〔音〕

酉8 〔醅〕 15 배 [平]灰 | pēi ハイ もろみざけ
[字解] ①빚을배 거듭 빚어 진하게 함. '恰似葡萄初醱—'《李白》. ②막걸리배 탁주. '尊酒家貧只舊—'('尊'은 樽)《杜甫》.
[字源] 形聲. 酉+咅〔音〕

酉8 〔䣺〕 15 醅(前條)의 本字

酉8 〔醆〕 15 잔 [上]潸 | zhǎn サン さかずき
[字解] ①술잔잔 盞(皿부 8획〈834〉)·琖(玉부 8획〈773〉)과 同字. ②막걸리잔 부유스름한 탁주. 약간 맑은 탁주. '醴—在戶'《禮記》.
[字源] 形聲. 酉+戔〔音〕

酉8 〔醇〕 15 [人名] 순 [平]眞 | chún シュン·ジュン こいさけ
[筆順] 一 冂 两 酉 酉 酉亠 醇 醇
[字解] ①진할순 전국술이어서 맛이 농후함. '—酎'. '輒飮以—酒'《漢書》. ②전국술순 무회주(無灰酒). '嗜學如嗜—'《方岳》. ③순수할순 섞인 것이 없음. 純(糸부 4획〈982〉)과 통용. '—美'. '政事惟—'《書經》. ④도타울순 온후(溫厚)함. 淳(水부 8획〈657〉)과 통용. '—謹'. '黎民—厚'《漢書》.
[字源] 形聲. 惟+享(辜)〔音〕

酉8 〔醉〕 15 [高人] 취 [去]寘 | zuì スイ よう

[筆順] 一 冂 丙 酉 酉亠 酔 醉 醉

[字解] ①취할취 ㉠술에 취함. '一興'. '既一既飽'《詩經》. ㉡사물에 마음이 쏠려 취하다시피 됨. '陶一'. '心若一六經'《文中子》. ㉢제정신을 차리지 못함. '衆人皆一, 我獨醒'《楚辭》. 또, 취하는 일. '宿一'. '酒有千日一'《南史》. ②취하게할취 전항의 타동사. '饗齊戍, 一而弑之'《左傳》.
[字源] 形聲. 酉＋卒〔音〕
[參考] 酔(酉부 4획〈1532〉)는 俗字.

酉 8 〔醊〕15 [一]철 [入]屑 | chuò テツ つらねまつる
[二]체 [去]霽 | zhuì テイ つらねまつる

[字解] [一] ①부을철 술을 땅에 따름. ②제사이름철 제신(諸神)의 제좌(祭座)를 병설(倂設)하고 술을 땅에 부어 지내는 제사. 봉선(封禪). '其下四方地爲一食'《史記》. [二] 부을체, 제사이름체 [一]과 뜻이 같음.
[字源] 形聲. 酉＋叕〔音〕

酉 8 〔醋〕15 [一]작 [入]藥 | zuò サク むくいる
[二]초 [去]遇 | cù ソ す

[字解] [一] 잔돌릴작 酢(酉부 5획〈1533〉)과 同字. '祝酌受尸, 尸一主人'《儀禮》. [二] 초 초 신 조미료의 한 가지. '薄一'. '酒一'.
[字源] 形聲. 酉＋昔(㫺)〔音〕

酉 8 〔醄〕15 도 [平]豪 | táo トウ ようさま

[字解] 크게취할도 곤드레만드레 술에 취한 모양. '酕一, 醉皃'《集韻》.

酉 8 〔醈〕15 담 ①[平]覃 ②[上]感 | tǎn タン あじがうすい
dàn タン うすざけ

[字解] ①밍밍할담 술이나 초의 맛이 싱거움. '一, 酒醋薄也'《集韻》. ②박주(薄酒)담 싱거운 술. '一, 醨也'《集韻》.

酉 8 〔醇〕15 량 ①②[去]漾 ③④[平]陽 | liáng リョウ すみざけ
リョウ ひしお, こんず

[字解] ①맑은술량 '淸漿曰一'《集韻》. ②마실것량 잡(雜)맛이 있는 마실 것의 하나. '一, 卽周禮漿人之涼, 禮記內則之濫也. 涼者, 以糗飯雜水, 濫者, 以桃梅和水. 其事相類'《說文通訓定聲》. ③장(醬)량 '一, 醬也'《廣雅》. ④미음(米飮)량 '一, 漿也'《廣雅》.
[字源] 形聲. 酉＋京〔音〕

酉 8 〔醅〕15 〔담〕
醓(酉부 9획〈1538〉)과 同字

酉 8 〔醟〕15 [一]멱 [入]錫 | mì ベキ ちちのかす
[二]음 [平]侵 | yīn イン さけこえ
[三]암 [平]覃 | アン さけこえ

[字解] [一] 젖앙금멱 젖의 앙금. '一, 酪滓也'《字彙》. [二] 술소리음 술 괴는 소리. '一, 酒聲'《字彙》. [三] 술소리암 [二]와 뜻이 같음.

酉 8 〔醃〕15 염 [去]豔 | yàn エン にがい

[字解] 쓸염 씀. 맛이 씀. '一, 苦也'《集韻》.

酉 8 〔醶〕15 醃(前條)과 同字

酉 8 〔醧〕15 우 [平]虞 | yū ウ さかもり

[字解] ①잔치우 잔치. 술잔치. '一, 宴也'《集韻》. ②술알맞게마실우 술을 알맞게 마심. '一, 一曰, 能飮者飮, 不能飮者止'《集韻》.

酉 8 〔醀〕15 [一]유 [平]支 | wěi イ にくをいれたさけ
[二]췌 [去]寘 | zhuì スイ やむ

[字解] [一] 육주유 육주(肉酒). 고기를 넣어 빚은 술. '一, 肉酒'《玉篇》. [二] 앓을췌 앓음. 병듦. '一, 病也'《集韻》.

酉 8 〔醆〕15 전 [上]銑 | tiǎn テン もろみ, あつい

[字解] ①전국술전 전국술. 진한 술. ②두터울전 두터움. '一, 厚也'《字彙》.

酉 8 〔醟〕15 제 [去]霽 | zhì セイ うおびしお

[字解] 간한생선제 간한 생선. '鯯, 魚醬, 或从酉'《集韻》.

酉 8 〔醖〕15 [一]지 [平]支 | zhī チ さけ
[二]제 [上]薺 | tǐ テイ じゅくしたさけのあかいいろ

[字解] [一] 술지 술. 醑(酉부 11획〈1541〉)와 同字. '醑, 說文, 酒也, 或省'《集韻》. [二] 익은술빛제 익은 술의 불그레한 빛깔. '醍, 酒紅色, 一同醍'《玉篇》.

酉 8 〔醊〕15 〔폐〕
醳(酉부 11획〈1541〉)와 同字

酉 9 〔醍〕16 제 ①[上]薺 ②[去]齊 | tǐ テイ すみざけ
tí テイ まじりけのない

[字解] ①맑은술제 붉은빛이 도는 약주. '粢一在堂'《禮記》. ②우락더껑이제 '一醐'는 우락(牛酪) 위에 엉긴 기름 모양의 맛이 썩 좋은 액체. 전(轉)하여, 불성(佛性) 또는

불법(佛法)의 묘리(妙理). 또, 우수한 인물(人物)의 비유.
字源 形聲. 酉+是〔音〕
參考 䣢(酉부 5획〈1534〉)는 同字.

酉9〔醐〕16 호 ㊥虞 | hú コ·ゴ まじりけのない
字解 우락더껑이호 醍(前條)를 보라. '醍一'. '一, 醍一, 酪之精者也, 从酉胡聲'《說文新附》.
字源 形聲. 酉+胡〔音〕

酉9〔䤁〕16 醐(前條)와 同字

酉9〔醑〕16 서 ㊤語 | xǔ ショ うまざけ
字解 미주(美酒)서 맛 좋은 술. 또, 거른 술. 맑은 술. '中山一清'《庾信》.
字源 形聲. 酉+胥〔音〕

酉9〔醒〕16 人名 성 ㊥青 xīng ㊤迥 xǐng ㊦徑 セイ·ショウ さめる
筆順 冂 丙 酉 酉ᆷ 酉尸 酉旦 酉星 醒
字解 ①깰성 ㉠술이 깸. '明朝酒一還獨來'《蘇軾》. ㉡잠이 깸. '一目常不眠'《梅堯臣》. ②깨달을성 미혹(迷惑)이 풀림. '覺一'. '衆人皆醉, 我獨一'《楚辭》. ③깨울성, 깨우칠성 이상의 타동사. '柳眠鶯喚一'《眞山民》.
字源 形聲. 酉+星〔音〕

酉9〔醓〕16 담 ㊤感 | tǎn タン ししびしお
字解 육장담 포(脯)를 썰어 누룩 및 소금을 섞어서 술에 담근 음식. '一醢以薦'《詩經》.
字源 形聲. 酉+皿+冘〔音〕

酉9〔醙〕16 수 ㊥尤 | sōu シュウ しろざけ
字解 백주수 빛이 흰 술. 일설(一說)에는, 차기장으로 만든 술. '一黍清皆兩壺'《儀禮》.

酉9〔醂〕16 매 ㊥灰 | méi バイ す
字解 ①초(醋)매 '一, 醋之別名'《廣韻》. ② 술밑매 효모(酵母). 媒(女부 9획〈256〉)와 통용.

酉9〔醎〕16 면 ㊤銑 | miǎn ベン·メン さけにふける
字解 술에빠질면 湎(水부 9획〈664〉)과 同字. '一, 飮酒失度'《玉篇》.

酉9〔醅〕16 ㊀음 ㊥侵 ㊦沁 | yīn イン·オン よったこえ / イン·オン かもしたときにでるき ㊁암 ㊥覃 | ān アン·オン よい
字解 ㊀①술취한소리음 '一, 醉聲'《廣韻》. ②술빚을때나오는김음 '一, 釀氣'《集韻》. ③절일음 어육(魚肉)을 절여서 밀봉(密封)하여 기운이 새지 않게 함. ㊁취할암 취기(醉氣). '一, 醉謂之一'《集韻》.

酉9〔醰〕16 ㊀음 ㊥侵 | イン こうじ ㊁심 ㊥侵 | シン こうじ ㊂침 ㊥侵 | cén チン こうじ
字解 ㊀①누룩음 또, 누룩을 띄움. '一, 孰麴也'《說文》. ②즐길음, 빠질음 지나치게 즐김. '一, 一說, 詩和樂且一, 言樂之甚也'《正字通》. ㊁ 누룩심, 즐길심, 빠질심 ㊀과 뜻이 같음. ㊂ 누룩침, 즐길침, 빠질침 ㊀과 뜻이 같음.
字源 形聲. 酉+甚〔音〕

酉9〔醹〕16 ㊀두 ㊦宥 ㊥尤 | tǘ トウ にれびしお ㊁도 ㊥虞 | ト にれびしお
字解 ㊀①느릅나무장두 느릅나무 열매의 장졸임. '二月楡莢成, 可作醬一'《齊民要術》. ②맛있는맛두 '麽一'는 맛있는 맛. '一, 梵書, 美味曰麽一'《康熙字典》. ③천주(天酒)두 '一一'는 천주(天酒). 천상계(天上界)의 술. '一, 天酒, 名曰一一'《康熙字典》. ④장두 간장·된장 따위. '一, 醬也'《廣雅》. ㊁ 느릅나무장도, 맛있는맛도, 천주도, 장도 ㊀과 뜻이 같음.
字源 形聲. 酉+俞〔音〕

酉9〔醟〕16 ㊀무 ㊦宥 ㊥虞 | mú ボウ·モ にれびしお / ボ·モ にれびしお ㊁모 ㊥尤 | ボウ·ム にれびしお
字解 ㊀①느릅나무장무 느릅나무 열매의 장졸임. '一, 一醹, 楡醬也'《說文》. ②장무 된장·간장 따위. '一, 醬也'《廣雅》. ㊁ 느릅나무장모, 장모 ㊀과 뜻이 같음.
字源 形聲. 酉+敄〔音〕

酉9〔醕〕16 〔순〕 醇(酉부 8획〈1536〉)과 同字

酉9〔醎〕16 〔함〕 鹹(鹵부 9획〈1843〉)의 俗字

酉9〔醖〕16 〔온〕 醞(酉부 10획〈1539〉)의 俗字

酉9〔醓〕16 〔혜〕 醯(酉부 12획〈1542〉)의 俗字

酉9 〔醅〕16 고 ㊍遇 | kù コ にらをねかしたもの

字解 부추김치고 부추김치. 또는 채소 절임. '一, 說文, 韭虀也, 一曰, 菹也, 或作一'《集韻》.

酉9 〔醆〕16 규 ㊤紙 | kuí キ すみざけ

字解 ①맑은술규 맑은 술. '一, 醥也'《玉篇》. ②묵힌술규 묵힌 술. '一, 醳也'《字彙》.

酉9 〔醎〕16 남 ㊤感 | nǎn ナン にる

字解 ①삶을남 삶음. '一, 煑也, 亦作腩'《玉篇》. ②국남 국. 뜨거운 국. '腩, 膗也, 或从酉'《集韻》.

酉9 〔醏〕16 도 ㊥虞 | dū ト ひしお

字解 된장도 된장. 간장. '醶一'. '一, 醶一, 醬也'《廣韻》.

酉9 〔醖〕16 〔몽〕 醯(酉부 13획〈1543〉)과 同字

酉9 〔醱〕16 〔발〕 醱(酉부 12획〈1542〉)과 同字

酉9 〔醓〕16 〔식〕 食(部首〈1712〉)과 同字

酉9 〔醡〕16 절 ㊇屑 | zhuó セツ しおづけのな

字解 김치절 김치. 절인 채소. '一, 鹹菹'《集韻》.

酉9 〔醯〕16 총 ㊥東 | cōng ソウ にごりざけ

字解 탁주총 탁주. 막걸리. '一濛'. '一, 醪謂之一濛, 或作醲'《集韻》.

酉9 〔醔〕16 추 ㊥尤 | chōu シュウ さけをだす

字解 ①술떠낼추 술을 떠냄. '一, 出酒'《玉篇》. ②용수추 용수. 술을 뜨는 용수. '篘, 漉取酒也, 或作一'《集韻》.

酉9 〔醔〕16 추 ㊥尤 | chōu シュウ ふるざけ

字解 오래된술추 오래 된 술. 묵은 술. 또는 술을 관장하는 벼슬. '一, 酒官'《玉篇》.

酉9 〔醢〕16 해 ㊤賄 | hǎi カイ さけをいれるうつわ

字解 술담는그릇해 술을 담는 그릇. '榼, 酒器, 或作一'《集韻》.

酉9 〔醖〕16 ㊀혼 ㊤阮 ㊁운 ㊍問 | hùn コン ㊀㊁ うすいさけをつぐ ウン

字解 ㊀술칠혼 술을 침. 묽은 술을 서로 침. '一, 醎相沃謂之一'《集韻》. ㊁술칠운 ㊀과 뜻이 같음.

酉10 〔醜〕17 高·人 추 ㊤有 | chǒu シュウ みにくい

筆順 丌 西 酉 酊 酌 酏 醜 醜

字解 ①추할추 언행이 더러움. '一行'. '行莫一於辱先'《司馬遷》. 또, 그러한 사람. '群一破滅'《晉書》. ②못생길추 용모가 보기 흉함. '一女'. '老漢嫌妻一'《王君玉雜纂》. 또, 그러한 사람. '里一捧心'《文心雕龍》. ③미워할추 싫어함. '既一有夏'《史記》. ④부끄러워할추 수치로 여김. '於是一之去衞'《史記》. ⑤무리추 ㉠다수의 사람. '執訊獲一'《詩經》. ㉡같은 무리. 동류. '離群一也'《易經》. ⑥견줄추 비교함. '比物一類'《禮記》. ⑦같을추 동등함. '一類'. '地一德齊'《孟子》. ⑧성추 성(姓)의 하나.

字源 形聲. 鬼+酉〔音〕

酉10 〔醝〕17 차 ㊥歌 | cuō サ しろざけ

字解 백주차 빛이 흰 술. '蒼梧竹葉淸, 宜城九醞一'《張華》.

酉10 〔醞〕17 온 ㊍問 ㊤吻 | yùn ウン かもす

字解 ①빚을온 양조(釀造)함. '酒則九一甘醴'《張衡》. ②술온 빚은 술. '春一時獻斟'《王僧達》. ③온자할온 溫(水부 10획〈668〉)과 同字. '容止一藉'《北史》.

字源 形聲. 酉+昷〔音〕

酉10 〔醡〕17 자 ㊍禡 | zhà サ·シャ さけこし

字解 ①술주자자 술을 짜는 틀. '松槽葛囊纔上一'《楊萬里》. ②기름틀자 기름을 짜는 틀. '一, 打油具'《證俗文》.

字源 形聲. 酉+窄〔音〕

酉10 〔醢〕17 해 ㊤賄 | hǎi カイ しおから

字解 ①육장해 포(脯)를 썰어 누룩 및 소금을 섞어서 술에 담근 음식. '魚一'. '菹一'. '醓一以薦'《詩經》. ②절일해 소금을 섞어서 절게 함. '衞人一子路'《十八史略》. 또, 인체(人體)를 소금에 절이는 형벌. '殺梅伯, 而遺文王其一'《呂氏春秋》. ③삶을해 삶아서 죽임. '吾將使秦王烹一梁王'《史

記》.
[字源] 形聲. 酉＋盎〔音〕

酉 10 〔醠〕 17 앙 [去]漾 [上]養 | àng オウ にごりざけ
[字解] 막걸리앙 탁주. '一, 濁酒也, 从盎聲'《說文》.
[字源] 形聲. 酉＋盎〔音〕

酉 10 〔醓〕 17 밀 [入]質 | mì ビツ のみほす
[字解] ①술그릇마를밀 술을 다 마심. '一, 飮酒俱盡也'《說文》. ②간장밀 '一, 醬也'《廣雅》.
[字源] 形聲. 酉＋监〔音〕

酉 10 〔醚〕 17 미 | mí ビ よう
[字解] ①취할미 '一, 醉也'《玉篇》. ②《現》 에테르미 유기 화합물(有機化合物)의 하나. 에테르(Ether).

酉 10 〔醪〕 17 몽 [平]冬 | méng ボウ・ム こうじのはな
[字解] 누룩꽃몽, 누룩뜰몽 '一, 麴生衣也'《說文》.
[字源] 形聲. 酉＋冡〔音〕

酉 10 〔醨〕 17 력 [入]錫 | lì レキ・リャク したむ
[字解] 술거를력 '一, 漉酒也'《玉篇》.
[字源] 形聲. 酉＋鬲〔音〕

酉 10 〔醋〕 17 [一] 용 [平]冬 | róng ジョウ さけ [二] 니 [去]寘 | ジ・ニ さけ
[字解] [一] ①술용 '一, 酒也'《說文》. ②진한 술용 두번 빚은 술. '一, 字林, 重釀也'《集韻》. [二] 술니, 진한술니 [一]과 뜻이 같음.
[字源] 形聲. 酉＋茸〔音〕

酉 10 〔醣〕 17 〔기〕 嗜(口부 10획〈178〉)와 同字

酉 10 〔醫〕 17 곡 [入]屋 | hú コク にごりざけ
[字解] 막걸리곡 탁주. '一, 濁酒'《集韻》.

酉 10 〔醟〕 17 영 [去]敬 [平]庚 | yòng エイ・ヨウ よいくるう
[字解] 주정할영 술에 취하여 제정신을 잃고 언행을 함부로 함. 주사를 부림. '酗一者'《抱朴子》.
[字源] 形聲. 酉＋熒〈省〉〔音〕

酉 10 〔醘〕 17 갑 [入]合 | kē コウ さかずき
[字解] 술잔갑 술잔. '一, 酒器'《玉篇》.

酉 10 〔醣〕 17 방 [平]陽 | bāng ホウ さす
[字解] 따를방 따름. 술을 따름. '一, 加杯酒曰一'《集韻》.

酉 10 〔醔〕 17 상 [平]陽 | sāng ソウ ちちざけ
[字解] 유주상 유주(乳酒). 젖으로 빚은 술. '一, 乳酒'《字彙》.

酉 10 〔醙〕 17 수 [上]有 | sōu シュウ しろざけ
[字解] 백주수 백주(白酒). 소주(燒酎). '一, 白酒也'《集韻》.

酉 10 〔醊〕 17 애 [去]隊 | wèi ガイ ようさま
[字解] 취한모양애 취한 모양. '一, 醉皃'《集韻》.

酉 10 〔醎〕 17 욱 [入]屋 | yù イク かおのきいろなさま
[字解] 낯빛누를욱 낯빛이 누른 모양. '一, 面黃皃'《集韻》.

酉 10 〔醫〕 17 〔의〕 醫(酉부 11획〈1541〉)의 俗字

酉 10 〔醛〕 17 철 [入]屑 | chuò セツ さけのあじがかわる
[字解] ①술맛변할철 술맛이 변함. '一, 酒味變也'《集韻》. ②푸성귀절임철 푸성귀 절임. '一, 鹹葅也'《字彙》.

酉 10 〔醉〕 17 최 [去]隊 | zuì サイ じんめい
[字解] 사람이름최 사람 이름. '一, 闕, 人名'《集韻》.

酉 10 〔醶〕 17 한 [去]翰 | hàn カン すんだささけ
[字解] 맑은술한 맑은 술. '一, 淸酒也'《字彙》.

酉 11 〔醨〕 18 리 [平]支 | lí リ うすざけ
[字解] 묽은술리 싱거운 술. 박주(薄酒). '一酪專灌於圓丘'《抱朴子》. 또, 전국을 걸러 내고 남은 술. '何不餔其糟而歠其一'《楚辭》.
[字源] 形聲. 酉＋离〔音〕

酉 11 〔醪〕 18 료 [平]豪 | láo ロウ にごりざけ

字解 막걸리료 탁주. '濁一'. '醇一'. '置二石醇一'《史記》.
字源 形聲. 酉＋翏〔音〕

酉11 〔醥〕18 표 ㊤篠 | piǎo ヒョウ すみざけ
字解 맑은술표 약주. '觴以清一'《左思》.

酉11 〔醧〕18 ㊀어 ㊄御 | yù ヨ·オ うちわのさかもり
㊁구 ㊥尤 | オウ·ウ うちわのさかもり
㊂우 ㊄宥 | オウ·ウ さけのあじがやわらぐ
字解 ㊀①사사로운잔치어 사연(私宴). '一, 私醼'《廣韻》. ②술적당히마실어 '愔愔一醼'《左傳》. ③술달고맛있을어 '一, 酒甘'《廣韻》. ㊁ 사사로운잔치구, 술적당히마실구, 술달고맛있을구 ㊀과 뜻이 같음. ㊂ 술맛순할우 '一, 酒味和'《集韻》.
字源 形聲. 酉＋區〔音〕

酉11 〔醳〕18 폐 ㊄霽 | bì ヘイ·ベイ にれびしお
字解 느릅나무장폐 느릅나무 열매의 장졸임. '一, 擣楡醬也'《說文》.
字源 形聲. 酉＋畢〔音〕

酉11 〔醻〕18 〔수〕
醻(酉부 14획〈1544〉)의 本字

酉11 〔醩〕18 〔조〕
糟(米부 11획〈975〉)의 籒文

酉11 〔醫〕18 中·人 의 ㊥支 | yī イ くすし, いしゃ
筆順 ⺈ 矢 医 医⺈ 医殳 殹 醫 醫
字解 ①의원의 병을 고치는 사람. '名一'. '巫一'. '一不三世, 不服其藥'《禮記》. ②고칠의 병을 고쳐 사람을 구함. 전(轉)하여, 널리 구하는 뜻으로 쓰임. '一渴'. '上醫一國, 其次一疾人也'《國語》. ③의술의 병을 고치는 학문·기술. '一者仁術也'《因話錄》.
字源 形聲. 酉＋殹〔音〕
參考 医(匸부 5획〈124〉)는 略字.

酉11 〔醬〕18 장 ㊄漾 | jiàng ショウ しおから, ひしおみそ
字解 장장 ㉠된장. '醯一處內'《禮記》. ㉡간장. '不得其一不食'《論語》.
字源 形聲. 肉＋酉＋爿〔音〕

酉11 〔醬〕18 지 ㊥支 | zhī チ さけ
字解 술지 '一, 酒也'《說文》.
字源 形聲. 酉＋矢〈省〉〔音〕

酉11 〔醹〕18 〔도〕
酴(酉부 7획〈1535〉)와 同字

酉11 〔醨〕18 ㊀미 ㊥齊 | mí ベイ かび
㊁만 ㊥寒 | バン かび
字解 ㊀골마지미 골마지. 장(醬)·초(酢)에 골마지가 생김. '醭一'. '一, 醭一, 白生醬酢上'《集韻》. ㊁ 골마지만 ㊀과 뜻이 같음.

酉11 〔醻〕18 醨(前條)과 同字

酉11 〔醭〕18 모 ㊥虞 | mú ボ あまみののみもの
字解 맛좋은음료모 맛 좋은 음료. 미장(美漿). '醐一'. '一, 醐一, 美漿'《字彙》.

酉11 〔醻〕18 상 ㊥陽 | shāng ショウ さけをたしなむ
字解 ①술즐길상 술을 즐김. '一, 耆酒也'《玉篇》. ②술잔상 술잔.

酉11 〔醏〕18 〔숙〕
莤(艸부 7획〈1146〉)과 同字

酉11 〔醻〕18 ㊀쇄 ㊄卦 | shāi サイ さけをこす
㊁자 ㊄禡 | zhà サ さけこし
字解 ㊀①술거를쇄 술을 거름. '一, 簀酒也'《集韻》. ②술주자쇄 술을 짜는 틀. ㊁ 술주자자 ㊀❷와 뜻이 같음.

酉11 〔醻〕18 〔수〕
酥(酉부 5획〈1533〉)와 同字

酉11 〔醻〕18 〔제〕
祭(示부 6획〈888〉)와 同字

酉11 〔醦〕18 ㊀참 ㊤豏 | chǎn サン す, すい
㊁첨 ㊤琰 | chěn セン すいさま
字解 ㊀초참 초. 신맛. '一, 酢也'《廣韻》. ㊁시큼한모양첨 시큼한 모양. '醶, 酢皃, 或作一'《集韻》.

酉11 〔醲〕18 〔총〕
醲(酉부 9획〈1539〉)의 本字

酉11 〔醹〕18 〔팽〕
烹(火부 7획〈714〉)과 同字

酉11 〔醻〕18 홍 ㊤董 | hǒng コウ よってたおれる
字解 취하여넘어질홍 취하여 넘어짐. '王延壽, 王孫賦, 一陋酌以迷醉, 注, 著酒顛

頓狀'《正字通》.

酉12〔醭〕19 복 ㉧屋 bú ホク かび

字解 ①골마지복 간장·술 같은 것에 곰팡이같이 생기는 물건. ②곰팡이복 '梅天筆墨多生一'《楊萬里》.
字源 形聲. 酉+菐〔音〕

酉12〔醮〕19 초 ㉤噍 ①-④jiào ショウ まつる ㉬蕉 ⑤qiáo ショウ やつれる

字解 ①제사지낼초 술을 차려 놓고 신(神)에게 제사함. '可一祭而致'《漢書》. ②빌초 단(壇)을 만들어 놓고 기도함. '宮設一, 一日親臨之'《貴耳集》. ③술따를초 관혼(冠婚)의 의식에서 술을 따름. '一於客位'《禮記》. ④다할초 다 없어짐. '利爵之不一也'《荀子》. ⑤야윌초 憔(心부 12획〈412〉)와 통용. '滿心戚一'《莊子》.
字源 形聲. 酉+焦〔音〕

酉12〔醯〕19 혜 ㉬齊 xī ケイ す

字解 ①초혜 신 조미료. '一醬處內'《禮記》. ②육장혜 국물이 많은 육장(肉醬). '一醢之品'《歐陽修》.
字源 會意. 鬻〈省〉+酒〈省〉+皿

酉12〔醰〕19 담 ㉤勘 ㉬覃 tán タン うまい

字解 ①쓸담 술맛이 씀. ②진할담 맛이 진함. 맛이 좋음. '良一一而有味'《王褒》.
字源 形聲. 酉+覃(㢟)〔音〕

酉12〔醱〕19 발 ㉧曷 pō ハツ かさねてかもす

字解 빚을발 ㉠술을 거듭 빚어 진하게 함. '恰似葡萄初一醅'《李白》. ㉡발효(發酵)의 '發'의 뜻으로 씀.
字源 形聲. 酉+發〔音〕

酉12〔醳〕19 단 ㉬寒 dān タン にごりざけ

字解 막걸리단 탁주(濁酒). '一, 一醪, 濁酒也'《字彙》.

酉12〔醿〕19 기 ①②㉤未 jì キ あわのさけ ③㉥尾 jǐ キ さけのうわずみ

字解 ①차조술기 '一, 秫酒名'《廣韻》. ②목욕한뒤먹는술기 禨(示부 12획〈893〉)와 통용. '一, 沐酒名'《玉篇》. ③술웃국기 맨 처음 떠내는 진한 술. '一, 酒浮也'《集韻》.

酉12〔醬〕19 침 ㉥寑 jǐn シン さけをすする

字解 ①술마실침 술을 홀짝홀짝 마심. '一, 歃酒也'《說文》. ②달침 맛이 조금 달콤함. '一, 小甘舌'《廣韻》. ③맛있을침 '一, 美也'《廣雅》.
字源 形聲. 酉+朁〔音〕

酉12〔醚〕19 비 ㉥紙 pǐ ヒ さけのいろ

字解 ①술빛비 술의 빛깔. '一, 酒色'《玉篇》. ②덮을비 '一, 覆也'《廣韻》. ③무너질비 圮(土부 3획〈200〉)와 同字.

酉12〔醻〕19 ㊀귤 ㉧質 jú キツ ひしお ㊁굴 ㉧質 jué キツ ひしお ㊂결 ㉧屑 ケツ かいのしおから

字解 ㊀간장귤 '一, 醯醬也'《玉篇》. ㊁간장굴 ㊀과 뜻이 같음. ㊂조개젓결 '一, 蚌醬'《集韻》.
字源 形聲. 酉+矞〔音〕

酉12〔醋〕19 〔작〕
醋(酉부 8획〈1537〉)의 本字

酉12〔酸〕19 〔산〕
酸(酉부 7획〈1535〉)의 籀文

酉12〔醎〕19 간 ㉤諫 jiǎn カン しおからい

字解 짤간 짬. 짠 맛. '一, 鹹也'《集韻》.

酉12〔醬〕19 공 ㉥腫 gǒng キョウ しおづけのな

字解 채소절임공 채소 절임. '一, 鹹菹'《集韻》.

酉12〔醪〕19 로 ㉬豪 láo ロウ にごりざけ

字解 막걸리로 막걸리. '一, 濁酒也'《字彙》.

酉12〔醲〕19 료 ㉥篠 liǎo リョウ すみざけ

字解 맑은술료 맑은 술. 술이 맑음. '一, 酒清'《五音集韻》.

酉12〔醃〕19 〔염〕
鹽(鹵부 13획〈1844〉)과 同字

酉12〔醣〕19 전 ㉥銑 zhǎn セン にがざけ

字解 쓴술전 쓴 술. 맛이 쓴 술. '一, 苦酒'《五音集韻》.

酉12 〔醔〕19 화 [平]麻 | huā カ こいさけ

[字解] 진한술화 진한 술. '一, 醇一酒'《字彙》.

酉12 〔醭〕19 황 [去]漾 | wàng オウ さけ

[字解] ①술황 술. '一, 酒也'《集韻》. ②진국술황 진국 술. 안 거른 술. '一, 潑一酒'《廣韻》.

酉12 〔醉〕19 〔효〕
酵(酉부 7획〈1535〉)와 同字

酉13 〔醲〕20 농 [平]冬 | nóng ジョウ·ニュ こいさけ

[字解] ①진한술농 '醇一'. '甘脆肥一, 命曰腐腸之藥'《枚乘》. ②두터울농 후함. 濃(水부 13획〈691〉)과 통용. '明主一于用賞, 約于用刑'《後漢書》.
[字源] 形聲. 酉+農〔音〕

酉13 〔醳〕20 ㊀역 [入]陌 | yì エキ さけ
㊁석 [入]陌 | shì セキ とく

[字解] ㊀①술역 좋은 술. 전국술. 순주(醇酒). 일설(一說)에는, 오래 묵은 술. 고주(古酒). 또 일설에는, 맛이 쓴 술. 고주(苦酒). 또 일설에는, 겨울에 빚어 봄에 익은 술. '有一順時'《左思》. ②호궤할역 군사에게 주식(酒食)을 풀어 먹여 위로함. '一兵'《史記》. ㊁ 풀석 석방함. 釋(釆부 13획〈1546〉)과 통용. '共執張儀, 掠笞數百, 不服一之'《史記》.
[字源] 形聲. 酉+睪〔音〕

酉13 〔醳〕20 醳(前條)과 同字

酉13 〔醴〕20 례 [上]薺 | lǐ レイ あまざけ

[字解] ①단술례 감주(甘酒). '且以酌一'《詩經》. ②달례 샘물이 감미가 있음. '地出一泉'《禮記》.
[字源] 甲骨文은 제기에 바쳐진 단술의 象形으로, '단술'의 뜻을 나타냄. 뒤에, '酉유'를 덧붙임. 篆文은 酉+豊(豐)〔音〕의 形聲. '豊례'는 '醴례'의 原字.

酉13 〔醵〕20 ㊀거 [去]御 | jù キョ おかねをだしあっていんしょくする
㊁갹 [入]藥 | jù キャク おかねをだしあっていんしょくする

[字解] ㊀①추렴내어마실거 여러 사람이 각기 돈을 내어 함께 술을 마심. 또, 그 비용. 또는, 그 음식. '窮漢一率'(가난한 사람이 술을 마시는데 추렴이 잘 걷히지 아니함)《李義山雜纂》. ②추렴할거 '隣里一金治具'《輟耕錄》. ㊁ 추렴내어마실갹, 추렴할갹 ㊀과 뜻이 같음.
[字源] 形聲. 酉+豦〔音〕

酉13 〔醷〕20 ㊀억 [入]職 | yì ヨク·オク うめざけ
㊁의 [上]紙 | yǐ イ あまざけ

[字解] ㊀①매실주(梅實酒)억 '漿水一濫'《禮記》. ②막걸리억 '一, 濁漿'《廣韻》. ③단술억 단술〔醴〕과 맑은 술〔酏〕을 섞은 단술. '一, 釀醴酏爲漿也'《集韻》. ㊁ 단술의 ㊀③과 뜻이 같음.

酉13 〔醶〕20 ㊀엄 [去]豔 | yàn ゲン す
㊁람 ①[上]感 ②[上]豏 | ラン す / liǎn ラン すい
㊂참 [上]豏 | サン す
㊃함 [平]咸 | jiǎn カン しおからい

[字解] ㊀①초엄 신 조미료(調味料). '一, 酢也'《廣雅》. ②진할엄 술이나 초의 맛이 진함. '一, 酒酢味厚也'《字彙》. ㊁ ①초람, 진할람 ㊀과 뜻이 같음. ②실람 맛이 심. '一, 一醶, 酢味'《廣韻》. ㊂ 초참, 진할참 ㊀과 뜻이 같음. ㊃ 짤함 맛이 짬. '一, 鹵味'《集韻》.
[字源] 形聲. 酉+僉〔音〕

酉13 〔醸〕20 〔양〕
釀(酉부 17획〈1545〉)의 略字

酉13 〔醶〕20 〔함〕
鹹(鹵부 9획〈1843〉)과 同字

酉13 〔殼酉〕20 곡 [入]屋 | hú コク にごりざけ

[字解] 막걸리곡 막걸리. '一, 濁酒也'《字彙》. 𩱡(酉부 10획〈1540〉)의 訛字.

酉13 〔醽〕20 〔령〕
醽(酉부 17획〈1545〉)과 同字

酉13 〔醟〕20 몽 [平]冬 | méng ボウ にごりざけ

[字解] 막걸리몽 막걸리. '醲一'. '一, 醲一, 濁酒也'《集韻》.

酉13 〔醻〕20 상 [平]陽 | cháng ショウ なめる

[字解] 맛볼상 맛봄. '一, 嘗味'《五音集韻》.

酉13 〔醰〕20 전 [上]銑 | zhǎn セン にがいさけ

[字解] 술맛쓸전 술맛이 씀. '一, 酒苦謂之一'《集韻》.

酉 13 〔⿰酉雹〕 20 포 [平]肴 | pào ホウ にきび

[字解] 여드름포 여드름. '一, 面生氣皰'《字彙》.

酉 14 〔醹〕 21 유 [上]麌 | rú ジュ こいさけ

[字解] 진할유 술이 진함. 술이 독함. '酒醴維一'《詩經》.
[字源] 形聲. 酉＋需〔音〕

酉 14 〔醺〕 21 훈 [平]文 | xūn クン よう

[字解] ①취할훈 술에 취함. '微一卽止'《宋史》. ②취하게할훈 '但願不爲世所一'《蘇軾》. ③술기운훈 주기(酒氣). '帶微一'. 또, 술에 취하는 일. '愁多少酒一'《杜甫》.
[字源] 形聲. 酉＋熏〔音〕

酉 14 〔⿰酉與〕 21 서 [上]語 | xù ショ よいさけ

[字解] ①좋은술서 '一, 美酒'《字彙》. ②술맛좋을서 '一, 酒之美也'《廣韻》.

酉 14 〔⿰酉監〕 21 람 [去]勘 [上]感 | làn ラン うかべる, にごりざけ

[字解] ①잔띄울람 잔을 물에 띄움. ②막걸리람. ③단술람 단술에 물을 탄 마실 것. 또 일설(一說)에는, 묽은 술.
[字源] 形聲. 酉＋監〔音〕

酉 14 〔醻〕 21 〔수〕
酬(酉부 6획〈1534〉)와 同字
[字源] 形聲. 酉＋壽(𠷎)〔音〕

酉 14 〔⿱漸酉〕 21 [一] 점 [上]琰 [二] 잠 [上]感 | jiàn セン·ゼン あじがうすい サン あじがうすい

[字解] [一] ①싱거울점 '一, 一䤐, 味薄'《廣韻》. ②간장점 '一, 一曰, 醬也'《集韻》. [二] 싱거울잠, 간장잠 [一]과 뜻이 같음.
[字源] 形聲. 酉＋漸〔音〕

酉 14 〔⿰酉蒙〕 21 몽 [平]東 | méng ボウ くず

[字解] ①부스러기몽 부스러기. 가는 부스러기. '一, 細屑'《玉篇》. ②누룩골마지몽 누룩의 골마지. '𥻆, 說文, 䴹生衣也, 或作一'《集韻》.

酉 14 〔⿰酉齊〕 21 제 [去]霽 | jì セイ ひしお

[字解] ①장제 장(醬). 지금의 간장에 해당하는 옛날 조미료. '一, 醎也'《廣韻》. ②짤제 짬. '一, 通作齊'《正韻》.

酉 14 〔⿰酉窻〕 21 총 [平]冬 | cōng ソウ にごりざけ

[字解] 막걸리총 막걸리. '一濛'. ⿰酉怱(酉부 9획〈1539〉)과 同字. '⿰酉怱, 醪謂之⿰酉怱濛, 或作一'《集韻》.

酉 15 〔⿰酉𦏁〕 22 〔순〕
醇(酉부 8획〈1536〉)의 古字

酉 15 〔⿰酉暴〕 22 포 [去]號 | bào ホウ·ボウ あまざけ

[字解] 단술포 단술. 또, 담근 지 하룻밤 만에 마시는 술. '一, 一宿酒也'《集韻》.

酉 15 〔⿰酉蠡〕 22 〔력〕
釃(酉부 21획〈1545〉)과 同字

酉 15 〔⿰酉蔑〕 22 [一] 말 [入]曷 [二] 멸 [入]屑 | バツ ひしお miè ベツ ひしお

[字解] [一] 장말 장(醬). 지금의 간장에 해당하는 조미료. '一, 字林, 醬也'《集韻》. [二] 장멸 [一]과 뜻이 같음.

酉 15 〔⿰酉鼏〕 22 멱 [入]錫 | mì ミャク ほしぢち

[字解] 굳힌젖멱 굳힌 젖. 유즙(乳汁)을 정제하여 덩이가 지게 한 것. '一蠡'. '一, ⿰火鼏⿰火鼏蠡, 乾酪, 或作⿰酉冥, 亦从鼏'《集韻》.

酉 15 〔⿰酉樂〕 22 악 (학[本]) [入]藥 | xuè カク す

[字解] ①초악 초. 식초. '一, 酢也'《廣雅》. ②쓴술악 쓴 술. '一, 苦酒'《字彙補》.

酉 15 〔⿰酉盞〕 22 자 [去]禡 | zhà サ さけこし

[字解] 술주자자 술주자. 술을 짜는 틀. '醆, 酒盞也, 或作一'《集韻》.

酉 15 〔⿰酉截〕 22 〔참〕
⿰酉韱(酉부 17획〈1545〉)의 俗字

酉 16 〔醼〕 23 〔연〕
宴(宀부 7획〈279〉)과 同字
[字源] 形聲. 酉＋燕〔音〕

酉 16 〔⿰酉𩫖〕 23 〔순〕
醇(酉부 8획〈1536〉)의 本字

酉 16 〔⿰酉覽〕 23 람 [上]感 | lǎn ラン すっぱい

[字解] 시큼할람 시큼함. 시큼한 맛. '一, 醋味也'《五音集韻》.

酉16〔醂〕23 〔수〕
酥(酉부 5획〈1533〉)와 同字

酉16〔醶〕23 염 ㊥鹽|yān
㊤琰|エン いかりをふくむ
字解 노여움품을염 노여움을 품음. '一, 含怒也'《廣韻》.

酉16〔醲〕23 〔총〕
醲(酉부 14획〈1544〉)의 俗字

酉17〔醽〕24 령 ㊥青|líng
レイ·リョウ うまさけ
字解 미주령 맛 좋은 술. 또, 거른 술. '寒泉旨於一醁'《抱朴子》.
字源 形聲. 酉+霝〔音〕

酉17〔醾〕24 미 ㊥支|mí ビ にごりさけ
字解 막걸리미 탁주. '寒食賜宰臣以下酴一酒'《輦下歲時記》.
字源 形聲. 酉+縻〔音〕

酉17〔醿〕24 醾(前條)와 同字

酉17〔醿〕24 醾(前前條)와 同字

酉17〔釀〕24 양 ㊦漾|niàng ジョウ かもす
字解 ①빚을양 ㉠술을 빚음. '一造'. '一泉爲酒'《歐陽修》. ㉡자아냄. '一成'. '一禍'. '以相嘔呴醞一, 而成育萬物'《淮南子》. ② 술양 '一佳'. '春一'. '令人欲傾家一'《世說》.
字源 形聲. 酉+襄〔音〕
參考 醸(酉부 13획〈1543〉)은 略字.

酉17〔釅〕24 ㊀참 ㊤賺|chǎn サン す
㊁첨 ㊤琰|qiǎn セン す
字解 ㊀ ①초참 신 조미료. '一, 酢也'《說文》. ②실참 맛이 싱. '一, 酢味'《廣韻》. ③ 신모양참 '一, 酢皃'《集韻》. ㊁ 초첨, 실첨, 신모양첨 ㊀과 뜻이 같음.
字源 形聲. 酉+韱〔音〕

酉17〔醺〕24 〔훈〕
醺(酉부 14획〈1544〉)의 本字

酉17〔醰〕24 ㊀감 ㊤感|gǎn カン ㊀㊁ さけ
㊦勘|のあじがしみこむ
㊁담 ㊦勘|タン
字解 ㊀ ①술맛밸감 '一, 酒味淫也. 〈段注〉淫者, 浸淫隨理也. 謂酒味淫液深長'《說文》. ②술맛쓸감 '一, 酒味苦也'《玉篇》. ㊁ 술맛밸담, 술맛쓸담 ㊀과 뜻이 같음.
字源 形聲. 酉+竷〈省〉〔音〕

酉18〔釂〕25 조 ㊦嘯|jiào ショウ のみほす
字解 마실조 잔에 있는 술을 다 마심. '長者擧未一, 少者不敢飮'《禮記》.
字源 形聲. 酉+爵〔音〕

酉18〔釁〕25 흔 ㊦震|xìn キン ちぬる
字解 ①피칠할흔 희생(犧牲)의 피를 그릇에 발라 신(神)에게 제사지냄. '成廟則一之'《禮記》. ②허물흔 죄과. '用師觀一而動'《左傳》. ③틈흔 ㉠간격. '間一'. '一隙'. ㉡약점. 이용할 수 있는 기회. '觀一'. '讎有一不可失也'《左傳》. ㉢불화. '楚子不假道于宋, 以啓一端'《春秋胡傳》. ④바를흔 향을 몸에 바름. '三一三浴之'《國語》. ⑤움직일흔 활동함. '夫小人之性, 一於勇'《左傳》. ⑥성흔 성(姓)의 하나.
字源 會意. 爨〈省〉+酉+分

酉19〔釃〕26 ㊀시 ㊤紙|shī シ したむ, こす
㊁소 ㊥魚|shāi ショ·ソ したむ, こす
㊂리 ㊥支|lí リ うすいさけ
字解 ㊀ ①거를시 술을 거름. '一酒有藇'《詩經》. ②나눌시 가름. '一二渠, 以引其河'《漢書》. ㊁ 거를소, 나눌소 ㊀과 뜻이 같음. ㊂ 묽은술리 醨(酉부 11획〈1540〉)와 同字. '歠其一'《楚辭》.
字源 會意. 酉+麗

酉19〔醿〕26 〔미〕
醾(酉부 17획〈1545〉)와 同字

酉20〔釅〕27 엄 ㊦豔|yàn ゲン·ゴン こい
字解 진할엄 술 또는 차(茶)가 농후함. '一茶三兩椀'《指月錄》.
字源 形聲. 酉+嚴〔音〕

酉20〔醲〕27 〔농〕
醲(酉부 13획〈1543〉)의 本字

酉20〔𨣧〕27 〔조〕
糟(米부 11획〈975〉)의 籒文

酉21〔醰〕28 〔담〕
醰(酉부 12획〈1542〉)의 本字

酉21〔𨣨〕28 ㊀력 ㊇錫|lì リャク らく
㊁려 ㊥齊|レイ さけのかす
㊂례 ㊤薺|レイ ちちのかす
字解 ㊀ 타락력 타락(酡酪). 우유. '一醍'.

'一, 一醭, 酪也'《集韻》. [三] 술재강려 술의 재강, 또는 타락밑. '一醭'. '一, 醭一, 酒滓, 一曰, 酪毋'《集韻》. [三] 젖찌끼레 젖의 찌끼. '一醭'. '一, 醭一, 酪滓. 或省'《集韻》.

酉 24〔醽〕31 〔령〕 醽(酉부 17획〈1545〉)과 同字

釆 部
〔분별할변부〕

釆 0〔釆〕7 변 [去]諫 | biàn ハン·ベン わける

[筆順] 一 丆 丷 丷 平 采 釆

[字解] 나눌변, 분별할변 辨(辛부 9획〈1485〉)과 同字.

[字源] 象形. 짐승의 발톱이 갈라져 있는 모양을 본떠, '나누다'의 뜻을 나타냄.

[參考] ①'釆변'을 의부(意符)로 하여, '나누다'의 뜻을 포함하는 문자를 이룸. 부수 이름은 '분별할변'. ②采(次條)는 別字.

釆 1〔采〕8 [人名] 채 [上]賄 [去]隊 | ①-⑪cǎi サイ とる ⑫cài サイ な

[筆順] 一 𠂆 𠂉 爫 罒 平 采 采

[字解] ①캘채 채취함. 採(手부 8획〈449〉)와 同字. '一薪之憂'. '執枉一藥'《司馬光》. ②가릴채 선택함. 채용함. '一用'. '近一故事'《漢書》. ③채색채, 무늬채 彩(彡부 8획〈366〉)와 同字. '文一'. '以五一, 彰施于五色'《書經》. ④일채 할 일. 직무. '展一錯事'《史記》. ⑤벼슬채 관직. '疇咨若予一'《書經》. ⑥식읍채 신하의 영지(領地). '邑一'. '大夫有一, 以處其子孫'《禮記》. ⑦풍신채 풍자(風姿). 모습. '天下想聞其風一'《漢書》. ⑧폐백채 綵(糸부 8획〈997〉)와 同字. '召公奭贊一'《史記》. ⑨참나무채 棌(木부 8획〈553〉)와 同字. '一椽不刮'《史記》. ⑩주사위채 투자(骰子). '明皇與貴妃一戲'《明皇雜錄》. ⑪성채 성(姓)의 하나. ⑫나물채 菜(艸부 8획〈1149〉)와 통용. '春入學, 舍一合舞'《周禮》.

[字源] 會意. 木+爪

[參考] 釆(前條)은 別字.

釆 4〔宷〕11 미 ①[平]齊 ②[平]支 | ヘイ·メイ ふかくいりこむ mí ビ·ミ あみ

[字解] ①깊이들어갈미 '一, 深入也'《集韻》. ②그물미, 깊을미, 범(犯)할미 '罙, 罟也. 一, 上同'《廣韻》.

釆 4〔釈〕11 〔석〕 釋(釆부 13획〈1546〉)의 俗字

釆 5〔釉〕12 유 [去]宥 | yòu ユウ·ユ つや

[字解] 윤유 광택. '一藥'. '一, 磁器漆器光澤日一'《正字通》.

[字源] 形聲. 釆+由〔音〕

釆 8〔⿰釆奄〕15 압 [入]合 | è オウ え

[字解] 그림압 그림. 그림을 그림. '一, 繪也'《集韻》.

釆 8〔⿰釆睾〕15 〔석〕 釋(釆부 13획〈1546〉)의 俗字

釆 9〔⿱釆業〕16 분 [去]問 | fèn フン はらう

[字解] 없앨분 없앰. 제거함. '一, 弃除也'《字彙》.

釆 10〔⿱釆冓〕17 분 [去]問 | fèn フン はらう

[字解] 떨분 떪. 쓺. '一, 掃也'《字彙補》.

釆 11〔⿱釆華〕18 〔분〕 糞(米부 11획〈975〉)의 本字

釆 13〔釋〕20 [高·人] 석 [入]陌 | shì セキ·シャク とく

[筆順] 丷 平 釆 釆冂 釆罒 釋 釋 釋

[字解] ①풀석 ㉠설명함. '解一'. '一義'. '一明明德'《大學章句》. ㉡변명함. '一明'. '使行人奚斯一言於齊'《國語》. ㉢처리함. 다스림. '太子不肯自一'《呂氏春秋》. ㉣액체에 딴 것을 탐. '稀一'. ②풀릴석 ㉠의심이나 오해가 사라짐. '惑不一也'《國語》. ㉡녹음. '融一'. '若氷之將一'《老子》. ㉢해이해짐. '心凝形一'《列子》. ③벗을석 옷을 벗음. '一衣'. '初一服朝見二宮'(상복을 벗음)《顏氏家訓》. ④내놓을석 석방함. '放一'. '開一無辜'《書經》. ⑤용서할석 용서함. '若謝我當一罪'《世說》. ⑥놓을석 ㉠손을 뗌. '手不一卷'. '篤志于學, 雖職務繁雜, 書不一手'《隋書》. ㉡일정한 자리에 둠. '一采'. '一奠于學'《禮記》. ⑦버릴석 ㉠그만둠. 폐(廢)함. '聞命而一兵'《李覯》. ㉡상관하지 아니함. 떠남. '一虛而攻實'《管子》. ⑧쏠석 발사함. '往省括于度則一'《書經》. ⑨젖을석, 추길석 '一而煎之'《禮記》. ⑩일석 쌀을 읾. '一之叟叟'《詩經》. ⑪풀이석 해석. '註

一'. '作字一'《魏志》. ⑫석가석 불교의 교조(敎祖). '一迦'의 약칭(略稱). 전(轉)하여, 널리 불교 또는 중의 뜻으로 쓰임. '一門'. '鑿一像於上'《喬宇》. ⑬성석 성(姓)의 하나.

字源 形聲. 釆＋睪〔音〕

參考 釈(釆부 4획〈1546〉)은 俗字.

釆15 〔穬〕22 광 ㊄漾 | guàng コウ かざりいろ

字解 꾸민빛광 꾸민 빛깔. 겉치레. '光, 飾色也, 或作一'《集韻》.

里　部
〔마을리부〕

里0 〔里〕7 中·人 리 ㊤紙 | lǐ り さと

筆順 丨 冂 冃 日 旦 甲 里

字解 ①마을리 ㉠행정 구획의 하나. 주대(周代)에는 스물다섯 집이 사는 구역을 '一一'라 하였음. '五家爲隣, 五隣爲一'《周禮》. ㉡촌락. '村一'. '鄕一'. '無踰我一'《詩經》. ㉢촌. 시골. 벽지. '有一一醫'《本事方》. ②이리 노정(路程)의 단위. 360 보(步)의 길이. '行百一者半于九十'《戰國策》. ③헤아릴리 이수(里數)를 대중쳐 봄. '一西土之數'《穆天子傳》. ④근심할리 悝(心부 7획〈392〉)와 통용. '云如何一'《詩經》. ⑤거할리 있음. '一仁爲美'《孟子》. ⑥이미리 벌써. '一爲式'《周禮》. ⑦성리 성(姓)의 하나.

字源 會意. 田＋土

參考 '里리'를 의부(意符)로 하여, 교외의 뜻을 포함하는 문자를 이룸. '重중'·'量량' 등, 단순히 자형상 이 부수에 포함된 것도 있음. 부수 이름은 '마을리'.

里2 〔重〕9 中·人 ㊀중 ㊄宋 ㊤腫 | zhòng チョウ·ジュウ おもい ①chóng ㊁동 ㊥冬 ㊥東 | チョウ おくて ②tóng トウ わらべ

筆順 一 二 千 㐄 㐭 亩 重 重

字解 ㊀ ①무거울중 ㉠무게가 가볍지 아니함. '一荷'. '引一鼎, 不程其力'《禮記》. ㉡성질·언행이 가볍지 아니함. '鎭一'. '君子不一則不威'《論語》. ㉢권력·지위·명망 등이 높음. '一職'. '裴長史名一中朝'《晉書》. ㉣두터움. 공손함. '鄭一'. '帝以其勳舊耆老, 禮之甚一'《晉書》. ㉤많음. '一利'. '祿一則義士輕死'《三略》. ②중할중 ㉠책임·사업 등이 소중함. 중대함. '一要'. '其爲任亦一矣'《司馬光》. ㉡대단함. 심함. 큼. '刑一'. '病一, 死期有日'《史記》. ③무겁게할중 '尊其位, 一其祿'《中庸》. ④무겁게여길중 '載華嶽而不一'《中庸》. ⑤중히여길중 ㉠소중히 여김. '一名'. '帝王所一者國體, 所切者人情'《舊唐書》. ㉡인물을 존중함. '張於太學中見文季, 甚一之'《世說》. ⑥더딜중 느림. 굼뜸. '卑濕一遲'《荀子》. ⑦진할중 농후함. '烈味一酒'《呂氏春秋》. ⑧심히중 대단히. '似一有憂者'《禮記》. ⑨무게중 중량. '輕一'. 또, 무거운 물건. '此擧一勸力之歌也'《淮南子》. ⑩겹칠중 중첩함. '一複'. ⑪거듭할중 되풀이함. '勿復一紛紜'《古詩》. ⑫거듭중 또 한 번. '一立賞格'《南史》. ㊁ ①늦곡식동 穜(禾부 12획〈911〉)과 同字. '黍稷一穋'《詩經》. ②아이동 童(立부 7획〈927〉)과 同字. '與其隣一汪踦, 往皆死焉'《禮記》.

字源 形聲. 壬＋東〔音〕

里3 〔㡯〕10 〔중〕 重(前條)의 本字

里4 〔重〕11 重(前前條)의 本字

里4 〔野〕11 中·人 야 ㊤馬 | yě ヤ の

筆順 冂 日 旦 甲 里 野 野 野

字解 ①들야 ㉠벌판. '平一'. '原一'. ㉡밭. '農夫相與扑於一'《蘇軾》. ㉢민간. '朝一'. '賢人在一'《王禹偁》. ②성밖야, 문밖야 ㉠교외. '四一'. '叔適一'《詩經》. ㉡왕성(王城)의 2백 리 밖에서 3백 리까지의 사이. '縣士掌一'《周禮》. ③곳야 장소. '遊霄霓之一'《淮南子》. ④별자리야 성수(星宿). '分一'. '七宿畫一'《張衡》. ⑤질박할야 겉치레를 하지 아니함. 촌스러워 예의범절 등에 익지 아니함. '質勝文則一'《論語》. ⑥야할야 상스럽고 천함. '一鄙'. '故騷騷爾則一'《禮記》. ⑦미개할야 지능이 열리지 아니함. '一蠻'. '一哉由也'《論語》. ⑧길들지아니할야 사람을 따르지 아니하고 해치려 함. '狼子一心'《左傳》.

字源 形聲. 里＋予〔音〕

參考 ①埜(土부 8획〈212〉)·壄(土부 12획〈221〉)는 古字. ②墅(土부 9획〈215〉)는 同字.

里4 〔量〕11 量(次條)의 古字

里 5 〔量〕12 中·人 량 (去)漾 ①-④liàng リョウ ますめ (平)陽 ⑤-⑦liáng リョウ はかる

筆順 量

字解 ①양량 분량. '容一'. '惟酒無一, 不及亂'《論語》. 전(轉)하여, 널리 다소·장단·경중 등의 수. '辨其物之嬎惡與其數一'《周禮》. ②되량 분량을 되는 용기. '同律度一衡'《書經》. 또, 되로 되는 용적. '一者, 龠·合·升·斗·斛也'《漢書》. ③기량량, 국량량 사물을 받아들여 담당하는 성격·재능. '度一'. '才一'. '光武之一, 包乎天地之外'《范仲淹》. ④찰량 하나 가득 됨. '其死者一於澤矣'《呂氏春秋》. ⑤달량, 잴량, 될량 경중·장단·용적 등을 알아봄. '行者當一其淺深而後可渡'《詩經傳》. ⑥헤아릴량 ㉠상량함. '商一'. '一力而行之'《左傳》. ㉡추측함. '一知'. '其志豈易一哉'《歐陽修》. ⑦성량 성(姓)의 하나.

字源 象形. 곡물을 넣는 주머니 위에 깔때기를 댄 모양을 본떠, 분량을 되다의 뜻을 나타냄. 篆文은 그 변형.

〔童〕〔동〕 立부 7획(927)을 보라.

〔裡〕〔리〕 衣부 7획(1275)을 보라.

〔裏〕〔리〕 衣부 7획(1275)을 보라.

里 10 〔釐〕17 釐(次條)와 同字

里 11 〔釐〕18
㊀리 (平)支 lí りりん, おさめる
㊁희 (平)支 xī キ ひもろぎ, さいわい
㊂태 (平)灰 tāi タイ ちめい
㊃뢰 (去)泰 lài ライ たまう, あたえる

字解 ㊀①이리 ㉠소수(小數)의 하나. 일(一)의 백분의 일. 분(分)의 십분의 일. ㉡척도(尺度)의 단위. 분(分)의 십분의 일. ㉢무게의 단위. 분(分)의 십분의 일. ㉣돈의 단위. 전(錢)의 십분의 일. 전(轉)하여, 극소한 분량. '毫一'. '失之毫一'《漢書》. ②다스릴리 바르게 고침. '允一百工'《書經》. ③명아주리 萊(艸부 8획〈1152〉)와 뜻이 같음. '一, 蔓華也'《爾雅》. ④과부리 嫠(女부 11획〈262〉)와 통용. '隣之一婦'《詩經傳》. ㊁①제육희 제사지내는 고기. '上方受一宣室'《漢書》. ②복희 행복. 禧(示부 12획〈893〉)와 同字. '祝一'《漢書》. ③성희 성(姓)의 하나. ㊂땅이름태 지명. 邰(邑부 5획〈1514〉)와 同字. ㊃줄뢰 賚(貝부 8획〈1394〉)와 통용. '一爾女士'《詩經》.

字源 形聲. 𠩺+里〔音〕

金 部

〔쇠 금 부〕

金 0 〔金〕8 中·人 ㊀금 (平)侵 ①-④jīn キン かね (上)寑 ⑤キン つぐむ ㊁김 韓

筆順 ノ 𠆢 𠆢 亼 今 今 金 金

字解 ㊀①쇠금 ㉠쇠붙이의 총칭. '一石'. '其利斷一'《易經》. ㉡쇠붙이로 만든 무기. '一創'. '衽一革, 死而不厭'《中庸》. ㉢쇠붙이로 만든 기물. 종정(鐘鼎) 따위. '功績銘乎一石'《呂氏春秋》. ㉣돈. 화폐. '位高而多一'《戰國策》. ㉤쇠붙이와 같이 견고한 사물의 일컬음. '一城湯池'. ②금금 ㉠황색의 금속. '黃一'. '一銀琳琅'《左思》. ㉡오행(五行)의 하나. 방위로는 서쪽, 시절로는 가을, 오음(五音)으로는 상(商)에 배당(配當)함. '五行, 四曰一'《書經》. ㉢팔음(八音)의 하나. 쇠붙이로 만든 악기. 또, 그 소리. '一石絲竹'. '一奏起于下'《左傳》. ㉣화폐의 단위. 대개, 당시(當時)의 최고 단위로서, 한대(漢代)에는 금 한 근(斤)을 '一一'이라 하였고, 근대에는 은(銀) 한 냥(兩)을 '一一'이라 하였음. '請買其方百一'《莊子》. ㉤금과 같이 귀중한 사물의 일컬음. '一言'. '一科玉條'. ㉥금과 같이 아름다운 사물의 일컬음. '一殿玉樓'. ③금빛금 황금빛. '一波'. '一芝九莖'《漢書》. ④금나라금 여진족(女眞族)이 세운 나라. 완안부(完顏部)의 아쿠타(阿骨打)가 창건하였음. 서울은 회령(會寧), 후에 연경(燕京)·변경(汴京). 요(遼) 및 북송(北宋)을 멸하고, 만주·몽고및 중국 북부를 점거(占據)하였다가, 9주(主) 120년 만에 원(元)나라에게 멸망당하였음. (1115~1234) ⑤다물금 噤(口부 13획〈187〉)과 통용. '一口閉舌'《荀子》. ㊁《韓》성김 성(姓)의 하나.

字源 形聲. 土+丷+今〔音〕

參考 '金금'을 의부(意符)로 하여, 여러 가지 종류의 금속, 금속제의 용구, 그 상태, 그것을 만드는 일 등에 관한 문자를 이룸. 부수 이름은 '쇠금'.

金 1 〔釓〕9 〔구〕 釚(金부 2획〈1549〉)와 同字

金2〔釕〕10 조 [上]篠|liǎo チョウ くつわ

[字解] 재갈조 '一轡'는 아름답게 장식한 말의 재갈. '一轡藻韉'《唐書》.

金2〔釗〕10 [人名] ㊀소 [平]蕭 (조[本]) ㊁교 [平]蕭 ㊂쇠 [韓] |zhāo ショウ みる zhāo キョウ じんめい

[筆順] ノ 𠆢 亼 全 仐 金 釗 釗

[字解] ㊀①볼소 만나 봄. '一我周王'《逸周書》. ②깎을소 '一, 刓也'《說文》. ③쇠뇌고동소 '一, 亦弩牙'《廣韻》. ④성소 성(姓)의 하나. ※本音 조. ㊁사람이름교 주(周)나라 강왕(康王)의 이름. '康王一'《史記》. ㊂《韓》쇠쇠 철(鐵). 금속(金屬). 또, 아이나 종의 이름으로 쓰임. '乭一'.

[字源] 會意. 金+刂(刀)

金2〔釘〕10 정 ①[平]青 ②[去]徑 |dīng テイ くぎ, くぎうつ dìng

[字解] ①못정 박는 데 쓰는, 쇠·대 같은 것으로 만든 물건. '以所貯竹頭爲一, 裝船'《晉書》. ②박을정 못 같은 것을 박음. '裝一'. '以棘針一其心'《晉書》.

[字源] 形聲. 金+丁〔音〕

金2〔針〕10 [中·人] 침 ①②[平]侵 ③[去]沁 |zhēn シン はり シン ぬう

[筆順] ノ 𠆢 亼 全 仐 金 金一 針

[字解] ①바늘침, 침침 鍼(金부 9획〈1572〉)과 同字. ㉠현재는 보통 꿰매는 바늘은 '一', 침 놓는 바늘, 곧 침은 '鍼'자를 씀. '病結積在內, 一藥所不能及'《魏志》. ㉡바늘 모양을 한 것. '磁一'. ②성침 성(姓)의 하나. ③바느질할침 '因命染人與一女'《白居易》.

[字源] 形聲. 金+十〔音〕

金2〔釜〕10 부 [上]麌|fǔ フ かま

[字解] ①가마솥부 원은 큰 솥의 뜻이었으나, 널리 솥의 뜻으로 쓰임. '鍋一'. '維錡及一'《詩經》. ②용량의단위부 곡식 같은 것을 되는 단위. 엿 말 넉 되. 우리 나라의 대여섯 되에 해당함. '與之一'《論語》.

[字源] 形聲. 金+父〔音〕

金2〔釡〕10 釜(前條)와 同字

金2〔釚〕10 구 [平]尤|qiú キュウ いしゆみのはじき

[字解] ①쇠뇌고동구 쇠뇌를 쏘는 장치. 釓(次條)와 同字. '一, 弩機謂之一, 或从丩'《集韻》. ②끌구 정. 구멍을 뚫는 연장. 銶(金부 7획〈1561〉)와 통용. 銶, 鑿屬, 通作一'《集韻》.

金2〔釓〕10 釚(前條)와 同字

金2〔釖〕10 〔도〕 刀(部首〈98〉)와 同字

金2〔釠〕10 〔란〕 亂(乙부 12획〈24〉)의 俗字

金2〔釙〕10 박 [入]覺|pō ハク あらがね

[字解] 조광(粗鑛)박 무쇠의 원광(原鑛). '一, 金酢'《集韻》.

金2〔鈚〕10 비 [平]齊|pī ヘイ やじり

[字解] 화살촉비 錍(金부 8획〈1568〉)와 同字. '錍, 方言, 箭鏃, 或作一'《集韻》.

金2〔釞〕10 칩 [入]緝|zhí チュウ するどい

[字解] ①날카로울칩 '一, 銛也'《字彙》. ②쟁기칩 농기구의 하나. '一, 鐵器'《五音集韻》.

[參考] 釟(次條)은 別字.

金2〔釟〕10 팔 [入]黠|bā ハツ きたえる

[字解] 불릴팔 쇠붙이를 야금(冶金)함. '一, 冶金謂之一'《集韻》.

[參考] 釞(前條)은 別字.

金2〔釛〕10 핵 [入]職|hé コク かね, こがね

[字解] 황금핵, 쇠붙이핵 '一, 金也'《玉篇》.

金3〔釣〕11 [人名] 조 [去]嘯|diào チョウ つる, つり

[筆順] ノ 亼 全 仐 金 金' 釣 釣

[字解] ①낚시조 고기를 낚는 굽은 바늘 모양의 물건. '還有魚兒上一來'《戴表元詩》. ②낚시질조 고기를 낚는 일. '屠一卑事也'《宋書》. ③낚을조 ㉠고기를 낚시로 잡음. 낚시질함. '一千世之鯉'《淮南子》. ㉡유혹함. 꾐. '以利一人'. '虞君好寶, 而晉獻以壁馬一之'《淮南子》. ㉢탐내어 구함. '一名'. ④성조 성(姓)의 하나.

[字源] 形聲. 金+勺〔音〕

金 3 〔釤〕 11 삼 ①[去]陷 shàn サン·セン おおがま ②[平]咸 shān サン·セン せい

[字解] ①낫삼 풀을 베는 큰 낫. '鏄一鉏斸'《韓愈》. ②성삼 성(姓)의 하나.
[字源] 形聲. 金+彡〔音〕

金 3 〔釥〕 11 초 [上]篠 qiǎo ショウ よい

[字解] 아름다울초 미호(美好)함. '一, 嫽, 好也'《揚子方言》.
[字源] 形聲. 金+小〔音〕

金 3 〔釦〕 11 구 [上]有 kòu コウ·ク ふくりんをとる

[字解] ①금테두리할구 금은으로 기명(器皿)의 가장자리를 장식함. '其蜀漢一器'《後漢書》. ②아로새길구 교묘하게 새기고 거기에 금은 주옥 등을 박음. '玄墀一砌'《班固》. ③떠들구 종 같은 것을 치며 환호함. '三軍皆譁一'《國語》. ④단추구, 옷고름구 '俗謂衣紐曰一'《正字通》.
[字源] 形聲. 金+口〔音〕

金 3 〔釧〕 11 천 [去]霰 chuàn セン くしろ

[字解] ①팔가락지천 팔목에 끼는 고리 같은 장식품. 비환(臂環). 팔찌. '玉一'. '珍玉名一'《何偃》. ②성천 성(姓)의 하나.
[字源] 形聲. 金+川〔音〕

金 3 〔釪〕 11 [人名] 우 [平]虞 yú ウ いしづき

[筆順] ノ 亼 亼 仐 金 金 釪 釪

[字解] ①창고달우 창(槍) 같은 것의 자루 끝을 싼, 쇠붙이로 만든 원추형(圓錘形)의 물건. '鐏謂之一'《揚子方言》. ②바리때우 중의 밥그릇. '自是鉢一後王何人也'《世說》.
[字源] 形聲. 金+于〔音〕

金 3 〔釫〕 11 호 [平]虞 wū コ こて

[字解] 흙손호 흙을 바르는 연장. '杇, 泥鏝也, 塗工之具, 或作一'《集韻》.
[字源] 形聲. 金+亏〔音〕

金 3 〔釬〕 11 한(②간[本]) ①[去]翰 hàn カン ゆごて ②[平]寒 gān カン きびしい

[字解] ①팔찌한 활 쏠 때에 왼쪽 팔뚝에 대어, 활시위에 맞지 않게 막는 제구. '弛弓脫一'《管子》. ②급할한, 켕길한 촉급함. '有緩而一'《莊子》. ※❷ 本音 간.
[字源] 形聲. 金+干〔音〕

金 3 〔釭〕 11 [一] 강 [平]江 gāng コウ あぶらざら [二] 공 [平]東 gōng コウ やじり

[字解] [一] ①등잔강 등불을 켜는 그릇. 전(轉)하여, ②등불강 등잔불. '金一'. '蘭一當夜明'《謝朓》. ③바퀴통쇠강 바퀴통의 구멍에 끼는 철관(鐵管). '車一'. [二] 화살촉공 전촉(箭鏃).
[字源] 形聲. 金+工〔音〕

金 3 〔釱〕 11 [一] 체 [去]霽 dì テイ あしかせ [二] 대 [去]泰 dài タイ くさび

[字解] [一] 차꼬체 죄인의 발목에 채우는 형구(刑具). '敢私鑄鐵器煮鹽者, 一左趾'《史記》. [二] 비녀장대 수레의 굴대머리에 지르는 물건. '肆玉一而下馳'《漢書》.
[字源] 形聲. 金+大〔音〕

金 3 〔釵〕 11 [一] 채 [平]佳 chāi サイ かんざし [二] 차 [平]麻 chā サ かんざし

[筆順] ノ 亼 亼 仐 金 金 釵 釵

[字解] [一] 비녀채 두 갈래로 된 비녀. '金一'. '荊一'. '玉一挂臣冠'《司馬相如》. [二] 비녀차 [一]과 뜻이 같음.
[字源] 形聲. 金+叉〔音〕

金 3 〔釳〕 11 흘 [入]物 xì キツ うまのあたまにかざるかざし

[字解] 말머리장식흘 천자의 수레를 끄는 말의 머리의 장식. 방흘(防釳). '方一左纛'《張衡》.
[字源] 形聲. 篆文은 金+气〔音〕

金 3 〔釨〕 11 걸 [入]屑 jié ケツ ほこ

[字解] 창걸 날이 없는 창. '凡戟而無刃, 秦晉之間謂之一'《揚子方言》.
[參考] 釨(次條)는 別字.

金 3 〔釨〕 11 자 [上]紙 zǐ シ こわい

[字解] 강할자 쇠가 단단함. '一, 剛也'《集韻》.
[參考] 釨(前條)은 別字.

金 3 〔釴〕 11 익 [入]職 yì ヨク みみ

[字解] 솥귀익 솥 겉에 달린 귀. '鼎附耳外, 謂之一'《爾雅》.

金 3 〔釶〕 11 〔시〕 鍦(金부 9획〈1571〉)와 同字

金 3 〔釷〕 11 〔둔〕 鈍(金부 4획〈1551〉)과 同字

金3〔釯〕11 〔망〕 鋩(金부 7획〈1562〉)의 俗字

金3〔釩〕11 범 ㊤䟜 ㊦陷 | fǎn ハン はらう / fàn ハン さかずき / fán ハン かがくげんそのな

字解 ①떨범 떨어냄. '一, 拂也'《玉篇》. ②그릇범 기물(器物). '一, 器也'《集韻》. ③술잔범 盌(皿부 5획〈832〉)과 同子. '盌, 博雅, 盞盌, 杯也, 或作一'《集韻》. ④화학원소의이름범 바나디움(Vanadium)을 이름. '一, 化學元質之一, 金屬, 或譯鐇'《中華大字典》.

金3〔釲〕11 시 ㊤紙 | sì シ あらがね

字解 ①거친쇠시 원광(原鑛). 鉊(金부 5획〈1557〉)와 同子. '鉊, 博雅, 鉊鉛, 鋋也, 或作一'《集韻》. ②금덩이시 금의 작은 덩이. '一, 金子'《玉篇》.

金3〔釰〕11 일 ㊅質 | rì ジツ にぶい

字解 ①무딜일 날카롭지 못함. 둔함. '一, 鈍也'《集韻》. ②화학원소의이름일 크세논(Xenon)을 이름.

金3〔釮〕11 재 ㊤薺 | qí セイ するどい

字解 날카로울재 '一, 利也'《字彙》.

金4〔釽〕12 ㊀벽 ㊅錫 | pī ヘキ きる, たつ / ㊁백 ㊅陌 | ハク やぶる

字解 ㊀갈이그릇벽 나무를 파서 만든 그릇. '一摫秉呈'《左思》. ㊁ 깰백 부숨. '鉤一析亂而已'《漢書》.

字源 會意. 金+爪

金4〔釿〕12 ㊀근 ㊥文 | jīn キン まさかり / ㊁은 ㊥文 | yín ギン かんな

字解 ㊀자귀근 斤(部首〈492〉)과 同字. '一鋸制焉, 繩墨殺焉, 椎鑿決焉'《莊子》. ㊁ ①대패은 나무를 밀어 깎는 연장. ②밀은 대패로 밀어 깎음. '用此一之'《釋名》.

字源 形聲. 金+斤〔音〕

金4〔鈀〕12 파 ㊥麻 | pá, bǎ ハ いくさぐるま

字解 ①병거파 전쟁에 쓰는 수레. '晨夜內一車'《司馬法》. ②쇠스랑파 耙(耒부 4획〈1051〉)와 同字.

字源 形聲. 金+巴〔音〕

金4〔鈇〕12 부 ㊥虞 | fū フ おの

字解 도끼부 형구(刑具)로 쓰이는 큰 도끼. '民威于一鉞'《中庸》.

字源 形聲. 金+夫〔音〕

金4〔鈍〕12 高·人 둔 ㊦願 | dùn ドン にぶい

筆順 ノ 亼 今 全 金 金 釒 鈍

字解 ①무딜둔 끝이나 날이 날카롭지 아니함. '利一'. '莫邪爲一兮, 鈆刀爲銛'('銛'은 '鋭')《漢書》. ②무디어질둔, 무디게할둔 '兵不一鋒'《陳琳》. ③굼뜰둔 행동이 느림. '遲一'. '吶一於辭'《漢書》. ④우둔할둔 미련함. '愚一'. '頑一嗜利無恥者'《史記》.

字源 形聲. 金+屯〔音〕

金4〔鈐〕12 ㊀검 ㊥鹽 | qián ケン くさび / ㊁근 ㊥眞 | qín キン ほこのえ

字解 ㊀ ①비녀장검 굴대 머리에 지르는 못 같이 생긴 물건. ②자물쇠검 여닫는 물건을 잠그는 쇠. '六藝之一鍵'《爾雅 序》. ③찍을검 도장을 찍음. '一印'. '一璽'. ㊁ 창자루근 矜(矛부 4획〈861〉)과 同字. '矛其柄謂之一'《揚子方言》.

字源 形聲. 金+今〔音〕

金4〔鈑〕12 판 ㊤潸 | bǎn ハン いたがね

字解 ①금화판 떡 모양으로 된 금의 화폐. '祭五帝, 供金一'《周禮》. ②널조각판 板(木부 4획〈531〉)과 통용. '金一六弢'《莊子》.

字源 形聲. 金+反〔音〕

金4〔鈒〕12 삽 ㊅合 | sā ソウ ほこ

筆順 ノ 亼 今 全 金 釒 鈒 鈒

字解 ①창삽 무기의 한 가지. '一戟'. '擧一成雲, 下一成雨'《陸雲》. ②아로새길삽 누각(鏤刻)함. '一鏤'.

字源 形聲. 金+及〔音〕

金4〔鈔〕12 초 ㊦肴 ㊦效 ㊤篠 | ①-④chāo ショウ とる / ⑤chāo ショウ さつ / ⑥chǎo ショウ すえ

字解 ①노략질할초 약탈함. '一略'. '攻一郡縣'《後漢書》. ②베낄초 ㉠그대로 옮겨씀. '好讀書, 或手自一寫'《晉書》. ㉡필요한 대목만 베낌. '拔一'. '溫公自一纂通鑑之要'《郡齋讀書誌》. ③초초 초록. 발록(拔錄). '天文集要一二卷'《隋書》. ④성초 성(姓)의 하나. ⑤지전초 지폐. '交一'. 또, 정부가 발행하는 영수증·증서·수표 따위. 관부(官符). ⑥끝초 杪(木부 4획〈530〉)와 통용. '敎行於一'《管子》.

字源 形聲. 金+少〔音〕.

金4〔鈕〕12 [人名] 뉴 [上]有 | niǔ ジュウ·ニュウ つまみ

[筆順] 𠆢 亼 全 金 釘 釦 鈕 鈕

[字解] ①꼭지뉴, 손잡이뉴 기물(器物)의 손으로 쥐게 된 부분. '印一'. '遺失兮一樞'《王逸》. ②성뉴 성(姓)의 하나.
[字源] 形聲. 金+丑〔音〕

金4〔鈜〕12 횡 [平]庚 | hóng コウ かねのおと

[字解] 소리횡 쇠 또는 종·북 같은 것의 소리. '一然'. '鏗一'. '一, 金聲'《廣韻》.
[字源] 形聲. 金+厷〔音〕

金4〔鈚〕12 비 [平]支 | pī ヒ やのな

[字解] 화살비 화살의 이름. 일설(一說)에는, 화살의 한 가지. '長一逐狡兔'《杜甫》.

金4〔鈉〕12 납 [入]合 | nà ドウ·ノウ かなづち

[字解] 마치납 못을 박는 연장.
[字源] 形聲. 金+內〔音〕

金4〔鈞〕12 균 [平]眞 | jūn キン めかたのたんい

[字解] ①서른근균 무게 30 근의 일컬음. '千一'. '正一石'('石'은 120근)《呂氏春秋》. ②녹로균 오지그릇을 만드는 데 쓰이는 바퀴 모양의 연장. '猶泥在一之上'《漢書》. 이 바퀴를 회전시켜 갖가지 오지그릇을 자유로이 만들 수 있으므로, 전(轉)하여, 만물의 조화(造化)의 뜻으로 쓰이며, 하늘 곧 조물주를 '大一' 혹은 '洪一'이라 함. 또, 사물의 추기(樞機)의 뜻으로도 쓰임. '如何秉國一'《白居易》. ③고를균, 고르게할균 均(土부 4획〈201〉)과 통용. '多鼓一聲'《左傳》. ④고루균 같이. 한 가지로. '一是人也'《孟子》. ⑤존경의 뜻을 나타내는 말로서, 서한문에 많이 쓰임. '一安'. '一啓'. '一鑒'. ⑥성균 성(姓)의 하나.
[字源] 形聲. 金+匀〔音〕

金4〔鈁〕12 방 [平]陽 | fāng ホウ しかくなさかつぼ

[字解] 되그릇방 양기(量器)의 하나. 종(鍾)과 모양이 같은데, 네모짐. '一, 方鍾也'《說文》.
[字源] 形聲. 金+方〔音〕

金4〔鈗〕12 [人名] 윤 [上]軫 | yǔn イン ほこ

[筆順] 𠆢 亼 亼 全 金 金 釒 鈗

[字解] 창윤 시신(侍臣)이 잡는 창. '一, 侍臣所執兵也. 云云, 周書曰, 一人冕執一'《說文》.
[字源] 金+允〔音〕

金4〔[金+尤]〕12 鈗(前條)의 訛字

金4〔鈏〕12 인 [上]軫 [去]震 | yǐn イン すず

[字解] ①주석인 '一, 錫也'《說文》. ②쇠인 철(鐵). '一, 鐵一'《廣韻》.
[字源] 形聲. 金+引〔音〕

金4〔鈋〕12 와 [平]歌 | é ガ けずる

[字解] 깎을와, 둥글릴와 모를 깎아 둥글게 함. '其音沉濁而一鈍, 得其質直'《顏氏家訓》.
[字源] 形聲. 金+化〔音〕

金4〔釾〕12 야 [平]麻 | yé ヤ めいけんのな

[字解] 칼이름야 '鏌一'는 오(吳)나라의 칼 이름. 鋣(金부 7획〈1572〉)·鎁(金부 9획〈1562〉)와 통용. '一, 鏌一也'《說文》.
[字源] 形聲. 金+牙〔音〕

金4〔鈂〕12 [一] 침 [平]侵 [平]沁 | ①-④chén チン すき ⑤zhèn チン おもい
[二] 심 [平]侵 | qín シン すき

[字解] [一] ①가래침 농구(農具)의 하나. '一, 臿屬也'《說文》. ②쇠공이침 '一, 鐵杵也'《六書統》. ③쇠바늘침 '一, 鐵鍼'《六書故》. ④팔침 땅을 팜. '戡, 掘也. 一, 上同'《廣韻》. ⑤무거울침 '一, 重也'《集韻》. [二] 가래심, 쇠공이심, 쇠바늘심, 팔심 [一]❶-❹와 뜻이 같음.
[字源] 形聲. 金+冘〔音〕

金4〔[金+冗]〕12 鈂(前條)과 同字

金4〔鈙〕12 금 [平]侵 [去]沁 | qín キン もつ キン もつ

[字解] 움켜쥘금 '一, 持也'《說文》.
[字源] 形聲. 支+金〔音〕

金4〔鈅〕12 월 [入]月 | yuè ゲツ ぶき

[字解] 무기(武器)월 병기(兵器). '一, 兵器'《集韻》.

金4〔[金+朩]〕12 제 [平]齊 | qí セイ·ザイ するどい

[字解] 날카로울제 '一, 利也'《說文》.
[字源] 形聲. 金+朿〔音〕

金 4 〔鈌〕 12 [一] 열 [入]屑 | エツ さす
[二] 결 [入]屑 | jué ケツ さす
[三] 계 [去]霽 | ケイ さす

[字解] [一] ①찌를열 '一, 本作鈌, 刺也'《康熙字典》. ②천문열 '列一'은 천문(天門). '貫列一之倒景兮'《史記》. [二] 찌를결, 천문결 [一]과 뜻이 같음. [三] 찌를계, 천문계 [一]과 뜻이 같음.
[字源] 形聲. 金+夬〔音〕

金 4 〔鈄〕 12 두 [上]有 | dǒu トウ せい
[字解] ①성두 성(姓)의 하나. ②鍮(金부 10획〈1576〉)의 俗字.

金 4 〔釳〕 12 〔흘〕
釳(金부 3획〈1550〉)의 本字

金 4 〔鈛〕 12 〔과〕
鍋(金부 9획〈1570〉)와 同字

金 4 〔鈆〕 12 〔연〕
鉛(金부 5획〈1555〉)의 俗字

金 4 〔鈎〕 12 〔구〕
鉤(金부 5획〈1555〉)의 俗字

金 4 〔鈃〕 12 〔견〕
鈃(金부 6획〈1559〉)의 俗字

〔欽〕 〔흠〕
欠부 8획(597)을 보라.

金 4 〔釜〕 12 〔부〕
釜(金부 2획〈1549〉)의 本字

金 4 〔鈡〕 12 〔종〕
鐘(金부 12획〈1582〉)과 同字

金 4 〔鈉〕 12 공 [平]冬 | yìng キョウ うでわ
[字解] 팔찌공 팔에 끼는 장신구(裝身具). '一, 釧也'《字彙》.

金 4 〔鈈〕 12 〔비〕
銔(金부 5획〈1555〉)와 同字

金 4 〔鈊〕 12 [一] 침 [平]侵 | qìn シン かねのな
[二] 심 [去]沁 | xīn シン するどい
[字解] [一] ①금속(金屬)의이름침 '一, 金名'《玉篇》. ②화학원소의이름침 카돌리늄(Cadolinium)을 이름. '一, 化學原質之一, 金屬'《中華大字典》. [二] 날카로울심 '一, 利也'《集韻》.

金 4 〔鈠〕 12 역 [入]陌 | yì エキ うつわ
[字解] ①그릇역 기물(器物). '一, 器也'《玉篇》. ②작은창(槍)역 鍛(金부 7획〈1564〉)과 同字. '一, 小矛, 或从役'《集韻》.

金 4 〔鈝〕 12 음 [平]侵 | yín イン てつのきね
[字解] 쇠공이음 쇠로 만든 공이. '一, 釋典呪中字, 一曰, 鐵杵也'《篇海》.

金 4 〔鈘〕 12 〔의〕
融(鬲부 4획〈1778〉)와 同字

金 4 〔鈓〕 12 〔임〕
銋(金부 6획〈1559〉)과 同字

金 4 〔鈟〕 12 〔조〕
釣(金부 3획〈1549〉)와 同字

金 4 〔鈕〕 12 추 [上]有 | chǒu チュウ かせ
[字解] 형구(刑具)추 杻(木부 4획〈533〉)와 同字. '杻, 說文, 械也, 亦作一·鈕'《集韻》.

金 4 〔鈗〕 12 〔치〕
銹(金부 6획〈1559〉)와 同字

金 5 〔鈭〕 13 자 [平]支 | zī シ おの
[字解] 도끼자 '一錍'는 도끼. '一, 一錍, 斧也'《說文》.
[字源] 形聲. 金+此〔音〕

金 5 〔鈯〕 13 돌 [入]月 | tú トツ にぶい
[字解] ①둔할돌. ②창칼돌. ③팔돌 掘(手부 8획〈449〉)과 통용. '一人之墓'《荀子》.
[字源] 形聲. 金+出〔音〕

金 5 〔鈴〕 13 [人名] 령 [平]青 | líng レイ すず
[筆順] 丿 亼 全 金 金 金𠆢 鈐 鈴 鈴
[字解] 방울령 흔들면 소리가 나는, 쇠붙이로 만든 둥근 물건. '一鐸'. '錫鸞和一'《左傳》.
[字源] 形聲. 金+令〔音〕

金 5 〔鈶〕 13 사 [平]支 | cí シ え
[字解] 자루사 낫의 자루. '懷鉊一'《管子》.
[字源] 形聲. 金+台〔音〕

金 5 〔鈷〕 13 고 [上]麌 | gǔ コ ひのし

[字解] ①다리미고 다림질을 하는 제구. '一鈷, 熨斗也, 潭之形似之'《范成大》. ②금강저(金剛杵)고 불구(佛具)의 한 가지. 고대(古代) 인도(印度)의 호신용 무기(護身用武器). 전(轉)하여, 번뇌를 타파하는 뜻으로 쓰임. 손잡이의 양쪽 끝에 달린 손톱 수(數)에 따라, '獨一'·'三一'·'五一'라 함.
[字源] 形聲. 金+古〔音〕

金 5 〔鈸〕13 발 [入]曷 | bō(bá) ハツ どうはつ
[字解] 동발발 악기의 한 가지. '鐃一'. '一亦謂之銅盤'《正字通》.
[字源] 形聲. 金+犮〔音〕

金 5 〔鈹〕13 피 [平]支 | pī ヒ おおばり
[筆順] ⺈ 㑒 金 金 釒 鈩 鈹 鈹
[字解] ①바늘피 큰 바늘. '一鍼'. '一, 大針也'《說文》. ②칼피 무기로 쓰는 칼. 검(劍). '以一殺諸盧門'《左傳》. ③흩어질피 披(手부 5획〈434〉)와 同字. '吏謹將之, 無一滑'《荀子》.
[字源] 形聲. 金+皮〔音〕

金 5 〔鈿〕13 전 [平]先 [去]霰 | tián テン·デン かんざし diàn
[字解] ①비녀전 화잠(花簪). '誰忍去金一'《庾肩吾》. ②나전세공전 '一螺椅子象牙牀'《尹廷高》.
[字源] 形聲. 金+田〔音〕

金 5 〔鉀〕13 [人名] 갑 [入]洽 | jiǎ コウ よろい
[筆順] ⺈ 亼 今 金 金 釦 鉀 鉀
[字解] 갑옷갑 甲(田부 0획〈794〉)과 同字. '貫一上馬'《晉書》.
[字源] 形聲. 金+甲〔音〕

金 5 〔鉅〕13 [人名] 거 [上]語 | jù キョ おおきい
[筆順] ⺈ 今 金 金 釒 釕 鉅 鉅
[字解] ①클거 巨(工부 2획〈326〉)와 통용. '一萬'. '一魚'. '宜一者一, 宜小者小'《史記》. ②강할거 단단함. '宛之一鐵'《史記》. ③어찌거 詎(言부 5획〈1320〉)와 통용. '臣以爲, 王一速忘矣'《戰國策》. ④갑자기거 遽(辵부 13획〈1508〉)와 통용. '是豈一知見侮之爲不辱哉'《荀子》. ⑤낚시거 '弛靑鯤於網一'《潘岳》.
[字源] 形聲. 金+巨〔音〕

金 5 〔鉆〕13 ㊀점 [平]鹽 ㊁겸 [平]鹽 ㊂첩 [入]葉 | chān テン かなばさみ qián ケン ちょうつがい tiē チョウ はさむ
[字解] ㊀집게점 족집게 따위. 쇠집게. '一, 鐵銸也'《說文》. ㊁①경첩겸, 거멀못겸 '一, 凡器兩頭交合, 用鐵片錮之'《正字通》. ②집게겸 부젓가락 따위. 鉗(金부 5획〈1555〉)과 同字. ㊂집을첩, 붙일첩 '一, 一著物'《廣韻》.
[字源] 形聲. 金+占〔音〕

金 5 〔鉈〕13 사 [平]麻 | shé シャ みじかいほこ
[字解] 창사 짧은 창(槍). '一, 短矛也'《說文》.
[字源] 形聲. 金+它〔音〕

金 5 〔鍦〕13 鉈(前條)의 俗字

金 5 〔鉉〕13 [人名] 현 ①[上]銑 ②[平]先 | xuàn ケン·ゲン つる xuán ケン·ゲン ゆみづる
[筆順] ⺈ 今 金 金 釒 鈜 鉉 鉉
[字解] ①솥귀고리현 솥귀의 구멍에 끼워 손으로 들게 한 고리. 구멍이 있어서, 꿰어 들게 되었음. '鼎一'. '鼎黃耳金一'《易經》. 또, 발이 셋 있는 솥, 곧 정(鼎)을 제위(帝位)에 비유하여 쓰므로, '三公'을 '三一'이라고도 함. '秩踰三一'《徐陵》. ②활시위현 弦(弓부 5획〈360〉)과 통용. '矛戟折, 鐶一絕'《戰國策》.
[字源] 形聲. 金+玄〔音〕

金 5 〔鉊〕13 초 [平]蕭 | zhāo ショウ おおがま
[字解] 낫초 풀을 베는 큰 낫. '一, 大鎌也'《說文》.
[字源] 形聲. 金+召〔音〕

金 5 〔鉋〕13 포 [去]效 | bào ホウ かんな
[字解] 대패포 나무를 밀어 깎는 연장. '一, 平木器'《集韻》.
[字源] 形聲. 金+包〔音〕

金 5 〔鉏〕13 서 ①-④[平]魚 ⑤[上]語 | chú ショ すき jǔ ショ くいちがう
[字解] ①호미서 김매는 농구. '一, 去艸之具也, 一名茲基'《急就篇》. ②김맬서 제초함. '非其種者, 一而去之'《漢書》. ③벨서 주륙하여 악인을 제거함. '衆之所誅一'《韓

詩外傳》. ④성서 성(姓)의 하나. ⑤어긋날 서 '一鋙'는 서로 어긋나 맞지 아니함. '圓鑿而方枘兮, 吾固知其一鋙難入'《楚辭》.
[字源] 形聲. 金+且〔音〕

金5 〔鉑〕13 [人名] 박 [入]藥 | bó ハク はく
[筆順] 丿 亼 亼 牟 金 金' 鉑 鉑
[字解] 박박 금속을 얇은 종이같이 만든 조각. 箔(竹부 8획〈942〉)과 통용.
[字源] 形聲. 金+白〔音〕

金5 〔鉒〕13 주 [去]遇 | zhù チユ あらがね
[字解] 쇳돌주 광석(鑛石). '一銅'. '其下有一銀'《管子》.
[字源] 形聲. 金+主〔音〕

金5 〔鉔〕13 잡 [入]合 | zā ソウ まわりこうろ
[字解] 향로잡 빙빙 돌려도 기울지 않게 장치를 한 향로(香爐). '金一熏香'《司馬相如》.

金5 〔鉗〕13 겸 [平]鹽 | qián ケン・カン くびかせ
[字解] ①칼겸 죄인의 목에 씌우는 형구. '自髡, 一爲王家奴'《漢書》. ②젓가락겸 물건을 끼워 집는 물건. 부젓가락 따위. '如一之能銸物'《後漢書 註》. ③꺼릴겸, 시기할겸 남을 꺼려 해치려 함. 질투심이 많음. '妻孫壽性一忌'《後漢書》. ④다물겸 箝(竹부 8획〈942〉)과 통용. '口一而不敢言'《莊子》.
[字源] 形聲. 金+甘〔音〕

金5 〔鉚〕13 류 [上]有 | liǔ リュウ よいかね
[字解] 금류 아름다운 금. 미금(美金). '一, 美金'《集韻》.
[字源] 形聲. 金+卯(丣)〔音〕

金5 〔鉛〕13 [高·人] 연 [平]先 | qiān エン なまり
[筆順] 丿 亼 亼 牟 金 釟 鉛 鉛
[字解] ①납연 광물의 한 가지. '一板'. '一毒'. '一松怪石'《書經》. ②분연 산화(酸化)한 납으로 만든 화장품의 한 가지. '一華'. '粧一點黛拂輕紅'《林下詩談》. ③따를연 沿(水부 5획〈636〉)과 통용. '一之重之'《荀子》.
[字源] 形聲. 金+㕣〔音〕

金5 〔鉞〕13 월 [入]月 | yuè エツ まさかり
[字解] 도끼월 큰 도끼. 옛날에, 장군이 출정할 때, 그의 위신(威信)을 세워 주기 위하여 천자(天子)가 하사하던 것. '鈇一'. '王左杖黃一'《書經》.
[字源] 形聲. 金+戉〔音〕

金5 〔鉟〕13 비 [平]支 | pī ヒ やり
[字解] 창비 날이 있는 창(槍).

金5 〔鉠〕13 앙 [平]陽 | yāng ヨウ・オウ すずのおと
[字解] 방울소리앙 방울이 울리는 소리. '和鈴一一'《張衡》.
[字源] 形聲. 金+央〔音〕

金5 〔鉢〕13 [人名] 발 [入]曷 | bō ハツ はち
[筆順] 丿 亼 亼 牟 金 釒 鉢 鉢
[字解] 바리때발 ㉠중의 밥그릇. 범어(梵語) 발다라(鉢多羅, pātra)의 약(略). '托一'. '食此一非法'《蘇軾》. 전(轉)하여, ㉡중 노릇. 또는, 불도(佛道). '傳家有衣一'《蘇軾》.
[字源] 形聲. 金+朩〔音〕

金5 〔鉧〕13 무 [上]麌 | mǔ ボ ひのし
[字解] 다리미무 '鈷一'. '鈷一, 熨斗也'《范成大》.
[字源] 形聲. 金+母〔音〕

金5 〔鉤〕13 구 ①-⑩[平]尤 ⑪[去]有 | gōu コウ おびかけ gòu コウ かぎばしご
[字解] ①띠쇠구 띠를 매는 쇠. 대구(帶鉤). '管仲射小白, 中帶一'《十八史略》. ②갈고리구 물건을 갊아 당기는, 끝이 꼬부라진 물건. 갈고랑이. '一爪'. '以銀爲幔一'《隋書》. ③칼구 끝이 꼬부장하여 적(敵)을 갊아 당겨 죽이는 데 쓰는 칼. '吳一'. '鑄作刀劍一鐔'《漢書》. ④갊아당길구 갊아서 앞으로 끎. '或以戟一之'《左傳》. 전(轉)하여, 숨은 이치·사정을 캐냄. '一深致遠'《易經》. ⑤끌어당길구 서로 잡아당김. 끌어 넣음. '皆爲一黨下獄'《後漢書》. ⑥낚시구 고기를 낚는 갈고리 같은 물건. '一餌'. '任公子爲大一巨緇'《莊子》. ⑦낫구 풀을 베는 연장. '賊棄弓弩而持鉏一'《漢書》. ⑧그림쇠구 원을 그리는 기구. '帶一矩'《漢書》. ⑨굽을구 고부라짐. '弓撥矢一'《戰國策》. ⑩성구 성(姓)의 하나. ⑪사닥다리구 끝에 갈고리가 달린 사닥다리. 갈고리를 높은 곳에 걸치고, 성(城)을 타 올라가는 데 씀.

'以爾一援'《詩經》.
[字源] 形聲. 金+句〔音〕

金5 〔鉥〕13 술 [入]質 | shù シュツ はり
[字解] ①바늘술 긴 바늘. '一女必有一鍼一一'《管子》. ②인도할술 안내함. '吾請爲子一'《國語》.
[字源] 形聲. 金+朮〔音〕

金5 〔鉦〕13 [人名] 정 [平]庚 | zhēng セイ かね, どら
[筆順] 𠆢 𠂉 金 釒 釘 鉦 鉦 鉦
[字解] 징정 악기의 한 가지. 행군(行軍)할 때 이 징을 치면 군사는 정지함. '一人伐鼓'《詩經》.
[字源] 形聲. 金+正〔音〕

金5 〔鈺〕13 [人名] 옥 [入]沃 | yù ギョク たから
[筆順] 𠆢 𠂉 金 釒 釒 鈺 鈺 鈺
[字解] ①보배옥 보화(寶貨). '一, 寶也'《五音集韻》. ②쇠옥 단단한 쇠. '一, 堅金'《字彙》.
[字源] 形聲. 金+玉〔音〕

金5 〔鉍〕13 [人名] 필 [入]質 | bì ヒツ ほこのえ
[筆順] 𠆢 𠂉 金 釒 釒 鉍 鉍 鉍
[字解] 창자루필 柲(木부 5획〈537〉)와 뜻이 같음.
[字源] 形聲. 金+必〔音〕

金5 〔鉌〕13 화 [平]歌 | hé カ すず
[字解] 방울화 和(口부 5획〈157〉)와 통용. '一鑾, 鈴也'《集韻》.

金5 〔鉎〕13 생 [平]庚 | shēng ソウ·ショウ さび
[字解] 녹생 쇠에 스는 녹. '一, 鐵衣'《集韻》.
[字源] 形聲. 金+生〔音〕

金5 〔鈼〕13 작 [入]藥 | zuō サク かま
[字解] ①가마작 가마솥. '一, 釜也'《玉篇》. ②시루작 김을 올려 음식을 찌는 기구. '一, 甑也'《集韻》.

金5 〔鉐〕13 [人名] 석 [入]陌 | shí セキ しんちゅう
[筆順] 𠆢 𠂉 金 釒 釒 釘 鉐 鉐

[字解] ①놋쇠석 '鍮一'은 놋쇠. '鍮一, 以石藥治銅'《集韻》. ②성석 성(姓)의 하나.
[字源] 形聲. 金+石〔音〕

金5 〔鉣〕13 겁 [入]葉 | jié キョウ·コウ おびがね
[字解] 띠매는쇠겁 '一, 組帶鐵也'《說文》.
[字源] 形聲. 金+劫〈省〉〔音〕

金5 〔鉃〕13 ㊀ 시 [上]紙 | shì シ やじり
㊁ 촉 [入]屋 | zú ソク するどい
[字解] ㊀ 화살촉시 '一, 箭鏃'《集韻》. ㊁ 날카로울촉 '鏃, 說文, 利也. 亦作一'《集韻》.

金5 〔銕〕13 〔열〕
鉄(金부 4획〈1553〉)의 本字

金5 〔鉄〕13 紩(糸부 5획〈985〉)의 古字. ※속(俗)에, 鐵(金부 13획〈1584〉)의 略字로 씀.
[參考] '鐵'의 古文 '銕철'이 잘못 속용(俗用)되어, '鐵'의 略字로 쓰이는 것임.

金5 〔鉁〕13 〔진〕
珍(玉부 5획〈769〉)과 同字

金5 〔鉱〕13 〔광〕
鑛(金부 15획〈1588〉)의 略字

金5 〔鍳〕13 〔감〕
鑒(金부 14획〈1587〉)의 訛字

金5 〔銎〕13 〔공〕
銎(金부 6획〈1560〉)의 訛字

金5 〔鉩〕13 녑 [入]葉 | niè ジョウ ただしい
[字解] ①바를녑 올바름. 鑈(金부 16획〈1589〉)과 同字. '鑈, 博雅, 正也, 或省'《集韻》. ②작은상자녑 '一, 小箱'《五音集韻》.

金5 〔鉨〕13 녜 [上]薺 | nǐ デイ いとまきのあし
[字解] ①실패자루녜 실패의 손잡이. '檷, 說文, 絡絲檷, 亦作一'《集韻》. ②화학원소의 이름녜 니오븀(Niobium)의 일컬음. '一, 化學原質之一, 金屬'《中華大字典》.

金5 〔鉨〕13 鉨(前條)와 同字

金5 〔鉖〕13 동 [平]冬 | tóng トウ つりばり
[字解] 낚시바늘동 '一, 釣一'《玉篇》.

金5 〔鉝〕13 립 [入]緝 | lì リュウ えびすのしょっきのな

[字解] 오랑캐식기(食器)이름립'一, 胡食器, 林邑王獻流離蘇一'《集韻》.

金 5 〔⿰金乏〕 13 ㊀ 鍐(金부 7획〈1563〉)과 同字 ㊁ 盌(皿부 5획〈832〉)과 同字

金 5 〔鈱〕 13 민 [平]眞 | mín ビン ぜにさし
[字解] ①돈꿰미민 엽전(葉錢)을 꿰는 끈. 鍲(金부 9획〈1572〉)과 同字. '一, 說文, 業也, 賈人占鍲, 博雅, 稅也, 或从民'《集韻》. ②쇠민 철(鐵)을 이름. '一, 鐵也'《集韻》.

金 5 〔鉡〕 13 반 [上]旱 | bàn ハン すき
[字解] 가래반 농기구의 하나. '一, 鍫也'《集韻》.

金 5 〔鈸〕 13 발 [入]黠 | bā ハツ かねのたぐい
[字解] 쇠붙이발 금속(金屬). '一, 金類'《五音集韻》.

金 5 〔鈵〕 13 병 [去]敬 [上]梗 | bǐng ヘイ かたい
[字解] 굳을병 단단함. '一, 固也'《玉篇》.

金 5 〔鉜〕 13 부 [平]尤 | fú フウ おおくぎ
[字解] ①대못부 굵고 긴 못. 鋍(金부 8획〈1568〉)와 同字. '一, 一鏂, 大釘, 或作鋍'《集韻》. ②경대(鏡臺)상자의장식부 '一, 一鏂, 匲飾也'《玉篇》.

金 5 〔鉘〕 13 불 [入]物 | fú フツ かざる
[字解] 꾸밀불 장식(裝飾)함. '一, 飾也'《玉篇》.

金 5 〔鉂〕 13 사 [上]紙 | shǐ シ かなわ
[字解] ①쇠고리사 '一, 鐶也'《玉篇》. ②찌를사 '一, 刺也'《篇海》.

金 5 〔⿰金冊〕 13 산 [去]諫 | shàn サン てつのうつわ
[字解] 쇠그릇산 쇠로 만든 그릇. '一, 鐵器'《康熙字典》.

金 5 〔鈶〕 13 시 [上]紙 | sì シ あらがね
[字解] 거친쇠시 원광(原鑛). '一, 鋌也'《廣雅》.

金 5 〔鈳〕 13 아 [平]歌 | kē ア ちいさいかま
[筆順] 𠆢 亼 今 全 金 金一 釘 鈳
[字解] 작은솥아 錒(金부 8획〈1569〉)와 同字. '一, 一銻, 釜屬, 或从阿'《集韻》.

金 5 〔⿰金冉〕 13 염 [上]琰 | rǎn ゼン くろがね
[字解] 쇠염 무쇠. '一, 鐵也'《集韻》.

金 5 〔鉙〕 13 재 [上]蟹 | zhǎi タイ こがね
[字解] 금(金)재 황금(黃金). '一, 金也'《玉篇》.

金 5 〔鉓〕 13 칙 [入]職 | chì チョク かざり
[字解] 꾸밀칙 장식(裝飾)함. '一, 飾也'《集韻》.

金 5 〔鉕〕 13 파 [平]歌 | pō ハ あかがねのうつわ
[字解] 구리그릇파 '一, 一鑼, 銅器'《集韻》.

金 5 〔鈽〕 13 포 [平]虞 | bū ホ のべがね
[字解] 철판(鐵板)포 '一, 金版'《玉篇》.

金 6 〔鉶〕 14 형 [平]青 | xíng ケイ さいきのな
[字解] 제기형 국을 담는, 귀가 둘, 발이 셋이 있는 제기(祭器). '宰夫設一'《儀禮》.
[字源] 形聲. 金+刑(荆)〔音〕

金 6 〔鉸〕 14 교 [上]巧 [平]肴 | jiǎo コウ はさみ
[字解] ①가위교 전도(翦刀). '細束龍髯一刀翦'《李賀》. ②장식교, 장식할교 금(金)의 장식.
[字源] 形聲. 金+交〔音〕

金 6 〔鉻〕 14 락 [入]藥 | luò ラク そる
[字解] 깎을락 체발(剃髮)함. '一, 鬍者, 从金各聲'《說文》.
[字源] 形聲. 金+各〔音〕

金 6 〔鉺〕 14 이 [去]寘 | ěr ジ かぎ
[筆順] 𠆢 今 金 金一 釘 鉅 鉦 鉺
[字解] 갈고리이 갈고랑이. '脩箭裊金一'《韓愈》.

金 6 〔銀〕14 中·人 은 ㊥眞 | yín ギン しろがね

筆順 ノ 𠆢 今 全 金 釒 鈤 鉬 銀

字解 ①은은 금속(金屬)의 한 가지. '它一一流直千'《漢書》. ②은기은 은으로 만든 그릇. '一黃'. '懷一紆紫'《論衡》. ③은빛은 은색. '一河'. '一世界'. '雪鷺一鷗左右來'《李紳》. ④돈은 금전. '賃一'. '路一'. '賦一日急家日貧'《貢師泰》. ⑤지경은 垠(土부 6획〈205〉)과 통용. '守其一'《荀子》. ⑥날카로울은 서슬이 있음. '一手如斷'《大戴禮》. ⑦성은 성(姓)의 하나.

字源 形聲. 金＋艮(㫐)〔音〕

金 6 〔銅〕14 高·人 동 ㊥東 | tóng ドウ あかがね

筆順 ノ 𠆢 今 全 金 釒 釦 銅 銅

字解 ①구리동 금속의 한 가지. '赤一'. '青一'. '凡律度量用一者'《漢書》. ②동기동 구리로 만든 그릇. '五兩之綸, 半通之一'《揚子法言》. ③동화동 구리로 만든 돈. 전(轉)하여, 널리 돈의 뜻으로 쓰임. '將錢買官, 謂之一臭'《釋常談》.

字源 形聲. 金＋同〔音〕

金 6 〔銍〕14 질 ㊀質 | zhì チツ かま

字解 ①낫질 벼를 베는 데 쓰는 짧은 낫. '一, 穫禾鐵也'《釋名》. ②벨질 베어 거둠. '奄觀一艾'《詩經》. ③벼이삭질 낫으로 벤 벼의 이삭. '二百里納一'《書經》.

字源 形聲. 金＋至〔音〕

金 6 〔銑〕14 人名 선 ㊤銑 | xiǎn セン ちいさいのみ

筆順 ノ 今 全 金 釒 鉎 銑 銑

字解 ①끌선 나무에 구멍을 파는 연장. '一, 一曰, 小鑿'《說文》. ②뿌릴선 물을 뿌림. '一者寒甚矣'《國語》. ③꾸밀선 금으로 활고자를 장식함. '弓以金者, 謂之一'《爾雅》. ④금선 황금 중에서 가장 광택이 나는 것. '絶澤謂之一'《爾雅》. ⑤무쇠선 주철(鑄鐵). '一鐵'.

字源 形聲. 金＋先〔音〕

金 6 〔銓〕14 人名 전 ㊥先 | quán セン はかり

筆順 ノ 今 全 金 釒 鈴 銓 銓

字解 ①저울전 무게를 다는 제구. '考量以一'《漢書》. ②저울질할전 무게를 닮. '量丈尺寸斤兩一'《急就篇》. ③가릴전 인물의 재능을 저울질하여 뽑음. '一衡'. '吏部有三一法'《唐六典》. ④성전 성(姓)의 하나.

字源 形聲. 金＋全〔音〕

金 6 〔銔〕14 ㊀피 ㊥支 | pī ヒン はたのな
㊁비 ㊥支 | ヒ はたのな

字解 ㊀기이름피 '靈姑一'는 기명(旗名). '公卜使王黑以靈姑一率, 吉'《左傳》. ㊁기이름비 ㊀과 뜻이 같음.

金 6 〔銖〕14 人名 수 ㊥虞 | zhū シュ おもさのたんい

筆順 ノ 𠆢 今 金 釒 鉒 銖 銖

字解 ①중량이름수 무게의 단위. 냥(兩)의 24분의 1. '一而稱之, 至石必過'《說苑》. 전(轉)하여, 근소(僅小). 극소량. '分一'. '雖分國如錙一'《禮記》. ②무딜수 끝이나 날이 날카롭지 아니함. '其兵戈一, 而無刃'《淮南子》. ③성수 성(姓)의 하나.

字源 形聲. 金＋朱〔音〕

金 6 〔銗〕14 후 ㊥尤 | hòu コウ とうしょをうけるうつわ

字解 항통(缿筒)후 투서함(投書函)의 한 가지. 缿(缶부 6획〈1023〉)과 뜻이 같음. '投一購告言姦'《漢書》.

字源 形聲. 金＋后〔音〕

金 6 〔銘〕14 高·人 명 ㊥青 | míng メイ しるす

筆順 ノ 𠆢 今 全 金 釒 鈔 銘

字解 ①새길명 ㉠각(刻)함. '一金石'. '故一其栝, 曰肅愼氏之貢矢'《國語》. ㉡마음속에 깊이 기억하여 둠. '一佩'. '一肌鏤骨'《顏氏家訓》. ②명명 ㉠금석(金石)에 새긴 글. '刀一'. '鼎一'. '爲之一志'《南史》. ㉡문체의 이름. 곧, 한문의 한 체(體)로서, 혹은 그릇에 새겨 스스로 경계하고, 혹은 묘비(墓碑) 등에 새겨 그 사람의 공덕을 찬양하는 글. '墓誌一'. '一名也, 述其功美, 使可稱名也'《釋名》. ㉢장례(葬禮) 때, 기(旗)에 적은 죽은 사람의 관직·성명 등. '一旌'. '設熬置一'《周禮》.

字源 形聲. 金＋名〔音〕

金 6 〔銙〕14 과 ㊤馬 | kuǎ カ おびのかざりかなぐ

字解 띠쇠과 띠를 매는 데 달린 쇠. 대구(帶鉤). '玉工爲帝作帶, 誤毁一一'《唐書》.

字源 形聲. 金＋夸〔音〕

金 6 〔銚〕14 ㊀요 ㊥蕭 | yáo ヨウ なべ
㊁조 ㊥蕭 | tiáo チョウ すき

字解 ㊀①냄비요 자루와 귀때가 달린 냄비. '當以銀一煮'《遵生八牋》. ②성요 성(姓)의 하나. ㊁①가래조 큰 가래. '一耒

一耜一一'《管子》. ②창조 긴 창. '長一利兵'《呂氏春秋》. ③깎을조, 벨조 '一鎒於是乎始修'《莊子》.
[字源] 形聲. 金+兆〔音〕

金6 〔銛〕14 섬 [平]鹽 | xiān セン すき
[字解] ①쟁기섬 밭을 가는 농구. ②작살섬 물고기를 찔러 잡는 연장. ③날카로울섬 예리함. '莫邪爲鈍兮, 鉛刀爲一'《漢書》.
[字源] 會意. 金+舌

金6 〔銩〕14 타 | chā むすんだおびのはしのたれているぶぶん
[字解] 띠끝타 '一尾'는 예장(禮裝)할 때 띠는 띠의 늘어진 끝. 어미(魚尾). '腰帶者, 搢垂頭以下, 名曰一尾'《唐書》.

金6 〔鉷〕14 [人名] 홍 [平]東 | hóng コウ いしゆみのやをはっしゃするきぶ
[筆順] ノ 今 金 金 金一 金卄 金丗 鉷
[字解] 쇠뇌고동홍 쇠뇌의 살을 발사하는 부분. '一, 埤倉, 弩牙辟致也'《集韻》.
[字源] 形聲. 金+共〔音〕

金6 〔銃〕14 [高·人] 총 [去]送 | chòng ジュウ おののえをさしこむあな, つつ
[筆順] ノ 亼 今 金 金 金亠 金㐬 銃
[字解] ①도끼구멍총 도끼 자루를 박는 구멍. ②총총 무기의 한 가지. '小一'. '每一隊一手'《紀效新書》.
[字源] 形聲. 金+充〔音〕

金6 〔鈍〕14 귀 [上]紙 | guǐ キ すきのきんぞくせいのぶぶん
[字解] 가래귀 가래의 쇠 부분. '一, 臿金也'《說文》.
[字源] 形聲. 金+危〔音〕

金6 〔銋〕14 임 [平]侵 | rén ジン·ニン ぬれる
[字解] ①젖을임 '一, 字林, 濡也'《集韻》. ②구부릴임, 구부러질임 '韰鈌卷一'《淮南子》.

金6 〔鈃〕14 [一] 형 [平]青 | xíng ケイ さかつぼ
[二] 견 [平]先 | jiān ケン じんめい
[字解] [一] 술그릇형 주기(酒器)의 한 가지. [二] 사람이름견 인명(人名). '宋一'. '是墨翟宋一也'《荀子》.
[字源] 形聲. 金+开〔音〕
[參考] 鈃(金부 4획〈1553〉)은 俗字.

金6 〔銬〕14 [現] 고 | kào コウ てかせ
[字解] 《現》 ①쇠고랑고 '一子·手一子'는 쇠고랑. 수갑(手甲). ②쇠고랑채울고.

金6 〔鉵〕14 동 [平]冬 | tóng トウ すき
[字解] ①가래동 농구(農具)의 하나. '一, 枱屬也'《說文》. ②큰가래동 또, 가래가 큰 모양. '一, 大鉏'《廣韻》. '一, 鉏大皃'《玉篇》.
[字源] 形聲. 金+蟲〈省〉〔音〕

金6 〔鉿〕14 [一] 협 [入]洽 | jiā コウ·キョウ おちこむおと
[二] 합 [入]合 | hā コウ あらがね
[字解] [一] 빠지는소리협, 구멍뚫리는소리협 '陽氣扶物而鑽乎堅, 一然有穿'《太玄經》. [二] ①소리의모양합 '一, 聲也'《玉篇》. ②광석(鑛石)합 '一, 鋌也'《廣雅》. ③원소이름합 화학 원소(化學元素) 하프늄(Hafnium)의 역어(譯語).

金6 〔銐〕14 [一] 치 [上]紙 | chǐ シ こしき
[二] 이 [平]支 | yī イ こしき
[字解] [一] ①시루치 쌀 따위를 찌는 그릇으로, 바닥에 작은 구멍이 있는 것. '一, 方言云, 涼州呼甑'《廣韻》. ②찬칼치 작은 칼. '一, 一曰, 小刀'《集韻》. [二] 시루이, 찬칼이 [一]과 뜻이 같음.
[字源] 形聲. 金+多〔音〕

金6 〔鉾〕14 〔모〕 矛(部首〈861〉)의 古字
[字源] 形聲. 金+牟〔音〕

金6 〔銕〕14 〔철〕 鐵(金부 13획〈1584〉)의 古字

金6 〔銂〕14 [人名] 〔병〕 鉼(金부 8획〈1568〉)의 俗字
[筆順] ノ 亼 今 金 金 金丷 金乒 銂

金6 〔銭〕14 〔전〕 錢(金부 8획〈1567〉)의 俗字

金6 〔銯〕14 〔쇄〕 鎩(金부 11획〈1578〉)와 同字

金6 〔銜〕14 함 [平]咸 | xián カン くつわ
[字解] ①재갈함 말의 입에 물리는, 쇠로 만든 물건. '馬一'. '鑣一'. '利其一策'《漢書》. ②물함 입에 묾. '一枚'. '吾欲一汝去, 口噤不能開'《古詩》. ③받들함 명령을 받아 일을 행함. '一君命而使'《禮記》. ④원망할함

함혐함. '后不遜, 壽皇有怒語, 后一之'《十八史略》. ⑤품을함 ㉠마음 속에 지님. '一怨入骨'《十八史略》. ㉡싸서 가짐. 포유(包有)함. '一遠山呑長江'《范仲淹》. ⑥직함함 관리의 위계(位階). '十年不改舊官一'《白居易》.
字源 會意. 行+金

金6 〔銎〕 14 공 ㊥冬 | qiōng キョウ おののえをさしこむあな
字解 도끼구멍공 도끼의 자루를 박는 구멍. '大柯斧一長八寸'《六韜》.
字源 形聲. 金+巩(玐)〔音〕

金6 〔銁〕 14 〔균〕 鈞(金부 4획〈1552〉)과 同字

金6 〔銮〕 14 〔란〕 鑾(金부 19획〈1591〉)의 俗字

金6 〔銙〕 14 ㊀겸 ㊥鹽 | qiān ケン あたまの ㊁겸 ㊥咸 | まがったのみ
字解 ㊀머리가구부러진끌겸 '一, 曲頭鑿'《集韻》. ㊁머리가구부러진끌검 ㊀과 뜻이 같음.

金6 〔銁〕 14 〔균〕 鈞(金부 4획〈1552〉)의 古字

金6 〔銡〕 14 길 ㊤物 | jí キツ きしる
字解 삐걱거릴길 '機械軋一'《錢氏桑海遺錄序》.

金6 〔銇〕 14 래 ㊤賄 | lǎi ライ かぎをつらねてつる
字解 주낙래 낚시의 한 종류. '一, 連鉤釣曰一'《集韻》.

金6 〔銇〕 14 뢰 ㊧隊 | lèi ライ きり
字解 ①송곳뢰 구멍을 뚫는 연장. '一, 一鑽'《廣韻》. ②대패뢰 鋃(金부 8획〈1566〉)와 同字. '鋃, 平版具, 或从耒'《集韻》.

金6 〔銆〕 14 맥 ㊤陌 | mò バク ぶきのな
字解 맥도맥 병기(兵器)의 이름. '一, 一刀, 兵器'《集韻》.

金6 〔鉱〕 14 〔벽〕 鈲(金부 4획〈1551〉)의 本字

金6 〔鉶〕 14 ㊀산 ㊧諫 | shān サン せいれんしたこがね ㊁책 ㊤陌 | サク てつのうつわ
字解 ㊀정금산 정련(精鍊)한 황금. '一, 精金'《字彙》. ㊁쇠그릇책 철제(鐵製)의 그릇. '一, 鐵器'《集韻》.

金6 〔銊〕 14 술 ㊤質 | xū シュツ のこぎりのおと
字解 ①톱소리술 톱질하는 소리. '一, 鋸聲'《集韻》. ②배목술 문고리를 거는 못. 또는 삼배목에 꿰는 쇠. '一, 一日, 錮一, 鎖鈕也'《集韻》.

金6 〔鉽〕 14 식 ㊤職 | shì ショク かなえのたぐい
字解 세발솥식 옛날 중국의 세발솥 따위. '一, 鼎屬'《集韻》.

金6 〔鉞〕 14 〔월〕 鉞(金부 5획〈1555〉)의 訛字

金6 〔銉〕 14 율 ㊤質 | yù イツ はり
字解 바늘율 '一, 針也'《集韻》.

金6 〔銀〕 14 은 ㊥文 | yín ギン うまのかざり
字解 말치장은 말을 치장(治裝)하는 기구. '一, 馬飾器'《篇海》.

金6 〔銂〕 14 주 ㊥尤 | zhōu シュウ きんとう
字解 금장도(金裝刀)주 '一, 金刀'《五音集韻》.

金6 〔銌〕 14 준 ㊧願 | zùn ソン きり
字解 송곳준 '一, 鑽也'《集韻》.

金6 〔銐〕 14 ㊀체 ㊧霽 | chì セイ かま ㊁례 ㊧霽 | lì レイ するどい
字解 ㊀낫체 풀을 베는 기구. 鏩(金부 8획〈1570〉)와 同字. '鏩, 除艸器, 或作一'《集韻》. ㊁날카로울례 예리(銳利)함. '一, 利也'《集韻》.

金6 〔鉚〕 14 銐(前條)와 同字

金6 〔鍱〕 14 타 ㊧箇 | duǒ タ さす
字解 ①찌를타 '一, 鉠也'《集韻》. ②자를타 쐶. 剁(刀부 6획〈104〉)와 同字. '一, 剉也, 或从刀'《集韻》.

金6 〔銷〕 14 〔현〕 鋗(金부 7획〈1562〉)과 同字

金6〔鉤〕14 〔향〕餉(食부 6획〈1717〉)의 訛字

金6〔銁〕14 혜 [去]隊|huì カイ かね·かなもの
[字解] 쇠붙이혜, 철물(鐵物)혜 '一, 金一'《玉篇》.

金6〔銝〕14 휴 [平]尤|xiū キュウ ながいはり
[字解] 긴바늘휴 '一, 長針也'《字彙》.

金7〔銳〕15 [高][人] [一] 예 [去]霽|ruì エイ するどい [二] 태 [去]泰|duì タイ ほこ
[筆順] ⼈ 亼 仐 金 金 釒 鈖 銳
[字解] [一] ①날카로울예 ㉠끝이 뾰족하거나 날이 서 있음. '一利'. '尖一'. '清徑皓刃, 苗山一鋒'《陳琳》. 또, 날카로운 끝. 봉망(鋒芒). '挫其一'《老子》. 또, 날카로운 무기. '被堅執一'. ㉡민첩함. 재치가 있음. '聰一'. '子羽一敏'《左傳》. ②날랠예 나는 듯이 기운차고 빠름. '一騎'. '我以一師, 宵加於鄍'《左傳》. 또, 날랜 군사. '精一'. '盡一攻之'《漢書》. ③날카롭게할예, 날래게할예 '習於兵, 一意攻取'《十八史略》. '魏其一身爲救灌夫'《史記》. ④작을예 세소(細小)함. '不亦一乎'《左傳》. ⑤성예 성(姓)의 하나. [二] 창태 창(槍)의 일종. '一人冕執一'《書經》.
[字源] 形聲. 金+兌〔音〕

金7〔鋭〕15 銳(前條)와 同字

金7〔鈔〕15 사 [平]歌 [平]麻|shā サどら
[字解] 징사 '一鑼'는 징〔鉦〕의 일종. 일설에는, 술동이. '一, 一鑼, 銅器, 或从娑'《集韻》.

金7〔銶〕15 [人][名] 구 [平]尤|qiú キュウ のみ
[筆順] ⼈ 亼 仐 金 金 釒 釗 銶
[字解] 끌구 나무에 구멍을 파는 연장. 착(鑿)의 일종. '又缺我一'《詩經》.
[字源] 形聲. 金+求〔音〕

金7〔銷〕15 소 [平]蕭|xiāo ショウ とける
[字解] ①녹을소, 녹일소 용해함. 용해시킴. '一金'. '收天下之兵, 聚之咸陽, 一鋒鑄鐻, 以爲金人十二'《史記》. ②사라질소, 꺼질소 없어짐. '魂一'. '燈一'. '虹一雨霽'《王勃》. ③사라지게할소, 꺼지게할소 '一夏'. ④쇠할소, 쇠하게할소 쇠약함. 쇠약하게 함. '其勢一弱'《史記》. ⑤작을소 크지 아니함. '其聲一'《莊子》. ⑥무쇠소 생철(生鐵). '羊頭之一'《淮南子》. ⑦성소 성(姓)의 하나.
[字源] 形聲. 金+肖〔音〕

金7〔銼〕15 [一] 좌 [平]歌|cuō サ かま [二] 좌 [去]箇|cuò サ くじく
[字解] [一] 가마솥좌 통통하고 작은 솥. '土一烹熬雨露香'《洪希文》. [二] 꺾을좌 挫(手부 7획〈442〉)와 同字. '兵一藍田'《史記》.
[字源] 形聲. 金+坐〔音〕

金7〔鋂〕15 매 [平]灰|méi バイ·マイ くさり
[字解] 사슬고리매 한 큰 고리에 작은 두 고리를 끼운 사슬. 자모환(子母環). '盧重一'《詩經》.
[字源] 形聲. 金+每〔音〕

金7〔鋃〕15 랑 [平]陽|láng ロウ くさり
[字解] 쇠사슬랑 '一鐺'은 쇠사슬. 전(轉)하여, 곤란(困難)의 비유로 쓰임. '一鐺之爲物, 連牽而重, 故俗以困重不擧, 爲一鐺'《六書故》.
[字源] 形聲. 金+良〔音〕

金7〔鋊〕15 욕 [入]沃|yù ヨク どうくず
[字解] 구리가루욕 구리를 간 가루. 동설(銅屑). '或盜摩錢質而取一'《漢書》.
[字源] 形聲. 金+谷〔音〕

金7〔鋋〕15 [一] 연 [平]先|yán エン てぼこ [二] 선 [平]先|セン てぼこ
[字解] [一] ①창연 쇠 자루가 달린 짧은 창(槍). '此矛一之地'《漢書》. ②찌를연 창으로 찌름. '一猛氏'《漢書》. [二] 창선, 찌를선 [一]과 뜻이 같음.
[字源] 形聲. 金+延〔音〕

金7〔鋌〕15 [人][名] 정 [上]迥|dìng, ④tǐng テイ あらがね
[筆順] ノ 仐 金 金一 釒千 釒壬 鋌 鋌
[字解] ①광석정 동·철(銅鐵)의 광석(鑛石). '耶谿之一'《張協》. ②동철정 구리와 쇠의 총칭. '至內庫, 閱珍物, 見金一'《南史》. ③없어질정, 빌정 '物空盡者曰一'《揚子方言》. ④달릴정 빨리 달리는 모양. '一而走險'《左傳》.
[字源] 形聲. 金+廷〔音〕

金7〔鋏〕15 협 [入]葉|jiá キョウ かなばし

[字解] ①부젓가락협 화젓가락. '鐵一染浮煙'《庾信》. ②칼협 도검(刀劍). '長一歸來乎'《十八史略》. ③칼코등이협 검비(劍鼻). '周宋爲鐔, 韓魏爲一'《莊子》.
[字源] 形聲. 金+夾〔音〕

金7 〔鋒〕15 [人名] 봉 [平]冬 | fēng ホウ ほさき
[筆順] ノ 스 숖 金 釒 鋒 鋒 鋒
[字解] ①봉망(鋒芒)봉 무기의 첨단. '以智勇之士爲一'《莊子》. 전(轉)하여, 날카로운 기세. 예기(銳氣). '機警有一'《晉書》. ②끝봉 사물의 첨단. '筆一'. '抽一擢穎'《晉書》. ③앞장봉 군대의 앞줄. '先一'. '布爲前一'《漢書 黥布傳》. ④병기봉 날이 있는 무기. '天下精銳持一'《史記》.
[字源] 形聲. 篆文은 金+逢〔音〕

金7 〔鋗〕15 [一] 현 [平]先 | xuān ケン なべ
[二] 견 [平]先 | juān ケン のぞききよめる
[字解] [一] ①노구솥현 발이 안 달린 솥. '刁斗如一鍋'《古器評》. ②옥소리현 옥(玉)이 울리는 소리. '展詩應律一玉鳴'《漢書》. [二] 쓸견 청소함. 涓(水부 7획〈650〉)과 同字. '王行遇其故一人'《史記》.
[字源] 形聲. 金+肙〔音〕

金7 〔鋘〕15 [一] 화 [平]麻 | huá カ すき
[二] 오 [平]虞 | wú ゴ やまのな
[字解] [一] 가래화 쌍날의 가래. '燒一斧'《後漢書》. [二] 산이름오 錕(金부 8획〈1566〉)을 보라. '錕一'.
[字源] 形聲. 金+吳〔音〕

金7 〔鋎〕15 환 [上]潸 | hàn カン やいば
[字解] 칼환 '一, 刃也'《集韻》.

金7 〔鋙〕15 [一] 어 [上]語 | yǔ ギョ・ゴ くいちがう
[二] 오 [平]虞 | wú ゴ やまのな
[字解] [一] 어긋날어 鉏(金부 5획〈1554〉)를 보라. '鉏一'. [二] 산이름오 錕(金부 8획〈1566〉)을 보라. '錕一'.
[字源] 金+吾〔音〕

金7 〔鋝〕15 렬 [入]屑 | lüè レツ おもさのたんい
[字解] 엿냥쭝렬 중량의 단위. 무게 여섯 냥(兩)의 일컬음. '戈戟皆重三一'《周禮》.
[字源] 形聲. 金+寽〔音〕

金7 〔鋟〕15 [一] 첨 [平]鹽 | qiān セン きざむ
[二] 침 [上]寢 | qǐn シン きざむ
[字解] [一] 새길첨 손톱으로 자국을 냄. '一其板'《公羊傳》. 전(轉)하여, 서적을 출판함. [二] 새길침 [一]과 뜻이 같음.
[字源] 形聲. 金+侵〈省〉〔音〕

金7 〔鋥〕15 [人名] 정 [去]敬 | zèng トウ・ジョウ みがく, とぐ
[筆順] ノ 스 숖 金 釒 鋥 鋥 鋥
[字解] 칼날세울정 '一, 磨一, 出劍光'《廣韻》.
[字源] 形聲. 金+呈〔音〕

金7 〔鋜〕15 착 [入]覺 | zhuó サク あしかせ
[字解] ①차꼬착 발을 쇠사슬로 묶음. '黃鶴足仍一'《韓愈》. ②호미착 김 매는 농구.
[字源] 形聲. 金+足〔音〕

金7 〔鋣〕15 야 [平]麻 | yé ヤ めいけんのな
[字解] 칼이름야 '鏌一'는 오(吳)나라 명검(名劍)의 이름. '莫邪'로도 씀. '干將鏌一'. '求鏌一於明智'《後漢書》.
[字源] 形聲. 金+邪〔音〕
[參考] 釾(金부 4획〈1552〉)는 同字.

金7 〔鋤〕15 서 [平]魚 | chú ショ・ジョ すき
[字解] ①호미서 김 매는 농구. ②김맬서 호미로 잡풀을 뽑음. '一禾日當午, 汗滴禾下土'《李紳》. ③없애버릴서 제거함. 근절함. '誅一醜厲'《子華子》.
[字源] 形聲. 金+助〔音〕

金7 〔鋧〕15 현 [上]銑 | xiàn ケン ちいさいほこ
[字解] 푼끌현 먼 데서 던져 사람을 살상하는 데 쓰는 작은 끌. '銑一'.
[字源] 形聲. 金+見〔音〕

金7 〔鋩〕15 망 [平]陽 | máng ボウ きっさき
[字解] 봉망망 창・칼 따위의 뾰족한 끝. '劍一'. '刃一'. '雄戟耀一'《左思》.
[字源] 形聲. 金+芒〔音〕

金7 〔鋱〕15 鋱(前條)의 本字

金7 〔鋪〕15 포 ①-⑤[平]虞 | pū ホ しく
⑥[去]遇 | pù ホ みせ, たな
[字解] ①문고리포 문을 여닫는 데 쓰는 쇠고리. '排玉戶而颺金一兮'《漢書》. ②펼포 늘어놓음. 깖. '一筵席'《禮記》. ③퍼질포

늘어서 있음. '江花一淺水, 山木暗殘春'《李嘉祐》. ④앓을포 痡(疒부 7획〈810〉)와 통용. '淮夷來一'《詩經》. ⑤두루미칠포 빠짐 없이 미침. 徧(彳부 9획〈373〉)과 뜻이 같음. '淪胥以一'《詩經》. ⑥가게포 전방. 상점. '店一'. '老一'.
字源 形聲. 金+甫〔音〕
參考 舖(舌부 9획〈1109〉)는 俗字.

金7〔鈲〕15 섭 ㉧葉|zhé チョウ けぬき
字解 족집게섭 鑷(金부 18획〈1590〉)과 同字.
字源 形聲. 金+耴〔音〕

金7〔鋄〕15 맘 ㉤鎌|wàn バン·マン うまのくびかざり
字解 ①당노맘 말머리에 다는 쇠붙이 치레. '一, 馬首飾'《廣韻》. '金一鏤錫'《張衡》. ②도금맘 '一匠'은 도금 장인(匠人).

金7〔銡〕15 人名 지 ㉥寘|zhì シ きざむ
筆順 ノ 𠂉 钅 金 金一 金十 銡 銡
字解 새길지 '一, 銘也'《集韻》.
字源 形聲. 金+志〔音〕

金7〔銿〕15 ㊀종 ㉦冬|zhōng ショウ かね
㊁용 ㉦冬|yōng ヨウ かね
字解 ㊀종종 鐘(金부 12획〈1582〉)과 同字. '鐘, 樂鐘也. 一, 鐘或从甬'《說文》. ㊁종용 큰종(鐘). '鏞, 大鐘. 一, 上同'《廣韻》.

金7〔鋦〕15 국 ㉧沃|jū キョク てつでしめつける
字解 ①쇠로죌국 쇠로 동임. '一, 以鐵縛物'《廣韻》. ②거멀못국 양끝이 구부러진 큰 쇠못. 물건 이은 데를 동이는 데 쓰임. '一, 按, 俗亦謂鐵釘之兩端屈曲者爲一'《中華大字典》.

金7〔銹〕15 수 ㉥宥|xiù シュウ さび
字解 녹수, 녹슬수 鏽(金부 13획〈1585〉)와 同字.
字源 形聲. 金+秀〔音〕

金7〔鋐〕15 굉 ㉦庚|hōng コウ·ギョウ うつわ
字解 그릇굉 기물(器物). '一, 器也'《玉篇》.

金7〔銻〕15 제 ㉦齊|tī テイ たまのな
字解 ①구슬이름제 '鍗一'는 구슬의 이름. '一, 鍗一, 火齊'《廣韻》. ②원소이름제 화학 원소(化學元素) 안티몬의 역어(譯語).
字源 形聲. 金+弟〔音〕

金7〔鋞〕15 ㊀형 ①㉦青 ②㉤迥 ㉥徑|xíng ケイ·ギョウ なべ / ケイ·ギョウ かね / コウ·ギョウ なべ
㊁행 ㉤梗
㊂경 ㉦庚|jīng コウ·ギョウ くさり
字解 ㊀①냄비형 둥글고 깊은 냄비. '一, 溫器也. 圜以直上'《說文》. ②종형 긴 모양의 종(鐘). '一, 長鍾也'《集韻》. ㊁냄비행 ㊀①과 뜻이 같음. ㊂쇠사슬경 '一, 鏁幹'《集韻》.
字源 形聲. 金+巠〔音〕

金7〔銛〕15 괄 ㉧黠|guā カツ たつ
字解 끊을괄 베어 끊음. '一, 斷也'《說文》.
字源 形聲. 金+𠯑〔音〕

金7〔銀〕15 〔은〕
銀(金부 6획〈1558〉)의 本字

金7〔鉶〕15 〔형〕
鉶(金부 6획〈1557〉)의 本字

金7〔鋁〕15 〔려〕
鑢(金부 15획〈1588〉)와 同字多
字源 形聲. 金+呂〔音〕

金7〔銲〕15 〔한〕
釬(金부 3획〈1550〉)과 同字
字源 形聲. 金+旱〔音〕

金7〔鋳〕15 〔주〕
鑄(金부 14획〈1586〉)의 略字

金7〔鋈〕15 옥 ㉧沃|wù ヨク·オク めっき, しろがね
字解 ①도금옥 쇠붙이를 얇게 딴 쇠붙이에 올리는 일. '陰靷一續'《詩經》. ②백금옥 '一, 白金也'《說文》.
字源 形聲. 金+沃〔音〕

金7〔鋚〕15 조 ㉦蕭|tiáo チョウ·ジョウ くろがね
字解 ①쇠조 철(鐵). '一, 鐵也'《說文》. ②고삐끝의구리장식조 '一, 紖頭銅飾'《廣韻》.
字源 形聲. 金+攸〔音〕

金7〔鎥〕15 鋚(前條)와 同字

金 7〔鋆〕15 윤 [平]眞 | yún, jūn イン こがね

[字解] 금윤 황금(黃金). '一, 金也'《五音集韻》.

金 7〔𨧫〕15 〔겁〕 鉣(金부 5획〈1556〉)과 同字

金 7〔𨨏〕15 경 [平]庚 | kēng コウ うつ

[字解] ①칠경 종 같은 것을 때림. '一, 撞也'《廣雅》. ②소리경 금석(金石) 같은 것의 울리는 소리. '一鎗, 聲也'《廣韻》.

金 7〔𨧽〕15 급 [入]緝 | jí キュウ すきのたぐい

[字解] 호미급 호미 등속(等屬). '一, 鋤屬'《集韻》.

金 7〔錎〕15 난 [上]感 | nǎn ダン しろがねをうつきぐ

[字解] 은(銀)을두들기는기구(器具)난 '一, 一鐵, 打銀具'《篇海》.

金 7〔鋀〕15 ㊀투 [平]尤 | tōu トウ いしのな ㊁두 [上]有 | dòu トウ さけのうつわ

[字解] ㊀ 유석(鍮石)투 품질이 좋은 자연동(自然銅)임. '鍮, 鍮石, 似金也, 一, 同鍮'《玉篇》. ㊁ 술그릇두 '鋀, 酒器也, 从金䜴, 象器形, 或从豆'《說文》.

金 7〔𨧺〕15 로 [平]豪 | láo ロウ やじりのいっしゅ

[字解] ①화살촉의하나로 '一, 一鑪, 錍也'《玉篇》. ②구리그릇로 '一, 一曰, 鏐一, 銅器'《集韻》.

金 7〔𨧀〕15 〔류〕 鏐(金부 11획〈1578〉)와 同字

金 7〔鋫〕15 리 [平]支 | lí リ くろいかね

[字解] 검은쇠리 철(鐵)을 이름. 鑗(金부 15획〈1588〉)와 同字. '鑗, 黑金也, 或作一'《集韻》.

金 7〔鋔〕15 만 [上]阮 | wǎn バン ひく

[字解] 끌만 끌어당김. '一, 引也'《字彙》.

金 7〔鋍〕15 발 [入]月 | bó ホツ かまからふきこぼれる

[字解] 솥에서끓어넘칠발 '鬻, 說文, 吹沸溢也, 或从金'《集韻》.

金 7〔鋖〕15 사 [平]支 | sī シ かんな

[字解] 대패사 '一, 平木器也, 亦作鐁'《廣韻》.

金 7〔𨨃〕15 〔서〕 誓(言부 7획〈1333〉)의 古字

金 7〔𨨒〕15 섭 [入]葉 | shè ショウ くろがね

[字解] 쇠섭 '一, 鐵也'《集韻》.

金 7〔鋉〕15 속 [入]屋 | sù ソク かね, こがね

[字解] 쇠속, 황금속 '一, 金也'《五音集韻》.

金 7〔𨧹〕15 식 [入]職 | shì ショク よそおう

[字解] 치장할식 옷을 차려 입음. '一, 糍也'《玉篇》.

金 7〔鋠〕15 신 [去]震 [上]軫 | shèn シン まるいくろがね

[字解] 둥근무쇠신 둥근 쇳덩이. '一, 圓鐵'《集韻》.

金 7〔𨨓〕15 역 [入]陌 | yì エキ ちいさいほこ

[字解] 작은창(槍)역 鈠(金부 4획〈1553〉)과 同字. '鈠, 小矛, 或从役'《集韻》.

金 7〔鋅〕15 자 [上]紙 | zǐ シ こわい

[字解] 강할자 釨(金부 3획〈1550〉)과 同字. '釨, 剛也, 或作一'《集韻》.

金 7〔𨧟〕15 장 [上]養 | zàng ソウ すずのおと

[字解] 방울소리장 '一, 鈴聲'《集韻》.

金 7〔鋑〕15 ㊀찬 [平]寒 | cuān サン かたな ㊁첨 [平]鹽 | cuān セン きり ㊂전 [平]先 | juān セン のみ, きる

[字解] ㊀ 칼찬 '一, 刀也'《集韻》. ㊁ 송곳첨 '一, 錐也, 或作鋟·鐫'《集韻》. ㊂ 끌전, 뚫을전 끌은 단단한 것을 쪼아내는 연장. 鐫(金부 13획〈1584〉)과 同字. '鐫, 一, 說文, 穿木鐫也, 一曰, 琢石也'《集韻》.

金 7〔𨦸〕15 〔참〕 鑱(金부 17획〈1590〉)과 同字

金 7〔鋨〕15 〔철〕 鐵(金부 13획〈1584〉)과 同字

金 7 〔鋓〕15 첨 [平]鹽 | chān テン するどい

[字解] 날카로울첨 첨예(尖銳)함. '一, 銳也'《集韻》.

金 7 〔鋇〕15 패 [去]泰 | bèi ハイ あらがね

[字解] ①거친쇠패 제련(製鍊)하지 않은 원광(原鑛). '一, 鋌也'《廣雅》. ②칼끝패 칼·창 등의 뾰족한 끝. '一, 鋒也'《字彙》.

金 7 〔鋡〕15 함 [平]覃 | hán カン うける

[字解] ①받을함 '넣다, 담다'의 뜻도 있음. '一, 受也, 齊楚曰一, 猶秦晉言容盛也'《方言》. ②쟁기함 '一鏅, 謂之鑪'《廣雅》.

金 7 〔鋞〕15 형 [平]青 | yíng ケイ かねをいる

[字解] 쇠불릴형 야금(冶金)함. '一, 冶金也'《篇海》.

金 7 〔鉶〕15 〔형〕 鉶(金부 6획〈1557〉)과 同字

金 7 〔銾〕15 홍 [上]董 | hòng コウ かねのおと gǒng コウ かがくげんそのな

[字解] ①종소리홍 '一, 鐘聲'《集韻》. ②화학원소이름홍 수은(水銀)을 이름. 汞(水부 3획〈626〉)과 同字. '汞, 化學金屬元素之一, 舊亦作一, 通稱水銀'《辭海》.

金 7 〔銴〕15
[一] 세 [去]霽 | shì セイ くるまのほろどめ
[二] 예 [去]霽 | エイ くるまのほろどめ
[三] 폐 [去]霽 | ヘイ くるまのほろどめ
[四] 체 [去]霽 | zhì テイ くるまのほろどめ

[字解] [一] ①수레의포장묶는갈고리세 '一, 車樘結也'《說文》. ②동록(銅綠)세 구리에 생기는 녹. '一, 一曰, 銅生五色也'《說文》. [二] 수레의포장묶는갈고리예, 동록예 [一]과 뜻이 같음. [三] 수레의포장묶는갈고리폐, 동록폐 [一]과 뜻이 같음. [四] 작은수레의포장묶는갈고리체 '一, 小車耳鉤'《集韻》.
[字源] 形聲. 金＋斲(折)〔音〕

金 7 〔銴〕15 銴(前條)와 同字

金 7 〔鋬〕15 판 [去]諫 | pàn ハン さげひも

[字解] 그릇끈판 손에 들기 위하여 달아 놓은 그릇의 끈. '一, 器系'《集韻》.

金 7 〔銎〕15 〔공〕 銎(金부 6획〈1560〉)의 本字

金 8 〔錎〕16 함 ①[平]覃 ②③[平]咸 | hán カン よろい カン さかずき

[字解] ①갑옷함 函(凵부 6획〈97〉)과 통용. '一, 鎧也'《廣雅》. ②궤함, 상자함 函(凵부 6획〈97〉)과 同字. ③잔함 술잔.
[字源] 形聲. 金＋函〔音〕

金 8 〔鋸〕16 거 [去]御 | jù キョ のこぎり

[字解] ①톱거 나무를 자르거나 켜는 데 쓰는 도구. '一屑'. '用刀一'《國語》. 또, 톱으로 발을 자르는 형벌. 월형(刖刑). '刀一不加'《韓愈》. ②켤거, 자를거 톱 같은 것으로 켜거나 자름. '繩一木斷, 水滴石穿'《鶴林玉露》.
[字源] 形聲. 金＋居〔音〕

金 8 〔鋺〕16 원 [上]阮 | yuǎn エン はかりのさら

[字解] 저울바탕원 다는 물건을 올려놓는 받침.
[字源] 形聲. 金＋宛〔音〕

金 8 〔鋼〕16 [高·人] 강 [平]陽 | gāng コウ はがね

[筆順] ノ 亼 仐 金 釕 鈅 鋼 鋼

[字解] 강철강 강도(剛度)를 높게 한 쇠. '一鐵'. '鍊一赤刃'《列子》.
[字源] 形聲. 金＋岡〔音〕

金 8 〔錄〕16 [高·人]
[一] 록 [入]沃 [入]屋 | ①-⑥lù リョク·ロク しるす ⑦lù ロク なみなみ
[二] 려 [去]御 | lǜ リョ·ロ はかる

[筆順] ノ 今 金 釒 釕 鈩 錄 錄

[字解] [一] ①적을록 ㉠기재함. '登一'. '記一'. '一其所述'《王羲之》. 또, 기록한 것. 문서·서적 따위. '目一'. '奠其一'《周禮》. ㉡마음 속에 적어 둠. 잊지 아니함. '君旣若見一, 不久望君來'《古詩》. ②나타낼록 표명(表明)함. '愛之斯一之矣'《禮記》. ③취할록 취(取)하여 씀. '一用'. '一伯姬也'《公羊傳》. ④맡을록 취급함. 관할함. '一大將軍事'. ⑤단속할록 검속(檢束)함. '程役而不一'《荀子》. ⑥성록 성(姓)의 하나. ⑦변변치못할록 碌(石부 8획〈872〉)과 同字. '公等一一, 所謂因人成事者也'《史記》. [二] 사실할려 조사함. 정상을 살핌. '一囚徒'《漢書》.

[字源] 形聲. 金＋彔〔音〕

金 8 〔録〕16 錄(前條)의 略字

金 8 〔錆〕16 창 [平]陽 | qiāng ショウ·セイ くわしい

[字解] 정(精)할창 자세함. 정밀함.

[字源] 形聲. 金＋青〔音〕

金 8 〔錏〕16 아 [平]麻 | yà ア しころ

[字解] 경개(頸鎧)아 투구의 뒤에 늘어져 목을 가리게 된 부분. '明光細甲照一鍜'《韓翃》.

[字源] 形聲. 金＋亞〔音〕

金 8 〔錐〕16 [人名] 추 [平]支 | zhuī スイ きり

[筆順] ㇒ 亼 今 金 釒 錐 錐 錐

[字解] 송곳추 조그마한 구멍을 뚫는 연장. '一刀之末'. '賢士之處世也, 譬若一之處於囊中'《史記》. 또, '毛一'는 붓의 별칭.

[字源] 形聲. 金＋隹〔音〕

金 8 〔錑〕16 뢰 [去]隊 | lèi ライ かんな

[字解] 대패뢰 나무를 밀어 깎는 연장. '一, 平版具, 或从耒'《集韻》.

[字源] 形聲. 金＋戾〔音〕

金 8 〔錕〕16 [人名] 곤 [平]元 | kūn コン やまのな

[筆順] ㇒ 亼 今 金 釒 錕 錕 錕

[字解] 산이름곤 '一鋙'는 명검(名劍)을 만드는 쇠가 난다는 산. '一鋘', 또는 '昆吾'라고도 함. '一鋙之劍'《列子》.

[字源] 形聲. 金＋昆〔音〕

金 8 〔錔〕16 탑 [入]合 | tà トウ つつむ

[字解] 쌀탑 금(金)으로 물건의 표면을 쌈. '以金一距'《史記 註》.

[字源] 形聲. 金＋沓〔音〕

金 8 〔錘〕16 [人名] [一] 추 [平]支 [去]寘 | ①②chuí ツイ おもさのたんい ③スイ きんてつをきたえるうつわ

[二] 수 [平]支 | スイ つるす

[筆順] ㇒ 今 金 釒 錘 錘 錘 錘

[字解] [一] ①중량이름추 무게의 단위. 여덟 수(銖)의 일컬음. '割國之錙一'《淮南子》. ②저울추추 저울대에 거는 쇠. '權謂之一'《博雅》. ③도가니추 쇠붙이를 녹이는 그릇. 감과(坩堝). '在爐一之間耳'《莊子》. [二] 드리울수 垂(土부 5획〈205〉)와 同字. '一以玉環'《太玄經》.

[字源] 形聲. 金＋垂(㠾)〔音〕

金 8 〔錙〕16 치 [平]支 | zī シ おもさのたんい

[字解] 중량이름치 여섯 수(銖)의 무게. '割國之一錘'《淮南子》. 전하여, 약소. 근소. 소량. '雖分國如一銖'《禮記》. 또, 대단치 않은 이해(利害). '計校一銖'《顏氏家訓》.

[字源] 形聲. 篆文은 金＋甾〔音〕

金 8 〔錚〕16 [人名] 쟁 [平]庚 | zhēng ソウ きんぞくのおと

[筆順] ㇒ 今 金 釒 錚 錚 錚 錚

[字解] ①쇳소리쟁 쇠의 울리는 소리. '銜牙一鎗'《潘岳》. ②징쟁 악기의 한 가지. '鼓吹一鐸'《東觀漢記》.

[字源] 形聲. 金＋爭〔音〕

金 8 〔錠〕16 [人名] 정 [去]徑 | dìng ジョウ たかつき, じょうざい

[筆順] ㇒ 亼 今 金 釒 錠 錠 錠

[字解] ①제기이름정 제기(祭器)의 한 가지. 발이 셋 있으며, 익은 음식을 담음. '漢虹燭一'《博古圖》. ②은화정 통화(通貨)의 은편(銀片). '銀一'. '一幅梅價, 不下百十一'《洞天清錄》. ③《韓》 정제정 납작하게 굳힌 알약. '一劑'.

[字源] 形聲. 金＋定〔音〕

金 8 〔錞〕16 [人名] [一] 순 [平]眞 [二] 대 [去]隊 | chún シュン·ジュン がっきのな duì タイ いしづき

[筆順] ㇒ 今 金 釒 錞 錞 錞 錞

[字解] [一] 악기이름순 북에 맞추어 울리는 금속제(金屬製)의 악기. '以金一和鼓'《禮記》. [二] 창고달대 창의 자루 끝을 싼 쇠붙이로 만든 원추형(圓錐形)의 물건. '厹矛鋈一'《詩經》.

[字源] 形聲. 金＋享(𦎫)〔音〕

金 8 〔錟〕16 [一] 담 [平]覃 | tán タン ほこ
[二] 섬 [平]鹽 | xiān セン するどい
[三] 염 [上]琰 | yǎn エン するどいやいば

[字解] [一] 창담 긴 창(槍). '一謂之鈹'《揚雄》. [二] 날카로울섬 銛(金부 6획〈1559〉)과

同字. '非一於句戟長鎩也'《史記》. ㊂ 서슬염 날카로운 칼날. 이인(利刃). '一戈在後'《史記》.
字源 形聲. 金+炎〔音〕

金8 〔錡〕16 人名 ㊀기 ㊥支 | qí キ かま
㊁의 ㊤紙 | yǐ ギ ゆみかけ

筆順 錡

字解 ㊀ ①가마솥기 발이 셋 달린 가마솥. '維一及釜'《詩經》. ②성기 성(姓)의 하나. ㊁ ①쇠뇌틀의 쇠뇌를 걸어 놓는 틀. '武庫禁兵, 設在蘭一'《張衡》. ②끌의 나무에 구멍을 파는 연장. 착(鑿)의 일종. '又缺我一'《詩經》.
字源 形聲. 金+奇〔音〕

金8 〔錢〕16 中·人 전 ①②㊥先 | qián セン ぜに
③④㊤銑 | jiǎn セン すき

筆順 錢

字解 ①돈전 화폐. '金一'. '銅一'. '不直一一'《漢書》. ②성전 성(姓)의 하나. ③가래전 농구의 한 가지. '庤乃一鎛'《詩經》. ④《韓》전전 화폐의 단위로, 원(圓)의 백분의 일.
字源 形聲. 金+戔〔音〕

金8 〔錣〕16 철 ㊇黠 | chuò タツ はり

字解 바늘철 채찍 끝에 박은 쇠바늘. '白公倒杖策, 一上貫頤血流'《淮南子》.
字源 形聲. 金+叕〔音〕

金8 〔錥〕16 육 ㊇屋 | yù イク なべ

字解 작은솥육 '鎢一'은 옹솥. '鎢一, 小釜也'《玉篇》.
字源 形聲. 金+育〔音〕

金8 〔錦〕16 高·人 금 ㊤寢 | jǐn キン にしき

筆順 錦

字解 ①비단금 ㉠여러 빛깔을 섞어 짠 무늬 있는 비단. '文一'. '子有美一'《左傳》. ㉡비단의 무늬처럼 아름다운 것. '一鱗'. '祠堂列一楓'《馬汝驥》. ㉢탄미(歎美)하는 뜻을 나타내는 관형사. '一地'. '璧房一殿相玲瓏'《王勃》. ②비단옷금 '衣一尙絅'《中庸》. ③성금 성(姓)의 하나.
字源 形聲. 帛+金〔音〕

金8 〔錫〕16 人名 석 ㊇錫 | xī(xí) セキ・シャク すず

筆順 錫

字解 ①주석석 금속의 하나. 은백색 광택이 나며, 녹이 슬지 아니함. '如金如一'《詩經》. ②줄석 하사함. '賞一'. '一賚甚厚'《舊唐書》. 또, 하사한 물건. '茅土之一'《魏書》. ③석장석 도사(道士)나 중이 짚는 지팡이. '巡一'. '杖一東顧'《柳宗元》. ④가는 베석 부드럽고 고운 베. '被阿一'《史記》. ⑤성석 성(姓)의 하나.
字源 形聲. 金+易〔音〕

金8 〔錮〕16 고 ㊋遇 | gù コ ふさぐ

字解 ①막을고 틈을 막음. '雖一南山猶有隙'《漢書》. ②맬고 잡아매어 자유를 속박함. '子反請以重幣一之'《左傳》. 전(轉)하여, 죄인을 가둠. 또, 벼슬을 못 하게 함. 공권을 박탈함. '禁一終身'《十八史略》. ③고질고 痼(疒부 8획〈812〉)와 통용. '身有一疾'《禮記》.
字源 形聲. 金+固〔音〕

金8 〔錯〕16 高·人 ㊀착 ㊇藥 | cuò サク めっきする, まじる
㊁조 ㊋遇 | cù ソ おく

筆順 錯

字解 ㊀ ①꾸밀착 ㉠금속(金屬)을 입혀 장식함. '以黃金一其文'《漢書》. ㉡아로새김. 그림. '簟笰一衡'《詩經》. ②줄착 쇠붙이를 깎는 연장. '錫貢磬一'《書經》. ③숫돌착 거친 숫돌. '佗山之石, 可以爲一'《詩經》. ④번갈아착 순차(順次)로. '一擧'. '如四時之一行'《中庸》. ⑤어긋날착 맞지 아니함. '舛一'. '乖一'. '與仲舒一'《漢書》. ⑥그릇할착 잘못함. '一誤'. '其事詞一出, 不雅馴'《王世貞》. ⑦섞일착, 섞을착 뒤섞임. 뒤섞음. '一雜'. '一綜其數'《易經》. ⑧틀착 피부가 틈. '手爲一, 足下無菲'《古詩》. ⑨삼갈착 경신(敬愼)하는 모양. '履一然'《易經》. ⑩성착 성(姓)의 하나. ㊁ ①둘조 措(手부 8획〈450〉)와 同字. '一之牢筴之中'《莊子》. ②허둥지둥할조 당황함. '二人一愕不能對'《後漢書》. ③성조 성(姓)의 하나.
字源 形聲. 金+昔(㫺)〔音〕
參考 ⿰金㫺(金부 12획〈1583〉)은 古字.

金8 〔錧〕16 人名 관 ㊤旱 | guǎn カン くさび

筆順 錧

字解 비녀장관 輨(車부 8획〈1470〉)과 同字. '論語者五經之一錧, 六藝之喉衿也'《趙岐》.
字源 形聲. 金+官〔音〕

金8 〔錤〕 16 [人名] 기 [平]支 | jī キ すき

[筆順] 𠆢 𠆫 仐 金 釒 錤 錤 錤

[字解] 호미기 김을 매는 농구. '鎡一, 鉏名'《集韻》.

[字源] 形聲. 金＋其〔音〕

金8 〔錍〕 16 비 ①②[平]支 | bēi ヒ おの ③[平]齊 | pī ヘイ やじり

[字解] ①도끼비 짧은 도끼. ②쟁기비, 보습비 '一, 謂之銛'《廣雅》. ③살촉비 鈚(金부 4획〈1552〉)와 同字. '一, 鏑也'《廣雅》.

[字源] 形聲. 金＋卑〔音〕

金8 〔鋹〕 16 창 [上]養 | chǎng チョウ するどい

[字解] 날카로울창 '一, 利也'《集韻》.

[字源] 形聲. 金＋長〔音〕

金8 〔錎〕 16 ㊀함 [去]陷 | xiàn カン くさり ㊁감 [去]勘 | gàn カン ひばち

[字解] ㊀ ①쇠사슬함 '一, 連環也'《集韻》. ②빠질함 陷(阜부 8획〈1618〉)과 통용. '一沒而下'《莊子》. ㊁ 화로감 '一, 鑪屬'《集韻》.

金8 〔錜〕 16 녑 [入]葉 | niè ジョウ·ニョウ ちいさいかんざし

[字解] ①작은비녀녑 '雜華一之蕨蕤'《王粲》. ②못녑 대가리가 작은 못. '一, 一曰, 小頭釘'《集韻》.

[字源] 形聲. 金＋念〔音〕

金8 〔錍〕 16 비 ①[上]尾 | fěi ヒ こくぎ ②[平]微 | pī ヒ はり

[字解] ①작은못비. ②침비 바늘. 침(鍼). '砭石今以一鍼代之'《素問 注》.

金8 〔錇〕 16 부 [平]尤 | póu ホウ くぎ

[字解] 큰못부 커다란 못의 이름. '一, 一鏂, 釘名'《集韻》.

金8 〔錈〕 16 권 [上]阮 | juǎn ケン まがる

[字解] 쇠굽을권 쇠가 말림. 또, 구부러진 쇠. '柔則一, 堅則折. 劍折且一, 焉得爲利劍'《呂氏春秋》.

[字源] 形聲. 金＋卷〔音〕

金8 〔錩〕 16 〔탕〕 鐋(金부 12획〈1582〉)과 同字

金8 〔鉼〕 16 [人名] 병 [去]梗 | bǐng ヘイ いたがね

[筆順] 𠆢 𠆫 仐 金 釒 鈃 鉼 鉼

[字解] 금화병, 은화병 금 또는 은을 떡 모양으로 만든 화폐. '一, 金鉼'《類篇》.

[字源] 形聲. 金＋并〔音〕

[參考] 鉼(金부 6획〈1559〉)은 俗字.

金8 〔錉〕 16 민 [平]眞 | mín ビン·ミン なりわい

[字解] 업민, 구실민, 돈꿰미민 '一, 業也. 賈人占一'《說文》. '一, 博雅, 稅也'《集韻》.

[字源] 形聲. 金＋昏〔音〕

金8 〔錭〕 16 ㊀도 [平]豪 | táo トウ にぶい ㊁조 [平]蕭 | diāo チョウ える, ほる

[字解] ㊀ 무딜도 둔(鈍)함. '一, 鈍也'《說文》. ㊁ 새길조 조각함. '必將一琢刻鏤'《荀子》.

[字源] 形聲. 金＋周〔音〕

金8 〔錶〕 16 표 | biǎo ヒョウ とけい

[字解] 시계표 '手一'는 손목시계, '懷一'는 회중시계(懷中時計).

金8 〔錬〕 16 ㊀동 [平]東 | トウ かぶせがね ㊁련 | liàn

[字解] ㊀ ①두겁쇠동 '一鏥'는 두겁쇠. 수레 굴대의 끝 바퀴통에 씌우는 두겁쇠. '一, 方言, 輨軑, 趙魏之閒曰一鏥'《集韻》. ②쐐기동 수레 굴대 끝의 바퀴통이 빠지지 않게 박는 쐐기. '一, 錧也'《廣雅》. ㊁ 鍊(金부 9획〈1570〉)의 訛字.

金8 〔錛〕 16 분 [平]元 | bēn ホン ちょうな

[字解] 자귀분 도끼로 대충 깎은 다음에 다듬는 데 쓰는 목수 연장. '鐼, 平木器. 或从奔'《集韻》.

金8 〔錁〕 16 과 [上]馬 | kè カ おびのかなぐ [上]哿 | カ くるまのあぶらさし

[字解] ①띠쇠과 '銙, 帶具. 或作一'《集韻》. ②기름통과 '輠, 車膏器曰輠. 或从金'《集韻》. ③콩알화폐과 작은 덩이꼴로 사용하는 금이나 은의 화폐. 과자(錁子). '一, 俗謂金銀鑄成小錠曰一'《中華大字典》

金8 〔錪〕 16 전 [上]銑 [上]阮 | tiǎn テン かま

[字解] ①가마전 작은 가마. '一, 小釜'《廣韻》. ②추(錘)전 '一·錘, 重也. 東齊之閒曰一, 宋魯曰錘'《揚子方言》.

[字源] 形聲. 金＋典〔音〕

金8 〔錗〕16 ㊀예 (去)寘 nèi ズイ・ニ かたむく
㊁추 (去)寘 zhuì ツイ おもり
㊂위 (去)寘 wěi イ かける

字解 ㊀기울예 '一, 側意'《說文》. ㊁저울추추 '一, 同錘'《五音集韻》. ㊂걸위 매닮. '一, 懸也'《集韻》.
字源 形聲. 金+委〔音〕

金8 〔鉶〕16 〔형〕 鉶(金부 6획〈1557〉)의 本字

金8 〔鑼〕16 〔라〕 鑼(金부 19획〈1591〉)의 俗字

金8 〔鋻〕16 견 (去)霰 (平)先 jiàn ケン とうけんのは jiān ケン はがね

字解 ①날견 칼이나 검(劍)의 날. '一, 剄也. (段注) 剄, 刀劍刃也'《說文》. ②강철견 '一, 剛鐵也'《集韻》. ③굳셀견 강함. '一, 剛也'《廣韻》. ④곧을견 굽지 아니함. '支一之喆. (注)行之直也'《元包經》. ⑤불릴견 담금질함. '一, 淬刀劍使堅也'《六書故》.
字源 形聲. 金+臤〔音〕

金8 〔鈯〕16 굴 (入)物 qū クツ ちいさいおの

筆順 ノ 𠂉 𠆤 金 釒 鈩 鈱 鈯

字解 ①작은도끼굴 '一, 小鉞也'《字彙》. ②배목굴 문고리를 거는 쇠. '一, 一鈚, 鎖鈕也'《集韻》.

金8 〔錭〕16 도 (平)豪 táo トウ にぶい

字解 ①무딜도 날카롭지 못함. '錭, 說文, 鈍也, 或作一'《集韻》. ②주조(鑄造)할도 '錭, 或作一, 一曰, 一, 鑄也'《集韻》.

金8 〔䥫〕16 독 (入)沃 dú トク たづなのわ

字解 고삐고리독 말고삐의 고리. '一, 艛舌'《集韻》.

金8 〔錀〕16 ㊀륜 (平)眞 lún リン きんぞくのな
㊁분 (平)文 fēn フン うさぎあみのかなぐ

字解 ㊀금속(金屬)이름륜 '一, 金也'《字彙》. ㊁토끼그물의장식분 '一, 埤蒼云, 兎奄一'《廣韻》.

金8 〔錂〕16 릉 (平)蒸 líng リョウ きんぞくのな

字解 금속(金屬)이름릉 '一, 金名'《玉篇》.

金8 〔鑗〕16 〔리〕 鑗(金부 7획〈1564〉)와 同字

金8 〔鍦〕16 〔사〕 鉈(金부 5획〈1554〉)와 同字

金8 〔鋿〕16 상 (平)陽 chāng ショウ みがく

字解 ①갈상 갈아 윤을 냄. '一, 磨也'《集韻》. ②수레바퀴테상 '一, 一曰, 車輪繞鐵'《集韻》. ③鏛(金부 11획〈1580〉)과 同字. '一, 或从常'《集韻》.

金8 〔錉〕16 소 (去)號 sào ソウ てつのふんまつ

字解 쇳가루소 '一, 碎鐵'《集韻》.

金8 〔錰〕16 〔술〕 鉥(金부 5획〈1556〉)의 訛字

金8 〔錒〕16 〔아〕 錒(金부 5획〈1557〉)와 同字

金8 〔錌〕16 안 (去)翰 àn ガン ねばかね

字解 무른쇠안 단단하지 못한 쇠. '一, 柔鐵'《集韻》.

金8 〔錌〕16 ㊀업 (入)葉 yǎn ヨウ つち
㊁암 (平)覃 ān アン なべ

字解 ㊀①망치업 쇠망치. '一, 椎也'《集韻》. ②동발(銅鈸)업 '一銚, 銅鈸也'《武彝山古記注》. ㊁냄비암 '一, 溫器'《集韻》.

金8 〔鋖〕16 야 (去)禡 yè ヤ かがみ

字解 거울야 '一, 鏡也'《集韻》.

金8 〔錗〕16 ㊀예 (去)霽 ruì ゼイ するどい
㊁철 (入)屑 zhuì テツ むちのさきにつけてあるかね

字解 ㊀날카로울예 '一, 銳也'《集韻》. ㊁채찍끝에붙인쇠철 錣(金부 8획〈1567〉)과 同字. '錣, 策耑有鐵, 或作一'《集韻》.

金8 〔錭〕16 조 (去)嘯 diào チョウ なまがね

字解 ①불리지않은쇠조 '一, 鐵未煉'《集韻》. ②물건을태우는그릇조 '一, 燒器也'《玉篇》.

金8 〔錝〕16 종 (平)東 zōng ソウ きんいろのけ

字解 금빛털종 '一, 金毛也'《玉篇》.

金8 〔銍〕16 질 (入)質 zhì チツ かる

[字解] 벨질 풀을 벰. '一, 刈也'《字彙補》.

金 8 〔⿱制金〕16 〔체〕 ⿱刈金(金부 6획〈1560〉)와 同字

金 8 〔錊〕16 [一]쵀 [去]隊 zuì サイ ねる / [二]족 [入]沃 zū ソク せい

[字解] [一] 쇠불릴쵀, 단련할쵀 '一, 鍊也'《集韻》. [二] 성족 성(姓)의 하나. '一, 姓也'《集韻》.

金 8 〔鋷〕16 최 [去]寘 zuì スイ きり

[字解] 송곳최 '一, 錐屬'《篇海》.

金 8 〔⿰金豖〕16 탁(착[本]) [入]覺 zhuó タク うつ

[字解] 칠탁 때림. '一, 擊也'《字彙》. ※本音 착.

金 8 〔錋〕16 팽 [平]庚 pēng ホウ ぶき

[字解] 무기(武器)팽 '一, 兵器'《集韻》.

金 8 〔⿱阰金〕16 피 [平]支 pī ヒ すき

[字解] 호미피 ⿱沘金(次條)와 同字. '一, 埤倉, 鐲一, 鉏也, 或作⿱沘金'《集韻》.

金 8 〔⿱沘金〕16 ⿱阰金(前條)와 同字

金 8 〔鉌〕16 화 hé

[字解] ①술잔화. ②정량기(定量器)화.

金 9 〔錨〕17 [人名] 묘 [平]蕭 máo ビョウ いかり

[筆順] 𠆢 亼 金 釒 釗 鉗 鍿 錨

[字解] 닻묘 배를 멈추게 하기 위하여 밧줄에 매어 물 속에 넣는 철제(鐵製)의 기구. '投一'. '拔一'. '船上鐵貓曰一'《焦竑》.

[字源] 形聲. 金+苗〔音〕

金 9 〔鍇〕17 개 [上]蟹 kǎi カイ くろがね, よいてつ

[字解] 쇠개 상등의 쇠. 정철(精鐵). '銅一之垠'《左思》.

[字源] 形聲. 金+皆〔音〕

金 9 〔鍉〕17 [一]시 [平]支 chí シ さじ / [二]적 [入]錫 dí テキ やじり

[字解] [一] ①숟가락시 맹세할 때 피를 입 언저리에 바르는 데 쓰는 숟가락. '牽馬操刀, 奉盤錯一'《後漢書》. ②열쇠시 자물쇠를 여는 쇠. '鑰一'. '一, 所以啓鑰'《正字通》. [二] 살촉적 鏑(金부 11획〈1578〉)과 同字. '銷鋒一'《漢書》.

[字源] 形聲. 金+是〔音〕

金 9 〔鍊〕17 [高·人] 련 [去]霰 liàn レン ねる

[筆順] 𠆢 亼 金 釘 釿 鈳 鍊 鍊

[字解] ①불릴련 쇠붙이를 불에 달굼. '鍛一'. '金百一然後精, 人亦如此'《皇極經世書》. ②불린쇠련 달구어 질이 좋아진 금속. 정금(精金). '精一藏於鑛璞'《王褒》. ③이길련 물을 붓고 반죽하여 만듦. '一丹'. '安期一五石'《郭璞》. ④익힐련 사물에 익숙하게 함. '一習'. '鑽一其性'《新論》. ⑤익을련 익숙함. 또, 정숙(精熟)함. '一土生木, 一木生火'《淮南子》. ⑥얽을련 교묘하게 죄안(罪案)을 얽어 만듦. '鍛一而周內之'《漢書》.

[字源] 形聲. 金+柬〔音〕

金 9 〔鍋〕17 과 [平]歌 guō カ なべ

[字解] ①노구솥과, 냄비과 음식을 익히거나 데우는 데 쓰는, 얄팍한 금속제의 그릇. '茶一'. '銀一'. '冶人一釜'《王君玉雜纂》. ②기름통과 기계유(機械油) 따위를 담는 그릇. '車轂一'.

[字源] 形聲. 金+咼〔音〕

金 9 〔鍍〕17 [人名] 도 [去]遇 dù ト めっき

[筆順] 𠆢 亼 金 釒 鈩 鉅 鍍 鍍

[字解] 올릴도 도금함. '一銀'. '假金方用眞金一, 若是眞金不一金'《李紳》.

[字源] 形聲. 金+度〔音〕

金 9 〔鍐〕17 종 [平]東 zōng ソウ うまのくびかざり

[字解] 말굴레종 말 대가리에 씌우는 물건. '金一者, 馬冠也'《蔡邕》.

[字源] 形聲. 金+㚇〔音〕

金 9 〔鍑〕17 [人名] 복 [入]屋 fù フク かま

[筆順] 𠆢 亼 今 金 釒 鈩 鍑 鍑

[字解] 솥복 아가리가 큰 솥. 일설(一說)에는, 아가리가 오므라진 솥. '多齎鬴一薪炭'《漢書》.

[字源] 形聲. 金+复〔音〕

金 9 〔鍢〕17 鍑(前條)과 同字

金9〔鎪〕17 수 ㊥尤|sōu シュウ きざむ, ちりばめる

字解 새길수, 아로새길수 누각(鏤刻)함. '雕一'. '刻鏤物爲一'《爾雅 註》.

字源 形聲. 金+叜〔音〕

金9〔鍔〕17 악 ㊤藥|è ガク は

字解 ①칼날악 칼의 물건을 베는 부분. '底厲鋒一'《漢書》. ②가악 가장자리. 堮(土부 9획〈213〉)과 통용. '前後無有垠一'《張衡》.

字源 形聲. 金+咢〔音〕

金9〔鍚〕17 양 ㊥陽|yáng ヨウ おもがい

字解 ①당로(當盧)양 말의 이마에 대는 금속제의 장식물. '鉤膺鏤一'《詩經》. ②방패장식양 방패의 이면(裏面)의 금식(金飾). '朱干設一'《禮記》.

字源 形聲. 金+昜〔音〕

金9〔鍛〕17 人名 단 ㊦翰|duàn タン きたえる

筆順 ㇒ 𠆢 全 金 釒 鈩 鈩 鍛

字解 ①두드릴단 쇠붙이를 불에 달구어 두드림. '一鍊'. '一乃戈矛'《書經》. ②대장일단 쇠붙이를 달구어 두드리는 일. '康性絶巧而好一'《晉書 嵇康傳》. ③익힐단 익숙하게 함. '一而勿灰'《儀禮》. ④얽을단 죄안(罪案)을 교묘하게 꾸밈. '爲奔走椎一詔獄'《唐書》. ⑤때릴단 침. '取石來一之'《莊子》. ⑥숫돌단 거친 숫돌. '取厲取一'《詩經》. ⑦포단 腶(肉부 9획〈1082〉)과 통용. '棗栗一脩'《穀梁傳》.

字源 形聲. 金+段〔音〕

金9〔鍜〕17 하 ㊥麻|xiá カ しころ

字解 경개(頸鎧)하 투구에 늘어져 목을 가리게 된 부분. '明光細甲照鏂一'《韓翃》.

字源 形聲. 金+叚〔音〕

金9〔鍠〕17 굉(횡本) ㊥庚|huáng コウ おの, かねのおと

字解 ①도끼굉 부월(鈇鉞). '秦改鐵鉞爲一'《古今注》. ②종고소리굉 종 또는 북의 소리. '一一鎗鎗'《後漢書》. ※本音 횡.

字源 形聲. 金+皇〔音〕

金9〔鍤〕17 삽 ㊤洽|chā ソウ すき

字解 가래삽 농구(農具)의 한 가지. 臿(臼부 3획〈1104〉)과 同字. '擧一如雲'《史記》.

字源 形聲. 金+臿〔音〕

金9〔鍥〕17 계 ㊦霽|qiè ケイ きざむ

字解 ①새길계 조각함. '一而不舍, 金石可鏤'《荀子》. ②끊을계, 자를계 절단함. '一朝涉之脛'《戰國策》. ③모질계 잔인함. '道德之旨未弘, 而一薄之風先搖'《唐書》.

字源 形聲. 金+契〔音〕

金9〔鍦〕17 시 ㊥支|shī シ ほこ

字解 창시 무기의 한 가지. '矛, 吳揚江淮南楚五湖之閒, 謂之一'《揚子方言》.

字源 形聲. 金+施〔音〕

金9〔鍧〕17 굉 ㊥庚|hōng コウ かねやつづみのおと

字解 종고소리굉 '鏗一'은 종과 북의 뒤섞인 소리. '鐘鼓鏗一'《班固》.

字源 形聲. 金+訇〔音〕

金9〔鍭〕17 후 ㊥尤 ㊦宥|hóu コウ や

字解 ①화살후 쇠살촉이 달린 화살. '四一旣鈞'《詩經》. ②살촉후 화살촉. '善射者, 能令後一中前括'《列子》.

字源 形聲. 金+侯〔音〕

金9〔鍮〕17 유(투本) ㊥尤|tōu トウ·チュウ しんちゅう

字解 ①자연동유 금빛이 나는 자연동(自然銅). 자연동 중에서 가장 품질이 좋은 것. '水銀墮地, 一石可引上'《本草》. ②놋쇠유 '眞一'는 구리와 아연과의 합금. 황동(黃銅). ③성유 성(姓)의 하나. ※本音 투.

字源 形聲. 金+兪〔音〕

金9〔鍰〕17 환 ㊥刪 ㊦諫|huán カン おもさのたんい

字解 ①엿냥쭝환 주대(周代)의 화폐(貨幣)의 무게. 여섯 냥(兩)의 일컬음. '其罰百一'《書經》. ②고리환 環(玉부 13획〈783〉)과 통용. '宮門銅一'《漢書》.

字源 形聲. 金+爰〔音〕

金9〔鍱〕17 섭 ㊤葉|shè ショウ いたがね

字解 쇠붙이조각섭 구리 또는 쇠 따위를 두드려 편 박편(薄片). '鍱謂之一'《博雅》.

字源 形聲. 金+枼〔音〕

金9〔鍵〕17 人名 건 ㊤阮|jiàn ケン かぎ

筆順 ㇒ 全 金 金⺕ 金⺕ 金聿 金聿 鍵

字解 열쇠건 자물쇠를 여는 쇠. '管一'. '修一閉'《禮記》.

[字源] 形聲. 金+建〔音〕

金 9 〔鍼〕17 침 [平]侵 zhēn シン はり

[字解] ①바늘침, 침침 ㉠꿰매는 바늘. '一線'. '執斵執一纖袵'《左傳》. ㉡침 놓는 바늘. '一砭'. '一寸之一, 一丸之艾'《論衡》. 원래는 '針'과 '一'이 중문(重文 ; 같은 글자)인데, 현재는 보통 꿰매는 바늘은 '針', 침 놓는 바늘, 곧 침은 '一'을 씀. ②찌를침, 침놓을침 바늘이나 침으로 찌름. '以鐵一一之'《漢書》.
[字源] 形聲. 金+咸〔音〕

金 9 〔鍾〕17 [人名] 종 [平]冬 zhōng ショウ かね

[筆順] ノ 𠂉 金 釒 鈩 銆 鍾 鍾

[字解] ①술병종, 술잔종 술을 담는 병. 속(俗)에, 술을 따르는 잔. '堯舜千一'《孔叢子》. ②되이름종 용량의 단위로, 육 곡 사 두(六斛四斗). 일설(一說)에는, 팔 곡(八斛), 또 일설에는, 십 곡(十斛). '饟國人栗戶一一'《左傳》. ③모을종 한데 모이게 함. '一愛'. '天一美於是'《左傳》. ④모일종 '情之所一'《晉書》. ⑤쇠북종, 종종 鐘(金부 12획〈1582〉)과 통용. ⑥성종 성(姓)의 하나.
[字源] 形聲. 金+重〔音〕

金 9 〔鍲〕17 민 [平]眞 mín ビン・ミン わざ, なりわい

[字解] ①업민 생업(生業). '一, 說文, 業也, 賈人占一'《集韻》. ②구실민 조세(租稅). '一, 博雅, 稅也'《集韻》. ③돈꿰미민 緡(糸부 9획〈1002〉)과 同字.

金 9 〔鍒〕17 유 [平]尤 róu ジュウ なまがね

[字解] 무른쇠유 단단하지 않은 쇠. '一, 鐵之耎也'《說文》.
[字源] 形聲. 金+柔〔音〕

金 9 〔鍺〕17 타 [上]哿 duǒ タ くるまのくさび

[字解] ①비녀장타 '一, 車轄'《廣韻》. ②보습타 쟁기의 날. '一, 犂錧'《廣韻》.

金 9 〔鍖〕17 침 [平]侵 zhēn チン だい, あて

[字解] 모탕침 椹(木부 9획〈560〉)과 同字.
[字源] 形聲. 金+甚〔音〕

金 9 〔鍕〕17 군 [平]文 jūn クン ぐんじ

[字解] 군지군 '一鍉'는 천수관음(千手觀音)이 손에 들고 있는 병. '一, 梵語, 一鍉, 亦單作軍持'《字彙》.
[字源] 形聲. 金+軍〔音〕

金 9 〔鍉〕17 지 [平]支 chí チ ぐんじ

[字解] 군지지 '鍕一'는 천수관음(千手觀音)이 손에 들고 있는 병. '一, 梵語, 鍕一, 此云雙口澡灌'《字彙》.

金 9 〔鍬〕17 초 [平]蕭 qiāo ショウ すき

[字解] 가래초 농구의 하나. '大衆各備一鑁剗草'《指月錄》.
[字源] 形聲. 金+秋〔音〕

金 9 〔鍫〕17 鍬(前條)와 同字

金 9 〔鍈〕17 [人名] 영 [平]庚 yīng エイ すずのおと

[筆順] ノ 𠂉 金 釒 鈕 鉷 鍈 鍈

[字解] 방울소리영 '一, 鈴聲'《集韻》.
[字源] 形聲. 金+英〔音〕

金 9 〔鍝〕17 우 [平]虞 yú グ のこぎり

[字解] ①톱우 '一, 鋸也'《廣韻》. ②귀고리우 '鑢一'는 귀고리. '椎結・左衽・鑢一之君'《後漢書》.

金 9 〔鍘〕17 찰 [入]黠 zhá サツ かる

[字解] 풀벨찰 '一, 一草也'《字彙》.

金 9 〔鍡〕17 외 [上]賄 wěi ワイ たいらでない

[字解] 우툴두툴할외 '一鑸・一鑸'는 우툴두툴함. '一, 一鑸, 不平也'《說文》.
[字源] 形聲. 金+畏〔音〕

金 9 〔鍿〕17 〔치〕 錙(金부 8획〈1566〉)의 本字

金 9 〔鍶〕17 〔야〕 鎁(金부 7획〈1562〉)와 同字

金 9 〔鍐〕17 〔종〕 鏦(金부 11획〈1579〉)과 同字

金 9 〔鍓〕17 〔집〕 鏶(金부 12획〈1582〉)과 同字

〔鍹〕〔암〕 頁부 8획(1692)을 보라.

金9〔鍪〕17 무 [平]尤 | móu ボウ·ム かぶと

[字解] 투구무 군인이 전쟁 때 쓰는 쇠모자. '兜一'. '甲盾鞮一'《戰國策》.

[字源] 形聲. 金+敄〔音〕

金9〔鎏〕17 〔류〕 鎏(金부 10획〈1576〉)의 本字

金9〔鑒〕17 〔감〕 鑑(金부 14획〈1587〉)과 同字

金9〔鍻〕17 갈 [入]月 | jié ケツ きんぞくでかざったつづみ

[字解] 금속으로장식한북갈 '一, 金飾鼓名, 大駕鼓吹有金一'《集韻》.

金9〔鉼〕17 〔견〕 鈃(金부 4획〈1553〉)과 同字

金9〔𨫝〕17 견 [去]霰 | jiàn ケン けまり

[字解] 격구(擊毬)견 '一, 踢毛毬'《字彙補》.

金9〔鍞〕17 경 [平]庚 | kēng コウ きんせきのおと

[字解] 금석(金石)의소리경 鏗(金부 11획〈1578〉)과 同字. '一, 一鏘, 金石聲, 同鏗'《篇海》.

金9〔鐰〕17 교 [平]蕭 | jiāo キョウ ほこのたぐい

[字解] 창교 창(槍) 따위. '一, 戟屬'《集韻》.

金9〔鍨〕17 규 [平]支 | kuí キ はもの

[字解] 날붙이무기(武器)규 칼·창 등의 무기. 戣(戈부 9획〈423〉)와 同字. '戣, 字林, 兵也, 或从金'《集韻》.

金9〔鍷〕17 규 [平]齊 | kuí ケイ けずる

[字解] 깎을규 대패·자귀 등으로 깎아냄. '一, 鑳也'《集韻》.

金9〔鍁〕17 ㊀근 [平]眞 | jīn キン おの ㊁은 [上]吻 | yǐn ギン きりそろえる

[字解] ㊀ 도끼근 장작을 패는 연장. '一, 斫木器'《字彙》. ㊁ ①잘라서가지런히할은 '一, 齊也'《字彙》. ②자를은 끊음. '一, 斷也'《字彙》.

金9〔鍴〕17 단 [平]寒 | duān タン きり

[字解] ①송곳단 '鑽謂之一'《方言》. ②고기(古器)의이름단 '一, 古器名, 又作耑, 似觶而稍高'《辭海》.

金9〔鎝〕17 답 [入]合 | dā トウ かぎ

[字解] 갈고리답 '鎉, 鉤也, 或作一'《集韻》.

金9〔鍎〕17 돌 [入]月 | tú トツ やり

[字解] 창(槍)돌 𨪺(次條)과 同字. '𨪺, 槍也, 或从突'《集韻》.

金9〔𨪺〕17 鍎(前條)과 同字

金9〔𨫊〕17 〔맹〕 鑝(金부 15획〈1588〉)과 同字

金9〔𨫙〕17 삭 [入]覺 | shuò サク かねのわ

[字解] 쇠고리삭 쇠로 만든 고리. '一, 鐶也'《集韻》.

金9〔鍹〕17 선 [平]先 | xuān セン すき

[字解] 가래선 흙을 떠서 던지는 농기구. '一, 銚也'《集韻》.

金9〔鍟〕17 성 [平]青 | shēng セイ さび

[字解] 녹성 쇠의 거죽에 생기는 산화물(酸化物). '鉎, 鐵衣, 或从星'《集韻》.

金9〔鍶〕17 송 [平]青 | sōng ショウ てつのきぐ

[字解] 쇠그릇송 '一, 鐵器也'《五音集韻》.

金9〔𨪱〕17 〔쇄〕 鎩(金부 11획〈1578〉)와 同字

金9〔鎀〕17 수 [平]尤 | xiū シュウ あらがね

[字解] 쇳덩이수 불리지 않은 조광(粗鑛). '一, 鋌也'《玉篇》.

金9〔𨬖〕17 〔언〕 𥎊(矛부 9획〈862〉)과 同字

金9〔𨪚〕17 연 [去]霰 | ruǎn ゼン やわらかいぎん

[字解] 무른은(銀)연 '一, 柔銀也'《字彙》.

金9〔鍏〕17 위 [平]微 [上]尾 | wéi イ すき

[字解] 가래위 삽 같은 농기구. '臿, 宋魏之間, 謂之鏵, 或謂之一'《方言》.

金 9 〔鍣〕17 조 [平]蕭 | zhāo ショウ きり

[字解] 송곳조 '一, 錐也'《廣雅》.

金 9 〔鍪〕17 주 [去]宥 | còu ソウ やりのいっしゅ

[字解] 창(槍)주 창의 일종(一種). '一, 槍屬'《集韻》.

金 9 〔鍩〕17 첨 [上]琰 | tiǎn テン とる

[筆順] 𠆢 𠂉 金 金 鉡 鍩 鍩 鍩

[字解] 취(取)할첨 '一, 取也'《玉篇》.

金 9 〔鍗〕17 체 [平]齊 | tí テイ うつわ

[字解] ①그릇체, 솥체 鏣(金부 10획〈1576〉)와 同字. '鏣, 說文, 器也, 一曰, 釜屬, 或从帝'《集韻》. ②쇠이름체 '一, 金名'《康熙字典》.

金 9 〔鍯〕17 〔총〕 鏓(金부 11획〈1579〉)의 俗字

金 9 〔鍸〕17 호 [平]虞 | hú コ まつりのうつわ

[字解] 서직(黍稷)을담는제기(祭器)호 鈷(金부 5획〈1553〉)·瑚(玉부 9획〈777〉)와 同字. '一, 黍稷器, 夏曰一, 商曰璉, 周曰簠簋, 或作鈷, 通作瑚'《集韻》.

金 9 〔鍙〕17 혹 [入]屋 | hù コク しろがね

[字解] 은(銀)혹 '一, 銀也'《字彙》.

金 9 〔鍺〕17 타 [上]哿 | duǒ タ しゃじくのまきがね

[字解] ①바퀴통쇠타 바퀴통 속에 고정하여 굴대의 마찰을 덜게 하는 철관. '一, 車鐗'《廣韻》. ②편종(編鐘)·경(磬)의단위(單位)타 '一, 古代編鐘或磬的單位'《漢語大字典》.

金 10 〔鎊〕18 방 [平]陽 | pāng ホウ けずる

[字解] 깎을방 얇게 벰. '一, 削也'《玉篇》.

[字源] 形聲. 金+旁〔音〕

金 10 〔鎋〕18 할 [入]黠 | xiá カツ くさび

[字解] 비녀장할 수레바퀴의 굴대머리에 지르는 물건. 전(轉)하여, 사물의 총괄(總括). 轄(車부 10획〈1475〉)과 同字. '孝道者, 萬世之柽一'《孝經》.

[字源] 形聲. 金+害〔音〕

金 10 〔鎌〕18 [人名] 겸(렴[本]) [平]鹽 | lián レン かま

[筆順] 𠆢 𠂉 金 鉡 鉡 鎌 鎌 鎌

[字解] 낫겸 풀을 베는 연장. '腰一刈葵藿'《鮑照》. ※本音 렴.

[字源] 形聲. 金+兼〔音〕

金 10 〔鎒〕18 ㊀누 [去]宥 | nòu ドウ·ヌ くさぎる
㊁호 [平]豪 | hāo コウ すき

[字解] ㊀김맬누 耨(耒부 10획〈1053〉)와 同字. '治國者, 若一田, 去害苗者而已'《淮南子》. ㊁호미호 김 매는 농구. '操銚一, 與農人居壠畝之中'《戰國策》.

[字源] 形聲. 金+辱〔音〕

金 10 〔鎔〕18 [人名] 용 [平]冬 | róng ヨウ いがた

[筆順] 𠆢 亼 𠂉 金 鉡 鎔 鎔 鎔

[字解] ①거푸집용 주물(鑄物)의 모형(模型). '冶一, 炊炭'《漢書》. ②녹일용, 녹을용 금속을 용해함. 금속이 용해됨. '一鑠'. '金膏未一'《徐陵》.

[字源] 形聲. 金+容〔音〕

[參考] 熔(火부 10획〈721〉)은 俗字.

金 10 〔鎖〕18 [高·人] 쇄 [上]哿 | suǒ サ じょう, くさり

[筆順] 𠆢 亼 金 金 鉡 鎖 鎖 鎖

[字解] ①자물쇠쇄 여닫는 물건을 잠그는 쇠. '一鑰'. '扃一甚固'《酉陽雜俎》. ②쇠사슬쇄 쇠고리를 이은 줄. '連一'. '以鐵一橫截之'《晉書》. ③맬쇄 쇠사슬로 잡아맴. '法無拘一之條'《宋史》. ④수갑쇄 죄인의 두 손목을 채우는 자물쇠. '去枷脫一'《淨住子》. '鐵匠被一'(대장장이가 만든 수갑을 대장장이가 참)《王君玉》. ⑤봉할쇄, 잠글쇄 '封一'. '緘一甚謹'《宋史》.

[字源] 形聲. 金+貨〔音〕

[參考] 鎻(次次條)는 俗字.

金 10 〔鎻〕18 鎖(前條)와 同字

金 10 〔鎻〕18 鎖(前前條)의 俗字

金 10 〔鎗〕18 ㊀쟁 [平]庚 | chēng ソウ かねのおと
㊁창 [平]陽 | qiāng ショウ やり

[字解] ㊀①금석(金石)소리쟁 鏘(金부 11획〈1578〉)과 통용. '君子之聽音, 非聽其鏗一而已也'《史記》. ②술그릇쟁 주기(酒器).

'酒—'. ㊂창창 槍(木부 10획〈569〉)과 통용.
字源 形聲. 金+倉〔音〕

金10〔鎚〕18 ㊀추 ㊥支|chuí ツイ つち
㊁퇴 ㊥灰|duī タイ みがく

字解 ㊀①철추추 쇠몽둥이. '以鐵—鍛, 其頭數千下'《抱朴子》. ②칠추 쇠몽둥이로 침. ③저울추추 錘(金부 8획〈1566〉)와 同字. ㊁옥다듬을퇴 '—, 治玉也'《康熙字典》.
字源 形聲. 金+追〔音〕

金10〔鎞〕18 비 ㊥齊|bī ヘイ·ハイ くし

字解 ①빗비 참빗. '髮短不勝—'《杜甫》. ②창칼비 풀 같은 것을 칠하거나 껍질 같은 것을 벗기는 뭉뚝한 칼. '金—刮眼膜'《杜甫》. ③살비 살촉이 넓고 얇으며 뾰족한 살.
字源 形聲. 金+毘〔音〕

金10〔鎛〕18 박 ㊣藥|bó ハク かね, すき

字解 ①종박 작은 종(鐘). '及其—磬'《左傳》. ②호미박 농구의 하나. '庤乃錢—'《詩經》.
字源 形聲. 金+尃〔音〕

金10〔鎡〕18 자 ㊥支|zī シ·ジ すき

字解 호미자 '—基'는 김을 매는 농구. 괭이. '雖有—基, 不如待時'《孟子》.
字源 形聲. 金+兹〔音〕

金10〔鎧〕18 개 ㊤賄 ㊦隊|kǎi カイ·ガイ よろい

字解 ①갑옷개 갑의(甲衣). '甲—'. '爲劍—'《管子》. ②갑옷입을개 갑옷을 입음. 무장함. '—馬二百五十匹'《晉書》.
字源 形聲. 金+豈〔音〕

金10〔鎪〕18 수 ㊥尤|sōu ソウ きざむ

字解 새길수, 아로새길수 조각함. 누각(鏤刻)함. '木無彫—'《左思》.
字源 形聲. 金+叟〔音〕

金10〔鎬〕18 人名 호 ㊤晧|hào コウ なべ

筆順 ㇒ 亼 今 金 鈩 鈩 鎬 鎬

字解 ①냄비호 음식을 데우는 그릇. ②호경호 주(周)나라 무왕(武王)이 도읍한 서울. 지금의 섬서성(陝西省) 서안부(西安府)의 일부. '—京辟雍'《詩經》. ③빛날호 광채를 발하는 모양. '故其華表, 則——鑠鑠'《何晏》. ④《韓》 성호 성(姓)의 하나.
字源 形聲. 金+高〔音〕

金10〔鎭〕18 高·人 ㊀진 ㊦震|zhèn チン おさえ, しずめる
㊁전 ㊥先|tián テン ふさぐ

筆順 ㇒ 亼 金 金 釒 鉑 鎮 鎭

字解 ㊀①누를진 무거운 물건으로 위에서 누름. '以白玉—坐席'《楚辭 註》. 또, 누르는 물건. '文—'. '白玉兮爲—'《楚辭》. ②진정(鎭定)할진 ㉠어루만져 눌러서 편안하게 함. '—撫'. '—國家'. 또, 지덕(地德)으로써 한 지방을 진정하는 명산 대악(名山大嶽). '其山—曰會稽'《周禮》. ㉡한 지방 또는 한 사회를 진정시킬 만한 권위·덕망. '公—州—'《魏志》. ③진영진 한 지방을 진정하는 둔영(屯營). '藩—'. '雄—'. '旣至—'《晉書》. ④고을진 인구 5만 이상의 도시. '漢口—'. '景德—'. ⑤진정(鎭靜)할진 소란하던 것이 가라앉아 조용함. '—息'. '覽民尤以自—'《楚辭》. ⑥오래진 길이길이. 주로, 시(詩)에 씀. '此心—懸懸'《賈島》. ⑦성진 성(姓)의 하나. ㊁메울전, 멜전 塡(土부 10획〈216〉)과 통용. '譬之如室, 旣—其葍兮'《國語》.
字源 形聲. 金+眞〔音〕

金10〔鎮〕18 鎭(前條)의 俗字

金10〔鎰〕18 人名 일 ㊣質|yì イツ おもさのたんい

筆順 金 釒 鈆 鈆 鈐 鎰 鎰 鎰

字解 중량이름일 무게의 단위. 스물넉 냥(兩). 일설(一說)에는 스무 냥, 또는 서른 냥이라 함. '雖萬—, 必使玉人雕琢之'《孟子》.
字源 形聲. 金+益〔音〕

金10〔鎈〕18 차 ①㊥麻|chā サ ぜに
②㊤哿|suǒ サ きんのひかり

字解 ①돈차 '—, 錢異名'《廣韻》. ②금빛차 금의 빛깔. '—, 金光'《玉篇》.
字源 形聲. 金+差〔音〕

金10〔鎢〕18 오 ㊥虞|wū オ こがま

字解 옹솥오 작은 솥. '釜·甑·銚·槃·—錥, 皆亦民閒之急用也'《杜預》.
字源 形聲. 金+烏〔音〕

金10〔鍥〕18 결 ㊣屑|qiè ケツ きざむ

字解 ①새길결 '一, 刻也'《字彙》. '鐫山石, 一金玉'《淮南子》. ②낫결.

金10〔鎍〕18 삭 ①入藥 suǒ サク はりがね ②入陌 sè サク かなぐし
字解 ①쇠줄삭 쇠로 만든 줄. '一, 鐵繩也'《集韻》. ②석쇠삭 고기·떡 등을 굽는 기구. '一, 鐵䉶'《集韻》.
字源 形聲. 金+索〔音〕

金10〔𨭚〕18 질 入質 jí シツ てつのむち
字解 쇠회초리질 '一, 一鑠, 鐵榻'《集韻》.

金10〔鎲〕18 당 上養 tǎng トウ さすまた
字解 당파창당 '一鈀'는 끝이 세 갈래진 창.

金10〔鎕〕18 당 平陽 táng トウ かさいじゅ
字解 화제구슬당 '一銻'는 화제(火齊) 구슬. '一, 一銻, 火齊也'《說文》.
字源 形聲. 金+唐〔音〕

金10〔鎎〕18 ㊀희 去未 キ いかる ㊁개 去隊 kài カイ いかる
字解 ㊀성낼희 성내어 싸움. '一, 怒戰也'《說文》. ㊁성낼개 ㊀과 뜻이 같음.
字源 形聲. 金+氣〈省〉〔音〕

金10〔鑈〕18 제 平齊 tí テイ きぶつのな
字解 ①그릇이름제 기물(器物)의 이름. '一, 器也'《說文》. ②가마제 '一, 一曰, 釜屬'《集韻》.
字源 形聲. 金+虒〔音〕

金10〔鋀〕18 두 上有 dòu トウ しゅきのな
字解 술그릇두 '一, 酒器也'《說文》.
字源 會意. 金+𠱂

金10〔𨦟〕18 〔함〕 鋡(金부 8획〈1565〉)의 本字

金10〔鎘〕18 〔력〕 鬲(部首〈1777〉)과 同字

金10〔鎦〕18 〔류〕 劉(刀부 12획〈110〉)와 同字

金10〔鎩〕18 〔쇄〕 鎩(金부 11획〈1578〉)의 俗字

金10〔鎸〕18 〔전〕 鐫(金부 13획〈1584〉)의 俗字

金10〔鎏〕18 류 平尤 liú リユウ うつくしいきん
字解 금류 질이 좋은 금. 미금(美金).
字源 形聲. 金+流〔音〕

金10〔鎣〕18 형 去徑 yíng エイ みがいてつやをだすきぐ
字解 ①줄형 쇠붙이를 갈아 광택이 나게 하는 연장. ②꾸밀형 장식함.
字源 形聲. 金+熒〈省〉〔音〕

金10〔𨯂〕18 〔금〕 琴(玉부 8획〈773〉)의 古字

金10〔鎜〕18 〔반〕 槃(木부 10획〈571〉)의 古字

金10〔鎠〕18 〔강〕 剛(刀부 8획〈106〉)과 同字

金10〔鏆〕18 관 平刪 guān カン すきのは
字解 쟁기날관 쟁기·삽·호미의 날. '一, 犁釪也'《集韻》.

金10〔𨫼〕18 구 平尤 gōu コウ すき
字解 ①쟁기구 밭이랑을 만드는 경구(耕具). '一, 溝也, 旣割去壟上草, 又辟其土以壅苗根, 使壟下爲溝受, 水潦也'《釋名》. ②굽을구 鉤(金부 5획〈1555〉)와 同子. '鉤, 說文, 曲也, 或作一'《集韻》.

金10〔鍺〕18 기 平支 qí キ まきがね
字解 굴대덧방쇠기 수레의 굴대 끝을 휘감아 싸는 쇠. '一, 軸耑鐵'《集韻》.

金10〔鍛〕18 단 去翰 duàn タン きたえる
字解 ①쇠불릴단 단련(鍛鍊). '一, 打鐵, 又小冶也'《字彙》. ②마치단 망치. '一, 鎚也'《字彙》.

金10〔鎝〕18 답 入合 dá トウ かぎ
字解 갈고랑이답 '一, 一鉤也'《五音集韻》.

金10〔鋾〕18 도 平豪 tāo トウ はこ
字解 함(函)도 '一, 函也'《字彙》.

金10〔鑼〕18 라 上哿 luǒ ラ つり
字解 낚시질라 '一, 曳釣也'《集韻》.

金10〔鍩〕18 〔명〕
銘(金부 6획〈1558〉)의 訛字

金10〔鎵〕18 몽 ㊉東 ㊋送 | mèng ボウ すきのは
字解 ①쟁기날몽 쟁기의 날. '鏵—, 鑿也'《廣雅》. ②끌의날몽 '—, 一曰, 鑿刃'《集韻》.

金10〔鎈〕18 〔사〕
鈔(金부 7획〈1561〉)와 同字

金10〔鎙〕18 삭 ㊇覺 | shuò サク ほこ
字解 긴창(槍)삭 '矟, 長矛, 或作槊, 亦从金'《集韻》.

金10〔鎝〕18 삽 ㊇合 | sà ソウ える / ソウ すき
字解 ①새길삽 조각(彫刻)함. 鈒(金부 4획〈1551〉)과 同子. '—, 鏤也, 通作鈒'《集韻》. ②쟁기삽 '—, 鐵—, 發土具, 頭廣一尺, 功用勝於耜'《正字通》.

金10〔鎟〕18 상 ㊤養 | sǎng ソウ すずのおと
字解 방울소리상 '—, 鈴聲'《集韻》.

金10〔鎝〕18 소 ㊉豪 | sāo ソウ どうき
字解 구리그릇소 구리로 만든 그릇. '—, —銗, 銅器'《集韻》.

金10〔鑵〕18 악 ㊇覺 | yuè ガク おおかなづち
字解 큰망치악 큰 메. '—, 齊人謂大椎曰—'《集韻》.

金10〔鎑〕18
㊀ 엽 ㊇葉 | yè ヨウ てつのうつわ
㊁ 탑 ㊇合 | tà タ いろり
㊂ 갑 ㊇葉 | gē ゴウ なべ
字解 ㊀ ①쇠그릇엽 '—, 鐵器'《字彙》. ②쇠단단할엽 '—, 金堅'《字彙》. ③언치모양엽 '—, 鞍鞢皃'《五音集韻》. ㊁ 난로탑 화덕. '—, —鑪'《五音集韻》. ㊂ 냄비갑 '—, —鎊, 溫器'《集韻》.

金10〔鎓〕18 옹 ㊉東 | wěng オウ すき
字解 가래옹 농기구의 하나. '—, 鍬也'《集韻》.

金10〔鎐〕18
㊀ 요 ㊉蕭 | yáo ヨウ さかずき
㊁ 족 ㊇屋 | zú ソク せい
字解 ㊀ 술잔요 '—, 酒器'《集韻》. ㊁ 성족 성(姓)의 하나. '—, 姓也, 出彭城'《廣韻》.

金10〔鎋〕18 제 ㊋霽 | zhuì テイ まがったかたな
字解 굽은칼제 '—, 曲刀'《集韻》.

金10〔鏳〕18 조 ㊋遇 | cù ソ めっきする
字解 ①도금(鍍金)할조 '—, 金塗謂之—'《集韻》. ②무늬있는쇠조 '雜色金謂之—'《字海》.

金10〔鏟〕18 천 ㊤銑 | chǎn テン ながくする
字解 길게늘일천 '—, 博雅, —扞, 長也'《集韻》. '—, 長引也'《集韻》.

金10〔鎊〕18 항 | コウ さかずき
字解 술잔항 '—, 酒器'《改併四聲篇海》.

金10〔鎤〕18 황 ㊤養 | huǎng コウ かねのおと
字解 종소리황 '—, 鐘聲'《集韻》.

金11〔鏁〕19 쇄 ㊤哿 | suǒ サ じょう, くさり
字解 자물쇠쇄, 쇠사슬쇄 鎖(金부 10획〈1574〉)와 同字. '—閉'. '罥以鐵—'《潘岳》.

金11〔鏃〕19 족 (촉㊑) ㊇屋 | zú ソク·ゾク やじり
字解 살촉족 화살촉. '鋒—'. '石—'. '秦無亡矢遺—之費'《賈誼》. ※俗音 촉.
字源 形聲. 金+族〔音〕

金11〔鏇〕19 선 ㊋霰 | xuàn セン ろくろ
字解 ①갈이틀선 굴대를 돌려서 물건을 자르거나 깎는 기계. '—盤'. ②술데우는그릇선 '—, 溫器也. 旋之湯中, 以溫酒'《六書故》.
字源 形聲. 金+旋〔音〕

金11〔鏈〕19 련 ㊉先 | liàn レン くさり
字解 ①쇠사슬련 쇠고리를 이은 것. '—鎖'. '今人以銀鐺之類相連屬者爲—'《六書故》. ②《現》 케이블련 거리의 단위. 케이블(cable)의 음역. 10분의 1해리(海里).
字源 形聲. 金+連〔音〕

金11〔鏌〕19 막 ㊇藥 | mò バク·マク めいけん
字解 칼이름막 '—鋣'는 간장(干將)과 병칭(竝稱)되는 오(吳)나라의 명검(名劍).

'一邪'·'莫邪'로도 씀. '求一鎁於明智'《後漢書》.
[字源] 形聲. 金+莫〔音〕

金11 〔鏐〕19 류 [平]尤 | liú リュウ うつくしいこがね
[字解] 금류 질이 좋은 금. 미금(美金). '鐐琫而一珌'《詩經 箋》.
[字源] 形聲. 金+翏〔音〕

金11 〔鎩〕19 [一] 쇄 [去]卦 | shài サイ ほこ
[二] 살 [入]黠 | shā サツ ほこ
[字解] [一] ①창쇄 긴 창(槍). '非錟於句戟長一也'《史記》. ②자를쇄 절단함. '鳥一翮'《左思》. [二] 창살, 자를살 [一]과 뜻이 같음.
[字源] 形聲. 金+殺〔音〕

金11 〔鏑〕19 적 [入]錫 | dí テキ やじり
[字解] ①살촉적 화살촉. '銷鋒一'《史記》. ②우는살적 쏘아 나갈 때 소리가 나는 화살. 명전(鳴箭). '飛一'. '作爲鳴一'《史記》.
[字源] 形聲. 金+啇〔音〕

金11 〔鏗〕19 갱 [平]庚 | kēng コウ きんぞくやぎょくせきのなるおと
[字解] ①금속소리갱 쇠나 돌 따위의 울리는 소리. 종이나 경쇠가 울리는 소리. '鐘聲一'《禮記》. ②거문고소리갱 거문고를 타는 소리. '鼓瑟希, 一爾舍瑟'《論語》. ③칠갱 종 같은 것을 침. '一鐘搖簴'《楚辭》.
[字源] 會意. 金+堅

金11 〔鏘〕19 장 [平]陽 | qiāng ショウ きんぞくやぎょくせきのなるおと
[字解] ①울리는소리장 옥(玉) 또는 금속(金屬)이 울리는 소리. '一然而韶鈞鳴'《李漢》. ②높을장 높은 모양. '踰高閣之一一'《後漢書》.
[字源] 形聲. 金+將〔音〕

金11 〔鏚〕19 척 [入]錫 | qī セキ おの
[字解] 도끼척 戚(戈부 7획〈422〉)과 同字. '君王命剝圭以爲一柲'(柲는 자루)《左傳》.
[字源] 形聲. 金+戚〔音〕

金11 〔鏜〕19 당(탕[本]) [平]陽 | tāng トウ かねやたいこのおと
[字解] 종고소리당 종이나 북의 소리. '擊鼓其一'《詩經》. ※本音 탕.
[字源] 形聲. 金+堂〔音〕

金11 〔鏝〕19 만 [平]寒 | màn バン·マン こて
[字解] 흙손만 흙 바르는 연장. '手一'. '泥一'.
[字源] 形聲. 金+曼〔音〕

金11 〔鏞〕19 [人名] 용 [平]冬 | yōng ヨウ おおがね
[筆順] 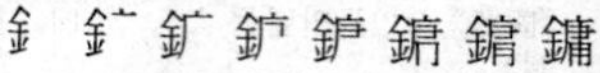
[字解] 종용, 쇠북용 큰 종. '笙一以間'《書經》.
[字源] 形聲. 金+庸〔音〕

金11 〔鏟〕19 산 [上]潸 | chǎn サン ならし
[字解] ①대패산 나무를 밀어 깎는 연장. ②깎을산 剷(刀부 8획〈106〉)과 同字. '意欲一疊嶂'《杜甫》.
[字源] 形聲. 金+產〔音〕

金11 〔鏠〕19 〔봉〕 鋒(金부 7획〈1562〉)의 本字

金11 〔鏡〕19 [高·人] 경 [去]敬 | jìng キョウ かがみ
[筆順] 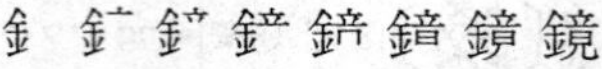
[字解] ①거울경 ㉠물체의 형상을 비추어 보는 물건. '銅一'. '淸水明一, 不可以形逃'《漢書》. ㉡모범·경계가 될 만한 것. '以前人爲一戒'《後漢書》. ②비출경 빛을 발사함. '金光一野'《班固》. ③비추어볼경 조감(照鑑)함. 대조하여 봄. '孰當可而一'《呂氏春秋》. ④살필경 '深說經義, 明一聖法'《漢書》. ⑤안경경 시력을 보충 또는 조절하는 기구. '望遠一'. '初始名之爲千里一'《乾隆帝》. ⑥성경 성(姓)의 하나.
[字源] 形聲. 金+竟〔音〕

金11 〔鏢〕19 표 [平]蕭 | biāo ヒョウ こじり
[字解] ①칼집끝장식표 '一, 刀劍鞘下飾也'《廣韻》. ②칼끝표 칼의 뾰족한 끝. 도봉(刀鋒). ③푼끌표 먼 데서 던져 사람을 살상하는 데 쓰는 작은 끌.
[字源] 形聲. 金+票(㶾)〔音〕

金11 〔鏤〕19 루 ①-④[去]宥 | lòu ロウ はがね
⑤[平]虞 | lú ルつるぎのな
[字解] ①강철루 단단한 쇠. '璆鐵銀一'《書經》. ②새길루, 아로새길루 쇠에 여러 가지 무늬를 새김. '刻一'. '器不彫一'《左傳》. 전(轉)하여, 널리 나무를 새기는 데도 이름. '一板'. ③뚫을루 개통함. '一山'. '一靈山'《漢書》. ④성루 성(姓)의 하나. ⑤칼이름루 '屬一'는 검(劍)의 이름. '賜子胥屬一之劍'《史記》.

字源 形聲. 金＋婁〔音〕

金11〔鏦〕19 ㊀총 (平)冬 | cōng ショウ ほこ
㊁창 (平)江 | cōng ソウ さす

字解 ㊀①창총 작은 창(槍). ②찌를총. ㊁①찌를창 창 같은 것으로 찌름. '一特肩'《後漢書》. ②울리는소리창 쇠붙이가 울리는 소리. '一一錚錚, 金鐵皆鳴'《歐陽修》.
字源 形聲. 金＋從〔音〕

金11〔鏹〕19 강 (上)養 | qiǎng キョウ ぜにさし

字解 돈꿰미강 繈(糸부 11획〈1011〉)과 同字. '藏一巨萬'《左思》.
字源 形聲. 金＋強〔音〕

金11〔⿰金莽〕19 무(모(本)) (上)麌 | mǔ ボ·モ ひのし

字解 다리미무 '鈷一'는 다림질하는 제구. 다리미. 고무(鈷鉧). ※本音 모.

金11〔鏉〕19 수 ①②(去)有 ③(平)尤 | shòu シュウ するどい | sōu ソウ きざむ

字解 ①날카로울수 '一, 利也'《說文》. ②녹수 쇠에 스는 녹. '一, 一曰, 一鏽, 鐵上衣'《集韻》. ③새길수, 아로새길수 鎪(金부 10획〈1575〉)와 同字. '一, 彫也'《集韻》.
字源 形聲. 金＋欶〔音〕

金11〔鏋〕19 [人名] 만 (上)旱 | mǎn バン·マン こがね

筆順 釒 釯 鉼 鉼 鍸 鏋 鏋 鏋
字解 금만 '一, 金也'《玉篇》.
字源 形聲. 金＋㒼〔音〕

金11〔鏏〕19 ㊀위 (去)霽 | wèi エイ かなえ
㊁혜 (去)霽 | ケイ かなえ
㊂세 (去)霽 | セイ かなえ

字解 ㊀솥위 ㉠작은 솥. 또, 귀 없는 솥. '一, 小鼎. 又曰, 鼎無耳爲一'《說文 段注》. ㉡귀 있는 솥 '一, 銅器. 三足有耳也'《玉篇》. ㊁솥혜 ㊀과 뜻이 같음. ㊂솥세 큰 솥. '一, 大鼎'《廣韻》.
字源 形聲. 金＋彗〔音〕

金11〔鏂〕19 ㊀우 (平)尤 | ōu オウ·ウ とびらのとってのわをつけるかなぐ
㊁후 (平)尤 | コウ·ク けずる
㊂구 (平)虞 | ク ますめのしょう

字解 ㊀①우후(鏂銗)우 ㉠'一銗'는 문고리를 다는 쇠장식. '一, 門鋪謂之一銗'《集韻》. ㉡'一銗'는 투구드림. 투구의 뒤와 좌우에 드리워 목을 보호하는 드림. '鍉鍜謂之一銗'《廣雅》. ②부우(鉜鏂)우 ㉠'鉜一'는 거울상자의 장식. '鉜, 鉜一, 籢飾也'《玉篇》. ㉡'鉜一'는 큰 못. '鉜, 鉜一, 大釘'《集韻》. ㊁깎을후 '剾, 剜也. 或作一'《集韻》. ㊂용량단위구 2되 8홉. '百泉則一二十也. (注)二升八合曰一'《管子》.

金11〔鏙〕19 최 (平)灰 | cuī サイ うろこのいりまじるさま
(上)賄 | サイ うろこのいりまじるさま

字解 비늘뒤섞일최, 무늬뒤섞여고울최 '鱗甲一錯. (注)一錯, 間雜之貌'《郭璞》.

金11〔鏓〕19 ㊀총 (平)東 | cōng ソウ かねのおと
㊁송 (上)董 | sǒng ソウ かねのおと
㊂몽 (平)東 | ボウ うがつ

字解 ㊀①종소리총 '一, 鎗一也'《說文》. ②뚫을총 큰 끌로 나무에 구멍을 뚫음. '一, 一曰, 大鑿中木也'《說文》. ③끌총 큰 끌. '一, 大鑿平木器'《廣韻》. ㊁종소리송, 뚫을송, 끌송 ㊀과 뜻이 같음. ㊂뚫을몽 ㊀❷와 뜻이 같음.
字源 形聲. 金＋悤〔音〕

金11〔⿰金窓〕19 鏓(前條)과 同字

金11〔⿰金御〕19 어 ①-③(上)語 ④(平)魚 | yǔ ギョ·ゴ くいちがう | ギョ·ゴ はたのどうぐ

字解 ①어긋날어 '一, 鉏一也'《說文》. ②악기이름어 '一, 樂器也'《玉篇》. ③주석어 '一, 一曰, 白錫謂之一'《集韻》. ④베틀도구어, 가마어 '鉏一'는 베틀의 도구. 또, 가마솥의 일종. '一, 鉏一, 機具也. 一曰, 釜屬'《集韻》.
字源 形聲. 金＋御〔音〕

金11〔⿰金复〕19 〔복〕 鍑(金부 9획〈1570〉)의 本字

金11〔鏥〕19 〔수〕 銹(金부 7획〈1563〉)와 同字

金11〔⿰金戜〕19 〔철〕 鐵(金부 13획〈1584〉)과 同字

金11〔鏊〕19 오 (去)號 (去)嘯 | ào ゴウ やきなべ

字解 번철오 지짐질하는 데 쓰는 쇠그릇.
字源 形聲. 金＋敖〔音〕

金11〔⿰金敖〕19 鏊(前條)와 同字

金11 〔鏖〕 19 오 [平]豪 | áo オウ みなごろし

[字解] ①오살할오 모조리 죽임. '秦以山西, 一六國'《李覯》. ②시끄러울오 '市聲一午枕'《黃庭堅》. ③냄비오, 구리그릇오 '一, 溫器也, 亦銅盆也'《龍龕手鑑》.

[字源] 形聲. 金＋麀〈省〉〔音〕

金11 〔鏨〕 19 [一] 참 [平]覃 [上]感 | zàn サン·ザン える, ほる
[二] 잠 [去]勘 | zàn セン える, ほる

[字解] [一] ①새길참 '石鏨曰一'《通俗文》. ②끌참 '一, 小鑿也'《說文》. [二] 새길잠, 끌잠 [一]과 뜻이 같음.

[字源] 形聲. 金＋斬〔音〕

金11 〔鏩〕 19 鏨(前條)과 同字

金11 〔鏊〕 19 〔무〕 鍪(金부 9획〈1573〉)와 同字

金11 〔鏆〕 19 관 [去]翰 | guàn カン うでわ

[筆順] 钅 金 金ㅏ 金口 金罒 金毌 鏆 鏆

[字解] ①팔찌관 '一, 鐶手謂之一'《集韻》. ②뚫을관 꿰뚫음. '一, 穿也'《玉篇》.

金11 〔鏂〕 19 구 [平]尤 | kōu コウ けずる

[字解] 깎을구 깎아 냄. 鏂(金부 11획〈1579〉)와 同子. '剾, 剜也, 或作鏂·斸·一·𠜾'《集韻》.

金11 〔鏄〕 19 단 [平]寒 | tuán タン てつのかたまり

[字解] 쇳덩어리단 '一, 塊鐵'《集韻》.

金11 〔鏍〕 19 〔라〕 鑹(金부 19획〈1591〉)와 同字

金11 〔鏧〕 19 롱 [平]冬 | lóng ロウ つづみのおと

[字解] 북소리롱 '鼕, 鼓聲, 或作一'《集韻》.

金11 〔鏀〕 19 료 [上]麌 | lǔ ロ かま

[字解] ①솥료 '一, 釜也'《玉篇》. ②칼자루료 '一, 一以木爲刀柄'《廣韻》. ③鏴(金부 13획〈1584〉)와 同字.

金11 〔鏤〕 19 루 [去]宥 | lòu ロウ てつのさび

[字解] 쇠의녹루 산화철(酸化鐵). '一, 鏉一, 鐵生衣'《集韻》.

金11 〔鏫〕 19 〔려〕 鑗(金부 15획〈1588〉)와 同字

金11 〔鏒〕 19 [一] 삼 [上]感 | sǎn サン かね
[二] 초 [平]蕭 | qiāo ショウ ぬう
[三] 참 [去]勘 | càn サン すき

[字解] [一] ①쇠삼 금속(金屬). '一, 玉篇, 金一'《字彙》. ②철기(鐵器)의모양삼 '一, 鐵器貌'《五音集韻》. [二] 꿰맬초 바늘로 옷을 기움. '一, 以箴紩衣, 通作繰'《集韻》. [三] 호미참 '一, 鋤也'《集韻》.

金11 〔鏛〕 19 상 [平]陽 | cháng ショウ みがく

[字解] ①갈상 연마(鍊磨)함. ②바퀴테상 수레바퀴의 둘레에 메운 테. 鋿(金부 8획〈1569〉)과 同字. '鋿, 磨也, 一曰, 車輪繞鐵, 或从常'《集韻》.

金11 〔鏅〕 19 수 [平]尤 | xiū シュウ あらがね
[去]宥 | xiù シュウ きたえる

[字解] ①쇳덩이수 조광(粗鑛). '一鉏, 鋌也'《廣雅》. ②쇠불릴수 단련(鍛鍊)함. '一, 鍛也'《集韻》.

金11 〔鏱〕 19 순 [平]文 | chún シュン ひくい

[字解] 낮을순 '一, 低也'《廣雅》.

金11 〔鏕〕 19 [一] 록 [入]屋 | lù ロク かまのな
[二] 오 [平]豪 | áo オウ なべ

[筆順] 钅 釒广 鏕 鏕 鏕 鏕 鏕 鏕

[字解] [一] ①솥이름록 '一, 釜名'《集韻》. ②현(縣)이름록 '一, 一曰, 鉅一, 縣名'《集韻》. [二] 냄비오 鏖(金부 11획〈1580〉)와 同字. '一, 同鏖'《龍龕手鑑》.

金11 〔鋺〕 19 원 [平]元 | yuān エン すきのあたまのまがったてつ

[字解] 호미목의구부러진쇠원 鋺(金부 8획〈1565〉)과 同子. '一, 鉏頭曲鐵, 或从宛'《集韻》.

金11 〔鏪〕 19 조 [平]豪 | cáo ソウ うがつ

[字解] 뚫을조 '一, 穿也'《集韻》.

金11 〔鏊〕 19 〔지〕 鑿(金부 12획〈1583〉)와 同字

金11 〔鏊〕 19 〔지〕 鑿(金부 12획〈1583〉)의 訛字

金11 〔鐊〕 19 〔탕〕 鐋(金부 12획〈1582〉)의 訛字

金 11〔⿰金烹〕19 팽 [平]庚 | pēng ホウ ねる

[字解] 쇠불릴팽 '一, 鍊金也'《集韻》.

金 11〔鏎〕19 필 [入]質 | bì ヒツ ふだ

[字解] 간찰(簡札)필 畢(田부 6획〈798〉)·篳(竹부 11획〈951〉)과 통용. '一, 簡也, 通作畢·篳'《集韻》.

金 11〔鏬〕19 〔하〕 罅(缶부 11획〈1024〉)의 訛字

金 11〔⿰金患〕19 〔환〕 鐶(金부 13획〈1584〉)의 俗字

金 12〔鏷〕20 박(복[本]) [入]沃 | pú ホク·ボク あらがね

[字解] 무쇠박 정련(精鍊)하지 아니한 쇠. '一越鍛成'《張協》. ※本音 복.

[字源] 形聲. 金+菐〔音〕

金 12〔鏸〕20 혜 [去]霽 | huì ケイ みつかどのほこ

[字解] 세모창혜 세모진 창. '一, 鋭也, 一曰, 矛三隅, 謂之一'《集韻》.

[字源] 形聲. 金+惠〔音〕

金 12〔鏺〕20 발 [入]曷 | pō ハツ かま

[字解] ①낫발 쌍날로 된 낫. ②벨발 낫으로 풀을 깎음. '一, 刈也'《字彙》.

[字源] 形聲. 金+發〔音〕

金 12〔鐃〕20 뇨 ①-③[平]肴 | náo ドウ·ニョウ どら ④[去]效 | nào ドウ·ニョウ たわめる

[字解] ①징뇨 악기의 한 가지. 군중(軍中)에서 쓰는 작은 징. '以金一止鼓'《周禮》. ②동발뇨 자바라 종류의 악기. '一鈸'. '一聲爲陰'《禮記 註》. ③시끄러울뇨 譊(言부 12획〈1354〉)와 통용. '今年尙可, 後年一'《後漢書》. ④휠뇨 撓(手부 12획〈466〉)와 통용. '萬物無足以一心者'《莊子》.

[字源] 形聲. 金+堯〔音〕

金 12〔鐄〕20 [人名] 횡 [平]庚 | huáng コウ おおがね

[筆順] 釒 釒一 釒艹 釒廿 鉷 鐄 鐄 鐄

[字解] ①큰종횡 '一, 大鐘也'《集韻》. ②큰소리횡 '錚一譬嗃'《馬融》.

[字源] 形聲. 金+黃〔音〕

金 12〔鐇〕20 번 [平]元 | fán ハン·ボン ちょうな

[字解] ①도끼번 날이 넓은 도끼. ②벨번, 깎을번 벌채함. '一钁株林'《後漢書》.

[字源] 形聲. 金+番〔音〕

金 12〔鐍〕20 [一] 결 [入]屑 | jué ケツ かけがね [二] 휼(결[本]) [入]屑 | jué ケツ じょう

[字解] [一] 고리결 잠그게 된 고리. '施玉鐶一'《後漢書》. [二] 자물쇠휼 여닫는 물건을 잠그는 쇠. '固扃一'《莊子》. 전(轉)하여, 추요(樞要)의 뜻으로 쓰임. '扣二儀之一鑰'《李嶠》. ※本音 결.

[字源] 形聲. 金+矞〔音〕

金 12〔鐎〕20 초 [平]蕭 | jiāo ショウ なべ

[筆順] 𠂉 金 釒 釒亻 鉎 鉎 錐 鐎

[字解] 조두(刁斗)초 '一斗'는 군대에서 쓰는 냄비 비슷한 그릇. 발이 셋이고 자루가 달림. 낮에는 음식을 데우고, 밤에는 두드려 야경(夜警)을 함. '銅一'. '以煮之一中, 停于祭前'《周禮 註》.

[字源] 形聲. 金+焦〔音〕

金 12〔鐏〕20 준 [去]願 | zūn ソン いしづき

[字解] 창물미준 창(槍)의 자루 끝을 싼, 쇠붙이로 만든 원추형(圓錐形)의 물건. '進戈者前其一'《禮記》.

[字源] 形聲. 金+尊〔音〕

金 12〔鐐〕20 료 [平]蕭 | liáo リョウ しろがね

[字解] 은료 질이 좋은 미은(美銀). '一質輪菌'《何晏》.

[字源] 形聲. 金+尞(尞)〔音〕

金 12〔鐓〕20 [一] 대 [去]隊 | duì タイ いしづき [二] 돈 [平]元 | dūn トン いしづき

[字解] [一] 창고달대 창(槍)의 자루 끝을 싼, 쇠붙이로 만든 납작한 물건. 원추형의 것은 '鐏'이라 함. '進矛戟者前其一'《禮記》. [二] 창고달돈 [一]과 뜻이 같음.

[字源] 形聲. 金+敦(𢿱)〔音〕

金 12〔鐔〕20 [一] 심 [平]侵 | xín シン つば [二] 담 [平]覃 | tán タン つば

[字解] [一] ①날밑심 칼날과 자루와의 사이에 끼우는 테. '周宋爲一'《莊子》. ②칼코등이심 칼자루의 하단(下端). 검수(劍首). 검비(劍鼻). ③칼심 작은 검(劍). '鑄作刀劍鉤一'《漢書》. [二] 날밑담, 칼코등이담, 칼담 [一]과 뜻이 같음.

[字源] 形聲. 金+覃〔音〕

金12〔鐖〕 20 기 [平]微 | qí キ かま

[字解] 낫기 큰 낫. '非直適戍之衆, 一鑿棘矜也'《史記》.
[字源] 形聲. 金+幾〔音〕

金12〔鐘〕 20 [中·人] 종 [平]冬 | zhōng ショウ かね

[筆順] 金 金亠 金立 金音 金音 鐘 鐘 鐘

[字解] ①종종, 쇠북종 쇠로 만든 악기. '一鼓樂之'《詩經》. ②성종 성(姓)의 하나.
[字源] 形聲. 金+童〔音〕

金12〔鐙〕 20 등 [去]徑 ①dèng トウ あぶみ; [平]蒸 ②-④dēng トウ たかつき

[字解] ①등자등 말을 탈 때 디디고 올라가는 제구. '和裙穿玉一'《韓偓》. ②제기등 금속제의 제기(祭器). 익힌 음식(飮食)을 올리는 데 쓰임. 와두(瓦豆). '一, 豆也'《集韻》. ③등잔등 제구. 모양이 두(豆) 비슷함. 전(轉)하여, ④등불등 등화. '華一錯些'《楚辭》.
[字源] 形聲. 金+登〔音〕

金12〔鐕〕 20 잠 [平]覃 | zān サン くぎ

[字解] ①못잠 대가리가 없는 못. '用雜金一'《禮記》. ②꿰맬잠 옷을 지음. '一, 一曰, 綴衣也'《集韻》. 撍(手부 12획〈466〉)과 통용.
[字源] 形聲. 金+朁〔音〕

金12〔鏵〕 20 화 [平]麻 | huá カ すき

[字解] 가래화 농구의 하나. '一, 一鍫也'《玉篇》.

金12〔鏾〕 20 [一] 산 [去]翰 sǎn サン いしゆみ; [二] 선 [去]霰 xiàn セン きょせい したおんどり

[字解] [一] 쇠뇌산 '一, 弩也'《集韻》. [二] 불깐수탉선 거세한 수탉.

金12〔鐥〕 20 [韓] 선

[字解] 《韓》복자선 기름을 되는 작은 그릇. 귀때가 달려 있음. 또는 술을 담는 그릇. 또는 대야. 또는 술잔의 한 가지.

金12〔鐧〕 20 간 [去]諫 | jiàn, ②jiǎn カン しゃじくのまきがね

[字解] ①수레굴대쇠간 수레의 굴대의 바퀴통에 들어가는 부분을 싼 쇠. '一, 車軸鐵也'《說文》. ②창간 날이 없는 모가 넷 있는 창.
[字源] 形聲. 金+閒〔音〕

金12〔鐋〕 20 탕 [去]漾 | tàng, ②tāng トウ かんな

[字解] ①대패탕 도끼로 깎은 뒤에 다듬는 연장. '一, 平木器'《字彙》. ②소라탕 청(淸)나라 때에, 요가(鐃歌)의 음악에 쓰이던, 구리로 만든 소라(小鑼). '一鑼'.
[字源] 形聲. 金+湯〔音〕

金12〔鏶〕 20 [人名] 집 [入]緝 | jí シュウ いたがね

[筆順] 金 金亻 金仁 金隹 金隹 鏶 鏶 鏶

[字解] 쇳조각집 쇠를 두드려 편 판금(板金). '一, 謂之鍱'《博雅》.
[字源] 形聲. 金+集〔音〕

金12〔鏾〕 20 람 [平]覃 | lán ラン くつばみ

[字解] 말재갈람 '一驂'은 재갈. '一驂, 馬口中鐵'《字彙》.

金12〔鐫〕 20 타 [上]哿 | duǒ タ おおすき

[字解] ①보습타 '鈐一'는 큰 보습. '一, 鈐一也'《說文》. ②바퀴통끝휘갑쇠타 '鍊一'는 바퀴통 끝에 물리는 휘갑쇠. '輨軑鍊一, 關之東西曰輨, 南楚曰軑, 趙魏之間曰鍊一'《揚子方言》.
[字源] 形聲. 金+隋〔音〕

金12〔鐸〕 20 고 [平]虞 | gū コ やのな

[字解] 화살고 '鏷一'는 화살 이름. '鏷一, 矢名'《集韻》.

金12〔鐑〕 20 결 [入]屑 | qiè ケツ かま

[字解] 낫결 '一, 博雅, 鎌也, 或从結'《集韻》.

金12〔鐉〕 20 [一] 전 [平]先 quān セン [一][二] とぼそをはめこむためのはんきゅうけいのかなぐ; [二] 천 [平]先 テン

[字解] [一] 문동개쇠전 문장부를 끼우는 반구형(半球形)의 쇠. '一, 所目鉤門戶樞也'《說文》. [二] 문동개쇠천 [一]과 뜻이 같음.
[字源] 形聲. 金+巽〔音〕

金12〔鐊〕 20 양 [平]陽 | yáng ヨウ おもがい

[字解] ①말머리장식양 말의 머리에서 볼에

걸치는 장식. '一, 馬頭飾也'《說文》. ②바퀴테양 바퀴의 바깥 둘레에 끼우는 큰 쇠테. '一, 一曰, 鏷車輪鐵也'《說文》.
[字源] 形聲. 金+陽〔音〕

金 12 〔鐝〕20 [現] 궐 | jué ケツ すき, くわ
[字解] 《現》괭이궐, 가래궐 땅을 파는 연장.

金 12 〔鑄〕20 金부 13획(1584)을 보라.

金 12 〔鐈〕20 교 [平]蕭 [上]篠 [去]嘯 | qiáo キョウ なべ
[字解] ①냄비교 솥 비슷하고 발이 긴 냄비. '一, 佀鼎而長足'《說文》. ②가마교 가마솥. '一, 釜也'《廣雅》.
[字源] 形聲. 金+喬〔音〕

金 12 〔鐳〕20 鎦(金부 10획〈1576〉)의 本字
[字源] 形聲. 金+畱〔音〕

金 12 〔鑅〕20 〔추〕 錘(金부 8획〈1566〉)의 本字

金 12 〔鐟〕20 〔착〕 錯(金부 8획〈1567〉)의 古字

金 12 〔鐀〕20 〔궤〕 匱(匸부 12획〈123〉)와 同字

金 12 〔鐚〕20 〔아〕 錏(金부 8획〈1566〉)와 同字

金 12 〔鐾〕20 〔강〕 鏹(金부 11획〈1579〉)의 俗字

〔鏽〕 〔수〕 金부 13획(1585)을 보라.

金 12 〔鐆〕20 수 [平]眞 | suì スイ ひとりかがみ
[筆順] 阝 阝丷 阝䒑 阝豸 隊 隊 隊 鐆
[字解] 화경수 햇빛에 비추어 불을 일으키는 렌즈. '一, 陽一. 可取火於日中'《廣韻》.
[字源] 形聲. 金+隊〔音〕
[參考] 鐩(金부 12획〈1583〉)·鐩(金부 13획〈1584〉)와 同字.

金 12 〔鐩〕20 鐆(前條)와 同字

金 12 〔鐅〕20 별 [入]屑 | piě ヘツ すきのは
[字解] ①보습날별 '一, 江南呼鐅刃'《廣韻》. ②소금가마별 소금 굽는 가마솥.
[字源] 形聲. 金+敝〔音〕

金 12 〔鐅〕20 鐅(前條)과 同字

金 12 〔鐝〕20 궐 [入]月 | jué ケツ みがく
[字解] 갈궐 '一, 磨也'《集韻》
[字源] 形聲. 金+厥〔音〕

金 12 〔鐵〕20
[一] 지 [去]寘 | zhì シ むち
[二] 설 [入]屑 | xié セツ むち
[三] 폐 [去]霽 | ヘイ むち
[四] 집 [入]緝 | シュウ むち
[五] 첩 [入]葉 | チョウ むち
[字解] [一] ①채찍지 끝에 쇠를 달아 양(羊)을 때리는 데 쓰는 채찍. '一, 羊箠也. 耑有鐵'《說文》. ②호미지 농구(農具)의 하나. '一, 所以理苗殺草'《廣韻》. ③몽치지몽둥이. '一, 椎也'《廣雅》. [二] 채찍설, 호미설, 몽치설 [一]과 뜻이 같음. [三] 채찍폐, 호미폐, 몽치폐 [一]과 뜻이 같음. [四] 채찍집, 호미집, 몽치집 [一]과 뜻이 같음. [五] 채찍첩, 호미첩, 몽치첩 [一]과 뜻이 같음.
[字源] 形聲. 金+埶〔音〕

金 12 〔鐱〕20 관 [去]翰 | kuǎn カン てつをやいてあぶる
[字解] ①쇠를달구어지질관 '一, 燒鐵炙也'《廣韻》. ②낙인(烙印)관 쇠를 달구어 간찰(簡札)의 차례를 표시함. '一, 埤蒼曰, 燒鐵炙也, 一曰, 灼鐵以識簡次'《集韻》. ③봉인(封印)할관 '一, 一縫'《廣韻》. '今于紙縫上署記, 謂之一刻'《字林》.

金 12 〔鏴〕20 로 [去]遇 | lù ロ こがねでかざったくるま
[字解] 금으로장식한수레로 '一, 金路'《字彙》.

金 12 〔鐒〕20 〔로〕 鉾(金부 7획〈1564〉)와 同字

金 12 〔鏻〕20 린 [平]眞 | lín リン すこやかなさま
[字解] 굳셀린 건강한 모양. '一, 健皃'《廣韻》.

金 12 〔鐁〕20 사 [平]支 | sī シ かんな
[字解] 대패사 나무를 평평하게 밀어 다듬는 연장. '一, 平木器'《集韻》.

金 12 〔鐌〕 20 상 ㊤養 | xiǎng ショウ とって

字解 ①손잡이상 기물(器物)의 손잡이. '一, 一鼻, 器鈕'《集韻》. ②비단이름상 '一, 一曰, 錦名'《集韻》.

金 12 〔鏉〕 20 속 ㊣沃 | sù ソク こがね

字解 금속 황금(黃金). '一, 金也'《集韻》.

金 12 〔鐍〕 20 수 ㊥虞 | xū シュ かぎ

字解 열쇠수 '鑐, 或作一'《集韻》.

金 12 〔鐗〕 20 연 ㊦霰 | ruǎn ゼン しろがね

字解 은(銀)연 '一, 銀也'《五音集韻》.

金 12 〔鐛〕 20 〔영〕 饙(食부 12획〈1728〉)의 訛字

金 12 〔鐬〕 20 〔월〕 鉞(金부 5획〈1555〉)의 俗字

金 12 〔鏟〕 20 잔 ㊥刪 | chǎn サン ちいさいのみ

字解 작은끌잔 소형(小型)의 끌. '一, 趙魏謂小鑿爲一'《集韻》.

金 12 〔鐦〕 20 ㊥ 한

字解 《韓》환한 물건을 쓸어서 깎는 데 쓰는 연장. 조붓한 쇳조각에 줄처럼 잔이가 솟게 새기거나, 또는 나뭇조각에 상어 껍질을 붙여서 만듦. '內弓房弓箭匠料(一匠二名, 各一朔八日, 每日米二升)'《六典條例》. '大一一介'《度支準折》.

金 12 〔鐙〕 20 ㊀ 錚(金부 8획〈1566〉)과 同字 ㊁ 琤(玉부 8획〈774〉)과 同字

金 12 〔鏿〕 20 쟁 ㊥庚 | chēng ソウ かねのおと

字解 종소리쟁 '鎗, 說文, 鐘聲也, 或作一'《集韻》.

金 12 〔鎮〕 20 〔전〕 鈿(金부 5획〈1554〉)과 同字

金 12 〔鏼〕 20 책 ㊣陌 | sè サク やり

字解 쇠창책 '一, 鐵槍'《玉篇》.

金 13 〔鐩〕 21 수 ㊦寘 | suì スイ ひとりかがみ

字解 화경수 햇볕에 비추어서 불을 일으키는 렌즈. '一, 陽一也'《說文》.

金 13 〔鐫〕 21 전 ㊥先 | juān セン える, しりぞける

字解 ①새길전 조각함. '一琢'. '彫一'. '可一廣之'《漢書》. ②물리칠전 관위(官位)를 강등함. 좌천함. '一級'. '有犯則一黜'《宋史》.

字源 形聲. 金+雋〔音〕

金 13 〔鏖〕 21 오 ㊥豪 | āo オウ かま

字解 솥오 음식을 끓이는 그릇. '一, 釜也'《廣雅》.

字源 形聲. 金+麀〔音〕

金 13 〔鑪〕 21 로 ㊤虞 | lǔ ロ にかわなべ

字解 부레끓이는그릇로 아교를 끓이는 그릇. '一, 煎膠器也'《說文》.

字源 形聲. 金+虜〔音〕

金 13 〔鐲〕 21 탁 ㊣覺 | zhuó タク·ダク ふりがね

字解 징탁 군중(軍中)에서 북 소리를 조절하기 위하여 치는 징. '以金一節鼓'《周禮》.

字源 形聲. 金+蜀〔音〕

金 13 〔鐳〕 21 뢰 ㊥灰 | léi ライ つぼ

字解 병뢰 중턱이 불룩한 병. '賓壺一瓶甒以偵之'《潘岳》.

字源 形聲. 金+雷〔音〕

金 13 〔鐵〕 21 中·人 철 ㊣屑 | tiě テツ くろがね

筆順 金 釒 鈼 鐡 ... 鐵 鐵

字解 ①쇠철 금속의 한 가지. '一石'. '鹽一'. '厥貢璆一銀鏤砮磬'《書經》. 또, 쇠는 단단한 것이므로, 견고 또는 부동의 뜻의 관형사로 쓰임. '一心石腸'. '其一腸與石心'《皮日休》. ②철물철 쇠로 만든 기물. 특히, 무기. '寸一'. '人無尺一'《李陵》. ③흑색철 쇠 같은 검은빛. '天子駕一驪'《禮記》. ④성철 성(姓)의 하나.

字源 形聲. 金+戜〔音〕

參考 鉄(金부 5획〈1556〉)은 딴 글자인데, 古文의 '銕철'이 잘못되어 속(俗)에 略字로 쓰임.

金 13 〔鐶〕 21 人名 환 ㊥刪 | huán カン わ

筆順 金 釒 鈿 鐶 ... 鐶 鐶

字解 고리환 기름한 물건을 둥글게 휘어서 맞붙여 만든 물건. '金一'. '指一'. '錘以玉一'《太玄經》.
字源 形聲. 金+睘〔音〕

金13〔鐸〕21 人名 탁 (入)藥 | duó タク おおすず

筆順 釒 … 鐸

字解 ①방울탁 옛날에, 교령(敎令)을 선고할 때 흔들어 울리던 큰 방울. 목탁(木鐸)·금탁(金鐸)의 두 종류가 있는데, 목탁은 나무 추(錘)가 달린 것으로서 문사(文事)에 쓰며, 금탁은 쇠 추(錘)가 달린 것으로서 무사(武事)에 씀. '一鈴'. '以木一徇于路'《書經》. ②성탁 성(姓)의 하나.
字源 形聲. 金+睪〔音〕

金13〔鏽〕21 수 (去)宥 | xiù シュウ さび

字解 녹수 쇠붙이의 산화 작용으로 변한 빛. '鏡一卽鏡上綠也'《本草》.
字源 形聲. 金+肅〔音〕

金13〔鐺〕21 人名 ㊀당 (平)陽 | dāng トウ しょうこのおと ㊁쟁 (平)庚 | chēng ソウ かま

筆順 釒 … 鐺

字解 ㊀①종고소리당 鏜(金부 11획〈1578〉)과 통용. '鏗鎗一鼛'《史記》. ②쇠사슬당 鋃(金부 7획〈1561〉)을 보라. '鋃一'. ㊁솥쟁 세 발 달린 솥. '母好食一底焦飯'《世說》.
字源 形聲. 金+當〔音〕

金13〔鐻〕21 거 ①(上)語 | jù キョ かねかけだいのたてばしら ②(去)御 | キョ がっきのな ③(平)魚 | qú キョ みみわ

字解 ①악기틀거 簴(竹부 14획〈960〉)와 同字. '銷以爲鐘一'《史記》. ②악기이름거 악기의 한 가지. 나무를 깎아 만듦. '削木爲一'《莊子》. ③귀고리거 귀에 거는 고리의 한 가지. '一耳之傑'《左思》.
字源 形聲. 金+豦〔音〕

金13〔⿰金剽〕21 표 (平)蕭 | biāo ヒョウ きっさき

字解 칼끝표 鏢(金부 11획〈1578〉)와 同字. '皆以白珠鮫爲一口之飾. (注)通俗文曰, 刀鋒曰一'《後漢書》.
字源 形聲. 金+剽〔音〕

金13〔鐼〕21 ㊀훈 (去)問 | fén フン くろがね ㊁분 (平)元 | bēn ホン ちょうな

字解 ㊀쇠훈 '一, 鐵屬'《說文》. ㊁자귀분, 대패분 '一, 平木器'《集韻》.
字源 形聲. 金+賁〔音〕

金13〔⿰金亶〕21 ㊀전 (上)銑 | zhǎn セン うつ ㊁선 (去)霰 | セン うつ

字解 ㊀①칠전 공격함. '一, 伐擊也'《說文》. ②가를전 '一, 割也'《篇海》. ③채찍질할전 '一, 齊謂相箠曰一'《集韻》. ㊁칠선, 가를선, 채찍질할선 ㊀과 뜻이 같음.
字源 形聲. 金+亶〔音〕

金13〔鐯〕21 ㊀작 (入)藥 | zhuó シャク すき ㊁착 (入)藥 | チャク すき

字解 ㊀가래작 큰 가래. '斫謂之一. (注)钁也. (疏)說文云, 钁, 大鉏也'《爾雅》. ㊁가래착 ㊀과 뜻이 같음.

金13〔鐐〕21 〔료〕
鐐(金부 12획〈1581〉)의 本字

金13〔鐮〕21 〔겸〕
鎌(金부 10획〈1574〉)과 同字

金13〔⿰金葛〕21 〔랍〕
鑞(金부 15획〈1588〉)과 同字

金13〔⿰金⿱昌方〕21 〔만〕
鏝(金부 11획〈1578〉)의 俗字

金13〔⿰金⿱𠀐夂〕21 〔맘〕
鋑(金부 7획〈1563〉)의 俗字

金13〔⿳亡口⿲月金凡〕21 〔라〕
鑹(金부 19획〈1591〉)와 同字

金13〔⿰金⿱龹建〕21 〔건〕
鍵(金부 9획〈1571〉)의 俗字

金13〔鐹〕21 과 (去)箇 | guǒ カ かま (平)歌 | guō カ かりも

字解 ①낫과 풀 베는 연장. '一, 鎌也'《廣韻》. ②바퀴통쇠과 '一, 釭也'《廣雅》.

金13〔鐬〕21 괵 (入)陌 | guó カク てつのうつわ

筆順 釒 … 鐬

字解 쇠그릇괵 '一, 鐵器'《集韻》.

金13〔⿰金敫〕21 교 (上)篠 | jiǎo キョウ とって

字解 손잡이교 기물(器物)의 손잡이. '一, 一耳'《字彙》.

金13〔⿰金登〕21 〔등〕
鐙(金부 12획〈1582〉)의 俗字

金13〔鏾〕21 미 [平]微|wéi ビ かぎ・かけがね
[字解] 갈고리미 쇠갈고랑이. '一, 鉤也'《集韻》.

金13〔鑤〕21 박 [入]覺|báo ハク きねのくび
[字解] 공이목박 방앗공이의 목에 해당하는 부분. '一, 杵頸謂之一, 或省'《集韻》.

金13〔鐴〕21 ㊀ 벽 [入]陌|bì ヘキ からすきのみみ ㊁ 폐 [去]霽|bèi ヘイ みがく
[字解] ㊀ 보습귀벽 보습날의 양쪽 어깨 부분. '一, 犁耳也'《集韻》. ㊁ 칼갈폐 칼을 갈아 잘 들게 함. '一, 治刀使利'《康熙字典》.

金13〔鱦〕21 〔승〕
繩(糸부 13획〈1015〉)과 同字

金13〔鐭〕21 오 [入]屋|yù オウ なべ・かま
[字解] 냄비오, 솥오 '一, 溫器, 或作鏖'《集韻》.

金13〔鑿〕21 〔착〕
鑿(金부 20획〈1591〉)의 俗字

金13〔鐱〕21 ㊀ 첨 [平]鹽|qiān セン すき ㊁ 검 [去]豔|jiàn ケン かね
[字解] ㊀ 삽첨 가래. '一, 臿也'《集韻》. ㊁ ①쇠검 '一, 金也'《玉篇》. ②칼〔劍〕검 '三軍之士握一者'《馬王堆漢墓帛書》.

金13〔鐰〕21 ㊀ 초 [平]蕭|qiāo ショウ すき ㊁ 소 [去]號|sào ソウ きんてつがかたい ㊂ 조 [平]豪|cáo ゾウ てつがかたくておれる
[字解] ㊀ 가래초 삽. '斛, 爾雅, 斛謂之疀, 或作一'《集韻》. ㊁ ①쇠단단할소 '一, 金鐵大剛曰一'《集韻》. ②마를소 건조함. '一, 乾也'《廣雅》. ㊂ 쇠가단단하여부러질조 '一, 剛, 折謂之一'《集韻》.

金13〔鑶〕21 침 [去]沁|zhēn シン ぬう・さす
[字解] ①바느질할침 針(金부 2획〈1549〉)과 同字. '針, 縫也, 刺也, 或从葴'《集韻》. ②鍼(金부 9획〈1572〉)의 俗字. '一, 俗鍼字'《正字通》.

金13〔鐷〕21 첩 [入]葉|xié チョウ あらがね
[字解] ①쇳덩이첩 쇠의 조광(粗鑛). '一, 博雅, 鋌也'《集韻》. ②쇠고리첩 '一, 鐶也'《廣雅》.

金13〔鐷〕21 ㊀ 鐷(前條)과 同字 ㊁ 鍱(金부 9획〈1571〉)과 同字

金13〔鐬〕21 회 [去]泰|huì カイ すずのおと
[字解] ①방울소리회 '一, 鈴聲'《玉篇》. ②성(盛)할회 '一一, 盛也'《廣雅》.

金14〔鑂〕22 [人名] 훈 [去]問|xùn クン くすむ
[筆順] 金 釒 釒 鍎 鍎 鍎 鍾 鑂
[字解] 금빛투색할훈 '一, 金色渝也'《集韻》.
[字源] 形聲. 金＋熏〔音〕

金14〔鑄〕22 [高·人] 주 [去]遇 [去]宥|zhù チュウ いる
[筆順] 金 鈼 鋳 鑄 鑄 鑄 鑄 鑄
[字解] ①부어만들주 금속을 녹여 거푸집에 넣어서 기물을 만듦. '一錢'. '一鼎象物'《左傳》. 전(轉)하여, 인재를 양성하는 뜻으로 쓰임. '孔子一顏回矣'《揚子法言》. ②성주 성(姓)의 하나.
[字源] 金文은 會意로, 鬲＋火＋皿. 불을 가해 금속을 녹여 거푸집에 부어서 기물을 만드는 모양을 나타내어, 부어 만들다의 뜻을 나타냄. 篆文은 金＋壽〔音〕의 形聲. '壽수'는 잇대다의 뜻. 금속을 녹여서 뜻하는 모양으로 잇대다, 부어 만들다의 뜻.
[參考] 鋳(金부 7획〈1563〉)는 略字.

金14〔鑄〕22 鑄(前條)의 本字

金14〔鑊〕22 확 [入]藥|huò カク かま
[字解] 가마솥확 발이 없는 큰 솥. 옛날에, 고기를 삶거나 죄수를 삶아 죽이는 데 썼음. '鼎一'. '一烹之刑'《漢書》.
[字源] 形聲. 甲骨文은 鬲＋隻〔音〕

金14〔鑐〕22 수 [平]虞|xū シュ じょうまえ
[字解] ①자물쇠수 '一, 鎖牡也'《集韻》. ②녹인쇠수 '一, 金鐵鎖而可流者, 通作濡'《集韻》.

金14〔鑌〕22 빈 [平]眞|bīn ヒン はがね
[字解] 강철빈 강하고 좋은 쇠. '三尺一刀耀雪光'《長生殿》.
[字源] 形聲. 金＋賓〔音〕

金 14 〔鑑〕 22 [高·人] 감 [去]陷 | jiàn カン かがみ

[筆順] 金 金 釒 鈩 鉦 鍳 鑑 鑑

[字解] ①거울감 ㉠물체의 형상을 비추어 보는 물건. '王以后之鞶一與之'《左傳》. ㉡본보기. 경계. '殷一不遠'《詩經》. ㉢안식(眼識). '靈一'. '有知人之一'《梁書》. ②볼감 ㉠거울 같은 것에 비추어 봄. '無一于水'《國語》. ㉡살펴봄. 고찰함. '魏不審一'《諸葛亮》. ㉢식별함. '一識'. '一別'. '其奬拔人士, 皆如所一'《後漢書》. ③거울삼을감 본보기로 함. 또는, 경계로 삼음. '以自一戒'《後漢書》. ④성감 성(姓)의 하나.

[字源] 形聲. 金＋監〔音〕

金 14 〔鑒〕 22 [人名] 〔감〕 鑑(前條)과 同字

[筆順] 一 丆 臣 臣 臣 監 鑒 鑒

金 14 〔鐵〕 22 〔철〕 鐵(金부 13획〈1584〉)의 本字

金 14 〔鐡〕 22 〔철〕 鐵(金부 13획〈1584〉)의 古字

金 14 〔轚〕 22 경 [去]徑 [去]敬 | qìng ケイ かたあしであるく

[字解] 앙감질할경 한 발로 걸음. '一而乘於他車以歸'《左傳》.

[字源] 形聲. 金＋輕〔音〕

金 14 〔鑅〕 22 횡 [平]庚 | hōng コウ かねのおと

[字解] 종소리횡 '一, 鐘聲'《集韻》.

金 14 〔鐀〕 22 〔궤〕 匱(匚부 12획〈123〉)와 同字

金 14 〔鑈〕 22 ㊀녑 [入]葉 ㊁녜 [上]薺 | niè ジョウ ただしい nǐ ナイ いとまき

[字解] ㊀ ①바를녑 '一, 說文, 正也'《集韻》. ②족집게녑 '籋, 說文, 箝也. 亦作鑷·一'《集韻》. ㊁ ①실패녜 실을 감아 두는 것. '檷, 絡絲趺, 或作一'《集韻》. ②수레를멈추게하는나무녜 柅(木부 5획〈535〉)와 통함. '一, 柅·鈮通, 易姤初六, 繫于金柅, 子夏傳作一'《正字通》.

金 14 〔鑏〕 22 녕 [平]庚 [上]迥 | níng ドウ くろがね nǐng デイ かたなのつかのはいるところ

[字解] ①쇠녕 '一, 鐵一'《廣韻》. ②칼자루녕 '一, 刀柄'《集韻》. ③슴베녕 칼의 자루 속에 박히는 부분. '一, 吳俗謂刀柄入處爲一'《集韻》.

金 14 〔鑄〕 22 몽 [去]徑 | mèng ボウ わ

[字解] 고리몽 하나의 큰 고리에 두 개의 작은 고리를 꿴 것을 자모환(子母環)이라고 하는데, 이 자(字)는 작은 고리를 뜻함. '鋂·一, 鐶也'《廣雅》. '說文, 鋂, 大環也, 一環貫二者, 一, 與鋂聲相近'《疏證》.

金 14 〔鏷〕 22 〔박〕 鏷(金부 12획〈1581〉)과 同字

金 14 〔鐭〕 22 여 [去]御 | yù ヨ かんざし

[字解] 비녀여 여자의 쪽찐 머리가 풀어지지 않도록 꽂는 제구. '一, 鈿謂之一, 或書作鐢'《集韻》.

金 14 〔鐢〕 22 鐭(前條)와 同字

金 14 〔罂〕 22 영 [平]庚 | yīng エイ しかくなさかつぼ

[字解] 네모난술단지영 '一, 謂之鈁'《廣雅》.

金 14 〔鑃〕 22 〔요〕 銚(金부 6획〈1558〉)와 同字

金 14 〔鑆〕 22 주 [去]寘 | zhuì ツイ とけかかったあかがね

[字解] 녹기시작한구리주 '一, 銅半熟也'《五音集韻》.

金 14 〔鑉〕 22 합 [入]合 | hé トウ やのな

[字解] 화살합 화살의 이름. '一, 一鑪, 箭也'《集韻》.

金 14 〔鑐〕 22 현 [上]銑 | xiǎn ケン けずる

[字解] 깎을현 깎아냄. '剽, 削也, 或从金'《集韻》.

金 14 〔鑓〕 22 [日] 창 | やり

[字解] 《日》 일본에서 만든 문자(文字)로, 鎗(金부 10획〈1574〉)의 俗字. '一, 鎗之俗字'《和漢三才圖會》.

金 15 〔鑕〕 23 질 [入]質 | zhì シツ かなとこ

[字解] ①도끼질 부월(鈇鉞). '執鈇一'《公羊傳》. ②모루질 쇠로 만든 모탕. 質(貝부 8획〈1395〉)과 同字. '斧一'.

[字源] 形聲. 金+質〔音〕

金15 〔⿰金罷〕 23 파 [平]支 | bēi ハ すき

[字解] ①쟁기파 농기구의 한 가지. '一, 枱屬也'《說文》. ②갈파 경작함. '一, 耕也'《廣雅》.

[字源] 形聲. 金+罷〔音〕

金15 〔鑛〕 23 [高·人] 광 [上]梗 | kuàng コウ あらがね

[筆順] 釒 鈩 鏟 鏟 鐄 鐄 鑛 鑛

[字解] 쇳돌광 광석. 礦(石부 15획〈882〉)과 同字. '精鍊藏於一朴'《王褒》.

[字源] 形聲. 金+廣〔音〕

金15 〔鑞〕 23 랍 [入]合 | là ロウ すず

[字解] 땜납랍 납과 주석(朱錫)과의 합금. '白一'이라고도 함. '一, 錫也'《集韻》.

[字源] 形聲. 金+巤〔音〕

金15 〔鑠〕 23 삭 [入]藥 | shuò シャク とかす

[字解] ①녹일삭 쇠를 용해함. '衆口一金'《國語》. 전(轉)하여, 소산(銷散)케 함. 흩뜨림. '非由外一我也'《孟子》. ②녹을삭 용해함. '金一'《史記 註》. 전(轉)하여, 소산함. 흩어짐. '韓氏一'《戰國策》. ③아름다울삭 '一金'. '於一王師'《詩經》. ④정정할삭 늙어서 기력이 좋은 모양. 노익장(老益壯)한 모양. '矍一'.

[字源] 形聲. 金+樂〔音〕

金15 〔鑢〕 23 려 [去]御 | lǜ リョ やすり

[字解] ①줄려 쇠붙이를 갈아 닳게 하는 연장. ②갈려 줄로 갊. '尙可磨一而平'《詩經箋》. ③다스릴려 '躬自一'《太玄經》. ④성려 성(姓)의 하나.

[字源] 形聲. 金+慮〔音〕

金15 〔鑣〕 23 표 [平]蕭 | biāo ヒョウ くつわ

[字解] ①재갈표 말의 입에 물리는 물건. '揚一漂沫'《曹植》. 전(轉)하여, 기마(騎馬)의 뜻으로 쓰임. '連一'. ②성(盛)할표 '朱幩一一'《詩經》. ③푼끌표 鏢(金부 11획〈1578〉)와 同字.

[字源] 形聲. 金+麃〔音〕

金15 〔⿰金閭〕 23 려 [去]御 | lǜ リョ やすり

[字解] 줄려 쇠붙이를 깎거나 쓰는 데 쓰이는 연장. 鋁(金부 7획〈1563〉)·鑢(前前條)와 同字. '秦無廬. (注) 廬, 或曰, 摩一之器'《周禮》.

[字源] 形聲. 金+閭〔音〕

金15 〔鑤〕 23 포 [去]效 | bào ホウ かんな

[筆順] 釒 鉭 鋽 鍱 鍱 鑤 鑤 鑤

[字解] ①대패포, 대패질할포 '今人謂以鐵器刮木爲暴, 其器曰暴子, 俗字作一'《新方言》. ②대팻밥포 '一花'는 대팻밥. '一, 俗謂鉋木之屑曰一花'《中華大字典》.

金15 〔鑗〕 23 ㊀려 [平]齊 | レイ·ライ かね
㊁리 [平]支 | lí リ かね

[字解] ㊀①쇠려 금속(金屬). '一, 金屬也'《說文》. ②벗길려 '一, 一曰, 剝也'《說文》. ㊁쇠리 검은 금속(金屬). '一, 金屬'《廣韻》. '一, 黑金也'《集韻》.

[字源] 形聲. 金+黎〔音〕

金15 〔鑚〕 23 〔찬〕 鑽(金부 19획〈1591〉)의 俗字

金15 〔鑄〕 23 〔주〕 鑄(金부 14획〈1586〉)의 俗字

金15 〔⿰金㬱〕 23 계 [平]齊 [上]薺 | jī ケイ かたい

[字解] 단단할계 굳음. '一, 堅也, 吳揚江淮之間曰一'《方言》.

金15 〔鑟〕 23 독 [入]屋 | dú トク いんばこ

[字解] 인궤(印櫃)독 도장을 넣는 상자. '一, 印之匱'《集韻》.

金15 〔鑘〕 23 뢰 [平]灰 | léi ライ さかだる

[字解] ①술통뢰 櫑(木부 15획〈588〉)·罍(缶부 15획〈1025〉)와 同字. '櫑, 說文, 龜目酒尊, 刻木作雲雷象, 象施不窮也, 或从金'《集韻》. '一, 同罍'《正字通》. ②칼자루머리장식뢰 '一, 劍首飾也'《玉篇》. ③기울뢰 평평하지 않음. '一, 鍡一'《廣韻》.

金15 〔⿱畾金〕 23 鑘(前條)와 同字

金15 〔鑖〕 23 맹 [平]庚 | méng ボウ とかす

[字解] ①녹일맹 쇠를 녹임. 錳(金부 9획〈1573〉)과 同字. '一, 銷也, 或省'《集韻》. ②비모(飛矛)맹 던져서 적을 치는 창. '一, 卽今之飛矛也'《正字通》.

金 15 〔鑖〕 23 [一]멸 [入]屑 | miè ベツ あらがね
[二]미 [去]霽 | mì ベイ ちいさいかま

[字解] [一] 쇳덩이멸 조광(粗鑛). '一, 鋌也'《廣雅》. [二] 작은솥미 '一, 小釜'《集韻》.

金 15 〔鑝〕 23 봉 [平]東 | péng ホウ かぶとをかぶる

[字解] 투구쓸봉 '一, 首著兜鉾也, 莊子, 一頭'《集韻》.

金 15 〔鎐〕 23 사 [上]馬 | xiě シャ いがた

[字解] ①거푸집사 주형(鑄型). '一, 範金也'《集韻》. ②寫(宀부 12획〈285〉)의 俗字. '一, 俗寫字'《正字通》.

金 15 〔鐼〕 23 〔향〕
鉤(金부 6획〈1561〉)과 同字

金 15 〔鐯〕 23 〔저〕
櫡(木부 15획〈589〉)와 同字

金 15 〔鏑〕 23 적 [入]錫 | dí テキ くさり

[字解] ①쇠사슬적 '一, 龍鎖'《字彙》. ②鏑(金부 11획〈1578〉)의 俗字. '一, 俗鏑字'《正字通》.

金 15 〔鑳〕 23 전 [平]先 | chán テン うでわ

[字解] 팔찌전 팔에 끼는 장신구. '一, 一釧'《字彙》.

金 15 〔鑡〕 23 착 [入]覺 | chuò サク おおばん

[字解] ①큰금화(金貨)·은화(銀貨)착 타원형임. '一, 鉼一也'《玉篇》. ②사람이름착 '一, 闕, 人名, 王莽時, 有廉斯一'《集韻》.

金 15 〔鐲〕 23 착 [入]覺 | chu サク くろがね

[字解] 쇠착 '鏴, 鐵一, 見釋典'《字彙》.

金 16 〔鑫〕 24 [一]흠 [平]侵 | xīn キン かねがふえる
[二]훈 | クン はち, わん

[字解] [一] ①돈불을흠 돈이 많이 들어옴. '一, 金長'《篇海》. ②인명 또는 옥호(屋號)로 쓰이는 글자. '宋子虛名友五子, 以一·森·淼·焱·垚立名'《正字通》. [二] 주발훈, 공기훈 '一, 盂器'《篇海》.

金 16 〔鑪〕 24 로 [平]虞 | lú ロ·ル ろ, ひばち

[字解] ①화로로 爐(火부 16획〈730〉)와 同字. '郝莊公廢于一炭'《左傳》. ②향로로 爐(火부 16획〈730〉)와 同字. '金一颺薰'《陶弘景》. ③목로로 술집에서 술병을 놓고 술을 파는 데. '文君當一'《史記》. ④성로 성(姓)의 하나.
[字源] 形聲. 金＋盧〔音〕

金 16 〔鑉〕 24 력 [入]錫 | lì レキ かなえ

[字解] 솥력 鬲(部首〈1777〉)과 同字. '見兩一蒸而不炊'《吳越春秋》.

金 16 〔鐃〕 24 [一]효 [上]篠 | xiǎo キョウ てつのあや
[二]조 [去]嘯 | チョウ てつのあや

[字解] [一] 쇠문채효 쇠의 문채(文采). '一, 鐵文也. (段注)謂鐵之文理也'《說文》. [二] 쇠문채조 [一]과 뜻이 같음.
[字源] 形聲. 金＋曉〔音〕

金 16 〔鐏〕 24 〔순〕
錞(金부 8획〈1566〉)의 本字

金 16 〔鑬〕 24 〔감〕
鑑(金부 14획〈1587〉)과 同字

金 16 〔鑋〕 24 강 [上]養 | jiàng キョウ なまりのたぐい

[字解] 납붙이강 납〔鉛〕 비슷한 무리. '一, 鉛屬'《集韻》.

金 16 〔鑨〕 24 롱 [平]東 | lóng ロウ うつわ

[字解] 그릇롱 '一, 器也'《集韻》.

金 16 〔鑩〕 24 악 [入]藥 | è ガク かぎ

[字解] 갈고리악 쇠갈고리. '一, 以鐵作鉤物也'《廣韻》.

金 16 〔鑍〕 24 〔어〕
鋼(金부 11획〈1579〉)와 同字

金 16 〔鍘〕 24 찰 [入]黠 | zhá サツ くさをきるかたな

[字解] 풀베는칼찰 '剿, 斷艸刀也, 或作一'《集韻》.

金 16 〔鑓〕 24 〔타〕
鍺(金부 12획〈1582〉)와 同字

金 16 〔鑈〕 24 〔녑〕
鑷(金부 14획〈1587〉)의 本字

金 17 〔鑮〕 25 박 [入]藥 | bó ハク おおがね

[字解] ①큰종박 '一, 大鐘, 淳于之屬'《說文》.

②호미박 鎛(金부 10획〈1575〉)과 同字. '一, 亦鋤類也'《釋名》.
字源 形聲. 金+薄〔音〕

金17 〔鑯〕 25 첨 平鹽 | jiān セン てつのうつわ
字解 칼첨 양쪽 끝에 자루가 있어, 두 손으로 잡아당겨 물건을 깎아 판판하게 하는 칼. '一, 鐵器也'《說文》.
字源 形聲. 金+韯〔音〕

金17 〔鑰〕 25 약 入藥 | yào ヤク じょう
字解 ①자물쇠약 여닫는 물건을 잠그는 쇠. '扃一'. '管一'. '堅玉一於命門'《抱朴子》. 전(轉)하여, 추요(樞要). '扣二儀之鐍一'《李嶠》. ②닫을약 폐쇄함. '生平所緘一者'《唐書》. ③들어갈약 '一天門'《淮南子》.
字源 形聲. 金+龠〔音〕

金17 〔鑱〕 25 참 平咸 | chán サン はり, すき
字解 ①침참 치료용의 돌바늘. '一石撟引'《史記》. ②보습참 쟁깃술 바닥에 맞추는 쇳조각. '長一長一白木柄'《杜甫》. ③약솥참 약을 달이는 솥. '何煩乎一鼎哉'《抱朴子》. ④침놓을참, 찌를참 침으로 찌름. '九疑一天荒是非'《韓愈》. ⑤새길참 조각함. '鐫一物象危'《宋郊》.
字源 形聲. 金+毚〔音〕

金17 〔鑲〕 25 양 平陽 | ráng ジョウ いがたのつめもの
字解 ①거푸집속양 거푸집을 만드는 데, 부어 넣는 곳을 공허하게 하기 위하여 처넣은 것. '一, 作型中腸也'《說文》. ②처넣을양 채워 넣음.
字源 形聲. 金+襄〔音〕

金17 〔鑭〕 25 란 去翰 | làn ラン かねのひかるさま
字解 ①금의빛나는모양란 '一, 金光皃'《玉篇》. ②금색(金色)란 '一, 金采也'《集韻》.

金17 〔镾〕 25 미 平支 | mí ビ かま
字解 낫미 '一, 靑州謂鐮爲一, 或作鎣'《集韻》.

金18 〔鑴〕 26 휴 平齊 | xī ケイ かなえ
字解 ①솥휴 솥, 곧 정(鼎)의 일종. ②햇무리휴 해 둘레에 생기는 둥근 운기(雲氣). '一日祲, 二日象, 三日一'《周禮》.
字源 形聲. 金+巂〔音〕

金18 〔鑵〕 26 관 去翰 | guàn カン つるべ
字解 두레박관 물을 긷는 그릇. '罐, 汲器. 或从金'《集韻》.
字源 形聲. 金+雚〔音〕

金18 〔鑷〕 26 섭(녑本) 入葉 | niè ジョウ・ニョウ けぬき
字解 ①못뽑이섭, 족집게섭 물건을 끼워 뽑는 기구. '金一'. '左右進銅一'《雲仙雜記》. ②뽑을섭 '白髮太無情, 朝朝一又生'《韋莊》. ③비녀섭 여자의 수식(首飾). '一髮鑽瑩'《崔瑗》. ※本音 녑.
字源 形聲. 金+聶〔音〕

金18 〔鑹〕 26 찬 去翰 | cuàn サン ちいさいほこ
筆順 𠂉 鈩 鋊 鐕 鑹 鑹 鑹 鑹
字解 작은창찬 穳(矛부 19획〈862〉)과 同字. '一, 小矟也'《集韻》.

金18 〔鑺〕 26 구 平虞 | qú ク・グ ほこ
字解 창(槍)구 '戵, 戟屬. 一, 上同'《廣韻》.
字源 形聲. 金+瞿〔音〕

金18 〔鑸〕 26 뢰 上賄 | lěi ライ かたむく
字解 기울뢰, 비낄뢰 '一, 鍡一也'《說文》.
字源 形聲. 金+壘〔音〕

金18 〔鑶〕 26 살 入黠 | zhá サツ おしきり
字解 작두살 마초(馬草) 따위를 써는 도구. '一, 秦人云切草'《廣韻》.

金18 〔鑣〕 26 〔표〕 鏢(金부 11획〈1578〉)의 本字

金18 〔鑼〕 26 〔라〕 鑹(金부 13획〈1585〉)의 訛字

金18 〔鑱〕 26 〔참〕 鑱(金부 17획〈1590〉)과 同字

金18 〔鐗〕 26 간 上銑 | jiǎn ケン ぶき
字解 무기(武器)간 '一, 兵器也'《字彙補》.

金18 〔鑾〕 26 〔동〕 鉵(金부 6획〈1559〉)과 同字

金18 〔鑶〕 26 장 平陽 | cāng ソウ すずのおと
字解 방울소리장 '一, 鈴聲'《集韻》.

金18 〔⿰金闒〕26 탑 [入]合 | tà トウ もののおちるおと
[字解] 물건떨어지는소리탑 '塔, 物墮聲, 亦作一'《集韻》.

金19 〔鑼〕27 라 [平]歌 | luó ラ どら
[字解] 징라 악기의 한 가지. '銅一'. '鳴一擊鼓'《元史》.
[字源] 形聲. 金＋羅〔音〕

金19 〔⿰金羸〕27 라 [平]歌 | luó ラ かま, なべ
[字解] 작은솥라 옹솥. 큰 냄비. '一, 銼一, 小釜也'《廣韻》.
[字源] 形聲. 金＋羸〔音〕

金19 〔鑽〕27 [人名] 찬 [平]寒 zuān / [去]翰 zuàn | サン のみ
[筆順] 金 鉎 鉼 鐕 鐟 鑽 鑽 鑽
[字解] ①끌찬 나무에 구멍을 파는 연장. '用之穿物曰一'《六書故》. ②빈형(臏刑)찬 발을 끊는 형벌. '一笮'. '其次用一鑿'《漢書》. ③끊을찬 베어 단절함. '一去其臏骨'《漢書註》. ④뚫을찬 ㉠송곳으로 나무를 뚫음. '一燧改火'《論語》. ㉡꿰뚫음. 사물을 깊이 연구함. '硏一'. '仰之彌高, 一之彌堅'《論語》. ㉢깊이 뚫고 들어가 인연을 맺음. 자기 손아귀에 넣음. '商鞅挾三術, 以一孝公'《漢書》. ⑤모을찬 한데 모음. '列刃一鍭'《班固》. ⑥날찬 봉인(鋒刃). '施一如蠭蠆'《史記》. ⑦송곳찬 세모진 송곳.
[字源] 形聲. 金＋贊〔音〕

金19 〔鑾〕27 [一] 란 [平]寒 | luán ラン すず
[二] 거 [韓]
[筆順] 糸 結 絲 綫 變 鑾 鑾 鑾
[字解] [一] 방울란 천자(天子)가 타는 수레를 끄는 말의 고삐에 다는 방울. '鳴靑一于東郊'《齊書》. 전(轉)하여, 천자가 타는 수레. '隨一憾玉珂'《李賀》. [二]《韓》보습거 犂(牛부 8획〈743〉)와 뜻이 같음.
[字源] 形聲. 金＋䜌〔音〕

金19 〔⿰金靡〕27 마 [平]歌 | mó バ きんぞくのな
[字解] 쇠붙이이름마 금속(金屬)의 하나. '一, 金也'《玉篇》.

金19 〔⿰金藥〕27 〔삭〕
鑠(金부 15획〈1588〉)과 同字

金19 〔⿰金罷〕27 〔파〕
鑼(金부 15획〈1588〉)와 同字

金20 〔⿰金黨〕28 당 [去]養 | tǎng ショウ ぶきのな
[字解] 당파창당 무기의 이름. 창(槍) 모양의 자루가 있고, 칼날은 반달 모양임. '一, 兵器. 形如半月, 有柄'《中華大字典》.

金20 〔钀〕28 알 [入]月 | niè ゲツ くつばみ
[字解] 재갈알 말의 입에 물리는 물건. '鑣謂之一'《爾雅》.

金20 〔钁〕28 곽 [入]藥 | jué キャク くわ
[字解] 괭이곽 큰 괭이. '揭一臿'《淮南子》.
[字源] 形聲. 金＋矍〔音〕

金20 〔⿰金⿰臺攵〕28 鐓(金부 12획〈1581〉)의 本字

金20 〔⿱⿰臺攵金〕28 〔대〕
鐓(前條)와 同字

金20 〔鑿〕28 [一] 착 [入]藥 | ①-⑤záo サク のみ ⑥zuò サク こめをしらげる
[二] 조 [去]號 | zào ソウ あな
[字解] [一] ①끌착 나무에 구멍을 파는 연장. '孟莊子作一'《古史考》. ②팔착 우물이나 못 따위를 팜. '一斯池也, 築斯城也'《孟子》. ③뚫을착 ㉠구멍을 뚫음. '一冰沖沖'《詩經》. ㉡개통함. '開一'. '然張騫一空'《漢書》. ㉢끝까지 캐냄. 또, 함부로 억측함. '穿一'. '爲其一也'《孟子》. ④경형(黥刑)착 자자(刺字)하는 형벌. '其次用鑽一'《漢書》. ⑤생각착 정념(情念). '六一相攘'《莊子》. ⑥대낄착 곡식을 깨끗이 찧음. '粢食不一'《左傳》. [二] 구멍조 뚫은 구멍. '枘一'. '羊入其一'《漢書》.
[字源] 形聲. 金＋糳〔音〕

金20 〔⿱臺金〕28 〔대〕
鐓(金부 12획〈1581〉)의 本字

金21 〔⿰金覃〕29 〔심〕
鐔(金부 12획〈1581〉)의 本字

金21 〔钃〕29 촉 [入]沃 | zhú チョク すき
[字解] ①괭이촉, 호미촉 괭이 또는 호미. '一, 鉏也'《玉篇》. ②버릴촉 내버림. 제거함. '以狐父之戈, 一牛矢也'《荀子》.
[字源] 形聲. 金＋屬〔音〕

金21 〔⿰金覽〕29 〔감〕
鑑(金부 14획〈1587〉)과 同字

長 (镸) 部

〔길장부〕

長 0 〔長〕 8 [中·人] 장 [平]陽 [上]養 [去]漾 | ①-⑤cháng チョウ ながい ⑥-⑳zhǎng チョウ さき, もと, ちょうずる ㉑zhàng チョウ あまり, おおい

[筆順] 丨 𠃍 𠃍 𠀎 镸 镸 镸 長

[字解] ①길장 ㉠짧지 아니함. '一尾'. '尺有所短, 寸有所一'《楚辭》. ㉡거리가 멂. '一途'. '道阻且一'《詩經》. ㉢오램. '一壽'. '天地所以能一且久者'《老子》. ②클장 ㉠거대함. '願乘一風破萬里浪'《南史》. ㉡키가 큼. '一大'. '皆謂之一人'《史記》. ③늘장 항상. '門雖設而一關'《陶潛》. ④키장, 길이장 '身一'. '布帛一短'《孟子》. ⑤성장 성(姓)의 하나. ⑥처음장 시초. 근원. '元者善之一也'《易經》. ⑦앞장 선두. '吳晉爭一'《國語》. ⑧맏장 첫째. '一子'. ⑨우두머리장 수령. '家一'. '一官'. ⑩어른장 ㉠성인(成人). '一而卑'《公羊傳》. ㉡손윗사람. '一上'. '弟者所以事一也'《大學》. ⑪어른될장 성인이 됨. '及一爲委吏'《史記》. ⑫나이먹을장 늙음. '年一身多病'《張籍》. ⑬나이많을장 나이가 위임. '鄕人一於伯兄一歲'《孟子》. ⑭나아갈장 전진함. 진보함. '君子道一'《易經》. ⑮더할장 늚. '不月一'《國語》. ⑯쌓을장 축적함. '唯一舊怨'《國語》. ⑰자랄장 생육함. '生一'. '苟得其養, 無物不一'《孟子》. ⑱기를장 양육함. '以生育養一爲事'《漢書》. ⑲가르칠장 교도함. '克一克君'《詩經》. ⑳나을장 남보다 우수함. '一點'. '論人必先稱其所一'《晉書》. 또, 나은 일. '一短'. '誦足下之一'《戰國策》. ㉑남을장, 많을장 '冗一'. '無取乎冗一'《陸機》.

[字源] 象形. 사람의 긴 머리를 본떠, '길다'의 뜻을 나타냄.

[參考] ①'長장'을 의부(意符)로 하여, '길다'의 뜻을 포함하는 문자를 이루지만, 예는 적음. 부수 이름은 '길장'. ②镸(次條)은 古字.

長 0 〔镸〕 7 長(前條)의 古字

長 2 〔䯋〕 9 곤 [平]元 | kūn コン みにくいさま

[字解] ①추한소곤 지저분한 소. '一屯犂牛, 既科以橢決鼻而羈, 生子而犧'《淮南子》. ②추악할곤 '一屯, 醜惡也'《駢雅》.

長 3 〔镹〕 10 구 [上]有 | jiǔ キュウ ながい

[字解] 길구 오래됨. '一, 長也, 通作久'《集韻》.

〔套〕 〔투〕 大부 7획(236)을 보라.

長 4 〔镺〕 11 오 [上]晧 ǎo [去]號 ào | オウ ながい

[字解] 길오 짧지 아니함. '卉木一蔓'《左思》.

長 4 〔镼〕 11 애 [上]蟹 | ǎi アイ みじかい

[字解] 짧을애 '一, 短也'《篇韻》.

長 4 〔镻〕 11 단 [去]翰 | duàn タン ものをなげる

[字解] 던질단 물건을 던짐. '一, 投物'《字彙》.

長 4 〔镺〕 11 양 [上]養 | yǎng ヨウ あげる

[字解] 들양 '一, 擧也'《字彙》.

長 5 〔镻〕 12 절 [入]屑 | dié テツ まむし

[字解] 독사절 살무사의 일종. '一, 蝁. (注) 蝮屬, 大眼, 最有毒, 今淮南人呼蝁子'《爾雅》.

[字源] 形聲. 長+失〔音〕

長 5 〔镼〕 12 도 [去]號 | dào トウ ながいさま

[筆順] 一 𠂆 𠃍 镸 镸 镸丨 镸屮 镼

[字解] 긴모양도 짧지 않은 모양. '一, 長貌'《字彙》.

長 5 〔𨱼〕 12 요 [上]篠 | yǎo ヨウ ながくてもろい

[字解] 길고연약할요 '一, 一𨲠, 長而不勁'《集韻》.

長 6 〔𨲠〕 13 뇨 [上]篠 | niǎo ジョウ·ニョウ はきもの

[字解] 가죽신뇨 모래 위를 걷는 데 신는 신. '一, 淮南子, 水行用舟, 沙行用一'《字彙補》.

長 6 〔𨲡〕 13 노 [去]號 | nǎo ドウ·ノウ ながいさま

[字解] 긴모양노 '一, 一镺, 長也'《集韻》.

長6 〔镺〕13 〔발〕
髮(髟부 5획〈1765〉)과 同字

長7 〔䮾〕14 〔뇨〕
䮾(長부 6획〈1592〉)의 俗字

長7 〔镻〕14 얼 ⓐ屑 | niè ゲツ ながい
字解 길얼 '一, 長也'《字彙》.

長7 〔镼〕14 차 ⓓ寘 | cì シ ぬりもの
字解 칠기(漆器)차 '一, 漆塗器'《字彙》.

〔肆〕 〔사〕
聿부 7획(1063)을 보라.

長8 〔镼〕15 굴 ⓐ物 | jué クツ みじかいいふく
字解 짧은옷굴 '服婦人衣, 諸于·繡一'《後漢書》.

長8 〔镸岸〕15 안 ⓓ翰 | àn ガン ながくおおきい
字解 길고클안 '一, 長大'《集韻》.

長8 〔镸爭〕15 정 ⓟ庚 | zhēng ジョウ かみのみだれたさま
字解 머리흐트러질정 '一, 髮亂貌'《字彙》.

長8 〔镸宗〕15 종 ⓟ冬 | zōng ショウ けのみだれたさま
字解 털흐트러질종 터럭이 가지런하지 않음. '一, 毛亂'《字彙》.

長8 〔镸隹〕15 줄 ⓐ質 | zhú チュツ にている
字解 비슷할줄, 어렴풋할줄 '一, 髣也'《字彙》.

長8 〔镸垂〕15 타 ⓢ哿 | duǒ タ うつくしいかみのさま
字解 아름다운머리털타 '一, 好髮貌'《字彙》.

長8 〔镸卑〕15 피 ⓟ齊 | bī ヘイ かんむりのかざり
字解 갓치장할피 갓〔冠〕의 장식. '一, 冠飾也'《字彙》.

長9 〔镸省〕16 성 ⓢ梗 | shěng セイ ながいさま
字解 긴모양성 '一, 長皃'《集韻》.

長9 〔镸嵏〕16 〔종〕
䯳(長부 8획〈1593〉)과 同字

長9 〔镸隋〕16 타 ⓢ哿 | duǒ タ つきる
字解 다할타 다 됨. '一, 盡也'《廣雅》.

長10 〔镸差〕17 차 ⓟ麻 | jiè シャ なげく
字解 ①한탄할차, 슬퍼할차 嗟(口부 10획〈178〉)의 古字. '一, 長歎'《廣韻》. ②산이름차 차악산(镸差岳山). '一, 又山名. 山海經有一岳山'《字彙》.

長10 〔镸容〕17 용 ⓟ東 | rōng ユウ かざる
字解 꾸밀용 장식함. '一, 飾也'《字彙》.

長10 〔镸剔〕17 척 ⓐ錫 | tì テキ うれい
字解 ①근심할척 걱정. '往益來一. (注)一, 憂也'《太玄經》. ②덜척 제거(除去)함. '陽氣傷一. (注)一, 除也'《太玄經》.

長11 〔镸産〕18 〔산〕
鏟(金부 11획〈1578〉)과 同字

長11 〔镸敖〕18 오 ⓟ豪 | áo ゴウ ながくおおきいさま
字解 길고클오 길고 큰 모양. '一, 長大皃'《玉篇》.

長11 〔镸從〕18 종 ⓟ東 | cōng ソウ かみのみだれるさま
字解 머리털흐트러질종 '一, 髮亂貌'《字彙》.

長12 〔镸喬〕19 교 ⓢ篠 | jiǎo キョウ ながいさま
字解 길교 기다란 모양. '一, 镸尞一, 長也'《集韻》.

長12 〔镸尞〕19 료 ①ⓢ篠 ②ⓟ蕭 | liǎo リョウ ながいさま liáo リョウ ほそくながい
字解 ①길료 기다란 모양. '一, 一镸喬, 長皃'《廣韻》. ②가늘고길료 '一, 埤蒼, 細長也'《集韻》.

長12 〔镸勞〕19 로 ⓟ豪 | láo ロウ ながいさま
字解 길로 긴 모양. '一, 一镸敖, 長皃'《集韻》.

長12 〔镸曾〕19 증 ⓟ蒸 | zēng ソウ かみをあむなわ
字解 머리땋는끈증 '一, 編髮繩'《字彙》.

長 13 〔⿰镸農〕 20 농 [平]冬 | nóng ジョウ おおい

[字解] 많을농 '一, 多也'《廣韻》.

長 14 〔⿰镸寧〕 21 녕 [平]庚 | níng ドウ かみのみだれたさま

[字解] ①머리흐트러질녕 '一, 鬇一'《字彙》. ②鬡(髟부 14획〈1774〉)의 俗字. '一, 俗鬡字'《正字通》.

長 14 〔⿰镸賓〕 21 〔빈〕 鬢(髟부 14획〈1774〉)과 同字

長 14 〔镾〕 21 〔미〕 彌(弓부 14획〈363〉)의 本字

長 15 〔⿰镸臱〕 22 〔만〕 鬘(髟부 11획〈1772〉)과 同字

長 16 〔⿰镸褭〕 23 뇨 [去]嘯 | niǎo ジョウ·ニョウ やわらかくながい

[字解] 부드럽고길뇨 '一, 柔長也'《集韻》.

長 16 〔⿰镸龍〕 23 총 [平]冬 | chōng チョウ ただしい

[字解] 곧을총 바름. '一, 直也'《字彙》.

長 21 〔⿰镸⿱罒龍〕 28 ⿰镸龍(前條)와 同字

門 部

〔문 문 부〕

門 0 〔門〕 8 [中·人] 문 [平]元 | mén モン もん

[筆順] 丨 𠃌 ⺆ 戶 戶丨 門 門 門

[字解] ①문문 ㉠집의 외부에 설치한 출입하는 곳. 대문. '一內'. '一外可設雀羅'《漢書》. ㉡사물의 출입에 경유하는 곳. '道義之一'《易經》. '衆妙之一'《老子》. ㉢문앞. 집앞. '有荷蕢而過一者'《史記》. ㉣동류. '同一'. '孔一'(공자의 교를 신봉하는 사람들). ㉤관리가 자기를 추천한 사람에게 대하여 일컫는 말. '天下桃李, 悉在公一'《十八史略》. ㉥분류상의 구별. '部一'. 또, 학술의 한 종류. '專一'. ㉦대포를 세는 수사(數詞). '砲十一'. ②집문 가정. 집안. '孝子之一'. '是兒亦將興我一'《宋書》. ③지체문 벌열. '名一'. '一閥'. ④문칠문 문을 공격함. '一於東閭'《左傳》. ⑤성문 성(姓)의 하나.

[字源] 象形. 좌우 두 개의 문짝을 본떠, '문'의 뜻을 나타냄.

[參考] '門문'을 의부(意符)로 하여, 여러 가지 문, 문에 부속된 것에 관한 문자를 이룸. '問문' '悶민' '聞문' 등의 문자는 각각 '口구' '心심' '耳이'가 의부(意符)이고, '門'은 음부(音符)이므로, 그 의부에 따라 부수가 분류되고 있음. 부수 이름은 '문문'.

門 1 〔閁〕 9 말 [入]黠 | mā バツ ななめにみる

[字解] 곁눈질할말 '一, 邪視'《篇海》.

門 1 〔閂〕 9 산 [平]刪 | shuān サン かんぬき

[字解] 문빗장산 문을 잠그는 나무때기. '一, 門橫關也'《字彙補》.

[字源] 象形. 문을 잠가 두는 가로나무를 본떠, 빗장의 뜻을 나타냄.

門 1 〔⿵門乚〕 9 할 [入]黠 | xiā カツ ななめにみる

[字解] 곁눈질할할 '一, 邪視'《篇海》.

門 2 〔閃〕 10 섬 [上]琰 [去]豔 | shǎn セン ひらめく

[字解] ①엿볼섬 틈 사이로 봄. '嘗自于牆壁門闚一'《魏略》. ②언뜻보일섬 잠시 보임. '一影'. '蜩像暫曉而一屍'《木華》. ③번득일섬, 나부낄섬 '颭一才人袖'《元稹》. ④번득이게할섬, 나부끼게할섬 '風一雁行疎又密'《李咸用》. ⑤번쩍할섬 '一火'. ⑥성섬 성(姓)의 하나.

[字源] 會意. 人+門. 문 안을 사람이 퍼뜩 통과하는 것을 보는 모양에서, '번득이다'의 뜻을 나타냄.

門 2 〔⿵門二〕 10 진 [去]震 | zhèn チン のぼる

[字解] 오를진 '一, 登也'《說文》.

[字源] 會意. 門+二

門 2 〔⿵門几〕 10 구 [平]尤 | jiū キュウ うったえる

[字解] 송사(訟事)할구 소송(訴訟)함. '一, 訟也'《字彙》.

門 2 〔閅〕 10 〔문〕 門(部首〈1594〉)과 同字

門 2 〔閄〕 10 혹 | huō コク きゅうにとびだしてひとをおどろかせるこえ

[字解] 몸을숨겼다가갑자기나와사람을놀라게하는소리혹 '一, 隱身忽出驚人之聲也'《字彙補》.

門3 〔閈〕11 한 [去]翰|hàn カン りもん

[字解] ①이문(里門) 한 동네의 어귀에 세운 문. '高其一閎'《左傳》. 전(轉)하여, ②마을 한 동네. '陳亡歸鄉一'《唐書》. ③담한 담장. '一庭詭異'《張衡》.

[字源] 形聲. 門+干〔音〕

門3 〔閉〕11 [中·人] 폐 [去]霽|bì ヘイ とざす, とじる

[筆順] 丨 ｢ ｢ 門 門 門 閂 閉 閉

[字解] ①닫을폐 열린 것을 막음. '一門'. '一鎖'. '至日一關'《易經》. 전(轉)하여, 마침. 끝냄. 그만둠. '一會'. '一店'. '一肆下簾, 而授老子'《漢書》. ②막을폐 통하지 못하게 함. '天地一, 賢人隱'《易經》. '一而不通'《國語》. ③가릴폐 엄폐함. '一, 掩也'《廣韻》. ④끊을폐 '予不敢一于天降威用'《書經》. ⑤감출폐 수장(收藏)함. '助天地之一藏也'《禮記 註》. ⑥자물쇠폐 여닫는 물건을 잠그는 쇠. '修鍵一'《禮記》. ⑦도지개폐 트집난 활을 바로잡는 틀. '竹一緄縢'《詩經》. ⑧입추폐, 입동폐 입추(立秋) 또는 입동(立冬)을 이름. '分至啓一'《左傳》.

[字源] 會意. 門+才〔音〕

門3 〔閇〕11 閉(前條)의 俗字

門3 〔閆〕11 염 [平]鹽|yán エン せい

[字解] 성염 성(姓)의 하나. '一, 見姓苑'《萬姓系譜》.

門3 〔閄〕11 [一] 올 [入]月|wù ゴツ くくる
[二] 골 [入]月|wù コツ くくる

[字解] [一] ①묶을올 '一, 括也'《廣韻》. ②어그러질올 도리에 맞지 않음. '一, 一曰, 婞很也'《集韻》. [二] 묶을골, 어그러질골 [一]과 뜻이 같음.

門3 〔閅〕11 정 [上]迥|tǐng テイ かんぬき

[字解] 빗장정 문빗장. '一, 門上關也'《字彙補》.

門3 〔䦃〕11 진 [去]沁|chèn チン もんをではいりするさま

[字解] 문으로드나들진 그 모양. '一, 從門出入貌'《字彙》.

門3 〔閠〕11 추 [去]遇|chù チュ ただちにひらく

[字解] 곧열추 '一, 直開也'《康熙字典》.

門3 〔䦆〕11 〔축〕
閦(門부 6획〈1599〉)과 同字

〔問〕〔문〕
口부 8획(170)을 보라.

門4 〔開〕12 [中·人] 개 [平]灰|kāi カイ ひらく, あく

[筆順] 丨 ｢ ｢ 門 門 閂 閂 開

[字解] ①열개 ㉠닫힌 것을 틈. '一門'. '善閉無關鍵, 而不可一'《老子》. ㉡시작함. '一會'. '一校'. ㉢입을 열어 말을 함. '一陳'. ㉣통함. '一通'. ㉤새로 전답을 만듦. '一墾'. '一拓'. '秦一阡陌'《戰國策》. ㉥수학에서 승근(乘根)을 구함. '一立'. '一平'. ②열릴개 ㉠열어짐. ㉡문화가 개발됨. '一明'. '一化'. ㉢길이 트임. '一通'. ③벌릴개 오므라진 것을 펴 엶. '一口而笑者'《莊子》. ④펼개 ㉠개킨 것을 젖히어 놓음. '一卷'. '視歷一書'《古詩》. ㉡넓게 깖. '一瓊筵'《李白》. ⑤필개 꽃이 핌. '一花'. '桃花含雨一'《梁簡文帝》. ⑥깨우칠개 계발함. 깨닫게 함. '一悟'. '或一予'《禮記》. ⑦풀개 놓아 줌. '一放無罪之人'《書經》. ⑧성개 성(姓)의 하나.

[字源] 會意. 門+开(幵)

門4 〔閌〕12 항(강[本]) [去]漾 [平]陽|kàng コウ たかい

[字解] 높을항 문이 높은 모양. '一, 門高皃'《集韻》. ※本音 강.

[字源] 形聲. 門+亢〔音〕

門4 〔閎〕12 굉(횡[本]) [平]庚|hóng コウ もん

[字解] ①문굉 ㉠작은 길이나 거리의 문. '乘輦而入于一'《左傳》. ㉡천상(天上)의 문. '騰九一'《漢書》. ㉢보통의 문. '高其閈一'《左傳》. ②넓을굉 중턱이 불룩하여 넓음. '其器圜以一'《禮記》. ③빌굉 공허함. '彷徨乎馮一'《莊子》. ④클굉 광대함. '曾一以迫身'《楚辭》. ⑤넓게할굉, 크게할굉 '一其中而肆其外'《韓愈》. ⑥성굉 성(姓)의 하나. ※本音 횡.

[字源] 形聲. 門+厷〔音〕

門4 〔閏〕12 [高·人] 윤 [去]震|rùn ジュン うるう

[筆順] 丨 ｢ 門 門 門 閂 閏 閏

[字解] ①윤윤 윤달이 드는 일. '一月'. '一年'. 전(轉)하여, 정수(正數)가 아닌 잉여(剩餘). 또는, 정통(正統)이 아닌 위조(僞朝). '正一'. '餘分一位'《漢書》. '謂秦爲一'《司馬光》. ②윤달들윤 윤달이 듦. '五歲

再一'《易經》. ③성윤 성(姓)의 하나.
[字源] 會意. 門＋王

門 4 〔閑〕 12 [中·人] 한 [平]删 | xián カン こまよせ, ひま

[筆順] 丨 冂 冃 門 門 閂 閉 閑

[字解] ①마구간한 말이 거처하는 곳. '天子十有二一'《周禮》. ②막을한 ㉠방어함. '遠備一之'《國語》. ㉡가까이 못 하게 함. '一邪存其誠'《易經》. ③닫을한 폐쇄함. '日一輿衞也'《易經》. ④법한 법도. '大德不踰一'《論語》. ⑤클한 '旅楹有一'《詩經》. ⑥익을한 숙습(熟習)함. '四馬既一'《詩經》. ⑦틈한, 한가할한 閒(門부 4획〈1596〉)과 혼용함. '九日驅馳一日一'《韋應物》. ⑧등한히할한 무심히 버려 둠. '一却'. '一他不得'《朱子語類》.
[字源] 會意. 門＋木

門 4 〔間〕 12 [中·人] 간 [平]删 [去]諫 | ①-⑩jiān カン あいだ ⑪-⑲jiàn カン へだてる

[筆順] 丨 冂 冃 門 門 門 間 間 間

[字解] ①사이간 ㉠양자의 사이. 중간. 가운데. '伯仲之一'. ㉡동안. '時一'. '三年一'. ㉢떨어진 정도. 거리. '一隔'. '賢不肖之相去, 其一不能以寸'《孟子》. ㉣두 물건의 중간의 장소. '天地之一'. ㉤장소. 곳. '行一'. '田一'. ㉥무렵. '七八月之一, 雨集溝澮皆盈'《孟子》. ㉦근처. '嫣然一笑竹籬一'《蘇軾》. ㉧안. '民一'. '坊一'. '攘臂于其一'《莊子》. ②틈간 ㉠벌어져 사이가 뜬 곳. '一隙'. ㉡불화. '君臣多一'《左傳》. ㉢기회. '乘一'. ㉣결함. 실수. '以謹愼周密自著, 外內無一'《漢書》. ③들어갈간 '一三席'(세 자리가 들어갈 정도로 비어 있음). ④요마적간 요사이. '一者'로 연용(連用)하기도 함. '一蒙甲胄'《左傳》. ⑤염탐꾼간 세작(細作). '一諜'. '用一有五'《孫子》. ⑥엿볼간 기회를 노림. '齊人一晉之禍'《國語》. ⑦번갈아들간 교대함. '皇以一之'《詩經》. ⑧헐뜯을간 헐어 말함. '人不一於其父母昆弟之言'《論語》. ⑨이간할간 사이를 멀어지게 함. '反一'. '後妻一之'《顏氏家訓》. ⑩성간 성(姓)의 하나. ⑪거를간 사이를 둠. '一歲而祫'《漢書》. ⑫막을간 가로막음. '道里悠遠, 山川一之'《列仙傳》. ⑬섞일간 뒤섞임. '一色'. '遠一親, 新一舊'《左傳》. ⑭간여할간 참여함. '又何一焉'《左傳》. ⑮나을간 병이 없어짐. '旬有二日乃一'《禮記》. ⑯잠시간 잠깐. '立有一'《列子》. ⑰간간 집의 방. '安得廣廈千萬一'《杜甫》. ⑱간간이간 ㉠드문드문. '一有闕文'《葉采》. ㉡때때로. '高辛時爲雨師, 一遊人間'《列仙傳》. ⑲몰래간 비밀히. '一行'.
[字源] 會意. 門＋日

門 4 〔閒〕 12 [人名] [一]한 [平]删 [二]간 [去]諫 | jiān カン ま jiàn カン あいだ

[筆順] 丨 冂 冃 門 門 門 閒 閒 閒

[字解] [一] ①틈한 겨를. '連得一矣'《孟子》. ②한가할한 ㉠무사함. 일이 없음. '一居'. '一而以師討焉'《左傳》. ㉡놀고 있음. 직업이 없음. '九日, 一民'《禮記》. ③쉴한 휴식함. '可以少一'《國語》. ④조용할한 안정함. '幽一'. '一雅'. '問余何意栖碧山, 笑而不答心自一'《李白》. [二] 사이간 間(前條)의 本字.
[字源] 會意. 門＋月

門 4 〔閒〕 12 閒(前條)의 古字

門 4 〔閔〕 12 [人名] 민 ①[平]眞 ②-⑤[上]軫 | mín ビン うれえる mǐn ビン あわれむ

[筆順] 丨 冂 冃 門 門 門 閔 閔

[字解] ①근심할민 걱정함. '鬻子之一斯'《詩經》. ②우환민 질병·사망 등의 걱정. '一凶'. '覯一既多'《詩經》. ③가엾게여길민 애처롭게 여김. '祖母劉一臣孤弱, 躬親撫養'《李密》. ④힘쓸민 '予惟用一于天越民'《書經》. ⑤성민 성(姓)의 하나.
[字源] 形聲. 門＋文〔音〕

門 4 〔閍〕 12 팽 [平]庚 | bēng ホウ きゅうちゅうのもん

[字解] ①대궐문팽 궁중의 문. '一, 宮中門'《集韻》. ②사당문이름팽 묘문(廟門)의 이름. '一謂之門. (疏) 一, 廟門名'《爾雅》.
[字源] 形聲. 門＋方〔音〕

門 4 〔閜〕 12 하 [去]禡 | xiǎ カ さける

[字解] ①빌하 공허함. ②갈라질하 '豁一'.

門 4 〔閞〕 12 계 [去]卦 [去]霽 | xiè カイ とびら ケイ とびら

[字解] 문짝계 '一, 門扉也'《說文》.
[字源] 形聲. 門＋介〔音〕

門 4 〔閞〕 12 [一]변 [去]霰 [二]별 [入]屑 [三]폐 | biàn ヘン·ベン うつ bì ヘツ とじる

[字解] [一] 칠변 때림. '一, 搏也'《篇海類篇》. [二] 닫을별 '荆扉晝常一'《陶潛》. [三] 閉(門부

3획〈1595〉)와 同字.

門 4 〔閗〕12 〔투〕
鬭(門부 14획〈1776〉)의 俗字

門 4 〔閞〕12 관 (上)旱 | guǎn カン くだ
字解 관(管)관 쇠사슬을 뽑아내는 관. 管(竹부 8획〈943〉)과 통용. '一, 所以出鏈也, 通作管'《五音集韻》.

門 4 〔⿵門丑〕12 뉴 (上)有 | niǔ ジュウ かんぬき
字解 빗장뉴 문빗장. '一, 門關也'《集韻》.

門 4 〔⿵門屯〕12 돈 (上)元 | tún トン もんにみちる
字解 문에가득찰돈 흔히, 빈객(賓客)이 많음을 이름. '一, 闐門也'《集韻》.

門 4 〔⿵門皮〕12 벽 (入)陌 | pì ヘキ ひらく
字解 열벽 '一, 開也, 啓也'《字彙補》.

門 4 〔⿵門分〕12 ㊀ 분 (平)文 ㊁ 계 (去)霽 | fēn フン みだれもつれる xiè ケイ もんのとびら
字解 ㊀ 싸움이뒤엉킬분 鬭(門부 18획〈1776〉)과 同字. '鬭, 說文, 鬭連結鬭紛相牽也, 或作一'《集韻》. ㊁ 문짝계 '一, 門扇'《字彙》.

門 4 〔⿵門斤〕12 ㊀ ⿵門分(前條)과 同字 ㊁ ⿵門分(門부 4획〈1596〉)의 訛字

門 4 〔⿵門兮〕12 분 (平)文 | fēn フン かき
字解 불기운분 화기(火氣). '一, 火氣也'《字彙補》.

門 4 〔⿵門毛〕12 삼 (去)勘 | sàn サン ふた·おおい
字解 덮개삼 씌우개. '一, 一覆蓋也'《廣韻》.

門 4 〔⿵門內〕12 이 (去)寘 | ruì ズイ なかにはいる
字解 안으로들이 밖에서 안으로 듦. '一, 內入也'《玉篇》.

門 4 〔⿵門手〕12 정 (上)迥 | tǐng テイ かんぬき
字解 빗장정 문빗장. '一, 門上關也'《廣韻》.

門 4 〔閠〕12 정 (上)迥 | tǐng テイ かんぬき
字解 빗장정 문빗장. '一, 門上關'《集韻》.
參考 閏(門부 4획〈1595〉)과는 別字.

門 4 〔⿵門公〕12 종 (平)冬 | zhōng ショウ もんががいほうにひらく
字解 문이밖으로열릴종 '八字' 모양으로 열림. '一, 門外開'《集韻》.

門 4 〔⿵門夬〕12 혈 (入)屑 | xuè ケツ もんがない
字解 문없을혈 '一, 闕一, 無門戶也'《集韻》.

門 4 〔⿵門及〕12 흡 (入)緝 | xī キュウ さわぐ
字解 시끄러울흡 '一, 鬧也'《字彙》.

〔悶〕〔민〕
心부 8획(393)을 보라.

門 5 〔閘〕13 갑 (入)合 | zhá コウ ひのくち
字解 ①물문갑 수문(水門). ②닫을갑 폐문함. '一, 閉門也'《集韻》.
字源 形聲. 門+甲〔音〕

門 5 〔⿵門弁〕13 변 (去)霰 | biàn ベン·ヘン ますがた
筆順 丨 ㄱ 戶 門 門 門 門 門 ⿵門弁
字解 대접받침변 문·기둥의 주두(柱枓).
字源 形聲. 門+弁〔音〕

門 5 〔閟〕13 비 (去)寘 | bì ヒ とじる
字解 ①닫을비, 닫힐비 숨어서 나타나지 아니함. '永一'. '幽一'. '我思不一'《詩經》. ②깊을비, 으슥할비 유심(幽深)함. '一宮有侐'《詩經》. ③삼갈비 근신함. '天一毖我成功所'《書經》. ④마칠비 끝냄. '一其事也'《左傳》.
字源 形聲. 門+必〔音〕

門 5 〔閜〕13 하 (上)馬 | xiǎ カ おおいにひらける
字解 휑뎅그렁할하 넓고 공허함. '谽呀豁一'《史記》.
字源 形聲. 門+可〔音〕

門 5 〔閛〕13 팽 (平)庚 | pēng ホウ·ヒョウ もんをとじるおと
字解 닫을팽 폐문함. '閉之一然不覩牆之裏'《揚子法言》.

門5〔閐〕13 ㊀첨 (平)鹽 | chān テン うかがう
㊁참 (平)咸 | zhān サン たってまつ

字解 ㊀엿볼첨 문을 빠끔히 열고 엿봄. '一, 小開門以候望也'《集韻》. ㊁서서기다릴참 '一, 立待也'《玉篇》.

門5〔⿵門外〕13 ㊀계 (去)霽 | xì ケイ とびら
㊁간

字解 ㊀문짝계 '一, 門閒'《篇海》. ㊁開(門부 4획〈1596〉)의 古字.

門5〔閞〕13 〔개〕
開(門부 4획〈1595〉)의 古字

門5〔閙〕13 〔뇨〕
鬧(門부 5획〈1776〉)의 訛字

門5〔⿵門同〕13 경 (平)青 | jiōng ケイ がいぶからしめるかんぬき

字解 ①밖에서잠그는빗장경 扃(戶부 5획〈426〉)과 同子. '扃, 說文, 外閉之關也, 或作一'《集韻》. ②솥귀를꿰어드는막대기경 '一曰, 鼎扃'《類篇》.

門5〔⿵門宄〕13 계 | jī ケイ くるる

字解 문동개계 지도리를 받치는 문둔테의 구멍. '一, 門臼'《篇海》.

門5〔⿵門丱〕13 〔관〕
關(門부 11획〈1606〉)과 同字

門5〔⿵門尔〕13 녜 (上)薺 | nǐ デイ・ナイ おとる

字解 뒤떨어질녜 능력이 뒤짐. '一, 智小力劣'《集韻》.

門5〔⿵門旦〕13 단 (上)旱 | dǎn タン かんぬき
tǎn タン

字解 ①빗장단 '一, 扊扅也'《集韻》. '一, 關也'《集韻》. ②문옆에세워문짝을멎게하는말뚝단 '一, 闑也, 門傍橛, 所以止扉也'《玉篇》.

門5〔閝〕13 령 (平)青 | líng レイ きりまど

字解 들창령 문 위에 낸 창. 闝(門부 17획〈1609〉)과 同子. '一, 門上窗謂之一, 或从霝'《集韻》. 원래 欞(木부 17획〈591〉)이었음. '一, 本作欞'《正字通》.

門5〔閍〕13 병 (平)庚 | pēng, pèng ホウ もんをあけたてするおと

字解 ①문여닫는소리병 '一, 門聲'《篇海》. ②閛(門부 5획〈1597〉)의 俗字. '一, 俗閛字'《正字通》.

門5〔⿵門台〕13 이 (平)支 | yí イ くるる

字解 ①문동개이 대문짝 아랫장부를 꽂아 받치는 둔테의 구멍. '一, 門臼也'《集韻》. ②扅(戶부 6획〈426〉)의 俗字. '一, 俗扅字'《正字通》.

門5〔閚〕13 ㊀첨 (平)鹽 | テン える
㊁참 (平)咸 | zhān サン たってまつ

字解 ㊀얻을첨 '一, 獲也'《玉篇》. ㊁서서기다릴참 '一, 立待也'《字彙》.

門5〔⿵門申〕13 〔천〕
闡(門부 12획〈1607〉)과 同字

門5〔⿵門主〕13 추 (去)遇 | chù チュ ただちにひらく

字解 곧열추 당장 엶. '一, 直開也. 或从戶'《集韻》.

門5〔⿵門石〕13 당 (去)漾 | dàng トウ もんがあかない

字解 문열리지않을탕 '一, 門不開'《集韻》.

門5〔⿵門甘〕13 한 (上)感 | gǎn カン もん

字解 문(門)한 '一, 門也'《字彙》.

門6〔閡〕14 ㊀애 (去)隊 | ài ガイ そとからしめる
㊁해 (上)賄 | hài カイ ふさがる
㊂핵 (入)職 | hé コク とどこおる

字解 ㊀닫을애 밖에서 닫음. '寒暑隔一於邃宇'《左思》. ㊁막을해 안에 넣고 막음. '該臧萬物, 而雜陽一種'《漢書》. ㊂거리낄핵 한 군데에 정체함. '勿令有所拘一而已'《後漢書》.

字源 形聲. 門+亥〔音〕

門6〔閣〕14 高·人 각 (入)藥 | gé カク たかどの

筆順 丨 ｢ ｢ 門 門 閃 閔 閣

字解 ①다락집각 층집. '樓一'. '高樓重一'《晉書》. ②대궐각 궁전. '圖畫其人于麒麟一'《漢書》. ③마을각 관부(官府). '內一'. '取宿衞之臣留祕一之吏'《魏志》. ④복도각 낭하(廊下). '周馳爲一道'《史記》. ⑤잔교각 계곡에 높이 걸쳐 놓은 다리. '棧一絕敗'《後漢書》. ⑥찬장각 식기·음식 등을 넣어 두는 장. '大夫七十而有一'《禮記》. ⑦선반각 물건을 올려놓는 데. '東之高一'《晉書》. ⑧놓을각 擱(手부 14획〈473〉)과 同

字. '朕一筆思之久矣'《說苑》. ⑨성각 성(姓)의 하나.
[字源] 形聲. 門＋各〔音〕

門 6 〔閤〕 14 합 [入]合 | gé コウ くぐりど
[字解] ①협문합 대문 옆에 있는 작은 문. '宮一'. '出入閨一'《漢書》. ②대궐합 궁전. 일설(一說)에는, 침방. 침실. '國王居重一'《齊書》. ③마을합 관부(官府). '率諫官伏一'《唐書》.
[字源] 形聲. 門＋合〔音〕

門 6 〔閥〕 14 [人名] 벌 [入]月 | fá バツ いさお, いえがら
[筆順] 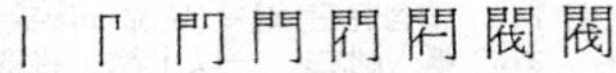
[字解] ①공로벌 공적. '功一'. '明其等曰一'《史記》. ②지체벌 가문. '門一'. '一閱'. '實爲名一'《唐書》. ③문지방벌 '不踰一'《孔子家語》.
[字源] 形聲. 門＋伐〔音〕

門 6 〔閨〕 14 [人名] 규 [平]齊 | guī ケイ こもん, ねや
[筆順] 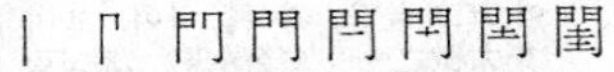
[字解] ①협문규 궁중(宮中)의 작은 문. '一閤'. '金一'(금마문(金馬門)을 이렇게도 썼음). '每夜刺一'《南史》. 또, 벽을 뚫어, 위는 원형, 아래는 방형(方形)인 홀(笏)과 같은 모양으로 만든 초라한 출입구를 이름. '蓽門一竇之人'《左傳》. ②도장방규 부녀자가 거처하는 방. 침방. 침실. '一房'. '安得念春一'《李白》. 전(轉)하여, 남녀의 관계를 이름. '一怨'. 또 전하여, 부녀자, 또는 부녀자에 관한 일을 이름. '一秀'. '一範'. '一人識字'《黃允文雜纂》.
[字源] 形聲. 門＋圭〔音〕

門 6 〔閩〕 14 민 [平]眞 | mǐn ビン·ミン しゅぞくのな
[字解] ①오랑캐이름민 중국 동남 지방의 인종의 이름. 또, 그 인종이 살던 땅. 현재의 복건성(福建省) 지방의 일컬음. 동월(東越). '四夷八蠻七一九貉五戎六狄'《周禮》. ②나라이름민 국명. 오대(五代) 십국(十國)의 하나. 왕조(王潮)·왕심지(王審知) 형제가 세운 나라로서, 칠주(七主) 55년 만에 남당(南唐)에게 멸망당하였음. (892～946) ③성민 성(姓)의 하나.
[字源] 形聲. 蟲〈省〉＋門〔音〕

門 6 〔⿵門寺〕 14 시 [去]寘 | shì ジ かんがん
[字解] 내시시 환관(宦官). 寺(寸부 3획〈288〉)와 同字.

門 6 〔⿵門艮〕 14 한 [上]潸 | xiàn カン しきみ
[筆順] 
[字解] 문지방한 '一, 閾也'《集韻》.

門 6 〔閦〕 14 축 [入]屋 | chù シュク おおい
[字解] ①많을축 '一, 眾也'《玉篇》. ②무리축 문 안에 사람이 많이 모여 있음. '一, 眾在門中'《集韻》. ③부처이름축 아축불(阿閦佛). '東方, 有阿一鞞佛'《華嚴經》.
[字源] 形聲. 門＋众〔音〕

門 6 〔⿵門𠂭〕 14 閦(前條)과 本字

門 6 〔⿵門至〕 14 질 [入]質 | dié シツ もんをとじる
[字解] 문닫칠질 '門閨謂之一'《集韻》.

門 6 〔⿵門西〕 14 [韓] 서
[字解] 《韓》 잃을서 '一失'.

門 6 〔閞〕 14 〔개〕 開(門부 4획〈1595〉)의 本字

門 6 〔⿵門艸〕 14 〔벽〕 闢(門부 13획〈1608〉)의 古字

門 6 〔関〕 14 〔관〕 關(門부 11획〈1606〉)의 俗字

門 6 〔閧〕 14 〔홍〕 鬨(鬥부 6획〈1776〉)의 訛字

門 6 〔⿵門血〕 14 혁 [入]職 | xù キョク しずか
[字解] 고요할혁 侐(人부 6획〈48〉)과 同字. '侐, 說文, 靜也, 或从門'《集韻》.

門 6 〔⿵門㓞〕 14 결 [入]屑 | què ケツ むなしい
[字解] ①빌결 공허함. '一, 空也'《廣雅》. ②문없을결 闋(門부 9획〈1604〉)과 同字. '一, 一閃, 無門戶也, 或不省'《集韻》.

門 6 〔⿵門匡〕 14 [一] 광 [平]陽 | kuāng キョウ [一][二] もんのぐるりのき
[二] 곡 [入]沃 | キョク
[字解] [一] 문얼굴광 문광(門框). '一, 門一也'《玉篇》. '一, 門周木也'《集韻》. [二] 문얼굴곡 [一]과 뜻이 같음.

門6〔䦢〕14 ㊀괄 ㊅黠 | kuà カツ ㊀㊁ おおいにもんをひらくさま
㊁활 ㊅曷 カツ

字解 ㊀문활짝열괄 '一, 大開門皃'《集韻》. ㊁문활짝열활 ㊀과 뜻이 같음.

門6〔䦧〕14 남 | nán ダン かどもり

字解 문지기남 '一, 門人'《篇海》.

門6〔𨴗〕14 린 ㊤軫 | lìn リン ひのさま

字解 불의모양린 불타는 모양. '一, 火貌'《字彙補》.

門6〔䦮〕14 모 ㊥尤 | móu ボウ ひらく

字解 열모 엶. '一, 開也'《集韻》.

門6〔閊〕14 산 ㊦諫 | shān サン たけのきをあんでつくったかきね

字解 대나무를엮어만든울타리산 柵(木부 5획〈538〉)과 同字. '柵, 編竹木爲落也, 或从門'《集韻》.

門6〔䦨〕14 송 ㊤董 | sǒng ソウ くるる

字解 문동개송 문둔테의 구멍. '一, 門臼也'《五音集韻》.

門6〔䦩〕14 신 ㊦震 | shēn シン なめらかでないさま

字解 ①매끄럽지않은모양신 '一, 生澀不滑貌'《五音集韻》. ②문지킬신 '一, 守門也'《篇海》.

門6〔䦪〕14 욱 ㊅職 | xù キョク もんがへだてる

字解 문막힐욱 '一, 門阻也'《字彙》.

門6〔䦱〕14 ㊀위 ㊥支 | wéi ギ ㊀㊁ もんがたかい
㊁궤 ㊤紙 キ

字解 ㊀문높을위 '一, 門危也'《字彙》. ㊁문높을궤 ㊀과 뜻이 같음.

門6〔閪〕14 이 ㊥支 | yí イ くるる

字解 문동개이 문둔테의 구멍. '一, 門臼也'《五音篇海》.

門6〔閳〕14 〔천〕
闡(門부 12획〈1607〉)과 同字

門6〔𨳲〕14 평 ㊥庚 | pēng ホウ とびらをとじるおと

字解 문짝닫는소리평 '閛, 闛扉聲, 或从并'《集韻》.

門6〔𨴂〕14 할 ㊅黠 | xiá カツ もんをあけたてするおと

字解 문여닫는소리할 '一, 門聲'《集韻》.

〔聞〕 〔문〕
耳부 8획(1058)을 보라.

門7〔閫〕15 곤 ㊤阮 | kǔn コン しきみ

字解 ①문지방곤 문 밑을 받친 하방의 부분. 전(轉)하여, 호내(戶內)·호외(戶外)의 한계. '內言不出於一, 外言不入於一'《禮記》. ②성문곤 성곽(城郭)의 문. '一以內者, 寡人制之, 一以外者, 將軍制之'《史記》. ③성곤 성(姓)의 하나.

字源 形聲. 門+困〔音〕

門7〔閬〕15 랑 ㊦漾 ㊥陽 | làng ロウ あきらかにおおきい
láng

字解 ①휑뎅그렁할랑 광대하고 공허함. '胞有重一, 心有天遊'《莊子》. ②높을랑 문이 크고 높음. 전(轉)하여, 고대(高大)함. '集太微之一一'《後漢書》. ③성랑 성(姓)의 하나. ④(韓) 불알랑 음낭(陰囊).

字源 形聲. 門+良〔音〕

門7〔閭〕15 人名 려 ㊥魚 | lǘ リョ もん

筆順 丨 ｢ ｢ 門 門 問 間 閭

字解 ①이문려 마을의 문. 주대(周代)의 제도(制度)에, 스물다섯 집을 이(里)라 하고, 그 문을 '一'라 함. '倚一'. '旌一'. '門一毋閉'《淮南子》. 전(轉)하여 ②마을려 스물다섯 집이 사는 구역. '與其得罪於鄉黨州一'《禮記》. 또 전하여, 널리 촌락의 뜻으로 쓰임. '鬱葱佳氣夜充一'《蘇軾》. ③성려 성(姓)의 하나.

字源 形聲. 門+呂〔音〕

門7〔閱〕15 高·人 열 ㊅屑 | yuè エツ けみする

筆順 丨 ｢ ｢ 門 門 門 閂 閱

字解 ①점고할열 수효를 일일이 세며 조사함. '商人一其禍敗之釁'《左傳》. 전(轉)하여, 자세히 살핌. 검사함. '檢一'. '一兵'. ②가릴열 간택함. '簡一'. '克一乃邑謀介'《書經》. ③읽을열 독서함. '一書'. '可以調素琴, 一金經'《劉禹錫》. ④지낼열, 겪을열 경력함. '一月'. '一天下之義理多矣'《漢書》. ⑤모을열 모음. 합함. '夫川一水以成

川'《陸機》. ⑥공로열 공적 또는 근무의 경력. '積日曰一'《史記》. ⑦지체열 문벌. '閥一'. ⑧들어갈열 속으로 들어감. '我躬不一'《詩經》. ⑨거느릴열 통솔함. '以一衆甫'《老子》.
字源 形聲. 門+兌〔音〕

門7 〔閲〕15 閱(前條)과 同字

門7 〔閦〕15 〔환〕 患(心부 7획〈390〉)의 古字

門7 〔閫〕15 〔온〕 穩(禾부 14획〈913〉)과 同字

門7 〔閒〕15 〔격〕 闃(門부 9획〈1603〉)의 俗字

門7 〔閰〕15 국 入屋 jú キク さえぎる
字解 ①막을국 가로막음. '一, 閑也'《集韻》. ②문닫을국 '一, 閉也'《類篇》. ③두손으로물건을받들어올릴국 '一, 兩手捧物也'《篇海》.

門7 〔闋〕15 굴 入屑 què ケツ もんこがない
字解 문없을굴 '一, 無門戶也'《篇海》.

門7 〔閯〕15 〔궐〕 闕(門부 10획〈1605〉)과 同字

門7 〔閛〕15 보 上虞 bǔ ホ かど
字解 문보 '一, 門也'《五音集韻》.

門7 〔閯〕15 사 去禡 shà サ ひらく
字解 열사 '一, 開也'《集韻》.

門7 〔閾〕15 시 上紙 shǐ シ もん
字解 문시 '一, 門也'《篇海》.

門7 〔閜〕15 아 上哿 ě ア もんがかしぐ
字解 문기울아 문이 쏠림. '一, 門傾也'《龍龕手鑑》.

門7 〔閝〕15 〔염〕 閻(門부 8획〈1602〉)의 譌字

門7 〔閤〕15 오 平虞 wú ゴ くにのな
字解 나라이름오 '一, 國名'《篇海》.

門7 〔閘〕15 용 上腫 yǒng ヨウ もんにはいる
字解 문에들어갈용 '一, 門入也'《玉篇》.

門7 〔閏〕15 〔윤〕 閏(門부 4획〈1595〉)과 同字

門7 〔閮〕15 정 ①平青 tíng テイ もんのなか ②上迥 tǐng テイ もんがそとにひらく
字解 ①문의속정 문 안. '一, 門中也'《集韻》. ②문이밖으로열릴정 '一, 門外啓謂之一'《集韻》.

門7 〔閦〕15 축 入屋 chù シュク ほとけのな
字解 부처이름축 '一, 佛之名'《字彙補》.

門7 〔閑〕15 축 入屋 chù チク おおい
字解 많을축 閦(門부 6획〈1599〉)과 同子. '一, 眾也, 本作閦'《字統》.

門7 〔閪〕15 혹 入沃 hú コク もんをあけたてするおと
字解 문소리혹 문을 여닫는 소리. '一, 門聲謂之一'《集韻》.

門7 〔閲〕15 획 入陌 huō カク もんをあけたてするおと
字解 ①문소리획 문을 여닫는 소리. '一, 門聲'《玉篇》. ②열획 '一, 開也'《集韻》.

〔誾〕 〔은〕 言부 8획(1339)을 보라.

門8 〔閵〕16 린 去震 lìn リン とりのな, ふむ
字解 ①새이름린 조명(鳥名). ②밟을린 짓밟음. '所一轢'《漢書》.
字源 形聲. 篆文은 隹+两〈省〉〔音〕

門8 〔閶〕16 창 平陽 chāng ショウ てんもん
字解 문창 '一闔'은 천상(天上)의 문. 전(轉)하여, 대궐 문. 궁문(宮門). '游一闔'《漢書》.
字源 形聲. 門+昌〔音〕

門8 〔閹〕16 엄 平鹽 yān エン かんじゃ
字解 ①고자엄, 환관엄 거세(去勢)당하여 후궁(後宮)에서 일하는 남자. 주로, 궁문(宮門)의 개폐(開閉)를 맡았는데, 또 잡일도 하며, 혹은 군주의 옆에서 시중들기도 함. '一尹之砦'《漢書》. ②성할엄 양기(陽

氣)가 왕성함. '行夏政—'《管子》. ③숨길엄 나타내지 않는 모양. '—然媚於世'《孟子》.
字源 形聲. 門+奄〔音〕.

門8 〔閻〕16 염 ①-③(平)鹽 ④(去)豔 | yán エン りちゅうのもん yàn エン うつくしい

字解 ①이문염 마을의 문. '閭—且千'《後漢書》. ②마을염 촌락. '莊生雖居窮—'《史記》. ③성염 성(姓)의 하나. ④아리따울염 예쁨. '—妻驕扇'《漢書》.
字源 形聲. 門+臽〔音〕

門8 〔閼〕16 ㊀알 (入)曷 ㊁어 (去)御 ㊂연 (平)先 | è アツ さえぎる yù ヨ ゆとりのあるさま yān エン きょうどのおうのせいさい

字解 ㊀막을알 틀어막음. '勿壅勿—'《列子》. ㊁한가할어 한아(閒雅)한 모양. '窮穴—與'《漢書》. ㊂흉노왕비연 '—氏'는 흉노(匈奴)의 왕비(王妃)의 호(號).
字源 會意. 門+於

門8 〔閽〕16 혼 (平)元 | hūn コン もんばん

字解 ①문지기혼 문 특히 대궐문을 지키는 사람. '—人'. '—者, 守門之賤者也'《禮記》. ②문혼 대궐의 문. '詣闕自愬者, 曰叩—'《正字通》. ③성혼 성(姓)의 하나.
字源 形聲. 門+昏〔音〕

門8 〔閾〕16 역 (入)職 | yù ヨク しきみ

字解 문지방역 문 밑을 받친 하방의 부분. 전(轉)하여, 내외의 한계. '行不履—'《論語》.
字源 形聲. 門+或〔音〕

門8 〔閿〕16 문 (平)文 | wén ブン ちめい

字解 땅이름문 '—鄉'은 하남성(河南省)의 현명(縣名).

門8 〔⿵門巷〕16 항 (去)絳 | xiàng コウ ちまた

字解 거리항 '—, 陌也'《字彙》.

門8 〔⿵門阿〕16 아 (上)哿 | ě ア もんがかしぐ

字解 ①문기울어질아 '—, 門傾也'《說文》. ②기울어져갈아 '—砢'는 기울어져가는 모양. '—, —砢, 欲傾皃'《廣韻》.
字源 形聲. 門+阿〔音〕

門8 〔⿵門卷〕16 홍 | hòng コウ たたかう

字解 싸울홍 鬨(門부 8획〈1776〉)의 訛字. '崔杼之子, 相與私—'《呂氏春秋》.

門8 〔⿵門東〕16 〔란〕
闌(門부 9획〈1604〉)의 俗字

門8 〔⿵門見〕16 〔혁〕
鬩(門부 8획〈1776〉)의 俗字

門8 〔⿰糸閃〕16 〔살〕
⿰糸閃(門부 9획〈1604〉)의 訛字

門8 〔⿵門股〕16 고 | gǔ コ いちまいどのもん

字解 외짝문고 '—, 獨扇門也'《篇海》.

門8 〔⿵門壼〕16 곤 (上)阮 | kǔn コン きゅうちゅうのもん

字解 궁중(宮中)의문곤 궁 안에 있는 여러 문. '—, 宮中門'《字彙》.

門8 〔⿵門沽〕16 괄 (入)曷 | kuò カツ とおい

字解 ①멀괄 '—, 遠也'《篇海》. ②넓을괄 '—, 廣也'《篇海》. ③闊(門부 9획〈1603〉)의 訛字. '—, 闊字之譌'《正字通》.

門8 〔⿵門卦〕16 〔궐〕
闕(門부 10획〈1605〉)과 同字

門8 〔⿵門金〕16 〔금〕
琴(玉부 8획〈773〉)과 同字

門8 〔⿵門冢〕16 ㊀독 (入)屋 ㊁시 (上)紙 | dū トク かわのな シ もん

字解 ㊀강물이름독 '—, 水名'《集韻》. ㊁문시 '—, —門也'《玉篇》.

門8 〔閺〕16 민 (平)眞 | wén ビン さとのな

字解 고을이름민 '—, 鄉名, 或作閿'《集韻》.

門8 〔⿵門咅〕16 부 (去)宥 | fù フウ もんをあける

字解 문열부 문을 엶. '—, 開門'《篇海》.

門8 〔⿵門非〕16 비 (平)微 | fēi ヒ もんのかき

字解 ①문의화기비 '—, 門火氣也'《玉篇》. ②문짝비 扉(戶부 8획〈427〉)와 同字. '—, 與扉同'《篇海》.

門8 〔⿵門㝵〕16 애 (去)隊 | ài ガイ きでもんをさえぎる

字解 나무로문막을애 '一, 以木欄門'《字彙》.

門 8 〔⿵門圉〕16 어 上語 | yǔ ギョ ちいさいもん

字解 ①작은문어 '一, 小門'《集韻》. ②闥(門부 13획〈1608〉)의 訛字. '一, 闥字之譌'《正字通》.

門 8 〔⿵門委〕16 위 上紙 | wěi イ もんがたかい

字解 문높을위 '一, 門高也'《五音集韻》.

門 8 〔⿵門戔〕16 설 入屑 | zhé セツ じょうもんにしかけたつりど

字解 성문에설치한현문(懸門)설 '一, 城門版也'《集韻》.

門 8 〔⿵門沾〕16 첨 平鹽 | chān セン える

字解 얻을첨 손에 넣음. '一, 獲也'《篇海》.

門 8 〔⿵門幷〕16 〔평〕 開(門부 6획〈1600〉)의 本字

門 8 〔⿵門保〕16 포 平豪 | bāo ホウ ほめる

字解 칭찬할포 찬미(讚美)함. 褒(衣부 9획〈1282〉)와 同字. '一, 一讚, 揚美也, 亦作褒'《篇海》.

門 8 〔⿵門林〕16 한 | xián カン ならう

字解 ①익힐한 연습(練習)함. '一, 習也'《篇海》. ②본받을한 '一, 法也'《篇海》.

門 8 〔⿵門官〕16 환 平寒 | huán カン おくのしまりぐち

字解 ①깊숙한문환 깊숙한 곳에 있는 안쪽 문. '一, 深閤'《字彙》. ②궁문(宮門)환 내전(內殿)의 문. '一, 闥也'《玉篇》.

門 8 〔⿵門奇〕16 ㊀희 平支 | qí キ かべのすきま ㊁기 平支 | qí キ かつ

字解 ㊀벽틈희 벽(壁)에 생긴 틈. '一, 一㙐, 壁隙也'《集韻》. ㊁①이길기 극복함. '一, 克也'《五音集韻》. ②신표(信票)기 '一, 信也'《五音集韻》. ③쪼갤기 잘라 나눔. '一, 割截也'《五音集韻》.

門 9 〔闃〕17 격 入陌 | qù ケキ しずか

字解 고요할격 사람이 없어 아주 적막한 모양. '一其无人'《易經》.
字源 形聲. 門+狊〔音〕

門 9 〔闇〕17 암 ①②去勘 | àn アン くらい ③上感 | ǎn アン くらます ④平覃 | ān アン いおり

字解 ①어두울암 ㉠밝지 아니함. '一夜'. ㉡우매함. '一主'. '朝無忠臣者, 政一'《鹽鐵論》. ②밤암 어두운 밤. 암야(暗夜). '祭其一'《禮記》. ③어둡게할암 '蔽一之'《詩經箋》. '陰一其主'《韓非子》. ④여막암 상제가 거처하는 움집. '諒一'.
字源 形聲. 門+音〔音〕

門 9 〔闈〕17 위 平微 | wéi イ きゅうちゅうのしょうもん

字解 ①문위 궁중(宮中)의 작은 문. '攻一與大門'《史記》. ②대궐위 궁중. 주로, 후궁(後宮)을 이름. '正位宮一'《後漢書》. ③안방위 내실(內室). '眷戀庭一'《束晳》. ④과장위 과거를 보이는 곳. 회시(會試)를 '春一', 향시(鄕試)를 '秋一', 과거를 보는 것을 '入一'라 함.
字源 形聲. 門+韋〔音〕

門 9 〔闉〕17 인 平眞 | yīn イン がいじょうのもん

字解 ①성문인 성(城) 안의 이중(二重)의 문. 또는, 성 밖의 부성(副城). '出其一闍'《詩經》. ②막을인 통하지 못하게 함. '以共一城之蜃'《周禮》. ③굽을인 고부라짐. '一扼鷙曼'《莊子》. ④성인 성(姓)의 하나.
字源 形聲. 門+垔〔音〕

門 9 〔闊〕17 人名 활 入曷 | kuò カツ ひろい

筆順 丨 ｢ 門 門 閅 閅 閅 闊

字解 ①넓을활 ㉠면적이 큼. '廣一'. '地一天長'《李華》. ㉡마음이 큼. '一達多大節'《後漢書》. ②멀활 거리가 멂. '緩步一視'《列子》. ③성길활 정분이 멂. 오래 만나지 아니함. 소원함. '一別'. '于嗟一兮'《詩經》. ④거칠활 소략함. '方略疏一'《漢書》. ⑤간략할활 간편함. '文體簡一'《後漢書》. ⑥오활할활 세사(世事)에 통하지 아니함. 경우에 적절하지 아니함. '一疎'. '迂一不審'《後漢書》. ⑦근고할활 고생함. '死生契一'《詩經》. ⑧너그러이할활 관대하게 함. '一其租賦'《漢書》.
字源 形聲. 篆文은 門+活〔音〕
參考 濶(水부 14획〈695〉)은 俗字.

門 9 〔闋〕17 결 入屑 | què ケツ やむ, おわる

字解 ①끝날결, 마칠결 종료함. '不一時月'《後漢書》. 특히, 음악의 한 곡(曲)이 끝남을 이름. '有司告以樂一'《禮記》. ②쉴결 휴식함. '俾民心一'《詩經》. ③다할결 다 없어

짐. '日一亡儲'《漢書》. ④빌결 아무것도 없음. 공허함. '瞻彼一者, 虛室生白'《莊子》.
[字源] 形聲. 門＋癸〔音〕

門9 〔闌〕17 란 ㊥寒 lán ラン かたなかけ, さえぎる
[字解] ①막을란 차단함. '有河山以一之'《戰國策》. ②난간란 欄(木부 17획〈591〉)과 同字. '一干'. '門一之斷'《史記》. ③병가란 창·칼 따위를 걸어 두는 틀. '車上兵一'《左傳》. ④늦을란 '一暑'. '白露凝兮歲將一'《謝莊》. '歲一'. '醒時夜向一'《蘇軾》. ⑤한창란 절정. 고비. '宴一'. '酒一'《史記》. ⑥드물란 희소함. '振玉下金堦, 拭眼瞻星一'《樂府詩集》. ⑦함부로란 무단히. 승인 없이. '一入'. '一出財物於邊關'《史記》. ⑧쇠퇴할란 쇠락(衰落)함. '流枕商聲苦, 騷殺年志一'《鮑照》.
[字源] 形聲. 門＋柬〔音〕

門9 〔闍〕17 ㊀도 ㊥虞 dū ト ものみだい ㊁사 ㊥麻 shé シャ
[字解] ㊀망대도, 성문도 성문의 멀리 바라보는 대(臺). 또, 성 위의 겹문. '出其闉一'《詩經》. ㊁범어(梵語) '사'음의 음역(音譯)에 쓰임. '一利'.
[字源] 形聲. 門＋者〔音〕

門9 〔闟〕17 유 ㊥虞 yú ユ うかがう
[字解] 엿볼유 '距遠關以闚一'《左思》.

門9 〔闏〕17 [韓] 팽
[字解] 《韓》 문바람팽 외풍(外風).

門9 〔闒〕17 알 ㊇黠 yà アツ もんのおと
[字解] ①문여닫는소리알 '一, 門扉聲'《廣韻》. ②문열릴알 '蔫㵽熇歊熺, 抉門呀拗一'《韓愈》.
[字源] 形聲. 門＋曷〔音〕

門9 〔闅〕17 문 ㊥文 wén ブン·モン めをひくめてみる
[字解] 눈내리깔고볼문 눈을 내리깔고서 봄. '一, 氐目視也'《說文》.
[字源] 形聲. 旻＋門〔音〕
[參考] 閺(門부 8획〈1602〉)은 俗字.

門9 〔闆〕17 반 ㊤潸 bān ハン もんなかからのぞきみる
[字解] ①문안에서볼반 문 안에서 엿봄. '一, 門中視'《玉篇》. ②가게주인반, 자본가(資本家)반 '老一'은 상점(商店)의 주인. 또, 자본가.

門9 〔闔〕17 〔합〕 闔(門부 10획〈1605〉)의 本字

門9 〔闆〕17 〔역〕 閾(門부 8획〈1602〉)의 古字

門9 〔闎〕17 살 ㊇黠 shāi サツ けずる
[字解] 깎을살 깎아 가늘게 함. '相角秋一者厚, 春一者薄'《正字通》.

門9 〔闉〕17 건 ㊤銑 jiàn ケン かんぬき
[字解] 문빗장건 '楗, 拒門木, 或从門'《集韻》.

門9 〔闋〕17 〔결〕 闕(門부 6획〈1599〉)과 同字

門9 〔闊〕17 과 ㊥佳 kuā カイ もんがただしくあかない
[字解] 문이바르게열리지않을과 '一, 門不正開'《集韻》.

門9 〔闍〕17 낙 ㊇藥 nüè ジャク·ニャク ひく
[字解] 끌낙 잡아당김. '一, 牽引也'《集韻》.

門9 〔闢〕17 벽 ㊇陌 pì ヘキ ふさぐ
[字解] 막을벽 가로막음. '一, 塞也'《字彙》.

門9 〔闍〕17 성 ㊤梗 shěng セイ やくしょ
[字解] 관청(官廳)성 관공서. 省(宀부 9획〈282〉)·省(目부 4획〈840〉)과 同字. '省, 禁署, 或从門, 通作省'《集韻》.

門9 〔闖〕17 순 ㊤軫 chǔn チュン もんにちゅうする
[字解] 문에맞을순 '一, 中門'《玉篇》.

門9 〔闃〕17 영 ㊥庚 ㊤軫 yīng エイ もんのなか
[字解] 문의속영 '一, 門中也'《五音集韻》.

門9 〔闄〕17 요 ㊤篠 yǎo ヨウ へだてる
[字解] ①사이를띄울요 거리를 둠. '一, 隔也'《集韻》. ②가로막을요 '一, 遮也'《廣雅》.

門9 〔闆〕17 〔창〕 闖(門부 8획〈1601〉)과 同字

門9 〔闥〕17 치 ㊦寘 zhì チ こまかい

字解 빽빽할치 빈틈이 없음. '次二, —無間, 側曰, 無間之—, —其二也'《太玄經》.

門 9 〔[illegible]〕 17 폐 去霽 | bì ヘイ とざし

字解 ①빗장폐 문빗장. '—, 扃也'《字彙》. ②출입문(出入門) 폐 '—, 門戶也'《字彙》.

門 9 〔[illegible]〕 17 한 ㊤潸 | xiàn カン もんのしきみ

字解 문지방한 하인방(下引枋). 限(阜부 6획〈1614〉)·[illegible](門부 6획〈1599〉)과 同字. '—, 門—, 本單作限, 俗人加作—, 又作[illegible]'《字彙》.

門 9 〔[illegible]〕 17 합 入合 | hé コウ とびら

字解 ①문짝합 '—, 門扉也'《篇海》. ②闔(門부 10획〈1605〉)의 訛字. '—, 闔字之譌'《康熙字典》.

門 9 〔闀〕 17 향 平陽 | hāng コウ ひらく

字解 ①열향 '—, 開也'《篇海》. ②향기로울향 '—, 香也'《篇海》.

門 9 〔[illegible]〕 17 혈 入屑 | xié ケツ もんのおと

字解 문소리혈 문을 여닫는 소리. '—, 門聲'《集韻》.

門 9 〔[illegible]〕 17 홀 入物 | xù クツ ちいさいもん

字解 작은문홀 '—, 小門'《玉篇》.

門 10 〔闐〕 18 전 ①平先 ②去霰 | tián テン みちる / テン くにのな

字解 ①찰전 가득함. 충만함. '賓客—門'《史記》. ②오랑캐이름전 '于—'은 신강성(新疆省)에 있던 서이(西夷)의 일종.
字源 形聲. 門+眞〔音〕

門 10 〔闑〕 18 얼 入屑 | niè ゲツ もんちゅうのたてぎ

字解 문지방얼 문(門) 밑을 받친 하방의 부분(部分). 전(轉)하여, 내외(內外)의 한계(限界). '—以內, 寡人制之'《漢書》.
字源 形聲. 門+臬〔音〕

門 10 〔闒〕 18 ㊀ 답 入合 | tà トウ やぐらやね / ㊁ 탑 入合 | tà トウ いやしい

字解 ㊀ 문루지붕답 문루(門樓)의 지붕. '不過—'《司馬法》. ㊁ 천할탑, 용렬할탑 '在—茸之中'《漢書》.
字源 形聲. 門+搨〔音〕

門 10 〔闓〕 18 개 ①②㊤賄 | kǎi カイ ひらく / ③平灰 | kāi カイ ゆがけ

字解 ①열개 닫힌 것을 엶. '今欲與漢—大關'《漢書》. ②기뻐할개 凱(几부 10획〈96〉)와 통용. '昆蟲—懌'《漢書》. ③깍지개 활 쏠 때 엄지손가락에 끼는 기구. '決, 猶—也'《儀禮 註》.
字源 形聲. 門+豈〔音〕

門 10 〔闔〕 18 합 入合 | hé コウ とびら

字解 ①문짝합 문의 한 짝. 문비(門扉). '修—扇'《禮記》. ②닫을합 문을 닫음. '—戶謂之坤, 闢戶謂之乾'《易經》. ③뜸합 띠·부들 따위의 풀로 거적 비슷이 엮어 만든 물건. '茨牆則翦—'《周禮》. ④온합 전부의. '—國'. '今或至—郡而不荐一人'《漢書》. ⑤하늘문합 천상(天上)의 문. '游閶—'《漢書》. ⑥어찌아니할합 어찌 … 하지 않느냐. 盍(皿부 5획〈832〉)과 통용. '—不起爲寡人壽乎'《管子》. ⑦성합 성(姓)의 하나.
字源 形聲. 門+盍(盇)〔音〕

門 10 〔闕〕 18 人名 궐 入月 | què ケツ きゅうもん

筆順 丨 ｢ 门 門 門 闕 闕 闕

字解 ①대궐문궐 궁성의 문. 금문(禁門). '北—向曙, 東方未明'《王禹偁》. ②대궐궐 궁성. '宮—'. ③궐할궐 ㉠적게 함. '欲—剪我公室, 傾覆社稷'《左傳》. ㉡잃음. 잘못함. '袞職有—'《詩經》. ㉢모자람. '—乏'. '其所以知識甚—'《呂氏春秋》. ㉣빠뜨림. 뺌. '正其誤謬, 疑者—之'《曾鞏》. ④이지러질궐 한 귀퉁이가 떨어짐. '子不敢—. (注) —, 猶毁也'《呂氏春秋》. ⑤팔궐, 뚫을궐 '—地及泉'《左傳》. ⑥흠궐 물건이 이지러지거나 깨어진 곳. 또, 과실. 결점. '謀事補—'《左傳》. ⑦성궐 성(姓)의 하나.
字源 形聲. 門+欮〔音〕

門 10 〔闖〕 18 틈(츰本) 去沁 | chèn チン うかがう

字解 ①엿볼틈 틈을 노림. '奸首不敢—'《韓愈》. ②쑥내밀틈 느닷없이 머리를 쑥 내미는 모양. '開之則—然, 公子陽生也'《公羊傳》. 또 속(俗)에, 느닷없이 불쑥 들어가는 뜻으로 쓰임. '—入'. ※本音 츰.
字源 會意. 門+馬

門 10 〔闗〕 18 〔관〕
關(門부 11획〈1606〉)의 本字

門 10 〔[illegible]〕 18 〔활〕
闊(門부 9획〈1603〉)의 本字

門 10 〔䦧〕 18 〔린〕
閵(門부 8획〈1601〉)의 籀文

文 10 〔闗〕 18 〔관〕
關(門부 11획〈1606〉)의 俗字

門 10 〔闘〕 18 〔투〕
鬪(門부 10획〈1776〉)의 訛字

門 10 〔闋〕 18 결 ⓐ屑 | què ケツ とまる

字解 ①그칠결 '一, 止也'《篇海》. ②끝날결 마침. '一, 終也'《篇海》.

門 10 〔闛〕 18 당 ⓟ陽 | táng トウ たかいもん

字解 높은문당 閬(門부 7획〈1600〉)과 뜻이 같음. '一, 高門, 謂之一, 或从良'《集韻》.

門 10 〔闇〕 18 안 ⓖ霰 | yàn エン くらい

字解 날저물안 해가 짐. '一, 晚也'《字彙》.

門 10 〔闔〕 18 애 ⓖ卦 | ài アイ さわがしい

字解 시끄러울애 떠듦. '一, 鬧也'《集韻》.

門 10 〔闖〕 18 오 ⓢ麌 | wǔ オ もん

字解 문(門)오 '一, 一門也'《玉篇》.

門 10 〔闕〕 18 손 ⓢ銑 | zhuǎn セン もんのあけたてのなめらかなこと

字解 문여닫을때부드럽게잘될손 '一, 開閉門利也'《篇海》.

門 10 〔闐〕 18 준 ⓖ震 | jùn シュン すぐれる

字解 뛰어날준 우수함. '一, 英也'《篇海》.

門 10 〔闑〕 18 투 ⓖ禡 | dù タ さかずきをおく

字解 술잔드릴투 詫(宀부 10획〈91〉)과 同字. '詫, 說文, 奠爵也, 或作宅·一'《集韻》.

門 10 〔闓〕 18 창 ⓟ陽 | qiāng ショウ もんのおとのなごやかなこと

字解 문소리부드러울창 문을 여닫을 때, 시끄럽거나 빡빡하지 않은 것. '一, 門聲和也'《廣韻》.

門 10 〔闒〕 18 탑 ⓐ洽 | tā トウ しょうこのおと

字解 종고소리탑 '一, 闒一, 鐘鼓聲'《字彙》.

門 10 〔闔〕 18 효 ⓟ蕭 | xiāo キョウ もんがいっぱいにひらいたさま

字解 문활짝열린모양효 '一, 門大開皃'《集韻》.

門 11 〔闚〕 19 규 ⓟ支 | kuī キ うかがう

字解 엿볼규 窺(穴부 11획〈922〉)와 同字. '一其戶'《易經》.
字源 形聲. 門＋規〔音〕

門 11 〔關〕 19 中·人 ㊀관 ⓟ刪 guān カン かんぬき ㊁완 ⓟ刪 wān ワン ゆみをひく

筆順 𠃍 𠃛 門 閂 閞 關 關 關

字解 ㊀ ①문빗장관 문을 가로질러 잠그는 나무때기. '門一'. '一鑰'. '善閉無一楗, 而不可開'《老子》. ②잠글관 빗장을 걸어 닫음. '門雖設而常一'《陶潛》. ③관문관, 관관 국경 기타 요해처에 설치하여, 출입하는 사람을 조사하는 문. 또, 그 문을 설치한 곳. '至日閉一'《易經》. '守邊城一塞'《墨子》. 전(轉)하여, 출입하는 곳. 출입을 맡은 곳. '海一'. '腎者胃之一也'《素問》. ④묘문관 묘지 앞으로 들어가는 문. '及墓, 嘑啓一, 陳車'《周禮》. ⑤기관관 기계를 활동시키게 하는 장치. '施一發機'《後漢書》. ⑥꿸관 ㉠가운데를 뚫어 이쪽에서 저쪽으로 내밀게 함. '括髮一械'《漢書》. ㉡신을 신음. '履雖新必一於足'《史記》. ⑦참여할관 간여함. '一與婚事'《穀梁傳 註》. ⑧관계할관 관련을 가짐. '不一六二之義'《易經 註》. ⑨들어갈관 안으로 들어감. '盡一於律'《書經 傳》. ⑩거칠관, 겪을관 여러 가지를 겪음. 두루 미침. '涉獵'의 '涉'과 뜻이 같음. '少好學, 多一覽'《後漢書》. ⑪말미암을관 由(田부 0획〈795〉)와 뜻이 같음. '太學者, 賢士之所一也'《漢書》. ⑫구걸(求乞)할관 '因巫爲主人一飮食'《史記》. ⑬아뢸관 고백함. '進退得一其忠'《漢書》. ⑭성관 성(姓)의 하나. ㊁당길완 활을 당김. '越人一弓而射之'《孟子》.
字源 形聲. 門＋𢇇〔音〕
參考 関(門부 6획〈1599〉)은 俗字.

門 11 〔闛〕 19 탕 ⓟ陽 | tāng, tāng トウ·ドウ つづみのおと

字解 북소리탕 북을 치는 소리. '鏗鎗一鞈'《司馬相如》.
字源 形聲. 門＋堂〔音〕

門 11 〔闝〕 19 표 ⓟ蕭 | piāo ヒョウ しょうぎにおぼれる

字解 창기(倡妓)에 빠질표 '一, 溺倡也'《字彙補》.

門11〔鬪〕19 ㊀투 ㊤有 dòu トウ たたかう
㊁두 ①㊤有 dǒu トウ せい
②㊤有 トウ よぶ

字解 ㊀싸울투 鬪(鬥부 14획〈1776〉)의 俗字. '鬪, 鬪競. …一, 俗'《廣韻》. ㊁①성두 성(姓)의 하나. ②부를두 '一, 呼也'《字彙》.

門11〔闞〕19 〔감〕
闞(門부 12획〈1607〉)의 本字

門11〔闀〕19 〔숙〕
塾(土부 11획〈219〉)과 同字

門11〔闙〕19 계 ㊤薺 qǐ ケイ もんをひらく

字解 ①문을열계 문을 엶. '一, 開門也'《集韻》. ②啓(口부 8획〈171〉)와 통용. '一, 通作啓'《集韻》.

門11〔闟〕19 교 ㊤篠 jiǎo キョウ くだす

字解 깎아내릴교 지위(地位) 등을 낮춤. '一, 降殺也'《字彙補》.

門11〔闑〕19 얼 ㊀屑 niè ゲツ もんのくい

字解 문지방얼 '一, 門一也'《字彙補》.

門11〔闇〕19 〔은〕
誾(言부 8획〈1339〉)과 同字

門12〔闖〕20 위 ㊤紙 wěi イ ひらく

字解 ①열위 문을 엶. '一, 闢門也'《說文》. ②성위 성(姓)의 하나.
字源 形聲. 門＋爲〔音〕

門12〔闞〕20 ㊀감 ㊤勘 kàn カン のぞむ
㊁함 ㊤豏 hǎn カン いかるさま

字解 ㊀①바라볼감, 내려다볼감 瞰(目부 12획〈856〉)과 同字. '俯一海湄'《嵇康》. ②성감 성(姓)의 하나. ㊁으르렁거릴함 범이 성내어 우는 소리의 형용. '一如虓虎'《詩經》.
字源 形聲. 篆文은 門＋敢〔音〕

門12〔闟〕20 ㊀흡 ㊀緝 xì キュウ ほこのな
㊁탑 ㊀合 tà トウ いやしい

字解 ㊀창흡 수레를 호위할 때 쓰는 작은 창. '操一戟者'《史記》. ㊁천(賤)할탑 闒(門부 10획〈1605〉)과 통용. '爲掃除之吏, 在一茸之中'《司馬遷》.
字源 形聲. 門＋翕〔音〕

門12〔闠〕20 궤(회㊍) ㊤隊 huì カイ いちのがいもん

字解 ①저자문궤 저자의 경계에 세운 문. 전(轉)하여, ②저자궤 인가가 즐비하고 물건의 매매가 흥성한 곳. '通闤帶一'《張衡》. ※本音 회.
字源 形聲. 門＋貴〔音〕

門12〔闡〕20 천 ㊤銑 ㊥先 chǎn セン ひらく

字解 ①열천 닫힌 것을 엶. '厥有氏號, 紹天一繹者'《後漢書》. ②밝힐천, 밝혀질천 겉으로 드러내어 밝힘. 명확하게 됨. '一明'. '微顯一幽'《易經》. '洎于梁世, 玆風復一'《顏氏家訓》. ③넓힐천, 넓어질천 '開一'. '一幷天下'《史記》.
字源 形聲. 門＋單〔音〕

門12〔闍〕20 사 shé シャ そうのしょうごう

字解 중사 '一黎'는 승려(僧侶)의 칭호(稱號). '一, 一黎, 僧稱'《字義總略》.

門12〔闦〕20 초 ㊥蕭 jiāo ショウ こくたん

字解 오목나무초 흑단(黑檀). 오목(烏木)나무. '夷用一木'《逸周書》.

門12〔闉〕20 〔인〕
闉(門부 9획〈1603〉)의 本字

門12〔闣〕20 광 ㊥陽 guāng コウ かんぬき

字解 빗장광 문빗장. '一, 門關也'《集韻》.

門12〔闕〕20 〔궐〕
闕(門부 10획〈1605〉)의 俗字

門12〔闚〕20 규 ㊥齊 kuī ケイ うかがう

字解 ①엿볼규 '一, 小視也'《篇海》. ②闚(門부 11획〈1606〉)의 訛字. '一, 闚字之譌'《康熙字典》.

門12〔𨵦〕20 문 ㊥文 wēn ブン けんめい

字解 고을이름문 '一, 縣名'《篇海》.

門12〔闒〕20 액 ㊀職 é ゴク とじる

字解 닫을액, 닫힐액 '一, 閉也'《篇海》.

門 12 〔⿵門壹〕 20 열 入屑 | yē エツ ふさぐ

字解 막을열, 막힐열 '一, 閼也'《集韻》.

門 12 〔⿵門⿱亞土〕 20 인 平眞 | yīn イン うえにものみをもったもん

字解 ①위에망대(望臺)를갖춘문인 '一, 一闍'《字彙補》. ②闉(門부 9획〈1603〉)의 訛字. '一, 卽闉字之譌'《康熙字典》.

門 12 〔⿵門華〕 20 화 平麻 | huā カ もんをひらく

字解 문열화 '一, 開門也'《玉篇》.

門 12 〔⿵門畫〕 20 획 入陌 | huà カク ひらく

字解 ①열획 '一, 開也'《集韻》. ②물건깨뜨릴획 '一, 破物也'《字彙》.

門 13 〔闢〕 21 人名 벽 入陌 | pì ヘキ ひらく

筆順 ｢ ｢ 門 門 門 閂 闢 闢

字解 ①열벽 ㉠문을 엶. '金門未一'《王禹偁》. ㉡새로 전답을 만듦. '一壁'. '田疇多蕪, 何以一之'《王禹偁》. ②열릴벽 나누임. 부판(剖判)함. '天地開一'. ③피할벽 회피함. 옆으로 물러섬. '凡外內命夫命婦出入, 則爲之一'《周禮》.

字源 形聲. 門+辟〔音〕

門 13 〔闤〕 21 환 平刪 | huán カン いちのもん

字解 ①저자문환 저자의 경계에 세운 문. 일설(一說)에는, 저자의 담. 전(轉)하여, ②저자거리환 가게가 즐비하고 복작거리는 곳. '一闠之裏'《左思》.

字源 形聲. 門+睘(䁹)〔音〕

門 13 〔闥〕 21 ㊀달 入曷 ㊁건 上阮 | tà タツ もんのうち ケン ろうじょうのつきでたしかくのき

字解 ㊀ ①뜰달 대문 안의 마당. '在我一兮'《詩經》. ②문달 궁중의 작은 문. 전(轉)하여, 궁중. '禁一'. '紫一'. '排一直入'《漢書》. ③빠를달 신속한 모양. '一爾奮逸'《嵇康》. ㊁ 문빗장건 문을 가로질러 잠그는 나무때기. '上飛一而仰眺'《張衡》.

字源 形聲. 門+達〔音〕

門 13 〔⿵門詹〕 21 ㊀염 平鹽 ㊁검 上琰 | yán エンびょうもん qiàn ケン もんのやね

字解 ㊀ 사당집문염 묘문(廟門). '大夫向一而立'《語林》. ㊁ ①문지붕검 문(門)의 지붕. '一, 門屋'《集韻》. ②문조금열검 '一, 小開戶也'《集韻》.

字源 形聲. 門+詹〔音〕

門 13 〔⿵門鄉〕 21 향 去漾 上養 | xiang キョウ もんのむかい

字解 ①문맞은쪽향 문의 정면(正面)에 상당하는 당(堂)의 동서(東西) 양 섬돌의 사이. '一, 門響也'《說文》. ②문머리향 문의 옆. '一, 門頭也'《廣韻》. ③창향 문을 낀 창문(窓門). '一, 一曰, 牖屬'《集韻》. ④성향 성(姓)의 하나.

字源 形聲. 門+鄕〔音〕

門 13 〔闣〕 21 당 去漾 上養 | dàng トウ うかがう tāng トウ さかんなさま

字解 ①엿볼당 '一, 小視也'《篇海》. ②성(盛)한모양당 '一, 盛貌'《五音集韻》. ③북소리당 鼞(鼓부 11획〈1875〉)과 同字. '鼞, 說文, 鼓聲也, 或作一'《集韻》. ④鏜(金부 11획〈1578〉)과 통용. '一, 按, 詩邶風, 今作鏜'《康熙字典》.

門 13 〔闟〕 21 삽 入合 | sà ソウ とじる

字解 닫을삽 '一, 閉也'《集韻》.

門 13 〔⿵門遂〕 21 수 去寘 | suì スイ もんのりょうかたわら

字解 문언저리수 문의 양옆. '一, 門偏也'《五音集韻》.

門 13 〔⿵門睪〕 21 역 | yì エキ もんをひらく

字解 문열역 문을 엶. '一, 闢門也'《字彙補》.

門 13 〔⿵門溫〕 21 창 平陽 | chāng ショウ もんのとびら

字解 문짝창 閶(門부 9획〈1604〉)과 同字. '一, 門扇也, 見釋典, 亦作閶'《字彙》.

門 13 〔⿵門毀〕 21 〔위〕 闈(門부 12획〈1607〉)와 同字

門 13 〔⿵門⿱里⿱八土〕 21 전 平先 | chán テン いちのもん

字解 ①저자의문전 '一, 市門'《字彙》. ②廛(广부 12획〈351〉)의 俗字. '一, 俗廛字'《正字通》.

門 13 〔⿵門薦〕 21 천 去霰 | jiàn セン もんのそばにあるひかえるところ

字解 문곁의기다리는곳천 '一, 門次謂之

一'《集韻》.

門 13 〔闂〕21 항 ㊀絳 | xiāng コウ みつめる

字解 곧바로볼항 응시함. '一, 直視'《字彙》.

門 14 〔闥〕22 〔달〕 闥(門부 13획〈1608〉)의 本字

門 14 〔闢〕22 〔녜〕 闢(門부 14획〈1776〉)의 訛字

門 14 〔闧〕22 〔숙〕 塾(土부 11획〈219〉)과 同字

門 14 〔闦〕22 훌 ㊁物 | xū クツ ちいさいもん

字解 작은문훌 '一, 小門'《五音集韻》.

門 15 〔闤〕23 〔환〕 闤(門부 13획〈1608〉)의 本字

門 16 〔闠〕24 〔궤〕 闠(門부 12획〈1607〉)의 本字

門 16 〔闧〕24 력 ㊁錫 | lì レキ ひらく

字解 열력 닫혀진 것을 엶. '一, 開也'《集韻》.

門 17 〔闟〕25 약 ㊁藥 | yuè ヤク かんぬきをたてにつらぬくぼう

字解 빗장궬대약 위는 빗장을 꿰뚫고, 아래는 땅에 박아 문을 닫아 잠그는 나무. '一, 關下牡也'《說文》.

字源 形聲. 門+龠〔音〕

門 17 〔闟〕25 ㊀전 ㊤銑 | zhuǎn センなめらか　㊁현 ㊤銑 | ケン なめらか

字解 ㊀①매끄러울전 문(門)을 여닫기가 매끄러움. '一, 開閉門利也'《說文》. ②베틀실수효전 십총(十緫)의 일컬음. '緫총'은 여든올의 삼실. '一, 一曰縷十紘也'《說文》. ㊁매끄러울현, 베틀실수효현 ■과 뜻이 같음.

字源 形聲. 門+䜌〔音〕

門 17 〔闝〕25 령 ㊄青 | líng レイ もんのうえのこまど

字解 들창령 '閝, 門上窗謂之一, 或从霝'《集韻》.

門 18 〔闟〕26 闟(前前條)와 同字

門 18 〔闥〕26 〔민〕 閩(門부 6획〈1599〉)과 同字

門 19 〔闌〕27 란 ㊄寒 | lán ラン みだり

字解 함부로란, 함부로들어갈란 문감(門鑑)없이 함부로 궁문(宮門)을 드나듦. '一, 妄入宮亦也'《說文》.

字源 形聲. 門+䜌〔音〕

阜(阝)部

〔언덕부·좌부방부〕

阜 0 〔阜〕8 부 ㊤有 | fù フ おか

筆順 ′ ｲ 卢 户 自 自 皀 阜

字解 ①언덕부 나지막한 산. 토산(土山). '如山如一, 如岡如陵'《詩經》. ②클부 '一成兆民'(백성의 행복을 대성(大成)함)《書經》. ③살찔부 비대함. '駟驖孔一'《詩經》. ④성할부 왕성함. '火烈具一'《詩經》. ⑤많을부 '爾殽既一'《詩經》. ⑥자랄부 성장함. '助生一也'《國語》. ⑦크게할부, 성하게할부 '可以一我民之財兮'《史記》. ⑧성부 성(姓)의 하나.

字源 象形. 층이 진 흙산의 모양을 본떠, '언덕'의 뜻을 나타냄. 파생하여, '크다, 성하다, 많다'의 뜻을 나타냄.

參考 '阜부'를 의부(意符)로 하여, 언덕이나 언덕 모양으로 불긋한 것 등, 언덕에 관련된 지형·상태를 나타내는 문자를 이룸. '阜'가 변으로 될 때에는 '阝'의 자형이 됨. 부수 이름은 '언덕부', 변의 이름으로는 속(俗)에, '좌부방(左阜傍)'이라 함.

〔𠂤〕 〔퇴〕 丿부 5획(19)을 보라.

阜 0 〔𨸏〕8 阜(前前條)의 本字

阜 0 〔阝〕3 '阜'가 글자의 왼편으로 올 때의 자체(字體). 이름은 좌부방(左阜傍).

筆順 ㇇ 了 阝

阜 2 〔阞〕5 륵 ㊁職 | lè ロク ちみゃく

字解 ①지맥륵 토맥(土脈). '溝逆地一'《周禮》. ②셈나머지륵 여수(餘數). '以其圍之一, 捎其藪'《周禮》.

[字源] 形聲. 阝(𠂤)＋力〔音〕

阜 2 〔阝丁〕 5 정 [平]青 | dīng テイ·チョウ おかのな

[字解] 언덕이름정 소택(沼澤)을 왼쪽에 둔 언덕. 동쪽에 소택(沼澤)이 있는 언덕. '一, 丘名'《說文》.
[字源] 形聲. 阝(𠂤)＋丁〔音〕

阜 2 〔队〕 5 〔대〕 隊(阜부 9획〈1620〉)의 簡體字

阜 3 〔阡〕 6 [人名] 천 [平]先 [去]霰 | qiān セン みち

[筆順] ㇇ 了 阝 阝一 阝二 阡

[字解] ①길천 ㉠남북으로 통하는 밭 사이의 길. 동서로 통하는 밭둑길은 '陌'이라 함. ㉡무덤으로 가는 길. 묘도(墓道). '新一絳水遙'《杜甫》. ②무성할천 芊(艸부 3획〈1121〉)과 통용. '遠樹曖一一'《謝朓》. ③일천천 千(十부 1획〈125〉)과 통용. ④성천 성(姓)의 하나.
[字源] 形聲. 阝(𠂤)＋千〔音〕

阜 3 〔阤〕 6 [一] 치 [上]紙 | zhì チ くずれる
[二] 시 [上]紙 | シ くずれる
[三] 타 [平]歌 | tuó タ ななめ

[字解] [一] ①무너질치 붕괴함. '聚不一崩'《國語》. ②비탈치 경사진 곳. '古登一也'《周禮》. [二] 허물어질시 기강이 퇴폐함. '綱紀頹一'《後漢書》. [三] 비탈질타 陂(阜부 5획〈1612〉)를 보라. '陂一'.
[字源] 形聲. 阝(𠂤)＋也〔音〕

阜 3 〔阢〕 6 [一] 올 [入]月 | wù ゴツ つちをいただいたいしやま
[二] 외 [平]微 | ギ つちをいただいたいしやま
[三] 의 [平]灰 | ガイ たかい
[四] 굴 [入]物 | グツ たかいさま

[字解] [一] 흙을인돌산올 '一, 石山戴土也'《說文》. [二] 흙을인돌산외 [一]과 뜻이 같음. [三] 높을의, 험할의, 위태로울의 '一, 高也'《廣雅》. '一, 崔也'《玉篇》. [四] 높은모양굴 '一, 高皃'《集韻》.
[字源] 形聲. 阝(𠂤)＋兀〔音〕

阜 3 〔阠〕 6 신 [去]震 [平]眞 | xùn シン おかのな
シン おかのな

[字解] 언덕이름신 고대의 능(陵)의 이름. 동방(東方)에 있었다고 함. '一, 東方陵名'《廣韻》.
[字源] 形聲. 阝(𠂤)＋卂〔音〕

阜 3 〔阣〕 6 [一] 흘 [入]物 | yì ギツ やまのさま
[二] 개 [去]隊 | gài カイ けわしい

[字解] [一] 산우뚝솟을흘 屹(山부 3획〈303〉)과 同字. '屹, 屹崪, 山皃, 或从阜'《集韻》. [二] 험준할개 '一, 陵也'《集韻》.

阜 4 〔阨〕 7 [一] 애 [去]卦 | ài アイ けわしい
[二] 액 [入]陌 | è アク ふさがる

[字解] [一] ①길험할애 '彼徒我車, 所遇又一'《左傳》. 또, 험준하거나 좁은 길목. '閉關據一'《史記》. ②좁을애 隘(阜부 10획〈1622〉)와 同字. '邦有湫一而跪跼'《左思》. [二] ①막힐액 ㉠통로가 막힘. ㉡운수가 막힘. 불운함. '一窮而不憫'《孟子》. ②고난액 ㉠고생. '百姓仍遭凶一'《漢書》. ㉡위급한 처지. 위난(危難). '是時孔子當一'《孟子》.
[字源] 形聲. 阝(𠂤)＋厄〔音〕

阜 4 〔阪〕 7 [人名] 판 [上]阮 | bǎn ハン さか

[筆順] ㇇ 了 阝 阝一 阝厂 阪 阪

[字解] ①비탈판 경사진 곳. 坂(土부 4획〈201〉)과 同字. '一上走丸'《漢書》. ②둑판 제방. '相丘陵一險原隰'《呂氏春秋》. ③비탈질판 평탄하지 아니함. '瞻彼一田, 有菀其特'《詩經》.
[字源] 形聲. 阝(𠂤)＋反〔音〕

阜 4 〔𨸝〕 10 阪(前條)과 同子

阜 4 〔阭〕 7 [人名] [一] 윤 [上]軫 | yǔn イン たかい
[二] 연 [上]銑 | yǎn エン たかい

[筆順] ㇇ 了 阝 阝厶 阝允 阭

[字解] [一] ①높을윤 높다. '一, 高也'《說文》. ②돌윤 돌, 암석. '一, 石也'《說文》. [二] ①높을연 높고 위험하다. '一, 高也'《集韻》. '一, 高危也'《集韻》. ②땅이름연 지명. '一, 一日, 地名'《集韻》.
[字源] 形聲. 阝(𠂤)＋允〔音〕

阜 4 〔阬〕 7 [一] 갱 [平]庚 | kēng コウ あな
[二] 강 [平]陽 | gāng コウ おおきいおか

[字解] [一] ①구덩이갱 坑(土부 4획〈201〉)과 同字. ②묻을갱 구덩이를 파고 묻음. '焚書一儒'. '皆一之'《史記》. ③성갱 성(姓)의 하나. [二] 언덕강 작은 산. 토산. 일설(一說)에는 바다. '陳衆車於東一'《揚雄》.
[字源] 形聲. 阝(𠂤)＋亢〔音〕

阜 4 〔阮〕 7 완(원[本]) [上]阮 | ruǎn ゲン くにのな

[字解] ①나라이름완 주대(周代)의 국명(國名). 지금의 감숙성(甘肅省) 경주(涇州)에 있었음. ②성완 성(姓)의 하나. '一籍'·

'一咸'은 모두 죽림 칠현(竹林七賢)의 한 사람. '諸一皆飲'《晉書》. ③악기이름완 '一咸'은 월금(月琴)의 고칭(古稱). 진(晉)나라의 완함(阮咸)이 창제(創製)하였다 함. '笙一箏筑'《宋史》. ※本音 원.
[字源] 形聲. 阝(𨸏)+元〔音〕

阜 4 〔阯〕 7 지 [上]紙 | zhǐ シ もとい
[字解] ①터지 터전. 기초. '頗立產業基一'《漢書》. ②기슭지 산의 기슭. '太山下一'《史記》. ③주춧돌지 초석(礎石). '得穎一于榛荒'《朱熹》. ④물가지 沚(水부 4획〈632〉)와 통용. '黑水玄一'《張衡》. ⑤발지 趾(足부 4획〈1422〉)와 통용. '合浦交一'《漢書》.
[字源] 形聲. 阝(𨸏)+止〔音〕

阜 4 〔防〕 7 [中][人] 방 [平]陽 | fáng ボウ つつみ
[筆順] 7 3 阝 阝' 阝 防 防
[字解] ①둑방 제방. '堤一'. '無曲一'《孟子》. ②막을방 ㉠가로막음. 못 가게 함. '一止'. '一遏'. '不一川'《國語》. ㉡대비함. '豫一之'《易經》. ㉢가림. '一露'《楚辭》. 또, 막는 일. 막는 설비. '海一'. '邊一'. '長城鉅一'《戰國策》. ③당(當)할방 '百夫之一'《詩經》. ④방방 房(戶부 4획〈425〉)과 통용. '生殿一內中'《漢書》. ⑤성방 성(姓)의 하나.
[字源] 形聲. 阝(𨸏)+方〔音〕

阜 4 〔阱〕 7 정 [去]敬 [上]梗 | jǐng セイ おとしあな
[字解] 함정정 穽(穴부 4획〈916〉)과 同字. '塞一杜擭'《周禮》.
[字源] 形聲. 阝(𨸏)+井〔音〕

阜 4 〔阧〕 7 두 [上]有 | dǒu トウ そばだつ
[字解] 가파를두 陡(阜부 7획〈1615〉)와 同字. '一, 峻立也, 或从走'《集韻》.
[字源] 形聲. 阝(𨸏)+斗〔音〕

阜 4 〔阺〕 7 시 [上]紙 | shì シ くずれかかったおか
[字解] 무너져가는벼랑시 돌출(突出)하여 무너지려고 하는 벼랑.
[參考] 阺(阜부 5획〈1612〉)는 別字.

阜 4 〔阰〕 7 비 [平]支 | pí ヒ やまのな
[字解] 산이름비 '朝搴一之木蘭兮. (注)一, 山名'《楚辭》.
[字源] 形聲. 阝(𨸏)+比〔音〕

阜 4 〔阫〕 7 배 [平]灰 | pēi ハイ かき
[字解] 담배 담장. 坏(土부 4획〈201〉)와 同字. '民之於利甚勤, 子有殺父, 臣有殺君, 正晝爲盜, 日中穴一'《莊子》.
[字源] 形聲. 阝(𨸏)+不〔音〕

阜 4 〔阩〕 7 승 [平]蒸 | shēng ショウ のぼる
[字解] 오를승 陞(阜부 7획〈1615〉)과 同字. '一, 登也'《字彙》.

阜 4 〔抉〕 7 ㊀ 벽 [入]職 | pì ヒョク ちがさける
㊁ 결 [入]屑 | jué ケツ おかのあな
[字解] ㊀땅벌어질벽 땅이 갈라짐. '一, 地裂也'《廣韻》. ㊁ 언덕의구멍결 '一, 陵阜突也'《集韻》.

阜 4 〔阳〕 7 〔양〕 陽(阜부 9획〈1619〉)과 同字・簡體字

阜 4 〔阴〕 7 〔음〕 陰(阜부 8획〈1617〉)과 同字・簡體字

阜 4 〔阶〕 7 〔계〕
階(阜부 9획〈1620〉)의 簡體字

阜 4 〔阪〕 7 급 [入]緝 | jí キュウ きざはし
[字解] 사다리층계급 사다리 층계. 級(糸부 4획〈983〉)과 통용. '一, 階等也, 通作級'《集韻》.

阜 4 〔阾〕 7 〔서〕
序(广부 4획〈344〉)와 同字

阜 4 〔阦〕 7 〔양〕
陽(阜부 9획〈1619〉)의 俗字

阜 4 〔阥〕 7 〔음〕
陰(阜부 8획〈1617〉)의 俗字

阜 4 〔陔〕 7 해 [平]灰 | hāi カイ わらうこえ
[字解] ①웃음소리해 웃음소리. '一, 欬一, 笑聲也'《廣韻》. ②부적망치해 부적 망치. 마귀를 쫓기 위한 물건. '欬一'. '一, 欬一, 剛卯也'《類篇》.

阜 5 〔阹〕 8 거 [平]魚 | qū キョ おり
[字解] 우리거 산곡(山谷)에 짐승이 빠져 나가지 못하게 설치한 우리. '江河爲一'《司馬相如》.
[字源] 形聲. 阝(𨸏)+去〔音〕

阜5 〔阺〕 8 저 [上]薺 | dǐ テイ さか

[字解] ①비탈저, 언덕저 산비탈, 또는 구릉. '拒隴一'《後漢書》. ②무너질저 산비탈의 흙이 무너져 내려오는 모양. '嚮若一隤'《漢書》.
[字源] 形聲. 阝(𨸏)+氐〔音〕
[參考] 阺(阜부 4획〈1611〉)는 別字.

阜5 〔阻〕 8 조 [上]語 | zǔ ショ けわしい

[字解] ①험할조 험준함. '險一'. '道一且長'《詩經》. 또, 험준한 곳. '周知其山林川澤之一'《周禮》. ②떨어질조 멀리 떨어져 있음. '一隔'. '怨故鄕之一邃'《傅亮》. ③허덕거릴조 괴로워함. '黎民一饑'《書經》. ④저상할조 기가 꺾임. '氣一而志奪'《子華子》. ⑤막을조 저지함. '一之以兵'《禮記》. ⑥의심할조 의아하게 여김. '狂夫一之'《左傳》. ⑦의거할조 의지함. '一邱而保威'《呂氏春秋》. ⑧믿을조 남의 힘을 입어 든든함. '一兵而安忍'《左傳》. ⑨고난조 고생. 고초. '弱冠逢世一'《陶潛》.
[字源] 形聲. 阝(𨸏)+且〔音〕

阜5 〔阼〕 8 조 [去]遇 | zuò ソ どうのひがしのきざはし

[字解] ①섬돌조 제사 등을 지낼 때에, 주인이 당(堂)에 올라가는 동편 층계. 중국의 당(堂)은 동서 양쪽에 각기 층계가 있어서, 손은 서쪽에서, 주인은 동쪽에서 올라감. '朝服而立於一階'《論語》. '踐一臨祭祀'《禮記》. ②보위조 천자가 즉위하여 제사를 지내는데 동쪽 층계에서 올라가므로, 전(轉)하여, 천자의 자리의 뜻이 되었음. 보조(寶祚). 지금은 '祚'자를 많이 씀. '踐一而治'《禮記》. ③제육조 胙(肉부 5획〈1069〉)와 통용. '一俎, 羊肺一'《儀禮》.
[字源] 形聲. 阝(𨸏)+乍〔音〕

阜5 〔阽〕 8 점(①염[本]) ①[平]鹽 ②[去]豔 | yán エン あやうい / diàn テン おちかかる

[字解] ①위태할점 위험함. '爲天下一危'《漢書》. ※本音 염. ②떨어뜨릴점, 떨어질점 위에서 밑의 위험한 곳으로 떨어지게 함. '一余身而危死兮'《楚辭》.
[字源] 形聲. 阝(𨸏)+占〔音〕

阜5 〔阿〕 8 [人名] [一]아 [平]歌 | ē ア おか / [二]옥 [入]屋 | wū アク せっとうご

[筆順] ㇇ 了 阝 阝 阝 阝 阿 阿

[字解] [一] ①언덕아 구릉. '順一而下'《司馬相如》. ②물가아 수변(水邊). '天子飮于河水之一'《穆天子傳》. ③모퉁이아 길 모퉁이. '陽之一'《楚辭》. ④기슭아 산기슭. '流目眺夫衡一兮'《張衡》. ⑤의지할아 의뢰함. '一衡'. ⑥마룻대아 마룻도리. '當一東面致命'《儀禮》. ⑦아름다울아 미려한 모양. '隰桑有一'《詩經》. ⑧아첨할아 아유함. '察一上亂法者'《呂氏春秋》. ⑨대답하는소리아 건성으로 대답하는 소리. '唯之與一, 相去幾何'《老子》. ⑩성아 성(姓)의 하나. [二] 호칭옥 남을 부를 때 친근한 뜻을 나타내기 위하여 위에 붙이는 말. '一妹'. '一兄'. '家中有一誰'《古詩》.
[字源] 形聲. 阝(𨸏)+可〔音〕

阜5 〔陂〕 8 [一]피 [平]支 ①-③bēi ヒ つつみ / [去]寘 ④⑤bì ヒ かたむく / [二]파 [平]歌 pō ハ さか

[字解] [一] ①못피 저수지. '毋漉一池'《禮記》. ②방죽피, 둑피 제방. '九澤旣一'《書經》. ③곁피 옆. '騰雨師, 洒路一'《漢書》. ④기울어질피 한쪽으로 쏠림. '無平不一'《易經》. ⑤간사할피 바르지 아니함. '險一之衆'《漢書》. [二] ①비탈파 산비탈. '山旁曰一'《釋名》. ②비탈질파 경사진 모양. '登一陁之長阪兮'《司馬相如》. ③치우침파 편파(偏頗). '無偏無一'《書經》.
[字源] 形聲. 阝(𨸏)+皮〔音〕

阜5 〔附〕 8 [高·人] 부 [去]遇 | fù フ つく

[筆順] ㇇ 了 阝 阝 阝 阝 附 附

[字解] ①붙을부 ㉠달라붙음. '一着'. '山一於地'《易經》. ㉡귀신이 붙음. '爲巫者, 鬼必一之'《譚子》. ㉢한편이 됨. 친밀히 함. '一於楚則晉怒, 一於晉則楚來伐'《史記》. ㉣좇아 따름. 종속(從屬)함. '一屬'. '百姓一'《淮南子》. '四夷未一'《王禹偁》. ㉤의탁함. 의지함. '一於諸侯'《孟子》. ②붙일부 ㉠가까이 댐. '一耳之言, 聞於千里'《淮南子》. ㉡첨가함. '一錄'. '一加'. '別爲或問以一其後'《朱熹》. ㉢더함. 보탬. '一益'. '一之以韓魏之家'《孟子》. ㉣줌. '一與'. '寄一'. '一書與六親'《杜甫》. ③합사할부 祔(示부 5획〈886〉)와 통용. '大夫一于士'《禮記》. ④창자부 腑(肉부 8획〈1079〉)와 통용. '臣得幸託肺一'《漢書》. ⑤성부 성(姓)의 하나.
[字源] 形聲. 阝(𨸏)+付〔音〕

阜5 〔阸〕 8 [一]국 [入]屋 | jú キク きし / [二]외 [平]灰 | wēi ワイ くま

[字解] [一] 물가언덕국 물가 언덕의 바깥쪽. '曲岸水外曰一'《廣韻》. [二] 물굽이외 물가의 굽어 들어간 곳. 隈(阜부 9획〈1620〉)와

同字.

阜5 〔陀〕8 타 [平]歌 tuó タ ななめ
[字解] 비탈질타 '一, 陂一, 險阻也'《玉篇》.
[字源] 形聲. 阝(阜)+它〔音〕
[參考] 범어(梵語) ta, dha 를 음역(音譯)하는 데 쓰이었음. '一羅尼'. '頭一'.

阜5 〔陁〕8 陀(前條)의 俗字

阜5 〔阝申〕8 〔진〕 陳(阜부 8획〈1617〉)의 古字

阜5 〔阸〕8 〔애〕 阨(阜부 4획〈1610〉)과 同字
[字源] 形聲. 阝(阜)+戹〔音〕

阜5 〔陆〕8 〔륙〕 陸(阜부 8획〈1618〉)의 簡體字

阜5 〔际〕8 〔제〕 際(阜부 11획〈1623〉)의 簡體字

阜5 〔阾〕8 령 [上]梗 lǐng / [平]青 líng レイ さか
[字解] ①고개령 고개. '嶺, 阪也'《集韻》. ②고개이름령 고개 이름. '一, 顚一, 阪名'《集韻》.

阜5 〔陃〕8 병 [上]梗 bǐng ヘイ じんめい
[字解] 사람이름병 사람 이름. '一, 闕人名'《集韻》.

阜5 〔阝巿〕8 〔수〕 帥(巾부 6획〈332〉)와 同字

阜5 〔阝句〕8 [一]후 [上]麌 xū ク はなれる / [二]구 [平]虞 ク ちめい
[字解] [一] ①떨어질후 떨어짐. 갈라져 따로 됨. '一, 博雅, 離也'《集韻》. ②고을이름후 고을 이름. 안읍(安邑)에 있음. '一, 一日, 鄕名'《集韻》. [二] ①땅이름구 땅 이름. 하동(河東)에 있음. '一, 地名'《廣韻》. ②고을이름구 고을 이름.

阜5 〔阷〕8 정 [平]庚 chēng テイ おかのな
[字解] ①언덕이름정 언덕의 이름. '一, 丘名'《集韻》. ②삼킬정 삼킴. '一, 呑也'《篇海》.

阜5 〔阝乎〕8 〔타〕 陊(阜부 6획〈1614〉)와 同字

阜5 〔阝叵〕8 파 [平]歌 pō ハ たいらでない
[筆順] ㇇ ㇋ 阝 阝一 阝丆 阝叵 阝叵 阝叵
[字解] 비탈파 비탈. 평탄하지 않음. '一, 一陁, 不平'《玉篇》.

阜6 〔陋〕9 루 [去]有 lòu ロウ せまい
[字解] ①좁을루 ㉠장소가 넓지 아니함. 협소함. '在一巷'《論語》. ㉡견문이 좁음. 도량이 작음. '固一'. '獨學而無友, 則孤一而寡聞'《禮記》. ②못생길루 보기 흉함. '醜一'. '寢一'. '貌一心險'《唐書》. ③작을루 키가 작음. '常自恥短一'《後漢書》. ④추할루 더러움. '鄙一'. ⑤거칠루 조악(粗惡)함. '衣裘器服, 皆擇其一'《宋書》. ⑥낮을루 비천함. '寒一'. '今臣亡國賤俘, 至微至一'《李密》. ⑦성루 성(姓)의 하나.
[字源] 形聲. 阝(阜)+㔷〔音〕

阜6 〔陌〕9 [一]맥 [入]陌 mò ハク·ミャク みち / [二]백 [入]陌 ヒャク ひゃく
[字解] [一] ①길맥 ㉠동서로 통하는 밭두둑 길. 남북으로 통하는 것은 '阡'이라 함. '始爲田開阡一'《史記》. ㉡가로(街路). 거리. '塡塞街一'《後漢書》. ②성맥 성(姓)의 하나. [二] 일백백 百(白부 1획〈824〉)과 통용. '今之數錢, 百錢謂之一者, 借一字用之'《夢溪筆談》.
[字源] 形聲. 阝(阜)+百〔音〕

阜6 〔降〕9 [中][人] [一]항 [平]江 xiáng コウ くだる / [二]강 [去]絳 jiàng コウ おりる
[筆順] ㇇ ㇋ 阝 阝⺈ 阝夂 阝夅 阝夅 降
[字解] [一] ①항복할항 적에게 굴복함. '一將'. '成一于齊師'《左傳》. 전(轉)하여, 자기 몸을 굽힘. 굴복함. '終不一屈'《後漢書》. ②항복받을항 '一之者何. 取之也'《公羊傳》. ③떨어질항 나는 새가 떨어져 죽음. '羽鳥曰一'《禮記》. ④가라앉을항 마음이 침착하여짐. '我心則一'《詩經》. ⑤성항 성(姓)의 하나. [二] 내릴강 ㉠높은 곳이나 자리에서 낮은 데로 옮음. '一丘宅土'《書經》. '出一等'《論語》. ㉡공중에서 떨어짐. '一雪'. '如時雨一. 民大悅'《孟子》. ㉢위에서 옴. 내려옴. '祥瑞之一, 以應有德'《後漢書》. ㉣시간이 가서 후세에 이름. '秦漢以一'《韓愈》. '一及開元中姦邪撓經綸'《李商隱》. ㉤이상의 타동사. '一等'. '天一淫雨'《說苑》. ㉥하사(下賜)함. '一衷'. '一福'. '釐一二女于嬀汭'《書經》.
[字源] 形聲. 阝(阜)+夅〔音〕

阜 6 〔限〕 9 [中·人] 한 [上]潸 | xiàn カン·ゲン かぎり

[筆順] ㇇ ㇋ 阝 阝ᄀ 阝ᄏ 阝 阝 阝 限

[字解] ①지경한 경계. '一界'. '使不得出疆一'《釋名》. ②문지방한 문 밑을 받친 하방의 부분. '都人踏破鐵門一'《蘇軾》. ③한정한 정도. '無一'. '無一度'《史記》. ④기한한 한정한 때. '年一'. '日一'. ⑤지경지을한 경계를 이룸. '天一內外'《郭璞》.
[字源] 形聲. 阝(阜)＋艮(皀)〔音〕

阜 6 〔陒〕 9 희 [平]支 | guǐ キ けわしい

[字解] 험할희 평탄하지 아니함. '業因勢而抵一'《漢書》.
[字源] 形聲. 阝(阜)＋危〔音〕

阜 6 〔陔〕 9 해 [平]灰 | gāi カイ·ガイ きざはし のほとり

[字解] ①층계해 계단. '一壇三一'《漢書》. ②층해 천상 세계의 계층(階層). '九一'(구천(九天)). ③풍류이름해 연음(燕飮)의 끝에 아뢰는 음악. '賓出奏一'《儀禮》.
[字源] 形聲. 阝(阜)＋亥〔音〕

阜 6 〔陏〕 9 타 [上]哿 | duǒ タ うり

[字解] 풀열매타 만생(蔓生)의 열매. 오이. '果一'《史記》.

阜 6 〔陑〕 9 이 [平]支 | ér ジ やまのな, ちめい

[字解] 땅이름이 산서성 영제현(山西省永濟縣) 남쪽에 있는 땅 이름. '伊尹相湯伐桀, 升自一'《書經 序》.
[字源] 形聲. 阝(阜)＋而〔音〕

阜 6 〔陕〕 9 이 [平]支 | yí イ けわしい

[字解] ①험할이 험(險)함. ②땅이름이 '一, 地名'《玉篇》.
[字源] 形聲. 阝(阜)＋夷〔音〕

阜 6 〔陊〕 9 [一] 치 [上]紙 | zhì チ くずれる
[二] 타 [上]哿 | duǒ タ おちる

[字解] [一] ①무너질치 조금 무너짐. 阤(阜부 3획〈1610〉)와 同字. '一, 壞也'《廣韻》. ②언덕치 물가의 언덕. [二] ①떨어질타 '一, 落也'《說文》. ②무너질타 조금 무너짐. ③비탈내려올타 비탈을 내려가는 모양. '一, 下坂皃'《廣韻》.
[字源] 形聲. 阝(阜)＋多〔音〕

阜 6 〔陈〕 9 의 ①②[平]微 | yī イ さかのな
③[上]尾 | yǐ イ おかのな

[字解] ①비탈이름의 '天一'는 비탈의 이름. '一, 酒泉天一阪也'《說文》. ②고을이름의 '天一'는 현(縣)의 이름. '一, 天一, 縣, 在酒泉'《廣韻》. ③언덕이름의 '一, 陵名'《集韻》.
[字源] 形聲. 阝(阜)＋衣〔音〕

阜 6 〔陀〕 9 〔타〕
垜(土부 6획〈205〉)와 同字

阜 6 〔陏〕 9 陀(前條)와 同字

阜 6 〔陝〕 9 [一] 陜(阜부 7획〈1615〉)의 俗字·簡體字
[二] 陝(阜부 7획〈1615〉)의 古字

阜 6 〔陌〕 9 각 [入]藥 [入]陌 | gè カク じんめい

[字解] 사람이름각 사람 이름. '一, 闕, 人名'《集韻》.

阜 6 〔陕〕 9 〔광〕
垙(土부 6획〈206〉)과 同字

阜 6 〔陶〕 9 〔도〕
陶(阜부 8획〈1617〉)와 同字

阜 6 〔陎〕 9 수 [平]虞 | shū シュ けんめい

[字解] 고을이름수 고을 이름. '一, 一陵, 縣名'《集韻》.

阜 6 〔阦〕 9 〔양〕
陽(阜부 9획〈1619〉)과 同字

阜 6 〔除〕 9 〔음〕
陰(阜부 8획〈1617〉)과 同字

阜 6 〔陮〕 9 퇴 [上]賄 | duì タイ たかい

[字解] 높을퇴 높음. '一, 高也'《玉篇》.

阜 6 〔陝〕 9 [一] 홍 [平]東 | hóng コウ やまのな
[二] 공 [去]送 | コウ やまのな

[字解] [一] 산이름홍 산 이름. '一, 從一, 山名'《集韻》. [二] 산이름공 [一]과 뜻이 같음.

阜 6 〔陷〕 9 현 [上]銑 | xuǎn ケン あな

[字解] 구덩이현 구덩이. '一, 博雅, 坑也'《集韻》.

阜 6 〔陕〕 9 홍 [平]東 | hóng コウ あな

[字解] 구덩이홍 구덩이. 땅 구멍. '一, 博雅, 一坑也'《集韻》.

阜 7 〔陖〕 10 준 [去]震 jùn シュン けわしい

[字解] 가파를준 峻(山부 7획〈309〉)과 同字. '徑一赴險'《司馬相如》.

[字源] 形聲. 阝(𠂤)＋夋〔音〕

阜 7 〔陗〕 10 초 [去]嘯 qiào ショウ そばだつ

[字解] ①가파를초 峭(山부 7획〈309〉)와 同字. ②급할초 '爲人一直刻深'《漢書》.

[字源] 形聲. 阝(𠂤)＋肖〔音〕

阜 7 〔陘〕 10 형 [平]青 xíng ケイ やまなみのきれめ

[字解] ①지레목형 산줄기가 끊어진 곳. '山絕一'《爾雅》. ②비탈형 산비탈. '華山窮絕一'《韓愈》. ③부뚜막형 부뚜막의 솥을 거는 데의 주위. '東面設主於竈一'《禮記 註》. ④성형 성(姓)의 하나.

[字源] 形聲. 阝(𠂤)＋巠〔音〕

阜 7 〔陛〕 10 [人名] 폐 [上]薺 bì ヘイ きざはし

[筆順] 陛

[字解] 섬돌폐, 층계폐 ㉠궁전에 올라가는 돌층계. '以次進至一'《史記》. ㉡높은 곳으로 올라가는 계단. '擧傑壓一'《楚辭》.

[字源] 形聲. 阝(𠂤)＋坒〔音〕

阜 7 〔陜〕 10 협 [入]洽 xiá コウ·キョウ せまい

[字解] 좁을협 狹(犬부 7획〈752〉)과 同字. '阸一且百里'《漢書》.

[字源] 形聲. 阝(𠂤)＋夾〔音〕

阜 7 〔陝〕 10 섬 [上]琰 shǎn セン けんめい

[字解] ①땅이름섬 괵(虢)나라의 고지(故地). 지금의 하남성(河南省) 섬현(陝縣). '自一而東者周公主之, 自一而西者召公主之'《公羊傳》. ②성섬 성(姓)의 하나.

[字源] 形聲. 阝(𠂤)＋夾〔音〕

[參考] 陜(前條)은 別字.

阜 7 〔陞〕 10 [人名] 승 [平]蒸 shēng ショウ のぼる

[筆順] 陞

[字解] ①오를승, 올릴승 升(十부 2획〈126〉)과 同字. '一龍'《爾雅》. ②성승 성(姓)의 하나.

[字源] 形聲. 阝(𠂤)＋土＋升〔音〕

阜 7 〔陟〕 10 [人名] 척 [入]職 zhì チョク のぼる

[筆順] 陟

[字解] ①오를척 ㉠높은 곳으로 올라감. '登一'. '鬱紆一高岫'《魏徵》. ㉡높은 자리에 나아감. '汝一帝位'《書經》. ②올릴척 관작을 올림. '黜一'. '姦人附勢, 我將一之, 直士抗言, 我將黜之'《王禹偁》.

[字源] 會意. 阝(𠂤)＋步. '𠂤부'는 단(段)을 이루고 있는 고지의 象形. '步보'는 '걷다'의 뜻. 언덕을 오르다의 뜻을 나타냄.

阜 7 〔陡〕 10 두 [上]有 dǒu トウ けわしくきりたつ

[字解] ①가파를두 경사가 깎아지른 듯이 급함. '一上捩孤影'《杜甫》. ②갑자기두 돌연(突然). '一然'.

[字源] 會意. 阝(𠂤)＋走

阜 7 〔院〕 10 [高·人] 원 [去]霰 yuàn イン かき

[筆順] 院

[字解] ①담원 담장. '一內奚奴調馬'《黃允文》. ②집원 ㉠주위에 담을 두른 저택. '作丘王一'《唐書》. ㉡도사(道士)의 거소. '道一'. '看一祇留雙白鶴'《白居易》. ㉢유학자의 거소. '白鹿書一在廬山'《方隅勝略》. 전(轉)하여, 학교. '書一'. '大學一'. ③절원 승려의 거소. '寺一'. '僧一'. '老僧分半一, 與汝同住'《傳燈錄》. ④마을원 관성(官省). 관청. '翰林一'. '以金蓮花炬送歸一'《唐書》.

[字源] 形聲. 阝(𠂤)＋完〔音〕

阜 7 〔陣〕 10 [高·人] 진 [去]震 zhèn ジン じんだて

[筆順] 陣

[字解] ①진진 ㉠군대의 대를 지어 늘어선 줄. '前一'. '未整一'《左傳》. 전(轉)하여, 사물의 늘어선 줄. '雁一'. ㉡군사가 머물러 둔(屯)을 친 곳. 둔영(屯營). '一營'. '攻其前垣陷兩一'《漢書》. ②진칠진 진을 베풂. '使萬人先行出, 背水一'《史記》. ③싸움진 전쟁. '親臨一督戰'《南史》. ④한바탕진 한 번 일이 벌어진 판. '一一淸風'. '一一涼從雨後生'《李獻甫》.

[字源] 形聲. 본디 '敶진'으로, 攴(攵)＋陳〔音〕. '陳진'은 또, 阝(𠂤)＋木＋申〔音〕

阜 7 〔除〕 10 [中·人] [一] 제 [平]魚 chú チョ·ジョ きざはし, のぞく [二] 여 [平]魚 yú ヨ いんれきしがつ

[筆順] 除

字解 ㊀ ①섬돌제, 층계제 궁전의 계단. '玉—彤庭'《班固》. ②뜰제 문 안의 마당. '庭—'. '扶輦下—'《漢書》. ③덜제 ㉠없애 버림. '—去'. '—惡務本'《書經》. ㉡베거나 죽여 없앰. '蔓草猶不可—'《左傳》. ㉢폐기함. '—挾書之禁'《十八史略》. ㉣깨끗이 하여 먼지 따위가 없게 함. '掃—'. '請得—宮'《史記》. ④다스릴제 손질함. '以—戎器, 戒不虞'《易經》. ⑤벼슬줄제 임관함. '—授'. '—任'. '卿—吏盡未'《十八史略》. ⑥나눌제 제함. '法—之'《漢書》. ⑦나눗셈제 '—算'. '加減乘—'. ㊁ 사월(四月)여 '日月方—'《詩經》.
字源 形聲. 阝(𨸏)+余〔音〕

阜7 〔陙〕10 순 ㊥眞 | chún シュン すいちゅうのおか
字解 ①물속언덕순 '—, 水𨸏也'《說文》. ②작은언덕순 '—, 小阜名也'《廣韻》.
字源 形聲. 阝(𨸏)+辰〔音〕

阜7 〔陪〕10 ㊀ 곡 ㊇沃 ㊇屋 | kū コク おおきいおか ㊁ 고 ㊈號 | コウ おおきいおか
字解 ㊀ 큰언덕곡, 언덕이름곡 '—, 大𨸏也. 一曰, 右扶風郿有—𨸏'《說文》. ㊁ 큰언덕고, 언덕이름고 ㊀과 뜻이 같음.
字源 形聲. 阝(𨸏)+告〔音〕

阜7 〔䧙〕10 〔한〕 限(阜부 6획〈1614〉)의 本字

阜7 〔陃〕10 〔루〕 陋(阜부 6획〈1613〉)의 本字

阜7 〔陡〕10 〔방〕 防(阜부 4획〈1611〉)과 同字

阜7 〔陵〕10 〔릉〕 陵(阜부 8획〈1617〉)의 略字

阜7 〔陥〕10 〔함〕 陷(阜부 8획〈1618〉)의 略字

阜7 〔陷〕10 〔극〕 隙(阜부 10획〈1622〉)과 同字

阜7 〔隆〕10 〔륭〕 隆(阜부 9획〈1620〉)과 同字

阜7 〔陚〕10 ㊀ 부 ㊈遇 | fù フ おかのな ㊁ 무 ㊤麌 | wǔ ブ・ム はら
字解 ㊀ ①언덕이름부 '—, 丘名'《說文》. ②작은언덕부 '—, 小阜'《玉篇》. ㊁ 들무 평원(平原). '—, 平原'《集韻》.
字源 形成. 阝(𨸏)+武〔音〕

阜7 〔陞〕10 습 ㊇葉 | chè ショウ よくゆく
字解 잘갈습 잘 감. 능히 감. '—, 能行也'《篇海》.

阜7 〔陒〕10 읍 ㊇緝 | yì ユウ せまい
字解 좁을읍 좁음. '—, —隔, 陜也'《集韻》.

阜7 〔陓〕10 〔서〕 序(广부 4획〈344〉)와 同字

阜7 〔陡〕10 투 ㊈宥 | dòu トウ たかい
字解 높을투 높음. 산이 높음. 陡(阜부 10획〈1623〉)와 同字. '陡, 峻也, 或从豆'《集韻》.

阜7 〔陠〕10 포 ㊥虞 ㊈遇 | pū ホ ななめ
字解 ①기울포 기욺. 경사짐. '—, 衺也'《集韻》. ②지붕평평할포 지붕이 평평함. '庯, 屋上平, —, 庯同'《廣韻》.

阜7 〔晛〕10 현 ㊤銑 | xiàn ケン かぎり
字解 ①한계현 한계. 끝. '—, 限也'《集韻》. ②땅이름현 땅 이름. '—, 地名'《字彙》.

阜8 〔𨺅〕16 ㊀ 부 ㊤有 ㊈宥 | fù フウ・ブ おかとおかとのあいだ ㊁ 수 ㊈宥 | スイ・ズイ おかとおかとのあいだ
字解 ㊀ ①언덕과언덕사이부 '—, 兩阜之間也'《說文》. ②성할부 '—, 盛也'《康熙字典》. ㊁ 언덕과언덕사이수, 성할수 ㊀과 뜻이 같음.
字源 會意. 𨸏+𨸏

阜8 〔陪〕11 人名 배 ㊥灰 | péi バイ したがう, そう
筆順 ʹ 阝 阝 阝' 阝ㅗ 阝立 陪 陪
字解 ①모실배 시종(侍從)함. '—乘'. '—嘉宴於秋夕'《顧野王》. 또, 시종하는 사람. '以無—無卿'《詩經》. ②도울배 보좌함. '秉德以—朕'《史記》. ③더할배 보탬. '—鼎'. '分之土田—敦'《左傳》. ④배신배 신하의 신하. 천자(天子)에 대한 제후(諸侯)의 신하 따위. '—臣執國命'《論語》.
字源 形聲. 阝(𨸏)+咅〔音〕

阜8 〔陬〕11 추 ①②㊥尤 ③㊥尤 | zōu ソウ・スウ くま シュウ・スウ ちめい

字解 ①구석추 한모퉁이. '僻―'. '邊―'. '奔壁東南―'《史記》. ②정월추 1월의 별칭(別稱). '正月爲―'《爾雅》. ③땅이름추 鄒(邑부 10획〈1523〉)와 통용. '孔子生魯昌平鄉―邑'《史記》.
字源 形聲. 阝(阜)+取〔音〕

阜 8 〔陰〕 11 中·人 ㊀음 ㊥侵 | yīn イン かげ, いん ㊁암 ㊥覃 | ān アン いおり

筆順 ′ ㇋ 阝 阝 阶 阾 陰 陰

字解 ㊀ ①음기음 역학상(易學上)의 용어. '陽'의 대(對)로, 정(靜)·폐(閉)·하(下)·복(伏)·장(藏)·유(柔)·후(後)·지(地)·여(女)·신(臣)·야(夜)·월(月) 등 소극성(消極性) 또는 여성의 의미를 가진 것. '觀天地變化, 一陽消長'《十八史略》. ②어둠음 암흑. '審堂下之―'《呂氏春秋》. ③그늘음 해가 비치지 않는 곳. '樹―'. '鳴鶴在―'《易經》. ④그림자음 ㉠해의 그림자. 전(轉)하여, 시간. '寸―'. '光―'. ㉡비쳐 나타난 물체의 모양. '月―'. ⑤뒤음 배후. 이면(裏面). '碑―'. ⑥북쪽음 산의 북쪽. '岱―'(대산(岱山)의 북쪽). ⑦남쪽음 하천의 남쪽. '淮―'(회수(淮水)의 남쪽). ⑧흐릴음 구름이 낌. '以―以雨'《詩經》. ⑨몰래음 남이 모르게. '其王湯立, 悉內附入朝, 然―附吐蕃'《唐書》. ⑩생식기음 남녀의 음부. '―莖'. '呂不韋求大―人'《史記》. ⑪성음 성(姓)의 하나. ㊁ 여막암 闇(門부 9획〈1603〉)과 同字. '諒―三年不言'《論語》.
字源 形聲. 金文은 阝(阜)+今〔音〕

阜 8 〔陲〕 11 수 ㊥支 | chuí スイ ほとり

字解 변방수 국경 지방. '連兵於邊―'《史記》.
字源 形聲. 阝(阜)+垂(𡍮)〔音〕

阜 8 〔陳〕 11 高·人 진 ①-⑧㊥眞 | chén チン つらねる ⑨㊤震 | zhèn チン じんだて

筆順 ′ ㇋ 阝 阝 阿 陌 陣 陳

字解 ①늘어놓을진 ㉠벌여 놓음. '―列'. '―其宗器'《中庸》. ㉡여러 방면으로 벌여 말함. '上書―八事'《後漢書》. ②늘어설진 나란히 섬. '―列'. '雜然而前―者'《歐陽修》. ③말할진 말하여 밝힘. '―情'. '歡樂難具―'《古詩》. ④묵을진 오래 됨. 또, 그 물건. '―腐'. '新―代謝'. ⑤줄진 늘어선 줄. '充下―'《史記》. ⑥길진 당하(堂下)에서 문까지 가는 길. '胡逝我―'《詩經》. ⑦나라이름진 ㉠주대(周代)의 제후의 나라. 지금의 하남성(河南省)과 안휘성(安徽省)의 일부. ㉡남조(南朝)의 하나. 진패선(陳霸先)이 양(梁)나라의 선위(禪位)를 받아 지금의 장강(長江)과 월강(粵江) 유역에 세운 나라. 서울은 건강(建康). 5 주(主) 33년 만에 수(隋)나라에 망하였음. (557~589) ⑧성진 성(姓)의 하나. ⑨진진 陣(阜부 7획〈1615〉)과 同字. '―上帶甲馬'《王君玉雜纂》.
字源 金文은 形聲으로, 攴+陳〔音〕, 또 阝(阜)+東의 會意.

阜 8 〔陴〕 11 비 ㊥支 | pí ヒ ひめがき

字解 성가퀴비 성 위에 낮게 쌓은 담. 성첩(城堞). '―堞'. '閉門登―'《左傳》.
字源 形聲. 阝(阜)+卑〔音〕

阜 8 〔陵〕 11 高·人 릉 ㊥蒸 | líng リョウ おか, みささぎ

筆順 ′ ㇋ 阝 阝 阝 陡 陵 陵

字解 ①언덕릉 큰 언덕. '―丘'. '懷山襄―'《書經》. ②무덤릉 묘. '―爲之終'《國語》. ③능릉 임금의 무덤. '山―'. '秦名天子冢曰山, 漢曰―'《水經注》. ④가벼이여길릉 대수롭지 않게 여김. '以蕩―德'《書經》. ⑤업신여길릉 모멸함. '―侮'. '在上位不―下'《中庸》. ⑥범할릉 침범함. '―犯'. '不相侵―'《禮記》. ⑦넘을릉 한도를 지나침. '不―節'《禮記》. ⑧오를릉 높은 데를 올라감. '齊侯親鼓士―城'《左傳》. ⑨불릴릉 쇠붙이를 불에 달구었다가 물에 담금. '兵刃不待―而勁'《荀子》. ⑩험할릉 험준함. '凡節奏欲―而生民欲寬'《荀子》. ⑪능이(陵夷)할릉 차차로 쇠하여 감. '―替'. '至於戰國, 漸至頹―'《漢書》. ⑫짓밟을릉 輘(車부 8획〈1469〉)과 통용. '―轢中國'《史記》. ⑬성릉 성(姓)의 하나.
字源 形聲. 阝(阜)+夌〔音〕

阜 8 〔陶〕 11 高·人 ㊀도 ㊥豪 | táo トウ すえもの ㊁요 ㊥蕭 | yáo ヨウ じんめい

筆順 ′ ㇋ 阝 阝 阝 陶 陶 陶

字解 ㊀ ①질그릇도 진흙만으로 구워 만든 그릇. '―器'. '―窯'. '―復―穴'《詩經》. ②구울도 질그릇을 구움. '―于河濱'《呂氏春秋》. 전(轉)하여, ③만들도 제조함. 양성함. '猶將―鑄堯舜者也'《莊子》. 또, 질그릇을 만들듯이 사람을 교화(敎化)함. '薰―'. '譚禮樂, 以―吾民'《李覯》. ④기뻐할도 기쁜 생각이 마음 속에 움직임. '―斯咏'《禮記》. ⑤근심할도 우울한 마음이 아직 풀리지 아니함. '鬱―乎予心'《書經》. ⑥성도 성

(姓)의 하나. 㒨 ①사람이름요 '阜一'는 순(舜)임금의 신하. ②따라갈요 수행하는 모양. 일설(一說)에는, 줄지어 가는 모양. '一一遂遂'《禮記》.
字源 金文은 象形. 계단이 있는 가마터에서, 사람이 질그릇을 손에 들고 늘어놓고 있는 모양을 본떠, '질그릇'의 뜻을 나타냄.

阜 8 〔陶〕11 陶(前條)와 同字

阜 8 〔陷〕11 高·人 함 ㊋陷 | xiàn カン おちいる
筆順 ⺈ ⻏ 阝 阝' 阝⺈ 陷 陷 陷
字解 ①빠질함 ㉠구멍·함정 같은 데 빠짐. '毋使其首一焉'《禮記》. ㉡가라앉음. '蹈流而不一'《符子》. ㉢우묵 들어감. '地一'. ㉣죄 또는 모략 따위에 걸림. '自一重刑'《後漢書》. ㉤성(城) 같은 것이 적의 수중에 떨어짐. '城一'《魏志》. ②빠뜨릴함 ㉠함정에 빠뜨림. '設穽而一之'《孔子家語》. ㉡모략에 걸리게 함. '欲一之'《史記》. ㉢성을 떨어뜨림. '戰常一城'《史記》. ③함정함 허방다리. '汙壑穽一'《淮南子》.
字源 形聲. 阝(𨸏)+臽〔音〕
參考 陥(阜부 7획〈1616〉)은 略字.

阜 8 〔陥〕11 陷(前條)과 同字

阜 8 〔陸〕11 中·人 륙 ㊅屋 | lù, ④liù(lū) リク くが
筆順 ⺈ ⻏ 阝 阝⁺ 阝圥 陆 陸 陸
字解 ①뭍륙 물에 덮이지 아니한 넓은 땅. '一地'. '水一'. '作車以行一'《周禮》. ②언덕륙 높고 평평한 땅. '高平曰一, 大一曰阜, 大阜曰陵'《詩經 毛傳》. ③뛸륙 도약함. '翹足而一'《莊子》. ④여섯륙 숫자의 '六'의 대용(代用)으로 쓰임. ⑤성륙 성(姓)의 하나.
字源 形聲. 阝(𨸏)+坴〔音〕

阜 8 〔陫〕11 비 ①㊤尾 | fěi ヒ いなか ②㊋未 | fèi ヒ いたむ
字解 ①좁은두메비 외딴 시골. '一, 陋也'《集韻》. ②측은할비 '隱思君兮一側'《楚辭》.
字源 形聲. 阝(𨸏)+非〔音〕

阜 8 〔陭〕11 㒨 기 ㊋寘 | jì キ けわしい 㒨 의 ㊏支 | yī イ けわしい
字解 㒨 험할기 崎(山부 8획〈311〉)와 同字. 㒨 험할의 ■과 뜻이 같음.
字源 形聲. 阝(𨸏)+奇〔音〕

阜 8 〔隇〕11 전 ㊤銑 | jiàn セン すいちゅうのおか
字解 물가운데언덕전 '一, 水阜也'《說文》.
字源 形聲. 阝(𨸏)+戔〔音〕

阜 8 〔陮〕11 권 ㊤阮 ㊤銑 ㊋霰 | juǎn ケン むらざとのな
字解 마을이름권 지금의 산서성(山西省) 운성현(運城縣) 안읍성(安邑城)에 있던 마을의 이름. '一, 河東安邑陬也'《說文》.
字源 形聲. 阝(𨸏)+卷〔音〕

阜 8 〔陯〕11 㒨 륜 ㊏眞 | lún リン おちいる 㒨 론 ㊏元 ㊋願 | lùn ロン おちいる
字解 㒨 빠질륜 산이나 언덕이 두려빠짐. '一, 山𨸏陷也'《說文》. 㒨 빠질론 ■과 뜻이 같음.
字源 形聲. 阝(𨸏)+侖〔音〕

阜 8 〔陮〕11 퇴 ㊤賄 ㊏灰 | duì タイ たかいさま
字解 높을퇴 '一隗'는 높은 모양. 평탄하지 않은 모양. '一, 一隗, 高也'《說文》.
字源 形聲. 阝(𨸏)+隹〔音〕

阜 8 〔陴〕11 부 ①②㊤有 ②㊋宥 | フウ·ブ さかん fù フウ·ブ ふたつのおかのあいだ
字解 ①성할부 '一, 盛也'《廣韻》. ②두언덕사이부 𨺅(阜부 8획〈1616〉)와 同字. '𨺅, 說文, 兩阜之間也. 隸作一'《集韻》.

阜 8 〔陧〕11 조 ㊋嘯 | zhào ショウ すく
字解 ①가래질할조 가래로 아래쪽 검은 흙을 파 뒤집음. 또, 묵은 밭을 갊. '一, 耕㠯臿浚出下壚土也. 一曰, 耕休田也'《說文》. ②둑조 제방(堤防). '一, 隄也'《廣雅》. ③지경조, 경계정할조 '一, 界也'《廣韻》.
字源 形聲. 阝(𨸏)+土+召〔音〕

阜 8 〔陙〕11 〔붕〕 崩(山부 8획〈311〉)의 古字

阜 8 〔隌〕11 〔제〕 躋(足부 14획〈1451〉)와 同字

阜 8 〔陸〕11 〔륭〕 隆(阜부 9획〈1620〉)의 古字

阜 8 〔険〕11 〔험〕 險(阜부 13획〈1626〉)의 略字

阜 8 〔陚〕 11 〔강〕 岡(山부 5획〈306〉)의 俗字

阜 8 〔陮〕 11 〔곽〕 崞(山부 8획〈312〉)과 同字

阜 8 〔陱〕 11 국 ㉧屋 jū キク やしなう

字解 ①기를국 기름. 양육함. '一, 養也'《集韻》. ②찰국 참. 가득함. '一, 盈也'《集韻》.

阜 8 〔陖〕 11 념 ㉮豔 niàn デン·ネン きしのうえであう

字解 언덕위에서만날념 언덕 위에서 만남. '一, 遇在岸上'《字彙》.

阜 8 〔𨻶〕 11 래 ㉬灰 lái ライ きざはし

字解 ①섬돌래 섬돌. 층계. '一, 階也'《集韻》. ②긴모양래 긴 모양. '一, 一陞, 長皃'《集韻》.

阜 8 〔陗〕 11 색 ㉧陌 suǒ サク くだけたいしのおちるおと

字解 부서진돌떨어지는소리색 부서진 돌이 떨어지는 소리. '磙, 說文, 碎石隕聲, 或从阜'《集韻》.

阜 8 〔陞〕 11 승 ㉬蒸 shēng ショウ ひがのぼる

字解 해돋을승 해가 돋음. 또는 고을 이름. '昇, 日之升也, 或作一'《集韻》.

阜 8 〔隁〕 11 〔언〕 隁(阜부 11획〈1624〉)과 同字

阜 8 〔陝〕 11 〔역〕 域(土부 8획〈209〉)의 古字

阜 8 〔隅〕 11 〔우〕 隅(阜부 9획〈1620〉)와 同字

阜 8 〔陖〕 11 〔제〕 躋(足부 14획〈1451〉)와 同字

阜 8 〔陡〕 11 〔제〕 隄(阜부 9획〈1620〉)의 古字

阜 8 〔陬〕 11 주 ㉬尤 zhōu シュウ おおきいおかのさま

字解 큰언덕주 큰 언덕. 또, 그 모양. '一, 大阜貌'《字彙》.

阜 8 〔陛〕 11 〔폐〕 陛(阜부 7획〈1615〉)와 同字

阜 9 〔陻〕 12 인 ㉬眞 yīn イン ふさぐ

字解 막을인, 막힐인 堙(土부 9획〈212〉)과 同字. '鯀一洪水'《書經》.

阜 9 〔𨻻〕 17 견 ㊤銑 qiǎn ケン ちいさなつちくれ

字解 작은흙덩이견 '一商'은 작은 흙덩이. 얼마 안 되는 흙. '一, 一商, 小塊也'《說文》.

字源 會意. 𠂤＋臾

阜 9 〔陽〕 12 中·人 양 ㉬陽 yáng ヨウ ひなた, よう

筆順 ㇇ 了 阝 阝ᄆ 阝旦 阝昜 陽 陽

字解 ①양기양 역학상(易學上)의 용어. '陰'의 대(對)로, 동(動)·개(開)·상(上)·현(顯)·강(剛)·전(前)·천(天)·남(男)·군(君)·주(晝)·일(日) 등 적극성(積極性) 또는 남성의 의미를 가진 것. '乾一物也, 坤陰物也, 陰一合德, 而剛柔有體'《易經》. ②해양 태양. '夕一'. '匪一不晞'《詩經》. ③양지양 볕이 쪼이는 곳. '日之所照, 曰之一'《穀梁傳》. ④낮양 주간. '殷人祭其一'《禮記》. ⑤남쪽양 산의 남쪽. '岳一'. '耕牧河山之一'《史記》. ⑥북쪽양 하천의 북쪽. '漢一'(한수(漢水)의 북쪽). '在洽之一'《詩經》. ⑦맑을양, 밝을양 깨끗함. 또, 환함. '一聲'. '我朱孔一'《詩經》. ⑧따뜻할양 온난함. '春日載一'《詩經》. ⑨거짓양 佯(人부 6획〈45〉)과 同字. '一狂'. '一死'. '一若善之'《禮記》. ⑩자지양 남자의 생식기. '一莖'. '一道'. ⑪시월양 음력 시월(十月)의 이칭(異稱). '歲亦一止'《詩經》. ⑫성양 성(姓)의 하나.

字源 形聲. 阝(𠂤)＋昜〔音〕

阜 9 〔陾〕 12 잉 ㉬蒸 réng ジョウ かきをきずくこえ

字解 담쌓는소리잉 '捄之一一'《詩經》.

字源 形聲. 阝(𠂤)＋耎〔音〕

阜 9 〔陿〕 12 협 ㉧洽 xiá コウ せまい

字解 좁을협 狹(犬부 7획〈752〉)·陜(阜부 7획〈1615〉)과 同字. '遠逮秦地之一隘'《史記》.

阜 9 〔隃〕 12 ㊀유 ㉬虞 yú ユ こえる ㊁요 ㉬蕭 yáo ヨウ とおい

字解 ㊀넘을유 逾(辵부 9획〈1500〉)와 통용. '一隱而待之'《左傳》. ㊁멀요 遙(辵부 10획〈1503〉)와 통용. '一謂布, 何苦而反'《漢書 英布傳》.

字源 形聲. 阝(𠂤)＋兪〔音〕

阜 9 〔隅〕 12 人名 우 ㊥虞 | yú グウ すみ

筆順 ㇇ 阝 阝 阝 阝 隅 隅 隅 隅

字解 ①구석우 모퉁이의 안쪽. '一奧'. '摳衣趨一'《禮記》. ②모퉁이우 구부러지거나 꺾어져 돌아간 자리. '一曲'. '止于丘一'《詩經》. ③귀우 네모진 것의 모퉁이의 끝. '擧一, 不以三一反'《論語》. ④절개우 절조. '維德之一'《詩經》.
字源 形聲. 阝(阜)+禺〔音〕

阜 9 〔隆〕 12 高·人 륭 ㊥東 | lóng リュウ さかん

筆順 ㇇ 阝 阝 阝 阝 降 隆 隆 隆

字解 ①성할륭 성대함. '一盛'. '漢室之一, 可計日而待也'《諸葛亮》. 또, 성대하게 함. '一禮'《禮記》. ②높을륭 ㉠땅 같은 것이 높음. 주로, 중앙이 높음을 이름. '一波'. '宛中一'《爾雅》. ㉡존귀함. '方一貴用事'《史記》. ③높일륭 ㉠높게 함. '一薛之城'《戰國策》. ㉡존숭함. '一師'. ④두터울륭 후함. '一寵'. '使後世不見一薄進退之隙'《後漢書》. ⑤성륭 성(姓)의 하나.
字源 形聲. 生+降〔音〕

阜 9 〔隈〕 12 외 ㊥灰 | wēi ワイ くま

字解 ①굽이외 ㉠물 가의 굽어 들어간 곳. '因復指河曲之涯一'《列子》. ㉡산의 굽어 들어간 곳. '大山之一'《管子》. ②후미진곳외 쑥 들어가서 으슥한 곳. '過析一'《左傳》. ③사타구니외 두 다리의 사이. '奎蹏曲一'《莊子》.
字源 形聲. 阝(阜)+畏〔音〕

阜 9 〔隈〕 12 隈(前條)와 同字

阜 9 〔隉〕 12 얼 ㊀屑 | niè ゲツ あやうい

字解 위태할얼 '一, 危也'《說文》.
字源 會意. 阝(阜)+毁〈省〉

阜 9 〔隊〕 12 高·人 ㊀대 ㊧隊 | duì タイ くみ
㊁추 ㊧寘 | zhuì ツイ おちる
㊂수 ㊧寘 | suì スイ たにあい のけわしいみち

筆順 ㇇ 阝 阝 阝 阝 隊 隊 隊

字解 ㊀①대대 편제(編制)된 군대(軍隊). 여러 사람이 열을 지은 떼. '樂一'. '探險一'. '隨行而入逐一而趨'《韓愈》. ②대오대 군대의 항오(行伍). '會師於臨品, 分爲二一'《左傳》. ㊁떨어질추, 떨어뜨릴추 墜(土부 12획〈220〉)와 통용. '退人若將一諸淵'《禮記》. ㊂길수 隧(阜부 13획〈1625〉)와 통용. '銒山之一'《穆天子傳》.
字源 甲骨文은 會意로, 阜+人의 거꾸꼴. 篆文은 形聲으로, 阝(阜)+豙〔音〕

阜 9 〔隋〕 12 人名 ㊀타 ㊤哿 | duǒ タ·ダ だえんけい
㊁수 ㊥支 | suí スイ·ズイ くにのな

筆順 ㇇ 阝 阝 阝 阝 阝 隋 隋

字解 ㊀①둥글길쭉할타 橢(木부 12획〈580〉)와 통용. '一圓'. ②떨어질타 墮(土부 12획〈221〉)와 통용. '有一星五'《史記》. ③게으를타 惰(心부 9획〈400〉)와 통용. '一游之士也'《禮記》. ㊁①수나라수 문제(文帝) 양견(楊堅)이 북주(北周)의 선위(禪位)를 받아 세운 왕조(王朝). 서울은 장안(長安). 진(陳)나라를 멸하여 남북조(南北朝)를 통일하였으나, 삼주(三主) 37년 만에 당(唐)나라에게 망하였음. (581～617) ②성수 성(姓)의 하나.
字源 形聲. 肉+隓〈省〉〔音〕

阜 9 〔隍〕 12 황 ㊥陽 | huáng コウ からぼり

字解 해자황 성 밖에 둘러판 물 없는 못. 물 있는 못은 '壕'라 함. '深一'. '城復于一'《易經》.
字源 形聲. 阝(阜)+皇〔音〕

阜 9 〔階〕 12 高·人 계 ㊥佳 | jiē カイ きざはし

筆順 ㇇ 阝 阝 阝 阝 阝 階 階

字解 ①섬돌계, 층계계 계단. '陛一'. '一段'. '舞干羽于兩一'《書經》. ②사닥다리계 높은 데를 디디고 오르는 제구. '狄人設一'《禮記》. 또, 사닥다리를 놓음. '猶天之不可一而升也'《論語》. 전(轉)하여, 일을 하는 데 차례로 밟아 올라가는 경로의 뜻으로 쓰임. '四子六經之一梯, 近思錄四子之一梯'《葉采》. ③층계 한 계단. 또는, 한 겹. '二一'. '壁岸無一'《水經注》. ④벼슬차례계 벼슬의 등급. '一級'. '位一'. '有勳有一'《唐書》.
字源 形聲. 阝(阜)+皆〔音〕

阜 9 〔隄〕 12 제 ㊥齊 | dī テイ つつみ

字解 ①둑제, 방죽제 堤(土부 9획〈213〉)와 同字. '修利一防'《禮記》. ②성제 성(姓)의 하나.
字源 形聲. 阝(阜)+是〔音〕

阜 9 〔陼〕 12 저 ㊤語 | zhǔ ショ なぎさ

[字解] 물가저 渚(水부 9획〈661〉)와 同字. '朝發枉一兮夕宿辰陽'《楚辭》.
[字源] 形聲. 阝(阜)+者〔音〕

阜9 〔隌〕12 [一] 암 [上]感 ǎn アン くらい
[二] 음 [平]侵 [去]沁 イン・オン くらい
[字解] [一] 어두울암 '一, 闇也'《爾雅》. [二] 어두울음 [一]과 뜻이 같음.

阜9 〔⿰阝貞〕12 정 [平]庚 zhēng テイ・チョウ おかのな
[字解] 언덕이름정 '一, 丘名'《說文》.
[字源] 形聲. 阝(阜)+貞〔音〕

阜9 〔⿰阝臿〕12 삽 [入]洽 cā ソウ がけのけわしいさま
[字解] 벼랑가파를삽 '幽崖阻一'《南齊書》.

阜9 〔⿰阝彖〕12 [一] 전 [上]銑 zhuàn テン かき
[二] 단 [去]翰 タン かき
[字解] [一] 담전 '一, 垣也'《廣雅》. ㉠길가의 낮은 담. '一, 道邊庳垣也'《說文》. ㉡건물 주위의 담. '一, 院也'《廣雅》. [二] 담단 [一]과 뜻이 같음.
[字源] 形聲. 阝(阜)+彖〔音〕

阜9 〔隁〕12 〔언〕 堰(土부 9획〈213〉)과 同字
[字源] 形聲. 阝(阜)+匽〔音〕

阜9 〔隂〕12 〔음〕 陰(阜부 8획〈1617〉)의 俗字

阜9 〔⿰阝舀〕12 〔함〕 陷(阜부 8획〈1618〉)의 俗字

阜9 〔随〕12 〔수〕 隨(阜부 13획〈1625〉)의 略字

阜9 〔⿰阝建〕12 〔건〕 乾(乙부 10획〈23〉)과 同字

阜9 〔⿰阝界〕12 계(개[本]) [去]卦 jiè カイ さかい
[字解] 경계계 경계. 한계. '畍, 說文, 境也, 或作一'《集韻》. ※本音 개.

阜9 〔⿰阝段〕12 단 [去]翰 duàn タン けわしい
[字解] 험할단 험함. 가파름. '一, 險也'《集韻》.

阜9 〔⿰阝复〕12 벽 [入]職 bì ヒョク やまがくずれる
[字解] 산무너질벽 산이 무너짐. '一, 隬山也'《玉篇》.

阜9 〔⿰阝畐〕12 〔벽〕 陑(阜부 4획〈1611〉)과 同字

阜9 〔⿰阝叜〕12 수 [上]有 sǒu ソウ あな
[字解] 구덩이수 구덩이. '一, 阬也'《集韻》.

阜9 〔⿰阝埀〕12 〔수〕 陲(阜부 8획〈1617〉)의 俗字

阜9 〔⿰阝盾〕12 순 [上]軫 shǔn シュン きざはし
[字解] 계단순 계단. 층계. '一, 階也'《集韻》.

阜9 〔⿰阝兖〕12 연 [上]銑 yǎn エン たかいさま
[字解] 높은모양연 높은 모양. '一, 高皃'《玉篇》.

阜9 〔隇〕12 위 [平]微 wēi イ けわしい
[字解] 험할위 험함. '一, 博雅, 一陕, 險也'《集韻》.

阜10 〔隒〕13 엄 [上]琰 yǎn ゲン がけ
[字解] 언덕엄, 낭떠러지엄 땅이 조금 높은 곳. 또는 깎아지른 듯한 언덕.
[字源] 形聲. 阝(阜)+兼〔音〕

阜10 〔隔〕13 [高][人] 격 [入]陌 gé カク へだてる
[筆順] ㄱ 了 阝 阝一 阝亓 陌 隔 隔
[字解] ①막을격 ㉠물건을 중간에 놓아 가로막음. '築牆一山'《李義山雜纂》. '防一內外'《史記》. ㉡통하지 못하게 함. '欲一絕漢'《漢書》. ②뜰격 시간이나 공간에 사이가 뜸. '一遠'. '縣一'. '日一之遠'《韓愈》. ③막이격 ㉠칸막이. 경계. '秦無韓魏之一'《戰國策》. ㉡사이가 막힘. 또는 뜨임. '間一'. '吾兵少而臨賊營門, 所恃一水一耳'《五代史》. ④이미격 이왕에. '一是身如夢'《元稹》.
[字源] 形聲. 阝(阜)+鬲〔音〕

阜10 〔隔〕13 隔(前條)와 同字

阜10 〔隕〕13 [一] 운 [上]軫 yǔn ウン おちる, おとす
[二] 원 [平]先 yuán エン めぐり
[字解] [一] ①떨어질운, 떨어뜨릴운 낙하함. '一石'. '夜中星一如雨'《漢書》. ②잃을운 상실함. '失一'. '迺一其身'《賈誼》. ③무너질

운 허물어짐. '一潰'. '景公臺一'《淮南子》. ④사로잡힐운 포로가 됨. '子國卿也, 一子辱矣'《左傳》. ⑤죽을운, 죽일운 殞(歹부 10획〈609〉)과 同字. '巢一諸樊'《左傳》. 曰 둘레원 주위. 員(口부 7획〈162〉)과 통용. '幅一旣長'《詩經》.
字源 形聲. 阝(阜)+員〔音〕

阜10 〔隖〕 13 오 ㊤嚢 | wū オ·ウ ちいさいとりで
字解 ①토성오 마을 안에 흙으로 쌓은 작은 성. 벽루(壁壘). '築一於郿, 高厚七尺, 號曰萬歲一'《後漢書》. ②둑오 작은 제방. 塢(土부 10획〈216〉)와 同字. '送春經野一'《杜牧》.
字源 形聲. 阝(阜)+烏〔音〕

阜10 〔䲧〕 18 隖(前條)와 同字

阜10 〔隗〕 13 외 ㊤賄 ㊥灰 | wěi カイ たかい
字解 ①높을외 산이 높고 험함. '崣峗一㕈其相嬰'《揚雄》. ②성외 성(姓)의 하나.
字源 形聲. 阝(阜)+鬼〔音〕

阜10 〔隘〕 13 曰 애 ㊦卦 | ài アイ せまい 曰 액 ㊇陌 | è アク へだてる
字解 曰 ①좁을애 ㉠협착함. '一狹'. '道一不容車'《古詩》. ㉡소견이 좁음. '伯夷一'《孟子》. ②더러울애 비루함. '君子以爲一矣'《禮記》. ③험할애 지세가 험준함. 또, 그 땅. '險一'. '不恃一害'《張衡》. 曰 막을액 못 하게 함. 방해함. 阨(阜부 4획〈1610〉)과 同字. '齊王一之'《戰國策》.
字源 形聲. 阝(阜)+益〔音〕

阜10 〔隙〕 13 人名 극 ㊇陌 | xì ゲキ すき
筆順 ′ 了 阝 阝⺌ 阝⺌ 隙 隙 隙
字解 틈극 ㉠벌어져 사이가 난 자리. '空一'. '間一'. '若駟之過一'《禮記》. ㉡겨를. '皆於農一以講事也'《左傳》. ㉢불화. 원한. '與沛公有一'《史記》. ㉣싸움. 다툼. '開邊一'《漢書》. ㉤기회. '一會'. '窺間伺一'《漢書》.
字源 形聲. 阝(阜)+㡭〔音〕
參考 隟(阜부 11획〈1624〉)은 俗字.

阜10 〔隑〕 13 曰 개 ㊦隊 | gài カイ はしご 曰 기 ㊥微 | qí キ くま
字解 曰 사닥다리개 사다리. '江南人呼梯爲一'《揚子方言 註》. 曰 굽은언덕기 '埼, 曲岸也. 亦作一'《集韻》.
字源 形聲. 阝(阜)+豈〔音〕

阜10 〔隓〕 13 曰 휴 ㊥支 | huī キ くずれたしろのおか 曰 타 ㊤哿 | duǒ タ·ダ おちる
字解 曰 ①무너진성의언덕휴 '一, 敗城阜曰一'《說文》. ②무너질휴, 무너뜨릴휴 '一, 壞也'《揚子方言》. ③깨질휴, 깨뜨릴휴 '一, 毁也'《廣韻》. ④상할휴 '一, 損也'《玉篇》. ⑤폐하여질휴 '一, 廢也'《玉篇》. 曰 떨어질타 '陊, 說文, 落也. 或作一'《集韻》.

阜10 〔㒓〕 13 뢰 ㊤賄 | lěi ライ かさなりあつまるさま
筆順 ′ 了 阝 阝 阝 阝 阝 㒓
字解 겹쳐모일뢰 겹쳐 모이는 모양. '一, 磊一也'《說文》.
字源 形聲. 阝(阜)+厽〔音〕

阜10 〔隍〕 13 〔비〕 阰(阜부 4획〈1611〉)와 同字

阜10 〔隰〕 13 〔습〕 隰(阜부 14획〈1626〉)과 同字

阜10 〔随〕 13 〔수〕 隨(阜부 13획〈1625〉)의 俗字

阜10 〔陷〕 13 〔함〕 陷(阜부 8획〈1618〉)의 訛字

阜10 〔隚〕 13 〔당〕 塘(土부 10획〈215〉)과 同字

阜10 〔隖〕 13 曰 마 ㊦禡 | mà バ ます 曰 부 ㊤有 | fù フウ うまのさかんなこと
筆順 了 阝 阝 阝 阝 阝 隖 隖
字解 曰 ①더할마 더함. 늘림. '一, 益也'《方言, 十三》. ②교묘할마 교묘함. 솜씨가 좋음. '一, 巧也'《廣韻》. 曰 말번성할부 말이 성함. 또, 늚. '騲, 馬盛也, 一曰益也, 或作一'《集韻》.

阜10 〔䧛〕 13 曰 방 ㊦漾 | bàng ホウ かたわら 曰 팽 ㊥庚 | pēng ホウ くるまのおと
字解 曰 곁방 곁. 옆. '傍, 近也, 或作一'《集韻》. 曰 수레소리팽 수레의 소리. '輣, 車聲也, 或作一'《集韻》.

阜10 〔陪〕 13 〔배〕 陪(阜부 8획〈1616〉)와 同字

阜10 〔陫〕 13 〔비〕 陫(阜부 8획〈1618〉)와 同字

阜 10 〔隕〕 13 쇄 ㊤哿 | suǒ サ ちめい

字解 땅이름쇄 땅 이름. '一, 地名'《字彙》.

阜 10 〔隟〕 13 술 ㊄質 | xū シュツ くずれる

字解 무너질술 무너짐. 허물어짐. '一, 頹也'《集韻》.

阜 10 〔隐〕 13 식 ㊄職 | xī ショク ちめい

字解 땅이름식 땅 이름. '一, 地名'《集韻》.

阜 10 〔隉〕 13 〔얼〕 隉(阜부 9획〈1620〉)과 同字

阜 10 〔隇〕 13 〔예〕 瘞(疒부 10획〈815〉)와 同字

阜 10 〔隂〕 13 〔음〕 陰(阜부 8획〈1617〉)과 同字

阜 10 〔隆〕 13 〔지〕 地(土부 3획〈200〉)의 古字

阜 10 〔隑〕 13 탑 ㊄合 | tā トウ ひくい

字解 낮을탑 낮음. '一, 墊也'《集韻》.

阜 10 〔隥〕 13 〔투〕 阧(阜부 7획〈1616〉)와 同字

阜 10 〔隔〕 13 호 ㊤晧 | hào コウ ゆうのな

字解 고을이름호 고을〔邑〕 이름. '鄗, 邑名, 在常山, 或从阜'《集韻》.

阜 11 〔際〕 14 高·人 제 ㊦霽 | jì セイ·サイ あい

筆順 ⁊ ⺋ 阝 阝ク 阝夕 際 際 際

字解 ①사이제 ㉠두 사물의 중간. '天地一也'《易經》. ㉡이 때에서 저 때로 옮길 무렵. '春夏之一'. '唐虞之一'《史記》. ②때제 ㉠…을 하는 때. 그 경우. '其授受之一, 丁寧告戒'《朱熹》. ㉡기회. 시기. '一會'. '因事一, 以逞其志'《晉書》. ③사귈제 교제함. 또, 그 일. '交一'. '仁義之士貴一'《莊子》. ④가제 변두리. 끝. '天一'. '一限'. '端一不可得見'《晉書》. ⑤닿을제 접속함. '一天接地'《漢書》. ⑥만날제 사람 또는 때를 만남. '一會'. '一太平之世'.

字源 形聲. 阝(阜)+祭〔音〕

阜 11 〔障〕 14 高·人 장 ㊦漾 | zhàng ショウ へだてる, さわり

筆順 ⁊ ⺋ 阝 阝亠 阝立 隥 障 障

字解 ①막을장, 막힐장 ㉠통하지 못하게 함. '一百川, 而東之'《韓愈》. ㉡방해함. '聞見日益, 一道日深耳'《王文成公年譜節略》. ②밭두둑길장, 둑장 밭 사이의 길. 또, 제방. '堤一'. '陂一卑下'《漢書》. ③보루장 변방의 요새. '保一'. '築亭一'《史記》. ④병풍장, 장지장, 울장 집에서 가려 막는 물건. '屛一'. '金雞大一'《唐書》. ⑤지경장, 칸막이장 경계·한계 또는 차폐(遮蔽)하는 물건. '陵海越一'《後漢書》. ⑥장애장 거치적거리는 것. '故一'. '吾有慾一'《晉書》.

字源 形聲. 阝(阜)+章〔音〕

阜 11 〔嶇〕 14 구 ㊥虞 | qū ク やすらかでない

字解 편치못할구 불안한 모양. '一, 敧一也'《說文》.

字源 形聲. 阝(阜)+區〔音〕

阜 11 〔陛〕 14 폐 ㊥齊 | bī ヘイ ごく

字解 옥폐 감옥. '一牢謂之獄, 所以拘非也'《說文》.

字源 形聲. 非+陛〈省〉〔音〕

阜 11 〔隹〕 14 최 ㊥灰 | cuī サイ くずれる

字解 ①무너질최 '一隤'는 무너짐. '一隤, 崩也'《集韻》. ②높을최 崔(山부 8획〈310〉)와 同字.

阜 11 〔隝〕 14 도 ㊤晧 | dǎo トウ しま

字解 섬도 물속에 솟은 섬 같은 산. 㠀(山부 11획〈318〉)과 同字. '阜陵別一'《司馬相如》.

阜 11 〔隞〕 14 오 ㊥豪 | áo ゴウ ちめい

字解 땅이름오 은(殷)나라 때의 땅 이름. 지금의 하남성(河南省) 형양현(滎陽縣) 북쪽 오산(隞山)의 남쪽.

阜 11 〔隙〕 14 ㊀하 ㊦禡 | xià カ すき
㊁호 ㊤麌 | コ すき

字解 ㊀ 틈하 갈라진 틈. '一, 裂也'《玉篇》. ㊁ 틈호 ㊀과 뜻이 같음.

阜 11 〔隕〕 14 경 ㊥庚 ㊤梗 | qīng ケイ かたむく

字解 ①기울경 '一, 仄也'《說文》. ②위태로울경 '一, 危也'《玉篇》. ③엎드릴경 '一, 伏也'《篇海》. ④기울일경 '一, 攲也'《篇海》.

[字源] 形聲. 阝(𨸏)+頃〔音〕

阜 11 〔陳〕 14 〔진〕 陳(阜부 8획〈1617〉)의 本字

阜 11 〔隟〕 14 〔극〕 隙(阜부 10획〈1622〉)의 古字

阜 11 〔隝〕 14 〔언〕 隁(阜부 9획〈1621〉)·堰(土부 9획〈213〉)과 同字

阜 11 〔隦〕 14 〔용〕 墉(土부 11획〈218〉)과 同字

阜 11 〔隠〕 14 〔은〕 隱(阜부 14획〈1626〉)의 俗字

阜 11 〔険〕 14 〔험〕 險(阜부 13획〈1626〉)의 俗字

阜 11 〔隙〕 14 〔극〕 隙(阜부 10획〈1622〉)의 俗字

阜 11 〔隱〕 14 〔은〕 隱(阜부 14획〈1626〉)의 略字

阜 11 〔㝩〕 14 강 [平]陽 | kāng コウ むなしい

[字解] 공허할강 공허함. '一, 虛也'《集韻》.

阜 11 〔隚〕 14 당 [平]陽 | táng ドウ いしずえ

[字解] 초석당 초석(礎石). 주춧돌. '一, 殿基謂之一'《集韻》.

阜 11 〔䣞〕 14 루 [平]尤 [上]有 [上]麌 | lóu ロウ·ル けんめい

[字解] 고을이름루 고을 이름. 나루(羸陵)는 교지(交阯)에 있음. '一, 羸一, 縣名'《集韻》.

阜 11 〔隵〕 14 〔붕〕 崩(山부 8획〈311〉)과 同字

阜 11 〔隰〕 14 〔습〕 隰(阜부 14획〈1626〉)과 同字

阜 11 〔隰〕 14 〔습〕 隰(阜부 14획〈1626〉)과 同字

阜 11 〔隘〕 14 〔애〕 隘(阜부 10획〈1622〉)의 訛字

阜 11 〔隱〕 14 〔인〕 陻(阜부 9획〈1619〉)과 同字

阜 11 〔陷〕 14 함 [去]陷 | zhàn タン あな

[字解] 구덩이함 구덩이. 움푹 팬 곳. '一, 陷也'《字彙》.

[參考] 이 글자는 편해(篇海)·강희자전(康熙字典)에는 隮(阜부 12획〈1625〉)으로 되어 있음.

阜 12 〔䦪〕 20 [一]결 [入]屑 [二]열 [入]屑 | jué ケツ おかのあな エツ おかのあな

[字解] [一] 언덕구멍결 阨(阜부 4획〈1611〉)의 古字. '阨, 陵阜実也. 古作一'《集韻》. [二] 언덕구멍열 [一]과 뜻이 같음.

[字源] 形聲. 𨸏+夬〔音〕

阜 12 〔隤〕 15 퇴 [平]灰 | tuí タイ くずれる

[字解] ①무너질퇴, 무너뜨릴퇴 頹(頁부 7획〈1690〉)와 통용. '一牆塡塹'《司馬相如》. ②내릴퇴 강하함. 강하시킴. '發祥一祉'《揚雄》. ③순할퇴 유순한 모양. '夫坤一然示人簡矣'《易經》. ④고달플퇴 피로함. '我馬虺一'《詩經》.

[字源] 形聲. 阝(𨸏)+貴〔音〕

阜 12 〔隥〕 15 등 [去]徑 | dèng トウ さか

[字解] ①비탈등 된비알. 된비탈. '升於長松之一'《穆天子傳》. ②층계등 계단(階段). '玄武疏遙一'《李百藥》.

[字源] 形聲. 阝(𨸏)+登〔音〕

阜 12 〔隝〕 15 위 [上]紙 | wěi イ さかのな

[字解] 고개이름위 춘추 시대 정(鄭)나라의 고개 이름. '一, 鄭地阪'《說文》.

[字源] 形聲. 阝(𨸏)+爲〔音〕

阜 12 〔隣〕 15 [高人] 린 [平]眞 | lín リン となり

[筆順] ' ㇋ 阝 阝' 阝米 隊 隣 隣

[字解] ①이웃린 ㉠서로 연접하여 있는 집. '疑一人之父'《韓非子》. ㉡서로 연접하여 있는 지역 또는 나라. '近一'. '善一'. '睦乃四一'《書經》. ㉢이웃하여 서로 도움이 될 만한 사람, 또는 사물. 동류. '德不孤, 必有一'《論語》. ②이웃할린 이웃에 있음. 연접함. '比一'. '一於善, 民之望也'《左傳》. ③보필린 좌우에서 임금을 돕는 신하. '臣哉一哉'《書經》. ④수레소리린 轔(車부 12획〈1479〉)과 통용. '有車一一'《詩經》. ⑤행정구획이름린 주대(周代)의 행정 구획의 하나. 다섯 집이 사는 구역. '一里'. '五家爲一, 五一爲里'《周禮》. ⑥성린 성(姓)의 하나.

[字源] 形聲. 阝(𨸏)＋粦(粦)〔音〕
[參考] 鄰(邑부 12획〈1527〉)은 本字.

阜 12 〔隯〕 15 무 [平]虞 | wú ブ·ム ちめい
[字解] 땅이름무 한(漢)나라의 홍농군(弘農郡) 섬현(陝縣), 지금의 하남성(河南省) 섬현(陝縣)의 동쪽 구석의 땅.
[字源] 形聲. 阝(𨸏)＋橆(無)〔音〕

阜 12 〔隆〕 15 〔수〕
陲(阜부 8획〈1617〉)의 本字

阜 12 〔隲〕 15 〔려〕
鄜(邑부 19획〈1530〉)와 同字

阜 12 〔蹼〕 15 복 [入]屋 | pú ホク ばんいのくにのな
[字解] 나라이름복 나라 이름. 오랑캐 나라의 이름. '一, 彭一, 蠻夷國名'《集韻》.

阜 12 〔隯〕 15 심 [平]侵 | xún シン ちいさいおか
[字解] ①작은언덕심 작은 언덕. '一, 小阜'《玉篇》. ②언덕이름심 언덕 이름. '一, 小阜也'《集韻》.

阜 12 〔隝〕 15 〔양〕
陽(阜부 9획〈1619〉)과 同字

阜 12 〔隟〕 15 〔음〕
陰(阜부 8획〈1617〉)과 同字

阜 12 〔隭〕 15 이 [平]支 | ér ジ·ニ ちめい
[字解] ①땅이름이 땅 이름. '一, 地名'《廣韻》. ②험할이 험함.

阜 12 〔隮〕 15 잠 [去]沁 | chèn シン おちいる
[字解] 빠질잠 빠짐. 빠져듦. '一, 隴也'《玉篇》.

阜 12 〔隵〕 15 절 [入]屑 | jué セツ へだたる
[字解] ①멀어질절 멀어짐. 사이가 떨어짐. '一, 隔也'《集韻》. ②가로막힐절 가로막힘. 가림.

阜 12 〔隥〕 15 〔함〕
陷(阜부 11획〈1624〉)과 同字

阜 12 〔隡〕 15 천 [上]銑 | chǎn セン ちめい
[字解] 땅이름천 땅 이름. 노(魯)나라의 땅 이름. '僤, 地名, 在魯, 或作一'《集韻》.

阜 12 〔㠊〕 15 허 [平]魚 | xū キョ ちめい
[字解] 땅이름허 땅 이름. '一, 地名'《玉篇》.

阜 12 〔隵〕 15 혜 [去]霽 | huì ケイ ほとり
[字解] 가혜 가. 경계(境界). '一, 陲也'《集韻》.

阜 12 〔隞〕 15 호 [平]豪 | háo コウ たに
[字解] ①산골짜기호 산골짜기. '一, 壑謂之一'《集韻》. ②성밑길호 성(城) 밑의 길. '一, 一曰, 城下道'《集韻》.

阜 13 〔隧〕 16 [一] 수 [去]寘 | suì スイ あなみち
[二] 추 [去]寘 | zhuì ツイ おちる
[字解] [一] ①굴수 산이나 땅 밑을 뚫고 만든 길. 또, 평지에서 광혈(壙穴)까지 비스듬히 파서 통하게 한 길. '一道'. '闕地及泉, 一而相見'《左傳》. ②길수 ㉠경로. '大風有一'《詩經》. ㉡좁은 길. 소로. '起亭一'《漢書》. ③돌수 회전함. '若磨石之一'《莊子》. [二] 떨어질추, 떨어뜨릴추 墜(土부 12획〈220〉)와 통용. '不一如髮'《漢書》.
[字源] 形聲. 阝(𨸏)＋遂〔音〕

阜 13 〔隨〕 16 [高·人] 수 [平]支 | suí ズイ したがう
[筆順] ' 阝 阝一 阝ナ 阝左 陏 隋 隨
[字解] ①따를수 ㉠따라감. 수행함. '一從'. '一兄播遷韶嶺'《李漢》. ㉡함께 감. 동도(同道)함. '一伴'. '妻卒被病, 行不能相一'《古詩》. ㉢떨어지지 아니함. 붙어 다님. '印似嬰兒, 常一身'《李義山雜纂》. ㉣뒤따름. 뒤를 따라 계속함. '公亦一手亡矣'《史記》. ㉤나중에 함. 다음에 함. '主唱而臣和, 主先而臣一'《史記》. ㉥연(沿)함. '一山刊木'《書經》. ㉦마음대로 움직임. '兩脚不一'《馬第伯》. ㉧본뜸. '水一方圓之器'. ②따라서 수 그대로 좇아서. '一亂一失'《韓愈》. ③발수 족부(足部). '艮其腓, 不拯其一'《易經》. ④수괘수 육십사괘(六十四卦)의 하나. 곧, ☱〈진하(震下), 태상(兌上)〉으로서, 물건과 물건이 서로 따르는 상(象). '一元亨利貞'《易經》. ⑤성수 성(姓)의 하나.
[字源] 形聲. 辵＋隋〔音〕

阜 13 〔隩〕 16 [一] 오 [去]號 | ào オウ くま
[二] 욱 [入]屋 | yù イク あたたかい
[字解] [一] ①물굽이오 만곡(灣曲)하여 물이 육지까지 들어온 곳. '一, 水隈厓也'《說文》. ②숨길오, 숨을오 은닉함. '一愛太子'《國語》. [二] ①거처욱 사는 곳. '回一旣宅'《書經》. ②따뜻할욱 燠(火부 13획〈727〉)

과 同字. '厥民—'《書經》.
[字源] 形聲. 阝(𨸏)+奥〔音〕

阜 13 〔險〕 16 [高·人] 험 [上]琰 | xiǎn ケン けわしい

[筆順] ⺄ 阝 阝亼 阝亼 阾 険 險 險

[字解] ①험할험 ㉠험준함. '—道'. '阻—'. '國—而多馬'《左傳》. 또, 험준한 것. 또는, 요해처. '在德不在—'《十八史略》. '王公設—, 以守其國'《易經》. ㉡위태로움. '危—'. 또, 위태로운 일. '小人行—'《中庸》. ②음흉할험 마음이 검음. '陰—'. '內—而外仁'《阮籍》. ③높을험 '天—不可升也'《易經》. ④어려울험 힘이 듦. '—句'. '以知—'《易經》.
[字源] 形聲. 阝(𨸏)+僉〔音〕

阜 13 〔⿰阝解〕 16 해 [上]蟹 | xiè カイ たにのな

[字解] ①골짜기이름해 '—, 水衡官谷也'《說文》. ②작은골짜기해 '—, 小溪也'《玉篇》.
[字源] 形聲. 阝(𨸏)+解〔音〕

阜 13 〔⿰阝豙〕 16 〔추〕
墜(土부 12획〈220〉)와 同字

阜 13 〔⿰阝貇〕 16 간 [上]阮 | kěn コン おそい

[字解] 느릴간 느림. 더딤. '—, 遲也'《玉篇》.

阜 13 〔⿰阝豦〕 16 거 [平]魚 | qú キョ きざはし

[字解] 섬돌거 섬돌. 층계. '—, 階也'《集韻》.

阜 13 〔⿰阝蹇〕 16 건 [上]阮 | jiǎn ケン おごる

[字解] 거만할건 거만함. 교만을 떪. '—, 本作傿, 倨也'《五音集韻》.

阜 13 〔隫〕 16 〔분〕
墳(土부 13획〈222〉)과 同字

阜 13 〔隦〕 16 비 [上]薺 [平]支 | pí ヘイ・ヒ ひめがき

[字解] 성가퀴비 성가퀴. 성(城) 위에 낮게 쌓은 담. '—, 一垷, 女牆也'《篇海》.

阜 13 〔⿰阝奢〕 16 습 [入]葉 | chè ショウ おんなのすがた

[字解] ①여자의맵시습 여자의 맵시. 여자의 자태. '—, 女態'《集韻》. ②교태부리지않을습 교태를 부리지 않음. 아양떨지 아니함. '—, 一曰, 前卻不媚'《集韻》.

阜 13 〔⿰阝業〕 16 [一]업 [二]핍 | yè ギョウ けわしい ヒュウ がけのけわしいさま

[字解] [一] ①험할업 험함. '—, 險也'《玉篇》. ②위태할업 위태함. '—, 危也'《玉篇》. ③위태한모양업 위태한 모양. '—, 危皃'《廣韻》. [二] 벼랑험할핍 벼랑이 험한 모양. '—, 厓險危皃'《集韻》.

阜 13 〔⿰阝義〕 16 의 [上]紙 | yǐ ギ たかくけわしい

[字解] 산깎아지른듯할의 산이 깎아지른 듯함. '巇, 或作—'《集韻》.

阜 13 〔⿰阝詹〕 16 첨 [去]豔 | zhān セン おちいる

[字解] 빠질첨 빠짐. 빠져듦. '—, 陷也'《集韻》.

阜 13 〔⿰阝楚〕 16 초 [上]語 | chǔ ショ さか

[字解] 비탈초 비탈. 산비탈. '—, 阪也'《集韻》.

阜 13 〔⿰自豦〕 19 거 [平]魚 | qú キョ かしら

[字解] 우두머리거 우두머리. 두목. '—, 博雅, 將—'《集韻》.

阜 14 〔隮〕 17 제 [平]齊 | jī セイ・サイ のぼる

[字解] ①오를제 높은 데 올라감. 躋(足부 14획〈1451〉)와 통용. '由賓階—'《書經》. ②무지개제 홍예(虹霓). '十煇, 九曰, —'《周禮》. ③떨어질제, 떨어뜨릴제 추락함. '我乃顚—'《書經》.
[字源] 形聲. 阝(𨸏)+齊〔音〕

阜 14 〔隰〕 17 습 [入]緝 | xí シツ さわ

[字解] ①진펄습 지세가 낮고 습한 땅. '原—'. '下—'. '山有榛, —有苓'《詩經》. ②따비밭습 새로 개간한 밭. '徂—徂畛'《詩經》. ③물가습 수애(水涯). '逐翼侯于—汾'《左傳》. ④성습 성(姓)의 하나.
[字源] 形聲. 阝(𨸏)+㬎〔音〕

阜 14 〔隱〕 17 [高·人] 은 [上]吻 [去]問 | ①-⑩yǐn イン・オン かくれる ⑪⑫yìn イン・オン よる, きずく

[筆順] ⺄ 阝 阝⺈ 阝爫 阝㥯 隠 隱 隱

[字解] ①숨을은 ㉠자취를 감춤. '—身'. '伏—'. '將身—'《左傳》. ㉡달아남. '逃—'. '龍德而—者也'《易經》. ㉢보이지 아니함. 나

타나지 아니함. '—而顯'《禮記》. ㉣나타나지 않은 깊은 이치. '探賾索—'《易經》. ㉤명예나 부귀를 버리고 속세를 멀리함. 속세를 버림. '—居'. '—遁'. 또, 그 사람. '三—'. '大——朝市'《王康琚》. ②숨길은 ㉠보이지 않게 함. '日月—曜'《范仲淹》. ㉡남이 알지 못하게 함. 비밀에 부침. '父爲子—, 子爲父—'《論語》. ㉢또, 비밀에 부친 일. 음사. '莫見於—'《中庸》. ㉣알리지 아니함. 발설하지 아니함. '進不—賢'《孟子》. ㉤외부에 나타내지 아니함. '—情'《禮記》. ③점칠은 길흉을 알아봄. '—, 占也'《爾雅》. ④가엾어할은 불쌍하게 여김. '惻—'. '王若—其無罪而就死地'《孟子》. ⑤근심할은 우려함. '—君身'《左傳》. ⑥음흉할은 속이 검음. '外溫仁謙遜而乃—'《漢書》. ⑦담은 얕은 담. '踰—而待之'《左傳》. ⑧수수께끼은 미어(謎語). '—語'. '臣非敢詆之, 廼與爲—耳'《漢書》. ⑨무게있을은 위엄이 있는 모양. '—若—敵國'《十八史略》. ⑩성은 성(姓)의 하나. ⑪기댈은 의지함. '—几而臥'《孟子》. ⑫쌓을은 축조(築造)함. '—以金椎'《漢書》.
[字源] 形聲. 阝(𨸏)+㥯〔音〕

阜 14 〔隲〕 17 〔즐〕
騭(馬부 10획〈1749〉)의 訛字

阜 14 〔隣〕 17 〔린〕
鄰(邑부 12획〈1527〉)의 本字

阜 14 〔⿰阝僕〕 17 〔복〕
⿰阝菐(阜부 12획〈1625〉)과 同字

阜 14 〔⿰阝厭〕 17 엽 [入]葉 | yè ヨウ けわしい
[字解] 험할엽 험함. '—, 地險隘也'《集韻》.

阜 14 〔⿰阝需〕 17 〔이〕
陑(阜부 6획〈1614〉)와 同字

阜 14 〔⿰阝聚〕 17 〔추〕
陬(阜부 8획〈1616〉)와 同字

阜 14 〔⿰阝豪〕 17 호 [平]豪 | háo ゴウ じょうかのみち
[字解] ①성밑길호 성(城) 밑의 길. '城下道曰—'《釋名》. ②산골짜기호 산골짜기. '⿰阝皐, 壑謂之⿰阝皐, 或从豪'《集韻》.

阜 15 〔隳〕 18 휴 [平]支 | huī キ くずれる
[字解] 무너질휴, 무너뜨릴휴 '政柄于是乎—哉'《王禹偁》.
[參考] 墮(土부 12획〈221〉)와 同字.

阜 15 〔⿰阝⿱㒸糸〕 18 〔추〕
墜(土부 12획〈220〉)와 同字

阜 15 〔隫〕 18 [一] 독 [入]屋 | dú トク みぞ
[二] 동 [去]送 | トウ とおす
[字解] [一] 도랑독 '—, 通溝, 吕防水者'《說文》. [二] 통할동 洞(水부 6획〈642〉)과 同字.
[字源] 形聲. 阝(𨸏)+賣〔音〕

阜 15 〔⿰阝堯〕 18 〔륙〕
陸(阜부 8획〈1618〉)의 籒文

阜 15 〔⿰阝廣〕 18 〔곽〕
郭(邑부 8획〈1520〉)과 同字

阜 15 〔⿰阝賓〕 18 〔빈〕
瀕(水부 16획〈698〉)과 同字

阜 16 〔⿰𨸏𨸏〕 24 [一] 隘(阜부 10획〈1622〉)의 籒文
[二] 阸(阜부 5획〈1613〉)·阨(阜부 4획〈1610〉)와 同字

阜 16 〔隴〕 19 롱 [上]腫 | lǒng ロウ うね, おか
[字解] ①밭두둑롱 壟(土부 16획〈224〉)과 통용. '—畝'. ②언덕롱 구릉. '鳴騶入谷, 鶴書赴—'《孔稚珪》. ③땅이름롱 지금의 감숙성(甘肅省) 공창부(鞏昌府). '得—望蜀'. ④성롱 성(姓)의 하나.
[字源] 形聲. 阝(𨸏)+龍〔音〕

阜 16 〔⿰阝⿱臾貝〕 19 〔퇴〕
隤(阜부 12획〈1624〉)의 本字

阜 16 〔⿰阝褭〕 19 뇨 [上]篠 | niǎo ジョウ ふしたれるさま
[字解] 엎어질뇨 엎어짐. '—, 偃低皃'《集韻》.

阜 16 〔⿰阝頻〕 19 〔빈〕
濱(水부 14획〈695〉)의 古字

阜 16 〔⿰阝遺〕 19 〔퇴〕
隤(阜부 12획〈1624〉)와 同字

〔騭〕 〔즐〕
馬부 10획(1749)을 보라.

阜 17 〔⿰阝毚〕 20 참 [平]咸 | chán, zhān
[去]陷 | サン ちめい
[字解] ①땅이름참 땅 이름. '—, 地名'《集韻》. ②빠질참 빠짐. 구덩이에 빠짐. '—, 陷也'《集韻》.

阜 17 〔隵〕 20 희 [平]支 | xī キ けわしい

[字解] ①험할희 험함. '一, 險也'《玉篇》. ②깰희 깸. 부숨.

阜 17 〔⿲𨸏㒸𨸏〕 25 〔수〕 隧(阜부 13획〈1625〉)의 古字

阜 18 〔⿰阝聶〕 21 닙 [入]緝 | nì ジュウ·ニュウ せまいさま

[字解] 좁을닙 '陧'은 좁은 모양. '一, 陧一, 陜皃'《集韻》.

阜 18 〔⿰阝鯀〕 21 혼 [上]阮 | hùn コン おか

[字解] ①언덕혼 큰 언덕. '一, 大阜也'《說文》. ②흙메혼 '一, 土山也'《玉篇》.
[字源] 形聲. 阝(𨸏)+鯀〔音〕

阜 18 〔⿰阝雚〕 21 〔환〕 酄(邑부 18획〈1530〉)과 同字

阜 18 〔⿲𨸏益𨸏〕 26 〔애〕 隘(阜부 10획〈1622〉)와 同字

阜 19 〔⿰阝橆〕 22 〔무〕 隖(阜부 12획〈1625〉)의 本字

阜 24 〔⿰阝靈〕 27 령 [平]青 | líng レイ すきま

[字解] 빈틈령 빈틈. 틈새기. '一, 隙罅也'《集韻》.

阜 25 〔⿲𨸏⿳廿仌仌𨸏〕 33 〔애〕 隘(阜부 10획〈1622〉)의 籀文

阜 25 〔⿲𨸏⿱遂火𨸏〕 33 〔수〕 燧(火부 13획〈727〉)의 籀文

隶 部

〔미칠이부〕

隶 0 〔隶〕 8 ㊀ 이 [去]寘 | yì イ およぶ
㊁ 대 [去]隊 | dài タイ およぶ

[筆順] ㇇ ⺕ ⺕ 肀 肀 隶 隶 隶

[字解] ㊀ 미칠이 추급(追及)함. '一, 及也'《說文》. ㊁ 미칠대 ㊀과 뜻이 같음.
[字源] 會意. 又+尾(尾)〈省〉
[參考] '隶이'를 의부(意符)로 하여, 붙잡아서 복종시키는 노예의 '隸례' 따위의 글자를 이룸. 부수 이름은 '미칠이'.

隶 7 〔⿰镸隶〕 15 사 [去]寘 | sì シ ころしてさらす

[字解] ①죽여늘어놓을사 죽여서 시체를 늘어놓음. '一, 極陳也'《說文》. ②늘어놓을사 '一, 陳也'《廣雅》. ③쭈그리고앉을사 '一, 踞也'《廣雅》. ④길사 '一, 按此字本訓, 長'《說文通訓》. ⑤마침내사 '一, 遂也'《集韻》. ⑥연고(緣故)사 '一, 一曰, 故也'《集韻》. ⑦진실사 참. '一, 信也'《廣雅》. ⑧미칠사 '一, 噬也'《廣雅》.

隶 7 〔⿰𠤕隶〕 15 〔이〕 肄(聿부 7획〈1063〉)의 本字

隶 8 〔⿰糸隶〕 16 〔이〕 肄(聿부 7획〈1063〉)와 同字

隶 8 〔隸〕 16 [高校] 隷(次條)와 同字

隶 9 〔隷〕 17 례 [去]霽 | lì レイ しもべ, つく

[字解] ①종례 천역에 종사하는 사람. '奴一'. '臣一'. '各有配一'《後漢書》. ②죄인례 죄수. '罪一'. '一人涅廁'《儀禮》. ③붙을례 종속함. '一屬'. '割此三郡, 配一益州'《晉書》. ④살필례 조사함. '關東吏一郡國出入關者'《史記》. ⑤서체이름례 서체의 하나. 진(秦)나라의 정막(程邈)이 소전(小篆)을 간략히 하여 만든 것으로, 지금의 해서체(楷書體)인데, 한(漢)나라 이후에 널리 쓰이게 되었음. 구양수(歐陽修)의 집고록(集古錄)에 팔분(八分)을 잘못 말하여 '一書'라고 한 후로 팔분을 지칭하게 되었고, '一書'는 해서(楷書)라고 일컫게 되었음. '一書者, 篆之捷也'《晉書》. ⑥성례 성(姓)의 하나.
[字源] 會意. 隶+柰

隶 9 〔⿰臬隶〕 17 태 [上]賄 | dài タイ およぶ

[字解] 미칠태 미침. '一天之未陰雨'《詩經》.
[字源] 形聲. 隶+臬〔音〕

隶 10 〔⿰祟隶〕 18 隸(前前條)와 同字

隶 11 〔⿱隶隶〕 19 위 [去]未 | wèi イ ねずみににたけもの

[字解] 짐승이름위 짐승 이름. 쥐와 비슷함. '一, 獸名, 似鼠'《集韻》.

隶 12 〔⿰⿱白豕隶〕 20 태 [上]賄 | dài タイ およぶ

[字解] 미칠태 미침. 이름. '一, 及也'《篇海》.

隹 部
〔새 추 부〕

隹 0 〔隹〕8 ㊀추 ㊥支 | zhuī スイ とり
㊁최 ㊤賄 | cuǐ サイ たかい

筆順 ノ 亻 亻' 仁 仛 隹 隹 隹

字解 ㊀새추 꽁지가 짧은 새의 총칭. '一, 鳥之短尾總名也'《說文》. ㊁높을최 崔(山부 8획〈310〉)와 통용. '山林之畏一'《莊子》.
字源 象形. 꼬리가 짧고 똥똥한 새를 본떠, 작은 새의 뜻을 나타냄.
參考 '隹추'를 의부(意符)로 하여, 새에 관한 문자를 이룸.

隹 2 〔隻〕10 척 ㊇陌 | zhī セキ かたわれ, ひとつ

字解 ①하나척 단지 하나. 단일(單一). '形單影一'《韓愈》. ②짝척 한 쌍의 한쪽. 외짝. 한짝. '一眼'. '得一一鳥'《漢書》. ③척척 배·수레 등을 세는 수사(數詞). '一一船'.
字源 會意. 又＋隹

隹 2 〔隼〕10 人名 준 (순本) ㊤軫 | sǔn(zhǔn) シュン はやぶさ

筆順 ノ 亻 亻' 仁 仹 隹 隹 隼

字解 송골매준 매의 일종으로서, 매보다 좀 작음. '鴥彼飛一, 其飛戾天'《詩經》. ※本音 순.
字源 指事. '隹추'의 다리 밑에 '一일'을 더하여, '송골매'의 뜻을 나타냄. '鵻추'의 別體.

隹 2 〔隽〕10 〔전〕 雋(隹부 5획〈1631〉)과 同字

隹 2 〔难〕10 〔난〕 難(隹부 11획〈1636〉)의 俗字

〔准〕〔준〕 冫부 8획(94)을 보라.

隹 2 〔隺〕10 〔학〕 鶴(鳥부 10획〈1829〉)의 俗字
字源 會意. 冂＋隹

隹 2 〔⿰九隹〕10 〔구〕 鳩(鳥부 2획〈1810〉)와 同字

隹 2 〔⿰七隹〕10 〔차〕 ⿰七鳥(鳥부 2획〈1810〉)와 同字

隹 2 〔⿰刀隹〕10 〔초〕 鳭(鳥부 2획〈1810〉)와 同字

隹 3 〔隿〕11 익 ㊇職 | yì ヨク・イキ いぐるみ

字解 주살익, 주살로쏠익 弋(部首〈357〉)과 同字. '一, 繳射飛鳥也'《說文》.
字源 形聲. 隹＋弋〔音〕

隹 3 〔⿱弋隹〕11 隿(前條)과 同字

隹 3 〔⿰工隹〕11 홍 ㊥東 ㊤董 | hóng コウ こえる

字解 ①살찔홍 새가 살이 찌는 모양. '一, 鳥肥大, 一一然也'《說文》. ②고용할홍 품을 삼. '一, 傭也'《玉篇》.
字源 形聲. 篆文은 隹＋工〔音〕. 別體는 鳥＋工〔音〕.

隹 3 〔雀〕11 人名 작 ㊇藥 | què ジャク すずめ

筆順 ｜ 小 少 少' 少' 雀 雀 雀

字解 ①참새작 새의 하나. '誰謂一無角'《詩經》. ②다갈색작 참새의 털 같은 빛. '一弁'. ③뛸작 도약함. '一躍'. '一立不轉'《戰國策》.
字源 形聲. 隹＋小〔音〕

隹 3 〔⿰干隹〕11 간 ㊥寒 | gān カン かささぎ

字解 까치간 까치. '一, 一鵲, 鵲也'《集韻》.

隹 3 〔⿸户隹〕11 〔시〕 鳲(鳥부 3획〈1810〉)와 同字

隹 3 〔⿸尸隹〕11 〔시〕 鳲(鳥부 3획〈1810〉)와 同字

隹 3 〔⿰止隹〕11 〔자〕 雌(隹부 5획〈1631〉)의 古字

隹 3 〔⿱隹夊〕11 〔척〕 隻(隹부 2획〈1629〉)의 俗字

隹 4 〔集〕12 中·人 집 ㊇緝 | jí シュウ あつめる

筆順 亻 仁 仹 隹 隹 隼 隼 集

字解 ①모일집, 모을집 한데 모임. '群一'. '一合'. '收一降卒'《後漢書》. 또, 시문 등을 모은 책. '文一'. '詩一五十卷'《隋書》. ②이

룰집, 이루어질집 성취함. '大統未一'《書經》. ③편안히할집 편안하게 함. '安一百姓'《史記》. ④이를집 至(部首〈1102〉)와 뜻이 같음. '不其一亡'《左傳》. ⑤가지런할집 균제함. '動靜不一'《漢書》. ⑥보루집 국경의 요새. '險其走一'《左傳》. ⑦장집 시장. '宜率當部東乘赴一'《續文獻通考》. ⑧성집 성(姓)의 하나.
字源 會意. 隹+木. 篆文은 形聲으로, 木+雧〔音〕

〔焦〕 〔초〕 火부 8획(716)을 보라.

隹4 〔雙〕12 〔쌍〕 雙(隹부 10획〈1635〉)의 俗字

隹4 〔雅〕12 高·人 아 ㊤馬 yǎ ガ ただしい
筆順 一 ㄷ 于 牙 牙 牙 雅 雅
字解 ①바를아 올바름. 정당하여 법도에 맞음. '一正'. '一道今復存'《盧照隣》. ②악기이름아 칠통(漆筩) 모양의 길쭉한 옛 악기. '訊疾以一'《禮記》. ③아아 시(詩)의 육의(六義)의 하나. 정악(正樂)의 노래. '大一'. '小一'. '一頌各得其所'《論語》. ④평상아 평소. '一故'. '一意'. '子所一言'《論語》. ⑤우아할아 고상함. '典一'. '一致'. '雍容閒一甚都'《史記》. 전(轉)하여, 남의 시문 또는 언행에 대한 경칭(敬稱). '一囑'. '一鑑'. ⑥성아 성(姓)의 하나.
字源 形聲. 隹+牙〔音〕

隹4 〔雃〕12 〔견〕 雃(隹부 6획〈1632〉)의 俗字

隹4 〔雄〕12 中·人 웅 ㊥東 xióng ユウ おす
筆順 一 ナ 太 太 厷 雄 雄 雄
字解 ①수컷웅 동물의 남성. 주로 조류에 이름. '雌一'. '飛曰一雌, 走曰牝牡'('飛'는 조류, '走'는 수류(獸類))《急就篇》. ②굳셀웅 무용(武勇)이 있음. '心一萬夫'《李白》. 또, 그 사람. '是寡人之一也'《左傳》. ③뛰어날웅 걸출함. '秦一天下'《戰國策》. 또, 그 사람. '英一'. '韓信是一'《人物志》. ④두목웅 우두머리. '七一虓闞'《班固》. ⑤성웅 성(姓)의 하나.
字源 形聲. 隹+厷〔音〕

隹4 〔雉〕12 ㊀규 ㊥支 guī キ ほととぎす ㊁부 ㊥虞 fū フ ふふどり
字解 ㊀두견새규 '子一'는 두견이. 자규(子雉). '一, 子一, 鳥名'《集韻》. ㊁산비둘기부 '一鴀'는 산비둘기. 鳺(鳥부 4획〈1812〉)와 同字.

隹4 〔雄〕12 지 ㊥支 zhī シ とりのな
字解 ①새이름지 鳷(鳥부 4획〈1811〉)와 同字. '過一鵲'《司馬相如》. ②지출할지 돈을 치름. 支(部首〈478〉)와 통용. '一, 一曰, 一度, 猶今言度支也'《韻會》.
字源 形聲. 隹+支〔音〕

隹4 〔雱〕12 방 ㊥陽 fāng ㊦漾 ホウ みぞごいさぎ
字解 도랑푸른백로방 일설(一說)에는, 인면조신(人面鳥身)의 새. '一, 一鳥也'《說文》. '一, 鳥名. 人面鳥身'《字彙》.
字源 形聲. 隹+方〔音〕

隹4 〔雂〕12 ㊀겸 ㊥鹽 ケン しぎ ㊁금 ㊥侵 qín キン しぎ ㊂감 ㊥覃 カン しぎ
字解 ㊀①도요겸 물가에 사는 새로, 부리, 다리가 길고, 날개도 길며, 나는 힘이 강함. '一, 一鳥也'《說文》. ②사람이름겸 '一, …春秋傳有公子若一'《說文》. ㊁도요금, 사람이름금 ㊀과 뜻이 같음. ㊂도요감, 사람이름감 ㊀과 뜻이 같음.
字源 形聲. 隹+今〔音〕

隹4 〔雁〕12 高·人 안 ㊦諫 yàn ガン かり
筆順 一 厂 厂 厂 厂 雁 雁 雁
字解 기러기안 오릿과에 속하는 물새. '一飛'. '一陣驚寒'《王勃》.
字源 形聲. 隹+人+厂〔音〕

隹4 〔雇〕12 ㊀호 ㊤麌 hù コ ふなしうずら ㊁고 ㊦遇 gù コ やとう
字解 ㊀새이름호 새의 일종. '九一, 農桑候鳥'《說文》. ㊁품살고 품삯을 주고 남을 부림. '一用'.
字源 形聲. 隹+戶〔音〕

隹4 〔雈〕12 환 ㊥寒 huán カン みみずく
字解 부엉이환 '一, 老丫. (注)木兎也'《爾雅》.
字源 象形. '隹추'는 꽁지가 짧은 새, '丱관'은 털뿔의 모양을 본뜸.

隹4 〔雄〕12 〔결〕 鳺(鳥부 4획〈1811〉)과 同字

隹4 〔集〕12 구 ㊥支 kuí キ かえりみるさま

字解 되돌아보는모양구 되돌아보는 모양. '一, 顧貌'《字彙補》.

隹4 〔𨾔〕12 〔보〕 鴇(鳥부 4획〈1812〉)와 同字

隹4 〔𨾕〕12 〔수〕 售(口부 8획〈170〉)와 同字

隹4 〔𨾛〕12 〔짐〕 鴆(鳥부 4획〈1811〉)과 同字

隹4 〔𨿅〕12 ㊀치 ㊤紙|chǐ シ めす ㊁지 ㊥支|qí キ にわとり

字解 ㊀암컷치 암컷. 새의 암컷. '一, 鳥之雌也'《字彙》. ㊁닭지 닭. '䳭一'. 鴟(鳥부 4획〈1813〉)와 同字.

隹4 〔䧳〕12 항 ㊥陽|héng コウ とびあがりとびくだる

字解 날아오르내릴항 날아 오르내림. '一, 飛高下也'《字彙》.

隹4 〔𨾬〕12 〔혈〕 臭(大부 6획〈235〉)과 同字

隹5 〔雉〕13 人名 치 ㊤紙|zhì チ きじ

筆順 ノ ㇀ 矢 矢 矢' 矢 雉 雉

字解 ①꿩치 야금(野禽)의 하나. 야계(野雞). '山一'. '士執一'《周禮》. ②담치 ㉠성(城)의 담. '欲藉於臺一'《管子》. ㉡성의 담의 척도(尺度)의 단위로서, 높이 열자, 길이 서른 자를 이름. '都城過百一'《左傳》. ③성치 성(姓)의 하나.

字源 形聲. 隹+矢〔音〕

隹5 〔雊〕13 구 ㊦宥|gòu コウ·ク きじのおすがなく

字解 울구 장끼가 욺. 또, 그 소리. '雉一雞乳'《禮記》.

字源 形聲. 隹+句〔音〕

隹5 〔雋〕13 人名 ㊀전 ㊤銑|juàn セン とりがこえる ㊁준 ㊦震|jùn シュン すぐれる

筆順 亻 隹 隹 隹 隽 雋 雋 雋

字解 ㊀①살진고기전 살쪄 기름져서 맛이 좋은 고기. '號曰一永'《漢書》. ②성전 성(姓)의 하나. ㊁영특할준, 준걸준 儁(人부 13획〈74〉)과 통용. '進用英一'《漢書》.

字源 會意. 隹+弓. '隹추'는 작은 새의 뜻. '弓궁'은 활의 뜻. 활로 쏘아 떨어뜨리고 싶을 만큼 맛있는 새의 뜻에서, '뛰어나다, 살찌다'의 뜻을 나타냄.

隹5 〔雌〕13 人名 자 ㊥支|cí シ めす

筆順 ㅏ 止 止 此 此 此 雌 雌

字解 암컷자 동물의 여성. 주로, 조류에 이름. '誰知烏之一雄'《詩經》. 전(轉)하여, 약한 것, 둔한 것, 못생긴 것의 뜻. '一伏'. '挑戰決一雄'《史記》.

字源 形聲. 隹+此〔音〕

隹5 〔雎〕13 저 ㊥魚|jū ショ みさご

字解 물수리저 '一鳩'는 물가에 살며 고기를 잡아먹는 새. 징경이. 고래로, 자웅(雌雄)의 구별이 엄정하다 하여, 아름다운 부부(夫婦) 관계의 비유로 쓰임. '關關一鳩, 在河之洲, 窈窕淑女, 君子好逑'《詩經》.

字源 形聲. 隹+且〔音〕

參考 睢(目부 8획〈848〉)는 別字.

隹5 〔𨿃〕13 〔치〕 鴟(鳥부 5획〈1814〉)와 同字

隹5 〔雏〕13 〔추〕 雛(隹부 10획〈1635〉)의 俗字

隹5 〔䧺〕13 〔웅〕 雄(隹부 4획〈1630〉)의 俗字

〔稚〕 〔치〕 禾부 8획(904)을 보라.

〔碓〕 〔대〕 石부 8획(873)을 보라.

隹5 〔雍〕13 人名 옹 ㊥冬 ㊤腫 ㊦宋|①-③yōng ヨウ やわらぐ ④ヨウ ふさぐ ⑤⑥wèng ヨウ ちめい

筆順 亠 亠 乡 乡 乡 雍 雍 雍

字解 ①화락할옹, 화목할옹 '一睦'. '黎民於變時一'《書經》. ②학교옹 '辟一'은 천자(天子)의 학교 이름. ③모을옹 한데 모음. '一神休'《漢書》. ④막을옹 壅(土부 13획〈222〉)과 同字. '一閼'. '不一不塞'《荀子》. ⑤땅이름옹 구주(九州)의 하나. 지금의 섬서성(陝西省)·감숙성(甘肅省) 지방. ⑥성옹 성(姓)의 하나.

字源 形聲. 본디 隹+邕〔音〕

參考 雝(隹부 10획〈1635〉)은 本字.

隹5 〔䧹〕13 응 ㊥蒸|yīng ヨウ·オウ たか

字解 ①매응 鷹(鳥부 13획〈1838〉)과 同字. '一, 同鷹'《正字通》. ②사람이름응 '一, 闕. 人名. 漢有一疵'《集韻》.

隹5 〔翟〕13 여 ㊥魚 | rú ジョ·ニョ ふなしうずら

字解 세가락메추라기여 '一, 牟母也'《說文》.

字源 形聲. 隹+奴〔音〕

隹5 〔雊〕13 〔고〕 鴣(鳥부 5획〈1814〉)와 同字

隹5 〔翟〕13 〔교〕 鵁(鳥부 5획〈1816〉)와 同字

隹5 〔㨰〕13 두 ㊤有 | tǒu トウ くろかも

字解 검은오리두 검은 오리. '𪃹, 或从隹'《集韻》.

隹5 〔雅〕13 〔목〕 鶩(鳥부 9획〈1828〉)의 俗字

隹5 〔雉〕13 〔발〕 鵁(鳥부 5획〈1814〉)과 同字

隹5 〔雉〕13 〔일〕 鴃(鳥부 5획〈1814〉)과 同字

隹5 〔䨗〕13 ㊀항 ㊤養 | huǎng コウ すき ㊁수 ㊥支 | suī スイ

字解 ㊀쟁기항 쟁기. 논밭을 가는 데 쓰는 농구(農具). '一, 田器也'《玉篇》. ㊁비록수 비록. 雖(隹부 9획〈1634〉)의 古字.

隹6 〔雃〕14 견 ㊥先 | qiān ゲン じんめい

字解 사람이름견 '秦伯使士一乞師于楚'《左傳》.

字源 形聲. 隹+幵〔音〕

參考 雃(隹부 4획〈1630〉)은 俗字.

隹6 〔雒〕14 락 ㊇藥 | luò ラク かわらげ

字解 ①가리온락 몸은 검고 갈기는 흰 말. '有駵有一'《詩經》. ②물이름락, 땅이름락 洛(水부 6획〈642〉)과 통용. 한(漢)나라는 화덕(火德)으로 천하를 다스렸으므로, '洛'의 '氵'를 꺼려 이 자로 대용하였음. '一陽'. '豫州其水滎一'《周禮》. ③성락 성(姓)의 하나.

字源 形聲. 隹+各〔音〕

隹6 〔雓〕14 약 ㊇藥 | yuè ヤク ごのちゅうしんのいっせき

字解 바둑치중점약 바둑에서, 복판에 둔 한 점. '一, 棊心中一子也'《字彙補》.

隹6 〔雜〕14 〔잡〕 雜(隹부 10획〈1635〉)의 俗字

隹6 〔难〕14 〔난〕 難(隹부 11획〈1636〉)의 略字

〔維〕〔유〕 糸부 8획(996)을 보라.

〔截〕〔절〕 戈부 10획(423)을 보라.

隹6 〔雐〕14 호 ㊥虞 | hū コ·ク とりのな

字解 새이름호 '一, 一鳥也'《說文》.

字源 形聲. 隹+虍〔音〕

隹6 〔雟〕14 〔궤〕 鵤(鳥부 6획〈1819〉)와 同字

隹6 〔𨾊〕14 규 ㊥齊 | guī ケイ たにのな

字解 골짜기이름규 골짜기 이름. 섬서성(陝西省) 면현(沔縣)에 있는 골짜기. '一, 谷名'《玉篇》.

隹6 〔翟〕14 〔렬〕 鴷(鳥부 6획〈1819〉)과 同字

隹6 〔雉〕14 〔선〕 毨(毛부 6획〈617〉)과 同字

隹6 〔雁〕14 〔안〕 鴳(鳥부 6획〈1818〉)과 同字

隹6 〔䧹〕14 〔애〕 䳺(鳥부 6획〈1818〉)와 同字

隹6 〔翟〕14 〔여〕 鴽(鳥부 6획〈1818〉)와 同字

隹6 〔雓〕14 〔오〕 鴮(鳥부 6획〈1817〉)와 同字

隹6 〔䧴〕14 〔욕〕 鵒(鳥부 7획〈1820〉)과 同字

隹6 〔雁〕14 〔이〕 鴯(鳥부 6획〈1817〉)와 同字

隹6 〔𨾴〕14 임 ㊥侵 | rén ジン·ニン やつがしら

字解 오디새임 오디새. 대승조(戴勝鳥). 말똥가리. '一, 戴勝鳥'《字彙補》.

隹6 〔⿰兆隹〕14 조 ㊄嘯 | tiào チョウ あたまをたれてきく
字解 머리숙이고들을조 머리 숙이고 들음. '一, 低頭聽也'《篇海》.

隹6 〔⿰隹劣〕14 추 ㊁支 | zhuī スイ ちいさい
字解 ①작을추 작음. '一, 小也'《集韻》. ②작은새추 작은 새. '一小鳥'《字彙》.

隹6 〔⿰至隹〕14 〔치〕
鵄(鳥부 5획〈1814〉)와 同字

隹6 〔⿰合隹〕14 〔합〕
鴿(鳥부 6획〈1818〉)과 同字

隹7 〔⿰隹弟〕15 〔치〕
雉(隹부 5획〈1631〉)의 古字

隹7 〔⿰余隹〕15 여 ㊁魚 | yū ヨ にわとりのひな
字解 병아리여 닭의 새끼. '雞大者蜀. 蜀子, 一'《爾雅》.

隹7 〔⿰貝隹〕15 〔격〕
鶪(鳥부 9획〈1827〉)의 俗字

隹7 〔⿰肙隹〕15 〔견〕
鵑(鳥부 7획〈1820〉)과 同字

隹7 〔⿰巠隹〕15 〔경〕
鵛(鳥부 7획〈1821〉)과 同字

隹7 〔⿰告隹〕15 〔곡〕
鵠(鳥부 7획〈1821〉)과 同字

隹7 〔⿰狂隹〕15 〔광〕
鵟(鳥부 7획〈1821〉)과 同字

隹7 〔⿰秃隹〕15 〔독〕
鵚(鳥부 7획〈1821〉)과 同字

隹7 〔⿰尨隹〕15 망 ㊤講 | mǎng ボウ はちくま
字解 큰매망 큰매. 매 비슷하면서 털빛이 흰 새. '一, 雄鴟鳥也'《字彙補》.

隹7 〔⿰巫隹〕15 〔무〕
鷡(鳥부 12획〈1836〉)와 同字

隹7 〔⿰我隹〕15 〔아〕
鵝(鳥부 7획〈1821〉)와 同字

隹7 〔⿰夋隹〕15 〔준〕
鵔(鳥부 7획〈1820〉)과 同字

隹7 〔⿰卒隹〕15 추 ㊤紙 | cuǐ スイ ほそいくび
字解 가는목추 가는 목〔細頸〕. 가느다란 목. '一, 細頸'《廣韻》.

隹7 〔⿰希隹〕15 〔희〕
鵗(鳥부 7획〈1821〉)와 同字

隹8 〔嶲〕16 〔휴〕
巂(隹부 10획〈1635〉)와 同字

隹8 〔雕〕16 조 ㊁蕭 | diāo チョウ わし
字解 ①수리조 맹조. 수리의 일종으로, '鷲'보다 큼. '匈奴射一者也'《史記》. ②새길조 彫(彡부 8획〈367〉)와 통용. '必使玉人一琢之'《孟子》. ③시들조 凋(冫부 8획〈93〉)와 통용. '民力一盡'《國語》. ④성조 성(姓)의 하나.
字源 形聲. 隹＋周〔音〕

隹8 〔⿰垂隹〕16 수 ㊄寘 ㊁支 | shuì スイ とび
字解 ①솔개수 ②큰부리까마귀수 '一, 雅鳥'《廣韻》. ③두견이수 '子一'는 두견새. '一, 子一, 嶲也'《玉篇》.
字源 形聲. 隹＋𠂹(垂)〔音〕

隹8 〔雔〕16 수 ㊁尤 | chóu シュウ つがい
字解 ①새한쌍수 두 마리의 새. '一, 雙鳥也'《說文》. ②가죽나무누에수 '一由'는 가죽나무의 잎을 먹는 누에의 일종. '一由, 樗繭. (注)食樗葉'《爾雅》.
字源 會意. 隹＋隹. '隹추'는 새의 象形. 두 마리의 새의 뜻을 나타냄.

隹8 〔⿰昔隹〕16 〔작〕
鵲(鳥부 8획〈1824〉)과 同字
字源 形聲. 隹＋昔〔音〕

隹8 〔⿰虫隹〕16 〔수〕
雖(隹부 9획〈1634〉)의 俗字

〔錐〕 〔추〕
金부 8획(1566)을 보라.

隹8 〔⿱黎隹〕16 려 ㊁齊 | lí レイ·ライ ちょうせんうぐいす
字解 꾀꼬리려 '一, 一黃鳥'《廣韻》.

隹8 〔⿰肩隹〕16 〔견〕
鵳(鳥부 8획〈1823〉)과 同字

隹8 〔⿰庚隹〕16 〔경〕
鶊(鳥부 8획〈1824〉)과 同字

隹8 〔⿰昆隹〕16 〔곤〕
鵾(鳥부 8획〈1824〉)의 俗字

隹 8 〔雜〕16 ㊀ 鷄(鳥부 16획〈1841〉)과 同字 ㊁ 鴂(鳥부 8획〈1823〉)과 同字

隹 8 〔䳢〕16 〔기〕 鵸(鳥부 8획〈1823〉)와 同字

隹 8 〔雡〕16 〔륙〕 鵱(鳥부 8획〈1824〉)과 同字

隹 8 〔雓〕16 〔서〕 鷽(鳥부 12획〈1836〉)와 同字

隹 8 〔雗〕16 〔순〕 鶉(鳥부 8획〈1824〉)과 同字

隹 8 〔雅〕16 〔야〕 鵺(鳥부 8획〈1824〉)와 同字

隹 8 〔雈〕16 유 ㊥支 | wéi イ とぶさま

字解 나는모양유 나는 모양. '一, 飛貌'《篇海》.

隹 8 〔雗〕16 〔적〕 鸐(鳥부 14획〈1839〉)과 同字

隹 8 〔雔〕16 〔청〕 鶄(鳥부 8획〈1824〉)과 同字

隹 8 〔雔〕16 〔치〕 鴟(鳥부 8획〈1823〉)와 同字

隹 8 〔雓〕16 〔토〕 鵵(鳥부 8획〈1823〉)와 同字

隹 8 〔雗〕16 〔한〕 翰(隹부 10획〈1635〉)과 同字

隹 9 〔雖〕17 中人 수 ㊥支 | suī スイ いえども

筆順 口 吕 吊 虽 虽 虽' 雖 雖

字解 ①비록수 아무리 …하여도. 암만 …하여도. '一聖人亦有所不知焉'《中庸》. '一卽死無憾'《宋濂》. ②밀수 推(手부 8획〈450〉)와 뜻이 같음. '吾一之不能, 去之不忍'《國語》. ③오직수 惟(心부 8획〈397〉)와 뜻이 같음. '一有明君能決之, 又能塞之'《管子》.

字源 形聲. 虫＋唯〔音〕

參考 雖(隹부 8획〈1633〉)는 俗字.

隹 9 〔䳤〕17 〔격〕 鶪(鳥부 9획〈1827〉)과 同字

隹 9 〔䳢〕17 〔욕〕 鵒(鳥부 7획〈1820〉)과 同字

隹 9 〔雔〕17 〔개〕 鶛(鳥부 9획〈1827〉)와 同字

隹 9 〔雔〕17 〔규〕 鷄(鳥부 13획〈1839〉)와 同字

隹 9 〔雔〕17 〔전〕 鶨(鳥부 9획〈1827〉)과 同字

隹 9 〔雔〕17 〔돌〕 鶟(鳥부 9획〈1827〉)과 同字

隹 9 〔雔〕17 〔리〕 離(隹부 11획〈1636〉)의 訛字

隹 9 〔雺〕17 무 ㊦遇 | wù ブ すずめのひな

字解 ①참새새끼무 참새 새끼. '一, 雀子'《玉篇》. ②병아리무 병아리. '一, 雞雛'《廣韻》.

隹 9 〔雔〕17 〔수〕 讎(言부 16획〈1363〉)와 同字

隹 9 〔雔〕17 〔악〕 鶚(鳥부 9획〈1826〉)과 同字

隹 9 〔雔〕17 〔암〕 雒(隹부 11획〈1636〉)과 同字

隹 9 〔雔〕17 〔언〕 鷗(鳥부 9획〈1827〉)과 同字

隹 9 〔雔〕17 ㊀ 연 ㊦霰 | rún ゼン やまどり ㊁ 윤 ㊥眞 | ジュン やまどり

字解 ㊀ 새이름연 새 이름. 꿩의 한 가지. ㊁ 새이름윤 ㊀과 뜻이 같음. '一, 鷂也'《廣雅》.

隹 9 〔雔〕17 〔요〕 鷂(鳥부 9획〈1829〉)와 同字

隹 9 〔雔〕17 종 ㊤腫 ㊥東 | chǒng ショウ すずめ ソウ ことりがとぶ

字解 ①참새종 참새. '一, 一曰, 雀也'《集韻》. ②작은새날종 작은 새가 낢. '一, 小鳥飛也'《廣韻》. ③새새끼나는모양종 새새끼가 나는 모양. '一, 雛飛皃'《集韻》.

隹 9 〔雔〕17 추 ㊥尤 | qiū シュウ にわとりのひな

字解 병아리추 병아리. 鶖(鳥부 9획〈1828〉)의 俗字. '一, 雞雛'《廣韻》.

隹 9 〔⿰盾隹〕17 〔춘〕 鶞(鳥부 9획〈1827〉)과 同字

隹 9 〔⿱胡隹〕17 〔호〕 鶦(鳥부 9획〈1828〉)와 同字

隹 9 〔⿰宣隹〕17 〔훤〕 ⿰宣鳥(鳥부 9획〈1829〉)과 同字

隹 10 〔雙〕18 [高·人] 쌍 ㊥江 | shuāng ソウ つがい, ならぶ

[筆順] 亻 亻 𠂉 隹 隹 雔 雙 雙

[字解] ①쌍쌍 둘씩 짝을 이룸. '一璧'. '中有一飛鳥, 自名爲鴛鴦'《古詩》. 또, 짝을 이룬 것을 세는 수사(數詞). '屛風一一'. '奉白璧一一, 再拜獻將軍足下'《十八史略》. ②견줄쌍 '精妙世無一'《古詩》. ③성쌍 성(姓)의 하나.

[字源] 會意. 雔+又

[參考] 双(又부 2획〈140〉)은 俗字.

隹 10 〔⿱两隻〕18 雙(前條)의 俗字

隹 10 〔巂〕18 [一] 휴 ㊥齊 | guī ケイ ほととぎす / [二] 수 ㊤紙 | suǐ スイ ちめい

[字解] [一] ①두견새휴 '一周'는 두견(杜鵑)의 이칭(異稱). 일설에, 제비. '一周, 子規也'《康熙字典》. '一周, 燕也'《說文》. ②한바퀴휴 수레바퀴의 1회전. '立視五一'《禮記》. [二] 고을이름수 '越一'는 한대(漢代)의 군명(郡名)으로, 지금의 사천성(四川省) 영원부(寧遠府).

[字源] 形聲. 隹+屮+冏〔音〕

[參考] 嶲(隹부 8획〈1633〉)는 同字.

隹 10 〔雘〕18 [一] 확 [入]藥 | wò ワク しんしゃ / [二] 호 ㊠遇 | hù コ あかい

[字解] [一] 진사(辰砂)확 수은과 유황과의 화합물. 채색(彩色)감을 만들기도 하고, 약용으로도 씀. '雞山, 其下多丹一'《山海經》. [二] 붉을호, 붉은빛호 적색.

[字源] 形聲. 丹+蒦〔音〕

隹 10 〔雛〕18 추 ㊥虞 | chú スウ ひな

[字解] ①병아리추 '力不能勝一匹一'《孟子》. 전(轉)하여, 널리 ②새새끼추 '鳳凰鳴啾啾, 一母將九一'《古詩》. ③아이추 어린아이. 소아. '衆一爛漫睡'《杜甫》. 또, 아직 어린 것. '一僧'. '一孫'.

[字源] 形聲. 隹+芻〔音〕

隹 10 〔雜〕18 [高·人] 잡 [入]合 | zá ソウ·ザツ まじる

[筆順] 亠 亣 卒 卒 剎 雑 雜 雜

[字解] ①섞일잡 ㉠뒤섞임. '紛一'. '混一'. '上下僭一'《後漢書》. ㉡딴 것이 혼입함. '茶話略無塵土一'《方岳》. ②섞을잡 전항의 타동사. '一古今人物, 小畫共一卷'《韓愈》. ③어수선할잡 가지런하지 않고 산란함. '亂一'. ④번거로울잡 어수선하고 복잡함. '煩一'. '性不堪一'《宋書》. ⑤잗달잡 자디잚. 세쇄(細瑣)함. '其稱名也, 一而不越'《易經》. ⑥다잡 함께. 모두. '一受其刑'《國語》.

[字源] 形聲. 衣+集〔音〕

[參考] 雑(隹부 6획〈1632〉)은 俗字.

隹 10 〔雝〕18 옹 ㊥冬 | yōng ヨウ やわらぐ

[字解] ①화락할옹 雍(隹부 5획〈1631〉)과 통용. '曷不肅一'《詩經》. ②할미새옹 '一渠'는 척령(鶺鴒)의 이명(異名).

[字源] 形聲. 隹+邕〔音〕

隹 10 〔雗〕18 한 ㊠翰 ㊥寒 | hàn カン おながどり

[字解] ①긴꼬리닭한 '一, 鷽也'《說文》. ②꿩의별명한 '一雉, 鵫雉'《爾雅》.

[字源] 形聲. 隹+倝〔音〕

隹 10 〔雞〕18 〔계〕 鷄(鳥부 10획〈1830〉)의 本字

隹 10 〔⿰⿱艹夫隹〕18 〔난〕 難(隹부 11획〈1636〉)의 略字

隹 10 〔⿰⿱屮豆隹〕18 〔난〕 難(隹부 11획〈1636〉)의 古字

隹 10 〔⿰倉隹〕18 〔창〕 鶬(鳥부 10획〈1829〉)과 同字

隹 10 〔雚〕18 [一] 관 ㊠翰 ㊥寒 | guàn カン こうのとり / カン こうのとり / [二] 환 ㊥寒 | カン ががいも

[字解] [一] 황새관 황샛과의 물새. '一, 水鳥. 今作鸛'《玉篇》. [二] ①박주가리환 박주가릿과의 다년생 덩굴풀. '一, 芄蘭'《爾雅》. ②물억새환 물가에 나는 풀의 이름.

[字源] 象形. 두 개의 도가머리와 두 눈이 강조(強調)된 물새의 象形으로, 물새의 일종인 황새의 뜻을 나타냄.

隹 10 〔⿰豈隹〕18 〔난〕 難(隹부 11획〈1636〉)과 同字

隹 10 〔⿰⿱罒木隹〕18 〔답〕 ⿰⿱罒木鳥(鳥부 10획〈1830〉)과 同字

隹10 〔⿰唐隹〕 18 〔당〕 鶶(鳥부 10획〈1831〉)과 同字

隹10 〔⿰䍃隹〕 18 〔요〕 鷂(鳥부 10획〈1830〉)와 同字

隹10 〔⿱雔乃〕 18 전 ㊥先 | juān セン ちりばめる
字解 아로새길전 아로새김. '一, 鑽鏤也'《字彙補》.

隹10 〔⿰骨隹〕 18 조 ㊥蕭 | diāo チョウ みさご
字解 ①물수리조 물수리. 징경이. '一, 鶚屬'《篇海》. ②성조 성(姓)의 하나.

隹10 〔⿰虒隹〕 18 〔체〕 鷈(鳥부 10획〈1830〉)와 同字

隹11 〔離〕 19 高·人 리 ①-⑩㊥支 ⑪㊦寘 | lí り はなれる り さる
筆順 亠 𠫓 㐫 宀 离 离 離 離
字解 ①떠날리 다른 곳으로 옮김. '一別'. 또, 그 일. 결별. '何以敍一思'《潘岳》. ②떨어질리 ㉠갈라짐. '分一'. ㉡배반함. '一叛'. '一心'. ③흩어질리 분산함. '一散'. ④가를리 분할함. '一肺'《儀禮》. ⑤만날리 조우함. '一騷'. '循法度而一殃'《張衡》. ⑥붙을리 부착함. '不一于裏'《詩經》. ⑦늘어놓을리 벌여 놓음. '設服一衞'《左傳》. ⑧지날리 통행함. 통과함. '我一兩周'《戰國策》. ⑨이괘리 ㉠팔괘(八卦)의 하나. 곧, ☲. 양(陽) 중에 음(陰)이 있어 환한 상(象). '一者明也, 萬物皆相見, 南方之卦也'《易經》. ㉡육십사괘(六十四卦)의 하나. 곧, ䷝〈이하(離下), 이상(離上)〉. 사물이 모두 형통(亨通)하는 상(象). ⑩성리 성(姓)의 하나. ⑪자리뜰리 '畔官一次'《書經》.
字源 形聲. 隹+离〔音〕

隹11 〔難〕 19 中·人 ㊀난 ㊥寒 ㊦翰 ㊁나 ㊥歌 | ①②nán ナン かたい ③-⑦nàn ナン わずらい nuó ダ·ナ おにやらい
筆順 一 廿 昔 莫 䒌 歎 難 難
字解 ㊀①어려울난 쉽지 아니함. '爲政不一'《孟子》. 또, 어려운 일. '責一於君'《孟子》. ②어려워할난 어렵게 여김. '惟帝其一之'《書經》. ③괴로워할난, 근심할난 재난 또는 난처한 처지를 당하여 속을 썩임. '華歆王朗, 俱乘船避一, 有一人, 欲依附, 歆輒一之'《世說》. ④근심난, 재앙난, 난리난 '患一'. '困一'. '災一'. '避一'. '吾昔從夫子, 遇一於匡'《史記》. ⑤나무랄난 책망함. 힐난함. '非一'. '一攻中山之事'《呂氏春秋》. 또, 힐난할 만한 결점. '遂發八一'《十八史略》. ⑥막을난, 물리칠난 못 하게 함. 거절함. '一任人'(간사하고 아첨 잘하는 사람을 물리침)《書經》. ⑦원수난, 적난 구적(仇敵). '與秦爲一'《戰國策》. ㊁ ①추나(追儺)나 儺(人부 19획〈79〉)와 통용. '李春命國一'《禮記》. ②우거질나 무성한 모양. '其葉有一'《詩經》.
字源 會意. 隹+英(堇)

隹11 〔⿰堇隹〕 19 難(前條)의 俗字

隹11 〔⿰酓隹〕 19 암 ㊥覃 | ān アン ふなしうずら
字解 세가락메추라기암 '一, 䳺屬也'《說文》.
字源 形聲. 隹+酓〔音〕

隹11 〔⿰翏隹〕 19 류 ㊦宥 | liù リュウ おおきなひな
字解 ①큰새새끼류 '一, 鳥大雛也'《說文》. ②꿩늦둥이류 꿩의 늦게 태어난 새끼. '一, …一曰, 雉之莫子爲一'《說文》. ③적을류 '一, 少也'《廣雅》.
字源 形聲. 隹+翏〔音〕

隹11 〔⿰笠隹〕 19 〔급〕 鵖(鳥부 11획〈1833〉)과 同字

隹11 〔⿰婁隹〕 19 〔루〕 鷜(鳥부 11획〈1833〉)와 同字

隹11 〔⿸麻隹〕 19 마 ㊥麻 | má バ にわとりのな
字解 닭이름마 닭 이름. '一, 雞名'《集韻》.

隹11 〔⿱雔夊〕 19 〔쌍〕 雙(隹부 10획〈1635〉)의 俗字

隹11 〔⿰晨隹〕 19 〔신〕 鷐(鳥부 11획〈1832〉)과 同字

隹11 〔⿰庸隹〕 19 〔용〕 鷛(鳥부 11획〈1833〉)과 同字

隹11 〔⿰區隹〕 19 우 ㊦宥 | òu オウ とりのなきごえ
字解 새울음소리우 새 울음소리. '一, 鳥聲'《集韻》.

隹11 〔⿸族隹〕 19 〔작〕 鷟(鳥부 11획〈1833〉)과 同字

隹11 〔⿰從隹〕19 종 ㊥冬 | cóng ショウ にわとり

字解 닭종 닭. '一, 或从鳥, 亦書作⿱從隹'《集韻》.

隹11 〔⿱從隹〕19 ⿰從隹(前條)과 同字

隹11 〔⿱斬隹〕19 〔참〕 ⿱斬鳥(鳥부 11획〈1834〉)과 同字

隹12 〔䨇〕20 〔쌍〕 雙(隹부 10획〈1635〉)의 俗字

隹12 〔⿰𡍮隹〕20 〔수〕 ⿰垂隹(隹부 8획〈1633〉)의 本字

隹12 〔⿰辜隹〕20 〔고〕 ⿰辜鳥(鳥부 12획〈1835〉)와 同字

隹12 〔⿸厥隹〕20 〔궐〕 鷢(鳥부 12획〈1835〉)과 同字

隹12 〔⿱隮隹〕20 규 ㊥齊 | huī ケイ とりのとぶさま

字解 새나는모양규 새 나는 모양. '一, 鳥飛皃'《集韻》.

隹12 〔⿱路隹〕20 〔로〕 鷺(鳥부 12획〈1836〉)와 同字

隹12 〔⿰尞隹〕20 〔료〕 鷯(鳥부 12획〈1835〉)와 同字

隹12 〔⿰買隹〕20 〔매〕 鷶(鳥부 12획〈1836〉)와 同字

隹12 〔⿰番隹〕20 〔번〕 鷭(鳥부 12획〈1835〉)과 同字

隹12 〔⿱敝隹〕20 〔별〕 鷩(鳥부 12획〈1835〉)과 同字

隹12 〔⿱散隹〕20 산 ㊦翰 ㊤旱 | sǎn サン いぐるみ

字解 ①주살산 주살. 증격(繒繳). 오늬에 줄을 매어 쏘는 화살. 목적물에 맞으면 휘감겨서 더욱 큰 효과를 얻음. '一, 繳一也'《說文》. ②흩날릴산 흩날림. 날아 흩어짐. '一, 一曰, 飛㪔也'《說文》.

隹12 〔⿺堯隹〕20 〔요〕 ⿺堯鳥(鳥부 12획〈1835〉)와 同字

隹12 〔⿰單隹〕20 ⿰單鳥(鳥부 12획〈1834〉)과 同字

隹12 〔⿰朁隹〕20 침 ㊥侵 ㊦沁 | jīn シン にわとり

字解 닭침 닭. '一, 一雞也'《玉篇》.

隹12 〔⿰替隹〕20 ⿰朁隹(前條)과 同字

隹12 〔⿰華隹〕20 〔화〕 ⿰華鳥(鳥부 12획〈1837〉)와 同字

隹13 〔⿰阝⿱左隹〕21 ㊀ 쇠 ㊥支 | スイ とぶ
㊁ 휴 ㊥支 | wéi イ とぶ

字解 ㊀ 날쇠 공중을 낢. '一, 飛也'《說文》. ㊁ 날휴 ■과 뜻이 같음.

字源 形聲. 隹+隓〔音〕

隹13 〔⿰豦隹〕21 〔거〕 ⿰豦鳥(鳥부 12획〈1835〉)와 同字

隹13 〔⿰零隹〕21 〔령〕 ⿰零鳥(鳥부 13획〈1837〉)과 同字

隹13 〔⿱楊隹〕21 〔양〕 ⿱楊鳥(鳥부 13획〈1838〉)과 同字

隹13 〔⿰意隹〕21 〔의〕 鷾(鳥부 13획〈1837〉)와 同字

隹13 〔⿰亶隹〕21 〔전〕 鸇(鳥부 13획〈1837〉)과 同字

隹13 〔⿰蜀隹〕21 〔촉〕 鸀(鳥부 13획〈1838〉)과 同字

隹13 〔⿰睪隹〕21 〔택〕 鸅(鳥부 13획〈1837〉)과 同字

隹13 〔⿱𦥯隹〕21 〔학〕 鷽(鳥부 13획〈1838〉)과 同字

隹14 〔⿰寧隹〕22 〔녕〕 鸋(鳥부 14획〈1839〉)과 同字

隹14 〔⿰爾隹〕22 〔시〕 鸍(鳥부 14획〈1839〉)와 同字

隹14 〔⿰賓隹〕22 빈 ㊥眞 | bīn ビン ちいさいすずめ

字解 작은참새빈 작은 참새. '一, 小雀'《玉篇》.

隹14 〔⿰𦎧隹〕22 〔순〕 鶉(鳥부 8획〈1824〉)과 同字

隹14 〔⿱獄隹〕22 〔악〕 鸑(鳥부 14획〈1839〉)과 同字

隹 14 〔⿱與隹〕22 〔여〕
鸒(鳥부 14획〈1839〉)와 同字

隹 14 〔⿰堇隹〕22 〔난〕
難(隹부 11획〈1636〉)의 本字

隹 15 〔⿰黎隹〕23 [一] 려 [平]齊 [二] 리 [平]支 | レイ·ライ ちょうせんうぐいす lí り ちょうせんうぐいす

[字解] [一] 꾀꼬리려 '一, 一黃也. 一曰, 楚雀也. 其色黎黑而黃'《說文》. [二] 꾀꼬리리 [一]과 뜻이 같음.
[字源] 形聲. 隹＋黎〔音〕

〔⿰亻雔〕〔수〕
言부 16획(1363)을 보라.

隹 15 〔⿰畾隹〕23 〔루〕
鸓(鳥부 15획〈1840〉)와 同字

隹 15 〔⿰蔑隹〕23 〔멸〕
⿰蔑鳥(鳥부 15획〈1840〉)과 同字

隹 15 〔⿰暴隹〕23 〔복〕
鸔(鳥부 15획〈1840〉)과 同字

隹 15 〔⿰蔡隹〕23 〔채〕
⿰蔡鳥(鳥부 15획〈1840〉)와 同字

隹 16 〔⿰𦎧隹〕24 〔순〕
鶉(鳥부 8획〈1824〉)의 本字

隹 16 〔⿰蓳隹〕24 〔난〕
難(隹부 11획〈1636〉)의 古字

隹 16 〔⿰兆雚〕24 〔환〕
逭(辵부 8획〈1498〉)과 同字

隹 16 〔雥〕24 잡 [入]合 | zá ソウ·ゾウ むれどり

[字解] ①떼새잡 떼지어 모인 새. '一, 羣鳥也'《說文》. ②떼지어모일잡 '嘉既一集'《許善心》.
[字源] 會意. 隹＋隹＋隹. '隹추'를 셋 합쳐서 떼지어 모이는 새의 뜻을 나타냄.

隹 16 〔⿰盧隹〕24 〔로〕
鸕(鳥부 16획〈1840〉)와 同字

隹 17 〔⿰嬰隹〕25 〔앵〕
鸚(鳥부 17획〈1841〉)과 同字

隹 20 〔雧〕28 〔집〕
集(隹부 4획〈1629〉)의 古字

隹 22 〔⿰⿱艹𦰩隹〕30 〔난〕
難(隹부 11획〈1636〉)의 古字

隹 24 〔⿱雥𣶒〕32 연 [平]先 | yuān エン むらがる

[字解] 떼지어모일연 새가 떼지어 모임. 또, 새의 떼. '一, 鳥羣也'《說文》.
[字源] 形聲. 雥＋𣶒〔音〕

隹 27 〔⿱雥淵〕35 ⿱雥𣶒(前條)과 同字

雨　　部

〔비 우 부〕

雨 0 〔雨〕8 [中·人] 우 ①[上]麌 ②-④[去]遇 | yǔ ウ あめ yù ウ あめふる

[筆順] 一 丅 冂 帀 帀 雨 雨 雨

[字解] ①비우 구름에서 떨어지는 물방울. '一雪'. '雲行一施'《易經》. ②비올우 비가 내림. '一我公田'《詩經》. ③올우 눈·우박 등이 하늘에서 내림. '秋七月, 冬, 大一雪'《春秋》. ④오게할우 전항과 전전항의 타동사. '使天而一玉, 飢者不得爲粟'《蘇軾》.
[字源] 象形. 하늘의 구름에서 물방울이 뚝뚝 떨어지는 모양을 본떠, '비'의 뜻을 나타냄.
[參考] '雨우'를 의부(意符)로 하여, '雪설', '電전', '雷뢰' 등 기상 현상에 관한 문자를 이룸.

雨 2 〔⿱雨丁〕10 쟁 [平]庚 | chēng トウ あめふる

[字解] 비올쟁 비가 옴. '一, 雨也'《玉篇》.

雨 3 〔雩〕11 우 [平]虞 | yú ウ あまごいのまつり

[字解] 기우제우, 기우제지낼우 비가 오기를 비는 제사. 또, 그 제사를 지냄. '仲夏大一'《禮記》. '龍見而一'('龍'은 별 이름)《左傳》.
[字源] 形聲. 雨＋亏〔音〕

雨 3 〔⿱雨于〕11 雩(前條)와 同字

雨 3 〔雪〕11 [中·人] 설 [入]屑 | xuě セツ ゆき

[筆順] 一 𠀁 干 𩁼 雨 雪 雪 雪

[字解] ①눈설 공중의 수증기가 얼어서 내리는 것. 육화(六花). '一景'. '冬大雨一'《春秋》. ②눈올설 눈이 내림. '于時始一'《世說》. ③휠설 빛이 흼. '一羽'. '星星愁鬢一'

《白居易》. ④씻을설 ㉠더러운 것을 없앰. '澡一而精神'《莊子》. ㉡누명·치욕을 벗음. 원한을 풂. '一怨'. '一其先君之恥'《史記》. ⑤성설 성(姓)의 하나.
[字源] 篆文은 形聲. 雨+彗〔音〕

雨 3 〔霅〕 11 삼 [平]咸 [上]感 | shān サン こさめ
[字解] 가랑비삼 가늘게 오는 비. '一, 小雨也'《玉篇》.

雨 3 〔雫〕 11 놔 [上]馬 | nǎ ダ·ナ しずく
[字解] 놔 뜻은 불명(不明).

雨 3 〔雵〕 11 령 [平]青 | líng レイ おんなのあざな
[字解] 여자의자령 여자의 자(字). '一, 女字'《篇海》.

雨 3 〔𩂊〕 11 〔우〕 雨(部首〈1638〉)의 古字

雨 3 〔雹〕 11 〔학〕 虐(虍부 3획〈1213〉)과 同字

雨 4 〔雯〕 12 문 [平]文 | wén ブン·モン くものあや
[字解] 무늬문 구름이 이룬 아름다운 무늬. '日雲赤曇, 月雲素一'《古三墳》.
[字源] 形聲. 雨+文〔音〕

雨 4 〔雰〕 12 분 [平]文 | fēn フン きり
[字解] ①안개분 땅 위에 가깝게 떠 있는 미세한 물방울. '降一于宮榭'《宋書》. ②눈날릴분 눈이 펄펄 날리는 모양. '雨雪一一'《詩經》.
[字源] 形聲. 雨+分〔音〕

雨 4 〔雱〕 12 방 [平]陽 | páng ホウ ゆきのさかんにふるさま
[字解] 눈내릴방 눈이 많이 내리는 모양. '雨雪其一'《詩經》.
[字源] 形聲. 雨+方〔音〕

雨 4 〔雲〕 12 [中·人] 운 [平]文 | yún ウン くも
[筆順] 一 冖 千 帀 雨 雪 雲 雲
[字解] ①구름운 ㉠수증기가 모여 대기의 상층에 떠서 보이는 현상. 또, 그 수증기. '一雨'. '白一'. '一行雨施'《易經》. ㉡구름이 높이 떠 있으므로, 높은 것을 형용하여 이름. '一車十餘丈, 瞰臨城中'《後漢書》. ㉢구름과 같이 많이 모인 것을 형용하여 이름. '勝友如一'《王勃》. ㉣구름같이 보이는 것. '星一'. '天末稻一黃'《范成大》. ②하늘운 상천(上天). '青一'. ③성운 성(姓)의 하나.
[字源] 形聲. 雨+云〔音〕

雨 4 〔雽〕 12 돈 [平]元 | tún トン おおあめのさま
[字解] 큰비돈 큰비. 큰비가 오는 모양. '一, 大雨皃'《集韻》.

雨 4 〔雮〕 12 목 [入]屋 | mù ボク とりのつやのあるはね
[字解] 새깃윤택할목 새깃이 윤택함. 윤택 있는 새깃. '一, 鳥澤羽'《集韻》.

雨 4 〔雹〕 12 박 [入]覺 | báo ハク ひさめ
[字解] 우박박 우박. 雹(雨부 5획〈1640〉)의 訛字.

雨 4 〔雬〕 12 부 [平]尤 [去]遇 | fōu フウ きり fù フ あめがやまない
[字解] ①안개부 안개. '一, 霧也'《集韻》. ②비그치지아니할부 비가 그치지 아니함. '一, 雨不止也'《字彙》.

雨 4 〔雭〕 12 雬(前條)의 訛字

雨 4 〔雭〕 12 삽 [入]緝 | sè シュウ あめのおと
[字解] ①가랑비삽 가랑비. ②빗소리삽 빗소리. '一, 一一, 雨聲'《玉篇》.

雨 4 〔雯〕 12 쇄 [去]卦 | shài サイ あめがはげしい
[字解] 비세차게내릴쇄 비가 세차게 내림. '一, 雨疾也'《集韻》.

雨 4 〔雯〕 12 〔수〕 需(雨부 6획〈1641〉)와 同字

雨 4 〔雵〕 12 영 [上]迥 | yǐng エイ ふかいいけ
[字解] 깊은못영 깊은 못. '一, 說文云, 深池也'《篇海》.

雨 4 〔雺〕 12 〔음〕 黔(雨부 8획〈1644〉)과 同字

雨 4 〔霎〕 12 [一] 첨 [平]鹽 [二] 삼 [平]咸 | jiān セン [一][二] こさめのさま サン
[字解] [一] 부슬비첨 부슬비. 가랑비. '一, 小雨貌'《字彙》. [二] 부슬비삼 [一]과 뜻이 같음.

雨 4 〔⿱雨心〕 12 침 [去]沁 | qìn シン くもがゆく

[字解] 구름흘러갈침 구름이 흘러감. '一, 雲行'《玉篇》.

雨 4 〔⿱雨勿〕 12 홀 [入]月 | hū コツ かみなり

[字解] 우레홀 우레. 천둥. 뇌성. '一, 一雷也'《篇海》.

雨 5 〔零〕 13 [高·人] 령 [平]青 | líng レイ おちる, あまり

[筆順] 一 ⺊ 干 雨 雨 雨 零 零

[字解] ①비올령 비가 내림. '靈雨旣一'《詩經》. ②떨어질령 낙하함. '草木一落'《禮記》. ③나머지령 ㉠잔여. 잉여. '一碎'. ㉡잔여의 소수(小數). '奇一'. ④성령 성(姓)의 하나. ⑤《現》 영령 수가 존재하지 아니함. 부호는 0. 제로.

[字源] 形聲. 雨+令〔音〕

雨 5 〔雷〕 13 [高·人] 뢰(③ 루[本]) [平]灰 [上]紙 | ①②léi ライ かみなり ③ルイ うつ, たたく

[筆順] 一 ⺊ 干 雨 雨 雨 雷 雷

[字解] ①천둥뢰 ㉠공중에서 음(陰)·양(陽)의 두 전극(電極)이 만나 방전(放電)하여 울리는 현상. '一雨'. '一火'. '一乃發聲'《禮記》. ㉡우렛소리. 큰 음향의 비유. '一鳴'. '衆呼成一'《淮南子》. ㉢남에 덩달아 소리를 지름. 한통이 되어 떠듦. '毋一同'《禮記》. ㉣거친 성미의 비유. '性行暴如一'《古詩》. ②성뢰 성(姓)의 하나. ③칠뢰 북을 침. 擂(手부 13획〈470〉)와 통용. '官家出游一大鼓'《古樂府》. ※本音 루.

[字源] 形聲. 篆文은 雨+畾〔音〕

雨 5 〔雹〕 13 박 [入]覺 | báo(bó) ハク ひょう

[字解] 누리박 우박. '一霰'. '一凍傷穀'《禮記》.

[字源] 形聲. 雨+包〔音〕

雨 5 〔雺〕 13 몽 [平]東 | méng ボウ·ム きり, もや

[字解] 안개몽 땅 위에 가까이 낀 미세한 물방울. '天氣下, 地氣不應曰一'《爾雅》.

[字源] 形聲. 雨+矛〔音〕

雨 5 〔電〕 13 [中·人] 전 [去]霰 | diàn デン いなずま

[筆順] 一 ⺊ 干 雨 雨 雨 雷 電

[字解] ①번개전 ㉠공중에서 음·양의 두 전극(電極)이 만나 방전(放電)할 때 발하는 섬광. 번갯불. '雷一'. '一光'. '大雪震一'《春秋》. ㉡번개가 빠르므로, 빠른 비유로 쓰임. '一光石火'. '風馳一掣'. ㉢번개와 같이 환히 비친다는 뜻으로, 남에 대하여 경의를 표하는 말로 쓰임. '一覽'. '呈一'. ②뻔쩍일전 번개가 섬광을 발함. '雷乃發聲始一'《禮記》. ③전기전 우주간에 있는 음·양 두 종류의 세력. '一熱'. '一力'.

[字源] 形聲. 雨+申(申)〔音〕

雨 5 〔⿱雨冬〕 13 동 [平]冬 | dōng トウ あめのさま

[字解] 비뚝뚝떨어질동 비가 내리는 모양. '一, 雨皃'《集韻》.

雨 5 〔⿱雨央〕 13 앙 [上]養 [平]陽 | yāng オウ しらくものさま ヨウ·オウ しらくものさま

[字解] 흰구름피어오를앙 흰구름이 뭉게뭉게 피어 오르는 모양. '一一, 白雲貌'《玉篇》.

[字源] 形聲. 雨+央〔音〕

雨 5 〔雴〕 13 ㊀립 [入]緝 ㊁칩 [入]緝 | lì リュウ おおあめ chì チュウ おおあめ

[字解] ㊀ 큰비립 '一霅'은 큰 비. '一霅, 大雨'《集韻》. ㊁ 큰비칩 ㊀과 뜻이 같음.

雨 5 〔雾〕 13 〔무〕 霧(雨부 11획〈1647〉)의 簡體字

雨 5 〔雸〕 13 감 [平]覃 | ān ガン しも

[字解] 서리감 서리〔霜〕. '一, 霜也'《集韻》.

雨 5 〔⿱雨出〕 13 발 [入]月 | pū ホツ くものさま

[字解] 구름모양발 구름의 모양. '一, 雲皃'《集韻》.

雨 5 〔⿱雨犮〕 13 불 [入]物 | fú フツ あめのさま

[字解] 비오는모양불 비 오는 모양. '一, 雨皃'《集韻》.

雨 5 〔⿱雨弗〕 13 불 [入]物 | fú フツ くものさま

[字解] 구름모양불 구름의 모양. '一, 雲皃'《集韻》.

雨 5 〔⿱雨厄〕 13 ㊀의 [去]霽 ㊁애 [去]卦 | yì エイ おおきいつゆ ài アイ きり

字解 ㊀큰이슬방울의 큰 이슬 방울. '一, 大露也'《玉篇》. ㊁안개애 안개. '一, 霧也'《集韻》.

雨5 〔雭〕13 책 ㊀陌 zé サク あめのさま

字解 비오는모양책 비 오는 모양. '一, 雨皃'《集韻》.

雨5 〔雼〕13 탕 ㊋漾 dàng トウ さえぎりおおうもののないいえ

字解 벽없는집탕 벽이 없는 집. '一, 洞屋也'《字彙補》.

雨5 〔雸〕13 〔협〕 陜(阜부 7획〈1615〉)의 古字

雨5 〔雼〕13 〔횡〕 霐(雨부 8획〈1644〉)과 同字

雨6 〔雩〕14 人名 우 ㊤麌 ㊋遇 yǔ ウ みずのおと

筆順 一 亠 亓 雨 雨 雩 雩 雩

字解 ①물소리우 물이 흐르는 소리. '一, 水音也'《說文》. ②오음(五音)우 오음의 하나. '一, 羽之俗字'《集韻》.

字源 形聲. 雨＋羽〔音〕

雨6 〔需〕14 高·人 ㊀수 ㊥虞 ㊁연 ㊤銑 xū シュ·ス もとめる ruǎn ゼン·ネン やわらか

筆順 一 亠 亓 雨 雨 雨 需 需

字解 ㊀①구할수 바람. 요구함. '一用'. ②요구수 청구. '以待子不時之一'《蘇軾》. 또, 소용되는 물품. 필수의 물자. '軍一'. '以供轉一'《十六國春秋》. ③기다릴수 오기를 바람. '一于郊'《易經》. ④머뭇거릴수 주저함. 또, 주저하는 일. '一, 事之賊也'《左傳》. ⑤수괘수 육십사괘(六十四卦)의 하나. 곧, ☵〈건하(乾下), 감상(坎上)〉. 험조(險阻)를 만나도 때를 기다리면 통하는 상(象). '一有孚光亨'《易經》. ⑥성수 성(姓)의 하나. ㊁연할연 軟(車부 4획〈1461〉)과 통용. '一弱'.

字源 會意. 雨＋而

雨6 〔雩〕14 우 ㊥虞 yū ウ にわかあめ

字解 ①소낙비우 소나기. 취우(驟雨). '一, 霢一, 暴雨'《集韻》. ②비쏟아질우 비가 쏟아지는 모양. '一, 注雨皃'《廣韻》.

雨6 〔雩〕14 雩(前條)와 同字

雨6 〔䨴〕14 조 ㊋嘯 diào チョウ くらい

字解 어두울조 '睄一'는 어두움. '睄一, 幽冥也'《字彙》.

雨6 〔霂〕14 ㊀잠 ㊥侵 シン·ジン ながあめ ㊁음 ㊥侵 yín ギン ながあめ ㊂애 ㊥佳 ái ガイ あめのおと

字解 ㊀장마잠 '一, 霖雨也. 南陽謂霖一'《說文》. ㊁장마음 ㊀과 뜻이 같음. ㊂①빗소리애 '一, 雨聲'《廣韻》. ②장마애 '一, 南陽謂霖曰一'《集韻》.

字源 形聲. 雨＋伀〔音〕

雨6 〔零〕14 락 ㊀藥 luò ラク ふる

字解 ①비내릴락 '一一, 雨也'《廣雅》. ②떨어질락 '一, 墮也'《廣雅》.

字源 形聲. 雨＋各〔音〕

雨6 〔靁〕14 〔뢰〕 雷(雨부 5획〈1640〉)의 古字

雨6 〔靁〕14 〔뢰〕 靁(雨부 15획〈1651〉)의 古字

雨6 〔霁〕14 병 ㊋敬 bèng ホウ かみなりのおと

字解 우렛소리병 우렛소리. '一, 雷聲'《集韻》.

雨6 〔霎〕14 색 ㊀陌 shè サク あられ

字解 싸락눈색 싸락눈. '一, 霰也'《集韻》.

雨6 〔霄〕14 설 ㊀屑 xiè セツ ゆき

字解 눈설 눈〔雪〕. '一, 雪也'《字義總略》.

雨6 〔霒〕14 인 ㊋震 yìn イン きがりゆうこうする

字解 기류인 기류(氣流). '一, 氣流行謂之一'《集韻》.

雨6 〔霁〕14 자 ㊤紙 cí シ おおあめ

字解 ①큰비자 큰비. '一, 大雨'《玉篇》. ②빗소리자 빗소리. '一, 雨聲'《集韻》.

雨6 〔霁〕14 〔제〕 霽(雨부 14획〈1650〉)와 同字

雨6 〔霋〕14 제 ㊥齊 tí テイ くもがきれる

字解 ①구름걷힐제 구름이 걷힘. '一, 霽雲謂之一'《集韻》. ②비그칠제 비가 그침.

'一, 一日雨止'《集韻》.

雨6 〔⿱雨⿰夊夊〕14 〔처〕
處(虍부 5획〈1213〉)와 同字

雨6 〔⿱雨舟〕14 화 [去]卦 | huà カイ うみのふね
[字解] 바닷배화 바닷배. '一, 海船也'《玉篇》.

雨6 〔⿱雨合〕14 흡 [入]洽 | qià コウ うるおう
[字解] 젖을흡 젖음. 축축해짐. '一, 漱溼也'《集韻》.

雨7 〔霂〕15 목 [入]屋 | mù ボク·モク こさめ
[字解] 가랑비목 霢(雨부 10획〈1646〉)을 보라. '一, 霢一也'《說文》.
[字源] 形聲. 雨+沐〔音〕

雨7 〔霄〕15 소 [平]蕭 | xiāo ショウ みぞれ, そら
[字解] ①하늘소 천상(天上). '雲一'. '一壤'. '上出重一'《王勃》. ②구름기소 태양(太陽) 곁에 나타나는 운기(雲氣). '騰清一而軼浮景兮'《漢書》. ③성소 성(姓)의 하나.
[字源] 形聲. 雨+肖〔音〕

雨7 〔霅〕15 ㊀삽 [入]合 ㊁잡 [入]洽 ㊂합 [入]洽 | sà ソウ あめふる zhà トウ いなびかりのひらめくさま xiá コウ ひかりかがやくさま
[字解] ㊀비올삽 비가 내림. '一爾雹落'《馬融》. ㊁①천둥번개칠잡 천둥하면서 번개가 번쩍이는 모양. '一一'. ②성잡 성(姓)의 하나. ㊂빛날합 광채를 발하는 모양. '煜一其間'《班固》.
[字源] 形聲. 雨+聶〈省〉〔音〕

雨7 〔霆〕15 정 [平]青 | tíng テイ かみなりのとどろき
[字解] ①천둥소리정 오래 끄는 뇌성(雷聲). 일설(一說)에는, 요란한 천둥. '如一如雷'《詩經》. ②번개정 전광(電光). '一, 電也'《玉篇》.
[字源] 形聲. 雨+廷〔音〕

雨7 〔震〕15 [高·人] ㊀진 [去]震 ㊁신 [平]眞 | zhèn シン かみなり shēn シン はらむ
[筆順] 一 二 干 雨 雨 雷 霄 震
[字解] ㊀①천둥소리진 일설(一說)에는, 요란한 천둥. '爗爗一電'《詩經》. ②진괘진 ㉠팔괘(八卦)의 하나. 곧, ☳. 동(動)·봄(春)을 상징(象徵)하며, 방위로는 동(東)에 배당함. ㉡육십사괘(六十四卦)의 하나. 곧, ䷲〈진하(震下), 진상(震上)〉. 만물이 발동하는 상(象). ③벼락칠진 낙뢰함. '一夷伯之廟'《春秋》. ④흔들릴진 진동함. '地一'《春秋》. ⑤흔들진, 움직일진 '一天動地'. '功烈一主者'《李覯》. ⑥떨진 두려워 떪. '一驚'. '斬首八萬, 諸侯一恐'《史記》. ⑦놀랄진, 놀랠진 경악함. 놀라게 함. '可一而走'《吳子》. ⑧떨칠진 위세가 널리 퍼짐. '泉浦之捷威一滄溟'《宋書》. ⑨위엄진 위광(威光). '畏君之一'《左傳》. ⑩지동진 지진(地震). '一災'. ㊁애밸신 娠(女부 7획〈250〉)과 통용. '后緡方一'《左傳》.
[字源] 形聲. 雨+辰〔音〕

雨7 〔⿱雨⿸厂衣〕15 震(前條)의 俗字

雨7 〔霈〕15 패 [去]泰 | pèi ハイ あめのさかんにふるさま
[字解] ①비쏟아질패 비가 억수같이 오는 모양. '滂一'. '大雨灃一'《風俗通》. ②흐를패 물이 세차게 흐르는 모양. '雲雨流一'《獨孤及》.
[字源] 形聲. 雨+沛〔音〕

雨7 〔霉〕15 매 [平]灰 | méi バイ つゆ
[字解] 매우(梅雨)매 6월경의 장마. '一雨善汙衣服'《正字通》.
[字源] 形聲. 雨+每〔音〕

雨7 〔霃〕15 침 [平]侵 | chēn チン ひさしくくもる
[字解] 음산할침 오랜 동안 날씨가 흐림. '一, 久黔也'《說文》.
[字源] 形聲. 雨+沈〔音〕

雨7 〔⿱雨沉〕15 霃(前條)의 俗字

雨7 〔⿱雨沅〕15 霃(前前條)의 訛字

雨7 〔⿱雨見〕15 〔산〕
霰(雨부 12획〈1648〉)과 同字

雨7 〔霊〕15 〔령〕
靈(雨부 16획〈1652〉)의 略字

雨7 〔⿱雨更〕15 갱 [上]梗 | gěng コウ くもがたなびくさま
[字解] 구름피어오를갱 구름이 피어 오름. 구름이 피어 오르는 모양. '一, 雲皃'《集韻》.

雨7 〔霳〕15 롱 ㊊冬 | lóng ロウ あめのおと

字解 빗소리롱 빗소리. '一, 雨聲'《玉篇》.

雨7 〔霂〕15 몰 ㊋月 | mò ボツ あめがふる

字解 비올몰 비가 옴. '一, 雨下'《字彙補》.

雨7 〔霅〕15 병 ㊊青 | píng へイ あめふるさま

字解 비올병 비가 옴. 비가 오는 모양. '一, 一一, 雨皃'《集韻》.

雨7 〔雽〕15 부 ㊊尤 | fú ヒュウ ゆきのふるさま

字解 눈올부 눈이 옴. 눈이 오는 모양. '一, 一一, 雨雪皃'《玉篇》.

雨7 〔霰〕15 〔산〕 霰(雨부 12획〈1648〉)과 同字

雨7 〔霅〕15 삽 ㊋葉 | chè チョウ こさめ

字解 가랑비삽 가랑비. '一, 一霎, 小雨'《集韻》.

雨7 〔霂〕15 색 ㊋陌 | sè サク こさめふるさま

字解 가랑비올색 가랑비가 옴. '涑, 說文, 小雨零皃, 或作一'《集韻》.

雨7 〔霎〕15 수 ㊊支 | suī スイ こさめ

字解 가랑비수 가랑비. 세우(細雨). '浽, 浽微, 小雨, 或作一'《集韻》.

雨7 〔霵〕15 역 ㊋陌 | yì エキ おおあめ

字解 큰비역 큰비. '一, 一霊, 大雨'《集韻》.

雨7 〔霆〕15 연 ㊍霰 | yàn エン くものさま

字解 구름일연 구름이 잃. '一, 一一, 雲皃'《集韻》.

參考 霆(雨부 7획〈1642〉)은 別字.

雨7 〔霣〕15 윤 ㊤軫 | yǔn ギン あめ

字解 비윤 비〔雨〕. '一, 雨也'《集韻》.

雨7 〔霪〕15 음 ㊊侵 | yín イン ながあめ

字解 장마음 장마. 霪(雨부 11획〈1647〉)의 譌字.

雨8 〔霍〕16 곽 ㊋藥 | huò カク すみやか

字解 ①빠를곽 신속함. '一然病已'《枚乘》. ②흩어질곽, 사라질곽 소산(消散)하는 모양. '一焉離耳'《荀子》. ③나라이름곽 주(周)나라 무왕(武王)의 아우 곽숙(霍叔)의 영지(領地). 지금의 산서성(山西省) 곽주(霍州). '滅一'《左傳》. ④콩잎곽 藿(艸부 16획〈1202〉)와 통용. '漿酒一肉'《漢書》. ⑤성곽 성(姓)의 하나.

字源 會意. 雨+隹

雨8 〔霎〕16 삽 ㊋洽 | shà ソウ こさめ

字解 ①가랑비삽 이슬비. 세우(細雨). ②빗소리삽 비 오는 소리. '一一高林簇雨聲'《韓偓》. ③잠시삽 '一一'은 한바탕 오는 비이므로, 전(轉)하여, 잠시(暫時)의 뜻으로 쓰임. '一時'. '萬頃銀濤半一間'《楊萬里》.

字源 形聲. 雨+妾〔音〕

雨8 〔霏〕16 비 ㊊微 | fēi ヒ ゆきのふるさま

字解 ①올비 비나 눈 같은 것이 오는 모양. '雨雪其一'《詩經》. ②안개비 땅 위 가까이 낀 미세한 물방울. '日出而林一開'《歐陽修》. ③올라갈비 연기 같은 것이 뭉게뭉게 올라가는 모양. '煙一霧結'《晉書》.

字源 形聲. 雨+非〔音〕

雨8 〔霑〕16 점 ㊊鹽 | zhān テン うるおう

字解 젖을점, 적실점 '雨一服'《禮記》. 전(轉)하여, 은혜를 입음. 은혜를 베풂. '白骨始一恩'《李商隱》.

字源 形聲. 雨+沾〔音〕

雨8 〔霓〕16 예 ㊍齊 | ní ゲイ にじ

字解 ①무지개예 蜺(虫부 8획〈1231〉)와 同字. '若大旱之望雲一'《孟子》. ②성예 성(姓)의 하나.

字源 形聲. 雨+兒〔音〕

雨8 〔霖〕16 人名 림 ㊊侵 | lín リン ながあめ

筆順 一 ⺈ 亍 雨 雫 雫 霖 霖

字解 장마림 사흘 이상 계속하여 내리는 비. '梅一'. '雨自三日以往爲一'《左傳》.

字源 形聲. 雨+林〔音〕

雨8 〔霔〕16 주 ㊍遇 | zhù シュ ながあめ

字解 ①장마주 임우(霖雨). '一, 霖一'《廣韻》. ②시우(時雨)주, 적실주 때 맞추어 오

는 비. 澍(水부 12획〈685〉)와 同字.

雨8 〔霋〕16 처 ㊥齊|qī セイ はれる

字解 ①갤처 날씨가 청명하고 맑음. '霽謂之一'《說文》. ②구름뭉게뭉게갈처 구름이 떠 가는 모양. '一, 雲行皃'《玉篇》.
字源 形聲. 雨+妻〔音〕

雨8 〔黔〕16 음 ㊥侵|yīn イン·オン くもる

字解 흐릴음 구름이 끼어 날씨가 흐림. '五日生民有一陽'《大戴禮》.
字源 形聲. 雲+今〔音〕

雨8 〔雵〕16 黔(前條)과 同字

雨8 〔霐〕16 횡 ㊥庚|hōng オウ おくふかいさま

字解 깊숙할횡 깊숙한 모양. '一寥窲以崢嶸'《王延壽》.

雨8 〔霋〕16 ㊀삼 ㊥咸|サン ぬかあめ
㊁첨 ㊥鹽|jiān セン ひたす

字解 ㊀①이슬비삼 보슬비. '一, 微雨也'《說文》. ②비내리는모양삼 '一, 雨皃'《廣韻》. ㊁①담글첨 적심. '一, 漬也'《廣韻》. ②이슬비첨 ㊀❶과 뜻이 같음.
字源 形聲. 雨+戔〔音〕

雨8 〔霑〕16 〔전〕
電(雨부 5획〈1640〉)의 本字

雨8 〔霟〕16 굉 ㊥庚|gōng コウ じんめい

字解 사람이름굉 사람 이름. '一, 吳王孫休子名'《集韻》.

雨8 〔霻〕16 단 ㊥寒|tuán タン つゆがおおいさま

字解 이슬많을단 이슬이 많은 모양. '漙, 漙漙, 露多皃, 或作霻, 或省'《集韻》.

雨8 〔霼〕16 대 ㊧隊|dài タイ くものかたち

字解 구름의형상대 구름의 형상. '一, 雲狀也'《字彙補》.

雨8 〔霕〕16 둔 ㊥元|tún トン くものおおきいさま

字解 구름클둔 구름이 큼. 구름이 큰 모양. '一, 雲大貌'《字彙》.

雨8 〔霅〕16 랍 ㊤合|lā ロウ あめのこえ

字解 빗소리랍 빗소리. '一, 雨聲'《集韻》.

雨8 〔霉〕16 붕 ㊥蒸|bēng ホウ おおあめ

字解 ①큰비붕 큰비. '一, 大雨'《玉篇》. ②어두울붕 어두움. '氣分萬一'《乾坤鑿度》.

雨8 〔霰〕16 〔산〕
霰(雨부 12획〈1648〉)과 同字

雨8 〔霜〕16 상 ㊥陽|chuáng ソウ にわかあめ

字解 소나기상 소나기. '一, 一一, 急雨'《集韻》.

雨8 〔霺〕16 ㊀석 ㊤錫|sè セキ あめ
㊁색 ㊤陌|xì サク あめ

字解 ㊀①싸라기눈석 싸라기눈. '一, 霰'《廣韻》. ②비석 비〔雨〕. '一, 雨也'《集韻》. ③보슬비석 보슬비. '一, 一一, 小雨'《集韻》. ㊁싸라기눈색, 비색, 보슬비색 ㊀과 뜻이 같음.

雨8 〔霠〕16 ㊀암 ㊤感|yǎn アン うんきのさかんなこと
㊁엄 ㊤琰|エン うんうのさま

字解 ㊀구름성할암 구름이 성함. '一, 雲氣盛也'《集韻》. ㊁구름모양엄 구름의 모양. 비구름의 모양. '渰, 說文, 雲雨皃, 或作一'《集韻》.

雨8 〔霁〕16 〔제〕
霽(雨부 14획〈1650〉)와 同字

雨8 〔霌〕16 주 ㊥尤|zhōu シュウ うんうのさま

字解 운우모양주 운우(雲雨)의 모양. 구름과 비. '一, 雲雨貌'《篇海》.

雨8 〔霎〕16 첩 ㊤葉|xiè ショウ ゆきがふるさま

字解 눈오는모양첩 눈이 오는 모양. '一, 雨雪皃'《集韻》.

雨8 〔霙〕16 청 ㊥庚|qīng セイ めがみのな

字解 신이름청 신(神) 이름. 여신의 이름. '一, 女神名'《集韻》.

雨8 〔霪〕16 타 ㊤哿|duǒ タ くもがちる

字解 구름흩어질타 구름이 흩어짐. '一, 雲下族也'《集韻》.

雨8 〔霦〕16 현 ㊤銑|xuǎn ケン つゆのさま

字解 이슬내릴현 이슬이 내림. 이슬의 모양. '一, 露皃'《集韻》.

雨 8 〔霼〕 16 홀 ㊇月 | hū コツ あめがふる

字解 ①비올홀 비가 옴. 비가 내림. '一, 雨下'《玉篇》. ②비오는모양홀 비가 오는 모양. '一, 雨貌'《類篇》.

雨 9 〔霙〕 17 영 ㊄庚 | yīng エイ みぞれ

字解 진눈깨비영 비가 섞여 오는 눈. '晩雨纖纖變玉一'《蘇軾》.

字源 形聲. 雨＋英〔音〕

雨 9 〔霜〕 17 中·人 상 ㊄陽 ㊅漾 | shuāng ソウ しも

筆順 一 ㄏ 㓁 雨 雫 霏 霜 霜

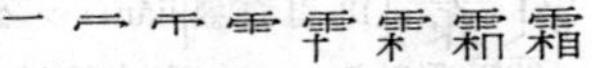

字解 ①서리상 이슬이 언 것. '白露爲一'《詩經》. ②흴상, 백발상 수염이나 머리가 세어 횜. 또, 그 수염이나 머리. '一髮'. '何處得秋一'《李白》. ③해상 지나온 세월. 햇수. '星一'. '陛下之壽三千一'《李白》. ④엄할상 서리를 맞으면 초목의 잎이 고사(枯死)하므로, 엄(嚴)함의 형용으로 쓰임. '秋一烈日'. '風行一烈'《後漢書》. ⑤성상 성(姓)의 하나.

字源 形聲. 雨＋相〔音〕

雨 9 〔霞〕 17 人名 하 ㊄麻 | xiá カ かすみ

筆順 一 ㄏ 㓁 雨 雫 雫 霞 霞

字解 ①노을하 공중의 수증기에 해가 비치어 붉게 보이는 기운. '夕一'. '遠而望之, 皎若太陽升朝一'《曹植》. ②멀하 遐(辵부 9획〈1501〉)와 통용. '載營魄而登一'《楚辭》. ③새우하 鰕(魚부 9획〈1800〉)와 통용. '啄一矯翮兮雲間'《吳越春秋》. ④성하 성(姓)의 하나.

字源 形聲. 雨＋叚〔音〕

雨 9 〔霒〕 17 음 ㊄侵 | yīn イン くもる

字解 흐릴음 구름이 낌. '忠昭昭而願見兮, 然一曀而莫達'《楚辭》.

雨 9 〔霔〕 17 와 ㊄麻 | wā ワ たまりみず

字解 괸물와 마소의 발자국에 괸 물. '一, 蹄涔, 馬牛跡中水'《正字通》.

雨 9 〔霂〕 17 염 ㊤琰 ㊅豔 | rǎn ゼン·ネン うるおす

字解 적실염, 젖을염 '一, 濡也'《說文》.

字源 形聲. 雨＋染〔音〕

雨 9 〔霸〕 17 ㊀박 ㊇藥 ㊁격 ㊇陌 | ハク あめにぬれたかわ gé カク あめ

字解 ㊀비에젖은가죽박 '一, 雨濡革也'《說文》. ㊁비격 '一, 雨也'《廣韻》.

字源 會意. 雨＋革〔音〕

雨 9 〔霝〕 17 령 ㊄青 | líng レイ·リョウ ふる

字解 ①내릴령, 비내릴령 '一, 雨零也. 詩曰, 一雨其濛'《說文》. ②떨어질령 '一, 落也. 墮也'《廣韻》. ③좋을령 '一, 令也'《廣雅》. ④빌령 공허함. '一, 空也'《廣雅》.

字源 會意. 雨＋皿

雨 9 〔㝢〕 17 ㊀우 ㊤麌 ㊅遇 ㊁호 ㊤麌 ㊂후 ㊅遇 | ①②yǔ ウ あめのふるさま ③yù ウ のびる コ あめのふるさま ク あめのふるさま

字解 ㊀①비오는모양우 '一, 雨皃. 方語也'《說文》. ②비우 '一, 北方謂雨曰一'《集韻》. ③펴질우 '一, 舒也'《廣雅》. ㊁비오는모양호, 비호 ㊀❶❷와 뜻이 같음. ㊂비오는모양후, 비후 ㊀❶❷와 뜻이 같음.

字源 形聲. 雨＋禹〔音〕

雨 9 〔霚〕 17 〔무〕 霧(雨부 11획〈1647〉)의 本字

雨 9 〔霛〕 17 〔령〕 靈(雨부 16획〈1652〉)의 古字

雨 9 〔䨮〕 17 〔전〕 電(雨부 5획〈1640〉)의 古字

雨 9 〔霭〕 17 〔애〕 靄(雨부 16획〈1652〉)와 同字

雨 9 〔霮〕 17 담 ㊤感 | dàn タン くものさま

字解 구름피어날담 구름이 피어남. 구름의 모양. '一, 一䨴, 雲皃'《廣韻》.

雨 9 〔霮〕 17 담 ㊤感 | dàn タン くものさま

字解 구름모양담 구름의 모양. '一, 一䨴, 雲貌'《搜眞玉鏡》.

雨 9 〔䨺〕 17 대 ㊅隊 | dài タイ くものたなびくさま

字解 구름낀모양대 구름이 낀 모양. '一, 雲貌'《字彙》.

雨 9 〔𩃗〕 17 발 | bó ハツ くものさま

字解 ①구름모양발 구름의 모양. '一, 雲皃'《集韻》. ②구름발 구름. '一, 雲氣也'《正字通》.

雨 9 〔𩄰〕 17 분 (平)文 | fēn フン きり

字解 ①안개분 안개. '一, 霧也'《字彙》. ②눈의모양분 눈〔雪〕의 모양. '一, 雪貌'《字彙》. ③나쁜기운분 나쁜 기운. 요기(妖氣). '一, 與氛同, 不祥氣也'《字彙》.

雨 9 〔𩃯〕 17 〔비〕 靅(雨부 16획〈1652〉)와 同字

雨 9 〔䨞〕 17 여 (去)遇 | yù ユ けもののな

字解 짐승이름여 짐승 이름. 麢(鹿부 8획〈1847〉)의 訛字. '一麢, 獸名, 似鹿而大'《揚雄·蜀都賦》.

雨 9 〔䨦〕 17 잡 (入)洽 | zhá ソウ おおあめ

字解 ①큰비잡 큰비. '一, 大雨'《玉篇》. ②빗소리잡 빗소리. '一, 雨聲'《集韻》.

雨 9 〔𩃬〕 17 ㊀적 (入)錫 | dí テキ あめふる
㊁독 (入)沃 | トク あめのさま

字解 ㊀비올적 비가 옴. '一, 博雅, 一一, 雨也'《集韻》. ㊁비오는모양독 비가 오는 모양. '一, 雨皃'《集韻》.

雨 9 〔𩅐〕 17 후 (平)尤 | hóu コウ あめ

字解 비후 비〔雨〕. '一, 雨也'《篇海》.

雨 10 〔霢〕 18 맥 (入)陌 | mài バク·ミャク こさめ

字解 가랑비맥 '一霂'은 가랑비. 세우(細雨). '益之以一霂'《詩經》.
字源 形聲. 雨+脈〔音〕

雨 10 〔𩅧〕 18 霢(前條)과 同字

雨 10 〔霣〕 18 ㊀운 (上)軫 | yǔn イン おちる
㊁곤 (平)元 | コン いかずち

字解 ㊀①떨어질운 隕(阜부 10획〈1621〉)과 통용. '夜中星一如雨'《公羊傳》. ②죽을운 殞(歹부 10획〈609〉)과 통용. '惠之早一'《史記》. ③천둥운 '齊人謂雷爲一'《說文》. ㊁떨어질곤, 천둥곤 ㊀❶❸과 뜻이 같음.
字源 形聲. 雨+員〔音〕

雨 10 〔霤〕 18 류 (去)宥 | liù リュウ あまだれ

字解 ①낙숫물류 처마 끝에서 떨어지는 물. '聽長一之涔涔'《潘尼》. ②낙숫물그릇류 낙숫물을 받는 그릇. '玉堂對一'《左思》. ③물방울류 듣는 물방울. 溜(水부 10획〈669〉)와 통용. '泰山之一穿石'《漢書》. ④방류 집안의 빈 방. '其祀中一'《禮記》.
字源 形聲. 雨+留(畱)〔音〕

雨 10 〔霶〕 18 방 (平)陽 | pāng ホウ ゆきのさかんにふるさま

字解 ①눈내릴방 눈이 많이 내리는 모양. 雱(雨부 4획〈1639〉)과 同字. ②죽죽퍼부을방 비가 세차게 퍼붓는 모양. 滂(水부 10획〈671〉)과 同字.

雨 10 〔䨬〕 18 렴 (平)鹽 | lián レン ながあめ

字解 장마렴 '一, 久雨也'《說文》.
字源 形聲. 雨+兼〔音〕

雨 10 〔䨡〕 18 함 (平)覃 | hán カン ながあめ

字解 ①장마함 '一, 久雨也'《說文》. ②비많을함 '一, 多雨也'《玉篇》.
字源 形聲. 雨+函〔音〕

雨 10 〔䨟〕 18 〔애〕 皚(白부 10획〈826〉)와 同字

雨 10 〔䨲〕 18 구 (去)宥 | gòu コウ おおあめ

字解 큰비구 큰비. 대우(大雨). '一, 大雨也'《集韻》.

雨 10 〔䨚〕 18 력 (入)錫 | lì レキ あめがやまない

字解 비긋지아니할력 비가 긋지 아니함. '一, 一一, 雨不止'《篇海》.

雨 10 〔𩅾〕 18 〔령〕 靈(雨부 16획〈1652〉)과 同字

雨 10 〔𩂣〕 18 〔뢰〕 靁(雨부 15획〈1651〉)의 古字

雨 10 〔𩅜〕 18 룽 (平)東 | lóng ロウ かみなりのこえ

字解 우렛소리룽 우렛소리. 뇌성(雷聲). '一, 雷聲'《川篇》.

雨 10 〔𩃵〕 18 매 (平)佳 | mái バイ つちふる

字解 흙비매 흙비. 토우(土雨). 霾(雨부 14획〈1650〉)와 同字. '霾, 或作一'《集韻》.

雨10 〔霥〕18 몽 [去]送 | mèng ボウ かみなりのこえ
[字解] 우렛소리몽 우렛소리. 천둥. '一, 雷聲'《集韻》.

雨10 〔⿱雨逢〕18 봉 [平]東 | péng フウ あめのこえ
[字解] 빗소리봉 빗소리. '一, 雨聲'《字彙補》.

雨10 〔⿱雨吾〕18 오 [去]遇 | wù ゴ かまど
[字解] 부엌오 부엌. 아궁이. '一, 同竈'《龍龕手鑑》.

雨10 〔⿱雨翁〕18 옹 [上]董 | wěng オウ くものたなびくさま
[字解] 구름길게낄옹 구름이 길게 낌. '一, 一一, 雲皃'《集韻》.

雨10 〔⿱雨⿰立令〕18 〔음〕
黔(雨부 8획〈1644〉)의 訛字

雨10 〔⿱雨資〕18 자 [平]支 | zī シ あめのおと
[字解] 빗소리자 빗소리. '一, 雨聲'《說文》.

雨10 〔⿰雨顚〕18 전 [平]先 | diān テン あめのおと
[字解] ①빗소리전 빗소리. '一, 雨聲'《集韻》. ②비심하게올전 비가 심하게 옴. '一, 一日, 雨甚'《集韻》.

雨10 〔⿱雨陣〕18 진 [去]震 | zhèn チン くも
[字解] 구름진 구름. '一, 雲也'《玉篇》.

雨10 〔⿱雨差〕18 차 [平]歌 | cuó サ あめのこえ
[字解] 빗소리차 빗소리. '一, 雨聲'《集韻》.

雨10 〔⿱雨追〕18 추 [平]支 | zhuī ツイ かくれる
[字解] ①숨을추 숨음. '一, 隱也'《康熙字典》. ②우레추 우레. 천둥. '一, 博雅, 雷也'《集韻》.

雨10 〔⿱雨朋〕18 〔패〕
霸(雨부 13획〈1649〉)와 同字

雨10 〔⿱雨⿰白占〕18 표 [去]效 | piào ホウ くもがふくする
[字解] 구름덮을표 구름이 덮음. 구름이 가림. '一, 雲伏'《字彙補》.

雨10 〔⿱雨假〕18 학 [入]藥 | hè カク くもがちる
[字解] 구름흩어질학 구름이 흩어짐. '一, 雲散也'《五音篇海》.

雨10 〔⿱雨隻〕18 ㊀학 [入]藥 | huò カク おおあめ
㊁척 [入]陌 | セキ ふたつ
[字解] ㊀큰비학 '一, 霰一, 大雨'《集韻》. ㊁둘척 둘. 쌍(雙). '一, 雙同'《字彙補》.

雨11 〔霧〕19 [高·人] 무 [去]遇 | wù ブ·ム きり
[筆順] 一 ⺈ 雨 雫 霁 霚 霧 霧
[字解] 안개무 ㉠땅 위에 가까이 끼는 미세한 물방울. '雲一'. ㉡안개와 같이 밀집(密集) 또는 비산(飛散)하는 것을 형용하여 이름. '一集'. '雄州一'《王勃》.
[字源] 篆文은 形聲. 雨＋務〔音〕

雨11 〔霪〕19 음 [平]侵 | yín イン ながあめ
[字解] 장마음 열흘 이상 오는 비. '禹沐浴一雨'《淮南子》.
[字源] 形聲. 雨＋淫〔音〕

雨11 〔霫〕19 습 [入]緝 | xí シュウ くにのな
[字解] 나라이름습 '白一'은 흉노(匈奴)의 별종이 세운 나라. '白一居鮮卑故地, 其部有三'《唐書》.
[字源] 形聲. 雨＋習〔音〕

雨11 〔霩〕19 확 [入]藥 | kuò カク ほがらかなさま
[字解] 휑할확 廓(广부 11획〈351〉)과 통용. '道始于虛一, 虛一生宇宙'《淮南子》.
[字源] 形聲. 雨＋郭(鄗)〔音〕

雨11 〔霨〕19 위 [去]未 | wèi イ くものおこるさま
[字解] 구름피어오를위 구름이 피어 오르는 모양. '一, 雲起皃'《集韻》.
[字源] 形聲. 雨＋尉〔音〕

雨11 〔⿱雨眾〕19 중 [平]東 [去]送 | zhōng シュウ こさめ
[字解] ①가랑비중 가늘게 오는 비. '一, 小雨也'《說文》. ②장마비중 오래 오는 비.
[字源] 形聲. 雨＋眾〔音〕

雨11 〔霦〕19 빈 [平]眞 | bīn ヒン たまのつや
[字解] ①옥광채빈 옥(玉)의 광채(光彩). '一, 玉光色'《玉篇》. ②옥빛빈 '璘一'은 옥의 빛나는 색(色). '璘一, 玉光色也'《廣韻》.

雨11 〔霵〕19 ㊀점 (去)豔 | diàn テン さむい ㊁첩 (入)葉 | チョウ さむい ㊂칩 (入)緝 | zhí チュウ すこししめる

字解 ㊀ ①추울점, 찰점. ②이른서리점. ㊁ 추울첩, 찰첩, 이른서리첩 ㊀과 뜻이 같음. ㊂ 조금젖을칩 '一, 小濕'《廣韻》.
字源 形聲. 雨＋執(執)〔音〕

雨11 〔䨮〕19 〔설〕
雪(雨부 3획〈1638〉)의 本字

雨11 〔𩅸〕19 ㊀단 (平)寒 | tuán タン ㊀㊁ つゆのおおいさま ㊁천 (上)獮 | セン

字解 ㊀ 이슬많이내린모양단 이슬이 많이 내린 모양. 漙(水부 11획〈678〉)과 同字. '漙, 漙漙, 露多皃, 或作一'《集韻》. ㊁ 이슬많이내린모양천 ㊀과 뜻이 같음.

雨11 〔䨏〕19 록 (入)屋 | lù ロク おおあめ

字解 ①큰비록 큰비. '一, 大雨也'《玉篇》. ②사나운비록 사나운 비. 폭우(暴雨). '一, 暴雨謂之一'《集韻》.

雨11 〔䨦〕19 루 (上)麌 | lǚ ル あめのさま

字解 비오는모양루 비가 오는 모양. '一, 雨皃'《集韻》.

雨11 〔䨫〕19 막 (入)藥 | mò バク あめふるさま

字解 비오는모양막 비 오는 모양. '一, 雨皃'《集韻》.

雨11 〔䨭〕19 망 (上)養 | mǎng ボウ くものいろ

字解 구름빛망 구름빛. 구름의 빛깔. '一, 一一, 雲色'《集韻》.

雨11 〔䨪〕19 〔맥〕
霢(雨부 10획〈1646〉)과 同字

雨11 〔䨥〕19 발 (入)月 | bó ホツ くものさま

字解 구름모양발 구름의 모양. '一, 雲皃'《集韻》.

雨11 〔霶〕19 방 (平)陽 | pāng ホウ おおあめ

字解 큰비방 큰비. '一, 一霈, 大雨也'《字彙補》.

雨11 〔𩆓〕19 비 (上)尾 | fěi ヒ くものさま

字解 구름모양비 구름의 모양. '一, 雲皃'《玉篇》.

雨11 〔𩆝〕19 상 (去)絳 | zhuàng ソウ あめのさま

字解 비오는모양상 비 오는 모양. '一, 雨皃'《集韻》.

雨11 〔𩆉〕19 〔소〕
霄(雨부 7획〈1642〉)와 同字

雨11 〔𩆊〕19 〔진〕 霃(雨부 10획〈1647〉)과 同字多

雨11 〔𩆐〕19 책 (入)陌 | zē サク あめのさま

字解 비오는모양책 비 오는 모양. '一, 雨皃'《集韻》.

雨12 〔霰〕20 산(선本) (去)霰 | xiàn セン・サン あられ

字解 싸라기눈산 빗방울이 내리다가 얼어서 싸라기같이 된 눈. '如彼雨雪, 先集維一'《詩經》. ※本音 선.
字源 形聲. 雨＋散(散)〔音〕

雨12 〔露〕20 中·人 로 (去)遇 | lù, lòu ロ つゆ

筆順 一 𠃍 𠕁 雨 雨 霅 露 露

字解 ①이슬로 ㉠물기가 얼어서 물방울이 되어 풀잎 같은 데 붙어 있는 것. '玉一'. '孟秋白一降'《禮記》. ㉡덧없음의 비유로 쓰임. '一命'. '朝一'. ㉢한데에서 자면 이슬을 맞으므로, 한데 또는 위를 가리지 아니한 뜻으로 쓰임. '一宿'. '一臺'. 전(轉)하여, 한데에서 재움. 들에 서 있게 함. '暴兵一師十有餘年'《主父偃》. ②적실로, 젖을로 이슬로 적심. '一彼菅茅'《詩經》. 전(轉)하여, 은혜를 베풂. 은혜를 입음. '覆一萬民'《漢書》. ③드러날로, 나타날로 ㉠숨긴 일이 알려짐. '一顯'. '謀一被誅'. ㉡밖에서 보임. '一出'. ④드러낼로, 나타낼로 전항의 타동사. '暴一'. ⑤고달플로, 고달프게 할로 '以一其體'《左傳》. ⑥성로 성(姓)의 하나. ⑦《韓》 러시아로 러시아의 음역(音譯) '노서아(露西亞)'의 생략. '一人'.
字源 形聲. 雨＋路〔音〕

雨12 〔霳〕20 룽 (平)東 | lóng リュウ かみなりのかみ

字解 뇌신(雷神)룽 '豐一'은 우레를 맡은 신. 뇌공(雷公). '豐一, 雷師'《集韻》.
字源 形聲. 雨＋隆〔音〕

雨12 〔𩇓〕20 담 (去)勘 (上)感 | dàn タン くものおおいさま

[字解] ①구름많을담 '—⿱雨對'는 구름이 많은 모양. '雲覆—⿱雨對'《王延壽》. ②구름피어오를담 구름이 뭉게뭉게 피어 오르는 모양. '—, 雲皃, 靉謂之—⿱雨對'《集韻》.

雨 12 〔霱〕20 율 [入]質 | yù イツ めでたいくも
[字解] ①상서로운구름율 경운(景雲). 서운(瑞雲). 矞(矛부 7획〈861〉)과 통용. '卿雲謂之—'《集韻》. ②삼색(三色)구름율 세 가지 빛깔의 구름. '雲則五色而爲慶, 三色而爲—'《西京雜記》.
[字源] 形聲. 雨+矞〔音〕

雨 12 〔⿱雨畱〕20 〔류〕
霤(雨부 10획〈1646〉)의 本字

雨 12 〔⿱雨⿰幸凡〕20 〔점〕
⿱雨執(雨부 11획〈1648〉)의 本字

雨 12 〔⿱雨晶〕20 〔박〕
雹(雨부 5획〈1640〉)의 古字

雨 12 〔⿱雨衆〕20 〔중〕
⿱雨眾(雨부 11획〈1647〉)의 訛字

雨 12 〔⿰雩重〕20 ㊀중 ㊁충 | zhōng チュウ きがおうらいするさま
[字解] ㊀기운왕래할중 '——'은 기(氣)가 왕래하는 모양. '陰陽——, 積傳爲一周'《素問》. ㊁찌를충 衝(行부 9획〈1263〉)과 통용.

雨 12 〔⿱雨⿰云隶〕20 〔체〕
靆(雨부 16획〈1652〉)과 同字

雨 12 〔⿱雨湳〕20 남 [去]陷 | ダン どろ nàn ナン ぬかるみ
[字解] ①진흙남 진흙. '—, 泥'《玉篇》. ②진창남 진창. '—, 雨淖也'《集韻》.

雨 12 〔⿱雨隊〕20 〔대〕
⿱雨對(雨부 14획〈1651〉)와 同字

雨 12 〔⿱雨⿰会会〕20 〔대〕
⿱雨⿰雲雲(雨부 28획〈1653〉)과 同字

雨 12 〔⿱雨登〕20 등 [去]徑 | tèng トウ おおあめ
[字解] 큰비등 큰비. 대우(大雨). '—, 大雨'《集韻》.

雨 12 〔⿱雨厤〕20 〔력〕
⿱雨瀝(雨부 19획〈1653〉)과 同字

雨 12 〔⿱雨⿰氵韋〕20 박 [入]藥 | pò ハク あめ
[字解] 비박 비〔雨〕. '—, 雨'《玉篇》.
[參考] ⿰氵⿱雨韋(水부 17획〈702〉)은 別字.

雨 12 〔⿱雨復〕20 복 [入]屋 | fù フク みずをくつがえす
[字解] 물엎지를복 물을 엎지름. '—, 覆水也'《康熙字典》.

雨 12 〔⿱雨湘〕20 〔상〕
灀(水부 17획〈701〉)과 同字

雨 12 〔⿱雨⿰云奄〕20 〔암〕
黭(黑부 8획〈1864〉)과 通字

雨 12 〔⿱雨覃〕20 완 [平]刪 | wān ワン じんめい
[字解] 사람이름완 사람 이름. '—, 吳王孫休子名'《集韻》.

雨 12 〔⿱雨朁〕20 잠 [平]侵 | cén シン あめのこえ
[字解] ①빗소리잠 빗소리. '—, 雨聲'《廣韻》. ②장마잠 장마. '霤—, 霖也'《廣雅》. ③비오는모양잠 비가 오는 모양. '——, 雨也'《廣雅》.

雨 12 〔⿱雨隋〕20 타 [去]箇 | tuò タ あめがふるさま
[字解] 비오는모양타 비 오는 모양. 비가 내리는 모양. '—, 雨下皃'《集韻》.

雨 13 〔霸〕21 패(파[本]) [去]禡 | bà ハ はたがしら
[字解] ①두목패 무력(武力)·권도(權道)로써 정치를 하는 제후(諸侯)의 우두머리. 춘추 시대(春秋時代)의 제환공(齊桓公)·진문공(晉文公)·송양공(宋襄公)·진목공(秦穆公)·초장왕(楚莊王)을 '五—'라 함. '以力假仁者—'《孟子》. 전(轉)하여, 널리 두목·우두머리의 뜻으로 쓰임. '文采必—'《文心雕龍》. ②으뜸갈패 우두머리가 됨. '孔子爲政必—'《史記》. ③성패 성(姓)의 하나. ※本音 파.
[字源] 形聲. 月+䨣〔音〕
[參考] 覇(襾부 13획〈1295〉)는 俗字.

雨 13 〔霹〕21 벽 [入]錫 | pī ヘキ きゅうげきなかみなり
[字解] 천둥벽, 벼락벽 '—靂'은 천둥 또는 벼락이 침. 또, 천둥, 벼락. '雷霆—靂'. '—靂破所倚柱'《世說》.
[字源] 形聲. 雨+辟〔音〕

雨 13 〔⿱雨農〕21 농 [平]冬 | nóng ドウ つゆがおおい
[字解] ①이슬흠치르르할농 이슬이 많이 내

림. '一, 博雅, 露多也'《集韻》. ②이슬많을농 '一一'은 이슬이 많은 모양. '一一, 露也'《廣雅》.

雨 13 〔霷〕 21 양 [平]陽 | yáng ヨウ じゅうがつ

[字解] 시월양 10월의 일컬음. 陽(阜부 9획〈1619〉)과 통용. '十月爲一'《集韻》.

雨 13 〔䨦〕 21 ㊀곤 [平]元 | コン いかずち
㊁정 [平]青 | tíng テイ かみなり のとどろき

[字解] ㊀ 번개곤 우레. 霣(雨부 10획〈1646〉)의 籒文. '霣, 齊人謂雷曰霣. 籒作一'《集韻》. ㊁ 번개소리정 霆(雨부 7획〈1642〉)과 同字. '霆, 雷餘聲. 或从鼎'《集韻》.

雨 13 〔霵〕 21 즙 [入]緝 | jí シュウ おおくのこえ のはやいさま

[字解] ①많은소리빠를즙 '嚐一'은 많은 소리가 빠른 모양. '嚐一曄踕'《王襃》. ②빗소리즙 '一, 雨聲'. ③비올즙 비가 내리는 모양. '霵, 雨下也. 一, 同霵'《玉篇》. ④세찬비즙 비가 세차게 오는 모양. '一, 暴雨皃'《廣韻》.

雨 13 〔䨘〕 21
㊀첨 [平]鹽 | jiān セン こさめ
㊁렴 [去]豔 | レン こさめ
㊂점 [去]豔 | セン こさめ
㊃잠 [去]陷 [平]咸 | ①②サン こさめ

[字解] ㊀ ①가랑비첨 '一, 小雨也'《說文》. ②젖을첨 '一, 又霑也'《廣韻》. ㊁ 가랑비렴, 젖을렴 ㊀과 뜻이 같음. ㊂ 가랑비점, 젖을점 ㊀과 뜻이 같음. ㊃ ①가랑비잠 ㊀❶과 뜻이 같음. ②담글잠 물건을 물 속에 넣음. '一, 以物內水中'《廣韻》.
[字源] 形聲. 雨+僉〔音〕

雨 13 〔霊〕 21 〔령〕
靈(雨부 16획〈1652〉)과 同字

雨 13 〔䨮〕 21 〔핵〕
覈(襾부 13획〈1295〉)과 同字

雨 13 〔霶〕 21 〔방〕
滂(水부 10획〈671〉)과 同字

雨 13 〔䨲〕 21 〔담〕
霮(雨부 12획〈1648〉)과 同字

雨 13 〔霺〕 21 미 [平]微 | wēi ビ·ミ こさめ

[字解] 가랑비미 가랑비. 세우(細雨). '溦, 說文, 小雨也, 或作一'《集韻》.

雨 13 〔䨍〕 21 박 [入]藥 | fū ハク おおあめ

[字解] 큰비박 큰비. 호우(豪雨). '一, 大雨'《集韻》.

雨 13 〔𩆞〕 21 삽 [入]合 | sà ソウ あめがふる

[字解] 비올삽 비가 옴. 비가 내림. '一, 雨下也'《集韻》.

雨 13 〔䨴〕 21 옹 [上]腫 | yǒng ヨウ くものき

[字解] 운기옹 운기(雲氣). '一, 雲氣'《集韻》.

雨 13 〔𩆢〕 21 자 [平]支 | cí シ あめのおと

[字解] ①빗소리자 빗소리. '一, 雨聲'《玉篇》. ②장마자 장마. '一, 涔一, 久雨'《廣韻》.

雨 13 〔𩆂〕 21 〔자〕
霁(雨부 6획〈1641〉)와 同字

雨 13 〔𩆷〕 21 〔학〕
霍(雨부 10획〈1647〉)과 同字

雨 13 〔𩆹〕 21 회 [去]泰 | huì カイ あめ
[去]泰 | wèi ワイ ちいさいくも

[字解] ①비회 비. '一, 雨也'《集韻》. ②작은구름회 작은 구름. '一, 小雲謂之一'《集韻》.

雨 14 〔霽〕 22 제 [去]霽 | jì セイ はれる

[筆順] 霽

[字解] ①갤제 비나 눈이 그침. 안개나 구름이 사라짐. '虹銷雨一'《王勃》. 전(轉)하여, ②풀릴제 화나 불쾌감 같은 것이 풀림. 기분이 좋아짐. '怒容未一'《輟耕錄》. ③풀제 전항의 타동사. '心善其言, 爲一威嚴'《漢書》.
[字源] 形聲. 雨+齊(脊)〔音〕

雨 14 〔霾〕 22 매 [平]佳 | mái バイ·マイ つちふる

[字解] 흙비올매 바람이 거세어 토우(土雨)가 내림. '終風且一'《詩經》.
[字源] 形聲. 雨+貍〔音〕

雨 14 〔霿〕 22 몽 [去]送 | mèng ボウ やぶさか

[字解] 아낄몽 인색함. 비린(鄙吝)함. '一恒風若'《漢書》.
[字源] 形聲. 雨+瞀〔音〕

雨 14 〔⿱雨對〕 22 대 [去]隊 | duì タイ くものくろいさま

[字解] 검은구름대 '黮—'는 구름의 검은 모양. '黮—, 雲黑皃'《說文》.
[字源] 形聲. 雨＋對〔音〕

雨 14 〔⿱雨酸〕 22 산 [平]寒 | suān サン こさめ

[字解] 가랑비산 가는비. '—, 小雨也'《說文》.
[字源] 形聲. 雨＋酸〔音〕

雨 14 〔⿱雨漫〕 22 만 ①[平]寒 ②[去]翰 | mǎn バン・マン あめつゆのこいさま màn バン・マン くものさま

[字解] ①비이슬될만 비나 이슬이 짙게 내린 모양. '—, 雨露濃皃'《集韻》. ②구름낄만 구름이 끼는 모양. '—, 雲貌'《類篇》.
[字源] 形聲. 雨＋漫〔音〕

雨 14 〔⿱雨覞〕 22 [一] 희 [去]寘 [平]微 | xì キ あめにあいいそいでさけていきがはずむ xī キ あめのやむさま [二] 간 [平]刪 | カン あめにあいいそいでさけていきがはずむ

[字解] [一] ①비만나급히피하여숨찰희 일설(一說)에 숨이 막힘. '—, 見雨而比息. (段注)比, 密也. 密息者, 謂鼻息數速也. 道途遇雨急行, 則息必頻喘矣'《說文》. ②비그칠희 비가 그치는 모양. '—, 雨止皃'《集韻》. [二] 비만나급히피하여숨찰간 [一]❶과 뜻이 같음.
[字源] 會意. 雨＋覞

雨 14 〔⿰雲氣〕 22 희 [上]尾 [去]未 | xì キ くものさま

[字解] 구름낄희, 흐릴희 靉(雨부 17획〈1652〉)를 보라. '靉—'.

雨 14 〔⿱雨⿰兔免〕 22 [一] 누 [平]尤 [二] 만 [去]願 | nóu ドウ・ヌ うさぎのこ wàn ベン・マン せい

[字解] [一] 토끼새끼누 '明眎八世孫—'(의인(擬人)한 것)《韓愈》. [二] 성만 성(姓)의 하나.

雨 14 〔⿱雨⿱吅亏〕 22 〔령〕 零(雨부 5획〈1640〉)과 同字

雨 14 〔⿱雨需〕 22 령 [平]青 | líng レイ そら

[字解] 하늘령 하늘. 공중(空中). '—, 空也'《廣韻》.

雨 14 〔⿱雨⿱吅囟〕 22 령 [平]青 | líng レイ てんじんのあたまのほね

[字解] 사람의머리뼈령 사람의 머리뼈. 정수리뼈. '—, 天人頂骨'《篇海》.

雨 14 〔霥〕 22 몽 [平]東 | méng ボウ ぬかあめ

[字解] ①보슬비몽 보슬비. '濛, 說文, 微雨也, 或作—'《集韻》. ②비올몽 비가 옴. '——'. '——, 雨也'《廣雅, 釋訓》.

雨 14 〔⿱雨⿱吅缶〕 22 보 [平]豪 | pāo ホウ ゆきのさま

[字解] 눈내리는모양보 눈이 내리는 모양. '—, 雪皃'《集韻》.

雨 14 〔⿱雨墊〕 22 〔점〕 霑(雨부 11획〈1648〉)과 同字

雨 15 〔靁〕 23 뢰 [去]灰 | léi ライ いかずち

[字解] ①천둥뢰 ㉠雷(雨부 5획〈1640〉)의 本字. '殷其—, 在南山之陽'《詩經》. ㉡우렛소리. 큰 소리의 비유. '聚蟁成—'《漢書》. ②성뢰 성(姓)의 하나.

雨 15 〔霮〕 23 담 [去]勘 | dàn タン ながあめ

[字解] 장마담 장마. '—, 久雨也'《集韻》.

雨 15 〔⿱雨潸〕 23 산 [上]潸 | shǎn サン あめのさま

[字解] 비오는모양산 비가 오는 모양. '—, 雨皃'《集韻》.

雨 15 〔⿱雨⿱覀炎〕 23 섬 [上]琰 | shǎn セン いなずま

[字解] 번개섬 번개. '—, 電光也'《字彙補》.

雨 16 〔靂〕 24 력 [入]錫 | lì レキ かみなり

[字解] 천둥력, 벼락력 霹(雨부 13획〈1649〉)을 보라. '霹—'.
[字源] 形聲. 雨＋歷〔音〕

雨 16 〔靃〕 24 [一] 확 [入]藥 [二] 수 [上]紙 | huǒ カク とぶとりのはねおと suǐ スイ くさのなよやかなさま

[字解] [一] 나는소리확 새 같은 것이 날아다니는 소리. '雨而雔飛者, 其聲—然'《說文》. [二] 쇠잔할수 '—靡'는 풀이 쇠잔한 모양. 일설(一說)에는, 풀이 바람에 나부끼는 모양. '薠草—靡'《楚辭》.

字源 會意. 雨＋雔

雨16〔靄〕24 애 ㉰泰 ㉯賄 | ǎi アイ もや

字解 ①놀애 공중의 수증기에 해가 비치어 붉게 보이는 기운. '朝—'. '夕—'. '連氛累—'《謝靈運》. ②피어오를애 구름이 뭉게뭉게 피어 오르는 모양. '停雲——, 時雨濛濛'《陶潛》.

字源 形聲. 雨＋藹〈省〉〔音〕

雨16〔靇〕24 롱 ㉮東 | lóng ロウ かみなりのおと

字解 천둥소리롱 우렛소리. '—, ——, 雷聲'《集韻》.

雨16〔靈〕24 高·人 령 ㉮青 | líng レイ かみ, みたま

筆順

字解 ①신령령 신명(神明). '—皇皇兮既降'《楚辭》. ②신령할령 신기하여 인지(人智)로써 알 수 없음. 또, 그러한 사물. '—妙'. '蓋人心之—, 莫不有知'《大學章句》. ③영령, 영혼령 ㉠만유(萬有)의 정기(精氣). '惟人萬物之—'《書經》. ㉡인체의 정기(精氣). '不可入於—府'《莊子》. ㉢죽은 사람의 혼백. '告先帝之—'《諸葛亮》. ㉣천(天)·지(地)·인(人) 삼재(三才)의 일컬음. '答三—之蕃祉'《班固》. ㉤일(日)·월(月)·성(星)의 일컬음. '獵三—之流'《揚雄》. ㉥생명. 명수(命數). '竊國—'《揚子法言》. ④정성령 진심. '橫大江兮揚—'《楚辭》. ⑤존엄령 존귀하여 범할 수 없음. '若以君之—'《國語》. ⑥행복령, 은총령 '寵—顯赫'《後漢書》. ⑦좋을령 令(人부 3획〈33〉)과 통용. '—雨既零'《詩經》. ⑧성령 성(姓)의 하나.

字源 形聲. 篆文은 王＋霝〔音〕

雨16〔霰〕24 〔산〕 霰(雨부 12획〈1648〉)의 本字

雨16〔靆〕24 체 ㉰隊 ㉯賄 | dài タイ くものさま

字解 구름낄체 구름이 끼는 모양. '—, 靉—, 雲皃'《集韻》.

字源 形聲. 雲＋逮〔音〕

雨16〔靈〕24 령 ㉮青 | líng レイ うつわのな

字解 ①그릇이름령 그릇 이름. '—, 器名'《廣韻》. ②靈(雨부 16획〈1652〉)의 古字. '霝, 古作—'《集韻》. ③성령 성(姓)의 하나.

雨16〔霼〕24 비 ㉰未 | fèi ヒ くものさま

字解 ①구름모양비 구름의 모양. '—, 雲皃'《玉篇》. ②구름널리퍼지는모양비 구름이 널리 퍼지는 모양. '—, 雲布皃'《集韻》. ③구름성한모양비 구름이 성한 모양. '—, 霴—, 雲盛'《集韻》.

雨16〔灊〕24 ㊀잠 ㉰陷 ㊁첨 ㉮鹽 | zhàn サン かわのな jiān セン こさめ

字解 ㊀강이름잠 강 이름. '—, 水'《玉篇》. ㊁가랑비첨 가랑비. 세우(細雨). '霮, 說文, 小雨也, 或从水'《集韻》.

雨16〔霵〕24 즙 ㉱緝 | jí シュウ あめのおと

字解 빗소리즙 빗소리. 또, 비가 오는 모양. '—, 雨聲'《集韻》.

雨17〔霹〕25 ㊀사 ㉮支 ㊁선 ㉰霰 | sī シ あめがぱらぱらとふりはじめる xiàn セン あられ

字解 ㊀비뚝뚝들을사 비가 뚝뚝 오기 시작함. '—, 小雨財雾也'《說文》. ㊁싸라기선 빗방울이 얼어 내리는 것. 霰(雨부 12획〈1648〉)과 同字.

字源 形聲. 雨＋鮮〔音〕

雨17〔霵〕25 섬 ㉮鹽 | jiān セン ぬかあめ

字解 ①이슬비섬 가랑비보다 가는 비. '細雨謂之—'《集韻》. ②비부슬부슬올섬 비가 오는 모양. ③담글섬 물에 담금. '—, 漬也'《康熙字典》.

字源 形聲. 雨＋韱〔音〕

雨17〔霸〕25 〔기〕 羈(网부 17획〈1032〉)의 俗字

雨17〔靉〕25 애 ㉰隊 | ài アイ くものくらいさま

字解 ①구름낄애 구름이 많이 끼는 모양. 또, 구름이 뭉게뭉게 피어 오르는 모양. '—靆'. '—霼'. '高堂梧與竹, ——排空青'《顧瑛》. ②모호할애 흐릿한 모양. 자세하지 않은 모양. '仿像其色, —霼其形'《木華》.

字源 形聲. 雲＋愛〔音〕

雨17〔瀼〕25 양 ㉮陽 | ráng ジョウ つゆのさかんなさま

字解 이슬많은모양양 이슬이 많은 모양. 이슬이 많이 내린 모양. '——, 露也'《廣雅》.

雨 17 〔䨸〕25 은 ㊤吻 | yǐn イン くものさま

字解 구름모양은 구름의 모양. '一, 一一, 雲皃'《集韻》.

雨 17 〔𩆷〕25 탁 ㊇覺 | zhuó タク おおあめ

字解 큰비탁 큰비. 대우(大雨). '一, 大雨也'《玉篇》.

雨 18 〔靊〕26 풍 ㊥東 | fēng フウ らいし

字解 뇌신(雷神)풍 '一霳'은 우레를 맡은 신. 뇌사(雷師). '一霳, 雷師'《集韻》.

字源 形聲. 雨＋豐〔音〕

雨 18 〔𩆸〕26 〔운〕 霣(雨부 10획〈1646〉)의 古字

雨 18 〔𩆹〕26 쌍 ㊥江 | shuāng ソウ あめのさま

字解 비모양쌍 비의 모양. 비가 오는 모양. '一, 雨皃'《集韻》.

雨 19 〔𩇁〕27 력 ㊇錫 | lì レキ あめのやまないさま

字解 비그치지않을력 '霖一'은 비가 그치지 않는 모양. '一, 霖一, 雨不止皃'《集韻》.

雨 19 〔𩇂〕27 숙 ㊇屋 | shū シュク はやいさま

字解 ①빠를숙 '一昱'은 빠른 모양. '一, 一昱, 疾貌'《字彙》. ②사람이름숙 '一, 闕. 人名. 晉有庾一, 字玄默'《集韻》.

雨 21 〔𩇇〕29 즙 ㊇緝 | jí シュウ あめのふるさま

字解 비오는모양즙 비가 오는 모양. '一, 雨下貌'《類篇》.

雨 24 〔𩇊〕32 〔확〕 霩(雨부 11획〈1647〉)의 本字

雨 28 〔靅〕36 대 ㊋隊 | duì タイ くものさま

字解 구름모양대 구름의 모양. '一, 雲貌'《篇海》.

雨 30 〔𩇓〕38 〔진〕 震(雨부 7획〈1642〉)의 籀文

雨 31 〔𩇔〕39 빙 ㊋徑 | bìng ヒョウ かみなりのこえ

字解 우렛소리빙 우렛소리. 뇌성(雷聲). '一, 一一, 雷聲也'《集韻》.

青　部

〔푸를청부〕

青 0 〔靑〕8 中·人 청 ㊥青 | qīng セイ あお

筆順 一 二 丰 丰 丰 青 青 靑

字解 ①푸른빛청, 푸를청 ㉠청색. 푸름. '一出於藍, 而一於藍'《荀子》. ㉡봄·동쪽·젊음 등의 뜻으로 쓰임. '一春'. '一年'. '祭一帝'《史記》. ②땅이름청 옛날의 구주(九州)의 하나. 지금의 산동성(山東省) 지방. ③대껍질청 대나무의 외피(外皮). '殺一簡以寫經書'《後漢書》. ④성청 성(姓)의 하나.

字源 形聲. 丹＋生〔音〕

參考 ①'靑청'을 의부(意符)로 하는 문자의 예는적으나, 자형(字形) 분류상 부수로 설정됨. ②青(次條)은 俗字.

青 0 〔青〕8 靑(前條)의 俗字

青 1 〔𤯞〕9 靑(前前條)의 本字

青 3 〔𩇨〕11 정 ㊤梗 | jìng セイ きよいかざり

字解 ①조출하게꾸밀정 '一, 淸飾也'《說文》. ②모직정 '一毲'은 모직물(毛織物). '一, 一毲, 毛布也'《字彙》.

字源 形聲. 彡＋青〔音〕

青 3 〔啨〕11 정 ㊥庚 | qíng セイ·ジョウ こころ

字解 뜻정 情(心부 8획〈396〉)의 古字. '一文俱盡'《史記》.

青 4 〔靝〕12 〔천〕 天(大부 1획〈231〉)과 同字

青 5 〔靖〕13 人名 정 ㊤梗 ㊋敬 | jìng セイ はかる, やすんずる

筆順 亠 立 立 立 竍 靖 靖 靖

字解 ①꾀할정 좋은 계책을 생각함. '自作弗一'《書經》. ②다스릴정 처리함. '俾予一之'《詩經》. ③편안히할정 잘 다스리어 안락하게 함. '吾以一國'《左傳》. ④편안할정 안온 무사하여 조용함. '一譖庸回'《左傳》. ⑤조용할정 静(青부 8획〈1654〉)과 同字. '天性恬一'《宋書》. ⑥성정 성(姓)의 하나.

字源 形聲. 立＋青〔音〕

靑5 〔靖〕 13 靖(前條)의 俗字

靑5 〔䴖〕 13 진 [平]眞 | zhēn シン ただしい
[字解] 바를진 바름. 참되고 세속에 물들지 아니함.

靑6 〔靘〕 14 정 [去]徑 | qìng セイ あおぐろいいろ
[字解] ①감색정, 청흑색정 검푸른빛. '玄猿啼深—'《李華》. ②안존할정 靚(靑부 7획〈1654〉)과 同字. '桃李晨粧—'《韓愈》.
[字源] 形聲. 色+靑〔音〕

靑6 〔静〕 14 〔정〕 靜(靑부 8획〈1654〉)의 略字

靑6 〔靗〕 14 ㊀정 [去]敬 ㊁쟁 [平]庚 | zhēn テイ とく chēng トウ ただしくみる
[字解] ㊀①번역할정 번역함. '—, 譯也'《玉篇》. ②엿볼정 엿봄. ㊁바르게볼쟁 바르게 봄. 또, 깊은 뜻. '窺, 正視也'《集韻》.

靑6 〔靗〕 14 정 [去]敬 [平]庚 | chēng テイ うかがう
[字解] ①엿볼정 엿봄. '—, 覗也'《廣韻》. ②바르게볼정 바르게 봄. '窺, 說文, 正視也, 或作—'《集韻》.

靑7 〔靚〕 15 [人名] 정 [去]敬 [上]梗 | jìng セイ よそおう
[筆順] 一 丰 丰 青 青 青 靚 靚
[字解] ①단장할정 화장함. '昭君豐容—飾, 光明漢宮'《後漢書》. ②단장정 화장. '—糚刻飾'《司馬相如》. ③안존할정 여자가 얌전하고 조용한 모양. '意態閒且—'《貢師泰》. ④조용할정 靜(次條)과 同字. '若深淵之—'《賈誼》. ⑤부를정 '—, 召也'《說文》.
[字源] 形聲. 見+靑〔音〕

靑8 〔靜〕 16 [中·人] 정 [上]梗 [去]敬 | jìng jǐng セイ しずか
[筆順] 一 丰 丰 青 青 青 靜 靜
[字解] ①조용할정 ㉠움직이지 아니함. '—水'. '壽夭數也, 非鈍銳動—所制'《唐子西集》. ㉡얌전함. 안존함. '—女'. '—壽躁夭'. ㉢말이 없음. '吾其—也'《國語》. ㉣소리가 없음. 고요함. '—寂'. '—閒安些'《楚辭》. ②조용히정 전항의 부사. '—觀'. '無言無思, —以待時'《申子》. ③조용히할정 조용하게 함. '綏—諸侯'《左傳》. ④깨끗할정 청결함. '籩豆—嘉'《詩經》. ⑤깨끗이할정 청결하게 함. '—其巾冪'《國語》. ⑥쉴정 휴식함. '百官—事毋刑'《禮記》.
[字源] 形聲. 爭+靑〔音〕
[參考] 静(靑부 6획〈1654〉)은 略字.

靑8 〔靛〕 16 전 [去]霰 | diàn テン あい, あいぞめ
[筆順] 一 丰 青 青 靘 靛 靛 靛
[字解] 청대(靑黛)전 쪽으로 만든 검푸른 물감. 또, 그 물감으로 물을 들임. '藍質浮水面者爲—花'《本草》.
[字源] 形聲. 靑+定〔音〕

靑8 〔凊〕 16 청 [去]徑 | qìng セイ つめたい
[字解] 찰청 瀞(水부 15획〈698〉)과 同字. '瀞, 說文, 冷寒也. 或从仌'《集韻》.

靑9 〔䞭〕 17 친 [去]震 | qìng シン さむい
[字解] 추울친 추움. 참. '—, 寒也'《篇海》.

靑10 〔䨼〕 18 압 [入]合 | è オウ いろどり
[字解] 채색압 채색(彩色). '匐, 飾采謂之匐, 或作—'《集韻》.

靑10 〔靝〕 18 〔천〕 天(大부 1획〈231〉)과 同字

靑13 〔䨙〕 21 슬 [入]質 | sè シツ せきせいのいろ
[字解] 적청색슬 적청(赤靑)의 색. 적청의 빛깔. '—, 色赤靑'《篇海》.

靑14 〔雘〕 22 호 [去]遇 | hù コ あおつち
[字解] 곱게푸를호 곱게 푸름. '善丹曰雘, 从丹, 善靑曰—, 从靑'《六書索隱》.

非 部

〔아닐비부〕

非0 〔非〕 8 [中·人] 비 [平]微 | fēi ヒ あらず, そむく
[筆順] ノ ナ ヲ ヲ 킈 非 非 非
[字解] ①아닐비 그렇지 아니함. '城—不高也'《孟子》. ②어긋날비 위배됨. '—禮'. ③그를비 옳지 아니함. '覺今是而昨—'《陶潛》. ④그르다할비 옳지 않다고 함. '俗儒

不達時宜, 好是古一今'《漢書》. ⑤헐뜯을비 비방함. 誹(言부 8획〈1335〉)와 통용. '一聖人者無法'《孝經》. ⑥나무랄비 책망함. '責人一我'《漢書》. ⑦성비 성(姓)의 하나.
[字源] 象形. 서로 등을 지고 좌우로 벌리는 모양을 본뜸.
[參考] '非비'를 의부(意符)로 하여, '어긋나다, 헤어지다'의 뜻을 포함하는 문자를 이룸.

〔韭〕〔구〕
部首(1679)를 보라.

非 2 〔兆〕10 〔묘〕
卯(卩부 3획〈131〉)의 古字

非 3 〔𩇯〕11 비 [上]尾 [去]寘 [平]支 | fēi ヒ わける, わかれる
[字解] ①나눌비, 나뉠비 '一, 別也'《說文》. ②새이름비 올빼미 비슷한 새의 이름. '一, 一曰, 鳥名, 似梟'《集韻》.
[字源] 形聲. 非+己〔音〕

非 3 〔啡〕11 배 [平]灰 | pēi ハイ ねいき
[字解] ①숨소리배 잘 때의 호흡 소리. ②《現》커피배 '咖一'는 커피의 음역(音譯).
[字源] 形聲. 口+非〔音〕

非 3 〔𩇰〕11 배 [上]賄 | bèi ハイ おおきい
[字解] 클배 큼. '一, 大也'《玉篇》.

非 3 〔𩇱〕11 비 [去]未 | fèi ヒ かくれる
[字解] 숨을비 숨음. '扉, 說文, 隱也, 或从巿'《集韻》.

非 3 〔厞〕11 비 [去]未 | fèi ヒ かくれる
[字解] ①숨을비 숨음. '一, 隱也'《玉篇》. ②비루할비 비루(卑陋)함. 야비함. '一, 陋也'《廣韻》.

非 3 〔𩇲〕11 비 [平]微 | fēi ヒ かるい
[字解] 가벼울비 가벼움. '一, 輕也'《字彙》.

〔斐〕〔비〕
文부 8획(490)을 보라.

非 4 〔𩇳〕12 비 [平]微 | fēi ヒ にこげ
[字解] ①가는털비 가는 털. 솜털. '一, 細毛爲一'《集韻》. ②어지러워질비 어지러워짐. 흐트러짐. '一, 紛也'《玉篇》.

非 4 〔𩇴〕12 비 [平]微 [去]寘 | fēi ヒ とりのな
[字解] ①새이름비 새 이름. '一, 鳥名'《集韻》. ②나눌비 나눔. 나뉨. '一, 別也'《集韻》.

非 4 〔𩇵〕12 비 [平]微 | fēi ヒ ちり
[筆順] 丿 ⺕ 刲 非 非 非 非 𩇵
[字解] 티끌비 티끌. '𡋾, 塵也, 或从火'《集韻》.

非 4 〔𩇶〕12 비 [去]未 | fèi ヒ てをかえす
[字解] 손뒤집을비 손을 뒤집음. '一, 覆手也'《集韻》.

非 4 〔𩇷〕12 삽 [入]合 | zá ソウ わるい
[字解] ①나쁠삽 나쁨. '一, 惡也'《集韻》. ②성삽 성(姓)의 하나. '一, 姓'《集韻》.

非 5 〔𩇸〕13 〔고〕
苦(艸부 5획〈1128〉)와 同字

非 5 〔𩇹〕13 〔아〕
我(戈부 3획〈421〉)와 同字

〔蜚〕〔비〕
虫부 8획(1234)을 보라.

〔裴〕〔배〕
衣부 8획(1279)을 보라.

〔翡〕〔비〕
羽부 8획(1044)을 보라.

〔輩〕〔배〕
車부 8획(1471)을 보라.

非 7 〔靠〕15 고 [去]號 | kào コウ よる, もたれる
[字解] 기댈고 의지함. 속문(俗文)에 쓰임. '依一'. '一, 相連也'《集韻》.
[字源] 形聲. 非+告〔音〕

非 7 〔𩇺〕15 靠(前條)와 同字

非 7 〔𩇻〕15 비 [去]寘 | bèi ヒ さかん
[字解] 성할비 성함. 장(壯)함. '一, 壯一也'《五音集韻》.

非11 〔靡〕 19 [一] 미 [上]紙 ①-⑧mǐ ビ・ミ なびく
[平]支 ⑨-⑪mí ビ・ミ わける
[二] 마 [平]歌 mó バ・マ する, みがく

[字解] [一] ①쓰러질미, 쏠릴미 초목(草木) 또는 기(旗) 따위가 센 바람에 쓰러지거나 쏠림. '望其旗—'《左傳》. 전(轉)하여, 따름. 복종함. '風—'. '燕從風而—'《史記》. ②쓰러뜨릴미, 쏠리게할미 전항의 타동사. '上之化下猶風之—草'《論語》. ③호사할미 사치함. '奢—'. '以政令禁物—而均市'《周禮》. ④화려할미 화미(華美)함. '華—'. '—麗'. 또, 그러한 일. '有任俠之—'《左思》. ⑤다할미 없어짐. '百姓—於外'《戰國策》. ⑥없을미 無(火부 8획〈716〉)와 뜻이 같음. '命—常'《書經》. ⑦말미 금지의 말. 勿(勹부 2획〈119〉)과 뜻이 같음. '—有所穩'《漢書》. ⑧물가미 수애(水涯). '玓瓅江—'《史記》. ⑨나눌미 분할함. 나누어 가짐. '我有好爵, 吾與爾—之'《易經》. ⑩멸할미, 멸망할미 糜(米부 11획〈976〉)와 통용. '—爛其民'《孟子》. ⑪써없앨미 금전 등을 낭비함. 糜(米부 11획〈976〉)와 통용. '無—費之用'《荀子》. [二] 갈마 摩(手부 11획〈461〉)와 同字. '與物相刃相—'(마음과 외물(外物)이 서로 다툼)《莊子》.
[字源] 形聲. 非+麻〔音〕

非12 〔⿱非毳〕 20 비 [平]微 fēi ヒ にこげ
[字解] ①가는털비 가는 털. 솜털. '—, 細毛'《廣韻》. ②헝클어질비 헝클어짐. '—, 毛紛紛也'《說文》.

面　部
〔낯 면 부〕

面0 〔面〕 9 [中・人] 면 [去]霰 miàn メン おも, つら
[筆順] 一 丆 丆 丙 而 而 而 面

[字解] ①낯면 얼굴. 얼굴의 바닥. '顏—'. '—貌'. '—無怍色'《世說》. ②면면 ㉠겉. '外—'. '西湖水—, 唯務深闊'《宋史》. ㉡수학에서 평면을 이름. '多—形'. ③쪽면 방향. '方—'. '——'. ④탈면 종이·나무 따위로 만든 얼굴의 모양. '用鐵—自衛'《晉書》. ⑤만날면 대면함. '—會'. '帝每—稱之曰, 此黠兒也, 當有所成'《顏氏家訓》. ⑥뵐면 웃어른을 대하여 보고 절을 함. '出必告, 反必—'《禮記》. ⑦향할면 얼굴을 그쪽으로 돌리어 대함. '不學牆—'《書經》. ⑧면전면 그 사람 앞에서. 눈앞에서. '—責'. '汝無—從, 退有後言'《書經》. ⑨등질면 반대 방향으로 향함. '馬童—之'('馬童'은 사람 이름)《史記》.
[字源] 象形. 篆文은 '圖'. 사람의 머리 부분의 象形인 '百수'에, 얼굴의 윤곽을 나타내는 '口위'를 붙여, 사람의 얼굴의 뜻을 나타냄.
[參考] '面면'을 의부(意符)로 하여, 안면에 관한 문자를 이룸. 부수의 이름은 '낯면부'.

面0 〔靣〕 8 面(前條)의 俗字

面0 〔⿱丆⿴冂目〕 9 面(前前條)의 本字

面3 〔⿰面干〕 12 〔간〕 皯(皮부 3획〈828〉)과 同字

面3 〔⿰面寸〕 12 〔내〕 耐(而부 3획〈1050〉)의 訛字

面3 〔⿰面刃〕 12 ⿰面丑(次條)과 同字

面4 〔⿰面丑〕 13 뉵 [入]屋 niǔ ジク はじる
[字解] 부끄러울뉵 부끄러움. '—, 慙也, 亦作⿰面刃'《篇海》.

面4 〔⿰面丰〕 13 방 [去]絳 pàng ホウ おもてがはれる
[字解] 면종날방 얼굴에 종기가 남. '—, 面腫'《集韻》.

面4 〔⿰面冘〕 13 담 [去]勘 dàn タン かたくなでおとるさま
[字解] 완고할담 완고함. 완고하고 졸렬함. '—⿰面巠'. '—, 頑劣皃'《集韻》.

面4 〔⿰面亢〕 13 ⿰面冘(前條)과 同字

面4 〔⿰面比〕 13 시 [去]寘 shì シ おもてのさま
[字解] 얼굴모양시 얼굴의 모양. '—, 字林, ⿰面宜—, 面皃'《集韻》.

面4 〔⿰面巴〕 13 파 [平]麻 pā ハ きいいろのおもて
[字解] 누른얼굴파 누른 얼굴. '—, 面黃'《集韻》.

面 4 〔⿰面今〕 13 함 [平]咸 | xiān カン あたまのでばるさま

[字解] ①머리튀어나올함 머리가 튀어나온 모양. '一, 出頭皃'《廣韻》. ②작은머리함 작은 머리. '一, ⿰面占一, 小頭'《集韻》.

面 5 〔靤〕 14 포 [去]效 | pào ホウ もがさ

[字解] 면종포 얼굴에 나는 부스럼. '一, 面瘡也'《玉篇》.
[字源] 形聲. 面+包〔音〕

面 5 〔⿰面旦〕 14 〔전〕 靦(面부 7획〈1657〉)과 同字

面 5 〔⿰面未〕 14 매 [去]隊 | mèi バイ おもてのさま

[字解] 얼굴모양매 얼굴의 모양. '一, 面貌'《字彙》.

面 5 〔⿰面幼〕 14 ㊀요 [上]巧 | ǎo オウ おもてがまがる
㊁우 [上]有 | yǒu ユウ おもてがみにくい

[字解] ㊀낯비뚤요 낯이 비뚦. '一, 一⿰面丂, 面曲'《集韻》. ㊁낯못생길우 얼굴이 못생김. '一, 一⿰面臭, 面醜'《集韻》.

面 5 〔⿰面乍〕 14 잔 [上]潸 | zhǎn サン おいる

[字解] ①늙을잔 늙음. '一, 一⿰面柰, 老也'《集韻》. ②얼굴주름살잔 '一, 一⿰面柰, 面皺'《廣韻》. ③부끄러워할잔 얼굴을 붉힘. '一, 一⿰面柰, 一曰, 色慙'《集韻》.

面 5 〔⿰面皮〕 14 전 | zhǎn テン ゆるい

[字解] 느슨할전 느슨함. 이완함. '一, 寬也'《篇海》.

面 5 〔⿰面占〕 14 ㊀참 [平]咸 | zhān タン ちいさいあたま
㊁점 [平]鹽 | diān テン おもてがいやしい

[字解] ㊀①작은머리참 작은 머리. '一, 一⿰面今, 小頭'《集韻》. ②머리튀어나온모양참 머리가 튀어나온 모양. ㊁얼굴못생길점 얼굴이 못생김. '一, 一⿰面自, 面陋'《集韻》.

面 5 〔⿰面丂〕 14 초 [上]巧 | chǎo ソウ おもてがまがる

[字解] 낯비뚤초 낯이 비뚦. '一, ⿰面幼一, 面曲'《集韻》.

面 5 〔⿰面令〕 14 〔함〕 ⿰面含(面부 7획〈1658〉)과 同字

面 6 〔⿰面艮〕 15 〔난〕 ⿰面柰(面부 9획〈1658〉)과 同字

面 6 〔⿰面并〕 15 병 [上]梗 [平]庚 | pīng ヘイ かおいろがきいろいさま ホウ かおいろがきいろいさま

[字解] 얼굴누를병 얼굴빛이 누런 모양. '一, 面色黃貌'《篇海》.

面 6 〔⿰面𠂢〕 15 욱 [入]屋 | yù イク けっしょくのよいおもて

[字解] 혈색좋은얼굴욱 혈색 좋은 얼굴. '一, 血面'《字彙》.

面 6 〔⿰面自〕 15 퇴 [平]灰 | duī タイ おもてがいやしい

[筆順] 丆 丙 而 面 ⿰面丿 ⿰面𠂆 ⿰面白 ⿰面自

[字解] 얼굴못생길퇴 얼굴이 못생김. '一, ⿰面占一, 面陋'《集韻》.

面 6 〔⿰面舌〕 15 활 [入]曷 | kuò カツ かおがちいさい

[字解] 얼굴작을활 얼굴이 작음. '一, 面小'《玉篇》.

面 7 〔靦〕 16 전 [上]銑 | tiǎn テン はじるさま

[字解] ①부끄러워할전 무안해함. '一慙'. '一愧'. ②볼전 사람을 면대하고 보는 모양. '有一面目'《詩經》. ③낯두꺼운모양전 뻔뻔스러운 태도. '余雖一然而人面哉. 吾猶禽獸也'《國語》.
[字源] 形聲. 面+見〔音〕

面 7 〔⿰面甫〕 16 보 [上]麌 | fǔ フ·ホ ほほね

[字解] 광대뼈보 輔(車부 7획〈1468〉)와 同字. '靨一在頰則好, 在顙則醜'《淮南子》.
[字源] 形聲. 面+甫〔音〕

面 7 〔⿰面巠〕 16 경 [去]敬 | xìng ケイ かたくなでおとるさま

[字解] 완고할경 완고함. 완고하고 졸렬함. '⿰面尤一'. '一, ⿰面尤一, 頑劣皃'《集韻》.

面 7 〔⿰面忍〕 16 닉 | nì デキ うるえがお

[字解] 수심띤얼굴닉 수심 띤 얼굴. '一, 愁面'《玉篇》.

面 7 〔⿰面免〕 16 만 [上]旱 [平]寒 | mǎn バン おもてをぬる, けがす

[字解] 더럽힐만 더럽힘. 얼굴을 칠함. '一, 塗面也'《集韻》.

面7〔⿰面夋〕16 사 (上)馬 | shuă サ おもてがみにくい
字解 얼굴못생길사 얼굴이 못생김. '一, 面醜, 或从頁'《集韻》.

面7〔⿰面足〕16 촉 (入)屋 | chū シュク ひとしい
字解 같을촉 같음. 동등함. '一, 齊也'《篇海》.

面7〔⿰面含〕16 함 (平)覃 | hān カン あからがお
字解 불그레한얼굴함 불그레한 얼굴. '一, 面赭色, 或从酉'《集韻》.

面7〔⿰面每〕16 〔회〕
頮(頁부 9획〈1696〉)와 同字

面8〔⿰面奄〕17 암 (平)咸 | yān アン おもてのほくろ
字解 검정사마귀암 얼굴의 검정 사마귀. '一, 面黑子'《篇海》.

面8〔⿰面官〕17 완 (去)諫 (上)潸 | wàn ワン おもてがまがろ
字解 얼굴비뚤완 얼굴이 비뚦. '一, 面曲謂之一'《集韻》.

面8〔⿰面宛〕17 ㊀원 (上)阮 ㊁왈 (入)曷 | wăn エン みめうるわしいさま wò ワツ めのひらいたさま
字解 ㊀아름다울원 아름다움. '一, 眉目之間美皃'《玉篇》. ㊁눈뜰왈 눈을 뜸. 눈을 뜬 모양. '一, 目開皃'《集韻》.

面8〔⿰面宜〕17 의 (去)寘 | yì ギ おもてのさま
字解 얼굴모양의 얼굴 모양. '一, 字林, 一⿰面此, 面皃'《集韻》.

面8〔⿰面周〕17 조 (去)嘯 | diào チョウ ならう
字解 ①익힐조 익힘. 익숙해짐. '一, 一習也'《玉篇》.

面9〔⿰面柰〕18 난 (上)潸 | năn ダン はじる
字解 부끄러워얼굴붉힐난 '一, ⿰面乍一, 色慙'《集韻》.

面9〔⿱監面〕18 람 (平)覃 | lán ラン おもてのながいさま
字解 얼굴길람 얼굴이 긺. 얼굴이 긴 모양. '一, 一⿱斬面, 長面皃'《集韻》.

面9〔⿱面面〕18 산 (去)翰 | suàn サン かおがひろい
字解 ①얼굴넓을산 얼굴이 넓음. '一, 面博也'《篇海》.

面9〔⿰面音〕18 암 (上)感 | ăn アン うれえいたむすがた
字解 ①슬퍼할암 슬퍼함. 슬퍼하는 모습. '一, 一⿰面參, 慼容'《集韻》.

面10〔⿰面冥〕19 면 (去)霰 | miàn ベン·メン ちのあせ
字解 피땀면 '一炫'은 피와 같은 땀. '一炫, 汗血'《集韻》.

面10〔⿰面臭〕19 구 (上)有 | qiŭ キュウ おもてがみにくい
字解 얼굴못생길구 얼굴이 못생김. '一, ⿰面幼一, 面醜'《集韻》.

面11〔⿰面麻〕20 마 (上)哿 | mŏ バ·マ かおのあおいさま
字解 ①얼굴푸를마 얼굴이 푸른 모양. '一, 面青皃'《玉篇》. ②부끄러워할마 '懡, 懡㦬, 慙也. 或作一'《集韻》.

面11〔⿱𥨍面〕20 〔찰〕
𥨍(穴부 11획〈922〉)과 同字

面11〔⿱斬面〕20 잠 (平)覃 | cán サン おもてのながくみにくいさま
字解 얼굴길고못생길잠 얼굴이 길고 못생김. '一, ⿱監面一'《玉篇》.

面11〔⿰面參〕20 참 (上)感 | căn サン うれいいたむすがた
字解 슬퍼할참 슬퍼함. 슬퍼하는 모습. '一, ⿰面音一, 慼容'《集韻》.

面12〔靧〕21 회 (去)隊 | huì カイ かをあらう
筆順 丆 百 而 面 面 ⿰面口 ⿰面中 ⿰面虫 靧
字解 세수할회 낯을 씻음. '面垢, 燂潘, 請一'《禮記》.
字源 形聲. 面+貴〔音〕

面12〔⿰面焦〕21 초 ①② (平)蕭 ③ (去)嘯 | qiáo ショウ かおがやつれる ショウ かおにつやがない
字解 ①얼굴야윌초 얼굴이 파리함. '一, 面焦枯小也'《說文》. ②근심할초 걱정함. '一, 憂也'《廣雅》. ③얼굴에윤기없을초 '一, 面不澤也'《集韻》.
字源 形聲. 面+焦〔音〕

面 12 〔䩉〕21 醮(前條)와 同字

面 12 〔䩕〕21 년 [上]銑 | niǎn デン わかいかおいろ
[字解] 앳된얼굴빛년 앳된 얼굴빛. 젊어 보이는 안색(顏色). '一, 靦一, 少色'《集韻》.

面 12 〔䩍〕21 료 [上]篠 | liǎo リョウ おもてがしろい
[字解] 얼굴힐료 혈색이 없이 창백함. '一, 一一, 面白也'《集韻》.

面 12 〔䩖〕21 [一]선 [平]先 [二]단 [去]翰 | xuān セン まるがお タン まるがお
[字解] [一] 둥근얼굴선 둥근 얼굴. '䩖, 圓面也, 或作一'《集韻》. [二] 둥근얼굴단 [一]과 뜻이 같음.

面 12 〔䩗〕21 〔엽〕
靨(面부 14획〈1659〉)과 同字

面 12 〔䩘〕21 전 [上]銑 | tiǎn テン かおいろがきいろい
[字解] 얼굴빛누를전 얼굴빛이 누름. '一, 面黃色'《篇海》.

面 13 〔䩙〕22 〔자〕
慈(心부 10획〈403〉)와 同字

面 13 〔䩚〕22 〔전〕
靦(面부 7획〈1657〉)과 同字

面 14 〔䩛〕23 점 [上]琰 | jiǎn セン いろがよわい
[字解] 빛약할점 빛이 약함. 빛깔이 연함. '一, 色弱'《集韻》.

面 14 〔靨〕23 엽 [入]葉 | yè ヨウ えくぼ
[字解] 보조개엽 웃을 때에 양쪽 볼에 오목하게 우물지는 자국. '笑一'. '嬌一'. '一輔奇牙'《楚辭》.
[字源] 形聲. 面+厭〔音〕

面 15 〔䩜〕24 멸 [入]屑 | miè ベツ おもてがちいさい
[字解] 얼굴작을멸 얼굴이 작음. '一, 面小也'《玉篇》.

面 17 〔䩝〕26 점 [去]豔 | jiàn セン おもてのさま
[字解] 얼굴모양점 얼굴 모양. '一, 面皃'《集韻》.

面 19 〔䩞〕28 〔라〕
儸(心부 19획〈419〉)와 同字

革　部

〔가죽혁부〕

革 0 〔革〕9 [中·人] [一]혁 [入]陌 (격[本]) [二]극 [入]職 | gé カク かわ jí キョウ あらたまる
[筆順] 一 十 廾 廾 芇 苩 苩 革
[字解] [一] ①가죽혁 털을 벗긴 수피(獸皮). 날가죽. '羔羊之一'《詩經》. ②갑옷투구혁 가죽으로 만든 갑주(甲胄). '衽金一'《中庸》. ③팔음의하나혁 가죽을 팽팽하게 댄 악기. 곧, 북 따위. '皆播之以八音, 金石土一絲木匏竹'《周禮》. ④혁괘혁 육십사괘(六十四卦)의 하나. 곧, ䷰〈이하(離下), 태상(兌上)〉. 옛것을 개혁하는 상(象). ⑤고칠혁 변개함. '變一'. '改一'. '請一心易行'《晏子春秋》. ⑥털갈혁 새 털이 남. '鳥獸希一'《書經》. ⑦펼혁 날개를 벌림. '如鳥斯一'《詩經》. ⑧성혁 성(姓)의 하나. ※本音 격. [二] 중해질극 위독하여짐. '夫子之病一矣'《禮記》.
[字源] 象形. 金文은 머리부터 꼬리까지 벗긴 짐승 가죽을 본뜬 것으로, '가죽'의 뜻을 나타냄.
[參考] '革혁'을 의부(意符)로 하여, 여러 가지 종류의 가죽 제품을 나타내는 문자를 이룸.

革 2 〔靪〕11 정 [平]青 | dīng テイ·チョウ ぎなう
[字解] 기울정, 신창받을정 신창을 기워 꿰맴. '一, 補履下也. (段注) 今俗謂補綴曰打補一'《說文》.
[字源] 形聲. 革+丁〔音〕

〔勒〕〔륵〕
力부 9획(115)을 보라.

革 3 〔靫〕12 [一]채 [平]佳 [二]차 [平]麻 | chāi サイ やいれ chā サ やいれ
[字解] [一] 전동채 화살을 넣어 두는 통. '千一鳴鏑發胡弓'《元稹》. [二] 전동차 [一]과 뜻이 같음.
[字源] 形聲. 革+叉〔音〕

革 3 〔靫〕12 靫(前條)의 訛字

革 3 〔靬〕12 간 ①[平]寒 ②[平]刪 | kān カン ほしがわ カン くにのな

[字解] ①가죽간 마른 가죽. ②나라이름간 '黎—'은 한대(漢代)의 서역(西域)에 있던 나라. 곧, 고대 로마 제국. '以大鳥卵及黎—眩人獻于漢'《漢書》.
[字源] 形聲. 革+干〔音〕

革 3 〔靮〕12 적 [入]錫 | dí テキ たづな

[字解] 고삐적 한 끝을 말의 재갈에 잡아매어 끄는 줄. '執羈—而從'《禮記》.
[字源] 形聲. 革+勺〔音〕

革 3 〔靭〕12 인 [去]震 | rèn ジン しなやか

[字解] 질길인 韌(韋부 3획〈1674〉)과 同字.
[字源] 形聲. 革+刃〔音〕

革 3 〔靬〕12 [一] 우 [平]虞 / [二] 후 [平]虞 | yú ウ かんのうちがわのまきがわ / ク かんのうちがわのまきがわ

[字解] [一] ①관(輨)안쪽에두른가죽우 수레의 가죽 마구(馬具)인 관(輨)의 안쪽을 두른 가죽. '—, 車環鞃也'《廣韻》. ②배띠우 말의 배띠. '—, 鞶革'《廣韻》. [二] 관안쪽에두른가죽후, 배띠후 [一]과 뜻이 같음.
[字源] 形聲. 革+亐(于)〔音〕

革 3 〔靰〕12 靬(前條)의 本字

革 3 〔靹〕12 규 [去]寘 | guì キ かわ

[字解] 가죽규 가죽. 무두질한 가죽. '—, 革也'《篇海》.

革 3 〔靯〕12 [一] 두 [上]麌 / [二] 토 [上]麌 | dù ト やいれ

[字解] [一] 전동두 전동. 화살통. '—, 韊韣也'《集韻》. [二] 수레깔개토 수레 속의 깔개. '—, 鞯, 鞇'《玉篇》.

革 3 〔靰〕12 [一] 흘 [入]月 (흘[本]) / [二] 격 [入]陌 | hū コツ きびしくはさむ / jí ケキ うしのすねをつなぐかわひも

[字解] [一] 졸라맬흘 졸라맴. 묶음. '—, 急擷'《玉篇》. ※本音 흘. [二] 쇠다리맬격 소의 정강이를 맴. '靰, 說文, 繫牛脛, 或从乞'《集韻》.

革 4 〔靳〕13 근 [去]問 | jìn キン むながい

[字解] ①가슴걸이근 말 가슴에 걸어 안장에 매는 가죽 끈. '如驂之有—'《左傳》. ②욕보일근 수치를 당하게 함. '宋公—之'《左傳》. ③아낄근 함부로 하지 아니함. '悔不少—'《後漢書》. ④성근 성(姓)의 하나.
[字源] 形聲. 革+斤〔音〕

革 4 〔靴〕13 화 [平]歌 | xuē カ くつ

[字解] 신화 가죽신. '—脚着—, —脚跣足'《列仙傳》.
[字源] 形聲. 革+化〔音〕

革 4 〔靶〕13 파 [去]禡 | bà ハ たづな

[字解] ①고삐파 말을 재갈에 잡아매어 끄는 줄. '王良執—'《漢書》. ②사격의목표파 '放箭要對准—'《毛澤東》.
[字源] 形聲. 革+巴〔音〕

革 4 〔靷〕13 인 [去]震 [上]軫 | yǐn イン ひきづな

[字解] 가슴걸이인 마소의 가슴에 걸어, 말은 안장에, 소는 멍에에 매는 끈. 鞍(革부 6획〈1663〉) 참조. '陰—鋈續'《詩經》.
[字源] 形聲. 革+引〔音〕

革 4 〔靸〕13 [一] 삽 [入]合 / [二] 급 [韓] | sǎ ソウ くつ

[字解] [一] 신삽 어린아이가 신는 신. '草—'. '履—'. [二]《韓》제사신급 제사(祭祀) 지낼 때 신는 신.
[字源] 形聲. 革+及〔音〕

革 4 〔靴〕13 지 [平]支 | chí シ しりがいのたれがわ

[字解] 밀치끈지 꼬리 밑에 걸어, 안장이나 길마에 매는 가죽끈. 껑거리끈. '—, 紂餘鞃也'《集韻》.

革 4 〔靲〕13 [一] 금 [平]侵 [去]沁 / [二] 겸 [平]鹽 / [三] 감 [去]勘 | qín キン・ゴン かわぐつ / キン・ゴン かわぐつのひも / ケン かわぐつ / カン たけのなわ

[字解] [一] ①가죽신금 '—, 鞮也'《說文》. ②오랑캐음악금 '—鞻'는 사이(四夷)의 음악. '—, —鞻, 四夷樂也'《廣韻》. ③가죽신끈금 '—, 鞮帶也'《集韻》. ④가죽끈금 '—, 束物韋也'《集韻》. [二] 가죽신겸 [一]❶과 뜻이 같음. [三] 대껍질새끼감 '冪用疏布, 久之繫用—. (注)—, 竹簭也'《儀禮》.
[字源] 形聲. 革+今〔音〕

革 4 〔靿〕13 앙 [平]陽 [上]養 | áng ゴウ かわをはったあしだ / ギョウ・ゴウ かわをはったあしだ

[字解] ①가죽깐나막신앙 '—角'은 가죽을 깐 나막신. '—角, 鞮履也'《廣雅》. ②실로짠신

앙 '一, 絲履也'《玉篇》. ③신코앙 신의 앞머리. '一, 履頭'《廣韻》.
字源 形聲. 革+卬〔音〕

革4 〔鞈〕13 갈 (入)黠 | jiá カツ かわのしたぐら
字解 언치갈 언치. 안장 밑의 깔개. '一, 皮韉也'《篇海》.

革4 〔鞃〕13 〔굉〕 鞃(革부 5획〈1661〉)과 同字

革4 〔靳〕13 ㊀극 (入)陌 | jǐ ケキ くら
㊁군 (平)眞 | キン くら
字解 ㊀안장극 안장(鞍裝). '一, 鞍也'《篇海》. ㊁안장군 ■과 뜻이 같음.

革4 〔靸〕13 기 (平)支 | qí キ くるまのこしきかざり
字解 바퀴통장식기 바퀴통 장식. '一, 轂飾'《篇海》.

革4 〔靵〕13 〔뉴〕 紐(糸부 4획〈982〉)의 俗字

革4 〔靳〕13 〔면〕 鞴(革부 9획〈1667〉)과 同字

革4 〔靽〕13 봉 (平)冬 | fēng ホウ くらのかざり
字解 안장장식봉 안장 장식. '一, 一鞲, 韉飾'《集韻》.

革4 〔靿〕13 사 (平)麻 shā / (平)歌 suā | サ かわぐつ
字解 ①가죽신사 가죽신. 갖신. '一, 博雅, 鞮一, 鞢也'《集韻》. ②악기이름사 악기 이름. '一, 一鞄, 樂器'《類篇》.

革4 〔靾〕13 ㊀타 (上)哿 | duǒ タ くつのかかとのへり
㊁삼 (平)咸 | shān サン くらのしおでのたれるさま
㊂반 (平)寒 | pán ハン はたあし
字解 ㊀신뒤축타 신 뒤축. '一, 履跟緣也'《玉篇》. ㊁밀치끈드리워질삼 밀치끈이 드리워진 모양. '鞺, 馬鞧垂皃, 或作一'《集韻》. ㊂깃발반 깃발. '一, 旒也'《字彙》.

革4 〔靴〕13 ㊀필 (入)質 | bì ヒツ くるましばり
㊁비 (去)寘 | ヒ わらぐつ
字解 ㊀수레밧줄필 수레 밧줄. '靴, 車束也, 或从比'《集韻》. ㊁짚신비 짚신. '一, 鞋也'《字彙》.

革4 〔靷〕13 현 (上)銑 | xuǎn ケン くるまのかさぼね
字解 수레바퀴살현 수레바퀴의 살. '一, 車軔也'《玉篇》.

革5 〔靺〕14 말 (入)曷 | mò マツ ほくほうのいみんぞくのな
字解 오랑캐이름말 '一鞨'은 우리 나라 함경도 이북 흑룡강(黑龍江) 일대에 살던 북적(北狄)의 별종(別種). '其先一鞨酋長'《唐書》.
字源 形聲. 革+末〔音〕

革5 〔靼〕14 단 (上)旱 | dá タン なめしがわ
字解 ①다룬가죽단. ②오랑캐이름단 韃(革부 13획〈1671〉)을 보라. '韃一'.
字源 形聲. 革+旦〔音〕

革5 〔靾〕14 설 (入)屑 | xiè セツ たづな
字解 고삐설 말의 재갈에 잡아매어 끄는 줄. '干笮, 革一'《儀禮》.
字源 形聲. 革+世〔音〕

革5 〔靿〕14 요 (去)效 | yào オウ・ヨウ かわぐつ
字解 신요 가죽신. '長一靴, 畋獵豫遊則服之'《隋書》.
字源 形聲. 革+幼〔音〕

革5 〔鞀〕14 도 (平)豪 | táo トウ ふりつづみ
字解 땡땡이도 鼗(鼓부 6획〈1874〉)와 同字. '命樂師, 修一鞞鼓'《禮記》.
字源 形聲. 革+召〔音〕

革5 〔鞁〕14 비 (去)寘 | bèi ヒ ひきづな
字解 ①안장・고삐같은마구(馬具)의통칭비 '一, 車駕具也'《說文》. ②마소의가슴걸이비 '吾兩一將絕, 吾能止之'《國語》. ③안갑비 안장에 덮는 가죽. '一, 鞌上被'《玉篇》.
字源 形聲. 革+皮〔音〕

革5 〔鞂〕14 갈 (入)黠 | jiē カツ わらしべ
字解 볏짚갈 벼의 알을 떨어 낸 줄기. '莞簟之安, 而藁一之設'《禮記》.
字源 形聲. 革+秸〈省〉〔音〕

革5 〔鞃〕14 굉 (平)蒸 | hóng コウ くるまのよこぎのとって
字解 수레앞가로나무굉 차체(車體)의 앞쪽에 댄 횡목(橫木). 곧, 식(軾)으로서, 차 위에서 절을 할 때 이 나무를 잡고 절을 함.

또, 이 나무의 중앙을 감은 가죽. '鞹一淺幭'《詩經》.
[字源] 形聲. 革＋弘〔音〕

革5 〔鞄〕14 포 [平]肴 | páo, bāo ホウ かわつくり
[字解] 혁공포 날가죽을 무두질하는 장인(匠人). '一, 柔革工也'《說文》.
[字源] 形聲. 革＋包〔音〕

革5 〔鞅〕14 앙 [上]養 | yāng ヨウ·オウ むながい
[字解] ①가슴걸이앙 마소의 가슴에 걸어 매는 끈. '羈一'. '抽劍斷一'《左傳》. 전(轉)하여, 자유를 속박하는 사물. 기반(羈絆). '世一'. '塵一'. '野逸所以就一'《晉書》. ②질앙 물건을 등에 짐. '王事一掌'《詩經》. ③원망할앙 怏(心부 5획〈383〉)과 통용. '居常一一'《史記》.
[字源] 形聲. 革＋央〔音〕

革5 〔靽〕14 반 [去]翰 | bàn ハン ほだし
[字解] 줄반 소나 말의 발을 매어 못 가게 하는 끈. 또 일설에는, 밀치. 絆(糸부 5획〈987〉)과 同字. '韅靷鞅一'《左傳》.
[字源] 形聲. 革＋半〔音〕

革5 〔⿰革玄〕14 현 [上]銑 | xuàn ケン·ゲン さや
[字解] 칼집현 칼을 넣어 두는 집. '一, 刀一也'《玉篇》.

革5 〔⿰革它〕14 타 [平]歌 | tuó タ しりがい
[字解] 밀치끈타 마소의 꼬리에 걸어, 안장이나 길마에 매는 끈. '一, 馬尾一也'《說文》.
[字源] 形聲. 革＋它〔音〕

革5 〔⿰革也〕14 ⿰革它(前條)와 同字

革5 〔⿰革占〕14 첩 [入]葉 | tié チョウ くらのかざり
[字解] ①안장장식첩 안장의 장식(裝飾). '一, 鞌飾'《說文》. ②언치첩 '一鞢'은 말의 등에 덮어 주는 담요 따위. '一鞢, 馬被具'《集韻》. '一, 一鞢, 鞌具也'《玉篇》.
[字源] 形聲. 革＋占〔音〕

革5 〔靻〕14 조 [上]麌 | zǔ ソ もがい
[字解] 굴레조 말의 굴레. '一, 一勒名'《廣韻》.
[字源] 形聲. 革＋且〔音〕

革5 〔⿰革必〕14 [一] 필 [入]質 [二] 비 [去]寘 | bì ヒツ くるまのしばりなわ pèi ヒ くるまのしばりなわ
[字解] [一] 차묶는가죽필 '一, 車束也'《說文》. [二] ①차묶는가죽비 [一]과 뜻이 같음. ②고삐비 '轡, 說文, 馬轡也. 或作一'《集韻》.
[字源] 形聲. 革＋必〔音〕

革5 〔⿰革由〕14 〔주〕 冑(冂부 7획〈89〉)와 同字

革5 〔⿱革由〕14 〔주〕 冑(冂부 7획〈89〉)와 同字

革5 〔⿰革巨〕14 거 [上]語 | jù キョ したぐら
[字解] 안갑거 '一, 鞁也, 鞍也'《篇海》.

革5 〔⿰革句〕14 구 [平]虞 | qú ク へいき
[字解] ①안장구 안장. '一, 鞌也'《廣雅》. ②병기구 병기. 무기. '一, 兵器'《玉篇》. ③사나운말에지우는안장구 사나운 말에 지우는 안장. '一鞑, 駻鞌也'《博雅》.

革5 〔⿰革尼〕14 니 [上]薺 | nǐ デイ たづなのたれるさま
[字解] ①고삐늘어진모양니 고삐가 늘어진 모양. '一, 轡垂皃'《玉篇》. ②나긋나긋할니 나긋나긋함. 유연함. '一, 輭也'《集韻》.

革5 〔⿰革令〕14 령 [平]青 | líng レイ ひつじのこ
[字解] 양새끼령 양(羊)의 새끼. '一, 羊子'《篇海》.

革5 〔靺〕14 말 [入]黠 | mà バツ かわぐつ
[字解] 가죽신말 가죽신. '一, 皮鞨'《篇海》.

革5 〔⿰革白〕14 벽 [入]陌 | pò ハク しずか
[字解] 고요할벽 고요함. 조용함. '一, 靜也'《玉篇》.

革5 〔⿰革申〕14 〔신〕 紳(糸부 5획〈985〉)과 同字

革5 〔⿰革甲〕14 압 [入]洽 | xiá コウ はなのあいならぶさま
[字解] 꽃나란할압 꽃이 나란한 모양. '紅葩一鞢'《何晏》.

革5 〔⿰革夗〕14 원 [上]阮 | wǎn エン くつ
[字解] 신원 신〔履〕. '一, 履也'《玉篇》.

革5 〔⿰革氐〕14 제 (去)霽 | dì テイ おぎなう

字解 ①신창받이할제 신 창받이를 함. 기움. '一, 靪, 補履下也, 或从氏'《集韻》. ②가죽신제 '一, 革履也'《說文》.

革5 〔⿰革瓜〕14 포 (平)肴 | páo ホウ かわをなめすこうじん

字解 가죽다루는장인포 가죽을 다루는 장인(匠人). '一, 柔革工'《字彙》.

革6 〔鞇〕15 인 (平)眞 | yīn イン しとね

字解 자리인 수레 안에 까는 자리. '齊君重一而坐'《韓詩外傳》.

革6 〔鞈〕15 ㊀협 (入)洽 ㊁탑 (入)合 | gé コウ かたいさま tà トウ しょうこのと

字解 ㊀①굳을협 견고한 모양. '一如金石'《荀子》. ②흉갑(胸甲)협 전쟁 때 가슴에 대어 몸을 보호하는 가죽으로 만든 갑옷의 일종. '蘭盾一革'《管子》. ㊁북소리탑 鞳(革부 10획〈1669〉)과 同字. '若聲之如嚮, 若鏜之與一'《淮南子》.
字源 形聲. 革+合〔音〕

革6 〔鞉〕15 도 (平)豪 | táo トウ ふりつづみ

字解 땡땡이도 鼗(鼓부 6획〈1874〉)와 同字. '一磬柷圉'《詩經》.
字源 形聲. 革+兆〔音〕

革6 〔⿰革各〕15 락 (入)藥 | luò ラク なまがわのひも

字解 가죽띠락 혁대(革帶). '一, 生革可以爲縷束也'《說文》.
字源 形聲. 革+各〔音〕

革6 〔鞋〕15 혜 (平)佳 | xié カイ くつ

字解 신혜 구두처럼 위를 졸라매어 잘 벗어지지 않게 만든 신. '麻一'. '草一'. '着一臥床上'《李義山雜纂》.
字源 形聲. 革+圭〔音〕

革6 〔鞎〕15 흔 (平)元 | hén コン かざりがわ

字解 장식가죽흔 수레의 앞에 장식으로 댄 가죽. '輿革前謂之一'《爾雅》.
字源 形聲. 革+艮(艮)〔音〕

革6 〔鞍〕15 안 (平)寒 | ān アン くら

字解 ①안장안 마구(馬具)의 한 가지. '金一'. '下馬解一'《漢書》. 전(轉)하여, 말의 뜻으로 쓰임. '二子舊不識, 欣然肯聯一'《蘇軾》. ②안장(鞍裝)지울안 안장을 말의 등에 얹음. '一馬擁劍'《南唐近事》. '皆下馬解一'《漢書》.
字源 形聲. 革+安〔音〕

革6 〔鞌〕15 안 (平)寒 | ān アン くら

字解 ①안장안 鞍(前條)과 同字. ②땅이름안 지명. '戰於一'《左傳》.
字源 鞍(前條)의 字源을 보라.

革6 〔⿰革旨〕15 지 (去)寘 (上)紙 | zhì シ きぬがさのさおのかがりいと

字解 일산끈지 비단일산(日傘)에 자루를 동여매는 끈. '一, 蓋杠系也'《說文》.
字源 形聲. 革+旨〔音〕

革6 〔⿰革至〕15 ⿰革旨(前條)와 同字

革6 〔鞏〕15 공 (上)腫 | gǒng キョウ つかねる

字解 ①묶을공 다룬 가죽으로 꽉 묶음. '一用黃牛之革'《易經》. ②굳을공 견고함. '一固'. '藐藐昊天, 無不克一'《詩經》. ③성공 성(姓)의 하나.
字源 形聲. 革+巩〔音〕

革6 〔⿰革夸〕15 ㊀과 (上)馬 ㊁고 (去)遇 | kuǎ カ おびがね kù コ はかまのごときももひき

筆順 一 廾 廿 苩 革 革大 革夳 ⿰革夸

字解 ㊀띠장식과 띠쇠. 대구(帶鉤). '銙, 帶具, 或作一'《集韻》. ㊁바지고 바지. 잠방이. '絝, 說文, 脛衣也, 或从革'《集韻》.

革6 〔⿰革交〕15 교 (去)效 | jiào コウ ふくろ

字解 주머니교 주머니. '一, 囊也'《字彙》.

革6 〔⿰革危〕15 궤 (上)紙 | guǐ キ つのがととのわない

字解 ①언치궤 언치. 안장이나 길마 밑에 까는 물건. '一, 鞿也'《集韻》. ②뿔가지런하지아니할궤 뿔이 가지런하지 아니함. '一, 角不齊'《玉篇》.

革6 〔鞊〕15 길 (入)質 | jí キツ むながい

字解 ①가슴걸이길 가슴걸이. '一, 鞅也'《集韻》. ②가죽길 가죽. ③안장길 안장. '一, 鞍也'《字彙》. ④구부릴길 구부림. '一, 屈也'《字彙》.

革6 〔⿰革同〕 15 〔동〕 ⿰革童(革부 12획〈1671〉)과 同字

革6 〔⿰革并〕 15 병 (上)迥 | bǐng ヘイ かわおび

字解 가죽띠병 가죽띠. 혁대(革帶). '一, 皮帶'《字彙》.

革6 〔⿰革伏〕 15 [一] 복 (入)屋 | fú フク くるまのしとね
[二] 피 (去)寘 | ヒ くるまのしとね

字解 [一] 수레깔개복 수레의 깔개. '一, 伏也'《釋名》. [二] 수레깔개피 [一]과 뜻이 같음.

革6 〔⿰革⿱央巾〕 15 앙 (上)養 | yāng オウ つとめる

字解 ①힘쓸앙 노력함. '一, 強也'《字彙補》. ②짊어질앙 '一, 荷也'《字彙補》. ③가슴걸이앙 가슴걸이. 말의 가슴에서 안장에 거는 가죽끈. '一, 頸靼也'《字彙補》.

革6 〔⿰革羊〕 15 양 (上)養 | yǎng ヨウ かわをなめす

字解 가죽다룰양 가죽을 다룸. 무두질함. '一, 治皮'《玉篇》.

革6 〔⿰革夷〕 15 [一] 이 (平)支 | yí イ なめしがわ
[二] 체 (去)霽 | tì テイ くらしき

字解 [一] 다룬가죽이 다룬 가죽. '一, 韋也'《集韻》. [二] 언치체 언치. 안장이나 길마 밑에 까는 깔개. '一, 馬鞁具'《集韻》.

革6 〔⿰革卯〕 15 〔앙〕 ⿰革卬(革부 4획〈1660〉)의 訛字

革6 〔⿰革朶〕 15 타 (上)哿 | duǒ タ くつのかかとのへり

字解 신뒤축타 신 뒤축. '鞖, 履跟緣也, 一, 同鞖'《玉篇》.

革7 〔鞓〕 16 정 (平)青 | tīng テイ かわおび

字解 가죽띠정 혁대. '一, 皮帶'《字彙》.

革7 〔⿰革廷〕 16 鞓(前條)과 同字

革7 〔鞔〕 16 [一] 만 (平)寒 | mán バン・マン くつ
[二] 문 (上)阮 | mèn ボン・モン もだえる

字解 [一] ①신만 '南家工人也, 爲一者也'《呂氏春秋》. ②맬만 가죽을 팽팽하게 맴. '揮汗一鼓'《酉陽雜俎》. [二] 답답할문 懣(心부 14획〈416〉)과 통용. '胃充則中大一'《呂氏春秋》.

字源 形聲. 革+免〔音〕

革7 〔鞘〕 16 초 (소(本)) ①(平)肴 ②(去)嘯 | shāo ソウ むちさき | qiào ショウ さや

字解 ①채찍끝장식초 마편(馬鞭)의 두식(頭飾). '長一馬鞭擊左股'《晉書》. ②칼집초 칼의 몸을 꽂아 두는 물건. '古之言韠, 猶今之言一'《詩經 疏》. ※本音 소.

字源 形聲. 革+肖〔音〕

革7 〔鞙〕 16 현 (上)銑 | xuàn ケン くびきしばりのかわ

字解 ①멍에동여매는가죽끈현 '一, 大車縛軛靼也'《說文》. ②패옥(佩玉)의 모양현 '一一佩璲'《詩經》.

字源 形聲. 革+肙〔音〕

革7 〔⿰革兌〕 16 태 (去)泰 | duì タイ おぎなう

字解 기울태 보선(補繕)함. '一, 補也'《廣雅》.

革7 〔鞕〕 16 영 (去)敬 | yìng ゴウ かたい

字解 단단할영 硬(石부 7획〈870〉)과 뜻이 같음. '一, 堅也'《玉篇》.

字源 形聲. 革+更〔音〕

革7 〔⿰革豆〕 16 두 (去)宥 | dòu トウ くるまのかわぐ

字解 수레의가죽치레두 '一, 車鞁具也'《說文》.

字源 形聲. 革+豆〔音〕

革7 〔⿰革夾〕 16 [一] 협 (入)洽 | jiá コウ・キョウ かわぐつのな
[二] 합 (入)合 | gé コウ やをふせぐかわぐ

字解 [一] ①가죽신이름협 '一, 鞮一沙也'《說文》. ②신바닥협 '一, 履根'《廣韻》. [二] 화살막는가죽제구합 '鞈, 橐也. 一曰, 捍防也. 或从夾'《集韻》.

字源 形聲. 革+夾〔音〕

革7 〔⿰革見〕 16 [一] 혈 (入)屑 | xié ケツ うしのすねをつなぐかわひも
[二] 격 (入)陌 | ケキ うしのすねをつなぐかわひも
[三] 극 (入)職 | キョク うしのすねをつなぐかわひも

字解 [一] ①소정강이매는가죽끈혈 '一, 繫牛脛也'《說文》. ②단단히맬혈 '一, 急繫'《廣韻》. ③심할혈 지독함. '一, 一日, 急也'《集韻》. [二] 소정강이매는가죽끈격, 단단히맬격, 심할격 [一]과 뜻이 같음. [三] 소

정강이매는가죽끈극, 단단히맬극, 심할극 [一]과 뜻이 같음.
[字源] 形聲. 革＋見〔音〕

革7 〔⿰革昆〕16 〔흔〕
鞎(革부 6획〈1663〉)의 本字

革7 〔鞗〕16 조 [平]蕭 | tiáo チョウ たづな
[字解] 고삐조 말의 재갈에 잡아매어 끄는 줄. '一革沖沖'《詩經》.
[字源] 形聲. 革＋攸〔音〕

革7 〔⿱巩革〕16 〔공〕
鞏(革부 6획〈1663〉)의 本字

革7 〔⿰革余〕16 도 [平]虞 | tú ト わらぐつ
[字解] 짚신도 '一, ⿰革尃一, 履也'《廣韻》.

革7 〔⿰革甫〕16 보 [去]遇 [上]麌 | bù ホ かわぐつ
[字解] ①가죽신보 가죽신. '一, 靿也'《玉篇》. ②수레자리보 수레에 까는 자리. '靯一'. '⿰革尃, 靯⿰革尃, 車茵, 亦作一'《集韻》.

革7 〔鞛〕16 〔봉〕
鞛(革부 4획〈1661〉)과 同字

革7 〔⿰革沙〕16 사 [平]麻 | suā shā サ がっきのな
[字解] ①악기이름사 악기 이름. '一, 一鞄, 樂器'《集韻》. ②말꼬리사 말의 꼬리. '一, 一鞄, 亦謂馬尾'《廣韻》. ③가죽신사 가죽신. '一, 博雅, ⿰革盍⿰革少, 鞾也'《集韻》.

革7 〔⿰革束〕16 색 [入]陌 | sè サク かたい
[字解] 단단할색 단단함. 질김. '一, 堅也'《集韻》.

革7 〔⿰革折〕16 [一] 제 [去]霽 [二] 절 [入]屑 | zhì セイ かたなのさや セツ かたなのさや
[字解] [一] ①칼집제 '一, 刀削也'《廣雅》. ②가죽장식제 '一, 鐙一, 皮飾也'《龍龕手鑑》. [二] 칼집절, 가죽장식절 [一]과 뜻이 같음.

革7 〔⿰革坒〕16 피 [上]薺 | bì ヘイ くつ
[字解] 신피 신〔履〕. '一, ⿰革焉鞋'《字彙》.

革7 〔鞊〕16 혈 [入]屑 | xiè ケツ きびしくしばる
[字解] 단단히묶을혈 단단히 묶음. '一, 急繫也'《五音集韻》.

革8 〔鞚〕17 공 [去]送 | kòng コウ くつわ
[字解] 재갈공 마함(馬銜). '固止不得. 因捉馬一'《隋書》.
[字源] 形聲. 革＋空〔音〕

革8 〔鞜〕17 탑 [入]合 | tà トウ かわぐつ
[字解] 가죽신탑 '革一不穿'《漢書》.
[字源] 形聲. 革＋沓〔音〕

革8 〔鞞〕17 [一] 병 [上]迥 [二] 비 [去]齊 | bǐng ヘイ さや pí ヒ うまのりつづみ
[字解] [一] 칼집병 '一琫有珌'《詩經》. [二] 마상(馬上)북비 鼙(鼓부 8획〈1874〉)와 同字. '命樂師, 修鞀一鼓'《禮記》.
[字源] 形聲. 革＋卑〔音〕

革8 〔鞠〕17 [人名] [一] 국 [入]屋 [二] 궁 [平]東 | jū キク けまり qiōng キュウ せんきゅう
[筆順] 艹 苷 苷 革 靮 靮 鞠
[字解] [一] ①공국 던지거나 차며 노는 구형(球形)의 물건. '蹴一'. '穿城蹋一'《史記》. ②기를국 양육함. '一養'. '母兮一我'《詩經》. ③고할국 알림. 주의함. '陳師一旅'《詩經》. ④굽힐국 몸을 굽힘. '入公門, 一躬如也'《論語》. ⑤국문할국 鞫(革부 9획〈1667〉)과 同字. '一罪'. ⑥궁할국 곤궁함. '自一自苦'《書經》. ⑦찰국 가득 참. '降此一訩'《詩經》. ⑧국화국 菊(艸부 8획〈1148〉)과 同字. '一有黃華'《禮記》. ⑨누룩국 麴(麥부 8획〈1851〉)과 同字. '一衣'. ⑩성국 성(姓)의 하나. [二] 궁궁이궁 芎(艸부 3획〈1121〉)과 통용. '一藭'.
[字源] 形聲. 革＋匊〔音〕

革8 〔⿰革奇〕17 기 [平]微 | jī キ おもがい
[字解] 말굴레기 羈(网부 14획〈1032〉)와 同字.
[字源] 形聲. 革＋奇〔音〕

革8 〔⿰革匋〕17 도 [平]豪 | táo トウ つづみのどうぎ
[字解] 북통도 북의 몸통. '一, 鼓木也'《集韻》.

革8 〔⿰革官〕17 관 [上]旱 | guǎn カン くるまのかわぐ
[字解] 수레의가죽제구(諸具)관 '一, 車鞁具也'《說文》.
[字源] 形聲. 革＋官〔音〕

革 8 〔鞥〕17 [一] 압 [入]合 | è オウ くるまのかわぐ
[二] 읍 [入]葉 | ヨウ·オウ くるまのかわぐ

[字解] [一] ①수레의가죽제구(諸具)압 '一, 車上具也'《玉篇》. ②아이신압 '一鞖'는 아이 신. '一, 小兒履名一鞖'《廣韻》. [二] 수레의가죽제구읍, 아이신읍 [一]과 뜻이 같음.
[字源] 形聲. 革+奄〔音〕

革 8 〔輟〕17 철 [入]屑 | zhuó テツ くるまのかわぐ
[字解] 수레의가죽제구(諸具)철 '一, 車具也'《說文》.
[字源] 形聲. 革+叕〔音〕

革 8 〔輚〕17 〔천〕 韉(革부 17획〈1673〉)과 同字

革 8 〔鞛〕17 〔봉〕 琫(玉부 8획〈774〉)과 同字
[字源] 形聲. 革+奉〔音〕

革 8 〔鞗〕17 鞛(前條)과 同字

革 8 〔鞔〕17 [一] 韤(革부 10획〈1669〉)과 同字 [二] 輐(車부 8획〈1471〉)과 同字

革 8 〔鞟〕17 〔곽〕 鞹(革부 11획〈1670〉)의 略字

革 8 〔鞬〕17 간 [平]删 | qiān カン かたい
[字解] ①굳을간 굳음. 단단함. '一, 博雅, 固確, 堅也'《集韻》. ②깨지는소리간 단단한 것이 깨지는 소리. '一, 堅破聲'《廣韻》.

革 8 〔鞠〕17 〔굴〕 倔(人부 8획〈57〉)과 同字

革 8 〔鞓〕17 녑 [入]葉 | niè ジョウ たけす, すだれ
[字解] 대발녑 대발. 대오리를 결어 만든 발. '一, 字林, 鞍一, 薄也'《集韻》.

革 8 〔鞡〕17 〔달〕 撻(手부 13획〈470〉)의 俗字

革 8 〔鞞〕17 별 [入]屑 | bì ヘツ かたなのさやのかざり
[字解] 칼집장식별 칼집 장식. '一, 刀飾名'《廣韻》.

革 8 〔鞜〕17 〔석〕 舄(臼부 6획〈1105〉)과 同字

革 8 〔鞘〕17 소 [平]蕭 | xiāo ショウ おおう
[字解] 가릴소 가림. 깃날개로 가림. '一, 羽翼一蔽'《篇海》.

革 8 〔鞙〕17 뇌 [去]號 | nào ドウ すぐれたかわ
[字解] 좋은가죽뇌 좋은 가죽. '一, 優皮也'《字彙》.

革 8 〔鞚〕17 역 [入]職 | yù ヨク かわごろものぬいめ
[字解] 갖옷솔기역 갖옷 솔기. 갖옷 땀. 가죽옷의 바느질 자리. '一, 或作䩒·緎'《集韻》.

革 8 〔鞢〕17 역 [入]陌 | yì エキ しろくつ
[字解] 흰신역 흰 신. '一, 素一履也'《集韻》.

革 8 〔鞝〕17 장 [上]養 | zhǎng, shàng ショウ あおり
[字解] ①말다래장 말다래. 안장 좌우에 늘어뜨려 흙이 말 탄 사람의 옷에 튀는 것을 막는 것. '一, 扇安皮'《玉篇》. ②가죽바느질할장 가죽 바느질을 함. '一, 縫皮'《篇海》.

革 8 〔韔〕17 창 [去]漾 | chang, zhāng チョウ ゆみぶくろ
[字解] 활집창 활집. '韔, 說文, 弓衣也, 或从革'《集韻》.

革 8 〔鞦〕17 추 [上]有 | chǒu シュウ つかねる
[字解] 단으로묶을추 단으로 묶음. 다발 지음. '一, 束也'《集韻》.

革 8 〔鞴〕17 패 [去]卦 | bài ハイ ふいごう
[字解] 풀무패 풀무. '一, 吹火具'《字彙》.

革 8 〔鞆〕17 〔량〕 緉(糸부 8획〈999〉)와 同字

革 9 〔鞣〕18 유 [平]尤 | róu ジュウ なめしがわ
[字解] ①가죽유 다룬 가죽. 무두질한 가죽. '一, 熟皮'《廣韻》. ②무두질할유 날가죽을 다루어 부드럽게 함.
[字源] 形聲. 革+柔〔音〕

革9〔⿰革亟〕18 극 ㊅職|jí キョク きびしい

字解 ①빠를극, 급할극 '一, 疾也'《廣雅》. ②가죽단단할극 가죽이 단단한 모양. '一, 皮鞕皃'《廣韻》. ③다룬가죽단단할극 '一, 韋堅也'《廣韻》.
字源 形聲. 革＋亟〔音〕

革9〔鞦〕18 추 ㊥尤|qiū シュウ しりがい

字解 ①밀치추 마소의 꼬리에 거는 끈. 鞍(革부 6획〈1663〉) 참조. ⿰糸秋(糸부 9획〈1005〉)·緧(糸부 9획〈1005〉)와 同字. '馬一'. '結斷綆而作一'《束晳》. ②그네추 '一韆'. '一韆者千秋也, 漢武帝祈千秋之壽, 故後宮多一韆之樂'《高無際》. '一韆北方戲, 以習輕趫者, 本作秋千'《康熙字典》.
字源 形聲. 革＋秋〔音〕

革9〔鞧〕18 鞦(前條)와 同字

革9〔鞨〕18 갈(할㊟) ㊅曷|hé カツ ほくほうのいみんぞくのな

字解 오랑캐이름갈 靺(革부 5획〈1661〉)을 보라. '靺一'. ※本音 할.
字源 形聲. 革＋曷〔音〕

革9〔鞫〕18 국 ㊅屋|jū キク せめただす

字解 ①국문할국 죄인을 문초함. '一獄'. '訊一論報'《史記》. ②곤궁할국 '一哉庶正, 疚哉冢宰'《詩經》. ③다할국 다 없어짐. '踧踧周道, 一爲茂草'《詩經》. ④물가국 수애(水涯). '芮一之卽'《詩經》. ⑤성국 성(姓)의 하나.
字源 會意. 革＋勹＋言

革9〔鞬〕18 건 ㊥元|jiān ケン ゆみぶくろ

字解 ①동개건 활과 화살을 넣는 용기. '左執鞭弭, 右屬櫜一'《左傳》. ②묶을건 동여맴. '拑勒一⿰革冊. (注)一, 猶束也'《後漢書》.
字源 形聲. 革＋建〔音〕

革9〔鞭〕18 편 ㊥先|biān ベン むち

字解 ①채찍편 ㉠마소를 모는 데 쓰는 채. '左執一弭'《左傳》. ㉡형벌 또는 독려하는 데 쓰는 채. '胥吏執一度守門'《周禮》. ②채찍질할편 ㉠채찍으로 침. '以赭一一草木'《史記》. ㉡쳐서 몲. '驅一復悤悤'《史記》. ㉢벌로 침. '請雨不驗, 遂一像一百'《北史》. ㉣격려함. '一撻'. '古心雖自一'《韓愈》.
字源 形聲. 革＋便(㑮)

革9〔鞮〕18 제 ㊥齊|dī テイ かわぐつ

字解 ①가죽신제 '一, 革履也'《說文》. ②성제 성(姓)의 하나.
字源 形聲. 革＋是〔音〕

革9〔鞢〕18 섭 ㊅葉|xiè ショウ したぐら

字解 언치섭 '鞊一'은 말의 등에 덮어 주는 언치. '鞊一, 鞍具'《廣韻》.
字源 形聲. 革＋枼〔音〕

革9〔⿰革軍〕18 운 ㊥文|yùn ウン つづみをはるしょくにん

字解 북장이운 가죽을 다루어 북을 메는 장인(匠人). '一, 攻皮治鼓工也'《說文》.
字源 形聲. 革＋軍〔音〕

革9〔⿰革皆〕18 개 ①㊥佳|xié カイ くつ ②㊦卦|kài カイ つづみのな

字解 ①신개 신발. '一, 履也'《玉篇》. ②북이름개 북의 일종. '一, 鼓名, 通作揩'《集韻》.

革9〔⿰革面〕18 면 ㊤銑|miǎn ㊦霰|ベン·メン おもがい

字解 굴레면 '一, 勒靼也'《說文》.
字源 形聲. 革＋面〔音〕

革9〔鞥〕18 ㊀압 ㊅合|オウ たづな ㊁응 ㊥蒸|オウ たづな ㊂암 ㊥覃|ēng アン たづな

字解 ㊀①고삐압 '一, 轡一'《說文》. ②굴레압 '一, 一曰, 龓頭繞者'《說文》. ③뿔싸는가죽압 '一, 皮裹角也'《廣韻》. ㊁고삐응, 굴레응, 뿔싸는가죽응 ㊀과 뜻이 같음. ㊂고삐암 ㊀❶과 뜻이 같음.
字源 形聲. 革＋弇〔音〕

革9〔⿰革蚩〕18 ㊀정 ㊤梗|chǎ テイ そえうまにもちいるかわのきぐ ㊁치 ㊤紙|チ そえうまにもちいるかわのきぐ ㊂전 ㊤銑|テン いとわく

字解 ㊀①곁마가죽제구정 곁마에 쓰는 가죽 기구. '一, 驂具也'《說文》. ②승마용(乘馬用)가죽제구정 '一, 騎具也'《玉篇》. ㊁곁마가죽제구치, 승마용가죽제구치 ㊀과 뜻이 같음. ㊂①실패전 '一, 收絲器'《集韻》. ②곁마가죽제구전 ㊀❶과 뜻이 같음.
字源 形聲. 革＋蚩〔音〕

革9〔⿰革要〕18 〔영〕 鞕(革부 7획〈1664〉)과 同字

革9 〔鞪〕 18 무 [平]尤 | móu ボウ·ム かぶと

[字解] 투구무 鍪(金부 9획〈1573〉)와 同字. '被甲鞪一, 居馬上'《漢書》.
[字源] 形聲. 革+敄〔音〕

革9 〔鞤〕 18 방 [平]陽 | bāng ホウ くつのかわ

[字解] ①신가죽방 신을 만드는 가죽. '一, 鞋革皮'《玉篇》. ②신가꾸밀방 신의 가장자리를 손질함. 幫(巾부 14획〈339〉)과 同字.

革9 〔⿰革泥〕 18 니 [上]薺 | nǐ デイ やわらかい

[字解] ①부드러울니 부드러움. 흘보들함. '⿰革尼, 輭也, 或作一'《集韻》. ②말고삐늘어질니 말고삐가 늘어짐. '⿰革爾, 轡垂也通作一'《集韻》.

革9 〔⿰革段〕 18 〔단〕 ⿰韋段(韋부 9획〈1676〉)과 同字

革9 〔⿰革勉〕 18 〔만〕 鞔(革부 7획〈1664〉)의 俗字

革9 〔⿰革畐〕 18 복 [入]屋 | fú フク かわおび

[字解] 가죽띠복 가죽 띠. '一, 革帶'《集韻》.

革9 〔⿰革复〕 18
㈠ ⿰革畐(前條)과 同字
㈡ 箙(竹부 8획〈942〉)과 同字
㈢ ⿰韋复(韋부 9획〈1676〉)과 同字

革9 〔⿰革美〕 18 〔복〕 ⿰革菐(革부 12획〈1671〉)의 俗字

革9 〔⿰革夋〕 18 수 [平]尤 | sōu ソウ なめしがわ

[筆順] 一 廾 甘 革 革亠 革亠丷 革夾 ⿰革夋

[字解] ①다룬가죽수 다룬 가죽. '一, 軟皮也'《玉篇》. ②가죽다룰수 가죽을 다룸. '一, 治革也'《集韻》.

革9 〔⿰革室〕 18 실 [入]質 | shì シツ さや

[字解] 칼집실 칼집. '一, 刀一'《玉篇》.

革9 〔⿰革昜〕 18 양 [平]陽 | yáng ヨウ おもがい

[字解] 굴레양 굴레. 말의 머리에서 재갈에 걸치는 장식용 끈. '一, 馬頭上靼'《玉篇》.

革9 〔⿰革俞〕 18 유 [平]虞 [平]虞 [去]遇 | yú ユ あまり ス はばにしたがってさく shù シュ さや

[字解] ①나머지유 나머지. '一, 餘也'《廣雅》. ②서자유 서자(庶子). ③폭을따라찢을유 폭을 따라 찢음. '⿰巾俞, 說文, 正耑裂也, 或从革'《集韻》. ④칼집유 칼집. '一, 刀⿰革玄'《集韻》. ⑤화할유 화(和)함. 온화함. '一, 一日, 和也'《集韻》.

革9 〔⿰革胃〕 18 율 [入]質 | yù イツ かわのうつわ

[字解] 가죽그릇율 가죽 그릇. '一, 皮器'《玉篇》.

革9 〔⿰革帝〕 18 제 [平]齊 | tí テイ つね

[字解] 항상제 항상. 늘. '一, 常也'《玉篇》.

革9 〔⿰革㚇〕 18 종 [去]送 | zòng ソウ あわただしくうまをのりまわす

[字解] 갑자기말몰종 갑자기 말을 몰고 돌아다님. '一, 鞚一, 騖馬遽也'《集韻》.

革9 〔⿰革紂〕 18 〔주〕 紂(糸부 3획〈980〉)와 同字

革9 〔⿰革咠〕 18 즙 [入]緝 | juān シュウ くびきしばり

[字解] 멍에맬즙 멍에를 맴. 멍에에 묶음. '一, 博雅, 一謂之⿰革解, 一日, 車一'《集韻》.

革9 〔⿰革致〕 18 치 [去]寘 | zhì チ くつのそこ

[字解] ①신바닥치 신바닥. '一, 履底'《玉篇》. ②신바닥꿰맬치 신바닥을 꿰맴. '緻, 字林, 刺履底也, 或从革'《集韻》.

革9 〔⿰革叚〕 18 〔하〕 ⿰韋叚(韋부 9획〈1676〉)와 同字

革9 〔⿰革胡〕 18 호 [平]虞 | hú コ やなぐい

[字解] 전동호 전동(箭筒). '一, 一簏, 箭室'《集韻》.

革9 〔⿰革宣〕 18 훤 [去]願 | xuàn ケン かわぐつ

[字解] ①가죽신훤 가죽신. '一, 履一也'《玉篇》. ②북만드는사람훤 북을 만드는 사람. '韗, 治鼓工也, 或作一'《集韻》.

革10 〔鞲〕 19 구 [平]尤 | gōu コウ ゆごて

[字解] ①팔찌구 활을 쏠 때 활 쥐는 소매를 걸어 매는 가죽으로 만든 띠. '射一'. ②풀

무구 불을 피우는 데 바람을 일으키는 제구.
參考 韛(韋부 10획〈1677〉)와 同字.

革10〔鞳〕19 탑 入合 | tà トウ つづみのおと
字解 종고소리탑 鞺(革부 11획〈1670〉)을 보라. '一, 鞺一, 鐘聲'《廣韻》.
字源 形聲. 革+荅〔音〕

革10〔鞻〕19 鞳(前條)과 同字

革10〔鞴〕19 비 去寘 | bèi ヒ·ビ ふいごう
字解 풀무비 불을 피우는 데 바람을 일으키는 제구. 가죽 부대에서 바람을 내게 하였음. '一, 吹火具也'《龍龕手鑑》. '韛冶者, 具一炭'《新五代史》.
字源 形聲. 革+蒲〔音〕

革10〔鞴〕19 鞴(前條)와 同字

革10〔鞵〕19 혜 平佳 | xié カイ くつ
字解 신혜 鞋(革부 6획〈1663〉)와 同字. '一韈'. '一, 革生鞮也'《說文》.
字源 形聲. 革+奚〔音〕

革10〔鞹〕19 액 ①②入陌 ③入陌 | é ガク くつさき カク ぎなう
字解 ①신코액 신의 앞머리. '履首爲之一'《集韻》. ②신기울액 신을 수리함. '一, 補履'《廣韻》. ③기울액 '一, 補也'《廣雅》.

革10〔鞔〕19 원 平元 上阮 | yuǎn エン·オン かわのかめ
字解 ①가죽독원 부피를 재는 가죽 그릇. '一, 量物之一'《說文》. ②가죽두레박원 물을 길어 올리는 두레박. '一, 一曰, 抒井一'《說文》.
字源 形聲. 革+冤〔音〕

革10〔鞲〕19 ㊀박 入藥 ㊁부 去有 | bó ハク くるまのとこしばり fù ホウ·フウ かわでくびきをつつむ
字解 ㊀①수레아래끈박 수레와 차상(車箱)을 붙들어 매어 묶는 가죽끈. '一, 車下索也'《說文》. ②수레위가죽주머니박 '一, 車上囊'《集韻》. ㊁①가죽으로멍에쌀부 '韛, 革裹車軛也. 或省'《集韻》. ②속치마부 '一, 尻衣'《廣韻》.
字源 形聲. 革+專〔音〕

革10〔鞾〕19 용 上腫 平冬 去宋 | róng ジョウ けがおおい
字解 ①털많을용 '毴, 說文, 毛盛也. 或作一'《集韻》. ②안장털장식용 '一, 毵毲飾也'《說文》. ③가죽용 '一, 革也'《玉篇》. ④담용 모직물의 한가지. '一, 一曰, 罽'《集韻》.
字源 形聲. 革+茸〔音〕

革10〔韁〕19 〔옹〕 鞸(革부 13획〈1671〉)과 同字

革10〔鞱〕19 〔도〕 韜(韋부 10획〈1676〉)와 同字

革10〔鞿〕19 학 入覺 | xuè カク きびしくつかねる
字解 바싹묶을학 졸라맴. '一, 急束也'《玉篇》. '枷研楔一'《舊唐書》.

革10〔鞶〕19 반 平寒 | pán ヘン·バン おび
字解 ①띠반 가죽으로 만든 큰 띠. 조정에서 하사함. '或錫之一帶'《易經》. ②주머니반 수건 따위를 넣는 작은 가죽 주머니. '王以后之一鑑與之'《左傳》.
字源 形聲. 革+般〔音〕

革10〔鞼〕19 공 上董 | gǒng コウ なまがわ
字解 날가죽공 날가죽. 생피(生皮). '一, 生皮也'《玉篇》.

革10〔鞽〕19 삭 入藥 | suǒ サク かわぐつ
字解 가죽신삭 가죽신. 가죽신의 앞을 터서 막은 것으로 오랑캐들의 신. '東女足曳一釋'《唐書》.

革10〔韒〕19 쇄 上哿 | suǒ サ かわのくさり
字解 가죽고리줄쇄 가죽을 고리지어 만든 줄. 가죽을 쇠사슬처럼 만든 줄. '一, 革鎖也'《集韻》.

革10〔鞿〕19 수 平尤 | sōu ソウ なめしがわ
字解 다룸가죽수 다룸가죽. 무두질한 가죽. '一, 軟皮'《篇海》.

革10〔鞾〕19 〔정〕 鞓(革부 9획〈1667〉)의 訛字

革10〔鞼〕19 추 上有 平尤 | chǒu, zhōu シュウ つかねる
字解 ①단으로묶을추 단으로 묶음. 다발지

음. '鞹, 束也, 或从芻'《集韻》. ②가죽주름 추 가죽의 주름. 가죽의 구김살. '一, 革文蹙也'《集韻》.

革10〔鞨〕19 탑 入合|tà タフ へいき

字解 병기탑 병기(兵器). '一, 兵器'《玉篇》.

革10〔鞈〕19 합(갑本) 入洽 入合|jiǎ コウ かわぐつ

字解 가죽신합 가죽신. '一, 一䩭, 革履'《集韻》. ※本音 갑.

革10〔鞼〕19 ㊀회 平灰 ㊁궤 去寘|huái カイ あらぬの guì キ たづな

字解 ㊀거친베회 거친 베. '一, 鬼布'《玉篇》. ㊁고삐궤 고삐. '一, 馬韁也'《集韻》.

革11〔鞹〕20 곽 入藥|kuò カク つくりがわ

字解 가죽곽 털만 벗긴 날가죽. '虎豹之一'《論語》.

字源 形聲. 革+郭(鄣)〔音〕

參考 鞟(革부 8획〈1666〉)은 略字.

革11〔鞺〕20 당 平陽|tāng トウ しょうこのおとう

字解 종고소리당 '一鞳'은 종 또는 북의 소리. '鼜, 說文, 鼓聲也, 或作一'《集韻》.

革11〔鞻〕20 루 平尤|lóu ロウ·ル くつ

字解 ①신루 '鞮一'는 춤을 출 때 신는 신. '鞮一氏'. ②악관이름루 '一, 鞮一氏, 掌夷樂官名'《集韻》.

革11〔鞿〕20 사 上紙|xǐ シ かわぐつ

字解 가죽신사 가죽으로 만든 신. 갖신. '一, 鞮屬'《說文》.

字源 形聲. 革+徙〔音〕

革11〔鞭〕20 〔편〕
鞭(革부 9획〈1667〉)의 本字

革11〔鞴〕20 〔비〕
鞴(革부 10획〈1669〉)의 本字

革11〔韠〕20 〔필〕
韠(韋부 11획〈1677〉)과 同字

字源 形聲. 革+畢〔音〕

革11〔鞯〕20 막 入藥|mò バク くつ

字解 신막 신〔履〕. '一, 鞋一, 履也'《集韻》.

革11〔韄〕20 봉 平冬|féng ホウ つづみのおと

字解 ①북소리봉 북 소리. '一, 一日, 鼓聲'《集韻》. ②덮어서꿰맬봉 덮어서 꿰맴. '一, 字林, 被縫也'《集韻》. ③풀이름봉 풀이름. '一, 一日, 瞉一, 艸名'《集韻》.

革11〔䩾〕20 사 去禡|zhè シャ やくそうのな

字解 약초이름사 약초 이름. '一, 石一, 藥艸'《集韻》.

革11〔鞪〕20 삼 平咸|shān サン うまのしおでのたれるさま

字解 ①밀치끈드리워질삼 밀치끈이 드리워짐. 밀치끈은 안장이나 길마와 밀치를 이어 매는 끈. '一, 馬鞘垂皃'《集韻》. ②깃발삼 깃발. '一, 旌旗旒也'《玉篇》.

革11〔鞹〕20 ㊀속 入沃 ㊁착 入覺|xǔ ショク かわぐつ サク かわぐつ

字解 ㊀가죽신속 가죽신. '一, 博雅, 履也'《集韻》. ㊁신착 신.

革11〔韄〕20 쇠 平灰|suī サイ くらのかわ

字解 안장가죽쇠 안장(鞍裝)의 가죽. '一, 鞍皮'《玉篇》.

革11〔鞴〕20 용(송本) 平冬|chóng ショウ ほしかわ

字解 ①말린가죽용 말린 가죽. 마른 가죽. '一, 通俗文云, 乾皮也'《廣韻》. ②배얕은곳으로끌용 배를 물이 얕은 곳으로 끎. '一, 引船淺水中'《集韻》. ※本音 송.

革11〔韆〕20 우 去宥 平虞|オウ こじんのほこ yū ウ こじんのやいれ

字解 ①오랑캐창우 오랑캐의 창. '一, 胡矛'《玉篇》. ②동개우 동개. 화살통. 전동을 오랑캐들이 이르는 말. '一, 字林, 鞬也'《集韻》.

革11〔障〕20 장 平陽|zhāng ショウ くらかざり

字解 말다래장 말다래. 안장 좌우에 늘어뜨려 땅의 흙이 말 탄 사람의 옷에 튀는 것을 막는 기구. '一, 一泥, 鞍飾'《廣韻》.

革11〔韇〕20 책 入陌|zé サク こまか

字解 미세할책 미세함. 잚. '一, 微也'《字彙》.

革11〔⿱陶革〕20 〔포〕
鞄(革부 5획〈1662〉)와 同字

革12〔鞼〕21 궤 ㊋寘|guì キ ぬいとりをしたなめしがわ
[字解] ①방패끈궤 방패에 매단, 수를 놓은 가죽끈. '輕罪贖以一盾一戟'《國語》. ②꺾을궤, 꺾일궤 '堅強而不一'《淮南子》.
[字源] 形聲. 革+貴〔音〕

革12〔鞿〕21 기 ㊏微|jī キ くつわ
[字解] 재갈기 말의 고삐의 입 언저리에 있는 부분. '是猶以一而御馯突'《漢書》. 전(轉)하여, 속박·제어를 당하는 일. 굴레. 기반(羈絆). '脫一'. '絆一'. '以一羈兮'《楚辭》.
[字源] 形聲. 革+幾〔音〕

革12〔鞾〕21 화 ㊏歌|xuē カ くつ
[字解] 신화 가죽신. 靴(革부 4획〈1660〉)와 同字. '著一騎驢'《晉書》.
[字源] 形聲. 革+華〔音〕

革12〔鞽〕21 ㊀ 橇(木부 12획〈579〉)와 同字
㊁ 屩(尸부 15획〈301〉)과 同字

革12〔⿰革賁〕21 〔분〕
鼖(鼓부 6획〈1874〉)과 同字

革12〔⿰革棘〕21 ㊀ 격 ㊇陌|gé カク たづな
㊁ 극 ㊇職|jí キョク たづな
[字解] ㊀ ①고삐격 고삐. 말고삐. ②재갈격 재갈. '[illegible], 靶也, 一, 同[illegible]'《玉篇》. ㊁ 고삐극, 재갈극 ㊀과 뜻이 같음.

革12〔⿰革敦〕21 돈 ㊏元|dūn トン こじんのしゅき
[字解] 오랑캐술그릇돈 오랑캐의 술그릇. '一, 胡人酒器'《篇海》.

革12〔⿰革童〕21 동 ㊏東|tóng トウ しゃがのかわかざり
[字解] 수레가죽꾸밈동 수레의 가죽 꾸밈. 거가(車駕)의 가죽 꾸밈. '一, 車被具飾'《集韻》.

革12〔⿰革買〕21 매 ㊏佳|mái バイ かわぐつ
[字解] 가죽신매 가죽신. '一, 鞋也'《玉篇》.

革12〔⿰革菐〕21 복 ㊇屋|bǔ ホク はなづな
[字解] ①고삐복 소의 고삐. '一, 絡牛頭也'《玉篇》. ②머리싸개복 머리 싸개. '一, 絡髮謂之一'《集韻》.

革12〔⿰革舄〕21 석 ㊇陌|xì セキ くつ
[字解] 신석 신. '舄, 履也, 亦作一'《集韻》.

革13〔韁〕22 강 ㊏陽|jiāng キョウ たづな
[字解] 고삐강 말의 재갈에 매는 줄. '貫仁誼之羈絆, 繫名聲之一鎖'《漢書》.
[字源] 形聲. 革+畺〔音〕

革13〔韣〕22 ㊀ 촉 ㊇沃 (속㊍)|zhǔ ショク ゆみぶくろ
㊁ 독 ㊇屋|dú トク ゆみぶくろ
[字解] ㊀ 활집촉 궁의(弓衣). '因罷兵倒一而去'《戰國策》. ※本音 속. ㊁ 활집독 ㊀과 뜻이 같음.

革13〔韃〕22 달 ㊇曷|dá タツ むちうつ
[字解] ①칠달 撻(手부 13획〈470〉)과 통용. ②오랑캐이름달 '一靼'은 옛날에, 몽고(蒙古) 지방에 살던 민족.
[字源] 形聲. 革+達〔音〕

革13〔⿰革雍〕22 옹 ㊏冬|yōng ヨウ かわぐつ
[字解] 가죽신옹 가죽으로 만든 신. ⿰革邕(革부 10획〈1669〉)과 同字. '一, 鞾靿'《集韻》.
[字源] 形聲. 革+雍〔音〕

革13〔韂〕22 첨 ㊋豔|chàn セン あおり
[字解] 말다래첨 말의 복부(腹部)에 늘이어 진흙 같은 것의 튀어오르는 것을 막는 것. 장니(障泥). '一, 馬障泥也'《集韻》.

革13〔⿰革亶〕22 〔단〕
靼(革부 5획〈1661〉)의 古字

革13〔⿰革⿹勹𥹋〕22 ㊀ ⿱竹鞠(竹부 16획〈963〉)과 同字
㊁ 鞠(革부 8획〈1665〉)과 同字

革13〔⿰革葛〕22 〔갈〕
鞨(革부 9획〈1667〉)과 同字

革13〔⿰革旁〕22 방 ㊏江|bāng ホウ くつ
[字解] 신방 신. 짚신. '一, 鞋一'《篇海》.

革13〔韛〕22 〔비〕
韛(革부 10획〈1669〉)와 同字

革13〔韇〕22 억 入職 | yì ヨク ごさいのいとでかがったくつ
字解 ①오색실로사뜬신억 오색실로 사뜬 신. '一, 五綵絲條履下也'《玉篇》. ②신머리억 신의 머리. 신끝. '一, 履頭也'《廣韻》.

革13〔韉〕22 전 平先 | jiān セン らまにかぶせるかわぐ
字解 말덮는가죽전 안장 밑에 먼저 덮어 주는 것임. '一, 馬被具'《集韻》.

革13〔韈〕22 체 上薺 | tǐ テイ やわらかい
字解 부드러울체 부드러움. 나긋나긋함. '一, 軟謂之一'《集韻》.

革13〔韡〕22 탁 入藥 | duó タク くつ
字解 신탁 신. 가죽신. '一, 廣雅, 鞻一, 鞾也'《集韻》.

革13〔韰〕22 해 上蟹 | xiě カイ くびきしばり
字解 멍에맬해 멍에를 맴. 멍에를 동여맴. '鞙, 謂之一'《廣雅》.

革14〔韄〕23 획 入陌 | huò カク かたなのさげお
字解 ①칼끈획 패도(佩刀)에 매달린 끈. ②묶을획 동여맴. 속박함. '夫外一者, 不可繁而捉'(외(外)는 이목(耳目)의 욕(欲))《莊子》.
字源 形聲. 革+蒦〔音〕

革14〔韅〕23 현 去銑 去霰 | xiǎn ケン かわひものな
字解 뱃대끈현 마소의 배에 걸쳐, 안장이나 길마를 졸라매는 줄. '一, 說文, 箸腋鞥也'《集韻》.
字源 形聲. 革+㬎〔音〕. 篆文은 革+顯〔音〕

革14〔韇〕23 〔인〕
靷(革부 4획〈1660〉)의 籀文

革14〔韆〕23 견 去霰 | qiàn ケン こしおび
字解 허리띠견 허리띠. 가죽띠. '一, 罨帶一'《玉篇》.

革14〔韇〕23 〔궤〕
鞼(革부 12획〈1671〉)와 同字

革14〔韇〕23 〔박〕
韣(革부 17획〈1673〉)과 同字

革14〔韊〕23 니(녜本) 上薺 | nǐ デイ たづながたれる
字解 고삐드리워질니 고삐가 드리워짐. '一, 轡垂也'《集韻》. ※本音 녜.

革14〔韇〕23 락 入覺 | luò ラク かたいかわ
字解 질긴가죽락 질긴 가죽. '一, 一𩌏, 皮堅也'《集韻》.

革14〔韇〕23 〔복〕
鞻(革부 12획〈1671〉)과 同字

革14〔韇〕23 유 平虞 | rǔ ジュ かわぐつ
字解 가죽신유 가죽신. '一, 鞶, 鞋一也'《玉篇》.

革14〔韇〕23 추 去宥 | zhòu シュウ ばぐ
字解 마구(馬具)아울러이를추 안장·고삐 등의 총칭. '一, 鞁也'《集韻》.

革15〔韆〕24 천 平先 | qiān セン ぶらんこ
字解 그네천 '一, 鞦一'《集韻》.
字源 形聲. 革+遷〔音〕

革15〔韇〕24 독 入屋 | dú トク やづつ, めどぎづつ
字解 ①점대통독 서죽(筮竹)을 넣는 통. '筮人執筴, 抽上一'《儀禮》. ②동개독 궁시(弓矢)를 넣는 제구. '一丸'.
字源 形聲. 革+賣〔音〕

革15〔韈〕24 말 入月 | wà ベツ たび
字解 버선말 발에 꿰어 신는 물건. 韤(韋부 15획〈1678〉)과 同字. '文王一繫解, 因自結'《韓非子》.

革15〔韇〕24 렵 入葉 | liè リョウ おもがい
字解 말굴레렵 말굴레. 말의 머리에서 재갈에 걸치는 장식용 끈. '一, 馬鞙'《集韻》.

革15〔韇〕24 지 平支 | zhī シ したぐら
字解 언치지 언치. '一, 皮鞁'《廣韻》.

革15〔韇〕24 〔찬〕
韉(革부 29획〈1673〉)과 同字

革15 〔𩏂〕24 〔표〕 鑣(金부 15획〈1588〉)와 同字

革16 〔𩏃〕25 〔궤〕 鞼(革부 12획〈1671〉)의 本字

革16 〔𩏐〕25 〔국〕 鞠(革부 8획〈1665〉)과 同字

革16 〔𩏄〕25 롱 [平]東 | lóng ロウ おもがい

[字解] 굴레롱, 재갈에매어진가죽끈롱 '一, 一頭也'《玉篇》.

革16 〔𩏮〕25 〔운〕 韗(韋부 9획〈1676〉)과 同字

革16 〔𩏞〕25 위 [去]未 | wèi イ なわ

[字解] 새끼위 새끼. 밧줄. 오랏줄. '一, 絲繩也'《字彙》.

革17 〔韉〕26 천 [平]先 | jiān セン したぐら

[字解] 언치천 말의 등에 덮어 주는 방석이나 담요 따위. 안장을 그 위에 얹음. '虎一'. '鞍一'. '織草爲一'《北史》.
[字源] 形聲. 革＋薦〔音〕

革17 〔𩏬〕26 참 [去]陷 | zhàn サン・ザン したぐら

[字解] 언치참 말 등에 얹어 덮는 담요 따위. '一, 鞍一'《玉篇》. '一, 馬韉也'《集韻》.

革17 〔𩏡〕26 〔화〕 鞾(革부 12획〈1671〉)의 本字

革17 〔𩏊〕26 〔건〕 鞬(革부 9획〈1667〉)과 同字

革17 〔𩏋〕26 〔건〕 鞬(革부 9획〈1667〉)과 同字

革17 〔𩏾〕26 〔란〕 籣(竹부 17획〈963〉)과 同字

革17 〔𩏖〕26 [一]박 [入]藥 [二]부 [去]宥 | bó ハクしゃちゅうのしきもの fù ホウ くるまのくびきをつつむかわ

[字解] [一]①수레에까는자리박 수레에 까는 자리. '靯一, 車中重薦也'《釋名》. ②짚신박 짚신. '一鞈'. [二]멍에싸는가죽부 멍에를 싸는 가죽. '一, 轅車軛也'《集韻》.

革17 〔𩏜〕26 〔전〕 氈(毛부 13획〈621〉)과 同字

革18 〔𩏿〕27 [一]쇠 [平]灰 [二]수 [平]支 | suī サイ くらおび suī スイ くるまのたれひも

[字解] [一]안장끈쇠 안장에 딸린 끈. '一, 韋邊帶'《集韻》. [二]①수레끈수 수레에 딸린 끈. '一, 綏也'《說文》. ②늘어질수 '一, 一曰, 垂皃'《廣韻》.
[字源] 形聲. 革＋巂〔音〕

革18 〔𩐁〕27 〔속〕 韣(革부 11획〈1670〉)과 同字

革19 〔𩐏〕28 〔사〕 躧(足부 19획〈1454〉)와 同字

革19 〔𩐈〕28 〔찬〕 𩐙(革부 29획〈1673〉)과 同字

革21 〔韊〕30 란 [平]刪 | lán ラン やづつ

[字解] 동개란 큰 동개. '平原君負一矢'《史記》.
[字源] 形聲. 革＋蘭〔音〕

革23 〔𩐓〕32 〔현〕 韅(革부 14획〈1672〉)의 本字

革24 〔𩐗〕33 〔곽〕 鞹(革부 11획〈1670〉)의 本字

革24 〔𩐘〕33 〔격〕 𩎑(革부 12획〈1671〉)과 同字

革29 〔𩐙〕38 찬 [平]寒 | zuān サン くるまのながえしばり

[字解] 수레채끈찬 䡮(車부 19획〈1483〉)과 同字. '一, 車衡三束也'《說文》.
[字源] 形聲. 革＋爨〔音〕. 別體도 形聲. 革＋贊〔音〕

韋 部
〔다룬가죽위부〕

韋0 〔韋〕9 [人名] 위 [平]微 | wéi イ なめしがわ

[筆順] 

[字解] ①가죽위 ㉠무두질하여 부드러워진 가죽. '一帶'. '佩一'. ㉡부드러운 것의 비유로 쓰임. '如脂如一'《屈原》. 전(轉)하여, 아첨을 '脂一'라 함. ②에울위, 아름위 圍(囗부 9획〈197〉)와 통용. '大木十一以上'《漢書》. ③어길위, 틀릴위 違(辵부 9획

〈1502〉)와 통용. '五音六律不相依一'《漢書》. ④성위 성(姓)의 하나.
[字源] 會意. 舛+口
[參考] '韋위'를 의부(意符)로 하여, 여러 가지 종류의 가죽 제품을 나타내는 문자를 이룸. 부수 이름으로 '皮피'·'革혁'과 구별하여, 특히 '다룬가죽 위'라 이름.

韋 3 〔韌〕 12 인 [去]震 | rèn ジン しなやか
[字解] 질길인 탄력성이 있어 잘 끊어지지 아니함. '蔓一時縈'《皇甫嵩》.
[字源] 形聲. 韋+刃〔音〕

韋 4 〔⿰韋及〕 13 삽 [入]合 | sǎ ソウ くつ
[字解] 신삽 ㉠아이들의 신. 꺽두기. '一, 說文, 小兒履也'《集韻》. ㉡짚신. '韋及, 履也. 亦作一'《玉篇》.

韋 4 〔⿰韋交〕 13 교 [平]肴 | jiāo コウ ふくろ
[字解] 주머니교 가죽으로 만든 주머니·자루·전대 따위. '一, 囊一'《玉篇》.

韋 4 〔⿰韋内〕 13 납 [入]合 | nà ドウ よわい
[字解] ①약할납 '一, 弱也'《廣雅》. ②연할납 연함. '一, 博雅, 軟也'《集韻》. ③부드러울납 부드러운 모양. '一, 腝皃'《廣韻》.

韋 4 〔⿰韋犬〕 13 비 [去]寘 | fú ヒ しゃぜんのまこぎ
[字解] ①수레앞가로나무비 수레 앞 가로나무. '一, 車軾'《玉篇》. ②수레앞가로나무덮개비 수레 앞 가로나무 위의 덮개. '紱, 說文, 車紱也, 或作茯·鞴·一'《集韻》.

韋 5 〔⿰韋必〕 14 비 [去]寘 | bì ヒ ゆだめ
[字解] 도지개비 활을 바로잡는 틀. 궁경(弓檠). '一, 弓絏也'《集韻》.

韋 5 〔韎〕 14 매 [去]卦 | mèi バイ·メ あかねぞめのかわ
[字解] 적황색으로물들인가죽매 꼭두서니 뿌리로 적황(赤黃)색 염료를 만듦. '一, 茅蒐染韋也'《說文》.
[字源] 形聲. 韋+末〔音〕

韋 5 〔韍〕 14 불 [入]物 | fú フツ ひざかけ
[字解] ①슬갑불 옛 제복(祭服)의 하나. 바지 위에 껴입는, 무릎까지 닿는 가죽옷. '一命緼一'《禮記》. ②끈불 땋아서 만든 끈. 인끈 따위. '奉上璽一'《漢書》.

[字源] 篆文은 會意. 韋+犮

韋 5 〔⿰韋主〕 14 주 [去]遇 | zhǔ シュ かわのももひき
[字解] ①가죽바지주 가죽으로 만든 바지. '一, 一日, 韋袴'《集韻》. ②슬갑주 무릎까지 내려오게 걸쳐 입는 군복(軍服)의 하나. '一, 戎服蔽膝也'《集韻》.

韋 5 〔⿰韋弗〕 14 불 | fú フツ ひつぎなわ
[字解] ①관끄는줄불 관(棺)을 끄는 줄. '一, 引棺繩'《玉篇》. ②폐슬불 폐슬(蔽膝).

韋 5 〔⿰韋夗〕 14 〔원〕
韢(韋부 8획〈1676〉)과 同字

韋 5 〔⿰韋戉〕 14 월 [入]月 | yuè エツ おのぶくろ
[字解] 도끼집월 도끼집. 도끼를 넣어 두는 가죽 부대. '一, 斧衣也'《集韻》.

韋 5 〔⿰韋斥〕 14 척 [入]陌 | chě タク かたなのつかがわ
[字解] 칼자루가죽척 칼자루 가죽. 칼자루에 입힌 가죽. '一, 韄一, 刀靶中韋'《集韻》.

韋 5 〔⿰韋它〕 14 타 [平]歌 | tuó タ かわをはったくつ
[字解] 가죽신타 가죽신. 갖신. '一, 皮帖履也'《字彙》.

韋 5 〔⿰韋包〕 14 〔포〕
鞄(革부 5획〈1662〉)와 同字

韋 5 〔⿰韋占〕 14 접 [入]葉 | diē チョウ おびのぐ
[字解] 띠치레접 '一鞢'은 띠에 달고 다니는 패도(佩刀), 창칼, 숫돌, 부싯돌 따위 일곱 가지 물건. '武官五品以上佩一鞢七事. 佩刀·刀子·礪石·契苾眞·噦厥·針筒·火石, 是也'《舊唐書》.

韋 6 〔韐〕 15 겹 [入]洽 | gé コウ ひざかけ
[字解] 슬갑겹 '韎一'은 꼭두서니빛의 가죽으로 만든 슬갑(膝甲). '韎一有奭'《詩經》.
[字源] 形聲. 篆文은 市+合〔音〕

韋 6 〔⿰韋束〕 15 위 [平]微 | wéi イ つかねる
[字解] 묶을위 '一, 束也'《說文》.
[字源] 形聲. 束+韋〔音〕

韋 6 〔⿴衣韋〕 15 위 [平]微 | wéi イ よこしま

[字解] 바르지않을위, 비스듬할위 '一, 衺也'《說文》.
[字源] 形聲. 交＋韋〔音〕

韋 6 〔韏〕 15 권 [去]願 [去]霰 [上]銑 [上]阮 | juàn ケン·カン かわのひだ

[字解] ①가죽주름권 가죽에 주름이 짐. ②가죽갈라질권 가죽이 꺾어진 곳에서 째짐. '革中絕謂之辨, 革中辨謂之一'《爾雅》. ③굽을권 '一, 詘也. 曲也'《玉篇》. ④수레위에쓰이는가죽권 '一, 車上所用皮也'《廣韻》. ⑤가죽신솔기권 '⿰韋卷, 緣韠縫也. 一, 上同'《廣韻》.
[字源] 形聲. 篆文은 韋＋𢍏〔音〕

韋 6 〔⿰韋交〕 15 〔교〕 ⿰韋爻(韋부 4획〈1674〉)와 同字

韋 6 〔⿰韋各〕 15 〔구〕 韝(韋부 10획〈1677〉)와 同字

韋 6 〔⿰韋艮〕 15 근 [平]元 | kēn コン つかねる
[字解] 묶을근 묶음〔束〕. '一, 束也'《玉篇》.

韋 6 〔⿰韋伏〕 15 [一] 복 [入]屋 | fú フク しゃぜんのよこぎ [二] 피 [去]寘 | ヒ しゃぜんのよこぎ
[字解] [一] ①수레앞턱나무복 수레 앞 가름대나무. 식(軾). '一, 謂之軾'《廣雅》. ②수레장식복 수레 장식. 수레 앞 가름대나무 위에 까는 자리. ⿰革伏(革부 6획〈1664〉)의 俗字. [二] 수레앞턱나무피, 수레장식피 [一]과 뜻이 같음.

韋 6 〔⿰韋曳〕 15 예 [去]霽 | xì ケイ ぬいとりする
[字解] 자수할예 자수(刺繡)함. 수를 놓음. '一, 繡也'《字彙》.

韋 6 〔⿰韋朵〕 15 〔타〕 ⿰革朵(革부 6획〈1664〉)와 同字

韋 6 〔⿰韋亘〕 15 훤 [去]願 | yùn ケン つづみつくり
[字解] 북짓는직공훤 북 장인(匠人). 북을 만드는 사람. '一, 作鼓工'《篇海》.

韋 7 〔⿰韋肖〕 16 〔초〕 鞘(革부 7획〈1664〉)와 同字

韋 7 〔⿰韋夾〕 16 〔겹〕 韐(韋부 6획〈1674〉)과 同字

韋 7 〔⿰韋殳〕 16 〔단〕 ⿰韋段(韋부 9획〈1676〉)과 同字

韋 7 〔⿰韋甫〕 16 부 [上]麌 | fǔ フ くるまのしたのとこしばり
[字解] ①속바지부 속바지. 음부를 가리는 짧은 속바지. '一, 尻衣'《廣韻》. ②수레복토부 수레의 복토(伏兔). '一, 車下一'《玉篇》.

韋 7 〔⿰韋束〕 16 〔위〕 ⿰韋朿(韋부 6획〈1674〉)와 同字

韋 8 〔韔〕 17 창 [去]漾 | chàng チョウ ゆみぶくろ
[字解] 활집창 궁의(弓衣). '虎一鏤膺'《詩經》.
[字源] 形聲. 韋＋長〔音〕

韋 8 〔⿰韋沓〕 17 [一] 답 [入]合 | tà トウ ゆがけ [二] 배 [去]卦 | ハイ ふいごう
[字解] [一] 깍지답 활쏠 때 끼는 가죽 장갑. '一, 指衣'《集韻》. [二] 풀무배 韛(韋부 11획〈1677〉)의 俗字. '一, 韛俗字. 韋囊, 吹火具也'《龍龕手鑑》.

韋 8 〔韓〕 17 [中人] 한 [平]寒 | hán カン くにのな
[筆順] 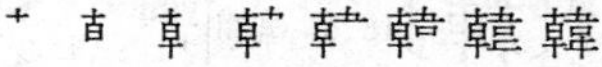
[字解] ①나라이름한 ㉠주대(周代)의 제후(諸侯)의 나라. 지금의 하남(河南) 및 산서(山西) 두 성(省)의 일부에 웅거하여 신정(新鄭)에 도읍하였는데, 후에 진(秦)나라에게 망함. '爲一報仇'《史記》. ㉡상고(上古) 시대에, 우리 나라 남쪽에 있던 세 나라. '馬一'·'辰一'·'弁一'을 '三一'이라 함. 또, 조선(朝鮮)이 고종(高宗) 34년에 중국의 기반(羈絆)을 벗어났을 때 '大一帝國'이라 일컬었으며, 1945년 8·15 해방 후 독립하였을 때 '大一民國'이라 칭하여 현재에 이름. '一有三種'《後漢書》. ②우물난간한 우물의 담. '一, 說文, 井垣也. 本作𩏑'《正字通》. ③성한 성(姓)의 하나.
[字源] 形聲. 韋＋倝〔音〕

韋 8 〔⿰韋匊〕 17 국 [入]屋 | jū キク つつむ
[字解] ①쌀국 쌈. 바깥을 둘러쌈. '一, 裹也'《玉篇》. ②공국 공. '一, 同鞠'《五字通》.

韋 8 〔⿰韋卷〕 17 권 [去]願 [去]霰 | quàn, juàn ケン まがる
[字解] ①굽을권 굽음. '一, 曲也'《篇海》. ②갖신솔기권 갖신의 솔기. '一, 緣韠縫也'《字彙》.

韋 8 〔[韋+或]〕 17 역 (入)職 | yù ヨク かわごろも

字解 ①갖옷역 갖옷. '一, 裘也'《玉篇》. ②갖옷솔기역 갖옷 솔기. 緎(糸부 6획〈999〉)의 俗字.

韋 8 〔[韋+宛]〕 17 원 (上)阮 | wǎn エン くつのな

字解 ①울낮은신원 울 낮은 신. '一, 䩩, 一同'《正字通》. ②신이름원 신 이름. '一, 一底, 履名'《廣韻》.

韋 8 〔[韋+枽]〕 17 〔섭〕 韘(韋부 9획〈1676〉)과 同字

韋 8 〔[韋+陀]〕 17 〔타〕 [韋+它](韋부 5획〈1674〉)와 同字

韋 8 〔[韋+非]〕 17 패 (去)卦 | bài ハイ ふいごう

字解 허풍선패 숯불을 피우는 손풀무의 한 가지. '一, 吹火韋囊也'《集韻》.

韋 8 〔[韋+包]〕 17 포 (平)肴 | páo ホウ やわらか

字解 부드러울포 부드러움. 유연함. '一, 柔也'《字彙補》.

韋 9 〔韗〕 18 운 (去)問 | yùn ウン かわをなめすしょくにん

字解 ①북짓는직공운 가죽을 다듬어 북을 만드는 사람. '一人爲皐陶'《周禮》. ②신운 '一, 靴也'《玉篇》.

字源 形聲. 韋+軍〔音〕

韋 9 〔[韋+宣]〕 18 韗(前條)과 同字

韋 9 〔[韋+爰]〕 18 韗(前前條)과 同字

韋 9 〔韘〕 18 섭 (入)葉 | shè ショウ ゆがけ

字解 깍지섭 활 쏠 때 시위를 잡아당기는 엄지손가락에 끼는 기구. 決(水부 4획〈629〉) 참조. '童子佩一'《詩經》.

字源 形聲. 韋+枼〔音〕

韋 9 〔[韋+段]〕 18 단 (去)翰 (上)旱 | duàn タン・ダン うしろばり

字解 신뒤축가죽단 신 뒤축을 싼 가죽. '一, 履後帖也'《說文》.

字源 形聲. 韋+段〔音〕

韋 9 〔[韋+叚]〕 18 하 (平)麻 | xiá カ うしろばり

字解 신뒤축가죽하 신 뒤축을 싼 가죽. '一, 履跟後帖'《廣韻》.

字源 形聲. 韋+叚〔音〕

韋 9 〔[韋/昷]〕 18 〔온〕 韞(韋부 10획〈1676〉)의 俗字

韋 9 〔韙〕 18 위 (上)尾 | wěi イ ただしい

字解 옳을위 바름. 또, 좋음. '犯五不一而以伐人'《左傳》.

字源 形聲. 是+韋〔音〕

韋 9 〔[韋+是]〕 18 韙(前條)와 同字

韋 9 〔[韋+亟]〕 18 〔극〕 [革+亟](革부 9획〈1667〉)과 同字

韋 9 〔[韋+舀]〕 18 〔도〕 韜(韋부 10획〈1676〉)와 同字

韋 9 〔[韋+复]〕 18 부 (去)宥 | fū フウ くるまのくびきつつみのかわ

字解 멍에가죽부 멍에 가죽. 수레의 멍에를 덮어 싸는 가죽. '一, 皮衣車軛也'《集韻》.

韋 9 〔[韋+耎]〕 18 연 (上)銑 | ruǎn ゼン なめしがわ

字解 다룸가죽연 다룸가죽. 무두질하여 부드럽게 한 가죽. [耎/瓦](瓦부 9획〈789〉)과 同字. '[耎/瓦], 說文, 柔革也, 或作一'《集韻》.

韋 9 〔韖〕 18 유 (上)有 | rǒu ジュウ しなやか

字解 ①질길유 질김. 부드러우면서도 탄력이 있어 잘 끊어지지 아니함. '一, 韌也'《集韻》. ②수레바퀴괴는나무유 수레바퀴를 괴는 나무. 바퀴가 도는 것을 막는 나무. '一, 車軔'《正字通》.

韋 10 〔韜〕 19 도 (平)豪 | tāo トウ ゆみぶくろ

字解 ①활집도 활을 넣어 두는 자루. 전(轉)하여, 널리 물건을 넣어 두는 자루. '劍一'. '囊一'. ②쌀도, 감출도 싸서 깊이 둠. 전(轉)하여, 감추어 보이지 아니함. '一弓'. '一晦'. '但時來之運未至, 故一光俟奮耳'《晉書》. ③비결도 병법의 비결. '六一三略'. '侍戎一于武帳'《庾信》.

字源 形聲. 韋+舀〔音〕

韋 10 〔韞〕 19 ㊀운 (上)吻 ㊁온 (平)元 | yùn ウン おさめる, かくす wēn オン おさめる, かくす

字解 ㊀넣을운, 감출운 깊이 넣어 둠. '有

美玉於斯, 一匵而藏諸'《論語》. [二] 넣을온, 감출온 [一]과 뜻이 같음.
[字源] 形聲. 韋+𥁕〔音〕
[參考] 韞(韋부 9획〈1676〉)은 俗字.

韋 10 〔韝〕19 구 [平]尤 | gōu コウ ゆごて
[字解] ①깍지구 활 쏠 때 오른손 엄지손가락에 끼는 기구. ②팔찌구 활 쏠 때 왼팔 소매를 걷어 매는 띠.
[字源] 形聲. 韋+冓〔音〕

韋 10 〔⿰韋𤰇〕19 배 [去]卦 | bài ハイ ふいごう
[字解] 풀무배 불을 일으키는 데 바람을 내는 제구. '入鍋鼓之二千一'《雲笈七籤》.
[字源] 形聲. 韋+𤰇〔音〕

韋 10 〔⿰韋尃〕19
[一] 박 [入]藥 | pò ハク くるまのくびきつつみ
[二] 벽 [入]陌 | ヘキ くるまのくびきつつみ
[三] 부 [去]宥 | fù フウ·フ こしまき
[字解] [一] ①멍에끈박 수레의 멍에를 동여매는 가죽끈. '一, 軛裹也'《說文》. ②수레위 주머니박 '轉, 車上囊. 或从韋'《集韻》. [二] 멍에끈벽 [一]①과 뜻이 같음. [三] ①속치마부 '一, 尻衣'《玉篇》. ②멍에끈부 [一]①과 뜻이 같음.
[字源] 形聲. 韋+尃〔音〕

韋 10 〔⿰𠦝韋〕19 〔한〕 韓(韋부 8획〈1675〉)의 本字

韋 10 〔⿱𢍏韋〕19 〔권〕 韏(韋부 6획〈1675〉)의 本字

韋 10 〔⿰韋荅〕19 답 [入]合 | dá トウ ゆがけ
[字解] 깍지답 깍지. 활을 쏠 때 손가락에 끼는 기구. '一, 皮指'《字彙》.

韋 10 〔⿰韋邕〕19 〔옹〕 ⿰韋雍(韋부 13획〈1678〉)과 同字

韋 10 〔⿰韋柬〕19 〔위〕 ⿰韋朿(韋부 6획〈1674〉)의 訛字

韋 10 〔⿰韋⿱日羽〕19 탑 [入]合 | dā トウ あつい
[字解] ①갖옷탑 갖옷. 가죽옷. '一, 皮服'《集韻》. ②더울탑 더움. 뜨거움. '一, 熱一一'《玉篇》. ③병기탑 병기(兵器).

韋 10 〔⿰害韋〕19 할 [入]黠 | xiá カツ くさび
[字解] 비녀장할 비녀장. 수레바퀴의 비녀장. '一, 與轄同'《字彙》.

韋 11 〔韠〕20 필 [入]質 | bì ヒツ ひざかけ
[字解] 슬갑필 바지에 껴 입는, 무릎까지 닿는 가죽옷. 鞸(革부 11획〈1670〉)과 同字. '庶見素一兮'《詩經》.
[字源] 形聲. 韋+畢〔音〕

韋 11 〔⿰韋葡〕20 韛(次條)와 同字

韋 11 〔韛〕20
[一] 비 [去]卦 | bài ハイ ふいごう
[二] 복 [入]屋 | fú フク えびら
[字解] [一] 허풍선비 허풍선. 풀무. 숯불을 피우는 기구의 하나. '一, 韋囊, 可以吹火令熾'《玉篇》. [二] 전동복 전동(箭筒). '箙, 說文, 弩矢箙也, 或作一'《集韻》.

韋 11 〔⿰韋巢〕20 소 [平]肴 | jiāo ソウ つかねる
[字解] 묶을소 묶음. 다발지음.

韋 11 〔⿰韋崔〕20 쇠 [平]灰 | suī サイ くら
[字解] 안장쇠 안장(鞍裝). '一, 一鞍也'《字彙》.

韋 11 〔⿰韋彗〕20 수 [去]寘 | suì スイ ふくろのひもな
[字解] 주머니끈수 주머니의 끈. '一, 囊組名'《玉篇》.

韋 12 〔韡〕21 위 [上]尾 | wěi イ さかん
[字解] 활짝필위 꽃이 활짝 많이 핀 모양. 또, 환한 모양. 빛나는 모양. 선명한 모양. '棠棣之華, 鄂不一一'《詩經》.
[字源] 形聲. 華(䓝)+韋〔音〕

韋 12 〔⿰韋惠〕21
[一] 혜 [去]霽 | suì ケイ ふくろのひも
[二] 취 [去]霽 | セイ·サイ ふくろのひも
[三] 수 [去]寘 | スイ ふくろのひも
[字解] [一] ①주머니끈혜 '一, 囊紐也'《說文》. ②목주머니혜 벤 적(敵)의 목을 넣는 주머니. '一, 一曰, 盛虜頭橐也'《說文》. ③옷끈고리혜 옷의 끈에 달려 있는 고리. '一, 今以衣紐之牡環爲一'《六書故》. [二] 주머니끈취, 목주머니취, 옷끈고리취 [一]과 뜻이 같음. [三] ①주머니끈수 [一]①과 뜻이 같음. ②범머리주머니수 '一, 一曰, 盛虎頭囊'《集韻》.

[字源] 形聲. 韋＋惠〔音〕

韋12 〔韟〕 21고 [平]豪 | gāo コウ ゆみぶくろ

[字解] ①활집고 '一, 韜也'《字彙》. ②큰자루고 '櫜, 說文, 車上大櫜. 或作一'《集韻》.

韋12 〔⿰韋貴〕 21 [一] 귀 [去]未 [二] 궤 [去]隊 | guì キ つむぐ カイ なめしがわのぬいとり

[字解] [一] 길쌈할귀 길쌈함. 실을 자음. '一, 一緝也'《玉篇》. [二] 수놓은다룸가죽궤 수놓은 다룸가죽. 鞼(革부 12획〈1671〉)와 同字. '鞼, 說文, 韋繡也. 或从韋'《集韻》.

韋12 〔⿰韋番〕 21 번 [平]元 | fān ハン へいほうけいのかわ

[字解] ①반듯한가죽번 반듯한 가죽. 또, 떼지어 모임. '一, 羣也, 韋平方也'《集韻》. ②가죽으로싼것번 가죽으로 싼 것. '一, 韋裹曰一'《集韻》.

韋12 〔⿸虍⿰业韋〕 21 위 [平]支 | kuī キ へいきんになめされたかわ

[字解] ①가죽다룰위 가죽을 다룸. 고르게 무두질한 가죽. '一, 柔革平均也'《集韻》. ②고르게무두질안된가죽위 고르게 무두질이 안 된 가죽.

韋12 〔⿰韋登〕 21 창 [去]敬 | zhèng トウ かわをはる

[字解] 가죽펼창 가죽을 폄. '一, 張皮也'《集韻》.

韋13 〔韣〕 22 [一] 독 [入]屋 [二] 촉 [入]沃 (속[本]) | dú トク ゆみぶくろ dú ショク ゆみぶくろ

[字解] [一] 활집독 ⿰革蜀(革부 13획〈1671〉)과 同字. '帶以弓一'《禮記》. [二] 활집촉. ※本音 속.
[字源] 形聲. 韋＋蜀〔音〕

韋13 〔⿰韋詹〕 22 첨 ①[平]鹽 ②③[去]豔 | chān セン おおい chàn セン うまのあおり

[字解] ①가리개첨 칸막이로 세우는 가리개. '一, 屏也'《廣韻》. ②슬갑첨 무릎까지 덮어 걸치는 옷. ③말다래첨 진흙이 튀어 오르지 않도록 말의 배 양쪽에 늘어뜨린 물건. ⿰革詹(革부 13획〈1671〉)과 同字.

韋13 〔⿰韋雩〕 22 〔위〕 韡(韋부 12획〈1677〉)의 本字

韋13 〔⿰韋雍〕 22 〔옹〕 ⿰革雍(革부 13획〈1671〉)과 同字

韋13 〔⿰韋睪〕 22 택 [入]陌 | zhái タク かたなのかざり

[字解] 칼치장택 칼치장. 칼자루를 감은 가죽. '一, 一韄, 刀飾'《廣韻》.

韋13 〔⿰韋僉〕 22 험 [平]鹽 | xiǎn ケン ふすま

[字解] 이불험 덮는 침구. '一, 被也'《廣雅》.

韋14 〔⿰韋蒪〕 23 〔박〕 ⿰革薄(革부 17획〈1673〉)과 同字

韋14 〔⿰韋⿱艹甫〕 23 〔부〕 ⿰韋甫(韋부 7획〈1675〉)와 同字

韋14 〔韄〕 23 획 [入]陌 | hù ワク かたなのかざり

[字解] ①칼치장획 칼치장. '一, 一⿰韋睪, 刀飾'《玉篇》. ②칼자루감은가죽획 칼자루를 감은 가죽. '一, 一靳, 刀靶中韋'《集韻》.

韋15 〔韤〕 24 말 [入]月 | wà バツ たび

[字解] 버선말 발에 꿰어 신는 물건. ⿰革蔑(革부 15획〈1672〉)·襪(衣부 15획〈1291〉)과 同字. '褚師聲子, 一而登席'《左傳》.
[字源] 形聲. 韋＋蔑〔音〕

韋15 〔韥〕 24 〔독〕 韣(韋부 13획〈1678〉)과 同字

韋15 〔⿰韋慧〕 24 수 [去]寘 | suì スイ ふくろのひも

[字解] ①주머니끈수 주머니의 끈. '一, 囊組謂之一'《集韻》. ②범의대가리를넣는자루수 범의 대가리를 넣는 자루. 韢(韋부 12획〈1677〉)[三]와 同字. '韢, 櫜紐也, 一日, 盛虎頭囊, 或从慧'《集韻》.

韋16 〔⿱⿲木缶木韋〕 25 울 [入]物 | yù ウツ かおりぐさ

[字解] 향초울 '葉下於一'《管子》.

韋17 〔⿰韋薄〕 26 부 [去]遇 [上]麌 | bǔ, bù ホ くるまのとこしばり

[字解] ①복토부 복토(伏兔). 수레의 아래 끈. '⿰革甫, 車下⿰革甫, 一, 同⿰革甫'《玉篇》. ②수레깔개부 수레의 깔개. 수레의 자리. ⿰革薄(革부 17획〈1673〉)와 同字. '⿰革薄, 靯⿰革薄, 車茵, 或从韋'《集韻》.

韋18 〔⿰⿱米韋⿱隹火〕 27 [一] 추 [平]尤 [二] 초 [平]蕭 [去]嘯 | jiū シュウ たばねる ショウ たばねる

[字解] [一] ①묶을추 거두어 묶음. '一, 收束也'《說文》. ②단단히얽을추 '一, 堅縛也'

《玉篇》. ③모을추 '一, 聚也'《正字通》. [二] 묶을초, 단단히얽을초, 모을초 [一]과 뜻이 같음.
[字源] 形聲. 韋＋⿰米焦〔音〕

韋 19 〔⿱䜌韋〕 28 권 [去]願 | juàn ケン なめしがわ
[字解] 다룸가죽권 다룸가죽. '一, 柔韋也'《字彙》.

韋 20 〔⿰韋矍〕 29 곽 [入]藥 | jué キャク かたなのつかのかわ
[字解] ①칼자루가죽곽 칼자루를 감은 가죽. '一, 韠一, 刀靶韋'《集韻》. ②칼치장곽 칼치장. 韄(韋부 14획〈1678〉)의 訛字.

韭　部

〔부추구부〕

韭 0 〔韭〕 9 구 [上]有 | jiŭ キュウ にら
[筆順] 丨 ㅓ ㅋ ヨ 킈 킈 非 韭
[字解] 부추구 훈채(葷菜)의 하나. '一菹'《儀禮》.
[字源] 象形. 땅 위에 무리지어 나 있는 부추의 象形으로, '부추'의 뜻을 나타냄.
[參考] ①'韭구'를 의부(意符)로 하여, 부추 등의 야채나 그것을 써서 만든 요리에 관한 문자를 이룸. ②韮(次條)는 同字.

韭 4 〔韮〕 13 韭(前條)와 同字

韭 4 〔⿰歹韭〕 13 구 [上]有 | xiè キュウ せい
[字解] 성구 성(姓)의 하나. '一, 姓也'《字彙》.

韭 4 〔⿱丕韭〕 13 잡 [入]合 | zá ソウ わるい
[字解] 나쁠잡 나쁨. 약함. '一, 惡也'《廣韻》.

韭 4 〔⿱癶韭〕 13 韰(次次條)의 訛字

韭 6 〔⿹𢦏韭〕 15 〔섬〕 韱(韭부 8획〈1679〉)과 同字

韭 7 〔韰〕 16 해 [去]卦 | xiè カイ·ガイ こころがせまくきがあらい
[字解] ①마음좁고사나울해 '一惈'는 마음이 좁고 성질이 사나움. '風俗以一惈爲嫿'《左思》. ②좁을해, 빠를해 '⿰亻韰, 博雅, 陿也. 一曰, 速也. 或省'《集韻》.

韭 7 〔⿱乔韭〕 16 〔계〕 季(子부 5획〈271〉)의 古字

韭 8 〔⿰韭支〕 17 삽 [入]合 | sà ソウ おきる
[字解] ①일어날삽 '一, 起也'《集韻》. ②책상다리에덧대는나무삽 '一子'는 안정되지 않은 책상의 네 다리에 덧대는 작은 나무.

韭 8 〔韱〕 17 섬 [平]鹽 | xiān セン やまにら
[字解] ①산부추섬 달래과에 속하는 다년초. 식용함. '一, 山韭也'《說文》. ②가늘섬 섬세함. 纖(糸부 17획〈1020〉)과 同字.
[字源] 形聲. 韭＋𢦔〔音〕

韭 10 〔⿱⿰朿次韭〕 19 제 [平]齊 | jī セイ あえもの
[字解] ①나물제 야채 따위를 잘게 썰어 양념을 하여 무친 음식. '懲熱羹而吹一兮'《楚辭》. ②섞을제 혼화(混和)함. '以是非相一也'《莊子》. ③어지럽힐제 '一其所患'《莊子》.
[字源] 形聲. 韭＋次〔音〕＋朿〔音〕

韭 10 〔韲〕 19 〔제〕 齏(齊부 9획〈1883〉)와 同字

韭 10 〔⿰口韰〕 19 해 [去]卦 | xiè カイ しにんをおくるうた
[字解] 상여소리해 상여 소리. 행상(行喪)할 때에 상여꾼들이 부르는 노래. 만가(挽歌). 薤(艸부 13획〈1190〉)의 訛字. '一, 送死歌也'《集韻》.

韭 12 〔⿰韭番〕 21 번 [平]元 | fán ハン·ボン こびる
[字解] ①달래번 '一, 小蒜'《說文》. ②산나리번 '一, 百合蒜也'《玉篇》.
[字源] 形聲. 韭＋番〔音〕

韭 12 〔⿰番韭〕 21 ⿰韭番(前條)과 同字

韭 12 〔⿱隊韭〕 21 대 [去]隊 | duì タイ きざみな
[字解] 나물대 잘게 썬 야채를 초나 간장 또는 매운 것에 무쳐 조리한 것. '一, 韲菹'《玉篇》.
[字源] 形聲. 韭＋隊〔音〕. '韭구'는 부추.

韭 14 〔⿰貝韰〕 23 해 [去]卦 | xiè カイ らっきょう

[字解] ①염교해 백합과에 속하는 다년초. 인경(鱗莖)은 식용함. ②좁을해 '何文肆而質一'《揚雄》.
[字源] 形聲. 韭＋叡〔音〕

音 部
〔소리음부〕

音 0 〔音〕9 [中][人] 음 [平]侵 [去]沁 | ①-④yīn イン・オン おと ⑤yìn イン・オン かげ
[筆順] 一 亠 亣 立 产 产 音 音
[字解] ①소리음 ㉠귀에 울려 들리는 자극. '淸水一小, 濁水一大'《淮南子》. ㉡음악. 성악. '八一'. '治世之一'《禮記》. ㉢말. '金玉爾一'《詩經》. ②음음 ㉠자음(字音). '一訓'. '此字何一'《顏氏家訓》. ㉡음조(音調). '審聲以知一'《禮記》. ③소식음 음신. 전언(傳言). '一訊'. '歸雲難寄一'《陸機》. ④성음 성(姓)의 하나. ⑤그늘음 蔭(艸부 11획〈1175〉)과 통용. '鹿死不擇一'《左傳》.
[字源] 指事. 金文은 '言언'의 '口구' 부분에 점을 하나 덧붙인 꼴로, 현악기·관악기나 쇠·돌·풀·나무에서 나는 소리의 뜻을 나타냄.
[參考] '音음'을 의부(意符)로 하여, 음향에 관한 문자를 이룸.

〔章〕〔장〕 立부 6획(927)을 보라.

音 3 〔䪫〕12 홍 [平]東 | hóng コウ おおごえ
[字解] 큰소리홍 크게 지르는 소리. '一, 大聲'《集韻》.

音 3 〔䪬〕12 치 [平]支 | chí チ こうていのがくのな
[字解] 황제의풍류이름치 황제(黃帝)의 풍류 이름. '一, 咸一, 黃帝樂名'《集韻》.

〔意〕〔의〕 心부 9획(399)을 보라.

音 4 〔韴〕13 잡 [入]合 | zá ソウ・ゾウ とぎれごえ
[字解] 끊어지는소리잡 '一, 斷聲'《廣韻》.

音 4 〔䪩〕13 〔음〕 吟(口부 4획〈150〉)과 同字

音 4 〔韵〕13 〔운〕 韻(音부 10획〈1681〉)과 同字

〔歆〕〔흠〕 欠부 9획(598)을 보라.

音 5 〔韶〕14 [人名] 소 [平]蕭 | sháo ショウ しゅんていのおんがく
[筆順] 亠 立 立 音 韶 韶 韶 韶
[字解] ①풍류이름소 순(舜)임금이 지은 음악 이름. '子謂一'《論語》. ②아름다울소 훌륭함. 또, 화창함. '一光開令序, 淑氣動芳年'《唐太宗》. ③이을소 紹(糸부 5획〈985〉)와 통용. ④성소 성(姓)의 하나.
[字源] 形聲. 音＋召〔音〕

音 5 〔韷〕14 락 [入]陌 | lè ラク おんせいがかまびすしい
[字解] 시끄러울락 시끄러움. 소란함. '一, 音聲煩鬧也'《篇海》.

音 5 〔䪭〕14 봉 [平]東 | pēng ホウ やなり
[字解] 집울릴봉 집이 울림. 지면의 진동으로 집이 울리는 울림. '一, 屋響也'《字彙》.

音 5 〔䪮〕14 불 [入]物 | fú フツ かくせいのたちまちやむさま
[字解] 풍류소리뚝그칠불 풍류 소리가 뚝 그치는 모양. '一, 樂聲乍息皃'《集韻》.

音 6 〔[illegible]〕15 박 [入]覺 | bō ハク ゆびのふしのなるおと
[字解] 손가락마디소리박 손가락 마디에서 나는 소리. '一, 指聲'《廣韻》.

音 6 〔韸〕15 방 [平]江 | pāng ホウ つつみのおと
[字解] 북소리방 북 소리. 북 치는 소리. '一, 鼓聲'《集韻》.

音 6 〔[illegible]〕15 음 [去]沁 | yìn イン たいらかならぬこえ
[字解] 소리고르지않을음 소리가 고르지 아니함. '一, 一呃, 不平聲'《集韻》.

音 6 〔[illegible]〕15 축 [入]屋 | zú シュク がっきをかけるいとのだんぜつしたさま
[字解] 악기매단줄끊어질축 악기를 매단 줄이 끊어짐. 악기를 매단 기구의 줄이 끊어진 모양. '一, 樂懸斷皃'《集韻》.

音 6 〔[illegible]〕15 〔향〕 響(音부 13획〈1682〉)과 同字

音6〔䚯〕15 홍 ㊥東 | hōng コウ おおごえ
字解 큰소리홍 '一, 一訌, 大聲'《廣韻》.

音7〔韸〕16 봉 ㊥東 | pēng ホウ つづみのおと
字解 ①북소리봉 북을 울리는 소리. '一, 鼓聲'《集韻》. ②화할봉 화합(和合)함. '一, 和也'《玉篇》.
字源 形聲. 音＋夆〔音〕

音7〔韺〕16 경(형㊍) ㊥庚 | jīng コウ しおき
字解 ①형경 형벌(刑罰). '一, 刑也'《廣雅》. ②풍류경 '六一'은 풍악의 이름. '一, 博雅, 六一, 顓頊樂'《集韻》. ※本音 형.

音7〔䪪〕16 발 ㊇月 | bó ホツ ものをとどめるおと
字解 물건멈추는소리발 물건을 멈추는 소리. 물건을 놓아 두는 소리. '一, 按物聲, 或省'《玉篇》.

音7〔韽〕16 암 ㊥覃 | ān アン こえがひくい
字解 소리낮을암 소리가 낮음. 낮은 소리. 작은 소리. '一, 聲小也'《集韻》.

音8〔䪫〕17 녑 ㊇葉 | niè ジョウ こえかやむ
字解 소리그칠녑 소리가 그침. '一, 聲止也'《集韻》.

音9〔韺〕18 영 ㊥庚 | yīng エイ がくのな
字解 풍류이름영 '五一'은 제곡(帝嚳)의 음악 이름. '五英'으로도 씀. '歲律及郊至, 古音命五一'《韓愈》.
字源 形聲. 音＋英〔音〕

音9〔韹〕18 ㊀횡 ㊥庚 | huáng コウ がくのおと
㊁영 ㊥庚 | yīng ヨウ どらのおと
字解 ㊀풍류소리횡 풍류의 소리. 종고(鐘鼓)의 소리. 鍠(金부 9획〈1571〉)과 同字. '鍠, 或从音'《集韻》. ㊁놋그릇소리영 놋그릇 소리. 동라(銅鑼)·징〔鉦〕의 울리는 소리. '一, 銅器聲'《集韻》.

音10〔韻〕19 高·人 운 ㊤問 | yùn ウン·イン ひびき
筆順 亠 立 音 音 韵 韻 韻 韻
字解 ①울림운 음(音)의 말미(末尾)의 울림. '餘一'. '同聲相應謂之一'《文心雕龍》. ②운운 한자를 그 발음의 유사(類似)에 의하여 백여섯으로 구별한 것. '將平上去入四聲, 以此制一'《南史》. 전(轉)하여, 시부·가곡·문묵(文墨)에 관한 일. '風流一事'. '或託言於短一'《陸機》. ③운치운 풍치. 풍도. '氣一'. '但以器一自高'《唐書》. ④성운 성(姓)의 하나.
字源 形聲. 音＋員〔音〕

音10〔䪵〕19 동 ㊤送 | dòng トウ かねのおと
字解 종소리동 종 소리. '一, 鐘聲'《集韻》.

音10〔罃〕19 ㊀영 ㊥庚 | yīng エイ こえ
㊥青 | エイ こごえ
㊁앵 ㊥庚 | yīng ヨウ うめく
字解 ㊀①소리영 소리. '一, 聲也'《集韻》. ②작은소리영 작은 소리. '一, 小聲'《集韻》. ㊁신음할앵 신음함. 끙끙거림. '一, 呻也'《集韻》.

音10〔䪷〕19 추 ㊤有 | chǒu シュウ どよめき
字解 ①웅성거릴추 웅성거리는 소리. '一, 一一, 眾聲'《集韻》. ②음악소리아름다울추 음악 소리가 아름다움. '一, 樂音美也'《集韻》.

音11〔䪩〕20 암 ㊥覃 | ān アン ちいさいこえ
字解 작을암 소리가 작음. 소리가 낮음. '微聲一'《周禮》.
字源 形聲. 音＋酓〔音〕

音11〔䪹〕20 〔경〕
韺(音부 7획〈1681〉)과 同字

音11〔䪺〕20 〔동〕
䪵(音부 10획〈1681〉)과 同字

音11〔䪻〕20 ㊀逢(辵부 7획〈1497〉)과 同字
㊁韸(音부 7획〈1681〉)과 同字

音11〔韾〕20 음 ㊥侵 | yīn イン こえがやわらぐ
字解 소리화할음 소리가 화합. 소리가 부드럽고 조화됨. '一, 聲和靖也'《集韻》.

音11〔響〕20 響(次次條)의 略字

音12〔䪼〕21 響(次條)과 同字

音 13 〔響〕22 高·人 향 上養 xiǎng キョウ ひびき

筆順 乡 𨚵 𨛜 鄉 鄉 鄉 響 響

字解 ①울림향 진동하는 소리. '叩門—冬冬'《白居易》. 전(轉)하여, 여파(餘波). '影—'. '反—'. ②울릴향 소리가 진동함. '震—山谷'《南史》. '放爆竹不—'《雜纂新續》.
字源 形聲. 音+鄉〔音〕

音 13 〔響〕22 響(前條)의 俗字

音 13 〔贑〕22 〔공〕 贛(貝부 17획〈1402〉)의 訛字

音 13 〔韘〕22 업 入葉 yè ギョウ なりもの
字解 악기업 악기(樂器). '—, 樂也'《集韻》.

音 13 〔譩〕22 의 平支 yī イ うめき
字解 신음할의 신음(呻吟)함. 앓는 소리. '—, 痛聲'《字彙》.

音 13 〔韣〕22 탁 入覺 zhuó タク つんぼ

筆順 立 音 𩐁 韣 韣 韣 韣 韣

字解 귀머거리탁 귀머거리. '—, 龍—'《廣韻》.

音 14 〔頀〕23 人名 호 去遇 hù コ がくのな

筆順 亠 立 音 音⁺ 音⁺ 音⁺ 音⁺ 頀

字解 풍류이름호 '大—'는 은(殷)나라 탕왕(湯王)이 지은 음악. '大濩'로도 씀.
字源 形聲. 音+蒦〔音〕

音 14 〔韸〕23 향 平陽 xiāng キョウ うつ
字解 칠향 침. 공격함. '—, 擊也'《字彙補》.

音 15 〔韹〕24 광 去漾 guàng コウ こえ
字解 소리광 소리. '—, 聲也'《奚韻》.

音 17 〔䨨〕26 韺(次條)과 同字

音 24 〔韺〕33 령 平青 líng レイ おと
字解 소리령 소리. '—, 音也'《集韻》.

頁 部
〔머리혈부〕

頁 0 〔頁〕9 一 혈 入屑 xié ケツ かしら 二 엽 yè ヨウ ページ

筆順 一 丆 丆 丙 百 百 頁 頁

字解 一 머리혈 두부(頭部). 二 쪽엽 서책의 지면의 한 면. 또, 그것을 세는 말. 페이지. '—, 俗以書册一翻爲—, 讀與葉同'《中華大字典》.
字源 象形. 사람의 머리를 강조한 모양을 본뜸. 머리의 뜻을 나타냄. 篆文의 '𩑋혈'이 '頁혈'로 변형됨.
參考 '頁혈'을 의부(意符)로 하여, 머리나 머리에 관한 명칭, 상태 등을 나타내는 문자를 이룸. 부수 이름은 '머리혈'.

頁 0 〔𩑋〕9 頁(前條)의 本字

頁 2 〔頂〕11 中·人 정 上迥 dǐng チョウ いただき

筆順 一 丁 丁 丁 丁 丁 頂 頂

字解 ①쥐독정 머리의 최상부. '圓—黑衣'. '過涉滅—'《易經》. ②꼭대기정 물건의 가장 높은 데. '山—'. '—上'. ③일정 머리 위에 놓음. '—戴奉持'《梁武帝》.
字源 形聲. 頁+丁〔音〕

頁 2 〔頃〕11 高·人 一 경 上梗 平庚 ①-③qǐng ケイ めんせきのたんい ④⑤qīng ケイ かたむく 二 규 上紙 kuǐ キ はんぽ

筆順 丶 匕 匕 匕 匕 匕 頃 頃

字解 一 ①백이랑경 밭 백묘(百畝)의 지적(地積). '一碧萬—'《范仲淹》. ②잠깐경 잠시. '食—'. '—刻'. '天下之悖亂而相亡, 不得—矣'《荀子》. ③이마적경 근자에. '—者'·'—日'로 연용(連用)하기도 함. '—積雪凝寒'《王羲之》. '—與諸老論及此學'《傳習錄》. ④기울경 傾(人부 11획〈69〉)과 同字. '不盈—筐'《詩經》. ⑤성경 성(姓)의 하나. 二 반걸음규 跬(足부 6획〈1428〉)와 통용. '君子—步而弗敢忘孝也'《禮記》.
字源 會意. 匕+頁

頁 2 〔頄〕11 [一]구 (平)尤 | qiú キュウ ほおぼね [二]규 (平)支 | kuí キ ほおぼね

[字解] [一] 광대뼈구 관골(顴骨). '壯于一'《易經》. [二] 광대뼈규 [一]과 뜻이 같음.
[字源] 形聲. 頁+九〔音〕

頁 2 〔頋〕11 오 (去)嘯 | ào ギョウ あおむく

[字解] 머리들오 머리를 듦. 고개를 쳐듦. '一, 擧頭顧一'《字彙》.

頁 2 〔頊〕11 우 (去)宥 | yòu ユウ あたまがふるえる

[字解] 머리흔들릴우 머리가 흔들림. '頊, 頭顫也, 亦从又'《集韻》.

頁 3 〔項〕12 [高·人] 항 (上)講 | xiàng コウ うなじ

[筆順] …

[字解] ①목덜미항 목의 뒤쪽. '其一類皐陶'《史記》. 또, 관(冠)의 뒤쪽. '賓右手執一'《儀禮》. ②클항 '四牡一領'《詩經》. ③항항 문장 등의 구분. ④성항 성(姓)의 하나.
[字源] 形聲. 頁+工〔音〕

頁 3 〔頇〕12 한 (平)寒 | hān カン かおのおおきいさま

[字解] 얼굴클한 顢(頁부 11획〈1698〉)을 보라. '顢一'.
[字源] 形聲. 頁+干〔音〕

頁 3 〔順〕12 [中·人] 순 (去)震 | shùn ジュン したがう, すなお

[筆順] …

[字解] ①순할순 온순함. '柔一'. ②좇을순 ㉠들음. 청종(聽從)함. '祇一德意'《李覯》. ㉡도리(道理)에 따름. '耳一'. '一理則裕'《程頤》. ㉢복종함. 따름. '歸一'. '四國一之'《詩經》. 또, 따르는 사람. '去暴擧一'《王粲》. ③즐길순, 기뻐할순 '父母其一矣乎'《中庸》. ④차례순 차서. '一次'. '陰陽一序'《王勃》. ⑤성순 성(姓)의 하나.
[字源] 形聲. 頁+川〔音〕

頁 3 〔須〕12 [中·人] 수 (平)虞 | xū シュ·ス ひげ

[筆順] …

[字解] ①수염수 턱밑 수염. 鬚(髟부 12획〈1773〉)와 통용. '賁其一'《易經》. ②기다릴수 오기를 바람. '卬一我友'《詩經》. ③바랄수 구함. 원함. '自識不足補吾子所一也'《韓愈》. ④잠깐수 잠시. '一臾'. '不待一'《荀子》. ⑤쓸수 사용함. '一此兩人, 而後從政'《史記》. ⑥모름지기수 모름지기 …하여야 함. 명령 또는 결정의 말. '適有事務, 一自經營'《應璩》. ⑦성수 성(姓)의 하나.
[字源] 象形. 얼굴에 수염이 난 사람의 모양을 본떠, '수염'의 뜻을 나타냄. 篆文은 頁+彡의 會意.

頁 3 〔頊〕12 [一]독 (入)屋 | duó トク あたまのほね [二]탁 (入)藥 | タク あたまのほね [三]척 (入)陌 | タク·チャク あたまのほね

[字解] [一] 해골독 머리의 뼈. '一顱謂之髑髏'《廣雅》. [二] 해골탁 [一]과 뜻이 같음. [三] 해골척 [一]과 뜻이 같음.
[字源] 形聲. 頁+乇〔音〕

頁 3 〔頎〕12 [一]굴 (入)月 | kū ケン はげあたま [二]곤 (上)阮 | kū コン はげあたま

[字解] [一] ①대머리굴 벗어진 머리. 독두(禿頭). ②광대뼈내밀굴 광대뼈가 내민 모양. [二] 대머리곤, 광대뼈내밀곤 [一]과 뜻이 같음.
[字源] 形聲. 篆文은 頁+气〔音〕

頁 3 〔頉〕12 [一]이 (平)支 | yí イ やしなう [二]탈 (韓)

[字解] [一] 기를이 기름. '一, 養也'《字彙補》. [二] 《韓》 탈날탈 뜻밖에 생긴 사고(事故)나 병(病).

頁 3 〔頦〕12 [一]개 (上)賄 | gǎi カイ ほおのかほう [二]해 (平)灰 | hái カイ·ガイ こども

[字解] [一] 볼개 볼. 볼의 아래쪽. '一, 頰下曰一'《集韻》. [二] 어린아이해 어린아이. '一, 俗孩字'《五音集韻》.

頁 3 〔䪻〕12 궁 (平)東 | qiōng コウ かお, おもて

[字解] ①얼굴궁 얼굴. 낯. '一, 面上也'《五音集韻》. ②표면궁 표면. 겉.

頁 3 〔頎〕12 올 (入)月 | kūn ゴツ かみをさるけい

[字解] 머리깎는형벌올 머리를 깎는 형벌.

頁 3 〔頔〕12 요 (平)蕭 | yāo ヨウ あたまのちいさいさま

[字解] 머리작을요 머리가 작은 모양. '一, 頭小貌'《字彙》.

頁 3 〔頔〕12 頔(前條)의 訛字

頁 3 〔⿰乂頁〕 12 차 [平]佳 | chāi サイ ほおげた

[字解] 광대뼈차 광대뼈. '—, 顱—, 頤旁'《集韻》.

頁 3 〔⿰丸頁〕 12 환 [平]寒 | huán カン たま

[字解] ①머리환 머리. '—, 頂顚'《字彙》. ②구슬환 구슬〔丸〕. '—, 丸也'《字彙》.

頁 3 〔⿰亐頁〕 12 후 [平]虞 | xū ク あたまのうごくさま

[字解] 머리움직일후 머리의 움직이는 모양. '—, 頟—, 頭動皃'《集韻》.

頁 4 〔頊〕 13 [人名] 욱 [入]沃 | xù キョク じしつのさま

[筆順] 一 二 干 王 王 玎 珥 頊

[字解] 멍할욱 정신이 빠진 것 같은 모양. '——然不自得'《莊子》.

[字源] 形聲. 頁+玉〔音〕

頁 4 〔頌〕 13 [高·人] [一] 송 [去]宋 | sòng ショウ ほめる
[二] 용 [平]冬 | róng ヨウ さま, かたち

[筆順] 八 公 公 公 㕬 頌 頌 頌

[字解] [一] ①기릴송 칭송함. '—德'. '—而無諂'《禮記》. ②송송 문체의 하나. 칭찬하는 글. '伯夷—'. '酒德—'. '爲聖主得賢臣—'《漢書》. 시(詩)의 육의(六義)의 하나. 성덕(盛德)을 칭송하여 신명(神明)에게 고하는 것. '周—'. '魯—'. '詩有六義, 六曰—'《詩經 序》. ③점사송 점조(占兆)의 말. '其—皆千有二百'《周禮》. ④성송 성(姓)의 하나. [二] ①얼굴용 容(宀부 7획〈280〉)과 통용. '魯徐生善爲—'《漢書》. ②용서할용 容(宀부 7획〈280〉)과 통용. '當鞫繫者—繫之'《漢書》.

[字源] 形聲. 頁+公〔音〕

頁 4 〔頍〕 13 규 [上]紙 | kuǐ キ あたまをあげる

[字解] 들규 머리를 듦. '有—者弁'《詩經》.

[字源] 形聲. 頁+支〔音〕

頁 4 〔頎〕 13 [一] 기 [平]微 | qí キ せがたかくてりっぱなさま
[二] 간 [上]阮 | kěn コン いたみなげくさま

[字解] [一] 헌걸찰기 키가 크고 풍채가 좋은 모양. '碩人其—'《詩經》. [二] 가엾을간 측은한 모양. '稽顙而后拜, —乎其至也'《禮記》.

[字源] 形聲. 頁+斤〔音〕

頁 4 〔頏〕 13 항 ①[平]陽 | háng コウ とびおりる
②[上]養 | hàng コウ のど

[字解] ①내려갈항 새가 아래로 향하여 낢. '頡—'. '燕燕于飛, 頡之—之'《詩經》. ②목구멍항 吭(口부 4획〈150〉)과 同字.

[字源] 形聲. 頁+亢〔音〕

頁 4 〔預〕 13 [人名] 예 [去]御 | yù ヨ あらかじめ, あずける

[筆順] ㇇ マ 予 予 预 預 預 預

[字解] ①미리예 사전에. '—想'. '禍不可以—度'《晉書》. ②즐길예, 놀예 즐거워함. 즐거이 놂. '虎丘時游—'《白居易》. ③참여할예 간여함. '干—'. '仲容已—之'《世說》. ④관계할예 관계를 가짐. 관련함. '—知'. '公榮者無—焉'《世說》. ⑤《韓》 맡길예 금품을 맡김. '—金'.

[字源] 形聲. 頁+予〔音〕

頁 4 〔頑〕 13 완 [平]刪 | wán ガン かたくな

[字解] ①완고할완 고루하여 고집이 셈. 미련하여 도덕을 모름. '—陋'. '—鈍'. '父—母嚚'《書經》. 또, 완고함. '擧—用嚚'《左傳》. ②탐할완 욕심이 많음. '聞伯夷之風者, —夫廉, 懦夫有志'《孟子》.

[字源] 形聲. 頁+元〔音〕

頁 4 〔頒〕 13 [人名] [一] 반 [平]刪 | bān ハン わける
[二] 분 [平]文 | fén フン おおきいあたまのさま

[筆順] 八 分 分 分 頒 頒 頒 頒

[字解] [一] ①나눌반 ㉠나누어 줌. '—賜'. '—度量而天下大服'《禮記》. ㉡널리 퍼뜨림. '—布'. ㉢구분함. '乃惟孺子, —朕不暇'《書經》. ②반쯤셀반 머리나 수염이 반쯤 힘. 斑(文부 8획〈490〉)과 통용. '—白者, 不負戴於道路矣'《孟子》. [二] 머리클분 물고기의 머리가 큰 모양. '有—其首'《詩經》.

[字源] 形聲. 頁+分〔音〕

頁 4 〔頓〕 13 [人名] [一] 돈 [去]願 | dùn トン ぬかずく
[二] 둔 [去]願 | dùn トン にぶい
[三] 돌 [入]月 | dú トツ じんめい

[筆順] 一 匚 口 屯 屯 頓 頓 頓

[字解] [一] ①조아릴돈 머리를 숙여, 땅에 대고 절을 함. '—首'. ②넘어질돈 발이 걸려 자빠짐. '—躓'. ③꺾일돈 좌절함. '—挫'.

④머무를돈 정지함. '三日三夜, 不一舍'《史記》. ⑤패할돈, 무너질돈 '甲兵不一'《左傳》. ⑥가지런히할돈 '整一'. '一網探淵'《陸機》. ⑦갑자기돈 급작스럽게. '一悟'. '一死'. '精神一生'《世說》. ⑧숙사돈 숙박하는 집. '數道置一'《隋書》. ⑨끼니돈 한 끼니. '欲乞一一食耳'《世說》. ⑩성돈 성(姓)의 하나. [二]둔할둔 鈍(金부 4획〈1551〉)과 통용. '芒刃不一'《漢書》. [三]흉노왕이름돌 '冒一(묵돌)'은 흉노(匈奴)의 왕(王)의 이름.
[字源] 形聲. 頁+屯〔音〕

頁 4 〔頕〕13 [一] 침 [上]寑 | zhěn シン うなじのほね
[二] 담 ①[上]感 | dǎn タン みにくいさま
②[去]勘 | dàn タン おろかなさま

[字解] [一]①목뼈침 베개에 닿는 뼈. '一, 頭骨後'《廣韻》. ②머리숙일침 고개를 숙이는 모양. '一, 垂頭皃'《玉篇》. [二]①추할담 '黷一'는 추(醜)한 모양. '一, 黷一, 醜也'《廣韻》. ②어리석을담 '一頗'은 어리석은 모양. '一, 一頗', 癡皃'《集韻》.
[字源] 形聲. 頁+冘〔音〕

頁 4 〔⿰不頁〕13 배 [平]灰 | pēi ハイ まがったあご
[平]佳 | bāi ハイ まがったあごのさま

[字解] ①주걱턱배 '一, 曲頤也'《說文》. ②주걱턱의모양배 '一, 曲頤皃'《廣韻》.
[字源] 形聲. 頁+不〔音〕

頁 4 〔⿰尤頁〕13 우 [去]宥 | yòu ユウ·ウ あたまがふるえる

[字解] ①머리떨우 '一, 顫也'《說文》. ②병우 '一, 病也'《玉篇》.
[字源] 形聲. 頁+尤〔音〕

頁 4 〔⿰𡕒頁〕13 [一] 올 [入]月 | オツ しずむ
[二] 몰 [入]月 | mò ボツ しずむ

[字解] [一]가라앉을올 머리를 물속에 넣음. '一, 內頭水中'《廣韻》. [二]가라앉을몰 [一]과 뜻이 같음.
[字源] 形聲. 頁+𠬛(𡕒)〔音〕

頁 4 〔⿰尹頁〕13 [一] 윤 [上]軫 | yǔn イン がんめんがゆがんでいるさま
[二] 이 [平]支 | イ がんめんがゆがんでいるさま

[字解] [一]낯비뚤윤 얼굴이 비뚤어진 모양. '一, 面目不正皃'《說文》. [二]낯비뚤이 [一]과 뜻이 같음.
[字源] 形聲. 頁+尹〔音〕

頁 4 〔⿰厄頁〕13 와 [上]哿 | ě ガ しずか

[字解] 고요할와 '一, 靜也'《集韻》.

頁 4 〔⿰气頁〕13 〔굴〕
⿰乞頁(頁부 3획〈1683〉)의 本字

頁 4 〔⿰爻頁〕13 〔발〕
髮(髟부 5획〈1765〉)의 古字

頁 4 〔⿰戶頁〕13 〔로〕
顱(頁부 16획〈1702〉)의 略字

〔傾〕〔경〕
人부 11획(69)을 보라.

〔煩〕〔번〕
火부 9획(718)을 보라.

頁 4 〔⿰今頁〕13 [一] 감 [平]覃 | kān カン みにくいさま
[二] 검 [平]咸 | qiān カン みにくいさま

[字解] [一]추한모양감 추한 모양. [二]추한모양검 [一]과 뜻이 같음.

頁 4 〔⿰冗頁〕13 담 [上]感 | dàn タン あたま

[字解] ①머리담 머리〔頭〕. ②頕(頁부 4획〈1685〉)의 訛字. '一, 顱一也'《字彙》.

頁 4 〔⿰丰頁〕13 [一] 봉 [上]董 | bēng ホウ みみのね
[二] 뢰 [去]隊 | lèi ライ あたまがかたむく

[字解] [一]귀뿌리봉 귀뿌리. '一, 耳本'《集韻》. 이근(耳根). 귀가 뺨에 붙은 부분. [二]머리갸울뢰 머리가 갸웃. 갸우듬한 머리. '頛, 說文, 頭不正也, 或省'《集韻》.

頁 4 〔⿰卬頁〕13 앙 [平]陽 | áng ゴウ あたまをあげる

[字解] 머리들앙 머리를 듦. '一, 一頭'《字彙》.

頁 4 〔⿰午頁〕13 오 [上]晧 | ǎo ゴウ おおきなあたま

[字解] 큰머리오 큰 머리. '一, 顴一, 大頭'《廣韻》.

頁 4 〔⿰丑頁〕13 우 [上]麌 | yǔ ウ こうしのあたま

[字解] 공자머리우 공자(孔子)의 머리. '一, 釋典, 一, 孔子頭也'《字彙補》.

頁 4 〔頙〕13 책 [入]陌 | chè サク ただしい

字解 바를책 바름. 옳음. 올바름. '一, 正也'《玉篇》.

頁5 〔𩑶〕 14 진 ㊤軫 ㊦震 | zhěn シン つつしむ

字解 ①삼갈진 마음을 억눌어 안색에 드러내지 않음. '一, 顏色一䫴愼事也'《說文》. ②머리털적을진 '䪸, 一䪸, 一日, 頭少髮'《廣韻》. ③부끄러워할진 '一, 慙也'《廣雅》.
字源 形聲. 頁＋㐱〔音〕

頁5 〔𩑺〕 14 𩑶(前條)과 同字

頁5 〔䪼〕 14 적 ㊇錫 | dí テキ じんめい

字解 사람이름적 '于一'은 당(唐)나라 사람.
字源 形聲. 頁＋由〔音〕

頁5 〔頖〕 14 반 ㊦翰 | pàn ハン がっこうのな

字解 학교이름반 泮(水부 5획〈639〉)과 同字. '諸侯曰一宮'《禮記》.
字源 形聲. 頁＋半〔音〕

頁5 〔䫇〕 14 염 ㊥鹽 | rán ゼン·ネン ほおひげ

字解 구레나룻염 髥(髟부 4획〈1765〉)과 同字. '黑色而一'《莊子》.
字源 形聲. 頁＋冄〔音〕

頁5 〔頗〕 14 高·人 파 ㊥歌 ㊤哿 | ①pō ハ かたよる ②③pǒ ハ すこぶる

筆順 丿 厂 广 皮 皮 頗 頗 頗

字解 ①치우칠파 공평하지 아니함. '偏一'. '無偏無一'《書經》. ②자못파 ㉠약간. '一采古禮'《史記》. ㉡매우 많이. '國人一有知者'《戰國策》. ③성파 성(姓)의 하나.
字源 形聲. 頁＋皮〔音〕

頁5 〔領〕 14 中·人 령 ㊤梗 | lǐng リョウ くび, えり, すべる

筆順 ㅅ 亽 今 令 令 領 領 領

字解 ①목령 경항(頸項). '天下之民, 引一而望之矣'《孟子》. ②옷깃령 의복의 목을 싸는 부분. '若挈裘一'《荀子》. 전(轉)하여, 중요한 부분. 요긴한 점. '要一'. '紘一不振'《晉書》. ③벌령 옷의 한 벌. '衣衾三一'《荀子》. ④다스릴령 처리함. '一父子君臣之節'《禮記》. ⑤거느릴령 통솔함. '統一'. '總一衆職'《漢書》. ⑥깨달을령 알아차림. '一解'. '接要心已一'《杜甫》. ⑦받을령 '一受'. '實一懸悟'《深雪偶談》. ⑧재령 嶺(山부 14획〈321〉)과 통용. '輿轎而踰一'《漢書》.
字源 形聲. 頁＋令〔音〕

頁5 〔𩒎〕 14 ㊀비 ㊥支 ㊁배 ㊥佳 | pī ヒ おおきなつら bāi ハイ おおきなつらのさま

字解 ㊀ 큰얼굴비 '一, 大面'《玉篇》. ㊁ ① 큰얼굴배 '一, 大面皃'《集韻》. ② 주걱턱배 굽은 턱의 모양. '一, 曲頤皃'《廣韻》.

頁5 〔𩒏〕 14 변 ㊦霰 | biàn ヘン·ベン かんむりのな

字解 ①관(冠)이름변 '一, 冠名'《玉篇》. ②관(冠)클변 관의 큰 모양. '一, 冠碩皃'《集韻》. ③얼굴변 '粉其題一'《太玄經》.

頁5 〔䪼〕 14 절 ㊇屑 | zhuō セツ ほおぼね

字解 광대뼈절 관골(顴骨). '一, 面骨. 博雅, 顴頄, 一也'《集韻》.
字源 形聲. 頁＋出〔音〕

頁5 〔頋〕 14 〔고〕 顧(頁부 12획〈1700〉)의 俗字

頁5 〔頚〕 14 〔경〕 頸(頁부 7획〈1690〉)의 略字

〔碩〕 〔석〕 石부 9획(874)을 보라.

頁5 〔顩〕 14 감 ㊤感 | kǎn カン ほおのやまい

字解 볼병감 볼의 병. 빰에 생기는 종기 따위. '一, 頰疾'《字彙補》.

頁5 〔𩒐〕 14 겸 ㊤琰 | qiǎn ケン たいらでない

字解 평평하지않을겸 평평하지 아니함. 顩(頁부 16획〈1702〉)과 同字. '顩, 顩顩, 面不平也, 或作一'《集韻》.

頁5 〔𩒗〕 14 ㊀구 ㊦宥 ㊁후 ㊦宥 | gòu ク つとめる hòu コウ ろうじん

字解 ㊀ 힘쓸구 힘씀. 노력함. '一, 勤也'《玉篇》. ㊁ 노인후 노인. 늙은이. '一, 一說, 一顠, 老稱'《集韻》.

頁5 〔䪴〕 14 ㊀담 ㊥覃 ㊁점 ㊦豔 | dān タン ほおがゆるくたれる diàn テン たれたくび

字解 ㊀ 볼처질담 볼이 처짐. 볼이 느슨하게 처짐. '一, 頰緩'《廣韻》. ㊁ 떨어뜨린머

리점 수그린 머리. '一, 垂首也'《集韻》.

頁 5 〔⿰末頁〕14 말 [入]曷 | mò バツ すこやか

[字解] ①튼튼할말 튼튼함. 건장함. '一, 一顯, 健也'《集韻》. ②굴곡없이밋밋한얼굴말 굴곡이 없이 밋밋한 얼굴. '一, 一顯, 一曰, 面平'《集韻》.

頁 5 〔⿰未頁〕14 미 [去]未 | wèi ビ かおがうつむく

[字解] 머리숙일미 머리를 숙임. '一, 面俯前也'《集韻》.

頁 5 〔⿰民頁〕14 민 [平]眞 | mín ビン つよい

[字解] ①강할민 강함. 굳셈. '一, 強也'《廣韻》. ②단단한머리민 단단한 머리. '一, 彊頭也'《集韻》.

頁 5 〔⿰它頁〕14 〔시〕 施(方부 5획〈495〉)와 同字

頁 5 〔⿰幼頁〕14 요 [平]效 | yào オウ くびがじゆうにならぬ

[字解] 목자유롭지않을요 목이 자유롭지 아니함. '一, 頸不隨也'《集韻》.

頁 5 〔⿰右頁〕14 우 [去]有 | yòu ユウ くびがふるえるやまい

[字解] 체머리흔들우 체머리 흔드는 병. '一, 顫疾'《字彙》.

頁 5 〔⿰且頁〕14 저 [平]魚 | jū ショ あご

[字解] 턱저 턱〔頷〕. '一, 頷也'《集韻》.

頁 5 〔⿰氐頁〕14 저 [平]齊 | dī テイ あたまがたれるさま

[字解] 머리숙인모양저 머리 숙인 모양. '一, 頭垂下皃'《集韻》.

頁 5 〔⿰正頁〕14 척 [入]陌 | chè サク ただしい

[字解] 바를척 '一, 正也'《字彙補》.

頁 5 〔⿰旦頁〕14 탄 [上]旱 | tǎn タン かおがひらたい

[字解] 얼굴둥글넓적할탄 얼굴이 둥글넓적함. '一, 面平也'《集韻》.

頁 5 〔⿰叵頁〕14 파 [平]歌 [上]哿 | pō ハ あたまがかたむく

[字解] 머리기울파 머리가 기욺. 頗(頁부 5획〈1686〉)와 同字. '頗, 說文, 頭偏也, 或从叵'《集韻》.

頁 5 〔⿰白頁〕14 팍 [入]職 | bì ヒョク かみのしろいさま

[字解] 머리센모양팍 머리가 하얗게 센 모양. '一, 髮白貌'《字彙》.

頁 5 〔⿰可頁〕14 [一] 하 [平]歌 [二] 타 [上]哿 | hē カ あたまをかたむけてみる タ あたまをかたむけてみる

[字解] [一] 머리기울이고볼하 머리를 기울이고 봄. '一, 傾頭視也'《集韻》. [二] 머리기울이고볼타 [一]과 뜻이 같음.

頁 5 〔⿰去頁〕14 합 [入]合 | gé コウ あごのほね

[字解] 턱뼈합 턱뼈. 턱의 뼈. '一, 車頜骨也'《字彙》.

頁 5 〔⿰玄頁〕14 현 [平]先 [去]霰 | xuàn ケン あごのうしろ

[字解] 턱의뒤쪽현 턱의 뒤쪽. 귀뿌리 쪽. '一, 顋後'《集韻》.

頁 5 〔⿰号頁〕14 호 [上]晧 | hào コウ かみのしろいろうじん

[字解] 머리흰노인호 머리 흰 노인. 백발의 노인. '一, 白首人也'《字彙》.

頁 5 〔⿰古頁〕14 [一] 호 [平]虞 [二] 고 [平]虞 | hú コ うしのあごのたれにく kū コ あごのつがい

[字解] [一] 소의처진턱살호 소의 처진 턱살. 胡(肉부 5획〈1071〉)와 同字. '胡, 說文, 牛頷垂也, 或作一'《集韻》. [二] 아래턱뼈고 아래턱뼈.

頁 6 〔頜〕15 합 (갑[本]) [入]合 | gé, hé コウ みみのしたのほね

[字解] 턱합 턱의 뼈. '稽顙樹一'《揚雄》. ※本音 갑.

[字源] 形聲. 頁＋合〔音〕

頁 6 〔頞〕15 알 [入]曷 | è アツ はなすじ

[字解] 콧대알 콧등의 우뚝한 줄기. 비경(鼻莖). '蹙一'(콧대를 찡그림)《孟子》.

[字源] 形聲. 頁＋安〔音〕

頁 6 〔頟〕15 액 [入]陌 | é ガク ひたい

[字解] ①이마액 額(頁부 9획〈1694〉)과 同字. '髮下眉上謂一'《六書故》. ②쉬지않을액 휴식하지 않는 모양. '罔晝夜一一'《書經》.

[字源] 形聲. 頁＋各〔音〕

頁 6 〔頠〕 15 위 ㊤紙 | wěi ギ しずか

字解 ①조용할위 한정(閒靜)함. ②익힐위 연습함.
字源 形聲. 頁＋危〔音〕

頁 6 〔頡〕 15 ㊀힐 ㊅屑 (혈㊍) | xié ケツ とびあがる ㊁갈 ㊅黠 | jiá カツ かすめとる

字解 ㊀①날아올라갈힐 위쪽으로 향하여 낢. '燕燕于飛, 一之頏之'《詩經》. ②성힐 성(姓)의 하나. ※本音 혈. ㊁ 겁략할갈 폭력으로 빼앗음. '盜一資糧'《唐書》.
字源 形聲. 頁＋吉〔音〕

頁 6 〔頦〕 15 해 ㊥灰 | (hái) カイ·ガイ あご, したあご

字解 아래턱해 하악골(下顎骨)이 있는 부분. '我手承一肘拄坐'《韓愈》.
字源 形聲. 頁＋亥〔音〕

頁 6 〔頫〕 15 ㊀부 ㊥虞 | fǔ フ うつむく ㊁조 ㊇嘯 | tiào チョウ まみえる

字解 ㊀숙일부, 굽힐부 고개를 숙임. 몸을 아래로 굽힘. 俯(人부 8획〈55〉)와 同字. '一首係頸'《賈誼》. ㊁①뵐조 알현함. '一聘'. ②찾을조 천자의 사절(使節)이 제후(諸侯)를 방문함. '存一省聘問臣之禮'《周禮 疏》. ③볼조 살펴봄. 자세히 봄. '流目一乎衡阿'《張衡》.
字源 形聲. 頁＋逃〈省〉〔音〕

頁 6 〔𩑦〕 15 〔병〕 頩(頁부 8획〈1692〉)의 俗字

頁 6 〔頤〕 15 人名 이 ㊥支 | yí イ あご

筆順 一 丅 丆 丏 臣 𦣝 頤 頤

字解 ①턱이 상악골(上顎骨) 및 하악골(下顎骨)이 있는 부분. '一使'. '一霤垂拱'《禮記》. ②기를이 의식을 공급함. '一養'. '觀一, 觀其所養也'《易經》. ③어조사이 무의미한 조사. '夥一, 涉之爲王, 沈沈者'《史記》. ④이괘이 육십사괘(六十四卦)의 하나. 곧, ䷚〈진하(震下), 간상(艮上)〉으로서, 음식을 씹어 사람을 기르는 상(象). '一, 貞吉'《易經》. ⑤성이 성(姓)의 하나.
字源 古文의 '𦣝이'는 턱의 象形으로, '턱'의 뜻을 나타냄. 뒤에, '頁혈'을 덧붙임. 篆文은 頁＋𦣝〔音〕의 形聲.
參考 頣(次條)는 別字.

頁 6 〔頣〕 15 신 ㊤軫 | shěn シン まゆをあげてみる

字解 눈썹들고볼신 눈썹을 들고 사람을 봄. '一, 擧目視人皃'《說文》.
字源 形聲. 頁＋臣〔音〕
參考 頤(前條)는 別字.

頁 6 〔頧〕 15 퇴 ㊥灰 | duī タイ かんむりのな

字解 관(冠)이름퇴 '毋一'는 하(夏)나라의 관명(冠名). '毋一, 夏冠名'《集韻》.

頁 6 〔頪〕 15 뢰 ㊇泰 ㊇隊 | lèi ライ にる

字解 ①비슷할뢰 구별하기 어려움. '一, 難曉也'《說文》. ②새하얄뢰 새하얀 모양. '一, 一曰, 鮮白皃'《說文》. ③빠를뢰 '一, 疾也'《廣雅》.
字源 會意. 頁＋米

頁 6 〔頛〕 15 뢰 ㊤賄 ㊇隊 | lèi ライ あたまがかたむく

字解 머리기울뢰 머리가 기울어짐. '一, 頭不正也'《說文》.
字源 形聲. 頁＋耒〔音〕

頁 6 〔頢〕 15 ㊀괄 ㊅曷 | kuò カツ みじかいかお ㊁활 ㊅黠 | カツ みじかいかお

字解 ㊀①짧은얼굴괄 '一, 短面皃也'《廣韻》. ②머리작을괄 머리가 작은 모양. '一, 小頭皃'《廣韻》. ㊁ 짧은얼굴활, 머리작을활 ㊀과 뜻이 같음.
字源 形聲. 篆文은 頁＋𠯑〔音〕

頁 6 〔䫀〕 15 ㊀간 ㊤阮 ㊇願 | ①②gěn コン ほおのうしろ ①コン ほおのうしろ ㊁전 ㊤銑 | テン ほおのうしろ ㊂견 ㊤銑 | ケン ほおのうしろ

字解 ㊀①뺨의뒤쪽간 '一, 頰後'《廣韻》. ②뺨높을간 '一, 頰高也'《集韻》. ㊁ 뺨의뒤쪽전 ㊀❶과 뜻이 같음. ㊂ 뺨의뒤쪽견 ㊀❶과 뜻이 같음.
字源 形聲. 頁＋艮〔音〕

頁 6 〔䪻〕 15 ㊀편 ①②㊥先 ③㊇霰 | biān ヘン あたまがうつくしい ケン あたまがうつくしい ㊁현 ㊥先 ㊂우 ㊤麌 | yǔ ウ あたまがうつくしい

字解 ㊀①머리고울편 '一, 一妍, 美頭'《廣韻》. ②우묵들어간공자의머리편 '一, 孔子頭也'《廣韻》. ③고울편 '一一'은 아름다움. '一, 一一, 狡也'《集韻》. ㊁ 머리고울현, 우묵들어간공자의머리현 ㊀❶❷와 뜻이 같음. ㊂ 머리고울우, 우묵들어간공자의머리

우 [一]❶❷와 뜻이 같음.
[字源] 形聲. 頁+𦥑〈省〉〔音〕

頁 6 〔顖〕15 〔신〕 囟(口부 3획〈195〉)의 古字

〔潁〕〔영〕 水부 11획(674)을 보라.

〔熲〕〔경〕 火부 11획(723)을 보라.

頁 6 〔頣〕15 〔광〕 眶(目부 6획〈844〉)과 同字

頁 6 〔頝〕15 교 [平]肴 [上]巧 qiāo コウ こびない
[字解] ①아양부리지않을교 아양부리지 아니함. '一, 一贅, 不媚也'《集韻》. ②조금아양떨교 조금 아양을 떪. 박미(薄媚). '一, 薄媚'《集韻》.

頁 6 〔䪰〕15 누 [平]尤 nóu ドウ かおがゆがむ
[字解] 핀잔줄누 핀잔 줌. 면절(面折)함. '一, 䫉一'《玉篇》.

頁 6 〔䫈〕15 [一]박 [入]藥 [二]악 [入]藥 pò ハク かおがおおきくみにくいさま è ガク おごそか
[字解] [一] 추할박 얼굴이 크고 추한 모양. [二] 엄숙할악 엄숙함. 근엄함. 顎(頁부 9획〈1694〉)과 同字. '顎, 恭嚴也, 或作一'《集韻》.

頁 6 〔䫃〕15 연 [去]霰 yàn ゲン みめよし
[字解] 얼굴예쁠연 얼굴이 예쁨. 용모가 아름다움. '一, 䫃一, 姣也'《集韻》.

頁 6 〔䫋〕15 총 [上]腫 chǒng ショウ みちる
[字解] 찰총 참. 가득 참. '一, 充也'《玉篇》.

頁 6 〔䪹〕15 비 [去]寘 bì ヒ かしら
[字解] ①머리비 두부(頭部). '一, 首也'《廣韻》. ②개의첫배새끼비, 첫아이비 鼻(自부 14획〈1102〉)와 同字. '鼻, 犬初生子, 一曰, 首子, 或从頁'《集韻》.

頁 6 〔䪷〕15 치 [上]紙 chǐ シ かおがおおきい
[字解] ①얼굴검을치 얼굴이 검음. '一, 面黑'《字彙》. ②얼굴클치 얼굴이 큼. '一, 面大'《玉篇》.

頁 6 〔䫂〕15 타 [上]哿 duǒ タ みにくいさま
[字解] 추한모양타 추한 모양. '一, 醜皃'《集韻》.

頁 6 〔䫀〕15 홍 [上]董 hǒng コウ めまい
[字解] 머리아득할홍 머리가 아득함. 현기증이 남. '一, 顭一, 頭昏'《集韻》.

頁 6 〔䫎〕15 회 [去]隊 huì カイ おおきなあたま
[字解] 큰머리회 큰 머리. '一, 大首也'《集韻》.

頁 7 〔頭〕16 [中·人] 두 [平]尤 tóu トウ あたま, かしら
[筆順] 一 ㅁ 믐 豆 豆 頭 頭 頭
[字解] ①머리두 ㉠몸의 목 이상의 부분. '一腦'. '一容直'《禮記》. ㉡머리털. '蓬一亂髮'. '穩婆梳一'《雜纂新續》. ②우두머리두 ㉠장(長). '一目'. '一領'. '以彊幹者爲番一'《唐書》. ㉡첫째. '一等'. ③첫머리두 사물의 시작. '年一月尾'《唐書》. ④꼭대기두 '樓一'. '果乘白鶴駐山一'《列仙傳》. ⑤끝두 선단. '舌一'. '以百錢挂杖一'《晉書》. ⑥가두, 옆두 근처. 곁. '店一'. '珮聲歸向鳳池一'《王維》. ⑦마리두 마소를 세는 수사(數詞). '牛十一'. 또, 사람의 수효. '人一稅'.
[字源] 形聲. 頁+豆〔音〕

頁 7 〔頮〕16 회 [去]隊 huì カイ かおをあらう
[字解] 세수할회 낯을 씻음. '王乃洮一水'《書經》.
[字源] 會意. 頁+廾+水

頁 7 〔頯〕16 [一]규 [平]支 [二]괴 [去]隊 kuí キ ほおぼね kuài カイ たかくあらわれてうつくしいさま
[字解] [一] 광대뼈규 관골(顴骨). [二] 쑥내밀괴 이마가 보기 좋게 쑥 내민 모양. '其容寂, 其顙一然'《莊子》.
[字源] 形聲. 頁+𠫓〔音〕

頁 7 〔頲〕16 정 [上]迥 tǐng テイ まっすぐ
[字解] 곧을정, 바를정 '梏梗較一'《爾雅》.
[字源] 形聲. 頁+廷〔音〕

頁 7 〔頰〕16 협 [入]葉 jiá キョウ ほお
[字解] ①뺨협 얼굴의 양옆. '紅一'. '一, 面旁也'《說文》. ②성협 성(姓)의 하나.

字源 形聲. 頁＋夾〔音〕

頁7〔頳〕16 정 ㊥庚 | chēng テイ あかい

字解 붉을정 적색. '魴魚一尾'《詩經》.
參考 赬(赤부 9획〈1404〉)의 俗字.

頁7〔頷〕16 ㊀함 ㊤感 | hàn カン したあご, おとがい ㊁암 ㊤感 | hàn ガン うなずく

字解 ㊀턱함 하악골(下顎骨)이 있는 부분. '虎頭燕一'《漢書》. ㊁끄덕일암 승낙 또는 알았다는 뜻으로 고개를 앞뒤로 움직임. '衞公入, 逆于門者, 一之而已'《左傳》.
字源 形聲. 金文은 頁＋今〔音〕. 篆文은 頁＋含〔音〕

頁7〔頸〕16 경 ㊤梗 ㊥庚 | jǐng ケイ くび

字解 목경 ㉠머리와 몸을 잇는 부분. '長一'. '刎一'. '思漢之士, 延一鶴望'《漢書》. ㉡물건의 목 모양으로 된 부분. '韠, 其一五寸'《禮記》.
字源 形聲. 頁＋巠〔音〕
參考 頚(頁부 5획〈1686〉)은 略字.

頁7〔頹〕16 퇴 ㊥灰 | tuí タイ はやて, くずれる

字解 ①질풍퇴 거센 바람. '維風及一'《詩經》. ②떨어질퇴, 떨어뜨릴퇴 낙하함. '星辰隕兮日月一'《阮籍》. ③무너질퇴, 무너뜨릴퇴 떨어져 흩어짐. '泰山其一乎'《禮記》. '一其土'《漢書》. ④쇠할퇴 쇠퇴하여 떨치지 못함. '廢一'. '一運'. '蕪穢積一齡'《謝靈運》. ⑤쓰러질퇴 넘어짐. '蒼顏白髮, 一乎其中者太守醉也'《歐陽修》. ⑥좇을퇴 순종하는 모양. '一乎其順也'《禮記》. ⑦흐를퇴 물이 아래로 내려감. '水一以絕商顏'《史記》. ⑧성퇴 성(姓)의 하나.
字源 會意. 頁＋秃

頁7〔頽〕16 頹(前條)의 訛字

頁7〔頻〕16 高·人 빈 ㊥眞 | pín, ④bīn ヒン さしせまる, しきりに

筆順 ⺊ ⺊⺊ 止 步 步 頫 頻 頻

字解 ①급할빈 위급함. '國步斯一'《詩經》. ②늘어설빈 나란히 섬. '群臣一行'《國語》. ③자주빈 여러 번 잇달아. '三顧一煩天下計'《杜甫》. 또, 잦음. 잦은 모양. '汝何去來之一'《列子》. ④물가빈 濱(水부 14획〈695〉)·瀕(水부 16획〈698〉)과 同字. '池之竭矣, 不云自一'《詩經》. ⑤찡그릴빈 顰(頁부 15획〈1702〉)과 통용. '一復厲無咎'《易經》. ⑥성빈 성(姓)의 하나.
字源 會意. 본디 涉＋頁

頁7〔頵〕16 ㊀윤 ㊥眞 | yūn イン あたまがおおきい ㊁균 ㊥眞 | jūn キン あたまがおおきいさま

字解 ㊀머리통클윤 머리가 큼. '一, 頭一大也'《說文》. ㊁머리클균 머리가 큰 모양. '一, 頭大皃'《集韻》.
字源 形聲. 頁＋君〔音〕

頁7〔䫇〕16 염 ㊥鹽 | rán ゼン·ネン ほおひげ

字解 구레나룻염 뺨에 난 수염. 髥(髟부 4획〈1765〉)과 통용. '一, 頰須也'《說文》.
字源 形聲. 須＋冄〔音〕

頁7〔䫇〕16 䫇(前條)와 同字

頁7〔䫃〕16 ㊀순 ㊥眞 | chún シン くちびる ㊁진 ㊦震 | zhèn シン あたまがうごく

字解 ㊀입술순 脣(肉부 7획〈1077〉)의 古字. '一, 古文脣'《說文》. ㊁머리움직일진 '一, 頭動也'《集韻》.

頁7〔䫂〕16 곤 ㊥元 ㊤阮 ㊦願 | kūn コン はげあたま

字解 ①대머리곤 '一, 一顐'《廣韻》. ②귓구멍곤 '一, 耳門'《廣韻》.
字源 形聲. 篆文은 頁＋困〔音〕

頁7〔䫉〕16 ㊀매 ㊦隊 | バイ·マイ くらい ㊁회 ㊦隊 | huì カイ くらい

字解 ㊀어두울매 '一, 昧前也'《說文》. ㊁어두울회 ㊀과 뜻이 같음.
字源 形聲. 頁＋㬱〔音〕

頁7〔䫆〕16 ㊀頜(頁부 6획〈1688〉)의 本字 ㊁窭(穴부 11획〈922〉)과 同字

頁7〔䫄〕16 〔올〕 頢(頁부 4획〈1685〉)의 本字

頁7〔䫊〕16 〔간〕 頣(頁부 6획〈1688〉)의 本字

頁7〔䫋〕16 〔악〕 顎(頁부 8획〈1693〉)의 本字

頁7〔𩓞〕16 〔뢰〕 頛(頁부 6획〈1688〉)의 本字

頁7〔䫉〕16 〔모〕 貌(豸부 7획〈1381〉)와 同字

頁7〔頥〕16 〔이〕 頤(頁부 6획〈1688〉)의 俗字

頁7〔頴〕16 〔영〕 穎(禾부 11획〈910〉)의 俗字

頁7〔𩓐〕16 〔원〕 願(頁부 10획〈1696〉)의 俗字

頁7〔頼〕16 〔뢰〕 賴(貝부 9획〈1396〉)의 略字

〔頴〕 〔영〕 禾부 11획(910)을 보라.

頁7〔頶〕16 곡 [入]沃 | hú コク たかいはな

[字解] 코우뚝할곡 코가 우뚝함. 우뚝 솟은 코. '一, 高鼻'《集韻》.

頁7〔𩓑〕16 구 [平]尤 | qiú キュウ いただく

[字解] ①일구 머리에 임. '一, 戴也'《廣韻》. ②공손히따르는모양구 공손히 따르는 모양. 또, 관(冠) 꾸미개의 모양. '一, 詩戴弁俅俅, 鄭玄云, 恭順皃, 或作一'《玉篇》.

頁7〔頱〕16 랄 [入]曷 | luō ラツ かおがみにくい

[字解] 낯추할랄 낯이 추함. '一, 一頢, 面醜'《集韻》.

頁7〔𩓒〕16 〔배〕 𩑶(頁부 4획〈1685〉)와 同字

頁7〔𩓓〕16 보 [上]麌 | fǔ フ ほおぼね

[字解] 광대뼈보 광대뼈.

頁7〔𩓔〕16 ㊀부 [平]尤 ㊁비 [平]支 | ホウ ひげがみじかくしろいさま pī ヒ みじかいひげのさま

[字解] ㊀ 수염짧고휠부 수염이 짧고 흰 모양. '一, 須短白皃'《集韻》. ㊁ 짧은수염비 짧은 수염. 수염이 짧은 모양. 䫌(頁부 10획〈1697〉)와 同字. '䫌, 短順髮皃, 或省'《集韻》.

頁7〔𩓕〕16 〔비〕 𩒐(頁부 6획〈1689〉)와 同字

頁7〔𩓖〕16 사 [上]馬 | shuǎ サ かおがみにくい

[字解] 얼굴추할사 䩈(面부 7획〈1658〉)와 同字. '䩈, 面醜, 或从頁'《集韻》.

頁7〔𩓗〕16 삼 [去]勘 | sàn サン あたまをゆるがすさま

[字解] 머리흔들삼 머리를 흔드는 모양. '一, 搖首皃'《集韻》.

頁7〔𩓘〕16 ㊀성 [平]庚 ㊁경 [平]庚 | chéng セイ くび ケイ うなじ

[字解] ㊀ ①목성 목. '一, 頸也'《玉篇》. ②목덜미성 목덜미. ㊁ 목경, 목덜미경 ㊀과 뜻이 같음.

頁7〔𩓙〕16 ㊀심 [去]沁 ㊁잠 [上]寑 | シン くびをたれる zēn シン みにくいさま

[字解] ㊀ 머리숙일심 '一, 𩓚一, 俯首'《集韻》. ㊁ 추할잠 𩓛(頁부 7획〈1691〉)과 同字. '一, 醜皃, 或作𩓛'《集韻》.

頁7〔䫚〕16 아 [平]歌 [上]哿 | ě ガ ななめ

[字解] ①비낄아 비낌. 비스듬함. '一, 衺也'《廣雅》. ②가지런한모양아 가지런한 모양. '一, 一曰, 齊皃'《集韻》. ③갑자기아 갑자기. 俄(人부 7획〈52〉)와 同字. ④한쪽으로기울어진관아 한쪽으로 기울어진 관. '一, 側弁也'《廣韻》.

頁7〔䫛〕16 오 [平]虞 | wú ゴ おおきなあたま

[字解] 큰머리오 큰 머리. '一, 大頭也'《集韻》.

頁7〔𩓜〕16 음 [去]沁 | yín ギン かしらがうごく

[字解] 머리움직일음 머리가 움직임. '一, 頷一, 首動'《集韻》.

頁7〔𩓛〕16 잠 [上]寑 | zēn シン みにくいさま

[字解] 추할잠 추함. 추한 모양. '一, 醜皃'《集韻》.

頁7〔𩓝〕16 제 [平]齊 | tī テイ あたまがかしいでただしくない

[字解] 머리비뚤제 머리가 비뚤어 바르지 못함. '一, 頢一, 頭不正'《集韻》.

頁7〔𩓟〕16 차 [平]麻 | chē シャ はどこ

[字解] 잇몸차 잇몸. 치은(齒齦). '一, 牙車'

《集韻》.

頁 7 〔⿰𠬶頁〕 16 침 [上]寢 | qǐn シンからだがみにくい

[字解] ①몸더러울침 몸이 더러움. 寑(疒부 7획〈811〉)과 同字. ②나약하고뒤떨어질침 나약하고 뒤떨어짐.

頁 7 〔⿰兑頁〕 16 탈 [入]黠 | chuā タツ つよいさま

[字解] ①작은머리탈 작은 머리. '一, 一頢, 小頭'《集韻》. ②얼굴짧을탈 얼굴이 짧은 모양. '一, 一頢, 一曰, 面短皃'《集韻》. ③굳세고훌륭할탈 굳세고 훌륭한 모양. '一, 強貌'《玉篇》.

頁 7 〔⿰甬頁〕 16 홍 [平]東 | hōng コウ あたまのくらむさま

[字解] 머리아뜩할홍 머리가 아뜩함. 현기증. '一, 一一, 頭悶皃'《集韻》.

頁 7 〔⿰汞頁〕 16 홍 [上]董 | hòng コウ あたまのまっすぐなこと

[字解] 머리곧을홍 머리가 똑바름. '一, 頭直也'《集韻》.

頁 7 〔⿰希頁〕 16 희 [平]微 | xī キ あたまがうごくさま

[字解] 머리움직일희 머리가 움직이는 모양. '一, 一頏, 頭動皃'《集韻》.

頁 8 〔頿〕 17 자 [平]支 | zī シ くちひげ

[字解] 윗수염자 髭(髟부 5획〈1765〉)와 同字. '生而有一'《左傳》.

頁 8 〔頾〕 17 頿(前條)와 同字

[字源] 形聲. 須+此〔音〕

頁 8 〔顁〕 17 정 [去]徑 | dìng テイ ひたい

[字解] 이마정 눈썹 위로부터 머리털이 난 아래까지의 부분. '一, 題也'《爾雅》.

頁 8 〔顄〕 17 함 [上]感 [平]覃 | hān カン おとがい

[字解] ①턱함 頷(頁부 7획〈1690〉)과 同字. '王莽爲人侈口蹷一'《漢書》. ②바닷물출렁일함 '一淡滂流'《馬融》.

[字源] 形聲. 頁+函〔音〕

頁 8 〔顆〕 17 과 [上]哿 | kē, ②kě カ つぶ

[字解] ①낟알과 작고 둥근 물건의 낟개. 또, 그것을 세는 수사(數詞). '一粒'. '一一'. '圜物以一計'《六書故》. ②흙덩이과 堁(土부 8획〈210〉)와 同字. '使其後世曾不得蓬一, 蔽冢而托葬焉'《漢書》.

[字源] 形聲. 頁+果〔音〕

頁 8 〔頩〕 17 병 [平]青 | pīng ヘイ いかってかおいろがあおくなるさま

[字解] 성낼병 얼굴에 화낸 기색이 보이는 모양. '一薄怒以自持兮'《宋玉》.

[字源] 形聲. 頁+幷〔音〕

[參考] 頩(頁부 6획〈1688〉)은 俗字.

頁 8 〔⿰昏頁〕 17 문 [平]元 | mén ボン·モン おろか

[字解] 어리석을문 무지(無知)한 모양. '一, 不曉'《玉篇》.

[字源] 形聲. 頁+昏〔音〕

頁 8 〔顇〕 17 췌 (취[本]) [去]寘 | cuì スイ やつれる

[字解] 야윌췌, 병들췌 파리함. 悴(心부 8획〈395〉)·瘁(疒부 8획〈812〉)와 同字. '羸馬一奴僅充而已'《顏氏家訓》. ※本音 취.

[字源] 形聲. 頁+卒〔音〕

頁 8 〔顈〕 17 경 [上]迥 [平]青 | jiǒng ケイ くさのな

[字解] 풀이름경 모시풀 비슷한 식물로서, 껍질은 짜서 갈포의 대용품으로 함. '旣一其練祥皆行'《禮記》.

頁 8 〔顉〕 17 [一]암 [上]感 [二]금 [平]侵 | hàn ガン うなずく qīn キン まがったおとがい

[字解] [一] 끄덕일암 頷(頁부 7획〈1690〉)과 同字. '一頤折頞'《漢書》. [二] 주걱턱금 顉(頁부 13획〈1701〉)과 同字.

[字源] 形聲. 頁+金〔音〕

頁 8 〔顊〕 17 비 [上]薺 [上]紙 [去]寘 | pǐ ヘイ·ハイ あたまをかしげる ヒ あたまをかしげる

[字解] ①목기울일비 '一, 傾首也'《說文》. ②바르지않을비 '一, 不正也'《玉篇》. ③비스듬할비 '一, 衺也'《廣雅》.

[字源] 形聲. 頁+卑〔音〕

頁 8 〔⿰爭頁〕 17 정 [去]敬 [上]梗 | jìng セイ·ジョウ くびからうえのうつくしいさま

[字解] ①목위고울정 목부터 위가 아름다운 모양. '一, 一首. 說文, 好皃'《廣韻》. ②광대정 연예인(演藝人). '一, 樂工倡優弄人, 一日一'《正字通》.

[字源] 形聲. 頁+爭〔音〕

頁 8 〔䫏〕17 기 (平)支 | qī キ みにくい

字解 못날기 '一醜'는 보기 싫은 모양. '視毛嬙西施, 猶一醜也'《淮南子》.

字源 形聲. 頁+其〔音〕

頁 8 〔顅〕17 ㊀간 (平)刪 | qiān カン ながいくびのさま
㊁견 (平)先 | ケン ながいくびのさま

字解 ㊀길간 목이 긴 모양. '數目一脰'《周禮》. ㊁길견 ■과 뜻이 같음.

字源 形聲. 頁+肩〔音〕

頁 8 〔顊〕17 이 (平)支 | yí イ おとがい

字解 턱이 頤(頁부 6획〈1688〉)와 同字. '策銳貫一'《韓非子》.

字源 形聲. 阜+頤〈省〉〔音〕

頁 8 〔⿰豆頁〕17 ㊀두 (平)尤 | トウ かおがゆがむ
㊁오 (上)麌 | wù オ かしらづつみ

字解 ㊀얼굴비뚤두 '一, 顱一, 面折'《康熙字典》. ㊁머리쓰개오 두건(頭巾). '幧, 首巾謂之幧. 或作一'《集韻》.

頁 8 〔⿰枝頁〕17 ㊀규 (平)支 (去)寘 | guī キ ちいさいあたま
㊁주 (平)支 | スイ あたまのちいさいさま

字解 ㊀①작은머리규 ⿰頁条(頁부 8획〈次條〉)와 同字. '⿰頁条, 小頭⿰頁条⿰頁条也. (段注) 亦作一'《說文》. ②그릴규 '一, 畫也'《廣雅》. ㊁머리작을주 '⿰枝頁, 小頭皃. 或書作一'《集韻》.

字源 形聲. 頁+枝〔音〕

頁 8 〔⿰頁条〕17 ⿰枝頁(前條)와 同字

頁 8 〔⿰岳頁〕17 악 (入)覺 | yuè ガク かおのほりがふかい

字解 ①얼굴윤곽뚜렷할악 '一, 顑一, 面少肉骨露也'《六書故》. ②코높을악 '一, 鼻高也'《龍龕手鑑》.

字源 形聲. 頁+岳〔音〕

頁 8 〔顀〕17 추 (平)支 | chuí ツイ つきでたひたい

字解 ①불거진이마추 '一, 出頟也'《說文》. ②뒤통수뼈추 후두골(後頭骨). '一, 項一'《廣韻》. ③등뼈추 '一, 脊骨'《字彙》.

字源 形聲. 頁+隹〔音〕

頁 8 〔⿰囷頁〕17 〔곤〕 頵(頁부 7획〈1690〉)의 本字

頁 8 〔⿰𢒉頁〕17 〔수〕 鬚(髟부 12획〈1773〉)와 同字

頁 8 〔⿰歩頁〕17 〔빈〕 頻(頁부 7획〈1690〉)의 俗字

頁 8 〔⿰臽頁〕17 감 (平)咸 (上)感 | kǎn カン おもてがくぼむ

字解 ①낯굽을감 낯이 굽음. 낯허리가 죽음. '一, 面窊也'《龍龕手鑑》. ②얼굴길감 얼굴이 긺. '一, 顑一'《玉篇》.

頁 8 〔⿰杲頁〕17 고 (上)晧 | gǎo コウ あたま

字解 머리고 머리〔頭〕. '一, 頭也'《字彙》.

頁 8 〔⿰屈頁〕17 굴 (入)物 | wù グツ かおがみじかい

字解 얼굴짧을굴 얼굴이 짧음. '一, 一頷, 面短'《集韻》.

頁 8 〔⿰卷頁〕17 권 (平)先 | quán ケン まがったつの

字解 굽은뿔권 굽은 뿔. 觠(角부 6획〈1307〉)과 同字.

頁 8 〔⿰炎頁〕17 담 (平)覃 | tán タン かおがながい

字解 낯길담 낯이 긺. '一, 面長也'《集韻》.

頁 8 〔⿰彔頁〕17 록 (入)屋 | lù ロク うなじ

字解 목록 목. 목덜미. '一, 項也'《集韻》.

頁 8 〔⿰來頁〕17 ㊀뢰 (去)泰 | lài ライ こうむる
㊁래 (平)灰 | lái ライ あたまのながいさま

字解 ㊀힘입을뢰 힘입음. 賴(貝부 9획〈1396〉)의 訛字. '一, 一蒙也'《玉篇》. ㊁머리길래 머리통이 긴 모양. '一, 一體, 頭長皃'《集韻》.

頁 8 〔⿰林頁〕17 림 (平)侵 | lín リン くびをふせる

字解 머리숙일림 머리를 숙임. '一, 一頫, 俯首'《集韻》.

頁 8 〔⿰㡀頁〕17 별 (入)屑 | bié ヘツ みじかいさま

字解 짧은모양별 '一, 一頻, 短皃'《集韻》.

頁 8 〔⿰歩頁〕17 〔빈〕 頻(頁부 7획〈1690〉)과 同字

頁 8 〔⿰岸頁〕17 안 (去)翰 | àn ガン ひたい

[字解] 이마안 이마. '一, 頟也'《集韻》.

頁8 〔⿰音頁〕17 〔오〕 頢(頁부 7획〈1691〉)의 訛字

頁8 〔顊〕17 의 [平]支 | yī イ うつくしい

[字解] 아름다울의 아름다움. 예쁨. '一, 好也'《字彙》.

頁8 〔⿰宜頁〕17 의 [平]支 | yí ギ みめ

[字解] 미목의 미목(眉目). 눈썹과 눈. 얼굴. '一, 眉目也'《字彙》.

頁8 〔⿰青頁〕17 정 [平]庚 | jīng セイ かしらがかしぐ

[字解] 머리기울정 머리가 기욺. 머리 자세가 바르지 못함. '頤一, 一頤, 頭不正也'《集韻》.

頁8 〔⿰类頁〕17 제 [上]紙 | jì シ みにくいさま

[字解] 추한모양제 추한 모양. 보기 흉한 모양. '一, 惡貌'《字彙補》.

頁8 〔⿰叕頁〕17 철 [入]屑 | zhuō セツ あたまがみじかい

[字解] 머리짧을철 머리통이 짧음. '一, 頭短'《集韻》.

頁8 〔⿰委頁〕17 ㊀ 隤(阜부 12획〈1624〉)와 同字 ㊁ 頽(頁부 7획〈1690〉)의 俗字

頁8 〔⿰彖頁〕17 퇴 [平]佳 | tuí タイ あたまがはれる

[字解] 머리부을퇴 머리가 부음. '一, 頭肤也'《廣韻》.

頁9 〔顋〕18 시 (새[本]) [平]灰 | sāi サイ あぎと, えら

[字解] ①뺨시 얼굴의 양옆. ②아가미시 물고기의 숨쉬는 기관. '曝一之魚'《南史》. ※本音 새.

[字源] 形聲. 頁+思〔音〕

頁9 〔題〕18 [中·人] 제 ①-⑩[平]齊 ⑪[去]霽 | tí ダイ ひたい dì ダイ みる

[筆順] 日 旦 早 早 是 是 題 題

[字解] ①이마제 눈썹 위로부터 머리털이 난 데까지의 부분. '雕一交趾'《禮記》. ②끝제 선단. '榱一數尺'《孟子》. ③표제 표지(表識). '欲墾荒田, 先立表一'《晉書》. ④표제 제 책의 이름. '一目'. ⑤글제제 시문의 제목. '文一'. '詩一'. '分一賦詩'《然藜餘筆》. ⑥물음제 시문(試問). '問一'. '某年試一'《唐國史補》. ⑦품평제 평정(評定). '一評'. '一經品一, 便作佳士'《李白》. ⑧문체이름제 한문의 한 체(體). 서책의 권두(卷頭)에 씀. '一跋'. '一辭'. ⑨적을제, 쓸제 기록함. '名山壁上一詩'《黃允文》. ⑩성제 성(姓)의 하나. ⑪볼제 자세히 봄. '一彼脊令'《詩經》.

[字源] 形聲. 頁+是〔音〕

頁9 〔額〕18 [高·人] 액 [入]陌 | é ガク ひたい

[筆順] 宀 夕 夊 客 客 額 額 額

[字解] ①이마액 눈썹 위로부터 머리털이 난 데까지의 부분. '被創中一'《後漢書》. ②머릿수액 일정한 분량. '定一'. '一數'. '所收日一'《宋史》. ③편액액 문 위 또는 방 안에 걸어 놓는 현판. '題一'. '前世牌一'《捫蝨新話》.

[字源] 形聲. 頁+客〔音〕

頁9 〔顎〕18 악 [入]藥 | è ガク あご

[字解] 턱악 구강(口腔)의 상하에 있는 뼈 및 그 위의 부분. '上一'. '下一'.

[字源] 形聲. 頁+咢〔音〕

頁9 〔顏〕18 [中·人] 안 [平]刪 | yán ガン かお

[筆順] 亠 立 文 产 彦 顏 顏 顏

[字解] ①얼굴안 ㉠머리의 전면. '一面'. '揚且之一也'《詩經》. ㉡안색(顏色). '怡一'. '必和一溫語待之'《名臣言行錄》. ㉢면목. '我何一謝桓公'《世說》. ㉣낯가죽. '巧言如簧, 一之厚矣'《詩經》. ②이마안 얼굴의 눈썹 위의 부분. '隆準而龍一'《史記》. ③편액안 현판(懸板). 또, 현판의 제자(題字). '一曰大成殿'. ④성안 성(姓)의 하나.

[字源] 形聲. 頁+彦〔音〕

頁9 〔顔〕18 顏(前條)의 俗字

頁9 〔顒〕18 옹 [平]冬 | yóng ギョウ つつしむ

[字解] ①엄숙할옹 엄격하고 근신하는 모양. '有孚一若'《易經》. ②클옹, 힘셀옹 짐승이 크고 힘이 센 모양. '四牡修廣, 其大有一'《詩經》. ③성옹 성(姓)의 하나.

[字源] 形聲. 頁+禺〔音〕

頁 9 〔⿰禹頁〕18 顓(前條)과 同字

頁 9 〔顓〕18 전 [平]先 | zhuān セン もっぱら, おろか

[字解] ①오로지전 專(寸부 8획〈289〉)과 통용. '客愚無知, 一妄言輕威'《史記》. ②어리석을전 우매함. '性一而嗜古'《歐陽修》. ③성전 성(姓)의 하나.

[字源] 形聲. 頁＋耑〔音〕

頁 9 〔顑〕18 함 [上]感 | kǎn カン うえてかおがきいろくなる

[筆順] 丿 厂 戶 㡰 咸 咸 咸頁 顑

[字解] 부황들함 주려서 얼굴이 누렇게 뜬 모양. '長一頷亦何傷'《楚辭》.

[字源] 形聲. 頁＋咸〔音〕

頁 9 〔顐〕18 원 [去]願 | hùn ゴン たわむれる

[字解] 농담원 諢(言부 9획〈1341〉)과 同字. '諧臣一官, 怡愉天顔'《唐書》.

頁 9 〔⿰頁頁〕18 [一] 찬 [上]潸 | zhuàn; [二] 선 [上]銑 サン・ゼン そなえる, [去]霰 セン・ゼン そなえる; [三] 손 [去]願 ソン そなえる

[字解] [一] ①갖출찬 골라서 갖춤. '一, 選具也'《說文》. ②볼찬 '一, 見也'《廣韻》. [二] 갖출선, 볼선 [一]과 뜻이 같음. [三] 갖출손, 볼손 [一]과 뜻이 같음.

[字源] 會意. 頁＋頁. 두 개의 '頁혈(머리)'을 합쳐서, 두 사람이 나란히 장단에 맞춰 스텝을 밟다의 뜻을 나타내며, 파생(派生)하여, '갖추다, 고르다'의 뜻으로 쓰임.

頁 9 〔⿰幽頁〕18 요 [平]肴 | āo オウ・ヨウ あたまがへこむ

[字解] ①머리오목할요 '一, 頭凹'《玉篇》. ②얼굴크고눈오목할요 얼굴이 크고 눈이 오목한 모양. '一類顟而睽睢'《王延壽》.

頁 9 〔顡〕18 외 [去]卦 | wài ガイ おろか

[字解] 어리석을외 '一也, 頭蔽一也'《說文》.

[字源] 形聲. 頁＋豙〔音〕

頁 9 〔⿰爰頁〕18 원 [上]阮, [平]元, [去]願 | yuǎn エン・オン かおがゆがんでせいじょうでない, ゲン・ガン かおがゆがんでせいじょうでない

[字解] 얼굴비뚤어정상이아닐원 '一, 面不正也'《說文》.

[字源] 形聲. 頁＋爰〔音〕

頁 9 〔⿰契頁〕18 [一] 계 [去]霽 | qì ケイ うかがう; [二] 알 [入]黠 | yà アツ いかるさま; [三] 결 [入]屑 | qiè ケツ みじかいさま

[字解] [一] 상황을살필계, 두려워할계 '一, 司人也. 一曰, 恐也'《說文》. [二] 성낼알 성내는 모양. '一, 怒皃'《集韻》. [三] 짧을결 '顪一'은 짧은 모양. '一, 顪一, 短皃'《廣韻》.

[字源] 形聲. 頁＋契〔音〕

頁 9 〔⿰桒頁〕18 〔상〕 顙(頁부 10획〈1696〉)의 俗字

頁 9 〔⿰显頁〕18 〔현〕 顯(頁부 14획〈1701〉)의 俗字

頁 9 〔⿰类頁〕18 〔류〕 類(頁부 10획〈1696〉)의 訛字

頁 9 〔⿰癸頁〕18 계 [去]寘 | guì キ おおきなくち

[字解] 큰입계 '一, 大口'《集韻》.

頁 9 〔⿰彖頁〕18 돈 [去]願 | dùn トン はげ

[字解] 대머리돈 '一, 一顐, 禿也'《集韻》.

頁 9 〔⿰昏頁〕18 [一] 민 [平]眞 | mín ビン つよいあたま; [二] 혼 [平]元 | hūn コン くらい; [三] 문 [平]元 | mén ボン おろか

[字解] [一] 단단한머리민 頣(頁부 5획〈1637〉)과 同字. '頣, 彊頭也, 或从一'《集韻》. [二] 어두울혼 신지(神志)가 깨끗하지 못함. 어리석음. 殙(歹부 9획〈609〉)과 同字. '殙, 說文, 瞀也, 或作一'《集韻》. [三] ①어두울문, 어리석을문 '一, 說文, 繫頭殟也, 謂頭被繫無知也, 或从昏'《集韻》. ②가을하늘문 旻(日부 4획〈501〉)과 통용. '旻, 通作一'《集韻》.

頁 9 〔⿰香頁〕18 〔복〕 馥(香부 9획〈1733〉)과 同字

頁 9 〔⿰帝頁〕18 질 [入]屑 | dié テツ ちいさいあたまのさま

[字解] 작은머리질 '一, 一類, 小頭皃'《集韻》.

頁 9 〔⿰甚頁〕18 침 [上]寑, [去]沁 | chěn シン よわい; shèn ジン あたまのさま

[字解] ①약(弱)하고용렬할침 '一, 一曰, 一類, 懦劣皃'《集韻》. ②머리모양침 '一, 一一, 頭皃'《集韻》. ③약할침 '一, 一曰, 弱也'《集韻》.

頁 9 〔顊〕 18 페 [去]霽 | pǐ ヘイ あたまをかしげるさま

[字解] 머리를기울이는모양페 '一, 傾頭皃'《集韻》.

頁 9 〔⿰叚頁〕 18 하 [平]麻 | xiá カ ことばがただしくない

[字解] ①말씀바르지못할하 '一, ⿰侯頁一, 言不正也'《集韻》. ②말하기어려울하 '一, 顱一, 難語'《廣韻》.

頁 9 〔⿰曷頁〕 18 [一] 할 [入]曷 [二] 갈 [入]曷 | hé カツ すこやか kě カツ びんがはげる

[字解] [一] ①튼튼할할 '一, 一曰, 頛一, 健也'《集韻》. ②큰소리칠할 과장(誇張)함. '一, ⿰侯頁一, 揚言也'《集韻》. ③밋밋한얼굴할 '一, 一曰, 頛一, 鼻面平也'《集韻》. [二] 살쩍빠질갈 살쩍이 탈락(脫落)한 모습. '髜, 鬢禿, 或作一'《集韻》.

頁 9 〔⿰⿱𠂊冉頁〕 18 항 [上]養 | hàng コウ とびあがり とびさがる

[字解] 날아오르고날아내릴항 날아서 오르내림. '一, 頡頏也'《字彙補》.

頁 9 〔⿰面頁〕 18 회 [去]隊 | huì カイ かおがこえている

[字解] ①얼굴살찔회 '一, 面多肉謂之一'《集韻》. ②세수할회 낯을 씻음. 頮(頁부 7획〈1689〉)와 同字. '一, 與頮同, 洗面也'《聲類》.

頁 9 〔⿰侯頁〕 18 후 [平]尤 | hóu コウ ほらをふく

[字解] ①허풍칠후 '一, 一⿰曷頁, 大言'《廣韻》. ②말씀바르지않을후 '一, 一⿰叚頁, 言不正'《玉篇》. ③튼튼한모양후 '一, 一曰, 健皃'《集韻》.

頁 10 〔顗〕 19 의 [上]尾 | yǐ ギ しずか

[字解] ①조용할의 고요함. '一, 靜也'《爾雅》. ②즐길의 즐거워함. '一, 樂也'《廣韻》. ③근엄할의 엄격하고 점잖음. '一, 謹莊皃'《說文》.

[字源] 形聲. 頁＋豈〔音〕

頁 10 〔願〕 19 [中·人] 원 [去]願 | yuàn ガン ねがう

[筆順] 厂 厂 盾 原 原 原 願 願

[字解] ①바랄원 ㉠하고자 함. '敬修其可一'《書經》. ㉡남이 해 주기를 원함. '不一于大家'《禮記》. ②빌원 기원함. '賽一'. '祈一'. '憶得少年長乞巧, 竹竿頭上一絲多'《白居易》. ③부러워할원, 사모할원 선모(羨慕)함. '國人稱一'《禮記》. ④소망원 소원. '豈非士之一哉'《史記》. ⑤바라건대원 바라노니. '一陛下親之信之'《諸葛亮》. ⑥매양원 항상. '一言思子'('言'은 '我')《詩經》.

[字源] 形聲. 頁＋原〔音〕

頁 10 〔顙〕 19 상 [上]養 [平]陽 | sǎng ソウ ひたい

[字解] 이마상 얼굴의 눈썹 위의 부분. '稽一'. '東門有人, 其一似堯'《史記》. 또, '稽一'의 준말로 쓰임. '再拜一者何, 曰, 一者猶叩頭矣'《公羊傳》.

[字源] 形聲. 頁＋桑〔音〕

頁 10 〔顜〕 19 [一] 강 [上]講 [二] 각 [入]覺 | jiǎng コウ あきらか jiào カク あきらか

[字解] [一] 밝을강 환한 모양. 명확한 모양. '蕭何爲法, 一若畫一'《史記》. [二] 밝을각 [一]과 뜻이 같음.

[字源] 形聲. 頁＋冓〔音〕

頁 10 〔類〕 19 [高·人] [一] 류 [去]寘 [二] 뢰 [去]隊 | lèi ルイ たぐい, にる lèi ライ かたよる

[筆順] 丷 丬 米 米 类 类 類 類 類

[字解] [一] ①무리류 ㉠동아리. '同一'. '引一呼朋'《歐陽修》. ㉡서로 비슷한 것. 동종. '種一'. '絕一離倫'《韓愈》. ②같을류, 비슷할류 상사함. '孔子狀一陽虎'《史記》. ③나눌류 사물을 비슷한 종별(種別)에 따라 나눔. 유별(類別)함. '晉君一能而使之'《左傳》. ④착할류, 좋을류 악(惡)의 대(對). '克明克一'《詩經》. 또, 착한 일. 좋은 일. 행복. '孝子不匱, 永錫爾一'《左傳》. ⑤대개류 대략. '一名湮沒而不彰'《史記》. ⑥제사이름류 군대가 주둔한 곳에서 행하는 실내(室內)의 제사. '是一是禡'《詩經》. ⑦성류 성(姓)의 하나. [二] 치우칠뢰 불공평함. 편파적임. '刑之頗一'《左傳》.

[字源] 會意. 犬＋米＋頁

頁 10 〔顚〕 19 전 [平]先 | diān テン いただき

[字解] ①머리전 두상(頭上). 취독. '班序一毛, 以爲民紀統'《國語》. ②이마전 얼굴의 눈썹 위의 부분. '有馬白一'《詩經》. ③꼭대기전 최상부. 최고처. '山一'. '樹一'. '山有時而童一'《蘇軾》. ④밑전 근본. '一末'. '操末以續一'《陸機》. ⑤미칠전 정신이 이상함. 또, 미친 사람. '一狂'. '世號張一'《唐書》. ⑥넘어질전, 넘어뜨릴전 蹎(足부 10획〈1441〉)과 통용. '一墜'. '一沛'. '一而

不扶'《論語》. ⑦뒤집힐전, 뒤집을전 안이 밖으로, 밖이 안으로 됨. '一覆'. '表裏一倒'. ⑧거꾸로할전 반대로 함. '一裳以爲衣'《楚辭》. ⑨찰전, 채울전 闐(門부 10획〈1605〉)과 통용. '一實揚休'《禮記》. ⑩성전 성(姓)의 하나.
[字源] 形聲. 頁+眞〔音〕

頁 10 〔顚〕 19 顚(前條)의 俗字

頁 10 〔䪳〕 19 [一] 운 [上]吻 | yǔn ウン かおいろのひきしまったさま
[二] 혼 [上]阮 | hùn コン あたまもかおもまるい
[字解] [一] 얼굴굳을운 낯빛이 긴장된 모양. '一, 面色一一皃'《說文》. '一一, 面急也'《集韻》. [二] 머리얼굴둥글혼 '面首俱圓謂之一'《集韻》.
[字源] 形聲. 頁+員〔音〕

頁 10 〔顝〕 19 [一] 골 [入]月 | kuī コツ おおきなあたま
[二] 회 [平]灰 | カイ みにくい
[字解] [一] ①큰머리골 대형의 머리. '一, 大頭也'《說文》. ②클골 '一, 大也'《廣雅》. ③외로울골 혼자 있는 모양. '一羈旅而無友兮'《後漢書》. ④추할골 보기 흉함. '一, 醜也'《集韻》. [二] ①추할회 [一]❹와 뜻이 같음. ②다닥칠회 서로 마주쳐 닿음. '一, 倉頡篇, 相抵觸也'《集韻》. ③큰머리회 [一]❶과 뜻이 같음.
[字源] 形聲. 頁+骨〔音〕

頁 10 〔顄〕 19 함 [平]覃 | hàn カン あご
[字解] 턱함 아래턱. 腩(肉부 10획〈1087〉)과 同字. '莽爲人侈口蹷一'《後漢書 王莽傳》.
[字源] 形聲. 頁+圅〔音〕

頁 10 〔䫌〕 19 비 [平]支 | pī ヒ かみやひげがみじかいさま
[字解] 머리털·수염짧을비 머리털이나 수염이 짧은 모양. '一, 短須髮皃'《廣韻》.
[字源] 形聲. 須+否〔音〕

頁 10 〔顤〕 19 [一] 교 [平]蕭 | qiāo キョウ おおきなあたま
[二] 효 [去]嘯 | キョウ おおきなあたまのさま
[三] 분 [平]文 | fén フン おおきなあたまのさま
[字解] [一] ①큰머리교 '一, 大頭也'《說文》. ②큰이마교 '一, 大額'《廣韻》. ③클교 '一, 大也'《廣雅》. [二] 머리클효 큰 머리의 모양. '一, 大頭皃'《集韻》. [三] 머리클분 큰머리의 모양. 또, 많은 모양. '頒, 大首皃. 一曰, 衆皃. 亦作一'《集韻》.
[字源] 形聲. 頁+羔〔音〕

頁 10 〔顡〕 19 [一] 외 [上]賄 | ガイ あたまがかたむく
[二] 괴 [上]賄 | kuǐ カイ あたまがかたむく
[三] 기 [平]支 | キ あたまがかたむく
[字解] [一] ①머리기울외 '一, 頭不正也'《說文》. ②클외 '一, 大也'《廣雅》. ③큰머리외 '一, 大頭'《廣韻》. ④추(醜)할외 '䫥, 說文, 醜也. 通作一'《集韻》. [二] 머리기울괴, 클괴, 큰머리괴, 추할괴 [一]과 뜻이 같음. [三] 머리기울기, 클기, 큰머리기, 추할기 [一]과 뜻이 같음.
[字源] 形聲. 頁+鬼〔音〕

頁 10 〔顊〕 19 [一] 개 [去]泰 | kǎi カイ あたまのほねのさま
[二] 합 [入]合 | gé コウ あごぼね
[字解] [一] 머리뼈모양개 顪(頁부 14획〈1701〉)과 同字. '一, 頭骨皃, 或从蓋'《集韻》. [二] 턱뼈합 '一, 頷車骨'《玉篇》.
[字源]

頁 10 〔顉〕 19 금 [去]沁 | qìn キン かしらがうごく
[字解] 머리움직일금 머리를 끄떡임. '一, 一頤, 首動'《集韻》.

頁 10 〔顩〕 19 금 [上]寢 | qǐn キン みにくいさま
[字解] 추한모양금 顉(頁부 7획〈1691〉)과 뜻이 같음. '顩, 顩顉, 醜皃, 或从金'《集韻》.

頁 10 〔䫜〕 19 두 [平]尤 | dōu トウ かおがゆがむ
[字解] 얼굴일그러질두 '䫜, 䫜一, 面折'《集韻》.

頁 10 〔䫏〕 19 멸 [入]屑 | miè ベツ とびあがる
[字解] 날아오를멸 '一, 一頡也'《五音集韻》.

頁 10 〔顭〕 19 명 [平]青 | míng ベイ ひたい
[字解] ①이마명 '一, 眉目閒也'. ②머리아름다울명 '䫤, 一䫤, 好皃'《集韻》. ③名(口부 3획〈148〉)과 통용. '一, 毛詩爾雅借用名'《正字通》. ④眳(目부 6획〈844〉)과 통용. '一, 張衡西京賦作眳'《正字通》.

頁 10 〔䫫〕 19 미 [平]齊 | mí ベイ あたまがたれるさま
[字解] 머리드리워진모양미 머리를 숙인 모양. '一, 一頤, 頭垂皃'《集韻》.

頁 10 〔⿰虒頁〕 19 사 [平]支 | sī シ あたまがかしぐ

[字解] ①머리기울사 머리의 자세가 바르지 못함. '—, 頡—, 頭不正'《集韻》. ②잘생긴 모양사 '—, 一曰, 好皃'《集韻》.

頁 10 〔⿰兼頁〕 19 암 [上]豏 | yán ガン おもながのさま

[字解] ①얼굴긴모양암 '—, 頭頰長也, 从頁兼聲'《說文》. ②얼굴의살이빠져뼈가드러날암 '—, —顩, 面少肉骨露也'《六書故》.

頁 10 〔⿰翁頁〕 19 옹 [平]東 | wēng オウ くびすじのけ / wěng オウ つよいさま

[字解] ①새의목덜미에난깃털옹 翁(羽부 4획〈1041〉)과 同字. '翁, 說文, 頸毛也, 或从頁'《集韻》. ②굳센모양옹 勜(力부 10획〈116〉)과 同字. '勜, 勜肍, 屈強皃, 或从頁'《集韻》.

頁 10 〔⿺辶頁〕 19 이 [平]支 | yí イ やしなう

[字解] ①기를이 양육함. '—, 養也'《字彙補》. ②턱뼈이 상악골(上顎骨)과 하악골을 이름. '—, 輔車骨也'《字彙補》.

頁 10 〔⿰旃頁〕 19 전 [平]先 | zhān セン ひたい

[字解] 이마전 ⿰栞頁(頁부 10획〈1698〉)과 同字. '—・頟・顏・顙也, 湘江之間, 謂之⿺辶頁'《方言》. '—, 或从栞'《集韻》.

頁 10 〔⿰栞頁〕 19 ⿰旃頁(前條)과 同字

頁 10 〔顕〕 19 〔현〕 顯(頁부 14획〈1701〉)의 俗字

頁 10 〔⿰奚頁〕 19 혜 [平]齊 | xí ケイ あたまがかしいでただしくない

[字解] 머리바르지않을혜 '—, 頭不正'《集韻》.

頁 10 〔⿰恖頁〕 19 〔신〕 囟(囗부 3획〈195〉)의 古字

頁 10 〔⿰容頁〕 19 〔송〕 頌(頁부 4획〈1684〉)의 籒文

頁 11 〔顢〕 20 만 [平]寒 | mān バン・マン おおきなかおのさま

[字解] 얼굴클만 '—頇'은 얼굴이 큰 모양. '—, —頇, 大面'《集韻》.
[字源] 形聲. 頁＋㒼〔音〕

頁 11 〔顣〕 20 [一] 축 [入]屋 / [二] 척 [入]錫 | cù シュク はなのたかいさま / セキ まゆをひそめる

[字解] [一] 코높은모양축 '哆嗚—頞'《劉孝標》. [二] 눈살찌푸릴척 눈살을 찌푸림. '己頻—曰'《孟子》.
[字源] 形聲. 頁＋戚〔音〕

頁 11 〔顡〕 20 [一] 외 ①[去]卦 ②[上]賄 / [二] 회 [去]卦 / [三] 의 [去]未 / [四] 퇴 [去]卦 | wài ガイ おろか / ガイ おろかなさま / カイ おろか / ギ おろか / zhuài タイ あたまをうつおと

[字解] [一] ①어리석을외 '癡—'는 어리석음. ②어리석은모양외 '聉—'는 어리석은 모양. '—, 聉—, 愚皃'《集韻》. [二] 어리석을 회 [一]①과 뜻이 같음. [三] 멍텅구리의 '—, 頭不聰也'《集韻》. [四] ①머리치는소리퇴 '—, 擊頭聲'《集韻》. ②뜻없을퇴 '聉—'는 뜻이 없는 모양. '—, 一曰, 聉—, 無志'《集韻》. ③얼굴추(醜)할퇴 '—, 顏惡也'《廣韻》.
[字源] 形聲. 頁＋豙(豕)〔音〕

頁 11 〔顠〕 20 표 [上]篠 | piǎo ヒョウ かみのみだれるさま

[字解] ①헝클어질표 머리가 헝클어지는 모양. '鬒髮薴頠兮—鬢白'《楚辭》. ②머리흴표 '—, 髮白'《廣韻》.

頁 11 〔⿰卑須〕 20 비 [平]支 | bēi ヒ かみやひげがなかばしろい

[字解] ①반백(半白)비 머리나 수염이 반백(半白)임. '—, 須髮半白'《廣韻》. ②구레나룻비 구레나룻의 모양. '—, 額貌'《聲類》.
[字源] 形聲. 須＋卑〔音〕

頁 11 〔⿰區頁〕 20 구(우[本]) [平]尤 | ōu オウ かおがゆがむ

[字解] 핀잔줄구 '—, —顣, 面折'《集韻》. ※本音 우.

頁 11 〔顲〕 20 람 [平]覃 | lǎn ラン あたまをふせるさま

[字解] 머리를숙이는모양람 '—, —頷, 俯首皃'《集韻》.

頁 11 〔顟〕 20 료 [平]蕭 / [去]嘯 | lǎo リョウ はながたかくめがくぼんださま

[字解] ①코가높고눈이쑥들어간모습료 '—, 高鼻深目皃'《集韻》. ②머리크고눈쑥들어갈료 '—, 大首深目'《集韻》. ③머리긴모양료 '—, —顤, 頭長皃'《玉篇》. ④顤(頁부 12

획〈1700〉)과 同字. '䫀, 一同'《玉篇》.

頁11 〔𩖁〕 20 루 ㊥尤 | lǒu ロウ あたまのほね

字解 머리뼈루 髏(骨부 11획〈1760〉)과 同字. '一, 顴一'《玉篇》. '髏, 說文, 髑髏也, 或从頁'《集韻》.

頁11 〔𩕐〕 20 마 ㊥麻 | má バ かたりにくい

字解 말하기어려울마 '一, 一䫜, 難語'《集韻》.

頁11 〔䪷〕 20 부 ㊥虞 ㊤麌 | pǒu フ みじかいひげ

字解 ①짧은수염부 '一, 短須也'《五音篇海》. ②머리카락휠부 '一, 髮白也'《五音篇海》. ③머리카락아름다울부 髻(髟부 8획〈1769〉)과 同字. '髻, 美髮謂之髻, 或作一'《集韻》. ④머리카락의모양부 '髻, 說文, 髮皃, 或作一'《集韻》.

頁11 〔𩕋〕 20 삼 ㊤感 | sǎn サン あたまがうごくさま

字解 ①머리움직이는모양삼 '一, 鎖一, 首動皃'《集韻》. ②머리뒤흔들삼 '一, 鎖一, 搖頭'《廣韻》.

頁11 〔𩕏〕 20 상 ㊤養 | shuǎng ソウ みにくい

字解 ①추할상 보기 흉함. '一, 醜也'《廣雅》. ②추한모양상 '一, 醜皃'《廣韻》. ③찰상 가득함. '一, 滿也'《玉篇》.

頁11 〔顣〕 20 욱 ㊅沃 | xù キョク どくろ

字解 ①해골(骸骨)욱 촉루(髑髏). 욱로(髗顱). '一, 顱也'《集韻》. ②髗(骨부 12획〈1760〉)과 同字. '一, 或作髗'《集韻》.

頁11 〔𩕍〕 20 책 ㊅陌 | zé サク あたまがただしくない

字解 머리바르지못할책 머리가 기욺. '一, 一頗, 頭不正皃'《廣韻》.

頁11 〔𩕎〕 20 혹 ㊅屋 | xù コク さいわい

字解 복록(福祿)혹 '一, 祿也'《字彙補》.

頁11 〔𩕈〕 20 오 ㊥豪 ㊦號 | ào ゴウ たかい

字解 ①높을오 머리가 높음. '一, 顤一, 高也'《集韻》. ②높고클오 '一, 高大也'《玉篇》. ③머리길오 '一, 頭長'《廣韻》. ④높은머리오 '一, 高頭也'《廣韻》. ⑤이마높을오 '一, 顙高也'《正字通》.

字源 形聲. 頁+敖〔音〕

頁11 〔𩕊〕 20 𩖁(前條)의 本字

頁12 〔顥〕 21 人名 호 ㊤晧 | hào コウ おおきい

筆順 日 旦 昌 景 景 顥 顥 顥

字解 ①클호, 넓을호 광대(廣大)함. '鮮一氣之清英'《班固》. ②빛날호, 휠호 빛나며 흰 모양. 또, 밝은 모양. '天白一一'《楚辭》. 전(轉)하여, 서쪽 또는 가을을 이름. '西一流碭'《漢書》. ③성호 성(姓)의 하나.

字源 會意. 頁+景

頁12 〔𩖃〕 21 린 ①㊦震 ②③㊤軫 | lìn リン つつしむ / リン かみがすくないさま

字解 ①삼갈린 '一, 愼也'《說文》. ②머리적을린 머리털이 적은 모양. '一, 少髮皃'《廣韻》. ③부끄럼린 수치(羞恥). '僯, 慙恥也. 通作一'《集韻》.

字源 形聲. 頁+粦〔音〕

頁12 〔𩖄〕 21 𩖃(前條)과 同字

頁12 〔𩖅〕 21 선 ㊥銑 | zhǎn セン ひとをみくだす

字解 사람거만히볼선 '一, 說文曰, 倨視人也'《廣韻》.

字源 形聲. 頁+善(善)〔音〕

頁12 〔顤〕 21 ㊀요 ㊦嘯 ㊥蕭 ㊁교 ㊦嘯 ㊂효 ㊥肴 | ①-③yáo ギョウ たかくながいあたま / ①②qiào キョウ あたまをあげる / コウ·キョウ あたまがおおきくめがくぼんださま

字解 ㊀ ①높고긴머리요 '一, 高長頭'《說文》. ②높을요 '一, 高也'《廣雅》. ③머리길요 '顤一'는 머리가 긺. '一, 顤一, 頭長'《集韻》. ㊁ 머리들교 '一, 擧首'《集韻》. ㊂ ①머리크고눈오목할효 '顱一顟'는 머리가 크고 눈이 오목한 모양. '顱一顟而睽睢'《王延壽》. ②오랑캐얼굴효 '顱一'는 오랑캐의 얼굴. '一, 顱一, 胡人面也'《廣韻》.

字源 形聲. 頁+堯〔音〕

頁12 〔顦〕 21 초 ㊥蕭 | qiáo ショウ やつれる

字解 야윌초 파리함. 憔(心부 12획〈412〉)와 同字. '容色一顇, 服膳減損'《顏氏家訓》.

字源 形聲. 頁+焦〔音〕

頁12 〔顧〕21 高·人 고 ㊄遇 gù コ かえりみる

筆順 ヨ 戶 戸 雇 雇 雇 顧 顧 顧

字解 ①돌아볼고 ㉠머리를 돌려 뒤를 돌아다봄. '一視'. '徘徊一樹下'《古詩》. ㉡둘러봄. 좌우를 봄. '王一左右, 而言他'《孟子》. ㉢지난 일 또는 뒤쪽을 생각하여 봄. '回一'. '內一'. ㉣반성함. '一乃德'《書經》. ㉤유의함. 마음을 씀. '一慮'. '不一父母之養, 一不孝也'《孟子》. ㉥눈여겨봄. 사랑함. '屢一爾僕'《詩經》. ㉦찾음. 방문함. '三一臣於草廬之中'《諸葛亮》. ②돌아갈고 먼저 있던 데로 되돌아감. '子以死爲一'《呂氏春秋》. ③도리어고 반대로. '一反'으로 연용(連用)하기도 함. '一不易耶'《史記》. '一反居臣等上何也'《十八史略》. ④다만고 단지. '上有大澤, 則惠必及下, 一上先下後耳'《禮記》. ⑤생각건대고 생각해 보니. '一安所得酒乎'《蘇軾》. ⑥당길고 인도함. 또, 인도하는 사람. '郭林宗·范滂等爲八一. 一者, 言能以德行引人者也'《後漢書》. ⑦품살고 雇(隹부 4획〈1630〉)와 통용. '斂民財, 以一其功'《漢書》. ⑧성고 성(姓)의 하나.

字源 形聲. 頁+雇〔音〕

頁12 〔顨〕21 손 ㊄願 xùn ソン えきのはっけのひとつ

字解 손괘손 巽(己부 9획〈328〉)과 同字. '一, 巺也. 此易一卦, 爲長女爲風者'《說文》.

字源 會意. 頭+丌

頁12 〔顙〕21 ㊀파 ㊥歌 ㊁번 ㊥元 pó ハ ろうじんのかみのしろいさま fán ハン·ボン しろいくちばし

筆順 一 米 釆 番 番 番 鄱 顙

字解 ㊀①머리휠파 노인(老人)의 머리가 흰 모양. '皤, 老人白也. 一, 皤或从頁'《說文》. ②기운차게춤출파 '一一'는 기운이 솟아 춤추는 모양. '一, 一一, 勇舞皃'《廣韻》. ㊁흰부리번 '一, 白喙'《集韻》.

頁12 〔顮〕21 〔빈〕 瀕(水부 16획〈698〉)의 本字

頁12 〔顥〕21 ㊀고 ㊤晧 ㊁호 ㊥豪 gǎo コウ ひろくおおきいさま háo ゴウ おおきいかおのさま

字解 ㊀넓고큰모양고 '一, 廣大皃'《集韻》. ㊁큰얼굴호 '一, 顤一, 面大'《集韻》.

頁12 〔顬〕21 〔녕〕 顆(頁부 14획〈1701〉)과 同字

頁12 〔顟〕21 료 ㊄嘯 liào リョウ ながいあたま

筆順 一 大 夰 杳 杳 杳 顟 顟

字解 ①긴머리료 '一, 一顤, 長頭'《集韻》. ②顟(頁부 11획〈1698〉)와 同字. '一, 顟同'《玉篇》.

頁12 〔顢〕21 〔번〕 顢(頁부 15획〈1702〉)과 同字

頁12 〔顣〕21 ㊀삼 ㊥覃 ㊁섬 ㊥鹽 chán サン くびをたれふすさま セン とる

字解 ㊀머리숙인모양삼 '一, 顤一, 俯首皃'《集韻》. ㊁취(取)할섬 '一, 取也'《字彙》.

頁12 〔顥〕21 선 ㊥先 xuān セン まるがお

字解 둥근얼굴선 둥글게 생긴 얼굴. 䩙(面부 12획〈1659〉)과 同字. '一, 圓面也, 或作䩙'《集韻》.

頁12 〔顤〕21 심 ㊤寢 sěn シン よわいさま

字解 나약한모양심 '一, 顛一, 懦弱皃'《集韻》.

頁12 〔顡〕21 〔예〕 預(頁부 4획〈1684〉)의 俗字

頁12 〔顝〕21 외 ㊄卦 wài ガイ じんめい

字解 사람이름외 '一, 闕, 人名, 漢有北平康侯一'《集韻》.

頁12 〔顠〕21 침 ㊤寢 ㊄沁 zhěn シン あたまのふしたれたさま qǐn シン よわくおとる

筆順 一 ㄷ 扌 扶 替 替 顠 顠

字解 ①머리를숙인모양침 '一, 頭俯皃'《集韻》. ②머리통이좁고길침 '一, 一曰, 頭銳而長也'《集韻》. ③약하고용렬할침 顉(頁부 7획〈1692〉)과 통용. '一, 懦劣也, 通作顉'《集韻》.

頁12 〔顢〕21 홍 ㊤董 hǒng コウ こえたさま

字解 살찐모양홍 '一, 肥貌'《字彙》.

頁12 〔顣〕21 회 ㊤賄 huì カイ あたまのさま

字解 ①머리의모양회 '一, 一一, 頭貌'《集韻》. ②머리털없는모양회 대머리의 모양. '一, 無髮皃'《集韻》.

頁13 〔顩〕22 [一]엄 [上]琰 | yǎn ゲン あごのとがったさま
[二]금 [上]寢 | qīn キン あごがうえにまがる

[字解] [一]하관빨엄 하관이 매우 좁음. 턱이 뾰족함. '—頤'《揚雄》. [二]주걱턱금 턱이 위로 굽음. '頤曲上曰—'《集韻》.
[字源] 形聲. 頁＋僉〔音〕

頁13 〔顪〕22 훼 [去]隊 | huì カイ あごひげ

[字解] ①아랫수염훼 턱에 난 수염. '接其鬢, 壓其—'《莊子》. ②빰훼 얼굴의 양옆.
[字源] 形聲. 頁＋歲〔音〕

頁13 〔顫〕22 전 ①[去]霰 ②[平]先 | chàn, zhàn セン ふるえる shān セン においをよくかぎわける

[字解] ①떨릴전 수족이 추위 따위로 떨림. '勢若—動'《宣和畫譜》. ②냄새잘맡을전 '鼻徹爲—'《莊子》.
[字源] 形聲. 頁＋亶〔音〕

頁13 〔⿰履頁〕22 〔리〕
履(尸부 12획〈300〉)의 古字

頁13 〔⿰鼎頁〕22 〔정〕
頂(頁부 2획〈1682〉)의 籒文

頁13 〔⿰禁頁〕22 금 [上]寢 | jìn ゴン いかる

[字解] ①성낼금 분노함. '—, 怒也'《方言》. ②약하고용렬할금 '—, 一曰, 顉—, 懦劣'《集韻》.

頁13 〔⿰㐭頁〕22 담 [去]勘 | dàn タン あたまのさま

[字解] 머리의모양담 '—, —髗, 頭兒'《集韻》.

頁13 〔⿰嗇頁〕22 색 [入]職 | sè ショク ほお

[字解] 볼색 빰. '—, 頰也'《集韻》.

頁13 〔⿰業頁〕22 압 [入]合 | è ゴウ あたまのうごくさま

[字解] 머리움직이는모양압 ⿰骨業(骨부 13획〈1761〉)과 同子. '⿰骨業, 骰⿰骨業, 首動皃, 或从頁'《集韻》.

頁13 〔⿰蜀頁〕22 촉(독[本]) [入]屋 | dú トク あたまのほね

[字解] 머리뼈촉 해골. 髑(骨부 13획〈1761〉)과 同字. '髑, 說文, 髑髏, 頂也, 或从頁'《集韻》. ※本音 독.

頁13 〔⿰⿱咸火頁〕22 함 [去]勘 | hàn カン ひにあたる

[字解] 불쬘함 '—, 臨火气也'《集韻》.

頁13 〔⿰感頁〕22 [一]함 [去]勘 | hàn カン かおがきばむ
[二]감 [上]感 | kǎn カン あたまをうごかす

[字解] [一]①부황들함 굶주려서 얼굴이 누렇게 뜸. 顑(頁부 9획〈1695〉)과 同字. '顑, 不飽而面黃也, 或作—'《集韻》. ②머리와얼굴이평평하지않을함 '—, 顉—, 頭面不平'《集韻》. [二]①머리를움직일감 顑(頁부 9획〈1695〉)과 同字. '—, 首動也, 或省'《集韻》. ②마를감 살이 빠짐. '—, 瘦也'《集韻》. ③넉넉히먹지못할감 '—, 食不飽'《廣韻》.

頁14 〔顬〕23 유 [平]虞 | rú ジュ こめかみがうごく

[字解] 관자놀이유 '—, 耳穴動謂之顳—'《集韻》.
[字源] 形聲. 頁＋需〔音〕

頁14 〔顯〕23 [高·人] 현 [上]銑 | xiǎn ケン あきらか

[筆順] 日 㬎 㬎 㬎 㬎 㬎頁 顯 顯
[字解] ①밝을현 환함. 명백함. '天有—道'《書經》. ②나타날현 ㉠환하게 됨. 알려짐. '名—諸侯'《史記》. ㉡영달함. 지위가 높아짐. '尊—'. '未嘗有—者來'《孟子》. ③나타낼현 전항의 타동사. '以—父母'《孝經》. ④드러날현 숨긴 것이 나타남. '露—'. ⑤드러낼현 숨김 없이 모두 알도록 함. '—罰有過'《新論》. ⑥경칭현 자손이 죽은 부모를 존경하여 이르는 말. '—考'. '—妣'. ⑦성현 성(姓)의 하나.
[字源] 形聲. 金文은 㬎＋見〔音〕

頁14 〔⿰寧頁〕23 녕 [上]迥 | nǐng デイ·ニョウ いただき

[字解] 꼭대기녕 가장 높은 부분. '—, 頂顚也'《玉篇》.

頁14 〔⿰頁粦〕23 〔린〕
⿰頁粦(頁부 12획〈1699〉)의 本字

頁14 〔⿰豙頁〕23 〔외〕
顡(頁부 11획〈1698〉)의 本字

頁14 〔⿰譱頁〕23 〔선〕
⿰善頁(頁부 12획〈1699〉)의 本字

頁14 〔⿰蓋頁〕23 〔개〕
⿰盍頁(頁부 10획〈1697〉)와 同字

頁14 〔⿰壽頁〕23 도 [平]豪 | dāo トウ おおきいかおのさま
[字解] 큰얼굴의모양도 '―, ―顛, 大面皃'《廣韻》.

頁14 〔⿰臱頁〕23 면 [平]先 | mián ベン ふたご
[字解] ①쌍둥이면 쌍생아(雙生兒). '―, 孿也'《廣雅》. ②한쌍면 둘. 두 개. '―, 雙也, 南楚江淮之間曰―'《方言》. ③아름다울면 '―, 一曰, 美也'《集韻》.

頁14 〔顭〕23 몽 [上]董 | měng ボウ あたまがくらむ
[字解] 머리어지러울몽 아찔함. '―, ―⿰甚頁, 頭昏'《集韻》.

頁14 〔顮〕23 빈 [平]眞 | bīn ヒン いきどおる
[字解] ①성낼빈 화가 남. 번민함. '―, 憒懣也'《玉篇》. ②머리가혼란해질빈 '―, 頭憒也'《集韻》. ③머리뼈빈 '―, 頭骨'《龍龕手鑑》.

頁14 〔⿰愿頁〕23 〔원〕 願(頁부 10획〈1696〉)과 同字

頁14 〔⿰懿頁〕23 의 [平]支 | yī イ うつくしいかお
[字解] ①아름다운얼굴의 '―, 美容也'《集韻》. ②보는눈초리가아름다울의 '―, 一曰, 睇皃'《集韻》. ③웃는모습의 '―, 笑容皃也'《廣韻》.

頁14 〔⿰⿱賏言頁〕23 평 [平]庚 | pín ヘイ おしゃべりする
[字解] 수다스러울평 잘 지껄임. '―, 出言多也'《字彙補》.

頁14 〔⿰夢頁〕23 [一]몽 [平]蒸 | méng ボウ くらい
[二]홍 [平]蒸 | コウ くらい
[字解] [一]어두울몽 사리(事理)에 밝지 못함. 儚(人부 14획〈77〉)과 同字. '儚, 說文, 惛也, 或从頁'《集韻》. [二]어두울홍 [一]과 뜻이 같음.

頁15 〔⿰樊頁〕24 [一]번 [平]元 | fán ハン ひどくみにくいさま
[二]분 [平]文 | フン ひどくみにくいさま
[三]반 [上]阮 | ハン ひどくみにくいさま
[字解] [一]몹시추할번 대단히 추(醜)한 모양. '―, 大醜皃'《說文》. [二]몹시추할분 [一]과 뜻이 같음. [三]몹시추할반 [一]과 뜻이 같음.
[字源] 形聲. 頁+樊〔音〕

頁15 〔⿸厂⿰⿱吅大頁〕24 원 [去]願 | yuàn ゲン・ガン あたまのいただき
[字解] ①머리꼭대기원 '―, 顚頂也'《說文》. ②바랄원, 생각할원 '願, 欲也. 念也. 思也. ―, 上同'《廣韻》.
[字源] 形聲. 頁+⿱吅大〔音〕

頁15 〔顰〕24 빈 [平]眞 | pín ヒン しかめる
[字解] 얼굴찡그릴빈, 눈살찌푸릴빈 '―蹙'. '―, ―眉蹙也'《廣韻》. '映鏡學嬌―'《梁簡文帝》.
[字源] 形聲. 篆文은 卑+頻〔音〕

頁15 〔⿰噩頁〕24 악 [入]藥 | è ガク おごそか
[字解] 근엄(謹嚴)할악 공경(恭敬)이 엄정(嚴正)함. 顎(頁부 9획〈1694〉)과 同字. '顎, 恭嚴也, 或作―'《集韻》.

頁15 〔⿰齒頁〕24 알 [入]黠 | yá ガツ くいちがう
[字解] 어긋날알 서로 맞지 않음. '―齻, 齟齬'《道藏三元經》.

頁15 〔⿰匳頁〕24 엄 [上]琰 | yǎn ゲン たいらでないさま
[筆順] 一 ㅈ 㑒 僉 匳 匳 ⿰匳百 ⿰匳頁
[字解] ①평평하지아니한모양엄 '―, 不平貌'《字彙》. ②顩(頁부 13획〈1701〉)의 訛字. '―, 顩字之譌'《正字通》.

頁16 〔顱〕25 로 [平]虞 | lú ロ あたまのほね
[字解] ①두개골로 머리뼈. '淳于能解―'《抱朴子》. ②머리로 두부(頭部). '禿―'. '方趾圓―'《南史》.
[字源] 形聲. 頁+盧〔音〕

頁16 〔顲〕25 림 [上]寢 | lǐn リン かおいろをかえるさま
[字解] 낯빛바꿀림 '―然'은 불끈하여 낯빛을 바꾸는 모양. '―, 作色謂之―'《集韻》.
[字源] 形聲. 頁+畣〔音〕

頁16 〔⿰厰頁〕25 [一]감 [平]咸 | qiǎn カン みにくい
[二]엄 [上]琰 | yǎn ゲン かおがたいらでない
[字解] [一]추한모양감 顩(頁부 13획〈1701〉)과 同字. '顩, 顩頤, 醜皃, 或作―'《集韻》. [二]얼굴반반하지않을엄 '―, 顩―, 面不平'《集韻》.

頁16 〔⿰膠頁〕25 교 [平]肴 | qiāo コウ かおがたいらでない

字解 얼굴반반하지않을교 '一, 面不平也'《康熙字典》.

頁16 〔顎〕25 악 ⓐ藥 | è ガク かおのたかいさま

字解 ①얼굴이높은모양악 '一, 面高皃'《玉篇》. ②공손하고근엄할악 顎(頁부 9획〈1694〉)과 同字. '顎, 恭嚴也, 或作一'《集韻》.

頁17 〔鬑頁〕26 참 ⓟ咸 | chān サン あたまのながいさま

字解 ①머리긴모양참 '一, 䰐一, 頭長'《集韻》. ②머리의모양참 '一, 䰐一, 頭皃'《集韻》.

頁17 〔顭〕26 훙 ⓟ蒸 | hōng コウ くらい

字解 어두울훙 정신이 흐릿함. '一, 字書云, 惛也'《玉篇》.

頁17 〔纓頁〕26 영 ⓢ梗 | yǐng エイ くびのこぶ

字解 목의혹영 목에 난 혹. 癭(疒부 17획〈822〉)과 同字. '癭, 說文, 頸瘤也, 或从頁'《集韻》.

頁17 〔顬〕26 령 ⓟ青 | líng レイ かおがやせてほねがあらわれる

字解 얼굴파리할령 얼굴이 여위어 뼈가 드러남. '一, 面瘦淺一一也'《說文》.

字源 形聲. 頁+霝〔音〕

〔龥〕〔유〕 龠부 9획(1896)을 보라.

頁18 〔顳〕27 섭 ⓐ葉 | niè ショウ こめかみ

字解 관자놀이섭 '一顬'. '一, 一顬, 鬢骨'《廣韻》.

字源 形聲. 頁+聶〔音〕

頁18 〔顴〕27 관(권本) ⓟ先 | quán ケン ほおぼね

字解 광대뼈관 관자놀이 아래에 있는 뼈. '長頸高一'《齊書》. ※本音 권.

字源 形聲. 頁+雚〔音〕

頁18 〔贔〕27 비 ⓠ寘 | bì ヒ まゆ

字解 ①눈썹비 '一, 眉也'《字彙補》. ②贔(貝부 14획〈1401〉)의 俗字. '一, 俗贔字'《龍龕手鑑》.

頁20 〔顰〕29 〔빈〕 顰(頁부 15획〈1702〉)의 本字

風 部

〔바람풍부〕

風0 〔風〕9 中·人 풍 ⓟ東 ⓠ送 | ①-⑮fēng フウ かぜ ⑯fèng フウ ほのめかす, あてこする

筆順 丿 几 凡 凨 凬 風 風 風

字解 ①바람풍 대기(大氣)의 움직임. '一雨'. '大塊噫氣, 其名爲一'《莊子》. ②바람불풍 바람이 일어남. '終一且暴'《詩經》. ③바람쐴풍 바람을 받음. 외기(外氣)에 닿음. '有寒疾不可以一'《孟子》. ④바람날풍 마음이 들뜸. 방일(放逸)함. '馬牛其一'《書經》. ⑤빠를풍 바람과 같이 신속함. '免冑而趨一'《左傳》. ⑥가르침풍 교화. '世變一移'《書經》. ⑦습속풍 관습. '一俗'. '移一易俗'《禮記》. ⑧기세풍 세력. '威一遠暢'《後漢書》. ⑨위엄풍 위광(威光). '王公貴人, 望一憚之'《晉書》. ⑩모습풍 용모. 태도. '一采'. '有國士之一'《史記》. ⑪경치풍 조망. '一景'. '一致'. ⑫노래풍 가요. 고대에, 조정(朝廷)에서 습속의 양부(良否), 정치의 선악을 보기 위하여 각지의 노래를 수집한 것을 '國一'이라 하였는데, 시경(詩經)에 수록되었음. ⑬풍병풍 중풍. '一淫末疾'《左傳》. ⑭감기풍 고뿔. '一邪'. ⑮성풍 성(姓)의 하나. ⑯풍자할풍 諷(言부 9획〈1343〉)과 통용. '一刺'. '或出入一議'《詩經》.

字源 甲骨文에는 돛의 象形과 봉황의 象形의 두 가지가 있음. 바람을 받는 돛에서, 또 바람처럼 자유로운 봉황새에서, '바람'의 뜻을 나타냄. 뒤에, 形聲의 虫+凡〔音〕으로 바뀌는데, '虫훼'는 풍운을 탄 용의 뜻을 나타냄.

參考 '風풍'을 의부(意符)로 하여, 여러 가지 바람의 명칭이나 바람을 형용하는 문자를 이룸.

風2 〔颲〕11 ㊀초 ⓟ肴 ㊁뇨 ⓟ肴 | chāo トウ あついかぜ ニョウ あついかぜ

字解 ㊀①뜨거운바람초 '一, 炎風謂之一'《集韻》. ②바람부는모양초 '一, 一颵, 吹皃'《玉篇》. ㊁뜨거운바람뇨 '一, 熱風'《集韻》.

風3 〔颩〕12 ㊀표 ㊁두 | biāo フウ なげうつ diū トウ とうてき

[字解] 🈔 ①던져버릴표 '一了僧伽帽, 袒下我這偏衫'《西廂記》. ②휘둘러때릴표 '差人去一了白士中首級'《望江亭》. ③앙사(量詞)표 군대에서 인마(人馬)에 대하여 썼는데, '彪'로도 표기했음. '不許當不許攔, 一一軍沒揣的撞入長安'《鴈門關存孝打虎》. 🈪 ①던질두 '八下裏磚一'《般涉調》. ②곁눈질할두 '打訛的, 將納老胡一'《般涉調》. ③잡아당길두 '粧旦不抹一, 蠢身軀似水牛'《般涉調》.

風3 〔⿺風了〕 12 료 ㊥肴 | liáo リョウ かぜのおと
[字解] 바람소리료 '一, 風聲'《篇海》.

風3 〔⿺風几〕 12 봉 ㊥東 | péng ホウ かぜのさま
[字解] ①바람의모양봉 '一, 風皃'《集韻》. ②큰바람소리봉 '一, 一曰, 大風聲'《字彙》.

風3 〔⿰風凡〕 12 ⿺風几(前條)과 同字

風3 〔⿺風勺〕 12 표 ㊥蕭 | biāo ヒョウ つむじかぜ
[字解] 회오리바람표 飆(風부 12획〈1711〉)과 同字. '飆, 說文, 扶搖風也, 或从勺'《集韻》.

風3 〔⿺風工〕 12 홍 ㊥東 | hóng コウ かぜのおと
[字解] ①바람소리홍 '一, 風聲'《集韻》. ②큰바람홍 '一, 大風'《廣韻》.

風4 〔颬〕 13 하 ㊥麻 | xiā カ いきをはく
[字解] 불하 입을 벌리고 숨 기운을 내어 보내는 모양. '舍利一一, 化爲仙車'《張衡》.

風4 〔⿺風曰〕 13 율 ㊇質 | yù イツ おおかぜ
[字解] 큰바람율 몹시 부는 바람. '廻一泱漭, 聳散穹窿'《庾闡》.
[字源] 形聲. 風+曰〔音〕

風4 〔⿺風今〕 13 감 ㊥覃 | gān カン かぜ
[字解] 바람감 '一, 風也'《集韻》.

風4 〔⿺風屯〕 13 돈 ㊥元 | tún トン かぜ
[字解] 바람돈 '一, 風也'《集韻》.

風4 〔⿺風夫〕 13 颫(次條)와 同字

風4 〔颫〕 13 부 ㊥虞 | fú フ おおかぜ
[字解] ①큰바람부 '一, 大風也'《集韻》. ②扶(手부 4획〈429〉)와 통용. '一, 通作扶'《集韻》.

風4 〔⿺風丸〕 13 심 ㊥侵 | xín シン せい
[字解] 성(姓)심 '一, 姓也, 姓苑云, 汝南人'《廣韻》.

風4 〔⿺風犬〕 13 ⿺風丸(前條)과 同字

風4 〔⿺風少〕 13 초 ㊥肴 | chāo ソウ かぜがおこる
[字解] 바람일초 '一, 風起也'《玉篇》.

風4 〔⿺風毛〕 13 포 ㊥豪 | pāo ホウ かるいさま
[字解] ①가벼운모양포 '一, 輕皃'《廣韻》. ②가벼운바람포 '一, 輕風'《集韻》. ③바람의모양포 '一, 風貌'《字彙》.

風4 〔⿺風夬〕 13 혈 ㊇屑 | xuè ケツ かぜ
[字解] ①바람혈 '一, 風也'《集韻》. ②미풍이 틈새에서새어들혈 '一, 小風從孔來曰一'《字彙》. ③산들바람혈 미풍(微風). 䬅(風부 5획〈1705〉)과 同字. '一, 小風, 或从夬'《集韻》.

風4 〔⿺風厷〕 13 횡 ㊥庚 | hóng コウ おおかぜ
[字解] 큰바람횡 '一, 大風也, 或書作⿰厷風'《集韻》.

風4 〔⿰厷風〕 13 ⿺風厷(前條)와 同字

風5 〔颭〕 14 점 ㊤琰 | zhǎn セン なみだつ
[字解] ①물결일점 바람이 불어 파도가 일어남. '驚風亂一芙蓉水'《柳宗元》. ②흔들릴점 바람에 요동하는 모양. '廻一一, 其泠泠'《劉歆》.
[字源] 形聲. 風+占〔音〕

風5 〔颮〕 14 🈔 표 ㊥肴 🈪 박 ㊇覺 | biāo ホウ はげしくやかましいかぜ | páo ハク おおいさま
[字解] 🈔 폭풍표 거센 바람. '游說之徒, 風一雷激'《班固》. 🈪 많을박 많은 모양. 많이 나는 모양. '一一紛紛, 矰繳相纏'《班固》.
[字源] 形聲. 風+包〔音〕

風5 〔颱〕14 태 | tāi タイ たいふう

字解 태풍태 여름에서 가을에 걸쳐 북태평양 남서부에서 일어나는 폭풍.
字源 形聲. 風＋台〔音〕

風5 〔颲〕14 류 ㊤有 | liǔ リュウ かぜのおと

字解 ①바람소리류 '一, 風聲也'《龍龕手鑑》. ②바람불류 바람이 부는 모양.

風5 〔颰〕14 불 ㊀物 | fú フツ かぜ

字解 ①바람불 '一, 風也'《玉篇》. ②솔솔부는바람불 부드럽게 부는 바람. '小風謂之一'《集韻》. ③센바람불 몹시 빠르게 부는 바람. '一, 一曰, 疾風'《集韻》.

風5 〔颭〕14 월 ㊀月 | xuè ケツ かぜ

字解 ①바람월 '一, 風也'《廣雅》. ②솔솔부는바람월 부드럽게 부는 바람. '小風謂之一'《集韻》.

風5 〔颳〕14 ㊀ 혈 ㊀屑 | xuè ケツ そよかぜ ㊁ 술 ㊀質 | シュツ そよかぜ

字解 ㊀ ①산들바람혈 미풍(微風). '一, 小風也'《說文》. ②산들바람부는모양혈 '一, 小風皃'《廣韻》. ㊁ 산들바람술, 산들바람부는모양술 ㊀과 뜻이 같음.
字源 形聲. 風＋朮〔音〕

風5 〔颵〕14 颳(前條)과 同字

風5 〔颮〕14 초 ㊥蕭 | chāo チョウ すずかぜ

字解 ①선들바람초 서늘한 바람. '一, 涼風'《廣韻》. ②맑은바람초 청풍(淸風). '一, 清風曰一'《集韻》.

風5 〔颬〕14 유 ㊤有 | yǒu ユウ かぜのおと

字解 ①바람소리유 '一, 風聲'《玉篇》. '一, 一颲, 風聲'《廣韻》. ②서풍(緖風)유 계절이 가도 다 밀려가지 않고 남아 있는 바람. '一, 緖風謂之一颲'《集韻》. ③바람의모양유 '颲, 一颲, 風皃'《廣韻》.

風5 〔颯〕14 삽 ㊀合 | sà ソウ かぜのおと

字解 ①바람소리삽 바람이 부는 소리의 형용. '有風一然而至'《宋玉》. ②성할삽 많고 성(盛)한 모양. '賓御紛一沓'《鮑照》. ③쇠할삽 쇠잔한 모양. '鬢毛一已蒼'《岑參》.
字源 形聲. 風＋立〔音〕

風5 〔䬍〕14 颯(前條)과 同字

風5 〔䬌〕14 颯(前前條)과 同字

風5 〔䬏〕14 굴 ㊀物 | qū クツ かぜ

字解 바람굴 '一, 風也'《集韻》.

風5 〔䬆〕14 령 ㊥青 | líng レイ さむいかぜ

字解 찬바람령 '一, 寒風'《集韻》.

風5 〔颰〕14 ㊀ 발 ㊀曷 | bá ハツ はやて ㊁ 불 ㊀物 | fú フツ そよかぜ

字解 ㊀ ①질풍(疾風)발 '一, 疾風'《廣韻》. ②바람세차게부는모양발 '一, 一一, 風疾皃'《集韻》. ㊁ 미풍(微風)불, 질풍불 颰(風부 5획〈1705〉)과 同字. '颰, 小風謂之颰, 一曰, 疾風. 或作一'《集韻》.

風5 〔颹〕14 颰(前條)의 俗字

風5 〔颭〕14 ㊀ 필 ㊀質 | bì ヒツ とじる ㊁ 별 ㊀屑 | bī ヘツ そよかぜ

字解 ㊀ ①문닫을필 '一, 閉也'《龍龕手鑑》. ②바람소리필 '一, 風聲也'《龍龕手鑑》. ③바람찰필 滭(冫부 11획〈94〉)·飈(風부 11획〈1710〉)과 同字. '滭, 說文, 風寒也, 或作飈·一'《集韻》. ④성(姓)필 '一, 姓也'《龍龕手鑑》. ㊁ ①산들바람별 미풍. '一, 小風謂之一'《集韻》. ②바람별 '一, 風也'《集韻》.

風5 〔颩〕14 이 ㊥支 | yí イ おおかぜ, かぜがおさまる

字解 큰바람이, 바람잘이 '一, 大風, 又風收'《字彙》.

風5 〔颫〕14 颩(前條)와 同字

風5 〔颵〕14 이 ㊥支 | yí イ つむじかぜ

字解 회오리바람이 작은 회오리바람. '一, 小旋風, 咸陽有之, 小一於地也'《廣韻》. '一, 回氣謂之一'《集韻》.

風5 〔颭〕14 함 ㊦勘 | hàn カン かぜのさだまるさま

字解 ①바람이자는모양함 바람이 불다가 그친 모양. '一, 風定貌'《字彙》. ②바람소리함 '一, 風聲'《字彙》.

風5 〔⿺風号〕 14 호 (平)豪 | háo コウ かぜのおと

[字解] 바람소리호 哮(口부 5획〈156〉)과 同字. '哮, 風聲, 莊子, 萬竅怒哮, 或从風'《集韻》.

風5 〔⿺風永〕 14 〔홍〕 ⿺風⿱乂禾(風부 7획〈1707〉)의 訛字

風6 〔颲〕 15 렬 (入)屑 | liè レツ はやて

[字解] 질풍렬 대단히 거센 바람. '猛風曰一風'《纂要》.
[字源] 形聲. 風＋列〔音〕

風6 〔⿺風刕〕 15 려 (去)霽 | lì レイ はやて

[字解] 센바람려 몹시 빠른 바람. '廣莫一而氣整'《郭璞》.

風6 〔颳〕 15 괄 (入)黠 | guā カツ はげしいかぜ

[字解] ①모진바람괄 '一, 惡風'《篇海》. ②바람불괄 '北風一, 大雪飄'《賀敬之》.

風6 〔⿺風舟〕 15 〔범〕 帆(巾부 3획〈329〉)의 古字

風6 〔⿺風杀〕 15 〔살〕 ⿺風⿱乂禾(風부 7획〈1706〉)과 同字

風6 〔颩〕 15 표 (平)蕭 | biāo ヒョウ はやて

[字解] ①광풍표 '一, 狂風'《字彙》. ②질풍표 飆(風부 12획〈1711〉)의 俗字. '一, 俗飆字'《龍龕手鑑》.

風6 〔⿺風劦〕 15 ㈠ 협 (入)葉 | xié キョウ かぜがととのう
㈡ 렵 (入)葉 | liè リョウ かぜ

[字解] ㈠ 풍조(風調)할협 바람이 때에 맞추어 순조롭게 붊. 劦(力부 4획〈113〉)과 통용. '一, 風調也, 通作劦'《集韻》. ㈡ 바람렵 '一, 風也'《集韻》.

風6 〔⿺風共〕 15 홍 (平)東 | hōng コウ かぜのおと

[字解] ①바람소리홍 '一, 風聲'《集韻》. ②큰바람홍 '一 大風'《廣韻》.

風6 〔⿺風休〕 15 휴 (平)尤 | sōu キュウ かぜのこえ

[字解] ①바람소리휴 '一, 一瑟, 風聲'《字彙》. ②颼(風부 9획〈1708〉)의 俗字. '一, 俗颼字'《龍龕手鑑》.

風6 〔⿺風戌〕 15 휼 (入)質 | xù キツ かぜ

[字解] ①바람휼 '一, 風也'《廣雅》. ②산들바람부는모양휼 '一, 小風皃'《廣韻》.

風6 〔⿺風吉〕 15 힐 (入)質 | xī キツ かぜのさま

[字解] 바람의모양힐 바람 부는 모양. '一, 風皃'《集韻》.

風6 〔⿺風后〕 15 후 (去)宥 | hòu コウ かぜふくさま

[字解] 바람부는모양후 ⿺風侯(風부 9획〈1709〉)와 同字. '⿺風侯, 風皃, 或从后'《集韻》.

風7 〔⿺風肖〕 16 소 (平)肴 (平)蕭 | shāo, xiāo ショウ かぜのおと

[字解] 바람소리소 '一一'는 바람이 부는 소리. '一一, 風聲'《集韻》.

風7 〔⿺風利〕 16 ㈠ 률 (入)質 | lì リツ あらし
㈡ 리 (去)寘 | lì り はげしいかぜ

[字解] ㈠ ①왜풍률, 바람률 '一颲'은 사납게 바람 섞여 몰아치는 비. '一颲, 風雨暴疾也'《說文》. ②폭풍률 '一一'은 폭풍. '一一, 暴風'《廣韻》. ㈡ 열풍(烈風)리 맹렬히 부는 바람. '一, 烈風'《廣韻》.
[字源] 形聲. 風＋利〔音〕

風7 〔⿺風求〕 16 구 (平)尤 | qiú キュウ そよかぜ

[字解] 산들바람구 실바람. 미풍. '一, 小風'《集韻》.

風7 〔⿺風良〕 16 량 (平)陽 | liáng リョウ きたかぜ

[字解] 북풍량 ⿺風京(風부 8획〈1707〉)과 同字. '⿺風京, 說文, 北風謂之⿺風京, 或从良'《集韻》.

風7 〔⿰委風〕 16 뇌 (上)賄 | něi ダイ かぜがうごく

[字解] 바람이움직일뇌 '一, 風動謂之一'《集韻》.

風7 〔⿺風尾〕 16 미 (入)屋 | wěi ビ かぜがものをふきたおす

[字解] 바람이물건을쓰러뜨릴미 '一, 一一, 風偃物'《集韻》.

風7 〔⿺風孛〕 16 발 (入)月 | bó ホツ かぜのさま

[字解] 바람의모양발 바람 부는 모양. '一, 風皃'《集韻》.

風7 〔⿺風⿱乂禾〕 16 살 (入)曷 | sà サツ かぜ

[字解] 바람살 '一, ⿵風連一, 風也, 或作⿵風疑'《集韻》.

風7〔⿵風夾〕16 삽 [入]洽 | shà ソウ かぜのはやいさま
[字解] ①바람이빠른모양삽 '一, 風急皃'《集韻》. ②바람이빠를삽 '一, 風疾'《廣韻》.

風7〔⿵風定〕16 선 [平]先 | xuà セン かぜがまわる
[字解] 바람돌선 회오리바람이 돎. '一, 風轉也'《玉篇》. '一, 風回也'《集韻》.

風7〔⿰兌風〕16 연 [去]霰 | yuàn エン そよかぜ
[字解] ①산들바람연 미풍. '一, 一一, 小風'《集韻》. ②벼를다시까부를연 '一, 一曰, 穀再颺曰一'《集韻》.

風7〔⿵風攸〕16 유 [平]尤 | yóu ユウ かぜのおと
[字解] 바람소리유 '一, 一颺, 風聲'《集韻》.

風7〔⿵風折〕16 철 [入]屑 | chè テツ かぜのさま
[字解] 바람부는모양철 '一, 一⿵風戉, 風皃'《集韻》.

風7〔⿵風兌〕16 체 [去]泰 | duì タイ そよかぜ
[字解] ①작은바람체 미풍. '一, 小風'《集韻》. ②바람들체 '一, 風入也'《字彙》.

風7〔⿵風豕〕16 〔홀〕
⿵風忽(風부 8획〈1707〉)과 同字

風7〔⿵風丞〕16 홍 [上]董 | hòng コウ かぜのさま
[字解] 바람의모양홍 바람 부는 모양. '一, 風皃'《集韻》.

風7〔⿵風赤〕16 획 [入]陌 | huò カク あついかぜ
[字解] ①뜨거운바람획 '一, 熱風也'《玉篇》. ②바람의뜨거운모양획 '一, 風熱皃'《集韻》.

風7〔⿵風更〕16 〔훼〕
虺(虫부 3획〈1218〉)와 同字

風7〔⿵風貝〕16 颶(次條)의 訛字

風8〔颶〕17 구 [去]遇 | jù ク·グ つむじかぜ
[字解] 구풍구 여름에서 가을철로 옮기는 환절기에, 중국의 남방 해상에서 일어나 회오리치면서 북상하는 급격한 바람. '嶺南諸郡皆有一風'《投荒雜錄》.
[字源] 形聲. 風+具〔音〕

風8〔⿵風戾〕17 려 [去]霽 | lì レイ かぜのおと
[字解] 바람소리려 '颲一'는 바람이 부는 소리. '颲一, 風聲'《集韻》.

風8〔⿵風委〕17 [一] 위 [平]支 [二] 외 [平]灰 | ruí イ·ズイ かぜがゆるいさま ワイ かぜのひくいさま
[字解] [一] 바람느릴위 '徐而不一, 疾而不猛'《郭璞》. [二] 바람낮을외, 낮은바람외 '一, 風低皃'《廣韻》. '一, 低風謂之一'《集韻》.

風8〔⿰黍風〕17 ⿵風委(前條)와 同子

風8〔⿵風忽〕17 홀 [入]月 | hū コツ はやて
[字解] ①빠른바람홀 세고 빠른 바람. '一, 疾風也'《說文》. ②빠른바람불홀 질풍이 부는 모양. '一, 疾風貌'《玉篇》.
[字源] 形聲. 風+忽〔音〕

風8〔⿵風京〕17 량 [平]陽 [去]漾 | liáng リョウ きたかぜ
[字解] ①북풍량 삭풍(朔風). '⿰京風, 北風也, 亦作一'《玉篇》. ②바람량 '一, 風也'《廣韻》.
[字源] 形聲. 風+京〔音〕

風8〔⿰京風〕17 ⿵風京(前條)의 本字

風8〔⿵風剛〕17 〔렬〕
颲(風부 6획〈1706〉)의 本字

風8〔⿵風炎〕17 〔표〕
飆(風부 12획〈1711〉)의 俗字

風8〔⿵風或〕17 [一] 괵 [入]陌 [二] 혹 [入]職 | guó カク あかいねっぷうのかい xù キョク かぜのさま
[字解] [一] 붉은기운뜨거운바람의변괴괵 '一, ⿵風赤一, 赤氣熱風之怪也'《集韻》. [二] 바람의모양획 바람 부는 모양. '一, 風皃'《集韻》.

風8〔⿰金風〕17 〔류〕
[illegible](風부 15획〈1711〉)의 俗字

風8〔⿵風夌〕17 릉 [平]蒸 | lēng ロウ おおかぜ
[字解] 큰바람릉 '一, 一⿵風夌, 大風也'《集韻》.

風 8 〔⿰風奉〕17 봉 [上]董 | bèng ホウ かぜのおこるさま

[字解] 바람일봉 바람이 일어나는 모양. '一, 風起皃'《集韻》.

風 8 〔⿰風咅〕17 부 [上]有 [上]有 | fǒu フウ かぜのそよぐさま / nù ブ かぜ

[字解] ①바람이솔솔부는모양부 '一, 風細貌'《字彙》. ②바람부 '一, 風也'《字彙》.

風 8 〔⿰風卑〕17 비 [平]齊 | pí ヘイ かぜ

[字解] 바람비 '一, 風也'《集韻》.

風 8 〔⿰風析〕17 석 [入]錫 | xī セキ かぜのおと

[字解] 바람소리석 '一, 一一, 風聲'《集韻》.

風 8 〔⿰風疌〕17 섭 [入]葉 | xiè ショウ かぜのさま

[字解] 바람의모양섭 '一, 風皃'《集韻》.

風 8 〔⿰風卒〕17 쇄 [去]霽 | suì セイ やぶる

[字解] 깨뜨릴쇄 깨짐. '一, 破也'《字彙》.

風 8 〔⿰風垂〕17 수 [平]支 | chuì スイ かぜがものをなびかすさま

[字解] 쓸리게할수 바람에 떠밀려 휘어짐. '一, 風偃物皃'《集韻》.

風 8 〔⿰風奄〕17 엄 [平]元 | yǎn エン たちまち

[字解] 갑자기엄 별안간. 奄(大부 5획〈233〉)과 同字. '奄忽, 一作, ⿰風奄⿰風忽'《通雅》.

風 8 〔⿰風爭〕17 쟁 [平]庚 | zhēng ソウ こと

[字解] 쟁쟁 '一, 風一'《字彙》. 箏(竹부 8획〈941〉)과 同字. '一, 本作箏'《正字通》.

風 8 〔⿰風尙〕17 쟁 [平]庚 | zhēng トウ かぜのこえ

[字解] 바람소리쟁 '一, 風聲'《字彙》.

風 8 〔⿰風周〕17 주 [去]宥 | zhòu シュウ かぜのさま

[字解] 바람의모양주 바람 부는 모양. '一, 風皃'《集韻》.

風 8 〔⿰虎風〕17 퓨 [平]尤 | pōu ヒュウ かぜのものをふくさま

[字解] ①바람에물건이흔들리는모양퓨 '一, 風吹物皃'《集韻》. ②바람이부는모양퓨 '一, 一⿰虎風, 風吹皃'《玉篇》.

風 9 〔颸〕18 시 [平]支 | sī シ すずかぜ

[字解] 양풍(涼風)시 서늘한 바람. '涼一'. '晨裝博會一'《謝靈運》.

[字源] 形聲. 風+思〔音〕

風 9 〔颺〕18 양 [平]陽 [上]養 | yáng ヨウ とびあがる

[字解] ①날양 새가 날아 올라감. '饑則爲用, 飽則一去'《魏志》. ②날릴양 바람이 불어 물건을 날려 올라가게 함. '春多一幕風'《白居易》. ③느리게갈양 배가 천천히 가는 모양. '舟遙遙以輕一'《陶潛》. ④높일양 언성을 높임. '一言'. '聲一不還'《文心雕龍》. ⑤까부를양 키질을 함. '簸之一之, 糠粃在前'《晉書》. ⑥나타날양 용모·풍채가 좋아 남의 눈에 뜨임. '子少不一'《左傳》.

[字源] 形聲. 風+昜〔音〕

風 9 〔⿰昜風〕18 颺(前條)과 同子

風 9 〔颾〕18 수 [平]尤 | sōu シュウ かぜのおと

[字解] ①바람소리수, 빗소리수 '啾啾一一'《趙壹》. '風一一, 雨一一'《章麗貞》. ②불수 '一飀'는 바람이 솔솔 부는 모양. '一飀淒淸'《張正元》.

[字源] 形聲. 風+叜〔音〕

風 9 〔⿰風胃〕18 [一]위 [去]未 | wèi イ おおかぜ / [二]율 [入]質 | yù ウツ おおかぜ

[字解] [一] ①큰바람위 세게 부는 바람. 많이 부는 바람. '一, 大風也'《說文》. ②바람소리위 '一, 風聲'《廣韻》. [二] 큰바람율 ⿰風曰(風부 4획〈1704〉)과 同字.

[字源] 形聲. 風+胃〔音〕

風 9 〔⿰皆風〕18 개 [平]佳 | jiē カイ はやいかぜ

[筆順] 比 皆 ⿰皆几 ⿰皆風

[字解] 세찬바람개 질풍(疾風). '一, 疾風也'《集韻》.

風 9 〔⿰風音〕18 암 [去]翰 | àn アン はやて

[字解] 센바람암 '一⿰風僉'는 센바람. 구풍(颶風). '一⿰風僉縈海若'《沈佺期》.

風 9 〔颹〕18 위 [上]尾 [去]微 | wěi イ おおかぜのさま

[字解] 큰바람위 큰 바람의 모양. '長風一以增扇'《郭璞》.

[參考] ⿰韋風로도 씀.

風 9 〔⿰風風〕 18 강 [平]江 [去]絳 | xiāng コウ かぜのおと shǎng コウ みだれかぜ

[字解] ①바람소리강 '一, 風聲'《字彙》. ②어지러운바람강 '一, 亂風'《篇海類編》.

風 9 〔⿺風剌〕 18 랄 [入]曷 | là ラツ かぜのさま

[字解] 바람부는모양랄 '一, 風皃'《集韻》.

風 9 〔⿺風秋〕 18 수 [平]尤 | sōu シュウ かぜのおと

[字解] ①바람소리수 '一, 一瑟, 風聲'《字彙》. ②颼(風부 9획〈1708〉)의 俗字. '一, 俗颼字'《龍龕手鑑》.

風 9 〔⿰䏍風〕 18 연 [上]銑 | yuàn エン そよかぜ

[字解] 산들바람연 미풍. '一, 小風'《集韻》.

風 9 〔⿺風枼〕 18 엽 [入]葉 | yè ヨウ かぜのうごくさま

[字解] 바람움직이는모양엽 '一, 風動皃'《集韻》.

風 9 〔⿺風英〕 18 영 [上]梗 [平]庚 | yǐng エイ たかくふくかぜのさま yīng エイ たかくふくかぜ

[字解] ①높이부는바람의모양영 '一, 風高皃'《廣韻》. ②높이부는바람영 '一, 高風也'《集韻》.

風 9 〔⿰英風〕 18 ⿺風英(前條)과 同字

風 9 〔⿺風俞〕 18 유 [平]虞 | yú ユ つむじかぜ

[字解] 구풍(颶風)유 '一, ⿺風遺一, 颶風也'《中華大字典》.

風 9 〔⿺風幽〕 18 유 [平]尤 | yōu ユウ かぜのおと

[字解] 바람소리유 '一, 風聲'《集韻》.

風 9 〔⿺風斿〕 18 유 [平]尤 | yóu ユウ かぜ

[字解] 바람유 '一, 風也'《字彙補》.

風 9 〔⿰宣風〕 18 ㊀선 [平]先 ㊁전 [平]先 | xuǎn セン かぜ juān セン かぜがうごく

[字解] ㊀바람선 '一, 風也'《五音集韻》. ㊁바람움직일전 '一, 風動'《五音集韻》.

風 9 〔⿺風訇〕 18 횡 [平]庚 | hōng コウ かぜのおと

[字解] 바람소리횡 ⿺風蕘(風부 17획〈1712〉)과 同字. '一, 風聲, 或从蕘'《集韻》.

風 9 〔⿺風侯〕 18 후 [平]尤 [去]宥 | hòu コウ かぜのさま

[字解] 바람부는모양후 ⿺風后(風부 6획〈1706〉)와 同字. '一, 風皃, 或从后'《集韻》.

風 10 〔飀〕 19 류 [平]尤 | liú リュウ かぜのおと

[字解] 바람소리류 솔솔 부는 바람 소리. '一一微扇, 亹亹清舒'《湛方生》.

[字源] 形聲. 風＋留(畱)〔音〕

風 10 〔⿺風栗〕 19 률 [入]質 | lì リツ かぜ

[字解] ①바람률 '一, 風也'《集韻》. ②왜풍률 颲(風부 7획〈1706〉)과 同字.

風 10 〔颼〕 19 〔수〕 颼(風부 9획〈1708〉)와 同字

[筆順] 几 凡 風 ⿺風冂 ⿺風臼 ⿺風臼 ⿺風申 颼

[字源] 形聲. 風＋叟〔音〕

風 10 〔颿〕 19 범 [平]鹽 [去]陷 | fān ハン ほ, はしる

[字解] ①돛범 帆(巾부 3획〈329〉)과 同字. '樓船擧一而過肆'《左思》. ②달릴범 말이 질주함. 또, 배가 바람에 불려 빨리 감. '一一獨兮西往, 孰知返兮何年'《吳越春秋》.

[字源] 形聲. 馬＋風〔音〕

風 10 〔颽〕 19 개 [上]賄 | kǎi カイ みなみかぜ

[字解] 마파람개 남풍(南風). '一, 南風'《廣韻》.

風 10 〔⿺風豈〕 19 颽(前條)와 同字

風 10 〔颻〕 19 요 [平]蕭 | yáo ヨウ ひるがえりあがるさま

[字解] ①날아오를요 바람에 불려 날아 올라 감. '與風一颺'《左思》. ②흔들릴요 바람에 불려 흔들림. '飄飄一一'《崔立之》.

[字源] 形聲. 風＋䍃〔音〕

風 10 〔⿺風䍃〕 19 颻(前條)와 同字

風 10 〔⿺風唐〕 19 당 [平]陽 | táng トウ かぜのさま

[字解] 바람부는모양당 '一, 風皃'《集韻》.

風 10 〔⿰風离〕 19 〔리〕 魑(鬼부 11획〈1784〉)의 俗字

風 10 〔⿰風氣〕 19 묘 ㊥蕭 | piāo ヒョウ ふく

字解 ①불묘 바람이 붊. '一, 吹也'《字彙》. ②세찬바람묘 '一, 疾風也'《字彙》. ③회오리바람묘 '一, 廻風也'《字彙》. ④飄(風부 11획〈1710〉)의 俗字. '一, 俗飄字'《龍龕手鑑》.

風 10 〔⿰風索〕 19 삭 ㊀藥 | suǒ サク かぜのおと

字解 바람소리삭 '一, 風聲'《集韻》.

風 10 〔颾〕 19 ㊀수 ㊥尤 | sōu シュウ かぜのおと ㊁소 ㊥豪 | sāo ソウ かぜ

字解 ㊀①바람소리수 颼(風부 10획〈1709〉)와 同字. '一, 同颼'《玉篇》. ②바람수 颸(風부 9획〈1708〉)와 同字. '颸, 博雅, 颸颾, 風也, 或作一'《集韻》. ㊁바람소리소, 바람소 ㊀과 뜻이 같음.
字源 形聲. 風+蚤〔音〕

風 10 〔⿰風高〕 19 효 ㊥肴 | xiāo コウ かぜのふくさま

字解 ①바람부는모양효 '一, 風一一也'《廣韻》. '颮, 颮一, 吹皃'《玉篇》. ②뜨거운바람효 '一, 一颮, 熱風'《集韻》.

風 11 〔飂〕 20 ㊀류 ㊥尤 | liú リュウ たかくふくかぜ ㊁로 ㊥蕭 | liáo リョウ かぜのおと

字解 ㊀①높은바람류 높이 부는 바람. 또, 그 모양. '至陰一一'《淮南子》. ②성류 성(姓)의 하나. ㊁바람소리료 '一戾'는 바람소리의 형용. '吐淸風之一戾'《潘岳》.
字源 形聲. 風+翏〔音〕

風 11 〔⿰翏風〕 20 飂(前條)와 同字

風 11 〔飃〕 20 표 ㊦嘯 | piào ヒョウ かぜのふくさま ㊥蕭 | piāo ヒョウ つむじかぜ

字解 ①바람불표 바람이 부는 모양. 飄(次條)와 同字. '一, 風皃'《集韻》. ②회오리바람표 선풍(旋風). '一, 旋風'《字彙》.

風 11 〔飄〕 20 표 ㊥蕭 | piāo ヒョウ つむじかぜ

字解 ①회오리바람표 선풍(旋風). '一風自南'《詩經》. ②질풍표 거센 바람. '一至風起'《漢書》. ③빠를표 신속함. '不可以一矣'《呂氏春秋》. ④나부낄표 날리어 흔들림. '微風吹閨闥, 羅帷自一颻'《古詩》. ⑤떨어질표 바람이 불어 떨어짐. 낙하함. '雖有忮心者, 不怨一瓦'《莊子》. ⑥방랑할표 유랑(流浪)함. '孤一坎壈'《北史》.
字源 形聲. 風+票(㓣)〔音〕

風 11 〔飁〕 20 습 ㊀緝 | xí シュウ かぜ

字解 ①바람습 '一, 風也'《玉篇》. ②큰바람습 '一一'은 큰 바람. '一一, 大風'《集韻》.

風 11 〔⿰風專〕 20 단 ㊥寒 | tuán タン まきかぜ

字解 회오리바람단 '一, 摶風也'《集韻》.

風 11 〔⿰風率〕 20 솔 ㊀質 | shuài シュツ かぜのおと

字解 바람소리솔 '一, 風聲'《集韻》.

風 11 〔⿰風差〕 20 수 ㊥尤 | xiū シュウ かぜ

字解 바람수 '一, 風也'《集韻》.

風 11 〔⿰風宿〕 20 숙 ㊀屋 | sù シュウ かぜがほえる

字解 ①바람윙윙거릴숙 바람이 요란한 소리를 냄. '一, 風吼也'《玉篇》. ②바람숙 飅(風부 13획〈1711〉)과 同字. '飅, 廣雅, 風也, 或从宿'《集韻》.

風 11 〔⿱敖風〕 20 오 ㊥豪 | áo ゴウ かぜのおと

字解 바람소리오 '一, 風聲'《集韻》.

風 11 〔⿰風畢〕 20 필 ㊀質 | bì ヒツ かぜがさむい

字解 ①바람이찰필 滭(冫부 11획〈94〉)・颮(風부 5획〈1705〉)과 同字. '滭, 說文, 風寒也, 或作一・颮'《集韻》. ②바람이울부짖을필 바람이 윙윙거림. '一, 風吼'《玉篇》.

頁 11 〔⿰風曹〕 20 율 ㊀物 | yù ウツ かぜのおと

字解 바람소리율 '一, 風聲'《字彙補》.

風 11 〔⿰風鳥〕 20 효 ㊥肴 | xiāo コウ かぜ

字解 ①바람효 '一, 風也'《釋眞空貫珠集》. ②⿰風高(風부 10획〈1710〉)과 同字. '一, 與⿰風高同'《字彙補》.

風 12 〔⿰風黃〕 21 황 ㊥庚 | héng コウ ぼうふう

字解 ①태풍황 '一, 暴風'《集韻》. ②바람부는모양황 '龍駕聞敲一'《成南聯句》.

字源 形聲. 風＋黃〔音〕

風12 〔飉〕21 료 ㊥蕭 | liáo リョウ かぜ

字解 ①바람료 '一, 風也'《廣雅》. ②솔솔부는바람료 부드러운 바람. '一, 小風也'《集韻》. ③세찬바람소리료 세게 부는 바람 소리. '一, 疾風聲'《正字通》.

字源 形聲. 風＋尞〔音〕

風12 〔𩙫〕21 〔류〕 飀(風부 10획〈1709〉)의 本字

風12 〔飈〕21 飆(次次條)의 俗字

風12 〔飇〕21 飆(次條)의 俗字

風12 〔飆〕21 표 ㊥蕭 | biāo ヒョウ ぼうふう

字解 ①폭풍표 '一, 暴風也'《玉篇》. ② 질풍(疾風)표 '一忽'은 질풍. '盲一忽號怒'《陳子昂》. ③바람표 '是夕涼一起'《白居易》.

字源 形聲. 風＋猋〔音〕

風12 〔飊〕21 飆(前條)의 訛字

風12 〔飅〕21 율 ㊀質 | yù イツ はやて

字解 질풍율 세차게 부는 바람. '一, 疾風'《集韻》.

風12 〔𩙪〕21 飅(前條)과 同字

風12 〔𩙧〕21 쟁 ㊥庚 | zhēng トウ ぼうふう

字解 폭풍쟁 '一, 飇一, 暴風'《集韻》.

風12 〔𩙨〕21 정 ㊥庚 | chéng トウ かぜのおと

字解 바람소리정 '一, 一颭, 風聲'《集韻》.

風12 〔𩙩〕21 정 ㊥庚 | zhēng トウ かぜのおと

字解 바람소리정 '一, 一颭, 風聲'《集韻》.

風12 〔𩙬〕21 퇴 ㊥灰 | tuí タイ かぜ

字解 ①바람퇴 '一, 風也'《集韻》. ②폭풍퇴 穨(禾부 14획〈912〉)의 俗字. '一, 本作穨, 俗作一'《六書泝原》.

風13 〔颾〕22 슬 ㊀質 | sè シツ あきかぜ

字解 ①가을바람슬 '一, 秋風也'《玉篇》. ② 서늘할슬 맑고 시원한 모양. '一蕭條而清冷'《王延壽》.

風13 〔𩙮〕22 〔위〕 颹(風부 9획〈1708〉)의 本字

風13 〔飃〕22 숙 ㊀屋 | sù シュク かぜのおと

字解 ①바람소리숙 '一, 風聲'《廣韻》. ②바람숙 飅(風부 11획〈1710〉)과 同字. '一, 風也'《廣雅》. '一, 或从宿'《集韻》. ③찬바람숙 '一, 寒風'《集韻》.

風14 〔𩙰〕23 ㊀주 ㊥尤 | táo チュウ かぜ ㊁도 ㊥豪 | táo トウ おおかぜ

字解 ㊀ ①바람주 '一, 風也'《集韻》. ②바람시원할주 바람이 서늘함. '一, 風飀'《廣韻》. ㊁ ①큰바람도 '一, 大風'《廣韻》. ② 바람소리도 '一, 風聲也'《韻會》.

風15 〔飀〕24 류 ㊥尤 | liú リュウ かぜがふきすぎるおと

字解 ①바람지나가는소리류 '一, 風行聲'《廣韻》. ②높이부는바람류 '飂, 說文, 高風也. 或从劉'《集韻》. ③서풍(緒風)류 계절이 가도 다 밀려가지 않고 남아 있는 바람. '飀, 緒風謂之颲飀. 或从劉'《集韻》.

風15 〔𩙷〕24 飀(前條)와 同字

風15 〔𩙸〕24 렵 ㊀葉 | liè リョウ かぜのおと

字解 바람소리렵 '一, 風聲'《集韻》.

風15 〔飄〕24 표 ㊤嘯 | piāo ヒョウ かぜのふくさま piāo ヒョウ かぜのさま

字解 ①바람부는모양표 '颮, 颮一, 風吹皃'《玉篇》. ②바람의모양표 飄(風부 11획〈1710〉)와 同字. '飄, 風皃, 或从麃'《集韻》.

風16 〔𩙹〕25 력 ㊀錫 | lì レキ かぜのおと

字解 바람소리력 '一, 颲一, 風聲'《集韻》.

風17 〔飁〕26 소 ㊥蕭 | xiāo ショウ きたかぜ

字解 ①북풍소 삭풍(朔風). '一, 北風也'《玉篇》. ②선들바람소 서늘한 바람. '涼風謂之一'《集韻》.

風 17 〔⿰燮風〕 26 섭 [入]葉 | xiè ショウ かぜのさま

[字解] 바람부는모양섭 '一, 風皃'《集韻》.

風 17 〔⿸風薨〕 26 횡 [平]庚 | hōng コウ おおかぜ

[字解] ①큰바람횡 ⿰風厷(風부 4획〈1704〉)과 同字. '一, 大風也, 或从厷'《集韻》. ②바람의 모양횡 '一, 風皃'《玉篇》. ③바람소리횡 ⿰風宏(風부 9획〈1709〉)과 同字. '⿰風宏, 風聲, 或从薨'《集韻》.

風 18 〔⿰聶風〕 27 섭 [入]葉 | shè ショウ かぜのさま

[字解] 바람의모양섭 바람 부는 모양. '一, 風皃'《集韻》.

風 18 〔飍〕 27 [一] 휴 [平]尤 / [二] 표 [平]尤 | xiū キュウ あわてるさま / ヒュウ かぜ

[字解] [一] ①허둥댈휴 허둥대는 모양을 경풍(驚風)에 비유한 것. '一, 驚風'《廣韻》. '一, 疾病形擬奔走之狀'《正字通》. ②바람휴 '一, 風也'《集韻》. ③큰바람일휴 큰 바람이 이는 모양. '一, 大風起貌'《字彙》. ④놀라달릴휴 놀라서 달려가는 모양. '一, 驚走貌'《玉篇》. [二] 허둥댈표, 바람표, 큰바람일표, 놀라달릴표 [一]과 뜻이 같음.

風 18 〔⿰雚風〕 27 풍 [平]東 | fēng フウ かぜ

[字解] 바람풍 風(部首〈1703〉)의 古字. '祀一師'《周禮》.

風 18 〔⿰爂風〕 27 〔표〕 飄(風부 11획〈1710〉)의 本字

飛 部

〔날 비 부〕

飛 0 〔飛〕 9 [中·人] 비 [平]微 | fēi ヒ とぶ

[筆順] ⺄ ⺄ ⺄ ⺄ 𠃖 ⺄ 飛 飛 飛

[字解] ①날비 ㉠공중에 떠서 감. '一來'. '鳶一戾天'《詩經》. 또, 나는 새. 나는 곤충. '高步退輕一'《何承天》. ㉡빨리 감. '輕一'. '一箭雨集'《晉書》. 또, 빨리 달리는 말. '聘六一'《漢書》. ㉢튐. '一沫'. ㉣무근한 말이 전함. '一語'. ②날릴비 전항의 타동사. '一檄三輔'《晉書》. ③높을비 '一棟'. '一軒'. '一宇承霓'《何晏》. ④성비 성(姓)의 하나.

[字源] 象形. 새가 날개를 치고 나는 모양을 본떠, '날다'의 뜻을 나타냄.

[參考] '飛비'를 의부(意符)로 하여, 나는 것을 나타내는 문자를 이룸.

飛 1 〔⿻飛一〕 10 飛(前條)의 古字

飛 8 〔⿱雨飛〕 17 〔비〕 霏(雨부 8획〈1643〉)와 同字

飛 9 〔⿱者飛〕 18 〔저〕 翥(羽부 9획〈1045〉)와 同字

飛 10 〔⿱高飛〕 19 우 [去]宥 | niù ギュウ とぶ

[字解] 날우 낢. '一, 飛也'《字彙補》.

飛 10 〔⿰倝飛〕 19 〔한〕 翰(羽부 10획〈1045〉)과 同字

飛 12 〔飜〕 21 [高·人] 번 [平]元 | fān ホン とぶ, ひるがえる

[筆順] ⼞ 釆 番 番 番⺄ 番⺄ 番飛 飜

[字解] ①날번, 나부낄번 翻(羽부 12획〈1047〉)과 同字. '孰能飛一'《王粲》. ②옮길번 한 나라 말을 다른 나라 말로 옮김. '一譯'. ③뒤칠번 엎어짐.

[字源] 形聲. 飛+番〔音〕

飛 12 〔⿱飛異〕 21 〔익〕 翼(羽부 12획〈1046〉)의 籀文

飛 13 〔⿰睘飛〕 22 환 [平]刪 | huán カン めぐりとぶ

[字解] 빙돌아날환 새가 빙빙 돌며 낢. '一, 禽遶飛也'《集韻》.

飛 18 〔⿱飛⿰飛飛〕 27 비 [平]微 | fēi ヒ とぶ

[字解] 날비 낢. '一, 飛也'《龍龕手鑑》.

食(食) 部

〔밥 식 부〕

食 0 〔食〕 9 [中·人] [一] 식 [入]職 / [二] 사 [去]寘 / [三] 이 [去]寘 | shí ショク たべる / sì シ めし / yì イ じんめい

[筆順] 𠆢 亼 今 今 今 食 食 食 食

[字解] [一] ①먹을식 ㉠음식을 삼킴. '雖有嘉

肴, 弗一不知其旨也'《禮記》. ㉡식사를 함. '願東家一而西家宿'《事文類聚》. ㉢놀고 먹음. '遊一者衆'《後漢書》. ㉣마심. '一酒, 至數石不亂'《漢書》. ㉤젖을 먹음. '適見㹠子一於其死母'《莊子》. ㉥죽어 제사를 받음. '死當廟一'《後漢書》. ㉦녹을 탐. '一祿'. '彼君子兮不素一兮'《詩經》. ㉧거짓말함. '朕不一言'《書經》. ②먹이식 먹을거리. 먹는 물건. '糧一'. '美一'. 또, 먹는 일. 먹기. '住一往'. '發憤忘一'《論語》. ③제사식 제향. '薦其時一'《中庸》. ④녹식 녹봉. '一俸'. '君子謀道不謀一'《論語》. ⑤벌이식 생활. 생계. '趨末一'《漢書》. ⑥현혹게할식 미혹(迷惑)하게 함. '明君在上, 便嬖不能一其意'《管子》. ⑦지울식 없앰. '後雖悔之, 不可一已'《左傳》. ⑧개먹을식 蝕(虫부 9획〈1238〉)과 통용. '日有一之'《春秋》. ⑨성식 성(姓)의 하나. [二] ①밥사 곡식을 익힌 주식. '一居人之左'《禮記》. ②기를사 ㉠양육함. '穀也一子'('穀'은 사람 이름)《左傳》. ㉡동물을 사육함. '一牛以要秦穆公'《孟子》. ③먹일사 ㉠먹여 줌. '飮之一之'《詩經》. ㉡먹여 살림. '吾業賴之以一吾軀'《劉基》. [三] 사람이름이 인명. '酈一其'. '審一其'.

[字源] 象形. 식기에 음식을 담고 뚜껑을 덮은 모양을 본떠, '음식, 먹다'의 뜻을 나타냄.

[參考] '食식'을 의부(意符)로 하여, 여러 가지 종류의 음식물이나, 먹는 행위에 관한 문자를 이룸. 부수 이름은 '밥식', 변으로 쓰일 때에는 '飠'의 자형이 됨.

食1 〔飢〕 10 〔의〕 饐(食부 12획〈1727〉)와 同字

食2 〔飢〕 11 [高·人] 기 [平]支 | jī キ うえる

[筆順] ノ 𠆢 今 今 𩙿 飠 飣 飢

[字解] ①주릴기 굶주림. '一者易爲食'《孟子》. ②굶길기 굶주리게 함. '稷思天下有飢者, 由己一之也'《孟子》. ③흉년들기 오곡이 잘 여물지 아니함. '歲且荐一'《蘇軾》. ④굶주림기 기아. '黎民阻一'《書經》. ⑤성기 성(姓)의 하나.

[字源] 形聲. 飠(食)+几〔音〕

食2 〔飣〕 11 정 [去]徑 | dìng テイ たくわえる

[字解] ①쌓아둘정 저장함. '一而不食者'《玉海》. ②늘어놓을정 '一餖'는 음식을 죽 늘어놓고 먹지 아니함. 전(轉)하여, 의미 없는 문사(文詞)를 죽 늘어놓음. '肴核分一餖'《韓愈》.

[字源] 形聲. 飠(食)+丁〔音〕

食2 〔飤〕 11 사 [去]寘 | sì シ くらわす

[字解] 먹일사 먹게 함. '子推自割而一君兮, 德日忘而怨深'《楚辭》.

[字源] 形聲. 人+飠(食)〔音〕

食2 〔飦〕 11 飤(前條)와 同字

食2 〔飧〕 11 〔손〕 飱(食부 3획〈1713〉)의 俗字

食2 〔飠〕 11 〔도〕 饕(食부 13획〈1729〉)와 同字

食2 〔飫〕 11 어 [去]御 | yù ギョ はなむけ

[字解] 전별(餞別)할어 '一, 以酒食送人'《玉篇》. '一, 餞也'《集韻》.

食3 〔飥〕 12 탁 [入]藥 | tuō タク もち

[字解] 떡탁 음식의 한 가지. '餺一'. '麥麪堪作飯及餅一'《齊民要術》.

[字源] 形聲. 飠(食)+乇〔音〕

食3 〔飦〕 12 전 [平]先 | zhān セン かゆ

[字解] 죽전 饘(食부 13획〈1728〉)과 同字. '一粥之食'《孟子》.

[字源] 形聲. 飠(食)+干〔音〕

食3 〔飩〕 12 [一]기 [去]未 | gē キ すいとん
[二]흘 [入]物 | xì キツ あく

[字解] [一] 수제비기 '一餎'은 수제비. '吃南瓜面一餎'《丁玲》. [二] 배부를흘 만족함. '一, 飽也'《字彙》.

食3 〔飪〕 12 飩(前條)와 同子

食3 〔飦〕 12 약 [入]藥 | yuē ヤク たべものをへらす

[字解] 음식줄일약 음식을 덜 먹음. '楚靈王好細腰, 臣妾爲之一食, 餓死者多'《新論》.

食3 〔飧〕 12 손 [平]元 | sūn ソン ばんめし

[字解] ①저녁밥손 석식. 만찬. '一饔'. ②지을손 저녁밥을 지음. '饔一而治'《孟子》. ③말손 밥을 물이나 국물 같은 데에 넣어 풂. '不敢一'《禮記》. ④먹을손 '子夜一瓊液'《列仙傳》.

[字源] 會意. 夕+食

[參考] 飱(食부 4획〈1715〉)·飡(食부 2획〈1713〉)은 俗字.

食3〔飬〕12 飱(前條)의 本字

食3〔飷〕12 뉴 ㊀宥|niǔ ジュウ まぜめし
字解 ①비빔밥뉴 '一, 雜飯也'《五音篇海》. ②飪(食부 4획〈1715〉)의 俗字. '一, 飪俗字'《龍龕手鑑》.

食3〔飺〕12 〔도〕
饕(食부 13획〈1729〉)의 俗字

食3〔飾〕12 〔식〕
飾(食부 5획〈1715〉)의 俗字

食3〔飴〕12 이 ㊥支|yí イ かゆ
字解 ①죽이 '一, 粥也'《字彙》. ②엿이 飴(食부 6획〈1717〉)의 訛字. '一, 譌字, 說文, 飴, 籀文从異省作飴'《正字通》.

食3〔飵〕12 지 ㊥支|chí チ あめ
字解 엿지 '一, 飴也'《集韻》.

食4〔飩〕13 돈 ㊥元|tūn
トン むしまんじゅう
字解 만두돈, 빵돈 餛(食부 8획〈1720〉)을 보라. '餛一'. 肫(肉부 4획〈1066〉)과 同字. '肫, 腿肫, 餌也, 或从食'《集韻》.
字源 形聲. 飠(食)+屯〔音〕

食4〔飪〕13 임 ㊤寢|rèn ジン·ニン にる
字解 익힐임 불에 익게 함. 또, 익힌 음식. '失一, 不食'(너무 익혀 먹을 수 없음)《論語》. '一, 大熟也'《玉篇》.
字源 形聲. 飠(食)+壬〔音〕
參考 飪(食부 6획〈1717〉)은 同字.

食4〔飫〕13 어 ㊀御|yù
ヨ·オ あきる, さかもり
字解 ①실컷먹을어 먹기 싫도록 많이 먹음. '一肥鮮'《劉基》. ②잔치어 서서 먹는 연회. '武王克殷, 作一歌'《國語》.
字源 形聲. 飠(食)+夭〔音〕

食4〔飭〕13 칙 ㊇職|chì チョク いましめる
字解 ①신칙할칙 타일러 훈계함. '一其子弟'《國語》. ②갖출칙 정비함. '戎車旣一'《詩經》. ③삼갈칙 조신(操身)함. '一躬齋戒'《漢書》. ④힘쓸칙 부지런히 일함. '百工一化八材'《周禮》.
字源 形聲. 人+力+飠(食)〔音〕

食4〔飮〕13 中·人 음 ㊤寢 ㊀沁|①-⑤yǐn イン のむ ⑥yìn イン のませる
筆順 ㇒ 𠆢 今 𩚃 𩚄 𩙿 飠 飮
字解 ①마실음 ㉠물·차 등을 마심. '一茶'. '一用六淸'《周禮》. ㉡술을 마심. '一豪'. '酣一'. '太守與客來, 一于此'《歐陽修》. ②마실것음 물·술 등의 음료. '一瓢一'《論語》. 또, 물·술 등을 마시는 일. '僧解一則犯戒律'(중이 술맛을 알면 타락함)《李義山雜纂》. ③머금을음 참음. 품음. '一恨'. ④숨길음 감춤. '一章'. '一其德'《漢書》. ⑤잔치음 주연. '張樂設一'《戰國策》. ⑥마시게할음 ㉠음료를 주어 마시도록 함. '酌而一寡人'《禮記》. ㉡마소에게 물을 마시게 함. '一馬于㵣'《左傳》.
字源 形聲. 篆文은 酉+欠+今〔音〕

食4〔飲〕12 飮(前條)과 同字

食4〔飲〕13 飮(前前條)의 古字

食4〔飯〕13 中·人 반 ㊀願 ㊤阮|①③④fàn ハン めし ②ハン くう
筆順 ㇒ 𠆢 今 𩚃 𩚄 飠 飣 飯
字解 ①밥반 ㉠곡식을 익힌 주식(主食). '毋摶一'《禮記》. ㉡식사(食事). '日中忘一'《世說》. ②먹을반 ㉠밥을 먹음. '君祭先一'《論語》. ㉡식사를 함. '一一三吐哺'《十八史略》. ③먹일반 밥을 먹게 함. '見信飢一信'《史記》. ④기를반 마소를 사육함. '甯戚一牛居車下'《呂氏春秋》.
字源 形聲. 飠(食)+反〔音〕
參考 飰(次次條)은 同字.

食4〔飯〕12 飯(前條)과 同字

食4〔飰〕13 飯(前前條)과 同字

食4〔飳〕13 ㊀투 ㊀宥 ㊁설 ㊇屑|dòu トウ つらねる shè セツ いんしょくぶつをならべる
筆順 ㇒ 𠆢 今 𩚃 𩚄 飠 飠 飳
字解 ㊀①차려놓은음식투 '飣一, 食品堆疊在器皿中擺設'《漢語大詞典》. ②만두투 '饅一卽饅頭也'《中文大辭典》. ㊁음식차려놓을설 음식을 진설(陳設)함. '一, 陳飮食也'《集韻》.

食 4 〔⿰飠丑〕 13 뉴 [上]有|niǔ
[去]有|ジュウ·ニュ まぜめし
[字解] 비빔밥뉴 '一, 糅飯也'《說文》.
[字源] 形聲. 飠(食)+丑〔音〕

食 4 〔⿰飠卜〕 13 〔박〕
餺(食부 10획〈1724〉)과 同字

食 4 〔飱〕 13 〔손〕
飧(食부 3획〈1713〉)의 俗字

食 4 〔⿱今食〕 13 〔음〕 飮(食부 4획〈1714〉)·
㱃(欠부 11획〈600〉)의 古字

食 4 〔⿰飠内〕 13 납 [入]合|nà トウ くらうさま
[字解] 먹는모양납 '一, 食皃'《玉篇》.

食 4 〔⿰飠九〕 13 구 [去]宥|jiù キュウ あく
[字解] 물릴구, 포식할구 匓(勹부 12획〈120〉)와 同子. '匓, 說文, 飽也, 祭祀曰厭匓, 或作一'《集韻》.

食 4 〔⿰飠句〕 13 〔구〕
⿰飠句(食부 5획〈1716〉)와 同子

食 4 〔⿰飠厄〕 13 〔액〕
⿰飠戹(食부 5획〈1716〉)과 同字

食 4 〔⿰飠元〕 13 완 [平]寒|yuán ガン こなもち
[字解] 떡완 '一, 餌也'《廣雅》.

食 4 〔⿰飠冗〕 13 용 [上]腫|rǒng ジョウ くらう
[字解] 먹을용 '一, 食也'《玉篇》.

食 4 〔飻〕 13 철 [入]屑|tiē テツ むさぼる
[字解] 탐낼철 먹는 것을 욕심 부림. '一, 貪食曰一'《篇韻》.

食 5 〔飴〕 14 [一]이 [平]支|yí イ あめ
[二]사 [去]寘|sì シ くらわす
[字解] [一] ①엿이 단음식의 하나. '菫荼如一'《詩經》. ②단맛이 감미. '王之膳羞, 共一鹽'《周禮》. [二] 먹일사 먹게 함. '以私米作饘粥, 以一餓者'《晉書》.
[字源] 形聲. 飠(食)+台〔音〕

食 5 〔⿰飠以〕 14 飴(前條)와 同子

食 5 〔飶〕 14 필 [入]質|bì ヒツ こうばしい
[字解] 구수할필 음식의 식욕을 돋우는 냄새가 나는 모양. '有一其香'《詩經》.
[字源] 形聲. 飠(食)+必〔音〕

食 5 〔⿰飠半〕 14 반 [上]旱|bǎn ハン こごめもち
[筆順] 𠆢 亼 今 今 飠 飠 飠 ⿰飠半
[字解] 싸라기떡반 싸라기로 만든 떡. '鈎所生區貴人病, 便加慘悴, 左右依常以五色一飴之, 不肯食'《南史》.

食 5 〔飼〕 14 사 [去]寘|sì シ かう
[字解] 기를사, 칠사 가축을 사양(飼養)함. '一育'. '付民養一'《南齊書》.
[字源] 形聲. 飠(食)+司〔音〕

食 5 〔飼〕 13 飼(前條)와 同字

食 5 〔飽〕 14 [高·人] 포 [上]巧|bǎo ホウ あきる
[筆順] 𠆢 亼 今 今 飠 飠 飠 飽
[字解] ①배부를포 충분히 먹음. '食無求一'《論語》. ②배불리포 배가 부르게. '一食煖衣'《孟子》. ③만족할포 마음에 흡족함. '耳一從諛之說'《陸機》.
[字源] 形聲. 飠(食)+包〔音〕

食 5 〔飽〕 13 飽(前條)와 同字

食 5 〔飾〕 14 [高·人] 식 [入]職|shì ショク かざる
[筆順] 𠆢 亼 今 今 飠 飠 飠 飾
[字解] ①꾸밀식 ㉠장식을 함. '以珠玉一之'《史記》. ㉡참이 아닌 것을 그럴 듯하게 만듦. 겉만 번드르르하게 함. '一言'. '情者不一'《呂氏春秋》. ㉢복장을 차림. '盛一入朝'. '婦人不一, 不敢見舅姑'《禮記》. ㉣더러운 것을 깨끗이 씻음. '一其牛牲'《周禮》. ㉤인위(人爲)를 가함. '其事素而不一'《淮南子》. ㉥끝마무리를 함. '行人子羽修一之'《論語》. ②꾸밈식 전항의 명사. '裝一'. '文一'. '文采節奏聲之一也'《禮記》. ③가선식 의복의 가장자리를 딴 감으로 가늘게 두른 선. '羔裘豹一'《詩經》.
[字源] 形聲. 巾+人+飠(食)〔音〕

食 5 〔⿰飠且〕 14 자 [上]馬|jiě シャ あじがない
[字解] 맛없을자 음식물에 맛이 없음. '一, 食無味'《集韻》.

食5 〔飵〕14 [一] 작 [入]藥 | zuò サク むぎめしをたべる
[二] 조 [去]遇 | zuò ソ くらう

[字解] [一] 보리밥먹을작 '楚人相謁食麥曰一'《說文》. [二] ①먹을조 음식을 먹음. '一, 食也'《廣雅》. ②말릴조 불에 쬐어 말림. '一, ⿱炏大也'《廣雅》.
[字源] 形聲. 飠(食)+乍〔音〕

食5 〔⿰飠央〕14 앙 [入]養 | yǐng ヨウ あく, みちる

[字解] ①배부를앙 실컷 먹음. '一, 飽也'《玉篇》. ②가득할앙 충만함. '一, 滿也'《韻會》.

食5 〔⿰飠末〕14 말 [入]曷 | mò バツ かいば

[字解] 말먹이말, 말먹이먹일말 말의 건초(乾草)나 곡식. 또, 그것을 먹임. 秣(禾부 5획〈900〉)과 통용. '一, 食馬穀也'《說文》.
[字源] 形聲. 飠(食)+末〔音〕

食5 〔⿰飠厄〕14 액 [入]陌 | è アク うえる

[字解] 주릴액 굶주림. 굶주리는 모양. '一, 飢也'《說文》. '一, 飢皃也'《玉篇》.
[字源] 形聲. 飠(食)+厄〔音〕

食5 〔⿰飠立〕14 〔립〕
粒(米부 5획〈968〉)의 古字

食5 〔⿰飠占〕14 [一] 념 [平]鹽 | nián デン·ネン むぎめしをくう
[二] 염 [平]鹽 | ゼン·ネン むぎめしをくう
[三] 남 [平]覃 | ダン·ナン むぎめしをくう

[字解] [一] ①보리밥먹을념 '一, 相謁食麥也'《說文》. ②먹을념 '一, 食也'《廣雅》. [二] 보리밥먹을염, 먹을염 [一]과 뜻이 같음. [三] 보리밥먹을남, 먹을남 [一]과 뜻이 같음.
[字源] 形聲. 飠(食)+占〔音〕

食5 〔飿〕14 돌 [入]月 | duò トツ むぎこなでつくったたべもの

[字解] 밀가루음식돌 '餶一'은 밀가루에 여러가지 식품을 섞어 만든 음식. '一, 餶一, 麪果也'《字彙補》.

食5 〔飻〕14 [一] 철 [入]屑 | tiè テツ むさぼる
[二] 전 [上]銑 | テン むさぼる

[字解] [一] 탐할철 탐식함. '一, 貪也'《說文》. [二] 탐할전 [一]과 뜻이 같음.
[字源] 形聲. 飠(食)+㐱〔音〕

食5 〔⿰飠也〕14 이 [上]紙 | yǐ イ かゆのいっしゅ

[字解] 죽이 기름과 쌀가루로 만든 죽의 일종. '豆無一食, 糝食'《新唐書》.

食5 〔⿰飠甘〕14 감 [平]覃 | gān カン こなもち

[字解] 떡감 '一, 餌也'《集韻》.

食5 〔餇〕14 경 [上]迥 | jiǒng ケイ あく

[字解] 배불리먹을경 만족하게 먹음. '一, 飽也'《集韻》.

食5 〔飹〕14 구 [平]尤 | gōu コウ うしがしょくにあく

[字解] 소가배불리먹을구 '一, 牛飽'《集韻》.

食5 〔⿰飠乏〕14 [一] 기 [平]支 | jī キ うえる
[二] 녁 [入]錫 | nì ニャク うえ

[字解] [一] 굶주릴기 飢(食부 2획〈1713〉)·饑(食부 12획〈1727〉)과 同字. '飢, 說文, 餓也, 或从乏, 从幾'《集韻》. [二] 굶주림녁 惄(心부 8획〈393〉)과 同字. '惄, 說文, 飢餓也, 或作一'《集韻》.

食5 〔⿰飠尼〕14 니 [平]支 | ní ジ こなもち

[字解] 떡니 '一, 餌也'《集韻》.

食5 〔⿰号食〕14 〔도〕
饕(食부 13획〈1729〉)와 同字

食5 〔⿰飠令〕14 령 [平]青 | líng レイ こなもち

[字解] 경단(瓊團)령 '餌, 謂之餻, 或謂之一'《方言》. '一, 餌也'《玉篇》.

食5 〔⿰飠卯〕14 류 [上]有 | liǔ リュウ こなもち

[字解] 떡류 '一, 餌也'《集韻》.

食5 〔⿰飠本〕14 본 [上]阮 | bèn ホン そまつなくいもの

[字解] 변변치못한음식본 '一, 粗食'《集韻》.

食5 〔⿰飠付〕14 부 [平]尤 | pǒu ホウ くう

[字解] ①먹을부 '一, 一饇, 曰食'《廣韻》. ②배불리먹을부 '一, 一饇, 飽食也'《字彙》.

食5 〔⿰飠召〕14 소 [去]嘯 | shào ショウ おやつ

[字解] 곁두리소 간식(間食). '一, 小食'《集韻》.

食5 〔飬〕 14 울 [入]物 | yuē ウツ まめあめ
[字解] 콩엿울 엿에 콩을 섞은 것. 豋(豆부 5획〈1369〉)·皖(食부 8획〈1722〉)과 同字. '豋, 豆飴也, 或作皖·一'《集韻》.

食5 〔飳〕 14 정 [平]庚 | zhēng セイ もち
[字解] 떡정 '一, 一餅'《字彙》.

食5 〔飳〕 14 제 [平]齊 | tí テイ いそうろうする
[字解] ①기식(寄食)할제 '一, 一餬, 寄食也'《集韻》. ②젖〔乳〕의 정제품(精製品)제 '通俗文曰, 酪酥謂之一餬'《一切經音義》.

食5 〔飳〕 14 [一] 주 [去]遇 | zhù シュ こなもち
[二] 투 [上]有 | tǒu トウ もちのいっしゅ
[字解] [一] 경단(瓊團)주 '一, 餌也'《集韻》. [二] 떡투 麮(麥부 5획〈1851〉)와 同字. 麮, 餢麮, 餅屬, 或作一'《集韻》.

食5 〔餂〕 14 〔호〕
餬(食부 9획〈1723〉)와 同字

食5 〔餈〕 14 취 [平]支 | zuì シ よそおいかざる
[字解] 치장할취 '一, 裝飾也'《字彙補》.

食5 〔餇〕 14 협 [入]洽 | jiá コウ もち
[字解] 떡협 餄(食부 6획〈1717〉)과 同字. '餄, 餅也, 或作一'《集韻》.

食5 〔餈〕 14 자 [入]紙 | cí シ たべものをきらうさま
[字解] ①먹기싫어할자 '一, 嫌食皃'《玉篇》. ②미워할자 '嗜善如飴, 一惡如莿'《趙南星》.

食6 〔𩚬〕 15 〔이〕
飴(食부 5획〈1715〉)의 籀文

食6 〔餂〕 15 첨 [上]琰 | tiǎn テン とる
[字解] 낚을첨 낚시·갈고랑이 같은 것으로 갉아 당기어 잡음. 전(轉)하여, 꾀어 냄. '以言一之'《孟子》.
[字源] 食(食)+甜〈省〉〔音〕

食6 〔餅〕 15 〔병〕
餠(食부 8획〈1721〉)의 俗字

食6 〔餉〕 15 향 (상[本]) [去]漾 | xiǎng ショウ かれいい
[字解] ①건량향 말린 음식. 주로, 군용·여행용으로 쓰임. 전(轉)하여, ②군량향, 군비향 군대에서 쓰는 양식. 또, 군자금. '給餽一'《十八史略》. ③보낼향 밥 기타 음식을 보냄. '以黍肉一'《孟子》. 또, 널리 물건을 보내는 데도 쓰임. ④식사시간향 식사하는 시간. 전(轉)하여, 짧은 시간을 이름. 일식경(一食頃). '劇談一一'《輟耕錄》. ※本音 상.
[字源] 形聲. 食(食)+向〔音〕

食6 〔餌〕 15 이 [上]紙 [去]寘 | ěr ジ え, えさ
[字解] ①먹이이 동물의 사료. ②음식이 먹을 것. '藥一不自給'《唐書》. ③먹을이 ㉠음식을 먹음. 풀칠함. '無以一其口'《戰國策》. ㉡약으로서 먹음. '常一薏苡以輕身'《十八史略》. ④미끼이 ㉠낚싯밥. '五十犗以爲一'《莊子》. ㉡사람을 꾀어 내기 위하여 주는 물건. 이익 따위. '五一三表'《漢書》. ⑤낚을이 이익을 미끼로 하여 사람을 낚음. 유혹함. '我以宜陽一王'《戰國策》. ⑥경단이 떡의 한 가지. '粔籹蜜一'《楚辭》. ⑦심줄이 수육(獸肉)의 심줄. '去其一'《禮記》.
[字源] 形聲. 篆文은 鬻+耳〔音〕

食6 〔餁〕 15 질 [入]質 | zhì チツ いねをかるひと
[字解] 벼베는사람질 '臣常遊, 困于齊, 乞食一人'《史記》.

食6 〔餃〕 15 교 [去]效 | jiǎo コウ·キョウ あめ
[字解] ①엿교 '一, 飴也'《集韻》. ②경단교 '一餌'는 싸라기 가루를 엿에 섞어 만든 떡. '一, 今俗一餌, 屑米麵和飴爲之'《正字通》. ③만두교 '一子'는 중국식 만두.

食6 〔餀〕 15 [一] 해 [去]泰 | hài カイ くさい
[二] 혜 [去]霽 | ケイ くさい
[字解] [一] 냄새고약할해 음식이 썩어서 냄새가 고약함. '一, 食臭也'《說文》. [二] 냄새고약할혜 [一]과 뜻이 같음.
[字源] 形聲. 食(食)+艾〔音〕

食6 〔餄〕 15 협 [入]洽 | hé コウ·キョウ もち
[字解] 떡협 '一, 一餅'《廣韻》.

食6 〔餇〕 15 신 [去]震 | xùn シン うはん
[字解] 오반(烏飯)신 약초(藥草)를 꿀로 반죽하여 말린 것. 餖(食부 7획〈1719〉)의 訛字. '載太極眞人青精乾石一飯法'《本草》.

食6 〔餁〕 15 〔임〕
飪(食부 4획〈1714〉)과 同字

食6 〔餞〕15 〔전〕
餞(食부 8획〈1720〉)의 俗字

〔蝕〕〔식〕
虫부 9획(1238)을 보라.

食6 〔養〕15 中·人 양 ㊤養 ㊧漾 ①-⑤yǎng ヨウ やしなう ⑥yàng ヨウ やしない

筆順 丷 䒑 羊 关 kind 养 养 養

字解 ①기를양 ㉠양육함. 성장시킴. '一育'. '未有學一子而后嫁者也'《大學》. 또, 양육을 당함. '臣朔少失父母, 長一兄嫂'《列仙傳東方朔》. ㉡짐승을 침. 사양함. '馴一大鳥'《魏書》. ㉢육성함. '我善一吾浩然之氣'《孟子》. ㉣생활을 계속하게 함. '一生'. '聞西伯昌善一老'《史記》. ㉤가르침. '教一'. '立太傅小傅以一之'《禮記》. ㉥이상의 일. 또, 기르는 데 소용이 되는 일 또는 물건. '滋一'. '夫鳥獸固人之一也'《晏氏春秋》. ②다스릴양 병을 고침. '療一'. '一其病'《周禮》. ③가려울양 癢(疒부 15획〈821〉)과 통용. '疾一'《荀子》. ④숨길양 감춤. '兄之行若不中道, 則一之'《大戴禮》. ⑤성양 성(姓)의 하나. ⑥봉양양 아랫사람이 윗사람을 받들어서 기름. 또, 그 일. '供一'. '不顧父母之一'《孟子》.
字源 形聲. 食+羊〔音〕

食6 〔餈〕15 자 ㊥支 cí シ·ジ もち
字解 인절미자 떡의 한 가지. '糗餌粉一'《周禮》.
字源 形聲. 食+次〔音〕

食6 〔餋〕15 권 ㊧願 juàn ケン まつり
字解 ①제사(祭祀)권 桊(示부 6획〈888〉)과 同字. '一, 常山謂祭爲一, 或从示'《集韻》. ②제사이름권 '一, 祭名'《廣韻》.

食6 〔餇〕15 노 ㊤晧 nǎo ドウ にやきしたたべもの
字解 익힌음식노 '一, 熟食'《玉篇》.

食6 〔餇〕15 동 ㊥東 tóng トウ くいもの
字解 먹을것동 '一, 食也'《玉篇》.

食6 〔餡〕15 맘 ㊤感 mǎn バン くくむ
字解 젖물림맘 어린아이에게 젖을 물리어 빨게 함. '一, 吳人呼哺兒也《廣韻》.

食6 〔餙〕15 사 ㊤馬 shě シャ あく
字解 물릴사 너무 많이 먹어 싫증이 남. 餎(食부 8획〈1722〉)와 同字. '一, 餶飫也, 或从舍'《集韻》.

食6 〔餝〕15 시 ㊧寘 shì シ よそおいかざる
字解 화장하여꾸밀시 '一, 粧飾'《集韻》.

食6 〔餩〕15 ㊀개 ㊥灰 gāi カイ あめ ㊁애 ㊧卦 ài アイ おくび

筆順 𠆢 今 飠 飠 飠 飠 餩 餩

字解 ㊀엿개 '飴, 謂之一'《方言》. ㊁①트림애 欬(欠부 6획〈596〉)와 同字. '一, 通食氣也, 欬, 上同'《廣韻》. ②밥쉴애 음식이 상하여 맛이 변함. 餲(食부 9획〈1723〉)와 同字. '餲, 食饐謂之餲, 或从亥'《集韻》.

食6 〔餋〕15 양 ㊧漾 yàng ヨウ もち
字解 ①떡양 '一, 一餌'《字彙》. ②餻(食부 10획〈1724〉)의 俗字. '一, 餻俗字'《龍龕手鑑》.

食6 〔銚〕15 요 ㊥蕭 yáo ヨウ こなもち
字解 떡요 '一, 餌也'《集韻》.

食6 〔餏〕15 제 ㊥齊 tí テイ いそうろうする
字解 기식(寄食)할제 부쳐 먹음. '一, 寄食也'《字彙補》.

食6 〔餐〕15 〔찬〕
餐(食부 7획〈1720〉)의 俗字

食6 〔餛〕15 은 ㊧願 èn ゴン うえる
字解 굶주릴은 '一, 餕也'《集韻》.

食6 〔餕〕15 시 ㊧寘 shì シ しょくをたしなむ
字解 음식을즐길시 '一, 嗜食也'《玉篇》. ②餔(食부 8획〈1722〉)와 同子. '餔, 同一'《玉篇》.

食6 〔餡〕15 〔퇴〕
餽(食부 10획〈1725〉)와 同字

食7 〔餑〕16 불 ㊇月 bō ホツ かしのな
字解 보리떡불 맥병(麥餅). '麪一'. '一, 麵一'《廣韻》.
字源 形聲. 飠(食)+孛〔音〕

食7 〔餒〕16 뇌 [上]賄 | něi ダイ うえる

[字解] ①주릴뇌 굶주림. '吾有一而已'《左傳》. ②굶길뇌 굶주리게 함. '凍一其妻子'《孟子》. ③썩어문드러질뇌 부란(腐爛)함. '魚一而肉敗不食'《論語》.
[字源] 形聲. 𩙿(食)＋妥〔音〕

食7 〔餓〕16 [高·人] 아 [去]箇 | è ガ うえる

[筆順] 𠆢 亼 今 𩙿 飠 飫 餓 餓

[字解] ①주릴아 대단히 굶주림. '凍一'. '夫子爲粥, 與國之一者'《禮記》. ②굶길아 굶주리게 함. '一其體膚'《孟子》. ③굶주림아 기아. '伯夷守一'《後漢書》.
[字源] 形聲. 𩙿(食)＋我〔音〕

食7 〔餔〕16 포 ①②[平]虞 ③[去]遇 | bǔ(bū) ホ ゆうしょく bù ホ くらわす

[字解] ①저녁밥포 신시(申時), 곧 오후 네 시경에 먹는 밥. '昳至一'《呂氏春秋》. ②먹을포 哺(口부 7획〈163〉)와 同字. '何不一其糟而歠其醨'《楚辭》. ③먹일포 먹게 함. '有老父過, 請飮, 呂后因一之'《漢書》.
[字源] 形聲. 𩙿(食)＋甫〔音〕

食7 〔餕〕16 준 [去]震 | jùn シュン たべのこし

[字解] ①대궁준 먹다 남은 밥. '旣食恆一'《禮記》. ②먹을준 대궁을 먹음. '日中而一'(아침에 남긴 밥을 점심에 먹음)《禮記》.
[字源] 形聲. 𩙿(食)＋夋〔音〕

食7 〔餖〕16 두 [去]宥 | dòu トウ つらねる

[字解] 늘어놓을두 飣(食부 2획〈1713〉)을 보라. '飣一'. '一, 飣一'《玉篇》.
[字源] 形聲. 𩙿(食)＋豆〔音〕

食7 〔餗〕16 속 [入]屋 | sù ソク かなえにもったたべもの

[字解] 솥안음식속 솥 안에 든 음식. '鼎折足, 覆公一'(직무를 충실히 수행하지 못함의 비유)《易經》. 전(轉)하여, 재상의 직책을 '鼎一'이라 함. '安能任鼎一'《傅咸》.
[字源] 形聲. 𩙿(食)＋束〔音〕

食7 〔餘〕16 [中·人] 여 [平]魚 | yú ヨ あまり

[筆順] 𠆢 亼 今 𩙿 飠 飠 餘 餘

[字解] ①나머지여 ㉠여분. '亦無使有一'《呂氏春秋》. '有一不敢盡'《中庸》. ㉡잉여. '殘一'. '日計無算, 歲計有一'《淮南子》. ㉢그 밖의 것. '一皆釋放'《吳志》. ㉣딴 일. '唯酒是務, 焉知其一'《劉伶》. ②잉여여 그 이상. '月一'. '食客三千一'《張華》. ③남을여, 남길여 여분이 있음. 또, 여분이 있게 함. '一棄粱肉'《史記》. ④성여 성(姓)의 하나.
[字源] 形聲. 𩙿(食)＋余〔音〕
[參考] 余(人부 5획〈39〉)는 俗字.

食7 〔餇〕16 연 [去]霰 | yuàn エン あきる

[字解] 물릴연 많이 먹어 먹기 싫음. '一, 猒也. (注)賈思勰齊民要術曰, 飽食不一. 按, 猒飽也'《說文》.
[字源] 形聲. 𩙿(食)＋肙〔音〕

食7 〔餀〕16 읍 [入]緝 | yì ユウ くさい

[字解] ①음식썩어냄새날읍 음식이 상하여 나쁜 냄새가 남. '一, 臭也'《廣雅》. ②배불리먹을읍 '一, 食飽'《廣韻》. ③누질읍 습기가 참. '一, 一溼也'《玉篇》.

食7 〔饒〕16 [一] 원 [平]元 | yuān エン むさぼる
[二] 만 [平]元 | mán バン むさぼりくう

[字解] [一] 탐낼원 음식 같은 것을 먹고 싶어 함. 饒(食부 10획〈1726〉)과 同字. '饒, 博雅, 貪也, 或省'《集韻》. [二] 게걸스럽게먹을만 탐하여 많이 먹음. '一, 貪食'《集韻》.

食7 〔餟〕16 [一] 세 [去]霽 | shuì セイ こまつり
[二] 유 [平]支 | ズイ こまつり
[三] 휴 [平]支 | キ こまつり
[四] 서 [去]寘 | スイ こまつり
[五] 뢰 [去]泰 | ライ こまつり

[字解] [一] 제사이름세 '一, 小餟也'《說文》. [二] 제사이름유 [一]과 뜻이 같음. [三] 제사이름휴 [一]과 뜻이 같음. [四] 제사이름서 [一]과 뜻이 같음. [五] ①제사이름뢰 [一]과 뜻이 같음. ②떡뢰 '湯一'는 얇은 떡. '一, 湯一, 薄餠. 以湯沃之, 宜冬食'《正字通》.
[字源] 形聲. 𩙿(食)＋兌〔音〕

食7 〔餕〕16 신 [去]震 | xùn シン めし, たべもの

[字解] ①밥신, 음식신 '一, 餐也'《字彙》. ②오반(烏飯)신 약초(藥草)를 꿀로 반죽하여 말린 것. '一, 烏飯也'《正字通》.
[參考] 飷(食부 6획〈1717〉)은 訛字

食7 〔䬸〕16 재 [去]隊 | zài サイ ぜんだてする

[字解] ①상차릴재 식사(食事) 준비를 함. '一, 設飪也'《說文》. ②어조사재 ㉠처음으로. '一, 始也'《玉篇》. ㉡곧. '古用爲發語

之載也. 如石鼓詩, 載作—'《說文 段注》.
[字源] 形聲. 𠃨+飠(食)+才〔音〕

食7 〔餐〕16 [一] 찬 [平]寒 | cān サン くう
[二] 손 [平]元 | sūn ソン ゆうしょく

[筆順] ⺊ ⺈ 歺 歺又 㕡 𩝾 餐 餐

[字解] [一] ①먹을찬 음식을 먹음. '使我不能—兮'《詩經》. ②음식찬 식물(食物). '佳—'. '賜—錢'《漢書》. ③샛밥찬 간식. '令其裨將傳—'《漢書》. ④거둘찬 채취함. 수집함. '—輿誦於丘里'《王儉》. [二] ①저녁밥손 飧(食부 3획〈1713〉)과 통용. ②물말이할손 밥에 물을 부음. '見而下壺, —以餔之'《列子》.
[字源] 形聲. 飠(食)+奴〔音〕

食7 〔飬〕16 〔포〕
飽(食부 5획〈1715〉)의 古字

食7 〔䭥〕16 랑 [平]陽 | lāng ロウ あつもの
[字解] 국랑 갱탕(羹湯). '—, 羹也'《字彙》.

食7 〔餒〕16 뢰 [去]泰 | lèi ライ かどまつりのな
[字解] ①문제사이름뢰 문신(門神)에게 올리는 제사. '—, 門祭名'《玉篇》. ②술을땅에부어서제사올릴뢰 酹(酉부 7획〈1536〉)와 同字. 酹, 說文, 餟祭也, 或作—'《集韻》.

食7 〔䭧〕16 묘 [去]效 | mào ボウ あきもだえる
[字解] 과식(過食)하여괴로울묘 '—, 飽懣也, 或从歺'《集韻》.

食7 〔䭳〕16 미 [上]尾 | wěi ビ くいあまり
[去]未 | wèi バツ かゆ
[字解] ①대궁미 먹다 남은 음식. '—, 食餘'《集韻》. ②조금미 약간(若干). '—, 微也'《玉篇》. ③먹을미 '—, 食也'《類篇》. ④죽미 糜(米부 7획〈971〉)와 同字. '糜, 博雅, 饘也, 或从食'《集韻》.

食7 〔餐〕16 수 [平]尤 | xiū シュウ こわめし
[字解] 지에밥수 고두밥. 饈(食부 10획〈1725〉)와 同字. '—, 饙也, 饈, 同—'《玉篇》.

食7 〔餶〕16 용 [上]腫 | yǒng ヨウ くらう, くいもの
[字解] 먹을용, 먹을것용 饝(食부 9획〈1724〉)과 同子. '饝, 食也, 或省'《集韻》.

食7 〔餛〕16 욱 [入]職 | yù ヨク うえるこえ
[字解] ①굶주린소리욱 쪼르륵 소리. '—, 餓聲'《字彙》. ②餛(食부 5획〈1716〉)의 譌字. '—, 餛字之譌'《正字通》.

食7 〔餌〕16 이 [去]寘 | ěr ジ くいもの
[字解] ①먹을것이 음식물. '—, 食也'《字彙》. ②餌(食부 6획〈1717〉)의 俗字. '—, 餌俗字'《龍龕手鑑》.

食7 〔餟〕16 정 [去]敬 | chèng テイ たべものをおくる
[筆順] ⺈ 今 今 倉 飠 飣 餛 餟 餟
[字解] 먹을것보낼정 '—, 饋也'《集韻》.

食7 〔䭣〕16 제 [去]霽 | zhì セイ ふはいしてくさいあじ
[字解] ①상한음식맛제 썩은 음식 맛. '—, 臭敗味也'《玉篇》. ②쉰냄새제 썩은 냄새. '—, 臭也'《廣雅》.

食7 〔餅〕16 제 [平]齊 | tí テイ こなもち
[字解] ①떡제 '—, 餌也, 兗豫謂之餹—'《集韻》. ②엿제 '—, 廣韻, 餹—, 黍膏也, 一說, 黍膏卽飴餳'《正字通》.

食7 〔餑〕16 〔포〕
飽(食부 5획〈1715〉)의 古字

食8 〔餛〕17 혼 [平]元 | hún コン もち
[字解] 만두혼, 빵혼 '—飩'은 밀가루 반죽에 고기 따위의 소를 넣어 삶거나 찐 음식. 만두. 빵. '—, —飩也'《玉篇》.
[字源] 形聲. 飠(食)+昆〔音〕

食8 〔餞〕17 전 [上]銑 [去]霰 | jiàn セン はなむけ
[字解] ①전송할전 떠나는 사람에게 주식을 베풀거나 선물을 주어 송별함. '—別'. 또, 그 잔치. 전별연. 또, 그 선물. '飮—于禰'《詩經》. '瞡—東堂'《晉書》. ②보낼전 지나가게 함. '—春', '寅—納日'《書經》.
[字源] 形聲. 飠(食)+戔〔音〕

食8 〔餟〕17 [一] 체 [去]霽 | zhuì テイ まつる
[二] 철 [入]屑 | chuò テツ まつる
[字解] [一] 제사이름체 여러 신(神)의 신위(神位)를 늘어놓고 술을 뿌려 지내는 제사. '其下四方地爲—食'《史記》. [二] 제사이름철 [一]과 뜻이 같음.
[字源] 形聲. 飠(食)+叕〔音〕

食 8 〔餅〕17 병 [上]梗 | bǐng ヘイ もち

[字解] 떡병 음식의 한 가지. '畫—'. '硬—'. '太祖好水引—'《齊書》. 또, 떡 모양을 한 물건을 형용하는 말. '—銀'. '—金'.
[字源] 形聲. 食(食)+幷〔音〕
[參考] 餠(食부 6획〈1717〉)은 俗字.

食 8 〔餡〕17 함 [入]陷 | xiàn カン あん, あんこ

[字解] 소함 떡소. '—, 餅中肉—也'《字彙》.
[字源] 形聲. 食(食)+臽〔音〕

食 8 〔餤〕17 담 ①[平]覃 | tán タン すすむ ②[上]感 | dàn タン くう ③[去]勘 | タン くらわす

[字解] ①나아갈담, 더할담 증가함. '亂是用—'《詩經》. ②먹을담 啖(口부 8획〈168〉)과 同字. ③먹일담, 낚을담 미끼를 주어 꾐. '故以齊—天下'《史記》.
[字源] 形聲. 食(食)+炎〔音〕

食 8 〔餦〕17 장 [平]陽 | zhāng チョウ あめ

[字解] 엿장 '—餭'은 엿. 단 음식의 한 가지. '粔籹蜜餌, 有—餭些'《楚辭》.
[字源] 形聲. 食(食)+長〔音〕

食 8 〔餧〕17 [一]위 [去]寘 | wèi イ かう [二]뇌 [上]賄 | něi ダイ·ナイ うえる

[字解] [一] ①먹일위, 기를위 먹게 함. 또, 사양함. '—獸之藥'《禮記》. ②음식위, 먹이위 식물(食物). 또, 사료(飼料). '貪—而妄食'《楚辭》. [二] 주릴뇌 餒(食부 7획〈1719〉)와 同字. '振乏—'('振'은 '賑')《漢書》.
[字源] 形聲. 食(食)+委〔音〕

食 8 〔館〕17 [高·人] 관 [去]翰 [上]旱 | guǎn, guǎn カン やかた

[筆順] ノ 𠆢 今 飠 飠 飠宀 飠官 館
[字解] ①객사관 임시로 머무르는 집. 숙사. 여관. '客—'. '旅—'. '舍—'. '適子之—兮'《詩經》. ②묵을관, 묵힐관 숙박함. '帝—甥於貳室'《孟子》. ③마을관, 학교관 관청·학교. 또, 그 건물. '公—'. '學—'. '府署第—, 碁列於都鄙'《後漢書》. ④가게관 상점. '商—'. ⑤별관관 정원 안에 휴식하기 위하여 세운 건물. '離宮別—'.
[字源] 形聲. 食(食)+官〔音〕
[參考] 舘(舌부 10획〈1109〉)은 俗字.

食 8 〔館〕17 館(前條)과 同字

食 8 〔䬢〕17 도 [平]豪 | tāo トウ こなもち

[字解] ①경단도 가루를 반죽하여 둥글게 빚어 익힌 떡. '—, 餌也'《玉篇》. ②땅이름도 '—陰'은 지명(地名). '—陰, 地名, 在齊'《集韻》.

食 8 〔䭃〕17 [一]임 [上]寑 | rěn ジン·ニン あきる [二]녑 [入]葉 | niè ジョウ·ニョウ もち

[字解] [一] ①배부를임 많이 먹음. '—, 飽也'《玉篇》. ②익힌음식임 飪(食부 4획〈1714〉)과 同字. [二] 떡녑 '—, 餅也'《集韻》.

食 8 〔䬼〕17 〔어〕 飫(食부 4획〈1714〉)의 本字

食 8 〔餢〕17 부 [上]有 | bú ホウ·ブ こなもち

[字解] 떡부 '—飳'는 떡. '餢, 餢飳, 餅也. 或从食'《集韻》.

食 8 〔䬲〕17 [一]릉 [平]蒸 [去]徑 | líng リョウ·ロウ うまがあせをかく [二]증 [去]徑 | ショウ うまがあせをかく

[字解] [一] 말땀낼릉 말이 곡물(穀物)을 많이 먹어 땀이 흘러나옴. '—, 馬食穀多, 气流四下也'《說文》. [二] 말땀낼증 [一]과 뜻이 같음.
[字源] 形聲. 食+夌〔音〕

食 8 〔餜〕17 과 [上]哿 | guǒ カ もち

[字解] ①떡과 '—, 餅子也'《玉篇》. ②《現》 밀가루를 반죽하여 가름하게 만들어 기름에 튀긴 식품(食品). 과자(餜子).

食 8 〔餩〕17 억 [入]職 | è オク むせぶ

[字解] ①목이멜억 음식이 목에 걸림. '—, 餲也'《廣韻》. ②목메는소리억 '—, 噎聲'《廣韻》.

食 8 〔䭇〕17 열 [入]屑 | yē エツ むせぶ

[字解] ①목이멜열 음식이 목에 걸림. '—, 食不下'《玉篇》. ②맺힐열 '—結'은 마음이 맺히어 후련하지 않음. '仰長歎兮氣—結'《王逸》.

食 8 〔𩜦〕17 〔분〕 餴(食부 9획〈1723〉)의 俗字

食 8 〔餚〕17 〔효〕 肴(肉부 4획〈1068〉)·殽(殳부 8획〈613〉)와 同字

字源 形聲. 飠(食)＋肴〔音〕

食8 〔餝〕17 〔식〕
飾(食부 5획〈1715〉)과 同字

食8 〔餘〕17 〔어〕
飫(食부 4획〈1714〉)와 同字

食8 〔餉〕17 〔향〕
餉(食부 6획〈1717〉)의 古字

食8 〔餳〕17 〔당〕
餳(食부 9획〈1723〉)의 訛字

食8 〔餥〕17 비 ㊤尾 ㉯微 ㊋未 | fēi ヒ ほしいい

字解 ①건량(乾糧)비 말린 밥. '一, 餱也'《說文》. ②보리밥먹을비 '一, 陳楚之閒相謁而食麥飯曰一'《說文》. ③먹을비 '一, 食也'《廣雅》.
字源 形聲. 食＋非〔音〕

食8 〔餧〕17 녁 ㊀陌 | nè ダク·ニャク なまける

字解 ①게으름피울녁 어린아이가 게으름을 피움. '一, 楚人謂小兒嬾曰一'《說文》. ②구운떡녁 '一, 炙餠餌也'《玉篇》.
字源 會意. '臥와'와 '食식'을 합쳐서, 자고 이어 먹다의 뜻. 어린아이가 게으름피우다의 뜻을 나타냄.

食8 〔餜〕17 구 ㊋遇 | jù グ もちのるい

字解 한구(寒餜)구 산자의 일종. '寒一, 也作寒具, 古代饊子之類的食品'《漢語大字典》. '一, 寒一, 餠屬, 不知一, 本作具'《正字通》.

食8 〔餔〕17 국 ㊀屋 | jú キク かゆ

字解 죽국 '一, 廣雅, 飦一, 饘也'《集韻》.

食8 〔餣〕17 권 ㊋霰 | juàn ケン さけさかな

字解 반찬권 '一, 餞也'《集韻》.

食8 〔饟〕17 낭 ㊤養 | nǎng ジョウ ちかい

字解 ①가까울낭 '一, 近也'《五音集韻》. ②갑자기낭 홀연. '一, 忽也'《五音集韻》. ③아주가까이에서볼낭 지척에서 봄. '一, 咫尺見也'《五音集韻》.

食8 〔錄〕17 록 ㊀屋 | lù ロク くいもの

字解 먹을것록 음식물. '一, 食也'《玉篇》.

食8 〔餯〕17 봉 ㉯東 | chóng フウ しょくをむさぼる

字解 음식탐할봉 먹는 것을 욕심 부림. '一, 一饞, 貪食也'《字彙補》.

食8 〔餺〕17 사 ㊋寘 | shì シ しょくをたしなむ

字解 ①음식즐길사 음식을 맛있게 먹음. '一, 嗜食也'《集韻》. ②餕(食부 6획〈1718〉)와 同子. '一, 同餕'《玉篇》.

食8 〔餣〕17 업 ㊀葉 | yè ヨウ もち

字解 ①떡업 '一, 餌也, 粢也'《廣韻》. ②사육(飼育)할업 '一, 博雅, 飴一, 餇也'《集韻》.

食8 〔餇〕17 〔정〕
脠(肉부 5획〈1070〉)과 同字

食8 〔錯〕17 조 ㊋遇 | zuò ソ かいけんしてくう

字解 만나보고더불어음식들조 '一, 相謁食也'《字彙》.

食8 〔錘〕17 추 ㊋寘 | zhuì ツイ うえる

字解 주릴추 굶주림. '一, 飢也'《集韻》.

食8 〔餡〕17 치 ㉯支 | zī シ かゆのな

字解 죽이름치 죽의 일종. '一, 饘名'《集韻》.

食8 〔餀〕17 〔치〕
饎(食부 12획〈1727〉)와 同字

食8 〔餬〕17 ㊀호 ㉯虞 | hú コ もち
㊁고 ㊋遇 | コ かゆ

字解 ㊀①떡호 '一, 餠也'《玉篇》. ②죽호 鬻(鬲부 11획〈1779〉)와 同子. '鬻, 說文, 鍵也, 或作一'《集韻》. ㊁죽고 '一, 饘也'《集韻》.

食8 〔餛〕17 〔울〕
餧(食부 5획〈1717〉)과 同字

食8 〔餚〕17 〔사〕
餕(食부 6획〈1718〉)과 同字

食9 〔餫〕18 ㊀운 ㊋問 | yùn ウン おくる
㊁혼 ㉯元 | hún コン もち

字解 ㊀보낼운 식량을 보냄. '宣伯一諸穀'《左傳》. ㊁만두혼, 빵혼 餛(食부 8획

〈1720〉)과 통용.
[字源] 形聲. 飠(食)+軍〔音〕

食9〔餬〕18 호 [平]虞 hú コ かゆ

[字解] ①죽호 음식의 한 가지. '—, 饘也'《爾雅》. ②풀칠할호 입에 풀칠을 함. 가난한 살림을 함. '以—糸口'《十八史略》. ③붙이어살호 기식(寄食)함. '使—其口於四方'《左傳》.
[字源] 形聲. 飠(食)+胡〔音〕

食9〔⿰飠盍〕18 餬(前條)의 俗字

食9〔餱〕18 후 [平]尤 hóu コウ ほしいい

[筆順] 𠆢 今 今 飠 飠 飣 餱 餱

[字解] 건량(乾糧)후 말린 밥. '迺裹—糧'《詩經》.
[字源] 形聲. 飠(食)+侯〔音〕

食9〔餲〕18 [一] 애 [去]卦 ài アイ すえる / [二] 알 [入]曷 hè アツ すえる

[字解] [一] 쉴애 음식 같은 것이 상하여 맛이 변함. '食饐而—'《論語》. [二] 쉴알 [一]과 뜻이 같음.
[字源] 形聲. 飠(食)+曷〔音〕

食9〔餳〕18 당 [平]陽 táng トウ あめ

[字解] 엿당 굳힌 엿. '膠飴乾枯者曰—'《本草》.
[字源] 形聲. 飠(食)+易〔音〕
[參考] 餳(食부 8획〈1722〉)은 訛字.

食9〔餴〕18 분 [平]文 fēn フン むす

[筆順] 𠆢 今 今 飠 飠 飠 餴 餴

[字解] 되끓일분 쌀을 어느 정도 끓인 뒤에, 다시 물을 부어 푹 끓임. 또, 그 밥. '挹彼注茲, 可以—饎'《詩經》.
[字源] 形聲. 飠(食)+奔〔音〕

食9〔餭〕18 황 [平]陽 huáng コウ あめ

[字解] 엿황 餦(食부 8획〈1721〉)을 보라. '餦—'. '餦, 餦—, 餳也'《集韻》.

食9〔餿〕18 수 [平]尤 sōu シュウ めしがむれてくさる

[字解] 쉴수 음식 같은 것이 부패하여 맛이 변함. '—, 飯壞也, 或作餕'《集韻》.

食9〔餪〕18 난 ①[去]翰 nuǎn ダン・ナン けっこんしてみっかめのうたげ / ②[上]旱 ダン・ナン とついだむすめにしょくをおくる

[字解] ①풀보기잔치난 혼인한 지 3일 만에 베푸는 잔치. '婚三日而宴, 謂之—'《集韻》. ②음식보낼난 시집간 딸에게 음식을 보냄. '—, 餽女也'《玉篇》.

食9〔⿰飠建〕18 [一] 건 [平]元 jiān ケン かゆ / [二] 천 [平]先 zhān セン かゆ

[字解] [一] 죽건 '—, 粥也'《廣韻》. [二] 죽천 '饘, 說文, 粥也. 或作—'《集韻》.

食9〔餯〕18 회 [去]隊 huì カイ めしがくさってくさい

[字解] 고약한냄새날회 밥이 썩어 냄새가 고약함. '—, 飯臭'《廣韻》.

食9〔⿰飠扁〕18 [韓] 편

[字解] 《韓》 떡편 餅(食부 8획〈1721〉)과 뜻이 같음.

食9〔⿰飠巺〕18 〔찬〕 饌(食부 12획〈1727〉)의 本字

食9〔⿰飠盇〕18 〔엽〕 饁(食부 10획〈1724〉)의 本字

食9〔⿰飠保〕18 〔포〕 飽(食부 5획〈1715〉)의 古字

食9〔餵〕18 〔위〕 餧(食부 8획〈1721〉)와 同字

食9〔⿰飠𦣞〕18 〔치〕 饎(食부 12획〈1727〉)와 同字

食9〔⿰飠㲋〕18 〔참〕 饞(食부 17획〈1731〉)의 俗字

食9〔⿱衍食〕18 전 [平]先 zhān セン かゆ

[字解] 된죽전 되게 쑨 죽. '—餌馨香, 蔬果交羅'《柳宗元》.

食9〔⿰飠衍〕18 ⿱衍食(前條)와 同字

食9〔餮〕18 철 [入]屑 tiè テツ むさぼる

[字解] 탐할철 탐식함. '縉雲氏有不才子, 貪於飲食, 冒於貨賄, 天下謂之饕—'《左傳》.
[字源] 形聲. 食+殄〔音〕

食9 〔䭛〕 18 감 ㊤感 | kǎn カン うえる

字解 주릴감 굶주림. '一, 飢也'《集韻》.

食9 〔䭚〕 18 과 ㊥歌 | kē カ むしがたのこなもち

字解 올챙이모양떡과 麨(麥부 9획〈1852〉)와 同字. '麨, 麨斗, 餌也, 象蟲形, 或从食'《集韻》.

食9 〔餸〕 18 ㊀유 ㊦宥 | yòu ジュウ むしいい ㊁뉴 ㊦宥 | niǔ ニュ まぜめし

字解 ㊀지에밥유 찐 밥. '一, 餾也'《集韻》. ㊁비빔밥뉴 鈕(食부 4획〈1715〉)와 同字. '鈕, 雜飯也, 或从柔'《集韻》.

食9 〔餰〕 18 단 ㊥寒 | tuán タン だんご

字解 경단(瓊團)단 떡의 일종. 團(囗부 11획〈198〉)과 통용. '一, 米一'《字彙》. '一, 通作團'《正字通》.

食9 〔餢〕 18 벽 ㊇職 | pì ヒョク あくさま

字解 물릴벽 배불리 먹은 모양. '一, 飽皃'《集韻》.

食9 〔餪〕 18 복 ㊇屋 | fú フク くらう, くいもの

字解 먹을복, 먹을것복 '一, 食也'《集韻》.

食9 〔餴〕 18 분 ㊥文 | fēn フン めし

字解 밥분 '一, 餥一, 飯也'《篇海》.

食9 〔餚〕 18 수 ㊤紙 | suǐ スイ きなこ

字解 ①콩고물수 콩가루에 설탕을 섞은 것. '一, 豆屑雜糖也'《玉篇》. ②엿수 '一, 餹餻'《廣韻》. ③콩엿수 엿에 콩을 넣은 것. '一, 豆屑和飴也'《集韻》.

食9 〔餯〕 18 언 ㊦願 | yàn ゲン あめ

字解 엿언 '飴謂一'《酉陽雜俎》.

食9 〔餥〕 18 ㊀영 ㊤梗 | yǐng エイ もち, あく ㊁앙 ㊤養 | ヨウ みちる, あく

字解 ㊀떡영, 실컷먹을영 饃(食부 12획〈1728〉)과 同字. '饃, 餌也, 飽也, 或从英'《集韻》. ㊁가득찰앙, 실컷먹을앙 '一, 博雅, 滿也, 一曰, 飽也, 或作餕'《集韻》.

食9 〔餐〕 18 요 ㊥蕭 | yāo ヨウ あめ

字解 엿요 '一, 餳也'《集韻》.

食9 〔餏〕 18 〔요〕 饒(食부 12획〈1727〉)의 略字

食9 〔餶〕 18 용 ㊤腫 | yǒng ヨウ くらう

字解 먹을용, 먹을것용 餶(食부 7획〈1720〉)과 同字. '一, 食也, 或省'《集韻》.

食9 〔餎〕 18 〔자〕 餈(食부 6획〈1718〉)와 同字

食9 〔䭘〕 18 투 ㊤有 | tǒu トウ もち

字解 떡투 '一, 餢一, 餅也'《字彙》.

食10 〔餺〕 19 박 ㊇藥 | bó ハク もちのるい

字解 떡박 '一飥'은 떡의 한 가지. '一, 一飥, 餅也'《集韻》.

字源 形聲. 飠(食)+尃〔音〕

食10 〔餻〕 19 고 ㊥豪 | gāo コウ こなもち

字解 떡고 떡의 한 가지. '華筵食賜一'《高啓》.

字源 形聲. 飠(食)+羔〔音〕

食10 〔餼〕 19 희 ㊦未 | xì キ おくる

字解 ①보낼희 음식을 보냄. '一之以其禮'《儀禮》. ②쌀희 벼의 알맹이. '廩人獻一'《周禮》. ③꼴희 마소의 먹이. '馬一不過稂莠'《國語》. ④희생희 희생으로 쓰는 산소·양 따위. '告朔之一羊'《論語》.

字源 形聲. 飠(食)+氣〔音〕

食10 〔餽〕 19 궤 ㊦寘 | kuì キ おくる

字解 ①보낼궤 ㉠음식을 보내 줌. '亟一鼎肉'《孟子》. ㉡물품을 보내 줌. '王一兼金一百'《孟子》. ㉢운송함. '千里負擔一饟'《漢書》. ②성궤 성(姓)의 하나.

字源 形聲. 飠(食)+鬼〔音〕

食10 〔餾〕 19 류 ㊦宥 ㊥尤 | liù リュウ むれる

字解 뜸들류 밥이 잘 익음. 또, 그 밥. '一, 本作餾'《正字通》.

字源 形聲. 飠(食)+留(畱)〔音〕

食10 〔饁〕 19 엽 ㊇葉 | yè ヨウ かれいい, おくる

字解 ①들밥엽 들에서 농부가 먹는 밥. '一, 餉田食'《玉篇》. ②들밥내갈엽 밥을 들

에 내감. '一彼南畝'《詩經》.
[字源] 形聲. 𩙿(食)+盍(盇)〔音〕

食 10 〔⿰飠茲〕19 자 [平]支 | cí シ もち
[字解] 경단자 '一團'은 떡의 한 가지. 경단.

食 10 〔⿰飠追〕19 퇴 [平]灰 | duī タイ むしもち
[字解] 떡퇴 찐 떡. '拈一舐指不知休'《李蕚》.
[字源] 形聲. 𩙿(食)+追〔音〕

食 10 〔⿰飠高〕19 호 (고[本]) [去]號 [平]豪 | kào, gāo コウ ねぎらう
[字解] ①호궤(犒餽)할호 군대(軍隊)에 음식을 보냄. '一, 餉軍'《廣韻》. ②위로할호 노고(勞苦)를 치사함. '一, 勞也'《玉篇》. ※本音 고.

食 10 〔⿰飠臭〕19 구 [上]有 | qiǔ キュウ すえる
[字解] 음식쉴구 음식이 상함. '一, 食物爛也'《集韻》.

食 10 〔餶〕19 골 [入]月 | gǔ コツ むぎこにしゅじゅのしょくひんをまぜてつくったたべもの
[字解] 밀가루음식골 '一飿'은 밀가루에 갖가지 식품을 섞어 만든 음식. '一, 一飿, 麪果也'《字彙補》.

食 10 〔⿰飠豈〕19 온 [去]願 | èn ゴン むぎめしをくう
[字解] ①보리밥먹을온 '一, 饐一也'《說文》. ②먹을온 '一, 食也'《廣雅》. ③배부를온 '一, 飽也'《廣韻》. ④쉴온 음식이 쉼. '一, 饐也'《玉篇》.
[字源] 形聲. 食+豈〔音〕

食 10 〔餿〕19 수 [平]尤 | sōu シュウ めしがくさる
[字解] 밥상할수 餕(食부 9획〈1723〉)와 同字. '餕, 飯壞也. 或作一'《集韻》.

食 10 〔饀〕19 도 [平]豪 | táo トウ こなもち
[字解] ①경단도 '麴, 餌也. 或作一'《集韻》. ②탐할도 '饕, 說文, 貪也. 一曰, 貪財爲饕. 或作一'《集韻》.

食 10 〔⿰飠兼〕19
[一] 렴 [上]琰 [平]鹽 | lián レン かんしょく
[二] 함 [去]陷 | xiàn カン あん
[三] 겸 [上]琰 | qiàn ケン あきたりない
[字解] [一] ①간식렴 겉두리. '一, 嘰也'《說文》. ②청렴할렴 '一, 一曰廉絜也'《說文》. [二] 소함 떡 속의 고기 소. '⿰麥兼, 餅中肉. 或从食'《集韻》. [三] 뜻에차지않을겸 '歉, 食不飽也. 一曰, 不足皃. 或作一'《集韻》. 또, 그 모양.
[字源] 形聲. 食+兼〔音〕

食 10 〔餹〕19 〔당〕
餳(食부 9획〈1723〉)과 同字

食 10 〔⿰飠遣〕19 견 [上]銑 | qiǎn ケン ねばる
[字解] ①차질견 곡식이 메지지 않고 차짐. ⿰飠遣(食부 14획〈1730〉)과 同字. '一, 黏也'《廣韻》. ②손으로만져뭉칠견 주먹밥을 만든다든지 하는 것. '⿰飠遣, 博雅, ⿰飠遣粩, 摶也, 或省'《集韻》. ③말린보리떡견 '⿰飠遣, 一曰, 乾餌, 或省'《集韻》. ④餡(食부 6획〈1718〉)의 訛字. '一, 餡字之譌'《正字通》.

食 10 〔⿰飠华〕19
[一] 화 [平]佳 | huā カ こなす
[二] 과 [平]麻 | カ こなす
[字解] [一] 음식새길화 소화(消化)시킴. 소화됨. '一, 食銷也'《集韻》. [二] 음식새길과 [一]과 뜻이 같음.

食 10 〔⿰飠耆〕19 〔기〕
嗜(口부 10획〈178〉)의 俗字

食 10 〔⿰飠⿱日羽〕19 답 [入]合 | dā トウ くらうさま
[字解] 먹는모양답 '一, 一飿, 食皃'《集韻》.

食 10 〔⿰飠修〕19 수 [平]尤 | xiū シュウ たべものをおくる
[字解] ①음식보낼수 먹을 것을 보냄. '一, 饋食也'《正字通》. ②지에밥수 고두밥. ⿱攸食(食부 7획〈1720〉)와 同字. '⿱攸食, 廣⿱攸食雅, 饋謂之⿱攸食, 或从修'《集韻》.

食 10 〔⿰飠郎〕19 라 [上]哿 | luǒ ラ うしがしょくにあく
[字解] 소가먹이에물릴라 싫컷 먹어서 물림. '一, 一飽也'《字彙》. '一, 飽也'《異字苑》.

食 10 〔⿰飠臿〕19 삽 [入]洽 | chā ソウ こなもち
[字解] 떡삽 '一, 餌也'《集韻》.

食 10 〔⿰飠素〕19 소 [去]遇 | sù ソ しょうじんりょうり
[字解] ①마늘을넣지않은음식소 '一, 膳徹葷也'《集韻》. ②소식(素食)소 육미(肉味)가 없는 밥. '一, 按六書, 本作素, 史霍光傳注, 菜食無肉曰素'《正字通》.

食10 〔⿰食息〕19 식 [入]職 | xī ショク いき

[字解] ①숨식 '一, 氣食也'《玉篇》. ②먹을식, 먹을것식 '一, 食也'《廣韻》. ③길식 짧지 않고 긺. '一, 長也'《廣雅》.

食10 〔⿰食恙〕19 양 [去]漾 | yàng ヨウ こなもち

[字解] ①떡양 '一, 方言, 餌也'《集韻》. ②⿰食養(食부 15획〈1730〉)·⿰食羕(食부 12획〈1728〉)과 同字.

食10 〔⿰食宛〕19 원 [平]元 | yuān エン むさぼる

[字解] 탐낼원 욕심냄. '一, 博雅, 貪也, 或省'《集韻》.

食10 〔⿰食倉〕19 창 [平]陽 | cāng ソウ くらう, くいもの

[字解] ①먹을창, 먹을것창 '一, 食也'《集韻》. ②牄(爿부10획〈736〉)의 訛字. '一, 牄字之譌'《正字通》.

食10 〔⿰食蚩〕19 천 [上]銑 | chǎn テン ふかいあじわい

[字解] 좋은맛천 '一, 長味'《集韻》.

食10 〔⿰食害〕19 할 [入]黠 | xiá カツ たべあきる

[字解] 실컷먹어서물릴할 '一, 食飽'《廣雅》. '一, 飫也'《集韻》.

食10 〔⿰食邕〕19 〔옹〕 饔(食부 13획〈1729〉)과 同字

食11 〔饅〕20 만 [平]寒 | mán バン・マン まんじゅう

[字解] 만두만 '一頭'. '諸葛亮南征, 將渡瀘水, 土俗殺人, 首以祭神, 亮令以羊豕代, 取麪畫人頭祭之, 一頭名始此'《事物紀原》. '三春之初, 陰陽交至, 于時享宴, 則一頭宜設'《束皙》.

[字源] 形聲. 飠(食)+曼〔音〕

食11 〔饇〕20 어 [去]御 | yù ヨ・オ あきる

[字解] 배부를어 飫(食부 4획〈1714〉)와 同字. '如食宜一'《詩經》.

[字源] 形聲. 飠(食)+區〔音〕

食11 〔饉〕20 근 [去]震 | jǐn キン やさいのきょうさく

[字解] 흉년들근, 흉년근 채소가 흉년이 듦. 또, 채소의 흉년. '饑一'. '餓一流隸'《班固》.

[字源] 形聲. 飠(食)+堇〔音〕

食11 〔饆〕20 필 [入]質 | bì ヒツ こなもち

[字解] 떡필 '一饠'는 보릿가루로 빚어 소를 넣고 찐 떡의 일종. 보리떡. '一饠, 餅屬'《玉篇》. '蕃中畢氏·羅氏, 好食此味, 因名畢羅, 後人加食旁爲一饠'《資暇集》.

[字源] 形聲. 飠(食)+畢〔音〕

食11 〔⿰食啇〕20 적 [入]陌 | zhāi タク・チャク にちげつのしょく

[字解] 일월식적 일식(日蝕)과 월식(月蝕). '一, 日月一蝕'《集韻》.

食11 〔⿰食從〕20 종 [平]江 | chuáng ソウ しょくをむさぼる

[字解] 게걸들릴종 음식을 탐냄. '一, 欲食也'《集韻》.

食11 〔⿱從食〕20 ⿰食從(前條)과 同字

食11 〔饈〕20 수 [平]尤 | xiū シュウ すすめる

[字解] 드릴수 맛있는 음식을 권함. 또, 그 밥상. '一, 膳也. 薦也'《字彙》.

食11 〔⿰食⿱𠂉昜〕20 상 [上]養 [去]漾 | shǎng ショウ ひるめし; [平]陽 | xiǎng ショウ おくる

[字解] ①점심상 낮에 먹는 밥. '⿰食象, 晝食也. …一, ⿰食象或从⿱𠂉昜'《說文》. ②보낼상 음식을 보냄. '餉, 說文, 饟也. 或作一'《集韻》.

食11 〔⿰食虎〕20 〔도〕 饕(食부 13획〈1729〉)의 籒文

食11 〔⿱斬食〕20 잠 ①[上]感 | zǎn サン あじがない; ②③[上]琰 | jiǎn セン あじみをする

[字解] ①맛없을잠 음식의 맛이 없음. '一, 澉一, 無味也'《集韻》. ②맛볼잠 '一, 嘗食也'《集韻》. ③싱거울잠 음식의 맛이 담담함.

食11 〔⿰食斬〕20 ⿱斬食(前條)과 同字

食11 〔⿱將食〕20 〔장〕 漿(水부 11획〈675〉)과 同字

食11 〔⿰食強〕20 강 [上]養 | jiàng キョウ こわいめし

[字解] 된밥강 '一, 硬食'《篇海》.

食11 〔⿰食既〕20 기 [去]未 | jì キ なまもののしょくをおくる

[字解] 날음식보낼기 조리하지 않은 음식을

보냄. '一, 饋食生也'《集韻》.

食11〔餹〕20 〔당〕
餹(食부 10획〈1725〉)과 同字

食11〔饝〕20 ㊀마 ㊥歌|má バ くらう
㊁미 ㊥支|mí ビ こながき

字解 ㊀①먹을마, 먹을것마 '一, 食也'《集韻》. ②어린애입에먹여줄마 양육함. '一, 一曰, 哺小兒'《集韻》. ③饝(食부 19획〈1731〉)과 同字. '一, 或从靡'《集韻》. ㊁죽미 糜(米부 11획〈976〉)·饝(食부 11획〈1727〉)과 同字. '糜, 說文, 糁也, 或作一·饝'《集韻》.

食11〔饝〕20 饝(前條)와 同字

食11〔饙〕20 〔분〕
餴(食부 9획〈1723〉)과 同字

食11〔饞〕20 삼 ㊤感|sān サン こながき

字解 ①쌀을넣고끓인고깃국삼 '䊤, 說文, 以米和羹也, 或作一'《集韻》. ②찌꺼기삼 앙금. 糣(米부 12획〈977〉)과 同子. '一, 與糣同, 糣糟, 滓也'《五音集韻》. ③糝(米부 11획〈975〉)과 同字. '一, 同糝'《正字通》.

食11〔饡〕20 쇠 ㊥灰|suī サイ めし

字解 밥쇠 '一, 飯也'《集韻》.

食11〔餷〕20 숭 ㊥東|chóng シュウ しょくをむさぼる

字解 음식탐할숭 음식 욕심이 많음. '一, 一饞, 貪食'《集韻》.

食11〔饜〕20 〔염〕
饜(食부 14획〈1730〉)과 同字

食11〔饁〕20 저 ㊦御|zhù ショ いぬのかゆ

字解 ①개죽저 개밥. '一, 犬糜'《廣韻》. ②개돼지먹이저 '一, 犬豕食也'《集韻》.

食11〔饅〕20 조 ㊥豪|cáo ソウ あんこをくう

字解 소먹을조 떡의 소를 먹음. '一, 食餡也'《玉篇》.

食11〔饓〕20 충 ㊥冬|chōng ショウ むさぼる

字解 탐낼충 염치가 없음. '一, 饞一, 不廉'《集韻》.

食12〔饋〕21 궤 ㊦寘|kuì キ おくる

字解 ①보낼궤 ㉠음식을 보내 줌. '老弱一食'《孟子》. ㉡물건을 보내 줌. '有一其兄生鵝者'《孟子》. ②권할궤 식사를 권함. '主人親一, 則拜而食'《禮記》. ③식사궤 밥을 먹는 일. '一一而十起'《淮南子》. ④선사궤 보내준 음식이나 물품. '厚一'. '朋友之一'《論語》.

字源 形聲. 飠(食)+貴(賮)

食12〔饌〕21 찬 ㊤潸|zhuàn サン そなえる

字解 ①차려낼찬 음식을 차려 내어 먹게 함. '有酒食, 先生一'《論語》. ②음식찬 상 같은 데 차린 음식. '具官一于寢東'《儀禮》.

字源 形聲. 飠(食)+巽〔音〕

食12〔饎〕21 치 ㊦寘|chì シ さけさかな

字解 ①주식치 술과 밥. 주효와 음식. '吉蠲爲一'(몸을 깨끗이 하고 음식을 조리함)《詩經》. ②기장치 서직(黍稷). ③기장찔치 기장을 찜.

字源 形聲. 飠(食)+喜〔音〕

食12〔饐〕21 ㊀의 ㊦寘|yì イ すえる
㊁애 ㊦霽|yì エイ すえる

字解 ㊀쉴의 음식이 상하여 맛이 변함. '食一而餲'《論語》. ㊁쉴애 ㊀과 뜻이 같음.

字源 形聲. 飠(食)+壹〔音〕

食12〔饑〕21 기 ㊥微|jī キ こくもつがみのらない

字解 ①흉년들기, 흉년기 오곡이 잘 여물지 아니함. 또, 그 해. '一饉'. '荒一'. '一, 穀不孰爲一, 从食幾聲'《說文》. ②주릴기 飢(食부 2획〈1713〉)와 同字. '一渴'. '寧一月一'《淮南子》.

字源 形聲. 飠(食)+幾〔音〕

食12〔饒〕21 人名 요 ㊥蕭 ㊦嘯|ráo ジョウ·ニョウ ゆたか

筆順 𠆢 今 𩙿 飠 飳 饒 饒 饒

字解 ①넉넉할요 ㉠충분히 있음. 많음. '豐一'. '富一'. '資用益一'《漢書》. ㉡남음이 있음. '子弟衣食, 自有餘一'《蜀志》. ②넉넉히할요 전항의 타동사. '大王能一人以爵邑'《漢書》. ③두터울요 후함. '情一'. ④기름질요 비옥함. '一沃'. '地肥一'《史記》. ⑤너그러울요 관대함. '一恕'. '寬一之道'《書經疏》. ⑥용서할요 용대(容貸)함. 내버려 둠. 너그러이 보아 줌. '公道世間惟白髮, 貴人頭上不曾一'(백발(白髮)은 귀인(貴人)의 머리에서도 가차없이 생김)《許渾》.

⑦성요 성(姓)의 하나.
[字源] 形聲. 飠(食)+堯〔音〕

食 12 〔⿰食象〕21 상 [上]養 | shǎng ショウ ひるめし
[字解] 점심상, 저녁밥상 ⿰食𥏻(食부 11획〈1726〉)과 同字. 주식(晝食). 또, 석식(夕食). '一, 晝食也'《說文》. '一, 日西食'《廣韻》.
[字源] 形聲. 食+象〔音〕

食 12 〔⿰食尞〕21 [韓] 료
[字解] 《韓》 요기할료 '一飢'는 시장기를 면할 정도로 조금 먹음.

食 12 〔饊〕21 산 [上]旱 | sǎn サン おこし
[字解] 산자산 쌀가루 반죽에 튀밥을 붙인 음식. '一, 一飯也'《廣韻》.
[字源] 形聲. 飠(食)+散(㪚)〔音〕

食 12 〔⿰食畱〕21 〔류〕 餾(食부 10획〈1724〉)의 本字

食 12 〔⿱敢食〕21 담 [上]感 | dǎn タン あじがない
[字解] 맛없을담 '一, 無味也'《集韻》.

食 12 〔⿰食敢〕21 ⿱敢食(前條)과 同字

食 12 〔⿰食童〕21 당 [平]江 | chuáng トウ しょくをむさぼりくらう
[字解] 탐하여먹을당 음식을 염치없이 욕심껏 먹음. 噇(口부 12획〈185〉)과 同字. '一, 食無廉也, 或从口'《集韻》.

食 12 〔⿱敦食〕21 돈 [平]元 | dūn トン しょくをむさぼる
[字解] 음식탐할돈 '一, 貪食'《集韻》.

食 12 〔⿰食登〕21 등 [平]蒸 | dèng トウ まつりのしょく
[字解] 제사(祭祀)음식등 '一, 祭食謂之一'《集韻》.

食 12 〔⿱歷食〕21 력 [入]陌 | lì レキ はしでしょくをくう
[字解] 젓가락으로먹을력 '一, 一鬁, 食相箸'《集韻》.

食 12 〔⿰食景〕21 영 [去]敬 | yǐng エイ あく
[字解] ①배부를영 '一, 飽也'《方言》. ②떡영 '一, 餌也'《集韻》.

食 12 〔⿰食掌〕21 쟁 [平]庚 | chēng トウ あく
[字解] 잔뜩먹어물릴쟁 '一, 一餝, 飽也'《字彙》.

食 12 〔⿰食棠〕21 쟁 [平]庚 | chēng トウ わるくなったしょくもつ
[字解] 상한음식쟁 부패한 음식물. '一, 痞食曰一'《字彙補》.

食 12 〔⿰食晉〕21 침 [上]寑 | jǐn シン うるおう
[字解] ①축축해질침 습기(濕氣)를 띰. '一, 溼通上也'《廣韻》. ②달콤할침 맛이 약간 닮. '一, 一日, 味小甘也'《集韻》. ③맛있을침 '一, 博雅, 美也'《集韻》.

食 12 〔⿰食黃〕21 황 [平]陽 | huáng コウ かゆ
[字解] 죽황 '一, 糜也'《集韻》.

食 12 〔⿰食羕〕21 양 [去]漾 | yáng ヨウ こなもち
[字解] 떡양 '⿰食恙, 方言, 餌也, 或从羕'《集韻》.

食 12 〔饍〕21 〔선〕 膳(肉부 12획〈1090〉)과 同字
[字源] 形聲. 飠(食)+善〔音〕

食 13 〔饘〕22 전 [平]先 [上]銑 | zhān セン かゆ
[字解] ①죽전 된 죽. '厚曰一, 希曰粥'《禮記》. ②죽먹을전 죽을 먹음. '一于是, 鬻于是, 以餬余口'《左傳》.
[字源] 形聲. 飠(食)+亶〔音〕

食 13 〔饖〕22 [一] 예 [去]隊 | wèi ワイ すえる
[二] 의 [去]寘 | wèi イ すえる
[字解] [一] 쉴예 음식이 부패하여 맛이 변함. '一, 一日, 食臭敗'《廣韻》. [二] 쉴의 [一]과 뜻이 같음.
[字源] 形聲. 飠(食)+歲〔音〕

食 13 〔⿰食奧〕22 오 [去]號 | ào オウ しょくをねたむ
[字解] 게염내먹을오 음식에 게염을 냄. '一, 妬食'《集韻》.

食 13 〔⿰食感〕22 함 [去]勘 | hàn カン しょくにあかない
[字解] 나쁠함 음식이 양에 차지 않음. '一, 食不飽也'《集韻》.

食 13 〔⿰食熙〕22 〔치〕 饎(食부 12획〈1727〉)와 同字

食13〔饙〕22 분 [平]文 | fēn フン さいすいせんがためにみずをくわえためし

[字解] ①잦히는밥분 잦히기 위하여 다시 물을 부은 밥. 餴(食부 11획〈1727〉)과 同字. ②찔분 쪄서 익힘. '或如火熺焰, 或若氣一餾'《韓愈》.
[字源] 形聲. 食(食)＋賁〔音〕
[參考] 餴(食부 9획〈1723〉)과 同字.

食13〔饔〕22 옹 [平]冬 [去]宋 | yōng ヨウ あさめし

[字解] ①아침밥옹 조반. 또, 조반을 지음. '一飧而治'(조석으로 부역일을 하면서 정사(政事)를 함)《孟子》. ②익은음식옹 익힌 음식. '有母之尸一'《詩經》. ③요리할옹 '佐一者得嘗'《國語》. ④희생옹 죽인 희생. '君使卿韋弁歸一餼五牢'《儀禮》.
[字源] 形聲. 食＋雍(雝)〔音〕

食13〔饕〕22 도 [平]豪 | tāo トウ むさぼる

[字解] 탐할도 재화 또는 음식을 탐냄. 전(轉)하여, 악수(惡獸) 또는 악인의 뜻으로 쓰임. '縉雲氏有不才子, 貪於飮食, 冒於貨賄, 天下謂之一餮'《左傳》.
[字源] 形聲. 食＋號〔音〕

食13〔饗〕22 향 [上]養 | xiǎng キョウ もてなす

[字解] ①대접할향 주식(酒食)을 차려 대접함. '一應'. '一朝一之'《詩經》. ②제사지낼향 주식을 차려 놓고 제사함. '大一, 其王事與'《禮記》. ③드릴향 올림. '王乃淳濯一醴'《國語》. ④마실향, 먹을향 주식을 먹음. '先祭而後一'《淮南子》. ⑤흠향할향 신명(神明)이 제사 음식을 받음. 운감함. '宗廟一之'《中庸》. ⑥누릴향 향유(享有)함. 받음. '一大利'《左傳》. ⑦주식향 차려 올리는 주식(酒食). '以共皇天上帝社稷之一'《禮記》. ⑧잔치향 연회. '祭祀一食'《荀子》. ⑨제사향 '嘗禘烝一'《國語》.
[字源] 形聲. 食＋鄕〔音〕

食13〔餸〕22 겸 [上]琰 | jiǎn ケン いのる

[字解] ①빌겸 기원(祈願)함. '一, 博雅, 祈也'《集韻》. ②鎌(食부 10획〈1725〉)의 訛字. '一, 鎌字之譌'《正字通》.

食13〔餶〕22 과 [去]箇 | guǒ カ くらう

[字解] 먹을과 '一, 食也'《玉篇》.

食13〔餽〕22 농 [平]江 | nóng ドウ しいてくう

[字解] 억지로먹을농 '一, 餑一, 強食也'《集韻》. '一, 食無廉'《集韻》.

食13〔饄〕22 당 [平]陽 | dāng トウ しょくをあたえる

[字解] 밥줄당 남에게 먹을 것을 베풀어 줌. '一, 與食也'《字彙》.

食13〔饠〕22 독 [入]屋 | dú トク かゆ

[字解] 죽독 '一, 粥也'《集韻》.

食13〔饝〕22 렴 [去]豔 | liǎn レン まずい

[字解] 맛없을렴 음식이 맛이 없음. '一, 食無味'《字彙》.

食13〔餮〕22 령 [平]青 | líng レイ くいあきる

[字解] 배불리먹을령 물리도록 먹음. '一, 食飽也'《集韻》.

食13〔饘〕22 〔섬〕 贍(貝부 13획〈1400〉)과 同字

食13〔饌〕22 역 [入]陌 | yì エキ あとまつり

[字解] ①제사다음날또제사역 정제(正祭) 다음날에 지내는 제사. '一, 祭之明日又祭也, 或作繹'《正字通》. ②밥쉴역 밥이 상함. '一, 飯壞曰一'《集韻》.

食13〔饁〕22 엽 [入]葉 | yè ヨウ もちのたぐい

[筆順] 飠 飠'' 飠艹 飠芔 飠華 飠華 饁 饁

[字解] 떡엽 떡의 일종(一種). '一, 餠屬'《字彙》.

食13〔饔〕22 옹 [上]腫 | yǒng ヨウ しょくもつがくさる

[字解] ①먹을것상할옹 음식이 부패함. '一, 食餲也'《集韻》. ②饘(食부 10획〈1726〉)·饔(食부 13획〈1729〉)과 同字. '一, 饘·饔同'《正字通》.

食13〔饡〕22 찬 [去]翰 | zàn サン しるかけめし

[字解] 국에밥말찬, 국에만밥찬 '一, 羹和飯也'《字彙補》. 饡(食부 19획〈1731〉)과 同子.

食13〔餡〕22 한 [去]翰 | xìn カン なまにえのめしをおくる

[字解] 설익은밥보낼한 '一, 食未熟而餽也'《字彙補》.

食13 〔饋〕 22 회 (괴[本]) [去]泰 kuài カイ たべもの

[字解] ①먹을회, 먹을것회 '一, 食也'《集韻》. ②회(膾)회 膾(肉부 13획〈1093〉)·鱠(魚부 13획〈1807〉)의 俗字. '一, 一說, 膾, 集韻作鱠, 俗作一'《正字通》. ※本音 괴.

食14 〔饛〕 23 몽 [平]東 méng ボウ たべものがやまもりになっているさま

[字解] 수북이담을몽 음식을 고봉으로 담은 모양. '有一簋飧'《詩經》.

[字源] 形聲. 飠(食)+蒙〔音〕

食14 〔饖〕 23 확 [入]藥 wò カク あじがない

[字解] ①맛없을확 음식 맛이 없음. '一, 食無味'《集韻》. ②싱거울확 음식 맛이 담담함. '一, 味薄'《廣韻》.

食14 〔饐〕 23 온 [去]願 èn オン くう

[字解] ①먹을온 '一, 食也'《廣雅》. ②배부를온 '一饑'은 만족함. '一, 一饑, 飽也'《廣韻》. ③보리밥먹을온 '一饑'은 보리밥을 먹음. '一, 秦人謂相謁而食麥曰一饑'《說文》.

[字源] 形聲. 食+㥲〔音〕

食14 〔饜〕 23 염 [去]豔 [平]鹽 yàn エン あまる, みちたりる

[字解] ①포식할염 배불리 먹음. '一酒肉'《孟子》. ②흐뭇할염 만족함. '不奪不一'《孟子》.

[字源] 形聲. 食+厭〔音〕

食14 〔饛〕 23 찰 [入]黠 chá サツ しょくをそえる

[字解] 밥더할찰 밥을 더 먹음. '一, 添食也'《字彙》.

食14 〔饘〕 23 견 [上]銑 qiǎn ケン かむ

[字解] ①씹어먹을견 '一, 噍也'《玉篇》. ②말린보리떡견 '一, 乾麪餅'《玉篇》. ③뭉쳐둥글게만들견 주먹밥을 만듦. '一, 摶也'《廣雅》. ④차질견 곡식이 끈기가 있음. '一, 一日, 粘也'《集韻》. ⑤饘(食부 10획〈1725〉)과 同字. '一, 或省'《集韻》.

食14 〔饓〕 23 녕 [平]庚 níng ドウ みちる

[字解] ①찰녕 속이 꽉 참. 배가 부름. '一, 內充實'《玉篇》. ②먹을녕 '一, 食也'《集韻》. ③억지로먹을녕 '一, 一饑, 強食也'《玉篇》.

食14 〔餺〕 23 발 [入]月 bó ホツ あく

[字解] 실컷먹을발 배불리 먹어 물림. '一饇, 飽也'《字彙》.

食14 〔饖〕 23 절 [入]屑 jiē セツ くらう

[字解] 먹을절 '一, 食也'《集韻》.

食14 〔饝〕 23 〔증〕 烝(火부 6획〈712〉)과 同字

食14 〔籑〕 23 〔찬〕 饌(食부 12획〈1727〉)의 本字

[字源] 形聲. 食+算〔音〕

食15 〔饟〕 24 〔양〕 饍(食부 10획〈1726〉)과 同字

食15 〔饖〕 24 절 [入]屑 jiē セツ くらう

[字解] 먹을절 '一, 食也'《字彙》.

食15 〔饙〕 24 삭 [入]藥 shuò シャク かねをとかしけす

[字解] 쇠녹여끊을삭 '一, 鎖爍'《字彙》.

食15 〔鬻〕 24 학 [入]藥 huò カク あつもの

[字解] 국학 채소·고기 등을 넣고 끓인 국. '一, 羹臛'《篇海》.

食16 〔饠〕 25 학 [入]藥 huò カク あつもの

[字解] ①국학 고깃국. '一, 羹臛'《字彙》. ②臛(肉부 10획〈1086〉)의 俗字. '一, 俗臛字'《正字通》.

食16 〔饖〕 25 회 [去]卦 huài カイ しょくがくさる

[字解] ①밥쉴회 음식이 부패함. '一, 食敗也'《集韻》. ②餲(食부 9획〈1723〉)의 俗字. '一, 俗餲字'《正字通》.

食16 〔龐〕 25 롱 [平]東 lóng ロウ もちのぞく

[字解] 떡롱 떡의 한 가지. '一, 餅屬'《集韻》.

食16 〔饝〕 25 마 [平]歌 mó バ·マ もち

[字解] 떡마 '一, 餅也'《字彙補》.

食16 〔饊〕 25 〔산〕 饊(食부 12획〈1728〉)의 本字

食16 〔饋〕 25 〔궤〕 饋(食부 12획〈1727〉)의 本字

食 17 〔饞〕 26 참 [平]咸 | chán サン むさぼる

[字解] 탐할참 탐냄. '舌一於腹'《易林》.
[字源] 形聲. 飠(食)＋毚〔音〕

食 17 〔饟〕 26 향 [去]漾 | xiǎng
(상[本]) [上]養 | ショウ かれいい

[字解] 건량향 餉(食부 6획〈1717〉)과 同字. '其一伊黍'《詩經》. ※本音 상.
[字源] 形聲. 飠(食)＋襄〔音〕

食 17 〔⿰食縻〕 26 미 [上]紙 | mǐ ビ くくる

[字解] ①어린애먹일미 어린아이에게 젖을 빨리거나 음식을 떠 먹임. '一, 哺小兒也'《字彙》. ②糜(米부 11획〈976〉)의 俗字. '一, 俗糜字'《正字通》.

食 17 〔⿰食韱〕 26 참 [去]陷 | chàn
サン しょくをむさぼる

[字解] 음식탐낼참 '一, 貪食'《集韻》.

食 18 〔⿰食巂〕 27 [一] 세 [去]霽 | shuì
[二] 휴 [平]齊 | セイ かどまつり
ケイ おくる

[字解] [一] ①작은제사세 소제(小祭). 문제(門祭). '一, 小餟也'《集韻》. ②⿰食兑(食부 7획〈1719〉)와 同字. '⿰食兑, 說文, 小餟也, 或作一'《集韻》. [二] 보낼휴 '一, 餽也'《方言》.

食 18 〔⿱⿰害害食〕 27 학 [入]藥 | huò カク あつもの

[字解] 국학 곰국. '一, 羹也'《字彙補》.

食 18 〔⿱雝食〕 27 〔옹〕
饔(食부 13획〈1729〉)의 本字

食 19 〔饡〕 28 찬 [去]翰 | zàn サン しるかけめし

[字解] 국말이찬 국에 만 밥. '時混混兮澆一'《楚辭》.
[字源] 形聲. 飠(食)＋贊〔音〕

食 19 〔饠〕 28 라 [平]歌 | luó ラ もち

[字解] ①떡라 '饆一'는 보리떡의 한 가지. '糴, 餅也, 或从食'《集韻》. ②음식이름라 음식의 한 가지. '一, 食名'《正韻》.
[字源] 形聲. 飠(食)＋羅〔音〕

食 19 〔⿰食靡〕 28 마 [平]歌 | mó バ くくむ, くらう

[字解] ①어린애먹일마 어린애에게 젖을 빨리거나 음식을 떠먹임. '一, 哺小兒也'《玉篇》. ②먹을마 ⿱麻食(食부 11획〈1727〉)과 同字. '⿱麻食. 食也, 一曰, 哺小兒, 或从靡'《集韻》. ③糜(米부 11획〈976〉)의 俗字. '一·⿱麻食竝俗糜字'《正字通》.

首　部

〔머리수부〕

首 0 〔首〕 9 [中·人] 수 [上]有 | ①-⑧shǒu
[去]宥 | シュ くび
⑨-⑪シュ もうす, したがう

[筆順] 丶 丷 䒑 䒑 产 产 首 首 首

[字解] ①머리수 ㉠두부(頭部). '頓一'. '乾爲一'《易經》. ㉡머리털. '白一'. '皓一而歸'《李陵》. ②우두머리수 ㉠장(長). '元一'. '一領'. '毋爲戎一'《禮記》. ㉡첫째. '一席'. '慮爲功一'《魏武帝》. ③첫머리수 ㉠사물의 시작. '年一'. '一時過則書'《公羊傳》. ㉡앞. '一尾'. '謬取老子居列傳一'《史記 註》. ④칼자루수 칼의 손잡이. '進劍者左一'《禮記》. ⑤나타낼수 겉으로 보이게 함. '一其內'《禮記》. ⑥근거할수 근거를 둠. '不一其義'《禮記》. ⑦수수 시문(詩文)을 세는 수사(數詞). 편수(篇數). '唐詩三百一'. '謹獻舊所爲文, 八十一一'《韓愈》. ⑧성수 성(姓)의 하나. ⑨자백할수 자현(自現)함. '自一'. '驕嫚不一'《漢書》. ⑩좇을수 복종함. 항복함. '雖有降一, 曾莫懲革'《後漢書》. ⑪향할수 머리를 그쪽으로 돌림. '寢恆東一'《禮記》.
[字源] 象形. 눈과 머리털을 강조하여 머리 모양을 본뜨며, '머리'의 뜻을 나타냄.
[參考] '首수'를 의부(意符)로 하여, 머리 부분에 관한 문자를 이룸. 부수 이름은 '머리수'.

首 1 〔𦣻〕 10 首(前條)의 古字

首 2 〔馗〕 11 [一] 규 [平] 支 | kuí キ みち
[二] 구 [平] 尤 | qiú キュウ みち

[筆順] 丿 九 九 九 九 馗 馗 馗

[字解] [一] ①거리규 구방(九方)으로 통하는 길. '士女滿莊一'《王粲》. ②광대뼈규 협골(頰骨). [二] 거리구, 광대뼈구 [一]과 뜻이 같음.
[字源] 形聲. 道〈省〉＋九〔音〕

首 2 〔⿰丁首〕 11 〔정〕
頂(頁부 2획〈1682〉)과 同字

首5〔𩠐〕14 〔발〕
髮(髟부 5획〈1765〉)과 同字

首5〔𩠓〕14 〔발〕
髮(髟부 5획〈1765〉)의 古字

首5〔𩠒〕14 〔협〕
頰(頁부 7획〈1689〉)과 同字

首6〔䭰〕15 해 ㊥灰|hái カイ かしら
字解 머리해 '一, 首也'《字彙》.

首6〔䭫〕15 계 ①㊤薺|qǐ ケイ ぬかずく ②㊥齊|jī ケイ とどまる
字解 ①조아릴계 돈수(頓首)함. 稽(禾부 10획〈908〉)와 同字. '䭫, 說文, 下首也, 或作稽'《集韻》. ②머무를계 한곳에 지체함. '稽, 說文, 留止也. 古作一'《集韻》.
字源 形聲. 𦣻+旨〔音〕

首6〔𩠔〕15 䭫(前條)의 本字

首6〔𩠕〕15 〔이〕
頤(頁부 6획〈1688〉)의 籒文

首7〔𩠗〕16 〔협〕
頰(頁부 7획〈1689〉)의 籒文

首8〔馘〕17 ㊀괵 ㊇陌|guó カク みみをきる ㊁혁 ㊇錫|xù ケキ おもて
字解 ㊀벨괵 전쟁에서 적의 귀 또는 머리를 벰. '一耳'. '一首'. 또, 그 벤 귀나 머리. '俘一'. '以訊一告'《禮記》. ㊁낯혁 안면. '槁項黃一'《莊子》.
字源 形聲. 首+或〔音〕
參考 𩠠(首부 11획〈1732〉)은 俗字.

首9〔𩠘〕18 〔안〕
顏(頁부 9획〈1694〉)의 籒文

首9〔𩠚〕18 수 ㊤有|shǒu シュウ ういご
字解 ①첫아이수 처음으로 낳은 아이. '一, 或曰, 人初產子'《集韻》. ②낳은아이상처없을수 '一, 產而不𤕤謂之一'《集韻》.

首9〔𩠛〕18 〔수〕
首(部首〈1682〉)와 同字

首10〔𩠜〕19 불 ㊇物|fú フツ かみかざり
字解 ①머리꾸미개불 부인(婦人)의 머리장식. 髴(髟부 5획〈1766〉)과 同字. '一, 婦人首飾也'《玉篇》. ②이마드림불 이마의 장식. '一, 額前飾也'《廣韻》.

首11〔𩠠〕20 〔괵〕
馘(首부 8획〈1732〉)의 俗字

首18〔𩠡〕27 ㊀전 ㊤銑 ㊥先 セン たつ ㊁단 ㊥寒 tuán タン・ダイ たつ ㊂천 ㊥元 セン たつ
字解 ㊀끊을전 목을 벰. 剸(刀부 11획〈109〉)과 同字. '一, 截首也'《說文》. ㊁끊을단 ㊀과 뜻이 같음. ㊂끊을천 ㊀과 뜻이 같음.
字源 會意. '𢿇(斷)단'과 '𦣻수'를 합쳐, 목을 끊다의 뜻을 나타냄. 別體도 刀+專〔音〕

香 部

〔향기향부〕

香0〔香〕9 中·人 향 ㊥陽|xiāng コウ かおり
筆順 一 二 千 禾 禾 禾 香 香
字解 ①향기향 향내. '芳一'. '芬一'. '有飶其一'《詩經》. ②향기로울향 향기가 있음. '泉一而酒洌'《歐陽修》. ③향향 불에 태워서 좋은 냄새가 나게 하는 물건. '燒一'. '薰一'. '焚一默坐'《王禹偁》. ④성향 성(姓)의 하나.
字源 會意. 黍+甘
參考 '香향'을 의부(意符)로 하여, 향기에 관한 문자를 이룸.

香4〔馚〕13 〔분〕
馩(香부 12획〈1734〉)과 同字

香4〔馠〕13 함 ㊥覃|hān カン かんばしい
字解 향기로울함 馣(香부 7획〈1733〉)과 同字. '馠, 博雅, 馠馠, 香也, 或作一'《集韻》.

香5〔馜〕14 니 ㊤紙|nǐ ジ つよいかおり
字解 ①진한향기니 짙은 향기. '一, 香氣濃厚也'《正字通》. ②향기로울니 '一, 馣一, 香也'《集韻》.

香5〔馛〕14 발 ㊇曷|bó ハツ こうばしいにおい
字解 ①향기로운냄새발 '一, 香氣'《廣韻》. ②크게향기로울발 '一, 大香'《玉篇》. ③향

(香)발 향기를 풍기는 물건.

香5 〔⿰香末〕14 〔별〕 ⿰香㡀(香부 8획〈1733〉)과 同字

香5 〔⿸疒香〕14 항 [平]陽 | hāng コウ こきゅうのびょう
[字解] 호흡기병(呼吸器病)항 '一, 氣病'《字彙》.

香5 〔馝〕14 [人名] 필 [入]質 | bì ヒツ かんばしい
[筆順] ㇐ 禾 香 香' 香丿 香㇂ 香㇂ 馝
[字解] 향기로울필 좋은 향내가 남. '一, 香也'《廣雅》.
[字源] 形聲. 香＋必〔音〕

香7 〔馞〕16 발 [入]月 | bó ホツ かんばしい
[字解] 향기로울발 향내가 강하게 남. '一一, 香也'《廣雅》.

香7 〔⿰香孚〕16 도 [平]虞 | tú ト こうばしい
[字解] ①향기로울도 '一, 香也'《字彙》. ②馞(前條)의 訛字. '一, 馞字之譌'《正字通》.

香7 〔馠〕16 함 [平]覃 | hān カン こうばしい
[字解] ①향기로울함 '一, 博雅, 一一, 香也'《集韻》. ②약간향기로울함 '一, 小香'《廣韻》. ③향기로운맛이깊을함 '一, 一曰, 香味深也'《字彙》. ④馚(香부 4획〈1732〉)과 同字. '一, 或作馚'《集韻》.

香8 〔⿱夊香〕17 〔복〕 馥(香부 9획〈1733〉)과 同字

香8 〔⿰香奉〕17 봉 [上]董 | bèng ホウ こうきがさかん
[字解] 향기성할봉 향기가 진동함. '一, 香氣盛也'《集韻》.

香8 〔⿰香奇〕17 의 [上]紙 | yǐ イ こうばしい
[字解] 향기로울의 '一, 一柅, 香也'《集韻》.

香8 〔⿰香㡀〕17 별 [入]屑 | bié ヘツ すこしかんばしい
[字解] ①조금향기로울별 '一, 小香也'《廣韻》. ②향기로울별 '一一'은 향기로움. '一一, 香也'《廣雅》.

香8 〔馢〕17 전 [平]先 | jiān セン こうぼくのな
[字解] 향나무이름전 향나무의 일종. '一香沈香同類'《香譜》.

香8 〔馡〕17 비 [平]微 | fēi ヒ かんばしい
[字解] 향기로울비 향내가 많이 남. '一, 香也'《廣韻》.

香8 〔馣〕17 ㊀암 [平]覃 ㊁엄 [上]琰 | ān アン かんばしい yǎn エン かんばしいかおり
[字解] ㊀향기로울암 향내가 많이 남. '一一, 香也'《廣雅》. ㊁향내엄 향기. '一, 一馤, 香氣'《集韻》.

香9 〔馥〕18 [人名] 복 [入]屋 | fù フク かおり
[筆順] ㇐ 千 禾 香 香' 香亠 馥 馥
[字解] ①향기복 향내. '流香吐一'《洛陽伽藍記》. 전(轉)하여, 덕화(德化) 또는 명성. '凝華重一, 良在關西之彥'《江淹》. ②향기로울복 향기가 있음. 향기를 발산함. '一郁'. '桂一蘭芳'《梁元帝》. 전(轉)하여, 덕화 또는 명성이 전함. '響一區中'《江淹》.
[字源] 形聲. 香＋复〔音〕

香9 〔馤〕18 애 [去]泰 | ài アイ かんばしいかおり
[字解] 향기애 향기로운 냄새. '逕蘭銷晚一'《韓愈》.

香9 〔馧〕18 〔온〕 ⿰香𥁕(香부 10획〈1733〉)과 同字

香9 〔⿰香犬〕18 퓨 [平]尤 | bō ヒョウ こうばしい
[字解] 향기로울퓨 '一, 香也'《字彙補》.

香9 〔⿱香香〕18 향 [平]陽 | xiāng キョウ おおいにこうばしい
[字解] 향내물큰날향 매우 향기로움. '一, 大香也, 亦作⿰香香'《字彙補》.

香9 〔⿰香香〕18 ⿱香香(前條)과 同字

香9 〔⿰香幽〕18 휴 [平]尤 | xiū キュウ かおり
[字解] 향기휴 '一, 香氣'《字彙補》.

香10 〔⿰香𥁕〕19 ㊀온 [平]文 ㊁올 [入]月 | yūn ウン かんばしい wò オツ こうきがさかん
[字解] ㊀향기로울온 향내가 남. ㊁향기질

을올 향기가 대단함. '一, 香氣盛也'《正字通》.

香10 〔馦〕 19 험 [平]鹽 | xiān ケン こう

[字解] ①향험 향료(香料). '一, 香也'《廣雅》. ②향기험 '一, 香氣'《字彙》. ③향기로울험 '一, 博雅, 一一, 香也'《集韻》.

香10 〔馥〕 19 〔복〕
馥(香부 9획〈1733〉)과 同字

香10 〔馩〕 19 옹 [上]董 | wěng オウ こうばしい

[字解] 향기로울옹 '一, 香也, 或从臭'《集韻》.

香10 〔馪〕 19 팽 [平]庚 | péng ホウ こうばしい

[字解] 향기로울팽 '一, 一馞, 芬芳也'《集韻》.

香10 〔馤〕 19 [一] 할 [入]曷 | カツ かおり
[二] 애 [去]泰 | hài カイ におい

[字解] [一] ①향기할 '一, 字林, 香氣'《集韻》. ②馤(香부 9획〈1733〉)의 俗字. '一, 俗馤字'《正字通》. [二] 냄새애 고약한 냄새. 鶡(自부 13획〈1102〉)와 同字. '鶡, 臭也, 或作一'《集韻》.

香11 〔馨〕 20 [人名] 형 ①②[平]青 ③[去]敬 | xīn(xīng) ケイ かおる ケイ じょじ

[筆順] 一 士 声 声⺇ 殸 磬 㲈 馨

[字解] ①향내날형, 향기로울형 향기가 멀리 미침. '爾殽既一'《詩經》. 전(轉)하여, 덕화(德化) 또는 명성이 멀리 미침. '明德惟一'《書經》. ②향기형 향내. '無一無臭'《嵇康》. '垂一千祀'《晉書》. ③어조사형 진송(晉宋) 시대의 속어(俗語)로, 어세(語勢)를 강하게 하는 조사(助詞). '何物老嫗, 生此寧一兒'(어린애)《晉書》. '冷如鬼手一, 強來捉人臂'《世說》.
[字源] 形聲. 香+殸〔音〕

香12 〔馾〕 21 담 [平]覃 | tán タン かおり

[字解] 향기담 '一, 馣一, 香氣'《集韻》.

香12 〔馩〕 21 분 [平]文 | fén フン こうばしい

[字解] ①향기로울분 '一, 博雅, 一馧, 香也'《集韻》. ②馚(香부 4획〈1732〉)·蒶(艸부 9획〈1163〉)과 同字. '一, 或作馚·蒶'《集韻》.

香14 〔馪〕 23 빈 [平]眞 | pīn ヒン こうきがさかんなさま

[字解] 향기가물큰날빈 향기가 코를 찌름. '一, 香氣衝也'《玉篇》.

香14 〔馤〕 23 〔애〕
馤(香부 9획〈1733〉)와 同字

香18 〔馫〕 27 위 [去]未 | wèi ギ くすりのな

[字解] 아위(阿馫)위 약초(藥草)의 일종. 魏(鬼부 8획〈1783〉)와 통용. '一, 阿一, 藥名, 通作魏'《集韻》.

香18 〔馫〕 27 흥 [平]蒸 | xīn キョウ かおり

[字解] 향기흥 향내. '一, 香氣也'《字彙補》.

馬 部

〔말 마 부〕

馬0 〔馬〕 10 [中·人] 마 [上]馬 | mǎ バ·マ うま

[筆順] 丨 厂 戶 戶 馬 馬 馬 馬

[字解] ①말마 가축의 하나. '牛一'. '千里一'. ②산가지마 투호(投壺)를 할 때 득점(得點)을 세는 물건. '籌一'. '請爲勝者立一'《禮記》. ③성마 성(姓)의 하나.
[字源] 象形. 말 모양을 본떠, '말'의 뜻을 나타냄.
[參考] '馬마'를 의부(意符)로 하여, 여러 가지 종류의 말이나 말과 비슷한 동물의 명칭, 말의 상태, 말 다루기 등에 관한 문자를 이룸. 부수 이름은 '말마부'.

馬1 〔馵〕 11 [一] 현 [平]先 [二] 환 [平]刪 | ケン [一][二] いっさいのうま huán カン

[字解] [一] 망아지현 한 살 된 망아지. '一, 馬一歲也'《說文》. [二] 망아지환 [一]과 뜻이 같음.
[字源] 會意. 馬+一. 한 살 된 말의 뜻.

馬2 〔馭〕 12 어 [去]御 | yù ギョ あやつる

[字解] 부릴어 ㉠말을 어거함. '善一'. ㉡사람을 어거함. '統一'. '一群臣'《周禮》.
[字源] 會意. 馬+又

馬2 〔馯〕 12 팔 [入]黠 | bā ハツ はっさいのうま

[字解] 여덟살된말팔 '一, 馬八歲也'《說文》.
[字源] 形聲. 馬＋八〔音〕

馬2 〔⿱馬一〕 12 환 [平]刪 | huán カン いっさいのうま

[字解] 한살된말환 '一, 說文, 馬一歲也'《集韻》.

馬2 〔⿰十馬〕 12 ⿱馬一(前條)과 同字

馬2 〔馮〕 12 ㊀빙 [平]蒸 | píng ヒョウ しのぐ
㊁풍 [平]東 | féng フウ せい

[字解] ㊀①업신여길빙 능모(陵侮)함. '小人伐其技, 以一君子'《左傳》. ②기댈빙 의지함. '一軾而下齊七十餘城'《漢書》. ③성낼빙 대단히 화를 내는 모양. '今君奮焉, 震電一怒'《左傳》. ④힘입을빙 남의 도움을 받음. 의뢰함. '衆庶一生'《史記》. ⑤서운할빙 불만족함. '心猶一'《張衡》. ⑥뽐낼빙 자랑함. '侅溺於一氣'《莊子》. ⑦도섭(徒涉)할빙 내나 강을 도보로 건넘. '暴虎一河'《論語》. ㊁성풍 성(姓)의 하나. '一異'는 후한(後漢) 사람. '晉人有一婦者'《孟子》.
[字源] 形聲. 馬＋冫(仌)〔音〕

馬3 〔馵〕 13 주 [去]遇 | zhù シュ あとあしのしろいうま

[字解] ①발흰말주 왼쪽 뒷발이 흰 말. '駕我騏一'《詩經》. ②맬주 말의 발을 맴. '震爲一足'《易經 傳》.
[字源] 篆文은 會意로, 馬＋二

馬3 〔⿱馬口〕 13 〔칩〕
馽(馬부 4획〈1736〉)의 俗字

馬3 〔馯〕 13 ㊀한 [平]寒 | hán カン とういのべっしゅのな
㊁간 [平]刪 | qián カン あおぐろいいろのうま

[字解] ㊀①한이(馯夷)한 동이(東夷)의 별종(別種)의 하나. ②성한 '一臂'는 복성(複姓)의 하나. '江東一臂子弓'《漢書》. ㊁①청총이간 청흑색(青黑色)의 털의 말. ②성간 성(姓)의 하나.
[字源] 形聲. 馬＋干〔音〕

馬3 〔馱〕 13 ㊀태 [去]箇 | tuó
(타[本]) | タ·ダ のせる
㊁타 [平]歌 | duò タ·ダ に

[字解] ㊀실을태, 태울태 말 같은 짐승의 등에 짐 또는 사람을 실음. '吳姬十五細馬一'《李白》. ※本音 타. ㊁짐타 말 같은 짐승의 등에 실은 짐. '疲馬解鞍一'《蘇軾》.
[字源] 形聲. 馬＋大〔音〕

[參考] 駄(馬부 4획〈1736〉)는 俗字.

馬3 〔馳〕 13 [人名] 치 [平]支 | chí チ はせる

[筆順] ㅣ 𠃍 𠃊 馬 馬 馬 馳 馳

[字解] ①달릴치 ㉠질주함. '一走'. '一從僊道歸營'《後漢書》. ㉡수레나 말 등을 빨리 몲. '一馬'. '載一載驅'《詩經》. ㉢빨리 전달함. '中人一詔'《陸游》. ㉣마음을 그 방면으로 빨리 돌림. '一志於伊吾之北'《十八史略》. ㉤달리는 것처럼 빨리 경과함. 빨리 감. '年與時一'《諸葛亮》. ㉥널리 사물을 급히 함을 이름. '一辯'. '一檄'. ②전할치 빨리 전달됨. '英名日四一'《孟郊》. ③성치 성(姓)의 하나.
[字源] 形聲. 馬＋也〔音〕

馬3 〔馴〕 13 ㊀순 [平]眞 | xún シュン·ジュン なれる
㊁훈 [去]問 | xùn クン おしえる

[字解] ㊀①길들순 새나 짐승이 사람을 따름. '一獸'. ②길들일순 전항의 타동사. '擾一鳥獸'《孔子家語》. ③익숙할순 숙련함. '其文不雅一'《史記》. ④순할순 유순함. '無不柔一者'《列子》. ⑤좇을순 그대로 함. '一幽推曆'《太玄經》. ㊁가르칠훈 訓(言부 3획〈1314〉)과 통용. '列侯亦無由教一其民'《史記》.
[字源] 形聲. 馬＋川〔音〕

馬3 〔馰〕 13 적 [入]錫 | dí テキ ひたいのしろいうま

[字解] 별박이적 '一顙'은 이마에 흰 점이 박인 말. 별박이. 대성마(戴星馬). '一顙白顚'《爾雅》.
[字源] 形聲. 馬＋勺〔音〕

馬3 〔⿰馬凡〕 13 범 [平]咸 | fán ハン うまのはやくいくさま

[字解] 말빨리갈범, 말저벅저벅걸을범 '一, 馬行皃'《玉篇》.

馬3 〔馲〕 13 ㊀탁 [入]藥 | tuō タク·ラク らくだ
㊁책 [入]陌 | zhé タク·チャク らば

[字解] ㊀낙타탁 '一駝'는 약대. '一駞, 畜名'《集韻》. ㊁노새책 수나귀와 암말 사이의 짐승. '一駬, 獸名'《集韻》.
[字源] 形聲. 馬＋乇〔音〕

馬3 〔⿰馬丮〕 13 보 [上]晧 | bǎo ホウ あしげのうま

[字解] ①오총마보 駂(次條)와 同字. '一, 或作駂, 今, 音保, 烏驄馬也'《龍龕手鑑》. ②

犒(馬부 4획〈1737〉)의 俗字. '一, 俗犒字'《正字通》.

馬3 〔馮〕13 馯(前條)와 同字

馬3 〔馰〕13 馹(次次條)과 同字

馬4 〔馽〕14 〔칩〕
縶(糸부 11획〈1012〉)과 同字
字源 會意. 馬+中

馬4 〔馹〕14 人名 일 入質 | rì ジツ つぎうま
筆順 丨 𠃌 𠃌 馬 馬 馬 馹 馹
字解 역말일 역참(驛站)에 비치한 말. 역마(驛馬). '楚子乘一, 會師於臨品'《左傳》.
字源 形聲. 馬+日〔音〕

馬4 〔駁〕14 부 上麌 | fù フ おうま
字解 수말부 '一, 牡馬'《集韻》.

馬4 〔駁〕14 박 入覺 | bó ハク·バク まだらうま
字解 ①얼룩얼룩할박 털에 여러 가지 빛깔이 섞이어 있음. '皇一其馬'《詩經》. ②섞일박 사물이 순일(純一)하지 아니하고 잡것이 섞임. '雜一'. '一雜之譏, 前書盡之'《韓愈》. ③칠박, 논박할박 남의 의견·의론 등을 비난 공격함. '攻一'. '一論'. '彈一公卿'《魏書》.
字源 會意. 馬+爻

馬4 〔駃〕14 一 결 入屑 | jué ケツ はやくはしるうま
二 쾌 去卦 | kuài カイ はやい
字解 一 준마결 '一騠'는 빨리 달리는 준마. 생후 이레 만에 어미말보다 빨리 달린다 함. '駿馬一騠, 不實外廐'《李斯》. 二 빠를쾌 快(心부 4획〈380〉)와 통용. '河水色渾一流'《酉陽雜俎》.
字源 形聲. 馬+夬〔音〕

馬4 〔駒〕14 앙 平陽 | áng ゴウ うまのいかるさま
字解 ①말성낼앙 '一一'은 말이 성내는 모양. '一一, 馬怒皃'《說文》. ②천리마앙 '一, 千里駒'《廣韻》.
字源 形聲. 馬+卬〔音〕

馬4 〔馺〕14 삽 入合 | sà ソウ かける
字解 달릴삽 말이 빨리 달리는 모양. '一娑'. '輕先疾雷而一遺風'《揚雄》.

字源 形聲. 馬+及〔音〕

馬4 〔駀〕14 一 윤 上軫 | yǔn イン さかげのうま
二 연 上銑 | エン さかげのうま
三 순 平眞 | シュン さかげのうま
字解 一 말털거슬릴윤 털이 거슬려 난 말. '一, 馬逆毛'《集韻》. 二 말털거슬릴연 一과 뜻이 같음. 三 말털거슬릴순 一과 뜻이 같음.

馬4 〔駇〕14 문 平文 | wén ブン たてがみがあかくめがこがねいろのしまうま
字解 얼룩말문 갈기가 붉고, 눈이 황금색(黃金色)인 얼룩말. 원래 '䮌(次條)'으로 썼음. '一, 一馬赤鬣縞身, 目如黃金. 文王以獻紂'《廣韻》.
字源 形聲. 馬+文〔音〕

馬4 〔䮌〕14 駇(前條)의 本字

馬4 〔駮〕14 一 기 平支 去寘 | キ うまがつよい
二 지 平支 | zhī シ うまがつよい
三 시 去寘 | シ うまがつよい
字解 一 ①말강할기 '一, 馬彊也'《說文》. ②강할기, 굳셀기 '一, 強也'《廣雅》. 二 말강할지, 강할지, 굳셀지 一과 뜻이 같음. 三 말강할시 一①과 뜻이 같음.
字源 形聲. 馬+支〔音〕

馬4 〔駍〕14 개 去卦 | jiè カイ うまのおをむすぶ
字解 말꼬리잡아맬개 또, 그 매듭. '一, 結馬尾如人之髻'《說文通訓定聲》.

馬4 〔駐〕14 一 모 平豪 | máo ボウ·モウ けのながいうま
二 렵 入葉 | リョウ くるまのおおい
字解 一 ①털긴말모 '一, 一曰, 馬長毛'《集韻》. ②수레덮개모 '一, 車翣以禦風塵'《集韻》. 二 수레덮개렵 一②와 뜻이 같음.

馬4 〔駈〕14 〔구〕
驅(馬부 11획〈1749〉)의 俗字

馬4 〔駄〕14 〔태〕
駄(馬부 3획〈1735〉)의 俗字

馬4 〔駈〕14 〔려〕
驢(馬부 16획〈1753〉)의 俗字

馬4 〔駅〕14 〔역〕
驛(馬부 13획〈1752〉)의 俗字

馬4〔駄〕14 담 ㊇勘 | dàn タン うまがあゆみすすむ / dǎn タン うまのな

字解 ①말이걸어서나아갈담 '一, 一曰, 馬步近前'《廣韻》. ②말조는모양담 '一, 馬睡皃'《集韻》. ③말이름담 '一, 馬名'《集韻》.

馬4〔駇〕14 〔변〕 騈(馬부 8획〈1743〉)의 俗字

馬4〔馚〕14 분 ㊉文 | fēn フン うまのはやくゆくさま

字解 말질주(疾走)하는모양분 '一, 馬行疾皃'《集韻》.

馬4〔馺〕14 사 ㊉歌 | suō サ うまのゆくさま

字解 말가는모양사 駦(馬부 7획〈1743〉)와 同字. '一, 駞一, 馬行皃, 或从沙'《集韻》.

馬4〔駠〕14 앙 ㊤養 | ǎng ゴウ うまのあたまがたかい

字解 ①말머리높을앙 '一, 馬頭高'《玉篇》. ②말놀랄앙 駠(馬부 6획〈1741〉)·駉(馬부 4획〈1736〉)과 同字. '駠, 馬驚謂之駠, 或作駉·一'《集韻》.

馬4〔駚〕14 〔요〕 驃(馬부 9획〈1745〉)와 同字

馬4〔駍〕14 패 ㊇泰 | pèi ハイ うまのいきおいがさかんなさま

字解 말의기세가장한모양패 '一, 馬壯皃'《字彙》.

馬4〔駛〕14 〔사〕 駟(馬부 10획〈1748〉)와 同字

馬4〔駙〕14 ㊀분 ㊇寘 ㊁폐 ㊇寘 | fēn ヒ うまがはしる / fèi ハイ うまのはしるさま

字解 ㊀말달릴분 '一, 馬走也'《玉篇》. ㊁말달리는모양폐 '一, 馬走貌'《字彙》.

馬4〔駗〕14 ㊀흔 ㊇震 ㊁근 ㊇問 | xìn キン うまのおもさ / jìn キン くるまのなかのうま

字解 ㊀말무게흔 '一, 馬重也'《五音集韻》. ㊁수레안의말근 '一, 車中馬'《集韻》.

馬4〔駂〕14 보 ㊤晧 | bǎo ホウ くろあしげのうま

字解 오총이보 검은 털과 흰 털이 섞인 말. '驪白雜毛, 一'《爾雅》.

馬5〔駉〕15 경 ㊉青 | jiōng ケイ うまのたくましいさま

字解 살질경, 굳셀경 말이 비대하고 건장한 모양. '一一牡馬, 在坰之野'《詩經》.

字源 形聲. 馬+同〔音〕

馬5〔駏〕15 거 ㊤語 | jù キョ けもののな

字解 버새거 '一驉'는 수말과 암나귀 사이에서 난 짐승. 버새. '從小奚奴騎一驉'《唐書》.

馬5〔駐〕15 人名 주 ㊇遇 | zhù チュウ とどまる

筆順 丨 𠃌 ⺊ 馬 馬 駐 駐 駐

字解 ①머무를주 ㉠말·수레 따위가 정지함. '早駕, 久一'《漢書》. ㉡체재함. '一在'. '所在屯一'《宋史》. ②머무르게할주 전항의 타동사. '行人一足聽'《古詩》.

字源 形聲. 馬+主〔音〕

馬5〔駒〕15 구 ㊉虞 | jū ク こま

字解 ①망아지구 두 살 난 말. 또, 5 척(尺) 이상 6 척 이하의 작은 말. '犢一'《急就篇》. 전(轉)하여 널리. ②말구 '寧昂昂若千里之一乎'《楚辭》. ③성구 성(姓)의 하나.

字源 形聲. 馬+句〔音〕

馬5〔駓〕15 비 ㊉支 | pī ヒ しらかげ

字解 ①황부루비 누른빛과 흰빛이 섞인 말. 토황마(土黃馬). '有騅有一'《詩經》. ② 달릴비 질주하는 모양. '逐人一一些'《楚辭》.

字源 形聲. 馬+丕〔音〕

馬5〔駘〕15 태 ㊉灰 | tái タイ にぶいうま

字解 ①둔마태 느린 말. 전(轉)하여, 미련한 사람. '竭駑一'《晉書》. ②벗을태, 벗겨질태 말이 재갈을 벗음. 또, 재갈이 벗겨짐. '馬一其銜'《崔寔》. ③편할태 아득하게 넓은 모양. 또, 봄이 화창한 모양. '春物方一蕩'《謝朓》. ④추할태 모습이 보기 흉한 모양. 못생긴 모양. '哀一它'《莊子》. ⑤ 밟을태 짓밟음. 跆(足부 5획〈1424〉)와 同字. '兵相一藉'《史記》.

字源 形聲. 馬+台〔音〕

馬5〔駔〕15 ㊀장 ㊤養 ㊁조 ㊤麌 | zǎng ソウ いきおいのよいうま / zǔ ソ くみひも

字解 ㊀①준마장 잘 달리는 말. '冀馬塡廄而一駿'《左思》. ②중도위장 교활한 거간

꾼. '段干木, 晉國之大一也'《呂氏春秋》. ③서투를장 '一工'. [二] 끈끈조, 끈꼴조 組(糸부 5획〈986〉)와 통용. '一圭璋璧琮琥璜之渠眉'《周禮》.
[字源] 形聲. 馬+且〔音〕

馬5 〔駙〕 15 부 [去]遇 | fù フ そえうま

[字解] ①곁말부 예비의 말. 부마(副馬). '車之左一'《史記》. ②가까울부. ③빠를부.
[字源] 形聲. 馬+付〔音〕

馬5 〔駛〕 15 사 [去]寘 [上]紙 | shǐ シ うまがはやくはしる

[字解] ①달릴사 말이 빨리 감. '疾如坂馬一'《袁桷》. ②빠를사 가는 것이 빠름. '君帆一何一'《蘇轍》.
[字源] 形聲. 馬+史〔音〕

馬5 〔駜〕 15 필 [入]質 | bì ヒツ うまがこえてたくましいさま

[字解] 살질필, 굳셀필 말이 비대하고 건강한 모양. '一彼乘黃'《詩經》.
[字源] 形聲. 馬+必〔音〕

馬5 〔駟〕 15 사 [去]寘 | sì シ よんとうだてのばしゃのうま

[字解] ①사마사 네 필의 말. 고대(古代)의 마차(馬車)는 네 필의 말이 끄는데, 바깥쪽 좌우의 말은 '驂' 또는 '騑'라 하고, 안쪽의 두 말은 '服'이라 함. '齊景公有馬千一'《論語》. ②사마수레사 말 넷이 끄는 비상히 빠른 수레. '一馬'. '若一過隙'《禮記》. ③성사 성(姓)의 하나.
[字源] 形聲. 馬+四〔音〕

馬5 〔駊〕 15 파 [上]哿 | pǒ ハ うまがあたまをうごかす

[字解] 머리내두를파 '一騀'는 말이 머리를 내두르는 모양. '庭空四馬入, 一騀揚旆旌'《杜甫》.
[字源] 形聲. 馬+皮〔音〕

馬5 〔駝〕 15 타 [平]歌 | tuó ダ せむし

[筆順] 「 F 用 馬 馬 駅 駝 駝

[字解] ①곱사등이타 등뼈가 고부라진 병신. '一女淺步腰半一'《薩都剌》. ②실을타, 태울타 짐승의 등에 짐·사람을 실음. '吳姬十五細馬一'《李白》. ③약대타 '駱一'의 약칭(略稱). '好馬一騾'《魏志》.
[字源] 形聲. 馬+它〔音〕

馬5 〔駞〕 15 駝(前條)와 同字

馬5 〔駎〕 15 과 [平]麻 | guā カ くちさきのくろいうま

[筆順] 「 F 用 馬 馬 駈 駎 駎

[字解] 공골말과 입 가장자리가 검은 공골말. 騧(馬부 9획〈1745〉)와 同字.

馬5 〔駓〕 15 [一] 피 [平]支 [二] 팽 [平]庚 | pēi ヒ うまのな pēng ホウ・ヒョウ しゃばのおと

[字解] [一] 말이름피 '一, 馬名'《玉篇》. [二] 차마소리팽 수레나 말이 가는 소리. 軯(車부 5획〈1463〉)과 同字. '軯, 車馬聲. 或从馬'《集韻》.

馬5 〔駊〕 15 발 [入]曷 | bō ハツ えびすのうま

[字解] 오랑캐말발 '一鞨'은 오랑캐의 말. '紅旗影動一鞨歸'《白居易》.

馬5 〔駎〕 15 주 [去]宥 | zhōu チュウ うまがきそいはしる

[字解] 말다투어달릴주 또, 그 말. '一, 競馳馬也'《廣韻》.

馬5 〔駖〕 15 령 ①[平]青 ②[平]庚 | líng レイ しゃばのおと ロウ・リョウ うまのおおいおと

[字解] ①차마(車馬)소리령 수레와 말이 가는 소리. '一, 一蓋, 車騎聲'《集韻》. ②말많은소리령 '一, 馬衆聲'《集韻》.

馬5 〔駗〕 15 [一] 진 [上]軫 [二] 린 [平]眞 | zhěn シン・チン うまがおもにになやむ リン うまがおもにになやむ

[字解] [一] ①말짐무거워걷지못할진 '一, 一驙, 馬載重難也'《說文》. ②말이름진 얼룩말. '一, 馬色也'《廣韻》. [二] 말짐무거워걷지못할린, 말이름린 [一]과 뜻이 같음.
[字源] 形聲. 馬+㐱〔音〕

馬5 〔駃〕 15 [一] 일 [入]質 [二] 절 [入]屑 | yì イツ うまがはやくはしる テツ うまがはやくはしる

[字解] [一] 말빨리달릴일 '一, 馬有疾足也'《說文》. [二] 징표절 '一, 徵也'《玉篇》.
[字源] 形聲. 馬+失〔音〕

馬5 〔駒〕 15 갈 [入]曷 | gé カツ うまがはやくはしる

[字解] 말빨리달릴갈 '一, 馬疾走也'《說文》.
[字源] 形聲. 馬+匃〔音〕

馬5 〔駈〕 15 〔구〕 驅(馬부 11획〈1749〉)의 俗字

馬5 〔䮞〕15 차 [平]紙 | cǐ シ うまのな
[字解] 말이름차 '一, 馬名'《說文》.
[字源] 形聲. 馬+此〔音〕

馬5 〔駑〕15 노 [平]虞 | nú ド にぶい
[字解] 둔할노 ㉠느림. '將隨一馬之迹乎'《楚辭》. ㉡무딤. 미련함. '相如雖一, 獨畏廉將軍哉'《十八史略》. 또, 둔한 말. 미련한 사람. '一驥同轅'《孔叢子》.
[字源] 形聲. 馬+奴〔音〕

馬5 〔駕〕15 [人名] 가 [去]禡 | jià ガ のりもの
[筆順] ㄱ 力 加 加 加 架 駕 駕
[字解] ①탈것가 거마(車馬). '車一'. '不俟一行矣'《論語》. ②탈가 탈것에 올라감. '始知一鶴乘雲外'《白居易》. ③부릴가 ㉠수레에 타고 말을 부림. '君車將一'《禮記》. ㉡사람을 어거함. '一御英雄, 驅使群賢'《吳志》. ④능가할가 훨씬 뛰어남. '猶詐晉而一焉'《左傳》. ⑤더할가 더하여지게 함. 보탬. '臂猶飮藥以一病也'《莊子》. ⑥성가 성(姓)의 하나.
[字源] 形聲. 馬+加〔音〕

馬5 〔駯〕15 돌 [入]月 | duō トツ けもののな
[字解] 짐승이름돌 골돌(䮷駯)은 북해(北海)에서 나는 짐승. '一, 䮷一, 獸名, 出北海'《集韻》.

馬5 〔駵〕15 〔류〕
騮(馬부 7획〈1741〉)와 同字

馬5 〔駠〕15 류 [平]尤 | liú リュウ ふくぶのしろいうま
[字解] 배가흰말류 복부(腹部)가 흰 말. '一, 馬白腹也'《字彙補》.

馬5 〔䮀〕15 말 [入]曷 | mò バツ うまのはしるさま
[字解] 말달리는모양말 '一, 馬走皃'《集韻》.

馬5 〔駻〕15 반 [去]翰 | bàn ハン うまがゆくさま
[字解] 말가는모양반 '一, 一䮽, 馬行皃'《集韻》.

馬5 〔駢〕15 〔변〕
駢(馬부 8획〈1743〉)의 俗字

馬5 〔獖〕15 분 [去]問 | fēn フン はしるうま
[字解] 달리는말분 '一, 走馬'《字彙》.

馬5 〔駚〕15 앙 [上]養 | yǎng ヨウ うまのさま
[字解] ①말의모양앙 '一, 一曰, 一驡, 馬皃'《集韻》. ②짐승이날뛰며짓밟는모양앙 '一, 一坌, 獸跳踏自撲也'《集韻》.

馬5 〔駎〕15 요 [上]篠 | yǎo ヨウ そえうま
[字解] 부마(副馬)요 주가 되는 말 곁에 예비로 끌고 다니는 말. '一, 馬驂也'《字彙》.

馬5 〔駌〕15 원 [平]元 | yuān エン おもてのけがれたうま
[字解] 낯이더러워진말원 '一, 汚面馬'《字彙》.

馬5 〔駽〕15 현 [平]先 | xuān ケン くろうま
[字解] ①가라말현 털빛이 검은 말. '一, 一曰, 馬黑色'《集韻》. ②한살된말현 '一, 馬一歲名'《集韻》. ③馵(馬부 2획〈1735〉)과 뜻이 같음. '一, 或作馵'《集韻》.

馬6 〔駢〕16 〔변〕
駢(馬부 8획〈1743〉)의 俗字

馬6 〔駣〕16 조 [上]篠 | táo チョウ よんさいのうま
[字解] 말조 네 살 된 말. 일설(一說)에는, 세 살이 된 말. '教一攻駒'《周禮》.

馬6 〔駪〕16 신 [平]眞 | shēn シン うまのおおいさま
[字解] 많을신 말〔馬〕이 많은 모양. 또, 사람이 많이 모인 모양. '萬馬肅一一'《杜甫》. '一一征夫'《詩經》.
[字源] 形聲. 馬+先〔音〕

馬6 〔駬〕16 이 [上]紙 | ěr ジ うまのな
[字解] 말이름이 騄(馬부 8획〈1743〉)을 보라. '騄一'. '一, 騄一, 馬名'《集韻》.
[字源] 形聲. 馬+耳〔音〕

馬6 〔駭〕16 해 [上]蟹 | hài ガイ おどろく
[字解] ①놀랄해 ㉠경악함. '驚一'. '皆色然而一'《公羊傳》. ㉡놀라 떠듦. 놀라 혼란을 일으킴. '國人大一'《戰國策》. ②놀랠해 놀라게 함. '鳴將一人'《呂氏春秋》.
[字源] 形聲. 馬+亥〔音〕

馬6 〔駮〕16 박 [入]覺 | bó ハク けもののな
[字解] ①짐승이름박 맹수(猛獸)의 이름. 말

비슷하며, 범을 잡아먹는다 함. ②참빗살나무박 노박덩굴과의 낙엽 관목(灌木). 겁질이 청백색(靑白色)이어서 얼룩말 비슷함. '隰有六一'《詩經》. ③논박할박 駁(馬부 4획〈1736〉)과 同字. '論解經傳, 多所一正'《後漢書》. ④얼룩얼룩할박 駁(馬부 4획〈1736〉)과 同字. '一牛'.
字源 形聲. 馬＋交〔音〕

馬6 〔駰〕16 인 ㊥眞 | yīn イン どろあしげのうま
字解 이총마(泥驄馬)인 흰 털이 섞인 거무스름한 말. '我馬維一'《詩經》.
字源 形聲. 馬＋因〔音〕

馬6 〔駱〕16 락 ㊅藥 | luò ラク たてがみのくろいしろうま
字解 ①가리온락 몸은 희고 갈기는 검은 말. '嘽嘽一馬'《詩經》. ②약대락 '一駝'.
字源 形聲. 馬＋各〔音〕

馬6 〔駥〕16 융 ㊥東 | róng ジュウ たかさはっしゃくのうま
字解 ①키큰말융 키가 8척(尺) 되는 큰 말. ②준마융 뛰어난 말. '絶有力, 一'《爾雅》.
字源 形聲. 馬＋戎〔音〕

馬6 〔駩〕16 전 ㊥先 | quān セン·ゼン くちびるのくろいしろうま
字解 입술검은흰말전 입술이 검은 백마(白馬).

馬6 〔駤〕16 치 ㊦寘 | zhì チ とまる
字解 ①말무르춤할치 말이 서서 가지 않음. '一, 止也'《廣雅》. ②성불끈낼치 성을 불끈 내어 토라짐. '胡人有知利者, 而人謂之一'《淮南子》. ③큰말치 키가 큰 말. '一, 一曰, 馬高大'《集韻》.

馬6 〔駛〕16 시 ㊦寘 ㊤紙 | shǐ シ はやい
字解 빠를시 말이 빨리 감. '一, 疾也, 一曰, 馬行疾'《說文新附》.
字源 形聲. 馬＋吏〔音〕
參考 駛(馬부 5획〈1738〉)와 同字.

馬6 〔駱〕16 맥 ㊅陌 | mò バク らば
字解 노새맥 수나귀와 암말 사이에서 난 짐승. '一, 獸名, 說文, 馲一'《集韻》.

馬6 〔駏〕16 광 ㊥陽 | kuāng キョウ うまのみみがまがる
字解 말귀굽을광 '一, 馬耳曲'《字彙》.

馬6 〔駫〕16 경 ㊥靑 | jiōng ケイ·キョウ うまがこえてたくましい
字解 말살지고늠름할경 '一, 馬肥盛也. 詩曰, 一一牡馬'《說文》.
字源 形聲. 馬＋光〔音〕

馬6 〔駧〕16 동 ㊦送 | dòng トウ うまがはやくはしる
字解 ①말빨리달릴동 '一, 馬疾走'《玉篇》. ②움직일동 '一, 動也'《康熙字典》.
字源 形聲. 馬＋同〔音〕

馬6 〔駒〕16 구 ㊤有 | jiǔ キュウ はっさいのうま
字解 여덟살난말구 齨(齒부 6획〈1887〉)과 통용. '一, 馬八歲謂之齨, 通作齨'《集韻》.

馬6 〔翑〕16 구 ㊥虞 | qú ク うしろのふたつのあしのしろいうま
字解 뒷발이모두흰말구 翑(羽부 5획〈1042〉)과 同字. '翑, 爾雅, 馬後足皆白曰翑, 或作一'《集韻》.

馬6 〔駶〕16 길 ㊅質 | jié キツ うまのな jí キツ すこやかなさま
字解 ①말이름길 '一, 馬名'《玉篇》. '…, 賜御馬一匹, 名師子一'《隋書》. ②말색깔길 '一, 馬色'《集韻》. ③건장(健壯)한모습길 佶(人부 6획〈46〉)과 同字. '一, 佶同'《正字通》.

馬6 〔駝〕16 ㊀馲(馬부 3획〈1735〉)과 同字 ㊁驝(馬부 14획〈1753〉)과 同字

馬6 〔駹〕16 려 ㊦御 | lǜ リョ つぎうま
字解 역마(驛馬)려 驢(馬부 10획〈1748〉)와 同字. '一, 傳馬名'《廣韻》. '一, 傳也, 如今遽馬, 或从旅'《集韻》.

馬6 〔䮫〕16 수 ㊥虞 | shú シュ あか
字解 붉은빛수 빨강. '一, 朱色也'《玉篇》.

馬6 〔駚〕16 유 ㊥虞 | yú ユ はやい
字解 빠를유 '一, 疾也'《集韻》.

馬6 〔駯〕16 주 ㊥虞 | zhū チュ くちのくろいうま
字解 ①입이검은말주 '一, 馬口黑'《玉篇》. ②붉은빛주 '遂遣車匿被一駼白馬'《敦煌變文集》.

馬6 〔駎〕16 주 ㊥尤 | zhōu チュウ うまのな

字解 말이름주 '一, 一騪, 馬名'《集韻》.

馬6 〔駗〕16 〔치〕 馳(馬부 3획〈1735〉)와 同字

馬6 〔駨〕16 ㊀현 ㊦霰 | xuàn ケン くろみどりのうま ㊁순 ㊥眞 | xūn シュン うまがはしるさま

字解 ㊀철총이현 몸에 검푸른 무늬가 박힌 말. '一, 馬青驪謂之一, 或作駽'《集韻》. ㊁말달리는모양순 '一, 駼一, 馬走'《字彙》.

馬6 〔駽〕16 〔현〕 駽(馬부 7획〈1742〉)의 俗字

馬6 〔駶〕16 회 ㊥灰 | huí カイ うまのな

字解 말이름회 '一, 馬名'《集韻》.

馬6 〔駵〕16 ㊀駠(馬부 4획〈1736〉)과 同字 ㊁駫(馬부 4획〈1737〉)과 同字

馬6 〔駹〕16 황 ㊥陽 | huāng コウ うまがはしる

字解 말달릴황 '一, 馬奔也'《說文》.

字源 形聲. 馬+巟(㠩)〔音〕

馬6 〔駥〕16 복 ㊇屋 | fú フク うまのな

字解 말이름복 '一, 馬名'《集韻》.

馬6 〔鵂〕16 휴 ㊥尤 | xiū キュウ うまのな

字解 ①말이름휴 '一, 馬名'《說文》. ②좋은말휴 준마(駿馬). '一, 駿也'《玉篇》.

字源 形聲. 馬+休〔音〕

馬6 〔駳〕16 鵂(前條)와 同字

馬6 〔駌〕16 ㊀렬 ㊇屑 | liè レツ ならびはしる ㊁례 ㊦霽 | レイ ならびはしる

字解 ㊀①늘어서달릴렬 말을 늘어서서 달리게 함. '一, 次第馳馬'《廣韻》. ②말이름렬 '一, 馬名'《玉篇》. ③길들렬, 길들일렬 '一, 一曰, 馴也'《集韻》. ㊁늘어서달릴례, 말이름례, 길들례, 길들일례 ㊀과 뜻이 같음.

字源 形聲. 馬+列〔音〕

馬6 〔駠〕16 駌(前條)과 同字

馬6 〔駡〕16 〔매〕 罵(网부 10획〈1030〉)의 訛字

馬7 〔駴〕17 해 ㊤蟹 | xiè カイ つづみをうちならす

字解 ①칠해 북을 침. '鼓皆一, 車徒皆譟'《周禮》. ②놀랄해, 놀랠해 駭(馬부 6획〈1739〉)와 통용. '聖人之所以一天下'《莊子》.

字源 形聲. 馬+戒〔音〕

馬7 〔駵〕17 류 ㊥尤 | liú リュウ くりげ

字解 월따말류 몸은 붉고 갈기는 검은 말. '騏一是中'《詩經》.

字源 形聲. 馬+丣〔音〕

參考 騮(馬부 10획〈1746〉)와 同字.

馬7 〔駷〕17 송 ㊤腫 | sǒng ショウ くつわをうごかしてうまをはしらせる

字解 재갈채쳐달릴송 말의 재갈에 채찍을 쳐 달림. '陽越下取策, 臨南一馬, 而由乎孟氏'《公羊傳》.

馬7 〔駸〕17 침 ㊥侵 | qīn シン うまがはやくはしるさま

字解 ①달릴침 말이 질주하는 모양. '載驟一一'《詩經》. ②빠를침 진행이 빠른 모양. '斜日晩一一'《梁簡文帝》.

字源 形聲. 馬+侵〈省〉〔音〕

馬7 〔駹〕17 방(망㊍) ㊥江 | máng ボウ かおのしろいくろうま

字解 ①얼룩말방, 찬간자방 검은 털과 흰 털이 섞인 말. 일설(一說)에는, 푸른 말. 또 일설에는, 얼굴과 이마가 흰 말. '匈奴騎, 其西方盡白, 東方盡一'《漢書》. ②얼룩진희생방 잡색(雜色)의 희생(犧牲). '用一可也'《周禮》. ※本音 망.

字源 形聲. 馬+尨〔音〕

馬7 〔駻〕17 한 ㊦翰 | hàn カン あらうま

字解 한마(駻馬)한 사나운 말. 일설(一說)에는, 키가 6 척(尺) 되는 말. '無轡策而御一馬'《韓非子》.

字源 形聲. 馬+旱〔音〕

馬7 〔駼〕17 도 ㊥虞 | tú ト うまのな

字解 말이름도 騊(馬부 8획〈1743〉)를 보라. '騊一'. '一, 騊一也, 从馬余聲'《說文》.

[字源] 形聲. 馬+余〔音〕

馬7 〔駽〕 17 현 [平]先 [上]銑 | xuān ケン くろみどりのうま

[字解] 돗총이현 검푸른 말. '駜彼乘—'《詩經》.

[字源] 形聲. 馬+肙〔音〕

馬7 〔駾〕 17 태 [去]泰 | tuì タイ たけりつく

[字解] ①부딪칠태 달려가 충돌함. '混夷—矣'《詩經》. ②달릴태 말이 달리는 모양.

[字源] 形聲. 馬+兌〔音〕

馬7 〔駿〕 17 [人名] 준 [去]震 | jùn シュン すぐれたうま

[筆順] 丨 ⺁ 馬 馬 馬 馬 駿 駿

[字解] ①준마준 잘 달리는 좋은 말. '—馬'. '周穆王欲驅八—周行天下'《博物志》. ②클준 '爲下國—厖'《詩經》. ③빠를준 신속함. '—奔走在廟'《詩經》. ④준걸준 俊(人부 7획〈52〉)과 통용. '誹—疑桀'《史記》. ⑤높을준, 험할준 峻(山부 7획〈309〉)과 통용. '崧高維嶽, —極于天'《詩經》.

[字源] 形聲. 馬+夋〔音〕

馬7 〔騁〕 17 빙 (칭[本]) [上]梗 | chěng テイ はせる

[字解] ①달릴빙 질주함. '馳—'. '時—而要其宿'《莊子》. ②펼빙 신장함. 발전시킴. '—能'. '—志'. '游目—懷'《王羲之》. ※本音 칭.

[字源] 形聲. 馬+甹〔音〕

馬7 〔騂〕 17 성 [平]庚 | xīng セイ あかうま

[字解] ①절따말성 적황색의 말. '有—有騏'《詩經》. ②붉을성 ㉠적색. '—犢'. '凡糞種, —剛用牛'《周禮》. ㉡희생(犧牲)의 털빛이 붉음. 또, 그 희생. '—且角'《論語》. ③붉힐성 부끄러워 얼굴을 붉힘. '內愧面汗—'《孫覿》.

[字源] 形聲. 馬+觲〈省〉〔音〕

馬7 〔騃〕 17 애 [上]蟹 | ái ガイ おろか

[字解] ①어리석을애 미련함. '愚—'. '內實—, 不曉政事'《漢書》. ②나갈애 말이 씩씩하게 전진함.

[字源] 形聲. 馬+矣〔音〕

馬7 〔騀〕 17 아 [上]哿 | ě ガ うまのあたまをうごかすさま

[字解] 머리내두를아, 높을아 駊(馬부 5획〈1738〉)를 보라. '駊—'.

[字源] 形聲. 馬+我〔音〕

[參考] ⿰我馬(次次條)는 別字.

馬7 〔⿰馬步〕 17 보 [去]遇 | bù ホ うまにほこうをならわせる

[字解] 말걸음익힐보 말에게 보행(步行)을 익힘. '—, 習馬也'《集韻》.

馬7 〔⿰我馬〕 17 아 [平]歌 | ē ガ うまがすすむ

[字解] 나갈아 말이 나아감. '—, 馬行也'《字彙補》.

[參考] 騀(前前條)는 別字.

馬7 〔駺〕 17 [一] 랑 [平]陽 [二] 량 [平]陽 | láng ロウ おのしろいうま リョウ うまのな

[字解] [一] 꼬리흰말랑 '—, 馬尾白'《廣韻》. [二] 말이름량 '吉—'은 말의 이름. '—, 山海經, 犬封國, 有文馬. 縞身朱鬣, 名曰吉—'《集韻》.

馬7 〔馞〕 17 [一] 발 [入]月 [二] 박 [入]覺 | bó ホツ けもののな ハク·バク けもののな

[字解] [一] 짐승이름발 쇠꼬리에 뿔이 하나 있는 말. '—, 獸名, 馬形牛尾一角'《集韻》. [二] 짐승이름박 [一]과 뜻이 같음.

馬7 〔⿰馬耴〕 17 [一] 녑 [入]葉 [二] 영 [上]梗 | niè ジョウ·ニョウ うまがはやくほこうする ゼイ·ニョウ うまがはやくほこうする

[字解] [一] 말빨리걸을녑 '—, 馬步疾也'《說文》. [二] 말빨리걸을영 [一]과 뜻이 같음.

[字源] 形聲. 馬+耴〔音〕

馬7 〔⿰馬否〕 17 피 ①②[平]支 ③[上]紙 | pī ヒ うまがはしる bǐ ヒ·ビ けもののはしるさま

[字解] ①말달릴피 또, 말이 달리는 모양. '—, 馬走也'《集韻》. ②황부루피 노랗고 흰 털이 섞인 말. '—, 黃白色. 今之桃華'《玉篇》. ③짐승달릴피 '—騃'는 짐승이 달리는 모양. '羣獸—騃'《張衡》.

馬7 〔駶〕 17 국 [入]沃 | jú キョク うまがあがく

[字解] 말앞발내저을국 말이 몸부림침. '故—跳而遠去'《楚辭》.

馬7 〔⿰馬𠃬〕 17 〔도〕

禂(示부 8획〈890〉)와 同字

馬7 〔⿰馬延〕 17 단 [上]旱 | dàn タン ひきうま

[字解] 예비(豫備)말단 '一, 散馬, 卽誕馬, 亦曰但馬, 或作駐馬'《正字通》.

馬7〔騃〕17 담 [去]勘 | dàn タン かんむりがまえによる

[字解] 관(冠)이앞으로숙을담 '一, 冠幘近前也'《字彙補》.

馬7〔騀〕17 [一] 뢰 [去]泰 | lèi ライ まだらうま
[二] 라 [去]箇 | luǒ ラ こくのな

[字解] [一] 얼룩말뢰 '一, 馬毛斑白'《集韻》. [二] 곡식이름라 '一, 一歲, 穀名, 賈思勰說'《集韻》.

馬7〔駱〕17 린 [去]震 | lìn リン おうま

[字解] 암말린 말의 암컷. '一, 牡馬'《集韻》.

馬7〔駸〕17 읍 [入]緝 | yì ギュウ うまのゆくさま

[字解] 말가는모양읍 '一, 馬行皃'《集韻》.

馬7〔騱〕17 희 [去]未 | xì キ うまがはしるさま

[字解] 말달리는모양희 '一, 馬走皃'《集韻》.

馬7〔駕〕17 〔사〕 駛(馬부 4획〈1737〉)와 同字

馬7〔潙〕17 〔사〕 駛(馬부 4획〈1737〉)와 同字

馬8〔騄〕18 록 [入]沃 | lù リョク りょうばのな

[字解] 말이름록 '一耳'는 목왕(穆王)의 팔준마(八駿馬)의 하나. '華騮一耳, 一日千里'《淮南子》.
[字源] 形聲. 馬＋彔〔音〕

馬8〔騅〕18 추 [平]支 | zhuī スイ あしげ

[字解] ①오추마추 검푸른 털에 흰 털이 섞인 말. '有一有駓'《詩經》. ②성추 성(姓)의 하나.
[字源] 形聲. 馬＋隹〔音〕

馬8〔騊〕18 도 [平]豪 | táo トウ ほっかいのりょうばのな

[字解] 말이름도 '一駼'는 북국(北國)에서 나는 준마(駿馬)의 이름. '一駼監'《漢書》.
[字源] 形聲. 馬＋匋〔音〕

馬8〔駢〕18 [一] 변 [平]先 | pián ヘン ならぶ
[二] 병 [平]青 | pián ヘイ ちめい

[字解] [一] ①나란히할변 수레에 두 필의 말을 나란히 세워 매고 멍에를 메움. 곧, 두 필의 말로 수레를 끌게 함. '乘飾車一馬'《書經》. ②늘어설변, 늘어놓을변 나열(羅列)함. '井邑一列'《遼史》. ③줄변 열(列). '以一隣從'《史記》. [二] 땅이름병 제(齊)나라의 지명(地名). '一邑三百'《論語》.
[字源] 形聲. 馬＋幷〔音〕

馬8〔騋〕18 래 [平]灰 [去]隊 | lái ライ たかさななしゃくのうま

[字解] 큰말래 키가 7척(尺) 이상의 말. '一牝三千'《詩經》.
[字源] 形聲. 馬＋來〔音〕

馬8〔騎〕18 [高·人] 기 [平]支 [去]寘 | ①qí キ のる ②-④(jì) キ のりうま

[筆順] 丨 𠂆 𠂆 馬 馬 駃 騎 騎

[字解] ①말탈기 말을 탐. '坐高堂, 一大馬'《劉基》. 전(轉)하여, 널리 짐승을 탐. '公昔一龍白雲鄕'《蘇軾》. ②기마기 타기 위한 말. '車六百乘, 一五千匹'《史記》. ③기병기, 기사기 말 탄 군사. 또, 말 탄 사람. '驍一'. '前有車一'《禮記》. ④성기 성(姓)의 하나.
[字源] 形聲. 馬＋奇〔音〕

馬8〔騏〕18 [人名] 기 [平]支 | qí キ くろみどりのうま

[筆順] 丨 𠂆 馬 馬 馬 駇 騏 騏

[字解] ①검푸른말기 청흑색의 말. '駕我一馵'《詩經》. ②준마기 잘 달리는 말. 하루에 천 리를 달린다는 말. '一驥一躍不能十步, 駑馬十駕, 功在不舍'《荀子》. ③성기 성(姓)의 하나.
[字源] 形聲. 馬＋其〔音〕

馬8〔騑〕18 비 [平]微 | fēi ヒ そえうま

[字解] 곁말비 사마(駟馬)의 바깥쪽 좌우의 말. '一驂'. 駟(馬부 5획〈1738〉)를 보라. '兩馬夾轅名服馬, 兩邊名一馬'《禮記 註》. 전(轉)하여, 널리 말〔馬〕을 이름. '天路下征一'《柳宗元》.
[字源] 形聲. 馬＋非〔音〕

馬8〔騉〕18 곤 [平]元 | kūn コン しゅんめのな

[字解] 말이름곤 '一蹄'는 말 이름. '一蹄, 枝蹄趼, 善陞甗'《爾雅》.

馬8〔騇〕18 답 [入]合 | dá トウ うまのすすむさま

[字解] 말걸을답, 말빨리걸을답 '馺一'은 말이 걸어가는 모양. 또, 빠른 모양. '馺一,

馬行皃'《玉篇》. '駁一, 馬行疾也'《集韻》.

馬 8 〔騣〕18 철 [入]屑 | zhuó テツ ひたいのしろいうま

[字解] 별박이철 이마에 흰 점이 박인 말. '一, 白額馬'《玉篇》.

馬 8 〔騍〕18 과 [平]箇 | kè カ めうま

[字解] 암말과 '一, 俗呼牝馬, 卽草馬'《正字通》.

馬 8 〔騇〕18 사 [去]禡 [上]馬 | shě シャ めうま

[字解] 암말사 '牝曰一. 〈注〉草馬名'《爾雅》.

馬 8 〔騅〕18 [一] 주 [平]支 [二] 취 [上]紙 | zuī スイ うまのちいさいさま スイ うまのちいさいさま

[字解] [一] ①말작을주 말이 작은 모양. ②망아지주 '一, 馬駒謂之一'《集韻》. [二] 말작을 취, 망아지취 [一]과 뜻이 같음.

[字源] 形聲. 馬+垂(垂)〔音〕

馬 8 〔騗〕18 〔팽〕 騯(馬부 10획〈1746〉)의 本字

馬 8 〔騘〕18 〔총〕 驄(馬부 11획〈1749〉)의 俗字

馬 8 〔騌〕18 〔종〕 騣(馬부 9획〈1745〉)의 俗字

馬 8 〔騐〕18 〔험〕 驗(馬부 13획〈1752〉)의 俗字

馬 8 〔験〕18 〔험〕 驗(馬부 13획〈1752〉)의 略字

馬 8 〔騒〕18 〔소〕 騷(馬부 10획〈1747〉)의 略字

馬 8 〔騜〕18 강 [平]江 | qiāng コウ うまのすすむさま

[字解] 말나아가는모양강 '一, 馬行皃'《集韻》.

馬 8 〔騔〕18 겁 [入]葉 | qiè キョウ うまがいしをおそれてたちもとおる

[字解] 말이바위를무서워하여나아가지못할겁 '一, 馬怕石不能行'《字彙》.

馬 8 〔䮠〕18 굴 [入]物 | qū クツ よいうまのな

[字解] 양마(良馬)이름굴 屈(尸부 5획〈297〉)과 통용. '一, 一產, 良馬, 通作屈'《集韻》.

馬 8 〔騙〕18 䮠(前條)과 同字

馬 8 〔騠〕18 륙 [入]屋 | lù リク よいうまのな

[字解] 양마(良馬)이름륙 '一, 驨一, 良馬'《集韻》.

馬 8 〔騣〕18 릉 [去]經 [平]蒸 | lèng ロウ うまのやまい líng リョウ うまがこくをくう

[字解] ①말의병(病)릉 '一, 一騬, 馬病'《集韻》. ②말이곡식먹을릉 餧(食부 8획〈1721〉)과 同字. '一, 馬食粟曰餧, 或从馬'《集韻》.

馬 8 〔駡〕18 명 [平]庚 [上]梗 | míng ベイ かんば

[字解] 한마(汗馬)명 '汗馬'에는 두 가지 뜻이 있는데, '전투에 시달려 땀이 흐르는 말'과 '駿馬'라는 뜻이 있음. '一, 汗馬'《玉篇》. '一, 汗馬名'《集韻》.

馬 8 〔騂〕18 부 [上]有 | fù フウ うまがさかん

[字解] ①말성(盛)할부 '一, 馬盛也'《集韻》. ②더할부 붙어남. '一, 一曰, 益也'《集韻》. ③阜(阜부 10획〈1622〉)와 同字. '一, 或作阜'《集韻》.

馬 8 〔騴〕18 안 [去]翰 | àn ガン あたまのうえのしろいうま

[字解] ①머리상부(上部)가흰말안 '一, 馬頭有白發色, 从馬岸聲'《說文》. ②말나아가는모양안 '一, 一曰, 騂一, 馬行皃'《集韻》. ③말머리안 '一, 馬首'《集韻》.

馬 8 〔騆〕18 연 [平]先 | yān エン うまのすすむさま

[字解] 말나아가는모양연 '一, 馬行貌'《五音集韻》.

馬 8 〔駽〕18 예 [平]齊 | ér ゲイ こうま

[字解] 망아지예 새끼말. '一, 小馬'《正字通》.

馬 8 〔騅〕18 [一] 주 [去]遇 [二] 취 [平]支 | zhù チュ うまがすすまぬ zuī スイ うまのちいさいさま

[字解] [一] 말나아가지않을주 遷(辵부 18획〈1510〉)와 同字. '遷, 說文, 不行也, 或省'

《集韻》. 曰 ①말작은모양취 騅(馬부 8획〈1744〉)와 同字. '騅, 說文, 馬小貌, 或作—'《五音集韻》. ②말이작고짐은무거워나아가지못할취 '—, 馬小重騎也'《字彙》.

馬8 〔騂〕18 취 ㊀寘 | cuì スイ まご

字解 ①마부(馬夫)취 '—, 馬卒'《集韻》. ②騂(馬부 7획〈1742〉)의 訛字.

馬8 〔騲〕18 曰 탁 ㊁覺 | zhuō タク うまがたちもとおるさま
曰 초 ㊀效 | chào トウ うまがはせる

字解 曰 말나아가지않을탁 '—, —騺, 馬行不前皃'《集韻》. 曰 말달릴초 '—, 馬馳也'《集韻》.

馬8 〔騀〕18 토 ㊀遇 | tù ト よいうまのな

字解 양마(良馬)이름토 兔(儿부 6획〈83〉)와 통용. '—, 騕—, 良馬也, 本作飛兔'《篇海》.

馬8 〔騡〕18 曰 역 ㊁職 | yù ヨク うまのな
曰 혁 ㊁職 | キョク うまのはしるさま

字解 曰 말이름역 '—, 馬名'《玉篇》. 曰 말달리는모양혁 '—, 騶—, 馬走皃'《集韻》.

馬9 〔騕〕19 요 ㊤篠 | yǎo ヨウりょうばのな

字解 말이름요 '—褭'는 준마(駿馬)의 이름. 하루에 1만 8천 리를 달린다 함. '罥—褭'《司馬相如》.

馬9 〔騗〕19 편 ㊀霰 | piàn ヘン うまにとびのる

字解 ①뛰어오를편 말에 뛰어올라 탐. ②속일편 기만함. '欺—'.

馬9 〔騞〕19 획 ㊁陌 | huō カク うしをりょうりするおと

字解 가르는소리획 칼로 물건을 베어 가르는 소리. '奏刀—然'(소 같은 것을 해부하는 소리의 형용)《莊子》.
字源 形聲. 馬+砉〔音〕

馬9 〔騠〕19 제 ㊥齊 | tí テイ らばのいっしゅ

字解 준마제 駃(馬부 4획〈1736〉)을 보라. '駃—'. '—, 駃—也, 从馬是聲'《說文》.
字源 形聲. 馬+是〔音〕

馬9 〔騙〕19 騠(前條)의 俗字

馬9 〔騢〕19 하 ㊥麻 | xiá カ つきげ

字解 워라말하 붉은빛과 흰빛이 섞여 얼룩얼룩한 말. '有駰有—'《詩經》.
字源 形聲. 馬+叚〔音〕

馬9 〔騣〕19 종 ㊥東 | zōng ソウ たてがみ

字解 갈기종 말의 목덜미에 난 긴 털. '隅目青熒夾鏡懸, 肉—碨礧連錢動'《杜甫》.
字源 形聲. 馬+㚇〔音〕
參考 騌(馬부 8획〈1744〉)은 俗字.

馬9 〔騤〕19 규 ㊥支 | kuí キ はしるさま

字解 ①달릴규 말이 달리는 모양. '—瞿奔觸'《張衡》. ②건장할규 말이 건장한 모양. '四牡——'《詩經》.
字源 形聲. 馬+癸〔音〕

馬9 〔騧〕19 曰 왜 ㊥佳 (괘㊍) | guā カイ くちくろかげひばり
曰 과 ㊥麻 | カ くちくろかげひばり

字解 曰 공골말왜 입 가장자리가 검은 공골말. '—驪是驂'《詩經》. ※本音 괘. 曰 공골말과 曰과 뜻이 같음.
字源 形聲. 馬+咼〔音〕

馬9 〔騑〕19 비 ㊥微 | fēi ヒ あしのはやいうま

筆順 𠃊 𠃑 馬 馬 馬⺄ 馬⺄ 騑 騑

字解 ①빠른말비 빨리 잘 달리는 말. 준마(駿馬). '—, 馬逸足者也'《說文》. ②말빠를비 말이 빠름. '—, 馬逸也'《字彙》.
字源 形聲. 馬+飛〔音〕

馬9 〔䮞〕19 준 ㊤軫 | chǔn シュン まだらうま

字解 ①워라말준 얼룩 무늬가 있는 말. '—, 駮也'《集韻》. '—, 馬文'《篇海》. ②느린말준 걸음이 느린 말. '—, 鈍馬也'《篇海》.

馬9 〔䮳〕19 曰 필 ㊁質 | bì ヒツ しんばのな
曰 박 ㊁覺 | bó ハク まだらうま

字解 曰 신마(神馬)이름필 '驂—騶而俠窮奇'《黃香》. 曰 얼룩얼룩할박 말의 털빛이 얼룩진 모양. 駁(馬부 4획〈1736〉)과 同字.

馬9 〔騝〕19 건 ㊥先 ㊥元 | qián ケン せのきいろいくりげうま

字解 등누른월따말건 등마루는 누렇고 갈기가 검붉은 말. '—, 爾雅, 騮馬黃脊—'《集韻》.

馬 9 〔騟〕19 유 ㊥虞 | yú ユ くりげ

字解 ①구렁말유 밤빛의 말. 자류마(紫騮馬). '一, 紫馬'《玉篇》. ②잡색말유 여러 가지 털빛이 섞인 말. '一, 馬雜色'《集韻》.

馬 9 〔騥〕19 유 ㊥尤 | róu ジュウ ふさふさしたたてがみのくろこま

字解 갈기탐스러운청가라유 '靑驪繁鬣, 一'《爾雅》.

馬 9 〔騜〕19 황 ㊥陽 | huáng コウ しろかげ

字解 황부루황 황백색의 말. '一駁其馬'《詩經》.

馬 9 〔騁〕19 쟁 ㊥庚 | chéng トウ うまのとどまるさま

字解 말우뚝설쟁 말이 걷다가 서는 모양. '一, 馬住皃'《集韻》.

馬 9 〔騝〕19 해 ㊥佳 | xié カイ うまがおとなしい

字解 말얌전할해 '一, 馬和也'《說文》.

字源 形聲. 馬+皆〔音〕

馬 9 〔騣〕19 〔융〕 駥(馬부 6획〈1740〉)의 本字

馬 9 〔騘〕19 〔총〕 驄(馬부 11획〈1749〉)과 同字

馬 9 〔騎〕19 〔기〕 騎(馬부 8획〈1743〉)의 俗字

馬 9 〔騖〕19 무 ㊦遇 | wù ブ·ム はしる

字解 달릴무 질주함. '馬咸一矣'《韓非子》.

字源 形聲. 馬+敄〔音〕

馬 9 〔騚〕19 騖(前條)와 同字

馬 9 〔騷〕19 뇌 ㊤晧 | nǎo ノウ うまのな

字解 말이름뇌 '一, 褭一, 馬名'《集韻》.

馬 9 〔騬〕19 단 ㊦翰 | duàn タン うまがゆるくゆく

字解 말천천히갈단 '一, 欸一, 馬行緩'《集韻》.

馬 9 〔騗〕19 사 ㊤馬 | shuǎ サ うそ

字解 거짓말사 '一, 所言不當'《字彙》.

馬 9 〔騞〕19 삽 ㊀洽 | zhá ソウ うまのはしるさま

字解 ①말달리는모양삽 騠(馬부 9획〈1746〉)과 同字. '一, 馬驟皃, 或作騠'《集韻》. ②말가는모양삽 '一, 馬行皃'《集韻》.

馬 9 〔騠〕19 ㊀삽 ㊀洽 | zhá ソウ うまがゆく ㊁엽 ㊀葉 | yè ヨウ うまのかるくゆくさま

字解 ㊀ ①말갈삽 '一, 馬行'《玉篇》. ②말달리는모양삽 騞(馬부 9획〈1746〉)과 同字. '騞, 馬驟皃, 或作一'《集韻》. ㊁ 말가볍게가는모양엽 '一, 馬行輕皃'《集韻》.

馬 9 〔䮂〕19 선 ㊥先 | xuān セン うまのな

字解 말이름선 '一, 一䮑, 馬'《字彙》.

馬 9 〔騪〕19 〔수〕 騪(馬부 10획〈1748〉)와 同字

馬 9 〔騚〕19 전 ㊥先 | qián セン ひづめのしろいうま

字解 네발굽이흰말전 '一, 馬四蹄白謂之一'《集韻》.

馬 9 〔䮗〕19 간 ㊥刪 | xián カン うまにほこうをならわせる

字解 말에보행(步行)을연습시킬간 '閑(門부 4획〈1596〉)과 통용. '一, 今作閑'《玉篇》. '一, 馬步習也'《六書統》.

馬 9 〔騉〕19 혼 ㊥元 | hún コン けもののな

字解 ①짐승이름혼 옛 전설 속의 한 짐승. '歸山有獸焉, 其狀如麢羊而四角, 馬尾, 而有距, 其名曰一'《山海經》. ②들말혼 야생마(野生馬)의 일종. '一, 一騤, 野馬'《廣韻》.

馬 9 〔䮑〕19 액 ㊀陌 | é ガク うまのな

字解 말이름액 '䮂, 䮂一, 馬'《字彙》.

馬 10 〔騯〕20 팽 ㊥庚 | péng ホウ うまのゆくさま

字解 갈팽 말이 가는 모양. '四牡一一'《詩經》.

字源 形聲. 馬+旁(㫄)〔音〕

馬 10 〔騮〕20 류 ㊥尤 | liú リュウ りょうばのな

字解 ①준마류 '驊一'는 목왕(穆王)의 팔준마(八駿馬)의 하나. ②월따말류 꼬리가 검은 절따말. 駵(馬부 7획〈1741〉)와 同字.

'青海異種多一騶'《高啓》.

馬10〔䮅〕20 騮(前條)와 同字

馬10〔騵〕20 원 [平]元 | yuán ゲン はらのしろいかげうま

[字解] 절따말원 갈기가 검고 배가 흰 절따말. '駟一彭彭'《詩經》.

[字源] 形聲. 馬+原〔音〕

馬10〔騶〕20 추 [平]尤 | zōu シュウ うまかい

[字解] ①마부추, 거덜추 말을 기르는 하인. '命僕及七一咸駕'《禮記》. ②기수추 말 타는 사람. '名爲左一'《後漢書》. ③화살추 좋은 화살. '材官一發'《漢書》. ④추종추 뒤따라 다니는 하인. '吾恨不得爲一僕'《唐書》. ⑤달릴추 趨(走부 10획〈1415〉)와 同字. '步中武象, 一中韶護'《荀子》. ⑥성추 성(姓)의 하나.

[字源] 形聲. 馬+芻〔音〕

馬10〔騷〕20 [高·人] 소 [平]豪 [去]號 | ①-⑦sāo ソウ さわぐ | ⑧sǎo ソウ はく

[筆順] ｜ 𠂤 馬 馬 馭 駇 駋 騷

[字解] ①떠들소 야단 법석함. '一動'. '徐方繹一'《詩經》. ②소동소 큰 변. '頻有一警'《孫逖》. ③근심할소 수심에 잠김. '遭者一離'《國語》. ④근심소 '離一者猶離憂也'《史記》. ⑤시체이름소 한시의 한 체(體). 초(楚)나라 굴원(屈原)이 비분 강개하여 지은 이소부(離騷賦) 및 기타의 시부(詩賦)를 비롯하여, 후세에 굴원에 동정한 송옥(宋玉) 등이 지은 시부 및 그 시체. '雖奴僕命一可也'《杜牧》. 전(轉)하여, ⑥시부(詩賦)소 은둔한 시인의 뜻으로도 쓰임. '一人墨客'. ⑦급할소 서두르는 모양. '一一爾則野'《禮記》. ⑧쓸소 掃(手부 8획〈448〉)와 통용. '大王宜一淮南之兵'《史記》.

[字源] 形聲. 馬+蚤〔音〕

馬10〔騸〕20 선 [去]霰 | shàn セン きょせいする

[字解] ①불깔선 말을 거세함. 또, 거세한 말. '一馬, 宦牛'《肘後經》. ②접붙일선 접목을 함. '一樹法'《月令廣義》.

[字源] 形聲. 馬+扇〔音〕

馬10〔騬〕20 승 (층[本]) [平]蒸 | chéng ショウ·ジョウ うまをきょせいする

[字解] 불깔승 말을 거세함. 또, 그 말. '攻特, 謂一之'《周禮 註》. ※本音 층.

[字源] 形聲. 馬+乘〔音〕

馬10〔騩〕20 괴 [去]寘 | guī キ くろくりげ

[字解] 가라말괴 담흑색(淡黑色)의 가라말. '乘一馬自府歸'《漢官儀》.

[字源] 形聲. 馬+鬼〔音〕

馬10〔驙〕20 전 [平]先 | zhān テン うびたい

[字解] 별박이전 이마에 흰 점이 박힌 말. 대성마(戴星馬). '馬顙戴星謂之一'《集韻》.

馬10〔驏〕20 전 [去]霰 | zhàn テン うまがつちのなかをころがる

[字解] 말땅에구를전 말이 땅에 굴러 토욕(土浴)함. '一, 馬土浴'《廣韻》.

[字源] 形聲. 馬+展〔音〕

馬10〔騱〕20 해 [平]齊 | xī ケイ のうまのいっしゅ

[字解] 들말해 야마(野馬)의 일종. '一, 驒一也'《說文》.

[字源] 形聲. 馬+奚〔音〕

馬10〔騊〕20 도 [平]豪 | tāo トウ うまのすすむさま

[字解] 말나아갈도 말이 앞으로 나아가는 모양. '一, 馬行皃'《說文》.

[字源] 形聲. 馬+舀〔音〕

馬10〔驝〕20 몽 [平]東 [去]送 | méng ボウ·ム ろばのこ

[字解] 나귀새끼몽 '一, 驢子也'《說文》.

[字源] 形聲. 馬+冢〔音〕

馬10〔騅〕20 [一]학 [入]藥 [二]각 [入]覺 [三]확 [入]藥 | hé カク かんだいのていえんのな | カク うびたい | ガク うまのな

[字解] [一] ①정원이름학 한(漢)나라 때의 정원(庭園)의 이름. '一, 苑名也.〈段注〉一苑, 蓋漢苑'《說文》. ②이마흰말학 '一, 一曰, 馬白頟'《說文》. [二] 이마흰말각 [一]❷와 뜻이 같음. [三] 말이름확 '一, 馬名'《集韻》.

[字源] 形聲. 馬+隺〔音〕

馬10〔騲〕20 초 [上]晧 | cǎo ソウ めうま

[字解] 암말초 '一, 牝馬曰一'《廣韻》.

馬10〔騴〕20 안 [去]諫 | yàn アン おのねもとのしろいうま

[字解] 꼬리밑동흰말안 '尾本白, 一'《爾雅》.

馬10 〔𩥉〕 20 기 [去]寘 | jì キ せんりのうま

[字解] ①천리마기 '驥, 千里馬一, 同驥'《玉篇》. ②바랄기 '一, 冀及也'《集韻》.

馬10 〔騪〕 20 수 [平]尤 | sōu シュウ うまのな

[字解] ①말이름수 '騯一'는 말의 이름. '一, 騯一, 馬名'《集韻》. ②구할수, 찾을수 '一粟都尉'《漢書》.

馬10 〔𩦺〕 20 〔침〕 駸(馬부 7획〈1741〉)의 本字

馬10 〔𩥒〕 20 〔성〕 騂(馬부 7획〈1742〉)의 本字

馬10 〔𩧯〕 20 〔주〕 騅(馬부 8획〈1744〉)의 籒文

馬10 〔騰〕 20 [高·人] 등 [平]蒸 | téng トウ のぼる, あがる

[筆順] 月 𦙶 𦚰 朕 滕 滕 騰 騰

[字解] ①오를등 ㉠높은 데로 옮아감. '地氣上一'《禮記》. ㉡물가가 올라감. '一貴'. '暴一'. '穀暴一踊'《漢書》. ②날등 비양(飛揚)함. '亢鳥一而一止'《史記》. ③탈등 수레·말 같은 것을 탐. '一驢贏以馳逐'《劉向》. ④뛸등 도약함. '馬一于槽'《韓愈》. ⑤성등 성(姓)의 하나.

[字源] 形聲. 馬+朕〔音〕

馬10 〔𩦢〕 20 騰(前條)과 同字

馬10 〔𩤟〕 20 갈 [入]黠 | qià ガツ まだらうま

[字解] 얼룩말갈 '一, 馬駁色'《集韻》.

馬10 〔𩨂〕 20 골 [入]月 | gǔ コツ けもののな

[字解] 짐승이름골 '一, 一駘, 獸名, 出北海'《集韻》.

馬10 〔𩧳〕 20 교 [平]蕭 | jiāo キョウ たかさろくしゃくのうま

[字解] ①키가육척인말교 '一, 馬高六尺'《字彙》. ②驕(馬부 12획〈1751〉)의 俗字. '一, 驕的俗字'《龍龕手鑑》.

馬10 〔䮫〕 20 기 [平]支 | qí キ うまのたてがみ

[字解] 갈기기 말갈기. 鬐(髟부 10획〈1771〉)와 同字. '一, 馬頂上一, 通作鬐'《正字通》.

馬10 〔𩧥〕 20 䮫(前條)와 同字

馬10 〔𩦻〕 20 당 [平]陽 | táng トウ うまのいろ

[字解] 말빛깔당 말의 털색깔. '一, 馬色'《集韻》.

馬10 〔騳〕 20 독 [入]屋 | dú トク うまがはしる

[字解] ①말달릴독 '一, 馬走也'《玉篇》. ②두말이나란히달리는소리독 '一, 兩馬竝馳, 聲一一也'《六書故》.

馬10 〔𩧢〕 20 騳(前條)과 同字

馬10 〔𩦁〕 20 〔려〕 䮑(馬부 6획〈1740〉)와 同字

馬10 〔𩧭〕 20 〔력〕 驝(馬부 15획〈1753〉)과 同字

馬10 〔䮶〕 20 무 [去]遇 | wù ブ はやくはせる

[字解] 말빨리몰무 채찍질하여 빨리 달리게 함. '一, 驅馳奔驟也'《字彙》.

馬10 〔𩧉〕 20 사 [平]支 | shī シ やば

[字解] 들말사 말의 일종(一種). 𩢍(馬부 4획〈1737〉)와 同字. '一, 野馬, 或省'《集韻》.

馬10 〔𩧃〕 20 상 [平]陽 | sāng ソウ おのしろいきいろのうま / shuāng ソウ うまのさま

[字解] ①꼬리흰누렁말상 騻(馬부 12획〈1751〉)과 同字. '騻, 馬色黃尾白, 或从桑'《集韻》. ②말의모양상 '一, 騯一, 馬皃'《集韻》.

馬10 〔騬〕 20 승 [平]蒸 | chéng ショウ きょせいしたうま

[字解] 불깐말승 거세(去勢)한 말. '一馬, 犗馬也'《廣雅》.

馬10 〔驁〕 20 오 [平]豪 | āo オウ うまのすすむさま

[字解] 말나아가는모양오 '一, 馬行皃'《玉篇》.

馬10 〔𩦷〕 20 온 [平]元 | wēn オン しゅんば

[字解] 준마(駿馬)온 '一, 一驪, 良馬'《集韻》.

馬10 〔䮨〕20 재 ㊤賄 | zǎi サイ あしげうま

[字解] 총마(驄馬)재 흰 바탕에 검정 또는 밤색털이 섞인 말. '一, 馬雜驄色'《集韻》.

馬10 〔驖〕20 첩 ㊇葉 | tiě チョウ くろかげ

[字解] 구렁말첩 검붉은색의 말. '一, 馬赤黑色'《字彙》.

馬10 〔䮳〕20 탑 ㊇合 | tǎ トウ うまがすすまないさま

[字解] 말나아가지않는모양탑 '一, 驜一, 馬不進皃'《集韻》.

馬10 〔𩧉〕20 희 ㊀未 | xì キ うまがはしる

[字解] 말달릴희 '一, 馬走'《五音集韻》.

馬10 〔䮧〕20 한 ㊀翰 ㊥寒 | hàn カン けのながいうま

[字解] ①털긴말한 '一, 馬毛長者也'《說文》. ②오랑캐의큰말한 '駛一'은 오랑캐의 큰 말. '一, 駛一, 蕃大馬'《廣韻》.

[字源] 形聲. 馬+倝〔音〕

馬10 〔騫〕20 건 ①-⑤㊥先 ⑥㊤銑 | qiān ケン かける jiǎn ケン のろい

[字解] ①이지러질건 한 귀퉁이가 떨어짐. '如南山之壽, 不一不崩'《詩經》. ②들건 고개를 듦. '王䞤一只'《楚辭》. ③뺄건 搴(手부 10획〈457〉)과 통용. '斬將一旗'《漢書》. ④허물건 愆(心부 9획〈399〉)과 통용. '永思一兮'《荀子》. ⑤성건 성(姓)의 하나. ⑥둔할건 느림. '乘一馬之野'《論衡》.

[字源] 形聲. 馬+寒〈省〉〔音〕

馬10 〔騭〕20 즐 ㊇質 | zhì シツ おすのうま

[字解] ①수말즐 말의 수컷. '牡曰一'《爾雅》. ②오를즐, 올릴즐 '一, 陞也'《爾雅》. ③정할즐 작정함. '天陰一下民'(길흉·화복은 하늘이 정한 바임)《書經》.

[字源] 會意. 馬+陟

馬11 〔騾〕21 라 ㊥歌 | luó ラ らば

[字解] 노새라 수나귀와 암말 사이의 혼혈종. '一驢'. 驘(馬부 13획〈1752〉)의 俗字. '驘, 說文, 驢父馬母, 亦作一'《集韻》.

[字源] 形聲. 馬+累〔音〕

馬11 〔驂〕21 참 ㊥覃 | cān サン そえうま

[字解] ①곁말참 駟(馬부 5획〈1738〉)를 보라. '以左一出'《儀禮》. ②곁말로세울참 곁말로 씀. '騰駕罷牛, 一蹇驢兮'《賈誼》. ③성참 성(姓)의 하나.

[字源] 形聲. 馬+參〔音〕

馬11 〔驃〕21 [人名] 표 ㊀嘯 | piào ヒョウ しらかげ

[筆順] 「 F 馬 馬 馬 馬 驃 驃

[字解] ①황부루표 흰 털이 섞인 황색의 말. ②빠를표 말이 빨리 달리는 모양. '一, 馬行疾皃'《集韻》. ③굳셀표, 날랠표 효용(驍勇)함. '一騎'. '一, 驍勇也'《玉篇》.

[字源] 形聲. 馬+票(㶾)〔音〕

馬11 〔驄〕21 총 ㊥東 | cōng ソウ あしげ

[字解] 총이말총 푸른빛을 띤 부루말. 청총마(青驄馬). '一馬'. '一, 馬青白雜毛也'《說文》.

[字源] 形聲. 馬+悤〔音〕

馬11 〔驅〕21 [高·人] 구 ㊥虞 ㊀遇 | qū ク かける

[筆順] 「 F 馬 馬 馬 馬 驅 驅

[字解] ①몰구 ㉠말을 타고 달리게 함. '一聘'. '一馬出關門'《魏徵》. ㉡쫓음. 몰아냄. '一逐'. '一飛廉於海隅而戮之'《孟子》. ㉢내보냄. 내침. '一遣'. '我自不一卿, 逼迫有阿母, 卿但暫還家'《古詩》. ②대열구 군대의 열. '前一'. '先一'. '中一'.

[字源] 形聲. 馬+區〔音〕

馬11 〔䮴〕21 용 ㊥冬 | chōng ショウ にぶいうま

[字解] 둔마용 둔한 말. '一, 駑馬'《集韻》.

馬11 〔騼〕21 록 ㊇屋 | lù ロク のうま

[字解] 들말록 '騄一'은 말의 일종. 또, 들말. '騄一, 馬屬, 一曰, 野馬'《廣雅》.

馬11 〔䮰〕21 적 ㊇陌 | zhé タク·チャク らばのいっしゅ

[字解] 노새적 '一䮫'은 노새의 일종. '一, 一䮫, 騾屬'《集韻》.

馬11 〔騹〕21 〔려〕 驪(馬부 19획〈1754〉)와 同字

馬11 〔騽〕21 ㊀입 ㊇緝 ㊁습 ㊇緝 | ユウ すねのけのながいうま xí シュウ すねのけのながいうま

[字解] [一] ①정강이털긴말입 '—, 馬豪骭也'《說文》. ②등누런가라말입 '驪馬黃脊, —'《爾雅》. [二] 정강이털긴말습, 등누런가라말습 [一]과 뜻이 같음.
[字源] 形聲. 馬+習〔音〕

馬 11 〔騻〕21 〔상〕
驦(馬부 17획〈1754〉)과 同字

馬 11 〔⿰馬敫〕21 驁(次條)의 本字

馬 11 〔驁〕21 오 [平]豪 [去]號 | áo, ào ゴウ めいばのな
[字解] ①준마오 잘 달리는 말. '良馬期乎千里, 不期乎驥—'《呂氏春秋》. ②뻣뻣할오 말이 유순하지 아니함. '悍—'. ③거만할오 오만함. '諸公稍自引而怠—'《漢書》. ④깔볼오 대수롭지 않게 여김. 경시함. '—萬世之患'《莊子》.
[字源] 形聲. 馬+敖〔音〕

馬 11 〔驇〕21 지 [去]寘 | zhì チ うまのおもいさま
[字解] 말무거울지 말의 몸이 무거워 진흙 속에 빠지는 모양. '惠公馬—不行'《史記》.
[字源] 形聲. 馬+埶〔音〕

馬 11 〔驀〕21 맥 [入]陌 | mò バク こえる
[字解] ①넘을맥 뛰어넘음. 초월함. '煙底—波乘一葉'《李賀》. ②곧장맥 줄곧. 쉬지 않고. 똑바로. '—地'. '—進'.
[字源] 形聲. 馬+莫〔音〕

馬 11 〔⿰馬婁〕21 [一] 루 [平]尤 [二] 려 [平]魚 | lóu ロウ おおきならば | lú リョ ろば
[字解] [一] 큰노새루, 말의한종류루 '—, 馬類, 一曰, 大騾'《集韻》. [二] 당나귀려 驢(馬부 16획〈1753〉)와 同字. '驢, 獸名, 說文, 似馬長耳, 或从婁'《集韻》.

馬 11 〔⿰馬离〕21 리 [平]支 | lí リ ろばのこ
[字解] 나귀새끼리 당나귀의 어린 것. '—, 驢子曰—'《集韻》.

馬 11 〔⿰馬麥〕21 맥 [入]陌 | mài バク らばのいっしゅ
[字解] ①노새의한종류맥 '—, ⿰馬商—, 騾屬'《集韻》. ②⿰馬百(馬부 6획〈1740〉)의 俗字. '—, 俗⿰馬百字'《正字通》.

馬 11 〔⿰馬覓〕21 멱 [入]錫 | mì ベキ あらうま
[字解] ①사나운말멱 사람을 무는 말. '—, 馬多惡也'《玉篇》. '—, 馬嚙謂之—'《集韻》. ②말이놀라서볼멱 '—, 一曰, 馬驚視'《集韻》.

馬 11 〔⿰馬魚〕21 어 [上]魚 | yú ギョ めのしろいうま
[字解] 두눈이흰말어, 고리눈말어 䁩(目부 11획〈854〉)·魚(部首〈1786〉)와 同字. '—, 與䁩同, 通作魚, 爾雅, 馬二目白, 魚, 注, 似魚目, 陸佃曰, 今之環眼馬, 詩魯頌作魚'《正字通》.

馬 11 〔⿱殹馬〕21 예 [平]齊 | yī エイ くろうま
[字解] 가라말예 털빛이 검은 말. '—, 黑色馬'《集韻》.

馬 11 〔⿰馬逐〕21 축 [入]屋 | zhú チク うまのむれがおいあう
[字解] ①말들이서로쫓아사귈축 '—, 羣馬相追逐也'《正字通》. ②짐승이름축 '—, 獸名'《集韻》.

馬 12 〔驈〕22 율 [入]質 | yù イツ またのしろいくろうま
[字解] 다리흰말율 몸은 검고 다리만 흰 말. '有—有騜'《詩經》.
[字源] 形聲. 馬+矞〔音〕

馬 12 〔驊〕22 화 [平]麻 | huá カ りょうばのな
[字解] 준마화 '—騮'는 목왕(穆王)의 팔준마(八駿馬)의 하나. '騏驥—騮, 一日而馳千里'《莊子》.
[字源] 形聲. 馬+華〔音〕

馬 12 〔驍〕22 [人名] 효 [平]蕭 | xiāo ギョウ たけし
[筆順] 厂 ⺕ 馬 馬 馬 駐 驊 驍
[字解] 굳셀효, 날랠효 힘이 세고 용감함. '—勇'. '王彥章—將也'《五代史》.
[字源] 形聲. 馬+堯〔音〕

馬 12 〔驎〕22 린 [去]震 [平]眞 | lín リン まだらうま
[字解] ①워라말린 털빛이 얼룩얼룩한 말. '—, 隱—, 馬色駮'《集韻》. ②준마린 잘 달리는 말. '騏—'.
[字源] 形聲. 馬+粦〔音〕

馬 12 〔驏〕22 잔 [上]潸 | zhàn サン はだかうま
[字解] ①안장없는말잔 안장을 얹지 않은 말. '乃乘—馬, 以十八騎遁去'《明史》. ②안

장없이탈잔 안장을 얹지 않고 그냥 살등에 탐. '一騎蕃馬射黃羊'《令狐楚》.

馬12 〔驒〕22 탄 [平]寒 | tán タン まだらうま

[字解] 연전총(連錢驄)탄, 가리온탄 둥글고 어룽어룽한 돈 같은 점이 박인 말. 일설(一說)에는, 갈기가 검은 흰 말. '有一有駱'《詩經》.

[字源] 形聲. 馬+單〔音〕

馬12 〔驔〕22 담 [平]覃 | diàn タン くろくりげ, すねのけのながくしろいうま

[字解] ①누른등마루의검정말담 등은 누렇고 몸은 검은 말. ②정강이흰말담 정강이가 흰 말. '有一有魚'《詩經》.

[字源] 形聲. 馬+覃〔音〕

馬12 〔驕〕22 교 [平]蕭 | jiāo キョウ つよい, おごる

[字解] ①씩씩할교 기운찬 모양. '四牡有一'《詩經》. ②뻣뻣할교 말이 말을 잘 듣지 아니함. '白馬一不行'《崔國輔》. ③교만할교 거만함. '勝而不一'《戰國策》. ④귀애할교 총애함. '一張儀以五國'《戰國策》.

[字源] 形聲. 馬+喬〔音〕

馬12 〔驉〕22 허 [平]魚 | xū キョ けもののな

[筆順] 馬 … 驉

[字解] 버새허 '駏一'는 수말과 암나귀 사이에서 난 짐승. '蛩蛩駏一, 必負而走'《淮南子》.

馬12 〔⿰馬閒〕22 한 [平]刪 | xián カン ひとめのしろいうま

[字解] 한눈흰말한 한 눈이 흰 말. '馬一目白曰一, 二目白曰魚'《說文》.

[字源] 形聲. 馬+閒〔音〕

馬12 〔⿰馬閑〕22 ⿰馬閒(前條)과 同字

馬12 〔驓〕22 증 [平]蒸 [去]徑 | céng ショウ·ゾウ すねのしろいうま / ソウ すねのしろいうま

[字解] 정강이흰말증 '一, 馬名. 四骹皆白'《廣韻》.

馬12 〔驑〕22 〔류〕 騮(馬부 10획〈1746〉)의 本字

馬12 〔⿰馬黃〕22 〔황〕 騜(馬부 9획〈1746〉)과 同字

馬12 〔⿰馬埀〕22 〔주〕 騒(馬부 8획〈1744〉)의 本字

馬12 〔⿰馬椉〕22 〔승〕 騬(馬부 10획〈1747〉)의 本字

馬12 〔⿰馬壽〕22 〔도〕 禂(示부 8획〈890〉)와 同字

馬12 〔驌〕22 〔숙〕 馬부 13획(1752)을 보라.

馬12 〔⿰馬幾〕22 기 [平]微 | qí キ うま

[字解] 말기 '一, 馬也'《玉篇》.

馬12 〔驐〕22 돈 [平]元 | dūn トン ちくるいをきょせいする

[字解] 가축거세할돈 기르는 짐승의 불을 깜. '一, 字林, 去畜勢也'《集韻》.

馬12 〔⿰馬童〕22 동 [平]東 | tōng トウ うまのな

[字解] 말이름동 '一, 馬名'《集韻》.

馬12 〔⿰馬登〕22 등 [去]徑 [平]蒸 | dēng トウ たおれかかる / tēng トウ うまのやまい

[筆順] 馬 … ⿰馬登

[字解] ①비틀거릴등 '一, 行欲倒也'《廣韻》. ②말의병등 '一, 駿一, 馬傷穀病'《集韻》.

馬12 〔⿰馬⿱山呙〕22 렵 [入]葉 | liè リョウ ふむ

[字解] 밟을렵 '一, 踐也'《字彙補》.

馬12 〔驋〕22 발 [入]曷 | bō ハツ うまがはしるさま

[字解] ①말달리는모양발 '一, 馬走'《玉篇》. '一, 馬行皃'《集韻》. ②말성낼발 '一, 馬怒'《廣韻》. ③말이머리를흔들발 '一, 馬搖首'《集韻》.

馬12 〔⿰馬番〕22 번 [平]元 | fán ハン けだものがそだちはびこる

[字解] 짐승번성할번 蕃(艸부 12획〈1181〉)과 同字. '一, 生養蕃也'《五音集韻》. '一, 經傳通作蕃'《正字通》.

馬12 〔⿰馬喪〕22 상 [平]陽 | sāng ソウ おのしろいきいろのうま

[字解] ①꼬리가흰누렁말상 騻(馬부 10획〈1748〉)과 同字. '一, 馬色黃尾白, 或从桑'《集韻》. ②엷은황색말상 '一, 騯一, 馬淺黃色'《集韻》.

馬12 〔⿰馬寒〕22 한 ㊥寒 hán カン うまのおおいさま

字解 말이많이있는모양한 '一, 馬多皃'《集韻》.

馬12 〔⿰馬喜〕22 혁 ㊀職 xì キョク うまがはしる

字解 말달릴혁 '一, 馬走'《集韻》.

馬13 〔驖〕23 철 ㊀屑 tiě テツ くろくりげ

字解 검붉은말철 적흑색의 말. '駟一孔阜'《詩經》.

字源 形聲. 馬+戴〔音〕

馬13 〔驗〕23 高·人 험 (엄㊄) ㊤豔 yàn ケン しるし, ためす

筆順 匚 甲 馬 駖 騐 騐 驗 驗

字解 ①증좌험 증거. '左一'. '符一'. '何以爲一'《史記》. ②보람험 효능. '效一'. '有一'. '一在近而求之遠'《淮南子》. ③조짐험 징조. '太平之萌, 昭一已著'《蔡邕》. ④증험할험 실지로 시험하여 봄. '檢一果然'《晉書》. '爪其膚, 以一其生枯'《柳宗元》. ⑤시험험 '考一'. '趙高欲爲亂, 恐群臣不聽, 乃先設一'《史記》. ※本音 엄.

字源 形聲. 馬+僉〔音〕

馬13 〔驛〕23 高·人 역 ㊀陌 yì エキ つぎうま

筆順 匚 甲 馬 駉 騳 驛 驛 驛

字解 ①역말역 항상 주차(舟車)·인마(人馬) 등을 갖추어 놓고 교통·통신 등의 편리를 도모하는 곳. 역참(驛站). '宿一'. '津一'. '百官迎於長樂一'《唐書》. 또, 그 주차·인마. '給一省家'《唐書》. ②자랄역 싹이 뾰족뾰족 나와 자라는 모양. '一其達'《詩經》. ③성역 성(姓)의 하나. ④《韓》역 역 기차·전차 등이 발착하는 곳. 정거장.

字源 形聲. 馬+睪〔音〕

馬13 〔驌〕23 숙 ㊀屋 sù シュク りょうばのな

字解 말이름숙 '一驦'은 준마(駿馬)의 이름. '仍殘老一驦'《杜甫》.

字源 形聲. 馬+肅〔音〕

馬13 〔驙〕23 단 ㊥寒 zhān タン せのくろいしろうま

字解 ①등검은흰말단 등이 검은 흰 말. '一, 博雅, 白馬黑脊, 一'《集韻》. ②말짐무겁게실을단 말이 짐을 너무 무겁게 실어 걸음을 잘 걷지 못함. '一, 一曰, 馬載重難行'《集韻》. ③기린단 '騏驎謂之一'《集韻》.

字源 形聲. 馬+亶〔音〕

馬13 〔⿰馬咼〕23 〔왜〕 騧(馬부 9획〈1745〉)의 籒文

馬13 〔驘〕23 라 ㊥歌 luó ラ らば

字解 노새라 騾(馬부 11획〈1749〉)와 同字. '遂乘六一'《漢書》.

字源 形聲. 馬+𣎆〔音〕

馬13 〔驚〕23 中·人 경 ㊥庚 jīng ケイ·キョウ おどろく

筆順 艹 芍 苟 敬 警 警 驚 驚

字解 ①놀랄경 ㉠말이 겁내어 소리침. '襄子至橋而馬一'《戰國策》. ㉡뜻밖의 일을 만나 겁을 내어 떠듦. '一軍皆一'《史記》. ㉢갑자기 소리침. '波瀾不一'《范仲淹》. ②놀랠경 놀라게 함. '震一徐方'《詩經》.

字源 形聲. 馬+敬〔音〕

馬13 〔⿱𦥯馬〕23 ㊀ 악 ㊀覺 wò アク うまのはらがなるおと / ㊁ 옥 ㊀沃 ヨク·オク うまのはらがなるおと / ㊂ 각 ㊀覺 カク うまのはらがなるおと

字解 ㊀ ①말배끓을악 '一, 馬腹下聲'《說文》. ②말빨리갈악 말이 서서(徐徐)히 그러면서 빨리 감. '一, 馬行徐而疾也'《說文》. ㊁ 말배끓을옥, 말빨리갈옥 ㊀과 뜻이 같음. ㊂ 말배끓을각, 말빨리갈각 ㊀과 뜻이 같음.

字源 形聲. 馬+學〈省〉〔音〕

馬13 〔⿰馬蜀〕23 독 ㊀屋 dú トク うまのゆくさま

字解 ①말가는모양독 '一, 一曰, 馬行皃'《集韻》. ②들말의이름독 '一, 驪一, 野馬'《集韻》.

馬13 〔⿰馬戢〕23 즙 ㊀緝 jí シュウ うまのゆくさま

字解 ①말가는모양즙 '一, 一一, 馬行皃'《集韻》. ②말느리게가는모양즙 '一, 馬行和適貌'《正字通》.

馬13 〔驜〕23 업 ㊀葉 yè ギョウ さかんなさま

字解 ①왕성할업 '一, 壯皃'《玉篇》. ②말클업 '一, 馬高大謂之一'《集韻》.

馬13 〔⿰馬歲〕23 ㊀ 예 ㊤隊 wèi ワイ うまがいかる / ㊁ 궤 ㊤霽 guì ケイ あれうま

字解 ㊀ 말성낼예 '一, 一騠, 馬怒'《集韻》.

㊁ 거친말궤 말의 성미가 나쁨. '一, 馬性惡'《集韻》.

馬14〔驨〕24 〔도〕 禂(示부 8획〈890〉)와 同字

馬14〔驣〕24 〔등〕 虪(虍부 22획〈1217〉)과 同字

馬14〔轝〕24 ㊀ 여 ㊥魚 | yú ヨ うまがゆるやかでしかもはやくゆく ㊁ 예 ㊤御 | ヨ うまがゆるやかでしかもはやくゆく

字解 ㊀ 말서두르지않고빨리갈여 '一一'는 말이 서서(徐徐)히 그러면서 빨리 감. '一, 一一, 馬行徐而疾也'《說文》. ㊁ 말서두르지않고빨리갈예 ㊀과 뜻이 같음.
字源 形聲. 馬＋與〔音〕

馬14〔驜〕24 함 ㊤陷 ㊤豏 | xiàn カン うまがはしる

字解 말이달리는모양함 '一, 馬走皃'《集韻》.

馬14〔驟〕24 취 ㊤宥 | zhòu シュウ はしる

字解 ①달릴취 질주함. '載一駸駸'《詩經》. ②몰취 달리게 함. '馳之一之'《莊子》. ③갑작스러울취 돌연함. 의외로 급함. '一雨'. '一暑消雨餘'《貢奎》. ④자주취 여러 번. '一戰而一勝'《呂氏春秋》.
字源 形聲. 馬＋聚〔音〕

馬14〔驝〕24 몽 ㊥東 | méng ボウ ろばのこ

字解 당나귀새끼몽 당나귀의 새끼. 駿(馬부 10획〈1747〉)과 同字. '駿, 或从蒙'《集韻》.

馬14〔驞〕24 빈 ㊥眞 | pīn ヒン おおくのこえ

字解 떠들썩할빈 다수가 떠들썩하는 소리. '一, 一䮆, 眾聲'《集韻》.

馬14〔驝〕24 탁 ㊀藥 | tuō タク らくだ

字解 낙타탁 馲(馬부 3획〈1735〉)과 同字

馬14〔驘〕24 〔라〕 羸(馬부 13획〈1752〉)의 本字

馬15〔驃〕25 표 ㊥蕭 | biāo ヒョウ くつわ

字解 재갈표 鑣(金부 15획〈1588〉)와 同字. '燭龍導輕一'《王融》.

馬15〔驚〕25 경 ㊤敬 | xiòng ケイ うまがいかる

字解 말성낼경 말이 먹이를 못 얻어 성을 냄. '一, 馬怒, 言馬求芻不得而怒也'《五音集韻》.

馬15〔驪〕25 〔려〕 驪(馬부 19획〈1754〉)의 俗字

馬15〔驤〕25 광 ㊥陽 | guāng コウ せにまきげのあるうま

字解 등에가마가있는말광 廣(广부 12획〈352〉)과 同字. '一, 馬回毛在背曰闋一, 或作廣'《集韻》.

馬15〔驖〕25 ㊀ 렵 ㊀葉 | liè リョウ うまがゆくさま ㊁ 랍 ㊀合 | là ロウ うまがすすまない

字解 ㊀ 말가는모양렵 '一, 馬行皃'《集韻》. ㊁ 말나아가지않을랍 '一, 一騔, 馬不進'《集韻》.

馬15〔驝〕25 력 ㊀錫 | lì レキ うまのいろ

字解 말빛력 '一, 馬色'《字彙》.

馬15〔驡〕25 번 ㊥元 | fán ハン うまがたちもとおる

字解 말머뭇거리고가지않을번 '一, 一駐, 馬躊躇不行也'《集韻》.

馬16〔驩〕26 각 ㊀覺 | jué カク ひたいのしろいうま

字解 이마가흰말각 별박이. 대성마(戴星馬). '一, 馬白額'《字彙》.

馬16〔驣〕26 등 ㊥蒸 | téng トウ うまがおどる

字解 말뛸등 '一, 馬躍也'《海篇》.

馬16〔龓〕26 ㊀ 롱 ㊥冬 | lǒng リョウ のうま ㊁ 장 ㊤養 | zǎng ソウ よいうま

字解 ㊀ ①들말롱 야생마. '一, 野馬'《集韻》. ②사람이름롱 '斬趙一于蕪湖'《晉書》. ㊁ 좋은말장 '一, 一駐, 良馬'《集韻》.

馬16〔驡〕26 ㊀ 봉 ㊥東 | lǒng ホウ みちる ㊁ 롱 ㊤宋 | lòng リョウ かさねのる

字解 ㊀ 가득찰봉 충만(充滿)함. 충실(充實)함. '一, 充實皃'《集韻》. ㊁ 겹쳐탈롱 두 사람이 한 말에 탐. '一, 重騎'《集韻》.

馬16〔驢〕26 려 ㊥魚 | lǘ リョ・ロ ろば

[字解] 당나귀려 말의 일종. 몸이 작고 귀가 긺. '面長似―'《吳志》.
[字源] 形聲. 馬+盧〔音〕

馬16 〔驠〕26 연 [去]霰 [平]先 | yàn エン しりのしろいうま
[字解] 꽁무니흰말연 '―, 馬白州也'《說文》.
[字源] 形聲. 馬+燕〔音〕

馬17 〔驤〕27 양 (상[本]) [平]陽 | xiāng ジョウ くびをあげる
[字解] ①들양 고개를 듦. '龍―虎視'《蜀志》. ②달릴양, 뛸양 뛰며 달림. '奮翅而騰―'《張衡》. ※本音 상.
[字源] 形聲. 馬+襄〔音〕

馬17 〔驥〕27 [人名] 기 [去]寘 | jì キ いちにちにせんりをはしるりょうば
[筆順] 𠃎 馬 馬 馬ㄱ 馬北 驆 驥 驥
[字解] 천리마기, 준마기 하루에 천 리를 달릴 수 있다는 좋은 말. '―垂兩耳, 服鹽車兮'(인재를 적소에 배치하지 아니함)《賈誼》. 전(轉)하여, 준재(俊才). '劉正兄弟二人, 時號兩―'《白帖》.
[字源] 形聲. 馬+冀〔音〕

馬17 〔驦〕27 상 [平]陽 [上]養 | shuāng ソウ うまのな
[字解] 말이름상 驌(馬부 13획〈1752〉)을 보라. '驌―'.

馬17 〔騙〕27 국 [入]屋 | jú キク せのまがったうま
[字解] ①새우등말국 새우처럼 등이 굽은 말. '―, 馬曲脊也'《說文》. ②말뛸국 말이 펄쩍 뜀. '―, 馬跳躍也'《廣韻》.
[字源] 形聲. 馬+鞠〔音〕

馬17 〔騫〕27 〔건〕 騫(馬부 10획〈1749〉)과 同字

馬17 〔驣〕27 등 [平]蒸 | téng トウ はしる·おどる
[字解] ①달리고뛸등 '―, 奔馳躍也'《海篇》. ②공허할등 '―, 虛也'《海篇》. ③건널등 '―, 度也'《海篇》.

馬18 〔驩〕28 구 [平]虞 | qú ク うまがゆく
[字解] 말갈구 '―, 馬行也'《集韻》.

馬18 〔驩〕28 [人名] 환 [平]寒 | huān カン よろこぶ
[筆順] 𠃎 馬 馬 馬ㄱ 馬北 驩 驩 驩
[字解] 기뻐할환, 기쁨환 歡(欠부 18획〈601〉)과 통용. '交―'. '霸者之民, ―虞如也'《孟子》.
[字源] 形聲. 馬+雚〔音〕

馬18 〔驫〕28 섭 (녑[本]) [入]葉 | niè ジョウ はしる
[筆順] 馬 馬一 馬T 馬王 馬耳 馬耳 驆 驫
[字解] 달릴섭 말이 빨리 달림. '馼, 馬步疾也. 或作―'《說文》. ※本音 녑.

馬18 〔驨〕28 휴 [平]齊 | xí ケイ うまににたいっかくのあるけもの
[字解] ①짐승이름휴 말 비슷하고 뿔이 하나 있는 짐승의 이름. '―, 如馬一角'《爾雅》. ②좋은말휴 '―, 騏驎'《玉篇》.

馬18 〔驃〕28 〔표〕 驃(馬부 11획〈1749〉)의 本字

馬19 〔驪〕29 려 [平]齊 | lí レイ くろうま
[字解] ①가라말려 검은 말. '四―濟濟'《詩經》. ②검을려 흑색. '有―色之馬'《公孫龍子》. ③나란히할려 수레에 두 필의 말을 나란히 세워 매고 멍에를 메움. '輦車―駕'《後漢書》. ④성려 성(姓)의 하나.
[字源] 形聲. 馬+麗〔音〕

馬20 〔驫〕30 [一] 표 [平]尤 [平]蕭 | biāo ヒュウ おおくのうま piāo ヒョウ みずのな [二] 습 [入]緝 | シュウ おおくのうま [三] 휴 [平]尤 | キュウ うまのむらがりはしるさま
[字解] [一] ①많은말표 '―, 衆馬也'《說文》. ②말몰려달아날표 말이 무리져 달리는 모양. '―, 衆馬走皃'《廣韻》. ③물이름표 '泌水, 南歷猗氏關, 與―水合'《水經注》. [二] 많은말습, 말몰려달아날습, 물이름습 [一]과 뜻이 같음. [三] 말몰려달아날휴 [一]❷와 뜻이 같음.
[字源] 會意. 馬+馬+馬. 많은 말의 뜻.

馬20 〔騁〕30 〔빙〕 騁(馬부 7획〈1742〉)의 古字

馬20 〔驔〕30 〔담〕 驔(馬부 12획〈1751〉)의 本字

馬21 〔驘〕31 〔라〕 贏(馬부 13획〈1752〉)와 同字

馬24〔䯂〕34 ㊀신 ㊥眞 ㊁습 ㊇緝 | shēn シン おおくてさかんなさま シュウ きのさかんなさま

字解 ㊀①많고성할신 많고 성(盛)한 모양. '一, 衆盛皃'《廣韻》. ②말몰려갈신 말이 몰려가는 모양. '一, 衆馬行皃'《玉篇》. ㊁①나무성할습 나무가 성(盛)한 모양. '一, 木盛皃'《集韻》. ②많고성할습 ㊀❶과 뜻이 같음.
字源 會意. 木+驫

骨　部
〔뼈 골 부〕

骨0〔骨〕10 中·人 골 ㊇月 | gǔ コツ ほね
筆順 ｜ ㄇ ㄇ ㄇ 冎 骨 骨 骨
字解 ①뼈골 ㉠근육 속에 싸여 몸을 지탱하는 물질. '筋一'. '一肉'. '以酸養一'《周禮》. ㉡모든 물건 속의 단단히 굳어 있는 부분. '石爲之一'《博物志》. 또, 사물의 중추. '蓬萊文章建安一'《李白》. ㉢몸. 시체. '流血積一'《晉書》. 또, 죽은 사람. '下無怨一, 上無怨人'《晉書》. ㉣깊은 속. 골수. '銜怨入一'《十八史略》. ②뼈대골 골격. '仙一'. '一相'. '有封侯一'《漢書》. 전(轉)하여, 인격. 풍도. '氣一'. '俠一'. '讀之凜然, 如見其道一'《石門題跋》. ③성골 성(姓)의 하나.
字源 會意. 冎+月(肉)
參考 '骨골'을 의부(意符)로 하여, 몸의 각 부위의 뼈의 명칭, 뼈로 만든 물건 등을 나타내는 문자를 이룸. 부수 이름은 '뼈골변'.

骨0〔骨〕10 骨(前條)의 俗字

骨2〔䯆〕12 ㊀골 ㊇月 (굴㊍) ㊁괄 ㊇黠 | kū コツ つとめる カツ つとめる
字解 ㊀힘쓸골 힘써 일함. '一, 勤也'《廣雅》. ※本音 굴. ㊁힘쓸괄 ㊀과 뜻이 같음.

骨2〔肌〕12 기 ㊥支 | jī キ はだ
字解 살기 肌(肉부 2획〈1064〉)와 同字. '一骨無磆'《列子》.

骨2〔骬〕12 청 ㊥靑 | tīng テイ すねのほね
字解 정강이뼈청 '一, 䯒骨'《集韻》.

骨2〔骪〕12 骫(次條)의 訛字

骨3〔骫〕13 위 ㊤紙 | wěi イ まがる
字解 ①굽을위 우회함. '其文一骳'《漢書》. ②굽힐위 굽게 함. '一天下正法'《漢書》. ③모일위 '禍所一也'《太玄經》. ④성위 성(姓)의 하나.
字源 會意. 骨+丸

骨3〔骩〕13 骫(前條)의 俗字

骨3〔骪〕13 骫(前前條)의 訛字

骨3〔骭〕13 한 ㊦翰 ㊦諫 | gàn カン すねのほね
字解 ①정강이뼈한 경골(脛骨). '短布單衣適至一'《甯戚》. ②갈비한 늑골(肋骨). '顳項骿一'《新論》.
字源 形聲. 骨+干〔音〕
參考 骬(次條)는 別字.

骨3〔骬〕13 우 ㊥虞 | yú ウ さこつ
筆順 ㄇ ㄇ 冎 骨 骨 骨一 骨二 骬
字解 빗장뼈우 '髃一'는 가슴 위쪽에 있는 긴 뼈. 쇄골(鎖骨). 결분골(缺盆骨). '髃一以下至天樞, 心岐骨也'《靈樞經》.
字源 形聲. 骨+于〔音〕
參考 骭(前條)은 別字.

骨3〔䯛〕13 활 ㊇黠 | hú カツ ひざのやまい huá カツ ほねをすりみがくおと
字解 ①무릎병활 '一, 𨄅病也'《說文》. ②뼈를쓸고가는소리활 '一, 治骨聲'《篇海》. ③발병활 '一, 足病'《集韻》.

骨4〔骯〕14 항 ㊤養 | āng コウ からだがふとる
字解 살찔항, 꼿꼿할항 '一髒'은 몸이 비대한 모양. 일설(一說)에는, 태도가 강직한 모양. '一髒倚門邊'《後漢書》.
字源 形聲. 骨+亢〔音〕

骨4〔骰〕14 투 ㊥尤 | tóu トウ すごろくのさい
字解 주사위투 '一子'는 주사위. '玲瓏一子安紅豆'《溫庭筠》.
字源 形聲. 骨+殳〔音〕

骨4 〔骱〕14 [一] 갈 [入]黠 jiá カツ ちいさいほね
[二] 할 [入]曷 カツ ほねがかたい
[三] 해 [去]卦 xiè カイ かたいほね

[字解] [一] 작은뼈갈 '⿰骨蔑一'은 작은 뼈. '一, ⿰骨蔑一, 小骨'《廣韻》. [二] 뼈굳을할 뼈가 단단함. '一, 骨堅'《廣韻》. [三] 굳은뼈해 '一, 堅骨'《集韻》.

骨4 〔⿰骨支〕14 〔기〕 跂(足부 4획〈1422〉)와 同字

骨4 〔⿰骨方〕14 〔방〕 肪(肉부 4획〈1066〉)의 俗字

骨4 〔⿰骨及〕14 삽 [入]合 sǎ ソウ かしらのうごくさま

[字解] 머리움직이는모양삽 '一, 一⿰骨業, 首動皃'《集韻》.

骨4 〔⿰骨少〕14 [一] 선 [上]銑 xiǎn セン すくない
[二] 삼 [上]感 sǎn サン かるくちいさなほね

[字解] [一] 적을선 많지 않음. '一, 少也'《篇海》. [二] 가벼운잔뼈삼 '一, 骨輕一'《篇海》.

骨4 〔⿰骨牙〕14 아 [平]麻 yà カ こしぼね

[字解] 허리뼈아 '一, 髂也'《玉篇》.

骨4 〔⿰骨巴〕14 파 [去]禡 bà ハ つか

[字解] 자루파 칼자루. 杷(木부 4획〈530〉)와 同字. '杷, 柄也, 亦作一'《集韻》.

骨4 〔⿰骨欠〕14 [一] 알 [入]黠 wā ワツ いきがのどにつかえる
[二] 올 [入]月 オツ いきがのどにつかえる

[字解] [一] ①숨쉬기거북할알 '一, 咽中息不利也'《說文》. ②큰목구멍알 '大咽曰一'《一切經音義》. [二] 숨쉬기거북할올, 큰목구멍올 [一]과 뜻이 같음.
[字源] 形聲. 欠+骨〔音〕

骨5 〔骲〕15 박 [入]覺 bó ハク ほねのやじり

[字解] 살촉박 뼈로 만든 살촉. '一箭'. '乃更以一箭射其膺'《資治通鑑》.
[字源] 形聲. 骨+包〔音〕

骨5 〔骳〕15 피 [去]寘 [上]紙 bèi ヒ まがる

[字解] 굽을피 우회함. '骫一'. '一, 曲也'《集韻》.

骨5 〔骶〕15 저 [去]霽 [上]薺 dǐ テイ しり

[字解] 꽁무니저 등마루뼈의 끝진 곳. '尾一骨'. '一, 脊尾曰一'《字彙》.
[字源] 形聲. 骨+氐〔音〕

骨5 〔骷〕15 고 [平]虞 kū コ ひざぼね

[字解] ①종지뼈고 슬골(膝骨). '一, 廣雅, 一髆, 骭也'《集韻》. ②해골고 죽은 사람의 뼈. '謂枯骨爲一'《通雅》.

骨5 〔骴〕15 〔자〕 胔(肉부 5획〈1068〉)와 同字
[字源] 骨+此〔音〕

骨5 〔骵〕15 〔체〕 體(骨부 13획〈1762〉)의 俗字

骨5 〔⿰出骨〕15 굴 [入]月 kū コツ いわや

[字解] 굴굴 窟(穴부 8획〈920〉)의 古字. '月一'은 달 뜨는 곳. '西厭月一'《漢書》.

骨5 〔⿰骨出〕15 ⿰出骨(前條)과 同字

骨5 〔⿰骨可〕15 가 [平]歌 kē カ ひざぼね
[去]禡 qià カ こしぼね

[字解] ①종지뼈가 슬골. '一, 膝骨也'《集韻》. ②허리뼈가 髂(骨부 9획〈1759〉)과 同字. '髂, 髖骨也, 或作一'《集韻》.

骨5 〔⿰骨今〕15 〔한〕 骭(骨부 3획〈1755〉)과 同字

骨5 〔⿰骨尻〕15 고 [平]豪 kāo コウ しりぼね

[字解] ①미골(尾骨)고 '一, 尻骨也, 尻, 脊梁盡處'《正字通》. ②뼈고 '一, 骨也'《集韻》.

骨5 〔⿰骨玄〕15 곤 [上]阮 gǔn コン ほそいほね

[字解] ①가는뼈곤 '一, 細骨'《集韻》. ②⿰骨系(骨부 7획〈1758〉)과 同字. '⿰骨系, 鬬, 人名, 禹父也, 通作一'《集韻》.

骨5 〔⿰骨它〕15 과 [平]歌 quē カ てあしのやむさま

[字解] ①수족이병든모양과 ⿰骨⿱山匕(次條)와 同字. '⿰骨⿱山匕, 手足病皃, 一, 上同'《廣韻》. ②수족이굽는병과 '一, 䏿一, 手足曲病'《字彙》.

骨5 〔⿰骨⿱山匕〕15 ⿰骨它(前條)와 同字

骨5 〔⿰骨斥〕15 궁 [平]東 qióng キュウ みゃく
[字解] 맥(脈)궁 핏줄. '一, 脈也'《篇海》.

骨5 〔⿰骨令〕15 령 [平]青 líng レイ こしぼね
[字解] ①허리뼈령 '一, ⿰骨危骨'《廣韻》. ②뼈모양령 ⿰骨零(骨부 13획〈1761〉)과 同字. '⿰骨零, ⿰骨零⿰骨廷, 骨皃, 或省'《集韻》.

骨5 〔⿰骨犮〕15 [一] 발 [入]曷 bó ハツ かたぼね
[二] 폐 [去]隊 fèi ハイ ほねのはし
[字解] [一] ①어깨뼈발 '一, 一曰, 肩⿰骨尃骨'《集韻》. ②뼈의높은모양발 뼈의 불거진 모양. '一, 一⿱山⿸厂骨, 骨高皃'《集韻》. [二] 뼈의끝폐 '一, 骨耑也'《集韻》.

骨5 〔⿱山⿸厂骨〕15 알 [入]曷 è カツ ほねのたかいさま
[字解] 뼈불거진모양알 뼈가 불쑥 솟은 모양. '一, ⿰骨犮一, 骨高皃'《集韻》.

骨5 〔⿰骨号〕15 요 [上]篠 yǎo ヨウ かたぼね
[字解] ①어깨뼈요 '一, 肩骨'《廣韻》. ②갈비뼈요 늑골(肋骨). ⿰骨肖(骨부 7획〈1758〉)와 同字. '⿰骨肖, 脅骨, 或从号'《集韻》.

骨5 〔⿰骨失〕15 〔질〕 胅(肉부 5획〈1071〉)과 同字

骨6 〔骸〕16 해 [平]佳 hái カイ・ガイ ほね
[字解] ①뼈해 골(骨). '析一而炊爨'《左傳》. ②몸해 신체. '衰一'. '形一'. '逸身煖一'《呂氏春秋》. ③정강이뼈해 경골(脛骨). '治其一關'《素問》.
[字源] 形聲. 骨+亥〔音〕

骨6 〔⿰骨肉〕16 骸(前條)와 同字

骨6 〔骹〕16 교 [平]肴 qiāo コウ あしくび
[字解] 발회목뼈교 경골(脛骨) 중의 발회목에 있는 부분. '去一以爲一圍'《周禮》.
[字源] 形聲. 骨+交〔音〕

骨6 〔骼〕16 격 [入]陌 gé カク ほね
[字解] 백골격 고골(枯骨). '骨一'. '掩一埋胔'《字彙》.
[字源] 形聲. 骨+各〔音〕

骨6 〔骻〕16 과 [去]禡 kuà カ こしぼね, またぐら
[字解] ①허리뼈과 요골(腰骨). ②사타구니과 胯(肉부 6획〈1072〉)와 同字. '缺一之服'《唐書》.
[字源] 形聲. 骨+夸〔音〕

骨6 〔⿰骨舌〕16 [一] 괄 [入]曷 guā カツ ほねのはし
[二] 활 [入]黠 huá カツ さしさわり
[字解] [一] ①뼈끝괄 '一, 骨端'《廣韻》. ②무릎관절괄. ③종지뼈괄 무릎뼈. '一, ⿰骨可也'《廣雅》. [二] 장애활 '⿰骨必一'은 지장(支障). '一, ⿰骨必一, 所以礙也'《集韻》.
[字源] 形聲. 篆文은 骨+𠯑〔音〕

骨6 〔骺〕16 [一] 후 [平]尤 hóu コウ・グ ほねのはし
[二] 구 [去]宥 コウ・ク ほねのはし
[字解] [一] ①뼈끝후 '⿰骨舌一'는 뼈의 끝. '一, ⿰骨舌一也'《玉篇》. ②살촉후 '⿰骨舌一'는 뼈로 만든 화살촉 '一, 一曰, 骨鏃'《集韻》. ③⿰骨舌(前條)의 訛字. [二] 뼈끝구, 살촉구 [一]과 뜻이 같음.

骨6 〔骿〕16 〔변〕 ⿰骨幷(骨부 8획〈1758〉)의 俗字

骨6 〔⿰骨光〕16 광 [平]陽 kuāng コウ こしぼね
[字解] ①허리뼈광 '一, ⿰骨可也'《廣韻》. ②넓적다리뼈광 '一, 一⿰骨良, 股骨也'《玉篇》.

骨6 〔⿰骨𡿺〕16 〔뇌〕 腦(肉부 9획〈1082〉)와 同字

骨6 〔⿰骨灰〕16 매 [平]灰 méi バイ せにく
[字解] 등심살매 등에 붙은 살. 脢(肉부 7획〈1075〉)와 同字. '脢, 說文, 背肉也, 或作一'《集韻》.

骨6 〔⿰骨自〕16 퇴 [平]灰 duī タイ ほねがおきる
[字解] 뼈불거질퇴 뼈가 불쑥 나온 것. '一, 骨起'《集韻》.

骨6 〔⿰骨危〕16 와 [上]麻 wá ガ こしぼね
[字解] 허리뼈와 '一, ⿰骨咼一, 骻骨'《廣韻》.

骨6 〔⿰骨行〕16 행 [平]庚 héng コウ うしのせのほね
[字解] ①쇠등뼈행 소의 등뼈. '一, 牛脊後骨'《集韻》. ②정강이뼈의윗부분행 胻(肉부 6획〈1073〉)과 同字. '病足一腫若水狀. 〔注〕一, 與胻同'《素問》.

骨 7 〔髇〕 17 효 [平]看 | xiāo コウ かぶらや

[字解] 우는살효 명적(鳴鏑). '貫一矢'《唐書》.

骨 7 〔⿰骨坒〕 17 폐 [上]薺 | bì ヘイ もものほね

[字解] 넓적다리폐 오금 윗마디의 다리. '髤其肉皮通一臀'《韓愈》.

骨 7 〔骾〕 17 경 [上]梗 | gěng コウ ほねがのどにたつ

[字解] 걸릴경 먹은 가시가 목구멍에 걸림. 전(轉)하여, 사람의 성질이 모져서 시속을 따르지 아니함. '骨一不動於物'《晉書》.
[字源] 形聲. 骨+更(㪅)〔音〕

骨 7 〔⿰骨肖〕 17 요 [上]篠 | yǎo ヨウ あばらぼね

[字解] 갈비요 협골(脅骨). 일설(一說)에는, 견갑골(肩胛骨). '左髀達於下一爲下射'《唐書》.

骨 7 〔⿰骨⿱氏口〕 17 〔괄〕 ⿰骨舌(骨부 6획〈1757〉)과 同字

骨 7 〔⿰骨系〕 17 〔곤〕 鯀(魚부 7획〈1794〉)과 同字

骨 7 〔⿰骨巠〕 17 경 [平]青 | xíng ケイ ほね / jìng ケイ すね

[字解] ①뼈경 '一, 骨也'《集韻》. ②脛(肉부 7획〈1075〉)과 同字. '一, 同脛'《正字通》.

骨 7 〔⿰骨良〕 17 랑 [平]陽 | láng ロウ うちまた

[字解] ①허벅지랑 '一, 股內謂之一'《集韻》. ②넓적다리뼈랑 '一, ⿰骨光一'《玉篇》. ③넓적다리살랑 '一, ⿰骨光一, 股肉'《廣韻》. ④종지뼈랑 슬개골(膝蓋骨). '⿰骨光一, ⿰骨可也'《廣雅》.

骨 7 〔⿰骨甫〕 17 [一] 보 [上]麌 | pǒ フ ひざぼね / [二] 박 [入]藥 | ハク ひざぼね

[字解] [一] 종지뼈보 슬개골(膝蓋骨). '一, ⿰骨可也'《廣雅》. [二] 종지뼈박 髆(骨부 10획〈1760〉)·胉(肉부 5획〈1069〉)과 同字. '一, ⿰骨可也, 或从尃, 亦作胉'《集韻》.

骨 7 〔⿰骨甹〕 17 빙 [平]青 | pīng ヘイ あばらぼね

[字解] 갈비뼈빙 늑골. '一, 肋骨'《集韻》.

骨 7 〔⿰骨廷〕 17 정 [平]青 | tīng テイ ながいほねのさま

[字解] 긴뼈의모양정 '一, ⿰骨需一, 長骨皃'《集韻》.

骨 7 〔⿰骨完〕 17 환 [去]翰 | huàn カン ひざぼね

[字解] ①종지뼈환 슬개골. '一, 膝骨'《廣韻》. ②뼈를태워옻칠(漆)에섞어바를환 '一, 以骨爲灰而桼也'《六書統》.

骨 7 〔⿰骨夋〕 17 〔퇴〕 腿(肉부 10획〈1085〉)의 俗字

骨 8 〔髀〕 18 비 [上]紙 | bì ヒ もも

[字解] 넓적다리비 오금 윗마디의 다리. '一肉之歎'《蜀志》. '帶下毋厭一'《禮記》.
[字源] 形聲. 骨+卑〔音〕

骨 8 〔⿰骨畀〕 18 髀(前條)의 俗字

骨 8 〔髁〕 18 [一] 과 [去]箇 | kuà カ ひざぼね / [二] 화 [上]馬 | kē カ みだれてただしくないさま

[字解] [一] 종지뼈과 슬골(膝骨). [二] 부정할화 바르지 않은 모양. '謑一無任'《莊子》.
[字源] 形聲. 骨+果〔音〕

骨 8 〔⿰骨宛〕 18 완 [去]翰 | wàn ワン ひざぼね

[字解] 무릎뼈완 슬골(膝骨). '張進昭截在一廬于墓'《唐書》.

骨 8 〔骿〕 18 변 [平]先 | pián ヘン·ベン いちまいあばら

[字解] 통갈비변 갈빗대가 나란히 바싹 붙어서 통뼈로 이루어진 것처럼 보이는 갈비. '聞其一脅, 欲觀其狀'《國語》.
[字源] 形聲. 骨+并〔音〕
[參考] 骈(骨부 6획〈1757〉)은 俗字.

骨 8 〔⿰骨易〕 18 [一] 적 [入]錫 | tì テキ·チャク [一][二] ほねのなかのきいろいえき / [二] 척 [入]陌 | タク·チャク / [三] 석 [入]陌 [入]錫 | セキ·シャク またのあいだ

[字解] [一] 뼈사이누른즙적 골수(骨髓). '一, 骨閒黃汁也'《說文》. [二] 뼈사이누른즙척 [一]과 뜻이 같음. [三] 사타구니석 '一, 髈骨閒'《廣韻》.
[字源] 形聲. 骨+易〔音〕

骨 8 〔⿰骨空〕 18 강 [平]江 | qiāng コウ しりぼねのな

[字解] ①궁둥이뼈강 '一, 尻骨'《集韻》. ②궁둥이뼈이름강 '⿰骨童, ⿰骨童一, 尻骨名'《集韻》.

骨 8 〔髂〕18 기 [上]紙 | jì キ こぼね
[字解] 잔뼈기 작은 뼈. '一, 小骨也'《集韻》.

骨 8 〔髂〕18 사 [平]麻 | shē シャ ほねのな
[字解] 뼈이름사 '一, 骨名'《集韻》.

骨 8 〔骱〕18 어 [上]語 | yǔ ヨ かたぼね
[字解] 어깨뼈어 膂(次條)와 同字. '一, 肩骨, 或省, 亦書作膂'《集韻》.

骨 8 〔膂〕18 骱(前條)와 同字

骨 8 〔髄〕18 서 [去]寘 | shuì スイ きぶつのおもてをこする
[字解] 문질러닦을서 칠을 바르기 전에 그릇의 표면을 분말(粉末)로 문지르는 일. '一, 柒器先以屑垸之也'《集韻》.

骨 8 〔髏〕18 릉 [平]蒸 | léng ロウ ほねのたかいさま
[字解] 뼈불거질릉 뼈가 불쑥 솟은 모양. '一, 骨高皃'《集韻》.

骨 8 〔髋〕18 예 [平]支 | ní ギ ほねのさま
[字解] 뼈모양예 '一, 骨皃'《集韻》.

骨 8 〔髀〕18 졸 [入]月 | zú ソツ こぼね
[字解] 잔뼈졸 작은 뼈. '一, 小骨'《集韻》.

骨 8 〔髑〕18 철 [入]屑 | chuò テツ ほねをつぐ
[字解] 뼈이을철 뼈를 붙임. '一, 續骨也'《玉篇》.

骨 9 〔髂〕19 가 [去]禡 | qià カ こしぼね
[字解] 허리뼈가 요골(腰骨). '折骨拉一'《漢書》.

骨 9 〔髃〕19 우 [平]虞 | yú グ かたのほね
[字解] 어깻죽지우 腢(肉부 9획〈1081〉)와 同字. '膊前骨謂之一'《集韻》.
[字源] 形聲. 骨+禺〔音〕

骨 9 〔髄〕19 〔경〕 骾(骨부 7획〈1758〉)의 本字

骨 9 〔髓〕19 〔수〕 髓(骨부 13획〈1761〉)의 略字

骨 9 〔髑〕19 갈 (할[本]) [入]曷 | hé カツ かたぼね
[字解] ①어깨뼈갈 '一, 一骭, 肩骨'《玉篇》. ②가슴앞뼈갈 '一, 一骭, 胷前骨'《集韻》. ※本音 할.

骨 9 〔髂〕19 〔개〕 腊(肉부 9획〈1084〉)와 同字

骨 9 〔髁〕19 과 [平]麻 | kuā カ ひたいのうえのほね
[字解] ①이마위의뼈과 '一, 額上骨也'《廣韻》. ②허리뼈과 '一, 一骪, 髂上骨'《玉篇》.

骨 9 〔髎〕19 대 [去]隊 | duì タイ おろかなさま
[字解] ①어리석은모양대 '一, 䯧一, 愚皃'《集韻》. ②어리석은사람대 '一, 䯧一, 愚人'《廣韻》. ③뼈대 '一, 骨也'《字彙》.

骨 9 〔髑〕19 도 [上]襄 | dū ト ずがいこつ
[字解] 두개골(頭蓋骨)도 머리뼈. '一, 顱也'《集韻》.

骨 9 〔髅〕19 〔루〕 髏(骨부 11획〈1760〉)의 略字

骨 9 〔髂〕19 〔생〕 瘄(疒부 9획〈814〉)과 同字

骨 9 〔髄〕19 〔수〕 髓(骨부 13획〈1761〉)와 同字

骨 9 〔髓〕19 암 [平]咸 | yán ガン ほねのたかいさま
[字解] 뼈불거질암 뼈가 불쑥 나온 모양 '一, 髛一, 骨高皃'《集韻》.

骨 9 〔髄〕19 종 [上]腫 | chǒng ショウ かっけであしがはれる
[字解] 다리부을종 각기(脚氣)로 다리가 부음. 瘇(疒부 12획〈819〉)과 同字. '瘇, 說文, 脛氣足腫, 或作一'《集韻》.

骨 9 〔骗〕19 편 [上]銑 | biàn ヘン ほねがかたよりしょうずる
[字解] 뼈치우쳐날편 뼈가 치우쳐 발달함. '一, 骨一生'《集韻》.

骨 9 〔髌〕19 〔후〕 骺(骨부 6획〈1757〉)와 同字

骨 9 〔髌〕19 骺(前條)와 同字

骨10 〔髆〕20 박 [入]藥 | bó ハク かいがらぼね

[字解] 어깨뼈박 견갑골(肩胛骨). '擊一拊髀'《夢遊錄》.

[字源] 形聲. 骨＋尃〔音〕

骨10 〔髊〕20 ㊀차 [平]歌 | cuō サ すりみがく ㊁자 [去]寘 | cī シ くさったほね

[字解] ㊀뼈갈차 엄니나 뼈를 갊. 磋(石부 10획〈876〉)와 통용. '一, 治牙骨也'《集韻》. ㊁①삭은뼈자 '一, 腐骨也'《玉篇》. ②살붙은뼈자 살이 붙어 있는 뼈. '骼'의 대(對). '揜骼霾一'《呂氏春秋》.

骨10 〔髜〕20 〔효〕 骹(骨부 7획〈1758〉)와 同字

骨10 〔髝〕20 겸 [去]豔 | jiàn ケン やせたさま

[字解] 여윈모양겸 몸이 마름. '一, 瘦皃'《集韻》.

骨10 〔髡〕20 괴 [去]泰 [去]隊 | guì カイ おろかなさま

[字解] 어리석은모양괴 '一, 愚皃也'《玉篇》. '一, 一髂, 愚皃'《集韻》.

骨10 〔髉〕20 ㊀박 [入]覺 | bó ハク ほねさき ㊁각 [入]覺 | jué カク ほねがかたくてしろい

[字解] ㊀①뼈끝박 '一, 骨耑也'《玉篇》. ②뼈박 '一, 骨也'《玉篇》. ㊁뼈단단하고횔각 '一, 骨堅白'《集韻》.

骨10 〔髈〕20 방 [上]養 | pǎng ホウ もも [上]養 | páng ホウ わき [平]陽 | bāng ボウ かた

[字解] ①넓적다리방 '一, 股也'《玉篇》. ②옆구리방 옆구리의 근육. '一, 脅肉也'《集韻》. ③어깨방 '兩箇肩一擡着箇口'《三國志通俗演義》.

骨10 〔髓〕20 애 [平]灰 | ái ガイ あたまのながいさま

[字解] 머리긴모양애 장두(長頭). '一, 頪一, 頭長皃'《集韻》.

骨10 〔髇〕20 오 [上]晧 | ǎo オウ ほねをおさめる

[字解] ①뼈갈무리할오 '一, 藏骨'《廣韻》. ②허리뼈오 腴(肉부 13획〈1095〉)와 同字. '一, 髫骨, 或作腴'《集韻》.

骨10 〔髄〕20 추 [平]支 | zhuī ツイ うなじのほね

[字解] ①목뼈추 椎(木부 8획〈557〉)와 통용. '一, 項後骨, 通作椎'《集韻》. ②頧(頁부 8획〈1693〉)와 同字. '一, 同頧'《字彙》.

骨10 〔髂〕20 해 [去]泰 | hài カイ ほね

[字解] 뼈해 '一, 骨也'《集韻》.

骨11 〔髃〕21 〔괵〕 膕(肉부 11획〈1088〉)과 同字

骨11 〔髎〕21 료 [平]蕭 | liáo リョウ あなのあるこしぼね

[字解] ①허리뼈료 '一, 髖骨名'《集韻》. ②구멍이있는허리뼈료 '一, 骨空處也, 方書, …中央, 爲天一'《正字通》. ③팔료(八髎)료 '팔료'는 꽁무니뼈. 또, 말의 꽁무니뼈. '一, 八一也, 尻骨謂之八一'《一切經音義》. '一, 馬尻骨, 謂之八一'《集韻》. ④말의등뼈료 '一, 馬脊骨'《集韻》.

骨11 〔髼〕21 봉 [去]宋 | fèng ホウ むねのまえのあばらのあうところ

[字解] ①늑골(肋骨)이가슴앞에서만나는곳봉 '一, 胷前骨會合處'《正字通》. ②거북의등껍데기를태워서생기는금봉 '一, 灼龜坼'《集韻》.

骨11 〔髗〕21 욱 [入]沃 | xù キョク どくろ

[字解] 촉루(髑髏)욱 머리뼈. 顱(頁부 11획〈1699〉)과 同字. '顱, 顱也, 或作一'《集韻》.

骨11 〔髟〕21 표 [平]蕭 | biāo ヒョウ すこやか

[字解] 건장(健壯)할표 몸이 건강하고 씩씩함. 僄(人부 11획〈69〉)와 同字. '一, 體壯也, 或从人'《集韻》.

骨11 〔髏〕21 루 [平]尤 | lóu ロウ されこうべ

[字解] 해골루 髑(骨부 13획〈1761〉)을 보라. '髑一'. '一, 髑一也, 从骨婁聲'《說文》.

[字源] 形聲. 骨＋婁〔音〕

骨11 〔髍〕21 마 [平]歌 | mó バ·マ ちゅうふう

[字解] 중풍마 반신 불수의 병. '一, 說文, 痛病也. 謂身支半枯. 或書作䃺'《集韻》.

[字源] 形聲. 骨＋麻〔音〕

骨11 〔髓〕21 〔구〕 軀(身부 11획〈1458〉)와 同字

〔鶻〕〔골〕 鳥부 10획(1830)을 보라.

骨 11 〔䯠〕 21 오 [平]豪 | áo ゴウ かにのはさみ

[字解] 집게발오 게의 집게발. 螯(虫부 11획〈1245〉)와 同字. '一, 蟹大足者'《集韻》.

骨 11 〔髍〕 21 마 ①[上]哿 ②[平]歌 | mǒ バ·マ こまかい mó バ·マ ちゅうふう

[字解] ①잘마, 작을마 '又況幺一尙不及數子'《漢書》. ②중풍(中風)마 반신 불수의 병. 䯵(骨부 11획〈1760〉)와 同字. '䯵, 說文, 瘺病也, 謂身支半枯, 或書作一'《集韻》.

骨 12 〔髐〕 22 효 [平]肴 [平]蕭 | xiāo コウ·キョウ はっこつのさま

[字解] 백골모양효 백골이 땅 위에 있는 모양. '莊子之楚, 見空髑髏, 一然有形'《莊子》.
[字源] 形聲. 骨+堯〔音〕

骨 12 〔𩪘〕 22 궐 [入]月 | jué ケツ しりぼね

[字解] ①꽁무니뼈궐 미저골(尾骶骨). '一, 屍骨也'《說文》. ②꽁무니살궐 '一, 尾肉亦曰一'《通訓》.
[字源] 形聲. 骨+厥〔音〕

骨 12 〔䯣〕 22 [一] 괴 [去]寘 [二] 궤 [去]隊 | kuì キ ひざがしらのほね guì カイ あたまのほねのさま

[字解] [一] ①종지뼈괴 슬개골(膝蓋骨). ②무릎꿇을괴 '一, 膝加地也'《廣韻》. [二] 머리뼈모양궤 '一, 頭骨皃'《集韻》.
[字源] 形聲. 骨+貴(貴)〔音〕

骨 12 〔臀〕 22 〔둔〕 屍(尸부 5획〈297〉)과 同字

骨 12 〔𩪾〕 22 궐 [入]月 | jué ケツ しりぼね

[字解] 엉덩이뼈궐 일설(一說)에는, 꼬리가 붙은 뿌리. '一, 博雅, 臀, 髁, 一也', 一曰, 尾本'《集韻》.

骨 12 〔䯨〕 22 당 [平]江 | chuáng トウ しりぼね

[字解] 꽁무니뼈당 膧(肉부 12획〈1092〉)과 同字. '一, 一骹, 尻骨, 或从肉'《集韻》.

骨 12 〔髎〕 22 〔료〕 髎(骨부 11획〈1760〉)와 同字

骨 12 〔䯫〕 22 망 [上]養 | mǎng ボウ からだのふとったさま

[字解] ①살찐모양만 항장(骯髒). '一, 骯一, 體胖也'《集韻》. ②髒(骨부 13획〈1761〉)의 訛字. '一, 髒字之譌'《正字通》.

骨 12 〔䯟〕 22 박 [入]覺 | pú ハク ほねのや

[字解] ①뼈로만든화살박 '一, 骨箭'《集韻》. ②䏞(骨부 5획〈1756〉)과 同字. '一, 同䏞'《正字通》.

骨 13 〔䯧〕 23 감 [平]咸 | qiān カン ほねのたかいさま

[字解] 뼈높은모양감 뼈가 불거진 모양. '一, 一䯩, 骨高皃'《集韻》.

骨 13 〔䯪〕 23 령 [平]青 | líng レイ ほねのさま

[字解] ①뼈의모양령 '一, 一艇, 骨皃'《集韻》. ②骱(骨부 5획〈1757〉)과 同字. '一, 或省'《集韻》.

骨 13 〔䯬〕 23 [一] 비 [去]寘 [二] 벽 [入]陌 | bì ヒ ゆはず ヘキ ゆはず

[字解] [一] 활고자비 활 양끝의 시위를 거는 부분. '一, 弓弭'《集韻》. [二] 활고자벽 [一]과 뜻이 같음.

骨 13 〔䯭〕 23 억 [入]職 | yì ヨク むねのほね

[字解] ①가슴뼈억 '肊, 說文, 胷骨也, 或作臆·一'《集韻》. ②뼈억 '一, 骨'《玉篇》.

骨 13 〔𩪸〕 23 [一] 䯭(前條)의 訛字 [二] 肊(肉부 3획〈1065〉)과 同字

骨 13 〔䯟〕 23 업 [入]合 | è ゴウ かしらのうごくさま

[字解] 머리움직이는모습업 頟(頁부 13획〈1701〉)과 同字. '一, 骰一, 首動皃, 或从頁'《集韻》.

骨 13 〔臃〕 23 〔응〕 膺(肉부 13획〈1094〉)과 同字

骨 13 〔髑〕 23 촉 [入]屋 | dú トク されこうべ

[字解] 해골촉 '一髏'는 뼈만 앙상하게 남은 죽은 사람의 머리뼈. '見空一髏, 髐然有形'《莊子》.
[字源] 形聲. 骨+蜀〔音〕

骨 13 〔髒〕 23 장 [上]養 | zāng ソウ からだのふとったさま

[字解] 살질장, 꿋꿋할장 骯(骨부 4획〈1755〉)을 보라. '骯一', '一, 骯一, 體胖'《集韻》.
[字源] 形聲. 骨+葬〔音〕

骨 13 〔髓〕 23 [人名] 수 [上]紙 | suǐ スイ·ズイ ずい

[筆順] 冂 冎 骨 ⿰骨广 ⿰骨𠂇 ⿰骨𢀖 ⿰骨育 髓

[字解] 골수 뼈의 속에 차 있는 누른빛의 기름 같은 물질. '骨—'. '腦—'. 전(轉)하여, 마음 속. '德淪于骨—'《史記》. 또, 사물의 중심이 되는 중요한 부분. 요점. '精—'. '筆下滴滴文章—'《李咸用》.
[字源] 形聲. 骨+遀(隓)〔音〕

骨 13 〔⿰骨隓〕 23 髓(前條)의 本字

骨 13 〔體〕 23 [中·人] 체 ㊤薺 | tǐ タイ からだ
[筆順] 冂 冎 骨 ⿰骨冖 ⿰骨曲 ⿰骨豊 ⿰骨豊 體
[字解] ①몸체 육체. '身—'. '父母之遺—'《禮記》. ②사지체 팔다리. '四—不勤'《論語》. ③바탕체 사물의 토대. '本—'. '—要'. ④모양체 ㉠모습. 용모. '姿—'. ㉡체재. '字—'. '國—'. ⑤점상(占象)체 거북점 같은 데에 나타난 종횡의 균열(龜裂). 점에 나타난 형상. 점조(占兆). '君占—'《周禮》. ⑥물건체 '物—'. '液—'. ⑦자체체 물건 그 자체. '用'의 대(對)로서, 움직이지 않는 것. '禮之—主於敬, 而其用則以和爲貴'《論語集註》. ⑧나눌체 구획함. '—國經野'《周禮》. ⑨형성할체 형체를 이룸. '方苞方—'《詩經》. ⑩친할체 친근히 함. '就賢—遠'《禮記》. ⑪본받을체 본뜸. '汝等—此旨'. '—太一'《淮南子》. ⑫행할체 실행함. '—驗'. '以身—之'《淮南子》. ⑬성체 성(姓)의 하나.
[字源] 形聲. 骨+豊(豐)〔音〕
[參考] 体(人부 5획〈42〉)·躰(骨부 5획〈1756〉)는 俗字.

骨 13 〔⿰骨會〕 23 괴 ㊥泰 | kuài カイ こうがい
[筆順] 冂 冎 骨 ⿰骨人 ⿰骨亼 ⿰骨侖 ⿰骨侖 ⿰骨會
[字解] 동곳괴 상투가 풀어지지 않게 꽂는 물건. '—, 骨擿之可會髮者'《說文》.
[字源] 形聲. 骨+會〔音〕

骨 13 〔⿱殿骨〕 23 〔둔〕 ⿸尸𠘧(尸부 5획〈297〉)·臋(肉부 13획〈1094〉)과 同字

骨 14 〔髕〕 24 빈 ㊦震 | bìn ヒン ひざさら
[筆順] 冂 冎 骨 ⿰骨广 ⿰骨宀 ⿰骨宀 ⿰骨宾 髕
[字解] ①종지뼈빈 슬개골. 臏(肉부 14획〈1095〉)과 同字. ②종지뼈벨빈 형벌로서 종지뼈를 베어 냄. '—罰之屬, 五百'《漢書》.
[字源] 形聲. 骨+賓〔音〕

骨 14 〔⿰骨㬎〕 24 ㊀암 ㊦勘 ㊁읍 ㊇緝 | àn ガン かしらのほねのたかいさま qì キュウ ほじし·かわく
[字解] ㊀머리뼈의높은모양암 '—, 首骨高皃'《集韻》. ㊁포(脯)읍, 마를읍, 말릴읍 '—, 朐脯, 一曰, 乾也. 或从骨'《集韻》.

骨 14 〔⿰骨蒦〕 24 확 ㊇藥 | huò カク うまいにく
[字解] ①맛있는고기확 '—, 美肉'《篇海》. ②뼛소리확 뼈의 소리. '—, 骨聲'《篇海》.

骨 14 〔⿰骨麼〕 24 마 ㊤哿 | mǒ バ あなじのやまい mó バ ちゅうふう
[字解] ①치루(痔漏)마 치질의 일종. '—, 漏病'《集韻》. ②중풍(中風)마 髍(骨부 11획〈1760〉)와 同字. '—, 與髍同, 身支半枯病'《字彙》.

骨 15 〔⿰骨蔑〕 25 말 ㊇曷 | mà バツ ちいさいほね
[字解] 잔뼈말, 뼈단단할말 '—, —骱, 小骨, 一曰, 骨堅'《集韻》.

骨 15 〔⿰骨齒〕 25 할 ㊇黠 | huá カツ ほねをかむおと
[字解] 뼈씹는소리할 '—, 齧聲'《廣韻》.

骨 15 〔髖〕 25 관 ㊥寒 | kuān カン こしぼね
[字解] ①허리뼈관 요골(腰骨). ②사타구니관 고간(股間). '至—髀之所'《新書》.
[字源] 形聲. 骨+寬〔音〕

骨 16 〔⿰骨⿱𦥑貝〕 26 〔괴〕 ⿰骨貴(骨부 12획〈1761〉)의 本字

骨 16 〔⿰骨隨〕 26 〔수〕 髓(骨부 13획〈1761〉)와 同字

骨 16 〔⿰骨歷〕 26 력 ㊇錫 | lì レキ ほねのやまい
[字解] 뼈의병력 뼈에 든 병. '—, 骨病'《集韻》.

骨 16 〔髗〕 26 〔로〕 顱(頁부 16획〈1702〉)와 同字

骨 18 〔⿰骨雚〕 28 〔관〕 顴(頁부 18획〈1703〉)과 同字

骨 19 〔⿱䜌骨〕 29 련 ㊥先 | luán レン くぐせ, せむし
[字解] 구루병(傴僂病)련, 곱사등이련 㿨(疒부 19획〈822〉)과 同字. '㿨, 病體拘曲也, 或作—'《集韻》.

高 部

〔높을고부〕

高0 〔高〕 10 [中·人] 고 [平]豪 [去]號 | ①-⑤gāo コウ たかい ⑥gào コウ たかさ

[筆順] 丶 亠 亣 亩 古 亯 髙 高

[字解] ①높을고 ㉠얕지 아니함. '一低'. '山一月小'《蘇軾》. ㉡존귀함. '位一而多金'《戰國策》. ㉢속되지 아니함. 무사함. '一潔'. '一尙'. '其曲彌一'《宋玉》. ㉣값이 비쌈. '少室山人索價一'《韓愈》. ㉤나이가 많음. '一齡'. '年又最一'《歐陽修》. ㉥뛰어남. '一行'. '功一如此'《史記》. ㉦소리가 큼. '一唱'. '一歌放言'《舊唐書》. ②높일고 존숭함. '天下逾一之'《呂氏春秋》. ③뽐낼고 스스로 높은 체함. '以勳力相一'《唐書》. ④높은곳고, 높은자리고 '登一作賦'《王勃》. 또, 높은 것. '豈能遂先生之一哉'《范仲淹》. ⑤성고 성(姓)의 하나. ⑥높이고 높은 정도. '一雉之牆, 長三丈, 一一丈'《左傳》.
[字源] 象形. 높고 큰 문 위의 높은 누다락의 모양을 본떠, '높다'의 뜻을 나타냄.
[參考] '高고'의 생략체인 '亠'를 의부(意符)로 하여, '亭정' 등 건물을 나타내는 문자를 이룸. 단, '亭'·'亮' 등은 부수로서는 'ㅗ'부에 분류되고 있음.

高0 〔髙〕 11 高(前條)의 俗字

高2 〔𩫏〕 12 경 [上]梗 | chǐng ケイ ちいさいいえ
[字解] ①작으마한집경 廎(广부 11획〈351〉)과 同字. '一, 小堂也, 或作廎'《集韻》. ②원두막경 '一, 瓜屋也, 或作廎'《集韻》.

〔鄗〕 〔호〕 邑부 10획(1524)을 보라.

〔槀〕 〔고〕 木부 10획(568)을 보라.

高3 〔𩫓〕 13 〔숙〕 孰(子부 8획〈272〉)과 同字

高3 〔𩫖〕 13 [一] 학 [入]藥 | hè カク おおきい [二] 교 [平]肴 | qiāo コウ うつ
[字解] [一] 클학 '一, 大也'《類篇》. [二] 두드릴교 '一, 擊也, 今作敲'《玉篇》.

高3 〔𩫗〕 13 개 [去]泰 | kài カイ うつ
[字解] 칠개 '一, 擊也'《廣韻》.

高4 〔髚〕 14 규 [平]蕭 | qiāo キョウ たかい
[字解] 높을규 '一, 高也'《篇海》.

高4 〔𩫱〕 14 모 [去]號 | mào ボウ つよいけ
[字解] 뻣뻣한털모 '一, 毴一也'《玉篇》.

高4 〔𩫷〕 14 효 [平]肴 | xiāo コウ かまびすしい
[字解] 시끄러울효 '一, 譊也'《集韻》.

〔膏〕 〔고〕 肉부 10획(1087)을 보라.

高5 〔髛〕 15 고 [平]豪 | kāo コウ あきらか
[字解] 밝을고 환함. 명료함. '一, 明也'《五音集韻》.

高6 〔𩫨〕 16 〔곽〕 郭(邑부 8획〈1520〉)의 本字

高7 〔𩫖〕 17 [一] 곽 [入]藥 | guō カク はかる [二] 용
[字解] [一] ①잴곽 백성이 각자 구역(區域)을 재어 취(取)함. '一, 度也. 民所度居也'《說文》. ②郭(邑부 8획〈1520〉)과 同字. [二] 墉(土부 11획〈218〉)의 古字.

高7 〔豪〕 17 〔호〕 豪(豕부 7획〈1375〉)의 本字

高8 〔𩫶〕 18 〔호〕 豪(豕부 7획〈1375〉)의 古字

高8 〔髜〕 18 교 [上]篠 | qiǎo キョウ たかい
[字解] 높을교 '一, 高也'《集韻》.

高9 〔𩫾〕 19 고 [上]晧 [去]號 | kǎo コウ おおきいあたま
[字解] 큰머리고 '一, 一顊, 大頭'《集韻》.

高9 〔𩬀〕 19 〔호〕 𩫶(高부 7획〈1763〉)와 同字

高10 〔𩬅〕 20 [一] 궐 [入]屑 | quē ケツ かく [二] 열 [入]屑 | エツ かく
[字解] [一] 이지러질궐 옛날에, 성곽(城郭)의 남쪽의 터진 곳. '一, 缺也. 古者城闕其南方, 謂之一'《說文》. [二] 이지러질열 [一]과 뜻

이 같음.
字源 形聲. 高+夫〔音〕

高11〔鶮〕21 초 入屑|cáo ソウ たかいあし
字解 ①높은발초 '一, 高足也'《玉篇》. ②높은모양초 '一, 高皃'《集韻》.

高12〔髝〕22 로 去號 平豪|láo ロウ いそぐ
字解 ①서두를로 상황이 급함. '一, 一髞, 急也'《集韻》. ②높은모양로 '一, 一髞, 高皃'《集韻》. ③거칠고성급할로 '一, 一髞, 一曰, 性麤急'《集韻》.

高12〔䯧〕22 〔원〕 垣(土부 6획〈206〉)의 籒文

高13〔髞〕23 조 去號 平豪|sào ソウ いそぐ ソウ たかいさま
字解 ①서두를조 '髝一'는 서두름. '一, 髝一, 急也'《集韻》. ②높을조 '髝一'는 높은 모양. '一, 髝一, 高皃'《集韻》.

高13〔𩫨〕23 〔성〕 城(土부 7획〈207〉)의 籒文

高15〔𩫖〕25 〔도〕 堵(土부 9획〈213〉)의 籒文

高15〔䯨〕25 〔비〕 陴(阜부 8획〈1617〉)의 籒文

高18〔𩫹〕28 〔타〕 䭾(口부 17획〈192〉)의 古字

高21〔𩫺〕31 〔효〕 囂(口부 18획〈192〉)의 俗字

髟 部
〔터럭발밑부〕

髟0〔髟〕10 표 平蕭|biāo ヒョウ かみがながくたれる
筆順 丨 厂 F E 長 長 長' 髟
字解 머리털늘어질표 긴 머리털이 늘어진 모양. '斑鬢一'《潘岳》.
字源 會意. 長+彡
參考 '髟표'를 의부(意符)로 하여, 머리털이나 수염, 그 상태를 나타내는 문자를 이룸. 부수 이름으로는 속(俗)에, '터럭발(髮)밑'이라 이름.

髟2〔髠〕12 〔곤〕 髡(髟부 3획〈1764〉)의 俗字

髟2〔髨〕12 〔국〕 䯻(髟부 5획〈1766〉)과 同字

髟2〔髪〕12 섬 平鹽|xiān セン よいかみのさま
字解 좋은머리털의모양섬 아름다운 머리카락. '一, 好髮貌'《篇海》.

髟2〔髣〕12 내 平灰|nái ダイ けがみだれるさま
字解 털흐트러질내 털이 엉클어진 모양. '一, 鬤一, 毛亂皃'《集韻》.

髟2〔髦〕12 〔모〕 髦(髟부 4획〈1765〉)와 同字

髟3〔髩〕13 〔쟁〕 髩(髟부 4획〈1765〉)의 訛字

髟3〔髡〕13 곤 平元|kūn コン きる, かる
字解 ①머리깎을곤 ㉠체발(剃髮)함. '見已氏之妻髮美, 使一之以爲呂姜髢'《左傳》. ㉡형벌로서 머리를 깎음. '一鉗季布'《史記》. ②가지칠곤 전지(剪枝)함. '種柳千樹則足柴, 十年以後一一樹'《齊民要術》.
字源 形聲. 髟+兀〔音〕
參考 髠(髟부 2획〈1764〉)은 俗字.

髟3〔髽〕13 아|yā ア はしため
字解 계집종아 여자 하인. 아환(髽環). '一環送了酒, 上了幾道菜'《鏡花緣》.

髟3〔髢〕13 체 去霽|dí(dì) テイ かもじ
字解 ①다리체 월자(月子). '珍一'. '爲呂姜一'《左傳》. ②다리드릴체 다리를 덧드리어 땀. '斂髮毋一'《禮記》.
字源 形聲. 髟+也〔音〕

髟4〔髿〕14 〔사〕 鬖(髟부 7획〈1768〉)와 同字

髟4〔髺〕14 개 去卦|jiè カイ ゆいあげてかんざしをさしたかみ
字解 상투개 머리털을 머리 위에 모아 묶은 것. '男女皆露一'《南史》.
字源 形聲. 髟+介〔音〕

髟4〔髣〕14 방 上養|fǎng ホウ にる
字解 비슷할방 '一髴'은 ㉠서로 비슷하여 구별하기 어려운 모양. '一髴其若夢'《揚

雄》. ㉡보아 잘 알 수 없는 모양. '似至人之一髣'《後漢書》.
[字源] 形聲. 髟+方〔音〕

髟 4 〔髤〕 14 휴 [平]尤 | xiū キュウ あかぐろいろ
[字解] ①검붉은빛휴 거무스름한 붉은빛. '一飾'《周禮》. ②옻칠할휴 옻칠을 바름. '殿上一漆'《漢書》.
[字源] 形聲. 髟+休〈省〉〔音〕. 篆文은 會意로, 桼+髟.
[參考] 髹(髟부 6획〈1767〉)와 同字.

髟 4 〔髥〕 14 염 [平]鹽 [去]豔 | rán ゼン·ネン ほおひげ
[字解] 구레나룻염 귀밑에서 턱까지 난 수염. '美鬚一'《漢書》.
[字源] 形聲. 髟+冄〔音〕
[參考] 髯(髟부 5획〈1766〉)은 俗字.

髟 4 〔髦〕 14 [一]모 [平]豪 | máo ボウ たれがみ
[二]무 [平]尤 | máo ボウ さいほうのいみんぞくのな
[字解] [一]①다팔머리모 아이의 눈썹까지 늘어진 앞머리. '一者, 髮至眉. 子事父母之飾也'《詩經 傳》. ②긴머리모 머리털 중에서 유달리 긴 머리. '士中之俊, 如毛中之一'《爾雅 註》. ③뛰어날모 준수함. 또, 그 사람. '俊一'. '時一允集'《後漢書》. ④갈기모 말의 갈기. '馬不齊一'《儀禮》. ⑤성모 성(姓)의 하나. [二]오랑캐무 髳(髟부 5획〈1766〉)와 同字. '如蠻如一'《詩經》.
[字源] 形聲. 髟+毛〔音〕

髟 4 〔⿱髟内〕 14 내 [去]隊 | nèi ダイ けがみだれるさま
[字解] 머리털헝클어진모양내 '一, 髼一, 毛亂皃'《集韻》.

髟 4 〔髬〕 14 [一]비 [平]支 [平]灰 | pī ヒ ちらしがみではしる | pēi ハイ ひげのおおいさま
[二]부 [上]麌 | fù フ かみのけ
[字解] [一]①산발(散髮)로달릴비 '一, 被髮走'《集韻》. ②수염많은모양비 '一, 一髵, 多須皃'《集韻》. [二]머리털부 '一, 髮謂之一'《集韻》.

髟 4 〔髾〕 14 소 [去]嘯 | shāo ショウ かみがめをおおう
[字解] 머리카락눈덮을소 '一, 髮覆目也'《字義總略》.

髟 4 〔⿱髟丈〕 14 장 [平]陽 | cháng チョウ つかねたかみ
[字解] 상투장 '一, 髻也'《字彙補》.

髟 4 〔⿱髟巾〕 14 쟁 [平]庚 | zhēng ソウ らんぱつのさま
[字解] 난발(亂髮)의모습쟁 '一, 一鬡, 亂髮貌'《五音集韻》.

髟 4 〔⿱髟巴〕 14 파 [平]馬 [去]禡 | pā ハ かみをつかねたさま | bà ハ かみがみだれたさま
[字解] ①상투파, 쪽찐모양파 '一, 髻皃'《集韻》. ②머리털흐트러진모양파 '一, 一鬖, 髮亂皃'《集韻》.

髟 4 〔髧〕 14 담 [上]感 | dàn タン かみのたれるさま
[字解] 늘어질담 머리털이 늘어진 모양. '一彼兩髦'《詩經》.
[字源] 形聲. 髟+冘〔音〕

髟 4 〔髨〕 14 〔곤〕
髡(髟부 3획〈1764〉)과 同字

髟 4 〔髩〕 14 〔빈〕
鬢(髟부 14획〈1774〉)의 俗字

髟 4 〔髪〕 14 〔발〕
髮(髟부 5획〈1765〉)의 略字

髟 5 〔髫〕 15 초 [平]蕭 | tiáo チョウ たれがみ
[字解] 늘어뜨린머리초 어린아이의 뒤로 늘어뜨린 머리털. 전(轉)하여, 유년 시대, 또는 어린아이. '一髮厲志'《後漢書》.
[字源] 形聲. 髟+召〔音〕

髟 5 〔髭〕 15 자 [平]支 | zī シ くちひげ
[字解] 윗수염자 코 밑의 수염. '霜一'. '一鬚'. 頾(頁부 8획〈1692〉)와 同字.
[字源] 形聲. 髟+此〔音〕

髟 5 〔髮〕 15 [高·人] 발 [入]月 | fà ハツ かみ
[筆順] 
[字解] ①머리발 머리털. '頭一'. '毛一'. '一沐三捉一'《史記》. ②초목발 지상의 초목은 사람의 머리와 같으므로 이름. '窮一之北'(북극의 불모(不毛)의 땅)《莊子》. ③성발 성(姓)의 하나.
[字源] 形聲. 髟+犮〔音〕

髟 5 〔⿱髟戊〕 15 髮(前條)의 訛字

髟 5 〔髶〕15 ㊀겸 ㊊鹽 qián ケン かみそり ㊁감 ㊍勘 gàn カン くろかみ

字解 ㊀ 삭발(削髮)할겸 옛날, 중국의 형법(刑法)의 하나. '一, 去髮著鉗之刑'《集韻》. ㊁ 검은머리감 '一, 髮青紺色'《集韻》.

髟 5 〔髨〕15 공 ㊊冬 qióng キョウ かみがみだれる

字解 머리카락흐트러질공 '一, 髮亂'《玉篇》.

髟 5 〔髨〕15 국 ㊋屋 jú キク みだれたかみ

字解 흐트러진머리카락국 髡(髟부 2획〈1764〉)과 同字. '一, 亂髮也, 或省'《集韻》.

髟 5 〔髩〕15 령 ㊊青 líng レイ かみがまばらなこと

字解 머리카락성길령 머리숱이 적음. '鬛, 髮疎也, 或从令'《集韻》.

髟 5 〔髶〕15 〔만〕 鬘(髟부 11획〈1772〉)과 同字

髟 5 〔髣〕15 ㊀병 ㊍敬 bìng ヘイ けがあらい ㊁방 ㊌養 fǎng ホウ にる

字解 ㊀ 털거칠병 머리카락 결이 곱지 않음. '一, 毛粗也'《篇海》. ㊁ 닮을방 仿(人부 4획〈37〉)과 同字. '仿, 說文, 相似也, 或作一'《集韻》.

髟 5 〔髯〕15 알 ㊋曷 niè ガツ かりあましたかみ

字解 ①깎고남긴머리털알 '一, 鬜餘髮'《集韻》. ②어린아이의모습알 '一, 小兒貌'《玉篇》.

髟 5 〔髫〕15 요 ㊌篠 yǎo ヨウ ながくてしなやかなかみ

字解 길고부드러운머리털요 '一, 一鬖, 長而不勁'《篇海》.

髟 5 〔髬〕15 자 ㊍禡 zhà サ けぶかいさま

字解 털많은모양자 '一, 毛多皃'《集韻》.

髟 5 〔髟〕15 진 ㊌軫 zhěn シン しらがみがながい

字解 백발(白髮)길진 '一, 白髮長也'《篇海》.

髟 5 〔髫〕15 태 ㊊灰 tāi タイ ふじんのかもじをそえてゆったかみ

字解 부인의다리를넣어땋은머리태 '一, 一鬌, 婦人僞髻'《集韻》.

髟 5 〔髱〕15 포 ㊍效 bāo ホウ ひげがこい

字解 수염많을포 수염이 많이 난 모양. '一, 多須也'《集韻》.

字源 形聲. 髟+包〔音〕

髟 5 〔髲〕15 피 ㊍寘 bì ヒ かもじ

筆順 ⺊ ⺊ 镸 镸彡 髟丿 髟𠂆 髟广 髲

字解 다리피 월자(月子). '陶侃時倉卒, 無以待賓, 其母乃截髮得雙一, 易酒肴'《晉書》.

字源 形聲. 髟+皮〔音〕

髟 5 〔髳〕15 무 ㊊尤 máo ボウ·ム たれがみ

字解 ①다팔머리무 아이 때의 다팔머리를 본떠 만든 머리꾸미개로, 부모를 섬길 때 머리에 다는 것. ②오랑캐무 서방(西方) 만족(蠻族)의 하나. 지금의 운남성(雲南省) 남부에 거주하였음. '庸蜀羌一微盧彭濮人'《書經》.

字源 形聲. 髟+矛〔音〕

髴 5 〔髴〕15 불 ㊋物 fú フツ さもにたり

字解 ①비슷할불 髣(髟부 4획〈1764〉)을 보라. '髣一'. ②머리꾸미개불 부인(婦人)의 수식(首飾). '蓬首不加一'《歐陽修》.

字源 形聲. 髟+弗〔音〕

髟 5 〔髻〕15 점 ㊌琰 diān テン つかねたかみ

字解 ①튼머리점 상투를 틀거나 쪽을 찐 머리. '一, 髻也'《篇海》. ②살쩍듬성듬성날점 '一鬑, 鬢髮疎薄貌'《玉篇》.

髟 5 〔髬〕15 비 ㊊支 pī ヒ もうじゅうがたてがみをふるうさま

字解 ①갈기떨칠비 '一髵'는 맹수(猛獸)가 갈기를 떨치는 모양. '一, 一髵, 猛獸奮鬣也'《廣韻》. ②흐트러진머리로달릴비 '一一'는 머리를 흐트러뜨리고 달림. '一, 一一, 一曰, 被髮走'《集韻》.

髟 5 〔髣〕15 부 ㊊虞 fù フ たばねただけのかみ

字解 묶은머리부 비녀 따위를 꽂지 않고 묶기만 한 머리. '一, 露髻'《廣韻》.

字源 形聲. 髟+付〔音〕

髟 5 〔髯〕15 〔염〕 髯(髟부 4획〈1765〉)의 俗字

髟 6 〔髷〕16 곡 [入]沃 | qū キョク かみがちぢれたさま

[字解] 고수머리곡 곱슬곱슬한 머리. 또, 머리가 곱슬곱슬한 모양. '一, 一⿱髟局, 鬈髮兒'《集韻》.

[字源] 形聲. 髟＋曲〔音〕

髟 6 〔髻〕16 [一] 계 [去]霽 [二] 결 [入]屑 | jì ケイ もとどり jié ケツ かまどのかみ

[字解] [一] 상투계 머리털을 위로 끌어올리어 짠 것. '一子'. '城中好高一'《後漢書》. [二] 부엌귀신결 부엌을 맡은 신. '竈有一'《莊子》.

[字源] 形聲. 髟＋吉〔音〕

髟 6 〔髺〕16 괄 [入]曷 | kuò カツ かみをたばねる

[字解] 결발할괄 상투를 틀거나 쪽을 찜. '主人一髮袒'《儀禮》.

[字源] 形聲. 篆文은 髟＋昏〔音〕

髟 6 〔⿱髟次〕16 차 [去]寘 | cì シ くしけずる

[字解] ①빗질할차 빗으로 머리를 빗어 매만짐. '一, 用梳比也'《說文》. ②다리차 월자(月子). '一, 婦人首飾. 編次髮長短爲之, 以爲飾. 與髲通'《正字通》.

[字源] 形聲. 髟＋次〔音〕

髟 6 〔髶〕16 [一] 용 [平]冬 [二] 이 [去]寘 | róng ジョウ みだれたかみ èr ジ かみかざり

[字解] [一] 엉킨머리용 흐트러진 머리. '一, 亂髮也'《說文》. [二] 머리꾸미개이, 머리꾸미개뗄이 '一, 髮飾'《廣韻》. '一, 去髮飾'《集韻》.

[字源] 形聲. 髟＋茸〈省〉〔音〕

髟 6 〔髵〕16 이 [平]支 | ér ジ·ニ あごひげ

[字解] ①턱수염이 '一, 須也'《廣韻》. ②털많을이 '一, 多毛'《玉篇》. ③갈기떨칠이 짐승이 갈기를 떨쳐 세우는 모양. '一, 髬一, 獸作鬣兒'《集韻》.

髟 6 〔髹〕16 〔휴〕 髤(髟부 4획〈1765〉)와 同字

髟 6 〔⿱髟巩〕16 공 [平]冬 | qióng キョウ かみがみだれる

[字解] 머리헝클어질공 머리가 헝클어짐. 머리카락이 흐트러짐. '一, 一鬆, 髮亂'《集韻》.

髟 6 〔⿱髟共〕16 공 [平]冬 | gōng キョウ かみがみだれる

[字解] 머리흐트러질공 머리가 흐트러짐. '一, 一鬆, 髮亂'《集韻》

髟 6 〔⿱髟匡〕16 광 [平]陽 | kuāng キョウ かみがみだれる

[字解] 머리흐트러질광 머리가 흐트러짐. '一, 一鬤, 髮亂'《集韻》.

髟 6 〔⿱髟𡿺〕16 노 [上]晧 | nǎo ドウ かみのさま

[字解] 머리카락모양노 머리카락의 모양. '一, 髮兒'《集韻》.

髟 6 〔⿱髟兆〕16 도 [去]號 [上]晧 | dào トウ ながい トウ かみがながい

[字解] ①길도 긺. 오램. '一, 長也'《集韻》. ②머리카락길도 머리카락이 긺. '一, 髮長'《集韻》.

髟 6 〔⿱髟発〕16 발 [入]曷 | bō ハツ ふじんのそまつにゆいあげたかみ

[字解] 부인의거칠게땋은머리발 부인의 거칠게 땋아올린 머리. 상제(喪祭) 때의 머리. '一, 女大髻'《篇海》.

髟 6 〔⿱髟呆〕16 보 [上]晧 | bǎo ホウ たぶさ, もとどり

[字解] ①상투보 상투. '一, 髻也'《集韻》. ②머리카락길지아니할보 머리카락이 아직 길지 아니함. '一, 一曰, 髮未長'《集韻》.

髟 6 〔⿱髟肉〕16 새 [上]賄 | zhuǐ タイ かもじをそえてゆったかみ

[字解] 가발상투새 가발(假髮) 상투. 다리를 땋은 머리. '一, 假髻'《集韻》.

髟 6 〔⿱髟戎〕16 숭 [平]東 | sōng シュウ ほそいかみのさま

[字解] ①가는터럭숭 가는 터럭. 머리털이 가는 모양. '一, 一曰, 髮細兒'《集韻》. ②모직물숭 모직물. 짐승의 털로 짠 피륙. '一氄'. '一, 一氄, 毳布'《集韻》.

髟 6 〔⿱髟旨〕16 지 [上]紙 | zhǐ チ たてがみ

[字解] ①갈기지 갈기. 짐승의 목덜미 위에 난 긴 털. '一, 鬣也'《五音集韻》. ②털아름다울지 털이 아름다움. '一, 髮美也'《玉篇》.

髟 6 〔⿱髟朵〕16 타 [上]哿 | duǒ タ たれがみ

[字解] 늘어뜨린머리타 늘어뜨린 머리. 어린 아이의 배코치고 남긴 머리털. '一, 髮垂'《玉篇》.

髟 7 〔髿〕 17 사 [平]麻 | shā サ かみのうつくしいさま

[字解] ①머리흠치르르할사 머리가 깨끗하고 윤이 번들번들하게 남. '—, 鬖—, 髮美也'《集韻》. ②머리풀어헤칠사 머리를 풀어 헤침. 髮亂曰鬖—'《通俗文》.

[字源] 形聲. 髟+沙〔音〕

髟 7 〔髽〕 17 좌 [平]麻 | zhuā サ ふじんがもちゅうにかみをゆう

[筆順] 𠯑 𠯑 镸 髟 髟 髮 髽 髽

[字解] 복머리좌 부인(婦人)이 상중(喪中)에 하는 결발(結髮). 또, 그 결발을 함. '婦人—於室'《儀禮》.

[字源] 形聲. 髟+坐(坙)〔音〕

髟 7 〔髾〕 17 소 [平]肴 | shāo ソウ·ショウ たぶさ

[字解] ①터럭끝소 모발의 끝. '蜚襳垂—'《漢書》. ②저고리소 부인의 웃옷. ③기드림털소 정기(旌旗)에 늘어뜨린 우모(羽毛). '曳長庚之飛—'《後漢書》.

[字源] 形聲. 髟+肖〔音〕

髟 7 〔髼〕 17 봉 [平]東 | péng ホウ かみがみだれたさま

[字解] 머리털헝클어질봉 머리털이 더부룩하게 헝클어진 모양. '—, 字林, —鬆, 髮亂皃'《集韻》.

[字源] 形聲. 髟+夆〔音〕

髟 7 〔鬀〕 17 체 [去]霽 | tì テイ かみをそる

[字解] 머리깎을체 머리를 깎음. 또, 어린아이의 머리를 깎음. 剃(刀부 7획〈104〉)와 同字. '—, 鬄髮也, 大人曰髡, 小兒曰—, 盡及身毛曰鬄'《說文》.

[字源] 形聲. 髟+弟〔音〕

髟 7 〔鬁〕 17 리 | lì リ かみのぬけるできもの

[字解] 머리털빠지는부스럼리 '鬎, 俗謂禿髮瘡爲鬎—'《中華大字典》.

髟 7 〔⿱髟昏〕 17 〔괄〕 髺(髟부 6획〈1767〉)의 本字

髟 7 〔⿱髟兵〕 17 〔빈〕 鬢(髟부 14획〈1774〉)의 俗字

髟 7 〔⿱髟局〕 17 국 [入]沃 | jú キョク かみのちぢれたさま

[字解] 고수머리국 고수머리. 머리털이 곱슬곱슬한 모양. '髷—'. '—, 髷—, 鬈髮皃'《集韻》.

髟 7 〔⿱髟条〕 17 뇨 [上]篠 | niǎo ジョウ ながい

[字解] 길뇨 긺. '—, 鬄—, 長也'《篇海》.

髟 7 〔⿱髟夾〕 17 렵 [入]葉 | liè リョウ かみのまばらなさま

[字解] 털성긴모양렵 털이 성긴 모양. 머리카락이 성긴 모양. '—, 髮疏皃'《集韻》.

髟 7 〔⿱髟里〕 17 리 [平]支 | lí リ かみがちぢれる

[字解] ①고수머리리 고수머리. 머리가 곱슬곱슬함. '—, 髮卷'《玉篇》. ②머리털치설리 머리털이 치섬. 또, 그 모양. '⿱髟圭—'. '—, ⿱髟圭—, 髮起皃'《集韻》.

髟 7 〔⿱髟尨〕 17 방 [平]江 | máng ボウ けがあおい

[字解] ①머리털푸를방 머리털이 푸르름. '—, 毛蒼也'《集韻》. ②머리카락흐트러질방 머리카락이 흐트러짐. '—, 髮亂也'《類篇》.

髟 7 〔⿱髟𡗗〕 17 섬 [平]鹽 | xiān セン かみのけ

[字解] ①머리털섬 머리털. 머리카락. '—, 髮也'《集韻》. ②머리카락늘어진모양섬 머리카락이 늘어진 모양. '—, 髮垂皃'《集韻》.

髟 7 〔⿱髟豕〕 17 시 [上]紙 | shǐ シ ひきむすんだだけのかみ

[字解] 상투튼머리시 상투를 튼 머리. '—, 髻髮'《字彙》.

髟 7 〔⿱髟昷〕 17 온 [平]元 | wēn ゴン かみをきる

[字解] 머리깎을온 머리를 깎음. '—, 鬋髮也'《集韻》.

髟 7 〔⿱髟委〕 17 와 [上]哿 | wǒ ワ じょうずにゆいあがったかみ

[字解] 결발와 결발(結髮). 잘 땋아올린 머리. '—, 好髮結也'《篇海》.

髟 7 〔⿱髟男〕 17 종 [平]東 | zōng ソウ けがみだれる

[字解] 털흐트러질종 털이 흐트러짐. 털이 헝클어짐. '—, 毛亂'《篇海》.

髟 8 〔鬃〕 18 종 [平]冬 | zōng ソウ たかくゆいあげたかみ

[字解] ①상투종 높은 상투. 고계(高髻). ②갈기종 말갈기. '欲將—鬣重裁剪'《曹唐》.

[字源] 形聲. 髟+宗〔音〕

髟8 〔鬅〕18 붕 ㊥蒸 péng ホウ かみがみだれる

字解 헝클어질붕 '一鬙'은 머리가 흩어진 모양. 또, 모발이 짧은 모양. '傍架討尋書散亂, 倚屛吟嘯髮一鬙'《陸游》.
字源 形聲. 髟＋朋〔音〕

髟8 〔鬄〕18 ㊀체 ㊤霽 tì テイ かもじ ㊁척 ㊦錫 tì テキ とく

字解 ㊀①다리체 髢(髟부 3획〈1764〉)와 同字. '因名髲一'《儀禮 註》. ②깎을체 체발(剃髮)함. '其次一毛髮'《漢書》. ㊁뼈바를척 剔(刀부 8획〈105〉)과 同字. '其實特豚, 四一去蹄'《儀禮》.
字源 形聲. 髟＋易〔音〕

髟8 〔鬆〕18 송 ㊥冬 ㊥東 sōng ショウ かみがみだれるさま sōng ソウ あらい

字解 ①헝클어질송 머리가 산란한 모양. ②거칠송 곱지 아니함. '粗一'. '須求一土淺耕下秧'《黃省曾》.
字源 形聲. 髟＋松〔音〕

髟8 〔鬈〕18 권 ㊥先 quán ケン うるわしい

字解 ①고울권 머리털이 고움. '其人美且一'《詩經》. ②갈라빗을권 머리를 갈라서 빗음. '燕則一首'《禮記》.
字源 形聲. 髟＋卷〔音〕

骨8 〔䯼〕18 굴 ㊦物 jué クツ そでなし

字解 반비(半臂)굴 배자(褙子)와 비슷한 옷. '一, 與掘也'《正字通》.

髟8 〔鬃〕18 채 ①㊤賄 ②㊤隊 cài サイ ゆいあげたかみ サイ かしらづつみ

字解 ①상투채 틀어 올린 머리. '髻謂之一'《集韻》. ②머리쓰개채 머리를 싸매는 헝겊. '一, 一曰, 覆巾'《集韻》.

髟8 〔鬇〕18 쟁 ㊥庚 zhēng ソウ かみがみだれる

字解 머리더부룩할쟁 '怒鬚猶一鬡'《韓愈》.
字源 形聲. 髟＋爭〔音〕

髟8 〔䯽〕18 ㊀부 ㊥尤 ①②㊥虞 ㊤麌 ③㊤有 ㊁보 ㊤晧 póu ホウ・ブ かみのさま フ かみがうつくしい pǒu ホウ・フ かみのみじかいさま bǎo ホウ たぶさ

字解 ㊀①머리모양부. ②머리고울부 '一, 髮好也'《集韻》. 또, 아름다운 머리. '一, 美髮'《集韻》. ③머리털짧을부 머리털이 짧은 모양. '一, 髮短皃'《集韻》. ㊁상투보, 머리털아직길지않을보 髤(髟부 6획〈1767〉)와 同字. '髤, 髻也. 一曰, 髮未長. 或从咅'《集韻》.
字源 形聲. 髟＋咅〔音〕

髟8 〔鬠〕18 髻(前條)의 本字

髟8 〔鬌〕18 와 ㊤哿 wǒ カ・ワ かみがうつくしい

字解 머리털고울와 '一鬌'는 머리털이 아름다움. '一鬌幾雲髻'《蘇軾》.

髟8 〔鬍〕18 ㊀주 ㊤有 ㊥尤 ㊁조 ㊥蕭 ㊂초 ㊥蕭 tiáo シュウ かみがおおい チュウ かみがおおい diāo チョウ こどものそりのこしたかみ チョウ こどものそりのこしたかみ

字解 ㊀머리털많을주 머리숱이 많음. '一, 髮多也'《說文》. ㊁①밑고남긴머리털조 어린 아이의 밀고 남긴 머리털. '一, 小兒留髮'《廣韻》. ②머리털많을조 머리숱이 많은 모양. '一, 多髮皃'《廣韻》. ㊂밑고남긴머리털초, 머리털많을초 ㊁와 뜻이 같음.
字源 形聲. 髟＋周〔音〕

髟8 〔鬉〕18 ㊀비 ㊤未 ㊁복 ㊦屋 fè ヒ みだれたかみ ホク みだれたかみ

字解 ㊀엉클어진머리비, 갑자기나타날비 '一, 鬆也. 忽見也'《說文》. ㊁엉클어진머리복, 갑자기나타날복 ㊀과 뜻이 같음.
字源 形聲. 髟＋彖(彔)〔音〕

髟8 〔鬏〕18 〔사〕 肆(聿부 7획〈1063〉)와 同字

髟8 〔鬋〕18 간 ㊥刪 qiān カン すくないかみ

字解 성긴머리털간 성긴 머리털. 머리숱이 적음. '一, 寡髮也'《集韻》.

髟8 〔鬊〕18 권 ㊥先 quán ケン かみがうつくしい

字解 ①머리털아름다울권 머리털이 아름다움. '一, 髮好'《篇海》. ②호인의머리털권 호인(胡人)의 머리털. '一, 又胡人髮'《篇海》.

髟8 〔鬐〕18 답 ㊦合 dá トウ かみ

[字解] 머리털답 머리털. 머리카락. '一, 髮也'《集韻》.

髟 8 〔𩭤〕 18 동 [去]送 | dòng トウ かみのみだれるさま

[字解] 머리헝클어질동 머리털이 헝클어진 모양. '一鬆'. '一, 一鬆, 髮亂皃'《集韻》.

髟 8 〔𩭨〕 18 량 | zhǎng リョウ かみ

[字解] 머리털량 머리털. 머리카락. '一, 髮也'《篇海》.

髟 8 〔𩭰〕 18 〔렵〕

鬣(髟부 15획〈1774〉)의 俗字

髟 8 〔𩭩〕 18 비 [平]齊 | bī ヘイ かんむりのかざり

[字解] 관치장비 관(冠)의 치장. '一, 冠飾, 亦作䯗'《篇海》.

髟 8 〔𩭿〕 18 석 [入]陌 | xī セキ かみ

[字解] 머리털석 머리털. 머리카락. '一, 髮也'《字彙》.

髟 8 〔𩮃〕 18 안 [去]翰 | àn ガン かみがながい

[字解] 길안 길. 머리카락이 길. '一, 長也'《篇海》.

髟 8 〔𩭹〕 18 졸 [入]月 | zú ソツ もとどり

[字解] ①상투졸 상투. '一, 髻也'《集韻》. ② 머리숱많을졸 머리숱이 많은 모양. '一, 髮多皃'《集韻》.

髟 8 〔𩭧〕 18 〔타〕

鬌(髟부 9획〈1770〉)와 同字

髟 8 〔𩮁〕 18 탁 [入]覺 | dào サク かみがながい

[字解] 머리털길탁 머리털이 길. '一, 長也'《篇海》.

髟 8 〔𩮀〕 18 함 [上]感 | hǎn カン かみのみじかいさま

[字解] 머리짧은모양함 머리카락이 짧은 모양. '一, 髮短皃'《集韻》.

髟 9 〔鬋〕 19 전 ①[平]先 ②[去]霰 | jiǎn セン おんなのびんのたれるさま セン きる

[字解] ①귀밑머리늘어질전 여자의 귀밑머리가 늘어진 모양. '盛一不同制'《楚辭》. ② 깎을전, 벨전 '一茅作堂'《漢書》.

[字源] 形聲. 髟+前(歬)〔音〕

髟 9 〔𩮜〕 19 〔척〕

鬄(髟부 10획〈1771〉)과 同字

髟 9 〔鬌〕 19 타 [上]哿 | duǒ タ·ダ すずしろ

[字解] 황새머리타 어린아이의 머리 깎을 때 조금 남겨놓는 머리. '翦髮爲一'《禮記》.

[字源] 形聲. 髟+隋〈省〉〔音〕

髟 9 〔鬍〕 19 호 | hú コ ひげ

[字解] 수염호 '一子'는 수염의 속칭(俗稱).

[字源] 形聲. 髟+胡〔音〕

髟 9 〔鬊〕 19 순 [去]震 | shùn シュン かみのみだれるさま

[字解] 난발순 헝클어진 머리. '有黑雲, 狀如猋風亂一'《漢書》.

[字源] 形聲. 髟+春(萅)〔音〕

髟 9 〔鬉〕 19 [一]종 [平]東 [二]송 [平]冬 | zōng ソウ うまのたてがみ sōng ソウ かみがみだれる

[字解] [一] ①말갈기종 '一, 馬鬣'《集韻》. ② 댕기종 '頭一'은 머리를 묶는 비단 헝겊. '繫髮繻曰頭一'《集韻》. [二] 머리더부룩할송 鬆(髟부 8획〈1769〉)과 同字.

髟 9 〔鬷〕 19 종 [平]東 | zōng ソウ かみがみだれる

[字解] ①머리흩어질종 '一, 髮亂'《集韻》. ② 말갈기종 '滑州刺史李邕獻馬, 肉一麟臆'《唐書》. ③갈기억센말종 '一, 馬鬣之勁者'《六書故》.

[字源] 形聲. 髟+㚇〔音〕

髟 9 〔䰄〕 19 새 [平]灰 | sāi サイ ひげがおおい

[字解] ①텁석부리새 수염이 많음. '一, 髤一, 多鬚皃'《集韻》. ②머리적을새 '一, 小髮'《玉篇》.

髟 9 〔䰃〕 19 [一]팽 [平]庚 [上]養 [二]방 [去]漾 [平]陽 | pēng ホウ ふいにあらわれる fǎng ホウ ふいにあらわれる

[字解] [一] ①갑자기나타날팽, 별안간만날팽. ②머리털흐트러질팽 '一鬤'은 머리가 엉키는 모양. '一, 一鬤, 亂髮皃'《廣韻》. [二] 갑자기나타날방, 별안간만날방, 머리털흐트러질방 [一]과 뜻이 같음.

[字源] 形聲. 髟+竝(並)〔音〕

髟 9 〔鬎〕19 랄 | là ラツ かみのぬけるできもの

[字解] 머리털빠지는부스럼랄 '一鬎'는 머리털이 빠지는 종기. '一, 俗謂禿髮瘡爲一鬎'《中華大字典》.

髟 9 〔髳〕19 [一] 모 [平]豪 [二] 무 [平]尤 | máo ボウ たれがみ

[字解] [一] 다팔머리모 髦(髟부 4획〈1765〉)와 同字. '一, 髮至眉也'《說文》. [二] 다팔머리무 '髳(髟부 5획〈1766〉)와 同字. '一, 髮至眉. 或作髳'《廣韻》.
[字源] 形聲. 髟＋敄〔音〕

髟 9 〔⿱髟頁〕19 〔수〕 須(頁부 3획〈1683〉)와 同字

〔⿱髟首〕〔불〕 首부 10획(1732)을 보라.

髟 9 〔⿱髟契〕19 〔간〕 鬝(髟부 12획〈1773〉)과 同字

髟 9 〔⿱髟客〕19 객 [入]陌 | kè カク かみがながい

[字解] 머리털길객 머리털이 길. 머리카락이 몹시 길. '一, 髮長'《篇海》.

髟 9 〔⿱髟参〕19 나 [去]禡 | nà ナ·ダ かみのみだれるさま

[字解] 머리흐트러진모양나 머리 흐트러진 모양. '髩一'. '一, 髩一, 髮亂貌'《五音集韻》.

髟 9 〔⿱髟畐〕19 부 [去]宥 | fù フウ かつら

[字解] 다리부 다리. 자기 머리 아닌 다른 머리털로 만들어 얹은 상투. 가발(假髮). '假結謂之一'《廣雅》.

髟 9 〔⿱髟肯〕19 알 [入]黠 | rè ザツ ほそいけ

[字解] 솜털알 솜털. 가는 털. '一, 細毛'《集韻》.

髟 9 〔⿱髟柔〕19 유 [平]尤 | róu ジュウ うまのおあいたてがみ

[字解] ①말갈기유 말갈기. 숱이 많은 말갈기. '一, 馬繁鬣'《集韻》. ②누른빛머리털유 누른빛의 머리털. 황발(黃髮). '一, 一曰, 黃髮'《集韻》.

髟 9 〔鬏〕19 추 [平]尤 | jiū シュウ かもじをそえる

[字解] 다리덧드릴추 다리를 덧드림. '一, 髮接髮也'《集韻》.

髟 9 〔⿱髟曷〕19 할 [入]黠 | xiā カツ はげ

[字解] 대머리할 '鬝(髟부 10획〈1772〉)과 同字. '鬝, 或作一'《集韻》.

髟 9 〔⿱髟毛〕19 휴 [平]尤 | xiū キュウ みくるまのかざり

[字解] 어가의장식휴 어가(御駕)의 장식. '一, 龍車之飾'《篇海》.

髟 10 〔鬐〕20 기 [平]支 | qí キ たてがみ

[字解] ①갈기기 말의 갈기. '揚而奮一'《莊子》. ②등지느러미기 물고기의 등에 있는 지느러미. '魚進一'《儀禮》.
[字源] 形聲. 髟＋耆〔音〕

髟 10 〔鬒〕20 진 [上]軫 [去]震 | zhěn シン かみがおおい

[字解] 숱많고검을진 머리가 숱이 많고 검어 아름다움. '一髮如雲'《詩經》.
[字源] 形聲. 髟＋眞〔音〕

髟 10 〔⿱髟般〕20 반 [平]寒 | pán ハン つぶしまげ

[字解] 북상투반 낮게 올려 튼 머리. '一頭, 曲髮爲之, 又臥髻也'《廣韻》.
[字源] 形聲. 髟＋般〔音〕

髟 10 〔⿱髟剔〕20 척 [入]錫 | tì テキ かみをそる

[字解] ①머리깎을척 '一, 鬄髮也'《說文》. ②다리척 월자(月子). '主婦被錫衣移袂. (注)被錫讀爲髲鬄. (段注)鬄作一'《儀禮》.
[字源] 形聲. 髟＋剔〔音〕

髟 10 〔⿱髟垩〕20 〔좌〕 髽(髟부 7획〈1768〉)의 本字

髟 10 〔⿱髟歬〕20 〔전〕 鬋(髟부 9획〈1770〉)의 本字

髟 10 〔⿱髟差〕20 [一] 차 ①[上]哿 ②[平]歌 [二] 취 [上]紙 | cuǒ サ かみがうつくしい / サ かみのおおいさま / スイ かみがうつくしい

[字解] [一] ①머리털아름다울차 '一, 髮好皃'《廣韻》. ②머리털많은모양차 '一, 髮多皃'《廣韻》. [二] 머리털아름다울취 [一]①과 뜻이 같음.
[字源] 形聲. 髟＋𢀩(差)〔音〕

髟 10 〔鬑〕20 렴 [平]鹽 | lián レン びんがたれるさま

[字解] ①살쩍드리워진모양렴, 머리털긴모

양렴 '一, 鬋也. 一曰, 長皃'《說文》. ②살짝듬성듬성날렴 '髻一'은 살짝이 듬성듬성난 모양. '髻, 髻一, 鬑髮疏薄皃'《玉篇》. ③수염많을렴 '一一'은 수염이 많은 모양. '一一頗有鬚'《古樂府》.
[字源] 形聲. 髟+兼〔音〕

髟 10 〔髟+貍〕 20 리 [平]支 | lí リ かみがちぢれる
[字解] 머리곱슬곱슬할리 머리가 곱슬곱슬함. 머리카락이 말림. '一, 髮卷'《篇海》.

髟 10 〔髟+尃〕 20 박 [入]藥 | bó ハク かもじ
[字解] ①다리박 월자(月子). '髲一'. '一, 髲一'《玉篇》. ②털박 털. 머리털. '一, 髮也'《集韻》. ③머리숱적을박 머리숱이 적은 모양.

髟 10 〔髟+竝〕 20 〔팽〕
鬔(髟부 9획〈1770〉)의 本字

髟 10 〔髟+㒳〕 20 병 [平]歌 | bìng ヘイ けのすがた
[字解] 털의모습병 '一, 毛相'《篇海》.

髟 10 〔髟+索〕 20 색 [入]陌 | suǒ サク かみがたつさま
[字解] ①머리털일어나는모양색 '一, 髮竪皃'《類篇》. ②머리카락단단할색 '一, 髮堅皃'《集韻》.

髟 10 〔髟+蚤〕 20 소 [平]豪 | sāo ソウ かみのさま
[字解] 머리털모양소 머리털의 모양. '一, 一一, 髮皃'《集韻》.

髟 10 〔髟+豈〕 20 애 [平]灰 | ái ガイ ながいさま
[字解] 긴모양애 긴 모양. '一, 長貌'《篇海》.

髟 10 〔髟+茸〕 20 용 [平]冬 | róng ジョウ みだれがみ
[字解] 흐트러진머리카락용 흐트러진 머리카락. '一, 說文, 亂髮也, 或从耳'《集韻》.

髟 10 〔髟+容〕 20 용 [平]冬 | róng ヨウ かみのながいさま
[字解] ①머리털길용 털이 긴 모양. '一, 髮長皃'《集韻》. ②꾸밈용 꾸밈. 장식함. '一, 一曰, 飾也'《集韻》.

髟 10 〔髟+害〕 20 할 [入]黠 | yà カツ はげ
[字解] 대머리할 대머리. 독두(禿頭). '一, 一鬜, 禿也'《玉篇》.

髟 10 〔髟+高〕 20 호 [平]豪 | hāo コウ かみのさま
[字解] 머리털모양호 머리털의 모양. '一, 髮皃'《集韻》.

髟 11 〔鬘〕 21 만 [平]刪 | mán バン・マン かみかざり
[字解] ①다리만 월자(月子). ②가발만 머리털로 여러 가지 머리 모양을 만들어 차례로 쓰는 물건. ③머리꾸미개만 수식(首飾). '貫雹爲華一'《白居易》. ④아름다울만 머리가 아름다운 모양. '一, 髮美皃'《集韻》.
[字源] 形聲. 髟+曼〔音〕

髟 11 〔鬖〕 21 삼 [平]覃 [平]侵 | sān サン みだれたかみ
[字解] ①헝클어질삼 머리가 헝클어져 내려온 모양. '一, 亂髮也'《集韻》. ②머리늘어진모양삼. '一, 鬤一, 髮垂皃'《集韻》.
[字源] 形聲. 髟+參〔音〕

髟 11 〔鬗〕 21 만 [去]願 [平]寒 | mán バン・マン かみがながいさま / マン ながいさま
[字解] ①머리털길만 '一, 髮長皃'《說文》. ②긴모양만 '掩回轅, 一長馳'《漢書》.
[字源] 形聲. 髟+㒼〔音〕

髟 11 〔鬕〕 21 [一]마 [去]禡 [二]막 [入]藥 | mà バ かみかざり / バク・マク かみかざり
[字解] [一] ①머리꾸미개마 '一帶'는 부인(婦人)이 머리에 감아 묶는 머리꾸미개. '一, 一帶, 結頭飾也'《說文》. ②머리띠마 '朱一鬣髽'《張衡》. [二] 머리꾸미개막, 머리띠막 [一]과 뜻이 같음.
[字源] 形聲. 髟+莫〔音〕

髟 11 〔髟+黍〕 21 〔휴〕 髹(髟부 6획〈1767〉)·髤(髟부 4획〈1765〉)와 同字

髟 11 〔髟+兜〕 21 두 [平]尤 | dōu トウ かみがみだれる
[字解] 머리카락흐트러질두 머리카락이 흐트러짐. '一, 一鬆, 髮亂'《集韻》.

髟 11 〔髟+累〕 21 라 [平]歌 | luó ラ かみ
[字解] 머리카락라 '一, 髮也'《篇海》.

髟 11 〔鬔〕 21 〔봉〕
髼(髟부 7획〈1768〉)과 同字

髟 11 〔髟+舂〕 21 송 [平]江 | zhuāng タウ みだれがみ

[字解] 흐트러진머리카락송 흐트러진 머리카락. '一, 一鬤, 亂髮'《集韻》.

髟 11 〔⿱髟欶〕 21 수 [平]尤 | sōu ソウ かみがみだれる
[字解] ①머리카락흐트러질수 머리카락이 흐트러짐. '一, 髿一, 髮亂'《集韻》. ②머리털센사람수 머리털이 허옇게 센 사람.

髟 11 〔⿱殹髟〕 21 예 [平]齊 | yī エイ くろかみ
[字解] 검은머리예 검은 머리. 흑발(黑髮). '一, 黑髮'《集韻》.

髟 11 〔⿱髟敖〕 21 오 [平]豪 | āo ゴウ かみのさま
[字解] 머리카락모양오 머리카락의 모양. '一, 髮皃'《集韻》.

髟 11 〔鬷〕 21 [一] 종 [平]冬 [二] 총 [上]董 | cōng ショウ かみのみだれるさま zǒng ソウ うまのたてがみ
[字解] [一] 머리털헝클어질종 머리털이 헝클어진 모양. '一, 鬞一, 髮亂'《集韻》. [二] 갈기총 갈기. 말갈기.

髟 11 〔⿱髟崔〕 21 최 [平]灰 [上]賄 | suī, cuǐ サイ かみがみだれたれるさま
[字解] ①머리털헝클어져늘어질최 머리털이 헝클어져 늘어진 모양. '一, 髮亂垂皃'《集韻》. ②머리털모양최 머리털의 모양. '一, 毛髮皃'《集韻》.

髟 11 〔⿱髟票〕 21 표 [去]嘯 [平]蕭 | piào, piǎo ヒョウ かみのみだれるさま
[字解] ①머리휠표 머리털이 흰 모양. ②머리헝클어질표 머리털이 헝클어진 모양. '一, 一一, 髮亂皃《集韻》.

髟 12 〔鬙〕 22 승 [平]蒸 | sēng ソウ かみがみだれる
[字解] 헝클어질승 鬅(髟부 8획〈1769〉) 참조. '鬅一'. '一, 髮亂'《類篇》.
[字源] 形聲. 髟＋曾〔音〕

髟 12 〔鬚〕 22 수 [平]虞 | xū シュ·ス ひげ
[字解] 수염수 ㉠아랫수염. 턱 밑의 수염. '多一'. '一髯'. '積雪沒脛, 堅冰在一'《李華》. ㉡동물의 입 언저리에 난 뻣뻣한 긴 털. '鼠一'. '虎一'. ㉢수염 모양을 한 것. '一根'.
[字源] 形聲. 髟＋須〔音〕

髟 12 〔鬝〕 22 간 [平]刪 | qiān カン はげ
[字解] 두창간 머리에 나는 부스럼. '或赤若禿一'《韓愈》.
[字源] 形聲. 髟＋閒〔音〕

髟 12 〔⿱髟貴〕 22 괴 [去]寘 [平]去 | kuì キ つかねがみ
[字解] ①상투괴 '一, 髻也'《廣雅》. ②상투끈괴 '紐, 謂結之一也'《急就篇》.
[字源] 形聲. 髟＋賷(貴)〔音〕

髟 12 〔⿱髟䑞〕 22 〔순〕 鬊(髟부 9획〈1770〉)의 本字

髟 12 〔⿱髟鼠〕 22 〔렵〕 鬣(髟부 15획〈1774〉)의 略字

髟 12 〔⿱髟戟〕 22 극 [入]陌 | jǐ ケキ くちひげのさま
[字解] 코밑수염의모양극 코밑 수염의 모양. '一, 髭皃'《集韻》.

髟 12 〔⿱髟堯〕 22 뇨 [去]效 | nào ドウ·ニョウ ひげのおおいさま
[字解] 수염많은모양뇨 수염이 많은 모양. '一, 多須皃'《集韻》.

髟 12 〔⿱髟登〕 22 등 [平]蒸 | dēng トウ かみのけのみだれるさま
[字解] 머리털흐트러진모양등 머리털이 흐트러진 모양. '一, 一⿱髟旁, 毛亂皃'《集韻》.

髟 12 〔⿱髟尞〕 22 료 [平]蕭 | liáo リョウ かみがほそくてながい
[字解] 머리털가늘고길료 머리털이 가늘고 긺. '一, 細長'《廣韻》.

髟 12 〔⿱髟菐〕 22 복 [入]屋 | bǔ ホク ほおひげやびんのさま
[字解] 구레나룻과살쩍모양복 구레나룻과 살쩍의 모양. '一, 髼鬆皃'《集韻》.

髟 12 〔⿱髟費〕 22 비 [去]寘 | bì ヒ かみ
[字解] ①수염많을비 수염이 많음. '一⿱髟思'. '一, 一⿱髟思, 多須'《集韻》. ②머리털비 머리털. '一, 髮也'《玉篇》.

髟 12 〔⿱髟尊〕 22 준 [去]願 | zùn ソン ちょうじょうにかみがない
[字解] 정수리에머리털없을준 정수리에 머리털이 없음. '一, 頂上無髮'《玉篇》.

髟 12 〔⿱髟戠〕 22 직 [入]職 | zhí ショク かみがよごれる

字解 머리카락더러워질직 머리카락이 더러워짐. 머리카락에 때가 묻음. '一, 髮垢也'《集韻》.

髟12 〔鬉〕 22 총 ㊥東 | cóng ソウ もうはつがむらがりしょうずる

字解 머리털다보록이날총 머리털이 다보록이 남. 머리카락이 총생(叢生)함. '一, 毛髮聚生'《集韻》.

髟12 〔鬠〕 22 촬 ㊀曷 | cuō サツ たばねたかみ

筆順 镸 髟 髟 髟 髟 髟 髟 鬠

字解 상투촬 상투. '一, 髻也'《集韻》.

髟13 〔鬟〕 23 환 ㊥刪 | huán カン わげ

字解 ①쪽환 부인(婦人)의 결발(結髮). '窈窕雙一女'《白居易》. ②계집종환 비자(婢子). 'Y一'. '一小一迎先生'《列仙傳》. ③산색(山色)환 머리털의 빛깔이 먼 산의 검푸른빛과 비슷하므로 이름. '窓中遠黛曉千一'《虞集》.

字源 形聲. 髟+睘〔音〕

髟13 〔鬠〕 23 괄 ㊀曷 | kuò カツ ひもでかみをたばねる

字解 결발할괄 髺(髟부 6획〈1767〉)과 통용. '一笄用桑'《儀禮》.

字源 形聲. 髟+會〔音〕

參考 髻(髟부 12획〈1773〉)은 別字.

髟13 〔鬞〕 23 농 ㊥冬 | náng ジョウ けがおおい

字解 ①털많을농 털이 많음. '一, 毛多'《玉篇》. ②머리털길농 머리털이 긺. '一, 髮長'《類篇》. ③머리털헝클어진모양농 머리털이 헝클어진 모양. '一, 坤倉, 一一, 髮亂'《集韻》.

髟13 〔鬛〕 23 로 ㊥虞 | lǘ ロ たてがみ

字解 ①갈기로 갈기. 말·사자 따위의 갈기. '一, 鬣也'《集韻》. ②머리카락로 머리카락. 머리털. '一, 髮也'《篇海》.

髟13 〔鬧〕 23 요 ㊤效 | yào ゴウ ゆいあげたかみがたかい

字解 상투높을요 상투가 높음. '一, 一一, 髻高'《集韻》.

髟13 〔鬖〕 23 찬 ㊤翰 | càn サン かみのつや

字解 머리반지르르할찬 머리털이 반지르르함. 머리털의 윤기. '一, 髮光'《集韻》.

髟14 〔鬢〕 24 빈 ㊤震 | bìn ヒン·ビン びん

字解 살쩍빈 귀 앞에 난 머리털. '一雪'. '美一長大則賢'《國語》.

字源 形聲. 髟+賓〔音〕

參考 髩(髟부 4획〈1765〉)·鬂(髟부 7획〈1768〉)은 俗字.

髟14 〔鬓〕 24 鬢(前條)의 俗字

髟14 〔鬛〕 24 람 ㊥覃 | lán ラン かみがながい

字解 ①터럭길람 '鶴髮一鬖'《厲鶚》. ②터럭드리울람 '白龍垂鬢正一鬖'《韓維》.

字源 形聲. 髟+監〔音〕

髟14 〔鬡〕 24 녕 ㊥庚 | níng ドウ·ニョウ かみのみだれるさま

字解 머리흩어질녕 머리가 흩어진 모양. 鬤(髟부 17획〈1775〉)과 同字. '鬇一, 髮亂皃'《集韻》.

髟14 〔鬣〕 24 ㊀ 제 ㊤薺 ㊦霽 | jì セイ ちいさくたばねたかみ ㊁ 절 ㊀屑 | jié セツ ちいさくたばねたかみ

字解 ㊀ 작게묶은머리제 부인(婦人)의 작게 막 묶은 머리. '一, 婦人束小髻也'《廣韻》. ㊁ 작게묶은머리절 ㊀과 뜻이 같음.

字源 形聲. 镸+截(截)〔音〕

髟14 〔鬡〕 24 녜 ㊥薺 | nǐ デイ かみのさま

字解 머리털모양녜 '一, 髮皃'《說文》.

字源 形聲. 髟+爾〔音〕

髟14 〔鬗〕 24 몽 ㊥東 | méng ボウ うまのたれたたてがみ

字解 늘어진말갈기몽 '一, 騀鬣也'《廣韻》.

髟14 〔鬗〕 24 〔면〕 鬘(髟부 15획〈1775〉)의 本字

髟14 〔鬡〕 24 주 ㊥尤 | tiáo チュウ かみがおおい

字解 머리털많을주 머리털이 많음. 머리숱이 많음. '一, 說文, 髮多也'《集韻》.

髟15 〔鬣〕 25 렵 ㊀葉 | liè リョウ たてがみ

字解 ①갈기렵 말갈기. '夏后氏駱馬黑一'《禮記》. ②수염렵 긴 수염. '使長一者相'《左傳》. ③지느러미렵 물고기 등의 헤엄치는 기관. '洞庭紫一之魚'《吳均》. ④솔잎렵 송엽(松葉). '五一松'. ⑤비렵 청소할 때 쓰는 비〔帚〕. '拚席不以一'《禮記》.

字源 形聲. 髟+巤〔音〕

髟15 〔鬘〕25 면 ㊥先 | mián ベン·メン かみのさま

字解 ①머리털모양면. ②눈썹먹면 '一, 燒煙畫眉'《廣韻》.
字源 形聲. 髟+奡〔音〕

髟15 〔鬣〕25 〔제〕 鬣(髟부 14획〈1774〉)의 本字

髟15 〔鬡〕25 〔차〕 鬡(髟부 10획〈1771〉)의 本字

髟15 〔鬃〕25 복 ㊁屋 | pú ホク けがみだれる

字解 털엉클어질복 털이 엉클어짐. 털이 흐트러짐.

髟15 〔鬤〕25 장 ㊦絳 | zhuàng トウ かみがみだれるさま

字解 머리카락흐트러질장 머리카락이 흐트러짐. 또는 그 모양. '一, 一鬆, 髮亂皃'《集韻》.

髟15 〔鬢〕25 ㊀찬 ㊦翰 | zàn サン かみのつや
㊁찰 ㊁曷 | zā サツ けがおおい

字解 ㊀머리털윤택할찬 머리털이 윤택함. 머리털의 윤기. '一, 髮光澤也'《玉篇》. ㊁털많을찰 털이 많음. '一, 鬆一, 多毛'《集韻》.

髟16 〔鬛〕26 ㊀려 ㊥魚 | lú リョ·ロ かみのけがたつさま
㊁로 ㊥虞 | ロ かみのけがたつさま

字解 ㊀①머리털일어설려 ㉠'一, 鬣也'《說文》. ㉡'髮一'는 머리털이 곤두서는 모양. '一, 髮一, 髮起貌'《類篇》. ②털려 '一, 毛也'《廣韻》. ㊁머리털일어설로, 털로 ㊀과 뜻이 같음.
字源 形聲. 髟+盧〔音〕

髟16 〔鬢〕26 〔괴〕 鬢(髟부 12획〈1773〉)의 本字

髟16 〔鬁〕26 력 ㊁錫 | lì レキ かみがまばらなさま

字解 터럭성길력 털이 성긴 모양. 머리숱이 적은 모양. '一, 髮疎皃'《集韻》.

髟17 〔鬤〕27 ㊀양 ㊥陽 ㊤養 | ráng ジョウ みだれがみ
㊁녕 ㊥庚 | níng ドウ·ニョウ かみのみだれるさま

字解 ㊀①엉킨머리양 '一, 亂髮'《玉篇》. ②머리털엉킬양 머리털이 엉키는 모양. '一, 髮亂皃'《集韻》. ㊁머리털엉킬녕 '鬡一'은 머리털이 엉키는 모양. 鬡(髟부 14획〈1774〉)과 同字. '鬡, 鬡一, 髮亂皃或从襄'《集韻》.

髟17 〔鬣〕27 〔제〕 鬣(髟부 15획〈1775〉)과 同字

髟17 〔鬣〕27 령 ㊥青 | líng レイ かみのまばらなこと

字解 터럭성길령 털이 성김. 머리숱이 적음. '一, 髮疎也'《集韻》.

髟17 〔鬤〕27 참 ㊦陷 | zhàn サン かみのさま

字解 머리카락모양참 머리카락의 모양. '一, 髮皃'《集韻》.

鬥 部
〔싸울투부〕

鬥0 〔鬥〕10 ㊀투 ㊦宥 | dòu トウ たたかう
㊁각 ㊁覺 | カク たたかう

筆順 丨 ｢ 𠂇 ... 鬥

字解 ㊀싸울투 완력 또는 무기로써 서로 겨룸. 鬭(鬥부 14획〈1776〉)와 同字. ㊁싸울각 ㊀과 뜻이 같음.
字源 象形. 두 사람이 마주 대하여 싸우고 있는 모양을 본떠, '싸우다'의 뜻을 나타냄. '鬪투'의 原字.
參考 ①'鬥투'를 의부(意符)로 하여, '싸우다, 다투다'의 뜻을 포함하는 문자를 이룸. 부수 이름은 '싸울투'. ②門(部首〈1594〉)은 別字.

鬥4 〔鬦〕14 〔투〕 鬪(鬥부 10획〈1776〉)의 俗字

鬥4 〔鬨〕14 ㊀현 ㊥先 | ケン りきりょうをはかるおもり
㊁옹 ㊥庚 | wēng オウ りきりょうをはかるおもり

字解 ㊀힘시험하는추현 역사(力士)의 힘을 잴 때 쓰는 추(錘). '一, 試力士錘也'《說文》. ㊁힘시험하는추옹 ㊀과 뜻이 같음.
字源 會意. 鬥+戈

鬥4 〔鬥〕14 변 ㊦霰 | biàn ヘン うつ

字解 칠변 침. 때림. '一, 搏也'《集韻》.

鬥 4 〔⿵鬥分〕 14 〔분〕
⿵鬥燓(鬥부 18획〈1776〉)과 同字

鬥 5 〔鬧〕 15 뇨 ㊀效 | nào ドウ·ニョウ さわがしい
字解 시끄러울뇨, 들렐뇨 소란함. 또, 소란. '喧一'. '以召一取怒乎'《柳宗元》.
字源 會意. 鬥+市

鬥 6 〔鬨〕 16 ㊀홍 ㊀送 | hòng コウ たたかう
㊁항 ㊀絳 | xiàng コウ たたかう
字解 ㊀ ①싸울홍 전투함. '鄒與魯一'《孟子》. 또, 싸우는 소리. 전쟁할 때 지르는 소리. '屯一'. '高言喧一'《朱熹》. ②떠들홍 시끄럽게 지껄임. '笑一'. ㊁ 싸울항, 떠들항 ㊀과 뜻이 같음.
字源 形聲. 鬥+共〔音〕

鬥 8 〔⿵鬥肴〕 20 〔투〕
鬭(鬥부 14획〈1776〉)와 同字

鬥 7 〔⿵鬥豆〕 17 〔투〕
鬭(鬥부 14획〈1776〉)와 同字

鬥 8 〔鬩〕 18 ㊀혁 ㊇錫 | xì ケキ·ゲキ せめぐ
㊁격 ㊇陌 | hè カク しずかなさま
字解 ㊀ 다툴혁 서로 시비를 함. '兄弟一于牆, 外禦其務'《詩經》. ㊁ 고요할격 闃(門부 9획〈1603〉)과 통용. '一其無人'《易經》.
字源 形聲. 鬥+兒〔音〕

鬥 8 〔⿵鬥巷〕 18 〔홍〕
鬨(鬥부 6획〈1776〉)과 同字

鬥 10 〔鬪〕 20 高·人 투 ㊀宥 | dòu トウ たたかう
筆順 [stroke order]
字解 ①싸움투 ㉠연장 또는 완력으로 겨루는 일. '決一'. '爭一'. ㉡전쟁. '戰一'. ②싸울투 전항의 동사. '寧一而死'《史記》. ③싸우게할투 전항의 타동사. '季平子與郈昭伯, 以一雞故得罪魯昭公'《史記》. ④다툴투 교졸·우열 등을 겨룸. '一詩'. '吾寧一智, 不一力'《十八史略》. ⑤성투 성(姓)의 하나.
字源 形聲. 鬥+斲(斲)〔音〕

鬥 11 〔⿵鬥賓〕 21 빈 ㊥眞 | pīn ヒン たたかってみだれもつれる
字解 ①싸워뒤얽힐빈 '一⿵鬥燓'은 싸워서 뒤얽힘. '一, 一⿵鬥燓, 鬥連結繽紛相牽也'《說文》. ②싸울빈 '一, 鬭也'《集韻》.
字源 形聲. 鬥+賓〈省〉〔音〕

鬥 11 〔⿵鬥翏〕 21 ㊀류 ㊥尤 | liú リュウ くびりころす
㊁력 ㊇錫 | レキ ころす
㊂교 ㊤篠 | jiǎo キョウ くびりころす
字解 ㊀ ①목매어죽일류 목졸라 죽임. '一, 經繆殺也'《說文》. ②죽일류 '一, 絞也'《廣雅》. ㊁ 죽일력 '一, 殺也'《集韻》. ㊂ ①목매어죽일교 ㊀❶과 뜻이 같음. ②강복(降服)교 상복(喪服)의 등급(等級)을 내림. '一, 喪之降殺'《廣韻》.
字源 形聲. 鬥+翏〔音〕

鬥 11 〔⿵鬥晁〕 21 〔투〕
鬭(鬥부 14획〈1776〉)의 俗字

鬥 12 〔鬫〕 22 함 ㊤豏 | hǎn カン いかりほえるこえ
字解 ①고함지를함 성내어 큰 소리로 외침. 또, 그 모양. 그 소리. '哮一'. '七雄虓一'《漢書》. ②울함 짐승, 특히 범 같은 것이 욺. '一如虓虎'《詩經》.
字源 形聲. 鬥+敢〔音〕

鬥 12 〔⿵鬥翕〕 22 〔흡〕
闟(門부 12획〈1607〉)의 本字

鬥 14 〔⿵鬥爾〕 24 ㊀녜 ㊤薺 | nǐ デイ·ナイ おろか
㊁미 ㊤紙 | ビ·ミ おろか
字解 ㊀ ①어리석을녜 지력(知力)이 못남. '一, 智少力劣也'《說文》. ②어리석어다툴녜 '一, 一曰, 智力劣而爭'《集韻》. ③편협할녜 마음이 좁음. '一, 褊狹也'《集韻》. ㊁ 어리석을미, 어리석어다툴미, 편협할미 ㊀과 뜻이 같음.
字源 形聲. 鬥+爾〔音〕

鬥 14 〔鬭〕 24 〔투〕
鬪(鬥부 10획〈1776〉)의 本字

鬥 14 〔⿵鬥燓〕 24 〔분〕
⿵鬥燓(鬥부 18획〈1776〉)의 譌字

鬥 14 〔⿵鬥賓〕 24 〔빈〕
⿵鬥賓(鬥부 11획〈1776〉)과 同字

鬥 17 〔鬮〕 27 ㊀구 ㊥尤 | jiū キュウ くじ
㊁규 ㊤有 | jiū キュウ くじ
字解 ㊀ 제비구 심지. '拈一'. '探一'. ㊁ 제비규 ㊀과 뜻이 같음.
字源 形聲. 鬥+龜〔音〕

鬥 18 〔⿵鬥燓〕 28 분 ㊥文 | fēn フン たたかってみだれもつれる
字解 싸워뒤얽힐분 '一, ⿵鬥賓一也'《說文》.
字源 形聲. 鬥+燓〔音〕

鬯 部

〔술 창 부〕

鬯 0 〔鬯〕10 창 (去)漾 | chàng チョウ においざけ

筆順 … 鬯

字解 ①술이름창 울기장으로 빚은 술. '一酒'. '秬一一卣'《詩經》. ②자랄창 성장함. 暢(日부 10획〈512〉)과 同字. '草木一茂'《漢書》. ③활집창 활을 넣어 두는 자루. 韔(韋부 8획〈1675〉)과 통용.

字源 會意. 凵+米+匕

參考 '鬯창'을 의부(意符)로 하여, 술 향기, 술의 원료 등에 관한 문자를 이룸. 부수 이름은 '술창'.

鬯 5 〔⿰鬯史〕15 사 ㊤紙 | shǐ シ よいこうりょう

字解 좋은향료사 좋은 향료(香料). '一, 香之美者, 謂之一'《集韻》.

鬯 6 〔⿰鬯吏〕16 사 ①②(去)寘 | shì シ はげしい
③㊤紙 | シ よいこうりょう

字解 ①지독할사 술냄새가 지독함. '一, 烈也'《玉篇》. ②빠를사 '一, 引伸爲迅疾之義'《說文 段注》. ③좋은향료(香料)사 '一, 香之美者'《廣韻》.

字源 形聲. 鬯+叓(吏)〔音〕

鬯 10 〔⿱矩鬯〕20 거 ㊤晧 | jù キョ くろきび

字解 검은기장거 秬(禾부 5획〈900〉)와 同字. '一, 黑黍也'《說文》.

字源 形聲. 鬯+矩〔音〕

鬯 11 〔⿱爫⿰鬯又〕21 〔작〕
爵(爪부 14획〈733〉)의 本字

鬯 11 〔⿰鬯殳〕21 〔작〕
爵(爪부 14획〈733〉)의 古字

鬯 17 〔⿳⿲木缶木冖⿰鬯彡〕27 鬱(次次條)의 俗字

鬯 18 〔⿳⿲臼缶臼冖⿰鬯彡〕28 울 (入)物 | yù ウツ においぐさ

字解 울금향울 향초(香草)의 하나. '一鬯, 百艸之華, 遠方鬱人所貢芳艸, 合釀之以降神'《說文》.

字源 會意. 臼+缶+冖+鬯+彡. '鬱'의 異體字

鬯 19 〔鬱〕29 울 (入)物 | yù ウツ にわうめ, しげる

字解 ①산앵도나무울 앵도과에 속하는 낙엽 관목(落葉灌木). 앵도나무 비슷한 과수(果樹)임. 산이스랏나무. '六月食一及薁'《詩經》. ②심황울 생강과에 속하는 다년초. 지하경(地下莖)은 가루로 만들어 황색의 염료(染料)로 씀. 울금(鬱金). '和一鬯以實彝而陳之'《周禮》. ③우거질울 초목이 무성함. '一茂'. '一彼北林'《詩經》. ④막을울 통하지 못하게 함. '一令而不出者, 幽其君者也'《管子》. ⑤막힐울 통하지 아니함. '一結'. '水一則爲汚'《呂氏春秋》. ⑥답답할울 '一一氣蒸'. ⑦성할울 사물이 왕성한 모양. '一勃'. '玄靈泱一'《漢書》. ⑧향기로울울 향기가 좋음. '言一郁於蘭茝'《劉峻》. ⑨성울 성(姓)의 하나.

字源 金文은 象形으로, 사람이 기둥과 기둥 사이에 있어서, 향초를 디딜방아에 찧고 있는 모양을 본뜸. 篆文에서는, 거기에 독의 象形인 '缶부'와 향초 넣은 술단지를 본뜬 '鬯창' 등이 더해졌는데, 자욱한 향기의 뜻에서, '찌다, 막히다, 답답하다'의 뜻도 나타내게 됨. 《說文》은 林+鬱〈省〉〔音〕의 形聲.

鬲 部

〔솥 력 부〕

鬲 0 〔鬲〕10 ㊀력 (入)錫 | lì レキ かなえ
㊁격 (入)陌 | gé カク へだてる

筆順 … 鬲

字解 ㊀솥력 발이 굽은 솥. 또, 발 사이가 넓은 솥. 또, 발의 속이 빈 솥. '一實五穀'《周禮》. ㊁①막을격 隔(阜부 10획〈1621〉)과 통용. '一閉門戶'《漢書》. ②성격 성(姓)의 하나.

字源 象形. 다리가 셋 있는 솥을 본떠 '솥'의 뜻을 나타냄.

參考 '鬲력'을 의부(意符)로 하여, 솥이나 솥으로 찌는 일 등에 관한 문자를 이룸. 부수 이름은 '솥력'.

鬲 0 〔鬲(異體)〕10 鬲(前條)과 同字

鬲 3 〔⿰鬲干〕13 ㊀과 (平)歌 | guō カ どがま
㊁라 (平)歌 | ラ どがま

字解 ㊀흙가마과 토제(土製)의 가마. 토

부(土釜). '一, 秦名土鬴曰一'《說文》. [二] 흙가마라 [一]과 뜻이 같음.
[字源] 形聲. 鬲+午〔音〕
[參考] 鍋(金부 9획〈1570〉)는 俗字

鬲 4 〔⿰鬲斗〕 14 ⿰鬲斗(前條)의 訛字

鬲 4 〔⿰鬲支〕 14 [一] 의 [上]紙 | yǐ ギ くちのおおきいみつあしのかま
[二] 기 [上]紙 | キ くちのおおきいみつあしのかま
[字解] [一] 세발가마솥의, 쌀이는그릇의 주둥이가 큰 세 발 달린 가마. '一, 三足鍑也'《說文》. 또, 쌀을 이는 그릇. 이남박. '一, 一日, 滫米器也'《說文》. [二] 세발가마솥기, 쌀이는그릇기 [一]과 뜻이 같음.
[字源] 形聲. 鬲+支〔音〕

鬲 4 〔⿰鬲戈〕 14 〔과〕 鍋(金부 9획〈1570〉)와 同字

鬲 4 〔⿰鬲文〕 14 문 [平]文 | wěn ブン なでる
[字解] ①어루만질문 어루만짐. 쓰다듬음. '一, 摩也'《玉篇》. ②죽의웃물문 죽의 웃물.

鬲 5 〔⿰鬲瓦〕 15 〔력〕 鬲(部首〈1777〉)과 同字

〔融〕 〔융〕 虫부 10획(1241)을 보라.

〔翮〕 〔핵〕 羽부 10획(1045)을 보라.

鬲 6 〔⿱羊鬲〕 16 상 [平]陽 | shāng ショウ にる
[字解] 삶을상 鬺(鬲부 11획〈1779〉)과 同字. '一, 鬻也'《說文》.
[字源] 形聲. 鬲+羊〔音〕

鬲 6 〔⿲弓鬲弓〕 16 [一] 鬻(次條)의 本字
[二] 鬲(部首〈1777〉)의 古字

鬲 6 〔⿱弜鬲〕 16 [一] 력 [入]錫 | lì レキ かなえ
[二] 비 [去]未 | fèi ヒ·ビ むれてのぼるき
[字解] [一] 솥력 鬲(部首〈1777〉)의 古字. [二] 김오를비 '一, 上烝氣也'《集韻》.
[字源] 象形. '鬲(部首〈1777〉'의 〈字源〉을 보라.

鬲 6 〔鬳〕 16 권 [去]願 | yàn ケン かなえ
[字解] 솥권 가마솥의 일종. '一, 鬲屬, 从鬲虍聲'《說文》.
[字源] 形聲. 鬲+虎〈省〉〔音〕

鬲 6 〔⿰鬲而〕 16 이 [平]支 | ér ジ にる
[字解] 삶음이 삶음. 흐물흐물하게 삶음. '一, 熟也, 或作臑'《玉篇》.

鬲 6 〔⿰鬲亥〕 16 해 [平]灰 | hái カイ かたむぎ
[字解] ①새알심해 새알심. 샐심. 죽 속에 넣는 곡식 가루로 만든 동글동글한 덩이〔糜中塊〕. '一, 一日, 糜中塊'《集韻》. ②보리싸라기해 보리 싸라기. '一, 麧也'《集韻》.

鬲 6 〔⿰鬲圭〕 16 휴 [平]齊 | xié ケイ こしきのそこのあな
[字解] 시루밑구멍휴 시루 밑구멍. 시루바닥에 나 있는 구멍. '一, 甑空也'《集韻》.

鬲 7 〔鬴〕 17 부 [上]麌 | fǔ フ かま
[字解] ①가마솥부 釜(金부 2획〈1549〉)와 同字. '多齎一鍑薪炭'《漢書》. ②되부 엿 말 넉 되들이의 되. 안은 네모지고 밖은 둥긂. '四一上也'《周禮》. ③성부 성(姓)의 하나.
[字源] 形聲. 鬲+甫〔音〕

鬲 7 〔⿰鬲巠〕 17 경 [去]徑 | jìng ケイ へだてる
[字解] 가로막을경 가로막음. 가림. '一, 隔也'《廣雅》.

鬲 8 〔鬵〕 18 심 [平]侵 | xín シン おおがま
[字解] ①용가마심 큰 가마솥. '漑之釜一'《詩經》. ②시루심 떡을 찌는 데 쓰는 그릇. '甑, 自關而東謂之甗, 或謂之一'《揚子方言》.
[字源] 形聲. 鬲+兓〔音〕

鬲 8 〔⿱沸鬲〕 18 비 [去]未 | fèi ヒ わく
[字解] 끓을비 물이 끓어오름. '沸(水부 5획〈635〉)와 同字. '氣涫一其若波'《楚辭》.
[字源] 形聲. 鬲+沸〔音〕

鬲 9 〔鬷〕 19 종 [平]東 | zōng ソウ かま
[字解] ①가마솥종. ②많을종 중다(衆多)함. '越以一邁'《詩經》. ③아뢸종 사뢺. '一假無言'(중용(中庸)에는 '奏假'로 됨)《詩經》. ④성종 성(姓)의 하나.
[字源] 形聲. 鬲+㚇〔音〕

鬲 9 〔⿰鬲耎〕 19 [一]이 (平)齊 | ní ゼイ [一][二] ほねのあるしおから
[二]내 (平)灰 | ザイ

筆順 一 ㄇ 冂 冃 鬲 鬲 鬲 ⿰鬲耎

字解 [一] 젓갈이 젓갈. 뼈를 바르지 아니하고 담은 젓갈. ‘一, 說文, 有骨醢也’《集韻》. [二] 젓갈내 [一]과 뜻이 같음.

鬲 10 〔⿱羔鬲〕 20 [一] 羹(羊부 13획〈1039〉)와 同字
[二] 烹(火부 7획〈714〉)의 古字

鬲 10 〔⿰鬲鬲〕 20 력 (入)錫 | lì レキ かすをさる

字解 ①거를력 거름. 찌꺼기를 걸러 냄. ‘一, 去滓也’《字彙》. ②鬲(部首〈1777〉)의 俗字.

鬲 10 〔鬸〕 20 류 (去)宥 | liù リュウ こしき

字解 시루류 시루. ‘一, 關東謂甑’《集韻》.

鬲 11 〔鬺〕 21 상 (平)陽 | shāng ショウ にる

字解 삶을상 음식을 삶음. ‘皆嘗烹一上帝鬼神’《史記》.
字源 形聲. 鬲+煬〈省〉〔音〕

鬲 11 〔鬹〕 21 [一]규 (平)支 | guī キ えとくちのあるみつあしのかま
[二]휴 (平)齊 | ケイ かま

字解 [一] 세발가마솥규 자루와 주둥이가 있는 세 발 달린 가마솥. ‘一, 三足鬴也. 有柄喙’《說文》. [二] 가마솥휴 ‘一, 鑊也’《集韻》.
字源 形聲. 鬲+規〔音〕

鬲 11 〔⿱⿲弓古弓鬲〕 21 호 (平)虞 | hú コ かゆ

字解 죽호 쌀, 보리 등의 가루로 쑨 죽. ‘一, 健也’《說文》.
字源 形聲. ⿲弓鬲弓+古〔音〕

鬲 11 〔⿱敖鬲〕 21 오 (平)豪 | áo ゴウ いる

字解 볶을오 볶음. 熬(火부 11획〈723〉)와 同字. ‘熬, 說文, 乾煎也’《集韻》.

鬲 12 〔⿰鬲曾〕 22 증 (去)徑 (平)蒸 | zèng ショウ·ソウ こしき

字解 ①시루증 甑(瓦부 12획〈790〉)과 同字. ‘一謂之鬵’《爾雅》. ②산이름증 ‘有一山’《山海經》.
字源 形聲. 鬲+曾〔音〕

鬲 12 〔鬻〕 22 [一]죽 (入)屋 | zhōu シュク かゆ
[二]육 (入)屋 | yù イク ひさぐ
[三]국 (入)屋 | jū キク おさない

字解 [一] 죽죽 묽은 죽. 粥(米부 6획〈969〉)과 同字. 또, 죽을 먹음. ‘饘於是, 一於是’《左傳》. [二] ①팔육 ㉠물건을 팖. ‘畫其像, 印一之, 畫工有致富者’《十八史略》. ㉡노력 등에 대하여 보수를 얻음. ‘一文’. ‘一色’. ㉢기만함. ‘一五國’《戰國策》. ②성육 성(姓)의 하나. [三] 어릴국 나이가 어림. 일설(一說)에는, 기름. 양육함. ‘一子之閔斯’《詩經》.
字源 會意. ⿲弓鬲弓+米〔音〕

鬲 12 〔⿱⿲弓耳弓鬲〕 22 〔이〕
餌(食부 6획〈1717〉)와 同字

鬲 13 〔⿰鬲裘〕 23 [一]객 (入)陌 | kè カク かわごろものうら
[二]격 (入)錫 | ケキ かわごろものうら

字解 [一] ①갖옷안객 가죽옷의 안접. 褔(衣부 10획〈1283〉)과 同字. ‘一, 裘裹, 與皮相隔’《正字通》. ②얇을객 ‘一, 一曰, 薄也’《集韻》. [二] 갖옷안격, 얇을격 [一]과 뜻이 같음.
字源 形聲. 裘+鬲〔音〕

鬲 13 〔⿰鬲裘〕 23 ⿰鬲裘(前條)의 本字

鬲 13 〔⿰鬲嵏〕 23 〔종〕
鬷(鬲부 9획〈1778〉)과 同字

鬲 13 〔⿱⿲弓孛弓鬲〕 23 발 (入)月 | bó ホツ かまのゆがにたってあふれでる

字解 물끓어넘칠발 가마솥의 물이 끓어 넘침. ‘一, 說文曰, 炊釜溢也’《廣韻》.
字源 形聲. ⿲弓鬲弓+孛〔音〕

鬲 13 〔⿱⿰米㐬鬲〕 23 〔육〕
[illegible](鬲부 20획〈1780〉)과 同字

鬲 13 〔⿱⿲弓辱弓鬲〕 23 욕 (入)沃 | rù ジョク おおきなかなえ

字解 가마솥욕 가마솥. 큰 솥. ‘一, 大鼎’《集韻》.

鬲 14 〔⿱⿲弓侃弓鬲〕 24 [一]건 (平)元 | jiān ケン·コン かゆ
[二]전 (平)先 | zhān セン かゆ

字解 [一] 죽건 ‘一, 鬻也’《說文》. [二] 죽전 [一]과 뜻이 같음.
字源 形聲. ⿲弓鬲弓+侃〔音〕

鬲 14 〔⿲弓⿱兓鬲弓〕 24 〔심〕
鬵(鬲부 8획〈1778〉)의 籒文

鬲15 〔鬻〕25 자(저本) ㊤語 | zhǔ ショ にる

字解 삶을자, 구울자 煮(火부 9획〈719〉)와 同字. '一鹽以待戒令'《周禮》. ※本音 저.
字源 形聲. 鬻+者〔音〕
參考 鬻(鬲부 19획〈1780〉)는 同字.

鬲16 〔鬻〕26 초 ㊤巧 | chǎo ソウ·ショウ いる
字解 볶을초 '一, 熬也'《說文》.
字源 形聲. 鬻+芻〔音〕

鬲16 〔鬻〕26 〔갱〕
羹(羊부 13획〈1039〉)과 同字

鬲17 〔鬻〕27 속 ㊅屋 | sù ソク かゆ
字解 죽속 솥에 담는 야채죽. '一, 鼎實. …陳留謂健爲一'《說文》.

鬲17 〔鬻〕27 〔림〕
淋(水부 8획〈654〉)과 同字

鬲18 〔鬻〕28 〔증〕
甑(瓦부 12획〈790〉)의 籀文

鬲19 〔鬻〕29 〔자〕
鬻(鬲부 15획〈1780〉)와 同字

鬲20 〔鬻〕30 ㊀육 ㊅屋 | yù イク かゆ
㊁축 ㊅屋 | シュク かゆ
字解 ㊀죽육 '一, 鬻也'《說文》. ㊁죽축 ㊀과 뜻이 같음.
字源 形聲. 鬻+毓〔音〕

鬲20 〔鬻〕30 약 ㊅藥 | yuè ヤク ゆでる
字解 데칠약 고기나 야채를 끓는 물에 데침. '一, 内肉及菜湯中薄出之'《說文》.
字源 形聲. 鬻+翟〔音〕

鬲21 〔鬻〕31 효 ㊥蕭 | xiāo キョウ ゆげ
字解 김효 증기(蒸氣). '一, 炊氣皃, 从鬲囂聲'《說文》.
字源 形聲. 鬲+囂〔音〕

鬲27 〔鬻〕37 ㊀말 ㊅曷 | バツ かゆ
㊁멸 ㊅屑 | miè ベツ かゆ
字解 ㊀죽말 '一, 涼州謂鬻爲一'《說文》. ㊁죽멸 ㊀과 뜻이 같음.
字源 形聲. 鬻+蔑〔音〕

鬼 部

〔귀신귀부〕

鬼0 〔鬼〕10 高·人 귀 ㊤尾 | guǐ キ おに

筆順 ′ 亻 白 白 由 由 鬼 鬼

字解 ①귀신귀 ㉠음(陰)의 신령. 양(陽)의 신령은 '神'이라 함. '子曰, 一神之爲德, 其盛矣乎'《中庸》. ㉡죽은 사람의 혼. '知一神之情狀'《易經》. ㉢신(神)으로서 제사지내는 망령(亡靈). '天神'·'地祇'에 다음 가는 것. '列於一神'《禮記》. ㉣명명(冥冥)한 가운데에서 사람에게 앙화을 내린다는 요귀. '惡一'. '貧一守門'《易林》. ②도깨비귀 나쁜 음기(陰氣)의 화신(化身). 또는, 상상의 괴물. '爲一爲蜮'《詩經》. '阮德如嘗於厠見一, 長丈餘, 色黑而眼大'《世說》. ③별이름귀 이십팔수(二十八宿)의 하나. 주작(朱雀) 칠수(七宿)의 제이성(第二星). ④성귀 성(姓)의 하나.
字源 象形. 무시무시한 머리를 한 사람의 象形으로, 죽은 사람의 혼의 뜻을 나타냄.
參考 '鬼귀'를 의부(意符)로 하여, 영혼이나 초자연적인 것, 그 작용 등에 관한 문자를 이룸. 부수 이름은 '귀신귀'.

鬼2 〔魀〕12 〔리〕
魑(鬼부 11획〈1784〉)와 同字

鬼3 〔彪〕13 매(미本) ㊦寘 | mèi ビ·ミ すだま
字解 도깨비매 늙은 정물(精物). '以夏日至致地示物一'《周禮》. ※本音 미.
字源 會意. 鬼+彡

鬼3 〔魁〕13 외 ㊤賄 | wěi ワイ とちがいしまじりでやせていること
字解 메마른땅외 메마른 땅. 돌이 많고 토박한 땅. '一, 一郲, 墝埆也'《集韻》

鬼3 〔槐〕13 외 ㊦隊 | wèi ワイ ねつびょう
字解 열병외 열병(熱病). '一, 一瘣, 廢風苦熱'《廣韻》.

鬼3 〔魄〕13 탁 ㊅藥 | tuò タク まずしくてかぎょうがない
字解 영락할탁 영락(零落)함. 가난하며 가업(家業)이 없음. '落一'. '一, 落一, 貧無家業'《正字通》.

鬼4 〔魁〕 14 괴 [平]灰 | kuí カイ かしら

[字解] ①우두머리괴 수령. '首一'. '殲厥渠一'《書經》. ②으뜸괴 최초. 제일. '原涉爲一'《漢書》. ③클괴 위대함. 웅대함. '始以薛公爲一然也'《史記》. ④편안할괴 마음이 편안함. '猶之一然'《莊子》. ⑤별이름괴 북두칠성의 첫째 별. 문운(文運)을 맡은 별로서, 과거에 응시하는 자는 이 별에 기도를 드렸다 함. 일설(一說)에는, 북두 칠성의 첫째에서 넷째까지의 네 별을 일컬음. 다섯째에서 일곱째까지의 세 별은 '杓'. '一星'. '一方杓'《後漢書》. ⑥언덕괴 작은 구릉. '以爲一陵糞土'《國語》. ⑦흙덩이괴 塊(土부 10획〈215〉)와 통용. '一然無徒, 廓然獨居'《漢書》. ⑧성괴 성(姓)의 하나.

[字源] 形聲. 斗＋鬼〔音〕

鬼4 〔鬾〕 14 기 [平]支 [上]紙 [去]寘 | jì キ しにんにきせるいふく

[字解] ①수의기 시신(屍身)에 입히는 옷. '一, 鬼服也'《說文》. ②아이귀신기 전욱(顓頊)의 세 아들이 어려서 죽어, 귀신이 되었는데, 그 가운데 방(房) 안에 있어 사람을 놀라게 하는 것을 아이귀신이라 함. '一, 一曰, 小兒鬼'《說文》.

[字源] 形聲. 鬼＋支〔音〕

鬼4 〔魀〕 14 기 [平]微 | qí キ ほしのな

[字解] 별이름기 '九一'는 북두칠성(北斗七星). '訊九一與六神'《楚辭》.

鬼4 〔魂〕 14 [高·人] 혼 [平]元 | hún コン たましい

[筆順] 一 二 云 云 云' 云白 云由 魂 魂

[字解] ①넋혼 ㉠사람의 정신. '靈一'. '我命絕今日, 一去尸長留'《古詩》. ㉡영혼의 양(陽)에 속하는 부분. 음(陰)에 속하는 것은 '魄'이라 함. '人生始化曰魄, 旣生魄, 陽曰一'《左傳》. ㉢물건의 정신. '花一'. ②마음혼 심정. '旅一'. '斷一'. '馳一魏闕'《許敬宗》. '費神傷一'《呂氏春秋》.

[字源] 形聲. 鬼＋云〔音〕

鬼4 〔䰟〕 14 魂(前條)과 同字

鬼4 〔魤〕 14 화 [去]禡 | huà カ おにがへんかする

[字解] 둔갑할화 귀신이 변함. '一, 鬼變也'《說文》.

[字源] 形聲. 鬼＋化〔音〕

鬼4 〔䰢〕 14 魤(前條)와 同字

鬼4 〔魧〕 14 항 [平]陽 | hāng コウ もののけ

[字解] 귀신항 귀신. 사람을 괴롭히는 사령(死靈)·원령(怨靈) '一, 鬼也'《玉篇》.

鬼4 〔魪〕 14 개 | gà カイ ほこうがただしくない

[字解] 보행이바르지않을개 보행(步行)이 바르지 아니함. '一, 同尬, 尷尬, 行不正也'《篇海》.

鬼4 〔魴〕 14 방 [平]陽 | fāng ホウ ほしのな

[字解] 별이름방 별 이름. '一, 星名'《玉篇》.

鬼4 〔魗〕 14 우 [平]尤 | niú ギュウ もののけ

[字解] 귀신우 귀신. 사람을 괴롭히는 귀신. '一, 鬼也'《玉篇》.

鬼4 〔魦〕 14 우 | yǒu ユウ おにのな

[字解] 귀신이름우 귀신의 이름. '一, 鬼名'《篇海》.

鬼4 〔魹〕 14 호 [去]號 | hào コウ えやみのかみ

[字解] 역신호 역신(疫神). '一, 虛厲, 或从女'《集韻》.

鬼5 〔魃〕 15 발 [入]曷 | bá ハツ·バツ ひでりのかみ

[字解] ①가물귀신발 가물을 맡은 신(神). '旱一爲虐'《詩經》. ②가물발 가물음. 오래 비가 안 오는 날씨.

[字源] 形聲. 鬼＋犮〔音〕

鬼5 〔魅〕 15 매(미[本]) [去]寘 | mèi ビ·ミ もののけ

[字解] ①도깨비매 요괴(妖怪). '魑一'. '死老一'《後漢書》. ②호릴매 남의 정신을 호리게 함. '一惑'. '容媚諂一'《孔叢子》. ※本音 미.

[字源] 形聲. 鬼＋未〔音〕

鬼5 〔魊〕 15 훌 [入]物 | xū クツ いつわる

[字解] ①속일훌 '一, 譎也'《字彙補》. ②갑자기훌 '一, 猝然也'《字彙補》.

鬼5 〔魁〕 15 신 [平]眞 | shén シン かみ

[字解] ①귀신신 신(神). '一, 神名'《集韻》.

②산신신 산의 신. '一, 山神也'《玉篇》.
[字源] 形聲. 鬼＋申(申)〔音〕

鬼 5 〔⿺鬼失〕 15 [一] 치 [去]寘 [平]支 chì チ えやみのかみ [二] 질 [入]質 チツ えやみのかみ

[字解] [一] ①역신(疫神)치 계춘(季春), 맹추(孟秋), 추동(秋冬)의 세 철에 음양(陰陽)의 기(氣)가 시체(屍體)의 기(氣)와 만나서, 사람에게 재앙과 역병(疫病)을 갖다주는 귀신. '一, 厲鬼也'《說文》. ②도깨비치 '一, 魑魈之類也'《玉篇》. [二] 역신질, 도깨비질 [一]과 뜻이 같음.
[字源] 形聲. 鬼＋失〔音〕

鬼 5 〔⿰失鬼〕 15 ⿺鬼失(前條)와 同字

鬼 5 〔魄〕 15 [一] 백 [入]陌 pò ハク たましい [二] 박 [入]藥 bó ハク かす [三] 탁 [入]藥 tuò タク おちぶれる

[字解] [一] ①넋백 사람의 정신의 음(陰)에 속하는 부분. 양(陽)에 속하는 것은 '魂'이라 함. ②몸백, 모양백 형체. '其一兆乎民矣'《國語》. ③달백, 달빛백 월영(月影). '露巖淪曉一'《駱賓王》. 또, 달의 윤곽의 빛이 없는 부분. '惟一月壬辰旁死一'('死一'은 달빛이 아주 소멸한 때, 곧 초하루이고, '旁死一'은 초이튿날)《書經》. [二] ①재강박, 찌끼박 '古人之糟一'《莊子》. ②넓을박 薄(艸부 13획〈1188〉)과 통용. '旁一四塞'《史記》. [三] 영락할탁 영체(零替)함. '家貧落一'《史記》.
[字源] 形聲. 鬼＋白〔音〕

鬼 5 〔䰟〕 15 〔귀〕 鬼(部首〈1780〉)의 古字

鬼 5 〔⿰甲鬼〕 15 갑 [入]洽 jiā コウ かくれているおに
[字解] 숨어있는귀신갑 숨어 있는 귀신. '一, 竊鬼'《字彙》.

鬼 5 〔⿰鬼令〕 15 령 [平]青 líng レイ もののけ
[字解] 귀신령 사람을 괴롭히는 귀신. '一, 鬼也'《集韻》.

鬼 5 〔⿰鬼占〕 15 률 [入]質 lǜ リツ ころす
[字解] 죽일률 죽임. 살해함. '一, 殺也'《篇海》.

鬼 5 〔⿺鬼勿〕 15 죽 [入]屋 zhú チク おにのあたま
[字解] 귀신머리죽 귀신의 머리. '一, 鬼頭也'《字彙補》.

鬼 6 〔⿰光鬼〕 16 괴 [平]灰 カイ もののけ
[字解] 도깨비괴 도깨비. 요괴. '剛山是多神一'《山海經》.

鬼 6 〔⿱鬼耳〕 16 귀 [去]寘 kuì キ おおいにみるさま
[字解] 크게볼귀 크게 봄. 또, 그 모양. '一, 大視貌'《篇海》.

鬼 6 〔⿰有鬼〕 16 욱 [入]屋 yù オク かたち
[字解] 모양욱 모양. 형체. '一, 皃也'《玉篇》.

鬼 6 〔⿰鬼交〕 16 요 [平]蕭 yáo ゴウ もののけ
[字解] 귀신요 귀신. 사람을 괴롭히는 원령(怨靈). '一, 鬼也'《玉篇》.

鬼 6 〔⿰鬼至〕 16 치 [平]支 chī チ もののけ
[字解] 귀신치 귀신. 사람을 괴롭히는 원령(怨靈). '一, 一魅'《篇海》.

鬼 6 〔⿰鬼行〕 16 행 [去]敬 xìng コウ もののけ
[字解] ①귀신행 귀신. 사람을 괴롭히는 원령(怨靈). '一, 鬼'《玉篇》. ②두성이름행 두성(斗星)의 이름. '一, 斗星名'《玉篇》.

鬼 6 〔⿺鬼虍〕 16 호 [平]虞 hū コ おにのさま
[字解] 귀신의모양호 귀신의 모양. '一, 說文, 鬼皃, 或省'《集韻》.

鬼 7 〔魈〕 17 소 [平]蕭 xiāo ショウ すだま
[字解] 도깨비소 산의 요괴(妖怪). 또, 목석(木石)의 요괴. 발이 하나이며, 밤에 나와 사람을 침범한다 함. '山精, 形如小兒, 獨足向後, 夜喜犯人. 名曰一. 呼其名則不能犯'《抱朴子》.
[字源] 形聲. 鬼＋肖〔音〕

〔醜〕 〔추〕 酉부 10획(1539)을 보라.

鬼 7 〔⿰鬼里〕 17 리 [上]紙 lǐ リ わるいおに
[字解] 악귀리 악귀(惡鬼). 악한 귀신. '一, 惡鬼'《篇海》.

鬼 7 〔⿰鬼甫〕 17 보 [平]虞 fū フ ほくとせいのな

[字解] 북두성의이름보 북두성(北斗星)의 이름. '一, 北斗星名'《集韻》.

鬼 7 〔⿺鬼巠〕 17 영 [上]迥 | yǐng エイ まじない

[字解] 주술영 주술(呪術). 주문을 욈. 또는 그 주문. '一, 巫厭'《集韻》.

鬼 7 〔⿰孝鬼〕 17 요 [去]效 | yào ゴウ みにくい

[字解] 추할요 추함. 보기 흉함. '一, 醜也'《集韻》.

鬼 7 〔⿰彖鬼〕 17 전 [上]銑 | zhuàn テン みにくいさま

[字解] 추할전 추함. 또는 그 모양. '一, 醜貌'《字彙》.

鬼 7 〔⿺鬼妥〕 17 퇴 [去]隊 | tuì タイ ねつびょう

[字解] 열병퇴 열병(熱病). '一, 苦熱病'《篇海》.

鬼 8 〔魋〕 18 ㊀ 추 [平]支 | zhuī, chuí ツイ さいづちまげ ㊁ 퇴 [平]灰 | tuí タイ しゃぐま

[字解] ㊀ 몽치머리추 머리를 뒤로 늘여 땋은 몽치 모양의 머리. 椎(木부 8획〈557〉)와 통용. '尉佗一結箕踞'《漢書》. ㊁ ①퇴(魋)곰퇴 붉은 곰. 또, 곰 비슷한 신수(神獸). ②사람이름퇴 인명(人名). '桓一'《論語》. ③성퇴 성(姓)의 하나.
[字源] 形聲. 鬼+隹〔音〕

鬼 8 〔魍〕 18 망 [上]養 | wǎng ボウ·モウ すだま

[字解] 도깨비망 '一魎'은 산수(山水)·목석(木石)의 요괴(妖怪). '山林民可入, 一魎莫逢旃'《韓愈》.
[字源] 形聲. 鬼+罔〔音〕

鬼 8 〔魎〕 18 량 [上]養 | liǎng リョウ もののけ

[字解] 도깨비량 魍(前條)을 보라. '魍一'. 蜽(虫부 8획〈1233〉)과 同字. '蜽, 說文, 蛧蜽也, 或作一'《集韻》.
[字源] 形聲. 鬼+兩〔音〕

鬼 8 〔魌〕 18 기 [平]支 | qī キ みにくい

[字解] ①못날기 頬(頁부 8획〈1693〉)와 同字. ②방상시기 구나(驅儺)할 때 쓰는 탈의 하나. '一頭'. '冒熊皮者, 以驚毆疫癘之鬼, 如今一頭也'《周禮 注》.
[字源] 形聲. 鬼+其〔音〕

鬼 8 〔魊〕 18 역 [入]職 | yù ヨク·イキ こおに

[字解] ①아이귀신역 어린애 모양의 귀신. '一, 小兒鬼'《廣韻》. ②귀신이름역 '一, 鬼名'《集韻》. ③물여우역 물가에 있어, 물에 비치는 사람의 그림자에게 모래를 끼얹어서 역병(疫病)을 일으키게 한다는 괴물(怪物). 단호(短狐). '一, 短狐, 如龜含沙噀人'《玉篇》.

鬼 8 〔⿱或鬼〕 18 魊(前條)과 同字

鬼 8 〔⿺鬼虎〕 18 호 [平]虞 | hū コ おにのさま

[字解] ①귀신호 귀신의 모양. '一, 鬼皃'《說文》. ②범귀신호 범에 붙어 있는 귀신. 범에 물려 죽은 사람의 혼(魂)은, 그 호랑이에 따라 붙어, 그 범의 편익(便益)을 도모하고, 범을 존숭(尊崇)하여 장군(將軍)이라 부르며, 범이 죽으면 곡(哭)한다고 함. 이를 호장(虎倀)이라 이름. '一, 虎倀也'《正字通》.
[字源] 形聲. 鬼+虎〔音〕

鬼 8 〔⿺鬼申〕 18 〔신〕 䰠(鬼부 5획〈1781〉)의 本字

鬼 8 〔魏〕 18 [人名] 위 [去]未 | wèi ギ たかい

[筆順] 二 禾 委 委 委 委 魏 魏

[字解] ①높을위 巍(山부 18획〈323〉)와 통용. '一闕之高'《淮南子》. ②나라이름위 ㉠ 전국 시대(戰國時代)의 한 나라. 진(晉)나라의 대부(大夫) 위사(魏斯)가 진나라를 삼분하여 그 중의 하남성(河南省) 북부, 산서성(山西省)의 서남부를 차지하여 창건하였는데, 후에 진(秦)나라에 멸망당하였음. ㉡ 삼국(三國)의 하나. 조조(曹操)의 아들 조비(曹丕)가 후한(後漢)에 대신하여 화북(華北)에 세운 왕조(王朝). 5주(主) 46년 만에 사마염(司馬炎)에게 양위(讓位)하여 망하였음. 이를 '曹一'라 함. (220~265) ㉢ 탁발규(拓跋珪)가 화북(華北)에 세운 왕조. 이를 '後一'라 함. 후에 '東一'·'西一'로 나뉘었는데, '東一'는 북제(北齊)에, '西一'는 북주(北周)에 멸망당하였음. (386~534) ③성위 성(姓)의 하나.
[字源] 形聲. 鬼+委〔音〕

鬼 8 〔⿱雨鬼〕 18 격 [入]錫 | guǐ ケキ あめのかみ

[字解] 비를맡은귀신격 비를 맡은 귀신. '一, 雨鬼'《五音集韻》.

鬼 8 〔魕〕 18 기 [平]支 | qí キ しょうにのおに

[字解] 아이귀신기 아이 귀신. '一, 或从支'《集韻》.

鬼 8 〔䰩〕 18 독 [入]屋 | zhú トク みにくいあたま

[字解] 추한머리독 추한 머리. 보기 흉한 머리. '一, 醜頭'《字彙》.

鬼 8 〔䰤〕 18 동 [平]東 | dōng トウ みにくいさま

[字解] ①추한모양동 추한 모양. 보기 흉한 모양. '一, 一曰, 醜皃'《集韻》. ②귀신이사람죽일동 귀신이 사람을 죽임. '一, 鬼殺人也'《玉篇》. ③귀신이름동 귀신의 이름. '一, 鬼名'《集韻》.

鬼 8 〔䰨〕 18 랑 [去]漾 | làng ロウ おにのみにくいさま

[字解] 강귀신의추한모양랑 강귀신의 추한 모양. '一, 江鬼醜貌'《篇海》.

鬼 8 〔魓〕 18 비 [上]薺 | pǐ ヘイ みにくい

[字解] ①추할비 추함. 추악함. '一, 醜也'《正字通》. ②도깨비비 도깨비. 요괴(妖怪). '一, 妖魅也'《正字通》.

鬼 8 〔䰭〕 18 엄 [去]豔 | yǎn エン けがす

[字解] 더럽힐엄 더럽힘. '一, 汚黷也'《集韻》.

鬼 9 〔䰬〕 19 [一] 차 [上]馬 | chě シャ みにくい
[二] 도 [平]虞 | dū トやまにすむおに

[字解] [一] 추악할차 나쁨. [二] 산귀(山鬼)도 산에 사는 귀신. '一, 山鬼'《集韻》.

鬼 9 〔䰪〕 19 격 [入]陌 | jú ケキ しずか

[字解] 고요할격 고요함. 조용함. '一, 靜也'《篇海》.

鬼 9 〔䰫〕 19 삽 [入]洽 | zhá ソウ みにくい

[字解] 추할삽 추함. 보기 흉함. '一, 醜也'《玉篇》.

鬼 10 〔䰯〕 20 〔기〕
鬾(鬼부 12획〈1785〉)와 同字

鬼 10 〔䰮〕 20 쇄 [去]卦 | shài サイ おにのな

[字解] 귀신이름쇄 귀신의 이름. '一, 鬼名'《集韻》.

鬼 10 〔䰰〕 20 운 [去]問 | yùn ウン おにのな

[字解] 귀신이름운 '一, 鬼名'《篇海》.

鬼 11 〔魑〕 21 리(치[本]) [平]支 | chī チ おに

[字解] 도깨비리 산의 요괴. '一魅罔兩, 莫能逢之'《左傳》. ※本音 치.
[字源] 形聲. 鬼＋离〔音〕

鬼 11 〔䰱〕 21 [一] 나 [平]歌 [去]箇 | nuó ダ·ナ おにをみてびっくりすることば
[二] 뇨 [平]肴 | ニョウ·ドウ おにをみてびっくりすることば
[三] 난 [去]翰 | ダン·ナン おにをみてびっくりすることば

[字解] [一] ①도깨비보고놀라는소리나 '一, 纂文云, 人値鬼驚聲'《廣韻》. ②구나(驅儺)나 儺(人부 19획〈79〉)와 同字. '一, 驚敺疫癘之鬼也'《玉篇》. [二] 도깨비보고놀라는소리뇨, 구나뇨 [一]과 뜻이 같음. [三] 도깨비보고놀라는소리난, 구나난 [一]과 뜻이 같음.
[字源] 形聲. 鬼＋難〈省〉〔音〕

鬼 11 〔魔〕 21 마 [平]歌 | mó マ おに

[字解] ①마귀마 악귀. '惡一'. '病一'. '我墮疑網, 故謂是一所爲'《法華經》. ②마술마 요술. '一術'. '一法'. '師巫一嫗'《南史》. ③인마 몸에 밴 좋아하는 버릇. '酒一'. '詩一'.
[字源] 形聲. 鬼＋麻〔音〕

鬼 11 〔䴠〕 21 魔(前條)와 同字

鬼 11 〔魔〕 20 魔(前前條)의 俗字

鬼 12 〔魖〕 22 허 [平]魚 | xū キョ えやみのおに

[字解] 역귀허 유행병을 맡은 귀신. '梢夔一而抶獝狂'《漢書》.
[字源] 形聲. 鬼＋虛〔音〕

鬼 12 〔䰲〕 22 [一] 초 [平]肴 | chāo ソウ·ショウ おにのすばやいさま
[二] 소 [上]巧 | zhǎo ソウ·ジョウ わるがしこい
[三] 효 [去]嘯 | キョウ すこやか

[字解] [一] ①귀신날랠초 귀신이 날랜 모양. '玉篇曰, 一, 剽輕爲害之鬼也. 說文訓當云

鬼捷皃'《說文 段注》. ②빠를초 빠른 모양. '一, 疾皃'《廣韻》. ③튼튼할초 '一, 健也'《廣雅》. ④날래고해끼치는귀신초 '一, 楚俗謂鬼剽輕爲害者'《集韻》. [二] 간악할소 '一, 黠也'《廣韻》. [三] ①튼튼할효 '一, 健也'《集韻》. ②날래고해끼치는귀신효 '剽一'는 비명(非命)에 죽어 날쌔게 해를 끼치는 귀신. '一, 剽一, 強死輕爲害之鬼'《集韻》.

鬼 12 〔𩴾〕 22 기 [平]微 [上]尾 | qí キ おにをまつってふくをもとめるふうしゅう

[字解] ①귀신을제사하여복을구하는풍습기 '一, 鬼俗也. …淮南傳曰, 吳人鬼, 越人一'《說文》. ②남쪽귀신기 '一, 南方之鬼曰一'《集韻》.
[字源] 形聲. 鬼＋幾〔音〕

鬼 12 〔𩴿〕 22 𩴾(前條)와 同字

鬼 12 〔𩴺〕 22 등 [平]蒸 | téng トウ くうちゅうのおに

[字解] 공중의귀신등 공중(空中)의 귀신. '一, 空中鬼'《篇海》.

鬼 12 〔𩵀〕 22 료 [去]效 | liào ロウ おどろく

[字解] 놀랄료 놀람. '一, 驚也'《篇海》.

鬼 12 〔𩴹〕 22 린 [去]震 | lìn リン おにび

[字解] 도깨비불린 도깨비불. 귀화(鬼火). '一, 鬼火也'《正字通》.

鬼 12 〔魀〕 22 율 [入]質 | jú キツ あたまのないおに

[字解] ①머리없는귀신율 머리 없는 귀신. '一, 無頭鬼'《玉篇》. ②미친귀신율 미친 귀신. 僪(人부 12획〈73〉)과 同字.

鬼 12 〔𩴸〕 22 魀(前條)과 同字

鬼 12 〔𩴷〕 22 차 [上]馬 | chě シャ みにくい

[字解] 추할차 추함. '一, 醜一, 惡也'《集韻》.

鬼 13 〔𩵂〕 23 거 [去]寘 | jù ギ おそれる

[字解] 두려워할거 두려워함. 무서워함. '一, 恐也'《龍龕手鑑》.

鬼 13 〔𩵃〕 23 역 [入]陌 | yì エキ おにのつかい

[字解] 귀신의사자역 귀신의 사자(使者). '一, 鬼使也'《玉篇》.

鬼 14 〔𩵄〕 24 〔나〕 魌(鬼부 11획〈1784〉)의 本字

鬼 14 〔𩵅〕 24 빈 [平]眞 | bīn ヒン おにのさま

[字解] 귀신빈 귀신의 모양. '一, 鬼皃'《說文》.
[字源] 形聲. 鬼＋賓〔音〕

鬼 14 〔魗〕 24 [一] 유 [平]虞 [二] 누 [平]尤 | rú, xú ジュ·ニュ [一][二] おにのなきごえ ドウ·ヌ

[字解] [一] 귀신울음소리유 '一, 鬼彪聲'《說文》. [二] 귀신울음소리누 [一]과 뜻이 같음.
[字源] 形聲. 鬼＋需〔音〕

鬼 14 〔𩵆〕 24 魗(前條)와 同字

鬼 14 〔魗〕 24 [一] 추 [上]有 [二] 수 [平]尤 | chǒu シュウ にくむ chóu シュウ にくむ

[字解] [一] 미워할추 醜(酉부 10획〈1539〉)와 통용. '無我一兮'《詩經》. [二] 미워할수 [一]과 뜻이 같음.
[字源] 形聲. 鬼＋壽〔音〕

鬼 14 〔魘〕 24 [一] 염 [上]琰 [二] 엽 [入]葉 (압[俗]) | yǎn エン うなされる yè ヨウ うなされる

[字解] [一] 잠꼬대할염. [二] 가위눌릴엽 꿈에 무서운 것을 보고 놀람. '夜深忽驚一'《梅堯臣》. ※俗音 압.
[字源] 形聲. 鬼＋厭〔音〕

鬼 14 〔𩵇〕 24 몽 [平]蒸 | méng ボウ おに

[字解] 귀신몽 귀신. '一, 鬼也'《玉篇》.

鬼 14 〔𩵈〕 24 의 [去]寘 | yì ギ おそれる

[字解] 두려워할의 두려워함. 무서워함. '一, 恐也'《集韻》.

鬼 14 〔𩵉〕 24 찰 [入]黠 | chà サツ おにのな

[字解] ①귀신이름찰 귀신의 이름. '一, 羅一, 鬼名'《集韻》. ②나라이름찰 나라 이름. '羅一'. '一, 羅一, 國名'《玉篇》.

鬼 14 〔𩵊〕 24 참 [平]咸 | zhān サン おにがしんでなるもの

[字解] ①귀신죽은귀신참 귀신이 죽어서 된 귀신. '一, 人死作鬼, 鬼死作一'《五音集韻》. ②부적참 부적(符籍). 세속에 이 글자를 벽사(辟邪)의 부적으로 문에 써 붙임. '一, 辟邪也'《篇海》.

鬼 15 〔䨓鬼〕25 뢰 [平]灰 | léi ライ かみなりおに

[字解] 천둥귀신뢰 천둥 귀신. '一, 雷鬼'《集韻》.

鬼 15 〔䰡〕25 적 [入]錫 | dí テキ みにくい

[字解] 추할적 추함. 보기 흉함. '一, 醜也'《玉篇》.

鬼 17 〔魎〕27 령 [平]青 | líng レイ かみのな

[字解] 귀신이름령 귀신의 이름. 산의 신. 산신. '小人國, 名靖人, 有神, 人面獸身, 名曰犂一之尸'《山海經》.

鬼 17 〔䰱〕27 령 [平]青 | líng レイ やまのかみ

[字解] 산신령 산신(山神). 산의 신. 魎(前條)과 同字. '一, 山神, 人面獸身, 亦書作一'《集韻》.

鬼 18 〔䰲〕28 구 | qú ク

[字解] 버금갈구 버금감. 다음감. '一, 亞也'《篇海》.

鬼 22 〔䰳〕32 기 [平]支 | kuí キ すいちゅうのばけもの

[字解] 물속도깨비기 '罔兩·罔象·山魈·水一之怪, 來遊人間者, 皆非所謂神也'《王廷相》.

魚 部

〔물고기어부〕

魚 0 〔魚〕11 [中·人] [一]어 [平]魚 | yú ギョ うお
[二]오 [平]虞 | wú ゴ われ

[筆順] 丿 ⺈ 𠂊 ⺈冂 ⺈冂一 ⺈田 ⺈田一 魚

[字解] [一] ①고기어 물고기. '一類'. '一躍于淵'《詩經》. 또, 그 가죽. '象弭一服'《詩經》. ②어대(魚袋)어 관리가 차는, 고기 모양을 한 패물(佩物). '緋衣銀一'《遼史》. ③말어 두 눈이 흰 말. '有驔有一'《詩經》. ④고기잡을어 漁(水부 11획〈676〉)와 통용. '觀一者'《左傳》. 또, 고기를 잡는 사람. 어부. 또는, 그 직업. '膠鬲擧一鹽之中'《孟子》. ⑤성어 성(姓)의 하나. [二] 나오 吾(口부 4획〈153〉)와 통용. '姬, 一語汝'(姬는 居)《列子》.

[字源] 象形. 물고기를 본떠, '물고기'의 뜻을 나타냄.

[參考] '魚어'를 의부(意符)로 하여, 물고기의 명칭이나 물고기를 가공한 것 등을 나타내는 문자를 이룸. 부수 이름은 '고기어변'.

魚 0 〔臭〕10 魚(前條)의 略字

魚 0 〔鱼〕8 魚(前前條)의 簡體字

魚 0 〔奐〕13 〔어〕 魚(部首〈1786〉)의 古字

魚 1 〔魟〕12 알 [入]黠 | yà アツ ぎぎ, ぎばち

[字解] 자가사리알 자가사리. 앙알(鰊魟). 동자갯과에 딸린 민물고기. '一, 鰊一, 魚名'《集韻》.

魚 2 〔魛〕13 도 [平]豪 | dāo トウ えつ

[字解] 웅어도 멸칫과에 속하는 물고기의 하나. 모양이 긴 칼 비슷함. 제어(鮆魚). 위어(葦魚).

[字源] 形聲. 魚+刀〔音〕

魚 2 〔魝〕13 [一]결 [入]屑 | jié ケツ うおをりょうりする
[二]계 [去]霽 | jì ケイ とく
[三]수 [平]虞 | ス·シュ さく

[字解] [一] ①물고기썰결 물고기를 요리함. '一, 楚人謂治魚也'《說文》. ②가를결, 벨결 '一, 割也'《廣雅》. [二] 풀계 '一, 解也'《集韻》. [三] 가를수 쨈. '一, 割也'《集韻》.

[字源] 會意. 魚+刂(刀)

魚 2 〔魜〕13 인 [平]眞 | rén ジン·ニン うおのな

[字解] ①물고기이름인 '一, 魚也'《玉篇》. ② 인어(人魚)인 '一, 按鯢魚, 卽海中人魚'《正字通》.

魚 2 〔魤〕13 화 [去]禡 | huà カ うおのな

[筆順] ⺈ ⺈冂 ⺈冂一 ⺈田 ⺈田一 魚 魚丿 魤

[字解] 물고기이름화 '一, 魚名'《說文》.

[字源] 形聲. 魚+匕〔音〕

魚 2 〔魰〕13 [一] 篽(竹부 11획〈955〉)와 同字
[二] 籞(竹부 16획〈962〉)와 同字
[三] 漁(水부 11획〈676〉)와 同字

魚 2 〔⿰魚了〕13 [一] 료 [上]篠 [二] 소 [上]篠 | リョウ うおのな tiáo ショウ うおのな

[字解] [一] 고기이름료 고기 이름. '一, 魚名'《集韻》. [二] 고기이름소 [一]과 뜻이 같음.

魚 3 〔魠〕14 탁 [入]藥 | tuō タク たら

[字解] 자가사리탁 황협어(黃頰魚). '鰅鰫魼一'《司馬相如》.
[字源] 形聲. 魚＋乇〔音〕

魚 3 〔魡〕14 [一] 적 [入]錫 [二] 조 [去]嘯 | dí テキ うおをあみにかける diào チョウ つる

[字解] [一] 고기그물에걸릴적 '一, 繫魚也'《集韻》. [二] 낚을조 釣(金부 3획〈1549〉)와 同字. '一魚閒處'《莊子》.
[字源] 形聲. 魚＋勺〔音〕

魚 3 〔魟〕14 [一] 공 [平]東 [二] 홍 [平]東 [三] 강 [平]江 | hóng コウ うおのな コウ うおのな コウ うおのな

[字解] [一] ①물고기이름공 ㉠자라 비슷한 민물고기. '一, 河魚. 似鼈'《廣韻》. ㉡박쥐 비슷하고 비늘이 없는 물고기. '一, 海魚·無鱗, 狀如蝙蝠, 大者如車輪'《六書故》. ㉢'白一'은 피라미. '一, 一白魚'《廣韻》. ㉣참게 비슷한 물고기. '一, ⿰魚斤一, 江蟲. 形似蟹可食'《廣韻》. ②물고기살찔공 '一, 一曰, 魚肥'《集韻》. [二] 물고기이름홍, 물고기살찔홍 [一]과 뜻이 같음. [三] 물고기이름강 '一⿰魚斤'은 참게 비슷한 물고기의 이름. '一, 一⿰魚斤, 水蟲名'《集韻》.

魚 3 〔⿰魚小〕14 소 [上]篠 | xiǎo ショウ うおのな

[字解] ①물고기이름소 '一, 魚名'《集韻》. ②작은물고기이름소 '一, 細魚'《正字通》.

魚 3 〔⿰魚乞〕14 글 [入]物 | qì キツ うおがおよぐ

[字解] ①물고기헤엄칠글 '一, 魚游也'《集韻》. ②물고기벨글 '一, 斷魚'《玉篇》. ③물고기이름글 '一, 一曰, 魚名'《集韻》.

魚 3 〔⿰魚巳〕14 사 [上]紙 | sì シ うお

[字解] 물고기사 물고기. '一, 魚也'《玉篇》.

魚 4 〔魯〕15 [人名] 로 [上]麌 | lǔ ロ おろか

[筆順] ノ 𠂊 鱼 角 鱼 魚 魯 魯

[字解] ①미련할로 둔하고 어리석음. '一鈍'. '參也一'《論語》. ②노나라로 주대(周代)의 국명(國名). 주(周)나라 무왕(武王)의 아우 주공(周公) 단(旦)이 봉함을 받은 나라. 지금의 산동성(山東省) 연주부(兗州府) 지방. ③성로 성(姓)의 하나.
[字源] 形聲. 日(白)＋魚〔音〕

魚 4 〔魥〕15 겁 [入]葉 | qiè キョウ·コウ ひもの

[字解] 말린고기겁 댓가지에 꿰어 말린 물고기. '一, 枯魚'《集韻》.
[字源] 形聲. 魚＋及〔音〕

魚 4 〔魬〕15 반 [上]潸 | bǎn ハン かれい

[字解] 가자미반 가자밋과에 속하는 바닷물고기. 모양은 넓적하고 긴 타원형임. 접어(鰈魚). 일설(一說)에는, 넙치. 비목어(比目魚). '一, 魚名'《集韻》.
[字源] 形聲. 魚＋反〔音〕

魚 4 〔魪〕15 개 [去]卦 | jiè カイ かれい

[字解] 넙치개 '兩一'는 가자밋과에 속하는 바닷물고기. 모양은 넓적하고 긴 타원형임. 넙치. 비목어(比目魚). 일설(一說)에는, 가자미. 접어(鰈魚). '罩兩一'《左思》.
[字源] 形聲. 魚＋介〔音〕

魚 4 〔⿰魚斤〕15 魪(前條)의 訛字

魚 4 〔魭〕15 [一] 원 [平]元 [二] 완 [上]旱 [去]翰 | yuán ゲン おおうみがめ wǎn ガン かどのないさま

[字解] [一] 자라원 黿(黽부 4획〈1871〉)과 同字. [二] 규각없을완 '一斷'은 규각(圭角)이 없는 모양. 모지지 않은 모양. '不免於一斷'《莊子》.
[字源] 形聲. 魚＋元〔音〕

魚 4 〔⿱元魚〕15 魭(前條)과 同字

魚 4 〔魨〕15 돈 [平]元 | tún トン ふぐ

[字解] 복돈 참복과에 속하는 바닷물고기의 총칭. 하돈(河豚). '河一狀如科斗, 大者尺餘, 背色青白, 有黃縷'《本草集解》.
[字源] 形聲. 魚＋屯〔音〕

魚4 〔魿〕15
[一] 심 [平]侵 | qín シン つけうお
[上]寢 | サン つけうお
[二] 잠 [上]感 | ①yín
[三] 음 [上]寢 | ギン つけうお
[平]侵 | ②ギン うおのな
[四] 건 [平]眞 | キン·ギン むしのな

[字解] [一] 젓심 작은 물고기를 절인 것. '一, 鮺也'《說文》. [二] 젓잠 [一]과 뜻이 같음. [三] ①젓음 [一]과 뜻이 같음. ②물고기이름음 자라 비슷한 물고기의 이름. '一, 魚名, 似鼈'《集韻》. [四] 벌레이름건 '一, 蟲連行紆行者'《集韻》.
[字源] 形聲. 魚+今〔音〕

魚4 〔魵〕15 분 ①[上]吻 | fén フン·ブン えび
[平]文 | fèn
②[去]問 | フン ちいさいうお

[字解] ①새우분 '一, 鰕別名'《廣韻》. ②작은 물고기분, 물고기이름분 鰵(魚부 8획〈1798〉)과 同字. '鰵, 魚小曰鰵. 一曰, 魚名. 或省'《集韻》.
[字源] 形聲. 魚+分〔音〕

魚4 〔魴〕15 방 [平]陽 | fáng ホウ·ボウ ぶり

[字解] ①방어방 전갱잇과에 속하는 바닷물고기. ②성방 성(姓)의 하나.
[字源] 形聲. 魚+方〔音〕

魚4 〔魶〕15 납 [入]合 | nà ドウ·ノウ さんしょううお

[字解] 도롱뇽납 양서류(兩棲類)에 속하는 동물의 한 가지. 도마뱀 비슷함. 산초어(山椒魚). '禺禺鱋一'《史記》.
[字源] 形聲. 魚+內〔音〕

魚4 〔魰〕15 어 [平]魚 | yú ギョ すなどる

[字解] 물고기잡을어 漁(水부 11획〈676〉)와 同字. '逞欲畋一'《張衡》.

魚4 〔⿰魚文〕15 문 [平]文 | wén ブン·モン とびうお, かむるち

[字解] 가물치문, 날치문 '一, 魚名'《集韻》.

魚4 〔魱〕15 호 ①[平]虞 | hú
②[平]遇 | コ·ゴ ひらこのしろ
コ·ゴ うおのな

[字解] ①준치호 '一, 當一, 魚名'《廣韻》. ②큰메기호 '鱯, 魚名. 似鮎. 或作一'《集韻》.

魚4 〔⿰魚乎〕15 魱(前條)와 同字

魚4 〔魧〕15
[一] 강 [平]陽 | コウ おおきいかい
[二] 항 [平]陽 | háng
[上]養 | コウ おおきいかい

[字解] [一] ①큰조개강 '一, 大貝也'《說文》. ②물고기기름강 '一, 一曰, 魚膏'《說文》. ③자가사리강 '一, 魟也'《廣雅》. ④물고기뼈강 '一, 一曰魚骨'《集韻》. [二] 큰조개항, 물고기기름항, 자가사리항, 물고기뼈항 [一]과 뜻이 같음.
[字源] 形聲. 魚+亢〔音〕

魚4 〔⿰魚亢〕15 魧(前條)의 訛字

魚4 〔魫〕15
[一] 심 [上]寢 | shěn シン うおのこ
[二] 침 [平]侵 | チン うおのこ

[字解] [一] ①물고기알심 '一, 魚子'《廣韻》. ②물고기머리뼈심 침골(枕骨). '一, 魚腦骨曰枕'《正字通》. [二] 물고기알침, 물고기머리뼈침 [一]과 뜻이 같음.

魚4 〔⿰魚冗〕15 魫(前條)과 同字

魚4 〔⿰魚夫〕15 부 [平]虞 | fū フ うおのな

[字解] 물고기이름부 '一, 鯕魚. 出東萊'《說文》.
[字源] 形聲. 魚+夫〔音〕

魚4 〔魳〕15 패 [平]泰 | pèi ハイ ふぐ

[字解] 복어패 하돈(河豚). '一, 魚名. 食之殺人'《廣韻》.
[字源] 形聲. 篆文은 魚+朩〔音〕

魚4 〔魷〕15 [現] 우 | yóu ユウ いか

[字解] 《現》 오징어우 유어(柔魚).

魚4 〔魮〕15
[一] 비 [平]支 | pí ヒ·ビ うおのな
[二] 피 [上]紙 | ヒ うおのな

[字解] [一] 물고기이름비 '一, 文一, 魚名'《廣韻》. [二] 물고기이름피 '一, 魚名. 尾有毒'《集韻》.
[字源] 形聲. 魚+比〔音〕

魚4 〔魦〕15 〔사〕
鯊(魚부 7획〈1795〉)와 同字
[字源] 形聲. 魚+沙〈省〉〔音〕

魚4 〔⿱少魚〕15 魦(前條)와 同字

魚4 〔⿰魚币〕15 〔사〕
鰤(魚부 10획〈1801〉)와 同字

魚4 〔魲〕15 〔로〕
鱸(魚부 16획〈1809〉)의 俗字

魚 4 〔鮗〕15 공 [平]東 gōng コウ すっぽんにたうお

[字解] ①홍어공 홍어(魟魚). '一, 或从工'《集韻》. ②물고기이름공 물고기 이름. 자라 비슷한 물고기. '一, 一鮖, 魚名, 似鼈'《集韻》.

魚 4 〔魩〕15 말 [入]曷 mō バツ うおのお

[字解] 물고기꼬리말 물고기 꼬리. '一, 魚尾'《集韻》.

魚 4 〔魸〕15 목 [入]屋 mù ボク かれい

[字解] 가자미목 가자미. '一, 鮅一名一'《正字通》.

魚 4 〔魶〕15 방 [上]講 bàng ホウ おおはまぐり

[字解] ①대합방 대합(大蛤). 무명조개. 蚌(虫부 4획〈1219〉)과 同字. ②아름다운구슬방 아름다운 구슬. ③물고기이름방 물고기 이름. '禺水出焉, 北流注于招水, 其中多一魚, 其狀如鼈'《山海經》.

魚 4 〔魾〕15 배 [平]灰 pēi ハイ うおのな

[字解] 물고기이름배 물고기 이름. '一, 魚名'《集韻》.

魚 4 〔魣〕15 〔서〕 鱮(魚부 14획〈1808〉)와 同字

魚 4 〔魵〕15 〔역〕 鯣(魚부 7획〈1795〉)과 同字

魚 4 〔魰〕15 오 wǔ ゴ うおのな

[字解] 농어오 농어. 농어의 한 가지.

魚 4 〔魱〕15 왕 [平]陽 wáng オウ しび

[字解] 큰다랑어왕 큰 다랑어. '一, 魚名, 鮪也'《集韻》.

魚 4 〔魷〕15 ㊀위 [上]尾 wěi イ うおのな ㊁우 [平]尤 niú ギュウ うおのな

[字解] ㊀물고기이름위 물고기 이름. 가시복. 가시복과에 딸린 바닷물고기. 적의 공격을 받으면 밤송이처럼 둥글게 됨. 鰃(魚부 10획〈1802〉)와 同字. '鰃, 魚名, 一, 同鰃'《玉篇》. ㊁물고기이름우 물고기 이름. 우어(牛魚). 대가리는 소와 비슷하며 비늘도 뼈도 없음. 조수의 간만(干滿)을 잘 안다고 함.

魚 4 〔魭〕15 〔치〕 鮐(魚부 5획〈1791〉)와 同字

魚 4 〔魬〕15 〔즉〕 鰂(魚부 13획〈1807〉)과 同字

魚 4 〔魪〕15 ㊀합 [入]合 hè コウ うおのな ㊁잡 [入]合 zā ソウ うおがくちをうごかすさま

[字解] ㊀물고기이름합 물고기 이름. '魶一'. '一, 魶一, 魚名'《集韻》. ㊁물고기입오물거릴잡 물고기가 입을 오물거리는 모양. '一, 魚口動皃'《集韻》.

魚 5 〔魼〕16 거 [平]魚 qū キョ かれい

[字解] 가자미거 가자밋과에 속하는 바닷물고기. 접어(鰈魚). 일설(一說)에는, 넙치. 비목어(比目魚). '禺禺一鰨'《漢書》.

[字源] 形聲. 魚+去〔音〕

魚 5 〔鮀〕16 타 [平]歌 tuó タ まはぜ

[字解] 문절망둑타 망둑엇과에 속하는 내만성(內灣性) 물고기. 사어(鯊魚). '一魚生湖畔土窟中'《本草圖經》.

[字源] 形聲. 魚+它〔音〕

魚 5 〔鮑〕16 鮀(前條)와 同字

魚 5 〔鮃〕16 평 [平]庚 píng ヘイ ひらめ

[字解] 넙치평 가자밋과에 속하는 바닷물고기. 몸은 넓적하고, 두 눈은 몸의 왼쪽에 있음. 비목어(比目魚).

[字源] 形聲. 魚+平〔音〕

魚 5 〔鮋〕16 ㊀유 [平]尤 [上]有 yǒu ユウ だぼはぜ ㊁요 [平]蕭 yōu ヨウ たなご

[字解] ㊀노랑횟대유 둑중갯과(科)에 속하는 횟대의 일종. 얕은 물의 바위틈에 살며, 다섯 줄의 가로 줄이 있음. 두부(杜父). 황유어(黃鮋魚). ㊁연어(鰱魚)요 '一, 鱮魚也'《玉篇》.

[字源] 形聲. 魚+幼〔音〕

魚 5 〔魯〕16 〔로〕 魯(魚부 4획〈1787〉)의 本字

魚 5 〔鮇〕16 미 [去]未 wèi ビ・ミ いわな

[字解] 곤들매기미 연어과에 속하는 민물고기. 송어 비슷한데, 몸은 작고 암황갈색임. 가어(嘉魚). 寐(穴부 10획〈922〉)와 同字.

[字源] 形聲. 魚+未〔音〕

魚 5 〔鮎〕 16 점 [平]鹽 | nián デン・ネン なまず

[字解] 메기점 메깃과에 속하는 민물고기. 입이 몹시 크고, 네 개의 긴 수염이 있음. 언어(鰋魚). '一, 鰋也, 从魚占聲'《說文》.

[字源] 形聲. 魚+占〔音〕

魚 5 〔鮏〕 16 성 [平]青 | xīng セイ・ショウ なまぐさい

[字解] 비릴성 물고기의 냄새가 남. '一, 魚臭也'《說文》.

[字源] 形聲. 魚+生〔音〕

[參考] 鯹(魚부 9획〈1800〉)은 同字.

魚 5 〔鮐〕 16 태 [平]灰 | tái タイ ふぐ

[字解] 복태 참복과에 속하는 바닷물고기의 총칭. 내장에 맹독(猛毒)이 있음. 하돈(河豚). '一, 海魚也'《說文》.

[字源] 形聲. 魚+台〔音〕

魚 5 〔鮑〕 16 포 [上]巧 | bào ホウ しおびき, あわび

[字解] ①절인어물포 소금에 절인 물고기. '以一石一魚亂其臭'《十八史略》. ②혁공(革工)포 鞄(革부 5획〈1662〉)와 통용. '攻皮之工, 函一'《周禮》. ③전복포 '一, 若今俗所呼一魚. 讀若砲. 卽屬腹足類之石決明也'《中華大字典》. ④성포 성(姓)의 하나.

[字源] 形聲. 魚+包〔音〕

魚 5 〔鮋〕 16 [一] 유 [平]尤 | yóu ユウ はや
[二] 수 [平]尤 | シュウ うおのな
[三] 주 [平]尤 | チュウ うおのな

[字解] [一] ①피라미유 '鮂, 魚也. 或作一'《玉篇》. ②나무에있는물고기유 '范蜀公言, 蜀中實有一種魚在樹上, 聲如女兒啼. 名曰一魚'《通雅》. [二] 물고기이름수 '一, 魚名'《廣韻》. [三] 물고기이름주 [二]와 뜻이 같음.

魚 5 〔鮂〕 16 [一] 추 [平]尤 | qiú シュウ はや
[二] 수 [平]尤 | シュウ はや
[三] 유 | ユウ はや

[字解] [一] ①피라미추 '一, 黑鰦'《爾雅》. ②오징어추 '一, 魚名. 烏賊也'《集韻》. [二] 피라미수, 오징어수 [一]과 뜻이 같음. [三] 鮋(魚부 5획〈1790〉)와 同字.

魚 5 〔鈴〕 16 [一] 령 [平]青 | líng
[平]庚 | レイ・リョウ うねり はうちゅうぎょ
[二] 린 [平]眞 | lín リン うろこ
[三] 건 [平]眞 | キン うねりはうちゅうぎょ

[字解] [一] ①꿈틀거리며기는벌레・물고기령 뱀장어, 뱀 따위와 같이 발이 없어 꿈틀꿈틀 기는 벌레나 물고기. '一, 蟲連行紆行者'《說文》. ②물고기이름령 '一, 一曰, 魚名'《集韻》. [二] ①비늘린 鱗(魚부 12획〈1805〉)과 同字. '一, 說文, 魚甲也'《集韻》. ②성린 성(姓)의 하나. [三] 꿈틀거리며기는벌레・물고기건 [一]❶과 뜻이 같음.

[字源] 形聲. 魚+令〔音〕

魚 5 〔鮄〕 16 불 [入]物 | fú フツ うみうおのな

[字解] 바닷물고기이름불 '一, 海魚'《玉篇》.

魚 5 〔鮒〕 16 부 [去]遇 | fù フ ふな

[字解] 붕어부 잉엇과에 속하는 민물고기. 즉어(鯽魚). '魚用一'《儀禮》.

[字源] 形聲. 魚+付〔音〕

魚 5 〔鮓〕 16 자 [上]馬 | zhǎ サ つけうお

[字解] 젓자 새우・조기・멸치 같은 것을 짜게 절인 것.

[字源] 形聲. 魚+酢〈省〉〔音〕

魚 5 〔鮇〕 16 교 [平]蕭 | qiáo キョウ みごい

[字解] ①피라미교 잉엇과의 민물고기. 흑조어(黑條魚). '鯈一, 魚名, 浮陽, 謂此魚好浮於水上, 就陽也'《荀子 注》. ②강준치교 잉엇과의 민물고기. '一, 魚名, 一名陽鱎'《字彙》.

魚 5 〔鮊〕 16 백 [入]陌 | ②bó ハク うみうおのな

[字解] ①바닷물고기이름백 비늘이 없고 꼬리는 갈라진 바닷물고기의 하나. 맛은 없음. '一, 海魚也'《說文》. ②강준치백 잉엇과의 민물고기. '一, 鱎也'《廣雅》.

[字源] 形聲. 魚+白〔音〕

魚 5 〔鮅〕 16 필 [入]質 | bì ヒツ ます

[字解] ①송어필 '一, 鱒'《爾雅》. ②게르치필 '石一'은 게르치. '一, 石一魚, 長一寸, 背裏腹下赤. 南人以作膾'《正字通》. ③방어필 '一, 字林云, 魴也'《爾雅》.

[字源] 形聲. 魚+必〔音〕

魚 5 〔鮩〕 16 병 [上]梗 | bǐng ヘイ・ヒョウ どぶがい

[字解] ①씹조개병 민물조개의 하나. '一, 蚌也'《說文》. ②벌레이름병 '一, 蟲名'《集韻》.

[字源] 形聲. 魚+丙〔音〕

魚5〔魾〕16 비 (平)支 | pí, pī ヒ·ビ おおなまず

字解 ①큰메기비 '一, 大鱯也'《說文》. ② 방어비 '魴, 一'《爾雅》.

字源 形聲. 魚+丕〔音〕

魚5〔鮁〕16 ㊀발 (入)曷 ㊁폐 (去)隊 | bō ハツ うおのおどるさま ハイ うおのな

字解 ㊀①물고기뛸발 물고기가 꼬리를 흔드는 모양. '一, 鱣鮪一一'《說文》. ②물고기헤엄칠발 물고기가 헤엄치는 모양. '鱍, 魚游皃. 亦作一'《集韻》. ③물고기이름발 '一, 魚名. 似鯉而赤'《集韻》. ㊁ 물고기이름폐 '一, 魚名'《集韻》.

字源 形聲. 魚+犮〔音〕

魚5〔魻〕16 압 (入)洽 | xiá コウ うおのな

字解 ①물고기이름압 '一, 魚名'《集韻》. ② 겹칠압 '一鰈'은 장식(裝飾)이 많이 겹쳐진 모양. '一鰈參差'《潘岳》.

魚5〔䱟〕16 저 (平)魚 | qū ショ·ソ うおのな

字解 물고기이름저 드렁허리〔鱓〕의 종류. '一, 鱓魚屬'《中華大字典》.

魚5〔鮢〕16 목 | mù ボク うおのな

字解 물고기이름목 '一, 魚名'《篇海類編》.

魚5〔䱀〕16 앙 (平)陽 | yāng ヨウ·オウ うおのな

字解 물고기이름앙 취기(醉氣)를 깨게 한다고 함. '一, 魚名. 善醒酒'《集韻》.

魚5〔鮍〕16 피 (平)支 | pí ヒ うおのな

字解 물고기이름피 '一, 一魚也'《說文》.

字源 形聲. 魚+皮〔音〕

魚5〔䲁〕16 〔패〕 鰤(魚부 4획〈1788〉)의 本字

魚5〔鮌〕16 〔곤〕 鯀(魚부 7획〈1794〉)과 同字

魚5〔䲝〕16 〔선〕 鱓(魚부 12획〈1805〉)과 同字

魚5〔䲣〕16 鮆(次條)와 同字

魚5〔鮆〕16 제 (上)薺 | jì セイ えつ

字解 갈치제 바닷물고기의 한 가지. 도어(刀魚). 일설(一說)에는, 웅어. 제어(鱭魚). '一, 刀魚也'《說文》.

字源 形聲. 魚+此〔音〕

魚5〔𩵽〕16 〔개〕 魪(魚부 4획〈1787〉)의 訛字

魚5〔鮔〕16 거 (去)御 | jù キョ うおのな

字解 물고기이름거 물고기 이름. '一, 魚名'《篇海類篇》.

魚5〔鮈〕16 구 (平)虞 | jū, qú ク うおのな

字解 ①물고기이름구 물고기 이름. '一, 一鯸, 魚名'《集韻》. ②사람이름구 사람 이름. '子鮒一立'《史記》.

魚5〔鮂〕16 〔모〕 鯆(魚부 7획〈1795〉)와 同字

魚5〔䱼〕16 〔즐〕 𪘏(齒부 5획〈1886〉)의 訛字

魚5〔䲊〕16 〔승〕 鱦(魚부 13획〈1807〉)과 同字

魚5〔䱐〕16 심 (上)寑 | shěn シン おおきいうお

字解 큰물고기심 큰 물고기. '一, 大魚'《集韻》.

魚5〔鮖〕16 〔악〕 鰐(魚부 9획〈1800〉)의 訛字

魚5〔鯀〕16 염 (上)琰 | rǎn ゼン うおのな

字解 물고기이름염 물고기 이름. 염유(鯀遺). '一, 魚名, 山海經作冉遺之魚'《康熙字典》.

魚5〔鮉〕16 〔조〕 鯛(魚부 8획〈1796〉)와 同字

魚5〔鮣〕16 〔지〕 鮨(魚부 6획〈1792〉)의 古字

魚5〔䱍〕16 치 (平)支 | chī シ たら

字解 대구치 대구. 대구과의 바닷물고기. '一, 魚名, 或从至'《集韻》.

魚5〔鮬〕16 〔포〕 鯾(魚부 7획〈1794〉)와 同字

魚5〔魺〕16 ㊀하 (平)歌 | hé カ ふぐ ㊁가 (上)哿 | gě カ つけうお

[字解] ㊀ 복하 복. 하돈(河豚). '河豚善怒, 故謂之鮭, 又謂之一, 鮭之言恚, 一之言訶'《廣雅·疏證》. ㊁ 젓가 젓. 소금에 절인 생선. '一, 鮓也, 南超曰一'《集韻》.

魚5 〔鮒〕 16 함 ㊥覃 | hán カン はまぐり
[字解] 새꼬막함 새꼬막. 꼬마피안다미조개. '一, 蛤也'《集韻》.

魚5 〔䲋〕 16 〔환〕 鰥(魚부 10획〈1801〉)의 古字

魚5 〔鮰〕 16 〔회〕 回(口부 3획〈194〉)와 同字

魚6 〔鮚〕 17 길 ㊇質 | jié キツ はまぐり
[字解] 대합길 참조갯과에 속하는 조개의 한 가지. 무명조개. 문합(文蛤). 일설(一說)에는, 섭조개〔蚌〕. '一, 蚌也'《說文》.
[字源] 形聲. 魚+吉〔音〕

魚6 〔鮞〕 17 이 ㊥支 | ér ジ はらご
[字解] ①곤이이 물고기의 배 속의 알. '魚禁鯤一'《國語》. ②고기이름이 어명(魚名). '魚之美者, 洞庭之鱒, 東海之一'《呂氏春秋》.
[字源] 形聲. 魚+而〔音〕

魚6 〔䱓〕 17 鮞(前條)의 訛字

魚6 〔鮠〕 17 외 ㊥灰 | wéi ガイ こなまず
[字解] 고기이름외 메기 비슷한 큰 민물고기. '一, 魚名, 鯷之小者'《集韻》.
[字源] 形聲. 魚+危〔音〕

魚6 〔鮨〕 17 ㊀ 지 ㊥支 | zhī シ うおびしお / ㊁ 예 ㊦霽 | yì ゲイ うおのな
[字解] ㊀ 젓지 새우 따위를 소금에 짜게 절인 것. '一, 魚脂醬也'《說文》. ㊁ 능성어예 농엇과(科)에 속하는 바닷물고기. 몸빛은 담자회색임. '一, 魚名'《集韻》.
[字源] 形聲. 魚+旨〔音〕

魚6 〔鮩〕 17 병 ㊤梗 | bing ホウ みごい
[字解] 뱅어병 뱅엇과에 속하는 바닷물고기. 백어(白魚). '一, 鮊魚別名'《廣韻》.
[字源] 形聲. 魚+并〔音〕

魚6 〔鮪〕 17 유 ㊤有 | wěi ユウ まぐろ
[字解] 다랑어유 고등엇과에 속하는 바닷물고기. '鱣一發發'《詩經》.
[字源] 形聲. 魚+有〔音〕

魚6 〔鮫〕 17 교 ㊥肴 | jiāo コウ さめ
[字解] 상어교 횡구류(橫口類) 중 교류(鮫類)에 속하는 바닷물고기의 총칭. 고래상어·수염상어·철갑상어 등이 있는데, 대개 횡포하고 민활함. 사어(鯊魚). '楚人一革犀兕以爲甲'《荀子》.
[字源] 形聲. 魚+交〔音〕

魚6 〔鮭〕 17 ㊀ 규 ㊥齊 | guī ケイ ふぐ / ㊁ 해 ㊥佳 | xié カイ さかな
[字解] ㊀ ①복규 참복과에 속하는 바닷물고기. 하돈(河豚). '一肝死人'《論衡》. ②연어규 연어과에 속하는 바닷물고기. ㊁ 어채(魚菜)해 음식의 한 가지. '一菜常有二十七種'《世說》.
[字源] 形聲. 魚+圭〔音〕

魚6 〔鮬〕 17 보 ㊥遇 | bū ホ たなご
[筆順] ⺈ 角 鱼 魚 魚 魚大 鮬 鮬
[字解] 물고기이름보 붕어 비슷한 민물고기의 일종. '鱊一, 鱖鯞'《爾雅》.
[字源] 形聲. 魚+夸〔音〕

魚6 〔鮭〕 17 鮬(前條)의 俗字

魚6 〔鮮〕 17 [中·人] 선 ㊥先 ①-⑤xiān セン あざやか / ㊤銑 ⑥xiǎn セン すくない / ㊦霰 ⑦xiàn セン せい
[筆順] ⺈ 角 角 鱼 魚 魚' 鮮 鮮
[字解] ①고울선 선명함. '一美'. '澄一'. '上天無光彩, 五色一何一'《魏文帝》. ②새선 새로움. 새것임. '新一'. '衣服常一於我'《漢書》. ③날선 익히지 아니함. '一膾'. ④생선선, 날것선 익히지 아니한 어육 또는 수육. '肥一'. '唯君用一'《左傳》. ⑤좋을선, 아름다울선 보기 좋음. '籧篨不一'《詩經》. ⑥적을선 '惡而知其美者天下一矣'《大學》. ⑦성선 '一于'는 복성(複姓).
[字源] 會意. 魚+羊

魚6 〔䱍〕 17 긍 ㊥蒸 | gèng コウ まぐろ
[字解] 다랑어긍 고등엇과에 속하는 바닷물고기. '一鰽漸離'《司馬相如》.
[字源] 形聲. 魚+亙〔音〕

魚6 〔鮧〕17 ㈠이 (平)支|yí イ おおなまず
㈡제 (平)齊|tí テイ おおなまず

字解 ㈠메기이 메깃과에 속하는 민물고기. '一, 鮷一, 鹽藏魚腸. 又魚名也'《廣韻》. ㈡메기제 ■과 뜻이 같음.
字源 形聲. 魚+夷〔音〕

魚6 〔鮟〕17 안 (去)翰|ān アン あんこう

字解 아귀안 '一鱇'은 아귓과에 속하는 바닷물고기.
字源 形聲. 魚+安〔音〕

魚6 〔鮦〕17 ㈠동 (平)東|tóng トウ かむるち
㈡종 (上)腫|チョウ かむるち

字解 ㈠가물치동 '一魚, 一曰, 鱶也'《說文》. ㈡가물치종 ■과 뜻이 같음.
字源 形聲. 魚+同〔音〕

魚6 〔鮇〕17 미 (上)薺|mǐ ベイ·マイ はらご

字解 ①물고기알미 어란(魚卵). '一, 魚子'《廣韻》. ②물고기이름미 '一, 魚名'《集韻》.

魚6 〔鮛〕17 숙 (入)屋|shū シュク しび

字解 다랑어숙 작은 다랑어. '一, 魚名. 王鮪也. 小者曰一'《集韻》.

魚6 〔鮡〕17 ㈠조 (上)篠|zhào チョウ もだま
㈡초 (平)蕭|チョウ もだま
㈢요 (平)蕭|ヨウ もだま
㈣도 (上)晧|トウ もだま

字解 ㈠물고기이름조 메기 비슷하되 큰 물고기. '一, 魚名, 似鮎而大'《廣韻》. ㈡물고기이름초 ■과 뜻이 같음. ㈢물고기이름요 ■과 뜻이 같음. ㈣물고기이름도 ■과 뜻이 같음.
字源 形聲. 魚+兆〔音〕

魚6 〔鯍〕17 맹 (平)蒸 (平)徑|méng ボウ·モウ しび

字解 다랑어맹 '一, 魚恆一也'《說文》.
字源 形聲. 魚+巟(㐬)〔音〕

魚6 〔鮢〕17 주 (平)虞|zhū シュ うおのな

字解 물고기이름주 '一, 魚名'《山海經》. '一鱬, 似鰕無足'《集韻》.

魚6 〔鮣〕17 인 (去)震|yìn イン うおのな

字解 물고기이름인 인어(印魚). '一, 龜鱕䱜'《左思》.

魚6 〔鮂〕17 구 (上)有|jiù キュウ うおのな

字解 ①물고기이름구 '一, 魚名'《集韻》. ②鰌(魚부 8획〈1796〉)의 俗字

魚6 〔鮥〕17 ㈠락 (入)藥|luò ラク しび
㈡괴 (上)賄|カイ しび
㈢각 (入)藥|カク かめのるい

字解 ㈠다랑어락 작은 다랑어. '一, 叔鮪也'《說文》. ㈡다랑어괴 ■과 뜻이 같음. ㈢거북각 거북의 종류. '一, 魚名. 如鼈. 喙長三尺, 利齒'《集韻》.
字源 形聲. 魚+各〔音〕

魚6 〔鮧〕17 이 (平)支|yí イ ふぐ

字解 복어이 '鯸一'는 복어. '鯸一, 魺也'《廣雅》.

魚6 〔鰣〕17 〔시〕
鰣(魚부 10획〈1801〉)와 同字

魚6 〔鮤〕17 ㈠렬 (入)屑|liè レツ えつ
㈡례 (去)霽|liè レイ えつ

字解 ㈠웅어렬 제어(鮆魚). '一, 鱴刀'《爾雅》. ㈡웅어례 ■과 뜻이 같음.

魚6 〔鮵〕17 鮤(前條)과 同字

魚6 〔鯗〕17 〔상〕
鯗(魚부 8획〈1798〉)의 俗字

魚6 〔鮭〕17 ㈠공 (上)腫|gǒng キョウ はらご
㈡홍 (平)東|コウ うおのな

字解 ㈠곤이공 곤이(鯤鮞). 물고기의 배 속 알. '一, 鯤也'《廣雅》. ㈡물고기이름홍 물고기 이름.

魚6 〔鮔〕17 〔긍〕
鮔(魚부 9획〈1800〉)과 同字

魚6 〔鮃〕17 〔비〕
魾(魚부 5획〈1791〉)와 同字

魚6 〔鮾〕17 〔소〕
鱢(魚부 10획〈1802〉)와 同字

魚6 〔鮤〕17 여 (平)魚|rú ジョ うおのな

字解 물고기이름여 물고기의 이름.

魚6 〔鯃〕17 우 (平)虞|wú グ うおのな

字解 물고기이름우 물고기의 이름. 구우(鮈鯃). '一, 鮈一, 魚名'《集韻》.

魚6 〔鮋〕17 ㊀위 ㊤尾 ㊁홍 | キ おのあかいみごい

字解 ㊀뱅어위 꼬리가 붉은 뱅어. 또는 뱅어의 수컷. '白魚赤尾者曰一'《古今注》. ㊁뱅어홍 ㊀과 뜻이 같음.

魚6 〔鮒〕17 주 ㊥尤 | zhōu シュウ うおのな

字解 ①물고기이름주 물고기의 이름. '一, 魚名'《集韻》. ②도미주 도미. 鯛(魚부 8획〈1796〉)의 俗字.

魚6 〔鮀〕17 〔차〕 蛇(虫부 6획〈1226〉)와 同字

魚6 〔鮚〕17 〔치〕 鮆(魚부 5획〈1791〉)와 同字

魚6 〔鰨〕17 〔탑〕 鰨(魚부 10획〈1801〉)의 俗字

魚6 〔鮯〕17 합 ㊇合 | gé コウ うおのな

字解 고기이름합 고기 이름. '一, 博雅, 東方有魚, 如鯉六足鳥尾, 名曰一'《集韻》.

魚6 〔鮰〕17 회 ㊥灰 | huí カイ うおのな

字解 민어회 민어(民魚). 회어(鮰魚). '一, 一魚不鱗, 狀似鮠, 生大江中'《六書故》.

魚6 〔鮜〕17 후 ㊦有 | hòu コウ うおのな

字解 가물치후 가물치. 예어(鱧魚). '一, 魚名, 鯉也'《集韻》.

魚7 〔鯁〕18 경 ㊥庚 | qíng ケイ おしきうお

字解 방어경 전갱잇과에 속하는 바닷물고기. 맛이 좋음. '一, 一魚也, 从魚巠聲'《說文》.

字源 形聲. 魚＋巠〔音〕

魚7 〔鮸〕18 면 ㊤銑 | miǎn ベン·メン にべ

字解 민어면 민어과에 속하는 바닷물고기. 면어(鮸魚). 일설(一說)에는, 조기. 석수어(石首魚). 종어(鯼魚). '一, 一魚也'《說文》.

字源 形聲. 魚＋免〔音〕

魚7 〔鮹〕18 초 ㊥肴 | shāo (소㊍) ㊥蕭 | ソウ うおのな

字解 물고기이름초 말채찍 비슷하고 꼬리가 두 갈래진 민물고기. '一, 海魚名'《集韻》. ※本音 소.

字源 形聲. 魚＋肖〔音〕

魚7 〔鮬〕18 부 ㊥虞 | fū フ いるか

字解 돌고래부 강(江)으로 거슬러 올라온 돌고래. 강돈(江豚). '鱄一, 鮪也'《廣雅》.

魚7 〔鮿〕18 첩 ㊇葉 | zhé チョウ ほしうお

字解 ①건어첩 말린 물고기. 일설(一說)에는, 소금에 절인 물고기. '一鮑千鈞'《漢書》. ②망상어첩 망상엇과에 속하는 바닷물고기.

字源 形聲. 魚＋耴〔音〕

魚7 〔鯀〕18 곤 ㊤阮 | gǔn コン うおのな

字解 ①곤어곤 일종의 큰 물고기. '一, 一魚也'《說文》. ②사람이름곤 우왕(禹王)의 아버지의 이름.

字源 形聲. 魚＋系〔音〕

參考 鮌(魚부 5획〈1791〉)은 同字.

魚7 〔鯁〕18 경 ㊤梗 | gěng コウ うおのほね

字解 ①뼈경 물고기의 뼈. '乾魚近腴多骨一'《儀禮 註》. ②가시걸릴경 먹은 가시가 목구멍에 걸림. '祝一在後'《漢書》. ③바를경 사람이 곧아, 남에게 아유구용하지 아니함. '骨一可任'《後漢書》. ④막힐경 梗(木부 7획〈548〉)과 통용. '至今爲一'《後漢書》.

字源 形聲. 魚＋更(叜)〔音〕

魚7 〔鯆〕18 포 ㊥虞 | pū ホ いるか

字解 돌고래포 강(江)으로 거슬러 올라온 돌고래. 강돈(江豚). 鱄(魚부 10획〈1803〉)와 同字. '鱄, 魚名, 博雅, 鱄鮬, 鮪也, 一曰, 江豚, 或从甫'《集韻》.

字源 形聲. 魚＋甫〔音〕

魚7 〔鯇〕18 혼 ㊤阮 | huàn コン あめのうお

字解 혼어(鯇魚)혼 연어과에 속하는 민물고기. '一, 一魚也'《說文》.

字源 形聲. 魚＋完〔音〕

魚7 〔鯉〕18 리 ㊤紙 | lǐ り こい

字解 ①잉어리 잉엇과에 속하는 민물고기. '一魚'. '豈其食魚, 必河之一'《詩經》. ②편지리 서찰. '一素'. '雙一迢迢一紙書'《李商隱》.

字源 形聲. 魚＋里〔音〕

魚 7 〔鮷〕18 제 [平]齊 [去]霽 | tí テイ おおなまず

[字解] 메기제 메깃과에 속하는 민물고기. '一, 大鮎也'《說文》.
[字源] 形聲. 魚＋弟〔音〕

魚 7 〔鮶〕18 랑 [平]陽 | láng ロウ かにのおす

[字解] ①수게랑 '一鱧'는 게의 수컷. '一, 蟹蛻也. 其雄曰一鱧'《廣雅》. ②물고기기름랑 물고기의 지방(脂肪). '一, 魚脂'《廣韻》.

魚 7 〔鮖〕18 두 [上]有 [去]有 [平]尤 | tǒu トウ うおのな

[字解] 물고기이름두 '一, 一魚也'《說文》.
[字源] 形聲. 魚＋豆〔音〕

魚 7 〔鰋〕18 언 [上]阮 | yǎn エン なまず

[字解] 메기언 鰋(魚부 9획〈1799〉)과 同字
[字源] 形聲. 魚＋妟〔音〕

魚 7 〔鮿〕18 읍 [入]葉 | yè ヨウ·オウ しおづけうお

[字解] 자반읍 소금에 절인 물고기. '鮑, 今之一鮑'《漢書 注》.

魚 7 〔鮵〕18 탈 [入]曷 | duó タツ うおのな

[字解] 가물치탈 작은 가물치〔鱧〕. '鰹, 大鮦, 小者一'《爾雅》.

魚 7 〔鮻〕18 〔사〕 魦(魚부 4획〈1788〉)와 同字

魚 7 〔魦〕18 鯊(次條)와 同字

魚 7 〔鯊〕18 사 [平]麻 | shā サ はぜ

[字解] ①문절망둑사 망둑엇과에 속하는 내만성(內灣性) 물고기. 타어(鮀魚). '魚麗于罶, 鱨一'《詩經》. ②상어사 속(俗)에, 사어(沙魚) 두 글자를 합쳐서 '상어'의 뜻을 나타냄.
[字源] 形聲. 魚＋沙〔音〕

魚 7 〔鯈〕18 조 [平]蕭 | tiáo チョウ はや

[字解] 피라미조 잉엇과에 속하는 민물고기. 뒷지느러미가 특별히 크며, 하천(河川) 상류의 맑은 물에 서식함. 흑조어(黑條魚). '一魚出游'《莊子》.
[字源] 形聲. 魚＋攸〔音〕

[參考] 鰷(魚부 11획〈1804〉)는 同字.

魚 7 〔鮺〕18 자 [上]馬 | zhǎ サ つけうお

[字解] ①젓자 鮓(魚부 5획〈1790〉)와 同字. '一, 或作鮺·䱹·鮓'《集韻》. ②큰물고기자.
[字源] 形聲. 魚＋𢀩(差)〔音〕

魚 7 〔鮭〕18 광 [平]陽 | kuáng キョウ おおきいうお

[字解] 큰물고기광 큰 물고기. '一, 大魚'《集韻》.

魚 7 〔䲔〕18 鮭(前條)과 同字

魚 7 〔鮶〕18 군 [平]文 | jūn クン むしのな

[字解] 벌레이름군 벌레 이름. 수군(水鮶). '一, 水一, 蟲名'《集韻》.

魚 7 〔鮾〕18 〔뇌〕 鯘(魚부 8획〈1797〉)와 同字

魚 7 〔鯏〕18 〔려〕 鯬(魚부 8획〈1798〉)와 同字

魚 7 〔鯆〕18 ㊀모 [平]尤 ㊁매 [平]灰 | mǒu ボウ いしもち ににたこうお / méi バイ うおのゆくさま

[字解] ㊀황화어모 황화어(黃花魚). 조기 비슷한데 작음. '一, 魚名, 或省'《集韻》. ㊁물고기가는모양매 물고기가 떼 지어 가는 모양. '一, 魚行貌'《集韻》.

魚 7 〔鮩〕18 설 [入]屑 | xué セツ うおのな

[字解] 물고기이름설 물고기 이름. 꽃게 비슷함. '一, 鮅一, 魚名'《集韻》.

魚 7 〔䱅〕18 소 [平]虞 | sū ソ よみがえる

[字解] 다시살아날소 다시 살아남. 소생함. '一, 一息也, 死而更生'《篇海》.

魚 7 〔鮮〕18 〔신〕 鱓(魚부 11획〈1804〉)과 同字

魚 7 〔鯰〕18 〔심〕 鮗(魚부 4획〈1788〉)과 同字

魚 7 〔鯣〕18 역 [入]陌 | yì エキ さんしょううお

[字解] 도롱뇽역 도롱뇽. 산초어(山椒魚). '一, 魚名'《集韻》.

魚7 〔䱷〕18 〔우〕
鰅(魚부 6획〈1793〉)와 同字

魚7 〔鯢〕18 읍 ㊀緝 yì ギュウ うおがおおい
字解 물고기떼읍 물고기 떼. 물고기가 많이 모임. '一, 魚衆也'《集韻》.

魚7 〔鋋〕18 전 ㊥先 shān テン うおのひしお
字解 젓갈전 젓갈. 어장(魚醬). '一, 魚醬'《集韻》.

魚7 〔鋌〕18 정 ㊤迥 ㊥青 tǐng, tíng テイ ぎぎ
字解 ①간한물고기정 간한 물고기. '一, 全魚醬'《集韻》. ②자가사리정 자가사리.

魚7 〔鯵〕18 〔조〕
鰷(魚부 11획〈1804〉)와 同字

魚7 〔餐〕18 〔찬〕
饡(魚부 16획〈1809〉)의 略字

魚8 〔鯔〕19 치 ㊥支 zī シ ぼら
字解 숭어치 숭엇과에 속하는 물고기. 바닷물·민물에 널리 분포함. '一魚似鯉'《本草》.
字源 形聲. 魚+甾〔音〕

魚8 〔鯖〕19 ㊀청 ㊥青 qīng セイ にしん ㊁정 ㊥庚 zhēng セイ りょうりのな
字解 ㊀청어청 청어과에 속하는 바닷물고기. ㊁오후정(五侯鯖)정 물고기·새 또는 수육 등을 섞어 끓인 음식. 열구자탕 비슷함. '世稱五侯一, 以爲奇味焉'《西京雜記》.
字源 形聲. 魚+青〔音〕

魚8 〔鯛〕19 조 ㊥蕭 diāo チョウ たい
字解 도미조 감성돔과에 속하는 바닷물고기. '一, 一曰, 小魚名'《集韻》.
字源 形聲. 魚+周〔音〕

魚8 〔鯛〕19 鯛(前條)와 同字

魚8 〔鯝〕19 고 ㊦遇 qù コ うおのはらわた
字解 창자고 물고기의 창자. 어장(魚腸). '一, 魚腸'《集韻》.
字源 形聲. 魚+固〔音〕

魚8 〔鯡〕19 비 ㊦未 fēi ヒ はらご
字解 ①곤이비 물고기의 배 속의 알. '一, 魚子'《集韻》. ②청어비 청어과에 속하는 바닷물고기.
字源 形聲. 魚+非〔音〕

魚8 〔鯢〕19 예 ㊥齊 ní ゲイ さんしょううお
字解 ①도롱뇽예 양서류(兩棲類)에 속하는 동물. 머리는 납작하고 꼬리는 길. 산초어(山椒魚). '一魚一名王鮪, 在山溪中'《本草》. ②암고래예 고래의 암컷. '取其鯨一而封之'《左傳》. ③잔고기예 소어(小魚). '守一鮒'《莊子》.
字源 形聲. 魚+兒〔音〕

魚8 〔鯤〕19 곤 ㊥元 kūn コン はらご
字解 ①곤이곤 물고기의 배 속의 알. '魚禁一鮞'《國語》. ②곤어곤 상상(想像)의 큰 물고기. '北冥有魚, 其名爲一'《莊子》.
字源 形聲. 魚+昆〔音〕

魚8 〔鯥〕19 륙 ㊀屋 lù リク うおのな
字解 ①괴어(怪魚)이름륙 모양은 소 비슷하고, 꼬리는 뱀 꼬리 같으며, 날개가 있다는 동물. '鯥一踦躡於垠墢'《郭璞》. ②게르치륙 게르칫과에 속하는 바닷물고기.
字源 形聲. 魚+坴〔音〕

魚8 〔鯯〕19 ㊀국 ㊀屋 jú キク いるか ㊁곡 ㊀沃 キョク いるか
字解 ㊀돌고래국 '一, 魚名, 鱄也'《集韻》. ㊁돌고래곡 ㊀과 뜻이 같음.
字源 形聲. 魚+匊〔音〕

魚8 〔鯦〕19 ㊀구 ㊤有 ㊦宥 jiū キュウ ひら ㊁수 ㊥尤 シュウ ひら ㊂애 ㊤賄 ǎi アイ まぐろ
字解 ㊀준치구 '一, 當魱'《爾雅》. ㊁준치수 ㊀과 뜻이 같음. ㊂다랑어애 '一, 魚名. 叔鮪也'《集韻》.
字源 形聲. 魚+咎〔音〕

魚8 〔鮨〕19 ㊀함 ㊦陷 xiàn カン うおのな ㊁겸 ㊦豏 ケン うおのな
字解 ㊀물고기이름함 '一, 鱤魚別名'《正字通》. ㊁물고기이름겸 ㊀과 뜻이 같음.
字源 形聲. 魚+臽〔音〕

魚8 〔鯨〕19 人名 경 ㊥庚 jīng(qíng) ゲイ くじら
筆順 ⺈ 角 角 魚 魚 魣 鲸 鯨

字解 고래경 바다에서 사는 포유동물(哺乳動物)의 한 가지. 또, 암컷인 '鯢'에 대하여, 수컷을 가리켜 이르기도 함. '一鯢'. '取其一鯢而封之'《左傳》.
字源 形聲. 魚+京〔音〕

魚8〔鯪〕19 릉 ㊥蒸 líng リョウ せんざんこう
字解 천산갑릉 '一鯉'는 천산갑(穿山甲). '一, 一鯉, 魚名'《集韻》.
字源 形聲. 魚+夌〔音〕

魚8〔鯫〕19 추 ①㊥尤 ②③㊤有 zōu ソウ みごい, ざこ シュウ ちいさい
字解 ①돌잉어추 잉엇과에 속하는 민물고기. 일설(一說)에는, 잔 물고기. '一千石'《史記》. ②소견좁을추 소견이 좁은 모양. 소인의 모양. '沛公曰, 一生說我'《史記》. 전(轉)하여, 자기의 겸칭. '一生小技眞榮遇'《趙孟頫》. ③성추 성(姓)의 하나.
字源 形聲. 魚+取〔音〕

魚8〔錀〕19 륜 ㊥眞 lún リン うおのな
字解 고기이름륜 모양은 붕어 비슷하여, 검은 무늬가 있는 물고기. '鯪�一鰱'《郭璞》.
字源 形聲. 魚+侖〔音〕

魚8〔鮻〕19 뇌 ㊤賄 něi ダイ うおがくさる
字解 생선썩을뇌 '一, 魚敗也'《集韻》.
字源 會意. 魚+委

魚8〔䱜〕19 작 ㊀藥 cuò シャク さめ
字解 상어작 대개는 태생(胎生)이고, 흉포·민활한 바닷물고기. '一, 魚名, 鼻前有骨如斧斤, 一說, 生子在腹'《集韻》.

魚8〔鯵〕19 성 ㊥敬 shēng セイ·ジョウ うおのな
筆順 ⺈ 角 魚 魚' 魚⺍ 鮇 鮗 鯵
字解 물고기이름성 '一, 魚名'《玉篇》.

魚8〔鯞〕19 추 ㊤有 zhǒu シュウ たなご
字解 납자루추 '鱖一'는 납자루. '一, 鱖一, 魚名'《廣韻》.

魚8〔鯜〕19 첩 ㊀葉 qiè ショウ たなご
字解 납자루첩 '一, 一魚也'《說文》.
字源 形聲. 魚+妾〔音〕

魚8〔鯕〕19 기 ㊥支 qí キ うおのな
字解 ①물고기이름기 '一, 魚名'《說文》. ②방어기 '一, 鯿魚'《廣韻》.
字源 形聲. 魚+其〔音〕

魚8〔鯠〕19 래 ㊥灰 lái ライ おおなまず
字解 큰메기래 '一, 魚名'《廣韻》. '鮆·一, 鮃也'《爾雅》.

魚8〔鮛〕19 숙 ㊀屋 shū シュク しび
字解 ①다랑어숙 鮇(魚부 6획〈1793〉)과 同字. '鮇, 魚名, 王鮪也. 小者曰鮇·或不省'《集韻》. ②독어(毒魚)이름숙 '鯵一'은 독 있는 물고기의 이름. '天下萬物, 含太陽氣而生者, 皆有毒螫. 在魚則爲鮭與鯵一'《論衡》.

魚8〔鯙〕19 ㊀조 ㊤效 ㊁탁 ㊀覺 zhào トウ ふしづけかご zhuó タク うおのな
字解 ㊀가리조 물고기 잡은 바구니. '一, 烝然一一'《說文》. ㊁물고기이름탁 '一, 魚名'《集韻》.
字源 形聲. 魚+卓〔音〕

魚8〔鯣〕19 역 ㊀陌 yì エキ·ヤク うなぎ
字解 뱀장어역 '一, 鰻一'《篇海》.

魚8〔鯉〕19 과 ㊤馬 huà カ はも
字解 물고기이름과 메기 비슷한 물고기. '一, 魚似鮎也'《廣韻》.
字源 形聲. 魚+果〔音〕

魚8〔鯧〕19 창 ㊥陽 chāng ショウ まながつお
字解 병어창 창후(鯧鯸). '一, 一鯸, 魚名'《廣韻》.

魚8〔鯮〕19 〔종〕 鯼(魚부 9획〈1799〉)과 同字

魚8〔鰐〕18 〔악〕 鱷(魚부 16획〈1808〉)의 略字

魚8〔鯯〕19 제 ㊤霽 zhì セイ うおのな
字解 ①물고기이름제 식해(食醢)를 만드는 데 적합한 물고기의 일종. '一, 魚名'《集韻》. ②전어(錢魚)제 鰶(魚부 11획〈1803〉)와 同字.

字源 形聲. 魚＋制〔音〕

魚8 〔鯯〕19 鱀(前條)와 同字

魚8 〔鯯〕19 鱀(前前條)와 同字

魚8 〔鯗〕19 상 ㊤養 | xiǎng ショウ ひもの
字解 건어상 말린 물고기. '索食之甚美, 因書美下魚一字'《吳地記》.
字源 形聲. 魚＋養〈省〉〔音〕

魚8 〔隓〕19 〔타〕
鱓(魚부 12획〈1805〉)의 籀文

魚8 〔鋸〕19 거 ㊦御 | jù キョ にべのいっしゅ
字解 암조기거 암조기. 조기의 암컷. 일설에는, 동갈민어의 한 가지. '一, 魚名'《廣韻》.

魚8 〔鯚〕19 계 ㊦寘 | jì キ うおのな
字解 물고기이름계 물고기 이름. 입부리는 날카롭고 비늘은 작은 물고기. '一, 魚名'《字彙》.

魚8 〔鯨〕19 내 ㊦嚏 | nài ダイ このしろ
字解 전어내 전어. 제내(鰶鯨). '一, 鰶一, 魚名'《集韻》.

魚8 〔鯟〕19 동 ㊥東 | dōng トウ こいににたうおのな
字解 물고기이름동 물고기 이름. 잉어 비슷한 물고기. '一, 魚名, 似鯉'《集韻》.

魚8 〔鯬〕19 ㊀려 ㊥齊 | レイ うなぎ
㊁리 ㊥支 | lí リ うなぎ
字解 ㊀ 뱀장어려 뱀장어. '一鯠'. '一, 魚名, 埤倉, 一鯠, 鮔也'《集韻》. ㊁ 준치리 준치. 전어(箭魚).

魚8 〔鯏〕19 鯬(前條)의 譌字

魚8 〔鯭〕19 〔맹〕
蜢(虫부 8획〈1231〉)과 同字

魚8 〔鰟〕19 〔방〕
魴(魚부 4획〈1788〉)과 同字

魚8 〔鱉〕19 별 ㊇屑 | biē ヘツ うおのおよぎゆくさま
字解 물고기헤엄칠별 물고기가 헤엄을 치는 모양. '一, 魚行皃'《集韻》.

魚8 〔鮒〕19 〔부〕
鮒(魚부 5획〈1790〉)의 俗字

魚8 〔鮒〕19 〔부〕
鮒(魚부 5획〈1790〉)와 同字

魚8 〔鯩〕19 분 ㊦問 | fèn フン うおのな
字解 ①가오리분 가오리. 분어(鱝魚). 가오릿과에 딸린 물고기를 통틀어 이르는 말. '一, 一日, 魚名'《集韻》. ②작은물고기분 작은 물고기. 소어(小魚). '一, 魚小日一'《集韻》.

魚8 〔鯛〕19 붕 ㊦徑 | pèng ホウ おおきいうお
字解 큰물고기붕 큰 물고기. 복(鰒) 비슷한 물고기. '一, 大魚也'《字彙》.

魚8 〔鵯〕19 비 ㊥支 | pái ヒ まごい
字解 잉어비 잉어. 검은 잉어. '黑鯉謂之一'《廣雅》.

魚8 〔鯊〕19 〔사〕
魦(魚부 4획〈1788〉)와 同字

魚8 〔鯵〕19 〔선〕
鱔(魚부 12획〈1805〉)과 同字

魚8 〔鯭〕19 아 ㊥麻 | è ア ぎぎ
字解 자가사리아 자가사리. 작은 자가사리. '一, 犹人以小鰔魚, 爲一鮍'《字彙補》.

魚8 〔鯗〕19 鯭(前條)와 同字

魚8 〔鱷〕19 악 ㊇藥 | è アク みずへび
字解 물뱀악 물뱀. 수사(水蛇). '一, 水蛇別名'《字彙》.

魚8 〔鰔〕19 〔역〕
鰨(魚부 7획〈1795〉)과 同字

魚8 〔鮀〕19 읍 ㊇葉 | yè ヨウ ふぐ
字解 ①복읍 복. 하돈(河豚). '一, 魚名, 一日, 河豚'《集韻》. ②소금에절인생선읍 '一, 一日, 漬魚也'《集韻》.

魚8 〔鯖〕19 쟁 ㊥庚 | zhēng ソウ うおのな

字解 물고기이름쟁 물고기 이름. 죽정(竹丁). '一, 魚名'《集韻》.

魚8 〔鯈〕19 〔조〕 鮡(魚부 6획〈1793〉)와 同字

魚8 〔鯚〕19 졸 入質 zú シュツ はや

字解 피라미졸 피라미. 또, 다랑어. '一, 魚名, 鯈也'《集韻》.

魚8 〔鯷〕19 〔지〕 鮨(魚부 6획〈1792〉)와 同字

魚8 〔鮀〕19 〔타〕 鮀(魚부 5획〈1789〉)와 同字

魚8 〔鱉〕19 鮀(前條)와 同字

魚8 〔鰈〕19 〔접〕 鰈(魚부 9획〈1799〉)의 訛字

魚9 〔鯷〕20 제 平齊 去霽 tí テイ なまず

字解 메기제 큰 메기〔鮎〕의 일종. 그 가죽으로 관(冠)을 만든다 함. '一冠秫縫'《戰國策》.

字源 形聲. 魚＋是〔音〕

魚9 〔鯼〕20 종 平東 zōng ソウ いしもち

字解 조기종 석수어(石首魚). 종어(鯼魚). 일설(一說)에는, 민어. 면어(鮸魚). '一鮆順時而往還'《郭璞》.

字源 形聲. 魚＋嵏〔音〕

魚9 〔鰆〕20 춘 平眞 chūn シュン さわら

字解 삼치춘 동갈삼칫과 삼치속(屬)의 바닷물고기.

字源 形聲. 魚＋春〔音〕

魚9 〔鯸〕20 후 平尤 hóu コウ ふぐ

字解 복후 참복과에 속하는 바닷물고기. 하돈(河豚). '一, 魚名, 从魚侯聲'《說文》.

字源 形聲. 魚＋侯〔音〕

魚9 〔鯽〕20 즉 (①적㊍) ①入陌 入職 ②入職 jì セキ ふな ショク ふな zéi ソク いか

字解 ①붕어즉 잉엇과에 속하는 민물고기. 부어(鮒魚). '一魚'. '鮮一銀絲膾'《杜甫》. ※本音 적. ②오징어즉 鰂(魚부 9획〈1800〉)과 同字.

字源 形聲. 魚＋卽〔音〕

魚9 〔鯿〕20 편 平先 biān ヘン ぶり

字解 방어편 전갱잇과에 속하는 바닷물고기. '思不出乎鮒一'《宋玉》.

字源 形聲. 魚＋扁〔音〕

魚9 〔鰈〕20 접 入葉 dié チョウ かれい

字解 가자미접 가자밋과에 속하는 바닷물고기. 몸은 넙치보다 작고, 두 눈이 모두 오른편에 있음. '一魚'. '一, 說文, 比目魚也, 或作鰨'《集韻》.

字源 形聲. 魚＋枼〔音〕

魚9 〔鰉〕20 황 平陽 huáng コウ ちょうざめ

字解 철갑상어황 철갑상엇과에 속하는 바닷물고기. 전어(鱣魚). 황어(黃魚). '一, 鱣也'《正字通》.

字源 形聲. 魚＋皇〔音〕

魚9 〔鰊〕20 련 去霰 liàn レン うおのな

字解 물고기이름련 작은 물고기의 한 가지. '鯖一鯪鯆'《郭璞》.

字源 形聲. 魚＋柬〔音〕

魚9 〔鰅〕20 ㊀옹 平冬 ㊁우 平虞 yú ギョウ ぎぎ, いさごむし グ ぎぎ, いさごむし

字解 ㊀①자가사리옹 반어(班魚). '一, 一魚也'《說文》. ②물여우옹. ㊁자가사리우, 물여우우 ㊀과 뜻이 같음.

字源 形聲. 魚＋禺〔音〕

魚9 〔鰋〕20 언 上阮 yǎn エン なまず

字解 메기언 메깃과에 속하는 민물고기. 입이 몹시 크고, 네 개의 긴 수염이 있음. 점어(鮎魚). '魚麗于罶一鯉'《詩經》.

字源 形聲. 魚＋匽〔音〕

魚9 〔鰌〕20 추 平尤 qiū シュウ どじょう

字解 ①미꾸라지추 미꾸릿과(科)에 속하는 민물고기. 이추(泥鰌). '一然乎哉'《莊子》. ②밟을추 蹭(足부 9획〈1439〉)와 同字. '大燕一吾後'《荀子》.

字源 形聲. 魚＋酋〔音〕

魚9 〔鰍〕20 추 平尤 qiū シュウ どじょう

字解 미꾸라지추 鰌(前條)와 同字.

字源 形聲. 魚＋秋〔音〕

魚 9 〔鰒〕 20 복 [入]屋 | fù フク あわび

[字解] 전복복 패류(貝類)의 한 가지. 조가비는 세공용(細工用)·약재로 씀. 전포(全鮑). '詣闕上言獻一魚'《後漢書》.
[字源] 形聲. 魚+复〔音〕

魚 9 〔鯾〕 20 편 [平]先 | biān ヘン ぶり

[字解] 방어편 鯿(魚부 9획〈1799〉)과 同字.
[字源] 形聲. 魚+便〔音〕

魚 9 〔鰓〕 20 새 [平]灰 | sāi サイ えら

[筆順] 〃 角 魚 魚冂 魚冂 魚田 魚田 鰓
[字解] ①아가미새 어류(魚類)나 갑각류(甲殼類)의 호흡기. '裝鏤魚一中骨, 號魚媚子'《宋史》. ②두려워할새 무서워하는 모양. '一一常恐'《漢書》.
[字源] 形聲. 魚+思〔音〕

魚 9 〔鰖〕 20 타 [上]哿 | tuǒ タ うおのこ

[字解] 물고기알타 슬어 놓은 물고기의 알.
[參考] 鰖(魚부 12획〈1805〉)는 本字.

魚 9 〔鰂〕 20 즉 [入]職 | zé ソク いか

[字解] 오징어즉 '一, 烏一魚也'《說文》.
[字源] 形聲. 魚+則〔音〕

魚 9 〔鯷〕 20 제 [平]齊 [去]霽 | ①-③tí テイ さんしょううお ④dì テイ うおのな

[字解] ①도롱뇽제 '一, 魚四足者'《廣韻》. ②검은물고기제 '一, 魚黑色'《廣韻》. ③메기제 '一, 鮎別名'《正字通》. ④큰가물치제 '一, 魚名. 大鱧也'《集韻》.

魚 9 〔鮷〕 20 鯷(前條)와 同字

魚 9 〔鰑〕 20 양 [平]陽 | yáng ヨウ うなぎ

[字解] 뱀장어양 '一, 赤鱺'《廣韻》.

魚 9 〔鰔〕 20 [一]감 [上]感 | gǎn カン たら
[二]함 [去]咸 | xián カン かれい

[字解] [一] 대구감 '一, 魚名. 魠也. 一曰, 黃頰'《集韻》. [二] 가자미함 '鰜, 魚名. 或从咸'《集韻》.

魚 9 〔鰁〕 20 전 [平]先 | quán セン うおのな

[字解] 물고기이름전 '一, 魚名'《集韻》.

魚 9 〔鰀〕 20 환 [平]旱 | huān カン あめのうお

[字解] 혼어(鯇魚)환 '一, 魚名'《集韻》.

魚 9 〔䱬〕 20 서 [平]魚 | xū ショ うおのな

[字解] 물고기이름서 '一, 一魚也'《說文》.
[字源] 形聲. 魚+胥〔音〕

魚 9 〔䲋〕 20 비 [平]微 | fēi ヒ うおのな

[字解] ①물고기이름비 '一, 魚名'《廣韻》. ②날치비 '一, 魚之飛者'《正字通》.

魚 9 〔鯁〕 20 〔경〕 鯁(魚부 7획〈1794〉)의 本字

魚 9 〔鯹〕 20 〔성〕 鮏(魚부 5획〈1790〉)과 同字

魚 9 〔鯶〕 20 〔혼〕 鯇(魚부 7획〈1794〉)과 同字

魚 9 〔鰐〕 20 〔악〕 鱷(魚부 16획〈1808〉)과 同字
[字源] 形聲. 魚+咢〔音〕

魚 9 〔鰕〕 20 〔하〕 蝦(虫부 9획〈1236〉)와 同字
[字源] 形聲. 魚+叚〔音〕

魚 9 〔鮔〕 20 〔긍〕 䱍(魚부 6획〈1792〉)과 同字
[字源] 形聲. 魚+恆〔音〕

魚 9 〔鰥〕 20 〔환〕 鰥(魚부 10획〈1801〉)의 訛字

魚 9 〔鰎〕 20 건 [上]阮 | jiǎn ケン うおのな

[字解] ①약간절인고기건 약간 절인 물고기. '一, 鯫魚微用鹽曰一'《正字通》. ②물고기이름건 물고기 이름.

魚 9 〔鮦〕 20 〔동〕 鮦(魚부 6획〈1793〉)과 同字

魚 9 〔鮤〕 20 〔렬〕 鮤(魚부 6획〈1793〉)과 同字

魚 9 〔鰅〕 20 액 [入]陌 | ē ガク うおのな

[字解] 물고기이름액 물고기 이름. 호액(鰝鰅). '一, 鰝一, 魚名'《集韻》.

魚 9 〔鮥〕 20 鰅(前條)과 同字

魚9 〔鮹〕20 위 ㊀未 wěi イ うおのな

字解 물고기이름위 물고기 이름. 모양은 뱀과 같고 네 발이 있음. '一, 魚名, 如蛇文'《集韻》.

魚9 〔鰇〕20 유 ㊥尤 róu ジュウ いかのいっしゅ

字解 오징어유 오징어의 일종. '一, 柔魚, 似烏鰂, 無骨, 生海中'《正字通》.

魚9 〔鯺〕20 저 ㊥魚 chū ジョ おおふぐ

字解 ①복저 복. 큰복. '鯸一, 即河豚之大者'《臨海記》. ②벌레이름저 벌레 이름. 누에와 비슷한데 꼬리가 갈라졌으며, 두 발이 있음. '鮔一'.

魚9 〔鰋〕20 〔전〕 鱣(魚부 15획〈1808〉)과 同字

魚9 〔鯙〕20 〔정〕 鋌(魚부 7획〈1796〉)과 同字

魚9 〔鯫〕20 주 ㊀有 còu ソウ どぶがいのいっしゅ

字解 조개이름주 조개 이름. 주한(鯫鯠). '一, 一鯠, 蚌屬'《篇海》.

魚9 〔鲅〕20 파 ㊀禡 ㊥麻 bà ハ うおのな

字解 물고기이름파 물고기의 이름. 뱅어〔白魚〕.

魚9 〔鯠〕20 한 ㊀翰 hàn カン どぶがいのるい

字解 조개한 조개. 주한(鯫鯠). '一, 鯫一, 蚌屬'《篇海》.

魚9 〔鰗〕20 호 hú コ ふぐ

字解 복호 복. 하돈(河豚).

魚10 〔鰜〕21 겸 ㊥鹽 jiān ケン かれい

字解 가자미겸 가자밋과에 속하는 바닷물고기. 접어(鰈魚). '一, 比目魚'《廣韻》.

字源 形聲. 魚+兼〔音〕

魚10 〔鰣〕21 시 ㊥支 shí シ ひらこのしろ

字解 준치시 청어과에 속하는 바닷물고기. 시어(鰣魚). 전어(箭魚).

字源 形聲. 魚+時〔音〕

參考 鯖(魚부 6획〈1793〉)는 同字.

魚10 〔鰥〕21 환 (관㊟) ㊥刪 guān カン おおうおのな, やもお

字解 ①고기이름환 일종의 큰 민물고기의 이름. 이 물고기는 근심으로 밤잠을 자지 못한다 함. '愁似一魚夜不眠'《陸游》. ②홀아비환 늙어서 아내가 없는 남자. '老而無妻曰一'《孟子》. ③앓을환 瘝(疒부 10획〈817〉)과 통용. '一, 病也'《爾雅》. ※本音 관.

字源 形聲. 魚+眔〔音〕

魚10 〔鰭〕21 기 ㊥支 qí キ ひれ

字解 지느러미기 물고기의 헤엄치는 기관. '脊一'. '尾一'. '揵一擢尾'《史記》.

字源 形聲. 魚+耆〔音〕

魚10 〔鰨〕21 ㊀탑 ㊁合 tǎ トウ さんしょううお ㊁첩 ㊁葉 dié チョウ かれい

字解 ㊀도롱뇽탑 양서류(兩棲類)에 속하는 동물. 산초어(山椒魚). '禺禺鱋一'《漢書》. ㊁가자미첩 가자밋과(科)에 속하는 바닷물고기. 접어(鰈魚).

字源 形聲. 魚+翕〔音〕

魚10 〔鰩〕21 요 ㊥蕭 yáo ヨウ とびうお

字解 날치요 날칫과에 속하는 바닷물고기. 공중을 날 수 있음. 비어(飛魚). '一, 文一, 魚名'《說文新附》.

字源 形聲. 魚+䍃〔音〕

魚10 〔鰤〕21 사 ㊥支 shī シ ぶり, ろうぎょ

字解 ①방어사 전갱잇과에 속하는 바닷물고기. ②노어(老魚)사 일설에는, 독(毒) 있는 물고기.

字源 形聲. 魚+師〔音〕

魚10 〔鰞〕21 오 ㊥虞 wū オ いか

字解 오징어오 '一鰂'은 오징어. 烏(火부 6획〈712〉)와 통용. '一鰂, 魚名, 九月寒烏入水化爲之'《集韻》.

字源 形聲. 魚+烏〔音〕

魚10 〔鰝〕21 ㊀호 ㊤晧 hào コウ おおえび ㊁확 ㊁藥 カク おおえび

字解 ㊀큰새우호 '一, 大鰕也'《說文》. ㊁큰새우확 ㊀과 뜻이 같음.

字源 形聲. 魚+高〔音〕

魚10 〔鰿〕21 적 ㊁陌 jì セキ ふな

字解 붕어적 '一, 鮒也'《玉篇》.

字源 形聲. 魚＋脅(脊)〔音〕

魚10〔鰪〕21 ㊀합 ⓐ合 gé コウ まながつお
㊁압 ⓐ合 é オウ まながつお

字解 ㊀병어합 '一, 魚名. 似鯖而小'《集韻》. ㊁병어압 ㊀과 뜻이 같음.

魚10〔鰦〕21 자 ㊥支 zì シ はえ

字解 피라미자 '一, 一魚'《正字通》.

魚10〔鰢〕21 마 ㊤馬 mǎ バ·メ うみえび

字解 바다새우마 '一, 按, 此卽海鰕名水馬者. 俗作一'《正字通》.

魚10〔鰬〕21 건 ㊥先 qián ケン うみへび

字解 ①바다뱀건 '大鰈謂之一'《廣雅》. ②큰물고기이름건 '一, 似鯉而大'《漢書 音義》.

魚10〔鰖〕21 ㊀활 ⓐ黠 huá カツ うおのな
㊁골 ⓐ月 コツ うおのな

字解 ㊀물고기이름활 날치의 일종. 날개가 있고, 드나들 때 빛을 발함. '一, 魚名. 鳥翼, 出入有光'《廣韻》. ㊁물고기이름골 뱀 비슷하고 발이 넷 있음. '一, 魚名'《集韻》.

魚10〔鰮〕21 온 wēn オン うおのな

字解 물고기이름온 '一, 音未詳. 閩書, 一, 似馬鮫而小'《中華大字典》.

魚10〔鰯〕21 옹 ㊥東 wēng オウ うおのな

字解 물고기이름옹 '一, 一魚也'《說文》.
字源 形聲. 魚＋翁〔音〕

魚10〔鰒〕21 수 ㊥尤 sōu シュウ しりがい

字解 ①밀치수 마소의 목·가슴·꼬리에 거는 끈. '故書, 緧作一'《周禮 注》. ②성수 성(姓)의 하나.

魚10〔鰠〕21 소 ㊥豪 sāo ソウ うおのな

字解 물고기이름소 '一, 魚潛淵'《郭璞》.

魚10〔鰊〕21 납 ⓐ合 nà ドウ·ノウ うおのな

字解 물고기이름납 자라 비슷한데, 등딱지가 없고, 꼬리가 있되 발이 없으며, 입은 배 밑에 있음. '一, 一魚'《說文》.
字源 形聲. 魚＋納〔音〕

魚10〔鰫〕21 용 ㊥冬 yōng ヨウ うおのな

字解 ①물고기이름용 독 있는 가시가 있는 물고기의 이름. ②괴어이름용 '一, 魚名. 似牛'《字彙》. ③전어용 '鰅一鰬魠'《漢書》.
字源 形聲. 魚＋容〔音〕

魚10〔鰟〕21 〔방〕
魴(魚부 4획〈1788〉)과 同字

魚10〔䲣〕21 어 ㊥魚 yú ギョ すなどる

字解 고기잡을어 漁(水부 11획〈676〉)와 同字. '掌以時一爲梁'《周禮》.

魚10〔䲢〕21 등 ㊥蒸 téng トウ おこぜ

字解 쑤기미등 양볼락과에 속하는 바닷물고기. 등지느러미에 독이 있는 가시가 있어 찔리면 아픔. '一, 魚名, 似鱖'《集韻》.
字源 形聲. 魚＋朕〔音〕

魚10〔鬲鬲〕21 ㊀격 ⓐ陌 gé カク うおのな
㊁력 ⓐ錫 レキ ぎぎ

字解 ㊀물고기이름격 물고기 이름. '一, 魚名'《集韻》. ㊁자가사리력 자가사리. '一, 鯛也'《廣雅》.

魚10〔鰝〕21 〔교〕
鱎(魚부 12획〈1805〉)와 同字

魚10〔鰶〕21 〔내〕
鯨(魚부 8획〈1798〉)와 同字

魚10〔鰧〕21 당 ㊥陽 táng トウ ぎぎ

字解 자가사리당 자가사리. '一, 魠也'《廣雅》.

魚10〔鰏〕21 〔비〕
魮(魚부 4획〈1788〉)와 同字

魚10〔鰋〕21 〔언〕
鰋(魚부 9획〈1799〉)과 同字

魚10〔鰃〕21 위 ㊤尾 wěi イ はりせんぼん

字解 귀두어위 귀두어(鬼頭魚). 민물고기로 맛이 좋음. '一, 鬼頭魚'《正字通》.

魚10〔鰘〕21 羲(魚부 7획〈1795〉)와 同字

魚10〔羲〕21 鰘(前條)와 同字

魚 10 〔鯺〕21 〔자〕
鮓(魚부 5획〈1790〉)의 俗字

魚 10 〔䱼〕21 전 [去]霰 | zhǎn テン うおのな セン うおのな
[筆順] ⺈ 角 魚 魚尸 魚屏 魚屛 魚屡 䱼
[字解] 물고기이름전 물고기 이름. 모양이 손가락 같고 길이 열여덟 치쯤. 등뼈가 있고 국을 끓이면 맛이 좋음.

魚 10 〔䲔〕21 정 | zhēng セイ うおのすいり
[字解] 물고기초쳐서졸일정 물고기를 초를 쳐서 졸임. '一, 以醋煮魚爲一'《篇海》.

魚 10 〔鶬〕21 〔창〕
鯧(魚부 8획〈1797〉)과 同字

魚 10 〔鰟〕21 〔편〕
鯾(魚부 9획〈1800〉)과 同字

魚 10 〔鱄〕21 포 [平]虞 | pū ホ いるか
[字解] 돌고래포 돌고래. 강돈(江豚). '一鮬'. '一, 魚名, 博雅, 一鮬, 鮈也'《集韻》.

魚 10 〔䲄〕21 해 [平]灰 | hái カイ おがに
[字解] 수게해 게의 수컷. '鯢一'. '一, 鯢一, 牡蟹'《集韻》.

魚 10 〔鰒〕21 〔호〕
鱯(魚부 14획〈1808〉)의 訛字

魚 11 〔䲆〕22 [一] 어 [平]魚 [二] 오 [平]虞 | yú ギョ うおがつらなってゆく wú ゴ おおきいうお
[字解] [一] 물고기늘어서갈어 '一, 二魚也'《說文》. '一, 蓋連行之貌'《通訓》. [二] 큰물고기오 '一, 魚之大者'《集韻》.
[字源] 會意. 두 개의 '魚어'를 위아래에 합쳐, 물고기가 늘어서 가다의 뜻을 나타냄.

魚 11 〔鰱〕22 련 [平]先 | lián レン たなご
[字解] 연어(鰱魚)련 붕어 비슷한 민물고기. '鯪鯉鯩一'《郭璞》.
[字源] 形聲. 魚＋連〔音〕

魚 11 〔鰶〕22 제 [去]霽 | jì セイ このしろ
[字解] 전어(錢魚)제 전어과에 속하는 바닷물고기. 등쪽에 갈색의 점무늬가 줄지어 있음. '一, 魚名, 或作鱀'《集韻》.
[字源] 形聲. 魚＋祭〔音〕

魚 11 〔鰹〕22 견 [平]先 | jiān ケン かつお
[字解] ①가물치견 큰 가물치. 일설(一說)에는, 칠성장어. ②가다랑어견 고등엇과에 속하는 바닷물고기.
[字源] 形聲. 魚＋堅〔音〕

魚 11 〔鰻〕22 만 [平]寒 | mán バン·マン うなぎ
[字解] 뱀장어만 참장어과에 속하는 바닷물고기. 만리(鰻鱺). 백선(白鱓). '一, 一魚也, 从魚曼聲'《說文》.
[字源] 形聲. 魚＋曼〔音〕

魚 11 〔䱮〕22 鰻(前條)과 同字

魚 11 〔鰾〕22 표 [上]篠 | biào ヒョウ うきぶくろ
[字解] 부레표 물고기의 배 속에 있는 공기 주머니. 이것을 벌렸다 오므렸다 하여 물에 뜨기도 하고 잠기기도 함. '一, 魚膠也'《集韻》.
[字源] 形聲. 魚＋票〔音〕

魚 11 〔鱁〕22 축 [入]屋 | zhú チク しおから
[字解] 창난젓축 '一鮧'는 창난젓. '鮧, 一鮧, 一曰, 鹽藏魚腸'《集韻》.
[字源] 形聲. 魚＋逐〔音〕

魚 11 〔鱄〕22 전 [平]先 | zhuān セン うおのな
[字解] ①물고기이름전 동정호(洞庭湖)에서 나는 물고기의 한 가지. '魚之美者, 洞庭之一'《呂氏春秋》. ②성전 성(姓)의 하나.
[字源] 形聲. 魚＋專〔音〕

魚 11 〔鰿〕22 적 [入]陌 | jí セキ ふな
[字解] 붕어적 잉엇과에 속하는 민물고기. '煎一臛雀'《楚辭》.

魚 11 〔鱇〕22 [日] 강 | kāng コウ あんこう
[字解] 《日》 아귀강 鮟(魚부 6획〈1793〉)을 보라. '鮟一'.
[字源] 形聲. 魚＋康〔音〕

魚 11 〔鱅〕22 용 [平]冬 | yōng ヨウ このしろ
[字解] 전어용 근해에 서식하는 바닷물고기. '一魚, 似鰱而色黑, 其頭至大, 味亞於鰱. 鰱之美在腹, 一之美在頭'《本草》.
[字源] 形聲. 魚＋庸〔音〕

魚11〔鰰〕22 신 ㉺眞 | shēn シン うおのおがながい

字解 꼬리길신 물고기의 꼬리가 긴 모양. '一, 魚長尾皃'《集韻》.
字源 形聲. 魚+莘〔音〕

魚11〔鱆〕22 장 | zhāng ショウ たこ

字解 꼴뚜기장 장어(章魚). '一, 閩書, 一魚'《字彙補》.

魚11〔鰸〕22 ㊀구 ㉺虞 qū ク うおのな / ㊤麌 ウ うおのな / ㉺尤 ウ うおのな ㊁우 ㉺虞 オウ うおのな

字解 ㊀ 물고기이름구 새우 비슷하며, 발이 없음. '一, 一魚也. 狀似鰕無足'《說文》. ㊁ 물고기이름우 ㊀과 뜻이 같음.
字源 形聲. 魚+區〔音〕

魚11〔鱄〕22 루 ㉺尤 lóu ロウ·ル にしん / ㉺虞 ル にしん

字解 ①청어루 '一, 一魚也'《說文》. ②잉어루 '一, 一名鯉'《說文》.
字源 形聲. 魚+婁〔音〕

魚11〔鰼〕22 습 ㊀緝 | xí シュウ どじょう

字解 ①미꾸라지습 '一, 鰌也'《說文》. ②물고기이름습 '一一'은 물고기의 이름. '一, 又山海經云, 一魚, 狀如鵲而有十翼. 鱗在翼端, 聲如鵲'《廣韻》.
字源 形聲. 魚+習〔音〕

魚11〔鰷〕22 〔조〕 鯈(魚부 7획〈1795〉)와 同字
字源 形聲. 魚+條〔音〕

魚11〔鰧〕22 〔등〕 鰧(魚부 10획〈1802〉)과 同字

魚11〔鰺〕22 〔소〕 鱢(魚부 13획〈1806〉)의 訛字
字源 形聲. 본디, '鱢소'로, 魚+喿〔音〕. '喿소'가 변형되어, '參삼'이 됨.

魚11〔鰵〕22 민 ㊤軫 | mǐn ビン·ミン うみうおのな

字解 ①바닷물고기이름민 '一, 海魚'《廣韻》. ②조기민 鮸(魚부 7획〈1794〉)과 통용.

魚11〔鰴〕22 鰵(前條)과 同字

魚11〔鱀〕22 기 ㊋寘 | jì キ さめ

字解 ①상어기 '一, 魚名. 鼻在額上'《廣韻》. ②돌고래기 '一, 郭璞賦海豨·江豚, 是也'《正字通》.

魚11〔鱁〕22 鱀(前條)와 同字

魚11〔鰲〕22 〔오〕 鼇(黽부 11획〈1872〉)의 俗字
字源 形聲. 魚+敖〔音〕

魚11〔鰥〕22 〔곤〕 鯤(魚부 8획〈1796〉)과 同字

魚11〔鮭〕22 규 ㉺虞 / ㉺虞 | guī キ ふぐ

字解 복규 하돈(河豚). '鯸鮐亦謂之一'《六書故》.

魚11〔鱇〕22 〔락〕 鱳(魚부 15획〈1808〉)과 同字

魚11〔鰳〕22 륵 ㊀職 | lè ロク ひら

字解 준치륵 준치. 늑어(勒魚). '一, 一鯈'《篇海》.

魚11〔鰲〕22 〔려〕 鯬(魚부 7획〈1795〉)와 同字

魚11〔鰒〕22 〔복〕 鰒(魚부 9획〈1800〉)과 同字

魚11〔鰰〕22 〔부〕 鮒(魚부 5획〈1790〉)와 同字

魚11〔鯊〕22 〔사〕 魦(魚부 4획〈1788〉)의 俗字

魚11〔鰽〕22 수 ㉺尤 | qiú シュウ うおのな

字解 ①준치수 준치. 당호(當魱). '鰽, 魚名, 似鯿而大鱗, 肥美多鯁, 或作一'《集韻》. ②웅어수 웅어의 딴 이름.

魚11〔鮛〕22 위 ㊋未 | wèi イ うおのな

字解 다랑어위 다랑어. '一, 魚名'《集韻》.

魚11〔鰄〕22 鮛(前條)와 同字

魚11〔鯆〕22 〔포〕 鯆(魚부 7획〈1794〉)와 同字

魚11〔鰏〕22 〔필〕 鮅(魚부 5획〈1790〉)과 同字

魚11〔⿰魚盖〕22 〔합〕 鰪(魚부 10획〈1802〉)의 俗字

魚11〔鰴〕22 휘 [平]微 | huī キ つよいうお
[字解] 힘센물고기휘 힘센 물고기. '一鯨'. '魚有力者, 一'《爾雅》.

魚11〔鱂〕22 장 [平]陽 | jiāng ショウ まながつお
[字解] 병어장 병어. 장어(鱂魚). '一, 鱸一, 魚名'《集韻》.

魚11〔⿰魚巢〕22 조 [上]晧 | zǎo ソウ うおのな
[字解] 물고기이름조 물고기 이름. 잉어를 닮고 닭다리 비슷한 두 발이 달렸음. '一魚, 其狀如鯉而雞足'《山海經》.

魚11〔鱃〕22 추 [平]尤 | qiū シュウ どじょう
[字解] ①미꾸라지추 미꾸라지. 추어(鰍魚). '一, 鰌也'《廣雅》. ②물고기이름추 물고기 이름. 붕어 비슷한데 대가리가 큼.

魚12〔鱏〕23 심 [平]侵 | xín シン ちょうざめ, えい
[字解] ①철갑상어심 철갑상엇과에 속하는 물고기의 총칭. 심어(鱘魚). ②가오리심 바닷물고기의 한 가지. 특히, 시끈가오리, 곧 '電一'의 뜻으로 많이 쓰임.
[字源] 形聲. 魚＋覃(㽮)〔音〕

魚12〔鱒〕23 준 [上]阮 | zūn, zǔn ソン ます
[字解] 송어준 연어과에 속하는 바닷물고기. '九罭之魚一魴'《詩經》.
[字源] 形聲. 魚＋尊〔音〕

魚12〔鱓〕23 선 [上]銑 | shàn セン うみへび
[字解] 드렁허리선 드렁허릿과에 속하는 민물고기. '蛇一着泥'《淮南子》.
[字源] 形聲. 魚＋單〔音〕
[參考] 鱔(次條)은 俗字.

魚12〔鱔〕23 鱓(前條)의 俗字

魚12〔鱖〕23 [一] 궐 [入]月 | jué ケツ あさじ
[二] 궤 [去]霽 | guì ケイ あさじ
[字解] [一] 쏘가리궐 농엇과에 속하는 민물고기. 입이 크고 아래턱이 좀 긺. '桃花流水一魚肥'《張志和》. [二] 쏘가리궤 [一]과 뜻이 같음.
[字源] 形聲. 魚＋厥〔音〕

魚12〔鱍〕23 발 [入]曷 | bō ハツ うおのおのながいさま
[字解] ①물고기꼬리길발 '一, 尾長皃'《玉篇》. ②물고기꼬리칠발 '一, 魚掉尾也'《廣韻》.
[字源] 形聲. 魚＋發〔音〕

魚12〔⿰魚孱〕23 잔 [上]潸 | zhàn サン うおのな
[字解] 물고기이름잔 '一, 同⿰魚孨'《六書故》.

魚12〔鱗〕23 린 [平]眞 | lín リン うろこ
[字解] 비늘린 물고기·뱀 같은 것의 껍질을 보호하는 각질(角質)의 작은 조각. '宜一物'《周禮》. 전(轉)하여, 비늘을 가진 동물. 특히, 어류. '一毛'. '錦一游泳'《范仲淹》.
[字源] 形聲. 魚＋粦(㷠)〔音〕

魚12〔鱘〕23 심 [平]侵 | xún シン·ジン ちょうざめ
[字解] ①철갑상어심 철갑상엇과에 속하는 바닷물고기의 총칭. 심어(鱏魚). '一, 魚名'《集韻》. ②다랑어심 고등엇과에 속하는 바닷물고기.
[字源] 形聲. 魚＋尋〔音〕

魚12〔鰖〕23 타 [上]哿 [去]箇 | ①②duǒ タ·ダ うおのこ ③tuǒ タ·ダ かにのこ
[字解] ①물고기새끼타 알에서 갓 깐 물고기 새끼. '一, 魚子已生者也'《說文》. ②게새끼타 '一, 蟹子'《廣韻》. ③비늘벗길타 물고기의 비늘을 뗌. '魚去鱗曰一'《集韻》.
[字源] 形聲. 魚＋隋〔音〕
[參考] 鰖(魚부 9획〈1800〉)는 俗字.

魚12〔鱎〕23 교 [上]篠 [平]蕭 | jiǎo キョウ みごい
[字解] 강준치교 잉엇과의 민물고기. '一, 白魚'《集韻》.
[字源] 形聲. 魚＋喬〔音〕

魚12〔⿰魚朁〕23 [一] 잠 [平]侵 | cén シン うおのな
[二] 침 [平]侵 | jīn シン うおのな
[字解] [一] 물고기이름잠 '一, 一魚也'《說文》. [二] 자반침 소금에 절인 물고기. '一, 一說, 南方謂鮺曰一'《集韻》.
[字源] 形聲. 魚＋朁〔音〕

魚12〔⿰魚替〕23 ⿰魚朁(前條)의 俗字

魚12〔鱕〕23 번 [平]元 | fān ハン·ホン おのざめ

[字解] 도끼상어번 '一, 魚, 有橫骨在鼻前, 如斤斧'《廣韻》.

魚12 〔鱊〕23 [一] 율 [入]質 | yù イツ こうおのな
[二] 술 [入]質 | シュツ こうおのな
[三] 괄 [入]黠 | カツ こうおのな
[四] 결 [入]屑 | ケツ こうおのな

[字解] [一] ①작은물고기이름율 '一魚'는 작은 물고기의 이름. '一, 小魚名'《廣韻》. ②납자루율 '一鯚'는 납자루. '一鯚, 鱖鯞'《爾雅》. [二] 작은물고기이름술, 납자루술 [一]과 뜻이 같음. [三] 작은물고기이름괄, 납자루괄 [一]과 뜻이 같음. [四] 작은물고기이름결, 납자루결 [一]과 뜻이 같음.

魚12 〔鱋〕23 〔거〕
魼(魚부 5획〈1789〉)와 同字

魚12 〔鱐〕23 〔숙〕
魚부 13획(1807)을 보라.

魚12 〔⿱粦魚〕23 린 [平]眞 | lín リン うおのな

[字解] ①물고기이름린 '一, 一魚也'《說文》. ②비늘린 '鱗, 說文, 魚甲也. 通作一'《集韻》.
[字源] 形聲. 魚+粦〔音〕

魚12 〔⿱次魚〕23 〔자〕
鮆(魚부 7획〈1795〉)의 本字

魚12 〔鱉〕23 〔별〕
鼈(黽부 12획〈1872〉)과 同字

魚12 〔⿰魚犍〕23 〔건〕
鰎(魚부 9획〈1800〉)과 同字

魚12 〔⿰魚菓〕23 과 | guǒ カ うおのな

[字解] 물고기이름과 물고기의 이름. '鰊魞一鯖'《南齊書》.

魚12 〔⿰魚款〕23 관 [上]旱 [去]翰 | kuǎn カン うおのな

[字解] ①물고기이름관 물고기의 이름. '一, 魚名'《集韻》. ②물고기그물에걸릴관 물고기가 그물에 걸림. '一, 魚觸罔也'《集韻》.

魚12 〔⿰魚敢〕23 〔뇌〕
鮾(魚부 8획〈1797〉)의 訛字

魚12 〔⿰魚童〕23 〔동〕
鮦(魚부 6획〈1793〉)과 同字

魚12 〔⿰魚勞〕23 로 | láo ロウ うおのな

[字解] 물고기이름로 물고기의 이름. '一, 魚名'《篇海》.

魚12 〔⿰魚斯〕23 사 [平]支 | sī シ ふな

[字解] ①붕어사 붕어. '一, 一日, 鮒'《集韻》. ②다랑어사 다랑어의 딴 이름. '一, 一日, 鮪別名'《字彙》. ③물고기이름사 물고기의 이름. '一, 魚名'《集韻》.

魚12 〔鱌〕23 상 [上]養 | xiàng ショウ みごい

[字解] 물고기이름상 물고기 이름. 뱅어 비슷한데 주둥이가 긺. '一, 魚名, 白魟也'《集韻》.

魚12 〔⿰魚咢〕23 〔악〕
鱷(魚부 16획〈1808〉)의 俗字

魚12 〔⿰魚需〕23 〔유〕
鱬(魚부 14획〈1808〉)와 同字

魚12 〔⿸齊魚〕23 제 [平]齊 | qí セイ うおのな

[字解] 물고기이름제 물고기의 이름. 한수(漢水)에서 나는데, 잉어 비슷하나 작음. '一, 魚名'《集韻》.

魚12 〔⿰魚巽〕23 찬 [上]銑 | zhuàn サン うおのな

[字解] 물고기이름찬 물고기의 이름. 뼈 없는 물고기. '一, 魚名, 無骨'《五音集韻》.

魚12 〔鱑〕23 〔황〕
鰉(魚부 9획〈1799〉)과 同字

魚12 〔⿰魚爲〕23 [一] 휘 [平]支 | huī キ あかえい
[二] 위 [平]支 | イ おおきいうお

[字解] [一] 노랑가오리휘 노랑가오리. 황홍(黃魟). '一, 魚名'《集韻》. [二] 큰물고기위 큰 물고기. '一, 魚大者曰一'《集韻》.

魚13 〔鱢〕24 소 [平]豪 | sāo ソウ なまぐさい

[字解] 비릴소 비린내가 남. '膏一'. '一, 鮏臭也'《說文》.
[字源] 形聲. 魚+喿〔音〕
[參考] 鰺(魚부 11획〈1804〉)는 訛字.

魚13 〔鱣〕24 [一] 전 [平]先 | zhān テン こい
[二] 선 [上]銑 | shān セン うみへび

[字解] [一] ①잉어전 잉어의 일종. ②철갑상어전 철갑상엇과에 속하는 바닷물고기. 황어(鰉魚). '橫江湖之一鯨'《漢書》. [二] 드렁허리선 鱓(魚부 12획〈1805〉)과 同字. '一似蛇, 蠶似蠋'《韓非子》.
[字源] 形聲. 魚+亶〔音〕

魚13〔鱧〕24 례 [上]薺 lǐ レイ かむるち
[字解] 가물치례 가물칫과에 속하는 민물고기. 일설(一說)에는, 칠성장어. '魚麗于罶 魴一'《詩經》.
[字源] 形聲. 魚+豊(豐)〔音〕

魚13〔⿰魚普〕24 보 [上]麌 pū ホ いるか
[字解] 돌고래보 강(江)으로 거슬러 올라간 돌고래. 강돈(江豚). '一魚, 一名江豚, 欲風則涌也'《顧野王》.

魚13〔鱐〕24 [一] 숙 [入]屋 sū シュク ほしうお / [二] 수 [平]尤 シュ ほしうお
[字解] [一] 말린고기숙 건어(乾魚). '夏宜腒一'《禮記》. [二] 말린고기수 [一]과 뜻이 같음.
[字源] 形聲. 魚+肅〔音〕

魚13〔鱠〕24 회 [去]泰 kuài カイ なます
[字解] 회회 膾(肉부 13획〈1093〉)와 同字. '食魚一'《博物志》.
[字源] 形聲. 魚+會〔音〕

魚13〔⿰魚畺〕24 경 [平]庚 qíng ケイ くじら
[字解] 고래경 鯨(魚부 8획〈1796〉)과 同字. '一, 海大魚也'《說文》.
[字源] 形聲. 魚+畺〔音〕

魚13〔鱦〕24 승 [去]徑 shéng ショウ ちいさいうお
[字解] ①물고기새끼승 '一, 小魚'《爾雅》. ②복승 복의 일종. '一, 鮏屬'《廣韻》.

魚13〔⿰魚解〕24 해 [上]蟹 xiè(xiě) カイ かに
[字解] ①게해 '一, 蟹或从魚'《說文》. ②뱀장어해 '一, 魚名. 鮦也'《集韻》.

魚13〔⿱解魚〕24 ⿰魚解(前條)와 同字

魚13〔鱡〕24 〔즉〕 鰂(魚부 9획〈1800〉)과 同字

魚13〔鱞〕24 〔환〕 鰥(魚부 10획〈1801〉)과 同字
[字源] 形聲. 魚+睘〔音〕

魚13〔⿰魚𣈶〕24 〔만〕 鰻(魚부 11획〈1803〉)과 同字

魚13〔鱟〕24 후 [去]宥 hòu コウ かぶとがに
[字解] ①참게후 바위겟과에 속하는 게의 일종. ②무지개후 속(俗)에, 무지개를 이름. '東一晴, 西一雨'《農政全書》.
[字源] 形聲. 魚+學〈省〉〔音〕

魚13〔鱤〕24 감 [上]感 gǎn カン たら
[字解] 자가사리감 자가사리. 황협어(黃頰魚). '姑兒之水出焉, 其中有一'《山海經》.

魚13〔⿰魚嬴〕24 라 [平]歌 luó ラ うおのな
[字解] 물고기이름라 물고기 이름. 날개가 있으며, 나타나면 큰물이 진다는 상상의 물고기. '一, 魚名, 有翼, 見則大水'《集韻》.

魚13〔⿰魚虜〕24 로 [平]虞 lǔ ロ うおのな
[字解] 물고기이름로 물고기 이름. 노어(⿰魚虜魚). 낙랑번국(樂浪潘國)에서 남. '一, 一魚也'《說文》.

魚13〔鱝〕24 〔분〕 鱝(魚부 8획〈1798〉)과 同字

魚13〔鱨〕24 〔상〕 嘗(口부 11획〈182〉)과 同字

魚13〔⿰魚僉〕24 엄 [上]琰 yǎn ゲン うおのな / [平]鹽 yán ヂン うおのくちのうごくさま
[字解] ①물고기이름엄 물고기의 이름. 엄옹(⿰魚僉鰅). '一, 鰅魚名'《廣韻》. ②물고기입움직일엄 물고기의 입 움직이는 모양. 噞(口부 13획〈186〉)과 同字. '噞, 噞喁魚口動皃, 或从魚'《集韻》.

魚13〔⿰魚業〕24 업 [入]葉 yè ギョウ うおのな
[字解] ①물고기왕성할업 물고기가 왕성함. ②물고기이름업 물고기의 이름. '一, 魚名'《集韻》.

魚13〔⿰魚奧〕24 오 [去]號 ào オウ どじょう
[字解] 미꾸라지오 '一, 鰌也'《廣雅》.

魚13〔⿰魚農〕24 용 [去]宋 rǒng ジョウ さめ
[字解] 복융 복. 복어. 태어(鮐魚). '一, 鮐魚也'《集韻》.

魚13〔⿰魚義〕24 의 [平]支 yí ギ うおのこ
[字解] 물고기새끼의 물고기의 새끼. '一, 魚子'《集韻》.

魚 13 〔鱂〕24 장 | qiáng ショウ うおのな

[字解] 물고기이름장 물고기의 이름. '一, 魚名'《字彙補》.

魚 14 〔鱨〕25 상 [平]陽 | cháng ショウ ぎぎ

[字解] 자가사리상 동자갯과에 속하는 민물고기. 황협어(黃頰魚). 황상어(黃鱨魚). '魚麗于罶一鯊'《詩經》.
[字源] 形聲. 魚+嘗〔音〕

魚 14 〔鱮〕25 서 [上]語 | xù ショ たなご

[字解] 연어(鰱魚)서 붕어 비슷한 민물고기. 鰱(魚부 11획〈1803〉)과 뜻이 같음. 서어(鱮魚). '其魚魴一'《詩經》.
[字源] 形聲. 魚+與〔音〕

魚 14 〔鱯〕25 [一] 호 [去]遇 | hù コ おおなまず
[二] 화 [去]禡 | カ おおなまず

[字解] [一] 큰메기호 메기의 일종. '一, 似鮎而大, 白色'《爾雅 注》. [二] 큰메기화 [一]과 뜻이 같음.
[字源] 形聲. 魚+蒦〔音〕

魚 14 〔鱗〕25 〔린〕
鱗(魚부 12획〈1805〉)의 本字

魚 14 〔鱭〕25 〔제〕
鮆(魚부 5획〈1791〉)와 同字

魚 14 〔鑌〕25 변 [平]先 | biān ヘン うおのな

[字解] 방어변 방어. '一, 魚名'《集韻》.

魚 14 〔鱢〕25 수 [上]有 | zǒu ソウ みごい

[字解] 뱅어수 뱅어. 백어(白魚). '一, 白魚'《玉篇》.

魚 14 〔瀪〕25 어 [平]魚 | yú ギョ すなどる

[字解] 고기잡을어 고기를 잡음. 漁(水부 11획〈676〉)·𩻜(魚부 10획〈1802〉)·魰(魚부 4획〈1788〉)와 同字. '一, 捕魚也, 从鱻水, 漁, 篆文一从魚'《說文》. '一, 篆省, 或作𩻜·魰'《集韻》.

魚 14 〔鱬〕25 유 [平]虞 | rú ジュ うおのな

[字解] 인어유 인어(人魚). '赤一, 其狀如魚而人面'《山海經》.

魚 14 〔鱝〕25 주 [平]尤 | chóu
チュウ おおきいうお

[字解] 큰물고기주 물고기의 큰 것. '魚之大者, 名爲一'《孔子家語》.

魚 15 〔鱭〕26 절 [入]屑 | jié セツ たなご

[字解] 연어(鰱魚)절 붕어 비슷한 민물고기.
[字源] 形聲. 魚+節〔音〕

魚 15 〔鱲〕26 렵 [入]葉 | liè ロウ うおのな

[字解] 물고기이름렵 물고기의 한 가지.
[字源] 形聲. 魚+巤〔音〕

魚 15 〔鱴〕26 멸 [入]屑 | miè ベツ えつ

[字解] 웅어멸 '一魛, 今鮆魚也'《廣韻》.
[字源] 形聲. 魚+蔑〔音〕

魚 15 〔鱵〕26 침 [平]侵 | zhēn シン さより

[字解] 학공치침 학꽁칫과에 속하는 바닷물고기. 아래턱이 바늘처럼 길게 돌출하였음. 침어(針魚).
[字源] 形聲. 魚+箴〔音〕

魚 15 〔鱳〕26 [一] 락 [入]藥 | luò ラク うおのな
[二] 록 [入]屋 | lù ロク うおのな
[三] 력 [入]錫 | lì レキ ぎぎ

[字解] [一] 물고기이름락 '一, 一魚也'《說文》. [二] 물고기이름록 [一]과 뜻이 같음. [三] 자가사리력 '鱺, 魚名. 博雅, 䱀也. 或从樂'《集韻》.
[字源] 形聲. 魚+樂〔音〕

魚 15 〔鰿〕26 〔적〕
鰿(魚부 10획〈1801〉)의 本字

魚 15 〔鱶〕26 〔상〕
鮝(魚부 8획〈1798〉)과 同字
[字源] 形聲. 魚+養〔音〕

魚 15 〔鱺〕26 〔려〕
鯬(魚부 8획〈1798〉)의 俗字

魚 15 〔鱣〕26 〔전〕
鱣(魚부 13획〈1806〉)과 同字

魚 15 〔鑣〕26 표 | biāo ヒョウ うおのな

[字解] 물고기이름표 물고기의 이름. 조금 자란 물고기 새끼. '一, 魚秧也'《黃省會》.

魚 16 〔鱷〕27 악 [入]藥 | è ガク わに

[字解] 악어악 '一魚'는 파충류(爬蟲類)의 하

나. 악어(鰐魚). '惡溪有一魚'《唐書》.

魚 16 〔鱸〕 27 로 [平]虞 | lú ロ すずき

[字解] 농어로 '一魚'는 농어. '松江之一魚'《後漢書》.
[字源] 形聲. 魚＋盧〔音〕

魚 16 〔鱱〕 27 [一] 달 [入]曷 | タツ うおのな
[二] 뢰 [去]泰 | lài ライ うおのな

[字解] [一] 물고기이름달 [二]와 뜻이 같음. [二] 물고기이름뢰 '一, 賴魚也'《說文》.
[字源] 形聲. 魚＋賴〔音〕

魚 16 〔鱳〕 27 력 [入]錫 | lì レキ ぎぎ

[字解] 자가사리력 자가사리. 鰯(魚부 10획〈1802〉)과 同字. '鰯, 或从歷'《集韻》.

魚 16 〔鱛〕 27 〔맹〕
鯍(魚부 6획〈1793〉)과 同字

魚 16 〔鱪〕 27 〔저〕
鯺(魚부 9획〈1801〉)와 同字

魚 16 〔鱶〕 27 찬 [平]寒 | cān サン うおのな

[字解] 물고기이름찬 물고기 이름. '一, 魚名'《集韻》.

魚 17 〔鱄〕 28 박 [入]藥 | bó ハク うおのな

[字解] 물고기이름박 물고기 이름. '一, 魚名'《集韻》.

魚 18 〔鱹〕 29 구 [平]虞 [上]麌 [去]遇 | qú ク うおのな

[字解] 물고기이름구 '一, 魚名'《說文》.
[字源] 形聲. 魚＋瞿〔音〕

魚 18 〔鱹〕 29 관 [去]翰 | guàn カン ひとのな

[字解] 사람이름관 인명(人名). '鱗一爲司徒'《左傳》.

魚 18 〔鱹〕 29 〔휴〕
蠵(虫부 18획〈1257〉)와 同字

魚 19 〔鱺〕 30 [一] 리 [平]支 | lí リ うなぎ
[二] 례 [上]薺 | lǐ レイ·ライ かむるち

[字解] [一] 뱀장어리 갯장어과에 속하는 바닷물고기. '鰻一'. [二] 가물치례 鱧(魚부 13획〈1807〉)와 同字.
[字源] 形聲. 魚＋麗〔音〕

魚 19 〔鱣〕 30 〔전〕
鱣(魚부 13획〈1806〉)의 籀文

魚 20 〔鱵〕 31 당 | dǎng トウ うおのな

[字解] 물고기이름당 물고기 이름. '一魚似鯸鰑'《南越志》.

魚 21 〔鱶〕 32 례 [上]薺 | lǐ レイ かむるち

[字解] 가물치례 鱧(魚부 13획〈1807〉)와 同字. '一, 鮦也'《說文》.

魚 21 〔鱏〕 32 〔심〕
鱏(魚부 12획〈1805〉)의 本字

魚 22 〔鱻〕 33 선 ①[平]先 | xiān セン なまにく
②[上]銑 | xiǎn セン すくない

[字解] ①생선선 물고기의 날것. '凡其死生一薨之物, 以共王之膳'《周禮》. ②적을선 鮮(魚부 6획〈1792〉)과 同字.
[字源] 會意. 세 개의 '魚어'를 합쳐, '생선'의 뜻을 나타냄.

鳥　部

〔새 조 부〕

鳥 0 〔鳥〕 11 [中·人] 조 [上]篠 | niǎo チョウ とり

[筆順] ′ 𠃌 户 户 鸟 鳥 鳥 鳥

[字解] ①새조 조류(鳥類). 또, 꽁지가 짧은 새를 '隹'라 하는 데 대하여, 꽁지가 긴 것을 이름. '一獸孳尾'《書經》. ②성조 성(姓)의 하나.
[字源] 象形. 새를 본떠, '새'의 뜻을 나타냄.
[參考] '鳥조'를 의부(意符)로 하여, 여러 가지 조류의 명칭 등을 나타내는 문자를 이룸. 부수 이름은 '새조변'.

鳥 1 〔鳦〕 12 [一] 을 [入]質 | yǐ イツ つばめ
[二] 알 [入]黠 | アツ つばめ

[字解] [一] 제비을 참새류에 속하는 새의 한 가지. 현조(玄鳥). '燕一'. '燕燕, 一'《爾雅》. [二] 제비알 [一]과 뜻이 같음.
[字源] 形聲. 鳥＋乙〔音〕

鳥 1 〔鳥〕 12 〔언〕
焉(火부 7획〈714〉)과 同字

鳥 2 〔鳧〕 13 부 [平]虞 | fú フ あひる

字解 물오리부 오릿과에 속하는 야생의 오리. '一鴨'. '弋一與雁'《詩經》.
字源 形聲. 鳥+几〔音〕

鳥2 〔鳧〕13 鳬(前條)와 同字

鳥2 〔鳩〕13 人名 구 ㊏尤 | jiū キュウ はと
筆順 丿 九 ⺃ ⺃ ⺃ ⺃ 鳩 鳩
字解 ①비둘기구 새의 한 가지. '維鵲有巢, 維一居之'《詩經》. ②모일구, 모을구 '一首'. '一合同志'《陸機》. ③편안할구, 편안히할구 '敢使魯無一乎'《左傳》. ④성구 성(姓)의 하나.
字源 形聲. 鳥+九〔音〕

鳥2 〔鳪〕13 ㊀복 ㊇屋 | bǔ ホク きじ
㊁박 ㊇覺 | ハク きじ
字解 ㊀ ①꿩복 '一, 鴙'《爾雅》. ②쥐이름복 '鴙一'은 쥐의 이름. '一, 鴙一, 鼠名'《龍龕手鑑》. ㊁ 꿩박, 쥐이름박 ㊀과 뜻이 같음.

鳥2 〔鳮〕13 〔계〕
鷄(鳥부 10획〈1830〉)의 俗字

鳥2 〔鳭〕13 조 ㊏肴 | zhāo
トウ·チョウ ちょうせんうぐいす
字解 ①꾀꼬리조 '一, 一鷯, 黃鳥'《廣韻》. ②개개비조 '一鷯'는 개개비. '一鷯, 剖葦'《爾雅》.

鳥2 〔鳫〕13 〔안〕
雁(隹부 4획〈1630〉)과 同字

鳥2 〔鳯〕13 〔봉〕
鳳(鳥부 3획〈1811〉)의 俗字

鳥2 〔鳩〕13 구 ㊏尤 | jiū
キュウ ふなしうずら
字解 ①메추라기구 메추라기. '一, 鴿也'《字彙補》. ②鳩(鳥부 2획〈1810〉)의 俗字.

鳥2 〔鳨〕13 력 ㊇職 | lì リョク こがも
字解 ①상오리력 상오리. 오릿과에 딸린 물새. '一, 鳥名, 少鳧也'《集韻》. ②짐새의 딴이름력 짐새〔鴆〕의 딴 이름. '一, 鴆別名'《類篇》. ③비둘기의딴이름력 비둘기의 딴 이름. '一, 一曰, 鳩別名'《集韻》.

鳥2 〔鳧〕13 鳨(前條)과 同字

鳥2 〔鳵〕13 〔애〕
鴱(鳥부 6획〈1818〉)와 同字

鳥2 〔鳷〕13 차 ㊍寘 | cì シ とりのな
字解 새이름차 새의 이름. '一, 鳥名'《集韻》.

鳥2 〔鳭〕13 초 ㊏蕭 | diāo チョウ よしきり
字解 ①개개비초 개개비. 부위(剖葦). 휘파람샛과에 딸린 작은 새. 갈대밭에 사는 여름 철새. '一, 鳥名'《集韻》. ②굴뚝새초 굴뚝샛과에 딸린 작은 새. 鷦(鳥부 12획〈1835〉)와 同字. '鷦, 說文, 鷦鷯, 桃蟲也, 或从刁'《集韻》.

鳥2 〔鳥了〕13 효 ㊏蕭 | xiāo キョウ ふくろう
字解 올빼미효 梟(木부 7획〈552〉)의 俗字. '一, 不孝鳥, 食父母也'《篇海》.

鳥2 〔鳥卩〕13 鳥了(前條)와 同字

鳥3 〔鳲〕14 시 ㊏支 | shī シ ふふどり
字解 뻐꾸기시 '一鳩'는 뻐꾸기. '一鳩在桑'《詩經》.
字源 形聲. 鳥+尸〔音〕

鳥3 〔鳸〕14 鳲(前條)와 同字

鳥3 〔鳴〕14 中·人 명 ①-③㊏庚 ④㊍敬 | míng
メイ なく
メイ よびあう
筆順 丨 口 口' 口' 口' 口' 鳴 鳴
字解 ①울명 새가 소리를 냄. '鳳凰一矣'《詩經》. 전(轉)하여, 널리 생물 등이 소리를 내는 뜻으로 쓰임. '其於馬也, 爲善一'《易經》. ②울릴명 ㉠음향이 남. '叩之以大者則大一'《禮記》. ㉡명성이 들날림. '以文章一江東'《元史》. ㉢말을 함. '孟軻荀卿, 以道一者也'《韓愈》. ㉣소리를 나게 함. '不一其善一者'《韓愈》. ③성명 성(姓)의 하나. ④부를명 새가 서로 부름. '一儔嘯匹侶'《曹植》.
字源 會意. 鳥+口

鳥3 〔鳱〕14 ㊀간 ㊏寒 | gān カン かささぎ
㊁안 ㊍諫 | yàn ガン かり
字解 ㊀ 까치간 '一鵲'은 까치. '一鵲, 誰也'《廣雅》. ㊁ 기러기안 雁(隹부 4획〈1630〉)과 同字.

鳥 3 〔䳄〕14 鳱(前條)과 同字

鳥 3 〔鳿〕14 홍 ①[上]董 ②[平]東 | コウ とりがふとって おおきい hóng コウ おおとり

[字解] ①새살찌고클홍 '琟, 鳥肥大琟琟然也. 一, 或从鳥'《說文》. ②큰기러기홍 鴻(鳥부 6획〈1817〉)의 古字. '一鸕鵠鵅'《漢書》.

鳥 3 〔鳳〕14 [高·人] 봉 [去]送 | fèng ホウ おおとり

[筆順] 丿 几 凡 凧 凨 凬 鳳 鳳

[字解] ①봉새봉 봉황의 수컷. 봉황은 상상(想像)의 서조(瑞鳥). 성인(聖人)이 세상에 나오면 이에 응하여 나타난다고 함. 수컷은 '一', 암컷은 '凰'이라 함. '麟一龜龍, 謂之四靈'《禮記》. ②성봉 성(姓)의 하나.
[字源] 形聲. 鳥＋凡〔音〕

鳥 3 〔鳶〕14 연 [平]先 | yuān エン とび

[字解] ①솔개연 수릿과에 속하는 새. 공중에 떠 있다가 땅 위의 작은 동물을 잡아먹음. '一飛戾天'《詩經》. ②연연 종잇조각에 가는 대쪽을 엇걸리게 대고 실로 벌이줄을 매어 날리는 것. 지연(紙鳶).
[字源] 會意. 鳥＋弋

鳥 3 〔鳦〕14 〔골〕 鶻(鳥부 10획〈1830〉)과 同字

鳥 3 〔鳫〕14 〔구〕 鳩(鳥부 2획〈1810〉)의 訛字

鳥 3 〔䳇〕14 두 [上]麌 | dù ト ほととぎす

[字解] 두견새두 두견이. 접동새. '一, 一鵑, 鳥名, 通作杜'《集韻》.

鳥 3 〔鳵〕14 〔보〕 鴇(鳥부 4획〈1812〉)와 同字

鳥 3 〔䳑〕14 익 [入]職 | yì ヨク とりのな

[字解] ①새이름익 새 이름. '一, 鳥名'《集韻》. ②鳶(鳥부 3획〈1811〉)과 同字.

鳥 3 〔䳂〕14 작 [入]藥 | què シャク すずめ

[字解] 참새작 참새. 雀(隹부 3획〈1629〉)과 同字. '雀, 說文, 依人小鳥也, 或从鳥'《集韻》.

鳥 3 〔䲦〕14 ㊀ 제 [去]霽 | テイ とりのな ㊁ 대 [去]泰 | dài タイ とりのな

[字解] ㊀ 새이름제 새의 이름. '首山, 其陰有谷曰机谷, 多一鳥, 其狀如梟, 而三目有耳, 其音如錄, 食之已墊'《山海經》. ㊁ 새이름대 ㊀과 뜻이 같음.

鳥 3 〔䲳〕14 표 [去]效 | bào ホウ とりのな

[字解] 새이름표 새의 이름. '一, 鳥名'《篇海》.

鳥 3 〔䲿〕14 환 [平]寒 | wán カン とりのな

[字解] 새이름환 새의 이름. '一, 一鵮, 鳥名'《集韻》.

鳥 3 〔搗〕14 〔도〕 擣(手부 14획〈473〉)와 同字

鳥 4 〔鴋〕15 방 [上]養 | fāng ホウ みぞごいさぎ

[字解] 새이름방 해오라기의 일종. '一, 澤虞也'《說文》.
[字源] 形聲. 鳥＋方〔音〕

鳥 4 〔䲱〕15 鴋(前條)과 同字

鳥 4 〔鴃〕15 격 [入]錫 | jué ケキ もず

[字解] 때까치격 때까칫과에 속하는 새. 잡은 물고기 같은 것을 나무에 꿰어 말리는 습성(習性)이 있음. 개고마리. 박로(博勞). 백로(伯勞). '鵙, 亦作一'《集韻》.
[字源] 形聲. 鳥＋夬〔音〕

鳥 4 〔鳷〕15 지 [平]支 | zhī シ はいたか

[字解] ①새매지 수릿과에 속하는 맹금(猛禽). ②새이름지 '一鵲'은 한(漢)나라 장제(章帝) 때 조지국(條支國)에서 조공(朝貢)한 새. 키가 7척(尺)이며, 사람의 말을 알아들었다 함. '一, 說文, 鳥也'《集韻》.
[字源] 形聲. 鳥＋支〔音〕

鳥 4 〔鴂〕15 ㊀ 결 [入]屑 ㊁ 계 [去]霽 | jué ケツ ふくろう guì ケイ ほととぎす

[字解] ㊀ ①올빼미결 올빼미〔鴞〕의 일종. '一, 鶗一, 鳥名'《廣韻》. ②뱁새결 '鶪一'은 뱁새. ㊁ 두견이계 鶗(鳥부 9획〈1826〉)를 보라. '鶗一'.
[字源] 形聲. 鳥＋夬〔音〕

鳥 4 〔鴆〕15 짐 [去]沁 | zhèn チン どくちょうのな

[字解] 짐새짐 광동성(廣東省)에서 사는 독

조(毒鳥). 그 깃을 담근 술을 마시면 죽는다 함. '吾令一爲媒'《楚辭》. 또, 이 새의 깃을 담근 술. 또, 그 술을 마시게 하여 죽임. '一殺'. '使醫一之'《國語》.
字源 形聲. 鳥+冘〔音〕

鳥 4 〔鴇〕15 보 (上)晧 | bǎo ホウ のがん

字解 ①능에보 새의 한 가지. 모양이 기러기와 같으나 훨씬 큼. 너새. 야안(野雁). '肅肅一羽'《詩經》. 또, 능에는 음란하다 하여, 전(轉)하여, 창부(娼婦) 등의 뜻으로 쓰임. '一母'. '一性最淫, 逢鳥則與之交'《庶物異名 疏》. ②오총이보 흰 털이 섞인 검은 말. '叔于田, 乘乘一'《詩經》.
字源 形聲. 鳥+𠀡〔音〕

鳥 4 〔鴉〕15 아 (平)麻 | yā ア はしぶとがらす

筆順 一 二 于 牙 邪 牙𠂤 鴉 鴉

字解 ①큰부리까마귀아 까마귓과(科)에 속하는 새. 성질이 고약하여 반포(反哺)를 하지 않는다 함. '純黑反哺者, 謂之烏, 小而腹下白, 不反哺者, 謂之一烏'《廣雅》. ②검을아 까마귀 털빛처럼 새까맘. '一鬢青雛色'《古詩》.
字源 形聲. 鳥+牙〔音〕
參考 鵶(鳥부 8획〈1825〉)와 同字.

鳥 4 〔鳻〕15 ㊀분 (平)文 | fén フン ふなしうずら
㊁반 (平)刪 | bān ハン おおきなはと

字解 ㊀세가락메추라기분 '一鶞'은 메추라기의 일종. '春鳸, 一鶞'《爾雅》. ㊁산비둘기반 '一鳩'는 산비둘기. '鳩, 自關而西, 秦漢之間, 其大者謂之一鳩'《揚子方言》.

鳥 4 〔⿰毛鳥〕15 모 (去)號 | mào ボウ·モウ とりのうぶげ

字解 솜털모 새의 솜털. '一, 輕毛'《集韻》.
字源 形聲. 鳥+毛〔音〕

鳥 4 〔⿰夫鳥〕15 ㊀부 (平)虞 | fū フ じゅずかけばと
㊁규 (平)支 | guī キ ほととぎす

字解 ㊀산비둘기부 '一鴀'는 산비둘기. ㊁두견새규 자규(子規).

鳥 4 〔鴀〕15 부 (平)尤 (上)有 | fóu, fǒu フウ·フ じゅずかけばと

筆順 一 ア 不 不 不' 不𠂤 鴀 鴀

字解 산비둘기부 산비둘기의 일종. '一, 鳥名, ⿰夫鳥鳩也'《集韻》.

鳥 4 〔鳼〕15 ㊀문 (平)文 | wén ブン·モン うずらのひな
㊁민 (平)眞 | ビン·ミン うずらのひな

字解 ㊀①메추라기새끼문 '鶉子, 一'《爾雅》. ②공작문 '鳼一'은 공작(孔雀). '鳼, 鳼一, 越鳥'《玉篇》. ㊁메추라기새끼민, 공작민 ㊀과 뜻이 같음.

鳥 4 〔⿱文鳥〕15 鳼(前條)과 同字

鳥 4 〔鳿〕15 옥 (入)沃 | yù ギョク かもににたとり

字解 새이름옥 '鷫一'은 오리 비슷한 새. '咖鵝鷫一'《史記》.

鳥 4 〔鴄〕15 필 (入)質 | pī ヒツ あひる

字解 오리필 '一, 鴨也'《廣雅》.

鳥 4 〔鳹〕15 ㊀겸 (平)鹽 | ケン とりのな
㊁금 (平)侵 | qín キン とりのな
㊂감 (平)覃 | カン とりのな

字解 ㊀①새이름겸 부리가 굽은 새. 또, 흰 부리의 새. '一, 句喙鳥'《爾雅》. '一, 白喙鳥'《廣韻》. ②쫄겸 새가 모이를 쪼아먹음. '一, 鳥喙食'《玉篇》. ㊁새이름금, 쫄금 ㊀과 뜻이 같음. ㊂새이름감 '䧔, 鳥名. 或作一'《集韻》.

鳥 4 〔⿰介鳥〕15 개 (去)卦 | jiè カイ とりのな

字解 새이름개 '一, 一雀也. 佀鶡而青, 出羌中'《說文》.
字源 形聲. 鳥+介〔音〕

鳥 4 〔⿰丹鳥〕15 환 (平)寒 | huān カン とりのな

筆順 丿 刀 月 丹 丹' 丹𠂤 ⿰丹鳥 ⿰丹鳥

字解 새이름환 '一, 鳥名. 人面鳥喙'《廣韻》.

鳥 4 〔⿰月鳥〕15 환 (平)寒 | huān カン やわらぎしたがうさま

字解 ①부드럽게따를환 '一然'은 부드럽게 따르는 모양. '一然若謞之靜'《管子》. ②새이름환 ⿰丹鳥(前條)의 訛字. ③驩(馬부 18획〈1754〉)과 同字.

鳥 4 〔鸥〕15 〔구〕 鷗(鳥부 11획〈1832〉)의 略字

鳥 4 〔鳸〕15 호 (上)麌 | hù コ ふなしうずら

字解 세가락메추라기호 메추라기의 일종. '春一, 鳻鶞'《爾雅》.

鳥4〔鳫〕15 ㊀ 雁(隹부 4획〈1630〉)의 籒文 ㊁ 鴈(前條)와 同字

鳥4〔鳻〕15 분 (平)文 | fēn フン とりがあつまるさま
字解 ①새모일분 새가 모이는 모양. '一, 鳥聚皃也'《說文》. ②새날분 새가 나는 모양. '翁, 翁翁, 飛也. 或从鳥'《集韻》. ③鳼(鳥부 4획〈1812〉)과 同字.
字源 形聲. 鳥+分〔音〕

鳥4〔鴈〕15 高·人 안 (去)諫 | yàn ガン あひる
筆順 一 厂 𠂆 𠂇 𠂉 鴈 鴈 鴈
字解 ①기러기안 雁(隹부 4획〈1630〉)과 同字. '鴻一來'《禮記》. ②오리안. ③가짜안 贋(貝부 15획〈1402〉)과 통용. '齊伐魯, 索讒鼎, 魯以其一往'《韓非子》. ④성안 성(姓)의 하나.
字源 形聲. 鳥+人+厂〔音〕

鳥4〔鳽〕15 〔견〕 鳽(鳥부 6획〈1818〉)의 俗字

鳥4〔鴎〕15 공 (平)東 | gōng コウ たかににたちいさいとり
字解 새매공 새매. 수릿과에 딸린 새. '一, 似鷹而小, 能捕雀'《字彙》.

鳥4〔鴢〕15 교 (平)肴 | xiāo コウ のがもににたとり
字解 해오라기교 해오라기. 교청(鴢鶄). '一, 鴭一, 似鳧'《廣韻》.

鳥4〔鳳〕15 ㊀ 봉 (去)送 | fèng ホウ おおとり ㊁ 궈 (韓)
字解 ㊀ 봉새봉 봉새. 鳳(鳥부 3획〈1811〉)의 古字. ㊁《韓》 성궈 성(姓)의 하나.

鳥4〔鳹〕15 균 (平)眞 | xīn キン ことりのな
字解 작은새균 작은 새. 작은 새의 이름. '一, 一鶊, 小鳥'《集韻》.

鳥4〔鴔〕15 급 (入)緝 | jí キュウ くろもず
字解 검정때까치급 검정때까치. 鵖(鳥부 11획〈1833〉)과 同字. '鵖, 鵖鴔, 小黑鳥, 或从及'《集韻》.

鳥4〔鴟〕15 ㊀ 기 (平)支 | qí キ きじ ㊁ 지 (平)支 | シ きじ
字解 ㊀ ①꿩기 꿩의 딴 이름. '一, 雉別名'《玉篇》. ②기러기기 기러기. ㊁ 닭지 닭. 䳇(隹부 4획〈1631〉)와 同字. '鵫一'. '一, 方言, 雞'《集韻》.

鳥4〔鳺〕15 부 (上)麌 | fū フ くじゃく
字解 공작부 공작(孔雀). '一, 一鳺, 越鳥'《玉篇》.

鳥4〔鳰〕15 석 (入)陌 | xī セキ みずとり
字解 물새석 물새. 수조(水鳥). '一, 水鳥'《廣韻》.

鳥4〔鴲〕15 시 (平)支 | qí シ はいたか
字解 익더귀시 익더귀. 새매의 암컷.

鳥4〔鳲〕15 심 (平)侵 | xīn シン くろいとりのな
字解 검은빛깔의새이름심 검은 빛깔의 새 이름. '一, 鳥黑色'《玉篇》.

鳥4〔鴁〕15 요 (平)蕭 | yāo ヨウ とりのな
字解 새이름요 새의 이름. '一, 一鴝, 鳥名'《集韻》.

鳥4〔鴆〕15 운 (去)問 | yùn ウン とりのな
字解 ①짐새운 짐새. 또는 짐새의 수컷. '一, 交廣人謂鴆曰一'《集韻》. ②새이름운 새의 이름. 까마귀와 비슷한 새.

鳥4〔鴆〕15 〔웅〕 雄(隹부 4획〈1630〉)과 同字

鳥4〔鴬〕15 〔작〕 雀(隹부 3획〈1629〉)과 同字

鳥4〔鴤〕15 중 (去)送 | zhōng チュウ むささび
字解 날다람쥐중 날다람쥐. 오서(鼯鼠). '鸐一, 飛鸓也'《廣雅》.

鳥4〔鴋〕15 창 (平)陽 | qiāng ショウ ちょうじゅうのたべものをもとめるこえ
字解 금수소리창 새·짐승의 소리. 금수(禽獸)가 먹이를 구하여 우는 소리.

鳥4〔鴞〕15 효 (平)蕭 | xiāo キョウ ふくろう
字解 올빼미효 올빼미. 부엉이와 비슷함. 梟(木부 7획〈552〉)와 同字. '一, 同梟'《龍龕手鑑》.

鳥 4 〔⿱化鳥〕 15 휴 [平]尤 | xiū キュウ かいちょう

[字解] 괴조휴 괴조(怪鳥). 이상한 새. '一, 怪鳥'《字彙》.

鳥 4 〔⿰乞鳥〕 15 홀 [入]月 | hú コツ とりのな

[字解] 매홀 매. 새매.

鳥 5 〔鴕〕 16 타 [平]歌 | tuó タ·ダ だちょう

[字解] 타조타 '一鳥如駝生西戎'《本草》.
[字源] 形聲. 鳥＋它〔音〕

鳥 5 〔鴥〕 16 율 [入]質 | yù イツ とりのとおくとぶさま

[字解] 휙날율 송골매 같은 것이 빨리 나는 모양. '一彼飛隼'《詩經》.
[字源] 形聲. 鳥＋穴〔音〕

鳥 5 〔⿰穴鳥〕 16 鴥(前條)과 同字

鳥 5 〔鴚〕 16 가 [平]歌 gē / [平]麻 jiā | カ がん,がちょう

[字解] ①거위가 기러깃과의 새. 鴐(鳥부 5획〈1815〉)와 同字. ②기러기가 기러기의 일종. '一, 一鵝也'《說文》.
[字源] 形聲. 鳥＋可〔音〕

鳥 5 〔⿰鳥犮〕 16 발 [入]曷 | bó ハツ とりのな

[字解] ①새이름발 '一, 一鳥也'《說文》. ②큰새발 '一, 大鳥'《玉篇》. ③물오리닮은새발 '一, 鳥名, 似鳧'《廣韻》. ④꿩닮은새발 '一, 鳥名. 似雉'《集韻》.
[字源] 形聲. 鳥＋犮〔音〕

鳥 5 〔⿰犮鳥〕 16 ⿰鳥犮(前條)과 同字

鳥 5 〔⿰鳥失〕 16 [一] 일 [入]質 | yì イツ とりのな / [二] 절 [入]屑 | dié テツ とりのな

[字解] [一] ①새이름일 '一, 鋪豉也'《說文》. ②물새이름일 '一, 水鳥名'《集韻》. [二] 새이름절, 물새이름절 [一]과 뜻이 같음.
[字源] 形聲. 鳥＋失〔音〕

鳥 5 〔鴩〕 16 ⿰鳥失(前條)과 同字

鳥 5 〔⿰鳥包〕 16 〔보〕 鴇(鳥부 4획〈1812〉)와 同字

鳥 5 〔鴒〕 16 령 [平]青 | líng レイ·リョウ せきれい

[字解] 할미새령 鶺(鳥부 10획〈1829〉)을 보라. '一, 鶺一'《正字通》.
[字源] 形聲. 鳥＋令〔音〕

鳥 5 〔鴊〕 16 정 [去]敬 | zhèng セイ たか

[字解] ①매정 맷과의 맹조. '一, 鳥名, [illegible]也'《集韻》. ②닭정 '一, 雞也'《廣韻》.
[字源] 形聲. 鳥＋正〔音〕

鳥 5 〔鴟〕 16 치 [平]支 | chī シ ふくろう

[筆順] 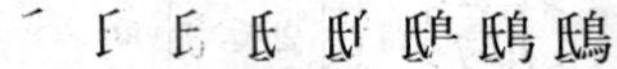

[字解] ①올빼미치 올빼밋과에 속하는 새. 부엉이와 비슷한데, 모각(毛角)이 없음. 밤에 나와서 닭이나 새 새끼를 잡아먹는 악조(惡鳥)임. 전(轉)하여, 흉악한 사람의 뜻으로 쓰임. '一梟'. '鸞鳥伏竄兮一鳥翱翔'《史記》. ②단지치 술단지. '金錢百萬酒千一'《蘇軾》. ③솔개치 ⿰氐隹(隹부 5획〈1631〉)와 同字. '一, 鳶屬'《玉篇》.
[字源] 形聲. 篆文은 隹＋氐〔音〕

鳥 5 〔鴝〕 16 구 ①[平]虞 qú ク ははっちょう / ②[平]尤 gōu コウ みみずく

[字解] ①구욕(鴝鵒)새구 鸜(鳥부 18획〈1841〉)와 同字. '一, 鳥名, 說文, 一鵒也'《集韻》. ②수리부엉이구 올빼밋과에 속하는 맹금(猛禽). 부엉이 비슷함. 수알치새. 치휴(鴟鵂). '一, 一鵒, 鳥名, 鵂鶹也'《集韻》.
[字源] 形聲. 鳥＋句〔音〕

鳥 5 〔⿰鳥句〕 16 鴝(前條)와 同字

鳥 5 〔鴠〕 16 단 [上]旱 / [去]翰 | dàn タン やまどり

[字解] 산박쥐단 鶡(鳥부 9획〈1826〉)을 보라. '鶡一'. '一, 渴一也'《說文》.
[字源] 形聲. 鳥＋旦〔音〕
[參考] ⿰鳥旦(鳥부 5획〈1815〉)는 別字.

鳥 5 〔鴣〕 16 고 [平]虞 | gū コ しゃこ

[字解] 자고고 鷓(鳥부 11획〈1832〉) 참조. '一, 鷓一也'《說文新附》.
[字源] 形聲. 鳥＋古〔音〕

鳥 5 〔鴨〕 16 [人名] 압 [入]洽 | yā オウ あひる

[筆順] 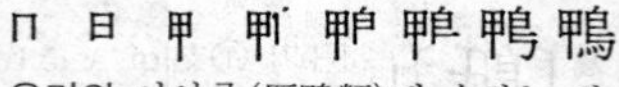

[字解] 오리압 안압류(雁鴨類)에 속하는 새의 일종. 물오리는 '鳧', 집오리는 '鶩'로 구분함. '家一'. '野一'. '鴄, 鳥名, 博雅, 鳧

鴦, 鵖也, 或作一'《集韻》.
[字源] 形聲. 鳥+甲〔音〕

鳥5 〔⿰鳥甲〕16 鴨(前條)과 同字

鳥5 〔鴞〕16 효 (平)蕭 | xiāo ヨウ·キョウ ふくろう
[字解] 올빼미효 梟(木부 7획〈552〉)와 同字. '有一萃止'《詩經》.
[字源] 形聲. 鳥+号〔音〕

鳥5 〔鴘〕16 변 (上)銑 | biǎn ヘン わかたか
[字解] ①초지니변 두 살이 된 매. '鷙色黃, 一變爲青一, 又一變爲白一'《酉陽雜俎》. ②성변 성(姓)의 하나.
[字源] 形聲. 鳥+弁〔音〕

鳥5 〔鴙〕16 치 (上)紙 | zhì チ きじ
[字解] 꿩치 雉(隹부 5획〈1631〉)와 同字. '野鷄, 一也'《廣雅》.

鳥5 〔鴡〕16 저 (平)魚 | jū ショ みさご
[字解] 물수리저 징경이. 雎(隹부 5획〈1631〉)와 同字. '一鳩'. '一, 王一也'《說文》.
[字源] 形聲. 鳥+且〔音〕
[參考] 鵙(鳥부 5획〈1814〉)은 別字.

鳥5 〔鴔〕16 ㊀핍 (入)緝 | fú ヒュウ·ボウ とりのな
㊁급 (入)緝 | キュウ とりのな
㊂복 (入)屋 | フク とりのな
[字解] ㊀ 오디새핍 '鵖一·一鵖'은 오디새, 후투티. '鵖一, 戴鵀'《爾雅》. ㊁ 오디새급 ㊀과 뜻이 같음. ㊂ 오디새복 ㊀과 뜻이 같음.
[字源] 形聲. 鳥+乏〔音〕

鳥5 〔⿺鳥乏〕16 鴔(前條)의 本字

鳥5 〔鴗〕16 립 (入)緝 | lì リュウ かわせみ
[字解] 물총새립 천구(天狗). '一, 天狗也'《說文》.
[字源] 形聲. 鳥+立〔音〕

鳥5 〔⿰主鳥〕16 두 (上)有 | tǒu トウ くろかも
[字解] 검은오리두 오리 비슷하고 검은 물새. '一, 水鳥, 黑色'《廣韻》.
[字源] 形聲. 鳥+主〔音〕

鳥5 〔鴢〕16 ㊀요 (上)篠 | yǎo ヨウ あおさぎ
(上)巧 | オウ·ヨウ あおさぎ
(平)肴 | āo オウ·ヨウ あおさぎ
㊁유 (去)有 | ユウ あおさぎ
[字解] ㊀ 푸른백로요 어교(魚鵁). '一, 頭鵁'《爾雅》. ㊁ 푸른백로유 ㊀과 뜻이 같음.

鳥5 〔⿰母鳥〕16 〔무〕 鵡(鳥부 7획〈1821〉)와 同字
[字源] 形聲. 鳥+母〔音〕

鳥5 〔鴛〕16 원 (平)元 | yuān エン おしどり
[字解] ①원앙원 원앙의 수컷. '一鴦'. '一, 一鴦也'《說文》. ②성원 성(姓)의 하나.
[字源] 形聲. 鳥+夗〔音〕

鳥5 〔鴦〕16 [人名] 앙 (平)陽 | yāng ヨウ·オウ おしどり
[筆順] 冖 冂 央 央 鸯 鸯 鴦 鴦
[字解] 원앙앙 원앙의 암컷. 수컷은 '鴛'이라 함. '一, 鴛一也'《說文》.
[字源] 形聲. 鳥+央〔音〕

鳥5 〔鴑〕16 노 (平)虞 | rú ド とりのな
[字解] 새이름노 '一, 鳥名'《玉篇》.

鳥5 〔鴜〕16 ㊀자 (平)支 | cí シ ははどり
㊁차 (上)紙 | シ ははどり
[筆順] ⺊ 止 此 此 鸴 鴜 鴜 鴜
[字解] ㊀ 새이름자 물총새를 닮고 창흑색(蒼黑色)인 물새의 이름. '一, 鸃一也'《說文》. ㊁ 새이름차 ㊀과 뜻이 같음.
[字源] 形成. 鳥+此〔音〕

鳥5 〔鴐〕16 가 (平)麻 | jiā カ がちょう
[字解] 거위가 鵝(鳥부 7획〈1821〉)와 뜻이 같음. '一鵝鶬鴰'《司馬相如》.
[字源] 形聲. 鳥+加〔音〕

鳥5 〔鴚〕16 鴐(前條)와 同字

鳥5 〔⿰鳥加〕16 鴐(前前條)와 同字

鳥5 〔鴬〕16 〔앵〕 鶯(鳥부 10획〈1831〉)의 略字

鳥5 〔⿰甘鳥〕16 감 (去)勘 | gàn カン とりのな
[字解] 새소리감 새 소리. '一, 鳥聲'《集韻》.

鳥5 〔⿰巨鳥〕16 거 ㊤語|jù キョ とりのな

筆順 丆 𠃑 巨 巨 ⿰巨丿 ⿰巨白 ⿰巨鳥 ⿰巨鳥

字解 새이름거 새의 이름. '一, 鳥名'《集韻》.

鳥5 〔⿱巧鳥〕16 교 ㊤巧|qiǎo コウ みそさざい

字解 뱁새교 뱁새. 교부조(⿱巧鳥婦鳥). '一, 鷦鷯, 鳥名, 巧婦也'《集韻》.

鳥5 〔⿰巧鳥〕16 ⿱巧鳥(前條)와 同字

鳥5 〔鴤〕16 동 ㊥冬|dōng トウ かいつぶり

字解 논병아리동 논병아리. 논병아릿과의 물새. '一, 鳥好入水食'《集韻》.

鳥5 〔⿰末鳥〕16 말 ㊇曷|mò バツ あひる

字解 집오리말 집오리. '一鷗, 鳧也'《廣雅》.

鳥5 〔鴓〕16 ㊀멸 ㊇屑|miè ベツ めじろ ㊁필 ㊇質|bì ヒツ とりのな

字解 ㊀ 동박새멸 동박새. 백안작(白眼雀). '一, 鳥名, 鸋英也'《集韻》. ㊁ 새이름필 새 이름. 까치 비슷한 새의 이름. '一, 鵲一, 鳥名'《集韻》.

鳥5 〔鴖〕16 ㊀민 ㊥眞|mín ビン とりのな ㊁문 ㊥文|wén ブン かすいどり

字解 ㊀ 새이름민 새 이름. '符禺之山, 其鳥多一, 其狀如翠而赤喙, 可以禦火'《山海經》. ㊁ 쏙독새문 쏙독새.

鳥5 〔⿰白鳥〕16 백 ㊇陌|bái ハク とりのな

字解 새이름백 새 이름. 꿩과 비슷한데, 현옹산(懸雍山)에서 남. '一, 字林, 郁, 鳥名'《集韻》.

鳥5 〔⿰付鳥〕16 부 ㊥虞|fū フ とりのな

字解 새이름부 새 이름. 별부(鷩⿰付鳥). '基山有鳥焉, 其狀如雞, 而三首大目, 大足三翼, 其名曰鷩一, 食之無臥'《山海經》.

鳥5 〔⿱芬鳥〕16 〔분〕 鳻(鳥부 12획〈1836〉)과 同字

鳥5 〔⿰丕鳥〕16 비 ㊥支|pí ヒ みさご

字解 ①물수리비 물수리. 징경이. 저구(雎鳩). '一, 鶚也'《廣韻》. ②귀신이름비 귀신 이름. 흠비(欽⿰丕鳥). '欽一化爲大鶚, 其狀如鵰而黑文'《山海經》.

鳥5 〔⿰鳥丕〕16 ⿰丕鳥(前條)와 同字

鳥5 〔⿰生鳥〕16 생 ㊥庚|shēng ソウ とりのな

字解 ①새이름생 새 이름. '一, 鳥也'《玉篇》. ②족제비생 족제비.

鳥5 〔⿰石鳥〕16 석 ㊇陌|shí セキ せきれい

字解 할미새석 할미새. 척령(鶺鴒). '一鳥'. '一鳥, 精列, 鵩鵬, 雝也'《廣雅》.

鳥5 〔⿰示鳥〕16 〔시〕 鸍(鳥부 14획〈1839〉)와 同字

鳥5 〔⿱鳥夗〕16 원 ㊤阮|yuān エン じんめい

筆順 ㇒ 自 鳥 鳥 ⿱鳥夕 ⿱鳥夕 ⿱鳥夗 ⿱鳥夗

字解 ①사람이름원 사람 이름. '艾和月母之國有人, 名曰一'《山海經》. ②원추원 원추(⿱鳥夗雛). 봉황의 일종.

鳥5 〔⿰由鳥〕16 유 ㊥尤|yóu ユウ むささび

筆順 冂 日 由 由 ⿰由丿 ⿰由白 ⿰由鳥 ⿰由鳥

字解 날다람쥐유 날다람쥐. 오서(鼯鼠). '一, 鼯鼠'《玉篇》.

鳥5 〔⿰鳥冬〕16 종 ㊥冬|zhōng シュウ とりのな

筆順 ㇒ 自 鳥 鳥 ⿰鳥夂 ⿰鳥夂 ⿰鳥冬 ⿰鳥冬

字解 새이름종 새 이름. 청둥오리 비슷하나 작은 물새. '一, 鳥名'《集韻》.

鳥5 〔⿰鳥只〕16 ㊀지 ㊤紙|zhǐ シ とりのな ㊁치 ㊦寘|zhì シ とりのこえ

字解 ㊀ 새이름지 새 이름. 지도(⿰鳥只鵌). '一, 一鵌, 鳥名'《集韻》. ㊁ 새소리치 새의 소리. '一, 鳥聲'《集韻》.

鳥5 〔⿰只鳥〕16 ⿰鳥只(前條)와 同字

鳥5 〔⿱札鳥〕16 찰 ㊇黠|zhā サツ とりのまじりげのいろ

字解 ①논병아리찰 논병아리. 되강오리. '水一'. '一, 鳥名, 似百舌, 喙長'《集韻》. ②

새털빛깔찰 새의 잡털의 빛깔. '一, 鳥雜蒼色'《廣韻》.

鳥5 〔鴏〕16 책 入陌 | zé サク あひる

字解 집오리책 집오리. '鵅一'. '一, 鳥名, 博雅, 鵅一, 鴨也'《集韻》.

鳥5 〔鴑〕16 척 入陌 | chì セキ ふなしうずら

字解 새이름척 새 이름. 메추라기의 한 가지. '一, 小雀, 或省作斥'《正字通》.

鳥5 〔鴭〕16 초 平蕭 | diāo チョウ とりのこえ

字解 ①뱁새초 뱁새. ②새소리초 새 소리. '一, 鳥聲'《集韻》.

鳥5 〔鴏〕16 특 入職 | dài トク あひるのぞく

字解 오리특 오리. 집오리의 붙이. '一, 鴨屬'《集韻》.

鳥5 〔鴔〕16 현 平先 | xuán ケン つばめ

字解 제비현 제비. 현조. '一鳥'. '一, 一鳥, 鷰名'《篇海》.

鳥6 〔鴏〕17 숭 平東 | sōng シュウ はいたか

筆順 𠂤 鳥 鳥一 鳥ㄧ 鳥𠃌 鳥弋 鳥戈 鴏

字解 새매숭 수릿과의 새. 鶖(鳥부 8획〈1825〉)과 同字. '爵一, 隼屬'《集韻》.

鳥6 〔鴩〕17 ㊀절 入屑 ㊁치 | dié テツ とりのな シ とび

字解 ㊀새이름절 鴃(鳥부 5획〈1814〉)과 同字. '一, 鳥名'《廣韻》. ㊁솔개치 鴟(鳥부 5획〈1814〉)와 同字.

鳥6 〔鵁〕17 〔교〕 鳷(鳥부 6획〈1818〉)의 本字

鳥6 〔鴲〕17 치 平支 | chī シ ふくろう

字解 ①올빼미치 鴟(鳥부 5획〈1814〉)와 同字. ②솔개치 수릿과에 속하는 새. 솔개.
字源 形聲. 鳥＋至〔音〕

鳥6 〔鴙〕17 칙 入職 | chì チョク むらさきおしどり

字解 원앙새칙 자줏빛의 큰 원앙새. '谿一, 水鳥'《說文新附》.
字源 形聲. 鳥＋式〔音〕

鳥6 〔鴹〕17 ㊀양 平陽 ㊁상 平陽 | yáng ヨウ いっぽんあしのとり xiáng ショウ かける

字解 ㊀외발새양 발이 하나라는 새. '一, 家語作商羊, 字統云, 一足鳥, 本草綱目, 一名山蕭鳥'《正字通》. ㊁날상 하늘을 낢. 翔(羽부 6획〈1042〉)과 同字. '聲氣遠條, 鳳鳥一'《漢書》.

鳥6 〔鴯〕17 이 平支 | ér ジ·ニ つばめ

字解 제비이 鷾(鳥부 13획〈1837〉)를 보라. '鷾一'. '一, 鳥名, 燕也'《集韻》.
字源 形聲. 鳥＋而〔音〕

鳥6 〔鴴〕17 행 平庚 去敬 | héng コウ すずめ

字解 참새행 작은 새의 일종. '一, 荒鳥'《玉篇》.
字源 形聲. 鳥＋行〔音〕

鳥6 〔鴺〕17 ㊀제 平齊 ㊁이 平支 | tí テイ やまどり yí イ むささび

字解 ㊀①산계(山鷄)제 꿩과에 속하는 새. 꿩의 일종. '鷩一山棲'《左思》. ②사다새제 鵜(鳥부 7획〈1820〉)와 同字. '一胡'는 사다새. ㊁날다람쥐이 '一鶘'는 날다람쥐. '一鶘, 一名飛生'《廣韻》.
字源 形聲. 鳥＋夷〔音〕

鳥6 〔鴮〕17 오 平虞 | wū オ がらんちょう

字解 사다새오 '一鸅'. '一, 一鸅, 鳥名'《集韻》.

鳥6 〔鴻〕17 高·人 홍 平東 | hóng コウ おおとり

筆順 氵 氵工 氵𠃌 氵ㄏ 氵卩 氵𠃊 鴻 鴻

字解 ①큰기러기홍 물새의 한 가지. 기러기 비슷한데 큼. '王立於沼上, 顧一雁麋鹿'《孟子》. ②클홍 洪(水부 6획〈643〉)과 통용. '一圖'. '禹抑一水'《史記》. ③굳셀홍 강함. '一殺之稱'《周禮》. ④성홍 성(姓)의 하나.
字源 形聲. 鳥＋氵(水)＋工〔音〕

鳥6 〔鴾〕17 모 平尤 | móu ボウ·ム ふなしうずら

字解 세가락메추라기모 메추라깃과(科)에 속하는 새의 일종. '一, 一鷡, 鳥名'《集韻》.
字源 形聲. 鳥＋牟〔音〕

鳥6 〔鴿〕17 합 (入)合 | gē コウ いえばと

字解 비둘기합 비둘기〔鳩〕의 총칭. '野—'. '家—'. '—, 鳩屬也'《說文》.

字源 形聲. 鳥+合〔音〕

鳥6 〔鵁〕17 교 (平)肴 | jiāo コウ ごいさぎ

字解 푸른백로교 '—鶄'. '—鶄鷂目'《司馬相如》.

字源 形聲. 鳥+交〔音〕

鳥6 〔鵂〕17 휴 (平)尤 | xiū キュウ みみずく

字解 수리부엉이휴 수알치새. '—鶹'. '鵅—'. '鵅—夜撮蚤'《莊子》.

字源 形聲. 鳥+休〔音〕

鳥6 〔⿱休鳥〕17 鵂(前條)와 同字

鳥6 〔鵃〕17 주 (平)尤 | zhōu チュウ いかるが

字解 고지새주 '鶻—'는 고지새. 밀화부리. '鶻—, 似山鵲而小, 短尾, 至春多聲'《廣韻》.

字源 形聲. 鳥+舟〔音〕

參考 鵃(舟부 11획〈1115〉)와 자형(字形)은 같지만, 뜻은 다름.

鳥6 〔鴰〕17 괄 (入)曷 | guā カツ まなづる

字解 재두루미괄 '鶬—'은 두루밋과에 속하는 새. 재두루미. 창계(鶬鷄). '—, 鶬—, 鳥毛逆, 九尾'《廣韻》.

字源 形聲. 篆文은 鳥+𠯑〔音〕

鳥6 〔鴲〕17 지 ①②(平)支 | zhī シ しめ
③④(去)寘 | シ すずめのこえ

字解 ①콩새지 '—, 瞑—也'《說文》. ②털안난새끼새지 '—, 鳥轂未生毛'《類篇》. ③참새소리지 '—, 雀聲也'《類海》. ④참새새끼지 '—, 雀轂'《廣韻》.

字源 形聲. 鳥+旨〔音〕

鳥6 〔鳽〕17
㊀견 (平)先 | jiān ケン ごいさぎ
㊁연 (平)先 | ゲン ごいさぎ
㊂역 (入)陌 | ガク ごいさぎ
㊃경 (平)庚 | qiān コウ とりのな
㊄전 (平)先 | zhān セン はやぶさ

字解 ㊀①푸른백로견 '—, 鵁鶄也'《說文》. ②할미새견 '鳽, 說文, 石鳥. 一名雝鶏. 一曰, 精列. 或从鳥'《集韻》. ㊁푸른백로연, 할미새연 ㊀과 뜻이 같음. ㊂푸른백로역 ㊀①과 뜻이 같음. ㊃새이름경 '—, 鳥名'《集韻》. ㊄송골매전 '鸇, 鳥名. 說文, 鷐風也. 古作—'《集韻》.

字源 形聲. 鳥+幵〔音〕

鳥6 〔鴶〕17
㊀알 (入)黠 | jiá カツ ふふどり
㊁길 (入)質 | キツ ふふどり

字解 ㊀뻐꾸기알 '—鵴'은 뻐꾹새. '鳲鳩, —鵴'《爾雅》. ㊁뻐꾸기길 ㊀과 뜻이 같음.

鳥6 〔⿰圭鳥〕17
㊀귀 (去)霽 | guì ケイ ほととぎす
㊁견 (上)銑 | ケン ほととぎす
㊂계 (去)寘 | キ ほととぎす
㊃결 (入)屑 | jué ケツ もず

字解 ㊀두견이귀 '鷤—·鶗—'는 두견새. '—, 鶗—, 卽杜鵑也'《廣韻》. ㊁두견이견 ㊀과 뜻이 같음. ㊂두견이계 ㊀과 뜻이 같음. ㊃때까치결 '鴃, 鳥名. 伯勞也. 孟子, 南蠻鴃舌. 或作—'《集韻》.

鳥6 〔鴱〕17
㊀애 (去)泰 | ài ガイ みそさざい
㊁예 (去)隊 | ガイ みそさざい

字解 ㊀굴뚝새애 '—, 巧婦別名'《廣韻》. ㊁굴뚝새예 ㊀과 뜻이 같음.

鳥6 〔鴸〕17 주 (平)虞 | zhū シュ·チュ とりのな

字解 새이름주 '—, 鳥名. 似鴟人首'《廣韻》.

鳥6 〔鵅〕17
㊀락 (入)藥 | luò ラク みずとりのな
㊁격 (入)陌 | gé カク·キャク みずとりのな

字解 ㊀물새이름락 '—, 烏鸔也'《說文》. ㊁수리부엉이격 '鵋—'은 수리부엉이. '—, 鵋鵙. (注)今江東呼鵂鶹爲鵋鵙, 亦謂之鵋—'《爾雅》.

字源 形聲. 鳥+各〔音〕

鳥6 〔⿰朿鳥〕17 〔추〕 鶖(鳥부 9획〈1828〉)와 同字

鳥6 〔鴳〕17 〔안〕 鷃(鳥부 10획〈1830〉)과 同字

字源 形聲. 鳥+安〔音〕

鳥6 〔⿰肖鳥〕17 〔견〕 鵑(鳥부 7획〈1820〉)의 俗字

鳥6 〔鴽〕17 여 (平)魚 | rú ジョ ふなしうずら

字解 세가락메추라기여 메추라깃과에 속하는 새의 일종. '田鼠化爲—'《禮記》.

字源 形聲. 鳥+如〔音〕

鳥6 〔鵀〕17 임 (平)侵 | rén ジン やつがしら

字解 후투티임 개똥지빠귀 비슷한 새. 오

디새. 대승(戴勝). '戴一'. '鵖鴔, 戴一'《爾雅》.
[字源] 形聲. 鳥＋任〔音〕

鳥 6 〔⿰亻鳥〕 17 鵀(前條)과 同字

鳥 6 〔⿹戈鳥〕 17 연 [平]先 | yuān エン とび
[字解] 솔개연 鳶(鳥부 3획〈1811〉)과 同字. '鳶, 字亦作一'《爾雅》. '泰山山桑谷有一'《漢書》.

鳥 6 〔⿱弁鳥〕 17 [一] 연 [平]先 | yuān エン とび
[二] 악 [入]藥 | è ガク みさご
[字解] [一] 솔개연 鳶(鳥부 3획〈1811〉)과 同字. '一, 說文, 鷙鳥也'《集韻》. [二] 물수리악 鶚(鳥부 9획〈1826〉)과 同字.
[字源] 形聲. 鳥＋弁〔音〕

鳥 6 〔鴷〕 17 렬 [入]屑 | liè レツ きつつき
[字解] 딱따구리렬 '一, 啄木鳥'《廣韻》.

鳥 6 〔鵉〕 17 〔란〕
鸞(鳥부 19획〈1842〉)의 俗字

鳥 6 〔⿱巩鳥〕 17 공 [平]冬 | qióng キョウ みずとりのな
[字解] 물새공 물새의 이름. '一, 水鳥名'《集韻》.

鳥 6 〔⿰共鳥〕 17 공 [平]冬 | gōng キョウ きじににたとり
[字解] 꿩비슷한새공 꿩 비슷한 새. '一, 鳥名, 似雉'《集韻》.

鳥 6 〔鴵〕 17 교 [平]蕭 | xiāo キョウ ふくろう
[字解] 올빼미교 올빼미. '一, 同梟'《字彙》.

鳥 6 〔⿰臼鳥〕 17 구 [上]有 | jiǔ キュウ はとににたとり
[字解] 비둘기비슷한새구 비둘기 비슷한 새. 비둘기 비슷하나 벼슬이 있는 새. '鳥名, 似鳩, 有冠'《廣韻》.

鳥 6 〔⿰羽鳥〕 17 [一] 구 [平]虞 | qú ク ひだりあしのしろいとり
[二] 후 [平]尤 | hóu ゴウ はねのつけね
[字解] [一] 왼발이흰새구 왼발이 흰 새. '一, 鳥左足白'《集韻》. [二] 깃촉후 깃촉. 또는 깃이 처음 나는 모양.

鳥 6 〔鵴〕 17 국 [入]屋 | jú キク ふふどり
[字解] 뻐꾸기국 뻐꾸기. 시구(鳲鳩). 포곡조(布穀鳥). '鵴, 鴶鵴, 鳲鳩, 一, 鵴同'《廣韻》.

鳥 6 〔⿰危鳥〕 17 궤 [上]紙 | guǐ キ ほととぎす
[字解] ①두견새궤 두견이. 접동새. 자규(子規). '鷤一'. '鷤一, 子雟也'《廣雅》. ②뻐꾸기궤 뻐꾸기. 포곡조(布穀鳥). 시구(鳲鳩).

鳥 6 〔⿰虫鳥〕 17 [一] 동 [平]冬 | tóng トウ とりのな
[二] 뇨 [平]蕭 | チュウ かわうそ
[字解] [一] 새이름동 새 이름. 동거(⿰虫鳥渠). '一, 或从隹'《集韻》. [二] 수달뇨 수달(水獺)의 일종. '蟂, 獺屬, 害魚, 或作一'《集韻》.

鳥 6 〔⿰同鳥〕 17 동 | tóng トウ とりのな
[字解] 새이름동 '一, 鳥名'《字彙補》.

鳥 6 〔⿰老鳥〕 17 로 [上]晧 | lǎo ロウ う
[字解] 무수리로 무수리. 독추(鵚鶖).

鳥 6 〔⿱老鳥〕 17 로 | lǎo ロウ う
[字解] 무수리로 무수리. 독추(鵚鶖). 황샛과에 딸린 물새. '扶老, 鶩一'《本草》. '一, 鵚鶖也'《字彙補》.

鳥 6 〔鴼〕 17 로 [去]遇 | lù ロ とりのな
[字解] 해오라기로 해오라기. 백로. '有皎者一'《穆天子傳》.

鳥 6 〔⿰鳥旬〕 17 순 [平]眞 | xún シュン みそさざい
[字解] 뱁새순 뱁새. 교부조(巧婦鳥). 순선(⿰鳥旬鷤). '一, 一鷤, 小鳥名'《集韻》.

鳥 6 〔⿰曳鳥〕 17 예 [去]霽 | yì エイ むささび
[字解] 날다람쥐예 날다람쥐. 오서(鼯鼠). '一, 鳥名, 飛生也'《集韻》.

鳥 6 〔⿰臾鳥〕 17 〔욕〕
鵒(鳥부 7획〈1820〉)과 同字

鳥 6 〔⿰有鳥〕 17 [一] 유 [上]有 | yǒu ユウ しらきじ
[二] 욱 [入]屋 | イク しらきじ
[字解] [一] 백한유 백한(白鷳). '縣雍之山, 其鳥多白一'《山海經》. [二] 백한욱 [一]과 뜻이 같음.

鳥6 〔鴺〕17 이 ㊥支 yí イ とりのな

字解 ①새의총칭이 새의 총칭(總稱). '一, 衆鳥總名'《五音集韻》. ②새이름이 새 이름.

鳥6 〔鴫〕17 장 ㊤漾 jiàng ショウ みそさざい

字解 뱁새장 뱁새. 교부조(巧婦鳥). '一, 女一, 鳥名, 巧婦也'《集韻》.

鳥6 〔鴜〕17 차 ㊤寘 cì シ みみずく

字解 부엉이차 부엉이. 휴류(鵂鶹). '一, 鳥名, 人面如梟'《集韻》.

鳥6 〔鴩〕17 택 ㊂陌 zhāi タク とりのな

字解 새이름택 새 이름. 털에 오색 무늬가 있는 새. '一, 一鵯, 鳥名'《集韻》.

鳥6 〔鴭〕17 퇴 ㊥灰 duī タイ すずめのぞく

字解 참새퇴 참새의 속(屬). '一, 雀屬'《集韻》.

鳥6 〔鴬〕17 황 ㊥陽 huāng コウ すずめ

字解 참새황 참새. '一, 雀也'《玉篇》.

鳥6 〔鮰〕17 회 ㊥灰 huí カイ とりのな

字解 새이름회 새 이름. 길이가 1척이고 오색 무늬가 있는 새. '一, 身長一尺, 五色文'《玉篇》.

鳥6 〔鴂〕17 회 huī カイ とりのな

字解 새이름회 새 이름. '一, 鳥名'《篇海》.

鳥7 〔鵌〕18 ㊀도 ㊥虞 tú ト とりのな / ㊁여 ㊥魚 ヨ とりのな

字解 ㊀새이름도 쥐와 같은 구멍에서 함께 삶. '一, 鳥名. 與鼠同穴'《廣韻》. ㊁새이름여 ㉠'䳜一'는 새의 이름. '一, 䳜一, 鳥名'《集韻》. ㉡■과 뜻이 같음.

鳥7 〔鵨〕18 鵌(前條)와 同字

鳥7 〔鵖〕18 〔압〕 鴨(鳥부 5획〈1814〉)과 同字

鳥7 〔鵊〕18 겹 ㊂洽 jiā コウ·キョウ ほととぎす

字解 ①두견이겹 두견이〔鵑〕의 일종. '一, 鳥名杜鵑也'《集韻》. ②최명조(催明鳥)겹 '鶇一'은 새의 일종.

字源 形聲. 鳥+夾〔音〕

鳥7 〔鵑〕18 人名 견 ㊥先 juān ケン ほととぎす

筆順 ㅁ 吊 昌 肙 肙' 䳑 鵑 鵑

字解 두견이견 '杜一'은 두견과에 속하는 새. 뻐꾸기 비슷하며, 여름에 밤낮 처량하게 욺. 촉(蜀)나라 망제(望帝)의 넋이 화(化)하여 된 새라고 전함. 접동새. 두백(杜魄). 두우(杜宇). 망제혼(望帝魂). 불여귀(不如歸). 자규(子規). 제계(鶗鴂). 촉백(蜀魄). 촉조(蜀鳥). 촉혼(蜀魂). '杜一苦啼, 啼血不止'《埤雅》.

字源 形聲. 鳥+肙〔音〕

參考 䳑(鳥부 6획〈1818〉)은 俗字.

鳥7 〔鵖〕18 ㊀업 ㊂緝 bī ヒュウ きくいただき / ㊁겁 ㊂葉 jié キョウ きくいただき

字解 ㊀오디새업 '一, 鴔一也'《說文》. ㊁오디새겁 ■과 뜻이 같음.

字源 形聲. 鳥+皀〔音〕

鳥7 〔鵢〕18 신 ㊥眞 shēn シン とりのな

字解 새이름신 '一, 鳥名'《海篇》.

鳥7 〔鵒〕18 욕 ㊂沃 yù ヨク ははっちょう

字解 구욕새욕 鸜(鳥부 18획〈1841〉)를 보라. '鸜一'. '一, 鴝一也'《說文》.

字源 形聲. 鳥+谷〔音〕

鳥7 〔鵓〕18 발 ㊂月 bó ホツ·ボツ いえばと

字解 집비둘기발 '一鴣'는 집비둘기. '一, 一鳺, 鳥名'《集韻》.

字源 形聲. 鳥+孛〔音〕

鳥7 〔鵔〕18 준 ㊤震 jùn シュン きんけい

字解 ①금계(錦鷄)준 '一鸃'는 꿩 비슷한 새. ②관(冠)이름준 '孝惠時, 郎侍中, 皆冠一鸃'《漢書》.

字源 形聲. 鳥+夋〔音〕

鳥7 〔鵕〕18 鵔(前條)과 同字

鳥7 〔鵜〕18 제 ㊥齊 tí テイ がらんちょう

字解 ①사다새제 '一鶘'. ②두견이제 접동

새. 䳇(鳥부 9획〈1826〉)와 통용. '一鵗'.
字源 形聲. 鳥+弟〔音〕
參考 鵜(鳥부 6획〈1817〉)와 同字.

鳥7〔鵠〕18 곡(① 入沃 ①hú コク くぐい
혹本) 入沃 ②③gǔ コク まと

字解 ①고니곡 물새의 한 가지. 기러기 비슷한데 모양이 큼. 백조(白鳥). '黃——擧'《漢書》. ※本音 혹. ②정곡곡 과녁의 한가운데 되는 부분. 포제(布製)의 과녁의 한가운데를 '正', 혁제(革製)의 한가운데를 '一'이라 함. '失諸正一'《中庸》. ③성곡 성(姓)의 하나.
字源 形聲. 鳥+告〔音〕

鳥7〔鵡〕18 무 上麌 wǔ ブ·ム おうむ

字解 앵무새무 '鸚一'. '一, 鸚一, 鳥名. 能言'《廣韻》.
字源 形聲. 鳥+武〔音〕

鳥7〔鵙〕18 격 入錫 jú ケキ もず

字解 때까치격 백로(伯勞). '仲夏之月一始鳴'《禮記》.

鳥7〔鵝〕18 아 平歌 é ガ がちょう

字解 ①거위아 오릿과에 속하는 가금(家禽)의 하나. 가안(家雁). '雪似一毛飛散亂'《白居易》. ②진이름아 군진(軍陣)의 한 가지. '其御願爲一'《左傳》. ③성아 성(姓)의 하나.
字源 形聲. 鳥+我〔音〕

鳥7〔䳘〕18 鵝(前條)와 同字

鳥7〔鵞〕18 鵝(前前條)와 同字

鳥7〔鵋〕18 기 去寘 jì キ みみずく

字解 수리부엉이기 '一鵙, 鵂鶹鳥'《韻會》.
字源 形聲. 鳥+忌〔音〕

鳥7〔鵗〕18 희 平微 xī キ きじ

字解 ①꿩희 '雉, 北方曰一'《爾雅》. ②가죽다루는장인희 옛 관명(官名)의 하나. '五雉爲五工正. (疏) 賈逵云, 北方曰一雉. 攻皮之工也'《左傳》.

鳥7〔鵵〕18 열 入屑 yuè エツ みずとりのな

字解 물새이름열 '一, 一鳥也. (段注) 玉篇, 水鳥也'《說文》.
字源 形聲. 鳥+兌〔音〕

鳥7〔鵐〕18 부 平尤 fóu フウ·ブ じゅずかけばと
平虞 フ じゅずかけばと

字解 산비둘기부 鴀(鳥부 4획〈1812〉)와 同字. '一, 一鳩'《廣韻》.

鳥7〔鵚〕18 독 入屋 tū トク しまつどり

字解 무수리독 황샛과에 속하는 물새. 부로(扶老). '一鶖, 鳥名'《集韻》.

鳥7〔鵠〕18 〔괄〕
鴰(鳥부 6획〈1818〉)의 本字

鳥7〔鵓〕18 〔예〕
鶂(鳥부 8획〈1823〉)와 同字

鳥7〔鵟〕18 광 平陽 kuáng キョウ よたか

字解 ①쏙독새광 쏙독샛과에 속하는 새. 몸빛은 회색에 갈색·회색 등의 복잡한 무늬가 있음. 삼림 속에 서식함. 바람개비. '一, 鳥名, 鴟屬'《集韻》. ②말똥가리광 수릿과에 속하는 새.
字源 形聲. 鳥+狂〔音〕

鳥7〔鵙〕18 日국 入沃 jú キョク とりのな
入屋 キク とりのな
曰구 上有 jiù キュウ もず

字解 日 새이름국 '一, 一鳥也'《說文》. 曰 ①때까치구 백설조(百舌鳥). '一, 鳥名. 百舌鳥'《集韻》. ②새이름구 '鳥一'는 새의 이름. '一, 一曰, 鳥一, 鳥也'《集韻》.
字源 形聲. 鳥+白〔音〕

鳥7〔鵛〕18 경 平青 jīng ケイ かいちょうのな

字解 새이름경 새 이름. 쥐와 함께 산다는 괴조(怪鳥). '一雀, 怪鳥屬也'《廣雅》.

鳥7〔鵍〕18 관 平寒 guān カン とりのな

字解 ①새이름관 새 이름. '一, 鶇一, 鳥名'《集韻》. ②鸛(鳥부 18획〈1841〉)과 同字.

鳥7〔鵔〕18 鵍(前條)의 訛字

鳥7〔䳜〕18 군 去問 jùn クン おのないにわとり
上軫 キン おのないにわとり

字解 꼬리없는닭군 꼬리 없는 닭. '一, 雞

無尾'《集韻》.

鳥 7 〔鵈〕18 녑 [入]葉 | niè ジョウ·ニョウ とりのとぶさま

[字解] ①새날녑 새가 낢. 또는 그 모양. '一, 鳥飛皃'《集韻》. ②새이름녑 새 이름. '一, 一日, 鳥名'《集韻》.

鳥 7 〔鵖〕18 랑 [平]陽 | láng ロウ はと

[字解] 비둘기랑 비둘기. 일설에는, 비둘기 종류의 총칭. '一鵯, 爲鳩之總名'《揚子方言箋疏》.

鳥 7 〔⿰牢鳥〕18 로 [平]豪 | láo ロウ はねににしきもようがあるとり

[字解] 깃에비단무늬있는새로 깃에 비단 무늬가 있는 새. '一, 鹠一, 鳥名, 綿文'《集韻》.

鳥 7 〔鵹〕18 리 [平]支 | lí リ ちょうせんうぐいす

[字解] ①꾀꼬리리 꾀꼬리. 이황(鵹黃). ② 파랑새리 청조(靑鳥). 서조(瑞鳥)로 여기는 털빛이 푸른 큰 새. '西有王母之山, 謂沃之野, 有三靑鳥, 赤首黑目, 一名大一, 一名小一, 一名日靑鳥'《山海經》.

鳥 7 〔⿰尨鳥〕18 ⿰鳥尨(次條)과 同字

鳥 7 〔⿰鳥尨〕18 망 [上]講 [平]江 | mǎng ホウ たかににてしろいとり

[字解] 큰매망 큰매. 매 비슷하면서 털빛이 흰 새. '一鴟'. '一, 一鴟, 鳥名'《集韻》.

鳥 7 〔鵐〕18 무 [平]虞 | wú フ ふなしうずら

[字解] 세가락메추라기무 세가락메추라기. 메추라기의 한 가지. '鴾, 鴾鴾, 鳥名, 鴽也, 或作一'《集韻》.

鳥 7 〔⿰呆鳥〕18 보 [上]皓 | bǎo ホウ おおとり

[字解] 큰새보 큰 새. '一, 大鳥也'《字彙補》.

鳥 7 〔⿰孝鳥〕18 안 [去]諫 | yàn ガン おおとり

[字解] ①큰기러기안 큰기러기. '一, 鴻也'《字彙補》. ②고니안 고니.

鳥 7 〔⿰妟鳥〕18 〔안〕 鷃(鳥부 10획〈1830〉)과 同字

鳥 7 〔⿱甲鳥〕18 〔압〕 鴨(鳥부 5획〈1814〉)과 同字

鳥 7 〔⿰役鳥〕18 역 [入]陌 | yì エキ こばと

[字解] 작은비둘기역 작은 비둘기. '一, 或从隹'《集韻》.

鳥 7 〔⿰吾鳥〕18 오 [平]虞 | wú ゴ むささび

[字解] 날다람쥐오 날다람쥐. 오서(鼯鼠). '鼯, 鼠名, 或作一'《集韻》.

鳥 7 〔⿱沃鳥〕18 [一] 옥 [入]沃 | wò ヨク みずとり
[二] 악 [入]藥 | ワク みずとり

[字解] [一] 물새옥 물새. 수조(水鳥). '一, 水鳥'《集韻》. [二] 새이름악 새 이름.

鳥 7 〔⿱汪鳥〕18 왕 [平]陽 | wāng オウ きじのな

[字解] 꿩이름왕 꿩 이름. '一, 雉名, 其鳴自呼'《集韻》.

鳥 7 〔⿱衣鳥〕18 의 [平]支 | yī イ とりがなく

[字解] 까마귀울의 까마귀가 욺. '一, 烏鳴'《玉篇》.

鳥 7 〔⿰岑鳥〕18 잠 [平]侵 | chén シン ことり

[字解] 작은새잠 작은 새. '一, 小鳥'《字彙》.

鳥 7 〔⿱折鳥〕18 절 [入]屑 | zhé セツ とりがつつ

[字解] 새가칠절 새가 후려침. '一, 鳥擊也'《集韻》.

鳥 7 〔⿰鳥帝〕18 체 [平]齊 | tī テイ たか

[筆順] 丿 自 鸟 鳥 鳥 ... ⿰鳥帝

[字解] 매체 매. '一, 鷹一也'《字彙補》.

鳥 7 〔⿸辰鳥〕18 [一] 진 [去]震 | zhèn
[二] 신 [平]眞 | さぎがむらがりとぶ

[字解] [一] 백로날진 백로가 떼 지어 낢. 鷐(鳥부 10획〈1831〉)과 同字. '鷐, 鷐羣飛也, 或省'《集韻》. [二] 익더귀신 익더귀. 새매의 암컷. 수컷을 '난추니'라 함의 대칭.

鳥 7 〔⿰鳥弟〕18 〔치〕 雉(隹부 5획〈1631〉)의 古字

鳥 7 〔鵏〕18 포 [平]虞 | bū ホ ほととぎす

[字解] ①거위포 거위. 오릿과에 딸린 몸집이 큰 새. '一, 鳥名, 鵝也'《集韻》. ②두견새포 두견이. 접동새. ③뻐꾹새포 뻐꾹새. '一穀'. '一, 一日, 一穀'《字彙》.

鳥 7 〔鵫〕18 한 [去]翰 | kàn カン さよつきどり

[字解] 산박쥐한 산박쥐. 한호충(寒號蟲). 할단(鶡鴠). '一鴠'.

鳥 8 〔鵻〕19 추 [平]支 | zhuī スイ こばと

[字解] 비둘기추 비둘기〔鳩〕의 일종. 소구(小鳩). 백구(白鳩). 축구(祝鳩). '靑一'. '翩翩者一'《詩經》.

[字源] 形聲. 鳥＋隹〔音〕

鳥 8 〔䳡〕19 鵻(前條)와 同字

鳥 8 〔鶀〕19 기 [平]支 | qí キ ちいさいがん

[字解] 기러기기 작은 기러기. '射一雁'《史記》.

鳥 8 〔鶂〕19 [一] 예 [平]齊 | yì ゲイ みずとりのな [二] 역 [入]錫 | ゲキ みずとりのな

[筆順] 亻 白 自 鳥 鳥 鶂 鶂 鶂 鶂

[字解] [一] 거위소리예 거위가 우는 소리. '是一一者'《孟子》. [二] 새이름역 鷁(鳥부 10획〈1830〉)과 同字. '六一退飛, 過宋都'《公羊傳》.

[字源] 形聲. 鳥＋兒〔音〕

鳥 8 〔鶃〕19 鶂(前條)와 同字

鳥 8 〔䳢〕19 기 ①[平]支 ②[平]支 | qí キ みみずく キ ちいさいがん

[字解] ①수리부엉이기 '今江東呼鵂鶹爲鵋一'《爾雅注》. ②기러기기 작은 기러기. 鶀(鳥부 8획〈1823〉)와 同字.

鳥 8 〔鶋〕19 거 [平]魚 | jū キョ はしぶとがらす

[字解] 큰부리까마귀거 '鵯一'는 큰부리까마귀. '鸒斯, 鵯一. (注) 雅烏也, 小而多群, 腹下白'《爾雅》.

鳥 8 〔鵵〕19 토 [去]遇 [平]虞 | tù ト このはずく

[字解] 부엉이토 '老一. (注) 木兔也. 似鴟鵂而小, 兔頭有角, 毛腳. 夜飛, 好食雞'《爾雅》.

鳥 8 〔鵳〕19 견 [平]先 | jiān ケン はやぶさ

[字解] 새매견 '鸋一, 鷂也'《廣雅》.

鳥 8 〔鵢〕19 명 [平]庚 | míng ベイ・ミョウ しんちょう

[字解] 초명(鷦鵢)새명 '鷦一'은 봉황 비슷한 남방의 신조(神鳥). '一, 博雅, 鷦一, 鳳也'《集韻》.

[字源] 形聲. 鳥＋明〔音〕

鳥 8 〔䳟〕19 鵢(前條)과 同字

鳥 8 〔鵪〕19 [一] 암 [平]覃 | ān アン ふなしうずら [二] 압 [入]洽 | yā オウ あひる

[字解] [一] 세가락메추라기암 메추라기의 일종. '三月田鼠化爲鴽, 鴽, 一也'《大戴禮》. [二] 오리압 鴨(鳥부 5획〈1814〉)과 同字.

鳥 8 〔鵴〕19 국 [入]屋 | jū キク ふふどり

[字解] ①뻐꾸기국 뻐꾹새. 포곡(布穀). ②비둘기국 '一鳩'는 비둘기. '鳩, 自關而西, 秦漢之間謂之一鳩'《揚子方言》.

鳥 8 〔鶅〕19 치 [平]支 [去]寘 | zī シ きじ

[字解] 꿩치 '雉, 東方曰一'《爾雅》.

[字源] 形聲. 鳥＋甾〔音〕

鳥 8 〔鵩〕19 복 [入]屋 | fú フク みみずく

[字解] ①올빼미복 올빼미〔鴞〕의 일종. 악성(惡聲)을 발하는 불길한 새. 그 소리를 듣는 자는 수명(壽命)이 줄어든다 함. 또, 일설(一說)에는, ②수리부엉이복 올빼밋과에 속하는 새. 수알치새. 각치(角鴟). 산치(山鴟). '賈誼在長沙, 一鳥集其承塵, 長沙俗, 以一鳥至人家, 主人死, 誼作一鳥賦, 齊死生, 等榮辱, 以遣憂累焉'《西京雜記》. '楚鄕卑濕歎殊方, 一賦人非宅口荒'《戴叔倫》.

[字源] 形聲. 鳥＋服〔音〕

鳥 8 〔鵬〕19 [人名] 붕 [平]蒸 | péng ホウ おおとり

[筆順] 丿 月 刖 朋 朋 朋 鵬 鵬

[字解] 붕새붕 상상(想像)의 큰 새. 한 번에 9만 리를 난다 함. '有鳥焉, 其名爲一, 背若泰山, 翼若垂天之雲'《莊子》.

[字源] 形聲. 鳥＋朋〔音〕

鳥 8 〔鵯〕19 [一] 비 [平]支 | bēi ヒ はしぶとがらす [二] 필 [入]質 | pì ヒツ はしぶとがらす

[字解] [一] 직박구리비 직박구릿과에 속하는

새. 지빠귀 비슷한데, 머리는 회색, 꽁지는 갈색임. 후루룩비쭉새. [二] 직박구리필 ■과 뜻이 같음
字源 形聲. 鳥+卑〔音〕

鳥8 〔鵰〕19 조 (平)蕭 | diāo チョウ わし
字解 수리조 수리〔鷲〕의 별칭(別稱). '雕, 鷻也, 一, 籀文雕从鳥'《說文》.
字源 形聲. 鳥+周〔音〕

鳥8 〔鵲〕19 人名 작 (入)藥 | què(qiǎo) ジャク かささぎ
筆順 一 艹 丗 昔 昔' 昔卩 鵲 鵲
字解 까치작 까마귓과에 속하는 새. 습(濕)한 것을 싫어하므로 '乾一'이라고도 하며, 또 기쁜 일을 알리는 새라 하여 '喜一'이라고도 함. '一之彊彊'《詩經》.
字源 形聲. 鳥+昔〔音〕

鳥8 〔鵷〕19 원 (平)元 | yuān エン ほうおうのいっしゅ
字解 원추(鵷雛)새원 '一雛'는 봉황의 일종. '南方有鳥, 其名一鶵'《莊子》.
字源 形聲. 鳥+宛〔音〕

鳥8 〔鶄〕19 청 (平)庚 | jīng セイ ごいさぎ
字解 푸른백로청 '鵁一'. '一, 鵁一也'《說文》.
字源 形聲. 鳥+青〔音〕

鳥8 〔[鳥+青]〕19 鶄(前條)의 本字

鳥8 〔鵺〕19 야 (去)禡 | yè ヤ きじににたとり
字解 새이름야 꿩 비슷한 새. '單張之山, …有鳥焉, 其狀如雉, 而文首白翼黃足, 名曰白一'《山海經》.
字源 形聲. 鳥+夜〔音〕

鳥8 〔鵼〕19 공 (平)東 | kōng コウ かいちょうのな
字解 새이름공 일종의 괴조(怪鳥). '一, 鳥名, 出則爲怪'《集韻》.
字源 形聲. 鳥+空〔音〕

鳥8 〔鵾〕19 곤 (平)元 | kūn コン とうまる
筆順 日 旦 昆 昆 昆' 昆卩 鵾 鵾
字解 곤계곤 '一雞'는 애완용 닭의 일종. '一雞啁哳而悲鳴'《楚辭》.
字源 形聲. 鳥+昆〔音〕

鳥8 〔鶉〕19 [一] 순 (平)眞 | chún シュン うずら
[二] 단 (平)寒 | tuán タン わし
字解 [一] ①메추라기순 꿩과(科)에 속하는 새. 중요한 엽조(獵鳥)의 하나. '田鼠化爲一'《淮南子》. 이 새의 꽁지가 잘 문드러지고 털빛도 얼룩덜룩하므로, 해진 의복의 형용으로 쓰임. '一衣'. '衣若懸一'《荀子》. ②별이름순 성수(星宿)의 이름. '一尾'. '一火'. '自一及駟, 七列也'《國語》. [二] 수리단 수리〔鷲〕의 일종. '匪一匪鳶'《詩經》.
字源 形聲. 鳥+享(𦎫)〔音〕

鳥8 〔鶊〕19 경 (平)庚 | gēng コウ・キョウ ちょうせんうぐいす
字解 꾀꼬리경 鶬(鳥부 10획〈1829〉)을 보라. '鶬一'. '一, 鶬一, 鳥名'《集韻》.
字源 形聲. 鳥+庚〔音〕

鳥8 〔鶁〕19 경 (平)庚 | jīng ケイ・キョウ とりのな
字解 새이름경 '彈鸞一'《左思》.

鳥8 〔鵱〕19 륙 (入)屋 | lù リク のがん
字解 들거위륙 '一鷜, 鵝. (注)今之野鵝'《爾雅》.
字源 形聲. 鳥+坴〔音〕

鳥8 〔[鳥+坴]〕19 鵱(前條)과 同字

鳥8 〔鶇〕19 동 (平)東 | dōng トウ とりのな
字解 ①원추새동 원조(鵷鳥). '一, 鵷名'《玉篇》. ②새이름동 '一鵍'은 새의 이름. '一, 一鵍, 鳥名. 美形'《廣韻》.

鳥8 〔鶆〕19 래 (平)灰 | lái ライ たか
字解 매래 '一鳩'는 매. 鷞(鳥부 11획〈1832〉)의 訛字. '鷹, 一鳩. (注)一, 當爲鷞. 字之誤耳'《爾雅》.

鳥8 〔[芺+鳥]〕19 오 (上)晧 | ǎo オウ とりのな
字解 새이름오 '一, 鳥名'《廣韻》.
字源 形聲. 鳥+芺〔音〕

鳥8 〔鵫〕19 [一] 조 (去)效 | zhuó トウ しろきじ
[二] 탁 (入)覺 | タク しろきじ
字解 [一] 흰꿩조 '一, 一雉, 今白雉也'《廣韻》. [二] ①흰꿩탁 ■과 뜻이 같음. ②산꿩탁 '鸐, 鳥名. 爾雅, 鸐, 山雉. 或作翟·一'《集韻》.

鳥 8 〔鵧〕 19 ㊀ 병 (平)青 | píng ヘイ もず
㊁ 비 (平)支 | ヒ もず

字解 ㊀ 때까치병 '鵧鴀, 一鵧. (注)小黑鳥. …江東名爲烏鴟'《爾雅》. ㊁ 때까치비 ㊀과 뜻이 같음.

鳥 8 〔[昬+鳥]〕 19 민 (平)眞 | mín ビン・ミン かわせみににたとり

字解 새이름민 물총새를 닮고 부리가 붉은 새. '一, 一鳥也. (段注) 廣韻, 鳥似翠而赤喙'《說文》.

字源 形聲. 鳥＋昬〔音〕

鳥 8 〔鵮〕 19 ㊀ 감 (平)咸 | qiān カン ついばむ
㊁ 잠 (平)咸 | タン ついばむ

筆順 ⺈ 𠂊 臽 臽 臽 鵮 鵮 鵮

字解 ㊀ 쫄감 새가 부리로 쫌. '一, 鳥啄物也'《廣韻》. ㊁ 쫄잠 ㊀과 뜻이 같음.

鳥 8 〔鵽〕 19 철 (入)曷 | duō タツ えびすすずめ
(入)黠 | zhuā タツ えびすすずめ

字解 사막새철 중국 북쪽의 사막 지대에 떼지어 사는 참새의 일종. '一, 一鳩也'《說文》.

字源 形聲. 鳥＋叕〔音〕

鳥 8 〔鶌〕 19 굴 (入)物 | jū クツ いかるが

字解 고지새굴 '一鳩'는 고지새. 밀화부리. '一, 一鳩, 鶻鵃也'《說文》.

字源 形聲. 鳥＋屈〔音〕

鳥 8 〔鵶〕 19 〔아〕
鴉(鳥부 4획〈1812〉)와 同字

鳥 8 〔鶏〕 19 〔계〕
鷄(鳥부 10획〈1830〉)의 略字

鳥 8 〔[崧+鳥]〕 19 숭 (平)東 | sōng シュウ はいたか

字解 새매숭 수릿과의 새. 鵊(鳥부 6획〈1817〉)과 同字. '鵊, 鵧鵊, 隼屬, 或从松'《集韻》.

鳥 8 〔鵹〕 19 ㊀ 리 (平)支 | lí リ ちょうせんうぐいす
㊁ 례 (平)齊 | lǐ レイ がらんちょう

字解 ㊀ 꾀꼬리리 '一黃, 楚雀'《爾雅》. ㊁ 사다새례 '一鶘'는 사다새.

字源 形聲. 鳥＋秎(利)〔音〕

鳥 8 〔[幵+鳥]〕 19 계 (上)薺 | jǐ ケイ かも

字解 오리계 오리. '一, 鳥名, 鳧也'《集韻》.

鳥 8 〔鵭〕 19 금 (平)侵 | qín キン しぎ

字解 도요새금 도요새. 휼조(鷸鳥).

鳥 8 〔鵸〕 19 기 (平)支 | qí キ とりのな

字解 새이름기 새 이름. '一鵌'. '一, 一鵌, 鳥名'《集韻》.

鳥 8 〔鵦〕 19 록 (入)屋 | lù ロク とりのな

字解 ①새이름록 새 이름. '一, 鳥名'《玉篇》. ②잡털섞인새록 잡털이 섞인 새.

鳥 8 〔[帛+鳥]〕 19 면 (平)先 | mián ベン・メン うぐいすのさえずり

字解 꾀꼬리노래면 꾀꼬리의 노래. 꾀꼬리의 노래하는 소리. 앵어(鶯語). '一, 鶯語'《篇海》.

鳥 8 〔[巫+鳥]〕 19 〔무〕
鵐(鳥부 7획〈1822〉)와 同字

鳥 8 〔[㡀+鳥]〕 19 별 (入)屑 | biē ヘツ みみずく

字解 수리부엉이별 수리부엉이. 수알치새. '一, 一曰, 鵂鶹別名'《集韻》.

鳥 8 〔[㡀/鳥]〕 19 [㡀+鳥](前條)과 同字

鳥 8 〔[奉+鳥]〕 19 봉 (上)董 | běng ホウ とりがみだれとぶさま

字解 새어지럽게날봉 새가 어지럽게 나는 모양. '一, 鳥亂飛皃'《集韻》.

鳥 8 〔[帚+鳥]〕 19 부 (上)有 | fù フウ みそさざい

字解 뱁새부 뱁새. 교부조(巧婦鳥). '一, 巧婦鳥名'《字彙》.

鳥 8 〔[肃+鳥]〕 19 [帚+鳥](前條)와 同字

鳥 8 〔[舁+鳥]〕 19 〔서〕
鸒(鳥부 12획〈1836〉)와 同字

鳥 8 〔[卒+鳥]〕 19 솔 (入)月 | sū ソツ とりのな

字解 새이름솔 새의 이름. 비둘기의 유(類). '一, 鶉一, 鳥名'《集韻》.

鳥 8 〔[垂+鳥]〕 19 수 (平)支 | shuì スイ とび

字解 솔개수 솔개. 수릿과에 딸린 맹조(猛鳥). '一, 鳥名, 說文, 鴟也'《集韻》.

鳥8〔𪁏〕19 〔순〕
鶉(鳥부 8획〈1824〉)과 同字

鳥8〔鵿〕19 승 | shēng ショウ あがる
字解 오를승 오름. 올라감. '—, 騰也'《篇海》.

鳥8〔䳼〕19 역 ㊇職 | yù ヨク きくいただき
字解 오디새역 오디새. 후투티. 대승(戴勝). '鶝—'. '鶝—, 戴勝也'《廣雅》.

鳥8〔鳶〕19 연 ㊥先 | yuān エン とび
字解 ①솔개연 솔개. 鳶(鳥부 3획〈1811〉)의 俗字. ②날연 낢. 비상(飛翔). '—, 飛也, 翔也'《字彙》.

鳥8〔䳿〕19 염 ㊥鹽 | yán エン かいちょう
字解 괴조염 괴조(怪鳥). 괴상한 새. '—離, 怪鳥屬'《廣雅》.

鳥8〔雟〕19 〔요〕
鷂(鳥부 11획〈1833〉)의 訛字

鳥8〔鵷〕19 위 ㊈寘 | wèi イ こばと
字解 작은비둘기위 작은 비둘기. '—, 鳥名, 小鳩也'《集韻》.

鳥8〔鶋〕19 저 ㊥魚 | jū ショ みさご
字解 물수리저 물수리. 징경이. '—鳩'. '—, —鳩, 不淫鳥'《字彙補》.

鳥8〔鵸〕19 지 ㊥支 | zhī シ ひとあしのとり
字解 외발새지 외발새. '—, 土精, 如雁黃色一足'《集韻》.

鳥8〔鶬〕19 창 ㊥陽 | chāng ショウ ほうおうのたぐい
字解 봉황새창 봉황새. 봉황새의 유(類). '—, 鷫—, 鳳皇屬'《集韻》.

鳥8〔鵃〕19 창 ㊤養 | chǎng ショウ とりのな
字解 새이름창 새 이름. 창부(鵃鵂). '其山有鳥焉, 其狀如雞, 而三首六目, 六足三翼, 其名曰—鵂, 食之無臥'《山海經》.

鳥8〔鶈〕19 처 ㊥齊 | qī セイ かいちょうのぞく
字解 ①괴조처 괴조(怪鳥). 괴조의 유(類). '—鶋, 怪鳥屬也'《廣雅》. ②동이의새처 동이(東夷)의 새.

鳥8〔鷙〕19 치 ㊈寘 | zhì シ たけきとり
字解 사나운새치 사나운 새. 맹금(猛禽). '—, 猛鳥'《篇海》.

鳥8〔鴕〕19 〔타〕
鴕(鳥부 5획〈1814〉)와 同字

鳥9〔鶘〕20 호 ㊥虞 | hú コ がらんちょう
字解 사다새호 '鵜—'. '—, 鵜—, 鳥名, 好羣飛, 沈水食魚'《集韻》.
字源 形聲. 鳥+胡〔音〕

鳥9〔䳺〕20 묘 ㊤篠 ㊥蕭 | miǎo ビョウ・ミョウ みそさざい
字解 굴뚝새묘 '—, 一曰桃雀, 卽巧婦'《集韻》.
字源 形聲. 鳥+眇〔音〕

鳥9〔䳻〕20 䳺(前條)와 同字

鳥9〔鶗〕20 제 ㊥齊 ㊈霽 | tí テイ ほととぎす
字解 두견이제 '—鴂'. '鶗, 鳥名. 博雅, 鶗鴂, 子鳺也. 或作—'《集韻》.
字源 形聲. 鳥+是〔音〕

鳥9〔鶗〕20 鶗(前條)와 同字

鳥9〔鶚〕20 악 ㊇藥 | è ガク みさご
字解 물수리악 수릿과에 속하는 매 비슷한 새. 물가에 살며 물고기를 잡아먹음. 징경이. 저구(鴡鳩). 어응(魚鷹). '—, 鵰也'《廣雅》.
字源 形聲. 鳥+咢〔音〕

鳥9〔鶡〕20 할 ㊇曷 | hé カツ やまどり
字解 ①산새이름할 꿩과에 속하는 새의 하나. 모양이 꿩 비슷한데 좀 크고 성질이 용감하여 싸우면 죽을 때까지 그치지 않는다 하므로, 그 꽁지깃을 옛날 무관(武官)의 관(冠)의 장식으로 썼음. '—, 鳥狀似雉, 色黃黑而褐, 首有毛角如冠'《正字通》. ②산박쥐할 '—鴠'은 박쥐의 일종.
字源 形聲. 鳥+曷〔音〕

鳥9〔鶤〕20 곤 ㊥元 | kūn コン とうまる

[字解] 곤계곤 '一雞'는 ㉠닭의 일종. '一雞朝飛'《太玄經》. ㉡봉황(鳳凰)의 별칭.
[字源] 形聲. 鳥+軍〔音〕

鳥 9 〔鶒〕 20 칙 [入]陌 | chì セキ おしどり
[字解] 원앙칙 '鸂一'은 원앙(鴛鴦). '一, 鸂一, 水鳥也'《正韻》.
[字源] 形聲. 鳥+勅〔音〕

鳥 9 〔鶢〕 20 원 [平]元 | yuán エン うみどりのな
[字解] 바닷새이름원 '一居'는 봉황(鳳凰) 비슷한 일종의 바닷새. '一鶋避風, 候雁造江'《左思》.

鳥 9 〔鶞〕 20 춘 [平]眞 | chūn チュン ふなしうずら
[筆順] 厂 𠂆 斤 盾 盾 盾 鶞 鶞
[字解] 세가락메추라기춘 '鳻一'은 봄철의 세가락메추라기. '春鳸, 鳻一'《爾雅》.

鳥 9 〔鶠〕 20 언 [上]阮 | yǎn エン ほうのべつめい
[字解] ①봉새언 봉(鳳)새의 별명. '一, 鳳, 其雌皇'《爾雅》. ②성언 성(姓)의 하나.
[字源] 形聲. 鳥+匽〔音〕

鳥 9 〔鶙〕 20 제 [平]齊 | tí テイ はいたか
[字解] 새매제 '一鶘'은 새매. '一鶘, 鷂也'《廣雅》.

鳥 9 〔鶟〕 20 돌 [入]月 | tú トツ とりのな
[字解] 새이름돌 꿩을 닮고, 몸은 푸르며 머리는 흰 새의 이름. '一, 一鶘, 鳥名. 似雉, 青身白首'《廣韻》.

鳥 9 〔鷏〕 20 [一] 전 [平]先 | zhān セン やまのな
[二] 견 [平]先 | jiān ケン やまのな
[字解] [一] ①산이름전 '一鳥'는 산의 이름. '爰有一鳥之山'《穆天子傳》. ②나라이름전 '一韓'은 나라의 이름. '丙午, 至于一韓氏'《穆天子傳》. ③송골매전 '鸇, 鷂屬. 一, 同上'《玉篇》. [二] 산이름견 [一]①과 뜻이 같음.

鳥 9 〔鶝〕 20 [一] 복 [入]屋 | fú フク やつがしら
[二] 팍 [入]職 | ヒョク かささぎ
[字解] [一] ①오디새복 후투티. '一, 戴勝別名'《廣韻》. ②새이름복 까치 같고 꼬리가 짧은 새의 이름. 복유(鶝鶔). '鸛鷒, 一鶔. 如鵲短尾'《爾雅》. [二] 까치팍 까치의 일종. '一, 一䳼, 鳥'《廣韻》.

鳥 9 〔鶛〕 20 개 ①[平]佳 | jiē カイ うずらのおす
②[去]卦 | jiè カイ とりのな
[字解] ①수메추라기개 메추리의 수컷. '鶛鶉, 其雄一, 牝痺'《爾雅》. ②새이름개 '一, 劉疾'《爾雅》.

鳥 9 〔䳭〕 20 [一] 적 [入]陌 | セキ せきれい
[二] 즉 [入]職 | ショク·ソク せきれい
[字解] [一] 할미새적 '一鴒'은 할미새. '辟若一鴒, 飛且鳴矣'《漢書》. [二] 할미새즉 [一]과 뜻이 같음.

鳥 9 〔䳗〕 20 [一] 결 [入]屑 | jié ケツ かものいっしゅ
[二] 갈 [入]黠 | カツ かものいっしゅ
[字解] [一] 오리결 오리의 일종. '一, 一鷉, 鳧屬'《說文》. [二] 오리갈 [一]과 뜻이 같음.
[字源] 形聲. 鳥+契〔音〕

鳥 9 〔鶣〕 20 [一] 편 [平]先 | piān ヘン·ベン かるいさま
[二] 변 [上]銑 | biǎn ヘン·ベン せい
[三] 빈 [上]軫 | ヒン·ビン せい
[字解] [一] 가벼울편 '一鶤'는 몸가짐이 가벼운 모양. '一, 一鶤, 輕皃'《集韻》. '一鶤燕居'《傅毅》. [二] 성변 성(姓)의 하나. [三] 성빈 성(姓)의 하나.

鳥 9 〔鶔〕 20 유 [平]尤 | róu ジュウ·ニュ しりくろ
[字解] 새이름유 '鶝一'는 새의 이름. 까치 비슷하고 꽁지가 짧은 새. '鸛鷒, 鶝一. 如鵲短尾'《爾雅》.

鳥 9 〔鶥〕 20 미 [平]支 | méi ビ·ミ まなづる
[字解] 재두루미미 '一鴀'은 재두루미. '一, 一鴀, 鳥名'《集韻》.

鳥 9 〔鶨〕 20 [一] 전 [去]霰 | chuàn テン あほうどり
[二] 둔 [去]願 | トン·ドン あほうどり
[三] 단 [去]翰 | タン あほうどり
[四] 치 [上]紙 | チ きじ
[字解] [一] 신천옹(信天翁)전 '一, 癡鳥'《廣韻》. [二] 신천옹둔 [一]과 뜻이 같음. [三] 신천옹단 [一]과 뜻이 같음. [四] 꿩치 '雉, 鳥名, 或作一'《集韻》.
[字源] 形聲. 鳥+彖〔音〕

鳥 9 〔鶪〕 20 〔격〕
鵙(鳥부 7획〈1821〉)의 本字
[字源] 形聲. 鳥+狊〔音〕

鳥9 〔鷬〕20 〔황〕 凰(几부 9획〈96〉)과 同字

鳥9 〔鶟〕20 〔숙〕 鷫(鳥부 13획〈1837〉)과 同字

鳥9 〔鶖〕20 추 ㊥尤 | qiū シュウ しまつどり
字解 무수리추 황샛과에 속하는 물새. 목에 흰 털이 목도리 모양으로 났음. 부로(扶老). 독추(禿秋). 독추(禿鶖). '有一在梁'《詩經》.
字源 形聲. 篆文은 鳥＋朮〔音〕

鳥9 〔鶩〕20 목 ㊧屋 | mù ボク·モク あひる
字解 ①집오리목 오릿과에 속하는 가금(家禽). '刻鵠不成, 尙類一'《後漢書》. ②달릴목 치빙(馳騁)함. 騖(馬부 9획〈1746〉)과 同字. '馳一'. '騁一兮江皐'《楚辭》.
字源 形聲. 鳥＋敄〔音〕

鳥9 〔鶦〕20 호 ㊥虞 | hú コ とりのな
字解 새이름호 '鶟一'는 새의 이름. 꿩을 닮았으며, 몸은 푸르고 머리는 흼. '一, 鶟一, 鳥名. 似雉, 青身白頭'《集韻》.

鳥9 〔驀〕20 맥 ㊧陌 ㊧錫 | mò バク·ミャク とりがおどろきみるさま ベキ·ミャク とりがおどろきみるさま
字解 새가놀라서볼맥 새가 놀라서 보는 모양. '無見自一'《潘岳》.

鳥9 〔鶡〕20 결 ㊧屑 | jiē ケツ あひるのぞく
字解 오리결 오리. 오리의 속(屬). '一, 鳧屬'《篇海》.

鳥9 〔鶪〕20 ㊀계 ㊤薺 | ケイ かも ㊁결 ㊧屑 | jiē ケツ かものぞく
字解 ㊀물오리계 물오리. 우리나라에서 겨울을 지내는 철새. 鷄(鳥부 8획〈1825〉)와 同字. '鷄, 鳥名, 鳧也, 或从奊'《集韻》. ㊁물오리결 ㊀과 뜻이 같음.

鳥9 〔鶣〕20 〔과〕 鸝(鳥부 13획〈1838〉)와 同字

鳥9 〔鶪〕20 규 ㊥支 | kuí キ こばと
字解 작은비둘기규 작은 비둘기. '鶪, 或作一'《集韻》.

鳥9 〔鷺〕20 〔로〕 鵅(鳥부 6획〈1819〉)와 同字

鳥9 〔鶆〕20 매 ㊥灰 | méi バイ おとり
字解 미끼새매 미끼새. 후림새. 다른 새를 잡기 위하여 미끼로 쓰는 새. '一, 誘取禽者'《集韻》.

鳥9 〔鶜〕20 모 ㊥肴 | máo ボウ まぐそだか
字解 말똥가리모 말똥가리. 모치(茅鴟). 매과에 속하는 익조(益鳥). '一, 鳥名, 鵰鴟也'《集韻》.

鳥9 〔鶥〕20 모 ㊦號 | mào ボウ とりのな
字解 새이름모 새 이름. 부엉이의 한 가지. '其狀如鳥人面, 名曰鶩一, 宵飛而晝伏, 食之已暍'《山海經》.

鳥9 〔鷔〕20 〔묘〕 鶓(鳥부 9획〈1826〉)와 同字

鳥9 〔鶓〕20 묘 ㊥蕭 | miáo ビョウ とりのな
字解 새이름묘 새 이름. '一, 鳥名'《字彙》.

鳥9 〔鶻〕20 〔민〕 鴖(鳥부 8획〈1825〉)과 同字

鳥9 〔鶌〕20 〔민〕 鴖(鳥부 8획〈1825〉)과 同字

鳥9 〔鴇〕20 보 ㊤晧 | bǎo ホウ のがん
字解 능에보 너새. 기러기 비슷한데 몸집이 더 큼. '鴇, 說文, 鳥也, 或作一'《集韻》.

鳥9 〔鴇〕20 〔보〕 鴇(鳥부 4획〈1812〉)의 俗字

鳥9 〔鶝〕20 복 ㊧屋 | fú フク きくいただき
字解 오디새복 오디새. 대승(戴勝). 후투팃과의 새. '鶝一'. 鴔(鳥부 5획〈1815〉)과 同字. '鴔, 鶝鴔, 鳥名, 戴勝也'《集韻》.

鳥9 〔鵵〕20 부 ㊤有 | fù フ はいたかのぞく
字解 새매부 새매. 새매의 한 가지. '一, 鳥名, 鷂屬'《集韻》.

鳥9 〔鶝〕20 부 ㊤麌 | fù フ たかのたぐい
字解 매부. 매의 한 가지. '一, 鷂屬'《五音集韻》.

鳥9 〔鵫〕20 분 ㊥元 | pén ホン かむりどり

[字解] 산비둘기분 산비둘기. 반구(斑鳩). 골구(鶻鳩). 비둘깃과의 새. '—鳩'. '鶻鵃, —鳩也'《廣雅》.

鳥 9 〔⿰弇鳥〕 20 〔암〕 鵪(鳥부 11획〈1832〉)과 同字

鳥 9 〔鶕〕 20 〔암〕 鵪(鳥부 11획〈1832〉)과 同字

鳥 9 〔鶍〕 20 〔양〕 鸉(鳥부 13획〈1838〉)과 同字

鳥 9 〔⿱哉鳥〕 20 〔연〕 鳶(鳥부 3획〈1811〉)과 同字

鳥 9 〔⿰臾鳥〕 20 [一] 연 [去]霰 | rún ゼン とりのな
[二] 순 [平]眞 | ジュン とりのな

[字解] [一] 새이름연 새 이름. 산새. 雗(隹부 9획〈1634〉)과 同字. '雗, 鳥名, 鷚鶏也, 或从鳥'《集韻》. [二] 늦병아리순 늦병아리. 늦게 깬 닭.

鳥 9 〔鶧〕 20 영 [平]庚 | yīng エイ とりのな

[字解] 새이름영 새 이름. 계영(繼鶧). 까치를 닮은 새. '—, 繼—, 鳥名'《集韻》.

鳥 9 〔⿰要鳥〕 20 요 [平]蕭 | yāo ヨウ せきれい

[字解] 할미새요 할미새. 척령(鶺鴒). '鴿—'. '—, 或从隹'《集韻》.

鳥 9 〔⿰禺鳥〕 20 〔옹〕 顒(頁부 9획〈1694〉)와 同字

鳥 9 〔⿰㚇鳥〕 20 종 [平]東 | zōng ソウ あしをおさめる

[字解] 새발오그릴종 새가 발을 오그림.

鳥 9 〔⿰重鳥〕 20 [一] 중 [平]冬 | chóng チョウ とりのな
[二] 충 [上]腫 | chǒng ショウ ひなのとぶさま

[字解] [一] 새이름중 '—, —鶒, 鳥名'《集韻》. [二] 새새끼나는모양충 새 새끼가 나는 모양. 또, 참새. '—, 雛飛皃'《集韻》.

鳥 9 〔⿰度鳥〕 20 탁 [入]藥 | duó タク とりのな

[字解] 새이름탁 새 이름. '鸌—'. '—, 鸌—, 鳥名'《篇海》.

鳥 9 〔⿰侯鳥〕 20 후 [平]尤 | hǒu コウ わし

[字解] 독수리후 독수리. 수릿과에 딸린 맹조(猛鳥).

鳥 9 〔⿰候鳥〕 20 鯸(前條)와 同字

鳥 9 〔⿰鳥侯〕 20 鯸(前前條)와 同字

鳥 9 〔⿱宣鳥〕 20 [一] 훤 [平]元 | ケン みそさざい
xuān
[二] 선 [平]先 | セン みそさざい

[字解] [一] 뱁새훤 뱁새. 교부조(巧婦鳥). 초료(鷦鷯). '鷂—'. '—, 鷂—, 鷦鷯別名'《正字通》. [二] 뱁새선 [一]과 뜻이 같음.

鳥 9 〔⿰鳥宣〕 20 鸇(前條)과 同字

鳥 10 〔鶬〕 21 창 [平]陽 | cāng ソウ まなづる

[字解] ①재두루미창 두루밋과에 속하는 새. 온몸이 거의 잿빛임. '—鴰'. ②꾀꼬리창 '—鶊'은 꾀꼬리. '草蟲哀鳴, —鶊振羽'《阮籍》.

[字源] 形聲. 鳥＋倉〔音〕

鳥 10 〔鶴〕 21 [高·人] 학 [入]藥 | hè(háo) カク つる

[筆順] 一 ㇒ 隺 隺 鶴 鶴 鶴 鶴

[字解] ①두루미학 섭금류(涉禽類)에 속하는 큰 새. 몸이 희고 정수리는 붉음. 예부터 서조(瑞鳥)라 일컬으며 천 년 산다고 하나, 실제는 사오십 년에 불과함. 선금(仙禽). ②흴학 깃털이 흰 모양. '白鳥——'《孟子》. 또, 널리 빛이 흰 모양. '—髮'. '—裳'. ③성학 성(姓)의 하나.

[字源] 形聲. 鳥＋隺〔音〕

鳥 10 〔鶸〕 21 약 [入]藥 | ruò ジャク とうまる

[字解] 곤계(鶤鷄)약 닭의 일종. 보통 닭보다 몸집이 큼. '—, 昆鳥'《篇海》.

[字源] 形聲. 鳥＋弱〔音〕

鳥 10 〔鶹〕 21 류 [平]尤 | liú リュウ ふくろう

[字解] 수리부엉이류 '鵂—'. '—, 本作鸜'《中華大字典》.

[字源] 形聲. 鳥＋留(畱)〔音〕

鳥 10 〔鶺〕 21 척 [入]陌 | jí セキ せきれい

[筆順] 人 夫 脊 脊 鶺 鶺 鶺 鶺

[字解] 할미새척 '—鴒'. '—鴒在原, 兄弟急難'《詩經》.

[字源] 形聲. 鳥＋脊〔音〕

鳥10〔鶻〕21 골(②③ 入月 ①gǔ コツ いかるが
홀本) 入月 ②③hú コツ はやぶさ

字解 ①산비둘기골 '—鵃'. ②송골매골 매의 일종. '犬馬鷹—'《唐書》. ③오랑캐골 '回—'은 북방의 오랑캐 이름. '回紇'이라고도 함. ※❷❸ 本音 홀.
字源 形聲. 鳥+骨〔音〕

鳥10〔鶼〕21 겸 平鹽 jiān ケン ひよくのとり

字解 비익조(比翼鳥)겸 '——'은 자웅이 짝을 짓지 않으면 날 수 없다는 상상(想像)의 새. 부부(夫婦)의 비유로 쓰임. '南方有比翼鳥焉, 不比不飛. 其名謂之——'《爾雅》.
字源 形聲. 鳥+兼〔音〕

鳥10〔鷁〕21 익(역本) 入錫 yì ゲキ みずとりのな

字解 새이름익 백로 비슷한 큰 새. 풍파에 잘 견디어 내므로 뱃머리에 이 새의 모양을 그리는 일이 있는데, 주로 천자(天子)가 타는 배에 그림. '龍頭—首'. '龍舟—首, 浮吹以娛'《淮南子》. 또, 이 새의 모양을 뱃머리에 그린 배. '泛—兮遊蘭池'《謝靈運》. ※本音 역.
字源 形聲. 鳥+益〔音〕

鳥10〔鷂〕21 요 去嘯 yào ヨウ はいたか

字解 새매요 매의 일종. '久復爲—'《列子》.
字源 形聲. 鳥+䍃〔音〕

鳥10〔鷃〕21 안 去諫 yàn アン ふなしうずら

字解 세가락메추라기안 '雉兔鶉—'《禮記》.
字源 形聲. 鳥+晏〔音〕

鳥10〔鷈〕21 체 平齊 tī テイ かいつぶり

字解 논병아리체 '鷿—'. '—, 鸊—也'《說文》.
字源 形聲. 鳥+虒〔音〕

鳥10〔鷉〕21 鷈(前條)와 同字

鳥10〔鷊〕21 역 入錫 yì ゲキ しちめんちょう

字解 칠면조역 꿩과(科)의 새. 닭 비슷한데, 머리와 목에 털이 없음. 수조(綬鳥). 진주계(眞珠鷄). '綬鳥, 一名—'《埤雅》.
字源 形聲. 鳥+鬲

鳥10〔鷀〕21 자 平支 cí シ かわう

字解 가마우지자 '鸕—'. '—, 鳥名, 說文, 鸕—也'《集韻》.
字源 形聲. 鳥+玆〔音〕

鳥10〔鶿〕21 鷀(前條)와 同字

鳥10〔鶲〕21 옹 平東 wēng オウ とりのな

字解 새이름옹 '—, 鳥也'《玉篇》.
字源 形聲. 鳥+翁〔音〕

鳥10〔鶮〕21 공 去送 gòng コウ とりがたべものをゆずる

字解 새모이사양할공 '—, 鳥讓食'《集韻》.
字源 形聲. 鳥+貢〔音〕

鳥10〔鶎〕21 답 入合 tà トウ とりのな

字解 ①새이름답 '—, 鳥名'《玉篇》. ②날답 새가 낢. 䎓(羽부 10획〈1045〉)과 同字.

鳥10〔鶮〕21 ㊀고 平豪 gū コウ ちめい
㊁혹 入沃 hú コク ちめい
㊂학 入藥 hè カク つる

字解 ㊀ 땅이름고 전국 시대 한(韓)나라의 고을 이름. '—, 邑名. 在韓'《集韻》. ㊁ 땅이름혹 ㊀과 뜻이 같음. ㊂ 두루미학 鶴(鳥부 10획〈1829〉)과 同字. '鶴, 鳥名. 或作—'《集韻》.
字源 形聲. 鳥+高〔音〕

鳥10〔鷅〕21 률 入質 lì リツ ふくろう

字解 수리부엉이률 '鶹—, 梟也'《洪武正韻》.
字源 形聲. 鳥+栗〔音〕

鳥10〔鶵〕21 추 平虞 chú ス·ジュ らんぽうのぞく

字解 ①난새추 난봉(鸞鳳)의 일종. '南方有鳥, 其名爲鵷—'《莊子》. ②새새끼추 雛(隹부 10획〈1635〉)의 籀文.
字源 形聲. 鳥+芻〔音〕

鳥10〔鷄〕21 中·人 계 平齊 jī ケイ にわとり

筆順 ⺈ ⺤ 奚 奚 鸂 鷄 鷄 鷄

字解 ①닭계 '—, 知時鳥, 又作雞'《玉篇》. ②성계 성(姓)의 하나.
字源 形聲. 鳥+奚〔音〕
參考 雞(隹부 10획〈1635〉)는 本字.

鳥10〔鶷〕21 할 入黠 入曷 xiá カツ つぐみ

[字解] 개똥지빠귀할 '一鶇'은 티티새. 백설조(百舌鳥). '字林云, 一鶇, 似伯勞而小'《爾雅 釋文》.

鳥10〔鶾〕21한 [去]翰 [平]寒 | hàn カン こえてなきごえのながいにわとり
[字解] ①살찌고울음소리긴닭한 '一, 雞肥翰音者也'《說文》. ②금계(錦鷄)한 '一, 天雞. 羽有五色'《廣韻》.
[字源] 形聲. 鳥+倝〔音〕

鳥10〔鶐〕21 술 [入]質 | xù シュツ ことりのな
[字解] ①새이름술 작은 새의 이름. '一, 小鳥名'《廣韻》. ②괴조(怪鳥)이름술 '一, 卽怪鳥'《正字通》.
[字源] 形聲. 鳥+祟〔音〕

鳥10〔鶽〕21 순 [上]軫 | sǔn シュン じゅずかけばと
[字解] ①고지새순, 송골매순 隼(隹부 2획〈1629〉)과 同字. '一, 祝鳩也. 急疾之鳥也. 或作隼'《玉篇》. ②매순 '開明南有一'《山海經》.

鳥10〔鷏〕21 [一]전 [平]先 | tián テン かすい
[二]진 [平]眞 | シン かすい
[字解] [一]바람개비전 토문조(吐蚊鳥). 황백색 얼룩이 있고, 소리가 비둘기 비슷한 새. '一, 蟁母. (注)似烏鸔而大, 黃白雜文. 鳴如鴿聲. 今江東呼爲蚊母'《爾雅》. [二]바람개비진 [一]과 뜻이 같음.

鳥10〔鷇〕21 구 [去]宥 [去]遇 | kòu コウ ひな
コ ひな
[字解] ①새새끼구 연작류(燕雀類)처럼 어미새가 먹이를 갖다 먹여 주는 새끼. 계치류(鷄雉類)와 같이 스스로 먹이를 찾아 먹는 새끼는 '雛'라 함. '鳥翼一卵'《國語》. ②먹일구 먹이를 먹여 주어 기름. '風胎雨一'《揚雄》.
[字源] 形聲. 鳥+㱿〔音〕

鳥10〔鶯〕21 [人名] 앵 [平]庚 | yīng
オウ うぐいす
[筆順] 鶯
[字解] ①휘파람새앵 휘파람샛과(科)에 속하는 작은 새. 봄에 곱게 욺. ②꾀꼬리앵 새의 한 가지. 금의공자(金衣公子). 황조(黃鳥). 창경(鶬鶊). ③깃무늬앵 새의 깃의 모양. '有一其羽'《詩經》.
[字源] 形聲. 鳥+熒〈省〉〔音〕

鳥10〔騫〕21 헌 [平]元 | xiān ケン とぶ
[字解] 날헌 나는 모양. '將一復斂翮'《沈約》.
[字源] 形聲. 鳥+寒〈省〉〔音〕

鳥10〔鷆〕21 진 [平]眞 [去]震 | zhèn シン しらさぎ
[字解] ①백로진 '一鷺鵜鶘'《左思》. ②떼로 날진 해오라기가 떼를 지어 낢. '一, 鷺羣飛也'《集韻》.

鳥10〔鶭〕21 방 [上]養 | fǎng ホウ おすめどり
[字解] 새이름방 鴋(鳥부 4획〈1811〉)과 同字. '一, 鸈鸕鳥. 蒼黑色, 常在澤中. 俗呼爲護澤. 鴋, 上同'《廣韻》.

鳥10〔鶩〕21 〔목〕
鶩(鳥부 9획〈1828〉)의 俗字

鳥10〔鶚〕21 〔가〕
鴚(鳥부 5획〈1814〉)와 同字

鳥10〔鶷〕21 고 [平]豪 [上]晧 | gāo コウ はと
[字解] ①비둘기고 비둘기. '鵖一'. ②호도애고 호도애. 염주비둘기. '鶌一'.

鳥10〔鷂〕21 교 [平]蕭 | xiāo キョウ ふくろう
[字解] 올빼미교 올빼미. '一, 不孝鳥'《字彙補》.

鳥10〔䴉〕21 구 [平]虞 | qú ク ひだりあしのしろいとり
[字解] 왼발흰새구 왼발이 흰 새. 鴝(鳥부 6획〈1819〉)와 同字. '鴝, 鳥左足白, 或从䀠'《集韻》.

鳥10〔鶶〕21 당 [平]陽 | táng トウ わかたか
[字解] 새이름당 새 이름. 까마귀 비슷하며, 털빛이 흰 매의 한 가지. '一鷵'. '鷲, 一鷵'《爾雅》.

鳥10〔鶹〕21 류 [平]尤 | liú
リュウ みずとりのな
[字解] 물새류 물새. 물새의 이름. '一, 水鳥'《集韻》.

鳥10〔鷌〕21 〔맥〕
鶩(鳥부 9획〈1828〉)과 同字

鳥10〔鵞〕21 반 [平]寒 | pán ハン とりのな
[字解] 새이름반 새 이름. '其狀如烏人面, 名曰一鵑, 宵飛而晝伏'《山海經》.

鳥 10 〔⿰浮鳥〕 21 〔부〕
⿰孚鳥(鳥부 7획〈1821〉)와 同字

鳥 10 〔⿰鈇鳥〕 21 〔부〕
鳺(鳥부 4획〈1813〉)와 同字

鳥 10 〔鵧〕 21 비 [平]齊 | pī へイ とりのな
[字解] 새이름비 새 이름. '一, 一鵊, 鳥名'《集韻》.

鳥 10 〔鶳〕 21 사 [平]支 | shī シ とりのな
[字解] 새이름사 새 이름. '一, 鳥名'《集韻》.

鳥 10 〔⿱殺鳥〕 21 살 [入]黠 | shā サツ とりのとぶことがはやい
[字解] 새빨리날살 새가 빨리 낢. '一, 鳥飛迅疾'《集韻》.

鳥 10 〔⿰息鳥〕 21 식 [入]職 | xī ショク ついばむ
[字解] 쪼아먹을식 쪼아 먹음. 새가 먹이를 쪼아 먹음. 또는 새의 이름. '一, 鳥食'《集韻》.

鳥 10 〔⿰邕鳥〕 21 옹 [平]冬 | yōng ヨウ せきれい
[字解] 할미새옹 할미새. 척령(鶺鴒). '一鶏'.

鳥 10 〔⿰容鳥〕 21 용 [平]冬 | róng ヨウ とりのな
[字解] 새이름용 새 이름. '一, 一一, 鳥名'《集韻》.

鳥 10 〔⿰原鳥〕 21 원 [平]元 | yuān ゲン とりのな
[字解] 새이름원 새 이름. 원앙새만한 크기에 벌같이 생긴 새. '一, 鳥名'《字彙》.

鳥 10 〔⿰員鳥〕 21 천 [平]先 | tiān テン あひる
[字解] 집오리천 집오리. 가압(家鴨). '一, 鴨也'《字彙補》.

鳥 11 〔鷓〕 22 자 [去]禡 | zhē シャ しゃこ
[字解] 자고자 '一鴣'. '宮女如花滿春殿, 只今惟有一鴣飛'《李白》.
[字源] 形聲. 鳥+庶〔音〕

鳥 11 〔⿰鳥區〕 22 鷗(次條)의 本字

鳥 11 〔鷗〕 22 [人名] 구 [平]尤 | ōu オウ かもめ
[筆順] 區 區 鷗 鷗
[字解] ①갈매기구 갈매깃과에 속하는 물새. 백구(白鷗). '一者浮水上'《李時珍》. ②성구 성(姓)의 하나.
[字源] 形聲. 鳥+區〔音〕
[參考] 鴎(鳥부 4획〈1812〉)는 略字.

鳥 11 〔鷞〕 22 상 ①[平]陽 | shuāng ソウ しんちょう ②[上]養 | shuǎng ソウ たか
[字解] ①신조상 '鷫一'은 서방(西方)을 지키는 신조(神鳥). ②매상 '一鳩'는 매(鷹)의 일종.
[字源] 形聲. 鳥+爽〔音〕

鳥 11 〔⿱舂鳥〕 22 송 [平]冬 | chōng ショウ ふふどり
[字解] 뻐꾸기송 포곡(布穀).

鳥 11 〔⿰鳥舂〕 22 ⿱舂鳥(前條)과 同字

鳥 11 〔鷐〕 22 신 [平]眞 | chén シン はやぶさ
[字解] 새매신 '一風'은 소형의 매. '一, 一風也'《說文》.
[字源] 形聲. 鳥+晨〔音〕

鳥 11 〔⿰商鳥〕 22 상 [平]陽 | shāng ショウ ちょう せんうぐいす
[字解] ①외발이새상 '一鴹'은 발이 하나라는 새. '一鴹, 鳥名'《集韻》. ②꾀꼬리상 '一鶊'은 꾀꼬리. '一鶊, 鵹黃'《集韻》.
[字源] 形聲. 鳥+商〔音〕

鳥 11 〔⿰酓鳥〕 22 암 [平]覃 | ān アン ふなしうずら
[字解] 세가락메추라기암 메추라기의 일종. ⿰酓隹(隹부 11획〈1636〉)과 同字. '⿰酓隹, 鳥名, 說文, 雗屬, 或从鳥'《集韻》.
[參考] ⿰酓隹(隹부 11획〈1636〉)의 籒文.

鳥 11 〔鷚〕 22
[一] 류 [去]宥 [平]尤 | liù リュウ ひばり
[二] 모 [平]尤 | ボウ·ム ひばり
[三] 무 [平]尤 | ビュウ·ム ひばり
[四] 규 [平]尤 | キュウ ひばり
[字解] [一] ①종다리류 종달새. ②꿩새끼류 또, 병아리. '雉之暮子爲一'《爾雅》. '一, 雞子'《廣韻》. [二] 종다리모 '一, 天鸙'《爾雅》. [三] 종다리무 [一]와 뜻이 같음. [四] 종다리규 [一]와 뜻이 같음.

鳥 11 〔⿰鳥翏〕 22 鷚(前條)의 本字

鳥 11 〔鷉〕22 ㊀ 적 [入]錫 | dí テキ きじのいっしゅ
㊁ 책 [入]陌 | タク きじのいっしゅ

[字解] ㊀ 꿩적 꿩의 일종. 어리석은 새. '一, 雉屬'《廣韻》. ㊁ 꿩책 ㊀과 뜻이 같음.
[字源] 形聲. 篆文은 鳥＋啻〔音〕

鳥 11 〔鷛〕22 용 [平]冬 | yōng ヨウ こがも

[字解] 물닭용 뜸부깃과의 새. '煩鶩一鷞'《史記》.
[字源] 形聲. 鳥＋庸〔音〕

鳥 11 〔𪆷〕22 鷛(前條)의 本字

鳥 11 〔䨼〕22 ㊀ 호 [上]麌 | hù コ ふなしうずら
㊁ 고 [去]遇 | コ かえりみる

[字解] ㊀ 세가락메추라기호 '扈, 九扈, 農桑候鳥. 一, 扈或从雩'《說文》. ㊁ 돌아볼고 顧(頁부 12획〈1700〉)의 古字. '顧, 說文, 還視也. 古作一'《集韻》.

鳥 11 〔鷬〕22 ㊀ 난 [平]寒 [去]翰 | ①-③nán ダン·ナンとりのな ④ダン·ナン はばむ
㊁ 간 [上]旱 | カン とりのな

[字解] ㊀ ①새이름난. ②어려울난, 괴로워할난 '一, 一曰, 艱也'《集韻》. ③성난 성(姓)의 하나. ④막을난 難(隹부 11획〈1636〉)의 古字. '難, 阻也. 古作一'《集韻》. ㊁ 새이름간 ㊀①과 뜻이 같음.

鳥 11 〔𪆰〕22 칠 [入]質 | qī シツ とりのな

[字解] 새이름칠 '一, 一鳥也'《說文》.
[字源] 形聲. 鳥＋桼〔音〕

鳥 11 〔鷒〕22 ㊀ 단 [平]寒 | tuán タン しりくろ
㊁ 전 [平]先 | セン しりくろ

[字解] ㊀ 새이름단 '鶹一'은 까치 같고 꼬리가 짧은 새. '鶹一, 鶌鳩. 如鵲短尾'《爾雅》. ㊁ 새이름전 ㊀과 뜻이 같음.

鳥 11 〔鷋〕22 도 [平]虞 | tú ト はと

[字解] ①비둘기도 '一, 一鳩'《玉篇》. ②새이름도 '輿頸, 一'《爾雅》.

鳥 11 〔鷜〕22 루 ① [平]尤 | lóu ロウ·ル かり
[平]虞 | ル かり
② [上]麌 | ル かっこう

[字解] ①기러기루 '一鵝'·'鵱一'는 기러기. '一, 鵱一, 野鵝'《廣韻》. ②뻐꾸기루 '鶝一'는 뻐꾸기. '一, 鶝一, 鳥名. 郭公也'《集韻》.

鳥 11 〔鷑〕22 ㊀ 급 [入]緝 | jí キュウ くろもず
㊁ 립 [入]緝 | リュウ くろもず

[字解] ㊀ 검은때까치급 '一鳩, 鵧一'《爾雅》. ㊁ 검은때까치립 ㊀과 뜻이 같음.

鳥 11 〔鷍〕22 〔학〕
鶴(鳥부 10획〈1829〉)의 俗字

鳥 11 〔鷕〕22 요 [上]篠 | yǎo ヨウ なく

[字解] 울요 까투리가 욺. 또, 그 모양. '有一雉鳴'《詩經》.
[字源] 形聲. 鳥＋唯〔音〕

鳥 11 〔𪇈〕22 鷕(前條)와 同字

鳥 11 〔鷖〕22 예 ①②[平]齊 | yī エイ かもめ
③[去]霽 | yì エイ あおぐろいいろ

[字解] ①갈매기예 물새의 일종. 백구(白鷗). '鳧一在涇'《詩經》. ②봉황예 봉황(鳳凰)의 별칭. '駟玉虬以乘一兮'《楚辭》. ③감색예 검푸른빛. 청흑색. '彫面一總'《周禮》.
[字源] 形聲. 鳥＋殹〔音〕

鳥 11 〔鷙〕22 ㊀ 지 [去]寘 | zhì シ あらとり
㊁ 질 [入]質 | zhì チツ うたがう

[字解] ㊀ ①맹금지 매·수리와 같은 사나운 새. '一鳥之不群兮'《楚辭》. ②칠지 맹금이 작은 새를 쳐 죽임. '鷹隼早一'《呂氏春秋》. ③굳셀지, 사나울지 '喬詰卓一'《莊子》. ㊁ 의심할질 '下愈覆一, 而不聽從'《管子》.
[字源] 形聲. 鳥＋執〔音〕

鳥 11 〔鷟〕22 작 [入]覺 | zhuó サク おおとり

[字解] 봉황작 鸑(鳥부 14획〈1839〉)을 보라. '鸑一'.
[字源] 形聲. 鳥＋族〔音〕

鳥 11 〔鷘〕22 〔칙〕
鶒(鳥부 9획〈1827〉)과 同字

鳥 11 〔鷇〕22 구 [去]宥 | kòu コウ えびすすずめ

[字解] ①사막꿩구 사막꿩. 사막꿩과에 딸린 꿩 모양의 비둘기 비슷한 새. 중국 북쪽의 사막 지대에 서식함. '一, 爾雅, 寇雉, 卽鵽鳩, 本作寇, 俗作一'《正字通》. ②물오리구 물오리의 한 가지.

鳥 11 〔𪈞〕22 〔구〕
鸜(鳥부 13획〈1838〉)의 訛字

鳥 11 〔鸛〕22 규 [平]支 | guī キ ほととぎす

[字解] 자규규 두견새. 자규(子規). 접동새. '一, 按子規俗作一'《正字通》.

鳥 11 〔鷬〕 22 난 [平]寒 | nán ダン とりのな

[字解] ①새이름난 새 이름. '一鳥'. ②고생할난 고생함. 고난을 겪음.

鳥 11 〔䴏〕 22 리 [平]支 | lí リ ちょうせんうぐいす

[字解] 꾀꼬리리 꾀꼬리. 鸝(鳥부 19획〈1842〉)와 同字. '䴏, 䴏黃, 鵹·離同'《廣韻》.

鳥 11 〔鵹〕 22 〔리〕 鸝(鳥부 19획〈1842〉)와 同字

鳥 11 〔鷌〕 22 매 [平]灰 | má バイ かり

[字解] ①기러기매 기러기. '雁一名一'《禽經》. ②참새매 참새.

鳥 11 〔鸏〕 22 몽 [去]徑 | mèng ボウ はと

[字解] 비둘기몽 비둘기. '一鳩鳥'. '一, 一鳩鳥'《字彙》.

鳥 11 〔鷘〕 22 민 [上]軫 | mǐn ビン·ミン みさご

[字解] 물수리민 물수리. 징경이. 저구(雎鳩). '一, 鳥名, 鶚也'《集韻》.

鳥 11 〔鷏〕 22 선 [平]先 | xiān セン つるににて あおいろのとり

[字解] 새이름선 새 이름. 학같이 생긴 푸른 새. '一, 鳥名, 似鶴碧色'《集韻》.

鳥 11 〔鷅〕 22 솔 [入]月 | sù ソツ とりのな

[字解] 새이름솔 鵔(鳥부 8획〈1825〉)과 同字. '鵔, 鵯鵔, 鳥名, 或从率'《集韻》.

鳥 11 〔鷀〕 22 습 [入]緝 | xí シュウ とりのな

[字解] 새이름습 새 이름. '一, 或从隹'《集韻》.

鳥 11 〔鷔〕 22 오 [平]豪 [去]號 | áo ゴウ きょうちょうのな | ào ゴウ とびのうお

[字解] ①새이름오 새 이름. 털빛은 희고 부리는 붉은 큰기러기 비슷한 흉조. '玄丹之山, 爰有黃一, 其所集者, 其國亡'《山海經》. ②날치오 날치. 비어(飛魚). '一魮魚'. ③악장이름오 악장(樂章)의 이름. '一夏'.

鳥 11 〔鷾〕 22 장 [平]陽 | zhāng ショウ くいな

[字解] 뜸부기장 뜸부기. 물닭. '一渠'. '一, 一渠, 水雞也'《集韻》.

鳥 11 〔𪇀〕 22 종 [平]冬 | cōng ショウ にわとり

[字解] ①닭종 닭. '一, 方言, 雞或謂之鏦, 俗作一'《正字通》. ②새이름종 새 이름.

鳥 11 〔鷟〕 22 鷟(前條)과 同字

鳥 11 〔鸄〕 22 참 [平]覃 | cān サン わし

[字解] 수리참 수리. 독수리. 수릿과에 딸린 맹조(猛鳥). '一, 鵰也'《廣雅》.

鳥 11 〔鷛〕 22 충 [平]東 | chōng チョウ とりがゆかない

[字解] 새가지않을충 새가 가지 아니함. '一, 鳥不行也'《字彙補》.

鳥 11 〔鷉〕 22 〔치〕 雉(隹부 5획〈1631〉)와 同字

鳥 11 〔鷅〕 22 표 [上]篠 | piǎo ヒョウ とりのけいろがかわる

[字解] ①새털빛변할표 새의 털빛이 변함. '一, 鳥變也'《玉篇》. ②가볍게날표 가볍게 나는 모양. '鷅一'.

鳥 11 〔鷝〕 22 필 [入]質 | bì ヒツ とりのな

[字解] ①새이름필 새 이름. 필방(鷝鴋). '一, 一鴋, 鳥名'《集韻》. ②수택신이름필 수택신(水澤神)의 이름.

鳥 12 〔鷻〕 23 [一] 퇴 [平]灰 | タイ わし [二] 단 [平]寒 | tuán タン わし

[字解] [一] 독수리퇴 '一, 鵰也'《說文》. [二] 독수리단 [一]과 뜻이 같음.

[字源] 形聲. 鳥+敦〔音〕

鳥 12 〔鷣〕 23 [一] 음 [平]侵 | yín イン はいたか [二] 요 [去]嘯 | yín ヨウ はいたか

[字解] [一] 새매음 매〔鷹〕의 일종. '一, 江南呼鷂爲一'《集韻》. [二] 새매요 [一]과 뜻이 같음.

[字源] 形聲. 鳥+覃〔音〕. 또, 覃+鳥〔音〕

鳥 12 〔鷦〕 23 초 [平]蕭 | jiāo ショウ みそさざい

[字解] ①굴뚝새초 '一鷯'는 굴뚝샛과(科)에 속하는 작은 새. 숲 속이나 굴뚝 부근에서 서식함. ②뱁새초 박샛과(科)의 작은 새.

집을 교묘히 지음. 교부조(巧婦鳥). '一鷦巢林'《莊子》.
字源 形聲. 鳥+焦〔音〕

鳥12 〔[鳥+焦]〕 23 鷦(前條)의 本字

鳥12 〔鷯〕 23 료 平蕭 | liáo リョウ みそさざい
字解 ①굴뚝새료. ②뱁새료 '鷦一'. '釋名, 鷦一'《本草》.
字源 形聲. 鳥+尞〔音〕

鳥12 〔鷭〕 23 번 平元 | fān ハン とりのな
字解 쇠물닭번 뜸부깃과에 속하는 물새. '一, 一鴫, 鳥名, 似鶩'《集韻》.
字源 形聲. 鳥+番〔音〕

鳥12 〔鷮〕 23 교 平蕭 | jiāo キョウ おおやまどり
字解 꿩교 꿩과(科)에 속하는 새의 일종. '女几之山, 其鳥多白一'《山海經》.
字源 形聲. 鳥+喬〔音〕

鳥12 〔鷤〕 23 ㊀제 平齊 | tí テイ ほととぎす ㊁단 平寒 | tán タン きじのこ
字解 ㊀두견이제 鶗(鳥부 9획〈1826〉)와 同字. '一鴂, 子鳺也'《廣雅》. ㊁꿩새끼단.

鳥12 〔鷸〕 23 휼 (율本) 入質 | yù イツ しぎ
字解 ①도요새휼 도욧과(科)에 속하는 새의 일종. 떼새 비슷한데 좀 큼. 수찰아(水札兒). '一蚌相持'《戰國策》. ②물총새휼 물새의 일종. 쇠새. 비취(翡翠). '鄭子臧好聚一冠'《左傳》. ※本音 율.
字源 形聲. 鳥+矞〔音〕

鳥12 〔鷳〕 23 한 平刪 | xián カン しらきじ
字解 백한(白鷳)한 꿩과에 속하는 새. 온몸이 거의 다 희고 꽁지가 길. 숲 속에 삶. '自起開籠放白一'《雍陶》.
字源 形聲. 鳥+閒〔音〕

鳥12 〔鷴〕 23 鷳(前條)와 同字

鳥12 〔鷉〕 23 사 平支 | sī シ みやまがらす
字解 갈까마귀사 '鸒一'는 까마귀와 비슷하나 약간 작고 배 아래가 흰 새. 떼를 지어 다님. '鸒一, 雅烏也'《集韻》.

鳥12 〔䳢〕 23 기 平支 | qí キ みみずく
字解 부엉이기 '鵋一'는 부엉이. 鶀(鳥부 8획〈1823〉)와 同字. '一, 鳥名, 今江東呼鵂鶹, 爲鵋一'《集韻》.

鳥12 〔鸈〕 23 거 平魚 | qú キョ せきれい
字解 할미새거 '雝一'는 할미새. '一, 鳥名, 說文, 雝一也, 飛則鳴, 行則搖'《集韻》.
字源 形聲. 鳥+渠〔音〕

鳥12 〔[鳥+渠]〕 23 鸈(前條)의 本字

鳥12 〔鷷〕 23 ㊀준 平眞 | zūn シュン きじ ㊁존 平元 | ソン きじ
字解 ㊀꿩준 '雉, 西方曰一'《爾雅》. ㊁꿩존 ㊀과 뜻이 같음.

鳥12 〔鷧〕 23 ㊀의 去寘 | yì イ う ㊁예 去霽 | エイ う
字解 ㊀가마우지의 '一, 一鸕, 鶩鳥'《廣韻》. ㊁가마우지예 ㊀과 뜻이 같음.
字源 形聲. 鳥+壹〔音〕

鳥12 〔[鳥+壹]〕 23 鷧(前條)의 本字

鳥12 〔鷱〕 23 고 平豪 上皓 | gāo コウ はとのいっしゅ
字解 비둘기고 '鴡一'는 비둘기의 일종. '一, 鴡一, 鳥名. 鳩類'《集韻》.

鳥12 〔鷵〕 23 도 平虞 | tú ト わかたか
字解 어린매도 '鶌一'는 어린 매. '鷟, 鶌一'《爾雅》.

鳥12 〔[啇+鳥]〕 23 〔적〕 [商+鳥](鳥부 11획〈1833〉)의 本字

鳥12 〔[畱+鳥]〕 23 〔류〕 鶹(鳥부 10획〈1829〉)의 本字

鳥12 〔鷫〕 23 鳥부 13획(1837)을 보라.

鳥12 〔鷩〕 23 별 入屑 | biē ヘツ きんけいちょう
字解 금계(錦鷄)별 꿩 비슷한 새. 적치(赤雉). '一, 赤雉也, 从鳥敝聲'《說文》.
字源 形聲. 鳥+敝〔音〕

鳥12 〔鷢〕 23 궐 入月 | jué ケツ たかのいっしゅ

[字解] 물수리궐 징경이. 저구(雎鳩). '飄然逐鷹—'《韓愈》.
[字源] 形聲. 鳥＋厥〔音〕

鳥12 〔鷲〕 23 취 [去]宥 jiù シュウ わし
[字解] 수리취 수릿과에 속하는 맹금의 일종. '鷲悍多力, 盤旋空中, 無細不見, 皂鵰, 卽—也'《本草》.
[字源] 形聲. 鳥＋就〔音〕

鳥12 〔鷲〕 23 鷲(前條)의 本字

鳥12 〔鷺〕 23 [人名] 로 [去]遇 lù ロ さぎ
[筆順] 口 ⻊ 𧾷 跢 路 鷺 鷺 鷺
[字解] ①백로로 백로과에 속하는 물새. 온몸이 희고 부리와 다리는 검음. 해오라기. 백조. 설객(雪客). ②노우(鷺羽)로, 무적(舞翟)로 옛날에, 춤을 추는 자가 가지고 지휘하던 백로의 깃으로 만든 물건. '振振—'《詩經》.
[字源] 形聲. 鳥＋路〔音〕

鳥12 〔鷥〕 23 사 [平]支 sī シ しらさぎ
[字解] 해오라기사 백로(白鷺). '—, 舊注, 鷺—, 按, 鷺頭有白毛似絲, 故呼爲鷺絲, 贅作—'《正字通》.
[字源] 形聲. 鳥＋絲〔音〕

鳥12 〔鵌〕 23 서 [平]魚 shū ショ あひる
[字解] 오리서 '—, 鳥名, 似凫'《集韻》.

鳥12 〔鷒〕 23 단 [平]寒 tuán タン わし
[字解] ①수리단 '—, 鵰也'《廣雅》. ②솔개단 '—, 鳶之別名'《廣韻》.

鳥12 〔鷰〕 23 연 [去]霰 yàn エン つばめ
[字解] 제비연 燕(火부 12획〈726〉)과 同字. '燕, 說文, 玄鳥也, 或从鳥'《集韻》.
[字源] 形聲. 鳥＋燕〈省〉〔音〕

鳥12 〔鷩〕 23 창 [上]養 chǎng ショウ しまつどりのけ
[字解] 무수리털창 氅(毛부 12획〈621〉)과 同字. '氅, 鶖羽, 或从鳥'《集韻》.

鳥12 〔鷇〕 23 구 [去]宥 kòu コウ ひな
[字解] 병아리구 병아리. 날짐승의 새끼. '—, 雛也'《廣雅》.

鳥12 〔鷾〕 23 동 [平]東 tóng トウ みずとりのな
[字解] 새이름동 새 이름. 교지(交趾) 지방에 서식하는 물새의 일종. '鸏—'. '—, 鸏—, 水鳥, 黃喙, 長尺餘, 南人以爲酒器'《集韻》.

鳥12 〔鐙〕 23 등 [平]蒸 dēng トウ みみずく
[字解] ①부엉이등 부엉이. 휴류(鵂鶹). '—, 鳥名, 鵂鶹也'《集韻》. ②뜸부기등 뜸부기. 등계(登雞). 뜸부깃과(科)의 철새. 아침저녁으로 "뜸북뜸북"하고 우는 데서 온 이름.

鳥12 〔鷹〕 23 력 [入]錫 lì レキ たかににたとり
[字解] 매비슷한새력 매 비슷한 새. 매와 같으나 큰 새. '—, 鳥名, 似鷹而大也'《集韻》.

鳥12 〔鷶〕 23 매 [上]蟹 mǎi バイ ほととぎす
[字解] 두견새매 두견이. 접동새. '—鴭'. '—鴭, 子規也'《廣雅》.

鳥12 〔鷡〕 23 무 [平]虞 wú ブ ふなしうずら
[字解] 세가락메추라기무 세가락메추라기. '鴾—'. '—, 鴾—鳥名, 鴽也'《集韻》.

鳥12 〔鷵〕 23 복 [入]沃 pú ホク とりのな
[字解] 새이름복 새 이름. '—, —鶨, 鳥名'《集韻》.

鳥12 〔鷼〕 23 분 [平]文 fén フン とりのな
[字解] 새이름분 새 이름. '太行之山, 有鳥焉, 其狀如鵲, 白身, 赤尾, 六足, 其名曰—'《山海經》.

鳥12 〔鷂〕 23 상 [上]養 xiàng ショウ ぼうとうのべつめい
[字解] 몽동상 몽동(鸏鷾)의 딴 이름. '—, 鳥名'《集韻》.

鳥12 〔鶽〕 23 순 [去]震 shùn シュン とりのな
[字解] 새이름순 새 이름. '—, 鴯—, 鳥名'《集韻》.

鳥12 〔鵬〕 23 승 [去]敬 shèng セイ·ショウ きくいただき
[字解] 오디새승 오디새. 후투티. 대승(戴

勝). '一, 鳥名'《字彙》.

鳥 12 〔⿰惡鳥〕 23 악 (入)藥 | è アク みずとりのな

字解 물새이름악 물새〔水鳥〕의 이름. '一, 水一鳥'《篇海》.

鳥 12 〔⿰堯鳥〕 23 요 (뇨(本)) (平)肴 | náo ドウ ちょう せんうぐいす

字解 꾀꼬리요 꾀꼬리. 또, 꾀꼬리의 우는 소리. '一, 鳭一, 黃鳥'《玉篇》. ※本音 뇨.

鳥 12 〔⿰寓鳥〕 23 우 (去)遇 | yù グ ねずみににたとりのな (平)虞 | yú グ とくしゅうににたとり

字解 ①새이름우 새 이름. 쥐 비슷한 새. '一, 鳥名, 狀如鼠'《集韻》. ②말똥가리우 말똥가리 비슷한 새. ③올빼미비슷한새우 올빼미 비슷한 새.

鳥 12 〔⿱隋鳥〕 23 의 (平)支 | wéi イ とりがとぶ

字解 새날의 새가 낢. '⿰隋隹, 飛也, 或作一'《集韻》.

鳥 12 〔⿱粥鳥〕 23 축 (入)屋 | zhōu シュク とりのな

字解 새이름축 새 이름. 축구(⿱粥鳥鳩). '一, 一鳩, 鳥名'《集韻》.

鳥 12 〔⿰晉鳥〕 23 침 (平)侵 | jīn シン にわとりのべつめい

字解 닭침 닭. 닭의 딴 이름. '⿰晉隹, 漢中呼雞爲⿰晉隹, 或从鳥'《集韻》.

鳥 12 〔⿰菟鳥〕 23 토 (去)遇 | tù ト このはずく

字解 부엉이토 부엉이. 작은 수리부엉이. '一, 木一有毛角也'《字彙補》.

鳥 12 〔⿰濕鳥〕 23 〔홍〕 鴻(鳥부 6획〈1817〉)과 同字

鳥 12 〔鷨〕 23 화 (平)麻 | huá カ ふふどり

字解 빼꾸기화 빼꾸기. 포곡조(布穀鳥). 일설에는 꿩, 산꿩. '一, 山雉名也'《集韻》.

鳥 12 〔鷬〕 23 황 (平)陽 | huáng コウ ちょうせんうぐいす

字解 꾀꼬리황 꾀꼬리. '鸝一'. '一, 鸝一, 鳥名'《集韻》.

鳥 12 〔⿰喉鳥〕 23 후 (平)尤 | hōu コウ ふふどりににたあおいろのとり

字解 빼꾸기비슷한청색새후 빼꾸기 비슷한 청색의 새. '一, 一鳥, 青色, 似鵓鳩也'《廣韻》.

鳥 13 〔⿰巂鳥〕 24 규 (平)支 | guī キ ほととぎす

字解 두견이규 '子一'는 두견새. '一, 子規鳥也'《字彙》. '狃猱糖蛺, 子一呼焉'《揚雄》.

鳥 13 〔鸃〕 24 의 (平)支 | yí ギ きんけいちょう

字解 금계(錦雞)의 '鵔一'. '一, 鵔一也'《說文》.

字源 形聲. 鳥+義〔音〕

鳥 13 〔⿰睘鳥〕 24 ㊀환 (平)刪 ㊁선 (平)先 | xuān カン みずとりのな セン みずとりのな

字解 ㊀ 물새이름환 '一, 水鳥名, 紅白深目, 目傍毛長'《集韻》. ㊁ 물새이름선 ㊀과 뜻이 같음.

鳥 13 〔鷾〕 24 의 (去)寘 | yí イ つばめ

字解 제비의 '一鴯'는 제비. '鳥莫知於一鴯'《莊子》.

字源 形聲. 鳥+意〔音〕

鳥 13 〔鸂〕 24 계 (平)齊 | xī, qī ケイ おしどり

字解 자원앙계 '一鶒'은 자원앙(紫鴛鴦). '覽水禽之萬類, 信莫麗於一鶒'《謝靈運》.

字源 形聲. 鳥+溪〔音〕

鳥 13 〔⿰零鳥〕 24 령 (平)青 | líng レイ せきれい

字解 ①할미새령 척령(鶺鴒)의 별칭. '一, 一鳥, 脊鴒別名'《字彙》. ②두루미령 학(鶴)의 별칭(別稱).

鳥 13 〔鸇〕 24 전 (平)先 | zhān セン はやぶさ

字解 송골매전 매〔鷹〕의 일종. 신풍(晨風). '爲叢敺爵者一也'('爵'은 '雀')《孟子》.

字源 形聲. 鳥+亶〔音〕

鳥 13 〔鸅〕 24 택 (入)陌 | zhé タク がらんちょう

字解 사다새택 '鵜一'. '一, 鳥名, 鵜鶘也'《集韻》.

鳥 13 〔鷫〕 24 숙 (入)屋 | sū シュク しんちょうのな

字解 신조숙 '一鷞'은 서방(西方)을 지킨다는 신조(神鳥). '家貧以一鷞裘貰酒'《史

記》.
[字源] 形聲. 鳥+肅〔音〕

鳥13 〔鹮〕24 [一] 현 [平]先 | huán ケン めぐりとぶ
[二] 선 [平]先 | xuān セン みずとりのな

[字解] [一] 돌며날현 돌며 휠휠 낢. 翾(羽부 13획〈1047〉)과 통용. '一, 繞飛也'《正字通》. [二] 물새이름선 '一目'은 물새의 이름. 旋(方부 7획〈496〉)과 통용. '一目, 水鳥'《集韻》.

鳥13 〔⿰葛鳥〕24 [一] 알 [入]黠 | yà アツ つぐみ
[二] 갈 [入]黠 | カツ つぐみ

[字解] [一] 개똥지빠귀알 '字林云, 鶷一, 似伯勞而小'《爾雅 釋林》. [二] 개똥지빠귀갈 [一]과 뜻이 같음.

鳥13 〔鸀〕24 [一] 촉 [入]沃 [入]沃 | ①-③shǔ ショク·ゾク とりのな ④zhú ショク·ソク かもににておおきなとり
[二] 탁 [入]覺 | zhuó タク やまどりのな
[三] 독 [入]屋 | トク ふふどり

[字解] [一] ①새이름촉 '海外互人之國有青鳥, 身黃赤足六首, 名曰一'《山海經》. ②집오리닮은새촉 '一鳴'은 집오리를 닮되 크고, 눈이 붉으며, 부리가 감색(紺色)인 새. '一, 一鳴, 鳥名. 似鴨而大, 赤目紺觜'《集韻》. ③산까마귀촉 까마귀를 닮되 작은 새. '一, 鳥名, 山烏也. 似烏而小, 穴乳. 出西方'《集韻》. ④오리닮은새촉 '一鳿'은 오리를 닮되 큰 새. '鴐鵝一鳿'《史記》. [二] 산까마귀탁 [一]❸과 뜻이 같음. [三] 뻐꾸기독 '一, 一鸐, 鳥也'《廣韻》.

鳥13 〔鸊〕24 [一] 벽 [入]陌 [入]錫 | ①②pì ヘキ·ハク こばと, かいつぶり ②ヘキ かいつぶり
[二] 피 | ヒ にわとり

[字解] [一] ①작은비둘기벽 '鳩, 自關而東, 周鄭之郊, 韓魏之都, …其鵖鳩謂之一鶇'《揚子方言》. ②논병아리벽 鷿(鳥부 13획〈1838〉)과 同字. '一鷉, 鵧鷉也'《廣雅》. [二] 닭피 '一鴏'는 닭. '雞, 陳楚之間, 謂之一鴏'《揚子方言》.

鳥13 〔鷹〕24 [人名] 응 [平]蒸 | yīng ヨウ たか

[筆順] 广 疒 雁 雁 雁 鷹 鷹 鷹

[字解] 매응 맹금(猛禽)의 일종. 정조(征鳥). '蒼一'. '一犬'. '時維一揚'《詩經》.
[字源] 形聲. 鳥+應〈省〉〔音〕

鳥13 〔鷽〕24 학 [入]覺 | xué カク こばと

[字解] ①비둘기학 작은 비둘기. '蜩與一鳩笑鵬'《莊子》. ②피리새학 참샛과에 속하는 새. 피리를 부는 듯이 곱게 욺. '一, 山鵲'《爾雅》.
[字源] 形聲. 鳥+學〈省〉〔音〕

鳥13 〔鷿〕24 벽 [入]錫 | pì ヘキ かいつぶり

[字解] 논병아리벽 '一鷉'. '鶩雁一鷉'《馬融》.
[字源] 形聲. 鳥+辟〔音〕

鳥13 〔䴙〕24 鷿(前條)의 本字

鳥13 〔鸁〕24 라 [平]歌 | luó ラ みそさざい

[字解] ①굴뚝새라 '過一'는 굴뚝새. '桑飛, 自關而東, 謂之工爵, 或謂之過一'《揚子方言》. ②논병아리라 '須一'는 논병아리. '一, 須一, 鳥名, 鷿鷉也. 似鳧而小'《集韻》.

鳥13 〔⿱楊鳥〕24 [一] 양 [平]陽 | yáng ヨウ みさご
[二] 영 [平]庚 | エイ·ヨウ みさご

[字解] [一] 물수리양 매의 일종. '一, 白鷢'《爾雅》. [二] 물수리영 [一]과 뜻이 같음.

鳥13 〔鸄〕24 [一] 격 [入]錫 | jī ケキ わかたか
[二] 규 [去]嘯 | キョウ わかたか
[三] 교 [上]篠 | キョウ わかたか
[四] 효 [平]蕭 | キョウ わかたか

[字解] [一] 새이름격 까마귀를 닮되, 창백색(蒼白色)인 새. '一, 鳥似烏, 蒼白色'《廣韻》. [二] 새이름규 [一]과 뜻이 같음. [三] 새이름교 [一]과 뜻이 같음. [四] 새이름효 [一]과 뜻이 같음.

鳥13 〔鷶〕24 가 | jiǎ カ たかのぞく

[字解] 새이름가 새 이름. 매의 한 가지. '一, 鳥名'《玉篇》.

鳥13 〔鸈〕24 〔거〕
[illegible](鳥부 12획〈1835〉)와 同字

鳥13 〔⿰氵鶻〕24 〔골〕
鶻(鳥부 10획〈1830〉)과 同字

鳥13 〔⿺辶⿰咼鳥〕24 과 [平]歌 | guō カ たくみどり

[字解] 뱁새과 뱁새. '一鸁, 工雀也'《廣雅》.

鳥13 〔鷇〕24 구 [去]宥 | kòu コウ とりのこ

[字解] 새새끼구 새 새끼. '一, 鳥子生哺者'《集韻》.

鳥 13 〔⿰葵鳥〕 24 〔규〕
⿰癸鳥(鳥부 9획〈1828〉)와 同字

鳥 13 〔⿰寍鳥〕 24 〔녕〕
鸋(鳥부 14획〈1839〉)의 訛字

鳥 13 〔⿰農鳥〕 24 농 [平]冬 | nóng ドウ ひしくいがん
[字解] 기러기농 기러기. 큰기러기. '一, 鴻也'《集韻》.

鳥 13 〔⿰雷鳥〕 24 〔루〕
鸓(鳥부 15획〈1840〉)의 俗字

鳥 13 〔鷚〕 24 류 [平]尤 | liú リュウ むささび
[字解] 날다람쥐류 날다람쥐. 오서(鼯鼠). '一⿰中鳥'. '一⿰中鳥, 飛鸓也'《廣雅》.

鳥 13 〔⿰鉏鳥〕 24 서 [平]魚 | chú ショ しらさぎ
[字解] 해오라기서 해오라기. 백로. '舂一鳥'. '一, 舂一, 鳥名, 鷺也'《集韻》.

鳥 13 〔鸈〕 24 업 [入]葉 | yè ギョウ きっきょうをしるとりのな
[字解] 길흉을아는새업 길흉(吉凶)을 아는 새의 이름. 사람의 길흉을 아는 새. '一, 鳥名, 知吉凶'《集韻》.

鳥 13 〔鸆〕 24 우 [平]虞 | yú グ みぞごいさぎ
[字解] ①사다새우 사다새. '鸅一'. '一, 鸅一, 鳥名, 常在澤中'《集韻》. ②유모조우 유모조(乳母鳥). 부엉이의 일종. '蒼一'.

鳥 13 〔鷠〕 24 후 [去]宥 | hòu コウ かも
[字解] 오리후 오리. 들오리. '一, 一鸔, 野鴨'《篇海》.

鳥 14 〔鸐〕 25 [一] 적 [入]錫 | dí テキ やまどり
[二] 탁 [入]覺 | zhuó タク やまどり
[字解] [一] 산꿩적 꿩 비슷한데, 수컷은 홍황(紅黃)·홍흑(紅黑)의 반점이 있고 꼬리가 길며 암컷은 흑색에 연한 붉은색을 띠고 꼬리가 짧음. 翟(羽부 8획〈1043〉)과 同字. '一, 山雉'《爾雅》. [二] 산꿩탁 [一]과 뜻이 같음.

鳥 14 〔⿰𡎸鳥〕 25 〔난〕
⿰堇鳥(鳥부 11획〈1833〉)의 本字

鳥 14 〔⿰鳥蒙〕 25 鸏(次條)의 本字

鳥 14 〔鸏〕 25 [一] 몽 [平]東 [上]董 | méng ボウ みずとりのな
[二] 망 [平]江 | ボウ·モウ はとのるい
[字解] [一] ①물새이름몽 '一, 水鳥'《玉篇》. ②물새새끼몽 털이 나지 않은 물새의 새끼. '一, 玉篇, 水鳥鷇未生毛也'《康熙字典》. [二] 비둘기망 비둘기의 일종. '一, 鳩屬'《集韻》.
[字源] 形聲. 鳥+蒙〔音〕

鳥 14 〔鸋〕 25 녕 [平]青 [去]徑 | níng ネイ うずらのこ
[字解] ①메추라기새끼녕 '鶉子鳼, 鴽子一'《爾雅》. ②올빼미녕 '鴟鴞, 一鴂'《爾雅》.

鳥 14 〔⿰壽鳥〕 25 [一] 주 [平]尤 | chóu チュウ きじのな
[二] 도 [平]豪 | táo トウ がらんちょう
[字解] [一] 꿩이름주 남방(南方)의 꿩의 이름. '趙武靈王, 貝帶鵕一而朝, 趙國化之'《淮南子》. [二] 사다새도 '一河'는 사다새. '一, 一河, 鳥名. 通作淘'《集韻》.

鳥 14 〔鸍〕 25 [一] 시 [平]支 | shī シ たかべ
[二] 미 [平]支 | ビ·ミ たかべ
[字解] [一] ①상오리시 오리를 닮되, 꼬리가 길고 등에 무늬가 있는 새. '一, 沈鳧'《爾雅》. ②짐(鴆)새시 독조(毒鳥)의 이름. '一, 鴆鳥名'《廣韻》. [二] 상오리미, 짐새미 [一]과 뜻이 같음.

鳥 14 〔鸎〕 25 앵 [平]庚 | yīng オウ ちょうせんうぐいす
[字解] 휘파람새앵, 꾀꼬리앵 鶯(鳥부 10획〈1831〉)과 同字. '一, 黃一'《廣韻》.

鳥 14 〔鸑〕 25 악 [入]覺 | yuè ガク ほうおう
[字解] ①봉황악 '一鷟'은 봉황(鳳凰)의 별칭(別稱). '周之興也, 一鷟鳴於岐山'《國語》. ②물새이름악 '一鷟'은 오리 비슷하되 더 크고 눈이 붉은 물새의 일종.
[字源] 形聲. 鳥+獄〔音〕

鳥 14 〔鸒〕 25 여 [平]魚 | yù ヨ はしぶとがらす
[字解] 큰부리까마귀여 '鵶'의 별칭. '弁彼一斯'《詩經》.
[字源] 形聲. 鳥+與〔音〕

鳥 14 〔⿰與鳥〕 25 鸒(前條)와 同字

鳥 14 〔鷇〕25 곡 [入]屋 | gǔ コク ふふどり
[字解] 뻐꾸기곡 뻐꾸기. 포곡조(布穀鳥). '一, 布一鳥'《字彙》.

鳥 14 〔䳫〕25 람 [平]覃 | lán ラン かっこうどり
[字解] 뻐꾸기람 뻐꾸기. 곽공(郭公). '一鶨'. '一, 一鶨, 鳥名, 郭公也'《集韻》.

鳥 14 〔鸏〕25 몽 [去]送 | mèng ボウ くそとび
[字解] 쏙독새몽 쏙독새. '一, 爾雅狂夢鳥'《正字通》.

鳥 14 〔𪇰〕25 빈 [平]眞 | bīn ヒン とりのな
[字解] ①날빈 낢. 또, 나는 모양. '一, 飛皃'《玉篇》. ②새이름빈 새 이름. '一, 鳥名'《集韻》.

鳥 14 〔鶄〕25 정 [平]庚 | jīng セイ せきれい
[字解] 할미새정 할미새. 척령(鶺鴒). '一, 一鴒, 鳥名, 鶺鴒也'《集韻》.

鳥 15 〔𪉂〕26 침 [平]侵 | zhēn シン とりのな
[字解] 새이름침 물총새를 닮은 검은물새. '一, 一鴜, 水鳥, 似魚虎而黑色'《玉篇》.
[字源] 形聲. 鳥＋箴〔音〕

鳥 15 〔𪈼〕26 [一]얼 [入]屑 | ゲツ かものるい
[二]갈 [入]黠 | jiá カツ かものるい
[三]알 [入]黠 | ガツ かものるい
[字解] [一] 오리얼 '鵽一'은 오리의 종류. '一, 鵽一也'《說文》. [二] 오리갈 [一]과 뜻이 같음. [三] 오리알 [一]과 뜻이 같음.
[字源] 形聲. 鳥＋辥〔音〕

鳥 15 〔𪆐〕26 鸔(次條)과 同字

鳥 15 〔鸔〕26 [一]복 [入]屋 [入]沃 | bǔ ホク みずとりのな
[二]박 [入]藥 [入]覺 | ハク みずとりのな
[三]포 [去]號 | ホウ みずとりのな
[字解] [一] 물새이름복 '鵅, 鳥一'《爾雅》. [二] 물새이름박 [一]과 뜻이 같음. [三] 물새이름 포 [一]과 뜻이 같음.
[字源] 形聲. 鳥＋暴(㬥)〔音〕

鳥 15 〔𪈣〕26 절 [入]屑 | jié セツ ちゃぼ
[字解] 당닭절 작은 닭. '一, 小雞'《玉篇》.
[字源] 形聲. 鳥＋截〔音〕

鳥 15 〔𪈰〕26 랍 [入]合 | là ロウ とびたつさま
[字解] 푸르르날랍 '一鵣'은 앉았다가 날아가는 모양. '一鵣, 飛起皃'《玉篇》.

鳥 15 〔鸓〕26 [一]루 [上]紙 [平]支 | lěi ルイ むささび
[二]뢰 [平]灰 | ライ むささび
[字解] [一] ①하늘다람쥐루 '一, 飛生鳥名. 飛且乳. 一曰, 鼯鼠'《廣韻》. ②까치닮은새루 '翠山, 其鳥多一, 其狀如鵲, 赤黑而兩首四足, 可以禦火'《山海經》. [二] 하늘다람쥐뢰, 까치닮은새뢰 [一]과 뜻이 같음.
[字源] 形聲. 鳥＋畾〔音〕

鳥 15 〔𪉏〕26 鸓(前條)의 本字

鳥 15 〔𪈻〕26 〔전〕
鸇(鳥부 13획〈1837〉)의 籀文

鳥 15 〔䴈〕26 광 [上]養 | guǎng コウ ほうのたぐい
[字解] 봉황새광 봉황새. 봉황새의 유(類). '一, 一鵖, 鳳類'《集韻》.

鳥 15 〔鸈〕26 락 [入]藥 | luò ラク くびのあかいたか
[字解] 목붉은매락 매의 한 가지. '一, 鳥名, 一曰, 鷹赤首曰一'《集韻》.

鳥 15 〔鸝〕26 〔리〕
鸝(鳥부 19획〈1842〉)의 略字

鳥 15 〔鷚〕26 류 [平]尤 | liú リュウ あひるのたまご
[字解] 집오리알류 집오리의 알. '一, 鶩卵也'《集韻》.

鳥 15 〔𪈧〕26 멸 [入]屑 | miè ベツ みそさざい
[字解] 굴뚝새멸 굴뚝새. 교부조(巧婦鳥). '一, 鳥名, 工雀也, 一曰, 巧婦'《集韻》.

鳥 15 〔𪈩〕26 채 [去]泰 | cài サイ きじばと
[字解] 산비둘기채 산비둘기. 반구(斑鳩). 비둘깃과(科)에 속하는 새. '一, 鳩屬'《集韻》.

鳥 16 〔鸕〕27 로 [平]虞 | lú ロ
[字解] 바다가마우지로 '一鷀'는 가마우짓과

(科)에 속하는 물새. '一, 一鵜也'《說文》.
字源 形聲. 鳥+盧〔音〕

鳥16 〔⿰鳥盧〕 27 鸕(前條)의 本字

鳥16 〔鸖〕 27 학 (入)藥 | hè カク つる
字解 두루미학 鶴(鳥부 10획〈1829〉)과 同字. '懿公好一'《史記》.

鳥16 〔⿰遹鳥〕 27 〔휼〕 鷸(鳥부 12획〈1835〉)과 同字

鳥16 〔⿰燕鳥〕 27 〔연〕 鷰(鳥부 12획〈1836〉)과 同字

鳥16 〔⿰𥷺鳥〕 27 국 (入)屋 | jú キク ふふどり
字解 뻐꾸기국 鵴(鳥부 8획〈1823〉)과 同字. '一, 爾雅, 作鵲一. 郭璞云, 今之布穀也'《廣韻》.
字源 形聲. 鳥+𥷺(𥶄)〔音〕

鳥16 〔⿰𥳑鳥〕 27 ⿰𥷺鳥(前條)의 本字

鳥16 〔⿱龍鳥〕 27 롱 (平)東 | lóng ロウ かも
字解 ①오리롱 '一, 鳧也'《廣雅》. ②들새롱, 작은새롱 '小臣之好射騏雁羅一'《史記》.
字源 形聲. 鳥+龍〔音〕

鳥16 〔⿰郭鳥〕 27 곽 (入)藥 | guō カク かっこうどり
字解 뻐꾸기곽 뻐꾸기. 곽공(郭公). '一, 一公, 鳥名'《集韻》.

鳥16 〔⿰瞢鳥〕 27 맹 (去)徑 | mèng ボウ くそとび
字解 말똥가리맹 말똥가리. '一, 鴟一'《玉篇》.

鳥16 〔⿰酓鳥〕 27 암 (平)覃 | ān アン ふなしうずら
字解 메추라기암 메추라기. '一, 鶉也'《字彙補》.

鳥16 〔⿰翮鳥〕 27 핵 (入)陌 | hé カク とりのな
字解 새이름핵 새 이름. '一, 鵃一, 鳥名'《集韻》.

鳥17 〔鸚〕 28 앵 (平)庚 | yīng ヨウ·オウ おうむ
字解 ①앵무새앵 '一鵡'는 앵무새. '一鵡能言, 不離飛鳥'《禮記》. ②앵무조개앵 '一螺'.
字源 形聲. 鳥+嬰〔音〕

鳥17 〔鸙〕 28 약 (入)藥 | yuè ヤク ひばり
字解 종다리약 '鸐, 天一'《爾雅》.

鳥17 〔鸘〕 28 〔상〕 鷞(鳥부 11획〈1832〉)과 同字

鳥17 〔⿰縷鳥〕 28 루 (上)麌 | lǚ ル かっこうどり
字解 뻐꾸기루 뻐꾸기. 포곡조(布穀鳥). '鶌一鳥'. '一, 鶌一鳥, 今云郭公也'《廣韻》.

鳥17 〔⿰薨鳥〕 28 횡 (平)庚 | hōng コウ かわのな
字解 강이름횡 강 이름. '鬲山, 蒲一之水出焉, 東流注于江'《山海經》.

鳥18 〔⿰鳥暴〕 29 〔복〕 鸔(鳥부 15획〈1840〉)의 本字

鳥18 〔⿰鳥藿〕 29 鸛(次條)과 同字
字源 形聲. 鳥+藿〔音〕

鳥18 〔鸛〕 29 관 (去)翰 | guàn カン こうのとり
字解 황새관 황샛과에 속하는 새. 모양이 백로 비슷한데 훨씬 크고 날개의 끝 부분은 검음. 관조(鸛鳥). '一鶇, 鶝鶔, 如鵲短尾, 射之銜矢射人'《爾雅》.

鳥18 〔鸜〕 29 구 (平)虞 | qú ク ははっちょう
字解 구욕새구 '一鵒'은 때까치 비슷한 새. 구욕새.
字源 形聲. 鳥+瞿〔音〕

鳥18 〔⿰䲷鳥〕 29 〔봉〕 鳳(鳥부 3획〈1811〉)의 古字

鳥18 〔⿰鳥鵬〕 29 예 (平)支 | yī イ かも
字解 오리예 오리. '一, 鳧也'《字彙補》.

鳥18 〔⿰薰鳥〕 29 훈 (去)問 | xùn クン かいちょうのな
字解 괴조훈 괴조(怪鳥). 괴조의 이름. '一䳍, 怪鳥也'《龍龕手鑑》.

鳥18 〔⿰巂鳥〕 29 휴 (平)齊 | guī ケイ とりのな
字解 두견새휴 두견이. 접동새. 주연(周燕).

鳥 19 〔鸝〕30 [一] 리 [平]支 | lí リ ちょうせんうぐいす
[二] 려 [平]齊 | レイ ちょうせんうぐいす

[字解] [一] 꾀꼬리리 '黃一'는 꾀꼬리. 창경(鶬鶊). '兩個黃一鳴翠柳'《杜甫》. [二] 꾀꼬리려 [一]과 뜻이 같음.
[字源] 形聲. 鳥+麗〔音〕

鳥 19 〔鸞〕30 란 [平]寒 | luán ラン ほうおうのいっしゅ

[字解] ①난새란 영조(靈鳥)의 이름. 봉황(鳳凰)의 일종. 털은 오채(五彩)를 갖추었고, 소리는 오음(五音)에 맞는다 함. 일설(一說)에는, 털에 푸른빛이 많은 봉(鳳)새라 함. '一鳥'. '銅鏡立靑一'《李賀》. ②방울란 천자(天子)가 타는 마차(馬車)의 말에 단 방울. '一駕'. '一車'. '和一雝雝'《詩經》. ③성란 성(姓)의 하나.
[字源] 形聲. 鳥+䜌〔音〕
[參考] 鸾(鳥부 6획〈1819〉)은 俗字.

鳥 22 〔⿰木鸜〕33 권 [平]先 | quán ケン ははっちょう

[字解] 구관조권 구관조(九官鳥). '一鵒'. '一, 一鵒, 鳥名'《集韻》.

鳥 23 〔⿰疊鳥〕34 첩 [入]葉 | dié チョウ とりのな

[字解] 새이름첩 새 이름. '翠山, 其鳥多一, 其狀如鵲, 赤黑而兩首四足, 可以禦火'《山海經》.

鳥 24 〔⿰靈鳥〕35 〔령〕
鴒(鳥부 5획〈1814〉)과 同字

鳥 25 〔⿰䜌鳥〕36 만 [平]刪 | mán バン・マン とりのな

[字解] 새이름만 '一一'은 오리 비슷한 새의 이름. 날개와 눈이 하나씩이라 함. '山海經, 有鳥, 如梟, 一翼一目, 相得乃飛, 名曰一一'《集韻》.

鳥 25 〔⿰畾鳥〕36 〔루〕
鷜(鳥부 15획〈1840〉)의 籒文

鹵 部
〔소금밭로부〕

鹵 0 〔鹵〕11 로 [上]麌 | lǔ ロ しおち

[筆順] ⺊ 卢 鹵 鹵 鹵 鹵 鹵 鹵

[字解] ①염밭로 소금기가 있어 경작에 부적당한 땅. '澤一'. '一田'. '厥田斥一'《史記》. 전(轉)하여, 척박한 땅. 불모의 땅. '遠在荒一'《唐書》. 또, 땅에 초목이 나지 아니함. 불모임. '寒地瘠一'《唐書》. ②소금로 천연의 소금. 인조의 소금은 '鹽'이라 함. '山西食鹽一'《史記》. ③방패로 큰 방패. 櫓(木부 15획〈588〉)와 통용. '流血漂一'《戰國策》. ④노둔할로 魯(魚부 4획〈1787〉)와 통용. '小臣信頑一'《劉楨》. ⑤노략질할로 擄(手부 13획〈470〉)와 통용. '毋得一掠'《漢書》. ⑥성로 성(姓)의 하나.
[字源] 象形. 주머니에 싼 암염(巖鹽)을 본떠, 소금, 소금을 머금은 서방(西方)의 황무지의 뜻을 나타냄.
[參考] '鹵로'를 의부(意符)로 하여, 소금, 소금기에 관한 문자를 이룸. 부수 이름은 '소금밭로'.

鹵 3 〔⿱鹵土〕14 로 [上]麌 | lǔ ロ さいほうのしおち

[字解] ①염밭로 염밭. 鹵(前條)와 同字. '鹵, 說文, 西方鹹地也, 或从土'《集韻》 ②모래로 모래〔沙〕. '一, 沙也'《玉篇》.

鹵 4 〔⿱鹵旦〕15 〔담〕
覃(襾부 6획〈1294〉)의 古字

鹵 4 〔⿰鹵亢〕15 강 [上]養 | gǎng コウ しおさわ

[字解] 염전강 염밭. '一, 鹽澤'《集韻》.

鹵 4 〔⿰鹵冗〕15 ⿰鹵亢(前條)과 同字

鳥 4 〔鹶〕15 긍 [平]蒸 | jīn キョウ あわれむ

[字解] ①불쌍히여길긍 불쌍히 여김. 애긍(哀矜)함. '一, 哀也'《廣雅》. ②쓸긍 씀〔苦〕. 쓴맛. '一, 苦也'《集韻》.

鹵 4 〔⿰鹵毛〕15 〔접〕
接(手부 8획〈450〉)과 同字

鹵 5 〔⿰鹵⿱𠂉几〕16 〔강〕
⿰鹵亢(鹵부 4획〈1842〉)과 同字

鹵 5 〔⿰矛鹵〕16 긍 [平]蒸 | jīn キョウ おおきい

[字解] 클긍 큼. '一, 大也'《廣雅》.

鹵 5 〔鹷〕16 령 [平]靑 | líng レイ しお

[字解] 소금령 소금. '一, 鹽也'《集韻》.

鹵 5 〔⿱鹵皿〕16 〔염〕
鹽(鹵부 13획〈1844〉)과 同字

鹵5 〔䶡〕16 참 ㊀陷 | zhān タン しおからい
字解 짤참 짬. 짠맛. '一, 鹹多'《廣韻》.

鹵6 〔覃〕17 〔담〕
覃(襾부 6획〈1294〉)의 本字

鹵7 〔䶢〕18 소 ㊥蕭 ㊀嘯 | xiāo ショウ せんじて つくったしお
字解 ①소금구울소 소금을 구움. 바닷물을 끓여서 소금을 만듦. '一, 煎鹽也'《集韻》. ②소금소 소금.

鹵8 〔䶣〕19 담 ㊀勘 | tàn タン あじがない
字解 싱거울담 맛이 없음.

鹵8 〔塩〕19 〔염〕
鹽(鹵부 13획〈1844〉)의 略字

鹵8 〔鹸〕19 〔험〕
鹼(鹵부 13획〈1844〉)의 略字

鹵8 〔䶤〕19 감 ㊀陷 | jiàn カン しおけ
字解 ①짠맛감 짠맛. '一, 鹹味'《廣韻》. ②맛없을감 맛이 없음. '一䶥'.

鹵8 〔䶦〕19 창 ㊥陽 | chāng ショウ しおづけ
字解 절일창 절임. 소금물에 담금. 또, 그 음식. '一, 鹵漬也'《字彙》.

鹵9 〔覃〕20 〔담〕
覃(襾부 6획〈1294〉)의 籒文

鹵9 〔鹹〕20 함 ㊥咸 | xián カン しおけ
字解 ①소금기함 염분. '以一養脈'《周禮》. ②짤함 소금기가 있음. 또, 소금기가 많음. '鹽之味一者'《素問》.
字源 形聲. 鹵+咸〔音〕

鹵9 〔鹹〕20 鹹(前條)과 同字

鹵9 〔䶧〕20 감 ㊀勘 | kàn カン しおけがこい
字解 몹시짤감 몹시 짬. 소금기가 과함. '一, 鹹味厚'《廣韻》.

鹵9 〔䶨〕20 변 ㊤銑 | biǎn ヘン しお
字解 소금변 소금. '一, 鹽也'《玉篇》.

鹵9 〔䶩〕20 주 ㊀宥 | còu ソウ しお
字解 소금주 소금. '一, 鹽也'《廣雅》.

鹵9 〔䶪〕20 〔회〕
䶵(鹵부 16획〈1844〉)와 同字

鹵10 〔鹺〕21 차 ㊥歌 | cuó サ こいしおけ
字解 짤차 소금기가 많음. '大鹹曰一'《禮記註》.
字源 形聲. 鹵+差(𢀩)〔音〕

鹵10 〔鹺〕21 鹺(前條)와 同字

鹵10 〔鹻〕21 감 ㊤豏 | jiǎn カン かたしお
字解 소금버캐감 '一, 鹵之凝著者也'《六書故》.
字源 形聲. 鹵+兼〔音〕

鹵10 〔䶫〕21 고 ㊤麌 | gǔ コ しお
字解 소금고 소금. '一, 東人呼鹽'《字彙》.

鹵10 〔塩〕21 〔염〕
鹽(鹵부 13획〈1844〉)과 同字

鹵10 〔䶬〕21 온 ㊥元 | wēn オン しお
字解 소금온 소금. 융적(戎狄)의 소금. '一, 一䶵, 戎狄之鹽'《廣雅》.

鹵10 〔䶭〕21 〔회〕
䶵(鹵부 16획〈1844〉)와 同字

鹵11 〔䶮〕22 〔산〕
糂(米부 17획〈979〉)과 同字

鹵11 〔䶯〕22 〔최〕
䶰(鹵부 12획〈1843〉)의 訛字

鹵12 〔鹺〕23 〔차〕
鹺(鹵부 10획〈1843〉)의 本字

鹵12 〔䶱〕23 감 ㊤感 ㊀勘 | gàn カン にがみ
字解 ①쓸감 씀. 쓴맛. '一醶. '一, 一醶, 苦味'《集韻》. ②몹시짤감 몹시 짬. '一, 味過鹹'《集韻》.

鹵12 〔䶲〕23 〔귤〕
醽(酉부 12획〈1542〉)과 同字

鹵12 〔䶰〕23 최 ㊀卦 | chuài サイ しお

[字解] ①장초 장. 간장. '一, 南方呼醬'《玉篇》. ②소금초 소금. '一, 鹽也'《廣雅》.

鹵 13 〔鹼〕24 [一]험 [上]豏 | jiǎn カン·ケン しおけ
[二]감 [平]鹽 | jiān ケン あく

[字解] [一] 소금기험 지질(地質) 안에 포함된 염분. '一, 鹵也'《說文》. [二] 잿물감 재를 넣어서 우려 낸 물. 세탁에 쓰임. '石一'. '一, 俗以竈灰淋汁曰一水, 去垢穢'《正字通》.
[字源] 形聲. 鹵+僉〔音〕
[參考] 鹸(鹵부 8획〈1843〉)은 略字.

鹵 13 〔⿰鹵感〕24 감 ①[上]感 ②③[去]勘 | gǎn カン しおけ / gàn カン あじがない

[字解] ①소금기감 염분. '一, 鹹味'《集韻》. ②싱거울감 맛이 없음. '一, 無味'《字彙》. ③너무짤감 지나치게 짬. '⿰鹵敢, 味過鹹. 或从感'《集韻》.

鹵 13 〔鹽〕24 [高·人] 염 ①-③[平]鹽 ④[去]豔 | yán エン しお / yàn エン しおにつける

[筆順] 鹽
[字解] ①소금염 색이 희고 짠 맛을 띤 결정물. '一田'. '米一'. '掌一之政令'《周禮》. ②노래이름염 가곡(歌曲)의 이름. '昔昔一'. '阿鵲一'. ③성염 성(姓)의 하나. ④절일염 소금물에 담금. '一虀'. '屑桂與薑以灑諸上而一之'《禮記》.
[字源] 形聲. 鹵+監〔音〕
[參考] 塩(土부 10획〈216〉)은 俗字.

鹵 13 〔⿰鹵鬼〕24 〔회〕
⿰鹵畏(鹵부 9획〈1843〉)와 同字

鹵 14 〔⿰鹵監〕25 [一]감 | gàn カン しおからい
[二]탐 | tàn タン あじがない

[字解] [一] 짤감 짬. '一, 鹹也'《玉篇》. [二] 맛없을탐 맛이 없음. 무미(無味)함. '一, ⿰鹵舀一, 無味也'《集韻》.

鹵 14 〔⿰鹵翟〕25 적 [入]錫 | dí テキ しおからい

[字解] 짤적 짬. '一, 鹹也'.

鹵 14 〔⿰鹵齊〕25 제 [去]霽 | jì セイ しおからい

[字解] 짤제 짬. '一, 鹹也'《集韻》.

鹵 15 〔⿰鹵⿱𠂉坙〕26 〔차〕
鹺(鹵부 10획〈1843〉)의 本字

鹵 16 〔⿰鹵褱〕27 회 [平]佳 | huái カイ えびすのしお

[字解] 오랑캐소금회 오랑캐 소금. '一, ⿰鹵盈一, 戎鹽'《集韻》.

鹿 部

〔사슴록부〕

鹿 0 〔鹿〕11 [高·人] 록 [入]屋 | lù ロク しか

[筆順] 鹿
[字解] ①사슴록 ㉠우제류(偶蹄類)에 속하는 산짐승. '呦呦一鳴'《詩經》. ㉡사슴은 여러 사냥꾼들이 다투어 쫓아가 잡는 짐승이므로, 여러 사람들이 경쟁하여 얻으려고 하는 목적물. 특히, 제위(帝位)를 이름. '中原之一'. '秦失其一, 天下共逐'《十八史略》. '人希逐一之圖'《晉書》. ②곳집록 방형(方形)의 미창(米倉). '囷一空虛'《國語》. ③산기슭록 麓(鹿부 8획〈1847〉)과 통용. '瞻彼旱一'《詩經》. ④성록 성(姓)의 하나.
[字源] 象形. 뿔이 있는 수사슴의 모양을 본떠, '사슴'의 뜻을 나타냄.
[參考] '鹿록'을 의부(意符)로 하여, 사슴의 종류나 사슴과 비슷한 동물의 명칭 등을 나타내는 문자를 이룸. 부수 이름은 '사슴록'.

鹿 0 〔⿸广比〕11 鹿(前條)과 同字

鹿 2 〔麀〕13 우 [平]尤 | yōu ユウ·ウ めじか

[字解] 암사슴우 사슴의 암컷. ⿸鹿牛(鹿부 9획〈1848〉)와 同字. '一鹿濯濯'《孟子》.
[字源] 會意. 鹿+牝〈省〉

鹿 2 〔麂〕13 궤 [上]紙 | jǐ キ おおのろ

[字解] 노루궤 노루〔麞〕의 일종.
[字源] 形聲. 鹿+几〔音〕

鹿 2 〔⿰鹿几〕13 麂(前條)와 同字

鹿 2 〔麁〕13 〔추〕
麤(鹿부 22획〈1849〉)의 俗字

鹿 3 〔⿰鹿力〕14 〔호〕
虎(虍부 2획〈1213〉)의 古字

〔塵〕 〔진〕
土부 11획(218)을 보라.

鹿3 〔麈〕14 사 ㊤紙 | sì シ にさいのしか
字解 두살된사슴사 '麈一不行'《揚雄》.

鹿3 〔麅〕14 한 ㊥寒 | huán カン いっさいのしか
字解 ①한살된사슴한 '一, 鹿一歲'《玉篇》. ②세살된사슴한 세 살 된 사슴.

鹿4 〔麇〕15 오 ㊤晧 | ǎo オウ なれしかのこ
字解 순록새끼오 '獸長麑一'《國語》.

鹿4 〔麌〕15 麌(前條)와 同字

鹿4 〔麃〕15 ㊀포 ㊥肴 | páo ホウ·ビョウ おおしか
㊁표 ㊥蕭 ㊤篠 | biāo ヒョウ いさましいさま
字解 ㊀고라니포 사슴과에 속하는 동물. 큰사슴. 뿔은 녹용(鹿茸)이라 하여 약재로 씀. '郊獲一角獸, 若一然'《史記》. ㊁①굳셀표 '駟介一一'('駟介'는 네 필의 무장한 말)《詩經》. ②풀깎을표 '緜緜其一'《詩經》. ③새의털빛변할표 皫(白부 15획〈827〉)와 통용. '皫, 鳥毛變色, 或作一'《集韻》.
字源 形聲. 鹿+票〈省〉〔音〕

鹿4 〔麉〕15 〔견〕 麙(鹿부 6획〈1845〉)의 俗字

鹿4 〔麆〕15 〔호〕 虎(虍부 2획〈1213〉)의 古字

鹿4 〔麄〕15 〔추〕 麤(鹿부 22획〈1849〉)의 俗字

鹿4 〔麗〕15 〔려〕 麗(鹿부 8획〈1847〉)의 俗字

鹿4 〔麒〕15 〔기〕 麒(鹿부 8획〈1847〉)의 俗字

鹿4 〔麐〕15 〔린〕 麐(鹿부 7획〈1846〉)와 同字

鹿4 〔麐〕15 찰 ㊇曷 | cā サツ しかのさま
字解 사슴모양찰 '一, 鹿貌'《字彙補》.

鹿4 〔麃〕15 〔표〕 表(衣부 3획〈1265〉)와 同字

鹿5 〔麇〕16 ㊀균 ㊥眞 | jūn キン のろ
㊁군 ㊥文 | qún クン むらがる
㊤吻 | kǔn クン しばる
字解 ㊀노루균 사슴과에 속하는 짐승. '有介一焉'《左傳》. ㊁①떼지을군 군집함. '求諸侯而一至'《左傳》. ②묶을군 속박함. '羅無勇一之'('羅'는 사람 이름)《左傳》.
字源 形聲. 鹿+囷〈省〉〔音〕

鹿5 〔麈〕16 주 ㊤麌 | zhǔ シュ おおしか
字解 고라니주 사슴과에 속하는 짐승. 큰사슴. '沈牛一麋'《司馬相如》.
字源 形聲. 鹿+主〔音〕

鹿5 〔麅〕16 포 ㊥肴 | páo ホウ おおしか
字解 고라니포 麃(鹿부 4획〈1845〉)와 同字.
字源 形聲. 鹿+包〔音〕

鹿5 〔麆〕16 ㊀조 ①㊦御 ②③㊤麌 | zhù ショ のろのこ / ソ あらい / ショ のろのこ
㊁서 ㊥魚
㊂추 ㊥虞 | cū ソ とおざかる
字解 ㊀①노루새끼조 '麕, 其子一'《爾雅》. ②거칠조 '粗, 説文, 疏也. 或作一'《集韻》. ③클조 '一, 大也'《廣韻》. ㊁①노루새끼서 ㊀①과 뜻이 같음. ②사슴새끼서 '一, 鹿子曰一'《集韻》. ㊂멀어질추 '麤, 説文, 行超遠也. 或作一'《集韻》.

鹿5 〔麚〕16 〔가〕 麚(鹿부 9획〈1848〉)와 同字

鹿5 〔麆〕16 본 ㊤阮 | bèn ホン めのなれしか
字解 암고라니본 고라니의 암컷. '一, 牝麇'《集韻》.

鹿5 〔麈〕16 생 ㊥庚 | shēng ソウ しかににたけもののな
字解 ①두살된사슴생 두 살 된 사슴. ②짐승이름생 짐승 이름. 사슴과 비슷함. '一, 獸名似鹿而小'《集韻》.

鹿5 〔麌〕16 〔우〕 麀(鹿부 2획〈1844〉)와 同字

鹿6 〔麉〕17 ㊀견 ㊥先 | jiān ケン ちからのすぐれたしか
㊁연 ㊥先 | ケン ちからのすぐれたしか
字解 ㊀힘센사슴견 힘이 뛰어나게 센 사슴. '鹿, 其跡速, 絶有力, 一'《爾雅》. ㊁힘센사슴연 ㊀과 뜻이 같음.
字源 形聲. 鹿+幵〔音〕
參考 麉(鹿부 4획〈1845〉)은 俗字.

鹿6 〔⿸鹿毛〕 17 ⿸鹿卑(前條)과 同字

鹿6 〔麋〕 17 미 [平]支 | mí ビ·ミ となかい
[字解] ①순록미 사슴과에 속하는 짐승. 암수가 모두 뿔이 남. ②물가미 湄(水부 9획〈664〉)와 통용. '居河之一'《詩經》. ③눈썹미 眉(目부 4획〈840〉)와 통용. '面無須一'《荀子》. ④궁궁이미 蘪(艸부 17획〈1207〉)와 통용. '秋蘭兮一蕪'《楚辭》. ⑤성미 성(姓)의 하나.
[字源] 形聲. 鹿+米〔音〕

鹿6 〔⿸鹿圭〕 17 규 [平]齊 | guī ケイ しかのいっしゅ
[字解] 사슴규 사슴의 일종. '一, 鹿屬'《說文》.
[字源] 形聲. 鹿+圭〔音〕

鹿6 〔⿸鹿旨〕 17 궤 [上]紙 | jǐ キ おおのろ
[字解] 큰노루궤 '一, 大麇也'《說文》.
[字源] 形聲. 鹿+旨〔音〕

鹿6 〔麊〕 17 [一]미 [平]支 [二]명 [平]青 | mí ビ·ミ くだけまい ベイ·ミョウ くだけまい
[字解] [一] ①싸라기미 '麊, 說文, 潰米也. …或作一'《集韻》. ②고을이름미 '一, 縣名. 在交趾'《廣韻》. [二] 싸라기명, 고을이름명 [一]과 뜻이 같음.

鹿6 〔⿸鹿⿱厶厶〕 17 ⿸鹿⿱乂厶(次條)과 同字

鹿6 〔⿸鹿⿱乂厶〕 17 〔린〕 麐(鹿부 7획〈1846〉)과 同字

鹿6 〔⿸鹿匕〕 17 〔빈〕 牝(牛부 2획〈739〉)과 同字

鹿6 〔麏〕 17 인 [平]眞 | jūn イン めじか
[字解] 암사슴인 암사슴. '一, 牝鹿也'《篇海》.

鹿6 〔⿸鹿衣〕 17 〔표〕 表(衣부 3획〈1265〉)의 古字

鹿7 〔麌〕 18 우 [上]麌 [平]虞 | yǔ グ おじか
[字解] ①수사슴우 사슴의 수컷. '麌一顧其子, 燕雀各相隨'《陳師道》. ②떼지을우 떼지어 모이는 모양. '麀鹿一一'《詩經》.
[字源] 形聲. 鹿+吳〔音〕

鹿7 〔麕〕 18 균 [平]眞 | jūn キン のろ
[字解] 노루균 麇(鹿부 5획〈1845〉)과 同字.

鹿7 〔麎〕 18 신 [平]眞 [上]軫 | chén シン めすのなれしか
[字解] 암순록신 순록(馴鹿)의 암컷. '麇, 牡麌, 牝一'《爾雅》.
[字源] 形聲. 鹿+辰〔音〕

鹿7 〔麐〕 18 린 ①[平]眞 ②[去]震 | lín リン めすのきりん
[字解] ①암기린린 기린의 암컷. 麟(鹿부 12획〈1848〉)과 통용. '一, 牝麒也'《說文》. ②수사슴린 '一, 牡鹿'《集韻》.
[字源] 形聲. 鹿+吝〔音〕

鹿7 〔⿸鹿各〕 18 麐(前條)과 同字

鹿7 〔⿸鹿余〕 18 〔도〕 駼(馬부 7획〈1741〉)와 同字

鹿7 〔麍〕 18 류 [平]尤 | liú リュウ しかのいっしゅ
[字解] 사슴류 사슴. 사슴의 한 가지. '一, 鹿屬'《玉篇》.

鹿7 〔⿸鹿夋〕 18 〔산〕 狻(犬부 7획〈752〉)과 同字

鹿7 〔⿸鹿具〕 18 여 [平]魚 | yú ヨ やまのろば
[字解] 산당나귀여 산당나귀. '一, 山驢也'《字彙補》.

鹿7 〔⿸鹿呈〕 18 영 [上]迥 | yǐng ゲイ しか
[字解] 사슴영 사슴. '一, 鹿也'《篇海》.

鹿7 〔⿸鹿廷〕 18 정 [上]迥 | tǐng テイ しかのはしるさま
[字解] 사슴달리는모양정 사슴이 달리는 모양. '一, 鹿走皃'《集韻》.

鹿7 〔⿸鹿助〕 18 〔조〕 麆(鹿부 5획〈1845〉)와 同字

鹿7 〔⿸鹿孝〕 18 효 [上]巧 | xiào コウ しんじゅうのな
[字解] 신수이름효 신수(神獸) 이름. 상서로운 짐승. '一, 瑞獸也'《篇海》.

鹿8 〔麑〕 19 예 [平]齊 | ní ゲイ しし
[字解] ①사자예 猊(犬부 8획〈753〉)와 同

字. '狻一, 如虦猫'《爾雅》. ②사슴새끼예 '素衣一裘'《論語》.
[字源] 形聲. 鹿+兒〔音〕

鹿8 〔麕〕19 [一]균 [平]眞 jūn キン のろ
[二]군 [平]文 qūn クン むらがる
[字解] [一] 노루균 사슴 비슷한 짐승. 대단히 겁이 많아 물을 마시다가 제 그림자만 보아도 깜짝 놀라 달아난다 함. '野有死一'《詩經》. [二] 떼지을군 많이 모임. 麇(鹿부 5획〈1845〉)과 同字. '一至'.
[字源] 形聲. 鹿+囷〔音〕

鹿8 〔麔〕19 구 [上]有 jiù キュウ おじか
[字解] 수사슴구 사슴의 수컷. '麋, 牡一, 牝麎'《爾雅》.
[字源] 形聲. 鹿+咎〔音〕

鹿8 〔麖〕19 경 [平]庚 jīng ケイ おおしか
[字解] 큰사슴경 뿔이 하나 있는 큰 사슴의 하나. '履游麢兔, 蹈踐一鹿'《枚乘》.
[字源] 形聲. 鹿+京〔音〕

〔鏖〕〔오〕
金부 11획(1580)을 보라.

鹿8 〔麒〕19 [人名] 기 [平]支 qí キ きりん
[筆順] 广 声 声 麀 鹿 麒 麒 麒
[字解] 기린기 '一麟'은 상상(想像)의 영수(靈獸). '鳳凰一麟'《禮記》. 또, 아프리카산(產)의 지라프과(科)의 동물의 속칭. 목과 다리가 모두 긺.
[字源] 形聲. 鹿+其〔音〕

鹿8 〔麓〕19 록 [入]屋 lù ロク ふもと
[字解] ①산기슭록 산족(山足). '瞻彼旱一'《詩經》. ②숲록 산기슭에 있는 삼림. '林一換風氣'《王安石》. ③산감록 산림을 맡은 관리. '一, 守山林吏也'《說文》.
[字源] 形聲. 林+鹿〔音〕

鹿8 〔麗〕19 [高·人] 려 (⑩리[本]) [去]霽 [平]支 ①-⑨lì レイ うるわしい ⑩lí リ くにのな
[筆順] 亠 丽 戸 严 严 麗 麗 麗
[字解] ①고울려 아름다움. 또, 예쁨. '美一'. '婉一'. '裴叔則營新宅, 甚一'《世說》. ②맑을려 깨끗함. '山高水一'. '淸一之志'《後漢書》. ③빛날려 광채를 발함. '一萬世'《揚雄》. ④붙을려 부착함. '草木一乎土'《易經》. ⑤맬려 잡아맴. '旣入廟門一于碑. (注)一, 繫也'《禮記》. ⑥짝려, 짝지을려 儷(人부 19획〈79〉)와 통용. '一, 兩也'《小爾雅》. ⑦수려 수효. '商之孫子, 其一不億'《詩經》. ⑧마룻대려 欐(木부 19획〈593〉)와 통용. '一, 屋欐也'《司馬彪》. ⑨성려 성(姓)의 하나. ⑩나라이름려 '高一'는 한국 고대 왕조의 하나. ※❿ 本音 리.
[字源] 象形. 아름다운 뿔이 가지런히 난 사슴의 모양을 본떠, '곱다'의 뜻을 나타냄.

鹿8 〔⿸鹿昆〕19 곤 [平]元 kūn コン しかのいっしゅ
[字解] 사슴곤 사슴. 사슴의 한 가지. '一, 鹿屬'《集韻》.

鹿8 〔⿸鹿系〕19 〔미〕
麛(鹿부 9획〈1847〉)와 同字

鹿8 〔⿸鹿需〕19 예 yù ヨ けもののな
[字解] 짐승이름예 짐승 이름. 사슴보다 크고 그와 비슷한 짐승. '一麖鹿麝'《揚雄·蜀都賦》.

鹿8 〔⿸鹿委〕19 위 [平]支 wēi イ しかのかこいじし
[字解] 사슴고기위 사슴의 고기. 저장한 사슴의 고기. '⿰犭替一'. '一, ⿰犭替一也'《玉篇》.

鹿8 〔⿸鹿隹〕19 추 [平]支 zhuī スイ いっさいのしか
[字解] ①한살된사슴추 한 살 된 사슴. '一, 鹿一歲曰一'《集韻》. ②두살된사슴추 두 살 된 사슴.

鹿8 〔⿸鹿取〕19 추 [上]麌 qǔ シュ こじか
[字解] 작은사슴추 작은 사슴. '一, 小鹿也'《篇海》.

鹿9 〔麛〕20 미 [平]齊 mí ベイ·マイ かのこ
[字解] 사슴새끼미 '一, 鹿子也, 从鹿弭聲'《說文》. 전(轉)하여 널리, 짐승의 새끼. '大夫不掩羣, 士不取一卵'《禮記》.
[字源] 形聲. 鹿+弭〔音〕

鹿9 〔麙〕20 암 [平]咸 yán ガン おおやぎ
[字解] 산양암 뿔이 가늘고 덩치가 큰 산양(山羊). '獸則一羊野麋'《揚雄》.
[字源] 形聲. 鹿+咸〔音〕

鹿 9 〔麚〕 20 가 [平]麻 | jiā カ おじか

[字解] 수사슴가 사슴의 수컷. '特一昏髟'《馬融》.

[字源] 形聲. 鹿＋叚〔音〕

鹿 9 〔䴴〕 20 난 [去]翰 | nuàn ダン·ナン かのこ

[字解] 사슴새끼난 '一, 麛也'《說文》.

[字源] 形聲. 鹿＋耎〔音〕

鹿 9 〔麘〕 20 향 [平]陽 | xiāng キョウ·コウ けもののな

[字解] 사향사슴향 그 배꼽에서 사향(麝香) 향료를 채취하는 짐승. '一, 麝一, 獸名'《集韻》.

鹿 9 〔𪊺〕 20 〔우〕 麀(鹿부 2획〈1844〉)와 同字

鹿 9 〔𪋇〕 20 〔경〕 麖(鹿부 8획〈1847〉)과 同字

鹿 9 〔𪋍〕 20 䴞(次條)와 同字

鹿 9 〔䴞〕 20 저 [平]魚 | zhū ショ しかのいっしゅ

[字解] 사슴저 사슴. 사슴의 한 가지. '一, 鹿類'《玉篇》.

鹿 9 〔𪋒〕 20 〔호〕 虎(虍부 2획〈1213〉)와 同字

鹿 10 〔麝〕 21 사 [去]禡 | shè シャ じゃこうじか

[字解] 사향노루사 사슴과에 속하는 짐승. 암수가 모두 뿔이 없고, 수컷은 견치(犬齒)가 밖에 나와 있으며, 또 향낭(香囊)이 있어 그 속에 사향(麝香)이 들어 있음. 궁노루. '一, 如小麋, 臍有香'《說文》.

[字源] 形聲. 鹿＋射(躲)〔音〕

鹿 10 〔𪋧〕 21 〔려〕 麗(鹿부 8획〈1847〉)의 古字

鹿 10 〔麢〕 21 령 [平]青 | líng レイ しか

[字解] 사슴령 사슴. '一, 鹿也'《字彙補》

鹿 10 〔麜〕 21 률 [入]質 | lì リツ あすののろ

[字解] 암노루률 암노루. 노루의 암컷. '一, 麡牡麌, 牝一也'《廣韻》.

鹿 10 〔麊〕 21 미 [平]齊 | mí ベイ しかのあしあと

[字解] ①사슴발자국미 사슴의 발자국. '一, 鹿跡'《集韻》. ②후림사슴미 후림사슴. 다른 사슴을 꾀어 후려들이기 위한 미끼 사슴. '一, 鹿媒'《集韻》.

鹿 11 〔麞〕 22 장 [平]陽 | zhāng ショウ のろ

[字解] 노루장 사슴 비슷한 짐승. 몸집이 사슴보다 작음. '平澤中逐一'《南史》.

[字源] 形聲. 鹿＋章〔音〕

鹿 11 〔䴫〕 22 속 [入]屋 | sù ソク しかのあしあと

[字解] 사슴발자귀속 '一, 鹿迹也'《說文》.

[字源] 形聲. 鹿＋速〔音〕

鹿 11 〔𪌂〕 22 〔경〕 麖(鹿부 8획〈1847〉)과 同字

鹿 11 〔𪌁〕 22 필 [入]質 | bì ヒツ しかのこ

[字解] 사슴새끼필 사슴 새끼. '一, 鹿子'《字彙》.

鹿 12 〔麟〕 23 [人名] 린 [平]眞 | lín リン きりん

[筆順] 广 户 声 鹿 麟 麟 麟 麟

[字解] 기린린 '麒一'. '一, 叚借爲麐'《說文》.

[字源] 形聲. 鹿＋粦(粦)〔音〕

鹿 12 〔𪌌〕 23 〔사〕 麝(鹿부 10획〈1848〉)의 本字

鹿 12 〔𪌊〕 23 미 [平]支 | mí ビ しか

[字解] 사슴미 사슴. '一, 鹿也'《字彙補》.

鹿 12 〔𪌍〕 23 복 [入]屋 | pú ホク しかがつれだつ

[字解] 사슴서로따를복 사슴이 서로 따름. '一, 鹿相隨也'《字彙》.

鹿 12 〔𪌗〕 23 〔유〕 䴢(鹿부 14획〈1849〉)와 同字

鹿 13 〔麠〕 24 경 [平]庚 | jīng ケイ·キョウ おおしか

[字解] 큰사슴경 뿔이 하나인 큰 사슴. 麖(鹿부 8획〈1847〉)과 同字. '一, 大麃, 牛尾一角'《爾雅》.

[字源] 形聲. 鹿＋畺〔音〕

鹿 13 〔𪌚〕 24 䴞(次條)과 同字

鹿 13 〔⿸鹿寧〕24 〔령〕
麢(鹿부 17획〈1849〉)과 同字

鹿 13 〔⿸鹿祿〕24 록 [入]屋 | lù ロク れいじゅうのな
[字解] 영수이름록 영수(靈獸)의 이름. '天一者純靈之獸'《宋史》.

鹿 13 〔⿸鹿虞〕24 〔우〕
麌(鹿부 7획〈1846〉)와 同字

鹿 14 〔⿸鹿與〕25 [一] 여 [去]御 [平]魚 | yù ヨ おおしか
[二] 서 [上]語 | ショ おおしか
[字解] [一] 큰사슴여 '一, 大鹿'《廣韻》. [二] 큰사슴서 [一]과 뜻이 같음.
[字源] 形聲. 鹿+與〔音〕

鹿 14 〔麡〕25 제 [平]齊 | qí セイ しかのいっしゅ
[平]佳 | サイ しかのいっしゅ
[字解] 사슴제 '一狼'은 사슴의 일종. '一, 一狼, 似麋而角向前, 入林則挂其角'《廣韻》.

鹿 14 〔⿸鹿需〕25 [一] 유 [平]虞 | ジュ かのこ
[二] 누 [平]尤 | ドウ·ヌ かのこ
[三] 난 [去]翰 | nuàn ダン·ナン かのこ
[字解] [一] 사슴새끼유 '一, 鹿子'《廣韻》. [二] 사슴새끼누 [一]과 뜻이 같음. [三] 사슴새끼난 [一]과 뜻이 같음.

鹿 15 〔⿸鹿霝〕26 〔령〕
麢(鹿부 10획〈1848〉)과 同字

鹿 17 〔麢〕28 령 [平]青 | líng レイ·リョウ かもしか
[字解] 영양(羚羊)령 '翠山其陰多旄毛一麝'《山海經》.
[字源] 形聲. 鹿+霝〔音〕

鹿 17 〔⿰鹿粦〕28 〔린〕
麟(鹿부 12획〈1848〉)과 同字

鹿 18 〔⿰鹿巂〕29 〔미〕
麛(鹿부 9획〈1847〉)와 同字

鹿 20 〔⿰鹿嚴〕31 암 [平]咸 | yán ガン やぎ
[字解] 산양암 산양(山羊). '一, 山羊也'《篇海》.

鹿 22 〔麤〕33 추 [平]虞 | cū ソ あらい
[字解] ①거칠추 ㉠정세(精細)하지 아니함. '一疎'. '用意尚一'《公羊傳》. ㉡성질이 조포(粗暴)함. '一暴'. '謝奕性一'《晉書》. ②매조미쌀추 현미. '粱則無矣. 一則有之'《左傳》. ③대강추 대략. '一迹存亡之徵'《史記》.
[字源] 會意. 鹿+鹿+鹿

鹿 25 〔⿱麤土〕36 〔진〕
塵(土부 11획〈218〉)의 本字

麥　部
〔보리맥부〕

麥 0 〔麥〕11 [中·人] 맥 [入]陌 | mài バク むぎ
[筆順] 一 丆 双 來 來 來 麥 麥
[字解] ①보리맥 오곡(五穀)의 하나. 맥류의 총칭. '大一'. '小一'. '裸一'. ②성맥 성(姓)의 하나.
[字源] 會意. 來+夊
[參考] '麥맥'을 의부(意符)로 하여, 보리의 종류나 보리로 만드는 것에 관한 문자를 이룸. 변, 받침으로 두루 쓰임. 부수 이름은 '보리맥'.

麥 0 〔麦〕7 麥(前條)의 俗字

麥 2 〔⿺麥丏〕13 〔면〕
麪(麥부 4획〈1850〉)의 譌字

麥 2 〔⿺麥匕〕13 〔국〕
麴(麥부 8획〈1851〉)과 同字

麥 3 〔⿺麥才〕14 재 [平]灰 | cái サイ·ザイ こうじ
[字解] 누룩재 '一, 麴也'《廣雅》.
[字源] 形聲. 麥+才〔音〕

麥 3 〔麧〕14 흘 [入]月 | hé ケツ つぶむぎ
[字解] 보리싸라기흘 '士不厭糠一'《韓愈》.
[字源] 形聲. 篆文은 麥+气〔音〕

麥 3 〔⿺麥亡〕14 망 [平]陽 | máng ボウ·モウ のぎ
[字解] 까끄라기망 芒(艸부 3획〈1121〉)의 俗字. '一, 俗芒字. 凡草木有芒束者'《正字通》.
[字源] 形聲. 麥+亡〔音〕

麥 3 〔⿺麥山〕14 산 [去]諫 | shàn サン こうじ
[字解] 누룩산 누룩. '一, 麴謂之一'《集韻》.

麥 3 〔⿰麥弋〕14 익 ㊀職 | yì ヨク むぎのかす

字解 보릿겨익 보리의 겨. 보리에서 벗겨 낸 껍질. '一, 麥⿰麥肙也'《集韻》.

麥 3 〔⿰麥乇〕14 〔탁〕 飥(食부 3획〈1713〉)과 同字

麥 4 〔麨〕15 초 ㊤篠 | chǎo ショウ むぎこがし

字解 보릿가루초 보리쌀 또는 쌀을 볶아 가루로 만든 것. '授一蜜麨'《佛國記》.

麥 4 〔麩〕15 부 ㊥虞 | fū フ ふすま

字解 밀기울부 밀을 빻아서 가루를 빼고 남은 찌끼. '一, 小麥屑皮也'《說文》.

字源 形聲. 麥+夫〔音〕

麥 4 〔麪〕15 면 ㊋霰 | miàn ベン・メン むぎこ

字解 밀가루면 '重羅之一, 塵飛雪白'《東晳》. 또, 밀가루로 만든 음식. '一牲而不血食'《路史》.

字源 形聲. 麥+丏〔音〕

參考 麵(麥부 9획〈1852〉)은 同字.

麥 4 〔麫〕15 麪(前條)의 俗字

麥 4 〔⿰麥夬〕15 〔얼〕 糵(艸부 17획〈1206〉)과 同字

麥 4 〔⿰麥气〕15 〔흘〕 麧(麥부 3획〈1849〉)의 本字

麥 4 〔⿰麥反〕15 거 ㊥魚 | qú キョ みのらぬむぎ

字解 익지않은보리거 익지 아니한 보리. '一, 麥不成'《字彙》.

麥 4 〔⿰麥斤〕15 계 ㊥齊 | jī ケイ むぎもち

字解 보리떡계 보리떡.

麥 4 〔⿰麥屯〕15 돈 ㊥元 | tún トン こなもち

字解 경단돈 경단. 찐 만두. 飩(食부 4획〈1714〉)의 俗字.

麥 4 〔⿰麥斗〕15 두 ㊤有 | dǒu トウ むぎ

字解 보리두 보리. '一, 麥一'《集韻》.

麥 4 〔⿰麥手〕15 〔부〕 ⿰麥孚(麥부 7획〈1851〉)의 訛字

麥 4 〔⿰麥比〕15 비 ㊥支 | pí ヒ むぎこがし

字解 보릿가루비 보릿가루. 보리 미숫가루. '一, 博雅, 麥謂之⿰麥沓'《集韻》.

麥 4 〔⿰麥木〕15 〔재〕 ⿰麥才(麥부 3획〈1849〉)의 訛字

麥 4 〔⿰麥勿〕15 흘 ㊀月 | hū コツ もちのいっしゅ

字解 떡흘 떡. 떡의 한 가지. '一, 餠屬'《集韻》.

麥 5 〔麮〕16 거 ㊋御 ㊤語 | qù キョ むぎがゆ

字解 보리죽거 '夏日則與之瓜一'《荀子》.

字源 形聲. 麥+去〔音〕

麥 5 〔麭〕16 포 ㊋效 | pào ホウ こなもち

字解 ①경단포 떡의 한 가지. '一, 餌也'《集韻》. ②《現》빵포 '麵一'는 빵, 식빵.

字源 形聲. 麥+包〔音〕

麥 5 〔麱〕16 말 ㊀曷 | mò バツ むぎこ

字解 ①밀가루말 '一, 麪也'《玉篇》. ②쌀가루말, 싸라기말 '一, 今呼米屑也'《玉篇》. ③밀기울말.

麥 5 〔⿰麥穴〕16 활 ㊀黠 | huá カツ こうじ

字解 누룩활 '一, 麴也'《廣雅》.

字源 形聲. 麥+穴〔音〕

麥 5 〔⿰麥占〕16 ㊀첩 ㊀葉 | tiē チョウ こなもち
㊁점 ㊥鹽 | nián デン・ネン やくそうのな

字解 ㊀ ①떡첩 떡의 한 가지. '一, 餠屬'《集韻》. ②오랑캐첩 '動一'은 서남쪽 오랑캐의 이름. '西南夷哀牢・儋耳・僬僥・槃木・白狼・動一諸種, 前後慕義貢獻'《後漢書》. ㊁ 약초이름점 '青一'은 약초(藥草)의 이름. '一, 青一, 藥艸'《集韻》.

麥 5 〔⿰麥巨〕16 〔거〕 粔(米부 5획〈968〉)와 同字

麥 5 〔⿰麥禾〕16 〔국〕 麴(麥부 8획〈1851〉)과 同字

麥 5 〔⿰麥弁〕16 〔모〕 麰(麥부 6획〈1851〉)와 同字

麥 5 〔麬〕16 〔부〕 麩(麥부 4획〈1850〉)와 同字

麥5 〔䴯〕16 〔솔〕
麶(麥부 10획〈1853〉)의 訛字

麥5 〔䴰〕16 〔초〕
麨(麥부 9획〈1853〉)와 同字

麥5 〔䴱〕16 타 [平]歌 | tuō タ こなもち
[字解] 떡타 粑(米부 5획〈968〉)와 同字. '一, 餌也, 或从米'《集韻》.

麥5 〔䴲〕16 투 [上]有 | tǒu トウ こなもち
[字解] 떡투 고물 묻힌 떡의 일종. '一, 䴺一, 餠屬'《集韻》.

麥6 〔麰〕17 모 (무[本]) [平]尤 | móu ボウ·ム おおむぎ
[字解] 보리모 대맥. '今夫一麥, 播種而耰之'《孟子》. ※本音 무.
[字源] 形聲. 麥+牟〔音〕

麥6 〔麯〕17 국 [入]屋 | qū キク こうじ
[字解] ①누룩국 麴(麥부 8획〈1851〉)과 同字. '枕一籍糟'《劉伶》. ②성국 성(姓)의 하나.

麥6 〔䴵〕17 〔병〕
餠(食부 6획〈1717〉)과 同字

麥6 〔麱〕17 격 [入]陌 | gē カク くだけむぎ
[字解] 보리싸라기격 '一, 麥碎曰一'《集韻》.

麥6 〔䴶〕17 〔국〕
麴(麥부 8획〈1851〉)과 同字

麥6 〔䴷〕17 동 [上]董 | tǒng トウ こなもちのいっしゅう
[字解] 떡동 떡의 일종. '一, 餠屬'《集韻》.

麥6 〔䴸〕17 〔퇴〕
䭔(食부 10획〈1725〉)와 同字

麥7 〔䴹〕18 라 [去]箇 | luò ラ あわのかゆ
[字解] 조죽라 '一䴷'. '有一麧粥法'《齊民要術》.

麥7 〔䴺〕18 〔부〕
麩(麥부 4획〈1850〉)와 同字

麥7 〔䴻〕18 〔부〕
麩(麥부 4획〈1850〉)와 同字

麥7 〔䴼〕18 〔견〕
稍(禾부 7획〈903〉)과 同字

麥7 〔䴽〕18 리 [平]支 | lí リ むぎざけ
[字解] 보리술리 보리를 원료로 빚은 술. '一, 麥酒也'《集韻》.

麥7 〔䴾〕18 봉 [平]東 | pēng ホウ いりむぎ
[字解] ①볶은보리봉 보리 미숫가루. '一, 熬煎之麥曰一'《正字通》. ②찐누룩봉 '一, 烝麴也'《集韻》. ③麷(麥부 18획〈1854〉)과 뜻이 같음. '一, 麷同'《正字通》.

麥7 〔䴿〕18 사 [平]麻 | shā サ すなのようにくだかれたむぎ
[字解] 모래처럼잘게부순보리사 맷돌로 탄 보리. '一, 碎麥也'《集韻》.

麥7 〔麲〕18 혼 [平]元 | hún コン こむぎのこうじ
[字解] ①밀로만든누룩혼 '一, 女麴也, 小麥爲之, 一名一子'《集韻》. ②누룩혼, 통보리혼 麳(麥부 8획〈1851〉)과 同字. '麳, 方言, 麴也, 一曰, 麥不破也, 或从完'《集韻》.

麥7 〔䵀〕18 〔솔〕
麶(麥부 10획〈1853〉)과 同字

麥7 〔䴵〕18 〔불〕
餑(食부 7획〈1718〉)과 同字

麥7 〔䴺〕18 한 [去]諫 | xiàn カン むぎこ
[字解] 보릿가루한 '一, 麥屑'《集韻》.

麥8 〔麴〕19 국 [入]屋 | qū キク·コク こうじ
[字解] ①누룩국 술을 빚는 원료. 주모. '一蘗'. ②술국 '道逢一車口流涎'《杜甫》. ③청황색국 '天子乃薦一衣于先帝'《周禮》. ④성국 성(姓)의 하나.
[字源] 形聲. 麥+匊〔音〕

麥8 〔麳〕19
[一]과 [上]哿 | guǒ カ こなもち
[二]라 [上]哿 | luǒ ラ むぎこ
[三]혼 [平]元 | hún コン こうじ
[字解] [一] 떡과 '一, 餠一食'《廣韻》. [二] 보릿가루라 '一, 麧也'《集韻》. [三] 누룩혼 소맥(小麥)으로 만든 누룩. '一, 麴也. (注)小麥麴爲一, 卽麲也'《方言》.

麥8 〔䴻〕19 군 [上]軫 | jūn キン こなもち
[字解] 떡군 '一, 餠屬'《集韻》.

麥 8 〔麱〕 19 기 [平]支 | qí キ こなもち

[字解] 떡기 떡의 일종. '人懷乾一, 馬囊蒸菽'《潛書·五形》.

麥 8 〔䴭〕 19 〔임〕 餘(食부 8획〈1721〉)과 同字

麥 8 〔麳〕 19 도 [平]豪 | táo トウ こなもち

[字解] 떡도 餇(食부 8획〈1721〉)·餡(食부 10획〈1725〉)과 同字. '一, 餌也, 或作餡, 通作餇'《集韻》.

麥 8 〔麳〕 19 래 [平]灰 | lái ライ こむぎ

[字解] ①밀래 소맥. '一, 小麥也'《廣雅》. ②보리래 대맥. 秾(禾부 8획〈905〉)와 同字. '秾, 說文, 齊謂麥曰秾, 或作一'《集韻》.

麥 8 〔麯〕 19 록 [入]屋 | lù ロク にえたもち

[字解] 찐떡록 '一, 麴一, 煮餅'《字彙》.

麥 8 〔麴〕 19 黎(次條)와 同字

麥 8 〔黎〕 19 리 [平]支 | lí リ むぎこがし

[字解] ①볶은보릿가루리 보리 미숫가루. '一, 廣雅, 麩一, 糗也'《正字通》. ②죽리 粶(米부 8획〈972〉)와 同字. '一, 饘也, 或从米'《集韻》.

麥 8 〔麱〕 19 병 [上]梗 | bǐng ヘイ むぎもち

[字解] 떡병, 보리떡병 餅(食부 8획〈1721〉)과 同字. '餅, 說文, 麪餈也, 或从麥'《集韻》.

麥 8 〔麵〕 19 부 [上]有 | bù ホウ こなもち

[字解] ①떡부 餢(食부 8획〈1721〉)와 同字. '一, 一黈, 餅也, 或从食'《集韻》. ②밀떡튀김부 밀가루로 만든 떡을 기름에 튀긴 것. '乃令溲麪煎油, 作一黈者'《三水小牘》.

麥 8 〔麳〕 19 비 [平]支 | pí ヒ こうじ

[字解] ①누룩비 '麰·麮·麧·一, 麴也, 北鄙曰一'《方言》. ②밀가루떡비 '一, 麵餅'《廣韻》.

麥 8 〔麱〕 19 〔비〕 糒(米부 10획〈974〉)와 同字

麥 8 〔麰〕 19 잔 (찬[本]) [去]諫 | chàn サン むぎ

[字解] 보리잔 '一, 麥也'《集韻》. ※本音 찬.

麥 8 〔麧〕 19 야 [去]禡 | yè ヤ こくのかわをうすですりむく

[字解] 밀기울야, 보릿겨야 곡식을 찧고 난 뒤에 남은 껍질. '一, 麲一, 麱皮也'《集韻》.

麥 8 〔麨〕 19 초 [上]篠 | chǎo ショウ むぎこがし

[字解] 볶은보릿가루초, 볶은쌀가루초 '一, 糗也, 粮也'《字彙補》.

麥 8 〔麯〕 19 혹 [入]屋 | hù コク むぎ

[字解] 보리혹 '一, 麥也'《集韻》.

麥 8 〔麴〕 19 혼 [平]元 | hún コン こうじ

[字解] 누룩혼, 통보리혼 麲(麥부 8획〈1851〉)과 同字. '麲, 方言, 麴也, 一曰, 麥不破也, 或从昆'《集韻》.

麥 8 〔麯〕 19 〔홀〕 麧(麥부 4획〈1850〉)과 同字

麥 9 〔麱〕 20 사 [去]箇 | suò サ あわがゆ

[字解] 조죽사 조로 쑨 죽. '麮一'. '一, 麮一, 粟粥'《集韻》.

麥 9 〔麵〕 20 〔면〕 麪(麥부 4획〈1850〉)과 同字

麥 9 〔麳〕 20 과 [平]歌 | kē カ おたまじゃくしのかたちにつくったこなもち

[字解] 올챙이모양으로만든떡과 餜(食부 9획〈1724〉)와 同字. '一, 一斗, 餌也, 象蟲形, 或从食'《集韻》.

麥 9 〔麰〕 20 모 [平]尤 | móu ボウ むぎ

[字解] ①봄보리모 '麰, 春麥, 一, 同上'《玉篇》. ②보리모 '麰, 說文, 來麰, 麥也, 或作一'《說文》.

麥 9 〔麱〕 20 부 [去]遇 | fù ホ むぎのひこばえ

[字解] 두벌보리부 움이 돋은 보리. '一, 再生麥'《篇海》.

麥 9 〔麴〕 20 삭 [入]藥 | suǒ サク ほしもち

[字解] 말린떡삭 '一, 乾餠也'《字彙補》.

麥 9 〔⿺麥酋〕20 초 [上]篠 | chǎo ショウ むぎこがし

[字解] 볶은보릿가루초 보리 미숫가루. 麨(麥부 4획〈1850〉)와 同字. 糗(米부 10획〈974〉)와 통용. '一, 糗也, 或作麨'《玉篇》.

麥 10 〔⿺麥昷〕21 온 [去]問 | yùn ウン こうじ

[字解] 누룩온 '一, 麴也'《集韻》.

麥 10 〔⿺麥差〕21 차 [平]歌 [上]紙 | cuó サ むぎをいしうすでひく

[字解] ①보리갈차 보리를 맷돌에 갊. '一, 磨麥也'《集韻》. ②보리찧을차.
[字源] 形聲. 麥＋差(𡍼)〔音〕

麥 10 〔⿺麥貨〕21 쇄 [上]哿 [去]箇 | suǒ サ こむぎこのなかのよくくだけていないつぶ

[字解] ①밀가루속의잘빻아지지않은알쇄 '一, 小麥屑之覈'《說文》. ②거친밀가루쇄 '一, 麵不精也'《集韻》.
[字源] 形聲. 麥＋貨〔音〕

麥 10 〔⿱㱿麥〕21 곡 [入]屋 | kū コク こうじ

[字解] 누룩곡 '一, 麴也'《廣雅》.
[字源] 形聲. 麥＋㱿〔音〕

麥 10 〔⿺麥冡〕21 몽 [平]東 | méng ボウ こうじ

[字解] ①누룩몽 '一, 麴也'《廣雅》. ②여국(女麴)몽 차수수 반죽에 쑥을 덮어 띄워 누른 옷을 입게 한 누룩. '一, 有衣麴也, 女麴也'《玉篇》. ③싸라기몽 '一, 糏也'《廣雅》.

麥 10 〔⿺麥尃〕21 박 [入]藥 | bó ハク もちのるい

[字解] 떡박 餺(食부 10획〈1724〉)과 同字. '餺, 餺飥, 餠也, 亦作一'《集韻》.

麥 10 〔⿺麥畐〕21 〔비〕 糒(米부 10획〈974〉)와 同字

麥 10 〔⿺麥皀〕21 〔비〕 麰(麥부 4획〈1850〉)와 同字

麥 10 〔⿺麥索〕21 삭 [入]藥 | suǒ サク まがりもち

[字解] 고리떡삭 고리처럼 둥글게 만든 떡. '一, 𪌾一'《字彙》.

麥 10 〔⿺麥屑〕21 [一] 솔 [入]月 [二] 설 [入]屑 | sè ソツ むぎこ xiè セツ つきあまり

[字解] [一] 보릿가루솔 '一, 麥屑也'《玉篇》. [二] 무거리설 '糏, 舂餘也, 或从麥'《集韻》.

麥 11 〔⿺麥啇〕22 [一] 척 [入]陌 [二] 적 [入]錫 [入]陌 | zhí テキ あらいむぎこ テキ あらいむぎこ タク あらいむぎこ

[字解] [一] 거친밀가루척 '一, 糏也'《廣雅》. [二] 거친밀가루적 [一]과 뜻이 같음.
[字源] 形聲. 篆文은 麥＋啻〔音〕

麥 11 〔⿱敖麥〕22 〔오〕 熬(火부 11획〈723〉)와 同字

麥 11 〔⿺麥殼〕22 〔곡〕 ⿱㱿麥(麥부 10획〈1853〉)과 同字

麥 11 〔⿺麥連〕22 련 [上]銑 | liǎn レン むぎのしんこくでつくったもち

[字解] 햇보리로빚은떡련 '一, 大麥𪎊一'《廣韻》.

麥 11 〔⿺麥婁〕22 루 [上]有 | lǒu ロウ おこし

[字解] 산자(饊子)루 '庶物異名疏, 干寶周禮注, 祭用𪎊一, 晉呼爲環餠, 又曰寒具, 今曰饊子'《事物異名錄》.

麥 11 〔⿺麥莫〕22 막 [入]藥 | mò バク すりむいたむぎのかわ

[字解] 밀기울막, 보릿겨막 밀·보리를 찧고 난 후 절구에 남은 겁질. '一, 一麧, 䴭皮也'《集韻》.

麥 11 〔⿺麥曼〕22 〔만〕 饅(食부 11획〈1726〉)과 同字

麥 11 〔⿺麥冡〕22 몽 [平]東 | méng ボウ むぎこ·こうじ

[字解] 보릿가루몽, 누룩몽 '一, 廣雅, 麵也, 又曰, 麴也'《康熙字典》.

麥 11 〔⿺麥將〕22 장 [去]漾 | qiàng ショウ むぎこがくさる

[字解] 밀가루썩을장 '一, 麪敗曰, 一'《集韻》.

麥 11 〔⿱旋麥〕22 선 [去]霰 | xuàn セン むぎ

[字解] 보리선 '一, 麥也'《集韻》.

麥 12 〔⿺麥啻〕23 〔척〕 𪍿(麥부 11획〈1853〉)의 本字

麥12 〔⿰麥黃〕23 [一]광 [上]梗 kuàng コウ むぎのふすま [二]황 [平]陽 huáng コウ こうじかび

[字解] [一]보릿기울광 '況臣糠一粿之雕胡'《晉書》. [二]누룩곰팡이황 '一, 一塵'《集韻》.

麥12 〔⿰麥覃〕23 담 [平]覃 tán タン うまい

[字解] 맛좋을담 맛있음. '一, 味長'《字彙》.

麥12 〔⿰麥粦〕23 련 [平]先 lián レン おこし

[字解] 산자(饊子)련 '庶物異名疏, 干寶周禮注, 祭用一⿰麥婁, 晉呼爲環餅, 又曰寒具, 今曰饊子'《事物異名錄》.

麥12 〔⿰麥善〕23 선 [上]銑 shǎn セン むぎのしんこくでつくったもち

[字解] 햇보리로빚은떡선 '一, 一⿰麥廷, 屑新麥爲餌'《集韻》.

麥12 〔⿰麥隋〕23 수 [上]紙 suǐ スイ まめのこなをあめにわする

[字解] ①콩가루를엿에섞을수 ⿰食隋(食부 9획〈1724〉)와 同字. '⿰食隋, 豆屑和飴也, 或作一'《集韻》. ②떡수 떡의 일종. '一, 餹餅也'《正字通》.

麥12 〔⿰麥替〕23 체 [去]霽 tì テイ すすぎきよめたむぎ

[字解] 삶아서건진국수체, 헹구어 깨끗이씻은 보리체 '一, 滌麵也'《集韻》.

麥13 〔⿰麥豦〕24 거 [平]魚 qú キョ むぎのちいさいもの

[字解] 잔보리거 보리의 작은 것. '一, 麥小者, 一'《集韻》.

麥13 〔⿰麥蜀〕24 독 [入]屋 dú トク にたもち

[字解] 찐떡독 삶은 떡. '一, 一⿰麥彔, 煑餅'《集韻》.

麥13 〔⿱喿麥〕24 소 [去]號 sào ソウ ほしたむぎこ

[字解] 말린보릿가루소 '一, 乾麪也'《字彙補》.

麥13 〔⿰麥喿〕24 ⿱喿麥(前條)와 同字

麥13 〔⿰麥豊〕24 〔풍〕 ⿰麥豐(麥부 18획〈1854〉)과 同字

麥13 〔⿰麥睘〕24 환 [平]刪 huán カン こなもち [上]潸 huàn カン きいろいむしもち

[字解] ①떡환, 중배끼환 糫(米부 13획〈977〉)과 同字. '糫, 餌也, 粔籹, 吳人謂之膏糫, 或从麥'《集韻》. ②누른빛의찐떡환, 통보리로만든누룩환 ⿰麥完(麥부 7획〈1851〉)과 통용. '一, 黃蒸一子, 一曰, 全麥爲麴, 或从完'《集韻》.

麥15 〔⿰麥廣〕26 광 [上]梗 kuàng コウ おおむぎ

[字解] 보리광 대맥. '旱稻法, 宜五六月暵之, 以擬一麥'《齊民要術》.

麥15 〔⿰麥⿱巫差〕26 〔차〕 ⿰麥差(麥부 10획〈1853〉)의 本字

麥16 〔⿱龍麥〕27 롱 [平]東 lóng ロウ もちのいっしゅ

[字解] 떡롱 떡의 일종. ⿰食龍(食부 16획〈1730〉)과 同字. '⿰食龍, 餅屬, 或从麥'《集韻》.

麥17 〔⿱辥麥〕28 얼 [入]屑 niè ゲツ むぎのもやし

[字解] 엿기름얼 맥아(麥芽). ⿰麥夬(麥부 4획〈1850〉)과 同字. '一, 牙麥也, 或作⿰麥夬'《集韻》.

麥18 〔⿰麥豐〕29 풍 [平]東 fēng フウ いりむぎ

[字解] 볶은보리풍 보리를 볶은 것. 또, 그 가루. '朝事之籩, 其實一蕡'《周禮》.
[字源] 形聲. 麥+豐〔音〕

麥19 〔⿰麥羅〕30 라 [平]歌 luó ラ こなもち

[字解] 떡라 떡의 일종. '一, 餅也, 或从食'《集韻》.

麥20 〔⿱鑿麥〕31 작 [入]藥 zuó サク むしもち

[字解] 보리떡작 보릿가루를 쪄서 만든 것. '一, 屑麥蒸之也'《集韻》.

麻 部

〔삼 마 부〕

麻0 〔麻〕11 [高·人] 마 [平]麻 má マ あさ

[筆順] 丶 亠 广 庐 庁 床 府 麻

[字解] ①삼마 삼과(科)에 속하는 일년생 재배초. 씨는 약용으로 하고, 줄기의 껍질은 섬유의 원료로서 삼베를 짬. '大一'. '一衣如雪'《詩經》. ②참깨마 참깨과에 속하는 일년생 재배초. 씨는 참기름을 짜 식용으로 함. 진임(眞荏). '胡一'. '食一與犬'《禮記》. ③조칙마 당대(唐代)에, 칙명(勅命)을 황백(黃白)의 마지(麻紙)에 썼으므로 이름. '黃一'. '白一'. '弘景草一'《舊唐書》. ④마비될마 痲(疒부 8획〈812〉)와 통용. '手足頑一'《朱熹》. ⑤성마 성(姓)의 하나.
[字源] 會意. 金文은 厂＋𣏟
[參考] '麻마'를 의부(意符)로 하여, 삼에 관한 문자를 이룸. 부수 이름은 '삼마'.

麻 0 〔麻〕 11 麻(前條)의 俗字

麻 3 〔麽〕 14 마 [平]歌 [上]哿 | mó, ma, me バ·マ·モ こまかい
[字解] ①잘마, 가늘마 세소(細小)함. 또, 하찮음. '幺一'. ②그런가마 속어(俗語)의 조사(助詞)로, 의문의 말. 耶(耳부 3획〈1055〉)와 뜻이 같음. '恁一'. '且道拍板爲什一'《摭言》.
[字源] 形聲. 幺＋麻〔音〕

麻 3 〔麼〕 14 麽(前條)의 俗字

麻 3 〔麻〕 14 삭 [入]藥 | shuò シャク いやす
[字解] 병고칠삭 치료(治療)함. '一, 治病'《字彙》.

麻 4 〔麾〕 15 휘 [平]支 | huī キ さしずばた
[字解] ①대장기휘 장수가 군대를 지휘하는 데 쓰는 기. 또, 진(陣)에 표시(標示)로 세우는 기. '建大一'《周禮》. ②가리킬휘 ㉠기(旗)를 가지고 군사에게 향할 바를 지시함. '莊王自手旗一軍引兵去'《史記》. ㉡가리켜 보여서 일을 하도록 함. 지휘함. '右秉白旄以一'《書經》. ③부를휘 손짓하여 오라고 함. '一而呼曰'《左傳》. '一之以肱'《詩經》.
[字源] 形聲. 手＋靡〈省〉〔音〕

麻 4 〔麿〕 15 [一] 력 [入]錫 | lì レキ こよみ
[二] 미 [平]支 | mí ビ ひのひかり
[字解] [一] 달력력 '一, 象也'《說文》. [二] 햇빛미 '一, 日光也'《字彙》.

麻 4 〔縻〕 15 [一] 미 [平]支 | mí ビ ちる·ちらす
[二] 분 [平]吻 | fēn フン わける
[字解] [一] 흩을미 분산함. '一, 散也'《廣韻》. [二] 나눌분 '一, 分也'《集韻》.

麻 4 〔糜〕 15 〔미〕 糜(米부 11획〈976〉)와 同字

麻 4 〔𪎭〕 15 삼 [去]霰 | xiàn サン おく, すてる
[字解] ①버릴삼, 내버려둘삼 '一, 舍也'《廣雅》. ②싫어할삼 '一, 厭也'《集韻》.

〔摩〕 〔마〕 手부 11획(461)을 보라.

麻 5 〔𪎰〕 16 구 [一] 구 [上]有 | ク あさ
[二] 강 [平]陽 | qiāng キュウ あさ
[字解] [一] 삼구 '一, 麻也'《字彙》. [二] 삼강 [一]과 뜻이 같음.

麻 5 〔䴹〕 16 본 [上]阮 | běn ホン あさがら
[字解] 겨릅대본 마골(麻骨). 삼의 껍질을 벗겨 낸 속대. '一, 麻蒸也'《集韻》.

麻 5 〔𪎲〕 16 원 [上]阮 | wǎn エン あさがしげる
[字解] 삼무성할원 '一, 麻叢'《字彙》.

麻 5 〔麾〕 16 〔휘〕 麾(麻부 4획〈1855〉)의 俗字

麻 6 〔䴷〕 17 마 [上]哿 | mǒ バ さる
[字解] 갈마 떠나감. '一, 去也'《字彙》.

麻 6 〔𪎳〕 17 주 [平]虞 | zhū チュ あさのみ
[字解] 삼씨주 '𪎴, 一也'《廣雅》.

〔靡〕 〔미〕 米부 11획(976)을 보라.

〔縻〕 〔미〕 糸부 11획(1012)을 보라.

麻 7 〔𪎺〕 18 옥 [入]沃 | wò ヨク あさお
[字解] 삼실옥 아직 마전하지 않은 삼실. '一, 纑未練'《集韻》.

麻 8 〔𪎻〕 19 미 [上]紙 | měi ビ ふかいさま
[字解] 깊은모양미 '一, 深一貌'《字彙補》.

麻 8 〔𪎼〕 19 〔석〕 𪎽(麻부 8획〈1856〉)과 同字

麻 8 〔𪎾〕 19 추 [平]尤 | zōu シュウ あさがら

[字解] 삼대추 삼을 벗긴 대. '菎蕗雜於一蒸兮'《楚辭》.
[字源] 形聲. 麻+取〔音〕

麻 8 〔⿰麻易〕 19 〔석〕
緆(糸부 8획〈999〉)과 同字

〔靡〕 〔미〕
非부 11획(1656)을 보라.

麻 9 〔⿱兪麻〕 20 두 [平]尤 | tóu トウ いちびあさ
[字解] ①어저귀두 '一, 卽今白麻, 多生卑溼處'《正字通》. ②삼한묶음두 '一, 一絜也'《玉篇》.
[字源] 形聲. 麻+兪〔音〕

麻 9 〔⿱後麻〕 20 곡 [入]屋 | kù コク あさお
[字解] ①누이지않은삼곡 '一, 未湅治纑也'《說文》. ②아직짜지않은삼곡 '一, 枲未績者'《廣韻》. ③생명주곡 '一, 絹也'《廣雅》.
[字源] 形聲. 麻+後〔音〕

麻 9 〔黁〕 20 논 [平]元 | nún ドン こうばしい
[字解] 향기로울논 '一, 香也'《集韻》.

麻 10 〔⿸麻芻〕 21 〔추〕
黀(麻부 8획〈1855〉)와 同字

麻 10 〔⿸麻毛〕 21 모 [上]麌 | mǔ ボ·モ あさ
[字解] 삼모 삼과의 일년초. '一, 麻一也'《字彙》.

〔魔〕 〔마〕
鬼부 11획(1784)을 보라.

麻 11 〔⿸麻賁〕 22 〔분〕
黂(麻부 13획〈1856〉)과 同字

麻 12 〔⿸麻黍〕 23 미 [平]支 | méi ビ·ミ くろきび
[筆順] 广 ⿸广林 ⿸麻禾 ⿸麻黍 ⿸麻黍 ⿸麻黍 ⿸麻黍 ⿸麻黍
[字解] 검은기장미 '一, 穄也'《說文》.
[字源] 形聲. 黍+麻〔音〕

麻 12 〔⿸麻賁〕 23 [一] 비 [去]未 | ヒ みだれたあさ
[二] 분 | fén フン·ブン あさのみ
[字解] [一] ①헝클어진삼비 '一, 亂麻也'《字彙補》. ②해어진삼베옷비 '宋國有田夫常衣一. (注)敝麻絮衣也'《列子》. [二] 黂(麻부 13획〈1856〉)의 訛字.

麻 13 〔⿰麻蕡〕 24 [一] 萉(艸부 8획〈1153〉)와 同字
[二] 黂(次條)과 同字

麻 13 〔黂〕 24 분 [平]文 | fén フン あさのみ
[字解] 삼씨분 삼의 씨. 마실(麻實). '苴者麻之有一者也'《儀禮》.

麻 20 〔⿱鑿麻〕 31 착 [入]藥 | zuò サク ごまあぶら
[字解] 참기름착 '油麻一搾曰一'《集韻》.

黃 部

〔누를황부〕

黃 0 〔黃〕 12 [中·人] 황 [平]陽 | huáng コウ·オウ き
[筆順] 一 卄 廿 芇 芇 苗 黄 黃
[字解] ①누를황, 누른빛황 오색(五色)의 하나. 중앙의 색, 흙의 색으로서, 중국에서 가장 귀(貴)히 여김. '天玄而地一'《易經》. ②노래질황 누렇게 됨. '草木一落'《禮記》. ③늙은이황 노인. 노인의 머리는 희어진 후 다시 노래지므로 이름. '一髮'. '一耇無疆'《詩經》. ④황금황 금. '一白'(금은). '懷銀一'《漢書》. ⑤황마황 털빛이 노란 말. '有驪有一'《詩經》. 또, 노란빛의 물건을 이름. '大一'. '硫一'. '雌一'. '充耳以一乎而'《詩經》. ⑥어린애황 소아. 당대(唐代)에는 세 살 이하를 이름. '凡男女始生爲一'《唐開元志》. ⑦황제황 상고의 성천자(聖天子) 황제(黃帝) 및 그 교(敎). '本於一老'《史記》. ⑧성황 성(姓)의 하나.
[字源] 象形. 甲骨文은 大+口. '大대'는 사람의 象形. '口구'는 허리에 찬 옥의 象形. 허리에 찬 옥의 빛에서, '노랗다'의 뜻을 나타냄. 일설에는, '大'를 화살의 象形이라 보고, 불이 붙은 화살의 뜻에서, '노랗다'의 뜻으로 쓴다고 설명함. 《說文》에서는, 田+炗〔音〕의 形聲으로 보고, '田전'은 '땅바닥'의 뜻, '炗광'은 '光광'의 古字로, 땅의 빛깔, '노랗다'의 뜻을 나타낸다고 함.
[參考] ①'黃황'을 의부(意符)로 하여, 황색을 나타내는 문자를 이룸. 부수 이름은 '누를황'. ②黃(次條)은 同字.

黃 0 〔黄〕 11 黃(前條)과 同字

黃 4 〔黋〕 16 광 [平]陽 | guāng コウ たけきさま

字解 씩씩할광, 날랠광 굳세고 용감한 모양. '一將軍, 威蓋不當'《班固》.
字源 形聲. 尢+黃〔音〕

黃4 〔黈〕16 강 去漾 kàng コウ きいろ
字解 누를강 '一, 博雅, 黃也'《集韻》.

黃4 〔黅〕16 금 平侵 jīn キン きいろ
字解 누를금, 누른빛금 '其穀玄一'《素問》.

黃4 〔黗〕16 돈 平元 tún トン きいろ
字解 누른빛돈 黈(黃부 8획〈1857〉)과 同字. '黈, 黃色, 或从屯'《集韻》.

黃4 〔䵍〕16 〔돈〕 黈(黃부 8획〈1857〉)과 同字

黃5 〔黇〕17 ㊀첨 平鹽 tiān テン うすきいろ ㊁전 平先 セン うすきいろ
字解 ㊀ ①연노랑첨 '一, 白黃色也'《說文》. ②누를첨, 누른빛첨 '一, 黃也'《廣雅》. ㊁ 연노랑전, 누를전, 누른빛전 ㊀과 뜻이 같음.
字源 形聲. 黃+占〔音〕

黃5 〔黈〕17 주 (두本) 上有 tǒu トウ きいろ
字解 ①누를주, 누른빛주 '大夫倉, 士一'《穀梁傳》. ②귀막이솜주 '一纊'은 갓에 매달아 두 귀 옆에 늘어뜨린 노란 솜으로 만든 구형의 물건. 함부로 아무 말이나 듣지 않도록 경계하는 것임. '雖一纊塞耳而聽於無聲'《十八史略》. ③늘일주 증익(增益)함. '二皇聖哲一益'《馬融》. ※本音 두.
字源 形聲. 黃+主〔音〕

黃5 〔黕〕17 책 入陌 chè チャク きいろ
字解 누를책 빛이 누름. '一, 黃色'《字彙》.

黃6 〔黊〕18 규 平齊 huà ケイ もえぎ
字解 곱게누를규 선명한 황색. '一, 鮮明黃色也'《說文》.
字源 形聲. 黃+圭〔音〕

黃6 〔黋〕18 ㊀회 上賄 カイ きいろ ㊁유 上紙 wěi イ きいろ ㊂궤 去隊 huì カイ きいろ
字解 ㊀ 누른빛회 푸르스름한 누른빛. '一, 青黃色也'《說文》. ㊁ 누른빛유 ㊀과 뜻이 같음. ㊂ 누른빛궤 ㊀과 뜻이 같음.

字源 形聲. 黃+有〔音〕

黃6 〔黌〕18 〔황〕 熿(火부 15획〈729〉)과 同字

黃6 〔䵏〕18 증 去徑 zhèng ショウ きいろ
字解 누른빛증 '一, 黃色'《集韻》.

黃6 〔䵐〕18 천 平先 tiān テン うすぎ
字解 담황색(淡黃色)천 '一, 黃白色'《集韻》.

黃6 〔䵑〕18 충 平東 chōng シュウ きいろ
字解 누른빛충 '一, 黃色'《廣雅》.

黃7 〔䵒〕19 점 平鹽 chán テン きいろ
字解 ①누른빛점 黇(黃부 8획〈1857〉)과 同字. '一, 黃色, 或从炎'《集韻》. ②주황색(朱黃色)점 '一, 埤蒼云, 赤黃色'《廣韻》.

黃7 〔䵓〕19 험 平鹽 xiān ケン かばいろ
字解 ①주황빛험 '一, 赤黃色也'《說文》. ②친압할험 사람을 가볍게 보고 업신여기는 모양. '一, 一曰輕傷人, 一姁也'《說文》.
字源 形聲. 黃+夾〔音〕

黃8 〔黈〕20 돈 平元 tūn トン きいろ
字解 누른빛돈 '一, 黃色'《集韻》.

黃8 〔䵔〕20 黈(前條)과 同字

黃8 〔䵕〕20 〔요〕 曜(日부 14획〈516〉)와 同字

黃8 〔䵖〕20 의 上紙 huǐ イ おうだん
字解 황달병(黃疸病)의 '一, 黃病也'《篇海》.

黃8 〔䵗〕20 작 入藥 què シャク うすきいろ
字解 담황색작 껍질의 담황색. '一, 皮淡黃色也'《篇海》.

黃8 〔䵘〕20 점 平鹽 zhān テン きいろ
字解 누른빛점 '一, 黃也'《廣韻》.

黃8 〔䵙〕20 〔점〕 䵒(黃부 7획〈1857〉)과 同字

黃 8 〔䵋〕20 〔첨〕
黇(黃부 5획〈1857〉)과 同字

黃 8 〔𪏽〕20 〔굉〕
𦢊(肉부 12획〈1092〉)과 同字

黃 8 〔𪏾〕20 〔횡〕
䵍(黃부 9획〈1858〉)과 同字

黃 9 〔䵌〕21 〔주〕
黈(黃부 5획〈1857〉)와 同字

黃 9 〔𪐀〕21 〔휘〕
輝(車부 8획〈1471〉)와 同字

黃 9 〔䵍〕21 횡 [平]庚 | hēng コウ ふじのいっしゅ
[字解] 등(藤)나무의일종횡 𪏾(黃부 8획〈1858〉)과 同字. '一, 藤屬, 以織也'《玉篇》. '𪏾, 同一'《五音集韻》.

黃 9 〔黺〕21 단 [平]寒 | tuān タン くろきいろ
[字解] ①거망빛단 짙게 검누른 빛. '一, 黑黃色也'《說文》. ②누를단, 누른빛단 '一, 黃也'《廣雅》. ③사람이름단 '一, 一說, 敕一, 梁四公子名'《集韻》.
[字源] 形聲. 黃+耑〔音〕

黃 9 〔𪐁〕21 䵎(次條)과 同字

黃 10 〔䵎〕22 운 [上]吻 | yǔn ウン かおいろがきゅうにきばむ
[字解] 얼굴빛누레질운 안색이 갑자기 누레짐.

黃 10 〔𪐂〕22 황 [平]陽 | huáng コウ きみ
[字解] 노른자황 '一, 卵中黃'《集韻》.

黃 11 〔𪐃〕23 로 [去]號 | lǎo ロウ きいろ
[字解] ①누른빛로 '一, 黃色'《廣雅》. ②풀빛로 연두색. '一, 草色也'《龍龕手鑑》. ③색깔이누른사람로 '一, 一曰, 黃色人'《龍龕手鑑》.

黃 12 〔𪐄〕24 궤 [去]隊 | guì カイ やむさま
[字解] 앓는모양궤 병든 모양. '一, 病皃'《集韻》.

黃 12 〔䵏〕24 천 [上]銑 | chǎn セン きいろ
[字解] 누른빛천 '一, 黃也'《廣雅》.

黃 12 〔𪐅〕24 〔황〕
煌(火부 9획〈717〉)과 同字

黃 13 〔𪐆〕25 〔로〕
𪐃(黃부 11획〈1858〉)와 同字

黃 13 〔𪐇〕25 작 [入]藥 | què シャク うすきいろ
[字解] 담황색작 담황색 껍질. '一, 皮淡黃也'《字彙補》.

黃 13 〔黌〕25 횡 [平]庚 | hóng コウ まなびや
[字解] 학교횡, 글방횡 학문을 가르치는 곳. '更修一宇'《後漢書》.
[字源] 形聲. 學〈省〉+黃〔音〕

黍 部
〔기장서부〕

黍 0 〔黍〕12 서 [上]語 | shǔ ショ きび
[筆順] 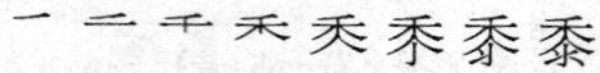
[字解] ①기장서, 메기장서 오곡(五穀)의 하나. '一稷'으로 연용(連用)할 때에는 '一'는 메기장, '稷'은 차기장임. ②무게의단위서 기장 한 알의 중량으로, 중량의 단위. '十一'를 '絫', '百一'를 '銖'라 함. 전(轉)하여, 극소의 중량. '權輕重者, 不失一絫'《漢書》. ③술그릇서 석 되들이 주기(酒器). '操一酒'《呂氏春秋》.
[字源] 會意. 본디, 禾+水
[參考] '黍서'를 의부(意符)로 하여, 차기장이 차진 데서, '차지다, 차진 것'을 나타내는 문자를 이룸. 부수 이름은 '기장서'.

黍 3 〔黎〕15 [人名] 려 [平]齊 | lí レイ くろい
[筆順] 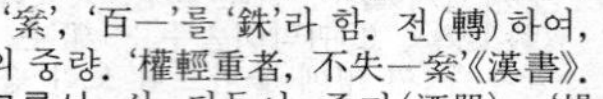
[字解] ①검을려 黧(黑부 8획〈1864〉)와 同字. '厥土青一'《書經》. ②많을려, 뭇려 중서(衆庶). '一民'. '群一百姓'《詩經》. ③녈려 무렵. '一明圍宛城'《史記》.
[字源] 形聲. 黍+利〈省〉〔音〕

黍 3 〔𪐏〕15 黎(前條)의 本字

黍 3 〔䵖〕15 여 [上]語 | rǔ ジョ ねばる
[字解] 차질여 곡식이 끈기가 있음. '一, 黏

也'《廣雅》.

黍3 〔𥝩〕15 䵑(次條)과 同字

黍4 〔䵑〕16 ㊀닐 ㊀入質|nì ジツ ねばる
㊁일 ㊀入質|ジツ ねばる

字解 ㊀붙을닐 '一, 黏也'《說文》. ㊁붙을일 ㊀과 뜻이 같음.
字源 形聲. 黍+日〔音〕

黍4 〔黅〕16 근 ㊤吻 ㊦問|jīn キン ねばる

字解 차질근 곡식이 끈기가 있음. '一, 黏也'《廣雅》.

黍4 〔䵒〕16 뉴 ㊤有|niǔ ジュウ ねばる

字解 차질뉴 곡식이 메지지 않고 차짐. '一, 黏也'《集韻》.

黍4 〔黎〕16 〔려〕
勬(黍부 3획〈1858〉)의 訛字

黍4 〔𪏮〕16 〔려〕
犂(牛부 8획〈743〉)와 同字

黍4 〔𪐀〕16 〔향〕
香(部首〈1732〉)의 本字

黍4 〔䵓〕16 호 ㊦遇|hù コ ねばる

字解 차질호 곡식이 끈기가 있음. '一, 黏也'《集韻》.

黍5 〔𪐂〕17 〔향〕
香(部首〈1732〉)의 古字

黍5 〔黏〕17 호 ㊥虞|hú コ ねばる

字解 ①붙을호 들러붙음. ②죽호 '一, 一曰, 煑米及麪爲鬻'《集韻》.
字源 形聲. 黍+古〔音〕

黍5 〔𪐄〕17 黏(前條)와 同字

黍5 〔黏〕17 점 ㊥鹽|nián デン・ネン ねばる

字解 ①차질점 끈기가 있음. '一土'. '泥一雪滑, 足力不堪'《白居易》. ②붙을점 착 달라붙음. '一着'. ③떡점, 죽점 떡 또는 죽. '飯一一粒'《晉書》.
字源 形聲. 黍+占〔音〕

黍5 〔𪐅〕17 〔나〕
黟(黍부 6획〈1859〉)와 同字

黍5 〔䵑〕17 네 ㊤薺|nǐ デイ ねばる

字解 차질네 곡식이 차짐. '一, 黏也'《玉篇》.

黍5 〔黎〕17 리 ㊥支|lí リ ほのか

字解 어렴풋할리 분명히 분간할 수 없는 모양. '一, 恍也'《字彙補》.

黍5 〔𪐆〕17 포 ㊦效|bào ホウ きびみそのうえにできるまく

字解 기장된장위에생긴껍데기포 '一, 黍豉皮也'《篇海》.

黍5 〔䵐〕17 필 ㊀入屑|bì ヘツ こうばしい

字解 향기로울필 苾(艸부 5획〈1130〉)・馝(香부 5획〈1733〉)과 同字. '苾, 說文, 馨香也, 或从黍'《集韻》. '一, 俗馝字'《正字通》.

黍6 〔黟〕18 나 ㊦禡|nǎ ダ ねばりつく

字解 척척들러붙을나 끈기가 대단함. 𪐅(黍부 5획〈1859〉)와 同字. '一, 黟一, 粘也, 或作𪐅'《集韻》.

黍6 〔䵕〕18 주 ㊥虞|zhū チュ ねばる

字解 차질주 '一, 黏也'《玉篇》.

黍8 〔䵗〕20 ㊀비 ㊤紙|bǐ ヒ ひえ
㊁패 ㊦卦|ハイ ひえ

字解 ㊀피비 기장발의 피. '一, 黍屬也'《說文》. ㊁피패 ㊀과 뜻이 같음.
字源 形聲. 黍+卑〔音〕

黍8 〔𪐗〕20 견 ㊦霰|qiàn ケン くろきび

字解 메기장견 차지지 않은 기장. 䵖(黍부 11획〈1860〉)과 同字. '䵖, 博雅, 穄也, 或作一'《集韻》.

黍8 〔䵘〕20 권 ㊤阮|quǎn ケン ひろい

字解 ①넓을권 '一, 博也'《玉篇》. ②차질권 메지지 않음. '一, 黏一'《廣韻》. ③가루권, 둥글게뭉칠권 '稀, 說文, 粉也, 一曰, 饎稀, 博也, 或从黍'《集韻》.

黍8 〔䵔〕20 동 ㊤董|dǒng トウ ねばるさま

字解 ①차진모양동 메지지 않음. '一, 舊注, 黏貌'《正字通》. ②올라가지않을동 '一, 𪐝一, 不上'《廣韻》.

黍8 〔⿰黍奉〕20 봉 [上]腫 | fěng ホウ むぎをひる

[字解] 보리까불봉 키질을 함. '一, 麷麥也'《玉篇》.

黍9 〔⿰黍重〕21 ⿰黍柬(前前條)과 同字

黍9 〔⿰黍昜〕21 [一] 쇄 [去]卦 | shài サイ ねばらないさま
[二] 사 [去]禡 | サ さらす

[字解] [一] 차지지못한모양쇄 메진 모양. '一, 不黏皃'《集韻》. [二] 바랠사 빨래 같은 것을 볕에 쬐어 희게 함. 曬(日부 19획〈517〉)와 뜻이 같음. '曬, 博雅, 暴也, 或作一'《集韻》.

黍9 〔⿰黍念〕21 점 (념 [本]) [平]鹽 | nián デン おもいをかける

[字解] 마음붙일점 무엇에 생각을 둠. '一, 心有所着'《集韻》. ※本音 념.

黍9 〔⿰黍多〕21 차 [平]麻 | zhā タ ねばりつく
[去]禡 | zhǎ タ ねばる

[字解] ①서로달라붙을차 끈기가 대단함. '⿰黍多, 一⿰黍多, 相黏也'《集韻》. ②차질차 메지지 않고 차짐. '⿰黍多, 一⿰黍多, 粘也'《集韻》.

黍9 〔⿰黍胡〕21 〔호〕
⿰黍古(黍부 5획〈1859〉)와 同字

黍9 〔⿰黍畐〕21 [一] 복 [入]職 | bó ホク かれたしたばをのぞく
[二] 벽 [入]職 | bí ヒョク かれたしたばをのぞく

[字解] [一] 떡잎제칠복 곡물(穀物)의 시든 떡잎을 떼어냄. '一, 治黍禾豆下潰葉也'《說文》. [二] ①떡잎제칠벽 [一]과 뜻이 같음. ②붙을벽 들러붙음. '一, 粘也'《集韻》.
[字源] 形聲. 黍+畐

黍10 〔⿰黍舀〕22 도 [上]皓 | tāo トウ とうもろこし

[字解] 옥수수도 '一黍'는 옥수수. '關西呼蜀黍曰一黍'《集韻》.

黍10 〔⿰黍兼〕22 렴 [平]鹽 | lián レン いねときびのまばらなさま

[字解] 벼와기장이성길렴 '一, 禾黍疎皃'《集韻》.

黍11 〔⿱堅黍〕23 〔견〕
⿱臤黍(黍부 8획〈1859〉)의 俗字

黍11 〔⿰黍匿〕23 [一] 닉 [入]職 | nì ジョク ねばる
[二] 일 [入]質 | ニチ ねばる

[字解] [一] 차질닉 메지지 않고 차짐. '一, 黏也'《集韻》. [二] 䵑(黍부 4획〈1859〉)의 俗字.

黍11 〔⿰黍連〕23 련 [上]銑 | lián レン もみをする

[筆順] 禾 禾 黍 黍 黍 黍亘 黍車 ⿰黍連

[字解] 벼쓿을련 연자방아에 갊. '一, 轢禾也'《集韻》.

黍11 〔⿰黍麻〕23 마 [平]麻 | má バ くろきび

[筆順] 禾 禾 黍 黍 黍 黍广 黍麻 ⿰黍麻

[字解] 검정기장마 차지지 않음. '一, 穄也'《廣雅》.

黍11 〔⿰黍啇〕23 적 [入]陌 | zhé タク のり

[筆順] 禾 禾 黍 黍 黍亠 黍产 黍商 ⿰黍啇

[字解] ①풀적 밥풀. '一, 黏飯也'《玉篇》. ②차질적 끈끈함. '一, 黏也'《廣雅》. ③둥글게뭉칠적 '一, 博雅, 摶也'《集韻》.

黍11 〔黐〕23 리 [平]支 | lí リ とりもち

[筆順] 禾 禾 黍 黍 黍亠 黍离 黐 黐

[字解] 끈끈이리 새·벌레 같은 것을 잡는 물질. '一, 所以黏鳥'《廣韻》.
[字源] 形聲. 黍+离〔音〕

黍13 〔⿰黍農〕25 농 [上]董 | nǒng ドウ くだもの

[字解] ①과일농 먹는 과실(果實). '一, 果子總名'《字彙》. ②농사할농 '一, 耕種也'《玉篇》.

黍14 〔⿰黍离〕26 黐(前前條)와 同字

黍14 〔⿱复黍〕26 〔복〕
馥(香부 9획〈1733〉)의 本字

黍16 〔⿱殸黍〕28 〔형〕
馨(香부 11획〈1734〉)의 本字

黍16 〔⿰黍龍〕28 롱 [上]董 | lǒng ロウ ねばるさま

[字解] 차진모양롱 끈끈한 모양. '一, 黏貌'《字彙》.

黍16 〔⿰黍遺〕28 유 [平]支 | yí イ ねばるさま

[字解] 차진모양유 곡식이 차짐. '一, 黏貌'《篇海》.

黑 部

〔검을흑부〕

黑 0 〔黑〕 12 中·人 흑 入職 | hēi, hè コク くろ

筆順

字解 ①검은빛흑, 흑색흑 ㉠오색(五色)의 하나. '漆一'. '夏后氏尙一'《禮記》. ㉡'白'에 대하여 나쁜 것의 뜻으로 쓰임. '一白分明'. '心不染一'《法苑珠林》. ②검을흑 ㉠빛이 검음. '厥土一墳'《書經》. ㉡마음이 검음. '一心'. ③어두울흑 일광이 어두움. '暗一'. '日一, 大風起天'《漢書》. ④거메질흑 거멓게 됨. '池水盡一'《魏志 註》. ⑤양흑, 돼지흑 양 또는 돼지. '以其騂一'《詩經》. ⑥성흑 성(姓)의 하나.

字源 象形. 위쪽의 굴뚝에 검댕이 차고, 아래쪽에 불길이 오르는 모양을 본떠, '검다'의 뜻을 나타냄.

參考 '黑흑'을 의부(意符)로 하여, 검은빛이나 검은 것을 나타내는 문자를 이룸. 부수 이름은 '검을흑'.

黑 0 〔黒〕 11 黑(前條)과 同字

黑 0 〔𪐗〕 14 黑(前前條)의 本字

黑 1 〔𪐜〕 13 알 入黠 | yà アツ まっくろ

字解 시커멀알 아주 검음. '圖像之威, 一昧就滅'《韓愈》.

黑 2 〔黥〕 14 〔경〕 黥(黑부 8획〈1864〉)과 同字

黑 2 〔𪐞〕 14 〔복〕 䵗(黑부 12획〈1868〉)과 同字

〔墨〕 〔묵〕 土부 12획(221)을 보라.

黑 3 〔黓〕 15 익 入職 | yì ヨク くろい

字解 검을익 빛이 검음. 약(略)하여, '弋'으로 씀. '身衣一綈'《漢書》.

字源 形聲. 黑+弋〔音〕

黑 3 〔䵟〕 15 간 上旱 | gǎn カン くろ

字解 ①검을간 '一, 黑色'《玉篇》. ②기미낄간 皯(皮부 3획〈828〉)과 同字.

字源 形聲. 黑+干〔音〕

黑 3 〔黛〕 15 대 去泰 | dài ダイ くろいあと / tài タイ はなはだくろい

字解 ①검은자국대 '一, 黑跡'《廣韻》. ②검을대 '一, 黑也'《集韻》. ③몹시검을대 '一, 黑甚'《集韻》. ④黛(黑부 5획〈1863〉)의 俗字.

黑 3 〔𪐤〕 15 〔탄〕 黗(黑부 4획〈1862〉)과 同字

黑 3 〔𪐦〕 15 〔안〕 黫(黑부 9획〈1865〉)과 同字

黑 3 〔黔〕 15 ㊀적 入錫 | dí テキ りゅうのひげ / ㊁작 入藥 | zhuó シャク ほくろ

字解 ㊀ ①용의수염적 '龍須謂之一'《廣雅》. ②부인얼굴장식적 '一, 一曰, 婦人面飾'《集韻》. ③사마귀얼굴에붙일적 '一, 一曰, 黑子著面'《集韻》. ㊁ 사마귀작 부인의 얼굴을 꾸미기 위하여 볼 위에 붙이는 검은 점. '一, 婦人以點飾'《集韻》.

黑 3 〔𪐧〕 15 투 去遇 | dù ト いろがまっくろい

字解 ①시커멀투 '一, 色深黑'《集韻》. ②거무튀튀할투 '一, 濁黑也'《六書故》.

黑 3 〔𪐥〕 15 환 去翰 | huàn カン かききず

字解 긁어서생긴부스럼환 '一, 皰肒也'《篇海》.

黑 4 〔黔〕 16 ㊀검 平鹽 | qián ケン くろい / ㊁금 平侵 | qián キン かみのな

字解 ㊀ ①검을검 '安一首'《戰國策》. ②거메질검 거멓게 됨. '墨突不得一'('墨突'은 묵자(墨子)의 집의 굴뚝)《韓愈》. ㊁ ①귀신이름금 '一嬴'. ②성금 성(姓)의 하나.

字源 形聲. 黑+今〔音〕

黑 4 〔黕〕 16 담 上感 | dǎn タン あか

字解 ①때담 끼거나 묻은 더러운 것. '或一點而汙之'《楚辭》. ②검을담 검은 모양. '翠幕一以雲布'《潘岳》.

字源 形聲. 黑+冘〔音〕

黑 4 〔𪐬〕 16 黕(前條)과 同字

黑 4 〔黖〕 16 기 [去]未 | xì キ ものがしょうずるさま

[字解] 날기 물건이 생기는 모양. '萬物蠢生, 茫茫一一'《左思》.

黑 4 〔黗〕 16 [一] 탄 [上]阮 | トン きいろくにごったくろいろ
[二] 돈 [平]元 | tūn トン きいろくにごったくろいろ

[字解] [一] ①누렇게흐린검은빛탄 '一, 黃濁黑也'《說文》. ②검을탄 '一, 黑也'《廣雅》. [二] 누렇게흐린검은빛돈, 검을돈 [一]과 뜻이 같음.
[字源] 形聲. 黑+屯〔音〕

黑 4 〔默〕 16 [高·人] 묵 [入]職 | mò モク だまる

[筆順] 冂 罒 罒 罒 里 黑 默 默

[字解] ①잠잠할묵 ㉠말이 없음. '一然'. '終日一如愚'《列仙傳》. ㉡조용하여 아무 소리가 없음. '至道之極, 昏昏一一'《莊子》. ②입다물묵 말을 하지 아니함. '或一或語'《易經》. ③성묵 성(姓)의 하나.
[字源] 形聲. 犬+黑〔音〕

黑 4 〔黙〕 15 默(前條)과 同字

黑 4 〔⿱今黑〕 16 견 [上]銑 | jiǎn ケン くろい

[字解] ①검을견 '一, 黑也'《廣雅》. ②살갗검을견 '一, 皮黑'《篇海》. ③주름살견 검은 주름살. '一, 皮皺'《字彙》. ④黬(黑부 6획〈1863〉)과 同字.

黑 4 〔⿰黑旦〕 16 〔달〕 ⿰黑且(黑부 5획〈1863〉)과 同字

黑 4 〔⿰黑予〕 16 서 [上]語 | shù ショ くろい

[字解] 검을서 검정. '一, 黑也'《玉篇》.

黑 4 〔⿰黑太〕 16 태 [去]泰 | tài タイ はなはだくろい

[字解] 시커멀태 몹시 검음. '一, 黑甚'《字彙》.

黑 4 〔⿰黑亢〕 16 항 [平]陽 | hāng コウ くろいさま

[字解] 검은모양항 '一, 黑皃'《集韻》.

黑 4 〔⿰黑文〕 16 〔흑〕 黑(部首〈1861〉)과 同字

黑 4 〔⿰黑尤〕 16 〔우〕 肬(肉부 4획〈1066〉)의 籀文

黑 5 〔黜〕 17 출 [入]質 | chù チュツ おとす

[字解] ①떨어뜨릴출 관위(官位)를 낮춤. '姦人附勢, 我將陟之, 直士抗言, 我將一之'《王禹偁》. ②물리칠출 ㉠쫓아 냄. '一公者, 非吾意也'《公羊傳》. ㉡없애 버림. 억제함. '君將一嗜欲'《莊子》. ㉢폐함. 버림. '公將一太子申生'《國語》.
[字源] 形聲. 黑+出〔音〕

黑 5 〔黝〕 17 유 [上]有 | yǒu ユウ あおぐろ

[字解] ①검푸른빛유, 검푸를유 청흑색. 약간 푸른빛을 띤 흑색. '一牛'. '陰祀用一牲'《周禮》. ②칠할유 바름. '旣祥一堊'《禮記》.
[字源] 形聲. 黑+幼〔音〕

黑 5 〔點〕 17 [高·人] 점 [上]琰 | diǎn テン くろぼし

[筆順] 冂 罒 罒 罒 里 黑 黑 點

[字解] ①점점 ㉠세소(細小)한 흔적. '斑一'. '血一'. '其白質如玉, 紫一爲文'《詩經》. ㉡문장의 구절(句節) 또는 사물 표지(標識)로 찍는 작은 표(標). '句一'. '訓一'. '凡所讀, 無不加標一'《宋史》. ㉢글자를 쓸 때 찍는 작은 획. '一書'. '每作一一, 如高峯墜石'《王羲之》. ㉣평가(評價)할 때 또는 선악 등을 지적하는 데 쓰는 말. '評一'. '長一'. ㉤시간. '午後三一'. '雞三號, 更五一'《韓愈》. ㉥군데. 개소(個所). 부분. '到着一'. '要一'. '論一'. ㉦문자의 말소 또는 자구의 정정. '覽筆而作, 文無加一'《後漢書》. ㉧물건을 셀 때 쓰는 말. '衣類十一'. ②흠점 결함. '汚一'. '百行無一'《劉孝標》. ③물방울점 우적(雨滴). '雨一墮車軸'《陸游》. ④잎점 떨어지는 꽃잎·나뭇잎 따위. '風飄萬一正愁人'《杜甫》. ⑤점찍을점 '一其一'《王羲之》. ⑥조사할점 세밀히 조사함. '一檢'. ⑦끄덕거릴점 승낙하는 뜻으로 머리를 앞뒤로 흔듦. '一頭'. ⑧켤점 불을 붙임. '一火'. '一燈'. '火一伊陽村'《岑參》. ⑨따를점 액체를 부음. '露一蜜飴'《梁簡文帝》. ⑩가리킬점 지시함. '指一之下'《白居易》. ⑪더럽힐점 더럽게 함. '適足以見笑而自一耳'《司馬遷》.
[字源] 形聲. 黑+占〔音〕
[參考] ①点(火부 5획〈710〉)은 俗字. ②奌(大부 5획〈235〉)은 略字.

黑 5 〔黈〕 17 주 [上]麌 | zhǔ チュ ぼち

[字解] 점주 붓으로 찍는 점. '黲一點黼'《衛常》.
[字源] 形聲. 黑+主〔音〕

黑 5 〔⿰黑旦〕17 달 [入]曷 | dá タツ しろのなかにあるくろみ

[字解] ①흰가운데있는검은기달 '一, 白而有黑也'《說文》. ②검고윤기날달 '一, 黑而有豔曰一'《字統》. ③고을이름달 '一, 莫一縣, 在五原'《廣韻》.
[字源] 形聲. 黑＋旦〔音〕

黑 5 〔黚〕17 [一] 겸 [平]鹽 / [二] 금 [平]侵 / [三] 감 [去]勘 | qián ケン きのまじったくろ / キン あさぐろ / カン·コン くろい

[字解] [一] ①검누를겸 '一, 淺黃黑也'《說文》. ②검을겸 '一, 黑也'《廣雅》. ③물이름겸 귀주성(貴州省) 준의현(遵義縣) 부근을 흘러 양자강(揚子江)으로 흘러들어가는 강. '一, 水名. 南至鼈入江. 在犍爲'《集韻》. [二] 검누른빛금 '一, 黃黑色'《集韻》. [三] 검을감 '一, 博雅, 黑也'《集韻》.
[字源] 形聲. 黑＋甘〔音〕

黑 5 〔黛〕17 대 [去]隊 | dài タイ まゆずみ

[字解] ①눈썹먹대 눈썹을 그리는 청흑색의 먹. '粉一'. '眉一'. '靑一'. '粉白一黑'《楚辭》. 또, 눈썹먹으로 그린 눈썹. '怨一舒還斂'《梁元帝》. ②검푸를대 산이 검푸른 모양. '翠一'. '一樹'. '山潑一水挼藍'《黃庭堅》.
[字源] 形聲. 黑＋代〔音〕

黑 5 〔⿰黑未〕17 매 [去]隊 | mèi バイ あさぐろい

[字解] ①거무스름할매 엷게 검음. '一, 淺黑也'《集韻》. ②시커멀매 짙은 검은빛. '一, 深黑色'《集韻》.

黑 5 〔⿰黑冊〕17 산 [平]寒 | shān サン いろがさめる

[字解] 빛바랠산 퇴색(褪色)함. '一, ⿱敏黑一, 色下'《集韻》.

黑 5 〔⿰黑㐱〕17 진 [去]震 | zhěn シン くろい

[字解] ①검을진 머리털이 검음. '一, 黑也'《集韻》. ②鬒(髟부 10획〈1771〉)·黰(黑부 10획〈1866〉)·㐱(人부 3획〈33〉)과 同字.

黑 5 〔⿰黑介〕17 黕(前條)과 同字

黑 6 〔黟〕18 이 [平]支 | yī イ くろい

[字解] 검을이 빛이 검음. '一然黑者爲星星'《歐陽修》.
[字源] 形聲. 黑＋多〔音〕

黑 6 〔⿰黑伊〕18 黟(前條)와 同字

黑 6 〔黠〕18 할 (힐[俗]) [入]黠 | xiá カツ さとい

[字解] ①약을할 혜민(慧敏)함. '癡一各半'《晉書》. ②교활할할 간교함. '狡一'. '姦一'. 또, 교활한 사람. '彈豪糾一'《皇甫湜》. ※俗音 힐.
[字源] 形聲. 黑＋吉〔音〕

黑 6 〔⿰黑氐〕18 로 [平]虞 | lú ロ くろいゆみ

[字解] 검은칠한활로 '一, 黑弓也'《字彙補》.

黑 6 〔⿰黑夅〕18 방 [平]江 | pāng ホウ くろいさま

[字解] 검은모양방 '一, 黑皃'《集韻》.

黑 6 〔⿰黑汙〕18 사 [上]馬 | xiè シャ けがす

[字解] ①더럽힐사, 더러움사 '一, 一漫, 汙也, 出文字辨疑'《廣韻》. ②검을사 '一, 黑也'《廣雅》. ③汙(水부 3획〈627〉)의 俗字.

黑 6 〔⿰黑色〕18 울 [入]物 | yù ウツ くろい

[字解] ①검을울 '一, 黑也'《字彙》. ②깊을울 '一, 深也'《海篇》. ③黦(黑부 8획〈1864〉)의 訛字.

黑 6 〔⿱𢦏黑〕18 재 [去]隊 | zài サイ そめる

[字解] 물들일재 염색(染色)함. '一, 染也'《集韻》.

黑 6 〔⿰黑杀〕18 찰 [入]黠 | chà サツ くろい

[字解] 검을찰 '一, 黑也'《集韻》.

黑 6 〔⿰黑灰〕18 회 [平]灰 | huī カイ あさぐろ

[字解] 옅은검정색회 '一, 淡黑淺色也'《玉篇》.

黑 6 〔⿱幵黑〕18 [一] 견 [上]銑 / [二] 현 [上]銑 / [三] 전 [上]銑 | jiǎn ケン くろいしわ / xiǎn ケン くろいしわ / テン くろい

[字解] [一] ①검은주름견 '一, 黑皴也'《說文》. ②검을견 검은 모양. '一, 黑也'《廣韻》. [二] 검은주름현, 검을현 [一]과 뜻이 같음. [三] 검을전 '一, 黑也'《廣雅》.
[字源] 形聲. 黑＋幵〔音〕

黑 7 〔黢〕 19 출 [入]質 | qū シュツ くろい

[字解] 검을출 '一, 黑也'《集韻》.

黑 7 〔黣〕 19 매 [平]賄 | měi バイ くろい

[字解] 검을매 피부가 거무스름함. '肌色皯一'《列子》.

[字源] 形聲. 黑＋每〔音〕

黑 7 〔黫〕 19 맘 [上]豏 | wǎn バン·マン やみをゆく

[字解] ①어둠속에걸어갈맘 '一, 闇行也'《集韻》. ②캄캄할맘 몹시 어두움. '一, 暗也'《字彙》.

〔儵〕 〔숙〕 人부 17획(79)을 보라.

黑 7 〔黦〕 19 랄 [入]曷 | luō ラツ くろい

[字解] 검을랄 '一, 黑也'《集韻》.

黑 7 〔黧〕 19 려 [平]齊 | lí レイ まだら

[字解] 얼룩려 반점(斑點). '一, 斑也'《字彙補》.

黑 7 〔黱〕 19 망 [平]江 | máng ボウ くらい

[字解] ①어두울망 '一, 冥暗'《玉篇》. ②사사(私事)망 사사로운 일. '一, 陰私事也'《廣韻》.

黑 7 〔黰〕 19 연 [去]霰 | yàn ゲン すみをひたす

[字解] 먹갈연 붓글씨를 쓰려고 먹을 갊. '一, 濡墨也'《集韻》.

黑 7 〔黯〕 19 욕 [入]沃 | yù ヨク くろいさま

[字解] 검은모양욕 '一, 黑皃'《集韻》.

黑 7 〔黲〕 19 초 [去]嘯 | qiào ショウ ほくろ, あざ

[字解] 사마귀초, 반점(斑點)초 '一, 一䵾, 面點'《集韻》.

黑 8 〔黭〕 20 암 ①[上]豏 ②[上]感 | yǎn アン あおぐろい アン くらい

[字解] ①검푸를암 청흑색. ②어두울암 '一䵾'은 일광이 어두운 모양. '一䵾玄夜陰'《劉伶》.

[字源] 形聲. 黑＋奄〔音〕

黑 8 〔黥〕 20 경 [平]庚 | qíng ケイ·ゲイ いれずみ

[字解] ①자자(刺字)경 얼굴에 입묵(入墨)하는 형벌. 묵형(墨刑). '一罪'. '爰始淫爲劓刵椓一'《書經》. ②성경 성(姓)의 하나.

[字源] 形聲. 黑＋京〔音〕

黑 8 〔黦〕 20 울 [入]物 | yuè ウツ きぐろ

[字解] ①검누른빛울 황흑색(黃黑色). '一, 玄黃也'《集韻》. ②바랠울, 얼룩질울 색이 변함. '淚霑紅袖一'《韋莊》.

黑 8 〔黧〕 20 치 [上]紙 | zhǐ チ そうしょのいきおい

[字解] ①초서(草書)의필세(筆勢)치 '一, 一黈, 艸書勢, 崔子玉記'《集韻》. ②자획(字畫)의점(點)치, 구두(句讀)의점치 '一黈點黼, 言狀如連珠, 絕而不離'《梁武帝》. ③초서쓸치 초서(草書)를 씀.

黑 8 〔黮〕 20 답 [入]合 | tà トウ みだり

[字解] ①함부로우거질답 '一, 猥茸貌'《字彙》. ②검을답 몹시 검음. '一, 黑甚也'《正字通》. ③많이겹칠답 䍇(水부 13획〈688〉)의 訛字.

黑 8 〔黬〕 20 [一] 역 [入]職 | yù ヨク·イキ ひつじのかわごろものくろいとのぬいめ
[二] 혁 [入]職 | キョク ぬう
[三] 욱 [入]屋 | イク ひつじのかわごろものくろいとのぬいめ

[字解] [一] ①양가죽옷의검은실솔기역 '一, 羊裘之縫也'《說文》. ②검은빛역 '一, 黑色也'《正字通》. [二] 꿰맬혁, 양가죽옷솔기혁 '一, 羊裘之縫'《廣韻》. [三] 양가죽옷의검은실솔기욱 [一]❶과 뜻이 같음.

[字源] 形聲. 黑＋或〔音〕

黑 8 〔黚〕 20 [一] 금 [平]侵 | jīn キン·コン きぐろ
[二] 감 [平]咸 | qián カン きぐろ

[字解] [一] ①검누른빛금 '一, 黃黑如金也'《玉篇》. ②연노랑금 '一, 淺黃色'《廣韻》. [二] 검누른빛감 [一]❶과 뜻이 같음.

[字源] 形聲. 黑＋金〔音〕

黑 8 〔黫〕 20 〔전〕 黰(黑부 9획〈1866〉)의 本字

黑 8 〔黧〕 20 [一] 리 [平]支 | lí リ くろい
[二] 려 [平]齊 | lí レイ くろい

[字解] [一] 검을리 빛이 검음. 또, 검은 데 누른빛을 띰. '面目一黑'《戰國策》. [二] 검을려

■과 뜻이 같음.
字源 形聲. 黑+㓞〔音〕

黑 8 〔黨〕 20 高·人 당 ㊤養 | dǎng トウ むら

筆順 ⺌ 𫩏 尚 㡀 當 當 黨 黨

字解 ①마을당 주대(周代)의 행정 구역의 하나. 오백가(五百家)가 사는 지역. '掌其一之政令教治'《周禮》. 전(轉)하여, 향리. 고향. '孔子於鄕一, 恂恂如也'《論語》. ②무리당 목적·의견·행동 등을 같이하는 자의 단체. '徒一'. '朋一'. '吾一之小子'《史記》. ③일가당 친척. '睦于父母之一'《禮記》. ④아부할당 아유구용함. '阿一'. '比而不一'《國語》. ⑤도울당 서로 도와 나쁜 짓을 숨김. '君子不一'《論語》. ⑥기울당, 치우칠당 편파적임. 불공평함. '無偏無一'《書經》. ⑦거듭당 연거푸. '怪星之一見'《荀子》. ⑧혹시당 儻(人부 20획〈79〉)과 통용. '一可得見乎'《漢書》. ⑨바를당 정직함. 讜(言부 20획〈1365〉)과 통용. '博而一正'《荀子》. ⑩바당 所(戶부 4획〈426〉)와 뜻이 같음. 제(齊)나라의 방언(方言). '往一'《公羊傳》. '師乎師乎, 何一之乎'《左傳》.
字源 形聲. 黑+尙〔音〕
參考 党(儿부 8획〈83〉)은 略字.

黑 8 〔⿰黑昆〕 20 곤 (去)願 | gùn コン まっくろ

字解 ①새카만빛곤 '一, 純黑色'《集韻》. ②잊어버릴곤 '一, 忘失也'《字彙》. ③쓸모없을곤 어리석음. '一, ⿰黑享一, 不幹事'《集韻》.

黑 8 〔⿰黑炎〕 20 담 ㊤感 | dǎn タン くもがくろい

字解 구름검을담 '一, 雲黑也'《篇海》.

黑 8 〔⿰黑享〕 20 돈 (去)願 | tùn トン ことにたえない

字解 일감당하지못할돈 어리석음. '一, 一⿰黑昆, 不幹事'《集韻》.

黑 8 〔⿰黑來〕 20 ㊀ 래 (平)灰 | lái ライ おおいにくろい
㊁ 리 (平)支 | lí り あかぐろいいろ

字解 ㊀ ①크게검을래 '一, 一⿰黑臺, 大黑'《廣韻》. ②일에밝지못할래 '玉篇, 一⿰黑臺, 大黑也. 今人以爲不曉事之稱'《錢大昕》. ㊁ 검붉은빛리 ⿰黑离(黑부 10획〈1867〉)와 同字. '⿰黑离, 赤黑色, 或从來'《集韻》.

黑 8 〔⿰黑彔〕 20 〔록〕 ⿰黑鹿(黑부 11획〈1867〉)과 同字

黑 8 〔⿰黑奔〕 20 분 (平)元 | bēn ホン くろい

字解 검을분 '一, 黑也'《集韻》.

黑 8 〔⿰黑妾〕 20 첩 (入)葉 | qiè ショウ いとのくさったいろ

字解 실삭은빛첩 실이 삭아서 나는 색깔. '一, 絲壞色'《集韻》.

黑 8 〔⿰黑昏〕 20 혼 ㊤阮 | hǔn コン くろい

筆順 四 甲 里 黑 黒 黒氏 黒氏 ⿰黑昏

字解 검을혼 '一, 黑也'《集韻》.

黑 8 〔⿱多黑〕 20 ㊀ 훈 (平)文 | xūn クン ももいろ
㊁ 울 (入)物 | yù ウツ きぐろいいろ

字解 ㊀ 분홍빛훈 纁(糸부 14획〈1018〉)과 同字. '纁, 說文, 淺絳也, 亦作一'《集韻》. ㊁ 검누를울 황흑색(黃黑色). 黦(黑부 8획〈1864〉)과 同字. '黦, 玄黃也, 亦書作一'《集韻》.

黑 9 〔黫〕 21 ㊀ 안 (平)刪 | yān アン くろい
㊁ 인 (平)眞 | yīn イン くろい

字解 ㊀ 검을안 '與尾箕晨出, 日天晧, 一然黑色甚明'《史記》. ㊁ 검을인 ■과 뜻이 같음.

黑 9 〔黬〕 21 암 (平)咸 | yán ガン なべずみ

字解 ①얼굴검을암, 검댕암 솥이나 냄비 밑에 붙은 검은 매연(煤煙) 딱지. ⿰黑韱(黑부 15획〈1869〉)과 同字. '⿰黑韱, 說文, 雖皙而黑, 古人, 名⿰黑韱字皙, 一曰, 釜底黑, 或作一'《集韻》. ②기(氣)모일암, 모인기암 '一, 氣聚也'《正字通》. '有生一也'《莊子》. ③흉터암 반흔(瘢痕). '一, 痕也'《正韻》.

黑 9 〔黭〕 21 암 ㊤感 | yǎn アン にわか

字解 ①별안간암 '一然'은 갑자기. '一然而雷擊之'《荀子》. ②검을암 '氣滃靄以一黮'《張說》.
字源 形聲. 黑+弇〔音〕

黑 9 〔黮〕 21 ㊀ 심 ㊤寢 | shěn シン・ジン くわのみ
㊁ 담 ㊤感 | dǎn タン くろい
㊂ 탐 (去)勘 | tàn タン くらい

字解 ㊀ 오디심 뽕나무의 열매. 葚(艸부 9획〈1160〉)과 통용. '食我桑一'《詩經》. ㊁ 검을담 검은 모양. ㊂ 어두울탐 '人固受其一闇'《莊子》.
字源 形聲. 黑+甚〔音〕

黑 9 〔黯〕21 암 ㊤豏 | àn アン まっくろ

[字解] ①검을암, 어두울암 '一然而黑'《史記》. '一兮慘悴'《李華》. ②슬퍼할암 이별을 슬퍼하는 모양. '慘一'. '一然銷魂者, 惟別而已矣'《江淹》.
[字源] 形聲. 黑+音〔音〕

黑 9 〔⿰黑昜〕21 [一] 양 [去]漾 [二] 상 [平]陽 | yàng ヨウ あかぐろい ショウ あかぐろい

[字解] [一] ①검붉을양 '一, 赤黑也'《說文》. ②옥색양 '一, 一曰, 淺靑'《集韻》. [二] 검붉을상, 옥색상 [一]과 뜻이 같음.
[字源] 形聲. 黑+昜〔音〕

黑 9 〔⿰黑⿸尸共〕21 전 [去]霰 | diàn テン かす

[字解] ①앙금전, 찌끼전 澱(水부 13획〈689〉)과 同字. ②쪽즙전 쪽〔藍〕의 즙(汁). '一, 藍一, 染者也'《廣韻》.
[字源] 形聲. 黑+殿(殿)〈省〉〔音〕

黑 9 〔⿰黑南〕21 념 ㊤琰 | niǎn ネン そうしょのひっせい

[字解] 초서(草書)의필세(筆勢)념, 자획(字畫)의점(點)념 '一, 點一, 艸書勢'《集韻》.

黑 9 〔⿰黑律〕21 류 [去]寘 | lèi ルイ くろいいろ

[字解] ①검은색류 '一, 黑色'《集韻》. ②귀신이름류 壘(土부 15획〈223〉)와 통용. '⿰黑律, 神名, 郭太乙正誤, 鬱壘, 沈休文作⿰黑律一'《康熙字典》.

黑 9 〔⿱㒼黑〕21 만 [平]刪 | mán バン しゃりんにえがく

[字解] 수레바퀴에그림그릴만 '一, 畫車輪也'《集韻》.

黑 9 〔⿰黑屏〕21 병 [平]庚 | bīng ヘイ くろのかざり

[字解] 검은장식병 검은빛의 치장. '一, 黑飾'《玉篇》.

黑 9 〔⿰黑曷〕21 알 [入]月 | yè エツ いろがかわる

[字解] 빛바랠알 색깔이 변함. '一, 色變也, 或作黦'《集韻》.

黑 9 〔⿰黑屋〕21 옥 [入]屋 | wū オク いれずみのけい

[字解] 묵형옥 '一, 墨刑'《集韻》.

黑 9 〔⿰黑虒〕21 외 | wài ガイ とら

[字解] 범외 '一, 虎也'《字彙補》.

黑 9 〔⿰黑委〕21 유 [平]齊 | wēi エイ けがれる

[字解] 더러워질유, 더럽힐유 '一, 汚也'《集韻》.

黑 9 〔⿰黑者〕21 자 [去]禡 | zhě シャ くろいろ

[字解] 검정색자 '一, 黑色'《集韻》.

黑 9 〔⿰黑枼〕21 [一] 렵 [入]葉 [二] 접 [入]葉 | リョウ たけのうちのくろみ dié チョウ たみ

[字解] [一] 댓속의검은알맹이렵 '一, 竹裏黑'《集韻》. [二] ①백성(百姓)접 만민(萬民). '一, 一黔首, 出音譜'《廣韻》. ②댓속의검은알맹이접 [一]과 뜻이 같음.

黑 9 〔⿰黑亭〕21 증 [去]徑 | dèng チョウ くものいろ

[字解] 구름빛증 '一, 雲色'《集韻》.

黑 9 〔⿰黑柰〕21 찰 [入]黠 | chà サツ くろい

[字解] 검을찰 '一, 黑也'《玉篇》.

黑 9 〔⿰黑真〕21 黰(次條)과 同字

黑 10 〔黰〕22 진 ㊤軫 | zhěn シン くろかみ

[字解] 검은머리진 함치르르하여 아름다운 흑발. 鬒(髟부 10획〈1771〉)과 통용. '昔有仍氏生女, 一黑甚美'《左傳》.
[字源] 形聲. 黑+眞〔音〕

黑 10 〔黱〕22 대 [去]隊 | dài タイ まゆずみ

[字解] ①눈썹먹대 눈썹 그리는 먹. ②검푸를대 黛(黑부 5획〈1863〉)와 同字. '一色參天二千尺'《杜甫》.
[字源] 會意. 黑+朕.

黑 10 〔⿱般黑〕22 반 [平]寒 | pán ハン いろがさめる

[字解] 빛바랠반 '一姍'은 검정이 바랜 빛. '一, 一姍, 下色也'《說文》.
[字源] 形聲. 黑+般〔音〕

黑 10 〔⿰黑般〕22 ⿱般黑(前條)과 同字

黑 10 〔⿰黑冤〕22 울 [入]月 | yuè エツ くろくてもようがある

[字解] 검고무늬있을울 黦(黑부 8획〈1864〉)

의 本字. '一, 黑有文也'《說文》.

黑10 〔⿱⿰夂夂黑〕22 〔리〕
⿱𥝢黑(黑부 8획〈1864〉)와 同字

黑10 〔⿰黑⿱艹表〕22 〔낭〕
⿰黑襄(黑부 17획〈1869〉)의 俗字

黑10 〔⿰黑离〕22 리 [平]支 | lí り あかぐろいいろ
[字解] 검붉은빛리 ⿰黑來(黑부 8획〈1865〉)와 同字. '一, 赤黑色, 或从來'《集韻》.

黑10 〔⿰黑冥〕22 멱 [入]錫 | mì ベキ くらい
[字解] ①어두울멱 '一, 一曰, 闇也'《集韻》. ②초목무성할멱 覭(見부 10획〈1301〉)과 뜻이 같음. '一, 草木叢也, 亦作覭'《玉篇》. ③색(色)이썩어검을멱 '一, ⿰黑責一, 色敗黑'《集韻》. ④⿰黑覓(黑부 11획〈1867〉)과 同字. '一, 或从覓'《集韻》.

黑10 〔⿰黑⿱夵目〕22 묵 [入]職 | mò ボク くろい
[字解] 검을묵 '一, 黑也'《玉篇》.

黑10 〔⿰黑或〕22 〔역〕
⿰黑或(黑부 8획〈1864〉)과 同字

黑10 〔⿰黑辱〕22 욕 [入]沃 | rǔ ジョク あかがつく
[字解] 때낄욕 '一, 垢黑也'《玉篇》.

黑10 〔⿰黑茲〕22 자 [平]支 | zī シ くろぞめ
[字解] ①검게물들일자 '一, 染黑'《廣韻》. ②진한검정색자 '一, 深黑色'《集韻》.

黑11 〔黲〕23 참 [上]感 | cǎn サン うすあおぐろいいろ
[字解] 검푸르죽죽할참 연한 청흑색. '暗一'. '一, 淺青黑色也'《說文》.
[字源] 形聲. 黑+參〔音〕

黑11 〔黴〕23 미 [平]支 | méi ビ・ミ かび
[字解] ①곰팡이미 음습할 때 옷・가구 등에 나는 하등 균류(菌類). 곰팡이. ②곰팡날미 곰팡이가 생겨 물건이 썩음. ③창병미 매독. '一毒'. ④때낄미, 검을미 얼굴에 때가 끼어 빛이 검음. '舜一黑, 禹胼胝'《淮南子》.
[字源] 形聲. 黑+微〈省〉〔音〕

黑11 〔黳〕23 예 [平]齊 | yī エイ そばかす
[字解] 주근깨예 작란반(雀卵斑). '色若一'《酉陽雜俎》.
[字源] 形聲. 黑+殹〔音〕

黑11 〔⿰黑旅〕23 로 [平]虞 | lú ロ くろいゆみ
[字解] 검은활로 검은 칠을 한 활. 玈(玄부 6획〈765〉)와 同字. '玈, 黑弓, 或作一'《集韻》.

黑11 〔⿰黑鹿〕23 록 [入]屋 | lù ロク あかづいてくろい
[字解] 때가끼어검을록 ⿰黑彔(黑부 8획〈1865〉)과 同字. '一, ⿰黑歷一, 垢黑也, 或从彔'《集韻》.

黑11 〔⿰黑覓〕23 〔멱〕
⿰黑冥(黑부 10획〈1867〉)과 同字

黑11 〔⿰黑昜〕23 상 [平]陽 | shāng ショウ くろい
[字解] ①검을상 '一, 黑也'《集韻》. ②검붉은빛상 '一, 赤黑色'《字彙補》.

黑11 〔⿰黑冤〕23 울 [入]物 | yuè ウツ きぐろいいろ
[字解] 검누른빛울 '⿰黑宛, 玄黃也, 或从冤'《集韻》.

黑11 〔⿰黑𡍮〕23 〔유〕
⿰黑奎(黑부 9획〈1866〉)와 同字

黑11 〔⿰黑庸〕23 종 [平]冬 | chōng チョウ くらいあな
[字解] ①어두운구멍종 '一, 黑穴也'《玉篇》. ②깊은구멍속의어두움종 '一, 深穴中黑'《集韻》.

黑11 〔⿰黑責〕23 척 [入]錫 | qí セキ ぐさっていろがあおぐろくなる
[字解] 색깔이썩어검푸르러질척 '一, 一⿰黑冥, 色敗黑'《集韻》.

黑11 〔⿱異黑〕23 이 [去]寘 | yì イ こうはくしょく
[字解] 황백색(黃白色)이 '一, 黃白也'《字彙補》.

黑12 〔⿰黑禽〕24 금 [平]侵 | lí キン きいろ
[字解] ①누른빛금 황색. '一, 黃色也'《玉篇》. ②검누른빛금 누른빛을 띤 검은빛. 黚(黑부 5획〈1863〉)과 뜻이 같음. '黚, 黃黑色, 或从禽'《集韻》. ③黔(黑부 4획〈1861〉)의 俗字.

黑 12 〔⿰黑隶〕 24 대 [去]隊 | duì タイ くろい / dài タイ くらい

[字解] ①검을대 ⿰黑隊(次條)와 同字. '一, ⿰黑甚一, 黑也, 或从隊'《集韻》. ②어두울대 ⿰日隶(日부 12획〈514〉)와 뜻이 같음. '一, 暖一, 暗也, 亦从黑'《集韻》.

黑 12 〔⿰黑隊〕 24 대 [去]隊 | duì タイ くろくもがたなびく

[字解] ①검은구름가는모양대 '一, 黑雲行皃'《玉篇》. ②검을대 ⿰黑隶(前條)와 同字. '⿰黑隶, ⿰黑甚⿰黑隶, 黑也, 或从隊'《集韻》.

黑 12 〔⿰黑惠〕 24 [一] 말 [入]黠 | mà バツ くろい
[二] 회 [去]卦 | カイ くろいさま

[字解] [一] 검을말 '一, 黑也'《廣韻》. [二] 검은모양회 '一, 黑皃'《集韻》.

黑 12 〔⿰黑業〕 24 복 [入]屋 | pū ホク いろがくらい

[字解] ①빛이어두울복 '一, 色暗'《集韻》. ②옅은검은빛복 '一, 一曰, 淺黑色'《集韻》. ③⿰黑卜(黑부 2획〈1861〉)과 同字. '一, 或从卜'《集韻》.

黑 12 〔⿰黑雲〕 24 암 [上]豏 | yǎn アン くもがくらい

[字解] 구름어두울암 '一, 雲暗也'《篇海》.

黑 12 〔⿰黑曾〕 24 증 [去]徑 | zèng ソウ かおのくろいき

[字解] 기미증 얼굴에 생기는 검은 기운. ⿰黑黽(黑부 13획〈1869〉)과 同字. '一, 皯一, 面黑氣, 或从黽'《集韻》.

黑 12 〔⿰黑登〕 24 증 [去]徑 | dèng チョウ こめがくさる

[字解] 쌀검게되어썩을증 '一, 米黑壞'《廣韻》.

黑 12 〔⿰黑最〕 24 촬 [入]曷 | cuō サツ ぐろい

[字解] 검을촬 '一, 黑也'《集韻》.

黑 12 〔⿰黑喜〕 24 [一] 혁 [入]職 | xì キョク あかぐろ, あおぐろ
[二] 희 [平]支 | xī キ くろい

[字解] [一] ①검붉은빛혁 '一, 赤黑色'《玉篇》. ②검푸른빛혁 '一, 青黑色曰一'《集韻》. [二] 검을희 '一, 黑也'《集韻》.

黑 12 〔⿰黑諳〕 24 〔담〕 黵(黑부 13획〈1868〉)과 同字

黑 12 〔⿱猒黑〕 24 〔염〕 黶(黑부 14획〈1869〉)과 同字

黑 12 〔⿰黑敢〕 24 [一] 암 [上]豏 [上]感 [去]陷 | ①-③yǎn アン わすれていこう ④⑤ǎn アン わすれる ⑥àn アン なにもかもわすれてじとくする
[二] 염 [上]琰 | エン わすれる

[字解] [一] ①잊고쉴암 '一, 一者忘而息也'《說文》. ②새까말암 '黯, 深黑也. 別作一'《六書故》. ③사람이름암 '一, 黃一, 人名'《廣韻》. ④잊을암 '一, 忘也'《揚子方言》. ⑤흐려어두울암 '黤, 侌黑也. 別作一'《六書故》. ⑥잊고자득(自得)할암 모든 것을 잊고 자득(自得)하는 모양. '一, 叫呼仿佛, 一然自得'《廣韻》. [二] 잊을염 '一, 忘也'《集韻》.
[字源] 形聲. 黑+敢〔音〕

黑 13 〔⿰黑會〕 25 [一] 외 [去]泰 | wèi ワイ つやのよいくろいろ
(회[俗]) [去]卦
[二] 홰 [去]卦 | カイ つやのよいくろいろ

[字解] [一] ①윤기있는검은빛외 '一, 沃黑色'《說文》. ②엷게검은빛외 '一, 淺黑色'《廣韻》. ③검을외 '一, 黑也'《廣雅》. ④검은모양외 '一, 黑皃'《集韻》. ※俗音 회. [二] 윤기있는검은빛홰, 엷게검은빛홰, 검을홰, 검은모양홰 [一]과 뜻이 같음.
[字源] 形聲. 黑+會〔音〕

黑 13 〔黵〕 25 담 [上]感 | dǎn タン いれずみ

[字解] 자자(刺字)담 입묵(入墨)하는 형벌. 묵형(墨刑). '除一面之刑'《梁書》.
[字源] 形聲. 黑+詹〔音〕

黑 13 〔⿰黑僉〕 25 검 [上]琰 | jiǎn ケン くろい

[字解] 검을검 黔(黑부 4획〈1861〉)과 同字. '一, 黑也, 或作黔'《集韻》.

黑 13 〔⿰黑箴〕 25 금 [平]侵 | qín キン きぐろいいろ

[字解] 누른검은빛금 黚(黑부 5획〈1863〉)과 同字. '黚, 黃黑色, 或从箴'《集韻》.

黑 13 〔⿰黑農〕 25 농 [平]冬 | nóng ジョウ くろい

[字解] 검을농 짙게 검음. '一, ⿰黑庸一, 黑甚'《集韻》.

黑 13 〔⿰黑萬〕 25 매 [去]卦 | mài バイ くろいさま

[字解] 검은모양매 '一, 一⿰黑會, 黑皃'《集韻》.

黑 13 〔⿰黑賁〕 25 〔분〕 ⿰黑奔(黑부 8획〈1865〉)과 同字

黑 13 〔⿰黑黽〕 25 [一] 잉 [去]徑 | yìng ヨウ くろい
[二] 증 [去]徑 | zèng ソウ かおのくろいき

[字解] [一] ①검을잉 '一, 黑也'《廣雅》. ②얼굴의검은점잉 '一, 面黑子謂之一'《集韻》. [二] 기미증 ⿰黑曾(黑부 12획〈1868〉)과 同字. '⿰黑曾, 皯⿰黑曾, 面黑氣, 或从黽'《集韻》.

黑 13 〔⿰黑殿〕 25 〔전〕
黰(黑부 9획〈1866〉)과 同字

黑 13 〔⿰黑喿〕 25 조 [平]蕭 | qiāo ショウ あめがちであさがやぶれる

[字解] 장마로삼삭을조 궂은비로 삼의 뿌리가 썩어 죽음. ⿰木焦(木부 17획〈592〉)와 뜻이 같음. '⿰木焦, 麻苦雨生壞也, 或作一'《集韻》.

黑 13 〔⿰黑歲〕 25 활 [入]曷 | huō カツ くろいろ

[字解] 검은빛활 검정색. '一, 黑色'《集韻》.

黑 14 〔⿰黑臺〕 26 대 [平]灰 | tái タイ くろい

[字解] ①검을대 '一, 黑也'《玉篇》. ②새카만모양대 '一, ⿰黑來一, 大黑皃'《集韻》.

黑 14 〔黶〕 26 [一] 염 [上]琰 | yǎn エン ほくろ
[二] 암 [上]豏 | yǎn アン くろあざ

[字解] [一] 사마귀염 피부에 도도록하게 생기는 검은 점. 흑자(黑子). '披毛索一'《抱朴子》. [二] 검은점암 피부에 거뭇하게 박인 표난 부분.
[字源] 形聲. 黑＋厭〔音〕

黑 14 〔⿱算黑〕 26 [一] 찰 [入]黠 | chuā サツ きぐろでひかりをはっする
[二] 절 [入]屑 | zhuō セツ きぐろでひかりをはっする

[字解] [一] ①검누렇고흰빛을낼찰 '一, 黃黑而白也'《說文》. ②검을찰 '一, 黑也'《廣韻》. ③피로하여거메질찰 몸이 피로하여 거메지는 모양. '一, 黑皃. 體瘁謂之一'《集韻》. ④짧을찰 짧은 모양. '一, 短也'《玉篇》. ⑤짧고검을찰 짧고 검은 모양. '一, 短黑皃也'《廣韻》. [二] 검누렇고흰빛을낼절, 검을절, 피로하여거메질절, 짧을절, 짧고검을절 [一]과 뜻이 같음.
[字源] 形聲. 黑＋算〔音〕

黑 15 〔黷〕 27 독 [入]屋 | dú トク けがれる

[字解] ①더러울독 ㉠때묻음. '林木爲之潤一'《左思》. ㉡추함. '或先貞而後一'《孔稚珪》. ②더럽힐독 전항의 타동사. '一職'. ③친압할독 너무 익숙해져서 버릇없이 굴며 깔봄. '媟一貴幸'《漢書》.
[字源] 形聲. 黑＋賣〔音〕

黑 15 〔⿰黑箴〕 27 [一] 감 [平]咸 | jiān カン かおがくろい
[二] 짐 [平]侵 | シン かおがくろい

[字解] [一] ①낯검을감 몸이 희고 얼굴이 검음. '一, 雖晳而黑也'《說文》. ②검댕감 솥밑의 검댕. '一, 一曰, 釜底黑'《集韻》. [二] 낯검을짐, 검댕짐 [一]과 뜻이 같음.
[字源] 形聲. 黑＋箴〔音〕

黑 15 〔⿱黎黑〕 27 려 [平]齊 | lí レイ きぐろ

[字解] ①검누를려 '黧(黑부 8획〈1864〉)와 同字. '黧, 黑黃也, 或作一'《集韻》. ②검정색과흰색이섞인색려 '一, 黑白雜色'《字彙》.

黑 15 〔⿰黑⿱奄黑〕 27 암 [上]豏 | yǎn アン あおぐろいいろ

[字解] 푸른검정색암 '一, 靑黑色'《字彙補》.

黑 16 〔⿰黑⿱龹馬〕 28 [一] 등 [平]蒸 | téng トウ くろいさま
[二] 동 [平]東 | téng トウ くろいさま

[字解] [一] 검은모양등 '一, 黑皃'《集韻》. [二] 검은모양동 [一]과 뜻이 같음.

黑 16 〔⿰黑歷〕 28 력 [入]錫 | lì レキ くろいさま

[字解] 검은모양력 '一, 黑皃'《集韻》.

黑 16 〔黸〕 28 로 [平]虞 | lú ロ くろい

[字解] 검을로, 새까말로 '齊謂黑爲一'《說文》. '一, 黑甚'《廣韻》.
[字源] 形聲. 黑＋盧〔音〕

黑 17 〔⿰黑襄〕 29 낭 [上]養 | niǎng ジョウ くろい

[字解] 검을낭 '一, 黑也'《篇海》.

黑 17 〔⿰黑毚〕 29 참 [平]咸 | chán サン けずる

[字解] 틀린글지울참 문서(文書)의 오자(誤字)를 삭제함. '一, 刊書謬也'《集韻》.

黑 26 〔⿰黑鬱〕 38 울 [入]物 | yù ウツ くろいさま

[字解] ①검은모양울 '一, 黑貌'《字彙補》. ②귀신이름울 鬱(鬯부 19획〈1777〉)과 同字. '鬱⿰黑律, 沈休文作一⿰黑律'《郭太乙正誤》.

黑 29 〔黦〕41 울 ㊅物 | yū ウツ くろいさま

字解 검은모양울 '一, 黑皃'《集韻》.

黹 部
〔바느질할치부〕

黹 0 〔黹〕12 치 ㊤紙 | zhǐ チ ぬいとりする

筆順 ‥ 丵 丵 丵 黹 黹 黹 黹

字解 ①바느질할치 침선(針線)을 함. '今人呼縫紩衣爲一'《爾雅 註》. ②수치 자수(刺繡). '黼黻絺繡爲一'《爾雅 疏》.

字源 象形. 헝겊에 무늬를 수놓은 모양을 본떠, '자수'의 뜻을 나타냄.

參考 '黹치'를 의부(意符)로 하여, 자수를 나타내는 문자를 이룸. 부수 이름은 '바느질할치'.

黹 4 〔黺〕16 분 ㊤吻 | fěn フン ころもにえがく

筆順 丵 丵 黹 黹 黹 黹八 黹分 黺

字解 옷에그릴분 또, 그 그림. '一, 綵也'《玉篇》.

字源 形聲. 黹+分〔音〕

黹 5 〔黻〕17 불 ㊅物 | fú フツ れいふくのもよう

筆順 丵 黹 黹 黹一 黹ナ 黹犮 黻 黻

字解 ①수불 고대(古代)의 예복(禮服)에 놓는 수(繡). 반흑반청(半黑半靑)의 빛으로 '己'자 두 개를 서로 반대로 하여 수를 놓았음. '一文'. '一衣繡裳'《詩經》. 또, 그 수를 놓은 예복. '諸侯黼, 大夫一'《禮記》. ②슬갑불 예복(禮服) 위에 껴 입는, 가죽으로 만든 슬갑(膝甲). '致美乎一冕'《論語》. ③성불 성(姓)의 하나.

字源 會意. 黹+犮

黹 6 〔𪓌〕18 〔미〕 絥(糸부 6획〈991〉)의 古字

黹 7 〔黼〕19 보 ㊤麌 | fǔ フ·ホ ぬいとり

字解 수보 고대(古代)의 예복(禮服)에 놓은 수(繡). 반흑반백(半黑半白)의 빛으로 자루가 없는 도끼의 모양을 수놓은 것. '一黻文章'《禮記》. 또, 그 수를 놓은 예복. '諸侯一, 大夫黻'《禮記》.

字源 形聲. 黹+甫〔音〕

黹 8 〔黹卒〕20 쉬 ㊄隊 | zuì サイ·スイ ごさいのいろぎぬ

字解 오색비단쉬 '一, 會五采繒也'《說文》.

字源 形聲. 黹+卒〔音〕

黹 9 〔𪓍〕21 ㊀ 면 ㊥先 | ベン·メン ぬう
㊁ 변 ㊥先 | biān ヘン ぬう

字解 ㊀ 꿰맬면 '一, 黹緶也'《集韻》. ㊁ 꿰맬변 ㊀과 뜻이 같음.

黹 9 〔黹扁〕21 변 ㊤銑 | biǎn ヘン くつぞこ

字解 신바닥변.

黹 11 〔黹虘〕23 초 ㊤麌 | chǔ ショ ごさいがあつまってあざやかなさま

字解 오색빛초 오색빛이 모여 선명한 모양. '衣裳一一'《詩經》.

字源 形聲. 黹+虘〔音〕

黽 部
〔맹꽁이맹부〕

黽 0 〔黽〕13 ㊀ 맹 ㊤梗 | měng モウ·ボウ あおがえる
㊁ 민 ㊤軫 | mǐn ビン·ミン つとめる
㊂ 면 ㊤銑 | miǎn ベン·メン ちめい

筆順 冂 冂 黽 黽 黽 黽 黽 黽

字解 ㊀ ①맹꽁이맹 개구리 비슷한 동물. ②성맹 성(姓)의 하나. ㊁ 힘쓸민 노력함. '一勉從事'《詩經》. ㊂ 고을이름면 '一池'는 한대(漢代)의 현명(縣名). 지금의 하남성(河南省) 신양현(信陽縣)의 동남(東南). '秦踰一隘之塞而攻楚'《史記》.

字源 象形. 맹꽁이를 본떠, '맹꽁이'의 뜻을 나타냄.

參考 '黽맹'을 의부(意符)로 하여, 개구리나 거북 등, 물가에 사는 동물을 나타내는 문자를 이룸. 부수 이름은 '맹꽁이맹'.

黽 0 〔黾〕8 黽(前條)의 俗字

黽 0 〔黾〕8 黽(前前條)의 簡體字

黽 0 〔黾〕8 〔맹〕 黽(部首〈1870〉)의 略字

黽 1 〔黽〕14 〔맹〕
黽(部首〈1870〉)의 本字

黽 4 〔黿〕17 원 [平]元 | yuán ゲン あおうみがめ

[字解] ①자라원 큰 자라. 옛날에, 이 자라 고기를 진미(珍味)로 여겼음. '楚人獻一於鄭靈公'《左傳》. ②영원원 蚖(虫부 4획〈1220〉)과 同字. '化爲玄一'《史記》.
[字源] 形聲. 黽＋元〔音〕

黽 5 〔䵶〕18 구 [平]虞 [平]尤 | qú ク·グ かえるのいっしゅ gōu コウ·ク かえるのいっしゅ

[字解] ①개구리구 '一, 䵷屬'《說文》. ②거북구 거북의 일종.
[字源] 形聲. 黽＋句〔音〕

黽 5 〔𪓰〕18 䵶(前條)와 同字

黽 5 〔鼂〕18 조 [平]蕭 | cháo チョウ あさ

[字解] ①아침조 朝(月부 8획〈522〉)·晁(日부 6획〈506〉)와 同字. '一不及夕'《漢書》. ②바다거북조. ③성조 성(姓)의 하나.
[字源] 會意. 旦＋黽

黽 5 〔鼀〕18 [一] 축 [入]屋 [二] 추 [平]尤 | cù シュク ひきがえる シュウ ひきがえる

[字解] [一] 두꺼비축 '一, 圥一, 詹諸也'《說文》. [二] 두꺼비추 [一]과 뜻이 같음. 𪔃(黽부 9획〈1871〉)와 同字.
[字源] 會意. 黽＋圥

黽 5 〔䵸〕18 앙 [平]陽 | yāng オウ·ヨウ かめのいっしゅ

[字解] 거북앙 거북의 일종. '鱝一鼅鼊'《郭璞》.

黽 5 〔鼁〕18 거 [去]御 | qù キョ ひきがえる

[字解] ①두꺼비거 蚨(虫부 5획〈1223〉)와 同字. '一, 蟲名, 爾雅, 一䶂, 蟾諸, 一曰, 去父, 或作蚨'《集韻》. ② 鼀(前前條)의 訛字. '一, 鼀字之譌'《正字通》.

黽 5 〔䶂〕18 〔염〕
䶂(龜부 4획〈1894〉)의 訛字

黽 5 〔𪓵〕18 파 [上]哿 | bǒ ハ ひきがえる

[字解] 두꺼비파 蚾(虫부 5획〈1223〉)와 同字. '一, 蟲名, 蟾蜍也, 或从虫'《集韻》.

黽 5 〔𪓬〕18 〔맹〕
黽(部首〈1870〉)의 籀文

黽 6 〔䵷〕19 [一] 와 [平]麻 [二] 왜 [平]佳 | wā ワ·エ かえる wā ワイ·エ かえる

[字解] [一] ①개구리와 올챙이가 다 자란 것. ②음란할와 음탕하고 난잡함. 蛙(虫부 6획〈1225〉)의 古字. '掌去一黽'《周禮》. '紫色一聲, 餘分閏位'《漢書》. [二] 개구리왜, 음란할왜 [一]과 뜻이 같음.
[字源] 形聲. 黽＋圭〔音〕

黽 6 〔鼃〕19 䵷(前條)와 同字

黽 6 〔鼄〕19 주 [平]虞 | zhū チュ くも

[字解] 거미주 蛛(虫부 6획〈1225〉)와 同字. '一, 鼅一也'《說文》.
[字源] 形聲. 黽＋朱〔音〕

黽 7 〔𪔠〕20 〔신〕
蜃(虫부 7획〈1230〉)과 同字

黽 7 〔𪔡〕20 〔조〕
鼂(黽부 5획〈1871〉)의 古字

黽 8 〔𪔂〕21 미 [平]齊 | mí ベイ·マイ かめのいっしゅ

[字解] 거북미 '一鼊'는 거북의 일종. '鱝䵸一鼊'《郭璞》

黽 8 〔鼅〕21 지 [平]支 | zhī チ くも

[字解] 거미지 蜘(虫부 8획〈1231〉)와 同字.

黽 9 〔𪔃〕22 〔축〕
鼀(黽부 5획〈1871〉)과 同字

黽 9 〔𪔄〕22 〔축〕
鼀(黽부 5획〈1871〉)과 同字

黽 10 〔鼆〕23 맹 ①③[上]梗 ②[平]庚 | měng モウ むしのな モウ くらい

[字解] ①벌레이름맹 '一, 蟲名'《集韻》. ②어두울맹 '一, 博雅, 冥也'《集韻》. ③마을이름맹 '句一'은 춘추 시대(春秋時代) 노(魯)나라의 마을. '一人門於句一'《左傳》.
[字源] 形聲. 冥＋黽〔音〕

黽 10 〔𪔇〕23 혜 [平]齊 | xí ケイ かえるのいっしゅ

[字解] 개구리혜 '一, 水蟲也. 薉貉之民食之'《說文》.

[字源] 形聲. 黽＋奚〔音〕

黽 11 〔鼅〕 24 지 [平]支 [去]寘 | zhī チ くも

[字解] 거미지 '—鼄'는 거미. 지주(蜘蛛). '—, —鼄, 鼄蝥也'《說文》.
[字源] 形聲. 黽＋智〈省〉〔音〕

黽 11 〔鼇〕 24 오 [平]豪 | áo ゴウ おおすっぽん

[字解] 자라오 바다에서 사는 큰 자라. '斷—足以立四極'《史記》.
[字源] 形聲. 黽＋敖〔音〕

黽 11 〔䵂〕 24 마 [平]麻 | má バ かめのいっしゅ

[字解] 거북이름마 거북의 일종. '—, 鼅—, 似龜, 生海邊沙中'《集韻》.

黽 12 〔鼁〕 25 시 | shī シ ひきがえる

[字解] 두꺼비시 '—, 蟾蠩也'《川篇》.

黽 12 〔鼈〕 25 별 [入]屑 | biē ベツ·ベツ すっぽん

[字解] ①자라별 파충(爬蟲)의 일종. 모양이 거북과 비슷함. '鳥獸魚—'《書經》. ②성별 성(姓)의 하나.
[字源] 形聲. 黽＋敝〔音〕

黽 12 〔鼉〕 25 타 [平]歌 | tuó タ·ダ わに

[字解] 악어타 악어(鰐魚)의 일종. '伐蛟取—'《禮記》.
[字源] 形聲. 黽＋單〔音〕

黽 12 〔鼍〕 25 鼉(前條)와 同字

黽 13 〔鼊〕 26 벽 [入]錫 | bì ヘキ かめ

[字解] 거북벽 거북의 일종. '影娥池中有一龜, 望其群出岸上, 如連璧弄於沙岸也'《洞冥記》.

黽 13 〔𪔂〕 26 전 [平]先 | diān テン かえる

[字解] 개구리이름전 식용(食用) 개구리의 일종. '—, —䵹, 鼃類, 似蝍蛛, 出遼東, 土人食之'《集韻》.

黽 14 〔䵹〕 27 시 [平]支 | shī シ ひきがえる

[字解] 두꺼비시 '䵹—'는 두꺼비. '—, 䵹, 詹諸也'《說文》.

[字源] 形聲. 黽＋爾〔音〕

鼎 部

〔솥 정 부〕

鼎 0 〔鼎〕 13 [人名] 정 [上]迥 | dǐng テイ かなえ

[筆順] 鼎

[字解] ①솥정 ㉠금속으로 만든 발이 셋, 귀가 둘 달린 솥으로서, 음식을 익히는 데 쓰였을 뿐만 아니라, 죄인을 삶아 죽이는 데도 쓰였음. '刀鋸—鑊'《蘇軾》. ㉡하(夏)나라 우왕(禹王)이 구주(九州)의 금속을 모아 만든 아홉 개의 솥을 왕위 전승(傳承)의 보기(寶器)로 하였으므로, 국가·왕위·제업(帝業)의 뜻으로 쓰임. '定—之業'《徐陵》. ㉢솥의 세 발을 삼공(三公)에 비겨, 대신(大臣)의 뜻으로 씀. '—位'. '位登台—'《後漢書》. ②정괘정 육십사괘(六十四卦)의 하나. 곧, ䷱〈손하(巽下) 이상(離上)〉. 물건을 고치는 상(象). ③바야흐로정 이제 한창. '天子春秋—盛'《漢書》. ④성정 성(姓)의 하나.
[字源] 象形. 세발솥을 본떠, 세발솥의 뜻을 나타냄.
[參考] '鼎정'을 의부(意符)로 하여, 여러 가지 종류의 솥이나, 솥의 일부분을 가리키는 문자를 이룸. 부수 이름은 '솥정'.

鼎 0 〔鼑〕 11 鼎(前條)의 俗字

鼎 2 〔鼐〕 15 내 [去]隊 [上]賄 | nài ダイ·ナイ おおかなえ

[字解] 가마솥내 큰 솥. 정(鼎)의 일종. '—鼎及鼒'《詩經》.
[字源] 形聲. 鼎＋乃〔音〕

鼎 2 〔鼏〕 15 멱 [入]錫 | mì ベキ かなえのおおい

[字解] 솥뚜껑멱 소댕. '實于鼎設扃—'《儀禮》.
[字源] 形聲. 鼎＋冖〔音〕

鼎 2 〔鼏〕 15 경 [平]青 | jiōng ケイ かなえのみみづる

[字解] 솥귀나무경 세발솥의 두 귀에 꿰어 솥을 드는 나무. '—, 㠯木橫貫鼎耳擧之'《說文》.
[字源] 形聲. 鼎＋冂〔音〕

鼎 3 〔鼒〕16 재 [平]灰 | zī サイ ちいさなかなえ
[字解] 옹달솥재 작은 솥. '鼐鼎及一'《詩經》.
[字源] 形聲. 鼎+才〔音〕

鼎 3 〔⿱口鼎〕16 〔원〕
員(口부 7획〈162〉)의 籒文

鼎 3 〔⿰鼎干〕16 간 [平]寒 | gān カン かなえ
[字解] 솥간 세발솥. '一, 鼎也, 考古圖有王子吳飤一銘'《字彙補》.

鼎 3 〔⿱才鼎〕16 〔재〕
鼒(鼎부 3획〈1873〉)와 同字

鼎 3 〔⿰土鼎〕16 정 [上]迥 | tǐng チョウ あぜ / dǐng テイ ありづか
[字解] ①밭두렁정, 논두렁정 밭 사이의 경계. 町(田부 2획〈795〉)과 同字. '町, 說文, 田踐處曰町, 亦作一'《集韻》. ②개밋둑정 '一, 一疃, 蟻封'《集韻》.

鼎 10 〔⿱齊鼎〕23 〔자〕
齍(齊부 5획〈1883〉)와 同字

鼎 11 〔⿱將鼎〕24 상 [平]陽 | shāng ショウ にる
[字解] 익힐상 삶음. 鬺(鬲부 6획〈1778〉)과 同字. '鬺, 說文, 煑也, 或作一'《集韻》.

鼎 11 〔⿰鼎彗〕24 세 [去]霽 | huì セイ こがなえ
[字解] 작은솥세 '一, 小鼎也'《集韻》.

鼓　部
〔북 고 부〕

鼓 0 〔鼓〕13 [高·人] 고 [上]麌 | gǔ コ つづみ
[筆順] 一 十 士 吉 吉 壴 壴 鼓
[字解] ①북고 악기의 한 가지. '登聞一'. ②되고 용량을 되는 그릇. '數以盆一'《荀子》. ③북칠고 북을 쳐 소리를 냄. '公將一之'《左傳》. ④칠고, 두드릴고 치거나 두드려서 소리를 냄. '以其尾一其腹'《呂氏春秋》. ⑤탈고 거문고 같은 것을 탐. '一瑟'《論語》. ⑥부추길고 격려함. 선동함. '一舞'. '一扇'. ⑦휘고 곡(斛). '數以盆一'《荀子》. ⑧성고 성(姓)의 하나.
[字源] 會意. 壴+支
[參考] '鼓고'를 의부(意符)로 하여, 여러 가지 종류의 북이나 그 소리를 나타내는 문자를 이룸. 부수 이름은 '북고'.

鼓 0 〔鼔〕13 鼓(前條)와 同字
[字源] 會意. 壴+攴
[參考] '鼓'는 '북고'자이고 '一'는 '북칠고'자로서 원래 별자(別字)이나 지금은 혼용(混用)함.

鼓 1 〔⿰壴戈〕14 鼓(前前條)의 本字

〔皷〕〔고〕
皮부 9획(830)을 보라.

鼓 3 〔⿱鼓土〕16 격 [入]陌 | jī ケキ つづみのこえ
[字解] 북소리격 '一, 鼓聲'《字彙》.

鼓 4 〔⿱鼓云〕17 〔고〕
鼓(部首〈1873〉)와 同字

鼓 4 〔⿱鼓丰〕17 봉 [平]東 | péng ホウ つづみのおと
[字解] 북소리봉 逢(辵부 7획〈1497〉)과 통용. '逢, 逢逢, 鼓聲, 或作一'《集韻》.

鼓 5 〔鼕〕18 동 [平]冬 [平]東 | dōng トウ つづみのおと
[字解] 북소리동 북 소리의 형용. '滿城一一白雲飛'《杜牧》.
[字源] 形聲. 鼓+冬〔音〕

〔瞽〕〔고〕
目부 13획(858)을 보라.

鼓 5 〔⿱付鼓〕18 부 [平]虞 | fú フ かまびすしい
[字解] 떠들썩할부 '一譟'는 군중(軍中)이 떠들썩함. '乃鼓一譟'《書經 傳》.
[字源] 形聲. 鼓+付〔音〕

鼓 5 〔⿱鼓杂〕18 잡 [入]合 | cà ソウ つづみのおと
[字解] ①북소리잡 '一, 鼓聲'《玉篇》. ②북의 변죽을칠잡 북의 가장자리를 때림. '打鼓邊曰一'《焦竑》.

鼓 5 〔⿰壴沓〕18 첩 [入]葉 | tiē チョウ つづみがならぬ
[字解] ①북소리나지않을첩 鼛(鼓부 9획〈1874〉)과 同字. '鼛, 說文, 鼓無聲也, 或作一'《集韻》. ②느슨할첩 완만(緩漫)함. 너그러움. '一, 寬也'《玉篇》.

鼓5 〔⿱鼓石〕 18 팽 [去]敬 | bèng ホウ いしのおと

[字解] 돌의소리팽 '一，磅一，石聲'《集韻》.

鼓6 〔⿱鼓合〕 19 [一] 답 [入]合 [二] 합 [入]合 | tà トウ つづみのおと コウ つづみのおと

[字解] [一] 북소리답 '一， 鼓聲一一'《廣韻》. [二] 북소리합 [一]과 뜻이 같음.
[字源] 形聲. 鼓(鼔)＋合〔音〕
[參考] 鞈(革부 6획〈1663〉)은 古字

鼓6 〔⿱鼓缶〕 19 답 [入]合 | tà トウ つづみのおと

[字解] 북소리답 '一，鼓鼙聲'《說文》.
[字源] 形聲. 鼓(鼔)＋缶〔音〕

鼓6 〔鼖〕 19 분 [平]文 | fén フン おおつづみ

[字解] 북분 전진(戰陣)에서 쓰던, 길이 8 척(尺)의 큰 북. '以一鼓鼓軍事'《周禮》.
[字源] 形聲. 鼓＋卉〔音〕

鼓6 〔⿱鼓兆〕 19 [一] 鼗(次條)와 同字 [二] 鞀(革부 5획〈1661〉)와 同字

鼓6 〔鼗〕 19 도 [平]豪 | táo トウ ふりつづみ

[字解] 땡땡이도 좌우의 끈에 단 구슬이, 자루를 잡고 좌우로 돌리면 치게 된 북. '下管一鼓，合止柷敔'《書經》.
[字源] 形聲. 鼓＋兆〔音〕

鼓6 〔⿱鼓毛〕 19 고 [平]豪 | gāo コウ つづみ

[字解] 북고 '一，鼓也'《字彙補》.

鼓6 〔⿱鼓蟲〕 19 동 [平]冬 | dōng トウ つづみのおと

[字解] 북소리동 鼕(鼓부 5획〈1873〉)과 同字. '一，鼓聲，或作鼕'《玉篇》.

鼓6 〔⿱鼓夆〕 19 방 [平]江 | pāng ホウ つづみのおと

[字解] 북소리방 韸(音부 6획〈1680〉)과 同字. '韸，鼓聲，或作一'《集韻》.

鼓6 〔⿱鼓因〕 19 [一] 인 [平]眞 [二] 연 [平]先 | イン つづみのおと yuān エン つづみのちょうし

[字解] [一] 북소리인 鼘(鼓부 8획〈1874〉)과 뜻이 같음. '鼘，說文，鼓聲，或作一'《集韻》. [二] ①북소리연 [一]과 뜻이 같음. ②북소리의장단연 咽(口부 6획〈160〉)과 뜻이 같음. '咽，鼓節也，詩頌，鼓咽咽，或作一'《集韻》.

鼓7 〔⿱鼓甬〕 20 〔동〕 鼕(鼓부 5획〈1873〉)과 同字

鼓7 〔⿱鼓甫〕 20 ⿱鼓甬(前條)과 同字

鼓8 〔鼙〕 21 비 [平]齊 | pí ヘイ うまのりつづみ

[字解] ①마상고비 기병(騎兵)이 말 위에서 치는 북. '漁陽一鼓動地來'《白居易》. ②비파비 琵(玉부 8획〈773〉)와 통용. '梅卿上馬彈一婆'《楊維楨》.
[字源] 形聲. 鼓(鼔)＋卑〔音〕

鼓8 〔鼛〕 21 고 [平]豪 | gāo コウ おおつづみ

[字解] 북고 길이 12척(尺) 되는 큰 북. 역사(役事)를 시작하고 마칠 때 침. '以一鼓鼓役事'《周禮》.
[字源] 形聲. 鼓(鼔)＋咎〔音〕

鼓8 〔⿱鼓空〕 21 공 [平]東 | kōng コウ つづみのおと

[字解] ①북소리공 '一，鼓聲'《集韻》. ②단단하지않은모양공 '一一然不堅'《靈樞經》.

鼓8 〔⿱鼓沓〕 21 답 [入]合 | tà トウ つづみのおとがゆるい

[字解] ①북소리느릴답 '一，鼓寬'《玉篇》. ②북소리시끄러울답 '一， 鼓聲雜沓也'《正字通》.

鼓8 〔鼚〕 21 창 [平]陽 | chāng チョウ つづみのおと

[字解] ①북소리창 '一，鼓聲'《玉篇》. ②움직이는모양창 '儀伯之樂舞一哉. (注)一，動貌'《尙書大傳，堯典》.

鼓8 〔鼘〕 21 연 [平]先 | yuān エン つづみのおと

[字解] 북소리연 북을 쳐 울리는 소리. '鼗鼓一一'《詩經》.
[字源] 形聲. 鼓(鼔)＋𣶒〔音〕

鼓9 〔⿱鼓咠〕 22 [一] 첩 [入]葉 [二] 집 [入]緝 | チョウ つづみがならない qì シュウ つづみがならない

[字解] [一] ①북소리아니날첩 '一，鼓無聲也'《說文》. ②북소리여음(餘音)첩 '一，鼓聲止而餘音在也'《正字通》. [二] 북소리아니날집, 북소리여음집 [一]과 뜻이 같음.
[字源] 形聲. 鼓(鼔)＋咠〔音〕

鼓 9 〔⿱鼓韋〕22 〔고〕 鼓(部首〈1873〉)와 同字

鼓 9 〔⿱鼓洞〕22 동 [去]送 | dòng トウ つづみのおと
[字解] 북소리동 '一, 鼓聲'《字彙》.

鼓 9 〔⿱鼓⿱夅生〕22 륭 [平]東 | lóng リュウ つづみのおと
[字解] ①북소리륭 ⿱隆鼓(鼓부 12획〈1875〉)과 同字. '一, 鼓音, 或作⿱隆鼓'《集韻》. ②북울지않을륭 북이 울리지 아니함. '一, 鼓無聲'《字彙》.

鼓 9 〔⿱芔鼓〕22 〔분〕 鼖(鼓부 6획〈1874〉)과 同字

鼓 9 〔⿱鼓桒〕22 상 [平]陽 | sāng ソウ つづみのどう
[字解] 북통상 북의 통. '一, 鼓匡也'《字彙補》.

鼓 9 〔⿱鼓音〕22 첩 [入]葉 | qì チョウ つづみがならぬ
[字解] ①북울지않을첩 '一, 鼓無聲也'《玉篇》. ②⿱殸鼓(鼓부 9획〈1874〉)과 同字. '一, 或作⿱殸鼓'《廣韻》.

鼓 9 〔⿱鼓咸〕22 함 [平]咸 | xián カン つづみのおと
[字解] 북소리함 '一, 鼓聲'《集韻》.

鼓 10 〔⿱鼓盍〕23 〔답〕 ⿱鼓合(鼓부 6획〈1874〉)의 俗字

鼓 10 〔鼜〕23 척 [入]錫 | qì セキ ときだいこ
[字解] 야경북척 야경(夜警) 돌 때 치는 북. '一, 守夜鼓也'《玉篇》.
[字源] 形聲. 篆文은 壴＋蚤〔音〕

鼓 11 〔鼞〕24 당 [平]陽 | tāng トウ つづみのおと
[字解] 북소리당 '擊鼓其一'《詩經》.
[字源] 形聲. 鼓(鼓)＋堂〔音〕

鼓 11 〔鼘〕24 〔연〕 ⿱⿰冫肙鼓(鼓부 8획〈1874〉)과 同字

鼓 11 〔⿱殸鼓〕24 음 [去]沁 | yìn イン つづみのおと
[字解] 북소리음 '一, 鼓聲, 見兵書'《廣韻》.

鼓 12 〔鼟〕25 등 [平]蒸 | tēng トウ つづみのおと
[字解] 북소리등 '夢聽鼓一一'《元稹》.

鼓 12 〔⿱隆鼓〕25 [一] 동 [平]冬 tóng トウ つづみのおと / [二] 륭 [平]東 lóng リュウ つづみのおと
[字解] [一] 북소리동 '一, 鼓聲也'《說文》. [二] 북소리륭 [一]과 뜻이 같음.
[字源] 形聲. 鼓(鼓)＋隆〔音〕

鼓 13 〔⿱鼓隆〕26 ⿱隆鼓(前條)과 同字

鼓 14 〔⿱鼓僜〕27 등 [平]蒸 | tēng トウ ながいさま
[字解] 긴모양등 '一, 倰一, 長皃'《集韻》.

鼓 16 〔⿱鼓龍〕29 롱 [平]冬 | lóng リョウ つづみのおとがゆるいさま
[字解] 북소리느릴롱 북 소리가 천천히 들리는 모양. '一, 鼓寬貌'《字彙》.

鼠 部
〔쥐 서 부〕

鼠 0 〔鼠〕13 서 [上]語 | shǔ ショ・ソ ねずみ
[筆順] ˊ 𠃌 𠂤 臼 ⺽ 鼠
[字解] ①쥐서 동물의 하나. '窮一嚙猫'《鹽鐵論》. 쥐는 사람에게 큰 해를 끼치는 짐승이므로, 전(轉)하여, 해를 끼치는 자의 비유로 쓰임. '社一'. '一賊'. ②근심할서 癙(疒부 13획〈820〉)와 통용. '一思泣血'《詩經》.
[字源] 象形. 이를 드러내고 있고, 꼬리가 긴 쥐의 모양을 본떠, '쥐'의 뜻을 나타냄.
[參考] '鼠서'를 의부(意符)로 하여, 여러 가지 종류의 쥐나, 쥐 비슷한 동물의 명칭을 나타내는 문자를 이룸. 부수 이름은 '쥐서부'.

鼠 0 〔鼡〕11 鼠(前條)의 俗字

鼠 2 〔⿰鼠刀〕15 〔초〕 貂(豸부 5획〈1379〉)와 同字

鼠 3 〔⿰鼠勺〕16 [一] 표 [去]效 zhuó ホウ とびねずみ / [二] 작 [入]藥 jué シャク とびねずみ
[字解] [一] ①날쥐표 두 날개가 있어 날고, 범을 잡아먹는다는, 높이 삼척(尺) 가량의 개 같이 생긴 쥐. '一, 胡地風鼠'《說文》. ②석

서(鼫鼠)표 다람쥐의 일종. [二] 날쥐작, 석서작 [一]과 뜻이 같음.
[字源] 形聲. 鼠+勺〔音〕

鼠 3 〔⿰鼠刃〕 16 인 [去]震 | rèn ジン ねずみ
[字解] 쥐인 '一, 鼠也'《字彙》.

鼠 3 〔⿰鼠夂〕 16 준 [去]震 | jùn シュン おかずき
[字解] ①석서준 '一, 石鼠也, 毛可爲筆'《字彙補》. ②鼨(鼠부 7획〈1878〉)의 訛字. '一, 鼨字之譌'《康熙字典》.

鼠 3 〔⿰鼠攵〕 16 〔종〕
鼨(鼠부 5획〈1876〉)의 籒文

鼠 4 〔鼤〕 17 문 [平]文 [去]問 | wén ブン·モン まだらねずみ
[字解] 얼룩쥐문 '一, 斑尾鼠'《玉篇》.

鼠 4 〔鼣〕 17 폐 [去]隊 | fèi ハイ·バイ ねずみのいっしゅ
[字解] 쥐폐 쥐의 일종. '一, 鼠名. 如犬吠也'《廣韻》.

鼠 4 〔⿰鼠今〕 17 [一] 함 [平]覃 [二] 감 [平]覃 | hán カン ねずみのいっしゅ カン ねずみのいっしゅ
[字解] [一] ①쥐함 쥐의 일종. '一, 鼠屬'《說文》. ②도마뱀함 '一, 蜥蜴'《玉篇》. [二] 쥐감, 도마뱀감 [一]과 뜻이 같음.
[字源] 形聲. 鼠+今〔音〕

鼠 4 〔鼢〕 17 분 [上]吻 [平]文 | fén フン·ブン もぐら
[字解] 두더지분 언서(鼴鼠). 전서(田鼠). '一, 地中行鼠, 伯勞所化也'《說文》.
[字源] 形聲. 鼠+分〔音〕

鼠 4 〔⿰鼠旦〕 17 미 [平]支 | mí ビ ねずみのいっしゅ
[字解] ①쥐의일종(一種)미 '一, 鼠屬'《字彙補》. ②거북의일종미 '一, 龜屬'《川篇》.

鼠 4 〔⿰鼠方〕 17 방 [平]陽 | fāng ホウ じねずみ
[字解] 뒤쥐방 쥐와 비슷하나 옆구리에 악취선(惡臭腺)이 있어 냄새를 풍김. '一, 地鼠'《集韻》.

鼠 4 〔⿰鼠开〕 17 병 [平]青 | píng ヘイ ねずみ
[字解] 쥐병 '一, 鼠也'《篇海》.

鼠 4 〔⿰鼠元〕 17 원 [平]元 | yuán ゲン ねずみのな
[字解] 쥐이름원 '一, 鼠名'《集韻》.

鼠 4 〔⿰鼠丹〕 17 〔종〕
鼨(鼠부 5획〈1876〉)과 同字

鼠 4 〔⿰鼠冘〕 17 침 [平]侵 | chén チン かわねずみのな
[字解] 물쥐의이름침 '一, 水鼠名'《篇海》.

鼠 5 〔鼦〕 18 초 [平]蕭 | diāo チョウ てん
[字解] 담비초 貂(豸부 5획〈1379〉)와 同字. '狐一裘千皮'《史記》.

鼠 5 〔鼪〕 18 생 [平]庚 | shēng セイ いたち
[字解] 족제비생 족제비과에 속하는 담비 비슷한 동물. 유서(鼬鼠). 일설(一說)에는, 날다람쥐. 오서(鼯鼠). '一鼬之逕'《莊子》.
[字源] 形聲. 鼠+生〔音〕

鼠 5 〔鼫〕 18 석 [入]陌 | shí セキ りすのいっしゅ
[字解] ①석서(鼫鼠)석 다람쥐과에 속하는 동물. 몸빛은 황갈색, 볼에는 볼주머니가 있음. 털로 붓을 만듦. '如一鼠'《易經》. ②땅강아지석 땅강아지과에 속하는 곤충. 땅속을 뚫고 다니는 해충임. 하늘밥도둑. 누고(螻蛄). '螻蛄, 一名一鼠'《本草》.
[字源] 形聲. 鼠+石〔音〕

鼠 5 〔鼬〕 18 유 [去]有 | yǒu ユウ いたち
[字解] ①족제비유 족제비과(科)에 속하는 동물. 황서랑(黃鼠狼). '倏閃雜鼯一'《韓愈》. ②성유 성(姓)의 하나.
[字源] 形聲. 鼠+由〔音〕

鼠 5 〔⿰鼠宂〕 18 〔유〕
鼬(前條)와 同字

鼠 5 〔鼩〕 18 구 [平]虞 | qú ク じねずみ
[字解] 생쥐구 鼱(鼠부 8획〈1878〉)을 보라. '鼱一'. '一, 精一鼠也'《說文》.
[字源] 形聲. 鼠+句〔音〕

鼠 5 〔鼨〕 18 종 [平]東 | zhōng シュウ まだらねずみ
[字解] 얼룩쥐종 '一, 豹文鼠也'《說文》.
[字源] 形聲. 鼠+冬〔音〕

鼠 5 〔⿰鼠宂〕 18 용 [上]腫 | rǒng ジョウ ねずみのいっしゅ

[字源] 쥐용 쥐의 일종. '一, 鼠屬'《說文》.
[字源] 形聲. 鼠+宂〔音〕

鼠5 〔鼧〕18 타 [平]歌 | tuó タ·ダ ねずみのいっしゅ
[字解] 쥐타 쥐의 일종. '一, 鼠名'《廣韻》.

鼠5 〔⿰鼠平〕18 병 [平]青 | píng ヘイ·ビョウ ねずみのいっしゅ
[字解] ①쥐병 쥐의 일종. '一, 一令鼠也'《說文》. ②쥐새끼병 '一, 鼠子'《廣韻》. ③얼룩쥐병 '一, 斑鼠也'《正字通》.
[字源] 形聲. 鼠+平〔音〕

鼠5 〔鼥〕18 [一] 발 [入]曷 [二] 폐 [去]隊 | bá ハツ ねずみのいっしゅ / ハイ ねずみのな
[字解] [一] 쥐발 '鼧一'은 쥐의 일종. 몸이 살찌고, 수달을 닮았으며, 땅 속에 보금자리를 지음. '一, 鼠肥者'《集韻》. [二] 쥐이름폐 鼣(鼠부 4획〈1876〉)와 同字. '一, 鼠名. 其鳴如犬吠'《集韻》.

鼠5 〔⿰鼠冋〕18 경 [平]青 | jiōng ケイ まだらねずみ
[字解] 얼룩쥐경 '一⿰鼠令'은 얼룩쥐. '時驚一⿰鼠令鼠'《皮日休》.

鼠5 〔⿰鼠卯〕18 류 [平]尤 [上]有 | liú リュウ たけねずみ
[字解] 대나무쥐류 '一, 竹鼠也'《說文》.
[字源] 形聲. 鼠+丣(卯)〔音〕

鼠5 〔⿱此鼠〕18 자 [平]支 | zī シ ひでりねずみ
[字解] 쥐이름자 가뭄 때 나타난다는 쥐. '一, 似雞鼠毛. 見大旱'《玉篇》.
[字源] 形聲. 鼠+此〔音〕

鼠5 〔⿰鼠令〕18 령 [平]青 | líng レイ まだらねずみ
[字解] 얼룩쥐령 '一, ⿰鼠冋一, 斑鼠'《廣雅》.

鼠5 〔⿰鼠乎〕18 〔호〕 ⿰鼠虖(鼠부 9획〈1878〉)와 同字

鼠6 〔⿰鼠同〕19 〔경〕 ⿰鼠冋(鼠부 5획〈1877〉)의 訛字

鼠6 〔⿰鼠并〕19 병 [平]青 | píng ヘイ ねずみ
[字解] 쥐병 '一, 鼠也'《玉篇》.

鼠6 〔⿰鼠耳〕19 이 [上]紙 | ěr ジ ねずみのいっしゅ
[字解] 쥐의일종(一種)이 '一, 一⿰鼠軍, 鼠屬, 一說, 鼠形如獸'《集韻》.

鼠6 〔⿰鼠伏〕19 〔폐〕 鼣(鼠부 4획〈1876〉)와 同字

鼠6 〔鼭〕19 시 [平]支 | shí シ·ジ ねずみ
[字解] 쥐시 '一, 鼠名'《廣韻》.

鼠6 〔⿰鼠各〕19 [一] 학 [入]藥 [二] 락 [入]藥 | hé カク ねずみのいっしゅ / ラク ねずみのいっしゅ
[字解] [一] 쥐학 쥐의 일종. '一, 一鼠. 出胡地, 皮可作裘'《說文》. [二] 쥐락 [一]과 뜻이 같음.

鼠6 〔⿰各鼠〕19 ⿰鼠各(前條)과 同字

鼠7 〔鼮〕20 정 [平]青 | tíng テイ まだらねずみ
[字解] 얼룩쥐정 표범과 같은 무늬가 있는 쥐. '一鼠'.
[字源] 形聲. 鼠+廷〔音〕

鼠7 〔鼯〕20 오 [平]虞 | wú ゴ むささび
[字解] 날다람쥐오 다람쥐과에 속하는 동물. 다람쥐와 비슷하며, 전후 양지(兩肢) 사이에 피막(皮膜)이 있어 나무 사이를 날아다님. 오기서(五技鼠). '一鼠夜叫'《馬融》.
[字源] 形聲. 鼠+吾〔音〕

鼠7 〔⿰鼠吳〕20 鼯(前條)와 同字

鼠7 〔⿰鼠貝〕20 년 [去]霰 | xí デン·ネン きねずみ
[字解] 푸른다람쥐년 '一鼠. (注) 今江東山中有一鼠. 狀如鼠而大, 蒼色, 在樹木上'《爾雅》.

鼠7 〔⿰鼠丣〕20 〔류〕 ⿰鼠卯(鼠부 5획〈1877〉)의 本字

鼠7 〔⿰鼠含〕20 〔함〕 ⿰鼠今(鼠부 4획〈1876〉)과 同字

鼠7 〔⿰鼠晏〕20 언 [上]阮 | yǎn エン もぐらもち
[字解] 두더지언 鼴(鼠부 9획〈1878〉)과 同字. '一, 一鼠, 鼢鼠'《廣雅》. '一, 或从匽'《集韻》.

鼠7 〔⿰鼠弟〕20 〔사〕 鼶(鼠부 10획〈1879〉)와 同字

鼠 7 〔⿰鼠夋〕 20 준 [去]震 | jùn シュン おかずき

[字解] 석서준 '一, 鼫鼠'《玉篇》. '一, 石鼠也, 毛中筆'《集韻》.

鼠 7 〔⿰鼠足〕 20 촉 [入]沃 | cū ショク こねずみ

[字解] 작은쥐촉 '一, 一鼩, 小鼠'《集韻》.

鼠 8 〔⿰鼠隹〕 21 추 [平]支 | zhuī スイ ねずみ

[筆順] 冂 臼 鼠 ⿰鼠亻 ⿰鼠𠂉 ⿰鼠仹 ⿰鼠隹

[字解] 쥐추 ⿰隹鼠(次條)와 同字. '一, 南陽呼鼠爲一'《玉篇》. '一, 或書作⿰隹鼠'《集韻》.

鼠 8 〔⿰隹鼠〕 21 ⿰鼠隹(前條)와 同字

鼠 8 〔鼱〕 21 정 [平]庚 | jīng セイ じねずみ, はつかねずみ

[字解] 생쥐정 '一鼩'는 생쥐. 쥐 중에 가장 작음. '譬由一鼩之襲狗'《東方朔》.

[字源] 形聲. 鼠＋青〔音〕

鼠 9 〔鼴〕 22 언 [上]阮 [上]銑 | yǎn エン もぐら

[字解] 두더지언 두더지과에 속하는 동물. 쥐와 비슷하나 좀 크고 주둥이가 날카로워 땅 속을 잘 뚫고 다님. 전서(田鼠).

[字源] 形聲. 鼠＋匽〔音〕

[參考] 鼹(鼠부 10획〈1879〉)은 同字.

鼠 9 〔鼳〕 22 격 [入]錫 | jú ケキ けもののな

[字解] ①짐승이름격 크기가 물소만하고 무게가 천 근(千斤)된다는 산짐승의 이름. '一, 鼠身長須而賊, 秦人謂之小驢. (注) 一, 似鼠而馬蹄, 一歲千斤, 爲物殘賊'《爾雅》. ②쥐이름격 나무 위에서 사는 큰 쥐의 일종. '今江東山中有一鼠, 狀如鼠而大, 蒼色, 在樹木上'《爾雅 注》.

鼠 9 〔鼵〕 22 돌 [入]月 | tū トツ あなねずみ

[字解] 새와함께사는쥐돌 '鳥鼠同穴, 其鳥爲鵌, 其鼠爲一'《爾雅》.

鼠 9 〔鼲〕 22 혼 [平]元 | hún コン おじぎねずみ

[字解] 혼서(鼲鼠)혼 '一鼠'는 사람을 보면, 앞발을 목 아래에서 맞대어, 인사하는 시늉을 하는 쥐. 가죽은 가죽옷을 만듦. 예서(禮鼠). '一, 一鼠, 出丁零胡, 皮可作裘'《說文》.

[字源] 形聲. 鼠＋軍〔音〕

鼠 9 〔⿰胡鼠〕 22 호 [平]虞 | hú コ くもざる

[字解] 흰원숭이호 '一, 斬一鼠, 黑身, 白䙱若帶, 手有長白毛'《說文》.

[字源] 形聲. 鼠＋胡〔音〕

鼠 9 〔⿰鼠曷〕 22 애 [去]泰 | ài アイ つらねずみ

[筆順] 冂 冃 臼 鼠 ⿰鼠日 ⿰鼠号 ⿰鼠𠰒 ⿰鼠曷

[字解] 쥐이름애 앞엣놈의 꼬리를 물고 일렬로 다니는 작은 쥐. '一, ⿰鼠离一, 小鼠, 相銜尾而行'《集韻》.

鼠 9 〔⿰鼠昜〕 22 양 [平]陽 | yáng ヨウ ねずみ

[字解] 쥐양 '一, 鼠也'《篇海》.

鼠 9 〔⿰鼠胄〕 22 〔유〕 鼬(鼠부 5획〈1876〉)의 訛字

鼠 9 〔⿰鼠帝〕 22 〔사〕 鼶(鼠부 10획〈1879〉)와 同字

鼠 9 〔⿰鼠頁〕 22 [一] 혁 [入]錫 | xié ケキ しろねずみ [二] 결 [入]屑 | xí ケツ ねずみのいっしゅ

[字解] [一] 흰쥐혁 '銀鼠, 白色如銀, 本名一鼠'《本草綱目》. [二] 쥐이름결 鼳(鼠부 9획〈1878〉)과 뜻이 같음. '鼳, 鼠名, 狀如鼠, 在樹木上, 或作一'《集韻》.

鼠 10 〔⿰⿱士鼠殳〕 23 곡 [入]屋 | gǔ コク いたち

[字解] 족제비곡 유서(鼬鼠). '一, 一⿰鼠業, 鼠名'《集韻》.

鼠 10 〔⿱殸鼠〕 23 ⿰⿱士鼠殳(前條)과 同字

鼠 10 〔⿰鼠唐〕 23 당 [平]陽 | táng トウ ねずみのいっしゅ

[字解] 쥐이름당 쥐의 일종. '一, ⿰鼠尃一, 鼠屬, 一曰, 易腸鼠, 謂一月三易腸'《集韻》.

鼠 10 〔⿰鼠尃〕 23 박 [入]藥 | bó ハク ねずみのいっしゅ

[字解] 쥐이름박 쥐의 일종. '一⿰鼠唐, 鼠屬'《廣雅》.

鼠 10 〔⿰鼠時〕 23 〔시〕 ⿰鼠寺(鼠부 6획〈1877〉)와 同字

鼠 10 〔⿰鼠豹〕 23 〔작〕 ⿰鼠勺(鼠부 3획〈1875〉)과 同字

鼠 10 〔⿰鼠益〕23 ㈠ 액 (入)陌 | アク ねずみのいっしゅ
㈡ 익 (入)陌 | yì エキ ねずみのいっしゅ

字解 ㈠ 쥐액 쥐의 일종. '一, 鼠屬'《說文》. ㈡ 쥐익 【一】과 뜻이 같음.
字源 形聲. 鼠+益〔音〕

鼠 10 〔鼸〕23 혐 (上)琰 | qiǎn ケン ふくみねずみ

字解 ①볼쥐혐 먹이를 원숭이처럼 볼에 저장함. '一, 齡也'《說文》. ②두더지혐 '一, 田鼠也'《玉篇》.
字源 形聲. 鼠+兼〔音〕

鼠 10 〔鼶〕23 ㈠ 사 (平)支 | sī シ いたち
㈡ 제 (平)齊 | テイ いたち
㈢ 서 (平)齊 | セイ いたち

字解 ㈠ 족제비사 '一, 一鼠也'《說文》. ㈡ 족제비제 【一】과 뜻이 같음. ㈢ 족제비서 【一】과 뜻이 같음.
字源 形聲. 鼠+虒〔音〕

鼠 10 〔鼷〕23 혜 (平)齊 | xī(xí) ケイ はつかねずみ

字解 생쥐혜 쥐의 일종. 쥐의 종류 중에서 가장 작음. '一鼠食郊牛之角'《春秋》.
字源 形聲. 鼠+奚〔音〕

鼠 10 〔鼹〕23 〔언〕
鼴(鼠부 9획〈1878〉)과 同字

鼠 11 〔⿰鼠离〕24 리 (平)支 | lí リ つらねずみ

字解 쥐이름리 앞엣놈의 꼬리를 물고 일렬로 다니는 습성을 가진 쥐. '一, ⿰鼠曷一, 小鼠, 相銜而行'《集韻》.

鼠 11 〔⿰鼠雀〕24 작 (入)藥 | què シャク おかずき

字解 ①석서(鼫鼠)작 '一, 鼫鼠, 一名雀鼠'《本草綱目》. ②공서(拱鼠)작 사람을 만나면 두 앞발을 들어 읍하는 시늉을 하는 다람쥐의 일종. '一, 本作雀, 雀鼠卽拱鼠'《正字通》.

鼠 11 〔⿰鼠從〕24 종 (平)冬 | zōng ショウ じねずみ

字解 뒤쥐종 땃쥐과의 동물. '一, 一鼩, 鼠名'《集韻》.

鼠 12 〔⿰鼠發〕25 〔발〕
鼥(鼠부 5획〈1877〉)과 同字

鼠 12 〔⿰鼠業〕25 복 (入)屋 | pú ホク ねずみのいっしゅ

字解 쥐복 쥐의 일종. '一⿰鼠支, 鼠屬'《廣雅》.

鼠 12 〔⿰鼠賁〕25 〔분〕
鼢(鼠부 4획〈1876〉)과 同字

鼠 12 〔⿰鼠番〕25 번 (平)元 | fán ハン しろねずみ

字解 ①흰쥐번 '一, 白鼠'《玉篇》. ②쥐며느리번 '一, 一曰, 螌底蟲'《玉篇》.
字源 形聲. 鼠+番〔音〕

鼠 14 〔⿰鼠截〕27 절 (入)屑 | jié セツ くもざる

字解 원숭이절 원숭이의 일종. '一, 一⿰鼠胡, 猿類, 長毛善走'《集韻》.

鼠 15 〔鼺〕28 루 (平)支 | léi ルイ むささび

字解 날다람쥐루 다람쥐과에 속하는 동물. 나무 사이를 날아다님. 오기서(五技鼠). '騰猨飛一, 相奔越'《晉書》.
字源 形聲. 鼠+畾〔音〕

鼠 16 〔⿰鼠盧〕29 로 (平)虞 | lú ロ ねずみのな

字解 쥐이름로 '一, 鼠名'《集韻》.

鼠 16 〔⿰鼠歷〕29 력 (入)錫 | lì レキ ねずみのな

字解 쥐이름력 '一, 鼠名'《集韻》.

鼠 17 〔⿰鼠韱〕30 참 (平)咸 | chán サン くもざる

字解 거미원숭이참 원숭이의 일종. 獑(犬부 11획〈760〉)과 同字. '一⿰鼠胡, (疏證)說文, 獑⿰鼠胡鼠, 黑身, 白髥若帶, 手有長白毛, 似握版之狀, 類蝯蜼之屬, 獑與一同'《廣雅》.

鼠 18 〔⿰鼠瞿〕31 〔구〕
鼩(鼠부 5획〈1876〉)와 同字

鼻　　部

〔코 비 부〕

鼻 0 〔鼻〕14 中·人 비 (去)寘 | bí ビ はな

筆順 ′ 冂 白 自 畠 畠 畠 畠 鼻

字解 ①코비 오관(五官)의 하나. 동물의 후각(嗅覺) 및 호흡을 맡은 기관. '掩一而過之'《孟子》. ②코뀔비 짐승의 코에 구멍

을 뚫어 바 같은 것으로 꿸. '一赤象, 圈巨狿'《張衡》. ③시초비 최초. 처음. 태생동물은 코부터 먼저 생긴다는 데서 나온 뜻. '人之胚胎, 鼻先受形, 故謂始祖爲一祖'《正字通》. ④손잡이비, 귀비 기물의 손으로 쥐는 부분. '銅印銅一'《隋書》.
[字源] 甲骨文·金文은 코를 본뜬 것. 뒤에, 음을 나타내는 '畀비'를 덧붙임. 篆文은 形聲으로, 自+畀〔音〕. '畀비'는 증기를 통과시키기 위한 시룻밑의 뜻. 공기를 통하는 '코'의 뜻을 나타냄.
[參考] '鼻비'를 의부(意符)로 하여, 코의 상태나 숨소리 등에 관한 문자를 이룸.

鼻 0 〔鼻〕14 鼻(前條)와 同字

鼻 0 〔⿱自廾〕9 鼻(前前條)의 俗字

鼻 1 〔⿰鼻乚〕15 [一] 요 [去]嘯 [二] 교 [去]嘯 [三] 후 [去]宥 | yào ギョウ あおむきばな / キョウ あおむきばな / キュウ·グ あおむきばな
[字解] [一] 들창코요 '一, 仰鼻'《廣韻》. [二] 들창코교 [一]과 뜻이 같음. [三] 들창코후 [一]과 뜻이 같음.

鼻 2 〔鼽〕16 구 [平]尤 | qiú キュウ はながつまる
[字解] 코막힐구 감기가 들어 코가 막히는 일. '季秋行夏令, 則其國大水, 冬藏殃敗, 民多一嚏'《禮記》.
[字源] 形聲. 鼻+九〔音〕

〔劓〕〔의〕 刀부 14획〈111〉을 보라.

鼻 2 〔⿰鼻丩〕16 [一] 요 [上]篠 [二] 교 [去]嘯 | yào ギョウ かぎばな / キョウ あおむきばな
[字解] [一] 매부리코요 '一, 折鼻也'《集韻》. [二] ①들창코교 '一, 仰鼻'《字彙》. ②⿰鼻乚(鼻부 1획〈1880〉)와 뜻이 같음.

鼻 2 〔⿰鼻儿〕16 교 [去]嘯 | yào キョウ あおむきばな
[字解] ①들창코교 '一, 鼻仰也'《集韻》. ②⿰鼻乚(鼻부 1획〈1880〉)의 俗字.

鼻 3 〔⿰鼻欠〕17 〔구〕 鼽(鼻부 2획〈1880〉)와 同字

鼻 3 〔⿰鼻刃〕17 〔축〕 ⿰鼻丑(鼻부 4획〈1880〉)의 訛字

鼻 3 〔鼿〕17 [一] 올 [入]月 [二] 회 [平]灰 | wù ゴツ あおむきばな / huī カイ ぶたがつちをほる
[字解] [一] ①들창코올 '一, 一曰, 鼻仰也'《集韻》. ②짐승이코로물건움직일올 '一, 獸以鼻搖物'《集韻》. ③⿰鼻危(鼻부 6획〈1881〉)과 同字. [二] 돼지가흙을팔회 ⿰虫豖(虫부 7획〈1230〉)와 同字. '⿰虫豖, 豕發土也, 或作一'《集韻》.

鼻 3 〔鼾〕17 한 [去]翰 | hān カン いびき
[字解] 코고는소리한 '爛醉就臥, 鼻一如雷'《黃庭堅》.
[字源] 形聲. 鼻+干〔音〕

鼻 4 〔⿰鼻丑〕18 축 [入]屋 | nǜ(niǜ) ジク はなぢ
[字解] 코피축 衄(血부 4획〈1259〉)과 뜻이 같음. '一, 鼻出血'《字彙》.
[字源] 形聲. 鼻+丑〔音〕

鼻 4 〔⿰鼻及〕18 흡 [入]緝 | xī キュウ はないきのおと
[字解] 코고는소리흡 '一, 鼻息聲'《字彙》.

鼻 4 〔⿰鼻斗〕18 〔의〕 劓(刀부 14획〈111〉)의 訛字

鼻 4 〔⿰豕鼻〕18 회 [平]灰 | huī カイ ぶたがものをくう
[字解] 돼지가먹이를먹을회 '一, 豬食'《字彙》.

鼻 5 〔⿰鼻丘〕19 구 [去]宥 | qiù キュウ あおむきばな
[字解] 들창코구 '一, 一⿰鼻乚, 仰鼻'《集韻》.

鼻 5 〔⿰鼻瓦〕19 〔올〕 鼿(鼻부 3획〈1880〉)의 訛字

鼻 5 〔⿰鼻占〕19 점 [平]鹽 | diān テン はながたれる
[字解] 코늘어질점 '一, 鼸一, 鼻垂'《集韻》.

鼻 5 〔齁〕19 후 [平]尤 | hōu コウ·ク はないき
[字解] 코고는소리후 '鼻息一一自成曲'《蘇軾》.
[字源] 形聲. 鼻+句〔音〕

鼻 5 〔⿰鼻包〕19 〔포〕 皰(皮부 5획〈828〉)와 同字

鼻 6 〔⿰鼻圭〕20 괘 [平]灰 | kuī カイ はないきのおと

[字解] 콧숨소리괘 '一, 鼻息聲'《字彙》.

鼻 6 〔䶎〕 20 〔올〕 鼿(鼻부 3획〈1880〉)과 同字

鼻 6 〔䶎〕 20 합 [入]合 | hē コウ はないき
[字解] 콧숨합 코로 쉬는 숨. 鵊(鼻부 7획〈1881〉)과 同字. '一, 一齁, 鼻息, 或从夾'《集韻》.

鼻 6 〔䶏〕 20 〔제〕 齂(鼻부 15획〈1882〉)와 同字

鼻 6 〔䶐〕 20 䶏(前條)의 本字

鼻 7 〔䶑〕 21 체 [去]霽 | tì テイ はなしる / [上]薺 | tǐ テイ はなをかむ
[字解] ①콧물체 涕(水부 7획〈650〉)와 同字. '涕, 說文, 鼻液也, 或作一'《集韻》. ②코풀체 콧물을 제거함. 掦(手부 7획〈443〉)와 同字. '掦, 去涕也, 或从鼻'《集韻》.

鼻 7 〔䶒〕 21 〔침〕 齽(鼻부 12획〈1881〉)과 同字

鼻 7 〔鵊〕 21 〔합〕 䶎(鼻부 6획〈1881〉)과 同字

鼻 7 〔䶓〕 21 䶑(次條)와 同字

鼻 7 〔䶑〕 21 희 [上]紙 | xǐ キ いき·いびき
[字解] ①숨희, 숨소리희, 코고는소리희 '一, 息也, 一曰, 臥息聲'《集韻》. ②코풀희 '一, 一曰, 去涕'《集韻》.

鼻 7 〔䶔〕 21 휵 [入]屋 | xù キク はなをしかめる
[字解] 코찡그릴휵 '一, 顣鼻'《字彙》.

鼻 8 〔齂〕 22 희 [去]寘 | xiè キ ねいき, いびき
[字解] 누워숨쉴희, 코골희 '一, 臥息也'《說文》.
[字源] 形聲. 鼻+隶〔音〕

鼻 8 〔䶕〕 22 〔체〕 嚏(口부 14획〈189〉)와 同字

鼻 9 〔鶣〕 23 〔편〕 匾(匚부 9획〈125〉)과 同字

鼻 9 〔齃〕 23 알 [入]曷 | è アツ はなばしら
[字解] 콧대알 콧줄기. 비경(鼻莖). '魋顏蹙一, 膝攣'《史記》.
[字源] 形聲. 鼻+曷〔音〕

鼻 9 〔齄〕 23 사 (차[本]) [平]麻 | zhā サ あかばな
[字解] 주부코사 비사증(鼻齄症)이 있는 코. 또, 그 병증. ※本音 차.
[字源] 形聲. 鼻+査〔音〕
[參考] 齇(鼻부 11획〈1881〉)와 同字.

鼻 10 〔齅〕 24 후 [去]宥 | xiù キュウ かぐ
[字解] 맡을후 嗅(口부 10획〈177〉)와 同字. '獨倚寒村一野梅'《唐彥謙》.
[字源] 形聲. 鼻+臭〔音〕

鼻 10 〔齆〕 24 옹 [去]送 | wèng オウ はなづまり
[字解] 코막힘옹 코가 막히는 병. '一, 鼻塞曰一'《廣韻》.

鼻 10 〔䶗〕 24 齆(前條)과 同字

鼻 10 〔䶘〕 24 렴 [平]鹽 | lián レン はながたれる
[字解] 코가늘어질렴 '一, 一鮎, 鼻垂'《集韻》.

鼻 11 〔䶙〕 25 료 [去]嘯 | liào リョウ あおむきばなのさま
[字解] 들창코료 '一䶜'는 들창코의 모양. '鼻一䶜而刺天'《晉書》.

鼻 11 〔齇〕 25 사 (차[本]) [平]麻 | zhā サ あかばな
[字解] 주부코사 비사증(鼻齄症)이 있는 코. '王氏世一鼻'《魏書》. 皻(皮부 11획〈830〉)와 同字. ※本音 차.
[字源] 形聲. 鼻+虘〔音〕
[參考] 齄(鼻부 9획〈1881〉)는 同字.

鼻 11 〔䶚〕 25 솔 [入]月 | sù ソツ はないき
[字解] ①코울솔 '一, 鼻鳴'《廣韻》. ②콧소리솔 '一, 鼻聲'《類篇》. ③콧숨소리솔.

鼻 12 〔齽〕 26 침 [平]侵 | jīn シン たかいはな
[字解] 높은코침 䶒(鼻부 7획〈1881〉)과 同字. '一, 高鼻, 謂之一, 或从㝱'《集韻》.

鼻 12 〔⿰鼻替〕26 ⿰鼻朁(前條)의 俗字

鼻 12 〔⿰鼻⿱自兆〕26 〔후〕 齅(鼻부 10획〈1881〉)와 同字

鼻 13 〔齈〕27 농 ㊥冬 ㊦送 | nóng nòng ドウ はなじる

[字解] 콧물농 콧구멍에서 흘러 나오는 물. 비체(鼻涕). '一, 鼻病, 多涕'《集韻》.
[字源] 形聲. 鼻+農〔音〕

鼻 13 〔⿰鼻會〕27 ㊀ 왜 ㊦卦 ㊁ 회 ㊦泰 | wài ワイ はないき huì カイ はなのさま

[字解] ㊀ ①코로쉬는숨왜 '一, 鼻息'《集韻》. ②천식왜 '一, 喘息也'《玉篇》. ③천식소리왜 '一, 喘息聲'《廣韻》. ④코고는소리왜 '一, 臥息聲'《類篇》. ㊁ 코모양회 '一, 鼻皃'《類篇》.

鼻 15 〔⿰鼻疐〕29 제 ㊦霽 | tì テイ くさめする

[字解] 재채기할제, 코풀제 嚏(口부 15획〈190〉)·⿰鼻夷(鼻부 6획〈1881〉)·⿰鼻至(鼻부 6획〈1881〉)와 同字. '一, 本作嚏'《玉篇》. '⿰鼻至, 鼻疾, 太玄, 決其聾⿰鼻至, 或作一, 亦書作⿰鼻夷'《集韻》.

鼻 16 〔⿰鼻歷〕30 력 ㊤錫 | lì レキ かぎわける

[字解] ①냄새맡아분별할력 '一, 鼻別臭'《集韻》. ②코가높은모양력 '一, 鼻高貌'《字彙》.

鼻 17 〔⿰鼻毚〕31 참 ㊥咸 | chán サン はなのたかいさま

[字解] 코높은모양참 '一, 鼻高皃'《集韻》.

鼻 22 〔齉〕36 낭 | nàng ノウ はながつまる

[字解] 코막힐낭, 소리분명치않을낭.

齊 部

〔가지런할제부〕

齊 0 〔齊〕14 [高·人] ㊀ 제 ㊥齊 ㊁ 재 ㊥佳 ㊂ 자 ㊥支 | qí セイ そろう, ひとしい zhāi サイ ものいみ zī シ もすそ

[筆順] 亠 亣 亣 亣 斉 斉 齊 齊

[字解] ㊀ ①가지런할제, 같을제 균일함. 또, 동등함. '一一'. '與我一者'《呂氏春秋》. ②가지런히제, 같이제 가지런하게. 또, 함께. '一列'. '不一出于南畝'《史記》. ③같이할제 같게 함. '一心合力'. '一死生'《淮南子》. ④가지런히할제 ㉠균등하게 함. '一大小'. ㉡정리함. 다스림. '整一'. '先一其家'《大學》. ⑤지려(智慮) 빠를제 '一明而不竭'《荀子》. ⑥엄숙할제 장엄함. '一莊'. '子雖一聖, 不先父食'《左傳》. ⑦삼갈제 근신함. 조심함. '一敬'. ⑧재빠를제 민첩함. '一給'. '幼而徇一'《史記》. ⑨오를제 躋(足부 14획〈1451〉)와 同字. '地氣上一'《禮記》. ⑩한제 제한. '無復一限'《晉書》. ⑪가운데제 중위(中位). '不知斯一國幾千萬里'《列子》. ⑫배꼽제 臍(肉부 14획〈1095〉)와 통용. '噬一'《左傳》. ⑬제나라제 ㉠주대(周代)의 제후(諸侯)의 나라. 진(秦)나라에 멸망당함. 지금의 산동성(山東省) 지방. ㉡남조(南朝)의 한 나라. 소도성(蕭道成)이 송(宋)나라를 찬탈(簒奪)하고 지금의 장강(長江)·월강(粵江) 유역 지방에 창건(創建)한 나라. 도읍(都邑)은 건강(建康). 7주(主) 24년(年) 만에 양(梁)나라에 선양(禪讓)함. 남제(南齊). (479~502) ㉢북조(北朝)의 한 나라. 고양(高洋)이 동위(東魏)를 찬탈(簒奪)하고 창건(創建)한 나라. 5주(主) 28년(年) 만에 후주(後周)에게 멸망됨. 북제(北齊). (550~577) ⑭성제 성(姓)의 하나. ㊁ 재계할재 齋(齊부 3획〈1882〉)와 통용. '齋之爲言一也'《禮記》. ㊂ ①옷자락자 '攝一升堂'《論語》. ②상복자 상복의 아랫단을 혼 것. '一疏'. '一衰'.
[字源] 象形. 곡물의 이삭이 자라서 가지런한 모양을 본떠, '가지런하다, 균일하다'의 뜻을 나타냄.
[參考] ①'齊제'를 의부(意符)로 하는 문자는 적음. 부수 이름은 '가지런할제'. ②斉(文부 4획〈490〉)는 俗字.

齊 2 〔⿵齊疒〕16 제 | qí セイ やまい

[字解] ①병제 '一, 病也'《玉篇》. ②앓을제 癠(疒부 14획〈821〉)와 同字. '一, 按, 一, 六書本作癠'《正字通》.

齊 3 〔齋〕17 [人名] ㊀ 재 ㊥佳 ㊁ 자 ㊥支 | zhāi サイ ものいみ zī シ もふくのな

[筆順] 亠 亣 亣 斉 斉 斉 齋 齋

[字解] ㊀ ①재계재 제사 같은 것을 지낼 때, 그 전 며칠 동안 심신을 깨끗이 하며 부정한 일을 가까이하지 않는 일. '致一'. '是祭祀之一, 非心一也'《莊子》. ②재계할재

'聖人以此一戒'《易經》. ③집재, 방재 연거(燕居)의 방. '山一'. '書一'. ④식사재 법회(法會) 때의 식사(食事). '受持一法'《起世經》. ㊁ 상복자 상옷의 한 가지. 아랫단을 혼 것. '一疏之服'《孟子》.
字源 形聲. 示+齊(育)〈省〉〔音〕
參考 斎(文부 7획〈490〉)는 俗字.

齊 3 〔齌〕17 ㊀ 제 ㊥齊 qí セイ よい ㊁ 재 ㊥佳 zhāi サイ つつしむ
字解 ㊀ 좋을제 '一, 好皃'《廣韻》. ㊁ 삼갈재.
字源 形聲. 女+齊〔音〕

齊 3 〔嶰〕17 제 ㊦霽 jì セイ やまのな
字解 산이름제 '一, 山名'《集篇》.

齊 3 〔廥〕17 제 ㊥齊 qì セイ うつくしいさま
字解 ①아름다운모양제 '一, 美皃'《玉篇》. ②아름다울제 '一, 美也'《正字通》. ③齋(齊부 3획〈1882〉)의 俗字.

齊 3 〔㡚〕17 제 ㊦霽 jì セイ つむぐ
字解 길쌈할제 삼·모시풀로 실을 낳음. '一, 緝麻苧名, 出異字苑'《廣韻》. '一, 緝也'《集韻》.

齊 4 〔齎〕18 제 ㊥齊 qí セイ へそ
字解 배꼽제 臍(肉부 14획〈1095〉)와 同字. 齊(部首〈1882〉)와 통용. '一, 說文, 朏臍也, 或書作臍, 通作齊'《集韻》.

齊 4 〔齌〕18 제 ㊦霽 jì セイ かしぐ
字解 ①불땔제 밥을 짓느라고 불을 땜. ②몹시노할제 '一怒'.
字源 形聲. 火+齊〔音〕

齊 5 〔齍〕19 ㊀ 자 ㊥支 zī シ さいき ㊁ 제 ㊥齊 zī セイ·サイ さいき
字解 ㊀ ①제기자 서직(黍稷)을 담는 제기(祭器). '大宗伯奉玉一'《周禮》. ②기장자 제사에 쓰는 서직(黍稷). 粢(米부 6획〈969〉)와 同字. '世婦共一盛'《周禮》. ㊁ 제기제, 기장제 ㊀과 뜻이 같음.
字源 形聲. 皿+齊〔音〕

齊 5 〔齋〕19 자 ㊥支 zī シ きび
字解 ①기장자 秶(禾부 6획〈902〉)와 同字. '一, 稷也'《說文》. ②그릇에담은기장자 '一, 黍稷在器曰一'《玉篇》. ③메자 제사에 쓰는 밥. '一, 祭飯'《廣韻》.
字源 形聲. 禾+齊〔音〕

齊 5 〔䶒〕19 〔제〕 齏(齒부 14획〈1892〉)와 同字

齊 6 〔㢊〕20 재 ㊥佳 zhāi サイ ちいさなぼうおく
字解 ①작은띠집재 띠를 인 작은 집. '一, 小茅舍也'《字彙》. ②방(房)재 齋(齊부 3획〈1882〉)과 同字.

〔齎〕〔자〕 衣부 14획(1290)을 보라.

齊 7 〔齎〕21 ㊀ 재 ㊥支 jī シ もたらす (자㊍) jī シ たからもの ㊁ 자 ㊥支 qī セイ·サイ もたらす ㊂ 제 ㊥齊
筆順 一 亠 文 齊 齊 齊 齎 齎
字解 ㊀ ①가져갈재 '鄭莊行千里不一糧'《史記》. ②가져올재 '一此嘉端'《謝靚》. ③아재 '아' 하고 탄식하는 소리. '一咨涕洟'《易經》. ※本音 자. ㊁ 재물자 資(貝부 6획〈1391〉)와 同字. '歲終則會其財一'《周禮》. ㊂ ①가져갈제, 가져올제 ㊀과 뜻이 같음. ②가질제, 지닐제 휴대함. '一磨鏡具自隨'《世說》. ③줄제, 보낼제 증여함. 또는, 보내 줌. 또, 그 물품. '一送'. '一貸子錢'《史記》. ④성제 성(姓)의 하나.
字源 形聲. 貝+齊〔音〕

齊 8 〔齎〕22 제 ㊥齊 qí セイ ひとしい
字解 같을제 '一, 等也'《說文》.
字源 形聲. 齊+妻〔音〕

齊 9 〔齏〕23 제 ㊥齊 jī セイ·サイ なます
字解 ①회제, 나물제 어육 따위를 날로 엷게 썬 음식. 또, 푸성귀를 잘게 썰어 무친 음식. '凡醯醬所和, 細切爲一'《周禮 註》. ②부술제, 섞을제 부수어 혼합함. '一萬物'《莊子》.
字源 形聲. 韭+齊〔音〕

齊 11 〔齎〕25 자 ㊥支 zī シ しょしょくをもるうつわ
字解 서직을담는그릇자 '一, 黍稷器也'《字彙補》.

齊 11 〔齎〕25 제 ㊥齊 qí セイ こいににたこざかな
字解 잉어비슷한작은고기제 '一, 魚名, 出漢水, 似鯉而小'《集韻》.

齊 14 〔⿰齋复〕28 〔재〕
齋(齊부 3획〈1882〉)의 籀文

齒 部
〔이 치 부〕

齒 0 〔齒〕15 [中·人] 치 [上]紙 | chǐ シ は

[筆順] … 齒

[字解] ①이치 ㉠음식을 씹는 기관. '一牙'. '一亡舌存'. ㉡이와 같이 생긴 물건. 또는, 이와 같은 작용을 하는 물건. '鋸一'. '不覺屐一之折'《晉書》. ②어금니치 송곳니 안으로 있는 이. '元龜象一'《詩經》. ③나이치 연령. '年一'. '非義不盡一'《國語》. ④나란히설치 동렬(同列)에 섬. 비견(比肩)함. '不敢與諸任一'《左傳》. ⑤나이셀치 연령을 셈. '一路馬有誅'《禮記》. ⑥적을치 기록함. '一錄'. '終身不一'《禮記》. ⑦성치 성(姓)의 하나.

[字源] 甲骨文은 이를 본뜬 것. '𠚕'는 그 변형. 뒤에, '止지'를 덧붙여, 𠚕+止〔音〕形聲字가 됨. '止지'는 '머무르다'의 뜻. 물건을 물어 멈추게 하는 아래위의 이의 뜻을 나타냄.

[參考] ①'齒치'를 의부(意符)로 하여, 이의 종류나 상태, 무는 일 등에 관한 문자를 이룸. 부수 이름은 '이치'. ②齒(凵부 10획〈98〉)는 俗字.

〔齿〕〔치〕
凵부 6획(98)을 보라.

〔歯〕〔치〕
凵부 10획(98)을 보라.

齒 1 〔齓〕16 齔(次條)과 同字

齒 2 〔齔〕17 츤 [去]震 | chèn シン はがぬけかわる

[字解] ①이갈츤 배냇니가 빠지고 간니가 남. '未一者'《周禮》. ②어릴츤, 어린애츤 이를 갈 무렵의 나이. 또, 그 나이의 아이. '髫一'. '年皆童一'《後漢書》.

[字源] 會意. 齒+匕

齒 2 〔⿰齒十〕17 齔(前條)의 訛字

齒 2 〔⿰齒八〕17 팔 [入]黠 | pà ハツ はのおと

[字解] 이의소리팔 이가 부딪는 소리, 또는 이를 가는 소리. '一, 齒聲'《集韻》.

齒 3 〔齕〕18 흘 [入]月 | hé コツ かむ

[字解] 깨물흘, 씹을흘 이로 깨물거나 씹음. '一嚙'. '削瓜庶人一之'《禮記》.

[字源] 形聲. 篆文은 齒+气〔音〕

齒 3 〔⿰齒乞〕18 齕(前條)과 同字

齒 3 〔⿰齒干〕18 [一] 언 [上]潸 / [上]阮 [二] 환 [上]潸 | yǎn ガン はがあらわれているさま カン はがただしくないさま

[字解] [一] 이드러날언 이가 드러나 있는 모양. '一, 齒見皃'《說文》. [二] 이바르지않을환 '齴一'은 이가 바르지 않은 모양. '一, 齴一, 齒不正貌'《字彙》.

[字源] 形聲. 齒+干〔音〕

齒 3 〔⿰齒山〕18 〔설〕
齧(齒부 6획〈1887〉)의 俗字

齒 3 〔⿰齒也〕18 치 [平]支 | chí チ はぐきのさま

[字解] ①잇몸모양치 '一, 齒齗皃'《玉篇》. ②물치, 깨물치 齕(齒부 5획〈1886〉)와 同字. '一, 齒齧謂之一, 或从它'《集韻》.

齒 4 〔齖〕19 아 [平]麻 | yá ガ ことばをききいれない

[字解] ①남의말듣지않을아 '聱一'. '能學聱一, 保宗而全家'《唐書》. ②이고르지않을아 '一, 齟一, 齒不平'《玉篇》.

[字源] 形聲. 齒+牙〔音〕

齒 4 〔⿰齒巴〕19 파 [平]麻 / [去]禡 | bā ハ はのでたさま ハ はがただしくない

[字解] ①이드러날파 '一齖'는 이가 밖으로 드러난 모양. '一, 一齖, 齒出也'《集韻》. ②이바르지않을파 '一, 齒不正也'《字彙》.

齒 4 〔齗〕19 은 [平]文 | yín ギン はぐき

[字解] ①잇몸은 치은(齒齦). '一齶'. '敷墮齒之一'《舊唐書》. ②말다툼할은 '孔子曰, 甚矣魯道之衰也, 洙泗之間, 一一如也'《史記》.

[字源] 形聲. 齒+斤〔音〕

齒 4 〔齘〕19 계 (해[本]) [去]卦 | xiè カイ はぎしりする

[字解] ①이갈계 분노하여 이를 갊. '三嚓一良久乃止'《北史》. ②맞지않을계 물건의

이어 댄 데가 꼭 맞지 아니함. '凡甲衣之欲其無一也'《周禮》. ※本音 해.
字源 形聲. 齒+介〔音〕

齒4 〔齓〕 19 齡(前條)의 本字

齒4 〔齕〕 19 흘 ㊇月 hé ケツ かむ
字解 깨물흘, 씹을흘 齕(齒부 3획〈1884〉)의 本字. '一草飲水'《莊子》.

齒4 〔齩〕 19 〔교〕 齩(齒부 6획〈1886〉)과 同字

齒4 〔齡〕 19 금 ㊈沁 jìn キン したのやまい
字解 ①혓병금 혀에 나는 병. '一, 舌病'《玉篇》. ②소의혓병금 㸒(牛부 4획〈740〉)과 同字. '㸒, 說文, 牛舌病, 或从齒'《集韻》. ③슬퍼할금 '一, 哀也'《廣雅》.

齒4 〔齗〕 19 〔기〕 齻(齒부 8획〈1889〉)의 古字

齒4 〔齝〕 19 납 ㊇合 nà ドウ かみつづける
字解 ①씹을납, 갉아먹을납, 계속씹어먹을납 '一, 齧也'《集韻》. '一, 茹嚼不輟'《六書故》. ②이움직이는모양납 '一, 䶓一, 齒動皃'《集韻》.

齒4 〔齞〕 19 언 ㊤阮 yǎn ゲン はがあらわれる
字解 ①이드러날언 齞(齒부 5획〈1885〉)과 同字. '齞, 齒露也, 或从幵'《集韻》. ②드러난이의모양언 齴(齒부 3획〈1884〉)과 同字. '齴, 露齒皃, 或作一'《集韻》.

齒4 〔齔〕 19 〔츤〕 齔(齒부 2획〈1884〉)과 同字

齒4 〔䶘〕 19 항 ㊉陽 háng コウ かむ
字解 씹을항 '一, 齧也'《篇海》.

齒5 〔齚〕 20 색 ㊇陌 zé サク かむ
字解 깨물색, 씹을색 '魏其必內愧, 杜門一舌自殺'《史記》.
字源 形聲. 齒+乍〔音〕

齒5 〔齞〕 20 언 ㊤銑 yǎn ゲン はをあらわす
字解 이드러날언 이야기할 때 이가 드러남. '一脣歷齒'《宋玉》.
字源 形聲. 齒+只〔音〕

齒5 〔齟〕 20 서 (주㊍) ㊤語 jǔ ショ・ソ くいちがう
字解 맞지않을서 '一齬'는 위아래의 이가 서로 잘 맞지 않음. 전(轉)하여, 사물이 어긋남. 기대에 어그러짐. '其志一齬'《太玄經》. ※本音 주.
字源 形聲. 齒+且〔音〕

齒5 〔齠〕 20 초 ㊉蕭 tiáo チョウ はがぬけかわる
字解 이갈초 배냇니가 빠지고 간니가 남. 또, 이를 가는 칠팔 세의 무렵. '昔在一齔, 便蒙誨誘'《顏氏家訓》.
字源 形聲. 齒+召〔音〕

齒5 〔齡〕 20 人名 령 ㊉青 líng レイ よわい
筆順 齒 齡
字解 나이령 연치. '年一'. '延億一'《晉書》.
字源 形聲. 齒+令〔音〕

齒5 〔齢〕 17 齡(前條)의 略字

齒5 〔齣〕 20 착 ㊇陌 chū セキ ひとくぎり
字解 일절착, 일회착 각본(脚本)・전기(傳奇) 등의 한 회(回). '高則誠琵琶記, 有第一一'《靑藤山人 路史》. '一, 傳奇中一廻爲一一'《字彙補》.
字源 會意. 齒+句〔音〕

齒5 〔齝〕 20 치 ㊉支 chī チ はんすうする
字解 새김질할치 소가 반추(反芻)하여 씹음. '牛曰一. (注)食之已久, 復出嚼之'《爾雅》.
字源 形聲. 齒+台〔音〕

齒5 〔齥〕 20 齝(前條)와 同字

齒5 〔䶛〕 20 립 ㊇緝 lì リュウ ひものをかむおと
字解 마른것깨물립 마른 것을 깨물어 씹는 소리. '一, 嗍燥物聲'《玉篇》.

齒5 〔齟〕 20 ㊀거 ㊤語 jǔ キョ はぐきがかたくない ㊁구 ㊤麌 jǔ ク はぐきがはれる
字解 ㊀잇몸무를거 잇몸이 무름. '齗不固曰一'《集韻》. ㊁잇몸부을구 '一, 齗腫也'《說文》.
字源 形聲. 齒+巨〔音〕

齒 5 〔齛〕 20 [一] 세 [去]霽 | shì セイ はんすうする
[二] 예 [去]霽 | エイ はんすうする
[三] 설 [入]屑 | xiè セツ はんすうする

[字解] [一] ①새김질할세 반추(反芻)함. 또, 그를 위해 한때 목에 저장해 두는 음식. 齝(齒부 5획〈1885〉)와 同字. '一, 羊粻也'《說文》. ②양이풀씹을세 '一, 羊噍草也'《玉篇》. [二] 새김질할예, 양이풀씹을예 [一]과 뜻이 같음. [三] 새김질할설, 양이풀씹을설 [一]과 뜻이 같음.
[字源] 形聲. 齒+世〔音〕

齒 5 〔⿰齒出〕 20 [一] 즐 [入]質 | zhí シツ ものをかんであらわれるは
[二] 실 [入]質 | シツ ものをかんであらわれるは

[字解] [一] ①깨물어드러나는이즐 '一, 齚齒也. (段注)謂齚物而外露之齒也'《說文》. ②깨무는소리즐 '一, 齧聲'《廣韻》. ③깨물즐 ⿰齒卒(齒부 8획〈1888〉)과 同字. '一, 齧也'《廣雅》. [二] 깨물어드러나는이실, 깨무는소리실, 깨물실 [一]과 뜻이 같음.
[字源] 形聲. 齒+出〔音〕

齒 5 〔齙〕 20 포 [平]肴 | bāo(páo) ホウ はがあらわれる

[字解] 이드러날포 '一, 齒露'《集韻》.

齒 5 〔齜〕 20 [一] 재 [平]佳 | chái サイ はぎしり
[二] 사 [平]麻 | サ はぎしり
[三] 채 [去]卦 | サイ はぎしり
[四] 치 [平]支 | zī シ むしば

[字解] [一] ①이갈림재 '一, 齒相齘也'《說文》. ②이드러낼재 입을 벌려 이를 드러냄. '一, 一曰, 開口見齒皃'《說文》. ③이가지런하지않을재 치열(齒列)이 바르지 않음. '一, 齒不齊'《集韻》. ④이악물재 '一齺'은 입을 벌리고 이를 꼭 악묾. [二] 이갈림사, 이드러낼사, 이가지런하지않을사, 이악물사 [一]과 뜻이 같음. [三] 이갈림채, 이드러낼채, 이가지런하지않을채, 이악물채 [一]과 뜻이 같음. [四] ①충치치 벌레먹은 이. '一, 齲病'《集韻》. ②이가지런하지않을치 [一]❸과 뜻이 같음.
[字源] 形聲. 齒+此〔音〕

齒 5 〔⿱此齒〕 20 齜(前條)와 同字

齒 5 〔⿰齒可〕 20 가 [平]麻 | qiā カ おおいにかむ
[去]禡 | qiǎ カ ほねがはのあいだについてさらない
[去]箇 | kè カ はのさま

[字解] ①크게깨물가 '一, 字林, 大齧也'《集韻》. ②씹을가 '一, 齧也'《廣雅》. ③뼈가잇사이에끼여나오지않을가 '一, 骨着齒間不去也'《六書故》. ④이모양가 '一, 一⿰齒我, 齒皃'《集韻》.

齒 5 〔⿰齒史〕 20 사 [上]紙 | shǐ シ はがよい

[字解] 이좋을사 '一, 齒好'《集韻》.

齒 5 〔⿰齒允〕 20 〔은〕
齗(齒부 4획〈1884〉)과 同字

齒 5 〔⿰齒失〕 20 질 [入]質 | zhì チツ かたいものをかむさま

[字解] 단단한것을깨무는모양질 咥(口부 6획〈159〉)·⿰齒至(齒부 6획〈1886〉)과 同字. '咥, 齧堅皃, 或作⿰齒至·一'《集韻》.

齒 5 〔⿱多齒〕 20 차 [平]麻 | zhā タ かむ

[字解] 깨물차 '一, 齧也'《廣雅》.

齒 5 〔⿰齒占〕 20 참 [去]陷 | zhàn タン はをぬく

[字解] 이를뺄참 '一, 剔齒也'《集韻》.

齒 5 〔⿰齒戊〕 20 〔츤〕
齔(齒부 2획〈1884〉)과 同字

齒 5 〔⿰齒它〕 20 〔치〕
⿰齒也(齒부 3획〈1884〉)과 同字

齒 6 〔齦〕 21 [一] 은 [平]文 | yín ギン はぐき
[二] 간 [上]阮 | kěn コン かむ

[字解] [一] 잇몸은 치경(齒莖). '齒一'. '香一皓齒疑貝編'《李禎》. [二] 깨물간 '一其姦猖'《韓愈》.
[字源] 形聲. 齒+艮(皀)〔音〕

齒 6 〔⿰齒吉〕 21 할 [入]黠 | xiá カツ かむおと

[字解] 깨무는소리할 '一一咀嚼'《書紀》.
[字源] 形聲. 齒+吉〔音〕

齒 6 〔齩〕 21 교 (요[本]) [上]巧 | yǎo ゴウ かむ

[字解] 깨물교 '罷夫羸老, 易子而一其骨'《漢書》. ※本音 요.
[字源] 形聲. 齒+交〔音〕

齒 6 〔⿰齒并〕 21 병 [上]梗 | pián ヘイ やえば

[字解] 덧니병 '一, 并齒也'《集韻》.

齒 6 〔⿰齒至〕 21 질 ①-③[入]質 | zhì チツ かたいものをかむ
④[入]屑 | テツ かたいものをかむおと

[字解] ①깨물질 단단한 것을 깨묾. '一, 齧堅也'《說文》. ②깨무는소리질, 씹는소리질 '一, 齧聲'《廣韻》. ③이단단할질 '一, 說文, 齒堅也'《集韻》. ④단단한것을깨무는소리질 咥(口부 6획〈159〉)과 同字. '一, 齧堅聲'《廣韻》.
[字源] 形聲. 齒+至〔音〕

齒 6 〔⿰齒舌〕21 [一] 괄 [入]曷 | kuò カツ かむおと
[二] 활 [入]黠 | huá カツ はのおと
[字解] [一] 씹는소리괄. [二] 잇소리활, 씹는소리활 '一, 齒聲'《集韻》.
[字源] 形聲. 篆文은 齒+𠯑〔音〕

齒 6 〔齨〕21 구 [上]有 | jiū キュウ うすば
[字解] ①움팬이구 절구처럼 가운데가 움팬이. 노인(老人)의 이를 이름. '一, 老人齒如臼也'《說文》. ②여듧말구 여덟살 먹은 말. '一, 亦馬八歲'《廣韻》.
[字源] 形聲. 齒+臼〔音〕

齒 6 〔⿰齒虫〕21 〔우〕 齲(齒부 9획〈1889〉)의 俗字

齒 6 〔⿰齒列〕21 ⿱列齒(次條)과 同字

齒 6 〔⿱列齒〕21 [一] 랄 [入]曷 | là ラツ ほねをかみこなすおと
[二] 렬 [入]屑 | レツ ほねをかみこなすおと
[字解] [一] ①뼈를씹어으깨는소리랄 '⿰齒列, 齒分骨聲. (段注) 篇韵, 皆作一'《說文》. ②씹을랄. [二] 뼈를씹어으깨는소리렬, 씹을렬 [一]과 뜻이 같음.
[字源] 形聲. 齒+列〔音〕

齒 6 〔齧〕21 설 (얼[本]) [入]屑 | niè ゲツ·ケツ かむ
[字解] ①깨물설 '毋一骨'《禮記》. ②씹을설, 갉아먹을설 '衆蛇競來, 一索且斷'《後漢書》. '書畫被鼠一'《王君玉》. ③이갈설 분노하여 이를 갊. 절치(切齒)함. '自一其齒'《南史》. ④개먹을설 침식함. '欒水一其墓'《戰國策》. ※本音 얼.
[字源] 形聲. 齒+㓞〔音〕

齒 6 〔齤〕21 권 [平]先 | quán ケン はをあらわす
[字解] 이드러낼권 이를 드러내고 웃는 모양. '若士者, 一然而笑'《淮南子》.
[字源] 形聲. 篆文은 齒+𢍏〔音〕

齒 6 〔⿰齒名〕21 명 [平]青 | míng ベイ は
[字解] 이명 이빨. '一, 齒也'《玉篇》.

齒 6 〔齥〕21 〔세〕 齛(齒부 5획〈1886〉)와 同字

齒 6 〔⿰齒圭〕21 〔의〕 ⿰齒宜(齒부 8획〈1889〉)와 同字

齒 6 〔⿰齒旨〕21 예 [去]霽 | yì ゲイ かむ
[字解] 깨물예, 씹을예 '一, ⿰齒齊一, 齧也'《集韻》.

齒 6 〔⿰齒寺〕21 〔치〕 齝(齒부 5획〈1885〉)와 同字

齒 6 〔⿰齒色〕21 〔포〕 齙(齒부 5획〈1886〉)의 訛字

齒 6 〔⿰齒合〕21 [一] 탑 [入]合 | tà トウ くう
[二] 합 [入]合 | コウ くう
[三] 협 [入]洽 | xiá コウ ことごとくくちなかにいれる
[字解] [一] 먹을탑 哈(口부 6획〈160〉)과 뜻이 같고, 嗒(口부 11획〈181〉)과 同字. '一, 食也, 或作哈·嗒'《集韻》. [二] 먹을합 [一]과 뜻이 같음. [三] 죄다입에넣을협 '一, 盡內口中也'《集韻》.

齒 7 〔齫〕22 곤 [上]阮 | kǔn コン はがぬけるさま
[字解] 이빠질곤, 이솟을곤 이가 빠지는 모양. '一然而齒墜矣'《荀子》.

齒 7 〔齬〕22 어 [上]語 | yǔ ギョ くいちがう
[字解] 맞지않을어 齟(齒부 5획〈1885〉)를 보라. '齟一'. '一, 齇一也'《說文》.
[字源] 形聲. 齒+吾〔音〕

齒 7 〔齪〕22 착 [入]覺 | chuò サク·セク ちいさいさま
[字解] 작을착, 잔달착 '齷一'은 이가 잔 모양.
[字源] 形聲. 齒+足〔音〕

齒 7 〔⿰足齒〕22 齪(前條)과 同字

齒 7 〔⿰齒夋〕22 산 [平]寒 | suān サン はがいたむ
[字解] 이새금거릴산, 이곱을산 산(酸)으로 하여 이가 새금거림. '一, 齒酸也'《集韻》.

齒 7 〔⿰齒夾〕22 협 [入]洽 | xiá コウ·キョウ まがったは
[字解] ①옥니협 '一, 曲齒'《玉篇》. ②옥니날

협 '一, 齒曲生'《廣韻》. ③이빠질협 '一, 又缺也'《廣韻》.

齒 7 〔⿱夾齒〕22 ⿰齒夾(前條)과 同字

齒 7 〔⿰齒⿱氏口〕22 〔괄〕 ⿰齒舌(齒부 6획〈1887〉)의 本字

齒 7 〔⿰齒⿱目匕〕22 〔은〕 齦(齒부 6획〈1886〉)의 本字

齒 7 〔⿱佐齒〕22 [一] 차 [平]歌 | cuó サ はがくいちがう
[二] 좌 [上]哿 | サ はがくいちがう

[字解] [一] 이어긋날차 '一, 齒差跌皃'《說文》. [二] 이어긋날좌 [一]과 뜻이 같음.
[字源] 形聲. 齒+佐〔音〕

齒 7 〔⿰齒告〕22 곡 [入]沃 | gǔ コク ぞうげをおさめる

[字解] ①상아(象牙)다룰곡 상아를 다듬어 물건을 만듦. '一, 治象牙曰一'《集韻》. ②잇소리곡 이가 부딪는 소리나 이 가는 소리. '一, 一曰, 齒聲'《集韻》.

齒 7 〔⿰齒我〕22 아 [去]箇 | è が はのさま

[字解] 이모양아 이빨의 모양. '一, ⿰齒可一, 齒皃'《集韻》.

齒 7 〔⿰齒含〕22 암 [平]覃 | ān ガン はぐき

[字解] 잇몸암 치은(齒齦). '一, 齒齶'《集韻》.

齒 7 〔⿰齒言〕22 〔은〕 齗(齒부 4획〈1884〉)과 同字

齒 7 〔⿰齒寽〕22 창 [平]陽 | qiāng ショウ は

[字解] 이창 이빨. '一, 齒也'《龍龕手鑑》.

齒 7 〔⿱佗齒〕22 타 [平]歌 | tuó タ うまのはがながい

[字解] 말의이가길타 '一, 馬齒長也'《集韻》.

齒 7 〔⿱倕齒〕22 타 [平]歌 | tuó タ ただしくない

[字解] 이바르지않을타 이가 고르지 않음. '一, 齒不正也'《篇海》.

齒 7 〔⿰齒夾〕22 〔태〕 ⿰齒來(齒부 8획〈1889〉)와 同字

齒 8 〔齮〕23 의 [上]紙 | yǐ ギ かむ

[字解] ①깨물의 '一齕用事者墳墓矣'《漢書》. ②성의 성(姓)의 하나.
[字源] 形聲. 齒+奇〔音〕

齒 8 〔齯〕23 예 [平]齊 | ní ゲイ ぜんぶぬけたのちにはえたろうじんのは

[字解] 다시난이예 노인의 이가 다 빠지고 다시 난 이. 장수의 상(相)이라 함. '黃髮一齒鮐背耇老, 壽也'《爾雅》. 전(轉)하여, 90세(歲)의 노인. '一齒'. '九十曰鮐背, …或曰一齒'《釋名》.
[字源] 形聲. 齒+兒〔音〕

齒 8 〔齰〕23 색 [入]陌 | zé サク かむ

[字解] 깨물색 '上使太子一齰, 太子一齰而色難之'《漢書》.
[字源] 形聲. 齒+昔〔音〕

齒 8 〔齱〕23 추 [平]尤 | zōu シュウ ちいさいさま

[字解] 작을추, 잘달추 齪(齒부 7획〈1887〉)과 뜻이 같음. '握一好苛禮'《漢書》.
[字源] 形聲. 齒+取〔音〕

齒 8 〔⿰齒厓〕23 [一] 애 [平]佳 | yà ガイ はがあらわれるさま
[二] 이 [平]支 | yí ギ はがあらわれるさま

[字解] [一] 이드러날애 이가 밖으로 드러남. '齒一一以齴齴'《王延壽》. [二] 이드러날이 [一]과 뜻이 같음.

齒 8 〔⿰齒戔〕23 잔 [上]潸 | zhàn サン くいちがう

[字解] 이어긋날잔 '一, 齒跌皃'《集韻》.

齒 8 〔齭〕23 초 [上]語 | chǔ ショ・ソ はがいたむ

[字解] 이곱을초 이가 산으로 말미암아 곱아서 상함. '一, 齒傷酢也'《說文》.
[字源] 形聲. 齒+所〔音〕

齒 8 〔⿰齒卒〕23 [一] 졸 [入]月 | zú ソツ かむ
[二] 즐 [入]質 | シツ かむ

[字解] [一] 씹을졸, 갉아먹을졸 '一, 齧也'《廣雅》. [二] 씹을즐, 갉아먹을즐 [一]과 뜻이 같음.
[字源] 形聲. 齒+卒〔音〕

齒 8 〔⿱制齒〕23 계 [去]霽 | jì ケイ きちがいいぬ

[字解] 미친개계 광견(狂犬). '猘, 狂犬也. 或作一'《集韻》.

齒8 〔⿰齒門〕23 〔간〕 ⿰齒閒(齒부 12획〈1891〉)과 同字

齒8 〔⿱臤齒〕23 견 ㊤銑 | qiǎn ケン はがあらわれるさま

字解 이드러나는모양견 '一, 一齞, 齒露皃'《集韻》.

齒8 〔⿱骨齒〕23 골 | gǔ コツ かむ

字解 물골 깨묾. '一, 齧也'《篇海》.

齒8 〔⿰齒其〕23 기 ㊥支 | qí キ かむ·かじる

字解 깨물기, 갉아먹을기 齮(齒부 8획〈1888〉)와 뜻이 같고, 齗(齒부 4획〈1885〉)는 古字. '一, 齧也, 古作齗'《集韻》. '一, 或从奇'《集韻》.

齒8 〔⿰齒虎〕23 〔악〕 齶(齒부 9획〈1889〉)과 同字

齒8 〔齫〕23 〔운〕 齳(齒부 9획〈1889〉)과 同字

齒8 〔⿰齒宜〕23 日 의 ㊥支 | yì ギ はのあらわれるさま
日 애 ㊥佳 ㊦卦 | yá ガイ はのそろっていないさま / ガイ はぎしり

字解 日 이드러나는모양의 ⿰齒厓(齒부 8획〈1888〉)와 同字. '⿰齒厓, 齴⿰齒厓, 齒露皃, 或从宜'《集韻》. 日 ①이가지런하지못할애 ⿰齒圭(齒부 6획〈1887〉)와 同字. '一, 齹一, 齒不齊, 或作⿰齒圭'《集韻》. ②분하여이갈애 '一, 齒一, 切齒'《類篇》.

齒8 〔⿰齒隹〕23 〔착〕 齪(齒부 7획〈1887〉)과 同字

齒8 〔⿰齒聑〕23 〔착〕 齺(齒부 10획〈1890〉)과 同字

齒8 〔⿰齒來〕23 태 ㊥佳 | zhāi タイ かむ

字解 ①깨물태 씹음. '一, 齧也'《廣雅》. ②깨무는소리태 씹는 소리. '一, 噍齧聲'《玉篇》.

齒8 〔⿰齒臽〕23 함 ㊦陷 | xiàn カン はがみする

字解 분하여이갈함 절치(切齒)함. '一, 怒齒也'《集韻》.

齒9 〔齲〕24 우(구㊍) ㊤麌 | qǔ ク·ウ むしば

字解 충치우 벌레먹은 이. '齊中大夫病一齒'《史記》. ※本音 구.

字源 形聲. 齒＋禹〔音〕

齒9 〔齳〕24 운 ㊤吻 | yǔn グン はがぬけるさま

字解 이빠질운 '太公年七十二, 一然而齒墜矣'《韓詩外傳》.

字源 形聲. 齒＋軍〔音〕

齒9 〔齴〕24 언 ㊤阮 | yǎn ゲン はがあらわれる

字解 이드러날언 이가 겉으로 보이는 모양. '齒⿰齒厓⿰齒厓以——'《王延壽》.

字源 形聲. 齒＋彦〔音〕

齒9 〔齶〕24 악 ㊣藥 | è ガク はぐき

筆順 龷 龷 龷 龷 齒 齒罒 齒罒 齶

字解 잇몸악 치은(齒齦). '齗一'.

字源 形聲. 齒＋咢〔音〕

齒9 〔⿰齒虐〕24 齶(前條)과 同字

齒9 〔齵〕24 우 ①㊥尤 ②㊥虞 | óu ゴウ·グ はなみがただしくない / yú グ やえば

字解 ①맞지않을우 위아래의 이가 서로 맞지 아니함. 전(轉)하여, 사물이 어긋남. '察其菑蚤不一'《周禮》. ②덧니우 '一, 齒重生'《廣韻》.

字源 形聲. 齒＋禺〔音〕

齒9 〔⿰齒冋〕24 齵(前條)와 同字

齒9 〔齷〕24 악 ㊣覺 | wò アク ちいさいさま

字解 작을악, 잗달악 '一齪'은 이가 세밀(細密)한 모양. 전(轉)하여, 마음이 좁은 모양. 작은 일에 구애하는 모양. '小人自一齪, 安知曠士懷'《鮑照》.

字源 形聲. 齒＋屋〔音〕

齒9 〔⿰齒胥〕24 서 ㊤語 | chǔ ショ はがいたむ

字解 이새금거릴서, 이곱을서 산(酸)으로 말미암아 이가 새금거림. '一, 齒酸也'《集韻》.

齒9 〔⿰屑齒〕24 〔절〕 ⿰齒屑(齒부 10획〈1891〉)의 本字

齒9 〔⿰齒咸〕24 ⿱咸齒(次條)의 本字

齒 9 〔⿱咸齒〕 24 [一] 감 [平]咸 | jiān カン かむ
[二] 암 [平]咸 | ガン はがたかいさま
[三] 협 [入]洽 | コウ·キョウ かむさま

[字解] [一] ①씹을감. ②입에넣고씹지않을감 '一, 口持不齧'《集韻》. [二] 이높을암 이가 높은 모양. '一, 齒高皃'《集韻》. [三] ①씹을협 '一, 齧咋皃'《廣韻》. ②씹는소리협 '一, 噍聲'《廣韻》. ③이굽게날협 이가 굽게 나는 모양. '一, 齒曲生皃'《集韻》. 또, 빠진 이. '一, 一曰, 缺齒'《集韻》.
[字源] 形聲. 齒+咸〔音〕

齒 9 〔⿰齒客〕 24 가 [去]禡 | qià カ はのでるさま
[字解] 뻐드렁니가 이가 밖으로 나온 모양. '一, 一⿰犭齒, 齒出皃'《集韻》.

齒 9 〔⿱剌齒〕 24 랄 [入]曷 | là ラツ ものをかむおと
[字解] ①무엇을씹는소리랄 어떤 것을 깨무는 소리. '一, 齧物聲'《玉篇》. ②⿰齒⿱巛列(次條)과 同字. '⿰齒⿱巛列, 說文, 齒分骨聲, 或作一'《集韻》.

齒 9 〔⿰齒⿱巛列〕 24 〔렬〕
⿰齒列(齒부 6획〈1887〉)과 同字

齒 9 〔⿰齒則〕 24 실 [入]質 | shí シツ ものをかむおと
[字解] 무엇을깨무는소리실 어떤 것을 씹는 소리. '一, 齩聲'《字彙》.

齒 9 〔⿰齒查〕 24 〔사〕
⿰齒虘(齒부 11획〈1891〉)의 俗字

齒 9 〔⿱⿰未今齒〕 24 은 [上]吻 | yǐn ギン はがそろう
[字解] 이가지런할은 이가 고름. '一, 齒齊'《篇海》.

齒 9 〔⿰齒臿〕 24 잡 [入]洽 | chā ソウ はのうごくさま
[字解] 이흔들리는모양잡 '一, 一⿰齒內, 齒動皃'《集韻》.

齒 9 〔⿰齒肩〕 24 〔절〕
切(刀부 2획〈99〉)과 同字

齒 9 〔⿰齒曷〕 24 할 [入]曷 | hé カツ ものをかむおと
[字解] 깨무는소리할 씹는 소리. '一, 齧一, 齧物聲'《集韻》.

齒 10 〔齺〕 25 착 [入]覺 | zōu サク はがふれあう
[字解] ①마주대할착 위아래의 이가 마주 대한 모양. 전(轉)하여, 위아래가 맞는 모양. '上下一然相信'《荀子》. ②서로맞물릴착 '車轂一. (注)言車轂相齧也'《管子》.
[字源] 形聲. 齒+芻〔音〕

齒 10 〔齸〕 25 익 [入]陌 | yì エキ はんすうする
[筆順] 止 ⿱止人 ⿱止从 ⿱止从凵 齒 ⿰齒八 ⿰齒㒸 齸
[字解] 새김질할익 노루나 사슴이 반추(反芻)함. '一, 呑芻而反出嚼之也'《廣韻》. '牛曰齝, 云云, 麋鹿曰一'《爾雅》.
[字源] 形聲. 齒+益〔音〕

齒 10 〔齻〕 25 전 [平]先 | diān テン おやしらず
[字解] ①사랑니전 '一, 眞牙也, 男子二十四歲, 女子二十一歲, 眞牙生'《正字通》. ②송곳니전 '右一左一'《儀禮》. ③엄니전 '一, 牙也'《玉篇》.

齒 10 〔⿰齒害〕 25 계 [去]霽 | jiè カイ すいみんちゅうにはぎしりするおと
[字解] 자며이갈계 자면서 이 가는 소리. '一, 睡中切齒聲'《集韻》.

齒 10 〔⿰齒尃〕 25 박 [入]藥 | bó ハク かたいものをかむ
[字解] ①단단한것을씹을박 '一, 噍堅也'《說文》. ②씹는소리박 '一, 噍物聲'《集韻》.
[字源] 形聲. 齒+尃〔音〕

齒 10 〔⿰齒豈〕 25 [一] 애 [平]灰 | ái ガイ はをきしらせる
[二] 개 [平]灰 | gāi カイ はをきしらせる
[字解] [一] ①이갈리게할애 '一, ⿸广齒牙'《說文》. 또, 물건을 가는 도구. '亦引伸爲摩器之名'《說文 段注》. ②엄니애 '一, 牙也'《廣韻》. [二] 이갈리게할개, 엄니개 [一]과 뜻이 같음.
[字源] 形聲. 齒+豈〔音〕

齒 10 〔⿰齒骨〕 25 할 [入]黠 | huá カツ ほねをかむおと
[字解] 뼈깨무는소리할 '一, 齧骨聲'《說文》.
[字源] 形聲. 齒+骨〔音〕

齒 10 〔⿰齒兼〕 25 [一] 암 [平]咸 [平]鹽 | yàn ガン·ゲン はなみがふぞろい ゲン はなみがふぞろい
[二] 엄 [去]豔 | ゲン·ゴン はなみがふぞろい
[字解] [一] 잇속고르지않을암 치열(齒列)이 고르지 않음. '一, 齒差也'《說文》. [二] 잇속고르지않을엄 [一]과 뜻이 같음.
[字源] 形聲. 齒+兼〔音〕

齒10 〔⿰屑齒〕 25 절 [入]屑 | qiè セツ じょうげのはがすれあう

[字解] 이갈릴절 이가 갈림. '一, 按, 謂齒相摩切也'《說文通訓定聲》.
[字源] 形聲. 齒＋屑〔音〕

齒10 〔⿰齒屑〕 25 ⿰屑齒(前條)과 同字

齒10 〔齹〕 25 차 [平]歌 [上]哿 | cuó サ はなみがふぞろい

[字解] ①이고르지못할차 '一, 齒不齊也'《集韻》. ②이촉차 잇몸 속에 들어 있는 이의 뿌리. '一, 齒本'《正韻》.
[字源] 形聲. 齒＋差〔音〕

齒10 〔⿰齒差〕 25 齹(前條)와 同字

齒10 〔⿱𢍏齒〕 25 〔권〕 齤(齒부 6획〈1887〉)의 本字

齒10 〔⿱埶齒〕 25 〔설〕 齧(齒부 6획〈1887〉)과 同字

齒10 〔⿰齒脊〕 25 〔제〕 ⿰齒齊(齒부 14획〈1892〉)와 同字

齒10 〔⿰齒倉〕 25 창 [平]陽 | qiāng ショウ やえば

[字解] ①덧니창 '一, 齒旁小齒'《字彙》. ②씹는소리창 깨무는 소리. '一, 齧聲'《正字通》.

齒11 〔齇〕 26 ㊀사 [平]麻 ㊁서 [上]語 | zhā サ はがくいちがう ショ・ソ はがくいちがう

[字解] ㊀이어긋날사 '一齬'는 이가 어긋남. '一, 一齬, 齒不相値也'《說文》. ㊁ ①이어긋날서 ㊀과 뜻이 같음. ②이고르지못할서 이가 고르지 못한 모양. '一, 齒不齊兒'《廣韻》.
[字源] 形聲. 齒＋虘〔音〕

齒11 〔⿰齒堇〕 26 근 [上]吻 | qǐn キン はのさま

[字解] 이모양근 이빨의 모양새. '一, 一齗, 齒兒'《集韻》.

齒11 〔⿰齒匿〕 26 닉 [入]職 | mì ジョク はいたみ

[字解] 이앓이닉 치통(齒痛). '一, 齒疾'《集韻》.

齒11 〔⿰齒產〕 26 찬 [上]潸 | chǎn サン しょうにのは

[字解] 어린애이찬 '一, 小兒齒'《玉篇》.

齒11 〔⿰齒責〕 26 책 [入]陌 | zé サク はがあいあう

[字解] ①이맞을책 아래위의 이가 맞음. '一, 齒相値也'《說文》. ②깨물책 '一, 一曰, 齧也'《說文》.
[字源] 形聲. 齒＋責〔音〕

齒11 〔⿰齒將〕 26 장 [平]陽 | qiāng ショウ ちいさいは

[字解] 작은이장 이빨이 잚. '一, 小齒'《集韻》.

齒11 〔⿰齒窒〕 26 〔질〕 ⿰齒至(齒부 6획〈1886〉)과 同字

齒12 〔⿰齒間〕 27 간 [去]諫 | jiān カン かむさま

[字解] 깨무는모양간 '一一嚙嚙, 貧鬼相責'《易林》.

齒12 〔⿰齒堯〕 27 〔교〕 齩(齒부 6획〈1886〉)와 同字

齒12 〔⿰齒幾〕 27 기 [平]微 | qí キ はがぐらつく

[字解] 이흔들릴기 '一, 齒危'《集韻》.

齒12 〔⿱猌齒〕 27 은 [上]軫 [平]眞 | yǐn ギン わらう ギン わらってはをあらわす

[字解] ①웃을은 '一, 博雅, 笑也'《集韻》. ②이가지런할은 '一, 一曰, 齒齊'《集韻》. ③웃어서이드러날은 '一, 笑露齒'《集韻》. ④이가나는모양은 어린아이의 이가 나오는 모양. '一, 齒出兒'《集韻》.

齒12 〔⿰齒最〕 27 최 [去]卦 | chuì サイ はをぬく

[字解] 이뽑을최 '一, 剔齒也'《集韻》.

齒12 〔⿰齒單〕 27 〔운〕 齳(齒부 9획〈1889〉)의 訛字

齒13 〔齼〕 28 초 [上]語 | chǔ ショ・ソ はがいたむ

[字解] 이곱을초 이가 산(酸)으로 말미암아 상해서 곱음. 齭(齒부 8획〈1888〉)와 同字.

齒13 〔齽〕 28 금 [去]沁 | jìn キン まがりば jìn キン くちつぐむ

[字解] ①옥니금 안으로 옥게 난 이. '鉤齒內曲, 謂之一'《集韻》. ②입다물금 噤(口부 13획〈187〉)과 同字.
[字源] 形聲. 齒＋禁〔音〕

齒13 〔齺〕28 참 ㊥咸 | zhān サン はもきばもないさま

字解 이엄니없을참 '一齺'는 이도 없고 엄니도 없는 모양. 일설(一說)에 이가 있고 엄니가 없는 모양. '一, 一齺, 無齒無牙狀'《字彙》. '一, 一齺, 有齒無牙狀'《正字通》.

齒13 〔齃〕28 갈 ㊀黠 | hé カツ はのおと

字解 ①이소리갈 이 맞닿는 소리. '一, 齒聲'《集韻》. ②齃(齒부 9획〈1890〉)의 俗字.

齒13 〔齦〕28 곤 | kěn コン かむ | kūn コン へる

字解 ①깨물곤 씹음. '一, 齧也'《康熙字典》. ②줄어들곤 '一, 減也'《康熙字典》. ③돼지가씹을곤 '一, 豕齧物也'《康熙字典》.

齒13 〔齸〕28 〔의〕
齮(齒부 8획〈1888〉)와 同字

齒13 〔齟〕28 저 ㊥魚 | zū ショ はがそろわないさま

字解 이고르지못할저 '一, 齒不齊貌'《字彙》.

齒14 〔齹〕29 찰 ㊀黠 | chā サツ はがするどい

字解 ①이날카로울찰 '一, 齒利'《集韻》. ②모래섞일찰, 섞인모래찰 '一, 一曰, 磣也'《集韻》.

齒14 〔齏〕29 제 ㊤霽 | jì セイ はがそろっていてくいちがわない

字解 ①이가지런할제 이가 가지런하여, 위아래 이가 잘 맞음. '一, 齒齊不齵也'《正字通》. ②씹을제 '一齝'는 씹음. '一齝, 齧也'《集韻》.

齒15 〔齸〕30 〔차〕
齹(齒부 10획〈1891〉)의 本字

齒15 〔齾〕30 랍 ㊀合 | là ロウ かむおと

字解 씹는소리랍 깨무는 소리. 齃(齒부 13획〈1892〉)과 뜻이 같음. '一, 嚏聲, 或作齃'《集韻》.

齒16 〔齫〕31 력 ㊀錫 | lì レキ はのやまい

字解 너리먹을력 잇병. '一, 齒病'《集韻》.

齒17 〔齴〕32 련 ㊥先 | lián レン はがあらわれるさま

字解 이드러날련 이가 드러나는 모양. '一, 齒見皃'《說文》.

字源 形聲. 齒+聯〔音〕

齒17 〔齵〕32 참 ㊥咸 | chán サン はがたかい

字解 이높을참 '一, 一齴, 齒高'《集韻》.

齒20 〔齾〕35 알 ①②㊀黠 ③㊀曷 | yà ガツ かけば ガツ けもののくいのこし

字解 ①이빠질알 '一, 缺齒也'《說文》. ②그릇이빠질알 '交斫相缺一'《韓愈》. ③짐승턱찌끼알 짐승이 먹다 남긴 찌끼. '獸食之餘曰一'《廣韻》.

字源 形聲. 齒+獻〔音〕

齒20 〔齴〕35 엄 ㊤豔 ㊥咸 | yàn ゲン よいさま | yán ガン はがたかい

字解 ①좋은모양엄 '一, 好皃'《玉篇》. ②이어긋날엄 이가 맞지 않음. '𪘁, 齒差也, 或从嚴'《集韻》. ③이높을엄 '一, 齵一, 齒高'《集韻》.

齒25 〔齹〕40 차 ㊥支 | cuó シ はがそろわない

字解 이가지런하지않을차 '一, 齒不齊也'《字彙補》.

齒25 〔齋〕40 재 ㊥佳 | zhāi タイ はがはえる

字解 이날재 이가 돋아남. '一, 齒生也'《五音篇海》.

龍 部

〔용 룡 부〕

龍0 〔龍〕16 高·人 | ㊀ 룡 ㊥冬 lóng リョウ·リュウ たつ | ㊁ 롱 ㊤腫 lǒng リョウ おか | ㊂ 망 ㊥江 máng ボウ·モウ まだら | ㊃ 총 ㊤腫 chǒng チョウ いつくしみ

筆順 亠 立 产 音 音 背 龍 龍

字解 ㊀ ①용룡 상상(想像)의 신령한 동물. 구름을 일으켜 비를 내리게 한다 함. 그 중, 비늘이 있는 것을 '蛟一', 날개가 있는 것을 '應一', 뿔이 있는 것을 '虬一', 뿔이 없는 것을 '螭一'이라 함. '時乘六一以御天'《易經》. '一鳳'. '飛一'. 전(轉)하여, 뛰어난 인물의 비유로 쓰임. '伏一'. '諸葛孔明臥一也'《蜀志》. 또, 천자(天子)에 관

한 사물의 관형사로 쓰임. '一顏'. '一駕'. '一德而隱者也'《易經》. ②말롱 높이 8척 이상의 말. '駕蒼一'《禮記》. ③별이름롱 세성(歲星), 곧 목성(木星)의 별칭. '一, 宋鄭之星也'《左傳》. ④성롱 성(姓)의 하나. 曰 언덕롱 壟(土부 16획〈224〉)과 통용. '有私一斷'《孟子》. 曰 얼룩망 흑백의 반점. '上公用一'《周禮》. 四 은총총 寵(宀부 16획〈287〉)과 통용. '何天之一'(何=荷)《詩經》.

字源 象形. 머리 부분에 '辛신'자 모양의 장식이 있는 뱀을 본떠, '용'의 뜻을 나타냄.

參考 ①'龍용'을 의부(意符)로 하여, 용에 관한 문자를 이룸. 부수 이름은 '용룡'. ② 竜(立부 5획〈926〉)은 古字.

龍0 〔龍〕15 龍(前條)의 略字

龍2 〔龐〕18 〔방〕 龐(龍부 3획〈1893〉)의 俗字

龍3 〔龏〕19 曰 공 ㊥冬 gōng キョウ つつしむ
曰 악 ㊀覺 wò アク つつしむ

字解 曰 ①삼갈공 '一, 慤也'《說文》. ②오를공 높은 데로 올라감. '一, 升也'《字彙》. 曰 ①삼갈악 ━❶과 뜻이 같음. ②등불가리개악 '一, 燭蔽'《廣韻》.

字源 會意. 龍+廾

〔壟〕〔롱〕 土부 16획(224)을 보라.

龍3 〔獵〕19 롱 ㊥東 lóng ロウ けもののな

字解 짐승이름롱 '一, 獸名'《集韻》.

龍3 〔𪚔〕19 롱 ㊥冬 lóng リョウ おおい

字解 덮개롱 씌우개. '一, 蒙一也'《字彙》.

龍3 〔龐〕19 人名 曰 방 ㊥江 páng ホウ みだれる
曰 롱 ㊥東 lóng ロウ みちる

筆順 一 广 广 庐 庐 庐 龐 龐

字解 曰 ①어지러울방 난잡함. '不和政一'《書經》. ②클방, 높을방 고대(高大)함. '形之一也, 類有德'《柳宗元》. ③성방 성(姓)의 하나. 曰 알찰롱, 살질롱 충실한 모양. '四牡一一. (注)一一, 充實也'《詩經》.

字源 形聲. 广+龍〔音〕

龍4 〔龑〕20 엄 ㊤琰 yǎn エン たかくあきらか

字解 높고밝을엄 고명(高明)한 모양.

字源 會意. 龍+天

〔龒〕〔롱〕 木부 16획(590)을 보라.

龍4 〔龕〕20 〔감〕 龕(龍부 6획〈1893〉)과 同字

龍4 〔𪚗〕20 〔롱〕 籠(竹부 16획〈962〉)과 同字

龍4 〔𪚙〕20 〔롱〕 穠(禾부 16획〈914〉)과 同字

龍4 〔𪚚〕20 롱 ㊥東 lóng ロウ あか

字解 붉을롱 붉은빛. '一, 赤色'《字彙補》.

龍5 〔龒〕21 〔롱〕 龍(部首〈1892〉)의 古字

〔礱〕〔롱〕 石부 16획(884)을 보라.

龍6 〔龔〕22 공 ㊥冬 gōng キョウ そなえる

字解 ①이바지할공 供(人부 6획〈49〉)과 同字. ②공손할공 恭(心부 6획〈387〉)과 통용. '夙資一懿'《江淹》. ③성공 성(姓)의 하나.

字源 形聲. 龍+共〔音〕

〔聾〕〔롱〕 耳부 16획(1062)을 보라.

〔襲〕〔습〕 衣부 16획(1292)을 보라.

龍6 〔𪚛〕22 穠(次條)과 同字

龍6 〔龓〕22 롱 ㊥東 lòng ロウ あわせもつ

字解 겸유할롱 겸하여 가짐. '一, 兼有也'《說文》.

字源 形聲. 有+龍〔音〕

龍6 〔𪚜〕22 롱 ㊥冬 lóng リョウ かんてんにあめをいのるにもちいるたま

字解 용그린옥롱 가뭄에 기우제를 드릴 때에 쓰는 용무늬 있는 옥(玉). 瓏(玉부 16획〈785〉)과 同字.

龍6 〔龕〕22 감 ㊥覃 kān カン·ガン とう

字解 ①탑감 절의 탑(塔). 또, 탑 아래의 방. '禪一只晏如'《杜甫》. ②감실감 신불(神佛)을 안치(安置)하는 장. 또, 불단(佛壇). '佛一'. '啓一'. '莊嚴一像'《江淹》. ③이길감 평정함. '一暴貪神理'《謝靈運》.
字源 形聲. 龍+今〔音〕

龍7 〔龗〕23 룡 ㊥冬 | lóng リョウ かんなぎ
字解 무당룡 '一, 巫也'《廣雅》.

〔讋〕〔섭〕
言부 16획(1363)을 보라.

龍16 〔龖〕32 ㊀답 ㉦合 | dá トウ とぶりゅう
㊁삽 ㉦合 | ソウ とぶりゅう
字解 ㊀①나는용답, 용날답 비룡(飛龍). 또, 용이 나는 모양. '一, 飛龍也'《說文》. '一, 龍飛之狀'《廣韻》. ②두려워할답 '一, 震怖也. 二龍竝飛, 威靈盛赫, 見者氣奪'《六書精蘊》. ㊁나는용삽, 용날삽, 두려워할삽 ㊀과 뜻이 같음.
字源 會意. '龍룡'을 둘 나란히 놓아, 용이 함께 겹쳐서 날다의 뜻을 나타냄.

龍17 〔龗〕33 령 ㊥青 | líng レイ・リョウ りゅう
字解 ①용령 '一, 龍也'《說文》. ②신(神)령, 좋을령 '一, 又作靈. 神也. 善也'《玉篇》.
字源 形聲. 龍+霝〔音〕

龍32 〔龘〕48 답 ㉦合 | dá トウ りゅうのゆくさま
字解 용갈답 용이 앞으로 가는 모양. '一, 龍行也'《玉篇》.

龍48 〔𪚥〕64 절 ㉦屑 | zhé テツ ことばがおおい
字解 말많을절 '一, 多言'《字彙補》.

龜 部

〔거북귀부〕

龜0 〔龜〕16 人名 ㊀귀 ㊥支 | guī キ かめ
㊁구 ㊥尤 | qiū キュウ くにのな
㊂균 ㊥眞 | jūn キン ひびがきれる

筆順 (필순)

字解 ㊀①거북귀 파충류의 하나. 고대에 신령한 동물로 여겨, 그 껍데기는 거북점에 썼음. '一卜'. '麟鳳一龍, 謂之四靈'《禮記》. 또, 그 껍데기로써 삼은 화폐. '人用莫如一'《漢書》. ②거북껍데기귀 귀갑. '攻一用春時'《周禮》. ③등골뼈귀 척골. '射麋麗一'《左傳》. ④패물귀 관리가 차는 물건. '解一在景平. (注)猶解綬去仕也'《謝靈運》. ㊁나라이름구 '一玆'는 고차(庫車) 부근에 있던 서역(西域)의 한 나라. ㊂틀균 피부가 추위에 얼어 갈라짐. '一裂'. '宋人有善爲不一手之藥者'《莊子》.
字源 象形. 거북의 모양을 본떠, '거북'의 뜻을 나타냄.
參考 ①'龜귀'를 의부(意符)로 하여, 거북에 관한 문자를 이룸. 부수 이름은 '거북귀'. ②亀(乙부 10획〈24〉)는 俗字.

龜0 〔龜〕17 龜(前條)와 同字

龜1 〔龜〕17 龜(前前條)의 本字

龜2 〔龜〕18 〔귀〕
龜(部首〈1894〉)와 同字

龜3 〔䨨〕19 규 ㊥支 | kuī キ おんなのあざな
字解 ①여자의자(字)규 여자 이름에 쓰는 문자. '一, 女字'《五音集韻》. ②이변(異變)을알규 '一, 知異也'《玉篇》.

龜4 〔𪛉〕20 초 ㊥蕭 | jiāo ショウ うらかたがあらわれない
字解 점조안나타날초 거북 껍데기가 눌어서 점조(占兆)가 나타나지 않음. '一, 灼龜不兆也'《說文》.
字源 會意. 龜+灬(火)

龜4 〔𪛊〕20 𪛉(前條)와 同字

龜4 〔䶪〕20 ㊀염 ㊥鹽 | rán ゼン・ネン かめのこうのへり
㊁남 ㊥覃 | ダン・ナン かめのこうのへり
字解 ㊀①거북딱지가염 거북의 딱지의 가장자리. '一, 龜甲邊也'《說文》. ②며느리발톱있는거북염 '一, 龜有距也'《廣韻》. ㊁거북딱지가남, 며느리발톱있는거북남 ㊀과 뜻이 같음.
字源 形聲. 龜+冄〔音〕

龜4 〔龕〕20 감 ㊋勘 | gàn カン かめ
字解 거북감 '一, 龜也'《字彙》.

龜 4 〔𪚪〕20 구 ㊥尤 | gōu コウ かめのいっしゅ

字解 거북류(類)구 '一, 龜類'《字彙》.

龜 4 〔龜毛〕20 초 ㊥蕭 | jiāo ショウ けのかざりもの

字解 털로장식한것초 '一, 毛飾物'《字彙》.

龜 4 〔龜〕20 촉 ㊣沃 | cū ショク かいちゅうのおおえび

字解 바닷속큰새우촉 '一, 一蜅, 海中大蝦'《字彙》.

龜 5 〔龝〕21 〔추〕 秋(禾부 4획〈898〉)의 古字

龜 5 〔龜〕21 거 ㊧御 | qù キョ ひきがえる

字解 두꺼비거 '一, 蟾也'《字彙》.

龜 5 〔龜〕21 구 ㊥虞 | gōu ク かめのいっしゅ

字解 거북류(類)구 거북의 한 종류. 䵹(黽부 5획〈1871〉)의 俗字. '一, 水蟲'《篇海》. '一, 俗䵹字, 舊注, 水蟲, 卽黿屬, 當从䵹'《正字通》.

龜 5 〔龜〕21 동 ㊥冬 | tōng トウ かめのな

字解 거북이름동 '一, 龜名'《說文》.

龜 5 〔龜〕21 앙 ㊥陽 | yāng ヨウ かめのいっしゅ

字解 거북류(類)앙 거북의 한 종류. 鼆(黽부 5획〈1871〉)과 同字. '一, 龜屬, 或从黽'《集韻》.

龜 5 〔龜〕21 주 ㊤麌 | zhǔ チュ かめのな

字解 거북이름주 '一, 烏一, 龜名'《集韻》.

龜 5 〔龜〕21 파 ㊤哿 | bǒ ハ かめのいっしゅ

字解 거북류(類)파 '一, 龜屬, 或从黽'《集韻》.

龜 5 〔龜〕19 구 ㊥尤 | qiū キュウ くにのな

字解 나라이름구 '一, 一茲, 國名, 俗字'《字彙》.

龜 8 〔龜〕24 효 ㊧效 | xiào コウ かめがあたまをちぢめる

字解 거북머리움츠릴효 '一, 龜縮頭也'《字彙補》.

龜 9 〔龜〕25 〔추〕 秋(禾부 4획〈898〉)의 籀文

龜 11 〔龜〕27 휴 ㊥齊 | huí ケイ おおきいかめ

字解 큰거북휴 '一, 大龜, 形如山'《字彙》.

龜 11 〔龜〕27 구 | qū ク かめがはう

字解 거북기어갈구 '一, 龜行也'《字彙補》.

龜 17 〔龗〕33 령 ㊥青 | líng レイ かめのな

字解 거북이름령 '一, 黃一, 龜名'《集韻》.

龠　部

〔피리약부〕

龠 0 〔龠〕17 약 ㊣藥 | yuè ヤク ふえ

字解 ①피리약 대나무로 만든, 구멍이 셋 또는 여섯 있는 피리. 籥(竹부 17획〈963〉)과 同字. '左手執一'《詩經》. ②작약 분량의 단위의 하나. 한 홉의 십분의 일. 곧, 기장〔黍〕1,200 알의 분량. '合一爲合, 十合爲升, 十升爲斗, 十斗爲斛'《漢書》.

字源 象形. 부는 구멍이 있는 관(管)을 나란히 엮은 모양을 본떠, '관악기, 피리'의 뜻을 나타냄. '籥약'의 原字.

參考 '龠약'을 의부(意符)로 하여, 피리나 그 취주에 관한 문자를 이룸. 부수 이름은 '피리약'.

龠 4 〔龡〕21 취 ㊥支 | chuī スイ ふく

字解 불취 吹(口부 4획〈151〉)와 同字. '籥師, 掌教國子舞羽一籥'《周禮》.

龠 4 〔龥〕21 약 ㊣藥 | yuè ヤク あおぐ

字解 우러를약 爚(火부 16획〈730〉)과 同字. '一, 仰也, 或从龠'《集韻》.

龠 4 〔龂〕21 은 ㊥文 | yín ギン おおぶえ

字解 ①큰피리은 큰 저. '一, 大篪'《集韻》. ②笉(竹부 7획〈938〉)·筣(竹부 7획〈940〉)·沂(水부 4획〈630〉)과 同字. '一, 或作笉·筣, 通作沂'《集韻》.

龠 5 〔龢〕22 화 ㊥歌 | hé カ やわらぐ

[字解] 화할화 和(口부 5획〈157〉)의 古字. '如樂之一'《左傳》. '一, 調也'《說文》.
[字源] 形聲. 龠+禾〔音〕

龠 8 〔龣〕25 [一]각 [入]覺 / [二]록 [入]屋 | jué カク とうほうのおと / ロク とうほうのおと

[字解] [一] ①동방(東方)의소리각 오음(五音)의 하나. 角(部首〈1304〉)과 통용. '宮商一徵羽'《魏書》. ②악기이름각 '一, 樂器'《廣韻》. [二] 동방의소리록, 악기이름록 [一]과 뜻이 같음.

龠 8 〔龡〕25 취 [平]支 [去]寘 | chuī スイ がっきをふきならす

[字解] 불취 악기(樂器)를 붊. 歈(龠부 4획〈1895〉)와 同字. '一, 一音律管壎之樂也'《說文》.
[字源] 形聲. 龠+炊〔音〕

龠 9 〔龥〕26 유 [去]遇 | yù ユ よぶ

[字解] ①부를유 호소함. '舞辜一天'《書經》. ②고를유 조화함. '率一衆慼'《書經》.
[字源] 形聲. 頁+龠〔音〕

龠 9 〔龤〕26 〔해〕 諧(言부 9획〈1342〉)와 同字

龠 9 〔⿱皀龠〕26 비 [去]寘 | pì ヒ ほうがやぶれるさま

[字解] 법(法)이결딴나는모양비 법이 무너진 상황. '一, 法敗皃'《集韻》.

龠 9 〔⿰龠音〕26 암 [去]陷 | ān アン ひくいこえ

[字解] 낮은소리암 ⿰龠音(音부 11획〈1681〉)과 同字. '⿰龠音, 下聲也, 或从龠'《集韻》.

龠 10 〔⿱竹⿰龠殳〕27 련 [平]鹽 | lián レン つえでうつつづみ

[字解] 채로치는북련 '一, 今之杖鼓'《字彙》.

龠 10 〔⿰龠虒〕27 지 [平]支 | chí チ ふえ

[字解] 저이름지 가로 부는 대나무로 만든 관악기의 하나. 구멍이 여덟 개인데, 그 중 하나는 뚝 떨어져 있어, 이 구멍으로 불게 되어 있음. 길이는 큰 것은 1척(尺) 4촌(寸), 작은 것은 1척 2촌. 篪(竹부 10획〈949〉)와 同字. '鳴一兮吹竽'《楚辭》.
[字源] 形聲. 龠+虒〔音〕. 別體는 竹+虒〔音〕

龠 14 〔⿱竹⿰龠虒〕31 ⿰龠虒(前條)의 俗字

龠 16 〔⿰龠龜〕33 〔소〕 簫(竹부 13획〈958〉)의 古字

龠 20 〔⿰龠⿱龜灬〕37 〔소〕 簫(竹부 13획〈958〉)와 同字

部首檢字索引

1. 본 漢字辭典에 收錄된 表題字를 部首順으로 싣고, 각 部首에 속하는 漢字들을 畫數順으로 配列하여 찾기에 容易하게 하였다.
2. 表題字 왼편의 숫자는 畫數를, 오른편 숫자는 쪽수를 나타낸다.

획	자	면	획	자	면	획	자	면	획	자	면	획	자	면	획	자	면	획	자	면
	一 部			世	12	10	䶄	13	10	臨	15		乂	18		乑	20		乭	22
	一	9		亐	12		虛	13	11	㽞	15		么	18		兼	20	5	飞	22
1	丁	9		丗	12	12	憂	13		丶 部		3	朱	18	10	乘	20		乫	22
	丂	9		且	12		虞	14		丶	15		乌	18		爱	20		乬	22
	丅	9		丕	12	13	虧	14	2	丷	15		之	18		晉	20		乮	22
	七	9		丘	12	14	壼	14		丸	16	4	乎	18		乘	20		乩	22
	丄	9		丠	12		丨 部			凡	16		乎	18	12	雩	20		乱	22
2	三	9		业	12		丨	14	3	为	16		乏	18		乙 部			乶	22
	下	10	5	丙	12	1	丩	14		丹	16		乍	18		乙	20		乷	22
	万	10		丕	13		卜	14	4	主	16		乎	18		乚	20		乭	22
	丈	10		両	13	2	个	14		丼	16		乗	18		乚	20		乴	22
	丌	10		囟	13		丫	14		冃	16		乐	18	1	乜	20	6	乺	22
	上	10		丽	13	3	中	14	5	弃	16	5	乒	19		九	20		乱	22
	丘	11		丞	13		丰	14		丿 部			乓	19	2	飞	21		乵	22
	丒	11		丢	13		丰	15		丿	16		乑	19		乞	21	7	乳	22
3	不	11		北	13		丮	15		乀	17		乕	19		也	21		乿	22
	丏	11	6	所	13		书	15		乁	17		乕	19		乤	21		乬	23
	丐	11		两	13	4	丱	15		⺄	17		丢	19	3	夙	21		乽	23
	丆	11		丣	13	5	串	15	1	乂	17		乔	19		乣	21		乼	23
	兀	11		丽	13		中	15		乄	17		乖	19		乫	21		乫	23
	丈	11	7	並	13	6	串	15		乃	17		自	19		乭	21	8	乴	23
	丑	11		䒑	13	7	弗	15		𠂇	17	6	乕	19	4	乿	21		乶	23
	丒	11		丽	13		丳	15		厂	17	7	乖	19		电	21		乷	23
	与	11		囱	13	8	临	15		乡	17	8	乘	19		乪	21		乿	23
	与	11	8	竝	13		举	15	2	久	17		乘	19		乬	21		乹	23
	乓	11		虐	13		丵	15		夂	17		爰	19		乭	22		乼	23
4	丙	11		昼	13	9	丵	15		乇	17	9	乘	19		乼	22		乽	23

부수검자색인

乽 23
9 乿 23
10 𠃵 23
乾 23
亃 24
亀 24
亁 24
11 乾 24
12 亂 24
亄 24
15 𠆆 24
18 𠆇 24
𠆈 24

亅部

亅 24
乚 24
𠄌 24
𠄎 24
1 了 24
𠄏 25
2 亇 25
3 予 25
𠄔 25
5 争 25
𠄙 25
6 亊 25
7 事 25

𠄞 25
11 𠄡 25
15 𪜶 25

二部

二 25
二 25
𠄟 25
1 于 26
亏 26
亍 26
2 云 26
亖 26
亓 26
开 26
专 26
互 26
五 26
𠄢 26
井 26
3 击 27
亗 27
4 亘 27
亙 27
亚 27
5 𠄨 27
亜 27
亘 27

𠄪 27
些 27
6 亞 27
亟 27
12 𠄭 27
14 𠄮 28

亠部

亠 28
1 亡 28
2 亢 28
亣 28
4 交 28
亥 29
亦 29
𠅃 29
5 亨 29
㐬 29
亩 29
6 享 29
京 29
𠅘 29
𠅝 30
7 亭 30
亮 30
亰 30
亯 30
亱 30

8 亳 30
亮 30
亭 30
𠅱 30
9 亳 30
亭 30
亭 30
10 高 30
孰 30
11 亶 30
12 亸 31
13 𠆂 31
𠆋 31
16 𠆌 31
19 亹 31
20 亹 31

人部

人 31
亻 31
1 亼 31
个 31
亿 31
2 从 31
今 31
介 31
𠆣 32
仌 32

仑 32
仓 32
仒 32
仄 32
内 32
什 32
仁 32
仆 32
仂 33
仇 33
仍 33
仉 33
仃 33
仏 33
仪 33
仅 33
仐 33
3 仚 33
令 33
令 33
参 33
㐃 33
仝 34
𠆩 34
丛 34
以 34
仔 34

仕 34
他 34
仗 34
付 34
仙 34
仞 35
仭 35
仟 35
仡 35
仢 35
代 35
仜 35
仨 35
仪 35
㐰 35
仸 35
4 企 36
会 36
伞 36
众 36
仰 36
仲 36
仳 36
仵 36
件 36
仯 36
价 36

任 36
仿 37
伈 37
伉 37
伊 37
伋 37
伍 37
伎 37
伏 38
伐 38
伂 38
休 38
伀 38
伙 38
伱 38
佛 38
伶 39
仸 39
优 39
伔 39
伕 39
优 39
伙 39
伃 39
伩 39
似 39
份 39

부수검자색인

役 39	伾 41	伱 44	佩 45	例 48	⿰亻西 50	俌 52
仮 39	佃 41	你 44	佯 45	侍 48	假 50	俄 52
伜 39	伷 41	你 44	佰 45	侏 48	偻 50	俅 52
伝 39	但 41	伌 44	佳 46	侐 48	⿰亻采 50	俊 52
伛 39	佇 41	佂 44	併 46	佫 48	侠 50	俇 52
伍 39	佈 41	佟 44	佴 46	佬 48	侭 50	俋 52
伵 39	佌 41	佁 44	佶 46	⿰亻考 48	侫 50	俍 52
伤 39	位 41	佤 44	佸 46	侑 48	価 50	俜 52
仗 39	低 42	佣 44	佹 46	侔 48	7 俞 50	俏 52
伃 39	住 42	佢 44	⿰亻戎 46	侗 48	⿱人足 50	俐 52
伩 39	佐 42	伿 44	佭 46	侘 49	⿱人尒 50	俑 52
5 余 39	佑 42	伹 44	侞 46	供 49	俎 50	俔 53
佘 39	佒 42	佅 45	佺 46	侜 49	[illegible] 50	俢 53
⿱人甲 39	佊 42	伭 45	佻 46	⿰亻曲 49	侮 50	俗 53
⿱人申 40	体 42	体 45	佼 46	依 49	侯 50	俘 53
⿱人内 40	佔 42	佶 45	佽 47	侙 49	俟 50	俚 53
佥 40	何 42	⿰亻毋 45	佾 47	侎 49	侲 50	俛 53
伯 40	佖 43	但 45	使 47	佮 49	侵 51	俓 53
估 40	佗 43	休 45	侘 47	⿰亻匡 49	侸 51	保 53
佋 40	佚 43	体 45	侃 47	侀 49	侶 51	俟 53
伴 40	佛 43	⿰亻丙 45	侃 47	侒 49	侻 51	俠 54
伶 40	作 43	6 侖 45	侇 47	⿰亻囟 49	便 51	信 54
伸 40	佐 44	⿱人王 45	侈 47	佪 49	俉 51	侳 54
伺 40	佞 44	⿱人先 45	侁 47	侚 50	俣 51	侹 54
伻 41	佝 44	⿱人去 45	侅 47	佷 50	係 51	⿰亻身 54
似 41	佉 44	㐺 45	侄 47	侉 50	俙 51	保 54
伽 41	佀 44	來 45	侊 48	侮 50	促 52	⿰亻弁 54

俆 54	併 56	倨 59	倈 60	偪 62	偨 64	傒 66
俒 54	俸 56	倩 59	倘 60	偭 62	偘 64	傕 66
俙 54	倅 56	倪 59	倗 60	偲 62	偬 64	傔 66
俖 54	倆 56	倫 59	倸 60	側 62	偻 64	傷 66
使 54	個 56	倬 59	倹 60	偵 63	偋 64	傑 66
俓 54	倌 57	倧 59	倚 60	偶 63	偺 64	傞 66
侗 55	倍 57	倭 59	倃 60	偁 63	偞 64	傖 66
俈 55	倕 57	倮 59	倔 60	偷 63	偡 64	傠 66
俾 55	偒 57	倱 59	9 偃 60	偠 63	偄 65	備 66
8 倉 55	們 57	倳 59	假 61	偤 63	偀 65	傚 66
㑒 55	倒 57	倄 59	偀 61	偌 63	偻 65	傷 66
釡 55	倔 57	倄 59	偹 61	偍 63	偹 65	傌 67
㑹 55	倖 57	倗 59	偫 61	偢 63	偿 65	傆 67
躹 55	倸 57	倏 60	偈 61	偯 63	偽 65	傉 67
丧 55	候 57	倃 60	偒 61	偛 63	偘 65	傂 67
修 55	倚 57	倠 60	偉 61	偦 64	偖 65	傓 67
俯 55	倛 58	倛 60	偊 61	偯 64	10 傘 65	傁 67
俱 55	倜 58	倓 60	偏 61	偨 64	傡 65	傒 67
俹 55	倞 58	倇 60	偓 62	偩 64	傀 65	傞 67
俳 55	値 58	倰 60	偰 62	偎 64	傁 65	傢 67
俵 55	倣 58	倷 60	偗 62	偅 64	傫 65	傛 67
俴 56	倨 58	倐 60	偕 62	偮 64	傎 65	傸 67
俶 56	倢 58	倏 60	做 62	偞 64	傅 65	傗 67
俺 56	倡 58	倆 60	停 62	偺 64	傋 65	傈 67
俾 56	借 58	倒 60	偦 62	偉 64	傍 65	傻 67
俿 56	倥 58	倗 60	偟 62	偆 64	傐 66	傴 67
倀 56	倦 58	倂 60	健 62	偄 64	傑 66	傶 67

부수검자색인

傜 67
僀 67
傉 67
11 僉 67
[illegible] 67
催 67
傭 68
傪 68
[illegible] 68
傲 68
傳 68
傮 68
傴 68
債 68
僁 69
傷 69
傺 69
傾 69
僂 69
僆 69
[illegible] 69
僄 69
僅 69
僇 69
[illegible] 69
[illegible] 69
僈 70

傱 70
[illegible] 70
[illegible] 70
傽 70
傻 70
僊 70
傿 70
傯 70
偋 70
[illegible] 70
傹 70
傰 70
傫 70
僋 70
働 71
[illegible] 71
備 71
僧 71
[illegible] 71
12 桼 71
[illegible] 71
[illegible] 71
[illegible] 71
僰 71
像 71
僑 71
僎 71

[illegible] 71
僕 71
僓 71
僚 72
僙 72
[illegible] 72
僛 72
僝 72
僞 72
僘 72
僥 72
[illegible] 72
僨 72
僩 72
僬 72
[illegible] 73
僣 73
[illegible] 73
僜 73
僒 73
僮 73
僤 73
僪 73
僔 73
僢 73
僖 73
僐 73

僯 73
僭 73
僟 73
[illegible] 74
[illegible] 74
[illegible] 74
僗 74
[illegible] 74
[illegible] 74
[illegible] 74
僡 74
[illegible] 74
[illegible] 74
13 儁 74
[illegible] 74
僵 74
價 74
僻 74
[illegible] 74
[illegible] 74
[illegible] 74
僾 74
儌 74
儀 75
儂 75
儃 75
億 75

儆 75
儇 75
儈 75
儉 75
儋 75
[illegible] 76
僶 76
[illegible] 76
[illegible] 76
[illegible] 76
[illegible] 76
[illegible] 76
[illegible] 76
[illegible] 76
僷 76
14 儐 76
儒 76
儔 76
儕 76
儗 76
儘 76
儛 77
儓 77
[illegible] 77
儜 77
儖 77
儚 77

[illegible] 77
[illegible] 77
儞 77
15 償 77
[illegible] 77
[illegible] 77
優 77
儥 78
[illegible] 78
[illegible] 78
儤 78
[illegible] 78
[illegible] 78
[illegible] 78
[illegible] 78
[illegible] 78
儶 78
儧 78
16 [illegible] 78
儲 78
儭 78
[illegible] 78
[illegible] 78
儱 78
[illegible] 79
[illegible] 79
儢 79

17 儳 79
[illegible] 79
[illegible] 79
[illegible] 79
18 [illegible] 79
[illegible] 79
[illegible] 79
19 儷 79
[illegible] 79
儺 79
儸 79
儹 79
[illegible] 79
[illegible] 79
20 儻 79
儼 80
[illegible] 80
[illegible] 80
21 [illegible] 80
儽 80
[illegible] 80
[illegible] 80
22 儾 80

儿 部

儿 80
1 兀 80
2 允 80

元 80
先 81
兂 81
3 兄 81
[illegible] 81
充 81
4 充 81
兆 81
兇 81
先 81
光 82
[illegible] 82
[illegible] 82
[illegible] 82
兕 82
[illegible] 82
兊 82
尧 82
5 克 82
兑 82
免 82
兕 83
[illegible] 83
[illegible] 83
児 83
兎 83
兒 83

6 兒 83
兒 83
兔 83
兔 83
兟 83
兕 83
兖 83
7 兗 83
[illegible] 83
尭 83
8 党 83
[illegible] 83
9 兜 84
10 兟 84
12 兢 84
16 [illegible] 84
22 [illegible] 84

入 部

入 84
1 亾 84
2 內 84
从 84
3 仝 84
4 全 84
5 [illegible] 85
㒳 85
6 兩 85

7 兪 85
10 [illegible] 85

八 部

八 85
2 公 85
[illegible] 86
兮 86
[illegible] 86
六 86
3 兰 86
4 [illegible] 86
关 86
共 86
兴 86
5 [illegible] 86
兵 86
兵 86
共 87
[illegible] 87
[illegible] 87
6 其 87
具 87
具 87
典 87
7 㒸 87
8 兼 87
真 87

9 [illegible] 87
[illegible] 87
10 [illegible] 87
11 [illegible] 87
12 [illegible] 87
14 冀 87
18 顚 88
[illegible] 88

冂 部

冂 88
1 [illegible] 88
2 冃 88
円 88
冄 88
冈 88
3 册 88
冊 88
冋 88
[illegible] 88
[illegible] 88
冉 88
冉 89
肉 89
冄 89
4 冊 89
再 89
再 89

冎 89
5 冏 89
[illegible] 89
网 89
6 [illegible] 89
[illegible] 89
冑 89
7 冒 89
胄 89
8 㝵 89
冓 90
冓 90
侖 90
9 [illegible] 90
冕 90
[illegible] 90
10 最 90
冕 90
12 [illegible] 90
13 [illegible] 90
20 [illegible] 90
[illegible] 90

冖 部

冖 90
2 冗 90
冘 90
3 写 90

写 90
4 农 90
5 冝 90
6 冞 90
7 冠 90
冟 91
[illegible] 91
8 冡 91
冢 91
冤 91
冥 91
冣 91
冦 91
9 冨 91
10 [illegible] 91
冡 91
幂 91
12 寫 91
14 冪 92
[illegible] 92

冫 部

冫 92
1 习 92
3 冬 92
4 冱 92
冴 92
[illegible] 92

冰 92
冲 92
沁 92
决 92
次 92
5 冶 92
冷 92
冸 92
冹 93
况 93
6 冽 93
洛 93
洫 93
7 浗 93
浸 93
冽 93
浼 93
8 凄 93
凊 93
凋 93
凌 93
凍 93
涸 93
凇 93
涬 93
凉 93
准 94

부수검자색인

획	자	쪽
	凈	94
	渊	94
	涵	94
9	凑	94
	减	94
10	凔	94
	溰	94
	溓	94
	凓	94
	涌	94
	凕	94
	凖	94
11	凙	94
	凗	94
	漻	94
	㬥	94
12	凘	94
	潔	94
	澰	94
13	凜	94
	凛	95
	凚	95
	澤	95
	凍	95
14	凝	95
	凞	95
16	瀨	95
	凜	95
	凝	95

几部

획	자	쪽
	几	95
	几	95
1	凡	95
	凢	95
2	凤	95
3	凨	95
	処	96
	凥	96
	凪	96
4	凬	96
5	凮	96
6	凮	96
	凭	96
	凯	96
	虎	96
7	凫	96
9	凰	96
	處	96
10	凱	96
12	凳	96
	凴	96

凵部

획	자	쪽
	凵	96
	凵	96
1	𠙴	97
2	凶	97
	凷	97
3	出	97
	凷	97
	凹	97
	凸	97
	由	97
	舌	97
4	凷	97
	凶	97
6	函	97
	凼	98
	齿	98
7	凾	98
	凷	98
	函	98
10	凿	98
	齒	98
	凿	98
11	凷	98
17	凷	98

刀部

획	자	쪽
	刀	98
	刂	98
	刁	98
	刀	98
1	刃	98
	刄	98
	刅	98
2	办	99
	刃	99
	切	99
	切	99
	分	99
	刈	99
	刂	99
3	刅	99
	刊	99
	刋	99
	刌	99
	刉	100
	刀	100
	刉	100
4	刕	100
	㓞	100
	刎	100
	刑	100
	刑	100
	刓	100
	刖	100
	列	100
	刏	100
	刔	100
	刭	100
	划	100
	刘	101
5	初	101
	刦	101
	删	101
	刪	101
	判	101
	别	101
	別	101
	利	101
	刜	101
	刣	102
	刲	102
	刭	102
	刨	102
	刯	102
	刺	102
	刑	102
	创	102
6	刱	102
	刧	102
	刼	102
	券	102
	刮	102
	到	102
	刲	102
	刳	102
	刵	102
	制	102
	刷	103
	刺	103
	刽	103
	刺	103
	刻	103
	刻	103
	刯	103
	刮	104
	剁	104
	刮	104
	删	104
	删	104
	刚	104
	刘	104
	刑	104
	刹	104
	刽	104
7	郎	104
	刻	104
	刹	104
	剃	104
	刹	104
	剄	104
	則	104
	負	104
	剉	104
	削	104
	剋	105
	剌	105
	剜	105
	前	105
	剬	105
	剈	105
	刮	105
8	契	105
	剏	105
	剔	105
	剕	105
	剖	105
	刮	106
	剗	106
	剚	106
	剛	106
	剜	106
	剝	106
	剞	106
	剟	106
	剡	106
	剘	106
	剘	106
	剫	107

刹 107	剩 108	剸 110	劀 111	劫 113	勉 115	12 勯 117
刨 107	割 108	剰 110	劐 111	劬 113	9 勒 115	勬 117
剆 107	剨 108	剳 110	劚 111	劭 113	勔 115	勠 117
剒 107	剳 108	剳 110	15 劕 111	劮 113	動 115	勸 117
剭 107	剴 108	剷 110	16 劈 111	努 113	勖 115	勞 117
剂 107	剻 108	剶 110	17 劖 111	労 114	勗 115	13 勰 117
剣 107	創 108	剷 110	18 劓 112	劳 114	勘 115	勱 117
剧 107	剿 108	剻 110	劘 112	劲 114	勋 116	勴 117
9 劍 107	厠 109	劄 110	19 劗 112	励 114	務 116	勯 118
剪 107	劇 109	13 劈 110	劘 112	6 劼 114	勤 116	勲 118
剔 107	劃 109	劇 110	21 劙 112	劾 114	10 勛 116	14 勳 118
剫 107	剾 109	劇 110	劚 112	劻 114	勞 116	勷 118
剭 107	11 劓 109	劉 110	力 部	効 114	勜 116	15 勵 118
副 107	劵 109	劊 110	力 112	券 114	勝 116	勴 118
契 107	劇 109	剿 110	1 勹 112	势 114	劵 116	勯 118
剬 107	剸 109	劌 110	2 办 112	7 勁 114	勇 116	勶 118
剳 107	剽 109	劍 111	劝 112	勃 114	11 勠 116	16 勬 118
剮 107	剿 109	劎 111	3 加 112	勅 114	勤 116	勥 118
剾 107	剟 109	劉 111	功 112	勉 114	勦 116	17 勸 118
剶 108	剺 109	劃 111	囲 113	勀 114	勩 117	18 勸 118
剽 108	剹 109	劓 111	务 113	勈 114	勣 117	勶 118
剻 108	剻 109	劉 111	4 劦 113	勇 115	勧 117	23 勴 118
剫 108	劃 109	14 辦 111	劫 113	勇 115	勧 117	勹 部
剛 108	12 劔 109	劒 111	劣 113	8 勑 115	募 117	勹 118
剢 108	劂 109	劔 111	劢 113	勍 115	勢 117	1 勺 119
剩 108	劃 109	劑 111	动 113	勅 115	勢 117	勺 119
10 剺 108	劄 110	劓 111	5 助 113	勐 115	勥 117	2 勻 119

부수검자색인

匀 119
勼 119
勾 119
勿 119
匃 119
3 匈 119
匄 119
包 119
匆 119
4 匈 120
5 匋 120
匢 120
6 匌 120
匌 120
匊 120
匎 120
亘 120
7 匍 120
8 匑 120
匒 120
9 匐 120
匏 120
匓 120
10 匔 120
匒 120
匑 120
12 匔 120
复 121
14 匔 121
匓 121

匕 部

匕 121
七 121
2 𠤎 121
化 121
3 北 121
6 𠤏 122
7 𠤐 122
𠤑 122
𠤒 122
㔙 122
9 匙 122
𠤕 122

匚 部

匚 122
3 匜 122
匝 122
匛 122
4 匠 122
匡 122
匟 123
匧 123
匞 123
5 匣 123
匥 123
7 匧 123
匬 123
匫 123
匩 123
8 匪 123
匫 123
匨 123
9 匭 123
匬 123
匰 123
10 匯 123
11 匯 123
匭 123
12 匱 123
匰 123
匴 124
匵 124
匶 124
13 匳 124
14 匵 124
15 匵 124
16 匶 124
18 匷 124
匷 124
23 匷 124
24 匷 124
26 匷 124

匸 部

匸 124
2 匹 124
区 124
5 医 124
匼 125
6 匼 125
7 匽 125
匽 125
區 125
9 匿 125
區 125
匾 125
10 匾 125

十 部

十 125
1 廿 125
千 125
卂 126
2 廿 126
卅 126
升 126
午 126
协 126
卄 126
卆 126
3 卉 126
半 126
本 126
4 卉 127
卋 127
古 127
卌 127
协 127
卍 127
卒 127
华 127
5 卋 127
卙 127
華 127
6 丧 127
卖 127
卌 127
卌 127
協 127
協 127
卑 127
早 127
卒 127
卓 128
卓 128
单 128
7 南 128
单 128
卑 128
8 單 128
9 卛 128
卙 128
卙 128
10 博 128
博 128
11 華 128
卛 128

卜 部

卜 129
2 卝 129
卞 129
3 占 129
卟 129
处 129
卡 129
5 卣 129
卤 129
卲 129
6 卣 129
卤 130
卣 130
卦 130
兆 130
卥 130
7 卤 130
卥 130
8 卨 130
卣 130
9 卨 130
11 卨 130
25 卛 130

卩 部

卩 130
㔾 130
1 卪 130
卪 130
2 卬 130
卯 131
卮 131
3 卯 131
卭 131
卮 131
4 印 131
卲 131
危 131
卵 131
5 卲 131
却 131
卹 132
即 132
卵 132

획	자	쪽	획	자	쪽	획	자	쪽	획	자	쪽	획	자	쪽	획	자	쪽	획	자	쪽
6	卸	132		厈	134		原	135		厰	137	6	𠫣	139		叉	141		叚	143
	卹	132		𠩂	134	8	厝	135		𠫂	137		叄	139		𠬜	141	9	𠭥	143
	㚉	132		厉	134		原	135		𠪾	137		参	139	3	収	141		𠭧	143
	卽	132		屵	134		厜	135		𠫃	137		叀	139		㕠	141		𠭨	143
	郄	132	4	厊	134		厞	136		厮	137	7	叅	139		反	141		𠭩	143
	卷	132		𠨽	134		厱	136		𠫊	137		叀	139		叏	141		𠭪	143
	卺	132		压	134		𠪃	136		𠫅	137	8	𠫥	139		发	141		𠭫	143
7	卽	132		厌	134		𠩻	136	13	厲	137	9	參	140		𠬧	141	10	𠭬	143
	卽	133	5	厎	134		𠩷	136		𠫆	138		𠫭	140	4	叒	141	11	𠭭	143
	卼	133		𠩆	134	9	原	136		𠫈	138		𡘋	140		𠬩	142		𠭮	143
	卻	133		𠩐	134		𠪐	136		𠫉	138	10	𠫯	140		𠬪	142		𠭯	143
	卿	133		厏	134		厠	136		𠫋	138		𠫰	140	5	叓	142	12	𠭰	143
9	卿	133		𠩂	134		𠪑	136	16	𠫐	138		𠫱	140		𠬫	142		𠭱	143
	卿	33		𠨿	134	10	厥	136	17	𠫒	138	13	𠫶	140		叓	142	14	𠭲	143
10	卿	133		严	134		厤	136		𠫓	138		又 部		6	叕	142		𠭳	144
	卿	133	6	厓	134		𠪚	136	27	𠫔	138		又	140		叔	142	15	𠭴	144
	巻	133		厔	134		𠪓	136		厶 部		1	叉	140		取	142	16	叢	144
11	𠨼	133		𠩜	135		㕒	136		厶	138	2	㕚	140		𠬱	142	19	𠭵	144
	斜	133	7	厖	135		厦	136	1	厷	138		𠬞	140		受	142		口 部	
16	巹	133		厚	135		厨	136	2	厸	138		双	140	7	叙	142		口	144
	厂 部			厘	135	11	厫	136		𠫗	138		収	140		叛	142	2	只	144
	厂	133		𠩺	135		𠪷	136		𠫘	138		𠬤	140		𠬶	143		叧	144
2	厄	133		𠩴	135		厯	137		厹	139		及	141		叚	143		另	144
	厅	133		𠩵	135		厪	137	3	去	139		友	141		叜	143		另	144
	历	133		𠩺	135		㕓	137		厺	139		叐	141	8	叟	143		号	144
	产	133		厍	135		𠪿	137	4	厽	139		反	141		𠭎	143		叨	144
3	厈	134		𠩻	135	12	厭	137	5	县	139		𠬥	141		叚	143		叩	145

부수검자색인

叮 145	吁 147	吟 150	吧 152	㕦 154	呧 156	杏 158
叶 145	吃 147	吠 150	呃 152	召 154	咍 156	咅 158
叫 145	吋 147	吩 150	𠯈 152	5 𠯫 154	咏 156	𠰟 158
叫 145	吐 147	吪 150	吲 152	呢 154	咐 156	舍 158
叭 145	吒 147	听 150	𠰅 152	呟 154	呺 156	6 品 158
叱 145	吚 147	吭 150	吱 152	呦 154	呝 156	咠 158
叼 145	吓 147	吮 150	㕶 152	呪 154	咀 156	咢 158
叻 145	吆 147	吶 150	㕣 152	咒 154	咇 156	㗊 158
叹 145	吏 148	㕯 150	吣 152	呫 154	咁 156	虽 158
叵 145	向 148	吷 150	吃 152	呬 154	咕 156	咫 158
史 145	同 148	吸 150	呕 152	𠮺 154	咂 156	咡 159
可 145	各 148	吹 151	𠰱 152	呱 154	呸 156	咤 159
司 146	合 148	吻 151	㕳 152	呭 154	𠰒 156	咥 159
右 146	吉 148	吼 151	呌 152	味 154	咉 156	咩 159
古 146	吉 148	吽 151	君 152	呴 155	呥 156	咪 159
句 146	名 148	吰 151	吝 153	呵 155	呹 157	咬 159
召 146	后 149	呀 151	𠯸 153	呶 155	咃 157	咱 159
㕣 146	4 呂 149	呎 151	吞 153	呷 155	𠰃 157	咮 159
台 146	呈 149	吵 151	呑 153	呻 155	咖 157	咯 159
叴 147	呉 149	㕮 151	否 153	呼 155	咜 157	咳 159
谷 147	吴 149	吺 151	含 153	呤 155	咊 157	咷 159
各 147	呉 149	吨 151	吾 153	呿 155	和 157	咶 159
3 吕 147	吳 149	𠯋 151	告 153	咀 155	命 157	咺 159
吅 147	呆 149	𠯗 151	告 154	咄 155	周 157	咻 159
吴 147	呈 150	𠯑 152	吺 154	咆 155	周 158	咽 160
吊 147	邑 150	吡 152	启 154	咈 155	呰 158	咿 160
吁 147	品 150	𠯁 152	昏 154	咋 155	咎 158	哂 160

哄 160
哾 160
哏 160
哆 160
哇 160
哈 160
哅 160
㖃 160
哊 160
哃 160
咦 161
哎 161
咭 161
咾 161
咵 161
咧 161
唉 161
咲 161
呿 161
响 161
哀 161
咸 161
哉 161
咨 161
咼 162
哖 162
咅 162
呰 162
哥 162
㕩 162
7 哭 162
員 162
㖈 162
哿 162
哢 162
哤 162
哦 162
哨 162
哩 162
哫 163
哮 163
哺 163
哽 163
唁 163
唄 163
唅 163
唆 163
唈 163
唉 163
唏 163
唚 163
唌 163
㕽 164
啾 164
唣 164
唃 164
唔 164
哪 164
哳 164
哱 164
唊 164
哴 164
哯 164
哶 164
唓 164
唒 164
唗 164
哧 164
唍 164
唑 164
哼 165
哵 165
㖇 165
咯 165
唾 165
啫 165
哥 165
啇 165
哲 165
晢 165
唇 165
唇 165
唐 165
唐 165
唘 165
啐 166
啇 166
㦲 166
啓 166
𠶷 166
𠷕 166
8 啚 166
啚 166
唪 166
唫 166
唯 166
唱 166
唲 166
唳 166
唵 167
唶 167
唸 167
唼 167
唾 167
啀 167
啁 167
啄 167
啅 167
啍 167
啐 167
啑 167
啣 168
啊 168
𠹭 168
啃 168
啯 168
𠹞 168
啥 168
啡 168
唿 168
啒 168
唰 168
啖 168
啗 168
啜 168
啞 169
㖧 169
啈 169
唬 169
啕 169
啨 169
嘵 169
啈 169
啦 169
唭 169
啉 169
㖪 169
㖷 169
嗒 169
㖡 170
啤 170
啘 170
啌 170
㖙 170
啣 170
唍 170
串 170
喜 170
啎 170
商 170
商 170
問 170
售 170
啓 171
啟 171
啓 171
喜 171
善 171
兽 171
啬 171
啙 171
唹 171
9 喦 171
嵒 171
最 171
單 171
㗊 171
㗊 171
喌 172
喪 172
喪 172
喣 172
啼 172
喨 172
啾 172
喍 172
啿 172
喀 172
喁 172
喃 172
喇 172
喈 172
喉 173
喉 173
喊 173
喋 173
喏 173
喑 173
喓 173

부수검자색인

喔 173
喘 173
喙 173
喚 173
喝 173
喞 173
喇 174
喟 174
喤 174
喧 174
喨 174
喈 174
嗯 174
[口+叚] 174
喲 174
喩 174
喭 174
喫 174
喫 174
喎 174
[口+幽] 174
[口+便] 174
喛 175
[尢+咼] 175
喢 175
喊 175
啣 175
喂 175
[口+胡] 175
喥 175
喗 175
喳 175
[口+垔] 175
喵 175
喅 176
[口+是] 176
嗄 176
啺 176
[口+虐] 176
[口+咢] 176
喰 176
嗢 176
[咢+只] 176
喆 176
喬 176
啻 176
啇 176
善 176
喱 176
喜 176
[㓞+各] 176
咢 177
啫 177
営 177
10 喿 177
巽 177
牌 177
嗁 177
嗃 177
嗄 177
嗅 177
嗉 177
嗌 177
嗋 177
嗑 177
嗒 177
嗔 177
[口+宮] 177
嗊 178
唈 178
[口+孫] 178
嗂 178
嗚 178
嗛 178
嗜 178
嗟 178
[口+尃] 178
嗏 178
嗞 178
[口+柴] 178
嗩 178
嗆 178
嗡 178
嗥 179
嗢 179
嗤 179
嗎 179
嗓 179
嗕 179
[口+冐] 179
嗨 179
嗐 179
嗙 179
嗍 179
嗦 179
[口+晳] 179
嗝 179
[口+豈] 179
嘷 180
嘆 180
嗣 180
嘗 180
甞 180
嗀 180
嗇 180
哲 180
啇 180
[召+口] 180
11 曐 180
嘇 180
嘼 180
嗷 180
嗸 180
嗽 180
嗾 180
嗿 180
嘄 180
嘅 180
嘆 180
嘈 181
嘊 181
嘌 181
嘍 181
嘐 181
嘑 181
嘒 181
嘔 181
嘖 181
嘛 181
嗺 181
[口+啚] 181
嗶 181
嘁 181
[口+夌] 181
[口+習] 181
嘕 181
[口+寅] 182
[口+出+出] 182
[口+淡] 182
嘎 182
嗻 182
[口+率] 182
[口+鄉] 182
嘞 182
嘜 182
嗼 182
嘓 182
嘯 182
嘗 182
嘇 182
嘏 183
暮 183
嘉 183
12 嘂 183
器 183
嘼 183
[吅+貝] 183
噓 183
嘬 183
嘰 183
嘲 183
嘳 183
嘴 183
嘵 183
嘶 183
噋 183
[口+畫] 183
[口+罷] 184
[口+集] 184
噅 184
嘺 184
噾 184
嘪 184
噑 184
嘹 184
嘸 184
嘽 184
嘿 184
噁 184
噀 184
噂 184
[口+替] 184
噌 184
噍 185
噎 185
嘫 185
噃 185
噚 185
噏 185

嘮 185
噴 185
噇 185
噈 185
嘻 185
嘟 185
嘾 186
噘 186
噗 186
嘩 186
噉 186
㘑 186
嘼 186
舖 186
啇 186
嗇 186
麀 186
13 器 186
噩 186
嘯 186
噞 186
噡 186
噢 186
噣 187
噤 187
噥 187
噦 187

噪 187
噫 187
噰 187
噶 187
噮 187
嚡 187
噯 187
噠 187
噬 187
噭 187
噱 187
噲 188
噳 188
噹 188
噶 188
噧 188
嚆 188
噙 188
嘁 188
噸 188
噴 188
嘖 188
喟 188
䑒 188
廥 188
舔 188
14 嚀 188

嚂 188
嚃 188
嚄 188
嚅 189
嚁 189
㘈 189
嚆 189
嚇 189
嚌 189
嚈 189
嚊 189
嚮 189
嚏 189
嚎 189
嚐 189
嚍 189
嚶 189
15 齁 189
嚚 190
嚚 190
嚔 190
嚙 190
嚜 190
嚘 190
嚗 190
嚕 190
嚌 190

嚛 190
嚅 190
嗽 190
嚬 190
嘄 190
嚖 190
嚠 190
嚞 190
16 嚥 190
嚪 190
嚬 191
嚨 191
嚫 191
嚦 191
嚧 191
嚩 191
嗥 191
嚽 191
嚮 191
舚 191
嚮 191
17 嚴 191
嚱 191
嚶 191
嚷 192
嚵 192
韠 192

𡅅 192
嚳 192
嚳 192
18 囂 192
嚚 192
嚼 192
嚵 192
嚾 192
囀 192
囁 192
𡄭 192
𡅖 192
囄 192
𡅓 192
𡆃 193
𡅱 193
19 㘖 193
鞸 193
囈 193
囋 193
囉 193
囆 193
囊 193
囍 193
20 𡆆 193
𡅚 193
囐 193

囍 193
21 囂 193
囑 193
囓 193
𡆕 193
22 囔 193
23 𡆗 194

囗 部

囗 194
1 𡆠 194
2 囚 194
四 194
𡆣 194
㘞 194
𡆢 194
囘 194
3 回 194
𡆧 194
因 194
𡆪 194
㘡 194
囝 195
囡 195
𡆴 195
𡆻 195
团 195
団 195

囟 195
4 𡇄 195
囮 195
困 195
囩 195
囤 195
囫 195
园 195
囦 195
𡇈 195
囯 195
囲 196
𡇒 196
図 196
囪 196
5 囷 196
囹 196
固 196
𡇝 196
𡇞 196
国 196
图 196
𡇠 196
6 囿 196
𡇡 196
𡇫 196
㘥 196

7 圂 196
圃 196
圄 196
圅 197
圁 197
圎 197
𡇸 197
𡈁 197
8 圈 197
圉 197
𡆸 197
圊 197
圇 197
國 197
𡈂 197
9 圍 197
𡈆 197
圌 198
𡈏 198
圏 198
圓 198
10 園 198
圓 198
圕 198
11 圖 198
圙 198
𡈽 198

團 198
𡈺 198
𡈻 198
12 𡉊 198
圖 198
13 圜 198
𡉋 198
17 𡉏 199
18 𡉐 199
𡉑 199
19 𡉕 199
23 圞 199

土 部

土 199
1 圡 199
圠 199
壬 199
2 圥 199
圤 199
圣 199
圧 199
3 圭 199
圶 200
圩 200
圬 200
圮 200
圯 200

地 200
圳 200
圪 200
在 200
圱 200
4 圻 200
圾 201
址 201
坂 201
均 201
坒 201
坊 201
坎 201
坏 201
坑 201
坅 201
坋 201
坍 202
坘 202
坄 202
坳 202
坹 202
坉 202
坈 202
坓 202
圪 202
坆 202

坁 202
坱 202
坟 202
坛 202
坓 202
壯 202
坌 202
坐 202
坒 202
坔 203
坣 203
坚 203
5 坴 203
坡 203
坤 203
坦 203
坩 203
坪 203
坙 203
坫 203
坕 203
坰 203
坱 203
坳 203
垚 203
坷 203
垾 204

坻 204
坼 204
坨 204
坼 204
坺 204
坭 204
坖 204
坶 204
坲 204
坨 204
坧 204
垃 204
坥 204
坹 204
坧 204
坶 204
坿 204
坯 204
坵 205
坴 205
垉 205
坉 205
垂 205
坴 205
垡 205
垈 205
垈 205

垈 205
垐 205
垔 205
垐 205
6 垚 205
垓 205
垜 205
垛 205
垝 205
垠 205
垡 205
垢 206
垣 206
垤 206
垗 206
垘 206
垙 206
垟 206
垞 206
垌 206
垎 206
垑 206
垍 206
垍 206
垧 206
城 206
垯 206

垡 206
垙 206
型 207
垩 207
垐 207
垒 207
垣 207
垦 207
垩 207
垥 207
7 垶 207
埒 207
埃 207
埆 207
埋 207
埌 207
城 207
埦 207
埏 208
埓 208
埒 208
埇 208
埻 208
埠 208
埙 208
埕 208
埋 208

垺 208	埴 210	堅 211	堮 213	壄 215	𡏍 216	墌 218
埂 208	埵 210	堇 212	堵 213	坐 215	墀 216	墐 218
埔 208	埸 210	堊 212	堉 214	墮 215	塩 216	𡐣 218
垷 208	培 210	𡌢 212	堨 214	𡊿 215	塜 216	墑 218
埍 208	埪 210	埾 212	堛 214	墾 215	黈 216	塴 218
埐 208	埼 210	𡋣 212	𡍼 214	10 報 215	塋 216	㙧 218
埕 209	埽 210	型 212	堬 214	塊 215	塑 216	𡒄 218
坶 209	堀 210	埜 212	堳 214	塌 215	塐 216	𡏿 218
𡋝 209	堄 210	𡍞 212	𡌷 214	塏 215	塞 216	墟 218
埣 209	堆 210	埿 212	堷 214	塒 215	𡓝 217	增 218
埈 209	堋 210	9 堯 212	𡎺 214	塔 215	塗 217	塲 218
塊 209	堁 210	𡎴 212	堖 214	𡍫 215	塍 217	塵 218
逕 209	堌 210	報 212	堿 214	垟 215	𨘢 217	塹 218
型 209	埰 210	埶 212	𡊲 214	塓 215	㙐 217	𡏨 218
垄 209	埻 211	堙 212	𡎡 214	塕 215	11 塼 217	塺 218
堊 209	埢 211	堧 213	𡐝 214	塘 215	墇 217	墊 219
垼 209	埯 211	堝 213	堺 214	塙 215	墀 217	墅 219
埀 209	埩 211	堞 213	埢 214	塚 215	塿 217	墊 219
8 埶 209	埦 211	堠 213	堦 214	塡 216	塽 217	墼 219
執 209	埲 211	堤 213	堽 214	塢 216	墁 217	墍 219
域 209	埱 211	堪 213	墖 214	塉 216	境 217	墓 219
𡋲 209	埝 211	堰 213	堲 214	塯 216	墋 217	墼 219
埠 209	堍 211	場 213	堡 214	塥 216	墄 217	𡓖 219
埥 209	堈 211	堣 213	堢 215	塠 216	墈 217	墨 219
埤 209	垮 211	堭 213	㙓 215	𡎼 216	墆 218	墎 219
埭 209	基 211	堩 213	𡑀 215	𡎘 216	塻 218	12 墝 219
埳 210	堂 211	堗 213	𡑀 215	塤 216	墉 218	增 219

[illegible] 219
墟 219
墠 219
墦 220
墩 220
墪 220
[illegible] 220
墱 220
墫 220
墳 220
墡 220
墲 220
墣 220
[illegible] 220
[illegible] 220
墧 220
墰 220
墢 220
[illegible] 220
墜 220
墨 221
墮 221
[illegible] 221
憻 221
墜 221
[illegible] 221
墐 221

墓 221
[illegible] 221
[illegible] 221
[illegible] 221
墤 221
13 墺 221
墿 221
壇 221
[illegible] 221
壈 221
墽 221
墀 222
[illegible] 222
壒 222
墳 222
墻 222
壀 222
壉 222
壕 222
壃 222
壊 222
壌 222
墾 222
墼 222
壁 222
[illegible] 222
壅 222

壅 222
壂 222
臺 222
14 壎 222
壏 222
壒 223
壔 223
壕 223
壙 223
[illegible] 223
壉 223
壖 223
[illegible] 223
壓 223
塹 223
壐 223
[illegible] 223
15 壙 223
壚 223
壘 223
16 壚 224
壜 224
壝 224
壛 224
壞 224
壈 224
壟 224

壠 224
[illegible] 224
17 壤 224
壣 224
18 [illegible] 224
[illegible] 224
20 壧 224
[illegible] 224
21 [illegible] 224
壩 224
22 壤 224
30 [illegible] 224

士部

士 225
1 壬 225
3 壯 225
4 声 225
壱 225
壳 225
壳 225
壮 225
6 壴 225
7 壼 225
壶 225
8 壷 225
9 壺 225
壹 226

壺 226
[illegible] 226
[illegible] 226
喜 226
10 壺 226
壽 226
11 壽 226
壹 226
12 壿 226

夂部

夂 226
午 226
1 夃 227
2 夅 227
3 夆 227
[illegible] 227
[illegible] 227
4 [illegible] 227
[illegible] 227
麦 227
6 变 227
复 227
7 [illegible] 227
夏 227
8 [illegible] 227
19 變 227

夊部

夊 227
4 [illegible] 227
[illegible] 227
5 [illegible] 227
[illegible] 228
[illegible] 228
6 [illegible] 228
[illegible] 228
7 [illegible] 228
夏 228
8 [illegible] 228
[illegible] 228
[illegible] 228
10 [illegible] 228
11 [illegible] 228
15 夒 228
[illegible] 228
16 夔 228
17 [illegible] 228
20 [illegible] 228

夕部

夕 228
2 外 229
夘 229
夗 229
夘 229
3 多 229

夠 229
[illegible] 229
夙 229
4 [illegible] 229
[illegible] 229
5 [illegible] 229
夜 229
[illegible] 230
7 [illegible] 230
8 够 230
夠 230
梦 230
10 夢 230
11 [illegible] 230
[illegible] 230
[illegible] 230
[illegible] 230
[illegible] 230
夢 230
[illegible] 230
13 [illegible] 230

大部

大 230
[illegible] 231
1 太 231
太 231
夫 231

夫 231
天 231
天 231
2 夲 232
夯 232
夳 232
夰 232
夾 232
央 232
失 232
头 232
3 夶 232
夸 232
夷 232
夼 233
夺 233
买 233
夻 233
夹 233
4 夾 233
夾 233
夽 233
奄 233
会 233
夨 233
奂 233
5 奄 233
奇 233
奈 234
奔 234
奋 234
奃 234
奆 234
奅 234
奔 234
奊 234
奀 234
奍 234
奉 234
奍 234
扶 234
臭 235
臭 235
卖 235
6 奎 235
牵 235
奏 235
奘 235
奐 235
契 235
契 235
奓 236
奔 236
奒 236
奓 236
奕 236
奖 236
7 套 236
奙 236
畚 236
奘 236
奚 236
奥 237
8 奝 237
奞 237
奣 237
奤 237
乘 237
爽 237
奜 237
9 奢 237
叅 237
執 237
報 237
奡 237
奠 237
業 237
奦 237
奧 237
奧 237
獃 237
10 㷔 237
奪 238
奥 238
奨 238
11 奪 238
奯 238
奩 238
奬 238
12 奫 238
奭 238
奮 238
獘 238
13 奯 238
奰 238
奱 239
懿 239
奮 239
奮 239
14 奭 239
15 奰 239
19 奱 239
21 奲 239
奲 239

女 部

女 239
2 奴 239
㚢 239
奶 239
奵 239
奺 239
3 奻 240
奸 240
好 240
妁 240
如 240
她 240
妃 240
弋 240
妊 240
妇 241
奾 241
㚤 241
改 241
妆 241
妄 241
妗 241
4 妊 241
妍 241
妢 241
妓 241
妘 241
妖 241
妙 241
妧 241
妣 242
妤 242
妉 242
妨 242
妎 242
姆 242
妐 242
妠 242
妗 242
妒 242
妜 242
妦 242
妌 242
妋 242
妔 242
妞 243
㚰 243
妝 243
妝 243
妥 243
妟 243
5 妬 243
妲 243
妹 243
妺 243
姁 243
妷 243
姆 243
姊 243
姉 244
始 244
姃 244
姈 244
姍 244
姐 244
姑 244
姒 244
姖 244
姓 244
姏 244
妯 244
妮 244
娃 245
妦 245
姖 245
姎 245
妭 245
娍 245
姑 245
妸 245
姝 245
姌 245
妳 245
姣 245

妻 245
妾 245
委 245
要 246
妴 246
妿 246
姕 246
妳 246
姛 246
6 姦 246
姧 246
姙 246
𡜊 246
姚 246
姝 246
姞 246
姣 247
姶 247
姤 247
姥 247
姨 247
姪 247
姬 247
姫 247
姮 247
姱 247
姹 248
娄 248
姺 248
姻 248
姶 248
娍 248
娃 248
姼 248
姡 248
姽 248
姸 248
姽 248
姷 248
㛄 248
姟 248
㛅 248
姛 248
敂 249
娱 249
姰 249
姘 249
威 249
姜 249
姿 249
娑 249
娄 249
7 娉 249
娌 249
娓 249
娖 250
娘 250
娧 250
娛 250
娯 250
娱 250
娜 250
娗 250
娠 250
㛛 250
娣 250
娍 250
娥 250
娩 251
娙 251
娭 251
娚 251
娟 251
娷 251
娋 251
娕 251
㛟 251
娪 251
娏 251
娒 251
娪 252
娓 252
娅 252
娑 252
娶 252
娎 252
娬 252
娿 252
宴 252
㛚 252
8 婀 252
娼 252
婉 252
婟 252
婕 252
婞 252
婘 252
婚 252
婢 253
婩 253
婥 253
婦 253
婦 253
婠 253
婭 253
婱 253
娽 253
婬 253
婀 253
㛕 253
婌 253
婧 253
婙 254
婗 254
婏 254
婐 254
婑 254
婖 254
婊 254
娸 254
婢 254
婫 254
婰 254
婚 254
娷 254
婎 254
婇 255
婤 255
姘 255
媄 255
婳 255
婜 255
婁 255
婁 255
婆 255
娑 255
婪 255
婜 255
婓 255
9 婷 255
媁 255
媮 256
媌 256
媡 256
媒 256
媸 256
媚 256
媛 256
媃 256
媟 256
婄 256
婸 256
媠 257
媓 257
媢 257
媧 257
媉 257
媕 257
媥 257
婼 257
媈 257
㛹 257
媽 257
媦 257
媀 257
媤 257
媔 257
媣 257
媊 258
媄 258
媅 258
婹 258
媖 258
媎 258
媞 258
婚 258
媍 258
媜 258
嫂 258
媼 258
婿 258
媰 258
嫢 258
嫛 259
10 嫕 259
嫋 259
嫗 259
嫨 259
媳 259

부수검자색인

媸 259
媺 259
媽 259
媾 259
媲 259
媿 259
嫁 259
婥 259
嫂 259
嫄 260
嫉 260
嫋 260
嫌 260
媵 260
嫇 260
嫱 260
嫏 260
㜕 260
嫕 260
媙 260
娙 260
嫐 260
媱 260
嫈 261
媻 261
[illegible] 261
漊 261

11 嫖 261
嫗 261
嫚 261
嫭 261
嫟 261
嫜 261
嫡 261
嬒 261
嫣 261
嫤 261
嫦 262
嫩 262
嫰 262
嫪 262
嬠 262
嫫 262
嫮 262
嫴 262
嫕 262
嫙 262
嫧 262
嫥 262
嫘 262
嫛 262
嫠 262
嫨 263
嫯 263

㛹 263
嫢 263
嬓 263
嫢 263
𡡆 263
12 嫵 263
嬅 263
嫶 263
嫺 263
嫻 263
嫺 263
嫽 263
嫸 263
嫿 263
媁 263
嬀 264
嬈 264
嫐 264
嬉 264
嬈 264
嬋 264
嬌 264
嬌 264
嬞 264
嫖 264
嬗 264
嬍 265

嬗 265
嫵 265
隫 265
嬃 265
嬃 265
嫳 265
𩬈 265
13 嬙 265
嬝 265
嬒 265
嬛 265
嬗 265
嬈 265
嬐 265
嬎 265
嬡 265
嬓 265
嬈 265
嬻 265
嬭 266
嬢 266
嬴 266
嬴 266
嬴 266
嬱 266
嬰 266
嬖 266

嬜 266
嬰 266
14 嬪 266
嬥 266
𡤙 266
嬬 266
嬷 266
嬭 266
嬳 266
嬣 267
嬯 267
嬚 267
嬲 267
嬴 267
嬱 267
嬰 267
嬮 267
15 嬻 267
嬏 267
嬂 267
嬛 267
嬛 267
16 嬾 267
孃 267
嬛 267
嬹 268
嬿 268

𡤢 268
嬰 268
17 孀 268
孅 268
孆 268
孃 268
𡤷 268
孁 268
𡤽 268
18 孈 268
孇 269
19 孋 269
𡥂 269
𡤼 269
孌 269
20 孍 269
21 孏 269
孎 269
𡦁 269

子 部

子 269
孑 269
孒 270
1 孔 270
2 𡥀 270
孕 270
3 孖 270

孙 270
字 270
存 270
扜 270
斈 270
4 𡥅 270
孜 270
孛 270
孚 270
孛 271
孝 271
𡥐 271
𡥎 271
𡥓 271
5 孟 271
孤 271
孢 271
季 271
孥 271
孠 271
学 271
6 孨 272
孩 272
斈 272
7 𡦄 272
孫 272
挽 272

孬 272
8 孲 272
孰 272
9 孱 272
孹 272
10 孴 272
孶 272
㝅 272
11 孵 273
12 學 273
孺 273
孻 273
13 學 273
斈 273
14 孺 273
孻 273
16 孼 273
17 孽 273
孾 273
𧥶 273
孈 273
19 孿 273
22 孌 273

宀 部

宀 274
2 宁 274
它 274
宄 274
宂 274
宊 274
3 宅 274
宇 274
宆 274
守 274
安 275
宊 275
宐 275
写 275
4 宋 275
完 275
宍 275
宎 275
实 275
宏 276
宒 276
宖 276
宖 276
宐 276
宆 276
宎 276
实 276
5 宓 276
宕 276
宗 276
官 276
宙 276
定 276
宛 277
宖 277
宜 277
宣 277
宔 277
家 277
宝 277
実 277
宍 277
宫 277
实 277
审 277
宑 277
6 客 277
宣 278
室 278
宥 278
宦 278
宧 278
宨 278
宩 278
宪 278
宫 278
宋 278
宧 278
宊 278
害 278
宬 278
宪 278
宴 278
7 宬 278
宭 279
宮 279
宰 279
害 279
害 279
害 279
宴 279
宵 279
家 279
宸 280
宸 280
容 280
宧 280
害 280
宲 280
家 280
宷 280
宺 280
宲 280
宼 280
宬 280
宻 280
宾 280
宗 280
宿 280
8 宿 280
宿 281
寂 281
寄 281
寅 281
密 281
寀 281
寇 281
寇 281
寁 281
寀 282
冤 282
寍 282
㝡 282
寎 282
寏 282
寐 282
寑 282
害 282
9 寎 282
富 282
寐 282
寎 283
寒 282
寓 282
寓 282
寔 282
寋 283
寏 283
寏 283
寍 283
寍 283
寑 283
寛 283
寘 283
寀 283
10 寖 283
寗 283
寘 283
寙 283
寍 283
寎 283
寅 283
害 283
寠 283
寐 283
索 283
寬 283
寱 283
寫 283
寢 283
寙 284
11 寞 284
察 284
寡 284
寠 284
寢 284
寤 284
寥 284
實 284
寧 284
寧 285
寨 285
康 285
寣 285
寪 285
寪 285
寮 285
寬 285
寐 285
寠 285
寍 285
寎 285
寷 285
12 審 285
寫 285

寫 286
寬 286
寭 286
寮 286
寪 286
𡫳 286
𡫯 286
寑 286
寓 286
𡫻 286
寣 286
13 寰 286
寯 286
14 𡬓 286
𡫾 286
15 𡬘 286
寞 286
𡬁 287
16 寵 287
寴 287
𡭈 287
𡭉 287
寳 287
17 寶 287
𡬤 287
𡮑 287
18 寷 287
寱 287
寲 287
塞 287
寥 287
19 𡫦 287
21 𡬺 287
22 𡬩 287
23 𡬔 287

寸 部

寸 287
1 寸 288
2 对 288
3 寺 288
寻 288
导 288
4 寽 288
対 288
寿 288
𡬝 288
5 㝵 288
尀 288
尉 288
6 封 288
村 288
将 288
専 288
𡬵 288
7 射 288
專 289
㝷 289
尅 289
将 289
将 289
辱 289
𡬨 289
8 尉 289
將 289
專 289
尋 290
𡬫 290
𡭌 290
𡭐 290
9 尉 290
尌 290
尊 290
尊 290
尋 290
尋 290
𡭑 290
10 𡭎 290
對 290
𡭕 290
11 對 290
對 291
壽 291
12 導 291
13 導 291
對 291
15 𡭙 291

小 部

小 291
1 少 291
尐 291
尒 291
2 尔 291
尔 291
尔 292
尕 292
3 尖 292
尘 292
尗 292
4 尖 292
𡮂 292
𡮃 292
5 尚 292
尚 292
6 尝 292
尛 292
尜 292
7 𡮊 292
𡮐 292
妙 292
8 堂 292
尞 293
尚 293
9 尞 293
10 尠 293
尟 293
12 尠 293
𡯄 293

尢 部

尢 293
兀 293
尣 293
尣 293
1 尤 293
2 无 293
3 尪 293
尥 293
4 尨 293
尬 294
尫 294
尪 294
尦 294
5 𡯌 294
𡯏 294
6 尮 294
尯 294
7 𡯷 294
8 𡯽 294
𡯯 294
𡰁 294
9 尰 294
就 294
10 尲 294
𡰅 295
12 尵 295
𡰍 295
13 尶 295
就 295
15 尷 295
19 𡰡 295
22 𡰣 295

尸 部

尸 295
户 295
1 尺 295
尹 295
2 尻 296
尼 296
尽 296
𡰦 296
卢 296
3 尽 296
户 296
𡰯 296
尽 296
4 尾 296
尿 296
屁 296
𡰴 296
局 296
层 296
层 296
𡱅 297
𡱀 297
5 居 297
届 297
屆 297
屄 297
屈 297
𡱌 297
𡱍 297
屉 297
届 297
𡱑 297
尾 297
𡱕 298
𡱖 298
𡱗 298
6 屋 298
屍 298

屎 298
昼 298
屌 298
屐 298
眉 298
屇 298
屑 298
屏 298
7 屐 298
屑 298
屓 298
展 298
屖 299
屒 299
屔 299
屗 299
屍 299
8 屙 299
屘 299
屉 299
屝 299
屛 299
屚 299
屋 299
屟 299
屗 300
9 屠 300
屆 300
㞜 300
㞝 300
屐 300
属 300
屡 300
屇 300
屔 300
10 㞡 300
屣 300
屧 300
屨 300
11 屢 300
屣 300
層 300
12 層 300
履 300
屧 301
屨 301
屪 301
屩 301
14 屨 301
15 屩 301
屫 301
16 屭 301
18 屬 301
19 屭 301
21 屭 301

屮 部

屮 302
屮 302
1 屯 302
出 302
屯 302
2 屰 302
3 屰 302
4 㞢 302
屸 302
岺 302
㞫 302
5 峚 302
6 㞷 302
7 㟏 302
峚 302
㟁 302
8 毒 302
㞳 303
9 㠚 303
㠗 303
18 㠦 303

山 部

山 303
2 屶 303
屵 303
屵 303
屼 303
屿 303
屳 303
3 岂 303
屶 303
岂 303
屾 303
屹 303
屼 303
屺 303
出 303
4 岌 304
岑 304
岕 304
岉 304
岍 304
岐 304
岏 304
岎 304
岋 304
峀 304
岕 304
岒 304
岈 304
岥 304
岅 304
岵 304
岔 304
岊 304
5 岸 304
岍 305
岪 305
岪 305
岢 305
岢 305
岩 305
岹 305
岦 305
岸 305
岝 305
岺 305
岩 305
岣 305
岫 305
岀 305
岬 305
岰 305
岷 305
岠 306
岨 306
岞 306
岵 306
岟 306
岥 306
岮 306
岭 306
岭 306
岺 306
岵 306
岧 306
岯 306
岶 306
岣 306
岡 306
岜 306
岱 306
岳 307
岻 307
岙 307
凹 307
6 峉 307
峛 307
峎 307
峎 307
峚 307
峝 307
峜 307
峇 307
峕 307
峊 307
峗 307
峞 307
峓 307
峋 307
峒 307
峐 308
峙 308
峔 308
峆 308
峌 308
峍 308
峅 308
峘 308
峀 308
峂 308
峡 308
峦 308
7 峯 308
峰 308
峳 308
峷 308
峧 308
峨 308
峩 308
峪 309
峭 309

峴	309	崕	310	崌	312	嵋	313	嵡	315	嵹	317	嶅	318
峻	309	崙	310	𡷾	312	崏	313	嵟	315	𡼋	317	嶄	318
峜	309	崘	311	崮	312	嵎	313	嵕	315	㠑	317	嶋	318
峽	309	崟	311	崨	312	崿	314	嵬	315	嶁	317	㠀	318
峢	309	崩	311	𡶴	312	㟧	314	嵫	315	嶁	317	嶌	318
峿	309	崩	311	𡸛	312	嵁	314	嵠	315	𡽈	317	12 嶔	318
峵	309	崧	311	崞	312	嵑	314	㟰	315	嶂	317	嶖	318
峮	309	崴	311	崊	312	嵢	314	嵅	315	嵷	317	嶜	318
峮	309	崣	311	𡹅	312	嵒	314	嵯	315	嵸	317	嶘	318
峰	309	崰	311	崊	312	嵃	314	嵳	315	嶇	317	嶚	318
峌	309	崗	311	9 嵌	312	嵄	314	嵲	315	嶐	317	嶏	318
峔	309	崆	311	崀	312	嵛	314	嵱	316	嵼	317	嶡	319
峆	309	崉	311	嵔	312	嵈	314	嵰	316	嵺	317	嶨	319
峇	310	崎	311	𡹔	313	崵	314	嵣	316	㠖	317	嶒	319
島	310	崚	311	崶	313	崲	314	嵤	316	嶀	317	嶕	319
𤝞	310	崏	311	崺	313	崼	314	嵞	316	𡽉	317	嶣	319
泏	310	崛	311	嵃	313	嵖	314	嵮	316	嶆	317	𡾊	319
峼	310	崫	311	嵕	313	崞	314	嵮	316	𡽍	317	嶙	319
8 崇	310	崢	311	嵐	313	嵇	314	嵊	316	嵾	318	𡾰	319
崈	310	崢	311	嵮	313	嵆	315	嵥	316	嵾	318	嶝	319
崋	310	崝	311	嵗	313	嵓	315	11 嶄	316	嵽	318	嶟	319
崑	310	崤	312	嵂	313	嵒	315	嶃	316	嶀	318	嶦	319
崐	310	崦	312	崽	313	嵍	315	巢	316	嶀	318	嶠	319
崒	310	𡸁	312	嵉	313	10 嵩	315	嶈	316	嵨	318	𡾯	319
崪	310	㟦	312	崹	313	嵬	315	摧	316	𡾓	318	嶢	319
崔	310	崥	312	嵏	313	嵟	315	嶉	317	嶍	318	嶤	319
崖	310	崍	312	嵗	313	㠠	315	𡽋	317	嶅	318	嶓	319

嶛 319
嶚 319
嶗 319
嶕 320
嶞 320
嶅 320
嵡 320
嶀 320
崿 320
13 嶪 320
嶫 320
嶭 320
嶵 320
嶧 320
嶦 320
嶲 320
嶮 320
嶢 320
嶰 320
嶱 320
嶬 320
嶬 320
嶨 320
嶂 321
嶒 321
嶟 321
嶥 321

嶲 321
嶩 321
嶨 321
嶞 321
嶴 321
嶼 321
14 嶷 321
嶺 321
嶽 321
嶽 321
巀 321
嶾 321
嶾 321
嶸 321
嚎 321
嶼 321
嶼 322
嶎 322
15 嶺 322
巀 322
嶇 322
嶇 322
巁 322
嶐 322
嶒 322
16 巃 322
巄 322

巃 322
巆 322
巋 322
嶭 322
17 巖 322
巇 322
巊 322
巉 322
巆 323
巇 323
巏 323
18 巍 323
巍 323
巋 323
巋 323
巑 323
巒 323
巗 323
巉 323
19 巔 323
巑 323
巒 323
巕 323
巗 323
20 巖 323
巖 323
巘 323

巙 324
21 巒 324

巛 部

巛 324
川 324
く 324
巜 324
巛 324
1 巛 324
巜 324
3 州 324
巡 324
巡 324
巢 324
巟 324
4 巠 324
巡 325
巢 325
巢 325
5 巠 325
6 巢 325
巢 325
8 巢 325
巣 325
巢 325
11 巢 325
12 巤 325

14 巢 325
26 巢 325

工 部

工 325
1 工 326
王 326
2 巧 326
巨 326
左 326
3 巨 326
巩 326
巩 326
4 巫 326
巩 326
7 差 327
差 327
9 巯 327
12 巰 327

己 部

己 327
已 327
巳 327
1 巴 327
2 㠱 328
巵 328
3 巵 328
4 巵 328

5 巷 328
6 巷 328
巸 328
巽 328
巻 328
巷 328
7 巹 328
巹 328
8 巽 328
9 巽 328
巽 328
12 巽 328

巾 部

巾 328
1 帀 329
市 329
帀 329
2 帄 329
帅 329
市 329
帋 329
布 329
帀 329
3 帆 329
帆 329
希 329
帇 329

师 329
4 帉 329
帉 330
帉 330
帊 330
帉 330
帍 330
帍 330
帍 330
希 330
希 330
希 330
希 330
5 帕 330
帓 330
帗 330
帔 330
帖 330
帕 331
帙 331
帘 331
帑 331
帘 331
帒 331
帚 331
帛 331
帑 331

帟 331	帬 333	幐 335	幒 336	幢 338	16 幭 339	幺 342
6 帢 331	帰 333	幓 335	幌 336	幡 338	幰 339	乡 342
帕 331	師 333	幄 335	幐 336	幠 338	幡 340	1 幺 342
帇 331	席 333	帿 335	幋 336	幟 338	懶 340	幻 342
帓 331	帬 333	幅 335	帋 336	幡 338	17 幱 340	2 幼 342
帠 331	帥 333	幝 335	11 幏 336	幩 338	幟 340	幻 342
帨 332	帶 333	幍 335	幗 337	幁 338	幨 340	3 幺 342
帡 332	帮 333	幈 335	幖 337	幣 338	18 幔 340	4 幻 342
㡌 332	8 帳 333	帊 335	幔 337	幫 338	幪 340	5 幻 342
帢 332	帴 333	幂 335	幅 337	幡 338	19 幮 340	6 幽 342
帞 332	帺 333	幁 335	幓 337	13 幨 338	幰 340	幺 343
帥 332	㡋 334	幇 335	幙 337	幧 339	干 部	7 幺 343
帤 332	帷 334	幋 335	幘 337	幩 339	干 340	8 幺 343
帝 332	㡑 334	幓 335	幒 337	幩 339	1 开 340	9 幾 343
帮 332	帵 334	幋 335	幓 337	幘 339	2 平 340	幺 343
帟 332	帲 334	幂 336	幒 337	幦 339	羊 341	10 幺 343
帣 332	㡏 334	帬 336	幛 337	14 幪 339	3 幵 341	11 幺 343
帠 332	㡎 334	幇 336	幙 337	幨 339	年 341	幺 343
帯 332	帽 334	幅 336	徽 337	幬 339	并 341	13 幺 343
7 帪 332	帶 334	10 幏 336	幕 337	幰 339	4 幵 341	广 部
帨 332	常 334	幌 336	幇 338	韓 339	5 幷 341	广 343
㡉 332	㡔 334	幌 336	12 幝 338	歸 339	幸 341	2 庀 343
㡈 332	㡘 334	幍 336	幞 338	幫 339	幸 341	庂 343
帩 333	9 帽 334	幏 336	幢 338	15 幭 339	7 幷 341	広 343
㡌 333	㡊 334	幎 336	幟 338	幦 339	10 幹 341	庁 343
帯 333	幀 334	幐 336	幡 338	幯 339	幹 341	3 庄 343
㡁 333	幃 335	幏 336	幜 338	幮 339	幺 部	庈 344

부수검자색인

庀 344
広 344
庆 344
4 庇 344
庉 344
庋 344
序 344
庎 344
庌 344
庅 344
庈 344
㡳 344
庄 344
应 344
㡯 344
庐 344
床 345
应 345
庐 345
㡰 345
5 底 345
㡱 345
庖 345
店 345
庚 345
庘 345
府 345

庛 346
庢 346
废 346
庙 346
庙 346
庡 346
6 庠 346
庤 346
庥 346
庢 346
度 346
庬 346
庣 346
㢊 346
㢑 347
庰 347
7 座 347
庫 347
庬 347
庭 347
庮 347
庪 347
庨 347
庯 347
㡿 347
庩 347
8 庰 347

庳 347
庳 348
庵 348
庻 348
庶 348
㡼 348
康 348
庸 348
庱 348
庴 348
㢉 348
㡿 349
庲 349
㢚 349
㢐 349
㢕 349
㢗 349
㢒 349
㢓 349
9 㢖 349
㢛 349
廁 349
㢜 349
廂 349
㢝 349
㢞 349

㢟 350
厲 350
㢠 350
廊 350
㢡 350
10 廈 350
廉 350
廊 350
廋 350
廇 350
廆 350
㢢 350
鴈 350
鷹 350
慶 350
麻 350
11 廄 350
廐 350
廑 350
廬 351
鄜 351
廔 351
廕 351
廖 351
㢣 351
㢤 351
㢥 351

廎 351
12 廚 351
廛 351
㢦 351
廝 351
廞 352
廟 352
廠 352
廡 352
廙 352
廢 352
㢧 352
廣 352
㢨 352
㢩 352
㢪 352
13 廥 353
㢫 353
廨 353
廞 353
廧 353
廩 353
廦 353
㢬 353
14 廮 353
㢭 353
15 廫 353

16 廬 353
㢮 353
17 㢯 354
㢰 354
㢱 354
廧 354
廳 354
18 廱 354
19 廲 354
㢲 354
22 廳 354

廴 部

廴 354
3 㢴 354
廵 354
4 延 354
延 354
廷 355
5 廻 355
廹 355
㢵 355
㢶 355
6 建 355
廻 355
廼 355
7 㢷 355
9 㢸 355

廾 部

廾 355
廿 355
1 卄 355
2 弁 355
弁 355
3 异 355
弅 356
弆 356
4 弄 356
弇 356
弈 356
弈 356
弈 356
弈 356
5 弉 356
弊 356
弇 356
6 弇 356
弈 356
弇 356
弇 356
弈 356
弈 356
弈 356
7 弈 356
弉 356

字	面
弇	356
8 㢠	357
𢍰	357
𢍱	357
9 𢍳	357
𢍴	357
11 𢍵	357
獘	357
12 弊	357
13 𢍷	357
𢍸	357
𢍹	357
19 𢍻	357
弋 部	
弋	357
1 弌	357
2 弍	357
3 式	357
弎	358
弐	358
4 𢍼	358
6 𢎀	358
8 𢎄	358
9 𢎅	358
10 𢎆	358
𢎈	358
12 𢎉	358
弓 部	
弓	358
弖	358
弓	358
1 弔	358
弖	358
弓	358
弓	358
弖	358
引	359
弖	359
弖	359
2 弘	359
弗	359
弖	359
弔	359
弖	359
弢	359
弘	359
3 弜	359
弛	359
弙	360
弙	360
弞	360
4 弡	360
弝	360
弥	360
弚	360
弟	360
5 弢	360
弣	360
弤	360
弦	360
弧	360
弨	360
弥	360
弛	360
弫	360
弩	360
弯	361
弫	361
6 弬	361
弮	361
弭	361
弫	361
弰	361
弯	361
弭	361
弮	361
弯	361
7 弱	361
弰	361
弲	361
弳	361
8 張	361
強	362
弸	362
弸	362
弴	362
弸	362
弶	362
弹	362
弱	362
9 弼	362
弼	362
弻	362
弽	362
猵	362
弱	363
强	363
彈	363
10 彀	363
彁	363
11 彃	363
彄	363
12 彈	363
彉	363
彌	363
彎	363
13 彋	363
彊	363
14 彌	363
15 彍	363
彌	363
16 彏	364
18 彏	364
彏	364
19 彎	364
20 彏	364
彐 部	
彐	364
彑	364
2 归	364
归	364
刍	364
3 彔	364
当	364
当	364
彐	364
彐	364
4 彔	364
5 彔	364
彖	364
彖	364
6 彖	365
彖	365
彘	365
7 彖	365
彘	365
8 彗	365
彘	365
9 彘	365
彘	365
10 彙	365
彙	365
11 彚	365
12 彛	365
13 彝	365
彝	365
14 彝	365
15 彝	365
彝	365
16 彝	365
19 彝	365
23 彟	365
彡 部	
彡	366
3 彣	366
4 彣	366
形	366
彤	366
彤	366
5 彤	366
6 彨	366
彦	366
彥	366
7 彧	366
彩	366
彺	366
彨	366
彩	366
8 彩	366
彪	366
彫	367
彬	367
彬	367
彭	367
彭	367
彮	367
9 彭	367
彯	367
11 彰	367
彯	367
12 彯	367
影	367
彯	368
13 彯	368
17 彲	368
19 彲	368
彳 部	
彳	368
2 行	368

부수검자색인

부수검자색인

⿰彳巴 368
3 ⿰彳士 368
彴 368
4 彷 368
彸 368
役 368
彶 368
⿰彳内 368
⿰彳反 368
⿰彳止 368
⿰彳匀 369
彻 369
⿰彳从 369
5 彼 369
彽 369
彿 369
往 369
⿰彳生 369
⿰彳乍 369
征 369
徂 369
⿰彳冬 369
彾 369
⿰彳由 369
径 369
6 待 370
徇 370
⿰彳夷 370
很 370
徉 370
徊 370
⿰彳各 370
律 370
後 370
⿰彳合 371
従 371
⿰彳坙 371
7 徐 371
徑 371
徒 371
⿰彳夆 371
⿰彳夋 371
徎 371
⿰彳邑 371
⿰彳⿱日夂 371
⿰彳⿱亠生 371
⿰彳矣 371
⿰彳㝵 371
徔 371
徏 372
⿰彳甬 372
8 得 372
徘 372
徙 372
徜 372
從 372
徛 372
徠 372
御 372
⿰彳寺 373
⿰彳卑 373
⿰彳戔 373
⿰彳两 373
⿰彳叟 373
9 徧 373
⿰彳面 373
徨 373
復 373
循 373
⿰彳皆 374
徦 374
徥 374
徸 374
⿰彳柔 374
10 徭 374
微 374
⿰彳胥 374
⿰彳留 374
徯 374
徬 374
⿰彳㝵 374
徣 374
11 ⿰彳悉 374
徲 374
⿰彳夏 374
⿰彳敖 375
⿰彳畢 375
⿰彳敞 375
徳 375
徴 375
12 徵 375
德 375
⿰彳悳 375
徹 375
⿰彳⿱⿰刃刃皿 375
⿰彳⿰糸攵 375
13 ⿰彳⿰育攵 375
徼 375
⿰彳辟 376
⿰彳睘 376
14 徽 376
⿰彳壽 376
⿰彳⿰黹攵 376
⿰彳⿰黑攵 376
16 ⿰彳龍 376
17 ⿰彳襄 376
18 忂 376

心 部

心 376
㣺 376
忄 376
1 必 376
忆 377
2 ⿱刀心 377
忉 377
怂 377
3 忌 377
応 377
⿰忄刃 377
忍 377
⿱刅心 377
忒 377
志 377
忘 377
⿱亾心 378
忐 378
忑 378
⿱工心 378
忎 378
⿱夂心 378
⿱亼心 378
忓 378
⿰忄于 378
⿰忄亏 378
忏 378
忔 378
忖 378
忙 378
⿰忄区 378
忕 378
4 忠 378
念 378
忽 379
⿰忄勿 379
忩 379
忿 379
⿱玄心 379
⿰忄攵 379
⿱企心 379
忥 379
⿱及心 379
⿰忄及 379
⿱旡心 379
态 379
⿱五心 379
⿱山心 379
忝 379
⿱夭心 379
忡 379
忤 379
忨 380
快 380
忭 380
⿰忄爻 380
忮 380
忱 380
⿰忄冗 380
忺 380
忲 380
忸 380
⿰忄犬 380
⿰忄反 380
忻 380
⿰忄牙 380
忯 380
忼 380
忳 380
⿰忄市 381
忧 381
忦 381
忪 381
怀 381
⿰忄分 381
⿰忄匀 381
⿰忄壬 381
⿰忄凶 381
忾 381
忰 381
5 怎 381

怒	381	怐	383	怴	385	𢘽	386	恗	388	悅	390	悅	391
𢘑	381	㤕	383	怞	385	恖	386	恨	388	悔	390	悁	391
思	381	怓	383	怢	385	𢙊	387	𢘾	388	悩	390	悀	391
怠	382	怔	383	怮	385	𢙏	387	恪	388	7 𢙿	390	悃	391
急	382	怕	383	怋	385	𢘸	387	恫	388	患	390	悄	391
𢘇	382	怖	383	怬	385	恳	387	恬	388	悠	390	悋	391
怨	382	怗	383	怇	385	𢘹	387	𢘽	388	悉	390	𢙦	391
怨	382	怙	383	怾	385	恶	387	恀	388	悤	390	悌	391
𢘥	382	怑	383	怽	385	恋	387	𢙗	389	悆	390	悍	391
忽	382	怚	383	𢘬	385	𢙕	387	㤝	389	您	390	悔	391
怤	382	㤎	383	㤇	385	恵	387	恰	389	𢙺	390	𢚉	392
㤔	382	怛	384	6 恥	385	𢙆	387	恛	389	𢚀	390	悒	392
㤐	382	㤀	384	恁	385	恭	387	恜	389	𢙵	390	悕	392
怷	382	怜	384	𢙐	385	恦	387	㤦	389	𢚆	390	悙	392
𢘅	382	怡	384	𢙓	385	恃	387	㤞	389	𢙽	390	悖	392
𢘌	382	怈	384	𢙒	385	㤩	387	恅	389	𢙱	390	悗	392
𢗽	382	怦	384	恐	385	恆	387	恊	389	𢙾	390	悚	392
𢘊	382	性	384	𢙔	386	恒	387	㤩	389	𢚁	391	悛	392
𢘎	382	怩	384	恕	386	恇	387	恓	389	悊	391	悝	392
𢙀	383	𢘗	384	恙	386	恈	387	㤥	389	恿	391	悞	392
𢘋	383	怪	384	𢘚	386	恌	388	𢙟	389	𢚃	391	悮	392
𢘃	383	𢘛	384	恚	386	恍	388	恲	389	𢙸	391	悟	392
𢘏	383	怫	384	恝	386	恔	388	𢙋	389	悐	391	悢	392
总	383	怭	384	恣	386	恟	388	恮	389	愀	391	恾	392
怍	383	怯	384	恧	386	𢙖	388	恑	389	悪	391	悈	393
怊	383	怲	384	恩	386	恢	388	恉	390	悬	391	悧	393
怏	383	怳	385	息	386	恤	388	恠	390	悅	391	㤱	393

悓 393	惥 394	⿰忄夌 395	惀 398	⿱矜心 399	愒 401	⿰忄象 402
⿰忄巠 393	⿱弦心 394	悾 396	惈 398	⿱亟心 399	愓 401	⿰忄卸 403
⿰忄坐 393	⿱依心 394	情 396	⿰忄固 398	⿱客心 400	愎 401	⿰忄匡 403
悑 393	惌 394	情 396	⿰忄奄 398	⿱罒思 400	愔 401	⿰忄叟 403
⿰忄冋 393	惪 394	惇 396	惐 398	慈 400	⿰忄癸 401	⿰忄享 403
悇 393	悳 395	惆 396	惊 398	⿰忄臾 400	⿰忄亮 401	⿰忄悤 403
悍 393	⿱叀心 395	惋 396	惦 398	⿰忄育 400	⿰忄頁 401	慍 403
悝 393	惷 395	惏 396	⿰忄匧 398	惱 400	⿰忄哀 401	10 ⿱殸心 403
悏 393	⿱聿心 395	惓 396	⿰忄刧 398	⿰忄亟 400	⿰忄胃 401	愬 403
惱 393	[illegible] 395	⿰忄罙 396	惨 398	惲 400	愕 401	愿 403
悩 393	惣 395	惔 396	惧 398	愇 400	愖 402	⿱麻心 403
8 惢 393	⿱制心 395	惕 396	惞 398	惴 400	⿰忄重 402	慁 403
㥑 393	⿱兹心 395	⿱易心 396	⿰忄忩 398	惵 400	⿰忄弭 402	⿰忄圂 403
悶 393	悤 395	惘 396	9 愛 398	惶 400	⿰忄胥 402	⿱通心 403
⿰忄門 393	⿱征心 395	惙 396	感 398	⿰忄孚 400	⿰忄象 402	慇 403
⿵門小 393	惁 395	惚 397	⿱敄心 398	⿰忄者 400	愜 402	⿰忄殷 403
悲 393	⿱周心 395	惛 397	想 398	惺 400	[illegible] 402	慈 403
惄 393	惒 395	惜 397	惷 399	⿰忄省 400	愞 402	態 403
惉 393	悻 395	惝 397	惹 399	惻 400	⿰忄娄 402	愻 403
⿱怙心 394	⿰忄朋 395	惟 397	愁 399	⿱則心 401	惿 402	⿱𡨄心 404
惎 394	悱 395	⿱隹心 397	⿱烝心 399	惼 401	⿰忄禺 402	⿱修心 404
⿰忄其 394	悴 395	悰 397	愆 399	⿰忄昬 401	愐 402	⿱爭心 404
惑 394	悵 395	⿰忄典 397	⿱延心 399	愀 401	⿰忄某 402	⿱猻心 404
惠 394	悸 395	悷 397	愈 399	愃 401	⿰忄壴 402	⿱思心 404
惡 394	悼 395	⿰忄臽 397	愍 399	⿰忄兪 401	⿰忄華 402	[illegible] 404
悹 394	⿱卓心 395	⿰忄隶 397	意 399	愉 401	⿰忄咠 402	⿱𥝢心 404
悺 394	悽 395	⿰忄采 397	愚 399	愊 401	愣 402	黎 404

慍 404	㥜 406	慗 407	慴 409	憃 411	憪 412	憼 414
愧 404	慀 406	𪑾 408	慵 409	𢤑 411	㦜 412	應 414
愫 404	㥭 406	𢡃 408	慷 409	𢣣 411	㦿 412	懋 414
愮 404	愽 406	憑 408	惓 409	薏 411	憫 412	𢥻 414
愴 404	慨 406	慤 408	慺 409	憩 411	憏 412	憵 414
愷 404	㦞 406	憇 408	憀 409	憇 411	憬 412	憶 414
愼 404	㦚 406	慕 408	𢠳 409	𢣤 411	憭 413	憸 414
慎 404	11 慶 406	𢟦 408	慞 410	蕙 411	憮 413	憹 414
慐 404	憂 406	慓 408	慲 410	悶 411	憯 413	憺 414
愾 404	慙 406	憁 408	慪 410	𢣚 411	㦧 413	憾 414
慣 405	慚 406	慘 408	𢢁 410	𢞗 411	𢣏 413	懄 414
慄 405	慝 406	慒 408	𢡆 410	𢣞 411	𢣼 413	憷 414
愭 405	慧 406	慟 408	憎 410	憍 411	㦬 413	懁 414
慅 405	慫 406	憅 408	慌 410	憎 411	憣 413	懂 415
慆 405	慮 407	慠 408	12 憋 410	憢 411	憰 413	懅 415
慉 405	慰 407	𢠇 408	𢣀 410	憐 411	憱 413	憴 415
慊 405	慇 407	慔 408	憊 410	𢥞 411	憦 413	懆 415
慌 405	慸 407	慢 408	憑 410	憕 411	憿 413	懈 415
慌 405	㦄 407	慣 408	憖 410	憒 412	㦟 413	懊 415
愲 405	慹 407	㥾 409	憗 410	憓 412	憯 413	懌 415
㥟 405	慼 407	慥 409	憙 410	憔 412	憜 413	憻 415
愰 405	慽 407	慨 409	憘 410	憛 412	𢣒 413	懍 415
愵 405	慾 407	𢡔 409	憝 410	憚 412	慛 413	𢤮 415
㥄 405	憃 407	慬 409	憞 410	𢣋 412	𢟀 413	懀 415
㦅 405	慜 407	慳 409	憨 410	憤 412	13 懃 413	憿 415
愺 406	㥶 407	慱 409	憲 410	㦗 412	懇 413	𢣍 415
愯 406	𨖼 407	慯 409	憲 411	憧 412	懇 414	懎 415

㦥 415
懍 415
懫 415
懪 415
懐 415
14 辬 416
辯 416
懘 416
懟 416
懇 416
懣 416
懕 416
懨 416
懖 416
懲 416
慺 416
懠 416
懢 416
懤 416
懥 416
懦 416
懧 416
懛 416
懡 416
懞 417
懝 417
懙 417

懇 417
憐 417
15 懲 417
懬 417
黎 417
篤 417
鍃 417
憩 417
懫 417
懯 417
懮 417
懰 417
懘 417
懭 417
懩 417
懱 418
懪 418
懴 418
16 懸 418
懇 418
懲 418
懿 418
懕 418
懶 418
懶 418
㦪 418
懷 418

懻 418
懵 418
懆 418
慣 418
懵 418
17 懲 418
懺 419
懹 419
懾 419
18 懿 419
懸 419
懸 419
懼 419
懽 419
懾 419
懪 419
㦬 419
㩴 419
㦭 419
19 戀 419
戁 419
㦮 419
㦫 419
20 戇 420
㦯 420
㦱 420
㦳 420

21 戅 420
24 戇 420

戈部

戈 420
1 戊 420
戉 420
戋 420
2 戌 420
戍 420
戎 420
戏 420
戈 421
戔 421
成 421
3 成 421
我 421
戌 421
戎 421
㦰 421
或 421
戒 421
戋 4421
4 戔 421
戕 421
或 421
戓 422
㦷 422

㦸 422
㦹 422
戠 422
5 戙 422
戚 422
戚 422
戕 422
战 422
6 戜 422
戛 422
㦻 422
㦽 422
戚 422
7 戚 422
或 422
戟 422
戝 423
戝 423
戛 423
8 戞 423
戟 423
戟 423
戟 423
9 戡 423
戡 423
戢 423
戣 423

戣 423
戤 423
戥 423
戥 423
戦 423
10 截 423
戧 423
戟 424
戴 424
戧 424
11 戩 424
戲 424
戲 424
戮 424
戳 424
戴 424
戲 424
戲 424
12 戰 424
戲 424
戴 424
戳 424
戲 424
13 戲 424
戴 424
戳 425
戵 425

戳 425
14 戳 425
戴 425
15 戴 425
18 戵 425

戶部

戶 425
1 戹 425
3 戺 425
戼 425
戻 425
戽 425
4 戾 425
戾 425
房 425
戾 426
所 426
5 扁 426
扂 426
扃 426
扃 426
扄 426
6 扅 426
扆 426
扇 426
7 扈 427
8 扉 427

扆 427

手部

手 427
扌 427
才 427
1 毛 427
扎 427
2 扐 427
扑 427
扒 427
打 427
扔 428
払 428
⿰扌丂 428
⿰扌丩 428
3 扛 428
托 428
扚 428
扞 428
扜 428
扝 428
扣 428
扤 428
扠 428
扨 428
扢 428
扟 428
扡 429
扦 429
执 429
扫 429
⿰扌弋 429
⿰扌弓 429
扗 429
4 ⿰手干 429
承 429
氶 429
⿰手开 429
扴 429
扱 429
扮 429
⿰扌牙 429
扶 429
批 429
扺 430
扼 430
扭 430
技 430
抃 430
抄 430
抆 430
扻 430
抉 430
把 430
抎 430
⿰扌巿 431
抑 431
抒 431
扲 431
抓 431
抔 431
投 431
抖 431
抗 431
折 431
⿰扌开 432
抇 432
抈 432
抐 432
抏 432
抌 432
扽 432
扰 432
⿰扌气 432
抩 432
⿰扌片 432
⿰扌方 432
找 432
抁 432
扳 433
抚 433
抚 433
扯 433
扵 433
抅 433
択 433
抛 433
报 433
抝 433
护 433
抜 433
抂 433
⿰扌引 433
⿰扌卆 433
5 拜 433
拝 433
拏 433
⿱此手 433
⿱夫手 433
抨 433
抪 433
抮 433
抋 433
披 434
抱 434
抱 434
⿰扌色 434
抵 434
抶 434
抹 434
抺 434
抦 434
抽 434
抻 434
押 434
抳 435
拂 435
拄 435
抯 435
担 435
拆 435
拇 435
拈 435
拉 435
拊 435
拋 435
拌 436
拍 436
拐 436
拑 436
拒 436
拓 436
拔 436
㧞 436
抭 436
拖 436
拕 436
拗 436
拘 437
拙 437
拚 437
招 437
⿰扌㕣 437
抴 437
抗 437
拃 437
抧 437
抰 437
抲 437
抾 438
抬 438
拁 438
⿰扌戹 438
抿 438
拟 438
拦 438
拣 438
拥 438
拡 438
拎 438
6 ⿱手手 438
[illegible] 438
拳 438
⿱𠔉手 438
挈 438
拲 438
挐 438
拿 438
⿱乎手 439
举 439
拫 439
挻 439
括 439
⿰扌休 439
拭 439
⿰扌戌 439
挾 439
拮 439
拯 439
拸 439
拱 439
拶 439
拷 440
拽 440
拴 440
拾 440
持 440
⿰扌先 440
挂 440

부수검자색인

挃 440	挨 442	捌 444	掟 445	捲 447	掐 448	掕 451
拺 440	挩 442	捍 444	捜 445	捲 447	排 449	揀 451
指 440	捖 442	捎 444	挿 445	捵 447	掖 449	掚 451
指 440	挫 442	捏 444	括 446	𢫊 447	掘 449	掅 451
按 440	振 442	揑 444	8 掱 446	捶 447	掛 449	揚 451
捤 441	振 442	捐 444	𢮎 446	捷 447	掞 449	𢮬 451
挋 441	𢫌 442	挪 444	掌 446	捺 447	𢱤 449	掭 451
挏 441	挶 442	挪 444	掔 446	捻 447	掠 449	掮 451
挌 441	挹 442	捅 444	掔 446	捼 447	𢳔 449	捪 451
拹 441	挻 443	捕 444	掣 446	捿 447	採 449	𢯚 451
挑 441	挺 443	挭 445	掣 446	捽 447	探 449	掦 451
挎 441	挼 443	捗 445	𢳆 446	掀 447	掤 450	捯 451
挅 441	挽 443	捘 445	捥 446	掅 447	接 450	𢰉 451
挒 441	捈 443	𢬿 445	捧 446	掃 448	控 450	𢭏 451
挀 441	𢭏 443	捀 445	掁 446	掃 448	推 450	擇 451
㧢 441	挾 443	捇 445	捨 446	掄 448	掩 450	揔 451
拵 441	挮 443	捊 445	捨 446	𢭶 448	措 450	揭 452
拼 441	捂 443	挱 445	捩 446	掆 448	掫 450	9 掔 452
挖 441	捁 443	挲 445	捸 446	捦 448	掬 450	𢴤 452
拪 442	捔 443	𢫮 445	捫 446	𢲵 448	掜 450	𢰸 452
㧰 442	捃 443	挬 445	𢰒 446	掇 448	捱 450	揪 452
挍 442	捒 443	𢭆 445	捭 446	授 448	掙 451	掣 452
𢪶 442	捄 444	挷 445	𢱞 446	掉 448	掂 451	挈 452
𢫎 442	捆 444	𢱢 445	𢭐 446	掊 448	掝 451	擊 452
挟 442	挴 444	㨳 445	据 447	掍 448	掟 451	掾 452
7 挐 442	捉 444	捪 445	捆 447	掎 448	捬 451	揀 452
𢪸 442	捋 444	挵 445	捾 447	掬 448	掗 451	揃 452

부수검자색인

揄 452	握 454	揻 456	搖 457	揟 459	搿 461	摤 462
揗 452	揣 454	揳 456	搒 457	搩 459	搟 461	摔 462
揆 452	揌 454	揶 456	搓 457	搇 459	搩 461	摘 462
揉 452	揥 454	揯 456	搷 457	搠 459	搝 461	摗 462
撓 452	揩 454	揺 456	搔 458	摀 459	摼 461	摛 463
揎 453	揭 455	揬 456	搽 458	摁 459	搥 461	摜 463
描 453	揠 455	搸 456	搖 458	㨪 459	摒 461	摝 463
提 453	揮 455	撰 456	搡 458	搶 459	摂 461	摕 463
揞 453	揲 455	搹 456	搗 458	搰 460	11 摩 461	摟 463
插 453	揳 455	揔 456	搢 458	搾 460	摩 461	摡 463
揷 453	揙 455	揑 456	搚 458	搲 460	擵 461	摀 463
揕 453	揝 455	損 456	搜 458	搮 460	摯 461	摢 463
揬 453	揂 455	揔 456	撊 458	摑 460	摹 461	摣 463
揖 453	揟 455	搽 456	搢 458	㨨 460	摰 461	攄 463
揚 453	援 455	捷 457	搢 458	搵 460	摰 462	摦 463
揢 453	揵 455	摆 457	搇 458	搌 460	摮 462	摧 463
揜 453	揶 456	搀 457	摽 458	搞 460	擘 462	摳 463
換 454	揘 456	搖 457	搥 458	搦 460	摞 462	摭 463
揹 454	揉 456	10 搴 457	搨 458	携 460	擊 462	摲 463
揺 454	揤 456	搫 457	搣 458	搋 460	擊 462	㨗 463
揼 454	揨 456	搻 457	搨 459	搳 460	撥 462	摳 463
揹 454	揰 456	搿 457	搪 459	搈 460	摎 462	摴 464
揸 454	揍 456	搆 457	搬 459	搞 460	摬 462	摵 464
揠 454	揦 456	搉 457	搻 459	搕 461	摏 462	摷 464
揾 454	揳 456	損 457	搭 459	搑 461	摐 462	摶 464
揨 454	揹 456	搏 457	搋 459	搛 461	摑 462	摸 464
揿 454	揪 456	搎 457	搯 459	搧 461	摓 462	㨤 464

撘 464	12 擎 465	撌 467	[illegible] 469	[illegible] 471	擪 472	擴 474
[illegible] 464	[illegible] 465	撟 467	[illegible] 469	擉 471	擫 472	擷 474
[illegible] 464	擊 465	[illegible] 467	[illegible] 469	操 471	擧 472	[illegible] 474
摺 464	撇 465	撨 467	[illegible] 469	[illegible] 471	擠 472	擸 474
摻 464	撅 466	撢 467	[illegible] 469	擋 471	[illegible] 472	擺 474
摽 464	撈 466	撣 467	[illegible] 469	撽 471	擢 472	擻 474
[illegible] 464	撗 466	撥 467	[illegible] 469	擐 471	擣 473	擽 474
[illegible] 464	撊 466	[illegible] 468	[illegible] 469	[illegible] 471	[illegible] 473	[illegible] 474
摫 464	撋 466	撦 468	[illegible] 469	擒 471	擦 473	擾 474
[illegible] 464	撎 466	撩 468	[illegible] 469	擔 471	[illegible] 473	擿 474
摙 465	撍 466	撫 468	13 擊 469	擖 471	擩 473	[illegible] 474
[illegible] 465	撏 466	播 468	擘 470	擗 471	擬 473	攄 474
[illegible] 465	撐 466	撴 468	[illegible] 470	㩒 471	[illegible] 473	[illegible] 474
摍 465	撑 466	[illegible] 468	[illegible] 470	據 471	擭 473	[illegible] 474
[illegible] 465	[illegible] 466	撧 468	撻 470	[illegible] 471	擯 473	攆 475
[illegible] 465	撒 466	[illegible] 468	撼 470	[illegible] 471	[illegible] 473	[illegible] 475
摬 465	撤 466	撮 468	撽 470	[illegible] 472	擱 473	[illegible] 475
[illegible] 465	[illegible] 466	撰 468	[illegible] 470	擀 472	擰 473	[illegible] 475
摚 465	撓 466	撱 468	撾 470	[illegible] 472	擤 473	[illegible] 475
摞 465	[illegible] 467	撲 468	[illegible] 470	撿 472	擜 473	[illegible] 475
摷 465	撕 467	[illegible] 469	擁 470	[illegible] 472	[illegible] 473	攜 475
摠 465	撙 467	[illegible] 469	[illegible] 470	[illegible] 472	[illegible] 473	攢 475
[illegible] 465	撚 467	[illegible] 469	擂 470	擡 472	[illegible] 473	攠 475
[illegible] 465	[illegible] 467	[illegible] 469	擄 470	擕 472	擈 473	16 [illegible] 475
[illegible] 465	撝 467	撖 469	擅 470	[illegible] 472	[illegible] 473	攇 475
[illegible] 465	撜 467	撳 469	[illegible] 470	14 [illegible] 472	15 攀 473	攉 475
[illegible] 465	撞 467	撬 469	擇 470	[illegible] 472	擲 474	攍 475

부수검자색인

攌 475
擧 475
攏 475
攋 475
攐 475
攎 475
擐 475
攊 476
17 𢺡 476
攔 476
攖 476
攕 476
攘 476
𢺕 476
攓 476
撜 476
攑 476
攙 476
18 攛 476
㩳 476
攜 476
攥 476
攝 476
𢺯 477
攫 477
攃 477
擧 477
攤 477
攙 477
攗 477
19 攣 477
𢺶 477
攡 477
攦 477
攞 477
攢 477
𢺹 477
攤 477
攦 477
𢺽 477
攪 477
攎 478
20 攩 478
攪 478
𢻇 478
攫 478
21 攬 478
𢻉 478
𢻋 478
𢻌 478
𢻍 478
22 𢻎 478
攮 478

支部

支 478
2 攱 478
3 𢻮 478
5 𢻸 478
6 𢻾 479
𢼂 479
𢼌 479
7 𢼒 479
8 攲 479
12 𢽇 479
16 𢾚 479

攴部

攴 479
攵 479
2 收 479
攷 479
3 条 479
攸 479
改 479
攻 480
攺 480
𢻱 480
𢼛 480
收 480
4 放 480
攽 480
𢼄 480
𢼊 480
𢻴 480
效 480
𢼓 480
致 480
攸 481
5 敂 481
敃 481
政 481
敁 481
故 481
敀 481
敄 481
㪅 481
敂 481
𢼛 481
6 敋 481
效 481
敆 481
敉 482
敌 482
敇 482
𢼸 482
敕 482
𢼺 482
𢼻 482
𢼼 482
敏 482
7 敘 482
敍 482
敏 482
救 482
敔 482
敎 482
教 483
敓 483
敖 483
敗 483
𢽃 483
㪏 483
𢽁 483
𢽉 483
敕 483
𢽋 483
8 𢽏 483
敟 483
敜 483
𢽘 484
敞 484
敠 484
敢 484
㪉 484
𢽵 484
攲 484
散 484
敦 484
𢽆 484
𢽰 485
𢽯 485
𢾕 485
𢽥 485
𢽜 485
𢽡 485
𢽢 485
𢽰 485
敬 485
𢽸 485
敱 485
敳 485
9 𢾁 485
𢾃 485
敬 485
敲 485
𢾆 485
𢾇 485
𢾈 485
敫 486
敯 486
敳 486
敭 486
数 486
𢾎 486
𢾏 486
10 鼔 486
敲 486
敲 486
𢾗 486
𢾘 486
𢾙 486
𢾚 486
敳 486
𢾞 486
𢾟 486
𢾠 486
11 敵 486
敷 487
敷 487
𢾢 487
數 487
數 487
𢾦 487
敹 487
𠻴 487
夐 487
敺 487
敺 487
𢾯 487
𢾱 487

부수검자색인

整 487	𣁋 489	**斗部**	𣂔 492	𣂩 494	旄 496	11 𣄅 498
12 敽 487	𣁌 489	斗 490	15 𣂕 492	斷 494	𣃔 496	𣄇 498
敼 487	18 𣁖 489	斗 491	19 𣂖 492	12 𣂫 494	旆 496	12 𣄈 498
整 488	19 𣁛 489	5 𣁾 491	**斤部**	𣂬 494	旁 496	旘 498
整 488	**文部**	𣂀 491	斤 492	13 𣂹 494	𣃕 496	13 旚 498
敲 488	文 489	6 料 491	1 斥 492	𣂮 494	7 𣃖 496	14 旛 498
𢿞 488	2 齐 489	𣂁 491	4 斦 493	14 斷 494	旇 496	𣄋 498
敲 488	3 斊 489	𣂂 491	斨 493	16 𣂯 494	旋 496	旜 498
𣀊 488	斈 489	𣂃 491	斧 493	21 斸 494	旌 496	15 𣄌 498
散 488	4 斉 490	7 斛 491	𣂚 493	**方部**	旍 497	旝 498
敿 488	6 斋 490	斜 491	5 斫 493	方 494	旎 497	旞 498
13 斀 488	𣁭 490	𣂄 491	𣂛 493	2 㫃 494	族 497	16 旟 498
𢿿 488	7 𣁰 490	8 𣂆 491	6 𣂞 493	3 𣃃 495	旑 497	18 𣄓 498
斂 488	斎 490	𣂇 491	訢 493	㫄 495	旒 497	20 𣄔 498
𣀳 488	𣁱 490	𣂈 491	7 斬 493	4 於 495	𣃗 497	**无部**
斁 488	斌 490	9 𣂊 491	𣂡 493	斻 495	𣃘 497	无 498
嚴 488	紋 490	斟 491	𣂢 493	𣃈 495	8 旐 497	旡 499
14 斃 488	8 斑 490	𣂌 491	断 493	5 施 495	𣃙 497	5 既 499
𣀻 488	斐 490	10 斠 491	8 𣂤 493	旀 495	旖 497	7 旣 499
𢿷 488	9 斒 490	斡 492	斯 493	斿 495	𣃚 497	旣 499
𣁀 488	𣁳 490	𣂍 492	𣂥 493	旆 495	9 旒 497	8 𣄣 499
𣁈 489	11 𣁴 490	𣂎 492	𣂦 493	𣃍 495	旓 497	9 旤 499
𣁃 489	𣁵 490	11 𣂏 492	𣂧 493	𣃎 495	𣃛 497	𣄤 499
15 𣁎 489	14 辬 490	𣂐 492	9 新 493	6 旂 495	𣃜 497	**日部**
16 𣁐 489	15 𣁶 490	𣂑 492	斲 494	𣃒 495	10 𣃝 497	日 499
斅 489	17 斕 490	12 𣂒 492	10 新 494	旅 496	旗 497	1 旦 499
斆 489	19 斖 490	13 𣂓 492	𣂨 494	𣃓 496	旙 498	𣄰 499

旧 499	昗 501	㫗 503	昳 505	春 507	㬖 508	𣈶 510
旦 499	昆 501	昘 503	昵 505	㫶 507	8 晶 508	晉 510
2 早 499	昇 501	㫢 503	昲 505	7 晜 507	景 508	晚 510
㫐 499	昊 501	㫐 503	昢 505	晟 507	最 509	㬍 510
𣅁 500	易 501	皆 503	昡 505	晠 507	晷 509	9 暈 510
旪 500	昌 502	5 星 503	昶 505	㬥 507	暑 509	暑 510
旭 500	昰 502	是 503	昼 505	晨 507	晫 509	景 510
旮 500	明 502	昱 504	昝 505	晨 507	晲 509	曼 510
旨 500	旺 502	昴 504	春 505	㫻 507	晬 509	暄 510
百 500	旼 502	昪 504	昚 505	曡 507	𣈅 509	暇 510
旬 500	昐 502	昜 504	昬 505	晚 507	暘 509	暆 510
3 旱 500	昄 502	昻 504	6 晃 505	晩 507	晴 509	暉 510
旲 500	旽 502	昰 504	晄 506	㬂 507	晴 509	暌 511
旵 500	昈 502	昦 504	晏 506	晛 507	晻 509	暍 511
㫐 500	昉 502	㫛 504	晁 506	晙 507	𣈆 509	暖 511
旰 500	昕 502	昷 504	昰 506	晞 507	晼 509	暝 511
旴 500	昳 502	显 504	显 506	晡 508	㬇 509	暗 511
旳 500	昑 502	昺 504	時 506	晤 508	晾 509	暕 511
时 500	昒 503	昞 504	晅 506	晥 508	晽 509	暘 511
㫗 500	曶 503	映 504	晊 506	晦 508	晓 509	暐 511
舌 500	昨 503	昤 504	晌 506	晧 508	晰 509	暅 511
吉 501	昍 503	昧 504	晐 506	㫲 508	晳 510	暏 511
4 昌 501	昏 503	昩 504	晈 506	晗 508	普 510	暞 511
旻 501	昔 503	昨 504	晒 506	晣 508	智 510	暒 511
昂 501	昚 503	昫 505	晉 506	晝 508	晵 510	暎 511
㫤 501	昬 503	昭 505	晋 507	晢 508	㬫 510	㬈 511
昃 501	㫐 503	昢 505	書 507	㫧 508	朁 510	暁 511

曉 512	瞟 513	暍 515	曟 516	曵 518	普 520	朚 522
暋 512	暵 513	暿 515	曝 516	4 [illegible] 518	11 [illegible] 520	8 朝 522
暘 512	暱 513	13 曏 515	曠 516	曶 518	12 朁 520	期 522
暛 512	暫 513	曑 515	曡 516	昏 518	16 [illegible] 520	朞 522
暷 512	暵 513	曐 515	曞 516	5 曷 518	月 部	胃 523
10 暠 512	暬 513	曓 515	曆 516	冐 518	月 520	9 朡 523
㬎 512	暮 513	曌 515	曣 516	[illegible] 518	1 肊 520	10 [illegible] 523
暝 512	暓 514	曥 515	16 曦 516	旱 518	2 [illegible] 520	朥 523
暟 512	曅 514	暾 515	曨 516	6 書 518	有 520	朢 523
暡 512	12 曇 514	曖 515	曥 516	曺 518	4 朋 520	[illegible] 523
暤 512	㬎 514	曒 515	曣 517	[illegible] 518	服 520	11 [illegible] 523
暢 512	曌 514	曔 515	朁 517	[illegible] 518	朌 521	12 朣 523
暣 512	暸 514	曦 515	17 曩 517	7 曼 518	肭 521	14 朦 523
暡 512	暾 514	曙 515	19 曬 517	曹 519	5 朏 521	16 朧 523
暿 512	曀 514	曙 515	曬 517	曽 519	朎 521	20 [illegible] 523
暜 512	曈 514	14 曝 515	曪 517	8 最 519	朐 521	木 部
普 512	暻 514	曙 515	曫 517	會 519	6 朒 521	木 523
曆 513	曉 514	曚 515	20 曭 517	朁 519	朓 521	不 524
暈 513	曄 514	曚 516	曮 517	替 519	朕 521	朩 524
11 暴 513	曅 514	曛 516	21 曯 517	[illegible] 519	朔 521	1 本 524
暳 513	曃 514	曞 516	曰 部	會 519	朗 521	札 524
暿 513	曋 514	曜 516	曰 517	9 會 519	7 朘 521	未 524
暤 513	遲 514	曘 516	2 曳 517	朂 519	望 521	末 524
暯 513	曁 514	曝 516	曲 517	[illegible] 519	朢 522	朮 525
暱 513	暼 515	𣋑 516	曳 518	10 朅 520	朗 522	朩 525
暲 513	曆 515	曡 516	3 旱 518	[illegible] 520	朖 522	术 525
暵 513	㬪 515	15 曡 516	更 518	朄 520	朙 522	东 525

2 朴 525
机 525
朻 525
朽 525
朼 525
朾 525
朷 525
朸 526
朳 526
朹 526
𣏌 526
权 526
朱 526
朿 526
朿 526
朵 526
朶 526
杀 526
杂 526
杀 526
3 李 526
杏 526
杍 526
杅 527
杆 527
杄 527
杇 527
杇 527
杈 527
杉 527
杋 527
杌 527
材 527
杔 527
村 528
杓 528
杕 528
杖 528
杙 528
杜 528
杝 528
杞 528
杠 528
杒 528
杪 529
杚 529
杦 529
東 529
杘 529
宋 529
呆 529
来 529
杀 529
条 529
4 林 529
𣏟 529
杳 529
枣 529
杰 529
杪 530
杸 530
杬 530
杴 530
杭 530
𣏟 530
杮 530
杯 530
杵 530
杶 530
杷 530
杻 530
杼 530
松 531
枀 531
板 531
极 531
枅 531
枇 531
枉 531
杫 531
枊 531
枋 531
枌 531
枂 532
枏 532
枎 532
枙 532
析 532
𣏼 532
构 532
枑 532
枒 532
料 532
枕 532
杭 532
枘 532
枚 532
枝 533
柄 533
枝 533
枖 533
杽 533
杚 533
枍 533
枇 533
枠 533
枢 533
東 533
果 533
杲 534
柔 534
茉 534
柴 534
枽 534
5 查 534
柰 534
枯 534
枮 534
枰 534
栟 534
枳 534
枴 534
枵 535
枷 535
柀 535
枸 535
枹 535
枻 535
柹 535
柿 535
柹 535
枺 535
柁 535
柂 535
柄 535
柅 535
柊 536
柈 536
柍 536
柎 536
柏 536
柆 536
柑 536
柘 536
柙 536
柚 536
柝 536
柞 537
柢 537
柣 537
柤 537
柩 537
柮 537
柌 537
柯 537
柱 537
柴 537
柲 537
柳 537
栁 538
柫 538
柵 538
栅 538
柶 538
柖 538
柷 538
柜 538
栀 538
柷 538
柾 538
柃 538
柧 538
柸 538
枰 538
柛 539
柏 539
𣏧 539
柭 539
栍 539
栟 539
枱 539
柠 539
柟 539
柗 539
树 539
栏 539
标 539
柬 539

枲 539	栰 542	样 544	枼 546	梀 547	栝 550	梁 551
架 539	栱 542	㭙 544	桒 546	梐 548	椴 550	梟 552
某 539	栲 542	栜 544	染 546	梌 548	槎 550	梋 552
柒 540	栳 542	栣 544	桨 546	梓 548	械 550	梨 552
染 540	栴 542	栯 544	栺 546	桾 548	梱 550	桊 552
柔 540	栮 542	梅 544	栘 546	梔 548	梲 550	桒 552
柴 540	栵 542	栬 544	栾 546	梘 548	梴 550	棐 552
枽 540	核 542	桙 544	栈 546	梖 548	梶 550	條 552
桒 540	根 542	栚 544	桜 546	梬 548	梳 550	桊 552
栄 540	栻 542	柵 544	7 梵 546	梗 548	梣 550	棨 552
荣 540	格 542	栧 544	梦 546	梆 548	棬 550	栽 552
亲 540	桁 543	栢 545	桼 546	梛 548	桸 550	8 森 552
6 東 540	桂 543	桩 545	桯 546	桍 549	梸 551	棼 553
栓 540	桃 543	桧 545	桰 546	梜 549	梂 551	棽 553
栖 540	桊 543	栽 545	桲 546	梠 549	梇 551	棗 553
栙 540	桄 543	栗 545	桵 547	梪 549	椓 551	棘 553
栘 541	桅 543	桒 545	桴 547	梡 549	桱 551	棥 553
栝 541	框 543	栞 545	桶 547	梢 549	梙 551	楙 553
栟 541	桋 543	桀 545	橯 547	梫 549	桓 551	椐 553
棖 541	桎 543	案 545	桷 547	梧 549	梍 551	棲 553
校 541	桐 543	桉 545	桭 547	梒 549	椏 551	棅 553
栩 541	桓 543	桊 545	桹 547	梩 549	㭨 551	棔 553
株 541	桔 544	桑 545	梃 547	梭 549	枹 551	棉 553
栫 541	桕 544	桒 546	桫 547	梮 549	榔 551	棌 553
栁 541	栒 544	栔 546	梅 547	梳 549	梄 551	棉 553
栭 541	枅 544	栠 546	棄 547	梯 549	桿 551	棍 554
栿 541	栛 544	桌 546	梏 547	橯 550	梹 551	棕 554

棆 554	椄 556	棤 558	9 楍 559	楉 561	楺 563	榼 565
棒 554	棯 556	榴 558	楚 559	楗 561	椴 563	梯 565
棎 554	椅 556	棳 558	楙 559	楖 561	𣘗 563	㮴 565
棓 554	椆 556	栵 558	椰 559	楆 561	楘 563	榆 565
棖 554	椔 556	梋 558	椳 559	楛 561	𣖩 564	㮚 565
棙 554	椇 556	楮 558	椶 559	楝 562	楃 564	楳 565
棝 554	椈 556	楕 558	楀 560	楞 562	楈 564	㮝 565
棚 554	椶 556	椖 558	椷 560	桸 562	梓 564	楹 565
棜 554	椋 556	桻 558	椵 560	楟 562	概 564	楕 565
棟 554	椌 556	椁 558	椸 560	楡 562	楁 564	楠 565
棣 554	棶 556	梱 558	椹 560	楢 562	𣗋 564	榅 565
楗 555	植 557	検 558	椽 560	楣 562	楩 564	楼 565
棧 555	椎 557	椗 558	㮤 560	楤 562	楴 564	椭 565
棫 555	椏 557	㮓 558	椿 560	楥 562	楱 564	業 565
棬 555	椐 557	棋 558	楂 560	楦 562	橊 564	楘 565
棭 555	椑 557	棊 558	楄 560	楨 562	椺 564	槩 565
棰 555	椒 557	棐 558	楪 560	楫 562	椲 564	楶 566
棱 555	椓 557	棠 558	楅 560	楬 562	椢 564	榕 566
棡 555	㮀 557	樘 559	椯 560	楮 562	楜 564	梟 566
棲 555	椊 557	棻 559	楊 561	楯 563	㮈 564	槀 566
棷 555	棆 557	棨 559	楈 561	楰 563	楋 564	稾 566
棹 555	棵 557	棸 559	椱 561	楲 563	楆 564	楽 566
棔 555	栟 557	棃 559	楑 561	極 563	楢 565	10 尌 566
棺 556	棑 557	𣖄 559	楎 561	楷 563	㮘 565	榎 566
棿 556	楷 558	椉 559	楇 561	楸 563	楒 565	榑 566
棪 556	棭 558	棄 559	楓 561	𣕽 563	橡 565	榏 566
椀 556	棈 558	㮆 559	楔 561	楹 563	𣘝 565	榔 566

榕 566	榼 568	㮩 570	榘 571	槿 573	樣 575	頴 576
榛 566	榾 568	樃 570	槊 571	櫰 573	梜 575	號 577
榜 566	榿 568	槶 570	㯎 571	樁 573	𣘹 575	槳 577
槝 566	槁 568	榙 570	槃 571	樜 573	𣘗 575	㯍 577
榠 566	槀 568	槢 570	桑 571	樅 573	槺 575	槷 577
榡 567	槇 568	榔 570	窼 571	樋 573	槫 575	槸 577
𣘥 567	槙 568	楄 570	槖 571	樏 573	樃 575	樂 577
榤 567	槅 568	槔 570	11 樊 571	樘 573	槾 576	槧 577
棎 567	槈 568	榎 570	槥 572	樒 573	𣘖 576	𣛃 577
𣘀 567	槏 568	槾 570	槪 572	樓 574	槰 576	𣘼 577
榥 567	構 569	𣘺 570	概 572	樔 574	槤 576	𣙈 577
榬 567	構 569	尌 570	槩 572	𣘨 574	樑 576	12 樷 577
榧 567	槌 569	槗 570	樧 572	樕 574	檽 576	禁 577
榨 567	槍 569	概 570	槬 572	𣘽 574	𣘷 576	麭 577
榭 567	槎 569	様 570	槭 572	樗 574	槨 576	樲 577
椶 567	榐 569	榢 570	槢 572	標 574	樺 576	樳 577
榰 567	槐 569	㭎 570	槮 572	𣘛 574	樢 576	橁 577
榱 567	槓 569	槜 571	𣚝 572	𣘞 574	樨 576	樴 577
榲 567	榫 569	棹 571	槲 572	樛 574	樄 576	橅 578
榷 567	榣 569	榟 571	𣛮 572	樝 574	𣘪 576	樵 578
榴 568	㮫 569	楈 571	橞 572	樚 574	𣚃 576	橃 578
𣘻 568	榶 569	榖 571	槶 572	樞 575	𣛗 576	樸 578
㮴 568	槉 570	槖 571	樀 573	樆 575	𣛘 576	𣛤 578
榌 568	㮸 570	榦 571	槹 573	樟 575	𣚆 576	檈 578
榻 568	榹 570	榺 571	槻 573	樠 575	権 576	樹 578
榻 568	槄 570	槑 571	槦 573	樇 575	横 576	橬 578
榯 568	榽 570	榮 571	槽 573	模 575	𣙽 576	機 578

樺 578	隤 580	橰 582	檔 584	𣙲 585	櫆 587	櫍 588
樽 578	橦 580	㮬 582	檖 584	𣚝 585	檫 587	櫎 588
[illegible] 578	樢 581	橊 582	檛 584	楖 585	檹 587	櫑 588
欘 579	橧 581	椂 582	檈 584	隟 585	檯 587	[illegible] 588
櫑 579	橪 581	榷 582	檜 584	檕 585	檷 587	櫓 588
樾 579	橫 581	橱 582	樴 584	檗 585	櫏 587	櫚 588
[illegible] 579	[illegible] 581	㯪 582	檟 584	檘 586	樸 587	櫛 588
樿 579	橲 581	橆 582	橾 584	櫜 586	[illegible] 587	櫝 588
橄 579	樍 581	楳 582	檢 584	檠 586	檺 587	櫞 589
樻 579	樌 581	橐 582	檑 584	檄 586	櫁 587	櫏 589
橇 579	㯃 581	燊 582	檣 584	14 檬 586	㯃 587	櫟 589
橈 579	橎 581	樬 582	檥 584	檸 586	櫥 587	櫼 589
橉 579	橂 581	㵎 583	檞 584	檼 586	櫄 587	櫢 589
橏 579	橞 581	檕 583	樮 585	檮 586	櫈 587	櫔 589
橋 579	㯍 581	[illegible] 583	𣡍 585	櫗 586	櫠 587	櫨 589
橑 579	[illegible] 582	13 [illegible] 583	𣟗 585	檳 586	樹 587	橃 589
橕 580	榼 582	橿 583	橽 585	檕 586	櫛 587	櫉 589
橘 580	[illegible] 582	[illegible] 583	檓 585	檻 586	[illegible] 587	檈 589
橙 580	樘 582	橚 583	𣞁 585	構 586	櫜 587	櫡 589
橒 580	橺 582	檀 583	𣜭 585	檽 586	檿 588	[illegible] 589
橛 580	[illegible] 582	檄 583	檁 585	檵 586	[illegible] 588	欈 589
槩 580	橵 582	[illegible] 583	樕 585	檴 586	[illegible] 588	欑 589
橝 580	槅 582	檇 583	𣚍 585	檜 586	[illegible] 588	櫖 589
機 580	橔 582	檉 583	𣝥 585	櫂 587	櫸 588	櫜 589
橓 580	[illegible] 582	檎 583	檡 585	櫅 587	15 [illegible] 588	櫐 589
橡 580	[illegible] 582	檐 583	欑 585	櫃 587	櫌 588	16 櫧 589
橢 580	槈 582	檍 583	檏 585	櫋 587	櫗 588	櫰 589

櫨	590	櫼	591	蘗	593	欝	594	𣢟	596	𣣋	597	𣤧	600
櫯	590	櫺	591	𣠮	593	23 櫜	594	㰣	596	款	597	歍	600
櫚	590	櫻	591	櫜	593	24 櫜	594	𣢡	596	𣣍	598	廘	600
櫜	590	欂	591	19 欄	593	欞	594	6 欬	596	欿	598	𣤶	600
櫪	590	櫰	591	欐	593	26 𣡽	594	欯	596	𣣘	598	𣤷	600
櫭	590	櫆	591	欃	593	**欠部**		𣢠	596	㰲	598	𣤻	600
櫬	590	櫶	591	欑	593	欠	594	欱	596	㰳	598	11 歎	600
櫰	590	欀	591	𣡕	593	2 次	594	𣢤	596	𣣓	598	歑	600
櫳	590	欌	591	櫕	593	欢	594	𣢥	596	9 𣤊	598	歐	600
龒	590	欄	591	欏	593	3 𣢀	594	㰬	596	𣣞	598	𣥀	600
櫇	590	鐎	592	欛	593	𣢁	595	欰	596	歆	598	歒	600
欄	590	欆	592	欒	593	𣢂	595	7 欲	596	𣤀	598	𣤸	600
櫹	590	檀	592	20 欓	593	4 欣	595	欷	596	𣤌	598	㱃	600
櫟	590	櫹	592	欕	593	欦	595	𣢦	596	歇	598	𣥇	600
櫞	590	櫾	592	欔	593	𣢃	595	欸	597	歂	599	歡	600
櫶	590	㯯	592	欗	593	𣢓	595	𣣁	597	歈	599	12 㱏	600
檴	590	櫜	592	欙	593	𣢏	595	欶	597	歁	599	歙	600
櫖	590	18 權	592	欎	593	𣢅	595	㰮	597	𣤈	599	𣥉	601
櫴	591	欆	592	21 欖	593	欧	595	𣢺	597	𣤉	599	𣥂	601
櫷	591	欇	592	欗	593	𣢊	595	𣢾	597	𣤎	599	歖	601
櫍	591	欋	592	欘	593	𣢋	595	𣢻	597	𣤓	599	𣥃	601
櫏	591	欌	592	欙	594	5 𣢑	595	8 欹	597	𣤒	599	歡	601
欖	591	櫸	592	欚	594	𣢔	595	欺	597	10 歉	599	13 歛	601
鑅	591	櫻	592	欟	594	欨	595	𣣌	597	𣤡	599	歜	601
櫫	591	欃	592	欞	594	𣢖	595	欻	597	歊	599	歔	601
櫱	591	櫺	592	22 欝	594	𣢗	595	𣣀	597	𣤯	599	歗	601
17 欅	591	欖	592	欜	594	欪	596	欽	597	歌	599	𣥏	601

歔 601	歨 603	餗 605	殆 607	殜 609	殨 610	6 殷 612
歟 601	走 603	**歹部**	殄 607	殙 609	殫 610	殽 612
歜 601	歧 603	歹 605	殆 607	殔 609	殌 610	殺 612
14 歟 601	歮 603	歺 605	殅 607	殘 609	殩 610	殻 612
15 歠 601	武 603	歺 605	6 殈 607	9 殜 609	13 殭 610	殺 612
歡 601	歫 604	歽 605	殊 607	殛 609	殮 611	7 殺 612
18 歡 601	5 歫 604	2 死 605	殉 607	殙 609	殬 611	殹 612
歑 602	歬 604	死 606	殊 607	殟 609	殭 611	殸 612
糤 602	歪 604	夗 606	殊 607	殤 609	斃 611	殹 612
歡 602	6 歬 604	叔 606	殆 607	10 殞 609	殜 611	毆 613
19 歛 602	峙 604	3 歼 606	殔 608	殟 609	14 殯 611	殿 613
21 歞 602	歫 604	4 殁 606	殀 608	殠 609	殭 611	殼 613
22 歡 602	歯 604	殁 606	殘 608	殟 609	15 殰 611	8 殼 613
止部	8 齒 604	殁 606	殑 608	殪 609	殲 611	殺 613
止 602	歬 603	殀 606	7 殍 608	殪 610	殲 611	殼 613
少 602	歸 604	殃 606	殍 608	殯 610	17 殲 611	殷 613
1 正 602	歳 604	殃 606	殍 608	殯 610	殲 611	殿 613
王 603	歲 604	殃 606	殑 608	殣 610	19 殱 611	毀 613
2 此 603	9 歲 604	殃 606	殏 608	11 殣 610	**殳部**	9 殿 613
歫 603	歲 604	殉 606	殍 608	殤 610	殳 611	毀 613
正 603	歱 604	5 殂 606	8 殗 608	殢 610	3 殴 611	毀 613
3 步 603	歰 605	殃 606	殍 608	殤 610	4 殴 611	殺 614
歬 603	10 歷 605	殃 606	殖 608	殯 610	殷 611	殺 614
4 步 603	12 歷 605	殃 607	殍 608	殯 610	殴 611	轂 614
歬 603	13 壁 605	殄 607	殕 608	殄 610	5 段 611	10 毃 614
歬 603	歸 605	殄 607	殖 608	殰 610	投 612	轂 614
歬 603	14 歸 605	殄 607	殘 608	12 殪 610	殳 612	毃 614

毀 614
11 毅 614
毆 614
12 毈 614
毇 614
磬 614
13 㲉 614
14 毉 614
19 毊 614
20 [illegible] 614

母 部

毋 615
毌 615
1 母 615
2 毎 615
3 每 615
毐 615
毒 615
4 毒 615
㱯 615
10 毓 616

比 部

比 616
2 毕 616
5 毖 616
毗 616
毘 616
毞 616
6 𣬈 616
𣬉 616
𣬊 616
9 㲋 616
12 𣬛 616
毚 617
13 毚 617
14 毚 617

毛 部

毛 617
毛 617
2 毜 617
4 𣭤 617
毝 617
毞 617
毟 617
毠 617
5 毡 617
毢 617
毣 617
6 毤 617
毥 617
毦 617
毧 618
毨 618
毩 618
毪 618
毫 618
7 毬 618
毭 618
毮 618
毯 618
毰 618
毱 618
8 毳 618
毰 618
毯 619
毲 619
毴 619
毵 619
毶 619
毷 619
毸 619
毹 619
毺 619
毻 619
9 毽 619
毾 619
毿 619
氀 619
氁 619
氂 619
氃 619
毹 619
氄 619
氅 619
氆 619
氇 619
氈 620
10 氉 620
氊 620
氋 620
氍 620
氎 620
氏 620
11 氌 620
氍 620
毿 620
氀 620
氃 620
氅 620
氂 620
12 氆 620
氄 620
氅 620
氈 620
氉 620
氊 621
氋 621
氅 621
氅 621
13 𣰽 621
氈 621
𣰰 621
14 氋 621
𣱂 621
𣱁 621
𣰷 621
𣱀 621
15 𣱅 621
氌 621
16 𣱄 621
18 氍 621
22 𣱈 621

氏 部

氏 621
1 氐 622
民 622
2 氒 622
4 氓 622
𡧰 622
5 𣱌 622
6 𣱍 622
10 𣱕 622
13 𣱙 622
14 𣱗 622

气 部

气 623
2 気 623
氕 623
氖 623
3 氙 623
4 氚 623
氛 623
氜 623
氝 623
氞 623
5 氟 623
6 氣 623
氤 623
氥 623
氦 623
氧 623
7 氨 623
氪 624
8 氫 624
氮 624
氯 624
氬 624
9 氭 624
10 氳 624
11 氲 624
12 氰 624

水 部

水 624
1 氷 624
永 624
氶 625
2 求 625
氽 625
氺 625
氼 625
汓 625
氾 625
氿 625
汀 625
汁 625
汃 625
汇 625
汉 626
3 汞 626
汊 626
汋 626
汎 626
汍 626
汏 626
汐 626
汔 626
汒 626
汜 626

汕 626
汚 626
汙 627
污 627
汗 627
汓 627
汎 627
汝 627
江 627
池 627
汘 627
汈 627
汷 627
汥 628
汑 628
汑 628
汖 628
4 汫 628
沥 628
淬 628
沝 628
沓 628
㲻 628
茮 628
汆 628
汨 628
汩 628
汪 628
汭 628
汰 628
汲 629
汴 629
汳 629
汶 629
汸 629
㳈 629
決 629
汽 629
汾 629
沁 630
沂 630
沃 630
沄 630
沅 630
沆 630
沇 630
汱 630
沈 630
沉 631
沠 631
沌 631
沍 631
汧 631
沐 631
沏 631
沒 631
没 631
汦 631
沔 631
沕 632
沖 632
沘 632
沙 632
沚 632
沜 632
汯 632
沛 632
沭 632
沑 632
汥 633
沋 633
汵 633
汻 633
沟 633
㳄 633
沶 633
沁 633
汹 633
汷 633
淞 633
沢 633
沪 633
沪 633
沗 633
5 泉 633
泰 633
泉 634
羕 634
荥 634
沬 634
泭 634
沫 634
沮 634
沱 634
沲 634
河 634
沴 634
沷 634
沸 635
隶 635
油 635
沺 635
治 635
沰 635
沽 635
沼 635
沽 635
沾 636
沿 636
㳂 636
況 636
泂 636
泑 636
泄 636
泗 636
泆 636
泊 636
泋 637
泌 637
泏 637
泐 637
泓 637
泔 637
法 637
汯 637
泗 637
泙 638
泚 638
泛 638
㳓 638
流 638
泜 638
泝 638
泠 638
泡 638
波 638
泣 639
泥 639
注 639
泫 639
泮 639
泯 639
泱 640
泲 640
泍 640
泳 640
泬 640
沭 640
泒 640
泞 640
沶 640
泧 640
泃 640
泖 640
泇 640
泼 641
泟 641
泪 641
泿 641
泻 641
泘 641
6 浆 641
洀 641
洄 641
洊 641
洋 641
洌 641
洎 641
洏 641
洑 641
洒 641
洗 642
洣 642
洙 642
洚 642
洷 642
洛 642
洜 642
洞 642
洟 642
津 643
洧 643
洆 643
洨 643
洩 643
洪 643
洫 643
洮 643
洲 643

洳 643
洵 644
洶 644
洸 644
浇 644
洍 644
洹 644
活 644
洼 644
浀 644
洽 644
派 644
派 645
洿 645
流 645
洔 645
洺 645
洝 645
洴 645
流 645
洓 645
洱 645
洐 645
洭 645
洁 645
洅 645
洦 645
減 646
洶 646
洈 646
浜 646
洤 646
洇 646
洧 646
洴 646
浅 646
浄 646
没 646
流 646
浧 646
浊 646
浝 646
浂 646
洂 646
泿 646
洢 646
[illegible] 646
海 646
浃 646
7 棄 646
浘 646
浵 646
浙 646
涇 647
浚 647
浞 647
浡 647
浣 647
浫 647
浽 647
涇 647
消 647
消 647
浤 647
浥 647
浦 647
浧 648
浩 648
浩 648
浪 648
浬 648
浮 648
浮 648
浯 648
浰 648
浴 648
浂 648
涏 648
海 648
浸 649
浸 649
浹 649
沖 649
泂 649
涍 649
浼 649
溳 649
涂 649
涅 649
湼 649
涉 649
涊 650
涌 650
涎 650
涑 650
涒 650
涓 650
涔 650
涕 650
涖 650
涚 650
涘 650
浰 650
浢 651
浟 651
涀 651
浜 651
流 651
浾 651
浹 651
浭 651
浵 651
浛 651
浠 652
涐 652
[illegible] 652
淺 652
洄 652
浸 652
浯 652
泩 652
淯 652
淀 652
洲 652
浲 652
涤 652
浔 652
涜 652
涛 652
涩 652
涙 652
湾 652
减 652
涵 652
8 淼 652
淋 652
保 652
涪 652
涾 652
涫 652
涬 653
涯 653
涳 653
液 653
涵 653
涷 653
涸 653
涼 653
涰 653
涽 653
涿 653
淀 653
淄 654
淅 654
淓 654
淆 654
淇 654
淈 654
淋 654
淌 654
淑 654
淖 654
淘 654
淙 655
淚 655
淝 655
淞 655
淟 655
淠 655
淡 655
淢 655
淤 655
淛 655
淥 655
淦 656
淨 656
淩 656
淪 656
淫 656
淬 656
淮 656
淰 656
深 656
淳 657
淶 657
混 657
淸 657
清 657
淹 657

淺 657	[illegible] 659	渓 660	滄 662	湎 664	湠 667	湾 668
添 657	[illegible] 659	漆 660	渧 662	湑 665	[illegible] 667	満 668
漗 658	[illegible] 659	淃 660	渨 662	湓 665	[illegible] 667	湿 668
涾 658	淔 659	淥 660	渫 662	湔 665	渱 667	溌 668
淜 658	渀 659	淫 660	測 662	湖 665	湡 667	滔 668
涴 658	淁 659	[illegible] 660	渭 662	湘 665	湀 667	滋 668
淠 658	淉 660	[illegible] 660	渮 663	湛 665	[illegible] 667	湼 668
滔 658	涶 660	淦 660	港 663	湒 665	湏 667	渘 668
淐 658	滂 660	涱 660	港 663	湜 665	[illegible] 667	[illegible] 668
淶 658	淛 660	淀 660	渰 663	湝 665	[illegible] 667	10 [illegible] 668
淯 658	淖 660	9 渙 660	渶 663	湞 665	渞 667	滎 668
淦 658	渼 660	淵 661	游 663	湟 666	湴 667	滕 668
淍 658	渉 660	渃 661	渲 663	湢 666	渿 667	溫 668
淊 658	淄 660	渚 661	渴 663	湣 666	[illegible] 667	滇 669
涮 658	浇 660	減 661	渹 663	湧 666	[illegible] 668	溏 669
涺 658	淎 660	渜 661	渺 663	湨 666	浚 668	源 669
洄 658	渋 660	渳 661	渻 664	湩 666	津 668	溦 669
涻 658	渆 660	渝 661	渼 664	湫 666	涯 668	溓 669
涹 659	渊 660	渟 661	渽 664	[illegible] 666	溢 668	準 669
淣 659	渕 660	渠 661	渾 664	棃 666	渴 668	溔 669
[illegible] 659	淒 660	渡 661	湃 664	湮 666	漆 668	溘 669
淐 659	淹 660	渢 662	湄 664	湮 666	湆 668	溜 669
淮 659	済 660	渣 662	湅 664	湯 666	湶 668	溝 669
洴 659	游 660	湋 662	湇 664	湲 666	澆 668	溟 669
淏 659	㳽 660	渤 662	湆 664	湉 667	浸 668	溢 670
淲 659	渇 660	渥 662	湊 664	湳 667	渧 668	溥 670
淒 659	渚 660	渦 662	湍 664	湁 667	温 668	溪 670

𣺬 670
㴥 670
𣻸 670
溱 670
溲 670
溠 670
溶 670
溷 670
溺 670
㴨 671
溽 671
滀 671
𣻦 671
滁 671
滂 671
滃 671
淩 671
滄 671
滅 671
溧 671
滇 671
滈 671
滉 671
滙 672
滋 672
滍 672
滏 672
滑 672
溕 672
滓 672
滔 672
滒 672
𣽏 672
溴 672
㴸 672
滐 673
㴵 673
𣸸 673
㴻 673
㵆 673
溹 673
㴬 673
溰 673
溞 673
溳 673
滊 673
㴺 673
𣽈 673
滝 673
滆 673
𣸺 673
溡 673
溻 674
溪 674
滜 674
溮 674
溾 674
滚 674
㴴 674
滥 674
㵋 674
𣹞 674
漢 674
滞 674
漠 674
渙 674
湿 674
𣹟 674
㵁 674
㴾 674
溵 674
𣻍 674
滰 674
溸 674
滝 674
㴶 674
滛 674
㴭 674
溤 674
澁 674
滌 674
11 𣸮 674
潁 674
漿 675
漐 675
漀 675
漈 675
滌 675
滫 675
潃 675
滬 675
滯 675
漴 675
滲 675
滴 675
滳 675
滻 675
滷 676
滸 676
滹 676
漊 676
漎 676
滾 676
滿 676
𣿉 676
漁 676
漂 676
漹 676
漆 677
𣻾 677
漈 677
漉 677
漌 677
漏 677
漑 677
漓 677
演 677
漕 677
漅 678
漘 678
漙 678
滰 678
漚 678
漠 678
㵐 678
漢 678
㵨 679
漣 679
漃 679
漩 679
漪 679
漗 679
漫 679
漬 679
漊 679
漭 679
漯 679
漰 679
漱 679
漱 680
漲 680
漳 680
滶 680
潡 680
㶌 680
漥 680
漸 680
漻 680
漼 680
漾 680
滮 680
漨 680
滭 680
漎 681
潡 681
漺 681
漇 681
漷 681
漝 681
滱 681
漮 681
滽 681
漖 681
澒 681
滫 681
漒 681
㵃 681
漞 681
潵 681
潨 681
淹 681
漧 682
㵎 682
㵝 682
漄 682
潅 682
㵪 682
潒 682
㴿 682
12 㵗 682
澈 682
潏 682
潑 682
潿 682
潔 682
潘 682
潬 682
潗 683
潗 683

字	頁	字	頁	字	頁	字	頁	字	頁	字	頁	字	頁
潙	683	潼	685	澮	686	溤	688	澶	690	濎	692	濞	693
潛	683	澁	685	潷	686	澔	688	澿	690	[illegible]	692	濟	693
潜	683	澀	685	潕	686	[illegible]	688	濍	690	澟	692	濠	693
滃	683	澂	685	潲	686	潅	688	澹	690	澭	692	濡	693
潞	683	澄	685	㴎	687	13 [illegible]	688	澼	690	澺	692	濵	693
潟	683	淺	685	澅	687	澩	688	𣿫	690	潄	692	濤	693
潟	683	澈	685	濐	687	潚	688	澾	690	濾	692	滈	694
潢	683	澆	685	潽	687	澠	688	溦	690	澞	692	濩	694
潣	683	潔	685	潓	687	澴	688	激	690	滜	692	濲	694
澗	683	溱	685	潖	687	澬	688	澯	690	激	692	[illegible]	694
澗	683	澇	685	[illegible]	687	澡	688	濁	690	[illegible]	692	濹	694
潤	683	澉	685	潶	687	澣	688	澰	690	濴	692	[illegible]	694
滜	684	澌	685	渭	687	澤	688	濂	691	濆	692	濖	694
潦	684	澍	685	澖	687	澤	689	[illegible]	691	港	692	濫	694
潨	684	澎	686	[illegible]	687	澻	689	濃	691	濤	692	濬	694
[illegible]	684	濻	686	潠	687	澥	689	漾	691	澟	692	濧	694
潭	684	濆	686	澝	687	澧	689	[illegible]	691	澗	692	濚	694
潮	684	澋	686	湔	687	潏	689	[illegible]	691	渥	692	濴	694
潮	684	澐	686	湄	687	澨	689	濇	691	[illegible]	692	濮	694
潐	684	濡	686	澱	687	澪	689	濋	691	濱	692	濯	694
潯	684	澒	686	漍	687	澲	689	瀐	691	濉	692	濰	695
潰	684	潳	686	[illegible]	687	澮	689	濾	691	潒	692	濭	695
潸	684	澓	686	溶	687	澱	689	濞	691	14 濔	692	濱	695
潸	684	潾	686	潻	688	濄	689	濊	691	濕	692	濙	695
潛	684	潒	686	澑	688	濆	689	澒	691	濘	693	濜	695
潺	685	澣	686	済	688	澳	689	澫	691	濛	693	澤	695
潹	685	潠	686	潴	688	漌	690	澈	692	瀗	693	滜	695

潹	695	瀌	697	瀻	698	瀢	700	瀷	701	灁	703	灊	704
澍	695	瀉	697	瀥	698	瀫	700	瀲	701	灖	703	灋	704
潩	695	瀘	697	瀓	698	瀝	700	瀥	702	灒	703	21 灝	704
洴	695	濊	697	16 瀕	698	瀪	700	瀿	702	灀	703	灡	704
澾	695	瀏	697	瀙	698	瀑	700	瀎	702	瀍	703	灞	705
潕	695	瀋	697	瀋	698	瀆	700	瀇	702	瀑	703	灢	705
潩	695	瀑	697	瀾	698	瀵	700	瀾	702	瀵	703	灠	705
澗	695	瀇	697	瀼	698	澩	700	瀏	702	灆	703	灟	705
潰	695	濯	697	瀜	698	瀦	700	瀚	702	瀺	703	瀰	705
瀞	695	濼	697	瀼	699	潛	700	瀣	702	19 灓	703	灖	705
澔	696	溫	697	瀘	699	17 瀯	700	瀤	702	灑	703	灗	705
潛	696	瀏	697	瀚	699	瀟	700	瀮	702	灕	704	瀸	705
15 濺	696	瀄	697	瀛	699	瀰	700	澥	702	灘	704	22 灣	705
瀊	696	瀒	697	瀇	699	瀾	700	瀶	702	灒	704	灢	705
濾	696	瀫	698	瀝	699	瀲	700	18 瀪	702	灕	704	灨	705
瀁	696	瀡	698	瀞	699	瀵	701	灂	702	濼	704	灩	705
澗	696	瀊	698	瀠	699	瀸	701	灃	702	灑	704	23 灪	705
瀅	696	瀙	698	瀡	699	瀓	701	灅	702	瀽	704	灤	705
滮	696	瀇	698	瀣	699	瀹	701	灉	702	灗	704	灦	705
澙	696	瀹	698	瀦	699	瀺	701	灌	702	瀆	704	灩	705
瀆	996	瀅	698	瀧	699	瀼	701	瀳	703	灔	704	灧	705
瀀	696	滮	698	瀕	699	瀡	701	濤	703	20 灛	704	24 灨	705
瀉	696	灑	698	瀨	699	瀾	701	灄	703	灋	704	灩	706
瀉	696	適	698	瀨	700	瀿	701	灈	703	灠	704	28 灩	706
澐	696	瀐	698	瀖	700	瀴	701	灟	703	灙	704	29 灪	706
潘	696	瀟	698	瀷	700	瀳	701	瀴	703	瀻	704	火部	
濿	697	灌	698	瀿	700	瀽	701	瀾	703	灤	704	火	706

灬 706	炊 707	炸 709	烜 711	焌 713	烖 714	敹 716
1 灭 706	炒 708	炠 709	烑 711	烰 713	烎 714	無 716
2 灮 706	炕 708	炡 709	烆 711	焍 713	羨 714	焦 716
灷 706	炘 708	炻 709	烔 711	焩 713	烹 714	焦 716
灬 706	炂 708	炵 709	烄 711	㷍 713	焄 714	然 716
灯 706	炄 708	炟 710	烤 711	烴 713	焉 714	無 716
灰 706	炆 708	炥 710	烞 711	烷 713	焆 714	烈 716
灰 706	炈 708	炧 710	烥 711	焒 713	8 焱 715	舄 716
灵 706	炜 708	炦 710	烗 711	焎 713	飧 715	爲 716
灸 707	炓 708	炪 710	烟 711	烯 713	焙 715	煮 716
3 灺 707	炔 708	炯 710	烛 711	烺 713	焜 715	焭 716
灼 707	炉 708	烂 710	衮 711	浚 713	焞 715	焥 716
炡 707	炅 708	炼 710	烕 711	烼 713	焠 715	尉 716
弃 707	炙 708	炭 710	表 712	焕 713	焫 715	9 煢 717
灶 707	炳 708	炱 710	烖 712	焃 713	焮 715	煁 717
夫 707	炖 708	炲 710	冢 712	焅 713	焯 715	煆 717
灿 707	荧 709	羙 710	烈 712	焞 713	焰 715	煇 717
灸 707	芡 709	炶 710	烋 712	焇 713	焲 715	煉 717
灬 707	炁 709	荧 710	焉 712	焆 714	焝 715	煌 717
災 707	5 炤 709	炰 710	烏 712	烻 714	焵 715	煒 717
扒 707	炫 709	為 710	烝 712	烜 714	焩 715	煖 717
灾 707	炬 709	炝 710	焦 712	焊 714	焼 715	煐 717
灭 707	炯 709	点 710	热 712	烱 714	焚 715	煙 717
灾 707	炮 709	6 烊 710	7 烾 712	焒 714	焚 715	煙 717
灵 707	炳 709	烓 711	焭 712	焋 714	焣 715	煜 717
灵 707	炷 709	烘 711	烽 712	焣 714	焂 716	煠 718
4 炎 707	炨 709	烙 711	[illegible] 712	焈 714	閃 716	煣 718

煤 718	煦 719	熁 721	熷 722	燄 724	燧 726	燹 727
煥 718	煎 719	熝 721	熤 723	熦 724	燁 726	燬 727
煨 718	煑 719	熌 721	熜 723	燔 724	燚 726	燭 728
煩 718	煮 719	熻 721	燮 723	燖 724	燦 726	燨 728
煬 718	熙 719	熐 721	熚 723	燢 724	燩 726	燣 728
煭 718	煕 719	熥 721	熥 723	燀 724	燑 726	燪 728
熂 718	煦 719	熣 721	熫 723	燂 724	燹 726	燡 728
焙 718	照 719	熄 721	熸 723	燁 724	燙 726	燴 728
煟 718	炤 720	煺 721	熳 723	燁 724	燹 726	燫 728
煓 718	煞 720	煌 721	熲 723	燃 725	燹 726	燎 728
煍 718	熏 720	熑 721	熨 723	燈 725	爇 726	燹 728
煐 718	10 燊 720	羨 721	熭 723	燉 725	燹 726	燹 728
煝 718	熒 720	熊 722	熨 723	燋 725	燹 726	熬 728
熜 718	犇 720	熱 722	熢 723	燎 725	燹 726	14 燼 728
煊 718	熩 720	熨 722	焚 723	燐 725	熹 726	燿 728
煳 718	熄 720	熊 722	攢 723	燒 725	熹 726	爁 728
煪 719	熀 720	熏 722	勳 723	燔 725	燕 726	燣 728
炶 719	熅 720	熙 722	熟 723	燓 725	燕 727	爀 728
煏 719	熇 720	11 燊 722	熬 723	燖 725	13 營 727	燻 728
熅 719	熉 720	熛 722	熱 723	熷 725	燤 727	爆 728
煅 719	熉 721	熠 722	煿 724	燢 725	燮 727	爍 728
熲 719	熕 721	熯 722	12 燊 724	燆 725	譽 727	燹 728
焰 719	熔 721	熢 722	燾 724	燍 726	燮 727	爾 729
焥 719	熂 721	熮 722	燹 724	燗 726	燠 727	燹 729
熯 719	熇 721	熰 722	燄 724	燜 726	燥 727	燹 729
煲 719	煻 721	熞 722	燄 724	燃 726	燦 727	燹 729
熼 719	熑 721	熼 722	燄 724	燏 726	燧 727	燹 729

燾 729
15 爆 729
爊 729
爍 729
爈 729
⿰火節 729
爄 729
爌 729
⿰火鼎 729
爕 729
爇 729
⿱埶火 729
⿰火罩 729
16 ⿰車炎 729
爋 730
爐 730
爓 730
爗 730
爏 730
⿰火闇 730
爔 730
爖 730
燺 730
⿰炎番 730
⿰炎尞 730
⿱炏貝 730
⿰阝⿱炏衣 730
⿰焱亢 730
⿰炎疑 730
17 爚 730
爛 730
⿰火壽 730
⿰炎僉 730
⿱炎㚇 730
18 ⿰火爵 731
爟 731
⿰火蟲 731
爆 731
⿰火聶 731
⿱炎愛 731
19 ⿱炏頁 731
⿱炎靡 731
⿱難火 731
⿱難灬 731
20 爣 731
⿰火贊 731
21 ⿰火屬 731
爤 731
⿰火鐔 731
⿱炎夒 731
24 ⿱炎夔 731
25 ⿱爨 731
爨 731
29 ⿰火鬱 731

爪部

爪 731
爫 732
爪 732
1 ⿰爪乙 732
3 妥 732
4 爭 732
⿱爫壬 732
⿱爫气 732
爬 732
5 爰 732
爯 732
⿱爫旦 732
采 732
受 732
6 ⿱爫争 733
爱 733
7 ⿱爫⿱冖友 733
8 ⿱爫⿱冂为 733
爲 733
9 ⿰爪區 733
11 ⿱爫⿱冂为 733
⿱爫⿱冖女 733
12 ⿱爫爲 733
13 ⿰爫嗣 733
爵 733
14 ⿱爫爵 733

父部

父 733
2 爷 734
4 爸 734
6 爹 734
9 爺 734
⿱父耆 734

爻部

爻 734
4 ⿱爻爻 734
5 ⿸爻疋 734
爼 734
7 爽 734
8 爽 734
⿹乚⿴囗爻 734
9 爽 735
10 爾 735
11 ⿱人爾 735
⿱叕火 735
12 ⿰叕殳 735

爿部

爿 735
1 ⿰爿一 735
4 牀 735
⿰爿水 735
5 牁 735
⿰爿召 735
6 牂 735
7 ⿰爿求 736
⿰爿酉 736
8 ⿰爿戔 736
⿰爿亭 736
⿰爿彖 736
10 ⿰爿倉 736
11 ⿰爿䍃 736
⿰爿庸 736
12 ⿰爿盧 736
⿰爿賁 736
13 牆 736
15 ⿰爿薔 736
18 ⿰爿⿱夊嗇 736
24 ⿰爿⿱林嗇 736

片部

片 736
3 ⿰片女 736
4 版 736
5 牉 737
⿰片禾 737
6 ⿰片𠂢 737
7 ⿰片克 737
8 牋 737
牌 737
⿰片奄 737
⿰片忩 737
⿰片柰 737
9 牒 737
牏 737
牐 737
⿰片畐 737
牑 737
牕 737
10 牓 737
牔 738
⿰片桼 738
11 ⿰片庸 738
牎 738
12 ⿰片粦 738
13 ⿰片業 738
⿰片詹 738
14 ⿰片辡 738
15 牘 738
17 ⿰片藚 738

牙部

牙 738
6 ⿱牙舌 738
8 ⿰牙奇 738
牚 738
9 ⿰牙禹 738

牛部

牛 739
2 牝 739
牞 739
牟 739
3 牡 739
牣 739
⿰牛川 739
牠 739
牢 739
4 牦 739
牧 739
物 740
牥 740
⿰牛冘 740
⿰牛市 740
⿰牛朮 740
⿰牛巴 740
⿰牛介 740
牪 740
⿰牛今 740
5 ⿰牛占 740
牲 740
牴 740
⿰牛可 740
⿰牛它 740
⿰牛㐌 740
⿰牛四 740
⿰牛乍 740
⿰牛句 741

𤙭 741
𤙔 741
牰 741
𤙘 741
牮 741
6 牷 741
牸 741
特 741
𤙪 741
牺 741
𤚍 741
7 牻 741
牼 741
牿 741
牾 741
𤚩 742
𤚓 742
𤚇 742
𤚠 742
𤛆 742
𤙾 742
牽 742
犁 742
犀 742
犀 742
8 犇 742
犆 742

犉 742
犋 742
犅 742
𤚯 742
犄 742
犈 743
𤛎 743
𤛛 743
𤛓 743
犂 743
犀 743
犀 743
𤛑 743
9 犍 743
𤜁 743
𤛱 743
𤛩 743
犐 743
犏 743
𤜀 743
犌 743
𤜣 743
犎 743
10 犒 744
犗 744
𤜬 744
𤜪 744

𤛧 744
犕 744
𤛺 744
𤛬 744
𤛫 744
㲉 744
犖 744
11 𤜶 744
𤛹 744
𤜵 744
犙 744
𤜻 744
𤜲 744
𤜣 744
𤝀 745
𤛰 745
犕 745
𤛾 745
𤜁 745
𤛯 745
犛 745
犘 745
12 犝 745
𤝋 745
13 𤝰 745
𤝬 745
犠 745

14 𤜽 745
15 犢 745
犦 745
犤 745
犥 745
犡 746
犣 746
犂 746
16 犧 746
犪 746
𤢸 746
𤢽 746
犨 746
17 𤢳 746
18 𤣛 746
𤣉 746
19 犪 746
23 犫 746

犬 部

犬 746
犭 746
1 犮 746
2 犯 747
犰 747
3 犴 747
犵 747
㹞 747

犲 747
𤜝 747
状 747
4 犾 747
狀 747
𤞊 747
𤝐 747
𤜣 747
犺 747
犽 747
犹 748
狂 748
狃 748
狄 748
狆 748
㹕 748
㹠 748
𤝋 748
𤝗 748
𤜯 748
𤝞 748
犺 748
狁 748
𤝔 748
5 臭 748
狉 749
狋 749

狌 749
狎 749
狐 749
狑 749
狒 749
狓 749
㹱 749
狗 749
狘 749
狙 749
狚 749
狛 750
𤞊 750
㹦 750
𤝰 750
犹 750
狅 750
𤝝 750
㹤 750
狍 750
㹢 750
㹱 750
狔 750
㹦 750
6 狟 750
狠 750
狡 750

狧 750
㹨 750
狨 751
狩 751
狢 751
狪 751
狫 751
㺊 751
狦 751
狤 751
㹮 751
狀 751
㹯 751
狣 751
狣 751
狭 751
㹨 751
狥 751
独 751
㹴 751
㹫 751
㹹 751
7 𤞹 751
㹟 752
狶 752
狷 752
狸 752

狹 752	猇 753	⿰犭庚 755	猳 757	⿰犭留 758	獏 759	⿰犭烏 761
狺 752	猊 753	⿰犭匆 755	⿰犭發 757	⿰犭荒 758	⿰犭竜 759	⿰犭敫 761
狻 752	猍 753	⿰犭屈 755	⿰犭契 757	⿰犭蚩 758	獓 759	⿰犭徹 761
狼 752	猓 753	⿰犭委 755	⿰犭軍 757	獂 758	獑 760	⿰犭壴 761
狽 752	猖 754	⿰犭長 755	猯 757	⿰犭翁 758	獙 760	13 ⿰畐犬 761
猀 752	猗 754	獎 755	⿰犭音 757	⿰犭尃 758	⿰犭巢 760	獨 761
⿰犭求 752	猘 754	猫 755	猦 757	⿰犭恙 758	⿰犭殷 760	⿰蜀犬 761
⿰犭析 752	猙 754	9 猷 755	猭 757	獁 758	⿰犭從 760	⿰犭農 762
狵 752	猛 754	猒 755	⿰犭叜 757	⿰犭猒 758	12 ⿱敝犬 760	獧 762
⿰犭延 752	猜 754	臭 755	猬 757	獋 759	獸 760	獪 762
⿰犭廷 752	猝 754	献 755	⿰犭兪 757	⿰犭斯 759	獗 760	獫 762
⿰犭足 753	猎 754	猢 755	猸 757	⿰犭鬼 759	獝 760	獬 762
⿰犭孚 753	猈 754	猥 756	⿰虍犬 757	獉 759	獟 760	獩 762
⿰犭肖 753	猉 754	猧 756	10 獄 757	⿰犭高 759	獞 760	獥 762
⿰犭谷 753	猑 754	猨 756	⿰豈犬 757	⿰犭票 759	獠 760	⿰犭鷹 762
⿰犭巠 753	猔 754	⿰犭負 756	⿰⿱士⿱冖犬殳 757	⿰犭能 759	獢 760	⿰犭發 762
⿰犭芊 753	⿰犭卓 754	猩 756	猺 758	⿰犭畜 759	⿰犭皐 760	⿰犭達 762
狳 753	狷 754	猱 756	⿰犭孫 758	11 ⿰畐犬 759	獜 760	獦 762
猁 753	猄 754	⿰犭思 756	猾 758	獒 759	獚 760	⿰犭喿 762
⿰犭冊 753	⿰犭戔 755	猲 756	猿 758	獘 759	⿰犭然 760	⿰犭雍 762
⿰犭回 753	⿰犭昜 755	猴 756	⿰犭員 758	獍 759	⿰犭彭 761	14 獮 762
⿰犭坐 753	猞 755	⿰犭族 756	獀 758	⿰犭翏 759	⿰犭貴 761	獯 762
猂 753	⿰犭隹 755	猵 756	獅 758	獐 759	⿰犭敢 761	獰 762
8 猋 753	⿰犭典 755	猶 756	⿰犭哥 758	獌 759	獖 761	獱 762
猒 753	⿰犭弥 755	猪 756	⿰犭般 758	⿰犭參 759	⿰犭敕 761	獲 763
猌 753	⿰犭虱 755	猫 756	⿰犭兼 758	⿰犭帶 759	⿰犭業 761	獳 763
⿰犭矣 753	猪 755	⿰犭癸 757	⿰犭嬰 758	⿰犭婁 759	⿰犭番 761	⿰犭監 763

獴 763
𤢻 763
獜 763
獵 763
15 獸 763
獵 763
獿 763
獷 763
𤢿 763
𤢸 763
獧 763
16 獻 764
獺 764
獹 764
𤣉 764
17 獼 764
𤢴 764
獽 764
𤣊 764
18 獿 764
𤣗 764
獾 764
19 玀 764
20 玁 764
玃 764
𤣤 764
獿 764

24 𤣗 764

玄部

玄 765
4 妙 765
5 兹 765
6 率 765
玆 765

玉部

玉 765
王 766
王 766
玊 766
𤣩 766
丕 766
2 玎 766
玏 766
𤣪 766
玌 766
3 玕 766
玖 766
玓 767
玗 767
玙 767
玒 767
玘 767
4 玨 767
玟 767

玞 767
玠 767
玦 767
玢 767
玭 767
玩 767
玤 767
玣 767
玧 767
𤤁 768
玫 768
玲 768
玥 768
玥 768
𤣷 768
环 768
5 玺 768
莹 768
玲 768
玷 768
玻 768
玼 768
珀 768
珂 768
珈 768
珉 768
珊 769

珊 769
珌 769
珍 769
珎 769
珇 769
玹 769
玴 769
玵 769
玶 769
玽 769
玿 769
珁 769
玳 769
珅 769
𤤬 769
𤤻 769
珐 770
6 珡 770
珓 770
珙 770
珞 770
珕 770
珠 770
珣 770
珥 770
𤦀 770
珧 770

珩 770
珪 770
珫 770
班 770
班 771
珮 771
珝 771
珦 771
珹 771
𤤿 771
珛 771
珖 771
珗 771
珢 771
𤦎 771
琉 771
𤦆 771
7 珽 771
現 771
琁 771
球 772
琅 772
琉 772
理 772
琇 772
琊 772
珸 772

𤦸 772
琓 772
珷 772
琄 772
𤦝 772
𤥱 773
珵 773
珹 773
琈 773
珺 773
𤥛 773
琀 773
𤦉 773
𤦡 773
琷 773
珶 773
𤦻 773
8 𤧙 773
琴 773
琹 773
琵 773
琶 773
琖 773
琚 773
琛 774
琢 774
琤 774

琥 774
琦 774
琨 774
琪 774
琫 774
琬 774
琭 774
琮 774
琸 774
琯 774
琰 775
琱 775
琲 775
琳 775
琗 775
琺 775
琙 775
琩 775
琠 775
琕 775
琡 775
琟 775
琘 775
𤥭 775
琼 775
9 堅 775
𤪌 776

瑟 776
瑁 776
瑀 776
瑄 776
瑋 776
瑌 776
瑖 776
瑑 776
瑒 776
瑕 776
瑗 776
瑙 776
瑚 777
瑛 777
瑜 777
瑞 777
琿 777
瑇 777
瑨 777
瑊 777
瑸 777
瑆 777
琾 777
瑂 777
瑃 777
瑅 777
瑍 777
瑎 778
瑝 778
瑐 778
瑓 778
瑘 778
瑤 778
10 瑩 778
瑬 778
琶 778
琵 778
瑠 778
瑣 778
瑣 778
瑶 778
瑪 779
瑯 779
瑰 779
瑳 779
瑱 779
瑲 779
瑴 779
瑿 779
瑢 779
瑨 779
璔 779
瑥 779
瑵 779
瑡 779
瑫 779
瑭 780
瑮 780
瑦 780
璮 780
瑧 780
11 𤪌 780
瑟 780
瑾 780
璀 780
璂 780
璃 780
璅 780
璆 780
璇 780
瑽 780
璈 780
璉 780
璊 780
璋 781
璄 781
璕 781
璓 781
璥 781
墊 781
瑹 781
璁 781
璢 781
璭 781
璡 781
12 璗 781
璐 781
璜 781
璞 781
璟 781
璠 781
璣 781
璚 782
璘 782
璡 782
璙 782
璣 782
璑 782
璒 782
璔 782
璢 782
璿 782
璚 782
璐 782
13 璧 782
璺 782
璱 782
璨 782
璪 782
璫 782
環 783
璲 783
璯 783
璬 783
璹 783
璥 783
璩 783
璭 783
璦 783
璬 783
璩 783
璸 783
璪 783
14 璽 783
璺 783
璺 783
璵 784
璿 784
璱 784
瓊 784
璸 784
璹 784
瓁 784
瓂 784
璱 784
璬 784
璭 784
璘 784
15 瓈 784
瓊 784
瓊 784
瓋 784
瓈 784
瓅 785
瓃 785
瓄 785
瓆 785
瓉 785
瓌 785
瓍 785
瓉 785
16 瓏 785
瓍 785
瓐 785
瓕 785
瓖 785
瓌 785
17 靈 785
瓔 785
瓖 785
瓓 785
瓕 785
18 瓘 785
瓗 786
瓕 786
19 瓚 786
20 瓛 786

瓜 部

瓜 786
3 瓝 786
4 瓞 786
5 瓞 786
瓟 786
瓡 786
瓜瓜 786
6 瓠 786
瓝 786
8 瓡 787
瓢 787
9 瓣 787
10 瓥 787
11 瓢 787
瓣 787
瓤 787
14 瓣 787
16 瓥 787
17 瓤 787
18 瓥 787

瓦部	𤭻 789	甏 790	生 792	田 794	𤰸 796	畚 798
瓦 787	𤭙 789	𤮪 790	𤯓 792	甲 794	畇 796	𤱖 798
3 瓨 787	𤭸 789	𤮬 790	3 𤯕 792	申 795	畊 797	畜 798
瓩 787	㼷 789	13 甔 790	5 牲 792	由 795	畋 797	畗 798
瓱 787	9 甄 789	甐 790	6 產 792	1 甴 795	畎 797	6 畢 798
4 瓪 788	甂 789	甓 791	産 793	2 男 795	畈 797	異 798
瓰 788	𤮂 789	甕 791	7 甥 793	町 795	𤰿 797	𤱪 799
𤬮 788	𤮃 789	14 甖 791	𤯞 793	𤰝 795	畉 797	畤 799
瓬 788	甃 789	𤮺 791	甤 793	甸 795	𤱄 797	略 799
瓯 788	𤮊 789	16 甗 791	甦 793	甹 795	𤱅 797	畧 799
瓮 788	𤮋 789	[illegible] 791	9 𤯪 793	𤰟 795	畒 797	畦 799
瓫 788	10 𤮌 789	17 𤮿 791	隆 793	3 畀 796	畐 797	𤱣 799
5 瓴 788	𤮎 790	甘部	12 𤯷 793	畁 796	𤱈 797	畡 799
瓵 788	𤮐 790	甘 791	用部	𤰡 796	畓 797	𤱥 799
瓸 788	甏 790	𤮺 791	用 793	甿 796	𤱊 797	𤱶 799
𤭁 788	𤮔 790	2 旨 791	甩 793	甾 796	5 畟 797	畣 799
𤭂 788	11 甋 790	4 甚 791	𤰃 793	𤰝 796	畕 797	畫 799
6 瓶 788	甌 790	𤮻 791	1 甪 793	甽 796	畔 797	畱 799
瓷 788	𤮝 790	6 甜 792	2 甫 793	𤰷 796	畛 797	𤲃 799
7 𤭖 788	甎 790	甛 792	甬 794	画 796	𤱌 797	畨 799
𤭛 788	𤮦 790	8 𤯍 792	3 𤰆 794	画 796	𤱍 797	7 𤲆 799
瓻 788	𤮨 790	㽏 792	5 𤰋 794	畄 796	𤱎 798	𤲈 799
8 瓿 788	甍 790	𧇀 792	𤰈 794	备 796	畝 798	畳 799
甀 789	㽊 790	甞 792	6 葡 794	4 界 796	畞 798	畯 799
㽀 789	12 𤮮 790	11 𪎶 792	7 甯 794	畍 796	𤱑 798	𤲊 799
甁 789	甑 790	12 𤯒 792	9 𤰒 794	畏 796	畠 798	畮 800
𤭵 789	甒 790	生部	田部	㽟 796	留 798	畵 800

番 800	10 畾 801	疂 803	疛 805	疲 806	[illegible] 808	[illegible] 810
畭 800	[illegible] 801	27 [illegible] 803	疟 805	疳 806	[illegible] 808	痳 810
畬 800	[illegible] 801	疋 部	[illegible] 805	疴 807	[illegible] 808	7 痗 810
畲 800	畿 801	疋 803	疙 805	疵 807	[illegible] 808	痘 810
畱 800	畵 802	[illegible] 803	疚 805	疸 807	痈 808	痙 810
[illegible] 800	[illegible] 802	3 疌 803	疝 805	疹 807	[illegible] 809	痛 810
8 畺 800	[illegible] 802	4 [illegible] 803	疰 805	疼 807	[illegible] 809	痞 810
[illegible] 800	[illegible] 802	5 [illegible] 803	[illegible] 805	疽 807	疧 809	痟 810
[illegible] 800	11 [illegible] 802	6 疏 804	[illegible] 805	疾 807	[illegible] 809	痡 810
畸 800	[illegible] 802	7 疎 804	4 疢 805	疿 807	6 痊 809	[illegible] 810
畹 800	[illegible] 802	疏 804	疣 805	痀 807	痍 809	[illegible] 810
[illegible] 800	[illegible] 802	[illegible] 804	[illegible] 805	痁 807	痎 809	痣 810
[illegible] 800	[illegible] 802	8 [illegible] 804	[illegible] 805	痂 807	痏 809	痤 811
[illegible] 800	12 疄 802	[illegible] 804	[illegible] 805	痃 807	痒 809	痧 811
[illegible] 800	黇 802	9 疑 804	5 疤 806	[illegible] 807	[illegible] 809	[illegible] 811
畤 801	疃 802	疐 804	疥 806	病 807	痔 809	[illegible] 811
[illegible] 801	[illegible] 802	11 疐 804	疷 806	症 808	痕 809	[illegible] 811
[illegible] 801	13 [illegible] 802	疑 804	疪 806	[illegible] 808	痌 809	[illegible] 811
畫 801	14 疆 802	疒 部	疫 806	痄 808	[illegible] 809	[illegible] 811
當 801	疇 803	疒 804	疨 806	疺 808	痐 809	[illegible] 811
[illegible] 801	[illegible] 803	2 疔 804	疲 806	疰 808	[illegible] 809	[illegible] 811
9 [illegible] 801	[illegible] 803	疕 805	[illegible] 806	[illegible] 808	[illegible] 809	[illegible] 811
畽 801	15 [illegible] 803	疓 805	[illegible] 806	[illegible] 808	痓 809	[illegible] 811
[illegible] 801	[illegible] 803	疚 805	[illegible] 806	[illegible] 808	痑 810	[illegible] 811
[illegible] 801	[illegible] 803	[illegible] 805	[illegible] 806	[illegible] 808	[illegible] 810	[illegible] 811
畼 801	16 [illegible] 803	[illegible] 805	[illegible] 806	[illegible] 808	痠 810	[illegible] 811
[illegible] 801	17 疊 803	3 疘 805	5 疱 806	[illegible] 808	[illegible] 810	[illegible] 811

𤶸 811
痨 811
㾍 811
𤷾 811
8 痯 811
痰 812
痱 812
𤶹 812
痲 812
痳 812
痺 812
痹 812
痻 812
痼 812
痾 812
痿 812
瘀 812
瘁 812
瘂 812
瘃 812
𤷋 812
𤷱 812
痭 813
𤷐 813
㾐 813
𤵽 813
𤷏 813
𤸷 813
痷 813
瘍 813
痶 813
痵 813
痴 813
𤷃 813
𤶺 813
𤷇 813
9 瘇 813
瘈 814
瘉 814
瘊 814
瘋 814
瘍 814
瘏 814
瘝 814
𤸸 814
瘕 814
瘖 814
瘧 814
𤸵 814
瘄 814
㾫 814
𤺥 814
𤺟 814
瘍 814
瘑 815
瘓 815
𤸃 815
瘌 815
𤸂 815
𤸗 815
𤸘 815
𤸚 815
𤸦 815
瘔 815
𤸹 815
瘒 815
㾮 815
10 瘚 815
瘛 815
𤺃 815
瘜 815
瘞 815
瘟 815
瘠 816
瘡 816
瘢 816
瘣 816
瘤 816
瘥 816
瘦 816
瘨 816
㿉 816
瘙 816
㿆 816
𤹳 816
𤺔 816
𤹛 816
𤹯 816
瘩 817
𤺌 817
𤸎 817
𤺏 817
𤸶 817
𤸸 817
𤺗 817
𤸻 817
𤹶 817
𤹷 817
㾼 817
11 瘭 817
瘯 817
𤻶 817
𤺊 817
𤸷 817
瘳 817
瘴 817
瘵 817
瘻 818
瘼 818
瘽 818
𤺋 818
瘲 818
𤻇 818
𤺞 818
瘶 818
瘷 818
𤻧 818
𤺦 818
𤺡 818
瘮 818
𤺓 818
𤺘 818
𤸷 818
12 療 818
𤻌 818
癄 819
癃 819
癆 819
癇 819
癎 819
𤻗 819
癈 819
癉 819
癌 819
𤺺 819
𤻘 819
㾬 819
癀 819
𤻇 819
𤻣 819
𤺌 819
𤺋 819
𤻳 820
𤺓 820
𤺦 820
𤻂 820
13 癒 820
癕 820
癖 820
癘 820
癙 820
癜 820
癑 820
𤻷 820
癐 820
癛 820
癓 820
癔 820
𤻧 820
癏 820
𤻶 820
𤻤 820
𤼂 820
𤻱 821
14 癠 821
癡 821
𤼕 821
𤼌 821
𤼍 821
𤼐 821
𤼉 821
𤼋 821
15 𤼒 821
癢 821
癥 821
𤼘 821
𤼟 821
𤼝 821
𤼞 821
𤻻 821
𤼚 821
16 癧 821
𤼛 821
癨 821
癩 822
𤼤 822
𤼯 822
17 癬 822
癭 822

癮 822
18 癯 822
㿗 822
癘 822
癰 822
19 癱 822
癲 822
癬 822
癧 822
20 癑 822
21 癰 822
癴 822
23 癵 822
24 癲 822
25 癵 823

癶 部

癶 823
癶 823
4 癸 823
癹 823
発 823
5 癸 823
癶 823
7 登 823
發 823
8 癹 824
10 癸 824

11 癹 824

白 部

白 824
1 百 824
皀 824
2 皁 824
皂 824
皀 824
皃 824
皃 825
3 的 825
皯 825
4 皇 825
皅 825
皈 825
皆 825
皉 825
皏 825
皃 825
皉 825
5 皐 825
皋 825
皏 825
皊 825
皌 825
皛 825
皉 825

6 皋 826
皎 826
皆 826
皓 826
皏 826
7 皕 826
皓 826
皖 826
皁 826
8 皙 826
9 皛 826
10 皛 826
皚 826
皜 826
皠 826
皝 826
皞 826
皙 827
皊 827
11 皠 827
皞 827
皟 827
12 皤 827
皣 827
皞 827
皢 827
皜 827

13 皦 827
皧 827
皧 827
14 皪 827
皨 827
皨 827
15 皣 827
皪 827
皫 827
16 皬 827
皭 827
皪 828
17 皫 828
皬 828
18 皭 828
20 皭 828
24 皭 828

皮 部

皮 828
2 皯 828
3 皯 828
皰 828
皱 828
皱 828
皰 828
4 皲 828
皴 828

皮 828
皅 828
5 皰 828
跛 828
皱 829
皮 829
妭 829
皱 829
皱 829
皱 829
6 皱 829
皱 829
皱 829
7 皴 829
皱 829
皱 829
皱 829
皱 829
皱 829
皱 829
8 皱 829
皱 829
皱 829
9 皸 829
皱 829
皱 830
皷 830

皱 830
皱 830
10 皺 830
皱 830
皱 830
皱 830
皺 830
皱 830
11 皱 830
皱 830
皱 830
皱 830
皱 830
皱 830
皱 830
13 皱 830
皱 830
14 皱 830
皱 830
15 皱 831
皱 831
皱 831
皱 831
16 皱 831
19 皱 831

皿 部

皿 831

2 盀 831
3 盂 831
盁 831
盂 831
盂 831
盂 831
4 盃 831
盆 831
盈 831
盆 831
盅 832
盂 832
盇 832
盅 832
5 盆 832
益 832
盌 832
盍 832
盎 832
盍 832
盉 832
盈 832
监 832
盐 832
盂 832
盗 832
盅 832

盄 832
盇 833
6 盒 833
盔 833
盓 833
盎 833
盍 833
盗 833
盖 833
盡 833
盚 833
盘 833
盜 833
盛 833
7 盛 833
盜 833
盩 833
盟 833
盞 834
盚 834
盜 834
盡 834
盞 834
8 盞 834
盞 834
盟 834
盜 834
盞 834
盞 834
盞 834
監 834
9 盡 834
盡 834
監 834
盠 834
盤 835
10 盤 835
盧 835
11 盥 835
盦 835
盧 835
盬 835
盥 835
盬 835
盬 835
盬 835
12 盩 835
盪 835
盨 835
盫 836
盩 836
盬 836
13 盬 836
盬 836
盭 836
14 盪 836
15 盭 836
盤 836
盧 836
蠱 836
盬 836
18 盬 836
盩 836
24 盬 836
目部
目 836
罒 837
1 盯 837
2 盵 837
盯 837
盯 837
旬 837
3 盱 837
盱 837
盱 837
盰 837
盱 837
盼 837
盵 837
盳 837
直 837
直 838
盲 838
盹 838
盻 838
盽 838
4 県 838
盿 838
昇 838
県 838
盷 838
盻 838
盼 838
眂 838
眄 838
眅 839
眇 839
眈 839
眊 839
眘 839
眆 839
眢 839
眏 839
眲 839
眨 839
昉 839
眊 839
盹 839
眊 839
明 839
相 839
盾 840
省 840
眉 840
看 840
眘 840
眅 840
眚 840
眘 840
敃 841
昰 841
眣 841
眃 841
盺 841
眣 841
眇 841
眂 841
5 眀 841
眎 841
眕 841
眖 841
眙 841
眛 841
眛 841
眠 841
眣 841
眩 841
眐 842
眑 842
眡 842
眤 842
眝 842
眡 842
眗 842
眒 842
眣 842
眍 842
眨 842
眏 842
眓 842
昭 842
眖 842
眽 843
眞 843
真 843
眞 843
眚 843
眢 843
眥 843
眦 843
眢 843
眪 843
眷 843
眷 843
眶 843
眢 843
罤 843
眪 843
6 眭 843
眯 843
眲 844
眴 844
眵 844
眶 844
眸 844
眹 844
眺 844
眼 844
眰 844
眹 844
衄 844
眹 844
眽 844
睄 844
眳 844
略 845
睃 845
眻 845
脩 845

䀙	845	䀶	846	䁗	848	瞖	850	瞀	851	䁦	853	瞗	855
䀬	845	䀝	846	䀴	848	睪	850	䁚	852	𥉌	853	瞖	855
䀰	845	眐	846	䀳	848	睘	850	䁝	852	11 瞚	853	瞢	855
眮	845	睃	846	䀻	848	9 睮	850	䀏	852	瞝	854	瞢	855
䀉	845	睌	847	睟	848	䁊	850	䁒	852	瞞	854	12 瞤	855
䀭	845	䀾	847	睡	848	睹	850	䁓	852	瞟	854	瞧	855
䀪	845	睏	847	睢	848	睺	850	10 䁛	852	瞠	854	瞪	855
眱	845	睄	847	睥	848	䁋	850	瞋	852	䁹	854	瞫	855
䀘	845	眼	847	睤	848	睼	850	䁘	852	䁪	854	瞬	855
䀐	845	䀖	847	睦	848	睽	850	瞍	852	䁬	854	瞨	855
眓	845	䀼	847	睩	848	瞁	850	瞎	852	䁢	854	瞱	855
睁	845	䀽	847	睨	848	䁏	850	瞑	852	瞙	854	曉	855
眷	845	夐	847	睫	849	䁑	850	䁥	852	瞛	854	䁲	855
睂	846	睯	847	睧	849	䁍	850	䁘	852	䁶	854	䁢	856
眾	846	䀚	847	睠	849	䁐	851	䁙	853	䁱	854	瞭	856
7 𥇖	846	8 睒	847	䀡	849	䁔	851	䁛	853	䁫	854	瞯	856
睅	846	睔	847	睖	849	瞏	851	䁖	853	瞜	854	瞯	856
睆	846	䁅	847	䁅	849	睻	851	䁞	853	瞯	854	瞷	856
睇	846	睕	847	䁔	849	睴	851	䀱	853	䁱	854	䁮	856
睊	846	睗	847	睬	849	瞄	851	瞉	853	䁫	854	瞰	856
睋	846	睚	847	奭	849	瞅	851	䁡	853	瞘	854	䁬	856
䀹	846	睛	847	䁆	849	䁖	851	䁤	853	䁯	854	瞲	856
睞	846	睜	848	䁯	849	䀽	851	瞥	853	䁭	855	瞦	856
睍	846	睞	848	督	849	睯	851	䁚	853	䁮	855	䁱	856
睎	846	䁁	848	䀯	850	䁕	851	瞥	853	䁞	855	瞳	856
䀇	846	䁒	848	𥈟	850	䁗	851	䁧	853	瞕	855	瞵	856
䀾	846	䀍	848	睧	850	睿	851	瞦	853	䁤	855	䁴	856

[illegible] 856
[illegible] 856
瞴 856
[illegible] 857
[illegible] 857
矋 857
[illegible] 857
[illegible] 857
[illegible] 857
13 瞿 857
[illegible] 857
瞻 857
瞼 857
[illegible] 857
瞹 857
矁 857
[illegible] 857
[illegible] 857
[illegible] 857
[illegible] 858
[illegible] 858
[illegible] 858
[illegible] 858
[illegible] 858
[illegible] 858
[illegible] 858
瞸 858

矀 858
[illegible] 858
[illegible] 858
14 矇 858
矉 858
[illegible] 858
矃 858
[illegible] 858
矆 858
矈 858
瞵 859
[illegible] 859
[illegible] 859
矊 859
[illegible] 859
[illegible] 859
15 矍 859
矎 859
矌 859
[illegible] 859
[illegible] 859
[illegible] 859
[illegible] 859
[illegible] 859
[illegible] 859
16 矐 859
矑 859

矒 859
[illegible] 859
[illegible] 859
[illegible] 860
[illegible] 860
矓 860
[illegible] 860
[illegible] 860
17 [illegible] 860
[illegible] 860
[illegible] 860
18 矔 860
[illegible] 860
[illegible] 860
[illegible] 860
[illegible] 860
19 矗 860
矖 860
[illegible] 860
20 矘 860
矙 860
[illegible] 860
[illegible] 861
21 矚 861
[illegible] 861
25 矕 861

矛 部

矛 861
3 [illegible] 861
4 矜 861
[illegible] 861
[illegible] 861
5 矝 861
7 矞 861
[illegible] 862
[illegible] 862
[illegible] 862
[illegible] 862
8 [illegible] 862
9 [illegible] 862
[illegible] 862
10 [illegible] 862
[illegible] 862
[illegible] 862
11 [illegible] 862
[illegible] 862
12 [illegible] 862
[illegible] 862
19 [illegible] 862
20 矡 862

矢 部

矢 862
2 矣 863
3 知 863

[illegible] 863
4 [illegible] 863
[illegible] 863
矦 863
[illegible] 863
5 矩 863
[illegible] 863
[illegible] 863
7 矬 863
短 863
䂓 864
[illegible] 864
[illegible] 864
8 矮 864
[illegible] 864
[illegible] 864
9 [illegible] 864
[illegible] 864
10 [illegible] 864
[illegible] 864
[illegible] 864
11 [illegible] 864
12 矯 864
矰 864
14 矱 864
15 矲 864

石 部

石 864
1 [illegible] 865
乭 865
2 矴 865
[illegible] 865
3 矺 865
矻 865
矽 865
矼 865
矸 865
矵 865
[illegible] 865
矹 865
矾 865
4 砂 865
砆 865
砊 866
砑 866
砌 866
砍 866
砒 866
研 866
砐 866
砏 866
[illegible] 866
砋 866
砎 866

砅 866
砇 866
砕 866
砉 866
5 砳 866
砝 866
砠 866
砢 867
砥 867
砧 867
[illegible] 867
砈 867
[illegible] 867
砱 867
砶 867
[illegible] 867
[illegible] 867
砰 867
砲 867
破 867
[illegible] 867
硁 868
砞 868
砟 868
砣 868
[illegible] 868
砬 868

砫 868	䂿 869	硷 871	碑 873	𥔎 874	碞 875	磍 877
砛 868	硈 869	硑 871	碓 873	𥔘 874	10 磊 876	磆 877
砡 868	𥑢 869	硧 871	碔 873	𥓪 874	確 876	𥕦 877
硛 868	硐 869	硩 871	碕 873	碮 874	碻 876	磃 878
𥐦 868	䂣 870	䂳 871	𥓯 873	碢 874	碼 876	碽 878
础 868	䃌 870	𥒎 871	䃃 873	𥕢 874	碾 876	磎 878
䂥 868	研 870	𥒐 871	䂪 873	䃗 874	磁 876	𥕞 878
砦 868	䂢 870	䂢 871	碦 873	碣 874	磅 876	磬 878
砮 868	7 硜 870	8 硼 871	碉 873	碩 874	磈 876	𥖍 878
砐 868	硝 870	硾 872	䃂 873	碬 875	磉 876	礉 878
6 硃 868	硠 870	硿 872	硷 873	碪 875	磋 876	磐 878
硅 868	砝 870	䃏 872	䃁 873	碍 875	磌 876	11 磚 878
硇 868	硨 870	碖 872	䂬 873	碭 875	磌 876	磝 878
硋 869	硫 870	碈 872	碚 873	碫 875	磏 876	磟 878
硎 869	硬 870	䂤 872	硗 873	碤 875	磑 876	磶 878
硫 869	确 870	䃁 872	碐 873	碥 875	磔 876	磧 878
硌 869	硯 870	𥓌 872	碄 874	𥔹 875	磕 877	磩 878
硉 869	硟 870	碇 872	碙 874	碠 875	磤 877	磞 878
硊 869	硪 870	碌 872	碅 874	碀 875	磒 877	磢 878
𥑮 869	硶 871	碍 872	𥔃 874	碨 875	磓 877	磪 878
𥑺 869	硭 871	碎 872	碗 874	碰 875	𥔺 877	𥖐 878
硄 869	𥒂 871	䃔 872	碁 874	磕 875	碵 877	磦 878
䃵 869	硤 871	碘 872	硻 874	碯 875	𥕐 877	䃨 879
𥑼 869	硥 871	碊 872	䃘 874	䃕 875	䃺 877	𥕫 879
硂 869	硱 871	𥔇 872	硩 874	碱 875	碮 877	𥖕 879
硢 869	硞 871	碏 872	9 碶 874	磁 875	磄 877	𥗇 879
硍 869	𥒃 871	碑 872	碟 874	碧 875	𥖁 877	磜 879

磟 879
磦 879
礰 879
⿰石商 879
磨 879
磨 879
⿱⿱艹吕石 879
⿰石莫 879
⿰石巢 879
⿰石脊 879
磬 879
⿰石虘 879
⿱殹石 879
⿱斬石 879
⿰石斬 880
磫 880
⿰石享 880
12 磯 880
⿰石梟 880
⿰石爲 880
磴 880
磅 880
⿰石烏 880
⿰石鳥 880
磷 880
磻 880
⿰石集 880

磽 880
⿰石厥 880
磿 880
磾 880
礁 880
⿰石朁 881
磹 881
磺 881
⿰石欿 881
磵 881
⿰石曾 881
⿰石𢀖 881
⿱隆石 881
磿 881
磵 881
13 礉 881
礎 881
礏 881
⿰石亶 881
礑 881
礒 881
⿰石肅 881
⿰石鬼 881
⿰石畺 881
⿰石詹 882
⿰石感 882
礔 882

⿰石奧 882
礈 882
礋 882
⿱鄉石 882
⿰石廉 882
⿰石需 882
⿰石僉 882
礐 882
礊 882
14 礙 882
⿰石蓋 882
礛 882
⿰石賓 882
⿰石蒙 882
礜 882
礊 882
⿰石敫 882
15 礦 882
⿱壴石 883
⿰石巤 883
⿰石畾 838
礩 883
礪 883
礫 883
⿰石贊 883
礤 883
⿳吅石吅 883

⿰石寫 883
⿰石截 883
⿰石適 883
⿰石蔑 883
⿰石著 883
礨 883
礬 883
16 ⿰石諸 883
⿰石霍 883
礰 883
⿰石敫 884
⿰石學 884
⿰石襄 884
礱 884
礲 884
17 礴 884
⿰石營 884
⿰石韱 884
18 礶 884
⿰石瞿 884
19 ⿰石靡 884
20 礹 884

示部

示 884
ネ 884
1 礼 884
⿰礻乙 884

礼 884
2 礽 884
3 社 884
社 885
礿 885
祀 885
祁 885
4 祅 885
祆 885
祇 885
祈 885
祈 885
祉 885
祉 885
祊 885
⿰礻戈 885
亟 886
祋 886
神 886
⿰礻比 886
⿱旦示 886
5 祏 886
祐 886
祐 886
祓 886
祔 886
祕 886

祖 886
祖 886
祇 886
祚 886
祛 887
祙 887
祜 887
祝 887
祝 887
神 887
神 887
祠 887
祘 887
祢 887
⿰礻夬 887
祟 887
祡 887
⿱癶示 887
祒 887
⿰礻台 887
⿰礻佘 887
⿰礻圭 888
祑 888
祒 888
6 祥 888
祥 888
⿱𠔉示 888

祗 888
祧 888
祫 888
祪 888
祩 888
⿰礻吳 888
⿰礻舌 888
⿰礻巠 888
票 888
祭 888
⿰礻包 889
⿰礻𠂢 889
⿰礻羽 889
⿰礻困 889
7 祲 889
祴 889
祰 889
祳 889
⿰礻彖 889
⿰礻𠯑 889
⿰礻坴 889
⿰礻邑 889
⿰礻酉 889
禍 889
祷 889
⿰礻豆 889
⿰礻坐 889

祱 889	禍 891	禚 892	禴 894	禶 895	秂 897	秎 899
祴 889	禎 891	禛 892	禶 894	禷 895	3 季 897	秐 899
斱 889	福 891	禝 892	禚 894	禰 895	秅 897	秗 899
裎 889	福 891	禟 892	禩 894	21 [illegible] 895	秆 897	秶 899
8 祺 889	禓 891	禐 892	禫 894	22 [illegible] 895	秈 897	秨 899
祼 889	禔 891	禜 892	禮 894	24 [illegible] 895	秄 897	秔 899
祿 890	禑 891	禞 892	禀 894	内部	秂 897	秩 899
禄 890	禕 891	福 892	禀 894	内 895	秆 897	秠 899
禂 890	禖 891	禣 893	禴 894	4 禹 895	秎 898	秐 899
祽 890	禗 891	禤 893	13 禬 894	禼 896	秉 898	秐 899
禇 890	禘 891	11 禮 893	禮 894	禺 896	秅 898	5 秞 899
神 890	禑 891	禪 893	禮 894	6 离 896	秗 898	租 899
祆 890	禕 892	禰 893	禪 894	卨 896	秖 898	秠 899
禅 890	禍 892	禥 893	禭 894	7 禼 896	秅 898	秣 900
禂 890	禪 892	禮 893	14 禰 894	萬 896	4 秋 898	秤 900
禝 890	禽 892	禩 893	禱 894	8 禽 896	秌 898	秳 900
禁 890	禡 892	禮 893	禰 895	[illegible] 896	科 898	秧 900
禀 890	禠 892	禶 893	禰 895	9 萬 896	秒 898	秩 900
禊 890	禒 892	禦 893	15 禲 895	13 禺 896	秔 898	秫 900
裿 890	鼓 892	禮 893	禰 895	20 禺 896	秖 898	秬 900
祾 890	禐 892	禮 893	16 禰 895	禾部	秕 898	秭 900
裺 890	禕 892	禓 893	禮 895	禾 896	种 899	秜 900
禈 890	禫 892	禮 893	17 禳 895	禾 896	秏 899	秥 900
9 禊 891	禠 892	12 禧 893	禴 895	2 秃 896	秎 899	秪 900
禋 891	10 禠 892	禨 893	禮 895	秀 897	秖 899	秢 900
禍 891	禡 892	禪 893	禰 895	私 897	秄 899	秨 900
禍 891	禛 892	禫 894	19 禰 895	秅 897	秅 899	秝 901

秘	901	稅	902	稇	904	9 稭	906	10 稷	908	穅	909	穗	911
称	901	稈	902	稜	904	種	906	稸	908	穆	909	穜	911
秭	901	稊	902	稞	904	稰	906	稹	908	穇	910	穖	911
积	901	程	903	稠	904	稱	906	稺	908	穊	910	穚	911
秦	901	稌	903	稏	904	稯	906	稻	908	積	910	穛	911
秙	901	稍	903	⿰禾來	905	稨	906	稼	908	穌	910	⿰禾⿱覀灬	911
秬	901	稉	903	稤	905	稧	906	稽	908	⿰禾商	910	⿱𥝢谷	911
秏	901	⿰禾甫	903	稡	905	⿰禾要	906	稿	908	⿰禾虘	910	⿰禾韋	911
秛	901	稇	903	稢	905	⿰禾屋	906	⿰禾栗	908	⿰禾累	910	⿰禾貴	912
⿰禾弗	901	⿰禾肙	903	⿰禾甾	905	⿰禾胃	907	⿰禾桀	908	⿰禾焉	910	⿰禾替	912
6 秸	901	⿰禾廷	903	⿰禾居	905	⿰禾耑	907	⿰禾唐	908	穋	910	穕	912
移	901	⿰禾告	903	⿰禾奄	905	⿰禾青	907	稴	908	⿰禾票	910	13 穟	912
秱	901	稄	903	⿰禾昆	905	⿰禾曷	907	⿰禾旁	909	⿰禾离	910	穠	912
秳	901	⿰禾叔	903	⿰禾卷	905	稫	907	⿰禾羔	909	穌	910	穡	912
秔	901	⿰禾昏	903	稕	905	⿰禾責	907	⿰禾荒	909	⿰禾悤	910	穢	912
秵	902	⿰禾見	903	⿰禾垂	905	⿰禾皇	907	⿰禾𦬏	909	⿰禾亀	910	穦	912
秷	902	稆	903	⿰禾空	905	⿰禾鬼	907	⿰禾尃	909	稽	910	⿰禾會	912
⿰禾兆	902	⿰禾見	904	稒	905	穀	907	⿰禾咸	909	穩	910	⿱道禾	912
⿰禾宅	902	⿰禾刖	904	稟	905	稻	907	⿰禾㣇	909	[illegible]	910	⿰禾亶	912
⿰禾列	902	⿰禾孛	904	[illegible]	905	⿰禾㣇	907	穗	909	穎	910	⿰禾賣	912
税	902	⿰禾足	904	⿰禾官	905	稳	907	穀	909	穈	911	穰	912
䅁	902	8 稑	904	稐	905	⿱禀禾	907	⿱毄禾	909	⿰禾森	911	穓	912
秶	902	稔	904	⿰禾奇	905	⿰禾苗	907	稾	909	⿰禾畢	911	⿱亡⿲月禾凡	912
⿰禾夷	902	稗	904	⿰禾非	906	⿰禾昰	907	⿱𡗗秝	909	⿰禾執	911	14 穨	912
7 稀	902	稙	904	稓	906	⿰禾咅	907	⿰禾素	909	⿰禾從	911	穧	913
稂	902	稘	904	⿰禾昌	906	⿱委禾	907	穁	909	⿱殸禾	911	⿰禾隱	913
稃	902	稚	904	稝	906	⿰禾韋	908	11 穄	909	12 穉	911	穫	913

𥢸 913
𥣓 913
穦 913
穤 913
穪 913
穥 913
𥢻 913
15 穲 913
穮 913
𥣘 913
𥣫 913
穬 913
穭 913
穖 913
穡 913
𥣖 913
16 𥤉 914
𥣩 914
龝 914
穙 914
17 穰 914
𥤚 914
𥤞 914
18 穙 914
穱 914
𥤓 914
𥤘 914
19 穳 914
𥤣 914
20 𥤭 914
𥤼 914
21 𥥀 914
24 𥥁 914
𥥂 914
25 𥥃 914

穴 部

穴 915
1 穵 915
2 究 915
穷 915
穹 915
3 穸 915
穹 915
空 915
穾 915
穽 915
窀 915
𥥛 915
穻 916
穼 916
4 穽 916
穿 916
窀 916
突 916
穾 916
宏 916
窉 916
窂 916
窃 916
𥦂 916
窊 916
𥥻 916
窊 916
穽 916
穸 916
窆 917
窇 917
窂 917
5 窋 917
窄 917
窅 917
窆 917
窌 917
窊 917
窋 917
窌 917
窉 917
窇 917
窉 917
窎 917
盗 918
窭 918
窗 918
窍 918
窈 918
窔 918
窣 918
窅 918
6 窒 918
窓 918
窔 918
窕 918
窐 918
窕 918
窖 918
窏 918
窋 919
窑 919
窒 919
窗 919
窕 919
窩 919
窔 919
窐 919
窖 919
窑 919
窩 919
窘 919
7 窌 919
窝 919
窖 919
窘 919
窙 919
窛 919
窖 919
窛 919
窗 919
窜 920
寇 920
窡 920
窤 920
窥 920
窣 920
窦 920
窧 920
窨 920
窩 920
窫 920
窬 920
窭 920
8 窨 920
窟 920
窠 920
窢 920
窣 920
窥 920
窦 920
窤 920
窮 921
窫 921
窴 921
窞 921
窶 921
窬 921
9 窨 921
窩 921
窪 921
窬 921
窪 921
窫 921
窸 921
窹 921
窺 921
窬 921
窽 921
窾 921
10 窮 921
窯 922
窰 922
窱 922
窳 922
窵 922
窴 922
窶 922
窷 922
窸 922
窻 922
11 窼 922
窽 922
窵 922
窶 922
窸 922
窺 922
窿 923
竂 923
竃 923
竄 923
竅 923
竆 923
竇 923
竈 923
竉 923
竊 923
竌 923
12 竅 923
竆 923

竁 923	17 竊 925	竦 927	14 臺 929	笐 931	笭 933	⿱竹再 935
窿 923	18 ⿱穴龜 925	⿱⿰亡月立 928	⿰立需 929	笓 931	笮 933	⿱竹攻 935
⿱穴离 924	19 ⿱穴寶 925	⿰立身 928	15 竸 929	⿱竹屯 931	笯 933	⿱竹宇 935
⿱穴登 924	⿱穴蠡 925	⿰立疋 928	⿰立蒦 930	笌 931	笱 933	⿱竹至 935
竂 924	20 ⿱穴襄 925	8 竫 928	16 ⿰立臺 930	笒 931	笲 933	笡 935
⿱穴復 924	21 ⿱穴竊 925	⿰立卑 928	17 競 930	⿱竹互 932	笳 934	6 筅 935
⿱穴過 924	立部	⿰立享 928	竹部	笍 932	笴 934	筆 935
窺 924	立 925	⿰立昔 928	竹 930	笔 932	笵 934	筇 935
⿱穴敢 924	1 辛 926	⿰立隶 928	2 竺 930	笄 932	⿱竹古 934	筈 935
⿱穴曾 924	产 926	⿰立彔 928	竻 930	⿱竹公 932	⿱竹亘 934	等 935
⿱穴童 924	2 竍 926	竪 928	3 竿 930	笶 932	笜 934	筊 936
13 竄 924	3 ⿰立已 926	9 竭 928	竽 930	⿱竹井 932	⿱竹代 934	⿱竹江 936
竅 924	4 竒 926	端 928	竾 930	⿱竹冄 932	⿱竹巨 934	筋 936
14 ⿱穴暴 924	竑 926	⿰立匽 929	竏 930	笅 932	笰 934	筌 936
窮 924	⿰立斗 926	⿰立屏 929	⿱竹丸 930	5 笘 932	⿱竹去 934	筍 936
⿱穴監 924	5 竜 926	10 ⿰立彖 929	笁 930	笙 932	⿱竹目 934	筏 936
竆 924	竟 926	⿰立蜀 929	⿱竹乞 930	笛 932	笸 934	筐 936
⿱穴黽 924	竛 926	⿰立眞 929	笀 930	笞 932	⿱竹図 934	筑 936
15 竇 925	站 926	11 ⿱立覓 929	⿱竹子 931	笟 932	⿱竹尒 934	筒 936
⿱穴耦 925	竚 926	竱 929	4 笆 931	笠 932	⿱竹务 934	⿱竹幷 936
⿱穴毅 925	竝 926	⿰立犀 929	⿱竹卞 931	笢 932	筤 935	答 936
⿱穴鳥 925	竘 926	12 竲 929	笈 931	笤 933	笧 935	策 937
16 竈 925	6 竟 927	竳 929	笊 931	笥 933	筑 935	⿱竹甾 937
竉 925	章 927	⿱頁立 929	笋 931	符 933	笻 935	⿱竹舛 937
⿱穴歡 925	7 童 927	⿰立堯 929	笏 931	笨 933	⿱竹先 935	⿱竹匝 937
⿱穴頻 925	竢 927	13 ⿳亡口⿲月立凡 929	笑 931	第 933	⿱竹关 935	⿱竹考 937
⿱穴鶴 925	竣 927	⿰立爾 929	笑 931	第 933	⿱竹早 935	⿱竹死 937

筞 937
筝 937
筨 937
筙 937
筣 937
笇 937
筎 938
筃 938
𥬸 938
筗 938
筂 938
䇮 938
筅 938
筕 938
筓 938
笧 938
筄 938
7 𥭉 938
筠 938
筤 938
筥 938
筦 938
筧 938
筩 938
筬 938
筮 939
筋 939
筰 939
筲 939
筳 939
筴 939
筵 939
筷 939
筣 939
𥬭 939
𥮃 939
䇶 939
筆 939
筅 939
筱 939
筎 940
筡 940
筣 940
筣 940
筢 940
筥 940
筪 940
筯 940
筮 940
筞 940
筭 940
筸 940
筶 940
筞 940
筸 940
筫 940
筍 940
筣 940
箅 941
箕 941
節 941
8 笄 941
箄 941
箅 941
箇 941
箈 941
箋 941
箍 941
箑 941
箒 941
箏 941
箒 941
箕 942
箚 942
算 942
箘 942
箟 942
箙 942
箚 942
箜 942
箝 942
箬 942
箮 942
箠 942
管 943
箛 943
箔 943
箐 943
箁 943
箊 943
箖 943
箎 943
箣 943
箴 943
箕 943
箅 943
箌 943
箘 943
箵 944
箹 944
箾 944
箽 944
箣 944
箳 944
箢 944
箺 944
箲 944
箟 944
箪 944
9 箬 944
箭 944
箯 944
箱 944
箴 944
箶 944
箸 944
箾 945
節 945
節 945
篁 945
範 945
篆 945
篇 945
篠 945
篙 946
箬 946
篙 946
篌 946
篂 946
篓 946
篕 946
落 946
篏 946
箐 946
篌 946
篋 946
篓 946
篔 946
篙 946
篓 946
篗 946
篖 946
篞 946
篦 946
篼 946
篊 947
篋 947
篌 947
箸 947
篪 947
篃 947
篒 947
篘 947
篍 947
篏 947
篕 947
篁 947
篯 947
篛 947
篜 947
篠 947
篛 947
篩 947
篛 948
篖 948
篥 948
篖 948
篣 948
篪 948
篺 948
篹 948
篻 948
篾 948
簗 948
10 簗 948
篔 948
篗 948
篘 948
篙 948
篚 949
篛 949
篝 949
篝 949
篡 949
篤 949
篦 949
篨 949
篩 949
篣 949
篪 949

⿱竹旅	949	⿱竹音	951	簇	952	⿱竹產	954	簡	955	⿱竹勞	957	簿	959
⿱竹般	949	⿱竹眞	951	⿱竹屛	953	⿱竹尊	954	⿱竹閒	956	簝	957	⿱竹奥	959
⿱竹差	950	⿱竹着	951	⿱竹造	953	⿱竹巢	954	⿱竹貫	956	⿱竹遞	957	⿱竹褐	959
⿱竹兼	950	⿱竹雋	951	⿱竹區	953	⿱竹淡	954	簦	956	簬	957	⿱竹搏	959
⿱竹湟	950	⿱竹浦	951	⿱竹寇	953	⿱竹斛	954	簧	956	⿱竹復	957	⿱竹隔	959
篛	950	篕	951	⿱竹圈	953	⿱竹釣	954	簨	956	⿱竹閔	957	⿱竹微	959
⿱竹浮	950	⿱竹殺	951	⿱竹堇	953	⿱竹習	954	簪	956	⿱竹蛍	957	⿱竹愛	959
⿱竹烘	950	簑	951	⿱竹軟	953	篰	954	⿱竹替	956	⿱竹瓠	957	⿱竹亶	959
⿱竹扇	950	⿱竹寋	951	⿱竹途	953	篱	954	⿱竹普	956	⿱竹隋	957	⿱竹豦	959
⿱竹剪	950	⿱竹奄	951	⿱竹盆	953	篶	954	⿱竹閑	956	簥	957	⿱竹殿	959
篧	950	⿱竹欽	951	⿱竹洴	953	⿱竹將	955	⿱竹殺	956	⿱竹稍	958	⿱竹閘	959
⿱竹捎	950	⿱竹修	951	⿱竹爽	953	篡	955	⿱竹質	956	⿱竹隱	958	⿱竹邁	959
⿱竹翁	950	⿱竹衷	951	⿱竹庶	953	⿱竹染	955	⿱竹董	956	⿱竹筮	958	⿱竹嗇	959
⿱竹尃	950	11 ⿱竹隼	951	⿱竹終	953	⿱竹復	955	⿱竹無	956	篳	958	⿱竹雍	959
篢	950	篠	951	⿱竹悤	953	⿱竹罰	955	⿱竹奮	956	⿱竹筋	958	⿱竹獲	959
⿱竹苟	950	⿱竹華	951	⿱竹從	953	⿱竹御	955	⿱竹散	956	⿱竹堂	958	⿱竹資	959
⿱竹宸	950	篷	952	⿱竹揮	953	⿱竹徙	955	⿱竹須	956	13 簫	958	⿱竹搆	959
⿱竹納	950	⿱竹卷	952	⿱竹脯	953	⿱竹詹	955	⿱竹隊	956	⿱竹斡	958	⿱竹㨨	960
⿱竹雁	950	篸	952	⿱竹衘	953	⿱竹粛	955	⿱竹斯	956	⿱竹輅	958	14 ⿱竹廣	960
⿱竹舀	950	⿱竹潭	952	⿱竹盒	953	12 ⿱竹傅	955	⿱竹慈	957	⿱竹祿	958	籌	960
⿱竹格	951	篻	952	⿱竹款	954	⿱竹幾	955	⿱竹雲	957	簷	958	⿱竹劃	960
⿱竹桌	951	⿱竹免	952	簍	954	簜	955	⿱竹爲	957	⿱竹皷	958	籃	960
⿱竹剖	951	篾	952	⿱竹措	954	⿱竹媚	955	⿱竹遂	957	簹	958	⿱竹匱	960
⿱竹素	951	簣	952	簏	954	⿱竹絕	955	⿱竹會	957	簺	958	⿱竹領	960
⿱竹蚤	951	⿱竹稍	952	⿱竹聊	954	簞	955	⿱竹殘	957	⿱竹過	958	⿱竹僕	960
⿱竹息	951	簂	952	篴	954	簟	955	⿱竹毳	957	簽	958	⿱竹鍵	960
⿱竹容	951	簃	952	⿱竹桼	954	簠	955	⿱竹敝	957	簾	958	⿱竹巢	960

字	頁	字	頁	字	頁	字	頁	字	頁	字	頁	字	頁
簨	960	𥶠	962	𥸞	963	籭	965	籹	966	粕	968	𥻗	969
𥶿	960	籖	962	𥹜	963	𥼸	965	𥹇	966	粗	968	𥺠	969
簩	960	𥹊	962	𥸮	963	𥺵	965	籺	966	粘	968	粡	969
籈	960	𥸩	962	𥸭	963	籫	965	𥸬	966	𥹿	968	粠	969
𥷠	960	𥳀	962	籤	963	𥼾	965	籼	966	𥹻	968	粤	969
籇	960	16 籙	962	籥	963	20 籯	965	籽	966	宷	968	粥	969
籉	960	籛	962	籧	964	籰	965	籷	966	𥹺	968	粟	969
籊	960	籜	962	𥸽	964	𥽍	965	粁	966	𥺃	968	粢	969
籋	960	籝	962	𥺇	964	𥽎	965	4 类	966	𥹼	968	𥺹	970
籍	961	籞	962	籦	964	𥻿	965	粃	966	粣	968	𥺧	970
𥷕	961	籟	962	𥹫	964	21 籯	965	粉	967	𥺉	968	𥺸	970
籌	961	籠	962	𥹾	964	𥽐	965	粆	967	𥹊	968	粱	970
𥷊	961	籚	962	𥻀	964	𥽑	965	粈	967	粙	968	𥺪	970
籆	961	𥹔	962	𥺓	964	𥽒	965	粍	967	𥹥	968	粣	970
15 籐	961	籋	963	18 𥽋	964	22 𥽓	965	粇	967	𥺑	968	𥻐	970
籑	961	𥹙	963	𥸷	964	23 𥽔	965	𥹛	967	粓	968	𥻠	970
𥸁	961	𥸮	963	𥹕	964	24 𥽖	965	𥹗	967	粖	968	𥺰	970
籔	961	𥷻	963	籗	964	𥽗	965	𥹢	967	𥺇	968	𥻋	970
𥷸	961	籫	963	𥼃	964	26 𥽘	965	𥹬	967	𥺊	969	7 粮	970
籓	961	𥹃	963	𥻘	964	米部		粅	967	𥺆	969	粰	970
𥸒	961	籗	963	𥻁	964	米	966	粄	967	𥺈	969	粳	970
𥷴	961	𥹀	963	籪	964	1 𠕋	966	粋	967	𥺏	969	𥺶	970
𥹇	961	𥸨	963	𥽃	964	2 𥹁	966	𥹵	967	𥻈	969	𥻒	970
𥺂	961	籘	963	𥽄	964	𥹄	966	粊	967	6 粦	969	𥻓	970
𥷑	961	17 𥺄	963	19 籩	964	𥹃	966	5 𥸸	967	粪	969	𥻕	970
𥸎	962	籢	963	籬	964	粂	966	粒	968	粞	969	粲	970
籅	962	籣	963	籮	965	3 类	966	粔	968	粧	969	康	971

粯 971	䊐 972	糍 974	䊭 975	糩 977	糤 978	糸 979
䊖 971	粽 973	10 糒 974	粲 975	䊵 977	16 糴 978	1 糺 980
粰 971	9 糂 973	糈 974	䊍 975	糫 977	䊬 978	系 980
䊀 971	糅 973	糔 974	糢 975	糣 977	糬 978	2 糾 980
䊁 971	糇 973	糖 974	䊮 976	䊷 977	糦 978	紀 980
䊞 971	糈 973	糗 974	䊯 976	13 糲 977	糵 978	紅 980
䊔 971	糉 973	糘 974	積 976	糫 977	17 糵 978	紈 980
䊏 971	糊 973	䊟 974	糶 976	糬 977	糷 979	3 紀 980
8 粼 971	䊤 973	糐 974	䊿 976	䊽 977	䋀 979	紂 980
粹 971	䊕 973	糐 974	糜 976	糪 977	糤 979	紃 980
粺 971	䊑 973	糕 974	䊳 976	糯 977	糶 979	約 980
粻 971	䊝 973	糙 975	䊾 976	糩 977	18 糵 979	紅 981
精 971	糙 973	糗 975	䊽 976	糰 977	19 糶 979	紆 981
精 972	糃 973	糕 975	12 糦 976	糫 977	糴 979	紇 981
䊹 972	䊪 973	穀 975	糧 976	糪 977	糵 979	紆 981
粶 972	䊡 973	11 糞 975	糟 976	糩 978	糷 979	紇 981
䊷 972	糔 973	糙 975	糕 976	糱 978	糷 979	紈 981
粿 972	糄 973	糝 975	糠 976	糵 978	糶 979	紉 981
粷 972	糗 973	糟 975	糠 976	14 糯 978	糴 979	紂 981
䊍 972	䊩 974	糠 975	䋒 976	糰 978	20 糶 979	級 981
䊧 972	糖 974	糝 975	糢 977	糱 978	21 糶 979	4 紋 981
䊢 972	糄 974	䊴 975	糣 977	糴 978	糷 979	納 981
䊐 972	糌 974	糨 975	糵 977	糵 978	糫 979	紐 982
䊯 972	糎 974	糒 975	糤 977	15 糲 978	糵 979	紒 982
䊰 972	糆 974	糢 975	糯 977	糨 978	24 糶 979	紓 982
粲 972	稾 974	䊸 975	糦 977	糩 978	27 糵 979	純 982
䊩 972	糉 974	糐 975	稾 977	糷 978	糸部	紕 982

糺 982
紗 982
紘 983
紙 983
級 983
紛 983
紜 983
紝 983
紞 983
紟 983
紡 983
紑 983
紌 983
紇 983
䌉 984
𢇁 984
紊 984
素 984
紻 984
紏 984
𦀗 984
𥿄 984
紺 984
䋎 984
紋 984
絫 984
索 984
紥 984
紮 984
紧 984
5 紩 985
紬 985
細 985
紱 985
紱 985
紲 985
紳 985
䋛 985
紵 985
紸 985
紹 985
紺 986
紼 986
紽 986
紾 986
給 986
絀 986
絁 986
終 986
絃 986
組 986
絅 987
結 987
絽 987
䋈 987
䋖 987
紙 987
䋕 987
紦 987
䋝 987
絆 987
絇 987
絣 987
紭 987
䋊 987
絨 987
紨 987
紴 987
𥿢 988
紶 988
紻 988
紙 988
統 988
組 988
絈 988
経 988
紫 988
累 988
紮 988
絭 988
6 絲 988
絎 989
結 989
絓 989
絶 989
絖 989
絚 989
絝 989
絞 990
絡 990
絢 990
絣 990
給 990
絨 990
絪 990
絯 990
絰 990
絳 990
絺 990
絧 991
䋮 991
絘 991
絑 991
䋉 991
絙 991
絟 991
䋿 991
絬 991
統 991
絥 991
絠 991
𦀥 991
絩 992
絖 992
𥾝 992
絼 992
絗 992
絍 992
絏 992
絵 992
絛 992
絰 992
絲 992
絭 992
𥿮 992
絜 992
絜 992
紥 992
絚 992
緊 992
䋲 992
絡 993
絔 993
絤 993
𥿿 993
𦀔 993
𦀵 993
䋷 993
絿 993
絗 993
7 絹 993
絺 993
絻 993
𦁷 993
絽 993
絿 993
練 993
綃 993
綅 993
綆 994
綈 994
綌 994
綒 994
綎 994
𦀺 994
綏 994
綐 994
經 994
綖 995
綕 995
綑 995
綄 995
綁 995
綊 995
紗 995
絙 995
綷 995
䋵 995
綉 995
綄 995
続 995
継 995
綋 995
綾 995
絸 995
綗 995
緐 995
䋫 995
絛 995
𦀿 995
䋋 995
綂 996
絺 996
綔 996
8 綜 996
綝 996
綟 996
綠 996
緑 996

綢 996	緋 999	綨 1000	緫 1003	緅 1005	縊 1006	縧 1008
綣 996	緎 999	綮 1001	緬 1003	緧 1005	縋 1006	縪 1008
綪 996	緌 999	綮 1001	緯 1003	緤 1005	縌 1006	縦 1008
綫 996	綹 999	緊 1001	緱 1003	絝 1005	縎 1006	縫 1008
綬 996	綗 999	綅 1001	緲 1004	緫 1005	縐 1006	緻 1008
維 996	綑 999	緐 1001	練 1004	緃 1005	縑 1006	縠 1008
絣 997	緁 999	総 1001	縿 1004	緼 1005	縓 1006	縣 1008
綯 997	綪 999	綝 1001	緵 1004	緾 1005	縒 1007	縢 1008
綰 997	𦂅 1000	綐 1001	緶 1004	縷 1005	縗 1007	縈 1008
綱 997	綼 1000	綩 1001	緹 1004	繩 1005	縚 1007	縏 1008
網 997	緀 1000	緛 1001	緺 1004	緜 1005	縛 1007	繤 1008
綴 997	緒 1000	9 緒 1001	緻 1004	縻 1005	縝 1007	縶 1008
綵 997	綧 1000	緗 1001	緸 1004	緓 1005	縞 1007	縩 1008
綷 997	緕 1000	緘 1001	緷 1004	緖 1005	縟 1007	繁 1009
綸 998	緈 1000	線 1002	縇 1004	緋 1005	縡 1007	繇 1009
綺 998	絟 1000	緝 1002	緭 1004	繄 1006	緆 1007	縘 1009
綻 998	縦 1000	緞 1002	緖 1004	綃 1006	縬 1007	縤 1009
綽 998	綼 1000	締 1002	緢 1004	縃 1006	縍 1007	縨 1009
綾 998	綳 1000	緡 1002	綷 1005	縀 1006	緂 1007	11 縪 1009
綿 998	緍 1000	緟 1002	緙 1005	綧 1006	縜 1008	縫 1009
緁 998	𦂄 1000	緣 1002	緽 1005	縎 1006	𦃃 1008	縭 1009
緂 998	緫 1000	緑 1002	緳 1005	縡 1006	縨 1008	縮 1009
緄 999	縄 1000	緦 1002	縕 1005	縂 1006	總 1008	縮 1009
緅 999	緒 1000	緥 1003	緰 1005	緞 1006	縍 1008	縯 1009
緆 999	練 1000	編 1003	縌 1005	10 縉 1006	緒 1008	縰 1009
緇 999	繹 1000	緩 1003	綱 1005	縉 1006	縷 1008	縱 1009
緉 999	綦 1000	緪 1003	緇 1005	縕 1006	縛 1008	縲 1010

縳 1010
縴 1010
縵 1010
縷 1010
縷 1010
縸 1010
縹 1010
縺 1010
總 1010
績 1011
縿 1011
繀 1011
繂 1011
繃 1011
繅 1011
繆 1011
繈 1011
縩 1011
繉 1011
縛 1011
縼 1011
繊 1012
縪 1012
縷 1012
繒 1012
繊 1012
緽 1012
繇 1012
縶 1012
縻 1012
縻 1012
繁 1012
繄 1012
12 繐 1013
繑 1013
繒 1013
織 1013
繕 1013
繖 1013
繘 1013
繙 1013
繚 1013
繞 1013
繢 1013
繣 1014
繝 1014
繏 1014
繟 1014
繎 1014
繜 1014
繓 1014
𦅾 1014
繬 1014
纈 1014
縝 1014
纆 1014
繪 1014
繜 1014
繛 1014
縈 1014
縶 1014
纍 1014
繠 1015
纀 1015
繕 1015
纂 1015
繳 1015
13 繡 1015
繩 1015
繪 1015
繮 1015
繯 1015
繰 1015
繲 1015
繳 1015
繫 1016
繶 1016
繷 1016
繹 1016
繹 1016
繸 1016
𦆽 1016
繵 1016
繬 1016
繴 1016
𦆸 1016
𦇃 1016
𦇇 1016
繨 1017
繚 1017
繱 1017
𦆹 1017
繭 1017
𦇍 1017
約 1017
繫 1017
繴 1017
繄 1017
繠 1017
縍 1017
𦅽 1017
14 繻 1017
繼 1017
繽 1018
繾 1018
纁 1018
𦇬 1018
𦇢 1018
纀 1018
繅 1018
繿 1018
纏 1018
辮 1018
𦈣 1018
纂 1018
𦈐 1018
縱 1018
𦇾 1018
15 纆 1018
纈 1018
纊 1018
續 1019
纏 1019
纋 1019
𦈒 1019
纅 1019
𦈙 1019
繯 1019
𦈠 1019
纉 1019
纖 1019
纇 1019
辮 1019
辮 1019
纍 1020
纝 1020
𦈵 1020
16 纑 1020
𦈻 1020
纄 1020
縉 1020
𦈼 1020
繼 1020
𦉆 1020
纜 1020
纒 1020
𦉂 1020
𦉅 1020
𦈷 1020
𦈾 1020
17 纓 1020
纖 1020
纕 1021
纔 1021
𦉎 1021
𦉡 1021
𦉖 1021
𦉜 1021
𦉝 1021
𦉗 1021
18 纗 1021
𦉠 1021
𦉦 1021
纔 1021
纛 1021
𦉧 1021
19 纘 1021
纚 1021
𦉮 1022
𦉰 1022
𦉱 1022
𦉲 1022
20 𦉳 1022
21 纝 1022
纜 1022
𦉶 1022
𦉹 1022
𦉺 1022
23 𦊁 1022
25 𦊃 1022

缶 部

缶 1022
𠂒 1022
2 缷 1022
3 缸 1022
缿 1022
缾 1022
4 缺 1022
𦈢 1023

𦈢 1023
缻 1023
𦈲 1023
5 䍄 1023
𦈤 1023
𦈣 1023
𦈦 1023
𦈥 1023
𦈧 1023
缽 1023
6 𦈩 1023
缾 1023
𦈪 1023
𦈭 1023
𦉀 1023
𦈯 1023
7 𦈱 1023
𦈴 1023
8 𦈸 1023
𦈷 1023
𦈹 1024
𦉅 1024
𦉁 1024
𦉃 1024
䍋 1024
9 𦉆 1024
𦉇 1024
10 𣫃 1024
罃 1024
䍃 1024
11 罅 1024
𦉈 1024
䍛 1024
罄 1024
𦉊 1024
12 罇 1024
𦉜 1024
罈 1025
13 罋 1025
𦉥 1025
𦉟 1025
14 罌 1025
罍 1025
𦉘 1025
15 𦉨 1025
𦉧 1025
𦉩 1025
16 罏 1025
𦉭 1025
17 䍡 1025
𦉮 1025
18 罐 1025
𦉯 1025
𦉰 1025
26 𦉪 1025

网 部

网 1025
冈 1026
罒 1026
罓 1026
𦉫 1026
1 𦉬 1026
3 罔 1026
𦉰 1026
𦉲 1026
罕 1026
𦉶 1026
罕 1026
𦉵 1026
罗 1026
𦉷 1026
𦉸 1026
4 𦊁 1026
𦊀 1026
罘 1026
𦊂 1027
𦊄 1027
𦊃 1027
𦊅 1027
5 罛 1027
罝 1027
罝 1027
罟 1027
罠 1027
罡 1027
罜 1027
𦊓 1027
𦊔 1027
𦊕 1027
罞 1027
6 罣 1027
𦊖 1027
7 罥 1027
罦 1028
𦊗 1028
𦊙 1028
罤 1028
𦊛 1028
8 罨 1028
罩 1028
𦊲 1028
罪 1028
罫 1028
罭 1028
置 1028
𦋓 1029
罧 1029
罬 1029
署 1029
𦋐 1029
𦋞 1029
9 𦋔 1029
𦋖 1029
罰 1029
罸 1029
署 1029
𦋤 1029
罳 1029
𦋪 1029
𦋮 1029
𦋷 1030
𦋸 1030
𦌀 1030
10 罵 1030
罶 1030
罷 1030
罷 1030
𦌂 1030
𦌃 1030
𦌆 1030
𦌐 1030
駡 1030
11 𦌕 1030
罹 1030
𦌝 1030
罺 1030
罻 1030
𦌥 1030
𦌨 1030
𦌧 1030
𦌩 1031
𦌪 1031
𦌫 1031
𦌬 1031
𦌭 1031
𦌯 1031
𦌰 1031
12 𦌱 1031
𦌲 1031
𦌳 1031
𦌵 1031
𦌶 1031
𦍀 1031
𦌷 1031
𦌸 1031
𦌹 1031
13 羂 1031
𦌺 1031
𦌻 1031
𦌼 1031
𦌽 1031
𦌾 1032
14 羃 1032
羅 1032
羆 1032
𦍂 1032
𦍃 1032
𦍁 1032
𦍄 1032
15 𦍅 1032
𦍆 1032
𦍇 1032
16 𦍈 1032
𦍉 1032
𦍊 1032
17 羇 1032
18 𦍋 1032
19 羈 1032
𦍐 1033
𦍑 1033
𦍒 1033
23 𦍓 1033

羊 部

羊 1033
𦍌 1033
羋 1033
1 芈 1033
2 羌 1033
𦍒 1033

3	美	1033		羊	1035		羜	1037		羶	1038		翥	1040		翑	1042		翣	1043
	美	1033		羐	1035		羬	1037		羵	1038	4	翌	1040		翎	1042		猗	1044
	羐	1034		羑	1035	9	羹	1037		羷	1038		翆	1040		翐	1042		翪	1044
	养	1034	6	美	1035		羭	1037	13	羹	1039		翀	1040		翊	1042		翠	1044
	羍	1034		着	1035		羯	1037		羴	1039		翂	1040		翖	1042		翢	1044
	幸	1034		兼	1035		羥	1037		羳	1039		翁	1040		翈	1042		翏	1044
4	羔	1034		羠	1035		羬	1037		羱	1039		翃	1040		翈	1042		翭	1044
	羙	1034		羢	1035		羫	1037		羷	1039		翃	1040		翐	1042		翡	1044
	羑	1034		羧	1035		羵	1037		羸	1039		翄	1040		翍	1042	9	翨	1044
	羛	1034		羜	1035		羺	1037	14	羸	1039		翅	1040		翓	1042		翬	1044
	羗	1034		羦	1035		辜	1037		羺	1039		翄	1040	6	羿	1042		猴	1044
	羒	1034		鮮	1035	10	羲	1038	15	羵	1039		翐	1040		翗	1042		猴	1044
	羓	1034		羥	1035		羲	1038		羼	1039		翍	1041		翔	1042		猣	1044
	羖	1034	7	羨	1035		羱	1038		䍪	1039		翅	1041		翓	1042		翫	1044
	牂	1034		義	1036		羳	1038	16	羷	1039		翃	1041		翖	1042		翰	1044
	胖	1034		善	1036		羱	1038		羻	1039		翁	1041		翕	1042		翿	1044
	荃	1034		羦	1036		羳	1038	17	羼	1039		翇	1041		翕	1043		翧	1044
5	羞	1034		羥	1036		轂	1038	24	羈	1039		翇	1041		翖	1043		翩	1045
	羕	1034		羧	1036	11	羵	1038		羽部		5	翌	1041	7	翜	1043		翹	1045
	羚	1034		群	1036		羶	1038		羽	1039		翏	1041		翛	1043		翥	1045
	羜	1034		羣	1036		羺	1038		羽	1040		習	1041		翤	1043		翦	1045
	羝	1035		羭	1036		摯	1038	2	羽	1040		習	1041		翛	1043		翻	1045
	羠	1035	8	羫	1036		養	1038	3	羿	1040		翇	1041		翡	1043	10	翯	1045
	䍹	1035		羫	1036	12	羴	1038		翌	1040		翍	1041		翫	1043		翭	1045
	羪	1035		羬	1037		羳	1038		翌	1040		翍	1041	8	翟	1043		翲	1045
	辜	1035		羻	1037		羵	1038		狂	1040		翐	1042		翠	1043		翮	1045
	羫	1035		羫	1037		羵	1038		翐	1040		翋	1042					翱	1045

翙 1045	翾 1047	10 鶮 1049	耘 1051	9 耦 1053	耀 1054	聊 1056
翺 1045	14 翿 1047	**而 部**	耙 1051	耫 1053	19 耱 1054	聄 1056
翮 1045	耀 1047	而 1049	耖 1051	耬 1053	**耳 部**	聆 1056
翰 1045	𦒭 1047	2 𦓏 1049	5 耜 1051	10 耨 1053	耳 1054	聅 1056
翁 1046	翽 1047	3 耍 1049	耞 1051	耆 1053	1 耴 1054	聇 1056
11 翼 1046	15 獶 1047	耎 1049	耝 1051	耩 1053	耵 1054	聉 1056
翲 1046	獵 1047	耏 1050	秤 1051	耪 1053	耶 1054	聃 1056
翻 1046	𦒻 1047	耐 1050	耚 1052	耪 1053	2 耵 1054	聉 1056
翳 1046	龖 1047	𡛦 1050	耛 1052	耬 1053	3 耶 1055	聃 1057
蓊 1046	**老 部**	𢆟 1050	耟 1052	耠 1053	耾 1055	聄 1057
翳 1046	老 1048	耑 1050	耕 1052	11 耬 1053	耷 1055	聋 1057
翴 1046	2 考 1048	4 耎 1050	6 耟 1052	耰 1053	耳 1055	6 聒 1057
12 翼 1046	4 耄 1048	耎 1050	耠 1052	積 1053	4 聂 1055	聐 1057
翼 1046	耂 1048	5 瓸 1050	耠 1052	耪 1053	聃 1055	聑 1057
翺 1046	耆 1048	6 需 1050	耠 1052	耩 1053	耽 1055	聏 1057
翯 1046	耉 1048	7 𦓐 1050	7 耡 1052	12 耭 1053	耿 1055	聎 1057
獢 1046	耈 1048	8 𦓒 1050	耩 1052	耮 1053	聃 1055	聜 1057
翹 1046	者 1048	𦓓 1050	耪 1052	耪 1054	耺 1055	聛 1057
翧 1047	5 耇 1048	10 𦓔 1050	8 耤 1052	耪 1054	聃 1055	联 1057
翷 1047	耆 1049	**耒 部**	耣 1052	耪 1054	聆 1055	7 聖 1057
翻 1047	耆 1049	耒 1050	耪 1052	耪 1054	聃 1056	聖 1057
翻 1047	耇 1049	耒 1051	耪 1052	13 耪 1054	聃 1056	聘 1057
獝 1047	耆 1049	2 耓 1051	耪 1052	14 耪 1054	聃 1056	聕 1057
翻 1047	耇 1049	3 耔 1051	耪 1052	15 耰 1054	聃 1056	聃 1057
獯 1047	6 耇 1049	耖 1051	耪 1052	耪 1054	耻 1056	聁 1058
13 翽 1047	耊 1049	4 耕 1051	稗 1052	耪 1054	5 聆 1056	聀 1058
翾 1047	耋 1049	耗 1051	耪 1053	18 耀 1054	聃 1056	聁 1058

聇 1058	聸 1059	聱 1061	17 聕 1062	肏 1064	股 1066	胁 1068
聈 1058	聙 1059	聹 1061	聿部	肐 1064	肢 1066	肳 1068
聒 1058	聰 1059	聴 1061	聿 1062	肏 1064	肦 1066	肧 1068
聏 1058	聦 1059	12 聶 1061	聿 1062	肛 1064	肪 1066	肩 1068
聓 1058	聱 1059	聵 1061	2 肃 1062	肎 1064	肫 1066	肯 1068
8 聚 1058	聨 1059	職 1061	肅 1062	3 肕 1064	肬 1066	肻 1068
聝 1058	10 聹 1059	聯 1061	津 1062	肘 1064	肭 1066	育 1068
聙 1058	聣 1059	聸 1061	3 隶 1063	肚 1065	肮 1066	肴 1068
聜 1058	聙 1059	聵 1061	4 肂 1063	肛 1065	肱 1066	肾 1068
聡 1058	聵 1059	聲 1061	肁 1063	肜 1065	肵 1067	胃 1068
聞 1058	聋 1059	13 聻 1061	5 晝 1063	肝 1065	胯 1067	5 胬 1068
聟 1058	聬 1059	聸 1061	肅 1063	肔 1065	肹 1067	胔 1068
聒 1058	聮 1059	聹 1061	7 肄 1063	肒 1065	肺 1067	肢 1068
聛 1058	11 聯 1059	14 聹 1061	肆 1063	肌 1065	肣 1067	胉 1069
聟 1058	聰 1060	聽 1061	肅 1063	肐 1065	肨 1067	朐 1069
聢 1058	聴 1060	聸 1061	8 肇 1063	肊 1065	肚 1067	胎 1069
聅 1058	聣 1060	聾 1061	肇 1063	肞 1065	肚 1067	胏 1069
聗 1059	聱 1060	聸 1062	9 肈 1063	肑 1065	胝 1067	肏 1069
聟 1059	聲 1060	聽 1062	10 肆 1064	肕 1065	胅 1067	胕 1069
9 聤 1059	聳 1060	聻 1062	肉部	肓 1065	肬 1067	胖 1069
聥 1059	聊 1060	15 聾 1062	肉 1064	肖 1065	肤 1067	胙 1069
聧 1059	聹 1060	聵 1062	月 1064	肖 1066	肶 1067	胚 1069
聑 1059	聻 1060	16 聽 1062	1 肊 1064	肙 1066	肸 1067	胛 1069
聖 1059	聸 1060	聽 1062	2 肋 1064	肙 1066	肕 1068	胝 1069
聹 1059	聸 1060	聾 1062	肏 1064	育 1066	肸 1068	胞 1069
聸 1059	聯 1060	聾 1062	肌 1064	4 肏 1066	肤 1068	胠 1070
聮 1059	聸 1061	聵 1062	肒 1064	肥 1066	肿 1068	胨 1070

肒 1070
胋 1070
胣 1070
胗 1070
胦 1070
胑 1070
胍 1070
胂 1070
𦙶 1070
胜 1070
䏚 1070
胆 1070
胆 1070
胇 1070
䏯 1071
胘 1071
䏟 1071
胐 1071
胅 1071
肢 1071
肬 1071
胒 1071
胟 1071
脉 1071
胡 1071
䂖 1071
胤 1071
胃 1071
胄 1071
背 1072
胥 1072
肩 1072
6 胾 1072
脔 1072
胭 1072
胯 1072
胰 1072
胱 1072
胳 1072
胴 1072
胵 1072
胸 1072
胷 1073
胥 1073
胹 1073
胻 1073
胼 1073
脂 1073
𦛁 1073
脆 1073
脈 1073
脈 1073
胲 1073
脙 1073
胮 1073
䏛 1073
胗 1073
脃 1074
脁 1074
胶 1074
胳 1074
胦 1074
脏 1074
脑 1074
脘 1074
脒 1074
脏 1074
胝 1074
脁 1074
脑 1074
脉 1074
能 1074
胠 1074
胥 1074
胫 1075
脇 1075
脊 1075
脍 1075
脊 1075
脊 1075
7 脕 1075
脚 1075
脛 1075
脘 1075
脝 1075
脞 1075
脡 1075
脢 1075
脤 1076
脫 1076
脱 1076
脬 1076
脯 1076
脰 1076
脟 1076
脟 1076
脗 1076
脖 1076
脧 1076
脮 1076
脡 1076
脥 1076
脛 1077
脦 1077
脨 1077
脩 1077
脤 1077
脣 1077
脪 1077
脭 1077
脪 1077
脉 1077
脩 1077
脣 1077
脅 1077
脪 1077
脨 1077
脒 1077
脧 1078
脲 1078
脳 1078
8 腐 1078
腎 1078
脹 1078
脽 1078
腂 1078
腒 1078
腑 1078
腄 1078
腉 1078
腔 1078
腀 1078
腅 1078
腂 1078
腃 1079
腇 1079
腄 1079
腉 1079
腊 1079
腗 1079
腗 1079
腁 1079
腆 1079
腋 1079
腌 1079
腑 1079
腑 1080
腒 1080
腓 1080
腔 1080
腕 1080
腔 1080
腇 1080
腍 1080
腘 1080
腏 1080
腎 1080
腎 1080
腦 1080
腔 1080
腤 1080
腰 1081
腼 1081
腟 1081
腡 1081
腃 1081
腤 1081
腄 1081
腨 1081
腖 1081
腧 1081
腛 1081
9 腜 1081
腞 1081
腠 1081
腢 1081
腥 1081
腦 1082
腧 1082
腫 1082
腯 1082
腰 1082
腰 1082
腎 1082
腱 1082
腴 1082
腶 1082
腷 1082

腸 1082	䐑 1084	膆 1085	䐜 1087	䐸 1089	𦞭 1090	𦞱 1092
腹 1082	腝 1084	膇 1085	𦞎 1087	腌 1089	膗 1090	𦞲 1092
腩 1083	腨 1084	膈 1085	䐃 1087	膽 1089	𦟙 1090	膦 1092
腪 1083	腬 1084	膉 1085	膂 1087	膓 1089	12 膨 1090	䐚 1092
腵 1083	腤 1084	膊 1085	膐 1087	膚 1089	膩 1090	𦞰 1092
䐘 1083	䐍 1084	膗 1086	膋 1087	䐺 1089	膮 1090	𦟫 1092
腳 1083	腡 1084	膌 1086	䐛 1087	膌 1089	膰 1090	𦟝 1092
䐚 1083	腲 1084	䐶 1086	䐟 1087	䐪 1089	膱 1090	𦟰 1092
䐢 1083	䐓 1084	䐲 1086	䐅 1087	膙 1089	膲 1090	臑 1092
𦛜 1083	腊 1084	䐱 1086	𦟂 1087	𦟕 1089	膳 1090	臍 1092
䐕 1083	𦝧 1084	䐴 1086	𦞉 1087	𦟛 1089	膴 1091	𦟦 1092
䐊 1083	𦞃 1084	䐬 1086	𦟆 1087	膒 1089	膬 1091	𦞼 1092
䐅 1083	䐋 1084	膘 1086	膏 1087	𦞨 1089	膭 1091	𦟭 1092
䐆 1083	𦜶 1085	䑋 1086	膜 1088	𦟧 1089	𦟤 1091	𦟲 1092
䐖 1083	䐗 1085	䑂 1086	䐖 1088	𦟨 1089	𦟠 1091	䐶 1092
䐗 1083	𦞦 1085	䐩 1086	𦞚 1088	𦟈 1089	䐺 1091	臯 1092
䐦 1083	䐀 1085	䐫 1086	䐡 1088	𦟎 1089	𦟌 1091	𦟋 1092
䐂 1083	腟 1085	𦞧 1086	11 膕 1088	𦞢 1089	𦟜 1091	13 𦟩 1092
䐤 1083	䐃 1085	𦟃 1086	膛 1088	䐯 1089	膫 1091	膷 1093
䐉 1083	膷 1085	䐧 1086	膜 1088	膚 1089	𦟝 1091	䐹 1093
腈 1083	腮 1085	䐨 1086	膝 1088	𦟂 1089	𦟩 1091	膻 1093
䐥 1084	膃 1085	𦞱 1086	膞 1088	𦞶 1090	䐵 1092	膽 1093
䐈 1084	𦝚 1085	𦞬 1086	膟 1088	膥 1090	䑛 1092	膾 1093
𦞤 1084	10 腿 1085	膔 1086	膠 1088	𦟉 1090	𦟛 1092	膿 1093
腛 1084	膀 1085	膎 1086	膢 1088	䐲 1090	䑙 1092	臃 1093
䐐 1084	䐢 1085	腷 1087	膣 1088	𦞏 1090	膧 1092	臄 1093
腺 1084	膄 1085	膁 1087	膘 1088	䐡 1090	𦞼 1092	臅 1093

臆 1093
臉 1094
臊 1094
臇 1094
膸 1094
膹 1094
臁 1094
臌 1094
䵷 1094
𦢊 1094
膷 1094
膝 1094
膺 1094
臂 1094
臀 1094
臋 1094
𦢖 1094
𦢌 1095
膼 1095
膧 1095
膛 1095
𦢡 1095
膣 1095
𦢩 1095
膱 1095
𦢛 1095
14 臍 1095
臏 1095
臐 1095
臑 1095
䑃 1095
𦣝 1096
臒 1096
𦢾 1096
膳 1096
𦢵 1096
𦢨 1096
𦣂 1096
𦣈 1096
𦢿 1096
𦣑 1096
𦢽 1096
𦡪 1096
𦣡 1096
臟 1096
𦢾 1096
𦢳 1096
𦤎 1096
15 𦣑 1096
臘 1096
𦣓 1096
𦣊 1097
𦢊 1097
𦡻 1097
𦢜 1097
𦣌 1097
𦣉 1097
𦣋 1097
𦣗 1097
𦣘 1097
𦣙 1097
𦢝 1097
16 臙 1097
臚 1097
𦣥 1097
𦣦 1097
𦣧 1097
𦣨 1097
𦣩 1097
𦣪 1097
17 𦣫 1097
臁 1098
𦣬 1098
𦣭 1098
18 臞 1098
臢 1098
𦣮 1098
𦣯 1098
𦣰 1098
𦣱 1098
19 𦣲 1098
𦣳 1098
𦣴 1098
𦣵 1098
𦣶 1098
𦣷 1099

臣 部

臣 1099
𦣹 1099
2 臥 1099
𦣻 1099
𦣼 1099
4 𦣽 1099
5 𦣾 1099
6 𦣿 1099
8 臧 1099
𦤀 1100
臨 1100
11 𦤁 1100
𦤂 1100
12 𦤃 1100
15 𦤄 1100
23 𦤅 1100

自 部

自 1100
𦤆 1100
1 𦤇 1100
𦤈 1100
𦤉 1100
𦤊 1100
2 𦤋 1100
3 臭 1100
𦤌 1101
4 臬 1101
臭 1101
皇 1101
𦤍 1101
𦤎 1101
𦤏 1101
5 𦤐 1101
6 𦤑 1101
𦤒 1101
臯 1101
𦤓 1101
7 𦤔 1101
8 𦤕 1101
𦤖 1101
9 𦤗 1101
𦤘 1101
𦤙 1101
𦤚 1102
10 𦤛 1102
𦤜 1102
𦤝 1102
11 𦤞 1102
𦤟 1102
𦤠 1102
13 𦤡 1102
𦤢 1102
14 𦤣 1102
𦤤 1102
𦤥 1102
20 𦤦 1102

至 部

至 1102
1 𦤧 1102
2 𦤨 1102
3 致 1102
4 致 1103
𦤩 1103
𦤪 1103
5 𦤫 1103
6 𦤬 1103
𦤭 1103
𦤮 1103
臺 1103
7 𦤯 1103
𦤰 1103
8 臺 1103
9 𦤱 1103
𦤲 1103
10 臻 1103
𦤳 1104
11 𦤴 1104
12 𦤵 1104
𦤶 1104

臼 部

臼 1104
𦥑 1104
𦥒 1104
1 𦥓 1104
2 𦥔 1104
臾 1104
臽 1104
叟 1104
3 𦥖 1104
𦥗 1104
舌 1104
𦥘 1105
4 𦥙 1105
𦥚 1105
𦥛 1105
𦥜 1105
𦥝 1105
𦥞 1105
𦥟 1105
𦥠 1105
𦥡 1105
𦥢 1105

𦥑 1105
5 𦥔 1105
𦥗 1105
𦥖 1105
𦥘 1105
舂 1105
臿 1105
𦥓 1105
𦥛 1105
6 舄 1105
舃 1105
臾 1105
𦥯 1106
舀 1106
𦥰 1106
7 舅 1106
𦦗 1106
與 1106
興 1106
8 𦦙 1106
𦦛 1106
9 興 1106
𦦤 1106
𦦞 1106
10 𦦡 1106
舉 1106
𦦶 1107
11 𦦺 1107
舉 1107
12 舊 1107
13 𦧁 1107
舋 1107
14 𦧆 1107
18 𦧉 1107
22 𦧊 1107

舌 部

舌 1107
2 舍 1107
舎 1108
3 𦧇 1108
4 舐 1108
𦧜 1108
𦧞 1108
𦧝 1108
5 𦧣 1108
𦧤 1108
𦧥 1108
6 舒 1108
7 𦧵 1108
8 𦧶 1108
𦧷 1108
𦧺 1108
𦧻 1108
舔 1108
舓 1108
𦧸 1108
𦧹 1108
9 𦨁 1109
舖 1109
舗 1109
𦨉 1109
䑝 1109
10 䑞 1109
舘 1109
𦨊 1109
𦨋 1109
11 𦨌 1109
12 𦧧 1109
𦨍 1109
𦨎 1109
𦨏 1109
13 𦨐 1109
17 𦨑 1109
𦨒 1109

舛 部

舛 1109
4 𦨔 1109
6 舜 1109
𦨕 1110
7 𦨖 1110
8 舞 1110
𦨗 1110
10 𦨘 1110
𦨙 1110
18 𦨚 1110
19 𦨛 1110

舟 部

舟 1110
2 舠 1110
𦨜 1110
𦨝 1110
𦨞 1110
𦨟 1110
3 舡 1111
舢 1111
𦨡 1111
𦨢 1111
𦨣 1111
4 航 1111
舫 1111
般 1111
𦨤 1111
舥 1111
舨 1111
𦨥 1111
舩 1111
舮 1111
𦨦 1111
𦨧 1111
䑰 1111
舥 1111
5 舲 1112
舳 1112
舴 1112
舶 1112
舷 1112
舸 1112
船 1112
舵 1112
𦨭 1112
𦨮 1112
船 1112
䑺 1112
舺 1112
𦨯 1112
6 䑾 1112
𦨴 1112
𦨵 1112
𦨶 1112
艅 1113
𦩄 1113
𦨷 1113
𦨸 1113
7 艀 1113
艄 1113
艅 1113
艇 1113
𦩇 1113
艆 1113
艂 1113
𦩈 1113
艀 1113
8 艋 1113
艍 1113
𦩍 1113
艅 1113
艓 1113
艒 1113
𦩎 1114
艌 1114
艕 1114
𦩏 1114
9 艎 1114
艑 1114
艓 1114
艐 1114
艘 1114
𦩐 1114
艛 1114
艒 1114
艐 1114
艖 1114
艘 1114
艄 1114
艒 1114
艕 1114
10 𦩓 1114
艖 1115
艘 1115
艙 1115
艗 1115
艕 1115
𦩔 1115
艏 1115
艓 1115
𦩕 1115
11 艚 1115
艛 1115
𦩖 1115
艞 1115
𦩗 1115
𦩘 1115
𦩙 1115
艢 1115
艕 1115
12 艟 1115
𦩚 1116
𦩛 1116

⿰舟厥 1116	⿰舟發 1117	4 ⿰分色 1119	芅 1120	芞 1122	芷 1124	苏 1126
⿰舟尞 1116	艣 1117	5 ⿰冉色 1119	2 ⿰牛牛 1120	⿱艹丂 1122	芸 1125	⿱艹公 1126
⿰舟番 1116	⿰舟蠡 1117	⿰皮色 1119	艼 1120	⿱艹尒 1122	芹 1125	苀 1126
⿰舟宿 1116	⿰舟墨 1117	7 艴 1119	艽 1120	⿱艹扎 1122	芼 1125	⿱艹仆 1126
⿰舟兆 1116	⿰舟贊 1117	⿰夌色 1119	艾 1120	芆 1122	芽 1125	⿱艹丰 1126
⿰舟賁 1116	16 艫 1117	8 ⿰并色 1119	艿 1120	4 芻 1122	芾 1125	⿱艹耳 1126
⿰舟尊 1116	⿰舟龍 1117	⿰彦色 1119	⿱艹丂 1121	芘 1122	⿱艹攴 1125	⿱艹引 1126
⿰舟參 1116	⿰舟雟 1117	⿰尚色 1119	芀 1121	芙 1122	芿 1125	⿱艹亙 1127
⿰舟翁 1116	⿰舟歷 1117	9 ⿺匚色 1119	艻 1121	芚 1122	茚 1125	5 苐 1127
⿰舟黃 1116	⿱龍舟 1117	⿰面色 1119	节 1121	芝 1123	芪 1125	苑 1127
13 艤 1116	17 ⿰舟霝 1117	⿰発色 1119	3 ⿱山艸 1121	芰 1123	芤 1125	苒 1127
艡 1116	⿰舟靁 1117	10 ⿰冥色 1119	芃 1121	芺 1123	⿱艹午 1125	苓 1127
⿰舟達 1116	艬 1117	⿰旁色 1119	芄 1121	芣 1123	芵 1125	苔 1127
艢 1116	18 艭 1117	⿰翁色 1119	芊 1121	芥 1123	芫 1126	苕 1127
⿰舟戠 1116	19 ⿰舟贊 1117	⿰窊色 1119	⿱艹亏 1121	芧 1123	⿱艹尤 1126	苗 1127
⿰舟肅 1116	20 ⿰舟矍 1117	⿰奚色 1119	芋 1121	芨 1123	⿱艹中 1126	苙 1127
⿰舟零 1116	21 ⿰舟蠡 1117	12 ⿰曾色 1119	⿱艹与 1121	芩 1123	⿱艹冈 1126	苛 1127
艂 1116	24 ⿰舟靈 1118	⿰莽色 1119	芎 1121	芫 1123	⿱艹气 1126	苜 1128
⿰舟貴 1116	**艮 部**	13 艶 1119	芑 1121	芬 1123	⿱艹夫 1126	苞 1128
⿰舟敢 1116	艮 1118	14 ⿰熏色 1119	芒 1121	芭 1124	⿱艹厷 1126	苟 1128
⿰舟虜 1116	1 良 1118	⿰鼻色 1119	⿱艹亾 1121	芮 1124	芛 1126	苡 1128
14 艦 1117	2 艰 1118	16 ⿰曹色 1119	苄 1122	芯 1124	芦 1126	⿱艹冒 1128
艨 1117	3 ⿰卜艮 1118	18 艷 1119	芓 1122	芟 1124	⿱艹刋 1126	苣 1128
艧 1117	11 艱 1118	**艸 部**	芉 1122	花 1124	⿱艹寺 1126	若 1128
⿰舟舞 1117	14 ⿰墐艮 1118	艸 1120	芞 1122	苍 1124	⿱艹并 1126	苦 1128
⿰舟齊 1117	**色 部**	艹 1120	芏 1122	芳 1124	苯 1126	苧 1129
15 ⿰舟詹 1117	色 1118	1 ⿱艹丨 1120	芇 1122	芴 1124	⿱艹朩 1126	苊 1129

苫1129	茈1131	荔1133	荄1136	茓1137	茥1139	莖1141
苯1129	苮1132	茙1133	荅1136	莽1137	茿1139	莘1141
英1129	苘1132	茛1133	荆1136	荻1137	茬1139	莙1141
苴1129	苷1132	茜1133	荊1136	荓1137	荋1140	莛1142
苶1129	苵1132	茝1133	荝1136	茬1138	荎1140	莚1142
苹1129	苗1132	茞1133	荇1136	荐1138	[illegible]1140	莝1142
苺1130	苠1132	茡1133	荈1136	黄1138	荨1140	莞1142
苻1130	苩1132	茢1134	草1136	荒1138	荘1140	莐1142
苽1130	茺1132	茨1134	荍1136	𦬒1138	莄1140	莟1142
苾1130	苟1132	茭1134	苝1136	荂1138	菄1140	莠1142
苿1130	苲1132	茫1134	荓1137	茠1138	莽1140	莢1142
茀1130	茌1132	茯1134	茥1137	茪1138	莁1140	莧1142
茁1130	苳1132	茠1134	茴1137	苶1138	7 莊1140	莆1142
茲1130	苤1132	茱1134	荕1137	葩1138	荳1140	莐1142
茉1130	茪1132	茲1134	荼1137	茂1138	荷1140	莮1142
茾1130	茵1132	茳1134	茵1137	莱1139	荻1140	莇1142
苼1130	茣1133	茴1135	蒳1137	茤1139	荼1140	荱1143
苭1130	芝1133	茵1135	莤1137	萃1139	莈1140	莩1143
菲1131	茧1133	茶1135	荖1137	華1139	荾1141	莕1143
苰1131	茥1133	茷1135	荾1137	菑1139	莅1141	菱1143
茂1131	茶1133	茸1135	荐1137	茖1139	莆1141	莜1143
范1131	苐1133	茹1135	荤1137	茦1139	莉1141	莀1143
茄1131	茎1133	茺1135	茚1137	莔1139	莊1141	菜1143
茅1131	荨1133	茼1135	荓1137	茿1139	莎1141	荶1143
茆1131	6 茻1133	荀1135	荿1137	茧1139	莏1141	莒1143
茇1131	茗1133	荁1136	荰1137	茜1139	莒1141	莫1143
茉1131	荔1133	荃1136	荣1137	荽1139	莓1141	葯1143

荁 1143	莜 1145	䓊 1147	菔 1149	萆 1151	萠 1153	萁 1154
䔌 1143	䓕 1145	莫 1147	菖 1149	萇 1151	萍 1153	萭 1154
滋 1143	莋 1145	莫 1147	菘 1149	苽 1151	萎 1153	菗 1154
莗 1143	莱 1145	茆 1147	菙 1149	蒿 1151	萏 1153	䓛 1154
苑 1143	䓔 1145	菩 1147	菜 1149	菽 1151	䓳 1153	萬 1154
草 1143	莦 1145	䒵 1147	菟 1149	䔣 1151	䔒 1153	萔 1154
茵 1143	莗 1145	莒 1147	葽 1149	菄 1151	萸 1153	蒸 1154
莞 1143	苴 1145	莢 1147	菠 1149	䔊 1151	萉 1153	蔕 1154
莙 1143	菫 1145	華 1147	莾 1149	菻 1152	萹 1153	萞 1154
荓 1143	莌 1145	荻 1147	菡 1149	耗 1152	萶 1153	萂 1154
莽 1143	䓘 1145	菱 1147	菩 1149	莓 1152	䓫 1153	蒔 1154
華 1143	茜 1146	莭 1147	菪 1150	葢 1152	菥 1153	蒟 1154
莃 1143	莄 1146	莽 1147	董 1150	莯 1152	菤 1153	菏 1154
茛 1143	莅 1146	8 莽 1147	菭 1150	萛 1152	菕 1153	萴 1155
莩 1144	莖 1146	莾 1147	華 1150	菱 1152	萑 1153	萘 1155
莪 1144	莔 1146	菀 1147	菰 1150	菛 1152	䓵 1154	菿 1155
菥 1144	莂 1146	菁 1147	菱 1150	菋 1152	䓪 1154	萵 1155
莥 1144	莬 1146	菂 1147	菲 1150	蒡 1152	萢 1154	䔜 1155
莑 1144	䓞 1146	菅 1148	菴 1150	蒹 1152	䓿 1154	莧 1155
荾 1144	䓋 1146	菆 1148	菶 1151	業 1152	葬 1154	菳 1155
蔓 1144	䓴 1146	菉 1148	菸 1151	萯 1152	萫 1154	萐 1155
莣 1144	莇 1146	菈 1148	菹 1151	巹 1152	䓯 1154	䔢 1155
葸 1144	莐 1146	菊 1148	菼 1151	萡 1152	蕘 1154	菇 1155
葱 1144	苐 1146	菌 1148	菽 1151	萩 1152	蕓 1154	菒 1155
莫 1144	莍 1146	菎 1148	萁 1151	萊 1152	菍 1154	菝 1155
莁 1145	䓑 1147	菑 1148	萃 1151	萋 1152	䔅 1154	菧 1155
䓣 1145	葯 1147	菓 1148	萄 1151	萌 1152	䔃 1154	菬 1155

萞 1156	萼 1157	苪 1158	蓍 1160	葒 1162	葴 1164	蒔 1165
菁 1156	落 1157	葐 1158	葚 1160	葥 1162	萬 1164	蒙 1165
菻 1156	葆 1157	葨 1158	葛 1160	葙 1162	葵 1164	蒜 1165
莉 1156	葉 1157	葱 1159	葡 1160	葹 1162	葭 1164	蒟 1165
菾 1156	葍 1157	葟 1159	董 1160	葟 1162	葻 1164	蒡 1165
䔲 1156	葎 1158	葅 1159	葦 1160	葌 1162	葥 1164	蒨 1166
茻 1156	葑 1158	葡 1159	葩 1160	葪 1162	葝 1164	蒩 1166
茻 1156	葜 1158	葓 1159	葫 1160	葋 1162	葪 1164	蒯 1166
菍 1156	葬 1158	葟 1159	葬 1160	葤 1162	葉 1164	蒱 1166
菝 1156	葛 1158	葉 1159	葟 1161	葞 1162	葤 1164	蒲 1166
萕 1156	萳 1158	葴 1159	葹 1161	葌 1162	葝 1164	蒵 1166
菩 1156	葰 1158	葢 1159	葭 1161	葰 1162	葪 1164	蒸 1166
萛 1156	蓐 1158	葎 1159	葯 1161	蔽 1163	葃 1164	蒹 1166
莖 1156	蒏 1158	葥 1159	葰 1161	葢 1163	葚 1164	蒺 1166
著 1156	蔓 1158	葤 1159	葱 1161	葜 1163	葅 1165	蒻 1166
营 1156	莎 1158	葙 1159	葳 1161	葂 1163	葊 1165	蓖 1166
荊 1156	葿 1158	葟 1159	葵 1161	葶 1163	葘 1165	蒼 1166
荄 1156	葉 1158	葦 1159	葷 1161	葠 1163	葛 1165	蒿 1167
9 萩 1156	葷 1158	葸 1159	葸 1161	葀 1163	葐 1165	蓀 1167
菋 1156	葰 1158	葅 1159	葹 1161	葛 1163	蒂 1165	蓁 1167
萬 1156	葬 1158	葟 1159	葺 1161	萱 1163	葕 1165	蓂 1167
蔻 1156	葬 1158	葤 1159	葽 1161	葩 1163	葪 1165	蓄 1167
萱 1156	葛 1158	葀 1159	葥 1162	葓 1163	葛 1165	蓆 1167
萵 1157	葉 1158	葏 1159	葧 1162	葡 1163	葰 1165	蓉 1167
萹 1157	葵 1158	葀 1159	蒉 1162	葯 1163	葓 1165	蓊 1167
萸 1157	葂 1158	葔 1159	葙 1162	葉 1164	營 1165	蓋 1167
蓃 1157	葕 1158	葛 1160	葓 1162	葜 1164	10 蒐 1165	蔞 1167

蓍 1167	蒛 1169	蒴 1170	薛 1171	蓱 1173	蔟 1175	蓮 1177
蔴 1168	蒜 1169	蔡 1170	蒲 1171	蓴 1173	蔡 1175	蔸 1177
蓐 1168	蒦 1169	蒞 1170	蒓 1171	蓷 1173	蔣 1175	蓨 1177
蓑 1168	蒍 1169	蓺 1170	葉 1171	蔲 1173	蔦 1175	蔭 1177
蒴 1168	蒪 1169	䓐 1170	蓄 1172	蔻 1173	蔪 1175	蔠 1177
蓓 1168	蔽 1170	蓳 1170	蒷 1172	蓺 1173	蔫 1175	蔵 1177
蒒 1168	蓘 1170	蒇 1171	蓨 1172	蓼 1173	蔬 1175	藻 1177
蒠 1168	蒩 1170	蓑 1171	蓌 1172	蓽 1173	蔭 1175	蓩 1177
蒢 1168	蔌 1170	蓍 1171	蓖 1172	蓽 1173	蔘 1175	蔁 1177
蓻 1168	营 1170	蔻 1171	蒲 1172	蓿 1173	蔈 1176	蔍 1177
蒬 1168	蓕 1170	蓐 1171	蓋 1172	蔀 1173	蔏 1176	蔂 1177
蒶 1168	蓎 1170	蒟 1171	蓚 1172	蔆 1173	蔙 1176	蓺 1177
蒮 1168	蒐 1170	蒲 1171	蒖 1172	蔆 1174	蔤 1176	蔒 1177
蒤 1168	蓾 1170	蓈 1171	蓄 1172	蔈 1174	蓩 1176	蓾 1178
蒰 1168	蒋 1170	蓏 1171	蒅 1172	蔇 1174	蔔 1176	蓷 1178
蒀 1168	葶 1170	蒅 1171	蓄 1172	蔑 1174	蓪 1176	蓳 1178
蓈 1169	蓦 1170	蒱 1171	蒲 1172	蔓 1174	蔯 1176	蔔 1178
蒗 1169	蔓 1170	蒖 1171	蒚 1172	蔉 1174	蓮 1176	蔽 1178
蒧 1169	蔽 1170	蒗 1171	蓍 1172	蔋 1174	蔖 1176	蔆 1178
蒳 1169	蒎 1170	蓾 1171	蓁 1172	蔌 1174	蓞 1176	蓂 1178
蒫 1169	蒞 1170	蔡 1171	萃 1172	蔎 1174	藍 1176	蔗 1178
蒏 1169	蒯 1170	蒥 1171	蓧 1172	蔓 1174	蔜 1176	蔙 1178
蒚 1169	蓻 1170	蒦 1171	蓫 1172	蔕 1174	蔩 1176	蔏 1178
蒾 1169	蒷 1170	蒠 1171	蓬 1172	蔗 1174	蔮 1176	蔥 1178
蒝 1169	蒓 1170	蒳 1171	蓮 1172	蔚 1174	蔝 1177	蔴 1178
蒖 1169	蒰 1170	蔞 1171	蓯 1173	蔛 1175	蔨 1177	蕭 1178
蒨 1169	蓊 1170	蓧 1171	蓰 1173	蔞 1175	蔱 1177	藏 1178

菰 1178	萬 1179	蘆 1180	蕣 1182	藊 1184	蕶 1185	蕥 1186
蔃 1178	猗 1179	蕚 1180	蕤 1182	蔹 1184	蕻 1185	蘦 1186
蔆 1178	葬 1179	蕓 1180	蕨 1182	蕀 1184	蕭 1185	蕩 1186
蔨 1178	淺 1179	12 蕅 1180	蕩 1182	蘸 1184	蕙 1185	蕰 1186
蔕 1178	彭 1179	蔽 1180	蕁 1183	蔚 1184	蕣 1185	蔡 1186
菰 1178	鷁 1179	蕠 1181	蕪 1183	蕇 1184	蕔 1185	蕡 1186
蔌 1178	遑 1179	蔦 1181	蕢 1183	蕙 1184	蕵 1185	蕼 1186
藄 1178	蓺 1179	蕁 1181	蕾 1183	蕖 1184	蕨 1185	蕨 1187
䕅 1178	戲 1179	蕃 1181	藤 1183	薑 1184	蕩 1185	蔭 1187
蔾 1178	韋 1180	蕆 1181	蕟 1183	蕉 1185	蔭 1185	蕡 1187
蔍 1178	蕩 1180	蕈 1181	蕧 1183	蔬 1185	蕿 1185	蕻 1187
萹 1178	猜 1180	蕉 1181	蕫 1183	蕧 1185	蕣 1186	蕏 1187
萃 1179	捷 1180	蕊 1181	蕛 1183	蕐 1185	蕬 1186	蕀 1187
葶 1179	稍 1180	蕋 1181	蕬 1183	蕁 1185	蕿 1186	蕤 1187
蚩 1179	叢 1180	蕎 1181	蕯 1183	蕰 1185	蕟 1186	蕱 1187
蓺 1179	萑 1180	蕑 1181	蕆 1183	蔭 1185	蕔 1186	蓧 1187
蓓 1179	蕻 1180	蕓 1181	蔦 1183	蕰 1185	蕨 1186	蕗 1187
蔛 1179	蕡 1180	蕕 1182	蕮 1183	藏 1185	蕟 1186	蕬 1187
蕯 1179	蕍 1180	蕖 1182	蕧 1184	蕻 1185	蕖 1186	蕺 1187
蓏 1179	薔 1180	蕗 1182	蕈 1184	蕻 1185	蕠 1186	蕖 1187
蕮 1179	蔔 1180	蕘 1182	蕟 1184	蕑 1185	蕲 1186	蕖 1187
蒿 1179	蔞 1180	蕙 1182	蕠 1184	蕆 1185	蕻 1186	蕻 1187
蒔 1179	蕭 1180	蕝 1182	蕅 1184	蕞 1185	蕵 1186	蕟 1187
業 1179	蕣 1180	蕞 1182	蕪 1184	蕺 1185	蕠 1186	13 蕾 1187
蔥 1179	蕇 1180	蕠 1182	蕜 1184	蕿 1185	蕷 1186	蕷 1187
蓭 1179	蕈 1180	蕢 1182	蕩 1184	蕎 1185	蕛 1186	蕭 1187
蕉 1179	蕪 1180	蕡 1182	蕍 1184	蕺 1185	蕕 1186	蕺 1187

蕼 1187	薦 1190	舊 1191	[illegible] 1192	[illegible] 1193	藑 1195	[illegible] 1197
蕾 1187	薨 1190	蕚 1191	蕽 1192	[illegible] 1193	[illegible] 1195	[illegible] 1197
蕰 1187	薧 1190	蓋 1191	[illegible] 1192	[illegible] 1193	薱 1195	[illegible] 1197
薁 1188	薪 1190	藍 1191	[illegible] 1192	[illegible] 1193	薾 1195	[illegible] 1197
薄 1188	[illegible] 1190	[illegible] 1191	[illegible] 1192	[illegible] 1193	藃 1196	[illegible] 1197
薄 1188	薍 1190	[illegible] 1191	[illegible] 1192	[illegible] 1193	薷 1196	[illegible] 1197
薇 1188	[illegible] 1190	[illegible] 1191	[illegible] 1192	蕈 1193	[illegible] 1196	[illegible] 1197
薈 1188	[illegible] 1190	[illegible] 1192	[illegible] 1192	[illegible] 1193	[illegible] 1196	[illegible] 1197
薆 1188	薂 1190	薬 1192	[illegible] 1192	14 薩 1193	薴 1196	[illegible] 1197
薊 1188	薋 1190	孽 1192	[illegible] 1193	薯 1193	[illegible] 1196	[illegible] 1197
薌 1188	薠 1190	[illegible] 1192	[illegible] 1193	薰 1194	[illegible] 1196	[illegible] 1197
薏 1188	蕸 1190	薉 1192	[illegible] 1193	蕢 1194	[illegible] 1196	[illegible] 1197
薐 1189	[illegible] 1190	[illegible] 1192	[illegible] 1193	薳 1194	[illegible] 1196	[illegible] 1197
薑 1189	[illegible] 1191	薗 1192	[illegible] 1193	薸 1194	藄 1196	[illegible] 1197
薓 1189	薡 1191	[illegible] 1192	[illegible] 1193	薹 1194	[illegible] 1196	[illegible] 1197
薔 1189	薥 1191	[illegible] 1192	蔽 1193	薺 1194	[illegible] 1196	[illegible] 1197
薖 1189	薃 1191	[illegible] 1192	[illegible] 1193	蔡 1194	[illegible] 1196	[illegible] 1197
薘 1189	[illegible] 1191	[illegible] 1192	[illegible] 1193	薿 1194	[illegible] 1196	蘥 1197
薙 1189	[illegible] 1191	薫 1192	[illegible] 1193	藁 1194	藅 1196	[illegible] 1198
薅 1189	薕 1191	[illegible] 1192	[illegible] 1193	藇 1194	藒 1196	蔦 1198
薃 1189	蕹 1191	[illegible] 1192	蕎 1193	[illegible] 1194	藪 1197	[illegible] 1198
薛 1189	[illegible] 1191	[illegible] 1192	[illegible] 1193	藉 1194	蘩 1197	[illegible] 1198
薜 1189	[illegible] 1191	[illegible] 1192	[illegible] 1193	藋 1195	[illegible] 1197	蘊 1198
薝 1189	[illegible] 1191	[illegible] 1192	[illegible] 1193	藍 1195	藻 1197	[illegible] 1198
薟 1189	薚 1191	薣 1192	蒕 1193	藎 1195	藂 1197	[illegible] 1198
薢 1189	[illegible] 1191	[illegible] 1192	[illegible] 1193	藏 1195	[illegible] 1197	[illegible] 1198
[illegible] 1190	[illegible] 1191	[illegible] 1192	[illegible] 1193	藐 1195	[illegible] 1197	[illegible] 1198

䕬 1198	藖 1200	藂 1201	蘢 1202	藽 1204	蠲 1205	瓢 1206
蘪 1198	藫 1200	藼 1201	藬 1202	藾 1204	籐 1205	蘔 1206
蓁 1198	藗 1200	藹 1201	蕿 1202	蘀 1204	蘭 1205	蘁 1206
蕠 1198	藤 1200	藥 1201	蕢 1202	蘑 1204	蘧 1205	蘞 1206
蕱 1198	蘆 1200	藪 1201	16 蘼 1202	蘜 1204	蘷 1205	蘭 1206
藪 1198	蔫 1200	蘤 1201	藷 1202	蘩 1204	蘽 1205	17 蘖 1206
䕡 1198	蔪 1200	藤 1201	藹 1202	蘱 1204	蘤 1205	蘘 1206
蕒 1198	藞 1200	蘿 1201	藺 1202	蘮 1204	蘨 1205	蘙 1206
蕩 1198	蕩 1200	蓐 1201	藻 1202	蘡 1204	蘯 1205	蘚 1206
蔽 1198	藟 1200	藝 1201	藾 1202	薛 1204	蕙 1205	蘛 1206
䕅 1198	藷 1200	蔚 1201	蘐 1202	藇 1204	藼 1205	蘜 1206
䔾 1198	劉 1200	蘧 1201	藾 1202	蘪 1204	蘐 1205	蘝 1206
15 藕 1198	藬 1200	蘸 1201	藿 1202	藖 1204	蘢 1205	蘡 1206
藘 1198	藁 1200	蘊 1201	蘀 1202	蘁 1204	蘟 1205	蘤 1206
藙 1198	蕼 1200	藹 1201	蘁 1203	蘐 1204	蘓 1205	蘦 1206
蕡 1198	蘖 1200	蘮 1201	蘂 1203	藼 1204	蘛 1205	蘧 1206
藜 1199	蘴 1200	蘭 1201	藥 1203	蘓 1204	蘞 1205	蘩 1207
藝 1199	蘊 1200	蘊 1201	蘄 1203	藺 1204	蘋 1205	蘗 1207
藟 1199	藔 1200	藭 1201	蘅 1203	蘈 1204	蘈 1205	蘗 1207
藤 1199	蕁 1201	蘦 1201	蘆 1203	蘷 1204	蘋 1205	蘭 1207
藥 1199	蘇 1201	蘸 1201	蘇 1203	蘧 1204	蘊 1205	蘬 1207
藦 1199	蕧 1201	藥 1201	藨 1203	蘼 1204	藻 1205	蘠 1207
藨 1199	藒 1201	蘠 1201	蘉 1203	蘱 1204	蘸 1205	蘇 1207
藩 1199	蘄 1201	薇 1201	蘊 1203	蕘 1204	蘸 1205	蘥 1207
藪 1199	薾 1201	蘭 1201	蘋 1203	蘳 1204	蘑 1206	蘰 1207
藭 1199	藼 1201	蕩 1202	蘢 1203	蘢 1205	蘸 1206	蘖 1207
藺 1200	藺 1201	蘞 1202	蘇 1204	蘀 1205	蘠 1206	蘬 1207

蘣 1207
蘛 1207
蘟 1207
蘫 1207
蘮 1208
蘱 1208
蘷 1208
蘾 1208
蘤 1208
藍 1208
藿 1208
虃 1208
蘬 1208
蘳 1208
蘶 1208
攉 1208
藻 1208
虋 1208
蘓 1208
歡 1208
蘯 1208
蘐 1208
18 虈 1208
藂 1208
蘴 1208
蘳 1208
蘳 1208
蘵 1208
蘵 1208
蘶 1209
䕸 1209
蘨 1209
蘣 1209
蘛 1209
蘜 1209
蘢 1209
蕧 1209
龔 1209
蘿 1209
蘿 1209
蘛 1209
蘛 1209
蘛 1209
蘛 1209
蘛 1209
蘛 1209
19 蘸 1209
蘺 1209
蘼 1209
蘿 1209
蘿 1210
蘖 1210
蘬 1210
蘱 1210
蘪 1210
蘹 1210
蘾 1210
蘿 1210
蘻 1210
蘽 1210
蘺 1210
蘥 1210
蘺 1210
蘿 1210
蘧 1210
蘿 1210
虉 1210
蘿 1210
蘺 1210
蘿 1210
蘿 1210
藻 1210
蘫 1210
蘼 1211
蘿 1211
蘿 1211
蘿 1211
蘿 1211
20 蘿 1211
蘿 1211
蘿 1211
蘲 1211
蘿 1211
蘿 1211
蘿 1211
蘿 1211
蘿 1211
21 虆 1211
虇 1211
蘿 1211
蘿 1211
蘿 1211
蘿 1211
虂 1211
蘿 1211
蘿 1212
蘿 1212
蘿 1212
蘿 1212
蘿 1212
22 蘿 1212
蘿 1212
蘿 1212
蘿 1212
蘿 1212
蘿 1212
23 虊 1212
蘿 1212
蘿 1212
蘿 1212
虊 1212
蘿 1212
24 蘿 1212
蘿 1212
蘿 1212
蘿 1212
25 蘿 1212
蘿 1212
33 蘿 1212

虍 部

虍 1213
2 虎 1213
虏 1213
3 虐 1213
4 虔 1213
虓 1213
虒 1213
虒 1213
虓 1213
5 處 1213
虖 1214
虘 1214
虘 1214
虓 1214
虖 1214
虒 1214
虖 1214
虗 1214
虚 1214
6 虛 1214
虜 1214
虖 1214
虙 1214
䖒 1215
䖒 1215
虒 1215
7 虞 1215
虞 1215
虞 1215
虞 1215
虞 1215
虞 1215
號 1215
虜 1215
8 虞 1215
虞 1215
虞 1215
9 虞 1215
虢 1216
虞 1216
虞 1216
虞 1216
虞 1216
10 虢 1216
虥 1216
虢 1216
虞 1216
虞 1216
虞 1216
11 虨 1216
虧 1216
12 虧 1216
虢 1216
虞 1216
虞 1216
虞 1216
虞 1217
13 虞 1217
虨 1217
虞 1217
虢 1217
14 虞 1217
15 虞 1217
虢 1217
虞 1217
16 虞 1217
20 虞 1217
22 虞 1217

虫 部

虫 1217
1 虬 1217
⿱乙虫 1217
2 虯 1217
虭 1217
虰 1217
虱 1218
⿱亇虫 1218
虮 1218
⿷匸虫 1218
3 虷 1218
虶 1218
虹 1218
⿰土虫 1218
虼 1218
虴 1218
蚁 1218
虾 1218
虵 1218
虻 1218
⿵几虫 1218
⿱山虫 1218
⿱干虫 1218
虳 1218
⿰虫凡 1219
虷 1219
⿰虫丂 1219
⿰虫凡 1219
⿰虫丸 1219
⿰虫寸 1219
⿱亡虫 1219
⿺廴虫 1219
⿱宀虫 1219
虽 1219
4 蚄 1219
蚌 1219
蚍 1219
蚑 1219
蚓 1219
蚜 1219
蚡 1219
蚣 1219
蚦 1219
蚧 1220
蚨 1220
蚘 1220
蚝 1220
蚪 1220
蚊 1220
蚕 1220
蚖 1220
⿰虫目 1220
蚏 1220
蚇 1220
蚗 1220
蚥 1220
蚢 1220
蚞 1220
⿰虫不 1220
蚅 1220
⿰虫止 1221
蚛 1221
蚙 1221
蚚 1221
蚔 1221
蚆 1221
蚋 1221
⿰虫也 1221
蚈 1221
蚤 1221
蚩 1221
⿱夭虫 1221
⿱父虫 1221
⿰虫丐 1221
蚠 1221
蚕 1221
⿱臾虫 1221
蚐 1221
蚎 1221
⿱圭虫 1221
⿰虫冈 1221
⿰虫少 1222
蚟 1222
蚢 1222
⿱青虫 1222
5 蚯 1222
蚰 1222
蚱 1222
蚳 1222
蚴 1222
蚶 1222
蚷 1222
蚿 1222
蚹 1222
⿰虫生 1222
蛁 1222
蛅 1222
蛄 1223
蛆 1223
蚾 1223
蛇 1223
蚫 1223
蛉 1223
蚸 1223
蛃 1223
⿰虫去 1223
蚵 1223
蚲 1223
蚾 1223
⿰虫另 1223
⿰虫旦 1223
⿰虫出 1223
蛈 1223
蚼 1224
蚸 1224
蚺 1224
蚦 1224
蛋 1224
⿱占虫 1224
⿱加虫 1224
⿱此虫 1224
蚩 1224
蛍 1224
萤 1224
⿱弓虫 1224
⿱召虫 1224
蚭 1224
蚽 1224
⿰虫民 1224
⿱宂虫 1224
⿰虫石 1224
蚢 1224
⿰虫同 1224
⿰虫必 1224
6 ⿰虫牟 1224
蛔 1225
蛕 1225
蛙 1225
蛛 1225
蛜 1225
蛞 1225
蛟 1225
蛣 1225
蛤 1225
⿱合虫 1225
蛧 1225
蛫 1225
蛝 1225
䖵 1225
蛭 1226
⿰虫宅 1226
蛐 1226
蛘 1226
蛚 1226
⿰虫幵 1226
⿰虫安 1226
⿰虫弟 1226
蛦 1226
⿰虫臾 1226
⿰虫兆 1226
⿰虫向 1226
蛒 1226
⿴行虫 1226
⿰虫朵 1226
⿰虫角 1227
蛢 1227
⿱丑虫 1227
⿱亚虫 1227
蛬 1227
蛓 1227
⿱白虫 1227
⿱圭虫 1227
[illegible] 1227
[illegible] 1227
蛮 1227
⿰虫匡 1227
⿰虫后 1227
⿰虫同 1227
⿰虫多 1227
⿰虫耳 1227
⿰虫羽 1227
⿰虫亦 1227
[illegible] 1227
7 蛼 1227
蛸 1227
蛹 1228
蛺 1228
蛻 1228
蛾 1228

蜂 1228
蜄 1228
蜆 1228
蜈 1228
蜉 1228
蜊 1228
蛪 1228
蜋 1228
蜍 1228
蜎 1229
蜐 1229
蜓 1229
蜒 1229
蛷 1229
[illegible] 1229
蜌 1229
蜁 1229
[illegible] 1229
蚚 1229
[illegible] 1229
[illegible] 1229
[illegible] 1229
蛵 1229
[illegible] 1229
[illegible] 1229
[illegible] 1230
[illegible] 1230
[illegible] 1230
[illegible] 1230
[illegible] 1230
[illegible] 1230
蛍 1230
[illegible] 1230
[illegible] 1230
[illegible] 1230
[illegible] 1230
[illegible] 1230
蜏 1230
蜀 1230
蜃 1230
蜇 1230
[illegible] 1231
[illegible] 1231
蛩 1231
[illegible] 1231
[illegible] 1231
8 蜘 1231
蜡 1231
蜢 1231
[illegible] 1231
蜥 1231
蜩 1231
蜮 1231
蜴 1231
蜷 1231
蛃 1231
蜺 1231
蜻 1231
蜱 1232
蜼 1232
蜾 1232
蜿 1232
蜙 1232
蝀 1232
蝃 1232
蜲 1232
蜳 1232
蝂 1232
蜫 1232
[illegible] 1232
[illegible] 1232
[illegible] 1232
[illegible] 1232
蜦 1232
[illegible] 1233
蜧 1233
[illegible] 1233
[illegible] 1233
蜨 1233
蜬 1233
蚾 1233
[illegible] 1233
[illegible] 1233
[illegible] 1233
蜅 1233
蜠 1233
蛢 1233
[illegible] 1233
蜭 1233
蜪 1233
蜛 1233
蜽 1233
[illegible] 1233
蝄 1234
蜯 1234
[illegible] 1234
蝇 1234
蜚 1234
蜜 1234
[illegible] 1234
蜞 1234
[illegible] 1234
[illegible] 1234
[illegible] 1234
[illegible] 1234
[illegible] 1234
[illegible] 1234
[illegible] 1234
蜑 1234
[illegible] 1234
[illegible] 1234
[illegible] 1234
[illegible] 1234
[illegible] 1234
[illegible] 1234
[illegible] 1235
蜸 1235
[illegible] 1235
[illegible] 1235
9 蝨 1235
[illegible] 1235
[illegible] 1235
蝌 1235
蝥 1235
蝍 1235
蝎 1235
蝓 1235
蝗 1235
蝘 1235
蝙 1235
蝛 1236
蝜 1236
蝠 1236
蝝 1236
蝟 1236
蝡 1236
蝣 1236
蝤 1236
蝦 1236
蝮 1236
蝳 1236
蝴 1236
蝶 1236
蝸 1236
蝚 1237
[illegible] 1237
蝺 1237
蝯 1237
蝑 1237
螋 1237
蝞 1237
[illegible] 1237
蝩 1237
[illegible] 1237
[illegible] 1237
蝭 1237
蝬 1237
[illegible] 1237
蝪 1237
蝐 1237
蝏 1237
蝖 1238
[illegible] 1238
[illegible] 1238
蝻 1238
蝲 1238
[illegible] 1238
蝒 1238
[illegible] 1238
[illegible] 1238
[illegible] 1238
蝹 1238
蝿 1238
蝼 1238
蝕 1238
蝱 1238
[illegible] 1238
[illegible] 1238
[illegible] 1239
[illegible] 1239
[illegible] 1239
[illegible] 1239
[illegible] 1239
蝧 1239
[illegible] 1239
[illegible] 1239
[illegible] 1239
[illegible] 1239
[illegible] 1239

蚛 1239	螓 1240	蟀 1242	螻 1243	蟒 1245	蟙 1246	蟤 1247
10 蝅 1239	螐 1240	螟 1242	螳 1243	蹳 1245	蟓 1246	蟜 1247
螽 1239	蝙 1240	蟋 1242	蟥 1243	餘 1245	蟰 1246	蟳 1247
蝨 1239	蜋 1241	螱 1242	蟀 1243	螌 1245	12 蟲 1246	蟒 1247
蝹 1239	蝠 1241	螚 1242	蟈 1243	蠍 1245	蟁 1246	蟓 1248
螂 1239	螆 1241	蟄 1242	蟉 1243	蟅 1245	蟁 1246	蟞 1248
螃 1239	螋 1241	蟁 1242	蟋 1243	螯 1245	蟲 1246	蟭 1248
螇 1239	螅 1241	蝀 1242	蟌 1244	蟞 1245	蟒 1246	蟪 1248
螄 1239	融 1241	蟸 1242	蟆 1244	蟄 1245	蟣 1246	蠍 1248
螶 1239	螎 1241	蟗 1242	蟇 1244	蟨 1245	蠕 1246	蟯 1248
螈 1239	䗝 1241	螘 1242	蟂 1244	螢 1245	蟖 1246	蟺 1248
螉 1239	螣 1241	螠 1242	螐 1244	蟴 1245	蟴 1246	蠘 1248
螑 1239	螒 1241	螢 1242	蟟 1244	蟨 1245	蟛 1246	蟮 1248
螓 1240	螌 1241	蟹 1242	螺 1244	蟏 1245	蟚 1246	蠙 1248
螕 1240	蝱 1241	蟨 1242	蟃 1244	蟝 1245	蟜 1246	蟔 1248
螔 1240	蟍 1241	11 螽 1242	蟌 1244	蚪 1245	蟟 1247	蟘 1248
螞 1240	蛢 1241	蟇 1242	蟖 1244	蟍 1245	蟧 1247	蠓 1248
螖 1240	螌 1241	蟁 1242	蟚 1244	蟪 1245	蟠 1247	蟡 1248
螊 1240	螩 1241	蟊 1242	蟕 1244	蠭 1245	蟲 1247	蟍 1248
螗 1240	曓 1241	蟁 1243	蟰 1244	蠭 1245	蟢 1247	蟦 1248
螘 1240	螭 1241	蟊 1243	蟵 1244	蟓 1245	蟣 1247	鼅 1248
螟 1240	蟁 1241	螬 1243	蟰 1244	蟐 1246	蟪 1247	蠀 1248
螠 1240	蟹 1241	螭 1243	螭 1244	蟙 1246	蟫 1247	蟱 1248
螝 1240	蟊 1241	蟠 1243	蟦 1244	蟤 1246	蟬 1247	蠢 1249
螛 1240	蟳 1241	蟥 1243	螼 1244	蟛 1246	蟯 1247	蠉 1249
蟦 1240	螆 1242	螵 1243	蟖 1244	蟅 1246	蟲 1247	蠢 1249
螸 1240	蟅 1242	螺 1243	蟣 1244	蟹 1246	蟥 1247	蟾 1249

蟟 1249	蠊 1250	騷 1251	蠢 1253	蠪 1254	蠲 1256	蠃 1257
蟿 1249	蠝 1250	蠆 1251	蠧 1253	蠦 1254	蠁 1256	蠻 1257
蠣 1249	蠒 1250	蠮 1252	蠤 1253	蠥 1254	蠠 1256	蠹 1257
蟬 1249	蠇 1250	14 蠝 1252	蠫 1253	蠬 1254	蠛 1256	蠡 1257
蠕 1249	蟦 1250	蠱 1252	蠆 1253	蠽 1254	蠸 1256	蠫 1257
螣 1249	蠌 1250	蟸 1252	蠷 1253	蠪 1254	蠏 1256	蠹 1257
鬆 1249	蟱 1251	蠐 1252	蠱 1253	蠵 1255	蠻 1256	蠹 1257
蟞 1249	蟒 1251	蠆 1252	蠥 1253	蠶 1255	蠥 1256	蠶 1257
蟨 1249	蟗 1251	蠑 1252	蠰 1253	蠤 1255	蠮 1256	20 蠼 1257
蝩 1249	蟹 1251	蠙 1252	蠦 1253	蠦 1255	蠘 1256	蠹 1257
13 䌛 1249	蠏 1251	蠓 1252	蠳 1253	蠹 1255	18 蠹 1256	蠹 1258
蠡 1249	蟿 1251	蠕 1252	蠘 1253	蠢 1255	蠶 1256	蠶 1258
蟸 1249	蠍 1251	蠖 1252	蠟 1253	蠡 1255	蠱 1256	21 蠹 1258
蝥 1249	蠁 1251	蠔 1252	蠣 1254	蠛 1255	蠶 1256	蠡 1258
蠃 1249	蠆 1251	蠛 1252	蠝 1254	蠳 1255	蠶 1256	蠹 1258
蟶 1249	蠀 1251	蠅 1252	蠩 1254	蠨 1255	蠵 1257	蠾 1258
蟺 1249	蠘 1251	蠗 1252	蠉 1254	17 蠱 1255	蠸 1257	蠽 1258
蟻 1250	蟼 1251	蠘 1252	蝮 1254	蠭 1255	蠷 1257	蠹 1258
蟾 1250	蠃 1251	蠂 1252	蠜 1254	蠧 1255	蠹 1257	蠹 1258
蠅 1250	蝸 1251	蠆 1252	蠯 1254	蠶 1255	蠿 1257	22 蠿 1258
蠉 1250	蝝 1251	䨓 1252	16 蠭 1254	蠩 1255	蠳 1257	蠽 1258
蠋 1250	蠉 1251	蝒 1252	蠿 1254	蠦 1255	蠹 1257	蠶 1258
蠍 1250	蝷 1251	蠹 1253	蠹 1254	蠳 1255	蠿 1257	蠹 1258
蟷 1250	蝶 1251	䳄 1253	蠤 1254	蠕 1255	蠽 1257	蠹 1258
蟗 1250	螴 1251	15 蠡 1253	蠹 1254	蠦 1255	蠹 1257	蠹 1258
蠄 1250	䗷 1251	蠢 1253	蠩 1254	蠰 1256	19 蠶 1257	蠻 1258
蠨 1250	蠆 1251	蠶 1253	蠫 1254	蠵 1256	蠹 1257	蠰 1258

23 蠹 1258
蠶 1258
24 蠬 1258
蠽 1258
26 蠿 1258

血 部

血 1258
2 𧖧 1259
衁 1259
3 衃 1259
衂 1259
𧖴 1259
𧖷 1259
4 衄 1259
𧖻 1259
衃 1259
𧖸 1259
盇 1259
𧖯 1259
5 衅 1259
𧖮 1259
6 衆 1259
衉 1259
衈 1259
衇 1259
𧗅 1260
𧗊 1260

7 𧗁 1260
𧗃 1260
𧗆 1260
𧗇 1260
𧗉 1260
8 𧗋 1260
𧗌 1260
𧗎 1260
𧗏 1260
𧗐 1260
9 𧗑 1260
𧗒 1260
𧗓 1260
10 𧗔 1260
𧗕 1260
𧗖 1260
𧗗 1260
11 𧗘 1260
12 𧗙 1260
𧗚 1260
𧗛 1260
𧗜 1260
13 𧗝 1260
𧗞 1260
14 𧗟 1261
𧗠 1261
15 𧗡 1261

𧗢 1261
18 𧗣 1261
24 𧗤 1261

行 部

行 1261
2 𧗥 1261
衍 1261
3 衎 1261
衏 1262
4 𧗱 1262
衐 1262
衏 1262
衑 1262
衒 1262
5 術 1262
術 1262
術 1262
衕 1262
6 衖 1262
街 1262
衖 1262
衜 1262
衘 1262
衙 1262
衚 1263
7 衙 1263
衛 1263

8 衛 1263
9 衝 1263
衝 1263
衛 1263
衞 1263
衞 1263
衛 1263
衛 1263
10 衞 1263
衡 1263
衡 1264
衠 1264
衞 1264
11 衞 1264
衡 1264
12 衝 1264
13 衞 1264
16 衢 1264
18 衢 1264

衣 部

衣 1264
衤 1264
2 卒 1264
𧘇 1264
𧘈 1264
衦 1265
衩 1265

补 1265
3 衫 1265
衩 1265
衪 1265
衦 1265
衧 1265
袁 1265
衧 1265
衬 1265
表 1265
衷 1265
4 衱 1265
衲 1265
衵 1265
衻 1265
衽 1266
衿 1266
衿 1266
袂 1266
衯 1266
衮 1266
袂 1266
衸 1266
衹 1266
衶 1266
衷 1266
衳 1266

衭 1266
衶 1266
衴 1266
衵 1267
衶 1267
衳 1267
袄 1267
衼 1267
衶 1267
衼 1267
衫 1267
衵 1267
衾 1267
衰 1267
衷 1267
衺 1267
衸 1267
袁 1267
衾 1268
衮 1268
袁 1268
衺 1268
衰 1268
衰 1268
衰 1268
5 袍 1268
衾 1268

袑 1268
袒 1268
袖 1268
袗 1268
裺 1268
袙 1269
袛 1269
袜 1269
袢 1269
袣 1269
袧 1269
袨 1269
袪 1269
被 1269
袟 1269
袎 1269
袉 1269
袊 1269
袥 1270
袦 1270
袮 1270
袕 1270
袪 1270
袚 1270
袡 1270
袓 1270
袖 1270

袦 1270	袺 1272	裂 1273	裑 1275	裷 1277	褊 1278	褕 1280
袘 1270	袼 1272	裝 1273	裓 1275	裸 1277	裶 1278	褖 1280
袦 1270	袿 1272	裛 1273	裬 1275	裼 1277	裞 1278	褘 1280
袝 1270	裀 1272	裘 1273	裲 1275	裾 1277	裷 1278	褚 1280
袡 1270	裗 1272	裵 1273	裩 1275	褂 1277	褨 1278	褓 1280
袳 1270	袾 1272	7 裔 1273	裞 1275	裞 1277	裮 1278	褸 1280
袏 1270	袹 1272	裋 1274	裬 1275	裴 1277	裭 1278	褆 1280
袐 1270	袎 1272	裎 1274	裷 1275	裺 1277	裯 1278	褍 1280
袔 1271	袸 1272	裑 1274	裡 1275	裾 1277	裱 1278	褞 1280
衰 1271	袵 1272	裕 1274	裏 1275	褁 1277	裷 1278	褙 1280
罬 1271	袣 1272	裒 1274	裒 1275	裓 1277	裿 1279	褔 1281
柴 1271	袶 1272	裙 1274	裛 1276	裮 1277	裹 1279	褗 1281
袠 1271	衈 1272	裠 1274	裹 1276	裶 1277	褁 1279	褙 1281
袬 1271	裥 1272	補 1274	裊 1276	裱 1277	褏 1279	褑 1281
袤 1271	袧 1272	裞 1274	裘 1276	裣 1278	褎 1279	褛 1281
袈 1271	袯 1273	裖 1274	裵 1276	裧 1278	裴 1279	褈 1281
袋 1271	袻 1273	裀 1274	裝 1276	裰 1278	裳 1279	褫 1281
袃 1271	裓 1273	裗 1274	裬 1276	裫 1278	製 1279	褞 1281
裛 1271	袻 1273	裓 1274	裟 1276	裩 1278	褹 1279	褠 1281
哀 1271	裚 1273	裌 1274	裚 1276	裪 1278	褩 1279	褐 1281
袲 1271	袏 1273	裎 1275	8 裧 1276	裷 1278	褠 1279	褫 1281
6 袱 1271	䙐 1273	裓 1275	裨 1276	裷 1278	褧 1279	褛 1281
袴 1271	袧 1273	裐 1275	裯 1276	裿 1278	9 複 1279	褥 1281
袈 1271	裓 1273	裉 1275	裰 1276	褀 1278	褊 1279	褣 1281
袈 1272	裁 1273	裶 1275	裻 1276	裪 1278	褋 1280	褶 1281
袷 1272	裂 1273	裷 1275	裱 1276	裷 1278	褌 1280	褫 1281
袳 1272	裂 1273	裨 1275	補 1277	裬 1278	褐 1280	褶 1281

⿰衤盾 1281	⿰衤邑 1283	⿴衣夋 1284	⿴衣壴 1286	⿰衤貴 1287	襛 1288	⿰衤察 1290
⿰衤屋 1281	⿰衤芻 1283	⿸广衣 1284	褽 1286	⿰衤國 1287	襜 1289	⿰衤蒙 1290
⿰衤要 1281	褡 1283	⿱殿衣 1284	⿱埶衣 1286	襆 1287	襟 1289	⿰衤夢 1290
⿰衤茲 1281	褯 1283	⿴衣癸 1284	⿴衣覃 1286	⿰衤集 1287	襠 1289	⿰衤與 1290
⿰衤舌 1281	⿰衤鬲 1283	褩 1284	⿰衤曼 1286	⿰衤焉 1287	襡 1289	⿰衤熊 1290
⿰衤畟 1281	⿰衤扇 1283	11 褵 1285	⿰衤崩 1286	⿴衣㠭 1287	襢 1289	⿰衤隱 1290
褈 1282	⿰衤冥 1283	褶 1285	⿰衤速 1286	⿰衤虛 1288	襖 1289	⿰衤霈 1290
⿰衤突 1282	褌 1283	⿰衤區 1285	⿰衤從 1286	⿰衤喬 1288	⿰衤葛 1289	⿰衤詹 1290
⿰衤笑 1282	⿰衤害 1283	⿰衤崔 1285	⿰衤犀 1286	襈 1288	⿰衤畺 1289	⿰衤截 1290
⿰衤致 1282	⿰衤尃 1283	褸 1285	⿰衤春 1286	⿰衤厥 1288	⿰衤豦 1289	⿰衤熏 1290
褍 1282	⿰衤御 1283	褾 1285	⿰衤庶 1286	⿰衤登 1288	⿰衤晉 1289	⿰衤僕 1290
⿰衤胡 1282	⿰衤射 1283	襀 1285	⿰衤臧 1286	⿰衤費 1288	⿰衤雩 1289	襨 1290
⿱亟衣 1282	⿰衤索 1283	襁 1285	⿰衤厲 1286	⿰衤戠 1288	⿰衤堅 1289	⿱毄衣 1290
⿰衤侯 1282	褬 1283	襂 1285	⿱臬衣 1286	⿰衤着 1288	⿰衤雍 1289	⿴衣齊 1290
褒 1282	⿰衤殺 1284	⿰衤率 1285	⿱殹衣 1286	⿰衤童 1288	襥 1289	⿰衤齊 1291
⿴衣癸 1282	⿰衤犀 1284	⿰衤惡 1285	12 襋 1287	⿰衤曾 1288	襝 1289	⿱臤衣 1291
⿴衣申 1282	⿰衤差 1284	⿰衤蓋 1285	襌 1287	⿰衤朁 1288	⿰衤過 1289	⿱覃衣 1291
⿱髟衣 1282	褤 1284	⿰衤憂 1285	襏 1287	⿰衤隋 1288	⿰衤敫 1289	⿰衤蒦 1291
褺 1282	⿰衤畜 1284	⿰衤執 1285	襓 1287	⿰衤敫 1288	⿰衤黹 1289	15 襪 1291
⿴衣夏 1282	⿰衤奚 1284	褿 1285	襒 1287	襎 1288	襞 1290	⿰衤頰 1291
10 褞 1282	⿴衣叀 1284	褳 1285	⿱敝衣 1287	⿰衤复 1288	⿴衣嬴 1290	襭 1291
褥 1282	⿴衣甲 1284	⿰衤鳥 1286	襐 1287	⿰衤黃 1288	⿴衣林 1290	襬 1291
褠 1282	⿴衣里 1284	⿰衤逢 1286	⿰衤嗇 1287	⿱𦥑衣 1288	14 襤 1290	襮 1291
褦 1283	裴 1284	⿰衤奄 1286	襇 1287	⿸厤衣 1288	襦 1290	襩 1291
褪 1283	褰 1284	褻 1286	⿰衤賀 1287	13 襗 1288	襣 1290	⿰衤應 1291
⿰衤盍 1283	⿱𤇾衣 1284	襄 1286	襑 1287	襘 1288	⿰衤盡 1290	⿰衤歔 1291
褫 1283	⿴衣癸 1284	褱 1286	襊 1287	襚 1288	⿰衤㬥 1290	襳 1291

襤 1291
襶 1291
襸 1291
襳 1291
襹 1291
襲 1291
16 襯 1291
襱 1292
襩 1292
襲 1292
襞 1292
襁 1292
襪 1292
襰 1292
襷 1292
襮 1292
襲 1292
襲 1292
17 襳 1292
襴 1292
襻 1292
襶 1292
18 襵 1292
襶 1292
襮 1293
襽 1293
襪 1293
襺 1293
19 襹 1293
襹 1293
襼 1293
襹 1293
襻 1293
襽 1293
襺 1293
襻 1293
20 襺 1293
襺 1293
襻 1293
襽 1293
21 襽 1293
襻 1293
襼 1293
22 襾 1293
24 襽 1293
32 襻 1293

西 部

襾 1293
西 1294
覀 1294
3 要 1294
要 1294
要 1294
4 要 1294
5 覂 1294
覃 1294
6 覃 1294
覅 1295
覈 1295
7 覅 1295
8 覆 1295
10 覇 1295
覊 1295
11 覊 1295
覊 1295
12 覆 1295
覆 1295
13 覈 1295
覈 1295
覇 1295
覈 1295
17 覉 1295
19 覊 1295

見 部

見 1295
2 观 1296
3 覌 1296
覍 1296
覎 1296
覐 1296
4 覑 1296
規 1296
覒 1296
覓 1296
視 1296
覓 1296
覔 1296
覕 1297
覓 1297
覗 1297
覘 1297
覙 1297
覘 1297
5 覛 1297
覜 1297
視 1297
覝 1297
覞 1297
覟 1297
覠 1297
覡 1297
覢 1297
覣 1297
覤 1297
覥 1297
覦 1297
覧 1298
覨 1298
覩 1298
覚 1298
6 覛 1298
覜 1298
覝 1298
覞 1298
覟 1298
覠 1298
覡 1298
覢 1298
覣 1298
覤 1298
7 覥 1298
覦 1298
覧 1298
覨 1298
覩 1298
覫 1298
覬 1298
覭 1299
覮 1299
覯 1299
覰 1299
8 覰 1299
覱 1299
覲 1299
覿 1299
覠 1299
覡 1299
覢 1299
覣 1299
覤 1299
覥 1299
覦 1299
覧 1299
覨 1299
覩 1299
覫 1299
覬 1299
9 覭 1299
覰 1300
親 1300
覲 1300
観 1300
覴 1300
覵 1300
覶 1300
覷 1300
覸 1300
覹 1300
覺 1300
覻 1300
覼 1300
覽 1300
覾 1300
覿 1300
覿 1300
覬 1300
覭 1300
覮 1301
覯 1301
覰 1301
覱 1301
覲 1301
覧 1301
10 覬 1301
覯 1301
覰 1301
覷 1301
覰 1301
覲 1301
覷 1301
觀 1301
覼 1301
覽 1301
覾 1301
覿 1301
親 1301
11 覷 1301
覲 1302
覯 1302
覽 1302
覿 1302
覽 1302

⿰春見 1302
⿱奞見 1302
⿰票見 1302
観 1302
12 覵 1302
覶 1302
⿰智見 1302
⿰皐見 1302
⿰童見 1302
覴 1302
⿰粦見 1302
⿰買見 1302
⿰單見 1302
覲 1302
覻 1303
⿱敝見 1303
13 覺 1303
⿰見微 1303
⿱𦥯見 1303
覹 1303
覷 1303
14 ⿰竄見 1303
⿰埶見 1303
⿰爾見 1303
覽 1303
15 覿 1303
⿰樊見 1303
覼 1303
⿰鬳見 1303
⿰麃見 1303
⿰審見 1303
17 ⿰龠見 1304
⿱賣見 1304
⿰歸見 1304
18 觀 1304
⿱睘見 1304
⿰雟見 1304
19 ⿰麗見 1304

角 部

角 1304
1 ⿸角丶 1305
2 觔 1305
觓 1305
⿰角亏 1305
⿰角丁 1305
3 ⿰角叉 1305
⿰角工 1305
⿰角巾 1305
4 觕 1305
觖 1305
⿰角少 1305
⿰角公 1305
觗 1305
⿰牛角 1305
⿰爿角 1305
⿰角无 1305
⿰角匕 1305
⿰角支 1306
⿰角冘 1306
⿰角亢 1306
⿰角巴 1306
5 觚 1306
⿰角古 1306
觝 1306
⿰角且 1306
⿰角四 1306
⿰角另 1306
觜 1306
⿰角石 1306
⿰角巨 1306
⿰角甘 1306
⿰角玄 1306
⿰角囚 1306
⿰角它 1306
6 解 1306
解 1307
觧 1307
觥 1307
觡 1307
觟 1307
⿰角亘 1307
觤 1307
⿰角多 1307
⿲彳角亍 1307
触 1307
⿱𠔉角 1307
觢 1307
7 觩 1307
觫 1308
觪 1308
⿰角回 1308
⿰角辰 1308
⿰角告 1308
⿰角叵 1308
⿰角肖 1308
⿰角彡 1308
⿰角希 1308
8 觭 1308
觬 1308
⿰角居 1308
⿰角或 1308
⿰角叕 1308
⿰角卓 1308
⿰角來 1308
⿰角侖 1308
⿰角卑 1308
⿰角戔 1308
⿰角卒 1308
⿰角周 1309
⿰角昆 1309
9 ⿰角枼 1309
觰 1309
⿰角思 1309
⿰角耑 1309
⿰角咠 1309
⿰角畏 1309
⿰角酋 1309
⿰角咼 1309
⿱敄角 1309
⿰角帝 1309
⿰角是 1309
⿰角宣 1309
⿱厥角 1309
10 觲 1309
⿰角留 1309
⿰角弱 1310
⿰角旁 1310
⿰角桀 1310
⿰角秦 1310
⿰角敖 1310
⿰角氣 1310
⿰角虒 1310
觳 1310
⿱喬角 1310
11 觴 1310
⿰角國 1310
⿰角翏 1310
⿰角系 1310
12 觶 1310
⿰角喬 1310
⿰角厥 1310
⿰角間 1310
⿰角發 1310
觵 1310
⿰角矞 1311
⿰角歲 1311
⿰角華 1311
13 觸 1311
⿰角戠 1311
⿰角睘 1311
⿰角焦 1311
觷 1311
⿱敖角 1311
14 ⿱嬴角 1311
⿰角監 1311
15 觼 1311
⿰角廣 1311
⿰角應 1311
⿰角樂 1311
16 觽 1311
⿰角燕 1311
⿱敫角 1311
17 ⿰角毚 1311
18 ⿰角雚 1312
⿰角龍 1312
觿 1312
19 ⿰角麗 1312

言 部

言 1312
1 訁 1312
2 訂 1312
訃 1312
計 1312
⿰言乃 1313
⿰言匕 1313
⿰言刂 1313
訆 1313
⿰言乙 1313
訅 1313
訇 1313
3 訊 1313
⿰言丸 1313
⿰言几 1313
訌 1313
討 1313
訏 1313
⿰言亏 1314
訐 1314
訑 1314

訒 1314
訓 1314
訕 1314
⿰言彡 1314
訖 1314
託 1314
記 1314
⿰言口 1315
訉 1315
⿰言小 1315
訋 1315
訍 1315
訅 1315
⿰言乂 1315
這 1315
⿱巛言 1315
訔 1315
⿱亼言 1315
⿰言尸 1315
4 訛 1315
訝 1315
訞 1315
訟 1315
訢 1316
訣 1316
訥 1316
訧 1316

訩 1316
訪 1316
訬 1316
設 1316
許 1317
⿳亠言八 1317
⿰言日 1317
⿰言王 1317
訽 1317
詙 1317
⿰言丑 1317
⿰言冈 1317
⿰言反 1317
⿰言夫 1317
訜 1317
⿰言比 1317
⿰言戈 1317
訠 1317
⿰言卯 1317
訏 1318
⿰言元 1318
⿰言月 1318
⿰言攴 1318
⿰言云 1318
⿰言欠 1318
⿰言牛 1318
⿰言壬 1318

⿰言乃 1318
⿰言厷 1318
⿰言止 1318
⿰言支 1318
⿰言廾 1318
⿰言斗 1318
⿰言开 1318
⿰言毛 1318
⿰言互 1318
⿰言乎 1318
⿰言爻 1318
⿱夳言 1318
⿰言从 1318
⿰言厄 1318
訰 1318
訯 1319
訦 1319
⿰言冄 1319
⿰言中 1319
⿰言气 1319
訫 1319
詘 1319
訡 1319
⿰言区 1319
訳 1319
⿱夅言 1319
⿰月言 1319

⿰⿱宀言刂 1319
5 訴 1319
訮 1319
訶 1319
訹 1319
診 1319
⿰言尒 1319
⿰言尔 1319
註 1320
証 1320
詗 1320
詀 1320
詄 1320
詁 1320
詅 1320
詆 1320
詌 1320
詍 1320
詎 1320
詐 1320
詒 1321
⿰言吕 1321
詔 1321
評 1321
詖 1321
詗 1321
詘 1321

詛 1321
詞 1322
⿱冋言 1322
詠 1322
詇 1322
⿰言包 1322
⿰言只 1322
⿰言由 1322
⿰言乎 1322
⿰言亏 1322
⿰言兕 1322
⿱夗言 1322
⿰言収 1322
⿰言叏 1322
詑 1322
⿰言㐌 1323
詋 1323
⿰言殳 1323
⿰言此 1323
訾 1323
詈 1323
⿱毋言 1323
⿱𠂈言 1323
詓 1323
詃 1323
⿰言殳 1323
⿰言女 1323

⿰言尼 1323
詚 1323
⿰言戊 1323
⿰言民 1323
⿰言必 1323
詊 1323
詙 1323
⿰言乏 1323
⿱羽言 1323
⿱互言 1324
⿰言付 1324
⿰言弗 1324
訞 1324
訷 1324
⿰言疋 1324
⿰言㕣 1324
⿰言冉 1324
詏 1324
訑 1324
⿰言匝 1324
⿰言𠚣 1324
⿰言戉 1324
詝 1324
⿰言四 1324
⿰言布 1324
⿰言甲 1324
⿰言亢 1324

⿰言禾 1324
⿰言号 1324
6 詡 1324
詢 1325
詣 1325
⿰言㐬 1325
⿰言巟 1325
試 1325
詩 1325
詫 1325
詬 1325
詭 1325
詮 1325
詰 1326
話 1326
該 1326
⿰言夾 1326
詳 1326
詵 1326
詶 1326
詷 1326
詻 1326
詼 1326
詾 1327
説 1327
詿 1327
誂 1327

誃 1327
誆 1327
誄 1327
誅 1327
誇 1327
誶 1327
詨 1327
詯 1327
詗 1328
詪 1328
誎 1328
詝 1328
詺 1328
詥 1328
詽 1328
詸 1328
訹 1328
誠 1328
詍 1328
詠 1328
詇 1328
誱 1328
詵 1328
設 1328
䛃 1328
叙 1328
詹 1328
詈 1328
詧 1328
誉 1329
誊 1329
詯 1329
䛃 1329
詎 1329
詴 1329
誀 1329
誓 1329
誒 1329
詿 1329
誁 1329
䛊 1329
論 1329
訩 1329
詹 1329
詧 1329
詎 1329
諸 1329
誀 1329
誑 1329
詾 1329
詚 1329
誅 1329
誺 1330
詫 1330
詯 1330
7 誩 1330
誋 1330
誌 1330
認 1330
認 1330
䛟 1330
誑 1330
䛠 1330
誒 1330
誕 1330
誖 1331
誘 1331
誙 1331
誚 1331
語 1331
誠 1331
誡 1331
誣 1331
誤 1332
誤 1332
誤 1332
誥 1332
誦 1332
誨 1332
說 1332
説 1332
誐 1332
誔 1332
誧 1333
詐 1333
誘 1333
誎 1333
話 1333
誂 1333
詑 1333
䛪 1333
訫 1333
読 1333
䛌 1333
㒪 1333
誓 1333
誺 1333
誗 1333
諲 1333
誳 1333
誅 1333
誏 1333
誗 1333
䛲 1333
誜 1334
䜫 1334
誛 1334
誯 1334
誇 1334
訴 1334
誗 1334
誔 1334
䜝 1334
誫 1334
䛛 1334
諁 1334
誁 1334
訶 1334
䛞 1334
誺 1334
誢 1334
詷 1334
誷 1334
䚭 1334
誟 1334
䛥 1334
8 誰 1334
課 1335
誳 1335
誼 1335
誶 1335
誷 1335
誹 1335
誻 1335
調 1335
諂 1336
諄 1336
諆 1336
談 1336
諈 1336
諉 1336
請 1336
請 1336
諍 1336
諏 1336
𧩯 1336
諑 1337
諒 1337
諓 1337
諔 1337
論 1337
諗 1337
誇 1337
諀 1337
諞 1337
諕 1337
𧩄 1338
諮 1338
𧩓 1338
諃 1338
誺 1338
諎 1338
諡 1338
誱 1338
說 1338
謟 1338
諲 1338
諚 1338
䛸 1338
詡 1338
䛻 1338
論 1338
䛵 1338
謀 1338
譊 1339
諸 1339
謁 1339
諅 1339
誾 1339
諐 1339
𧪏 1339
𧩚 1339
䛯 1339
諊 1339
𧩣 1339
諾 1339
諫 1339
𧪘 1339
誆 1339

⿰言帛 1339
誙 1339
諂 1339
⿰言附 1339
⿰言肯 1339
⿰言罙 1339
⿰言戈 1339
⿰言奄 1339
⿱尚言 1340
⿰言芺 1340
⿰言宛 1340
⿰言修 1340
⿰言事 1340
⿰言長 1340
⿰言忝 1340
⿰言忠 1340
⿰言制 1340
誴 1340
⿰言卓 1340
⿰言昌 1340
⿰言底 1340
諁 1340
諗 1340
⿰言茭 1340
請 1340
誕 1340
⿰言𠦝 1340
諘 1340
諷 1340
⿰言幸 1340
誶 1340
誵 1340
⿰言昆 1341
⿰阝詹 1341
⿰言昏 1341
9 諛 1341
諜 1341
諝 1341
諞 1341
諟 1341
諠 1341
謚 1341
諢 1341
諤 1341
諦 1341
諧 1342
諫 1342
諭 1342
諭 1342
⿰言咎 1342
諰 1342
諱 1342
諳 1342
⿰言𢆉 1342
諴 1342
諵 1342
諶 1342
諷 1343
諸 1343
諺 1343
諺 1343
諼 1343
諾 1343
謀 1343
謁 1343
謂 1343
諕 1344
諲 1344
⿰言夋 1344
諻 1344
⿰言亟 1344
⿰言咠 1344
諽 1344
⿰言星 1344
⿰言契 1344
⿰言咼 1344
諯 1344
諦 1344
⿰言異 1344
⿰言進 1344
⿰言英 1344
⿰言盾 1344
謠 1344
⿰言辱 1344
⿰言苛 1344
⿱臤言 1344
謦 1344
⿰言侶 1345
⿰言𡿺 1345
⿰言怱 1345
謕 1345
⿰言臽 1345
⿰言剌 1345
謷 1345
⿰言侖 1345
⿰言旨 1345
⿰言屏 1345
諨 1345
⿰言孚 1345
⿰言施 1345
諹 1345
⿰言忽 1345
⿰言貞 1345
⿰言迤 1345
⿰言函 1345
諪 1345
⿰言昝 1345
諥 1345
⿰言爹 1345
⿰言怱 1345
⿰言奏 1345
⿰言㮚 1345
⿰言致 1346
請 1346
⿰言度 1346
⿰言彖 1346
⿰言面 1346
⿰言侯 1346
⿰言族 1346
10 ⿰言翁 1346
⿰言扇 1346
⿰言桀 1346
謎 1346
謏 1346
謚 1346
謑 1346
謖 1346
謗 1346
⿰言屖 1347
謙 1347
謙 1347
⿰言弇 1347
講 1347
謝 1347
謞 1347
謟 1347
謠 1347
謓 1348
謜 1348
謉 1348
謕 1348
⿰言坐 1348
⿰言斤 1348
⿰言夸 1348
⿰言朋 1348
謌 1348
謊 1348
謹 1348
膽 1348
膽 1348
謇 1348
謈 1348
謍 1348
⿱𠔉言 1348
謔 1348
⿰言鬲 1348
⿰言曹 1349
⿺鬼言 1349
⿰言罘 1349
⿰言馬 1349
⿰言孛 1349
⿰言皃 1349
⿰言脊 1349
⿰言聑 1349
⿰言素 1349
⿰言乘 1349
⿰言息 1349
⿰言豈 1349
⿰言烏 1349
謒 1349
⿰言烝 1349
⿰言疾 1349
⿰言差 1349
諸 1349
⿰言翕 1349
⿰言宰 1349
⿰言盍 1349
⿰言氣 1349
11 謨 1349
⿱𦬒言 1350
謫 1350
謬 1350
⿰言虘 1350
謳 1350
謹 1350
謻 1350
謥 1350
⿰言庳 1350
謾 1350

[illegible] 1350	謀 1352	讀 1353	䜆 1356	13 譮 1357	譈 1358	譬 1360
謵 1350	謆 1352	譈 1353	譋 1356	譜 1357	警 1359	譳 1360
謣 1351	詹 1352	證 1353	譀 1356	譝 1357	警 1359	譳 1360
[illegible] 1351	謎 1352	譊 1354	譁 1356	譟 1357	譍 1359	譢 1360
謿 1351	謏 1352	譎 1354	譌 1356	譪 1357	譴 1359	譤 1360
[illegible] 1351	譝 1352	譏 1354	譐 1356	譫 1357	譤 1359	讒 1360
謰 1351	譖 1352	譑 1354	譜 1356	譯 1357	譯 1359	譽 1360
謱 1351	謙 1352	譓 1354	䜌 1356	譯 1357	譯 1359	譻 1360
謮 1351	醫 1352	譔 1354	譽 1356	譨 1357	譿 1359	譼 1360
謧 1351	謶 1352	譕 1354	譽 1356	議 1357	譾 1359	譿 1360
[illegible] 1351	謸 1352	譖 1354	警 1356	譭 1358	譺 1359	讖 1361
[illegible] 1351	謻 1352	識 1354	譳 1356	譩 1358	譢 1359	讗 1361
謫 1351	譙 1352	譁 1355	譞 1356	譮 1358	譢 1359	譵 1361
謗 1351	謘 1352	譙 1355	譑 1356	譞 1358	譣 1359	䜭 1361
競 1351	謥 1353	譚 1355	譙 1356	譣 1358	譣 1359	讘 1361
鏡 1351	謧 1353	譟 1355	譑 1356	譧 1358	譥 1359	讕 1361
謸 1351	謲 1353	譒 1355	譱 1356	譠 1358	讌 1359	讗 1361
謷 1351	謕 1353	誓 1355	譝 1356	譪 1358	響 1359	讙 1361
謦 1351	謶 1353	譗 1355	譆 1356	譔 1358	譋 1359	讞 1361
謺 1352	謶 1353	譈 1355	譗 1356	謬 1358	護 1359	譿 1361
謷 1352	謹 1353	譇 1355	譂 1356	譝 1358	譿 1359	論 1361
繇 1352	謤 1353	譖 1355	譈 1356	譽 1358	14 譶 1360	議 1361
譻 1352	譁 1353	譔 1355	譑 1356	譸 1358	譴 1360	譲 1361
謶 1352	12 譁 1353	譃 1355	譸 1357	譩 1358	護 1360	讀 1361
讃 1352	譅 1353	譗 1356	譃 1357	讓 1358	譸 1360	譠 1361
謽 1352	譁 1353	譖 1356	譣 1357	譡 1358	譹 1360	讁 1361
謀 1352	譆 1353	譅 1356	譋 1357	警 1358	譺 1360	譹 1361

譠 1361
15 讀 1361
譾 1361
譿 1361
讂 1362
讁 1362
讄 1362
譞 1362
譬 1362
譒 1362
識 1362
讃 1362
譫 1362
譍 1362
譹 1362
讃 1362
讈 1362
讅 1362
讖 1362
讆 1362
變 1362
譌 1362
譩 1362
譪 1362
譝 1362
譜 1362
譴 1362

譢 1362
譟 1362
16 讕 1362
讌 1363
讌 1363
譚 1363
讃 1363
讍 1363
變 1363
讎 1363
讐 1363
讐 1363
讏 1363
讐 1363
讈 1363
讉 1363
讀 1363
讒 1363
讐 1363
讔 1364
譿 1364
讗 1364
17 讒 1364
讓 1364
讔 1364
讐 1364
讕 1364

讁 1364
讖 1364
譸 1364
讗 1364
讛 1364
讔 1364
論 1364
18 讛 1364
讙 1364
讘 1365
讙 1365
讕 1365
讖 1365
讒 1365
19 讚 1365
讀 1365
讍 1365
讐 1365
讛 1365
20 讜 1365
讞 1365
讝 1365
讟 1365
讐 1365
讙 1365
21 讂 1365
22 讟 1365

32 讐 1366

谷部

谷 1366
谷 1366
2 谸 1366
3 谹 1366
谺 1366
谻 1366
谸 1366
4 谹 1366
谻 1366
谺 1366
谽 1366
容 1367
谽 1367
5 谾 1367
容 1367
6 谼 1367
谻 1367
谽 1367
7 谿 1367
叡 1367
豁 1367
8 谾 1367
豃 1367
豁 1367
10 豁 1367

谿 1367
豀 1367
豁 1367
豁 1368
11 谾 1368
豂 1368
豃 1368
12 豅 1368
豁 1368
豁 1368
豁 1368
豁 1368
豁 1368
豁 1368
13 豁 1368
14 豁 1368
15 豁 1368
16 豅 1368
20 豁 1368

豆部

豆 1368
2 豆 1368
3 豇 1368
豈 1369
豈 1369
4 豉 1369
5 豋 1369

豿 1369
豍 1369
6 登 1369
豊 1369
豋 1369
豍 1369
7 豎 1369
豏 1369
豍 1369
豆 1369
豆 1369
豉 1370
8 豌 1370
豆 1370
豍 1370
豆 1370
豎 1370
豆 1370
豆 1370
豋 1370
豆 1370
豆 1370
9 豋 1370
豋 1370
豉 1370
豆 1370
豆 1370

豆 1370
10 豏 1370
豋 1370
豐 1370
豎 1370
豆 1370
豋 1371
豆 1371
豆 1371
11 豐 1371
豋 1371
豈 1371
豆 1371
豆 1371
豆 1371
豆 1371
12 豆 1371
豆 1371
豋 1371
13 豔 1371
豆 1371
豐 1371
豐 1371
豆 1371
14 豆 1371
豆 1371
15 豆 1371

16 豐 1372	豩 1373	豥 1374	豫 1376	豬 1378	豣 1379	貐 1380
18 豒 1372	豝 1373	7 豨 1375	豲 1376	13 豶 1378	豜 1379	貄 1380
豐 1372	彖 1373	豨 1375	豰 1376	豷 1378	豲 1379	貇 1380
20 豓 1372	豫 1373	豨 1375	豯 1376	豴 1378	豝 1379	貑 1381
豔 1372	5 豛 1373	豧 1375	豯 1376	豵 1378	豻 1379	貕 1381
21 豔 1372	豠 1373	豝 1375	豯 1376	14 豶 1378	5 豿 1379	貗 1381
22 豐 1372	豟 1373	豪 1375	豲 1376	豷 1378	貂 1379	貅 1381
豕 部	豞 1373	豢 1375	10 豳 1376	豶 1378	貀 1379	貆 1381
豕 1372	象 1373	豰 1375	豯 1377	豷 1378	貀 1379	貊 1381
豖 1372	象 1374	豱 1375	豲 1377	豶 1378	貏 1380	貄 1381
1 豖 1372	豬 1374	豲 1375	豯 1377	15 豷 1378	狐 1380	貈 1381
2 豞 1372	豬 1374	豲 1375	豱 1377	豶 1378	貊 1380	貜 1381
3 豗 1372	豢 1374	豲 1375	豰 1377	18 豷 1378	貉 1380	貓 1381
豙 1372	豾 1374	豲 1375	豯 1377	豷 1378	貈 1380	7 貌 1381
豚 1372	6 豤 1374	8 豵 1375	豯 1377	20 豷 1378	貉 1380	貟 1381
豠 1372	豥 1374	豲 1375	豯 1377	21 豷 1378	貅 1380	貍 1381
4 豝 1372	豥 1374	豲 1375	豯 1377	豸 部	貉 1380	貍 1381
豣 1372	豥 1374	豲 1376	11 豵 1377	豸 1378	貊 1380	貐 1381
豚 1372	豢 1374	豲 1376	豯 1377	2 豹 1379	貉 1380	貌 1381
豘 1373	豦 1374	豲 1376	豯 1377	3 豹 1379	貊 1380	貌 1381
豛 1373	豜 1374	豲 1376	豯 1377	豺 1379	貊 1380	貌 1381
豙 1373	豦 1374	豲 1376	豯 1377	豻 1379	貅 1380	貌 1381
豙 1373	豥 1374	豲 1376	豯 1377	豺 1379	6 貅 1380	貌 1382
豛 1373	豥 1374	9 豬 1376	12 豷 1377	4 豽 1379	貊 1380	貌 1382
豟 1373	豥 1374	豭 1376	豷 1377	豾 1379	貉 1380	8 貌 1382
豖 1373	豥 1374	豲 1376	豷 1377	豾 1379	貉 1380	貄 1382
豖 1373	豥 1374	豲 1376	豷 1377	豛 1379	貊 1380	貌 1382

貍 1382	貙 1383	負 1385	貰 1387	𧵫 1389	𧵢 1391	賣 1393
𧳜 1382	貗 1383	負 1385	𧵭 1387	䝑 1389	𧶄 1391	賔 1393
𧳝 1382	𧳾 1383	貟 1385	𧵰 1387	𧵵 1389	𧶁 1391	賫 1393
𧳊 1382	𧴃 1383	𧴫 1385	䝍 1387	䝐 1389	䝗 1391	賈 1393
𧳟 1382	𧴄 1383	貞 1385	5 貯 1387	𧵳 1389	賆 1391	責 1393
𧳐 1382	𧴆 1383	3 財 1385	貶 1387	䝒 1389	賁 1391	賗 1393
9 貒 1382	𧴇 1383	貤 1385	貺 1387	䝓 1389	𧶂 1391	賂 1393
𧳣 1382	12 𧴊 1383	貣 1385	貼 1387	䝖 1389	䝗 1391	賊 1393
貓 1382	貚 1383	貢 1385	貽 1387	𧵿 1389	𧶃 1391	𧶔 1393
貐 1382	𧴌 1383	𧴱 1385	貾 1387	6 賂 1389	䝘 1392	䝛 1393
𧳨 1382	𧴍 1383	貟 1385	𧵦 1387	賄 1390	時 1392	𧶗 1393
𧳅 1382	𧴎 1384	𧵃 1386	𧵥 1387	賅 1390	𧶈 1392	8 賙 1393
貑 1382	𧴏 1384	𧵅 1386	𧵩 1388	賊 1390	𧶊 1392	賜 1393
𧳍 1382	𧴐 1384	𧴿 1386	䞈 1388	賊 1390	𧶋 1392	賠 1393
𧳜 1382	13 𧴑 1384	4 販 1386	𧵢 1388	賉 1390	𧶌 1392	賤 1393
𧲽 1382	𧴒 1384	𧵈 1386	貳 1388	賎 1390	𧶍 1392	賛 1393
𧳒 1382	𧴓 1384	貦 1386	𧶂 1388	賍 1390	7 賑 1392	賦 1393
𧳶 1382	𧴔 1384	貧 1386	貲 1388	賌 1390	賖 1392	𧷁 1394
豬 1383	𧴕 1384	貨 1386	貴 1388	賃 1390	賒 1392	䝭 1394
𧳦 1383	14 𧴖 1384	貪 1386	買 1388	賁 1390	賕 1392	賛 1394
10 貔 1383	16 𧴗 1384	貫 1386	貸 1388	資 1391	賻 1392	賧 1394
貕 1383	18 貛 1384	責 1386	費 1388	䝭 1391	賏 1392	賝 1394
𧳰 1383	20 貜 1384	賢 1387	貿 1389	賈 1391	賄 1392	賬 1394
𧳶 1383	貝部	貭 1387	賀 1389	買 1391	賗 1392	賟 1394
𧳺 1383	貝 1384	𧵤 1387	賀 1389	賫 1391	𧶠 1392	賥 1394
𧳺 1383	2 貞 1384	𧵣 1387	賁 1389	賓 1391	賱 1392	賫 1394
11 貘 1383	負 1385	𧵢 1387	𧵳 1389	賋 1391	賓 1392	賚 1394

睞 1394	賴 1396	賽 1398	聰 1399	贎 1401	17 贔 1402	10 赯 1404
賞 1394	賫 1396	賷 1398	賢 1399	贍 1401	贛 1402	𧹞 1404
賡 1395	賷 1396	贄 1398	賢 1399	贓 1401	贛 1402	𧹛 1404
賢 1395	賯 1396	賮 1398	贇 1399	賺 1401	贛 1402	𧹝 1404
賣 1395	賃 1397	贕 1398	12 贈 1399	贏 1401	18 贓 1402	**走 部**
賨 1395	賾 1397	賵 1398	贇 1399	14 贔 1401	19 贖 1402	走 1404
賩 1395	賰 1397	贍 1398	贉 1399	贐 1401	**赤 部**	赱 1404
質 1395	賱 1397	賷 1398	贌 1399	贓 1401	赤 1402	1 𧺇 1404
賫 1395	賲 1397	賷 1398	贌 1400	贑 1401	2 赤丁 1403	𧺆 1404
賓 1395	賳 1397	賂 1398	贗 1400	贏 1401	3 赤工 1403	2 赳 1404
賁 1396	賶 1397	賛 1398	贊 1400	贙 1401	4 赤支 1403	𧺐 1404
賛 1396	賵 1397	賷 1398	贊 1400	贙 1401	赦 1403	赴 1404
賹 1396	賸 1397	賛 1398	賦 1400	賥 1401	赤欠 1403	赵 1405
賚 1396	賹 1397	賛 1398	贅 1400	贒 1401	5 赧 1403	赲 1405
賙 1396	職 1397	11 賿 1398	贗 1400	贕 1401	赤皮 1403	3 起 1405
賈 1396	賿 1397	贓 1398	贖 1400	贐 1401	赤冬 1403	赸 1405
賤 1396	贁 1397	贈 1398	贍 1400	贗 1401	6 赩 1403	赶 1405
賕 1396	賭 1397	贄 1398	贈 1400	15 贖 1401	赤同 1403	𧺝 1405
賧 1396	賵 1397	贄 1399	贇 1400	贖 1402	赤虫 1403	𧺠 1405
賒 1396	贄 1397	賾 1399	贆 1400	贗 1402	7 赫 1403	赺 1405
賥 1396	賱 1397	贘 1399	贖 1400	贎 1402	赤巠 1403	𧺞 1405
賀 1396	10 賺 1397	賾 1399	贓 1400	贍 1402	9 赮 1403	𧺟 1405
9 賭 1396	賻 1397	贂 1399	贎 1400	16 贜 1402	赬 1404	𧺡 1405
賵 1396	購 1397	賿 1399	贄 1400	贙 1402	赭 1404	𧺛 1405
賰 1396	賶 1398	贕 1399	贓 1400	贗 1402	赤柬 1404	𧺢 1405
賧 1396	賷 1398	贕 1399	13 贍 1400	贚 1402	赤垔 1404	4 𧺬 1405
賴 1396	賾 1398	贇 1399	賺 1400	贖 1402	赤畐 1404	𧺯 1406

赽 1406	⿺走此 1407	⿺走玄 1409	7 ⿺走呈 1410	⿺走豆 1412	⿺走剌 1414	⿺走虘 1415
⿺走支 1406	⿺走正 1407	6 ⿺走次 1409	趙 1410	⿺走希 1412	⿺走豕 1414	⿺走烏 1415
赾 1406	⿺走斥 1408	⿺走朱 1409	⿺走足 1411	8 ⿺走卓 1412	⿺走叚 1414	⿺走臭 1415
赹 1406	⿺走出 1408	⿺走兆 1409	⿺走夋 1411	⿺走录 1412	⿺走宕 1414	⿺走虒 1415
⿺走乞 1406	⿺走氐 1408	⿺走吉 1409	⿺走里 1411	趣 1412	⿺走或 1414	⿺走眞 1415
⿺走尺 1406	⿺走民 1408	⿺走圭 1409	趖 1411	⿺走⿰区又 1412	⿺走肴 1414	⿱寒走 1415
⿺走⿹勹儿 1406	⿺走白 1408	⿺走朿 1409	⿺走甬 1411	⿺走咅 1412	9 ⿺走曷 1414	⿺走敢 1416
⿺走比 1406	趋 1408	⿺走多 1409	⿺走㐭 1411	⿺走昔 1412	⿺走會 1414	⿺走桼 1416
⿺走心 1406	⿺走巨 1408	⿺走亘 1409	⿺走狂 1411	⿺走⿰弟弟 1413	⿺走疾 1414	⿺走婁 1416
⿺走少 1406	⿺走丘 1408	⿺走匠 1409	⿺走尾 1411	⿺走囷 1413	⿺走是 1414	⿺走䍃 1416
⿺走丏 1406	⿺走句 1408	⿺走列 1409	⿺走求 1411	⿺走金 1413	⿺走契 1414	⿺走秦 1416
⿺走厷 1406	⿺走半 1408	⿺走有 1409	⿺走⿱日王 1411	⿺走茲 1413	⿺走咨 1414	⿺走疾 1416
⿺走田 1406	⿺走旦 1408	⿺走⿱双木 1409	⿺走余 1411	⿺走匊 1413	⿺走屏 1414	⿺走差 1416
⿺走今 1406	⿺走犮 1408	⿺走并 1410	⿺走否 1411	⿺走隹 1413	⿺走复 1414	⿺走豈 1416
⿺走欠 1406	⿺走弗 1408	⿺走各 1410	⿺走孚 1411	⿺走尚 1413	⿺走耑 1414	⿺走留 1416
⿺走互 1406	⿺走去 1408	⿺走刧 1410	⿺走夾 1411	⿺走幷 1413	⿺走臿 1414	⿺走骨 1416
⿺走从 1406	⿺走立 1408	⿺走危 1410	⿺走折 1411	⿺走念 1413	⿺走㚇 1414	11 ⿺走參 1416
⿺走止 1406	⿺走玉 1408	⿺走百 1410	⿺走束 1411	⿺走屈 1413	⿺走勇 1415	⿺走票 1416
⿺走冘 1407	⿺走冋 1408	⿺走舟 1410	⿺走君 1411	⿺走奇 1413	⿺走胃 1415	⿺走曼 1416
⿺走甘 1407	⿺走市 1408	⿺走劦 1410	⿺走⿱日耳 1411	⿺走東 1413	⿺走兪 1415	⿺走畢 1416
⿺走予 1407	⿺走乍 1408	⿺走羽 1410	⿺走赤 1411	⿱林走 1413	⿺走叟 1415	⿺走斬 1416
5 趁 1407	⿺走失 1408	⿺走舌 1410	⿱日走 1411	⿺走來 1413	⿺走盾 1415	⿱斬走 1416
⿺走尔 1407	⿺走吕 1409	⿺走后 1410	⿺走步 1412	⿺走夌 1413	⿺走重 1415	⿺走專 1416
趄 1407	⿺走石 1409	⿺走叟 1410	⿺走秀 1412	⿺走卑 1413	⿺走昜 1415	⿺走鹿 1416
超 1407	⿺走世 1409	⿺走戌 1410	⿺走甫 1412	⿺走奄 1413	⿺走皇 1415	⿺走覓 1416
越 1407	⿺走术 1409	⿺走合 1410	⿺走谷 1412	⿺走易 1414	⿺走族 1415	⿺走責 1416
⿺走戊 1407	⿺走目 1409	⿺走夷 1410	⿺走告 1412	⿺走周 1414	10 趨 1415	⿺走焉 1417

⿺走章 1417
⿱將走 1417
⿺走啇 1417
⿺走巢 1417
⿺走崔 1417
⿺走崇 1417
12 趪 1417
趫 1417
趭 1417
⿺走覃 1417
⿺走尞 1417
趬 1417
⿺走散 1417
⿺走厥 1417
趩 1417
⿺走矞 1417
⿺走幾 1418
⿺走朁 1418
⿺走童 1418
⿺走厤 1418
⿺走曼 1418
⿺走崩 1418
⿺走肅 1418
⿺走爲 1418
⿺走垂 1418
⿺走戴 1418
⿺走絫 1418

13 趮 1418
⿺走亶 1418
⿺走戠 1418
⿺走睘 1418
⿺走蜀 1418
⿺走豦 1418
⿺走敫 1418
⿺走僉 1418
⿺走辟 1419
⿺走詹 1419
⿺走感 1419
14 ⿺走與 1419
趯 1419
⿺走雚 1419
⿺走叡 1419
⿺走蒦 1419
⿺走截 1419
⿰走走 1419
⿺走齊 1419
15 ⿺走鼻 1419
⿺走舄 1419
⿺走樂 1419
⿺走賛 1419
⿺走夐 1419
⿺走韱 1419
⿺走賣 1419
⿺走憂 1419

⿺走廛 1419
16 ⿺走憲 1419
⿺走叡 1420
⿺走歷 1420
17 ⿺走薊 1420
⿺走龠 1420
⿺走霝 1420
18 ⿺走藋 1420
⿺走瞿 1420
⿺走翼 1420
⿺走嬰 1420
19 趲 1420
20 ⿺走矍 1420
21 ⿺走蠡 1420

足 部

足 1420
⻊ 1421
1 ⿰⻊乚 1421
⿱冖足 1421
2 ⿰⻊卜 1421
趴 1421
⿰⻊丩 1421
⿱亼足 1421
⿰⻊丁 1421
3 趵 1421
⿰⻊叉 1421
⿰⻊干 1421

⿰⻊亏 1421
⿰⻊兀 1421
⿰⻊千 1421
⿸尸足 1421
⿱亼足 1421
⿰⻊巳 1421
⿰⻊凡 1421
⿰⻊山 1421
4 趹 1421
趺 1422
趻 1422
趾 1422
跂 1422
跁 1422
⿰⻊月 1422
趿 1422
趽 1422
⿰⻊冘 1422
⿰⻊巿 1422
⿰⻊氏 1423
趼 1423
跃 1423
⿰⻊斤 1423
⿰⻊内 1423
⿰⻊丑 1423
⿰⻊分 1423
⿰⻊丰 1423

⿰⻊丹 1423
⿰⻊井 1423
⿰⻊比 1423
⿰⻊元 1423
⿰⻊欠 1423
⿰⻊切 1423
⿰⻊从 1423
⿰⻊少 1423
⿰⻊互 1423
⿰⻊殳 1423
⿰⻊亢 1423
⿰⻊亢 1423
⿰⻊兮 1423
⿰⻊牙 1423
⿰⻊引 1423
⿰⻊凶 1423
5 跅 1423
跆 1424
跋 1424
⿰⻊发 1424
跌 1424
跎 1424
⿰⻊也 1424
跏 1424
跑 1424
跔 1424
⿰⻊母 1424

跕 1424
跖 1424
跗 1425
跙 1425
跓 1425
跈 1425
⿰⻊尔 1425
跇 1425
⿰⻊冊 1425
跚 1425
跛 1425
距 1425
跒 1425
跜 1425
跐 1425
⿱止足 1426
⿰⻊弗 1426
⿰⻊戉 1426
⿰⻊必 1426
跘 1426
⿰⻊叏 1426
⿱⺌足 1426
⿰⻊申 1426
跍 1426
⿰⻊瓜 1426
⿰⻊本 1426
⿰⻊丘 1426

⿰⻊尻 1426
⿰⻊出 1426
⿰⻊尒 1426
⿰⻊去 1426
跉 1426
⿰⻊未 1426
⿰⻊末 1427
⿰⻊矛 1427
⿰⻊民 1427
⿰⻊乏 1427
⿰⻊玉 1427
⿰⻊田 1427
⿰⻊叚 1427
⿰⻊乍 1427
⿰⻊氐 1427
⿸尸足 1427
⿰⻊尤 1427
⿰⻊叵 1427
6 跟 1427
跡 1427
跣 1427
跦 1427
跧 1427
跨 1428
踤 1428
跪 1428
跬 1428

跬 1428	跔 1430	[illegible] 1431	[illegible] 1433	踧 1435	[illegible] 1436	踸 1438
路 1428	[illegible] 1430	[illegible] 1431	[illegible] 1433	踪 1435	[illegible] 1436	踼 1438
趼 1428	[illegible] 1430	踈 1432	[illegible] 1433	踓 1435	[illegible] 1436	踽 1438
跱 1428	[illegible] 1430	踁 1432	[illegible] 1433	踒 1435	[illegible] 1436	蹀 1438
跲 1429	[illegible] 1430	踅 1432	[illegible] 1433	踕 1435	[illegible] 1436	蹁 1438
跳 1429	[illegible] 1430	[illegible] 1432	[illegible] 1433	踛 1435	[illegible] 1436	蹂 1438
跺 1429	[illegible] 1430	踋 1432	[illegible] 1433	[illegible] 1435	[illegible] 1437	踹 1438
[illegible] 1429	[illegible] 1430	[illegible] 1432	[illegible] 1433	[illegible] 1435	[illegible] 1437	蹄 1438
跠 1429	[illegible] 1430	[illegible] 1432	[illegible] 1433	[illegible] 1435	[illegible] 1437	[illegible] 1439
跤 1429	[illegible] 1430	[illegible] 1432	[illegible] 1433	踩 1436	[illegible] 1437	踱 1439
跩 1429	[illegible] 1430	[illegible] 1432	8 踏 1433	踘 1436	[illegible] 1437	[illegible] 1439
[illegible] 1429	跭 1430	[illegible] 1432	踐 1433	[illegible] 1436	[illegible] 1437	踾 1439
跢 1429	[illegible] 1430	[illegible] 1432	踑 1433	踨 1436	[illegible] 1437	[illegible] 1439
跚 1429	[illegible] 1430	[illegible] 1432	踔 1433	[illegible] 1436	[illegible] 1437	[illegible] 1439
践 1429	7 [illegible] 1430	[illegible] 1432	踖 1434	[illegible] 1436	[illegible] 1437	踴 1439
跰 1429	跽 1430	[illegible] 1432	[illegible] 1434	[illegible] 1436	楚 1437	[illegible] 1439
[illegible] 1429	踆 1430	[illegible] 1432	踝 1434	[illegible] 1436	[illegible] 1437	[illegible] 1439
[illegible] 1429	踉 1431	踇 1432	踞 1434	[illegible] 1436	[illegible] 1437	踺 1439
[illegible] 1429	踊 1431	[illegible] 1432	[illegible] 1434	踗 1436	[illegible] 1437	[illegible] 1439
[illegible] 1429	[illegible] 1431	[illegible] 1432	踟 1434	[illegible] 1436	[illegible] 1437	[illegible] 1439
[illegible] 1430	[illegible] 1431	[illegible] 1432	踠 1434	[illegible] 1436	[illegible] 1437	踻 1439
跧 1430	[illegible] 1431	[illegible] 1432	踡 1434	[illegible] 1436	[illegible] 1437	[illegible] 1439
[illegible] 1430	踃 1431	[illegible] 1432	踢 1434	[illegible] 1436	[illegible] 1437	[illegible] 1439
跦 1430	[illegible] 1431	[illegible] 1432	踣 1434	[illegible] 1436	9 踰 1437	[illegible] 1439
[illegible] 1430	[illegible] 1431	[illegible] 1432	踤 1435	踚 1436	踳 1437	躊 1439
[illegible] 1430	[illegible] 1431	跨 1432	踥 1435	踜 1436	踵 1438	[illegible] 1439
[illegible] 1430	踄 1431	[illegible] 1433	踦 1435	[illegible] 1436	踶 1438	[illegible] 1439

𨀁 1439	蹉 1441	𨂽 1442	蹚 1444	𨅬 1445	𨅝 1447	𨆌 1448
𨂂 1440	蹊 1441	𨅃 1442	蹧 1444	𨅍 1446	蹸 1447	𨆏 1448
𨁮 1440	蹋 1441	𨄡 1443	蹦 1444	蹜 1446	𨆖 1447	𨆓 1448
𨂐 1440	蹌 1441	𨅘 1443	𨅐 1444	蹳 1446	𨆪 1447	𨆚 1448
𨁈 1440	蹍 1441	蹀 1443	𨅔 1444	𨅢 1446	𨆫 1447	𨆛 1448
踷 1440	𨃰 1441	𨅒 1443	𨅕 1444	蹲 1446	躋 1447	𨆙 1448
𨁸 1440	蹎 1441	躁 1443	𨄿 1445	躋 1446	𨆯 1448	𨆝 1449
𨃃 1440	蹏 1441	𨅖 1443	𨅋 1445	蹓 1446	蹟 1448	蹱 1449
蹃 1440	蹐 1441	蹹 1443	𨅌 1445	躍 1446	𨇁 1448	𨆢 1449
𨂃 1440	𨄃 1441	𨅨 1443	蹥 1445	𨆄 1446	𨇆 1448	𨆥 1449
𨂌 1440	𨃺 1441	𨂫 1443	𨅮 1445	踼 1446	蹼 1448	𨆦 1449
𨂋 1440	跨 1442	蹪 1443	𨆌 1445	𨆍 1446	𨆀 1448	𨇍 1449
踿 1440	𨃸 1442	11 蹕 1443	𨅩 1445	12 蹾 1446	𨇄 1448	躡 1449
𨂠 1440	𨄈 1442	𨄝 1443	𨅫 1445	蹬 1446	躝 1448	𨆿 1449
𨁷 1440	𨅋 1442	𨄧 1443	𨅯 1445	蹭 1446	𨇇 1448	𨇉 1449
蹀 1440	蹑 1442	𨄬 1443	𨅸 1445	躍 1446	𨇊 1448	𨇋 1449
𨂄 1440	𨅊 1442	蹟 1443	𨅹 1445	蹯 1446	𨇌 1448	𨇎 1449
𨂿 1440	蹇 1442	𨅰 1443	𨆁 1445	𨆐 1446	𨇏 1448	𨇒 1449
𨃎 1440	𨃹 1442	𨄻 1443	𨅺 1445	蹲 1446	𨇐 1448	13 躁 1449
𨃅 1440	𨄔 1442	𨅁 1444	𨆃 1445	蹳 1446	𨇑 1448	躅 1449
蹄 1440	𨄙 1442	𨅂 1444	𨆄 1445	𨆞 1447	𨇓 1448	𨇔 1449
𨁿 1440	𨄎 1442	蹤 1444	𨆅 1445	蹴 1447	𨇕 1448	𨇖 1449
𨂹 1440	蹝 1442	𨅉 1444	𨆆 1445	𨆟 1447	𨇗 1448	𨇘 1449
𨃈 1441	𨄄 1442	𨅎 1444	𨆇 1445	蹻 1447	𨇙 1448	躃 1449
𨂷 1441	𨄴 1442	𨅏 1444	𨆈 1445	蹺 1447	𨇚 1448	躄 1450
𨂶 1441	𨄤 1442	𨅑 1444	𨆉 1445	蹼 1447	𨇛 1448	𨇜 1450
10 蹈 1441	躃 1442	𨅓 1444	𨆊 1445	𨆠 1447	𨇝 1448	𨇞 1450

蹞 1450
𨇪 1450
躉 1450
𨇙 1450
𨇟 1450
𨇨 1450
𨀤 1450
躂 1450
𨇊 1450
𨇅 1450
𨇚 1450
𨇒 1450
𨇞 1450
䢔 1450
𨇽 1450
𨇳 1450
𨆼 1450
𨇎 1450
𨇠 1450
𨇄 1450
𨇗 1450
𨇹 1450
14 躊 1451
躋 1451
躍 1451
𨈇 1451
𨈘 1451

蹸 1451
𨇾 1451
躎 1451
躌 1451
蹼 1451
𨇿 1451
𨇬 1451
𨇩 1451
𨈍 1451
躆 1451
𨇀 1451
𨈊 1451
15 躐 1451
𨇴 1451
躒 1452
躓 1452
𨈌 1452
躕 1452
𨇺 1452
𨈒 1452
蹐 1452
𨇰 1452
𨈂 1452
𨈓 1452
躑 1452
𨈦 1452
𨈖 1452

躦 1452
躈 1452
𨇲 1452
16 躙 1452
𨈎 1452
𨈗 1452
躚 1452
躗 1453
𨈡 1453
䠨 1453
𨈲 1453
𨈴 1453
𨈥 1453
𨈳 1453
躘 1453
𨈷 1453
𨈱 1453
17 𨉁 1453
躞 1453
躟 1453
躝 1453
𨈿 1453
躠 1453
𨉂 1453
𨉃 1453
𨉄 1453
𨈬 1454

𨉕 1454
䠱 1454
𨉗 1454
𨉐 1454
𨉛 1454
18 躡 1454
躤 1454
𨉘 1454
躨 1454
躣 1454
躥 1454
𨉞 1454
𨉝 1454
𨉣 1454
𨉦 1454
躖 1454
𨉢 1454
𨉥 1454
19 躧 1454
𨉪 1454
躦 1455
𨊂 1455
𨊁 1455
20 躩 1455
𨊊 1455
𨊆 1455
𨊉 1455

21 𨊓 1455
𨊐 1455
𨊖 1455
22 𨊛 1455
𨊘 1455
23 𨊟 1455

身部

身 1455
3 躬 1455
𨊡 1455
𨊠 1456
4 𨊧 1456
躭 1456
𨊦 1456
𨊥 1456
𨊫 1456
𨊪 1456
𨊱 1456
𨊮 1456
𨊬 1456
𨊭 1456
𨊩 1456
𨊯 1456
5 𨊹 1456
𨊸 1456
𨊺 1456
𨊼 1456

𨊰 1456
𨊻 1456
𨊽 1456
𨊴 1456
𨊵 1456
𨊶 1456
𨊷 1456
𨊳 1456
𨊲 1456
6 躲 1456
躱 1456
𨋂 1456
𨋃 1457
𨋇 1457
𨋈 1457
𨋉 1457
𨋊 1457
𨋋 1457
𨋌 1457
𨋄 1457
𨋅 1457
7 躳 1457
躴 1457
𨋏 1457
𨋐 1457
𨋑 1457
𨋒 1457

𨋓 1457
𨋔 1457
8 躶 1457
𨋙 1457
𨋚 1457
躺 1457
躹 1457
𨋝 1457
𨋞 1457
𨋟 1457
𨋠 1457
9 𨋢 1457
𨋣 1457
𨋤 1458
𨋥 1458
𨋦 1458
𨋧 1458
10 𨋩 1458
𨋪 1458
𨋫 1458
𨋬 1458
𨋭 1458
𨋮 1458
𨋯 1458
11 軀 1458
𨋲 1458
𨋳 1458

軁 1458
⿰身賓 1458
12 ⿰身詹 1458
軂 1458
⿰身甹 1458
⿰身需 1458
⿰身貴 1458
⿰身毳 1458
軃 1458
軄 1458
13 軆 1458
⿰身亭 1458
⿰身詹 1458
⿰身蜀 1459
⿰身亶 1459
14 ⿰身寧 1459
⿰身詹 1459
軇 1459
⿰身監 1459
⿰身賓 1459
15 ⿱軀心 1459
16 ⿰身歷 1459
⿰身龍 1459
18 ⿰身龜 1459
20 ⿰身贊 1459

車 部

車 1459
1 軋 1459
2 軌 1459
⿰車巳 1460
軍 1460
⿹勹車 1460
⿰車丩 1460
⿰車力 1460
⿰車丁 1460
⿱車厶 1460
3 軎 1460
⿰車巛 1460
⿰車亐 1460
⿰車寸 1460
軑 1460
軒 1460
軔 1460
軓 1461
⿰車川 1461
⿰車工 1461
⿰車乇 1461
⿰車丮 1461
⿰車几 1461
4 軘 1461
軛 1461
軟 1461
軜 1461
軝 1461
⿰車反 1461
軖 1461
⿰車厷 1461
軞 1461
⿰車爻 1461
⿰車开 1462
⿰車尹 1462
⿰車元 1462
⿰車戸 1462
転 1462
⿰車亢 1462
⿴衣車 1462
⿰車勾 1462
軡 1462
⿰車丑 1462
⿰車太 1462
⿰車父 1462
⿰車夫 1462
軗 1462
⿰車心 1462
⿰車卬 1462
⿰車公 1462
⿰車宂 1462
⿰車月 1462
⿰車厷 1462
⿰車瓦 1462
⿰車攵 1462
⿰車支 1462
⿰車止 1462
⿰車巴 1462
⿰車勺 1462
5 軥 1462
軨 1463
軫 1463
⿰車尔 1463
⿰車余 1463
軮 1463
軯 1463
軱 1463
軵 1463
⿰車皮 1463
軸 1463
軹 1464
軺 1464
軻 1464
軼 1464
⿰車圭 1464
軧 1464
⿰車卯 1464
⿰車占 1464
軦 1464
軤 1464
⿰車乍 1464
⿰車𠬝 1464
⿰車宂 1465
軽 1465
⿱夫車 1465
⿰車弁 1465
⿱北車 1465
⿰車玉 1465
⿱癶車 1465
⿰車弘 1465
⿰車尼 1465
⿰車民 1465
⿰車弗 1465
⿰車幼 1465
⿰車田 1465
⿰車石 1465
⿰車它 1465
軩 1465
⿳士車己 1465
軳 1465
⿰車⿹勹巴 1465
6 軾 1465
⿰車共 1466
⿰車亥 1466
較 1466
輅 1466
⿰車舟 1466
輇 1466
輊 1466
輀 1466
⿰車匡 1466
⿰車多 1466
⿲彳車亍 1466
輧 1466
⿱龹車 1466
⿰車丞 1467
載 1467
輂 1467
⿰車夅 1467
⿰車旨 1467
⿰車坙 1467
⿰車光 1467
⿰車旬 1467
⿰車伏 1467
⿰車冰 1467
⿰車色 1467
⿰車曳 1467
⿰車兆 1467
⿰車次 1467
⿰車自 1467
⿰車夆 1467
⿰車艮 1467
⿰車夋 1467
7 ⿰車甸 1468
⿰車身 1468
輐 1468
輒 1468
輓 1468
輔 1468
輕 1468
輑 1468
⿰車坒 1468
⿰車狂 1468
⿰車立 1469
輦 1469
載 1469
⿰車呂 1469
⿰車良 1469
⿰車師 1469
輗 1469
⿰車余 1469
⿰車辛 1469
輎 1469
⿰車谷 1469
⿰車酉 1469
輩 1469
⿰車脊 1469
⿰車豕 1469
⿰車危 1469
輯 1469
8 輖 1469
⿰車皃 1469
輘 1469

輚	1470	輌	1472	輶	1473	[illegible]	1474	[illegible]	1476	[illegible]	1478	[illegible]	1479
輛	1470	[illegible]	1472	輡	1473	[illegible]	1474	[illegible]	1476	[illegible]	1478	[illegible]	1479
輜	1470	[illegible]	1472	輸	1473	[illegible]	1474	[illegible]	1476	[illegible]	1478	[illegible]	1479
輞	1470	輊	1472	輸	1473	[illegible]	1474	[illegible]	1476	[illegible]	1478	[illegible]	1479
輟	1470	[illegible]	1472	輹	1473	[illegible]	1475	轉	1476	[illegible]	1478	[illegible]	1479
[illegible]	1470	輫	1472	輻	1473	[illegible]	1475	[illegible]	1476	[illegible]	1478	[illegible]	1479
輠	1470	[illegible]	1472	[illegible]	1473	10 輿	1475	[illegible]	1476	[illegible]	1478	轊	1479
輤	1470	[illegible]	1472	[illegible]	1474	輾	1475	[illegible]	1476	[illegible]	1478	[illegible]	1479
輣	1470	輤	1472	[illegible]	1474	[illegible]	1475	[illegible]	1476	[illegible]	1478	[illegible]	1479
輥	1470	[illegible]	1472	[illegible]	1474	轄	1475	[illegible]	1476	[illegible]	1478	13 [illegible]	1479
輧	1470	[illegible]	1472	[illegible]	1474	轄	1475	[illegible]	1476	轄	1478	轖	1479
輨	1470	[illegible]	1472	[illegible]	1474	轅	1475	[illegible]	1476	[illegible]	1478	轗	1480
輪	1470	[illegible]	1472	輜	1474	轃	1475	[illegible]	1476	12 轍	1478	[illegible]	1480
輬	1471	[illegible]	1472	[illegible]	1474	[illegible]	1475	[illegible]	1477	轎	1478	轘	1480
輐	1471	[illegible]	1472	輭	1474	[illegible]	1475	[illegible]	1477	轒	1478	轙	1480
輢	1471	[illegible]	1472	[illegible]	1474	[illegible]	1475	[illegible]	1477	[illegible]	1478	[illegible]	1480
[illegible]	1471	[illegible]	1472	輼	1474	[illegible]	1475	[illegible]	1477	轐	1478	轕	1480
[illegible]	1471	[illegible]	1472	輱	1474	轂	1476	11 轆	1477	轑	1478	轚	1480
[illegible]	1471	[illegible]	1472	[illegible]	1474	[illegible]	1476	轇	1477	轓	1478	[illegible]	1480
[illegible]	1471	[illegible]	1472	[illegible]	1474	[illegible]	1476	轈	1477	轔	1479	[illegible]	1480
煇	1471	9 輮	1472	[illegible]	1474	[illegible]	1476	轉	1477	[illegible]	1479	[illegible]	1480
輩	1471	輯	1472	[illegible]	1474	[illegible]	1476	[illegible]	1477	[illegible]	1479	轢	1480
暈	1471	輎	1473	[illegible]	1474	[illegible]	1476	[illegible]	1477	[illegible]	1479	[illegible]	1480
軰	1471	輲	1473	輰	1474	[illegible]	1476	[illegible]	1477	[illegible]	1479	[illegible]	1480
輎	1471	輳	1473	[illegible]	1474	[illegible]	1476	[illegible]	1477	[illegible]	1479	[illegible]	1480
[illegible]	1472	輵	1473	[illegible]	1474	[illegible]	1476	[illegible]	1477	[illegible]	1479	14 轟	1480
[illegible]	1472	輴	1473	轄	1474	[illegible]	1476	[illegible]	1477	[illegible]	1479	轜	1480

轗 1480	䡺 1482	辛 1483	辥 1485	䢈 1487	辷 1488	迖 1490
轛 1481	轙 1482	辛 1483	辟 1485	7 晨 1487	迁 1488	迌 1490
轞 1481	轜 1482	1 幸 1483	辪 1485	8 䢉 1487	达 1488	迣 1490
䡿 1481	轍 1482	3 辝 1483	10 辟 1485	䢊 1487	迊 1488	迈 1490
轔 1481	17 轜 1482	4 辛 1483	辭 1485	12 䢋 1487	迀 1488	迂 1490
䡹 1481	轣 1482	辛 1483	辥 1485	䢌 1487	迈 1488	迆 1490
轝 1481	轡 1482	辛 1483	辦 1485	13 䢍 1487	过 1488	迗 1490
轄 1481	轘 1482	5 辝 1483	辦 1485	農 1487	还 1489	沿 1490
轁 1481	轉 1482	辜 1483	辦 1485	14 農 1487	迋 1489	迌 1490
15 轡 1481	轡 1482	6 辟 1484	11 辭 1485	辵 部	4 迋 1489	达 1490
轢 1481	轞 1482	辞 1484	12 辭 1485	辵 1487	迍 1489	迺 1490
轠 1481	轗 1482	辠 1484	辦 1486	辶 1487	迒 1489	迭 1490
轘 1481	18 轟 1482	辝 1484	辯 1486	2 边 1487	迎 1489	迯 1490
轒 1481	轊 1482	辝 1484	13 辭 1486	辺 1487	近 1489	5 迢 1490
轚 1481	轗 1482	辝 1484	辣 1486	边 1487	迓 1489	迣 1490
轞 1481	19 轡 1482	7 辡 1484	14 辯 1486	边 1487	返 1489	迤 1491
轞 1481	轞 1483	辣 1484	15 辮 1486	辺 1487	迕 1489	迱 1491
轞 1481	20 轞 1483	辣 1484	17 辮 1486	3 辿 1488	运 1490	迥 1491
轞 1481	轞 1483	8 辤 1484	21 辮 1486	迂 1488	迊 1490	迦 1491
轞 1482	轞 1483	辤 1484	辰 部	迃 1488	迚 1490	迨 1491
轞 1482	轞 1483	辪 1484	辰 1486	迃 1488	迚 1490	迪 1491
16 轣 1482	21 轞 1483	辪 1485	辰 1486	迄 1488	迚 1490	迫 1491
轤 1482	轣 1483	辪 1485	辰 1486	迅 1488	迊 1490	迭 1491
轙 1482	22 轞 1483	9 辦 1485	辰 1486	迂 1488	这 1490	迮 1491
轞 1482	23 轞 1483	辨 1485	3 辱 1486	迂 1488	远 1490	述 1491
轞 1482	24 轞 1483	辧 1485	6 農 1487	迅 1488	还 1490	迡 1491
轞 1482	辛 部	辟 1485	農 1487	池 1488	进 1490	迣 1491

迠 1492
迟 1492
迡 1492
𨒀 1492
𨑸 1492
𨒊 1492
𨑶 1492
迩 1492
迯 1492
近 1492
𨒈 1492
进 1492
𨒄 1492
迲 1492
䢂 1492
𨑿 1492
迒 1492
𨒋 1492
迧 1492
𨒌 1492
6 迴 1492
迵 1492
迷 1492
迸 1493
迹 1493
𨒪 1493
迺 1493
追 1493
迾 1493
退 1493
𨒥 1493
送 1493
适 1493
逃 1493
𨓆 1494
逄 1494
逅 1494
逆 1494
迻 1494
迿 1494
𨒲 1494
𨒺 1494
𨓁 1494
𨓃 1494
𨒿 1494
逈 1494
𨓂 1494
𨒦 1494
𨓋 1494
𨒭 1494
𨒧 1494
𨒸 1494
𨓈 1494
逎 1495
𨓍 1495
𨓌 1495
𨓀 1495
𨒩 1495
𨓔 1495
𨒴 1495
𨓉 1495
𨓕 1495
7 逋 1495
逌 1495
𨓎 1495
逍 1495
𨓏 1495
透 1495
逐 1495
逑 1495
途 1496
逕 1496
𨓓 1496
逗 1496
這 1496
通 1496
𨓐 1496
逝 1496
逞 1496
速 1496
造 1497
逡 1497
逢 1497
連 1497
逜 1497
𨓜 1497
𨓘 1497
逛 1497
𨓡 1497
𨓤 1497
𨓢 1497
递 1497
𨓦 1497
𨓪 1498
𨓨 1498
𨓬 1498
𨓱 1498
𨓭 1498
𨓵 1498
逥 1498
𨓶 1498
8 逬 1498
逭 1498
逮 1498
週 1498
進 1498
逴 1498
逵 1498
逶 1499
逸 1499
逯 1499
逿 1499
逫 1499
𨓾 1499
逪 1499
𨓫 1499
𨔄 1499
𨔅 1499
𨔃 1499
𨔆 1499
𨔈 1499
𨔉 1499
𨔊 1499
𨔋 1499
𨔌 1499
𨔍 1499
𨔎 1499
𨔏 1499
𨔐 1499
𨔑 1499
𨔒 1500
𨔓 1500
𨔔 1500
9 逼 1500
逾 1500
逷 1500
遁 1500
遂 1500
遄 1500
遇 1500
遊 1501
運 1501
𨔡 1501
遌 1501
遍 1501
過 1501
𨔵 1501
遏 1501
遐 1501
遑 1501
遒 1502
道 1502
𨕃 1502
達 1502
逹 1502
違 1502
𨕁 1502
遉 1502
𨕅 1502
𨕄 1502
𨕆 1503
𨕇 1503
𨕖 1503
選 1503
𨕚 1503
遲 1503
𨕙 1503
𨕗 1503
遅 1503
𨕛 1503
𨕜 1503
遈 1503
𨕝 1503
𨕞 1503
遆 1503
10 遘 1503
遙 1503
遛 1503
遜 1503
遝 1504
遞 1504
遠 1504
遡 1504
遣 1504
𨖀 1504
𨖁 1504
𨖂 1504
𨖃 1504
𨖄 1504

遊 1504	遂 1506	𨘢 1508	邌 1510	2 几阝 1511	井阝 1513	郱 1515
選 1504	邀 1506	13 遽 1508	𨘹 1510	邓 1511	邞 1513	邹 1515
道 1504	遣 1506	避 1508	還 1510	3 邕 1511	市阝 1513	邻 1515
遚 1504	遺 1506	邀 1508	16 邍 1510	邔 1511	少阝 1513	6 邽 1515
遀 1505	遜 1506	邁 1508	𨙊 1510	邗 1511	丑阝 1514	郲 1515
遷 1505	遝 1506	邂 1508	𨙖 1510	扌阝 1512	邤 1514	邿 1515
遒 1505	遬 1506	還 1508	17 𨙨 1510	弓阝 1512	邺 1514	郁 1515
11 遨 1505	12 遴 1506	邅 1509	邎 1510	邙 1512	壬阝 1514	郃 1516
適 1505	遲 1506	𨙍 1509	𨙶 1510	邛 1512	邨 1514	郅 1516
遬 1505	遵 1506	䢾 1509	𨙤 1510	口阝 1512	5 邯 1514	郇 1516
遭 1505	遶 1506	𨙂 1509	邍 1510	邖 1512	甘邑 1514	郈 1516
遮 1505	遷 1507	𨘋 1509	18 𨙩 1510	乡阝 1512	邰 1514	年阝 1516
遮 1505	選 1507	遻 1509	𨙰 1510	扌阝 1512	邱 1514	毛邑 1516
遯 1505	遹 1507	𨙅 1509	𨙘 1510	4 邠 1512	邲 1514	郊 1516
遰 1505	遺 1507	𨘾 1509	19 邏 1511	邡 1512	邳 1514	郄 1516
遧 1505	選 1507	14 𨙋 1509	邐 1511	邢 1512	邴 1514	郂 1516
𨘂 1506	遟 1507	邇 1509	𨙿 1511	那 1512	邵 1514	匡阝 1516
遳 1506	遻 1507	𨙗 1509	𨚁 1511	丹阝 1512	邶 1514	耒阝 1516
遐 1506	遼 1507	𨙙 1509	𨚂 1511	云阝 1513	邸 1514	自阝 1516
遱 1506	遜 1508	𨙚 1509	20 𨚃 1511	尤阝 1513	号阝 1515	如阝 1516
遺 1506	遙 1508	𨙛 1509	𨚄 1511	邦 1513	且阝 1515	羽阝 1516
遽 1506	𨘋 1508	𨙜 1509	22 𨚆 1511	木阝 1513	邮 1515	臣阝 1517
還 1506	遭 1508	𨙝 1510	23 𨚇 1511	邧 1513	邭 1515	邢 1517
遅 1506	遐 1508	𨙞 1510	邑 部	邪 1513	包阝 1515	郱 1517
遞 1506	邅 1508	15 邊 1510	邑 1511	攴阝 1513	冉阝 1515	郎 1517
遪 1506	遠 1508	𨙟 1510	阝 1511	邟 1513	弗阝 1515	郑 1517
避 1506	達 1508	邋 1510	𨙸 1511	邩 1513	邪 1515	缶阝 1517

邶 1517	𨛜 1519	𨜸 1521	𨝍 1522	䣛 1524	䣜 1526	鄊 1527
𨛗 1517	郵 1519	𨜿 1521	鄐 1522	䣝 1524	鄧 1526	鄱 1527
郜 1517	郩 1519	𨝔 1521	𨝎 1522	䣞 1524	鄺 1526	鄸 1527
邦 1517	𨛸 1519	𨜍 1521	鄑 1522	䣟 1524	鄸 1526	鄽 1527
𨛦 1517	𨛿 1519	𨜶 1521	𨝐 1522	䣠 1524	𨞵 1526	鄰 1527
𨛫 1517	𨜉 1519	𨜷 1521	鄙 1522	䣡 1524	𨞶 1526	𨟊 1527
䣂 1517	郥 1519	𨜹 1521	𨝑 1522	鄓 1524	鄗 1526	鄰 1528
7 郔 1517	𨜓 1519	𨝀 1521	𨝒 1522	11 鄘 1524	𨞷 1526	𨟌 1528
郕 1517	8 部 1519	𨝁 1521	𨝓 1522	鄙 1524	𨞸 1526	𨟍 1528
郗 1517	𨜡 1519	郰 1521	郷 1522	鄐 1525	12 鄦 1526	𨟎 1528
郚 1517	郪 1519	𨝂 1521	𨝕 1523	鄚 1525	𨞹 1526	𨟏 1528
郛 1517	郫 1519	9 𨝃 1521	𨝖 1523	鄛 1525	鄧 1526	13 鄳 1528
郶 1517	郭 1520	都 1521	𨝗 1523	鄜 1525	鄩 1526	𨟐 1528
郝 1518	郯 1520	鄽 1521	10 鄉 1523	鄝 1525	鄪 1526	𨟑 1528
郎 1518	郰 1520	鄍 1521	鄉 1523	鄞 1525	𨞺 1526	𨟒 1528
郟 1518	郱 1520	𨝄 1521	𨝘 1523	鄟 1525	𨞻 1526	𨟓 1528
郠 1518	郲 1520	鄂 1521	𨝙 1523	𨞀 1525	鄭 1527	𨟔 1528
郡 1518	郳 1520	𨝅 1522	𨝚 1523	鄡 1525	𨞼 1527	𨟕 1528
郘 1518	郴 1520	𨝆 1522	𨝛 1523	鄥 1525	𨞽 1527	𨟖 1528
𨛬 1518	郵 1520	𨝇 1522	𨝜 1523	𨞁 1525	鄯 1527	𨟗 1528
郢 1518	郼 1520	鄆 1522	𨝝 1523	鄣 1525	鄱 1527	𨟘 1528
郤 1518	䣑 1520	𨝈 1522	𨝞 1523	𨞂 1525	鄲 1527	𨟙 1528
𨛰 1518	𨜔 1520	𨝉 1522	𨝟 1523	𨞃 1525	鄱 1527	𨟚 1528
郣 1518	𨜏 1520	𨝊 1522	鄥 1523	𨞄 1525	𨞾 1527	𨟛 1528
𨛛 1519	𨜎 1520	𨝋 1522	𨝠 1524	𨞅 1526	鄿 1527	14 𨟜 1528
郖 1519	都 1520	𨝌 1522	鄗 1524	𨞆 1526	𨞿 1527	𨟝 1528
郙 1519	鄉 1520	𨝏 1522	𨝡 1524	𨞇 1526	𨟀 1527	𨟞 1528

鄰 1528	⿰嬰阝 1530	⿰酉几 1532	酢 1533	酨 1535	酷 1536	醑 1538
鄮 1529	18 ⿰巂阝 1530	酗 1532	酣 1533	⿱壬酉 1535	8 醁 1536	醒 1538
⿰壽阝 1529	酆 1530	酘 1532	酤 1533	酱 1535	醂 1536	⿰酉監 1538
鄹 1529	酄 1530	酕 1532	酥 1533	⿰酉舌 1535	醃 1536	⿰酉夌 1538
⿰鼻阝 1529	⿰瞿阝 1530	⿰酉市 1532	酟 1533	⿰酉危 1535	醅 1536	⿰酉某 1538
15 鄺 1529	19 酇 1530	⿰酉勻 1532	⿰酉且 1534	⿰酉朱 1535	⿰酉杏 1536	⿰酉面 1538
鄽 1529	酈 1530	⿰酉屯 1532	⿰酉氐 1534	醛 1535	醆 1536	⿰酉音 1538
⿰憂阝 1529	⿰巻阝 1531	⿰酉亢 1532	⿰酉央 1534	⿰酉交 1535	醇 1536	⿰酉甚 1538
⿰輦阝 1529	⿰麓阝 1531	酔 1532	⿰酉巨 1534	⿰酉兒 1535	醉 1536	⿰酉兪 1538
⿰羹阝 1529	20 ⿰夒阝 1531	⿰酉厷 1532	⿱夲酉 1534	⿰酉匈 1535	醊 1537	⿱敄酉 1538
⿰夒阝 1529	⿰黨阝 1531	⿰爿酉 1532	⿰酉弁 1534	⿰酉囟 1535	醋 1537	⿰酉官 1538
⿰廡阝 1529	21 ⿰譶阝 1531	酓 1533	⿰酉可 1534	7 酲 1535	醄 1537	醎 1538
⿰賛阝 1529	⿰𩫏阝 1531	⿰酉支 1533	⿰酉瓜 1534	⿰酉肖 1535	⿰酉炎 1537	醞 1538
⿱林壴 1529	24 ⿰靈阝 1531	⿰酉丏 1533	⿰酉冬 1534	酴 1535	⿰酉京 1537	⿰酉盆 1538
16 ⿰葦阝 1529	酉部	⿰酉不 1533	⿰酉令 1534	酵 1535	⿰酉沓 1537	⿰酉苦 1539
⿰磨阝 1529	酉 1531	⿰火酉 1533	⿰酉白 1534	酶 1535	⿰酉宜 1537	⿰酉癸 1539
⿰谿阝 1529	2 酊 1531	⿰酉今 1533	⿰酉犮 1534	酷 1535	⿰酉念 1537	⿰酉南 1539
酀 1530	酋 1531	⿱覀氺 1533	⿰酉术 1534	酷 1535	⿱侖酉 1537	醏 1539
⿰興阝 1530	3 酌 1531	⿰酉氏 1533	⿰酉此 1534	酸 1535	⿰酉盂 1537	⿰酉盅 1539
⿰罯阝 1530	配 1531	⿰酉斤 1533	⿰酉必 1534	⿰酉孚 1536	⿰酉隹 1537	醱 1539
⿰亶阝 1530	⿰酉弋 1531	⿰酉斗 1533	6 酪 1534	酺 1536	⿰酉典 1537	⿰酉食 1539
⿰壴阝 1530	酎 1532	⿰酉玄 1533	酪 1534	酨 1536	⿱制酉 1537	⿰酉茶 1539
⿰蔿阝 1530	酏 1532	⿰酉爻 1533	⿰酉州 1534	⿰酉肙 1536	⿱知酉 1537	⿰酉怱 1539
酅 1530	酒 1532	5 ⿰酉句 1533	⿰酉守 1534	酿 1536	⿰酉卑 1537	⿰酉秋 1539
17 酁 1530	酑 1532	酡 1533	酭 1534	⿰酉巠 1536	9 醍 1537	⿱敄酉 1539
酃 1530	酐 1532	⿰酉㐌 1533	酮 1534	⿰酉含 1536	醐 1538	⿰酉盍 1539
⿰襄阝 1530	4 酖 1532	⿰酉包 1533	⿰酉耳 1535	⿰酉㐬 1536	⿱咠酉 1538	⿰酉軍 1539

10 醜 1539	醧 1541	醬 1542	醰 1543	醾 1545	13 釋 1546	釟 1549
醝 1539	醳 1541	醭 1542	醹 1544	醿 1545	15 釀 1547	釟 1549
醞 1539	醽 1541	醽 1542	14 醹 1544	釀 1545	里 部	釛 1549
醡 1539	醩 1541	醠 1542	醺 1544	釅 1545	里 1547	3 釣 1549
醢 1539	醫 1541	醱 1542	䤯 1544	醶 1545	2 重 1547	釤 1550
醠 1540	醬 1541	醃 1542	醶 1544	醬 1545	3 童 1547	釥 1550
醓 1540	醬 1541	醏 1542	醻 1544	18 釂 1545	4 重 1547	釦 1550
醚 1540	醾 1541	醣 1542	醬 1544	釁 1545	野 1547	釧 1550
醊 1540	醐 1541	醪 1542	醯 1544	19 釃 1545	量 1547	釪 1550
䤊 1540	醶 1541	醇 1542	醣 1544	釄 1545	5 量 1548	釫 1550
醋 1540	醍 1541	醢 1542	醲 1544	20 釅 1545	10 釐 1548	釬 1550
醏 1540	醦 1541	醬 1542	15 醇 1544	釀 1545	11 釐 1548	釭 1550
醫 1540	醑 1541	醇 1543	醵 1544	醬 1545	金 部	鈇 1550
醬 1540	醋 1541	醯 1543	醬 1544	21 醇 1545	金 1548	釵 1550
醘 1540	醂 1541	13 醲 1543	醸 1544	醿 1545	1 釓 1548	釳 1550
醣 1540	醊 1541	醳 1543	醥 1544	24 醽 1546	2 釕 1549	釨 1550
醾 1540	醪 1541	醳 1543	醾 1544	釆 部	釗 1549	釪 1550
醙 1540	醲 1541	醴 1543	醖 1544	釆 1546	釘 1549	釴 1550
醴 1540	醇 1541	醵 1543	醮 1544	1 采 1546	針 1549	鉇 1550
醎 1540	醐 1541	醷 1543	16 醮 1544	4 宷 1546	釜 1549	鈍 1550
醫 1540	12 醭 1542	醶 1543	醇 1544	釈 1546	釜 1549	鉝 1551
醛 1540	醮 1542	醸 1543	醴 1544	5 釉 1546	釚 1549	釩 1551
醉 1540	醘 1542	醎 1543	醂 1545	8 䆎 1546	釓 1549	釲 1551
醶 1540	醰 1542	醬 1543	醬 1545	釋 1546	釖 1549	釰 1551
11 醨 1540	醱 1542	醹 1543	醲 1545	9 粟 1546	釠 1549	釮 1551
醪 1540	醳 1542	醘 1543	17 醽 1545	10 糞 1546	釙 1549	4 鈲 1551
醥 1541	醰 1542	醋 1543	醸 1545	11 糞 1546	釚 1549	釿 1551

鈀 1551	鈆 1553	鉇 1554	鉒 1556	6 銏 1557	銕 1559	銄 1561
鈇 1551	鈎 1553	鉉 1554	鉄 1556	鉸 1557	鉼 1559	銦 1561
鈍 1551	鈃 1553	鉊 1554	鉁 1556	鉻 1557	銭 1559	銝 1561
鈐 1551	釜 1553	鉋 1554	鉱 1556	鉺 1557	銯 1559	7 鋭 1561
鈑 1551	鈡 1553	鉏 1554	鉴 1556	銀 1558	銜 1559	銳 1561
鈒 1551	鉚 1553	鉑 1555	鋆 1556	銅 1558	銎 1560	鋓 1561
鈔 1551	鈈 1553	鉒 1555	鉿 1556	銍 1558	鋆 1560	銶 1561
鈕 1552	鈊 1553	鉔 1555	鈮 1556	銑 1558	銮 1560	銷 1561
鈜 1552	鈠 1553	鉗 1555	鉨 1556	銓 1558	鋘 1560	銼 1561
鈚 1552	鈝 1553	鉚 1555	鉖 1556	銔 1558	銞 1560	鋂 1561
鈉 1552	鈘 1553	鉛 1555	鉝 1556	銖 1558	銡 1560	鋃 1561
鈞 1552	鈓 1553	鉞 1555	鉂 1557	銗 1558	銧 1560	鋊 1561
鈁 1552	鈽 1553	鉟 1555	鈱 1557	銘 1558	銇 1560	鋋 1561
鈧 1552	鈕 1553	鉠 1555	鉡 1557	銙 1558	銆 1560	鋌 1561
鈂 1552	鈲 1553	鉢 1555	鈖 1557	銚 1558	銸 1560	鋏 1561
鈏 1552	5 鈭 1553	鉧 1555	鈵 1557	銛 1559	銏 1560	鋒 1562
鈋 1552	鈯 1553	鉤 1555	鉜 1557	銫 1559	銊 1560	鋗 1562
釾 1552	鈴 1553	鉥 1556	鉘 1557	鉷 1559	鉽 1560	鋘 1562
鈗 1552	鈶 1553	鉦 1556	鉃 1557	銃 1559	鋨 1560	鋎 1562
鈨 1552	鈷 1553	鉒 1556	銏 1557	鉇 1559	銉 1560	鋙 1562
鈘 1552	鈸 1554	鉍 1556	鋁 1557	銋 1559	鋸 1560	鋝 1562
鈅 1552	鈹 1554	鉌 1556	鈳 1557	銒 1559	銂 1560	鋟 1562
鈰 1552	鈿 1554	鉎 1556	鉮 1557	銬 1559	銌 1560	鋥 1562
鈌 1553	鉀 1554	鈼 1556	鉙 1557	鉵 1559	鋫 1560	鋜 1562
鈄 1553	鉅 1554	鉐 1556	鈰 1557	鉿 1559	銐 1560	鋣 1562
釳 1553	鉆 1554	鉣 1556	鉕 1557	鉹 1559	銾 1560	鋤 1562
鈛 1553	鉈 1554	鉄 1556	鉓 1557	鉾 1559	銷 1560	鋧 1562

鋩 1562	[illegible] 1564	8 [illegible] 1565	錤 1568	[illegible] 1569	鍑 1570	鍈 1572
鋋 1562	[illegible] 1564	鋸 1565	錍 1568	鋿 1569	鍢 1570	鍝 1572
鋪 1562	鋫 1564	鋺 1565	鋹 1568	[illegible] 1569	[illegible] 1571	鍘 1572
鈲 1563	鋔 1564	鋼 1565	[illegible] 1568	[illegible] 1569	鍔 1571	鍡 1572
[illegible] 1563	鋍 1564	錄 1565	錜 1568	錒 1569	鍚 1571	鍿 1572
鋕 1563	鋖 1564	録 1566	[illegible] 1568	[illegible] 1569	鍛 1571	鎯 1572
銿 1563	[illegible] 1564	錆 1566	錇 1568	錌 1569	鍜 1571	[illegible] 1572
鋦 1563	[illegible] 1564	錏 1566	錈 1568	[illegible] 1569	鍠 1571	[illegible] 1572
銹 1563	鋉 1564	錐 1566	[illegible] 1568	[illegible] 1569	鍤 1571	[illegible] 1573
鋐 1563	[illegible] 1564	錑 1566	[illegible] 1568	鋽 1569	鍥 1571	鎏 1573
銻 1563	鋠 1564	錕 1566	錉 1568	錝 1569	鍦 1571	[illegible] 1573
鋞 1563	[illegible] 1564	錔 1566	錭 1568	鋥 1569	鍧 1571	[illegible] 1573
銛 1563	鋅 1564	錘 1566	錶 1568	[illegible] 1570	鍭 1571	[illegible] 1573
[illegible] 1563	[illegible] 1564	錙 1566	錬 1568	錊 1570	鍮 1571	[illegible] 1573
鋓 1563	鋑 1564	錚 1566	錛 1568	[illegible] 1570	鍰 1571	鎭 1573
鋁 1563	[illegible] 1564	錠 1566	錁 1568	[illegible] 1570	鍱 1571	[illegible] 1573
銲 1563	鋨 1564	錞 1566	錪 1568	錋 1570	鍵 1571	[illegible] 1573
鋳 1563	[illegible] 1565	錟 1566	錗 1569	[illegible] 1570	鍼 1572	鎽 1573
鋈 1563	鋇 1565	錡 1567	[illegible] 1569	[illegible] 1570	鍾 1572	[illegible] 1573
鋚 1563	[illegible] 1565	錢 1567	[illegible] 1569	鉌 1570	鍻 1572	鍴 1573
[illegible] 1563	[illegible] 1565	錣 1567	鋻 1569	9 錨 1570	鍒 1572	[illegible] 1573
[illegible] 1564	[illegible] 1565	錆 1567	[illegible] 1569	鍇 1570	[illegible] 1572	[illegible] 1573
鋤 1564	[illegible] 1565	錦 1567	鋾 1569	鍉 1570	鍖 1572	[illegible] 1573
[illegible] 1564	[illegible] 1565	錫 1567	[illegible] 1569	鍊 1570	鍕 1572	[illegible] 1573
[illegible] 1564	[illegible] 1565	錮 1567	錀 1569	鍋 1570	[illegible] 1572	[illegible] 1573
[illegible] 1564	[illegible] 1565	錯 1567	錂 1569	鍍 1570	鍬 1572	鍹 1573
鋀 1564	[illegible] 1565	錧 1567	[illegible] 1569	鎪 1570	鍪 1572	鍉 1573

鍶 1573	鎧 1575	鎝 1576	鏐 1578	鏚 1579	鏬 1581	鐪 1582
鍬 1573	鎪 1575	鍺 1576	鎩 1578	鏊 1579	鏸 1581	鐉 1582
鎀 1573	鎬 1575	鎝 1576	鏑 1578	鐓 1579	12 鏷 1581	鐊 1582
鍝 1573	鎭 1575	鎉 1576	鏗 1578	鏖 1580	鏸 1581	鐝 1583
鍈 1573	鎮 1575	鋡 1576	鏘 1578	鏨 1580	鏺 1581	鑄 1583
鍏 1573	鎰 1575	鎯 1576	鍼 1578	鏩 1580	鐃 1581	鐈 1583
鎑 1574	鎈 1575	鎝 1577	鏜 1578	鍪 1580	鐄 1581	鐳 1583
鍱 1574	鎢 1575	鎵 1577	鏝 1578	鏆 1580	鐇 1581	鐻 1583
鍩 1574	鐸 1575	鎪 1577	鏞 1578	鏓 1580	鐍 1581	鐕 1583
鍗 1574	鎍 1576	鎙 1577	鏟 1578	鏄 1580	鐎 1581	鐀 1583
鍯 1574	· 鏃 1576	鎝 1577	鏠 1578	鏍 1580	鐏 1581	鐚 1583
鍸 1574	鋭 1576	鎟 1577	鏡 1578	鏧 1580	鐐 1581	鏹 1583
鍌 1574	鎕 1576	鎈 1577	鏢 1578	鏀 1580	鐓 1581	鐆 1583
鍺 1574	鎎 1576	鎨 1577	鏤 1578	鏞 1580	鐔 1581	鐩 1583
10 鎊 1574	鎷 1576	鎑 1577	鏦 1579	鏫 1580	鐖 1582	鐅 1583
鎋 1574	鎣 1576	鎓 1577	鏹 1579	鏒 1580	鐘 1582	鐓 1583
鎌 1574	錙 1576	鎐 1577	鏻 1579	鏛 1580	鐙 1582	鐾 1583
鎒 1574	鎘 1576	鎊 1577	鏉 1579	鏅 1580	鐕 1582	鐢 1583
鎔 1574	鎦 1576	鎝 1577	鏋 1579	鏱 1580	鏵 1582	鐱 1583
鎖 1574	鎩 1576	鎋 1577	鏏 1579	鏕 1580	鐡 1582	鏴 1583
鎖 1574	鎸 1576	鎊 1577	鏂 1579	鋺 1580	鐥 1582	鐒 1583
鎻 1574	鎏 1576	鎤 1577	鏙 1579	鏪 1580	鐗 1582	鏻 1583
鎗 1574	鎣 1576	11 鏁 1577	鏓 1579	鏊 1580	鐊 1582	鐁 1583
鎚 1575	鏊 1576	鏃 1577	鏓 1579	鏊 1580	鏶 1582	鐌 1584
鎞 1575	鎜 1576	鏇 1577	鏯 1579	鐊 1580	鐵 1582	鐰 1584
鎛 1575	鋥 1576	鏈 1577	鍑 1579	鏕 1581	鐿 1582	鐼 1584
鎡 1575	鏍 1576	鏌 1577	鏥 1579	鏎 1581	鐑 1582	鐦 1584

鐛 1584
⿰金越 1584
⿰金孱 1584
鐗 1584
鏳 1584
⿰金棠 1584
⿰金奠 1584
⿰金策 1584
13 鐩 1584
鐫 1584
⿰金鬼 1584
⿰金壽 1584
鐲 1584
鐳 1584
鐵 1584
鐶 1584
鐸 1585
鏽 1585
鐺 1585
鐻 1585
⿰金劉 1585
⿰金貢 1585
⿰金亶 1585
⿰金著 1585
鏺 1585
鐮 1585
⿰金葛 1585

⿰金勞 1585
⿰金嫂 1585
⿱亡⿲金月凡 1585
⿰金卷 1585
鐹 1585
⿰金會 1585
⿰金敫 1585
鐙 1585
⿰金徽 1586
⿰金雹 1586
鐴 1586
⿰金黽 1586
⿰金奧 1586
⿱毄金 1586
鐱 1586
鐰 1586
⿰金臧 1586
⿰金業 1586
鐷 1586
⿰金歲 1586
14 鑂 1586
鑄 1586
⿰金嗇 1586
鑊 1586
鑐 1586
鑌 1586
鑑 1587

鑒 1587
⿰金戳 1587
鑯 1587
⿱毄金 1587
鑠 1587
⿰金贗 1587
鑈 1587
⿰金寧 1587
⿰金夢 1587
⿰金僕 1587
⿰金與 1587
⿱學金 1587
⿱瞿金 1587
鑃 1587
⿰金對 1587
⿰金藍 1587
⿰金縣 1587
鑓 1587
15 鑕 1587
⿰金罷 1588
鑛 1588
鑞 1588
鑠 1588
鑢 1588
鑣 1588
⿰金閻 1588
鑤 1588

鑗 1588
⿰金賛 1588
鑄 1588
⿰金晉 1588
鑟 1588
鑘 1588
⿱壘金 1588
⿰金扁皿 1588
⿰金幾 1589
⿰金蓬 1589
⿰金篤 1589
⿰金貫 1589
⿰金箸 1589
⿰金適 1589
⿰金廛 1589
⿰金鬲 1589
⿰金劉 1589
16 鑫 1589
鑪 1589
⿰金歷 1589
⿰金曉 1589
⿰金韋 1589
⿰金覧 1589
⿱璺金 1589
鑨 1589
⿰金靈 1589
⿰金罨 1589

⿰金劇 1589
⿰金隨 1589
⿰金爾 1589
17 鑮 1589
⿰金識 1590
鑰 1590
鑱 1590
鑲 1590
鑭 1590
⿱璽金 1590
18 鑴 1590
鑵 1590
鑷 1590
鑹 1590
鑺 1590
⿰金壘 1590
⿰金斷 1590
鑍 1590
⿰金嬴 1590
鑱 1590
⿰金簡 1590
⿰金蟲 1590
鑶 1590
⿰金闡 1591
19 鑼 1591
⿰金贏 1591
鑽 1591

鑾 1591
⿰金靡 1591
⿰金藥 1591
⿰金羆 1591
20 钂 1591
钀 1591
钁 1591
⿰金徽 1591
鑿 1591
鑿 1591
⿱鞍金 1591
21 ⿰金亶 1591
钃 1591
⿰金覽 1591

長部

長 1592
镸 1592
2 ⿰長几 1592
3 ⿰長欠 1592
4 镺 1592
⿱长衣 1592
⿰長殳 1592
⿰長攴 1592
5 镻 1592
⿰長出 1592
⿰長幼 1592

6 ⿰長朱 1592
⿰長兆 1592
⿰長及 1593
7 ⿰長赤 1593
⿰長弄 1593
⿰長忝 1593
8 ⿰長屈 1593
⿰長岸 1593
⿰長爭 1593
⿰長宗 1593
⿰長隹 1593
⿰長垂 1593
⿰長卑 1593
9 ⿰長者 1593
⿰長叟 1593
⿰長青 1593
10 ⿰長差 1593
⿰長容 1593
⿰長剔 1593
11 ⿰長產 1593
⿰長敖 1593
⿰長從 1593
12 ⿰長喬 1593
⿰長尞 1593
⿰長勞 1593
⿰長曾 1593
13 ⿰長農 1594

14 鑏 1594
鑌 1594
鑈 1594
15 鐊 1594
16 鑲 1594
鑨 1594
21 钃 1594

門 部

門 1594
1 閁 1594
閂 1594
閄 1594
2 閃 1594
𨳌 1594
𨳏 1594
閅 1594
𨳈 1594
3 閈 1595
閉 1595
閇 1595
閆 1595
𨳲 1595
𨳰 1595
閍 1595
閏 1595
閖 1595
4 開 1595
閌 1595
閎 1595
閏 1595
閑 1596
間 1596
閒 1596
閖 1596
閔 1596
閍 1596
閉 1596
閅 1596
閇 1596
閕 1597
閌 1597
閚 1597
閹 1597
閾 1597
閉 1597
閕 1597
閉 1597
閠 1597
閑 1597
閏 1597
閎 1597
閱 1597
閔 1597
5 閘 1597
閞 1597
閟 1597
問 1597
閜 1597
閚 1598
閝 1598
閞 1598
閙 1598
閜 1598
閌 1598
閒 1598
閖 1598
閶 1598
閤 1598
閟 1598
閛 1598
閠 1598
閘 1598
閠 1598
閣 1598
閒 1598
6 閡 1598
閣 1598
閤 1599
閥 1599
閨 1599
閩 1599
閪 1599
閬 1599
閦 1599
閡 1599
閨 1599
閫 1599
閞 1599
閫 1599
関 1599
閧 1599
閩 1599
閯 1599
閫 1599
閰 1600
閨 1600
閬 1600
閳 1600
閳 1600
閰 1600
閱 1600
閲 1600
閵 1600
閭 1600
閳 1600
閧 1600
閰 1600
7 閫 1600
閬 1600
閭 1600
閱 1600
閲 1601
閾 1601
閮 1601
閳 1601
閰 1601
閴 1601
閵 1601
閘 1601
閷 1601
閸 1601
閰 1601
閷 1601
閶 1601
閬 1601
閳 1601
閮 1601
閿 1601
閫 1601
閶 1601
閷 1601
8 閹 1601
閶 1601
閹 1601
閣 1602
閵 1602
閽 1602
閾 1602
閿 1602
闍 1602
闆 1602
闇 1602
闌 1602
閱 1602
䌯 1602
闅 1602
闉 1602
闊 1602
闆 1602
闍 1602
闋 1602
闅 1602
闇 1602
闐 1602
闍 1602
闌 1603
闋 1603
闌 1603
闊 1603
闍 1603
闇 1603
闌 1603
闍 1603
闐 1603
9 闃 1603
闇 1603
闈 1603
闉 1603
闊 1603
闋 1603
闌 1604
闍 1604
闎 1604
闏 1604
闐 1604
闑 1604
闒 1604
闓 1604
闔 1604
䌯 1604
闕 1604
闋 1604
闖 1604
闍 1604
闐 1604
闒 1604
闗 1604
闋 1604

闄 1604	閵 1606	闖 1607	17 闟 1609	阧 1611	陆 1613	陜 1614
闆 1604	闟 1606	闖 1607	闠 1609	阺 1611	际 1613	除 1614
閾 1604	闔 1606	闓 1608	闉 1609	阰 1611	阾 1613	陥 1614
閜 1605	闍 1606	闓 1608	18 闟 1609	阝不 1611	陃 1613	陁 1614
閬 1605	闒 1606	闡 1608	闥 1609	阝开 1611	陈 1613	陏 1614
闔 1605	11 闚 1606	闥 1608	19 闤 1609	陕 1611	陌 1613	陕 1614
闦 1605	關 1606	13 闢 1608	阜 部	阳 1611	陎 1613	7 陖 1615
闠 1605	闛 1606	闤 1608	阜 1609	阴 1611	陓 1613	陷 1615
閳 1605	闞 1606	闥 1608	𠂤 1609	阶 1611	陋 1613	陘 1615
10 闐 1605	闘 1607	闟 1608	阝 1609	阣 1611	6 陋 1613	陛 1615
闌 1605	闞 1607	闞 1608	2 阞 1609	阤 1611	陌 1613	陝 1615
闟 1605	闝 1607	闠 1608	阝丁 1610	队 1611	降 1613	陜 1615
闓 1605	闙 1607	闥 1608	队 1610	阥 1611	限 1614	陞 1615
闔 1605	闂 1607	闂 1608	3 阡 1610	阦 1611	陒 1614	陟 1615
闕 1605	闖 1607	闤 1608	阤 1610	5 阹 1611	陔 1614	陡 1615
闖 1605	闇 1607	闉 1608	阢 1610	阺 1612	陏 1614	院 1615
闋 1605	12 闖 1607	闞 1608	阠 1610	阻 1612	陑 1614	陣 1615
闊 1605	闞 1607	闥 1608	阣 1610	阼 1612	陙 1614	除 1615
闇 1606	闟 1607	闖 1608	4 阨 1610	阽 1612	陊 1614	陙 1616
闗 1606	闠 1607	闥 1609	阪 1610	阿 1612	陎 1614	陪 1616
閗 1606	闡 1607	14 闥 1609	阪 1610	陂 1612	陑 1614	隁 1616
閑 1606	闍 1607	闌 1609	阬 1610	附 1612	陎 1614	陋 1616
閳 1606	闒 1607	闞 1609	阬 1610	阮 1612	陜 1614	陸 1616
闅 1606	闤 1607	闖 1609	阮 1610	陀 1613	陪 1614	陵 1616
閿 1606	闤 1607	15 闤 1609	阯 1611	陁 1613	陇 1614	陷 1616
闖 1606	闢 1607	16 闠 1609	防 1611	陣 1613	陶 1614	陷 1616
闐 1606	闞 1607	闥 1609	阱 1611	陀 1613	陎 1614	陰 1616

陚 1616	陘 1618	限 1620	10 隒 1621	隥 1623	隭 1624	隦 1626
陘 1616	堋 1618	隈 1620	隔 1621	隋 1623	隟 1624	隊 1626
浥 1616	陰 1618	隉 1620	隔 1621	隥 1623	隌 1624	隈 1626
陓 1616	隆 1618	隊 1620	隕 1621	隔 1623	12 闋 1624	隊 1626
陑 1616	険 1618	隋 1620	隖 1622	11 際 1623	隤 1624	隳 1626
陠 1616	陯 1619	隍 1620	鵰 1622	障 1623	隥 1624	隤 1626
陧 1616	陴 1619	階 1620	隗 1622	隔 1623	隯 1624	隦 1626
8 閶 1616	陶 1619	隄 1620	隘 1622	陛 1623	隣 1624	隩 1626
陪 1616	陰 1619	陼 1620	隙 1622	隺 1623	隝 1625	隟 1626
陬 1616	陝 1619	隌 1621	隑 1622	隖 1623	隥 1625	隲 1626
陰 1617	陜 1619	隕 1621	隓 1622	隞 1623	隮 1625	隱 1626
陲 1617	陷 1619	陙 1621	陬 1622	隲 1623	隟 1625	隴 1626
陳 1617	隄 1619	隊 1621	隗 1622	隕 1623	隯 1625	隵 1626
陴 1617	隇 1619	隁 1621	陘 1622	陳 1624	隰 1625	14 隮 1626
陵 1617	隄 1619	隂 1621	随 1622	隟 1624	隔 1625	隰 1626
陶 1617	陳 1619	陥 1621	陷 1622	隖 1624	隭 1625	隱 1626
陶 1618	院 1619	随 1621	隚 1622	隔 1624	隮 1625	隲 1627
陷 1618	隅 1619	隉 1621	隯 1622	隱 1624	隃 1625	隣 1627
陑 1618	隍 1619	隈 1621	隚 1622	険 1624	隌 1625	隟 1627
陸 1618	9 陻 1619	隁 1621	隋 1622	隙 1624	隡 1625	隬 1627
陫 1618	隳 1619	隄 1621	隨 1622	隱 1624	隑 1625	隭 1627
陭 1618	陽 1619	隔 1621	隕 1623	隷 1624	隱 1625	隊 1627
陖 1618	隰 1619	陵 1621	隟 1623	隚 1624	隍 1625	隊 1627
陮 1618	陜 1619	陲 1621	隐 1623	隩 1624	13 隧 1625	15 隳 1627
陯 1618	隃 1619	陹 1621	隉 1623	隦 1624	隨 1625	隳 1627
陮 1618	隅 1620	隢 1621	隥 1623	隟 1624	隩 1625	隤 1627
隍 1618	隆 1620	隇 1621	隮 1623	隰 1624	險 1626	隢 1627

隫 1627
𨼆 1627
16 𨽝 1627
隴 1627
𨼮 1627
𨽐 1627
𨽴 1627
𨽔 1627
17 𨽹 1627
隵 1628
𨽸 1628
18 𨽶 1628
𨽳 1628
𨽲 1628
𨽾 1628
19 𨽼 1628
24 𨽻 1628
25 𨾁 1628
𨾀 1628

隶 部

隶 1628
7 隷 1628
𨽿 1628
8 𨾃 1628
隸 1628
9 𨾄 1628
𨾅 1628
10 𨾆 1628
11 𨾇 1628
12 𨾈 1628

隹 部

隹 1629
2 隻 1629
隼 1629
隽 1629
难 1629
隺 1629
𨾊 1629
𨾌 1629
𨾍 1629
3 𨾎 1629
雀 1629
𨾏 1629
雀 1629
𨾐 1629
𨾑 1629
雇 1629
雌 1629
𨾓 1629
4 集 1629
雋 1630
雅 1630
𨾕 1630
雄 1630
𨾖 1630
𨾗 1630
旌 1630
𨾘 1630
雁 1630
雇 1630
雈 1630
𨾙 1630
𨾚 1630
𨾛 1631
𨾜 1631
𨾝 1631
𨾞 1631
𨾟 1631
𨾠 1631
5 𨾡 1631
雊 1631
雋 1631
雌 1631
睢 1631
𨾢 1631
雏 1631
碓 1631
雍 1631
𨾣 1631
𨾤 1632
雄 1632
𨾥 1632
𨾦 1632
𨾧 1632
𨾨 1632
𨾩 1632
𨾪 1632
6 𨾫 1632
雒 1632
𨾬 1632
雑 1632
𨾭 1632
𨾮 1632
𨾯 1632
𨾰 1632
翟 1632
𨾱 1632
𨾲 1632
𨾳 1632
𨾴 1632
𨾵 1632
𨾶 1632
𨾷 1632
𨾸 1633
𨾹 1633
𨾺 1633
𨾻 1633
7 𨾼 1633
𨾽 1633
𨾾 1633
𨾿 1633
𨿀 1633
𨿁 1633
𨿂 1633
𨿃 1633
𨿄 1633
𨿅 1633
𨿆 1633
𨿇 1633
𨿈 1633
𨿉 1633
8 𨿊 1633
雕 1633
𨿋 1633
𨿌 1633
𨿍 1633
𨿎 1633
𨿏 1633
𨿐 1633
𨿑 1633
𨿒 1634
𨿓 1634
𨿔 1634
𨿕 1634
𨿖 1634
𨿗 1634
𨿘 1634
𨿙 1634
𨿚 1634
𨿛 1634
𨿜 1634
𨿝 1634
𨿞 1634
9 𨿟 1634
𨿠 1634
𨿡 1634
𨿢 1634
𨿣 1634
𨿤 1634
𨿥 1634
𨿦 1634
𨿧 1634
𨿨 1634
𨿩 1634
𨿪 1634
𨿫 1634
𨿬 1634
𨿭 1634
𨿮 1634
𨿯 1634
𨿰 1635
𨿱 1635
𨿲 1635
10 雙 1635
𨿳 1635
𨿴 1635
𨿵 1635
𨿶 1635
𨿷 1635
𨿸 1635
𨿹 1635
𨿺 1635
𨿻 1635
𨿼 1635
𨿽 1635
𨿾 1635
𨿿 1635
𩀀 1635
𩀁 1636
𩀂 1636
𩀃 1636
𩀄 1636
𩀅 1636
11 𩀆 1636
𩀇 1636
𩀈 1636
𩀉 1636
𩀊 1636

雓 1636
䨂 1636
䨌 1636
雙 1636
䨈 1636
䨉 1636
䨊 1636
䨋 1636
䨍 1637
䨎 1637
䨏 1637
12 雙 1637
䨐 1637
䨑 1637
䨒 1637
䨓 1637
䨔 1637
䨕 1637
䨖 1637
䨗 1637
䨘 1637
䨙 1637
䨚 1637
䨛 1637
䨜 1637
䨝 1637

13 䨞 1637
䨟 1637
䨠 1637
䨡 1637
䨢 1637
䨣 1637
䨤 1637
䨥 1637
䨦 1637
14 䨧 1637
䨨 1637
䨩 1637
䨪 1637
䨫 1637
䨬 1638
䨭 1638
15 䨮 1638
䨯 1638
䨰 1638
䨱 1638
䨲 1638
16 䨳 1638
䨴 1638
䨵 1638
䨶 1638
䨷 1638
17 䨸 1638

20 䨹 1638
22 䨺 1638
24 䨻 1638
27 䨼 1638

雨 部

雨 1638
2 雩 1638
3 雩 1638
雪 1638
雪 1638
雬 1639
雫 1639
雭 1639
雮 1639
雯 1639
4 雯 1639
雱 1639
雲 1639
雲 1639
雳 1639
雴 1639
雵 1639
零 1639
雷 1639
雸 1639
雹 1639
雺 1639

雰 1639
雱 1639
雲 1639
雴 1640
雿 1640
5 零 1640
雷 1640
雹 1640
雺 1640
電 1640
需 1640
霁 1640
霂 1640
霃 1640
霄 1640
霅 1640
霆 1640
霈 1640
霉 1641
霊 1641
霍 1641
霐 1641
6 霒 1641
需 1641
霓 1641
霔 1641

霕 1641
霖 1641
霗 1641
霘 1641
霙 1641
霚 1641
霛 1641
霜 1641
霝 1641
霞 1641
霟 1641
霠 1641
霡 1642
霢 1642
霣 1642
7 霤 1642
霥 1642
霦 1642
霪 1642
震 1642
震 1642
霈 1642
霉 1642
霓 1642
霓 1642
霓 1642

霊 1642
霋 1642
霌 1643
霍 1643
霎 1643
霏 1643
霐 1643
霑 1643
霒 1643
霓 1643
霔 1643
霕 1643
霖 1643
8 霍 1643
霗 1643
霏 1643
霑 1643
霓 1643
霖 1643
霔 1643
霙 1644
霛 1644
霜 1644
霝 1644
霞 1644
霣 1644

霣 1644
霤 1644
霥 1644
霦 1644
霧 1644
霨 1644
霩 1644
霪 1644
霫 1644
霬 1644
霭 1644
霮 1644
霯 1644
霰 1644
霱 1644
霵 1644
霶 1645
9 霷 1645
霜 1645
霞 1645
霸 1645
霹 1645
霺 1645
霻 1645
霝 1645
霼 1645
霽 1645

霸 1645
霻 1645
䨞 1645
霯 1645
霔 1645
𩃓 1645
𩃔 1646
𩃗 1646
𩃙 1646
䨮 1646
霤 1646
𩃠 1646
𩃡 1646
10 霢 1646
霡 1646
霣 1646
霤 1646
霶 1646
霥 1646
霱 1646
霻 1646
霬 1646
霖 1646
霦 1646
霝 1646
霹 1646
霾 1646

霥 1647
𩄊 1647
霫 1647
霧 1647
露 1647
霬 1647
䪺 1647
霸 1647
霳 1647
霷 1647
霸 1647
霑 1647
霞 1647
霬 1647
11 霧 1647
霪 1647
霫 1647
霩 1647
霨 1647
霦 1647
𩅚 1647
䨺 1648
霪 1648
霭 1648
霾 1648
霻 1648
霺 1648

霹 1648
霎 1648
霚 1648
霿 1648
霏 1648
霙 1648
𩄢 1648
霦 1648
霣 1648
12 霰 1648
露 1648
霳 1648
霍 1648
霱 1649
霤 1649
靆 1649
霻 1649
霳 1649
霾 1649
霴 1649
霠 1649
靄 1649
靀 1649
靂 1649
靈 1649
靃 1649
靄 1649

霜 1649
𩅦 1649
霻 1649
霽 1649
靍 1649
13 霸 1649
霹 1649
靇 1649
靄 1650
靊 1650
靆 1650
靎 1650
靈 1650
靉 1650
靇 1650
靅 1650
靋 1650
靌 1650
靏 1650
靐 1650
靎 1650
靍 1650
靑 1650
14 霽 1650
靃 1650
靄 1650

霸 1651
靉 1651
靉 1651
靚 1651
靆 1651
靝 1651
靋 1651
靌 1651
靍 1651
靏 1651
靐 1651
靑 1651
15 靈 1651
靇 1651
靈 1651
靉 1651
16 靂 1651
靃 1651
靄 1652
靇 1652
靈 1652
靉 1652
靆 1652
靐 1652
靎 1652
靉 1652

17 靇 1652
靉 1652
靍 1652
靉 1652
靈 1652
靆 1653
靄 1653
18 靊 1653
靌 1653
靉 1653
19 靋 1653
靍 1653
21 靏 1653
24 靐 1653
28 靆 1653
30 靇 1653
31 靐 1653

青 部

青 1653
靑 1653
靑 1653
3 彭 1653
啨 1653
4 靘 1653
5 靖 1653
靖 1654
靗 1654

6 靘 1654
静 1654
靗 1654
靘 1654
7 靚 1654
8 靜 1654
靛 1654
靝 1654
9 靝 1654
10 非 1654
靟 1654
13 靟 1654
14 靠 1654

非 部

非 1654
2 非 1655
3 悲 1655
啡 1655
靟 1655
靟 1655
扉 1655
輩 1655
4 輩 1655
靟 1655
斐 1655
輩 1655
靠 1655

5 ⿱非古 1655
⿱大非 1655
7 靠 1655
⿱非者 1655
⿱非貝 1655
11 靡 1656
12 ⿱非衣 1656

面 部

面 1656
靣 1656
⿴囗亘 1656
3 ⿰面干 1656
⿰面寸 1656
⿰面刃 1656
4 ⿰面丑 1656
⿰面手 1656
⿰面冘 1656
⿰面亢 1656
⿰面比 1656
⿰面巴 1656
⿰面今 1657
5 靤 1657
⿰面且 1657
⿰面未 1657
⿰面幼 1657
⿰面乍 1657
⿰面皮 1657
⿰面占 1657
⿰面丂 1657
⿰面令 1657
6 ⿰面艮 1657
⿰面并 1657
⿰面𠂢 1657
⿰面自 1657
⿰面舌 1657
7 靦 1657
⿰面甫 1657
⿰面巠 1657
⿰面忽 1657
⿰面免 1657
⿰面夋 1658
⿰面足 1658
⿰面合 1658
⿰面每 1658
8 ⿰面奄 1658
⿰面官 1658
⿰面宛 1658
⿰面宜 1658
⿰面周 1658
9 ⿰面桼 1658
⿱臥面 1658
⿱田面 1658
⿰面音 1658
10 ⿰面冥 1658
⿰面臭 1658
11 ⿰面麻 1658
⿱要面 1658
⿱斬面 1658
⿰面參 1658
12 靧 1658
⿰面焦 1658
⿱面焦 1659
⿰面然 1659
⿰面尞 1659
⿰乡面 1659
⿰面獻 1659
⿰面單 1659
13 ⿰面慈 1659
⿰面亶 1659
14 ⿱漸面 1659
靨 1659
15 ⿰面蔑 1659
17 ⿰面韱 1659
19 ⿰面羅 1659

革 部

革 1659
2 靪 1659
3 靫 1659
靸 1659
⿰革千 1659
靮 1660
靭 1660
靬 1660
⿰革亐 1660
⿰革丸 1660
靯 1660
⿰革乞 1660
4 靳 1660
靴 1660
靶 1660
靷 1660
⿰革及 1660
⿰革氏 1660
靲 1660
⿰革卬 1660
⿰革介 1661
⿰革厷 1661
⿰革欠 1661
⿰革勾 1661
⿰革丑 1661
鞆 1661
⿰革午 1661
⿰革少 1661
⿰革殳 1661
⿰革比 1661
⿰革尹 1661
5 靺 1661
靼 1661
⿰革世 1661
靿 1661
鞀 1661
鞁 1661
⿰革禾 1661
鞃 1661
鞄 1662
鞅 1662
靽 1662
⿰革玄 1662
⿰革它 1662
⿰革色 1662
⿰革占 1662
靻 1662
⿰革必 1662
⿰革由 1662
⿱韋革 1662
⿰革巨 1662
⿰革句 1662
⿰革尼 1662
⿰革令 1662
⿰革外 1662
⿰革白 1662
⿰革申 1662
⿰革甲 1662
⿰革夗 1662
⿰革氐 1663
⿰革瓜 1663
6 鞇 1663
鞈 1663
鞉 1663
⿰革各 1663
鞋 1663
鞎 1663
鞍 1663
⿱夲革 1663
⿰革旨 1663
⿰革至 1663
鞏 1663
⿰革夸 1663
⿰革交 1663
⿰革危 1663
鞊 1663
⿰革同 1664
⿰革并 1664
⿰革伏 1664
⿰革岩 1664
⿰革羊 1664
⿰革夷 1664
⿰革卯 1664
⿰革朵 1664
7 鞓 1664
⿰革延 1664
鞔 1664
鞘 1664
鞙 1664
⿰革兑 1664
鞕 1664
⿰革豆 1664
⿰革夾 1664
⿰革見 1664
⿰革邑 1665
鞗 1665
⿱巩革 1665
⿰革余 1665
⿰革甫 1665
⿰革夆 1665
⿰革沙 1665
⿰革束 1665
⿰革折 1665
⿰革坐 1665
⿰革言 1665
8 鞚 1665
鞜 1665
鞞 1665
鞠 1665
⿰革奇 1665
⿰革匋 1665
⿰革官 1665
⿰革奄 1666
⿰革易 1666

䩢 1666	鞬 1667	𩌰 1668	11 鞹 1670	𩏈 1671	𩏠 1672	24 𩏸 1673
䩥 1666	鞭 1667	𩌵 1668	䪅 1670	𩏇 1671	15 韆 1672	𩏹 1673
鞛 1666	鞮 1667	𩌱 1668	鞻 1670	13 韁 1671	韇 1672	29 𩏺 1673
䩬 1666	鞢 1667	䪀 1668	𩏌 1670	韣 1671	𩏡 1672	**韋 部**
䩩 1666	𩌦 1667	10 鞲 1668	𩎃 1670	韃 1671	𩏣 1672	韋 1673
鞟 1666	𩌍 1667	鞳 1669	𩎀 1670	𩏌 1671	𩏤 1672	3 韌 1674
𩋳 1666	𩌉 1667	𩍅 1669	鞸 1670	韂 1671	𩏥 1672	4 𩏿 1674
𩋕 1666	鞥 1667	𩍈 1669	𩍮 1670	䪌 1671	𩏦 1673	𩐀 1674
䩞 1666	𩌏 1667	𩍏 1669	𩎅 1670	鞠 1671	16 𩏧 1673	䪏 1674
𩋽 1666	𩌎 1667	𩍊 1669	𩎉 1670	𩏍 1671	𩏨 1673	𩐁 1674
𩋱 1666	鞪 1668	鞷 1669	𩎈 1670	𩏊 1671	𩏩 1673	5 𩐄 1674
䩸 1666	𩍓 1668	𩍋 1669	𩎍 1670	𩏐 1672	𩏪 1673	韎 1674
鞉 1666	𩌔 1668	𩍐 1669	𩎋 1670	𩏑 1672	𩏫 1673	韍 1674
𩋵 1666	𩌯 1668	䪄 1669	𩎐 1670	𩏒 1672	17 韉 1673	䪎 1674
䩐 1666	𩍂 1668	𩍂 1669	𩎒 1670	𩏓 1672	𩏬 1673	䪐 1674
䩠 1666	𩌩 1668	鞱 1669	𩏼 1670	𩏔 1672	𩏭 1673	𩐉 1674
鞝 1666	𩌻 1668	𩍟 1669	𩎢 1670	𩏖 1672	𩏮 1673	𩐊 1674
䩨 1666	䪀 1668	鞶 1669	𩍼 1671	14 韄 1672	𩏯 1673	䪑 1674
𩋣 1666	𩌟 1668	䪆 1669	12 鞼 1671	𩏗 1672	韊 1673	𩐋 1674
𩋯 1666	𩌢 1668	𩍀 1669	𩏘 1671	𩏘 1672	𩏰 1673	䪌 1674
䩫 1666	𩍆 1668	𩍕 1669	鞾 1671	𩏙 1672	𩏱 1673	𩐍 1674
9 鞣 1666	𩌥 1668	𩍖 1669	鞽 1671	韇 1672	18 𩏲 1673	6 韐 1674
䩯 1667	𩌤 1668	𩍔 1669	𩎷 1671	𩏛 1672	𩏳 1673	𩐎 1674
鞦 1667	𩌹 1668	𩍗 1669	𩏀 1671	𩏜 1672	19 𩏴 1673	𩐐 1674
鞧 1667	䩳 1668	𩍜 1670	𩏁 1671	𩏝 1672	𩏵 1673	𩐑 1675
鞨 1667	𩍔 1668	䪉 1670	𩏃 1671	𩏞 1672	21 𩏶 1673	𩐒 1675
𩌄 1667	䪂 1668	𩏂 1670	𩏄 1671	𩏟 1672	23 𩏷 1673	𩐓 1675

𩎖 1675
𩎗 1675
𩎘 1675
𩎙 1675
𩎚 1675
7 韒 1675
𩎛 1675
𩎜 1675
𩎝 1675
𩎞 1675
8 韔 1675
𩎟 1675
韓 1675
𩏄 1675
䪜 1675
䪝 1676
𩏁 1676
𩏃 1676
𩏂 1676
韑 1676
𩏅 1676
9 韗 1676
𩏆 1676
𩏇 1676
韘 1676
韚 1676
𩏈 1676

韞 1676
韙 1676
𩏉 1676
𩏊 1676
𩏋 1676
𩏌 1676
𩏍 1676
韖 1676
10 韜 1676
𩏒 1676
韝 1677
𩏓 1677
𩏔 1677
韓 1677
𩏕 1677
𩏖 1677
𩏗 1677
𩏘 1677
𩏙 1677
𩏚 1677
11 韠 1677
𩏛 1677
𩏜 1677
𩏝 1677
𩏞 1677
𩏟 1677
12 韡 1677

韢 1677
韟 1678
𩏠 1678
𩏡 1678
𩏢 1678
𩏣 1678
13 韣 1678
𩏤 1678
𩏥 1678
𩏦 1678
𩏧 1678
𩏨 1678
14 𩏩 1678
𩏪 1678
韄 1678
15 韤 1678
韥 1678
𩏫 1678
16 𩏬 1678
17 𩏭 1678
18 𩏮 1678
19 𩏯 1679
20 𩏰 1679

韭 部

韭 1679
4 韮 1679
𣩵 1679

𩐁 1679
𩐂 1679
6 韯 1679
7 𩐃 1679
𩐄 1679
8 𩐅 1679
韱 1679
10 𩐆 1679
韲 1679
𩐇 1679
12 𩐈 1679
𩐉 1679
𩐊 1679
14 𩐋 1679

音 部

音 1680
3 𩐌 1680
𩐍 1680
4 𩐎 1680
𩐏 1680
韵 1680
5 韶 1680
𩐐 1680
𩐑 1680
𩐒 1680
6 𩐓 1680
𩐔 1680

𩐕 1680
𩐖 1680
𩐗 1680
𩐘 1681
7 𩐙 1681
𩐚 1681
𩐛 1681
𩐜 1681
8 𩐝 1681
9 韺 1681
韹 1681
10 韻 1681
𩐞 1681
𩐟 1681
𩐠 1681
11 𩐡 1681
𩐢 1681
𩐣 1681
𩐤 1681
韾 1681
響 1681
12 𩐥 1681
13 𩐦 1682
𩐧 1682
𩐨 1682
𩐩 1682
𩐪 1682

𩐫 1682
14 𩐬 1682
𩐭 1682
15 𩐮 1682
17 𩐯 1682
24 𩐰 1682

頁 部

頁 1682
𩑋 1682
2 頂 1682
頃 1682
𩑌 1683
𩑍 1683
𩑎 1683
3 項 1683
頇 1683
順 1683
須 1683
𩑐 1683
𩑑 1683
𩑒 1683
𩑔 1683
𩑕 1683
𩑖 1683
𩑗 1683
頌 1683
𩑘 1684

𩑙 1684
𩑚 1684
4 項 1684
頌 1684
𩑛 1684
頎 1684
𩑜 1684
預 1684
頑 1684
頒 1684
頓 1684
𩑝 1685
頏 1685
𩑞 1685
頞 1685
𩑟 1685
頋 1685
𩑠 1685
頊 1685
𩑡 1685
領 1685
𩑢 1685
𩑣 1685
𩑤 1685
頖 1685
𩑥 1685
𩑦 1685

5 ⿰頁彡 1686	⿰白頁 1687	⿰开頁 1689	⿰𧾷頁 1690	⿰禾頁 1692	⿰屈頁 1693	⿰軍頁 1695
⿰今頁 1686	⿰可頁 1687	⿰充頁 1689	⿰来頁 1691	⿰希頁 1692	⿰卷頁 1693	⿰頁頁 1695
⿰由頁 1686	⿰去頁 1687	⿰自頁 1689	⿰豸頁 1691	8 ⿰罡頁 1692	⿰炎頁 1693	⿰齒頁 1695
⿰牛頁 1686	⿰玄頁 1687	⿰至頁 1689	頤 1691	⿰歧頁 1692	⿰彔頁 1693	⿰家頁 1695
⿰冉頁 1686	⿰号頁 1687	⿰多頁 1689	⿰昷頁 1691	⿰定頁 1692	⿰來頁 1693	⿰叚頁 1695
頗 1686	⿰古頁 1687	⿰共頁 1689	⿰厚頁 1691	⿰函頁 1692	⿰林頁 1693	⿰契頁 1695
領 1686	6 頜 1687	⿰灰頁 1689	頼 1691	顆 1692	⿰修頁 1693	⿰棗頁 1695
⿰丕頁 1686	⿰安頁 1687	7 頭 1689	⿰告頁 1691	⿰非頁 1692	⿰歩頁 1693	⿰显頁 1695
⿰弁頁 1686	頟 1687	⿰弟頁 1689	⿰求頁 1691	⿰昏頁 1692	⿰崖頁 1693	類 1695
⿰出頁 1686	⿰危頁 1688	⿰希頁 1689	⿰甹頁 1691	⿰卒頁 1692	⿰音頁 1694	⿰粦頁 1695
⿰厄頁 1686	頡 1688	⿰廷頁 1689	⿰否頁 1691	⿰叕頁 1692	⿰奇頁 1694	⿰豙頁 1695
頚 1686	頰 1688	⿰夾頁 1689	⿰甫頁 1691	顉 1692	⿰宜頁 1694	⿰醫頁 1695
⿰戊頁 1686	⿰瓜頁 1688	⿰赤頁 1690	⿰杀頁 1691	⿰卑頁 1692	⿰青頁 1694	⿰香頁 1695
⿰平頁 1686	⿰并頁 1688	頷 1690	⿰酉頁 1691	⿰争頁 1692	⿰粦頁 1694	⿰帝頁 1695
⿰句頁 1686	⿰匠頁 1688	頸 1690	⿰夋頁 1691	⿰其頁 1693	⿰叕頁 1694	⿰甚頁 1695
⿰占頁 1686	⿰臣頁 1688	頹 1690	⿰宋頁 1691	⿰扁頁 1693	⿰委頁 1694	⿰鼎頁 1696
⿰未頁 1687	⿰自頁 1688	⿰秀頁 1690	⿰成頁 1691	⿰卓頁 1693	⿰貇頁 1694	⿰段頁 1696
⿰朮頁 1687	⿰米頁 1688	頻 1690	⿰殸頁 1691	⿰巠頁 1693	9 顋 1694	⿰曷頁 1696
⿰民頁 1687	⿰耒頁 1688	⿰君頁 1690	⿰我頁 1691	⿰莫頁 1693	題 1694	⿰爾頁 1696
⿰它頁 1687	⿰舌頁 1688	⿰㝵頁 1690	⿰吾頁 1691	⿰菉頁 1693	額 1694	⿰面頁 1696
⿰幼頁 1687	⿰艮頁 1688	⿰希頁 1690	⿰吟頁 1691	⿰岳頁 1693	顎 1694	⿰侯頁 1696
⿰石頁 1687	⿰犭頁 1688	⿰辰頁 1690	⿰㕁頁 1691	⿰倉頁 1693	顔 1694	10 ⿰豈頁 1696
⿰目頁 1687	⿰囟頁 1689	⿰困頁 1690	⿰辛頁 1691	⿰囷頁 1693	顏 1694	願 1696
⿰氐頁 1687	⿰匡頁 1689	⿰具頁 1690	⿰車頁 1691	⿰录頁 1693	⿰門頁 1694	⿰豪頁 1696
⿰正頁 1687	⿰交頁 1689	⿰舌頁 1690	⿰妻頁 1692	⿰步頁 1693	顒 1695	⿰華頁 1696
⿰旦頁 1687	⿰亘頁 1689	⿰見頁 1690	⿰兒頁 1692	⿰咎頁 1693	⿰畐頁 1695	類 1696
⿰叵頁 1687	⿰并頁 1689	⿰貝頁 1690	⿰函頁 1692	⿰呆頁 1693	⿰咸頁 1695	顚 1696

顚 1697	票頁 1698	尞頁 1700	詰頁 1701	𩖋 1703	風卯 1705	風劦 1706
員頁 1697	車頁 1698	楙頁 1700	蓋頁 1701	20 頻韋 1703	風弗 1705	風共 1706
骨頁 1697	區頁 1698	尋頁 1700	壽頁 1702	風 部	風戉 1705	風休 1706
函頁 1697	楚頁 1698	粤頁 1700	鼻頁 1702	風 1703	風朮 1705	風戎 1706
舀頁 1697	翏頁 1698	森頁 1700	蒙頁 1702	2 風刀 1703	風术 1705	風吉 1706
羔頁 1697	婁頁 1699	象頁 1700	賓頁 1702	3 風彡 1703	風召 1705	風后 1706
鬼頁 1697	麻頁 1699	萠頁 1700	愿頁 1702	風勹 1704	風幼 1705	7 風肖 1706
盍頁 1697	舀頁 1699	替頁 1700	旖頁 1702	風凡 1704	立風 1705	風利 1706
衾頁 1697	參頁 1699	童頁 1700	嚳頁 1702	風丸 1704	風立 1705	風求 1706
願 1697	爽頁 1699	貴頁 1700	夢頁 1702	風勺 1704	風玄 1705	風良 1706
彊頁 1697	鹿頁 1699	13 顩 1701	15 樊頁 1702	風工 1704	風出 1705	妥風 1706
睞頁 1697	責頁 1699	歲頁 1701	嬰頁 1702	4 風牙 1704	風令 1705	風尾 1706
冥頁 1697	庶頁 1699	顫 1701	顰 1702	風日 1704	風犮 1705	風孛 1706
迷頁 1697	敖頁 1699	壴頁 1701	熏頁 1702	風今 1704	風皮 1705	風釆 1706
虎頁 1698	贅 1699	鼎頁 1701	齒頁 1702	風屯 1704	風必 1705	風夾 1707
兼頁 1698	12 顥 1699	禁頁 1701	匽頁 1702	風夫 1704	風厄 1705	風疋 1707
翁頁 1698	頁粦 1699	嗇頁 1701	16 顱 1702	夫風 1704	風巨 1705	兌風 1707
追頁 1698	粦頁 1699	嗇頁 1701	䜌頁 1702	文風 1704	風它 1705	風攸 1707
旃頁 1698	善頁 1699	業頁 1701	廞頁 1702	風犬 1704	風甘 1705	風折 1707
粟頁 1698	堯頁 1699	蜀頁 1701	目翏頁 1702	風少 1704	風号 1706	風兌 1707
㬎頁 1698	魚頁 1699	慼頁 1701	畺頁 1703	風毛 1704	風永 1706	風豕 1707
奚頁 1698	顧 1700	感頁 1701	17 龜頁 1703	風夬 1704	6 風列 1706	風丞 1707
恩頁 1698	頁廾 1700	14 需頁 1701	萈頁 1703	風厷 1704	風劦 1706	風赤 1707
容頁 1698	番頁 1700	㬎頁 1701	嬰頁 1703	厷風 1704	風舌 1706	風叀 1707
11 蔛頁 1698	賁頁 1700	寧頁 1701	霝頁 1703	5 風占 1704	風舟 1706	風貝 1707
厥頁 1698	皐頁 1700	頁粦 1701	18 顳 1703	風包 1704	風杀 1706	8 風具 1707
豙頁 1698	富頁 1700	豩頁 1701	顴 1703	風台 1705	風多 1706	風戾 1707

⿰風委 1707	⿰出風 1708	⿰風索 1710	⿰風登 1711	13 ⿰睪飛 1712	⿰飠方 1714	⿰飠市 1715
⿰委風 1707	⿰風是 1708	颾 1710	⿰風貴 1711	18 ⿱飛⿰飛飛 1712	飲 1714	⿰飠且 1715
⿰風悤 1707	颹 1708	⿰風高 1710	13 飋 1711	食 部	飮 1714	飵 1716
⿰風京 1707	⿰風風 1709	11 飂 1710	⿰風睘 1711	食 1712	⿰飠今 1714	⿰飠央 1716
⿰京風 1707	⿰風剌 1709	⿰翏風 1710	⿰風肅 1711	1 ⿰飠乚 1713	飯 1714	⿰飠未 1716
⿰風剛 1707	⿰風秋 1709	飃 1710	14 ⿰風壽 1711	2 飢 1713	飯 1714	⿰飠完 1716
⿰風炎 1707	⿰兗風 1709	飄 1710	15 ⿰風劉 1711	飣 1713	飰 1714	⿰立食 1716
⿰風或 1707	⿰風枼 1709	⿰習風 1710	⿰劉風 1711	飤 1713	⿰飠殳 1714	⿰飠占 1716
⿰金風 1707	⿰風英 1709	⿰風專 1710	⿰風巤 1711	⿰飠卜 1713	⿰飠丑 1715	⿰飠出 1716
⿰風夌 1707	⿰英風 1709	⿰風率 1710	⿰麃風 1711	飡 1713	⿰飠不 1715	飻 1716
⿰風奉 1708	⿰風兪 1709	⿰風差 1710	16 ⿰風歷 1711	⿰飠刀 1713	⿰歹食 1715	⿰飠㐌 1716
⿰風音 1708	⿰風幽 1709	⿰風宿 1710	17 ⿰風蕭 1711	⿰食又 1713	⿱今食 1715	⿰飠甘 1716
⿰風卑 1708	⿰風斿 1709	⿱敄風 1710	⿰燮風 1712	3 飥 1713	⿰飠内 1715	⿰飠冋 1716
⿰風析 1708	⿰宣風 1709	⿰風畢 1710	⿰風蕘 1712	飦 1713	⿰飠匀 1715	⿰飠句 1716
⿰風建 1708	颮 1709	⿰風曹 1710	18 ⿰聶風 1712	⿰飠乞 1713	⿰飠勾 1715	⿰飠乏 1716
⿰風卒 1708	⿰風侯 1709	⿰風鳥 1710	飍 1712	⿰飠乞 1713	⿰飠厄 1715	⿰飠尼 1716
⿰風垂 1708	10 ⿰風習 1709	12 ⿰風黃 1710	⿰雚風 1712	⿰飠勺 1713	⿰飠元 1715	⿰号食 1716
⿰風奄 1708	⿰風栗 1709	飉 1711	⿰爨風 1712	⿰歹食 1713	⿰飠凡 1715	⿰飠令 1716
⿰風爭 1708	颼 1709	⿰風覃 1711	飛 部	飧 1714	⿰飠方 1715	⿰飠卯 1716
⿰風尚 1708	⿰馬風 1709	⿰風焱 1711	飛 1712	⿰飠刃 1714	5 飴 1715	⿰飠本 1716
⿰風周 1708	⿰豈風 1709	⿰風燚 1711	1 飛 1712	⿱癶食 1714	⿰飠以 1715	⿰飠付 1716
⿰虎風 1708	颽 1709	飆 1711	8 ⿱非飛 1712	⿰飠巾 1714	飶 1715	⿰飠召 1716
9 颸 1708	⿰金風 1709	飇 1711	9 ⿱其飛 1712	⿱食廾 1714	⿰飠半 1715	⿱癶食 1717
颺 1708	颻 1709	⿰風酋 1711	10 ⿱高飛 1712	⿰飠也 1714	飼 1715	⿰飠正 1717
⿰昜風 1708	⿰風唐 1709	⿰畾風 1711	⿰倝飛 1712	4 飩 1714	飼 1715	⿰飠氐 1717
⿰風夋 1708	⿰風离 1710	⿰巢風 1711	12 ⿰番飛 1712	飪 1714	飽 1715	⿰飠主 1717
⿰風是 1708	⿰風氣 1710	⿰風業 1711	⿱龍飛 1712	飫 1714	飽 1715	⿰飠古 1717

餈 1717	飱 1718	䭆 1720	餉 1722	餭 1723	䭞 1724	䭒 1726
䬶 1717	𩛌 1718	𩜀 1720	餳 1722	餕 1723	餎 1724	䭣 1726
餥 1717	餧 1718	𩜐 1720	䬲 1722	䭐 1723	𩝤 1724	䭤 1726
6 𩛥 1717	𩛈 1718	𩜁 1720	䭋 1722	䭓 1723	10 餺 1724	館 1726
餂 1717	7 餑 1718	𩛽 1720	䭈 1722	䭡 1723	餻 1724	𩞟 1726
餅 1717	餒 1719	8 餛 1720	䬽 1722	䭏 1723	餼 1724	䭥 1726
餉 1717	餓 1719	餞 1720	䭅 1722	䬨 1723	餽 1724	䭦 1726
餌 1717	餔 1719	餟 1720	䭔 1722	䭠 1723	餾 1724	11 饅 1726
𩛂 1717	餕 1719	餠 1721	𩜍 1722	䭒 1723	饁 1724	饇 1726
餃 1717	餖 1719	餡 1721	䬹 1722	餵 1723	𩞄 1725	饉 1726
餀 1717	餗 1719	餤 1721	䭎 1722	𩝐 1723	䭗 1725	饆 1726
餄 1717	餘 1719	餦 1721	餣 1722	䭃 1723	䭛 1725	䭧 1726
𩛄 1717	䭈 1719	䭇 1721	䭌 1722	䬵 1723	𩞈 1725	䭨 1726
餁 1717	𩛷 1719	館 1721	䭓 1722	䭧 1723	餶 1725	䭩 1726
餞 1718	𩜂 1719	館 1721	䭕 1722	餮 1723	䬼 1725	饈 1726
養 1718	䭂 1719	䭊 1721	䭃 1722	䭉 1724	餿 1725	䭪 1726
飬 1718	䬽 1719	䭃 1721	餱 1722	䭈 1724	𩞁 1725	䭫 1726
餋 1718	䬾 1719	䭐 1721	䭉 1722	䭟 1724	𩞆 1725	䭬 1726
餡 1718	餐 1720	餢 1721	䭘 1722	䭛 1724	餹 1725	䭭 1726
餇 1718	䬺 1720	䬴 1721	䭙 1722	𩝩 1724	䭍 1725	䭮 1726
𩛩 1718	䬻 1720	餜 1721	9 餫 1722	䭐 1724	䭡 1725	䭯 1726
𩛡 1718	䬼 1720	䭑 1721	餬 1723	𩞀 1724	䭢 1725	䭰 1726
䬸 1718	䬿 1720	𩝣 1721	䭣 1723	䭒 1724	餳 1725	饄 1727
餩 1718	䭀 1720	餴 1721	餱 1723	䭦 1724	䭪 1725	䭲 1727
䬷 1718	䭁 1720	餚 1721	餲 1723	饃 1724	䭭 1725	𩟭 1727
䬹 1718	䭄 1720	餝 1722	餳 1723	䭔 1724	䭬 1725	䭳 1727
䬪 1718	䭅 1720	䬣 1722	餠 1723	饒 1724	䭝 1725	䭴 1727

饠 1727
饏 1727
𩞄 1727
𩞁 1727
𩞐 1727
𩞊 1727
12 饋 1727
饌 1727
饎 1727
饐 1727
饑 1727
饒 1727
𩟃 1728
𩟈 1728
饊 1728
𩟊 1728
𩟝 1728
𩟓 1728
𩟐 1728
𩟠 1728
𩟑 1728
𩟍 1728
𩟌 1728
𩟖 1728
𩟕 1728
𩟚 1728
饍 1728
13 饘 1728
饖 1728
𩟢 1728
饚 1728
𩟫 1728
饙 1729
饔 1729
饕 1729
饗 1729
𩟸 1729
𩟬 1729
𩟯 1729
𩟵 1729
𩠀 1729
䭱 1729
𩟻 1729
𩟼 1729
𩠏 1729
𩟰 1729
𩟧 1729
𩟾 1729
𩟿 1730
14 饛 1730
𩠁 1730
䭽 1730
饜 1730
𩟧 1730
𩠂 1730
𩠈 1730
𩠃 1730
𩟹 1730
𩟽 1730
饕 1730
15 饟 1730
𩠄 1730
𩠅 1730
𩠆 1730
16 𩠇 1730
饟 1730
𩠉 1730
𩠊 1730
𩠋 1730
𩠌 1730
17 饞 1731
饟 1731
𩠍 1731
𩠎 1731
18 𩠏 1731
𩠑 1731
𩠒 1731
19 饡 1731
饠 1731
𩠐 1731

首 部

首 1731
1 𩠐 1731
2 馗 1731
𩠓 1731
5 𩠗 1732
𩠘 1732
𩠙 1732
6 𩠚 1732
𩠛 1732
𩠜 1732
𩠝 1732
7 𩠞 1732
8 馘 1732
9 𩠟 1732
𩠠 1732
𩠡 1732
10 𩠢 1732
11 馘 1732
18 𩠣 1732

香 部

香 1732
4 馚 1732
馩 1732
5 馜 1732
馛 1732
馝 1733
𩠭 1733
馝 1733
7 馞 1733
馟 1733
馠 1733
8 馡 1733
馣 1733
馤 1733
馦 1733
馢 1733
馡 1733
馣 1733
9 馥 1733
馤 1733
馧 1733
馦 1733
馦 1733
馩 1733
馪 1733
10 馧 1733
馦 1734
馥 1734
馪 1734
馩 1734
馤 1734
11 馨 1734
12 馩 1734
馩 1734
14 馪 1734
馧 1734
18 馫 1734
馫 1734

馬 部

馬 1734
1 馬 1734
2 馭 1734
馯 1734
馰 1735
馮 1735
馮 1735
3 馵 1735
馲 1735
馯 1735
馱 1735
馳 1735
馴 1735
駒 1735
馻 1735
馲 1735
馺 1735
馮 1736
馶 1736
4 馰 1736
駏 1736
駁 1736
駮 1736
駃 1736
駉 1736
駇 1736
馻 1736
駁 1736
媽 1736
駊 1736
駈 1736
駐 1736
駆 1736
駄 1736
駅 1736
駅 1736
駀 1737
駛 1737
駋 1737
駐 1737
駀 1737
駅 1737
駗 1737
駙 1737
駦 1737
駈 1737

馲 1737	𩢰 1739	駍 1740	駼 1741	騈 1743	騩 1744	騺 1746
5 駉 1737	駠 1739	獁 1740	駽 1742	騋 1743	騀 1744	騥 1746
駏 1737	駓 1739	駱 1740	駾 1742	騎 1743	騂 1745	騢 1746
駐 1737	駯 1739	駝 1740	駿 1742	騏 1743	騲 1745	騪 1746
駒 1737	駜 1739	駹 1740	騁 1742	騑 1743	騘 1745	䮑 1746
駓 1737	駢 1739	駣 1740	騂 1742	騉 1743	騝 1745	騧 1746
駘 1737	駑 1739	駛 1740	騃 1742	騇 1743	9 騕 1745	騠 1746
駔 1737	駚 1739	駤 1740	騀 1742	騣 1744	騙 1745	䮰 1746
駙 1738	駇 1739	駦 1741	騇 1742	騍 1744	騞 1745	騡 1746
駛 1738	駕 1739	駥 1741	騀 1742	騇 1744	騠 1745	騟 1746
駜 1738	駭 1739	駧 1741	駺 1742	騒 1744	騚 1745	䮬 1746
駟 1738	6 駢 1739	駨 1741	騂 1742	騗 1744	騢 1745	騨 1746
駊 1738	駣 1739	駧 1741	駴 1742	騘 1744	騣 1745	䮯 1746
駝 1738	駪 1739	駵 1741	駻 1742	騌 1744	騤 1745	10 騯 1746
駞 1738	駬 1739	駺 1741	駶 1742	騐 1744	騧 1745	騮 1746
駈 1738	駭 1739	駄 1741	騉 1742	験 1744	騑 1745	䮾 1747
馯 1738	駮 1739	䮃 1741	駳 1742	騒 1744	騷 1745	騵 1747
駇 1738	駰 1740	駯 1741	駹 1743	騿 1744	騆 1745	騶 1747
駎 1738	駱 1740	駕 1741	駶 1743	騾 1744	騝 1745	騷 1747
駖 1738	駴 1740	駠 1741	駱 1743	䮉 1744	騟 1746	騸 1747
駗 1738	駩 1740	罵 1741	駿 1743	騸 1744	騥 1746	騬 1747
駃 1738	駤 1740	7 駴 1741	騱 1743	騤 1744	騜 1746	騩 1747
駒 1738	駛 1740	騛 1741	鷩 1743	騋 1744	騲 1746	騹 1747
駈 1738	駱 1740	騋 1741	䮽 1743	鴷 1744	騔 1746	驏 1747
骴 1739	駏 1740	騁 1741	8 騄 1743	騲 1744	騼 1746	騱 1747
駑 1739	駪 1740	駹 1741	騅 1743	騂 1744	騘 1746	騇 1747
駕 1739	駧 1740	駻 1741	騊 1743	騪 1744	騎 1746	騵 1747

騅 1747	騶 1749	騷 1750	驉 1752	驖 1753	骨 1755	骵 1756
騲 1747	騸 1749	12 驕 1750	13 驖 1752	驜 1753	骨 1755	骬 1756
騕 1747	騻 1749	驊 1750	驗 1752	驣 1753	2 骫 1755	骳 1756
䯂 1748	鶾 1749	驍 1750	驛 1752	16 驩 1753	骪 1755	骯 1756
騪 1748	騫 1749	驎 1750	驌 1752	驨 1753	骭 1755	骱 1756
騝 1748	騭 1749	驏 1750	驙 1752	驡 1753	骯 1755	骶 1756
騂 1748	11 騾 1749	驒 1751	驕 1752	驡 1753	3 骩 1755	骸 1756
騳 1748	驂 1749	驔 1751	驘 1752	驢 1753	骫 1755	骲 1756
騰 1748	驃 1749	驕 1751	驚 1752	驠 1754	骪 1755	骳 1756
騰 1748	驄 1749	驉 1751	鷽 1752	17 驤 1754	骭 1755	骺 1757
騞 1748	驅 1749	驌 1751	驧 1752	驥 1754	骬 1755	骹 1757
䯇 1748	驓 1749	驏 1751	驖 1752	驦 1754	䯊 1755	骳 1757
䯧 1748	驆 1749	驓 1751	驜 1752	驧 1754	4 骯 1755	髃 1757
䮙 1748	驕 1749	驑 1751	驖 1752	驩 1754	骰 1755	骻 1757
䮾 1748	驔 1749	驜 1751	14 驨 1753	驨 1754	骱 1756	骿 1757
䮖 1748	驑 1749	驗 1751	驥 1753	18 驩 1754	骳 1756	6 骸 1757
騳 1748	驜 1750	驛 1751	驦 1753	驩 1754	骯 1756	骹 1757
騭 1748	驐 1750	驕 1751	驪 1753	驫 1754	骲 1756	骹 1757
䮷 1748	驁 1750	驥 1751	驟 1753	驫 1754	骱 1756	骼 1757
䮳 1748	驚 1750	驐 1751	驤 1753	驠 1754	骬 1756	骻 1757
騖 1748	驀 1750	驓 1751	驞 1753	19 驪 1754	骲 1756	骺 1757
䮑 1748	驃 1750	驓 1751	驜 1753	20 驫 1754	骯 1756	骺 1757
䮧 1748	驂 1750	驕 1751	驘 1753	驧 1754	5 骲 1756	骿 1757
騤 1748	驄 1750	驋 1751	15 驄 1753	21 驩 1754	骳 1756	髊 1757
騫 1748	驍 1750	驓 1751	驝 1753	驫 1754	骶 1756	髑 1757
驅 1748	驇 1750	驕 1751	驪 1753	24 驫 1755	骷 1756	骸 1757
騂 1749	驚 1750	驖 1752	驥 1753	骨部	骴 1756	骿 1757

骪 1757	䯂 1759	髈 1760	𩪁 1761	2 亯 1763	2 髠 1764	髮 1765
骱 1757	䯊 1759	𩩲 1760	𩪂 1761	3 敲 1763	髡 1764	髲 1765
7 𩨗 1758	𩨻 1759	𩪃 1760	髒 1761	亶 1763	髪 1764	髺 1766
𩨤 1758	𩨼 1759	𩩳 1760	𩪴 1761	㚅 1763	髣 1764	髶 1766
骾 1758	9 髂 1759	𩩴 1760	髑 1761	4 𩫓 1763	髦 1764	髷 1766
䯉 1758	髃 1759	11 𩪐 1760	𩪄 1761	𩫔 1763	3 髩 1764	髼 1766
骺 1758	䯍 1759	髎 1760	髓 1761	亮 1763	髧 1764	髻 1766
𩨛 1758	髄 1759	𩪓 1760	𩪑 1762	5 𩫕 1763	髥 1764	髵 1766
𩨨 1758	𩨽 1759	𩪕 1760	體 1762	6 𩫖 1763	髢 1764	髹 1766
𩨭 1758	𩨿 1759	髝 1760	𩪒 1762	7 𩫗 1763	4 髟 1764	髳 1766
𩨮 1758	𩩀 1759	髅 1760	𩪔 1762	豪 1763	髤 1764	髸 1766
𩨯 1758	𩩁 1759	髍 1760	14 髕 1762	8 𩫘 1763	髣 1764	髿 1766
𩨶 1758	䯎 1759	𩪛 1760	𩪖 1762	𩫙 1763	𩬈 1765	髻 1766
䯍 1758	𩩂 1759	𩪜 1761	𩪗 1762	9 𩫚 1763	𩬉 1765	髽 1766
骽 1758	䯑 1759	𩪝 1761	𩪘 1762	𩫛 1763	髦 1765	髮 1766
8 髀 1758	𩩄 1759	12 髐 1761	15 𩪚 1762	10 𩫜 1763	髴 1765	𩭃 1766
𩩀 1758	𩩅 1759	𩪥 1761	𩪙 1762	11 𩫝 1764	𩬊 1765	𩭄 1766
髁 1758	𩩆 1759	𩪦 1761	髖 1762	12 𩫞 1764	髾 1765	髺 1766
䯖 1758	𩩇 1759	𩪨 1761	16 𩪞 1762	𩫟 1764	髮 1765	𩭅 1766
骿 1758	𩩈 1759	𩪩 1761	髓 1762	13 𩫠 1764	髩 1765	髫 1766
𩩊 1758	𩩉 1759	𩪪 1761	𩪟 1762	𩫡 1764	髱 1765	髯 1766
䯫 1758	10 髆 1760	𩪫 1761	髗 1762	15 𩫢 1764	髨 1765	6 髻 1767
䯥 1759	髊 1760	髒 1761	18 𩪠 1762	𩫣 1764	髨 1765	鬠 1767
𩩍 1759	髇 1760	𩪬 1761	19 𩪡 1762	18 𩫤 1764	髬 1765	髺 1767
䯚 1759	𩩑 1760	13 𩪭 1761	高 部	21 𩫥 1764	髮 1765	鬆 1767
𩨸 1759	髊 1760	𩪮 1761	高 1763	髟 部	5 髻 1765	鬈 1767
𩩗 1759	𩩘 1760	𩪯 1761	髙 1763	髟 1764	髭 1765	鬊 1767

髤 1767
⿱髟巩 1767
髸 1767
⿱髟匡 1767
⿱髟幽 1767
⿱髟兆 1767
⿱髟并 1767
⿱髟朱 1767
⿱髟肉 1767
⿱髟戔 1767
⿱髟旨 1767
⿱髟朵 1767
7 ⿱髟沙 1768
髽 1768
⿱髟胥 1768
⿱髟奉 1768
鬀 1768
鬁 1768
⿱髟吾 1768
⿱髟具 1768
⿱髟烏 1768
⿱髟赤 1768
⿱髟夾 1768
⿱髟量 1768
⿱髟尨 1768
⿱髟叟 1768
⿱髟豕 1768
⿱髟函 1768
⿱髟妟 1768
⿱髟旁 1768
8 鬃 1768
鬅 1769
鬄 1769
鬆 1769
鬈 1769
⿱髟屈 1769
⿱髟枈 1769
鬇 1769
⿱髟咅 1769
髺 1769
⿱髟委 1769
⿱髟周 1769
⿱髟彔 1769
⿱髟隶 1769
⿱髟肩 1769
⿱髟長 1769
⿱髟沓 1769
⿱髟東 1770
⿱髟兩 1770
⿱髟乘 1770
⿱髟卓 1770
⿱髟昔 1770
⿱髟岸 1770
⿱髟卒 1770
⿱髟韭 1770
⿱髟韋 1770
⿱髟咎 1770
9 ⿱髟俞 1770
鬋 1770
⿱髟脊 1770
鬍 1770
⿱髟春 1770
⿱髟怱 1770
鬉 1770
⿱髟惠 1770
⿱髟盈 1770
⿱髟剃 1771
⿱髟殺 1771
⿱髟貫 1771
⿱髟叟 1771
⿱髟者 1771
⿱髟參 1771
⿱髟畐 1771
⿱髟胥 1771
⿱髟柔 1771
⿱髟酋 1771
⿱髟曷 1771
⿱髟耗 1771
10 ⿱髟晉 1771
⿱髟賁 1771
⿱髟殷 1771
⿱髟剔 1771
⿱髟壴 1771
⿱髟莽 1771
⿱髟差 1771
鬑 1771
⿱髟猛 1772
⿱髟尃 1772
⿱髟益 1772
⿱髟鹵 1772
⿱髟秦 1772
⿱髟蚤 1772
⿱髟豈 1772
⿱髟茸 1772
⿱髟容 1772
⿱髟害 1772
⿱髟高 1772
11 鬘 1772
鬖 1772
⿱髟萬 1772
⿱髟莫 1772
⿱髟桼 1772
⿱髟莧 1772
⿱髟票 1772
髼 1772
⿱髟舂 1772
⿱髟欶 1773
⿱髟豎 1773
⿱髟叚 1773
⿱髟從 1773
⿱髟翟 1773
⿱髟票 1773
12 鬙 1773
鬚 1773
⿱髟閒 1773
⿱髟貴 1773
⿱髟替 1773
⿱髟鼠 1773
⿱髟戟 1773
⿱髟堯 1773
⿱髟登 1773
⿱髟尞 1773
⿱髟美 1773
⿱髟費 1773
⿱髟尊 1773
⿱髟戠 1773
⿱髟冣 1774
⿱髟最 1774
13 ⿱髟睘 1774
⿱髟會 1774
⿱髟農 1774
⿱髟膚 1774
⿱髟殼 1774
⿱髟桑 1774
14 鬢 1774
⿱髟賣 1774
⿱髟監 1774
鬡 1774
⿱髟截 1774
⿱髟爾 1774
⿱髟蒙 1774
⿱髟薦 1774
⿱髟壽 1774
15 鬣 1774
⿱髟鼻 1775
⿱髟戴 1775
⿱髟巠 1775
⿱髟暴 1775
⿱髟憲 1775
⿱髟贊 1775
16 ⿱髟盧 1775
⿱髟賓 1775
⿱髟歷 1775
17 鬤 1775
⿱髟韱 1775
⿱髟霝 1775
⿱髟龜 1775

鬥 部

鬥 1775
4 ⿵鬥开 1775
⿵鬥戊 1775
⿵鬥卞 1775
⿵鬥分 1776
5 鬧 1776
6 鬨 1776
⿵鬥有 1776
7 ⿵鬥豆 1776
8 鬩 1776
⿵鬥卷 1776
10 鬪 1776
11 ⿵鬥賈 1776
⿵鬥翏 1776
⿵鬥斲 1776
12 鬫 1776
⿵鬥豩 1776
14 ⿵鬥爾 1776
鬭 1776
⿵鬥賢 1776
⿵鬥賓 1776
17 鬮 1776
18 ⿵鬥燹 1776

鬯 部

鬯 1777
5 ⿰鬯央 1777
6 ⿰鬯夾 1777
10 ⿱𦥑鬯 1777
11 ⿸广⿰鬯殳 1777
⿰鬯殳 1777
17 鬱 1777

18 鬰 1777
19 鬱 1777

鬲部

鬲 1777
鬲 1777
3 鬲廾 1777
4 鬲斗 1778
鬲支 1778
鬲戈 1778
鬲攵 1778
5 鬲瓦 1778
6 羔鬲 1778
弜鬲 1778
弜鬲 1778
鬳 1778
鬲而 1778
鬲亥 1778
鬲圭 1778
7 鬴 1778
鬲巠 1778
8 [illegible] 1778
[illegible] 1778
9 鬷 1778
鬲奧 1779
10 羹鬲 1779
鬲畐 1779
鬸 1779
11 鬺 1779
鬹 1779
鬻 1779
鬻 1779
12 鬲曾 1779
鬻 1779
鬻 1779
13 鬲褱 1779
鬲褱 1779
鬲嬰 1779
鬻 1779
鬻 1779
鬻 1779
14 鬻 1779
鬻 1779
15 鬻 1780
16 鬻 1780
鬻 1780
17 鬻 1780
鬻 1780
18 鬻 1780
19 鬻 1780
20 鬻 1780
鬻 1780
21 鬻 1780
27 鬻 1780

鬼部

鬼 1780
2 魛 1780
3 鬽 1780
魀 1780
九鬼 1780
乇鬼 1780
4 魁 1781
鬾 1781
鬿 1781
魂 1781
乍鬼 1781
化鬼 1781
乍鬼 1781
亢鬼 1781
鬼介 1781
方鬼 1781
鬼生 1781
鬼少 1781
鬼毛 1781
5 魃 1781
魅 1781
鬼戉 1781
鬼申 1781
鬼失 1782
失鬼 1782
魄 1782
礻鬼 1782
甲鬼 1782
鬼令 1782
鬼占 1782
鬼勿 1782
光鬼 1782
鬼耳 1782
有鬼 1782
鬼交 1782
鬼至 1782
鬼行 1782
鬼它 1782
7 魈 1782
鬼里 1782
鬼甫 1782
鬼巠 1783
孝鬼 1783
豸鬼 1783
鬼妥 1783
8 魋 1783
魍 1783
魎 1783
魌 1783
魊 1783
[illegible] 1783
魖 1783
鬼出 1783
麥鬼 1783
雨鬼 1783
魕 1784
豕鬼 1784
柬鬼 1784
鬼長 1784
鬼卑 1784
鬼奄 1784
9 者鬼 1784
鬼旲 1784
类鬼 1784
10 幾鬼 1784
鬼殺 1784
鬼員 1784
11 魑 1784
鬼𦰩 1784
魔 1784
魔 1784
魔 1784
12 鬼盧 1784
鬼堯 1784
幾鬼 1785
鬼幾 1785
鬼登 1785
鬼尞 1785
鬼粦 1785
鬼喬 1785
喬鬼 1785
奢鬼 1785
13 鬼豦 1785
鬼睪 1785
14 鬼蔑 1785
賓鬼 1785
需鬼 1785
鬼需 1785
壽鬼 1785
魘 1785
夢鬼 1785
鬼疑 1785
鬼察 1785
漸鬼 1785
15 畾鬼 1786
贊鬼 1786
17 霝鬼 1786
霝鬼 1786
18 鬼瞿 1786
22 鬼夔 1786

魚部

魚 1786
臾 1786
鱼 1786
奧 1786
1 魚乚 1786
2 魛 1786
魝 1786
魜 1786
魚匕 1786
魚叉 1787
魚了 1787
3 魠 1787
魡 1787
魟 1787
魚小 1787
魚乞 1787
魚巳 1787
4 魯 1787
魥 1787
魬 1787
魪 1787
魚斤 1787
魭 1787
夭魚 1787
魨 1787
魿 1788
魵 1788
魴 1788
魶 1788
魰 1788
魰 1788
魱 1788
魣 1788
魧 1788

魧 1788	⿰魚乎 1789	⿰魚旦 1791	鮫 1792	⿰魚吳 1793	鯊 1795	鯤 1796
⿰魚尢 1788	⿰魚幼 1789	⿰魚此 1791	鮭 1792	⿰魚虫 1794	鯈 1795	鯥 1796
⿰魚几 1788	魯 1789	鮆 1791	鮬 1792	⿰魚舟 1794	⿱羔魚 1795	⿰魚匊 1796
⿰魚夫 1788	鮇 1789	⿰魚瓜 1791	⿰魚夆 1792	⿰魚宅 1794	⿰魚狂 1795	⿰魚谷 1796
魳 1788	鮎 1790	鮔 1791	鮮 1792	⿰魚至 1794	⿱豕魚 1795	⿰魚臽 1796
魷 1788	鮏 1790	鮈 1791	⿰魚亙 1792	⿰魚羽 1794	鮶 1795	鯨 1796
魮 1788	鮐 1790	⿰魚母 1791	鮧 1793	鮯 1794	鮾 1795	鯪 1797
魦 1788	鮑 1790	⿰魚出 1791	鮟 1793	鮰 1794	⿱⿰丯刀魚 1795	鯫 1797
⿱少魚 1788	鮋 1790	⿰魚孕 1791	鮦 1793	鮜 1794	⿰魚每 1795	鯩 1797
⿰魚市 1788	鮂 1790	⿰魚矢 1791	⿰魚米 1793	7 ⿰魚巠 1794	⿰魚折 1795	鯘 1797
⿰魚戶 1788	魿 1790	⿰魚号 1791	⿰魚赤 1793	鮸 1794	⿰魚酉 1795	⿰魚昔 1797
⿰魚公 1789	鮄 1790	⿰魚冉 1791	鮡 1793	鮹 1794	⿰魚辛 1795	⿰魚券 1797
魩 1789	鮒 1790	鮉 1791	⿰魚㐬 1793	⿰魚孚 1794	⿰魚夸 1795	鯞 1797
⿰魚木 1789	鮓 1790	⿰魚示 1791	鮢 1793	⿰魚瓦 1794	⿰魚殳 1795	鯜 1797
⿰魚丰 1789	⿰魚本 1790	⿰魚氐 1791	鮣 1793	鯀 1794	鯃 1796	鯕 1797
⿰魚不 1789	鮊 1790	⿰魚布 1791	⿰魚臼 1793	鯁 1794	⿰魚⿱山犮 1796	鯠 1797
魣 1789	鮅 1790	魺 1791	鮥 1793	鯆 1794	⿰魚延 1796	鮛 1797
⿰魚殳 1789	⿰魚丙 1790	魽 1792	⿰魚匠 1793	鯇 1794	⿰魚廷 1796	⿰魚卓 1797
⿰魚午 1789	魾 1791	⿱罒魚 1792	⿰魚寺 1793	鯉 1794	⿰魚攸 1796	鯣 1797
⿰魚壬 1789	鮁 1791	鮰 1792	⿱⿰丰刀魚 1793	鮷 1795	⿱敄魚 1796	⿰魚果 1797
⿰魚牛 1789	⿰魚甲 1791	6 鮚 1792	鮤 1793	⿰魚良 1795	8 鯔 1796	鯧 1797
⿰魚厷 1789	⿰魚且 1791	鮞 1792	鮝 1793	⿰魚豆 1795	鯖 1796	⿰魚宗 1797
⿰魚戊 1789	⿰魚目 1791	⿰魚血 1792	⿰魚共 1793	⿰魚妟 1795	鯛 1796	⿰魚垂 1797
⿰魚欠 1789	⿰魚央 1791	鮠 1792	⿰魚亘 1793	⿰魚邑 1795	鯛 1796	⿱罝魚 1797
5 魼 1789	鮍 1791	鮨 1792	⿰魚乍 1793	鮵 1795	鯝 1796	鯯 1798
鮀 1789	⿰魚朮 1791	鮩 1792	⿰魚亥 1793	鮻 1795	鯡 1796	鯗 1798
⿰魚㐌 1789	鮌 1791	鮪 1792	⿱如魚 1793	鯋 1795	鯢 1796	⿱阝魚 1798

鮔 1798	𩸷 1799	𩹕 1800	鰤 1801	鮱 1803	鰺 1804	鱔 1805
鯚 1798	9 鯷 1799	鯹 1800	鰞 1801	𩹿 1803	鱉 1804	鱖 1805
鯮 1798	鯼 1799	鯶 1800	鰝 1801	𩺬 1803	鰵 1804	鱍 1805
鯟 1798	鰆 1799	鰐 1800	𩹪 1801	𩺗 1803	𩼂 1804	𩼖 1805
𩸞 1798	鯸 1799	鰕 1800	鰪 1802	鰯 1803	𩻥 1804	鱗 1805
𩷔 1798	鯽 1799	𩹬 1800	鰦 1802	鱄 1803	鰲 1804	鱘 1805
鯭 1798	鯿 1799	鰥 1800	鰢 1802	𩺋 1803	𩻳 1804	鰖 1805
𩸨 1798	鰈 1799	鰎 1800	𩺟 1802	𩺦 1803	𩻚 1804	鱎 1805
鯆 1798	鰉 1799	𩹾 1800	䱻 1802	11 𩼀 1803	𩻱 1804	𩼋 1805
𩹉 1798	鰊 1799	𩹊 1800	鰮 1802	鰱 1803	鰳 1804	𩼌 1805
𩸔 1798	鰅 1799	𩸿 1800	𩹲 1802	鰶 1803	𩻠 1804	鱕 1805
𩸊 1798	鰋 1799	𩹐 1800	𩹇 1802	鰹 1803	鱣 1804	鱊 1806
𩸉 1798	鰌 1799	𩹝 1801	鰠 1802	鰻 1803	鱄 1804	鱋 1806
𩸇 1798	鰍 1799	鰇 1801	魶 1802	𩻊 1803	𩹁 1804	𩼎 1806
𩹁 1798	鰒 1800	鯺 1801	鰫 1802	鰾 1803	鰽 1804	𩼐 1806
𩷿 1798	鯾 1800	𩹡 1801	鰟 1802	鱁 1803	𩻂 1804	鱉 1806
鯲 1798	鰓 1800	𩹖 1801	𩹵 1802	鱄 1803	𩻃 1804	𩼝 1806
𩸃 1798	𩹉 1800	𩹷 1801	鰧 1802	鰿 1803	𩻌 1804	𩼟 1806
𩹀 1798	鰂 1800	𩹹 1801	𩺢 1802	鱇 1803	𩻩 1804	𩼡 1806
𩸓 1798	䱱 1800	𩹺 1801	鰝 1802	鱅 1803	𩻬 1805	鱤 1806
𩸌 1798	鮷 1800	鰗 1801	鰶 1802	𩼉 1804	鰴 1805	𩼦 1806
𩸐 1798	鰑 1800	10 鰜 1801	䲂 1802	鱆 1804	鱂 1805	𩼨 1806
魹 1799	鰔 1800	鰣 1801	𩹹 1802	鰸 1804	𩻿 1805	𩼲 1806
𩸴 1799	鰁 1800	𩺇 1801	𩹸 1802	𩻗 1804	鱃 1805	鱌 1806
𩸺 1799	鰀 1800	鰭 1801	鰛 1802	鰼 1804	12 鱏 1805	𩼹 1806
𩸮 1799	𩹰 1800	鰯 1801	鰘 1802	鰷 1804	鱒 1805	鱬 1806
𩹎 1799	𩹸 1800	鰩 1801	𩺅 1802	𩻳 1804	鱓 1805	𩼵 1806

鱏 1806	鱪 1808	鱶 1809	鳦 1810	鳩 1811	鴂 1813	鴠 1814
鱑 1806	14 鱛 1808	17 鱴 1809	鳭 1810	鴇 1812	鴆 1813	鴣 1814
鱊 1806	鱮 1808	18 鱹 1809	鳥了 1810	鴉 1812	鴟 1813	鴨 1814
13 鱢 1806	鱯 1808	鱹 1809	鳥卩 1810	鴉 1812	鴕 1813	鴨 1815
鱣 1806	鱗 1808	鱺 1809	3 鳲 1810	毛鳥 1812	鴁 1813	鴞 1815
鱧 1807	鱭 1808	19 鱺 1809	鳫 1810	鴂 1812	鴗 1813	鴘 1815
鱛 1807	鱝 1808	鱸 1809	鳴 1810	鴀 1812	鴆 1813	鴙 1815
鱐 1807	鱳 1808	20 鱨 1809	鳱 1810	鴃 1812	鴦 1813	鴠 1815
鱠 1807	灤 1808	21 鱹 1809	鳱 1811	鴦 1812	鴨 1813	鴕 1815
鱷 1807	鱬 1808	鱹 1809	鳿 1811	鳿 1812	鴓 1813	鴕 1815
鱦 1807	鱏 1808	22 鱻 1809	鳳 1811	鴄 1812	鴉 1813	鴝 1815
鱰 1807	15 鰤 1808	**鳥 部**	鳶 1811	鴒 1812	鴦 1814	鴣 1815
鱉 1807	鱲 1808	鳥 1809	𪀗 1811	鴧 1812	鴕 1814	鴲 1815
鱥 1807	鱴 1808	1 鳦 1809	鴈 1811	鴉 1812	5 鴕 1814	鴟 1815
鱞 1807	鱵 1808	鳦 1809	鳿 1811	鴟 1812	鴪 1814	鴛 1815
鰟 1807	鱳 1808	2 鳧 1809	鳮 1811	鴎 1812	鴥 1814	鴦 1815
鱟 1807	鱣 1808	鳬 1810	鳶 1811	鴈 1812	鴚 1814	鴑 1815
鱤 1807	鱶 1808	鳩 1810	鳶 1811	鴥 1813	鴔 1814	鴜 1815
鱩 1807	鰺 1808	鳪 1810	鴃 1811	鴦 1813	鴆 1814	鴐 1815
鱄 1807	鱸 1808	𪀦 1810	鴉 1811	鴈 1813	鴃 1814	鴯 1815
鱝 1807	鱇 1808	鳭 1810	鳮 1811	鴉 1813	鴃 1814	鴐 1815
鱕 1807	16 鱷 1808	鳫 1810	鴂 1811	鴉 1813	鮑 1814	鴬 1815
鱥 1807	鱸 1809	鳳 1810	4 鴋 1811	鴉 1813	鴿 1814	鴣 1815
鱡 1807	鱝 1809	鳧 1810	鴋 1811	鴦 1813	鴡 1814	鴡 1816
鱇 1807	鱱 1809	鳨 1810	鴃 1811	鴉 1813	鴟 1814	鴬 1816
鱬 1807	鱛 1809	鳬 1810	鴂 1811	鴉 1813	鴝 1814	鴥 1816
鱶 1807	鱪 1809	焉 1810	鴉 1811	鴟 1813	鴝 1814	鴛 1816

⿰末鳥 1816	鴹 1817	⿱穴鳥 1819	7 ⿰鳥余 1820	⿰巠鳥 1821	8 ⿰鳥隹 1823	鶁 1824
鴓 1816	鴯 1817	⿱列鳥 1819	鵌 1820	鵍 1821	⿰隹鳥 1823	⿰坴鳥 1824
鴖 1816	鴴 1817	⿱交鳥 1819	⿰鳥邑 1820	⿰皃鳥 1821	⿰鳥其 1823	⿰鳥坴 1824
⿰白鳥 1816	鴺 1817	⿱巩鳥 1819	鵊 1820	鵘 1821	⿰鳥兒 1823	鶇 1824
⿰付鳥 1816	⿰夸鳥 1817	⿰共鳥 1819	鵑 1820	⿰鳥耴 1822	⿰兒鳥 1823	鶆 1824
⿱艾鳥 1816	鴻 1817	⿰兆鳥 1819	⿰皀鳥 1820	⿰良鳥 1822	⿰其鳥 1823	⿰芺鳥 1824
⿰丕鳥 1816	⿰牟鳥 1817	⿰臼鳥 1819	⿰身鳥 1820	⿰牢鳥 1822	鶋 1823	鵫 1824
⿰鳥丕 1816	鴿 1818	⿰犴鳥 1819	鵒 1820	⿱㓞鳥 1822	⿰兔鳥 1823	⿰幷鳥 1825
⿰生鳥 1816	⿰多鳥 1818	⿰糸鳥 1819	鵓 1820	⿰尨鳥 1822	⿰肩鳥 1823	⿰昏鳥 1825
⿰石鳥 1816	⿰伊鳥 1818	⿰危鳥 1819	⿰夋鳥 1820	⿰鳥尨 1822	⿰明鳥 1823	⿰臽鳥 1825
⿰尔鳥 1816	⿱攸鳥 1818	⿰虫鳥 1819	⿰鳥夋 1820	⿰巫鳥 1822	⿱罘鳥 1823	鵽 1825
⿱鳥兄 1816	鵃 1818	⿰同鳥 1819	鵜 1820	⿰呆鳥 1822	⿰隼鳥 1823	鶌 1825
⿰由鳥 1816	鴰 1818	⿰老鳥 1819	鵠 1821	⿰孝鳥 1822	⿰紉鳥 1823	⿰弧鳥 1825
⿰鳥冬 1816	鴲 1818	⿱艹鳶 1819	鵡 1821	⿰镸鳥 1822	⿰甾鳥 1823	⿰采鳥 1825
⿰鳥只 1816	⿰刑鳥 1818	⿰鳥各 1819	⿰貝鳥 1821	⿱鳥邑 1822	鵩 1823	⿱狐鳥 1825
⿰只鳥 1816	鴶 1818	⿰鳥旬 1819	鵝 1821	⿰役鳥 1822	鵬 1823	⿱卯鳥 1825
鴜 1816	⿰圭鳥 1818	⿰曳鳥 1819	⿰鳥我 1821	⿰吾鳥 1822	鵯 1823	⿰羿鳥 1825
⿰乍鳥 1817	⿰艾鳥 1818	⿰臾鳥 1819	鵞 1821	⿱秀鳥 1822	鵰 1824	⿰金鳥 1825
⿰斥鳥 1817	鴸 1818	⿰有鳥 1819	⿰忌鳥 1821	⿱沃鳥 1822	鵲 1824	鵸 1825
⿰召鳥 1817	鵅 1818	⿰鳥多 1820	⿰希鳥 1821	⿱亨鳥 1822	鵷 1824	⿰鳥彔 1825
⿰鳥代 1817	⿰朴鳥 1818	⿰匠鳥 1820	⿰兑鳥 1821	⿰岑鳥 1822	鶄 1824	⿰帛鳥 1825
⿰去鳥 1817	鴳 1818	⿱次鳥 1820	⿰孚鳥 1821	⿱折鳥 1822	⿰鳥青 1824	⿰弦鳥 1825
6 ⿰鳥戎 1817	⿰肎鳥 1818	⿰宅鳥 1820	鵚 1821	⿰鳥希 1822	鵺 1824	⿰兩鳥 1825
⿰鳥至 1817	鴐 1818	⿰自鳥 1820	⿰吞鳥 1821	⿰辰鳥 1822	鵼 1824	⿱宜鳥 1825
⿰鳥交 1817	鵀 1818	⿰㐬鳥 1820	⿰赤鳥 1821	⿰鳥弟 1822	鵾 1824	⿰奉鳥 1825
鵄 1817	⿰任鳥 1819	⿰回鳥 1820	⿱豖鳥 1821	鵏 1822	⿰享鳥 1824	⿰鳥帚 1825
⿰式鳥 1817	⿹𢦏鳥 1819	⿰灰鳥 1820	⿱呂鳥 1821	⿰旱鳥 1823	鶊 1824	⿰帚鳥 1825

鴿 1825	鶥 1827	鶻 1828	10 鶬 1829	鷇 1831	鶇 1832	鷠 1833
鵇 1825	鷗 1827	鷥 1828	鶴 1829	鶯 1831	鶺 1832	鷯 1834
鵐 1825	鶙 1827	鶘 1828	鷂 1829	鶱 1831	鶺 1832	鷊 1834
鶉 1826	鶟 1827	鶻 1828	鷗 1829	鷙 1831	鷐 1832	鷞 1834
鵧 1826	鶤 1827	鶌 1828	鶺 1829	鶵 1831	鷊 1832	鷹 1834
鵴 1826	鶡 1827	鶡 1828	鶹 1830	鷥 1831	鶬 1832	鷰 1834
鷔 1826	鶛 1827	鶨 1828	鶾 1830	鶚 1831	鷚 1832	鷲 1834
鶑 1826	鶗 1827	鶱 1828	鷂 1830	鶂 1831	鷚 1832	鷤 1834
雋 1826	鶒 1827	鶪 1828	鷂 1830	鶪 1831	鷊 1833	鷞 1834
鶡 1826	鶣 1827	鶬 1828	鷃 1830	鵬 1831	鷛 1833	鷚 1834
鶌 1826	鶔 1827	鶘 1828	鷈 1830	鶶 1831	鷛 1833	鷘 1834
鶩 1826	鶥 1827	鶷 1829	鷈 1830	鶯 1831	鷐 1833	鷝 1834
鶡 1826	鶨 1827	鶕 1829	鷊 1830	鷖 1831	鷏 1833	鷟 1834
鶅 1826	鶪 1827	鶍 1829	鷙 1830	鷔 1831	鷙 1833	鷦 1834
鶈 1826	鶤 1828	鷙 1829	鷀 1830	鴻 1832	鷒 1833	鷕 1834
鶩 1826	鶏 1828	鶊 1829	鶵 1830	鷂 1832	鷘 1833	鷄 1834
鮀 1826	鷔 1828	鶧 1829	鶊 1830	鷉 1832	鷜 1833	鷎 1834
9 鶘 1826	鶩 1828	鶠 1829	鷍 1830	鷉 1832	鷚 1833	鷅 1834
鶓 1826	鶩 1828	鶡 1829	鶮 1830	鶩 1832	鶴 1833	鷒 1834
鶓 1826	鶩 1828	鷇 1829	鷅 1830	鶢 1832	鷕 1833	12 鷔 1834
鶗 1826	鶈 1828	鶽 1829	鶵 1830	鶓 1832	鷕 1833	鷤 1834
鶗 1826	鶏 1828	鷉 1829	鷄 1830	鶠 1832	鷖 1833	鷦 1834
鶚 1826	鶖 1828	鶝 1829	鶷 1830	鷆 1832	鷙 1833	鷦 1835
鶡 1826	鶟 1828	鶝 1829	鶾 1831	鶻 1832	鶱 1833	鷭 1835
鶤 1826	鶖 1828	鶠 1829	鷊 1831	11 鷓 1832	鷙 1833	鷭 1835
鶤 1827	鶏 1828	鶤 1829	鶾 1831	鷗 1832	鶲 1833	鷮 1835
鶢 1827	鶜 1828	鶠 1829	鶾 1831	鷗 1832	鷯 1833	鷤 1835

鶝 1835
鷳 1835
鷴 1835
鷯 1835
鷈 1835
鶪 1835
鷍 1835
鷅 1835
鷷 1835
鷱 1835
鷾 1835
鵯 1835
鷵 1835
鷭 1835
鷣 1835
鷲 1835
鷹 1835
鷲 1836
鷻 1836
鷺 1836
鸞 1836
鷟 1836
鷥 1836
鷨 1836
鷲 1836
鶴 1836
鷬 1836
鷺 1836
鷿 1836
鸀 1836
鸁 1836
鸃 1836
鸄 1836
鸅 1836
鸇 1836
鸈 1836
鸉 1836
鸊 1837
鸋 1837
鸌 1837
鸍 1837
鸎 1837
鸏 1837
鸐 1837
鸑 1837
鸒 1837
鸓 1837
鸔 1837
鸕 1837
鸖 1837
13 鸗 1837
鸃 1837
鸛 1837
鸘 1837
鸂 1837
鸙 1837
鸚 1837
鸇 1837
鸓 1838
鸔 1838
鸐 1838
鸏 1838
鷹 1838
鸒 1838
鸑 1838
鸊 1838
鸁 1838
鸉 1838
鸄 1838
鸇 1838
鸋 1838
鸌 1838
鸂 1838
鸍 1838
鸑 1838
鸜 1839
鸝 1839
鸞 1839
鸓 1839
鸛 1839
鸚 1839
鸕 1839
鸙 1839
14 鸛 1839
鸛 1839
鸏 1839
鸏 1839
鸋 1839
鸒 1839
鸍 1839
鸎 1839
鸑 1839
鸒 1839
鸕 1839
鸑 1840
鸕 1840
鸔 1840
鸐 1840
鸊 1840
15 鸌 1840
鸊 1840
鸔 1840
鸔 1840
鸇 1840
鸎 1840
鸓 1840
鸓 1840
鸗 1840
鸘 1840
鸙 1840
鸝 1840
鸑 1840
鸏 1840
鸆 1840
鸋 1840
16 鸕 1840
鸕 1841
鸛 1841
鸂 1841
鸍 1841
鸋 1841
鸋 1841
鸏 1841
鸎 1841
鸖 1841
鸖 1841
鸕 1841
17 鸚 1841
鸙 1841
鸘 1841
鸚 1841
鸞 1841
18 鸔 1841
鸛 1841
鸛 1841
鸜 1841
鸝 1841
鸗 1841
鸝 1841
鸝 1841
19 鸝 1842
鸞 1842
22 鸛 1842
23 鸜 1842
24 鸝 1842
25 鸞 1842
鸝 1842
鹵 部
鹵 1842
3 鹵 1842
4 鹵 1842
䶟 1842
䶠 1842
鹶 1842
鹸 1842
5 鹹 1842
鹹 1842
鹷 1842
鹽 1842
鹼 1843
6 鹵 1843
7 鹹 1843
8 鹼 1843
鹽 1843
鹼 1843
鹼 1843
鹽 1843
9 鹵 1843
鹹 1843
鹽 1843
鹼 1843
鹼 1843
鹼 1843
鹼 1843
10 鹺 1843
鹽 1843
鹻 1843
鹽 1843
鹽 1843
鹽 1843
鹼 1843
11 鹺 1843
鹼 1843
12 鹽 1843
鹼 1843
鹼 1843
鹼 1843
13 鹼 1844
鹹 1844
鹽 1844
鹼 1844
14 鹽 1844

𪉽 1844
𪊃 1844
15 𪊊 1844
16 𪊋 1844

鹿 部

鹿 1844
𢉖 1844
2 麀 1844
麂 1844
䴢 1844
麁 1844
𪊍 1844
𪊏 1845
𪊐 1845
4 麇 1845
𪊒 1845
麃 1845
𪊔 1845
𪊍 1845
麄 1845
麗 1845
𪊗 1845
𪊘 1845
麼 1845
𪊚 1845
5 麋 1845
麈 1845

𪊛 1845
𪊜 1845
麚 1845
𪊞 1845
麆 1845
𪊠 1845
6 𪊡 1845
𪊢 1846
麜 1846
麈 1846
𪊤 1846
𪊥 1846
𪊦 1846
𪊧 1846
𪊨 1846
𪊩 1846
𪊪 1846
7 麌 1846
𪊬 1846
麎 1846
𪊮 1846
𪊯 1846
𪊰 1846
𪊱 1846
麖 1846
𪊳 1846
𪊴 1846

𪊵 1846
𪊶 1846
𪊷 1846
8 麑 1846
麕 1847
𪊺 1847
𪊻 1847
麒 1847
麓 1847
麗 1847
𪊿 1847
𪋀 1847
𪋁 1847
𪋂 1847
𪋃 1847
𪋄 1847
9 𪋅 1847
𪋆 1847
麚 1848
𪋈 1848
𪋉 1848
𪋊 1848
𪋋 1848
𪋌 1848
𪋍 1848
𪋎 1848
10 麝 1848

𪋏 1848
𪋐 1848
𪋑 1848
𪋒 1848
11 麞 1848
𪋔 1848
𪋕 1848
麠 1848
12 麟 1848
𪋘 1848
𪋙 1848
𪋚 1848
𪋛 1848
13 麢 1848
𪋝 1848
𪋞 1849
𪋟 1849
𪋠 1849
14 𪋡 1849
𪋢 1849
𪋣 1849
15 𪋤 1849
17 𪋥 1849
麟 1849
18 𪋦 1849
20 𪋧 1849
22 麤 1849

25 𪋨 1849

麥 部

麥 1849
麦 1849
2 𪋪 1849
𪋫 1849
3 麧 1849
麧 1849
𪋮 1849
𪋯 1849
𪋰 1850
𪋱 1850
4 麨 1850
麩 1850
𪋴 1850
𪋵 1850
𪋶 1850
𪋷 1850
𪋸 1850
麪 1850
𪋺 1850
𪋻 1850
𪋼 1850
𪋽 1850
𪋾 1850
5 麮 1850

麭 1850
𪌀 1850
𪌁 1850
𪌂 1850
𪌃 1850
麰 1850
𪌅 1850
𪌆 1850
𪌇 1851
𪌈 1851
𪌉 1851
𪌊 1851
6 𪌋 1851
麯 1851
𪌍 1851
𪌎 1851
𪌏 1851
𪌐 1851
𪌑 1851
7 𪌒 1851
麱 1851
𪌔 1851
𪌕 1851
𪌖 1851
𪌗 1851
𪌘 1851
𪌙 1851

𪌚 1851
𪌛 1851
𪌜 1851
8 麴 1851
麳 1851
𪌟 1851
麒 1852
𪌡 1852
𪌢 1852
𪌣 1852
𪌤 1852
𪌥 1852
𪌦 1852
𪌧 1852
𪌨 1852
𪌩 1852
𪌪 1852
𪌫 1852
𪌬 1852
𪌭 1852
𪌮 1852
𪌯 1852
𪌰 1852
9 𪌱 1852
麵 1852
𪌳 1852
𪌴 1852

⿰麥頁 1852	⿰麥善 1854	5 ⿸麻比 1855	⿰黃今 1857	⿰黃耑 1858	黏 1859	13 ⿰黍農 1860
⿰麥艮 1852	⿰麥青 1854	⿸麻朱 1855	⿰黃屯 1857	⿰黃頁 1858	⿱各黍 1859	14 ⿰黍爾 1860
⿰麥酋 1853	⿰麥替 1854	⿸麻兆 1855	⿰冄黃 1857	10 ⿰黃員 1858	⿰黍尼 1859	⿰黍复 1860
10 ⿰麥昷 1853	13 ⿰麥豦 1854	⿸麻奄 1855	5 ⿰黃占 1857	⿰殼黃 1858	⿰黍矣 1859	16 馨 1860
⿰麥差 1853	⿰麥蜀 1854	6 ⿸麻多 1855	⿰黃主 1857	11 ⿰黃翏 1858	⿰黍包 1859	⿰黍龍 1860
⿰麥須 1853	⿰麥夌 1854	⿰麻朱 1855	⿰黃斤 1857	12 ⿰黃惑 1858	⿰黍必 1859	⿰黍遺 1860
⿱殳麥 1853	⿰麥喿 1854	7 ⿸麻系 1855	6 ⿰黃圭 1857	⿰黃單 1858	6 ⿰黍多 1859	黑 部
⿰麥家 1853	⿰麥豊 1854	8 ⿸麻米 1855	⿰黃有 1857	⿰黃黃 1858	⿰黍朱 1859	黑 1861
⿰麥尃 1853	⿰麥睘 1854	⿸麻馬 1855	⿰米黃 1857	13 ⿰黃黎 1858	8 ⿰黍卑 1859	黒 1861
⿰麥畱 1853	15 ⿰麥廣 1854	⿸麻敢 1855	⿰黃丞 1857	⿰黃豊 1858	⿱臤黍 1859	⿱罒夾 1861
⿰麥鬼 1853	⿰麥歷 1854	⿸麻昜 1856	⿰黃舌 1857	⿱黃黃 1858	⿰黍卷 1859	1 ⿰黑乚 1861
⿰麥索 1853	16 ⿱龍麥 1854	9 ⿱麻羔 1856	⿰黃充 1857	黍 部	⿰黍東 1859	2 ⿰黑刂 1861
⿰麥晋 1853	17 ⿱襄麥 1854	⿱麻羔 1856	7 ⿰黃支 1857	黍 1858	⿰黍奉 1860	⿰黑卜 1861
11 ⿰麥啇 1853	18 ⿰麥豐 1854	⿸麻番 1856	⿰黃夾 1857	3 黎 1858	9 ⿰黍重 1860	3 ⿰黑弋 1861
⿱敫麥 1853	19 ⿰麥羅 1854	10 ⿸麻鬲 1856	8 ⿰享黃 1857	⿰黍勺 1858	⿰黍昜 1860	⿰黑干 1861
⿰麥歲 1853	20 ⿱鬱麥 1854	⿸麻麥 1856	⿰黃享 1857	⿰黍女 1858	⿰黍忽 1860	⿰黑大 1861
⿰麥連 1853	麻 部	11 ⿸麻髟 1856	⿰黃隹 1857	⿰黍刃 1859	⿰黍參 1860	⿰黑七 1861
⿰麥婁 1853	⿸广林 1854	12 ⿸麻鹿 1856	⿰黃或 1857	4 ⿰黍日 1859	⿰黍胡 1860	⿰黑乞 1861
⿰麥莫 1853	麻 1855	⿸麻鹿 1856	⿰黃昔 1857	⿰黍斤 1859	⿰黍畐 1860	⿰黑勺 1861
⿰麥曼 1853	3 麼 1855	13 ⿸麻蕡 1856	⿰黃定 1857	⿰黍丑 1859	10 ⿰黍舀 1860	⿰黑乇 1861
⿰麥累 1853	麽 1855	⿸麻賁 1856	⿰黃炎 1857	⿰黍分 1859	⿰黍兼 1860	⿰黑丸 1861
⿰麥辨 1853	⿸麻兀 1855	20 ⿱麻黑 1856	⿰黃戔 1858	⿰黍牛 1859	11 ⿰黍歷 1860	4 黔 1861
⿱殹麥 1853	4 麾 1855	黃 部	⿰月黃 1858	⿱黍日 1859	⿰黍匿 1860	⿰黑尤 1861
12 ⿰麥喜 1853	麿 1855	黃 1856	⿰角黃 1858	⿰黍互 1859	⿰黍連 1860	⿰黑冗 1861
⿰麥黃 1854	⿸麻男 1855	黄 1856	9 ⿰黃重 1858	5 ⿱黍甘 1859	⿰黍麻 1860	⿰黑旡 1862
⿰麥覃 1854	⿸麻夾 1855	4 ⿰黃冘 1856	⿰黃軍 1858	⿰黍古 1859	⿰黍啇 1860	⿰黑屯 1862
⿰麥粦 1854	⿸麻攵 1855	⿰黃亢 1857	鐄 1858	⿰黍乎 1859	⿰黍离 1860	默 1862

默 1862
⿱犬黑 1862
⿷匚黑 1862
⿰黑予 1862
⿰黑太 1862
⿰黑亢 1862
⿰黑文 1862
黕 1862
5 黜 1862
黝 1862
點 1862
黈 1862
⿰黑旦 1863
黚 1863
黛 1863
⿰黑末 1863
⿰黑冊 1863
⿰黑㐱 1863
⿰黑尒 1863
6 黟 1863
⿰黑伊 1863
黠 1863
⿰黑氐 1863
⿰黑夅 1863
⿰黑开 1863
⿰黑色 1863
⿹𢦏黑 1863
⿰黑朱 1863
⿰黑灰 1863
⿱艹黑 1863
7 黢 1864
黣 1864
黳 1864
⿰黑孚 1864
⿱㓞黑 1864
⿰黑杉 1864
⿰黑見 1864
⿰黑谷 1864
⿰黑肖 1864
8 黭 1864
黥 1864
黦 1864
⿰黑知 1864
⿰黑沓 1864
⿰黑或 1864
⿰黑金 1864
⿰黑尻 1864
⿱㕯黑 1864
黨 1865
⿰黑昆 1865
⿰黑炎 1865
⿰黑享 1865
⿰黑來 1865
⿰黑彔 1865
⿰黑奔 1865
⿰黑妥 1865
⿰黑昏 1865
⿱絜黑 1865
9 ⿰黑亞 1865
⿰黑咸 1865
⿰黑弇 1865
黮 1865
黯 1866
⿰黑昜 1866
⿰黑⿸尸共 1866
⿰黑南 1866
⿰黑律 1866
⿱㣇黑 1866
⿰黑屏 1866
⿰黑曷 1866
⿰黑屋 1866
⿰黑虒 1866
⿰黑奎 1866
⿰黑者 1866
⿰黑枼 1866
⿰黑亭 1866
⿰黑桼 1866
⿰黑貞 1866
10 黰 1866
⿰月黨 1866
⿱般黑 1866
⿰黑般 1866
⿰黑冤 1866
⿱𦍌黑 1867
⿰黑衰 1867
⿰黑离 1867
⿰黑冥 1867
⿰黑沓 1867
⿰黑或 1867
⿰黑辱 1867
⿰黑茲 1867
11 黲 1867
黴 1867
⿱敝黑 1867
⿰黑虒 1867
⿰黑鹿 1867
⿰黑覓 1867
⿰黑易 1867
⿰黑兔 1867
⿰黑坴 1867
⿰黑庸 1867
⿰黑責 1867
⿱畾黑 1867
12 ⿰黑禽 1867
⿰黑逮 1868
⿰黑隊 1868
⿰黑惠 1868
⿰黑業 1868
⿰黑雲 1868
⿰黑曾 1868
⿰黑登 1868
⿰黑最 1868
⿰黑喜 1868
⿰黑音 1868
⿱攸黑 1868
⿰黑敢 1868
13 ⿰黑會 1868
黵 1868
⿰黑僉 1868
⿰黑臧 1868
⿰黑農 1868
⿰黑萬 1868
⿰黑賁 1868
⿰黑黽 1869
⿰黑殿 1869
⿰黑喿 1869
⿰黑歲 1869
14 ⿰黑臺 1869
黶 1869
⿱算黑 1869
15 黷 1869
⿰黑箴 1869
⿰黍黑 1869
⿰黑亶 1869
16 ⿰黑焉 1869
⿰黑歷 1869
⿰黑盧 1869
17 ⿰黑襄 1869
⿰黑毚 1869
26 ⿰黑爵 1869
29 ⿰黑鬱 1870

黹 部

黹 1870
4 黺 1870
5 黻 1870
6 ⿰黹米 1870
7 黼 1870
8 ⿰黹卒 1870
9 ⿱臣黹 1870
⿰黹扁 1870
11 ⿰黹虘 1870

黽 部

黽 1870
黾 1870
黾 1870
黾 1870
1 ⿱丿黽 1871
4 黿 1871
5 ⿰句黽 1871
⿱令黽 1871
⿱日黽 1871
⿱奄黽 1871
⿱夵黽 1871
鼁 1871
⿰冉黽 1871
⿱户黽 1871
⿱夕黽 1871
6 鼃 1871
⿱圭黽 1871
鼄 1871
7 ⿱辰黽 1871
⿱冒黽 1871
8 ⿱昌黽 1871
鼅 1871
9 ⿰酋黽 1871
⿱敄黽 1871
10 鼆 1871
⿰奚黽 1871
11 ⿱䂞黽 1872
鼇 1872
⿸麻黽 1872
12 ⿱㡀黽 1872
鼈 1872
⿱畕黽 1872
鼉 1872
13 ⿱虘黽 1872
⿰亶黽 1872
14 ⿱罒黽 1872

鼎 部

鼎 1872
鼑 1872
2 鼐 1872
鼏 1872
鼒 1872
3 鼒 1873
鼎 1873
鼾 1873
鼒 1873
鼎 1873
10 鼐 1873
11 鼎 1873
鼎 1873

鼓 部

鼓 1873
鼔 1873
1 鼓 1873
3 鼕 1873
4 鼖 1873
鼙 1873
5 鼛 1873
鼓 1873
鼕 1873
鼘 1873
鼙 1874
6 鼚 1874
鼛 1874
鼖 1874
鼗 1874
鼓 1874
鼘 1874
鼚 1874
鼛 1874
鼕 1874
7 鼘 1874
鼘 1874
8 鼙 1874
鼛 1874
鼕 1874
鼛 1874
鼕 1874
鼛 1874
9 鼜 1874
鼞 1875
鼛 1875
鼟 1875
鼖 1875
鼕 1875
鼗 1875
鼘 1875
10 鼟 1875
鼟 1875
11 鼛 1875
鼕 1875
鼕 1875
12 鼕 1875
鼕 1875
13 鼕 1875
14 鼕 1875
16 鼖 1875

鼠 部

鼠 1875
鼡 1875
2 鼢 1875
3 鼣 1875
鼤 1876
鼥 1876
鼦 1876
4 鼩 1876
鼫 1876
鼢 1876
鼢 1876
鼦 1876
鼧 1876
鼦 1876
鼫 1876
鼫 1876
鼩 1876
5 鼦 1876
鼪 1876
鼫 1876
鼬 1876
鼭 1876
鼮 1876
鼨 1876
鼩 1876
鼫 1876
鼧 1877
鼱 1877
鼥 1877
鼦 1877
鼲 1877
鼧 1877
鼦 1877
鼦 1877
鼮 1877
鼨 1877
6 鼮 1877
鼱 1877
鼪 1877
鼨 1877
鼫 1877
鼬 1877
鼫 1877
7 鼮 1877
鼯 1877
鼰 1877
鼰 1877
鼱 1877
鼦 1877
鼲 1877
鼳 1877
8 鼴 1878
鼴 1878
鼱 1878
9 鼴 1878
鼳 1878
鼵 1878
鼶 1878
鼷 1878
鼸 1878
鼹 1878
鼺 1878
鼶 1878
鼶 1878
鼷 1878
10 鼸 1878
鼸 1878
鼹 1878
鼹 1878
鼹 1878
鼹 1878
鼹 1879
鼸 1879
鼶 1879
鼷 1879
鼹 1879
11 鼺 1879
鼹 1879
鼹 1879
12 鼹 1879
鼹 1879
鼹 1879
鼹 1879
14 鼹 1879
15 鼺 1879
16 鼺 1879
鼹 1879
17 鼹 1879
18 鼹 1879

鼻 部

鼻 1879
鼻 1880
鼻 1880
1 鼼 1880
2 鼽 1880
鼾 1880
鼾 1880
3 鼾 1880
鼿 1880
齀 1880
齀 1880
4 齂 1880
齃 1880
齁 1880
齁 1880
5 齃 1880
齃 1880
齃 1880
齁 1880
齁 1880
6 齃 1880
齃 1881
齃 1881
齃 1881
齃 1881
7 齆 1881
齃 1881
齁 1881
齁 1881
齃 1881
8 齃 1881
齃 1881
9 齆 1881
齃 1881
齃 1881
10 齆 1881
齆 1881
齇 1881
齈 1881

11 鼻翏 1881	8 [illegible] 1883	齒戈 1885	齒吉 1886	[illegible] 1888	齒來 1889	齒尃 1890
鼻盧 1881	9 齏 1883	齒亢 1885	齩 1886	齒告 1888	齒臽 1889	齒豈 1890
鼻卒 1881	11 [illegible] 1883	5 齚 1885	齒并 1886	齒我 1888	9 齒禺 1889	齒骨 1890
12 鼻習 1881	[illegible] 1883	齒只 1885	齒至 1886	齒含 1888	齒軍 1889	齒兼 1890
鼻替 1882	[illegible] 1884	齟 1885	齒舌 1887	齒言 1888	齒彥 1889	[illegible] 1891
[illegible] 1882	齒 部	齠 1885	齒白 1887	齒孚 1888	齶 1889	齒屑 1891
13 齈 1882	齒 1884	齡 1885	齒虫 1887	[illegible] 1888	齒虐 1889	[illegible] 1891
鼻會 1882	1 齓 1884	齒令 1885	齒列 1887	[illegible] 1888	齵 1889	齒差 1891
15 鼻疐 1882	2 齔 1884	齒句 1885	[illegible] 1887	齒束 1888	齒品 1889	齒虘 1891
16 鼻歷 1882	齒十 1884	齒台 1885	[illegible] 1887	8 齮 1888	齷 1889	[illegible] 1891
17 [illegible] 1882	齒八 1884	齒司 1885	[illegible] 1887	齯 1888	齒胥 1889	[illegible] 1891
22 齉 1882	3 齕 1884	齒立 1885	齒名 1887	齰 1888	[illegible] 1889	齒倉 1891
齊 部	[illegible] 1884	齒巨 1885	齒曳 1887	齒取 1888	齒咸 1889	11 齒虛 1891
齊 1882	齒干 1884	齒世 1886	齒圭 1887	齒匡 1888	[illegible] 1890	齒堇 1891
2 [illegible] 1882	齒山 1884	齒出 1886	齒旨 1887	齒戔 1888	齒客 1890	齒匿 1891
3 齋 1882	齒也 1884	齒包 1886	齒寺 1887	齒所 1888	[illegible] 1890	齒產 1891
[illegible] 1883	4 齒牙 1884	齜 1886	齒色 1887	齒卒 1888	[illegible] 1890	齒責 1891
山齊 1883	齒巴 1884	[illegible] 1886	齒合 1887	[illegible] 1888	齒則 1890	齒將 1891
[illegible] 1883	齗 1884	齒可 1886	7 齒困 1887	齒門 1889	齒查 1890	齒窒 1891
巾齊 1883	齒介 1884	齒史 1886	齬 1887	[illegible] 1889	[illegible] 1890	12 齒閒 1891
4 [illegible] 1883	齒爪 1885	齒充 1886	齒足 1887	[illegible] 1889	[illegible] 1890	齒堯 1891
[illegible] 1883	齒乞 1885	齒失 1886	足齒 1887	齒其 1889	[illegible] 1890	齒幾 1891
5 齍 1883	齒支 1885	[illegible] 1886	齒夋 1887	齒虎 1889	齒曷 1890	[illegible] 1891
[illegible] 1883	齒今 1885	齒占 1886	齒夾 1887	齒困 1889	10 齒芻 1890	齒最 1891
[illegible] 1883	齒斤 1885	齒戍 1886	[illegible] 1888	齒宜 1889	齒益 1890	齒單 1891
6 [illegible] 1883	齒內 1885	齒它 1886	[illegible] 1888	齒隹 1889	齒眞 1890	13 齒楚 1891
7 齎 1883	齒开 1885	6 齦 1886	[illegible] 1888	[illegible] 1889	齒害 1890	齒禁 1891

𪙁 1892
𪙋 1892
𪙆 1892
𪙏 1892
𪙎 1892
14 𪙟 1892
𪙠 1892
15 𪙧 1892
𪙨 1892
16 𪙪 1892
17 𪙬 1892
𪙭 1892
20 齾 1892
𪙳 1892
25 𪙴 1892
𪙸 1892

龍 部

龍 1892
𪚌 1893
2 龎 1893
3 龏 1893
𪚎 1893
龓 1893
龐 1893
4 𪚏 1893
龕 1893
朧 1893
𪚕 1893
𪚗 1893
5 龒 1893
6 龔 1893
𪚘 1893
襱 1893
攏 1893
龕 1893
7 𪚛 1894
16 龖 1894
17 龗 1894
32 龘 1894
48 𪚥 1894

龜 部

龜 1894
𪚦 1894
1 𪚧 1894
2 𪚨 1894
3 𪚬 1894
4 𪚰 1894
𪚱 1894
𪚳 1894
𪚴 1894
𪚵 1895
𪚷 1895
𪚶 1895
5 𪚸 1895
𪚹 1895
𪚺 1895
𪚿 1895
𪛀 1895
𪚻 1895
𪛁 1895
𪚾 1895
8 𪛂 1895
9 𪛃 1895
11 𪛄 1895
𪛅 1895
17 𪛉 1895

龠 部

龠 1895
4 龡 1895
𪛏 1895
𪛐 1895
5 龢 1895
8 𪛑 1896
𪛒 1896
9 龥 1896
𪛓 1896
𪛔 1896
𪛕 1896
10 𪛗 1896
𪛖 1896
14 𪛘 1896
16 𪛙 1899
20 𪛚 1896

總畫索引

1. 본 漢字辭典에 收錄된 表題字를 部首에 의하지 않고, 각 畫數만으로 찾아볼 수 있도록 總畫數에 따라 大別하고, 다시 部首順으로 配列하였다.
2. 다만, 部首字는 같은 畫數의 글자 중의 첫머리에 실었다.
3. 表題字 왼편의 글자는 部首를, 오른편 숫자는 쪽수를 나타낸다.

1 획

一 一 9
丨 丨 14
丶 丶 15
丿 丿 16
乀 17
乁 17
⺄ 17
乙 乙 20
乙 20
乚 20
亅 亅 24
𠄌 24
㇄ 24
乛 24
巛 𡿨 324

2 획

二 二 25
ニ 25
二 25
亠 亠 28
人 人 31
亻 31
儿 儿 80
入 入 84
八 八 85
冂 冂 88
冖 冖 90
冫 冫 92
几 几 95
八 95
凵 凵 96
凵 96
刀 刀 98
刂 98
⺈ 98
刅 98
力 力 112
勹 勹 118
匕 匕 121
七 121
匚 匚 122
匸 匸 124
十 十 125
卜 卜 129
卩 卩 130
㔾 130
厂 厂 133
厶 厶 138
又 又 140
一 丁 9
丂 9
丅 9
七 9
丄 9
丨 丩 14
丨 14
丿 乂 17
乄 17
乃 17
ナ 17
𠂆 17
タ 17
乙 乜 20
九 20
亅 了 24
丁 25
巛 巜 324
弓 马 358

3 획

口 口 144
囗 囗 194
土 土 199
士 士 225
夂 夂 226
午 226
夊 夊 227
夕 夕 228
大 大 230
矢 231
女 女 239
子 子 269
孑 269
孒 270
宀 宀 274
寸 寸 287
小 小 291
尢 尢 293
尸 尸 295
尸 295
屮 屮 302
屮 302
山 山 303
巛 巛 324
川 324
巛 324
工 工 325
己 己 327
已 327
巳 327
巾 巾 328
干 干 340
幺 幺 342
乡 342
广 广 343
廴 廴 354
廾 廾 355
卄 355
弋 弋 357
弓 弓 358
弓 358
彐 彐 364
彑 364
彡 彡 366
彳 彳 368
心 忄 376
手 扌 427
犬 犭 746
邑 阝 1511
阜 阝 1609
一 三 9
下 10
万 10
丈 10
丌 10
上 10
丑 11
丒 11
丨 个 14
丫 14
丶 丷 15
丸 16
凡 16
丿 久 17
乆 17
乇 17
乂 18
么 18
乙 飞 21
乞 21
也 21
乤 21
亅 亇 25
二 于 26
亏 26
亍 26
亠 亡 28
人 亼 31
个 31
亿 31
儿 兀 80
入 亾 84
冂 冃 88
冫 习 92
几 凡 95
九 95
凵 凵 97
刀 刃 98
刄 98
刅 98
力 办 112
勹 勺 119
勺 119
十 卄 125
千 125
卂 126
卩 卪 130
卬 130
厶 去 138
又 叉 140
尢 兀 293
手 才 427
歹 歺 605

4 획

心 心 376
⺗ 376
戈 戈 420
戶 戶 425
手 手 427
支 支 478
攴 攴 479
攵 479
文 文 489
斗 斗 490
㪳 491
斤 斤 492
方 方 494
无 无 498
旡 499

日	日	499
曰	曰	517
月	月	520
木	木	523
	不	524
	朩	524
欠	欠	594
止	止	602
歹	歹	605
殳	殳	611
毋	毋	615
	毌	615
比	比	616
毛	毛	617
	毛	617
氏	氏	621
气	气	623
水	水	624
火	火	706
	灬	706
爪	爪	731
	爫	732
	爪	732
父	父	733
爻	爻	734
爿	爿	735
片	片	736
牙	牙	738
牛	牛	739
犬	犬	746
一	不	11
	丏	11
	丐	11
	丐	11
	丌	11
	丈	11
	丑	11
	丒	11
	与	11
	与	11
	丘	11
丨	中	14
	丰	14
	丯	15
	丮	15
	书	15
丶	为	16
	丹	16
丿	朩	18
	乌	18
	之	21
乙	乢	21
	乣	21
亅	予	25
	𠄌	25
二	云	26
	亖	26
	亓	26
	开	26
	专	26
	互	26
	五	26
	𠄠	26
	井	26
亠	亢	28
	亣	28
人	从	31
	今	31
	介	31
	仒	32
	仌	32
	仑	32
	仓	32
	亾	32
	仄	32
	内	32
	什	32
	仁	32
	仆	32
	仂	33
	仇	33
	仍	33
	仉	33
	仃	33
	仏	33
	仪	33
	仅	33
	仐	33
儿	允	80
	元	80
	兂	81
	兀	81
入	内	84
	从	84
八	公	85
	仌	86
	兮	86
	兮	86
	六	86
冂	冃	88
	円	88
	冄	88
	冈	88
冖	冗	90
	冘	90
凵	凶	97
	凷	97
刀	办	99
	刅	99
	切	99
	切	99
	分	99
	刈	99
	刋	99
力	办	112
	劝	112
勹	勻	119
	匀	119
	勽	119
	勾	119
	勿	119
	勼	119
匕	𠤎	121
	化	121
匸	匹	124
	区	124
十	廿	126
	卅	126
	升	126
	午	126
	协	126
	卄	126
	卆	126
卜	卝	129
	卞	129
卩	卬	130
	卯	131
	卯	131
厂	厄	133
	厅	133
	历	133
	产	133
厶	厸	138
	厃	138
	厹	138
	厷	139
又	叉	140
	㕛	140
	双	140
	収	140
	収	140
	及	141
	友	141
	叐	141
	反	141
	𠬛	141
	𠬝	141
	𠬢	141
口	囙	194
土	圡	199
	圠	199
	壬	199
士	壬	225
夂	夃	227
大	太	231
	太	231
	夫	231
	夬	231
	天	231
	夭	231
子	孔	270
寸	𡬠	288
小	少	291
	尐	291
	尒	291
尢	尣	293
	尣	293
	尤	293
尸	尺	295
	尹	295
屮	屮	302
	屮	302
	屯	302
巛	巛	324
	巛	324
工	𢀖	326
	𢀘	326
己	巴	327
巾	币	329

市 329
帀 329
干 开 340
幺 乡 342
幻 342
廾 廾 355
弋 弍 357
弓 弔 358
弓 358
弓 358
弖 358
弖 358
引 359
弖 359
弓 359
心 忆 377
手 扎 427
无 旡 499
毋 毌 615
玉 王 766
王 766
玊 766
癶 癶 823
示 礻 884
网 冈 1026
四 1026
肉 月 1064
艸 艹 1120
艺 1120
辵 辶 1487

5 획

玄 玄 765
玉 玉 765
王 766
瓜 瓜 786
瓦 瓦 787
甘 甘 791
甘 791
生 生 792
㞢 792
用 用 793
甩 793
田 田 794
疋 疋 803
疒 疒 804
癶 癶 823
白 白 824
皮 皮 828
皿 皿 831
目 目 836
罒 837
矛 矛 861
矢 矢 862
石 石 864
示 示 884
内 内 895
禾 禾 896
穴 穴 915
立 立 925
一 丙 11
世 12
亏 12
丗 12
且 12
丕 12
丘 12
丠 12
业 12
丨 丱 15
丶 主 16
丼 16
囙 16
丿 乎 18
乏 18
乍 18
乎 18
乎 18
丯 18
乐 18
乙 乑 21
电 21
乜 21
乭 21
乫 22
乬 22
乯 22
二 击 27
亗 27
人 仚 33
令 33
令 33
㐱 33
仺 33
全 34
今 34
从 34
以 34
仔 34
仕 34
他 34
仗 34
付 34
仙 34
仞 35
仭 35
仟 35
仡 35
仢 35
代 35
仜 35
仨 35
仪 35
㐰 35
伏 35
儿 兄 81
兂 81
充 81
入 仝 84
八 兰 86
冂 册 88
冊 88
同 88
囟 88
回 88
冉 88
冉 89
肉 89
再 89
冖 写 90
写 90
冫 冬 92
几 凤 95
処 96
凥 96
凧 96
凵 出 97
凷 97
凹 97
凸 97
凷 97
凷 97
刀 刉 99
刊 99
刋 99
刌 99
刏 100
刐 100
刉 100
力 加 112
功 112
囚 113
务 113
勹 匃 119
匄 119
包 119
匆 119
匕 北 121
匚 匜 122
匝 122
医 122
十 卉 126
半 126
本 126
卜 占 129
卟 129
处 129
卡 129
卩 卯 131
卬 131
卮 131
厂 厈 134
厈 134
厌 134
历 134
厃 134
厶 去 139
厺 139
又 収 141
叏 141
反 141
叏 141
发 141
友 141
口 只 144
另 144
另 144
另 144
号 144
叨 144

叩 145
叮 145
叶 145
叫 145
叽 145
叭 145
叱 145
叼 145
叻 145
叹 145
叵 145
史 145
可 145
司 146
右 146
古 146
句 146
召 146
㕣 146
台 146
叴 147
[illegible] 147
各 147
口 囚 194
四 194
㘝 194
团 194
囙 194
囘 194
土 圥 199
圤 199
圣 199
圧 199
夂 夅 227
夕 外 229
夘 229
夗 229
夘 232
大 夲 232
夯 232
夳 232
夰 232
夹 232
央 232
失 232
头 232
女 奴 239
奶 239
妃 239
𡚬 239
伩 239
子 孒 270
孕 270
宀 宁 274
它 274
宄 274
宂 274
宊 274
寸 对 288
小 尒 291
尔 291
尓 292
尕 292
尢 无 293
尸 尻 296
尼 296
尽 296
㞀 296
卢 296
屮 㞢 302
山 屴 303
屵 303
屳 303
屼 303
屿 303
屲 303
工 巧 326
巨 326
左 326
己 㠯 328
卮 328
巾 帆 329
帅 329
市 329
帇 329
布 329
币 329
干 平 340
𢆉 341
幺 幼 342
㓜 342
广 庀 343
庂 343
広 343
庁 343
廾 弁 355
弁 355
弋 式 357
弓 弘 359
弗 359
弖 359
弔 359
[illegible] 359
[illegible] 359
弘 359
彐 归 364
归 364
刍 364
彳 行 368
𢓊 368
心 必 376
忉 377
戈 戊 420
戉 420
戋 420
戶 戹 425
手 扎 427
扐 427
扑 427
扒 427
打 427
扔 428
扎 428
扝 428
𢪃 428
斤 斥 492
日 旦 499
[illegible] 499
旧 499
[illegible] 499
月 冃 520
木 本 524
札 524
未 524
末 524
朮 525
朩 525
术 525
东 525
止 正 602
𣥂 603
歹 歺 605
冎 605
毋 母 615
氏 氏 622
民 622
水 氷 624
永 624
氶 625
氾 625
氿 625
汀 625
汁 625
汃 625
汇 625
汉 626
火 灭 706
爪 [illegible] 732
爿 [illegible] 735
犬 犮 746
犯 747
犰 747
田 甲 794
申 795
由 795
甴 795
疋 疋 803
𤴔 803
示 礼 884
禾 禾 896
网 罒 1026
聿 聿 1062
肉 肊 1064
艸 艹 1120
节 1121
衣 衤 1264
辵 边 1487
邑 [illegible] 1511
邓 1511
阜 防 1609
[illegible] 1609
队 1609

6 획

竹 竹 930
米 米 966
糸 糸 979
缶 缶 1022
网 网 1025
羊 羊 1033

총획색인

羽	羽	1039		凷	13	亅	争	25		伎	37		伤	39		冴	92		动	113
	羽	1040		丽	13		亊	25		伏	38		伏	39		冸	92	勹	匈	120
老	老	1048		丞	13	二	亘	27		伐	38		伃	39		冰	92	匚	匠	122
而	而	1049		丟	13		亙	27		伂	38		伖	39		冲	92		匡	122
耒	耒	1050		北	13		亚	27		休	38	儿	充	81		沁	92		匛	123
耳	耳	1054	丨	弔	15	亠	交	28		伀	38		兆	81		决	92		医	123
聿	聿	1062		丳	15		亥	29		伙	38		兇	81		次	92		匜	123
肉	肉	1064	丶	弁	16		亦	29		伄	38		先	81	几	凬	96	十	卉	126
臣	臣	1099	丿	乒	19		仌	29		佛	38		光	82	凵	凷	97		卋	127
自	自	1100		乓	19	人	企	36		伶	39		兕	82		凶	97		卌	127
至	至	1102		乑	19		会	36		仸	39		兂	82	刀	刕	100		卌	127
臼	臼	1104		𠂢	19		伞	36		优	39		兏	82		扨	100		协	127
舌	舌	1107		乌	19		众	36		伔	39		兕	82		刎	100		卆	127
舛	舛	1109		丢	19		仰	36		伕	39		兂	82		刑	100		华	127
舟	舟	1110		乔	19		仲	36		优	39		兊	82		刑	100		卍	127
艮	艮	1118		乕	19		仳	36		佽	39		尧	82		刓	100	卩	印	131
色	色	1118		自	19		仵	36		伃	39	入	全	84		刖	100		卯	131
艸	艸	1120	乙	飞	22		件	36		伒	39	八	兲	86		列	100		危	131
虍	虍	1213		乮	22		仯	36		㐺	39		关	86		刉	100		卯	131
虫	虫	1217		乭	22		价	36		份	39		共	86		刔	100	厂	厊	134
血	血	1258		乮	22		任	36		伇	39		兴	86		刐	100		厎	134
行	行	1261		乱	22		仿	37		仮	39	冂	冊	89		划	100		压	134
衣	衣	1264		乩	22		伈	37		伜	39		再	89		刘	101		厌	134
襾	襾	1293		乫	22		伉	37		伝	39		再	89	力	劦	113	厶	厺	139
一	丙	12		乬	22		伊	37		伛	39		冎	89		劥	113	又	叒	141
	丕	13		乭	22		伋	37		伍	39	冖	农	90		劣	113		受	141
	両	13		乮	22		伍	37		伵	39	冫	冱	92		劤	113		吏	142

총획색인

口	吕	147		囝	195		夸	232		存	270		屹	303	廴	㢟	354		忏	378
	吅	147		囡	195		夷	232		学	270		屼	303		廵	354		忔	378
	吴	147		囙	195		夻	233	宀	宅	274		屺	303	廾	异	355		忖	378
	吊	147		囪	195		㚎	233		宇	274		出	303		𢌬	356		忙	378
	吁	147		团	195		夺	233		宇	274	巛	州	324		弃	356		忪	378
	吁	147		団	195		买	233		守	274		[illegible]	324	弋	式	357		忕	378
	吃	147		囟	195		夹	233		安	275		[illegible]	324		弍	358	戈	戌	420
	吋	147	土	圭	199	女	奻	240		宊	275		[illegible]	324		弐	358		戍	420
	吐	147		青	200		奸	240		宎	275		巟	324	弓	弜	359		戎	420
	吒	147		圩	200		好	240		写	275	工	巨	326		弛	359		戏	420
	吔	147		圬	200		妁	240	寸	寺	288		巩	326		弙	359		𢦏	421
	吓	147		圮	200		如	240		寻	288		巩	326		弙	360		戋	421
	吆	147		圯	200		她	240		导	288	己	巵	328		弚	360		成	421
	吏	148		地	200		妃	240	小	尖	292	巾	帆	329	彐	㣇	364	手	扛	428
	向	148		圳	200		㚤	240		尘	292		帉	329		当	364		托	428
	同	148		圪	200		奼	240		尗	292		希	329		当	364		扚	428
	各	148		在	200		妇	241	尢	尪	293		帇	329		彐	364		扞	428
	合	148		扗	200		㚢	241		尥	293		师	329		攺	364		扜	428
	吉	148	士	壮	225		㚥	241	尸	屃	296	干	幵	341	彡	彡	366		扝	428
	吉	148	夂	夅	227		改	241		户	296		年	341	彳	往	368		扣	428
	名	148		夅	227		妆	241		层	296		并	341		彴	368		扤	428
	后	149		夆	227		妄	241		尽	296	幺	𢆶	342	心	忍	377		扠	428
囗	回	194	夕	多	229		妄	241	屮	屰	302	广	庄	343		忩	377		扨	428
	囘	194		夛	229	子	孖	270	山	岁	303		庁	344		忉	377		扢	428
	因	194		夛	229		孙	270		岁	303		庀	344		忓	378		扟	428
	囤	194		夙	229		𢪃	270		岂	303		広	344		忬	378		扡	429
	囜	194	大	夶	232		字	270		屾	303		庆	344		忬	378		扦	429

执 429
扫 429
找 429
扝 429
扗 429
支 攰 478
攴 收 479
攷 479
文 齐 489
方 㫃 494
日 早 499
旯 499
亘 500
叶 500
旭 500
旮 500
旨 500
旬 500
𣅀 500
曰 曳 517
曲 517
曳 518
月 朲 520
有 520
木 朴 525
机 525
朻 525

朽 525
朼 525
朾 525
朷 525
朸 526
朳 526
朹 526
杁 526
权 526
朱 526
束 526
朿 526
朶 526
朵 526
杀 526
杂 526
杀 526
欠 次 594
欢 594
止 此 603
𣥂 603
𣥄 603
歹 歽 605
死 606
毋 每 615
比 毕 616
毛 毜 617

氏 𣱅 622
气 気 623
氖 623
氘 623
水 汖 625
求 625
汆 625
汞 625
𣱱 625
汊 626
汋 626
汎 626
汍 626
汏 626
汐 626
汔 626
汒 626
汜 626
汕 626
汚 626
汙 627
污 627
汗 627
汓 627
汛 627
汝 627
江 627

池 627
汘 627
汈 627
汷 627
汥 628
汢 628
汑 628
火 灮 706
灸 706
𤆀 706
灯 706
灰 706
灰 706
灵 706
灾 707
父 爷 734
牛 牝 739
牞 739
牟 739
犬 犴 747
犵 747
狏 747
犲 747
犿 747
状 747
玉 玍 766
玎 766

玏 766
玜 766
玐 766
用 𤰃 793
甪 793
田 甶 795
白 百 824
皃 824
目 𥃥 837
石 石 865
𥐘 865
示 礼 884
𥘅 824
穴 穵 915
立 辛 926
产 926
缶 缶 1022
网 网 1026
羊 𦍌 1033
羽 羽 1040
老 考 1048
耒 耒 1051
肉 肋 1064
肌 1064
肍 1064
肎 1064
肓 1064

肛 1064
肎 1064
臣 𦣝 1099
自 𦣹 1100
艸 艼 1120
艽 1120
艾 1120
艿 1120
芌 1121
艻 1121
芀 1121
襾 西 1294
覀 1294
豕 豕 1372
走 赱 1404
足 𧾷 1421
辰 𠨍 1486
辵 辺 1487
边 1487
辷 1487
辸 1487
邑 邑 1511
邔 1511
邗 1511
邦 1512
𨙶 1512
邙 1512

邛 1512
叩 1512
邖 1512
邦 1512
邦 1512
阜 阡 1610
阤 1610
阢 1610
阠 1610
阣 1610

7 획

見 見 1295
角 角 1304
言 言 1312
谷 谷 1366
豆 豆 1368
豕 豕 1372
豸 豸 1378
貝 貝 1384
赤 赤 1402
走 走 1404
足 足 1420
身 身 1455
車 車 1459
辛 辛 1483
辰 辰 1486
辵 辵 1487

邑 邑 1511
酉 酉 1531
釆 釆 1546
里 里 1547
一 所 13
两 13
丣 13
丽 13
丨 串 15
丿 乕 19
乙 乱 22
[illegible] 22
[illegible] 22
亅 亊 25
二 [illegible] 27
亜 27
亘 27
亙 27
些 27
亠 亨 29
㐬 29
亩 29
人 余 39
佘 39
伞 39
[illegible] 40
[illegible] 40
佥 40
伯 40
估 40
佋 40
伴 40
伶 40
伸 40
伺 40
伻 41
似 41
伽 41
伾 41
佃 41
伷 41
但 41
佇 41
佈 41
佌 41
位 41
低 42
住 42
佐 42
佑 42
佒 42
佊 42
体 42
佔 42
何 42
佖 43
佗 43
佚 43
佛 43
作 43
[illegible] 44
佞 44
佝 44
佉 44
佀 44
伱 44
你 44
伱 44
伲 44
佂 44
佟 44
佁 44
[illegible] 44
佣 44
佢 44
伿 44
伹 44
佅 45
伭 45
体 45
信 45
[illegible] 45
[illegible] 45
休 45
体 45
俩 45
儿 克 82
兑 82
免 82
[illegible] 83
[illegible] 83
[illegible] 83
児 83
兎 83
[illegible] 83
入 [illegible] 85
兩 85
八 [illegible] 86
兵 86
[illegible] 86
[illegible] 87
[illegible] 87
[illegible] 87
冂 冏 89
[illegible] 89
[illegible] 89
冖 冝 90
冫 冶 92
冷 92
冸 92
冹 92
况 92
几 凬 96
刀 初 101
刧 101
删 101
删 101
判 101
別 101
别 101
利 101
刜 101
刣 102
刦 102
刨 102
[illegible] 102
刺 102
刑 102
创 102
刻 102
力 助 113
劫 113
劬 113
劭 113
劮 113
努 113
労 114
劳 114
劲 114
励 114
勹 [illegible] 120
[illegible] 120
匚 匣 123
[illegible] 123
匸 医 124
[illegible] 125
十 [illegible] 127
[illegible] 127
[illegible] 127
卜 卣 129
卤 129
[illegible] 129
卩 卲 131
却 131
[illegible] 132
即 132
卵 132
厂 厎 134
[illegible] 134
[illegible] 134
厏 134
[illegible] 134
[illegible] 134
严 134
厶 县 139
又 叓 142
[illegible] 142
[illegible] 142
口 吕 149
呈 149
[illegible] 149
吳 149
呉 149
吴 149
呆 149
呈 150
[illegible] 150
[illegible] 150
吟 150
吠 150
吩 150
吪 150
听 150
吭 150
吮 150
呐 150
[illegible] 150
[illegible] 150
吸 150

총획색인

字	頁	字	頁	字	頁	字	頁	字	頁	字	頁	字	頁
吹	151	呷	152	国	195	圫	202	奄	233	妞	243	宊	276
吻	151	㕼	152	囲	196	坱	202	夽	233	㚴	243	寸 寽	288
吼	151	呌	152	囯	196	坟	202	㚇	233	㚷	243	対	288
吽	151	君	152	図	196	坛	202	奂	233	妝	243	寿	288
吰	151	吝	153	囪	196	𡊄	202	女 妊	241	妥	243	尀	288
呀	151	㕧	153	土 圻	200	壮	202	妍	241	妟	243	小 尖	292
呎	151	吞	153	圾	201	坌	202	妢	241	子 孖	270	𡮝	292
吵	151	呑	153	址	201	坐	202	妓	241	孜	270	尗	292
㕭	151	否	153	坂	201	坒	202	妘	241	𡦁	270	九 尨	293
吺	151	含	153	均	201	坙	203	妖	241	孚	270	尬	294
吨	151	吾	153	坊	201	坣	203	妙	241	孛	271	尪	294
𠯈	151	告	153	皇	201	坚	203	妧	241	孝	271	尫	294
𠯑	151	吿	154	坎	201	士 声	225	妣	242	𡥉	271	尩	294
𠯗	152	𠯋	154	坏	201	壱	225	妤	242	孝	271	尸 尾	296
呲	152	启	154	坑	201	壳	225	妦	242	孛	271	尿	296
㕯	152	𠮭	154	坅	201	壳	225	妨	242	宀 宋	275	屁	296
吧	152	呰	154	坋	201	壯	225	妎	242	完	275	𡰣	296
呃	152	㕮	154	坢	202	夂 夆	227	妌	242	宍	275	局	296
𠯟	152	口 囧	195	坁	202	夆	227	妐	242	宎	275	屃	296
吲	152	囮	195	坄	202	麦	227	妠	242	実	275	层	296
𠯖	152	困	195	圽	202	夊 夋	227	妗	242	宏	276	㞊	297
吱	152	囩	195	圿	202	夌	227	妒	242	宑	276	㞑	297
𠰃	152	囤	195	坉	202	夕 殀	229	妜	242	穷	276	屮 岁	302
㕣	152	囫	195	坃	202	𡖁	229	妦	242	宖	276	𡵂	302
吣	152	园	195	坓	202	大 夹	233	𡛖	242	宆	276	𡴭	302
吃	152	囦	195	圪	202	夾	233	妋	242	宎	276	𡴯	302
呕	152	囘	195	坆	202	夯	233	妭	242	宊	276	山 岌	304

총획색인

岑 304	帊 330	庋 345	征 368	忛 380	戓 421	扲 431
岕 304	帉 330	廴 延 354	彴 369	忺 380	戒 421	抓 431
岉 304	帇 330	延 354	彻 369	忲 380	戋 421	抔 431
岍 304	帍 330	廷 354	彸 369	忸 380	戶 戾 425	投 431
岐 304	帍 330	廾 弄 356	心 忌 377	忕 380	戹 425	抖 431
岏 304	希 330	弅 356	応 377	忛 380	戺 425	抗 431
岎 304	希 330	弆 356	忍 377	忻 380	戼 425	折 431
岋 304	希 330	弄 356	忍 377	忬 380	手 扴 429	抍 432
岦 304	帋 330	弃 356	忒 377	忯 380	扱 429	抇 432
岕 304	干 𢆉 341	弃 356	志 377	忼 380	扮 429	抈 432
岒 304	幺 𢆯 342	弋 戕 358	忘 377	忳 380	扷 429	抐 432
岈 304	广 庇 344	弓 弞 360	忩 378	忭 381	扶 429	抏 432
岐 304	庉 344	弝 360	忐 378	忱 381	批 429	抌 432
岅 304	庋 344	弞 360	忑 378	忦 381	抵 430	抇 432
岵 304	序 344	弫 360	忑 378	忪 381	扼 430	抌 432
岔 304	庎 344	弟 360	忎 378	怀 381	扭 430	扢 432
岊 304	庌 344	ヨ 彔 364	忞 378	忿 381	技 430	抩 432
巛 巠 324	庈 344	彡 彣 366	念 378	忷 381	抃 430	抪 432
巡 325	庈 344	形 366	忡 379	忹 381	抄 430	抗 432
巤 325	底 344	彤 366	忤 379	忷 381	抆 430	找 432
巟 325	庄 344	彤 366	忣 379	忾 381	抇 430	扰 432
工 巫 326	庀 344	彳 彷 368	忨 380	忰 381	抉 430	扳 433
巩 326	庋 344	彸 368	快 380	戈 成 421	把 430	抚 433
己 巵 328	庐 344	役 368	忭 380	我 421	抎 430	抚 433
巾 帉 329	床 345	彶 368	忟 380	戒 421	抪 431	扯 433
帉 330	应 345	彵 368	忮 380	戉 421	抑 431	扵 433
帊 330	庐 345	彼 368	忱 380	或 421	抒 431	抅 433

	択	433		旴	500		杙	528		毎	615		沆	630		汻	633	爪	妥	732
	抛	433		旳	500		杜	528	气	氙	623		汱	630		汮	633	片	版	736
	报	433		时	500		杝	528	水	汞	626		沈	630		㳄	633	牛	牡	739
	抝	433		旮	500		杞	528		汖	628		沠	631		沶	633		牣	739
	护	433		舌	500		杠	528		汫	628		沉	631		沎	633		㸴	739
	抜	433		旹	501		杒	528		汅	628		沌	631		汹	633		牠	739
	抂	433	日	旱	518		朴	529		汼	628		沍	631		汝	633		牢	739
	抣	433		更	518		杚	529		汨	628		汧	631		㳂	633	犬	状	747
	抙	433		曳	518		杪	529		汩	628		沐	631		沢	633		犿	747
支	帝	478	木	李	526		束	529		汪	628		沏	631		沪	633		犺	747
攴	夆	479		杏	526		杘	529		汭	628		沒	631		沪	633		犽	747
	攸	479		杍	526		宋	529		汰	628		没	631	火	灺	707		狁	748
	改	479		杅	527		呆	529		汲	629		汦	631		灼	707		狂	748
	攻	480		杆	527		来	529		汴	629		沔	631		灴	707		狃	748
	攷	480		杄	527		杀	529		汳	629		沕	632		灷	707		狄	748
	攺	480		杇	527		条	529		汶	629		沖	632		灶	707		狆	748
	攱	480		朽	527	欠	㰳	594		汸	629		沘	632		灻	707		㹚	748
	收	480		杈	527		欥	595		汷	629		沙	632		灿	707		㹠	748
文	斈	489		杉	527		㰤	595		決	629		沚	632		炔	707		犴	748
	孛	489		杋	527	止	步	603		汽	629		沜	632		灸	707		犷	748
方	於	495		杌	527		歨	603		汾	629		汯	632		災	707		狇	748
	㫄	495		材	527	歹	死	606		沁	630		沛	632		灾	707		犻	748
日	旱	500		杔	527		㱏	606		沂	630		沭	632		灵	707		𤝞	748
	旲	500		村	528		歼	606		沃	630		沑	632		炏	707		犹	748
	旵	500		杓	528	殳	殴	611		沄	630		汥	633		灸	707		犼	748
	昌	500		杕	528	毋	每	615		沅	630		沋	633		灵	707	玉	玕	766
	旰	500		杖	528		毐	615		沇	630		汵	633		灵	707		玖	766

총획색인

	玓	767	目	旵	837	肉	肕	1064	艮	良	1118	谷	谷	1366		邦	1513		阫	1611
	玗	767		䀏	837		肘	1064	艸	芃	1121	辛	辛	1483		邧	1513		阩	1611
	玙	767		盯	837		肚	1065		芄	1121	辰	辰	1486		邪	1513		阦	1611
	玒	767		盷	837		肛	1065		芊	1121	辵	辿	1488		郊	1513		阳	1611
	玘	767	矢	矣	863		肜	1065		芌	1121		迂	1488		邟	1513		阴	1611
甘	旨	791	石	矴	865		肝	1065		芉	1121		迃	1488		邩	1513		阶	1611
用	甫	793		砈	865		肔	1065		芎	1121		迄	1488		邢	1513		阪	1611
	甬	793	示	礽	884		肒	1065		芎	1121		迉	1488		邞	1513		阤	1611
田	男	795		社	884		肌	1065		芑	1121		迏	1488		邥	1513		阥	1611
	町	795	禾	秃	896		肐	1065		芒	1121		迁	1488		邺	1513		阺	1611
	甽	795		秀	897		肟	1065		芁	1121		迅	1488		邯	1514		阫	1611
	甸	795		私	897		肞	1065		芐	1122		迆	1488	長	邤	1514	長	镸	1592
	甹	795		𥝌	897		肑	1065		芓	1122		迒	1488	麥	邛	1514	麥	麦	1849
	甼	795		秅	897		𦘩	1065		芊	1122		迀	1488		邗	1514		**8 획**	
疒	疔	804	穴	究	915		肓	1065		芅	1122		达	1488		邮	1514	金	金	1548
	疕	805		穷	915		肖	1065		芏	1122		迓	1488	長	镸	1592	長	長	1592
	疝	805		穹	915		肖	1066		芇	1122		迕	1488	阜	阨	1610	門	門	1594
	疚	805	立	竏	926		肙	1066		芞	1122		迈	1488		阪	1610	阜	阜	1609
	疖	805	米	罙	966		冐	1066		芩	1122		过	1488		阬	1610	隶	隶	1628
	疗	805	糸	糺	980		育	1066		芣	1122	邑	邪	1512		阬	1610	隹	隹	1629
白	皁	824		系	980	自	百	1100		芁	1122		邡	1512		阮	1610	雨	雨	1638
	皂	824	网	罔	1026		早	1100		芆	1122		邢	1512		阯	1610	青	青	1653
	皀	824		罕	1026		𦣹	1100	虫	虬	1217		那	1512		防	1610	非	非	1654
	皃	824	羊	芈	1033		臫	1100		虿	1217		邦	1512		阱	1611	一	並	13
	㿝	825	耳	耴	1054	至	至	1102	衣	衦	1265		邔	1513		阧	1611		丙	13
皮	皯	828		耵	1054	臼	臼	1104		𧘇	1265		邥	1513		阺	1611		㐁	13
皿	盂	831		耴	1054		臽	1104		补	1265		邶	1513		阰	1611	丨	串	15

총획색인

부수	한자	쪽	부수	한자	쪽	부수	한자	쪽	부수	한자	쪽	부수	한자	쪽	부수	한자	쪽	부수	한자	쪽
	[illegible]	15		佴	46		佬	48		侭	50		[illegible]	98		剑	104		卣	130
丿	乖	19		佶	46		侤	48		侫	50		齿	98	力	劫	114		卦	130
乙	乳	22		佸	46		侑	48		価	50	刀	[illegible]	102		劾	114		[illegible]	130
	乱	22		佹	46		侔	48	儿	兒	83		刼	102		[illegible]	114		[illegible]	130
	乭	23		[illegible]	46		侗	48		兒	83		[illegible]	102		効	114	卩	卸	132
	乶	23		佭	46		侘	49		兎	83		券	102		劵	114		卹	132
	乷	23		伽	46		供	49		兔	83		刮	102		势	114		[illegible]	132
	乽	23		佺	46		侜	49		兓	83		到	102	勹	匋	120		即	138
亅	事	25		佻	46		[illegible]	49		兕	83		刲	102		匌	120		却	132
	[illegible]	25		佼	46		依	49		兖	83		刳	102		匊	120		卷	132
二	亞	27		佽	47		侙	49	入	兩	85		刵	102		匍	120		卺	132
	亟	27		佾	47		侎	49	八	其	87		制	102		[illegible]	120	厂	厓	134
亠	享	29		使	47		佮	49		具	87		刷	103	匚	匼	125		厔	134
	京	29		侂	47		[illegible]	49		具	87		刺	103	十	丧	127		[illegible]	135
	亯	29		侃	47		[illegible]	49		典	87		[illegible]	103		卖	127	厶	叁	139
	亩	29		侃	47		侒	49	冂	冐	89		刾	103		卌	127		叄	139
人	侖	45		侇	47		[illegible]	49		冒	89		刻	103		[illegible]	127		参	139
	[illegible]	45		侈	47		佪	49		[illegible]	89		[illegible]	103		協	127		叀	139
	[illegible]	45		侊	47		侚	50	冖	冞	90		刽	104		[illegible]	127	又	叕	142
	侌	45		侅	47		佷	50	冫	冽	93		剁	104		卑	127		叔	142
	[illegible]	45		侄	47		侉	50		洛	93		[illegible]	104		卑	127		取	142
	來	45		侁	48		侮	50		洫	93		删	104		卒	127		叞	142
	佩	45		例	48		[illegible]	50	几	凬	96		刪	104		卓	128		受	142
	佯	45		侍	48		[illegible]	50		凭	96		[illegible]	104		[illegible]	128	口	[illegible]	154
	佰	45		侏	48		侫	50		[illegible]	96		刿	104		单	128		呪	154
	佳	46		侐	48		[illegible]	50		虎	96		刑	104	卜	卣	129		呢	154
	併	46		佫	48		侠	50	凵	函	97		刹	104		卤	130		呟	154

총획색인

자	면	자	면	자	면	자	면	자	면	자	면	자	면
呦	154	呾	156	固	196	[illegible]	204	[illegible]	228	姂	243	妶	245
呪	154	咇	156	囻	196	[illegible]	204	夕 [illegible]	229	姆	243	妻	245
呫	154	咁	156	囶	196	坲	204	夜	229	姊	243	妾	245
呬	154	咕	156	国	196	坨	204	[illegible]	230	姉	244	委	245
呇	154	咂	156	图	196	坧	204	大 奄	233	始	244	[illegible]	246
呱	154	呸	156	囦	196	垃	204	奇	233	姃	244	[illegible]	246
呭	154	[illegible]	156	土 表	203	坥	204	奈	234	姈	244	[illegible]	246
味	154	咉	156	坡	203	[illegible]	204	㚔	234	姍	244	姕	246
呴	155	呥	156	坤	203	[illegible]	204	奋	234	姐	244	妎	246
呵	155	呹	157	坦	203	坶	204	㚗	234	姑	244	姛	246
呶	155	咃	157	坩	203	坿	204	奃	234	姒	244	子 孟	271
呷	155	[illegible]	157	坙	203	坯	204	[illegible]	234	姤	244	孤	271
呻	155	咖	157	坪	203	坵	205	奔	234	姓	244	孢	271
呼	155	咜	157	坫	203	[illegible]	205	奅	234	姏	244	季	271
呤	155	咊	157	[illegible]	203	[illegible]	205	[illegible]	234	妯	244	孥	271
呿	155	和	157	坰	203	[illegible]	205	[illegible]	234	妮	244	孠	271
咀	155	命	157	坱	203	垂	205	奉	234	妵	245	学	271
咄	155	周	157	坳	203	坴	205	奍	234	姅	245	宀 宓	276
咆	155	周	158	尭	203	坌	205	㚘	234	姖	245	宕	276
咈	155	呰	158	坷	203	[illegible]	205	[illegible]	235	姎	245	宗	276
咋	155	咎	158	坻	204	坮	205	[illegible]	235	妭	245	官	276
呧	156	杏	158	[illegible]	204	垈	205	卖	243	[illegible]	245	宙	276
咍	156	咠	158	坉	204	坣	205	女 妬	243	[illegible]	245	定	276
咏	156	咅	158	[illegible]	204	[illegible]	205	姐	243	妸	245	宛	277
咐	156	舍	158	坼	204	坐	205	妹	243	妷	245	宖	277
咢	156	口 囷	196	坺	204	夊 夌	227	妺	243	姌	245	宜	277
呢	156	囹	196	坭	204	麦	228	姁	243	妳	245	宐	277

宔 277
家 277
宝 277
実 277
宾 277
宫 277
实 277
审 277
宑 277
寸 㝵 288
𡬼 288
尀 288
小 尙 292
尚 292
尢 尫 294
㞃 294
尸 居 297
屆 297
届 297
屄 297
屈 297
屔 297
屗 297
屉 297
屇 297
㞈 297
尾 297

𡰫 298
𡰱 298
𡰮 298
屮 岦 302
山 岸 304
岍 305
𡵛 305
岪 305
岢 305
岢 305
岧 305
岹 305
岀 305
岸 305
岝 305
岙 305
岩 305
岣 305
岫 305
峀 305
岬 305
岰 305
岷 305
岠 306
岨 306
岕 306
岵 306

岟 306
岥 306
岮 306
㟅 306
岤 306
岭 306
岺 306
岾 306
峃 306
岯 306
岶 306
峒 306
岡 306
𡵂 306
岱 306
岳 307
岓 307
𡶒 307
凹 307
巛 巠 325
己 巹 328
巾 帕 330
帓 330
帗 330
帔 330
帖 330
𢁶 331

帙 331
帄 331
帑 331
帘 331
帒 331
帚 331
帛 331
帤 331
帝 331
干 并 341
幸 341
㚔 341
幺 紗 342
广 底 345
庤 345
庖 345
店 345
庚 345
𢇇 345
府 345
庛 346
庘 346
庞 346
庙 346
庙 346
庆 346
廴 廻 355

廹 355
廸 355
廵 355
廾 弆 356
弅 356
卑 356
弓 弢 360
弣 360
弤 360
弦 360
弧 360
弨 360
弥 360
弛 360
𢐖 360
弩 360
弯 361
弡 361
彐 彔 364
㣈 364
𢑑 364
彡 彤 366
彳 彼 369
彽 369
彿 369
往 369
徃 369

𢓓 369
征 369
徂 369
㣖 369
𢓜 369
𢓢 369
径 369
心 忠 378
念 378
忽 379
忩 379
忿 379
忞 379
㤇 379
忥 379
忣 379
㤉 379
㤀 379
态 379
忢 379
𢗌 379
忝 379
命 382
忄 怤 382
怍 383
怊 383
快 383

怐 383
𢗳 383
怓 383
怔 383
怕 383
怖 383
怗 383
怙 383
怑 383
怚 383
𢘃 383
怛 384
怜 384
怡 384
怈 384
怦 384
性 384
怩 384
怪 384
𢘍 384
怫 384
怭 384
怯 384
怲 384
怳 385
怵 385
怞 385

怢	385	拝	433	拌	436	抿	438	昃	501	杳	503	杵	530
怮	385	抪	433	拍	436	拟	438	𣅝	501	旹	503	杶	530
怋	385	抮	433	拐	436	拦	438	㫚	501	旾	503	杷	530
怬	385	抋	433	拑	436	拣	438	昆	501	𣅔	503	杻	530
怇	385	披	434	拒	436	拥	438	昇	501	𣅕	503	杼	530
怾	385	抱	434	拓	436	拡	436	昊	501	昝	503	松	531
怵	385	抱	434	拔	436	拎	436	易	501	㫗	503	板	531
㤢	385	抱	434	扳	436	攴 放	480	昷	502	日 㫐	518	枀	531
悔	385	抵	434	扷	436	攽	480	昰	502	曶	518	极	531
戈 戔	421	抶	434	拖	436	𢼒	480	明	502	昏	518	枅	531
戕	421	抹	434	拕	436	𢼊	480	旺	502	月 朋	520	枇	531
或	421	抹	434	拗	436	攲	480	旼	502	服	520	枉	531
戗	422	抦	434	拘	437	效	480	昐	502	肦	521	杫	531
娀	422	抽	434	拙	437	攺	480	昄	502	肭	521	枊	531
戋	422	抻	434	拚	437	攽	480	旽	502	木 林	529	枋	531
㦸	422	押	434	招	437	攸	481	昈	502	㭍	529	枌	531
㦵	422	批	435	抭	437	文 斉	490	昉	502	杳	529	枂	532
戶 戽	425	拂	435	抴	437	斤 所	493	昕	502	枣	529	枏	532
戻	425	拄	435	抗	437	斦	493	昳	502	杰	529	枎	532
房	425	抯	435	拃	437	斧	493	昑	502	杪	530	枙	532
扂	426	担	435	抧	437	祈	493	昒	503	杸	530	析	532
所	426	拆	435	抰	437	方 於	495	曶	503	杬	530	枍	532
手 拜	429	拇	435	抲	437	斻	495	昨	503	杴	530	构	532
承	429	拈	435	抾	438	㫄	495	昍	503	杭	530	枑	532
㧱	429	拉	435	抬	438	日 昌	501	昏	503	杮	530	枒	532
拼	429	拊	435	抛	438	旻	501	昔	503	柿	530	枓	532
抨	433	拋	435	抳	438	昂	501	㫘	503	杯	530	枕	532

총획색인

杌 532	欤 595	毤 617	隶 635	泙 638	泖 640	炁 709
枘 532	炊 595	毞 617	油 635	泚 638	泇 640	爪 爭 732
枚 532	止 步 603	毟 617	沺 635	泛 638	泼 641	爭 732
枝 533	歬 603	毠 617	治 635	沍 638	泟 641	爮 732
柄 533	歨 603	氏 氓 622	沰 635	沆 638	泪 641	爬 732
枝 533	歭 603	氓 622	沶 635	泜 638	泿 641	父 爸 734
枖 533	歩 603	气 氛 623	沼 635	泝 638	泻 641	爻 爼 734
杽 533	疌 603	氜 623	沽 635	泠 638	泙 641	爿 牀 735
杚 533	歧 603	氝 623	沾 636	泡 638	火 炎 707	牀 735
枍 533	歮 603	氞 623	沿 636	波 638	炊 707	片 版 736
枇 533	武 603	氟 623	沿 636	泣 639	炒 708	牛 牦 739
枠 533	昰 603	水 沝 628	況 636	泥 639	炕 708	牧 739
枢 533	歹 殁 606	沓 628	泂 636	注 639	炘 708	物 740
東 533	殀 606	泳 628	泑 636	泫 639	炂 708	牥 740
果 533	殳 606	沗 628	泄 636	泮 639	炄 708	牨 740
杲 534	殃 606	汆 628	泅 636	泯 639	炆 708	牬 740
柔 534	殂 606	泰 633	泆 636	泱 640	炈 708	牨 740
茉 534	殇 606	沫 634	泊 636	泲 640	炐 708	牠 740
柴 534	殁 606	泭 634	泲 637	沐 640	炓 708	牫 740
隶 534	殈 606	沬 634	泌 637	泳 640	炔 708	牪 740
欠 欣 595	殉 606	沮 634	泏 637	泬 640	炉 708	牫 740
欱 595	殳 殺 611	沱 634	泐 637	沭 640	炅 708	犬 狀 747
蚊 595	股 611	沲 634	泓 637	泒 640	炙 708	状 747
昅 595	殴 611	河 634	泔 637	泞 640	炳 708	狀 747
欯 595	毋 毒 615	沴 634	法 637	沶 640	炖 708	哭 747
欤 595	毐 615	沷 634	泫 637	泧 640	炛 709	狂 749
欧 595	毛 毡 617	沸 634	泗 637	泃 640	炗 709	狋 749

총획색인

狌 749
狎 749
狐 749
狑 749
狒 749
狓 749
狖 749
狗 749
狘 749
狙 749
狚 749
狛 750
[illegible] 750
[illegible] 750
[illegible] 750
[illegible] 750
[illegible] 750
[illegible] 750
[illegible] 750
狍 750
[illegible] 750
[illegible] 750
狔 750
[illegible] 750
玉 玨 767
珓 767
玞 767

玠 767
玦 767
玢 767
玭 767
玩 767
玤 767
玣 767
[illegible] 767
[illegible] 768
玫 768
玲 768
玥 768
[illegible] 768
[illegible] 768
环 768
瓜 瓝 786
瓦 [illegible] 787
[illegible] 787
瓩 787
生 [illegible] 792
用 [illegible] 794
田 畀 796
畁 796
[illegible] 796
[illegible] 796
[illegible] 796
[illegible] 796

甽 796
[illegible] 796
画 796
画 796
甾 796
备 796
疋 疌 803
疒 疘 805
疛 805
[illegible] 805
[illegible] 805
疙 805
疚 805
疝 805
[illegible] 805
[illegible] 805
[illegible] 805
白 的 825
[illegible] 825
皮 皯 828
[illegible] 828
[illegible] 828
[illegible] 828
[illegible] 828
皿 盂 831
[illegible] 831
[illegible] 831

[illegible] 831
盍 831
目 盱 837
[illegible] 837
[illegible] 837
盰 837
[illegible] 837
[illegible] 837
[illegible] 837
盳 837
直 837
直 838
盲 838
[illegible] 838
[illegible] 838
㝵 838
矛 [illegible] 861
矢 知 863
[illegible] 863
石 矺 865
矻 865
矽 865
矼 865
矸 865
[illegible] 865
[illegible] 865
[illegible] 865

矾 865
示 社 884
社 885
礿 885
祀 885
祁 885
禾 季 897
秅 897
秆 897
秈 897
秄 897
[illegible] 897
[illegible] 897
[illegible] 898
秉 898
[illegible] 898
秏 898
[illegible] 898
[illegible] 898
穴 穸 915
穹 915
空 915
穾 915
究 915
[illegible] 915
[illegible] 915
[illegible] 916

[illegible] 916
[illegible] 916
立 [illegible] 926
竹 竺 930
竻 930
米 [illegible] 966
[illegible] 966
[illegible] 966
籴 966
糸 糾 980
[illegible] 980
[illegible] 980
[illegible] 980
缶 [illegible] 1022
网 罔 1026
罕 1026
罗 1026
[illegible] 1026
[illegible] 1026
[illegible] 1026
[illegible] 1026
[illegible] 1026
羊 [illegible] 1033
[illegible] 1033
[illegible] 1033
羽 [illegible] 1040
老 [illegible] 1048

耄 1048
者 1048
而 耐 1049
耒 [illegible] 1051
耳 耵 1054
聿 肃 1062
[illegible] 1062
津 1062
肉 肏 1064
[illegible] 1064
肥 1066
股 1066
肢 1066
肦 1066
肪 1066
肫 1066
肬 1066
肭 1066
肮 1066
肱 1066
肵 1067
[illegible] 1067
[illegible] 1067
肺 1067
肣 1067
[illegible] 1067
[illegible] 1067

[月+壬] 1067	𦥑 1104	芰 1124	苅 1126	衣 卒 1264	返 1489	邲 1514
胝 1067	臽 1104	花 1124	芓 1126	兖 1264	迕 1489	邳 1514
肤 1067	舌 舍 1107	苍 1124	芔 1126	𧘊 1264	运 1490	邴 1514
肬 1067	舎 1108	芳 1124	苹 1126	衫 1265	迊 1490	邵 1514
肰 1067	舟 舠 1110	芴 1124	苶 1126	衩 1265	迌 1490	邶 1514
肶 1067	舠 1110	芷 1124	苏 1126	衪 1265	迚 1490	邸 1514
[月+少] 1067	[舟+人] 1110	芸 1125	芸 1126	衦 1265	𨑒 1490	邬 1515
[月+引] 1068	[舟+了] 1110	芹 1125	苀 1126	衧 1265	𨑘 1490	耶 1515
肐 1068	[舟+乃] 1110	芼 1125	苄 1126	衧 1265	这 1490	邮 1515
肤 1068	艮 艰 1118	芽 1125	芊 1126	衬 1265	远 1490	郇 1515
肿 1068	艸 艸 1120	芾 1125	苒 1126	表 1265	还 1490	𨚔 1515
胁 1068	芘 1122	芟 1125	芎 1126	角 觔 1305	迸 1490	郉 1515
肳 1068	芺 1122	芿 1125	苴 1127	言 訇 1312	迲 1490	郙 1515
肧 1068	芚 1122	茚 1125	虍 虎 1213	豕 豖 1372	迥 1490	邪 1515
肩 1068	芝 1123	芪 1125	虏 1213	走 赱 1404	迣 1490	邦 1515
肯 1068	芟 1123	芤 1125	虫 虬 1217	𧺆 1404	迈 1490	邹 1515
肻 1068	芡 1123	芊 1125	虶 1217	足 趴 1421	迂 1490	邻 1515
育 1068	芣 1123	芙 1125	虹 1217	足 1421	迖 1490	釆 采 1546
肴 1068	芥 1123	芫 1126	虱 1218	車 軋 1459	迗 1490	阜 阜 1609
冐 1068	芧 1123	芁 1126	虿 1218	辛 辛 1483	迏 1490	阹 1611
肙 1068	芨 1123	芇 1126	虮 1218	辰 辰 1486	迫 1490	阺 1612
臣 臥 1099	芩 1123	苘 1126	匜 1218	辵 迋 1489	达 1490	阻 1612
卧 1099	芜 1123	芞 1126	血 衁 1259	迍 1489	迺 1490	阼 1612
臤 1099	芬 1123	芺 1126	衃 1259	迒 1489	迭 1490	阽 1612
自 直 1100	芭 1124	芶 1126	衄 1259	迎 1489	邑 邯 1514	阿 1612
至 垩 1102	芮 1124	芛 1126	行 衍 1261	近 1489	邰 1514	陂 1612
臼 臾 1104	芯 1124	芦 1126	衎 1261	迓 1489	邱 1514	附 1612

부수	자	쪽
	阮	1612
	陀	1613
	陁	1613
	陣	1613
	陒	1613
	陆	1613
	际	1613
	阾	1613
	陃	1613
	陏	1613
	陶	1613
	阷	1613
	陓	1613
	陋	1613
青	青	1653
面	靣	1656
魚	鱼	1786
黽	黾	1870
	黾	1870
	黾	1870
9 획		
面	面	1656
革	革	1659
韋	韋	1673
韭	韭	1679
音	音	1680
頁	頁	1682
風	風	1703
飛	飛	1712
食	食	1712
首	首	1731
香	香	1732
一	並	13
	乕	13
	昼	13
丨	临	15
	举	15
	丵	15
ノ	乗	19
	垂	19
	受	19
乙	乵	23
	乪	23
	乷	23
	乳	23
	乹	23
	乺	23
	乽	23
	乿	23
亠	亭	30
	亮	30
	京	30
	亯	30
	亱	30
人	俞	50
	侌	50
	佘	50
	俎	50
	觓	50
	侮	50
	侯	50
	侯	50
	侲	50
	侵	51
	侸	51
	侶	51
	侻	51
	便	51
	俉	51
	俁	51
	係	51
	俙	51
	促	52
	俌	52
	俄	52
	俅	52
	俊	52
	俇	52
	俋	52
	俍	52
	俜	52
	俏	52
	俐	52
	俑	52
	俔	53
	俷	53
	俗	53
	俘	53
	俚	53
	俛	53
	侳	53
	保	53
	俟	53
	俠	54
	信	54
	侳	54
	侹	54
	俁	54
	保	54
	倂	54
	俆	54
	俒	54
	侕	54
	佸	54
	使	54
	俓	54
	侷	55
	俈	55
	俾	55
儿	兗	83
	兖	83
	尭	83
入	兪	85
八	㒸	87
冂	冒	89
	冑	89
冖	冠	90
	冟	91
	冦	91
冫	㓉	93
	㓌	93
	冽	93
	凂	93
几	凰	96
凵	函	98
	凾	98
	凷	98
刀	剆	104
	刻	104
	剏	104
	剃	104
	剎	104
	到	104
	則	104
	負	104
	剉	104
	削	104
	剋	105
	剌	105
	刾	105
	前	105
	剬	105
	剈	105
	剐	105
力	勁	114
	勃	114
	勅	114
	勉	114
	効	114
	勈	114
	勇	115
	勇	115
勹	匍	120
匕	皀	122
	匙	122
	匙	122
	㔨	122
匚	匧	123
	匬	123
	匼	123
	匩	123
匸	匽	125
	㔛	125
	區	125
十	南	128
	単	128
	卑	128
卜	卣	130
	毎	130
卩	卽	132
	即	133
	卼	133
	卻	133
	卿	133
厂	厖	135
	厚	135
	厘	135
	厌	135
	庯	135
	厍	135
	厗	135
	厙	135
	厠	135
	原	135
ム	叁	139
	叀	139
又	叙	142
	叛	142
	叟	143

총획색인

部	字	쪽	部	字	쪽	部	字	쪽	部	字	쪽	部	字	쪽	部	字	쪽	部	字	쪽
	叚	143		哏	160		瓫	162		[illegible]	206		奕	236		姡	248		宨	278
	叜	143		哆	160	口	囿	196		垈	206		奖	236		[illegible]	248		[illegible]	278
口	品	158		哇	160		圀	196		[illegible]	206	女	姦	246		姸	248		宒	278
	咠	158		哈	160		囼	196		型	207		姧	246		姽	248		[illegible]	278
	咢	158		哅	160		图	196		垔	207		姙	246		姷	248		宲	278
	㗊	158		[illegible]	160	土	垚	205		垐	207		[illegible]	246		[illegible]	248		宧	278
	虽	158		哊	160		垓	205		垒	207		姚	246		姟	248		[illegible]	278
	咫	158		哃	160		垜	205		垕	207		姝	246		[illegible]	248		[illegible]	278
	咡	159		咦	161		垛	205		垦	207		姞	246		姛	248		[illegible]	278
	咤	159		哎	161		垝	205		垩	207		姣	247		[illegible]	249		宪	278
	咥	159		咭	161		垠	205		[illegible]	207		姶	247		[illegible]	249		[illegible]	278
	咩	159		咾	161		[illegible]	205	士	壴	225		姤	247		姰	249	寸	封	288
	咪	159		咵	161		垢	206	夂	変	227		姥	247		姘	249		村	288
	咬	159		咧	161		垣	206		复	228		姨	247		威	249		将	288
	咱	159		[illegible]	161		垤	206	夊	[illegible]	228		姪	247		姜	249		専	288
	咮	159		咲	161		垗	206		[illegible]	228		姫	247		姿	249		[illegible]	288
	咯	159		呿	161		垘	206	大	奎	235		姬	247		[illegible]	249	小	尝	292
	咳	159		响	161		垙	206		牵	235		姮	247		娄	249		尛	292
	咷	159		哀	161		垟	206		奏	235		姱	247	子	孨	272		尜	292
	咶	159		咸	161		垞	206		奊	235		姹	248		[illegible]	272	尢	[illegible]	294
	咺	159		哉	161		垌	206		奂	235		[illegible]	248		孩	272		[illegible]	294
	咻	159		咨	161		垎	206		契	235		姺	248	宀	客	277	尸	屋	298
	咽	160		咼	162		垑	206		契	235		姻	248		宣	278		屍	298
	咿	160		[illegible]	162		垍	206		奓	236		娟	248		室	278		屎	298
	哂	160		咅	162		垖	206		奔	236		娍	248		宥	278		昼	298
	哄	160		[illegible]	162		垧	206		[illegible]	236		娃	248		宦	278		屌	298
	哚	160		哥	162		城	206		[illegible]	236		姼	248		[illegible]	278		[illegible]	298

총획색인

	屆	298		峘	308		帠	332		弭	361		悠	381		恆	387		恊	389
	㞐	298		峀	308		带	332		弨	361		思	381		恒	387		㤭	389
	屑	298		岡	308	幺	幽	342		𢏅	361		怠	382		恇	387		恓	389
	屏	298		峽	308		㓜	343		㢷	361		急	382		恈	387		㤥	389
屮	旹	302		峦	308	广	庠	346		㢳	361		怨	382		恍	388		忼	389
山	峉	307	巛	邕	325		庤	346		弯	361		㤃	382		恍	388		恲	389
	峗	307	己	巷	328		庥	346		弮	361		㤆	382		恔	388		恭	389
	峞	307		巸	328		庢	346	⺕	彖	365		怱	382		恟	388		恮	389
	峡	307		巺	328		度	346		彔	365		怤	382		㤩	388		恑	389
	峛	307		巻	328		庞	346		㣇	365		怸	382		恢	388		恉	389
	㟅	307		巹	328		庛	346	彡	形	366		点	382		恤	388		恠	390
	峋	307	巾	帢	331		庨	346		彥	366		㤅	382		恗	388		悅	390
	峎	307		㡌	331		㡯	347		彦	366		怹	382		恨	388		悔	390
	峚	307		𢂬	331		庰	347	彳	待	370		㤝	382		㤿	388		悩	390
	峝	307		帓	331	廴	建	355		徇	370		𢙐	382		恪	388	戈	戜	422
	峜	307		帛	331		廻	355		徕	370		怷	382		恫	388		戚	422
	峇	307		帨	332		廼	355		很	370		悲	383		恬	388		戚	422
	峕	307		帲	332	廾	弇	356		徉	370		怣	383		恓	388		戕	422
	峊	307		帹	332		弈	356		徊	370		恐	383		恀	388		战	422
	峒	307		㡁	332		弆	356		𢓜	370		恴	383		恉	389	戶	扁	426
	峐	308		帞	332		𢍰	356		律	370		总	383		㤸	389		扂	426
	峙	308		帥	332		𢍏	356		後	370		忌	384		恰	389		扄	426
	峣	308		帤	332		畀	356		𢓋	371		恁	385		恛	389		扃	426
	峆	308		帝	332		异	356		従	371		怕	386		恜	389		扅	426
	峌	308		帮	332	弋	𢎀	358		径	371		恂	387		恄	389	手	拜	433
	峍	308		帟	332	弓	㢴	361	心	怎	381		恃	387		恑	389		拏	433
	岍	308		帣	332		弬	361		怒	381		恞	387		恅	389		挈	433

총획색인

拏 433	挏 441	敂 481	映 504	柰 534	柆 536	⿰木冗 538
拫 439	挌 441	⿰㞢攴 481	昤 504	枯 534	柑 536	柾 538
拰 439	拹 441	斗 料 491	昧 504	枮 534	柘 536	柃 538
括 439	挑 441	⿰申斗 491	昩 504	枰 534	柙 536	柧 538
⿰扌休 439	挎 441	斤 斫 493	昨 504	栟 534	柚 536	柸 538
拭 439	挆 441	斪 493	昫 505	枳 534	柝 536	⿰木乎 538
⿰扌戎 439	挒 441	方 施 495	昭 505	枴 534	柞 537	柛 539
⿰扌灰 439	⿰扌𠂢 441	於 495	⿰日㕣 505	枵 535	柢 537	⿰木㠯 539
拮 439	⿰扌因 441	斿 495	昳 505	枷 535	柣 537	⿰木去 539
拯 439	拵 441	斾 495	昵 505	柀 535	柤 537	柭 539
拸 439	拼 441	㫄 495	昲 505	枸 535	柩 537	栍 539
拱 439	挖 441	⿰方它 495	昢 505	枹 535	柮 537	⿰木卉 539
摎 439	⿰扌西 442	无 既 499	昡 505	枻 535	柌 537	枱 539
拷 440	挀 442	日 星 503	昶 505	⿰木朿 535	柯 537	柠 539
拽 440	挍 442	是 503	昼 505	枾 535	柱 537	枏 539
拴 440	⿰扌有 442	昱 504	昝 505	柨 535	枇 537	柗 539
拾 440	⿰扌丰 442	昴 504	春 505	柿 535	柲 537	树 539
持 440	挟 442	昪 504	昚 505	枺 535	柳 537	栏 539
⿰扌先 440	支 攱 478	昜 504	昬 505	柁 535	栁 538	标 539
挂 440	支 敂 481	昂 504	日 曷 518	柂 535	柫 538	柬 539
挃 440	敃 481	昰 504	冒 518	柄 535	柵 538	⿱白木 539
拺 440	政 481	⿱日介 504	⿱罒日 518	柅 535	栅 538	架 539
指 440	敁 481	⿱日午 504	⿱日平 518	柊 536	柶 538	某 539
指 440	故 481	昷 504	月 朏 521	柈 536	柖 538	柒 540
按 440	敀 481	显 504	朎 521	柍 536	柷 538	染 540
拖 441	敄 481	昺 504	朐 521	柎 536	柜 538	柔 540
拒 441	⿱覀攵 481	昞 504	木 査 534	柏 536	栀 538	柴 540

총획색인

枼	540	殅	607	洒	641	浀	644	浄	646	炥	710	[illegible]	737
桒	540	殳 段	611	洗	642	洽	644	[illegible]	646	炧	710	牛 牯	740
栄	540	投	612	洣	642	派	644	流	646	炦	710	牲	740
荣	540	毁	612	洙	642	派	645	[illegible]	646	炪	710	牴	740
亲	540	比 毖	616	洚	642	洿	645	浊	646	炲	710	牱	740
欠 [illegible]	595	毗	616	洷	642	流	645	[illegible]	646	[illegible]	710	牠	740
欨	595	毘	616	洛	642	洔	645	[illegible]	646	烂	710	牭	740
欱	595	[illegible]	616	洞	642	洺	645	洂	646	炼	710	[illegible]	740
[illegible]	595	毛 毡	617	洟	642	洝	645	泿	646	炭	710	[illegible]	740
[illegible]	595	[illegible]	617	津	643	汧	645	洢	646	[illegible]	710	[illegible]	741
欪	596	[illegible]	617	洧	643	[illegible]	645	[illegible]	646	[illegible]	710	[illegible]	741
[illegible]	596	氏 [illegible]	622	洆	643	洓	645	海	646	[illegible]	710	[illegible]	741
[illegible]	596	气 氟	623	洨	643	洱	645	涞	646	荧	710	[illegible]	741
软	596	水 [illegible]	633	洩	643	洐	645	火 炤	709	炰	710	[illegible]	741
止 歫	604	泉	633	洪	643	洭	645	炫	709	為	710	[illegible]	741
[illegible]	604	[illegible]	634	洫	643	洁	645	炬	709	[illegible]	710	犬 狊	748
歪	604	羕	634	洮	643	洅	645	炯	709	点	710	狟	750
歹 殂	606	荥	634	洲	643	洦	645	炮	709	爪 爰	732	狠	750
[illegible]	606	隶	635	洳	643	減	646	炳	709	爯	732	狡	750
殃	606	洀	641	洵	644	[illegible]	646	炷	709	[illegible]	732	狧	750
殊	607	洄	641	洶	644	洈	646	炨	709	[illegible]	732	[illegible]	750
殄	607	洊	641	洸	644	浜	646	炸	709	[illegible]	732	狨	751
[illegible]	607	洋	641	浇	644	洤	646	炠	709	爻 [illegible]	734	狩	751
[illegible]	607	洌	641	洍	644	洇	646	炡	709	爼	734	狢	751
殆	607	洎	641	洹	644	洧	646	炻	709	爿 牁	735	狪	751
[illegible]	607	洏	641	活	644	洴	646	炵	709	牊	735	狫	751
[illegible]	607	洑	641	洼	644	浅	646	炟	710	片 牉	737	[illegible]	751

총획색인

狦 751	珎 769	毘 796	疨 806	𥁕 832	相 839	砑 866
狤 751	珇 769	畂 796	疲 806	盇 832	盾 840	砌 866
狛 751	玹 769	畇 796	疾 806	𥁋 832	省 840	砍 866
狱 751	玴 769	畊 797	疣 806	目 県 838	眉 840	砒 866
㹭 751	玵 769	畋 797	疝 806	𥃭 838	看 840	研 866
狣 751	玶 769	畎 797	𤵊 806	𥃲 838	苜 840	砐 866
𤞚 751	珣 769	畈 797	𤴼 806	県 838	𥄃 840	砏 866
狭 751	玿 769	𤱶 797	癶 癸 823	盷 838	𥃻 840	𥐫 866
㹯 751	𤤟 769	畉 797	癹 823	盻 838	𥃿 840	砋 866
狥 751	玳 769	画 797	発 823	盼 838	䀰 841	砎 866
独 751	珅 769	甿 797	白 皇 825	眂 838	𥄜 841	砅 866
㹸 751	𤤣 769	畆 797	皅 825	眪 838	𥆧 841	砇 866
𤞑 751	珄 769	畐 797	皈 825	眅 839	眃 841	砕 866
㹳 751	珐 770	𤰛 797	皆 825	眇 839	盺 841	砉 866
玄 妙 765	瓜 瓝 786	畓 797	𤽆 825	眈 839	𥄕 841	示 祆 885
玉 玲 768	瓦 瓪 788	畄 797	𤽊 825	眊 839	𥄛 841	祅 885
玷 768	瓴 788	疋 疌 803	𤽗 825	眘 839	𥄪 841	祇 885
玻 768	𤬬 788	疒 疢 805	𤽐 825	𥄋 839	矛 矜 861	祈 885
玼 768	瓬 788	疣 805	皮 𤿧 828	眢 839	矝 861	祈 885
珀 768	瓯 788	𤵸 805	𤿤 828	眏 839	𥍝 861	祉 885
珂 768	瓮 788	𤵥 805	𤿯 828	𥄒 839	矢 矧 863	社 885
珈 768	瓫 788	𤵶 805	皅 828	𥃩 839	𥎦 863	祊 885
珉 768	甘 甚 791	疤 806	皿 盃 831	眆 839	矦 863	𥘅 885
珊 769	𤯍 791	疥 806	盆 831	盶 839	𥏆 863	𥘈 886
珊 769	田 界 796	疷 806	盈 831	盹 839	石 砂 865	祋 886
珌 769	畍 796	疪 806	盇 831	𥄐 839	砆 865	神 886
珍 769	畏 796	疫 806	盅 832	眀 839	砊 866	𥘧 886

부수	자	쪽	부수	자	쪽	부수	자	쪽	부수	자	쪽	부수	자	쪽	부수	자	쪽	부수	자	쪽
	昺	886	穴	穽	916		笆	930		缸	1022		耐	1050		胣	1070		背	1072
内	禹	895		穿	916		笓	930	网	罔	1026		㚸	1050		胗	1070		胥	1027
	禺	896		窀	916		竽	931		罘	1026		䎟	1050		胦	1070		肩	1072
	禼	896		突	916	米	类	966		罛	1026		耑	1050		胑	1070	自	臭	1100
禾	秋	898		宊	916		籹	966		罜	1026	耒	耔	1051		胍	1070		臬	1101
	秌	898		宖	916		籸	966		罝	1027		耛	1051		胂	1070	至	致	1102
	科	898		穾	916		籺	966		罟	1027	耳	耶	1055		胵	1070	臼	臾	1104
	秒	898		窂	916		粈	966		罠	1027		耺	1055		胜	1070		舁	1104
	秔	898		窃	916		籼	966		罙	1027		耷	1055		䏚	1070		舌	1104
	秖	898		癸	916		籽	966	羊	美	1033		耵	1055		胆	1070	舌	舐	1108
	秕	898		穵	916		粍	966		羙	1034	聿	肃	1063		胆	1070	舟	舡	1111
	种	899		穼	916		粁	966		羑	1034	肉	肱	1068		胇	1070		舢	1111
	秏	899		窏	916	糸	紀	980		养	1034		胉	1069		𦙓	1071		舦	1111
	秎	899		穽	916		紂	980		羍	1034		朐	1069		胘	1071		舣	1111
	秗	899		窔	916		紃	980		𦍌	1034		胎	1069		䏟	1071		舠	1111
	秄	899		窀	917		約	980	羽	羿	1040		胏	1069		胐	1071	艮	䒠	1118
	秂	899		穷	917		紅	981		翌	1040		胕	1069		胅	1071	艸	芔	1121
	䄷	899		窜	917		紆	981		翌	1040		胖	1069		𦙶	1071		苐	1127
	秐	899	立	竒	926		紓	981		羾	1040		胙	1069		胱	1071		苑	1127
	秅	899		竑	926		紇	981		翄	1040		胚	1069		胒	1071		苒	1127
	采	899		竘	926		紈	981		翁	1040		胛	1069		胟	1071		苓	1127
	秈	899	竹	竽	930		紉	981	老	者	1048		胝	1069		脉	1071		苔	1127
	秖	899		笆	930		紆	981		者	1048		胞	1069		胡	1071		茗	1127
	秩	899		竿	930		紂	981		耇	1049		胠	1070		䏹	1071		苗	1127
	秠	899		笂	930		級	981	而	耍	1049		胘	1070		胤	1071		苙	1127
	秇	899		笐	930	缶	缸	1022		耎	1049		胈	1070		胃	1071		苛	1127
	䄼	899		笁	930		缻	1022		耏	1050		胋	1070		胄	1071		苜	1128

苞 1128	苝 1131	茁 1133	虵 1219	衴 1266	訉 1313	軍 1460
苟 1128	苰 1131	苙 1133	𧈬 1219	衦 1267	訇 1313	軋 1460
苡 1128	茂 1131	茶 1133	虽 1219	衭 1267	谷 谻 1366	軌 1460
苢 1128	范 1131	苐 1133	血 卹 1259	衳 1267	豆 豈 1368	軒 1460
苣 1128	茄 1131	茎 1133	衂 1259	袄 1267	豕 豖 1372	軎 1460
若 1128	茅 1131	虍 虐 1213	衁 1259	衩 1267	豸 豹 1379	辵 迢 1490
苦 1128	茆 1131	虫 虷 1218	衄 1259	衶 1267	貝 貞 1384	迣 1490
苧 1129	茇 1131	虸 1218	行 衍 1261	衼 1267	負 1385	迤 1491
苨 1129	茉 1131	虹 1218	衎 1261	衸 1267	貟 1385	迱 1491
苫 1129	茈 1131	虵 1218	衣 衰 1265	衹 1267	貞 1385	迥 1491
苯 1129	苽 1132	虼 1218	衷 1265	衺 1267	貟 1385	迦 1491
英 1129	苘 1132	虴 1218	衱 1265	西 覂 1294	則 1385	迨 1491
苴 1129	苷 1132	蚁 1218	衲 1265	要 1294	貞 1385	迪 1491
苶 1129	苵 1132	虾 1218	衵 1265	要 1294	赤 赲 1403	迫 1491
苹 1129	苗 1132	虵 1218	衻 1265	見 覌 1296	走 赳 1404	迭 1491
苺 1130	苠 1132	虻 1218	衽 1266	角 觔 1305	赴 1404	迮 1491
苻 1130	苩 1132	虺 1218	袀 1266	觓 1305	赹 1404	述 1491
苽 1130	荒 1132	蚩 1218	衿 1266	觙 1305	赵 1404	迡 1491
苾 1130	茍 1132	虿 1218	袂 1266	觛 1305	赳 1404	迶 1491
苿 1130	苲 1132	虳 1218	衯 1266	言 訂 1312	足 趴 1421	迠 1492
茀 1130	茌 1132	虮 1219	衭 1266	訃 1312	趴 1421	迢 1492
茁 1130	苳 1132	虶 1219	衸 1266	計 1312	趵 1421	迡 1492
茲 1130	苿 1132	虷 1219	衹 1266	訅 1313	䟓 1421	迩 1492
茉 1130	苋 1132	䖠 1219	衶 1266	訛 1313	趶 1421	迲 1492
茾 1130	茵 1132	虬 1219	袧 1266	訆 1313	車 軌 1459	退 1492
茥 1130	芺 1133	䖭 1219	衫 1266	訅 1313	軋 1460	迌 1492
茐 1130	芝 1133	蚤 1219	衵 1266	訄 1313	軍 1460	迹 1492

총획색인

	迯	1492		郍	1516		陔	1614	髟	髟	1764	俶	56	倢	58		倏	60	
	近	1492		㹱	1516		陏	1614	門	鬥	1775	俺	56	倡	58		偭	60	
	迣	1492		郋	1517		陑	1614	鬯	鬯	1777	俾	56	借	58		例	60	
	进	1492		郉	1517		陝	1614	鬲	鬲	1777	俿	56	倥	58		㑳	60	
	迴	1492		郱	1517		陊	1614	鬼	鬼	1780	倀	56	倦	58		並	60	
	迲	1492		郎	1517		陇	1614	丨	丵	15	倂	56	倨	59		倈	60	
	迨	1492		郑	1517		陚	1614	丿	乘	19	俸	56	倩	59		倘	60	
	迼	1492		郶	1517		陜	1614		乑	20	倅	56	倪	59		倣	60	
	迒	1492		邺	1517		陸	1614		乗	20	倆	56	倫	59		倸	60	
	逄	1492		郇	1517		陙	1614	乙	乹	23	個	56	倬	59		倹	60	
	迧	1492		郜	1517		陶	1614	亠	亳	30	倌	57	倧	59		儕	60	
	迣	1492		邦	1517		陎	1614		亮	30	倍	57	倭	59		俻	60	
邑	邽	1515		郶	1517		陕	1614		亭	30	倕	57	倮	59		𠆲	60	
	郲	1515		郘	1517		除	1614		亱	30	偒	57	倱	59	儿	党	83	
	郣	1515	酉	酊	1531		陎	1614	人	倉	55	們	57	倳	59		兛	83	
	郁	1515		酓	1531		陥	1614		金	55	倒	57	倊	59	八	兼	87	
	郃	1516	里	重	1547		陞	1614		釡	55	倔	57	倄	59		真	87	
	郅	1516	金	釓	1548		陭	1614		亀	55	倖	57	倗	59	冂	冔	89	
	郇	1516	長	镹	1592		陝	1614		孰	55	倈	57	㑦	60		冓	90	
	郈	1516	門	閁	1594	青	靑	1653		衰	55	候	57	倃	60		冓	90	
	郍	1516		閂	1594	面	靣	1656		修	55	倚	57	倠	60		侖	90	
	郊	1516		閃	1594	頁	頁	1682		俯	55	倛	58	俷	60	冖	冢	91	
	郄	1516	阜	陃	1613	鼻	鼻	1880		俱	55	倜	58	倓	60		冡	91	
	郂	1516		陌	1613		**10획**			俓	55	倞	58	倇	60		冤	91	
	郠	1516		降	1613	馬	馬	1734		俳	55	値	58	倰	60		冥	91	
	郲	1516		限	1614	骨	骨	1755		俵	55	倣	58	倷	60		冣	91	
	郋	1516		陒	1614	高	高	1763		俴	56	俁	58	倷	60		冦	91	

총획색인

氵 淒 93	剕 106	厞 136	唈 163	唖 165	埃 207	逕 209
淸 93	剌 106	㕒 136	唉 163	喏 165	埆 207	型 209
淍 93	剒 107	㕓 136	唏 163	哥 165	埋 207	垒 209
淩 93	剎 107	厖 136	唛 163	高 165	埌 207	垩 209
涷 93	剆 107	㕔 136	唌 163	哲 165	城 207	垼 209
涸 93	剠 107	ム 叅 139	㖡 164	唇 165	垸 207	垂 209
淞 93	剬 107	又 叟 143	㖪 164	唇 165	埏 208	士 壺 225
涬 93	刷 107	叜 143	唕 164	唐 165	埓 208	夊 夐 227
涼 93	剤 107	叚 143	唤 164	唐 165	埒 208	夏 227
淮 94	剣 107	叞 143	唔 164	𦧲 165	埇 208	夊 夎 228
淨 94	剧 107	口 哭 162	哪 164	𦧺 165	埻 208	夏 228
淵 94	力 勌 115	員 162	㖦 164	舌 166	埠 208	夕 𡖉 230
涵 94	勍 115	哠 162	哱 164	哉 166	埧 208	大 套 236
刀 契 105	勑 115	哿 162	唊 164	启 166	埕 208	奔 236
[illegible] 105	勐 115	哢 162	哴 164	啐 166	㘴 208	奞 236
剔 105	勉 115	哤 162	哯 164	舐 166	埗 208	奘 236
荆 105	勹 匑 120	哦 162	哶 164	舑 166	埂 208	奚 236
剖 105	匒 120	哨 162	唓 164	囗 圂 196	埔 208	奥 237
刮 106	匚 匪 123	哩 162	唡 164	圃 196	垷 208	女 娉 249
剢 106	匫 123	哫 163	唗 164	圄 196	埍 208	娌 249
剚 106	匿 123	哮 163	哧 164	圅 197	埈 208	娓 249
剛 106	十 單 128	哺 163	唍 164	圓 197	埋 209	娖 250
剜 106	卜 卨 130	哽 163	唑 164	圓 197	坶 209	娘 250
剝 106	卤 130	唁 163	哼 165	圁 197	垛 209	娧 250
剞 106	厂 厝 135	唄 163	哵 165	圇 197	埣 209	娛 250
剟 106	原 135	唅 163	㖄 165	土 垙 207	埈 209	娯 250
剡 106	厜 135	唆 163	咯 165	垺 207	塊 209	娱 250

娜 250	㚾 252	宨 280	峑 302	峾 310	庭 347	徎 371
娗 250	㛐 252	宿 280	峹 302	峕 310	庮 347	徥 371
娠 250	子 㝂 272	宻 280	山 峯 308	工 差 327	庪 347	徦 371
㛛 250	孫 272	宾 280	峰 308	𢀩 327	庨 347	徍 371
娣 250	㝃 272	宗 280	峉 308	己 巸 328	庯 347	徯 371
娍 250	孬 272	寸 射 288	峷 308	巹 328	㢑 347	得 371
娥 250	宀 宬 278	専 289	峧 308	巾 帪 332	㢒 347	従 371
娩 251	宭 279	㝷 289	峩 308	帨 332	廴 廻 355	徏 372
娙 251	宮 279	尅 289	峨 308	㡊 332	廾 弆 356	徸 372
娭 251	宰 279	将 289	峪 309	帵 332	弉 356	心 耻 385
娚 251	害 279	将 289	峭 309	帩 333	弇 356	恁 385
娟 251	害 279	辱 289	峴 309	㡌 333	弓 弱 361	恧 385
㛗 251	害 279	尋 289	峻 309	帶 333	弰 361	恐 385
娋 251	宴 279	小 尞 292	峞 309	帢 333	弲 361	恐 385
娕 251	宵 279	𡮐 292	峽 309	帬 333	弳 361	恐 386
㛍 251	家 279	尛 292	峬 309	帰 333	ヨ 彖 361	恕 386
㛀 251	宸 280	尢 𡯍 294	峿 309	師 333	𢑱 361	恙 386
㛔 251	容 280	尸 屐 298	峗 309	席 333	彡 彧 366	念 386
娒 251	宧 280	屑 298	峮 309	帬 333	彩 366	恚 386
婚 252	害 280	屓 298	峎 309	㡓 333	彨 366	恝 386
娊 252	宲 280	展 298	峼 309	帯 333	㣎 366	恣 386
㛏 252	家 280	屖 299	峌 309	帮 333	㣍 366	恶 386
娑 252	宩 280	屒 299	峅 309	幺 𢆷 343	彳 徐 371	恩 386
㛖 252	㝕 280	屘 299	峆 309	干 羿 341	徑 371	息 386
娎 252	宸 280	屍 299	峇 310	广 座 347	徒 371	恖 386
娬 252	宷 280	㞐 299	島 310	庫 347	徉 371	㤜 387
㛌 252	宼 280	屮 岦 302	峱 310	庬 347	後 371	恏 387

恖 387	悛 392	扆 426	挾 443	捇 445	𢼄 482	晊 506
恳 387	悝 392	扇 426	挮 443	捊 445	赦 482	晌 506
悉 387	悞 392	手 拜 438	捂 443	挱 445	敏 482	晐 506
恧 387	悮 392	𢫬 438	捁 443	㧚 445	文 斋 490	晈 506
恋 387	悟 392	拳 438	捔 443	挬 445	𣁋 490	晄 506
恩 387	悢 392	拲 438	捃 443	𢫦 445	斗 料 491	晒 506
恵 387	恾 392	挈 438	捒 443	挷 445	𣁿 491	晉 506
恭 387	悈 393	𢪸 438	捄 444	捴 445	㪴 491	晋 507
恭 387	悡 393	挐 438	捆 444	挏 445	𣂁 491	書 507
愀 391	悖 393	拿 438	挴 444	捨 445	斤 斱 493	春 507
悅 391	悓 393	挐 439	捉 444	挵 445	訢 493	昵 507
悦 391	悭 393	挙 439	捋 444	捉 445	方 旂 495	曰 書 518
悁 391	𢙣 393	挨 442	捌 444	捜 445	旃 495	曹 518
悀 391	悑 393	挩 442	捍 444	挿 445	旅 496	會 518
悃 391	悯 393	捖 442	捎 444	括 446	旄 496	曺 518
悄 391	悇 393	挫 442	捏 444	攴 𢻮 479	旊 496	月 朒 521
悋 391	惃 393	振 442	挰 444	𢻱 479	旆 496	朓 521
悌 391	恠 393	振 442	捐 444	敂 479	旁 496	朕 521
悍 391	悏 393	𢫬 442	挪 444	攴 敋 481	旍 496	朔 521
悎 391	悩 393	𢪷 442	挪 444	效 481	旅 496	朗 521
悔 391	悩 393	挹 442	捅 444	敆 481	日 晃 505	木 東 540
悒 392	戈 戙 422	挻 443	捕 444	敉 482	晏 506	栓 540
悕 392	戜 422	挺 443	挭 445	敌 482	晁 506	栖 540
悙 392	烕 422	挼 443	捗 445	敊 482	昰 506	栙 540
悖 392	戔 422	挽 443	挔 445	敳 482	显 506	栘 541
悗 392	戚 422	捈 443	捘 445	敕 482	時 506	栝 541
悚 392	戶 扅 426	捹 443	捀 445	敼 482	晅 506	栟 541

栜 541	桎 543	桀 545	眼 604	毣 618	浩 648	涑 650
校 541	桐 543	案 545	歯 604	氏 䍃 622	浩 648	涒 650
栩 541	桓 543	桊 545	歹 殈 607	气 氣 623	浪 648	涓 650
株 541	桔 544	桑 545	殏 607	氤 623	浬 648	涔 650
栫 541	桕 544	栔 546	殉 607	氥 623	浮 648	涕 650
栵 541	栒 544	栞 546	殊 607	氦 623	浮 648	涖 650
栭 541	栟 544	桌 546	殊 607	氧 623	浯 648	涗 650
栿 541	栛 544	桌 546	殆 607	水 泰 633	浻 648	涘 650
栰 542	样 544	桒 546	殣 608	浆 641	浴 648	涖 650
栱 542	栙 544	染 546	殁 608	泵 642	浶 648	浢 651
栲 542	栜 544	桨 546	残 608	浘 646	涏 648	浟 651
栳 542	栝 544	栺 546	殀 608	浵 646	海 648	涀 651
栴 542	栯 544	栘 546	殳 殷 612	浙 646	浸 649	浜 651
栮 542	梅 544	栄 546	殺 612	涩 647	浸 649	流 651
栵 542	桅 544	栾 546	殻 612	浚 647	浹 649	浾 651
核 542	桙 544	栈 546	殺 612	浞 647	浺 649	浛 651
根 542	桗 544	桜 546	殺 612	浡 647	浻 649	浭 651
栻 542	栅 544	欠 欬 596	比 毞 616	浣 647	涍 649	涁 651
格 542	栧 544	欯 596	毗 616	浒 647	浼 649	浛 651
桁 543	桉 545	欪 596	毕 616	涹 647	涢 649	浠 652
桂 543	栢 545	欱 596	毛 毨 617	涇 647	涂 649	涐 652
桃 543	桩 545	欶 596	毧 617	消 647	涅 649	浅 652
桄 543	桧 545	欮 596	毢 617	消 647	涅 649	洄 652
桄 543	栽 545	欧 596	毣 618	浤 647	涉 649	浸 652
桅 543	栗 545	欶 596	毦 618	浥 647	涊 650	涺 652
框 543	栞 545	止 峕 604	毨 618	浦 647	涌 650	涯 652
桋 543	栞 545	歭 604	毤 618	涅 648	涎 650	淯 652

총획색인

淀 652	衮 711	狸 752	㺯 770	瓜 瓞 786	畗 798	痆 808
淋 652	戚 711	狹 752	珓 770	瓟 786	辵 𨑒 803	㽬 808
浲 652	衷 712	狺 752	珙 770	𤬪 786	疒 疱 806	痞 808
涞 652	烖 712	狻 752	珞 770	㼌 786	疲 806	𤶅 808
浔 652	家 712	狼 752	珕 770	瓦 瓴 788	疳 806	疛 808
浂 652	烈 712	狽 752	珠 770	瓵 788	疴 807	𤵚 808
涛 652	烋 712	狣 752	珣 770	㼜 788	疵 807	痕 808
涩 652	焉 712	㹨 752	珥 770	瓷 788	疸 807	痛 808
涙 652	烏 712	狾 752	琤 770	瓮 788	疹 807	㽳 809
泻 652	烝 712	狵 752	珧 770	生 甡 792	疼 807	𤵵 809
滅 652	焦 712	狿 752	珩 770	用 甮 794	疽 807	疷 809
涃 652	热 712	𤞞 752	珪 770	甯 794	疾 807	𤵫 809
火 烊 710	爪 爱 733	𤞿 753	珫 770	田 畟 797	疿 807	癶 癸 823
烓 711	舀 733	狰 753	班 770	畕 797	痀 807	癹 823
烘 711	父 爹 734	㹳 753	珮 771	畔 797	痁 807	白 皐 825
烙 711	爿 牂 735	㹼 753	珝 771	畛 797	痂 807	皋 825
烜 711	片 牉 737	狴 753	珦 771	畖 797	痃 807	皏 825
烑 711	牙 㸦 738	㹰 753	珬 771	畇 797	疷 807	皊 825
烆 711	牛 牷 741	狳 753	珽 771	畘 798	病 807	皌 825
烔 711	牸 741	猁 753	珛 771	畝 798	症 808	㿟 825
烄 711	特 741	𤞰 753	珖 771	畞 798	疻 808	皉 825
烤 711	㸿 741	𤞙 753	珗 771	𤱈 798	痄 808	皮 皰 828
烌 711	牺 741	𤟀 753	珢 771	畠 798	疺 808	跛 828
焜 711	拳 741	猂 753	㺿 771	留 798	疰 808	皱 829
烗 711	犬 狴 752	玄 玆 765	班 771	畚 798	𤵺 808	𤿓 829
烟 711	狶 752	玉 玺 768	琉 771	畱 798	痮 808	㿱 829
烛 711	狷 752	莹 768	珤 771	畜 798	痓 808	蚾 829

㿿 829	眐 842	眰 843	砟 868	祝 887	秝 900	窔 917
䀀 829	眑 842	督 843	砣 868	祝 887	秜 900	窂 917
皿 盆 832	眡 842	眔 843	砪 868	神 887	秥 900	窊 918
益 832	䀹 842	眪 843	砬 868	神 887	秪 900	窆 918
盌 832	眝 842	矛 矜 861	砫 868	祠 887	秢 900	窋 918
盍 832	䀡 842	矢 矩 863	砛 868	祈 887	秨 900	窍 918
盎 832	眗 842	䂕 863	砡 868	祢 887	秝 901	窀 918
盇 832	眒 842	䂓 863	砸 868	祅 887	秘 901	窭 918
盉 832	眣 842	石 砸 866	砪 868	祟 887	称 901	窙 918
𥁂 832	䀣 842	砝 866	础 868	祡 887	秤 901	窨 918
监 832	眨 842	砠 866	砥 868	祭 887	积 901	立 竜 926
盐 832	眏 842	砢 867	砦 868	䄍 887	秦 901	竟 926
𥁊 832	眓 842	砥 867	砮 868	祫 887	秙 901	竛 926
𥁜 832	眧 842	砧 867	破 868	祣 887	秚 901	站 926
𥁣 832	眈 842	砨 867	示 祐 886	䄇 888	秖 901	竚 926
𥁡 832	䀾 843	砈 867	祐 886	祑 888	秛 901	竝 926
盔 833	眞 843	砭 867	祐 886	祒 888	秡 901	竘 926
目 䀠 841	真 843	砱 867	祓 886	禾 秞 899	穴 窌 917	竹 笆 931
眎 841	眞 843	砶 867	祔 886	租 899	窄 917	竿 931
眕 841	眚 843	砠 867	祕 886	秠 899	窅 917	笈 931
眖 841	眢 843	䂼 867	祖 886	秣 900	窆 917	笐 931
眙 841	眥 843	砰 867	祖 886	秤 900	窈 917	笋 931
眛 841	眦 843	砲 867	祗 886	䄯 900	窊 917	笏 931
眜 841	眥 843	破 867	祚 886	秧 900	窑 917	笑 931
眠 841	眫 843	砯 867	祛 887	秩 900	窌 917	笑 931
眏 841	眘 843	硁 868	祙 887	秫 900	窉 917	笎 931
眩 841	看 843	砞 868	祜 887	秬 900	窇 917	笓 931

笣 931	柴 967	紏 984	羙 1034	耇 1048	胯 1072	脏 1074
穿 931	糸 紋 981	紎 984	美 1034	耆 1048	胰 1072	脑 1074
笭 931	納 981	紣 984	羕 1034	耊 1049	胱 1072	脱 1074
笡 932	紐 982	紺 984	羗 1034	而 耎 1050	胳 1072	䏭 1074
笍 932	紒 982	紶 984	羒 1034	㶵 1050	胴 1072	脏 1074
笔 932	紓 982	絞 984	羓 1034	耒 耕 1051	胵 1072	䏘 1074
笄 932	純 982	桒 984	羖 1034	耗 1051	胸 1072	脁 1074
笒 932	紕 982	索 984	牂 1034	耘 1051	胥 1073	䏦 1074
笑 932	紖 982	屖 984	䍧 1034	耙 1051	胷 1073	脒 1074
笄 932	紗 982	紥 984	羽 翌 1040	耖 1051	胹 1073	能 1074
笋 932	紘 983	紧 984	翆 1040	耳 聂 1055	胻 1073	胠 1074
笅 932	紙 983	缶 缺 1022	翀 1040	耼 1055	胼 1073	脅 1074
米 类 966	級 983	欰 1023	翂 1040	耽 1055	脂 1073	脀 1075
粃 966	紛 983	缶 1023	翃 1040	耿 1055	脜 1073	脇 1075
粉 967	紜 983	缹 1023	翁 1040	耾 1055	脆 1073	脅 1075
粆 967	紝 983	缾 1023	翋 1040	耺 1055	脈 1073	䏗 1075
粈 967	紞 983	网 罛 1027	翍 1040	䎯 1055	脈 1073	胥 1075
粍 967	紟 983	罝 1027	翔 1040	耹 1055	胲 1073	脊 1075
粇 967	紡 983	罟 1027	翐 1040	朋 1056	脥 1073	臣 臦 1099
粎 967	紑 983	罠 1027	翜 1040	肤 1056	胮 1073	自 臬 1101
粔 967	紌 983	罡 1027	翄 1041	聊 1056	䏘 1073	臭 1101
粌 967	紇 983	罜 1027	翅 1041	聀 1056	䏧 1073	皇 1101
粐 967	紈 984	罞 1027	翃 1041	耻 1056	脃 1074	𦤎 1101
粅 967	絲 984	罢 1027	翁 1041	聿 肂 1063	脡 1074	臱 1101
粄 967	紊 984	罢 1027	翗 1041	肁 1063	胶 1074	臰 1101
粋 967	素 984	罥 1027	翂 1041	肉 离 1066	胨 1074	至 致 1103
粁 967	紻 984	羊 羔 1034	老 耄 1048	胭 1072	胦 1074	致 1103

총획색인

致 1130	舦 1111	茷 1135	茇 1137	苗 1139	蚍 1219	蚚 1221
臼 㝵 1104	䑡 1111	茸 1135	荮 1137	茖 1139	蚑 1219	蚔 1221
臿 1105	舣 1111	茹 1135	莘 1137	荣 1139	蚓 1219	蚆 1221
𦥺 1105	䑪 1111	茪 1135	茚 1137	䓈 1139	蚜 1219	蚋 1221
帚 1105	色 艴 1119	茼 1135	莑 1137	苫 1139	蚡 1219	虵 1221
舀 1105	艸 芻 1122	荀 1135	莪 1137	茧 1139	蚣 1219	蚈 1221
臽 1105	茗 1133	荁 1136	莚 1137	茜 1139	蚦 1219	蚤 1221
舁 1105	茘 1133	荃 1136	荣 1137	荽 1139	蚧 1220	蚩 1221
臽 1105	荔 1133	荄 1136	茺 1137	荲 1139	蚨 1220	蚉 1221
𦦆 1105	茙 1133	荅 1136	莽 1137	茿 1139	蚘 1220	蚤 1221
眈 1105	茛 1133	荆 1136	茨 1137	荘 1139	蚝 1220	蚵 1221
欥 1105	茜 1133	荊 1136	茾 1137	荋 1140	蚪 1220	蚠 1221
𦥲 1105	茝 1133	荝 1136	茬 1138	荎 1140	蚊 1220	蚕 1221
舌 舐 1108	茞 1133	荇 1136	荐 1138	䒼 1140	蚕 1220	蚩 1221
舑 1108	茡 1133	荈 1136	荑 1138	莳 1140	蚖 1220	蚐 1221
䑙 1108	茢 1134	草 1136	荒 1138	莊 1140	蚎 1220	䖩 1221
䑚 1108	茭 1134	荍 1136	䒻 1138	莄 1140	蚏 1220	䖿 1221
舛 䑞 1109	荄 1134	菲 1136	荂 1138	茰 1140	蚇 1220	蚓 1221
舟 航 1111	茫 1134	荓 1137	茠 1138	荞 1140	蚗 1220	䖰 1222
舫 1111	茯 1134	茝 1137	茪 1138	荥 1140	蚿 1220	蚟 1222
般 1111	䒷 1134	茴 1137	荼 1138	虍 虔 1213	蚢 1220	蚢 1222
舥 1111	茱 1134	荕 1137	茈 1138	虓 1213	蚞 1220	蚃 1222
舨 1111	茲 1134	荼 1137	茂 1138	𧆠 1213	䖹 1220	血 衄 1259
䑣 1111	茳 1134	茜 1137	莱 1139	虒 1213	蚅 1220	衂 1259
䑧 1111	茴 1135	莔 1137	茤 1139	虓 1213	蚯 1221	衃 1259
舩 1111	茵 1135	莤 1137	荦 1139	虫 蚄 1219	蚛 1221	衈 1259
舮 1111	茶 1135	荖 1137	荤 1139	蚌 1219	蚙 1221	盇 1259

盐 1259
行 衒 1262
衏 1262
衎 1262
衐 1262
衑 1262
衣 衮 1266
㐮 1266
衺 1267
衰 1267
衷 1267
袤 1267
袁 1267
衾 1268
衮 1268
㚍 1268
袅 1268
袈 1268
袁 1268
袍 1268
袑 1268
袓 1268
袖 1268
袗 1268
袘 1268
袙 1269
祇 1269
袜 1269
袢 1269
袣 1269
袧 1269
袨 1269
袪 1269
被 1269
袟 1269
袎 1269
袉 1269
袊 1269
袥 1270
袦 1270
被 1270
袕 1270
袡 1270
袚 1270
袝 1270
袓 1270
袖 1270
袦 1270
袮 1270
袨 1270
袻 1270
袵 1270
袉 1270
袬 1271
襾 要 1294
見 覎 1296
覐 1296
覓 1296
覑 1296
角 觓 1305
觔 1305
觕 1305
言 訊 1313
訙 1313
訇 1313
訌 1313
討 1313
訏 1313
訐 1314
訑 1314
訒 1314
訓 1314
訕 1314
訖 1314
託 1314
訏 1314
訖 1314
託 1314
記 1314
訆 1315
訉 1315
訃 1315
訋 1315
訍 1315
訑 1315
議 1315
訑 1315
訔 1315
訔 1315
訇 1315
訏 1315
谷 谸 1366
谹 1366
谺 1366
谻 1366
豆 豇 1368
豈 1368
豈 1368
豕 豗 1372
豖 1372
豙 1372
豝 1372
豸 豹 1379
豺 1379
豻 1379
豼 1379
貝 財 1385
貤 1385
貢 1385
貢 1385
貯 1385
貟 1385
貦 1386
貧 1386
貨 1386
赤 赤工 1403
走 起 1405
赸 1405
赶 1405
赾 1405
趇 1405
赽 1405
赹 1405
赳 1405
赵 1405
赴 1405
赿 1405
足 趵 1421
趿 1421
跂 1421
趴 1421
屣 1421
跎 1421
趸 1421
跁 1421
跃 1421
跇 1421
身 躬 1455
躲 1455
躰 1455
車 軎 1460
軑 1460
軒 1460
軔 1460
軕 1460
軖 1460
軗 1460
軘 1461
軙 1461
軚 1461
軛 1461
軜 1461
軝 1461
辛 辛弁 1483
辰 辱 1486
辵 迃 1488
迉 1489
迋 1489
迥 1492
迥 1492
迷 1492
迸 1493
迹 1493
迺 1493
迺 1493
追 1493
迾 1493
退 1493
送 1493
送 1493
适 1493
逃 1493
逆 1494
逄 1494
逅 1494
逆 1494
逐 1494
逈 1494
逊 1494
逡 1494
迻 1494
逡 1494
逩 1494
逈 1494
逓 1494
造 1494

총획색인

迣 1494	郐 1518	釬 1549	院 1615	雨 雩 1638	亶 30	偁 63
迹 1494	郢 1518	釜 1549	陣 1615	非 裴 1655	亹 30	偷 63
迸 1494	郤 1518	釡 1549	除 1615	飛 飛 1712	人 偃 60	偠 63
迺 1494	郹 1518	釚 1549	陙 1616	食 飠 1713	假 61	偷 63
迕 1494	郣 1518	釓 1549	陪 1616	首 貸 1731	倏 61	偌 63
迶 1495	郝 1519	釖 1549	隄 1616	骨 骨 1755	倏 61	偍 63
逮 1495	郖 1519	釟 1549	陋 1616	鬲 鬲 1777	偫 61	偢 63
迎 1495	郙 1519	釙 1549	陸 1616	魚 奐 1786	偈 61	偯 63
迩 1495	郚 1519	釔 1549	陵 1616	**11획**	偒 61	偛 63
逅 1495	郿 1519	釞 1549	陷 1616	魚 魚 1786	偉 61	偦 64
迊 1495	郩 1519	釟 1549	陰 1616	鳥 鳥 1809	偊 61	偯 64
逕 1495	郝 1519	釛 1549	陰 1616	鹵 鹵 1842	偏 61	偞 64
該 1495	郑 1519	長 镹 1592	陚 1616	鹿 鹿 1844	偓 62	偩 64
逑 1495	郿 1519	門 閃 1594	隆 1616	麥 麥 1849	偰 62	偎 64
邑 邕 1511	郥 1519	閂 1594	陒 1616	麻 麻 1854	偗 62	偅 64
郔 1517	酉 酌 1531	閌 1594	陯 1616	一 㒺 13	偕 62	偭 64
郕 1517	配 1531	閁 1594	陘 1616	虛 13	做 62	偞 64
郗 1517	酐 1531	閃 1594	陠 1616	丨 临 15	停 62	偺 64
郚 1517	酎 1532	阜 陖 1615	陧 1616	乖 20	偝 62	偉 64
郛 1517	酏 1532	陗 1615	隹 隻 1629	爰 20	偟 62	偆 64
郜 1517	酒 1532	陘 1615	隼 1629	晉 20	健 62	偄 64
郝 1518	酐 1532	陞 1615	隽 1629	乘 20	偪 62	偟 64
郎 1518	酐 1532	陜 1615	难 1629	乙 乹 23	偭 62	偘 64
郟 1518	里 量 1547	陝 1615	雀 1629	亂 24	偲 62	偬 64
郠 1518	金 釪 1549	陡 1615	雄 1629	亀 24	側 62	偿 64
郡 1518	釗 1549	陟 1615	雉 1629	亹 24	偵 63	偋 64
郘 1518	釘 1549	陡 1615	雅 1629	亠 亳 30	偶 63	偨 64

종획색인

부수	글자	쪽
	㑧	64
	僎	64
	偄	65
	偀	65
	偻	65
	偹	65
	偿	65
	偽	65
	㑵	65
	偖	65
儿	兜	84
八	兾	87
	㒵	87
冂	𠕋	90
	𦲺	90
	冕	90
冖	冨	91
冫	凑	94
	减	94
几	凰	96
	凲	96
刀	剏	107
	剪	107
	剔	107
	剫	107
	剭	107
	副	107
	㓤	107
	剬	107
	割	107
	剮	108
	刷	107
	剶	108
	剸	108
	剒	108
	剗	108
	剛	108
	剎	108
	剩	108
力	勒	115
	勔	115
	動	115
	勖	115
	勘	115
	勗	115
	勓	116
	務	116
	勈	116
勹	匐	120
	匏	120
	匑	120
匕	匙	122
	匘	122
匚	匭	123
	匬	123
	匩	123
匸	匿	125
	區	125
	匾	125
十	𠦝	128
	斟	128
	㪷	128
卜	卨	130
卩	卿	133
	卿	133
厂	原	136
	屆	136
	厠	136
	厀	136
厶	參	140
	畚	136
	𠫭	140
又	叅	143
	𠭴	143
	叙	143
	叜	143
	叟	143
	叟	143
口	啚	166
	唪	166
	唫	166
	啚	166
	唯	166
	唱	166
	唲	166
	唳	166
	唵	167
	唶	167
	唸	167
	唼	167
	唾	167
	啀	167
	啁	167
	啄	167
	啅	167
	啍	167
	啐	167
	啑	167
	啂	168
	啊	168
	啋	168
	啃	168
	啯	168
	啯	168
	啥	168
	啡	168
	啂	168
	啒	168
	唰	168
	啖	168
	啗	168
	啜	168
	啞	169
	唔	169
	啨	169
	唬	169
	啕	169
	啃	169
	啈	169
	啈	169
	啦	169
	唭	169
	啉	169
	喊	169
	啢	169
	啫	169
	啐	170
	啤	170
	啘	170
	啌	170
	啛	170
	啣	170
	啷	170
	啇	170
	喜	170
	啎	170
	商	170
	啇	170
	問	170
	售	170
	啓	171
	啟	171
	啓	171
	啚	171
	善	171
	啚	171
	啬	171
	啙	171
	唹	171
囗	圈	197
	圉	197
	圊	197
	圇	197
	國	197
	圏	197
	圂	197
土	執	209
	埶	209
	域	209
	堅	209
	埠	209
	埼	209
	埤	209
	埭	209
	埳	210
	埴	210
	埵	210
	場	210
	培	210
	堵	210
	埼	210
	埽	210
	堀	210
	堄	210
	堆	210
	堋	210
	堁	210
	堌	210
	埰	210
	埻	211
	埢	211
	埯	211
	埩	211
	埦	211
	埲	211
	埱	211
	埝	211
	堍	211
	堈	211

총획색인

埒 211
基 211
堂 211
堅 211
堇 212
堊 212
𡌂 212
𡋯 212
堥 212
型 212
埜 212
埅 212
埿 212
士 壼 225
夊 夎 227
夊 𡕒 228
𣃲 228
夏 228
夕 夠 230
够 230
梦 230
大 奝 237
奞 237
奟 237
奄 237
爽 237
爽 237
奜 237
女 娵 252
娼 252
婉 252
婟 252
婕 252
婞 252
婘 252
婚 252
婢 253
婩 253
婥 253
婦 253
婦 253
婠 253
婭 253
嬨 253
娽 253
娙 253
婀 253
婯 253
婌 253
婧 253
婙 254
婗 254
婏 254
婐 254
婑 254
娺 254
婊 254
娸 254
娦 254
婫 254
婮 254
婚 254
娷 254
婎 254
婇 255
婤 255
姘 255
娛 255
姍 255
娶 255
婁 255
婁 255
婆 255
娑 255
婪 255
婜 255
婓 255
子 孲 272
孰 272
宀 宿 280
宿 281
寂 281
寄 281
寅 281
密 281
寈 281
寇 281
宼 281
寁 281
宷 282
寃 282
寍 282
㝡 282
𡨋 282
𡧲 282
𡨄 282
𡨊 282
害 282
寸 尉 289
將 289
專 289
尋 290
尌 290
尃 290
尉 290
小 𡭽 292
尞 293
𡮱 293
尢 𡯭 294
𡯳 294
𡯈 294
尸 屙 299
𡰯 299
屜 299
屝 299
屛 299
屚 299
屖 299
㞒 299
屋 300
屮 𡴞 302
𡴭 303
山 崇 310
崋 310
崑 310
崒 310
崪 310
崔 310
崖 310
崙 310
崐 310
崕 310
崈 310
崟 311
崩 311
崧 311
崴 311
崩 311
崣 311
崰 311
崗 311
崆 311
崉 311
崘 311
崎 311
崚 311
崏 311
崛 311
崫 311
崢 311
崢 311
崝 311
崤 312
崦 312
𡶡 312
𡸈 312
崥 312
崍 312
崌 312
𡶴 312
崓 312
崨 312
𡷘 312
𡸄 312
崞 312
崊 312
𡶨 312
𡶓 312
巛 巢 325
巣 325
𢀜 325
己 𢀳 328
巾 帳 333
帴 333
𢄊 334
帷 334
帞 334
帵 334
帲 334
𢄓 334
𢄐 334
帽 334
帶 334
常 334
𢄕 334
帿 334
幺 𢆷 343
广 庰 347
庳 347

庳 348	彇 362	心 㤅 390	悸 395	㥒 397	捨 446	掄 448
庵 348	弶 362	患 390	悼 395	惀 398	捨 446	㨮 448
庡 348	弿 362	悠 390	悽 395	惈 398	捩 446	掆 448
庶 348	𢏹 362	悉 390	悛 395	㥉 398	捸 446	捦 448
庩 348	彐 彗 365	悤 390	悾 396	㤿 398	捫 446	㨊 448
康 348	㣇 365	悆 390	情 396	惐 398	𢭃 446	掇 448
庸 348	彡 彩 366	您 390	情 396	惊 398	捭 446	授 448
庱 348	彪 366	悐 390	惇 396	惦 398	捭 446	掉 448
庴 348	彫 367	𢛓 390	惆 396	㥦 398	捤 446	掊 448
庮 348	彬 367	㤿 390	惋 396	㥚 398	据 447	掍 448
㡪 349	彨 367	恐 390	惏 396	惨 398	捆 447	掎 448
庲 349	影 367	悲 390	惓 396	惧 398	捾 447	掏 448
虒 349	彰 367	悘 390	惈 396	惞 398	捲 447	掐 448
㢈 349	㣌 367	恐 390	惔 396	惚 398	捲 447	排 449
庿 349	彳 得 372	悬 391	惕 396	戈 戚 422	捵 447	掖 449
㡱 349	徘 372	悊 391	惘 396	戜 422	𢬵 447	掘 449
座 349	徙 372	悥 391	惙 396	戝 422	捶 447	掛 449
㢞 349	徜 372	悥 391	惚 397	戕 423	捷 447	掞 449
廾 㢴 357	從 372	悠 391	惛 397	戝 423	捺 447	㨁 449
弅 357	徛 372	悐 391	惜 397	戞 423	捻 447	掠 449
𢍉 357	徠 372	惡 391	惝 397	戶 扈 427	捼 447	揀 449
弋 弑 358	御 372	悬 391	惟 397	手 掔 442	捿 447	採 449
弓 張 361	徥 373	悻 395	悰 397	挐 442	捽 447	探 449
強 362	徏 373	惆 395	惧 397	掌 445	掀 447	掤 450
弲 362	徟 373	悱 395	悷 397	捥 446	掅 447	接 450
弸 362	徜 373	悴 395	惂 397	捧 446	掃 448	控 450
弴 362	㣯 373	悵 395	悽 397	掁 446	掃 448	推 450

掩 450	捴 451	斤 斬 493	晙 507	梦 546	梆 548	[illegible] 550
措 450	掲 452	斪 493	晲 507	桼 546	梛 548	桸 550
掫 450	支 敕 479	斮 493	[illegible] 507	桯 546	桍 549	梸 551
掬 450	支 敍 482	断 493	晞 507	桮 546	梜 549	梂 551
掜 450	敘 482	方 旊 496	晡 508	桲 546	梠 549	梇 551
捱 450	敏 482	旇 496	晤 508	桵 547	梪 549	椓 551
掙 451	救 482	旋 496	晥 508	桴 547	梡 549	桱 551
掂 451	敔 482	旌 496	晦 508	桶 547	梢 549	栟 551
掝 451	敎 482	[illegible] 497	晧 508	[illegible] 547	梫 549	桓 551
掟 451	教 483	旎 497	[illegible] 508	桷 547	梧 549	梍 551
[illegible] 451	敓 483	族 497	晗 508	桭 547	梒 549	椏 551
掗 451	敖 483	[illegible] 497	晣 508	桹 547	梩 549	栭 551
掕 451	敗 483	旒 497	晝 508	梃 547	梭 549	桅 551
㨂 451	敡 483	旉 497	晢 508	桫 547	梮 549	[illegible] 551
掚 451	敝 483	[illegible] 497	[illegible] 508	梅 547	[illegible] 549	梄 551
掯 451	[illegible] 483	无 既 499	[illegible] 508	棄 547	梯 549	桿 551
掦 451	敚 483	旣 499	日 曼 518	梏 547	[illegible] 550	梹 551
[illegible] 451	敕 483	日 晜 507	曹 519	梀 547	[illegible] 550	[illegible] 551
掭 451	[illegible] 483	昬 507	曽 519	梐 548	[illegible] 550	梟 552
掮 451	文 斊 490	晟 507	月 朘 521	梌 548	[illegible] 550	梋 552
捪 451	斎 490	[illegible] 507	望 521	梓 548	械 550	梨 552
[illegible] 451	斍 490	[illegible] 507	望 522	桾 548	梱 550	[illegible] 552
[illegible] 451	斌 490	晨 507	朖 522	梔 548	梲 550	[illegible] 552
捯 451	[illegible] 490	[illegible] 507	朗 522	梘 548	梴 550	[illegible] 552
[illegible] 451	斗 斛 491	[illegible] 507	朙 522	梖 548	梶 550	條 552
[illegible] 451	斜 491	晩 507	[illegible] 522	梬 548	梳 550	[illegible] 552
擇 451	[illegible] 491	晛 507	木 梵 546	梗 548	[illegible] 550	[illegible] 552

栽 552	毤 618	淈 654	淶 657	洴 659	済 660	焎 713
欠 欲 596	毟 618	淋 654	混 657	淏 659	游 660	烯 713
欷 596	毫 618	淌 654	淸 657	淐 659	沵 660	烺 713
欳 596	气 氪 623	淑 654	清 657	淲 659	渇 660	烡 713
欸 597	氫 623	淖 654	淹 657	淩 659	渚 660	烼 713
欻 597	水 梁 646	淘 654	淺 657	淓 659	渓 660	㶻 713
欶 597	淼 652	淙 655	添 657	渊 659	渁 660	焃 713
欯 597	涪 652	淚 655	淴 658	浰 659	渃 660	焅 713
欱 597	涫 652	淝 655	涾 658	淔 659	淭 660	焞 713
欵 597	涍 652	淞 655	淜 658	済 659	涇 660	焇 713
款 597	涬 653	淟 655	涴 658	淁 659	渘 660	焆 714
歹 殍 608	涯 653	淠 655	淲 658	淉 660	浥 660	烻 714
殑 608	涳 653	淡 655	溜 658	涶 660	浍 660	烜 714
殐 608	液 653	淢 655	渿 658	淓 660	涱 660	焊 714
殏 608	涵 653	淤 655	淯 658	淛 660	淹 660	烱 714
𣧘 608	涷 653	淛 655	淧 658	涥 660	火 烾 712	焗 714
𣨛 608	涸 653	淥 655	淐 658	渋 660	焚 712	焁 714
殳 殺 612	涼 653	淦 656	淊 658	渉 660	烽 712	焨 714
𣪌 612	涰 653	淨 656	淍 658	淄 660	烝 712	焌 714
殸 612	涽 653	淩 656	涮 658	浇 660	焌 713	烖 714
𣪘 612	涿 653	淪 656	涺 658	泽 660	烰 713	焭 714
殹 613	淀 653	淫 656	滔 658	浃 660	焍 713	羨 714
設 613	淄 654	淬 656	涻 658	渕 660	焈 713	烹 714
𣪐 613	淅 654	淮 656	涹 659	渊 660	焜 713	焄 714
毛 毬 618	淆 654	淰 656	淣 659	渆 660	烴 713	焉 714
耗 618	淇 654	深 656	㳶 659	淒 660	烷 713	烳 714
酕 618	淋 654	淳 657	淽 659	渰 660	烤 713	爪 爱 733

부수	자	쪽	부수	자	쪽	부수	자	쪽	부수	자	쪽	부수	자	쪽	부수	자	쪽	부수	자	쪽
爻	爽	734		猛	754		[illegible]	765		[illegible]	773	疒	痓	809		[illegible]	829		眽	844
爿	牀	736		猜	754	玉	珽	771	瓜	瓠	786		痍	809	皿	盒	833		睄	844
	[illegible]	736		猝	754		現	771		[illegible]	786		痎	809		盔	833		眳	844
片	[illegible]	737		猎	754		琁	771	瓦	瓶	788		痏	809		[illegible]	833		[illegible]	845
牛	牻	741		猈	754		球	772		瓷	788		痒	809		[illegible]	833		[illegible]	845
	牼	741		猉	754		琅	772	甘	甛	792		[illegible]	809		[illegible]	833		眻	845
	牿	741		猑	754		琉	772		甜	792		痔	809		盗	833		[illegible]	845
	牾	741		猔	754		理	772	生	產	792		痕	809		盖	833		睆	845
	[illegible]	742		[illegible]	754		琇	772		産	793		痌	809		[illegible]	833		[illegible]	845
	[illegible]	742		狷	754		琊	772	用	葡	794		[illegible]	809		[illegible]	833		[illegible]	845
	[illegible]	742		猄	754		珸	772	田	畢	798		痐	809		盘	833		眮	845
	[illegible]	742		[illegible]	755		[illegible]	772		異	798		痋	809		盛	833		[illegible]	845
	[illegible]	742		[illegible]	755		琓	772		[illegible]	799		[illegible]	809		[illegible]	833		[illegible]	845
	[illegible]	742		猞	755		珷	772		畧	799		痤	809	目	眭	843		[illegible]	845
	牽	742		猚	755		琄	772		畤	799		痑	810		眯	843		眱	845
	犁	742		猠	755		[illegible]	772		略	799		[illegible]	810		[illegible]	844		[illegible]	845
	犀	742		猕	755		[illegible]	773		畦	799		痠	810		眴	844		[illegible]	845
	[illegible]	742		[illegible]	755		珵	773		[illegible]	799		[illegible]	810		眵	844		睁	845
犬	[illegible]	751		猪	755		珹	773		畡	799		[illegible]	810		眶	844		[illegible]	845
	猇	753		[illegible]	755		琈	773		畱	799		痳	810		眸	844		眷	845
	猊	753		[illegible]	755		珺	773		[illegible]	799	白	皐	826		眹	844		[illegible]	846
	猍	753		[illegible]	755		[illegible]	773		畣	799		皎	826		眺	844		眾	646
	猓	753		[illegible]	755		琀	773		畫	799		[illegible]	826		眼	844	石	硃	868
	猖	754		[illegible]	755		[illegible]	773		[illegible]	799		[illegible]	826		眰	844		硅	868
	猗	754		奬	755		[illegible]	773		[illegible]	799		皏	826		[illegible]	844		硇	868
	猘	754		猫	755		[illegible]	773		畨	799	皮	[illegible]	829		[illegible]	844		硋	869
	猙	754	玄	率	765		珶	773	疋	疏	804		[illegible]	829		[illegible]	844		硎	869

硫 869
硌 869
硉 869
硊 869
⿰石夸 869
⿰石兆 869
硄 869
⿰石求 869
⿰石弟 869
硂 869
砎 869
硍 869
⿰石夅 869
硈 869
⿰石因 869
硐 869
⿰石此 870
⿱召石 870
研 870
⿱君石 870
示 祥 888
祥 888
衹 888
祧 888
⿱龹示 888
祫 888
祪 888
祩 888
⿰示吳 888
祮 888
⿰示巠 888
票 888
祭 888
⿰示危 889
祇 889
祤 889
祵 889
内 离 896
禼 896
禾 秸 901
移 901
秱 901
秳 901
⿰禾允 901
秵 902
秷 902
⿰禾兆 902
秺 902
⿰禾列 902
税 902
⿱安禾 902
秶 902
⿰禾夌 902
穴 窐 918
窓 918
窔 918
窕 918
窒 918
⿱穴乇 918
⿱穴各 918
⿱穴巳 918
⿱穴孚 918
⿱穴缶 919
⿱穴臣 919
⿱穴舛 919
⿱穴尾 919
⿱穴同 919
⿱穴关 919
⿱穴旦 919
⿱穴有 919
⿱穴至 919
⿱穴皿 919
⿱穴可 919
⿱穴其 919
立 竟 927
章 927
竹 笘 932
笙 932
笛 932
笞 932
⿱竹瓜 932
笠 932
⿱竹民 932
⿱竹召 933
笥 933
符 933
笨 933
第 933
第 933
笭 933
笮 933
笯 933
笱 933
⿱竹弁 933
笳 934
笴 934
笵 934
笘 934
笪 934
笛 934
⿱竹代 934
⿱竹宦 934
⿱竹弟 934
⿱竹去 934
⿱竹甘 934
⿱竹亡 934
⿱竹囟 934
⿱竹尔 934
⿱竹劦 934
⿱竹度 935
⿱竹冊 935
笐 935
⿱竹节 935
笎 935
笑 935
笚 935
⿱竹冉 935
⿱竹及 935
⿱竹宁 935
⿱竹生 935
⿱竹宜 935
米 ⿱米卷 967
粒 968
粔 968
粕 968
粗 968
粘 968
⿱加米 968
⿰米必 968
⿱宋米 968
⿰米弁 968
⿰米羊 968
⿰米乍 968
粣 968
⿰米台 968
⿰米宁 968
粙 968
⿰米它 968
⿰米乎 968
粓 968
粖 968
⿰米半 968
⿰米付 969
⿰米古 969
⿰米丙 969
粊 969
⿱𠀎米 969
糸 紩 985
紬 985
細 985
紱 985
⿰糸发 985
紲 985
紳 985
絉 985
紵 985
紸 985
紹 985
紺 986
紼 986
紽 986
紾 986
紿 986
絀 986
絁 986
終 986
絃 986
組 986
絅 987
絬 987
絽 987
⿱奴糸 987
⿰糸冊 987
⿰糸民 987
⿰糸乏 987
⿰糸必 987
⿰糸本 987
絆 987
絇 987
絣 987
紭 987
⿰糸正 987
絾 987
紨 987
紴 987
⿰糸穴 988
紶 988
紻 988
紙 988

統 988	䍩 1035	而 𦓤 1050	脕 1075	腥 1077	舙 1108	莊 1141
組 988	羓 1035	耒 耜 1051	脚 1075	脪 1077	舟 舲 1112	莎 1141
絈 988	䍧 1035	耞 1051	脛 1075	脙 1077	舳 1112	莏 1141
経 988	𦍦 1035	耝 1051	脘 1075	脈 1077	舴 1112	莒 1141
紫 988	蕎 1035	𦓰 1051	脝 1075	脩 1077	舶 1112	莓 1141
累 988	羽 翌 1041	𦓿 1052	脞 1075	脣 1077	舷 1112	莖 1141
紮 988	翏 1041	耠 1052	脡 1075	脊 1077	舸 1112	莘 1141
紥 988	習 1041	耟 1052	脢 1075	脤 1077	船 1112	莙 1141
缶 䍄 1023	習 1041	耕 1052	脤 1076	脪 1077	舵 1112	莛 1142
䍃 1023	翇 1041	耳 聆 1056	脫 1076	脨 1078	舥 1112	莚 1142
缻 1023	𦑃 1041	聊 1056	脱 1076	脮 1078	舸 1112	莝 1142
𦈤 1023	翍 1041	聊 1056	脬 1076	脞 1078	船 1112	莞 1142
缷 1023	翐 1042	𦕆 1056	脯 1076	脑 1078	舐 1112	莧 1142
缻 1023	翊 1042	聄 1056	脰 1076	臣 臥 1099	舺 1112	莟 1142
缽 1023	翑 1042	聅 1056	脟 1076	自 臯 1101	般 1112	莠 1142
网 罣 1027	𦐻 1042	聇 1056	脳 1076	至 臶 1103	色 艴 1119	莢 1142
罙 1027	翑 1042	聑 1056	脖 1076	臼 舁 1105	艵 1119	莧 1142
羊 羙 1034	翊 1042	聃 1056	脧 1076	臿 1105	艸 莊 1140	莦 1142
𦍩 1034	翎 1042	聉 1056	脲 1076	𦥑 1105	荳 1140	莂 1142
羞 1034	翈 1042	聃 1057	脡 1076	舂 1105	荷 1140	莮 1142
羕 1034	𦑁 1042	聑 1057	脥 1076	𦥑 1105	荻 1140	莇 1142
羚 1034	𦐼 1042	聓 1057	脭 1077	𦥑 1105	荼 1140	莻 1143
羜 1034	翗 1042	聿 晝 1063	脮 1077	臿 1105	荽 1140	莩 1143
羝 1035	𦐾 1042	肅 1063	脦 1077	𦥑 1105	莈 1141	莕 1143
羠 1035	老 耆 1049	肉 胬 1068	脙 1077	舃 1105	莅 1141	荾 1143
䍶 1035	耇 1049	胔 1068	脜 1077	舌 舐 1108	莆 1141	莜 1143
羫 1035	教 1049	𦚔 1069	脩 1077	舑 1108	莉 1141	莀 1143

荼 1143	莣 1144	莌 1146	虛 1214	蚰 1223	術 1262	袨 1272
莟 1143	荵 1144	苐 1146	虫 蚯 1222	蛈 1223	衕 1262	袴 1272
莒 1143	莫 1144	莍 1146	蚰 1222	蚼 1224	衣 衾 1268	袵 1272
䓞 1143	莁 1145	莥 1147	蚱 1222	蛎 1224	袞 1271	袖 1272
莠 1143	莎 1145	䓛 1147	蚳 1222	蚺 1224	䘣 1271	袶 1272
葅 1143	莜 1145	菩 1147	蚴 1222	蚦 1224	袤 1271	䘭 1272
菥 1143	䓐 1145	莫 1147	蚶 1222	蛋 1224	袃 1271	裥 1272
莈 1143	莋 1145	莫 1147	蚷 1222	蛅 1224	袬 1271	袧 1272
莗 1143	莱 1145	菲 1147	蚿 1222	蛩 1224	袈 1271	袱 1273
莮 1143	莏 1145	菴 1147	蚹 1222	蛓 1224	袋 1271	袮 1273
草 1143	莦 1145	萁 1147	蛀 1222	蛊 1224	袽 1271	裓 1273
菌 1143	莗 1145	莕 1147	蛁 1222	蛍 1224	袞 1271	袻 1273
莧 1143	莖 1145	莈 1147	蛅 1222	萤 1224	衮 1271	䘤 1273
莙 1143	菫 1145	華 1147	蛄 1223	蚤 1224	袠 1271	裗 1273
荓 1143	莌 1145	获 1147	蛆 1223	蛪 1224	袰 1271	䘪 1273
莽 1143	菘 1145	菱 1147	蚾 1223	蚭 1224	袱 1271	裪 1273
華 1143	茜 1146	莭 1147	蛇 1223	蚽 1224	袴 1271	西 覂 1294
莃 1143	莄 1146	莽 1147	虵 1223	蚔 1224	袦 1271	覃 1294
莨 1143	莤 1146	虍 處 1213	蛉 1223	蛮 1224	袷 1272	見 覎 1296
莩 1144	莝 1146	虜 1214	蚸 1223	䖼 1224	袳 1272	規 1296
莪 1144	莔 1146	虘 1214	蛃 1223	蚢 1224	袺 1272	覒 1296
莥 1144	莂 1146	虛 1214	蛄 1223	蛔 1224	袼 1272	覘 1296
𦮼 1144	莵 1146	虓 1214	蚵 1223	蚣 1224	袿 1272	視 1296
莑 1144	莻 1146	虖 1214	蚲 1223	血 衅 1259	裀 1272	覓 1296
菱 1144	莣 1146	虙 1214	蛂 1223	衇 1259	裗 1272	覔 1296
蔓 1144	𦯀 1146	虜 1214	蚡 1223	行 衒 1262	袾 1272	覙 1297
莣 1144	莇 1146	虗 1214	蛆 1223	術 1262	袹 1272	覚 1297

覎 1297
䙿 1297
覑 1297
現 1297
角 𧢲 1305
觖 1305
觘 1305
觨 1305
觗 1305
觕 1305
𧣅 1305
觤 1305
觜 1305
觚 1306
觥 1306
𧢻 1306
觰 1306
言 訛 1315
訝 1315
訞 1315
訟 1315
訢 1316
訣 1316
訥 1316
訦 1316
訩 1316
訪 1316

訬 1316
設 1316
許 1317
𧥄 1317
䚷 1317
𧥺 1317
訽 1317
詨 1317
訵 1317
詶 1317
訯 1317
訹 1317
訜 1317
訿 1317
訤 1317
訠 1317
詉 1317
訏 1318
訮 1318
詛 1318
詨 1318
訡 1318
詐 1318
訰 1318
詊 1318
詃 1318

詛 1318
詓 1318
訮 1318
訆 1318
訮 1318
託 1318
詎 1318
詌 1318
詨 1318
䜕 1318
詅 1318
訑 1318
訰 1318
詂 1319
訦 1319
詗 1319
訷 1319
訖 1319
訫 1319
詘 1319
訡 1319
詘 1319
訳 1319
𧥛 1319
䚻 1319
䚼 1319
谷 谹 1366

谻 1366
谺 1366
谼 1366
容 1367
谸 1367
豆 豉 1369
豕 豝 1372
豣 1372
豚 1372
豘 1373
豛 1373
豙 1373
豙 1373
豛 1373
豟 1373
豥 1373
豬 1373
彖 1373
豝 1373
豙 1373
豚 1373
豸 豽 1379
豼 1379
豾 1379
豛 1379
豣 1379
豜 1379

豤 1379
豝 1379
豿 1379
貝 販 1386
貦 1386
貥 1386
貧 1386
貨 1386
貪 1386
貫 1386
責 1386
賢 1387
貭 1387
貢 1387
貯 1387
貢 1387
貰 1387
貯 1387
貺 1387
貥 1387
赤 赦 1403
赦 1403
赥 1403
走 赳 1405
赶 1406
赽 1406
赼 1406

赿 1406
趵 1406
趷 1406
趄 1406
趍 1406
趒 1406
趞 1406
趂 1406
趄 1406
趄 1406
趁 1406
趑 1406
趑 1406
趣 1406
趑 1406
趉 1406
趎 1406
趉 1407
赸 1407
足 趹 1421
趺 1422
趻 1422
趾 1422
跂 1422
跁 1422
跀 1422
跃 1422

趽 1422
趻 1422
跡 1422
跃 1423
趼 1423
趹 1423
跅 1423
跅 1423
跔 1423
趽 1423
跓 1423
跇 1423
跈 1423
跐 1423
跑 1423
跌 1423
跏 1423
跗 1423
趻 1423
距 1423
跟 1423
跂 1423
跗 1423
跨 1423
跖 1423
跎 1423
跕 1423

身 ⿰身比 1456	⿰車亢 1462	遆 1495	遆 1497	郜 1521	⿰酉斤 1533	釩 1551
躭 1456	⿱車女 1462	逍 1495	⿺辶更 1497	⿰奇阝 1521	⿰酉斗 1533	⿰金己 1551
⿰身亢 1456	⿰車勾 1462	逎 1495	逩 1498	⿰昔阝 1521	⿰酉区 1533	釰 1551
⿰身井 1456	軡 1462	透 1495	⿺辶身 1498	⿰底阝 1521	⿰酉交 1533	釮 1551
⿰身交 1456	⿰車丑 1462	逐 1495	⿺辶是 1498	郬 1521	采 宷 1546	長 ⿰镸夭 1592
⿰身丹 1456	⿰車太 1462	逑 1495	逄 1498	⿰虎阝 1521	釈 1546	⿱云長 1592
⿰身反 1456	較 1462	途 1496	⿺辶庚 1498	郗 1521	里 野 1547	⿰镸殳 1592
⿰身攵 1456	⿰車夫 1462	逕 1496	⿺辶瓜 1498	酉 酖 1532	⿱千里 1547	⿰镸攵 1592
⿰身支 1456	軗 1462	逖 1496	迴 1498	酛 1532	量 1547	門 閈 1595
⿰身少 1456	⿰車心 1462	逗 1496	⿺辶吞 1498	酗 1532	金 釣 1549	閉 1595
⿰身戈 1456	⿰車卬 1462	這 1496	邑 部 1519	酘 1532	釤 1550	閇 1595
⿰身支 1456	⿰車公 1462	通 1496	郪 1519	酕 1532	鈔 1550	閆 1595
車 軘 1461	⿰車几 1462	逼 1496	郫 1519	⿰酉市 1532	釦 1550	⿵門乞 1595
軛 1461	⿰車月 1462	逝 1496	郭 1520	酌 1532	釧 1550	⿵門己 1595
軟 1461	⿰車区 1462	逞 1496	郯 1520	⿰酉屯 1532	釪 1550	⿵門夂 1595
軜 1461	⿰車互 1462	速 1496	郰 1520	⿰酉亢 1532	釫 1550	閏 1595
軝 1461	軟 1462	造 1496	郱 1520	酔 1532	釬 1550	⿵門巛 1595
⿰車反 1461	⿰車支 1462	逡 1497	郲 1520	酝 1532	釭 1550	阜 ⿰阝昌 1616
軠 1461	⿰車止 1462	逢 1497	郳 1520	⿰爿酉 1532	釱 1550	陪 1616
⿰車厷 1461	⿰車巴 1462	連 1497	郴 1520	酓 1533	釵 1550	陬 1616
軞 1461	⿰車勻 1462	逜 1497	郵 1520	⿰酉支 1533	釳 1550	陰 1617
較 1461	辛 ⿰辛亢 1483	⿺辶沙 1497	郼 1520	⿰酉丂 1533	釨 1550	陲 1617
⿰車幵 1462	⿰辛斤 1483	退 1497	⿰尙阝 1520	⿰酉不 1533	⿰金予 1550	陳 1617
⿰車尹 1462	⿰辛乚 1483	逛 1497	⿰舍阝 1520	⿰火酉 1533	釴 1550	陴 1617
⿰車元 1462	走 ⿺走幺 1490	适 1497	⿰季阝 1520	⿰酉今 1533	釶 1550	陵 1617
⿰車戶 1462	逋 1495	遏 1497	都 1520	⿱覀永 1533	⿰金毛 1550	陶 1617
転 1462	逌 1495	逓 1497	郷 1520	⿰酉氐 1533	釯 1551	陶 1618

陷 1618	隅 1619	革 靪 1659	黑 黒 1861	傷 66	冪 91	勨 116
陥 1618	陎 1619	頁 頂 1682	黹 黹 1870	傌 67	冫 凔 94	勝 116
陸 1618	隹 隿 1629	頃 1682	丨 𠁥 15	傆 67	凒 94	勢 116
陫 1618	雈 1629	頄 1683	丿 𠂢 25	傉 67	𠗨 94	勛 116
陭 1618	琟 1629	頉 1683	亠 高 30	傂 67	凓 94	勹 匐 120
陖 1618	雀 1629	頊 1683	𠅘 30	傓 67	凾 94	匑 120
𨻐 1618	𨾊 1629	風 颩 1703	人 傘 65	傜 67	凕 94	匔 120
陯 1618	𨾇 1629	食 飢 1713	做 65	傒 67	準 94	匚 匯 123
陮 1618	雇 1629	飣 1713	傀 65	傞 67	几 凱 96	匚 匬 125
隍 1618	崔 1629	飤 1713	傁 65	傢 67	凵 𠚒 98	十 博 128
陧 1618	隻 1629	飡 1713	傃 65	傛 67	𠚕 98	博 128
𨻆 1618	雨 雩 1638	飦 1713	傎 65	倏 67	凿 98	卩 卿 133
陰 1618	雫 1638	𩚁 1713	傅 65	傗 67	刀 劵 108	卿 133
隆 1618	雪 1638	𩚇 1713	傋 65	傈 67	剩 108	巹 133
険 1618	𩁹 1639	首 馗 1731	傍 65	傁 67	割 108	厂 厥 136
𨻷 1619	雫 1639	𩠑 1731	傏 66	傿 67	割 108	厤 136
𨽁 1619	雯 1639	馬 馬 1734	傑 66	側 67	剳 108	厪 136
陶 1619	雽 1639	高 髙 1763	傒 66	傜 67	剴 108	𠩽 136
陰 1619	雮 1639	鹿 麀 1844	傕 66	傩 67	剻 108	厜 136
陝 1619	青 彭 1653	麻 麻 1855	傔 66	傷 67	創 108	厦 136
隊 1619	啨 1653	黃 黃 1856	傷 66	儿 兟 84	剿 108	厨 136
階 1619	非 𩇕 1655	黑 黒 1861	傈 66	入 兪 85	劂 109	厶 叅 140
隈 1619	啡 1655	鼎 鼎 1872	傗 66	八 兼 87	劇 109	羕 140
䧕 1619	奜 1655	鼠 鼠 1875	傖 66	冂 最 90	劃 109	𠫤 140
𨻼 1619	𩇦 1655	12획	傠 66	冕 90	剄 109	又 叡 143
陳 1619	㢍 1655	黃 黄 1856	備 66	冖 𠖗 91	力 勛 116	口 喦 171
陡 1619	𩇢 1655	黍 黍 1858	傚 66	冡 91	勞 116	喦 171

㬎 171
單 171
喌 171
㗊 171
咢 172
喪 172
[illegible] 172
喣 172
啼 172
[illegible] 172
啾 172
喍 172
[illegible] 172
喀 172
喁 172
喃 172
喇 172
喈 172
喉 173
喉 173
喊 173
喋 173
喏 173
喑 173
喓 173
喔 173
喘 173

喙 173
喚 173
喝 173
喞 173
[illegible] 174
喟 174
喤 174
喧 174
喨 174
喒 174
喼 174
[illegible] 174
喲 174
喻 174
喭 174
喫 174
喫 174
喎 174
[illegible] 174
[illegible] 174
喛 175
[illegible] 175
喢 175
喊 175
喞 175
喂 175
喖 175

喥 175
喗 175
喳 175
喠 175
喵 175
喅 176
[illegible] 176
[illegible] 176
啺 176
[illegible] 176
[illegible] 176
喰 176
嗢 176
[illegible] 176
喆 176
喬 176
啻 176
[illegible] 176
善 176
啞 176
喜 176
[illegible] 176
[illegible] 177
啫 177
営 177
口 圍 197
[illegible] 197

圈 198
圎 198
圌 198
圐 198
土 堯 212
堇 212
報 212
[illegible] 212
堙 212
堧 213
堝 213
堞 213
堠 213
堤 213
堪 213
堰 213
場 213
堣 213
堭 213
[illegible] 213
堗 213
堮 213
堵 213
堷 214
堨 214
堛 214
[illegible] 214

堬 214
堳 214
[illegible] 214
培 214
[illegible] 214
[illegible] 214
堿 214
[illegible] 214
[illegible] 214
[illegible] 214
堺 214
[illegible] 214
堦 214
[illegible] 214
塔 214
塚 214
[illegible] 214
堡 214
堢 215
[illegible] 215
[illegible] 215
[illegible] 215
[illegible] 215
堕 215
[illegible] 215
[illegible] 215
士 壺 225

壹 226
[illegible] 226
壻 226
[illegible] 226
喜 226
大 奢 237
[illegible] 237
[illegible] 237
[illegible] 237
[illegible] 237
奠 237
[illegible] 237
[illegible] 237
奥 237
奧 237
[illegible] 237
女 婷 255
媁 255
媮 256
媌 256
[illegible] 256
媒 256
媪 256
媚 256
媛 256
媃 256
媟 256

[illegible] 256
婸 256
婧 257
媓 257
媢 257
媧 257
媉 257
媕 257
媥 257
婼 257
[illegible] 257
[illegible] 257
[illegible] 257
[illegible] 257
媀 257
媤 257
媔 257
媣 257
婾 258
媄 258
媅 258
[illegible] 258
媖 258
[illegible] 258
媞 258
[illegible] 258
[illegible] 258

媍 258
婈 258
媼 258
婿 258
飲 258
婺 258
婹 259
子 孱 272
孯 272
宀 富 282
寗 282
寐 282
寎 282
寒 282
寓 282
寓 282
寔 282
寋 283
窫 283
寏 283
寍 283
㝨 283
寑 283
寛 283
寡 283
寀 283
寸 尉 290
尌 290
尊 290
尊 290
尋 290
尋 290
尊 290
小 尞 293
尢 尰 294
就 294
尸 屠 300
屆 300
屟 300
屎 300
屐 300
属 300
屡 300
胋 300
脃 300
屮 𡴭 303
㞺 303
山 嵌 312
嵔 312
㠏 312
崩 313
崶 313
崺 313
嵏 313
嵕 313
嵐 313
嵮 313
嵗 313
嵂 313
崽 313
嵉 313
崹 313
嵏 313
崴 313
嵋 313
崏 313
嵎 313
崿 314
崿 314
嵁 314
嵑 314
嵧 314
𡹬 314
嵾 314
嵄 314
崳 314
嵃 314
崵 314
崲 314
崼 314
嵖 314
嵓 314
嵇 314
嵆 315
嵒 315
嵓 315
嵍 315
工 㠭 327
己 巽 328
巺 328
巾 帽 334
帾 334
幀 334
幃 335
幁 335
㡏 335
幄 335
帿 335
幅 335
㡓 335
㡒 335
幈 335
𢄍 335
幂 335
𢅊 335
𢃶 335
𢄼 335
㡑 335
𢄣 335
𢅀 336
帬 336
幇 336
㡖 336
幺 幾 343
𢆯 343
广 庾 349
廋 349
廁 349
㢊 349
㢋 349
廂 349
㢞 349
㢑 349
㢒 350
㢦 350
廃 350
廊 350
𢉪 350
廴 逭 355
廾 弽 357
𢍗 357
弋 弑 358
弓 弼 362
粥 362
弻 362
弽 362
㣐 362
弱 363
强 363
弾 363
彑 彘 365
𢑥 365
彡 彭 367
𢒙 367
彳 徧 373
𢓸 373
徨 373
復 373
循 373
𢔆 374
徦 374
徥 374
𢔧 374
𢓷 374
心 惢 393
𢚩 393
悶 393
悲 393
惄 393
惉 393
惎 393
惦 394
惑 394
惠 394
惡 394
𢙁 394
𢛁 394
惤 394
𢚁 394
惌 394
悳 394
𢜍 395
𢝓 395
㥔 395
𢛶 395
𢙅 395
惣 395
𢚦 395
𢛖 395
𢙞 395
惩 395
𢙖 395
惁 395
惆 395
惒 395
𢜐 400
惰 400
惱 400
愜 400

惲 400	愖 402	戦 423	揚 453	援 455	㨗 457	敲 485
愇 400	㣫 402	戶 扉 427	揢 453	揵 455	[illegible] 457	數 485
惴 400	[illegible] 402	扊 427	[illegible] 453	揶 456	换 457	敳 485
惵 400	[illegible] 402	手 掱 446	換 454	揘 456	搖 457	文 斑 490
惶 400	[illegible] 402	掰 446	[illegible] 454	[illegible] 456	支 攲 479	斐 490
[illegible] 400	愜 402	掌 446	[illegible] 454	揤 456	攴 敝 483	斗 斛 491
[illegible] 400	[illegible] 402	掔 446	揰 454	揨 456	敟 483	斝 491
惺 400	[illegible] 402	[illegible] 446	揹 454	掽 456	敛 483	[illegible] 491
[illegible] 400	惿 402	掣 446	揸 454	揍 456	敭 484	斤 斮 493
惻 400	[illegible] 402	挲 446	揠 454	揦 456	敞 484	斯 493
惼 401	愐 402	掾 452	揌 454	[illegible] 456	敠 484	[illegible] 493
惛 401	[illegible] 402	揀 452	揜 454	掿 456	敢 484	[illegible] 493
愀 401	[illegible] 402	揃 452	[illegible] 454	揂 456	[illegible] 484	[illegible] 493
愃 401	[illegible] 402	揄 452	握 454	揻 456	散 484	方 旐 497
愉 401	愅 402	揗 452	揣 454	[illegible] 456	[illegible] 484	[illegible] 497
愉 401	[illegible] 402	揆 452	揋 454	摒 456	敧 484	旖 497
愊 401	愣 402	揉 452	揥 454	搜 456	敦 484	旌 497
愒 401	[illegible] 402	撓 452	揩 454	[illegible] 456	[illegible] 484	无 [illegible] 499
愓 401	[illegible] 403	揎 453	揭 455	揳 456	敤 485	日 晶 508
愎 401	恇 403	描 453	揯 455	[illegible] 456	敚 485	景 508
愔 401	[illegible] 403	提 453	揮 455	撰 456	[illegible] 485	最 509
[illegible] 401	惇 403	揞 453	揲 455	[illegible] 456	[illegible] 485	晷 509
憢 401	[illegible] 403	插 453	揳 455	揔 456	[illegible] 485	暑 509
愪 401	愠 403	挿 453	揙 455	揑 456	[illegible] 485	晫 509
[illegible] 401	戈 戞 423	揕 453	揝 455	揁 456	[illegible] 485	晲 509
[illegible] 401	戟 423	揬 453	揈 455	捴 456	[illegible] 485	晬 509
愕 401	戟 423	揖 453	揟 455	捺 456	敬 485	[illegible] 509

暘 509	月 朝 522	棚 554	椶 556	椖 558	款 597	殿 613
晴 509	期 522	棜 554	椋 556	桻 558	𣢜 598	毀 613
晴 509	朞 522	棟 554	椌 556	椁 558	欲 598	毛 毳 618
晻 509	罥 523	棣 554	棶 556	棞 558	欿 598	毰 618
晢 509	木 森 552	楗 555	植 557	検 558	㰢 598	毯 619
晼 509	棼 553	棧 555	椎 557	椗 558	欯 598	毴 619
睢 509	棽 553	棫 555	椏 557	楁 558	歇 598	毱 619
晾 509	棗 553	棬 555	椢 557	棋 558	止 歯 604	粍 619
晽 509	棘 553	𣗌 555	椑 557	棊 558	歬 604	毲 619
暁 509	楚 553	棰 555	椒 557	棐 558	埽 604	𣭘 619
晰 509	棥 553	棱 555	椓 557	棠 558	𣦀 604	毯 619
晳 510	椐 553	棡 555	㮝 557	𣘚 559	豈 604	毣 619
普 510	棲 553	棲 555	椊 557	㮈 559	歹 殗 608	毼 619
智 510	棅 553	棷 555	椧 557	棨 559	殚 608	毷 619
晵 510	棔 553	棹 555	棵 557	棸 559	殖 608	气 𣱽 624
晷 510	棉 553	楷 555	栟 557	棃 559	㱣 608	氮 624
曺 510	棌 553	棺 556	棑 557	栞 559	殕 608	氯 624
暋 510	棉 553	棿 556	楷 558	棄 559	殑 608	氲 624
晋 510	棍 554	棪 556	棭 558	棄 559	殘 608	水 淼 652
晚 510	棕 554	椀 556	棈 558	㮚 559	𣩇 609	㳄 652
暡 510	棆 554	椄 556	棤 558	欠 欹 597	殙 609	湺 652
日 最 519	棒 554	棯 556	榴 558	欺 597	殔 609	渙 660
曾 519	棎 554	椅 556	棳 558	欼 597	𣩗 609	淵 661
朁 519	棓 554	椆 556	楋 558	欻 597	殳 殼 613	渃 661
替 519	棖 554	椔 556	楄 558	𣢙 597	殺 613	渚 661
詈 519	棙 554	椇 556	楮 558	欽 597	殻 613	減 661
會 519	棝 554	椈 556	椭 558	欶 597	殽 613	溧 661

渳 661	渻 664	湩 666	湦 668	焯 715	爻 爽 734	猒 753
渝 661	渼 664	湫 666	溘 668	焰 715	爾 734	猌 753
渟 661	減 664	湭 666	渇 668	焰 715	爿 牄 736	猴 753
渠 661	渾 664	湮 666	湪 668	焝 715	牃 736	猢 755
渡 661	湃 664	湮 666	湆 668	烱 715	片 牋 737	猥 756
渢 662	湄 664	湯 666	湶 668	焩 715	牌 737	猧 756
渣 662	湅 664	湲 666	滚 668	焼 715	腌 737	猨 756
湋 662	湇 664	湉 667	浸 668	焚 715	牎 737	狽 756
渤 662	湆 664	湳 667	渧 668	焚 715	牒 737	猩 756
渥 662	湊 664	湁 667	温 668	焣 715	牙 犄 738	猱 756
渦 662	湍 664	湠 667	湾 668	𤈦 716	牚 738	猦 756
湌 662	湎 664	湗 667	満 668	閃 716	牛 犇 742	猲 756
渧 662	湑 665	湵 667	湿 668	敥 716	犆 742	猴 756
渨 662	湓 665	湸 667	澆 668	焦 716	犉 742	猴 756
渫 662	湔 665	湡 667	滔 668	無 716	犋 742	猵 756
測 662	湖 665	湀 667	滋 668	焦 716	犅 742	猶 756
渭 662	湘 665	湚 667	湼 668	然 716	犃 742	猪 756
渮 663	湛 665	湏 667	渘 668	無 716	犄 742	猫 756
港 663	湒 665	済 667	湡 668	烈 716	犈 743	猤 757
港 663	湜 665	溇 667	火 焱 715	舄 716	犊 743	猳 757
渰 663	湝 665	湑 667	飧 715	為 716	掔 743	猣 757
渶 663	湞 665	湴 667	焙 715	煮 716	犕 743	猰 757
游 663	湟 666	湶 667	焜 715	焭 716	犁 743	猐 757
渲 663	湢 666	湵 667	焞 715	烷 716	犀 743	猯 757
渴 663	湣 666	湭 668	焠 715	尉 716	犀 743	猪 757
滘 663	湧 666	淩 668	焫 715	爪 爲 733	掣 743	猦 757
渺 663	湨 666	湕 668	焮 715	爲 733	犬 猋 753	猭 757

猣 757	琗 775	畭 800	痝 811	盚 834	睉 847	硭 871
猬 757	琺 775	畬 800	[illegible] 811	[illegible] 834	[illegible] 847	[illegible] 871
㺄 757	琙 775	畲 800	痥 811	[illegible] 834	[illegible] 847	硤 871
猸 757	琩 775	畱 800	痯 811	[illegible] 834	[illegible] 847	硥 871
玉 琴 773	琠 775	[illegible] 800	[illegible] 811	[illegible] 834	着 847	硱 871
琹 773	琕 775	疋 疎 804	[illegible] 811	目 [illegible] 846	矛 矞 861	硞 871
琵 773	琡 775	疏 804	痦 811	睅 846	[illegible] 862	[illegible] 871
琶 773	琟 775	[illegible] 804	[illegible] 811	睆 846	[illegible] 862	硷 871
琖 773	琘 775	疒 痗 810	[illegible] 811	睇 846	矟 862	硑 871
琚 773	[illegible] 775	痘 810	[illegible] 811	睊 846	[illegible] 862	硧 871
琛 774	琼 775	痙 810	癶 登 823	睋 846	矢 矬 863	硩 871
琢 774	瓦 [illegible] 788	痛 810	發 823	䀹 846	短 863	[illegible] 871
琤 774	[illegible] 788	痞 810	白 皕 826	睞 846	䂓 864	[illegible] 871
琥 774	瓻 788	痟 810	皓 826	睍 846	[illegible] 864	砦 871
琦 774	生 甥 793	痡 810	皖 826	睎 846	[illegible] 864	[illegible] 871
琨 774	[illegible] 793	痢 810	皔 826	[illegible] 846	石 硜 870	示 祲 889
琪 774	甤 793	[illegible] 810	皮 皴 829	[illegible] 846	硝 870	祴 889
琫 774	甦 793	痣 810	[illegible] 829	[illegible] 846	硠 870	祰 889
琬 774	用 甯 794	痤 811	[illegible] 829	[illegible] 846	硡 870	祳 889
琭 774	田 異 799	痧 811	[illegible] 829	[illegible] 846	硨 870	[illegible] 889
琮 774	畢 799	痯 811	[illegible] 829	睃 846	硫 870	[illegible] 889
琸 774	畳 799	[illegible] 811	[illegible] 829	睌 847	硬 870	[illegible] 889
琯 774	畯 799	痵 811	[illegible] 829	[illegible] 847	确 870	[illegible] 889
琰 775	畟 799	[illegible] 811	皿 盛 833	睏 847	硯 870	[illegible] 889
琱 775	畮 800	痺 811	盜 833	睄 847	硟 870	禍 889
琲 775	畫 800	痩 811	[illegible] 833	[illegible] 847	硪 870	祷 889
琳 775	番 800	[illegible] 811	[illegible] 833	[illegible] 847	碎 871	[illegible] 889

祽 889	䅐 904	竢 927	笵 937	粥 969	絪 990	絰 992
祱 889	𥞊 904	竣 927	筞 937	粟 969	絯 990	𦀗 992
䄉 889	𥞩 904	竦 927	筝 937	粢 969	経 990	絭 992
祈 889	䅇 904	竪 928	笿 937	粊 970	絳 990	絫 992
䄇 889	穴 䆄 919	𥪰 928	䇫 937	𥹂 970	絺 990	絮 992
內 禽 896	𥦖 919	𥪯 928	䈁 937	粚 970	絧 991	絜 992
𥜿 896	窖 919	竹 筦 935	笔 937	粱 970	䋙 991	𥿭 992
禾 稀 902	窘 919	筆 935	筎 938	𥸫 970	絘 991	䋞 992
稂 902	窙 919	筇 935	筃 938	粣 970	絑 991	緊 992
稃 902	窒 919	筈 935	𥮊 938	粩 970	𥿯 991	䋎 992
稅 902	䆏 919	等 935	䈕 938	𥹒 970	絙 991	𥿞 993
稈 902	䆄 919	筊 936	䈇 938	𥹸 970	絟 991	絔 993
稊 902	窗 919	䇘 936	笲 938	𥹳 970	䋐 991	絒 993
程 903	窜 920	筋 936	筅 938	糸 絲 988	絬 991	𥿥 993
稌 903	窛 920	筌 936	筕 938	絎 989	統 991	䋖 993
稍 903	𥧀 920	筍 936	笄 938	結 989	絥 991	𦀛 993
稉 903	𥦧 920	筏 936	䈅 938	絓 989	絠 991	䋚 993
秿 903	𥦂 920	筐 936	䇭 938	絕 989	絉 991	𥿽 993
稇 903	𥦋 920	筑 936	米 粦 969	絖 989	絩 992	絗 993
稩 903	䆆 920	筒 936	粪 969	絚 989	䋚 992	缶 缿 1023
䅊 903	𥦭 920	筓 936	粞 969	絝 989	紙 992	缾 1023
秸 903	𥦷 920	答 936	粧 969	絞 990	絼 992	䍊 1023
稄 903	窔 920	策 937	䊀 969	絡 990	䋘 992	䍍 1023
稤 903	窢 920	䈃 937	䊆 969	絢 990	絍 992	䍋 1023
秳 903	𥦳 920	䈌 937	粡 969	絣 990	絏 992	䍉 1023
䅐 903	䆗 920	筵 937	粠 969	給 990	絵 992	网 罥 1027
稆 903	立 童 927	筹 937	粵 969	絨 990	絛 992	罦 1028

罠 1028	而 需 1050	腜 1078	腤 1080	舜 1110	菘 1149	菰 1151
䍙 1028	耒 𦓷 1052	腬 1079	腒 1081	舟 艂 1112	菙 1149	萵 1151
罤 1028	𦔀 1052	腞 1079	䐋 1081	䑬 1112	菜 1149	葢 1151
䍌 1028	䎣 1052	腄 1079	䐈 1081	䑧 1112	菟 1149	葅 1151
罩 1028	耠 1052	腪 1079	䐃 1081	䑩 1112	萎 1149	菄 1151
羊 羛 1035	耳 聒 1057	腊 1079	腃 1081	艟 1113	菠 1149	䒹 1151
𦍩 1035	聐 1057	腗 1079	䐍 1081	䑯 1113	荓 1149	菻 1152
羡 1035	聑 1057	腥 1079	腘 1081	艁 1113	菡 1149	菞 1152
着 1035	聏 1057	腁 1079	腸 1081	舽 1113	菩 1149	𦱊 1152
羕 1035	聎 1057	腆 1079	脿 1081	艅 1113	菪 1150	盖 1152
羠 1035	聙 1057	腋 1079	脸 1081	艸 茻 1133	菫 1150	莜 1152
羢 1035	聓 1057	腌 1079	腯 1081	莽 1147	菭 1150	萛 1152
䍬 1035	联 1057	腑 1079	臣 臦 1099	莾 1147	華 1150	萎 1152
䍮 1035	聿 肅 1063	䐁 1080	自 臮 1101	菀 1147	菰 1150	萠 1152
𦍺 1035	肉 胾 1072	腒 1080	臯 1101	菁 1147	菱 1150	菋 1152
䍯 1035	脔 1072	腓 1080	皐 1101	菂 1147	菲 1150	菊 1152
䍰 1035	脹 1078	腔 1080	臬 1101	菅 1148	菴 1150	萊 1152
羽 𦐁 1042	脽 1078	腕 1080	至 䑂 1103	菆 1148	菶 1151	業 1152
𦐅 1042	腂 1078	腷 1080	臷 1103	菉 1148	菸 1151	萮 1152
翔 1042	腒 1078	腇 1080	臸 1103	菈 1148	菹 1151	𦱡 1152
翓 1042	腩 1078	腍 1080	臺 1103	菊 1148	菼 1151	萓 1152
𦐢 1042	腠 1078	䐉 1080	臼 舄 1105	菌 1148	菽 1151	萪 1152
翖 1042	腦 1078	腏 1080	舃 1105	菎 1148	萁 1151	萊 1152
翕 1043	脘 1078	腎 1080	䑔 1106	菑 1148	萃 1151	萋 1152
翗 1043	腡 1078	腎 1080	䑕 1106	菓 1148	萄 1151	萌 1152
老 耄 1049	腶 1078	腦 1080	舌 舒 1108	菔 1149	萆 1151	萠 1153
耋 1049	腠 1078	脺 1080	舛 舜 1109	菖 1149	萇 1151	萍 1153

萋 1153	菗 1154	菻 1156	蛛 1225	蛢 1226	衏 1262	裉 1275
萫 1153	茹 1154	菂 1156	蛜 1225	蛩 1227	衎 1262	裶 1275
莚 1153	萬 1154	萗 1156	蛞 1225	蛩 1227	衙 1262	裷 1275
萴 1153	菬 1154	䓣 1156	蛟 1225	䗇 1227	衘 1263	𧚊 1275
菮 1153	萒 1154	䒾 1156	蛣 1225	蛓 1227	衣 衺 1273	𧚈 1275
萉 1153	蒂 1154	䒾 1156	蛤 1225	蛗 1227	裁 1273	䘴 1275
萺 1153	蓖 1154	葱 1156	蛮 1225	𧊕 1227	裂 1273	𧚨 1275
萫 1153	萂 1154	菽 1156	蛧 1225	䖶 1227	䘞 1273	𧛐 1275
䓔 1153	蒔 1154	萕 1156	蛫 1225	蛪 1227	装 1273	衹 1275
菥 1153	萄 1154	菩 1156	蛝 1225	蛮 1227	䘸 1273	䘯 1275
菤 1153	菏 1154	萛 1156	䖵 1225	蚷 1227	袬 1273	䘹 1275
萮 1153	莿 1155	莖 1156	蛭 1226	𧊒 1227	裒 1273	䘼 1275
萑 1153	萘 1155	著 1156	蛇 1226	𧋉 1227	裋 1274	裡 1275
菎 1154	菿 1155	营 1156	蛐 1226	蛥 1227	裎 1274	襾 覃 1294
菽 1154	菌 1155	荊 1156	蛘 1226	𧊅 1227	裑 1274	覂 1295
菴 1154	菡 1155	荆 1156	蛚 1226	蛡 1227	裕 1274	覄 1295
萗 1154	莧 1155	虍 虛 1214	蛢 1226	𧊐 1227	裙 1274	見 覕 1297
䓂 1154	荃 1155	虜 1214	蛟 1226	蛬 1227	補 1274	覎 1297
萚 1154	菫 1155	虗 1214	蛻 1226	血 衆 1259	裞 1274	視 1297
菣 1154	萞 1155	虖 1214	蛦 1226	衉 1259	裖 1274	覗 1297
萖 1154	菇 1155	虘 1215	蛱 1226	衈 1259	裍 1274	覘 1297
䒳 1154	菓 1155	虙 1215	𧊔 1226	衇 1259	裗 1274	䙼 1297
菍 1154	菝 1155	虒 1215	蚼 1226	衃 1260	裓 1274	𧠅 1297
萂 1154	菧 1155	虫 蛑 1224	蛒 1226	䘏 1260	裌 1274	䙹 1297
菹 1154	菭 1155	蛔 1225	𧗱 1226	行 衕 1262	裢 1275	覞 1297
萁 1154	萀 1156	蛸 1225	蝶 1226	街 1262	䘾 1275	䙿 1297
菵 1154	菁 1156	蛙 1225	蛹 1226	衖 1262	裐 1275	䚁 1297

覗 1297
覘 1297
覞 1298
覔 1298
覙 1298
覚 1298
角 觚 1306
觇 1306
觝 1306
觛 1306
觗 1306
觞 1306
觜 1306
𧢼 1306
𧣈 1306
觓 1306
觘 1306
𧢫 1306
觰 1306
言 訴 1319
訢 1319
訶 1319
訹 1319
診 1319
訡 1319
訸 1319
註 1320
証 1320
詢 1320
詀 1320
詄 1320
詁 1320
詅 1320
詆 1320
詌 1320
詍 1320
詎 1320
詐 1320
詒 1321
詚 1321
詔 1321
評 1321
詖 1321
詗 1321
詘 1321
詛 1321
詞 1322
詠 1322
詈 1322
詇 1322
詾 1322
訵 1322
詋 1322
評 1322
誇 1322
詑 1322
詧 1322
詉 1322
詓 1322
詫 1322
詑 1323
詤 1323
設 1323
詖 1323
訾 1323
詈 1323
詈 1323
詧 1323
詓 1323
詃 1323
詏 1323
詓 1323
詤 1323
詛 1323
詖 1323
詆 1323
詍 1323
詐 1323
詙 1323
詑 1323
詟 1323
詡 1324
詂 1324
詓 1324
詄 1324
詋 1324
詑 1324
詔 1324
詍 1324
詏 1324
詑 1324
詒 1324
詖 1324
誠 1324
詝 1324
詗 1324
詤 1324
詓 1324
詵 1324
詠 1324
詡 1324
谷 𧮫 1367
谾 1367
豆 登 1369
豿 1369
豛 1369
豕 豛 1373
豠 1373
豟 1373
豞 1373
象 1373
豢 1374
豨 1374
豩 1374
豪 1374
豰 1374
豸 貁 1379
貂 1379
貆 1379
貀 1379
貇 1380
貈 1380
貊 1380
貉 1380
貋 1380
貌 1380
貒 1380
貐 1380
貑 1380
貕 1380
貗 1380
貔 1380
貘 1380
貝 貯 1387
貶 1387
貺 1387
貼 1387
貽 1387
貾 1387
貭 1387
賅 1387
貱 1388
貤 1388
貨 1388
貳 1388
貰 1388
貲 1388
貴 1388
買 1388
貸 1388
費 1388
貿 1389
貿 1389
賀 1389
賁 1389
貹 1389
貼 1389
賍 1389
賄 1389
賊 1389
賉 1389
賏 1389
賕 1389
賑 1389
賒 1389
赤 赦 1403
赧 1403
赨 1403
走 趁 1407
趂 1407
趄 1407
超 1407
越 1407
趆 1407
趉 1407
趌 1407
趍 1408
趑 1408
趒 1408
趓 1408
趋 1408
趔 1408
趖 1408
趗 1408
趘 1408
趙 1408
趚 1408
趛 1408

𧺆 1408	跙 1425	𨀁 1426	𨈏 1456	軿 1465	逯 1499	郿 1521
𧺼 1408	跓 1425	跉 1426	車 軥 1462	輩 1465	逷 1499	鄀 1521
𧺴 1408	跈 1425	跊 1426	軨 1463	軖 1465	逫 1499	鄂 1521
𧻓 1408	跡 1425	𨀊 1427	軫 1463	輩 1465	𨔌 1499	鄃 1522
趀 1408	跇 1425	𨀑 1427	軮 1463	𨊺 1465	逪 1499	鄄 1522
𧺭 1408	跚 1425	𨀿 1427	𨊻 1463	䡋 1465	𨕁 1499	鄅 1522
趃 1408	跚 1425	𨀡 1427	𨊼 1463	𨋏 1465	𨓈 1499	鄆 1522
𧺯 1409	跛 1425	𨀤 1427	軯 1463	𨋎 1465	逥 1499	鄇 1522
䞙 1409	距 1425	𨀦 1427	軱 1463	䡁 1465	逩 1499	𨛚 1522
𧻀 1409	跒 1425	𨀱 1427	軵 1463	𨋃 1465	遖 1499	鄈 1522
𧺸 1409	跜 1425	䟞 1427	軷 1463	䡊 1465	逳 1499	郾 1522
趄 1409	跐 1425	𨀝 1427	軸 1463	𨋙 1465	逰 1499	鄐 1522
𧻐 1409	𧿹 1426	𤴯 1427	軹 1464	軩 1465	逺 1499	鄄 1522
足 跅 1423	𨀋 1426	𨀄 1427	軺 1464	𨌔 1465	遠 1499	𨛫 1522
跆 1424	𨀗 1426	𨀆 1427	軻 1464	軳 1465	遈 1499	𨜐 1522
跋 1424	𨀌 1426	身 𨈓 1456	軼 1464	𨋱 1465	逕 1499	𨜓 1522
𨀁 1424	跘 1426	躰 1456	軴 1464	辛 𨐍 1483	過 1499	鄐 1522
跌 1424	跂 1426	𨈙 1456	軧 1464	辜 1483	逿 1499	鄉 1522
跎 1424	𧿳 1426	𨈘 1456	䡆 1464	辵 迸 1498	逎 1499	鄐 1522
𨀠 1424	𨀛 1426	𨈛 1456	軲 1464	逭 1498	𨓬 1499	𨛶 1522
跏 1424	跕 1426	𨈜 1456	軦 1464	逮 1498	逍 1500	鄁 1522
跑 1424	𨀙 1426	䠷 1456	軤 1464	週 1498	逕 1500	𨛷 1522
跔 1424	𨀒 1426	𨈠 1456	䡇 1464	進 1498	逮 1500	鄉 1522
踇 1424	䟡 1426	䠳 1456	𨍯 1464	逴 1498	邑 𨛡 1514	𨜒 1523
跕 1424	䟗 1426	𨈡 1456	軶 1465	逵 1498	郹 1521	酉 酌 1533
跖 1424	䟖 1426	𨈢 1456	軽 1465	逶 1499	都 1521	酏 1533
跗 1425	𨀅 1426	𨈐 1456	𨊧 1465	逸 1499	郾 1521	酕 1533

䤖 1533	鈍 1551	鈃 1553	閈 1596	隊 1620	雃 1630	雯 1639
酢 1533	鈐 1551	釜 1553	閇 1596	隋 1620	雄 1630	雯 1639
酣 1533	鈑 1551	鈡 1553	閏 1597	隍 1620	雅 1630	霁 1639
酤 1533	鈒 1551	鈤 1553	閌 1597	階 1620	雉 1630	雩 1639
酥 1533	鈔 1551	鈈 1553	閆 1597	隄 1620	雄 1630	雯 1639
酟 1533	鈕 1552	鈊 1553	閊 1597	陼 1620	雊 1630	雹 1640
䣹 1534	鈜 1552	鈠 1553	閍 1597	陪 1621	雁 1630	雰 1640
䣷 1534	鈚 1552	鈝 1553	閎 1597	隕 1621	雇 1630	青 靗 1653
䣿 1534	鈉 1552	鈘 1553	閑 1597	陑 1621	萑 1630	非 𩇨 1655
䣾 1534	鈞 1552	鈓 1553	閉 1597	隊 1621	雉 1630	𩇬 1655
酓 1534	鈁 1552	鈵 1553	閐 1597	隁 1621	集 1630	斐 1655
䤀 1534	鈧 1552	鈢 1553	閔 1597	陰 1621	雃 1631	辈 1655
䣧 1534	鈂 1552	鈲 1553	閏 1597	陷 1621	雋 1631	乖 1655
䣨 1534	鈏 1552	長 镻 1592	閏 1597	随 1621	雄 1631	面 靬 1656
䤏 1534	鈋 1552	镼 1592	閎 1597	陸 1621	雄 1631	靮 1656
醽 1534	釾 1552	镹 1592	閔 1597	隁 1621	雄 1631	靭 1656
䣩 1534	鈗 1552	門 開 1595	閔 1597	隈 1621	集 1631	革 靫 1659
䣳 1534	鈪 1552	閅 1595	阜 陻 1619	隍 1621	雨 雯 1639	靸 1659
䤃 1534	鈙 1552	閒 1595	陽 1619	隔 1621	雾 1639	靬 1659
䤚 1534	鈅 1552	閏 1595	陾 1619	陵 1621	雩 1639	靮 1660
䤉 1534	鈰 1552	閑 1596	陿 1619	陲 1621	雲 1639	靭 1660
采 釉 1546	鈌 1553	間 1596	隃 1619	陌 1621	雹 1639	靬 1660
里 量 1548	鈄 1553	閒 1596	隅 1620	隖 1621	雹 1639	靪 1660
金 釽 1551	釳 1553	閔 1596	隆 1620	陬 1621	雿 1639	靰 1660
釿 1551	鈛 1553	閇 1596	隈 1620	隹 集 1629	雺 1639	靯 1660
鈀 1551	鈆 1553	閍 1596	隐 1620	雋 1630	雺 1639	乾 1660
鈇 1551	鈎 1553	閉 1596	隍 1620	雅 1630	雯 1639	韋 韌 1674

부수	자	쪽
音	䪫	1680
	䪬	1680
頁	項	1683
	頇	1683
	順	1683
	須	1683
	𩑶	1683
	𩑛	1683
	頣	1683
	𩑋	1683
	𩑒	1683
	𩑏	1683
	頌	1683
	𩑣	1683
	頍	1684
	頄	1684
	𩑍	1684
風	颩	1703
	颮	1704
	颫	1704
	颬	1704
	颭	1704
	颱	1704
食	飥	1713
	飦	1713
	飪	1713
	飩	1713
	𩚋	1713
	飧	1713
	𩚀	1714
	飪	1714
	飬	1714
	飭	1714
	𩚌	1714
	飩	1714
馬	馭	1734
	𩡧	1734
	馵	1735
	𩡫	1735
	馮	1735
骨	𩨗	1755
	骪	1755
	骭	1755
	骫	1755
高	高	1763
髟	髡	1764
	髠	1764
	𩬅	1764
	髣	1764
	髦	1764
鬼	𩲅	1780
魚	魛	1786
鳥	鳦	1809
	鳶	1809

13획

부수	자	쪽
黽	黽	1870
鼎	鼎	1872
鼓	鼓	1873
鼠	鼠	1875
一	𠆉	13
	賣	14
丿	雩	20
乙	亂	24
	亄	24
亠	亶	30
人	僉	67
	𢙣	67
	催	67
	傭	68
	傪	68
	傯	68
	傲	68
	傳	68
	傮	68
	傴	68
	債	68
	傫	69
	傷	69
	傺	69
	傾	69
	僂	69
	僆	69
	𠍴	69
	僄	69
	僅	69
	僇	69
	𠌯	69
	㑰	69
	僈	70
	𠍶	70
	𠎉	70
	僕	70
	僔	70
	僂	70
	僊	70
	僞	70
	僡	70
	僻	70
	𠎝	70
	僥	70
	僃	70
	僳	70
	僨	70
	働	71
	𠎬	71
	備	71
	僧	71
	僉	71
八	𠔿	87
冫	㵶	94
	凗	94
	㵳	94
	𠘑	94
凵	𠙺	98
刀	𠟦	109
	𠟩	109
	𠟧	109
	剸	109
	剽	109
	剿	109
	𠟭	109
	𠟮	109
	剹	109
	𠟱	109
	劃	109
力	勠	116
	勤	116
	𠢥	116
	勡	117
	勣	117
	勧	117
	𠢢	117
	募	117
	勢	117
	𠢪	117
	𠢯	117
匚	匯	123
	𠥉	123
十	𠦻	128
	𠦽	128
卜	𠧧	130
卩	𠨪	133
	𠨫	133
厂	厫	136
	厰	136
	厘	137
	厯	137
	𠪚	137
	𠪟	137
	厱	137
又	叠	143
	𠭯	143
	𠭰	143
口	喿	177
	嗀	177
	𠹭	177
	嗁	177
	嗃	177
	嗄	177
	嗅	177
	嗉	177
	嗌	177
	嗋	177
	嗑	177
	嗒	177
	嗔	177
	嗕	177
	嗊	178
	嗈	178
	嗍	178
	嗂	178
	嗚	178
	嗛	178
	嗜	178
	嗟	178
	嗙	178
	嗏	178
	嗞	178
	嗤	178
	嗩	178
	嗆	178
	嗡	178
	嗥	179
	嗢	179
	嗤	179
	嗎	179
	嗓	179
	嗕	179
	嗗	179

嗨 179	塡 215	塍 217	嫋 260	寋 283	嵬 315	幋 336
嗐 179	塳 215	[illegible] 217	嫌 260	寐 283	嵫 315	帣 336
嗙 179	塓 215	塈 217	媵 260	寨 283	嵠 315	干 [illegible] 341
嗍 179	塕 215	士 壼 226	嫇 260	寬 283	㟰 315	幹 341
嗦 179	塘 215	壽 226	嬉 260	寍 283	嵧 315	幺 [illegible] 343
[illegible] 179	塙 215	夊 夎 228	嫏 260	寓 283	嵯 315	广 廈 350
嗝 179	塚 215	夕 夢 230	嫓 260	寝 283	嵲 315	廉 350
[illegible] 179	填 216	大 [illegible] 237	嫕 260	寚 283	嵱 316	廊 350
嗥 180	塢 216	奪 238	媙 260	寸 尌 290	嵰 316	廋 350
嘆 180	塉 216	奥 238	娙 260	對 290	嵣 316	廇 350
嗣 180	塯 216	奬 259	嫩 260	尃 290	嵤 316	廆 350
嘗 180	塥 216	女 嫐 259	媱 260	小 尟 293	嵞 316	廅 350
甞 180	塠 216	嫛 259	嫈 261	尠 293	嵮 316	廌 350
嗀 180	塲 216	媼 259	媻 261	尢 尳 294	嵮 316	廌 350
嗇 180	堦 216	[illegible] 259	[illegible] 261	尲 295	嵊 316	廈 350
[illegible] 180	塤 216	媳 259	漊 261	尸 屜 300	嵥 316	麻 350
嗇 180	堽 216	媸 259	子 孴 272	屒 300	巾 幏 336	弋 弑 358
嗂 180	塀 216	媺 259	孶 272	屟 300	幒 336	弒 358
口 園 198	塩 216	媽 259	㝅 272	屐 300	幌 336	弓 彀 363
圓 198	塚 216	媾 259	宀 寖 283	山 嵩 315	幍 336	[illegible] 363
圕 198	[illegible] 216	媲 259	寗 283	嵬 315	幏 336	彐 彙 365
土 報 215	塋 216	媿 259	寘 283	嵟 315	幎 336	彚 365
塊 215	塑 216	嫁 259	寙 283	嵲 315	幊 336	彳 徭 374
塌 215	[illegible] 216	嫜 259	寧 283	嵡 315	㡘 336	微 374
塏 215	塞 216	嫂 259	寎 283	崔 315	㡗 336	徢 374
塒 215	塟 217	嫄 260	寊 283	嵕 315	㡛 336	徭 374
塔 215	塗 217	嫉 260	害 283	嵯 315	幐 336	徯 374

徬 374
得 374
[illegible] 374
心 愛 398
感 398
愗 398
想 398
惷 399
惹 399
愁 399
愆 399
[illegible] 399
愈 399
愍 399
意 399
愚 399
[illegible] 399
[illegible] 399
[illegible] 399
愙 400
慁 400
慈 400
慍 404
愧 404
愫 404
愮 404
愴 404
愷 404
愼 404
慎 404
愾 404
愪 405
慄 405
愭 405
慅 405
慆 405
慉 405
慊 405
慌 405
慌 405
愲 405
[illegible] 405
愰 405
愵 405
[illegible] 405
[illegible] 406
[illegible] 406
[illegible] 406
[illegible] 406
[illegible] 406
愽 406
慨 406
[illegible] 406
[illegible] 406
戈 [illegible] 423
戡 423
戢 423
[illegible] 423
戣 423
戤 423
戠 423
戥 423
戦 423
手 掔 452
揫 452
[illegible] 452
掣 452
[illegible] 452
[illegible] 452
搆 457
搉 457
損 457
搏 457
[illegible] 457
搐 457
搒 457
搓 457
搷 457
搔 458
搽 458
搖 458
搡 458
搗 458
[illegible] 458
[illegible] 458
搜 458
撊 458
搢 458
搢 458
搤 458
摽 458
搥 458
搦 458
搣 458
搨 459
搪 459
搬 459
[illegible] 459
搭 459
搋 459
搯 459
搰 459
搩 459
[illegible] 459
搠 459
摀 459
摁 459
[illegible] 459
搶 459
揠 460
搾 460
搲 460
[illegible] 460
[illegible] 460
[illegible] 460
搵 460
搌 460
搹 460
[illegible] 460
携 460
[illegible] 460
搳 460
搈 460
搞 460
搕 461
搑 461
搛 461
搧 461
搟 461
揆 461
[illegible] 461
[illegible] 461
[illegible] 461
[illegible] 461
摂 461
攴 [illegible] 485
敳 485
敬 485
敦 485
[illegible] 485
[illegible] 485
[illegible] 485
[illegible] 486
[illegible] 486
[illegible] 486
[illegible] 486
数 486
散 486
[illegible] 486
文 斒 490
[illegible] 490
斗 斞 491
斟 491
[illegible] 491
斤 新 493
断 494
方 旒 497
旓 497
[illegible] 497
[illegible] 497
无 旤 499
旣 499
日 暈 510
暑 510
景 510
曼 510
暄 510
暇 510
暆 510
暉 510
暌 511
暍 511
暖 511
[illegible] 511
暗 511
暕 511
暘 511
暐 511
暅 511
暏 511
[illegible] 511
暒 511
暯 511
[illegible] 511
暁 511
曉 512
暋 512
[illegible] 512
替 512

字	頁	字	頁	字	頁	字	頁	字	頁	字	頁	字	頁
喩	512	楆	561	極	563	楕	565	欠 歃	598	殺	614	溜	669
日 會	519	楎	561	楷	563	㮘	565	歄	598	殻	614	溝	669
㬳	519	楇	561	楸	563	楒	565	歆	598	比 毚	616	溟	669
㬻	519	楓	561	㭬	563	橡	565	歅	598	毛 毽	619	溢	670
月 腵	523	楔	561	楹	563	㮴	565	歐	598	毸	619	溥	670
木 楚	559	楉	561	楺	563	榼	565	歇	598	毯	619	溪	670
㮊	559	楗	561	椴	563	㮅	565	歂	599	毲	619	㴉	670
椕	559	楖	561	㮢	563	㮸	565	歈	599	毹	619	㴛	670
椰	559	㮍	561	楘	563	榆	565	歁	599	毾	619	溯	670
椳	559	楛	561	㮓	564	㮧	565	歋	599	毿	619	溱	670
椶	559	楝	562	楃	564	楳	565	歏	599	氀	619	溲	670
楀	560	楞	562	楈	564	㮻	565	歍	599	氁	619	溠	670
楲	560	㮋	562	椊	564	楹	565	歀	599	氄	619	溶	670
椵	560	楟	562	概	564	棈	565	歌	599	氅	619	溷	670
椸	560	楡	562	㮐	564	楠	565	止 歲	604	氂	619	溺	670
椹	560	楢	562	㮑	564	榅	565	歳	604	氂	620	溵	671
椽	560	楣	562	楩	564	楼	565	歱	604	气 氳	624	溽	671
㮉	560	楤	562	楴	564	楠	565	歰	605	水 㯃	666	滀	671
椿	560	楥	562	楱	564	業	565	歹 殜	609	溫	668	溵	671
楂	560	楦	562	榴	564	椉	565	殛	609	湏	669	滁	671
楄	560	楨	562	椺	564	𣘤	565	殙	609	溏	669	滂	671
楪	560	楫	562	椲	564	楶	565	殟	609	源	669	滃	671
楅	560	楬	562	椻	564	榕	566	殗	609	溦	669	溭	671
椯	560	楮	562	楜	564	臬	566	殳 殿	613	溓	669	滄	671
楊	561	楯	563	榡	564	槀	566	毀	613	準	669	滅	671
楈	561	楰	563	楋	564	稾	566	毁	613	溔	669	溧	671
椱	561	椷	563	㮚	564	楽	566	殺	614	溘	669	滇	671

漓 671
滉 671
溎 672
滋 672
滍 672
滏 672
滑 672
溕 672
滓 672
滔 672
滒 672
⿰氵畟 672
溴 672
⿰氵虒 672
渫 673
⿰氵摯 673
溛 673
湑 673
澗 673
溹 673
溦 673
溰 673
溞 673
溳 673
滊 673
潅 673
⿰氵耆 673

⿰氵尨 673
滆 673
溑 673
溡 673
溻 674
湀 674
滜 674
溮 674
溾 674
滚 674
⿰氵脊 674
⿰氵陛 674
漾 674
漢 674
滯 674
滗 674
漠 674
渙 674
湿 674
溌 674
溼 674
涵 674
溵 674
滽 674
溇 674
溸 674
滝 674

滙 674
滛 674
⿰氵珊 674
溤 674
澁 674
滌 674
火 ⿱𤇾气 717
煁 717
煆 717
煇 717
煉 717
煌 717
煒 717
煖 717
煗 717
煙 717
煙 717
煜 717
煠 718
煣 718
煤 718
煥 718
煨 718
煩 718
煬 718
烈 718
⿰火勬 718

⿰火肯 718
煟 718
煓 718
⿰火曷 718
煐 718
煝 718
熜 718
煊 718
煳 719
⿰火臿 719
煔 719
煏 719
煴 719
煅 719
⿰火巽 719
焰 719
煢 719
莫 719
煲 719
煚 719
⿱奐火 719
煑 719
煎 719
煮 719
熙 719
熈 719
煦 719

照 720
⿱昭火 720
煞 720
熏 720
爪 ⿸爪畐 733
父 爺 734
⿱父者 734
爻 爽 735
片 牒 737
牏 737
牐 737
⿰片畐 737
牑 737
牕 737
牙 ⿰牙禹 738
牛 犍 743
⿰牛兪 743
⿰牛重 743
⿰牛交 743
⿰牛料 743
犏 743
⿰牛旲 743
⿰牛叚 743
⿰牛悤 743
犎 743
犬 猷 755
猒 755

臭 755
献 755
猷 757
猺 758
猻 758
猾 758
猿 758
⿰犭員 758
獀 758
獅 758
⿰犭哥 758
⿰犭殷 758
⿰犭兼 758
⿰犭畟 758
⿰犭留 758
⿰犭荒 758
⿰犭蚩 758
獂 758
⿰犭翁 758
⿰犭尃 758
⿰犭恙 758
獁 758
獄 758
獆 759
⿰犭斯 759
⿰犭鬼 759
獉 759

⿰犭高 759
⿰犭栗 759
⿰犭能 759
⿰犭畜 759
玉 ⿱夌玉 773
瑟 776
瑁 776
瑀 776
瑄 776
瑋 776
瑌 776
瑖 776
瑑 776
瑒 776
瑕 776
瑗 776
瑙 776
瑚 777
瑛 777
瑜 777
瑞 777
琿 777
瑇 777
⿰王昏 777
瑊 777
⿰王扁 777
瑆 777

琾 777	[illegible] 800	痿 812	盞 834	[illegible] 848	硾 872	[illegible] 873
瑂 777	畷 800	瘀 812	盟 834	睦 848	硿 872	碒 873
瑃 777	畸 800	瘁 812	盜 834	睩 848	[illegible] 872	[illegible] 873
瑅 777	畹 800	瘂 812	蓋 834	睨 848	碖 872	[illegible] 873
瑍 777	[illegible] 800	[illegible] 812	[illegible] 834	睫 849	碈 872	碚 873
瑎 778	[illegible] 800	[illegible] 812	[illegible] 834	睧 849	[illegible] 872	[illegible] 873
瑝 778	[illegible] 800	[illegible] 812	監 834	睠 849	[illegible] 872	碐 873
瑜 778	畬 800	[illegible] 813	目 睒 847	[illegible] 849	[illegible] 872	碄 874
瑓 778	畤 801	[illegible] 813	睔 847	睖 849	碇 872	碙 874
瑘 778	[illegible] 801	[illegible] 813	[illegible] 847	[illegible] 849	碌 872	[illegible] 874
瑤 778	[illegible] 801	[illegible] 813	睕 847	[illegible] 849	碍 872	硎 874
瓜 瓡 787	畫 801	[illegible] 813	睗 847	睬 849	碎 872	碗 874
[illegible] 787	當 801	[illegible] 813	睚 847	[illegible] 849	[illegible] 872	碁 874
瓦 瓿 788	畱 801	痷 813	睛 847	[illegible] 849	碘 872	[illegible] 874
甀 789	疋 [illegible] 804	瘍 813	睜 848	[illegible] 849	碊 872	[illegible] 874
[illegible] 789	[illegible] 804	[illegible] 813	睞 848	督 849	[illegible] 872	硩 874
甁 789	疒 痯 811	痵 813	[illegible] 848	[illegible] 850	碏 872	示 祺 889
[illegible] 789	痰 812	痴 813	[illegible] 848	睯 850	碑 872	祼 889
[illegible] 789	[illegible] 812	[illegible] 813	[illegible] 848	[illegible] 850	碑 873	祿 890
[illegible] 789	痱 812	[illegible] 813	[illegible] 848	[illegible] 850	碓 873	禄 890
[illegible] 789	痲 812	[illegible] 813	[illegible] 848	睪 850	碱 873	禂 890
[illegible] 789	痳 812	癶 [illegible] 824	睿 848	睘 850	碕 873	[illegible] 890
甘 [illegible] 792	痺 812	白 皙 826	[illegible] 848	矛 矠 862	[illegible] 873	[illegible] 890
[illegible] 792	痹 812	皮 皷 829	睟 848	矢 矮 864	[illegible] 873	神 890
甝 792	痻 812	[illegible] 829	睡 848	[illegible] 864	[illegible] 873	[illegible] 890
甞 792	痼 812	[illegible] 829	睢 848	[illegible] 864	[illegible] 873	禅 890
田 畺 800	痾 812	皿 盝 834	睥 848	石 硼 871	碉 873	[illegible] 890

䄔 890	稖 905	䆰 921	䇺 939	米 粮 970	綈 994	𦀉 995
禁 890	稇 905	䆷 921	䈀 939	粰 970	綌 994	絛 995
禀 890	䅚 905	䆳 921	𥮾 939	粳 970	綍 994	䋋 995
䄎 890	䅍 905	立 竫 928	䈄 939	䊇 970	綎 994	絜 995
䄚 890	䅜 905	䇑 928	䈇 939	䊈 970	䋑 994	統 996
祾 890	䅝 905	䇒 928	筱 939	䊅 970	綏 994	絺 996
裺 890	稇 905	𥪮 928	筋 940	粱 970	綐 994	䋍 996
禌 890	稟 905	䇐 928	筡 940	粲 970	經 994	缶 䍖 1023
内 禽 896	䅣 905	䇏 928	䈂 940	䊑 971	綖 995	䍗 1023
禼 896	稍 905	豎 928	𥯕 940	粯 971	䋕 995	网 罨 1028
禾 稑 904	稐 905	竹 筠 938	䈉 940	䊜 971	綑 995	罩 1028
稔 904	稦 905	𥮡 938	筶 940	䊍 971	綄 995	罪 1028
稗 904	䅏 906	筤 938	筪 940	𥹿 971	綁 995	罫 1028
稙 904	䅌 906	筥 938	䈌 940	䊆 971	綊 995	罭 1028
稘 904	䅫 906	筦 938	签 940	𥺅 971	紗 995	置 1028
稚 904	稝 906	筧 938	䇼 940	粡 971	絙 995	罹 1029
稛 904	穴 窞 920	筩 938	䇿 940	䊎 971	綷 995	罧 1029
稜 904	窟 920	筬 938	䈒 940	糸 絹 993	䋏 995	罬 1029
稞 904	窠 920	筮 939	䈓 940	絺 993	綉 995	署 1029
稠 904	窢 920	筯 939	筿 940	絻 993	綩 995	罛 1029
稏 904	窣 920	筰 939	䈙 940	緣 993	続 995	羊 羡 1035
䅘 905	䆜 920	筲 939	筫 940	絽 993	継 995	義 1036
稤 905	䆗 920	筳 939	䈐 940	絿 993	綋 995	善 1036
稡 905	𥦗 920	筴 939	䈎 940	綀 993	綾 995	羦 1036
稶 905	䆲 921	筵 939	筭 941	綃 993	絸 995	羥 1036
稲 905	䆿 921	筷 939	箅 941	綅 993	綗 995	羧 1036
稆 905	窴 921	筣 939	節 941	綆 994	䌛 995	群 1036

羣 1036	肄 1063	膃 1083	腂 1084	艕 1113	蒍 1158	蓄 1159
羭 1036	肅 1063	腸 1083	腊 1084	艆 1113	蒔 1158	蓮 1159
羽 翜 1043	肉 脬 1076	腪 1083	腊 1084	艂 1113	蒟 1158	蓟 1159
翛 1043	腜 1081	䐊 1083	腀 1084	艁 1113	蒦 1158	蓴 1159
翍 1043	腞 1081	腹 1083	臂 1085	艇 1113	莎 1158	蓿 1159
翛 1043	腠 1081	膾 1083	藕 1085	色 艴 1119	蒨 1158	蓀 1159
翞 1043	腢 1081	腒 1083	胃 1085	䒟 1119	蒪 1158	蓳 1159
翐 1043	腥 1081	腊 1083	膼 1085	艸 萩 1156	蒼 1158	蓰 1159
翖 1043	腦 1082	腣 1083	腟 1085	葇 1156	蒁 1158	蓄 1159
而 䎎 1050	腧 1082	腒 1083	腭 1085	萬 1156	葊 1158	蓇 1159
耒 耡 1052	腫 1082	膠 1083	腳 1085	蒄 1156	葬 1158	蓪 1159
䎱 1052	腯 1082	膒 1083	腮 1085	萱 1156	葍 1158	蓸 1159
䎮 1052	腰 1082	膌 1083	腽 1085	萵 1157	葉 1158	蓏 1159
耳 聖 1057	腰 1082	腴 1084	自 臯 1101	萹 1157	葶 1158	蓱 1159
聖 1057	膂 1082	腶 1084	至 臹 1103	萸 1157	葂 1158	蓶 1160
聘 1057	腱 1082	腳 1084	臺 1103	萰 1157	葕 1158	蓷 1160
聕 1057	腴 1082	腥 1084	臼 舁 1105	萼 1157	葖 1158	著 1160
聛 1057	腶 1082	腿 1084	舀 1106	落 1157	蓋 1158	葚 1160
聢 1058	腷 1082	腺 1084	舅 1106	葆 1157	葨 1158	葛 1160
聉 1058	腸 1082	腠 1084	舅 1106	葉 1157	葱 1159	葡 1160
聡 1058	腹 1082	腰 1084	興 1106	葍 1157	莞 1159	董 1160
聚 1058	腩 1082	腨 1084	舌 舑 1108	葎 1158	蒼 1159	葦 1160
聦 1058	腵 1083	腬 1084	舛 舝 1110	葑 1158	蒋 1159	葩 1160
聒 1058	腰 1083	膌 1084	舟 艀 1113	葜 1158	蓮 1159	葫 1160
聛 1058	腤 1083	腺 1084	艄 1113	葬 1158	葟 1159	葬 1160
聚 1058	腳 1083	腋 1084	艅 1113	葛 1158	葉 1159	葷 1161
聿 肆 1063	腫 1083	膈 1084	艇 1113	葡 1158	蒇 1159	蒞 1161

葭 1161
蒟 1161
葰 1161
葱 1161
葳 1161
葵 1161
葷 1161
葸 1161
葹 1161
葺 1161
葽 1161
萷 1162
葧 1162
蒷 1162
葙 1162
葓 1162
葒 1162
葥 1162
萪 1162
葂 1162
葟 1162
萲 1162
葄 1162
葋 1162
萩 1162
葞 1162
葌 1162
葼 1162
蔽 1163
蓋 1163
萸 1163
葂 1163
葶 1163
葠 1163
葀 1163
葛 1163
萱 1163
蓖 1163
蒝 1163
蒶 1163
葡 1164
葇 1164
葷 1164
葴 1164
萬 1164
葜 1164
葮 1164
蒧 1164
葥 1164
蒁 1164
葪 1164
萰 1164
蓻 1164
葝 1164
蒯 1164
葃 1164
葚 1164
葅 1165
葬 1165
葘 1165
葛 1165
葢 1165
蒂 1165
葕 1165
葡 1165
葍 1165
蒙 1165
蓱 1165
营 1165
虍 虘 1215
虞 1215
虡 1215
虞 1215
虡 1215
䖑 1215
號 1215
虜 1215
虫 蜱 1227
蛸 1227
蛹 1228
蛺 1228
蜺 1228
蛾 1228
蜂 1228
蜄 1228
蜆 1228
蜈 1228
蜉 1228
蜊 1228
蛪 1228
蜋 1228
蜍 1228
蜎 1229
蜐 1229
蜓 1229
蜒 1229
蛷 1229
蜅 1229
蜌 1229
蝊 1229
蛼 1229
蜥 1229
蜈 1229
蜿 1229
蜝 1229
蛵 1229
蛓 1229
蜉 1229
蚼 1230
蛘 1230
蛓 1230
蝍 1230
蝅 1230
蜙 1230
蛩 1230
蚯 1230
蛛 1230
埤 1230
蛽 1230
蝝 1230
蜏 1230
蜀 1230
蜃 1230
蜇 1230
蜑 1231
蜜 1231
蛩 1231
蝥 1231
蛼 1231
血 衃 1260
衄 1260
盜 1260
衇 1260
盟 1260
行 衙 1263
衕 1263
衣 裔 1273
衮 1274
裠 1274
裏 1275
裒 1275
裛 1276
裘 1276
裦 1276
裹 1276
裊 1276
裘 1276
装 1276
裟 1276
裻 1276
裧 1276
裨 1276
裯 1276
裰 1276
裱 1276
補 1277
裷 1277
裸 1277
裼 1277
裾 1277
褂 1277
裞 1277
裶 1277
裺 1277
裾 1277
褁 1277
裌 1277
裮 1277
裢 1277
裱 1277
裣 1278
褑 1278
裦 1278
袙 1278
裩 1278
裕 1278
裦 1278
裷 1278
裿 1278
褀 1278
裪 1278
祿 1278
裬 1278
裲 1278
䘹 1278
裩 1278
裷 1278
䘺 1278
䘸 1278

裇 1278	豬 1307	誆 1327	詈 1328	詯 1330	貅 1380	買 1391
褃 1278	豱 1307	誄 1327	詧 1328	谷 谼 1367	貄 1380	賁 1391
裬 1278	言 詡 1324	誅 1327	誉 1329	谹 1367	貇 1380	賓 1391
裕 1278	詢 1325	誇 1327	誊 1329	谽 1367	豣 1381	賋 1391
裲 1279	詣 1325	說 1327	詯 1329	豆 登 1369	貋 1381	賆 1391
覀 覅 1295	詤 1325	誶 1327	諳 1329	豊 1369	貆 1381	貣 1391
見 覎 1298	詵 1325	誸 1327	詎 1329	豋 1369	貅 1381	賅 1391
覛 1298	試 1325	詯 1327	試 1329	豍 1369	貆 1381	賉 1391
覜 1298	詩 1325	詗 1328	誳 1329	豕 貇 1374	貒 1381	賆 1391
覝 1298	詫 1325	詪 1328	誓 1329	豥 1374	貔 1381	賁 1391
覞 1298	詬 1325	誎 1328	誒 1329	豩 1374	貖 1381	賑 1391
覟 1298	詭 1325	詩 1328	誈 1329	豠 1374	貓 1381	賌 1391
覠 1298	詮 1325	詺 1328	誁 1329	豜 1374	貓 1381	賏 1391
覡 1298	詰 1326	詥 1328	誄 1329	豦 1374	貝 賂 1389	賥 1392
覢 1298	話 1326	詽 1328	誔 1329	豢 1374	賄 1390	時 1392
覣 1298	該 1326	詸 1328	詾 1329	豧 1374	賅 1390	貿 1392
角 觧 1306	詼 1326	詠 1328	詹 1329	豨 1374	賊 1390	債 1392
解 1307	詳 1326	誠 1328	詧 1329	豭 1374	賊 1390	賊 1392
觪 1307	詵 1326	詍 1328	詎 1329	豮 1374	賉 1390	賍 1392
觥 1307	詶 1326	詠 1328	詴 1329	豯 1374	賎 1390	資 1392
觡 1307	詷 1326	詇 1328	誀 1329	豰 1374	賍 1390	赤 赩 1403
觟 1307	詺 1326	詄 1328	誑 1329	豱 1374	賌 1390	赨 1403
觛 1307	詼 1326	詵 1328	誧 1329	豸 貅 1380	賃 1390	赩 1403
觤 1307	詾 1327	設 1328	詛 1329	貆 1380	貰 1390	走 趂 1409
觢 1307	註 1327	詔 1328	詸 1329	貉 1380	資 1391	趃 1409
衠 1307	誂 1327	叙 1328	誎 1330	貈 1380	歕 1391	趒 1409
觸 1307	誃 1327	詹 1328	詫 1330	貊 1380	賈 1391	趌 1409

趌 1409	跨 1428	跦 1430	躳 1457	輄 1467	遝 1501	遀 1503
趚 1409	踤 1428	䟢 1430	躴 1457	輐 1467	遍 1501	遈 1503
趍 1409	跪 1428	跭 1430	躵 1457	輊 1467	過 1501	遒 1503
趄 1409	跬 1428	跽 1430	車 輀 1465	輆 1467	過 1501	遖 1503
趆 1409	跮 1428	跴 1430	輁 1466	輈 1467	遏 1501	遆 1503
趔 1409	路 1428	跳 1430	輆 1466	輋 1467	遐 1501	邑 鄫 1517
趙 1409	跰 1428	跣 1430	較 1466	輥 1467	遑 1501	鄉 1523
趓 1409	跱 1428	跡 1430	輅 1466	輍 1468	遒 1502	鄉 1523
趀 1410	跲 1429	跢 1430	輈 1466	辛 辟 1484	道 1502	鄕 1523
趷 1410	跳 1429	跰 1430	輇 1466	辞 1484	遉 1502	鄋 1523
趐 1410	跺 1429	跺 1430	輊 1466	辠 1484	達 1502	鄍 1523
趒 1410	跧 1429	跦 1430	輔 1466	辢 1484	逹 1502	鄎 1523
趏 1410	跠 1429	跐 1430	輒 1466	辡 1484	違 1502	鄏 1523
趙 1410	跤 1429	跼 1430	輊 1466	辥 1484	逹 1502	鄐 1523
趨 1410	跩 1429	跡 1430	衝 1466	辰 農 1487	遉 1502	鄑 1523
趐 1410	跦 1429	跭 1430	輧 1466	農 1487	遂 1502	鄒 1523
趏 1410	跢 1429	跤 1430	輂 1466	農 1487	逮 1502	鄔 1523
趄 1410	跚 1429	跍 1430	輀 1467	辵 逼 1500	遊 1503	鄖 1524
趑 1410	践 1429	身 躲 1456	載 1467	逾 1500	遫 1503	鄗 1524
越 1410	跰 1429	躲 1456	輂 1467	遄 1500	遄 1503	鄭 1524
趁 1410	跫 1429	躬 1456	輍 1467	遁 1500	遝 1503	鄐 1524
趧 1410	跏 1429	躰 1457	輅 1467	遂 1500	遑 1503	鄢 1524
足 跟 1427	跩 1429	躳 1457	輊 1467	遄 1500	遲 1503	鄘 1524
跡 1427	跀 1429	躹 1457	輐 1467	遇 1500	遘 1503	鄗 1524
跣 1427	跫 1430	躷 1457	輎 1467	遊 1501	逯 1503	鄂 1524
跦 1427	跧 1430	躶 1457	輐 1467	運 1501	遅 1503	鄁 1524
跧 1427	跿 1430	躿 1457	輍 1467	遖 1501	遙 1503	鄜 1524

酉 酪 1534	鉅 1554	鉐 1556	鈁 1557	閘 1598	隃 1623	雹 1640
酪 1534	鉆 1554	鉣 1556	鈰 1557	閘 1598	陘 1623	零 1640
酬 1534	鉈 1554	鉃 1556	鉅 1557	阜 隒 1621	陪 1623	雵 1640
酧 1534	鉇 1554	鈘 1556	鈽 1557	隔 1621	陻 1623	雸 1640
酭 1534	鉉 1554	鉄 1556	長 镻 1592	隔 1621	隔 1623	雺 1640
酮 1534	鉊 1554	鉁 1556	镼 1592	隕 1621	隹 雉 1631	雼 1640
䣵 1535	鉋 1554	鉱 1556	镺 1592	隖 1622	雊 1631	雷 1640
酨 1535	鉏 1554	鉴 1556	門 閘 1597	隗 1622	雋 1631	雽 1640
䣶 1535	鉑 1555	鋈 1556	閞 1597	隘 1622	雌 1631	霁 1640
酱 1535	鉒 1555	鈐 1556	閟 1597	隙 1622	睢 1631	雹 1640
䣷 1535	鉔 1555	鈮 1556	閜 1597	隑 1622	雄 1631	霄 1641
䣿 1535	鉗 1555	鉨 1556	閘 1597	隓 1622	雒 1631	霅 1641
䤈 1535	鉚 1555	鉖 1556	閗 1598	隬 1622	雄 1631	雷 1641
䣹 1535	鉛 1555	鉝 1556	閕 1598	隗 1622	雍 1631	霋 1641
䤃 1535	鉞 1555	鉒 1557	開 1598	陘 1622	雁 1631	青 靖 1653
䤄 1535	鉟 1555	鈱 1557	閒 1598	随 1622	翟 1632	靖 1653
䣴 1535	鉠 1555	鉼 1557	閑 1598	陷 1622	雊 1632	靕 1653
醎 1535	鉢 1555	鉖 1557	閖 1598	隚 1622	翟 1632	非 靟 1655
金 鈭 1553	鉧 1555	鈵 1557	閑 1598	隝 1622	雊 1632	靠 1655
鈯 1553	鉤 1555	鉜 1557	閉 1598	隦 1622	雅 1632	面 靤 1656
鈴 1553	鉥 1556	鉘 1557	間 1598	隭 1622	雄 1632	靦 1656
鈶 1553	鉦 1556	鉂 1557	閤 1598	陪 1622	雉 1632	靧 1656
鈷 1553	鈺 1556	鉓 1557	閘 1598	隕 1623	雊 1632	靨 1656
鈸 1554	鉍 1556	鉅 1557	閟 1598	隟 1623	雨 零 1640	靦 1656
鈹 1554	鉌 1556	鈳 1557	閔 1598	隱 1623	雷 1640	靤 1656
鈿 1554	鉎 1556	𨥁 1557	閘 1598	隰 1623	雹 1640	靦 1656
鉀 1554	鈼 1556	鉙 1557	閏 1598	陸 1623	雺 1640	革 靳 1660

靴 1660
靶 1660
靭 1660
靸 1660
𩊚 1660
靲 1660
𩊠 1660
𩊐 1661
靹 1661
𩊱 1661
𩊝 1661
靵 1661
鞆 1661
靽 1661
𩊍 1661
𩊑 1661
𩊰 1661
𩊒 1661
韋 韍 1674
韎 1674
韍 1674
韎 1674
韭 韮 1679
韱 1679
韲 1679
韲 1679
音 韴 1680
韵 1680
韻 1680
頁 頊 1684
頌 1684
頍 1684
頎 1684
頏 1684
預 1684
頑 1684
頒 1684
頓 1684
頄 1685
頇 1685
頄 1685
頉 1685
頑 1685
頋 1685
頍 1685
頎 1685
頏 1685
頜 1685
頂 1685
頃 1685
頄 1685
頊 1685
風 颬 1704
颭 1704
颮 1704
颯 1704
颰 1704
颱 1704
颲 1704
颳 1704
颴 1704
颵 1704
颶 1704
颷 1704
颸 1704
食 飿 1714
餁 1714
餂 1714
餃 1714
餄 1714
餅 1714
餆 1714
餇 1714
餈 1714
餉 1714
養 1714
餋 1715
餌 1715
餍 1715
餎 1715
餏 1715
餐 1715
餑 1715
餒 1715
餓 1715
餔 1715
餕 1715
香 馚 1732
馛 1732
馬 馵 1735
馶 1735
馸 1735
馺 1735
馳 1735
馴 1735
馰 1735
馷 1735
馲 1735
馹 1735
馻 1736
馼 1736
骨 骪 1755
骫 1755
骬 1755
骭 1755
骮 1755
骯 1755
高 髚 1763
髛 1763
髜 1763
髟 髤 1764
髥 1764
髦 1764
髧 1764
鬲 鬴 1777
鬼 魁 1780
魂 1780
魃 1780
魄 1780
魚 魚 1786
魛 1786
魜 1786
魝 1786
魞 1786
魟 1787
魠 1787
鳥 鳧 1809
鳩 1810
鳪 1810
鳫 1810
鳭 1810
鳯 1810
鳰 1810
鳲 1810
鳳 1810
鳴 1810
鳵 1810
鳶 1810
鳷 1810
鳸 1810
鳹 1810
鳺 1810
鹿 麀 1844
麁 1844
麂 1844
麃 1844
麄 1844
麅 1845
麆 1845
麥 麩 1849
麪 1849
黑 黓 1861
鼓 鼓 1873

14획

鼻 鼻 1879
齊 齊 1882
一 虧 14
二 亟 12
亠 亟 31
人 傘 71
僉 71
僊 71
僋 71
僌 71
像 71
僑 71
僎 71
僐 71
僕 71
僓 71
僚 72
僙 72
僛 72
僜 72
僝 72
僞 72
僟 72
僡 72
僣 72
僤 72
僩 72
僬 72
僰 73
僭 73
僣 73
僜 73
僱 73

僮 73	儿 凳 96	厂 厭 137	嘒 181	嘉 183	墖 218	夣 230
僤 73	凴 96	厰 137	嘔 181	口 圖 198	墟 218	大 奪 238
僪 73	刀 劔 109	厬 137	嘖 181	圗 198	增 218	[illegible] 238
僔 73	劂 109	厲 137	嘛 181	[illegible] 198	塲 218	奩 238
僢 73	劃 109	[illegible] 137	嗺 181	團 198	塵 218	奬 238
僖 73	劄 110	厮 137	[illegible] 181	[illegible] 198	塹 218	女 嫖 261
僐 73	[illegible] 110	㕑 137	嘩 181	[illegible] 198	[illegible] 218	嫗 261
僯 73	剹 110	厫 137	嘁 181	土 塼 217	[illegible] 218	嫚 261
僣 73	[illegible] 110	又 [illegible] 143	嘜 181	墇 217	塾 219	嫭 261
僟 73	[illegible] 110	叡 143	[illegible] 181	墀 217	墅 219	[illegible] 261
傺 74	劕 110	口 [illegible] 180	嗎 181	塿 217	墊 219	嫜 261
傷 74	劁 110	[illegible] 180	嗔 182	塽 217	塹 219	嫡 261
僱 74	[illegible] 110	[illegible] 180	[illegible] 182	墁 217	墍 219	嬒 261
僗 74	[illegible] 110	嗷 180	㗖 182	境 217	墓 219	嫣 261
僂 74	[illegible] 110	嗸 180	嘎 182	墋 217	墜 219	嫤 261
僠 74	力 [illegible] 117	嗽 180	嗻 182	墄 217	[illegible] 219	嫦 262
僞 74	勨 117	嗾 180	[illegible] 182	墈 217	墨 219	嫩 262
僡 74	[illegible] 117	嗿 180	[illegible] 182	墆 218	墎 219	嫰 262
僫 74	勤 117	嘄 180	嘞 182	塻 218	士 壽 226	嫪 262
儛 74	[illegible] 117	嘅 180	嘍 182	墉 218	壼 226	[illegible] 262
儿 兢 84	勹 匓 120	嘆 180	嗼 182	墌 218	夊 夐 228	嫫 262
八 兾 87	匔 121	嘈 181	嘓 182	墐 218	夕 夤 230	嫮 262
冂 [illegible] 90	匚 匱 123	嘊 181	嘯 182	[illegible] 218	[illegible] 230	嫴 262
冖 冩 91	匰 123	嘌 181	嘗 182	墒 218	夥 230	嫕 262
冫 凘 94	匴 124	嘍 181	甞 182	塴 218	[illegible] 230	嫙 262
㓗 94	[illegible] 124	嘐 181	嘏 183	[illegible] 218	[illegible] 230	嫧 262
[illegible] 94	匳 124	嘑 181	暮 183	墫 218	夢 230	嫥 262

嫘 262	䆲 285	嶑 317	幖 337	廎 351	慫 404	慵 409
嫛 262	寐 285	嶂 317	幔 337	廾 弊 357	憲 404	慷 409
嫠 262	寠 285	嵷 317	幅 337	弊 357	慦 404	慴 409
嫫 263	寍 285	嶇 317	幓 337	弓 彈 363	愳 404	慺 409
嫯 263	䆞 285	嶐 317	幓 337	彄 363	愳 404	憀 409
嫢 263	亶 285	嵳 317	幘 337	彐 彙 365	愸 404	慄 409
嫳 263	寸 對 290	嵺 317	幒 337	彡 彰 367	黎 404	憕 410
嫩 263	對 291	嶀 317	幓 337	彯 367	慚 406	慲 410
嫢 263	壽 291	嶒 317	幒 337	彳 徙 374	慽 407	慪 410
嫢 263	尸 屢 300	嶆 317	幛 337	徲 374	慓 408	慲 410
子 孵 273	屣 300	嵻 317	幙 337	復 375	慯 408	慘 410
宀 寞 284	層 300	嵾 318	徽 337	徹 375	慘 408	憎 410
察 284	山 嶄 316	崆 318	幕 337	德 375	慒 408	慌 410
寡 284	嶃 316	嶓 318	幇 338	徵 375	慟 408	戈 截 423
寠 284	嶫 316	嶀 318	幺 幾 343	德 375	慠 408	戩 423
寢 284	嶈 316	嶙 318	幽 343	徵 375	慔 408	戟 424
寤 284	嶊 316	嶇 318	广 廏 350	心 慇 403	慢 408	戳 424
寥 284	嶉 317	嶍 318	廐 350	愬 403	慣 408	戧 424
實 284	嶂 317	嶅 318	廑 350	愿 403	慝 409	手 搴 457
寧 284	嵹 317	嶡 318	廣 351	慼 403	慥 409	擊 457
寗 285	嵸 317	嶃 318	廓 351	慁 403	慨 409	搫 457
寨 285	嵲 317	島 318	廔 351	慂 403	慻 409	搿 457
康 285	嵺 317	嶌 318	廕 351	慇 403	慬 409	摭 461
寣 285	嶅 317	嵾 318	廖 351	慈 403	慳 409	摋 461
寴 285	嵾 317	巛 巢 325	廒 351	態 403	慱 409	摺 462
寴 285	嶁 317	巾 幢 336	廗 351	愻 403	慯 409	撖 462
寱 285	嶁 317	幗 337	廘 351	寒 404	慴 409	摎 462

字	頁	字	頁	字	頁	字	頁	字	頁	字	頁	字	頁
⿰扌堇	462	摵	464	撖	465	日 暠	512	榕	566	榼	568	⿰木息	570
摏	462	⿰扌臭	464	⿰扌詹	465	㬎	512	榛	566	榾	568	⿰木卿	570
摐	462	摶	464	撈	465	暝	512	榜	566	榿	568	槶	570
摑	462	摸	464	搋	465	暟	512	⿰木烏	566	槁	568	榙	570
摓	462	⿰扌室	464	攄	465	⿰日區	512	榠	566	槀	568	榗	570
摤	462	⿰扌答	464	支 敳	486	暤	512	榡	567	槇	568	榔	570
摔	462	⿰扌郎	464	敲	486	暢	512	⿰木索	567	槙	568	⿰木𠕋	570
摘	462	⿰扌巻	464	敵	486	暣	512	榤	567	楇	568	槔	570
摗	462	摺	464	⿰壴攴	486	暡	512	⿰木𠍶	567	槈	568	⿰木⿱覀更	570
摛	463	摻	464	⿰棘攴	486	⿱皆日	512	⿰木要	567	槏	568	椱	570
摜	463	摽	464	⿰書攴	486	⿱吾日	512	榥	567	⿰木𠕁	569	⿰木送	570
摝	463	⿰扌副	464	⿰𧆨攴	486	暜	512	榬	567	構	569	樹	570
摕	463	擓	464	⿰𡺅攴	486	曆	513	榧	567	槌	569	槁	570
摟	463	摫	464	敷	486	暈	513	榨	567	槍	569	概	570
摡	463	⿰扌羕	465	⿰⿱𠂉豆攵	486	曰 朅	520	榭	567	槎	569	様	570
摀	463	摙	465	⿸厂敢	486	⿰申柬	520	榱	567	榐	569	榢	570
摢	463	摒	465	斗 斠	491	⿰𠦝申	520	榰	567	槐	569	⿰木罡	570
摌	463	摼	465	斡	492	⿱竝曰	520	⿰木衷	567	槓	569	⿰木隽	570
摣	463	摍	465	⿰劵斗	492	月 ⿰月荒	523	榲	567	榫	569	棹	571
⿰扌⿷匚瓜	463	⿰扌⿱宀西	465	⿰金斗	492	⿰月⿱龹小	523	榷	567	榣	569	榟	571
摧	463	⿰扌⿱宀兆	465	斤 斲	494	朢	523	榴	568	⿰木害	569	⿰木肩	571
⿰扌匽	463	摬	465	新	494	⿰古朋	523	樨	568	榶	569	榖	571
摭	463	⿰扌族	465	⿰亲斤	494	木 尌	566	榻	568	槉	570	槃	571
摲	463	摚	465	斷	494	榎	566	槐	568	⿰木粤	570	榦	571
⿰扌旋	463	摞	465	方 旖	497	槫	566	榻	568	榹	570	榺	571
摳	463	摷	465	旗	497	榏	566	⿰木𦐇	568	槄	570	槑	571
摴	464	摠	465	⿰㫃畓	498	榔	566	⿰木冓	568	榽	570	榮	571

榘	571	殘	610	滸	676	漢	678	滜	680	火 熂	720	羨	721
槊	571	殳 毃	614	滹	676	滅	679	潍	681	熒	720	熊	722
棚	571	毄	614	漊	676	漣	679	潡	681	熚	720	熯	722
槃	571	毁	614	滲	676	漃	679	漺	681	煽	720	熨	722
桑	571	毀	614	滾	676	漩	679	漇	681	熄	720	熊	722
窠	571	毋 毓	616	滿	676	漪	679	漷	681	熀	720	熏	722
槖	571	毛 毴	620	滿	676	漗	679	漝	681	熅	720	熈	722
欠 歉	599	毷	620	漁	676	漫	679	漋	681	熇	720	爻 爾	735
歈	599	毵	620	漂	676	漬	679	漮	681	熉	721	爿 牄	736
歊	599	毹	620	漹	676	漊	679	漍	681	熕	721	片 牓	737
歎	599	毾	620	漆	677	漭	679	漖	681	熔	721	牔	738
歌	599	毽	620	潒	677	潔	679	漡	681	熂	721	牒	738
歃	600	氏 㲰	622	漈	677	漰	679	潃	681	燭	721	牛 犒	744
㱃	600	气 氳	624	漉	677	漱	679	漒	681	煻	721	犗	744
歔	600	水 㴱	668	漌	677	漱	680	滬	681	熑	721	犨	744
歐	600	滎	668	漏	677	漲	680	漞	681	熥	721	犓	744
歇	600	滌	675	漑	677	漳	680	澈	681	熁	721	犔	744
歙	600	潍	675	漓	677	漵	680	潀	681	熝	721	犕	744
止 歷	605	滫	675	演	677	漵	680	淹	681	熌	721	犙	744
歹 殞	609	滬	675	漕	677	滮	680	漧	682	熻	721	犒	744
殟	609	滯	675	漅	678	漥	680	濤	682	熐	721	犙	744
殠	609	漴	675	滑	678	漸	680	漖	682	熘	721	穀	744
殢	609	滲	675	漙	678	漻	680	漄	682	熣	721	犖	744
殣	609	滴	675	滰	678	漼	680	漼	682	熾	721	犬 獄	757
殪	610	滳	675	漚	678	漾	680	澹	682	煌	721	獃	757
殟	610	滻	675	漠	678	滤	680	潒	682	熅	721	彀	757
殯	610	滷	676	漟	678	漨	680	漻	682	熭	721	獍	759

[illegible] 759
獐 759
獌 759
[illegible] 759
[illegible] 759
[illegible] 759
獏 759
[illegible] 759
獓 759
獑 760
[illegible] 760
[illegible] 760
[illegible] 760
[illegible] 760
玉 瑿 775
瑬 776
琶 778
琵 778
瑠 778
瑣 778
瑣 778
瑤 778
瑪 779
瑯 779
瑰 779
瑳 779
瑱 779

瑲 779
瑴 779
瑢 779
瑨 779
瑨 779
瑥 779
瑵 779
[illegible] 779
瑫 779
瑭 780
[illegible] 780
瑦 780
瑄 780
[illegible] 780
瓦 甄 789
甂 789
[illegible] 789
[illegible] 789
甃 789
[illegible] 789
甍 789
生 甦 793
[illegible] 793
用 甯 794
田 [illegible] 801
畽 801
[illegible] 801

[illegible] 801
畼 801
[illegible] 801
疋 疑 804
疐 804
疒 瘇 813
瘈 814
瘉 814
瘊 814
瘋 814
瘍 814
瘏 814
瘝 814
瘐 814
瘕 814
瘖 814
瘧 814
瘦 814
[illegible] 814
瘺 814
[illegible] 814
[illegible] 814
[illegible] 814
[illegible] 815
瘓 815
[illegible] 815
瘌 815

[illegible] 815
[illegible] 815
[illegible] 815
[illegible] 815
[illegible] 815
瘔 815
瘎 815
[illegible] 815
[illegible] 815
白 [illegible] 826
皮 皸 829
皵 829
[illegible] 830
皷 830
[illegible] 830
皺 830
皿 盡 834
監 834
盝 834
盡 834
[illegible] 835
目 [illegible] 850
瞍 850
睹 850
睺 850
睺 850
睼 850

睽 850
瞑 850
[illegible] 850
[illegible] 850
[illegible] 850
[illegible] 851
睷 851
睲 851
[illegible] 851
睴 851
瞄 851
瞅 851
[illegible] 851
[illegible] 851
[illegible] 851
[illegible] 851
[illegible] 851
睿 851
瞀 851
瞍 852
[illegible] 852
[illegible] 852
睦 852
睾 852
矛 [illegible] 862
[illegible] 862
矢 [illegible] 864

[illegible] 864
石 [illegible] 874
碟 874
[illegible] 874
[illegible] 874
[illegible] 874
碮 874
碢 874
[illegible] 874
碈 874
碣 874
碩 874
碬 875
碪 875
[illegible] 875
碭 875
碫 875
碤 875
碥 875
[illegible] 875
[illegible] 875
[illegible] 875
碨 875
碰 875
磕 875
碯 875
碃 875

碱 875
磁 875
碧 875
碞 875
示 禊 891
禋 891
禍 891
禍 891
禎 891
福 891
福 891
禓 891
禔 891
禑 891
禕 891
禖 891
禗 891
禘 891
[illegible] 891
[illegible] 892
[illegible] 892
[illegible] 892
禡 892
[illegible] 892
禒 892
禅 892
[illegible] 892

字	쪽	字	쪽	字	쪽	字	쪽	字	쪽	字	쪽	字	쪽
禐	892	[illegible]	907	箍	941	箕	943	[illegible]	972	綷	997	[illegible]	1000
祲	892	[illegible]	907	箠	941	[illegible]	943	[illegible]	972	綸	998	[illegible]	1000
禔	892	[illegible]	907	箑	941	[illegible]	943	[illegible]	972	綺	998	緃	1000
[illegible]	892	[illegible]	907	箏	941	[illegible]	943	[illegible]	972	綻	998	綼	1000
内 萬	896	稦	908	箒	941	[illegible]	944	精	972	綽	998	綳	1000
禾 稭	906	穴 窨	921	箕	942	[illegible]	944	粲	972	綾	998	緍	1000
種	906	窩	921	[illegible]	942	[illegible]	944	[illegible]	972	綿	998	[illegible]	1000
稰	906	窪	921	算	942	箓	944	[illegible]	972	緁	998	[illegible]	1000
稱	906	窬	921	箘	942	箣	944	粽	973	緂	998	総	1000
稯	906	[illegible]	921	箟	942	[illegible]	944	糸 綜	996	緄	999	[illegible]	1000
稨	906	窫	921	箙	942	箢	944	綝	996	緅	999	緒	1000
稧	906	窻	921	箚	942	[illegible]	944	綟	996	緆	999	練	1000
稬	906	[illegible]	921	箜	942	[illegible]	944	綠	996	緇	999	[illegible]	1000
[illegible]	906	[illegible]	921	箝	942	[illegible]	944	緑	996	緉	999	綦	1000
稩	907	[illegible]	921	筈	942	箪	944	綢	996	緋	999	綨	1000
稵	907	[illegible]	921	箞	942	米 粼	971	綣	996	緎	999	綮	1001
稓	907	[illegible]	921	箠	942	粹	971	綪	996	緌	999	[illegible]	1001
[illegible]	907	立 竭	928	管	943	粺	971	綫	996	[illegible]	999	緊	1001
稫	907	端	928	箛	943	粻	971	綬	996	[illegible]	999	緐	1001
[illegible]	907	[illegible]	929	箈	943	精	971	維	996	[illegible]	999	[illegible]	1001
[illegible]	907	竮	929	箐	943	精	972	絣	997	[illegible]	999	[illegible]	1001
[illegible]	907	竹 筓	941	箁	943	粶	972	綯	997	[illegible]	999	[illegible]	1001
穀	907	箄	941	箊	943	[illegible]	972	綰	997	[illegible]	1000	[illegible]	1001
稲	907	箅	941	箖	943	粿	972	綱	997	緀	1000	綩	1001
穆	907	箇	941	箎	943	粷	972	網	997	[illegible]	1000	[illegible]	1001
稳	907	箈	941	[illegible]	943	[illegible]	972	綴	997	綧	1000	缶 [illegible]	1023
[illegible]	907	箋	941	箴	943	[illegible]	972	綵	997	綪	1000	缾	1023

鋮 1024	翢 1044	聜 1059	䐊 1086	䑊 1100	色 艴 1119	蓉 1167
錇 1024	猻 1044	聓 1059	䐁 1086	自 𦤎 1101	艳 1119	蓊 1167
銛 1024	猜 1044	聿 肇 1063	䐧 1086	鼻 1101	𪑬 1119	蓋 1167
罁 1024	翡 1044	肈 1063	䐆 1086	至 臺 1103	艸 蒐 1165	蓌 1167
錘 1024	而 𦓤 1050	肉 腐 1078	䐎 1086	臼 與 1106	蒔 1165	蓍 1167
网 罰 1029	䎏 1050	腎 1078	䐖 1086	𦦗 1106	蒙 1165	蓏 1168
署 1029	耒 耤 1052	腿 1085	膍 1086	舀 1106	蒜 1165	蓐 1168
罳 1029	耣 1052	膀 1085	膎 1086	舌 䑛 1108	蒟 1165	蓑 1168
罪 1029	䎋 1052	膃 1085	䐡 1087	䑜 1108	蒡 1165	蒴 1168
罯 1029	𦔍 1052	膄 1085	膁 1087	䑝 1108	蒨 1166	蓓 1168
罱 1029	䎗 1052	膆 1085	䐜 1087	舔 1108	蒩 1166	蒒 1168
罸 1030	䎖 1052	膇 1085	𦞂 1087	舓 1108	蒯 1166	蒠 1168
䍋 1030	䎘 1052	膈 1085	腔 1087	䑞 1108	蒱 1166	蓧 1168
罝 1030	䎙 1052	膉 1085	膂 1087	䑟 1108	蒲 1166	蓻 1168
羊 𦍺 1036	䎚 1052	膊 1085	膋 1087	舛 舞 1110	蒵 1166	蒬 1168
䍴 1036	耳 聚 1058	膗 1086	䐘 1087	䑞 1110	蒸 1166	蒶 1168
羻 1037	聝 1058	膌 1086	䐗 1087	舟 艋 1113	蒹 1166	蓷 1168
𦍿 1037	聙 1058	䐎 1086	膶 1087	艍 1113	蒺 1166	蓫 1168
羫 1037	聛 1058	䐜 1086	䐛 1087	䑶 1113	蒻 1166	蓃 1168
䍵 1037	聡 1058	㲉 1086	膢 1087	艅 1113	蓖 1166	蓝 1168
䍶 1037	聞 1058	䐗 1086	膟 1087	艁 1113	蒼 1166	蓈 1169
羽 翟 1043	聟 1058	䐉 1086	膏 1087	艒 1113	蒿 1167	蒗 1169
翠 1043	聒 1058	膘 1086	膜 1088	艕 1114	蓀 1167	葴 1169
翣 1043	聕 1058	膂 1086	䏺 1088	艌 1114	蓁 1167	蒳 1169
翍 1044	聟 1058	膐 1086	膂 1088	艗 1114	蓂 1167	蒫 1169
翪 1044	聠 1058	䐦 1086	臣 臧 1099	艙 1114	蓄 1167	䓘 1169
翛 1044	聊 1058	䐤 1086	臨 1100	艓 1114	蓆 1167	蒚 1169

蓾 1169	蕓 1170	蒠 1171	虢 1215	蝷 1232	蜞 1234	裹 1279
蒝 1169	蒓 1170	薾 1171	虫 蜘 1231	蜦 1232	蜞 1234	褁 1279
荳 1169	蔚 1170	蔞 1171	蜡 1231	蝛 1233	蜸 1234	褰 1279
蓿 1169	蒭 1170	蒤 1171	蜢 1231	蜧 1233	蜣 1234	褻 1279
蒛 1169	蒭 1170	蓙 1171	蛲 1231	蜱 1233	蜯 1234	裴 1279
蒜 1169	蔡 1170	蒲 1171	蜥 1231	蚑 1233	蜡 1234	裳 1279
蒦 1169	蒞 1170	蓖 1171	蜩 1231	蜨 1233	蜒 1234	製 1279
蔦 1169	藝 1170	葉 1171	蜮 1231	蜬 1233	蜻 1234	褧 1279
蒪 1169	蔱 1170	蓂 1172	蜴 1231	蜲 1233	蜚 1234	褩 1279
蓛 1170	菫 1170	蒷 1172	蜷 1231	蜻 1233	蜰 1234	複 1279
蓘 1170	蔌 1171	蓤 1172	蜽 1231	蜯 1233	蜨 1234	褊 1279
蒩 1170	蓘 1171	蓩 1172	蜺 1231	蝬 1233	蜧 1234	褋 1280
蔎 1170	蕢 1171	蓜 1172	蜻 1231	蝙 1233	蜂 1234	褌 1280
营 1170	蔻 1171	萳 1172	蜱 1232	蜠 1233	蜵 1234	褐 1280
莘 1170	蒟 1171	蓋 1172	蜼 1232	蜹 1233	蜑 1234	褕 1280
蓎 1170	蒟 1171	萿 1172	蜾 1232	蝌 1233	蜜 1234	褖 1280
蒬 1170	萄 1171	蒖 1172	蜿 1232	蜭 1233	蜚 1235	褘 1280
菌 1170	蔀 1171	蓓 1172	蜙 1232	蝒 1233	蜸 1235	褚 1280
蒋 1170	蓏 1171	蓁 1172	蝀 1232	蜛 1233	蛭 1235	褓 1280
葶 1170	蒳 1171	蓄 1172	蝃 1232	蜽 1233	蜇 1235	褸 1280
蓁 1170	蓕 1171	蒲 1172	蜲 1232	蜊 1233	血 衉 1260	褆 1280
蔓 1170	蒺 1171	菏 1172	蜳 1232	蜠 1234	衊 1260	褍 1280
蔽 1170	蒗 1171	蓍 1172	蝂 1232	蜂 1234	監 1260	褪 1280
蔙 1170	蓾 1171	萁 1172	蜫 1232	蜮 1234	盟 1260	褙 1280
蒮 1170	葵 1171	萃 1172	蜨 1232	蠅 1234	衉 1260	福 1281
蒯 1170	蓄 1171	虍 虡 1215	蝠 1232	蜚 1234	行 衙 1263	褗 1281
蓺 1170	蓷 1171	虛 1215	蜯 1232	蜜 1234	衣 裂 1276	褃 1281

褑 1281
褸 1281
𧜟 1281
褫 1281
褞 1281
𧛱 1281
𧜁 1281
𧛹 1281
䙆 1281
𧛔 1281
𧜽 1281
䘾 1281
𧛸 1281
𧝄 1281
𧜼 1281
𧝁 1281
𧜉 1281
䙈 1281
𧜮 1281
褼 1281
褈 1282
𧛕 1282
𧜹 1282
𧝐 1282
褍 1282
𧜳 1282
𧛷 1282
襾 𧟟 1295
見 覡 1298
𧠈 1298
覠 1298
𧠉 1298
𧠊 1298
覤 1298
覣 1298
覞 1299
𧠋 1299
𧠌 1299
覝 1299
覢 1299
角 觫 1307
觫 1308
觪 1308
觛 1308
觨 1308
觰 1308
觟 1308
觧 1308
觩 1308
觬 1308
言 詯 1330
誋 1330
誌 1330
認 1330
認 1330
誎 1330
誑 1330
誀 1330
誒 1330
誕 1330
誖 1331
誘 1331
誙 1331
誚 1331
語 1331
誠 1331
誡 1331
誣 1331
誤 1332
誤 1332
誤 1332
誥 1332
誦 1332
誨 1332
說 1332
説 1332
誐 1332
訾 1332
誧 1333
誆 1333
誏 1333
諫 1333
誔 1333
誂 1333
誏 1333
誉 1333
誋 1333
讀 1333
諾 1333
僧 1333
誓 1333
誺 1333
諟 1333
諟 1333
語 1333
誗 1333
誏 1333
誗 1333
誟 1333
誝 1334
誓 1334
誝 1334
誃 1334
誇 1334
誆 1334
誗 1334
誔 1334
誮 1334
誫 1334
誽 1334
誸 1334
誽 1334
誼 1334
誽 1334
誹 1334
誵 1334
謂 1334
諤 1334
諦 1334
谷 谽 1367
谾 1367
谺 1367
豆 豍 1369
豑 1369
豋 1369
豐 1369
豓 1369
豒 1369
豕 豨 1375
豨 1375
豩 1375
豪 1375
豫 1375
豬 1375
豭 1375
豮 1375
豯 1375
豰 1375
豱 1375
豲 1375
豸 貌 1381
貎 1381
貏 1381
貍 1381
貐 1381
貑 1381
貒 1381
貓 1381
貔 1381
貕 1382
貖 1382
貝 賑 1392
賒 1392
賒 1392
賕 1392
賙 1392
賏 1392
賄 1392
賖 1392
賗 1392
賓 1392
賔 1392
賚 1393
賈 1393
賔 1393
賓 1393
賡 1393
賠 1393
賂 1393
賊 1393
賧 1393
賨 1393
赤 赫 1403
赪 1403
走 趕 1410
趙 1410
趚 1411
趛 1411
趞 1411
趜 1411
趟 1411
趙 1411
趝 1411
趓 1411
趣 1411

趧 1411
𧻓 1411
𧻗 1411
𧻘 1411
𧻜 1411
𧻞 1411
趚 1411
𧻠 1411
𧻡 1411
𧻚 1411
𧻛 1411
𧻢 1412
𧻣 1412
𧻤 1412
𧻥 1412
𧻦 1412
𧻧 1412
𧻨 1412
足 踼 1430
踂 1430
踆 1430
踉 1431
踊 1431
踀 1431
䟴 1431
𨀁 1431
踃 1431

跭 1431
𨀋 1431
䟴 1431
踄 1431
𨀧 1431
䟽 1431
踈 1432
踁 1432
踅 1432
𨁏 1432
踋 1432
𨀿 1432
𨀺 1432
𨀶 1432
𨁑 1432
𨀟 1432
𨀽 1432
䟻 1432
𨀮 1432
䠁 1432
𨀾 1432
踇 1432
𨁆 1432
𨀩 1432
踕 1432
踤 1432
𨁐 1432

䟰 1432
𨁈 1432
跨 1432
𨁊 1433
𨁀 1433
䠅 1433
䠆 1433
𨀤 1433
䞰 1433
𨀳 1433
踀 1433
𨀱 1433
䟡 1433
𨀾 1433
身 𨈡 1457
躴 1457
𨈢 1457
𨈚 1457
𨈣 1457
𨈤 1457
𨈥 1457
𨈟 1457
車 𨋩 1468
𨋕 1468
輐 1468
軱 1468
輓 1468

輔 1468
輕 1468
輑 1468
𨋳 1468
𨋵 1468
𨋹 1469
𨌈 1469
載 1469
輡 1469
𨋢 1469
𨌀 1469
輗 1469
𨋸 1469
䡅 1469
輎 1469
𨌃 1469
輏 1469
輩 1469
𨌄 1469
𨋶 1469
𨋺 1469
𨌉 1469
辛 辡 1484
辣 1484
辢 1484
辰 䢅 1487
辵 遘 1503

遙 1503
遛 1503
遜 1503
遝 1504
遞 1504
遠 1504
遡 1504
遣 1504
遢 1504
遟 1504
𨕇 1504
𨕐 1504
𨕗 1504
遾 1504
選 1504
遒 1504
遚 1504
𨕖 1505
𨕹 1505
邑 𨛜 1519
鄘 1524
鄙 1524
鄐 1525
鄚 1525
鄉 1525
鄜 1525
鄝 1525

鄞 1525
鄟 1525
鄠 1525
𨞿 1525
鄔 1525
鄢 1525
鄣 1525
鄤 1525
䣕 1525
𨟃 1525
䣓 1526
𨞞 1526
𨞬 1526
𨞾 1526
𨞭 1526
𨞺 1526
𨟅 1526
鄗 1526
𨞸 1526
酉 酲 1535
酳 1535
酴 1535
酵 1535
酶 1535
酷 1535
酷 1535
酸 1535

䣩 1536
酺 1536
酨 1536
𨡒 1536
䣼 1536
𨡉 1536
䣵 1536
䤁 1536
金 鉶 1557
鉸 1557
鉻 1557
鉺 1557
銀 1558
銅 1558
銍 1558
銑 1558
銓 1558
𨥈 1558
銖 1558
銗 1558
銘 1558
銙 1558
銚 1558
銛 1559
𨦟 1559
鉷 1559
銃 1559

⿰金危 1559	銉 1560	⿵門冎 1599	⿰阝頁 1623	⿰先隹 1632	⿱雨真 1641	靽 1662
鋌 1559	鉅 1560	関 1599	陳 1624	⿰安隹 1632	⿱雨夋 1641	⿰革玄 1662
銒 1559	⿰金州 1560	閞 1599	隟 1624	⿰艾隹 1632	⿱雨冉 1641	⿰革它 1662
銬 1559	⿰金存 1560	⿵門皿 1599	⿰阝焉 1624	翟 1632	⿱雨否 1641	⿰革㐌 1662
鉵 1559	銐 1560	⿵門刎 1599	⿰阝庸 1624	⿰夸隹 1632	青 ⿰青色 1654	鞊 1662
鉿 1559	⿰金列 1560	⿵門呈 1599	隠 1624	⿰典隹 1632	静 1654	靻 1662
鉹 1559	⿰金朵 1560	⿵門舌 1600	険 1624	⿰而隹 1632	⿰青先 1654	⿰革必 1662
鉾 1559	銷 1560	⿵門里 1600	隙 1624	⿰任隹 1632	⿰青光 1654	⿰革由 1662
銕 1559	銄 1561	⿵門頁 1600	隱 1624	⿰兆隹 1633	面 靤 1657	⿱口車 1662
鉼 1559	⿰金回 1561	⿵門羊 1600	⿰阝康 1624	⿰角劣 1633	⿰面旦 1657	⿰革巨 1662
銭 1559	鉥 1561	⿵門扁 1600	⿰阝堂 1624	⿰至隹 1633	⿰面未 1657	⿰革句 1662
⿰金糸 1559	長 ⿰長失 1593	⿵門同 1600	⿰阝婁 1624	⿰合隹 1633	⿰面幼 1657	⿰革尼 1662
銜 1559	⿰長并 1593	閲 1600	⿰阝崩 1624	雨 ⿱雨羽 1641	⿰面乍 1657	⿰革令 1662
鋈 1560	⿰長糸 1593	⿵門咼 1600	⿰阝累 1624	需 1641	⿰面皮 1657	⿰革外 1662
鋆 1560	門 閡 1598	⿵門曷 1600	⿰阝習 1624	⿱雨考 1641	⿰面占 1657	⿰革白 1662
銮 1560	閣 1598	⿵門宅 1600	⿰阝蓋 1624	⿱雨孚 1641	⿰面丂 1657	⿰革申 1662
銙 1560	閤 1599	⿵門単 1600	⿰阝票 1624	⿱雨乖 1641	⿰面令 1657	⿰革甲 1662
⿰金旬 1560	閥 1599	⿵門弄 1600	陪 1624	⿱雨豕 1641	革 靺 1661	⿰革巴 1662
銡 1560	閨 1599	閭 1600	隹 雃 1632	⿱雨各 1641	靼 1661	⿰革氏 1663
鈲 1560	閩 1599	阜 際 1623	雒 1632	霝 1641	靾 1661	⿰革瓜 1663
銖 1560	⿵門寺 1599	障 1623	⿰弓隹 1632	⿱雨同 1641	靿 1661	韋 ⿰韋必 1674
銆 1560	⿵門艮 1599	⿰阝區 1623	雑 1632	⿱雨开 1641	鞀 1661	⿰韋未 1674
⿰金𠂢 1560	⿵門列 1599	⿰阝坙 1623	⿰羊隹 1632	⿱雨冊 1641	鞁 1661	韍 1674
⿰金冊 1560	⿵門豕 1599	⿰阝崔 1623	雐 1632	⿱雨肯 1641	⿰革禾 1661	⿰韋圭 1674
⿰金戎 1560	⿵門主 1599	隝 1623	⿰危隹 1632	⿱雨因 1641	鞃 1661	⿰韋弗 1674
鉽 1560	⿵門舌 1599	隞 1623	⿱罒隹 1632	⿱雨夾 1641	鞄 1662	⿰韋巴 1674
銊 1560	⿵門幵 1599	⿰阝享 1623	⿱刃隹 1632	⿱雨有 1641	鞅 1662	⿰韋戈 1674

靳 1674	頣 1687	颰 1705	餂 1716	馟 1733	馹 1737	髵 1765
靰 1674	頫 1687	颬 1705	餄 1716	馞 1733	駦 1737	髢 1765
鞄 1674	碩 1687	颵 1705	餅 1716	馝 1733	馺 1737	髤 1765
鞊 1674	頭 1687	颯 1705	餂 1716	馬 馽 1736	䮦 1737	髥 1765
音 韶 1680	頤 1687	颴 1705	餇 1716	駎 1736	骨 骯 1755	髩 1765
韷 1680	頊 1687	颸 1705	餉 1716	駁 1736	骰 1755	髮 1765
䪭 1680	頭 1687	颶 1705	餀 1716	駮 1736	骱 1756	門 鬧 1775
䪬 1680	頤 1687	颹 1705	餛 1716	駃 1736	骳 1756	鬩 1775
頁 頾 1686	頧 1687	颫 1705	號 1716	駉 1736	骯 1756	鬨 1775
須 1686	頑 1687	颺 1706	餘 1716	馺 1736	骰 1756	鬪 1776
頔 1686	頍 1687	颾 1706	餌 1716	駅 1736	骲 1756	鬲 鬦 1778
頏 1686	頢 1687	食 飴 1715	餗 1716	駁 1736	骬 1756	鬷 1778
䪻 1686	頸 1687	飤 1715	餂 1716	嫣 1736	骲 1756	鬷 1778
頗 1686	頡 1687	飶 1715	餡 1716	駊 1736	骹 1756	鬷 1778
領 1686	風 颭 1704	餅 1715	餮 1717	駃 1736	高 髚 1763	鬼 魁 1781
頊 1686	颮 1704	飼 1715	餦 1717	駐 1736	髝 1763	魃 1781
頩 1686	颱 1704	飼 1715	餖 1717	駆 1736	亳 1763	魀 1781
頖 1686	颲 1705	飽 1715	餓 1717	駄 1736	髟 髟 1764	魂 1781
頋 1686	颵 1705	飽 1715	餂 1717	駐 1736	髤 1764	魂 1781
頸 1686	颬 1705	飾 1715	餈 1717	駅 1736	髣 1764	傀 1781
頍 1686	颫 1705	飷 1715	餌 1717	駄 1737	髤 1765	魁 1781
頮 1686	颳 1705	飵 1716	餐 1717	馱 1737	髯 1765	魄 1781
頟 1686	颵 1705	飫 1716	首 馘 1732	馻 1737	髦 1765	魀 1781
頕 1686	颼 1705	餗 1716	馘 1732	駗 1737	髴 1765	魄 1781
頼 1687	颾 1705	餇 1716	馘 1732	駆 1737	髤 1765	魅 1781
頼 1687	颵 1705	餂 1716	香 馜 1732	駃 1737	髯 1765	魃 1781
頣 1687	颸 1705	餂 1716	馛 1732	駯 1737	髮 1765	魹 1781

魚 魠 1787
魡 1787
魟 1787
魞 1787
魥 1787
魢 1787
鳥 鳦 1810
鳫 1810
鳴 1810
鳱 1810
鳺 1811
鳿 1811
鳳 1811
鳶 1811
鴂 1811
鳲 1811
塢 1811
鳵 1811
鳶 1811
鳹 1811
鴃 1811
鳥 1811
鳩 1811
搗 1811
鹵 𪉖 1842
麥 麸 1849
麫 1849
麪 1849
麯 1849
麩 1850
麪 1850
麻 麼 1855
麽 1855
麾 1855
黑 黙 1861
點 1861
黚 1861
黽 黾 1871
鼓 鼔 1873
鼻 鼻 1880

15획

齒 齒 1884
一 壺 14
亠 亮 31
亹 31
人 儁 74
儮 74
僵 74
價 74
僻 74
儎 74
儀 74
儉 74
僾 74
儌 74
儀 75
儂 75
儃 75
億 75
儆 75
儇 75
儈 75
儉 75
儋 75
儘 76
僶 76
僽 76
僷 76
儝 76
儸 76
僿 76
儍 76
儚 76
僕 76
冂 圝 90
冫 凜 94
凛 95
凚 95
凙 95
凓 95
刀 劈 110
劇 110
劅 110
劉 110
劊 110
剿 110
劌 110
劍 111
劒 111
劉 111
劃 111
劓 111
劉 111
力 勰 117
勱 117
勴 117
勯 118
勲 118
匚 匳 124
厂 厲 137
厱 138
厭 138
厮 138
厲 138
厶 嬈 140
口 噐 183
器 183
嚚 183
噠 183
嘘 183
噪 183
嘰 183
嘲 183
噴 183
嘴 183
嘵 183
嘶 183
噋 183
噓 183
噔 184
噍 184
嗚 184
嗃 184
嗿 184
噴 184
嘼 184
嘹 184
嘸 184
嘽 184
嘿 184
噁 184
噀 184
噂 184
噌 184
噌 184
嘸 185
噎 185
嘫 185
噃 185
噚 185
噏 185
嘮 185
噴 185
噇 185
噈 185
嘻 185
嘟 185
嘾 186
噘 186
噗 186
嘩 186
噉 186
嘱 186
噏 186
舖 186
嘀 186
嗇 186
嘷 186
囗 圖 198
圖 198
土 墝 219
增 219
墤 219
墟 219
墠 219
墦 220
墩 220
墪 220
墶 220
墱 220
墫 220
墳 220
墡 220
墲 220
墣 220
墙 220
墮 220
墧 220
墰 220
墢 220
墥 220
墜 220
墨 221
墮 221
墒 221
墜 221
墪 221
墐 221
墓 221

[illegible] 221
[illegible] 221
墊 221
墤 221
士 墫 226
大 奫 238
奭 238
[illegible] 238
獘 238
女 嫵 263
嬅 263
嫶 263
嫺 263
嫻 263
[illegible] 263
嫽 263
[illegible] 263
嫿 263
嫴 263
嬀 264
嬈 264
[illegible] 264
嬉 264
嬔 264
嬋 264
嬌 264
[illegible] 264
[illegible] 264
嫖 264
嫱 264
[illegible] 265
[illegible] 265
嬚 265
嫷 265
嬃 265
嫳 265
[illegible] 265
[illegible] 265
子 學 273
孺 273
[illegible] 273
宀 審 285
寫 285
寫 286
寬 286
憲 286
寮 286
[illegible] 286
[illegible] 286
[illegible] 286
寑 286
[illegible] 286
[illegible] 286
[illegible] 286
寸 導 291
小 尠 293
[illegible] 293
尢 尵 295
[illegible] 295
尸 層 300
履 300
屧 301
屨 301
屦 301
[illegible] 301
山 嶔 318
[illegible] 318
嶜 318
嶘 318
[illegible] 318
嶏 318
嶡 319
[illegible] 319
嶤 319
嶚 319
嶒 319
嶕 319
嶣 319
[illegible] 319
嶙 319
[illegible] 319
嶝 319
嶟 319
嶧 319
嶠 319
[illegible] 319
嶢 319
嶓 319
嶛 319
嶗 319
[illegible] 320
嶞 320
嶅 320
[illegible] 320
[illegible] 320
[illegible] 320
巛 巤 325
工 [illegible] 327
己 巽 328
巾 幝 338
幞 338
[illegible] 338
幟 338
幡 338
幜 338
幢 338
[illegible] 338
幠 338
幑 338
[illegible] 338
幩 338
[illegible] 338
幣 338
幫 338
[illegible] 338
广 廚 351
廛 351
[illegible] 351
廝 351
廞 352
廟 352
廠 352
廡 352
廙 352
廢 352
[illegible] 352
廣 352
廔 352
廏 352
[illegible] 353
廾 弊 357
弋 [illegible] 358
弓 彈 363
彉 363
[illegible] 363
彆 363
彐 彜 365
彡 影 367
[illegible] 367
[illegible] 368
彳 徵 375
德 375
徹 375
[illegible] 375
徶 375
徳 375
心 慶 406
憂 406
慙 406
慝 406
慧 406
慫 406
慮 407
慰 407
慸 407
慹 407
慼 407
慾 407
憃 407
慜 407
[illegible] 407
[illegible] 407
[illegible] 407
慗 407
[illegible] 408
[illegible] 408
[illegible] 408
慟 408
憑 408
慤 408
[illegible] 408
慕 408
憍 411
憎 411
憢 411
憐 411
憕 411
憒 412
憓 412
憔 412
憛 412
憚 412
憤 412
憈 412
憧 412
憪 412
[illegible] 412
[illegible] 412
憫 412

憏 412	手 摩 461	撕 467	撍 469	歐 487	暓 514	槺 573
憬 412	摩 461	撙 467	撘 469	毆 487	曄 514	樅 573
憭 413	摯 461	撚 467	撎 469	敹 487	日 暳 520	樋 573
憮 413	摹 461	撦 467	撎 469	徾 487	月 膪 523	樏 573
憯 413	摰 461	撝 467	撖 469	整 487	木 樊 571	樘 573
憯 413	摰 462	撜 467	撳 469	文 斄 490	槥 572	樒 573
憯 413	摲 462	撞 467	撬 469	斅 490	槪 572	樓 574
憎 413	擎 462	撌 467	撙 469	斗 斢 492	概 572	樸 574
憓 413	擘 462	撟 467	撧 469	斠 492	槩 572	槅 574
憣 413	擊 462	撠 467	撟 469	斣 492	樧 572	樕 574
憍 413	撇 465	撨 467	撜 469	方 旛 498	槬 572	樕 574
憱 413	撅 466	撢 467	撍 469	旚 498	槭 572	樗 574
憦 413	撈 466	撣 467	撚 469	日 暴 513	槢 572	標 574
憋 413	撗 466	撥 467	撆 469	暽 513	槮 572	樺 574
憳 413	撊 466	撧 468	撘 469	曉 513	槱 572	槐 574
憯 413	撋 466	撦 468	撩 469	暤 513	槲 572	樛 574
憜 413	撎 466	撩 468	據 469	暯 513	槸 572	樝 574
憏 413	撍 466	撫 468	支 敵 486	暱 513	槵 572	樜 574
懽 413	撏 466	播 468	敷 487	暲 513	槶 572	樞 575
戈 戭 424	撐 466	撴 468	敷 487	暵 513	槗 573	樆 575
戱 424	撑 466	撋 468	敼 487	暩 513	槔 573	樟 575
戲 424	撐 466	撔 468	數 487	暵 513	槻 573	樠 575
戮 424	撒 466	揄 468	數 487	暱 513	槦 573	樇 575
戫 424	撤 466	撮 468	敹 487	暫 513	槽 573	模 575
戴 424	撆 466	撰 468	敹 487	暫 513	槿 573	樣 575
戯 424	撓 466	撍 468	敶 487	暬 513	樌 573	樉 575
戲 424	撶 467	撲 468	敻 487	暮 513	椿 573	樃 575

榷 575	㯌 577	毛 毹 620	潞 683	澄 685	㵐 687	火 燓 722
槺 575	槷 577	毾 620	潟 683	濺 685	澅 687	熛 722
榑 575	槸 577	毿 620	潟 683	澈 685	潳 687	熠 722
棚 575	樂 577	毸 620	潢 683	澆 685	潽 687	熯 722
槾 576	槧 577	氀 620	潣 683	潻 685	潓 687	熢 722
榟 576	㯝 577	𣯳 620	澗 683	溱 685	潖 687	熮 722
樼 576	𣞗 577	髦 620	㵎 683	澇 685	𣽁 687	熰 722
槤 576	梟 577	水 滕 668	潤 683	澉 685	潶 687	熞 722
樑 576	欠 歎 600	㵉 674	滜 684	澌 685	渭 687	㶿 722
檽 576	歔 600	潁 674	潦 684	澍 685	澖 687	熷 722
樝 576	歐 600	漿 675	㴸 684	澎 686	潰 687	燈 723
槨 576	歊 600	漐 675	㵒 684	㵷 686	潩 687	熜 723
樺 576	歒 600	漀 675	潭 684	濆 686	潪 687	燓 723
樢 576	㱄 600	㵆 675	潮 684	澋 686	湔 687	熚 723
樨 576	歛 600	潎 682	潮 684	澐 686	㵋 687	熥 723
樄 576	歆 600	潏 682	潐 684	濡 686	澱 687	熫 723
樞 576	歓 600	潑 682	潯 684	澒 686	濁 687	熸 723
㯃 576	歹 殣 610	潿 682	潰 684	潪 686	㵍 687	熳 723
樬 576	殤 610	潔 682	㵟 684	澓 686	濬 687	熲 723
樐 576	殢 610	潘 682	潸 684	潾 686	漈 688	熨 723
棓 576	𣩊 610	潬 682	潧 684	潒 686	澑 688	熭 723
権 576	殥 610	潗 683	潹 685	澃 686	漭 688	𤎼 723
横 576	㱽 610	潗 683	潺 685	潠 686	潴 688	𤍶 723
檖 576	𣩏 610	潙 683	潼 685	澮 686	漹 688	㷓 723
頛 576	㱩 610	潛 683	㵰 685	潷 686	澔 688	熪 723
號 577	殳 毅 614	潜 683	澀 685	潕 686	𣽅 688	勲 723
槳 577	毆 614	潝 683	澂 685	潲 686	灌 688	熟 723

熬	723	獒	759	璀	780	⿰田差	801	⿸疒盍	816	皿 盤	835	⿰矛倉	862
熱	723	獎	759	璂	780	⿰田奚	801	瘩	817	⿰氵⿸虍皿	835	矢 ⿰矢⿸厂禺	864
⿰火尃	724	獗	760	璃	780	畿	801	瘨	817	目 ⿱罒⿱大廾	852	⿰來矢	864
爪 ⿱爫鬲	733	獝	760	璅	780	畫	802	⿸疒⿰亻隹	817	瞋	852	⿰矢倉	864
⿱爫复	733	獟	760	璆	780	⿱𤇾田	802	⿸疒然	817	瞌	852	石 磊	876
爻 ⿱吅⿱㸚大	735	獞	760	璇	780	⿱⿱丿夾田	802	瘝	817	瞍	852	確	876
⿱亼⿵冂㸚	735	獠	760	瑽	780	⿱艹⿱夾田	802	⿸疒甫	817	瞎	852	碻	876
爿 ⿰爿酋	736	獢	760	璈	780	疒 瘚	815	瘷	817	瞑	852	碼	876
⿰爿庸	736	獋	760	璉	780	⿸疒悤	815	⿸疒尃	817	⿰目迷	852	碾	876
片 牑	738	獜	760	璊	780	⿸疒摯	815	⿸疒胥	817	⿰目䍃	852	磁	876
牕	738	獚	760	璋	781	瘜	815	⿸疒徐	817	⿰目晏	853	磅	876
牛 ⿰牛庸	744	⿰犭然	760	璄	781	瘞	815	⿸疒退	817	⿰目崔	853	磈	876
⿰牛差	744	⿰犭彭	761	⿰王辡	781	瘟	815	癶 ⿱癶弄	824	⿰目酋	853	⿰石桼	876
⿰牛習	744	⿰犭貴	761	璓	781	瘠	816	白 皛	826	⿰目堊	853	磋	876
犙	744	⿰犭敞	761	⿰王勒	781	瘡	816	皚	826	⿰⿱𠆢目羽	853	磌	876
⿰牛累	744	獖	761	瑹	781	癜	816	皜	826	瞉	853	⿰石真	876
⿰牛堇	744	⿰犭⿰⿱山糸攵	761	璁	781	瘣	816	皠	826	⿰目倫	853	磏	876
⿰牛崔	744	獛	761	⿰王畢	781	瘤	816	⿰白兆	826	⿱𤇾目	853	磑	876
⿰牛脊	745	⿰犭番	761	⿰王貫	781	瘥	816	皞	826	⿱般目	853	磔	876
⿰牛悤	745	獡	761	⿰王⿺𠃊⿰車王	781	瘦	816	⿱竝白	827	瞈	853	磕	877
犕	745	獥	761	瓜 ⿱𤇾瓜	787	瘨	816	⿰白倉	827	⿱攸目	853	磤	877
犚	745	獙	761	瓦 甈	789	⿸疒衰	816	皮 ⿰⿱爫鬲皮	830	⿰目奚	853	磒	877
⿰牛尌	745	⿰犭壹	761	⿰谷瓦	790	瘙	816	⿰桼皮	830	⿰目悳	853	磓	877
⿱敏牛	745	玉 瑩	778	⿰⿸虍田瓦	790	⿸疒桀	816	⿰差皮	830	⿱折目	853	⿰石剌	877
犛	745	⿱浹玉	778	甇	790	⿸疒秦	816	⿰弱皮	830	睘	853	磧	877
犘	745	⿱玨豕	780	⿱蓺瓦	790	⿸疒馬	816	⿰⿱士⿱冖几皮	830	矛 ⿰矛者	862	⿰石鬲	877
犬 獃	759	瑾	780	田 畾	801	⿸疒兼	816	⿱𦥑皮	830	⿰矛貴	862	⿰石冓	877

碚 877	禾 稷 908	窯 922	篠 945	篒 947	糭 973	緞 1002
磄 877	稸 908	窰 922	篕 946	篅 947	糊 973	締 1002
碼 877	稹 908	窱 922	䈬 946	篍 947	糈 973	緍 1002
磍 877	稺 908	窳 922	篙 946	箮 947	糙 973	緟 1002
磆 877	稻 908	窲 922	篌 946	篁 947	糉 973	緣 1002
磈 877	稼 908	窴 922	篞 946	篗 947	糏 973	緑 1002
磃 878	稽 908	窼 922	箥 946	箹 947	糍 973	緦 1002
磧 878	稿 908	窶 922	箽 946	䈡 947	糃 973	緥 1003
磎 878	穮 908	窾 922	箈 946	䈠 947	糄 973	編 1003
磏 878	穄 908	窫 922	箿 946	篒 947	糲 973	緩 1003
磬 878	穅 908	立 䇦 929	䈝 946	䈖 947	糔 973	緪 1003
礐 878	稴 908	竭 929	篵 946	篎 947	糅 973	緫 1003
磤 878	䅭 909	竨 929	箼 946	篡 948	糇 973	緬 1003
磐 878	䅵 909	竹 箬 944	篓 946	箵 948	糈 974	緯 1003
示 禠 892	䅳 909	箭 944	箕 946	箺 948	糆 974	緱 1003
禡 892	穃 909	箯 944	箖 946	篖 948	糐 974	緲 1004
䄙 892	䅬 909	箱 944	篗 946	篏 948	糌 974	練 1004
禚 892	𥡵 909	箴 944	箻 946	篃 948	粳 974	緂 1004
禛 892	穆 909	箶 944	箁 946	篇 948	糎 974	緵 1004
禝 892	穗 909	箸 944	篡 946	篹 948	糑 974	緶 1004
禬 892	穀 909	箾 945	箭 946	篔 948	糉 974	緹 1004
祲 892	䅸 909	節 945	箕 947	箲 948	糍 974	緺 1004
禜 892	稾 909	節 945	篋 947	築 948	糸 緒 1001	緻 1004
禞 892	𥢊 909	篁 945	篌 947	米 糂 973	緗 1001	緸 1004
福 892	穃 909	範 945	箵 947	糅 973	緘 1001	緷 1004
禣 893	穁 909	篆 945	箷 947	糇 973	線 1002	緼 1004
禑 893	穴 窮 921	篇 945	篃 947	糈 973	緝 1002	緭 1004

緖 1004	⿰糸削 1006	⿰羊柔 1037	⿰耳酓 1059	⿰月強 1089	臺 1103	蓫 1172
緢 1004	縃 1006	⿱享羊 1037	⿰耳貞 1059	⿱胥月 1089	臼 興 1106	蓬 1172
⿰糸封 1005	⿰糸畏 1006	羽 翨 1044	聰 1059	⿰月巣 1089	⿰臼男 1106	蓮 1172
緙 1005	⿰糸亭 1006	翬 1044	聡 1059	膒 1089	⿰臼昜 1106	蓯 1173
縜 1005	綪 1006	翭 1044	聓 1059	⿰月累 1089	舌 ⿰舌枼 1109	蓰 1173
緛 1005	⿰糸肴 1006	⿰羽候 1044	聠 1059	⿰月麻 1089	舖 1109	蓱 1173
⿰糸盈 1005	緫 1006	翪 1044	聿 ⿱聿者 1063	⿰月娄 1089	舗 1109	蓴 1173
緰 1005	縀 1006	翫 1044	肉 ⿰月皆 1084	⿰月産 1089	⿰舌彖 1109	蓷 1173
緮 1005	缶 ⿰缶是 1024	⿰革羽 1044	⿰月卷 1085	⿰月旋 1089	⿰舌是 1109	蔲 1173
緺 1005	⿰缶重 1024	翥 1044	膕 1088	⿰月羞 1089	舟 艎 1114	蔻 1173
緇 1005	网 ⿱罒具 1029	翧 1044	膛 1088	⿰月眷 1089	艑 1114	蓺 1173
⿰糸秋 1005	䍐 1029	翩 1045	膜 1088	⿰月虘 1089	艓 1114	蔘 1173
緧 1005	罰 1029	趐 1045	膝 1088	⿰月習 1089	⿰舟是 1114	蓽 1173
緤 1005	署 1029	翯 1045	膞 1088	⿰月帶 1090	艘 1114	蕐 1173
⿰糸夸 1005	罵 1030	翦 1045	膟 1088	⿰月曹 1090	⿰舟風 1114	蓿 1173
総 1005	罶 1030	⿰前羽 1045	膠 1088	⿰月從 1090	⿰舟娄 1114	蔀 1173
縦 1005	罷 1030	耒 耦 1053	膢 1088	⿰月庸 1090	艒 1114	蔆 1174
緼 1005	⿱罒㼌 1030	⿰耒英 1053	膣 1088	⿰月商 1090	⿰舟夋 1114	蔭 1174
緟 1005	罸 1030	耧 1053	膘 1088	⿰月責 1090	⿰舟突 1114	蔈 1174
⿰糸娄 1005	⿱罒兼 1030	耳 聤 1059	⿰月寅 1089	⿰歺束 1090	⿰舟复 1114	蔇 1174
縄 1005	羊 羮 1037	聥 1059	腌 1089	膗 1090	艄 1114	蔑 1174
緜 1005	羭 1037	聧 1059	膽 1089	⿰月戚 1090	⿰舟胃 1114	蔓 1174
縻 1005	羯 1037	⿰酉耳 1059	膓 1089	自 ⿱自男 1101	⿰舟斿 1114	蓑 1174
⿰糸料 1005	⿰羊垔 1037	⿰耳星 1059	膚 1089	⿰自出 1101	色 [illegible] 1119	蔋 1174
緒 1005	羬 1037	⿰耳匽 1059	⿸虍胃 1089	⿳亠自曰 1101	⿰酉色 1119	蔌 1174
⿰糸背 1005	羍 1037	⿰耳音 1059	⿱乔月 1089	⿰自犮 1102	⿰免色 1119	蔎 1174
絜 1006	⿰羊韋 1037	⿰耳秋 1059	⿰月遂 1089	至 ⿰至臬 1103	艸 蓧 1172	蔓 1174

薷 1174	蔶 1176	蔏 1178	蒔 1179	蕍 1180	蕣 1236	蝐 1237
蕉 1174	蔮 1176	蕙 1178	蕖 1179	蕵 1180	蝝 1236	蝏 1237
蔚 1174	蔝 1177	蕛 1178	蕠 1179	蕻 1180	蝟 1236	蝖 1238
蕛 1175	蔨 1177	蕭 1178	蕃 1179	蕇 1180	蝡 1236	蝷 1238
蔓 1175	蔱 1177	蕆 1178	蕉 1179	蓒 1180	蝣 1236	蝺 1238
蔟 1175	蓮 1177	蔙 1178	蕅 1179	蘆 1180	蝤 1236	蝻 1238
蔡 1175	蔸 1177	蕍 1178	蕎 1179	蕶 1180	蝦 1236	蝲 1238
蔣 1175	蓨 1177	蕿 1178	蕣 1179	蕥 1180	蝮 1236	蝰 1238
蔦 1175	蔆 1177	蕨 1178	蕩 1179	虍 虓 1215	蝳 1236	蝒 1238
蔪 1175	蔠 1177	蕮 1178	蕔 1179	虢 1216	蝴 1236	蝤 1238
蔫 1175	蔵 1177	蕔 1178	蕟 1179	虤 1216	蝶 1236	蝍 1238
蔬 1175	蔾 1177	蕈 1178	蕌 1179	虡 1216	蝸 1236	蝹 1238
蔭 1175	蔆 1177	蕫 1178	蕺 1179	虦 1216	蝚 1237	蝹 1238
蔘 1175	蔁 1177	蕃 1178	蕺 1179	虪 1216	蝎 1237	蝿 1238
蔈 1176	蔏 1177	蕖 1178	蕞 1180	虫 蝨 1235	蝺 1237	蝼 1238
蔏 1176	蕈 1177	蕨 1178	蕭 1180	蝱 1235	蝯 1237	蝕 1238
蔙 1176	蔹 1177	蕧 1178	蕵 1180	蝙 1235	蝑 1237	蝱 1238
蔐 1176	蕒 1177	蕐 1179	蕻 1180	蝌 1235	蝬 1237	蝥 1238
蓩 1176	蔵 1178	蕫 1179	蕱 1180	蝥 1235	蝞 1237	蝥 1238
蔔 1176	蔰 1178	蝱 1179	蕞 1180	蝍 1235	蝸 1237	蝱 1239
蓪 1176	蕫 1178	蔜 1179	蕣 1180	蝎 1235	蝩 1237	螺 1239
蔯 1176	蔨 1178	蔀 1179	蕻 1180	蝓 1235	蝺 1237	蝨 1239
蔁 1176	蔣 1178	蔛 1179	蕡 1180	蝗 1235	蝙 1237	蝘 1239
蔖 1176	蔽 1178	蔖 1179	蕾 1180	蝘 1235	蝭 1237	蝷 1239
蔩 1176	蔶 1178	蔨 1179	蔔 1180	蝙 1235	蝬 1237	蝡 1239
蔰 1176	蔗 1178	蔖 1179	蔞 1180	蝛 1236	蝷 1237	蝪 1239
蔜 1176	蔙 1178	蔗 1179	蒲 1180	蝜 1236	蝪 1237	蝰 1239

螢 1239	䙅 1283	𧡂 1299	誹 1335	諃 1338	諫 1339	諸 1340
𧍯 1239	䙏 1283	覔 1299	諮 1335	誺 1338	諑 1339	誕 1340
蝱 1239	褡 1283	覢 1299	調 1335	諎 1338	䛳 1339	𧩏 1340
蝹 1239	褯 1283	覝 1299	諂 1336	𧩬 1338	𧩸 1339	諘 1340
血 衉 1260	褵 1283	𧡆 1299	諄 1336	䛇 1338	𧩉 1339	諷 1340
𧖴 1260	褟 1283	覥 1299	諆 1336	誽 1338	謡 1339	䛬 1340
𧖼 1260	禛 1283	𧡐 1299	談 1336	䛬 1338	䛈 1339	𧩙 1340
行 𧗝 1263	褌 1283	𧡑 1299	諈 1336	𧩯 1338	𧩣 1339	誵 1340
衝 1263	𧝁 1283	角 觭 1308	諉 1336	諚 1338	䛷 1339	諢 1341
衞 1263	𧜵 1283	觬 1308	請 1336	𧩘 1338	𧫞 1339	䜩 1341
衛 1263	𧝎 1283	𧣈 1308	請 1336	𧩳 1338	𧩇 1339	𧩫 1341
衚 1263	𧝑 1283	觨 1308	諍 1336	𧩡 1338	謍 1340	谷 谾 1367
衜 1263	𧝙 1283	𧢟 1308	諏 1336	謚 1338	𧩍 1340	𧮰 1367
衣 褒 1282	褬 1283	𧢢 1308	諐 1336	𧩤 1338	䛩 1340	䜯 1367
褑 1282	䙁 1284	䚕 1308	諑 1337	謀 1338	誃 1340	豆 豌 1370
褈 1282	䙈 1284	𧢥 1308	諒 1337	䛷 1339	䛹 1340	𧯰 1370
𧝐 1282	𧜻 1284	䚜 1308	諓 1337	諸 1339	䛫 1340	䜲 1370
製 1282	𧝞 1284	𧢳 1308	諔 1337	謁 1339	䛲 1340	䜭 1370
褎 1282	䙔 1284	䚝 1308	論 1337	𧩛 1339	𧨻 1340	豎 1370
𧝒 1282	𧝝 1284	𧢼 1309	諗 1337	誾 1339	𧩍 1340	䜬 1370
褞 1282	見 覤 1299	䚟 1309	誇 1337	𧨲 1339	誴 1340	䜮 1370
褥 1282	𧡄 1299	言 誰 1334	諀 1337	𧪄 1339	𧩧 1340	𧰃 1370
褠 1282	𧡝 1299	課 1335	誁 1337	䜉 1339	䛫 1340	𧰀 1370
褦 1283	𧡬 1299	誳 1335	諕 1337	𧨟 1339	𧩞 1340	䜴 1370
褪 1283	𧡔 1299	誼 1335	諛 1338	𧩊 1339	諁 1340	豕 𧱋 1375
𧝄 1283	𧡐 1299	誶 1335	諂 1338	䛏 1339	諗 1340	𧱌 1375
褫 1283	𧠼 1299	誷 1335	䛵 1338	諾 1339	䛳 1340	𧱎 1375

⿰豕肙 1376
⿰豕叕 1376
⿰豕叕 1376
⿰豕屖 1376
⿰豕介 1376
⿰豕⿱罒殳 1376
豸 貏 1382
貎 1382
貄 1382
⿰豸來 1382
⿰豸采 1382
⿰豸更 1382
⿰豸奇 1382
⿰豸卓 1382
⿰豸虎 1382
貝 賙 1393
賜 1393
賠 1393
⿱𦍌貝 1393
賤 1393
賦 1393
⿱⿰亻尚貝 1394
賥 1394
⿰貝青 1394
賧 1394
賝 1394
賬 1394
⿰貝典 1394
⿰貝居 1394
⿱奔貝 1394
賫 1394
⿰貝來 1394
賞 1394
賡 1395
賢 1395
賣 1395
賨 1395
⿰貝宗 1395
質 1395
⿱亠賣 1395
賓 1395
⿱𠂉賁 1396
賛 1396
⿰貝厓 1396
⿱夰貝 1396
⿰貝函 1396
賈 1396
⿰貝夌 1396
⿰貝京 1396
⿱癶貝 1396
賒 1396
⿰貝宛 1396
賀 1396
走 趠 1412
趢 1412
趣 1412
⿺走冣 1412
⿺走音 1412
趞 1412
⿺走隶 1413
⿺走囷 1413
⿺走金 1413
⿺走茲 1413
⿺走朔 1413
趡 1413
⿺走甾 1413
⿺走并 1413
⿺走念 1413
⿺走屈 1413
⿺走奇 1413
⿺走東 1413
⿱林走 1413
⿺走來 1413
⿺走夌 1413
⿺走卑 1413
⿺走奄 1413
⿺走曷 1414
⿺走周 1414
⿺走剌 1414
⿺走豕 1414
趣 1414
⿺走宕 1414
⿺走或 1414
⿺走肴 1414
足 踏 1433
踐 1433
踑 1433
踔 1433
踖 1434
跰 1434
踝 1434
踞 1434
⿰足非 1434
踟 1434
踠 1434
跪 1434
踢 1434
踣 1434
踤 1435
踥 1435
踦 1435
踧 1435
踪 1435
踓 1435
踒 1435
踕 1435
踛 1435
踃 1435
⿰足困 1435
⿰足卑 1435
踩 1436
踘 1436
⿰足府 1436
踨 1436
⿰足豕 1436
⿰足匋 1436
⿰足呈 1436
⿰足具 1436
⿰足屈 1436
踗 1436
⿰足隶 1436
⿰足㝵 1436
⿰足兩 1436
⿰足戾 1436
⿰足彔 1436
踚 1436
踜 1436
踰 1436
⿰足府 1436
⿰足奔 1436
⿰足朋 1436
⿰止步 1436
踙 1436
⿰足亞 1436
⿰足奄 1437
⿰足炎 1437
⿰足長 1437
⿰足定 1437
⿰足典 1437
⿰足侯 1437
⿰足佥 1437
⿰足屈 1437
⿰足叕 1437
⿱林足 1437
⿰足豕 1437
⿰足皇 1437
⿰足直 1437
⿰足峙 1437
踤 1437
⿰足虎 1437
⿰足官 1437
身 躶 1457
⿰身穹 1457
⿰身奇 1457
躺 1457
躹 1457
⿰身卑 1457
⿰身委 1457
⿰身吳 1457
⿰身定 1457
躽 1457
⿰身叚 1457
⿰身面 1458
⿰身俞 1458
⿰身重 1458
⿰身皇 1458
⿰身郎 1458
⿰身毘 1458
⿰身粤 1458
⿰身罔 1458
⿰身胥 1458
⿰身翁 1458
⿰身豈 1458
車 輖 1469
輗 1469
輘 1469
輚 1470
輛 1470
輜 1470
輞 1470
輟 1470
⿲氵車攵 1470
輠 1470
輤 1470
輣 1470
輥 1470
輧 1470
輨 1470
輪 1470

輬 1471	輖 1472	⿺辶買 1506	鄮 1527	醋 1537	鋏 1561	⿰金刪 1563
輐 1471	⿰車卓 1472	⿺辶⿱虍田 1506	鄯 1527	醄 1537	鋒 1562	鋁 1563
輢 1471	⿰車忩 1472	⿺辶⿱罒豕 1506	鄱 1527	⿰酉炎 1537	鋗 1562	銲 1563
輡 1471	⿰車沓 1472	遲 1506	鄲 1527	⿰酉京 1537	鋘 1562	鋳 1563
⿰車定 1471	⿰車隹 1472	⿺辶㼌 1506	⿰喬阝 1527	⿰酉沓 1537	鋎 1562	鋈 1563
輙 1471	⿰車匋 1472	遪 1506	⿰馮阝 1527	⿰酉宜 1537	鋙 1562	鋚 1563
琿 1471	⿱羽車 1472	遊 1506	⿰覃阝 1527	⿰酉念 1537	鋝 1562	⿱𢼸金 1563
輝 1471	辛 辤 1484	⿺辶羕 1506	⿰翁阝 1527	⿱今酉 1537	鋟 1562	鋆 1564
輦 1471	⿱辟丈 1484	邀 1506	⿰屠阝 1527	醘 1537	鋥 1562	⿰金劫 1564
暈 1471	⿰辛吉 1484	遙 1506	⿰舜阝 1527	⿰酉隹 1537	鋜 1562	⿰金身 1564
輩 1471	⿰辛卑 1485	遺 1506	⿰着阝 1527	⿰酉典 1537	鋣 1562	⿱⿰氵夂金 1564
輤 1471	⿰舌辛 1485	⿺辶從 1506	⿰埀阝 1527	⿱制酉 1537	鋤 1562	錎 1564
輯 1472	辰 ⿰彳辱 1487	⿺辶登 1506	⿰畐阝 1527	⿱召酉 1537	鋧 1562	鋀 1564
⿰車卷 1472	⿱林辰 1487	⿺辶敕 1506	鄰 1527	⿰酉卑 1537	鋩 1562	鉼 1564
輛 1472	辵 遨 1505	邑 ⿰咅邑 1519	⿰焱阝 1528	釆 ⿰釆奄 1546	⿰金⿱艹幺 1562	鈰 1564
⿰車向 1472	適 1505	⿰侗邑 1520	⿰黍阝 1528	⿰釆夆 1546	鋪 1562	鋫 1564
⿰車彔 1472	遬 1505	⿱巠邑 1521	⿰詈阝 1528	金 鋭 1561	鈲 1563	鋔 1564
⿰車坴 1472	遭 1505	⿱非邑 1521	⿰⿱罒糸阝 1528	銳 1561	鋑 1563	鋍 1564
⿰車昏 1472	遮 1505	⿰取邑 1521	酉 醁 1536	⿰金沙 1561	鋕 1563	鋖 1564
輫 1472	遞 1505	⿰虎邑 1521	醂 1536	銶 1561	⿰金甬 1563	⿰金斨 1564
輩 1472	遯 1505	鄦 1526	醃 1536	銷 1561	鋦 1563	⿰金步 1564
⿰車奄 1472	遰 1505	鄧 1526	醅 1536	銼 1561	銹 1563	鋉 1564
⿰車育 1472	達 1505	鄩 1526	酷 1536	鋂 1561	鋐 1563	⿰金希 1564
⿰車昌 1472	⿺辶坴 1506	鄪 1526	醆 1536	鋃 1561	銻 1563	鋠 1564
⿰車爭 1472	遳 1506	鄱 1526	醇 1536	鋊 1561	鋞 1563	鍛 1564
⿰車底 1472	⿺辶殳 1506	鄬 1526	醉 1536	鋋 1561	銛 1563	鋅 1564
⿸麻車 1472	遱 1506	鄭 1527	醊 1537	鋌 1561	⿰金邑 1563	⿱垂金 1564

鋑 1564	閴 1601	隔 1625	霅 1642	蜚 1655	鞆 1664	頩 1688
銙 1564	閭 1601	隭 1625	霆 1642	面 靤 1657	鞣 1664	頤 1688
鋨 1564	関 1601	隮 1625	震 1642	靬 1657	韋 韐 1674	頣 1688
鋓 1565	閷 1601	𨼊 1625	霃 1642	靦 1657	韢 1674	頧 1688
鋇 1565	閳 1601	隌 1625	霈 1642	靧 1657	韟 1674	頪 1688
鋡 1565	閯 1601	𨽏 1625	霉 1642	靪 1657	韏 1675	頛 1688
鋈 1565	閡 1601	𨽸 1625	霂 1642	革 鞇 1663	韍 1675	頡 1688
鉖 1565	閪 1601	隱 1625	霄 1642	鞈 1663	韐 1675	頣 1688
錄 1565	閣 1601	𨼗 1625	霅 1642	鞉 1663	韗 1675	頫 1688
鋬 1565	闍 1601	隶 隷 1628	霓 1642	鞀 1663	韍 1675	頮 1689
銴 1565	閳 1601	隸 1628	霊 1642	鞋 1663	韑 1675	頥 1689
鏨 1565	閮 1601	隹 鵜 1633	霆 1642	鞎 1663	韖 1675	頦 1689
鋆 1565	閗 1601	錐 1633	霁 1643	鞍 1663	韒 1675	頭 1689
長 镼 1593	閲 1601	賍 1633	霎 1643	鞊 1663	韭 韱 1679	頨 1689
镹 1593	闌 1601	雕 1633	霩 1643	鞏 1663	音 韺 1680	頩 1689
𨲠 1593	闒 1601	雖 1633	霋 1643	鞓 1663	韸 1680	頑 1689
镻 1593	閼 1601	雊 1633	霚 1643	鞏 1663	韽 1680	頧 1689
镺 1593	阜 隤 1624	雚 1633	霓 1643	鞒 1663	韶 1680	頸 1689
镽 1593	隥 1624	雜 1633	霙 1643	鞍 1663	韷 1680	頦 1689
镸 1593	隝 1624	雒 1633	霎 1643	鞄 1663	韼 1681	頬 1689
門 闉 1600	隣 1624	雓 1633	霞 1643	鞊 1663	頁 頷 1687	頮 1689
閬 1600	𨸲 1625	雞 1633	霆 1643	鞆 1664	頞 1687	風 颲 1706
閭 1600	隧 1625	雛 1633	霌 1643	鞂 1664	頟 1687	颭 1706
閱 1600	𨼆 1625	雜 1633	霆 1643	鞅 1664	頠 1688	颳 1706
閱 1601	𨼍 1625	雞 1633	青 靚 1654	鞀 1664	頡 1688	颮 1706
閾 1601	隯 1625	雨 霂 1642	非 靠 1655	鞋 1664	頦 1688	颸 1706
閫 1601	隰 1625	霄 1642	蜚 1655	鞅 1664	頪 1688	颵 1706

颵 1706	餎 1718	駎 1738	䯏 1756	髩 1766	聵 1782	魳 1788
颫 1706	餆 1718	駖 1738	骳 1756	髿 1766	魄 1782	魫 1788
䬕 1706	餀 1718	駗 1738	骯 1756	髫 1766	鮫 1782	魮 1788
颬 1706	餐 1718	駃 1738	骭 1756	髱 1766	魈 1782	魦 1788
颳 1706	餌 1718	駒 1738	骲 1756	髮 1766	魁 1782	鯊 1788
颭 1706	餕 1718	駝 1738	骸 1756	髳 1766	魆 1782	魳 1788
食 飬 1717	館 1718	駈 1738	骩 1756	髵 1766	魚 魯 1787	魱 1788
餂 1717	首 馘 1732	䮂 1739	骴 1756	髺 1766	魬 1787	魵 1789
餅 1717	䭰 1732	駑 1739	骺 1757	鬂 1766	魬 1787	魶 1789
餉 1717	䭱 1732	駕 1739	骱 1757	髯 1766	魪 1787	魨 1789
餌 1717	䭲 1732	駘 1739	骳 1757	髶 1766	魣 1787	魼 1789
餇 1717	馬 駉 1737	駠 1739	髂 1757	門 鬧 1776	魭 1787	魾 1789
餃 1717	駏 1737	駉 1739	骻 1757	鬯 鬱 1777	鮺 1787	魣 1789
餀 1717	駐 1737	駷 1739	骿 1757	鬲 鬴 1778	魨 1787	魬 1789
餄 1717	駒 1737	駢 1739	高 髚 1763	鬼 魃 1781	魿 1788	魱 1789
餇 1717	駓 1737	駢 1739	髟 髾 1765	魅 1781	魵 1788	魟 1789
餁 1717	駘 1737	駦 1739	髭 1765	魆 1781	魴 1788	魣 1789
餞 1718	駔 1737	駚 1739	髮 1765	魈 1781	魶 1788	魱 1789
養 1718	駙 1738	駣 1739	髲 1765	魁 1782	魰 1788	魮 1789
餈 1718	駛 1738	駕 1739	髶 1766	魌 1782	鮫 1788	魥 1789
餋 1718	駜 1738	駭 1739	髵 1766	魄 1782	魱 1788	鳥 鴋 1811
餡 1718	駟 1738	骨 骲 1756	髶 1766	魂 1782	魣 1788	鴆 1811
餇 1718	駊 1738	骳 1756	髼 1766	魄 1782	魧 1788	鴃 1811
餡 1718	駝 1738	骶 1756	髺 1766	魿 1782	魧 1788	鴉 1811
餕 1718	駈 1738	骷 1756	髳 1766	魁 1782	魫 1788	鴆 1811
餆 1718	駍 1738	骴 1756	髼 1766	魍 1782	魭 1788	鴆 1811
餃 1718	駭 1738	骵 1756	髴 1766	魍 1782	魼 1788	鴇 1812

鴉 1812	鴟 1813	麥 麧 1850	黓 1861	𠌯 77	噢 186	喟 188
𪀖 1812	鴓 1813	麩 1850	䵋 1861	儑 77	噣 187	舙 188
𪀗 1812	鴏 1813	麪 1850	黕 1861	儞 77	噤 187	噟 188
鳺 1812	䲰 1813	麫 1850	䵉 1861	八 冀 87	噥 187	嚭 188
鴀 1812	鴆 1813	麮 1850	黙 1862	冖 冪 92	噦 187	口 圜 198
鳼 1812	鴦 1813	麧 1850	鼎 鼏 1872	冪 92	噪 187	圛 198
鴍 1812	䲳 1813	麨 1850	鼏 1872	冫 凝 95	噫 187	土 墺 221
鳿 1812	鴡 1813	麬 1850	鼏 1872	凞 95	噰 187	墿 221
鴄 1812	鳭 1813	麯 1850	鼠 鼢 1875	刀 劒 111	噶 187	壇 221
鳹 1812	鴘 1813	麫 1850	鼻 鼽 1880	劔 111	噮 187	壊 221
鴧 1812	鳦 1813	麰 1850	龍 龍 1893	劑 111	𡄯 187	壈 221
鴅 1812	鹵 鹵 1842	麧 1850	**16획**	劓 111	噯 187	墽 221
䳄 1812	䴚 1842	麩 1850	龍 龍 1892	劊 111	噠 187	墀 222
鴎 1812	䴚 1842	麪 1850	龜 龜 1894	劐 111	噬 187	墼 222
鳫 1812	鹶 1842	麻 麼 1855	二 亸 28	劅 111	噭 187	墣 222
鳸 1813	䴛 1842	麿 1855	人 儐 76	力 勳 118	噱 187	墤 222
鴌 1813	鹿 麌 1845	麼 1855	儒 76	勶 118	噲 188	墻 222
鴈 1813	麇 1845	麽 1855	儔 76	勹 匑 121	噳 188	壀 222
鳽 1813	麃 1845	麼 1855	儕 76	匔 121	噹 188	壅 222
鴓 1813	麄 1845	黍 黎 1858	儗 76	匸 匴 124	噶 188	墜 222
鴔 1813	麃 1845	黎 1858	儘 76	又 叡 143	噧 188	壏 222
䳘 1813	麗 1845	黏 1858	儛 77	叡 144	噕 188	壃 222
鴊 1813	麗 1845	黏 1859	儓 77	口 器 186	噙 188	壞 222
鳮 1813	麓 1845	黑 黓 1861	儃 77	噩 186	噷 188	壊 222
鴟 1813	麀 1845	䵎 1861	儜 77	嘯 186	噸 188	墾 222
𩿰 1813	麈 1845	默 1861	儖 77	噞 186	噴 188	壂 222
𪀋 1813	麌 1845	黕 1861	儚 77	噲 186	嘳 188	壁 222

部首	字	面	部首	字	面	部首	字	面	部首	字	面	部首	字	面	部首	字	面	部首	字	面
	壉	222		嫛	266		[illegible]	321	弓	彋	363		[illegible]	411		懎	415		操	471
	壅	222		嬖	266		[illegible]	321		彊	363		黙	411		[illegible]	415		擓	471
	壂	222		[illegible]	266		嶲	321	ヨ	[illegible]	365		[illegible]	411		懍	415		擋	471
	臺	222		嬰	266		嶩	321		彝	365		[illegible]	411		憤	415		撽	471
夕	[illegible]	230	子	學	273		[illegible]	321	彡	[illegible]	368		[illegible]	411		[illegible]	415		擐	471
大	奯	238		[illegible]	273		[illegible]	321	彳	徼	375		憓	413		懐	415		[illegible]	471
	[illegible]	238	宀	寰	286		[illegible]	321		徽	375		憶	414	戈	戰	424		擒	471
	奮	239		寯	286		嶴	321		[illegible]	376		憸	414		[illegible]	424		擔	471
	[illegible]	239	寸	導	291		[illegible]	321		[illegible]	376		憹	414		[illegible]	424		擖	471
女	嬙	265		對	291	巾	幨	338	心	[illegible]	410		憺	414		戧	424		擗	471
	嬝	265	尢	[illegible]	295		幧	339		[illegible]	410		憾	414		戲	424		[illegible]	471
	嬒	265		就	295		[illegible]	339		憑	410		懄	414	手	擎	465		據	471
	嬛	265	山	嶪	320		幩	339		憖	410		憷	414		[illegible]	465		[illegible]	471
	嬗	265		嶭	320		[illegible]	339		憗	410		懁	414		擊	465		[illegible]	471
	嬔	265		嶵	320		幦	339		憙	410		懂	415		撻	470		[illegible]	472
	嬐	265		[illegible]	320	幺	[illegible]	343		憨	410		懅	415		撼	470		[illegible]	472
	[illegible]	265		嶧	320	广	廥	353		憝	410		[illegible]	415		撽	470		[illegible]	472
	嬡	265		嶫	320		[illegible]	353		憲	410		懆	415		撾	470		撿	472
	嬓	265		嶦	320		廨	353		[illegible]	411		懈	415		[illegible]	470		[illegible]	472
	[illegible]	265		[illegible]	320		廞	353		[illegible]	411		懊	415		擁	470		[illegible]	472
	[illegible]	265		嶮	320		廧	353		[illegible]	411		懌	415		擂	470		擡	472
	嬭	266		[illegible]	320		廩	353		[illegible]	411		憻	415		擄	470		攜	472
	[illegible]	266		嶰	320		廦	353		[illegible]	411		懍	415		擅	470		擕	472
	嬴	266		嶱	320		[illegible]	353		憩	411		[illegible]	415		[illegible]	470	支	[illegible]	479
	[illegible]	266		嶬	320	廾	[illegible]	357		[illegible]	411		懀	415		擇	470	攴	[illegible]	487
	[illegible]	266		[illegible]	320		[illegible]	357		[illegible]	411		憿	415		[illegible]	471		敼	487
	嫯	266		[illegible]	321		[illegible]	357		[illegible]	411		[illegible]	415		擉	471		整	488

整	488	暼	515	櫑	579	橪	581	權	582	比 𣬛	616	漢	689
㪣	488	曆	515	樾	579	橫	581	橱	582	魯	617	澮	689
𢿏	488	曁	515	檕	579	橰	581	𣘗	582	毛 氆	620	澱	689
敲	488	曣	515	樿	579	橲	581	橆	582	毰	620	濄	689
敳	488	暿	515	橄	579	樍	581	𣚃	582	毻	620	澬	689
㪔	488	曰 朁	520	樻	579	𣟍	581	橐	582	氄	620	澳	689
㪕	488	月 朣	523	橇	579	樣	581	檾	582	氅	620	漌	690
斗 斢	492	木 蕞	577	橈	579	橎	581	樬	582	毲	621	澶	690
斤 斵	494	禁	577	橉	579	橨	581	滅	583	氈	621	澰	690
厮	494	㯡	577	橏	579	橞	581	㯥	583	毵	621	澹	690
方 旚	498	樲	577	橋	579	澌	581	獉	583	氂	621	澼	690
旘	498	檮	577	橑	579	檜	582	欠 歔	600	氂	621	澘	690
日 曇	514	橁	577	橕	580	榼	582	歙	600	水 澩	682	澿	690
曅	514	樴	577	橘	580	橩	582	歜	601	潚	688	澾	690
㬎	514	橅	578	橙	580	橾	582	歕	601	澠	688	濈	690
曌	514	樵	578	橒	580	橺	582	歖	601	澴	688	激	690
暸	514	橃	578	橛	580	檍	582	歘	601	澬	688	澯	690
暾	514	樸	578	檿	580	樕	582	歡	601	澡	688	濁	690
曀	514	檺	578	橝	580	檇	582	止 歷	605	澣	688	澰	690
曈	514	檈	578	機	580	橔	582	歹 殪	610	澤	688	濂	691
暻	514	樹	578	橓	580	檔	582	殨	610	澤	689	澁	691
曉	514	橧	578	橡	580	橏	582	殫	610	澻	689	濃	691
曄	514	機	578	橢	580	檽	582	殩	610	澥	689	濊	691
曃	514	樺	578	𨻳	580	檌	582	殩	610	澧	689	澺	691
曋	514	樽	578	橦	580	橃	582	殳 殿	614	澬	689	濬	691
暹	514	樿	578	樢	581	橊	582	毇	614	澨	689	澹	691
暨	514	櫔	579	橧	581	樑	582	磬	614	澪	689	濋	691

部首	字	面
	濈	691
	漹	691
	濢	691
	濊	691
	澒	691
	濭	691
	澉	692
	濎	692
	澑	692
	澟	692
	澭	692
	澺	692
	漱	692
	澽	692
	澞	692
	澤	692
	激	692
	濸	692
	潑	692
	濆	692
	港	692
	濤	692
	澡	692
	瀏	692
	漏	692
	濖	692
	濰	692
	澷	692
火	燊	724
	𤎼	724
	𩛄	724
	𩚵	724
	餤	724
	𩩓	724
	燅	724
	𤏳	724
	熸	724
	熾	724
	熿	724
	燀	724
	燂	724
	燁	724
	熚	724
	燃	725
	燈	725
	燉	725
	燋	725
	燎	725
	燐	725
	燒	725
	燔	725
	燓	725
	燖	725
	熷	725
	燆	725
	𤏸	725
	燍	726
	燗	726
	燜	726
	𤒦	726
	燏	726
	㶴	726
	熼	726
	燚	726
	燦	726
	熺	726
	燑	726
	𥧌	726
	燙	726
	𤍫	726
	𤎱	726
	𤎏	726
	𤍶	726
	𤎒	726
	焭	726
	𤏙	726
	熹	726
	燕	726
	𤑕	727
爪	爲	733
爻	𤕟	735
爿	𤖂	736
	𤕼	736
片	𤗉	738
牛	犝	745
	𤙾	745
犬	獘	760
	獣	760
	獨	761
	𤢊	762
	獧	762
	獪	762
	獫	762
	獬	762
	獩	762
	獥	762
	𤢰	762
	𤢻	762
	㺚	762
	獦	762
	𤢺	762
	𤢏	762
玉	瑿	780
	𤪊	781
	璐	781
	璜	781
	璞	781
	璟	781
	璠	781
	璣	781
	璚	782
	璘	782
	璡	782
	璙	782
	𤪎	782
	璑	782
	璒	782
	𤩽	782
	璢	782
	𤩲	782
	𤪉	782
	瑢	782
瓜	瓢	787
	𤫫	787
	𤬏	787
瓦	甋	790
	甌	790
	𤮊	790
	甎	790
	𤮐	790
	𤮒	790
	𤭻	790
	𤮗	790
甘	𤮺	792
田	𤳑	802
	𤳄	802
	𤳉	802
	𤳳	802
	𤳁	802
疋	疐	804
	疑	804
疒	瘭	817
	瘯	817
	𤸷	817
	𤹔	817
	癝	817
	瘳	817
	瘴	817
	瘵	817
	瘻	818
	瘼	818
	瘽	818
	瘱	818
	瘲	818
	癉	818
	𤺺	818
	瘶	818
	瘷	818
	癐	818
	癕	818
	𤹉	818
	瘮	818
	瘺	818
	𤹌	818
	𤸗	818
癶	𤼱	824
白	皠	827
	皞	827
	𤾩	827
皮	𥁂	830
	𤿷	830
	皷	830
	皻	830
	𤿾	830
	𤿸	830
	𤿬	830
皿	盥	835
	盦	835
	盧	835
	𥂺	835
	盟	835
	𥃂	835
	𥂯	835
	𥃁	835
目	瞚	853
	瞝	854
	瞞	854
	瞟	854

瞠 854	矢 𥏫 864	磬 879	穡 910	窻 923	篣 949	篙 951
𥌈 854	石 磚 878	磪 879	穖 910	窸 923	篪 949	篛 951
瞡 854	磝 878	𥕇 879	穋 910	窵 923	篕 949	篬 951
𥌃 854	磟 878	磛 879	穗 910	竂 923	篏 949	篢 951
𥌅 854	磂 878	𥔂 880	穋 910	窹 923	篸 950	篬 951
瞙 854	磧 878	磫 880	穮 910	窻 923	篺 950	篇 951
瞛 854	磩 878	𥕐 880	穪 910	窼 923	篁 950	篰 951
𥌇 854	磞 878	示 𥛛 893	穌 910	窯 923	篛 950	篕 951
瞖 854	䃜 878	禪 893	穗 910	窩 923	篟 950	篍 951
瞜 854	磪 878	禰 893	穐 910	窱 923	篡 950	篹 951
瞜 854	䃚 878	禥 893	穦 910	窳 923	篇 950	篡 951
瞶 854	磦 878	𥛹 893	穏 910	立 竟 929	篘 950	篭 951
瞫 854	𥕦 879	𥛰 893	穗 910	竱 929	篧 950	篏 951
瞘 854	𥓂 879	𥜄 893	穎 910	竰 929	篠 950	篠 951
瞘 854	䃌 879	𩓐 893	穈 911	竹 築 948	篛 950	簑 951
瞕 854	磡 879	禦 893	穄 911	篔 948	篘 950	米 糒 974
瞠 855	磜 879	𥜃 893	穉 911	篗 948	簀 950	糈 974
瞸 855	磣 879	𥛎 893	穊 911	篘 948	篜 950	糔 974
瞴 855	磥 879	禓 893	穙 911	篙 948	篠 950	糖 974
瞕 855	𥕏 879	𥜒 893	穀 911	篚 949	篛 950	糗 974
瞝 855	磃 879	禾 穄 909	穴 窵 922	篛 949	篖 950	糕 974
瞗 855	磨 879	穅 909	窫 922	篝 949	篰 950	糗 974
瞖 855	𥔲 879	穆 909	窭 922	篡 949	篠 951	糊 974
瞢 855	磦 879	穇 910	窶 922	篤 949	篥 951	糐 974
𥌒 855	磨 879	穊 910	窸 922	篦 949	篘 951	糘 974
矛 䂆 862	磥 879	積 910	窺 922	篨 949	篡 951	糙 975
𥎝 862	磚 879	𥢝 910	窺 923	篩 949	篕 951	糰 975

糕 975	總 1008	罢 1030	翶 1045	膲 1090	臍 1092	艕 1115
糓 975	緌 1008	罹 1030	翰 1045	膳 1090	膝 1092	艞 1115
糸 縉 1006	縖 1008	罼 1030	翁 1046	膴 1091	𦢁 1092	艒 1115
縉 1006	縵 1008	罺 1030	老 䎍 1049	膬 1091	臛 1092	𦪙 1115
縕 1006	綧 1008	罻 1030	而 䎎 1050	膭 1091	𦡣 1092	𦪍 1115
縊 1006	縧 1008	罷 1030	耒 耨 1053	膪 1091	𦢈 1092	色 䒋 1119
縋 1006	綼 1008	罽 1031	耤 1053	䐺 1091	臯 1092	𦫎 1119
縌 1006	縱 1008	罯 1031	耩 1053	䐣 1091	𦢗 1092	𦫍 1119
縎 1006	縫 1008	䍽 1031	䎙 1053	𦡦 1091	自 臲 1102	𦫓 1119
縐 1006	緻 1008	䍦 1031	耪 1053	䐔 1091	𦤎 1102	𦫒 1119
縑 1006	縠 1008	䍡 1031	耬 1053	膫 1091	臲 1102	艸 藩 1180
縓 1006	縣 1008	罧 1031	耠 1053	𦡽 1091	至 臻 1103	蔽 1180
縒 1007	縢 1008	䍧 1031	耳 𦗒 1059	䐭 1091	臷 1104	蕠 1181
縗 1007	縈 1008	羊 羲 1038	䏃 1059	䐵 1092	臼 𦦝 1106	蔿 1181
縚 1007	縏 1008	羲 1038	䏊 1059	𦞦 1092	舉 1106	蕁 1181
縛 1007	縲 1008	羭 1038	聮 1059	䐷 1092	舙 1107	蕃 1181
縝 1007	縶 1008	羯 1038	𦘶 1059	𦡕 1092	舌 䑙 1109	蕆 1181
縞 1007	縈 1008	羱 1038	聕 1059	膧 1092	舘 1109	蕈 1181
縟 1007	繁 1009	羳 1038	聬 1059	膯 1092	䑛 1109	蕉 1181
縡 1007	繇 1009	羖 1038	聿 𦘫 1064	膂 1092	舓 1109	蕊 1181
緆 1007	縘 1009	羽 翯 1045	肉 膌 1087	膦 1092	舛 䑝 1110	蕋 1181
縨 1007	縩 1009	猼 1045	膂 1088	𦡹 1092	䑞 1110	蕎 1181
縍 1007	縨 1009	獂 1045	膨 1090	𦟌 1092	舟 艗 1114	蕑 1181
緂 1007	缶 罄 1024	翮 1045	膩 1090	膞 1092	艖 1115	蕓 1181
縜 1008	罃 1024	翰 1045	膮 1090	䐡 1092	艘 1115	蕕 1182
緄 1008	䍃 1024	翺 1045	膰 1090	䐿 1092	艙 1115	蕖 1182
縋 1008	网 罵 1030	翱 1045	膱 1090	臑 1092	艗 1115	蕗 1182

蕘 1182
蕙 1182
蕝 1182
蕞 1182
蕠 1182
蕡 1182
蕢 1182
蕣 1182
蕤 1182
蕨 1182
蕩 1182
蕁 1183
蕪 1183
蕒 1183
蕌 1183
蕂 1183
蕿 1183
蕧 1183
蕫 1183
蕛 1183
蕬 1183
蕱 1183
薂 1183
蔦 1183
蕮 1183
薄 1184
蕈 1184
䔲 1184
蔞 1184
蕅 1184
菙 1184
蕜 1184
藹 1184
蕍 1184
蒤 1184
蕨 1184
蕀 1184
蔖 1184
蕑 1184
蕇 1184
蕒 1184
葎 1184
薑 1184
蓷 1185
蔇 1185
蘰 1185
蕐 1185
蕁 1185
蘯 1185
蔭 1185
蕰 1185
藏 1185
蕒 1185
蕣 1185
蕑 1185
蕆 1185
蓏 1185
鞍 1185
蕵 1185
蕎 1185
蕺 1185
蕁 1185
藄 1185
蕭 1185
蕙 1185
蕍 1185
蕔 1185
蕸 1185
蕌 1185
蓩 1185
蕯 1185
蔆 1185
蕣 1186
蕻 1186
蕿 1186
蕟 1186
蕔 1186
蕍 1186
蓓 1186
蕖 1186
蔡 1186
薪 1186
蘢 1186
蘟 1186
䔔 1186
蕦 1186
蕛 1186
蓿 1186
蕹 1186
蓭 1186
藒 1186
蕻 1186
蒸 1186
薁 1186
蕿 1186
蕆 1187
蓓 1187
蘳 1187
蕻 1187
藸 1187
蒤 1187
藙 1187
蓢 1187
蓨 1187
蔸 1187
蕃 1187
蕺 1187
蔍 1187
蔈 1187
蕻 1187
蔎 1187
虍 虤 1216
虦 1216
虢 1216
虘 1216
䖘 1216
虠 1216
虫 螽 1239
螽 1239
蝨 1239
蝹 1239
螂 1239
螃 1239
螇 1239
螄 1239
蝱 1239
螈 1239
螉 1239
螑 1239
螓 1240
螕 1240
螔 1240
螞 1240
螖 1240
螊 1240
螗 1240
螘 1240
螟 1240
螠 1240
螝 1240
螛 1240
蟘 1240
螧 1240
螦 1240
螐 1240
蝙 1240
蟏 1241
蝠 1241
螆 1241
螋 1241
螅 1241
融 1241
蝸 1241
蛺 1241
螣 1241
螒 1241
螌 1241
螙 1241
蝶 1241
蟒 1241
螫 1241
螩 1241
蝨 1241
螭 1241
蟁 1241
螱 1241
螯 1241
螵 1241
蝷 1242
蜤 1242
螇 1242
蝯 1242
螸 1242
蝨 1242
螚 1242
蝳 1242
螺 1242
螏 1242
瘙 1242
蟗 1242
螘 1242
蝁 1242
螢 1242
螚 1242
蟨 1242
血 䘓 1260
衄 1260
蓋 1260
盧 1260

行 衞 1263
衡 1263
衠 1264
衜 1264
衛 1264
衣 褱 1284
褭 1284
褢 1284
褧 1284
褰 1284
褮 1284
褺 1284
褻 1284
襃 1284
髮 1284
褻 1284
褩 1284
褵 1285
褶 1285
褔 1285
褷 1285
褸 1285
褾 1285
襀 1285
襁 1285
襂 1285
襊 1285
褼 1285
褴 1285
複 1285
褹 1285
褿 1285
褳 1285
𧝝 1286
䙜 1286
裺 1286
䙪 1286
襕 1286
褳 1286
襱 1286
褌 1286
襋 1286
襦 1286
襪 1286
襦 1286
襾 覂 1295
覇 1295
見 覦 1299
覩 1300
親 1300
覭 1300
覬 1300
覡 1300
覰 1300
覷 1300
覵 1300
覢 1300
覯 1300
覵 1300
覶 1300
覽 1300
覯 1300
覼 1300
覷 1300
題 1301
覶 1301
覸 1301
覶 1301
覽 1301
角 觲 1309
觰 1309
觹 1309
觵 1309
觸 1309
觷 1309
觶 1309
觹 1309
觴 1309
觷 1309
觿 1309
觶 1309
言 諛 1341
諜 1341
諝 1341
諞 1341
諟 1341
諠 1341
諡 1341
諢 1341
諤 1341
諦 1341
諧 1342
諫 1342
諭 1342
諭 1342
諮 1342
諰 1342
諱 1342
諳 1342
諵 1342
諴 1342
諵 1342
諶 1342
諷 1343
諸 1343
諺 1343
諺 1343
諼 1343
諾 1343
謀 1343
謁 1343
謂 1343
謔 1343
諲 1344
諔 1344
諻 1344
諴 1344
諿 1344
諱 1344
諻 1344
諹 1344
諣 1344
諯 1344
諦 1344
諛 1344
謎 1344
諼 1344
諝 1344
謠 1344
諄 1344
諣 1344
謽 1344
謽 1344
諳 1345
謅 1345
諰 1345
諕 1345
諂 1345
諫 1345
警 1345
諳 1345
諽 1345
諞 1345
諨 1345
諪 1345
諱 1345
諹 1345
諰 1345
諝 1345
諟 1345
諕 1345
諄 1345
諳 1345
謹 1345
諺 1345
諰 1345
諫 1345
諤 1345
謔 1346
請 1346
護 1346
謚 1346
諨 1346
謑 1346
謑 1346
豆 豋 1370
登 1370
豰 1370
豉 1370
豍 1370
豎 1370
豕 豬 1376
豭 1376
豱 1376
豯 1376
豫 1376
豲 1376
豨 1376
豳 1376
豵 1376
豵 1376
豩 1376
豸 貓 1382
貓 1382
貐 1382
貏 1382
貕 1382

貑 1382	賊 1397	趨 1415	踺 1439	踧 1440	輻 1473	輽 1475
貓 1382	賯 1397	趙 1415	踝 1439	蹄 1440	輳 1473	辛 辦 1485
貗 1382	賥 1397	趠 1415	踩 1439	蹤 1440	轗 1474	辨 1485
貕 1382	賟 1397	趯 1415	踻 1439	蹢 1440	輅 1474	辧 1485
貖 1382	賫 1397	趬 1415	踷 1439	蹕 1440	輡 1474	辥 1485
貐 1382	賻 1397	趭 1415	踕 1439	蹍 1440	輝 1474	辪 1485
豬 1383	賧 1397	足 踰 1437	踤 1439	蹔 1441	輮 1474	辟 1485
貑 1383	赤 赮 1403	踳 1437	躊 1439	踹 1441	輜 1474	辝 1485
貝 賭 1396	赬 1404	踵 1438	踖 1439	蹕 1441	輕 1474	辵 遴 1506
賵 1396	赭 1404	踶 1438	踬 1439	身 軀 1457	輭 1474	遲 1506
賰 1396	赯 1404	踸 1438	登 1439	躽 1457	輧 1474	遵 1506
賯 1396	赲 1404	踼 1438	蹬 1440	躹 1458	輼 1474	遶 1506
賴 1396	赫 1404	踽 1438	踱 1440	躺 1458	輱 1474	遷 1507
賴 1396	走 趨 1414	蹀 1438	蹁 1440	躻 1458	輴 1474	選 1507
賷 1396	趙 1414	蹁 1438	踶 1440	躿 1458	輦 1474	遹 1507
賮 1396	趯 1414	蹂 1438	踳 1440	車 輮 1472	輹 1474	遺 1507
賲 1396	趧 1414	踹 1438	蹖 1440	輯 1472	輶 1474	遻 1507
貸 1397	趣 1414	蹄 1438	蹊 1440	輶 1473	輺 1474	遼 1507
賾 1397	趦 1414	踌 1439	蹊 1440	輲 1473	輰 1474	遬 1507
賹 1397	趚 1414	踱 1439	蹓 1440	輳 1473	輩 1474	遼 1507
貥 1397	趛 1414	蹌 1439	蹘 1440	輵 1473	輮 1474	邀 1508
賿 1397	趕 1414	踾 1439	踵 1440	輴 1473	轄 1474	邃 1508
賱 1397	趜 1414	蹅 1439	蹶 1440	輏 1473	轅 1474	邆 1508
賰 1397	趬 1414	踥 1439	蹽 1440	輼 1473	轙 1474	適 1508
賱 1397	趥 1415	踴 1439	踶 1440	輸 1473	輩 1474	避 1508
賳 1397	趒 1415	踴 1439	踸 1440	輸 1473	轄 1474	邅 1508
賭 1397	趥 1415	路 1439	蹂 1440	輹 1473	輽 1475	邆 1508

蓬 1508
遙 1508
邑 䢺 1523
鄆 1523
鄜 1528
鄰 1528
鄵 1528
鄶 1528
鄴 1528
鄗 1528
鄷 1528
鄟 1528
鄠 1528
鄲 1528
酉 醍 1537
醐 1538
醔 1538
醑 1538
醒 1538
醘 1538
酸 1538
䤂 1538
醎 1538
醅 1538
醍 1538
醑 1538

醅 1538
醎 1538
醞 1538
醠 1538
醋 1539
醛 1539
醎 1539
醏 1539
醓 1539
醱 1539
醶 1539
醾 1539
醜 1539
醔 1539
醟 1539
醘 1539
醰 1539
釆 䆊 1546
金 錎 1565
鋸 1565
錧 1565
鋼 1565
錄 1565
録 1566
錆 1566
錏 1566
錐 1566

錑 1566
錕 1566
錔 1566
錘 1566
錙 1566
錚 1566
錠 1566
錞 1566
錟 1566
錡 1567
錢 1567
錣 1567
錥 1567
錦 1567
錫 1567
錮 1567
錯 1567
錧 1567
錤 1568
錍 1568
錭 1568
錊 1568
錜 1568
錩 1568
錇 1568
錈 1568
錧 1568

錍 1568
錗 1568
錭 1568
錶 1568
錬 1568
錛 1568
錁 1568
錪 1568
錗 1569
錋 1569
錺 1569
鋻 1569
錿 1569
錭 1569
鋈 1569
錀 1569
錂 1569
鋫 1569
鍦 1569
錦 1569
鍚 1569
錰 1569
錒 1569
錸 1569
錇 1569
錛 1569
錡 1569

錞 1569
錝 1569
鋥 1569
鍳 1570
錊 1570
錣 1570
錄 1570
錋 1570
鍫 1570
鍪 1570
錰 1570
長 䦃 1593
䦅 1593
䦆 1593
門 閹 1601
閶 1601
閹 1601
閻 1602
閼 1602
闇 1602
閾 1602
閿 1602
闈 1602
闊 1602
闉 1602
闌 1602

䦩 1602
閱 1602
闋 1602
閴 1602
闊 1602
闍 1602
闋 1602
闍 1602
闊 1602
闌 1602
闐 1602
闒 1603
闉 1603
闏 1603
闊 1603
闓 1603
闖 1603
闌 1603
闍 1603
阜 䦹 1616
隧 1625
隨 1625
隩 1625
險 1626
隦 1626
隬 1626

隰 1626
隱 1626
隴 1626
隮 1626
隳 1626
隯 1626
隸 1626
隷 1626
隵 1626
隲 1626
隭 1626
隶 隸 1628
隷 1628
隹 雟 1633
雕 1633
雗 1633
雔 1633
雚 1633
雛 1633
雗 1633
雇 1633
雗 1633
雖 1633
雓 1634
雘 1634
雗 1634
雒 1634

䧿 1634	霰 1644	鞙 1664	韽 1681	頼 1691	颱 1706	餛 1719
雜 1634	霂 1644	鞔 1664	頁 頭 1689	頡 1691	颩 1706	餟 1719
躍 1634	霡 1644	鞕 1664	頮 1689	頪 1691	颰 1706	餐 1720
雗 1634	霘 1644	鞁 1664	頯 1689	頷 1691	颷 1706	餈 1720
雘 1634	霗 1644	鞅 1664	頲 1689	頢 1691	颬 1707	餛 1720
雝 1634	霱 1644	鞙 1664	頰 1689	頫 1691	颴 1707	餑 1720
雓 1634	霆 1644	鞎 1665	頳 1690	頩 1691	颯 1707	餕 1720
雚 1634	霌 1644	鞗 1665	頷 1690	頙 1691	颵 1707	餛 1720
雨 霍 1643	霍 1644	鞏 1665	頸 1690	頦 1691	颸 1707	餐 1720
霎 1643	霋 1644	鞦 1665	頹 1690	頛 1691	颹 1707	餚 1720
霏 1643	霑 1645	鞴 1665	頺 1690	頗 1691	颺 1707	餛 1720
霑 1643	青 靜 1654	鞛 1665	頻 1690	頖 1691	颻 1707	餜 1720
霓 1643	靛 1654	鞘 1665	頵 1690	頢 1691	颼 1707	餟 1720
霖 1643	靘 1654	鞕 1665	頴 1690	頭 1691	颾 1707	餮 1720
霔 1643	面 靦 1657	靳 1665	頋 1690	頜 1691	颽 1707	餅 1720
霋 1644	䩉 1657	鞋 1665	頤 1690	頏 1691	食 餑 1718	餑 1720
黔 1644	䩇 1657	鞊 1665	頿 1690	顂 1691	餧 1719	首 䭿 1732
霒 1644	䩈 1657	韋 韒 1675	顋 1690	頼 1691	餓 1719	香 馞 1733
霐 1644	䩋 1657	韐 1675	頜 1690	頍 1692	餔 1719	馝 1733
䨟 1644	䩌 1658	韍 1675	頣 1690	頗 1692	餕 1719	馠 1733
電 1644	䩍 1658	韛 1675	頤 1690	頹 1692	餖 1719	馬 駢 1739
霙 1644	䩎 1658	韗 1675	頣 1690	頽 1692	餗 1719	駣 1739
霝 1644	䩏 1658	韭 韰 1679	頼 1691	頿 1692	餘 1719	駪 1739
黗 1644	革 鞓 1664	韱 1679	頯 1691	風 颵 1706	餇 1719	駬 1739
黕 1644	鞕 1664	音 韸 1681	頤 1691	颲 1706	餇 1719	駭 1739
霠 1644	鞔 1664	韹 1681	頫 1691	颳 1706	餩 1719	駮 1739
霄 1644	鞘 1664	韶 1681	頋 1691	颸 1706	餟 1719	駰 1740

駱 1740
駴 1740
駩 1740
駤 1740
駛 1740
䮖 1740
駏 1740
駫 1740
駧 1740
駂 1740
獁 1740
䮗 1740
駝 1740
駫 1740
䮳 1740
駛 1740
駯 1740
駲 1741
駗 1741
駒 1741
駽 1741
駉 1741
駵 1741
駹 1741
駚 1741
傌 1741
駯 1741

䮶 1741
駉 1741
駡 1741
骨 骸 1757
骯 1757
骹 1757
骼 1757
骻 1757
骺 1757
骺 1757
骿 1757
骫 1757
髃 1757
骳 1757
骴 1757
骩 1757
骱 1757
高 䯧 1763
髟 髷 1767
髻 1767
髺 1767
髮 1767
髯 1767
髫 1767
髹 1767
髯 1767

鬐 1767
髭 1767
髳 1767
髣 1767
髤 1767
髵 1767
髮 1767
髻 1767
髼 1767
鬥 鬨 1776
鬧 1776
鬯 鬱 1777
鬲 鬳 1778
鬶 1778
鬵 1778
鬳 1778
鬴 1778
鬷 1778
鬹 1778
魚 魼 1789
鮀 1789
鮑 1789
鮃 1789
鮂 1789
魯 1789
鮇 1789
鮎 1790

鮭 1790
鮐 1790
鮑 1790
鮋 1790
鮂 1790
鮗 1790
鮄 1790
鮒 1790
鮓 1790
鮢 1790
鮊 1790
鮅 1790
鮩 1790
鮣 1791
鮁 1791
鮃 1791
鮛 1791
鮒 1791
鮇 1791
鮍 1791
鮢 1791
鮌 1791
鮔 1791
鮆 1791
鮓 1791
鮍 1791
鮔 1791

鮈 1791
鮮 1791
鮋 1791
鮃 1791
鮟 1791
鮭 1791
鮢 1791
鮉 1791
鮕 1791
鮍 1791
鮄 1791
鮒 1791
鮐 1792
罵 1792
鮦 1792
鳥 鴕 1814
鴥 1814
鴪 1814
鴚 1814
鴔 1814
鴂 1814
鴃 1814
鴂 1814
鴝 1814
鴒 1814
鴗 1814
鴎 1814

鴯 1814
鴝 1814
鴡 1814
鴣 1814
鴨 1814
鴨 1814
鴞 1815
鴘 1815
鴩 1815
鴠 1815
鴖 1815
鴕 1815
鴗 1815
鴩 1815
鴻 1815
鴳 1815
鴦 1815
鴦 1815
鴐 1815
鴬 1815
鴐 1815
鴚 1815
鴝 1815
鴛 1815
鴣 1815
鴡 1816
鴬 1816

鴭 1816
鴱 1816
鴸 1816
鴓 1816
鴎 1816
鴭 1816
鴏 1816
鴦 1816
鴰 1816
鴚 1816
鴳 1816
鴮 1816
鴻 1816
鴽 1816
鴭 1816
鴓 1816
鴾 1816
鴎 1816
鴦 1816
鴝 1817
鴈 1817
鴖 1817
鴏 1817
鴱 1817
鹵 鹹 1842
鹹 1842
鹼 1842

[illegible] 1842
[illegible] 1843
鹿 麋 1845
[illegible] 1845
[illegible] 1845
[illegible] 1845
[illegible] 1845
[illegible] 1845
[illegible] 1845
[illegible] 1845
麥 麮 1850
麭 1850
麱 1850
[illegible] 1850
[illegible] 1850
[illegible] 1850
[illegible] 1850
[illegible] 1850
[illegible] 1850
[illegible] 1851
[illegible] 1851
[illegible] 1851
[illegible] 1851
麻 [illegible] 1855
[illegible] 1855
[illegible] 1855
[illegible] 1855
黃 [illegible] 1856
[illegible] 1857
[illegible] 1857
[illegible] 1857
[illegible] 1857
黍 [illegible] 1859
[illegible] 1859
[illegible] 1859
[illegible] 1859
[illegible] 1859
[illegible] 1859
[illegible] 1859
黑 黔 1861
[illegible] 1861
[illegible] 1861
[illegible] 1862
[illegible] 1862
默 1862
[illegible] 1862
[illegible] 1862
[illegible] 1862
[illegible] 1862
[illegible] 1862
[illegible] 1862
[illegible] 1862
黹 黺 1870
鼎 鼒 1873
鼏 1873
[illegible] 1873
[illegible] 1873
[illegible] 1873
鼓 鼕 1873
鼠 [illegible] 1875
[illegible] 1876
[illegible] 1876
[illegible] 1876
鼻 鼽 1880
[illegible] 1880
[illegible] 1880
齊 齋 1882
齒 齔 1884

17획

龠 龠 1895
人 償 77
儡 77
儦 77
優 77
儥 78
[illegible] 78
儩 78
儤 78
[illegible] 78
[illegible] 78
儢 78
儌 78
儇 78
[illegible] 78
儧 78
刀 劌 111
力 勵 118
勴 118
勳 118
[illegible] 118
匚 匵 124
又 [illegible] 144
口 嚀 188
嚂 188
[illegible] 188
嚄 188
嚅 189
嚁 189
[illegible] 189
嚆 189
嚇 189
嚌 189
嚈 189
嚊 189
[illegible] 189
嚔 189
嚎 189
嚐 189
嚧 189
嚶 189
土 壎 222
壏 222
壒 223
壔 223
壕 223
[illegible] 223
[illegible] 223
[illegible] 223
壖 223
壑 223
壓 223
壍 223
壐 223
[illegible] 223
大 奭 239
女 嬪 266
嬥 266
嬩 266
嬬 266
[illegible] 266
嬭 266
嬳 266
嬣 267
嬯 267
[illegible] 267
嬲 267
嬴 267
[illegible] 267
嬰 267
嬮 267
子 孺 273
孻 273
宀 [illegible] 286
[illegible] 286
尢 尷 295
尸 屨 301
山 嶷 321
嶺 321
嶽 321
[illegible] 321
嶻 321
嶾 321
[illegible] 321
嶸 321
[illegible] 321
嶼 321
[illegible] 322
[illegible] 322
巛 [illegible] 325
巾 [illegible] 339
幪 339
[illegible] 339
幬 339
[illegible] 339
[illegible] 339
[illegible] 339
幫 339
广 [illegible] 353
廯 353
弓 彌 363
彐 [illegible] 365
彳 徽 376
[illegible] 376
[illegible] 376
[illegible] 376
心 懃 413
懇 413
[illegible] 414
憼 414
應 414
懋 414
[illegible] 414
[illegible] 414
懜 416
懠 416
懢 416
懤 416
懥 416
懦 416
[illegible] 416

懤 416	擬 473	曐 515	檜 584	檕 585	水 濌 688	濰 695
懬 416	擸 473	㬥 515	機 584	檗 585	澩 688	濭 695
懞 417	擭 473	[illegible] 515	檟 584	檘 586	濔 692	濱 695
懝 417	擯 473	[illegible] 515	橾 584	橐 586	濕 692	濙 695
懙 417	擱 473	曒 515	檢 584	檠 586	濘 693	濜 695
燐 417	擰 473	曖 515	檑 584	檄 586	濛 693	濢 695
戈 戲 424	擖 473	曔 515	檣 584	欠 歛 601	濦 693	[illegible] 695
戴 424	擤 473	曣 515	檥 584	歜 601	濞 693	[illegible] 695
鹹 425	擨 473	曦 515	檞 584	歔 601	濟 693	[illegible] 695
戱 425	[illegible] 473	㬓 515	[illegible] 585	歗 601	濠 693	[illegible] 695
[illegible] 425	摷 473	曙 515	檦 585	歖 601	濡 693	[illegible] 695
手 擊 469	攑 473	木 [illegible] 583	[illegible] 585	[illegible] 601	濱 693	[illegible] 695
擘 470	擈 473	橿 583	㯚 585	歟 601	濤 693	[illegible] 695
擎 470	[illegible] 473	[illegible] 583	檓 585	[illegible] 601	[illegible] 694	[illegible] 695
擧 470	攴 斁 488	橚 583	[illegible] 585	止 [illegible] 605	濩 694	濶 695
擊 470	[illegible] 488	檀 583	[illegible] 585	[illegible] 605	濲 694	[illegible] 695
[illegible] 470	斂 488	檄 583	檩 585	歹 殭 610	[illegible] 694	[illegible] 695
擠 472	[illegible] 488	[illegible] 583	[illegible] 585	殮 611	[illegible] 694	[illegible] 696
擥 472	斀 488	檇 583	[illegible] 585	殬 611	[illegible] 694	濳 696
擫 472	厳 488	檉 583	[illegible] 585	[illegible] 611	[illegible] 694	火 營 727
擡 472	斗 斣 492	檎 583	檡 585	[illegible] 611	濫 694	[illegible] 727
擢 472	斢 492	檐 583	[illegible] 585	[illegible] 611	濬 694	燮 727
擣 473	斤 斶 494	檍 583	檏 585	殳 [illegible] 614	濧 694	[illegible] 727
[illegible] 473	斵 494	檔 584	[illegible] 585	比 毚 617	濴 694	[illegible] 727
擦 473	方 旚 498	檖 584	[illegible] 585	毛 [illegible] 621	[illegible] 694	燠 727
擐 473	日 曏 515	檛 584	[illegible] 585	氈 621	濮 694	燥 727
擩 473	曑 515	檈 584	檃 585	氏 [illegible] 622	濯 694	燦 727

燧 727
燹 727
燬 727
燭 728
熝 728
燣 728
燪 728
燡 728
燴 728
熸 728
燦 728
爽 728
燹 728
熬 728
爪 爵 733
𤕐 733
爿 牆 736
片 牒 738
𤗿 738
牛 𤛓 745
𤛿 745
犠 745
犬 獻 761
獸 761
獮 762
獯 762
獰 762
獱 762
獲 763
獳 763
𤢖 763
獴 763
𤢳 763
獜 763
獵 763
玉 璗 781
璱 782
璪 782
璅 782
璫 782
環 783
璲 783
璯 783
璬 783
𤩪 783
璥 783
璩 783
璭 783
璦 783
𤪷 783
𤩰 783
璙 783
𤪚 783
瓦 𤭻 790
甑 790
甒 790
甏 790
甎 790
甅 790
甘 甞 792
生 甠 793
田 疄 802
黈 802
疃 802
𤳳 802
疒 療 818
癎 818
癄 819
癃 819
癆 819
癘 819
癇 819
癑 819
癈 819
癉 819
癌 819
𤺪 819
癓 819
𤻐 819
癀 819
𤺺 819
𤸷 819
癗 819
瘺 819
瘯 820
癁 820
癅 820
𤻌 820
白 皤 827
皣 827
皞 827
皢 827
皫 827
皿 盩 835
盪 835
盨 835
盫 836
𥂢 836
盬 836
目 瞤 855
瞧 855
瞪 855
瞫 855
瞬 855
瞸 855
瞱 855
𥈤 855
𥉛 855
𥌐 856
瞭 856
瞷 856
𥋆 856
瞯 856
瞷 856
瞰 856
𥊑 856
𥌑 856
瞦 856
瞲 856
瞳 856
瞵 856
瞶 856
𥌃 856
𥊾 856
瞴 856
𥌠 857
𥅽 857
𥉃 857
𥉜 857
瞠 857
瞥 857
矛 矡 862
𥏗 862
矢 矯 864
矰 864
石 磯 880
磲 880
磶 880
磴 880
磅 880
𥕄 880
𥕞 880
磷 880
磻 880
磼 880
磽 880
𥗽 880
磨 880
磹 880
礁 880
礂 881
𥗦 881
磺 881
礆 881
碉 881
磳 881
𥕞 881
礐 881
磿 881
礀 881
示 禧 893
禨 893
禪 893
禫 894
𥛱 894
𥜃 894
𥛚 894
禩 894
𥜄 894
禫 894
禀 894
禦 894
𥜖 894
禾 穉 911
穗 911
穜 911
穖 911
穚 911
穛 911
穮 911
穙 911
𥣪 911
積 912
穧 912
𥣔 912
穴 窾 923
窺 923
竉 923
窿 923

䆿 924	簇 952	𥳯 954	糒 975	縴 1010	縶 1012	翳 1046
竳 924	簈 953	𥳸 954	糢 975	縵 1010	縻 1012	蓊 1046
䆮 924	簉 953	𥴇 954	糚 975	縷 1010	𦅃 1012	𦒎 1046
䆽 924	𥳐 953	𥳖 954	糐 975	縸 1010	繁 1012	𦒀 1046
𥨾 924	䈽 953	䉃 954	𥻷 975	縹 1010	繄 1012	耒 耬 1053
窺 924	𥴦 953	䈺 954	𥻻 975	縺 1010	缶 罅 1024	䎱 1053
窾 924	䈴 953	𥳕 954	𥻦 975	縷 1010	罆 1024	𦔃 1053
𥨸 924	𥴏 953	篰 954	𥻳 975	總 1010	罄 1024	𦔄 1053
𥨊 924	篴 953	篱 954	𥼛 976	績 1011	𦉝 1024	䎲 1053
立 竲 929	篕 953	篶 954	𥻚 976	縿 1011	𦉠 1024	耳 聯 1059
𥫀 929	䈹 953	𥴤 955	𥼎 976	𦆂 1011	网 𦋺 1030	聰 1060
𥪝 929	𥳢 953	簒 955	𥼓 976	繂 1011	䍜 1030	䏇 1060
𥫃 929	䉀 953	𥳙 955	𥻜 976	繃 1011	罽 1031	𦗖 1060
竹 篿 951	䈲 953	䈏 955	糜 976	繅 1011	罾 1031	聱 1060
篠 951	𥳭 953	𥳞 955	𥹬 976	繆 1011	罿 1031	聲 1060
篳 951	篵 953	篽 955	𥼗 976	繈 1011	𦋲 1031	聳 1060
篷 952	𥴢 953	𥳠 955	𥼶 976	縩 1011	𦋆 1031	𦗨 1060
𥳓 952	𥳿 953	簷 955	糸 縪 1009	䌫 1011	𦋶 1031	𦗀 1060
篸 952	䈵 953	簫 955	縫 1009	𦅇 1011	罼 1031	𦗐 1060
篺 952	䉊 953	米 糞 975	縭 1009	縼 1011	麗 1031	𦗕 1060
篻 952	𥴨 954	糙 975	縮 1009	𦆊 1012	羊 𦏹 1038	𦗓 1060
篼 952	篗 954	糝 975	縯 1009	𦆆 1012	𦏵 1038	䏍 1060
篾 952	䉎 954	糟 975	縰 1009	𦅈 1012	𦏸 1038	𦗛 1061
簣 952	簏 954	糠 975	𦅗 1009	𦅶 1012	𦏼 1038	𦗚 1061
䈰 952	䉓 954	𥻿 975	縱 1009	繊 1012	羽 翼 1046	𦗺 1061
簂 952	𥴫 954	𥻮 975	縲 1010	䋶 1012	翲 1046	聴 1061
簃 952	𥴀 954	䊤 975	縛 1010	繇 1012	翻 1046	肉 膷 1093

䐹 1093	䑗 1095	蕼 1187	薦 1190	舊 1191	蒟 1192	𦿃 1193
膻 1093	𦢊 1095	蕾 1187	薨 1190	蕚 1191	蕽 1192	𦽾 1193
膽 1093	膸 1095	蕰 1187	薧 1190	藎 1191	𦿓 1192	𦾫 1193
膾 1093	𦡮 1095	薁 1188	薪 1190	藍 1191	𧀐 1192	𧀠 1193
膿 1093	膱 1095	薄 1188	薉 1190	𧁡 1191	𦾲 1192	𦽻 1193
臃 1093	𦢅 1095	薄 1188	薍 1190	𦾧 1191	薏 1192	𧁫 1193
臄 1093	臣 臨 1100	薇 1188	𧁷 1190	𦾬 1191	𦿙 1192	藁 1193
臅 1093	臩 1100	薈 1188	𧂄 1190	薬 1192	蕍 1192	𧀾 1193
臆 1093	自 臲 1102	薆 1188	𦽉 1190	藥 1192	𧀚 1192	虍 虨 1216
臉 1094	𦤃 1102	薊 1188	薋 1190	孽 1192	𧂓 1193	虧 1216
臊 1094	𪃐 1102	薌 1188	薠 1190	𦿆 1192	𧁋 1193	虫 𧐢 1242
臇 1094	至 𦤺 1104	薏 1188	蕸 1190	薉 1192	𧃍 1193	䗥 1242
膸 1094	舌 𦧲 1109	薐 1189	蕶 1190	蕿 1192	𦿐 1193	蝨 1242
臏 1094	舟 艚 1115	薑 1189	𦾔 1191	薗 1192	𦿔 1193	蟁 1242
臁 1094	艛 1115	蔆 1189	薡 1191	𦾍 1192	𧁪 1193	𧑗 1243
臌 1094	䑽 1115	薔 1189	𧁌 1191	蘁 1192	蔽 1193	蟊 1243
䑃 1094	𦪈 1115	薖 1189	𧀷 1191	𦾑 1192	𦼍 1193	螬 1243
臈 1094	𦪯 1115	薘 1189	𦼡 1191	𦿧 1192	𧀟 1193	螭 1243
膷 1094	𦪖 1115	薙 1189	𦾡 1191	薰 1192	𦾨 1193	螮 1243
膝 1094	𦪋 1115	薵 1189	薕 1191	蕳 1192	蘞 1193	螳 1243
膺 1094	𦪷 1115	薃 1189	蕹 1191	𦽯 1192	蕎 1193	螵 1243
臂 1094	𦫃 1115	薛 1189	𦼫 1191	𦿆 1192	蘋 1193	螺 1243
臀 1094	艮 艱 1118	薜 1189	藙 1191	𦿏 1192	𦿕 1193	螻 1243
臋 1094	艸 𦽍 1187	薝 1189	蕵 1191	蘈 1192	𧂘 1193	螲 1243
臗 1095	蔶 1187	𦾧 1189	薚 1191	薣 1192	蘊 1193	螾 1243
腡 1095	蕭 1187	薢 1189	𧂈 1191	𦿮 1192	𧃂 1193	蟀 1243
𦢨 1095	蘵 1187	薤 1190	𩋦 1191	蔎 1192	𦾹 1193	蟈 1243

蟉 1243	[illegible] 1245	[illegible] 1264	[illegible] 1288	[illegible] 1301	講 1347	[illegible] 1349
蟋 1243	螫 1245	衣 褻 1286	襈 1288	[illegible] 1301	謝 1347	[illegible] 1349
蟌 1244	螿 1245	襄 1286	[illegible] 1288	親 1301	謞 1347	[illegible] 1349
蟆 1244	蟄 1245	[illegible] 1286	[illegible] 1288	角 觲 1309	謟 1347	[illegible] 1349
蟇 1244	䗪 1245	[illegible] 1286	[illegible] 1288	[illegible] 1309	謠 1347	[illegible] 1349
蟂 1244	螢 1245	褽 1286	[illegible] 1288	[illegible] 1310	謓 1348	[illegible] 1349
螐 1244	[illegible] 1245	[illegible] 1286	[illegible] 1288	[illegible] 1310	謜 1348	[illegible] 1349
蟟 1244	[illegible] 1245	[illegible] 1286	[illegible] 1288	[illegible] 1310	謉 1348	[illegible] 1349
螺 1244	[illegible] 1245	[illegible] 1286	襘 1288	[illegible] 1310	謕 1348	[illegible] 1349
蟃 1244	[illegible] 1245	[illegible] 1286	[illegible] 1288	[illegible] 1310	[illegible] 1348	[illegible] 1349
[illegible] 1244	[illegible] 1245	襋 1287	[illegible] 1288	[illegible] 1310	[illegible] 1348	謒 1349
[illegible] 1244	[illegible] 1245	襌 1287	[illegible] 1288	[illegible] 1310	謣 1348	[illegible] 1349
螱 1244	蟪 1245	襏 1287	襎 1288	觳 1310	謿 1348	[illegible] 1349
螪 1244	[illegible] 1245	襓 1287	[illegible] 1288	[illegible] 1310	謌 1348	[illegible] 1349
蟅 1244	[illegible] 1245	襒 1287	[illegible] 1288	言 謅 1346	謊 1348	諸 1349
螷 1244	蟭 1245	襐 1287	西 [illegible] 1295	[illegible] 1346	謹 1348	[illegible] 1349
[illegible] 1244	[illegible] 1246	[illegible] 1287	[illegible] 1295	[illegible] 1346	謄 1348	[illegible] 1349
螰 1244	[illegible] 1246	襉 1287	見 覬 1301	謎 1346	謄 1348	[illegible] 1349
蟦 1244	蟤 1246	[illegible] 1287	覯 1301	謏 1346	謇 1348	[illegible] 1349
螼 1244	[illegible] 1246	襑 1287	覭 1301	謐 1346	謈 1348	谷 豀 1367
螹 1244	[illegible] 1246	襊 1287	覰 1301	謑 1346	謍 1348	谿 1367
[illegible] 1244	[illegible] 1246	襀 1287	[illegible] 1301	謖 1346	謷 1348	[illegible] 1367
蟒 1245	[illegible] 1246	[illegible] 1287	[illegible] 1301	謗 1346	謯 1348	豁 1367
[illegible] 1245	[illegible] 1246	襆 1287	[illegible] 1301	[illegible] 1347	謫 1348	[illegible] 1368
[illegible] 1245	[illegible] 1246	襍 1287	[illegible] 1301	謙 1347	[illegible] 1349	豆 豏 1370
螌 1245	血 [illegible] 1260	[illegible] 1287	[illegible] 1301	謙 1347	[illegible] 1349	[illegible] 1370
[illegible] 1245	行 [illegible] 1264	[illegible] 1288	[illegible] 1301	謚 1347	[illegible] 1349	豐 1370

豎 1370	賽 1398	⿺走婁 1416	⿰足高 1442	⿰身豈 1458	⿰車桑 1476	⿺辶冒 1509
⿰豆柬 1370	賷 1398	⿺走䍃 1416	⿰足禹 1442	車 輿 1475	⿰車扇 1476	⿺辶曼 1509
⿰豆登 1371	贄 1398	⿺走秦 1416	⿰足臭 1442	輾 1475	⿰車乘 1476	⿺辶會 1509
⿰豆留 1371	⿱豈貝 1398	⿺走疾 1416	⿰足恩 1442	轀 1475	⿰車鳥 1476	邑 ⿰耕阝 1528
豍 1371	⿰分責 1398	⿺走差 1416	蹝 1442	轄 1475	⿰車茸 1476	⿰夢阝 1528
豕 豳 1376	⿰貝員 1398	⿺走豈 1416	⿰月是 1442	轄 1475	⿰車容 1476	鄰 1528
豯 1377	賹 1398	⿺走留 1416	蹘 1442	轅 1475	⿰車殷 1476	⿰買阝 1529
豲 1377	⿱𡨄貝 1398	⿺走晉 1416	⿰足毘 1442	轃 1475	⿰車建 1476	⿰壽阝 1529
⿰豕冥 1377	賣 1398	足 蹈 1441	⿰足辟 1442	⿰車晉 1475	⿰車旁 1477	鄹 1529
豱 1377	⿰貝昬 1398	蹉 1441	⿰足蚤 1442	⿰車侖 1475	⿰車圂 1477	⿰鼻阝 1529
⿹𣪊豕 1377	⿱敄貝 1398	蹊 1441	⿰足窊 1442	⿰車䍃 1475	⿰車鬼 1477	酉 醜 1539
豢 1377	⿰貝眞 1398	蹋 1441	⿰足茸 1443	⿰車眞 1475	⿰車馬 1477	醝 1539
[illegible] 1377	贅 1398	蹌 1441	⿰足臬 1443	轂 1476	辛 ⿱辟廾 1485	醞 1539
⿰豕舌 1377	賢 1398	蹍 1441	⿰足桀 1443	⿱𤇾車 1476	⿰辛兼 1485	醡 1539
⿰豕氣 1377	赤 ⿰赤唐 1404	⿸屖足 1441	⿺疋婁 1443	⿱羊車 1476	⿱辟力 1485	醢 1539
豸 貔 1383	⿹𣪊赤 1404	蹎 1441	蹀 1443	⿰車盍 1476	辵 ⿺辶首 1505	醘 1540
貕 1383	⿰赤余 1404	蹏 1441	⿰足冞 1443	⿰車冥 1476	遽 1508	⿰酉監 1540
⿰豸益 1383	⿰赤畜 1404	蹐 1441	躅 1443	⿰車高 1476	避 1508	⿰酉迷 1540
⿰豸員 1383	走 趨 1415	⿰足旁 1441	⿰足畜 1443	⿱畐車 1476	邀 1508	⿰酉冢 1540
⿰豸弱 1383	⿺走虘 1415	⿰足唐 1441	⿰足退 1443	⿰車叚 1476	邁 1508	⿰酉鬲 1540
⿰豸原 1383	⿺走鳥 1415	跨 1442	⿰足員 1443	⿰車唐 1476	邂 1508	⿰酉茸 1540
貝 賺 1397	⿺走臭 1415	⿰足荅 1442	身 ⿰身郎 1458	轁 1476	還 1508	⿰酉耆 1540
賻 1397	⿺走虒 1415	⿰足䍃 1442	⿰身毘 1458	⿰車冒 1476	邅 1509	醫 1540
購 1397	⿺走眞 1415	⿰足殷 1442	⿰身甹 1458	⿰車鬲 1476	⿺辶巠 1509	⿱𣪊酉 1540
賶 1398	⿱𡨄走 1415	⿰足聂 1442	⿰身門 1458	⿰車留 1476	⿺辶業 1509	⿰酉盍 1540
賸 1398	⿺走戢 1416	⿱般足 1442	⿰身骨 1458	⿰車栗 1476	⿺辶羨 1509	⿰酉旁 1540
賾 1398	⿺走素 1416	蹇 1442	⿰身翁 1458	轉 1476	⿺辶登 1509	⿰酉桑 1540

醙 1540
醴 1540
醎 1540
醫 1540
醛 1540
醉 1540
輶 1540
采 釋 1546
里 釐 1548
金 錨 1570
鍇 1570
鍉 1570
鍊 1570
鍋 1570
鍍 1570
鍐 1570
鍑 1570
鍢 1570
鉸 1571
鎊 1571
鍚 1571
鍛 1571
鍜 1571
鍠 1571
鍤 1571
鍥 1571
鍦 1571

鍧 1571
鍭 1571
鍮 1571
鍰 1571
鍱 1571
鍵 1571
鍼 1572
鍾 1572
鍣 1572
鍒 1572
鍹 1572
鍖 1572
鍕 1572
鍯 1572
鍬 1572
鍪 1572
鍈 1572
鍝 1572
鍘 1572
鍡 1572
鍿 1572
鍗 1572
鍄 1572
鍓 1572
鍪 1573
鎏 1573
鍳 1573

鍻 1573
鍘 1573
鍪 1573
鍞 1573
鍝 1573
鍨 1573
鍷 1573
鍲 1573
鍴 1573
鍵 1573
鍥 1573
鍎 1573
鍺 1573
鍫 1573
鍹 1573
鍉 1573
鍶 1573
鍬 1573
鍭 1573
鍾 1573
鍱 1573
鍏 1573
鍣 1574
鍙 1574
鍩 1574
鍗 1574
鍯 1574

鍸 1574
鎣 1574
鍺 1574
長 镻 1593
鍃 1593
鍚 1593
門 闃 1603
闇 1603
闈 1603
闉 1603
闊 1603
闋 1603
闌 1604
闍 1604
闒 1604
闔 1604
闖 1604
闐 1604
闓 1604
闑 1604
闕 1604
闗 1604
闘 1604
闙 1604
闚 1604
闛 1604

闍 1604
闎 1604
闃 1604
闋 1604
闉 1604
闐 1604
闘 1605
闛 1605
闝 1605
闟 1605
闠 1605
闡 1605
阜 阝 1619
隮 1626
隰 1626
隱 1626
隲 1627
隳 1627
隴 1627
隵 1627
隶 1627
隷 1627
隸 1627
隶 隸 1628
隷 1628
隹 雖 1634
雘 1634

雖 1634
雝 1634
雞 1634
雛 1634
雜 1634
雟 1634
雚 1634
雔 1634
雕 1634
雖 1634
雗 1634
雛 1634
雜 1634
雝 1634
雟 1634
雡 1635
翟 1635
雤 1635
雨 霙 1645
霜 1645
霞 1645
霡 1645
霩 1645
霪 1645
霫 1645
霬 1645
霭 1645

霖 1645
霧 1645
霣 1645
霤 1645
霥 1645
霦 1645
霧 1645
霨 1646
霧 1646
霩 1646
霪 1646
霫 1646
霬 1646
霭 1646
青 靚 1654
面 靧 1658
靦 1658
靨 1658
靪 1658
靫 1658
革 鞚 1665
鞜 1665
鞞 1665
鞠 1665
鞡 1665
鞫 1665
鞬 1665

鞥 1666	䪝 1676	䫑 1693	䬚 1707	餤 1721	餺 1722	駿 1742
䪊 1666	䪠 1676	傾 1693	颸 1707	餦 1721	餣 1722	騁 1742
䩵 1666	䪡 1676	䫤 1693	䬛 1707	餧 1721	䭘 1722	騂 1742
鞛 1666	䪛 1676	䫥 1693	䬖 1707	館 1721	䭏 1722	騃 1742
䩬 1666	䪟 1676	頻 1693	颫 1707	館 1721	䭊 1722	騀 1742
䩩 1666	䪚 1676	顃 1693	颷 1707	䬿 1721	餾 1722	䮑 1742
鞟 1666	韭 䪥 1679	䫡 1693	䬞 1707	䭃 1721	䭎 1722	䮒 1742
䩹 1666	韱 1679	䫠 1693	䬡 1707	䬸 1721	䭑 1722	駺 1742
䩽 1666	音 韽 1681	䫩 1693	䬠 1707	餢 1721	䭕 1722	䮍 1742
䩞 1666	頁 䫐 1692	䫦 1693	䬢 1708	䬼 1721	䭖 1722	駬 1742
䩶 1666	頢 1692	䫳 1693	䬣 1708	餜 1721	首 馘 1732	䮀 1742
䩱 1666	顁 1692	䫫 1693	䬤 1708	䬵 1721	香 䭳 1733	駶 1742
䩻 1666	顄 1692	䫶 1693	䬥 1708	䬺 1721	䭴 1733	䮝 1742
鞉 1666	顆 1692	䫵 1693	䬦 1708	䭌 1721	䭵 1733	䮁 1742
䩷 1666	頩 1692	頻 1693	䬧 1708	餚 1721	䭶 1733	騡 1743
䩐 1666	䫛 1692	䫮 1693	䬨 1708	䭛 1722	䭷 1733	䮊 1743
䩘 1666	頷 1692	䫭 1694	䬩 1708	䭔 1722	馡 1733	駱 1743
鞝 1666	䪾 1692	頜 1694	䬪 1708	䭓 1722	馣 1733	䮙 1743
䩨 1666	顉 1692	䫨 1694	䬫 1708	餳 1722	馬 䮃 1741	䮡 1743
䩴 1666	顊 1692	䫲 1694	䬬 1708	餋 1722	䮂 1741	䮠 1743
䩺 1666	䫏 1692	䫯 1694	䬭 1708	䭩 1722	駷 1741	䮞 1743
䪁 1666	䫖 1693	頸 1694	飛 䬰 1712	䭆 1722	䮘 1741	骨 䯋 1758
韋 韔 1675	䫓 1693	䫱 1694	食 餛 1720	䭈 1722	駹 1741	䯎 1758
䪜 1675	䫗 1693	䫰 1694	餞 1720	䭝 1722	駻 1741	骾 1758
韓 1675	䫆 1693	風 颶 1707	餟 1720	䭉 1722	駼 1741	䯇 1758
䪙 1675	頼 1693	颼 1707	餅 1721	䭒 1722	駽 1742	䯊 1758
韏 1675	䫢 1693	䬘 1707	餡 1721	䭐 1722	駾 1742	䯐 1758

䯊 1758	䴺 1778	魧 1793	鵄 1817	鴭 1819	鴄 1820	黏 1859
䯞 1758	鬼 魈 1782	鮢 1793	鴩 1817	戴 1819	𪁁 1820	䵑 1859
䯝 1758	魁 1782	鮣 1793	鴹 1817	鳶 1819	鹵 鹹 1843	黏 1859
䯛 1758	魽 1782	鮊 1793	鴯 1817	鴐 1819	鹿 麊 1845	粲 1859
䯕 1758	魊 1783	鮥 1793	鴴 1817	鴑 1819	麓 1846	黎 1859
䯘 1758	魏 1783	鮠 1793	鴺 1817	鴑 1819	麋 1846	黎 1859
䯙 1758	魏 1783	鮘 1793	鴮 1817	鵿 1819	麈 1846	黎 1859
髟 髿 1768	魏 1783	鮆 1793	鴻 1817	鴵 1819	麐 1846	黎 1859
鬂 1768	魚 鮚 1792	鮤 1793	鴸 1817	鴭 1819	麄 1846	黑 黜 1862
髾 1768	鮞 1792	鮝 1793	鴿 1818	鵅 1819	麏 1846	黝 1862
鬇 1768	鮋 1792	鮭 1793	鴱 1818	鵊 1819	麊 1846	點 1862
鬀 1768	鮑 1792	鮔 1793	鵂 1818	鵃 1819	麃 1846	黈 1862
鬁 1768	鮨 1792	鮃 1793	鵀 1818	蟡 1819	麔 1846	黖 1863
鬙 1768	鮩 1792	鮗 1793	鵃 1818	鶌 1819	麖 1846	黚 1863
鬂 1768	鮪 1792	鮤 1793	鴰 1818	鴼 1819	麥 麰 1851	黛 1863
鬊 1768	鮫 1792	鮷 1793	鵖 1818	鳶 1819	麯 1851	黙 1863
鬃 1768	鮭 1792	鮋 1794	鵙 1818	鵅 1819	麲 1851	黕 1863
鬆 1768	鮬 1792	鮘 1794	鴶 1818	鴝 1819	麳 1851	黔 1863
鬈 1768	鮮 1792	鮀 1794	鵏 1818	鵔 1819	麴 1851	黚 1863
鬅 1768	鮮 1792	鮏 1794	鴸 1818	鵊 1819	麵 1851	黹 黻 1870
鬉 1768	鮔 1792	鮙 1794	鵇 1818	鵒 1819	麶 1851	黽 黿 1871
鬆 1768	鮧 1793	鮯 1794	鵅 1818	鳹 1820	麻 麼 1855	鼓 鼕 1873
鬐 1768	鮟 1793	鮰 1794	鵊 1818	鴄 1820	麻朱 1855	鼙 1873
鬖 1768	鮦 1793	鮜 1794	鵏 1818	鴦 1820	黃 黇 1857	鼠 鼤 1876
鬌 1768	鮇 1793	鳥 鳿 1817	鴿 1818	鵍 1820	黈 1857	鼣 1876
門 鬪 1766	鮛 1793	鴲 1817	鴐 1818	鴭 1820	黇 1857	鼢 1876
鬲 鬴 1778	鮡 1793	鵁 1817	鳶 1818	鵓 1820	黍 黏 1859	鼢 1876

⿰鼠巴 1876
⿰鼠方 1876
⿰鼠幵 1876
⿰鼠元 1876
⿰鼠月 1876
⿰鼠兀 1876
鼻 ⿰鼻欠 1880
⿰鼻刀 1880
⿰鼻几 1880
鼾 1880
齊 齋 1882
齎 1883
⿰山齊 1883
⿸广齊 1883
懠 1883
齒 齔 1884
⿰齒十 1884
⿰齒八 1884
齡 1885
龜 [illegible] 1894
[illegible] 1894

18획

亠 [illegible] 31
人 [illegible] 78
儲 78
儭 78
儴 78
儠 78
儱 78
儓 79
儧 79
儢 79
儿 競 84
冫 ⿰冫賴 95
⿰冫廩 95
又 叢 144
口 [illegible] 189
嚚 190
嚟 190
嚧 190
嚙 190
嚜 190
嚘 190
嚗 190
嚕 190
嚌 190
嚛 190
嚐 190
嚉 190
嚝 190
嚊 190
嚡 190
嚠 190
嚞 190
土 壙 223
壚 223
壘 223
夊 夒 228
夓 228
大 奰 239
女 嬻 267
嬏 267
嬙 267
嬛 267
嬛 267
宀 寡 286
寏 286
竄 287
寸 ⿸广尃 291
尢 尷 295
尸 屩 301
屪 301
山 嶺 322
巀 322
巔 322
巑 322
巁 322
巇 322
巏 322
巾 幭 339
幬 339
幯 339
幮 339
广 廫 353
弓 彍 363
彌 363
彐 彝 365
彞 365
心 ⿱辡心 416
懘 416
懟 416
懇 416
懣 416
懨 416
⿱辡心 416
懲 416
懖 416
懇 417
懫 417
懮 417
懰 417
懣 417
懭 417
懩 417
懱 418
懪 418
懴 418
戈 戳 425
戴 425
手 擘 472
擪 472
擧 472
擲 474
擴 474
擷 474
擮 474
擸 474
擺 474
擻 474
擽 474
擢 474
擾 474
擿 474
攁 474
攄 474
攃 474
擶 474
攆 475
擐 475
攂 475
擹 475
攇 475
擂 475
攜 475
攢 475
擵 475
支 斃 488
斀 488
斁 488
斅 488
斃 489
斄 489
文 斑 490
斤 斷 494
方 旛 498
旞 498
旜 498
日 暴 515
曙 515
曕 516
曚 516
曛 516
曞 516
曜 516
曘 516
曝 516
曡 516
曟 516
月 朦 523
木 檬 586
檸 586
檼 586
檮 586
檴 586
櫃 586
檿 586
檻 586
檣 586
檽 586
櫆 586
檴 586
檜 586
櫂 587
櫅 587
櫃 587
櫋 587
檛 587
檫 587
櫁 587
檯 587
櫊 587
櫏 587
檏 587
檇 587
檬 587
檳 587
檪 587
櫥 587
櫄 587

	櫈	587		瀁	696		澵	698		爂	729	瓦	甗	790		皾	830		礏	881
	檣	587		濶	696		瀙	698		爂	729		甐	790	皿	盬	836		礃	881
	櫉	587		瀅	696		瀵	698		燾	729		甓	791		醢	836		礑	881
	櫛	587		瀌	696		瀹	698	爪	爵	733		甕	791		盭	836		礒	881
	櫞	587		瀂	696		瀭	698	片	牘	738	田	疀	802	目	瞿	857		礵	881
	櫜	588		瀆	696		瀴	698	牛	犢	745	疒	癒	820		瞾	857		磈	881
	檿	588		瀀	696		滮	698	犬	獵	763		癕	820		瞻	857		礓	881
	櫃	588		瀉	696		灑	698		獿	763		癖	820		瞼	857		𥖅	882
	檃	588		瀉	696		瀢	698		獷	763		癘	820		𥌒	857		𥕢	882
	檾	588		瀯	696		瀸	698		獺	763		癙	820		瞹	857		礔	882
	檕	588		瀋	696		瀟	698		𤢻	763		癜	820		瞛	857		礇	882
欠	歟	601		濿	697		灌	698		獮	763		癑	820		瞏	857		礈	882
止	歸	605		瀌	697		瀱	698	玉	璧	782		𤺺	820		䁴	857		礋	882
	餗	605		濸	697		瀿	698		璧	782		癐	820		瞢	857		礜	882
歹	殯	611		瀍	697		瀓	698		璵	784		癛	820		瞰	858		礛	882
	殭	611		瀎	697	火	燼	728		璿	784		癓	820		瞚	858		礌	882
殳	毉	614		瀏	697		燿	728		瓀	784		癔	820		瞶	858		礆	882
比	毚	617		瀉	697		爁	728		璸	784		癗	820		矚	858		礐	882
毛	氈	621		瀑	697		燺	728		璂	784		癏	820		瞽	858		礊	882
	氉	621		瀇	697		爀	728		璹	784		癬	820		瞽	858	示	禬	894
	毾	621		瀓	697		燻	728		瓁	784		癀	820		矖	858		禮	894
	氍	621		濼	697		爈	728		瓗	784		𤺋	820		瞸	858		禶	894
	氇	621		瀃	697		爃	728		璶	784		鴈	821		矃	858		𥜥	894
氏	氎	622		漻	697		燹	728		瓈	784	白	皦	827		瞲	858		禭	894
水	濺	696		瀞	697		㸙	729		璬	784		皣	827		䁚	858	内	禺	896
	濫	696		濇	697		燹	729		璅	784		皧	827	石	礉	881	禾	穟	912
	濾	696		瀔	698		㸋	729		璘	784	皮	皽	830		礎	881		穠	912

穡 912	簨 956	簢 957	糧 977	繜 1014	羽 翼 1046	臍 1095
穢 912	簪 956	[illegible] 957	糩 977	繛 1014	翺 1046	臏 1095
穦 912	簮 956	[illegible] 957	糨 977	繠 1014	翿 1046	臐 1095
穭 912	簭 956	[illegible] 957	糸 繐 1013	繋 1014	獢 1046	臑 1095
穙 912	簫 956	簥 957	繑 1013	纂 1014	翹 1046	朦 1095
穫 912	簳 956	簎 958	繒 1013	繱 1015	翻 1047	臗 1096
穧 912	簣 956	簓 958	織 1013	纀 1015	翷 1047	臒 1096
穣 912	簧 956	簅 958	繕 1013	緒 1015	獿 1046	臎 1096
穛 912	簱 956	簞 958	繖 1013	纂 1015	翻 1047	膳 1096
嬴 912	簸 956	簩 958	繘 1013	繖 1015	翻 1047	臘 1096
穴 竄 924	簸 956	[illegible] 958	繙 1013	缶 罇 1024	獝 1047	臓 1096
竅 924	簹 956	米 糦 976	繚 1013	罈 1024	翻 1047	臐 1096
立 竆 929	簽 956	糧 976	繞 1013	罎 1025	獮 1047	臗 1096
竵 929	簬 956	[illegible] 976	繢 1013	网 羂 1031	耒 穖 1053	臑 1096
竹 簙 955	簵 957	[illegible] 976	繣 1014	罯 1031	耮 1053	臔 1096
簚 955	簹 957	[illegible] 976	繝 1014	羄 1031	耕 1054	臕 1096
簜 955	簺 957	[illegible] 976	繏 1014	羅 1031	耭 1054	臖 1096
簡 955	簻 957	嬴 976	繟 1014	罍 1031	耬 1054	臛 1096
簨 955	簼 957	糠 977	繎 1014	羆 1031	耮 1054	臟 1096
簞 955	簽 957	糟 977	繕 1014	羇 1032	耳 聶 1061	臚 1096
簟 955	簾 957	糛 977	羊 羶 1038	職 1061	臛 1096
簠 955	簿 957	糥 977	繐 1014	羴 1038	職 1061	臑 1096
簡 955	簪 957	糲 977	繹 1014	羴 1038	聯 1061	臣 臨 1100
簡 956	簷 957	[illegible] 977	繢 1014	羵 1038	聰 1061	至 臺 1104
簣 956	籧 957	糵 977	繸 1014	羸 1038	聵 1061	臻 1104
簦 956	簬 957	檎 977	縹 1014	羽 1038	聳 1061	臼 舊 1107
簧 956	簮 957	糝 977	繪 1014	羶 1038	肉 臑 1092	舉 1107

舊 1107	薹 1194	藾 1196	藻 1197	虘 1216	蟥 1247	蟄 1249
舌 𦧲 1109	薺 1194	藰 1196	蘀 1197	虧 1216	蟤 1247	蠍 1249
䑜 1109	蔡 1194	藹 1196	藽 1197	虡 1216	蟜 1247	蟼 1249
䑛 1109	薿 1194	藷 1196	蘁 1197	虤 1217	蟳 1247	蠣 1249
𦧺 1109	藁 1194	藺 1196	蘡 1198	虫 蟲 1246	蟒 1247	蠅 1249
舟 艟 1115	藇 1194	藹 1196	蘤 1198	蟲 1246	蟓 1248	蠕 1249
艠 1116	藈 1194	藪 1197	蘒 1198	蟲 1246	蟞 1248	螣 1249
䑢 1116	藉 1195	蘇 1197	薚 1198	蟁 1246	蟭 1248	蟸 1249
𦪗 1116	藋 1195	藬 1197	蘊 1198	蟒 1246	蟰 1248	蟼 1249
䑠 1116	藍 1195	藻 1197	蘞 1198	蟣 1246	蟩 1248	蟨 1249
𦪷 1116	藎 1195	藜 1197	蘟 1198	蟠 1246	蟋 1248	蟗 1249
𦪸 1116	藏 1195	藹 1197	蘄 1198	蟖 1246	蟲 1248	血 𧖴 1260
艞 1116	藐 1195	藨 1197	藸 1198	蟴 1246	蟙 1248	盩 1260
艩 1116	藑 1195	藩 1197	蘉 1198	蟛 1246	蟮 1248	蟣 1260
䑳 1116	蘳 1195	藶 1197	蘆 1198	蟚 1246	蟦 1248	衊 1260
䑧 1116	薱 1195	藸 1197	蘀 1198	蟜 1246	蟔 1248	行 衟 1264
𦪺 1116	薾 1195	藿 1197	蘀 1198	蟟 1247	蟘 1248	衣 褻 1287
艡 1116	藃 1196	蘑 1197	蘭 1198	蟧 1247	蠓 1248	襒 1287
色 艶 1119	薷 1196	蘢 1197	藪 1198	蟊 1247	蟡 1248	褱 1288
艷 1119	蔶 1196	蘈 1197	蕃 1198	蟠 1247	蟟 1248	褽 1288
艸 蘐 1185	藊 1196	蔘 1197	蘗 1198	蟢 1247	蟦 1248	襗 1288
薩 1193	藛 1196	藁 1197	藕 1198	蟣 1247	蠅 1248	襘 1288
薯 1193	蘗 1196	蘐 1197	藥 1198	蟪 1247	蟦 1248	襚 1288
薰 1194	藈 1196	蘁 1197	蘢 1198	蟫 1247	蟱 1248	襛 1288
薲 1194	薵 1196	蘦 1197	蘞 1198	蟬 1247	蟲 1249	襜 1289
薳 1194	蘓 1196	藫 1197	虍 虧 1216	蟯 1247	蠍 1249	襟 1289
薸 1194	藄 1196	藬 1197	虦 1216	蟚 1247	蟊 1249	襠 1289

襡 1289	角 觴 1310	謫 1351	𧭼 1352	豸 貘 1383	𧾒 1416	𨆎 1444
襢 1289	𧤼 1310	謗 1351	謘 1352	貙 1383	𧾉 1416	𨅾 1444
襖 1289	𧥄 1310	謸 1351	𧬕 1353	貗 1383	𧾈 1416	蹥 1444
𧞤 1289	觹 1310	竸 1351	𧭣 1353	𧴀 1383	𧾇 1416	蹚 1444
𧞣 1289	言 謨 1349	譩 1351	謲 1353	𧳿 1383	𧾆 1416	蹧 1444
䙐 1289	謩 1350	謷 1351	𧭰 1353	䝢 1383	𧾅 1416	蹦 1444
䙕 1289	謫 1350	謦 1351	𧬻 1353	𧴂 1383	𧾏 1416	𨆏 1444
襦 1289	謬 1350	謺 1352	𧬵 1353	𧳽 1383	𧾃 1416	蹙 1444
𧞪 1289	謯 1350	𧭚 1352	𧭦 1353	貝 𧸇 1398	𧾁 1417	蹔 1444
𧞮 1289	謳 1350	繇 1352	謤 1353	𧷻 1398	𧾂 1417	𨇁 1445
𧞫 1289	謹 1350	謽 1352	𧭚 1353	贈 1398	𧾐 1417	𨅝 1445
襝 1289	謻 1350	𧬮 1352	谷 𧯃 1368	贄 1398	𧾄 1417	𨆌 1445
𧞻 1289	謥 1350	謴 1352	𧯅 1368	贅 1399	𧾋 1417	𨆸 1445
𧞜 1289	謼 1350	𧭲 1352	𧯄 1368	𧸝 1399	𧾎 1417	䟦 1445
𧞰 1289	謾 1350	𧬐 1352	豆 豐 1371	𧸘 1399	𧾓 1417	𨆛 1445
襾 覆 1295	𧭊 1350	𧬫 1352	𧯸 1371	𧸨 1399	足 蹕 1443	𪊲 1445
覆 1295	謵 1350	謆 1352	𧰀 1371	𧸬 1399	蹛 1443	𨆧 1445
見 覰 1301	謣 1351	𧭸 1352	𧯼 1371	䝼 1399	蹜 1443	𨆕 1445
覲 1302	𧬯 1351	謎 1352	𧯹 1371	𧸖 1399	蹞 1443	𨇂 1445
覲 1302	謋 1351	謏 1352	𧯶 1371	𧹊 1399	蹟 1443	𨆵 1445
覧 1302	𧬃 1351	𧬨 1352	𧯮 1371	𧸯 1399	蹠 1443	蹗 1445
覿 1302	謰 1351	𧬱 1352	豕 豵 1377	𧸥 1399	蹡 1443	蹘 1445
覽 1302	謱 1351	𧭓 1352	𧱍 1377	𧸢 1399	蹢 1444	𨆶 1445
覩 1302	謮 1351	警 1352	豯 1377	𧸣 1399	蹣 1444	𨅹 1445
覔 1302	謧 1351	謶 1352	𧱧 1377	𧸑 1399	蹤 1444	𨆇 1445
䚘 1302	𧬤 1351	𧭆 1352	𧱫 1377	走 𧾀 1416	蹝 1444	𨆝 1445
観 1302	譭 1351	䜋 1352	𧱟 1377	𧾌 1416	𨆯 1444	𨆑 1445

躁 1445	轐 1477	遻 1510	醑 1541	鎮 1575	鎦 1576	闖 1605
蹩 1445	轚 1477	邑 鄵 1526	醻 1541	鎰 1575	鎯 1576	闗 1605
躈 1445	轚 1477	鼉 1526	醮 1541	鎈 1575	鎶 1577	闟 1605
𨆂 1445	轗 1478	鼈 1526	醶 1541	鎢 1575	鎵 1577	闟 1606
蹸 1446	轆 1478	鄺 1529	醪 1541	鎀 1575	鎟 1577	闠 1606
蹽 1446	轅 1478	酈 1529	醲 1541	鎍 1576	鎙 1577	闘 1606
蹴 1446	輾 1478	鄾 1529	醇 1541	鏃 1576	鎝 1577	闈 1606
蹾 1446	轄 1478	鄿 1529	醯 1541	鋭 1576	鎟 1577	闋 1606
蹲 1446	輳 1478	鄰 1529	采 釋 1546	鏞 1576	鎐 1577	闔 1606
蹸 1446	轃 1478	鄼 1529	里 釐 1548	鎎 1576	鏙 1577	闖 1606
蹭 1446	轘 1478	鄹 1529	金 鎊 1574	鎴 1576	鎑 1577	闗 1606
蹛 1446	轗 1478	鄻 1529	鎋 1574	鏂 1576	鎓 1577	闚 1606
蹦 1446	轗 1478	西 醨 1540	鎌 1574	鎬 1576	鎐 1577	雋 1606
蹱 1446	轄 1478	醪 1540	鎒 1574	鎘 1576	鎕 1577	闒 1606
蹼 1446	輾 1478	醥 1541	鎔 1574	鎦 1576	鏟 1577	闓 1606
身 軀 1458	辛 辭 1485	醞 1541	鎖 1574	鎩 1576	鎧 1577	闍 1606
軁 1458	辨 1485	醳 1541	鎖 1574	鎸 1576	鎊 1577	阜 隳 1627
軀 1458	辦 1485	醵 1541	鎖 1574	鎏 1576	鎲 1577	隱 1627
軁 1458	辦 1485	醴 1541	鎗 1574	鎣 1576	長 鑛 1593	隤 1627
軆 1458	辵 邃 1509	醫 1541	鎚 1575	鎏 1576	鐓 1593	隢 1627
車 轆 1477	邇 1509	醬 1541	鎞 1575	鎜 1576	鏦 1593	隨 1627
轇 1477	邈 1509	醬 1541	鎛 1575	鎠 1576	門 闐 1605	隤 1627
轐 1477	達 1509	醾 1541	鎡 1575	鏍 1576	闌 1605	隶 隸 1628
轉 1477	遴 1509	醹 1541	鎧 1575	鎲 1576	闒 1605	隹 雙 1635
轊 1477	遽 1509	醵 1541	鎪 1575	鍺 1576	闓 1605	雘 1635
轗 1477	邁 1509	醞 1541	鎬 1575	鏞 1576	闔 1605	巂 1635
轍 1477	邊 1510	醶 1541	鎭 1575	鍚 1576	闕 1605	膗 1635

雛 1635	𩃀 1646	鞨 1667	鞢 1668	顏 1694	颺 1708	餴 1723
雜 1635	𩄍 1646	鞫 1667	鞮 1668	顒 1694	颻 1708	餭 1723
雝 1635	霴 1646	鞬 1667	鞦 1668	顒 1695	颼 1708	餕 1723
𩀍 1635	霥 1647	鞭 1667	鞧 1668	顓 1695	颾 1708	餜 1723
雞 1635	霪 1647	鞮 1667	鞨 1668	顑 1695	颽 1708	餞 1723
難 1635	霫 1647	鞢 1667	鞰 1668	顐 1695	颿 1708	餯 1723
雖 1635	霬 1647	鞶 1667	韋 韗 1676	顚 1695	颸 1708	餾 1723
雓 1635	露 1647	鞴 1667	韘 1676	顚 1695	颷 1709	餺 1723
雚 1635	霣 1647	鞶 1667	韗 1676	顙 1695	颻 1709	餭 1723
雙 1635	靝 1647	鞹 1667	韗 1676	顖 1695	颳 1709	餱 1723
雞 1635	霳 1647	鞺 1667	韞 1676	顜 1695	颶 1709	餾 1723
雝 1636	靈 1647	鞺 1667	韙 1676	類 1695	颸 1709	餮 1723
雞 1636	霮 1647	鞶 1668	韙 1676	顗 1695	颹 1709	饋 1723
雋 1636	霸 1647	鞶 1668	韢 1676	類 1695	颹 1709	餮 1723
雊 1636	霤 1647	鞽 1668	韣 1676	顙 1695	飀 1709	餰 1723
䳄 1636	霞 1647	鞶 1668	韤 1676	顙 1695	飂 1709	饏 1723
雨 霢 1646	霱 1647	韅 1668	韥 1676	顋 1695	颻 1709	餶 1724
霦 1646	靑 靝 1654	韊 1668	韞 1676	顇 1695	飄 1709	餯 1724
霣 1646	靚 1654	鞲 1668	韗 1676	顅 1695	飅 1709	餷 1724
霤 1646	面 靦 1658	鞭 1668	韖 1676	顛 1695	飆 1709	餳 1724
霶 1646	靧 1658	鞳 1668	音 韺 1681	顛 1696	飛 飜 1712	餶 1724
霏 1646	靨 1658	鞳 1668	韹 1681	顛 1696	食 餺 1722	餿 1724
霤 1646	靨 1658	鞽 1668	頁 顋 1694	顢 1696	饁 1723	餷 1724
霻 1646	革 鞣 1666	鞭 1668	題 1694	顣 1696	餬 1723	餚 1724
霿 1646	鞭 1667	鞸 1668	額 1694	顧 1696	餱 1723	餮 1724
霖 1646	鞦 1667	鞸 1668	顎 1694	顧 1696	餲 1723	饌 1724
霹 1646	鞧 1667	韃 1668	顏 1694	風 颸 1708	餳 1723	饕 1724

饒	1724	騒	1744	骿	1758	鬃	1769	䨦	1783	鰲	1795	鴳	1820
䭓	1724	騯	1744	𩩲	1758	鬌	1769	䰇	1784	鮏	1795	鵔	1820
餎	1724	騘	1744	䯧	1758	鬤	1769	䝐	1784	䲙	1795	鵜	1820
餘	1724	騌	1744	䯊	1759	鬐	1769	䰉	1784	鮶	1795	鵠	1821
首 䭫	1732	騐	1744	䯨	1759	鬘	1770	䰑	1784	鮟	1795	鵡	1821
䭭	1732	騞	1744	𩩵	1759	鬜	1770	魁	1784	䱹	1795	鵙	1821
䭬	1732	騷	1744	骻	1759	鬛	1770	魔	1784	鮇	1795	鵝	1821
香 馥	1733	騿	1744	䯒	1759	鬒	1770	魚 鯁	1794	鮨	1795	鵞	1821
馤	1733	騤	1744	䯖	1759	鬠	1770	鮸	1794	鮂	1795	鵞	1821
馧	1733	騳	1744	䯝	1759	鬞	1770	鮹	1794	鮮	1795	鵋	1821
馪	1733	騝	1744	𩩑	1759	鬢	1770	鮃	1794	鮗	1795	鵗	1821
馦	1733	騠	1744	䯟	1759	鬣	1770	鮿	1794	鮻	1795	鵕	1821
馩	1733	騯	1744	高 𩫵	1763	鬤	1770	鯀	1794	鯃	1796	鵚	1821
馫	1733	騜	1744	髜	1763	鬡	1770	鯁	1794	鯋	1796	鵛	1821
馬 騄	1743	騲	1744	髟 䰀	1768	門 鬩	1776	鯆	1794	鯅	1796	鵒	1821
騅	1743	騙	1744	鬅	1768	鬨	1776	鯇	1794	鯈	1796	鵓	1821
騊	1743	騪	1744	鬄	1769	鬲 鬵	1778	鯉	1794	鯈	1796	鵞	1821
駢	1743	騩	1744	鬆	1769	鬺	1778	鮷	1795	鯵	1796	鶋	1821
騋	1743	騎	1744	鬈	1769	鬼 魋	1783	鯏	1795	鳥 鵌	1820	鵛	1821
騎	1743	騂	1745	鬉	1769	魍	1783	鯎	1795	鵌	1820	鵍	1821
騏	1743	騲	1745	鬃	1769	魎	1783	鯁	1795	鵖	1820	鵍	1821
騑	1743	騺	1745	鬇	1769	魌	1783	鯈	1795	鵊	1820	鵘	1821
騉	1743	騻	1745	鬐	1769	魊	1783	鯢	1795	鵑	1820	鵙	1822
騇	1743	骨 髀	1758	鬌	1769	魕	1783	鯘	1795	鵖	1820	鶂	1822
騣	1744	髀	1758	鬘	1769	䰎	1783	鯊	1795	鵯	1820	鵿	1822
騍	1744	髁	1758	鬋	1769	魖	1783	鯊	1795	鵒	1820	鵹	1822
騇	1744	髖	1758	鬏	1769	魏	1783	儵	1795	鵓	1820	鶬	1822

鷉 1822
鵶 1822
鴸 1822
鵓 1822
鶚 1822
鼂 1822
鵆 1822
鵐 1822
鶖 1822
鷂 1822
鶮 1822
鴜 1822
鷲 1822
鵗 1822
鶣 1822
鵜 1822
鶴 1822
鶗 1823
鹵 䴛 1843
鹿 麌 1846
麔 1846
麎 1846
麐 1846
麚 1846
麋 1846
麇 1846
麕 1846
麑 1846
麈 1846
麚 1846
麡 1846
麱 1846
麥 䴸 1851
麱 1851
麬 1851
䴿 1851
䵃 1851
麰 1851
麨 1851
䴷 1851
麷 1851
麱 1851
麲 1851
麻 䵉 1855
黃 黊 1857
䵋 1857
䵍 1857
䵒 1857
䵐 1857
䵌 1857
黍 䵚 1859
䵔 1859
黑 黟 1863
黣 1863
黠 1863
䵴 1863
黐 1863
䵥 1863
䵢 1863
黳 1863
䵻 1863
黴 1863
黛 1863
黹 黺 1870
黽 鼅 1871
鼂 1871
鼃 1871
鼈 1871
鼆 1871
鼄 1871
䵸 1871
䵹 1871
鼀 1871
鼓 鼛 1873
鼗 1873
鼕 1873
鼘 1873
鼙 1874
鼠 鼦 1876
鼪 1876
鼫 1876
鼬 1876
鼵 1876
鼩 1876
鼨 1876
䶅 1876
鼧 1877
鼮 1877
鼥 1877
鼨 1877
䶇 1877
鼭 1877
鼢 1877
鼯 1877
鼻 䶊 1880
䶋 1880
䶎 1880
獋 1880
齊 齋 1883
齍 1883
齒 齕 1884
𪗆 1884
𪗉 1884
𪗊 1884
齕 1884
龍 龐 1893
龜 龝 1894

19획

乙 亁 24
𠃸 24
人 儳 79
儵 79
儴 79
𠐵 79
凵 𠚁 98
刀 劖 111
力 勷 118
厂 厴 138
嚴 138
口 嚥 190
嚪 190
嚬 191
嚨 191
嚫 191
嚦 191
嚧 191
嚩 191
嚽 191
嚱 191
嚮 191
嚭 191
嚳 191
土 壚 224
壜 224
壝 224
壛 224
壞 224
壈 224
壠 224
壟 224
𡔖 224
夊 夒 228
女 嬾 267
𡣗 267
嬽 267
嬹 268
嬿 268
𡤢 268
𡣍 268
子 孼 273
宀 寵 287
寴 287
寱 287
𡫡 287
寳 287
尸 㞞 301
山 巃 322
巄 322
巃 322
巎 322
巕 322
嶭 322
巾 幭 339
幰 339
幨 340
幱 340
广 廬 353
𢋗 353
弓 彇 364
彐 彝 365
彳 徿 376
心 懲 417
懬 417
懯 417
𢤱 417
𢥑 417
𢤄 417
𢤧 417
懶 418
懶 418
𢥞 418
懷 418
懻 418
𢥿 418
𢥷 418
𢥽 418
憯 418
戈 戴 425
手 攀 473

부수	字	면
	擵	475
	攄	475
	攉	475
	攍	475
	攌	475
	[illegible]	475
	攏	475
	攋	475
	攘	475
	攎	475
	[illegible]	475
	攊	476
支	[illegible]	489
文	[illegible]	490
斗	[illegible]	492
方	旜	498
	旝	498
	旞	498
日	曡	516
	曟	516
	[illegible]	516
	曝	516
	曠	516
	曞	516
	[illegible]	516
	[illegible]	516
木	櫋	588
	櫌	588
	櫗	588
	櫃	588
	櫎	588
	櫑	588
	[illegible]	588
	櫓	588
	櫚	588
	櫛	588
	櫝	588
	櫞	589
	櫏	589
	櫟	589
	櫼	589
	櫢	589
	櫔	589
	檻	589
	櫠	589
	櫥	589
	櫰	589
	[illegible]	589
	[illegible]	589
	檇	589
	櫕	589
	櫨	589
	櫜	589
	櫐	589
欠	歠	601
	歟	601
歹	殰	611
	[illegible]	611
	[illegible]	611
毛	[illegible]	621
	氌	621
水	瀕	698
	瀙	698
	瀋	698
	瀾	698
	[illegible]	698
	瀜	698
	瀤	699
	瀘	699
	瀚	699
	瀛	699
	瀇	699
	瀝	699
	瀞	699
	瀠	699
	瀡	699
	[illegible]	699
	瀦	699
	瀧	699
	瀬	699
	瀨	799
	瀬	700
	瀖	700
	[illegible]	700
	[illegible]	700
	瀢	700
	瀫	700
	[illegible]	700
	[illegible]	700
	[illegible]	700
	[illegible]	700
	[illegible]	700
	[illegible]	700
	[illegible]	700
	[illegible]	700
火	爆	729
	爊	729
	爍	729
	爈	729
	[illegible]	729
	爄	729
	爌	729
	[illegible]	729
	[illegible]	729
	爇	729
	[illegible]	729
	[illegible]	729
爿	牆	736
片	牘	738
牛	犢	745
	犦	745
	犤	745
	犥	745
	犡	746
	[illegible]	746
	[illegible]	746
犬	獸	763
	獺	764
	獹	764
	[illegible]	764
玉	璽	783
	[illegible]	783
	璺	783
	瓈	784
	瓊	784
	瓊	784
	瓋	784
	[illegible]	784
	瓅	785
	瓃	785
	瓄	785
	瓆	785
	[illegible]	785
	環	785
	[illegible]	785
	瓚	785
瓜	瓣	787
瓦	甖	791
	[illegible]	791
田	疆	802
	疇	803
	疄	803
	[illegible]	803
疒	癠	821
	癡	821
	[illegible]	821
	[illegible]	821
	[illegible]	821
	[illegible]	821
	[illegible]	821
	[illegible]	821
白	[illegible]	827
	[illegible]	827
	[illegible]	827
皮	[illegible]	830
	[illegible]	380
皿	盪	836
目	矇	858
	矉	858
	[illegible]	858
	矃	858
	[illegible]	858
	矆	858
	矊	858
	瞵	859
	[illegible]	859
	[illegible]	859
	[illegible]	859
	[illegible]	859
	[illegible]	859
矢	矱	864
石	礙	882
	礚	882
	礛	882
	礩	882
	礞	882
	礜	882
	礊	882
	礟	882
示	禰	894
	禱	894
	[illegible]	895
	[illegible]	912
禾	[illegible]	912
	穧	913
	穩	913
	穫	913
	[illegible]	913
	[illegible]	913

穦 913	𥶇 959	糸 繡 1015	𦃺 1017	耒 𦔳 1054	艥 1116	藤 1200
穤 913	𥳽 959	繩 1015	繋 1017	耳 𦗜 1061	𦪾 1116	𧄝 1200
穪 913	𥲄 959	繪 1015	𦅗 1017	聸 1061	𦪼 1116	𧃘 1200
穥 913	𥴦 959	繮 1015	𦆷 1017	𦗢 1061	艂 1116	𧂀 1200
𥣟 913	籇 959	繯 1015	𦇈 1017	肉 𦞦 1092	𦪹 1116	藞 1200
穴 𥨫 924	𥶎 959	繰 1015	䌖 1017	𦡱 1094	𦫆 1116	𧃖 1200
𥨍 924	𥵾 959	繲 1015	𦆿 1017	𦢆 1096	𦫅 1116	蕌 1200
𥨐 924	𥶄 959	繳 1015	缶 罊 1025	臘 1096	色 艶 1119	舊 1200
竆 924	𥵵 959	繫 1016	罋 1025	臕 1096	艸 𦰵 1187	藰 1200
竈 924	𥴘 959	繶 1016	𦉪 1025	𦢔 1097	藕 1198	藬 1200
立 𥫉 929	籆 959	繷 1016	网 羃 1032	𦢋 1097	藘 1198	藁 1200
𥪰 929	𥷄 959	繹 1016	羅 1032	臍 1097	藙 1198	𧃷 1200
竹 簫 958	𥳶 959	繸 1016	羆 1032	𦣄 1097	藚 1199	薛 1200
簳 958	籀 960	𦆮 1016	𦌃 1032	𦡾 1097	藜 1199	藼 1200
簵 958	米 糲 977	𦆐 1016	𦋹 1032	臒 1097	藝 1199	蘊 1200
籙 958	糫 977	繵 1016	𦋽 1032	𦢈 1097	藟 1199	藔 1200
簷 958	𥻻 977	繬 1016	𦌅 1032	𦡸 1097	藤 1199	𧃫 1201
簸 958	𥼾 977	繴 1016	羊 𦏵 1038	𦢐 1097	藥 1199	蘇 1201
簹 958	糪 977	𦅾 1016	羹 1039	𦡶 1097	藦 1199	𧂄 1201
簺 958	𥽐 977	𦆰 1016	羶 1039	臀 1097	藨 1199	藒 1201
簻 958	𥼉 977	䌇 1016	𦏺 1039	自 𦤚 1102	藩 1199	蘄 1201
簽 958	𥽝 977	繨 1017	𦏁 1039	𦤜 1102	藪 1199	薾 1201
簾 958	𥽗 977	𦅻 1017	羷 1039	舌 𦧾 1109	藭 1199	𧂹 1201
簿 959	𥼚 977	繱 1017	羸 1039	舟 艤 1116	藹 1200	藺 1201
籅 959	糩 978	𦇋 1017	羽 翽 1047	艢 1116	藖 1200	蘐 1201
𥴰 959	𥽪 978	繭 1017	翾 1047	𦪽 1116	藫 1200	𧄎 1201
簙 959	𥻼 978	𦇄 1017	翻 1047	艡 1116	藗 1200	𧃽 1201

蘗 1201	蘋 1202	蠎 1251	臝 1290	覰 1302	譎 1354	譌 1356	
藪 1201	虍 虪 1217	蠤 1251	褻 1290	覴 1302	譏 1354	譐 1356	
蘤 1201	虩 1217	蠏 1251	襤 1290	覲 1302	譑 1354	譜 1356	
蘇 1201	虫 蟊 1249	蟹 1251	襦 1290	覯 1302	譓 1354	䜌 1356	
蘳 1201	蠭 1249	螌 1251	襣 1290	覶 1302	譔 1354	譽 1356	
蕁 1201	蠢 1249	蠍 1251	襜 1290	覵 1302	譕 1354	譻 1356	
蘂 1201	蠽 1249	蠁 1251	襛 1290	覷 1302	譖 1354	警 1356	
藯 1201	蠠 1249	蠆 1251	襟 1290	覸 1302	識 1354	譳 1356	
蘧 1201	蟶 1249	蠓 1251	襥 1290	覼 1303	譐 1355	譧 1356	
藨 1201	蟺 1249	蠘 1251	襪 1290	覽 1303	譙 1355	譊 1356	
蘊 1201	蟻 1250	蟼 1251	襖 1290	角 觶 1310	譚 1355	譺 1356	
藹 1201	蟾 1250	蠃 1251	襮 1290	觺 1310	譩 1355	譤 1356	
蘄 1201	蠅 1250	蝸 1251	襛 1290	觼 1310	譒 1355	譱 1356	
蘭 1201	蠉 1250	蠡 1251	襦 1290	觽 1310	譬 1355	譅 1356	
藱 1201	蠋 1250	蟈 1251	襜 1290	觷 1310	譝 1355	譆 1356	
蘉 1201	蠍 1250	蟶 1251	襪 1290	觵 1310	譀 1355	譗 1356	
蘛 1201	蟷 1250	蝶 1251	䙔 1290	觹 1311	譇 1355	譂 1356	
藾 1201	蠆 1250	蟋 1251	襥 1290	觻 1311	譛 1355	譈 1356	
蘢 1201	蟶 1250	蟢 1251	襠 1290	觺 1311	譼 1355	譿 1356	
蘠 1201	蠨 1250	蠋 1251	襱 1291	言 譁 1353	譃 1355	譸 1357	
蘮 1201	蠊 1250	蠬 1251	襬 1291	譅 1353	譣 1356	譃 1356	
蘟 1201	蠝 1250	蠱 1251	西 覈 1295	譃 1353	譗 1356	譾 1357	
藸 1202	蠕 1250	蠻 1252	覆 1295	譆 1353	譆 1356	譋 1357	
蘙 1202	蠣 1250	血 衊 1260	覇 1295	讀 1353	譧 1356	谷 谸 1368	
蘢 1202	蠙 1250	衋 1260	覊 1295	譤 1353	譋 1356	谹 1368	
蘋 1202	蠌 1250	行 衞 1264	見 覵 1302	證 1353	謿 1356	谾 1368	
蘐 1202	蠇 1251	衣 襞 1290	覶 1302	譊 1354	譁 1356	谿 1368	

豃 1368	贋 1400	趬 1418	蹟 1448	蹱 1449	轊 1479	邑 酁 1526
豄 1368	贌 1400	趫 1418	蹾 1448	蹻 1449	轒 1479	鄿 1527
豅 1368	贎 1400	趪 1418	蹹 1448	躍 1449	轓 1479	鄾 1527
豆 豂 1371	鄮 1400	趭 1418	蹰 1448	蹷 1449	轡 1479	酃 1527
豃 1371	贕 1400	趮 1418	蹼 1448	蹶 1449	轝 1479	鄲 1529
豋 1371	贖 1400	足 蹴 1446	蹩 1448	蹳 1449	轞 1479	鄰 1529
豕 豶 1377	贗 1400	蹬 1446	蹩 1448	蹽 1449	韗 1479	鄱 1529
豷 1377	贘 1400	蹭 1446	蹸 1448	蹕 1449	轎 1479	鄹 1530
豨 1377	贚 1400	躍 1446	蹺 1448	蹘 1449	轏 1479	鄳 1530
豷 1377	贊 1400	蹯 1446	蹵 1448	蹮 1449	轐 1479	鄭 1530
豬 1378	贉 1400	蹩 1446	蹫 1448	躂 1449	轍 1479	鄶 1530
豸 貚 1383	走 趪 1417	蹲 1446	蹹 1448	身 軀 1458	轒 1479	鄷 1530
貚 1383	趫 1417	蹳 1446	蹻 1448	軆 1458	轗 1479	鄸 1530
貛 1383	趭 1417	蹨 1447	蹼 1448	軃 1458	轕 1479	鄻 1530
貘 1383	趯 1417	蹴 1447	躐 1448	軀 1458	轚 1479	酉 醭 1542
貙 1384	趬 1417	蹵 1447	蹻 1448	軇 1458	轑 1479	醮 1542
貘 1384	趮 1417	蹻 1447	蹩 1448	軈 1458	辛 辭 1485	醯 1542
貔 1384	趱 1417	蹺 1447	蹝 1448	軉 1458	辧 1486	醰 1542
貝 贈 1399	趲 1417	蹼 1447	躐 1448	軄 1458	辬 1486	醱 1542
贇 1399	趩 1417	躃 1447	蹞 1448	車 轍 1478	辰 辴 1487	醲 1542
贉 1399	趫 1417	躄 1447	蹪 1448	轎 1478	辳 1487	醭 1542
贆 1399	趭 1418	蹸 1447	蹴 1448	轒 1478	辵 邊 1510	醋 1542
贆 1400	趪 1418	蹦 1447	蹻 1448	轉 1478	邋 1510	醇 1542
贋 1400	趱 1418	躇 1447	蹧 1448	轐 1478	邃 1510	醽 1542
贊 1400	趯 1418	躊 1447	蹭 1448	轑 1478	遺 1510	醅 1542
贇 1400	趮 1418	躋 1447	蹼 1448	轓 1478	還 1510	醱 1542
賷 1400	趲 1418	蹭 1448	蹪 1449	轔 1479	邊 1510	醐 1542

醭 1542	鏦 1579	鏫 1580	[illegible] 1607	霫 1647	鞵 1669	[illegible] 1677
[illegible] 1542	鏹 1579	鏒 1580	闖 1607	霩 1647	[illegible] 1669	[illegible] 1677
[illegible] 1542	[illegible] 1579	鏛 1580	[illegible] 1607	霨 1647	[illegible] 1669	[illegible] 1677
[illegible] 1542	鏉 1579	鏅 1580	阜 隴 1627	[illegible] 1647	[illegible] 1669	[illegible] 1677
[illegible] 1542	鏋 1579	鏱 1580	[illegible] 1627	[illegible] 1647	[illegible] 1669	韭 [illegible] 1679
[illegible] 1543	[illegible] 1579	鏕 1580	[illegible] 1627	[illegible] 1648	[illegible] 1669	[illegible] 1679
[illegible] 1543	鏂 1579	[illegible] 1580	[illegible] 1627	[illegible] 1648	鞱 1669	[illegible] 1679
[illegible] 1543	鏙 1579	鏪 1580	[illegible] 1627	[illegible] 1648	[illegible] 1669	音 韻 1681
金 鏁 1577	鏓 1579	[illegible] 1580	隶 [illegible] 1628	[illegible] 1648	鞶 1669	[illegible] 1681
鏃 1577	[illegible] 1579	[illegible] 1580	隹 離 1636	[illegible] 1648	[illegible] 1669	[illegible] 1681
鏇 1577	[illegible] 1579	[illegible] 1580	難 1636	[illegible] 1648	[illegible] 1669	[illegible] 1681
鏈 1577	鍑 1579	[illegible] 1581	[illegible] 1636	[illegible] 1648	[illegible] 1669	頁 顗 1696
鏌 1577	鏥 1579	鏎 1581	雝 1636	[illegible] 1648	[illegible] 1669	願 1696
鏐 1578	鐵 1579	[illegible] 1581	[illegible] 1636	[illegible] 1648	[illegible] 1669	顡 1696
鎩 1578	鏊 1579	鏸 1581	[illegible] 1636	[illegible] 1648	[illegible] 1669	顢 1696
鏑 1578	[illegible] 1579	長 [illegible] 1593	[illegible] 1636	[illegible] 1648	[illegible] 1669	類 1696
鏗 1578	鏖 1580	[illegible] 1593	[illegible] 1636	[illegible] 1648	[illegible] 1670	顛 1696
鏘 1578	鏨 1580	[illegible] 1593	雙 1636	[illegible] 1648	[illegible] 1670	顚 1697
鏚 1578	鏩 1580	[illegible] 1593	[illegible] 1636	[illegible] 1648	[illegible] 1670	[illegible] 1697
鏜 1578	鍪 1580	門 闚 1606	[illegible] 1636	[illegible] 1648	韋 韜 1676	顝 1697
鏝 1578	鏆 1580	闗 1606	[illegible] 1636	非 靡 1656	韞 1676	[illegible] 1697
鏞 1578	[illegible] 1580	[illegible] 1606	[illegible] 1636	面 [illegible] 1658	韝 1677	[illegible] 1697
鏟 1578	鏄 1580	闞 1606	[illegible] 1637	[illegible] 1658	[illegible] 1677	[illegible] 1697
鏠 1578	鏍 1580	闘 1607	[illegible] 1637	革 鞲 1668	[illegible] 1677	[illegible] 1697
鏡 1578	鏧 1580	[illegible] 1607	[illegible] 1637	鞳 1669	韓 1677	[illegible] 1697
鏢 1578	鏀 1580	[illegible] 1607	雨 霧 1647	[illegible] 1669	[illegible] 1677	[illegible] 1697
鏤 1578	鍽 1580	[illegible] 1607	霪 1647	[illegible] 1669	[illegible] 1677	[illegible] 1697

⿰强頁 1697	⿰風高 1710	⿰食息 1726	騟 1746	⿰骨咼 1759	鬖 1771	鯩 1797
⿰睞頁 1697	飛 [illegible] 1712	⿰食能 1726	騥 1746	⿰骨彖 1759	⿱髟畐 1771	鯘 1797
⿰冥頁 1697	[illegible] 1712	⿰食宛 1726	騜 1746	骳 1759	⿱髟胥 1771	⿰魚昔 1797
⿰迷頁 1697	食 餺 1724	⿰食倉 1726	⿰馬亭 1746	髏 1759	⿱髟柔 1771	⿰魚券 1797
⿰虒頁 1697	餻 1724	⿰食當 1726	⿰馬皆 1746	⿰骨者 1759	⿱髟酉 1771	鯞 1797
⿰兼頁 1698	餼 1724	⿰食害 1726	⿰馬咸 1746	⿰骨青 1759	⿱髟曷 1771	鯜 1797
⿰翁頁 1698	餽 1724	⿰食邕 1726	騘 1746	⿰骨咸 1759	⿱髟毛 1771	鯕 1797
⿰追頁 1698	餾 1724	首 ⿱首昏 1732	騎 1746	⿰骨重 1759	鬲 ⿰鬲殳 1778	鯠 1797
⿰旃頁 1698	饁 1724	香 馧 1733	騺 1746	⿰骨扁 1759	⿰鬲票 1779	⿰魚叔 1797
⿰栗頁 1698	⿰食茲 1725	馦 1734	⿰馬欠 1746	⿰骨侯 1759	鬼 ⿰雚鬼 1784	⿰魚卓 1797
⿰冒頁 1698	⿰食追 1725	馥 1734	⿰馬甾 1746	⿰骨族 1763	⿺鬼是 1784	鯣 1797
⿰奚頁 1698	⿰食高 1725	⿰香翁 1734	⿰馬段 1746	高 ⿰高頁 1763	⿰魚鬼 1784	⿰魚果 1797
⿰恖頁 1698	⿰食奚 1725	⿰香舌 1734	⿰馬馬 1746	豪 1763	魚 鯔 1796	鯧 1797
⿰容頁 1698	餶 1725	⿰香害 1734	⿰馬舌 1746	髟 ⿱髟前 1770	鯖 1796	鯮 1797
風 飀 1709	⿰食豈 1725	馬 騕 1745	⿰馬枼 1746	⿱髟貞 1770	鯛 1796	⿰魚延 1797
飃 1709	餿 1725	騙 1745	⿰馬甄 1746	⿱髟青 1770	鯛 1796	⿱制魚 1797
颼 1709	饀 1725	⿰馬者 1745	駮 1746	鬍 1770	鯝 1796	鯻 1798
颿 1709	⿰食兼 1725	騠 1745	騚 1746	⿱髟春 1770	鯡 1796	⿱羔魚 1798
⿰豈風 1709	餹 1725	⿰馬帚 1745	⿰女焉 1746	⿱髟怱 1770	鯢 1796	⿱阝魚 1798
颽 1709	⿰食害 1725	騢 1745	⿰馬軍 1746	鬉 1770	鯤 1796	⿰魚居 1798
⿰奚風 1709	⿰食能 1725	騣 1745	⿰禹鳥 1746	⿱髟悳 1770	鯥 1796	鯚 1798
颻 1709	⿰食著 1725	騤 1745	骨 骼 1759	⿱髟並 1770	⿰魚网 1796	⿰魚奈 1798
⿰風唐 1709	餳 1725	騗 1745	髃 1759	⿱髟刺 1771	⿰魚谷 1796	鯟 1798
⿰風离 1710	⿰食修 1725	⿰馬兆 1745	⿰骨叟 1759	⿱髟殺 1771	⿰魚臽 1796	⿱如魚 1798
⿰風氣 1710	⿰食郎 1725	⿰馬春 1745	髓 1759	⿱髟貫 1771	鯨 1796	⿰魚匊 1798
⿰風索 1710	餂 1725	⿰馬复 1745	⿰骨曷 1759	⿱髟契 1771	鯪 1797	鯭 1798
颾 1710	⿰食秦 1725	騝 1745	⿰骨皆 1759	⿱髟咎 1771	鯫 1797	鰟 1798

鯆 1798	鬼鳥 1823	朋鳥 1825	焦鳥 1826	麤 1847	黑 駿 1864	鼅 1877
鮒 1798	鶰 1823	留鳥 1825	雋鳥 1826	麥 麴 1851	黣 1864	鼮 1877
鯆 1798	鵬 1823	鵮 1825	儁鳥 1826	粿 1851	黟 1864	鼻 鼾 1880
鯼 1798	鶍 1823	鵽 1825	鷦 1826	麵 1851	黔 1864	齀 1880
鯛 1798	鶴 1823	屈鳥 1825	鷲 1826	麒 1852	黧 1864	齁 1880
鯙 1798	鶏 1823	鶁 1825	鶚 1826	麩 1852	黖 1864	齃 1880
鯊 1798	鶞 1823	鶏 1825	鵂 1826	麴 1852	黮 1864	齆 1880
鯵 1798	鵬 1823	鶩 1825	鶘 1826	麳 1852	黭 1864	齊 齋 1883
鯁 1798	鵬 1823	鶩 1825	鶩 1826	麷 1852	黯 1864	齍 1883
鰲 1798	鵯 1823	鶏 1825	鶝 1826	麲 1852	黹 黼 1870	齎 1883
鰹 1798	鵰 1824	鶴 1825	鹵 鹸 1843	麵 1852	黽 鼆 1871	齒 齖 1884
鯎 1798	鶿 1824	鶘 1825	鹺 1843	麪 1852	鼃 1871	齙 1884
鮸 1798	鶘 1824	鵦 1825	鹼 1843	麫 1852	鼂 1871	齗 1884
鯶 1798	鶒 1824	鶌 1825	鹽 1843	麭 1852	鼓 鼕 1874	齘 1884
鮸 1799	鵲 1824	鶌 1825	鹹 1843	麯 1852	鼖 1874	齕 1885
鯚 1799	鶊 1824	鶼 1825	鹿 麑 1846	麰 1852	鼗 1874	齗 1885
鰤 1799	鵵 1824	鶯 1825	麔 1847	麮 1852	鼘 1874	齚 1885
鯱 1799	鶋 1824	鶾 1825	麐 1847	麵 1852	鼙 1874	齡 1885
鰲 1799	鶉 1824	鶣 1825	麖 1847	麷 1852	鼚 1874	齔 1885
鰈 1799	鶇 1824	鶮 1825	麒 1847	麴 1852	鼛 1874	齞 1885
鳥 雛 1823	鶁 1824	鶬 1825	麓 1847	麭 1852	鼜 1874	齖 1885
鵻 1823	鶒 1824	鶪 1825	麗 1847	麻 靡 1855	鼞 1874	齛 1885
鶀 1823	鶟 1824	鶲 1825	麑 1847	麿 1855	鼠 鼦 1877	齗 1885
鶂 1823	鶇 1824	鶉 1826	麙 1847	䴦 1855	鼨 1877	龐 1893
鵃 1823	鶘 1824	鶤 1826	麚 1847	黀 1856	鼪 1877	龍 龎 1893
鶋 1823	鶗 1824	鶠 1826	麛 1847	黃 黇 1857	鼫 1877	龏 1893
鶋 1823	鶑 1824	鶩 1826	麜 1847	黈 1857	鼩 1877	龐 1893

龜 [illegible] 1894

20획

人 [illegible] 79
儴 79
儳 79
八 [illegible] 88
顛 88
刀 [illegible] 112
劖 112
力 勸 118
勷 118
匸 匶 124
[illegible] 124
口 嚴 191
嚱 191
嚶 191
嚷 192
嚵 192
嚲 192
[illegible] 192
嚳 192
[illegible] 192
囗 圝 199
土 壤 224
壛 224
夂 夒 228
女 孀 268
孅 268
孆 268
孃 268
嬻 268
䨵 268
蘡 268
子 孽 273
孾 273
孼 273
孻 273
宀 寶 287
寶 287
寷 287
山 巖 322
巇 322
巊 322
巉 322
巆 322
巘 323
巙 323
巾 幱 340
幟 340
幯 340
广 廦 354
廣 354
廈 354
廧 354
廳 354
彡 鬖 368
彳 徾 376
心 懸 418
懇 418
懲 418
懿 418
懕 418
懺 419
懷 419
懽 419
手 攔 476
攖 476
攕 476
攘 476
攛 476
攓 476
撜 476
擧 476
攙 476
支 敼 479
攴 斆 489
斅 489
斆 489
斀 489
斁 489
斤 斷 494
方 旟 498
日 曦 516
曨 516
曥 516
曣 517
曫 517
曰 朁 520
月 朧 523
木 櫧 589
櫰 589
櫨 590
櫯 590
櫊 590
櫜 590
櫪 590
櫳 590
櫬 590
櫰 590
櫳 590
龒 590
櫴 590
欄 590
櫺 590
櫟 590
櫞 590
櫶 590
欋 590
櫸 590
欄 591
欃 591
櫝 591
櫍 591
欖 591
鏁 591
藸 591
櫱 591
毛 氋 621
水 瀯 700
瀟 700
瀰 700
灁 700
瀲 700
瀵 701
瀸 701
瀓 701
瀹 701
瀺 701
瀼 701
灀 701
瀾 701
瀿 701
瀴 701
灆 701
瀽 701
瀷 701
瀳 701
瀶 702
瀳 702
灂 702
灂 702
瀏 702
瀚 702
灈 702
瀿 702
灄 702
瀨 702
灊 702
火 黗 729
爋 730
爐 730
爓 730
爗 730
爏 730
爛 730
爔 730
爖 730
爗 730
燔 730
燎 730
燮 730
燧 730
飜 730
燚 730
牛 犧 746
犪 746
犨 746
犫 746
犨 746
犬 獻 764
獼 764
獿 764
獽 764
獯 764
玉 瓏 785
瓍 785
瓐 785
瓕 785
瓌 785
瓌 785
田 疁 803
疈 803
疉 803
疒 癤 821
癢 821
癥 821
癪 821
癰 821

廮 821	礨 883	穴 竇 925	籍 961	网 羅 1032	䳸 1102	蘰 1203
𤻮 821	礲 883	竊 925	籆 961	羅 1032	臼 舋 1107	蘊 1203
𤼁 821	礧 883	竂 925	米 糯 978	罍 1032	舟 艦 1117	蘋 1203
癈 821	礥 883	竆 925	糰 978	羆 1032	艨 1117	蘢 1203
白 皣 827	礪 883	立 競 929	𥽉 978	羊 羸 1039	艧 1117	蘞 1204
皪 827	礫 883	竸 930	糴 978	䍧 1039	艬 1117	蘏 1204
皫 827	礸 883	竹 簾 960	糵 978	羽 翿 1047	艩 1117	蘔 1204
皮 皾 831	礤 883	籌 960	糸 繻 1017	耀 1047	色 艶 1119	蘀 1204
皾 831	礘 883	籉 960	繼 1017	䎅 1047	艷 1119	蘑 1204
皺 831	礉 883	籃 960	繽 1018	耒 耰 1054	艸 蘼 1202	蘜 1204
皺 831	礒 883	籄 960	纉 1018	耳 聹 1061	藷 1202	蘓 1204
皿 盭 836	礋 883	籅 960	纁 1018	聯 1061	藹 1202	蘡 1204
盭 836	礏 883	籆 960	繶 1018	聵 1061	藺 1202	蘟 1204
盧 836	礚 883	籙 960	纙 1018	聻 1061	藻 1202	蘡 1204
罍 836	礨 883	籚 960	纀 1018	聽 1062	藾 1202	蘗 1204
鹽 836	礬 883	籝 960	繰 1018	聽 1062	藻 1202	蘕 1204
目 矍 859	示 禲 895	籛 960	繿 1018	聾 1062	藾 1202	蘢 1204
瞍 859	禳 895	籜 960	纏 1018	肉 臙 1097	藿 1202	蘬 1204
曠 859	禾 穲 913	籤 960	辮 1018	臚 1097	蘀 1202	蘠 1204
矘 859	穮 913	籧 960	繇 1018	臛 1097	蘁 1203	蘐 1204
矉 859	穫 913	籑 960	纂 1018	臝 1097	蘂 1203	蘙 1204
瞭 859	穦 913	籗 960	纊 1018	臞 1097	藥 1203	蘚 1204
矚 859	穬 913	籚 960	縱 1018	臗 1097	蘄 1203	蘭 1204
矙 859	穭 913	籋 960	繾 1018	臛 1097	蘅 1203	蘹 1204
矊 859	穖 913	籍 961	缶 罌 1025	臕 1097	蘆 1203	蘷 1204
瞏 859	穡 913	籌 961	罍 1025	臛 1097	蘇 1203	蘥 1204
矢 矲 864	穡 913	籉 961	罋 1025	自 鼻 1102	蘇 1203	蘥 1204
石 礦 882	穆 913	籊 961	罌 1025	齇 1102	蘸 1203	蘬 1204

蘏 1204	蘸 1205	蠠 1252	覺 1303	譔 1358	譋 1359	趪 1418
蘉 1204	蘺 1205	蠕 1252	覼 1303	謬 1358	護 1359	趮 1418
蘳 1204	蘼 1206	蠣 1252	覻 1303	譅 1358	譀 1359	趯 1418
蘢 1205	蘸 1206	蠢 1253	角 觸 1311	譖 1358	谷 谽 1368	趫 1418
蕁 1205	蘤 1206	蠶 1253	觼 1311	譪 1358	豆 豔 1371	趬 1418
蘮 1205	薸 1206	血 衊 1261	觽 1311	譩 1358	豏 1371	趭 1418
藤 1205	蘱 1206	衋 1261	觹 1311	讓 1358	豓 1371	趯 1419
蘭 1205	蘫 1206	衣 襞 1290	觷 1311	譡 1358	豐 1371	趲 1419
蘧 1205	蘞 1206	襄 1290	觺 1311	警 1358	豑 1371	趱 1419
蘷 1205	蘍 1206	覈 1291	言 譱 1357	譤 1359	豕 豶 1378	足 躁 1449
蘪 1205	虍 虩 1217	覂 1291	譜 1357	譬 1358	豦 1378	躅 1449
蘟 1205	虫 蠜 1252	襫 1291	譂 1357	謷 1359	豷 1378	躆 1449
蘝 1205	蠥 1252	襭 1291	譟 1357	譍 1359	豲 1378	躇 1449
蘯 1205	蠡 1252	襯 1291	譪 1357	譁 1359	豸 貜 1384	躈 1449
藺 1205	蠐 1252	襱 1291	譫 1357	譤 1359	貋 1384	躄 1449
薹 1205	蠤 1252	襮 1291	譯 1357	譂 1359	貗 1384	躈 1450
蘵 1205	蠑 1252	襩 1291	譯 1357	譺 1359	貙 1384	躋 1450
蘁 1205	蠙 1252	襳 1291	譨 1357	譠 1359	貘 1384	躓 1450
蘫 1205	蠔 1252	襴 1291	議 1357	譾 1359	貝 贍 1400	躉 1450
䕯 1205	蠕 1252	襵 1291	譭 1358	譺 1359	賺 1400	躄 1450
蘟 1205	蠖 1252	襹 1291	譺 1358	譢 1359	贎 1401	躅 1450
蘧 1205	蠓 1252	襶 1291	譮 1358	譴 1359	贐 1401	躐 1450
蘱 1205	蠘 1252	襸 1291	譞 1358	讞 1359	贓 1401	躃 1450
蘸 1205	蠑 1252	襹 1291	譣 1358	譽 1359	贈 1401	躋 1450
蘋 1205	蠗 1252	襺 1291	譧 1358	諈 1359	贏 1401	躂 1450
蘊 1205	蠟 1252	見 覺 1303	譠 1358	讌 1359	走 趮 1418	躊 1450
蘨 1205	蠤 1252	覷 1303	譢 1358	響 1359	趲 1418	躚 1450

蹬 1450
踶 1450
躂 1450
𨇨 1450
𨆷 1450
𨇤 1450
𨇝 1450
𨇰 1450
蹝 1450
躝 1450
𨆫 1450
𨇛 1450
𨆿 1450
身 軆 1458
軉 1458
軇 1458
𨉣 1459
𨉤 1459
車 轒 1479
轖 1479
轗 1480
轃 1480
轘 1480
轙 1480
䡺 1480
轕 1480
轚 1480
𨏥 1480
𨐀 1480
䡖 1480
轢 1480
𨏲 1480
轞 1480
𨏶 1480
辛 䚢 1486
䢃 1486
辰 𨑃 1487
𨑂 1487
辵 𨘋 1510
𨘏 1510
𨘗 1510
邑 䣛 1528
䣜 1528
𨞻 1528
𨞹 1530
𨟓 1530
𨟙 1530
𨟛 1530
酉 醲 1543
醳 1543
𨡡 1543
醴 1543
醵 1543
醷 1543
醶 1543
醸 1543
𨣞 1543
醫 1543
醻 1543
醦 1543
䤁 1543
𨣔 1543
醽 1544
釆 釋 1546
金 鏷 1581
𨮒 1581
鏺 1581
鐃 1581
鐄 1581
鐇 1581
鐍 1581
鐎 1581
鐏 1581
鐐 1581
鐓 1581
鐔 1581
鐖 1582
鐘 1582
鐙 1582
鐕 1582
鏵 1582
鐵 1582
鐥 1582
鐦 1582
鐊 1582
鐫 1582
鐓 1582
鐨 1582
鐣 1582
鐑 1582
鐉 1582
鐋 1582
鐝 1583
鐪 1583
鐈 1583
鐳 1583
鐲 1583
鐟 1583
鐀 1583
鐻 1583
鐴 1583
鐾 1583
鐩 1583
鐭 1583
鐼 1583
鏧 1583
鐹 1583
鑤 1583
鐺 1583
鐒 1583
鐑 1583
鐁 1583
鐌 1584
鐰 1584
鐬 1584
鐗 1584
鐛 1584
鐬 1584
鐯 1584
鐗 1584
鐠 1584
鐣 1584
鐄 1584
鐭 1584
長 𨱽 1594
門 闖 1607
闞 1607
闟 1607
闠 1607
闡 1607
闢 1607
闣 1607
闤 1607
闥 1607
闦 1607
闧 1607
闚 1607
闛 1608
闙 1608
闌 1608
闕 1608
阜 䦶 1624
隱 1627
隵 1628
隶 隸 1628
隹 雙 1637
雞 1637
雝 1637
雟 1637
雤 1637
雥 1637
雦 1637
雧 1637
雨 1637
雩 1637
雪 1637
雫 1637
雬 1637
雭 1637
雮 1637
雯 1637
雨 霰 1648
露 1648
霳 1648
霶 1648
霸 1649
霹 1649
霺 1649
霻 1649
霼 1649
霽 1649
霾 1649
霿 1649
靀 1649
靁 1649
靂 1649
靃 1649
靄 1649
靅 1649
靆 1649
靇 1649
靈 1649
靉 1649
靊 1649
非 靠 1656
面 靡 1658
靣 1658
靤 1658

醦 1658	䛿 1681	颵 1710	饎 1727	騪 1748	騫 1749	鬔 1772
革 鞹 1670	譴 1681	飃 1710	饕 1727	騣 1748	騭 1749	鬒 1772
鞺 1670	謦 1681	䫿 1710	饃 1727	騹 1748	骨 髆 1760	鬓 1772
鞻 1670	響 1681	飀 1710	饙 1727	騥 1748	髊 1760	鬙 1772
䪁 1670	頁 顢 1698	颾 1710	饁 1727	騰 1748	髜 1760	鬐 1772
鞿 1670	顣 1698	飄 1710	饜 1727	騰 1748	髏 1760	鬕 1772
鞴 1670	顡 1698	颽 1710	饑 1727	騞 1748	髈 1760	門 鬪 1776
韠 1670	顠 1698	颼 1710	首 馘 1732	騩 1748	髋 1760	鬯 鬱 1777
䩬 1670	顤 1698	食 饅 1726	香 馨 1734	騙 1748	髈 1760	鬲 鬳 1779
韸 1670	顬 1698	饇 1726	馬 驁 1746	騺 1748	髓 1760	鬴 1779
䩾 1670	顪 1698	饉 1726	騮 1746	騖 1748	髐 1760	鬵 1779
韂 1670	顙 1698	饆 1726	騸 1747	騯 1748	髓 1760	鬼 魑 1784
䩶 1670	顝 1699	饈 1726	驂 1747	騬 1748	髑 1760	魒 1784
䪅 1670	顢 1699	饒 1726	驄 1747	騩 1748	高 髞 1763	魕 1784
䪊 1670	顜 1699	饗 1726	騷 1747	騽 1748	髟 鬠 1771	魚 鯷 1799
韁 1670	顟 1699	饎 1726	騙 1747	驈 1748	鬢 1771	鰒 1799
韇 1670	顩 1699	饛 1726	騻 1747	驁 1748	鬆 1771	鰆 1799
韊 1670	顛 1699	饟 1726	騩 1747	驂 1748	鬅 1771	鯸 1799
鞸 1671	顜 1699	饗 1726	騵 1747	驀 1748	鬑 1771	鰂 1799
韋 韠 1677	顤 1699	饘 1726	騶 1747	騋 1748	鬄 1771	鯿 1799
韛 1677	顦 1699	餮 1726	騱 1747	驁 1748	鬓 1771	鰈 1799
韝 1677	贅 1699	饍 1726	騮 1747	騮 1748	鬈 1771	鰉 1799
韘 1677	風 飂 1710	饋 1726	騫 1747	騲 1749	鬞 1772	鰊 1799
韚 1677	飃 1710	饄 1727	騅 1747	騰 1749	鬙 1772	鰅 1799
韝 1677	飄 1710	饜 1727	騲 1747	騸 1749	鬋 1772	鰋 1799
音 韽 1681	飄 1710	饊 1727	騣 1747	驄 1749	鬚 1772	鰌 1799
䪨 1681	飆 1710	饉 1727	騎 1748	驇 1749	鬟 1772	鰍 1799

鰒 1800	鯺 1801	鶏 1827	鶬 1828	麚 1848	黍 黐 1859	鼓 鼛 1874
鯾 1800	鰋 1801	鶡 1827	鶬 1829	麛 1848	緊 1859	鼜 1874
鰓 1800	鯙 1801	鶵 1827	鶻 1829	麠 1848	黐 1859	鼠 鼮 1877
鰆 1800	鰊 1801	鶪 1827	鶵 1829	麡 1848	黏 1859	鼯 1877
鰂 1800	鰄 1801	鶂 1828	鶩 1829	麣 1848	黐 1860	鼷 1877
鯑 1800	鰌 1801	鷄 1828	鶠 1829	麝 1848	黑 黤 1864	鼰 1877
鰑 1800	鰗 1801	鶖 1828	鶧 1829	麢 1848	黥 1864	鼯 1877
鮷 1800	鳥 鶘 1826	鶩 1828	鷄 1829	麥 麵 1852	黦 1864	鼶 1877
鰔 1800	鶓 1826	鶭 1828	鶡 1829	麵 1852	黓 1864	鼹 1877
鰁 1800	鶝 1826	鶱 1828	鶨 1829	麱 1852	黯 1864	鼵 1877
鰀 1800	鶗 1826	鶤 1828	鶫 1829	麰 1852	黬 1864	鼨 1878
鰖 1800	鶗 1826	鶦 1828	鶶 1829	麴 1852	黔 1864	鼴 1878
䲔 1800	鶚 1826	鶥 1828	鶿 1829	麲 1852	黖 1864	鼻 鼾 1880
鰺 1800	鶚 1826	鶏 1828	鷂 1829	麷 1853	黧 1864	齁 1881
鯷 1800	鶤 1826	鶲 1828	鷆 1829	麻 麽 1856	黨 1865	齂 1881
鯶 1800	鶘 1827	鶾 1828	鶬 1829	麾 1856	黮 1865	齃 1881
鰐 1800	鶠 1827	鶼 1828	鶴 1829	磨 1856	黭 1865	齇 1881
鰕 1800	鶮 1827	鶥 1828	鹵 鹹 1843	黃 黇 1857	黯 1865	齊 齋 1883
鰚 1800	鷗 1827	鶿 1828	鹹 1843	黈 1857	黰 1865	齒 齙 1885
鰥 1800	鶗 1827	鶘 1828	鹺 1843	黊 1857	黲 1865	齞 1885
鰎 1800	鶟 1827	鶬 1828	鹻 1843	黋 1857	黳 1865	齟 1885
鰱 1800	鶤 1827	鶿 1828	鹼 1843	黌 1857	黵 1865	齠 1885
鬻 1800	鶡 1827	鶺 1828	鹺 1843	黈 1857	黶 1865	齣 1885
鰈 1800	鶥 1827	鶱 1828	鹻 1843	黋 1857	黷 1865	齝 1885
鰫 1800	鶳 1827	鶵 1828	鹿 麛 1847	黌 1858	黹 黼 1870	齛 1885
鰃 1801	鶵 1827	鶶 1828	麚 1847	黊 1858	黽 鼇 1871	齒 1885
鰇 1801	鶮 1827	鶬 1828	麙 1848	黌 1858	鼂 1871	齜 1885

齛 1886
⿰齒出 1886
齙 1886
齜 1886
⿱艹齒 1886
⿰齒可 1886
⿰齒史 1886
⿰齒亢 1886
⿰齒失 1886
⿱谷齒 1886
⿰齒占 1886
⿰齒戊 1886
⿰齒它 1886
龍 龔 1893
龕 1893
⿰爿龍 1893
⿰歹龍 1893
朧 1893
龜 ⿱龜灬 1894
⿰火龜 1894
⿰井龜 1894
⿰龜今 1894
⿰龜勾 1895
⿰龜毛 1895
⿱合龜 1895

21획

亠 亹 31
人 儷 79
儺 79
儺 79
儸 79
儹 79
⿰亻顛 79
⿰亻卷 79
刀 劗 112
劘 112
又 ⿱䜌又 144
口 囂 192
嚻 192
嚼 192
嚵 192
嚾 192
囀 192
囁 192
⿰口巂 192
⿰口顛 192
⿰口離 192
⿰口醫 192
⿰口爂 193
囋 193
囗 圝 199
⿴囗縣 199
土 ⿱髟土 224
⿱雝土 224
女 孎 268
⿰女爂 269
子 ⿰辟子 273
⿰孫鳥 273
宀 ⿱宀豐 287
⿱宀寢 287
⿱宀爾 287
⿱宀塞 287
寱 287
尸 屬 301
屮 [illegible] 303
山 巍 323
⿱魏山 323
[illegible] 323
巋 323
巏 323
⿰山壘 323
巙 323
巉 323
巾 ⿰巾夔 340
⿰巾爂 340
广 ⿸广離 354
弓 ⿰弓疊 364
⿱艹彊 364
彳 ⿰彳瞿 376
心 ⿱熒心 418
懼 419
懽 419
懾 419
⿰忄毚 419
⿰忄夔 419
⿰忄巂 419
⿰忄爂 419
手 ⿱學手 476
⿰扌顛 476
⿰扌夔 476
攜 476
攥 476
攝 476
⿰扌爵 477
⿰扌瞿 477
⿰扌燊 477
⿰扌爂 477
⿰扌雝 477
攙 477
攠 477
文 斕 490
日 曩 517
木 欅 591
⿰木戴 591
櫺 591
櫻 591
欂 591
⿰木壇 591
欃 591
⿰木還 591
欀 591
櫼 591
欄 591
⿰𢆸隹 592
⿰木燮 592
⿰木韋 592
櫹 592
⿰木縣 592
⿰阝襄 592
櫜 592
歹 殲 611
⿰歹闌 611
水 ⿰氵爵 702
灃 702
⿰氵壘 702
灉 702
灌 702
⿰氵霽 703
⿰氵鶱 703
灄 703
灈 703
⿰氵闌 703
⿰氵爂 703
⿰氵簡 703
⿰氵斷 703
⿰氵羆 703
⿰氵爂 703
瀼 703
[illegible] 703
⿰氵纂 703
⿰氵冀 703
⿰氵霤 703
瀺 703
火 爚 730
爛 730
[illegible] 730
[illegible] 730
⿱髟爂 730
片 牘 738
牛 ⿰牛營 746
犬 ⿰犭夔 764
⿰犭壘 764
獾 764
玉 ⿱殸玉 785
⿱雷玉 785
瓔 785
瓖 785
瓓 785
⿰王燮 785
瓜 ⿰盧瓜 787
瓦 ⿰盧瓦 791
⿱齊瓶 791
田 ⿰田盧 803
疒 癧 821
⿸疒龍 821
⿸疒雚 821
癩 822
⿸疒盧 822
⿸疒賴 822
白 ⿰白鳥 827
⿰白霍 827
⿰白歷 828
皮 ⿰盧皮 831
目 矐 859
矑 859
⿰目囊 859
⿰目縣 859
⿰目曹 859
⿱猒目 860
⿰目歷 860
矓 860
⿰目臺 860
[illegible] 860
石 ⿰石儲 883
⿰石霍 883
礰 883
⿰石敫 884
⿰石學 884
⿰石襄 884

礱 884	籜 962	繿 1020	艛 1117	藍 1207	蠢 1253	襹 1292
礲 884	籛 962	纅 1020	艥 1117	藾 1208	蠠 1253	襶 1292
示 禷 895	籚 962	缶 罏 1025	艸 蘗 1206	蘎 1208	蠤 1253	見 覾 1303
禬 895	籗 962	罍 1025	蘘 1206	蘷 1208	蠨 1253	覿 1303
禾 穮 914	籠 962	罌 1025	蘙 1206	蘪 1208	蠱 1253	覼 1303
穯 914	米 糲 978	网 羃 1032	蘚 1206	蘤 1208	蠲 1253	覽 1303
龝 914	糰 978	羄 1032	蘛 1206	藍 1208	蠖 1253	角 觼 1311
穬 914	糷 978	羊 羶 1039	蘜 1206	蘸 1208	蠗 1253	觽 1311
穴 竉 925	糶 978	羼 1039	蘝 1206	蘞 1208	蠛 1253	言 譶 1360
竈 925	糵 978	羸 1039	蘡 1206	蘟 1208	蠟 1253	譴 1360
竊 925	糸 纆 1018	羽 翿 1047	蘢 1206	蘠 1208	蠛 1253	護 1360
竇 925	纇 1018	𦑣 1047	蘦 1206	蘩 1208	蠣 1254	譸 1360
竅 925	纊 1018	翾 1047	蘧 1206	蘿 1208	蠕 1254	譹 1360
立 竷 930	續 1019	耒 耰 1054	蘩 1207	藻 1208	蠐 1254	譺 1360
竹 籐 961	纏 1019	耲 1054	蘯 1207	蘩 1208	蠑 1254	譻 1360
籑 961	纋 1019	耀 1054	蘰 1207	蘪 1208	蠓 1254	譽 1360
籒 961	纕 1019	耳 聻 1062	蘭 1207	蘮 1208	蠡 1254	譿 1360
籔 961	纖 1019	聵 1062	蘱 1207	蘮 1208	蠱 1254	譾 1360
籓 961	纓 1019	肉 贏 1097	蘲 1207	蘳 1208	血 衊 1261	讂 1360
籓 961	纆 1019	臁 1098	蘇 1207	虍 虨 1217	衋 1261	讀 1360
籚 961	纗 1019	臚 1098	蘥 1207	虩 1217	衣 襲 1291	讅 1360
籛 961	纘 1019	臛 1098	蘺 1207	虪 1217	襯 1291	讆 1360
籜 961	纖 1019	臣 臤 1100	蘗 1207	虫 蠡 1253	襱 1292	讇 1360
籙 961	纇 1019	舟 艬 1117	蘻 1207	蠢 1253	襸 1292	讈 1360
籝 961	纈 1019	艤 1117	蘓 1207	蠤 1253	襹 1292	讖 1361
籛 962	纏 1019	艦 1117	蘞 1207	蠤 1253	襺 1292	讗 1361
篡 962	纍 1020	艫 1117	蘟 1207	蠠 1253	襴 1292	讘 1361

艪 1361	贑 1401	蹻 1451	邌 1510	鐺 1585	鐷 1586	雔 1637
譯 1361	贏 1401	蹽 1451	邍 1510	鐻 1585	鐵 1586	雗 1637
譪 1361	贒 1401	躃 1451	邎 1510	鐂 1585	長 镾 1594	雞 1608
譹 1361	贐 1401	躇 1451	邑 酅 1528	鐼 1585	镽 1594	雟 1637
譔 1361	贓 1401	躁 1451	酆 1530	鐿 1585	镾 1594	雨 霸 1649
譞 1361	贉 1401	躄 1451	酇 1530	鑙 1585	門 闢 1608	霹 1649
譿 1361	贕 1401	躈 1451	酈 1530	鐐 1585	闤 1608	露 1649
讑 1361	贖 1401	身 軇 1459	酄 1530	鐮 1585	闥 1608	霷 1650
議 1361	贗 1401	軈 1459	酉 醺 1544	鐫 1585	闟 1608	霺 1650
譲 1361	走 趣 1419	軉 1459	醻 1544	鐱 1585	闞 1608	霼 1650
䜋 1361	趯 1419	軃 1459	醹 1544	鐵 1585	闠 1608	霽 1650
譴 1361	趭 1419	軆 1459	醼 1544	鑂 1585	闡 1608	霾 1650
讁 1361	趬 1319	車 轟 1480	醽 1544	鑃 1585	闣 1608	霿 1650
譟 1361	趪 1319	轞 1480	醾 1544	鑄 1585	闢 1608	靀 1650
讃 1361	趲 1419	轜 1480	醿 1544	鑅 1585	闤 1608	靁 1650
谷 䜮 1368	趱 1419	轝 1481	釀 1544	鑆 1585	闥 1608	靂 1650
豆 䜵 1371	趰 1419	轞 1481	醺 1544	鐙 1585	闦 1608	靃 1650
豏 1371	足 躊 1451	轔 1481	金 鐩 1584	鐵 1586	闧 1608	靄 1650
豕 豶 1378	躋 1451	轟 1481	鐫 1584	鐶 1586	闒 1609	靅 1650
豷 1378	躍 1451	轡 1481	鐪 1584	鐴 1586	阜 隭 1628	靆 1650
豯 1378	躍 1451	轢 1481	鐯 1584	鑓 1586	隳 1628	靇 1650
豬 1378	躐 1451	轣 1481	鐲 1584	鐭 1586	隴 1628	靈 1650
豮 1378	躒 1451	轤 1481	鐳 1584	鑋 1586	隹 雘 1637	靉 1650
豸 貗 1384	躔 1451	辛 辯 1486	鐵 1584	鐱 1586	雔 1637	青 靝 1654
貝 贔 1401	躎 1451	辰 農 1487	鐶 1584	鐰 1586	雗 1637	面 靧 1658
贐 1401	躑 1451	辵 邇 1510	鐸 1585	鐬 1586	雚 1637	靨 1658
贓 1401	躒 1451	邈 1510	鐹 1585	鐷 1586	雛 1637	革 1659

醾 1659	頁 顥 1699	飆 1711	饆 1728	驀 1750	鬗 1773	鰦 1802
醽 1659	顣 1699	飇 1711	饑 1728	騖 1750	鬘 1773	鰢 1802
醻 1659	顢 1699	飉 1711	饍 1728	騷 1750	門 闢 1776	鰧 1802
醳 1659	顦 1699	飋 1711	饋 1728	骨 髖 1760	闥 1776	鰨 1802
醷 1659	顫 1699	飌 1711	饉 1728	髎 1760	闤 1776	鰮 1802
革 韇 1671	顤 1700	飃 1711	饈 1728	髏 1760	鬯 鬱 1777	鰯 1802
鞿 1671	顧 1700	颾 1711	香 馨 1734	髓 1760	鬰 1777	鰛 1802
鞾 1671	顟 1700	飂 1711	馩 1734	髎 1760	鬲 鬺 1779	鰠 1802
鞽 1671	顪 1700	飛 飜 1712	馬 騾 1749	髏 1760	鬹 1779	鰣 1802
鞼 1671	顯 1700	飝 1712	驂 1749	髍 1760	鬻 1779	鰫 1802
鞻 1671	顥 1700	食 饋 1727	驃 1749	髒 1760	鬻 1784	鰟 1802
鞹 1671	顱 1700	饌 1727	驄 1749	髻 1761	鬼 魑 1784	鰤 1802
鞺 1671	顩 1700	饎 1727	驅 1749	鬜 1761	魌 1784	鰧 1802
韆 1671	顪 1700	饐 1727	驁 1749	高 鬝 1764	魔 1784	鰨 1802
韃 1671	顬 1700	饑 1727	驄 1749	髟 鬘 1772	魔 1784	鰩 1802
鞼 1671	顮 1700	饒 1727	驈 1749	鬖 1772	魔 1784	鰷 1802
韋 韡 1677	顙 1700	饟 1728	驊 1749	鬗 1772	魚 鰜 1801	鰪 1802
韠 1677	顡 1700	饘 1728	驂 1749	鬘 1772	鰣 1801	鰥 1802
韢 1678	顲 1700	饗 1728	驂 1750	鬙 1772	鰥 1801	鰻 1802
韣 1678	顥 1700	饕 1728	驅 1750	鬚 1772	鰭 1801	鰃 1802
韤 1678	顳 1700	饗 1728	驚 1750	鬛 1772	鰨 1801	鰝 1802
韥 1678	顦 1700	饞 1728	驚 1750	鬠 1772	鰩 1801	鰲 1802
韀 1678	風 飆 1710	饘 1728	驀 1750	鬢 1772	鰤 1801	鰵 1803
非 靡 1679	飈 1711	饔 1728	驃 1750	鬟 1773	鰫 1801	鰷 1803
靃 1679	飊 1711	饕 1728	驄 1750	鬢 1773	鰪 1801	鰾 1803
靄 1679	飉 1711	饜 1728	驁 1750	鬣 1773	鰭 1801	鱂 1803
音 韽 1681	飋 1711	饛 1728	驌 1750	鬤 1773	鰪 1802	鰺 1803

鱄 1803
鱧 1803
鱯 1803
鳥 鶬 1829
鶴 1829
鶸 1829
鶹 1829
鶺 1829
鶻 1830
鶇 1830
鶲 1830
鷂 1830
鶡 1830
鷈 1830
鷉 1830
鷊 1830
蔦 1830
鷀 1830
鶨 1830
鶰 1830
鷍 1830
鶮 1830
鷅 1830
鷌 1830
鷄 1830
鶷 1830
鶤 1831
鶪 1831
鶽 1831
鷏 1831
鷇 1831
鶯 1831
鶱 1831
鷙 1831
鷖 1831
鶩 1831
鶚 1831
鷎 1831
鷍 1831
鵬 1831
鶶 1831
鷟 1831
鷩 1831
鸄 1831
鸂 1832
鶬 1832
鵯 1832
鶳 1832
鷔 1832
鵖 1832
鷛 1832
鷂 1832
鵷 1832
鶬 1832
鹵 鹺 1843
鹼 1843
鹻 1843
盬 1843
墭 1843
鹽 1843
䴚 1843
鹿 麝 1848
麗 1848
麢 1848
麠 1848
麡 1848
麥 麵 1853
麩 1853
麲 1853
麷 1853
麰 1853
麭 1853
麯 1853
麮 1853
麳 1853
䴬 1853
麻 䵆 1856
麼 1856
黃 黊 1858
黦 1858
黋 1858
黼 1858
黻 1858
黍 黐 1860
黏 1860
黎 1860
黧 1860
黏 1860
黎 1860
黑 黫 1865
黬 1865
黭 1865
黮 1865
黯 1866
黤 1866
黰 1866
䵎 1866
黢 1866
黨 1866
黪 1866
黫 1866
黯 1866
黵 1866
黊 1866
䵭 1866
黩 1866
黫 1866
䵷 1866
黰 1866
黹 黼 1870
黺 1870
黽 鼂 1871
鼃 1871
鼓 鼘 1874
鼛 1874
鼚 1874
鼕 1874
鼖 1874
鼠 鼳 1878
鼶 1878
鼱 1878
鼻 齂 1881
齃 1881
齅 1881
齆 1881
齇 1881
齉 1881
齊 齎 1883
齒 齦 1886
齰 1886
齩 1886
齛 1886
齥 1886
齚 1887
齣 1887
齛 1887
齥 1887
齧 1887
齭 1887
齮 1887
齨 1887
齛 1887
齫 1887
齝 1887
齬 1887
齹 1887
齢 1887
龍 龔 1893
龜 龝 1895
龜 1895
龜 1895
龜 1895
龜 1895
龜 1895
龜 1895
龜 1895
龠 龡 1895
龥 1895
龢 1895

22획

亠 亹 31
人 儻 79
儼 80
儽 80
儹 80
冂 冈 90
冈 90
口 嚴 193
囅 193
囈 193
囋 193
囉 193
囆 193
囊 193
嚞 193
囗 圝 199
夂 夔 227
大 奱 239
女 孋 269
㜺 269
孄 269
孌 269
子 孿 273
宀 寱 287
尸 屭 301
山 巓 323
巑 323

巒 323	攴 斆 489	灑 704	目 矃 860	籞 963	网 羇 1032	蘶 1209
巕 323	方 旟 498	灖 704	矎 860	籫 963	羊 羅 1039	蘦 1209
巙 323	木 權 592	灗 704	矕 860	籔 963	羻 1039	蘇 1209
巾 幰 340	欆 592	瀆 704	石 礴 884	籗 963	耳 聽 1062	蘳 1209
幱 340	欇 592	灎 704	礶 884	籦 963	聢 1062	蘷 1209
广 廱 354	欋 592	火 爝 731	礳 884	籡 963	聾 1062	虄 1209
廲 354	欌 592	爟 731	示 禳 895	籐 963	聵 1062	蘴 1209
廾 𢍰 357	欂 592	爞 731	禴 895	米 糴 978	聻 1062	虆 1209
弓 彎 364	欙 592	爆 731	禮 895	繫 978	肉 臞 1098	蘬 1209
彐 彝 365	欃 592	爙 731	禰 895	糶 978	臟 1098	蘿 1209
彡 彲 368	欞 592	爒 731	禾 穰 914	糬 978	臛 1098	虇 1209
心 懿 419	欑 592	片 牆 736	穱 914	糵 978	臙 1098	蘽 1209
𢣏 419	桑 592	牛 犦 746	穳 914	糸 纑 1020	臝 1098	蘗 1209
𢥠 419	𣡌 593	犫 746	穴 竊 925	纇 1020	臡 1098	蘸 1209
㦬 419	𣡗 593	犬 玀 764	立 競 930	纆 1020	舟 艫 1117	蘪 1209
𢥨 419	欠 歡 601	玉 瓘 785	竹 籙 962	纉 1020	艭 1117	虉 1209
戈 戳 425	歙 602	瓗 786	籛 962	纘 1020	艬 1117	蘲 1209
手 攡 477	歁 602	瓔 786	籜 962	繼 1020	艥 1117	藡 1209
攎 477	歡 602	瓜 瓤 787	籝 962	纎 1020	艩 1117	虍 虞 1217
攞 477	毛 氍 621	瓦 甗 787	籞 962	纜 1020	色 艷 1119	虫 蠭 1254
攢 477	水 瀪 702	田 疊 791	籟 962	纏 1020	艸 蘿 1208	蠫 1254
攔 477	灑 703	疊 803	籠 962	纅 1020	蘘 1208	蠯 1254
攤 477	灕 704	疒 癬 822	籚 962	纄 1020	蘴 1208	蠹 1254
攦 477	灘 704	癭 822	籗 962	纙 1020	蘾 1208	蠧 1254
攠 477	灒 704	癮 822	𥸩 963	纚 1020	蘳 1208	蠩 1254
擾 477	灖 704	白 皭 828	籥 963	缶 罏 1025	蘵 1208	蠣 1254
攄 477	灡 704	皭 828	籣 963	罎 1025	蘵 1208	蠪 1254

部首	字	面
	蠦	1254
	䗳	1254
	蠪	1254
	蠝	1254
	𧓍	1254
	蠵	1255
	蠢	1255
	蠐	1255
	蠙	1255
	蠧	1255
	蠹	1255
	蠶	1255
	蠘	1255
	蠜	1255
	蠨	1255
行	衢	1264
衣	襲	1292
	襞	1292
	襲	1292
	襲	1292
	襶	1292
	襴	1292
	纓	1292
	襶	1292
	襻	1292
見	覿	1303
	覼	1303
	覾	1303
	覻	1303
	覷	1303
	覰	1303
角	觼	1311
	觿	1311
	觻	1311
	觻	1311
言	讀	1361
	讂	1361
	讆	1361
	讂	1362
	讁	1362
	讄	1362
	譞	1362
	譯	1362
	譒	1362
	讖	1362
	讚	1362
	讋	1362
	讋	1362
	譹	1362
	讃	1362
	讈	1362
	讅	1362
	讖	1362
	讍	1362
	變	1362
	讂	1362
	讈	1362
	譪	1362
	讂	1362
	譜	1362
	譔	1362
	讃	1362
	讄	1362
谷	䜿	1368
豕	豅	1378
	豩	1378
貝	贖	1401
	贕	1402
	贗	1402
	贎	1402
	贍	1402
走	趫	1419
	趭	1419
	趮	1419
	趲	1419
	趬	1419
	趯	1419
	趰	1419
	趱	1419
	趲	1419
足	躐	1451
	躑	1451
	躒	1452
	躓	1452
	躔	1452
	躕	1452
	躐	1452
	躖	1452
	躚	1452
	躋	1452
	躐	1452
	躟	1452
	躑	1452
	躞	1452
	躦	1452
	躦	1452
	躐	1452
	躒	1452
身	軀	1459
車	轡	1481
	轢	1481
	轠	1481
	轘	1481
	轒	1481
	轂	1481
	轞	1481
	轥	1481
	轍	1481
	轞	1481
	轒	1482
	轒	1482
辛	辯	1486
辵	邁	1510
	邃	1510
	邇	1510
邑	酇	1529
	酇	1530
	酈	1530
	酄	1531
	酅	1531
酉	醰	1544
	醲	1544
	醽	1544
	醼	1544
	醥	1544
	醶	1544
	醯	1544
	醆	1544
釆	釋	1547
金	鑣	1586
	鑄	1586
	鑏	1586
	鑊	1586
	鑐	1586
	鑌	1586
	鑑	1587
	鐵	1587
	鑯	1587
	鑿	1587
	鑒	1587
	鑠	1587
	鑛	1587
	鑈	1587
	鑏	1587
	鏰	1587
	鏷	1587
	鏌	1587
	鑍	1587
	鑍	1587
	鑼	1587
	鑆	1587
	鑉	1587
	鑣	1587
	鑓	1587
長	镹	1594
門	闥	1609
	闟	1609
	闞	1609
	闤	1609
阜	隳	1628
隹	雗	1637
	雘	1637
	雚	1637
	雛	1637
	雟	1637
	矍	1638
	雝	1638
雨	霽	1650
	霾	1650
	霿	1650
	霨	1651
	靄	1651
	靄	1651
	靅	1651
	靆	1651
	靉	1651
	靇	1651
	靈	1651
	靈	1651
	靉	1651
	靁	1651
	靋	1651
青	靝	1654
面	靨	1659
	靧	1659
革	韁	1671
	韣	1671
	韃	1671
	韄	1671

韂 1671
韄 1671
韇 1671
䩰 1671
𩏒 1671
韛 1672
𩏥 1672
𩏠 1672
䪌 1672
𩏼 1672
𩏷 1672
韋 韣 1678
𩏩 1678
𩏝 1678
𩏸 1678
韇 1678
韥 1678
音 響 1682
響 1682
𩐨 1682
譟 1682
譩 1682
讘 1682
頁 顩 1701
巓 1701
顫 1701
顫 1701

顒 1701
類 1701
顱 1701
顬 1701
類 1701
顴 1701
顩 1701
顲 1701
風 飀 1711
飁 1711
飅 1711
飛 飝 1711
食 饘 1728
饖 1728
饙 1728
饛 1728
饟 1728
饋 1729
饔 1729
饕 1729
饗 1729
饝 1729
饞 1729
饛 1729
饟 1729
饠 1729
饡 1729

饛 1729
饝 1729
饌 1729
饜 1729
饟 1729
饎 1729
饠 1729
饡 1730
馬 驕 1750
驊 1750
驍 1750
驎 1750
驏 1750
驒 1751
驔 1751
驕 1751
驢 1751
驏 1751
驎 1751
驓 1751
驪 1751
驖 1751
驛 1751
驋 1751
驕 1751
驥 1751
驐 1751

驩 1751
驓 1751
驀 1751
驋 1751
驓 1751
驤 1751
驜 1752
驆 1752
骨 髐 1761
髍 1761
髗 1761
髑 1761
髒 1761
髓 1761
髖 1761
髒 1761
髕 1761
高 髝 1764
髞 1764
髟 鬠 1773
鬢 1773
鬝 1773
鬙 1773
鬘 1773
鬛 1773
鬚 1773
鬟 1773

鬠 1773
鬢 1773
鬤 1773
鬣 1773
鬡 1773
鬜 1773
鬟 1774
鬡 1774
門 鬫 1776
鬲 鬻 1779
鬻 1779
鬻 1779
鬼 魒 1784
魖 1785
魕 1785
魕 1785
魙 1785
魕 1785
魕 1785
魕 1785
魙 1785
魙 1785
魚 鰞 1803
鰱 1803
鰶 1803
鰹 1803
鰻 1803

鰟 1803
鰾 1803
鰺 1803
鱄 1803
鰿 1803
鱇 1803
鱅 1803
鱓 1804
鱆 1804
鰸 1804
鱁 1804
鱈 1804
鱎 1804
鰷 1804
鰲 1804
鰺 1804
鰵 1804
鰴 1804
鰵 1804
鱀 1804
鱉 1804
鱇 1804
鱋 1804
鱂 1804
鰲 1804
鰻 1804
鱄 1804

鰟 1804
鰽 1804
鱒 1804
鱟 1804
鱏 1804
鱓 1804
鱛 1805
徽 1805
鱂 1805
鱳 1805
鱃 1805
鳥 鷓 1832
鷗 1832
鷗 1832
鷞 1832
鷥 1832
鷶 1832
鷚 1832
鷮 1832
鷭 1832
鷚 1832
鷚 1832
鷸 1833
鷫 1833
鷛 1833
鷨 1833
鷬 1833

부수	자	면
	鶔	1833
	鷒	1833
	鵴	1833
	鶮	1833
	鷑	1833
	鸖	1833
	鷕	1833
	嚁	1833
	鷺	1833
	鷙	1833
	鷥	1833
	鷩	1833
	鷱	1833
	鷞	1833
	鷽	1833
	鷤	1834
	鸇	1834
	鷸	1834
	鷹	1834
	鷰	1834
	鸄	1834
	鸎	1834
	鸐	1834
	鷔	1834
	鸋	1834
	鷦	1834
	鷲	1834
	鸊	1834
	鸉	1834
	鸏	1834
	鸌	1834
鹵	鹺	1843
	鹻	1843
鹿	麟	1848
	麠	1848
	麡	1848
	麜	1848
麥	麶	1853
	麷	1853
	麵	1853
	麳	1853
	麰	1853
	麴	1853
	麯	1853
	麱	1853
	麲	1853
	麮	1853
麻	黂	1856
黃	䵶	1858
	黌	1858
黍	黐	1860
	黎	1860
黑	黰	1866
	黱	1866
	黲	1866
	黴	1866
	黳	1866
	黨	1867
	黵	1867
	黐	1867
	黷	1867
	黯	1867
	黬	1867
	黭	1867
	黸	1867
黽	鼅	1871
	鼇	1871
鼓	鼛	1874
	鼙	1875
	鼘	1875
	鼞	1875
	鼟	1875
	鼜	1875
	鼚	1875
	鼗	1875
鼠	鼹	1878
	鼹	1878
	鼷	1878
	鼸	1878
	鼵	1878
	鼶	1878
	鼺	1878
	鼴	1878
	鼱	1878
	鼲	1878
	鼳	1878
鼻	齂	1881
	齃	1881
齊	齎	1883
齒	齫	1887
	齬	1887
	齪	1887
	躪	1887
	齸	1887
	齹	1887
	齹	1888
	齷	1888
	齳	1888
	齵	1888
	齰	1888
	齶	1888
	齡	1888
	齰	1888
	齺	1888
	齸	1888
	齹	1888
	齱	1888
龍	龔	1893
	龔	1893
	龓	1893
	攏	1893
	龕	1893
龠	龢	1895

23획

부수	자	면
人	儽	80
	儽	80
	儢	80
	儹	80
刀	劙	112
	劚	112
口	囍	193
	囐	193
	囐	193
	囍	193
土	壧	224
	壨	224
夊	夔	228
女	孍	269
尢	尲	295
山	巖	323
	巗	323
	巘	323
	巙	324
弓	彏	364
心	戀	419
	戁	419
	戄	420
	戃	420
	戂	420
手	攣	477
	攠	477
	攩	478
	攪	478
	攥	478
	攫	478
支	攲	489
文	斖	490
斗	斚	492
日	曬	517
	曩	517
	曪	517
	朁	517
木	欄	593
	欐	593
	欑	593
	欑	593
	欏	593
	欒	593
	欏	593
	欗	593
	欒	593
欠	欒	602
歹	殱	611
殳	毊	614
水	灓	703
	灡	704
	灝	704
	灚	704
	灙	704
	灓	704
	灑	704
	灒	704
	灈	704
火	爕	731
	爢	731
	爩	731
	爡	731
牛	犪	746
犬	玁	764
	玃	764
	玂	764
	玀	764
玉	瓚	786
瓜	瓛	787
疒	癯	822
	癭	822
	癰	822
	癱	822
白	皭	828

皿 盬 836
罍 836
目 矔 860
𥌾 860
矆 860
䂅 860
䂆 860
石 礶 884
礭 884
禾 穫 914
穱 914
穲 914
穳 914
穴 竈 925
竹 簨 963
籢 963
籣 963
籥 963
籫 963
籙 963
籪 963
籤 963
籥 963
籧 964
籒 964
籕 964
籦 964

䉳 964
籑 964
籑 964
䉶 964
米 糵 978
糷 979
䊭 979
糤 979
糗 979
糸 纓 1020
纖 1020
纕 1021
纔 1021
䌫 1021
綸 1021
纏 1021
纛 1021
䜌 1021
纗 1021
缶 䍡 1025
䍣 1025
网 羅 1032
羊 羺 1039
耳 聯 1062
肉 臚 1098
臢 1098
臁 1098

臛 1099
舌 䑛 1109
䑝 1109
舟 艫 1117
艦 1117
艬 1117
艸 蘸 1209
蘺 1209
蘼 1209
蘿 1209
虀 1210
虆 1210
蘬 1210
蘱 1210
蘲 1210
蘹 1210
蘾 1210
虇 1210
虃 1210
虄 1210
蘥 1210
虈 1210
蘢 1210
虉 1210
虌 1210
虊 1210
虋 1210

虌 1210
蘸 1210
蘻 1210
藻 1210
藍 1210
蘸 1211
虈 1211
虇 1211
虂 1211
蘦 1211
虫 蠱 1255
蠭 1255
蠯 1255
蠰 1255
蠨 1255
蠩 1255
蠳 1255
蠕 1255
蠦 1255
蠸 1256
蠬 1256
蠲 1256
蠱 1256
蠹 1256
蠺 1256
蠹 1256
蠻 1256

蠼 1256
蠽 1256
蠶 1256
蠘 1256
衣 襵 1292
襮 1293
襶 1293
襹 1293
襴 1293
襾 覊 1295
角 觽 1311
觾 1311
鬵 1311
言 讕 1362
讌 1363
讜 1363
讚 1363
讌 1363
讍 1363
變 1363
讎 1363
讐 1363
讋 1363
讏 1363
讐 1363
讘 1363
讕 1363

讀 1363
讛 1363
讟 1363
讙 1364
讞 1364
讗 1364
谷 豅 1368
豆 豓 1372
豸 貜 1384
貝 贚 1402
贙 1402
贘 1402
贚 1402
贖 1402
走 趯 1419
趲 1420
趱 1420
足 躝 1452
躃 1452
躪 1452
躚 1452
躛 1453
躄 1453
躏 1453
躘 1453
躒 1453
躨 1453

躙 1453
躘 1453
躝 1453
躞 1453
身 軅 1459
軄 1459
車 轣 1482
轤 1482
轙 1482
轜 1482
轞 1482
轢 1482
轝 1482
轟 1482
轥 1482
轕 1482
辵 邏 1511
邐 1511
邍 1511
邏 1511
邁 1511
邑 酅 1531
酇 1531
酉 醼 1544
醰 1544
醲 1544
醿 1545

䤸 1545	鐂 1589	韤 1678	饏 1730	髒 1761	鱖 1805	鱑 1806
醿 1545	長 𨲠 1594	韄 1678	饐 1730	髓 1761	鱍 1805	鰞 1806
金 鑕 1587	𨲳 1594	韭 韱 1679	饖 1730	髏 1761	鱎 1805	鳥 鷔 1834
䥯 1588	門 闤 1609	音 護 1682	饚 1730	體 1762	鱗 1805	鷤 1834
鑛 1588	隹 𨿮 1638	韣 1682	饛 1730	髕 1762	鱄 1805	鷦 1834
鑯 1588	䨊 1638	頁 顬 1701	香 馪 1734	髊 1762	鱅 1805	鷲 1835
鑠 1588	𩀱 1638	顯 1701	馧 1734	髉 1762	鱎 1805	鷸 1835
鑢 1588	𩁐 1638	顭 1701	馬 驖 1752	高 髞 1764	鱏 1805	鷭 1835
鑣 1588	𩁑 1638	顲 1701	驗 1752	髛 1764	鱔 1805	鷮 1835
鑭 1588	雨 靁 1651	顮 1701	驛 1752	髟 鬟 1774	鱕 1805	鷤 1835
鑤 1588	靊 1651	顫 1701	驌 1752	鬠 1774	鱊 1806	鷫 1835
鑗 1588	靋 1651	顳 1701	驙 1752	鬞 1774	鱋 1806	鷳 1835
鑚 1588	𩇇 1651	顬 1702	驕 1752	鬡 1774	鱉 1806	鷴 1835
鑄 1588	面 𩈯 1659	顪 1702	驘 1752	鬣 1774	鱊 1806	鷯 1835
鑙 1588	靨 1659	顙 1702	驚 1752	鬤 1774	鱉 1806	鷉 1835
鑟 1588	革 韄 1672	顥 1702	驇 1752	鬲 鬷 1779	鱋 1806	鷵 1835
鑘 1588	韅 1672	願 1702	驅 1752	鬹 1779	鱒 1806	鷽 1835
鑸 1588	𩏂 1672	顦 1702	驖 1752	鬺 1779	鱖 1806	鷜 1835
鑪 1588	韆 1672	顰 1702	驜 1752	鬻 1779	鱥 1806	鷷 1835
鑯 1589	韇 1672	顣 1702	驏 1752	鬻 1779	鱶 1806	鷾 1835
鑝 1589	韉 1672	風 飀 1711	骨 髖 1761	鬻 1779	鱑 1806	鷿 1835
鑥 1589	韊 1672	食 饕 1730	髍 1761	鬼 魖 1785	鱗 1806	鸀 1835
鑜 1589	韄 1672	饖 1730	髒 1761	魘 1785	鱌 1806	鸁 1835
鐯 1589	韈 1672	饘 1730	髓 1761	魚 鱏 1805	鱓 1806	鸂 1835
鑖 1589	韊 1672	饜 1730	髕 1761	鱒 1805	鱈 1806	鸃 1835
𨰋 1589	韄 1672	饛 1730	髗 1761	鱓 1805	鱕 1806	鷩 1835
鑡 1589	韋 韤 1678	饙 1730	髑 1761	鱔 1805	鱚 1806	鷹 1835

鷩 1836
鷲 1836
鷺 1836
鷥 1836
鵨 1836
鷔 1836
鷰 1836
鸄 1836
鸖 1836
鷤 1836
䳾 1836
鷹 1836
鷶 1836
鷡 1836
䳮 1836
䴇 1836
𪇗 1836
𪈞 1836
𪈐 1836
𪇷 1837
𪇴 1837
𪈬 1837
𪈵 1837
鸐 1837
𪇺 1837
鵵 1837
鸂 1837
𪈜 1837
鷬 1837
𪈓 1837
鹵 𪉩 1843
𪉪 1843
𪉫 1843
𪉬 1843
鹿 麟 1848
𪋸 1848
麢 1848
𪋹 1848
𪋺 1848
麥 𪌎 1853
麶 1854
𪌕 1854
𪌐 1854
𪌑 1854
𪌒 1854
𪌓 1854
麻 𪎌 1856
𪎍 1856
黃 𪏉 1858
黍 𪏖 1860
𪏗 1860
𪏘 1860
𪏙 1860
𪏚 1860
𪏛 1860
黑 黲 1867
黴 1867
黳 1867
𪐹 1867
𪐺 1867
𪐻 1867
𪐼 1867
𪐽 1867
𪐾 1867
𪐿 1867
𪑀 1867
𪑁 1867
黹 𪑊 1870
黽 𪑽 1871
𪒂 1871
鼎 𪔂 1873
鼓 𪔗 1875
𪔘 1875
鼠 𪕰 1878
𪕱 1878
𪕲 1878
𪕳 1878
𪕴 1878
𪕵 1878
𪕶 1879
鼸 1879
鼶 1879
鼷 1879
𪕸 1879
鼻 𪖰 1881
齃 1881
齇 1881
齊 齏 1883
齒 齮 1888
齯 1888
齰 1888
齱 1888
𪘲 1888
𪘳 1888
𪘴 1888
𪘵 1888
𪘶 1888
𪘷 1889
𪘸 1889
𪘹 1889
𪘺 1889
𪘻 1889
齫 1889
𪘼 1889
𪘽 1889
𪘾 1889
𪘿 1889
𪙀 1889
龍 𪚥 1894

24획

人 儾 80
儿 𠔉 84
口 囂 193
囑 193
囓 193
𡁷 193
土 𡔃 224
壩 224
大 𡚾 239
奲 239
女 𡣍 269
孎 269
𡤾 269
宀 𡫪 287
尸 屭 301
山 𡿖 324
心 𢥞 420
手 攬 478
攭 478
𢺷 478
𢺸 478
𢺹 478
方 𣄴 498
日 曭 517
曮 517
月 𦣃 523
木 欓 593
欕 593
欔 593
𣠞 593
𣠛 593
𣡥 593
殳 𣫜 614
水 灝 704
灡 704
灞 705
灢 705
灠 705
灟 705
灦 705
灅 705
𤅿 705
𤄷 705
火 爣 731
𤒲 731
玉 瓛 786
疒 癱 822
癲 822
𤼐 822
𤼑 822
皮 𥈑 831
目 矗 860
矖 860
矕 860
矛 𥎋 862
石 𥗉 884
示 𥜥 895
禶 895
𥜦 895
𥜴 895
禾 穳 914
穲 914
穴 𥩥 925
𥩦 925
竹 𥸕 964
𥸖 964
𥸗 964
籗 964
𥸘 964
𥸙 964
籤 964
𥸚 964
𥸛 964
𥸜 964
米 𥼶 979
糸 纗 1021
𦇂 1021
𦇃 1021
纔 1021

纛 1021	蠱 1256	讔 1364	𨇾 1454	鑩 1589	靅 1652	鬠 1730	
纄 1021	蠵 1257	讕 1364	躞 1454	鐃 1589	霦 1652	馬 驕 1753
缶 罐 1025	蠷 1257	讇 1364	躐 1454	鐔 1589	霽 1652	驚 1753
罋 1025	蠼 1257	讖 1364	躅 1454	鑬 1589	面 靧 1659	驀 1753
罍 1025	蠹 1257	讗 1364	車 轜 1482	鑋 1589	革 韆 1672	驢 1753
网 羈 1032	蠽 1257	讘 1364	轞 1482	鑨 1589	韇 1672	驟 1753
䍜 1033	蠳 1257	讛 1364	轡 1482	鑩 1589	韈 1672	驖 1753
羂 1033	蠼 1257	譻 1364	轟 1482	鑠 1589	韉 1672	驞 1753
䍦 1033	蠿 1257	𧮩 1364	轉 1482	鑭 1589	韊 1672	驜 1753
耒 𦔳 1054	蠘 1257	貝 贔 1402	轎 1482	鑓 1589	韤 1672	驘 1753
耩 1054	蠶 1257	贛 1402	轗 1482	鑰 1589	韋 韤 1678	骨 髕 1762
舛 舝 1110	血 衋 1261	贛 1402	轠 1482	門 闠 1609	韇 1678	髓 1762
舟 艭 1117	行 衢 1264	贛 1402	辛 辮 1486	闥 1609	韂 1678	髏 1762
色 艷 1119	衣 襹 1293	走 趲 1420	辵 邍 1511	阜 䦧 1627	音 韽 1682	髒 1762
艸 蘵 1211	襬 1293	趯 1420	邅 1511	隹 雦 1638	頁 顙 1702	髟 鬢 1774
蘳 1211	襼 1293	趰 1420	邑 酀 1531	雥 1638	顚 1702	鬟 1774
鷏 1211	襹 1293	足 𨇽 1453	酃 1531	耀 1638	顰 1702	鬣 1774
蘁 1211	襻 1293	躞 1453	酉 醽 1545	雧 1638	顫 1702	鬤 1774
蘼 1211	襽 1293	躟 1453	醿 1545	䨈 1638	顬 1702	鬡 1774
藾 1211	襸 1293	躝 1453	醾 1545	雨 靂 1651	顧 1702	鬠 1774
蘱 1211	見 觀 1304	躧 1453	釀 1545	靃 1651	風 飀 1711	鬞 1774
蘾 1211	覿 1304	躤 1453	醳 1545	靄 1652	颿 1711	鬘 1774
蘿 1211	䚏 1304	躦 1453	醵 1545	靇 1652	飂 1711	鬚 1774
虫 蠹 1256	角 觿 1311	躩 1453	醻 1545	靈 1652	飄 1711	鬥 鬫 1776
蠺 1256	言 讒 1364	𧾷 1453	醴 1545	靉 1652	食 饞 1730	鬭 1776
蠶 1256	讓 1364	躔 1454	金 鑫 1589	靆 1652	饖 1730	鬮 1776
蠶 1256	讔 1364	躙 1454	鑪 1589	靄 1652	饛 1730	鬭 1776

鬲 鬻 1779
鬺 1779
鬼 魕 1785
䰳 1785
䰰 1785
魒 1785
魗 1785
魘 1785
䰫 1785
魌 1785
𩴿 1785
魚 鱢 1806
鱣 1806
鱧 1807
鱛 1807
鱐 1807
鱠 1807
䲔 1807
鱦 1807
鱰 1807
𩸞 1807
鱵 1807
鱞 1807
鰳 1807
鬒 1807
鱤 1807
贏 1807
鰣 1807
鱝 1807
鱨 1807
鱍 1807
鱳 1807
鱮 1807
鱖 1807
鱶 1807
鱔 1808
鳥 鸅 1837
鸃 1837
鸁 1837
鷫 1837
鸂 1837
鸋 1837
鸇 1837
鸈 1837
鸉 1837
鸎 1838
鸏 1838
鸐 1838
鸊 1838
鷹 1838
鸄 1838
鸑 1838
鸍 1838
鸁 1838
鸒 1838
鷔 1838
鷤 1838
鸆 1838
鸂 1838
鸇 1838
鷻 1838
鸌 1839
鸔 1839
鸓 1839
鸕 1839
鸀 1839
鸈 1839
鸃 1839
鸄 1839
鹵 鹼 1844
鹹 1844
鹽 1844
䴕 1844
鹿 麢 1848
麙 1848
麡 1849
麣 1849
麘 1849
麥 麯 1854
麴 1854
麲 1854
麷 1854
麶 1854
麳 1854
麻 䵙 1856
麼 1856
黃 黬 1858
黭 1858
黮 1858
黑 黰 1867
黵 1868
黶 1868
黷 1868
黸 1868
黹 1868
黻 1868
黺 1868
黼 1868
黽 1868
黿 1868
黾 1868
黽 黿 1872
鼇 1872
鼉 1872
鼎 鼐 1873
鼏 1873
鼓 鼛 1875
鼜 1875
鼝 1875
鼠 鼶 1879
鼸 1879
鼹 1879
鼷 1879
鼻 齃 1881
齄 1881
齆 1881
齅 1881
齒 齵 1889
齳 1889
齴 1889
齶 1889
齷 1889
齸 1889
齻 1889
齺 1889
齼 1889
齲 1889
齾 1890
齱 1890
齺 1890
齹 1890
齻 1890
齇 1890
齹 1890
齰 1890
齵 1890
齃 1890
龜 龝 1895

25획

力 勷 118
匚 匷 124
口 囔 193
土 壤 224
子 孿 273
宀 寷 287
广 廳 354
心 戇 420
手 攩 478
攮 478
斤 斸 494
日 曯 517
木 欖 593
欗 593
欘 593
欙 594
欚 594
欓 594
欛 594
欠 歡 602
水 灣 705
灢 705
灦 705
灡 705
火 爥 731
爤 731
爞 731
爟 731
疒 癲 822
白 皭 828
目 矘 860
矙 860
矎 860
矖 861
矛 矡 862
石 礹 884
禸 䄷 896
禾 穲 914
穳 914
穴 竊 925
竹 籩 964
籬 964
籮 965
籭 965
籯 965
籫 965

籫 965
䉷 965
米 䊕 979
糶 979
䊪 979
䊢 979
𥽈 979
䊩 979
糳 979
糸 纘 1021
纚 1021
𦆹 1022
纆 1022
纉 1022
緌 1022
耒 耰 1054
肉 臠 1098
臡 1098
臼 爨 1107
舛 䑞 1110
舟 艭 1117
艸 虆 1211
蘙 1211
蘼 1211
蘺 1211
蘸 1211
虀 1211
蘵 1211
蘿 1211
蘻 1212
虉 1212
虂 1212
蘽 1212
蘜 1212
虫 蠽 1257
蠹 1257
蠵 1257
蠻 1257
蠸 1257
蠼 1257
蠾 1257
蠷 1257
蠺 1257
蠶 1257
衣 孿 1293
襼 1293
襽 1293
襸 1293
襶 1293
襾 覊 1295
見 觀 1304
覼 1304
覿 1312
角 觿 1312
觼 1312
觽 1312
言 讍 1364
讙 1364
讘 1365
讗 1365
讕 1365
讚 1365
讒 1365
豆 豓 1372
豐 1372
豕 豷 1378
豶 1378
豸 貜 1384
貝 贓 1402
走 趲 1420
趯 1420
趩 1420
趬 1420
足 躡 1454
躠 1454
躝 1454
躞 1454
躣 1454
躦 1454
躧 1454
躚 1454
躙 1454
躍 1454
躥 1454
躢 1454
躟 1454
身 軈 1459
車 轞 1482
轠 1482
轜 1482
酉 釂 1545
釁 1545
金 鑮 1589
鑯 1590
鑰 1590
鑱 1590
鑲 1590
鑭 1590
鑾 1590
門 闟 1609
闤 1609
闥 1609
隹 雥 1638
雨 霹 1652
靈 1652
靄 1652
靉 1652
靆 1652
靇 1653
靏 1653
革 韉 1673
韈 1673
韊 1673
韆 1673
韇 1673
韋 韤 1678
頁 顱 1702
顲 1702
顳 1702
顴 1702
顯 1703
風 飀 1711
食 饡 1730
饢 1730
饞 1730
饟 1730
饛 1730
饘 1730
馬 驝 1753
驜 1753
驞 1753
驟 1753
驠 1753
驕 1753
骨 髏 1762
髓 1762
髖 1762
高 髜 1764
髝 1764
髟 鬣 1774
鬟 1775
鬤 1775
鬠 1775
鬢 1775
鬡 1775
鬚 1775
鬲 鬻 1780
魚 鱠 1808
鱮 1808
鱯 1808
鱗 1808
鱭 1808
鱝 1808
鱳 1808
鱻 1808
鱬 1808
鱣 1808
鳥 鸛 1839
鸚 1839
鸇 1839
鸝 1839
鸑 1839
鸒 1839
鸓 1839
鸞 1839
鸙 1839
鸔 1839
鸕 1839
鸗 1839
鸘 1839
鸖 1839
鸎 1840
鸐 1840
鸏 1840
鸋 1840
鸌 1840
鹵 鹼 1844
鹽 1844
鹻 1844
鹿 麙 1849
麜 1849
麢 1849
黃 黶 1858
黊 1858
黌 1858
黍 黐 1860
黑 黯 1868
黵 1868
黴 1868
黤 1868
黮 1868

黑 ⿰黑萬 1868
⿰黑賁 1868
⿰黑黽 1869
黳 1869
⿰黑喿 1869
⿰黑歲 1869
黽 ⿱亼黽 1872
鼈 1872
⿱吅黽 1872
鼓 鼟 1875
⿱隆鼓 1875
鼠 ⿰鼠發 1879
⿰鼠業 1879
⿰鼠賁 1879
⿰鼠番 1879
鼻 ⿰鼻翏 1881
齇 1881
⿰鼻率 1881
齊 ⿱齊冐 1883
⿱齊鬲 1883
⿰齊夋 1884
齒 齺 1890
齸 1890
齻 1890
⿰齒害 1890
⿰齒專 1890
⿰齒豈 1890
⿰齒骨 1890
⿰齒兼 1890
⿰骨齒 1891
⿰齒屑 1891
齹 1891
⿰齒差 1891
⿱番齒 1891
⿱敖齒 1891
⿰齒⿱⺈目 1891
⿰齒倉 1891
龜 ⿺龜兔 1895
龠 ⿰龠彔 1896
⿱谷龠 1896

26획

匚 ⿷匚頤 124
尢 ⿺尢變 295
王 ⿰王護 365
木 ⿰木彎 594
欜 594
鬱 594
欠 ⿰難欠 602
毛 ⿱⿰𡋲彡毛 621
水 灤 705
灦 705
灧 705
⿰氵⿱𠂢盧 705
疒 ⿸疒⿱⿰亻隹鳥 822
⿸疒蠡 822
目 矚 861
⿰目覃 861
示 ⿰礻韋 895
禾 龝 914
穴 ⿱穴⿰糸高 925
竹 籲 965
籰 965
⿱竹襲 965
⿱竹⿰豩頁 965
⿱竹嚴 965
米 ⿰米⿱曹曰 979
糸 ⿰糸贏 1022
自 ⿰臱亘 1102
舟 ⿰舟矍 1117
艸 ⿱艹鷬 1212
⿱艹⿱⿰卤頁皿 1212
⿱艹穰 1212
⿱艹⿰鹿意 1212
⿱艹鷊 1212
⿱艹鱸 1212
虍 虪 1217
虫 蠼 1257
⿱非蟲 1257
⿱臸蟲 1258
⿱厭蟲 1258
衣 ⿰衤屬 1293
⿰衤⿱䜌幸 1293
襳 1293
見 ⿰麗見 1304
角 ⿰角麗 1312
言 讚 1365
⿰言賣 1365
⿰言⿱艹黽 1365
⿱顯言 1365
讛 1365
貝 贕 1402
走 趲 1420
足 躧 1454
⿰足羅 1454
躦 1455
⿰足緜 1455
⿰足靡 1455
車 ⿱䜌車 1482
⿰車贊 1483
辵 ⿺辶騫 1511
酉 釃 1545
醾 1545
金 鑴 1590
鑵 1590
鑷 1590
⿰金⿱罒頁 1590
鑼 1590
⿰金⿱罒奐 1590
⿰金⿱覀里 1590
⿰金蔪 1590
⿰金簡 1590
⿰金蟲 1590
⿰金藏 1590
⿰金闒 1590
⿰金嬴 1590
鑱 1590
門 ⿵門⿰糸系 1609
⿵門⿱㔾蜀 1609
雨 靊 1653
⿱雨𪓌 1653
⿱雨夒 1653
面 ⿰面韱 1659
革 韉 1673
⿰革毚 1673
⿰革彎 1673
⿰革蹇 1673
⿰革騫 1673
韊 1673
⿰革薄 1673
⿰革氈 1673
韋 ⿰韋⿱艹尃 1678
音 ⿱霝音 1682
頁 ⿰䲨頁 1703
⿰藐頁 1703
⿰嬰頁 1703
⿰⿱雨言頁 1703
風 ⿺風薹 1711
⿰䜌風 1712
⿺風毚 1712
食 饞 1731
饟 1731
⿰食⿱𡨄祭 1731
⿰食韱 1753
馬 驩 1753
⿰馬⿱艹焉 1753
⿱龍馬 1753
驡 1753
驢 1753
驠 1753
骨 ⿰骨賛 1762
髓 1762
⿰骨歷 1762
髗 1762
髟 ⿱髟盧 1775
⿱髟賛 1775
⿱髟歷 1775
鬲 ⿸弜⿱羔鬲 1780
⿸弜⿱毓鬲 1780
魚 ⿰魚節 1808
⿰魚韱 1808
鱴 1808
鱵 1808
鱳 1808
⿰魚⿱⺍胥 1808
鱶 1808
⿰魚黎 1808
⿰魚廛 1808
⿰魚麃 1808
鳥 ⿰鳥韱 1840
⿰鳥辟 1840
⿰鳥暴 1840
⿰綦鳥 1840
鸛 1840
⿰辡鳥 1840
鸓 1840
鸎 1840
⿸鹿鳥 1840
⿸广⿰黃鳥 1840
⿰樂鳥 1840
⿰罷鳥 1840
⿰豩鳥 1840
⿰蔑鳥 1840
⿰⿱𢆶糸鳥 1840
鹵 ⿰鹵歷 1844
鹿 ⿸鹿⿱吅土 1849
麥 ⿰麥廣 1854
麷 1854
黍 黐 1860
⿰黍复 1860
黑 ⿰黑臺 1869

黶 1869
黷 1869
黽 鼊 1872
鼉 1872
鼓 鼕 1875
鼻 齇 1881
齃 1882
齅 1882
齒 齸 1891
齳 1891
齵 1891
齴 1891
齰 1891
齺 1891
齻 1891
龠 龥 1896
龤 1896
龣 1896
龢 1896

27획

卜 鹵 130
木 欜 594
水 灥 705
灨 705
灔 706
牛 犫 746
犬 玁 764
示 禷 895
竹 籯 965
籫 965
籭 965
籩 965
米 糱 979
糷 979
糯 979
糳 979
糸 纝 1022
纜 1022
纙 1022
纘 1022
纞 1022
艸 虊 1212
蘑 1212
蘱 1212
虉 1212
虆 1212
虋 1212
虫 蠷 1258
蠹 1258
蠽 1258
蠾 1258
蠸 1258
蠱 1258
蠦 1258
衣 襶 1293
言 讜 1365
讞 1365
讝 1365
譱 1365
讟 1365
讙 1365
谷 谾 1368
豆 豔 1372
豓 1372
豕 豷 1378
豸 貜 1384
走 趯 1420
足 躩 1455
躪 1455
躨 1455
躦 1455
身 軉 1459
車 轥 1483
轙 1483
轞 1483
轛 1483
邑 酃 1483
酉 釅 1531
醿 1545
醽 1545
金 鑼 1591
鑷 1591
鑽 1591
鑾 1591
鑼 1591
鑠 1591
鑢 1591
門 闤 1609
阜 隱 1628
雨 靂 1653
靃 1653
革 韉 1673
韊 1673
韋 韤 1678
頁 顳 1703
顴 1703
顳 1703
風 飍 1712
飌 1712
飌 1712
飆 1712
飛 飝 1712
食 饡 1731
饢 1731
饞 1731
首 馘 1732
香 馨 1734
馫 1734
馬 驤 1754
驥 1754
驦 1754
驧 1754
驩 1754
驨 1754
髟 鬤 1775
鬛 1775
鬞 1775
鬟 1775
門 鬮 1776
鬯 鬱 1777
鬲 鬻 1780
鬻 1780
鬼 魖 1786
魗 1786
魚 鱷 1808
鱸 1809
鱺 1809
鱱 1809
鱣 1809
鱰 1809
鱹 1809
鳥 鸕 1840
鸕 1841
鸛 1841
鸝 1841
鷰 1841
鸙 1841
鸗 1841
鸚 1841
鸞 1841
鸜 1841
鸐 1841
鹵 鹹 1841
麥 麷 1854
黑 黷 1869
黸 1869
黳 1869
黶 1869
黽 鼉 1872
鼓 鼛 1875
鼠 鼷 1879
鼻 齈 1882
齂 1882
齒 齲 1891
齶 1891
齷 1891
齸 1891
齺 1891
齼 1891
龜 龝 1895
龞 1895
龠 龣 1896
龥 1896

28획

匚 匶 124
心 戇 420
木 欞 594
欛 594
火 爨 731
爿 牆 736
疒 癵 822
竹 籰 965
网 羉 1033
艸 虉 1212
虌 1212
虇 1212
虈 1212
虍 虪 1217
虫 蠹 1258
蠶 1258
蠹 1258
蠻 1258
蠼 1258
蠿 1258
蠽 1258
蠾 1258
言 讜 1365
豆 豔 1372

豕 豷 1378
走 𧾏 1420
足 𨇤 1455
蹻 1455
躐 1455
車 轠 1483
轣 1483
辛 辮 1486
酉 醻 1545
醾 1545
金 鑲 1591
钀 1591
钁 1591
鑴 1591
鑿 1591
鱶 1591
長 镾 1594
隹 雧 1638
面 靧 1659
革 韆 1673
韉 1673
韋 韤 1679
食 饡 1731
饠 1731
饟 1731
馬 驩 1754
驪 1754

驫 1754
驥 1754
驖 1754
骨 髖 1762
高 䯂 1764
門 鬮 1776
鬯 鬱 1777
鬲 鬻 1780
鬼 魖 1786
魚 鱄 1809
鳥 鸔 1841
鸕 1841
鸐 1841
鸓 1841
鸋 1841
鹿 麤 1849
麟 1849
麥 麵 1854
黍 黐 1860
黐 1860
黖 1860
黑 黲 1869
黶 1869
黸 1869
鼠 鼺 1879
齒 齼 1891
齾 1891

齸 1892
齺 1892
齹 1892
齲 1892
齱 1892

29획

厂 靡 138
巛 巃 325
火 爨 731
爨 731
白 皭 828
皿 盬 836
示 禷 895
禾 穲 914
穱 914
竹 籯 965
糸 纞 1022
臣 臨 1000
臼 爂 1107
艸 虋 1212
虉 1212
虫 蠹 1258
蠻 1258
言 讟 1365
豆 豔 1372
足 躩 1455
躨 1455

車 轠 1483
雨 靏 1653
韋 韤 1679
頁 顴 1703
馬 驪 1754
骨 髕 1762
鬯 鬱 1777
鬲 鬻 1780
魚 鱹 1809
鱸 1809
鱺 1809
鳥 鸔 1841
鸛 1841
鸛 1841
鸜 1841
鷊 1841
鸚 1841
鸝 1841
鸑 1841
鹿 麢 1841
麥 麷 1854
黑 黶 1869
黷 1869
鼓 鼘 1875
鼠 鼲 1879
鼷 1879
鼻 齈 1882

齒 齽 1892
齎 1892

30획

木 欟 594
疒 癵 823
目 矕 861
禾 䆃 914
舟 艫 1118
竹 籱 965
籰 965
米 糶 979
羊 羼 1039
虫 蠹 1258
蠻 1258
血 衋 1261
足 躪 1455
車 轢 1483
辵 邐 1511
隹 雥 1638
革 韊 1673
馬 驫 1754
驪 1754
鬲 鬻 1780
鬻 1780
魚 鱺 1809
鱸 1809
鳥 鸝 1842

鸞 1842
麥 麶 1854
鼠 鼸 1879
鼻 齆 1882
齒 齺 1892
齽 1892

31획

水 灩 706
糸 纞 1022
車 轣 1483
酉 釅 1546
馬 驦 1754
驫 1754
高 䯇 1764
鬲 鬻 1780
魚 鱻 1809
鹿 麤 1849
麥 麷 1854
麻 麣 1856
鼠 鼺 1879
鼻 齈 1882
齒 齴 1892
龠 龥 1896

32획

水 灪 706
田 疊 803
竹 籲 965

缶 罍 1025
虫 蠹 1258
隹 雥 1638
雨 靇 1653
革 韊 1673
鬼 魖 1786
魚 鱻 1809
鱷 1809
齒 齉 1892
齾 1892
龍 龖 1894

33획

土 𡔛 224
火 爩 731
米 糶 979
阜 䧢 1628
䧢 1628
革 韉 1673
韊 1673
音 韽 1682
魚 鱻 1809
鳥 鸞 1842
鹿 麤 1849
龍 龘 1894
龜 龞 1895
龠 龥 1896

34획

馬 [illegible] 1755	齒 齾 1892	[illegible] 1842	鬲 [illegible] 1780	革 [illegible] 1673	**40획**	**48획**
鳥 [illegible] 1842	[illegible] 1892	鹿 [illegible] 1849	龠 [illegible] 1896	黑 [illegible] 1869	齒 [illegible] 1892	龍 龘 1894
35획	**36획**	鼻 齉 1882	**38획**	**39획**	[illegible] 1892	**64획**
隹 [illegible] 1638	雨 䨺 1653	**37획**	衣 [illegible] 1293	言 讋 1366	**41획**	龍 𪚥 1894
鳥 [illegible] 1842	鳥 [illegible] 1842	艸 [illegible] 1212	雨 [illegible] 1653	雨 靐 1653	黑 [illegible] 1870	

字音索引

1. 본 漢字辭典에 수록된 表題字를 '가나다'순으로 配列하고, 同音字는 部首·畫數順으로 늘어넣고 그 옆에 本文의 쪽수를 표시하였다.
2. 한 글자가 몇 개의 음을 가질 때에는 각 음마다 실었다. 또, 本音과 俗音도 각각 그 음 자리에 실었다.

가

仮 39
伽 41
佳 46
価 50
假 61
傢 67
價 74
徦 91
冢 91
加 112
卡 129
叚 143
叚 143
可 145
呵 155
咖 157
哥 162
哿 162
哥 165
嘉 183
坷 203
妿 246
嫁 259
宊 276
㝛 277
家 279
岢 305
幏 336
㢛 350
戓 358
徦 374
忬 380
抲 437
斝 491
旮 500
暇 510
枷 535
柯 537
架 539
椵 560
楷 565
榎 566
榢 570
樌 584
檟 588
㰤 595
歌 599
歌 599
㱝 604
毠 617
毟 619
泇 640
渮 663
滒 672
牁 735
牱 740
㸅 741
犌 743
㹢 750
猳 757
㺇 758
珂 768
珈 768
痂 807
瘑 818
乩 824
砢 867
稼 908
笴 934
笳 934
䈘 950
架 968
耞 1051
閜 1068
腵 1083
舝 1110
舝 1110
𦨈 1111
舸 1112
苛 1127
茄 1131
葭 1161
蔄 1192
蚵 1223
蛪 1224
街 1262
袔 1271
袈 1271
䯰 1282
訶 1319
誐 1338
謑 1344
謌 1344
謌 1348
𧪽 1349
豭 1376
貑 1382
賈 1391
跏 1424
跒 1425
路 1439
軻 1464
迦 1491
迦 1503
醎 1534
駕 1739
髂 1756
骼 1759
魺 1791
駉 1814
鴐 1815
鴚 1815
䳦 1815
䳽 1831
鷶 1838
麍 1845
麚 1848
𪗋 1886
𪘀 1890

각

㑁 63
傕 66
刻 103
刻 103
刻 103
剮 109
却 131
㕁 132
卻 133
各 148
咯 159
壳 200
埆 207
塙 215
壳 225
㱿 227
恪 388
愙 400
㦍 403
慤 403
愨 408
扃 426
捔 443
搉 457
擱 473
攉 475
斍 490
斠 491
格 542
桷 547
梏 547
椃 549
榷 567
権 575
殻 612
殼 613
毃 614
𣪍 614
㴫 673
珏 767
玨 769
㕓 779
㲊 779
𤸰 811
𤻍 815
皵 829
睢 853
𥈧 857
硞 871
确 870
㲉 878
礐 882
礭 883
𥗼 884
𥬀 939
𥮴 945
繑 1013
䚕 1023
肐 1065
胳 1072
脚 1075
腳 1085
𣫸 1086
蚎 1230
蝍 1238
蠼 1257
覐 1296
袼 1272

字	頁	字	頁	字	頁	字	頁	字	頁	字	頁	字	頁
覚	1298	骼	1793	忓	378	[illegible]	703	簡	956	[illegible]	1272	[illegible]	1526
[illegible]	1298	鬦	1775	恳	387	玕	766	簡	958	襉	1287	[illegible]	1542
覺	1303	龣	1896	[illegible]	391	[illegible]	773	簳	958	[illegible]	1293	釬	1550
角	1304	**간**		慳	409	癇	819	[illegible]	971	覵	1302	銲	1563
甪	1305	乹	23	懇	413	癎	819	繝	1014	覸	1303	鐧	1582
觳	1310	乾	23	懇	414	[illegible]	819	羥	1036	[illegible]	1310	[illegible]	1590
觷	1311	乾	24	[illegible]	422	皯	828	翰	1045	詪	1328	間	1596
谷	1366	乾	24	拣	438	[illegible]	828	肝	1065	[illegible]	1329	閒	1596
[illegible]	1371	侃	47	揀	452	[illegible]	831	[illegible]	1092	[illegible]	1333	閑	1596
[illegible]	1420	偘	47	[illegible]	460	[illegible]	837	臤	1099	諫	1342	[illegible]	1598
[illegible]	1426	[illegible]	55	擀	472	盰	837	艮	1118	[illegible]	1368	[illegible]	1621
踋	1432	偘	64	斡	492	看	840	艰	1118	豤	1374	[illegible]	1626
[illegible]	1448	[illegible]	78	旰	500	看	843	艱	1118	[illegible]	1374	雃	1629
躩	1455	刊	99	暕	511	[illegible]	853	艱	1118	[illegible]	1375	[illegible]	1651
較	1461	啃	168	杆	527	[illegible]	853	芉	1122	貇	1375	[illegible]	1656
較	1466	[illegible]	193	柬	539	瞷	856	茛	1133	[illegible]	1380	靬	1659
[illegible]	1483	[illegible]	194	栞	545	[illegible]	856	菅	1148	[illegible]	1404	[illegible]	1666
[illegible]	1506	垦	207	栞	559	瞯	856	葌	1162	赶	1405	頇	1684
[illegible]	1530	[illegible]	215	梘	548	[illegible]	860	蕳	1181	趕	1410	[illegible]	1688
[illegible]	1531	墾	222	桿	551	硍	869	蕑	1185	[illegible]	1415	[illegible]	1690
閣	1598	奸	240	[illegible]	564	[illegible]	871	[illegible]	1192	趼	1421	顅	1693
[illegible]	1614	姦	246	榦	571	磵	881	[illegible]	1196	[illegible]	1467	[illegible]	1712
[illegible]	1696	[illegible]	246	[illegible]	585	礀	881	[illegible]	1200	[illegible]	1475	馯	1735
[illegible]	1747	孯	255	汧	647	秆	897	虷	1218	[illegible]	1479	[illegible]	1746
鷽	1752	[illegible]	296	漧	682	稈	902	衎	1262	迁	1488	[illegible]	1769
[illegible]	1753	干	340	澗	683	竿	930	衦	1265	[illegible]	1499	[illegible]	1771
[illegible]	1760	幹	341	澗	683	簡	955	[illegible]	1272	[illegible]	1526	[illegible]	1773

鳱 1810
馯 1811
⿰莫鳥 1833
⿰埶鳥 1839
⿰黑干 1861
鼾 1873
齦 1886
⿰齒昆 1888
⿰齒門 1889
⿰齒間 1891

갈

𠂊 17
乫 22
㓞 100
刯 104
契 105
咭 161
喝 173
嘎 182
噶 188
圿 202
嵑 314
⿰山葛 320
扴 429
拮 439
⿰扌葛 473
㪉 486
暍 511
⿰日曹 516
曷 518
楬 562
歇 598
⿰葛欠 598
毼 619
渴 660
渴 663
⿰氵葛 691
⿰氵歇 692
猲 756
猰 757
獦 762
⿸疒曷 814
盇 832
盍 832
砎 866
磍 874
碣 874
秸 901
稭 906
⿰禾曷 907
竭 928
⿱⺮曷 946
⿱⺮稭 959
⿰米曷 973
羯 1037
葜 1158
⿱艹⿰歹介 1158
葛 1160
⿱艹⿰舌瓜 1178
藒 1186
⿱艹稭 1192
⿱艹毼 1192
⿱艹⿰禾曷 1196
藹 1197
⿱艹⿰礻曷 1201
⿱艹黠 1208
蝎 1235
蠍 1250
褐 1280
⿰衤葛 1289
訐 1314
⿺走曷 1414
輵 1473
轕 1480
⿰車蓋 1481
⿰葛阝 1528
⿰金曷 1573
⿰革介 1661
鞂 1661
鞨 1667
⿰革葛 1671
頡 1688
⿰曷頁 1696
⿰馬匃 1738
⿰馬害 1748
骱 1756
⿰骨曷 1759
⿰契鳥 1827
⿰葛鳥 1838
⿰鹵辛 1840
⿰齒葛 1892

감

⿱亼⿸厂㔾 67
减 94
凵 96
勘 115
⿷匚監 124
⿸厂殷 136
⿸厂敢 137
⿸厂僉 138
[illegible] 143
咁 156
咸 161
⿰口感 188
坎 201
坩 203
埳 210
堪 213
堿 214
墈 217
⿰土感 222
媣 257
尲 295
尷 295
⿰山臽 312
嵌 312
嵁 314
弇 356
⿱覀廾 357
⿰忄甘 384
惂 397
感 398
憨 410
憾 414
⿰今戈 422
戡 423
⿸戶木 426
撖 469
撼 470
⿰今攵 480
敢 484
⿰吉攴 484
⿰甚攴 486
⿱日山 500
柑 536
椷 560
橄 579
⿰尤欠 595
欿 598
⿰咸欠 598
歁 599
歉 599
歛 601
⿰咸殳 613
汵 633
泔 637
淦 656
減 661
澉 685
灨 705
⿰犭殷 760
⿰犭敢 761
玪 768
玵 769
瑊 777
⿰土瓦 787
甘 791
⿴凵一 791
⿸厤甘 792
曆 792
疳 806
监 832
監 834
⿱贛皿 836
⿰目咸 850
瞰 856
⿰目監 858
矙 860
⿰目嚴 861
砍 866
礆 871
碱 875
⿰石勘 879
⿰石感 882
礛 882
竷 930
⿱⺮甘 934
⿱⺮負 950
⿱⺮贛 965
粓 968
紺 986
⿱敢糸 1017
芡 1123
苷 1132
⿱艹減 1185
⿱艹⿰鹵甘 1186
⿱艹贛 1212
蚶 1222
蜭 1233

葢 1242
蜭 1260
[illegible] 1260
[illegible] 1261
艦 1311
詌 1320
諗 1333
譼 1339
[illegible] 1344
譀 1351
[illegible] 1355
[illegible] 1360
[illegible] 1370
[illegible] 1389
贑 1401
贛 1402
贛 1402
贑 1402
轁 1471
輱 1474
[illegible] 1478
轗 1480
酣 1533
[illegible] 1545
錎 1568
鉴 1556
鑒 1573
鑑 1587
鑒 1587
鑬 1589
[illegible] 1591
闞 1607
闞 1607
雂 1630
[illegible] 1640
靲 1660
韽 1682
頜 1685
[illegible] 1686
[illegible] 1693
顑 1701
顩 1702
[illegible] 1704
[illegible] 1716
[illegible] 1724
[illegible] 1761
[illegible] 1766
鰔 1800
鱤 1807
鳹 1812
[illegible] 1815
鵮 1825
鹼 1843
[illegible] 1843
[illegible] 1843
鹻 1843
[illegible] 1843
鹼 1844
[illegible] 1844
[illegible] 1844
黚 1863
黔 1864
黬 1869
[illegible] 1876
[illegible] 1877
[illegible] 1889
[illegible] 1890
龕 1893
龕 1893
[illegible] 1894

갑

㔼 39
佮 49
匣 123
厒 135
[illegible] 136
[illegible] 136
噉 185
岬 305
帢 331
[illegible] 336
押 434
搕 461
敆 481
柙 536
柗 544
[illegible] 792
曆 792
[illegible] 551
甲 794
[illegible] 815
[illegible] 816
瞌 852
䅬 862
磕 875
磕 877
[illegible] 918
胛 1069
舺 1112
䘥 1270
袷 1278
[illegible] 1339
[illegible] 1361
𨀥 1426
[illegible] 1476
郃 1522
[illegible] 1524
醘 1540
鉀 1554
鎑 1577
閘 1597
韐 1670
頜 1687
[illegible] 1782

강

仜 45
[illegible] 45
㑐 46
傹 70
僵 74
冈 88
剛 106
剛 108
[illegible] 108
勥 117
勥 118
匟 123
[illegible] 169
啌 170
[illegible] 200
[illegible] 302
堈 211
堽 214
堽 216
壃 222
夅 227
[illegible] 234
姜 249
[illegible] 285
[illegible] 290
[illegible] 303
岡 306
[illegible] 306
[illegible] 308
崗 311
嵹 317
康 348
弜 359
強 362
弶 362
强 363
彊 363
忼 380
[illegible] 344
[illegible] 350
慶 406
慷 409
扛 428
掆 448
控 450
[illegible] 460
摬 465
杠 528
[illegible] 533
栙 540
棡 555
椌 556
[illegible] 570
槺 575
橿 583
[illegible] 600
殭 610
江 627
港 663
港 663
滰 678
漮 681
漒 681
[illegible] 692
焵 715
犅 742
[illegible] 745
犺 747
玒 767
[illegible] 787
[illegible] 788
[illegible] 789
[illegible] 790
[illegible] 792

자음색인

磿	792	鋼	1024	舡	1305	韁	1671	匃	119	慨	409	犗	740
䀏	797	罡	1027	舩	1305	顜	1696	匄	119	慤	414	犗	744
畕	797	羌	1033	讋	1352	颽	1709	喈	172	戤	423	玠	767
畺	800	羗	1034	講	1347	饚	1726	嘅	180	扢	432	晐	799
疆	802	羫	1037	谹	1366	騿	1744	垓	205	抚	433	疥	806
䁗	855	耩	1053	豇	1368	髈	1758	塏	215	揩	454	痎	809
矼	865	腔	1074	跭	1369	魟	1787	夰	233	摡	463	瘖	815
硫	866	腔	1080	䡉	1375	魧	1788	妎	242	改	479	瘟	816
磽	873	膁	1089	蹱	1445	鮀	1788	姟	248	敳	486	癬	820
碙	874	舡	1111	躿	1456	鱇	1803	嫛	266	皆	503	皆	825
磏	879	芫	1126	軁	1458	鹹	1842	夰	275	暟	512	盖	833
礓	881	茳	1134	軖	1461	鹹	1842	尬	294	杚	529	葢	834
穅	909	薑	1170	軌	1462	鹹	1842	岂	303	杚	533	稭	862
窿	923	蔃	1178	轆	1478	麇	1855	岕	304	楷	563	砎	866
笐	931	薑	1189	邟	1513	黆	1857	岕	304	概	564	砎	874
筌	936	蘁	1204			**개**		帉	329	槪	570	磕	875
粇	967	蘁	1210	酐	1532	丐	11	庎	344	榿	568	磕	877
康	971	蝁	1218	釭	1550	个	14	徣	374	概	572	礚	882
糠	975	蚢	1220	鋼	1565	丯	15	忦	379	槪	572	祴	889
糨	975	蟯	1231	鏗	1576	开	26	恝	386	槩	572	稭	906
糨	975	蠊	1245	鏹	1583	介	31	忦	381	殨	609	箇	941
絳	990	蠆	1250	鑋	1589	价	35	忾	381	毅	612	簂	951
絳	990	蠹	1258	閌	1595	价	36	愒	401	毅	612	鎧	964
綱	997	襁	1278	阬	1610	佪	39	愷	404	毠	617	絠	991
綱	1005	襁	1285	降	1613	個	56	愾	404	湝	665	緖	1004
繈	1011	襁	1289	隬	1619	凱	96	慨	406	漑	677	腊	1084
繮	1015	襁	1292	隷	1624	剴	108			瀣	695	醢	1084

자음색인

膭 1086
臀 1089
𦠆 1091
艹 1120
芥 1122
芥 1123
葢 1165
薊 1165
蓋 1167
荳 1169
蘬 1208
蚧 1220
蠏 1239
衸 1266
䙃 1283
襤 1290
解 1306
解 1307
觧 1307
豈 1369
𧰉 1371
賅 1390
賌 1390
敳 1392
𨋎 1483
郂 1522
𨛎 1524
鍇 1570
鎧 1575
鐦 1576
開 1595
闓 1598
開 1599
闓 1605
阣 1610
阶 1621
隑 1622
䶣 1634
鞜 1667
頉 1683
顗 1697
顗 1701
颽 1708
颽 1709
颽 1709
餀 1718
駴 1736
骱 1759
槩 1763
髤 1764
魀 1781
魪 1787
魪 1787
鮬 1791
鴴 1812
鶛 1827
齘 1890

객

喀 172
客 277
挌 453
翮 1044
耠 1052
峈 1259
峉 1260
髂 1771
䰽 1779
䰽 1779

갱

坑 201
掯 442
摼 465
耍 481
更 518
䁞 854
硜 870
硻 874
礥 879
秔 898
稉 903
粳 970
粳 974
羹 1037
羮 1039
𦢊 1099
賡 1395
輕 1467
䡎 1471
輆 1472
逕 1497
鏗 1578
阬 1610
霙 1642
䰽 1779
鬻 1780

갹

咯 175
嘘 176
噱 187
屩 301
腳 1083
𦡊 1089
臄 1093
衉 1262
谻 1366
谻 1366
䜪 1367
踋 1442
蹻 1447
蹺 1447
醵 1534
醵 1543
鞽 1671

거

举 15
佉 44
佢 44
倨 59
凥 96
凵 96
勮 117
匚 124
去 139
厺 139
呿 155
墟 218
壉 219
姖 245
宭 281
居 297
屋 298
屈 299
岠 306
崌 312
工 326
巨 326
弆 356
弆 356
恒 385
懅 415
㞐 426
拒 436
抾 438
拵 461
抛 435
举 439
据 447
攄 465
據 469
攄 465
據 471
擧 472
擧 476
李 489
柜 538
柨 539
椐 553
㯫 583
櫸 591
㰸 595
岠 604
洵 640
淭 658
澽 692
渠 661
炬 709
狉 750
琚 773
璩 783
痃 809
䁏 854
砗 870
磲 874
磲 880
祛 887
秬 900
稆 905
笸 934
筥 938
籧 960
篆 959
籧 964
粔 968
綖 987
綒 988
繂 1020
粔 1052
胠 1070
胠 1070

腒 1080
臄 1086
𦢊 1089
舁 1104
舁 1105
舉 1106
𦦨 1107
擧 1107
艍 1113
苣 1128
莒 1141
[illegible] 1178
蕖 1182
[illegible] 1190
蘻 1208
蘧 1206
虡 1215
蚷 1222
[illegible] 1223
蜛 1233
[illegible] 1242
蟝 1248
[illegible] 1257
祛 1269
裾 1277
[illegible] 1288
[illegible] 1289

[illegible] 1306
[illegible] 1308
詎 1320
詓 1323
[illegible] 1339
豦 1374
[illegible] 1378
[illegible] 1380
[illegible] 1394
[illegible] 1401
[illegible] 1408
[illegible] 1418
距 1425
踞 1434
躆 1449
車 1459
[illegible] 1465
[illegible] 1480
[illegible] 1481
遽 1508
[illegible] 1534
醵 1543
鉅 1554
[illegible] 1560
鋸 1565
鐻 1585
鑾 1591

阹 1611
[illegible] 1626
[illegible] 1626
[illegible] 1637
[illegible] 1662
駏 1737
[illegible] 1777
[illegible] 1785
魼 1789
鮔 1791
[illegible] 1798
鱋 1806
[illegible] 1816
鶋 1823
[illegible] 1835
[illegible] 1835
[illegible] 1838
[illegible] 1850
[illegible] 1850
[illegible] 1850
[illegible] 1854
[illegible] 1871
[illegible] 1885
[illegible] 1895

걱

巪 326

건

乹 23
乾 23
乾 24
亁 24
件 36
健 62
[illegible] 74
[illegible] 76
[illegible] 79
[illegible] 109
[illegible] 283
[illegible] 162
囝 195
[illegible] 283
岍 304
[illegible] 319
[illegible] 323
巾 328
建 355
[illegible] 399
[illegible] 399
[illegible] 404
[illegible] 419
揵 455
搴 457
[illegible] 460
[illegible] 464

[illegible] 469
[illegible] 475
攐 476
[illegible] 476
[illegible] 478
楗 561
[illegible] 567
[illegible] 579
[illegible] 619
[illegible] 682
瀽 701
犍 743
[illegible] 744
[illegible] 851
[illegible] 926
[illegible] 934
[illegible] 973
腱 1082
虔 1213
[illegible] 1221
[illegible] 1235
[illegible] 1277
[illegible] 1281
褰 1284
[illegible] 1292
[illegible] 1293
[illegible] 1303

[illegible] 1305
[illegible] 1339
[illegible] 1348
[illegible] 1348
[illegible] 1359
[illegible] 1364
[illegible] 1364
[illegible] 1415
[illegible] 1415
踺 1439
蹇 1442
[illegible] 1453
[illegible] 1483
[illegible] 1499
[illegible] 1524
鍵 1571
[illegible] 1585
[illegible] 1604
[illegible] 1608
[illegible] 1609
[illegible] 1621
[illegible] 1626
鞬 1667
[illegible] 1673
[illegible] 1723
[illegible] 1745
騫 1749

[illegible] 1754
[illegible] 1779
[illegible] 1788
[illegible] 1790
[illegible] 1795
鰎 1800
[illegible] 1802
[illegible] 1806
[illegible] 1831

걸

乞 21
[illegible] 22
[illegible] 24
偈 61
傑 66
嵥 316
抯 435
搩 459
[illegible] 516
揭 520
杰 529
桀 545
榤 567
[illegible] 590
气 623
渴 660
[illegible] 663

濼 673
碣 874
⿰禾曷 907
⿰禾桀 908
⿰禾乞 1051
芞 1122
⿱艹气 1126
藒 1196
⿱艹⿰豆曷 1197
⿱艹⿰衤曷 1201
虼 1218
⿰虫桀 1241
⿺走歇 1416
⿰𧾷刧 1429
釳 1550

검

仱 39
⿰亻欠 39
倹 60
儉 75
剣 107
剱 107
劔 109
劒 111
劍 111
劎 111
𠠔 111
厱 138
撿 472
検 558
檢 584
欠 594
砛 788
瞼 857
⿱⺮欠 932
⿰糸金 1000
⿱罒⿰豕令 1031
羬 1037
羷 1039
耹 1055
脥 1081
臉 1094
芡 1123
鈐 1551
鋡 1560
鐱 1586
⿵門剣 1608
顉 1685
黔 1861
⿰黑僉 1868

겁

刧 101
刦 102
㓞 102
刼 102
⿰去刅 102
劫 113
⿸尸去 297
怯 384
㤼 398
抾 438
拾 440
极 531
⿰木合 544
⿰犭去 750
⿸疒去 809
砝 866
紶 988
⿰虫去 1223
蜐 1229
衱 1265
袷 1272
跲 1429
鉣 1556
⿰金劫 1564
⿰馬去 1744
魥 1787
鴿 1820

게

偈 61
愒 401
⿱甜心 408
憩 411
憇 411
揭 452
掲 455
撅 466
⿰舌舌 1109
⿱艹揭 1186
⿱艹⿰豆曷 1197

격

击 27
⿰亻手 39
仮 39
佫 48
假 61
徦 91
革 128
叚 143
叚 143
⿰丰各 165
嗝 179
噭 187
塥 216
墼 222
⿰谷尤 294
⿰巾谷 333
⿰彳各 370
恪 388
⿱穴恪 400
愅 402
⿱毄心 414
⿰各戈 422
挌 441
搹 460
搹 461
擊 462
擊 469
敋 481
敫 486
毄 488
格 542
⿰木臭 564
檄 583
⿰各欠 599
⿰毄欠 601
毄 614
毃 614
湨 666
滆 673
激 690
犑 743
狊 748
獥 762
玃 764
⿸厂鬲 790
⿰目敫 858
⿱毄石 882
⿱毄石 882
⿱⺮鬲 959
⿰糸衣 992
綌 994
緙 1005
繳 1015
繫 1016
罊 1025
膈 1085
茖 1139
⿱艹敫 1190
⿱艹毄 1191
⿱艹毄 1197
⿸虍毄 1217
⿰毄虎 1217
⿸鹿毄 1217
蛒 1226
⿰衤革 1275
⿰衤鬲 1283
覡 1298
觡 1307
⿱毄言 1311
詓 1334
諽 1344
⿰言鬲 1348
⿰言敫 1359
謕 1360
⿺走各 1410
⿰足臭 1439
轚 1480
⿰車鬲 1482
迟 1492
郹 1521
鄓 1524
鎘 1576
閴 1601
闃 1602
闃 1603
隔 1621
隔 1621
⿰貝隹 1633
⿰狊隹 1634
⿱雨革 1645
革 1659
⿰革乞 1660
⿰革見 1664
⿰革萊 1671
⿰革鬲 1673
骼 1757
鬩 1776
鬲 1777

鬲 1777
䰛 1778
鬻 1778
䰞 1779
䰞 1779
黿 1783
魌 1784
鰁 1802
駃 1811
鴶 1818
䳑 1821
鵙 1827
鷩 1838
貉 1851
墼 1873
鼳 1878

견

开 26
俔 53
剈 105
㖧 162
坚 203
垷 208
埍 208
堅 211
牵 235
娟 248
娟 251
岍 304
岍 308
𢃇 334
く 324
悓 393
幵 341
栞 341
掔 446
擊 446
捐 451
摼 465
擊 469
晵 510
枅 531
枅 544
梘 548
梋 558
汱 630
汧 631
汧 645
涓 646
涓 650
涀 651
㵐 667
焆 714
熞 722
牽 742
𤛓 743
犬 746
犭 746
狷 752
狷 754
獧 762
甄 789
甄 790
䀏 795
䀏 796
䀏 796
𥄎 797
𥌢 831
睊 844
睊 846
禰 895
䄯 899
稍 903
稆 904
筧 938
箾 956
箾 959
甄 960
糷 973
絸 992
絹 993
絸 995
縴 1010
繾 1012
繭 1017
繾 1018
罥 1027
羂 1031
羂 1032
羂 1033
肩 1068
肩 1072
臙 1096
臤 1099
芸 1130
菣 1154
莤 1142
蕑 1153
藍 1178
甄 1196
繭 1210
繭 1210
繭 1212
蚈 1221
蚈 1226
蜎 1229
蠲 1241
蠒 1252
蠲 1256
劵 1273
裐 1275
襺 1293
襺 1293
見 1295
覎 1300
覎 1301
誸 1323
譴 1349
譴 1360
豣 1372
豣 1374
豜 1376
豲 1376
豣 1379
豣 1381
貆 1383
趼 1423
趼 1428
蹮 1450
身 1455
衕 1466
遣 1499
遣 1504
鄄 1522
鄄 1527
酮 1536
鈃 1553
鈃 1559
鋗 1560
鋗 1562
鋻 1569
鈃 1573
鑵 1573
譴 1619
雃 1630
雃 1632
雗 1633
雗 1633
鞬 1672
顅 1688
顅 1690
顅 1693
饘 1725
饘 1730
鰹 1803
鳽 1813
鳽 1818
鵑 1818
鵑 1818
鵑 1820
鵑 1823
鸛 1827
麙 1845
麙 1845
麉 1846
麉 1851
緊 1859
繫 1860
黳 1862
黳 1863
醫 1889

결

僪 73
决 92
潔 94
刔 100
刧 107
禼 130
𡗗 225
夅 227
夬 231
契 235
契 235
夬 237
妜 242
挈 356
弞 360
憰 413
抉 430

挈 438
拮 439
擷 466
擖 473
昳 502
桔 544
栔 546
𣝗 568
㮮 579
臬 616
髡 620
決 629
洯 641
洁 645
潔 682
炔 708
焆 714
玦 767
玞 769
疦 806
䀗 839
䀏 853
矞 861
𥛚 894
𥥍 916
窫 918
紇 981
𦀏 984
𦀌 988
結 989
絜 992
繘 1013
𦅇 1021
纈 1022
缺 1022
缼 1023
𦈣 1023
𦑣 1037
𦙍 1067
𦚏 1071
芵 1125
𦶇 1147
蒛 1169
蕢 1183
蚗 1220
蛣 1225
蛪 1227
𧖴 1259
袺 1272
𧛽 1288
觖 1305
𧤛 1311
觼 1311
訣 1316
𧥻 1317
𧧑 1322
譎 1354
赽 1406
𧼤 1410
趝 1413
𧽻 1420
趹 1421
𧿻 1426
迼 1494
𨔝 1499
𨡬 1542
鈌 1553
𨥖 1556
鍥 1575
鐍 1581
𨬣 1582
𨳰 1599
闋 1603
闋 1604
闕 1606
𨸵 1611
隔 1621
䦽 1624
𩀣 1630
𩒐 1695
駃 1736
髻 1767
魝 1786
鱊 1806
鴂 1811
鴶 1818
𪀁 1827
𪄯 1828
鶪 1828
𪖈 1843
𪕬 1878

겸

兼 20
傔 66
兼 87
𠔥 87
厱 136
嗛 178
𡣛 268
𢊡 295
㢣 295
岭 304
嵰 316
慊 405
拎 431
拑 436
搛 461
柑 536
槏 568
檻 586
歉 599
𤍠 716
玪 768
稴 910
䅩 912
箝 942
𥰶 942
𥳑 950
𥻿 974
𥼶 979
縑 1006
緊 1017
𦋟 1030
脥 1076
膁 1087
葴 1164
蒹 1166
舑 1306
謙 1347
謙 1347
䭑 1485
鉆 1554
鉗 1555
鈐 1560
鎌 1574
鐮 1585
雂 1630
靲 1660
頩 1686
𩝐 1725
𩞄 1729
䯡 1760
𩭊 1766
䱎 1796
鰜 1801
鳹 1812
鶼 1830
黚 1863

겹

唊 164
𡜍 251
帢 331
㡍 332
𢁆 334
𢃔 336
𢙇 390
悏 393
㤲 402
愜 402
掐 448
𣯷 621
䀹 846
莢 1142
蛺 1228
袷 1272
裌 1274
𧚔 1278
𧨺 1330
郟 1518
韐 1674
韚 1675
鵊 1820

경

京 29
亰 30
𠅘 30
俓 54
倞 58
傾 69
傹 70
儆 75
冂 88
冋 88
冏 89
剄 104
剠 107
勁 114
勁 114
勍 115

자음색인

字	頁	字	頁	字	頁	字	頁	字	頁	字	頁	字	頁
夘	131	廎	351	更	518	狭	755	競	930	茵	1137	踁	1432
卿	133	径	369	梗	548	獍	759	絖	984	莖	1141	踁	1436
卿	133	徑	371	桱	551	琼	775	絅	987	茵	1146	蹬	1451
卿	133	徑	371	梗	565	境	781	経	988	剄	1164	軽	1465
卿	133	忎	378	熲	576	璟	781	經	992	勁	1164	輊	1465
卿	133	恂	381	熲	576	璚	782	緊	992	菣	1171	輕	1468
哽	163	憫	393	檈	578	璥	783	綆	994	蕒	1178	輷	1474
嗄	176	惊	398	檺	582	瓊	784	經	994	蕵	1186	輷	1475
冏	195	惸	400	檄	586	瓊	784	絅	995	藑	1192	輦	1476
坑	202	慶	406	檠	586	瓗	786	綮	1001	蔜	1197	轒	1476
坰	203	憌	411	檾	587	畊	797	綮	1001	蔓	1195	轟	1477
垧	206	憬	412	殸	612	痙	810	縷	1005	蘡	1201	謦	1486
埂	208	憼	414	泋	628	罠	850	頻	1012	藬	1204	逕	1496
堽	214	扃	426	涇	647	罤	852	罄	1024	蝊	1229	遥	1499
境	217	挭	445	浭	651	罥	853	羥	1036	螢	1251	邟	1513
娙	251	搜	456	漀	675	罿	853	耕	1051	尐	1259	郠	1518
婷	258	擎	470	澋	678	硍	869	耕	1052	裝	1284	鄄	1522
嬛	265			炅	708	硱	869	耿	1055	詰	1330	鄉	1522
嬛	267	撤	471	熒	712	硬	870	脛	1075	誙	1331	鋞	1563
尌	290	叜	481	烴	713	硠	871	腰	1077	競	1351	鋧	1564
峌	309	敬	485	焭	716	磬	879	膜	1097	讀	1351	鎮	1573
巠	324	敲	485	煢	717	罄	882	臤	1099	謦	1351	鏡	1578
巠	325	昚	503	煛	719	窒	919	臦	1099	警	1358	鑿	1587
幜	338	景	508	熲	723	竞	926	䎛	1100	譤	1358	間	1598
庆	344	暻	514	牼	741	竟	927	臯	1101	赹	1405	頣	1623
庚	345	景	510	猻	753	竟	929	茼	1132	趋	1406	雖	1633
慶	350	曒	515	猄	754	競	929	茎	1133	踁	1431		

麠 1633
䣢 1657
誙 1681
䜘 1681
頃 1682
頚 1686
頸 1690
䫤 1691
𦃇 1692
餇 1716
駉 1737
駫 1740
驚 1752
𩥇 1753
骾 1758
䯊 1758
𩩃 1759
高 1763
䰢 1778
𩶀 1794
鯁 1794
鯨 1796
鰒 1800
䲔 1807
鳽 1813
鳽 1818
鵛 1821
鶊 1824
鶁 1824
麖 1847
麖 1848
麠 1848
麠 1848
𪐋 1861
黥 1864
鼏 1872
𪘂 1877
𪘏 1877

계

乩 22
係 51
傒 72
㓞 100
㓷 109
卟 129
咼 130
启 154
啔 166
啓 171
啟 171
啓 171
垍 206
堺 214
堦 214
契 235
契 235
嫛 266
季 271
寱 287
届 297
屆 297
屆 298
峜 307
嵠 315
𨻶 343
𢍗 355
𢍰 356
𢍺 356
彐 364
彑 364
忦 381
悈 393
悸 395
㥠 401
𢡃 414
戒 421
挈 438
挂 440
揭 452
揭 455
𢼛 480
𣆑 503
晵 510
枅 531
桂 543
栞 544
栟 544
梋 558
栔 546
械 550
棨 559
檕 585
檵 586
𣚍 590
毄 614
毄 614
𣫌 614
𣭈 620
洎 641
渓 660
溪 670
淮 672
瀱 700
瀱 703
炔 708
炅 708
烓 711
猤 757
𤡆 761
琾 777
瓗 786
𤭢 789
甈 790
界 796
畍 796
痵 813
瘈 814
瘛 815
𤸷 819
𤻕 820
癸 823
癸 823
𥄏 840
𥅘 845
䀘 845
䁒 850
䁒 850
䁯 852
瞉 853
𥊚 853
磎 878
禊 891
禾 896
稧 906
稽 908
稽 910
笄 932
筓 936
𥲤 948
𥷾 963
系 980
紒 982
結 989
緊 992
継 995
綮 1001
綮 1001
繫 1017
𦅃 1009
縘 1009
繼 1017
𦇡 1021
繼 1020
罄 1025
𦋫 1031
罽 1031
𦙶 1067
肢 1071
𦞂 1080
𦢍 1092
茥 1139
葪 1165
葵 1166
𦶎 1178
𧀿 1184
薊 1188
藒 1196
藒 1197
𧃒 1201
蘮 1207
蘻 1210
𧊲 1230
蟿 1251
蟿 1251
𧔩 1256
袳 1272
袲 1273
祴 1274
𥙊 1275
𥛾 1284
𩄨 1295
𧢻 1300
䙺 1300
覠 1300
計 1312
訐 1314
誡 1331
謦 1344
谿 1367

자음색인

趹	1421	䶜	1732	涸	93	庫	347	沽	635	秙	901	翺	1045
跂	1426	髻	1767	刳	102	弆	356	泒	640	稒	905	翱	1046
踥	1433	魝	1786	居	134	拷	440	滜	674	稿	908	考	1048
蹊	1439	鮬	1798	叩	145	挎	441	滜	684	稾	909	股	1066
軿	1462	鸡	1810	古	146	搞	460	瀘	705	棨	911	胍	1070
軫	1466	鳺	1811	告	153	攷	479	烄	711	穉	912	胒	1071
輵	1469	鴣	1814	告	154	故	481	烤	711	箛	932	膈	1086
轚	1480	鴶	1818	呱	154	敲	486	焅	713	筶	934	膏	1087
郪	1522	鶏	1825	咕	156	毃	486	燺	728	箸	937	膵	1091
鈌	1553	鶏	1825	咎	158	杲	534	牯	740	箍	941	臌	1094
鍥	1571	鷄	1828	固	196	枯	534	狜	750	箛	943	罊	1100
鐕	1588	鷄	1830	堌	210	柧	538	瓳	786	箬	946	皐	1101
閉	1596	瀱	1837	夃	227	柧	538	痁	808	篙	948	鼘	1102
閉	1597	蘄	1850	夰	232	栲	542	痼	812	簁	957	苦	1128
閈	1597	齘	1884	夼	234	棝	554	瘔	815	糕	975	苽	1130
閑	1598	齀	1885	臭	235	桰	555	皋	825	結	987	菰	1150
閱	1598	齧	1888	姑	244	楛	561	皐	826	絝	989	菰	1151
闞	1607	齃	1890	婟	252	槁	568	皜	826	縞	1007	菌	1155
阶	1611	고		嫴	263	槔	573	皷	830	罛	1027	菇	1155
階	1620	丂	9	孤	271	槗	570	盬	835	罟	1027	菒	1155
隊	1621	估	40	宎	276	槀	568	盬	836	罛	1029	蓁	1170
雉	1630	侤	48	㝀	277	槹	573	盬	836	羔	1034	蓽	1184
雞	1635	倃	60	家	279	橋	579	盬	836	羙	1034	藃	1184
鞋	1679	僱	74	尻	296	槔	581	睾	852	美	1034	藊	1185
類	1695	兜	82	岵	300	槹	582	瞽	858	羖	1034	藁	1190
類	1695	冢	91	峼	310	櫜	589	祰	889	羧	1035	藪	1192
鮨	1732	鬐	92	崓	312	殆	607	禞	892	辜	1035	藁	1194

자음색인

藃 1196
藁 1200
薧 1204
藍 1208
蛄 1223
蛊 1224
蠱 1255
袴 1271
褲 1283
覘 1298
覻 1302
觚 1306
舸 1306
詁 1320
叡 1328
誥 1332
諱 1356
賈 1391
趶 1421
跒 1421
跍 1426
跦 1426
跨 1428
踤 1428
踐 1432
軱 1463
軲 1464

辜 1483
䓘 1484
薣 1485
韓 1486
郜 1517
鄗 1521
酤 1533
酟 1534
醅 1539
鈷 1553
銬 1559
錮 1567
鍸 1582
闊 1602
陪 1616
雇 1630
雄 1632
雛 1637
䩹 1655
靠 1655
䩹 1655
鞈 1663
韓 1678
頋 1686
頶 1687
顆 1693
顧 1700

顒 1700
餬 1722
餻 1724
鎬 1725
骷 1756
骯 1756
高 1763
髙 1763
髛 1763
顥 1763
鯝 1796
鳲 1813
鴣 1814
鶮 1830
鶻 1831
鷇 1833
鸊 1835
鹽 1843
鼓 1873
鼔 1873
皷 1873
鼛 1873
鼗 1874
鼘 1874
鼙 1875

곡

佶 55

圐 98
告 153
吿 154
哭 162
唃 164
嚳 192
岩 310
斛 491
斛 491
曲 517
梮 538
梏 547
棫 551
暴 559
穀 571
槃 571
槲 572
浀 644
瀔 694
瀫 698
瀔 700
焅 713
牿 741
哭 747
眲 825
硞 871
秸 903

穀 907
穀 909
穚 909
穀 909
笛 937
斛 954
穀 962
穀 975
暴 1001
穀 1008
黍 1017
殼 1086
苗 1139
斛 1175
蓝 1187
蚰 1226
螢 1241
蹙 1295
舶 1306
舿 1308
觳 1308
穀 1310
鬻 1311
谷 1366
轂 1476
醫 1540
醫 1543

闊 1599
陪 1616
雒 1633
頔 1691
顥 1763
髻 1767
鯏 1796
鵠 1821
鶩 1840
鬖 1853
𪄠 1853
鬗 1856
鷇 1878
鼜 1878
酷 1888

곤

壼 14
丨 14
丮 100
困 195
壼 198
坤 203
堃 212
壼 226
娓 254
崑 310
崐 310

巛 324
幝 335
痼 347
悃 391
捆 444
捆 447
掴 460
昆 501
昦 507
柬 534
棞 550
棍 553
梱 558
橐 588
橐 592
歞 602
混 657
渾 664
滚 674
滾 676
猑 754
琨 774
琯 774
瑻 781
琿 783
睏 847
睔 847

睔 847
睴 851
䃂 873
硱 871
稛 903
稇 904
綑 995
緄 999
緷 1004
罤 1028
臗 1096
菎 1148
蓘 1170
蔉 1174
䓛 1178
䕭 1208
蚰 1225
蜫 1232
衮 1267
袞 1271
裍 1274
裩 1278
褌 1280
𧟄 1293
𧞫 1293
觥 1306
謴 1352
讃 1352
諢 1359
賰 1401
踾 1432
蹞 1435
輥 1470
輹 1478
錕 1566
䦟 1592
閫 1602
閫 1600
䧿 1633
霣 1646
䨚 1650
𩆮 1653
𩑰 1683
𩑛 1685
顐 1690
顐 1693
騉 1743
骯 1756
髡 1758
髡 1764
髡 1764
髡 1765
鮌 1791
鯀 1794
鯤 1796
鰥 1804
鵾 1824
鶤 1826
麇 1847
黖 1865
齫 1887
䶕 1892

골

乬 24
啒 168
圣 199
𡋯 223
𡾚 294
愲 405
扢 428
抇 432
搰 459
杚 529
杚 533
榾 568
汨 628
泏 637
滑 672
矻 865
𦁃 993
縎 1006
𨳮 1595
聉 1061
胐 1071
蓇 1153
蓇 1169
顝 1697
餶 1725
䯊 1748
骨 1755
骨 1755
𩨘 1755
鳦 1811
䱻 1802
鶻 1830
𪆔 1838
𪕮 1889

곳

𢈍 186

공

供 49
倥 58
倮 66
公 85
共 86
𠔁 87
刊 100
功 112
龏 124
卭 131
収 140
㕬 152
塨 215
子 270
孔 270
崆 311
工 325
巩 326
巩 326
𢀜 326
廾 355
卄 355
𢒅 366
忈 378
恐 385
恐 385
恐 386
恭 387
恭 387
㤨 389
恐 390
悾 396
拲 438
拲 439
拱 439
𢪌 429
𢫬 442
控 450
攻 480
杛 541
栱 542
𣏝 545
椌 567
槓 569
𣙙 585
涳 653
澒 669
灨 705
熕 721
玒 767
珙 770
䀬 799
疘 805
矼 865
𥐥 870
𥐥 871
硿 872
𥓂 878
𥝖 905
空 915
笻 935
笻 935
篊 937
𥳇 942
篢 950
𥳑 957
粠 970
紅 981
羫 1037
𦒱 1040
𦔨 1055
𦥛 1107
舼 1112
䑧 1112
苁 1126
䓖 1138
𦶟 1156
䔈 1171
蘏 1212
蚣 1219
蛩 1224
蛩 1227
蛬 1227
蛩 1227
蛩 1231
𧍞 1234
𧒽 1241
𧔦 1241
𧚚 1278

자음색인

貢 1385
贛 1401
贛 1402
贑 1402
贑 1402
跫 1429
軖 1461
䡗 1465
輁 1466
邛 1512
醭 1542
釭 1550
鉚 1553
銎 1556
銎 1560
銎 1565
鑦 1588
𨻧 1614
鞏 1663
鞏 1665
鞚 1665
𩌏 1669
贛 1682
髸 1766
髸 1767
髸 1767
魟 1787
鮣 1789
𩶩 1793
鳿 1813
𪀌 1819
𪁧 1819
鵼 1824
𪄌 1830
𪔵 1874
龔 1893
龔 1893

곶

串 15

과

𠇮 44
侉 50
𠍚 76
冎 89
划 100
𠛬 106
剮 107
呙 144
咵 161
㗻 188
堁 210
堝 213
午 226
夥 230
夥 230
夸 232
姱 247
婐 254
媧 257
𡞞 266
寡 284
窾 286
𡵨 332
恗 388
惈 398
戈 420
撾 470
敤 485
果 533
棵 557
楇 561
檛 584
淉 660
濄 689
犐 743
猓 753
瓜 786
𤬏 787
㾓 808
瘑 815
𥐨 869
科 898
稞 904
窠 920
窩 924
窾 923
𥮸 946
䈖 947
簻 958
粿 972
絓 989
𦂳 1005
胯 1072
腂 1078
腡 1084
𦢊 1095
艹 1120
苽 1136
荂 1138
菓 1148
萪 1162
萃 1172
薖 1189
蜾 1232
蝌 1235
蛙 1235
蝸 1236
蠃 1250
蝸 1251
袔 1271
袴 1271
裹 1279
𧝓 1290
𧣴 1309
誇 1315
𧦝 1317
誇 1327
誇 1327
課 1335
譔 1358
貨 1391
𧿳 1426
趹 1426
跨 1428
𨀂 1428
踒 1432
踝 1434
𨂜 1439
𨅾 1442
躨 1456
躶 1457
輠 1470
过 1488
過 1499
過 1501
過 1501
鈛 1550
鈛 1553
銙 1558
錁 1568
鍋 1570
鐹 1585
䦱 1604
𩋇 1663
顆 1692
餜 1721
𩛩 1724
𩚨 1725
𩝍 1729
𩡗 1738
騍 1744
騧 1745
驨 1752
骻 1756
骻 1756
骻 1757
髁 1758
𩩲 1759
鬲 1777
鬲 1778
䰛 1778
𩸃 1797
鰈 1806
𪁴 1828
𪇍 1838
𪌉 1851
𪌭 1852

곽

亯 31
墎 219
崞 312
𡾬 322
𢄢 334
廓 351
椁 558
槨 575
㰌 590
𣟨 592
欔 593
潅 673
漷 681
㶌 700
灂 706
熇 721
癨 821
𥇦 849
矍 859
𥠾 862
𥕞 879

穫	914	丱	19	果	533	瘝	814	莞	1142	閜	1597	昏	154
篗	963	丳	20	梡	549	瘝	817	莧	1142	閞	1598	懖	416
籗	965	倌	57	棺	556	瘝	820	菅	1148	関	1599	懖	417
糴	978	关	86	棵	557	毌	832	蒄	1156	闗	1605	括	439
聯	1060	冠	90	椁	562	盥	835	蔻	1171	闗	1606	捖	442
聵	1062	卝	129	権	576	夐	847	莞	1178	關	1606	括	445
蒦	1169	唍	169	樌	582	瞶	854	蔻	1184	雚	1635	栝	541
藿	1202	头	232	權	592	瞕	860	蔻	1185	韓	1665	桰	550
蘿	1212	宎	275	欄	593	矔	860	蘿	1208	顴	1703	活	644
玃	1384	官	278	欵	597	矜	861	蟦	1248	館	1721	活	652
趯	1420	官	276	款	597	礶	884	裷	1278	舘	1721	濄	686
郭	1520	寛	283	款	597	祼	889	观	1296	髖	1762	濄	692
鄟	1530	寬	283	欵	599	稆	905	覌	1296	髖	1762	昏	791
钁	1591	寬	286	歀	600	穫	914	観	1302	罬	1792	祮	888
隔	1619	窾	286	毌	615	窤	921	觀	1302	鰥	1800	祮	889
隤	1627	巏	323	涫	652	窾	923	觀	1304	鰥	1801	筈	935
霍	1643	斡	341	淉	660	筦	938	貫	1386	鰥	1806	聒	1057
鞟	1666	谿	343	漼	682	管	943	貼	1393	鰥	1807	聒	1058
鞹	1670	悹	394	灌	688	篧	964	贅	1396	鱹	1809	聳	1062
韊	1673	悺	394	灌	698	籗	965	趯	1420	鴅	1821	䏏	1074
韄	1679	惌	399	灌	702	綑	987	輨	1470	鵍	1821	舙	1109
臺	1763	慣	408	烜	714	綰	997	遺	1506	鸛	1841	苦	1134
臺	1763	摜	463	熣	721	綸	998	錧	1567	鸛	1841	萿	1147
鶚	1841	擐	471	爟	731	繯	1024	鍒	1576	괄		萿	1163
관		攔	477	琯	774	罐	1025	鏆	1580	刮	102	蘣	1178
丱	15	擐	475	瓘	785	臗	1096	鏉	1583	刮	105	趏	1410
串	15	权	526	痯	811	舘	1109	鑵	1590	劀	110	跍	1429

𨉖 1457
适 1493
𨓈 1497
颳 1706
𩨗 1755
䯏 1757
𩩟 1758
銽 1563
闊 1600
𨵗 1602
頢 1688
𩒊 1690
鬝 1767
䯺 1768
鬠 1774
鬠 1774
鱠 1806
鴰 1818
𪀗 1821
𪘥 1887
𪘨 1888

광

𠔊 45
侊 48
俇 52
債 72
光 82
劻 114
匡 122
匩 123
卝 129
㞷 150
垙 206
壙 223
坣 302
𡶚 302
广 343
広 343
廣 352
𢗳 385
恇 387
㤮 390
𢙂 393
𢞩 403
𢥞 404
懬 417
懭 417
抂 433
撗 466
曠 516
𣌀 516
桄 543
框 543
𣐍 550
洸 644
洸 644
洭 645
𣵻 659
滙 668
尣 706
炗 709
𤐫 724
狂 748
㹰 753
獷 763
珖 771
眶 844
畀 852
矌 859
硄 869
磺 881
礦 882
穬 913
筐 936
䊗 978
絖 989
纊 1018
胱 1072
𦙶 1074
臦 1099
臩 1100
𦰩 1137
茪 1138
𧋍 1227
觵 1311
𧥺 1317
誆 1327
誑 1330
𧬈 1348
𧼮 1411
𨁉 1429
𨆪 1452
軖 1461
軭 1466
輄 1467
𨋟 1468
軭 1468
輺 1474
𨍲 1479
迋 1489
逛 1497
邼 1516
𨛍 1522
鄺 1529
𥠬 1547
鉱 1556
鑛 1588
𨴈 1599
𨷣 1607
𨸶 1614
𦑡 1633
𩏩 1682
𩔗 1689
𩣖 1740
𩧢 1753
𩩙 1757
𩬕 1767
𩵿 1795
䲔 1795
鵟 1821
鷬 1840
黆 1856

괘

𠈁 44
卦 130
咼 162
喎 174
媧 257
𡟰 266
挂 440
掛 449
枴 534
棵 557
楇 561
窐 920
絓 989
緺 1004
罣 1027
罫 1028
褂 1277
詿 1327
諣 1344
𧪬 1362
𤼺 1377
騧 1745
𩦉 1752
𩲡 1880

괴

乖 19
𠁽 20
会 36
傀 65
凷 97
刽 104
劊 110
块 202
𡍚 209
𡋷 212
塊 215
𡎸 216
壞 222
壊 224
㛗 252
媿 259
峗 312
𡿖 321
巜 324
廥 353
忦 381
怪 384
恠 390
愧 404
拐 436
擓 471
𢷌 471
𢿍 489
旝 498
㑹 518
會 519
會 519
桅 543
槐 569
櫆 587
𣲾 603
澮 689
瑰 779
瓌 785
瓌 785
㿜 820

자음색인

硜	868	頯	1689	䝞	1216	翃	1040	僑	71	嶠	319	晈	506
硴	873	䫏	1697	蟈	1243	肱	1066	僥	74	嶠	319	曒	515
磈	881	饋	1730	衈	1260	膭	1092	咬	159	巧	326	校	541
磙	884	騩	1747	䤰	1310	觥	1307	喬	165	嶠	338	榷	567
檜	912	䫥	1760	虢	1362	觵	1310	喬	176	憿	339	槗	570
篌	946	䯣	1761	趪	1419	訇	1313	嘄	180	徼	375	榷	575
紩	984	髓	1762	蟈	1458	諻	1319	噭	181	恷	383	橇	579
膭	1091	䯤	1762	鐵	1585	軲	1461	嘂	182	恔	388	橋	579
卝	1120	鬢	1773	颾	1707	軣	1462	嘺	184	憍	411	嶅	598
茶	1133	鬢	1775	馘	1732	軳	1465	噭	187	憿	415	敫	599
蔽	1163	魁	1781	䤰	1732	輷	1467	鄗	188	扐	428	浇	660
蒯	1166	䰻	1782	髑	1760	轟	1480	嚙	190	招	437	滘	677
蕢	1182	骼	1793	굉		鉱	1563	嘄	190	招	437	激	681
蒐	1191	괵		厷	139	鍠	1571	墝	219	挍	442	澆	685
蕢	1197	聝	107	宏	276	鍧	1571	墽	221	捁	443	漻	697
蕢	1204	嘓	182	汯	632	閎	1595	蕘	224	撟	467	澆	704
蚜	1223	幗	337	浤	647	霟	1644	奅	227	撽	470	烄	711
褢	1288	摑	462	澋	663	鞃	1661	妖	241	摮	470	敫	716
襘	1288	敋	481	硡	870	鞃	1661	姣	247	攪	478	爫	732
覽	1304	斛	491	磤	874	黌	1854	媄	255	效	480	狡	750
䚈	1304	斛	491	砮	879	黌	1854	嬌	264	致	480	狕	755
謉	1348	䀨	825	礚	884	臏	1858	嬓	265	教	482	獢	759
豯	1377	䁬	846	宖	916	교		孂	268	教	483	獿	759
貐	1384	篌	946	竑	918	丩	14	孝	271	敎	486	獟	760
鄶	1519	簂	952	紘	983	乔	19	季	271	敲	487	獥	762
鄶	1528	聝	1058	綋	995	交	28	鷮	273	㪣	488	珓	770
餽	1528	膕	1088	狁	1040	佼	46	孵	273	覚	490	璬	783

疝	805	笅	936	蛟	1225	蹻	1448	頝	1689	齩	1886	冦	91
皎	826	簎	956	螭	1241	較	1461	顥	1697	齹	1891	冰	93
皦	827	簥	957	螐	1244	較	1466	顈	1699	**구**		凵	97
盄	836	糺	980	蟂	1244	轎	1476	顥	1702	丘	11	刨	102
盪	836	糾	980	蟜	1246	轇	1477	餃	1717	丘	12	劬	113
䀎	837	糺	980	袎	1272	轎	1478	驍	1748	丠	12	舅	116
䀏	837	絞	990	覐	1296	轈	1479	驕	1751	丠	13	勾	119
県	838	繑	1013	覌	1297	轎	1479	骹	1757	丩	14	匀	119
䀰	845	繳	1015	覚	1298	䢒	1494	亶	1763	圝	15	匓	120
曉	855	繁	1016	覐	1298	郊	1516	髜	1763	久	17	匌	122
曒	858	鉸	1023	覺	1303	鄗	1525	鬮	1776	乆	17	匶	124
矯	864	翹	1046	觲	1310	鄡	1525	鮍	1790	九	20	区	122
䂭	869	獢	1046	訆	1333	鄗	1527	鮫	1792	犰	23	区	124
磽	880	翹	1046	譑	1354	酵	1535	鰝	1802	亀	24	匶	124
穚	911	胶	1074	謷	1359	醮	1543	鱎	1805	仇	33	區	125
窔	916	膠	1088	䜈	1367	釗	1549	鵁	1813	伛	39	區	125
窍	918	臬	1100	䜈	1368	鉸	1557	鳶	1816	佝	44	厩	137
窌	917	艽	1120	賋	1391	鐎	1573	鳱	1816	侉	50	厹	138
窌	917	茭	1134	趫	1411	鐈	1583	鵁	1818	俅	52	口	144
窙	919	茮	1136	趫	1417	鐓	1585	鴵	1819	俱	55	叩	145
窞	919	茾	1137	趬	1417	驕	1593	鷦	1831	倃	60	句	146
窖	920	藠	1178	趭	1418	閴	1607	鷮	1835	傋	65	台	147
窖	919	蕎	1181	跤	1429	翟	1632	鷩	1838	傴	68	呕	152
竅	924	鞍	1185	蹻	1442	鞍	1663	鼽	1880	具	87	呴	155
竅	924	蔌	1192	蹻	1442	鞽	1671	鼽	1880	具	87	咎	158
嶢	929	藃	1206	蹻	1447	䝟	1674	鼽	1880	冓	90	嘔	181
笅	932	藮	1209	蹺	1447	䪒	1675	鼓	1885	冓	90	坵	205

坵	205	[illegible]	394	昫	505	殴	611	[illegible]	752	[illegible]	903	[illegible]	992
[illegible]	205	惧	398	晷	509	[illegible]	613	[illegible]	757	穋	910	[illegible]	993
垢	206	[illegible]	404	[illegible]	513	毆	614	玖	766	究	915	緱	1003
豿	230	慪	410	朐	521	毬	618	玽	769	究	915	[illegible]	1024
够	230	[illegible]	411	朹	526	[illegible]	618	球	772	窛	920	[illegible]	1038
[illegible]	241	懼	419	构	532	氍	621	璆	780	[illegible]	920	[illegible]	1042
姤	247	戵	425	枸	535	求	625	瓯	788	[illegible]	920	[illegible]	1042
媾	259	扣	428	柩	537	氿	625	甌	790	窶	922	耇	1048
嫗	261	抅	433	柜	538	泃	640	[illegible]	796	[illegible]	922	耈	1049
㝅	272	拒	436	柾	538	溝	669	[illegible]	797	[illegible]	925	[illegible]	1054
宄	275	拘	437	桕	544	漚	678	疚	805	竘	926	聥	1059
寇	281	挎	441	梂	551	滱	681	痀	807	笱	933	[illegible]	1064
宼	281	捄	444	[illegible]	555	灈	703	癯	822	[illegible]	940	朐	1069
寠	284	[illegible]	456	椇	556	灸	707	[illegible]	829	[illegible]	950	[illegible]	1071
屨	301	搆	457	楀	560	[illegible]	707	盚	834	篝	953	脙	1077
岣	305	摳	463	[illegible]	564	[illegible]	721	[illegible]	838	[illegible]	953	膒	1089
岠	307	攫	477	構	569	熰	722	䀠	841	[illegible]	949	臞	1098
嶇	317	敂	481	榘	571	[illegible]	734	眗	842	[illegible]	949	臼	1104
[illegible]	336	[illegible]	481	[illegible]	585	[illegible]	736	[illegible]	843	[illegible]	959	[illegible]	1104
[illegible]	337	救	482	欋	592	[illegible]	738	[illegible]	849	[illegible]	959	舅	1106
廄	350	[illegible]	483	櫙	593	[illegible]	739	[illegible]	852	[illegible]	961	[illegible]	1106
廐	350	敺	487	欨	595	犋	742	[illegible]	853	[illegible]	961	[illegible]	1106
廏	352	[illegible]	487	[illegible]	595	[illegible]	744	瞿	857	[illegible]	970	舊	1107
彀	363	斞	492	[illegible]	597	[illegible]	744	矩	863	糗	974	[illegible]	1111
彄	363	[illegible]	492	欲	598	[illegible]	745	[illegible]	877	[illegible]	980	[illegible]	1112
忂	376	斪	493	歐	600	犰	747	[illegible]	884	絿	983	[illegible]	1115
怐	383	旧	499	殏	608	狗	749	[illegible]	892	絇	987	艽	1120

자음색인

芶	1126	蚼	1224	訄	1313	𧺆	1411	醧	1541	韮	1679	鼩	1786
苀	1126	蚯	1227	訅	1313	趜	1413	釓	1548	殣	1679	鸜	1809
苟	1128	蛩	1231	奆	1315	𧾣	1420	釚	1549	頄	1683	鮈	1791
茾	1137	蛷	1229	𧦝	1315	跔	1424	釗	1549	䝭	1686	鮊	1793
苢	1137	蝺	1237	詎	1319	𨀌	1426	釦	1550	頼	1691	鮯	1796
茩	1139	蝠	1245	訽	1320	𨂍	1432	鉤	1553	顧	1698	鰸	1804
莥	1144	龜	1248	詬	1325	䟵	1436	鉤	1555	颶	1706	鯢	1804
莍	1146	蟗	1249	誶	1327	踽	1438	銶	1561	颶	1707	鸜	1809
蒿	1151	蠷	1257	詯	1329	𨅝	1445	鑔	1580	颶	1707	鳩	1810
蓲	1151	蠼	1257	誇	1327	躣	1454	鎝	1576	餉	1715	鳩	1810
蓍	1158	峪	1260	詸	1333	𨉅	1456	鏂	1579	餉	1715	鳩	1811
䓛	1162	衢	1264	諂	1338	軀	1458	鑺	1590	餉	1716	鷗	1812
萬	1164	衢	1264	講	1347	𢤗	1459	𣢶	1592	饌	1722	鴝	1814
蒟	1165	袧	1266	謳	1350	𨊸	1460	閄	1594	饌	1725	鴝	1814
蒟	1171	袧	1269	䜪	1366	軥	1462	陶	1613	馗	1731	鵃	1819
蔲	1171	裘	1276	狗	1373	軥	1462	𨻳	1623	駈	1736	鴝	1819
蒩	1171	裘	1276	豿	1380	逑	1495	雊	1629	駒	1737	鳩	1821
蔻	1173	褠	1281	貐	1381	遘	1503	集	1630	駈	1738	鷇	1831
蓲	1176	褠	1281	販	1386	遘	1506	雊	1631	駒	1740	鵰	1831
蘜	1178	褠	1282	購	1389	遘	1508	霧	1646	駒	1740	鷗	1832
舊	1191	褔	1285	賕	1392	邱	1514	靧	1658	驅	1749	鷗	1832
蔲	1192	𧝞	1291	購	1397	叩	1512	鞫	1662	驪	1754	鶪	1833
蒟	1192	𧠇	1299	贘	1399	邱	1514	鞈	1675	骺	1757	鷇	1833
蓫	1197	覯	1301	贖	1400	郇	1515	鞲	1668	骹	1759	鸛	1836
蘷	1205	觓	1305	赹	1406	邶	1517	韝	1677	骹	1759	鸝	1838
藋	1208	觩	1307	赽	1408	郰	1519	韝	1677	髑	1760	鸜	1841
蚯	1222	觼	1309	趵	1408	鄭	1528	韭	1679	鬮	1776	麔	1847

자음색인

麌 1855
䵶 1871
䵶 1871
鼩 1876
𪖈 1879
鼽 1880
𪖏 1880
𪖐 1880
𪗉 1885
齨 1887
𪘲 1887
齲 1889
龜 1894
𪚦 1894
𪚧 1894
𪚨 1894
𪚫 1895
𪚬 1895
𪚭 1895
龜 1895

국

侷 55
匊 120
匔 121
厈 134
告 153
告 154
口 194
国 195
囻 196
囶 196
国 196
圀 196
國 197
𡊬 204
𡫂 287
局 296
㞋 297
弆 356
挶 442
掬 450
𢶐 455
𢲵 457
攫 477
𣏓 538
梮 549
梂 551
椈 556
𣘗 585
毱 619
毬 619
𥉌 800
𥡉 914
𥨪 925
𥬉 943
𥮏 951
𥶇 963
𥶅 964
𦾓 964
粷 972
𦓐 1052
𦥑 1104
莍 1146
菊 1148
蓻 1170
蔛 1171
蘜 1177
蘜 1204
蘜 1204
蘜 1206
蘜 1209
𧍯 1233
𧖅 1309
諊 1339
𧯩 1371
趜 1413
𨀁 1426
跼 1430
踘 1436
鵴 1445
躹 1457
輂 1467
輋 1471
輋 1476
鋦 1563
𨴢 1601
𨸸 1612
𨹷 1619
雑 1634
鞠 1665
鞫 1667
鞫 1671
𩋽 1673
韊 1675
𩛠 1722
駶 1742
𩦺 1754
髨 1764
髷 1766
䯻 1768
鬻 1779
𩸃 1796
鵴 1819
鶪 1821
鵴 1823
鶪 1841
鵴 1841
𪌂 1849
麯 1850
麴 1851
𪌊 1851
麴 1851

군

僒 73
君 152
𠯑 162
𡂘 168
宭 279
峮 309
𡶓 309
帬 333
帬 333
𢄙 333
捃 443
攗 475
攟 477
攈 477
𣀷 488
桾 548
涒 650
珺 773
皸 829
窘 919
𥻷 972
䊪 977
䍃 1026
群 1036
羣 1036
䐃 1081
莙 1141
蔨 1171
䕼 1177
蜠 1233
裙 1274
裠 1274
豚 1376
豚 1376
豚 1376
賵 1396
趜 1413
軍 1460
匍 1460
郡 1518
鍕 1572
靬 1660
頵 1690
鮶 1795
鵘 1821
麇 1845
麏 1847
䴭 1851

굴

乞 21
扢 23
倔 57
厥 136
堀 210
堀 222
屈 297
屈 300
崛 311
崫 311
𡾿 320
崛 321
掘 449
搲 472
𣟐 557
淈 654
淈 692
𣾷 692
𤞞 755
矻 865
窟 920
窟 921
𥬷 943
絀 986
綇 999
腒 1078
𦢢 1095

茁 1130
䓛 1153
崫 1180
蚼 1218
䖢 1223
蜛 1232
䘿 1270
裾 1277
詘 1321
誳 1335
謳 1358
豩 1376
𤜁 1376
𧺆 1405
趉 1408
趜 1413
𧼯 1413
䟚 1426
踞 1436
醑 1542
鈯 1569
镼 1593
関 1601
阢 1610
鞠 1666
䫏 1683
頽 1685
頤 1693
颮 1705
鶌 1744
驅 1744
骩 1755
䯍 1756
骪 1756
鬝 1769
鷗 1825

궁

㑋 49
躬 120
躳 121
宮 279
弓 358
毱 619
毧 619
碚 877
穷 915
穷 915
穹 915
窮 921
竆 924
竆 924
腔 1087
芎 1121
营 1170
藭 1199
藭 1210
藭 1211
蜳 1240
誇 1337
踘 1436
躬 1455
船 1456
躳 1457
躬 1457
躳 1458
鞠 1665
鞫 1671
鞫 1673
頍 1683
骯 1757

궉

鴌 1813

권

倦 58
劵 102
勬 108
劝 112
券 114
勸 115
勬 116
勸 117
勸 117
勸 117
勸 118
卷 132
卷 133
圈 197
圈 198
埢 211
婘 252
嵳 314
巏 323
巻 328
帣 332
帣 336
弮 356
弮 357
弮 361
弓 358
彉 364
惓 396
惓 409
拳 438
拲 438
捲 447
捲 447
拳 457
攣 492
权 526
桊 545
棬 555
桊 571
権 576
權 582
權 592
欍 602
淃 660
牶 741
犈 743
瘔 813
盕 833
盞 834
眷 845
夐 847
睠 849
祭 888
䑍 890
䑍 892
稀 905
篋 953
粽 971
粩 972
粊 977
䊎 992
綣 996
絭 1008
腃 1081
臇 1085
臛 1098
菤 1153
莌 1154
蔨 1177
蘿 1211
𧆞 1221
蜷 1231
蠸 1257
裷 1277
襈 1288
覠 1301
觠 1307
觠 1310
登 1369
鍪 1371
豩 1376
𤜁 1376
趯 1420
踡 1434
躍 1454
輇 1472
鄻 1530
錈 1568
隆 1618
隺 1628
韏 1675
韈 1675
韏 1677
韏 1679
顴 1693
顴 1703
餋 1718
餋 1722
髖 1762
鬈 1769
鬠 1769
鬳 1778
鸛 1842
䵃 1859
齤 1887
齤 1891

궐

亅 24
乚 24
劂 107
劂 109
厥 117
厥 136
噘 186
孓 270
嶡 319

자음색인

掘	449	𨇾	1454	𢫬	441	蕢	1197	閣	1600	鬼	83	葵	1185
撅	466	鐅	1583	晷	509	蘬	1204	闕	1605	劌	110	蘬	1207
握	472	鐝	1583	机	525	蛫	1225	闠	1607	劸	113	蘱	1210
橛	580	闕	1601	朹	526	蝸	1248	闠	1609	叜	141	龜	1248
橜	580	闋	1602	樻	579	蟨	1249	雔	1632	嘳	183	蟨	1249
欮	596	闕	1605	櫃	587	衛	1261	鞼	1663	宄	274	覽	1304
氒	622	闒	1607	樻	591	襀	1287	鞼	1670	宒	276	覦	1304
灍	687	𩰊	1637	欹	596	觤	1307	鞼	1671	宨	278	貴	1388
獗	760	𩩍	1761	殨	610	詭	1325	鞼	1672	尳	294	賈	1396
瘚	815	𩨊	1761	氿	625	跪	1391	韇	1673	尯	294	賢	1396
𥕢	880	觖	1763	洈	646	𤳱	1400	韇	1678	巌	319	趣	1417
𥓊	880	鱖	1805	𣲖	667	趉	1410	餽	1724	巋	323	逵	1499
綶	999	鷢	1835	潰	684	趣	1413	饋	1727	帰	333	鉇	1559
𦨣	1116	**궤**		瀢	700	跪	1428	饋	1730	歸	339	韇	1678
蕨	1182	佹	46	犩	746	蹷	1445	騩	1752	撌	467	鬼	1780
蟩	1248	几	95	盢	834	蹶	1447	髖	1761	晷	509	魄	1782
蟨	1249	匭	123	祪	888	蹷	1447	髓	1762	槶	572	魁	1782
𧝞	1288	匦	123	窺	919	鐅	1448	鱖	1805	樻	591	鵠	1818
觼	1308	匱	123	𥫡	946	蹬	1450	鵤	1819	歸	604	龜	1894
𧥄	1310	厬	137	簂	952	蹫	1453	麂	1844	歸	605	龜	1894
趉	1408	垝	205	簋	953	蹷	1453	麂	1844	踈	605	龜	1894
趣	1417	墤	223	簣	956	蹶	1454	麈	1846	甶	734	龜	1894
𨁲	1437	姽	248	簣	960	軌	1459	鼫	1857	㿫	825	**귁**	
𨃵	1445	嬇	268	繢	1018	边	1487	鼆	1858	皷	829	摑	462
蹶	1447	恑	389	䖵	1035	鄬	1517	**귀**		瞶	856	𦪈	1310
蹷	1447	憒	412	蕢	1176	鐀	1583	𠀧	15	腃	1081	**규**	
𨇾	1453	㥴	418	蕢	1182	鑎	1587	亀	24	膭	1085	虧	14

九	20	暌	511	糾	980	訆	1313	靰	1660	亀	24	覠	1298
乣	21	朻	525	紏	980	赳	1404	頃	1682	匀	119	訇	1312
亏	26	楑	561	繆	1011	赳	1404	頄	1683	匀	119	訽	1317
傒	64	槻	573	䎘	1052	赳	1404	頍	1684	囷	196	訇	1319
傒	67	樛	574	聧	1059	趴	1421	頯	1689	均	201	趜	1412
刲	102			䐆	1084	跔	1421	頯	1693	坸	201	趜	1413
叫	145	槀	583	艽	1125	跬	1428	顝	1693	姰	249	趜	1419
叫	145	湀	667	茥	1139	跰	1431	馗	1731	峮	309	輑	1468
呌	152	湀	674	蘷	1140	踩	1436	騤	1745	峮	309	鈞	1552
嘄	180	潙	683	蘬	1156	跬	1439	髚	1763	汮	633	鋆	1560
嘄	190	爬	732	葵	1161	蹊	1439	鬮	1776	畇	734	鉤	1560
圭	199	珪	770	藈	1194	𨂢	1442	鬹	1779	盷	796	鴝	1813
厓	220	癸	823	虧	1216	蹞	1443	鮭	1792	[illegible]	802	麇	1845
奎	235	癸	823	虧	1216	蹞	1454	䲅	1804	硱	874	麕	1846
嫢	263	睽	850	虬	1217	逵	1498	鳺	1812	稛	904	麏	1847
嬀	264	瞡	854	虯	1217	邽	1515	鶟	1828	筠	938	龜	1894
嫿	268	䂓	864	蛙	1227	鄈	1522	鷚	1832	箘	942	龜	1894
巎	324	硅	868	蝰	1238	醆	1539	鷚	1832	箟	942	龜	1894
幵	356	丮	916	蟉	1243	鍨	1573	鸜	1833	縜	1008	龜	1894
弓	359	窍	918	袿	1272	鍷	1573	鵻	1837	䌰	1020	귤	
戣	423	窐	918	䙆	1281	閨	1599	鶩	1838	芶	1143	僪	73
扣	428	窌	920	𧟭	1295	闚	1606	鶟	1839	菌	1148	橘	580
揆	452	窺	922	規	1296	闚	1607	麈	1846	菌	1177	繘	1013
挂	456	窺	924	䂓	1297	雉	1630	黊	1857	蚐	1221	繘	1021
揆	461	竅	924	䚌	1300	瞿	1632	𪚦	1894	蜠	1233	繘	1022
摎	462	竅	924	覺	1304	雓	1634	균		鼁	1248	𨡺	1542
摫	464	糺	980	䚐	1304	隺	1637	𠚲	15	袀	1266	肒	1070

蕎 1185
𧸘 1400
趉 1408
𧾊 1413
趫 1417
𧾵 1419
蹻 1448
𪘏 1843

극

丮 15
亯 29
亟 27
亳 30
㑋 63
克 82
㓝 96
剋 105
剧 107
劇 110
劇 110
勊 114
𠦬 128
㔹 130
可 145
𠼭 175
嬉 268
尅 289
䆗 292
㝏 293
尥 294
屐 296
屐 298
㥛 400
㤂 403
戟 423
㦸 423
戟 424
撠 467
朿 526
棘 553
極 563
殛 609
氪 624
亰 634
硞 871
䈝 950
茍 1128
䓎 1151
䓎 1151
蕀 1184
蕺 1185
蝍 1230
蝍 1238
裓 1274
襋 1281
襋 1287
諔 1344
谻 1366
谻 1366
谻 1367
谽 1368
輙 1476
郄 1516
郤 1518
隙 1616
隙 1622
隟 1624
隙 1624
革 1659
鞃 1660
鞎 1664
鞕 1667
鞢 1671
鞢 1673
鞕 1676
鬩 1773

근

仅 33
僅 69
劤 113
勤 116
勤 116
卺 132
厪 137
堇 212
墐 218
墐 219
墐 221
墐 221
墐 223
嫤 261
巹 328
巹 328
巹 328
廑 350
廑 353
廑 353
忩 399
慬 409
懃 413
懄 414
巹 438
擎 462
㧪 469
斤 492
斳 493
根 542
槿 551
槿 573
芹 603
𡶄 604
殣 610
漌 677
犍 744
瑾 780
璡 784
瘽 818
矜 861
堇 862
笒 930
筋 936
箽 946
筆 953
肵 1067
芹 1125
𦵔 1137
𦵔 1137
董 1150
菦 1153
菫 1178
蘄 1201
蘄 1203
螼 1244
覲 1302
覲 1303
觔 1305
謹 1348
謹 1350
䔮 1370
赾 1406
趣 1412
跟 1427
跽 1431
近 1489
釿 1551
鈐 1551
鐁 1573
靳 1660
䩤 1675
饉 1726
馸 1737
䜳 1859
齦 1891

글

乞 22
卨 130
吃 147
吃 152
契 235
契 235
挈 356
欯 595
訖 1314
訖 1319
赾 1405
趌 1406
較 1468
鮀 1787

금

今 31
今 34
伶 39
金 55
金 55
僸 76
澿 95
厱 136
吟 150
唫 166
噤 187
噙 188
坅 201
妗 242
嶔 318
庈 344
襟 415
扲 431
捦 448
捡 459

擒 471
㩒 471
𢼄 480
昑 502
㬐 512
𣋚 514
㯲 583
檎 583
𤆍 611
𤘦 740
珡 770
琴 773
琹 773
𥕐 881
禁 890
禽 896
笒 931
紟 983
𬘭 1000
䘳 1016
𦋺 1031
耹 1055
肣 1055
䑫 1108
芩 1123
菳 1155
𦺍 1185
蘫 1204
蚙 1221
衿 1266
衾 1268
衾 1268
裣 1278
𧜎 1281
襟 1289
訡 1319
赺 1406
𧺆 1413
𧽬 1418
䠴 1450
軡 1462
金 1548
鈙 1552
錦 1567
顉 1692
鏨 1576
閽 1602
雂 1630
靲 1660
䪩 1680
顉 1697
顩 1697
顩 1701
䫴 1701
䳺 1812
鵭 1825
黅 1857
黔 1861
黚 1863
黔 1864
黬 1867
黰 1868
𪗍 1885
齽 1891

금

乁 17
伋 37
及 141
品 171
嚽 190
圾 201
岌 304
弓 358
彶 368
㤂 379
忣 379
急 382
扱 429
㬎 516
汲 629
清 664
湆 664
疲 806
皀 824
䁥 858
礏 881
笈 931
級 981
級 983
給 990
䏜 1070
芨 1123
𦺓 1159
蕺 1171
𧫘 1359
𨘈 1504
鍙 1564
阣 1611
雴 1636
靸 1660
鵖 1813
𪀚 1815
𩬈 1815
鴶 1833

긍

亘 27
亙 27
亘 27
亙 27
仱 39
兢 84
兢 84
堩 213
恆 387
恒 387
𢞜 398
𢜨 399
掯 451
揯 455
栖 564
𣚣 576
殑 608
矜 861
䂯 871
碅 874
絙 989
縆 1003
肎 1064
冐 1066
肯 1068
肻 1068
𦺍 1185
蘫 1204
䱍 1792
鮔 1793
鮔 1800
齦 1842
䅃 1842

기

丌 10
丌 11
亓 13
乞 21
亓 26
亟 27
㚍 31
㚍 31
企 36
伎 37
企 50
企 50
俟 53
倚 57
倛 58
僛 72
僟 73
旡 81
旡 82
𠔀 86
其 87
𠔃 87
箕 87
冀 87
刏 100
刉 100
剞 106
匿 124
吱 152
唭 169
㞓 171
嗜 178
㗊 183
器 183
嘰 183
器 186
圻 200
坖 203
垍 206
埼 210
基 211
墍 219
塈 219
夔 228
夔 228
夒 228
奇 233
攲 241
妓 241
㚻 246

자음색인

姬 247
娸 254
婍 254
寄 281
丌 291
槼 293
椅 294
居 297
屃 298
屆 298
屐 299
屼 303
岂 303
屺 303
岐 304
峎 309
崎 311
㟢 312
乇 326
己 327
㠱 328
帺 333
幾 343
庋 344
庪 347
甘 356
弃 356

畁 356
弜 359
徛 372
炁 379
忌 377
忮 380
忯 380
抧 385
惎 394
惎 394
愭 405
㤅 407
憠 414
懻 418
戔 422
技 430
抧 437
抾 438
掎 448
攱 478
攰 478
攲 479
敊 479
攲 479
𢿘 479
敁 482

敧 484
旂 495
旑 496
斯 497
旗 497
旡 499
既 499
旣 499
既 499
旮 500
暣 512
暨 514
期 522
朞 522
杞 528
枝 533
棋 558
棊 558
棄 559
榿 568
機 580
櫀 587
檕 590
欯 595
欹 597
欺 597
𣥠 603

歧 603
𣩑 608
气 623
気 623
氕 623
氣 623
氣 623
汽 629
沂 630
汥 633
洎 641
淇 654
漑 677
濞 687
濝 695
炁 709
猗 738
猉 754
獑 764
玘 767
琦 774
琪 774
璂 780
璣 781
𤩭 784
畸 800
畿 801

疧 806
疷 809
㽻 813
𤽬 825
盀 831
㿾 835
𥄍 839
𥅡 850
𥅡 850
碕 873
𥑮 873
碁 874
磯 880
示 884
礻 884
祁 885
祇 885
祈 885
祈 885
祺 889
𥙡 890
禥 893
禨 893
𥝌 897
䅲 899
穊 899
稘 904

稘 907
𥟖 907
穊 910
穖 911
竒 926
𥫺 930
𥮏 937
箕 942
粎 967
𥻆 967
紀 980
𥿣 987
綺 998
綼 1000
綥 1000
綦 1000
綨 1000
𦉸 1023
罊 1025
𦌴 1032
羇 1032
羈 1032
𦍊 1033
翨 1044
耆 1048
䎩 1053

耭 1053
肌 1064
肵 1067
䐩 1086
𦢼 1091
臮 1101
芑 1121
芰 1124
芪 1125
茈 1138
茤 1139
𦱼 1142
𦯬 1144
𦳊 1144
萁 1151
𦵭 1151
䓫 1169
蔇 1174
𦷨 1178
𧂐 1185
藄 1196
蘄 1201
蘄 1203
虁 1204
𧄒 1205
夔 1208
虮 1218

蚑 1219
蚚 1221
蚔 1221
蜝 1233
蜞 1234
蛧 1234
蜝 1234
螧 1234
𧌐 1241
蟣 1247
𩁹 1252
鐖 1260
鐖 1260
祇 1266
祷 1266
禨 1275
綺 1278
祺 1278
羇 1295
羈 1295
覩 1301
覬 1301
觖 1305
觗 1305
觭 1308
記 1314
諅 1329
諆 1329
詎 1329
諅 1330
諆 1336
碁 1339
諦 1339
諳 1345
諤 1349
諸 1349
暨 1352
諶 1352
譏 1354
豈 1369
䫏 1370
嚱 1371
隸 1382
賤 1396
起 1405
跂 1406
赵 1406
趌 1409
趌 1413
趮 1418
趹 1421
趸 1421
趼 1421
跂 1422
跃 1423
跂 1430
跧 1430
跽 1430
踦 1432
踑 1433
踦 1435
踶 1442
蹊 1445
蹟 1450
蹠 1454
蹵 1455
蹷 1455
踦 1457
軧 1461
輢 1471
迡 1488
迈 1488
迟 1489
近 1489
迸 1490
迦 1490
遊 1498
邔 1511
邵 1511
郊 1513
部 1521
鄿 1529
醏 1540
醮 1542
錡 1567
錤 1568
鍺 1576
鐖 1582
闍 1603
陭 1618
隑 1622
雗 1634
霸 1652
鞠 1661
鞪 1665
鞿 1671
頎 1684
頎 1693
頗 1697
飢 1713
飥 1713
飶 1713
餂 1716
餢 1725
餭 1726
饑 1727
駿 1736
騎 1743
騏 1743
騎 1746
騠 1748
騫 1748
驁 1748
驥 1751
驥 1754
骩 1755
骸 1756
骴 1759
鬐 1771
鬾 1778
魃 1781
魅 1781
魌 1783
魑 1784
魈 1784
魓 1785
魕 1785
魖 1786
鯕 1797
鰭 1801
鱀 1804
鱭 1804
鯤 1813
鶀 1821
鵸 1823
鵋 1823
鴟 1825
鶈 1835
麂 1845
麒 1847
黁 1852
黖 1862
齘 1885
齮 1889
齸 1891

긴

堅 255
櫜 586
緊 984
緊 986
緊 1001
臤 1099
菣 1154
蘲 1178
趣 1412

길

巷 23
劼 114
佶 46
吉 148
吉 148
咭 161
姞 246
拮 439
桔 544
洁 645
狤 751
詰 829
砎 866
碶 874
秸 901
蛣 1225
趌 1409
趨 1419
趨 1419
郅 1516
郜 1517
鍺 1560
軼 1663
駃 1740
鮚 1792
鴶 1818

김

金 55
金 55
金 1548

끽

자음색인

喫 174
喫 174

나

偄 64
儺 79
哪 164
喇 172
奈 234
娜 250
愞 402
懦 416
懧 416
拏 433
抲 437
挐 438
拿 438
挪 444
旎 497
柰 534
梛 548
棭 578
稬 906
穤 913
糯 978
絮 987
𦈵 1050
腇 1073
臑 1095
蒘 1168
蛪 1242
袈 1271
袲 1279
誃 1317
諏 1322
詉 1323
諵 1329
說 1338
踂 1432
踷 1439
輠 1479
那 1512
那 1512
郍 1515
难 1629
䧹 1632
難 1635
雔 1635
雗 1635
難 1636
難 1638
難 1638
難 1638
難 1636
髮 1771
魌 1784
魕 1785
𪐝 1859
黟 1859

낙

搙 456
緒 1005
觰 1308
諾 1339

난

偄 64
嘫 185
奻 240
巎 340
戁 419
㬮 507
暖 511
煗 511
齈 517
渜 661
煖 717
煗 717
糯 978
赧 1050
赧 1403
赧 1403
蹨 1448
鍩 1564
难 1629
䧹 1632
難 1635
雔 1635
雗 1635
難 1636
難 1636
難 1638
難 1638
難 1638
醲 1657
醾 1658
餪 1723
魌 1784
魕 1785
鷬 1833
鷬 1834
鸈 1839
麌 1848
黱 1848
黱 1849

날

埒 208
埒 208
捏 444
捏 444
捺 447
捺 456
揑 456
齈 517
榛 564
涅 649
涅 649
湼 668
疒 808
茶 1129
蚦 1223
衲 1285

남

南 128
喃 172
娚 251
夲 302
拼 432
枏 532
柟 539
楠 565
湳 667
男 795
畘 798
糖 973
罱 1029
䎃 1040
腩 1083
腩 1083
萳 1142
萳 1158
蕳 1171
蕳 1178
蝻 1238
訥 1319
諵 1324
諵 1342
鍸 1535
醃 1539
闇 1600
霠 1649
鮎 1716
䰰 1871
龕 1894

납

内 32
內 84
呐 150
呐 150
妠 242
衲 368
抐 432
搻 459
笝 934
笝 935
納 950
納 981
蒳 1169
衲 1265
軜 1461
䡫 1472
鈉 1552
靹 1674
魶 1715
魶 1788
鰨 1802
鮴 1885

낭

儾 80
囊 193
囔 193
壤 224
奵 239
娘 250
搑 461
攮 478
曩 517
欜 594
橐 594
瀼 701
灢 705

瀼 705
聴 1061
蘘 1204
蠰 1256
蠰 1258
禳 1293
饟 1722
驤 1867
黰 1869
齉 1882

내

乃 17
乃 24
孬 25
内 32
佴 46
倷 60
內 84
奈 234
奶 239
妳 245
妳 246
嬭 266
㜷 273
尒 288
廼 355
弓 358
弜 359
態 512
柰 534
㮈 564
氖 623
氝 623
渿 667
熊 722
睞 839
耐 1049
耏 1050
耐 1050
能 1074
能 1074
萘 1140
萘 1155
蠅 1242
褦 1283
褹 1285
輾 1478
轜 1479
迺 1493
那 1512
那 1512
郍 1515
酎 1656
髳 1764
鬤 1765
醸 1779
鯠 1798
鯠 1802
鼐 1872

낙

闒 1604
踳 1439
逽 1503

낭

奻 239
娘 250
孃 266
孃 268

네

黏 1859

녀

女 239
帤 332
絮 987
蒘 1182

녁

惄 393
疒 804
丬 735
䊬 974
𧍧 1260
飥 1716
餮 1722

년

𡰥 296
年 341
撚 467
棿 569
汈 627
涊 650
碾 876
秊 897
簐 953
被 1403
跈 1425
跡 1425
蹍 1451
輾 1464
輾 1475
郍 1516
郍 1516
鄐 1520
醶 1659
䵏 1877

녈

矢 231
涅 649
涅 649
涅 668
碮 875
笍 932
篞 950
苶 1129
荲 1145
菍 1154
蒊 1170
𧧢 1333
𧧢 1333
趕 1411

념

唸 167
姩 242
𡛍 245
嫥 264
嬚 269
念 378
念 378
恬 388
惗 388
拈 435
捻 447
稔 904
簐 935
箟 942
緈 1001
艌 1114
陰 1619
餂 1716
黏 1860
䵎 1866

녑

喦 171
囁 192
囜 194
埝 211
㚔 234
掫 445
捻 447
攝 461
攝 476
敜 483
㪆 489
爗 731
笍 934
緤 1016
𦆉 1021
耴 1054
聂 1055
聑 1058
聶 1061
𦘒 1062
𦢗 1098
蓻 1173
踂 1431
踗 1436
踙 1436
鉩 1556
錜 1568
鑈 1587
鑰 1589
鑷 1590
䫀 1666
䪩 1721
𩜾 1721
馸 1742
騳 1754
鮿 1822
𪏸 1852

녕

佞 44
侫 50
儜 77
嚀 188
嬣 267
寗 278
寕 282
寍 283
寗 283
寧 283

자음색인

寧 284
寕 285
攘 472
擰 473
攮 476
檸 586
毧 617
氃 621
泞 640
濘 693
琝 735
瞾 735
獰 762
甯 794
矃 858
穃 913
寗 921
聹 1061
膿 1096
薴 1185
甯 1185
薴 1196
蘏 1204
蠔 1252
蠠 1256
詉 1323
譸 1360
躷 1458
軂 1459
鑏 1587
顰 1594
雔 1637
顲 1700
鑏 1701
饚 1730
鬡 1774
鬤 1775
鹽 1839
鸋 1839
鬑 1774
闑 1776

녜

昵 505
眤 507
檷 587
祢 887
禰 887
禰 894
鈮 1556
鉨 1556
鑈 1587
鑰 1589
閖 1598
闢 1609
鞸 1672

노

仅 33
努 113
呶 155
夒 228
奴 239
伖 239
拏 271
嫋 256
猫 310
巙 321
巎 324
帑 331
弩 360
忞 378
㤺 381
怒 381
怓 383
恼 390
惱 393
惱 393
惱 400
猱 756
獶 762
獿 763
獿 764
獶 764
瑙 776
瓀 786
督 843
砮 868
砮 868
碯 875
笯 933
臑 1095
蝚 1237
詎 1313
訙 1313
詉 1318
詉 1322
語 1333
謡 1345
謥 1345
貓 1382
跳 1592
餡 1718
駑 1739
鴑 1815
髮 1767

녹

穛 909

논

巙 340
齊 1856

놀

㐰 22
乧 22

농

儂 75
衣 90
噥 187
濃 691
瀼 704
獰 762
獶 764
癑 820
癑 822
穠 912
縷 1016
聬 1061
膿 1093
醫 1107
莀 1143
蘐 1192
蠱 1260
裥 1272
襛 1288
襛 1293
農 1487
辳 1487
䢉 1487
䢊 1487
辳 1487
䢋 1487
䢌 1487
醲 1543
醲 1545
鑐 1594
霳 1649
饟 1729
鬞 1774
鸚 1839
齈 1860
黷 1868
齈 1882

놔

雫 1639

놜

妠 242
狘 748
晷 851
衲 1270
豽 1379
貀 1379

뇌

剅 107
匘 122
嫋 256
巙 340
恼 390
惱 393
惱 393
惱 400
憹 414
挼 443
捼 447
浽 659
脑 1074
脮 1078
腦 1078
腇 1080
腦 1082
腦 1092
鞜 1666
颯 1706
餒 1719
餧 1721
餵 1723
騷 1746
髓 1757
鮾 1795
鯘 1797

鯘 1806

뇨

嫋 260
嫐 260
嬈 264
嬝 265
嬲 267
嬢 267
尿 296
㞙 300
撓 466
擾 475
橈 579
櫌 590
夭 625
休 625
淖 654
溺 670
掉 742
硇 868
脲 1077
苶 1138
裊 1276
褭 1284
裹 1286
詉 1322
譊 1345
譊 1354
鐃 1581
鬧 1592
䦨 1593
隢 1594
颵 1703
鬞 1773
鬧 1598
隢 1627
雔 1637
鬡 1768
閙 1776
䰬 1784
鱙 1785
鳰 1819
鶈 1837

뇩

嵉 1260

누

㝹 272
槈 568
檽 586
涊 659
獳 763
羺 1039
耨 1053
譳 1356
譨 1357
譳 1360
鎒 1574
䭢 1651
䪹 1689
魗 1785
鸋 1848
䳶 1849

눈

媆 256
嫩 262
嫰 262
㶧 708
腝 1084

눌

㕯 150
吶 150
抐 432
㱮 606
肭 1066
朒 1071
䏊 1078
訥 1316
詘 1321
豽 1379
䟜 1423

뉴

妞 243
𢓐 374
忸 380
扭 430
杻 530
𣪠 613
沑 632
炄 708
狃 748
㺲 768
𥝖 861
䄺 899
粈 967
紐 982
肚 1067
莥 1144
萂 1151
𦺇 1171
䘢 1266
軠 1462
䢗 1514
鈕 1552
𨳒 1597
靵 1661
飪 1714
飷 1715
䭞 1724
䵖 1859

뉵

忸 380
恧 386
朒 521
沑 632
衂 861
𥝖 861
聏 1050
肭 1066
莥 1144
萂 1151
𦺇 1171
𧊅 1221
衂 1259
𧗏 1259
衄 1259
𧖸 1259
䶊 1261
䎈 1656
䎊 1656
齈 1254
䚼 1317
𨀒 1423

늑

𪖐 1242

늘

乻 23

능

㠊 288
耐 1050
能 1074
䏻 1074
𪖐 1242
齈 1254
耐 1656

늦

䒞 1146

니

呢 154
坭 204
㞾 204
埿 212
妮 244
尼 296
屔 299
𢗪 384
怩 384
旎 497
柅 535
棿 564
檷 587
泥 639
涅 646
濔 692
瀰 698
狔 750
暱 851
秜 900
籋 963
聻 1060
𣿬 1062
腝 1084
膩 1090
𦡢 1096
臡 1098
苨 1129
𦵜 1154
薾 1201
蚭 1224
袮 1270
𧧑 1323
貎 1380
跜 1425
跡 1426
𨋣 1465
迡 1491
䣵 1535
醹 1540
𩋕 1662
䪵 1668

자음색인

[illegible] 1672
[illegible] 1716
[illegible] 1732

닉

匿 125
嫟 261
愵 405
[illegible] 405
㥾 409
搦 458
氼 625
㳚 625
溺 670
[illegible] 974
[illegible] 1218
[illegible] 1256
[illegible] 1657
[illegible] 1860
[illegible] 1891

닌

您 390
[illegible] 418
紉 981

닐

㥾 409
昵 505
[illegible] 507
暱 513
㮏 576
痆 808
秜 900
[illegible] 1290
[illegible] 1859
黏 1859

닙

[illegible] 194
囡 195
孨 272
[illegible] 934
隬 1628

다

[illegible] 364
多 229
[illegible] 229
夛 229
[illegible] 572
爹 734
痑 810
癉 819
[illegible] 920
[illegible] 1073
茶 1135
茤 1139
[illegible] 1305
觰 1309
跢 1429
[illegible] 1447
[illegible] 1527

단

丹 16
[illegible] 16
亶 30
但 41
僤 73
儃 75
[illegible] 107
剬 107
剸 109
勯 118
匰 123
单 128
単 128
[illegible] 128
單 171
[illegible] 180
团 195
団 195
團 198
坍 202
坛 202
[illegible] 204
壇 221
嫥 262
[illegible] 319
彖 365
彤 366
慱 409
[illegible] 445
[illegible] 454
摶 464
[illegible] 473
[illegible] 473
敦 484
[illegible] 486
[illegible] 489
断 493
[illegible] 494
[illegible] 494
斷 494
[illegible] 494
旦 499
椴 563
槫 575
檀 583
段 611
毈 614
湍 664
漙 678
潬 682
澶 690
煓 718
煅 719
燀 724
狚 749
猯 757
瑖 776
疸 807
痑 810
癉 819
[illegible] 820
短 863
碫 875
[illegible] 881
[illegible] 907
端 928
竱 929
笪 934
篿 954
簞 955
[illegible] 959
籪 964
[illegible] 973
[illegible] 975
糰 978
緞 1002
繟 1014
繵 1016
耑 1050
胆 1070
腶 1082
[illegible] 1092
膻 1093
葮 1164
[illegible] 1191
蛋 1224
蜑 1230
[illegible] 1249
[illegible] 1252
袒 1268
褖 1280
褍 1280
襌 1287
襢 1289
[illegible] 1306
[illegible] 1309
[illegible] 1361
[illegible] 1371
貒 1376
[illegible] 1382
[illegible] 1382
貚 1383
[illegible] 1397
[illegible] 1408
[illegible] 1416
跊 1432
踹 1438
[illegible] 1451
[illegible] 1452
躖 1454
鄲 1527
[illegible] 1542
鍛 1571
鍴 1573
[illegible] 1576
鏄 1580
[illegible] 1592
[illegible] 1598
[illegible] 1621
[illegible] 1621
[illegible] 1634
[illegible] 1634
[illegible] 1637
[illegible] 1638
[illegible] 1644
[illegible] 1648
[illegible] 1659
靼 1661
[illegible] 1668
[illegible] 1671

韍 1675
鞁 1676
颭 1710
䭛 1724
䯛 1732
駳 1742
䮛 1746
驙 1752
鴠 1814
鶉 1826
鵫 1824
鵽 1827
䳧 1833
驐 1834
鷤 1835
鷻 1836
䵎 1858

달

㒓 76
呾 156
啖 168
啗 168
喙 173
噠 187
噧 188
夳 232
妲 243
𢘅 384
怛 384
𢝉 395
撻 470
𢷊 478
橽 585
少 602
澾 690
炟 710
狚 749
㺚 762
獺 764
疸 807
笪 934
繨 1017
羍 1034
幸 1034
胆 1070
䑽 1116
荁 1145
𦺳 1170
薘 1189
詚 1323
𧳳 1384
𨃒 1439
䟸 1439
躂 1450
达 1488
迖 1490
達 1502
逹 1502
𨗼 1509
闥 1608
闒 1609
鞳 1666
韃 1671
鰨 1809
𪐴 1862
䵣 1863

담

优 39
倓 60
𠊹 67
儋 75
㕎 136
厰 137
啖 168
啗 168
啿 172
𡃐 182
嘾 186
噉 186
嚪 190
𡃆 193
坛 202
墰 220
壜 224
妉 242
姏 244
媅 258
㜤 264
𡡕 269
忐 378
惔 396
憛 412
憺 414
憾 414
担 435
擔 471
曇 514
橝 580
檐 583
檶 585
檀 594
毯 619
𣭪 619
氮 624
𣱛 624
沒 646
𣳰 648
淡 655
湳 659
㴔 659
湛 665
𣸥 674
𣹌 674
澹 682
潭 684
𤁔 690
𤄽 705
天 707
炎 707
羙 710
䏙 724
甔 790
䨢 792
磿 792
曆 792
痰 812
盗 834
𥁒 834
鹽 835
磹 881
𥗫 882
禫 894
𥜥 895
窞 917
𥤢 917
窞 920
𥦗 920
𥧪 923
𥩲 925
䇕 950
䉷 954
䉯 959
籟 965
䊋 970
糝 976
䊤 977
𥼐 979
紞 983
緂 998
𦃽 1007
罈 1025
罎 1025
聃 1055
耼 1057
聑 1057
聸 1061
肬 1067
胆 1070
膽 1089
𦛞 1092
膽 1093
舑 1108
舑 1108
舕 1108
𦧟 1108
𦧲 1109
舚 1109
䒞 1126
菼 1151
萏 1153
𦺟 1170
䒥 1171
蓞 1176
䕼 1178
𦼮 1185
𦼯 1192
蔵 1192
蕆 1192
蕁 1181
薝 1189
藫 1200
蕈 1201
蕁 1204
藺 1204
蕁 1205
蛟 1233
蟫 1247

蟫 1258
[illegible] 1260
[illegible] 1260
[illegible] 1260
嶖 1260
[illegible] 1261
衴 1266
裧 1276
覃 1294
[illegible] 1300
詹 1328
談 1336
譚 1355
譠 1359
[illegible] 1371
贉 1399
[illegible] 1401
[illegible] 1417
[illegible] 1447
[illegible] 1455
躭 1456
[illegible] 1456
[illegible] 1456
[illegible] 1458
[illegible] 1459
郯 1520
鄿 1527
[illegible] 1528
[illegible] 1531
[illegible] 1537
醓 1537
[illegible] 1538
醰 1542
[illegible] 1545
[illegible] 1545
錟 1566
鐔 1581
[illegible] 1591
[illegible] 1645
霮 1645
[illegible] 1648
[illegible] 1650
[illegible] 1651
[illegible] 1656
[illegible] 1656
頕 1685
[illegible] 1685
[illegible] 1686
[illegible] 1693
[illegible] 1701
餤 1721
[illegible] 1728
[illegible] 1728
[illegible] 1734
馾 1737
[illegible] 1743
驔 1751
[illegible] 1754
髧 1765
[illegible] 1842
[illegible] 1843
[illegible] 1843
[illegible] 1843
[illegible] 1854
黕 1861
[illegible] 1861
[illegible] 1865
黮 1865
黵 1868
[illegible] 1868

답

劄 108
匒 120
[illegible] 169
[illegible] 254
[illegible] 311
[illegible] 451
[illegible] 558
[illegible] 587
沓 628
涾 658
畓 797
畣 799
[illegible] 830
眔 843
[illegible] 873
笚 935
答 936
[illegible] 950
[illegible] 1045
[illegible] 1045
耷 1055
[illegible] 1059
[illegible] 1108
[illegible] 1108
舓 1109
荅 1136
[illegible] 1171
[illegible] 1234
褡 1283
誻 1335
[illegible] 1349
譶 1360
[illegible] 1360
[illegible] 1361
踏 1433
蹋 1441
[illegible] 1442
[illegible] 1448
蹋 1448
[illegible] 1449
[illegible] 1450
躢 1454
[illegible] 1499
遝 1504
[illegible] 1573
[illegible] 1576
闒 1605
[illegible] 1635
[illegible] 1675
[illegible] 1677
[illegible] 1725
[illegible] 1743
[illegible] 1769
[illegible] 1830
[illegible] 1864
[illegible] 1874
[illegible] 1874
[illegible] 1874
[illegible] 1875
龖 1894
龘 1894

당

倘 60
傏 66
儻 79
党 83
唐 165
唐 165
啺 176
噇 185
噹 188
坣 205
堂 211
塘 215
臺 222
[illegible] 292
嵣 316
幢 338
[illegible] 364
当 364
戅 420
戇 420
搪 459
摚 465
撞 467
擋 471
攩 478
於 495
[illegible] 498
曭 517
[illegible] 523
棠 558
[illegible] 559
榶 569
橖 582
檔 584
欓 593
[illegible] 620
溏 669
灙 704
煻 721
爣 731
瑭 780
璫 782
甞 789
[illegible] 790
當 801
[illegible] 828
瞠 854
[illegible] 855
[illegible] 857
矘 860
磄 877
礑 881
糖 908
[illegible] 914
篖 950
簹 958

자음색인

糃 973
糖 974
穜 1054
𦗵 1061
膛 1088
膧 1092
𦢊 1095
艡 1116
蓎 1170
螗 1240
螳 1243
蟷 1250
䗁 1250
𧐖 1250
襠 1289
𧢄 1302
譡 1358
𧭏 1362
讜 1365
𦓤 1404
𨀛 1435
躺 1457
𨊸 1472
䡟 1476
𨎢 1478
𨏦 1480
逿 1500
𨛵 1520
𨜒 1520
𨞊 1526
𨟠 1530
𨟖 1531
鋿 1576
鎕 1576
鏜 1578
鐺 1585
鎲 1591
𨴐 1598
闛 1606
闣 1608
隚 1622
𨽂 1624
𩀞 1636
鞺 1670
𩙶 1709
餳 1722
餳 1723
餹 1725
饄 1727
饚 1728
饓 1729
𩤯 1748
𩪮 1761
䲒 1802
䲵 1809
鶶 1831
黨 1865
鼞 1875
𪖙 1878

대

亣 28
代 35
㐲 35
㒊 77
儓 77
坮 205
垈 205
大 230
嬯 267
対 288
对 288
對 290
對 291
𡰥 296
𡞫 302
岱 306
𡾋 322
帒 331
带 332
带 333
帶 333
帶 334
廗 351
待 370
徥 374
𢗾 382
憝 410
憞 410
懟 416
𢡿 416
憝 420
戴 424
戴 424
戴 425
戴 425
戻 425
抬 438
擡 472
擡 472
敦 484
敨 486
𢿲 489
旲 500
𣊫 516
檯 587
歹 605
歺 605
𣦵 605
歺 605
毄 612
毒 615
汏 626
濧 694
瀨 699
瀢 700
燤 727
犞 744
𤛓 745
𤠺 762
玳 769
瑇 777
𤸎 817
𤺺 819
碓 873
䃧 873
𥔺 875
祋 886
𥪡 928
𥫎 930
𥮘 944
𥬾 955
簣 956
𥳀 957
籉 960
𦡆 1096
臺 1103
臺 1103
蔕 1165
蔕 1174
蓟 1178
䔈 1186
薹 1192
薹 1194
薱 1195
𦼗 1201
𧁾 1205
蚕 1221
蝳 1236
袋 1271
襨 1290
襶 1292
觫 1308
譈 1353
譵 1361
貸 1388
跢 1429
蹛 1443
躉 1445
軑 1460
軚 1462
載 1467
載 1469
轛 1481
逓 1494
遞 1497
递 1497
遞 1504
鈦 1550
錞 1566
鐓 1581
鐜 1589
鑆 1591
𨰰 1591
𨰰 1591
队 1610
隊 1620
隶 1628
𪏆 1644
黱 1645
霴 1649
靉 1649
霨 1651
靆 1653
𨽹 1679
𩫜 1759
駄 1811
黓 1861
黛 1863
黱 1866
𪑐 1868

黲 1868
黱 1869

댁

宅 274
宒 278

덕

㝵 289
得 372
得 374
德 375
德 375
德 375
悳 394
惪 395
惪 395
㯖 582
㝵 1296
財 1385

도

倒 57
兜 84
𡇢 98
𡈽 98
刀 98
刂 98
勹 98
到 102
剫 107
𠠎 110
匋 120
居 134
畲 140
㞶 141
叨 144
咷 159
啕 169
啚 166
啚 166
啚 171
喥 175
嘟 185
嗸 192
図 196
图 196
圗 196
圖 198
圖 198
圖 198
圖 198
塗 212
堵 213
塗 217
㙚 220
墿 221
壔 223
宒 278
导 288
對 290
導 291
導 291
屠 300
島 310
峹 316
嶌 318
嶋 318
㠀 318
帾 334
幍 336
幬 338
幬 339
厇 344
𢇛 344
度 346
庩 347
廜 351
弢 360
徒 366
𢓉 368
徒 371
忉 377
忉 377
忑 378
悇 393
悳 395
悼 395
慆 405
挑 441
捈 443
掉 448
掏 448
捯 451
搗 458
搗 468
搯 459
擣 469
擣 473
敦 484
敨 486
㪗 486
睹 511
朷 525
枰 538
垚 543
桃 543
梌 548
棹 555
槄 570
㯓 572
樢 582
檡 585
檮 586
櫂 587
沰 646
涂 649
涛 652
淘 654
渡 661
滔 668
滔 672
濐 687
濤 692
濤 693
燾 729
爰 732
𤘯 741
𤛆 742
猲 744
犾 745
狣 751
瑫 779
瑹 781
𤩽 782
璹 784
𤬪 787
瘏 814
皁 826
盜 833
盜 833
偺 845
督 847
督 850
督 850
睹 850
碏 872
禑 889
禠 889
祷 889
禂 890
祹 890
禱 894
𥣫 895
𥞶 902
稌 903
稲 907
稻 908
穛 911
䆃 912
筡 940
𥳉 946
𥯝 950
𥲅 953
籌 960
籉 960
𥼶 978
絛 992
絩 992
絛 995
綢 996
綯 997
縚 1007
縧 1008
纆 1018
纛 1021
纛 1021
𦐝 1035
翿 1044
翿 1044
翳 1046
翿 1047
耈 1049
肒 1065
舠 1110
䑬 1112
𦨴 1113
䑳 1113
䑽 1115
芏 1122
荼 1140
菟 1149

萄 1151
菿 1155
蔰 1158
䔅 1158
蓻 1164
蒤 1168
䔑 1179
䖘 1216
蜪 1233
𥂁 1260
衟 1261
衜 1263
𧗿 1264
裯 1276
裪 1278
覩 1300
設 1323
誜 1333
𧦝 1338
䛬 1345
謟 1347
賭 1396
䝼 1400
䞦 1405
䞮 1411
跳 1429
跿 1431
䟻 1432
䟡 1432
䠛 1436
蹈 1441
䟲 1442
䠥 1446
軇 1459
轁 1476
辻 1488
𨑓 1489
𨑖 1490
迯 1492
逃 1493
迣 1494
途 1496
𨓊 1499
道 1502
遉 1502
𨕥 1504
𨗧 1505
𨛬 1518
都 1520
都 1521
鄐 1527
酴 1535
醄 1537
䣝 1538
醏 1539
𨢹 1541
釖 1549
錭 1568
鋾 1569
鍍 1570
䤾 1576
𨲇 1592
闍 1604
陶 1614
陶 1617
陶 1618
隝 1623
鞀 1661
鞉 1663
䩣 1665
䩽 1665
鞱 1669
韜 1676
韜 1676
𩖍 1702
𩙪 1711
䬥 1713
餮 1714
𩞊 1716
𩛽 1721
饀 1725
髐 1726
饕 1729
𩠺 1733
駼 1741
駣 1742
騊 1743
𩣿 1747
驕 1751
𩧐 1753
𩩲 1759
䯬 1764
髫 1767
魗 1784
魛 1786
鮡 1793
䲦 1799
鵃 1811
鵌 1820
鵌 1820
鵚 1833
鷵 1835
𪆂 1839
䴝 1846
麴 1852
𧳜 1860
鼗 1874
鼗 1874

독

匵 124
嬻 267
毒 302
㣫 369
豛 485
櫝 588
殰 611
毒 615
瀆 696
瀆 704
牘 737
牘 738
牘 738
犢 745
独 751
獸 761
獨 761
瓄 785
皾 831
䪅 831
督 849
碡 874
禿 896
竇 925
竇 925
竺 930
笁 930
篤 948
篤 949
䈞 955
纛 1021
纛 1021
罜 1027
罾 1032
翿 1044
豚 1079
䐁 1097
䓯 1158
䔄 1178
薵 1180
𧀺 1205
䖲 1221
蝳 1236
𧚮 1279
裻 1279
襡 1289
𧝗 1289
襩 1291
𧞳 1292
覿 1292
䛌 1324
誘 1333
読 1333
読 1339
讀 1361
讀 1365
讀 1365
䜧 1368
豛 1373
豄 1402
𧽆 1419
䠋 1439
䠮 1457
𨉖 1459
䢱 1510
𨘈 1511
邮 1515
鋈 1569
鑟 1588
𨷾 1602
隫 1627
䨄 1633
𩀟 1637
𩃋 1646
鞱 1669
韣 1671
韇 1672
𩏙 1678
韥 1678

𩑶 1683
𩖍 1701
䪅 1729
騳 1748
驫 1748
髑 1752
䰩 1784
鵚 1821
鸀 1838
𪏐 1854
黷 1869

돈

吨 151
噸 188
囤 194
囤 195
墩 220
墪 220
㞘 299
𢅊 335
𢏾 336
庉 344
弴 362
𢐞 364
忳 380
惇 396
惇 403
㦃 418
扽 432
撉 465
撴 468
敦 484
敨 486
𣀦 489
旽 502
暾 514
不 524
𣲛 628
沌 631
炖 708
焞 715
燉 725
燇 730
𤝹 748
獤 761
𥂟 836
盾 840
盹 844
𥆕 849
𥊍 860
𥫃 930
純 982
腞 1089
䔻 1185
蘈 1192
蜳 1232
𧑡 1248
豚 1372
豘 1373
𧶠 1402
踲 1439
躉 1450
軞 1461
軘 1461
遁 1500
逯 1502
遯 1502
鐓 1581
鐓 1591
鐜 1591
韕 1591
𨳲 1597
霕 1639
韕 1671
頓 1684
𩓰 1695
𩗴 1704
飩 1714
𩟗 1728
驐 1751
魨 1787
麮 1850
䵥 1857
䵦 1857
䵧 1857
𪎪 1857
𪐟 1861
黗 1862
𪑌 1865

돌

乧 22
厺 138
咄 155
堗 213
宊 325
𢗵 383
怢 385
𢙰 397
揬 453
柮 537
乭 865
突 915
突 916
笜 934
朏 1071
腯 1082
𦨉 1114
葖 1164
貀 1379
𨀁 1436
𨑶 1490
鈯 1553
鋵 1573
鍎 1573
𩀨 1634
頓 1684
䭯 1716
䮞 1739
鶟 1827
鼵 1878

동

𠁥 19
仝 34
侗 48
偅 64
働 71
僮 73
冬 92
凍 93
𣆐 94
动 113
動 115
同 148
哃 160
垌 206
姛 248
𢾅 249
𢊁 295
峝 307
峒 307
𡾊 319
彮 358
彤 366
徸 374
㣫 384
憧 412
懂 415
戙 422
挏 441
揀 451
曈 514
朣 523
东 525
東 533
桐 543
棟 554
橦 580
𣪍 614
氃 620
洞 642
浵 646
涷 653
湩 666
潼 685
𤁱 690
炵 709
烔 711
燑 726
犝 745
狪 751
獞 760
瓬 788
疼 807
痋 809
瘇 819
𤻽 821
眮 845
瞳 856
硐 869
秱 901
穜 911
𥥖 919
𥫽 925
童 927
𥪯 929
箽 946
𥳡 956
粡 969
絧 991

罿	1031	𧲣	1380	駧	1740	亠	28	㮷	574	脰	1076	酘	1532
䍶	1035	𧳉	1381	𩦶	1751	侸	51	𣤿	601	𦯬	1140	𨡝	1538
𨐋	1037	𧹓	1403	鬞	1770	兜	84	𣩠	611	荳	1140	鈄	1553
𨐕	1038	𧹔	1403	𩴧	1784	吋	147	㲄	620	蕍	1192	鋀	1564
𦒎	1047	赨	1403	鮦	1793	𠰲	151	𣭩	620	蚪	1220	𨧥	1576
胴	1072	𧼯	1413	鯟	1798	哣	164	浢	651	𧍘	1239	鬪	1607
𦨴	1113	𧾞	1418	𩸃	1800	土	199	瀆	696	豎	1241	阧	1611
艟	1115	𨈧	1457	𩻖	1806	𡈽	199	𤃻	704	𧐙	1245	陡	1615
苳	1132	迵	1492	鴤	1816	𡉈	202	𤭛	787	蠹	1254	𨾔	1632
茼	1135	𨓵	1503	𪀋	1819	𡊨	207	痘	810	蠧	1256	𩉸	1660
菄	1148	𨟻	1534	𪀔	1819	𡍮	209	𤾢	826	𧖃	1258	𩋞	1664
董	1160	酮	1534	鶇	1824	𡋇	215	𤿳	829	𧘂	1267	頭	1689
蕫	1183	重	1547	𪆂	1836	𡔲	217	𥇦	846	褕	1280	頭	1693
𧄍	1208	𨤽	1547	𪋻	1851	头	232	𥊮	855	𧡪	1301	𩕴	1697
𧊊	1227	𨤻	1547	𪏆	1859	投	431	𥁫	883	𧥱	1318	𩙧	1703
𧊜	1229	鉖	1556	𪏒	1860	抖	431	𥁨	886	読	1333	餖	1719
𪌻	1234	銅	1558	𪒠	1869	𢬵	445	𥙓	889	𧩹	1339	𩮼	1772
蝀	1232	𨦏	1559	鼕	1873	𣀦	485	𥦗	920	讀	1361	𩶁	1795
𧕵	1253	𨨏	1568	𪔛	1874	𣀭	488	𥧹	921	讟	1365	𪁔	1811
衕	1262	𨯔	1590	𪔜	1874	斗	490	𥨚	921	豆	1368	𪀸	1815
𧙕	1272	隫	1627	𪔝	1874	𣁁	491	𥨞	921	𧯴	1368	𪌂	1850
𧡳	1299	𩂣	1640	𪔹	1875	𣁆	491	竇	925	𧯷	1369	𪊐	1856
詷	1326	𩊚	1664	鼟	1875	𣁖	492	竇	925	𨀁	1432	𪍼	1857
𧩯	1339	𩌍	1671	𪔾	1875	𣅛	502	𥭻	939	𨑛	1490	𪎀	1858
𧷥	1368	𩐨	1681	𪚮	1875	杜	528	𥶊	952	逗	1496	**둔**	
𣚍	1370	𩐬	1681	**두**		枓	532	𥾅	984	郖	1519	吨	151
狪	1381	餇	1718	𠅾	13	梪	549	肚	1065	鄍	1524	坉	202

𡰪	297	**둘**		𢯲	456	𦪲	1116	𨇤	1442	鼟	1875	欏	593
屯	302	乧	22	𣔙	562	艠	1117	𨆠	1445	**뜰**		𣩵	611
窀	915	乭	23	橙	580	𦪷	1117	蹬	1446	乼	23	𣩹	611
窀	916	**득**		櫈	587	𦬁	1126	𨇃	1450	**라**		𤅫	704
𥫱	931	㝵	288	𣩵	610	𦲂	1140	𨇨	1450	倮	59	玀	764
𥶰	959	𡬶	289	𣰆	621	䔲	1184	𨆭	1452	儸	79	瘰	817
𥸋	963	𡬬	289	𣯴	621	蘟	1197	䡬	1479	𠐯	80	癘	820
𥹘	967	得	372	滕	668	藤	1199	𨖍	1509	儽	80	癗	821
腯	1082	𢔶	374	𣾰	700	籐	1205	鄧	1526	刺	103	癩	822
𦛜	1087	淂	652	澄	701	𧯠	1210	鐙	1582	剌	105	𤺋	822
𦞝	1089	癹	823	灯	706	䲢	1217	鐙	1585	厉	134	砢	867
𦟝	1094	登	823	燈	725	螣	1241	隥	1624	厽	136	稞	910
臀	1094	𤼷	824	璒	782	𧒽	1248	霯	1649	厲	137	𡣍	912
芚	1122	𤼾	824	𤮪	790	𧕊	1249	䭑	1728	喇	172	𡣎	929
踲	1439	㝵	1296	癹	823	蟊	1251	騰	1748	囉	193	籮	965
𨆯	1450	𧴮	1385	登	823	𧕩	1255	騰	1748	𠥼	295	𥳐	976
迍	1489	𨁂	1436	𤼷	824	𧝓	1288	䮴	1751	絫	365	累	988
遁	1500	**들**		𤼾	824	覴	1302	鰧	1753	懶	418	縲	1010
𨒛	1502	乬	24	磴	880	誊	1329	驣	1753	嬾	418	𦆟	1022
遯	1505	**등**		等	935	謄	1348	鼟	1754	㦬	419	𦇁	1022
𨥁	1550	僜	73	簦	956	謄	1348	鬅	1773	摞	465	罗	1026
鈍	1551	凳	96	籐	961	𧭤	1361	魙	1785	𢴘	475	𦊔	1030
黗	1644	墱	220	籘	963	豋	1369	鰧	1802	攞	477	羅	1032
頓	1684	嶝	319	縢	1008	𤼷	1370	鮝	1804	攭	478	腡	1084
𩪍	1761	幐	336	𦃃	1015	軆	1371	䳾	1836	𣂷	493	𦡀	1084
𩪎	1762	廾	355	𦡸	1089	蹬	1371	黱	1869	曪	517	臝	1097
鶨	1827	戥	423	膯	1092	豋	1372	鼟	1875	櫑	588	蓏	1168

蔂 1174
蘽 1192
藞 1200
蘲 1209
蘿 1209
虆 1211
蟸 1239
螺 1243
蠃 1251
蠡 1253
蠃 1257
裸 1277
臝 1290
𧞫 1293
覶 1302
覼 1303
跍 1426
𨇽 1454
躶 1457
邏 1511
鏍 1569
鋃 1576
鏍 1580
鸁 1585
鑹 1590
鑼 1591
鑹 1591
䣉 1659
餯 1725
饠 1731
騍 1743
騾 1749
驘 1752
臝 1753
𩦃 1754
鬡 1772
𩰺 1777
𩰻 1778
鸁 1807
𪕮 1838
𪘀 1851
𪘀 1851
𪚙 1854

락

乐 18
剳 103
咯 159
楽 566
樂 577
殆 607
洛 642
洜 642
濼 697
灌 702
烙 711
犖 744
珞 770
略 845
硌 869
硦 871
礐 878
磱 880
笿 937
𥰭 946
簬 951
絡 990
落 1157
薬 1192
蛒 1226
袼 1272
𧭨 1362
路 1428
躒 1452
𨉢 1458
輅 1466
轠 1481
轢 1482
酪 1534
鉻 1557
雒 1632
𩂣 1641
鞈 1663
韄 1672
頟 1680
駱 1740
鮥 1793
鮱 1804
鱳 1808
鵅 1818
鸈 1840
貉 1877
貈 1877

란

乱 22
乿 23
亂 24
兰 86
卵 132
囒 192
圝 199
圞 199
婪 264
嬾 267
孏 269
廬 295
峦 308
巒 323
幱 340
恋 390
懶 418
懶 418
拦 438
攔 476
𢿞 488
斕 490
暕 511
曫 517
栏 539
栾 546
欄 590
欗 591
欒 593
欗 593
𣤶 602
𣨼 608
𣩚 611
瀾 701
灓 703
灡 704
灤 705
烂 710
燗 726
爛 730
爤 731
爰 733
𤓹 733
𤓹 733
瓓 785
癴 822
癵 822
𤻰 823
𥛲 895
籣 963
𥹛 973
糷 979
羉 1033
𦧲 1109
薍 1190
𦯖 1190
蘭 1205
蘭 1207
虊 1212
虊 1212
襴 1292
覶 1302
覼 1303
諫 1342
譋 1356
䜌 1356
讕 1357
讕 1364
躝 1453
釓 1549
銮 1560
鑭 1590
鑾 1591
闌 1602
闌 1604
𨶹 1609
韊 1673
韊 1673
鸾 1819
鸞 1842

랄

剌 105
喇 172
垃 204
𢑴 335
𢉫 349
捋 444
揦 456
攋 475
𣏓 550
楋 564
𤙖 742
𤦎 778
瘌 815
䊪 973
𦘺 1151

莿 1164
蛶 1229
蝲 1238
𧩈 1345
辣 1484
辢 1484
𨐨 1485
頱 1691
颲 1709
鬎 1771
䵩 1864
齥 1887
𪘂 1887
𪘃 1890
𪘄 1890

람

儖 77
㢟 138
啉 169
嚂 188
壈 221
婪 255
嬧 267
嵐 313
幱 339
㢘 350
惏 396
懍 415
㦨 416
擥 472
擖 472
攬 478
欖 591
欖 593
毿 621
漤 679
濫 694
灠 705
燣 728
爁 728
窞 724
籃 960
繿 1018
纜 1020
纜 1022
罱 1029
葻 1164
藍 1191
藍 1195
蘫 1207
襤 1290
覧 1301
覽 1303
䍀 1401
𧾩 1413
躝 1448
艦 1459
轞 1480
醂 1536
醶 1543
醞 1544
醶 1544
鍛 1582
顲 1658
類 1698
鬛 1774
鸁 1840

랍

㕇 134
啦 169
拉 435
拹 441
擠 458
摺 464
擸 474
擒 468
擸 474
柆 536
欌 589
熠 744
臘 831
磖 878
礲 883
猠 1042
獵 1047
臈 1094
臘 1096
臘 1096
菈 1148
蒻 1192
蝋 1234
蝲 1251
蠟 1252
蠟 1253
砬 1262
粒 1270
襴 1291
邋 1510
鑞 1585
鑞 1588
雴 1644
鬣 1753
鸂 1840
齫 1892

랑

朗 104
㚣 239
娘 250
嫏 260
廊 350
廊 350
朗 522
朖 522
朗 522
桹 547
榔 566
棚 575
樠 575
浪 648
滝 674
瀧 699
烺 713
狼 752
琅 772
瑯 779
眼 846
晾 848
稂 862
硠 870
稂 902
筤 919
筤 938
罠 1028
羹 1037
羹 1039
臕 1099
艆 1113
莨 1151
蒗 1171
蓈 1169
蒗 1169
蓢 1185
蘭 1201
蜋 1228
螂 1239
䆡 1275
跟 1431
躴 1457
躴 1458
輥 1469
郎 1517
郞 1518
鄗 1526
鄭 1529
鋃 1561
閬 1600
餦 1720
駺 1742
骾 1758
鬻 1779
鸞 1780
魈 1784
鯠 1795
鵖 1822

래

來 45
倈 60
傫 70
儽 80
勑 115
崍 312
庲 349
徠 372
来 529
梾 556
淶 657
猍 753
坙 773
痳 812
睞 848
稑 905
綵 1001
耒 1051
莱 1139
萊 1152
釐 1245
釐 1254
靚 1299
賚 1299

誏 1334
誺 1338
𧳋 1382
𧳋 1382
賚 1391
賚 1394
睞 1394
賫 1398
𧼱 1413
郲 1520
𪗹 1526
錸 1560
錑 1566
倈 1619
頼 1693
騋 1743
鯠 1797
鶆 1824
麳 1852
黧 1865

랭

冷 92

략

掠 176
掠 449
擎 462
擢 462
擽 474
攊 476
畧 799
略 799
畧 845
磖 870
碧 870
蜋 1241
蜋 1244
螺 1244
謍 1329

량

両 13
两 13
亮 30
亮 30
俍 52
倆 56
倞 58
从 84
兩 85
兩 85
凉 93
哴 164
啢 169
喨 174
㒳 195
埌 207
㝗 280
㞁 296
悢 392
悢 398
惊 401
掠 449
掚 451
𣨋 499
晾 509
㫰 518
梁 551
椋 556
椺 557
樑 576
涼 653
漆 668
㹁 743
眼 846
晾 848
筤 940
粱 970
粮 970
粱 970
糧 976
緉 999
䐡 1081
良 1118
蜋 1228
蜽 1233
蜋 1239
裲 1277
誏 1333
諒 1337
䟫 1396
踉 1431
蹣 1436
踝 1445
輬 1469
輛 1470
輬 1471
輼 1476
醇 1537
量 1547
量 1548
輛 1666
颸 1706
颹 1707
飆 1707
駺 1742
鬣 1770
魎 1783

려

丽 13
丽 13
丽 13
侶 51
俁 58
儢 78
儢 79
儷 79
儷 79
励 114
勵 118
勵 118
勴 118
卝 130
厉 134
厲 136
厲 137
厲 137
吕 147
呂 149
唳 166
巁 322
巁 323
庐 344
庐 345
廬 353
廲 354
彔 365
悷 397
黎 404
慮 407
憎 413
藜 417
戾 425
捩 446
攦 477
斀 489
旅 496
旅 496
曞 516
曥 516
梠 541
櫔 544
梠 549
棙 554
櫚 588
櫖 589
櫔 589
欐 593
㳯 603
㳯 603
沴 634
濾 696
濶 696
濿 697
灑 704
爈 729
猘 734
犁 742
犂 743
犁 746
珕 770
璨 784
瘔 811
癘 820
癗 821
癘 822
膚 831
蠡 834
蠡 836
蠡 836
縪 853
瞭 859
礪 883
祇 888
禲 895
禮 895
秙 903
穭 913
筥 938
旅 949
籙 963

粝 969
糲 977
糲 978
絽 993
綟 996
褫 1007
膂 1087
膐 1087
臚 1097
荔 1133
茘 1133
莀 1153
茘 1156
莉 1178
蔾 1181
蔾 1184
藘 1198
藜 1199
蔄 1200
蘼 1210
蠡 1212
虜 1217
蛎 1224
蜧 1233
蛩 1234
蠡 1239
厘 1245
蠣 1250
蠡 1251
蠡 1253
蠣 1254
蠣 1254
蠡 1257
蠡 1258
䯀 1312
謧 1351
慮 1362
踔 1430
踆 1436
蹻 1445
蘆 1453
遠 1510
呂 1518
郘 1521
郾 1522
鬁 1526
郹 1528
酈 1530
醽 1544
醼 1545
鋁 1563
錄 1565
録 1566
鑗 1580
鑢 1588
鑗 1588
鑭 1588
閭 1600
隬 1625
隬 1633
䵄 1638
颲 1706
颲 1707
驢 1736
騄 1740
騄 1748
驊 1749
騶 1750
驪 1753
驢 1753
驪 1754
鬣 1775
黧 1795
黧 1798
鯏 1798
鰲 1804
鯬 1808
鵹 1834
鸝 1840
鸝 1842
麗 1845
麗 1847
麗 1848
黎 1858
勠 1858
黔 1859
黐 1859
黧 1864
黧 1864
黧 1867
黧 1869

력

力 112
力 112
历 133
厤 136
歷 137
叻 145
嚦 191
壢 301
屴 303
歷 350
擽 474
攊 476
曆 513
曆 515
朸 526
櫟 589
櫪 590
歷 605
歷 605
沥 629
漻 680
溧 685
瀝 699
熵 727
爏 730
璬 783
瓅 784
瓅 785
甓 790
癧 821
癧 822
略 826
皪 827
曤 828
矋 829
瞞 860
砾 866
礰 878
磿 881
礐 882
礫 883
礰 883
礐 884
秝 901
寥 923
糠 978
纅 1019
纚 1020
靂 1032
翮 1039
翮 1045
聽 1062
膂 1092
膂 1092
艦 1117
蒚 1169
藶 1169
藶 1202
蚸 1223
蠇 1238
蠣 1254
裏 1268
裏 1273
裠 1284
鬲 1288
觻 1311
謶 1356
讈 1363
跞 1372
豹 1379
赲 1405
趚 1418
趯 1419
趝 1420
躒 1452
躒 1453
躐 1459
轣 1476
轢 1481
轣 1482
轣 1482
轣 1483
遯 1510
郾 1522
酈 1530
醽 1540
醽 1544
醽 1545
鎘 1576
鑠 1589
闢 1609
隬 1625
霖 1646
霖 1649
靂 1651
靂 1653
飃 1711

字	頁
⿸厤食	1728
䮥	1748
⿰馬樂	1753
⿰骨歷	1762
⿱髟歷	1775
鬁	1776
鬲	1777
⿱一鬲	1777
⿰鬲瓦	1778
⿲弓鬲弓	1778
⿱弜鬲	1778
⿰鬲鬲	1779
⿰魚鬲	1802
⿰魚鹿	1804
鱳	1808
鱱	1809
鳨	1810
⿱鳥力	1810
⿸厤鳥	1836
⿸厤曰	1855
⿰黑歷	1869
⿰鼠歷	1879
⿰鼻歷	1882
⿰齒歷	1892

련

字	頁
僆	69
孌	239
⿰女鬲	264
孌	269
孿	273
⿱䜌孖	273
怜	384
恋	387
⿱連心	407
⿱粦心	411
憐	411
憐	417
戀	419
拣	438
揀	452
摙	465
攆	475
攣	477
⿰柬攵	485
曫	517
楝	562
槤	576
⿰毛連	617
浰	650
湅	664
漣	679
⿰氵敕	692
炼	710
煉	717
⿱爫⿱冖夂	733
⿰犭䜌	764
璉	780
⿰米䜌	979
⿸疒𢇍	822
癵	822
⿸疒孿	823
練	1000
練	1004
縺	1010
纞	1022
羸	1039
羸	1039
⿰耒連	1046
联	1057
聨	1059
聮	1059
聯	1059
⿰耳𢇍	1061
臠	1072
脟	1076
⿰⺼寽	1076
膦	1092
⿱䜌臼	1098
⿱艹柬	1164
蓮	1172
⿱艹攣	1212
⿱艹欒	1212
⿰虫連	1244
褳	1285
謰	1351
䜌	1356
⿰耒柬	1404
輦	1471
蹥	1444
⿰⻊𢇍	1455
⿱羸車	1482
⿱䜌車	1482
連	1497
鄻	1529
錬	1568
鍊	1570
鏈	1577
⿱䜌骨	1762
鰊	1799
鰱	1803
⿰麥連	1853
⿰麥粦	1854
⿰黍連	1860
⿱䜌齒	1892
⿰龠殳	1896

렬

字	頁
冽	93
冽	93
⿰冫⿰肖刂	94
列	100
⿰多刂	104
劣	113
咧	161
埒	208
埒	208
巁	322
⿰山盧	323
⿱屮丂	324
⿱少夕	324
⿰忄寽	393
挒	441
捩	446
栵	542
⿰木寽	550
⿰木𠛱	558
洌	641
⿰氵⿰肖刂	660
烈	712
⿱列灬	716
⿱𠛱灬	718
爄	727
爄	729
⿱爫⿱冖夂	732
⿱爫⿱冖夂	732
⿰牛寽	742
⿱列田	799
⿰目寽	800
⿰禾列	902
⿱列禾	905
⿱⺮列	937
綟	996
脟	1076
⿰⺼寽	1076
茢	1134
⿱艹戾	1153
⿱艹⿵冂寽	1155
⿱艹⿰多刂	1156
蛚	1226
⿰虫寽	1229
⿰虫⿰多刂	1233
⿰衤列	1273
裂	1273
⿱⿰多刂衣	1273
⿱⿰歹刂衣	1279
趔	1409
⿰⻊寽	1432
⿰⻊戾	1436
迣	1490
⿺辶丗	1490
迾	1493
⿺辶曳	1494
⿺辶冊	1494
⿺辶⿰多刂	1499
鋝	1562
⿱列隹	1632
颲	1706
⿺風𠛱	1707
⿱列馬	1741
⿰馬列	1741
⿱列魚	1793
鮤	1793
⿱𠛱魚	1800
鴷	1819
⿰齒列	1887
⿱列齒	1887
⿰齒𠛱	1890

렴

字	頁
⿰冫兼	94
匳	124
匲	124
奩	238
帘	331
⿰巾兼	336
⿸广肩	350
廉	350
搛	461
斂	488
槏	568
檢	586

殮 611
溓 669
澰 690
濂 691
瀲 700
熑 721
獫 762
磏 876
䃛 882
稴 908
簾 958
籨 953
𥳑 962
籢 963
𦃇 1016
羷 1039
臁 1094
薟 1189
薕 1191
蘞 1206
螊 1240
蠊 1250
𤇂 1297
覝 1299
覝 1301
譧 1358
賺 1397
䝨 1400
𧶽 1401
𨏥 1480
鎌 1574
鐮 1585
䨪 1646
𩆟 1650
䭑 1725
䭠 1729
鬑 1771
𪏮 1860
鼸 1881

렵

儠 78
巤 325
𣯴 621
𣿋 698
犣 746
猟 755
獵 763
獵 763
𤮉 789
𥉹 859
礏 883
𥳑 964
𦼮 1185
𦾝 1197
𦿆 1201
蠟 1253
𧞰 1291
𧜵 1290
𧮈 1362
𧯷 1371
𧯷 1372
𧳜 1378
𨆏 1449
躐 1451
𩏑 1672
颲 1706
𩙊 1711
馲 1736
騔 1751
𩧢 1753
髮 1768
鬛 1770
鬣 1773
鬣 1774
鱲 1808
䵩 1866

령

令 33
令 33
伶 40
另 144
叩 158
囹 196
姈 244
𩂆 268
岭 306
岺 306
嶺 321
彾 369
徎 371
怜 384
拎 438
昤 504
朎 521
柃 538
櫺 591
欞 594
𣯧 617
泠 638
澪 639
灵 707
灵 707
狑 749
𤜭 764
玲 768
𤫟 785
瓴 788
皊 825
䁼 827
𥅠 828
矙 828
𥇍 858
𥍇 860
砱 867
𥛑 895
禮 895
秢 900
𥢓 914
竛 926
笭 933
籠 960
䉹 977
𥼶 979
𦉢 1025
羚 1034
𦏧 1039
𦏳 1039
翎 1042
聆 1056
舲 1112
𦪽 1116
𦪽 1117
𦪽 1117
𦪽 1118
苓 1127
蕶 1190
蘦 1197
蘦 1206
蘦 1212
䖅 1217
蛉 1223
蠕 1255
蠕 1258
衏 1262
袊 1269
䄥 1289
𧞤 1293
詅 1320
𧲆 1374
𧲆 1376
趢 1420
跉 1426
軡 1456
軨 1463
轜 1482
轜 1482
轜 1483
逞 1496
鄰 1528
酃 1530
酃 1531
䣼 1534
醽 1543
醽 1544
醽 1545
醽 1545
醽 1546
鈴 1553
閝 1598
閝 1609
阾 1613
𨽍 1628
雒 1637
雯 1639
零 1640
霛 1642
霝 1645
霝 1645
霝 1646
霊 1650
零 1651
霝 1651
霝 1651
靈 1652
靇 1652
軨 1662
霝 1682
霝 1682
領 1686

𩕳	1703	**례**		𥷕	963	**로**		擄	470	瓐	785	艪	1117
䬆	1705	𠃍	21	𦪁	1117	㧯	74	摷	473	𤬱	787	艫	1117
䬾	1716	例	48	𦪇	1117	労	114	攎	475	𤱽	803	芦	1126
𩞧	1729	㑤	60	𧢄	1303	劳	114	枰	538	癆	819	荖	1137
駖	1738	洌	93	贎	1401	勞	116	栳	542	𤻝	821	蓾	1171
䯍	1757	冽	93	𧸖	1402	㔹	118	樐	576	𤼈	822	𦸗	1178
𩪨	1761	㓏	94	豊	1369	卤	129	橑	579	𤿿	831	蕗	1182
𩬱	1766	刕	100	迾	1493	咾	161	櫓	588	盧	835	𦽊	1185
䰱	1775	攭	478	𨘆	1499	哰	164	㯭	590	盧	836	蘆	1197
魿	1782	栵	542	醴	1543	嚠	182	櫨	590	矑	859	藘	1197
𩴆	1786	𣐿	558	𨣭	1545	嘮	185	氌	621	砕	871	𦾪	1200
䨩	1786	棣	590	銐	1560	噜	190	沪	633	𥕐	879	藔	1200
䲆	1790	欚	594	鋓	1560	嚧	191	泘	648	窂	916	潦	1202
鴒	1814	澧	689	𨦶	1570	塷	218	滷	676	𥬊	938	𧂇	1202
䴇	1837	爄	729	隸	1628	壚	224	潞	683	簩	957	𧁺	1208
𪈐	1842	犡	746	隷	1628	奧	237	澇	685	簝	957	蘆	1203
𪉂	1842	𤰟	799	𨽻	1628	嫪	262	瀘	699	簬	957	𧃒	1211
麢	1848	㾖	809	䮋	1741	卢	296	炉	708	簵	958	虏	1213
𪋲	1848	砅	866	𩢝	1741	嶗	319	爐	730	𥶊	959	𧆡	1214
𪎊	1849	礼	884	鮤	1793	廬	353	牢	739	𥴩	962	虜	1214
𪎭	1849	𥘉	884	䱘	1793	廬	353	狫	751	籚	962	虜	1215
𪎰	1849	礼	884	𩸬	1800	恅	389	𤞞	760	纑	1020	𧇡	1215
𪕔	1877	禮	894	鱧	1807	憥	411	獠	760	罏	1025	𧈅	1216
齡	1885	禮	895	鱺	1809	憦	413	𤢿	762	老	1048	蟧	1254
齢	1885	𥝢	902	䲞	1809	𢡽	418	獹	764	耮	1053	蠦	1254
龗	1894	𥻗	905	鴷	1825	摷	465	玈	765	舮	1111	𧨹	1351
𪛆	1895	𥰗	937	鸝	1842	撈	466	璐	781	艣	1116	𧭑	1356

[illegible] 1367
[illegible] 1368
[illegible] 1370
蹽 1371
[illegible] 1383
路 1428
[illegible] 1456
[illegible] 1458
軤 1462
輅 1466
轑 1478
轤 1482
[illegible] 1542
[illegible] 1593
鈩 1564
鉻 1583
[illegible] 1583
鑥 1584
鑪 1589
[illegible] 1593
[illegible] 1637
[illegible] 1638
露 1648
[illegible] 1685
顱 1702
髗 1762
髝 1764
[illegible] 1774
[illegible] 1775
魯 1787
魲 1788
[illegible] 1789
[illegible] 1806
[illegible] 1807
鱸 1809
[illegible] 1819
[illegible] 1819
[illegible] 1822
[illegible] 1828
鷺 1836
鸕 1840
[illegible] 1841
鹵 1842
[illegible] 1842
[illegible] 1858
[illegible] 1858
[illegible] 1863
[illegible] 1867
黸 1869
[illegible] 1879

록

圥 199
娽 253
彔 364
录 365
慮 407
捸 446
摝 463
[illegible] 484
樚 574
[illegible] 577
[illegible] 610
氯 624
[illegible] 624
淥 655
漉 677
[illegible] 691
濼 697
[illegible] 702
琭 774
[illegible] 790
甪 793
[illegible] 830
盝 834
[illegible] 835
睩 848
[illegible] 855
碌 872
祿 890
禄 890
[illegible] 928
[illegible] 929
[illegible] 938
箓 944
簏 954
[illegible] 958
籙 962
粶 972
綠 996
緑 996
䍡 1030
[illegible] 1031
[illegible] 1031
[illegible] 1044
[illegible] 1115
菉 1148
蔍 1178
[illegible] 1197
[illegible] 1197
螰 1244
[illegible] 1278
[illegible] 1299
角 1304
[illegible] 1305
觻 1311
[illegible] 1339
谷 1366
趢 1412
[illegible] 1416
[illegible] 1436
蹗 1445
[illegible] 1472
轆 1477
[illegible] 1481
逯 1499
醁 1536
錄 1565
録 1566
鏕 1580
[illegible] 1648
[illegible] 1693
[illegible] 1722
騄 1743
騼 1749
[illegible] 1804
鱳 1808
鵅 1825
鵦 1825
鹿 1844
[illegible] 1844
麓 1847
[illegible] 1849
[illegible] 1852
[illegible] 1865
[illegible] 1867
龣 1896

론

[illegible] 390
惀 398
掄 448
碖 872
菕 1153
[illegible] 1308
論 1337
踚 1436
[illegible] 1618

롤

[illegible] 1430
[illegible] 1436

롱

儱 78
[illegible] 138
哢 162
嚨 191
[illegible] 217
壠 224
壟 224
巃 322
巄 322
[illegible] 322
弄 356
[illegible] 376
[illegible] 418
[illegible] 442
挵 445
攏 475
曨 516
朧 523
梇 551
櫳 590
[illegible] 590
滝 674
瀧 699
爖 730
珑 773
瓏 785
[illegible] 821
硦 871
礱 884
礲 884
[illegible] 914
竉 925
竜 926
笼 940
篭 951
籠 962
[illegible] 965
[illegible] 1032
聾 1062

瓏 1062
𦇧 1117
蘢 1203
蠪 1254
𧙕 1275
襩 1291
襱 1292
谾 1367
豅 1368
躘 1453
𨉖 1459
𨏉 1482
鏧 1580
鑨 1589
隴 1643
𩃎 1643
靇 1652
𩏔 1673
𩟗 1730
鸗 1841
𩯨 1854
𪐆 1860
龍 1892
龍 1893
龐 1893
𤞤 1893
龎 1893
𤗤 1893
𣩬 1893
朧 1893
龔 1893
龓 1893
礲 1893
攏 1893

뢰

儡 77
瀨 95
勵 118
㗊 171
垒 215
壘 223
奥 237
嫘 262
㠥 318
𡾥 318
𡿮 322
𡾰 322
嵑 323
𡾼 323
嬾 340
懶 418
懶 418
擂 470
擂 475
攋 475
𢿢 488
耒 534
檑 584
櫑 588
櫴 591
殰 611
𣩬 611
澑 697
瀨 699
瀨 700
牢 739
犡 746
𤢣 763
瓃 785
畾 801
𤳳 803
𤳳 803
瘷 812
瘌 815
𤸇 820
蠱 836
硃 869
磊 876
磥 879
磈 881
礌 882
礧 883
𥗼 883
礨 883
祱 889
襰 895
窂 916
篃 962
籟 962
类 966
类 966
糲 973
纇 1019
纍 1020
罍 1025
罍 1025
罍 1031
罍 1032
耒 1050
腂 1078
膘 1089
莿 1164
蔂 1174
蕾 1187
藾 1202
虆 1209
蠝 1254
襰 1291
襰 1292
誄 1327
𧫷 1352
讄 1362
讕 1365
賂 1389
賚 1394
𧶘 1394
賴 1396
賫 1398
贎 1401
頛 1685
頼 1691
𨇆 1452
躝 1453
轠 1481
𨏮 1481
郲 1516
郲 1519
酹 1536
鑸 1548
鑸 1548
銇 1560
錑 1566
鐳 1584
鑘 1588
鑸 1588
鑸 1590
𨽁 1622
雷 1640
霝 1641
𩂃 1641
䨓 1646
靁 1651
頛 1688
頪 1688
頼 1691
頼 1691
顂 1693
類 1695
類 1696
䬔 1719
𩜻 1720
𩣫 1743
𩴾 1786
鱳 1809
𪆰 1839
鸓 1840
𪇛 1840
鼺 1842

료

了 24
佬 48
僚 72
嘹 184
𡑷 220
嫽 263
嫽 263
寥 284
寮 286
尞 293
尥 293
𢨾 426
屪 301
嵺 317
㟧 317
𡾰 317
嶛 319
嶛 319
庐 345
廖 351
廫 353
憀 409
𢣃 409
憭 413
擽 465
撩 468
擽 473
敹 487
料 491
暸 514

橑 579
漻 680
潦 684
潦 685
潦 692
漻 698
炓 708
尞 719
熮 722
燎 725
爒 728
獠 730
獠 730
獢 759
𤢏 759
獠 760
獠 762
璙 782
璙 783
疗 805
療 818
爒 821
瞭 856
� 894
窲 922
窷 923
寮 924
窲 925
䉹 954
簝 957
簝 959
粁 967
繆 1011
繚 1013
繚 1017
䍡 1031
翏 1041
聊 1056
聊 1058
𦕈 1060
膋 1087
膫 1091
舠 1110
䑠 1116
蓼 1173
蓼 1197
藔 1205
蟉 1243
蟟 1247
蟧 1247
衦 1265
謧 1351
䜍 1356
豂 1368
𧳜 1383
𧶁 1399
𧽯 1417
𨄴 1445
轑 1478
遼 1507
鄝 1525
醪 1540
𨡅 1542
鐪 1580
鐐 1581
鐐 1585
镽 1593
雡 1637
𩈾 1659
顟 1698
顟 1700
颩 1704
飂 1710
飂 1710
飉 1711
𩞄 1728
魙 1785
髎 1760
髎 1761
𩯁 1773
魛 1786
鷯 1835
𪕰 1881

롱

儱 78
徿 376
巃 827
曨 860
竜 926
𦪑 1117
蠬 1254
襱 1292
贚 1402
躘 1453
驡 1753
𩦽 1753
龖 1875
龍 1892
龍 1893
龍 1893
龔 1893
龏 1894

루

偻 65
僂 69
傫 70
傫 74
儽 80
𠢼 118
𠥿 125
厽 139
嘍 181
垒 207
垔 215
塿 217
壘 223
娄 249
娄 252
婁 255
婁 255
㜢 265
寠 284
屚 299
屢 300
屢 300
嶁 317
嶁 317
𡾊 318
嶁 323
㡞 337
㢝 349
廔 351
廇 353
慺 409
摟 463
𣄊 492
楼 565
樓 574
橡 581
櫐 589
氀 620
泪 641
淚 652
淚 655
㴆 660
漊 676
漏 677
漯 679
瀃 697
灅 702
𤄫 705
㦬 744
猚 755
𤞤 759
𤢖 763
甊 787
𤳳 803
瘺 818
瘻 818
瞜 854
𥛶 893
窶 922
簍 954
篓 954
累 988
絫 992
缕 1005
縷 1010
縷 1010
纍 1020
纝 1022
罍 1025
耬 1038
耬 1053
膢 1088
𦟛 1089
艛 1114
艛 1115
茵 1137
茉 1139
蔞 1175
䕱 1178
虆 1205
蘽 1207
蘲 1209
蝼 1238
螻 1243
褛 1281
褸 1285

覼 1302
謱 1351
謆 1352
𨄅 1371
𥢧 1377
貗 1383
䝏 1399
𨂻 1445
軁 1458
遱 1506
鄻 1526
鏤 1578
鍽 1580
陋 1613
陃 1616
𨻝 1624
䨨 1636
䨸 1638
霝 1641
雷 1640
𩃎 1648
鞻 1670
䫫 1699
驝 1750
髅 1759
髏 1760
鰒 1804
鷜 1833
鸓 1839
鸓 1840
鷽 1840
鸜 1841
鼺 1842
𪍑 1853
鼺 1879

류

㐬 29
漻 94
刘 101
劉 110
嚠 190
塯 216
壨 220
嫘 262
廇 350
廲 353
徿 374
懰 406
懰 417
搯 460
擂 469
旒 497
旒 497
柳 537
桞 538
栁 551
榴 568
橊 582
樏 573
櫐 594
鼺 594
㳅 633
泖 640
流 645
流 646
流 651
淄 660
游 660
游 663
橴 668
溜 669
澑 688
瀏 697
瀏 702
瀋 703
犁 742
犂 743
犛 746
猫 758
琉 771
琉 772
珋 772
瑬 776
瑬 778
瑠 778
璢 782
畂 796
畄 796
留 798
畱 799
畱 799
畱 800
畱 801
瞜 802
瘤 816
瘤 819
硫 869
硫 870
磂 892
䃛 894
䅇 895
窌 919
䇑 928
䍨 962
䍨 964
类 966
类 966
粶 971
統 996
綹 999
縲 1010
罶 1030
罶 1031
罶 1031
腷 1085
膢 1086
膔 1089
茆 1131
茆 1147
䒿 1171
䓓 1171
䔧 1174
蓤 1174
䔅 1193
蘽 1199
藰 1200
蘲 1209
藟 1210
蘱 1210
藟 1211
蚸 1220
蟉 1243
統 1272
䊘 1274
觩 1310
謬 1350
謬 1358
蹓 1371
軁 1464
輀 1469
轀 1476
逌 1494
遛 1503
遛 1508
鉚 1555
鎏 1573
鎦 1576
鎏 1576
鉚 1564
鏐 1578
鐂 1583
䨨 1636
霤 1646
雷 1646
靁 1649
類 1695
類 1696
颸 1705
飀 1707
飂 1709
飂 1710
飂 1710
飅 1711
飅 1711
飀 1711
餾 1716
餾 1724
鐂 1728
駵 1739
駠 1739
駵 1741
騮 1746
騮 1747
驑 1751
鬸 1776
䶉 1779
鶹 1829
鷚 1831
鶹 1832
鷚 1832
鶹 1835
鶹 1839
鸓 1840
麍 1846
䊭 1859
黼 1866
鼬 1877
鼲 1877

륙

僇 69
六 86
劦 107
勠 116
勠 117
坴 205
⿱山六 302
嵺 303
戮 424
⿰扌留 469
⿰歹翏 610
⿱翏皿 836
磟 878
稑 904
穋 910
茵 1139
蓼 1173
⿱艹陸 1177
⿱艹稑 1193
⿱艹漻 1197
⿰虫坴 1232
賌 1389
賌 1390
踛 1435
⿰足⿱六吾 1445
⿰足⿱六昍 1448
⿰車坴 1472
陆 1613
陸 1618
⿰阝𧶠 1627
雓 1634
⿰馬坴 1744
鯥 1796
鵱 1824
⿰鳥坴 1824

륜

仑 32
侖 45
倫 59
⿱侖从 71
圇 197
崙 310
崘 311
惀 398
掄 448
棆 554
淪 656
碖 872
稐 905
⿱竹侖 944
⿰糸冊 987
綸 998
⿰耒侖 1052
⿰舟侖 1114
蜦 1232
論 1337
踚 1436
輪 1470
錀 1569
陯 1618
鯩 1797

률

傈 67
凓 94
⿰冫㮚 95
⿰口率 182
⿱罒土 215
壘 223
寽 288
峍 308
嵂 313
㠥 323
律 370
慄 405
⿰忄㮚 415
搮 458
栗 545
㮚 566
⿱栗彖 594
溧 671
⿰氵㮚 692
⿰犭栗 759
率 765
瑮 780
⿰王㮚 783
硉 869
⿰禾栗 908
篥 951
⿰米率 975
繂 1011
⿰素率 1019
⿰素率 1019
⿰系率 1022
膟 1085
⿰月栗 1086
膟 1088
葎 1158
蒁 1164
⿱艹率 1179
⿰足栗 1442
⿰車力 1460
⿰車栗 1476
颲 1706
⿺風栗 1709
鮎 1782
鷅 1830
⿸鹿栗 1848

륭

⿱隆土 286
⿱隆目 793
癃 815
癃 819
⿱隆石 881
窿 923
⿱艹隆 1185
⿰阝⿱夂厶 1616
隆 1618
隆 1620
⿱雨弄 1646
霳 1648
⿱隆鼓 1875
⿰阝⿱夅鼓 1875
⿰阝⿱隆鼓 1875

륵

仂 33
勒 115
⿰十力 126
叻 145
嘞 182
扐 427
泐 629
⿰氵勒 637
玏 766
⿱勒玉 781
⿰王勒 781
竻 930
肋 1064
艻 1121
阞 1609
鰳 1804

름

㐭 29
凜 94
凛 95
⿰冫廩 95
⿸广回 349
廩 353
懍 415
檁 585
澟 692
⿱癶㐭 724
⿸疒稟 820
禀 890
稟 905
⿱亼禀 907
箖 943
⿱艹稟 1197
⿱艹廩 1205
⿰貝林 1391
鄙 1529

릉

倰 60
凌 93
⿰口夌 181
夌 228
⿰圭夌 228
崚 311
⿱山陵 317
庱 348
⿰忄夌 395
愣 402
掕 451
⿰月夌 523
棱 555
楞 562
⿰歹夌 609
淩 656
⿰日夌 801
睖 849
碐 873
祾 890
稜 904
綾 995
綾 998
菱 1147
菱 1150
蔆 1173
⿱艹陵 1174
薐 1185

薐 1189
⿱艹遴 1205
⿺辶蔆 1209
裬 1278
⿺走夌 1413
踜 1436
⿰身卜 1456
輘 1469
錂 1569
陵 1616
陵 1617
⿵風夌 1707
⿰食夌 1721
⿰馬夌 1744
⿰骨夌 1759
鯪 1797

리

⿰冂冂 13
丽 13
丽 13
俐 52
俚 53
⿰属隹 90
劦 100
利 101
⿱艹劦 109
⿰蠡刂 112
⿱亠介 130
厘 135
⿸产夌 136
⿸厂秝 137
⿱癶夌 143
吏 148
哩 162
⿰口厘 176
娌 249
⿱癶婁 262
孋 269
⿺⺁麗 295
履 300
履 301
履 301
峛 307
扃 349
彲 368
⿰彳夌 373
悝 392
悧 393
⿱𠩺心 407
⿱黎心 417
摛 463
攡 477
⿰麗戈 489
⿱癶夌 490
李 526
杍 526
梩 549
梨 552
棃 559
樆 575
棣 590
⿰木離 593
⿰來毛 619
⿱𠩺毛 619
氂 620
⿸厂氂 620
浬 648
涖 650
浰 650
㸚 734
漓 677
灕 704
犁 742
犂 743
⿱𠩺羊 745
⿰黍利 746
狸 752
猁 753
理 772
璃 780
痢 810
⿸疒里 811
⿸疒麗 822
盠 834
⿰糸習 853
⿰目离 854
⿰目麗 860
离 896
⿰禾勿 899
秜 900
⿰禾來 905
⿰禾离 910
穲 914
⿰立隶 928
筣 939
篱 954
籬 964
⿱初木 972
⿱𥝢米 975
⿰米离 975
⿰糸來 1001
⿰糸虒 1007
縭 1009
纚 1021
罹 1030
⿱罒離 1032
羸 1039
羸 1039
⿰月离 1092
⿰舟蠡 1117
莅 1141
莉 1141
⿱艹里 1145
⿱艹物 1156
蒞 1170
⿱艹狸 1171
⿱艹梨 1181
⿱艹釐 1209
蘺 1209
⿱艹麗 1210
⿱艹鬲鳥 1212
蜊 1228
⿱利虫 1228
⿱犁虫 1234
螭 1243
⿰虫梨 1245
⿱劉金 1254
⿰虫麗 1257
⿰虫離 1257
裡 1275
裏 1275
褵 1285
⿰衤離 1293
⿰麗見 1303
⿰麗見 1304
詈 1323
詈 1328
⿱𠩺言 1345
謧 1351
⿱犁言 1352
貍 1381
⿰豸黑 1383
⿰足頁 1439
邐 1511
⿰里阝 1518
⿰酉支 1533
醨 1540
釃 1545
里 1547
釐 1548
⿱𠩺里 1548
⿱利金 1564
⿱犁金 1569
⿰金梨 1580
⿰金黎 1588
⿰离隹 1634
離 1636
⿰黎隹 1638
⿰𠩺頁 1701
颲 1706
⿵風离 1710
⿰馬离 1750
⿱髟利 1768
⿱髟里 1768
⿱髟貍 1772
⿰鬼力 1780
⿰鬼里 1782
魑 1784
鯉 1794
⿱利魚 1795
⿱犁魚 1798
⿰魚勿 1798
⿱𠩺魚 1804
⿰魚黎 1808
鱺 1809
⿱利鳥 1822
⿱犁鳥 1825
⿰离鳥 1834
⿰梨鳥 1834
鸝 1840
鸝 1842
麗 1845
麗 1847
麗 1848
⿰麥利 1851
⿰麥勿 1852
⿱犁麥 1852
⿰黍斗 1859
⿰黍多 1859

䅻 1860
黐 1860
黧 1864
黎 1865
黧 1867
黐 1867
鼶 1879

린

僯 73
厸 138
吝 153
吝 153
㖁 161
噒 165
咯 165
𠯊 165
壣 224
嶙 319
悋 388
悋 391
恡 391
橉 579
潾 686
閔 716
粦 720
燐 725
膦 738
獜 760
獜 763
璘 782
璘 784
甐 790
疄 802
疄 803
瞵 856
瞵 859
矝 861
磷 880
䉮 963
粦 969
粼 971
翷 1047
𦵹 1186
藺 1202
𧄈 1205
𧒽 1247
䚏 1258
𧢛 1302
𧳜 1377
賂 1393
蹸 1447
蹸 1451
躙 1452
躪 1455
轔 1479
轔 1481
轥 1483
遴 1506
遴 1509
邻 1515
鄰 1527
鄰 1527
鄰 1528
鏻 1583
閵 1600
閵 1601
閵 1606
隣 1624
隣 1627
䫐 1699
䫐 1699
䫰 1701
駗 1738
駱 1743
驎 1750
魕 1785
魿 1790
鱗 1805
鱗 1806
鱗 1808
麐 1845
麐 1846
麐 1846
麐 1846
麐 1846
麟 1848
麟 1849

림

临 15
臨 15
崊 312
惏 396
晽 509
林 529
琴 553
淋 654
瀶 701
玲 768
琳 775
痳 812
碄 874
箖 943
綝 996
臨 1100
臨 1100
臨 1100
菻 1156
醂 1536
霖 1643
𩓐 1693
䫰 1702
䫙 1780

립

𠩂 134
太 231
岦 305
泣 639
砬 868
立 925
埭 928
笠 932
粒 968
苙 1127
鉝 1556
雴 1640
䬆 1716
鴗 1815
鴗 1833
𪗁 1885

마

丁 25
亇 25
亍 26
劘 112
吽 164
嗎 179
嘛 181
嘜 182
塺 218
媽 259
嬷 266
𢆶 292
𢆷 292
庅 344
影 367
影 367
懡 416
摩 461
摩 461
㨉 461
擵 475
攠 477
曪 516
瀰 692
犘 745
獁 758
瑪 779
痲 812
𤸫 816
𤿎 830
碼 876
磨 879
磨 879
礳 884
禡 892
𥼶 979
䐉 1089
𦢊 1098
蔴 1152
䕳 1178
䕸 1199
蘑 1204
螞 1240
蟆 1244
蟇 1244
𧩃 1349
䣕 1523
鄜 1529
𨯁 1591
𨹯 1622
靡 1636
靡 1656
𩈋 1658
𩕏 1699
饝 1727
饝 1727
饝 1730
䭧 1731
馬 1734

髍 1760
臄 1761
髍 1762
鬖 1772
魔 1784
魔 1784
魔 1784
鰢 1802
麻 1854
麻 1855
麽 1855
麽 1855
麼 1855
麻 1860
黀 1872

막

皃 87
嗼 182
墓 218
寞 284
嶂 318
幕 337
幕 337
貌 416
貌 418
摸 464
暯 513
募 610
漠 674
漠 678
瘼 818
皃 824
瞙 854
礳 879
縸 1010
膜 1088
膜 1088
莫 1144
莫 1156
嚞 1185
藐 1195
藐 1204
蘴 1257
覓 1297
貌 1381
貌 1381
貌 1381
貌 1382
邈 1509
邈 1510
鄚 1525
鏌 1577
霙 1648
鞯 1670
貌 1691
驀 1737
鬘 1772
貘 1853

만

万 10
僈 70
萬 90
卍 127
墁 217
头 232
娩 251
嫚 261
峦 308
巒 323
幔 337
弯 361
彎 364
慢 408
慲 410
慲 415
懣 416
挽 443
數 489
晚 507
勉 507
晚 507
晚 510
譻 517
曼 518
㬅 519
樠 575
槾 576
欒 594
毌 615
湾 668
满 668
滿 676
滿 676
漫 679
滦 685
滂 692
灣 705
熳 723
獌 759
嫚 830
皺 830
晚 847
勉 847
瞞 854
譽 860
槾 975
樠 976
縵 1010
縍 1017
羉 1033
䅼 1053
脕 1075
芇 1122
莬 1146
萬 1156
蔓 1174
蔓 1191
蘰 1197
蕩 1205
蛮 1227
蟃 1244
蠻 1257
峖 1260
裞 1275
襔 1286
謾 1350
講 1350
謗 1358
谩 1368
谤 1368
貓 1377
貘 1383
貓 1383
貓 1384
貫 1386
贊 1396
購 1401
趨 1416
趨 1418
蹣 1442
蹣 1444
輓 1468
輓 1477
鄤 1525
鄤 1529
鄤 1530
醂 1541
醴 1541
鋔 1564
鏝 1578
鏋 1579
鎊 1585
鎊 1594
霿 1651
靉 1651
鞔 1657
鞔 1664
鞔 1668
顢 1698
饅 1719
饅 1726
鬘 1766
鬘 1771
鬗 1772
鰻 1803
鱗 1803
鰟 1807
鸛 1842
鰻 1853
黴 1866

말

侏 45
僁 70
叕 141
曼 142
妹 243
帕 330
帓 330
帞 332
抹 434
抹 434
昧 504
末 524
株 535
沫 634
濊 697
眛 825
䀛 829
曼 838

苜	840	䯦	1762	怽	378	笀	930	莣	1145	霿	1648	卖	235
眜	841	䰆	1780	恾	392	筭	944	莽	1147	駹	1741	妹	243
[illegible]	842	魩	1789	惘	396	絖	992	莾	1147	髒	1761	媒	256
砞	868	[illegible]	1816	[illegible]	513	網	997	䖟	1152	魍	1783	寐	282
礣	883	[illegible]	1850	望	521	繞	1009	菵	1155	[illegible]	1822	寐	285
秣	900	𪑱	1868	望	522	网	1025	蘕	1168	䮾	1822	籾	365
粖	968	맘		[illegible]	522	冈	1026	蟒	1185	驝	1839	抹	434
[illegible]	978	𡜏	227	朢	523	罒	1026	蠓	1203	鸏	1839	挴	444
[illegible]	985	鋄	1557	朚	523	四	1026	蛧	1221	麷	1849	昧	504
絈	988	萎	1143	𡧱	529	罔	1026	蝄	1225	黲	1864	呆	529
[illegible]	1035	蔓	1152	汒	626	罓	1026	蜣	1226	龍	1892	枚	532
[illegible]	1105	鋄	1563	浝	651	罔	1026	蝄	1234	龍	1893	枝	533
茉	1130	鏝	1585	瀧	673	罔	1026	蟒	1245	龔	1893	某	539
袜	1269	[illegible]	1718	漭	679	罒	1026	蟒	1246	매		梅	544
袜	1269	[illegible]	1864	漭	688	罔	1029	蟒	1251	伕	45	梅	547
袹	1272	망		痝	811	罷	1031	誷	1317	傌	67	䍙	547
襪	1291	亡	28	盳	831	朦	1077	謑	1329	凂	93	楳	565
跊	1426	亾	84	盳	837	朦	1095	誷	1339	勱	117	槑	571
[illegible]	1544	囚	88	睆	845	朢	1099	誷	1335	呆	149	每	615
閅	1594	遷	217	硭	865	艴	1119	謹	1351	吷	154	毎	615
靺	1661	㚇	233	硭	871	芒	1121	譯	1361	嘪	184	毐	615
韎	1662	妄	241	磁	871	苎	1121	輞	1470	嚜	190	毒	615
韈	1672	妄	241	硥	871	萈	1121	邙	1512	坆	202	沒	631
韤	1678	峔	309	秖	898	茻	1133	鋩	1551	埋	207	没	631
[illegible]	1687	忘	377	究	915	茫	1134	鋩	1562	壓	218	沫	634
[illegible]	1716	忘	378	竜	926	莔	1137	鋩	1562	壳	225	浘	641
[illegible]	1739	忙	378	望	928	莽	1140	雄	1633	买	233	浘	646

浼 649
漫 652
[illegible] 687
煤 718
玫 768
玥 768
瑁 776
痗 810
昒 839
曶 839
眛 841
[illegible] 856
[illegible] 858
[illegible] 859
禖 891
穤 911
篃 947
[illegible] 970
[illegible] 1027
[illegible] 1028
[illegible] 1030
罵 1030
[illegible] 1030
[illegible] 1039
脈 1073
脢 1075
腜 1081
[illegible] 1102
莓 1130
苺 1141
[illegible] 1152
[illegible] 1152
蕒 1183
[illegible] 1195
[illegible] 1302
[illegible] 1358
[illegible] 1362
[illegible] 1364
[illegible] 1365
[illegible] 1369
[illegible] 1376
貍 1381
[illegible] 1383
買 1388
買 1391
賣 1395
[illegible] 1398
賣 1398
[illegible] 1399
跊 1427
迈 1488
邁 1508
邁 1511
酶 1535
[illegible] 1538
鋂 1561
[illegible] 1637
霉 1642
[illegible] 1646
[illegible] 1650
[illegible] 1657
[illegible] 1671
韎 1674
[illegible] 1690
罵 1741
[illegible] 1757
鬽 1780
魅 1781
[illegible] 1791
[illegible] 1795
[illegible] 1828
[illegible] 1834
[illegible] 1836
[illegible] 1863
[illegible] 1864
[illegible] 1868

맥

伯 40
佰 45
嗼 182
麦 227
夢 230
墓 263
洦 645
瀎 694
狛 751
獏 759
百 824
[illegible] 843
眽 844
[illegible] 889
絔 993
脉 1071
脉 1073
脈 1073
脈 1073
蠛 1257
䘑 1259
衇 1259
[illegible] 1260
袹 1272
覛 1298
[illegible] 1298
覓 1298
覭 1301
貃 1380
貉 1380
貊 1380
[illegible] 1380
貘 1383
趏 1410
[illegible] 1457
陌 1613
銆 1560
霢 1646
霡 1646
[illegible] 1648
[illegible] 1740
[illegible] 1750
驀 1750
[illegible] 1828
[illegible] 1831
麥 1849
麦 1849

맹

儚 77
[illegible] 79
勐 115
[illegible] 270
孟 271
[illegible] 522
[illegible] 523
氓 622
[illegible] 622
猛 754
[illegible] 789
甍 790
甿 796
盟 833
盟 834
盟 835
盲 838
[illegible] 849
瞢 855
[illegible] 855
[illegible] 857
矇 859
[illegible] 859
[illegible] 918
艋 1113
[illegible] 1118
[illegible] 1119
[illegible] 1146
萌 1152
[illegible] 1152
[illegible] 1152
萠 1153
[illegible] 1186
[illegible] 1205
[illegible] 1205
虻 1218
[illegible] 1219
蜢 1231
[illegible] 1234
蝱 1235
蟒 1245
[illegible] 1246
蠎 1251
[illegible] 1260
[illegible] 1260
鄳 1528
[illegible] 1528
錳 1573
[illegible] 1588
[illegible] 1793
鯭 1798
[illegible] 1809
鸏 1841
黽 1870
黾 1870
[illegible] 1870
[illegible] 1871
[illegible] 1871
鼆 1871

마

乜 20
咩 164

멈

㚷 227

며

旀 495

멱

冖 90
幂 91
冪 92
塓 215
幂 335
幎 336
幦 339
幭 339
𢄺 339
幭 339
𢆶 342
汨 628
涀 681
𤂲 687
𣽊 694
𤏬 729
𥃦 840
眿 843
眽 844
𥉶 854
𥥶 920
篾 955
糸 979
羃 1032
𦨣 1215
𧝁 1283
覓 1296
覔 1296
覛 1298
𧡴 1298
𧢄 1298
𧲽 1377
𧼦 1416
𨡂 1537
𨣏 1544
𩣱 1750
𪐗 1867
𪐝 1867
鼏 1872

면

丏 11
俛 53
偭 62
免 82
冕 90
𠕅 90
凂 93
勉 114
勉 115
勔 115
𡆿 196
𡈳 197
娩 251
媔 257
㝃 272
𡦼 274
𡧍 276
𡫈 286
𡪮 286
㥤 402
愐 402
𣏓 533
棉 553
𣙩 564
𣝞 587
櫋 587
𣠽 588
𣧩 607
沔 631
泻 641
浼 649
湎 664
𣹳 667
澠 688
牑 737
眄 838
眠 841
瞑 852
矊 858
矏 859
臱 859
𥊶 859
𥍁 859
𥦗 917
糆 974
䊃 974
絻 993
綿 998
緍 1000
緡 1002
緬 1003
緜 1005
𦗏 1059
臱 1101
𦤎 1101
𦤝 1101
芇 1122
莬 1146
𦺟 1163
𧊵 1221
蝒 1238
𧍯 1241
𧒇 1251
𧩶 1339
謾 1350
𧪩 1350
𧭉 1358
𧬭 1361
𧶝 1361
𨊻 1458
𨢵 1538
面 1656
靣 1656
靣 1656
靦 1658
𩉀 1661
䩄 1667
𩖈 1702
𩮗 1774
𩯣 1775
鮸 1794
𪁊 1825
麪 1849
麫 1850
麪 1850
麵 1852
𪓛 1870
黽 1870
黾 1870
黽 1870
黽 1870
黽 1871
黽 1871

멸

𡝁 260
幭 339
𢄺 339
懱 418
烕 422
搣 458
𢷾 474
櫗 588
滅 671
瀎 697
灭 706
烕 711
𥃧 719
苜 840
䁾 858
𥌓 859
𥖨 883
𥢸 913
篾 952
𥹥 967
𥺝 968
𦅼 978
蔑 1174
蔑 1174
蔑 1192
𧀜 1205
蠛 1253
𧓬 1256
衊 1261
醾 1544
鑖 1589
𩀳 1638
韤 1659
𩓱 1697
𩪥 1780
鱴 1808
鴓 1816
𪆰 1840

명

𠈌 40
𠈌 40
冥 91
𠗨 94
名 148
命 157
嫇 260
𡦹 272
𡺲 315
明 502
暝 512
朙 522

椧	557	蓩	1186	侮	45	帽	334	毛	617	罞	1027	蝐	1237
榠	566	蘉	1201	侔	48	㡌	335	毣	618	罞	1028	蝥	1238
𣩍	610	螟	1240	侮	50	幙	337	毷	619	罺	1030	蟊	1241
洺	645	蠠	1255	侮	50	慕	382	毷	619	耄	1048	蟊	1243
溟	669	盟	1260	皃	87	悔	385	氁	620	耄	1048	蟱	1248
熐	721	盟	1260	冃	88	恈	387	涒	646	耗	1051	蠚	1253
皿	831	覭	1301	冃	88	慔	402	牟	739	膜	1088	裐	1281
盟	833	詺	1328	冒	89	慕	408	牡	739	膜	1088	覓	1296
盟	834	貘	1377	冒	89	慕	408	牦	739	艒	1114	覒	1296
盟	835	鄍	1523	圂	90	慔	408	犛	745	芼	1125	覒	1296
明	839	鄳	1528	务	113	戎	422	猸	750	茅	1131	訾	1323
眳	844	酩	1534	務	116	戭	423	獏	759	茆	1131	謀	1343
瞑	852	銘	1558	募	117	摹	461	玥	768	茻	1133	謨	1349
瞢	858	鏌	1577	厶	138	摸	464	瑁	776	荦	1139	蟇	1350
瞑	859	䣍	1657	冐	158	旄	496	皃	824	莫	1144	譕	1354
矏	859	䫥	1697	暮	183	暮	513	眊	839	菲	1147	譕	1355
瞑	859	顭	1697	毛	202	暓	514	眸	844	葬	1156	貌	1381
𥛜	892	鳴	1744	姆	243	冒	518	瑁	851	蕘	1159	貌	1381
𥁰	918	鳴	1810	姥	247	某	539	瞴	856	蕔	1162	貌	1381
耄	967	𪁗	1823	娒	251	桙	544	矛	861	萺	1163	貌	1382
䊅	970	𪁗	1823	媌	256	楙	563	砪	868	蕣	1176	軞	1461
糢	974	麛	1846	媢	257	楣	565	秏	899	蕽	1179	輗	1469
䌏	993	䳟	1887	嫫	262	槑	571	篻	956	薹	1192	酕	1532
黽	1119	**메**		嫫	263	模	575	糢	975	蘉	1197	醔	1538
茗	1133	樸	188	嵍	315	橅	578	絨	984	蘉	1205	醣	1541
莔	1137	袂	1266	悔	333	母	615	縸	1010	蚕	1224	鉾	1559
蓂	1167	**모**		帽	334			罞	1027	蛑	1224	鏻	1579

䦟 1600
䫉 1691
𩡧 1736
𩫮 1763
𩬊 1764
髦 1765
𩭐 1771
𩵽 1791
鰵 1795
𪀆 1812
鴾 1817
鶩 1828
䳮 1828
鷚 1832
鷚 1832
麰 1850
𪍑 1851
𪎌 1852
麾 1856

목

匹 124
囘 194
圁 196
𡈁 197
𡇆 198
坶 204
𡊱 209
婺 263
𢄊 335
㣎 367
木 523
杒 525
椙 565
楘 565
樢 576
毷 618
沐 631
牧 739
狇 748
目 836
罒 836
𥄋 840
睦 848
瞀 851
穆 907
穋 909
穆 909
繆 1011
艒 1114
苜 1128
莯 1152
蓩 1158
萺 1163
蟱 1176
蚞 1220
䘑 1275
覒 1296
𧯇 1370
𧯈 1370
𨏝 1474
𨎴 1480
𨿅 1632
䨄 1639
霂 1642
鮇 1789
䱅 1791
鶩 1828
鷔 1831

몰

勿 119
𠬛 141
𣅈 142
𡊧 202
歾 606
殁 606
歿 606
𣬛 611
沒 631
没 631
𣴘 641
𣿲 652
玫 768
瑁 773
𧲮 1373
𧳖 1376
𩑶 1685
𩓐 1690

몽

儚 77
𠐋 79
冡 91
𡍮 217
梦 230
夢 230
夢 230
夣 230
𡫸 285
𡬄 287
幏 336
幪 339
庬 347
懜 416
懞 417
懵 418
曚 516
梦 546
檬 586
氋 621
溕 672
浝 673
濛 693
獴 763
曚 827
𥃰 834
瞢 855
𥌓 855
矇 858
矒 859
礞 882
罞 1027
𦝇 1077
朦 1095
艨 1117
蕒 1152
蕄 1158
蒙 1165
𦶸 1196
蘉 1201
蠓 1252
𧞶 1290
𧝓 1290
覒 1296
𧭥 1361
𧳝 1378
𧰵 1378
𨒤 1445
鄸 1528
𨟊 1528
𨣧 1539
𨡩 1540
𨢦 1543
醿 1544
𨧘 1577
鏓 1579
鍯 1579
𨭀 1587
雺 1640
霥 1647
霿 1650
靀 1651
顭 1702
𩕄 1702
饛 1730
𩥵 1747
䮾 1753
鬔 1774
𩴿 1785
鸏 1834
鸏 1839
𪈧 1839
𪈨 1840
𪍪 1853
𪍪 1853

묘

亩 29
仯 36
夘 131
卯 131
吵 151
喵 175
墓 219
妙 241
𡩧 283
玅 292
庙 346
庿 349
廟 352
廡 352
戼 425
描 453
昴 504
𣅠 507
杳 529
𣧼 608
泖 640
淼 652
渺 663
淯 673
猫 755

猫	756	錨	1570	娒	251	𢻰	480	眸	844	蕪	1183	踇	1432
玅	765	𩇮	1655	娬	252	敄	481	䀛	851	蓩	1184	踌	1439
畆	797	飇	1710	婺	258	无	498	瞀	851	蕪	1191	𨄅	1448
畂	797	䬲	1720	嫵	263	曶	514	瞴	856	蝥	1224	躌	1451
畞	798	鰝	1826	嬏	269	楙	559	矛	861	蝥	1238	迕	1488
畒	798	鵡	1826	嵍	315	楘	563	碔	868	蝥	1241	鄮	1527
畮	800	鶩	1828	巫	326	橅	578	碔	873	蟊	1243	鄮	1529
眇	839	鷡	1828	帑	335	橆	582	簛	956	蟱	1245	醟	1538
𥄳	842	몰		幠	338	𣝐	582	繆	1011	蟲	1253	鍪	1555
瞄	851	乮	22	幠	340	𣝐	588	罞	1026	蟲	1254	鉾	1559
秒	898	무		廡	352	𣝐	593	膴	1031	袤	1271	鍪	1573
䅗	907	亡	28	廡	353	武	603	舞	1032	袤	1290	鏋	1579
䅺	910	亩	29	廡	354	毋	615	䍶	1037	䜭	1323	鍪	1580
篎	947	儛	74	彡	367	潕	686	翏	1040	誣	1329	陚	1616
紗	982	儛	77	怤	382	潕	695	脢	1071	誣	1331	膴	1625
緲	1004	亾	84	忞	382	潕	704	膴	1091	誣	1339	隣	1628
緢	1004	冃	88	悆	398	無	716	膴	1098	謀	1343	雺	1633
䏚	1067	冃	88	悮	402	牟	739	舞	1109	謬	1350	霚	1634
苗	1127	务	113	憮	413	牡	739	舞	1110	譕	1354	雺	1640
茆	1131	務	116	懋	414	珷	772	舞	1110	謬	1358	霚	1645
菲	1147	嫠	144	戊	420	璑	782	艛	1117	貓	1374	霧	1647
䔿	1158	呣	158	戎	422	甒	790	茂	1131	貿	1389	鞪	1668
藐	1195	嘸	184	戮	423	畆	797	菰	1133	賀	1389	鶩	1746
藐	1204	埊	215	抚	433	畂	797	莯	1139	貿	1393	騖	1746
蚋	1222	墲	220	拇	435	畞	798	莁	1145	踇	1424	騖	1748
訬	1316	𡏳	239	撫	468	畒	798	萩	1162	跃	1427	髦	1765
貓	1382	姆	243	撫	477	畮	800	蓩	1176	踇	1432	髳	1766

髳 1771
鴾 1815
鵡 1821
鴍 1822
鵐 1825
鶩 1832
鷚 1832
鷡 1836
麰 1851
麱 1851

묵

万 10
冐 89
冒 89
圝 90
嘿 184
嚜 190
墨 219
墨 221
嫼 264
冒 518
窨 849
𪐗 860
纆 1014
纆 1018
艒 1117
蟔 1248
蠌 1253
覓 1290
默 1862
黙 1862
黯 1867

문

亹 31
亹 31
們 57
免 82
刎 100
匁 119
吻 151
呅 154
㖧 169
問 170
㡈 332
彣 366
怋 385
悗 392
悶 393
𢗍 393
㦖 393
𢜽 404
㵍 416
抆 430
抿 438
捫 446
捪 451
捪 454
文 489
樠 575
歾 606
𣯭 620
汶 629
炆 708
玧 767
瑞 780
璺 783
瞞 854
穈 911
笏 931
糒 976
紋 981
絭 984
絻 993
聞 1058
聞 1058
聒 1058
聞 1059
肳 1068
脗 1076
膶 1078
脗 1081
芠 1125
莇 1142
莬 1146
茼 1152
蘴 1211
虋 1212
蚊 1220
蚉 1220
蟁 1224
螡 1239
蟁 1243
蟁 1252
蟁 1253
蟁 1255
絻 1275
饅 1368
𨨏 1368
顅 1387
𨁴 1416
𨃩 1418
鄤 1529
鄸 1530
門 1594
閅 1594
閺 1602
閺 1604
闅 1607
雯 1639
鞔 1664
鞔 1668
顐 1692
顐 1695
駇 1736
馼 1736
敯 1778
鰵 1788
鳼 1812
鴍 1812
鴖 1816
鳼 1876

물

勿 119
岉 304
昒 496
昒 503
㫚 503
𢙁 510
沕 632
物 740
昒 839
粅 967
芴 1124

미

亹 31
亹 31
侎 49
冞 90
味 154
咩 159
咪 159
哶 164
堳 214
娓 249
媚 256
媄 258
嬍 259
媢 265
嬭 268
寐 283
寐 287
宷 292
尾 296
尾 297
嵋 313
嵄 314
𡽱 323
弥 360
弭 361
弥 362
彌 363
彌 364
彖 365
微 374
微 375
微 376
弭 402
攠 474
攠 477
敉 482
敉 482
亹 490
未 524
梶 550
楣 562
楣 582
檷 587
殊 607
洣 642
渼 646
渳 660
渳 661
渼 664
湄 664
溦 669
湄 687
濔 690
濔 692
瀰 698
瀰 700

字	頁
[illegible]	702
[illegible]	702
瀰	705
煝	718
[illegible]	731
[illegible]	731
猕	755
猸	757
獼	764
瑂	777
[illegible]	782
癓	820
眉	840
眯	843
[illegible]	847
[illegible]	848
瞇	852
瞴	856
[illegible]	858
[illegible]	859
[illegible]	887
縻	911
[illegible]	914
[illegible]	922
[illegible]	939
篃	947
[illegible]	951
[illegible]	955
[illegible]	959
籋	960
[illegible]	961
[illegible]	962
[illegible]	963
[illegible]	965
米	966
[illegible]	967
冞	968
[illegible]	971
糜	976
[illegible]	979
[illegible]	979
[illegible]	991
[illegible]	992
縻	1012
[illegible]	1012
罙	1026
[illegible]	1027
[illegible]	1033
美	1033
[illegible]	1054
[illegible]	1061
[illegible]	1130
[illegible]	1143
[illegible]	1152
葿	1158
[illegible]	1158
葞	1162
[illegible]	1170
蔝	1177
薇	1188
[illegible]	1193
蘪	1207
[illegible]	1207
蘼	1209
虋	1211
蝞	1238
[illegible]	1297
覛	1297
[illegible]	1297
[illegible]	1303
[illegible]	1303
覹	1303
詸	1328
謎	1346
躎	1455
迷	1492
郿	1521
[illegible]	1527
醚	1540
[illegible]	1541
[illegible]	1541
醾	1545
[illegible]	1545
醿	1545
[illegible]	1545
冞	1546
[illegible]	1586
[illegible]	1589
[illegible]	1590
镾	1594
[illegible]	1609
霺	1650
靡	1656
頪	1687
[illegible]	1697
[illegible]	1706
[illegible]	1720
[illegible]	1727
[illegible]	1727
[illegible]	1731
[illegible]	1776
髟	1780
魅	1781
鮇	1789
[illegible]	1793
[illegible]	1816
鶥	1827
鸍	1839
麋	1846
[illegible]	1846
[illegible]	1847
[illegible]	1847
[illegible]	1848
[illegible]	1848
[illegible]	1849
[illegible]	1855
[illegible]	1855
[illegible]	1855
[illegible]	1855
[illegible]	1856
黴	1867
[illegible]	1870
[illegible]	1871
[illegible]	1876
민	
僶	76
[illegible]	304
岷	305
崏	311
[illegible]	313
[illegible]	320
忞	379
忟	379
怋	385
悶	393
[illegible]	393
[illegible]	393
惛	397
愍	399
[illegible]	404
慜	407
憫	412
敃	481
敏	482
敏	482
敯	486
旻	501
旼	502
暋	512
民	622
泯	639
[illegible]	658
湣	658
[illegible]	666
潣	683
澠	688
燜	726
[illegible]	745
玟	767
珉	768
琘	775
瑉	777
痻	812
[illegible]	815
[illegible]	828
[illegible]	841
[illegible]	841
睧	851
砇	866
[illegible]	868
碈	872
[illegible]	874
笢	932
簢	957
[illegible]	987
緍	1000
繩	1000
繩	1005
緡	1002
[illegible]	1015
罠	1027
苠	1132
[illegible]	1158
蠠	1253
[illegible]	1258
[illegible]	1258
[illegible]	1323
[illegible]	1387
[illegible]	1557

錉	1568	宻	280	蠠	1258	愽	406	狛	750	縛	1007	趙	1380
鍲	1572	密	281	謐	1323	懪	418	猼	758	纀	1008	䟺	1421
鑈	1586	𥁑	285	謐	1339	懪	419	玔	766	䌖	1014	跑	1431
閔	1596	峚	306	謐	1346	拍	436	珀	768	纀	1020	轉	1476
閩	1599	峚	307	䁻	1399	拍	442	璞	781	䒄	1038	轐	1482
閺	1602	𣈲	503	醽	1540	搏	457	瓟	786	胉	1065	迫	1491
闅	1609	榓	573	바		撲	468	颮	786	胉	1069	䣟	1534
䫉	1687	樒	587	婆	255	撲	473	瓝	786	膊	1085	釙	1549
顝	1695	沕	632	淿	261	擈	474	眽	797	膞	1096	鉑	1555
鰵	1804	𣵀	660	박		擈	476	皰	828	膍	1097	鎛	1575
鰵	1804	滵	678	亳	30	攴	481	皪	828	膊	1098	鏷	1581
鴓	1812	监	832	亳	30	朴	525	皭	831	𦬅	1106	鑮	1586
鴍	1812	𥧌	849	仢	35	柏	536	砶	867	舶	1106	鏷	1587
鴖	1816	𧎿	928	𠛬	99	栢	545	礴	872	舶	1112	鑮	1589
鵟	1825	蝒	929	切	99	樸	578	礴	877	蒪	1169	霡	1639
𪄿	1828	𦅯	1017	剥	99	樸	585	礴	884	蕿	1186	雹	1640
鶓	1828	𦕽	1056	剝	106	樸	587	禣	893	䪇	1197	䨌	1645
鶩	1834	蔤	1176	博	128	欂	591	窇	917	𦾴	1197	雹	1649
麋	1846	䓐	1179	博	128	泊	636	箔	940	薄	1188	霸	1649
黽	1870	蔤	1193	噂	178	炑	711	箔	942	薄	1188	霸	1650
黽	1870	蘽	1197	嚗	190	煿	721	簙	948	蚾	1226	䩧	1669
黾	1870	蛪	1224	嚩	191	爆	724	簙	955	蟔	1241	鞹	1672
黽	1870	蜜	1231	圤	199	爆	729	簿	959	襆	1283	鞹	1673
䵆	1871	蜜	1234	墣	220	爆	731	簿	959	襮	1291	韓	1677
䵇	1871	䤉	1251	岶	306	牔	738	簿	960	襮	1293	韛	1678
밀		䖹	1253	㧳	355	犦	745	粕	968	㲍	1377	韛	1678
宓	276	蠠	1257	彴	368	犦	746	糢	977	貘	1378	駮	1680

頩 1689
颮 1704
⿰飠不 1715
餺 1724
駁 1736
駮 1739
⿰馬孛 1742
⿰馬复 1745
骲 1756
⿰骨甫 1758
髆 1760
⿰骨雀 1760
⿰骨菐 1761
⿱髟尃 1772
魄 1782
⿰魚薄 1809
鳪 1810
鸔 1840
⿱暴鳥 1840
⿰鳥暴 1841
⿰麥尃 1853
⿰鼠尃 1878
⿰齒尃 1890

반

伴 40
樊 87
冸 92
半 126
華 127
⿰又反 140
反 141
反 141
叛 142
⿰口反 152
㚘 234
姅 245
娩 254
媻 261
嬏 264
审 277
宷 280
審 285
幋 336
弁 355
畁 357
彬 367
⿰彳反 368
⿰忄半 383
憣 413
扮 429
扳 433
拌 436
拼 437
拚 443
⿱泮手 446
搫 457
搬 459
攀 473
⿰扌樊 475
攽 480
斑 490
斒 490
辬 490
⿰半斗 491
朌 521
柈 536
槃 571
般 611
⿰氵片 632
泮 639
⿰氵舟 641
浡 647
潘 682
瀊 696
⿱般火 702
牉 737
⿰犭般 758
班 770
⿲王开王 771
⿲王辛王 781
瓪 788
畈 797
畔 797
畨 799
番 800
黏 802
⿸疒反 805
瘢 816
盘 833
盤 835
盼 838
⿱般目 853
⿲辛目辛 859
矾 865
⿰石般 878
磐 878
磻 880
礬 883
⿱竹般 949
籓 956
⿰米并 968
⿰米半 968
⿰米番 977
⿰米樊 979
絆 987
絣 987
⿰缶系 995
縏 1008
綼 1008
繁 1009
肦 1066
胖 1069
般 1111
⿰舟支 1111
⿰舟叚 1112
彪 1216
虨 1217
螌 1241
蟠 1247
⿰番虫 1247
⿰衤八 1265
袢 1269
⿱般衣 1284
襻 1293
⿰言反 1317
⿰言半 1323
譒 1362
豳 1376
⿺走半 1408
跘 1426
⿰足米 1430
⿰足般 1442
⿱般足 1442
蹣 1444
⿰足頁 1450
⿱罒是 1450
⿰車反 1461
⿱大車 1465
軿 1465
⿲辛夂辛 1485
返 1489
⿺辶半 1492
⿱大番 1534
⿰酉并 1534
鉡 1557
鎜 1576
⿵門番 1604
⿰革殳 1661
靽 1662
鞶 1669
頒 1684
⿰半頁 1686
⿰棥頁 1700
⿰樊頁 1702
飯 1714
飯 1714
飰 1714
⿰飠半 1715
⿰馬半 1739
⿱髟般 1771
魬 1787
鳻 1812
⿱般鳥 1831
⿰黑般 1866
⿱般黑 1866

발

仏 33
佛 43
冹 93
勃 114
发 141
叐 141
⿰口犮 156
哱 164
⿰口別 165
坺 204
⿰土孛 208
墢 220
妭 245
⿱亠巿 270
孛 271
⿸广犮 346
⿰忄巿 381
怵 385
悖 392
⿰扌巿 431
拔 433
拔 436

1		2		3		4		5		6		7	
拔	436	發	823	蕟	1186	鉢	1555	鬻	1779	咙	162	雱	495
抜	436	發	824	袚	1267	鈁	1557	魃	1781	嗙	179	旁	496
挬	445	眜	825	袚	1270	鋍	1564	鮁	1791	坊	201	旊	496
撥	467	盋	832	祓	1270	鏺	1581	鱍	1805	尨	234	昉	502
敦	483	眛	841	襏	1287	韍	1593	鮁	1814	妨	242	昘	503
㪍	485	昔	843	艬	1310	雉	1632	鴃	1814	彤	293	枋	531
朩	525	昲	843	詙	1323	雹	1640	鵓	1820	帮	333	梆	548
柭	539	馛	851	誖	1349	䨢	1646	鼥	1877	幇	336	棒	554
桲	546	窔	918	譒	1356	霈	1648	鼶	1879	幚	338	棓	554
橃	578	粰	971	䞳	1408	詩	1681	밤		幫	339	榜	558
址	603	綍	994	趮	1414	頝	1685	腹	1089	庬	347	榜	566
鈸	604	缽	1023	跡	1422	颰	1705	辵	1440	彭	367	毰	619
殁	606	胈	1068	跋	1424	颰	1705	밧		彷	368	氆	620
沷	634	脖	1076	䟦	1424	颴	1706	玭	166	徬	373	毷	620
浡	647	賊	1102	蹬	1440	饎	1730	방		徬	374	汸	629
渤	662	艴	1102	蹳	1446	馗	1732	並	13	房	425	滮	651
浌	668	艴	1102	躠	1447	馛	1732	竝	13	抙	432	滂	660
潑	682	艬	1116	躭	1456	馞	1732	仿	37	挷	445	滂	671
炥	710	艴	1119	軷	1463	馞	1733	俩	45	搒	451	炐	708
炦	710	艴	1119	迊	1490	馛	1738	倣	53	搫	452	膀	737
焞	713	茀	1130	郣	1518	騂	1742	倣	58	搒	457	牥	740
燉	718	茇	1131	䤋	1532	驋	1751	傡	64	放	480	牻	741
犮	746	荸	1143	䤇	1534	骳	1757	傍	65	斜	491	狵	752
癶	823	菝	1155	醁	1534	髮	1765	匚	122	斜	492	玤	767
癶	823	蔢	1158	醱	1539	髮	1765	匩	123	方	494	琲	788
癹	823	葧	1162	醱	1542	髮	1765	厖	135	旁	495	瓬	797
発	823	蕟	1179	鈸	1554	鬂	1767	龐	138	旁	495	甾	797

𤸷 809
痝 811
旇 830
盳 837
眆 839
昞 843
砉 866
硥 871
磅 876
稖 909
竝 926
篣 949
紡 983
綁 995
縍 1007
棓 1052
耪 1053
肪 1066
胮 1067
胮 1073
膹 1078
膀 1081
膀 1085
舫 1111
艂 1112
艕 1115
艴 1119
芳 1124
蒡 1152
蒡 1165
蒡 1197
蚄 1219
蚌 1219
蚫 1229
蜯 1234
螃 1239
蠭 1255
覫 1301
觬 1310
訪 1316
謗 1338
諳 1345
謗 1346
跁 1421
趽 1422
蹺 1441
迒 1490
逄 1494
邡 1512
邦 1513
梆 1513
郱 1517
鄬 1524
醗 1540
鈁 1552
鎊 1574
防 1611
陡 1616
隫 1622
旊 1630
雱 1639
雱 1646
霶 1648
霶 1650
酙 1656
鞤 1668
鞤 1671
諷 1680
髣 1741
髣 1756
髈 1760
髣 1764
髣 1766
髮 1768
髮 1770
髮 1772
魌 1781
魴 1788
鮮 1789
鰟 1798
鰟 1802
鲂 1811
鳰 1811
鶭 1831
黬 1863
鼖 1874
鼖 1876
龐 1893
龐 1893

배
俳 55
倍 57
偝 62
北 121
匹 123
匼 123
啡 168
坏 201
坯 204
培 210
埓 210
妃 240
婄 251
岯 306
崀 318
徘 372
扒 427
拜 433
拜 433
捭 438
排 449
揹 454
擺 473
杯 530
柸 538
棓 546
棑 557
榿 565
琲 616
犇 616
毰 618
湃 664
焙 715
焙 718
琲 775
痞 808
痞 813
盃 831
碚 873
緋 1005
缽 1023
舐 1023
胚 1068
胚 1069
背 1072
腤 1080
脑 1081
茇 1137
菩 1149
菲 1158
蓓 1168
蓓 1173
虾 1259
裵 1279
裴 1279
褙 1280
貟 1385
賠 1393
踣 1430
踔 1435
輩 1465
輩 1471
輫 1472
蘻 1521
鄁 1525
配 1531
酥 1533
醅 1536
醅 1536
阫 1611
陪 1616
陪 1622
唯 1655
斐 1655
韐 1675
韛 1677
韛 1677
頨 1685
頉 1686
頲 1691
鬟 1770
鮃 1789

백
伯 40
佰 45
兪 84
刯 103
并 302
帛 331
柏 536
栢 545
洦 645
脈 737
皕 788
白 824
百 824
皕 825
絔 993
百 1100

皁 1100
苩 1132
萡 1146
鈲 1551
鎃 1560
陌 1613
魄 1782
鮊 1790
鵖 1816

번

反 1141
反 141
墦 220
𡯁 241
幡 338
𢋿 352
拚 437
𢿎 470
旛 498
棥 553
樊 571
橎 581
潘 682
𤄙 698
瀿 701
𤅄 702
煩 718
燔 725
𤐫 730
𤢿 761
璠 781
畨 799
番 800
磻 894
稨 906
笲 933
籓 961
𥸏 961
𦊱 966
繁 1009
繙 1013
羳 1038
翻 1046
翻 1047
膰 1090
𦪷 1116
蕃 1181
薠 1190
蘩 1197
藩 1199
䕰 1207
蠜 1254
袢 1269
襎 1288
𧡿 1303
蹯 1446
𨇽 1446
䟪 1450
𤒻 1450
轓 1478
𨣢 1529
𨡅 1534
𨡖 1534
鐇 1581
䨰 1637
𩏰 1678
䪤 1679
䪛 1679
𩓛 1700
𩕳 1700
𩖃 1702
䎐 1712
䮳 1751
𩦸 1753
鱕 1805
𪇂 1835
𪍔 1879

벌

伐 38
傠 66
垡 206
坺 206
𢗰 381
怽 385
撥 467
栰 542
橃 578
筏 936
罰 1029
罸 1030
𤽄 1105
𣅱 1105
𤽡 1105
𦨻 1113
藅 1196
閥 1599

범

凡 95
凢 95
帆 329
𢓊 368
杋 527
梵 546
氾 625
汎 626
𣲹 638
泛 638
渢 662
犯 747
盕 832
笵 934
範 945
𦋀 1029
𦪖 1114
𦪼 1116
范 1131
𦬉 1133
𦬒 1133
苙 1133
𧊕 1238
訉 1315
䛀 1323
諚 1338
𨀁 1427
𨊠 1460
軓 1461
釩 1551
𨥍 1557
𩗗 1706
颿 1709
𩡧 1735

법

佱 45
㳒 637
法 637
灋 703
灋 703
珐 770
琺 775

벽

僻 74
劈 110
𠪗 138
堛 214
壁 222
幅 335
廦 353
㦶 414
𢪆 441
捭 446
捭 446
𢷛 464
擘 470
擗 471
𢸬 472
椑 557
楅 560
檗 585
檘 586
欂 586
欂 591
甓 605
湢 666
澼 690
煏 719
𤎲 729
𤏼 731
𤗏 737
璧 782
甓 791
𤱿 803
癖 820
皀 824
皕 826
碧 875
礔 882
稫 907
筋 940
糪 977
糳 979
綼 1000
䌟 1016
繴 1017
𦈖 1023
𦈢 1023
𦋯 1031
腷 1082
𦡱 1095
薜 1189

薜	1200	髀	1761	抃	430	萹	1157	辧	1485	鴘	1815	炦	710
蘗	1207	鷿	1838	拚	437	萆	1158	辮	1486	鶣	1827	䨔	802
襞	1290	鷿	1838	昪	504	藊	1193	辯	1486	齞	1843	䨔	804
避	1419	鷿	1838	柈	534	藊	1196	辯	1486	鼊	1870	瘢	819
踾	1439	鼊	1860	牑	619	褊	1279	边	1487	鼊	1870	癟	821
躃	1449	鼊	1872	汴	629	諞	1323	辺	1487	**별**		瞥	857
躄	1450	**변**		汳	629	諞	1323	边	1487	丿	16	矲	864
辟	1484	丏	18	牑	737	諞	1324	邊	1498	穴	86	秡	904
辟	1485	便	51	辧	738	諞	1345	逿	1498	別	101	紮	995
辟	1485	便	65	犿	747	變	1362	邊	1508	别	101	繴	1009
辟	1485	傍	78	猵	750	變	1363	邊	1509	刖	104	繴	1018
劈	1485	辨	111	獱	761	貶	1376	邊	1509	嫳	265	聲	1061
逼	1500	匥	123	玣	767	貶	1391	邊	1510	峛	309	肸	1071
釽	1551	匾	124	甂	789	趫	1419	邊	1510	彇	362	莂	1146
鎃	1560	卞	129	碥	875	趫	1419	邊	1510	彆	363	蔽	1180
鐴	1586	變	144	稨	906	跰	1429	釆	1546	彆	375	虌	1212
闢	1597	㛹	174	穆	913	跰	1434	閞	1596	憋	410	虌	1212
闢	1599	变	227	籩	964	踾	1435	閞	1597	懒	410	蛂	1223
闢	1604	㛹	257	籩	964	蹁	1440	頩	1686	批	429	蛂	1233
闢	1608	㝸	292	籩	965	蹁	1451	馯	1737	抋	433	蟞	1249
陝	1611	弁	355	糄	974	軿	1466	駢	1739	捌	461	補	1278
[illegible]	1621	畁	357	編	1003	軿	1470	駢	1739	撆	465	襒	1287
隔	1621	彭	367	辮	1018	輤	1474	駢	1743	撇	465	襒	1287
霹	1649	忭	380	胼	1073	輻	1474	骿	1757	瞥	515	覕	1297
鞁	1662	辯	416	胼	1079	辡	1484	骿	1758	柭	539	覕	1297
韠	1677	辯	416	艑	1114	辧	1485	閞	1775	棙	551	覽	1303
䭰	1724	慧	416	弃	1130	辧	1485	鯿	1808	瀊	682	訓	1333

[illegible] 1359
[illegible] 1426
蹩 1436
蹩 1448
[illegible] 1448
鄨 1528
鐅 1583
[illegible] 1583
閇 1596
[illegible] 1637
[illegible] 1666
[illegible] 1693
[illegible] 1705
[illegible] 1733
[illegible] 1733
[illegible] 1798
[illegible] 1806
[illegible] 1825
[illegible] 1825
[illegible] 1835
[illegible] 1872

병

丙 11
並 13
竝 13
併 46
[illegible] 54
併 56
傡 60
偋 64
[illegible] 64
[illegible] 65
偋 70
兵 86
[illegible] 128
[illegible] 143
[illegible] 234
姘 249
娉 249
[illegible] 255
寎 282
屏 298
屛 299
帡 332
帲 334
幈 335
并 341
幷 341
[illegible] 341
庰 347
[illegible] 347
[illegible] 361
[illegible] 362
怲 384
恲 389
抦 434
拼 441
[illegible] 451
摒 456
[illegible] 465
昺 504
昞 504
枋 531
柄 535
栟 541
棅 553
[illegible] 557
洴 646
浜 651
[illegible] 659
炳 709
琕 775
瓶 788
甁 789
甹 795
[illegible] 800
[illegible] 800
病 807
眪 843
[illegible] 897
秉 898
窉 917
竝 926
竮 929
[illegible] 929
[illegible] 938
[illegible] 941
箳 948
[illegible] 953
[illegible] 953
[illegible] 984
絣 990
綆 994
[illegible] 997
緶 1005
缾 1023
[illegible] 1023
[illegible] 1024
[illegible] 1119
荓 1137
[illegible] 1149
[illegible] 1152
蛃 1223
蛢 1227
[illegible] 1233
[illegible] 1238
[illegible] 1242
[illegible] 1245
誁 1329
[illegible] 1345
[illegible] 1410
[illegible] 1413
[illegible] 1414
跰 1429
[illegible] 1434
[illegible] 1440
軿 1466
輧 1470
[illegible] 1474
迸 1493
[illegible] 1498
[illegible] 1503
邴 1514
[illegible] 1517
郱 1520
鈵 1557
鉼 1559
[illegible] 1568
閍 1598
陃 1613
[illegible] 1641
[illegible] 1643
[illegible] 1657
[illegible] 1664
鞞 1665
頩 1688
[illegible] 1692
餅 1717
餠 1721
[illegible] 1737
駢 1739
[illegible] 1739
[illegible] 1743
[illegible] 1766
[illegible] 1772
鮩 1790
[illegible] 1792
鵧 1825
[illegible] 1851
[illegible] 1852
[illegible] 1866
[illegible] 1876
[illegible] 1877
[illegible] 1877
[illegible] 1886

보

保 50
俌 52
保 53
[illegible] 64
[illegible] 121
医 123
呆 149
埠 209
報 212
堡 214
堢 215
報 215
[illegible] 237
[illegible] 270
宝 277
[illegible] 283
[illegible] 284
寶 287
寳 287
[illegible] 287
[illegible] 366
报 433
捗 445
[illegible] 456
普 510
[illegible] 512
[illegible] 526
[illegible] 564
步 603
歩 603
走 603
洑 641
溥 670

字	頁
潽	687
煲	719
父	733
珤	771
玤	773
甫	793
痡	808
痡	811
痡	817
盙	834
簠	955
緥	1003
膊	1096
艀	1115
荹	1145
菩	1149
葆	1157
蕔	1186
蚥	1220
蚥	1221
补	1265
補	1274
裒	1275
褓	1280
誧	1333
諩	1344
譜	1356
譜	1356
豧	1375
賦	1397
踄	1431
軬	1462
輔	1468
郙	1519
閸	1601
雔	1631
霩	1651
酺	1657
韛	1665
頫	1691
馱	1735
馮	1736
駂	1737
駙	1742
髆	1758
髪	1767
髺	1769
髺	1769
魌	1782
鮬	1792
鯆	1792
鰽	1807
鴀	1811
鵏	1812
鮑	1814
鵓	1822
鵩	1828
鵩	1828
黼	1870

복

字	頁
卜	14
伏	38
僕	71
僕	76
副	107
匐	112
匐	120
复	120
復	121
医	123
卜	129
卩	141
噗	186
垘	206
堛	214
墣	220
复	227
复	227
复	228
复	228
菐	237
宓	276
屄	297
幞	338
復	373
復	375
扑	427
撲	468
撲	473
攴	479
攵	479
肞	520
服	520
栿	541
楅	560
椱	561
椱	570
樸	578
樸	585
樸	587
殕	608
毴	620
洑	641
澓	686
濮	694
濮	700
瓟	733
獛	761
畐	797
畗	798
痡	811
癁	820
福	891
福	891
福	892
寝	921
寝	924
䘠	928
䘠	929
箙	942
簠	948
箙	957
紱	991
纀	1008
纀	1014
纀	1015
纀	1018
腹	1082
腹	1087
蹼	1100
舩	1110
舩	1110
艆	1111
艎	1114
茯	1126
茯	1134
菔	1149
菐	1152
葩	1153
蓋	1157
蔔	1176
蕧	1183
蕧	1186
蕗	1193
蘷	1193
蘗	1197
蘗	1201
蕧	1209
虙	1214
蝠	1236
蝮	1236
蠖	1257
袱	1271
複	1279
複	1285
襆	1287
襆	1290
襆	1295
覆	1295
覆	1295
覆	1295
福	1345
譟	1361
豯	1380
豯	1381
豯	1383
趴	1385
趙	1412
趜	1414
趴	1421
趼	1429
踣	1434
踾	1439
蹈	1445
蹈	1445
蹼	1447
蹼	1451
躴	1456
軮	1463
軟	1467
琙	1471
輹	1473
輻	1473
輹	1477
轐	1478
轒	1482
醭	1542
鍑	1570
鍢	1570

鍑	1579	鳪	1810	乶	23	捧	446	䩬	1116	靽	1661	不	11
鏷	1581	鴔	1815	**봉**		摓	462	芃	1121	鞛	1665	丕	13
鏷	1587	髲	1815	丰	14	棒	554	苯	1126	鞛	1666	仆	32
䧤	1625	鵩	1823	俸	56	棓	554	菶	1144	鞛	1666	仅	33
䧤	1627	鶝	1827	凤	95	泛	638	菶	1151	韸	1670	付	34
䨔	1638	鶝	1828	唪	166	泛	638	葑	1158	瓿	1680	伏	38
霯	1649	鸔	1836	𡉚	202	浲	652	蓬	1172	韸	1681	伕	39
鞴	1664	鸔	1840	坴	203	漨	680	蜂	1228	韸	1681	俘	53
韛	1668	鸔	1840	𡉚	206	渢	694	蚌	1229	頩	1685	俛	53
韤	1668	鸔	1841	埲	211	烽	712	蠭	1245	颫	1704	俯	55
鞴	1668	麷	1848	塳	215	𤋮	712	蠭	1245	颫	1704	偩	64
韤	1671	黼	1860	夆	227	熢	722	蠭	1249	飌	1708	傅	65
韤	1672	黻	1860	夆	227	𤏺	723	蠭	1255	餢	1722	㕛	84
韍	1675	黜	1861	奉	234	犎	743	褺	1282	䭲	1733	冨	91
韛	1677	黸	1868	妦	242	琫	774	襚	1286	驡	1753	覔	96
韠	1677	鼶	1879	㛔	251	琒	786	覂	1294	髼	1760	剖	104
韍	1695	**본**		封	288	甏	830	覫	1377	髼	1768	叾	104
馥	1724	夲	232	峯	302	稖	862	䞳	1396	鬔	1772	剖	105
馞	1733	本	524	峯	304	稖	862	䟷	1427	鳳	1810	刣	106
馥	1733	㨇	761	崶	308	砗	866	韸	1478	鳳	1811	副	107
馥	1734	畚	1465	峰	308	䒠	893	轐	1481	鴌	1813	㔗	112
駥	1741	䩊	1465	崶	313	笎	930	轐	1481	䳖	1825	匐	120
髪	1769	輽	1475	幏	336	篷	939	逢	1497	鴌	1841	匐	121
鬔	1773	鉢	1716	彂	363	篷	952	鋒	1562	麰	1851	㕊	135
鬔	1775	麈	1845	徸	371	紺	1005	鏠	1578	麷	1860	吺	151
鰒	1800	麼	1855	㦀	409	縫	1009	鎽	1589	鞚	1873	否	153
鰒	1804	**볼**		捀	445	縫	1009	霻	1647	**부**		咐	156

字	頁	字	頁	字	頁	字	頁	字	頁	字	頁	字	頁
杏	158	[illegible]	345	枎	532	[illegible]	797	[illegible]	1008	[illegible]	1097	蜉	1228
音	158	府	345	枹	535	[illegible]	808	缶	1022	艀	1113	[illegible]	1232
豊	180	弣	360	柎	536	痡	810	缶	1022	[illegible]	1113	[illegible]	1233
坿	204	復	373	桴	547	[illegible]	817	[illegible]	1023	[illegible]	1115	蝜	1236
垺	207	復	375	桮	551	砆	865	[illegible]	1023	[illegible]	1115	蛗	1246
埠	209	怀	381	棓	554	祔	886	[illegible]	1024	芙	1122	蛗	1246
培	210	[illegible]	382	椱	561	[illegible]	899	[illegible]	1024	芣	1123	[illegible]	1252
[illegible]	210	怤	382	榑	566	[illegible]	899	[illegible]	1024	苻	1130	[illegible]	1258
報	212	愎	402	榎	570	秠	899	罘	1026	[illegible]	1137	[illegible]	1266
報	215	懯	417	殕	608	稃	902	[illegible]	1027	[illegible]	1143	袝	1270
复	227	扶	429	[illegible]	610	[illegible]	903	罦	1028	莩	1144	[illegible]	1275
夫	231	抔	431	[illegible]	618	[illegible]	909	[illegible]	1028	[illegible]	1146	複	1279
報	237	报	433	泭	634	[illegible]	921	[illegible]	1038	[illegible]	1152	褔	1281
妇	241	拊	435	浮	648	符	933	[illegible]	1043	[illegible]	1158	褒	1282
妋	242	捊	445	浮	648	筟	939	猼	1045	萯	1162	[illegible]	1284
娝	251	[illegible]	446	涪	652	箁	943	[illegible]	1052	蔀	1173	複	1285
婦	253	掊	448	[illegible]	652	[illegible]	950	[illegible]	1056	葍	1183	[illegible]	1286
婦	253	捬	451	溥	670	[illegible]	951	[illegible]	1057	[illegible]	1184	[illegible]	1295
娩	254	撫	475	滏	672	篰	954	肤	1068	[illegible]	1186	覆	1295
媍	258	攴	480	缹	712	簿	959	胕	1069	[illegible]	1193	覆	1295
媍	258	[illegible]	480	烰	713	[illegible]	969	腐	1078	[illegible]	1201	[illegible]	1298
嬔	265	敷	485	[illegible]	732	粰	970	腑	1079	[illegible]	1200	訃	1312
孚	270	敷	487	父	733	糐	974	[illegible]	1080	[illegible]	1220	[illegible]	1317
孵	273	敷	487	[illegible]	742	[illegible]	978	[illegible]	1080	蚨	1220	詂	1324
富	282	斧	493	玞	767	紑	983	[illegible]	1081	蚹	1222	[illegible]	1339
専	289	[illegible]	497	琈	773	紨	987	膚	1089	[illegible]	1227	[illegible]	1375
阜	307			瓿	788	[illegible]	1000	膚	1089			負	1385

字	쪽	字	쪽	字	쪽	字	쪽	字	쪽	字	쪽	字	쪽
負	1385	鄜	1529	⿰韋尃	1677	鳧	1809	体	45	幩	339	濆	686
賦	1393	⿰麩阝	1531	⿰韋薄	1678	鳬	1810	僨	72	⿰巾奮	340	濆	689
⿱𠂉貝	1394	釜	1549	⿰韋橐	1678	鳺	1812	分	99	弅	356	瀵	701
賻	1397	釡	1549	⿰韋簿	1678	鴀	1812	匪	123	⿱大卉	356	瀵	703
赴	1404	鈇	1551	頫	1688	⿰父鳥	1813	吩	150	忿	379	焚	715
⿺走否	1411	⿱父⿱八金	1553	⿰孚頁	1691	⿰付鳥	1816	噴	185	⿰忄分	381	⿱林灬	715
⿺走孚	1411	⿰金付	1557	⿰咅頁	1699	⿰孚鳥	1821	噴	188	憤	412	燓	725
⿺走咅	1412	錇	1568	颫	1704	⿰鳥帚	1825	坟	201	憤	415	⿰爿賁	736
⿰𧾷卜	1421	⿵門咅	1602	⿰夫風	1704	⿰帚鳥	1825	坆	202	扮	429	犇	742
趺	1422	阜	1609	⿰風咅	1708	⿰負鳥	1828	坟	202	拚	437	獖	761
跗	1425	𠂤	1609	⿰食付	1716	⿰咅鳥	1828	坌	202	⿰扌賁	469	瓫	788
⿰𧾷扶	1432	阝	1609	餢	1721	⿰浮鳥	1832	⿱厶土	205	⿰扌糞	476	畚	798
踣	1434	附	1612	⿰馬父	1736	⿰釜鳥	1832	⿱分土	205	攽	481	⿱奞田	800
⿰𧾷府	1436	⿰阝武	1616	駙	1738	麩	1850	墳	220	⿰方奔	498	⿸疒賁	820
⿰身付	1456	𨸏	1616	⿰馬阜	1744	⿰麥乎	1850	墳	222	昐	502	盆	831
⿰車寸	1460	⿰阝阜	1618	⿱髟不	1765	麬	1850	奋	234	枌	531	砏	866
⿰車夫	1462	⿰阝馬	1622	⿱髟孚	1766	⿰麥甫	1851	奔	234	⿰木芬	547	秎	899
軓	1462	⿰夫隹	1630	⿱髟咅	1769	⿰麥孚	1851	奔	236	棼	553	⿰禾賁	912
軵	1463	⿱雨不	1639	⿱髟否	1769	⿰麥咅	1852	⿱𡗗田	236	棻	559	⿰禾糞	914
輻	1473	⿱雨木	1639	⿱髟音	1771	⿰麥頁	1852	奮	239	橨	581	⿰禾奮	914
邞	1513	⿱雨孚	1643	鬴	1778	⿱父鼓	1873	奮	239	歕	601	笨	933
郛	1517	⿰革复	1668	⿰魚夫	1788	**북**		妢	241	⿰歹分	617	粉	967
郙	1519	⿰革尃	1669	鮒	1790	僰	71	⿱山分	302	氛	623	⿰米半	968
⿰否阝	1519	⿰革薄	1672	⿰魚孚	1794	北	121	岎	304	汾	629	粪	969
部	1519	⿰革簿	1673	⿰魚府	1798	**분**		帉	330	⿰氵坌	647	糞	975
⿰咅巴	1519	⿰革甫	1675	⿰魚附	1798	份	39	⿱分巾	330	渀	659	紛	983
鄜	1525	⿰韋复	1676	鱄	1804	体	42	幩	338	湓	665	羒	1034

豶	1038	蹯	1446	饙	1729	鼢	1876	柫	538	茀	1130	**붓**	
豮	1040	蹷	1446	豂	1732	鼥	1879	柭	539	蔽	1193	乶	166
翁	1040	轒	1478	豶	1734	**불**		氟	623	蛂	1223	**붕**	
肦	1066	轒	1479	馚	1737	不	11	沸	635	袚	1270	倗	59
膹	1094	轒	1479	鳻	1737	不	13	𣳪	635	𧙍	1270	傰	70
芬	1123	𥸮	1546	鳻	1739	乀	17	炥	710	趉	1408	堋	210
苯	1129	糞	1546	閍	1776	仏	33	𤆬	716	趩	1413	塴	218
莑	1146	糞	1546	鬭	1776	佛	43	𤈦	730	趯	1414	崩	311
葩	1153	錛	1568	鬭	1776	泼	93	甶	795	跰	1422	𡾰	311
葐	1163	錀	1569	魵	1788	刜	101	𣍘	843	踹	1426	𡻱	318
蒶	1168	遊	1499	鯩	1798	咈	155	昲	843	韍	1465	弸	362
蕡	1171	鐨	1585	鱝	1807	坲	204	祓	886	鄁	1515	憉	395
蕡	1182	閍	1597	鳻	1812	奔	234	秡	901	鉘	1557	掤	450
蚡	1219	閅	1597	鳻	1813	岪	305	稡	904	雴	1640	朋	520
盆	1221	閿	1597	鳼	1816	岪	305	笰	934	霈	1640	棚	554
蟦	1248	鐼	1626	鴔	1828	嵐	318	紼	984	韍	1674	淜	679
衯	1266	雰	1639	鵁	1836	弜	328	紱	985	韠	1674	痭	813
訜	1317	霧	1646	麌	1855	市	329	紱	985	韛	1680	硼	871
豶	1378	韇	1671	麖	1856	帗	330	紼	986	颰	1705	𥛵	893
豶	1384	頒	1684	麖	1856	幡	340	綍	994	颰	1705	𥦘	921
蕡	1389	顡	1697	麖	1856	弗	359	翇	1041	颰	1705	綳	1000
蕡	1390	顢	1700	麖	1856	彿	369	𦐋	1041	餑	1718	繃	1011
賁	1398	顢	1702	黺	1865	怫	383	𦔮	1050	髴	1732	𦱊	1171
趀	1419	餴	1721	黂	1868	怫	384	𦚠	1102	髴	1766	𧛦	1278
跒	1423	餴	1723	黺	1870	払	428	艴	1119	鯡	1790	𧜟	1286
跸	1423	餗	1724	鼖	1874	拂	435	艴	1119	麱	1851	趽	1422
蹟	1436	餴	1727	鼖	1875	咄	505	芾	1125	黻	1870	蹦	1436

蹦 1444
[illegible] 1618
[illegible] 1624
[illegible] 1644
鬅 1769
[illegible] 1798
鵬 1823

비

不 11
丕 12
[illegible] 13
飞 21
[illegible] 22
仳 36
伾 41
俀 50
俾 55
俾 56
俻 60
[illegible] 60
偹 65
備 66
備 71
僻 74
[illegible] 87
剕 105
[illegible] 106
匕 121
匪 123
[illegible] 127
畁 127
卑 127
卑 127
卑 128
邲 132
厞 136
吡 152
否 153
呸 156
啚 166
啚 166
啡 168
啤 170
[illegible] 188
嚊 189
嚭 191
圮 200
坒 202
埤 209
[illegible] 212
[illegible] 222
夶 232
奜 237
[illegible] 239
奰 239
妣 239
妃 240
妣 242
[illegible] 251
婢 253
婓 255
媲 259
屁 296
屄 297
屝 299
崥 312
[illegible] 315
[illegible] 318
[illegible] 329
[illegible] 336
庀 343
庇 344
庳 347
庳 348
[illegible] 373
[illegible] 375
悲 383
怫 384
[illegible] 393
悲 393
悱 395
[illegible] 410
憊 410
扉 427
批 429
[illegible] 433
捭 451
[illegible] 461
[illegible] 469
[illegible] 480
[illegible] 485
[illegible] 486
斐 490
[illegible] 496
昲 505
朏 521
朼 525
枇 531
柲 537
椑 557
[illegible] 558
棐 558
[illegible] 565
榧 567
[illegible] 568
[illegible] 569
[illegible] 574
[illegible] 581
比 616
毖 616
毗 616
毘 616
[illegible] 616
毞 617
[illegible] 621
沘 632
沸 635
[illegible] 635
泌 637
淝 655
淠 655
[illegible] 686
濞 693
[illegible] 695
炥 710
[illegible] 743
犕 744
[illegible] 745
狉 749
狒 749
[illegible] 759
琵 773
[illegible] 778
[illegible] 789
[illegible] 794
[illegible] 794
[illegible] 795
畀 796
畁 796
备 796
疕 805
疪 806
疿 807
[illegible] 809
痞 810
痱 812
痺 812
痹 812
[illegible] 812
[illegible] 817
[illegible] 818
[illegible] 821
[illegible] 822
[illegible] 822
皕 826
[illegible] 828
[illegible] 830
[illegible] 842
[illegible] 843
[illegible] 843
睥 848
[illegible] 848
[illegible] 850
砒 866
碑 872
[illegible] 873
[illegible] 877
[illegible] 886
祕 886
[illegible] 896
[illegible] 896
[illegible] 896
[illegible] 896
[illegible] 897
秕 898
[illegible] 899
秠 899
秘 901
[illegible] 906
[illegible] 914
[illegible] 914
[illegible] 916
[illegible] 918
[illegible] 922
[illegible] 928
笓 931
[illegible] 934
箄 941
[illegible] 944

箆	944	肶	1067	蚍	1219	艉	1310	趩	1416	鉟	1558	靴	1661
篚	949	胇	1070	蚾	1223	訛	1313	跡	1422	鵯	1568	鞁	1661
篦	949	脾	1079	蛢	1224	訛	1317	蜚	1434	錍	1568	䩛	1662
粃	966	脾	1079	蜱	1232	誹	1324	踱	1435	鎞	1575	鞞	1665
粊	967	腓	1080	蜚	1234	諀	1332	蹍	1442	閟	1597	鞴	1669
棐	969	膍	1086	蠅	1234	誹	1335	蹕	1443	閈	1602	鞈	1669
䊧	972	臂	1092	蜰	1235	諀	1337	蹩	1448	阰	1611	鞴	1670
粺	972	臏	1094	螕	1240	諞	1337	躃	1456	陴	1617	鞴	1672
糒	974	臂	1094	螷	1245	謬	1349	躄	1457	陫	1618	献	1674
糒	975	臏	1096	蠙	1248	譬	1352	躃	1457	隗	1622	䩉	1674
糟	976	鼻	1102	蠯	1252	譬	1359	躄	1458	陴	1622	韛	1677
糕	977	艏	1116	蠶	1253	豍	1369	纞	1479	隦	1626	韛	1677
紕	982	芘	1122	蠹	1255	豍	1370	辔	1481	霏	1643	頚	1686
紼	986	芾	1125	蠹	1256	豍	1371	轡	1482	黹	1646	頧	1689
紱	991	苤	1132	蠹	1257	豼	1379	辟	1484	霏	1648	頨	1691
綍	994	茇	1137	蠹	1258	豾	1379	邳	1514	黷	1652	䫌	1691
緋	999	萆	1143	袚	1267	豾	1380	郱	1515	非	1654	顆	1692
綼	1000	菲	1150	被	1270	貊	1381	郫	1519	韭	1655	額	1697
綿	1008	萆	1151	袚	1270	貔	1383	鄙	1521	悲	1655	顛	1698
緋	1008	葩	1153	裨	1275	貔	1383	鄙	1524	扉	1655	贔	1703
罷	1027	蓖	1154	裨	1276	費	1388	鄙	1525	輩	1655	颼	1708
罷	1028	蓖	1155	裴	1277	賁	1389	鄪	1526	輩	1655	飛	1712
羆	1032	蓖	1163	裴	1279	賁	1390	醱	1542	斐	1655	飛	1712
翡	1044	蓖	1166	裴	1279	發	1396	鈚	1549	斐	1655	霏	1712
翻	1047	蓖	1177	襩	1288	贔	1401	鈚	1552	輩	1655	飝	1712
聡	1056	蕜	1184	襣	1290	趩	1408	鉟	1553	賁	1655	餥	1722
肥	1066	蕖	1186	觯	1308	趩	1413	鉟	1555	橐	1656		

馡 1733
駓 1737
騑 1743
騛 1745
髀 1758
骿 1758
𩪓 1761
韠 1764
髬 1765
髬 1765
鬃 1769
鬅 1770
鬢 1773
鬻 1778
䰛 1778
鬻 1778
魓 1784
魮 1788
魾 1791
鮃 1793
鯡 1796
鯙 1798
䲄 1800
鰏 1802
鴄 1816
鴀 1816
鵯 1823
鵧 1825
鵧 1832
麮 1850
麱 1852
麮 1852
麮 1853
麮 1853
麿 1856
麿 1856
黐 1859
鼙 1874
鼻 1879
鼻 1880
畁 1880
齅 1896

빈

份 39
儐 76
嚬 191
姘 249
姘 255
嬪 266
穷 276
宾 280
彬 367
擯 473
斌 490
朩 524
梹 551
檳 586
櫇 590
殯 611
浜 651
涄 652
濱 695
濵 695
瀕 698
牝 739
獱 762
玢 767
玭 767
琕 775
瑸 777
璸 784
眥 850
矉 858
礗 882
穦 913
窉 920
繽 1018
纇 1020
翸 1047
臏 1095
薲 1194
蘋 1203
蠙 1252
覵 1303
譬 1363
譬 1365
豩 1375
豳 1376
豩 1378
貧 1388
賓 1392
賔 1393
賓 1393
賓 1393
貧 1399
贇 1400
贇 1400
賦 1400
蹟 1459
輩 1482
辨 1485
邠 1512
鑌 1586
鑌 1594
隮 1627
隮 1627
離 1637
霦 1647
頻 1690
頻 1693
頻 1693
頻 1700
顮 1702
顰 1702
顰 1703
馪 1734
驞 1753
髕 1762
髩 1765
鬂 1768
鬢 1774
鬢 1774
鬭 1776
鬭 1776
魏 1785
鶣 1827
鷏 1840
麎 1846

빙

仌 32
俜 52
冫 92
冰 92
凭 96
凴 96
娉 249
𢓡 371
𢕟 376
憑 410
憑 410
氷 624
冰 628
淜 658
馮 674
凴 682
砯 687
聘 1057
䐈 1096
蘋 1197
蘋 1205
𧦝 1333
蹁 1451
𨉸 1458
𨉸 1458
𨋼 1467
靐 1653
馮 1735
騁 1742
驫 1754
骿 1758

뿐

坌 162

사

乍 18
事 25
事 25
三 26
些 27
𡗙 31
亼 32
仕 34
仨 35
佘 39
伺 40
似 41
佀 44
使 47
俟 53
使 54
倉 55
傳 59
傞 67
傻 70
傻 76
僿 76
傷 78
兕 82
兑 83
写 90

写	90	奓	236	㡹	345	枱	539	㴱	671	玺	768	禩	893
寫	91	奢	237	㢚	351	杪	547	𣽄	672	璽	783	禩	894
𡆴	97	姒	244	畀	356	梭	549	溮	674	𥆝	800	私	897
𡇣	97	娰	244	㢱	359	桬	552	漇	681	畲	800	𥢂	910
剚	106	㛗	251	𢓊	368	楂	560	潳	681	畬	800	𥩟	926
𦋯	128	娑	252	𢓯	371	楒	565	瀉	696	痧	811	竢	927
卸	132	婭	260	徙	372	榭	567	瀉	696	𤻕	818	笥	933
厏	134	孠	271	思	381	槎	569	澙	697	㾷	819	筡	940
厙	135	它	274	𢘒	387	榹	570	𤆍	706	皻	830	䈀	947
厶	138	㝍	275	恖	387	樝	574	灺	707	皻	830	篩	949
㕜	142	𡨥	283	恖	387	𣝯	581	炨	709	䠶	864	簑	951
叓	142	寫	285	𢨽	425	檄	582	燍	726	𨈡	864	簁	955
䖶	143	寫	286	戺	425	様	585	飼	733	砂	865	籭	965
史	145	寺	288	挲	445	死	606	牭	740	砟	868	粆	967
司	146	射	288	抄	445	死	606	牺	741	砦	871	𥹀	968
咋	155	尖	292	捨	446	鯊	617	㹫	742	磃	878	糸	979
舍	158	屟	300	捨	446	毟	618	𤛉	745	社	884	紗	982
唆	163	屣	300	赦	482	𣱦	622	犧	745	社	885	𢇁	984
㕽	164	峒	306	斜	491	汜	626	犠	746	祀	885	絲	988
啥	168	崽	313	所	493	沙	632	猀	752	祠	887	𦀖	995
喳	175	巳	327	斯	493	沚	633	猞	755	䄜	887	緒	1000
嗄	177	师	329	查	534	泗	637	献	755	𥙆	887	緖	1001
嗦	179	芾	331	柤	537	泻	641	獻	757	𥚃	889	纚	1021
嗣	180	師	333	柌	537	洍	644	獅	758	𥚃	889	卸	1022
四	194	㡵	336			涘	650	獄	758	𥚲	890	麗	1033
壐	223	𢆍	342	柶	538	涻	658	獻	764	禗	891	耜	1051
士	225	庍	344	相	539	渣	662	玐	766	禠	892	耶	1055

肂	1063	蕮	1200	諰	1329	躧	1454	鐁	1583	駟	1737	鶯	1836
肆	1063	蕼	1200	誜	1334	敕	1456	躲	1456	鎬	1589	駛	1738	麈	1845
舍	1107	虒	1213	謏	1345	躲	1456	鬩	1601	駟	1738	麝	1848
舎	1108	虵	1218	謝	1347	躲	1457	闍	1604	鴬	1743	麝	1848
舍殳	1108	蛇	1223	謕	1348	軘	1464	闍	1607	溤	1743	麨	1851
舍咎	1109	蛇	1223	謖	1352	轍	1479	隸	1628	騇	1744	麥咼	1852
荮	1137	蛍	1230	諸	1355	辞	1483	霹	1652	碼	1746	麥易	1860
茬	1139	蜡	1231	謝	1356	辞	1484	酸	1658	騸	1748	黖	1863
莎	1141	蛷	1233	謵	1362	辭	1484	鞘	1661	骸	1759	鼶	1877
莏	1141	蜇	1235	貄	1374	辭	1485	鞦	1665	髟	1764	鼶	1878
茀	1145	螄	1239	貘	1380	辭	1485	韀	1670	髿	1768	鼶	1879
菘	1145	蟖	1246	貄	1380	辭	1485	韊	1670	鬖	1769	齇	1881
蕣	1154	蟴	1246	貜	1381	迚	1497	韉	1673	鬾	1777	齇	1881
蒘	1158	衰	1267	貄	1382	邪	1513	頗	1691	鬾	1777	齜	1886
葸	1161	衺	1267	貄	1382	邪	1515	顧	1698	魞	1787	齹	1886
葈	1164	袈	1276	貣	1387	郗	1517	食	1712	魦	1788	齥	1886
蓑	1168	褯	1283	賖	1392	郗	1518	飤	1713	鯊	1788	齰	1890
蒒	1168	榭	1283	賒	1392	郤	1520	飴	1713	鰤	1788	齷	1891
蔱	1170	褷	1284	賜	1393	醃	1539	飴	1715	鮻	1795		
蔢	1171	褻	1284	賓	1395	鉛	1553	飼	1715	魦	1795	삭	
蓰	1173	覗	1297	賖	1396	鉈	1554	飼	1715	鯊	1795	削	104
蒣	1179	觛	1306	赦	1403	鉇	1554	飫	1715	鯵	1798	嘲	179
蓏	1179	詞	1312	赴	1406	鉠	1557	饗	1717	鰤	1801	嗽	180
蓶	1180	諏	1319	趍	1411	鈔	1561	餕	1718	鰺	1804	索	283
蕬	1183	詐	1320	踀	1436	鋖	1564	餗	1722	鰤	1806	揱	452
蕼	1187	詞	1322	踷	1440	鍦	1569	餘	1722	鰤	1832	捌	459
蕮	1200	詈	1322	蹝	1444	鎩	1577	駒	1737	鵬	1835	数	486
												數	487

數 487
朔 521
槊 571
槊 571
欶 597
泝 626
溹 673
燿 728
爍 729
熻 730
獡 761
矟 862
硺 873
稤 909
筲 939
箾 945
䈰 950
簌 951
簕 952
索 984
索 988
絜 1006
綃 1006
繅 1019
蒴 1168
蕱 1180
䘯 1267
褬 1283
趚 1419
鬖 1573
鎍 1576
鎙 1577
鑠 1588
鑠 1591
𩍚 1669
䮛 1710
鱳 1730
麨 1852
𪌗 1853
虒 1855

산

仐 33
伞 36
傘 65
冊 89
删 101
删 101
刪 104
刪 104
剷 109
匴 124
𣁋 133
姍 244
孿 273
孿 273
山 303
屾 303
嵼 317
懺 338
𢙿 386
摌 463
散 484
𣀔 485
𢿏 488
𢿳 489
𣙻 576
橵 582
𣝕 591
汕 626
涮 658
滻 675
潸 684
潸 684
澘 684
潠 695
𤛓 744
狦 751
狻 752
狦 753
珊 769
珊 769
產 792
産 793
疝 805
痠 811
祘 887
产 926
笇 931
筭 941
算 942
箣 943
筭 943
篹 951
篹 952
簅 954
䉈 956
糤 977
䩥 979
繖 1013
繖 1020
𦌁 1030
罺 1031
䍌 1032
𦙶 1071
𦡰 1089
蒜 1165
𦷞 1179
訕 1314
訕 1314
𧳜 1374
𧳱 1381
𧲻 1381
赸 1405
趱 1417
跚 1425
𨃃 1425
𨂞 1429
蹼 1440
𨆸 1448
𨇞 1448
𨌭 1479
選 1503
選 1504
選 1507
邓 1511
邖 1512
酸 1535
𨣧 1542
𨥥 1557
𨦜 1560
鏟 1578
鏾 1582
镹 1593
閂 1594
𨳡 1600
𣢟 1637
霯 1642
霙 1643
霰 1644
霰 1648
霰 1651
霰 1651
霰 1652
𩆜 1658
饊 1728
饊 1730
𪘨 1843
麔 1846
𪋵 1849
𪐤 1863
𪘏 1887

살

𠃝 21
乷 23
唰 168
希 329
摋 462
撒 466
𣪞 483
𢓜 487
𥊯 515
杀 526
杀 529
榝 572
殺 612
殺 612
殺 612
殺 614
殺 614
減 640
煞 720
粣 968
粣 970
粲 976
積 1053
蔡 1170
蔡 1175
蔱 1177
薩 1193
䕯 1211
𧛾 1284
𧤖 1311
𧭜 1361
𨂚 1442
𨃓 1451
躤 1452
躠 1453
躠 1453
躠 1453

綷 1484
鎩 1559
鏾 1573
鎩 1576
鎩 1578
鏾 1589
鏩 1590
䌹 1602
繝 1604
颰 1706
颰 1760
鷙 1832

삼

三 9
侺 54
刋 100
剼 109
叁 139
参 139
㕘 139
參 140
叅 140
曑 180
㜗 262
幓 337
弎 358
彡 366
㤾 396
摲 461
摲 463
摻 464
摻 469
攕 476
曑 515
杉 527
森 552
椮 556
槮 572
椮 582
檆 585
櫼 591
毛 617
毵 620
滲 675
渗 688
灛 703
炶 719
犙 744
㺑 759
瘮 818
䀏 837
瞫 854
磣 879
穇 910
穼 916
穾 917
突 917
𥧌 920
粆 970
糂 973
糝 975
糣 977
綝 996
縿 1011
纔 1021
纔 1021
罧 1029
罧 1031
芟 1123
葰 1143
葠 1152
蓡 1163
蔪 1175
蔘 1175
薓 1185
蔘 1186
蓡 1189
蘸 1200
蔘 1205
衫 1265
䘰 1281
襂 1285
襳 1291
襳 1292
襳 1293
賝 1398
轞 1481
轞 1482
釤 1550
鏒 1580
閷 1597
雺 1639
雵 1639
霰 1644
鞍 1661
韂 1670
𩒹 1691
顡 1699
䫲 1700
𩜦 1727
𩨈 1756
鬖 1771
𪎋 1855

삽

𠍇 63
㑁 73
偛 74
㐀 98
卅 126
卌 127
唼 167
啑 167
啃 168
喢 175
㗶 184
𡞬 257
㞜 300
𢔹 373
㣿 375
扱 429
挿 445
插 453
揷 453
椄 555
歃 598
歰 605
涩 652
渋 660
澀 674
澁 685
澀 685
濈 695
牐 737
𥇌 802
睫 804
箑 941
䈉 941
箿 946
籊 960
翜 1043
翣 1043
䐑 1095
臿 1104
臿 1105
臿 1105
䑚 1107
萋 1149
萐 1155
蘸 1187
𦻐 1193
䙝 1277
諎 1339
話 1345
譅 1353
譅 1353
𧲨 1378
䟃 1413
𧻓 1414
䟗 1421
趿 1422
𨂂 1440
踕 1450
𨓿 1503
𨗨 1506
𨖌 1508
𨘧 1509
𨞲 1527
鈒 1551
鍤 1571
鎝 1577
闒 1608
𨻐 1621
雭 1639
霅 1642
𩃳 1643
霎 1643
𩄮 1650
𩇫 1655
靸 1660
韐 1674
䫀 1679
颯 1705
颯 1705
颮 1705
𩗃 1707
𩝀 1725
馺 1736
𩣲 1746
𩤁 1746

骰 1756
鞼 1784
齼 1894

상

丄 9
上 10
二 25
伤 39
丧 55
倘 60
偿 65
傷 69
像 71
償 77
勨 117
丧 127
向 148
商 170
喪 172
喪 172
㗒 177
嗓 179
嘗 180
甞 180
啇 180
嘗 182
商 186
嚐 189
啇 191
塽 217
墒 218
爽 237
嫦 262
嬰 268
孀 268
尙 292
尚 292
尝 292
常 334
床 345
庠 346
廂 349
𢒎 366
徜 372
徾 376
想 398
愓 401
𢜪 408
慯 409
搡 458
晌 506
桒 540
样 544
桑 545
枽 546
桒 546
樣 570
様 575
樉 575
橡 580
欀 591
𣥺 604
殤 610
汈 627
洋 641
湘 665
湯 666
滝 674
漡 675
漺 681
湯 682
潒 686
瀧 699
灀 701
爲 716
𤔡 733
爽 734
爽 734
爽 735
牀 735
状 747
狀 747
𥅔 792
𤺥 816
相 839
𥏑 864
𥎪 864
𥏍 864
磉 876
祥 888
祥 888
禓 891
禓 893
𥤦 919
箱 944
𥳑 953
𥯗 955
粡 970
緗 1001
纕 1021
𦏰 1035
翔 1042
𦑟 1152
葙 1162
蔏 1176
螪 1244
蟓 1248
蠰 1256
蠰 1258
襄 1276
裳 1279
褬 1283
襄 1286
襐 1287
𧝓 1292
𧢋 1300
觴 1310
詳 1326
謪 1350
象 1373
象 1374
𧱏 1393
賞 1394
賞 1394
贘 1399
𨀁 1430
𨎿 1476
𨝤 1526
𨢸 1540
𨡘 1541
𨢊 1543
鋿 1569
鎟 1577
鏛 1580
鐌 1584
鑜 1589
𩂸 1644
霜 1645
𩅦 1648
𩆌 1649
顙 1695
顙 1696
𩓺 1699
餉 1717
𩛥 1722
餳 1726
𩞁 1728
饟 1731
𩦧 1748
騻 1750
騻 1751
驤 1754
驦 1754
𩫨 1778
鬺 1779
鮝 1793
鯗 1798
鱌 1806
鱨 1807
鱨 1807
鱶 1808
鴹 1817
鷞 1832
𪅔 1832
𪇆 1836
鸘 1841
𪐴 1866
𪐴 1867
𪔈 1873
齉 1875

새

僿 76
塞 216
壐 223
𡩧 285
崽 313
㢋 356
思 381
恖 387
𢗰 387
𢡆 404
𢡱 419
毢 617
毸 619
玺 768
璽 783
簺 958
罳 1029
𦋺 1031

腮 1085
䚡 1309
賽 1398
顋 1694
[illegible] 1767
[illegible] 1770
鰓 1800

색

咋 155
嗇 171
嗇 180
[illegible] 186
塞 216
[illegible] 283
[illegible] 285
[illegible] 286
[illegible] 287
廧 353
[illegible] 368
愬 403
[illegible] 404
懎 415
[illegible] 419
拺 440
[illegible] 460
摵 464
梀 544
[illegible] 567
槭 572
檣 592
[illegible] 601
涑 645
[illegible] 659
溹 673
[illegible] 684
濇 691
濇 697
[illegible] 802
[illegible] 809
[illegible] 818
猎 862
[illegible] 862
[illegible] 909
穡 912
穡 913
空 916
[illegible] 959
粣 968
[illegible] 969
粣 970
索 984
[illegible] 988
繬 1016
[illegible] 1086
色 1118
薔 1189
[illegible] 1217
蹟 1397
蹟 1398
蹟 1399
[illegible] 1416
[illegible] 1467
轖 1479
[illegible] 1619
[illegible] 1641
[illegible] 1643
[illegible] 1644
[illegible] 1665
[illegible] 1701
[illegible] 1772
齚 1885
齰 1888

생

世 12
丗 12
[illegible] 127
[illegible] 127
[illegible] 293
栍 539
殅 607
渻 664
牲 740
生 792
[illegible] 792
甥 793
甡 793
[illegible] 814
省 840
眚 843
[illegible] 846
笙 932
苼 1130
[illegible] 1300
貹 1389
鉎 1556
[illegible] 1759
[illegible] 1816
[illegible] 1845
鼪 1876

서

书 15
[illegible] 25
[illegible] 54
偦 64
[illegible] 129
[illegible] 129
[illegible] 130
[illegible] 130
敘 142
噬 187
垿 208
墅 219
壻 226
婿 258
[illegible] 270
屖 299
[illegible] 299
岨 306
嶼 321
[illegible] 322
序 344
[illegible] 348
庶 348
[illegible] 348
[illegible] 361
徐 371
[illegible] 378
恕 386
恓 389
[illegible] 402
抒 431
捿 447
揟 455
敍 482
敘 482
暑 509
暑 510
暏 511
曙 515
[illegible] 518
書 518
杼 530
[illegible] 534
栖 540
棲 555
楈 561
樨 576
[illegible] 581
[illegible] 623
[illegible] 623
湑 665
[illegible] 680
澨 680
[illegible] 689
[illegible] 694
[illegible] 695
[illegible] 723
犀 742
[illegible] 742
犀 743
[illegible] 743
瑞 777
[illegible] 781
[illegible] 794
[illegible] 819
癙 820
[illegible] 820
祱 889
[illegible] 891
稰 906
[illegible] 911
筮 939
[illegible] 940
[illegible] 946
[illegible] 953
[illegible] 956
簭 963
粞 969
[illegible] 971
糈 973
紓 982
[illegible] 987
絮 992
[illegible] 995
緒 1000
緒 1001
縃 1006
署 1029
[illegible] 1029

罯 1029
䍱 1036
粗 1051
耡 1052
聓 1057
聟 1059
書 1063
胥 1068
胥 1072
舄 1105
舒 1108
芧 1123
荼 1140
莇 1146
蒩 1152
蒣 1171
薯 1193
藇 1194
藷 1209
蝑 1237
蜍 1248
蝨 1253
西 1294
襾 1294
誓 1333
諝 1341
諿 1344
[illegible] 1348
諝 1349
謶 1352
謑 1352
誓 1355
𧬈 1355
豠 1373
䝐 1375
敘 1456
輸 1469
輸 1474
迂 1490
逝 1496
遲 1504
澨 1505
遾 1509
邪 1513
邪 1515
郐 1518
郤 1520
醑 1538
醹 1544
鉏 1554
鉎 1556
鋤 1562
鍴 1564
閪 1599
阡 1611
陎 1616
雓 1634
餘 1719
骽 1759
𩩲 1759
魣 1789
䱬 1800
鱮 1808
鵨 1825
鷶 1836
鶋 1839
麆 1845
𪊨 1846
麖 1849
黍 1858
野 1862
鼠 1875
鼠 1875
鼶 1877
𪕞 1878
䶅 1879
齟 1885
齭 1889
齄 1890
齇 1891

석

亘 91
囟 135
舍 158
夕 228
夾 233
臭 235
奭 238
奭 239
叙 259
射 288
席 333
惁 395
惜 397
憯 413
扸 432
昔 503
晣 508
晰 509
晳 510
皙 510
析 532
柝 532
梀 544
棤 558
𣘸 581
檡 585
汐 626
汐 628
沢 633
洂 646
液 653
淅 654
淅 654
澤 660
潟 683
潟 683
澤 688
澤 689
炻 709
猎 754
猲 761
瘍 813
晳 826
睗 847
睪 858
䂖 864
石 864
石 865
矽 865
碩 874
磶 880
磶 880
磶 883
祏 886
秳 900
穸 915
粞 972
釋 977
釋 977
緆 999
繹 1000
繹 1016
繹 1016
釋 1054
腊 1079
舄 1105
舃 1105
舍 1107
舍 1108
菥 1153
蓆 1167
蕮 1183
蕮 1183
藹 1201
蚸 1224
蓄 1227
蜥 1231
蜇 1235
蝷 1238
蜡 1242
螫 1245
螫 1245
蠚 1253
裼 1277
褯 1283
襫 1291
覡 1299
䚀 1301
䚋 1301
躲 1457
𨛳 1521
醳 1543
醳 1543
釈 1546
释 1546
釋 1546
鉐 1556
錫 1567
霫 1644
䩳 1666
鞨 1671
颺 1708
䯱 1758
䰅 1770
鳩 1813
䳭 1816
麝 1855
鼫 1856

韆	1876	圓	197	搧	461	𤄊	700	膻	857	綫	1016	蕃	1179
선		埏	208	㨹	463	灗	704	砠	867	纘	1020	蘚	1206
亘	27	墠	219	撣	467	弇	707	禒	889	纎	1021	蜁	1229
亙	27	墡	220	撰	468	烻	714	禅	890	鐔	1024	蝖	1238
亶	30	姍	244	𢴤	469	煽	720	禅	892	鑴	1025	蝙	1240
仚	33	姺	248	旋	496	熯	722	禒	892	罭	1029	蟬	1247
仙	34	嫸	259	梋	552	燹	728	禪	893	罝	1030	蟮	1248
侁	64	嫙	262	檈	584	燹	728	禮	894	罪	1031	蟺	1249
僎	64	𡢃	263	檈	589	爓	729	秈	897	羅	1032	蠏	1256
傓	67	嬋	264	櫏	591	豫	757	穐	912	羡	1035	袵	1275
僊	70	嬗	265	㰈	593	獮	762	筅	935	羴	1036	襈	1285
僎	71	宣	278	毨	617	獮	764	筅	935	羼	1038	覃	1294
僐	73	𡫓	285	𣬈	617	玁	764	箭	943	羴	1038	覃	1294
儃	75	尟	293	洒	641	珗	771	箳	943	羶	1039	覼	1300
僊	79	尠	293	洗	642	琁	771	箲	948	翾	1044	詵	1326
僐	80	屳	303	涎	650	瑄	776	篇	950	腺	1084	譱	1334
先	81	玨	327	淀	652	璿	779	籼	964	膔	1089	譔	1344
单	128	㢵	346	欻	652	瑄	780	籼	966	膳	1090	謆	1346
単	128	廯	354	保	652	璇	780	絺	993	膳	1091	譔	1354
單	128	𢕄	376	涮	658	璿	782	綖	995	膻	1096	譱	1356
𠨍	131	愃	401	渲	663	璿	784	綫	996	舡	1111	譱	1357
𠨎	131	扇	426	潳	668	甆	785	繐	1001	舩	1111	譱	1363
吅	147	㧥	440	漩	679	痃	810	線	1002	船	1112	譱	1365
唌	163	挻	443	潬	682	癣	818	縇	1004	茾	1132	銑	1374
善	171	掟	445	漾	691	癬	822	繏	1011	菰	1152	赸	1406
單	171	揎	453	潠	695	暶	854	繕	1013	蒜	1165	趫	1418
善	176	撰	459	𤅊	698	膳	856	繏	1014	蔙	1176	趧	1418

趨 1420
跣 1427
踠 1432
踤 1432
蹡 1432
蹼 1440
蹮 1446
蹼 1448
躚 1452
蹮 1453
蹮 1454
蹮 1454
軐 1461
轎 1476
还 1490
選 1503
選 1504
還 1506
選 1507
還 1508
遂 1509
還 1510
屾 1512
鄯 1527
鄹 1529
鄯 1531
銑 1558
鋋 1561
鍹 1573
鏇 1577
鐵 1582
鐥 1582
鐿 1585
雉 1632
雔 1635
霓 1642
霰 1643
霰 1644
霰 1648
霰 1652
霹 1652
韛 1659
顛 1695
顛 1699
顴 1700
顴 1701
颴 1707
颶 1709
饍 1728
騸 1746
騸 1747
骱 1756
鮰 1791
鮮 1792
鯵 1798
鱣 1801
鱓 1805
鱔 1805
鱣 1806
鱸 1808
鱻 1809
鱻 1809
鴱 1829
鰚 1829
鸜 1834
鱞 1837
鸐 1838
鱻 1853
鱻 1854

설

乶 24
偰 62
偞 69
劈 111
卨 130
屑 142
啝 168
啐 182
囓 193
契 235
契 235
媟 256
契 283
屑 298
屑 298
幓 337
拽 356
循 374
怈 380
拪 437
挈 438
揲 455
揳 455
擛 471
暬 513
枻 535
栧 544
楔 561
榍 564
檷 572
泄 636
洩 643
渫 652
渫 658
渫 662
漯 682
焫 715
爇 722
爇 729
爇 729
疶 808
皶 829
卨 896
卨 896
卨 896
糏 974
糔 975
紲 984
紲 985
絬 991
絏 992
緤 1005
翓 1042
舌 1107
蔎 1158
薛 1171
蔎 1174
蘄 1186
薛 1189
薛 1200
薛 1204
爇 1204
蛥 1227
蜥 1229
褻 1273
褻 1286
觢 1310
設 1316
設 1323
說 1328
說 1328
說 1332
説 1332
猰 1382
贌 1384
跇 1428
踅 1432
躤 1448
躠 1450
躠 1451
躠 1452
躠 1453
躠 1453
躠 1453
躠 1454
辥 1485
鍥 1580
鍥 1580
鍥 1583
闑 1603
雪 1638
霄 1641
霅 1648
鞢 1661
餟 1714
鮏 1795
齛 1851
齛 1851
齛 1853
齧 1884
齛 1884
齛 1886
齧 1887
齥 1887
齸 1891

섬

剡 106
夾 233
姯 255
嬐 265
孅 268
嬕 281
幓 337
恖 386
憸 414
掞 449
攕 458
摻 464

摻 469
攕 476
遲 514
枮 534
棎 554
歼 606
殱 611
殲 611
淰 656
潣 673
[illegible] 682
澹 690
[illegible] 703
燗 721
燅 724
燂 724
[illegible] 724
燖 725
[illegible] 729
爓 730
[illegible] 731
[illegible] 846
睒 847
[illegible] 883
[illegible] 884
[illegible] 914
[illegible] 979
綅 993
綅 1008
繊 1012
[illegible] 1016
纎 1019
纖 1020
苫 1129
薟 1204
[illegible] 1208
蟾 1250
襳 1291
襳 1292
覢 1299
[illegible] 1339
譫 1357
譣 1358
[illegible] 1385
瞻 1400
贍 1402
[illegible] 1458
銛 1559
錟 1566
閃 1594
陜 1614
陝 1615
[illegible] 1651
[illegible] 1652
韱 1679
韱 1679
顳 1700
[illegible] 1729
[illegible] 1764
[illegible] 1768

섭

[illegible] 79
[illegible] 175
囁 192
[illegible] 300
屟 300
屧 301
弽 362
[illegible] 419
拾 440
摂 461
摺 464
攝 476
楪 560
[illegible] 592
欇 592
涉 649
渉 660
[illegible] 674
灄 703
燮 723
燮 727
燮 727
爕 729
[illegible] 731
[illegible] 785
疌 803
疌 803
[illegible] 803
[illegible] 858
[illegible] 860
籋 960
聂 1055
[illegible] 1055
聶 1061
[illegible] 1143
葉 1157
[illegible] 1171
[illegible] 1187
[illegible] 1193
[illegible] 1193
[illegible] 1201
[illegible] 1230
蠂 1251
[illegible] 1338
[illegible] 1338
諜 1341
[illegible] 1349
[illegible] 1359
讋 1363
讘 1365
讋 1366
[illegible] 1423
[illegible] 1431
[illegible] 1436
[illegible] 1442
[illegible] 1446
躞 1453
躡 1454
[illegible] 1456
[illegible] 1503
[illegible] 1563
[illegible] 1564
鍱 1571
鐷 1586
鑷 1590
鞢 1667
[illegible] 1676
韘 1676
顳 1703
[illegible] 1708
[illegible] 1712
[illegible] 1712
[illegible] 1754

성

[illegible] 180
圣 199
城 206
垩 207
城 207
垶 209
[illegible] 215
声 225
姓 244
娍 250
[illegible] 258
宬 278
[illegible] 282
[illegible] 286
[illegible] 293
性 384
惺 400
[illegible] 400
成 421
成 421
[illegible] 422
[illegible] 469
星 503
晟 507
晠 507
曐 515
[illegible] 565
殸 612
渻 664
[illegible] 742
[illegible] 744
狌 749
猩 756
珹 773
瑆 777
[illegible] 792
盛 833
盛 833
省 840
[illegible] 846
睲 851
程 907
[illegible] 920
筬 938
箵 947
篂 947
聖 1057
聖 1057
[illegible] 1058
[illegible] 1059
聲 1060
胜 1070
腥 1081

蛸 1238
蛵 1239
壂 1295
觪 1308
觲 1309
誠 1328
誠 1328
䡬 1469
郕 1517
醒 1538
鍟 1573
䠓 1593
闍 1604
頗 1691
騂 1742
騂 1748
鬹 1764
鮏 1790
鯹 1797
鯹 1800

세

世 12
丗 12
卋 27
先 81
势 114
勢 117
呭 127
呭 127
啐 182
埶 209
埶 212
岁 303
嵗 313
帨 332
幓 337
𢅤 338
忕 378
𢧐 423
捝 442
歲 604
歳 604
洒 641
洗 642
洶 646
涚 650
濊 668
祱 889
稅 902
篲 951
簪 954
細 985
䌌 992
繐 1001
繐 1011
繐 1013
蔎 1177
蛻 1228
裞 1274
頴 1694
臞 1312
説 1328
說 1332
説 1332
貰 1387
貰 1388
貰 1391
趆 1411
跩 1429
迣 1492
銴 1565
鏊 1565
鐬 1579
餟 1719
鑾 1731
鬄 1873
齛 1886
齥 1887

소

所 13
佋 40
俏 52
傃 65
㑲 67
僳 70
关 86
削 104
劋 111
劭 113
劭 129
卲 131
召 146
㕣 146
咲 161
咲 161
哨 162
喿 177
嗉 177
嘯 182
嘯 186
噪 187
埽 210
塐 216
塑 216
奞 237
娋 251
宵 279
小 291
少 291
巢 325
巣 325
巢 325
弨 335
𢒞 343
廯 353
弰 361
愬 403
愫 404
慅 405
所 426
扫 429
㧣 437
招 437
捎 444
捜 445
掃 448
掃 448
搔 458
搜 458
敹 484
旓 497
昭 505
昭 505
睄 847
柖 538
梢 549
梳 550
梭 559
梨 565
榡 567
槊 571
㮴 571
樔 574
橆 590
歗 601
殩 611
磬 614
毹 621
氱 623
沼 635
泝 638
消 647
消 647
溸 668
溯 670
溞 673
溹 674
澡 678
潲 686
瀟 698
瀟 700
炤 709
焇 713
焼 715
燒 725
巡 734
炤 735
犒 744
犞 745
狷 753
㺐 759
獟 762
玿 769
璪 780
璪 784
繇 787
甦 793
甦 793
疋 803
疎 804
疏 804
疏 804
䟽 804
痟 810
瘙 816
盨 835
睄 847
硝 870
礫 879

祒	888	縤	1009	𧂐	1178	𧵋	1398	韒	1675	𪛗	1896	藗	1200
稍	903	繅	1011	葰	1183	趆	1408	𩏬	1677	**속**		𧛙	1279
穌	910	繐	1013	蕭	1187	踃	1431	韶	1680	俗	53	裻	1279
窼	923	繡	1015	蒐	1193	𨃚	1431	颵	1706	㑛	78	𧜟	1286
笑	931	繰	1015	蘇	1201	踈	1432	颼	1710	剩	110	褶	1289
笑	931	繅	1018	蘇	1203	𨄔	1442	飅	1711	𡰿	298	襪	1292
笤	933	麗	1033	蘓	1203	躁	1445	𩚢	1716	属	300	𧝲	1292
筲	939	䎘	1043	蛸	1227	𨇽	1450	𩟉	1725	屬	301	觫	1308
筱	939	翛	1043	𧎀	1240	𨉖	1456	騷	1744	捒	443	謖	1346
箾	945	翛	1043	蟰	1250	輎	1469	騒	1747	𥌧	515	𧫆	1352
䈾	950	𦓐	1052	蠨	1255	轈	1477	髾	1765	束	529	䞉	1392
䉀	951	肖	1065	衞	1264	逍	1495	䰇	1768	梀	547	贖	1401
篠	951	肖	1066	袑	1268	遡	1504	鬙	1772	𣚍	574	𧷒	1402
篠	951	䏣	1077	覞	1297	𨙬	1513	魈	1782	樕	574	𧺆	1405
簫	955	膆	1085	訴	1319	邵	1514	𩴾	1784	涑	650	趚	1411
𥳙	958	臊	1096	訢	1319	𨛬	1519	魛	1787	玊	766	速	1496
簫	958	䐹	1098	詔	1321	鄛	1525	魦	1787	𤶼	809	遬	1505
䉌	960	艄	1113	謏	1334	釃	1545	𩷌	1793	簌	954	鋉	1564
𥼶	977	艐	1114	誜	1344	釗	1549	鮹	1794	粟	969	𨩲	1584
素	984	艘	1115	𧩐	1344	銷	1561	鮂	1795	㮚	974	𩋨	1670
紹	985	𦬁	1122	謏	1346	𨪘	1569	鰠	1802	𥻢	979	𩌺	1671
綀	993	苏	1126	𧬄	1348	𨫼	1577	鰺	1804	続	995	韄	1673
綃	993	莦	1145	𧬉	1349	鐰	1586	鱢	1806	續	1019	韣	1678
綉	995	𦻕	1155	譟	1357	霄	1642	𪗏	1843	續	1022	韇	1678
𦃖	1006	𦶩	1162	𧳐	1381	䵲	1648	𪕬	1854	𦋺	1031	餗	1719
𦄵	1006	𦺊	1171	䝟	1387	鞘	1664	𪖁	1854	蔌	1174	鬻	1780
䋚	1008	蔬	1175	𧶠	1397	鞉	1666	𪛖	1896	藚	1198	魦	1787

[illegible] 1848

손

喰 176
嗦 178
噀 184
孙 270
孫 272
巺 328
巽 328
巽 328
巽 328
弄 356
弜 361
愻 403
損 456
損 457
飡 662
潠 686
猻 758
䐣 1087
䐪 1091
蒤 1166
蓀 1167
䔚 1186
蕵 1191
蓫 1197
蘐 1205
蟀 1242
選 1503
遜 1503
選 1504
選 1507
闀 1606
頙 1695
顨 1700
飡 1713
飧 1713
飱 1714
飱 1715
餐 1718
餐 1720

솔

乺 23
卹 132
帅 329
帥 332
捽 462
率 765
甩 793
瘁 817
窣 920
䊤 974
䊳 975
蟀 1239
蟀 1243
衈 1259
衛 1264
䘹 1285
䟶 1390
逹 1506
陦 1513
颵 1710
鶽 1825
鷞 1834
䶵 1851
䶵 1851
䶳 1853
鱇 1881

송

從 70
凇 93
吅 147
吺 152
宋 275
嵷 317
嵷 317
嵸 323
彸 368
徖 374
悚 392
愯 406
憃 407
憽 415
捒 443
捅 444
捸 462
摗 462
擻 476
春 507
松 531
枀 531
枩 539
棇 552
樬 570
檧 571
淞 655
漱 679
潨 681
竦 923
竦 927
頌 1005
頌 1014
頌 1014
聳 1060
舂 1105
蚣 1107
蚣 1219
蜙 1232
衳 1267
䆫 1281
種 1282
縱 1286
種 1288
訟 1315
誦 1332
訟 1333
踈 1444
送 1493
送 1493
送 1499
遜 1504
鄎 1523
鍶 1573
鏓 1579
鏓 1579
閧 1600
鞩 1670
頌 1684
額 1698
駷 1741
鬆 1769
鬆 1770
鬆 1772
鬆 1832
鷫 1832

솨

惢 393
硝 870
磌 877
要 1049
䐘 1087

솰

刷 103
涮 658
漯 695
趆 1408

쇄

刷 103
唢 178
晒 506
嚥 515
曬 517
杀 526
杀 529
殺 612
殺 612
殺 612
殺 614
殺 614
洒 641
灑 668
湏 673
灑 698
灑 703
煞 720
桒 724
瑣 778
瑣 778
璅 780
璅 784
瓈 789
碎 866
碎 872
磌 877
礫 879
殺 892
筱 946
籭 965
粹 967
粹 971
縰 1009
縄 1011
纚 1021
䙛 1284
鏦 1311
誶 1335
貨 1386
貨 1386

醷 1541
鎍 1559
鐓 1573
鎖 1574
鎻 1574
鎖 1574
鎩 1576
鏁 1577
鎩 1578
隫 1623
霣 1639
鞘 1669
颾 1708
颸 1784
䴪 1853
鬄 1860

쇠

𣡌 31
夊 227
毸 620
㾓 816
簑 951
蓑 1168
蘐 1180
衰 1267
𧞔 1284
釗 1549
𨽃 1637
韄 1670
韉 1673
韇 1677
𩟽 1727

수

乑 20
𠂼 20
侸 51
修 55
倕 57
倏 62
傁 65
豙 87
几 95
㔜 120
厜 135
𠩺 137
収 140
𠬝 141
叟 142
受 142
叜 143
叟 143
𠬛 143
虽 158
唯 166
售 170
兽 171
嘼 177
嗽 180
嗾 180
𠽽 186
嗽 190
囚 194
圳 200
垂 205
埀 207
垂 209
𡍃 215
𡍮 215
𡑞 217
㙸 222
壽 226
壽 226
奞 237
㛐 252
娷 254
姿 258
嫂 259
嫗 260
嬃 265
𡟫 265
嬬 268
宊 274
守 274
㝂 280
宿 280
宿 280
㝛 281
𡦹 282
宼 282
寿 288
尌 290
𡬶 290
岫 305
峀 305
叓 313
嶲 321
帅 329
帥 332
須 338
𢈳 349
廋 350
𢐁 360
彡 361
彗 365
惢 393
㥞 395
愁 399
愁 399
憀 402
㦏 402
戍 420
手 427
才 427
扏 428
捒 443
搜 445
掱 446
授 448
挳 453
搜 458
擻 462
撨 467
擞 468
擻 474
收 479
攸 480
攳 482
数 486
數 487
數 487
數 488
𣀔 488
旞 498
旞 498
晬 503
睟 509
术 525
杸 530
树 539
楸 555
㯕 565
尌 566
樹 570
樇 575
樹 578
檖 584
橾 584
櫢 589
欶 597
歀 600
殊 607
殳 611
殶 612
毻 619
毯 619
毜 620
水 624
汓 627
泅 636
洙 642
浽 647
涑 650
湏 667
溲 668
溲 670
滫 675
漱 679
潄 680
澻 689
澬 690
潎 690
濉 692
瀡 699
𤋤 726
燧 727
㷃 727
燧 730
燧 730
牰 741
㹁 743
𤠨 744
𤠨 744
𤜵 745
狩 751
狻 757
獀 758
獣 759
獸 760
獸 761

獸	763	瞛	857	糔	974	膐	1085	蕵	1183	艏	1306	踌	1448
率	765	㬙	886	綏	994	腴	1085	藙	1186	詶	1326	蹜	1450
琇	772	祟	887	綉	995	膌	1086	蕦	1186	諔	1334	軀	1458
璓	781	禭	894	綬	996	膢	1089	蓫	1192	誰	1334	輸	1462
璛	782	襚	895	綇	1005	䐈	1091	蕿	1193	誶	1335	輸	1473
璲	783	禾	896	緰	1005	膄	1093	藪	1199	謏	1338	輸	1473
璹	784	秀	897	縃	1014	膸	1094	蓷	1201	謏	1344	輳	1474
瓍	785	穗	899	頿	1014	膄	1097	蘧	1205	謏	1346	輶	1478
瓗	786	稅	902	繡	1015	臊	1097	蘬	1209	讐	1355	轆	1480
㽷	805	稤	905	繸	1016	臡	1098	蘾	1212	譢	1359	迴	1492
痠	810	𥟂	905	纗	1017	首	1100	虽	1218	譢	1359	迉	1492
痩	814	穂	909	繻	1017	馘	1103	虽	1219	讎	1363	遒	1499
瘦	816	穗	911	纗	1021	艏	1114	蚗	1226	讐	1363	遂	1500
瘶	816	穟	912	䍋	1024	龒	1117	蛟	1237	竪	1370	遂	1503
瘷	818	𥥛	916	䍍	1024	茵	1132	螋	1241	豎	1370	遚	1504
瘶	821	䆟	918	羞	1034	茱	1134	術	1262	豎	1370	遺	1507
睘	826	竪	928	羞	1034	荽	1140	術	1262	䝤	1378	遷	1507
𥌒	827	𥫔	929	狗	1042	莎	1141	衞	1263	豬	1378	遷	1507
盨	835	𥪫	929	翛	1042	莏	1141	袖	1268	賥	1393	邃	1509
睟	841	𥫛	929	翛	1048	葰	1141	裋	1274	賥	1394	邃	1510
睃	845	篲	951	翛	1048	荾	1144	裇	1278	賥	1400	郰	1522
睟	848	𥳎	956	翿	1049	華	1149	褎	1282	賥	1401	鄋	1523
睡	848	篴	956	脩	1077	蓚	1161	褏	1282	賮	1401	鄐	1529
睢	848	箱	958	脽	1078	蒐	1165	襚	1288	贖	1402	酒	1533
睃	850	籔	961	腄	1079	蓚	1170	襚	1289	趍	1414	酥	1533
瞍	852	粋	967	脺	1080	蓚	1177	襚	1291	踧	1440	酬	1534
䁂	857	粹	971	腧	1082	葬	1177	襚	1292	踿	1448	酧	1534

酸	1538	陲	1617	[illegible]	1669	[illegible]	1759	叔	142	琡	775	[illegible]	1607
醙	1540	隊	1620	[illegible]	1673	髓	1761	埱	211	[illegible]	782	[illegible]	1609
[illegible]	1541	隋	1620	韝	1677	[illegible]	1762	塾	219	璹	784	[illegible]	1653
醮	1541	随	1621	韢	1677	[illegible]	1762	[illegible]	224	[illegible]	881	[illegible]	1710
醻	1544	陖	1621	[illegible]	1678	[illegible]	1771	夙	229	[illegible]	905	[illegible]	1711
[illegible]	1545	陲	1621	須	1683	[illegible]	1773	[illegible]	229	[illegible]	1039	驌	1752
銖	1558	随	1622	[illegible]	1693	鬚	1773	婌	253	[illegible]	1047	[illegible]	1763
銹	1563	[illegible]	1625	[illegible]	1708	魗	1785	孰	272	肅	1062	[illegible]	1793
錘	1566	隧	1625	[illegible]	1708	魝	1786	宿	280	[illegible]	1062	鮛	1797
鋑	1571	隨	1625	[illegible]	1709	鮋	1790	宿	280	[illegible]	1063	鱐	1807
鎀	1573	[illegible]	1628	颼	1709	鮂	1790	宿	281	[illegible]	1063	[illegible]	1828
鎪	1575	[illegible]	1628	[illegible]	1710	[illegible]	1796	村	288	縮	1115	鷫	1837
鏉	1579	[illegible]	1631	[illegible]	1710	[illegible]	1802	尗	292	[illegible]	1116	순	
鏥	1579	帷	1632	餐	1720	鰽	1804	[illegible]	390	繡	1116	侚	50
鏅	1580	雟	1633	餕	1723	鱐	1807	[illegible]	395	茜	1146	[illegible]	67
[illegible]	1583	[illegible]	1633	[illegible]	1724	[illegible]	1808	[illegible]	404	菽	1151	旬	120
鐆	1583	[illegible]	1633	餿	1725	[illegible]	1825	[illegible]	445	[illegible]	1159	[illegible]	120
[illegible]	1583	錐	1633	[illegible]	1725	[illegible]	1854	摍	465	蓿	1173	唇	165
[illegible]	1584	雖	1634	饈	1726	숙		[illegible]	465	[illegible]	1186	脣	165
鐩	1584	[illegible]	1634	首	1731	[illegible]	30	[illegible]	471	[illegible]	1217	啍	167
鏽	1584	巂	1635	[illegible]	1731	[illegible]	50	橚	583	[illegible]	1246	[illegible]	191
鑐	1586	[illegible]	1637	[illegible]	1732	俶	56	[illegible]	592	諔	1337	[illegible]	221
[illegible]	1608	[illegible]	1639	[illegible]	1732	倏	60	[illegible]	652	[illegible]	1414	[illegible]	233
队	1610	需	1641	[illegible]	1740	倐	60	淑	654	[illegible]	1418	[illegible]	237
陏	1613	[illegible]	1643	駿	1746	[illegible]	60	潚	704	踧	1432	姰	249
陎	1614	靃	1651	騪	1748	儵	79	熟	723	蹜	1443	峋	307
[illegible]	1616	[illegible]	1668	髓	1759	[illegible]	127	玊	766	[illegible]	1541	巡	325

㡄 331
㡒 335
廵 354
彴 369
徇 370
循 373
㤨 381
恂 387
愼 401
惇 406
㥧 411
㨎 449
揗 452
旬 500
旽 502
栒 544
楯 563
榫 569
橁 570
橓 580
㰬 596
㱂 606
殉 607
洵 644
淳 657
湻 668
漘 678
潃 681
澊 700
灥 705
焞 715
燇 730
㸉 739
犉 742
㹀 746
狥 751
珣 770
畓 802
皴 829
盷 837
盹 839
盾 840
眹 841
眴 844
瞚 853
瞤 855
瞬 855
䀢 858
笋 931
筍 936
箰 937
篿 948
䈽 948
簨 956
紃 980
純 982
絢 990
𦎧 1037
肫 1066
朐 1073
脣 1077
𦛚 1078
舜 1109
䑞 1110
芛 1126
荀 1135
蒓 1170
蓴 1173
蒪 1179
蕣 1182
蕣 1204
衠 1264
䙓 1281
訓 1314
詢 1325
諄 1336
䛡 1344
諄 1363
赹 1406
𧼦 1419
趨 1420
輴 1473
迿 1494
郇 1516
醇 1532
醇 1536
醕 1538
醇 1544
醇 1544
錞 1566
鐏 1580
鐓 1589
闠 1604
陙 1616
陏 1621
隼 1629
雜 1634
雜 1637
雜 1638
順 1683
顧 1690
馴 1735
駀 1736
駒 1741
鬊 1770
鬠 1773
鮈 1819
鶉 1824
鶉 1826
鶉 1829
鶽 1831
鶉 1836

술

啐 182
嚅 185
怵 385
戌 420
朮 525
沭 640
潏 682
珬 771
痲 808
紌 988
絇 1005
芛 1126
莍 1164
蟠 1247
術 1262
術 1262
衕 1263
裗 1270
訹 1319
諔 1329
述 1491
遹 1504

쉬

倅 39
倅 56
晬 503
遹 1507
鄦 1524
銶 1556
鉞 1560
銶 1569
隙 1623
颮 1705
颰 1705
鷸 1806
鷸 1831

숭

娀 248
崇 310
崈 310
崧 311
嵩 315
憽 417
芸 1126
菘 1149
饓 1727
鬆 1767
鯎 1817
鵟 1825

슬

睟 509
淬 628
淬 656
焠 715
粹 974
粹 1870
厀 133
爽 237
瑟 239
瑟 776
瑟 780
璱 782
璱 785
糅 975
膝 1074
膝 1088
膝 1094
膝 1094
蒸 1179
藤 1199
虱 1218
蝨 1230
蝨 1235
蟋 1251
鬇 1654
颾 1711

습

匀 92
㗩 181
嶍 318
慴 409
拾 440
槢 572
湿 668
湿 674
溼 674
漝 681
濕 692
溼 700
濕 700
熠 722
䈩 954
習 1041
習 1041
熠 1043
䐲 1047
𦗺 1061
䌰 1115
襲 1117
蝷 1246
褶 1285
襲 1292
龒 1293
謵 1350
陘 1616
陘 1622
隰 1624
隰 1624
隰 1626
隰 1626
霫 1647
飁 1710
騽 1749
驨 1754
𩧕 1755
鰼 1804
䳉 1834

승

丞 13
乘 19
乗 19
兖 30
僧 71
僧 72
勝 116
升 126
呏 151
塍 214
塍 217
媵 265
㞼 307
嵊 316
憴 415
承 429
抍 432
拯 433
𠎲 483
昇 501
膡 523
椉 559
榺 571
殊 607
氶 625
羕 634
洆 643
澠 688
睖 801
磳 881
繩 1000
繩 1005
繩 1015
艠 1119
蕂 1183
蠅 1234
蠅 1238
蠅 1250
譝 1357
𨀘 1423
䉖 1472
輮 1476
𨩃 1586
阩 1611
陞 1615
陹 1619
騬 1747
䮴 1748
騬 1751
鬙 1773
鮏 1791
鱦 1807
鵨 1817
鼆 1826
鼆 1836

시

乑 11
乨 22
乨 22
佁 44
侍 48
偲 62
兕 83
兕 83
凘 94
匙 122
卶 132
厮 137
厮 137
𠫭 143
啫 176
啻 176
嘶 183
塒 215
始 244
姛 246
媤 257
媞 258
寺 288
不 291
尸 295
尸 295
屍 298
屍 298
屎 298
屣 300
崼 314
市 329
巿 329
𢁉 343
𢁉 343
廝 351
弒 358
弑 358
弑 358
弛 359
𢐹 360
𢑥 363
𢏜 365
徥 374
恃 387
惿 402
㥴 405
戠 423
㦤 425
提 453
揌 454
撕 467
㨝 469
敊 479
㕽 480
𢻫 480
施 495
时 500
是 502
旹 503
旹 503
是 503
是 504
昰 506
時 506
杫 531
柹 535
柹 535
柿 535
柹 535
枲 539
柴 540
楒 565
榯 568
櫅 582
䌖 591
殔 608
毸 617
毸 619
氏 621
沶 640
澌 673
漦 675
澌 685
鳲 716
𤜵 747
豺 747
狧 750
狢 750
狶 752

猜 754
猥 756
痑 810
瘵 816
眂 838
眽 839
眎 841
眡 842
矢 862
示 884
礻 884
祡 887
禬 892
笶 935
簛 947
箷 947
篂 948
簛 956
糔 973
糂 973
絁 986
緦 1002
總 1010
纚 1022
罳 1029
罤 1031
羠 1035
羝 1040
翄 1041
翅 1041
翨 1044
翤 1045
腮 1085
芖 1132
葈 1143
蒔 1154
萛 1154
葹 1161
葸 1163
䓤 1164
蒔 1165
蓍 1167
蒔 1179
蒒 1179
蝨 1238
褫 1285
襹 1293
覗 1296
視 1296
視 1297
覗 1297
䚕 1297
觽 1312
訑 1319
詄 1324
試 1325
詩 1325
諡 1338
諟 1341
謚 1341
諰 1342
謕 1345
諡 1347
𧫝 1348
誓 1355
𧭈 1355
豉 1369
豉 1369
𧯷 1370
豕 1372
豕 1372
彖 1373
冢 1373
豙 1374
𧳏 1374
豺 1379
貾 1389
跃 1423
䤱 1486
邿 1515
釃 1545
鉇 1550
鉈 1551
鉃 1556
鉓 1557
鍉 1570
鍦 1571
閊 1599
䦙 1601
閦 1602
阤 1610
阺 1611
雁 1629
雇 1629
離 1637
靤 1656
頤 1687
題 1694
颸 1708
餈 1718
餈 1718
馶 1736
駛 1738
駛 1740
鬄 1768
鰣 1793
鰓 1801
鳲 1810
鳲 1810
鴟 1813
鳾 1816
鸍 1839
黿 1872
鼉 1872
鼭 1877
鼭 1878

식

飠 55
埴 210
媳 259
寔 282
㡳 331
式 357
怕 386
息 386
拭 429
拭 439
㨁 449
栻 542
植 557
㮩 570
樴 585
殖 608
淔 659
湜 665
熄 720
瘜 815
䆺 921
篒 951
絉 991
𦝢 1087
茂 1138
蒠 1168
蘵 1210
蝕 1238
蝕 1245
𧙗 1273
襫 1288
𧥬 1317
識 1339
𧪅 1349
識 1354
軾 1465
遈 1503
鄎 1523
䤿 1539
鉽 1560
鎴 1564
隐 1623
食 1712
飾 1714
飾 1715
餝 1722
䭘 1726
鵖 1832

신

㐰 35
伸 40
侁 47
信 54
㑗 54
兟 84
凷 97
凶 97
卂 126
厎 134
㕰 134
曟 143
吲 152
呻 155
哂 160
囟 195
奞 237
姺 248
娠 250
㛛 250
娎 267
嫀 267
宸 280

字	頁	字	頁	字	頁	字	頁	字	頁	字	頁	字	頁
宸	280	[illegible]	747	[illegible]	1078	訫	1319	[illegible]	1519	実	277	宷	280
屒	299	[illegible]	750	珅	769	訷	1324	鋠	1564	实	277	審	285
屾	303	珅	769	[illegible]	1081	詵	1326	[illegible]	1600	室	278	寻	288
峷	308	璶	784	[illegible]	1087	訩	1329	阠	1610	宲	280	[illegible]	290
弞	360	甡	792	臣	1099	誶	1335	[illegible]	1636	實	284	[illegible]	290
[illegible]	365	申	795	[illegible]	1102	[illegible]	1338	[illegible]	1642	[illegible]	374	[illegible]	290
[illegible]	404	[illegible]	825	[illegible]	1104	[illegible]	1381	震	1642	[illegible]	382	[illegible]	290
愼	404	眒	842	芃	1122	賑	1391	[illegible]	1653	[illegible]	387	[illegible]	290
慎	404	[illegible]	843	茞	1133	[illegible]	1396	[illegible]	1662	悉	390	[illegible]	367
扟	428	[illegible]	863	莘	1141	[illegible]	1396	[illegible]	1688	[illegible]	400	心	376
抻	434	矧	863	莀	1143	贐	1401	[illegible]	1689	[illegible]	427	小	376
[illegible]	483	[illegible]	863	[illegible]	1158	身	1455	顖	1698	[illegible]	922	忄	376
新	493	神	887	[illegible]	1179	軐	1461	[illegible]	1717	蟋	1243	愖	402
新	494	神	887	薪	1190	辛	1483	[illegible]	1719	[illegible]	1668	[illegible]	479
昚	505	祳	889	[illegible]	1191	[illegible]	1483	駪	1739	[illegible]	1886	[illegible]	514
[illegible]	507	[illegible]	890	藎	1195	[illegible]	1483	[illegible]	1755	[illegible]	1890	[illegible]	556
晨	507	[illegible]	892	[illegible]	1205	[illegible]	1483	[illegible]	1781	**심**		椹	560
曟	516	[illegible]	893	[illegible]	1208	辡	1484	[illegible]	1783	伈	37	[illegible]	577
柛	539	[illegible]	911	蜄	1228	[illegible]	1484	[illegible]	1795	[illegible]	125	[illegible]	578
榟	576	[illegible]	920	蜃	1230	辰	1486	[illegible]	1804	[illegible]	150	沁	630
[illegible]	596	籸	966	[illegible]	1274	[illegible]	1486	[illegible]	1820	[illegible]	152	沈	630
[illegible]	596	[illegible]	970	[illegible]	1305	[illegible]	1486	[illegible]	1822	吣	152	沉	631
汛	627	紳	985	訊	1313	[illegible]	1487	[illegible]	1832	[illegible]	185	[illegible]	656
[illegible]	646	[illegible]	1000	[illegible]	1313	[illegible]	1487	麎	1846	[illegible]	264	深	656
[illegible]	712	[illegible]	1057	[illegible]	1313	迅	1488	[illegible]	1871	[illegible]	267	[illegible]	674
燊	724	胂	1070	[illegible]	1315	[illegible]	1517	**실**		[illegible]	269	[illegible]	684
燼	728	脤	1076	[illegible]	1317			失	232	[illegible]	277	潯	684

瀋 696
灊 703
[illegible] 703
[illegible] 703
潭 705
煁 717
[illegible] 724
燖 725
甚 791
㽼 806
[illegible] 806
[illegible] 811
瘎 815
瘮 818
瞫 855
[illegible] 861
宷 919
[illegible] 1014
[illegible] 1092
芯 1124
葚 1160
[illegible] 1177
蕁 1181
蕈 1181
[illegible] 1201
[illegible] 1204
[illegible] 1205
[illegible] 1212
螅 1241
蟫 1247
蟳 1247
[illegible] 1258
襑 1287
[illegible] 1302
[illegible] 1303
訦 1319
諗 1337
諶 1342
讅 1362
[illegible] 1462
邥 1513
鄩 1526
[illegible] 1538
鈂 1552
[illegible] 1552
鈊 1553
鐔 1581
[illegible] 1591
[illegible] 1625
[illegible] 1691
[illegible] 1700
[illegible] 1704
[illegible] 1704
[illegible] 1778
[illegible] 1779
魿 1788
䰼 1788
[illegible] 1788
[illegible] 1791
[illegible] 1795
鱏 1805
鱘 1805
[illegible] 1809
[illegible] 1813
黮 1865

십

什 32
十 125
卌 127
[illegible] 127
拾 440
謵 1353
[illegible] 1353
[illegible] 1408

싱

[illegible] 1117
[illegible] 1398

쌍

双 140
[illegible] 340
[illegible] 419
欆 592
[illegible] 964
艭 1117
[illegible] 1372
[illegible] 1454
[illegible] 1630
雙 1635
[illegible] 1635
[illegible] 1636
[illegible] 1637
[illegible] 1653

씨

氏 621

아

丫 14
亚 27
亜 27
亞 27
俄 52
[illegible] 55
[illegible] 82
児 83
兒 83
[illegible] 83
厊 134
哦 162
唖 165
唲 166
啊 168
啞 169
妸 245
妿 246
娥 250
婭 253
[illegible] 253
婀 253
[illegible] 272
屙 299
[illegible] 300
峩 306
峨 308
庌 344
御 372
[illegible] 380
我 421
[illegible] 421
[illegible] 422
[illegible] 429
掗 451
[illegible] 497
[illegible] 512
椏 557
[illegible] 573
㰳 597
[illegible] 624
涐 652
牙 738
[illegible] 738
犽 747
猗 754
[illegible] 803
疨 806
疴 807
痾 812
瘂 812
[illegible] 832
[illegible] 834
睋 846
砑 866
硪 870
[illegible] 873
[illegible] 889
[illegible] 899
稏 904
笌 931
[illegible] 999
[illegible] 1001
[illegible] 1027
芽 1125
莪 1144
[illegible] 1179
[illegible] 1186
[illegible] 1191
蚜 1219
蛾 1228
[illegible] 1231
[illegible] 1249
衙 1263
[illegible] 1271
[illegible] 1271
[illegible] 1275
襾 1293
訝 1315
誐 1332
[illegible] 1382
[illegible] 1436
[illegible] 1456
輅 1466
迓 1489
[illegible] 1499
[illegible] 1506
[illegible] 1506
鈳 1557
錏 1566
錒 1569
[illegible] 1583
閜 1601

閜 1602
阿 1612
雅 1630
⿰扌雅 1633
⿱大非 1655
⿰牙頁 1691
餓 1719
騀 1742
⿰我馬 1742
⿰骨牙 1756
⿱髟牙 1764
⿰魚亞 1798
⿱覀魚 1798
鴉 1812
鵝 1821
⿰鳥我 1821
鵞 1821
鵶 1825
齖 1884
⿰齒我 1888

악

乐 18
偓 62
⿱林介 71
⿰咢刂 108
⿰𠷎刂 110
呃 152
咢 158
⿱吅亐 172
喔 173
呺 176
嗌 177
噩 186
堊 212
⿰土号 213
媉 257
岳 307
⿱山凵 307
⿱山咢 314
崿 314
⿱屵咢 320
⿰山咢 320
嶽 321
⿱獄山 321
幄 335
悪 387
惡 391
惡 394
愕 401
握 454
楃 564
楽 566
樂 577
渥 662
⿰牜雁 744
⿰石咢 875
腛 1084
腭 1085
⿰月咢 1092
⿱咢月 1094
⿱亞至 1103
萼 1157
苑 1158
蕚 1185
薬 1192
蘁 1203
⿰虫屰 1226
⿱亞虫 1234
⿱亞虫 1234
⿰衤屋 1281
⿰咢見 1300
⿰角咢 1306
⿰角石 1306
⿰角⿱羽羽 1310
⿱咢角 1311
⿰言亞 1338
諤 1341
⿰言噩 1363
⿰足屋 1440
⿰身咢 1458
遌 1501
遻 1507
鄂 1521
⿰咢阝 1527
⿰酉樂 1544
鍔 1571
⿰金隺 1577
⿰金噩 1589
⿰咢隹 1634
⿱犮隹 1637
⿰屰頁 1689
⿰𠷎頁 1690
⿰岳頁 1693
顎 1694
⿰𠷎頁 1702
⿰噩頁 1703
⿱咢馬 1752
⿰魚亏 1791
⿰魚亞 1797
⿰亞魚 1798
鰐 1800
⿰魚咢 1806
⿰魚噩 1808
⿱亞鳥 1819
⿱乐鳥 1822
鶚 1826
⿰惡鳥 1837
⿱獄鳥 1839
⿰齒虎 1889
齶 1889
齷 1889
⿰齒虐 1889
龏 1893

안

侒 49
喭 174
⿰口顏 192
妟 243
⿰女岸 254
安 275
岸 304
⿰山厈 305
按 440
晏 506
桉 545
案 545
殷 612
洝 645
⿸厂炎 726
犴 747
⿱安皿 833
⿱日乚 837
眼 844
⿰目乚 847
⿰目晏 853
矸 865
案 902
⿱安貝 922
⿰羽因 1035
⿰羽垔 1037
⿱羽垔 1038
⿰耳匽 1059
⿰产色 1119
⿷匸色 1119
荌 1139
訮 1318
⿰言幵 1328
⿱彥言 1329
諺 1343
⿰言彦 1343
豻 1379
贋 1400
贗 1402
⿰足彥 1440
⿰金岸 1569
⿰镸岸 1593
⿵門晏 1606
雁 1630
雃 1632
鞍 1663
鞌 1663
⿰岸頁 1693
顏 1694
顔 1694
⿰彥⿱巛百 1732
⿰馬岸 1744
騴 1747
⿱髟岸 1770
鮟 1793
鳫 1810
鳱 1810
⿰鳥干 1811
鴈 1813
鴳 1818
⿰埶鳥 1822
鷃 1822
鶠 1830
⿰黑乙 1861
黫 1865

알

啐 162
咅 162
嘎 182
圠 199
堨 214
嫼 264
屵 296
⿱山广 303

嶭	320	窫	921	嵑	1757	壧	224	礹	884	陪	1621	黶	1847
嶭	322	䶗	1025	鬜	1766	媕	256	稖	905	隂	1621	鹼	1849
巀	324	羯	1038	鬝	1771	婩	257	窨	916	雜	1634	黤	1864
㕎	349	聐	1057	魝	1786	媕	261	窨	920	雒	1636	黯	1865
忦	381	䏳	1101	魞	1809	岩	305	罯	1029	霠	1644	黭	1865
戞	423	𨉖	1102	鶡	1818	嵒	315	䎨	1037	黭	1649	黯	1866
戛	423	藒	1186	鶡	1838	喦	315	䏸	1084	韽	1681	黰	1868
按	440	蔼	1197	鶡	1840	巖	322	腤	1084	鞌	1681	黳	1868
挖	441	訐	1314	黠	1861	巖	323	菴	1150	頷	1690	黤	1868
捾	447	謁	1339	黠	1866	巗	323	葊	1165	顉	1692	黶	1869
揠	454	謁	1343	齃	1881	𢈗	334	菴	1179	阴	1611	黶	1869
斡	491	猰	1382	藹	1292	庵	348	蓭	1186	阥	1611	齡	1888
斡	492	軋	1459	**암**		揞	453	虤	1216	除	1614	齽	1889
暍	511	軩	1467	侌	45	晻	509	裺	1277	陰	1623	龕	1890
不	524	輵	1473	俺	56	暗	511	𧞮	1286	醃	1658	䶫	1890
歹	605	轕	1480	儑	77	氨	623	誝	1334	醅	1658	龠	1896
歺	605	𨏖	1483	匼	125	灆	702	諳	1342	韽	1667	**압**	
𣦵	605	𨐉	1483	厌	134	猎	757	諳	1342	顩	1698	亚	27
洝	645	遏	1501	㕄	136	玁	760	譧	1352	䬺	1708	亜	27
焥	716	钀	1591	厭	137	玁	761	䜭	1352	馣	1733	亞	27
㷎	718	閼	1602	厰	137	痷	813	諳	1356	髓	1759	佮	49
猰	757	閼	1604	唵	167	癌	819	𧬛	1361	髓	1762	儑	77
㿣	814	頞	1687	啽	172	㿕	825	醃	1537	鵪	1823	匌	120
睯	851	𩔤	1695	喑	184	盦	835	醅	1538	鵪	1829	压	134
硈	877	𪙋	1702	㘙	193	䀤	849	錇	1569	鶕	1829	㕑	136
稭	907	餲	1723	埯	211	碪	875	闇	1603	鷂	1832	呷	163
穵	915	𩪷	1756	堷	214	碞	875	陰	1617	鷂	1841	圧	199

壓 223
姶 247
岋 304
庘 345
廅 350
押 434
搕 461
㬎 512
濕 514
浥 647
炠 709
㷈 715
狎 749
痷 813
瘂 815
𤸁 816
窨 917
窫 920
笚 935
罨 1028
罯 1029
罨 1030
翈 1042
䑐 1111
船 1113
䙝 1294
趇 1413
𨂗 1437
輡 1472
邑 1511
醃 1546
霠 1644
韽 1649
䪓 1654
鞈 1662
鞥 1666
鞥 1667
顉 1701
魘 1785
鮃 1791
鰪 1802
鱋 1805
鴨 1814
鵖 1815
鴝 1820
鼂 1822
鵪 1823

앙

仰 36
佒 42
卬 130
咉 156
坱 203
央 232
姎 245
峡 306
岟 306
㟅 308
快 383
抰 437
昂 501
昻 504
枊 531
柍 536
棉 553
殃 606
泱 640
狿 762
盎 788
㿮 829
盎 832
映 842
秧 887
秧 900
紻 988
胦 1070
䩕 1119
苊 1125
訷 1317
詇 1322
鉠 1380
軮 1462
鞅 1463
醠 1534
醠 1540
鉠 1555
霙 1640
鞅 1660
鞅 1662
鞥 1664
鞥 1664
頙 1685
飬 1716
餴 1724
駚 1736
駚 1737
駚 1739
駠 1741
鉠 1791
鴦 1815
鴦 1871
鴦 1895

애

乂 17
乃 17
爱 20
乃 24
乃 25
佁 44
㥁 71
僾 74
僾 74
厓 134
呃 152
哎 161
哀 161
唉 163
㖤 166
啀 167
喝 173
噫 177
嵦 181
噫 187
嗳 187
埃 207
壒 223
娭 251
嬡 265
㝵 288
崖 310
崕 310
弖 358
㢞 359
怣 377
悉 379
悆 381
愛 390
愛 398
㥏 393
懐 401
愍 407
懝 417
挨 442
捱 450
敱 486
曖 515
曃 515
不 524
欸 597
殪 609
毒 615
涯 653
溰 659
漄 682
瀤 695
烸 713
焥 716
爱 733
猚 755
獃 757
璦 783
痕 813
痾 813
癥 817
皚 826
曖 827
𥃀 838
睚 847
瞹 857
矆 859
硋 869
碍 872
磑 876
礙 882
禾 896
篕 959
絠 991
臣 1099
艾 1120
茵 1139
萓 1169
藹 1184
薆 1188
藹 1202
靉 1299
詎 1328
譺 1349
藹 1357
譩 1358

𧯊 1371
𧱃 1374
𧱜 1374
𧵍 1391
𧷉 1396
賹 1398
𧻚 1411
𧯷 1484
𨢨 1540
𡚪 1592
閡 1598
䦦 1602
闔 1606
阨 1610
阸 1613
隘 1622
𨽌 1624
𨷲 1627
𨸏 1628
𨸔 1628
䨙 1632
𩂈 1640
霂 1641
靄 1645
𩃑 1646
靄 1652
𩅡 1652
飴 1713
餩 1718
餲 1723
饐 1727
䬵 1733
䭞 1734
䭱 1734
騃 1742
𩪁 1760
𩮰 1771
𩶮 1796
䳰 1810
𪃍 1818
𪕽 1878
齸 1887
齾 1888
𪙉 1889
𪙁 1890

액

厄 133
呃 156
啞 165
啞 168
峉 307
嶭 322
戹 328
戹 328
戹 425
扼 430
搤 438
掖 449
搤 458
枙 532
棭 558
泋 646
液 653
𥄎 844
砈 867
砨 867
䃁 869
縊 1006
腋 1079
蚅 1220
蛒 1226
被 1277
𧠋 1297
𧠞 1298
軛 1324
詻 1326
諩 1338
謚 1349
讛 1362
豟 1373
豟 1373
貖 1383
軛 1461
軶 1465
闔 1607
阨 1610
阸 1613
隘 1622
𨽌 1624
𨷲 1627
𨸏 1628
𨸔 1628
鞥 1669
額 1687
額 1694
䭇 1715
餩 1716
鶚 1746
鰪 1800
鮥 1800
齸 1879

앵

嚶 191
嫈 261
桜 546
櫻 591
歞 600
泑 658
罃 790
罌 791
䁝 853
瞾 860
罃 1024
罌 1025
罌 1025
䍃 1360
譻 1364
䳬 1638
賏 1392
䞩 1397
罃 1681
鶯 1815
鸎 1831
鸎 1839
鸚 1841

야

也 21
乜 21
亱 30
偌 63
倻 64
冶 92
吔 170
喏 173
埜 212
墅 215
壄 221
壄 222
夜 229
疜 230
射 288
弜 359
惹 399
揶 444
挪 456
擨 473
斜 491
枒 532
梛 551
椰 559
爷 734
爺 734
琊 772
瑘 778
耶 1055
若 1128
䓉 1137
䓊 1145
蕱 1154
葯 1158
蒻 1179
𧥱 1329
踷 1439
躯 1456
躲 1456
𨉷 1457
躶 1457
邪 1513
邪 1515
野 1547
釾 1552
鋣 1562
鋏 1569
鎁 1572
䧨 1634
鵺 1824
麽 1852

약

岸 134
叒 141
叒 143
喲 174
弱 361
弱 363
扚 428
敫 486
楉 561
渃 661
瀹 701

濼 704
爚 730
爚 730
瞺 860
礿 885
禴 895
箬 944
箹 947
篛 949
籥 963
籲 965
約 980
葯 995
豹 1017
纅 1019
䋛 1021
𦡦 1087
苶 1126
若 1128
葯 1161
蒻 1166
蒦 1169
薬 1192
藥 1192
蘥 1197
藥 1199
蘥 1207
蘥 1212
蠀 1256
覦 1304
觮 1306
觸 1310
觼 1310
趯 1419
趠 1419
趮 1419
趯 1420
跃 1423
蹃 1430
躍 1451
躍 1451
躍 1454
躍 1455
躍 1455
𨗶 1510
𨘥 1510
鄀 1521
鑰 1590
闟 1609
雥 1632
𩚐 1713
鬻 1780
鶸 1829
鸙 1841
龠 1895
龡 1895

양

佯 45
勨 117
勷 118
嚷 192
垟 206
𡏅 216
壌 222
壤 224
养 234
婸 256
嬢 266
孃 268
嬰 268
崵 314
弶 362
徉 370
忀 376
恙 386
懩 417
懹 419
敭 423
揚 453
㨾 465
攘 472
攘 476
羖 482
敭 486
昜 504
暘 511
样 544
楊 561
様 570
樣 575
欀 591
氧 623
氱 624
洋 641
湯 666
漾 674
漾 680
瀁 696
瀼 701
烊 710
煬 718
𤜟 751
𤞟 753
𤢅 758
獽 764
瓖 785
瓤 787
痒 809
痒 811
瘍 814
癢 821
眻 845
禳 895
穣 912
穰 914
𥷜 964
𥼶 979
纕 1021
羊 1033
羋 1033
养 1034
𦯲 1163
羘 1034
羕 1034
羕 1035
𦢊 1097
䑋 1098
䒋 1137
蘘 1206
蘘 1212
蘸 1212
蛘 1226
蛘 1232
𧖷 1249
𧓦 1253
蠰 1256
蠰 1258
𧙊 1276
襄 1286
𧟌 1292
詳 1326
諹 1345
𧩲 1352
譲 1358
讓 1364
𧵝 1399
躟 1453
輰 1474
逘 1494
𨗈 1506
𨞰 1530
酿 1536
醸 1543
釀 1545
鍚 1571
鐊 1582
鑲 1590
𨲠 1592
阳 1611
阦 1611
陜 1614
陽 1619
𨺫 1625
䍫 1637
霷 1650
𩅥 1652
䩛 1664
𩋞 1668
颺 1708
𩗓 1708
養 1718
䬺 1718
𩜖 1726
𩞇 1728
𩟄 1730
驤 1754
鬤 1775
𩵌 1800
鴹 1817
鸉 1829
𪇆 1838
𪐳 1866
𪕴 1878

어

𠐐 69
吾 153
唹 171
圄 196
圉 197

圄 197
[illegible] 230
[illegible] 287
峿 309
御 372
扵 433
敔 482
於 495
棜 554
淤 655
澞 674
漁 676
瀿 705
魰 719
瘀 812
䁩 854
禦 893
箊 943
籞 955
䉛 962
茣 1147
萸 1147
菩 1147
菸 1151
蕉 1179
蔙 1193
蘌 1204
蜍 1245
衙 1262
衙 1263
衞 1264
語 1331
遻 1506
醧 1541
鋙 1562
鐭 1579
鐹 1589
閼 1602
闍 1603
飫 1713
飫 1714
餘 1721
饇 1722
饇 1726
馭 1734
驗 1750
骱 1759
鴽 1759
魚 1786
魚 1786
鱼 1786
魚 1786
魰 1787
魰 1788
獻 1802
黨 1803
灢 1808
齬 1887

억

亿 31
億 68
億 75
億 79
嶷 189
嶷 321
𢂼 364
忆 377
意 391
意 411
憶 414
抑 431
檍 582
檍 583
澺 687
澺 692
癔 820
繶 1016
肊 1064
肊 1065
臆 1093
薏 1184
薏 1188
薿 1194
蘙 1212
螠 1251
醫 1311
訫 1319
醷 1543
鐿 1672
饐 1721
饐 1761
饐 1761

언

偃 60
傿 70
匽 125
唁 163
喭 166
喭 174
嗎 181
堰 213
甗 238
媕 254
嫣 261
屵 303
嵃 314
彥 366
彥 366
扖 494
歇 598
漹 676
焉 712
焉 714
犍 740
琂 773
甗 791
晏 853
褗 862
筵 940
篶 954
蔫 1175
蝘 1235
蠕 1253
褗 1281
言 1312
讆 1329
諺 1343
諺 1343
讞 1359
讞 1365
躽 1397
𧽑 1416
𧽑 1417
𧽑 1419
𧽑 1419
躽 1450
躽 1457
郾 1521
鄢 1525
鄢 1530
[illegible] 1572
隁 1619
隁 1621
隱 1624
雁 1634
鰋 1724
鰋 1795
鰋 1799
鰋 1802
鳫 1809
鶠 1827
鼴 1877
鼴 1878
鼴 1879
齞 1884
齞 1885
齞 1885
齴 1889

얼

乻 23
孼 111
唈 166
囐 187
孽 268
孽 273
孽 273
孽 273
嵲 302
屵 303
嵲 307
峴 312
嵲 315
巘 324
摰 462
枿 539
梲 556
栓 558
槸 577
槸 577
槸 589
櫱 591
櫱 593
灡 704
糵 978
糵 978
聯 1062
臬 1101
䑛 1101
鯢 1102

⿰舟臬 1102
孽 1192
蓺 1201
蘖 1206
蠥 1252
蠥 1254
蠥 1256
讞 1359
讞 1365
贄 1398
⿰車獻 1483
⿱獻車 1483
⿰镸并 1593
闑 1605
闑 1607
隉 1620
⿰阝臬 1623
⿰鼻辥 1840
麩 1850
蘗 1854
⿰齒山 1884
齧 1887
齾 1891

엄

俺 56
儼 80
严 134
厳 138
嚴 138
噞 186
嚴 191
嚴 193
埯 211
奄 233
奄 237
婩 253
媕 261
孍 269
崦 312
嵃 314
嶮 320
⿰巾奄 334
广 343
弇 356
弇 357
⿰忄奄 398
掩 450
揜 454
巌 488
晻 509
曮 517
⿰木奄 555
欕 593
殗 608
淹 657
渰 663
淹 681
⿸厂炏 714
⿰片奄 737
⿰目嚴 861
礹 884
⿰礻奄 890
⿰禾奄 905
⿱穴弇 916
⿱穴弇 920
⿱穴奄 921
⿱竹嚴 965
⿱竹嚴 965
罨 1028
罨 1030
⿰犭奄 1044
⿰耳奄 1058
腌 1079
⿰舟奄 1089
⿱艹嚴 1211
裺 1277
⿰衤弇 1286
⿰言奄 1339
⿺走嚴 1419
⿰奄阝 1520
醃 1536
醶 1543
釅 1545
閹 1601
隒 1621
⿱雨奄 1644
顩 1701
⿰臣頁 1702
⿰嚴頁 1702
⿺風奄 1708
馣 1733
騐 1744
験 1744
驗 1752
⿺鬼奄 1784
⿰魚僉 1807
鹻 1890
⿰鹵嚴 1892
龑 1893

업

业 12
嶪 320
嶫 320
⿰巾奄 334
⿰忄業 415
業 565
⿰業欠 602
殗 608
⿰歹業 611
⿰火⿵門業 730
⿱吅炎 730
⿰片業 738
痷 813
砐 866
⿰禾奄 905
⿰糸業 1016
腌 1079
⿰舟奄 1089
裛 1276
⿺辶業 1503
鄴 1528
錌 1569
⿰阝業 1626
⿰韋業 1682
餣 1722
驜 1752
⿰骨業 1761
⿰魚業 1807
⿰㠯鳥 1820
⿰業鳥 1839

엇

旕 497

에

恚 386
⿱壹歹 610
殪 610
⿰目恚 853
⿱艹⿰日未 1152

여

与 11
与 11
予 25
伃 39
余 39
侞 46
⿱余余 71
與 87
⿰土余 209
女 239
如 240
妤 242
嬩 266
寱 287
⿸尸予 299
⿱与廾 356
舁 357
悆 390
⿱與心 417
懙 417
擧 476
⿱余言 490
旟 498
⿱與木 588
櫲 590
⿰余欠 595
欤 595
歟 601
汝 627
洳 643
⿰氵擧 673
澦 691
⿰氵豫 700
⿰氵旟 704
狳 753
⿰犭俞 757
璵 784
⿰古瓜 786
畬 800
畭 800
⿸疒如 810
礜 882
⿰禾與 913
筎 938
籅 960
⿱竹輿 963
籹 966
⿱如木 970
⿱罒⿰瓜瓜 1030

䍞 1036
肗 1065
舁 1104
舁 1105
與 1106
艅 1113
茹 1135
[illegible] 1168
蕠 1182
蕷 1187
藇 1194
蜍 1228
袽 1271
[illegible] 1272
[illegible] 1290
誉 1329
譽 1360
[illegible] 1419
[illegible] 1460
輿 1475
轝 1481
邪 1513
邪 1515
邚 1516
[illegible] 1587
[illegible] 1587
除 1615
[illegible] 1632
[illegible] 1632
雓 1633
[illegible] 1638
[illegible] 1646
餘 1719
[illegible] 1753
[illegible] 1793
鴽 1818
駼 1820
鵌 1820
鸒 1839
[illegible] 1839
[illegible] 1846
[illegible] 1849
[illegible] 1858

역

亦 29
[illegible] 29
役 39
伇 50
[illegible] 136
[illegible] 176
圛 198
坄 202
[illegible] 209
域 209
[illegible] 209
埸 210
墿 221
[illegible] 229
[illegible] 232
射 288
屰 302
嶧 320
[illegible] 325
弈 332
[illegible] 349
[illegible] 359
役 368
懌 415
[illegible] 421
[illegible] 421
或 421
斁 488
易 501
晹 509
[illegible] 550
棫 555
[illegible] 566
檡 585
歝 651
淢 652
淢 655
[illegible] 667
[illegible] 667
[illegible] 708
燡 728
琙 775
[illegible] 800
疫 806
瘍 813
睪 850
[illegible] 858
襗 894
[illegible] 926
[illegible] 943
[illegible] 961
[illegible] 965
[illegible] 977
[illegible] 977
[illegible] 993
緎 999
繹 1000
[illegible] 1006
繹 1016
[illegible] 1016
[illegible] 1024
[illegible] 1028
[illegible] 1037
[illegible] 1052
[illegible] 1054
艗 1115
[illegible] 1143
[illegible] 1154
[illegible] 1210
[illegible] 1211
[illegible] 1211
蜮 1231
蜴 1231
[illegible] 1273
訳 1319
譯 1357
[illegible] 1357
[illegible] 1360
[illegible] 1360
[illegible] 1371
[illegible] 1373
[illegible] 1375
[illegible] 1456
[illegible] 1457
逆 1494
醳 1543
[illegible] 1543
[illegible] 1553
[illegible] 1564
閾 1602
[illegible] 1604
[illegible] 1608
[illegible] 1619
[illegible] 1643
[illegible] 1666
[illegible] 1666
[illegible] 1676
[illegible] 1729
駅 1736
[illegible] 1745
驛 1752
魊 1783
[illegible] 1783
[illegible] 1785
[illegible] 1789
[illegible] 1795
[illegible] 1797
[illegible] 1798
[illegible] 1813
[illegible] 1818
[illegible] 1821
[illegible] 1822
[illegible] 1823
[illegible] 1826
[illegible] 1826
[illegible] 1830
[illegible] 1830
[illegible] 1864
[illegible] 1867

연

[illegible] 15
[illegible] 64
[illegible] 71
兖 83
兗 83
[illegible] 105
剡 108
[illegible] 143
㕣 147
吮 150
[illegible] 157
咽 160
唌 163
[illegible] 170
[illegible] 177
[illegible] 182
[illegible] 185
[illegible] 187
嚥 190
囦 195
[illegible] 196
[illegible] 197
均 201
[illegible] 201
埏 208

堧	213	戭	424	涎	650	燕	726	禋	891	蔫	1198	䅧	1404
壖	223	抁	432	涵	652	𤎖	727	禋	894	䕁	1210	䠍	1430
妍	241	捐	442	楸	652	䴏	731	筵	939	䕾	1212	䟰	1432
晏	243	挻	443	保	652	鷰	731	綖	995	衍	1226	蹨	1448
娟	248	捐	444	渕	660	豣	748	緣	1002	蜎	1229	躷	1458
姸	248	揅	452	渊	660	豜	751	縁	1002	蜒	1229	軟	1461
娟	251	掾	452	渁	660	狟	751	緛	1005	蜵	1235	軗	1464
嬿	264	撓	452	渆	660	狿	752	縯	1009	蝝	1236	輭	1474
嬽	267	㨎	456	淵	661	猭	757	繎	1014	蝡	1236	𨒂	1492
嬽	267	揅	462	湮	666	獗	760	䌓	1016	蜑	1239	迺	1494
嬿	268	撋	466	湮	666	瑌	776	羡	1035	蝘	1239	𨘢	1503
宴	279	曣	517	澆	668	瓀	784	耎	1049	蠉	1242	𨗮	1509
壼	283	朁	517	淮	672	甇	789	肙	1066	蠕	1249	郔	1517
寓	286	椽	560	演	677	𤮊	791	肰	1067	䗺	1249	鄢	1530
歊	287	㮕	564	溷	687	瞤	801	胭	1072	蠕	1252	醼	1544
㝚	287	梴	576	漾	691	䁐	803	䏰	1077	衍	1261	鈆	1553
屄	296	橪	581	演	692	痟	811	䐿	1083	袻	1273	鉛	1555
屃	296	櫞	589	炟	710	皽	830	膓	1085	䘰	1275	鋋	1561
房	297	歅	598	烟	711	䀽	847	臙	1097	䙇	1281	鍈	1573
延	354	沇	630	焆	714	瞗	857	航	1108	褍	1282	鐧	1584
㢟	355	次	633	烻	714	研	866	莚	1142	觾	1311	䦥	1602
弲	361	㳂	633	然	716	硱	869	蕘	1154	𧥺	1324	閻	1607
㢭	362	沿	636	煙	717	硏	870	葕	1158	讌	1363	阭	1610
悁	389	沿	636	煙	717	硯	870	萸	1163	讌	1363	隢	1621
悁	391	洇	646	燃	725	䂻	872	𦯋	1171	容	1367	雃	1634
悁	395	涓	646	熅	726	碝	874	蔩	1186	䞍	1397	鷰	1638
愞	402	涓	650	歍	726	䄄	889	𦾛	1186	䞐	1400	鷰	1638

雵 1639
需 1641
霆 1643
韏 1676
頨 1689
䬘 1707
䬘 1709
餇 1719
䮁 1736
䮂 1744
驠 1754
鳶 1811
鳱 1813
鳱 1818
鴱 1819
鴍 1819
鴛 1826
鴳 1829
鶠 1829
鷰 1836
鷰 1841
麙 1845
麙 1846
麗 1846
黫 1864
齞 1874
齴 1874
讞 1875

열

㓟 142
咽 157
咽 160
啘 170
噎 185
壹 226
妜 242
悅 390
悅 391
悦 391
抴 437
拽 440
𨑝 618
热 712
焆 714
熱 723
爇 726
烟 751
暋 853
税 902
突 916
窫 918
㝿 919
䏐 1101
莌 1162
蓺 1204
戱 1215
挈 1227
蠮 1255
説 1328
說 1332
説 1332
蹳 1432
鈌 1553
鋔 1556
閱 1600
閲 1601
闄 1608
闟 1624
餲 1721
鞢 1763
鵍 1821

염

冄 88
冉 88
冉 89
剡 106
𠂆 133
压 134
厌 134
厭 137
𡑞 138
冉 156
唊 160
压 199
塩 216
壓 223
壛 224
媣 257
嬮 267
懕 411
懨 416
懕 416
扊 427
抩 432
掞 449
擫 472
染 540
染 546
棪 556
檿 588
檿 588
櫩 590
毤 617
涐 646
淡 655
㶖 658
灩 698
灩 704
灩 705
灩 706
炎 707
焱 715
焰 715
焰 719
燄 724
爓 730
猒 753
猒 755
琰 775
瞸 792
壓 830
监 832
盐 832
裺 890
𥛚 895
税 902
稖 907
穮 914
䈎 935
䎿 1042
猚 1042
緂 1053
臘 1097
艶 1119
艷 1119
艷 1119
苒 1126
苒 1127
蚺 1219
蚺 1224
蚦 1224
袡 1265
衻 1270
覃 1294
詽 1319
誳 1324
讇 1362
豓 1372
豔 1372
踥 1437
酓 1533
酟 1533
醃 1535
醶 1537
醶 1537
醢 1542
鑑 1545
鉗 1557
錟 1566
閆 1595
閹 1601
閻 1602
閻 1608
阽 1612
霯 1645
顩 1686
顩 1690
頩 1690
餂 1716
饜 1727
饜 1730
髯 1765
髥 1766
魘 1785
鰱 1791
鵮 1826
鹽 1842
鹽 1842
鹽 1843
墉 1843
鹽 1843
壛 1843
鹽 1844
黶 1868
黤 1868
黶 1869
黬 1871
龎 1894

엽

偞	57	猒	753	偀	65	暎	511	營	727	⿰耒英	1053	⿰盈阝	1522
偞	64	猒	755	咉	152	柍	536	⿰牜營	746	⿰月盈	1083	⿰嬰阝	1530
傡	64	皣	827	咏	156	栄	540	⿰犭嬰	764	胃	1096	酲	1536
僷	76	皣	827	営	177	荣	540	莹	768	英	1129	醟	1540
厌	134	瞸	828	塋	216	梬	548	瑛	777	营	1156	鍈	1572
厭	137	瞱	855	央	232	楹	563	瑩	778	⿱艹盈	1158	鐛	1584
邑	171	䁪	858	媖	258	⿰木郢	570	瓔	785	营	1165	⿱賏金	1587
嚈	189	⿱⺮枼	948	嬴	266	榮	571	甇	787	⿱艹榮	1196	⿵門英	1604
羍	234	⿰耳支	1055	嬴	266	檸	586	癭	822	⿱艹嬴	1205	⿱雨廾	1639
媟	260	聶	1061	嬴	266	⿰木嬴	590	⿰央皮	829	蘡	1206	霙	1645
嬮	267	荼	1143	嬴	267	永	624	盈	831	⿱艹羸	1210	鞕	1664
擖	471	葉	1157	嬰	267	𣱵	625	眏	842	⿰虫英	1239	⿰革嬰	1667
擪	472	蕐	1171	孆	273	泱	640	⿱𤇾目	853	蠑	1252	韺	1681
擫	514	壓	1261	岴	304	泳	640	⿰矛英	862	蠳	1255	韹	1681
曄	514	鎑	1577	嵤	316	浧	648	⿰矢廷	864	褮	1284	⿱𤇾音	1681
曅	514	⿰阝厭	1627	嶸	321	渶	663	碤	875	⿰衤嬰	1292	頴	1691
曄	514	⿰酉厭	1659	巊	322	潁	674	禜	892	⿰英見	1300	⿰嬰頁	1703
曗	515	⿱厭酉	1659	巆	322	濚	694	頴	893	詠	1322	⿺風英	1709
業	540	頁	1682	廮	354	濴	694	穎	910	詠	1328	⿰英風	1709
枽	546	頁	1682	影	367	瀛	699	籝	962	謍	1348	⿰飠英	1724
楪	560	⿸厂風	1709	⿰糸景	368	瀯	699	籯	965	⿰言榮	1360	⿰飠景	1728
殜	609	饁	1723	摬	465	瀅	700	籯	965	賏	1392	⿰馬永	1742
熀	720	饁	1724	攍	475	瀴	701	⿰米英	973	贏	1401	⿰魚巠	1783
燁	724	⿰飠葉	1729	攖	476	炅	708	綏	993	贏	1401	⿰易鳥	1829
熚	724	⿰馬枼	1746	旲	500	煐	718	⿰糸盈	1005	迎	1489	⿰英鳥	1829
爗	730	魘	1785	映	504	⿱𤇾廾	720	縈	1008	⿰王阝	1514	鶯	1838
爗	730	**영**		景	508	⿱𤇾廾	722	纓	1020	郢	1518	塵	1846

예		嫛	262	栺	546	[illegible]	813	[illegible]	1083	蜹	1231	[illegible]	1367
乂	17	[illegible]	283	棿	556	瘞	815	[illegible]	1092	蜺	1231	豫	1376
厂	17	[illegible]	302	[illegible]	582	瘱	818	臾	1104	[illegible]	1264	豷	1377
[illegible]	25	[illegible]	307	橤	582	睨	848	艺	1120	[illegible]	1264	貄	1382
鶃	25	寱	286	殹	613	睿	851	艾	1120	[illegible]	1269	貎	1382
倪	59	[illegible]	332	殪	622	瞖	855	芮	1124	袣	1272	[illegible]	1384
児	83	帠	332	[illegible]	622	[illegible]	879	芸	1125	裔	1273	跇	1425
兒	83	褐	343	汭	628	[illegible]	899	[illegible]	1154	[illegible]	1277	[illegible]	1460
[illegible]	83	[illegible]	403	泄	636	[illegible]	911	苅	1126	[illegible]	1285	[illegible]	1460
刈	99	[illegible]	361	洩	643	穢	912	[illegible]	1162	褻	1286	[illegible]	1467
劓	108	[illegible]	389	[illegible]	658	[illegible]	924	[illegible]	1170	[illegible]	1286	[illegible]	1469
[illegible]	109	惢	393	淣	659	[illegible]	932	[illegible]	1172	[illegible]	1286	輗	1469
勩	117	[illegible]	424	濬	687	[illegible]	957	蓺	1173	[illegible]	1286	轊	1477
医	124	抁	432	[illegible]	689	[illegible]	984	[illegible]	1178	襼	1293	[illegible]	1479
[illegible]	139	抴	437	[illegible]	689	紲	985	蕊	1181	[illegible]	1299	[illegible]	1481
叡	143	拽	440	[illegible]	690	絏	643	蕋	1181	[illegible]	1302	[illegible]	1484
[illegible]	144	掜	450	濊	691	[illegible]	994	[illegible]	1184	觬	1308	郳	1520
呭	154	[illegible]	485	[illegible]	691	緤	662	[illegible]	1187	詍	1320	銳	1561
囈	193	[illegible]	490	[illegible]	702	繄	1012	薉	1192	[illegible]	1322	鋭	1561
埶	209	晲	509	[illegible]	751	繠	1014	[illegible]	1193	詣	1325	銴	1565
堄	210	曀	514	猊	753	[illegible]	1035	藝	1199	[illegible]	1328	[illegible]	1565
[illegible]	212	曳	517	[illegible]	761	[illegible]	1037	蘂	1203	誉	1329	[illegible]	1569
[illegible]	219	曵	518	獩	762	[illegible]	1038	蘃	1203	誽	1338	[illegible]	1569
[illegible]	219	枘	532	玴	769	羿	1040	蘙	1206	[illegible]	1352	[illegible]	1623
[illegible]	224	枍	533	[illegible]	771	[illegible]	1042	[illegible]	1209	譽	1360	霓	1643
婗	254	枻	535	[illegible]	775	[illegible]	1042	[illegible]	1213	[illegible]	1361	[illegible]	1675
嫕	262	栧	544	瑿	780	翳	1046	蚋	1221	讛	1365	預	1684

字	頁	字	頁	字	頁	字	頁	字	頁	字	頁	字	頁
顡	1700	齸	1887	埡	211	弙	360	㬐	515	獒	759	𧒀	1251
饖	1728	齯	1888	塢	216	弙	360	杇	527	珸	772	袄	1267
䮘	1744	오		墺	221	𢕑	375	梧	549	𤦡	772	襖	1289
䮯	1750	乂	17	夽	230	忢	379	槝	566	瑦	780	𧢷	1311
驁	1753	乌	18	𡙇	230	忤	379	𣦵	599	璈	780	誤	1332
䮹	1752	五	26	夭	231	𢘂	385	歍	600	𥓡	877	誤	1332
䯜	1759	㐅	26	𡘾	234	恶	387	氂	617	磝	878	誤	1332
䯸	1773	仵	36	奡	237	悪	391	汚	626	祦	888	𧪿	1338
䰾	1791	伍	37	奥	237	悞	392	汙	627	禑	891	𧦫	1340
鮨	1792	俉	51	奧	238	悮	392	污	627	窏	918	𧪏	1349
鯢	1796	傲	68	娾	249	悟	392	洿	645	筽	941	謸	1351
𩸚	1799	午	126	娛	250	惡	394	浯	648	𦕈	1057	謷	1351
鳶	1810	厫	136	娯	250	𢜫	395	滶	681	聱	1060	𧮜	1355
鴱	1818	吳	149	娱	250	𢡀	408	澳	689	䐿	1095	𧬞	1359
䳧	1819	呉	149	媪	258	慠	408	激	692	芺	1126	趏	1406
𪁂	1821	吴	149	媼	259	懊	415	澚	695	茣	1147	𧼍	1415
鶃	1823	吴	149	嫯	263	扵	433	𤃉	705	𦱹	1147	𨃌	1445
鶂	1823	𠯋	152	㜜	263	捂	443	𤆬	711	䓊	1147	𨅝	1445
鷖	1833	吾	153	𡨦	280	摀	459	烏	712	蔦	1169	𨆂	1448
鷧	1835	唔	164	寤	284	摮	461	𤇼	719	蔜	1176	𨋢	1476
𩦎	1835	啎	170	奦	285	擫	475	熬	723	𧁄	1193	迂	1488
鷊	1841	𠾂	171	寱	287	敖	483	燠	727	蘁	1203	迃	1488
麑	1846	嗚	178	㟼	318	𢿁	486	熝	728	蜈	1228	𨑹	1488
鷹	1847	嗷	180	嶅	318	𣫃	488	㷶	728	𧊽	1229	迕	1489
黳	1867	嗸	180	嶴	321	於	495	爊	729	螐	1240	逜	1497
齛	1886	噁	184	㠗	321	旿	503	牾	741	螯	1245	遨	1505
齥	1887	圬	200	廒	351	晤	508	獓	759	蝁	1249	遻	1507

郚 1517
郩 1521
鄔 1523
鋘 1562
鋙 1562
鎢 1575
鏊 1579
[illegible] 1579
鏕 1580
鏖 1580
[illegible] 1584
鐭 1586
跃 1592
[illegible] 1593
[illegible] 1601
[illegible] 1606
隖 1622
[illegible] 1622
隞 1623
隩 1625
雓 1632
[illegible] 1647
[illegible] 1683
[illegible] 1685
頶 1691
[illegible] 1693
[illegible] 1694
[illegible] 1699
[illegible] 1699
[illegible] 1710
[illegible] 1855
[illegible] 1866
[illegible] 1728
[illegible] 1748
[illegible] 1750
驁 1750
[illegible] 1760
[illegible] 1761
[illegible] 1773
[illegible] 1779
魚 1786
[illegible] 1786
鱼 1786
[illegible] 1786
[illegible] 1789
鰞 1801
[illegible] 1803
鰲 1804
[illegible] 1807
鴮 1817
[illegible] 1822
[illegible] 1824
鷔 1834
麌 1845
麌 1845
[illegible] 1853
鼇 1872
[illegible] 1877
鼯 1877
[illegible] 1877

옥

剭 107
[illegible] 257
屋 298
[illegible] 299
沃 630
[illegible] 660
獄 757
玉 765
王 766
玊 766
[illegible] 766
琟 775
[illegible] 857
砡 868
[illegible] 906
[illegible] 946
腛 1084
[illegible] 1094
[illegible] 1103
[illegible] 1306
[illegible] 1311
[illegible] 1408
[illegible] 1427
[illegible] 1457
[illegible] 1459
鈺 1556
鋈 1563
阿 1612
[illegible] 1752
鬻 1779
[illegible] 1782
鳿 1812
[illegible] 1822
[illegible] 1855
[illegible] 1866

온

[illegible] 77
媪 258
媼 259
愠 403
慍 404
搵 460
昷 504
[illegible] 511
[illegible] 512
榅 565
榲 567
殟 609
氳 624
温 668
溫 668
煴 719
熅 720
瑥 779
瘟 815
[illegible] 832
睴 851
稳 907
穏 910
穩 913
緼 1005
縕 1006
蒀 1165
[illegible] 1168
蕰 1185
薀 1187
藴 1200
蘊 1203
褞 1281
褞 1282
[illegible] 1377
轀 1474
轀 1475
酝 1532
醖 1538
醞 1539
[illegible] 1601
韞 1676
韞 1676
饂 1725
[illegible] 1730
馧 1733
馧 1733
[illegible] 1748
[illegible] 1768
鰛 1802
[illegible] 1843
[illegible] 1853

올

乭 22
乯 22
乺 23
仡 35
仡 39
兀 80
卼 133
[illegible] 176
嗢 179
屼 303
扤 428
搵 460
昷 504
杌 527
柮 537
榅 565
[illegible] 566
榲 567
殟 609
淴 658
[illegible] 808
矹 865
腽 1085
膃 1085
刖 1110
[illegible] 1111
[illegible] 1219
[illegible] 1223
[illegible] 1595
阢 1610
[illegible] 1102
[illegible] 1683
[illegible] 1685
[illegible] 1690
馧 1733
馧 1733
[illegible] 1756
鼿 1880
鼿 1880

䑙 1881

옹

㒕 74
勜 116
喁 172
㗌 178
嗡 178
噰 187
塕 215
𡒄 222
壅 222
𡋯 224
嵡 315
邕 325
廱 354
拥 438
擁 470
𢸍 470
攡 477
暡 512
歈 600
滃 671
浥 674
澭 692
灉 702
㷡 721
獜 758
瓮 788
甕 791
𤰈 802
痈 808
癕 820
癰 822
暡 853
𥳫 950
罋 1025
罌 1025
翁 1041
聬 1059
𦧩 1092
臃 1093
蓊 1167
蕹 1191
螉 1239
蝩 1251
䗸 1258
䙘 1289
豣 1379
貗 1384
趜 1408
邕 1511
𨚵 1523
齆 1528
鎓 1577
雍 1631
雝 1635
霩 1647
靠 1650
鞃 1669
鞾 1671
韂 1677
韝 1678
顒 1694
顓 1695
頟 1698
饔 1726
饔 1729
饚 1729
饗 1731
貈 1734
鰅 1799
鰫 1802
鷗 1829
鸜 1832
鷂 1380
鰩 1881
齆 1881

와

偽 65
僞 72
厄 133
吪 150
呰 154
哇 160
咼 162
喎 174
媧 175
嘩 186
囮 195
圝 199
夼 234
娃 248
妸 248
婐 252
婐 254
婑 254
媧 257
嫞 266
搲 460
桅 532
櫰 578
洿 626
汙 627
污 627
洼 644
涴 658
淒 659
溛 660
渦 662
滃 673
窪 680
猥 755
猧 756
瓦 787
矮 907
窊 917
窐 918
窶 921
窩 921
窪 921
窳 922
䅅 1052
臥 1099
卧 1099
䂺 1119
萵 1157
蚅 1219
蛙 1219
蛙 1225
蝸 1236
覣 1299
䑸 1305
訛 1315
譌 1329
謣 1334
譁 1353
譌 1356
譿 1364
䑊 1391
趗 1418
跳 1423
踠 1434
踒 1435
䠚 1442
蹗 1448
鈋 1552
霒 1645
頠 1685
頠 1686
骫 1757
鬌 1768
鬐 1769
鼃 1871
黿 1871

왁

嚄 188
瓁 784
邅 1511

완

俒 60
关 86
刓 100
剜 106
唍 170
园 195
圓 198
垸 207
埦 211
夗 229
夘 229
妧 241
婉 252
婠 253
嬽 267
嬛 267
完 275
宛 277
冠 288
岏 304
帵 334
忨 380
惋 396
抏 432
捖 442
捥 446
掔 452
杬 530
椀 556
殜 609

浣	647	莞	1142	闗	1605	尣	293	**왜**		嵬	315	聵	1061
涴	658	莧	1142	闗	1606	尪	294	倭	59	峗	315	聫	1061
湲	666	䓕	1178	關	1606	尫	294	哇	160	巍	323	聵	1062
潫	685	䓈	1185	阮	1610	尫	294	娃	248	巍	323	聵	1062
烷	713	薍	1190	霐	1649	尪	294	媧	257	巍	323	腲	1084
玩	767	蘬	1190	醃	1658	往	369	嫿	266	廆	350	葦	1139
琓	772	蚖	1220	頑	1684	徃	369	歪	604	捤	454	蒉	1158
琬	774	蜿	1224	䬧	1715	徍	371	矮	864	柧	538	蘶	1195
堅	775	蛙	1225	䯛	1758	迋	482	緺	1004	桅	543	褢	1278
㼝	788	蜿	1232	魭	1787	旺	502	蛙	1225	椳	559	褢	1280
癮	822	覒	1301	黿	1787	暀	509	蛙	1227	歪	604	艘	1309
盌	832	䛃	1318	**왈**		枉	531	踒	1457	渨	662	諉	1329
睕	839	誇	1348	嗗	179	桂	550	騧	1745	澳	674	躛	1458
睕	847	豋	1369	曰	517	汪	628	驈	1752	煨	718	鄓	1524
碗	874	豌	1370	殈	609	泩	652	黿	1871	猥	756	醃	1535
篕	946	豋	1370	睕	839	汼	659	鼃	1871	畏	796	鍡	1572
籱	961	豲	1379	眀	1056	瀇	697	鼃	1882	畏	796	阢	1610
綄	995	貦	1386	聉	1056	王	766	**외**		畏	796	阢	1612
綰	997	睆	1396	聐	1059	旺	846	偎	64	畏	798	隈	1620
緩	1003	賗	1397	訃	1318	翌	1040	喂	175	瘣	815	隈	1620
緌	1017	賐	1399	醃	1658	䖮	1099	外	229	瘣	816	隗	1622
鬆	1022	鵷	1400	**왕**		蚟	1222	外	229	碨	875	顡	1695
羱	1038	踠	1423	偟	49	迋	1489	孬	272	磈	876	顡	1697
翫	1044	踒	1445	匡	97	迬	1492	峗	307	磈	881	顡	1698
脘	1075	輐	1468	尢	293	迬	1499	峗	307	竵	929	顡	1700
腕	1078	閞	1598	兀	293	魟	1789	嵔	312	緭	1006	顡	1701
腕	1080	閞	1599	允	293	鵟	1822	嵔	312	聵	1059	颾	1707

颻 1707
䰕 1780
魁 1780
鮠 1792
䵵 1866
黵 1868

욍

闋 1775

요

么 18
乐 18
仸 39
佻 46
偠 63
傜 67
㑾 70
僥 72
尧 82
堯 83
凹 97
幼 99
匋 120
吆 147
㕭 151
喓 173
嗂 178
嘄 179
坳 203
尭 203
垚 205
𡍮 207
堯 212
墝 219
夭 231
妖 241
姚 246
𡛴 255
婹 258
媱 260
嬈 264
𡡡 266
宎 275
𡧁 278
𢉖 287
𡰥 294
嶢 319
嶤 319
幺 342
幼 342
𢆰 342
𢆱 342
徭 374
徼 375
愮 404
憿 415
抭 432
抝 433
拗 436
抗 437
揄 452
搖 457
摇 458
擔 465
㩈 474
擾 477
旟 497
𣄴 498
𣅀 499
曜 516
杳 529
枖 533
楽 566
榣 569
樂 577
橈 579
𣤭 600
殀 606
泑 636
浇 660
溔 669
㴭 673
㵿 677
澆 685
烑 711
烄 711
燿 728
𤜂 746
猶 756
猺 758
獟 760
珧 770
瑤 778
瑶 778
𥂬 783
瓔 786
繇 787
㫐 837
𥃰 837
眑 842
䁏 850
䁘 852
𥊘 855
睔 860
祅 885
䄏 890
穾 916
窔 916
𥤮 917
窅 917
窈 917
窔 918
𥥔 919
窑 919
窯 922
窰 922
窯 923
𥪑 929
筄 937
箹 947
緰 1005
繇 1012
繞 1013
䍃 1023
耀 1047
䎋 1055
脁 1057
腰 1082
腰 1082
𦜉 1082
𦡕 1096
舀 1105
𦥷 1105
𦥔 1105
𦥯 1105
𦥸 1106
䑬 1112
𦪇 1115
艞 1116
芺 1126
苭 1130
葽 1161
蕘 1182
藥 1192
𧂇 1198
𧃼 1198
蘨 1207
䔄 1209
𧆞 1216
蛯 1226
䗁 1242
蟯 1247
𧓀 1247
袎 1269
褕 1280
䙅 1280
襓 1287
要 1294
要 1294
𧡠 1298
覞 1299
𧢍 1301
䚻 1301
覦 1304
訞 1315
詨 1318
𧥺 1319
詹 1319
詏 1324
𧩂 1340
謡 1344
謠 1347
䌛 1352
論 1361
論 1364
䝙 1382
𧼛 1416
踰 1437
䠛 1442
躨 1452
𨉖 1458
軺 1464
軪 1465
䡺 1475
遥 1498
遙 1503
𨗴 1506
遶 1506
邀 1508

邎 1510
邎 1510
邎 1510
鄂 1515
銚 1558
鎐 1577
鑃 1587
䠛 1592
闄 1604
陶 1614
陶 1618
陶 1617
隃 1619
隗 1622
雞 1634
雒 1636
䧴 1637
䨄 1637
䶧 1657
靿 1661
頌 1683
頌 1683
䫜 1687
𩕒 1695
顤 1699
颻 1709
飖 1709
餆 1718
餚 1724
饒 1724
饒 1727
駚 1737
䮍 1739
騕 1745
䯫 1757
髾 1758
䰘 1766
鬏 1774
鮫 1782
䰨 1783
䱂 1789
鮡 1793
魹 1799
鰩 1801
䳜 1813
鴢 1815
雋 1826
䳾 1829
鷂 1830
鷕 1833
鳴 1833
鷣 1834
䳼 1837
䨄 1857
䵷 1880
䵲 1880
䶧 1885
齩 1886
𪘨 1891

욕

傉 67
嗕 179
辱 289
峪 309
㦶 390
慾 407
欲 596
欲 598
浴 648
焀 652
溽 671
猃 753
縟 1007
蓐 1168
蕯 1178
螸 1245
褥 1282
谷 1366
輍 1469
輍 1472
辱 1486
鄏 1523
鋊 1561
雓 1632
雓 1634
鷸 1779
鵒 1819
鵒 1820
黦 1864
黷 1867

용

佣 44
俑 52
傛 67
傭 68
冗 90
勈 114
勇 115
勇 115
坈 202
埇 208
墉 218
宂 274
宊 276
容 280
嵱 316
庸 348
𢓭 374
恿 391
悀 391
㦷 395
慂 403
慵 409
戜 422
戫 424
搈 460
搑 461
㨀 462
舂 507
臾 518
栐 545
桶 547
榕 566
槦 573
椿 573
氄 618
毽 619
毽 620
氄 620
涌 650
湧 666
溶 670
滽 681
熔 719
熔 721
牅 736
犝 744
瑢 779
瓿 790
甂 791
用 793
用 793
甪 794
甬 794
甬 794
䆷 862
硧 871
穁 909
𥦂 923
筩 938
篛 951
䗺 1025
耽 1055
聳 1060
䶝 1101
臾 1104
舂 1105
舂 1107
茸 1135
蓉 1167
蓏 1171
蓊 1172
𧆳 1215
蚢 1224
蛹 1228
蛹 1239
𧒀 1244
褣 1283
䝿 1283
𧝎 1284
趙 1411
𧼰 1415
踊 1431
踴 1439
踴 1439
踊 1443
踳 1444
軵 1460
䡆 1462
軵 1462
軵 1463
輯 1476
輍 1476
辱 1487
迖 1492
鄘 1524
醋 1540
鏞 1563
鎔 1574

字	頁	字	頁	字	頁	字	頁	字	頁	字	頁	字	頁
鏞	1578	亐	26	圩	200	旴	500	牛	739	竘	926	蕅	1184
[illegible]	1593	优	39	扝	428	[illegible]	512	玗	767	竽	930	藕	1198
[illegible]	1601	佑	42	堣	213	[illegible]	513	玗	767	竽	930	虞	1215
[illegible]	1624	[illegible]	45	妋	242	[illegible]	519	瑀	776	[illegible]	970	虞	1215
[illegible]	1636	俁	51	[illegible]	257	有	520	疣	805	紆	981	虶	1219
[illegible]	1669	偊	61	媀	257	杅	527	[illegible]	813	紆	981	虶	1219
[illegible]	1670	偶	63	嫗	261	枢	533	盂	831	纋	1019	蚘	1220
頌	1684	優	77	宇	274	桙	544	盂	831	釪	1022	[illegible]	1234
[illegible]	1698	[illegible]	89	[illegible]	274	梂	551	[illegible]	831	[illegible]	1022	蝺	1237
[illegible]	1715	[illegible]	90	寓	282	楀	560	[illegible]	833	羽	1039	[illegible]	1237
[illegible]	1720	[illegible]	96	寓	282	[illegible]	561	盱	837	羽	1040	衧	1265
[illegible]	1724	区	124	尤	293	樞	575	[illegible]	837	[illegible]	1040	[illegible]	1265
[illegible]	1749	區	125	[illegible]	293	櫌	588	[illegible]	837	雩	1040	[illegible]	1265
[illegible]	1763	區	125	尪	293	[illegible]	589	瞘	854	[illegible]	1042	[illegible]	1285
[illegible]	1767	又	140	嵎	313	[illegible]	598	[illegible]	855	[illegible]	1042	[illegible]	1291
[illegible]	1772	[illegible]	141	庽	350	[illegible]	601	祐	886	耦	1053	訏	1313
[illegible]	1772	友	141	忧	381	[illegible]	617	祐	886	耰	1054	[illegible]	1314
鰫	1802	㕛	145	[illegible]	383	[illegible]	628	[illegible]	889	聥	1059	訧	1315
鱅	1803	右	146	愚	399	沋	633	禑	891	肬	1066	[illegible]	1316
[illegible]	1832	[illegible]	147	[illegible]	399	[illegible]	635	[illegible]	895	腢	1081	[illegible]	1348
鷛	1833	吁	147	[illegible]	402	湡	667	禹	895	膒	1089	謣	1351
[illegible]	1833	[illegible]	147	憂	406	漚	678	禺	896	[illegible]	1120	[illegible]	1373
[illegible]	1876	吘	151	慪	410	澞	692	[illegible]	896	芋	1121	[illegible]	1421
우		喁	172	懮	417	瀀	696	[illegible]	897	[illegible]	1121	[illegible]	1421
[illegible]	13	噢	186	扜	428	熰	722	[illegible]	913	[illegible]	1125	踽	1438
[illegible]	14	噳	188	扝	428	燠	727	穻	916	萬	1164	迂	1488
于	26	嚘	190	扰	432	[illegible]	738	[illegible]	923	[illegible]	1179	[illegible]	1488

迃 1488
迶 1490
逜 1494
迶 1495
遇 1500
邘 1512
邚 1512
邮 1515
郱 1516
郵 1520
鄅 1522
鄅 1522
鄹 1527
鄾 1529
酙 1532
醖 1537
醧 1541
釪 1550
鍝 1572
鏂 1579
隈 1619
隅 1620
雽 1636
雨 1638
雩 1638
雫 1638
雨 1639
霧 1641
霒 1641
雽 1641
霱 1645
齵 1657
軒 1660
軚 1660
軀 1670
頨 1683
頄 1685
頊 1685
頓 1687
頨 1688
顒 1698
稾 1712
骬 1755
髃 1759
魁 1781
魦 1781
魷 1788
魸 1789
鯸 1793
鰫 1796
鰅 1799
鰸 1804
鯇 1804
鸜 1837
麌 1839
麀 1844
麍 1845
麌 1846
麢 1848
麌 1849
黕 1862
齵 1887
齲 1889
齵 1889
齵 1889

욱

勖 115
勗 115
唷 160
啾 168
啞 169
噢 186
垮 211
墺 221
奧 237
奧 238
彝 285
嶴 321
嶼 321
稌 335
彧 366
稶 368
惐 398
彧 425
拗 433
拗 436
旭 500
旮 500
昱 504
噢 515
栯 544
欲 596
彧 598
歟 601
澳 689
澳 695
煜 717
燠 727
硅 868
礇 882
稢 905
稶 909
籅 959
膴 1095
菵 1163
薁 1186
薁 1188
蘛 1212
彧 1370
郁 1515
鋮 1540
閾 1600
隩 1625
醧 1657
頊 1684
顒 1699
髍 1760
鶁 1819
黬 1864
黬 1867

운

云 26
員 162
喗 175
囩 195
均 201
皇 201
壼 226
妘 233
妘 241
歕 268
粇 303
惲 400
愪 405
抎 430
旟 498
暈 510
橒 580
殞 609
沄 630
涢 673
澐 686
煇 717
熉 721
爋 729
殞 817
眃 841
碩 877
秐 899
篔 922
篔 948
篔 957
紜 983
緷 1004
耘 1051
耘 1052
耘 1053
耺 1055
腪 1083
芸 1125
荺 1147
蒷 1154
蒷 1170
蒷 1172
蕓 1181·
薁 1188
褞 1281
褞 1282
覞 1300
訇 1317
紜 1318
讔 1362
貟 1385
賱 1392
賱 1397
輐 1471
輼 1472
运 1490
運 1501
運 1501
郧 1513
鄆 1522
郥 1524
醞 1539
隕 1621
雲 1639
霣 1646
霣 1653
鞰 1666

韗 1667
韞 1673
韗 1676
韞 1676
韗 1676
韗 1676
韞 1676
韵 1680
韻 1681
䪳 1697
餫 1722
䰟 1784
䲰 1813
䪳 1858
䪳 1858
鼏 1873
齳 1889
齳 1889
齳 1891

울

㷉 143
尉 289
惌 394
𡒄 492
欝 594
灪 706
㷉 714
尉 716
熨 723
灪 731
罻 1025
罻 1025
𦐈 1030
𦐈 1030
苑 1127
菀 1147
蔚 1170
蔚 1174
豋 1369
𧼮 1382
韋 1678
䬴 1717
䬴 1722
鬱 1777
鬱 1777
鬱 1777
黦 1863
黦 1864
黦 1865
黦 1866
黦 1867
黦 1869
黦 1870

움

唐 348

웅

熋 722
熊 722
熊 759
䉥 1290
㹲 1373
䖇 1403
䖇 1403
雄 1630
雄 1631
䳷 1813

원

京 29
京 29
傆 67
元 80
円 88
冤 90
冤 91
原 135
原 135
原 136
厵 138
員 162
喛 175
囩 195
𡈁 197
圎 198
園 198
圓 198
圜 198
袁 203
垣 206
夗 229
夘 229
奝 236
㛪 246
婉 252
媛 256
嫄 260
嬽 260
嬛 267
嬛 267
宛 277
寃 282
尉 290
帤 331
帵 334
夗 382
怨 382
怨 382
𡱐 382
惌 394
愿 403
援 455
晼 509
杬 530
楥 562
楦 562
榬 567
沅 630
洹 644
洹 652
湲 666
源 669
爰 732
猿 756
猨 756
猿 758
獂 758
猿 758
瑗 776
畹 798
畹 800
盶 839
眢 843
禐 892
窅 919
箢 944
笺 946
篢 951
綩 987
綩 1001
羱 1038
肙 1064
臱 1101
芫 1123
苑 1127
菀 1147
葾 1159
萲 1162
蒝 1169
蔦 1170
薗 1192
薳 1194
蚖 1219
蚖 1219
蚖 1220
蜿 1224
蜿 1232
蝯 1237
螈 1239
蠠 1254
衏 1262
袁 1267
裷 1277
裷 1278
褑 1281
訑 1322
䛄 1322
諕 1340
諢 1341
謜 1345
謜 1348
貆 1374
貆 1377
貜 1382
貆 1383
員 1385
賵 1391
趄 1409
趄 1411
趭 1419
踠 1434
轅 1475
远 1490
逺 1499
遠 1504
遠 1508
邍 1510
邍 1510
邑 1511
邧 1513
鋺 1565

鋺 1580
阮 1610
院 1615
隕 1621
[illegible] 1658
[illegible] 1662
[illegible] 1666
[illegible] 1669
[illegible] 1674
[illegible] 1676
頑 1691
顐 1695
[illegible] 1695
願 1696
[illegible] 1702
[illegible] 1702
[illegible] 1719
[illegible] 1726
駌 1739
騵 1747
[illegible] 1764
魭 1787
[illegible] 1787
鴛 1815
[illegible] 1816
鵷 1824
[illegible] 1827
[illegible] 1832
[illegible] 1855
黿 1871
[illegible] 1873
[illegible] 1876

월

刖 100
[illegible] 245
[illegible] 283
戉 420
抈 432
曰 517
月 520
枂 532
樾 579
[illegible] 606
泧 640
[illegible] 702
狘 749
玥 768
[illegible] 820
粵 969
[illegible] 987
[illegible] 1056
[illegible] 1219
蚎 1220
蚏 1220
[illegible] 1246
[illegible] 1318
[illegible] 1369
越 1407
[illegible] 1407
[illegible] 1421
跀 1422
[illegible] 1426
軏 1461
[illegible] 1462
[illegible] 1462
[illegible] 1491
鈅 1552
鉞 1555
[illegible] 1560
[illegible] 1584
[illegible] 1674
[illegible] 1705

위

为 16
位 41
偉 61
偽 65
僞 72
[illegible] 123
危 131
[illegible] 133
叞 143
喟 174
[illegible] 175
[illegible] 175
嘳 183
噅 184
[illegible] 188
囗 194
囲 196
圍 197
[illegible] 197
太 231
委 245
威 249
媁 255
媦 257
寪 286
尉 289
尯 294
[illegible] 294
峗 307
峞 307
崣 311
崴 313
幃 335
[illegible] 335
[illegible] 357
[illegible] 357
恑 389
愇 400
[illegible] 401
慰 407
[illegible] 407
[illegible] 418
[illegible] 441
撝 467
[illegible] 485
[illegible] 492
暐 511
[illegible] 515
[illegible] 519
[illegible] 553
楲 563
椲 564
[illegible] 608
洈 646
涹 659
湋 662
渨 662
渭 662
溾 674
潿 682
潙 683
[illegible] 687
為 710
[illegible] 714
[illegible] 716
煒 717
煟 718
熨 723
[illegible] 723
[illegible] 732
爲 733
[illegible] 745
[illegible] 745
[illegible] 746
[illegible] 746
[illegible] 755
猬 757
瑋 776
[illegible] 786
痿 812
[illegible] 815
[illegible] 819
[illegible] 820
[illegible] 822
[illegible] 827
[illegible] 827
硊 869
碨 875
[illegible] 907
立 925
[illegible] 957
[illegible] 963
[illegible] 992
緯 1003
緭 1004
[illegible] 1030
罻 1030
[illegible] 1037
[illegible] 1037
胃 1071
[illegible] 1083
[illegible] 1085
[illegible] 1085
[illegible] 1106
[illegible] 1114
[illegible] 1116
萎 1153
葦 1160
葳 1161
[illegible] 1170
蔚 1174
蔿 1181
[illegible] 1201
[illegible] 1206
蘶 1209
蜲 1232

蝛	1236	違	1502	頠	1688	侑	48	呦	174	愉	335	揄	456
蝟	1236	違	1502	𨘧	1508	颹	1707	俞	50	嚅	189	幼	342	擩	473
蟡	1239	鄬	1526	䬐	1707	儒	76	囮	195	幻	342	攸	479
蜼	1244	錗	1569	颹	1708	兪	85	囿	196	幽	342	攸	481
螱	1244	鍏	1573	颹	1708	肉	89	圝	199	幽	342	䞈	490
蟡	1255	鏏	1579	颹	1711	尤	90	圞	199	庮	347	斞	491
螱	1257	闈	1600	餧	1721	囟	98	圝	199	庾	349	斞	492
衞	1263	闈	1603	餵	1723	幼	99	堬	214	瘉	349	斿	495
衛	1263	闈	1603	馨	1734	劉	111	壝	224	廠	353	旒	497
衛	1263	闈	1607	骫	1755	匬	123	婑	248	徯	374	旟	498
衛	1264	闠	1608	骩	1755	匬	123	婑	254	悆	382	曘	516
褘	1280	隇	1621	骪	1755	匱	124	媮	256	怞	385	臾	518
褽	1284	隖	1624	骫	1755	卣	129	媃	256	怮	385	有	520
褽	1286	韙	1628	魏	1783	肉	130	嬬	266	悠	390	柚	536
褸	1287	韙	1647	鮪	1789	卣	130	嬬	268	惟	397	柔	540
覣	1299	韡	1673	觚	1794	卣	130	孺	273	惟	397	栯	544
諉	1336	韋	1673	鮪	1801	瓜	138	孺	273	愈	399	桵	547
謂	1343	韓	1674	鮠	1802	厹	138	孺	273	愉	400	梄	551
謂	1358	韏	1674	鮪	1804	羑	140	宂	275	愉	401	棲	553
讆	1363	韎	1675	鮪	1804	羑	140	宊	277	愉	401	楰	562
讏	1378	韙	1676	鰖	1806	又	140	宥	278	懦	416	楢	562
讏	1378	韙	1676	鴥	1826	叟	143	庮	283	懧	416	楰	563
猬	1382	韡	1677	鯘	1847	叹	145	瘉	287	抗	432	楺	563
賢	1399	韡	1677	**유**		哎	151	岰	305	抗	437	槱	572
踒	1439	韡	1678	丣	13	呦	154	峳	308	揄	452	櫾	592
躛	1453	韡	1678	乳	22	唯	166	崳	314	揉	452	欲	596
逶	1499	韡	1678	伩	39	喩	174	帷	334	揂	454	欲	598

歈	599	煣	718	瘐	814	繻	1017	舳	1112	蔩	1187	褏	1282
歒	600	牗	738	癒	820	纓	1020	艀	1114	蕤	1193	褠	1287
歟	601	牰	741	癘	822	纗	1021	莝	1130	蕕	1193	襦	1290
毹	619	牏	743	盅	833	䍃	1023	茵	1132	䕎	1196	襩	1292
毺	619	犹	748	盍	833	羑	1033	萸	1137	薿	1204	覂	1295
沇	630	狖	749	眑	842	羐	1034	萸	1140	藊	1207	覑	1298
沑	632	猚	755	睮	850	羗	1035	萎	1140	藷	1208	覦	1299
汷	633	猷	755	睢	853	羭	1037	萎	1141	蘥	1211	覵	1301
油	635	猶	756	瞶	856	羺	1037	莠	1142	蘛	1212	覹	1304
泑	636	狳	757	禉	889	翛	1043	莥	1144	蚰	1222	䚻	1319
洧	643	獳	763	禸	895	翛	1043	蕕	1151	蚴	1222	詧	1319
浟	651	琟	775	秞	899	聈	1056	萸	1157	蚗	1226	詇	1328
浮	659	瑜	777	窅	919	肉	1064	蓎	1157	蜏	1230	諛	1328
㳺	660	琇	781	窬	921	肚	1067	蕘	1159	蜼	1232	誘	1331
渝	661	瓂	783	窬	921	胦	1074	蒏	1163	蝓	1235	訣	1341
游	663	瓔	786	窬	921	腯	1077	萮	1163	蝣	1236	諭	1342
澆	668	瓝	786	窳	922	脬	1078	葇	1164	蝤	1236	諭	1342
渘	668	瓵	789	籅	946	腴	1082	莤	1169	蝚	1237	諎	1344
湡	668	甃	789	籲	965	腧	1083	蔃	1171	蠡	1237	繇	1352
滺	676	甤	793	粈	967	腬	1084	蕤	1172	螾	1241	讙	1353
濡	686	由	795	糅	973	臢	1097	葳	1172	螢	1245	讀	1363
瀉	688	甹	795	綏	994	臈	1098	蘿	1178	蟕	1245	踰	1370
濡	693	畩	801	維	996	臾	1104	蕕	1182	蠙	1255	貐	1376
濰	695	疫	805	緌	999	舀	1105	蕤	1182	裕	1274	貁	1379
瀢	700	痏	809	緰	1005	舀	1105	蕍	1184	衮	1274	貐	1382
炆	710	瘤	810	繇	1012	舦	1105	蓨	1186	褕	1280	贖	1400
烓	711	瘉	814	纗	1017	舀	1106	藲	1186	褎	1282	趪	1401

贕 1402
䞥 1409
趡 1413
𧼮 1415
踓 1435
踰 1437
蹂 1438
𨁈 1443
輏 1469
輮 1472
輶 1473
迂 1488
逰 1492
𨒫 1494
逎 1495
逌 1495
遊 1499
逾 1500
遊 1501
迺 1503
遺 1507
𨗴 1507
𨗦 1507
遙 1510
邎 1510
𨙍 1510
邮 1515
鄃 1522
酉 1531
酭 1534
䣱 1537
醹 1544
釉 1546
鍮 1571
鍒 1572
𨶒 1604
隃 1619
䨂 1634
鞣 1666
𩋪 1668
𩍩 1672
韖 1676
顬 1701
𩖵 1705
𩙄 1707
𩗝 1709
𩘰 1709
𩘰 1709
𩛬 1719
𩞄 1724
𩣃 1740
騟 1746
騥 1746
鬏 1771
𩳐 1785
𩶑 1789
鮋 1790
𩶠 1790
鮪 1792
鰇 1801
鰸 1806
鱬 1808
鴢 1815
鴧 1816
𪀛 1819
鶔 1827
𪋻 1848
𪋽 1849
𪏇 1857
𪐎 1860
黝 1862
𪐤 1866
𪑑 1867
鼬 1876
𪕶 1876
𪖀 1878
𪛛 1896

육

儥 78
肉 89
唷 169
喅 176
堉 209
宍 275
宊 277
弆 356
毓 616
淯 652
淯 658
𥉡 853
粥 969
𥹳 972
緕 1000
肉 1064
育 1066
𦘺 1067
育 1068
𦶐 1156
萑 1168
蕍 1207
蜟 1233
𧶠 1395
賣 1398
賣 1398
𨔪 1500
錥 1567
𩚩 1720
鬻 1779
鬻 1779
鬻 1780

윤

𠈓 60
允 80
勻 119
勻 119
囩 195
奫 238
尹 295
㔓 303
帬 336
𣯗 620
潤 683
狁 748
玧 767
𤯄 791
㫓 796
昀 796
筍 936
篔 948
縜 1008
胤 1071
䏰 1088
𦬘 1126
荺 1147
𧉟 1222
蝡 1236
蝹 1238
蝹 1239
蝡 1242
蠕 1249
褎 1284
贇 1400
𧸖 1400
𨐉 1483
酳 1535
鈗 1552
𨥈 1552
鋆 1564
閏 1595
閠 1601
阭 1610
𩀕 1634
𩃀 1643
䪳 1685
頵 1690
馻 1736
𩳚 1784

율

噊 185
𢁉 329
欥 595
汩 628
燏 726
𥆞 842
矞 861
𦁗 993
繘 1013
𦄐 1021
𦆵 1022
𦒓 1047
獝 1047
聿 1062
芛 1126
𦬔 1139
蒁 1164
𧒳 1247
𧳅 1375
趉 1406
𧽦 1417
𨑞 1495
遹 1507
𨘇 1511
銉 1560
霱 1649
𩋡 1668
𩖸 1704
𩗰 1708
𩙀 1710

飀 1711
䬗 1711
颻 1711
驈 1750
魆 1785
𩴌 1785
鱊 1806
鴥 1814
鴪 1814
鷸 1835
𪈜 1841

융

㑚 46
娀 248
戎 420
戜 422
㧓 439
毧 618
氄 620
瀜 698
烿 713
狨 751
絨 990
羢 1035
肜 1065
茙 1133
融 1241
螎 1241
駥 1740
䮴 1746
鱅 1807

은

㐆 19
乚 20
㒚 77
听 150
咅 166
嚚 190
嚚 190
囂 192
壂 193
圁 197
圻 200
垠 205
垽 205
垦 207
㙬 209
垽 209
墾 221
㞝 307
峎 307
峾 310
嶾 321
㠾 321
蘟 323
㡥 339
𢙓 383
恩 386
慇 403
𢢋 403
㥯 404
憗 410
憖 410
摁 459
㩈 473
斦 493
梀 547
𨻶 585
檼 586
𨽍 592
殷 612
沂 630
泿 646
溵 674
濦 693
𤃊 702
衮 711
𤇳 733
犾 747
𤝏 748
狺 752
㹞 753
珢 771
𤹰 821
癮 822
磤 877
𥕴 879
稳 907
𥫱 938
𥭞 940
𦆍 1018
𦬃 1144
蔩 1168
蘟 1207
𧆎 1215
𧇷 1217
蛝 1225
融 1241
𧕦 1258
𧘬 1273
𧞄 1290
言 1312
訔 1315
訢 1316
誾 1339
𧩂 1345
讔 1364
𧮑 1364
𨏨 1476
𨐃 1480
𨐃 1482
鄞 1525
釿 1551
銀 1558
𨦇 1560
𨥖 1563
𨪕 1573
闉 1607
隐 1624
隠 1624
隱 1626
𩄭 1653
𩚽 1718
齗 1884
𪘦 1886
齦 1886
𪗾 1888
𪗵 1888
𪙉 1890
𪙐 1891
龂 1895

을

乙 20
乙 20
圪 200
圪 202
𡵆 324
𡵂 324
𣱵 624
耴 1054
𦔮 1054
聉 1056
𧆍 1214
鳦 1809

음

乑 19
𠆶 32
众 36
𠈌 39
侌 45
𠪉 136
𠪚 137
吟 150
吽 151
唫 166
喑 173
婬 253
崟 311
廞 351
愔 401
揞 464
歆 600
歆 600
𣱙 623
汵 628
淫 656
湛 665
滛 674
淫 674
𤁩 702
𡘐 707
𡘖 710
𡨧 724
㸒 732
玪 768
瘖 814
癊 818
𤾉 825
碒 873
𥡝 907
𥥹 917
𥦖 917
窨 921
𦝤 1083
𦬦 1126
䓵 1143
蔭 1175
蔭 1185
𦹩 1187

蘟	1211	霒	1644	揖	453	鮣	1798	乂	18	㝖	280	毉	614
蟫	1247	霠	1645	泣	639	**응**		乿	19	箷	285	溰	673
蠮	1258	霪	1647	浥	647	凝	95	[illegible]	24	崎	294	漪	679
訡	1317	霪	1647	湇	664	膺	188	仪	33	㠖	320	犄	742
訡	1319	音	1680	湆	664	嬹	265	仪	35	嶬	320	狋	749
踣	1370	韽	1680	潝	691	应	344	依	49	嶷	321	猗	754
趛	1406	貓	1680	皣	827	応	377	倚	57	忍	377	猚	755
淫	1500	韾	1681	皣	827	應	414	偯	64	㤝	394	疑	804
鄐	1529	噾	1691	曍	828	疑	804	儀	75	意	399	疑	804
酳	1533	飲	1714	晻	849	疑	804	儗	76	懿	418	㽈	813
醅	1537	飲	1714	曝	858	㿋	817	冝	90	懿	419	癔	817
醅	1538	飮	1714	容	918	癧	821	凒	94	扆	426	㝵	838
醶	1538	飮	1715	篔	940	癮	822	剢	108	拟	438	矣	863
鈝	1553	鮗	1788	郒	1102	膺	1094	劓	111	撎	466	礒	881
阴	1611	鷣	1834	邕	1143	膺	1097	㔷	122	擬	473	禕	891
阥	1611	龡	1875	菴	1172	蝇	1234	[illegible]	122	旖	497	䄬	905
除	1614	**읍**		蝐	1246	蝇	1238	医	124	旑	497	稦	908
陰	1617	俋	52	裛	1276	蠅	1250	㕒	138	旖	497	䅬	913
隂	1621	厌	134	邑	1511	蠯	1255	㖂	176	椅	556	簃	961
陰	1621	厭	137	卩	1511	譍	1359	嘻	185	漪	577	籎	965
隂	1623	唈	163	浥	1616	譍	1362	嶷	189	澺	583	縊	1006
隔	1625	哣	176	輍	1666	雁	1631	噫	192	檥	584	羛	1034
韽	1637	嚽	190	餇	1719	鞥	1667	妶	248	檹	587	義	1036
雾	1639	旮	272	騃	1743	鷹	1761	嫛	263	欹	597	艤	1116
霁	1641	晵	272	鬕	1762	鯢	1796	宐	276	歪	604	苢	1126
霪	1643	悒	392	鮑	1795	鷹	1838	宜	277	殪	609	䓃	1143
黔	1644	挹	442	鮻	1796	**의**		宣	277	毅	614	[illegible]	1144

蒞	1159	訑	1315	陒	1614	䶊	1857	刵	102	尔	292	怡	384
䔇	1179	詑	1333	陭	1618	䴊	1880	勩	117	屔	296	恞	387
䕑	1183	誼	1335	隱	1626	䴻	1887	匜	122	峓	307	㥴	405
蘙	1184	譩	1356	離	1637	齮	1888	㕜	135	㢮	313	㢩	426
薏	1188	議	1357	霼	1640	齸	1889	廙	137	𢈘	317	拪	442
薿	1194	譺	1360	醨	1658	齮	1892	貖	143	已	327	搋	459
藙	1198	譽	1360	譩	1682	**이**		台	146	㠯	328	㩘	469
䕃	1205	讛	1361	頤	1694	丶	15	听	150	巸	328	攱	473
䕒	1208	譩	1371	頤	1694	乀	17	吚	152	帀	329	攺	480
藙	1210	豙	1371	顗	1696	也	21	咡	159	彝	343	敡	484
藾	1211	豙	1373	顡	1698	㐌	21	咿	160	廙	352	施	495
蘱	1212	豷	1375	顡	1701	乇	21	咦	161	异	355	易	501
虓	1214	毅	1379	𩕾	1702	二	25	洒	165	弍	357	暆	510
蚁	1218	猗	1382	飴	1713	以	34	圯	200	弍	358	杝	526
蛾	1228	踦	1435	饐	1727	伊	37	坨	204	弛	359	杝	528
蛩	1231	輢	1471	饖	1728	佀	44	夷	232	弛	360	杒	528
螘	1240	轙	1480	騎	1733	佁	44	㚤	233	㢮	363	柂	535
螠	1240	轙	1482	敲	1778	你	44	姨	247	彛	364	相	539
蟡	1248	郼	1522	魕	1785	你	44	姐	248	彜	364	栘	541
蟻	1249	鄯	1528	鱶	1807	佁	44	嫛	259	彞	365	栭	541
蟻	1250	鄳	1529	鷧	1822	佀	44	嫛	259	彝	365	栮	542
蠹	1255	醫	1540	鷁	1835	佴	46	㛅	260	彝	365	桋	543
蟻	1257	醫	1541	鷧	1835	侇	47	嫣	268	彛	365	椸	560
衣	1264	醷	1543	鸃	1837	佾	50	宧	278	彝	365	棫	564
裿	1278	鈘	1553	鷖	1837	㑥	55	尒	291	彝	365	樲	577
觬	1308	錡	1567	鸃	1837	偒	57	尔	291	彝	365	檥	592
𧢻	1311	阢	1610	鷾	1837	僪	77	尓	292	徥	370	欭	595

歐	596	眲	844	肆	1063	蛦	1226	貄	1380	閎	1597	飬	1717
𣢑	599	眱	845	肔	1065	蛡	1227	貖	1381	閤	1598	餌	1717
歋	600	秇	898	胣	1070	螔	1240	貄	1382	閣	1600	餩	1720
歖	601	袘	901	胂	1070	衈	1259	貤	1385	陑	1614	齸	1732
殔	608	移	901	胰	1072	衪	1265	貽	1387	陝	1614	駬	1739
殔	609	笓	935	胹	1073	袘	1268	貤	1338	隭	1625	髶	1767
𣪠	611	箷	947	脠	1074	袣	1269	謚	1338	隭	1627	髵	1767
毦	618	篔	948	胂	1081	袖	1272	貳	1388	隶	1628	鬴	1778
毦	618	簃	952	膩	1090	袻	1273	賿	1398	隸	1628	鬷	1779
㳖	640	粭	968	臑	1092	袲	1273	跠	1429	隸	1628	鬻	1779
洏	641	緝	991	臑	1095	褫	1281	輀	1466	需	1632	鮞	1792
洟	642	終	992	臏	1096	覞	1297	轜	1479	鞢	1664	鮍	1792
洱	645	羡	1035	匜	1099	訪	1313	轜	1480	頣	1683	鮧	1793
洢	646	羨	1035	苡	1128	訑	1314	迆	1488	頤	1685	鮀	1793
潩	687	羠	1035	苢	1128	訪	1318	迤	1491	頜	1687	鴯	1817
㸚	734	而	1049	苐	1133	詒	1321	迱	1491	頤	1688	鵜	1817
爾	735	耏	1049	荑	1138	詚	1321	迻	1492	頤	1691	黟	1820
爾	735	耏	1050	荋	1140	詑	1322	迹	1492	顊	1693	黟	1863
狋	751	姉	1050	蕿	1159	詑	1323	迻	1494	顬	1698	黝	1863
珥	770	麺	1050	蕘	1177	詑	1324	邇	1508	颵	1705	鼒	1867
珶	771	烐	1050	冀	1184	謚	1324	邇	1509	颵	1705	鼥	1877
瓵	788	瓵	1050	薾	1195	誀	1329	酏	1532	颵	1705	齝	1888
異	798	需	1050	蘱	1208	誃	1340	酭	1535	食	1712	**익**	
異	799	耳	1054	虵	1218	誃	1340	醷	1539	飴	1714	莽	71
痍	809	耼	1056	蛇	1223	誑	1345	鉇	1553	飴	1715	匽	124
貤	838	聏	1057	蛇	1223	謚	1345	鉺	1557	飴	1715	廙	137
眙	841	聕	1059	蚲	1225	謻	1350	銕	1559	餙	1716	嗌	177

妉 240
廙 352
廙 354
羿 357
弋 357
杙 528
榏 566
潩 687
瀷 701
熤 723
益 832
益 832
秇 898
翊 993
翌 1041
翊 1042
翼 1046
翼 1046
㹭 1046
膉 1085
艗 1115
芅 1122
蛡 1227
嶍 1260
謚 1347
趩 1420
䢞 1510
䣧 1531
釴 1550
隿 1629
䧸 1629
䮊 1712
鳶 1811
鷁 1830
䵧 1850
黓 1850
𪖿 1879
齸 1890

인

人 31
亻 31
仁 32
仞 35
仭 35
儿 80
凐 94
刃 98
刄 98
刅 98
印 131
咽 157
咽 160
囙 194
因 194
垔 207
堙 212
𡒄 215
𡍸 217
𡓰 224
壹 226
夤 230
夤 230
姻 248
婣 255
寅 281
寅 283
寅 287
㞐 296
帀 329
㡧 329
廴 354
引 359
𢎗 359
忍 377
忍 377
忎 378
戭 424
㧈 429
𢪘 433
𢬃 441
𢿘 487
䡛 520
䡜 520
杒 528
欭 596
歅 598
殥 610
𣧍 622
𣧍 622
氤 623
汈 627
洇 646
湮 666
湮 666
㶏 687
濥 693
演 698
牣 739
眒 838
𥘨 889
禋 891
禋 894
秵 902
筃 938
紖 982
絪 990
緸 1004
縯 1009
𦍑 1035
䍶 1037
䍶 1038
肕 1064
肕 1068
胭 1072
腮 1076
䏌 1089
茵 1135
茚 1137
荵 1144
𦱉 1159
蔩 1176
蚓 1219
螾 1243
裀 1272
䄄 1281
訒 1314
訡 1318
認 1330
認 1330
諲 1344
𧴯 1386
軔 1460
𨑨 1495
酳 1532
鈏 1552
闉 1603
闉 1607
闉 1608
陻 1619
𨻶 1624
𩂣 1641
靭 1660
靷 1660
鞇 1663
䩚 1664
𩏠 1672
韌 1674
駰 1740
魜 1786
鮣 1793
麌 1846
黕 1861
黫 1865
䕃 1874
靭 1876
䏌 1876

일

一 9
佚 43
佾 47
劮 113
呹 157
圁 194
壱 225
壹 226
壹 226
失 232
昊 325
帙 329
弌 357
毛 427
日 499
氜 523
昳 595
氳 623
泆 636
溢 670
燚 726
檍 977
絏 988
𦘁 1103
䄁 1265
軼 1464
迭 1491
逸 1499
𨗋 1508
釼 1551
鎰 1575
𩀘 1632

䭃 1736
馹 1736
駃 1738
鴩 1814
鴩 1814
䵒 1859
䵑 1859
䵫 1860

임

任 36
壬 225
妊 241
姙 246
㚥 246
羊 341
㣼 381
恁 385
㤛 385
拰 439
栠 546
棯 556
𦍋 732
稔 904
䇮 938
紝 983
䋕 988
絍 992
𥾷 992
羊 1033
䏕 1067
腍 1080
荏 1138
菍 1154
衽 1266
袵 1272
𧥷 1318
䛘 1329
賃 1390
𨈘 1457
鄙 1529
鈓 1553
銋 1559
雂 1632
飪 1714
餁 1717
䬴 1721
鵀 1818
𪀔 1819
䵘 1852

입

入 84
卄 125
廿 126
㚔 234
騽 1749

잉

仍 33
㑭 54
剩 108
剰 108
㔯 129
𠥫 130
媵 260
𪚢 265
孕 270
扔 428
𢪮 439
𣏌 526
梬 548
礽 884
縄 1000
繩 1005
繩 1015
耺 1055
膡 1089
𦡽 1094
艠 1117
艿 1120
芿 1125
訒 1313
𧦝 1318
訒 1324
認 1330
認 1330
賸 1398
𧶠 1402
䠖 1457
迈 1487
𨭉 1586
陾 1619
䵴 1869

자

仔 34
作 43
作 44
𠌥 69
刺 103
刾 105
剤 107
劑 111
厏 134
𠫷 139
胔 139
䖕 143
呰 158
咨 161
呰 171
啫 177
嗞 178
垐 207
齐 227
她 240
姊 243
姉 244
姐 244
𡜧 246
姿 249
𡢃 258
子 269
孖 270
字 270
𡦧 270
孜 270
孶 272
孳 272
嵫 315
𢀳 325
𢁍 325
𢆶 342
庛 346
𢈔 346
𢓁 369
恣 386
𢘌 390
慈 395
慈 400
慈 403
扻 430
𢫦 433
𢪱 435
抯 435
揸 454
搾 460
摣 463
𢧐 487
齐 489
斉 490
斎 490
亝 490
齋 490
朿 526
杍 526
柘 536
𣏕 537
栜 544
梓 548
榨 567
榟 571
樜 573
櫅 587
𣢸 596
𣦬 598
㱀 606
𣧑 608
滋 668
溠 670
滋 672
漬 688
澬 698
炙 708
𤇩 714
煮 716
煮 719
煑 719
𤍚 721
熫 723
𤓰 726
𤗃 728
𤘆 734
牸 741
玆 765
玼 768
瓷 788
甆 790
𤵓 806
疵 807
𤵸 808
𤵝 809
眦 825

岥	829	籽	966	𦣹	1100	𧄌	1209	誠	1324	輩	1469	頿	1692
眦	843	粢	969	𦣻	1100	虸	1218	誎	1328	輂	1476	䬸	1715
眥	843	糍	974	芓	1122	虴	1220	詐	1333	𨎐	1479	䭘	1717
睉	847	𥻷	977	苴	1129	蚩	1224	訴	1334	这	1490	餈	1718
䁥	853	紫	988	茈	1131	𧋘	1224	𧨺	1340	𨑹	1495	𩛮	1724
磁	875	緖	1015	苲	1132	蛓	1227	諮	1342	這	1496	𩜦	1725
磁	876	𦈢	1023	荢	1133	蜡	1231	𧪞	1352	遮	1505	骴	1756
䄍	890	罝	1027	茨	1134	螆	1241	𧩽	1352	遮	1505	髊	1760
齋	892	罝	1027	茲	1134	螅	1241	豬	1376	𨛘	1523	髭	1765
禶	895	䍜	1031	菹	1151	蟅	1244	𧲶	1383	𨜑	1528	𩬈	1766
秄	897	𦌣	1031	蒩	1154	䗪	1244	貲	1388	鄑	1530	鬻	1780
秭	900	䍐	1031	莿	1155	蠀	1249	資	1391	䣷	1534	鬻	1780
秶	902	𦍒	1035	𦺇	1159	蟦	1250	䞉	1391	醡	1539	鮓	1790
積	910	者	1048	蒫	1159	𧓜	1251	賫	1393	𨣧	1541	鮺	1795
賫	910	者	1049	蒩	1159	𧗉	1261	賷	1396	𨢿	1544	鰦	1802
積	912	耔	1051	葅	1165	袓	1270	贄	1398	釨	1550	䱹	1802
積	912	耤	1052	蔗	1174	䘣	1270	䞃	1398	鈭	1553	鮺	1802
穧	913	䎰	1054	蔖	1176	𧝊	1281	赭	1404	鋅	1564	𩵽	1803
𥤢	916	𦕉	1058	䕃	1187	褯	1283	赼	1406	鎡	1575	鮆	1806
窴	921	𦘺	1066	薋	1190	襦	1290	趀	1408	䧳	1629	鴜	1815
𥫨	931	胔	1068	薀	1193	齌	1290	趑	1409	雌	1631	鶿	1830
笫	933	胾	1069	藉	1194	䙈	1291	趦	1414	䨞	1641	鷀	1830
笮	933	胏	1069	蘊	1198	𧠊	1297	䟅	1423	䨽	1647	鷓	1832
䈘	947	胾	1072	藨	1201	觜	1306	跐	1425	霽	1650	䵹	1866
䇲	950	䐆	1086	蘊	1201	𧣴	1312	𧿭	1426	霽	1650	𪐴	1867
籍	961	𦢊	1089	蕢	1205	訿	1323	𨁈	1430	𩅾	1659	齍	1873
籍	964	自	1100	藴	1205	訾	1323	𨉢	1457	𨙝	1692	𪕭	1877

齊 1882
齋 1882
齍 1883
齎 1883
齏 1883
齌 1883
齹 1884

작

乍 18
亾 32
仢 35
作 43
作 44
𠕎 90
勺 119
勺 119
嚼 192
妁 240
娋 251
婥 253
尉 288
岝 305
岞 305
彴 368
𢓡 369
怍 383
㤰 391
扚 428
擆 477
戳 484
斫 493
斮 493
斲 494
昨 504
杓 528
杓 529
柞 537
棤 558
汋 626
淖 654
灼 707
炸 709
焯 713
焯 715
爝 731
爵 733
爵 733
犳 740
𤞔 753
猎 754
狊 755
皭 828
皵 829
䂃 860
砟 868
碏 872
礿 879
礳 883
䄍 892
秨 900
稓 906
穛 909
穱 914
竨 928
䂞 929
笮 933
筰 939
筰 946
粨 968
綽 998
繛 1008
繛 1014
繳 1015
綮 1016
䌟 1022
䅯 1054
舄 1105
舄 1105
芍 1121
苲 1132
葯 1143
葃 1145
葯 1154
蒫 1164
藿 1208
蘠 1212
袓 1273
詐 1333
謶 1352
謶 1352
昨 1389
趞 1408
趞 1412
趞 1418
趵 1421
鄐 1528
酌 1531
酢 1533
醋 1537
醋 1542
鈼 1556
鐯 1585
雀 1629
䧿 1633
䨥 1636
䩹 1666
飵 1716
醦 1777
鷟 1777
䱜 1797
鳥 1811
鳥 1813
鵲 1824
鷟 1833
鬻 1854
䴾 1858
黔 1861
𪗔 1875
𪘁 1878
𪘂 1879

잔

孱 64
僝 72
剗 106
剷 110
孱 272
峸 312
戔 312
嶘 318
戈 420
戔 421
拃 437
㪨 486
斬 493
栈 546
棧 555
叙 606
殂 606
残 608
殘 608
潺 685
潹 685
㞡 736
獑 764
琖 773
盞 833
盞 834
盞 836
磋 872
錢 1023
羧 1036
猙 1044
腊 1078
虥 1216
虦 1216
蜨 1233
蠶 1255
襊 1278
艬 1308
貙 1380
賤 1393
賤 1397
踐 1427
輚 1433
轏 1478
醆 1536
鏟 1584
酢 1657
驏 1750
鱍 1805
麷 1852
齾 1888

잘

乽 23
囐 193
窄 917

잠

偺 64
兂 81
兂 81
剳 108
劄 110
劄 110
咎 174
埁 208
墋 216
寁 281
岑 303
岑 304

揝 455
撍 466
撏 466
昝 505
暫 513
梣 546
槮 550
橬 578
歜 601
汵 633
涔 650
湛 665
灊 674
潛 683
潜 683
灊 696
[illegible] 723
錟 724
熸 724
穇 912
瓚 782
疢 806
瘥 815
[illegible] 855
笒 931
箴 944
篸 950
篸 952
簪 956
簮 956
糌 974
[illegible] 1038
[illegible] 1038
膥 1091
蕉 1201
蔪 1208
蘸 1209
蚕 1221
蝅 1234
蝅 1235
蝅 1242
蝅 1242
螹 1244
蟴 1249
蠺 1255
蠶 1256
蠶 1256
蠶 1258
詀 1320
譧 1358
賺 1397
趲 1416
䟅 1416
踏 1432
蹔 1444
[illegible] 1448
[illegible] 1448
醶 1544
鏩 1580
鏨 1580
鐕 1582
[illegible] 1625
霂 1641
霯 1649
霿 1650
霧 1652
黵 1658
顩 1691
頜 1691
䭆 1726
𩞄 1726
魿 1788
鮥 1795
鱕 1805
鱕 1805
鵮 1822
鶵 1825

잡

偺 73
劄 110
匝 122
卡 129
吇 152
咂 156
啑 167
喋 173
喊 181
噈 185
嘤 189
囃 192
嶕 320
帀 329
捶 470
杂 526
雜 593
歃 602
渫 696
聚 715
煠 718
疌 802
睫 804
眨 842
砸 868
磼 880
笝 942
䉅 964
桼 966
[illegible] 1038
[illegible] 1038
襍 1287
話 1345
誻 1356
諈 1359
賍 1397
趿 1406
趡 1418
[illegible] 1448
[illegible] 1448
迊 1490
鉔 1555
雜 1632
雑 1635
雥 1638
霅 1642
雭 1646
鞈 1679
韴 1680
飲 1789
䶀 1873
齰 1890

장

丈 10
𠀋 11
乚 24
[illegible] 28
仉 33
仗 34
仗 39
偉 70
𠃓 81
兂 82
兵 83
卮 83
兵 86
匠 122
壯 202
場 213
𡏖 217
墇 217
塲 218
墻 222
壮 225
壯 225
𡖚 228
奖 236
奘 236
奨 238
奬 238
妆 241
妝 243
嫜 261
嫱 265
将 288
將 289
㢡 289
將 289
㢞 311
蔣 316
嶂 317
帳 333
幛 337
庄 343
庒 344
廧 353
廧 354
弉 356
弊 357
爿 358
弡 361
張 361
慞 410
戇 420
戇 420
戕 421
牂 429
掌 446
斨 493
暲 513
杖 528

样 544
桩 545
桨 546
椿 573
樟 575
[木將] 577
槳 577
橦 580
檣 584
檣 587
欌 592
浆 641
漿 675
漳 680
奘 714
爪 732
爿 735
牀 735
牂 735
[爿酉] 736
[爿宗] 736
[爿彖] 736
[爿酱] 736
[爿盧] 736
牆 736
牆 736
牆 736

牆 736
妝 736
牂 742
状 747
狀 747
奘 751
[將] 753
奬 755
獐 759
獎 759
璋 781
暘 801
暘 802
疰 805
痮 813
瘴 817
眼 848
瞕 855
張 872
章 927
篰 955
粧 969
糚 975
粱 976
胖 1034
穜 1054
脏 1074

腸 1082
腸 1089
臓 1096
臟 1098
臧 1099
艄 1115
艢 1116
荘 1140
莊 1141
萇 1151
莖 1156
葬 1160
莖 1161
蔄 1161
蔣 1175
蓷 1177
蔵 1178
葬 1179
藏 1185
蔶 1187
蕩 1191
藏 1195
薔 1198
蕩 1202
䕦 1204
薔 1207
蜣 1234

螿 1234
蝵 1245
蠨 1257
装 1273
裹 1276
裝 1276
諹 1340
諳 1349
賍 1390
賬 1394
贓 1398
贓 1401
贓 1402
趡 1409
蹟 1417
蹝 1417
踼 1437
蹡 1443
蹩 1445
蹚 1448
輩 1469
近 1489
違 1505
鄣 1525
醃 1532
醤 1535
醬 1541

鋬 1564
鏘 1578
鏃 1590
長 1592
镸 1592
障 1623
鞝 1666
韓 1670
餦 1721
饔 1726
駔 1737
鬻 1753
髒 1761
髮 1765
鬘 1775
鱆 1804
鱂 1805
鱶 1808
鷗 1820
鶬 1834
麞 1848
麣 1853
麣 1891

재

再 89
再 89
再 89

𢦏 139
胔 139
咦 161
哉 161
哉 166
啛 178
嚌 189
在 200
扗 200
𢦔 207
夆 227
宰 279
宰 282
岾 306
崽 313
巛 324
戋 421
戎 421
戕 422
才 427
扗 429
齐 489
斉 490
斎 490
亲 490
斎 490
材 527

柴 540
栽 545
梓 548
栽 552
梓 571
洅 645
渽 652
滋 664
滓 672
灾 706
扒 707
災 707
灾 707
烖 709
烖 712
裁 714
甾 797
簑 892
禸 895
亲 902
綷 1007
纔 1021
纔 1021
䋦 1023
聤 1059
腔 1087
䐉 1102

苐	1127
菑	1148
葳	1159
葘	1165
莘	1170
菑	1172
薔	1180
藡	1198
蠀	1224
裁	1273
財	1385
賳	1387
財	1392
賷	1393
賫	1396
賳	1397
賫	1398
贓	1400
赳	1405
跡	1430
載	1467
輂	1469
載	1469
輂	1476
䡨	1479
扐	1512
酨	1535

酨	1536
鈢	1551
釞	1557
䬌	1719
騂	1749
麸	1849
麳	1850
戴	1863
鼒	1873
鼒	1873
齊	1882
齋	1882
齌	1883
齍	1883
齎	1883
齏	1884
齜	1886
齹	1886
齍	1892
쟁	
争	25
噌	184
埩	211
崢	311
崢	311
崝	311
嶒	321

憕	340
掁	446
掙	451
撜	467
撜	476
敦	485
樘	573
爭	732
猙	754
玎	766
琤	770
琤	774
盯	828
瞠	854
瞸	855
瞪	857
碀	872
磳	881
箏	941
綪	996
䋊	999
羥	1036
䔳	1156
諍	1336
趟	1413
𧻓	1426
蹚	1444

𨆧	1448
䡠	1472
錚	1566
鎗	1574
鏿	1584
鏳	1584
鐺	1585
雫	1638
靗	1654
𩗾	1708
𩘝	1708
𩙣	1711
饓	1728
饓	1728
騁	1746
𩬆	1764
𩬇	1765
鬇	1769
𩶔	1798
저	
且	11
且	12
佢	39
佇	41
低	42
作	43
作	44

伹	44
儲	78
厎	134
咀	155
呧	156
嗻	182
坻	204
坾	204
埯	204
埠	204
坥	204
奃	234
姐	244
宁	274
屖	300
岨	306
㡾	331
底	344
底	345
庢	346
弤	360
㣬	367
彽	369
作	369
徂	369
怚	383
抵	434

抯	435
摴	464
署	515
杵	530
杼	530
柢	537
柠	539
榢	551
楮	562
楮	562
樗	574
槠	576
豬	583
櫧	589
櫫	589
豬	591
歯	604
躇	605
氐	622
汥	628
沮	634
泜	638
泞	640
渚	660
渚	661
滁	671
潳	681

潴	688
瀦	699
煮	716
煑	719
煮	719
牴	740
狙	749
猪	755
猪	756
𤰇	798
𤳛	801
疷	806
疽	807
瘀	811
瘀	817
𥁕	832
𥃋	836
眡	842
眝	842
砠	866
䃌	879
䄍	893
租	899
宜	918
竚	926
𥬌	935
筯	939

筡	940	蒩	1154	衦	1270	軧	1462	鱪	1809	戝	423	熫	723
箸	944	著	1156	褚	1280	軖	1462	鴡	1815	扚	428	犆	728
篨	949	菧	1156	褚	1288	軝	1464	鶋	1826	捇	445	狄	748
篴	953	蓍	1159	舐	1306	䡉	1472	麆	1848	摘	462	猲	755
[illegible]	968	著	1160	觰	1310	輩	1474	麈	1848	摘	469	玓	767
糬	978	葅	1165	詆	1318	这	1490	齟	1892	擿	474	𤩽	784
紵	985	藸	1187	詆	1320	迌	1492	**적**		敵	486	甋	790
紙	988	蒤	1187	詛	1321	迌	1492	倜	69	敵	488	的	825
縳	1005	菹	1193	詝	1324	這	1496	勣	117	𣁽	492	瞗	855
罝	1027	薀	1193	諸	1339	遽	1506	吊	147	旳	500	矺	865
罝	1027	蘊	1201	諸	1343	邸	1514	啾	164	栕	544	硳	871
罹	1031	藷	1202	譇	1362	郘	1515	哧	164	樀	573	磧	878
罯	1031	藸	1204	豬	1376	鄘	1521	𠿒	168	樀	582	䃭	879
罝	1031	蘧	1205	豬	1383	酥	1535	啇	170	歒	600	礋	883
羜	1034	蘦	1209	貯	1387	鍺	1589	嚁	189	浟	651	积	901
羝	1035	藷	1209	趆	1406	阺	1612	嫡	261	滴	675	積	910
翥	1045	蛆	1223	趄	1407	陼	1620	嫡	265	淑	679	䅧	910
聍	1058	蜍	1228	䟉	1408	雎	1631	嫡	267	滳	687	稫	910
胆	1070	蜡	1231	趄	1408	頣	1687	宋	278	潪	698	穦	912
䐗	1083	蠩	1244	趄	1411	頙	1687	宲	280	灂	698	窃	917
芧	1123	蠦	1246	跙	1425	䜃	1712	宗	280	瀥	698	窬	923
苧	1129	蠧	1253	䟡	1436	𩝰	1727	寂	281	赤	707	笛	932
苴	1129	蠩	1254	䠧	1437	骶	1756	庴	348	炙	707	篴	954
茅	1131	菹	1260	蹠	1443	鬻	1780	廸	355	炙	708	篴	957
葅	1143	蕰	1261	躇	1447	鬻	1780	弔	358	灼	711	籊	960
莇	1146	祗	1269	躇	1449	䱝	1791	弔	359	𡌉	712	籍	961
菹	1151	祖	1270	躇	1450	鯺	1801	𢓜	369	炮	714	籍	964

籴	966	蔐	1178	趯	1419	鍉	1570	**전**		塼	217	恮	389
𥻮	976	蕺	1190	𧽤	1419	鏑	1578	电	21	壂	222	悛	392
積	976	藉	1194	趹	1423	𨭚	1589	专	26	壥	223	㥏	397
糴	978	藡	1201	跡	1427	䨀	1634	伝	39	𡔈	224	𢟍	407
糴	978	蚐	1218	踖	1434	䨢	1646	佃	41	奠	237	戋	420
績	1011	蟦	1244	蹟	1443	靮	1660	伭	45	娗	250	𢦏	421
𦊧	1026	蟄	1251	蹢	1444	頔	1686	佺	46	媊	258	戔	421
翟	1043	蠘	1251	蹢	1447	䬨	1716	傎	65	嫥	262	战	422
耤	1052	襀	1285	𨀤	1448	𩞄	1726	傳	68	孨	272	戦	423
𦓡	1054	覿	1298	𨃨	1449	馰	1735	𠐍	79	専	288	戦	423
聑	1057	覡	1299	蹴	1450	𩧭	1749	仝	84	專	289	戩	423
𦗓	1060	覿	1302	躍	1451	𩨾	1758	全	84	𠪚	291	戰	424
𦗑	1060	𧢊	1302	躍	1451	䰅	1786	𠓜	85	屇	297	抌	432
𦗕	1062	覿	1303	蹐	1451	魡	1787	典	87	展	298	拴	440
肑	1065	訹	1328	躤	1454	鯽	1799	顚	88	𡳐	301	捵	447
脨	1078	諔	1337	迺	1490	𩷘	1801	顛	88	𡳿	301	揃	452
芍	1121	謫	1350	迪	1490	鰿	1803	前	105	𡵹	302	捷	454
苖	1132	𧩙	1356	迹	1493	𩻳	1808	剗	106	岟	303	搷	457
荻	1140	讁	1362	逨	1493	𪀦	1827	剪	107	嵮	316	搌	460
𦱊	1143	豴	1377	逖	1496	𪄕	1833	剸	109	嵮	316	摶	464
萑	1145	賊	1390	逷	1499	鶙	1835	劗	112	巓	323	擳	465
菂	1147	賊	1390	適	1505	鸐	1839	皀	130	玨	327	擶	469
葯	1154	赤	1402	遺	1506	𪋑	1844	厘	135	帴	333	𢹂	473
䕸	1161	趞	1412	遰	1508	𪍆	1853	叀	139	𢃳	335	𢹇	474
葃	1164	𧻓	1414	𨙃	1510	𪍈	1853	嗔	177	庙	346	敟	483
蔋	1170	䞿	1417	邮	1515	黐	1860	囀	192	廛	351	斱	493
藡	1174	𧾓	1418	鄐	1528	𪐸	1861	塡	216	𢌭	355	於	495

旃	495	殿	613	獑	764	碘	872	縓	1006	荃	1136	蠺	1257
旃	497	殿	613	琠	775	碊	872	縳	1010	𦮊	1154	蠥	1258
旜	498	毡	617	瑑	776	磌	876	繵	1016	葏	1158	衠	1263
朁	510	氈	621	瑐	778	磌	876	䌠	1016	葥	1164	袸	1272
朘	521	氊	621	瑱	779	磚	878	纏	1018	蒃	1165	褻	1287
栓	540	熼	726	𤩽	782	窴	922	纒	1019	荐	1170	襈	1288
栴	542	沴	634	璏	784	𥨏	923	纒	1020	䕭	1179	襢	1289
亲	546	沺	635	甎	790	竣	927	纏	1021	蕊	1181	覥	1299
栈	546	涎	648	田	794	𥩚	929	羶	1039	𦸑	1181	覥	1299
梴	550	淀	653	甸	795	竱	929	殘	1044	蕭	1184	詮	1325
亲	552	淟	655	畋	797	筌	936	翦	1045	蕇	1184	諓	1337
棧	555	湍	664	痊	809	箋	941	翦	1045	蕼	1184	𧦧	1340
椾	565	湔	665	痶	813	筈	943	翦	1045	𧃷	1187	諯	1344
椾	565	滇	671	瘨	816	𥮐	943	耑	1050	藧	1193	䛹	1344
槇	568	湔	687	癜	820	箭	944	耑	1050	蕑	1201	謭	1351
槙	568	澱	687	𤸰	821	篆	945	耑	1050	蘏	1210	譔	1354
榐	569	澱	689	癲	822	䇮	951	䏼	1050	蜒	1229	讌	1359
榗	570	澶	690	𥀂	829	篿	954	𦗢	1059	蚼	1230	譾	1361
栴	570	瀍	697	皽	830	篣	958	津	1062	蝬	1233	顫	1371
櫼	578	烻	714	眴	838	𥲉	959	𦙏	1074	蜔	1234	貚	1383
樿	579	熼	719	䀬	844	籛	962	脠	1076	蟨	1242	賟	1394
橏	579	煎	719	睃	846	簷	963	腆	1079	蟤	1246	䝰	1401
橂	581	蕑	726	睓	848	籤	964	腞	1081	𧑮	1247	𧼘	1415
欑	586	牋	737	𥇮	851	䊟	977	膞	1088	蠡	1249	䞼	1416
𢍏	603	牷	741	䁔	856	絟	991	膻	1093	蠽	1255	䞡	1418
𢍝	604	猠	755	𥌳	857	𦂅	1001	䐬	1094	蠽	1255	𧽏	1419
前	604	猭	757	硂	869	纏	1005	𦩉	1109	蠿	1255	跈	1425

𧿹 1425
跈 1426
𧿶 1427
𨂂 1427
跧 1427
𨁭 1437
𨂁 1440
蹍 1441
𨅍 1441
蹎 1441
𨇈 1450
躔 1452
𨇀 1453
𨈀 1455
𨉖 1459
転 1462
𨊠 1465
輇 1466
𨋔 1468
𨊻 1468
輾 1475
轃 1475
𨍝 1475
轉 1477
𩏳 1481
𨙂 1503
邅 1509
𨟖 1522
鄟 1525
鄽 1529
𨠵 1537
𨣞 1542
𨣈 1543
鈿 1554
銓 1558
銭 1559
鋑 1564
錢 1567
錪 1568
鎭 1575
鎮 1575
鎸 1576
鐉 1582
𨮮 1584
鐫 1584
𨰰 1585
𨰷 1589
闐 1605
𨶍 1608
闗 1609
𨷈 1609
䧖 1618
隊 1621
隽 1629
雋 1631
𩀌 1634
𩀴 1636
𩁖 1637
電 1640
𩂣 1644
𩅸 1645
𩆍 1647
靛 1654
𩈌 1657
𩈅 1657
靦 1657
𩈛 1659
𩈳 1659
𩍓 1672
𩏑 1673
𩑋 1688
𩔀 1695
顚 1696
顛 1697
𩕣 1698
𩕤 1698
顫 1701
䫩 1709
飦 1713
飻 1716
餞 1718
餞 1720
𩜁 1723
䭈 1723
饘 1728
𩞯 1732
𩛔 1733
駩 1740
騚 1746
𩥞 1747
驏 1747
鬋 1770
𩬤 1771
鬻 1779
𩲕 1783
鯅 1796
鰁 1800
𩸌 1801
𩹼 1803
鱄 1803
鱣 1806
𩽘 1808
𩽼 1809
鳽 1813
𪀦 1818
𪅖 1827
𪆂 1827
鷏 1831
鷒 1833
鸇 1837
𪈻 1840
黏 1857
𪏁 1863
𪑳 1864
黰 1866
𪓌 1869
𪓰 1872
齻 1890

절

佚 43
準 94
切 99
卩 130
㔾 130
卪 130
墆 218
𡗲 238
尐 291
岊 304
峌 308
𡼖 318
嵽 318
巀 321
𡽱 322
幯 339
𢇍 343
弖 358
𢧾 422
截 423
𢨊 424
折 431
𢺍 465
𢹁 468
𣃔 493
斷 494
晣 508
晢 508
梲 550
棳 558
㮷 566
楶 566
𣯐 618
沏 631
浙 646
準 669
𤐞 729
瓞 786
𤱺 802
𤳸 804
疖 805
癤 821
𥆧 840
𥉁 855
𥏡 863
𥗾 889
窃 916
窒 918
竊 925
竊 925
竊 925
竊 925
竊 925
𥬔 940
節 941
節 945
節 945
𥲑 955
絶 989
耋 1049
耊 1049
胅 1071
𦛳 1077
臷 1103
节 1121
茁 1130
苵 1132
荎 1136
莖 1140
菥 1143

莭	1147	韱	1730	埝	211	痁	807	詀	1320	纂	1869	聶	1061
莭	1159	韱	1730	駃	1738	貼	842	諓	1334	黏	1880	牒	1078
蕺	1180	駃	1738	奌	235	磹	881	譖	1354	접		牒	1084
蕝	1182	鬛	1774	姑	245	秥	900	趦	1419	剟	108	熠	1089
蕞	1182	鬛	1775	婆	255	笘	932	醬	1544	墕	223	聶	1098
蘵	1192	鬛	1775	藙	285	箔	943	鉆	1554	帠	338	鰈	1114
蕺	1198	鰤	1808	窡	285	箚	950	阽	1612	惵	400	萋	1149
蕺	1198	鴃	1814	岵	306	簞	955	霑	1643	慹	407	蘿	1209
蠘	1252	鴂	1814	帆	332	簟	965	霸	1648	慴	409	蜨	1230
蠽	1258	鮭	1817	店	345	粘	968	霸	1649	挻	445	蜨	1233
襳	1291	鷙	1822	惦	398	鉆	1023	霑	1650	接	450	蝶	1236
覍	1298	鷭	1840	居	426	耆	1049	霸	1651	摺	464	蠳	1256
詧	1352	纂	1869	拈	435	耆	1049	酟	1657	攕	472	褋	1280
詧	1361	鼸	1879	掂	451	聑	1056	醬	1659	椄	556	褻	1286
趃	1408	齝	1889	沾	636	眈	1067	醶	1659	楪	560	襍	1289
趨	1419	齝	1890	溓	669	膳	1091	乩	1686	槢	572	襵	1292
趨	1419	齝	1891	漸	680	苫	1129	颭	1704	渫	658	讋	1352
跏	1423	齝	1891	夾	707	蕿	1163	髻	1766	湕	659	讋	1356
跌	1424	龖	1894	炎	710	葴	1169	鮎	1790	渫	662	躡	1371
驖	1458	점		奌	710	蘄	1175	黏	1850	煯	719	貓	1378
軼	1464	佔	42	点	710	蕿	1185	黬	1857	睞	850	跕	1424
迭	1491	僣	73	炶	719	蔪	1198	黰	1857	碟	874	踥	1437
酥	1539	僭	73	烟	721	蘩	1200	黲	1857	篥	964	蹀	1438
鉄	1592	刮	102	熸	723	蛅	1222	黬	1858	緁	999	蹀	1443
陘	1625	占	129	燂	724	蝻	1244	黏	1859	緤	1005	踕	1445
靳	1665	呫	170	玷	768	覘	1275	黏	1860	聂	1055	鍱	1586
頔	1686	坫	203	甚	789	覘	1297	點	1862	聑	1057	鮎	1674

鰈	1799	娗	250	整	488	浾	651	碇	872	𦓗	1052	訂	1312
鰈	1799	婷	255	整	488	淡	651	碠	875	耵	1054	証	1320
鼮	1842	宆	276	旍	495	淀	653	裎	889	聇	1056	誔	1334
𪑜	1866	定	276	旌	496	淨	656	禎	891	聙	1058	諪	1345
정		廮	301	旍	497	渟	661	程	903	聤	1059	㼗	1369
丁	9	𡺲	313	旋	497	湞	665	稃	903	肞	1064	貞	1384
丼	16	㣈	331	晶	508	頂	681	穽	916	脡	1070	顁	1389
井	26	幀	334	晸	509	濎	692	竀	923	脡	1075	賱	1397
亭	30	嶝	338	朾	525	瀞	695	竳	924	脭	1077	賵	1398
亭	30	𢆟	341	柾	538	瀞	699	竲	924	艇	1113	赬	1403
个	31	庭	347	桯	546	炡	709	竫	928	艼	1120	經	1403
仃	33	延	354	梃	547	侹	752	竫	928	莛	1142	赬	1404
佂	44	廷	355	棖	554	玎	766	竲	929	菁	1147	𧺆	1421
侹	54	彳	368	椗	558	珽	771	筳	939	葶	1159	𧿒	1421
停	62	征	369	楟	562	珵	773	筫	940	葶	1163	䟓	1433
偵	63	徎	371	楨	562	町	795	箐	943	蘋	1184	蹚	1444
凊	93	怔	383	檉	583	疔	803	粔	966	薡	1191	蹀	1448
凈	94	情	396	正	602	疔	804	精	971	蓍	1196	躿	1457
㓉	143	情	396	正	603	盯	837	精	972	虰	1217	軒	1460
㓉	143	懲	404	豆	604	眐	842	粺	972	蜓	1229	逞	1495
叮	145	挺	443	汀	625	睁	845	紅	980	蜓	1237	逞	1496
呈	149	掟	451	汫	628	鼎	846	綎	987	蟶	1249	逞	1498
壬	199	揨	456	桊	628	睛	847	綎	994	蠑	1253	遉	1502
坪	202	撐	465	浧	641	睜	848	綎	994	甹	1259	邢	1513
埕	208	撜	476	浄	646	瞠	851	綧	1006	甹	1259	邦	1515
姘	242	政	481	浧	648	瞪	860	猜	1044	袓	1270	郑	1517
姃	244	整	487	涏	648	矴	865	耓	1051	裎	1274	鄭	1519

鄭	1527	靗	1654	鳭	1814	㖷	176	㡠	405	渧	662	穧	913
鄭	1527	靚	1654	鶄	1840	嗁	177	懠	410	湇	674	第	933
酊	1531	靜	1654	麈	1846	嚌	189	懥	412	瀠	677	筡	940
酲	1535	靪	1659	鼎	1872	壬	199	懠	416	濟	693	筯	940
釘	1549	鞓	1664	鼎	1872	埩	209	戾	425	焍	713	篂	948
鉦	1556	鞓	1664	鼑	1873	堤	213	折	431	狾	752	遞	957
鋌	1561	韁	1667	䶍	1877	齐	227	批	435	猘	754	䆁	969
鋥	1562	韁	1669	䶎	1877	奃	234	提	453	㺍	759	綈	994
錠	1566	頂	1682	제		媞	243	搋	456	珶	773	緹	1004
踭	1593	頲	1689	丯	18	姼	248	擠	463	瑅	777	罤	1024
問	1595	赬	1690	儕	60	娣	250	擠	472	癠	821	罤	1028
閛	1597	顁	1692	偍	63	媞	258	齐	489	眦	843	罤	1032
閏	1597	䋫	1692	儕	69	趧	295	斉	490	眥	843	䍧	1032
闘	1601	頳	1694	儕	76	崹	313	斪	493	眱	845	聻	1058
阝丁	1610	顁	1701	刺	102	嵽	318	斪	494	睇	846	聻	1058
阱	1611	颴	1711	制	102	嵽	318	晣	508	睼	850	睇	1077
阷	1613	颻	1711	制	105	帝	331	晢	508	碮	874	腣	1083
隕	1621	飣	1713	剤	107	帝	332	晢	509	磃	878	膌	1088
霆	1642	飣	1717	剤	107	㡠	336	桅	544	磾	880	臍	1088
鼐	1650	餛	1720	劑	111	弟	360	梯	549	礷	883	膪	1090
彭	1653	䭘	1722	匸	125	帝	364	楴	564	祭	887	齋	1092
啨	1653	䭭	1731	卯	131	帝	364	檹	587	祭	888	臍	1095
靖	1653	䯊	1758	厗	135	帝	365	沸	640	祈	889	舐	1112
靖	1654	鯅	1796	叁	139	彰	367	沛	640	禘	895	苐	1133
艶	1654	鯖	1796	脊	139	徲	374	淛	655	禚	902	荑	1138
靜	1654	鯙	1801	敪	143	悌	391	済	660	稊	902	萆	1146
靗	1654	黮	1803	啼	172	偍	402	澨	660	穄	909	薺	1156

蒢 1168
蕛 1183
薺 1194
藷 1198
緹 1201
蘒 1201
蘈 1201
虀 1210
虀 1211
蚾 1223
蛦 1226
蛥 1229
蜥 1229
蝭 1237
蝨 1242
蠐 1252
蠐 1252
祇 1266
裝 1271
裚 1276
製 1279
䘡 1279
褆 1280
匙 1301
䑏 1309
諰 1340
䛨 1340
諦 1341
諸 1343
諸 1343
諿 1345
謉 1348
䛥 1353
𧬳 1361
𧬇 1362
𧬲 1367
賷 1393
賷 1396
賷 1398
趆 1406
趆 1406
趆 1408
趆 1408
趄 1409
踶 1414
䞶 1415
趡 1419
踶 1433
踬 1433
跇 1437
踶 1438
蹄 1438
蹏 1439
蹏 1441
蓵 1445
蹏 1446
躋 1451
迡 1490
𨒁 1492
遆 1503
郗 1526
䣟 1534
𨠂 1537
䣷 1537
醍 1537
䤀 1541
䤄 1544
鉥 1552
銻 1563
鍦 1576
鑇 1577
际 1613
除 1615
陰 1618
陦 1619
陡 1619
隄 1620
際 1623
隮 1626
霄 1641
霋 1641
䨝 1644
霽 1650
軝 1663
靳 1665
鞮 1667
䩚 1668
韲 1679
齏 1679
䫏 1691
䫅 1694
題 1694
䬫 1717
䬯 1718
䭈 1720
䬾 1720
䮩 1745
騠 1745
鬐 1774
鬀 1775
鬄 1775
魮 1791
鮆 1791
鮧 1793
鮷 1795
䱥 1797
鯯 1798
鯯 1798
鯷 1799
鯑 1800
䱱 1800
鰶 1803
䲒 1806
鱭 1808
鴃 1811
鴺 1817
鵜 1820
鶗 1826
䲵 1826
鶙 1827
鷤 1835
𪊊 1844
麡 1849
齎 1873
鼶 1877
䶆 1878
鼸 1879
𪖐 1881
鼶 1881
𪖛 1882
齊 1882
齌 1882
齎 1883
𡽱 1883
𢋈 1883
懠 1883
齋 1883
齌 1883
齍 1883
𪗱 1883
齎 1883
齏 1883
韲 1883
齹 1883
齰 1891
𪘏 1892

조

丒 11
且 12
佛 38
伹 44
佻 46
俎 50
傮 68
傸 78
𠎁 80
兆 81
宂 86
凋 93
凿 98
刁 98
𠜲 107
刟 110
助 113
匽 123
𠨭 130
𠮩 130
𡖵 130
厝 135
叉 140
叼 145
召 146
㕣 146
吊 147
啅 164
啁 167
嘈 181
嘲 183
噪 187
圫 205
垗 206
奝 237
姚 246
嬥 266
宨 278
尠 293
𡲤 299
岹 300
岨 306

嶆	317	斛	491	漕	677	皁	824	竈	925	罺	1030	蓸	1159
𢅤	337	旐	497	潮	684	皂	824	竃	925	羇	1032	葄	1162
幧	339	早	499	潮	684	皷	830	笊	931	䂏	1035	蒩	1166
庣	346	晁	504	澡	688	盄	832	箪	944	眺	1057	蒳	1169
弔	358	晁	506	潸	702	盔	833	簗	954	䎭	1060	蒩	1170
弔	359	曌	514	澹	704	眺	844	箌	954	𦗀	1060	蒲	1172
彫	367	曺	518	瀫	705	鴡	855	籓	964	瞧	1061	蓧	1172
徂	369	曹	519	灶	707	壘	857	粗	968	肁	1063	蔦	1175
恌	388	𣋡	520	炤	709	硑	869	粜	969	肇	1063	蓨	1177
慒	408	朓	521	照	720	碉	873	糙	975	肇	1063	蓸	1177
慥	409	朝	522	照	720	祖	886	糟	975	胙	1068	蔀	1179
懆	415	条	529	燥	722	祖	886	糴	977	胙	1069	蓮	1179
𢥞	420	枣	529	燶	722	祚	886	糶	978	朓	1074	蓢	1187
扚	428	柤	537	熢	726	祧	888	糶	979	膰	1086	蓧	1187
抓	431	條	552	燥	727	褿	893	糶	979	膸	1090	藋	1195
找	432	絛	552	爝	731	禮	893	糟	979	膝	1092	藻	1197
挑	441	棗	553	爝	731	租	899	組	986	臊	1094	藻	1202
掫	446	棹	555	爪	731	秨	900	絩	992	艁	1113	藻	1205
措	450	槽	573	爫	732	秭	902	絛	992	艚	1115	藻	1208
搋	465	樢	576	狙	734	稠	904	絛	995	艚	1115	蘿	1210
摻	469	楝	582	狣	751	窕	918	縧	1008	艞	1115	藻	1210
𢷣	469	𣟴	593	獔	760	窖	919	繰	1011	艞	1116	蘿	1211
操	471	殂	606	珇	769	竂	922	繰	1015	芍	1121	虘	1214
敦	484	𣧛	608	琱	775	寫	922	繰	1018	芀	1121	䖑	1215
敨	486	洮	643	瑵	779	竂	923	罩	1028	苴	1129	䖑	1215
𢿲	486	浩	659	璪	782	竈	924	罩	1028	莜	1145	虘	1216
㲈	489	淖	660	眺	799	竈	924	罹	1029	萙	1152	虘	1216

字	頁	字	頁
蚤	1221	粗	1373
蛁	1222	𧳜	1375
蚺	1227	𧳫	1382
蛩	1231	赵	1405
蜩	1231	趒	1409
蝨	1239	趙	1410
螬	1243	𧺈	1412
𧍩	1246	𧼯	1414
螩	1249	趮	1418
蠽	1258	跐	1427
袑	1266	跳	1429
裯	1266	𨀑	1432
袌	1268	𨁟	1433
䘢	1278	跙	1437
褿	1285	䠋	1444
䘠	1286	蹧	1444
襸	1293	䠷	1446
覜	1298	踿	1448
訋	1315	躁	1449
詔	1321	䠷	1457
詛	1321	䡪	1467
誂	1327	𨎮	1479
調	1335	迣	1490
謯	1350	𨑩	1492
䜊	1352	迠	1492
謿	1356	造	1497
譟	1357	遭	1505
䢐	1506	隉	1618
𨘛	1511	𩀜	1633
鄵	1528	雕	1633
醩	1541	𩨇	1636
釂	1542	𩃀	1641
𨣧	1545	䩌	1658
釕	1549	靻	1662
釗	1549	𩎗	1665
釣	1549	頫	1688
鈟	1553	飷	1715
銚	1558	飵	1716
鋚	1563	䬂	1722
鎥	1563	𩞄	1727
錯	1567	駔	1737
錭	1568	駣	1739
鋽	1569	髞	1764
鍣	1574	鬝	1769
𨭉	1577	魡	1787
鏪	1580	鮉	1791
𨮐	1583	鮡	1793
𨫼	1586	鯈	1795
鐰	1586	鮍	1796
鑃	1587	鯛	1796
鐃	1589	鯛	1796
鑿	1591	䱌	1797
阻	1612	魹	1799
阼	1612	鰷	1804
鱢	1805	錊	1570
鳥	1809	鎐	1577
鳭	1810	鏃	1577
鵰	1824	**존**	
鵫	1824	𢪀	34
麆	1845	存	270
麈	1846	尊	290
䵲	1869	尊	290
鼂	1871	𢍘	357
鼌	1871	拵	441
족		袸	1272
哫	163	𨛓	1517
宊	306	鷷	1835
族	497	**졸**	
瘯	817	乼	22
𥏣	863	伜	39
𥗂	878	倅	56
䅸	911	卆	126
簇	952	卒	127
𦇎	979	𢪿	433
萃	1137	拙	437
蔟	1175	捽	447
𧍲	1246	𢼑	481
足	1420	椊	557
𧾷	1421	𣣌	597
踿	1440	𣨛	608
𨆸	1446	炪	710
猝	754	𩭂	1770
䂐	863	䱣	1799
稡	905	𪗵	1888
脺	1080	**종**	
𧉮	1223	𡧅	16
卒	1264	从	31
𧤖	1308	伀	38
𧺆	1405	倧	59
踤	1435	刅	99
𨑴	1495	𠰉	152
𩩤	1759	堫	214
		𡑍	218
		夎	228
		妐	242
		宗	276
		尰	294

橦	295	漴	675	糉	973	蝬	1248	𨋢	1471	騣	1745	剉	104
㝋	313	潨	681	終	986	𧖴	1257	𨌲	1473	𩩸	1759	坐	202
嵏	313	潀	684	綜	996	衳	1267	䡯	1474	鬃	1768	𡋯	203
嵸	317	炂	708	縦	1000	𧛷	1278	𨏈	1477	𩮀	1770	㘴	205
嵷	317	猔	754	緵	1004	䙕	1281	𨏫	1479	鬉	1770	𡊩	209
𢂁	334	猣	757	緃	1005	䙂	1281	䢼	1490	鬆	1773	𡘴	228
幒	337	㹐	760	縱	1008	褈	1282	𧮢	1490	鬷	1778	𡜰	251
㣭	369	琮	774	縱	1009	䙊	1286	𨘤	1506	䰌	1779	𡝐	260
徔	371	瑽	780	𦆭	1018	𧝓	1288	遪	1510	鮦	1793	𢔖	294
従	371	瘇	813	𦆨	1020	䚗	1305	遚	1511	鯮	1797	屮	302
從	372	瘲	818	𦈏	1024	觩	1305	鈡	1553	鯼	1799	左	326
徸	374	㾮	819	𦏘	1044	誴	1340	銿	1563	𩸞	1800	座	347
忪	381	䁓	852	肿	1068	諥	1345	錝	1569	𩽊	1806	𢊁	349
悰	397	瞛	854	腫	1082	𧲡	1375	鍐	1570	鴤	1816	挫	442
𢗭	402	磫	880	𦝫	1090	䝋	1375	鍾	1572	䳷	1829	𢪰	442
慫	406	稅	902	𦞦	1090	豵	1377	鐘	1582	𪇆	1834	拼	446
慒	408	種	906	𦤭	1101	䝪	1384	𨻶	1593	鷟	1834	挳	461
𢥞	420	稯	906	艐	1114	賨	1395	𨼋	1593	𪏰	1867	摧	463
柊	536	𥡰	910	葼	1162	𧶛	1395	𨽂	1593	𪔃	1876	痤	811
棕	554	䅪	911	蓯	1173	𧺚	1406	閦	1597	𪔋	1876	睉	847
椶	565	童	927	蔠	1177	𨁈	1423	𩀦	1634	鼕	1876	𥈡	853
樅	573	橐	929	螋	1237	踪	1435	䧙	1637	𪖌	1879	矬	863
歱	604	笗	932	蝩	1237	踨	1436	𩁀	1637	좌		䂳	871
𣧑	607	篓	946	螽	1239	踵	1438	𩌡	1668	ナ	17	脞	1075
汷	627	䉘	953	蟌	1244	蹤	1444	𩞓	1726	佐	42	莝	1142
浨	646	籦	964	𧕲	1246	𨊄	1458	𩜬	1726	侳	54	蓌	1167
淙	655	粽	973	𧑆	1248			騌	1744	𠈇	67	蓙	1177

袏 1270
⿰言坐 1334
⿰豸左 1380
⿰足坐 1433
銼 1561
髽 1768
⿱髟亞 1771
⿱坐齒 1888

죄

⿱山非 320
⿰山辠 320
⿱山辠 321
罪 1028
辠 1484

주

丟 13
丶 15
主 16
丢 19
⿰丿几 21
伷 41
住 42
侏 48
侜 49
做 62
⿰亻舄 66
傮 68
⿰亻咼 74
儔 76
⿰亻曹 80
冑 89
胄 89
凑 94
⿹勹主 120
⿴冂丶 130
厨 136
⿸厂尌 137
呪 154
咒 154
周 157
周 158
咮 159
唒 164
啄 167
啁 169
喌 171
咼 177
嗾 180
噣 186
囑 187
壴 225
奏 235
⿰女殳 242
妵 245
姝 246
婤 255
娶 263
宙 276
宔 277
昼 298
屨 300
⿱山奏 303
⿱山夫 306
⿻乂丶 324
州 324
⿰巾咼 338
幬 339
幮 339
廚 351
咼 361
⿰彳由 369
懤 416
⿱壽心 417
拄 435
捯 451
揍 456
搗 463
⿰扌咼 469
擣 473
⿰黃殳 485
黈 492
斢 492
族 497
昼 505
晝 508
⿺月丶 520
朱 526
枓 532
柱 537
株 541
柴 552
椆 556
楱 564
橱 582
櫥 589
鮢 592
投 612
注 639
洀 641
洲 643
淍 658
湊 664
澍 685
炷 709
⿱𡗗火 726
⿱雔牛 746
犨 746
⿰犭主 750
珠 770
⿰目咼 801
疇 803
疛 805
疰 808
⿸疒壽 821
⿱羽咼 826
疇 827
盩 835
⿰目丩 837
矚 860
⿱山矢 863
砫 868
硃 868
⿰礻主 888
祩 888
⿰礻留 892
⿰礻畱 894
稠 904
⿱⺮主 935
⿱⺮朱 937
⿱⺮往 946
簇 952
籀 960
籌 960
⿱⺮黿 960
籒 961
粙 968
⿰米周 972
⿰米責 974
⿰米壽 978
紂 980
紬 985
紸 985
絑 991
綢 996
績 1006
繇 1012
⿰糸壽 1018
罜 1027
⿰羽周 1042
⿰耳朱 1057
⿰耳周 1059
肘 1064
⿰月丑 1067
胄 1071
腠 1081
⿰月壽 1096
舟 1110
⿱艹周 1154
⿱艹秞 1154
葤 1159
⿱艹酒 1169
蔟 1175
⿰扌留 1193
薵 1196
⿰虫寸 1219
蛀 1222
蛛 1225
⿰虫觜 1246
⿱敖蟲 1260
⿰衤殳 1267
袾 1272
裯 1276
⿱此角 1306
⿰角周 1309
註 1320
⿰言由 1322
⿰言兄 1323
誅 1327
⿰言舟 1329
調 1335
譸 1360
⿰谷周 1367
豈 1369
⿰豕奏 1376
⿰豸酉 1382
⿰貝主 1389
賙 1393
走 1404
赱 1404

字	頁	字	頁	字	頁	字	頁	字	頁	字	頁	字	頁
𧺆	1404	酎	1532	駲	1741	𠙷	171	寯	286	蹲	791	衰	1284
趣	1410	酒	1532	騒	1744	竹	930	尊	290	晙	799	訰	1318
足	1420	粟	1533	䮱	1744	粥	969	尊	290	㑺	799	譐	1356
𧾷	1421	鉒	1555	騶	1748	精	972	屍	297	皴	829	容	1367
𧿒	1423	銂	1560	騒	1751	鬻	1779	屯	302	睃	846	谆	1368
跓	1425	鋳	1563	鬏	1769	麭	1782	峻	309	眴	849	晙	1393
跦	1427	鍒	1574	鬟	1774	**준**		㕙	315	瞕	860	趨	1411
𨂂	1440	鑄	1586	鮋	1790	俊	52	嶟	319	稕	905	踆	1430
躕	1448	鑄	1586	鮢	1793	𠊱	64	嶲	320	穆	914	踆	1430
𨆴	1448	𨭖	1587	鮂	1794	僎	64	㡓	335	竣	927	踤	1437
踽	1449	鑄	1588	𩺬	1801	僎	71	弅	357	純	982	蹲	1446
躊	1451	隯	1619	𩻬	1808	僔	73	逡	371	綧	1000	蹲	1447
𨇦	1451	霔	1643	搗	1811	儁	74	恂	387	縳	1014	迍	1489
躕	1452	䨮	1644	鴸	1818	儁	78	惷	399	罇	1024	逡	1497
𨈖	1456	鞧	1662	鵃	1818	准	94	蠢	411	脜	1081	遁	1500
軴	1464	韋	1662	𪄀	1839	準	94	戴	424	膞	1091	遵	1506
輈	1466	𩏺	1668	𪉷	1843	劗	110	捘	445	艀	1116	遵	1510
輖	1469	韭	1674	麈	1845	婈	140	撙	467	䞭	1119	遵	1511
輳	1473	頪	1693	麫	1855	夋	143	晙	507	葰	1161	醇	1532
𨏔	1483	顣	1693	黈	1857	啍	175	楯	563	蓴	1183	錞	1560
逎	1495	颾	1708	𪏁	1858	噂	184	樽	578	蕁	1193	鐏	1581
週	1498	𩙻	1711	䵣	1859	埈	209	浚	647	蕁	1198	隽	1606
遒	1502	飳	1717	黈	1862	埻	211	準	669	蘦	1211	陖	1615
𨗨	1510	馵	1735	鼄	1871	墫	220	濬	687	蠢	1253	隼	1629
𨘼	1511	駐	1737	齟	1885	墫	224	濬	694	蠢	1257	隽	1629
邾	1515	駎	1738	𪚦	1895	墫	226	焌	713	衠	1264	雋	1631
𨞕	1529	駯	1740	**죽**		夋	227	畯	789	裑	1275	雋	1633

䧽 1633
餕 1719
駿 1742
䮞 1745
鬊 1773
鱒 1805
鵔 1820
鵕 1820
鷷 1835
𪕬 1876
𪖌 1878

줄

乼 23
啐 167
崒 310
崪 310
㤕 383
泎 628
淬 656
窋 917
窣 922
笜 934
翐 1044
茁 1130
趉 1405
䳏 1593

중

中 14
𠁦 15
𠁧 15
𠁨 15
乑 19
乑 19
众 36
仲 36
㐺 39
衆 325
𤛆 743
眾 846
笗 938
緟 1002
𦬕 1126
蚛 1221
蝩 1237
蝝 1248
衆 1259
衶 1267
褈 1282
𧱝 1283
𧞣 1288
重 1547
重 1547
重 1547

霐 1647
𩅾 1649
䨹 1649
鴤 1813
𪀚 1829

쥐

穙 914
䆉 914

즉

則 104
𠜴 109
𠟵 111
劕 111
即 132
卽 132
卽 132
卽 133
喞 173
𠹻 174
堲 214
㞋 296
崱 313
揤 456
猣 758
葥 1162
蝍 1235
蠈 1250

𨂬 1440
𩵻 1789
鯽 1799
鰂 1800
鱡 1807
鵖 1827

즐

叱 145
𡃔 190
堲 214
扻 430
楖 561
櫛 588
櫛 588
瀄 697
𥢵 913
𨻶 1627
騭 1749
𩵠 1791
𪗆 1886
𪗨 1888

즘

怎 381

즙

咠 158
品 171
怎 381
戢 423
楫 562
檝 584
汁 625
濈 691
䁒 852
𥊝 856
緝 1002
艥 1116
𦯧 1154
葺 1161
𦸗 1187
蕺 1187
𧜣 1277
𧤸 1309
𧥄 1311
𨍭 1469
輯 1472
輎 1473
𨐊 1480
霵 1650
𩅰 1652
𩆃 1653
𩍿 1668
𩣡 1752

증

丞 13
僧 71
僜 73
噌 184
增 218
増 219
𡶀 307
嶒 319
𢏁 358
憎 410
憎 411
憕 411
𢧐 424
承 429
𢪋 433
拯 439
𢪜 451
撜 467
曾 519
曾 519
橙 580
橧 581
氶 625
𦎆 634
潧 686
烝 712
熷 725
𤍠 725
甑 790
䁬 802
症 808
𤸃 817
矰 864
磳 881
竲 929
𥬍 938
䉕 957
綷 995
繒 1013
罾 1031
𦒒 1047
脀 1074
𦘿 1075
𦝆 1077
𦬁 1140
蒸 1166
𦵔 1172
𦱈 1172
𦸺 1179
䔲 1184
虰 1217
𧏡 1260
䙢 1288
証 1320

⿰言烝 1349
證 1353
譄 1355
⿰豸曾 1377
贈 1398
贈 1399
⿰曾頁 1399
⿰足丞 1430
踜 1436
⿱丞車 1466
⿰車丞 1467
⿸广曾 1472
鄫 1526
鏳 1593
⿰食夌 1721
⿰食烝 1730
驓 1751
⿰鬲曾 1779
鬵 1780
⿰黃丞 1857
⿰黑亭 1866
⿰黑曾 1868
⿰黑登 1868
⿰黑黽 1869

지

⿰丶朩 18
之 18
伿 44
⿱大木 126
⿱土氺 127
夘 132
厎 134
只 144
吱 152
咫 158
咶 159
地 200
址 201
坁 202
坻 204
⿰土示 204
⿰土㐌 204
⿰土早 204
⿱氐土 205
埊 209
⿰土屖 216
墀 217
墜 221
她 240
媞 258
⿱執女 263
⿱埶女 263
実 277
实 277
寘 284
㞢 302
⿱山一 302
⿰木吉 312
帋 330
⿰執巾 338
⿸广矢 346
徲 374
志 377
⿱㞢心 379
忯 380
恀 388
恉 390
懥 416
扺 430
抵 434
批 435
抧 437
⿰扌⿱匕日 440
持 440
指 440
⿰扌耆 458
摯 461
支 478
⿱支冂 478
⿰多支 479
⿰壴攴 486
旨 500
百 500
⿱千日 500
⿱士日 501
智 510
⿰木止 531
枝 533
枳 534
榰 567
止 602
氏 621
池 627
⿰氵攵 628
汦 631
沚 632
汥 633
泜 638
沶 640
洔 645
洓 645
⿰氵耆 673
漬 679
⿰氵時 682
濱 692
⿱羊夾 714
⿱羊秀 721
⿱廾豕 726
㫖 791
疻 808
疷 809
痣 810
⿱⿺辶缶皿 834
⿱千目 839
知 863
⿰矢可 863
⿰矢虒 864
砋 866
砥 867
祉 885
祉 885
祇 885
祗 886
⿰示至 888
禔 891
秖 898
⿰禾玄 899
秪 900
積 907
⿱竹也 930
貭 940
⿱竹治 941
箎 943
⿱箎心 947
篪 949
簃 952
⿱竹遞 957
紙 983
⿰糸支 984
⿰糸式 991
絺 996
⿰耒責 1038
⿱山羽 1041
⿰犭只 1042
耆 1048
肢 1066
胝 1069
胑 1070
脂 1073
⿰月⿱千日 1073
至 1102
至 1102
圣 1102
⿱致土 1104
⿱執至 1104
⿰舌也 1108
舐 1108
䑛 1108
⿰舌施 1108
舓 1108
⿰舌彖 1109
⿰舌是 1109
芝 1123
芷 1124
芪 1125
⿱艹泫 1143
⿱艹志 1146
⿱艹知 1154
⿱艹泜 1155
⿱艹絺 1187
蚔 1221
蚳 1222
⿱至虫 1230
蜘 1231
⿱氏䖵 1241
⿰虫屖 1242
⿱氐䖵 1242
⿱知虫 1245
⿱智虫 1246
⿱雨䖵 1252
⿱至䖵 1253
衹 1266
衼 1267
⿱此衣 1271
⿰衤屖 1284
⿰衤犀 1286
⿰衤遲 1292
⿰去見 1298
觗 1306

訨 1317
訨 1318
訳 1322
𧧖 1328
誌 1330
䛗 1339
謘 1347
𧫷 1352
識 1354
𧭍 1361
𧭎 1362
豟 1375
𧳋 1378
質 1387
貭 1387
質 1395
賀 1396
贄 1398
赼 1403
趆 1405
𨀙 1421
趾 1422
跂 1422
跖 1423
跃 1427
踟 1434
踶 1438

躇 1447
蹓 1449
躓 1450
躓 1452
躑 1456
躯 1456
軹 1464
輊 1466
輖 1472
輩 1477
輶 1478
轛 1482
轋 1482
迟 1491
迡 1492
遲 1503
遲 1504
遲 1506
遲 1506
郅 1513
酟 1533
醞 1537
醬 1541
銡 1563
鑄 1572
鍪 1580
鍪 1580

鑿 1583
阯 1611
陘 1623
雉 1630
雉 1631
靴 1660
鞈 1663
鞋 1663
鞴 1672
飿 1714
馶 1736
騺 1750
骹 1756
髻 1767
鯀 1791
鮨 1792
鰤 1799
䳅 1811
鴟 1813
鴃 1816
鴅 1816
鴲 1818
鷙 1826
鷙 1833
鼅 1871
鼅 1872
齀 1896
齀 1896

직

戠 423
昵 505
昵 507
樱 567
樴 577
溭 672
犆 742
直 837
直 838
禝 892
稙 902
稙 903
稙 904
穖 907
稷 908
𦅦 1001
織 1013
职 1056
職 1061
膱 1081
臟 1090
蘵 1208
蘵 1208
蟙 1248
軄 1458
鬒 1773

진

㐱 17
参 33
侲 50
侲 50
儘 76
真 87
𠙴 95
𡰪 122
辰 134
辰 134
唇 165
唇 165
嗔 177
嚧 189
填 216
塵 218
㐎 237
姫 247
尘 292
尽 296
屒 299
帪 332
㐱 355
抮 433
抻 434
搷 441

振 442
振 442
搢 458
搢 458
𢳾 483
嗷 487
晉 506
晋 507
晋 510
𣇾 515
亲 546
桭 547
栝 550
亲 552
榛 566
槙 568
槙 568
槇 569
榗 570
槤 576
槈 582
橏 590
殄 607
殄 607
沚 641
津 643
溁 651

溱 651
溱 668
溱 670
溍 686
濜 695
獉 759
獤 760
獤 761
𤢿 764
珍 769
珎 769
瑱 779
瑨 779
瑨 779
璡 782
甄 789
甄 790
昣 797
昸 797
眐 799
疢 805
疹 807
盡 833
盡 834
盡 834
眏 839
眕 841

眞	843	摯	1038	裖	1274	辰	1486	顚	1690	妷	245	𥏝	864
真	843	聄	1056	覙	1298	辰	1486	駗	1738	姪	247	䂒	867
眞	843	䏲	1059	觼	1310	䢅	1487	𩬪	1766	嫉	260	礩	883
眹	844	肂	1063	診	1319	迧	1492	鬒	1771	峌	308	祑	888
䀼	845	肕	1068	訡	1319	進	1498	𪀉	1822	帙	331	秩	900
䀖	847	胗	1070	訡	1319	𨓏	1502	鷏	1831	庢	346	秷	902
瞋	852	䐜	1087	誫	1334	邸	1517	鷐	1831	𢈪	352	窒	918
砛	868	𦣞	1099	謓	1348	鄑	1523	麎	1849	抶	434	紩	985
砳	868	臻	1103	𧭹	1361	鄲	1528	黕	1863	挃	440	絰	990
砱	869	𦨣	1114	𧵼	1388	鄟	1530	黭	1866	挋	441	㹾	1042
禛	892	葏	1159	𧶀	1389	鉁	1556	黰	1866	揤	456	耋	1049
秦	901	蓁	1167	賑	1392	鎭	1575	黰	1866	𢶍	464	耊	1049
稹	908	蒖	1172	趁	1407	鎮	1575	질		所	493	𦗓	1061
䅺	909	蔯	1176	趂	1407	閅	1594	佚	43	昳	505	胅	1071
穪	914	蓡	1184	𧾖	1416	閔	1595	侄	47	晊	506	𦙽	1077
第	933	葴	1187	䟴	1431	陣	1613	㑄	67	柣	537	膣	1085
𥳑	951	薦	1190	軙	1462	陣	1615	劕	111	桎	543	膣	1088
𥶚	960	蓁	1193	軝	1462	陳	1617	廿	126	槉	570	𦤣	1103
籈	960	薽	1196	𨋂	1463	陳	1624	厔	134	櫍	588	臷	1103
紖	982	蓳	1198	軫	1463	震	1642	叱	145	欪	596	𦤦	1103
紾	986	蓁	1198	軫	1463	震	1642	呹	157	𣦸	607	𦤹	1104
縁	993	蕣	1206	轃	1475	䨙	1647	咥	159	跌	622	荎	1140
縉	1006	蘖	1209	轃	1475	𩅡	1648	嘨	182	瓆	785	蒺	1166
縉	1006	螓	1240	輯	1475	𩃀	1653	嘯	186	瓞	786	𦽋	1192
縝	1007	螴	1245	輪	1482	靕	1654	𡁥	190	疾	807	蛭	1226
縉	1020	𧕿	1260	辰	1486	𩑶	1686	垤	206	眣	842	螏	1242
辣	1037	袗	1268	辰	1486	頕	1686	㚈	238	眰	844	𧒂	1242

螲 1243
袟 1269
袠 1271
袠 1271
䞇 1298
詄 1320
䛍 1349
𧬆 1353
𧭈 1362
豒 1371
貭 1387
質 1395
𧺼 1416
𧾊 1418
跌 1424
跮 1428
跢 1429
𨁈 1433
𨂐 1450
躓 1452
𨆍 1458
軼 1464
迌 1490
迭 1491
遷 1508
郅 1516
鉄 1556
銍 1558
鋞 1569
𨨲 1576
鑕 1587
𨴊 1599
顃 1695
𩚩 1717
𩨲 1757
䰷 1782
𩳦 1782
鷙 1833
𪘆 1886
𪘏 1886
𪙛 1891

짐

ㅑ 14
卜 129
斟 491
斟 491
斟 491
朕 521
栚 544
榗 551
㴨 671
朕 1091
䑣 1113
䑴 1114
𦯬 1146
𨠃 1532
𨟻 1532
𨠂 1533
酙 1533
𨿡 1631
䰷 1782
𩳦 1782
鴆 1811
𪒠 1869

집

亼 31
什 32
卙 128
卙 128
咠 158
㗱 184
執 209
𡐌 223
𡙴 237
𡝦 263
𡝦 263
𡰪 297
𡾟 320
㥫 402
慹 407
执 429
揖 453
楫 562
檝 584
淁 659
湒 665
潗 684
潗 684
瓡 787
緝 1002
𦆃 1014
𦛬 1083
𦢔 1095
艥 1116
蓻 1177
褺 1277
諿 1344
謺 1352
讋 1356
譶 1360
𧫷 1361
𧾔 1418
輯 1469
輯 1472
輎 1473
𨐇 1480
𨨏 1572
𨭥 1580
𨭥 1580
鏶 1582
𨮃 1583
集 1629
雧 1638
𪚮 1874

징

壬 199
徵 375
徵 375
惩 395
憕 411
懲 416
懲 417
𢾊 485
𢿢 485
數 486
於 495
澂 685
澄 685
瀓 698
癥 821
瞪 855
䞓 1400

차

𠀇 11
且 12
𠘗 27
佌 41
佽 47
侘 49
㑪 49
借 58
偖 65
𠓦 90
次 92
𠝏 110
𠩎 136
叉 140
咱 159
哆 160
唓 164
唶 167
嗟 178
嗏 178
嗻 182
𡁨 182
垞 206
奓 236
𡗝 236
奲 239
奼 240
姕 246
姹 248
𡜌 251
娷 260
岔 304
嵖 314
嵳 315
嵯 315
𡾯 322
差 327
𢀷 327
庛 349
扨 428
扠 428
扯 433
抯 435
搓 457
搽 458
搋 459
撦 468
杈 527
次 594
此 603
𣥠 603
𣩂 610
汊 626
泚 641
浾 651
淡 651
潳 687

字	頁	字	頁	字	頁	字	頁	字	頁	字	頁	字	頁
羨	714	𦜓	1086	諎	1338	鎈	1575	鹺	1881	捉	444	穱	914
羡	721	䐽	1090	誃	1345	𨸏	1593	䶓	1881	𢫫	448	窄	917
𤼵	726	䐗	1092	謇	1348	䃇	1593	齹	1886	措	450	笮	933
瑳	779	𥈞	1106	𧩧	1349	𪘱	1629	齹	1888	搾	460	箸	944
𤩽	785	舣	1111	䜀	1353	䨼	1647	齹	1891	𢷾	465	簎	950
睉	801	艖	1115	諸	1355	靫	1659	鹺	1891	擉	471	簇	952
𥌕	803	𦪷	1117	諮	1356	靫	1659	齹	1892	戳	488	籍	954
痄	808	𦪷	1117	譔	1358	䪥	1684	齹	1892	斮	493	籗	962
𤸫	811	芆	1122	訾	1362	顂	1691	착		斵	493	篧	963
瘵	816	苴	1129	𨀤	1421	䮞	1739	丵	15	斲	494	籱	964
瘥	816	茶	1135	跅	1430	髊	1760	促	52	斲	494	籱	965
𤺊	821	莗	1143	蹉	1441	鬓	1767	㑁	89	斲	494	䊰	976
皉	825	蓌	1159	䟽	1446	鬖	1771	凿	98	斲	494	繫	978
𢿏	830	葙	1159	蹉	1452	鬉	1775	剒	107	斲	494	䊰	979
硨	870	蒫	1169	躦	1452	魑	1784	𠜎	109	旿	499	縒	1007
磋	876	蔖	1176	躦	1452	魌	1785	剳	110	署	515	𦇯	1019
秅	902	豬	1187	躦	1455	鮀	1794	劉	111	櫡	589	着	1035
筫	935	藸	1204	車	1459	鴍	1810	劚	112	䃀	605	𦒺	1064
筿	937	虘	1214	䡊	1465	鴜	1815	厏	134	㲋	616	豚	1079
筍	942	𧇊	1215	軟	1467	鶿	1820	厝	135	浞	647	䓒	1155
篸	950	蛇	1226	䡵	1481	鹺	1843	啄	167	濯	702	著	1156
絘	991	蛼	1227	𨒪	1492	齹	1843	娖	250	濁	705	著	1160
縒	1007	衩	1265	遮	1505	齹	1843	娕	251	燋	725	蕉	1205
𦇯	1019	褨	1284	遮	1505	齹	1844	婼	257	硺	872	䕩	1208
脎	1079	𧢲	1305	䣜	1525	𪍑	1853	孎	269	䃗	877	䕩	1209
䐗	1083	訍	1319	醝	1539	𪍑	1854	戳	425	稦	904	蚝	1218
膠	1083	詫	1325	釵	1550	黪	1860	捒	440	穛	911	蛬	1227

字	頁	字	頁	字	頁	字	頁	字	頁	字	頁	字	頁
䙯	1275	𨯁	1589	𢤤	411	穳	914	𧆂	1211	饌	1727	擦	473
觕	1305	鑿	1591	撰	456	窜	920	襸	1293	饌	1729	擦	474
諑	1337	𩍠	1670	撰	468	竄	924	譔	1354	籑	1730	札	524
𧩙	1340	韄	1673	攢	475	笇	937	讚	1362	饡	1731	桚	546
𧮐	1365	𩽹	1856	攛	476	篹	948	讚	1365	𩯸	1774	檫	587
𧳻	1375	齣	1885	攢	477	簒	949	賛	1396	鬢	1775	礤	883
𧿹	1430	齪	1887	𣂪	493	篡	951	贊	1400	𩱦	1796	紮	984
踔	1433	𨅔	1887	欑	589	篹	952	趲	1419	䲣	1806	紥	988
踼	1434	𪘲	1889	欑	593	簒	955	趲	1420	𩺞	1809	䌨	1019
踱	1439	齰	1889	𣦼	606	簨	956	躦	1452	䴺	1852	𦗶	1060
趗	1443	齺	1890	殩	610	籑	957	躥	1454	齹	1891	蔡	1175
躇	1449	찬		湌	662	籑	961	躦	1455	찰		𧁐	1180
𧽊	1451	串	15	澯	690	籑	961	𨏠	1482	刹	104	𧀾	1194
辵	1487	丳	15	灒	704	籫	965	𨏠	1483	刹	104	蚻	1224
⻌	1487	儧	78	灿	707	粲	970	酇	1529	剌	108	詧	1328
逴	1498	儹	79	𤇺	723	粲	972	酇	1530	剎	108	𧵬	1393
逪	1499	㚲	83	燦	727	纂	1015	鋑	1564	咱	159	𨁋	1430
遝	1508	剗	106	𤏸	728	纘	1019	鑚	1588	哳	164	鍘	1572
𨗨	1509	劗	109	爨	731	纘	1021	鑹	1590	𠻜	179	鑔	1589
鋜	1562	剷	110	爨	731	羼	1039	鑽	1591	囋	193	𩞂	1730
錯	1567	喰	176	𤝞	755	𦢃	1091	韊	1672	察	284	鬠	1775
𨧫	1570	囋	193	璨	782	臢	1098	韊	1673	嶻	321	𩴾	1785
錔	1583	𡚱	245	瓚	785	爨	1107	韉	1673	巀	322	𩿤	1816
鐯	1585	㛑	252	瓚	786	菆	1148	𩓐	1695	𢥠	419	𪎈	1845
鑿	1586	𡤫	269	穳	862	蔪	1187	餐	1718	扎	427	䵵	1863
𨮰	1589	巑	322	粲	894	𦾮	1198	餐	1720	拃	437	𪑿	1866
𨭆	1589	巑	323	禶	895	𧃘	1205	饌	1723	拶	439	𪒝	1869

⿰齒韱 1892

참

⿰亻⿱夂彡 65
傪 68
⿰亻叁 71
僭 73
僣 73
儳 79
儳 79
劖 111
厽 139
叄 139
⿱厽三 139
参 139
參 140
叅 140
曑 180
噆 184
嚵 192
嚵 192
墋 217
塹 218
⿰土斬 218
壍 223
嶄 316
嶃 316
嵾 318
⿰山參 318
⿱斬山 318
巉 322
巉 323
忏 378
惨 398
慙 406
慚 406
慘 408
憯 413
憯 413
憯 413
⿰忄叅 413
憯 413
懺 418
懺 419
憯 419
⿰扌⿱夂彡 457
摲 461
⿱斬手 462
摲 463
摻 464
⿰扌叅 469
攙 476
攙 477
斬 493
⿱日山 500
曑 515
朁 519
⿱免木 566
槧 577
欃 591
欃 592
毚 617
毚 617
漸 680
瀺 701
瀺 703
獑 760
⿰犭毀 760
獥 761
⿰毚瓦 791
⿰目參 802
⿸疒朁 818
⿱斬石 879
⿰石斬 880
站 926
篸 952
⿰舟叅 1116
艬 1117
⿱艹塹 1210
⿱艹⿱兟貝 1211
⿰虫毚 1256
⿱朁䖵 1258
蠶 1258
⿱斬見 1302
⿰角毚 1311
謲 1353
譖 1354
讒 1360
讖 1362
讒 1364
讖 1364
讒 1365
⿺走參 1416
⿺走叅 1418
⿰𧾷毚 1454
⿰身韱 1454
⿰身毚 1459
⿰毚阝 1530
⿰酉參 1541
醶 1543
⿰酉韱 1544
⿰酉韱 1545
銙 1564
⿰金斬 1580
鏨 1580
鏒 1580
鑱 1590
鑱 1590
⿵門刂 1598
⿵門㔾 1598
⿰阝毚 1627
⿱斬隹 1637
⿰革占 1657
⿰革參 1658
⿰韋毚 1673
⿰毚頁 1703
⿰食⿱夂彡 1723
饞 1731
⿰食韱 1731
驂 1749
⿱髟毚 1775
⿱斬毚 1785
⿱斬鳥 1834
⿰鹵占 1843
黲 1867
⿰黑毚 1869
⿰鼠韱 1879
⿰鼎毚 1882
⿰齒占 1886
⿰齒僉 1892
⿰齒毚 1892

찹

⿸尸臿 300
磣 879
⿰𧾷閘 1450

창

仓 32
仺 33
倉 55
倀 56
倡 58
傖 66
凔 94
刅 99
刱 102
剏 104
剙 105
創 108
⿰爽刂 109
⿷匚倉 123
厰 137
唱 166
⿴囗小 195
囪 196
塽 214
娼 252
⿱龸乏 292
⿱大⿱口乚 305
⿰山爽 317
廠 352
弡 361
張 361
彰 367
悵 395
惝 397
愴 404
⿱倉心 407
⿰忄敞 413
戃 420
戧 424
⿰扌昌 458
⿰扌昌 458
搶 459
摐 462
⿰扌爽 462
敞 484
昌 500
昌 501
⿰礻巳 505
⿱龹臼 507
暢 512
槍 569
氅 621
氅 621
淌 654
淐 659
涱 660
滄 671
漲 680
牄 736

𢘓 737
𢡄 737
憁 738
猖 754
㹸 755
琩 775
瑒 776
瑲 779
𤮮 790
䁑 801
瘡 816
𥉸 827
䁀 848
𥍉 862
𥏫 864
𥎺 864
𥏫 864
䃜 878
稖 906
窓 918
窗 919
窻 921
窻 923
𥬔 937
篬 951
𥳑 953
篬 955
粻 971
糉 1053
脹 1078
舂 1105
𦦻 1107
艙 1115
茐 1143
菖 1149
葱 1156
蔥 1161
𦶛 1163
蒼 1166
蔥 1178
𧂔 1196
𧄿 1196
裮 1277
𧝻 1286
𧩳 1340
誯 1340
賶 1349
𧿳 1435
蹌 1441
𨕤 1505
𨝝 1520
𨚫 1520
鄻 1531
錆 1566
鋹 1568
𨪕 1572
鎗 1574
鏦 1579
鑓 1587
閶 1601
𨵣 1604
𨶒 1606
𨷃 1608
𩀞 1635
韔 1666
𩎟 1675
𩏞 1678
𩞑 1726
鬯 1777
鯧 1797
𩸺 1803
𪀎 1813
𪁜 1826
𪀙 1826
鶬 1829
𪅇 1836
鼚 1843
麞 1874
𪗆 1888
𪘨 1891
채
𠂣 27
俿 56
倸 60
偲 62
債 68
嚽 193
埰 210
堦 216
婇 255
寀 282
寨 285
差 327
𢀩 327
廌 350
廌 350
彩 366
彩 366
𢟪 397
懘 407
懘 407
懘 407
抧 437
採 449
𢽽 490
柴 540
棌 553
𣵧 642
犞 744
𤛣 745
琗 775
瘥 816
瘵 817
𤻛 821
睬 849
砦 868
簀 952
綵 997
縩 1011
縩 1019
䐆 1079
膪 1090
膪 1091
茝 1133
菜 1149
蔡 1170
蔡 1175
蠆 1251
蠆 1253
蠆 1254
蠆 1257
𧪴 1349
豸 1378
𧲿 1381
責 1386
𧶘 1391
踩 1436
𨂂 1440
𨍳 1469
𨍳 1476
輩 1479
采 1546
釵 1550
𩅲 1638
靫 1659
靫 1659
𩭧 1769
𪆵 1840
齜 1886
齜 1886
책
册 88
冊 88
𠕋 89
唶 167
嘖 181
嘖 188
坼 204
墌 214
嫧 262
嫧 265
幘 337
幘 339
㡯 349
措 450
𢶢 459
𢲊 469
敇 482
𣈅 518
𣈅 518
柞 537
栅 538
柵 538
栅 544
𣸈 659
瞔 827
矺 865
磔 876
窄 917
䇌 928
䇈 929
笧 935
策 937
篅 938
筴 939
筞 940
策 940
筣 944
簀 952

字	頁	字	頁	字	頁	字	頁
翟	1043	輴	1670	覷	1303	惕	396
積	1053	頙	1685	覻	1303	惖	396
膭	1090	顤	1699	郪	1519	慼	407
舴	1112	馲	1735	霵	1642	慽	407
茦	1139	駝	1740	霋	1644	慹	414
蕀	1170	鴏	1817	輴	1670	戚	422
蚝	1218	鷸	1833	鶈	1826	拓	436
蚱	1222	鵲	1835	**척**		拲	438
蝶	1241	齚	1857	乇	17	捗	445
諎	1338	齰	1891	俶	56	揚	451
謮	1351	**처**		倜	58	摭	463
譖	1356	凄	93	傶	71	擦	473
踖	1370	処	96	刺	103	擲	474
責	1386	處	96	刾	105	擿	474
賫	1391	处	129	剔	105	斥	492
趞	1407	妻	245	𠪿	138	杔	527
趚	1408	妛	248	呎	151	栜	544
趀	1414	宴	252	坧	204	槭	572
趧	1414	媇	261	塉	216	櫅	592
𧽤	1416	悽	395	墄	217	滌	674
蹟	1443	淒	660	墌	218	滌	675
蹐	1443	絮	992	尺	295	㴵	675
迮	1491	緀	1000	㡿	347	潪	698
鉶	1560	萋	1152	彳	368	澌	698
鏼	1584	處	1213	徏	372	瘯	809
霅	1641	虙	1214	惄	391	瘠	816
䨥	1648	覷	1301	愀	391	𤺄	818

字	頁	字	頁	字	頁
晏	838	䀹	1298	蹐	1452
䁋	854	䙷	1299	郪	1519
䁯	854	䚀	1302	鏚	1578
晢	871	訴	1319	𨷂	1593
晳	874	訢	1319	陟	1615
磩	878	詆	1340	隻	1629
粗	1051	謫	1344	雙	1629
脊	1075	謝	1348	霍	1647
膌	1086	赴	1406	靳	1674
脊	1089	趏	1409	頓	1683
膪	1090	趚	1409	頙	1687
膌	1097	趞	1412	顀	1698
堇	1145	趞	1418	餳	1758
莿	1155	跅	1423	鬄	1769
蓆	1177	跖	1424	鬍	1770
蓻	1201	跡	1430	鬎	1771
蘠	1206	踀	1433	鴋	1817
蘱	1211	踢	1434	鶺	1829
蚇	1220	踧	1435	麱	1853
蜴	1231	踨	1436	麷	1853
螃	1238	蹐	1441	黷	1875
蟗	1244	蹠	1443	**천**	
蟅	1244	蹢	1444	串	15
蠈	1244	蹙	1444	亶	30
蠘	1246	躄	1444	仟	35
蠽	1251	蹜	1447	俴	56
褯	1286	躑	1451		

倩 59
僐 66
僢 73
儃 75
兓 82
刋 99
剷 110
千 125
喌 133
喘 173
嘽 184
韆 193
圌 198
圳 200
天 231
孨 272
巛 324
川 324
帴 333
幝 338
延 354
舁 357
徏 373
仟 378
扦 429
拪 442
搧 456
擟 464
擅 470
敞 485
杆 527
栫 541
楕 558
橪 576
櫼 585
樿 589
歂 599
汘 627
泉 633
洊 641
洤 646
浅 646
淺 657
湶 668
濺 685
濻 691
濺 696
瀳 701
瀾 704
灥 705
燀 724
牮 741
痿 813
盰 837
眹 841
睋 847
砋 870
磹 870
穳 914
穿 916
窐 919
竁 923
筎 937
箒 938
篟 943
篅 947
篟 951
籤 961
紃 980
綪 996
繟 1014
縌 1016
纏 1021
纑 1025
腨 1084
荐 1103
輿 1107
鋋 1108
舛 1109
芊 1121
茜 1133
荈 1136
莄 1137
荐 1138
葥 1143
菒 1159
蒨 1165
蒨 1166
蒝 1169
蓓 1172
蕆 1180
蕑 1180
蕆 1181
薦 1190
藓 1206
蘮 1209
蚩 1218
蜵 1237
蜾 1237
蠢 1249
褚 1278
訮 1318
訮 1328
諯 1344
譔 1344
譂 1356
豁 1366
谸 1366
賤 1390
賤 1393
賮 1393
践 1429
踐 1433
踹 1438
蹎 1440
蹲 1446
躚 1446
輤 1470
輲 1473
辿 1488
迁 1488
遄 1500
遷 1505
遷 1507
遷 1511
郡 1526
鄲 1531
釧 1550
鑑 1577
鐉 1582
閒 1598
闡 1600
闡 1607
闖 1608
阡 1610
陴 1625
霽 1648
韯 1653
韆 1654
韆 1666
韆 1672
韉 1673
饘 1723
饍 1726
饗 1732
鸇 1832
黇 1857
黰 1858

철

凸 97
剟 106
剎 109
勶 118
叕 142
哲 165
啜 168
喆 176
嚞 180
嚞 190
嚽 193
婑 254
屮 302
彻 369
徹 375
徹 375
徹 376
悊 391
惙 396
掣 446
掣 446
掇 448
搩 456
擀 463
撤 466
敠 484
桀 540
棳 576
歠 601
涰 653
漆 677
澈 681
澈 685
炪 713
瞮 800
瘵 811
瘳 815
硩 871
硩 874
裰 890

箾 946
綴 997
䌖 1015
罬 1029
联 1056
聺 1060
𦗢 1061
𦘀 1062
腏 1080
蛆 1223
蛈 1223
蜇 1230
蠽 1258
蠿 1258
裰 1276
裰 1276
𧜗 1282
䚢 1309
諁 1340
趃 1411
𨂃 1437
𨆶 1446
𨇭 1446
𨇞 1452
軼 1464
輟 1470
澈 1470
轍 1478
𨏄 1482
逫 1499
醛 1535
醊 1537
𨡸 1540
鉄 1556
銕 1559
鋨 1564
錣 1567
𨧀 1569
鐡 1579
鐵 1584
鐵 1587
鑯 1587
𩏂 1666
𩓡 1694
𩗓 1707
飭 1715
飻 1716
餟 1720
餮 1723
䮕 1744
驖 1752
𩩍 1759
鵽 1825

첨

丙 12
㐁 13
佥 40
佔 42
僉 67
厃 133
噡 186
妗 242
嫸 264
𡢋 269
尖 292
嶦 320
幨 338
𢅸 340
忝 379
忝 379
㤐 382
怗 383
思 386
惉 393
𢙔 394
戋 422
掭 451
战 481
栝 541
㮇 560
槧 577
檐 583
櫼 591
沗 633
沾 636
添 657
湉 667
瀸 698
瀐 701
灊 703
瀺 703
粘 719
䑙 724
𦪒 738
𤣅 759
甛 792
甜 792
痁 805
痶 808
瘄 809
瞻 857
签 940
笘 940
簷 955
簷 958
簽 958
籤 962
籖 963
胋 1070
䏦 1074
舔 1108
菾 1156
蔪 1198
蘸 1211
裧 1276
襜 1289
襝 1289
襜 1290
詹 1328
諂 1336
謵 1350
譫 1357
讇 1362
讝 1365
蹅 1449
𨅨 1450
𨇾 1450
𨇷 1453
躅 1454
蹹 1454
酟 1533
醦 1541
𨡾 1544
醶 1545
鋟 1562
鋑 1564
銛 1565
鍩 1574
鐱 1586
鑯 1590
閰 1598
閝 1598
𨴛 1603
𨻰 1626
霑 1639
𩃎 1644
霯 1650
𩄰 1652
𩋍 1671
韂 1678
餂 1717
黇 1857
𪏹 1858

첩

倢 58
叠 143
呫 154
唼 167
喋 173
咶 175
堞 213
𡒄 222
𡛟 245
妾 245
婕 252
寁 281
𥨑 285
𥧌 285
崨 312
𡹺 320
帖 330
㡍 332
怗 383
挕 445
捷 447
㨗 457
𢹂 478
曡 507
𣇞 509
疊 516
𣛭 555
㮶 593
𣘯 593
𣢏 602
𣯀 619
𣰐 619
氎 621
𣱂 621
沾 636

淒 659
淁 659
脻 737
牒 737
牃 738
畳 799
疊 803
曡 803
䀹 846
睫 849
䂲 872
䅖 912
箑 941
䈉 941
䈀 946
䈎 948
緁 998
𦅉 1012
䌬 1014
耴 1054
䂲 1108
碟 1109
𦑲 1109
䎖 1147
萐 1180
𦶚 1187
蝶 1193
蝶 1193
蘵 1209
䄷 1275
𧙝 1277
𧛧 1278
褶 1285
襵 1292
詀 1320
諜 1338
誱 1338
諜 1338
諜 1341
謵 1350
貼 1387
踥 1435
踕 1435
蹀 1446
躞 1455
輒 1468
輙 1471
轞 1483
沾 1492
迎 1498
𨔵 1500
鉆 1554
鋻 1580
鍱 1580
鍱 1583
鍱 1586
霅 1644
霵 1648
霸 1649
靇 1651
黏 1662
䮛 1749
鰈 1794
鮿 1794
鯜 1797
鰨 1801
鵲 1842
黏 1850
黵 1858
黷 1865
𩕌 1873
𩕍 1874
𩕎 1875
청
倩 59
凊 93
厅 133
听 150
圊 197
殅 229
婧 253
婙 254
寈 282
岺 307
庁 343
廰 354
廳 354
掅 447
晴 509
晴 509
晸 511
棈 558
清 657
清 657
灩 696
灦 698
箐 940
綪 996
縕 1005
聴 1061
聽 1062
聽 1062
菁 1147
蜻 1231
請 1336
請 1336
豼 1372
賙 1394
郬 1521
鯖 1634
霋 1644
青 1653
青 1653
青 1653
灩 1654
骭 1755
鯖 1796
鶄 1824
鶄 1824
체
体 42
体 45
切 99
剃 104
剔 105
嚏 189
嚔 190
墆 218
屜 297
屜 299
屧 300
屧 300
帖 330
幭 336
𧨻 365
怢 389
憈 402
懘 416
拸 443
掣 446
掣 446
揥 454
擿 473
𣊫 512
替 519
朁 520
杕 528
栘 541
棣 554
歔 601
殢 610
泚 638
洟 642
涕 650
滯 674
滯 675
犂 743
猲 759
玼 768
璻 782
疐 804
疐 804
䁙 827
瞓 841
瞭 854
砌 866
礤 879
禠 890
禘 891
笍 932
締 1002
䆼 1053
糣 1054
聅 1056
聧 1060
腏 1080
茜 1139
蔕 1159
蒂 1165
蔕 1174
蘤 1182
蔽 1183
薙 1189
薹 1192
蘁 1200
蘁 1201
蛈 1223
蝃 1232
蝬 1243
褅 1277

襆	1282	逮	1498	鵜	1881	岹	305	杪	530	燋	725	綃	993
襘	1287	遞	1504	鶗	1881	峭	309	梢	549	爵	731	繅	1006
襊	1288	遰	1505	齝	1890	崤	313	楚	553	狣	750	繰	1006
翨	1307	醊	1537	**초**		巢	316	椒	557	癄	819	縿	1011
䚦	1309	鈦	1550	仯	36	嶕	319	楚	559	昭	842	𦄏	1014
諦	1341	鋫	1560	俏	52	嶣	319	𣘍	565	睄	847	翗	1042
𧬊	1353	銐	1560	偢	63	帩	333	樔	574	瞧	855	耖	1051
𧺡	1409	𨦻	1565	僬	72	帤	335	樵	578	瞣	860	肏	1064
趩	1414	銴	1565	杲	89	𢅥	335	橾	584	础	868	肖	1065
䟞	1425	𨫕	1570	初	101	罩	343	鐎	592	硝	870	肖	1066
踶	1432	鍗	1574	削	104	弨	360	歗	602	礁	880	膲	1090
蹊	1440	䶵	1636	剿	109	怊	383	氉	621	礎	881	艄	1111
蹛	1443	隸	1649	剿	109	悄	391	湫	666	祒	888	舠	1112
蹏	1445	隷	1652	劋	109	愀	401	湬	666	𥙿	894	𦨭	1113
躚	1452	䩞	1664	劁	110	慅	405	𣸬	666	礿	898	艸	1120
躰	1456	䪐	1672	剿	110	愺	406	消	670	秒	898	苕	1127
䠷	1458	颲	1707	勦	116	懆	406	𣶏	670	稍	903	草	1136
軆	1458	餟	1720	勦	118	憔	412	漅	678	𥢌	910	茮	1138
达	1488	骵	1756	吵	151	憷	414	潐	684	穛	911	草	1143
迣	1490	體	1762	哨	162	抄	430	濋	691	䆟	922	萔	1154
迖	1490	髢	1764	噍	185	抬	437	灂	702	篍	947	菿	1155
迣	1490	鬀	1768	嘮	185	招	437	濯	703	篠	947	菬	1155
逓	1494	鬄	1769	娋	251	摷	465	炒	708	箾	952	蕌	1159
遈	1494	䮦	1822	婤	255	撨	467	焣	715	𥳗	960	蓚	1170
遰	1494	鯱	1830	嫶	263	操	473	焦	716	粆	967	蕱	1180
遞	1497	鷈	1830	屌	298	朷	525	焦	716	𥸮	971	蕉	1181
递	1497	麶	1854	岧	305	朴	529	爝	721	紹	985	藮	1198

蕱	1198	趮	1417	䩌	1658	䵲	1864	數	487	臅	1093	趗	1411
蕉	1201	趭	1417	䩈	1659	䵺	1870	斶	494	臄	1097	𧺼	1411
藮	1206	踃	1431	鞘	1664	䶂	1875	𣃁	494	蒭	1191	䟐	1412
蘸	1212	踔	1433	韒	1675	鼦	1876	斸	494	蔟	1205	趣	1412
虭	1217	𨁦	1437	䪒	1678	齠	1885	曯	517	蔌	1208	𧼤	1414
蛸	1227	軺	1464	顦	1699	齗	1888	梀	547	䕻	1210	趨	1415
蟭	1248	䡨	1472	颲	1703	齼	1891	𣜕	579	蜀	1230	𧾄	1418
蠽	1258	迢	1490	颵	1704	䶱	1894	欘	593	䗡	1249	䟂	1427
䘯	1275	䣈	1519	颻	1705	𪚰	1894	欶	598	蠋	1250	踀	1433
褿	1285	酢	1533	䮓	1745	𪛉	1895	歜	601	蠾	1258	踙	1437
𧞤	1286	䣯	1534	騲	1747	**촉**		灟	705	襡	1289	䠞	1443
䄚	1293	醋	1537	驕	1764	亍	26	烛	711	襩	1291	蹵	1444
覞	1299	醮	1542	髫	1765	促	52	燭	728	𧞹	1293	蹴	1444
䚩	1301	醩	1542	髾	1769	劚	112	爥	731	觕	1305	蹙	1444
䚲	1301	釥	1550	鬻	1780	嘱	186	瓙	783	触	1307	𨇲	1449
𦨵	1305	鈔	1551	䰫	1784	囑	193	瘯	812	觸	1311	躅	1449
艄	1308	鉊	1554	鮡	1793	娖	250	瘃	812	誎	1333	𨈏	1455
訬	1316	鍬	1572	鮹	1794	娕	251	瞩	857	䛤	1334	鋜	1556
詔	1329	鍫	1572	魹	1799	孎	269	𥈭	858	謷	1352	鏃	1577
誚	1331	鏒	1580	鳭	1810	属	300	矗	860	𧯳	1369	钃	1591
謅	1346	鐎	1581	鴭	1817	屬	301	矚	861	豖	1372	雛	1637
譟	1351	鐰	1586	鷦	1834	戚	422	䇧	928	䝒	1372	𩈗	1658
譙	1355	䦒	1607	鷦	1835	捒	445	𦇧	1022	豥	1373	𩍐	1671
貂	1379	陗	1615	麨	1850	擆	465	𦏣	1043	赿	1407	韣	1678
超	1407	𨻩	1626	䴛	1851	数	486	脨	1078	趋	1408	韇	1678
趒	1409	雂	1629	䴝	1852	敱	486	䐹	1090	趄	1409	顣	1701
趠	1412	䩄	1657	䵒	1853	數	487	臟	1090	趍	1409	髑	1761

鸀 1838
鼀 1878
龡 1895

촌

刌 99
吋 147
寸 287
忖 378
村 528
籿 1025
邨 1514

총

从 34
偬 64
傭 68
傯 70
冢 91
匆 119
匇 120
叢 144
囪 195
囱 196
塚 216
宠 280
寵 287
㡛 334
幒 337
㢔 351
忩 379
怱 382
总 383
悤 390
惣 395
忪 398
愡 403
憁 408
𢭃 445
捴 451
揔 456
搃 456
摠 465
𣪌 488
樬 562
樷 577
漗 679
漎 681
潀 681
潨 684
熜 718
熜 723
燪 728
牕 743
牎 745
瑽 780
璁 781
稯 906
䆆 910
䆆 913
竜 926
䈡 946
篵 953
䉘 960
篸 961
総 1000
緫 1003
総 1005
總 1010
繱 1017
纃 1019
罿 1031
聦 1058
聡 1058
聰 1059
聪 1059
聽 1060
䓗 1143
䓗 1156
葱 1161
蓯 1173
蔥 1178
藂 1197
䕺 1208
蟌 1237
蟌 1244
褣 1278
謥 1340
謥 1345
謥 1350
趨 1414
蹤 1440
䠞 1456
𨌹 1472
轗 1478
轗 1478
醲 1539
醲 1541
醲 1544
醲 1545
銃 1559
錄 1572
鍯 1574
鏓 1579
鏦 1579
鏓 1579
躘 1594
躘 1594
𩔑 1689
騘 1744
驄 1746
驄 1749
鬆 1768
鬆 1773
鬉 1774
龍 1892
龓 1893
龔 1893

촤

銼 1561

촬

娺 254
攃 465
撮 468
攥 478
桚 546
槮 550
欑 593
窡 920
䆿 922
窡 922
箭 946
繓 1014
聉 1056
朏 1071
茁 1130
蔡 1198
襊 1287
𩊟 1658
顇 1690
鬈 1774
黜 1868

쵀

啐 167
𢿣 489
𣲷 628
淬 656
祽 890
綷 997
䓮 1126
萃 1151
錊 1570

최

𠎝 31
催 67
最 90
凗 94
嗺 181
嘬 183
垖 216
㝡 282
㝡 286
崔 310
嶊 316
嵟 320
摧 463
最 519
榱 567
㰎 597
歠 600
歠 601
洒 641
洅 645
漼 668
漼 680
濢 691
滜 692
㵏 695
獕 744
璀 780
𥌨 827
磪 878
稡 905
𥻘 976
𥼚 977
絉 987
綷 997
縗 1007
羧 1036
脧 1076

腄	1079	𪉶	1843	憱	413	𣛾	568	𥓓	881	緧	1005	萩	1156
膗	1090	齱	1891	抽	434	槌	569	礈	882	縋	1006	𦲶	1156
䐈	1091	**추**		𢪽	445	樞	575	秋	898	縐	1006	蒭	1170
臇	1097	丑	11	捶	447	檑	579	秌	898	𦉈	1024	𦸒	1170
菆	1180	丒	11	推	450	橾	584	𥞊	899	䍀	1024	菙	1171
蕞	1182	㑳	67	掫	450	𣡰	585	稍	907	𦑏	1050	𦼢	1176
蔌	1183	僦	72	揫	452	殠	609	穐	910	𦑏	1050	𦼮	1178
蝵	1249	僽	74	𢯣	452	𣶒	628	𥠚	913	聚	1058	𦾮	1180
䖢	1260	啾	172	揪	452	湫	666	穐	914	𦖋	1059	䕛	1185
蟕	1260	㗙	172	揂	456	𣵭	666	龝	914	𦗼	1059	𧃅	1187
衰	1267	墜	220	搥	458	𣶒	666	笍	935	腄	1079	𧄸	1212
𧝑	1284	𡑞	222	㨨	460	湭	667	筿	937	𦞦	1083	蝵	1235
褻	1284	妯	244	搊	460	𤇾	715	箒	941	膇	1085	蝤	1236
襊	1287	娵	252	擂	469	犓	744	箠	942	𦠆	1086	𧎢	1242
諈	1353	娺	254	𢳊	469	𤭢	789	篍	947	䐈	1091	蟭	1248
𧼯	1415	娷	254	㪐	488	甃	789	𥴓	947	臭	1100	蟗	1249
𧾂	1417	婤	255	𣀔	488	甃	789	篘	948	臭	1101	𧗀	1258
䟶	1446	㛯	259	杻	530	瘳	817	簉	953	𦤎	1101	𧜊	1283
䠞	1446	𠪚	291	杽	533	𤿰	829	𥲅	958	𦥃	1106	䚒	1300
𨇆	1449	𡳐	300	枢	533	𤿎	829	粗	968	𦪈	1115	觕	1305
䭫	1540	崷	314	柴	552	皺	830	䊦	975	芻	1122	觕	1305
鋷	1570	𡺾	314	棰	555	𤿵	830	𥻫	975	𦲓	1144	𧥄	1309
鏙	1579	摧	316	棷	555	皺	830	𥼵	976	菆	1148	𧩖	1333
𨻯	1623	𡾶	318	椎	557	𥆞	847	𪍠	979	𦼺	1151	諈	1336
隹	1629	帚	331	棸	559	瞅	851	絑	993	萑	1153	諏	1336
𩬊	1773	刍	364	𣘖	563	硾	872	緅	999	蒸	1154	𧩚	1336
𪉖	1843	惆	396	楸	563	磓	877	𦁆	1005	菷	1154	䛮	1345

謅 1346
讙 1353
誙 1356
[illegible] 1356
諑 1361
[illegible] 1378
貙 1383
[illegible] 1407
[illegible] 1407
趋 1408
趄 1409
趎 1409
趍 1409
[illegible] 1412
趣 1412
趡 1413
[illegible] 1414
趥 1414
趨 1415
[illegible] 1420
[illegible] 1432
踓 1437
[illegible] 1439
躅 1443
[illegible] 1474
[illegible] 1492
追 1493
遚 1504
邹 1515
鄐 1517
郰 1520
[illegible] 1521
鄒 1523
鄹 1528
鄹 1529
酋 1531
醔 1539
[illegible] 1539
醜 1539
[illegible] 1553
錐 1566
錘 1566
錗 1569
鍪 1572
鎚 1575
[illegible] 1583
閠 1595
[illegible] 1598
队 1610
陬 1616
隊 1620
隧 1625
[illegible] 1626
[illegible] 1627
[illegible] 1627
[illegible] 1628
隹 1629
雏 1631
[illegible] 1633
[illegible] 1633
[illegible] 1634
雛 1635
[illegible] 1647
[illegible] 1666
鞦 1667
鞧 1667
[illegible] 1669
[illegible] 1672
[illegible] 1677
[illegible] 1678
[illegible] 1681
[illegible] 1693
䭙 1722
騅 1743
騶 1747
[illegible] 1760
[illegible] 1771
魋 1783
[illegible] 1785
鮂 1790
鯫 1797
鯞 1797
鰌 1799
鰍 1799
鱃 1805
鶖 1818
鵻 1823
[illegible] 1823
鶵 1828
[illegible] 1830
麁 1844
[illegible] 1845
[illegible] 1845
[illegible] 1846
[illegible] 1847
[illegible] 1847
麤 1849
[illegible] 1855
[illegible] 1856
鼀 1871
[illegible] 1871
[illegible] 1871
[illegible] 1878
[illegible] 1878
齱 1888
龝 1895
[illegible] 1895

축

丑 11
丒 11
傗 67
[illegible] 140
[illegible] 168
噈 185
妯 244
[illegible] 258
[illegible] 260
[illegible] 297
慉 405
搐 457
[illegible] 482
斣 492
杻 530
柚 536
柷 538
槭 572
櫾 592
[illegible] 592
[illegible] 596
[illegible] 602
[illegible] 610
滀 671
[illegible] 686
潚 688
[illegible] 759
畜 798
[illegible] 802
[illegible] 878
祝 887
祝 887
稸 908
竺 930
[illegible] 930
筑 935
筑 936
築 948
築 948
篴 954
[illegible] 955
[illegible] 958
[illegible] 976
[illegible] 1006
縮 1009
[illegible] 1009
舳 1112
[illegible] 1139
[illegible] 1145
[illegible] 1147
蓄 1167
[illegible] 1172
蓫 1172
[illegible] 1201
[illegible] 1246
[illegible] 1246
[illegible] 1246
[illegible] 1248
[illegible] 1284
[illegible] 1286
[illegible] 1290
[illegible] 1291
[illegible] 1293
訹 1329
豖 1372
[illegible] 1417
跦 1430
[illegible] 1433
踧 1435
[illegible] 1443
蹜 1443
[illegible] 1444
蹙 1444
蹴 1447
蹵 1447
[illegible] 1454
[illegible] 1455
[illegible] 1457
軸 1463
[illegible] 1469
逐 1495

鄐 1523
[illegible] 1595
閦 1599
[illegible] 1599
[illegible] 1601
[illegible] 1601
訹 1680
顣 1698
[illegible] 1750
鬻 1780
鱁 1803
鸀 1837
鼀 1871
[illegible] 1871
[illegible] 1871
[illegible] 1880
[illegible] 1880

춘

偆 64
亻 74
[illegible] 335
旾 503
春 505
暙 512
杶 530
椿 560
櫄 577
櫄 587
瑃 777
[illegible] 784
[illegible] 1084
萅 1156
[illegible] 1180
賰 1396
[illegible] 1415
[illegible] 1460
[illegible] 1461
輴 1467
[illegible] 1635
鰆 1799
鶞 1827

출

出 97
出 303
怷 382
怵 385
朮 525
欪 596
泏 637
炪 710
焌 713
[illegible] 750
秫 900
窋 919
絀 986
茁 1132
[illegible] 1180
[illegible] 1270
詘 1321
趉 1408
[illegible] 1409
[illegible] 1413
[illegible] 1427
[illegible] 1499
黜 1862
黢 1864

충

充 81
充 81
冲 92
忠 378
忡 379
[illegible] 389
[illegible] 419
橦 580
沖 632
[illegible] 638
[illegible] 645
浺 649
漴 675
爞 731
狆 748
珫 770
痋 809
盅 832
穜 862
祌 886
种 899
[illegible] 917
[illegible] 924
筅 938
翀 1040
茽 1126
茺 1135
茧 1139
[illegible] 1143
虫 1217
[illegible] 1217
虵 1219
蚛 1246
蟲 1246
衝 1263
衝 1264
衷 1267
[illegible] 1271
[illegible] 1273
[illegible] 1340
[illegible] 1377
[illegible] 1415
[illegible] 1479
[illegible] 1649
[illegible] 1727
[illegible] 1829
[illegible] 1834
[illegible] 1857

췌

倅 39
忰 381
悴 395
惴 400
揣 454
[illegible] 485
[illegible] 698
瘁 812
[illegible] 914
[illegible] 957
膵 1091
萃 1126
萃 1151
贅 1399
[illegible] 1537
[illegible] 1692

취

取 91
取 142
吹 151
嘴 183
[illegible] 212
娶 255
就 294
[illegible] 295
崔 317
忰 381
悴 395
惴 400
[illegible] 411
揣 454
[illegible] 485
[illegible] 489
[illegible] 552
椊 557
檇 570
[illegible] 579
[illegible] 583
[illegible] 589
毳 618
[illegible] 672
[illegible] 695
[illegible] 695
炊 707
瘁 812
[illegible] 894
竁 923
[illegible] 955
[illegible] 957
[illegible] 977
翆 1040
翠 1043
聚 1058
脆 1073
脃 1074
[illegible] 1091
臎 1096
[illegible] 1098
臭 1100
臭 1101
[illegible] 1101
萃 1126
萃 1151
[illegible] 1237
[illegible] 1249
觜 1306
[illegible] 1407
趄 1409
[illegible] 1412
趣 1412
踤 1435
[illegible] 1520
鄹 1529

醉 1532
醉 1536
轎 1671
聽 1677
顇 1692
餐 1717
𩣡 1744
駬 1744
騂 1745
驟 1748
驟 1751
驟 1753
鬗 1771
鬗 1775
鷲 1836
鷲 1836
歙 1895
籥 1896

측

仄 32
側 62
則 104
剆 109
鄖 111
剆 111
仄 134
廁 136
垙 214
矢 231
庂 343
廁 349
惻 400
𢝺 401
厢 501
昃 501
昗 501
測 662
畟 797
稄 903
稄 903
稷 908
𦓑 1053
蔌 1183

츤

儭 78
剶 110
櫬 590
䞋 928
藽 1204
蘵 1211
衬 1265
襯 1291
讖 1363
齔 1884
齓 1884
齓 1884
齕 1885
齕 1886

츰

闖 1605

츱

鞁 829

층

増 218
增 219
层 296
層 300
層 300
曽 519
曾 519
矰 856
𧌬 1119
覴 1302
蹭 1446
驓 1747
驓 1751

치

乿 24
𠂒 27
佁 44
侈 47
値 58
侍 61
偨 64
偫 66
凿 98
齿 98
歯 98
刺 109
卮 131
卸 132
厠 136
𠩂 136
厔 136
哆 160
嗤 179
坁 204
垑 206
埴 210
夂 226
媸 259
寘 283
峙 308
甾 311
嵳 315
嵯 315
𡼊 322
差 327
𢀡 327
巵 328
幟 338
庤 346
𢇍 346
廖 348
廁 349
廌 350
廌 350
弛 359
弛 360
褫 363
彲 368
徛 373
徥 374
徵 375
徵 375
志 377
忠 379
恥 385
恀 388
懥 416
懫 417
戱 425
拸 439
搥 449
撴 454
搋 459
摛 463
撤 467
擿 469
擳 469
搋 473
攡 477
敳 485
敳 485
檝 498
杝 528
床 529
梔 538
梔 548
椔 556
植 557
橿 564
稟 566
樆 575
櫂 585
致 597
歠 599
峙 604
齒 604
歷 622
歷 622
治 635
泜 638
浾 640
治 646
淄 654
滍 672
炵 711
羑 714
羛 721
熾 724
猤 726
戮 729
猪 758
瓻 788
甾 796
畄 797
畤 799
畤 801
走 803
走 803
疐 804
疐 804
痔 809
痓 809
痴 813
瘴 815
癡 821
鵝 830

直	837	織	1013	蓄	1172	艫	1310	遞	1415	氐隹	1631	鮭	1794
直	838	纆	1019	薔	1180	觶	1310	蹉	1416	雉	1631	鯔	1796
眙	841	置	1028	薙	1189	誐	1317	跮	1428	氐見	1631	鴟	1814
眵	844	狏	1040	萑	1193	誃	1318	跱	1428	雉	1633	鴙	1815
瞝	854	翄	1045	蘨	1198	訮	1318	跢	1429	鵜	1633	鴃	1816
禠	890	耛	1052	薹	1200	訵	1324	躓	1437	雉	1634	鴡	1816
秩	902	耔	1052	薇	1201	誃	1327	踦	1437	鞊	1667	鵄	1817
稚	904	耻	1056	薾	1201	誟	1328	躑	1440	韃	1668	駤	1817
稲	905	胝	1067	虒	1213	誀	1329	躨	1450	鞋	1669	鵜	1822
穉	908	胵	1072	蚔	1221	誤	1334	躔	1452	訑	1680	鶅	1823
穉	911	胗	1073	蚳	1221	誺	1338	輜	1470	頣	1689	鷙	1826
篪	959	脪	1077	蚩	1221	讖	1339	輜	1474	颸	1710	鷄	1827
囟	966	腦	1080	蚩	1221	誃	1340	轄	1474	餾	1722	鵜	1834
糖	972	腊	1086	蟲	1241	誤	1345	輊	1476	餓	1722	黐	1864
糦	976	致	1102	蟷	1242	謶	1346	轄	1478	饋	1723	黹	1870
糜	977	致	1103	螭	1243	諸	1349	迣	1492	饎	1727	齒	1884
紂	981	臸	1103	䗖	1245	謻	1350	迡	1495	饎	1728	齝	1884
純	982	致	1103	霾	1252	諮	1353	遟	1504	馳	1735	齝	1885
絺	993	臺	1104	袳	1272	識	1354	遳	1506	駤	1740	齝	1885
綕	995	臶	1104	袠	1273	豸	1378	郗	1517	駗	1741	齜	1886
緇	999	凷	1104	襒	1282	貕	1381	鈘	1553	魑	1780	齹	1886
絺	1001	茌	1132	褫	1283	貓	1383	鉹	1559	魅	1782	齜	1886
緻	1004	茬	1139	褫	1289	貒	1384	錙	1566	魑	1782	齝	1887
緇	1005	茎	1140	舦	1306	時	1392	錙	1572	魅	1782	**칙**	
縒	1007	菑	1148	舥	1308	躑	1397	鬩	1604	魑	1784	侙	49
緻	1008	蓺	1164	舧	1308	賭	1397	阤	1610	魭	1789	則	104
縭	1009	薔	1165	艤	1310	赿	1407	陊	1614	魠	1791	劃	109

劓 111
劕 111
勅 114
勑 115
忒 389
敕 483
敇 485
派 631
淔 659
潩 687
穓 1054
趩 1417
䟢 1449
遫 1506
鈰 1557
飭 1714
鴩 1817
鶒 1827
鷘 1833

친

儭 78
嚫 191
寴 283
䆷 287
亲 540
櫬 590
瀙 698
竧 928
䚎 1299
親 1300
親 1301
䞋 1363
𧹍 1402
躭 1456
䠊 1456
𤒄 1654

칠

七 9
㓼 109
柒 540
桼 546
㯃 576
𣝯 585
㳺 660
漆 677
𧩣 1353
䣛 1526
𪆒 1833

침

伔 39
侵 51
㑴 67
兓 83
沁 92
㓶 93
唚 163
埐 208
𡑞 216
𡩜 282
寑 283
寖 283
㝲 283
寝 283
寢 284
寈 286
𥧔 287
嶜 318
忱 380
㤈 380
抌 432
揕 453
𣁾 491
斟 491
㪴 491
枕 532
㭊 532
枮 534
梣 549
梫 549
棽 553
椹 560
梫 570
樳 576
𣠠 592
㶼 611
沈 630
沉 631
浸 649
浸 649
湛 665
𣹟 668
𣸀 671
𣽴 674
𣾰 674
濅 682
𤁰 691
𤙭 740
琛 774
㻏 780
㾛 811
稄 862
砧 867
碪 875
磣 879
𥗉 881
祲 889
𥙶 892
祲 892
𥨍 923
𥳒 947
綅 993
綝 996
𦃈 1008
𦨅 1111
芜 1126
蓡 1144
莐 1146
葴 1164
蘉 1170
蔵 1177
䙾 1298
覗 1298
覞 1299
䚈 1299
覟 1300
䚅 1301
𧦝 1334
諃 1338
謲 1353
𧯍 1369
賝 1394
賝 1396
趻 1422
𨁋 1422
踸 1438
郴 1520
𨡍 1533
酙 1533
䤁 1538
醦 1542
針 1549
鈂 1552
𨥁 1552
鈊 1553
鋟 1562
鍼 1572
鍖 1572
鑯 1586
𩀞 1637
𩀞 1637
霃 1640
霃 1642
霃 1642
霃 1642
𩒯 1685
顉 1692
顲 1695
𩕅 1700
䭙 1728
駸 1741
駸 1748
魫 1788
魫 1788
鱏 1805
鱏 1805
鱵 1808
䳵 1837
鱵 1840
黕 1876
鬵 1881
鬵 1881
鬵 1882

칩

𡎞 214
届 300
湁 667
漐 675
縶 1012
絷 1014
蟄 1159
蟄 1245
鈒 1549
霅 1640
霵 1648
𩃎 1649
霼 1651
馽 1735
馽 1736

칭
偁 63
爯 732
秤 900
称 901
称 901
稱 906
穪 913
秤 1051
蘱 1191
騁 1742

쾌
儈 75
叏 141
噲 188
夬 231
快 380
快 385
獪 762
筷 939
篏 948
蒯 1180
駃 1736

타
他 34
佗 43
杲 89
剁 104
吒 147
咤 157
哋 157
咤 159
唾 167
喥 175
鼉 192
坨 204
垜 205
垛 205
埵 210
堶 214
墒 214
墮 215
埵 220
墮 221
墯 221
憜 221
鞸 239
她 240
奼 240
妥 243
娞 249
媠 257
媞 258
嫷 264
嫷 265
它 274
岮 306
峗 306
嶞 320
隓 321
庹 349
㤞 389
惰 400
憜 413
打 427
拕 429
拖 436
拕 436
挆 441
揣 454
撱 468
嶞 485
朶 526
朵 526
杕 528
柁 535
柂 535
椯 560
椼 565
楕 565
椭 565
橢 580
隳 580
櫇 591
毻 618
毻 619
沱 634
沲 634
涶 660
沲 660
沱 660
炧 710
牠 739
牤 740
牠 740
犝 745
痑 810
砣 868
碢 874
碃 875
秅 897
種 905
椯 907
窀 918
箨 937
籜 957
粃 968
紽 986
綵 991
緌 994
羝 1035
睡 1058
聲 1061
膠 1083
膌 1083
膧 1091
膚 1092
舵 1112
舵 1112
莊 1137
菜 1137
蜾 1226
蠹 1256
袉 1269
袳 1272
裸 1273
褙 1281
褦 1288
襨 1289
觛 1306
訑 1314
訮 1318
詑 1322
詑 1323
訑 1324
訑 1324
詫 1325
誃 1327
諈 1330
請 1340
謉 1345
謓 1346
譄 1356
貕 1378
趓 1409
跎 1424
跑 1424
跺 1429
躍 1449
躲 1456
躲 1456
躶 1458
軛 1465
迤 1491
迱 1491
酡 1533
酏 1533
鉈 1559
鋉 1560
鍺 1572
鍺 1574
鏥 1582
鑡 1589
鬌 1593
鬌 1593
阤 1610
陀 1613
陁 1613
陊 1613
陏 1614
陊 1614
陎 1614
陎 1614
隋 1620
隓 1622
霏 1644
霳 1649
鞍 1661
鞄 1662
鞄 1662
鞪 1664
鞋 1674
鞬 1675
韃 1676
頉 1687
頦 1689
駄 1735
駄 1736
駝 1738
駞 1738

韚 1764
髿 1767
䰐 1770
鬌 1770
鮀 1789
䰿 1789
䲦 1798
鴕 1798
鵎 1798
鰖 1800
鰖 1805
駝 1814
駞 1826
䴱 1851
鼉 1872
鼉 1872
鼧 1877
龤 1888
龢 1888

탁

乇 17
仛 44
侂 47
倬 59
凙 95
剫 107
劅 111
𠦝 122
卓 128
啄 167
啅 167
喥 175
噣 187
坼 204
墑 214
孎 269
宅 278
庀 344
庋 344
度 346
庹 349
侘 389
㡯 403
托 428
拆 435
拓 436
㧻 448
擢 472
擆 473
㲉 485
斀 488
斲 488
旽 499
晫 509
杔 527
杶 530
柝 536
桌 546
棹 555
椓 557
椸 565
棈 565
梟 566
橐 571
欘 579
橐 582
檡 585
檯 587
櫜 590
欘 593
汑 628
沰 635
浊 646
涿 653
濁 690
濯 694
犳 754
獨 763
琢 774
琸 774
殜 829
穛 911
䈇 944
籜 962
粍 966
翟 1043
臅 1095
蘀 1198
擇 1202
蠌 1250
蠗 1252
祏 1270
襗 1288
䙽 1291
䙿 1291
觰 1308
託 1314
詑 1330
護 1346
豛 1373
豩 1376
豠 1379
趠 1412
趤 1414
跐 1430
踔 1433
踧 1437
踱 1439
蹢 1440
蹊 1440
蹻 1449
躅 1449
䟩 1450
躅 1455
𨍂 1474
逴 1498
鐲 1570
鐲 1584
鐸 1585
霍 1653
韠 1672
韣 1682
頊 1683
飥 1713
馲 1735
駝 1740
騿 1745
驝 1753
鬌 1770
魄 1780
魄 1782
魠 1787
鱆 1797
鵫 1824
鷟 1829
鸀 1838
鸐 1839
麪 1850

탄

但 41
僤 73
叹 145
吞 153
呑 153
唌 163
嘆 180
歎 180
嘽 184
坦 203
弓 358
弚 360
弾 363
彈 363
憚 382
𢢔 412
憚 412
憻 415
撣 467
攤 477
歎 600
灘 602
殫 610
汆 625
湠 667
潬 682
灘 704
鷬 705
炭 710
畽 801
疃 802
痑 810
瘓 815
癱 822
組 988
綻 998
𦧺 1109
袒 1268
綻 1278
訑 1314
訑 1315
詑 1322
詑 1323
訑 1324
誕 1324
誕 1330
譠 1345
譠 1358
貚 1383
跢 1433

嵒 1440
頣 1687
驒 1751
[黑乇] 1861
黗 1862

탈

侻 51
夺 233
奪 238
奪 238
奪 238
挩 442
敓 483
敠 484
棁 550
毲 619
痥 811
[皮兌] 829
稅 902
脫 1074
脫 1076
脱 1076
莌 1137
莌 1145
說 1328
說 1332
説 1332
[身兌] 1457
頉 1683
頽 1692
鮵 1795

탐

傝 66
僋 70
嗿 180
[忄罙] 396
憛 412
抩 432
探 449
揼 461
撢 467
[扌覃] 478
湛 665
潭 674
灡 703
眈 839
耽 1055
莐 1146
襑 1287
[舟冘] 1306
[舟几] 1306
訦 1330
[言尋] 1357
貪 1386
[貝冘] 1387
賧 1394
[走冘] 1407
躭 1456
酖 1532
酛 1532
[鹵監] 1844
黮 1865

탑

佮 49
傝 66
嗒 177
嚃 188
塔 214
塌 215
墖 215
[彳合] 371
[扌沓] 451
搨 459
搭 459
[扌翕] 468
撘 469
[木沓] 558
榻 568
榻 568
榙 570
[木翕] 582
毾 620
溻 674
漯 679
[沓黑] 688
狧 750
[犭合] 750
瘩 817
[竹沓] 944
[糸日羽] 1007
[舌乇] 1023
[舌臿] 1023
[冃羽] 1041
[舌枼] 1108
[舌某] 1109
[舌習] 1109
[舟日羽] 1114
[舟翕] 1116
褟 1283
[言日羽] 1349
[言闒] 1365
踤 1437
[車沓] 1472
遢 1504
錔 1566
鎑 1577
[金闒] 1591
闒 1605
[門荅] 1606
闟 1607
[阝荅] 1623
鞈 1663
鞜 1665
鞳 1669
[革日羽] 1670
[革睪] 1669
[韋日羽] 1677
[馬日羽] 1749
[鬥翕] 1776
[魚羽] 1794
鰨 1801
[齒合] 1887

탕

偒 61
[亻昜] 74
婸 256
宕 276
崵 314
帑 331
愓 401
[忄象] 413
湯 666
潒 686
蕩 692
燙 726
瑒 776
璗 781
盪 835
碭 875
[竹昜] 948
簜 955
[目昜] 1106
菪 1150
[艹昜] 1163
蕩 1182
[艹殤] 1191
[艹碭] 1198
[艹殤] 1202
蘯 1208
蝪 1237
[甚見] 1300
[敞見] 1302
[尚見] 1302
趤 1414
[走昜] 1415
踼 1438
[足唐] 1441
蹚 1444
[足蕩] 1446
[足棠] 1448
[身昜] 1458
逿 1500
[金宕] 1568
鏜 1578
鍚 1580
鐋 1582
闛 1606
[雨石] 1641

태

亣 28
[亻能] 67
兊 82
兑 82
[厂來] 136
台 146
呆 149
[口怠] 174
埭 209
大 230
太 231
夳 232
[大彖] 237
娧 250
媞 258
[山兌] 309
徥 374
忕 378
态 379
忲 380

怠	382	荅	1127	鮐	1790	䨲	1637	嗿	512	桶	547	㠑	295
態	403	菭	1150	蛻	1862	䮈	1678	槄	570	樋	573	嵟	315
㥭	406	蜕	1228	鮧	1888	鴇	1820	芏	1122	洞	642	崔	315
抬	438	䑽	1308	鮧	1889	鶶	1837	菟	1149	烔	714	㢈	349
搭	464	詒	1321	**택**		**탱**		討	1313	熥	723	㑣	368
㯓	489	詎	1321	垞	206	撐	466	䳄	1634	痌	809	㣷	371
噠	514	諿	1340	旲	235	撑	466	軠	1660	痛	810	㥆	397
棣	554	譢	1361	宅	274	撐	466	駼	1745	窿	924	推	450
榙	576	跆	1424	宒	278	樘	573	鵌	1823	筒	936	搥	458
殆	607	軑	1462	厇	344	橕	580	鵵	1837	筩	938	敦	484
毤	618	軩	1465	睪	357	橖	582	**톤**		統	988	敳	486
汰	628	迨	1491	択	433	堂	604	啍	167	統	991	㪟	489
泰	633	逮	1498	择	451	掌	738	噋	183	綂	995	槌	569
炲	710	邰	1514	擇	470	䝲	1397	嘾	191	蓪	1176	焞	715
炱	710	鼉	1548	檡	585	**터**		復	371	蕫	1207	㷟	721
䁎	857	鼈	1548	沢	633	攄	474	涒	650	踊	1430	煺	721
碌	873	銳	1561	泽	660	**토**		禒	1283	通	1496	㨃	723
稅	902	鋭	1561	澤	688	兎	83	迍	1490	遀	1496	燉	730
笞	932	隸	1628	澤	689	兔	83	退	1493	銿	1563	瑰	779
篙	947	隷	1628	瀄	698	兔	83	逿	1497	**퇴**		瘣	815
粸	971	鞔	1664	瀄	698	吐	147	**통**		𠂤	19	㿉	817
紿	986	颱	1705	睪	850	土	199	侗	48	僓	71	㾯	819
繐	1006	馱	1735	礋	882	圡	199	徸	372	垍	206	癩	822
胎	1069	駄	1736	蘀	1198	垸	211	恫	388	堆	210	盩	836
脫	1074	駘	1737	蘀	1202	夲	232	慟	408	塠	216	磓	877
脫	1076	駾	1742	蘀	1204	套	236	慟	408	𡏞	221	穨	912
脱	1076	鬄	1766	蠌	1250	嶀	318	捅	444	㩅	294	穨	914

饋 961
糙 975
聉 1056
聵 1059
腇 1078
腿 1085
蓷 1173
蔹 1185
蕢 1192
蘈 1200
藬 1204
褪 1283
襶 1288
諂 1330
譢 1348
譴 1353
讉 1363
讗 1365
蹆 1443
蹪 1448
躀 1453
軳 1467
輴 1472
迺 1490
追 1493
退 1493
遈 1497
鎚 1575
陌 1614
隹 1618
隤 1624
隮 1627
隫 1627
醄 1657
頧 1688
頹 1690
頺 1690
頽 1694
頹 1694
顡 1698
顢 1701
飌 1711
館 1718
饋 1725
骬 1757
骽 1758
鮾 1783
鰖 1783
鵖 1820
鷻 1834
黀 1851

투

偸 63
詫 91
杏 158
音 158
埱 211
套 236
妒 242
妬 243
妵 245
婾 256
婨 308
廠 349
愉 401
愉 401
投 431
歆 597
殳 612
渝 661
牏 737
狌 750
疟 805
秅 901
秺 902
緰 1005
薐 1163
薙 1207
蘳 1208
逗 1330
諭 1342
諭 1342
豝 1373
豟 1375
貀 1381
趉 1405
趙 1412
跺 1423
透 1495
鋀 1564
鍮 1571
閗 1597
閸 1606
鬪 1606
鬪 1607
阧 1616
陼 1623
骰 1714
鈕 1717
鍮 1724
骰 1755
鬥 1775
鬦 1775
鬧 1776
鬨 1776
鬩 1776
鬪 1776
鬮 1776
鮭 1851
黖 1861

퉁

佟 44
佟 369

특

忒 377
忑 378
忕 382
慝 406
扚 446
特 741
犆 742
聽 856
膩 1077
蛍 1219
螣 1240
螣 1241
蟘 1248
騰 1249
貣 1385
貸 1388
鴏 1817

틈

闖 1605

파

厎 19
叵 145
吧 152
坡 203
壩 224
婆 255
婁 261
叵 288
玻 294
岥 306
嶓 319
巴 327
帊 330
帕 330
帞 332
帊 335
弝 360
怕 383
把 430
挐 442
掰 446
搫 446
擺 457
擎 457
播 468
擺 474
攞 478
皾 488
胃 523
杷 530
橎 581
欛 593
欛 594
波 638
派 644
派 645
湷 687
灞 695
灞 705
爬 732
爸 734
把 740
狘 751
玻 768
琶 773
琶 778
畚 799
番 800
疤 806
皅 825
盼 825
皤 827
皅 828
破 867
磻 874

皤	880	蚾	1223	頗	1686	昄	502	朳	526	悖	392	犻	740
杷	899	襎	1288	𩑟	1687	板	531	柭	539	𨿥	424	犤	745
穲	913	䍡	1295	䪛	1700	泮	639	棚	551	拔	433	𤜲	747
䇑	928	覇	1295	駊	1738	版	736	汃	625	扷	436	狒	748
笆	931	𧢿	1306	𩨜	1756	瓣	787	䈈	977	拔	436	犻	748
𥬪	940	𧢼	1307	髮	1765	瓪	788	趴	1421	援	436	狽	752
𥯨	944	譒	1355	鮍	1801	畈	797	𨋼	1465	捭	446	猈	754
簸	958	豝	1372	蠡	1871	眅	839	釟	1549	擇	446	珮	771
𦊆	966	𧳭	1379	齙	1884	辦	859	𩡧	1734	敗	483	琤	773
紴	987	跁	1422	𪐴	1895	粄	967	齒八	1884	敱	489	昁	841
絈	988	𨁈	1425	**팍**		舨	1111	**팜**		旆	495	𦏮	864
紕	992	跛	1425	嚗	190	蝂	1232	湴	667	旆	496	稗	904
罢	1027	𨆪	1450	瀑	697	販	1386	**팡**		哱	508	筏	934
罷	1030	㷼	1450	瀑	703	跘	1426	乓	19	孛	523	箄	941
罷	1030	𨇤	1451	**판**		跃	1430	**패**		朩	524	簰	952
䍐	1030	䡊	1462	判	101	辦	1485	伂	38	米	525	篺	953
把	1034	鄱	1527	辦	111	辨	1485	伯	40	林	529	棐	969
耙	1051	鈀	1551	办	112	辧	1485	佩	45	柭	539	粑	970
𦔮	1054	鉕	1557	反	141	𨐨	1486	㒑	90	根	548	粺	971
舥	1111	𨭉	1588	反	141	鋬	1565	另	144	棑	557	稗	1052
芭	1124	鑼	1591	坂	201	鈑	1551	唄	163	沛	632	肺	1067
苩	1132	陂	1612	岅	304	阪	1610	𤕧	177	沛	632	朏	1071
菠	1149	𨸝	1613	辬	357	阪	1610	坝	208	浿	649	䋂	1113
葩	1160	霸	1647	㤆	380	**팔**		孛	270	淠	655	茾	1131
蔢	1180	霸	1649	拚	436	八	85	孛	271	濞	703	茷	1135
䕅	1206	䣖	1656	拚	443	叭	145	怖	381	牌	737	𧇊	1217
蚆	1221	靶	1660	攀	492	捌	444	怺	385	犻	740	蛽	1230

蠯 1245
蠯 1255
覇 1295
誖 1331
貝 1384
䟺 1431
䟛 1422
𨑸 1497
𨚍 1513
邶 1514
郥 1519
鄁 1522
鋇 1565
霈 1642
䨪 1647
霸 1649
鞴 1666
𩏗 1676
馷 1737
魳 1788
鮇 1791
䵗 1859

팽

亨 29
亯 30
伻 41
傍 65
庄 343
弸 362
彭 367
徬 373
徬 374
恲 389
掽 456
㫄 495
㫅 495
㫆 495
旁 496
泙 638
淜 682
澎 686
烹 714
𤢺 761
甏 790
痭 813
眪 826
砰 867
碰 875
磞 878
祊 885
䄘 893
𥢌 894
䅫 906
絣 997
絣 997
綳 1000
膨 1090
菩 1143
蟛 1246
蟚 1246
軯 1463
輣 1470
𨍭 1477
𨎮 1479
𨣞 1541
錋 1570
𨧫 1581
閍 1596
閛 1597
闏 1604
𨻰 1622
㿶 1734
駍 1738
𩢲 1744
騯 1746
髼 1770
鬅 1772
𪄿 1779
𪔅 1874

퍅

愎 401
頩 1687
鶝 1827

편

丏 12
乑 13
便 51
偏 61
㛹 65
𠬜 85
𠝔 107
匾 125
媥 257
平 340
㢒 362
徧 373
惼 401
扁 426
揙 455
楄 560
楩 564
片 736
牑 737
犏 743
猵 756
㾫 814
睘 857
𥈱 859
箯 944
篇 945
䉸 955
糄 974
編 1003
緶 1004
𦅺 1012
翩 1045
艑 1114
苹 1129
蝙 1235
褊 1279
覑 1297
𧢄 1300
𧦁 1323
𧥢 1323
𧦝 1324
諞 1341
𧫝 1345
貵 1389
蹁 1438
辡 1484
辨 1485
辧 1485
辯 1486
𨐨 1486
遍 1501
鞭 1667
𩏢 1670
䫌 1688
𩝿 1723
騗 1745
𩨃 1759
鯿 1799
鯾 1800
𩸷 1803
鶣 1827
𪕧 1881

폄

𥐘 865
砭 867
窆 917
𦤸 1104
𦤹 1105
貶 1387

평

丏 12
乑 13
匉 120
坪 203
𡊅 203
平 340
怦 384
抨 433
拼 441
拼 451
枰 534
𣮷 621
𤘽 741
㸸 741
玶 769
硼 871
𦐊 1035
苹 1129
荓 1137
蓱 1143
萍 1153
蓱 1165
薄 1172
蘋 1173
蚲 1223
評 1321
𧦁 1323
𧥢 1323
𧦝 1324
𧫝 1345
𨄚 1450
辯 1486
𨳩 1600
閞 1603
𩓖 1702

鮃 1789

폐

𠈨 53
吠 150
坒 208
獘 238
嬖 266
巿 329
㡀 330
幣 338
廃 350
廢 352
弊 357
怖 381
㦸 385
敝 483
𣀔 485
斃 488
㭊 530
柿 530
梐 548
𣕪 551
樻 581
櫠 589
毙 616
㵒 682
狴 752
獘 760
獙 761
𤸷 815
癈 819
箅 941
𥲤 957
肺 1067
肶 1067
胇 1070
胏 1071
𦛚 1078
萆 1151
𦺐 1177
蔽 1180
蕟 1186
薜 1189
𦿔 1198
𧁿 1202
蘗 1207
𧈪 1229
袚 1270
祓 1270
𨊟 1310
𧷶 1398
贆 1400
𨀳 1426
鄨 1527
醂 1537
𨣧 1541
銴 1565
鍲 1565
鐅 1580
鐅 1580
鏺 1583
鐴 1586
閉 1595
閇 1595
閈 1596
闌 1605
陛 1615
陫 1619
陛 1623
顊 1696
鷩 1737
骳 1757
髀 1758
鮍 1791
鼣 1876
鼥 1877
鼣 1877
鼥 1879

포

佈 41
儤 78
刨 102
勹 118
勺 119
包 119
匍 120
匏 120
咆 155
哺 163
鋪 186
鮑 189
圃 196
埔 208
奞 236
奤 238
抱 271
宲 277
宲 280
専 289
布 329
庖 345
庯 347
怖 383
悑 393
扶 429
抛 433
拺 433
抱 434
抱 434
抱 434
拋 435
捕 444
敀 480
晡 508
暴 513
暴 515
暴 515
曝 516
曝 516
枹 535
桖 551
橐 564
麭 577
毟 617
泡 638
浦 647
浠 658
瀑 697
瀑 703
炮 709
炰 710
爆 729
爆 731
狍 750
瓟 786
疱 806
痛 810
㾷 817
皰 828
盧 835
砲 867
礮 882
礟 884
笸 934
箁 943
簙 951
簠 953
粡 970
胞 1069
脬 1076
脯 1076
膗 1092
臕 1097
舗 1109
舖 1109
皰 1119
䩝 1119
鮑 1119
苞 1128
莆 1141
葹 1154
葡 1160
蒱 1166
蒲 1166
蓴 1169
藊 1180
虣 1216
虥 1216
蘆 1260
袍 1268
奞 1268
裦 1271
褒 1282
褎 1284
褒 1286
襃 1288
褒 1291
詗 1322
誧 1324
譽 1348
疊 1356
譈 1362
賻 1392
趙 1412
跑 1424
踊 1433
躁 1452
軳 1465
軸 1465

軳 1474
逋 1495
逋 1504
郙 1515
酺 1536
䤖 1538
醽 1544
𨣪 1544
鉋 1554
鈽 1557
鋪 1562
鑤 1588
𨵌 1603
陠 1616
靤 1657
鞄 1662
𩊚 1663
韠 1671
𩎑 1674
鞴 1676
颮 1704
颮 1704
飽 1715
飽 1715
餔 1719
餥 1720
餢 1720
餜 1723
髱 1766
鮑 1790
鯆 1791
鯆 1794
鱄 1803
鯆 1804
鵏 1822
鸔 1840
鸔 1840
鸔 1841
麃 1845
麅 1845
麭 1850
麭 1859
齙 1880
齙 1886
齙 1887

폭

幅 335
暴 513
暴 515
暴 515
曝 516
瀑 516
瞟 516
瀑 697
瀑 703
爆 729
爆 731
輻 1473

표

俵 55
僄 69
儦 77
儤 79
剽 109
剽 112
勡 117
勡 118
𠬪 142
嘌 181
嚗 193
婊 254
嫖 261
𡣶 269
尌 291
尥 293
𡾰 317
幖 337
𢅤 340
彪 366
彯 367
慓 408
懪 419
𢬵 447
摽 464
𢷾 471
𢹓 477
旚 498
𣄴 498
旚 498
㬓 513
杓 528
杓 529
标 539
標 574
𣟹 585
橐 586
𣠠 587
㯷 592
歘 598
殍 608
殕 608
漂 676
𤁇 692
澍 695
瀌 697
瀑 703
熛 722
爂 729
爂 729
爆 731
犥 745
猋 753
瓢 787
瓟 787
瘭 817
皫 827
䁃 848
瞟 854
瞨 860
磦 878
票 888
𥢌 910
穮 913
篻 952
縹 1010
纅 1021
翲 1046
𦔼 1054
𦗷 1060
脿 1081
膘 1088
臕 1096
𦢊 1098
𦬒 1137
莩 1144
蔈 1176
𦶘 1180
薸 1194
藨 1199
𧃍 1206
𦸗 1209
蚫 1235
螵 1243
表 1265
𧘽 1267
𧚙 1268
裱 1276
褾 1285
𧞤 1291
勡 1295
飄 1295
𧢄 1302
𧢄 1304
𧤻 1311
諘 1340
謤 1353
豹 1379
𧳜 1381
贆 1397
贆 1399
𧸤 1400
𧾩 1416
𧾩 1420
趵 1421
𨆡 1446
𨇊 1449
醥 1541
錶 1568
鏢 1578
𨪆 1585
鑣 1588
鑤 1590
闝 1606
雹 1647
𩏄 1673
顠 1698
髟 1703
颮 1704
颮 1704
𩗼 1706
颷 1707
飃 1710
飄 1710
飆 1711
飇 1711
飆 1711
飍 1711
𩙋 1711
飍 1712

飃 1712
驃 1749
驃 1753
驃 1754
驫 1754
髟 1760
髟 1764
鬃 1773
鰾 1803
鰾 1808
馰 1811
鷅 1834
麃 1845
麃 1845
麃 1846
馰 1875
䶋 1878

품

品 150
品 158
稟 890
稟 905
藁 1193

풍

凨 96
凬 96
凮 96
寷 287
豊 520
楓 561
楓 583
渢 662
馮 674
灃 689
灃 702
猦 757
瘋 814
肌 1065
艂 1113
豐 1208
諷 1340
諷 1343
豊 1369
豐 1370
豐 1370
豐 1371
鄷 1527
酆 1528
酆 1530
豐 1653
風 1703
飌 1712
馮 1735
麷 1854
麷 1854

퓨

淲 659
滮 680
滮 698
颮 1708
猷 1733

피

彼 42
僻 78
皮 154
陂 297
帔 330
彼 369
僻 376
披 434
擺 457
斁 487
旇 496
柀 535
椑 574
殔 606
汥 633
波 638
犤 745
狓 749
疲 806
痺 818
皮 828
皯 828
皰 828
秛 901
筤 935
箄 953
紴 987
罢 1027
罷 1030
罷 1030
罷 1030
貔 1041
耚 1052
翍 1102
萆 1143
芘 1154
蓖 1166
藣 1198
蘢 1202
蘼 1211
被 1269
裴 1271
裴 1271
襬 1291
罷 1295
詖 1321
貏 1382
貱 1388
跛 1425
辟 1484
避 1508
鈹 1554
鉟 1558
鑋 1570
鑋 1570
隸 1593
陂 1612
鞁 1664
鞞 1665
韍 1675
駍 1738
駓 1742
骳 1756
髲 1766
魮 1788
鮍 1791
鯡 1802
鵯 1838

픽

愊 401
煏 719
㷩 729
㷩 731
腷 1082

필

仏 33
佖 43
佛 43
滭 94
匹 124
𠦪 127
卹 131
吡 152
咇 156
嗶 181
奔 234
彃 361
弻 361
弼 362
弼 362
弼 362
彌 363
彃 363
𢔁 375
必 376
怭 384
払 428
抋 433
拂 435
斁 487
㮿 576
毕 616
泌 637
滗 674
滭 680
潷 686
濞 697
熚 723
煏 729
珌 769
𤩽 781
畢 798
畢 799
疋 803
皸 830
禪 893
𥝠 901
𥞊 904
笓 931
笔 932
筆 935
筕 940
篳 951
篳 958
縪 1009
罼 1030
罼 1031

胇 1070
䏟 1071
䯗 1102
苾 1130
蓽 1139
蓽 1173
蓽 1173
蛪 1224
祕 1270
篳 1309
篳 1311
䛗 1353
䟆 1371
趩 1416
蹕 1443
蹕 1449
䡊 1465
邲 1514
䤠 1534
鉍 1556
鏎 1581
䩛 1661
𩊬 1662
鞸 1670
韠 1677
䬛 1705
䬟 1710
飶 1715
饆 1726
馝 1733
駜 1738
䮂 1745
鮅 1790
鰒 1800
鰏 1804
鴄 1812
鴓 1816
鵯 1823
鷝 1834
䴡 1848
䵒 1859

핍

乏 18
偪 62
姂 243
幅 335
愊 401
珏 603
泛 638
泛 638
疺 808
皀 824
逼 1500
䧦 1626

鳦 1815
䯽 1815
鷝 1834

핑

乒 19

하

丅 9
下 10
丆 11
二 25
仮 39
何 42
假 61
夓 71
徦 91
厦 136
叚 143
叚 143
吓 147
呀 151
哧 164
㗇 174
嘏 183
𠿟 187
嚇 189
罅 218
夏 228
岈 304
廈 350
叏 364
徦 374
抲 437
𢲨 445
𢧐 483
昰 504
欱 595
河 634
煆 717
瑕 776
夓 804
疜 805
疨 806
瘕 814
碬 875
𥓕 880
縀 1006
罅 1024
䍍 1024
芐 1122
芦 1126
茄 1131
荷 1140
菏 1154
𦹗 1172
蕸 1190
虾 1218
蝦 1236
袔 1269
𧞑 1287
詑 1325
訶 1334
諕 1337
䛤 1338
諄 1349
諪 1351
謌 1359
谺 1366
䜪 1368
𧮭 1368
賀 1389
赫 1403
赮 1403
𨂷 1439
夓 1441
𨉯 1457
遐 1501
鍜 1571
鏬 1581
閅 1596
閜 1597
𨽀 1623
霞 1645
䩶 1668
𩎴 1676
𩑛 1687
𩕄 1696
颬 1704
騢 1745
魺 1791
鰕 1800

학

𠀝 13
㓅 93
叡 143
嗃 177
嗀 180
嚛 190
壑 223
𡥈 227
𡣍 254
学 271
學 273
學 273
嶨 321
斈 479
𣏇 489
㱿 612
殼 613
殻 613
涸 653
㷤 688
澩 700
瀥 702
狢 751
瑴 757
疟 805
瘧 814
皠 826
皬 827
𥈲 830
睢 853
矐 859
確 873
翯 1045
臛 1097
藃 1168
虐 1213
虐 1214
蚵 1223
蛬 1227
蛬 1227
蠚 1253
𦨈 1306
觷 1311
謔 1344

謞 1347
譹 1355
㕡 1367
篧 1368
豞 1373
[illegible] 1379
[illegible] 1379
豿 1380
貉 1380
貈 1380
[illegible] 1380
[illegible] 1384
郝 1518
[illegible] 1544
隺 1629
[illegible] 1637
[illegible] 1639
霞 1647
[illegible] 1647
[illegible] 1650
[illegible] 1669
鞶 1669
[illegible] 1730
[illegible] 1730
[illegible] 1731
[illegible] 1747
[illegible] 1763
鶴 1829
鶮 1830
[illegible] 1833
鶴 1833
鷽 1838
鸖 1841
[illegible] 1877
[illegible] 1877

한

僩 72
厂 133
厈 134
嚻 193
垾 208
[illegible] 236
嫺 263
嫻 263
[illegible] 263
[illegible] 278
寒 282
[illegible] 287
[illegible] 339
忓 378
[illegible] 388
恨 388
悍 391
[illegible] 393
憪 412
[illegible] 412
[illegible] 412
[illegible] 422
扞 428
捍 444
撊 466
[illegible] 483
旱 500
暵 513
[illegible] 571
橌 582
[illegible] 620
汉 626
汗 627
[illegible] 652
漢 674
漢 678
[illegible] 679
澖 687
[illegible] 688
澣 688
[illegible] 695
瀚 699
[illegible] 702
灘 704
[illegible] 705
焊 714
熯 722
[illegible] 728
狠 750
猂 753
堅 775
暵 802
癇 819
[illegible] 819
[illegible] 819
皔 825
[illegible] 826
[illegible] 829
睅 846
[illegible] 850
瞯 856
[illegible] 856
[illegible] 856
[illegible] 861
硍 869
[illegible] 871
罕 1026
[illegible] 1026
[illegible] 1026
[illegible] 1026
[illegible] 1038
翰 1045
[illegible] 1053
[illegible] 1092
草 1145
[illegible] 1180
蔊 1180
[illegible] 1187
藖 1200
[illegible] 1208
虷 1218
蛝 1225
[illegible] 1241
覵 1302
[illegible] 1334
[illegible] 1372
豻 1379
貋 1382
[illegible] 1433
邗 1511
邯 1514
[illegible] 1514
[illegible] 1540
釬 1550
銲 1563
[illegible] 1584
閈 1595
閑 1596
閒 1596
[illegible] 1596
[illegible] 1598
[illegible] 1599
[illegible] 1603
闞 1605
限 1614
[illegible] 1616
雗 1634
[illegible] 1635
韓 1675
[illegible] 1677
頇 1683
[illegible] 1712
[illegible] 1729
馯 1735
駻 1741
[illegible] 1749
[illegible] 1751
[illegible] 1751
[illegible] 1752
骭 1755
[illegible] 1756
[illegible] 1801
[illegible] 1823
鶾 1831
鷳 1835
鷴 1835
[illegible] 1845
[illegible] 1851
鼾 1880

할

乤 21
[illegible] 102
割 108
割 108
劼 114
[illegible] 116
嗐 179
[illegible] 198
[illegible] 277
[illegible] 278
害 279
愒 401
揳 455
搳 460
[illegible] 569
[illegible] 570
欯 596
毼 619
[illegible] 673
[illegible] 712
[illegible] 784
瞎 852
硈 869

磍	877	鬠	1771	峆	309	澗	703	腷	1087	蹦	1370	陥	1622
鶍	1102	鬐	1772	峇	310	熖	721	臘	1096	賵	1389	隌	1624
韐	1110	鶡	1826	崡	315	焰	724	鎌	1096	瞰	1400	隚	1625
革	1126	鶷	1830	马	358	獫	758	舀	1104	趂	1419	霤	1646
蓋	1172	黠	1863	感	398	獥	760	艦	1117	跻	1430	黔	1657
藒	1192	齘	1886	憾	414	獭	761	萏	1142	鬡	1474	黔	1657
蘒	1192	齃	1890	撼	456	獵	763	菡	1149	轞	1481	黔	1658
蝎	1235	齰	1890	撖	469	琀	773	蒇	1164	鬛	1481	頷	1690
螛	1240	**함**		晗	508	琀	788	菌	1170	邯	1514	頋	1692
蠚	1257	涵	94	朿	526	瓴	788	蘋	1206	邑	1514	顑	1695
褐	1280	涵	94	柬	540	豎	791	藍	1207	酣	1533	顄	1697
褐	1289	函	97	梒	549	虪	792	蜬	1233	酓	1536	顑	1701
豁	1368	凾	98	槭	560	磨	792	蜭	1233	醎	1538	顑	1701
轄	1475	含	153	檻	585	曆	792	銜	1262	醶	1543	颫	1705
轄	1475	咁	156	檻	586	晗	849	銜	1263	醶	1543	餡	1721
鎋	1574	咸	161	騡	588	稴	908	裍	1279	銜	1559	鎌	1725
閃	1594	唅	163	欦	595	笒	931	諴	1333	鋡	1565	饞	1728
閜	1600	㖤	168	欺	595	答	940	諴	1342	錎	1565	黔	1732
鞨	1667	啣	170	欿	597	糠	974	諴	1351	錎	1568	黔	1733
鞨	1671	喊	173	歁	598	騡	978	譀	1355	鍤	1576	鹽	1753
韐	1677	嗛	178	泠	633	緘	1001	譀	1359	閂	1594	鬠	1770
頡	1696	憾	188	泔	637	罊	1025	譼	1363	闞	1607	闞	1776
餲	1726	嚂	188	浛	651	羬	1037	谽	1367	闞	1607	鮒	1792
稭	1734	啣	189	涵	653	翖	1043	谽	1367	陷	1616	鮨	1796
骱	1756	凾	197	滔	658	肣	1067	谽	1367	陷	1618	鰔	1800
髑	1759	埳	222	涵	674	脑	1080	谾	1368	陥	1618	鹹	1843
髓	1762	妗	242	濫	694	脂	1081	谾	1368	陥	1621	鹽	1843

鼛 1875
鼣 1876
䶃 1877
齨 1889

합

匌 120
合 148
呷 155
哈 160
嗑 177
峆 308
帢 330
廅 350
㤿 383
㕎 426
敆 481
㪉 486
柙 536
柗 544
榼 565
榼 568
榙 570
欱 596
㰺 597
㰼 600
洽 644
溘 668
溘 669
𣸸 673
㾹 806
盇 832
盍 832
盒 833
盖 833
篕 951
粭 1052
𥻨 1053
𦝫 1086
蓋 1165
蓋 1167
韐 1191
蛤 1225
𧍰 1225
蝔 1242
𧜗 1283
褡 1285
䛅 1324
詥 1328
𧨻 1333
𧪂 1349
𧫔 1351
譀 1355
䜪 1367
𨒈 1494
郃 1516
䣆 1522
𨜒 1524
鉿 1559
鎑 1587
閤 1599
闔 1604
闔 1605
闔 1605
雂 1633
霅 1642
䩡 1664
𩏸 1670
頜 1687
頜 1687
䪚 1697
顆 1701
魰 1789
鮯 1794
鰪 1802
鰪 1805
鴿 1818
鼛 1874
鼕 1875
䶎 1881
齂 1881
䶅 1887

항

冮 27
亙 27
亢 28
伉 37
况 93
吭 150
夅 227
妔 228
姳 228
夯 232
姮 247
嫦 262
峘 308
𡶶 308
巷 328
恒 387
恆 387
𢜯 398
抗 431
斻 495
杭 530
栙 540
桁 543
沆 630
汻 633
港 663
港 663
港 692
炕 708
𤞎 751
𤬻 787
䀪 845
𥑮 866
笐 931
䈅 932
𥮟 937
筕 944
缸 1022
缿 1023
翃 1041
肛 1065
肮 1066
舡 1111
航 1111
苀 1126
虹 1218
蚢 1218
蚢 1220
蜣 1238
行 1261
衖 1262
衖 1262
貥 1387
䟘 1423
䟘 1423
跭 1430
䞶 1431
𨋢 1464
軠 1465
𨌕 1467
𨎸 1474
𨏖 1477
迒 1489
𨓏 1497
邔 1512
邟 1513
𨞕 1517
𨛻 1519
鄉 1522
𨞠 1528
酐 1532
鍸 1577
閌 1595
閧 1599
閤 1602
鬨 1609
降 1613
𨾎 1631
𩀞 1632
項 1683
頏 1684
顊 1696
㾃 1733
骯 1755
鬨 1776
闀 1776
䰢 1781
魧 1788
魧 1788
黆 1862
𪖐 1885

해

亥 29
侅 47
偕 62
㑪 74
儶 78
咍 156
咳 159
嗨 179
嗐 179
𠹭 179
嘴 187
垓 205
夅 227
奚 236
孩 272

[illegible]	[illegible]	[illegible]	646	蓋	1206	邂	1508	[illegible]	1778	霞	1650	荇	1165
[illegible]	[illegible]	海	648	[illegible]	1212	邂	1509	鮭	1792	[illegible]	1841	行	1261
[illegible]	[illegible]	澥	689	蠏	1251	郂	1516	鎧	1803	행		誟	1340
[illegible]	[illegible]	瀣	699	蟹	1251	酼	1536	鮮	1807	幸	19	誶	1340
[illegible]	[illegible]	[illegible]	712	解	1306	醢	1539	蟹	1807	倖	57	鋞	1563
[illegible]	[illegible]	獬	762	解	1307	醢	1539	齘	1884	涬	93	卒	1682
[illegible]	[illegible]	瑎	778	鮮	1307	閡	1598	[illegible]	1885	啈	169	骬	1757
[illegible]	[illegible]8	晐	799	[illegible]	1315	陖	1611	鮨	1896	幸	234	魧	1782
[illegible]	320	疥	806	該	1326	陔	1614	핵		婞	252	鴴	1817
[illegible]	329	痎	809	[illegible]	1326	[illegible]	1626	刻	104	㚔	302	향	
廨	353	疫	810	諧	1342	[illegible]	1672	劾	114	幸	341	亨	29
恔	389	[illegible]	814	謑	1364	韰	1679	垎	206	悻	392	享	29
[illegible]	402	瘷	817	豥	1374	韰	1679	核	542	悻	393	亯	30
[illegible]	406	[illegible]	820	[illegible]	1376	[illegible]	1679	椵	550	悻	395	亶	30
懈	415	醢	836	貈	1382	[illegible]	1679	槅	568	杏	526	向	148
晐	506	醢	836	賅	1390	頦	1683	碻	877	洐	645	响	161
楷	563	眩	845	[illegible]	1392	頦	1688	礉	881	涬	653	嚮	191
榽	570	絯	990	賢	1399	餀	1717	𥼍	979	烆	711	㳟	303
榼	582	繲	1015	[illegible]	1411	[illegible]	1732	翮	1045	婞	864	乡	342
檞	584	[illegible]	1039	[illegible]	1416	駭	1739	蒚	1169	笇	938	鄕	515
欬	595	胲	1073	[illegible]	1416	駴	1741	礉	1289	絎	989	珦	771
㰤	595	膎	1086	跢	1430	[illegible]	1746	覈	1295	綡	1000	皀	824
欬	596	[illegible]	1102	[illegible]	1457	騱	1747	覈	1295	緈	1008	皀	826
殪	611	荄	1136	[illegible]	1458	骱	1756	輅	1466	胻	1073	響	882
㲕	612	葵	1166	輆	1466	骸	1757	轄	1474	䑲	1099	馨	911
毅	612	薢	1189	轄	1474	骸	1757	釛	1549	荇	1136	窩	919
海	646	薤	1190	迒	1495	髂	1760	閡	1598	莕	1147	粡	970

羌 1033
羗 1034
膷 1093
萫 1159
萻 1159
薌 1188
蚼 1226
蝍 1230
蠁 1238
蠁 1251
響 1359
鄉 1520
郷 1522
鄉 1523
鄕 1523
鄊 1523
銄 1561
鑜 1589
闂 1605
闟 1608
亯 1680
響 1681
韻 1681
饗 1682
饗 1682
嚮 1682
餉 1717
餉 1722
饗 1729
饟 1731
香 1732
馫 1733
麘 1848
香 1859
香 1859

허

虗 13
嘘 183
噓 191
墟 218
墟 219
憈 412
栩 541
歔 600
笶 934
蒘 1180
虗 1214
虛 1214
虚 1214
虚 1214
虖 1215
虡 1216
許 1317
鄦 1526
醘 1526
隵 1625
驉 1751
魖 1784

헌

巘 238
宪 278
巘 323
幰 339
憲 410
憲 411
掀 461
攇 475
櫶 590
献 755
猷 757
獻 764
韗 1311
讞 1364
𧾷 1419
軒 1460
韗 1474
幨 1475
幰 1478
騫 1749
騫 1831

헐

歇 598
歇 598
曷 838
蝎 1116
蠍 1235
蹳 1426

험

嶮 320
忺 380
憸 414
枚 530
熑 728
獫 762
玁 764
硷 871
碱 875
礆 882
獫 1039
蔹 1189
譣 1358
趨 1410
険 1618
險 1624
險 1626
韄 1678
鎌 1734
驗 1744
験 1744
驗 1752
鹸 1843
鹼 1844
黬 1857

혁

亦 29
亦 29
侐 48
洫 93
革 128
啗 169
嚇 189
塥 216
奕 236
奭 238
奭 239
弈 356
惐 398
悳 411
棫 550
槅 568
郗 570
欭 598
歔 601
殈 607
洫 630
洫 643
淢 655
滆 673
焲 713
焃 713
爀 728
痲 813
監 835
曷 838
晉 848
睳 848
奭 849
瞁 850
矜 861
竘 926
翮 1044
蓛 1190
虩 1216
虢 1217
虩 1261
覡 1298
覡 1299
虩 1299
謧 1334
閪 1599
閱 1602
赫 1403
赫 [illegible]
緆 [illegible]
趪 [illegible]
革 1[illegible]
馘 173[illegible]
馘 1732
駴 1745
驌 1752
闃 1776
黬 1864
黬 1867
嚭 1868
鼳 1878

현

伣 38
伭 45
俔 53
儇 75
儇 78
县 139
呟 154
哯 164
串 170
垷 208
埍 208
姁 249

妶 252
娹 253
嬛 265
嬛 267
峴 309
㬎 325
𢆯 342
弓 359
弦 360
弦 360
弲 361
悬 391
悓 393
𢟍 394
懸 418
𢭏 448
𢬳 455
昡 505
显 506
晛 507
㬎 512
𣊻 514
梋 552
泫 639
洵 644
灦 705
炫 709
玄 765
玆 765
玹 769
現 771
琄 772
痃 807
痃 807
旬 837
県 838
眩 841
眴 844
睍 846
瞏 857
瞁 859
矎 859
𥌃 859
礥 883
祆 885
禰 893
䉳 953
𥷅 963
絃 986
絢 990
縣 1008
繯 1015
繯 1019
翾 1047
翾 1047
胘 1071
臔 1097
臤 1099
舷 1112
莧 1142
𦭊 1153
𧇍 1216
胄 1222
蚿 1222
蜆 1228
蠉 1250
蠉 1254
𧗁 1258
衒 1262
𧗳 1263
袨 1269
袧 1272
𧝞 1282
見 1295
覞 1297
現 1297
訓 1313
訮 1318
詪 1328
詽 1328
𧩼 1333
誢 1334
𧪫 1338
諯 1344
諑 1346
譞 1358
讂 1362
譞 1362
賢 1387
𧵍 1387
賢 1395
𧸎 1399
贒 1401
贙 1402
𧺇 1409
𧻘 1413
𧾗 1418
𧽑 1419
軒 1462
輯 1469
𨗯 1509
鉉 1554
銁 1560
鋗 1562
鋧 1562
𨯬 1587
闤 1609
闤 1609
陏 1614
𨻰 1616
雲 1644
靬 1661
鞃 1662
鞙 1664
𩏈 1672
韅 1673
𩑈 1687
𤡔 1688
𩔃 1692
𩓺 1695
顯 1698
顯 1701
馬 1734
𩡦 1739
駨 1741
駽 1741
駽 1742
鬩 1775
鴳 1817
䴉 1838
黃 1863

혈

吷 150
奊 235
妶 252
孑 269
岤 306
揳 455
摵 458
擷 474
泬 640
烕 711
疦 806
旻 838
眏 839
𥄔 841
眓 842
䀥 844
䁷 856
瞲 856
秇 898
稧 906
穴 915
𥦗 919
𥨒 924
籺 966
𦀩 988
絜 992
𢋔 1005
纈 1018
𦐀 1040
㹤 1040
翓 1042
苬 1139
𦿄 1202
虩 1217
血 1258
袕 1270
襭 1291
䙽 1298
𧥾 1324
𧻙 1410
𨑩 1490
闋 1597
闃 1605
闤 1609
闤 1609
雋 1631
靦 1664
鞊 1665
頁 1682
頁 1682
頡 1688
颫 1704
颬 1705
颫 1705

혐

嫌 260
嬚 265

慊 405
㺌 758
㾕 816
稴 908
䅖 910
謙 1347
謙 1347
鼸 1879

협

俠 50
俠 54
劦 113
勰 117
匧 123
协 127
協 127
㤶 127
㕅 135
叶 145
嗋 177
嗛 178
夹 233
夾 233
㛍 251
峡 308
峽 309
㢵 361
弽 362
恊 389
悏 393
㥦 402
愜 402
㾣 403
慊 405
㦜 405
勰 408
拹 441
挟 442
挾 443
旪 500
㭘 544
梜 549
歙 599
汁 625
浃 646
浹 649
熁 721
狭 751
狹 752
䀫 844
硤 871
祫 888
筴 939
篋 947
綊 995
胁 1068
脥 1074
脇 1075
䏩 1075
脅 1075
脋 1075
脥 1076
莢 1142
䕅 1193
䛄 1198
蛺 1228
䝨 1392
䝨 1398
鉿 1559
鋏 1561
陕 1614
陜 1615
陿 1619
霅 1641
鞈 1663
䩡 1664
頰 1689
颬 1706
䬲 1717
餄 1717
鮯 1732
䲰 1732
齢 1887
齘 1887
𪘂 1888
鹹 1889
鹺 1890

형

亨 29
亯 30
侀 49
侀 60
兄 81
刑 100
刑 100
刑 102
刑 104
哼 165
夐 176
営 177
型 207
型 209
型 212
夐 228
奊 237
娙 251
峌 309
巆 316
形 366
形 366
形 366
悙 392
擤 473
夐 487
桁 543
檾 577
荥 634
泂 636
泂 649
滎 668
濙 695
瀅 696
瀠 699
炯 709
荧 710
烱 714
熒 720
營 727
莹 768
珩 770
瑩 778
縈 787
瞢 853
硎 869
硎 874
檾 911
鈃 1023
鈃 1023
䵱 1039
脝 1075
艼 1113
苋 1132
荆 1136
荊 1136
莂 1136
营 1156
荆 1156
蔄 1159
營 1165
葵 1196
蘅 1203
萤 1224
萤 1224
蛵 1229
螢 1242
亨 1259
亨 1259
衎 1262
衡 1263
衡 1264
褮 1284
衎 1305
衡 1307
詗 1321
詗 1334
眴 1391
輷 1481
迥 1491
迥 1494
迥 1498
邢 1512
邢 1517
鈃 1553
鉶 1557
鈃 1559
鋞 1563
鉶 1563
鎣 1565
鉶 1565
鉶 1569
鈃 1573
鎣 1576
陘 1615
䪫 1681
譆 1681
馨 1734
馨 1860

혜

彑 11

傒 66
僡 74
兮 86
兮 86
匸 124
嘒 181
嚖 190
奚 236
妎 242
嫨 259
寭 286
嵇 314
嵆 314
嵠 315
[illegible] 336
彗 365
徯 374
恚 386
恵 387
惠 394
慧 406
憙 411
憓 412
[illegible] 457
暳 513
楥 562
榽 570
槥 572
橞 581
榼 582
歖 601
殢 610
潓 687
[illegible] 801
[illegible] 831
盻 838
眭 843
繐 1013
[illegible] 1047
[illegible] 1047
[illegible] 1084
直 1100
[illegible] 1119
[illegible] 1119
[illegible] 1119
蒵 1166
蔧 1177
蕙 1182
[illegible] 1185
螇 1239
蟪 1247
[illegible] 1275
[illegible] 1284
[illegible] 1318
[illegible] 1322
[illegible] 1333
[illegible] 1344
謑 1346
譓 1354
譿 1361
谿 1367
豯 1377
貕 1383
[illegible] 1423
蹊 1441
郋 1516
[illegible] 1538
醯 1542
[illegible] 1561
鏏 1579
鏸 1581
[illegible] 1625
鞋 1663
鞵 1669
韢 1677
[illegible] 1698
餀 1717
[illegible] 1871
鼷 1879

호

乎 18
[illegible] 18
[illegible] 19
互 26
[illegible] 39
僱 74
[illegible] 74
冱 92
冴 92
[illegible] 92
虎 96
[illegible] 117
[illegible] 138
号 144
呼 155
[illegible] 155
[illegible] 156
[illegible] 168
[illegible] 175
嗥 180
嘑 181
嘷 184
嚎 189
[illegible] 202
[illegible] 222
壕 223
壶 225
壺 225
壷 225
夰 232
好 240
[illegible] 243
[illegible] 249
婟 252
嫮 262
嫭 262
[illegible] 303
岵 306
[illegible] 318
[illegible] 321
帍 330
帍 330
弧 360
[illegible] 364
怙 383
恏 387
恗 388
[illegible] 398
憮 413
戏 420
戲 424
戯 424
戲 424
戱 424
戲 424
戶 425
[illegible] 425
[illegible] 426
扈 427
护 433
[illegible] 439
摢 463
[illegible] 463
昊 501
昈 502
昦 504
晧 508
暠 512
暤 512
暭 513
曒 515
枑 532
杲 534
[illegible] 538
楛 561
楜 564
[illegible] 574
[illegible] 577
歑 600
毫 618
[illegible] 622
沍 630
沪 633
汻 633
泘 641
洿 645
浩 648
浩 648
[illegible] 658
淏 659
淲 659
湖 665
滈 671
滜 674
滬 675
滸 676
滹 676
[illegible] 684
澔 688
濠 693
[illegible] 694
濩 694
灝 704
煳 719
[illegible] 726
犒 744
狐 749
[illegible] 753
猢 755

㲉	757	扈	984	虍	1213	護	1360	鎬	1575	鬍	1770	㦙	349
獆	759	𦃖	995	虎	1213	譹	1360	𨺗	1623	𩬵	1771	惑	394
獔	759	縞	1007	虖	1214	𥕨	1367	𨺵	1623	鬻	1779	或	421
獋	760	罟	1027	𧆨	1214	𥗉	1368	𨻵	1625	𩲀	1781	㦹	421
琥	774	羽	1039	虝	1215	豐	1371	𨼪	1627	𩲡	1782	或	421
瑚	777	羽	1040	號	1215	豪	1375	雇	1630	𩲣	1783	掝	451
𤩲	783	羽	1040	𧇣	1216	𧲮	1380	雐	1632	魱	1788	淮	673
瓠	786	耗	1051	𧈡	1233	𧳙	1382	㕦	1633	𩶃	1788	熇	720
瓡	787	胡	1071	蝴	1236	𧴀	1384	翟	1635	鰗	1801	焳	721
𤸎	814	䐧	1086	蠔	1252	𨀁	1423	雘	1635	鰝	1801	㷻	726
皓	826	芐	1122	𧖴	1260	𧿾	1423	䨼	1645	䲖	1803	㲉	757
皜	826	芦	1126	衚	1263	𨂬	1437	韄	1654	鱯	1808	䁧	802
皞	826	𦬁	1127	𧙄	1267	𨃜	1441	𩋾	1668	鳸	1812	𥇖	848
皡	827	茠	1138	䙕	1282	𨂐	1442	護	1682	鳸	1813	䁥	848
皥	827	荻	1147	𧚃	1282	軤	1464	𩑶	1687	鶘	1826	翯	1045
祜	887	䓺	1159	訏	1313	𨚗	1515	頶	1687	鶮	1828	臛	1097
𥞂	911	菰	1159	𧥯	1314	𨛷	1521	顥	1699	𪀋	1833	觳	1310
穫	913	葫	1160	許	1317	𢁥	1521	𩕊	1700	𪉷	1844	豰	1377
𥬝	932	蒿	1167	𧦝	1318	鄗	1524	𩗗	1706	𪊗	1845	𧲄	1378
箎	943	𦽒	1170	𧥺	1318	鄠	1525	𩚍	1717	麌	1848	𧹏	1404
箶	944	蔰	1180	訏	1318	𨝃	1526	𩝽	1722	𪎭	1859	䞦	1412
篧	950	藃	1189	訸	1318	酤	1533	餬	1723	𪏆	1859	䞯	1412
籆	959	𧂇	1189	𧦮	1322	醐	1538	𩞷	1723	𪐄	1860	酷	1535
籇	960	𧂫	1190	𧧐	1324	𨣩	1538	䭵	1725	𪔏	1877	酷	1535
粐	968	薃	1191	諕	1337	釫	1550	豪	1763	𪖀	1878	鋈	1574
粘	969	𧃫	1204	𧩤	1338	鍸	1574	豪	1763	**혹**		閄	1594
糊	973	䕶	1212	謼	1350	𨯝	1574	豪	1763	𢧵	325	閣	1601

䪨 1633
𩕄 1699
鵠 1821
鶮 1830
𪌉 1852

혼

俒 54
倱 59
㑮 59
𠈖 64
㖧 169
圂 196
䡣 212
𡖗 228
婚 252
婫 254
㛰 258
忯 385
惛 397
惽 401
慁 403
㥵 403
掍 448
𢲈 460
㱪 486
𣄼 499
旦 500
昏 503
昬 505
棔 553
棍 553
楎 561
㮯 570
𣧑 607
殙 609
殙 609
涽 653
混 657
渾 664
湣 666
溷 670
焜 715
焝 715
琿 777
眃 841
睧 849
睴 851
䅙 905
䊐 972
緄 972
緷 1004
緍 1011
䎜 1049
䐊 1079
𦨭 1309
䛔 1341
𨃝 1441
輥 1467
𨍭 1474
𨐖 1478
𨠳 1539
閽 1602
𨻶 1628
顐 1695
顐 1697
餛 1720
餫 1722
𩥃 1746
魂 1781
䰟 1781
鯇 1794
鯶 1800
䴷 1851
䴹 1851
𪌂 1852
𪐛 1865
鼲 1878

홀

匫 123
㫚 154
唿 168
啒 168
回 194
囫 195
囬 195
寣 285
𢅥 365
忽 379
㤐 379
惚 397
𢙃 411
𢲈 460
昒 503
曶 503
𥇵 510
曶 518
𣘀 558
淴 658
滑 658
𥇵 839
䄖 899
笏 931
緫 1006
芴 1124
𨍁 1477
闦 1605
雺 1640
霚 1645
乾 1660
𩘽 1707
颮 1707
鳦 1814
鶻 1830
鶻 1838
麧 1850
麧 1852

흡

合 148

홍

仜 35
哄 160
唝 177
嗊 178
弘 359
烘 389
谾 614
汞 626
泓 637
洚 642
洪 643
洚 652
港 663
港 663
澒 667
澒 686
澋 692
灴 707
烘 711
焢 715
烘 845
硔 869
硡 877
䆪 919
粠 921
篊 947
篊 950
粠 966
粠 969
紅 981
翃 1040
䎕 1046
耾 1057
耾 1058
𦪌 1112
䲨 1112
苰 1131
蕻 1162
葒 1162
蕻 1172
蕻 1191
蚀 1218
虹 1218
虹 1218
訌 1313
谼 1366
谼 1367
谾 1367
𧴸 1403
䀧 1541
鍙 1559
銾 1565
閧 1599
閧 1602
𨸏 1614
陜 1614
𨿌 1629
訌 1680
䜫 1681
䫹 1689
䪦 1692
𩓕 1692
𩕄 1700
𩓫 1702
颫 1704
𩗴 1706
𩘓 1706
颫 1707
鬨 1776
鬨 1776

魟 1787
[illegible] 1793
触 1794
鳿 1811
鴻 1817
[illegible] 1837

화

[illegible] 13
[illegible] 20
伙 38
划 100
劃 109
囮 113
匕 121
化 121
华 127
吴 147
[illegible] 154
咊 157
和 157
哇 160
咼 162
喎 174
喛 175
嘩 186
[illegible] 188
夥 230
夻 233
嬅 263
嫿 268
崋 310
[illegible] 319
惒 395
[illegible] 422
[illegible] 422
找 432
摦 463
擭 473
旤 499
[illegible] 499
杹 533
苿 534
楇 561
槬 572
[illegible] 576
樺 578
[illegible] 609
澅 687
火 706
灬 706
[illegible] 707
燊 724
[illegible] 737
画 796
画 796
[illegible] 797
畵 799
畫 800
畫 801
畫 802
盉 832
[illegible] 885
禍 889
禍 891
禍 891
禍 891
[illegible] 893
禾 896
窊 923
竵 929
[illegible] 984
畵 1063
腂 1078
[illegible] 1109
舙 1109
芲 1124
花 1124
苿 1130
華 1143
華 1147
華 1150
[illegible] 1154
[illegible] 1172
[illegible] 1180
蕐 1185
[illegible] 1191
萵 1191
蘳 1209
蘤 1211
[illegible] 1249
[illegible] 1273
觟 1307
[illegible] 1324
話 1326
話 1333
諣 1344
誇 1348
譁 1353
[illegible] 1364
貨 1385
貨 1386
[illegible] 1392
踝 1434
輠 1470
[illegible] 1474
邩 1513
[illegible] 1543
鉌 1556
鋘 1562
[illegible] 1570
鏵 1582
[illegible] 1608
[illegible] 1637
[illegible] 1642
靴 1660
鞾 1671
[illegible] 1673
[illegible] 1725
驊 1750
髁 1758
傀 1781
[illegible] 1781
魤 1786
鱯 1803
鱯 1808
鸌 1837
龢 1895

확

[illegible] 80
劐 111
匷 124
嬳 266
[illegible] 317
廓 351
彉 363
彍 363
彏 364
彟 365
戄 420
拡 436
[illegible] 464
擭 473
擴 474
攉 475
攫 478
檴 586
[illegible] 673
濩 694
瀖 700
獲 763
玃 764
[illegible] 784
[illegible] 821
[illegible] 830
[illegible] 854
矆 858
矍 859
矐 859
矡 860
[illegible] 862
矱 864
礭 876
碻 876
穫 913
[illegible] 943
篗 948
篧 950
籆 959
[illegible] 961
籰 965
[illegible] 965
[illegible] 1054
[illegible] 1086
[illegible] 1086
臒 1096
艧 1117
[illegible] 1117
获 1147
藿 1212
蠖 1252
[illegible] 1365
貜 1384
鑊 1586
韄 1635
霩 1647
靃 1651
[illegible] 1653
[illegible] 1730
[illegible] 1747

髗 1762
鰝 1801

환

丸 16
凢 16
[illegible] 25
亘 27
亙 27
偲 68
唍 164
喚 173
喛 175
嚾 192
嚻 193
圂 196
圜 198
韋 212
壞 221
奂 233
奐 235
查 236
宦 278
寏 283
寰 286
峘 308
岏 308
巛 324
幻 342
庋 344
弮 361
徾 376
患 390
悶 411
懽 413
懁 414
懇 417
懽 419
捖 442
換 454
擐 471
擐 475
攌 475
[illegible] 490
晥 508
曼 510
㬇 511
桓 543
桓 551
槵 572
貆 577
欢 594
歓 600
歡 601
歡 601
汍 626
洹 644
浣 647
洹 652
渙 660
漶 680
澴 688
澣 688
瀵 694
瀚 702
煥 718
犪 745
犿 747
獾 764
环 768
瑍 777
環 783
環 785
瓛 786
[illegible] 805
皖 826
[illegible] 828
[illegible] 837
眩 841
睆 846
暖 851
瞏 857
瞏 859
秳 888
稢 903
[illegible] 919
[illegible] 969
粽 971
糫 977
紈 981
絙 991
綄 995
縆 995
羦 1036
[illegible] 1038
[illegible] 1039
[illegible] 1050
肒 1065
肒 1065
臛 1098
[illegible] 1100
芄 1121
荁 1136
莞 1142
萈 1142
萑 1153
莧 1155
蒝 1169
[illegible] 1178
萑 1185
[illegible] 1185
蕿 1202
藿 1208
[illegible] 1275
觽 1311
讙 1364
貆 1374
豢 1374
豩 1375
豲 1377
豢 1377
豩 1378
貛 1378
貆 1380
貆 1381
貛 1384
[illegible] 1404
[illegible] 1437
轘 1480
轘 1481
还 1490
逭 1498
還 1506
還 1508
還 1510
郇 1516
酄 1530
鋎 1562
鍰 1571
鍯 1581
鐶 1584
[illegible] 1601
闤 1603
闤 1608
闤 1609
[illegible] 1628
雈 1630
雚 1635
[illegible] 1638
[illegible] 1684
[illegible] 1712
[illegible] 1734
[illegible] 1735
[illegible] 1735
驩 1754
[illegible] 1758
鬟 1774
[illegible] 1792
鰀 1800
鰥 1800
鰥 1801
鱞 1807
[illegible] 1811
鵍 1812
鵍 1812
[illegible] 1837
[illegible] 1854
[illegible] 1861
鼾 1884

활

佸 46
佸 54
咶 152
[illegible] 154
咶 159
[illegible] 223
[illegible] 238
姡 248
[illegible] 252
[illegible] 294
[illegible] 411
敌 482
泧 640
活 644
活 652
滑 672
[illegible] 686
濊 691
[illegible] 692
濶 695

濊 702
猾 758
眓 842
䀨 845
磆 877
䄆 888
𧙨 889
秳 901
秮 903
窶 922
萿 1159
蛞 1225
螖 1240
諣 1334
豁 1367
𧩧 1368
越 1407
戉 1407
趏 1410
𧼮 1416
䣠 1535
闊 1600
闊 1603
闊 1605
䯞 1657
嬳 1658
頢 1688
䫙 1690
䯤 1755
䯏 1757
髺 1758
鰫 1802
麧 1850
黬 1869
齚 1887
齬 1888

황

㠵 22
巟 29
偟 62
兄 81
况 93
凰 96
喤 174
堭 213
㚇 227
奛 237
媓 257
崲 314
巟 324
巟 324
幌 332
幌 336
㡆 336
徨 373
怳 385
恍 388
㤺 389
惶 400
慌 405
慌 405
愰 405
慌 410
揘 456
𢴹 459
㨪 498
晃 505
晄 506
𣊭 513
㿠 522
𣈐 523
朚 523
榥 567
横 588
況 636
洸 644
滉 644
湟 666
滉 671
潢 683
煌 717
熀 720
煌 721
熿 724
爌 729
獷 758
獚 760
瑝 778
璜 781
䄓 793
癀 815
癀 819
皇 825
皝 826
㬻 845
磺 881
禓 892
秝 901
𥝳 907
𥠇 909
𥠇 909
笄 932
篁 945
簧 956
䊗 974
糃 977
絖 992
纊 1009
翌 1040
肓 1065
膭 1092
皐 1101
䑟 1110
艎 1114
艨 1116
芒 1121
𦬸 1121
兙 1132
茫 1134
荒 1138
䒬 1152
葟 1162
蝗 1235
蟥 1247
衁 1259
衁 1259
衁 1259
覫 1298
謊 1325
謊 1325
諻 1344
謊 1348
䀮 1387
晄 1392
晄 1392
趪 1415
趪 1417
䑟 1458
躻 1464
軦 1475
遑 1501
醣 1543
鍠 1577
隍 1620
颵 1710
䬘 1711
餭 1723
鑛 1728
駓 1741
騜 1746
驞 1751
髺 1757
䯏 1758
䯏 1758
鰉 1799
鰫 1802
鱑 1806
鵟 1820
鶬 1828
鷬 1837
麧 1850
黌 1854
黃 1856
黄 1856
䵊 1857
黋 1858
黌 1858
䵹 1858

홰

噦 187
嚆 188
夻 236
檜 978
繣 1014
罫 1028
翽 1047
譿 1358
諣 1358
謋 1358
譮 1364
豁 1377
䮃 1453
黊 1868

회

会 36
佪 49
倠 76
回 88
澮 95

剑	104	㧡	439	獪	762	薈	1191	譪	1362	靧	1658	黵	1868
劊	110	敹	489	璯	783	蘾	1210	讃	1363	韢	1670	鼿	1880
匯	123	晦	508	痐	809	蘾	1210	譓	1365	頮	1689	鼻	1880
每卜	130	㑹	518	瘣	815	虺	1218	讙	1365	頮	1689	鼿	1880
喛	175	會	519	癐	822	蚘	1220	豗	1372	顋	1690	鼿	1881
囘	194	會	519	盔	833	虺	1221	豗	1372	靧	1696	鱠	1882
回	194	桧	545	盔	833	蚚	1221	豗	1373	顪	1697	**획**	
囬	196	檜	584	盔	833	蛔	1225	豗	1374	豗	1698	㦰	13
黊	216	櫰	589	礭	884	蛕	1225	豗	1377	顡	1700	划	100
壞	222	歖	599	禬	894	蝝	1230	豗	1377	顡	1701	劃	109
壞	224	芔	603	糩	978	螝	1240	賄	1390	颬	1707	劃	109
嬒	265	殨	610	絵	992	褱	1284	賄	1392	餯	1723	啝	169
褱	322	汇	625	繢	1013	褢	1284	趕	1411	膾	1730	嚍	183
廆	350	沬	634	繪	1014	襀	1287	輠	1470	饖	1730	嚄	188
廻	355	洄	641	繪	1015	襘	1288	䡎	1477	駉	1741	嚱	192
廻	355	淮	656	繢	1020	櫰	1292	醫	1487	鮰	1792	嫿	263
廻	355	湏	667	羪	1039	詼	1326	迴	1492	鮰	1794	幮	338
徊	370	澉	668	聲	1059	詯	1327	迾	1494	鱠	1807	愲	400
佮	371	溾	674	聵	1061	詗	1328	遶	1509	鴄	1820	懂	413
怀	381	滙	674	聵	1061	詴	1329	遶	1509	鴴	1820	掝	451
恢	388	澮	689	聵	1062	誨	1332	鄶	1528	鹹	1843	擂	467
恛	389	瀤	699	脄	1073	隮	1341	鄶	1528	鹹	1843	擭	473
悔	390	灰	706	䫏	1086	諙	1341	鐬	1586	鹹	1844	㰲	598
悔	391	灰	706	膾	1093	諣	1344	闠	1607	鹹	1844	渃	667
悝	392	灰	706	茴	1135	諙	1346	闠	1609	黇	1857	澅	687
懀	415	燴	728	茨	1137	譓	1348	霱	1650	黺	1863	濊	696
懐	415	擓	746	薈	1188	讀	1353	靧	1658	黷	1868	獲	763

画	796	**횡**		衡	1264	黌	1858	恔	380	熇	725	詨	1318
画	796	僙	79	橫	1288	黌	1858	憢	411	爻	734	謼	1324
画	797	吰	151	訇	1312	黌	1858	撓	466	猇	753	詨	1327
畫	799	喤	174	訇	1319	**효**		撬	469	獢	760	誟	1334
畫	800	奐	237	谹	1366	倄	59	撟	475	痚	811	諘	1340
畵	801	弦	277	䜫	1366	傚	60	效	481	瘒	820	譊	1345
畫	802	彋	363	轟	1462	傚	66	斅	489	皛	826	謞	1347
砉	866	揈	455	軥	1462	儫	80	斆	489	皢	827	諄	1350
窢	920	横	576	輷	1467	効	114	暭	508	睾	846	譊	1354
繣	1014	橫	581	輷	1472	号	156	曉	509	窙	919	谷周	1367
畫	1063	澋	686	輷	1473	哮	163	曉	512	篍	963	豬	1375
𦢊	1092	潢	699	輷	1477	唬	169	曉	514	絞	984	貧	1392
获	1140	瀇	702	轟	1480	嗃	177	枵	535	烝	984	趙	1414
蒦	1169	禓	892	轟	1481	嘐	181	梟	552	絞	990	蹴	1450
諕	1337	䅣	907	鈜	1552	嘵	183	梢	558	胬	1064	郩	1521
諣	1338	竑	926	鍠	1571	嚻	183	梟	577	肴	1068	鄗	1524
謋	1346	紘	987	鐄	1581	嘮	185	歊	599	膮	1090	酵	1533
讗	1364	宏	1027	鐄	1587	嚆	189	歊	601	膮	1092	酵	1535
讗	1365	狁	1040	閎	1595	囂	192	殽	613	蕱	1187	酵	1535
𨐅	1486	翃	1040	霐	1641	嚻	192	殽	614	蔜	1190	醉	1543
閄	1601	翁	1046	霐	1644	奡	237	殽	622	蒿	1196	鐃	1589
𨷬	1608	翃	1046	韹	1681	孝	271	淆	643	蒿	1200	闑	1606
韄	1672	耾	1055	颹	1704	斈	273	涍	649	蔜	1206	顥	1697
韄	1678	𦖆	1058	颹	1704	斈	273	淆	654	蕭	1211	顥	1699
颬	1707	艎	1116	颰	1709	哮	309	滈	696	蕭	1211	飍	1710
颳	1707	薨	1190	飁	1712	崤	312	烋	712	虓	1213	飍	1710
騞	1745	衡	1263	鶻	1841	庨	347	熇	720	虓	1213	餚	1721

驍 1750
[illegible] 1758
髇 1760
髐 1761
[illegible] 1763
[illegible] 1764
[illegible] 1780
[illegible] 1784
[illegible] 1810
[illegible] 1810
[illegible] 1813
鴞 1815
[illegible] 1838
[illegible] 1846
[illegible] 1880
[illegible] 1895

후

休 38
佝 44
体 45
休 45
侯 50
侯 50
候 57
[illegible] 63
[illegible] 74
[illegible] 89
[illegible] 134
厚 135
厚 136
后 149
吼 151
呕 152
呴 155
咻 159
[illegible] 160
[illegible] 172
喉 173
喉 173
嗅 177
嘔 181
垕 207
堠 213
姁 243
帿 334
帿 335
後 370
忓 378
[illegible] 378
憮 413
昫 505
旱 518
旱 518
朽 525
朽 527
栩 541
[illegible] 563
[illegible] 583
欨 595
[illegible] 597
[illegible] 599
[illegible] 605
涸 653
[illegible] 702
煦 719
[illegible] 741
犼 748
猴 756
猴 756
[illegible] 766
珝 771
珛 771
[illegible] 787
[illegible] 810
瘊 814
眗 842
睺 850
睺 850
[illegible] 852
瞘 854
祤 889
[illegible] 892
矦 863
篌 947
糇 973
[illegible] 995
缿 1023
猴 1044
猴 1044
[illegible] 1084
臭 1100
臭 1101
[illegible] 1101
芋 1121
芌 1121
[illegible] 1154
[illegible] 1154
葔 1159
蚼 1224
[illegible] 1227
[illegible] 1227
[illegible] 1239
[illegible] 1282
訏 1313
[illegible] 1314
[illegible] 1319
[illegible] 1320
詡 1324
詬 1325
詡 1338
[illegible] 1346
[illegible] 1346
[illegible] 1348
謳 1350
[illegible] 1351
謼 1357
豿 1373
[illegible] 1397
[illegible] 1410
[illegible] 1412
[illegible] 1415
逅 1494
[illegible] 1494
郈 1516
鄇 1522
酗 1532
[illegible] 1533
[illegible] 1535
[illegible] 1535
[illegible] 1535
[illegible] 1558
鍭 1571
鏂 1579
[illegible] 1613
[illegible] 1645
[illegible] 1646
靬 1660
[illegible] 1660
[illegible] 1684
[illegible] 1696
[illegible] 1696
[illegible] 1706
[illegible] 1709
餱 1723
骺 1757
[illegible] 1759
[illegible] 1759
鮜 1794
鯸 1799
[illegible] 1807
[illegible] 1819
[illegible] 1829
[illegible] 1829
[illegible] 1829
[illegible] 1837
[illegible] 1839
[illegible] 1858
[illegible] 1858
齁 1880
[illegible] 1881
[illegible] 1882

훈

勛 116
勳 118
勳 118
塤 216
壎 222
暈 510
曛 516
焄 714
煇 717
熏 720
熏 722
勳 723
[illegible] 728
燻 728
燿 729
[illegible] 730
獯 762
纁 1018
[illegible] 1065
臐 1095
[illegible] 1119
葷 1161
[illegible] 1178
薰 1192
[illegible] 1194
[illegible] 1206
[illegible] 1290

䚌 1300
𦨴 1308
訓 1314
𧥄 1315
𧦝 1318
𪔜 1372
䞘 1443
醺 1544
醵 1545
鑂 1585
鑂 1586
鑫 1589
馴 1735
𪆷 1841
𪏆 1865

훌

𡙇 128
𣢂 596
欻 597
𣤹 601
㷄 713
𥄫 842
魆 1781

훔

吽 151

훙

薨 1046
薨 1190
𩔩 1703

훤

吅 147
咺 159
喧 174
喛 175
嚾 192
奞 236
愃 401
㬇 503
晅 506
暄 510
暖 511
㬊 511
㫰 511
烜 711
烜 714
煖 717
煊 718
狟 750
狟 753
𡕢 847
暖 851
萱 947
𦑣 1044
萱 1156
萲 1162
蕿 1192
藼 1204
蕙 1204
蝖 1238
𧡊 1301
䡣 1307
䡩 1309
𦪑 1312
諠 1341
諼 1343
讙 1364
貆 1380
貆 1381
䙽 1418
𩀦 1635
鞙 1668
𩌰 1675
鶠 1829
鰚 1829

훨

㳄 1491

훼

卉 126
𠦃 126
喙 173
𡲑 175
嫛 266
嫷 268
擊 470
檓 585
殧 609
毀 613
毁 613
毁 613
毇 614
毇 614
烜 711
焜 713
烜 714
燬 727
䁢 803
礧 880
𥲀 965
䃣 978
檓 978
芔 1121
虫 1217
虺 1218
虺 1219
虺 1221
蝕 1240
諱 1344
譭 1358
𧽠 1419
𩕄 1701
颭 1707

휘

𡙇 128
徽 337
彙 365
彙 365
彙 365
徽 376
戏 420
戲 424
戲 424
戲 424
戲 424
揮 455
撝 467
擢 474
擎 477
鼓 485
旗 498
暉 510
暈 513
楎 561
椲 564
汇 625
浒 637
瀈 697
煇 717
煒 717
燿 729
猑 757
翬 1044
芔 1121
蔿 1160
衛 1263
褘 1280
諱 1342
輝 1471
徽 1805
鰴 1806
麾 1855
麾 1855
䵋 1858

휴

虧 14
亏 26
休 38
休 45
休 45
侮 60
咻 159
嘼 183
隳 215
隳 221
墒 221
墮 221
墮 221
姷 254
嫷 268
巂 295
巂 327
庥 346
㦗 402
㦗 406
㒞 419
挼 443
携 460
擕 472
攜 472
攜 475
攜 476
梢 552
滙 692
烋 712
猕 751
瓗 786
畦 799
痳 810
畦 843
盺 845

𥄎 845
睢 848
睳 852
瞲 855
𥌒 860
纗 1017
纗 1021
𦙫 1074
脙 1077
茠 1138
蕮 1180
蘳 1209
虧 1216
虧 1216
𧕚 1253
𧍢 1254
蠵 1257
襹 1293
䙗 1295
觿 1311
觿 1311
觿 1312
譼 1355
貅 1379
貅 1380
貅 1380
趭 1410
𨏔 1482
酅 1530
酅 1530
銝 1561
鑴 1590
隓 1622
隳 1627
嶲 1633
巂 1635
雟 1637
𩗴 1706
飍 1712
餕 1719
𩟅 1731
𩰀 1733
𩢴 1741
𩢴 1741
驨 1754
驨 1754
髤 1765
髹 1767
鬌 1771
鬐 1772
䰎 1778
鬹 1779
徽 1805
𪅑 1809
鵂 1814
鵂 1818
鵂 1818
鸂 1841
𪚮 1895

휵

𠙆 140
𡠯 260
慉 405
𤟬 759
畜 798
蓄 802
𥈢 802
𦸜 1145
稸 1404
𪓹 1881

휼

卹 132
恤 388
怴 389
憰 413
淢 646
潏 682
獝 760
矞 861
穴 915
狘 1042
䘏 1259
譎 1354
賉 1390
越 1410
𨒂 1495
遹 1507
𨘓 1511
䢓 1523
鐍 1581
颰 1706
鷸 1835
鷸 1841

흉

兇 81
凶 97
匈 120
𠮾 152
哅 160
忷 381
恟 388
𣧑 606
汹 633
洶 644
胷 1068
胸 1072
胷 1073
𧘝 1268

흑

嫼 264
𣢒 601
潶 687
𥂮 1861
黑 1861
黒 1861
𪐟 1862

흔

佷 50
俽 60
哏 160
很 370
很 371
忻 380
惞 398
㥯 403
拫 439
掀 447
昕 502
欣 595
炘 708
焮 715
焝 715
狠 750
𤵍 806
痕 809
㾙 811
痕 811
𥁬 836
盺 841
舋 1025
肩 1068
肩 1072
脪 1077
舋 1107
𧓍 1255
衅 1259
訢 1316
詪 1328
𧩧 1333
𨓂 1498
邤 1514
釁 1545
鞎 1663
𩋳 1665
馸 1737

흘

仡 35
仡 39
吃 147
吃 152
屹 303
忔 378
忾 381
扢 428
揭 520
汔 626
汽 629
疙 805
䅂 898
籺 966
紇 981
紇 983
𦂏 993
𦘽 1064
肐 1065
覈 1295
覈 1295
訖 1314
𧦝 1319
𧩸 1334
䡊 1468
迄 1488

釳 1550
鈘 1553
釳 1553
闟 1609
阣 1610
霼 1650
乾 1660
頎 1697
飹 1713
飹 1713
骩 1761
麧 1849
麧 1850
齕 1884
齕 1884
齕 1885

흠

佽 39
廞 352
欠 594
欽 597
歆 598
歁 599
戡 792
鋻 829
衜 1263
譀 1359
鑫 1589

흡

吸 150
噏 185
㡚 334
忴 386
恰 389
扱 429
歙 600
洽 644
滃 683
㬛 849
翖 1042
翕 1043
䝞 1043
胁 1068
脥 1074
胎 1075
脇 1075
脅 1075
脋 1075
諭 1357
趿 1410
鄒 1527
閤 1597
闟 1607
䨝 1642
鬩 1776
齅 1880

흥

兴 86
㒷 87
嬹 268
舆 357
興 1097
興 1106
興 1106
蕻 1202
釁 1486
郻 1530
嚻 1734

희

俙 51
傂 67
僖 73
凞 95
嵆 136
呬 154
四 154
咥 159
唉 163
唏 163
喜 170
喜 176
嘻 185
噫 187
噧 188
嚱 191
囍 193
姬 247
姬 247
娭 251
嫛 259
嬖 259
嬉 264
屆 298
屓 298
屭 301
巇 322
匜 328
希 330
希 330
希 330
忥 379
忾 381
怬 385
悕 392
意 399
愾 404
憙 410
憘 410
戏 420
戱 424
戲 424
戲 424
戲 424
鼓 487
既 499
旣 499
旣 499
晞 507
暿 515
曦 515
曦 516
桸 550
橲 581
橵 591
欯 595
欸 595
欪 595
欷 596
歖 599
歔 600
歖 601
歔 601
浠 652
潕 673
烯 713
焕 713
熈 714
熙 719
熙 719
熂 721
熈 722
熹 726
熺 726
熹 726
燨 730
犧 741
犔 744
犠 745
犧 746
狶 752
獢 761
瘖 811
睎 846
瞦 856
曦 858
禧 893
禬 894
稀 902
鬃 976
糦 976
羲 1038
羲 1038
䐼 1078
膎 1086
莃 1143
虛 1215
蜥 1229
蟢 1247
蠘 1256
鯆 1307
鱇 1308
鯑 1308
鱚 1310
訮 1315
訢 1316
誒 1318
談 1318
誒 1330
誏 1334
諦 1334
譺 1349
譆 1353
譩 1358
譿 1364
豨 1375
豷 1377
趚 1410
趨 1412
趣 1418

踁 1428
鼃 1548
鼇 1548
鎎 1576
闙 1603
陒 1614
䧍 1628
𩀨 1633
䨦 1651
霼 1651
䫚 1692
餼 1724
䮎 1743
𩥿 1749
鵗 1821
𪑻 1868
𪖐 1881
𪖐 1881
齂 1881

히

𠯆 147
咦 161
𡱁 298
屎 298
㞒 594
𦢊 1083

힐

咭 161
擷 474
𣢐 596
欯 596
犵 747
𤢕 763
纈 1018
翓 1042
肸 1067
肹 1067
𦢊 1092
襭 1291
詰 1326
趌 1430
頡 1688
𩗗 1706
黠 1863

부 록 Ⅰ. 운자표(韻字表)

사성(四聲)	106운(韻)
평성(平聲) (30운)	〔上平 15운〕 東 冬 江 支 微 魚 虞 齊 佳 灰 眞 文 元 寒 刪 〔下平 15운〕 先 蕭 肴 豪 歌 麻 陽 庚 青 蒸 尤 侵 覃 鹽 咸
상성(上聲) (29운)	董 腫 講 紙 尾 語 麌 薺 蟹 賄 軫 吻 阮 旱 潸 銑 篠 巧 晧 哿 馬 養 梗 迥 有 寢 感 琰 豏
거성(去聲) (30운)	送 宋 絳 寘 未 御 遇 霽 泰 卦 隊 震 問 願 翰 諫 霰 嘯 效 號 箇 禡 漾 敬 徑 宥 沁 勘 豔 陷
입성(入聲) (17운)	屋 沃 覺 質 物 月 曷 黠 屑 藥 陌 錫 職 緝 合 葉 洽

발음 해설(發音解說)

♣ 성조(聲調)

우리말에서 '영웅(英雄)'의 '영'과 '영원(永遠)'의 '영'에 있어, 전자는 비교적 짧게, 후자는 비교적 길게 발음하는 것이 보통이다. 중국어의 '성조(聲調)'라 하는 것도 이런 종류의 고저(高低) 악센트를 일컫는 것으로, 하나의 음절(音節)에는 반드시 이 고저 악센트가 붙어 있다.

성조의 조형(調型)과 조치(調值)는 각 방언계에 따라 다르지만, 북경(北京)을 중심으로 하는 북방 음계를 표준으로 한 현대 중국어에 있어서는 네 가지 성조를 가지고 있어 이를 사성(四聲)이라 한다.

예를 들면, '媽(어머니)', '麻(삼)', '馬(말)', '罵(욕하다)'는 중국어에서는 모두 ma(마)로 읽는데,

媽 mā(마) 마 → 제 1 성
麻 má(마) 마 ↗ 제 2 성
馬 mǎ(마) 마 ↗ 제 3 성
罵 mà(마) 마 ↘ 제 4 성

과 같다. 즉,

제 1 성…대체로 평균 성역(聲域)의 가장 높은 곳에서 출발하여 마지막까지 평평하게 소리를 지속한다.

제 2 성…중간의 높이에서 출발하여 가장 높은 곳으로 상승한다.

제 3 성…약간 낮은 곳에서 일단 가장 낮은 곳으로 내려간 다음 둔각(鈍角)을 그리며 약간 높은 곳까지 상승한다.

제 4 성…가장 높은 곳에서 가장 낮은 곳으로 급강하(急降下)한다.

이것을 표로 보이면 다음과 같다.

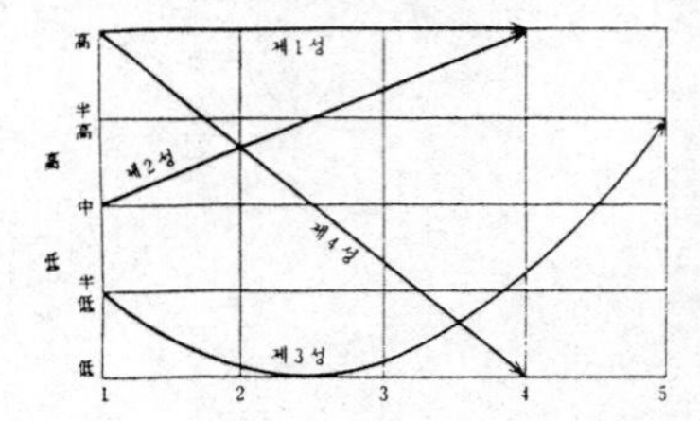

'사성(四聲)'의 '성(聲)'은 '소리'의 뜻이 아니고 '聲調'라 하는 중국어로, 악센트의 뜻이다. 악센트라 하면 영어의 악센트를 연상하기 쉬운데 영어의 악센트는 '강약 악센트'인 데 비하여, 중국어에 있어서는 '고저 악센트'로서, 같은 악센트라도 그 성질이 같지 않음을 주의해야 한다.

모든 4성의 표기를 이 사전에서는 편의상 ˉ ˊ ˇ ˋ 의 부호로 표시하였다.

2. 한어 병음 자모(漢語拼音字母)

성 모(聲母)				운 모(韻母)								
음의 분류	한어 병음 자모	웨이드식 로마자	한글	음의 분류	한어 병음 자모	웨이드식 로마자	한글	음의 분류		한어 병음 자모	웨이드식 로마자	한글
중순성(重脣聲)	b	p	ㅂ	단운(單韻)	a	a	아	결합운모(結合韻母)		you (ou, iu)	yu (iu)	유
	p	p‘	ㅍ		o	o	오			yan (ian)	yen (ien)	옌
	m	m	ㅁ		e	ê	어			yin (in)	yin (in)	인
순치성*	f	f	ㅍ		ê	e	에		합구류(合口類)	yang (iang)	yang (iang)	양
설첨성(舌尖聲)	d	t	ㄷ		yi(i)	i	이			ying (ing)	ying (ing)	잉
	t	t‘	ㅌ		wu(u)	wu(u)	우			wa (ua)	wa (ua)	와
	n	n	ㄴ		yu(u)	yü(ü)	위			wo (uo)	wo (uo)	워
	l	l	ㄹ	복운(複韻)	ai	ai	아이			wai (uai)	wai (uai)	와이
설근성(舌根聲)	g	k	ㄱ		ei	ei	에이			wei (ui)	wei (uei, ui)	웨이 (우이)
	k	k‘	ㅋ		ao	ao	아오			wan (uan)	wan (uan)	완
	h	h	ㅎ		ou	ou	어우			wen (un)	wên (un)	원 (운)
설면성(舌面聲)	j	ch	ㅈ	부성운(附聲韻)	an	an	안			wang (uang)	wang (uang)	왕
	q	ch‘	ㅊ		en	ên	언			weng (ong)	wêng (ung)	웡 (웅)
	x	hs	ㅅ		ang	ang	앙		촬구류(撮口類)	yue (ue)	yüeh (üeh)	웨
교설첨성(翹舌尖聲)	zh 〔zhi〕	ch 〔chih〕	ㅈ 〔즈〕		eng	êng	엉			yuan (uan)	yüan (üan)	위안
	ch 〔chi〕	ch‘ 〔ch‘ih〕	ㅊ 〔츠〕	권설운*	er(r)	êrh	얼			yun (un)	yün (ün)	윈
	sh 〔shi〕	sh 〔shih〕	ㅅ 〔스〕	제치류(齊齒類)	ya(ia)	ya(ia)	야			yong (iong)	yung (iung)	융
	r 〔ri〕	j 〔jih〕	ㄹ 〔르〕		yo	yo	요					
설치성(舌齒聲)	z 〔zi〕	ts 〔tzŭ〕	ㅉ 〔쯔〕		ye(ie)	yeh (ieh)	예					
	c 〔ci〕	ts‘ 〔tz‘ŭ〕	ㅊ 〔츠〕		yai	yai	야이					
	s 〔si〕	s 〔ssŭ〕	ㅆ 〔쓰〕		yao (iao)	yao (iao)	야오					

〔 〕는 단독 발음될 경우의 표기임.

( )는 자음이 선행할 경우의 표기임.

*순치성(脣齒聲), 권설운(捲舌韻)

3. 부수(部首)에 대하여

한자를 주로 자형의 성립에 따라 분류하는 방법이 있다. 그 분류된 무리들을 각각 부(部)라고 하며, 그 대표 문자를 부수라고 한다. 이를테면, '糸部'에는 '系(계)'·'素(소)'·'紙(지)'·'細(세)'·'絹(견)'·'線(선)' 등과 같이 '糸(사)'를 바탕으로 해서 이루어진 글자를 모으고, '糸(사)'를 '부수(部首)'로 삼고 있다.

부(部) 속의 한자는 일반적으로 그 부수(部首)의 뜻과 관계가 있다. 이를테면, '糸'部에 속하는 글자는 '糸'와 관계가 있고, '水'部에 속하는 글자는 '水'와 관계가 있다.

부수에 해당하는 한자가 다른 글자 속에 포함될 때는 보통은 모양이 조금 변한다. 이것을 '변·방'이라고 한다.

◎ 주요한 부수(部首)와 '변·방'의 보기

○ 人部(인부) : '사람'과 관계가 있음
- 亻(사람인변)… 位(위)·休(휴)·信(신) 따위

○ 刀部(도부) : '칼붙이·날붙이·베다' 따위와 관계가 있음
- 刂(칼도방)… 刊(간)·別(별)·前(전) 따위

○ 力部(역부) : '힘·일하다' 따위와 관계가 있음
- 力(력)·加(가)·助(조)·勞(로) 따위

○ 口部(구부) : '입·먹다·마시다' 따위와 관계가 있음
- 口(입구변)… 味(미)·吸(흡)·唱(창) 따위

○ 土部(토부) : '흙·지형(地形)' 따위와 관계가 있음
- 土(흙토변)…地(지)·場(장) 따위

○ 心部(심부) : '사람의 마음'과 관계가 있음
- 忄(심방변)… 快(쾌)·性(성)·情(정) 따위

○ 手部(수부) : '손이나 손으로 하는 일'과 관계가 있음
- 扌(재방변)… 打(타)·投(투)·持(지) 따위

○ 水部(수부) : '물·강·액체' 따위와 관계가 있음
- 氵(삼수변)… 河(하)·漢(한)·池(지) 따위

○ 火部(화부) : '불·빛·열' 따위와 관계가 있음
- 火(불화변)… 燒(소)·燈(등)·燃(연) 따위
- 灬(연화발)… 照(조)·熱(열)·無(무) 따위

○ 糸部(사부) : '실·천' 따위와 관계가 있음
- 糸(실사변)… 紙(지)·細(세)·絹(견) 따위

○ 艸部(초부) : '식물'과 관계가 있음
- 艹(초두밑)… 花(화)·草(초)·葉(엽) 따위

○ 雨部(우부) : '기상'과 관계가 있음
- 雨(비우부)… 雲(운)·雪(설)·電(전) 따위

부수(部首)의 수는 여러 가지 분류법이 있어 일정하지 않지만, 가장 대표적

인 분류법으로는 214 가지의 부수를 들고 있다.

부수란 '변'·'방'·'머리'·'발'·'몸'·'밑'·'받침' 등 일곱 종류의 형을 대표해서 가리키는 말이다.

① 변 女(계집녀변)…姉(자)·妹(매) 따위

車(수레거변)…轉(전)·輪(륜) 따위

② 방 彡(터럭삼·삐친석삼)…形(형) 따위

隹(새추)…雜(잡)·難(난) 따위

③ 머리 宀(갓머리)…安(안)·宮(궁) 따위

竹(대죽머리)…筆(필)·管(관) 따위

④ 발 灬(연화발)…照(조)·熱(열) 따위

皿(그릇명받침)…益(익)·盟(맹)·監(감) 따위

⑤ 몸 口(에운담몸 · 큰입구몸)…國(국)·園(원) 따위

門(문문)…間(간)·開(개)·關(관) 따위

⑥ 밑 厂(민엄호밑)…原(원)·厚(후) 따위

广(엄호밑)…店(점)·庭(정) 따위

⑦ 받침 走(달아날주변)…起(기) 따위

辶(책받침)…進(진)·近(근) 따위

4. 찾기 어려운 한자

〈가나다순〉

한자	음	부수·획수	쪽
加	(가)	〈力부 3획〉	112
嘉	(가)	〈口부 11획〉	183
街	(가)	〈行부 6획〉	1262
各	(각)	〈口부 3획〉	148
脚	(각)	〈肉부 7획〉	1075
囏	(간)	〈口부 20획〉	193
幹	(간)	〈干부 10획〉	341
丐	(개)	〈一부 3획〉	11
更	(갱)	〈曰부 3획〉	518
去	(거)	〈厶부 3획〉	139
巨	(거)	〈工부 2획〉	326
乾	(건)	〈乙부 10획〉	23
朅	(걸)	〈曰부 10획〉	520
憩	(게)	〈心부 12획〉	411
[illegible]	(결)	〈大부 9획〉	237
缺	(결)	〈缶부 4획〉	1022
慶	(경)	〈心부 11획〉	406
競	(경)	〈立부 15획〉	929
啓	(계)	〈口부 8획〉	171
契	(계)	〈大부 6획〉	235
季	(계)	〈子부 5획〉	271
睾	(고)	〈目부 9획〉	852
嚳	(곡)	〈口부 17획〉	192
贛	(공)	〈貝부 17획〉	1402
丱	(관)	〈丨부 4획〉	15
乖	(괴)	〈丿부 7획〉	19
[illegible]	(교)	〈口부 13획〉	188
句	(구)	〈口부 2획〉	146
舊	(구)	〈臼부 12획〉	1107
歸	(귀)	〈止부 14획〉	605
堇	(근)	〈土부 8획〉	212
其	(기)	〈八부 6획〉	87
南	(남)	〈十부 7획〉	128
囊	(낭)	〈口부 19획〉	193
[illegible]	(누)	〈雨부 14획〉	1651
臺	(대)	〈至부 8획〉	1103
[illegible]	(두)	〈一부 10획〉	13
屯	(둔)	〈屮부 1획〉	302
來	(래)	〈人부 6획〉	45
両	(량)	〈一부 5획〉	13
兩	(량)	〈入부 6획〉	85
侖	(륜)	〈人부 6획〉	45
粼	(린)	〈米부 8획〉	971
卍	(만)	〈十부 4획〉	127
丏	(면)	〈一부 3획〉	11
丙	(병)	〈一부 4획〉	11
並	(병)	〈一부 7획〉	13
報	(보)	〈土부 10획〉	212
丕	(비)	〈一부 4획〉	12
嚭	(비)	〈口부 16획〉	191
顰	(빈)	〈頁부 15획〉	1702

㕯(뿐)〈口부 6획〉 162

乍(사)〈丿부 4획〉 18

司(사)〈口부 2획〉 146

傘(산)〈人부 10획〉 65

商(상)〈口부 8획〉 170

喪(상)〈口부 9획〉 172

壻(서)〈士부 9획〉 258

仚(선)〈人부 3획〉 33

卨(설)〈卜부 9획〉 130

韱(섬)〈韭부 8획〉 1679

世(세)〈一부 4획〉 12

卋(세)〈一부 5획〉 127

所(소)〈一부 6획〉 13

垂(수)〈土부 5획〉 205

埀(수)〈土부 9획〉 215

塍(승)〈土부 10획〉 217

囟(신)〈口부 3획〉 195

丫(아)〈丨부 2획〉 14

亞(아)〈二부 6획〉 27

靉(애)〈雨부 17획〉 1652

𦤶(얼)〈自부 10획〉 1102

与(여)〈一부 3획〉 11

余(여)〈人부 5획〉 39

豓(염)〈豆부 20획〉 1372

豔(염)〈豆부 21획〉 1372

𩑛(염)〈頁부 7획〉 1690

塩(염)〈鹵부 8획〉 1843

鹽(염)〈鹵부 13획〉 1844

潁(영)〈水부 11획〉 674

卼(올)〈卩부 7획〉 133

歪(외)〈止부 5획〉 604

凹(요)〈凵부 3획〉 97

堯(요)〈土부 9획〉 212

友(우)〈又부 2획〉 141

鬰(울)〈鬯부 18획〉 1777

鬱(울)〈鬯부 19획〉 1777

員(원)〈口부 7획〉 162

毓(육)〈毋부 9획〉 616

胤(윤)〈肉부 5획〉 1071

霒(음)〈雨부 8획〉 1644

懿(의)〈心부 18획〉 419

以(이)〈人부 3획〉 34

暕(인)〈日부 10획〉 520

頿(자)〈頁부 8획〉 1692

丈(장)〈一부 2획〉 10

臧(장)〈臣부 8획〉 1099

啇(적)〈口부 8획〉 170

糴(적)〈米부 16획〉 978

丼(정)〈丶부 4획〉 16

圢(정)〈干부 4획〉 341

赬(정)〈赤부 7획〉 1403

兆(조)〈儿부 4획〉 81

刁(조)〈刀부 0획〉 98

條(조)〈木부 7획〉 552

糶(조)〈米부 19획〉 979

丟(주)〈一부 5획〉 13

冑(주)〈冂부 7획〉 89

胄(주)〈肉부 5획〉 1071	僉(첨)〈人부 11획〉 67	齃(할)〈自부 13획〉 1102
粥(죽)〈米부 6획〉 969	靆(체)〈雨부 16획〉 1652	圅(함)〈口부 7획〉 197
㕙(준)〈厶부 13획〉 140	叢(총)〈又부 16획〉 144	韰(해)〈韭부 14획〉 1679
且(차)〈一부 4획〉 12	丑(축)〈一부 3획〉 11	𢊍(혈)〈糸부 9획〉 1005
奲(차)〈大부 21획〉 239	嚲(타)〈口부 17획〉 192	夐(형)〈攴부 11획〉 487
糳(착)〈米부 21획〉 979	乓(팡)〈丿부 5획〉 19	化(화)〈匕부 2획〉 121
毚(참)〈比부 13획〉 617	牌(패)〈口부 10획〉 177	彠(확)〈彐부 23획〉 365
倉(창)〈人부 8획〉 55	匏(포)〈勹부 9획〉 120	囘(회)〈口부 2획〉 194
册(책)〈冂부 3획〉 88	嚗(포)〈口부 15획〉 189	孝(효)〈子부 4획〉 271
囅(천)〈口부 19획〉 193	乒(핑)〈丿부 5획〉 19	巂(휴)〈隹부 10획〉 1635
凸(철)〈凵부 3획〉 97	罕(한)〈网부 3획〉 1026	釁(흔)〈酉부 18획〉 1545

5. 육십사괘(六十四卦)

乾下乾上 (건하 건상)	爲天 (위천)	乾 (건)	坤下巽上 (곤하 손상)	風地 (풍지)	觀 (관)
坤下坤上 (곤하 곤상)	爲地 (위지)	坤 (곤)	震下離上 (진하 이상)	火雷 (화뢰)	噬嗑 (서합)
震下坎上 (진하 감상)	水雷 (수뢰)	屯 (둔)	離下艮上 (이하 간상)	山火 (산화)	賁 (비)
坎下艮上 (감하 간상)	山水 (산수)	蒙 (몽)	坤下艮上 (곤하 간상)	山地 (산지)	剝 (박)
乾下坎上 (건하 감상)	水天 (수천)	需 (수)	震下坤上 (진하 곤상)	地雷 (지뢰)	復 (복)
坎下乾上 (감하 건상)	天水 (천수)	訟 (송)	震下乾上 (진하 건상)	天雷 (천뢰)	无妄 (무망)
坎下坤上 (감하 곤상)	地水 (지수)	師 (사)	乾下艮上 (건하 간상)	山天 (산천)	大畜 (대축)
坤下坎上 (곤하 감상)	水地 (수지)	比 (비)	震下艮上 (진하 간상)	山雷 (산뢰)	頤 (이)
乾下巽上 (건하 손상)	風天 (풍천)	小畜 (소축)	巽下兌上 (손하 태상)	澤風 (택풍)	大過 (대과)
兌下乾上 (태하 건상)	天澤 (천택)	履 (이)	坎下坎上 (감하 감상)	爲水 (위수)	坎 (감)
乾下坤上 (건하 곤상)	地天 (지천)	泰 (태)	離下離上 (이하 이상)	爲火 (위화)	離 (이)
坤下乾上 (곤하 건상)	天地 (천지)	否 (비)	艮下兌上 (간하 태상)	澤山 (택산)	咸 (함)
離下乾上 (이하 건상)	天火 (천화)	同人 (동인)	巽下震上 (손하 진상)	雷風 (뇌풍)	恒 (항)
乾下離上 (건하 이상)	火天 (화천)	大有 (대유)	艮下乾上 (간하 건상)	天山 (천산)	遯 (둔)
艮下坤上 (간하 곤상)	地山 (지산)	謙 (겸)	乾下震上 (건하 진상)	雷天 (뇌천)	大壯 (대장)
坤下震上 (곤하 진상)	雷地 (뇌지)	豫 (예)	坤下離上 (곤하 이상)	火地 (화지)	晋 (진)
震下兌上 (진하 태상)	澤雷 (택뢰)	隨 (수)	離下坤上 (이하 곤상)	地火 (지화)	明夷 (명이)
巽下艮上 (손하 간상)	山風 (산풍)	蠱 (고)	離下巽上 (이하 손상)	風火 (풍화)	家人 (가인)
兌下坤上 (태하 곤상)	地澤 (지택)	臨 (임)	兌下離上 (태하 이상)	火澤 (화택)	睽 (규)

艮下坎上 (간하 감상)	水上 (수상)	蹇 (건)
坎下震上 (감하 진상)	雷水 (뇌수)	解 (해)
兌下艮上 (태하 간상)	山澤 (산택)	損 (손)
震下巽上 (진하 손상)	風雷 (풍뢰)	益 (익)
乾下兌上 (건하 태상)	澤天 (택천)	夬 (쾌)
巽下乾上 (손하 건상)	天風 (천풍)	姤 (구)
坤下兌上 (곤하 태상)	澤地 (택지)	萃 (췌)
巽下坤上 (손하 곤상)	地風 (지풍)	升 (승)
坎下兌上 (감하 태상)	澤水 (택수)	困 (곤)
巽下坎上 (손하 감상)	水風 (수풍)	井 (정)
離下兌上 (이하 태상)	澤火 (택화)	革 (혁)
巽下離上 (손하 이상)	火風 (화풍)	鼎 (정)
震下震上 (진하 진상)	爲雷 (위뢰)	震 (진)
艮下艮上 (간하 간상)	爲山 (위산)	艮 (간)
艮下巽上 (간하 손상)	風山 (풍산)	漸 (점)
兌下震上 (태하 진상)	雷澤 (뇌택)	歸妹 (귀매)
離下震上 (이하 진상)	雷火 (뇌화)	豐 (풍)
艮下離上 (간하 이상)	火山 (화산)	旅 (여)
巽下巽上 (손하 손상)	爲風 (위풍)	巽 (손)
兌下兌上 (태하 태상)	爲澤 (위택)	兌 (태)
坎下巽上 (감하 손상)	風水 (풍수)	渙 (환)
兌下坎上 (태하 감상)	水澤 (수택)	節 (절)
兌下巽上 (태하 손상)	風澤 (풍택)	中孚 (중부)
艮下震上 (간하 진상)	雷山 (뇌산)	小過 (소과)
離下坎上 (이하 감상)	水火 (수화)	旣濟 (기제)
坎下離上 (감하 이상)	火水 (화수)	未濟 (미제)

6. 인명용(人名用) 한자(2964 자(字))

(1991.1., 1991.3., 1994.7. 대법원 공포)

① ◎표 뒤의 한자는 한문 교육용 기초 한자 1800 자 이외에 추가된 한자임.
② ( ) 안의 한자는 인명용으로 허용된 동자(同字)·속자·약자임.

가	家佳街可歌加價假架暇◎嘉嫁稼賈駕伽
각	各角脚閣却覺刻◎珏恪殼
간	干間看刊肝幹簡姦懇◎艮侃杆玕竿揀諫墾
갈	渴◎葛
감	甘減感敢監鑑(鑒)勘堪瞰
갑	甲◎鉀
강	江降講强(強)康剛鋼綱◎杠堈岡崗姜橿疆慷
개	改皆個(箇)開介慨概蓋(盖)◎价凱愷漑
객	客
갱	更◎坑
거	去巨居車擧距拒據◎渠遽鉅
건	建乾件健◎巾虔楗鍵
걸	傑◎杰
검	儉劍(劒)檢
게	憩◎揭
격	格擊激◎隔檄
견	犬見堅肩絹遣◎牽鵑
결	決結潔缺◎訣
겸	兼謙◎鎌
경	京景輕經庚耕敬驚慶競竟境鏡頃傾硬警徑卿◎倞鯨坰耿炅更梗憬暻璟瓊擎儆璥俓涇莖勁逕熲冏
계	癸季界計溪鷄系係戒械繼契桂啓階◎烓誡
고	古故固苦考(攷)高告枯姑庫孤鼓稿顧◎叩敲皐
곡	谷曲穀哭
곤	困坤◎昆崑琨錕
골	骨
공	工功空共公孔供恭攻恐貢◎珙控
과	果課科過戈瓜誇寡◎菓
곽	郭◎廓
관	官觀關館(舘)管貫慣冠寬◎款琯錧灌瓘梡
괄	◎括
광	光廣鑛◎侊洸珖桄匡曠
괘	掛
괴	塊愧怪壞
굉	◎宏
교	交校橋敎(教)郊較巧矯◎僑喬嬌膠
구	九口求救究久句舊具俱區驅鷗苟拘狗丘懼龜構球◎坵玖矩邱銶溝購鳩軀耈
국	國菊局◎鞠
군	君郡軍群
굴	屈◎窟
궁	弓宮窮◎躬
권	卷權勸券拳◎圈眷
궐	厥◎闕
궤	軌
귀	貴歸鬼◎龜
규	叫規閨◎圭奎珪揆逵窺葵
균	均菌◎畇鈞
귤	◎橘
극	極克劇◎剋隙
근	近勤根斤僅謹◎墐漌槿瑾嫤筋劤
금	金今禁錦禽琴◎衾襟昑
급	及給急級◎汲
긍	肯◎亘(亙)兢矜
기	己記起其期基氣技幾旣紀忌旗欺奇騎寄豈棄祈企畿飢器機◎淇琪璂棋祺錤騏麒玘杞埼崎琦綺錡箕岐汽沂圻耆璣磯譏冀驥嗜暣伎
긴	緊
길	吉◎佶桔姞
나	那◎奈柰娜拏
낙	諾
난	暖難◎煖
날	◎捺
남	南男◎楠湳
납	納
낭	娘
내	乃內奈耐◎柰
녀	女
년	年(秊)
념	念
녕	寧
노	怒奴努

농	農濃
뇌	腦惱
뉴	◎紐鈕
능	能
니	泥
다	多茶
단	丹但單短端旦段壇檀斷團◎緞鍛
달	達
담	談淡潭擔◎譚膽澹覃
답	答畓踏
당	堂當唐糖黨◎塘鐺
대	大代待對帶臺貸隊◎垈玳袋戴擡
덕	德(悳)
도	刀到度道島徒都圖倒挑桃跳逃渡陶途稻導盜◎堵塗棹濤燾禱鍍蹈
독	讀獨毒督篤
돈	豚敦◎墩惇暾燉頓
돌	突◎乭
동	同洞童冬東動銅桐凍◎棟董潼垌瞳
두	斗豆頭◎杜枓
둔	鈍◎屯遁
득	得
등	等登燈◎藤謄騰鄧

라	羅◎螺
락	落樂洛絡◎珞酪
란	卵亂蘭欄爛◎瀾瓓
람	覽藍濫
랑	浪郎朗廊◎琅瑯
래	來◎崍萊
랭	冷
략	略掠
량	良兩量涼梁糧諒◎亮倆樑
려	旅麗慮勵◎呂侶閭黎
력	力歷曆
련	連練鍊憐聯戀蓮◎煉璉
렬	列烈裂劣◎冽
렴	廉◎濂簾斂
렵	◎獵
령	令領嶺零靈◎伶玲姈昤鈴齡怜
례	例禮
로	路露老勞爐◎魯盧鷺
록	綠祿錄鹿◎彔
론	論
롱	弄◎瀧瓏籠
뢰	雷賴
료	料了◎僚
룡	龍(竜)
루	屢樓累淚漏
류	柳留流類◎琉劉瑠

륙	六陸
륜	倫輪◎侖崙綸
률	律栗率
륭	隆
름	◎凜
릉	陵◎綾菱
리	里理利梨李吏離裏(裡)履◎俚莉离璃
린	隣◎潾璘麟
림	林臨◎琳霖淋
립	立◎笠粒
마	馬痲磨◎瑪
막	莫幕漠
만	萬(万)晩滿慢漫蠻◎曼蔓鏋
말	末◎茉
망	亡忙忘望茫妄罔◎網
매	每買賣妹梅埋媒
맥	麥脈
맹	孟猛盟盲◎萌
면	免勉面眠綿◎冕棉
멸	滅
명	名命明鳴銘冥◎溟
모	母毛暮某謀模矛貌募慕◎冒摸牟謨
목	木目牧沐睦◎穆
몰	沒
몽	夢蒙

묘	卯妙苗廟墓◎描錨畝
무	戊茂武務無(无)舞貿霧◎拇珷畝撫懋
묵	墨默
문	門問聞文◎汶炆紋
물	勿物
미	米未味美尾迷微眉◎渼薇彌嵋
민	民敏憫◎玟旻旼閔珉岷忞慜敃
밀	密蜜
박	泊拍迫朴博薄◎珀撲璞鉑
반	反飯半般盤班返叛◎伴畔頒潘磐
발	發拔髮◎潑鉢渤
방	方房防放訪芳傍妨倣邦◎坊彷昉龐
배	拜杯(盃)倍培配排輩背◎陪裵(裴)湃
백	白百伯栢(柏)佰帛
번	番燔繁飜(翻)◎蕃
벌	伐罰◎閥
범	凡犯範汎◎帆杋氾范
법	法

벽 壁碧◎璧闢
변 變辯辨邊◎卞
별 別
병 丙病兵竝(並)屛
◎幷(并)倂甁軿
鉼炳柄昞(昺)秉
棅
보 保步報普譜補寶
◎堡甫輔菩
복 福伏服復腹複卜
◎馥鍑
본 本
봉 奉逢峯(峰)蜂封
鳳◎俸捧琫烽棒
蓬鋒
부 夫扶父富部婦否
浮付符附府腐負
副簿膚赴賦◎孚
芙傅溥敷復
북 北
분 分紛粉奔墳憤奮
◎汾芬盆
불 不佛弗拂
붕 朋崩◎鵬
비 比非悲飛鼻備批
卑婢碑妃肥祕
(秘)費◎庇枇琵
扉譬
빈 貧賓頻◎彬斌濱
嬪
빙 氷聘◎憑
사 四巳士仕寺史使
舍射謝師死私絲
思事司詞蛇捨邪
賜斜詐社沙似査
寫辭斯祀◎泗砂
糸紗娑徙奢嗣
삭 朔削
산 山産散算酸◎珊
傘
살 殺◎薩
삼 三森◎參蔘杉
삽 ◎挿(插)
상 上尙常賞商相霜
想傷喪嘗裳詳祥
床(牀)象像桑狀
償◎庠湘箱翔爽
塽
새 塞
색 色索◎嗇穡
생 生
서 西序書署叙(敍)
徐庶恕署緖◎抒
舒瑞棲(栖)曙誓
壻(婿)惰
석 石夕昔惜席析釋
◎碩奭汐淅晳祏
鉐錫
선 先仙線鮮善船選
宣旋禪◎扇渲瑄
愃墡膳繕琁璿璇
羨嬋銑珗
설 雪說設舌◎卨薛
楔
섬 纖暹蟾
섭 涉◎燮攝葉
성 姓性成城誠盛省
星聖聲◎晟(晠)
珹娍瑆惺醒
세 世洗稅細勢歲
소 小少所消素笑召
昭蘇騷燒訴掃疎
蔬◎沼炤紹邵韶
巢疏遡柖玿
속 俗速續束粟屬
손 孫損◎遜巽
솔 ◎率帥
송 松送頌訟誦◎宋
淞
쇄 刷鎖
쇠 衰◎釗
수 水手受授首守收
誰須雖愁樹壽數
修(脩)秀囚需帥
殊隨輸獸睡遂◎
洙琇銖垂粹穗繡
隋髓
숙 叔淑宿孰熟肅◎
塾琡璹橚
순 順純旬殉盾循脣
瞬巡◎洵珣荀筍
舜淳焞諄錞醇
술 戌述術
숭 崇◎嵩
슬 ◎瑟膝璱
습 習拾濕襲
승 乘承勝升昇僧◎
丞陞繩
시 市示是時詩視施
試始矢侍◎柴恃
식 食式植識息飾◎
栻埴殖湜軾寔
신 身申神臣信辛新
伸晨愼◎紳莘薪
迅訊
실 失室實◎悉
심 心甚深尋審◎沁
沈
십 十◎什
쌍 雙
씨 氏
아 兒我牙芽雅亞阿
餓◎娥峨衙
악 惡岳◎樂堊嶽
안 安案顔眼岸鴈
(雁)◎晏按
알 謁
암 暗巖(岩)◎庵菴
압 壓押鴨
앙 仰央殃◎昻鴦
애 愛哀涯◎厓崖艾
액 厄額◎液
앵 ◎鶯
야 也夜野耶◎冶
약 弱若約藥◎躍
양 羊洋養揚陽讓壤
樣楊◎襄孃漾
어 魚漁於語御
억 億憶抑◎檍
언 言焉◎諺彦
엄 嚴◎奄俺掩
업 業◎業

여 余餘如汝與予輿
역 亦易逆譯驛役疫域◎暘
연 然煙(烟)硏硯延燃燕沿鉛宴軟演緣◎衍淵姸娟涓沇筵瑌
열 熱悅◎說閱
염 炎染鹽◎琰艶(艷)
엽 葉◎燁曄
영 永英迎榮泳詠營影映◎渶煐瑛暎瑩瀯盈楹鍈嬰穎瓔
예 藝豫譽銳◎叡(睿)預芮乂
오 五吾悟午誤烏汚嗚娛梧傲◎伍吳旿珸晤奧
옥 玉屋獄◎沃鈺
온 溫◎瑥媼穩
옹 翁◎雍壅擁
와 瓦臥
완 完緩◎玩垸浣莞琓琬婠婉
왈 曰
왕 王往◎旺汪枉
외 外畏
요 要腰搖遙謠◎夭堯饒曜耀瑤樂姚
욕 欲浴慾辱
용 用勇容庸◎溶鎔瑢榕蓉湧涌埇踊鏞茸墉
우 于宇右牛友雨憂又尤遇羽郵愚偶優◎佑祐禹瑀寓堣隅玗釪迂雩
욱 ◎旭昱煜郁頊彧
운 云雲運韻◎沄澐耘
울 ◎蔚
웅 雄◎熊
원 元原願遠園怨圓員源援院◎袁垣洹沅瑗媛嫄愿苑轅婉
월 月越
위 位危爲偉威胃謂圍緯衞(衛)違委慰僞◎尉韋瑋暐渭魏
유 由油酉有猶唯遊柔遺幼幽惟維乳儒裕誘愈悠◎侑洧宥庾兪喩楡瑜猷濡愉釉攸柚
육 肉育◎堉
윤 閏潤◎尹允玧鈗胤阭奫
융 ◎融
은 恩銀隱◎垠殷誾溵
을 乙
음 音吟飮陰淫
읍 邑泣
응 應◎膺鷹凝
의 衣依義議矣醫意宜儀疑◎倚誼毅擬懿
이 二貳以已耳而異移夷◎珥伊易弛怡爾彛(彝)頤
익 益翼◎翊瀷謚翌
인 人引仁因忍認寅印刃姻
일 一日壹逸◎溢鎰馹佾
임 壬任賃◎妊姙稔
입 入
잉 ◎剩
자 子字自者姉(姊)慈玆雌紫資姿恣刺◎仔滋磁藉瓷
작 作昨酌爵◎灼芍雀鵲
잔 殘
잠 潛(潜)蠶暫◎箴
잡 雜
장 長章場將壯丈張帳莊裝奬墻(牆)葬粧掌藏臟障腸◎匠莊(庄)杖奘漳樟璋暲薔蔣
재 才材財在栽再哉災裁載◎宰梓縡齋渽
쟁 爭◎錚
저 著貯低底抵◎苧邸楮
적 的赤適敵笛滴摘寂籍賊跡蹟積績◎迪
전 田全典前展戰電錢傳專轉◎佺栓詮銓琠甸塡殿奠荃箭
절 節絶切折◎晢
점 店占漸點(点)
접 接蝶
정 丁頂停井正政定貞精情靜淨庭亭訂廷程征整◎汀玎町呈桯珵姃偵湞幀楨禎珽挺綎鼎晶晸柾鉦淀錠鋌鄭靖靚鋥炡
제 弟第祭帝題除諸製提堤制際齊濟◎悌梯瑅
조 兆早造鳥調朝助祖弔燥操照條潮租組◎彫措晁窕祚趙肇詔釣曹遭
족 足族
존 存尊
졸 卒拙
종 宗種鐘終從縱◎倧琮淙棕悰綜瑽鍾
좌 左佐坐座

죄 罪
주 主注住朱宙走酒晝舟周株州洲柱◎胄奏湊炷註珠鑄疇週遒(迺)駐妵澍
죽 竹
준 準俊遵◎峻浚晙埈焌竣畯駿准濬雋儁埻隼
줄 ◎茁
중 中重衆仲
즉 卽
즐 ◎櫛
즙 ◎汁
증 曾增證憎贈症蒸◎烝甑
지 只支枝止之知地指志至紙持池誌智遲◎旨沚址祉趾祗芝摯鋕
직 直職織◎稙稷
진 辰眞進盡振鎭陣陳珍◎晉(晋)瑨(瑨)瑱津璡秦軫震塵禛診縝塡賑
질 質秩疾姪◎瓆
집 集執◎什潗(潗)楫輯鏶
징 徵懲◎澄
차 且次此借差◎車叉瑳
착 着錯捉
찬 贊(賛)讚(讃)◎撰纂餐湌燦璨瓚纘鑽
찰 察
참 參慘慚(慙)
창 昌唱窓倉創蒼滄暢◎敞廠彰菖昶
채 菜採彩債◎采埰寀蔡綵
책 責册(冊)策
처 處妻悽
척 尺斥拓戚◎陟坧
천 千天川泉淺賤踐遷薦◎仟阡
철 鐵哲徹◎喆澈撤轍綴
첨 尖添◎僉瞻
첩 妾◎帖捷
청 靑淸晴請聽廳
체 體替◎締諦遞
초 初草(艸)招肖超抄礎◎樵焦蕉楚
촉 促燭觸
촌 寸村
총 銃總聰◎寵叢
최 最催◎崔
추 秋追推抽醜◎楸樞鄒錐錘
축 丑祝畜蓄築逐縮◎軸
춘 春◎椿瑃賰
출 出
충 充忠蟲(虫)衝◎珫沖(冲)衷
췌 萃
취 取吹就臭醉趣◎翠聚
측 側測
층 層
치 治致齒値置恥稚◎熾峙雉馳
칙 則◎勅
친 親
칠 七漆
침 針侵浸寢沈枕◎琛
칩 蟄
칭 稱◎秤
쾌 快◎夬
타 他打妥墮
탁 濁托濯琢◎度卓倬琸晫託擢鐸拓
탄 炭歎彈◎呑坦誕灘
탈 脫奪
탐 探貪◎耽
탑 塔
탕 湯
태 太泰怠殆態◎汰兌台胎邰
택 宅澤擇◎垞
토 土吐兎討
통 通統痛◎桶
퇴 退◎堆
투 投透鬪
특 特
파 破波派播罷頗◎巴把芭琶坡
판 判板販版◎阪坂
팔 八
패 貝敗◎霸浿佩牌
팽 ◎彭澎
편 片便篇編遍◎扁偏
평 平評坪枰
폐 閉肺廢弊蔽幣◎陛
포 布抱包胞飽浦捕◎葡褒砲
폭 暴爆幅
표 表票標漂◎杓豹彪驃
품 品◎稟
풍 風楓豐(豊)
피 皮彼疲被避
필 必匹筆畢◎弼泌珌苾馝鉍佖
하 下夏賀何河荷◎廈(厦)昰霞
학 學鶴
한 閑寒恨限韓漢旱汗◎澣瀚翰閒
할 割◎轄
함 咸含陷◎函涵艦
합 合
항 恒(恆)巷港項抗航◎亢沆姮
해 害海亥解奚該◎偕楷諧